Dictionnaire historique de la langue française

tome 3

Sous la direction de
ALAIN REY

DICTIONNAIRE HISTORIQUE DE LA LANGUE FRANÇAISE

contenant

les MOTS français EN USAGE et quelques autres DÉLAISSÉS,
avec leur ORIGINE proche et lointaine;
leur APPARITION datée dans l'usage, depuis l'an 842 jusqu'à nos jours;
leur HISTOIRE convenablement détaillée, comprenant les SIGNIFICATIONS variées,
les EMPLOIS successifs, les EXPRESSIONS et LOCUTIONS les plus notables,
ainsi que
des considérations sur les IDÉES et les CHOSES désignées;
les ÉVOLUTIONS et les RÉVOLUTIONS des formes et des contenus;
les ÉCHANGES et PARENTÉS entre langues, européennes surtout;
et en outre
des ARTICLES ENCYCLOPÉDIQUES concernant les idiomes liés au français
et le français lui-même,
ainsi que les notions de linguistique utiles à la compréhension de l'ouvrage,
un GLOSSAIRE de même intention,
une CHRONOLOGIE des principaux textes en français
et enfin quelques FIGURES illustrant le voyage et les errances des signes et des idées.
Le tout recueilli et disposé pour l'utilité et l'agrément du lecteur

par
Alain REY,
Marianne TOMI, Tristan HORDÉ, Chantal TANET,

édition enrichie par
Alain REY et Tristan HORDÉ

DICTIONNAIRES LE ROBERT - PARIS

27, rue de la Glacière, 75013 PARIS.

ISBN 2-85036-532-7
ISBN 2-85036-565-3 *(tome 3)*

Tome 3
Pr-Z

PRÉMÉDITER v. tr. est emprunté (1395) au latin *praemeditari* «méditer d'avance, se préparer par la réflexion», composé de *prae* «d'avance» (→ pré-) et de *meditari* (→ méditer).

♦ Le premier emploi de pronominal *se préméditer*, «s'accorder à l'avance sur ce que l'on fera», est sorti d'usage. La construction transitive au sens de «décider d'avance ce que l'on fera» (v. 1480), souvent avec un complément désignant un acte coupable ou délictueux, s'est imposée comme le seul emploi du verbe.

▸ **PRÉMÉDITÉ, ÉE**, participe passé de *préméditer*, est adjectivé au sens de «décidé d'avance» (1491), en particulier en droit à propos d'un crime, d'un acte délictueux.

PRÉMÉDITATION n. f. est emprunté (1370-1372, *premeditacion*) au dérivé latin *praemeditatio, -onis* «action de méditer d'avance». Il a signifié «action de réfléchir par avance, de penser à l'avance à qqch.» puis, l'accent portant moins sur le procès que sur la visée, *préméditation* désigne le dessein réfléchi, l'intention délibérée d'accomplir un acte, à la fois comme terme de droit (1690), notamment en parlant d'un délit, d'un crime, et dans le langage courant *(meurtre avec préméditation; sans préméditation)*, en relation avec *prémédité*.

PRÉMICES n. f. pl. est la réfection (1174-1178, *premice*) de *primices* (v. 1120) sous l'influence du latin *praemissa* (→ prémisse). *Primices* était emprunté au latin ecclésiastique *primitiae* n. f. pl. «premiers produits de la terre, du bétail» et, avec une valeur de singulier généralisé, «commencement, début». Ce mot existait déjà en latin classique avec des sens analogues; il est dérivé de *primus* «le plus en avant, le premier» (→ prime).

♦ D'abord attesté dans une traduction de psaumes, *prémices* est employé comme terme religieux pour désigner, à propos de l'antiquité, les premiers fruits de la terre et les premiers nés d'un troupeau destinés aux offrandes religieuses. ◇ Par analogie, il désigne les premières réalisations d'un artisanat, d'un travail (v. 1120) et a pris la valeur figurée de «première manifestation, premier résultat d'un processus, début» (apr. 1250). Par métaphore, il s'est employé dans la langue littéraire en parlant de la virginité d'une femme.

PREMIER, IÈRE adj., n. et adv., d'abord *primers* (v. 980), puis *premier* (1080), est issu par évolution phonétique du latin *primarius* «qui vient avant les autres en rang», et qui a donné *primaire** par un emprunt savant postérieur. *Primarius* est dérivé de *primus* «qui vient avant les autres», «principal», passé en français dans ① *prime**.

♦ Le mot est d'abord employé adjectivement au sens temporel de «qui est le plus ancien, apparu ou à apparaître avant», par exemple dans *premier âge* (1561), *premières amours* (1561), *le premier venu* (1561), celui-ci entrant dans la locution proverbiale ***n'être pas le premier venu*** «être remarquable» (1863). ◇ En histoire, *premiers temps* (1657-1662) a remplacé *primers anz* [ans] [déb. XIIe s.]. ◇ Depuis le XVIe s., l'adjectif est employé après un nom propre pour désigner le plus ancien d'une série de souverains portant le même nom (1585, *François premier*). ◇ Le mot qualifie aussi le premier à venir dans le futur, par exemple dans *à la première occasion* (1616). ◆ Quant à l'espace, *premier* exprime (1080) ce qui se présente, que l'on peut voir d'abord, par rapport à un point de repère. C'est là le sens réalisé dans le syntagme *premier étage* qui, par ellipse du nom, aboutit à la substantivation de *premier* (1762), par exemple dans *habiter au premier*, et abrégé populairement en *preu* (XIXe s.) ou *preum*. ◇ Par extension de la valeur spatiale, on passe à l'idée d'«en avant, vers l'avant» dans l'expression ***la tête la première*** (1564; 1508, *la teste première*). ◇ Dès 1119, *premier* qualifie aussi ce qui se présente avant les autres dans une série, un ordre conventionnellement défini (*premier chapitre*, etc.). ◆ Il est substantivé au féminin, **PREMIÈRE**, pour désigner la classe qui précède les classes terminales des études secondaires (1617) — *la première* désignant en français contemporain la classe terminale du second cycle —, au masculin pour le premier énoncé d'une charade (1842, *mon premier*) et, au XXe s., au féminin, pour la première vitesse d'un véhicule à moteur (1932), par exemple dans *passer en première, passer la première*. ◇ *Une première* désigne aussi la première représentation publique d'un spectacle. ◆ Avec une notion de hiérarchie, *premier* a développé dès l'ancien français le sens de «qui vient en tête pour la qualité, la valeur, l'importance» (v. 1170), d'où les locutions comme ***de première distinction*** (1790), ***de premier choix*** (***premier choix***, 1855) et, elliptiquement, ***de première*** (1893, alors donnée comme régionale). L'idée hiérarchique est aussi présente dans ***première classe***, elliptiquement *la première* (1838), en parlant d'une classe dans un moyen de transport toujours en usage en France, à la différence de *la troisième* (en aviation, *première* ne s'oppose pas à *seconde* ou *deuxième* mais à *classe affaires, touriste*, etc.). ◇ Avec cette valeur hiérarchique, *premier* qualifie aussi un nom de personne (v. 1175) et sert à former des noms de titres, de dignités (1606, *premier président*; 1694, ***premier ministre****). *Premier*, substantivé à propos du premier ministre anglais, l'est par emprunt (1909) à l'anglais *premier*, lui-même emprunté au français. ◇ L'adjectif sert également à former des noms de fonctions, au théâtre où l'on parle de ***jeune premier*** (1817, moins couramment au féminin), emploi repris par le cinéma, et en couture où le féminin *première* désigne la directrice de rayon dans une maison de couture (1874). ◆ *Premier* signifie aussi «qui est dans l'état de son origine», généralement après le nom (1559), en concurrence avec *primitif*. ◆ D'autres emplois postposés assument des acceptions didactiques en mathématiques où ***nombre premier*** (1390) désigne un nombre entier qui n'est divisible que par un et par lui-même. En philosophie, ***cause première*** (1585) se réfère à la cause qui contient en soi la raison d'être des autres réalités. ◇ Plus couramment, *premier* qualifie ce qui s'impose à l'esprit, par exemple dans ***vérité première*** (1835). Il est employé en psychologie et en linguistique (1972, *sens premier*) à propos de ce qui est le point de départ.

L'emploi adverbial de *premier* au sens de «d'abord» (v. 1120) s'est éteint sous la concurrence de *premièrement* et la locution conjonctive *premier que* (1377) «avant que» est elle aussi sortie d'usage. Il reste une trace de l'ancien emploi adverbial dans la locution ***en premier*** (déb. XIIe s., *en primers*) «d'abord» et, avec une notion hiérarchique, «en tête pour l'importance» (1820).

▸ *Premier* n'a produit qu'un dérivé : **PREMIÈREMENT** adv. (v. 1135) «en premier lieu, d'abord». ➛ Il entre comme premier élément de quelques mots composés (noms et adjectifs), tels **PREMIER-NÉ, PREMIÈRE-NÉE** (XIIIe s.), synonyme d'*aîné*, autrefois **PREMIER-PARIS** n. m. (1836) «article de tête dans un grand journal parisien», et, dans la hiérarchie, **PREMIER-MAÎTRE** n. m. (XXe s.), **PREMIER-LIEUTENANT** n. m.
En relation avec l'emploi spécialisé du féminin *première* (ci-dessus) pour désigner la première représentation d'un spectacle, le féminin fournit le second élément de **AVANT-PREMIÈRE** n. f. (1892), «représentation qui précède la première» (et suit la *répétition générale*).

PRÉMISSE n. f. est emprunté (1310) au latin scolastique *praemissa*, terme de logique désignant chacune des deux premières propositions d'un syllogisme (XIIIe s.). C'est un neutre pluriel considéré comme un féminin singulier. Il est substantivé par ellipse du nom dans le syntagme *praemissa sententia*, du participe passé de *praemittere* «envoyer devant ou préalablement», de *prae* (→ pré-) et de *mittere* «envoyer» (→ mettre).

♦ Le mot, emprunté comme terme de logique, a presque toujours été employé au pluriel. Il est passé rapidement dans l'usage courant pour désigner, dans un style soutenu, un fait d'où découle une conséquence, la condition première d'un phénomène (v. 1350).

◈ voir **PRÉMICES**.

PRÉMONITION n. f., d'abord *premonicion* (av. 1464), puis *prémonition* (av. 1514), est emprunté au bas latin *praemonitio, -onis* «avertissement préalable», mot formé de *prae* «à l'avance» (→ pré-) et de *monitio* «avertissement, conseil», lui-même dérivé de *monitum*, supin de *monere* «faire songer à», «avertir, exhorter» qui signifiait parfois «prédire, présager» (→ moniteur).

♦ Le mot, employé pour «avertissement» puis «avis donné à l'avance», est resté rare jusqu'au XIXe s. où il est qualifié de «vieux» et «hors d'usage» par les dictionnaires (Académie, 1842; Bescherelle, 1845). ◇ Le sens moderne, «avertissement inexplicable relatif à un événement à venir», n'est attesté que depuis 1923. Le sens neutre ancien d'«avertissement» se retrouve dans l'emploi en zoologie à propos de l'avertissement donné par certains insectes aux prédateurs par l'intermédiaire de colorations spéciales.

▸ **PRÉMONITOIRE** adj. est emprunté (1853) au latin *praemonitorius* «qui rappelle qqch. à l'avance, qui avertit», de *praemonitor* «celui qui avertit, prévient», lui-même de *praemonitio*. ➛ Le mot a été introduit en médecine pour qualifier ce qui apparaît avant la phase aiguë d'une maladie et en permet le diagnostic précoce. Sous l'influence du sens moderne de *prémonition*, il qualifie ce qui constitue une prémonition (1923).

PRÉMUNIR v. tr. est emprunté (1367) au latin *praemunire* «fortifier d'avance un lieu», au figuré «protéger», «mettre en avant en guise de défense», de *prae* «en avant, d'avance» (→ pré-) et de *munire* (→ munir).

♦ Le verbe est emprunté au sens de «munir par précaution, garantir». Il est plus courant à la forme pronominale *se prémunir* «se garantir par des précautions» (1671).

▸ **PRÉMUNITION** n. f. est un emprunt de la Renaissance (1521, *premunicion*) au dérivé latin *praemunitio* «précaution oratoire» et, à basse époque, «protection». ➛ Le mot a d'abord été un terme de rhétorique désignant une figure (la prolepse) qui prépare l'auditeur à qqch. qui pourrait le blesser ou lui déplaire. Il a eu également les sens de «préparation, prémonition» (1542) et «action de prémunir» (1576). ◇ L'usage moderne ne l'emploie plus qu'en médecine immunologique pour désigner l'état de résistance à la surinfection d'un organisme déjà infecté (1924).

✳ **PRENDRE** v. est issu dès le roman (842) du latin *prehendere*, forme plus usuelle de *praehendere*, syncopée en *prendere*. Le verbe latin exprime, comme *capere* (→ capter, chasser), le fait de saisir physiquement et par l'esprit, de surprendre sur le fait, de se saisir de qqn, de l'arrêter, et, avec un nom de lieu pour complément, de prendre possession, d'occuper, ou seulement d'atteindre. *Praehendere* est composé de *prae* «devant» (→ pré-) et d'un verbe simple °*hendere* qui n'est pas attesté isolément, mais dont la racine signifiant «saisir» figure (avec *prae*) dans *praeda* (→ proie) et seule dans *hedera* (→ lierre). Si *praehendere* s'explique bien, le *e* de *prehendere* est isolé et obscur. Le °*hed-*, qui est dans *praeda*, rappelle le vieil islandais *geta* «atteindre», le radical du gotique *bi-gitan* «trouver», du vieil anglais *forgietan* «oublier» (d'où l'anglais *to forget*). Le °*hend-* de *pre-hendere* concorde de son côté avec la racine grecque de *kheisomai* «je contiendrai» (de °*khend-somai*), et avec l'albanais *gendem* «je suis trouvé» : on est donc amené à postuler une double racine de forme °*ghed-* et °*ghend-*. En latin, *prendere*, qui est beaucoup plus énergique que *capere*, a absorbé la plupart des sens de celui-ci, qui ne survit que dans des emplois restreints et dans les langues romanes (espagnol, ancien provençal *caber* «tenir une place», etc.). *Prendere* se prolonge dans l'italien *prendere* (l'italien dit aussi *pigliare*, → piller) et l'espagnol *prender* «emprisonner».

♦ *Prendre* est employé transitivement dans *Les Serments de Strasbourg* dans *prendre plait* «conclure un accord (avec qqn)». Il est attesté dès le Xe s. avec le sens concret courant de «saisir avec la main» (v. 980), entrant dans la locution ***prendre en mains*** (1160-1174), d'où ***prendre une affaire en mains*** (1658) avec une valeur figurée. Ce sens usuel du mot est réalisé dans des locutions figurées comme

prendre la balle au bond «saisir l'occasion» (1690), ***prendre le taureau par les cornes*** «s'attaquer de front aux difficultés» (1898). ◇ L'accent étant mis sur l'énergie de l'action, *prendre* signifie «saisir vivement (qqch.) en se servant d'une autre partie du corps que les mains» (1080), telle que la bouche, les dents, la gueule d'un animal, le bec, les pattes (1188), et aussi en se servant d'un instrument, d'un outil (1690), d'où la locution figurée ***n'être pas à prendre avec des pincettes*** (1892) «être sale» et «être de mauvaise humeur». ◇ Tout aussi couramment, *prendre* exprime le fait d'amener à soi, de mettre avec soi (1050) dans un grand nombre d'emplois, avec un nom d'objet ou avec un nom de personne (1667), de partie du corps pour complément (*prendre sa tête dans ses mains*, etc.). Un des emplois du mot avec un nom de personne pour complément correspond à l'idée de «recevoir, accueillir» (av. 1784), dans une relation comme celle du médecin au malade, de l'enseignant à l'élève, etc.

Comme le verbe latin, *prendre* a aussi (déb. XIIe s.) le sens abstrait de «comprendre, interpréter d'une certaine façon», souvent supplanté par le composé *comprendre** et par d'autres mots de la même famille (→ appréhender), mais resté usuel dans certains emplois et locutions où le complément direct est suivi d'un adverbe ou d'un complément prépositionnel : *prendre* a la valeur d'«interpréter» dans ***prendre qqch. à la lettre*** (v. 1278), de «supporter bien ou mal» dans ***prendre qqch. de travers*** (1155), ***prendre mal*** (1535-1574) ou ***du mauvais côté*** (1694), ***prendre les choses au tragique*** (1745), etc. Dans la locution ***à tout prendre*** (1608), il correspond à «considérer» et, suivi d'un nom de personne ou de chose, exprime l'idée d'«éprouver un sentiment pour», spécialement dans la locution ***prendre (les hommes,*** etc.) ***comme ils sont*** (1666), ***prendre en aversion, en grippe***, etc. ◇ ***Prendre sur soi*** a d'abord signifié (1176) «rapporter à soi» avant de correspondre à «se dominer» (v. 1220). L'idée est la même, mais avec une valeur concrète, dans ***prendre qqch., qqn à sa charge*** (1606) et ***prendre sur soi de faire qqch.*** avec l'indication supplémentaire de «se donner beaucoup de mal, de peine». ◇ Une importante série d'emplois procède de l'idée d'agir de façon à avoir, à mettre une chose ou une personne en sa possession. *Prendre qqn* signifie (v. 980) «capturer», valeur très atténuée dans les locutions où le complément est en rapport avec un second complément *(prendre qqn en..., à...)* : ***prendre en traître*** (1636), ***au piège*** (1690), ***on ne l'y prendrait plus*** (1668) dans les *Fables* de La Fontaine où l'on trouve aussi ***tel est pris qui croyait prendre.*** L'accent est mis plus particulièrement sur la brusquerie et la notion de surprise dans ***prendre*** *(qqn)* ***sur le fait*** (1450-1455), ***prendre (qqn) au dépourvu*** (1674; dès 1480, au passif), ***je vous y prends*** (1760), ***prendre*** *(qqn)* ***en faute*** (1798) et, plus tard, ***prendre*** *(qqn)* ***la main dans le sac*** (1808). ◇ Le complément de *prendre* peut être un animal (v. 1140), spécialement dans le contexte de la chasse, de même que, par métaphore, le sujet peut être une chose extérieure (v. 1280) qui s'abat brusquement, tels la nuit, un sentiment (1050), le sommeil (v. 1155), la faim (1678). ◇ Plus abstraitement, la tournure impersonnelle exprime le fait de venir à l'esprit de qqn, lui advenir (déb. XIIe s.), spécialement dans des locutions comme ***mal vous en prendra*** (v. 1480) ou, dans la langue familière moderne, ***ça l'a pris comme une envie de pisser*** (attesté 1962 dans les dictionnaires).

Depuis l'ancien français, *prendre* exprime également le fait de prélever de l'argent (de son trésor) [1050], de recevoir de l'argent (1080), spécialement de recevoir comme rémunération (1585) et, sans que l'objet désigne nécessairement un bien matériel, de s'approprier qqch., par exemple dans ***c'est à prendre ou à laisser*** (av. 1544). ◇ L'accent est mis sur la plus ou moins grande violence de l'action dans l'acception de «recevoir (un coup)» (1080), aujourd'hui familière, dans l'emploi pour «s'emparer de (un lieu)» (1080), militairement et, par affaiblissement, au jeu (1690), et aussi pour «posséder de force (une femme)» (v. 1480). ◇ La relation d'appropriation est plus abstraite et distendue dans un grand nombre d'emplois attestés depuis l'ancien français et, là encore, *prendre* sert à former quantité d'expressions verbales pouvant suppléer l'absence de verbe simple, régissant un substantif complément souvent construit sans déterminant : ***prendre conseil*** (v. 1165), ***prendre le nom de*** (1568, en parlant d'une ville), ***prendre date*** (1740), ***prendre exemple sur*** (v. 1180, *prendre essample de qqn*), et avec la nuance plus intellectuelle de «considérer» (1428, *or prenons que*). ◇ Le sens se rapproche d'«inscrire, reproduire» dans des emplois postérieurs à 1600, tels que *prendre le double d'une écriture* (1606), *prendre les dimensions* (1690), et dans l'emploi spécial au cinéma (1907, Méliès) et en photographie *(prendre en photo)*. ◇ Avec un complément désignant une personne, *prendre* exprime le fait de s'adjoindre qqn (1050), spécialement d'épouser (1050, *prendre moyler* [du latin *mulier* «femme»] puis *prendre pour femme*, enregistré par Furetière et en concurrence avec *prendre femme* «se marier») et d'engager (*prendre comme mercenaire*, 1460-1463; *prendre pour serviteur*, 1536). ◇ *Prendre qqn ou qqch. pour...* exprime aussi une relation abstraite de croyance, souvent avec une idée de méprise (v. 1370) comme dans les locutions ***pour qui me prenez-vous?*** (1460-1463, sous une forme plus développée), ***vous me prenez pour un (une) autre,*** ou de confusion (v. 1480) comme dans ***prendre qqch. pour argent comptant*** (1690). ◇ L'appropriation que marque le verbe peut se faire sur le mode de l'absorption (1350) avec un nom de boisson, d'aliment, de médicament (1450-1465) et dans les locutions ***prendre les eaux*** «boire des eaux thermales» (apr. 1661), par extension ***prendre le frais*** (1668), ***prendre un bain*** (1673) qui apparaissent à l'époque classique. ◇ Par extension, lorsque l'appropriation cesse d'être volontaire, le verbe correspond à «contracter», par exemple dans *prendre (une maladie)* (v. 1155), et à «subir (un dommage)» en parlant d'un bateau qui ***prend l'eau*** (1613), d'une maison qui ***prend feu*** (1669). Avec un complément désignant un événement, *prendre* correspond à «se mettre en situation de faire (qqch.)» (v. 1050, *prendre congé*); avec un complément désignant une portion de temps, il exprime le fait d'user à son gré de celle-ci (v. 1480, ***prendre du bon temps***). ◇ Dans un nombre considérable d'expressions, l'accent est mis sur la valeur inchoative du procès, c'est-à-dire sur le fait de commencer à faire, d'entreprendre. C'est le cas pour ***prendre la fuite*** (déb. XIIe s., *prendre fuite*), ***prendre son vol*** (v. 1225), ***son essor, prendre garde à*** (1174-1180), ***prendre courage*** (1188), ***prendre plaisir,*** où l'accent porte davantage sur le procès lui-même (1370), ***prendre place*** (1450-1465), ***prendre les armes*** (v. 1480), ces expressions pouvant équivaloir à un verbe *(se placer, s'armer, ...).* ◇ Au XVIe s., on rencontre (sémantiquement en désordre) *prendre naissance* (1540, d'un homme), *prendre la plume* «commencer à écrire» (1536), ***prendre les devants*** (1585), ***prendre soin de*** (1535), ***prendre parti*** (*pour* ou *contre*) (1585), ***prendre à partie*** «attaquer (qqn) en paroles» (1599). Beaucoup d'autres locutions analogues, concrètes et abstraites, ont vu le jour au XVIIe et au XVIIIe s., comme ***prendre connaissance*** (1604), ***prendre fait et cause pour...*** (av. 1615, avec des articles qui disparaissent au cours du siècle suivant), ***prendre le deuil*** (1611), ***prendre le vent*** (1606), ***prendre part*** (1656-1657), ***prendre forme*** (1798), ***prendre la porte*** «sortir» (1798), ***prendre le large*** «s'en aller» (1869), ***prendre sa retraite*** (1870), ***prendre le voile*** (1869) et, au XXe s., ***prendre la tangente***, familier pour «s'esquiver» (1907) et ***prendre ses distances*** (1955).

Prendre est également employé intransitivement dès l'ancien français (v. 1140), le sujet désignant une substance qui durcit, qui épaissit, une personne accaparée par un sentiment (1176-1181), le feu qui commence à flamber, à consumer (1176-1181). Ultérieurement, *prendre* correspond aussi à «avoir de l'effet, être efficace» (1538), «s'enraciner» (1559) d'où «obtenir le succès désiré» (v. 1950), spécialement «être cru» *(ça ne prend pas).*

Avec un sujet désignant ce qui suit une direction, *prendre* correspond à «commencer» (v. 1500) et, avec un sujet désignant la personne qui se déplace, à «suivre (un chemin)» (1616 ; dès 1606, dans *prendre à droite, à gauche*).

Enfin, le verbe s'emploie au pronominal ***se prendre*** dès 1135 pour «s'attacher à (qqch.)», sens qui a vieilli mais survit dans la langue littéraire avec la valeur figurée de «s'intéresser vivement à». Il assume dès l'ancien français la valeur de «se mettre à» (v. 1150, *se prendre à,* suivi en général d'un infinitif). ◇ Dès le milieu du XIIe s., il exprime également le fait de s'attaquer à qqn, autrefois sous la forme *se prendre à qqn, qqch.*, de nos jours ***s'en prendre à qqn, qqch.*** (1739, ***ne s'en prendre qu'à soi-même***). Cf. aussi «se prendre la tête» (fam.). ◇ Avec un nom de substance pour sujet, *se prendre* est en concurrence avec la construction intransitive pour exprimer le fait de devenir dur, de se coaguler (1376), spécialement de geler (1623). ◇ Depuis le XVIe s., *se prendre,* avec un sujet nom de personne, est employé avec la valeur réciproque de «se tenir l'un l'autre», «s'unir» (1554), spécialement «s'unir en mariage» (1754) et, de nos jours, «s'unir sexuellement». ◇ Avec un complément introduit par *par* ou *à* désignant une partie du corps, il exprime le fait de se saisir, se tenir l'un l'autre (1666, *se prendre par les cheveux*). Les autres sens de *se prendre* sont apparus aux XVIe et XVIIe siècles : *s'y prendre* (1580), *se prendre à qqch.* (1611, archaïque) expriment le fait de s'y mettre avec adresse (1611), spécialement dans *s'y prendre (bien) pour* (1656-1657). ◇ Enfin, *se prendre pour,* suivi d'un nom, signifie «se croire, s'estimer» (av. 1615), avec la même idée de méprise que le verbe transitif, d'où par exemple *se prendre pour un autre.*

▶ Le verbe a produit quelques dérivés et, par préfixation, des verbes qui, pour la plupart, ont suivi un développement sémantique important à partir d'une valeur particulière de *prendre;* sauf *reprendre,* ces verbes sont sémantiquement détachés du verbe simple (→ entreprendre, (s')éprendre, (se) méprendre, (se) reprendre, surprendre).

Tous les dérivés du verbe sont attestés au XIIe siècle.

◆ **PRISE** n. f. (v. 1119) ne correspond au verbe que dans quelques valeurs spéciales et emplois figés. Dès les premiers textes, il est employé pour désigner une proie attrapée à la chasse (1119), sens auquel correspond la valeur active, «action de capturer un animal» (v. 1165) qui est restée vivante dans d'autres contextes (*la prise d'une place forte,* etc.). ◇ *Prise* désigne également l'action de faire passer en son pouvoir et celle de faire prisonnier (v. 1160-1174), d'où par métonymie l'ensemble des prisonniers (v. 1155). En moyen français et sans que son emploi corresponde à la nominalisation d'un emploi figé de *prendre,* il commence à désigner concrètement un dispositif dont la fonction est de prendre : *prise de la rivière* (1395) désignait ainsi l'écluse au moyen de laquelle on retenait une partie de l'eau de la rivière pour la détourner; l'expression moderne ***prise d'eau*** (1600) est analogue et annonce d'autres termes techniques, comme ***prise d'air*** (1898), ***prise directe*** ou, absolument, *prise* (1899) pour une position du changement de vitesse dans une automobile, sans rapport de multiplication ni de démultiplication, et ***prise de courant*** (1902), ***prise de terre*** (1924) en électricité. ◇ Au XVIe s., *prise* se spécialise en lutte où il désigne l'action et la façon de saisir le corps de l'adversaire (1548) et, par métonymie, l'endroit où une personne peut être saisie (1567). La même idée est généralisée dans les locutions ***donner prise*** (1614) et ***avoir prise*** (1632), de sens concret et abstrait, ainsi que dans l'emploi du mot en alpinisme pour désigner l'endroit de la roche offrant un point d'appui (1889). ◇ La locution ***être aux prises avec*** (1580) procède de *se prendre* «se disputer, attaquer» : d'abord construite avec un nom abstrait (maladie), elle se construit également avec un nom de personne (1672) et se rencontre sous les variantes *venir aux prises* (1611), *en venir aux prises* (1668), lesquelles correspondent à la locution moderne *en venir aux mains* et, avec changement de point de vue, ***mettre (des personnes) aux prises*** (1687), toujours en usage. ◇ Le singulier entre à la même époque dans la locution restée usuelle ***lâcher prise*** (1653) de sens concret et abstrait, qui semble correspondre à l'ancienne locution *avoir prise* «se quereller» (1632) où *prise* exprime la dispute, comme dans ***prise de bec*** (1842). ◇ Un certain nombre d'emplois figés de *prise,* depuis le XVIe s., nominalise un emploi figé de *prendre ;* c'est le cas de ***prise de possession*** (1560), ***prise à partie*** (1599), *prise des armes* puis ***prise d'armes,*** qui signifie d'abord (1690) «insurrection», aujourd'hui «revue militaire» (1831). ◇ Du sens militaire, «action de prendre (une place forte)», procède ***la prise de la Bastille*** (expression employée dès 1789). ◇ D'autres locutions nominalisent un syntagme verbal avec *prendre :* chronologiquement, ***prise d'habit*** (1680), ***prise de voile*** (1862) «cérémonies où un religieux, une religieuse prennent leurs vêtements et entrent donc dans les ordres», ***prise de tabac*** (1740), absolument *prise,* d'où le verbe dérivé ① *priser,* ***prise de vue*** (1897) spécialisée au cinéma, ***prise de son*** (1930), ***prise de conscience*** (1918), ***prise en charge*** (1957), ***prise de position*** (1952), ***prise de sang.*** Certaines donnent lieu à un emploi spécialisé de *prise,* utilisé seul, outre «prise de tabac», on peut citer «prise de vue» *(on a fait cinq prises),* etc. ◇ Enfin, *prise,* d'après l'emploi intransitif du verbe, sert à exprimer, dans un certain nombre de vocabulaires techniques, la transformation d'une chose liquide en une substance solide (1614), spécialement en bâtiment, en chimie, en géographie physique. ➜ À son tour, le nom *prise* a produit un verbe : ① **PRISER** v. tr. (1807) «aspirer par les narines de la poudre de tabac» (d'où *tabac à priser*), et, par analogie, «une poudre» (1875), «une drogue». ◇ Ce verbe a lui-même donné ① **PRISEUR, EUSE** n. (1807) désignant une personne qui prise du tabac et, par analogie, une drogue. Les mots de cette série ont vieilli avec la pratique.

PRENABLE adj. (v. 1155) qualifie ce qui peut être pris, spécialement une personne qui peut être séduite, manœuvrée (1375-1379). Au XIXe s., il est enregistré par Littré au sens de «qui peut être absorbé» (1869). ➜ Son antonyme préfixé **IMPRENABLE** adj. (v. 1365) qualifie ce qui ne peut être pris militairement ; par métaphore ou selon un développement figuré, il qualifie une personne que l'on ne peut séduire (1690). Il entre au XXe s. dans l'expression ***vue imprenable*** (1948) «qui ne peut être masquée». ◇ On en a tiré tardivement le nom didactique **IMPRENABILITÉ** n. f. (1931). ➜ Le participe présent **PRENANT, ANTE** est adjectivé (v. 1160) avec le sens moral de «vénal, corruptible» qui n'a pas dépassé le moyen français. Un autre sens archaïque, celui de «commençant» (v. 1180), ne vit plus que dans l'expression ***carême* prenant.*** ◇ Dans l'usage moderne, *prenant* qualifie une personne qui reçoit de l'argent (v. 1360), comme dans l'expression ***partie prenante,*** et, au figuré, ce qui accapare, absorbe qqn, ce qui captive en émouvant, en intéressant (1788). On le rencontre rarement avec le sens concret de «qui prend, préhensile» (1753). ➜ Le participe passé **PRIS, PRISE** est lui aussi adjectivé au XIIe siècle. ➜ Le dernier dérivé de *prendre* est **PRENEUR, EUSE** adj. et n., réfection de *prendeor* (v. 1200), d'après le radical du participe présent, en *preneour* (v. 1278), puis *preneur.* ◇ Le mot désigne la personne qui prend. Il est employé spécialement en droit commercial pour la personne qui prend à bail (1345) et couramment pour la personne disposée à acheter qqch. (1859). ◇ Certains syntagmes verbaux avec *prendre* produisent, outre l'expression correspondante avec *prise,* un composé avec *preneur : preneur de vue* (1908), *preneur de son* (1934). ◇ Le nom est adjectivé dans l'expression *benne preneuse* (1962) «qui sert à prendre».

De tous les verbes préfixés formés sur *prendre,* **DÉPRENDRE** v. tr. a eu la vitalité la plus réduite : après l'emploi de son participe passé *dépris* (*despris,* v. 1170) au sens moral de «misérable, dénué de tout», le verbe est surtout attesté à la forme pronominale *se déprendre* (1403, *soi desprendre*) au sens de «s'écarter, se séparer de». Seul le sens figuré de «se dégager de» (1580) s'est répandu, en opposition à *s'éprendre*,* notamment dans le domaine des sentiments amoureux. ➜ Cependant, **DÉPRISE** n. f. ne fournit qu'exceptionnellement un antonyme à *emprise.*

◈ voir **APPRÉHENDER, APPRENDRE, APPRENTI, COMPRÉHENSION, COMPRENDRE, DÉPRÉDATEUR, EMPRISE, IMPRESARIO, PRÉDATEUR, PRÉHENSION, PRÉSURE, PRISON, PROIE, RÉPRÉHENSIBLE, REPRÉSAILLES, SURPRENDRE** et **SURPRISE**).

PRÉNOM n. m. est un emprunt de la Renaissance (1556) au latin *praenomen,* formé de *prae* (→ pré-) et *nomen* (→ nom).

♦ Le mot apparaît dans une traduction du latin moderne, de Jérôme Cardan ; il s'applique également au présent et (attesté XVIIe s.) à l'antiquité romaine. La valeur moderne, par laquelle les prénoms distinguent les individus d'une famille, est définie en 1732.

▶ **PRÉNOMMER** v. tr. (1845) et pron. (1896 dans Verlaine) correspond à «donner un prénom» et à «avoir pour prénom». Le participe passé **PRÉNOMMÉ, ÉE** est adjectivé (1879). ◇ Un homonyme, signifiant «nommé avant, susnommé» est attesté rarement comme adjectif (v. 1570) et nom (au XIXe s.).

PRÉOCCUPER v. tr. est emprunté (XIIIe s.) au latin *praeoccupare* «occuper le premier, s'emparer auparavant de», «prévenir, prendre l'initiative» et «se hâter de faire qqch. avant qqn». *Praeoccupare* est composé de *prae* «avant» (→ pré-) et de *occupare* (→ occuper).

♦ Le verbe a eu en ancien français le sens physique de «saisir prématurément». Au XIVe s., il a pris le sens resté courant d'«occuper fortement l'esprit de (qqn)» (v. 1352). Une autre acception, «prévenir (qqn), occuper entièrement et à l'avance son esprit» (1560), qui réactivait la signification du préverbe latin, a disparu. Au XIXe s., le mot prend la nuance de «donner du souci (à qqn), inquiéter fortement» (1864) et est attesté à la forme pronominale ***se préoccuper*** avec les deux valeurs d'«être absorbé par le souci de» (1818) et «s'occuper de (qqch.) en y apportant beaucoup d'intérêt» (1844). Cette dernière était condamnée par Littré qui reprochait au verbe de remplacer indûment *s'occuper.*

▶ **PRÉOCCUPÉ, ÉE,** le participe passé de *préoccuper,* est adjectivé pour qualifier une personne qui est sous l'empire d'un souci (v. 1355) et, par métonymie, l'air que manifeste un esprit soucieux, absorbé (1797). ➜ **PRÉOCCUPANT, ANTE,** le participe présent, est adjectivé au sens de «qui préoccupe, inquiète» (1860).

PRÉOCCUPATION n. f. est emprunté (1486) au dérivé latin *praeoccupatio, -onis* «action d'occuper un lieu en premier». Le mot a suivi l'évolution sémantique du verbe : il a été synonyme de «souci, inquiétude», sens repris au XIXe s. (1875). Dans l'intervalle, il a désigné l'action de saisir l'esprit de l'auditeur avant qu'un autre ne s'en saisisse (1552-1636) et, depuis le XVIe s. (1580) et jusqu'au XIXe s., l'état d'une personne dont l'esprit est occupé d'une opinion préconçue. ◇ De nos jours et depuis le XVIIIe s. (1733), il s'applique surtout à l'état d'un esprit absorbé par un objet, par une idée fixe et à ce qui l'absorbe *(une, des préoccupations)*.

PRÉPARER v. tr. est emprunté (1314) au latin *praeparare* «apprêter d'avance», construit avec un complément inanimé ou animé, concret ou abstrait, et formé de *prae* «avant, d'avance» (→ pré-) et de *parare* «disposer, apprêter» (→ ① parer).

♦ *Préparer* a gardé le sens latin mais il est d'abord attesté en médecine avec le sens de «panser», propre au moyen français. Avec un complément inanimé, il exprime le fait de mettre une chose en état de remplir sa destination (1370-1380), spécialement dans différents domaines professionnels, en cuisine (1510), en chimie (1563), dans le travail des laines et des peaux (1690), en pharmacie, en agriculture, en dessin. ◇ Il exprime aussi l'action de faire le nécessaire en vue d'une opération, d'une œuvre, d'un événement (1406), en particulier d'un examen (1821). Il signifie aussi, plus généralement, «rendre possible par son action», que ce soit avec un sujet animé ou inanimé (1490). ◇ Lorsqu'il s'agit de création artistique, il correspond à «aménager, amener (qqch.)», le sujet désignant soit un agent humain, soit la chose qui prépare (1705, en musique, *préparer une dissonance*). ◇ L'emploi avec un nom de personne pour complément *(préparer qqn)* apparaît aussi en moyen français pour «disposer, apprêter (une personne) dans un certain but» (1485), en particulier «former (un élève) en vue d'un examen» (1694). La forme pronominale *se préparer* (1485) signifie «se mettre en état, en mesure de faire qqch.». Au XVIIe s., elle a pris par affaiblissement le sens de «se disposer à» (1604), «être en voie de se produire» (1639) et a commencé à s'employer dans la tournure impersonnelle *il se prépare...* (1687).

▸ Le mot n'a produit que deux dérivés. ➛ **PRÉPARATIF** n. m. (1370-1372), d'abord employé comme adjectif, n'est plus que nom (1404); ce dernier a désigné, au singulier, ce qui prépare qqch.; de nos jours, il est presque toujours employé au pluriel pour l'ensemble des dispositions prises en vue d'un événement, d'une opération. ➛ Le second dérivé est récent : **PRÉPARAGE** n. m. (v. 1950) est un terme technique employé en horlogerie et en joaillerie, remédiant à la polysémie de *préparation*.

PRÉPARATION n. f., nom correspondant à *préparer*, est emprunté directement (v. 1282) au dérivé latin *praeparatio, -onis*. ◇ Le mot a d'abord désigné l'élevage d'un animal ainsi qu'un pansement (1314), en relation avec le premier emploi du verbe. Aujourd'hui, il exprime de manière générale l'action d'apprêter qqch., avec des spécialisations techniques correspondant à celles de *préparer* : fait de composer un médicament (1585), de la nourriture (1590), des peaux, des laines (1845). ◇ Par métonymie, il désigne aussi le produit de l'opération, la chose préparée, spécialement en anatomie (1751), en pharmacie et dans la plupart de ses autres spécialisations. ◇ *Préparation* s'applique également à un arrangement ayant pour effet de préparer (v. 1460) et à la manière d'amener naturellement, progressivement (1660). Se référant au sujet de l'action, il désigne l'ensemble des actions nécessaires pour obtenir qqch. (1559) et le fait de se préparer à qqch. (1588, *préparation à la mort*), en particulier à un examen (1821). ◇ Par métonymie, ***préparation d'artillerie*** désigne les tirs qui préparent une opération militaire. ➛ **IMPRÉPARATION** n. f. (1794, Pougens) désigne le manque de préparation. ◇ **IMPRÉPARÉ, ÉE** adj. (1918) est plus rare que le substantif correspondant. ➛ *Préparation* a produit l'antonyme **CONTRE-PRÉPARATION** n. f. (1929) qui désigne un bombardement destiné à neutraliser une préparation d'artillerie.

PRÉPARATOIRE adj., emprunt (1322) au dérivé bas latin *praeparatorius*, signifie «qui prépare»; il a développé des spécialisations en droit, dans *jugement, sentence préparatoire* (1690), et dans l'éducation, avec *cours préparatoire* (1836) et *classe préparatoire* (XXe s.), substantivé par ellipse en *préparatoire* n. f. et abrégé familièrement en **PRÉPA.**

PRÉPARATEUR, TRICE n., emprunt (1534) au dérivé latin tardif *praeparator* «celui qui prépare qqch.», signifie d'abord «personne qui prépare qqch.». Vieilli au sens général, il a développé quelques acceptions spécialisées, désignant l'assistant d'un chercheur, d'un professeur de sciences (1837), l'employé d'un pharmacien (1875) et, dans les courses automobiles, le mécanicien spécialisé qui prépare les engins (déb. XXe s.).

PRÉPONDÉRANT, ANTE adj. est un emprunt savant et tardif (1723) au latin *praeponderans*, participe présent de *praeponderare* «être plus pesant», d'où au figuré «avoir l'avantage», de *prae* «avant» (→ pré-) et de *ponderare* «peser» (→ pondérer).

♦ Le mot, emprunté au sens figuré de «qui a plus de poids, l'emporte en autorité», est employé en particulier dans *voix prépondérante* (1743) et *raison prépondérante*. ◇ Le sens concret, «supérieur en poids, en densité» (1765), qui réactive l'étymologie, a vieilli.

▸ En est dérivé **PRÉPONDÉRANCE** n. f. (1752, Turgot) au sens figuré de «supériorité»; le sens concret de «poids supérieur» (1783, Buffon) a décliné comme le sens correspondant du verbe.

PRÉPOSER v. tr. est emprunté (1407), avec francisation d'après *poser**, au latin *praeponere* «placer, mettre devant» et «préférer», composé de *prae* «devant» (→ pré-) et de *ponere* «poser» (→ pondre).

♦ Le verbe a eu dès les premiers textes le sens de «placer (qqn) à la direction de qqch., à la tête d'une fonction», toujours vivant, surtout au passif. ◇ En revanche, il n'a conservé ni le sens figuré de «préférer» (v. 1460), seulement attesté en moyen français, ni le sens spatial de «mettre devant» (1491), spécialement en grammaire (1690), qui a été supplanté par *antéposer*.

▸ Le participe passé **PRÉPOSÉ, ÉE** est adjectivé (1619) et substantivé (1619) pour qualifier et désigner une personne chargée d'un service spécial. ◇ Par extension, il a pris dans le langage administratif le sens d'«agent d'exécution subalterne», s'appliquant spécialement à la personne qui distribue le courrier (1957), remplaçant *facteur* dans l'usage administratif en France.

◈ voir **PRÉPOSITION**.

PRÉPOSITION n. f. est emprunté (XIVe s.) au latin *praepositio, -onis,* proprement «action de mettre en avant», spécialisé en grammaire pour désigner un mot grammatical servant à introduire un complément (Cicéron), et employé au sens qualitatif d'«état préférable». Le mot est dérivé de *praepositum,* supin de *praeponere* «placer devant» et au figuré «mettre en tête, préférer» (→ préposer).

♦ Le français n'a gardé que la spécialisation grammaticale du mot latin. Le mot s'est aussi employé pour «fait de placer en avant» (1480) et «action de faire preuve (de courage)» (1531), valeurs propres au moyen français et qui ont disparu au XVIIe siècle.

▸ Le dérivé **PRÉPOSITIONNEL, ELLE** adj. (1819), «qui se place devant un mot, une lettre», a été supplanté par *prépositif* et qualifie ce qui est relatif à une préposition, de la nature de la préposition, ou introduit par une préposition *(complément prépositionnel).* ◆ **PRÉPOSITIF, IVE** adj., emprunté (XIVe s.) au latin *praepositivus* dans sa spécialisation grammaticale, a d'abord qualifié ce qui se place devant, se met en tête, avant d'être défini par la terminologie moderne (*locution prépositive,* 1835). ◇ Son emprunt avec le sens général de «mis en avant» (1531) a disparu au XVIIe siècle.

PRÉPUCE n. m. est emprunté (fin XIIe s.) au latin impérial *praeputium,* terme d'anatomie employé en latin chrétien, par métonymie, pour «fait de ne pas être circoncis». L'étymologie de *praeputium* n'est pas claire. On a pensé à un composé hybride formé du latin *prae* «en avant» (→ pré-) et du grec *posthion,* diminutif de *posthê* «membre viril». Le second élément aurait été alors déformé en *-putium* par étymologie populaire, par rapprochement avec *puttus (putus)* «petit garçon, enfant», synonyme familier de *puer* et de la même famille, représenté en français par l'emprunt à l'italien *putto**.

♦ Le sens métonymique religieux, «fait de ne pas être circoncis», est sorti d'usage, tout comme diverses extensions propres au langage biblique, tel «les gentils» (par opposition aux Juifs) [1560]. C'est le sens anatomique de l'étymon, «repli de peau entourant le gland de la verge» (fin XIIIe s.), qui est resté en usage. ◇ Par analogie de forme, *prépuce* a désigné au XVIIIe s. un coquillage du genre tonne (1776) et une espèce de pinnatule (1776).

▸ On en a dérivé **PRÉPUTIAL, ALE, AUX** adj. (1805) «qui appartient au prépuce», terme d'anatomie.

PRÉROGATIVE n. f. est emprunté (1234) au latin *praerogativa,* substantivation du féminin de l'adjectif *praerogativus* «qui vote le premier», de *prae* «devant, avant» (→ pré-) et d'un adjectif formé sur *rogatum,* supin de *rogare* «interroger, consulter» (→ rogaton; interroger). *Praerogativa* désigne la centurie qui vote la première, elliptiquement pour *praerogativa centuria,* plus généralement un choix préalable, d'où un gage, un indice, un pronostic, un privilège.

♦ Le mot a été repris au latin avec son sens actuel de «privilège attaché à certaines fonctions, à certaines dignités», par exemple dans *prérogative royale* (1765, dans un contexte anglais), puis *prérogative parlementaire* (1842). ◇ Par extension, il désigne couramment un avantage, un don, une faculté dont jouissent exclusivement les êtres d'une certaine espèce (v. 1340). ◇ Réemprunté directement au latin, le syntagme *centurie prérogative,* et elliptiquement *prérogative* (1842), est employé en histoire romaine.

▸ Ni le masculin **PRÉROGATIF** n. m. (1379) ni **PRÉROGATION** n. f. (1406), repris au latin *praerogatio* et sentis comme des doublets sémantiques de *prérogative,* ne se sont maintenus.

PRÈS adv. continue (v. 1050) l'adverbe latin *presse,* ablatif de l'adjectif *pressus* «comprimé, serré, pressé» au propre et au figuré (à propos du style), lui-même du participe passé de *premere* «comprimer» (→ presser). L'adverbe *presse* signifie «d'une manière serrée», spécialement «dans un style concis» en langue classique. À l'époque impériale et en bas latin, il indique la proximité dans l'espace et dans le temps. Il est conservé dans le sarde *de presse, ad presse* «en hâte»; le type français remonte soit à *presse,* soit, comme l'italien *presso,* à une forme altérée °*presso.*

♦ Dès les premiers textes, *près* exprime la notion fondamentale de proximité dans l'espace, à la fois dans la locution prépositionnelle ***près de*** (v. 1050) et employé seul, comme adverbe (1080). Par extension ou réemprunt au latin, il exprime la proximité temporelle, dans la locution ***près de*** «environ à l'époque de» (1176-1181). ◇ Il sert à former la locution adverbiale ***de près*** (v. 1160-1175) indiquant la proximité, quelquefois avec une idée de surveillance (dès les premiers emplois). ◇ *Près,* suivi directement d'un nom (XIIe s.) comme préposition *(près un lieu),* est devenu archaïque, mais se rencontre encore quelquefois, spécialement dans le vocabulaire du droit. La locution ***au plus près,*** dont une variante ancienne est attestée v. 1245, est employée spécialement en marine où l'on dit ***aller au plus près du vent, au plus près*** (1718). ◇ L'idée de proximité réapparaît dans les locutions *être près de ses pièces* (1694) «n'avoir guère d'argent», reprise au XXe s. par ***être près de ses sous*** «être avare» (1935) et ***être près de ses affaires*** «y veiller avec un soin jaloux» (1822). La même idée de soin attentif est réalisée dans les locutions ***ne pas y regarder de si près*** (1671), ***regarder de près*** «surveiller» (1690) et ***ni de près ni de loin*** «en aucune manière» (1869), qui réactive une locution d'ancien français *ne loinz ne pres* (1080). ◆ Pris adverbialement, *près* entre dans des locutions du type *à* + adverbe + *près* : *à bien près* (1176-1181), sortie d'usage, a été remplacée par ***à peu près*** (1487, *a pou pres*) qui indique une mesure, une quantité approximative. *Un à peu près* n. m. (XVIIe s.) se dit d'un résultat approché puis, péjorativement, de ce qui est imprécis, sommaire. ***À beaucoup près,*** qui prolonge *à bien près,* est moins courante. On trouve aussi ***à peu de chose près.*** ◆ À l'époque classique, *près* peut suivre un déterminant numérique indiquant le degré de précision d'une évaluation (1611, *à un denier près*). Avec l'idée que la différence de plus ou de moins n'a pas une grande importance, le mot entre dans la locution ***ne pas être à (qqch.) près*** (1718) et ***à cela près*** (1651). ◇ Les emplois de *près* pour indiquer une comparaison (1669) et un rapport de ressemblance (1767) sont sortis d'usage.

◈ voir APRÈS, AUPRÈS, COMPRIMER, DÉPRIMER, EXPRÈS, EXPRIMER, IMPRIMER, PRESQUE, PRESSER (et préfixés verbaux en *-presser*), RÉPRIMER, SUPPRIMER.

PRÉSAGE n. m., d'abord *presaige* (v. 1390), puis *presage* (1509), est emprunté au latin impérial *praesagium* «connaissance anticipée, prévision, pressentiment», avec une valeur augurale «prédiction, oracle» et, par métonymie, «signe permettant de prévoir l'avenir». *Praesagium* est dérivé de *praesagire* «deviner, prévoir», spécialement «augurer», formé de *prae* «en avance» (→ pré-) et de *sagire* «avoir du flair, sentir finement» (→ sagace).

♦ Le mot a été emprunté avec le sens augural de «signe où l'on voit l'annonce d'un événement futur» et, par métonymie, «conjoncture, annonce bonne ou mauvaise que l'on tire du signe» (av. 1525). Par extension, *présage* est employé couramment pour la conjoncture que l'on tire d'un événement, d'un fait.

▸ Le dérivé **PRÉSAGER** v. tr. (1559), d'abord *présagier* (1539), exprime, en parlant d'une chose, le fait de fournir un signe qui permet de prévoir et, en parlant d'une personne, de conjecturer ce qui doit arriver (1539).

PRESBYTE n. et adj. (1694), d'abord écrit *presbite* (1690), est l'emprunt savant du grec *presbutês* adj. «ancien, vieux» (→ presbytère), spécialisé au sens médical de «qui ne distingue que les objets éloignés» parce que ce défaut de la vue accompagne souvent la vieillesse. *Presbutês* est dérivé de *presbus* «vieillard» et surtout «personnage vénérable, important» (député, ambassadeur), exprimant donc l'idée d'ancienneté, avec les privilèges qui s'y attachent. Le mot est généralement considéré comme un composé très archaïque *presbus* dont le second terme commence probablement par *g* ou *b* : on peut alors en rapprocher la racine °*g^w^a-* «aller», comme dans le védique *vanargú-* «qui va dans la forêt», en évoquant le sanskrit *puro-gavá-* «chef». Pour le premier terme, on pose *pres* pour *pros* «auprès de, devant», probablement apparenté à *pro* «devant, avant» (→ proto-) et au latin *pro* (→ pour, pro-). Le sens propre du mot serait alors «celui qui va devant», «le chef».

♦ Le mot a été repris au grec au XVIIe s. avec sa spécialisation médicale, à propos d'une personne qui ne distingue que les objets éloignés, par opposition à *myope.* Il est quelquefois employé métaphoriquement à propos d'une personne qui a une vision trop générale des êtres et des choses, mais la métaphore est beaucoup plus rare que pour *myope.*

▸ On en a dérivé **PRESBYTIE** n. f. (1820) qui s'est imposé aux dépens de *presbyopie* n. f. (1808), lui-même formé savamment des éléments *presby-* (grec *presbus*) et *-opie* (grec *-ôpia* «vue») comme dans *myope.*

◈ voir PRAIRE, PRESBYTÈRE, PRÊTRE.

PRESBYTÈRE n. m., réfection (1549) de *presbitaire* (1460) qui avait remplacé *presbiterie* (v. 1170), est emprunté au latin ecclésiastique *presbyterium.* Celui-ci désigne l'ordre des prêtres, le sacerdoce, par métonymie l'assemblée des prêtres, puis le lieu où ils se tiennent, le chœur de l'église. Le mot latin est emprunté au grec ecclésiastique *presbuterion* «conseil d'anciens», de *presbuteros,* comparatif de *presbus* «vieux, ancien» (→ presbyte).

♦ Le mot n'a repris que l'acception métonymique de «lieu où se tiennent les prêtres» : il a d'abord désigné la partie du sanctuaire réservée au clergé dans les anciennes basiliques (cf. *presbyterium* ci-dessous), puis l'habitation du curé dans une paroisse (1456-1457), sens qui s'est imposé.

▸ **PRESBYTÉRAL, ALE, AUX** adj. est emprunté (v. 1355) au latin chrétien *presbyteralis* «de prêtre», dérivé de *presbyter* (→ prêtre). ◆ Le mot est l'adjectif correspondant à *prêtre,* spécialement dans les syntagmes *conseil presbytéral* et *maison presbytérale,* ce dernier étant synonyme de *presbytère.* ◆ **PRESBYTÉRAT** n. m. a été emprunté (1740, *presbytériat*) au latin *presbyteratus* «dignité de prêtre, prêtrise». Il semble que ce mot ait d'abord été relatif à l'organisation de l'église presbytérienne, puis il s'est appliqué à la charge des prêtres dans l'Église primitive (1877) et à un ordre sacerdotal de second rang conférant la prêtrise dans l'Église catholique (1939). ◆ **PRESBYTERIUM** n. m., emprunt savant tardif (1852) du latin chrétien *presbyterium,* désigne le fond de l'ancienne basilique latine qui était réservée au clergé. Il a directement repris au latin un autre sens, «ensemble des prêtres attachés à une église particulière», recevant dans la religion protestante le sens de «corps mixte constituant le gouvernement d'une congrégation ou d'une communauté dans les églises presbytériennes».

PRESBYTÉRIEN, IENNE adj. et n. est la francisation (1649) de l'anglais *presbyterian* adj. et n. (1641), dérivé de *presbyter* «membre de l'assemblée des anciens dans l'organisation de l'Église calviniste», lui-même emprunté au latin *presbyter* (cf. ci-dessus, et *prêtre*). ◆ Ce terme de doctrine désigne un partisan de l'Église réformée anglaise. Il est employé comme adjectif (av. 1783) pour ce qui a rapport ou appartient aux presbytériens et à leur église. ◆ **PRESBYTÉRIANISME** n. m. est la francisation (1704) de l'anglais *presbyterianism* n. (1644), dérivé de *presbyterian* qui désigne l'organisation de la religion selon la doctrine de Calvin, préconisant un système ecclésiastique dans lequel un corps mixte (le *presbyterium*) assure le gouvernement de l'église.

◈ voir **PRAIRE, PRESBYTE, PRÊTRE.**

PRESCIENCE n. f. est emprunté (v. 1278) au latin chrétien *praescientia* «connaissance anticipée (que possède Dieu)». Le mot est dérivé de *praesciens, -tis,* participe présent adjectivé de *praescire* «savoir d'avance», de *prae* «avant» (→ pré-) et de *scire* «savoir» (→ science).

♦ Le mot a été repris comme terme de théologie dans l'expression *la divine prescience.* Par analogie, il désigne une connaissance innée, antérieure à l'étude (av. 1650, de l'inspiration poétique). ◇ Par extension, il désigne la faculté de deviner, de prévoir les événements futurs (1765), par affaiblissement jusqu'à se confondre avec *pressentiment.*

PRESCIENT, ENTE adj., emprunté (1265) au latin *praesciens* (ci-dessus), qualifie celui qui a prescience des choses futures, en parlant de Dieu puis d'un individu quelconque. Son emploi est plus didactique que celui de *prescience.*

PRESCRIRE v. tr. est emprunté (XIIe s.) au latin *praescribere,* composé de *prae* «devant» (→ pré-) et de *scribere* (→ écrire) et signifiant «écrire en tête, mettre en titre, mentionner d'avance, mettre en avant»; il est spécialement employé en droit pour «faire opposition» et en médecine pour «indiquer, fixer un traitement».

♦ Le verbe est d'abord attesté en français aux sens de «condamner», puis d'«inscrire, enrôler» (av. 1250), tous deux sortis d'usage. ◇ Au XIVe s., il passe dans le langage juridique où il exprime le fait de libérer qqn d'une obligation au-delà d'un certain laps de temps (1340) et, en parlant d'une dette, de la laisser s'éteindre au-delà d'un certain délai (1355), d'où la forme pronominale *se prescrire* au sens passif (1549); cette valeur est plus vivante dans *prescription* (cf. ci-dessous). ◇ Toujours au XIVe s., le mot a pris en droit le sens symétrique d'«acquérir (un bien) par un certain laps de temps» (1411; dès 1372, au participe passé). Il est employé absolument (1680) avec les deux sens juridiques. ◆ Au XVIe s., il est passé dans l'usage courant pour «ordonner expressément», «fixer de façon précise» (1544). Il a pris ensuite par affaiblissement la valeur de «réclamer, exiger, comporter comme condition» (1730), spécialement en médecine (1738), où il est usuel, s'appliquant aussi à une chose au sens de «rendre indispensable» (1804).

▸ **PRESCRIPTIBLE** adj. (1374), dérivé savant du latin *praescriptum,* supin de *praescribere,* est un terme de droit qualifiant ce qui peut être prescrit; il est beaucoup plus rare au sens de «qui peut être ordonné» (1875). ◆ L'antonyme préfixé **IMPRESCRIPTIBLE** adj. (1481), terme de droit, est passé dans l'usage au sens de «qui a une existence, une valeur immuable» en parlant d'un droit (1782, Rousseau). ◇ Son dérivé **IMPRESCRIPTIBILITÉ** n. f. (1721) est relativement plus usité que le simple **PRESCRIPTIBILITÉ** n. f., d'ailleurs plus tardif (1876). ◆ **PRESCRIT, ITE**, participe passé de *prescrire,* est adjectivé en parlant de ce qui est juridiquement acquis par la prescription (1372) et ce qui est fixé, imposé (1549). ◆ **PRESCRIPTEUR, TRICE** n., tiré du radical de *prescription* pour correspondre comme nom d'agent à *prescrire,* désigne la personne qui prescrit une ordonnance, un mode d'emploi, etc. Le mot, attesté récemment dans les dictionnaires (1968), est spécialisé en économie et en publicité en parlant de la personne qui a une influence sur le choix de produits, de services.

Le nom correspondant, **PRESCRIPTION** n. f., est emprunté directement au latin *praescriptio, -onis,* dérivé du supin de *praescribere.* Le mot latin désigne un titre, un intitulé, un préambule; il est employé en droit pour une clause préliminaire, une objection préalable soulevée par le défendeur, fondée notamment sur l'écoulement d'un certain laps de temps. Plus généralement, il désigne une règle, un précepte, un commandement. ◆ *Prescription,* repris comme terme de droit, désigne le moyen de se libérer d'une charge, d'une obligation par un certain laps de temps, et (1376) le moyen d'acquérir un droit, une propriété. *Prescription criminelle* (1875) vient de l'emploi du mot en droit pénal (1690); *prescription libératoire* (1875) et *prescription extinctive* (1904) sont des termes de procédure. ◆ Une seconde valeur, plus courante, correspond au sens de «ce qui est ordonné» (1588), d'abord dans un contexte religieux comme synonyme de *règle* (v. 1590). Le sens spécialisé en pharmacie, «formule d'un médicament» (1586), ne s'est pas implanté; en revanche, «ordre ou recommandation émanant d'un médecin», acception apparue la dernière (1823,) est restée courante.

PRÉSÉANCE → **SEOIR**

① **PRÉSENT, ENTE** adj. et n. est emprunté (1080) au latin *praesens, -entis,* participe présent de *praeesse,* de *prae* «avant, devant» (→ pré-) et de *esse* (→ être), littéralement «être en avant, être à la tête de» d'où, au figuré, «commander, diriger». *Praesens* qualifie la personne ou la chose qui est là, d'où, avec une notion temporelle, ce qui est actuel, immédiat, et spécialement une personne qui agit immédiatement, se montre efficace, surtout un esprit maître de lui, ferme, intrépide; il a quelquefois (surtout en parlant des dieux) le sens de «favorable, propice».

♦ Dès les premiers textes, le mot réalise en français le sens de «qui est là», par opposition à *absent.* Il est d'abord attesté dans l'ancienne locution *en présent* «en présence de», issue de la locution latine *in (re) praesenti* «dans le cas présent, immédiatement, sur le lieu même». ◇ *Présent* est aussi employé seul (v. 1130), en tant qu'adjectif et que substantif (v. 1225), à propos d'une personne. Cependant, la forme exclamative *présent!,* en réponse à un appel, n'apparaît qu'au XIXe s. (1836). ◆ En moyen français, *présent* commence à s'appliquer à une chose (fin XVe s.) et reçoit de nouvelles valeurs : «dont on est conscient, dont on se souvient» (1552) et «efficace, qui agit immédiatement, prompt» (1543). Cette dernière acception a disparu au profit de «disponible, attentif», d'abord dans *mémoire présente* (1637), qui conserve l'idée d'efficacité, puis en parlant de l'esprit (1651) et d'une personne (1671). Par une dernière extension de ce sens, le mot passe dans le langage religieux pour qualifier une réalité mystique et spirituelle agissante (1645). ◆ Comme le mot latin, *présent* a la valeur temporelle d'«actuel» (v. 1130) et s'oppose à *passé* et *futur*, d'abord dans l'ancienne locution *présent que* qui signifiait «aussitôt que». L'adjectif qualifie un événement qui a lieu, se produit au moment où l'on parle (fin XIIe s.) et, spécialement, le temps qui correspond à cet événement (fin XIIe s.); par extension, il qualifie ce que l'on a actuellement sous les yeux (1230), substantivé dans le langage de la chancellerie (*ces présentes*, v. 1350, pour *ces présentes lettres*) et de l'administration (*la présente*, 1611, pour *la lettre présente*, 1284). ◇ En grammaire, en s'opposant à *passé*, il qualifie un des deux types de participes (1550). ◇ Cette valeur temporelle est réalisée dès l'ancien français dans des locutions comme ***à présent*** (v. 1150), ***à présent que*** (1580) et ***d'à présent*** (1666); *à présent* équivaut à *maintenant*. ◆ L'emploi substantivé du masculin **PRÉSENT** n. m. (v. 1245) apparaît d'abord en grammaire pour désigner le temps de certains modes *(le présent de l'indicatif, du subjonctif...)*, qui correspond à l'expression du temps de la communication, et (1269-1278) pour désigner la partie qui coïncide avec le moment dont on parle. Postérieurement, le mot est entré dans quelques syntagmes grammaticaux comme *présent historique* (1900) ou *présent narratif* (1904).

▶ *Présent*, adjectif, a produit **PRÉSENTEMENT** adv. «maintenant» (v. 1155) qui a reculé sous la double concurrence d'*actuellement* et de *maintenant* pour ne plus être employé que régionalement; il est normal et courant au Québec. ◆ Dans la seconde moitié du XXe s., *présent* a produit **PRÉSENTIFICATION** n. f. (v. 1960), terme de philosophie auquel correspond quelquefois le verbe **PRÉSENTIFIER** et qui désigne le processus par lequel un objet est rendu présent sous forme d'image.

PRÉSENCE n. f. est emprunté (déb. XIIe s.) au latin *praesentia*, dérivé de *praesens*, désignant le fait d'être présent, d'être là et, avec une valeur caractérisante, d'être efficace, puissant, spécialement dans *praesentia animi* «présence d'esprit, sang froid»; il est également employé dans la locution *in praesentia* «pour le moment, dans le moment présent», opposé à *in absentia*. Chez les auteurs chrétiens, il désigne spécialement le fait que la divinité soit réellement présente sous diverses apparences. ◆ Le mot a été repris avec sa spécialisation religieuse pour exprimer le fait d'être présent, en parlant de Dieu; plus tard, il est employé en théologie dans l'expression *présence réelle* (1643; d'abord *reale presence*, 1575) à propos de l'Eucharistie. ◆ À partir du XIIe s., il désigne dans l'usage général le fait d'être présent, pour une personne (v. 1165), puis par métonymie s'applique à une personne avec un déterminant (1530, *sa présence*). Il renvoie aussi au fait d'être présent dans un lieu, pour une chose (v. 1230). Ces valeurs ont entraîné les locutions ***en présence de qqn*** (v. 1165), ***en présence*** (v. 1250), ***hors de présence de*** (v. 1445-1460). Le sens métonymique d'«apparence, aspect (d'une personne ou d'une chose)» (1530) est sorti d'usage à la fin du XVIIe siècle. ◇ C'est au XVIIe s. que *présence* entre dans l'expression ***présence d'esprit*** (1656) qui calque l'expression latine *praesentia animi*. En relation avec certains emplois de l'adjectif *présent*, il désigne le fait d'être présent par l'esprit, la disponibilité, l'attention (1690, Furetière, qui précise *présence de cœur*, par opposition à *présence corporelle*). ◇ Au XVIIIe s., *présence* s'emploie en sciences à propos de l'existence d'un corps, d'une substance dans un ensemble (1758), par exemple en minéralogie (1783, Buffon). ◇ Au XIXe s. apparaît le sens abstrait et sensible de «fait de sentir comme présente une personne en fait absente» (1865, Hugo). ◇ Ce n'est qu'au XXe s. que *présence* désigne, au figuré, le caractère actuel, proche, vivant d'une personnalité ou d'un courant de pensée (1936) et qu'il prend, au théâtre *(avoir de la présence)*, la valeur d'«intensité du jeu d'un acteur» (1945, Sartre), dont procède le sens de «rayonnement» (1948), et en politique celle de «fait, pour un pays ou une collectivité, de jouer un rôle important dans une partie du monde» (1948). ◆ Son seul dérivé est le composé **OMNIPRÉSENCE** n. f. (1700), fait sur le modèle d'autres substantifs en *omni-* (→ omnipotent); c'est un mot d'usage théologique, puis d'usage littéraire, qui désigne la présence d'un être (spécialement Dieu) ou d'une chose en tous lieux. **OMNIPRÉSENT, ENTE** adj. (1838), d'abord au sens de «présent en tous lieux», s'emploie par extension pour une chose qui semble accompagner partout l'observateur.

◈ voir **PRÉSENTER**, ② **REPRÉSENTER**.

② PRÉSENT → PRÉSENTER

PRÉSENTER v. tr. est emprunté précocement (v. 881) au latin impérial *praesentare* «rendre présent», au figuré «offrir», dérivé de *praesens* (→ ① présent).

♦ Dès les premiers textes, le verbe exprime le fait de mettre une personne en présence de qqn. Il se construit avec un nom d'objet pour complément, exprimant le fait de mettre une chose à la portée ou sous les yeux de qqn (v. 1050). ◇ Par extension, il signifie «soumettre (une chose) à qqn pour jugement, examen» (v. 1170), «exprimer (qqch.) sous une certaine forme» (1188), «faire l'exposé de (qqch.)» (v. 1220) et «rendre présent à l'esprit de (qqn)» (v. 1200). ◇ Parallèlement, *se présenter* a le sens d'«apparaître, arriver» (1080) et, un peu plus tard, de «s'offrir, se proposer» (v. 1170), spécialement en droit «comparaître en justice» (v. 1283). ◆ De nombreuses extensions de l'usage transitif sont apparues au XVIe siècle : *présenter qqn* correspond à «proposer qqn pour un bénéfice, un emploi ou une fonction» (1599) et *présenter qqch.* «décrire (qqch.) d'une certaine manière» (1588). ◆ Concrètement, le verbe exprime l'action d'orienter, de tourner, de diriger une chose dans une certaine direction (1538). Il signifie également «disposer, mettre en valeur (un objet destiné à la vente)» (1567; rare avant le XXe s.). Moins concrètement, il signifie «faire connaître (une œuvre) au public» (1561; répandu au XIXe s.). Avec un nom de chose pour sujet, *présenter* équivaut à *avoir* (une apparence, une particularité) [1580]. La forme pronominale, avec un nom de chose pour sujet, correspond à «apparaître, venir»

(1538) et surtout à «apparaître sous un certain aspect» (1567). ◆ L'essentiel des sens et des emplois du mot est fixé avant le XVIIe s.; ensuite, *présenter* est passé dans l'usage technique avec le sens de «mettre (une pièce) en place afin de voir si elle est ajustée» (1690). En marine *présenter au vent* se dit de l'orientation d'un navire (1694), en art militaire *présenter les armes* (1753) et le commandement *présentez armes!* (1847) correspondent à une position du soldat. *Se présenter* se dit du fœtus qui sort du corps maternel (1755, à propos d'un agneau). Depuis le XIXe s., le verbe s'emploie pour «proposer (qqn) comme candidat à une élection» (1857), *se présenter* signifiant réciproquement «se porter candidat» en politique (1818) ou à un examen (1867). L'emploi de la forme pronominale dans les relations sociales, au sens courant de «décliner son identité», est tardif (1874), de même que le seul emploi intransitif du verbe avec un adverbe *(se présenter bien, mal)* pour «faire (bonne, mauvaise) impression» (1922).

▶ Le plus ancien dérivé est le déverbal ② **PRÉSENT** n. m. (v. 1140) «action de donner une chose» et surtout, par métonymie, «chose donnée», survivances de l'ancien sens du verbe, «donner, faire cadeau de» (1080). Dans l'expression juridique *présents d'usage* (1804), il désigne les présents faits lors de certains événements importants. Dans l'usage courant, le mot a subi, surtout depuis le XIXe s., la concurrence de *cadeau* et il a vieilli.

L'autre nom d'action est **PRÉSENTATION** n. f. (v. 1175) qui désigne l'action de présenter qqn, spécialement au pluriel *les présentations* (1790). Il a développé la plupart des sens correspondant à ceux du verbe, exception faite de «rendre présent», mais tous ne se sont pas maintenus. Dans l'usage moderne, il désigne spécialement le fait d'amener qqn dans un lieu de culte pour marquer son entrée dans la communauté des fidèles (1433), notamment dans le nom de la *fête de la présentation de la Vierge* (1671; 1611, sous une forme différente). ◆ Avec un nom d'objet pour complément, il désigne le fait de présenter un document, un titre, une pièce officielle (1337) et plus généralement une chose à qqn (v. 1485). En obstétrique, le mot correspond au sens spécial de *se présenter*, en parlant du fœtus (1833). ◆ Dans le spectacle (1888) et dans le cinéma (1917), la mode (1937) ou en parlant de la manière de présenter un travail de l'esprit (1895), *présentation* désigne concrètement la façon, l'acte par lesquels on présente qqch. à un public. Par métonymie, il désigne la manière dont une chose se présente concrètement, en typographie (1911) et dans le commerce (1923).

Le dérivé **PRÉSENTABLE** adj., d'abord *presentaule* (v. 1190), a perdu l'ancien sens de «présent, actuel», par opposition à *futur*, attesté isolément. L'adjectif, repris au XVIe s. (1530), a alors le sens moderne de «que l'on peut présenter», puis «digne d'être présenté», d'où «convenable» en parlant d'une chose et (1727) d'une personne.

PRÉSENTATEUR, TRICE n. (1484) est d'abord attesté au sens historique de «personne qui avait la charge d'en présenter une autre à un bénéfice ecclésiastique», lequel correspond au latin médiéval *praesentator* (VIIIe s.). ◆ Il a été recréé au XVIIIe s. (1773) et répandu au XIXe s. par dérivation de *présenter, présentation*, désignant la personne qui présente qqn dans une société (1858) et, plus couramment, qui présente un objet, un appareil au public (1876), puis, en droit, qui présente un effet de commerce, un billet à échéance (1898). ◇ Depuis le milieu du XXe s. (attesté 1962), il s'emploie surtout pour désigner la personne chargée de présenter une émission, un spectacle à la radio, à la télévision. ◆ Le nom concret **PRÉSENTOIR** n. m. a d'abord servi (1887) à désigner une sorte de drageoir et un couteau à large lame pour présenter les tranches de poisson ou la pâtisserie aux convives (1887), puis un plat sur lequel on présente une soupière, un légumier (1938). L'usage moderne (1955) l'a spécialisé pour un dispositif servant à présenter une marchandise, à vendre, des livres, etc. ◆ **PRÉSENTATIF** n. m., le dérivé le plus récent (v. 1950), est un terme de linguistique (un mot, une expression) servant à présenter le nom désignant une personne ou une chose.

② **REPRÉSENTER** v. tr., itératif de *présenter*, est attesté au XIIIe s. pour «présenter à nouveau» (v. 1275). Gêné par l'existence de ① *représenter*, il semble rare avant 1800; il est plus courant à la forme pronominale dans des expressions qui lèvent l'équivoque *(se représenter à un examen)*.

PRÉSERVER v. tr. est emprunté au XIVe s. (attesté v. 1390, mais antérieur, voir ci-dessous) au bas latin *praeservare* «observer auparavant», formé de *prae* «avant» (→ pré-) et de *servare* «faire attention à» d'où «garder», «conserver», «sauver», «réserver». *Servare* n'est pas passé en français, mais s'y trouve représenté par ses composés (→ conserver, observer, réserver).

♦ *Préserver* signifie «mettre à l'abri ou sauver d'une chose néfaste, d'un mal»; il est employé dans une formule de souhait au subjonctif (v. 1485) et concrètement à propos d'une chose que l'on veut garantir de la destruction, de l'oubli (v. 1485). La forme pronominale *se préserver* (de qqch.) a pris place à côté de *se garder, se garantir* dont elle est synonyme (v. 1590).

▶ Les dérivés *préservation* et *préservatif*, par leur attestation dès 1314, font penser que le verbe existe dès le début du XIVe siècle. ◆ **PRÉSERVATION** n. f. désigne en général l'action de préserver, parfois de protéger *(préservation des sites)*. ◆ **PRÉSERVATIF, IVE** adj. et n. m. est presque sorti d'usage dans son emploi adjectif au sens de «qui sert à éviter la maladie». De même, son emploi substantivé *(un préservatif)* en parlant de ce qui préserve d'une maladie (1539) et, par figure, d'un mal moral (1567), est archaïque. La cause en est le sens spécialisé de «dispositif permettant d'éviter une maladie vénérienne», c'est-à-dire «capote anglaise ou condom» (1857, Flaubert), et son extension à tout moyen anticonceptionnel mécanique. Le mot est devenu fréquent avec la lutte contre la propagation des maladies sexuellement transmissibles, notamment le sida. ◆ **PRÉSERVATEUR, TRICE** adj. et n. m., d'abord attesté au sens de «celui qui préserve» (1514), a vieilli dans ses emplois généraux comme nom et comme adjectif (1575). L'usage moderne l'emploie pour désigner un agent chimique ajouté à un produit pour en empêcher l'altération.

PRÉSIDENT n. m. est emprunté (v. 1296) au latin impérial *praesidens* «celui qui a la préséance», titre des gouverneurs de province, employé en latin chrétien pour désigner celui qui préside un office, une réunion de chrétiens, le chef d'une communauté religieuse. Le mot est le participe présent substantivé de *praesidere* (cf. ci-dessous *présider*), composé de *prae* «devant» (→ pré-) et de *-sidere* pour *sedere* «être assis», «siéger» (→ seoir). Ce verbe, à partir d'«être assis devant, en avant», a développé des valeurs figurées «avoir la préséance, avoir la direction de» et, transitivement, «commander, diriger» d'où «veiller sur, protéger».

♦ *Président* a été repris au latin pour désigner celui qui dirige les débats d'une assemblée, d'une réunion ou d'une communauté, sens qui a suivi l'histoire des institutions de l'Ancien Régime, et, après la Révolution, celui qui dirige un tribunal, une cour (1803), une chambre (1835), une séance (1907), un jury. Par extension, il désigne une personne chargée de représenter une collectivité (1742), spécialement en droit commercial dans les expressions *président du conseil d'administration* (1887) et ***président-directeur général*** (1949, avec des tirets), cette dernière étant couramment abrégée en ***P.-D.G.*** (v. 1960), mot qui, outre la fonction précise, évoque dans l'usage général une activité économique, la richesse capitaliste, un type social de grand bourgeois. Lexicalisé, il s'écrit aussi ***pédégé***. ◆ *Président* s'est spécialisé dans la vie politique, d'abord à propos du gouverneur général de province placé sous l'autorité du souverain au XVIe s. (1553), puis, après d'autres spécialisations à l'époque classique, pour désigner le chef d'un État démocratique. Ce sens a commencé à se répandre à propos de la France, d'abord (1792), puis des États-Unis (1801). Sous la IIIe et la IVe République, il a été employé dans le titre de ***président du Conseil*** (1843), pour *président du Conseil des ministres* (1824). L'usage consistant à faire précéder le nom de famille de la mention «*le président* X», typique de la IIIe République, époque où le titre était florissant à tous les niveaux, a décliné : le mot concerne surtout de nos jours des hommes politiques ou des responsables économiques importants.

► La dérivation s'est faite en trois vagues en moyen français, pendant la Révolution et enfin dans la seconde moitié du XXe siècle. ◆ **PRÉSIDENCE** n. f., le dérivé le plus ancien (1372), désigne la fonction, le titre de président. Le titre *présidence de la République* apparaît en parlant des États-Unis (1801) et ne s'applique que plus tard à la France. Par métonymie, le mot désigne la résidence d'un président, sens qui s'est répandu à partir de 1875 (après une première attestation isolée, déb. XVIe s.). *Présidence* désigne également la durée des fonctions de président (1752). Le mot, par réemprunt à l'anglais, a servi à désigner une division administrative en Inde, sous la domination anglaise (1842). ◆ **PRÉSIDENTE** n. f., féminin (v. 1485) de *président*, désigne une femme qui préside, puis la femme d'un président (1617), sens en recul sauf dans le cas d'une présidente de tribunal, d'un juge, d'un magistrat président. La fonction exercée par une femme voit la concurrence entre le féminin et le masculin majoritaire dans l'usage français *(madame le président)*, alors qu'au Québec le féminin est de règle.

VICE-PRÉSIDENT, ENTE n., d'abord écrit *vi-président* (1479; comme *vicomte*), sous la forme moderne au XVIIe s. (1687), est composé de *vice-**. ◇ Il a pour dérivés **VICE-PRÉSIDENCE** n. f. (1771) et, plus récents (v. 1976), **VICE-PRÉSIDENTIABLE** adj. et **VICE-PRÉSIDER**, v. tr., sémantiquement mal formés.

Pendant la Révolution, *président* a produit **PRÉSIDENTIEL, ELLE** adj. (1791), d'abord dans *fauteuil présidentiel*. Le mot s'est substitué au moyen français *présidental* (1546) qui était encore employé au XIXe siècle. Au cours des XIXe et XXe s., *présidentiel* est entré dans *fonctions présidentielles* (1869), *élection présidentielle* (1875) et *régime présidentiel* (1945) désignant un régime démocratique où les pouvoirs du président l'emportent sur ceux des parlements (à propos des États-Unis, puis de la France avec les réformes dues au général de Gaulle). ◇ Il est substantivé en *présidentielle* n. f., et *les présidentielles* (1964) au pluriel (d'après *les élections*), pour *élection présidentielle*. ◆ Le mot a produit les dérivés **PRÉSIDENTIALISME** n. m. (1945) et **PRÉSIDENTIALISTE** adj. (1966), termes de sciences politiques relatifs au régime présidentiel. *Présidentialisme* s'emploie par opposition à *parlementarisme*. ◆ **PRÉSIDENTIABLE** adj. (v. 1970); précédé par *présidentable* (1913), «éligible à la présidence» est plus employé que **PRÉSIDENTIALISER** v. tr. (v. 1973) «donner le caractère du régime présidentiel».

PRÉSIDER v. tr., directement repris (1365) au verbe latin *praesidere*, apparaît après *président*. ◆ Il est d'abord construit avec la préposition *à* pour «gouverner, commander à» et «avoir la présidence, diriger les débats (d'une assemblée)» (1388), emploi qui a vieilli au profit de la construction absolue (1422) et de la construction directe. Par extension, il exprime le fait d'avoir le soin, la direction de qqch. (1545), spécialement avec un sujet nom de chose (1552) ou encore désignant des forces occultes, des divinités (1552), toujours avec la préposition *à* qui s'est imposée aux dépens de *sur* (XVIe s.). ◆ L'emploi de la construction absolue au sens d'«avoir une présidence» (1671) s'est étendu au fait d'occuper la place d'honneur habituellement dévolue au président (1834, Balzac).

Le dérivé latin *praesidialis* a fourni l'emprunt **PRÉSIDIAL**, d'abord adjectif (1435), puis nom masculin du tribunal d'appel des bailliages, érigés en 1552 (sens attesté en 1611), le mot s'appliquant aussi au juge (1680) et redevenant adjectif dans ce sens (v. 1570). Enfin, l'espagnol *presidio*, pris au latin *praesidium*, a fourni **PRÉSIDE** n. m. (1556), «poste fortifié espagnol», souvent appliqué aux places fortes servant de bagne, en Afrique, aux Indes.

PRÉSOMPTIF, IVE adj. est emprunté (déb. XIVe s.) au bas latin *praesumptivus*, littéralement «qui prend d'avance», employé pour qualifier ce qui repose sur une conjecture ou qui exprime une conjecture, ainsi qu'une personne hardie (cf. ci-dessous *présomptueux*). Lui-même est dérivé du supin *(praesumptum)* de *praesumere* (→ présumer).

♦ Le mot, repris au sens psychologique de «hardi, orgueilleux», sorti d'usage sous la concurrence de *présomptueux*, s'est spécialisé dans le langage juridique où ***héritier présomptif*** qualifie une personne qui, du vivant de qqn, a vocation de lui succéder. Dans le contexte d'une monarchie parlementaire, l'expression désigne le prince destiné à régner par l'ordre de sa naissance (1723).

▸ En est dérivé **PRÉSOMPTIVEMENT** adv. (v. 1460) «par présomption».

PRÉSOMPTION n. f. est emprunté (v. 1170) au latin *praesumptio, -onis*, proprement «prise anticipée» et abstraitement «conception anticipée». En philosophie *praesumptio* traduit le grec *prolêpsis* (→ prolepse), désignant une idée antérieure à toute expérience et, en rhétorique, une anticipation; à basse époque, il a pris le sens psychologique de «hardiesse, assurance» (cf. ci-dessous *présomptueux*); il est dérivé du supin de *praesumere*. ◆ Le mot a d'abord repris le sens intellectuel et le sens psychologique du latin : il désigne, par un jugement dépréciatif, une opinion trop avantageuse que l'on a de soi-même (fin XIIe s.) et, par métonymie, une action présomptueuse. Il désigne plus couramment une opinion qui n'est fondée que sur des signes de vraisemblance, une conjecture (1180) et, en droit, l'induction par laquelle on remonte d'un fait connu à un fait contesté (1283), d'où, en droit pénal, un indice matériel supposé vrai jusqu'à preuve du contraire, avec des syntagmes comme *présomption légale* (1748), *présomption de fait* (1804, *code civil*).

PRÉSOMPTUEUX, EUSE adj. et n. est emprunté (v. 1223) au bas latin *praesumptuosus, praesumptiosus* «qui a une grande confiance en soi», dérivé du supin de *praesumere* dans son sens tardif d'«être fier, avoir trop confiance en soi» (Vulgate). ◆ L'adjectif a gardé le sens du latin : il est employé pour qualifier une personne qui a une trop bonne opinion d'elle-même et, par métonymie, un de ses attributs physiques (v. 1223) ou un comportement (fin XIVe s.). Il est substantivé (1604), souvent associé depuis le XVIIe s. à l'adjectif *jeune*. ◆ Le dérivé **PRÉSOMPTUEUSEMENT** adv. est la réfection (1538), d'abord écrit *presumptueusement* (XIVe s.), de *presumpcieusement* (XIIIe s.). Cet adverbe est d'usage littéraire.

PRESQUE adv. est la soudure (v. 1278) de la locution adverbiale *pres que* «à peu près» (v. 1165), composée de *près**, au sens ancien de «quasiment» (v. 1118; également dans *a bien près* «presque», v. 1130-1140), et de *que*. Ce dernier est d'abord le pronom relatif; dans ce cas, la locution signifie «à peu près ce qui, ce que» en fonction du sujet; puis il s'agit de la conjonction *que* à valeur consécutive.

♦ Le mot, qui s'écrit *presques* en poésie jusqu'au XVIIe s., a atteint son autonomie d'adverbe au XIIIe s., indiquant une approximation devant un adjectif, un adverbe, après un verbe. Au XVIe s., il commence à se rencontrer avec un complément introduit par une préposition (*presqu'à la même époque, presqu'en même temps*, etc.) (1559). Il reçoit aussi une valeur quasiment adjective dans le syntagme *presque île* (1544) d'où *presqu'île* n. f. (→ île), d'après le latin *paeninsula* (→ péninsule). ◆ À partir de la fin du XVIIIe s., *presque* fonctionne comme un élément de composition très comparable à *quasi-* : le substantif est souvent un nom à valeur quantitative (1788), comme dans *la presque unanimité* (1791), mais peut également être un nom abstrait (1779, *un presque démenti*). ◇ L'emploi elliptique de *presque* pour corriger une affirmation, mais sans l'infirmer, remonte à la seconde moitié du XIXe s. (1886, *mais presque !*; 1907, *ou presque !*).

PRESS-BOOK n. m. est emprunté (v. 1960) à l'anglais *press-book* (1930), littéralement «livre de presse». *Book* «livre» repose sur un germanique °*bōks*, considéré comme le dérivé de °*boka* «hêtre» (d'où l'anglais *beech*), le bois de cet arbre ayant fourni les tablettes des runes. Au-delà du groupe germanique, le nom de l'arbre est apparenté au latin *fagus* «hêtre» et au grec *phêgos*, lequel a désigné une espèce de chêne. On a dégagé un nom indoeuropéen du hêtre, °*bāghó*, que certains philologues ont pris comme indice de l'habitat primitif des Indoeuropéens. *Press* est emprunté au français *presse* (→ presse). *Press-book*, terme d'imprimerie, désigne en anglais un ouvrage publié par un «*private editor*», imprimerie dirigée par un artiste du livre.

♦ Le sens du mot en français est «gros cahier à volets transparents servant à présenter des documents et photos». Le mot s'emploie dans le domaine de la publicité, de l'art, de la mode, se rattachant à l'interprétation littérale du mot comme «livre de presse» : en effet, ces documents sont généralement présentés à la presse pour être vendus, ou comme curriculum vitae pour d'autres travaux. Il n'est pas attesté par les dictionnaires anglais ou américains.

◈ voir BOOK-MAKER, BOUQUIN.

PRESSENTIR v. tr. est emprunté (1414) au latin *praesentire* «prévoir, se douter de qqch.», «sentir longtemps à l'avance», spécialement employé en philosophie pour «avoir une idée innée de», de manière à fournir le verbe correspondant au nom grec *prolêpsis* (→ prolepse). Le verbe est formé de *prae* «avant» (→ pré-) et de *sentire* (→ sentir).

♦ *Pressentir* exprime le fait d'avoir confusément conscience d'une chose présente qui n'apparaît pas clairement, de l'entrevoir. L'accent étant mis sur la valeur propre du préverbe *pré-*, il signifie «prévoir (une chose) par un effet de la prudence ou de l'expérience» (1456). Avec un nom de personne pour complément, il correspond depuis le XVIIe s. (attesté 1690) à «sonder (qqn), s'informer indirectement auprès de (qqn) sur ses intentions». En ce sens, la construction *pressentir si*, vivante à l'époque classique, a vieilli.

▸ L'unique dérivé du mot est **PRESSENTIMENT** n. m. (1559), qui désigne à la fois le sentiment non raisonné qui fait prévoir un événement futur et la connaissance confuse d'une chose présente mais qui n'apparaît pas clairement. Comme le verbe, il est resté très vivant.

✻ **PRESSER** v. (attesté v. 1160, mais certainement antérieur; cf. ci-dessous *presse*) est issu du latin *pressare*, évité par la langue classique mais employé par Plaute et les poètes du siècle d'Auguste. Ce verbe est l'intensif de *premere* (formé sur son supin *pressum*) dont le sens de base, «exercer une pression, une force sur», s'est nuancé suivant le mot auquel le verbe est joint. Il signifie «serrer de manière à extraire un liquide», «serrer de près (une personne)», «enfoncer, planter, imprimer», «abaisser», d'où au figuré «simplifier» et «abattre, rabaisser». La comparaison de *premere*, du parfait *pressi*, et du supin *pressum* montre que l'élément radical est *pr-*. On voit dans *-em-* une caractéristique du présent qui élargit le radical en indiquant un procès qui dure (comme dans *dormire*; → dormir). La racine serait celle du sanskrit *sphuráti* «il heurte du pied», mais le sens concorde mal et les formes latines n'ont aucun correspondant précis. Le mot indoeuropéen le plus proche pour le sens est le vieux slave *pĭrati* «fouler au pied» mais, dans le groupe slave et baltique, le sens de «frapper» domine. Cependant, le sens latin de «serrer» peut s'expliquer par l'emploi du suffixe °*-em-* à valeur durative.

♦ Dès ses premiers emplois, *presser* est employé transitivement avec le sens moral de «tourmenter, accabler» (v. 1160) qui réalise sur un plan abstrait une valeur fondamentale, celle d'«exercer une forte contrainte». *Oppresser* l'a en partie remplacé. ◇ Puis vient le sens de «harceler, persécuter» (1302, *presser de*), celui de «pousser (qqn) à faire qqch.», puis d'«attaquer avec vigueur» (1306), ce dernier sorti d'usage, et, avec une notation temporelle secondaire, celui de «bousculer (qqn)» (1552) dont procèdent *pressé* et *se presser* (cf. ci-dessous). ➛ Parallèlement, l'usage transitif au sens physique de «comprimer, serrer (une chose)» s'est d'abord manifesté dans l'acception de «comprimer des fruits pour en extraire le jus» (v. 1200), puis de «serrer de manière à comprimer, à marquer une empreinte» (1256; cf. *imprimer*) et «appuyer, appliquer avec force» (1540), spécialement dans des emplois techniques. La même valeur, avec un complément nom de personne, conduit à «approcher (qqn, plusieurs personnes) de manière à serrer, à gêner» (1538). ◇ Le sens figuré de «rendre plus concis» (1660) appartient à l'usage classique et a disparu au bénéfice de *serrer, resserrer*. ➛ L'emploi intransitif de *presser* pour «être urgent, ne laisser aucun délai» *(le temps presse)* remonte au milieu du XIVe s.; à propos des personnes, le verbe correspond en français moderne à «aller vite» *(pressons!)*. ➛ Le pronominal *se presser* (v. 1200) exprime le fait d'arriver en foule, de se serrer contre et, plus couramment, de se hâter (1677), sens postérieur à celui de *pressé* (cf. ci-dessous) qui y correspond. ➛ Récemment, en relation avec *pressing**, le verbe a pris le sens spécial de «repasser (un vêtement) à la vapeur» (XXe s.), peu répandu.

▸ Le déverbal **PRESSE** n. f. (1050) «foule où l'on se presse», cf. *foule*, pour le sémantisme —, d'où la locution ***il y a presse à... dans*** (1622), a vieilli dans cet emploi actif en dehors du style littéraire. ➛ De bonne heure, *presse* s'est spécialisé pour désigner concrètement un mécanisme employé pour exercer une pression (fin XIe s.); à l'époque de l'invention de l'imprimerie, il est devenu le nom de la machine destinée à l'impression* typographique (fin XVe s.), entrant dans la locution ***sous presse, sous la presse*** (1550). ◇ De là, par métonymie, il désigne le nombre de feuilles que les imprimeurs peuvent tirer en un jour (1690), sens disparu au XVIIIe s. (encore attesté 1771), et ce que la presse typographique publie (1738), par exemple dans l'expression *liberté de la presse* (1738). ◇ De nos jours, cette acception large n'a plus cours en dehors du langage juridique, le mot s'entendant couramment avec la valeur collective d'«ensemble des journaux et publications périodiques». Par métonymie, il est employé en parlant de l'activité journalistique, et de l'ensemble des journalistes (1838) et de leurs articles. De là vient la locution ***avoir bonne ou mauvaise presse*** (1884 et 1889, avec articles). ➛ Les autres sens du mot sont moins usuels du fait de l'importance prise par celui-ci : *presse* a vieilli au sens temporel de «hâte, précipitation» (v. 1220) et a disparu avec la valeur psychologique de «gêne, inquiétude» (v. 1320). De nos jours, il exprime, spécialement dans le commerce et l'industrie, les activités plus urgentes de certaines périodes (1860), réanimant l'acception initiale de «foule qui presse» et l'ancienne valeur temporelle. ➛ **PRESSIER** n. m. (1625), dérivé de *presse* au sens typographique, désigne l'ouvrier imprimeur qui travaille à la presse à bras, et **PRESSELLE** n. f. (1875) une pince très fine, valeur mal expliquée par rapport au verbe.

Les deux participes sont lexicalisés. ➛ **PRESSÉ, ÉE**, le participe passé de *presser*, est adjectivé (XIVe s.) avec la plupart des sens du verbe : il qualifie un fruit dont on a tiré le jus (XIVe s.), *orange pressée, citron pressé* ayant la même valeur métonymique que «jus frais». Il se dit d'une personne qui a de la hâte (1564) et d'une chose qui doit être faite sans délai (1606), substantivé avec une valeur de neutre pour ce qui est urgent (1588, *le plus pressé*), comme dans la locution ***parer au plus pressé.*** Ni le sens de «tourmenté par un besoin» (1582, *pressé de son ventre*), ni celui d'«oppressé» (1673), pas plus que le sens spatial de «rapproché dans l'espace» (1629) ne se sont maintenus, même si *coups pressés* (1642) réalise l'idée temporelle de «très rapprochés» (couramment assimilés à «précipités»). ➛ **PRESSÉE** n. f., substantivation du féminin du participe passé (1793), est un mot technique désignant l'action de presser et, par métonymie, les choses pressées (masse de fruits, ensemble des livres mis sous presse). Il est rare. ➛ **PRESSANT, ANTE**, participe présent, est lui aussi adjectivé d'abord avec le sens de «qui serre fortement qqch.» (v. 1330), sorti d'usage. ◇ Le mot reprend au XVIe s. les valeurs figurées du verbe, qualifiant une personne qui sollicite avec insistance (1538), une chose qui tourmente et contraint (1580) et, avec une notion temporelle, qui exige une solution urgente (1642).

PRESSEUR, EUSE n. et adj., après une première attestation en 1384 au sens isolé d'«ouvrier qui met des étoffes en presse», a été repris au XIXe s. (*in* Littré, 1869); depuis 1858, il qualifie ce qui exerce une pression. ➛ **PRESSEMENT** n. m. (1538), formé pour désigner l'action de presser et, moralement, la pression psychologique (fin XVIIe s.), est sorti d'usage. ◆ **PRESSAGE** n. m. (1803) est une création technique du XIXe s., exprimant l'opération par laquelle on comprime à l'aide d'une presse. Il fournit une alternative à l'anglicisme *pressing.*

PRESSING n. m., attesté depuis 1934, est d'origine discutée : J. Orr suggère d'y voir un dérivé français du verbe *presser** (ou de *pression*) à l'aide de la finale anglaise *-ing* pour suggérer le modernisme «à l'américaine» des nouvelles installations de repassage du linge à la vapeur. D'autres considèrent le mot comme un authentique emprunt à l'anglais *pressing* «action d'appuyer, d'exercer une pression», moins usité que *ironing* au sens de «repassage» (av. 1911, mais *pressing iron* «fer à repasser» est attesté depuis 1343) et ne désigne jamais un établissement de nettoyage et de repassage. ◆ *Pressing* désigne en français un établissement où l'on repasse les vêtements à la vapeur après leur nettoyage et, par métonymie, le repassage à la vapeur lui-même (1939). L'équivalent *pressage* ne s'est pas imposé. ◆ L'emploi de *pressing* en sports (1950), pour désigner la pression persistante exercée par l'adversaire, vient de l'anglais *to press* «exercer une pression sur, appuyer sur», d'où «attaquer, assaillir, ne pas laisser de répit à», sens qui correspond à celui de *presser* en moyen français.

Quelques noms composés ont été formés avec l'élément verbal *presse-;* noms concrets d'instruments tels **PRESSE-PAPIERS** n. m. (1839), **PRESSE-PURÉE** n. m. (1855), **PRESSE-ÉTOUPE** n. m. (1865), technique, **PRESSE-CITRON (S)** n. m. (1877), qui s'applique en fait aux oranges et autres agrumes, **PRESSE-FRUITS** n. m. (1935), **PRESSE-RAQUETTE** n. m. (1914), **PRESSE-VIANDE** n. m. (v. 1959). **PRESSE-AGRUMES** n. m. (1969) remédie à la rareté de *presse-oranges.* ◆ **PRESSE-BOUTON,** calque rendant l'anglo-américain *push button,* est d'abord adjectif (1950) dans *guerre presse-bouton* «par appareils automatiques», emploi généralisé en «automatique». Le substantif désigne un dispositif de commande et, rarement, un partisan de l'automatisme.

◆ Deux substantifs courants, *pression* et *pressoir,* viennent directement du latin mais sont sentis comme étroitement liés au verbe *presser.* ◆ **PRESSION** n. f. est emprunté (v. 1256) au latin *pressio,* lui-même dérivé du supin *(pressum)* de *premere* (→ presser), seulement employé aux sens techniques de «pesanteur, poids», «point d'appui d'un levier» et «treuil». ◆ Le mot a été repris avec le sens médical de «coliques douloureuses» (cf. *épreintes*) et il est attesté une seconde fois avec un autre sens technique, celui de «presse d'imprimerie» (1594), demeuré isolé. ◇ Il ne s'est implanté en français qu'en devenant, à partir du XVIIe s., le nom d'action correspondant à *presser*:* il est attesté comme terme de physique chez Descartes (1638, *Lettre à Mersenne*), puis chez Pascal pour désigner la force qui agit sur une surface donnée et, par métonymie, la mesure de cette force par unité de surface (1873). Par extension, il s'est répandu dans les langages scientifique et technique, produisant de nombreux syntagmes et expressions, par exemple *pression des fluides* (1751, d'Alembert), en météorologie dans *pression de l'atmosphère* (1751), d'où absolument *pression* (1845) et ***hautes, basses pressions*** (1896). Parallèlement à ce développement, il est passé dans l'usage commun pour désigner l'action de presser sur qqch., de comprimer (1746). De là, il a pris le sens figuré de «force s'exerçant sur une personne, influence» (1789), en particulier dans l'expression ***sous pression,*** par métaphore du sens physique. ◆ Par métonymie du sens concret, *pression* désigne un bouton en deux parties (1906), également appelé ***bouton-pression*** et, par ellipse de ce syntagme, *pression* n. m. ou f., mot sur lequel on a formé **PRESSIONNÉ, ÉE** adj. (1975). ◆ La locution ***groupe de pression*** (v. 1955) est calquée sur l'anglo-américain *pressure group* qui désigne un groupement cherchant à exercer une pression concertée sur l'État ; malgré son incorrection, elle est devenue d'usage courant. ◆ Le composé **CONTRE-PRESSION** n. f. (1861) désigne une pression opposée à une autre, spécialement la pression secondaire réduisant l'effet de la pression motrice. ◆ **SURPRESSION** n. f. (1844), qui désigne une pression supérieure à la normale, est quelquefois employé avec le même sens figuré que *pression.* ◆ Le radical de *pression* a servi à former **PRESSOSTAT** n. m. (v. 1950) et **PRESSIOMÈTRE** n. m. (v. 1950), noms d'appareils techniques.

PRESSOIR n. m., d'abord écrit *presoir* (1190), est issu du bas latin *pressorium* «appareil servant à presser», dérivé de *pressum,* supin de *premere.* Le mot a gardé son sens étymologique et désigne une machine servant à extraire les liquides de certains fruits, notamment du raisin. Par métonymie, il désigne dès le XIIe s. le lieu où se trouve le pressoir, en particulier le *pressoir à vin.* ◆ Son unique dérivé est **PRESSURER** v. tr., réfection de l'ancien français *pressoirer* (1283) en *presseurer* (XIIIe s.) puis *pressurer* (1336) d'après le latin *pressura* (Hatzfeld). L'ancien français avait *pressure,* usuel au sens d'«oppression, tourment, violence» et emprunté au latin ecclésiastique *pressura,* mais sans rapport sémantique avec *pressurer.* Ce dernier a d'emblée le sens physique de «passer au pressoir», alors que *pressoirer* a eu la valeur figurée de «faire violence à qqn» au XIVe siècle. ◇ Le sens figuré de *pressurer* «tirer d'une personne tout ce qu'elle est susceptible de donner» (v. 1470 puis 1675) est plutôt une métaphore du sens concret. ◆ *Pressurer* a produit **PRESSUREUR** n. m. pour désigner la personne assurant le fonctionnement d'un pressoir (1291, *presseureur ;* 1538, *pressoireur* avant *pressureur,* 1583). ◆ **PRESSURAGE** n. m. est la réfection (1549) de *pressoerage (pressoirage),* qui désignait par métonymie un droit féodal versé en échange de l'usage du pressoir (1296), puis (1342) l'opération agricole par laquelle on passe les fruits, etc. au pressoir. ◇ Le sens d'«action de soumettre à des impositions trop fortes» (1875) est dérivé du sens correspondant à *pressurer.*

Par ailleurs, la forme latine *pressura,* à côté de l'ancien français *pressure,* avait produit par emprunt un mot anglais, *pressure* «pression», dont deux dérivés ont été empruntés par le français. ◆ **PRESSURISER** v. tr., emprunt à l'anglais *to pressurize,* signifie «mettre à la pression d'air normale» l'intérieur d'un avion, puis d'un véhicule spatial; il est usuel au participe passé adjectivé **PRESSURISÉ, ÉE** et, comme **PRESSURISATION** n. f. emprunt au dérivé anglais *pressurization*, il est attesté dans les dictionnaires en 1949. Ces anglicismes, bien que critiqués, n'ont pas été remplacés.

Enfin, un verbe courant, préfixé sur *presser*, s'en est relativement détaché par le sens. ◆ **EMPRESSER** v., d'abord dérivé par préfixation de *presser* au sens transitif de «presser, serrer» (v. 1160), s'est restreint dans l'usage moderne à un emploi pronominal (XIIe s.) d'abord au sens de «se rassembler», lié à *presser* et à *presse*, et sorti d'usage. ◇ *S'empresser* exprime aujourd'hui une notion de «hâte», le plus souvent en construction prépositionnelle (1580) avec *de* (autrefois également *à* et *pour*), quelquefois absolument ou avec d'autres prépositions au sens de «faire preuve de zèle, d'ardeur auprès de qqn» (1609). ◆ Il a produit **EMPRESSEMENT** n. m. (1225), autrefois employé comme synonyme de *pression*, puis au sens d'«excitation» (1608), avant de prendre ses sens modernes au XVIIe siècle. ◆ **EMPRESSANT, ANTE**, participe présent de *empresser*, est attesté comme adjectif une première fois au milieu du XVIe s., puis à la fin du XVIIe s. au sens de «qui exige», avant d'être senti comme un doublet sémantique de *pressant* et abandonné. ◆ **EMPRESSÉ, ÉE**, participe passé de *empresser*, est lui aussi adjectivé (1611), d'abord avec le sens d'«affairé» qu'il a perdu, puis avec sa nuance moderne, «attentif, zélé» (1664), quelquefois employé avec *à* et l'infinitif, dans le style littéraire.

◈ voir COMPRESSE, OPPRESSER, PRESS-BOOK, PRINTING.

PRESSING → PRESSER

PRESTANCE n. f. est emprunté (v. 1470) au latin *praestantia* «supériorité, des personnes et des choses», «efficacité», dérivé de *praestans, -tis* «qui excelle, qui l'emporte, supérieur, remarquable, éminent», participe présent adjectivé de *praestare* «se tenir en avant, exceller, se distinguer», d'où «l'emporter, être supérieur». Le verbe latin est composé de *prae* «avant» (→ pré-) et de *stare* «être debout, se tenir» qui appartient à une importante famille indoeuropéenne, se rattachant à la racine °*sta-* «être debout» (→ ester, statique).

♦ Le mot a signifié «supériorité, excellence», mais ce sens s'est rapidement effacé derrière l'extension du sens physique, «maintien imposant (d'une personne)» (1540).

▸ Le terme de musique **PRESTANT** n. m. est un emprunt substantivé, spécialisé en musique, de l'adjectif latin *praestans, -antis*, lequel avait donné un adjectif moyen français *prestant* «remarquable, excellent» (v. 1492). ◆ Il sert à désigner un jeu d'orgue de quatre pieds sur lequel on accorde les autres jeux.

PRESTATION n. f. est emprunté (1272) au latin *praestatio, -onis* «action de s'acquitter de qqch., de fournir qqch. en vertu d'une obligation», au figuré «garantie», dérivé du supin *(praestatum)* de *praestare* (→ prestance, prêter).

♦ Le mot est d'abord attesté à propos de l'action de reconnaître une obligation (1272), spécialisé en droit féodal pour «action de prêter serment» dans les expressions *prestation de foy* (1310), *prestation de serment* (v. 1480), inspirées par les expressions juridiques latines *fidem praestare* «montrer sa bonne foi», *jusjurandum praestare* «prêter serment». Sauf dans cet emploi, *prestation* est séparé de *prêter*. ◆ *Prestation* a aussi repris au latin l'autre sens, «action de fournir qqch.» (1288, en anglo-normand), avec son développement métonymique en «résultat, objet de cette action». C'est ainsi qu'en droit féodal, le mot désignait la redevance due au seigneur, aux ecclésiastiques, et que l'expression *prestation de service* s'appliquait à l'action de s'acquitter d'un service obligatoire (1311). ◆ *Prestation*, disparu avec les institutions féodales, semble avoir été repris au début du XIXe s. avec la même valeur; celle-ci est active dans *prestation en nature* (1836) qui désigne d'abord, en droit fiscal, une forme d'impôt direct consistant en un travail de quatre jours pour l'entretien des chemins vicinaux. Le mot désigne l'allocation due aux militaires (1834) et, au XXe s. (v. 1930), celle que l'État verse en espèces à certaines catégories de personnes pour les aider; cette valeur est devenue usuelle avec les Assurances sociales puis la Sécurité sociale. ◇ D'autres sens ont vu le jour au XXe siècle : les ethnologues parlent de *prestations* (1936) à propos de l'institution qui règle un service dans le cadre de la parenté, de rapports sociaux ou de liens juridiques. ◇ D'abord en Belgique, *prestation* désigne couramment ce qu'un sportif (1943) et, par analogie, un artiste (1962, en jazz) fournit au public en se produisant devant lui; cet emploi a été critiqué. Par extension, il se dit en économie de l'action de fournir un produit non matériel qui satisfait l'usage d'une personne ou d'un groupe *(prestations et services)*.

▸ **PRESTATAIRE** n. m., seul dérivé de *prestation*, est un terme juridique (1845) désignant un contribuable fournissant une prestation en nature. ◇ Sous l'influence des sens pris au XXe s. par *prestation*, il désigne la personne qui bénéficie d'une prestation de la part de l'État (1963; dès 1957, comme adjectif) ou d'un groupe.

◈ voir APPRÊTER, PRESTANCE, PRESTE, ① PRÊT, PRÊTER.

✳ **PRESTE** adj. est emprunté (v. 1456-1467) à l'italien *presto* «prompt, agile» (1300-1313, Dante) qui représente le latin tardif *praestus* (→ ① prêt). Un adjectif *prest*, venu du latin, s'employait en ancien français.

♦ En moyen français, la forme *preste* correspond à un féminin pour l'emprunt au latin *prest*. Ce dernier étant sorti d'usage, *preste* a joué le rôle d'adjectif masculin (Pomey, 1671, l'enregistre aux deux genres). Il correspond à la double idée d'habileté et de rapidité, à propos des personnes, des actes, et il est aujourd'hui du registre écrit ou soutenu. ◇ Un emploi adverbial et interjectif au sens de «vite» se rencontre dans la langue populaire du XIXe s.; il s'agit soit d'une francisation de *presto* (cf. ci-dessous), soit d'un abrègement de *prestement*.

▸ L'adverbe correspondant, **PRESTEMENT**, s'est substitué (XVe s.) à l'ancien adverbe *prestement* (v. 1190) qui correspond à l'ancien français *prest* «agile, prompt» (→ prêt). ◇ Il se prononçait *prètement,* et on ignore à quelle date le *s* a été réintroduit dans la prononciation sous l'influence de *preste;* le dictionnaire espagnol-français de Oudin (1660) est le premier à recommander de le prononcer.

Le nom de qualité correspondant, **PRESTESSE** n. f., est emprunté (1583-1584) à l'italien *prestezza* «agilité, promptitude» (XIVe s.), lui-même dérivé de *presto.* La graphie, d'abord *prestezze,* a été francisée en *prestesse* (1611). L'usage du mot, plus encore que celui de l'adjectif, relève du style littéraire.

PRESTO adv. a été emprunté (av. 1651) à l'adverbe italien *presto* «rapidement» (XIVe s., Pétrarque), issu de l'adverbe latin *praesto* (→ prêt). ◇ Emprunté dans l'usage familier avec le sens général de «rapidement, vite» (on dit aussi par pléonasme *illico presto, subito presto*), *presto* s'est spécialisé en musique (1750) où il est aussi substantivé (1765). ◆ **PRESTISSIMO** adv., emprunt à l'italien *prestissimo,* superlatif de l'adverbe *presto,* constitue une autre indication de mouvement musical équivalant à «très vite, avec une grande rapidité», attesté depuis 1722 chez Rameau.

PRESTIDIGITATEUR, TRICE n. a été formé en français (1823) de l'adjectif *preste*,* du radical du latin *digitus* (→ doigt) et du suffixe *-ateur,* au sens propre «homme aux doigts prestes». Le créateur du mot a dû songer au latin *praestigiae* «tours de passe-passe». ◇ Le mot désigne un artiste qui, par l'habileté de ses mains, produit des illusions en faisant disparaître, apparaître et changer de place certains objets. Par analogie, il s'applique à celui qui, par son habileté, arrive à produire des illusions et obtient des résultats extraordinaires (1837). ◆ Par changement de suffixe, *prestidigitateur* a produit **PRESTIDIGITATION** n. f. (1823) qui désigne l'art de l'escamoteur, devenu une technique de spectacle élaborée, et, au figuré, l'habileté à produire de faux-semblants. Ces mots ont pour quasi-synonymes *illusionniste* et *illusionnisme.*

PRESTIDIGITATION → PRESTE

PRESTIGE n. m. est emprunté (1372) au latin *praestigium* «charlatanisme, imposture» et «illusion», neutre singulier refait à partir du féminin pluriel *praestigiae* qui désigne des fantasmagories et aussi des tours de passe-passe. Lui-même est issu par dissimilation d'un °*praestrigiae,* apparenté à *praetrigiare oculos* «éblouir les yeux». Ce verbe signifie proprement «serrer en avant», de *prae* «avant» (→ pré-) et de *stringere* «serrer» (→ étreindre).

♦ Le mot, surtout employé au pluriel comme en latin, a été repris pour désigner l'illusion attribuée à des sortilèges, à la magie. Par suite, il s'est appliqué à une illusion produite par des moyens naturels (1668) et, par affaiblissement, comme pour les mots *charme, enchantement* et *prodige,* à l'effet agréable, à l'impression forte que produisent des manifestations intellectuelles ou artistiques (v. 1650). ◆ Ces sens étant sortis d'usage en dehors du style littéraire, le mot a pris son sens moderne «ascendant; action de faire forte impression» (v. 1750) en parlant d'une personne ou d'une chose. Il est entré au XXe s. dans la locution ***de prestige*** (XXe s., *politique de prestige*). C'est devenu un mélioratif à la mode en publicité.

▶ L'adjectif correspondant, **PRESTIGIEUX, IEUSE** (1550), est repris directement au dérivé bas latin *praestigiosus* «qui fait illusion, trompeur». ◆ Le mot a suivi la même évolution que *prestige :* il a qualifié une chose à laquelle s'attache l'idée du prodige, du surnaturel, ce qui est sous l'influence d'un charme (1556) et, activement, ce qui opère des prestiges, au sens fort (1578). De nos jours, extrêmement affaibli, il qualifie une chose ou une personne qui a du prestige (une première fois en 1574, puis de nouveau v. 1780). Aujourd'hui, la langue publicitaire l'emploie abondamment pour qualifier les produits qu'elle veut valoriser. ◇ **PRESTIGIEUSEMENT** adv., paraît assez récent (att. 1931).

PRESTOLET → PRÊTRE

PRÉSUMER v. tr. est emprunté (1190) au latin *praesumere* «prendre d'avance», d'où «se représenter d'avance, conjecturer», et en bas latin «être fier, se faire une trop haute idée de ses facultés». Ce verbe est composé de *prae* «avant» (→ pré-) et de *sumere* «se saisir», d'où «se charger de», de °*sus(e)mere,* lui-même formé de *sus* (→ sus-) et de *emere* «prendre» (→ exemple).

♦ *Présumer* signifie «conjecturer, croire d'après certains indices», en construction transitive directe et avec un nom de personne suivi d'un attribut (1480), par exemple dans *présumer qqn coupable* ou *présumer de, que* introduisant une proposition. Depuis 1480, le verbe se construit indirectement avec la préposition *de* au sens d'«avoir une trop bonne opinion de, compter trop sur (qqn, soi-même, ses facultés)». ◇ Avec la même idée, la construction *présumer de* et infinitif (1553), «être sûr de, se faire fort de, prétendre à», est sortie d'usage, de même que *se présumer* «se croire, s'estimer» (v. 1460) et «s'enhardir» (XVIe s.).

▶ Le verbe a produit **PRÉSUMABLE** adj. (1599) et **PRÉSUMÉ, ÉE** (1835), adjectivation du participe passé au sens de «censé, réputé», qui s'emploie soit après *(les coupables présumés),* soit avant le nom qualifié *(le présumé coupable).*

◈ voir **PRÉSOMPTIF.**

PRÉSUPPOSER → SUPPOSER

PRÉSURE n. f., réfection (v. 1200) de *prisure* (fin XIIe s.), est issu d'un latin populaire non attesté °*presura,* altération par chute du *n* de °*prensura* «ce qui est pris» et, activement, «ce qui fait prendre», dérivé du latin *prehensum,* supin de *prehendere* (→ prendre).

♦ Le mot, d'abord relevé au figuré, désigne une substance organique extraite de la caillette des jeunes ruminants et contenant une enzyme coagulant le lait.

▶ *Présure* a produit **PRÉSURER** v. tr. (1600), représenté en provençal dès le XIVe s., mot technique pour le fait de cailler avec de la présure. ◆ **PRÉSU-**

RIER n. m. (1818), «marchand de présure», a disparu avec ce commerce. ◆ Le composé **EMPRÉSURER** v. tr. a été formé postérieurement (1922) dans le langage technique pour «additionner de présure», un adjectif **EMPRÉSURÉ, ÉE** étant déjà attesté depuis le XVIᵉ s. (1568), avant d'être remplacé par *présurer*, puis repris au XXᵉ siècle.

① **PRÊT, PRÊTE** adj., d'abord écrit *prest* (v. 1050), est issu du bas latin *praestus*, attesté dans les inscriptions (→ preste). Celui-ci paraît avoir été reformé sur l'adverbe *praesto* (→ presto) «sous la main, à portée», «présent, disponible», d'où «au service de». *Praesto*, auquel il faut probablement rattacher *praestare* (→ prêter), est d'origine inconnue : on a proposé de le faire venir de °*prae-sito*, de la racine de *stare* «être debout, se tenir» (→ station); on l'a aussi rapproché du sanskrit *hástaḥ* «main» par un composé hypothétique °*prae-hestod*. Cette dernière hypothèse se heurte au fait que le mot sanskrit n'a pas de correspondant connu.

♦ L'usage moderne de *prêt* s'est fixé dès le XIᵉ s., époque où l'adjectif qualifie une chose entièrement préparée, cette valeur s'appliquant plus tard à un repas (1585). ◇ Il qualifie aussi une personne capable de faire qqch. grâce à une préparation matérielle ou morale (1080); il est alors construit avec la préposition *à* (1260) qui a évincé la préposition concurrente *de* (v. 1160), homonyme de *près de*. ***Prêt à tout*** apparaît à l'époque classique (1673), alors que l'emploi absolu de ***fin prêt*** est attesté tardivement (1934, Daudet). ◆ D'une manière générale, l'ancien usage de *prêt* pour exprimer l'idée d'imminence temporelle (v. 1180) s'est inégalement maintenu : avec la préposition *à*, il a vieilli mais est encore usité dans un style littéraire; *prêt de* (v. 1180), par exemple dans *prêt d'arriver*, a reculé au profit de *près de* et a été condamné par l'Académie française (19 novembre 1964) pour éviter la confusion entre la notion de «disposé à» *(prêt)* et de «sur le point de» *(près)*.

▸ *Prêt* est entré dans le nom composé **PRÊT-À-PORTER** n. m. (1951), formé de *prêt*, *à* et *porter** et calqué sur l'anglo-américain *ready-to-wear* adj. et n. ou *ready-for-wear* adj. (à propos de vêtements, depuis 1934). ◆ Sur le modèle de *prêt-à-porter*, qui qualifie et désigne *le prêt-à-porter* les vêtements fabriqués industriellement — par opposition à sur *mesure* — la langue contemporaine a créé plusieurs noms et adjectifs tels *prêt-à-monter*, *prêt-à-habiter* et *prêt-à-manger*, ce dernier proposé sans grand succès comme équivalent de *fast-food*.

② **PRÊT** → PRÊTER

PRÉTENDRE v. tr. est emprunté (1320) au latin *praetendere*, composé de *prae* «avant» (→ pré-) et de *tendere* (→ tendre), qui signifie proprement «tendre en avant, être situé devant». Ce verbe a développé dès l'époque classique le sens figuré d'«alléguer, invoquer, prétexter»; à basse époque, il a pris celui de «réclamer (une dette)» et, au moyen âge, «affirmer fermement» (1310).

♦ Il est passé en français avec le sens de «demander, réclamer (un droit)», aujourd'hui archaïque et littéraire; on employait *prétendre à, de* (qqch.) pour «demander avec force». ◆ Par extension, *prétendre* a pris le sens moderne de «aspirer à, rechercher» (1409), notamment dans *prétendre à* introduisant un nom de chose ou un infinitif (1470); les deux constructions *prétendre de* (1587), avec le même sens, et *prétendre à* suivie d'un nom de personne (1668) sont sorties d'usage. ◆ L'emploi devenu le plus courant, *prétendre* suivi d'un infinitif «avoir la ferme intention, le volonté de» (v. 1460), entraîne la nuance, tantôt d'une prétention justifiée, tantôt d'une prétention injustifiée ou démentie par les faits, tantôt enfin d'une prétention condamnable (1670, Pascal). Là encore, le verbe ne se construit plus avec un nom de personne pour complément, ce qui était le cas au XVIIᵉ s. (1638). La construction *prétendre que* suivie du subjonctif est elle aussi apparue en langue classique (1669). ◆ Enfin, dès le moyen français (1380), *prétendre* est devenu un verbe d'opinion exprimant l'idée d'affirmer, d'oser donner pour certain, quelquefois avec attribut *(prétendre une chose vraie)* [fin XVᵉ s.], ou bien avec la conjonction *que* suivie du subjonctif (1661); *prétendre que* et l'indicatif est quelquefois employé lorsque le locuteur veut éviter la confusion avec le sens de «admettre, vouloir». L'emploi de la forme pronominale *se prétendre* est apparu plus tard (1759) au sens d'«affirmer que l'on est», suivi d'un attribut.

▸ La dérivation du mot se borne à l'emploi adjectivé et substantivé de ses participes. ◆ **PRÉTENDU, UE** a été employé du XIVᵉ au XVIᵉ s. sous la forme du féminin substantivé *prétendue* pour «chose prétendue, prétention» (v. 1380) et du masculin substantivé *(le) prétendu* (1545) «ce à quoi l'on prétend». Ce sens a disparu sous la concurrence de *prétention** et s'est à peine mieux maintenu pour l'adjectif, attesté en ce sens depuis le milieu du XVIᵉ siècle. ◇ Sa spécialisation en parlant du futur mari ou de la future épouse (av. 1614, pour l'adjectif; 1762, pour le nom), sentie comme familière, n'a plus cours que dans certaines régions, éliminée par *promis(e)* et par *fiancé(e)*. ◆ Le sens moderne de *prétendu*, «qui n'est pas ce qu'il paraît être», apparaît dans *la religion prétendue réformée* (1568), nom donné par les catholiques au protestantisme au XVIᵉ s., plus tard abrégé en *R. P. R.* et usuel aux XVIIᵉ et XVIIIᵉ siècles. Un emploi plus général, pour «faux, malgré les apparences», est attesté depuis 1611. ◆ *Prétendu* a donné **PRÉTENDUMENT** adv. (1769) considéré comme un barbarisme (Féraud, 1788) mais devenu assez usuel. ◆ **PRÉTENDANT, ANTE**, participe présent, est substantivé (1498-1500) en parlant de la personne qui prétend, aspire à qqch. ◇ Il se dit en particulier de celui ou celle qui prétend au pouvoir souverain (1588) et, au masculin, de celui qui prétend à la main d'une femme (1498-1500); l'emploi symétrique du féminin pour celle qui aspire à la main d'un homme (1683) reste rare.

PRÉTENTION n. f. est dérivé savamment (1489) du latin *praetentus*, participe passé du verbe *praetendere* (→ prétendre) d'après les substantifs latins dérivés de verbes en *-ere* du type *contendere-contentio*, *dicere-dictio*, *mittere-missio*, etc. *Pretentio*, attesté en latin médiéval (999) au sens de «contestation», a pu servir de modèle. ◆ Le mot est introduit en français avec le sens juridique de «droit que l'on a ou que l'on croit avoir d'aspirer à qqch.»; il a développé (surtout au pluriel) les valeurs de «visées, intentions» (1671) et «exigences dans un contrat, un marché» (v. 1673, Retz). Par extension, *prétention*, surtout avec un complément introduit par *à* ou *de*, désigne le fait de revendiquer pour soi une qualité, un avantage intellectuel ou moral (av. 1747, Vauvenargues). Ce sens est réalisé dans quelques locutions comme ***un homme à prétentions*** (1772), ***sans prétention*** (1754), puis ***avoir la prétention de*** (1835), ***n'avoir aucune prétention*** (1835). ◆ L'accent étant mis sur la nuance péjorative ou ironique que comportent parfois certains emplois du mot, on passe au sens de «trait de caractère portant à être exagérément satisfait de soi», d'abord attesté par métonymie en parlant d'un texte (1828) et lié à *prétentieux*, qui semble être à l'origine de ce sens. Une influence de *présomption* est possible.

▶ Le mot a pour dérivé **PRÉTENTIEUX, IEUSE** adj. et n. (1789) qui qualifie, avec une valeur péjorative, ce qui dénote une excessive estime de soi, voire de la fatuité (mot, expression). L'adjectif s'emploie aussi en parlant des personnes (attesté 1795) pour «vaniteux, content de soi», substantivé en ce sens à partir de 1813. ◆ Il a produit **PRÉTENTIEUSEMENT** adv. (1834) et **PRÉTENTIARD, ARDE** adj. et n. (1929) qui lui fournit un synonyme familier et expressif. ◆ Le troisième dérivé de *prétention* est un terme spécialisé en linguistique, **PRÉTENTIONNISME** n. m. (1940) qui désigne une manière prétentieuse de s'exprimer.

PRÉTENTAINE n. f., dans la locution *courre la pretentaine* (1604), est d'origine obscure. D'après Wartburg, le mot serait formé sur le verbe *retentir**, la notion de mouvement, d'agitation pouvant être reliée à l'expression du bruit. Le préfixe *pré-* substitué à *re-* (de *retentir*) pourrait être tiré de verbes de mouvement tels que *précipiter**, et la finale *-aine* de refrains tels que *dondaine**, *faridondaine**. On a aussi évoqué une dérivation du normand *pertintaille* (d'où *prétintaille**) «ornement de robe», au moyen du suffixe des refrains de chansons.

♦ La locution ***courir la prétentaine*** (1605) exprime le fait de courir çà et là, de faire des escapades et, spécialement (1615), de chercher des aventures érotiques.

PRÊTER v. est issu (v. 1140) du latin *praestare*. Ce verbe signifie «mettre à la disposition de» et par suite «fournir, procurer temporairement»; il est souvent employé à basse époque comme synonyme de *dare* «donner» (→ date) et de *praebere* «fournir» (→ prébende) auxquels il sert de substitut expressif. À la suite du rapport réel ou imaginaire établi par les Latins entre *praestare* et le mot juridique *praes*, qui désigne une caution donnant garantie à l'État créancier dans un marché en faveur d'un débiteur, il est fréquent au sens de «garantir» (→ prestation). Il se rattache très probablement à l'adverbe *praesto* «sous la main, à portée», d'où «au service» (→ ① prêt).

♦ Dès les premiers textes, le verbe est employé en construction transitive directe au sens de «mettre (qqch.) à la disposition de qqn (le plus souvent pour un temps déterminé)», notamment avec un complément désignant une partie du corps. Cet emploi a donné lieu à des expressions attestées plus tard, ***prêter la main*** (v. 1562; *prêter l'épaule*, 1611), ***prêter main-forte*** (1636), les deux expressions correspondant à «fournir une aide immédiate» (cf. *coup de main*). Un autre usage, où le complément est une abstraction, correspond aux locutions ***prêter aide, secours*** (1538), ultérieurement ***prêter son concours*** (1914, Jaurès). ◆ Dès le XIIe s., *prêter qqch.* signifie «fournir (une chose) à condition qu'elle soit rendue» (v. 1180). Ce sens, devenu très usuel depuis le XVIe s., — en relation avec *prêt* et *prêteur* — est également réalisé dans les locutions ***prêter sur gage*** (1585) et, plus tard, ***prêter à la petite semaine*** (1845-1846) le plus souvent employées absolument. ◆ Avec une autre valeur, le verbe exprime le fait d'accorder, de conférer, de procurer (1225), notamment dans des locutions où le complément désigne un organe des sens, ***prêter l'oreille*** (v. 1278), ***prêter sa voix*** (av. 1615), ***prêter les yeux*** (1601), ou un autre type de nom dans ***prêter serment*** (1538), ***prêter attention*** (1548) et *prêter silence* (1567), ce dernier sorti d'usage. ◇ Deux nouveaux emplois apparaissent au XVIe siècle : *prêter* correspond à «attribuer, proposer d'attribuer tel caractère» (1588, Montaigne), spécialement dans la locution proverbiale ***on ne prête qu'aux riches*** (1845-1846, métaphore de l'acception financière). Le verbe commence aussi à se rencontrer avec la préposition *à* au sens de «donner matière à, fournir l'occasion de» (1580), d'où quelques locutions telles ***prêter à l'équivoque*** (1820), ***prêter à rire*** (1834), ***prêter au ridicule*** (1859). ◆ Un autre sens remontant à la fin du XVIe s., «présenter», a disparu dans *prêter le collet à qqn* «s'offrir pour se battre», mais survit dans ***prêter le flanc*** (1740) «donner prise à une accusation». ◆ L'usage de la forme pronominale ***se prêter*** remonte à la fin du XIIe s. pour «se mettre au service de qqn», sens disparu. *Se prêter à qqch.* «consentir à qqch.» est attesté depuis 1580 (Montaigne); dans l'usage classique, cet emploi correspondait à «se laisser aller à» (1683); enfin, *se prêter* signifie (1759) «être propre à, pouvoir s'adapter à» (d'une chose). ◆ À l'époque classique, l'emploi intransitif de *prêter* pour «pouvoir s'étirer, se tendre» (d'une peau, d'un tissu) [1680] a fait entrer le mot dans l'usage technique.

▶ La dérivation est relativement peu abondante : le participe passé **PRÊTÉ, ÉE** est adjectivé et connaît un emploi substantivé pratiquement limité à la locution ***un prêté pour un rendu*** (1808), qui a remplacé *c'est un prêter à jamais rendre* (1639) fait avec l'infinitif substantivé.

Le déverbal ② **PRÊT** n. m., d'abord orthographié *prest* (v. 1165), désigne l'action de prêter au sens de «fournir provisoirement» et spécialement le contrat par lequel une chose est livrée à charge de restitution (1671), produisant des syntagmes comme *prêt à intérêt* (1671), *prêt à usage, prêt de consommation* (1832), *prêt d'honneur* (1875), récemment *prêt-relais* (1973). ◆ En moyen français, *prêt* a commencé de désigner la somme allouée par l'État pour la subsistance et l'entretien d'un soldat, d'un sous-officier

(1360-1370), spécialement la partie de cette somme remise au soldat. L'expression *prêt franc* (déb. XXe s.) s'emploie lorsque l'intégralité du prêt est versée au soldat qui doit pourvoir lui-même à sa subsistance. ◇ *Prêt* est le seul nom de la famille qui exprime également le sens figuré de *prêter,* soit le fait d'«attribuer à qqn une pensée, un acte», mais celui-ci est rare et littéraire.

PRÊTEUR, EUSE n. et adj., d'abord *presteour* (v. 1278) et *presteur* (1283), désigne et qualifie la personne qui prête une chose, surtout avec un complément désignant un bien matériel, spécialement de l'argent. Il entre dans ***prêteur sur gages*** (1830, Balzac). ◆ **PRÊTABLE** adj., d'abord *prestable* (déb. XVIe s.), a eu le sens actif de «qui prête volontiers» avant de prendre la valeur passive actuelle (1606), «qui peut être prêté (chose)».

Le composé **PRÊTE-NOM** n. m., formé avec l'élément verbal *prête-* et *nom**, est attesté depuis 1718.

◈ voir APPRÊTER, PRESTATION, PRESTE, ① PRÊT.

PRÉTÉRIT n. m. est un emprunt (v. 1245) au latin *praeteritum,* pour *praeteritum tempus* «temps passé», dans lequel *praeteritum* est le participe passé neutre adjectivé de *praeterire.* Ce verbe, composé de *praeter* «devant», de *prae* (→ pré-), et de *ire* «aller» (cf. *j'irai,* etc. à *aller*), signifie proprement «passer devant, le long de», «dépasser» (également sur le plan temporel), et au figuré «omettre, laisser de côté».

♦ Le mot désigne une forme temporelle du passé ; il n'est plus utilisé en grammaire du français (où les appellations *prétérit imparfait, prétérit simple* et *prétérit antérieur* ont été remplacées par *imparfait, passé simple* et *passé antérieur*). Il s'emploie à propos de langues qui ne distinguent pas entre imparfait, aoriste et parfait, tel l'anglais.

◈ voir PRÉTÉRITION.

PRÉTÉRITION n. f. est emprunté à la Renaissance (1510) au bas latin *praeteritio, -onis,* nom d'action formé sur le supin *praeteritum* de *praeterire* (→ prétérit) et désignant l'action de passer devant, spécialement, au figuré, le fait de passer sous silence sur son testament et, en rhétorique, de déclarer que l'on ne parle pas d'une chose.

♦ Le mot a été repris avec son sens juridique (le gascon a *preterición* dès 1314) et a repris au XVIe s. (1577) son acception spéciale en rhétorique, «figure par laquelle on parle d'une chose en déclarant qu'on n'en parlera pas», remplaçant *prétermission.* Le mot s'emploie parfois dans le style didactique *(par prétérition...).*

▸ **PRÉTÉRITER** v. tr., emprunt au latin *praeteritare,* fréquentatif de *praeterire,* est usité en Suisse au sens de «léser, causer du tort».

PRÉTEUR n. m. est la francisation (XIIIe s., *preteur*) de *pretor* (1213), emprunt au latin *praetor, -oris.* D'après les Anciens, le mot est issu par contraction de °*praeitor,* nom d'agent dérivé de *praeire,* de *prae* «devant» (→ pré-) et de *ire* «aller» (→ à errer), signifiant «aller devant, précéder», d'où au figuré «guider», «dicter, prescrire». Mais il est possible aussi que *praetor* soit issu d'un terme étrusque à rapprocher du grec *prutannis* (→ prytanée). *Praetor* désigne celui qui marche en tête, le chef, le commandant ; par spécialisation, il désigne un chef suprême (en concurrence avec *consul*), surtout à titre militaire. À Rome, à partir de 367, il désigne un magistrat, chargé de la juridiction civile ; en 242, la juridiction est dédoublée en deux préteurs (urbain et pérégrin) puis, sous Sylla, le nombre en est porté à huit.

♦ Le mot a été repris comme terme d'antiquité, désignant le magistrat chargé de rendre la justice, et ce magistrat sorti de fonction et chargé de gouverner une province.

▸ Il est en concurrence avec **PROPRÉTEUR** n. m., emprunt (1542) au latin *propraetor,* de *pro* «pour» (→ pour) et de *praetor,* littéralement «suppléant du préteur».

PRÉTURE n. f. est emprunté (v. 1500) au latin *praetura* «dignité, magistrature du prêteur», «temps pendant lequel le prêteur exerçait cette magistrature», de *praetor.* Les deux sens sont passés en français, le second étant attesté en 1636. ◆ **PROPRÉTURE** n. f., dérivé de *propréteur* (1845) d'après *préture,* désigne la fonction de propréteur.

◈ voir PRÉTOIRE.

① **PRÉTEXTE** n. f., terme d'antiquité romaine, est emprunté (1355, Bersuire) au latin *praetexta,* ellipse de *praetexta toga,* désignant un vêtement blanc bordé d'une bande de pourpre que portaient les jeunes patriciens et ceux qui étaient revêtus de certaines dignités à Rome. *Praetexta* est le participe passé féminin de *praetexere* (→ ② prétexte) pris dans son sens propre de «border (un vêtement)».

♦ Le mot, employé comme nom absolument et dans ***robe prétexte*** (1762), garde le sens propre de l'étymon latin. ◇ On appelle par métonymie *tragédie prétexte* ou *prétexte* (XIXe s.) une tragédie latine qui empruntait son sujet à l'histoire nationale, parce que les acteurs y étaient revêtus de la robe prétexte des hauts magistrats.

② **PRÉTEXTE** n. m. est emprunté (1530) au latin *praetextus* «action de mettre devant, allégation pour excuse», spécialement employé en latin médiéval dans la locution juridique *sub praetextu* «sous couleur» (1463), et employé au sens de «éclat, représentation». *Praetextus* est la substantivation au masculin du participe passé de *praetexere,* de *prae* «devant» (→ pré-) et de *texere* (→ tisser) «border un vêtement» (→ ① prétexte), et au figuré «mettre en tête», «pourvoir de, munir de» et «alléguer comme excuse».

♦ *Prétexte* a été repris au latin avec son sens actuel de «motif spécieux mis en avant pour cacher le motif réel d'une action», entrant dans les locutions ***sous prétexte de*** (1539) calquée du latin, ***sous prétexte que*** (Bossuet), la variante classique *sur le prétexte que* (1678) ayant disparu. ◇ L'accent étant mis sur ce qui permet de faire qqch., le mot est passé dans le vocabulaire de l'art pour désigner le sujet, le modèle en tant qu'il n'est pour l'artiste qu'une occasion de développer certaines recherches esthétiques.

▶ Le dérivé **PRÉTEXTER** v. tr. serait attesté dès 1456 selon Bloch et Wartburg, depuis 1566 (et non 1556) selon les autres sources. Critiqué au XVIIe s. par Vaugelas, il ne s'en est pas moins implanté, exprimant le fait de prendre pour prétexte, en construction directe et indirecte (avec *de*). La construction *prétexter qqch. de* a signifié «couvrir qqch. d'un prétexte» (1636), puis «se servir de qqch. comme d'un prétexte».

◈ **PRÉTINTAILLE** n. f., d'abord attesté comme nom propre sous la forme *Pretintailles* (1702), puis comme nom commun sous les formes *pertintaille* (1705) et *pretintaille* (1797), est d'origine incertaine. Étant donné le sens du mot dans de nombreux dialectes du domaine d'oïl, «collier de cheval garni de grelots», une dérivation du verbe *tinter** semble probable. L'initiale *pré-* est peut-être tirée de *prétendre**, *prétentieux*, et la finale est le suffixe péjoratif *-aille*.

♦ Le nom commun est attesté (1705) pour désigner chacune des quatorze combinaisons à l'ancien jeu de l'ombre. ◇ Le sens d'«ornement» (1707) s'applique d'abord à un motif découpé sur une tenture mortuaire puis sur une robe de femme (1708). Le mot a développé les sens figuré et péjoratif de «point, détail secondaire» et de «fioriture, fanfreluche» (av. 1732), mais il a vieilli dans tous ses emplois.

◈ voir peut-être PRÉTENTAINE.

PRÉTOIRE n. m. est emprunté (fin XIIe s.) au latin *praetorium* «tente du général, endroit du camp où elle se trouve», «conseil du général», «palais du préteur dans une province», d'où «villa de plaisance», et aussi «garde prétorienne». *Praetorium* est dérivé de *praetor* (→ préteur).

♦ Le mot, repris comme terme d'antiquité romaine, désigne le tribunal du préteur, puis la tente du général (1355, Bersuire). L'expression *préfet du prétoire* (1734) désigne le chef de la garde personnelle de l'empereur. ➜ Par analogie avec le sens de «tribunal où le préteur rendait la justice», le mot a pris son sens moderne de «salle d'audience d'un tribunal» (v. 1370), dans un usage littéraire ou journalistique un peu prétentieux.

▶ **PRÉTORIEN, IENNE** adj. et n. m. est emprunté (1213) au latin *praetorianus* «de la garde personnelle de l'empereur romain», aussi substantivé. Ce mot est dérivé de *praetorium* «milice ou garde de l'empereur» (→ prétoire). Il est homonyme d'un autre adjectif *praetorianus* «du préteur» directement dérivé de *praetor* (→ préteur). ◇ En français, *prétorien* cumule les sens des deux adjectifs latins. Sous l'influence de *prétoire*, il qualifie ce qui appartient au préteur romain (1213), en particulier dans *province prétorienne* (1636), *famille prétorienne* (1640). Reprenant la spécialisation militaire de *praetor*, il se dit de la garde personnelle de l'empereur, dans ***cohorte prétorienne*** (1640) et il est substantivé pour désigner un soldat de cette garde (1664). Sous l'influence de *prétoire*, il qualifie également ce qui est relatif au général, au commandant en chef. ◇ Par analogie et par allusion au rôle joué par la garde prétorienne des empereurs romains, il est substantivé en parlant d'un militaire qui sert une autorité despotique (1768, D'Alembert) et qualifie péjorativement les éléments militaires constituant la garde personnelle d'un chef d'État autoritaire ou qui interviennent par la force dans la vie de la nation *(garde prétorienne)*. Ces emplois sont littéraires. ➜ On en a tiré **PRÉTORIANISME** n. m., terme didactique (1876) caractérisant un régime politique dans lequel les prétoriens ont une influence prédominante.

PRÊTRE n. m., d'abord *prestre* (déb. XIIe s.), est issu par évolution phonétique du latin ecclésiastique *presbyter* (→ presbytère), lui-même emprunté au grec *presbuteros* qui a d'abord désigné dans le Nouveau Testament un des «anciens du peuple». C'est le comparatif de *presbus* «vieux» et «respectable, vénérable» (→ presbyte). Le mot a été conservé dans toutes les langues romanes, soit sous la forme *presbyter*, soit sous une forme tardive *prabyter*, due à l'influence du latin *praebitor* «celui qui pourvoit du nécessaire les fonctionnaires voyageant dans les provinces», d'où «celui qui pourvoit au salut des fidèles». *Praebitor* vient de *praebere* (→ prébende). Le développement de sens est analogue à celui du grec *parokhos* (→ paroisse). L'italien a *prete*, l'espagnol *preste*, l'ancien provençal *pestre*, *prestre* et *preire*. L'ancien provençal a possédé un mot *prevoire* ou *preveire* qui représente l'accusatif *presbyterum* et qui survit en langue d'oïl dans le nom de la *rue des Prouvaires* à Paris. ◈

♦ *Prêtre* désigne celui qui, dans l'Église catholique, a reçu le sacrement de l'ordre et, par extension, tout ministre d'un culte religieux (1213), ***grand prêtre*** (v. 1485) s'appliquant au chef de la religion hébraïque. Pratiquement, on n'emploie *prêtre* en dehors de la religion catholique qu'en parlant de l'antiquité et de certaines religions exotiques ; en ce qui concerne le protestantisme et le judaïsme moderne, on dit *ministre*, *pasteur* ou *rabbin*. De même, à propos de l'Islam, on évite le mot *prêtre*, cette religion ne comportant que des fonctionnaires religieux (*imams*, etc). ➜ Par analogie, le mot désigne celui qui a voué à qqn, à qqch. un culte auquel il consacre l'essentiel de son activité et qu'il veut répandre ou glorifier (1549, Du Bellay), en particulier dans ***grand prêtre***. ◇ L'expression *parti prêtre* (1838) a été employée sous la Restauration pour désigner le parti des partisans zélés de l'Église catholique. ◇ L'expression ***prêtre-ouvrier*** (1948) désigne après la Seconde Guerre mondiale un prêtre exerçant un métier manuel et partageant la vie des travailleurs.

▶ *Prêtre* a produit le féminin **PRÊTRESSE** n. f. (*prestresse*, v. 1160) en parlant d'une jeune fille, d'une femme attachées au culte d'une divinité dans les religions païennes. ◇ Par métaphore, le mot entre dans l'expression *prêtresse de Vénus* (1671) «courtisane», littéraire et devenue archaïque. ➜ **PRÊTRISE** n. f., d'abord *prestrise* (1310), désigne la fonction, la dignité de prêtre, le plus souvent au sein de l'Église catholique romaine, plus rarement dans d'autres religions (v. 1485). ➜ Avant la fin du moyen âge, *prêtre* avait produit **PRÊTRAILLE** n. f., alors écrit *prebstrailles* au pluriel (1498), puis *pres-*

traille (1549), son premier dérivé péjoratif désignant le clergé, les prêtres. Ce mot est à peu près sorti d'usage. ◆ **PRÊTROPHOBE** n. et adj. (1833, Gautier) désigne les anticléricaux, d'où **PRÊTROPHOBIE** n. f. (1865). ◆ **PRÊTREUX, EUSE** adj. (1860) «qui est partisan des prêtres» a disparu. L'hostilité au clergé n'utilise plus les dérivés du mot *prêtre*, mais son synonyme familier *curé*, les préfixés de *clérical* et diverses métaphores (*calotin*, etc.).

ARCHIPRÊTRE n. m., d'abord *arcepreste* (1255), est un emprunt demi-savant au latin ecclésiastique *archipresbyter*, calqué du grec *arkhipresbuteros*, de *arkhi-* marquant le premier rang (→ archi-) et *presbuteros*. ◆ Le mot a été repris pour désigner le prêtre que l'évêque déléguait à la tête d'une circonscription de son diocèse; de nos jours, c'est un titre conféré à certains curés. ◆ **ARCHIPRESBYTÉRAL, ALE, AUX** adj., d'abord écrit avec *-i-* (1694), est l'emprunt savant du bas latin ecclésiastique *archipresbyteralis*, adjectif correspondant à *archipresbyter*. Il qualifie, dans le langage didactique, ce qui est relatif à l'archiprêtre, placé sous son autorité.

PRESTOLET n. m. est emprunté (1657) au provençal *prestoulet*, diminutif de *prestre* «prête». On rencontre également *prestolant* (1542, Rabelais) et *prestolin* (1643), mais les rapports de ces mots à *prestolet* ne sont pas éclaircis : la variante *prestolant* (1570), employé aussi pour celui qui surveille les fermiers, est rangé par Wartburg sous le latin *praestolari* «attendre». ◆ Ce terme péjoratif et dédaigneux pour «petit prêtre sans importance» s'est employé jusqu'au XIXe siècle. Il a été remplacé par les dérivés péjoratifs de *curé*.

◈ voir PRAIRE, PRESBYTE, PRESBYTÈRE.

PREUVE → PROUVER

◈ ✱ **PREUX** adj. et n. m., réfection (v. 1382) des formes d'ancien français, *proz* (1080), *pro, pruz, preuz*, est issu d'un adjectif bas latin °*prodis*, tiré du bas latin °*prode* «utile», qui a lui-même fourni un substantif neutre °*prode* passé en ancien français sous la forme *preu, pru* et qui survit en français moderne dans un emploi adverbial (→ prou); °*prode* est attesté depuis le IVe s. dans la tournure impersonnelle *prode est*, qui résulte d'un découpage incorrect de *prodest, prod est* «il est utile». Ce découpage s'est fait sur le modèle de *pote est*, forme existante de *potest* «il est possible», d'après les locutions impersonnelles *utile est* «il est utile», *difficile est* «il est difficile». *Prodest* est la troisième personne du singulier du verbe impersonnel *prodesse*, composé de *pro* (*prod-* devant voyelle) [→ pour] et de *esse* (→ être), littéralement «être en faveur de (qqn)», d'où «être utile». L'ancien provençal a de même *pros, pro* «bon, excellent» et l'italien a *prode*.

♦ La signification originelle d'utilité est à la base de tous les emplois ultérieurs : l'adjectif *proz, preux* est toujours valorisant, comme *vaillant* qui en est le synonyme. Appliqué à un élément non humain, il en souligne l'utilité, la qualité; appliqué à un être humain (1080), il consigne la haute qualité du comportement : au sommet de la hiérarchie des valeurs morales, il qualifie ce que la société médiévale reconnaît comme le meilleur, et qui a évolué avec les mentalités. Jusqu'au XIIe s., encore au XIIIe s., chez Joinville, *preu* correspond essentiellement à la valeur guerrière et au courage, en relation dans le discours avec *hardi, combattant, bon chevalier, bon guerrier, bon vassal*. Ensuite, les romans antiques (comme le *Roman de Thèbes*) marquent un tournant et *preux* est employé avec une autre série d'adjectifs (*courtois, sage, gentil, bel, franc...*), indiquant une qualité plus générale de comportement en société, des vertus morales de sagesse, de bonté, de distinction, qui font du *preux* «l'honnête homme» de ce nouvel âge féodal. Cette signification générale, «valeureux», rend compte de celle de «bonne santé» qu'a pu exprimer l'adjectif en moyen français. Usuel jusqu'au XVIIe s. comme adjectif, l'emploi substantivé (attesté depuis 1080) ayant vieilli plus tôt, *preux* n'est dès lors qu'un terme archaïque ou un terme de civilisation.

▸ En revanche, les dérivés de *preux* se sont maintenus dans l'usage moderne. ◆ **PROUESSE** n. f., d'abord *proecce* (1080), a commencé par dénommer abstraitement (*la prouesse*) la vaillance, la valeur d'un preux au sens guerrier du mot, et concrètement (*une, des prouesses*) tout acte de vaillance (1080). Parallèlement à l'évolution de l'adjectif, le nom a pris une valeur générale de comportement. Par extension, il désigne toute sorte d'exploits, l'idée d'«action d'éclat» se chargeant au XVIIe s. d'une valeur ironique (1647, Vaugelas qui l'applique à un homme vantard et vaniteux), passant même dans le style burlesque pour un exploit ridicule (1651, Scarron) et dans la langue familière pour un exploit sexuel (av. 1660). ◇ Employé en ce dernier sens chez les libertins en parlant des excès de débauche (1718), il a développé le sens antiphrastique d'«action blâmable, faute» (1733, *une belle prouesse*). ◇ Au XXe s., le mot est encore vivant, mais souvent ironique.

PRUD'HOMME n. m. est la fixation graphique au XVIIe s. (1671) d'une série de formes présentes dès la *Chanson de Roland : prozdome* (1080), puis *preudome* (1176-1181), *preud'ome* (1260). Il est composé de *preux, de* et *homme** avec conservation de la voyelle initiale étymologique (*o, ou*; cf. *prou*). Le développement sémantique a suivi l'évolution du sens de *preux*. *Preudome* désigne un homme vaillant, le type parfait du chevalier, comme nom et comme adjectif; il est employé depuis le XVIIe s. dans un contexte historique, encore au XIXe siècle. Puis, il s'applique à un homme de mérite qui fait preuve de sentiments nobles et à un homme sage, avisé, d'expérience, reconnu compétent dans un domaine et pouvant être considéré comme expert à ce titre, sens attesté dès le XIIIe s. (1260, dans le domaine de la justice). Cette spécialisation professionnelle et ce statut juridique sont les seules valeurs du mot qui ont survécu, se retrouvant dans la fonction actuelle des ***conseils de prud'hommes*** chargés de régler les contentieux professionnels (1806, *Loi portant établissement d'un conseil de prud'hommes à Lyon*). ◇ Le passage de la vaillance à la sagesse ainsi que le recul de la connotation laudative du mot (de moins en moins relié à *preux*) rendent compte de l'apparition au XIXe s. du sens familier et péjoratif de «bourgeois médiocre et satisfait, aimant les déclarations emphatiques et creuses», illustré par les scènes populaires et la comédie de H. Monnier, *Grandeur et décadence de M. Joseph Prudhomme* (1852). ➜ **PRUD'HOMIE** n. f., anciennement *prodhommie* «sagesse, probité du prud'homme» (fin XIVe s.), a été repris (1876) dans la terminologie du droit du travail pour un conseil de prud'hommes. ➜ *Prud'homme*, avec sa valeur péjorative, par dérivation du nom du personnage de Monnier, a produit dans la seconde moitié du XIXe s. les termes dénigrants **PRUDHOMMESQUE** adj. (1853), d'où **PRUDHOMMESQUEMENT** adv. (1885), et **PRUDHOMMISER** v. tr. (1872), **PRUDHOMMERIE** n. f. (1862) et **PRUDHOMMISME** (1890), aujourd'hui archaïques. ➜ Au début du XXe s., apparaît le terme de droit **PRUD'HOMAL, ALE, AUX** adj. (1907) «relatif à la juridiction des prud'hommes».

PRUDE adj. et n. f. est issu (1640), avec altération sous l'influence de *prudent**, de l'ancien français *preudhomme (prudhomme)*, au féminin *prodefemme* (fin XIIe s.) «femme sérieuse et de mérite». Cette origine explique l'ancienne valeur laudative de *prude* employée pour désigner et qualifier une femme sage, sérieuse (1651). ➜ Par l'intermédiaire de *fausse prude* (1651, Scarron), le mot a rapidement pris le sens péjoratif de «personne qui fait la modeste» (1656), puis «femme d'une réserve excessive ou affectée quant aux mœurs ou à la bienséance» (1656). Il fait partie des qualificatifs péjoratifs de l'antiféminisme, en relation avec l'antipréciosité (on peut comparer les *fausses prudes* de Scarron, les *faux dévots* et les *précieuses ridicules* de Molière) et les moqueries à l'endroit des femmes savantes. ➜ *Prude* a produit **PRUDERIE** n. f. (1666) qui a dès ses premières attestations son sens péjoratif actuel, «affectation de réserve outrée jusqu'au ridicule, de la part d'une femme». Il est qualifié de «terme assez nouveau» par Bouhours en 1671 et de «mot barbare» par Sorel. ◇ L'emploi concret *(une, des pruderies)*, à propos d'un acte qui a un caractère de pruderie (1671), est sorti d'usage.

◈ voir **POUR, PRO-, PROU.**

PRÉVALOIR v. est emprunté (v. 1420) au latin *praevalere*, et *prae* «avant, devant» (→ pré-) et de *valere* (→ valoir) «valoir plus, l'emporter sur».

♦ Le verbe a été repris au latin comme intransitif pour «avoir l'avantage, dominer, l'emporter», de nos jours vieilli avec un nom de personne pour sujet, mais vivant avec un nom de chose. Les constructions *prévaloir contre* (1669) et *prévaloir sur* (1680) ont éliminé la construction plus ancienne *prévaloir à* (1531). *Se prévaloir de qqch.* (1570) a d'abord signifié «tirer parti de qqch.» et a développé la nuance péjorative de «tirer de la gloire» (1690), par l'intermédiaire du sens de «tirer avantage» (1647, Corneille).

▶ **PRÉVALENCE** n. f. (1504), «qualité de ce qui prévaut, supériorité, excellence», est probablement formé d'après le bas latin *praevalentia* «valeur supérieure», dérivé du participe présent *(praevalens)* de *praevalere*. Au XXe s., le mot a pris en médecine le sens de «nombre de cas de maladie ou de personnes malades dans une population déterminée» (attesté 1967), par emprunt à l'anglais *prevalence*, lui-même pris au français (XVIe s.) et attesté depuis le XVIIIe s. au sens de «extension, fréquence d'un phénomène» (1713), en médecine depuis 1839. ➜ **PRÉVALENT, ENTE** adj. est dérivé (1710) de *prévaloir* d'après le participe présent latin *praevalens*; il n'est pas exclu qu'il soit emprunté à l'anglais *prevalent* (1576). Attesté une première fois au XVIIIe s., il a été repris à la fin de ce siècle (av. 1788) au sens de «qui prévaut, qui domine». *Idée prévalente* se dit en psychologie d'une préoccupation à laquelle le sujet attache une importance exagérée.

PRÉVARIQUER v. tr. est emprunté (1432; 1398, au participe présent substantivé *prévaricant*) au latin *praevaricari* «marcher de travers, dévier», spécialement «labourer en déviant de la ligne droite», spécialisé au figuré en droit pour «être de connivence avec la partie adverse» et, dans la langue de la Vulgate, pour «trahir, transgresser». *Praevaricari* est formé de *prae* «devant» (→ pré-) et de *varicare* «écarter les jambes», «enjamber», d'où «écarter du droit chemin», de *varicus* adjectif dérivé de *varus* «cagneux, recourbé» et, au figuré, «contraire», «différent», d'étymologie obscure. *Prévariquer* a éliminé le type demi-savant *prévarier* «s'écarter de la loi divine» (v. 1120); l'ancien provençal a *prevaricar de* «dévier de» (XIIIe s.), puis «transgresser».

♦ *Prévariquer* a été repris au sens religieux de «transgresser» dans *prévariquer contre la loy divine*. Il a aussi repris le sens juridique latin, «être de connivence avec la partie adverse, manquer aux obligations d'une charge» (1549). Il est peu usité.

▶ Le nom correspondant, **PRÉVARICATION** n. f., est emprunté avant le verbe (v. 1120) au latin *praevaricatio, -onis*, dérivé du verbe *praevaricari* «intelligence avec la partie adverse», «collusion», spécialement dans la langue chrétienne «transgression, violation de la loi, faute, péché» (IIIe s.). ◇ Le mot a pénétré en français avec son acception religieuse et il a repris au latin classique sa spécialisation juridique (v. 1350); il est didactique, mais plus courant que le verbe. ➜ **PRÉVARICATEUR, TRICE** adj. et n. est emprunté (v. 1370) au dérivé latin *praevaricator* pour qualifier et (1380) désigner celui qui se rend coupable de prévarication.

PRÉVENIR v. tr. est emprunté (1467) au latin *praevenire*, de *prae* «devant, avant» (→ pré-) et de *venire* (→ venir), littéralement «venir avant», d'où «prendre les devants» (intransitivement) et, au figuré, «devancer, surpasser» (transitivement).

♦ Le verbe apparaît avec le sens juridique de «citer en justice», aujourd'hui sorti d'usage. Il a repris au latin le sens de «devancer, agir le premier», d'abord dans un emploi intransitif (v. 1480) qui a disparu, l'emploi transitif (1512) se rencontrant encore par archaïsme littéraire. La valeur étymologique de «venir avant» (1551), surtout avec une nuance figurée d'anticipation, est elle aussi archaïque. ➜ Les sens modernes du mot se sont développés autour de 1600, précédés par *prévenir à* «aller au devant pour faire obstacle à», attesté à la fin du XVe siècle. On parle d'abord (1604) de *prévenir une maladie* «l'empêcher de se produire», les compléments pouvant ensuite désigner toute chose fâcheuse. De là, absolument, le proverbe *mieux vaut prévenir que guérir.* ◆ *Prévenir* a aussi pris le sens d'«informer (qqn) par avance» (1585), resté usuel, et de «mettre par avance dans une disposition d'esprit favorable ou défavorable envers qqn ou qqch.» (1675) dans *prévenir qqn en faveur de, contre,* qui correspond à *prévention* (cf. ci-dessous). Selon un développement analogue à *avertir,* il signifie «donner un avertissement à (qqn) en manière de menace» (1782). ◆ L'autre sens moderne du mot, «aller au-devant de (qqch.) pour en hâter l'accomplissement», est attesté depuis 1691.

▶ Le mot n'a pour dérivé que ses participes adjectivés. ◆ Le participe passé substantivé **PRÉVENU** n. m. désigne (1585) la personne traduite devant un tribunal, prolongeant le premier sens du verbe en moyen français. Il est adjectivé avec le sens correspondant «considéré comme pouvant être coupable» (1611) et s'emploie également pour «qui a des préventions en faveur de, contre qqch.» (1662). ◆ **PRÉVENANT, ANTE** adj. (XVIe s.) a le sens propre de «qui précède» dans l'expression théologique *grâce prévenante* (1514). ◇ Le sens courant, «obligeant» (en parlant d'une personne) et «qui prévient en faveur de» (d'une chose, d'un comportement), n'est attesté que depuis 1788, mais il est antérieur. Son emploi actuel correspond à «qui prévient les désirs, de besoins de qqn». ◆ **PRÉVENANCE** n. f., dérivé de *prévenant,* est attesté en 1732 au sens d'«obligeance» et concrètement *(une, des prévenances)* «acte, parole témoignant d'obligeance».

PRÉVENTIF, IVE adj. est un dérivé tardif (1819) du radical latin de *praeventum,* supin de *praevenire* (→ prévenir), pour servir d'adjectif à *prévenir* et *prévention.* ◆ Le mot qualifie ce qui tend à empêcher une chose fâcheuse de se produire, en particulier une maladie (1865, *traitement préventif*). Comme terme juridique, il se dit (1835) d'une arrestation, d'une détention appliquée à un prévenu (1835), autrefois dans *prison, détention préventive* (1835), elliptiquement *la préventive* n. f. (1923), remplacés par *détention provisoire.* ◆ Le dérivé **PRÉVENTIVEMENT** adv. (1832) s'emploie en droit et aussi en médecine (1834).

PRÉVENTION n. f. (1580), d'abord écrit *prevencion* (1374), est emprunté au bas latin *praeventio, -onis* «action de devancer, action de prévenir en avertissant», dérivé du latin classique *praeventum,* supin de *praevenire.* L'ancien français avait emprunté le mot en astronomie pour «opposition» (2de moitié du XIIIe s.). ◆ En moyen français, le mot désigne le fait de venir le premier et, en ancien droit, le fait, pour une juridiction, de connaître par préférence à une autre une affaire; spécialement en droit canon le fait que la Cour de Rome peut conférer un bénéfice vacant en devançant le collateur ordinaire (1594). ◆ Au XVIe s., *prévention* a pris la valeur de «mesure de précaution» (1580, Montaigne), surtout répandue depuis le XIXe s. en relation avec *préventif* (ci-dessus) en parlant d'un ensemble de mesures destinées à prévenir certains risques (1883, *prévention d'un accident*). Avec une valeur proche de *sécurité,* le mot s'applique à un système destiné à prévenir les accidents *(prévention routière).* ◆ Il a aussi développé en droit le sens de «fait de considérer comme prévenu, de mettre en accusation» (1590, Montaigne), sorti d'usage, mais annonçant le sens moderne de «détention» (1792, *prévention d'un délit*) et, autrefois, de «détention préventive» (1848) avant que cette détention ne soit remplacée par la détention provisoire. ◆ Sous l'influence de l'un des sens de *prévenir,* il désigne couramment (1637) l'état d'esprit d'une personne prévenue, en particulier une opinion antérieure à tout examen ou raisonnement, une opinion préconçue défavorable, un préjugé. Il s'est spécialisé en rhétorique (1706) pour une figure par laquelle on répond d'avance à une objection prévue. ◆ La dérivation de *prévention* consiste en quelques termes juridiques ou médicaux : en droit, *prévention* a produit **PRÉVENTIONNAIRE** n. (probablement 1914-1918), qui désignait la personne faisant de la détention préventive. ◆ **PRÉVENTEUR, TRICE** n. (v. 1960), fait sur le modèle d'*inventeur**, désigne la personne qui s'occupe de la prévention des accidents, les termes médicaux **PRÉVENTOLOGIE** n. f. (v. 1970) et **PRÉVENTOLOGUE** n. (v. 1970) venant du radical latin de *préventif* et *prévention.*

PRÉVENTORIUM n. m., (1908, *Larousse mensuel,* janvier) dérivé savamment du latin *praeventum,* supin de *praevenire* sur le modèle de *sanatorium**, désigne un établissement aménagé pour réunir les conditions hygiéniques propres à prévenir les maladies, spécialement la tuberculose pulmonaire.

PRÉVOIR v. tr. est la réfection (1265), d'après *voir**, de *previr* (1219), emprunt semi-savant au latin *praevidere,* de *prae* «avant» (→ pré-) et *videre* (→ voir), proprement «voir auparavant, apercevoir d'avance».

♦ Le verbe, repris au latin au sens de «concevoir d'avance (ce qui va se passer)», a eu du mal à s'imposer en ancien et en moyen français, la préférence étant accordée à *pourvoir**, de *pour**, du latin *pro-,* «en avant, devant». Après le partage des sens entre les deux verbes, c'est *prévoir* qui a gardé ce sens, devenu courant. Par spécialisation, il a pris celui d'«envisager les événements en prenant les mesures, les précautions nécessaires» (1537). ◆ Par extension, l'accent étant mis sur la préparation du futur, le verbe exprime le fait de décider pour l'avenir, d'organiser d'avance (1669). Cette valeur, surtout vivante au passif, est spécialement réalisée par son participe passé *prévu* dans le tour elliptique *comme prévu* (attesté 1960), d'usage familier et condamné par certains grammairiens.

▶ **PRÉVOYANCE** n. f. (1410) n'est pas dérivé de *prévoyant,* mais formé d'après *pourviyance,* dérivé de *pourvoir,* avec changement de préfixe d'après *prévoir.* Le mot a perdu le sens de «faculté ou action de prévoir», se spécialisant pour désigner l'attitude d'une personne qui prend les dispositions, les précautions nécessaires pour faire face (1580), spécialement dans les noms d'organismes tels que *caisse de prévoyance* (1832), *société de prévoyance.* ◇ L'emploi du pluriel *prévoyances* «soins concernant l'avenir» (v. 1600) est propre à la langue classique. ◆ L'antonyme préfixé **IMPRÉVOYANCE** n. f. (1611), autrefois «imprévision», correspond à *imprévoyant* (cf. ci-dessous).

PRÉVU, UE, participe passé de *prévoir,* a été adjectivé et a produit l'antonyme **IMPRÉVU, UE,** adj. (1535), également employé comme nom depuis 1796, avec une valeur générale de neutre *(l'imprévu),* et concrètement *(un, des imprévus)* en parlant d'un événement inattendu.

Le participe présent **PRÉVOYANT, ANTE** a d'abord été substantivé (1550) dans *le Prévoyant* «Dieu, la Providence». Cette acception, de même que l'emploi correspondant de l'adjectif (1609), est sortie d'usage. ◇ Seul reste vivant l'emploi adjectivé pour qualifier une personne qui prend des dispositions en vue de ce qui peut ou doit arriver (1578) et un acte, un comportement qui dénote ce type de prudence (1686). ◆ *Prévoyant* a lui aussi, par symétrie, produit l'antonyme **IMPRÉVOYANT, ANTE** adj. et n. (1596) pour qualifier et désigner une personne qui manque de prévoyance et, par métonymie, un acte ou comportement manquant de prévoyance.

Ce n'est qu'au XIXe s. que *prévoir* a produit l'adjectif **PRÉVISIBLE** (1844), sur le modèle de *visible**, pour «que l'on peut prévoir». ◆ **IMPRÉVISIBLE** adj., attesté peu avant *prévisible,* qualifie ce qui arrive ou peut arriver sans qu'on puisse le prévoir (1832). ◆ À **PRÉVISIBILITÉ** n. f. (XXe s.), d'usage didactique, répond un antonyme **IMPRÉVISIBILITÉ** n. f. (1907, Bergson).

PRÉVISION n. f. est directement emprunté (v. 1278) au latin de basse époque *praevisio, -onis* «action de prévoir», «connaissance anticipée», dérivé du latin classique *praevisum,* supin de *praevidere.* ◇ Le mot fournit le nom d'action correspondant à *prévoir,* désignant l'action de prévoir et, par métonymie *(une prévision),* ce que l'on prévoit (1314). Il entre dans la locution courante ***en prévision de*** (1844) et se spécialise en météorologie : *la prévision du temps* (1880) puis *prévisions météorologiques* (1907). Il a pris d'autres valeurs techniques dans le langage administratif (1923, *prévisions des règlements*), en économie (1943) et en finances. ◆ En plus de son antonyme préfixé **IMPRÉVISION** n. f. (1845), qui fournit un doublet littéraire à *imprévoyance* et s'emploie spécialement en droit administratif (1936), *prévision* a produit l'adjectif **PRÉVISIONNEL, ELLE** attesté une première fois en 1845 et de nouveau à partir de 1876, d'usage administratif et didactique, ainsi que **PRÉVISIONNISTE** n. (1943) désignant un spécialiste de la prévision, notamment en économie, en météorologie.

PRÉVÔT

PRÉVÔT n. m., d'abord *prevost* (v. 1135), est issu par évolution phonétique du latin *praepositus,* participe passé passif substantivé de *praeponere* (→ préposer, préposition). *Praepositus* désigne un chef, un officier choisi pour être mis à la tête de qqch. ; en bas latin, le mot s'est spécialisé pour désigner un chef dans l'Église (déb. IIIe s.), celui qui dirige une communauté de clercs ou de moines, le supérieur, l'abbé (déb. Ve s.), le chef d'un monastère sous l'autorité d'un abbé (Ve s.) et un officier exerçant des fonctions judiciaires (501-523). En latin médiéval, *praepositus* a d'autres spécialisations telles qu'«officier public» (801), «magistrat communal» (1114) et «doyen d'une gilde marchande» (v. 1050). Le mot est seulement gallo-roman ; l'italien *prevosto* et l'espagnol *preboste* viennent de ce latin des Gaules. Une variante latine de basse époque *propositus* a donné l'ancien français *provost* et l'ancien provençal *probost,* à l'origine de l'allemand *Propst* et de l'anglais *provost.*

♦ Au moyen âge et sous l'Ancien Régime, le nom, héritier du latin, désignait des magistrats, des officiers chargés d'une juridiction ou des dignitaires ecclésiastiques : il a servi à former des titres tels que *prévôt de Paris* (v. 1260), ***prévôt des marchands*** (1350) désignant celui qui était à la tête de l'administration municipale de Paris ; à partir de 1575, on appelle à Lyon *prévôt des maréchaux* (1461) l'officier à la tête de la maréchaussée. Par ailleurs, *prévôt de la salle* désignait (1288) le supérieur d'une école dépendant d'une église, et on appelait *prévôt* le chef de chapitre d'une église collégiale (1300). ◆ Le mot s'emploie encore en escrime pour désigner le sous-maître dans une salle d'armes, appelé *prévôt de salle* (1616-1620) ou *prévôt d'armes.* ◇ Dans l'armée, il désigne l'officier chargé de connaître des cas criminels (1666) et, d'abord en argot des prisons, le détenu chargé de remplir des fonctions de surveillant auxiliaire ou de chef de chambrée (1828).

▶ Le mot a produit deux dérivés. ◆ **PRÉVÔTÉ** n. f., d'abord *prevosté* (1260), a remplacé la forme *provosté* (1130-1140). Le mot a subi l'influence du latin médiéval *praepositatus* «charge de prévôt d'une église collégiale» (VIIIe s.), «ensemble des revenus qui se rattachent à la charge de prévôt d'une église» (909) et «circonscription domaniale» (1210). Ses emplois se sont restreints à la mesure de la fonction administrative, ecclésiastique et juridique du prévôt : après avoir désigné cette fonction, la juridiction correspondante, la circonscription où elle s'exerçait, *prévôté* ne concerne plus de nos jours qu'un service de gendarmerie dans l'armée. ◆ **PRÉVÔTAL, ALE, AUX** adj. (1514, *prevostal*) qualifie comme terme d'histoire ce qui est relatif au prévôt, ce qui est de sa compétence. Il a éliminé les adjectifs *prévotaire* (1606-1611) et *prevostable* (XVIe s.-1771) de même sens. ◇ Le dérivé **PRÉVÔTALEMENT** adv. (av. 1672) n'est plus employé qu'en histoire pour «selon la justice d'un prévôt». Il a eu le sens figuré de «sans appel».

PRÉVOYANCE → PRÉVOIR

PRIAPÉE

PRIAPÉE n. f. est emprunté (1509) au latin *priapeia,* désignant un ensemble de poèmes de différents auteurs sur le dieu Priape (à l'époque d'Auguste). Ce mot, fait à l'exemple du grec *Priapeia* (Ier s. av. J.-C.), est le pluriel neutre de l'adjectif *priapeius* «de Priape», notamment dans *priapeius versus* (fin IIe s.) et *priapeium metrum. Priapeius* est emprunté au grec *priapeios,* dans *priapeion metron* (IIe s.), employé au pluriel pour un poème composé sous la forme réservée aux chants en l'honneur du dieu Priape. *Priapeios* est issu de *Priapos,* nom du dieu phallique, symbole de fécondité, qui protégeait les jardins chez les Grecs, assurant la prospérité, et dont le membre en érection (ithyphalle) avait la vertu de détourner le mauvais œil et de rendre vains les maléfices des envieux. Le mot n'a pas d'étymologie connue : on a supposé sans preuve que le dieu était originaire du nord de l'Asie Mineure en évoquant le nom *Priapos*, ville de la Propontide.

♦ *Priapée* a été repris à la Renaissance comme terme de poétique antique pour désigner, au pluriel, les pièces en l'honneur de Priape et, par extension, un poème, une peinture, une scène ou un spectacle obscène (1548), le dieu *Priape* en étant venu à l'époque romaine à personnifier la virilité dans l'amour physique. ◇ Le mot désigne aussi, au pluriel, les fêtes en l'honneur de Priape et, par extension, des scènes d'orgie.

▸ **PRIAPÉEN, ENNE** adj. a été emprunté comme terme de poétique (1842) au bas latin *priapeius* avec le suffixe *-éen, -éenne*. ➛ **PRIAPISME** n. m. est un emprunt (1495) au bas latin médical *priapismus*, désignant une érection pathologique prolongée de la verge (Ve s.), lui-même emprunté au grec tardif *priapismos*, dérivé de *Priapos* «Priape». ◇ Par extension, le mot désigne une excitation érotique anormale chez l'homme, correspondant à *nymphomanie* pour la femme. ➛ Le nom de **PRIAPE** n. m. a été repris comme nom commun (1515), d'abord sous la forme *preape* (1304), au latin *Priapus* avec sa valeur de «virilité dans l'amour physique». Il désigne didactiquement une effigie de la verge en érection. ➛ Il a pour dérivé **PRIAPIQUE** adj. (1832), mot de la langue didactique qualifiant ce qui appartient à Priape ou à son culte, puis à l'excitation érotique virile (l'anglais *priapic* est attesté depuis 1786 et le français connaissait lui-même antérieurement le substantif *Priapiques*, 1703). ➛ Enfin, au XXe s., a été formé le terme de classification zoologique **PRIAPULIENS** n. m. pl. par l'intermédiaire du latin scientifique *priapulus*, lui-même dérivé de *priape* par allusion à la forme de l'animal. Le mot recouvre un embranchement de vers de petite taille vivant dans les mers arctiques et tempérées.

PRIER v., d'abord *preier* (881), est issu du latin médiéval *precare* (VIe s.), réfection du latin classique *precari* «supplier (un dieu, un homme)», verbe déponent employé dans diverses constructions au sens de «demander (que, que ne pas)» et employé à la première personne *precor* pour «je te prie, je vous en prie»; *precari* a aussi le sens affaibli de «souhaiter». Ce verbe est dérivé de *prex, precis* «demande, prière», avant la période classique, plus courant au pluriel *preces*. Ce dernier est un nom d'action radical, de genre animé, féminin (comme *lux* «lumière», *nex* «mort», *vox* «voix», etc.), ancien terme du vocabulaire juridique et religieux. Il appartient à une racine indoeuropéenne °*prek'*- «demander». Comme celle-ci ne fournissait pas de présent radical indoeuropéen, on a recouru à diverses formations et notamment aux présents en °*ske-/o-* attestés par le sanskrit, l'arménien, l'ancien haut allemand et le latin *poscere* «demander, réclamer» (→ postuler).

♦ Le mot est passé en français au sens religieux, «invoquer Dieu» (881, *preier*) et «s'adresser à la divinité ou à un intercesseur par une prière instante» (v. 1112). L'infinitif *prier* (v. 1170) a été refait d'après les formes de la conjugaison accentuées sur le radical (telles que la première personne du présent) ; le radical *pri-* s'est étendu à toutes les formes accentuées sur la terminaison ainsi qu'à *prière** (anciennement *preiere*). *Prier* a concurrencé l'ancien français *orer* (du latin *orare* ; → oraison) et l'a supplanté au XVe siècle. Le verbe exprime spécialement l'idée de «demander la grâce de Dieu», intransitivement dans *prier pour* (la personne ou la chose pour laquelle on invoque Dieu), spécialement dans *priez pour nous* (1690), réponse des fidèles dans une litanie. ➛ Le sens non religieux du verbe est également attesté dès le Xe s. (v. 980) avec la valeur forte de «demander de façon pressante», réalisée dans la formule *je vous prie de faire qqch.* (1176-1181). Avec un changement de point de vue, ***se faire prier*** (v. 1170) exprime le fait de ne céder qu'après de longues hésitations et en sollicitant l'insistance de celui qui demande, la tournure négative ***sans se faire prier*** apparaissant à l'époque classique (1671). Avec un sens affaibli, le mot exprime le fait de demander qqch. poliment et d'inviter (1400-1405), spécialement dans la construction *prier qqn à*, vieillie lorsqu'elle est suivie d'un infinitif (1671) mais encore usitée avec un nom de repas.

▸ *Prier* n'a guère donné de dérivés, le nom correspondant *prière**, étant emprunté du latin. ➛ Toutefois, son participe présent **PRIANT, ANTE** est substantivé en parlant de la représentation d'une personne qui prie (1472), spécialement d'une statue (1551), en concurrence avec *orant* qui s'est maintenu après la disparition du verbe *orer*. ➛ ① **PRIEUR, EUSE** n. a d'abord servi, depuis le XIIIe s., (v. 1250) à désigner la personne qui prie, sens caduc depuis le XVe s., et, en moyen français, celui qui invitait aux funérailles (1426). ◇ De nos jours, seul le féminin *prieuse* reste vivant (1851) en parlant de la femme qui ouvre le cortège d'un enterrement (en Suisse, dans l'ouest de la France) et, rarement, d'une béguine ainsi que d'une femme qui a pour fonction de prier, réactivant le sens de l'ancien français *preieresse* (v. 1230). ➛ Le nom concret **PRIE-DIEU** n. m. inv., d'abord *prié-Dieu* (1603) «oratoire» jusqu'en 1771, est devenu le nom d'un siège bas où l'on peut s'agenouiller pour prier (1634).

PRIÈRE n. f. (v. 1138) d'abord *preiere* (v. 1120) est issu du bas latin mérovingien *precaria* «charte de supplication», «supplique» (658), substantivation de *charta precaria*, où *precaria* est le féminin de l'adjectif classique *precarius*. Celui-ci, qui a donné *précaire**, est dérivé de *preces, -um*, pluriel usuel du singulier plus rare *prex, precis* «prière, supplication» (cf. ci-dessus *prier*) dont il a pris la place. Le mot est seulement gallo-roman et catalan (*pregaria*). Il a éliminé du langage courant *oraison* (du latin ecclésiastique). ➛ Le mot signifie «action de prier», par métonymie «paroles par lesquelles on prie». Dès cette époque, il est aussi attesté au sens laïc de «demande instante» (v. 1140), également hérité du latin, spécialement dans la locution ***à la***

prière de «à la demande de» (1316). La locution ***prière de*** suivie d'un infinitif et servant de formule elliptique de demande est moderne (1813), spécialement dans ***prière d'insérer*** (1935) annoncé par *prière de les insérer* (1831 chez Lamartine) et substantivé sous la forme d'un composé invariable : *des prière d'insérer* (1937).

◈ voir DÉPRÉCATION, IMPRÉCATION, PRÉCAIRE, POSTULER.

① PRIEUR → PRIER

② PRIEUR, EURE n., d'abord *priur* (déb. XIIe s.) et *prior* (v. 1155) au masculin, *priore* (1210-1225) au féminin, est emprunté au latin *prior, prius,* comparatif d'un radical *pri-* «en avant, d'avant», attesté seulement par ses dérivés (→ premier, privé) et par *prior. Pri-* fait partie d'un ensemble de mots à structure consonantique *p-r* servant de prépositions, de préverbes et d'adverbes et dont le sens primitif devait être «en avant» (→ para-, péri-, pour, pré-, pro-). *Prior* signifie «en avant (dans le temps ou dans l'espace)», «précédent, premier (en parlant de deux)» et, avec l'idée de supériorité, «supérieur» joint alors à *potior. Prior* a pris en latin médiéval ecclésiastique le sens de «abbé, supérieur» (déb. VIe s.), puis «administrateur civil d'une petite cité» (VIe s.) et, au pluriel, «notabilités d'un lieu» (VIe s.). Il se rencontre ensuite dans l'expression *priores artis* «prieur des arts», comme titre de certains dignitaires ou magistrats (1285).

♦ Le mot a été repris dans son sens ecclésiastique de «supérieur d'un couvent» au masculin d'abord, puis aussi au féminin *priore* (1210-1225), puis *prieure.* Il entre dans le titre *sous-prieur* (1666 ; d'abord écrit *souprieur,* 1270) et dans celui de *grand-prieur,* réservé à celui qui avait la première dignité après l'abbé titulaire dans certaines abbayes, spécialement à un chevalier revêtu d'un bénéfice de l'ordre de Malte. ◇ *Prieur* a aussi servi de titre à certains dignitaires civils : le *prieur de Sorbonne* présidait pendant un an aux assemblées de Sorbonne. *Prieur des arts* (1429-1430) est calqué sur une expression latine médiévale. *Prieur* désignait aussi un magistrat suprême de la république de Florence (1690). Hors ces usages historiques, le mot n'est plus usité qu'en religion.

▶ **PRIEURÉ** n. m., d'abord *priöré* (v. 1175), est emprunté au latin médiéval *prioratus* «charge de prieur» (v. 980) et «maison régie par un prieur» (v. 1050), dérivé de *prior.* ◇ Le mot a évincé l'ancien et moyen français *prieurté* «couvent» (1248), vivant jusqu'au milieu du XVe s., et encore qualifié de «vieux langage» par le dictionnaire de l'Académie en 1842. *Prieuré* désigne surtout le couvent désigné par un prieur et, moins souvent, la dignité de prieur (1671). ◆ Le sens de «charge de prieur» est assumé par **PRIORAT** n. m. (1688). ◆ L'adjectif correspondant à *prieur* et à *prieuré* est **PRIEURAL, ALE, AUX** (1694) qui a évincé le moyen français *prioral.* Il est spécialement employé dans l'expression *chambre prieurale* (1869) à propos de certaines commanderies de l'ordre de Malte.

◈ voir A PRIORI, PRIORITÉ.

PRIMA DONNA n. f. est un emprunt de l'époque romantique (1833) à l'italien *prima donna* désignant le premier soprano «absolu» (déb. XVIIIe s.), parallèlement à *primo uomo* désignant le premier ténor. Le terme signifie proprement «première dame», de *prima,* féminin de *primo* correspondant au français ① prime*, et *donna* correspondant au français *dame*.*

♦ Le mot est d'abord attesté comme mot italien dans un texte de Stendhal, puis chez Gautier comme emprunt intégré (1833). Le pluriel italien *prime donne* a été en concurrence avec *prima donna* (pl. inv.), qui l'a emporté.

① PRIMAGE n. m. est un anglicisme technique (1886) : il est soit dérivé d'un verbe ③ *primer,* uniquement attesté au XIXe s. (1840-1890) et emprunté au verbe anglais d'origine obscure *to prime* «emplir, charger, amorcer», d'où techniquement «laisser passer de l'eau de la chaudière entraînée par la vapeur dans le cylindre», soit adapté de l'anglais *priming* (1832), substantif verbal de *to prime* désignant ce phénomène.

♦ Le mot désigne l'entraînement d'eau par la vapeur dans les cylindres d'une machine. Par métonymie, il est appliqué à la quantité d'eau entraînée par la vapeur (1886), emploi dans lequel il calque exactement l'anglais *primage,* attesté depuis 1881 dans ce sens.

② PRIMAGE → ② PRIME

PRIMAIRE adj. et n. est le doublet savant, introduit tardivement (1789) en français, de *premier*;* il est emprunté au latin *primarius,* dérivé de *primus* (→ ① prime).

♦ Le mot est apparu sous la Révolution dans des emplois administratifs et politiques, qualifiant ce qui forme le premier degré en commençant, spécialement le premier degré d'un système d'élection (1789, *assemblées primaires*), et de l'enseignement (1791, ***écoles primaires***). Il qualifie aussi ce qui vient en premier (1789, *ordonnances primaires*). ◇ Ce sémantisme s'applique notamment en géologie (1845 ; peut-être d'après l'anglais, *primary* attesté en ce sens depuis 1795) où il qualifie les terrains les plus anciens, à la suite de *primitif,* avant de servir à dénommer, en tant que substantif (déb. XXe s.), l'ère géologique succédant au précambrien (déb. XXe s.). Il est également employé en physique dans *couleurs primaires* (1876) et en électricité pour le circuit d'entrée dans une bobine d'induction, un transformateur (1901). ◇ Au XXe s., le mot passe dans d'autres vocabulaires spécialisés, en médecine, en économie où il se dit des activités productrices de matières non transformées (1949), en caractérologie (1945), à propos des tendances à vivre et réagir en fonction du présent, de l'expérience immédiate, et en philosophie. Dans tous ces emplois, *primaire* s'oppose à *secondaire* et, dans certains d'entre eux, à *tertiaire,* voire (géologie) à *quaternaire.* ◆ En politique, par calque de l'anglo-américain *primary,* on parle d'*élections primaires,* d'où des *primaires,* n. f. pl., expression parfois appliquée à des projets français (v. 1985).

◆ Dans le langage didactique, *primaire*, par réemprunt à l'anglais, qualifie une revue scientifique qui ne présente que des résultats inédits de recherche (v. 1975). ◆ À la fin du XIXe s., avec le développement de l'école, le mot, dans le domaine de l'enseignement, est substantivé pour désigner un membre de l'éducation primaire (1904) et l'éducation primaire elle-même (1910) : *le primaire*. ◆ Par extension, le nom, reflétant les luttes politiques autour de l'école sous la IIIe République, désigne une personne qui manifeste la simplicité d'esprit attribuée par certains à l'enseignement primaire (1898) ; il est devenu courant dans l'emploi adjectif correspondant avec une valeur de «simpliste» et «peu cultivé» (1903). Cette évolution péjorative est parallèle à celle du mot *primitif**, mais plus tardive ; elle isole le mot, n'ayant plus de relation avec *secondaire*, etc.

▶ *Primaire* a produit **PRIMAIREMENT** adv. (attesté 1809), peu usité, et deux noms, **PRIMARISME** n. m. (1938), mot péjoratif désignant le caractère d'une personne, d'un esprit «primaire», et **PRIMARITÉ** n. f., spécialisé en caractérologie (1945) pour le caractère, la manifestation de la fonction «primaire» chez l'individu.

① **PRIMAT** n. m. est emprunté (v. 1155) au latin *primas, -atis,* dérivé de *primus* «premier» (→ ① prime), «qui est au premier rang», substantivé pour désigner celui qui est au premier rang, un notable et spécialement, en latin ecclésiastique, le doyen des évêques d'un pays.

♦ Le mot a été repris au latin ecclésiastique pour servir de titre à certains prélats jouissant d'un privilège ou d'une primauté* de juridiction pouvant s'exercer sur d'autres évêques. De nos jours, c'est un titre honorifique attaché par tradition à un siège épiscopal *(primat des Gaules)*. Il est quelquefois employé en apposition à un titre de prélat.

▶ *Primat* a donné deux dérivés. ◆ **PRIMATIE** n. f. (1549), réfection graphique de *primacie* (XIIIe s.), a subi l'influence du latin médiéval *primatia*, et désigne la dignité de primat puis, par métonymie, le territoire sur lequel s'exerce sa juridiction (1694). Il est employé rarement dans la langue littéraire comme un synonyme de *primauté*. ◆ **PRIMATIAL, ALE, AUX** adj. et n. f. (1445) qualifie ce qui se rapporte à un primat ; il est substantivé au féminin **PRIMATIALE** (1607) pour *église primatiale*.

◈ voir PRIMATE.

② **PRIMAT** n. m. est emprunté savamment (1893) à l'allemand *Primat* «suprématie, caractère de ce qui prime du point de vue spirituel, intellectuel», employé en philosophie chez Kant dans l'expression *Primat der praktischen Vernunft* «prééminence de la raison pratique». Le mot allemand est emprunté au latin *primatus* «prééminence (d'une personne)» et «supériorité (d'une chose)», dérivé de *primus* «premier» (→ ① prime). Le moyen français avait emprunté au latin *primatus* le substantif *primat* (XVe s.) au sens de «supériorité».

♦ Le mot a été introduit en philosophie comme synonyme de *primauté*, par référence à Kant. Par extension, il désigne dans l'usage général, mais didactiquement, le caractère de ce qui prend le pas, qui domine.

PRIMATE n. m. est la correction (1823 au pluriel) de la forme antérieure *primats* au pluriel (1793, dans une traduction par Linné), francisation du latin savant *primates* (Linné), pluriel de *primas* (→ ① primat), pour désigner un ordre de mammifères supérieurs comprenant l'homme, les simiens, les lémuriens et les chauves-souris.

♦ Le mot, comme tous les termes classificatoires zoologiques, est le plus souvent employé au pluriel. ◇ Relativement usuel comme synonyme savant de *singe*, il est passé dans la langue familière pour désigner un individu d'un bas niveau intellectuel (avec influence probable de *primaire, primitif*), par oubli complet de l'origine du mot, qui signifie «supérieur», et peut-être, depuis le début du XXe s., avec influence de *primaire* au sens péjoratif.

▶ Le mot a produit **PRIMATOLOGIE** n. f. (v. 1960) «étude des primates» et le nom de spécialiste **PRIMATOLOGUE** n. (v. 1960).

PRIMAUTÉ n. f. a été dérivé savamment (XIIIe s.) du latin *primus* «premier» (→ ① prime) avec le suffixe *-auté* sur le modèle de dérivés comme *royauté**.

♦ Le mot, d'abord employé comme terme religieux, est rare avant le XVIe s. où il prend son sens actuel de «prééminence, supériorité» en parlant d'une chose, d'une personne (1545, Calvin). Il a quelquefois la nuance de «supériorité de fait» et entre en concurrence avec un mot de la même famille, ② primat*.

✳ ① **PRIME** adj. et n. f., dont l'usage est aujourd'hui restreint à quelques locutions et sens spéciaux, est la forme féminine (1119) de l'ancien adjectif *prim*, avec nasalisation *prin*, surtout employé dans des locutions (→ primesaut), outre quelques composés (→ primerose, primevère, printemps). *Prin, prime*, adjectif survit dans les patois de la région franco-provençale au sens de «mince, délicat». Cet adjectif est issu de l'adjectif latin *primus* «qui est tout à fait en avant» (comme dans *prima puppis* «l'extrémité de la poupe») et surtout «premier», formant un couple antithétique avec *postremus*, comme *prior* (→ ② prieur) avec *posterior* (→ postérieur). *Primus* sert aussi d'ordinal à *unus* (→ un), comme en grec *prôtos* à *heis*. *Primus* doit venir d'une forme reconstituée de °*prismo-*, °*pris-* contenant le suffixe *-is-* des comparatifs ; le mot est dérivé du radical *pri-* «en avant» (→ ② prieur). Le détail de sa formation n'est pas clair, car les formes signifiant «premier, par rapport à plus d'un terme de comparaison» diffèrent d'une langue indoeuropéenne à l'autre. Il a été concurrencé en français par le représentant de son dérivé *primarius* (→ premier, primaire).

♦ Le mot a dès le XIIe s. le sens de «premier», surtout au XVIe s. et encore quelquefois au XVIIe s. ; il est d'abord employé au féminin, la forme *prime* au masculin n'étant attestée que depuis 1532. La locution ***de prime face*** (1375) «à première vue», encore chez La Fontaine et, depuis, chez les auteurs archaïsants, l'a cédé à ***de prime abord*** (av. 1622) «en premier lieu», formée sur son modèle et restée usuelle. ◆ *Prime* n'est plus usité que dans quelques expressions et locutions, souvent littéraires ou ironiques comme ***prime jeunesse*** (1662). ◆ Ultérieurement (XIXe s.), il a été repris en mathématiques au latin *primus* pour qualifier un symbole accompagné d'un seul signe. ◆ Le mot a en outre des emplois substantivés au féminin : dès le XIIe s. (1121-1134), **PRIME** n. f. désigne la première des heures canoniales ; on disait autrefois *a haute prime* (XIIIe s.) pour «l'heure est bien avancée» et, en vénerie, *de haute prime* pour «assez longtemps après six heures». ◇ Par ellipse d'un autre nom, *prime* a servi à désigner un ancien jeu de cartes (1387-1389) dans lequel le gagnant était celui qui obtenait le premier quatre cartes de couleurs différentes ; la locution *avoir prime* signifiait «avoir ces quatre cartes» ; par métaphore, *jouer à la prime* s'est dit pour «prendre les devants» (XVIe s.). ◇ En terme de commerce, elliptiquement pour *laine prime* (1358), *prime* désigne (1723) une laine très fine de première qualité. ◇ Il figure en outre (1653) au nombre des termes d'escrime pour désigner la première parade de l'escrimeur.

▶ Avant la fin du XIIe s., *prime* a servi à former, avec le suffixe *-eur*, **PRIMEUR** n. f., d'abord *primur* dans l'expression *al primur* (v. 1180) «au commencement». Le sens de «caractère de ce qui est nouveau, commencement» a vieilli et l'on ne dit plus guère, en parlant de fruits et de légumes ou de vins, qu'ils sont *dans leur primeur* (1694). La qualification *de primeur* (1749, avec un nom pluriel) est moins archaïque, et on emploie encore la locution ***avoir la primeur de qqch.*** (av. 1799) en parlant d'une nouvelle, d'une information. ◇ Par métonymie, à partir de la locution *de primeur*, le mot, au pluriel, a pris le sens concret de «fruits ou légumes précoces» (1780) toujours usuel. Par une seconde métonymie d'après *marchand de primeurs*, il sert à désigner la boutique vendant principalement des primeurs. ◇ Les valeurs figurées de «jeunesse» et de «chose nouvelle» (1842) ne sont plus usitées, de même que l'emploi (1823) pour «jeune fille vierge». ◆ *Primeur* a produit **PRIMEURISTE** n. (1872) «cultivateur ou vendeur de primeurs».

Le second dérivé de *prime* est ① **PRIMER** v., attesté une première fois au XIIe s. au sens isolé de «goûter le premier à (qqch.)» puis repris, comme intransitif, pour «prendre les devants» (1626). ◆ L'usage moderne du verbe s'est établi au XVIIe s. avec la valeur transitive «l'emporter sur» (1633) et l'emploi absolu pour «avoir l'avantage, se distinguer, exceller» (av. 1679). Les premiers emplois de la construction *primer sur* datent du XVIIIe s., avec un nom de personne (1704) puis de chose (1735-1736) pour complément.

◈ voir PRIMA DONNA, PRIMAIRE, ① et ② PRIMAT, PRIMATE, PRIMAUTÉ, PRIMEROSE, PRIMESAUT, PRIMEVÈRE, PRIMITIF, PRIMO, PRIMOGÉNITURE, PRIMORDIAL, PRINCE, PRINTEMPS.

② **PRIME** n. f. est la francisation (1620) de l'anglais *premium* prononcé *primiom* «récompense, prix» (1601), «somme payée à échéance régulière par un assuré à son assureur» (1661 ; après *premio*, 1622). Le mot anglais est lui-même emprunté au latin *praemium*, de *prae* «devant, avant» (→ pré-) et de *emere* «prendre, recevoir» (→ exemple), proprement «ce que l'on prend ou que l'on reçoit avant les autres», avec les sens particuliers de «privilège», «récompense» et «prélèvement, butin».

♦ Le mot a été repris en français pour désigner la somme payée à une compagnie d'assurances par l'assuré. C'est au XVIIIe s. qu'apparaissent les principaux autres sens : en finances, le mot se rapporte à la somme à verser en cas de dédit dans une vente à terme de valeurs (1730) et à la somme d'argent attribuée par l'État ou par un organisme public dans le cadre d'une mesure sociale ou pour aider un secteur (1751). La valeur terminologique précise a varié en fonction des institutions, du XVIIIe au XXe siècle. ◇ *Prime* désigne aussi la somme versée en rémunération d'un service (1752), réactivant le sens premier du mot anglais, et la somme que l'on gagne à une loterie (1759). Il s'est spécialisé en bourse pour l'excédent de prix d'une valeur sur le chiffre de son émission (1765), entrant dans la locution ***faire prime*** «augmenter de valeur» (1798), d'où au figuré «être très recherché» (1862, Hugo). Au XIXe s., le mot commence à s'appliquer, par extension, à la somme d'argent attribuée pour une action particulière (1801) et, dans le contexte de l'Ouest américain, pour rémunérer un service policier, d'où ***chasseur de primes.*** ◇ Il a servi à désigner la somme d'argent qu'un directeur de théâtre versait à un auteur à succès, en plus des droits d'auteur (1839). Il désigne aussi (1852) un avantage destiné à des acheteurs ou à des souscripteurs, pour les attirer.

▶ ② **PRIMAGE** n. m. (1730) «prime d'assurance maritime», est un emprunt à l'anglais *primage* (1540 ; dès 1297, en latin médiéval d'Angleterre *primagium*). Le mot a pris ensuite le sens de «bonification en tant pour cent que l'on accorde au capitaine sur le fret d'un navire qu'il commande» (1783). Il a pris au XIXe s. le sens actif d'«action d'accorder une prime ou un bonus» (1875). ◆ Le verbe ② **PRIMER** v. tr. n'est attesté avec certitude que depuis 1869 (Littré), une référence en 1853 étant douteuse, mais il reprend pour le sens l'ancien français *premier* «récompenser». Le verbe signifie «gratifier d'une prime, d'une récompense», surtout au passif. ◆ Son participe passé **PRIMÉ, ÉE** est adjectivé en particulier en parlant d'un animal d'élevage ayant remporté un concours et reçu une récompense ; l'influence de *prix* est alors sensible. ◆ *Prime* a aussi donné le composé **SURPRIME** n. f. (1874), mot juridique ou financier.

◈ voir PRÉEMPTION.

③ **PRIME** n. f. (1673) est la forme syncopée de *prisme* (1634), lequel, comme *presme* (1360) et *proesme* (1400), est l'altération de l'ancien français *prasme* (av. 1150 ; encore au XVe s.), probablement par croisement avec l'ancien français *proisme, presme, prisme* «prochain» (XIIe s.), issu du latin *proximus* (→ proximité) et employé dans *prasme d'émeraude, de topaze, de rubis*, etc., parce que ce cristal de roche prend son nom de la pierre précieuse dont il est le plus proche par la couleur. La forme *prasme* était issue, par substantivation, comme *prasius* «variété de quartz agate», de l'adjectif *prasinus* «vert, couleur de poireau». Celui-ci (repris dans l'adjectif *prasin, ine* «vert clair», v. 1190, hellénisme didactique et rare, attesté au XIXe s.) est emprunté au grec *prasinos*, dérivé, comme *prasios* (auquel est emprunté *prasius*), de *prason* «poireau» et, par analogie, «varech» (ressemblant au poireau), mot que l'on rapproche du latin *porrum* (→ poireau).

♦ Le mot, spécialisé en minéralogie et en joaillerie, ne s'emploie que dans ***prime d'émeraude*** (seule expression où la valeur étymologique est respectée), *de topaze, de rubis*.

① **PRIMER** → ① PRIME

② **PRIMER** → ② PRIME

③ **PRIMER** → ① PRIMAGE (étym.)

PRIMEROSE n. f. est composé (XIIIe s.) de ① *prime** et de *rose**, peut-être par croisement de *primevère** et de *passerose*, ce dernier (XIIIe s.) fait avec *passer* «surpasser» et *rose**, comme nom régional de la rose trémière.

♦ Le mot a d'abord désigné la primevère, sens qu'il a conservé en anglais. Au XIXe s., l'élément *prime-* a été substitué à *passe-* dans *passerose*, de sorte que *primerose* est devenu le nom de la rose trémière (1846). ◆ *Primerose* désigne aussi un produit colorant (1866), probablement par référence à la dominante rouge de la plupart des roses trémières.

PRIME-SAUT, PRIMESAUT n. m. est la réfection (1669) avec ① prime*, sur le modèle de locutions comme *de prime face*, de l'expression ancienne *de prin saut* (v. 1170), formée avec l'ancien français *prin, prim* (→ ① prime) et de *saut**.

♦ D'après *de prin saut* «du premier bond», «tout d'un coup», le nom signifie «impulsion, action de parler, d'agir dans le premier mouvement», d'où «caractère spontané». Son usage, et plus encore celui de la locution ***de prime-saut*** (1669), ***en primesaut***, est marqué comme littéraire.

▸ **PRIMESAUTIER, IÈRE** adj. est, sous sa forme ancienne *prinsaltier* (v. 1160), dérivé de *prinsaut*. Il a été refait en *primsautier* (1588) puis *prime-sautier* (1756) d'après la forme moderne *primesaut*. ◆ Le mot, plus vivant que *primesaut*, qualifie une personne qui se détermine, parle, agit spontanément; par métonymie, il est appliqué à un esprit (1588), une réponse, un acte ou un comportement révélateur d'une personne spontanée, impulsive.

PRIMEUR → ① PRIME

PRIMEVÈRE n. f., réfection savante (1573) de *primevoire* forme populaire diphtonguée, est issu d'une forme latine tardive *prima vera*, à côté de *prima ver, primum ver*, faite d'après le latin classique *primo vere* «au début du printemps». L'expression, qui signifie «premier printemps», est formée de *primus* (→ ① prime) et de *ver, veris* «printemps» (→ vernal). Le développement du sens botanique en ancien français doit être une métonymie du sens de «printemps», appliquée à une fleur du début du printemps. Une ellipse de *fleur de primevoire* «fleur du printemps» est moins probable, parce que *primevoire* au sens de «printemps» semble plus tardif en français; au XVe s., *primevaire* (1442-1445) est une adaptation de l'italien *primavera* «printemps» attesté depuis Boccace. La réfection en *primevère* est probablement due à l'influence de *primevere* «printemps» attesté de 1534 (Rabelais) jusqu'à la fin du XVIIe s. et lui aussi emprunté à l'italien *primavera*, alors que *prime vere* «jeune âge», attesté isolément dans la seconde moitié du XIIIe s., représente un emprunt au latin.

♦ Le mot désigne une plante herbacée, dont les fleurs de couleurs variées s'épanouissent au début du printemps, ainsi que cette fleur.

◈ voir PRIMEROSE.

PRIMIPARE adj. et n. f. est un emprunt savant et tardif (1812) au latin *primipara* «femelle qui a mis bas pour le première fois», de *primus* «premier» (→ ① prime) et de *parere* «enfanter» (→ parent, parturition).

♦ L'adjectif qualifie et le substantif désigne (1814) la femme ou la femelle de mammifère accouchant pour la première fois.

▸ On en a tiré **PRIMIPARITÉ** n. f. (1827), d'usage encore plus didactique.

PRIMITIF, IVE adj. et n. est emprunté (1310) au latin impérial *primitivus* «premier en date, premier-né», spécialisé à l'époque chrétienne, en parlant des «premiers-nés dans la foi», dans l'expression *ecclesia primitivorum* «l'assemblée des premiers-nés, des nouveaux convertis» (VIe s.), également spécialisé à l'époque médiévale en grammaire dans *primitiva verba* «les mots souches» (VIe s.) opposés aux dérivés. *Primitivus* est aussi substantivé au pluriel neutre *primitiva* «prémices». Il vient de l'adverbe *primitus* «au commencement, originairement», dérivé de *primus* «premier» (→ ① prime).

♦ Le mot a été introduit en français avec la valeur temporelle de «qui est à l'origine, à ses débuts» en matière religieuse, dans *Église primitive, foi primitive* (aussi *primitive Église*, avec un ordre des mots exceptionnel). L'essentiel des sens et des emplois s'est développé à partir du XVIe siècle. C'est en effet à la Renaissance que *primitif* exprime, sans idée d'antériorité dans le temps, le caractère de ce qui est la source, l'origine d'une autre chose (av. 1516). ◆ Par emprunt savant au latin, l'adjectif qualifie en linguistique un mot souche, par opposition à un dérivé (*mots primitifs*, 1550, d'où *les primitifs*, id.). Au XVIIIe s., *primitif* qualifie aussi un sens (1730, du Marsais) avec la valeur de «premier, propre» (opposé aux sens figurés). Il entre aussi dans l'expression *langue primitive*, celle qui serait à l'origine de toutes les autres (1765, *Encyclopédie*), et qualifie en grammaire un temps verbal (1812). *Primitif* s'emploie aussi en mathématiques, d'abord dans l'ancien terme *nombre primitif* (1694), remplacé par *nombre premier,* puis en algèbre dans les expressions *fonction primitive* (av. 1797), ultérieurement substantivé dans *primitive des fonctions* (1930), et dans *racine primitive* (1854). ◇ Le mot est également employé en optique dans l'expression *couleurs primitives* (1734, Voltaire) à propos des sept couleurs dont les autres sont formées, puis en logique dans *proposition primitive* (1821). ➛ S'agissant de l'être humain, l'idée d'antériorité temporelle est réactivée par le sens de «proche de l'état de nature» qui se manifeste dans la pensée rousseauiste (1762, *L'Émile*). Par extension, *primitif* caractérise dans l'activité humaine ce qui a la simplicité, la naïveté, la grossièreté supposées des premiers âges (1791). Au XIXe s., il acquiert la valeur péjorative de «sommaire, rudimentaire» (1843, Gautier); à la fin du siècle, l'adjectif *primaire,* dans un contexte précis, suivra une évolution sémantique comparable. ◇ Par une autre extension, avec l'élaboration d'une pensée sociologique et ethnologique, l'adjectif entre dans l'expression *peuple primitif* (1794, Condorcet), dans une opposition alors conceptualisée (après Rousseau et d'autres) entre nature originelle et société civilisée. Malgré les critiques, cet emploi, venu remplacer en partie celui de *sauvage,* s'est maintenu en recevant des définitions de plus en plus scrupuleuses, de Durkheim à Lévi-Strauss. ◇ *Primitif,* substantivé au masculin (surtout au pluriel), désigne une personne d'un groupe social dit primitif (1869, Flaubert). L'adjectif qualifie aussi ce qui se rapporte à un tel groupe (1922, *mentalité primitive,* Lévy-Bruhl). Dans ce cas et dans le précédent, l'anthropologie actuelle tend à éviter ce terme. ➛ La valeur temporelle s'est aussi spécialisée en géologie (1807), domaine où *primitif* (dans *terrains primitifs, roches primitives*) a été éliminé par des termes techniques précis. ➛ En art, *primitif* s'est d'abord employé comme adjectif, puis comme nom (1850), à propos des peintres ayant peint des tableaux de chevalet (généralement des panneaux de bois) avant les grandes œuvres de la Renaissance, alors seules appréciées. Une nuance péjorative et critique s'attache à l'origine du terme, mais la qualité des peintres européens appelés *primitifs* a très vite été louée (1850, Delacroix), avant que l'école anglaise n'y substitue pour un temps la notion de *préraphaélite.* Cet emploi de *primitif* a survécu au bouleversement du goût, acquérant une valeur positive, mais la critique d'art le considère comme inadéquat. Par extension, *primitif* a désigné un peintre autodidacte dont l'art naïf rappelle celui des primitifs (1889), mais le mot a été supplanté par *naïf,* et se dit de tout artiste d'une période antérieure à celle de la maturité de l'art qu'il cultive (1900). ➛ Les autres spécialisations du mot sont apparues au XXe siècle. En psychanalyse, l'expression ***scène primitive*** (1954, traduction de Freud, *L'Homme aux loups*) concerne la révélation de la sexualité parentale à l'enfant. ➛ En informatique, *primitive* n. f. désigne une commande de base élémentaire se rapportant souvent à une «instruction machine» au niveau le plus bas (attesté 1979).

▶ De l'adjectif est dérivé **PRIMITIVEMENT** adv. (v. 1460) «à l'origine, initialement». ➛ Deux autres dérivés sont didactiques : **PRIMITIVITÉ** n. f., d'abord (1845-1846) «fait, pour un mot, d'être primitif», puis en art «caractère primitif» (1867), est surtout employé de nos jours en sociologie (1869). ➛ **PRIMITIVISME** n. m. (1904), terme d'art, désigne l'imitation des primitifs et est employé en sociologie à propos du caractère, de l'état des sociétés primitives (1939). ◇ Par extension, il se dit de ce qui est grossier, rudimentaire, dans l'activité humaine.

PRIMO adv. est l'emprunt sans modification (1322) de l'adverbe latin *primo* «au commencement, d'abord», ou du même mot, pris elliptiquement pour *primo loco* «en premier lieu», de *primus* (→ ① prime) et *locus* (→ lieu) à l'ablatif.

♦ Le mot s'emploie dans une énumération, en relation avec *secundo, tertio, quatro... ultimo;* par plaisanterie, il est employé dans la formule redondante ***primo et d'une*** pour souligner le caractère primordial de qqch.

PRIMOGÉNITURE n. f. est emprunté par la langue juridique médiévale (v. 1485) au latin médiéval *primogenitura* «aînesse» (1169), dérivé du latin *primogenitus* «premier-né, fils aîné». Ce nom latin a lui-même donné le moyen français *primogenit* «premier-né» (XIVe s.) et ses dérivés *primogéniteur* «ancêtre, chef d'une race», *primogénité* «droit d'aînesse». Il est composé de *primo-,* élément issu de *primus* «premier» (→ ① prime), et de *genitus* «né, engendré», participe passé du verbe *gignere* (→ géniteur). On rencontre également en latin chrétien le pluriel neutre *primogenita* pour désigner le droit d'aînesse (Genèse, 25, 33).

♦ Le mot désigne juridiquement l'antériorité, la priorité de naissance en tant qu'elle entraîne certains droits, en particulier des droits de succession au trône (1807, *succession par ordre de primogéniture*) et d'héritage.

PRIMORDIAL, ALE, AUX adj. est emprunté (fin XIVe s.) au bas latin chrétien *primordialis* «primitif, originel», dérivé du latin classique *primordium,* surtout employé au pluriel *primordia* «commencement, origine», «avènement» et spécialement «molécules, principes, éléments». *Primordium* est composé de *primus* «premier» (→ ① prime) et du radical du verbe *ordiri* «commencer» (→ ourdir).

♦ Le mot a en français la valeur étymologique, «le plus ancien, servant d'origine», concurrencée dans l'usage courant par *originel* et *primitif,* et employée dans des usages didactiques, en droit, en botanique *feuilles primordiales* (1813), autrefois en géologie (cf. *primitif*). ➛ La valeur temporelle s'effaçant au profit de la valeur hiérarchique, le mot a pris son sens courant de «de première importance, essentiel» (1814) qui, jugé abusif par certains philosophes, s'est répandu dans l'usage commun.

▶ *Primordial* a produit **PRIMORDIALEMENT** adv. (1567) «à l'origine» et plus souvent «essentiellement».

PRINCE n. m. est emprunté (v. 1120) au latin *princeps, -ipis* (→ princeps), formé de *primus* (→ ① prime) et de *capere* «prendre» (→ chasser). Le mot, comme adjectif, qualifie celui qui prend, occupe la première place, dirige ; il est substantivé comme titre : *princeps senatus* «prince du sénat». Depuis Auguste, qui occupait cette fonction et avait concentré tout le pouvoir entre ses mains, le mot désigne l'empereur lui-même. Dans le domaine militaire, le pluriel *principes* servait à désigner les soldats de première ligne au temps de la phalange puis, dans la disposition en manipules, la seconde ligne ; par métonymie, le singulier *princeps* désignait un centurion.

♦ Le mot est repris avec le sens de «celui qui possède une souveraineté» dans le cadre de la féodalité. Puis, dans une autre conception du pouvoir, il désigne celui qui règne (1413), quasi synonyme de *souverain* et parfois de *roi*, ce dernier sens étant réalisé dans les locutions *paroles de prince* (1407), ***jeu de prince*** «amusement dont les autres pâtissent» (1566) et, tardivement, ***le fait du prince*** (1869) qui désigne l'arbitraire du pouvoir. ◆ Le mot désigne aussi celui qui, sans régner lui-même, appartient à la famille souveraine (v. 1120), dans divers titres comme celui de ***prince du sang*** (1578), et spécialement l'héritier de la souveraineté, non seulement dans la monarchie, mais aussi sous l'Empire dans le titre *prince impérial* (1802). ◇ Depuis le XIIe siècle, il désigne également celui qui possède un titre conféré par un souverain et attaché ou non à la possession d'une terre (v. 1188), les princes étant des seigneurs descendant des possesseurs de certains alleux, de terres anciennement territoires d'Empire ou ayant appartenu à un souverain héréditaire *(prince du sang)* ou, pour les princes étrangers, à des personnes d'origine souveraine. ◇ De nombreux titres comportant *prince* font office de nom propre, depuis *Monsieur* le Prince*, en France, à *prince de Galles* (v. 1360), «fils aîné du roi d'Angleterre», et bien d'autres. Dans la hiérarchie nobiliaire française, *prince* désigne le titulaire du plus haut titre de noblesse. Dans d'autres hiérarchies, par exemple dans la noblesse slave, il correspond à un titre plus modeste et le *prince russe*, en exil après la Révolution de 1917, est un personnage typé (surtout entre 1920 et 1940). ◆ L'accent étant mis sur le rang et le faste attachés au personnage, le mot entre dans des locutions comme ***être habillé comme un prince*** (XVIIe s.) et exprime une valeur plus abstraite et morale de «grand seigneur», spécialement dans ***être bon prince*** «être généreux, magnanime» (1690). ◆ Dès le XIIe s. et par retour au sens étymologique, *prince* désigne le principal personnage d'un groupe (v. 1120) : ainsi le titre de *prince des prêtres* (v. 1250) ou *prince de la synagogue* (1530) correspond au grand prêtre chez les Hébreux, par allusion à la Bible. De même, le démon est nommé *prince de mort* (1121-1134), *prince de ce monde* (1553, en style biblique) et *prince de l'enfer* (1616), *prince des ténèbres* (1690), désignations réservées au style poétique. Par ailleurs, à côté de *abbé*, etc., *prince* s'est appliqué au chef d'une confrérie, sens encore connu par le titre de *prince des sots* (usuel aux XVe-XVIe s.). Dès le moyen âge, le mot est aussi employé par les historiens de l'antiquité romaine, par réemprunt au latin, dans *princes des Romains* (1313-1328), puis *prince de Rome* (1559), spécialement *prince du sénat* (1765), calque du latin *princeps senatus*, et *prince de la jeunesse* (1765), calque de *princeps juventutis* qui, à l'époque républicaine, désignait l'élite de la jeunesse. ◇ Dans la religion chrétienne, *prince* sert à désigner, dans ***princes de l'Église*** (1585 ; déb. XIVe s., sous une forme légèrement différente), les cardinaux, archevêques et évêques. Des emplois extensifs, pour «homme riche et puissant» et «personnage très élevé dans une hiérarchie» (*prince de la science*, etc.), se confondent avec l'usage figuré du premier sens du mot.

▶ Le féminin **PRINCESSE** n. f. et adj. inv. (v. 1175) a d'abord été employé pour désigner une dignité en mythologie, à propos du peuple des Amazones, avant d'avoir le sens plus général de «fille ou femme de prince» (1320) et, plus rarement, «souveraine d'un État» (1404-1405). Il entre dans les expressions familières ***faire la*** ou ***sa princesse*** (1798) «avoir une attitude prétentieuse» et ***aux frais de la princesse*** «aux frais de l'État» (1828-1829, Vidocq), restée très vivante dans la langue familière. ◇ Par condescendance, il se dit de femmes de condition inférieure (1706) et s'est employé en argot dans *princesse de l'asphalte, du trottoir* (1867), à propos d'une prostituée. ◇ À la différence de *prince*, le féminin a développé quelques emplois en apposition, employé à l'époque classique avec *faculté* pour désigner l'intelligence (1670, Molière). ◇ Par allusion au luxe suprême, le mot qualifie en gastronomie des mets, une garniture de pointes d'asperges et de truffes (1835 ; dès 1735, *une princesse*), une espèce d'amande (1835) et de haricot (1842). L'expression *robe princesse* (1874) s'applique à un style de robe ajustée sous la poitrine. ◆ Des deux dérivés de *prince* apparus au XVIe s., **PRINCERIE** n. f. «dignité de prince» (déb. XVIe s.) a disparu, mais **PRINCIER, IÈRE** adj. (fin XVIe s.) est resté usuel, tant au sens propre de «de prince, de princesse» qu'au sens figuré de «digne d'un prince» (1832), produisant à son tour **PRINCIÈREMENT** adv. (1875), surtout employé au sens figuré. ◆ Le titre de *prince de Galles* a produit l'adjectif et nom **PRINCE DE GALLES**, à propos d'un tissu de laine à motifs gris de lignes perpendiculaires (attesté 1951, mais antérieur), ceci par allusion au prince de Galles, futur roi Édouard VII, qui mit ce tissu à la mode au début du XXe siècle. Par métonymie, le substantif désigne un costume fait dans ce tissu. ◆ **PRINCIPICULE** n. m. (1831) a été formé à partir du latin *princeps*, avec le suffixe *-ule* à valeur diminutive, pour désigner ironiquement le prince d'une principauté sans importance. ◆ **PRINCIPAT** n. m. (1300), emprunté directement au latin *principatus* dérivé de *princeps*, a désigné la dignité de prince. Il a perdu cette valeur au profit de *principauté**, continuant de s'employer en histoire romaine pour désigner la dignité impériale de *princeps*.

◈ voir PRINCEPS, PRINCIPAL, PRINCIPAUTÉ.

PRINCEPS n. m. et adj. inv. est l'emprunt savant (1802) du latin *princeps* «qui occupe la première place» (→ prince).

♦ Le mot a été repris comme adjectif pour qualifier la première édition d'un texte dont l'auteur a vécu avant l'invention de l'imprimerie. Par extension, ***édition princeps*** se dit de l'édition originale d'un ouvrage quelconque et s'emploie avec le sens plus général de «premier, qui traite d'un sujet pour la première fois». ◇ L'emploi du nom en antiquité romaine (1896), comme titre des empereurs romains à partir d'Auguste et pour le magistrat dont le nom était inscrit en premier sur l'album sénatorial, est réemprunté au latin *princeps* pour éliminer l'ambiguïté du mot français *prince.*

PRINCIPAL, ALE, AUX adj. et n. est un emprunt ancien (1080) au latin *principalis* «originaire, primitif», «fondamental, capital» et aussi «qui a trait au prince, à l'empereur, impérial», substantivé pour désigner le premier magistrat, le premier personnage d'une ville. Le mot est dérivé de *princeps* «le premier, le plus important», qui a désigné spécialement l'empereur romain (→ prince, princeps).

♦ Le sens de l'adjectif, dans la *Chanson de Roland,* semble bien être «du prince» : il s'agit en effet du Sarrazin Canabeus Naimes, fils du roi de Bavière, *«en l'helme* [heaume] *principal».* En tout cas, il s'agirait d'un sens isolé car, dès le début du XIIe s. (1119), *principal* exprime ce qui est le plus important, ce qui vient en première ligne, en parlant d'une chose, puis d'une personne (v. 1175). ◆ L'adjectif est substantivé avant la fin du XIIe s. pour désigner une personne importante par son influence (v. 1175), puis un chef militaire (v. 1210), emploi disparu. De nos jours, on parle encore de *principal du collège* (1549) mais le sens de l'expression a changé au XXe siècle. ◇ En droit, *le principal* désigne (1283) ce qui fait l'objet essentiel d'une action, spécialement la somme constituant une dette, une rente (1323). ◆ Seule la spécialisation grammaticale du mot est plus tardive, *proposition principale* (1765), d'où *la principale* (1775), s'opposant à *subordonnée.*

▸ *Principal* a produit **PRINCIPALEMENT** adv., d'abord *principalment* (v. 1190) qui correspond à l'emploi de l'adjectif pour «le plus important», et **PRINCIPALAT** n. m. (1587), terme d'administration scolaire ancien désignant la fonction de principal de collège, plus souvent celle de professeur principal.

◈ voir PRINCIPAUTÉ.

PRINCIPAUTÉ n. f. est l'altération (apr. 1250) de l'ancien français *principalité* «domination, puissance» (v. 1175), lui-même emprunté au bas latin *principalitas, -atis* «primauté», de *principalis* (→ principal). L'évolution du suffixe *-alité* vers *-alté* (*principaltee,* 1362) et *-auté* est probablement due à l'influence de *royauté**.

♦ Le mot est d'abord attesté au sens isolé de «fête principale». ◇ Sous l'influence de *prince**, il désignait en moyen français la terre donnant la qualité de prince (1362), la souveraineté de prince (1370-1372), la dignité de prince (1544; dès 1472, au figuré, à propos de celle du prince des sots). ◆ L'usage moderne du mot est surtout réservé à un petit État indépendant gouverné par un prince (XIXe s.) : absolument, *la Principauté* se dit pour celle de Monaco. ◆ Le pluriel *principautés* est employé spécialement en théologie (1541) pour désigner (souvent avec majuscule) le troisième chœur des anges selon la classification de saint Thomas, d'où, par extension, une puissance spirituelle soumise à Dieu.

PRINCIPE n. m., d'abord noté *principle* (fin XIIe s.), est emprunté au latin *principium,* dérivé de *princeps* «qui occupe la première place» (→ prince, princeps). Le mot latin désigne le commencement, l'origine dans le temps, en particulier le début d'un ouvrage, l'entrée en matière d'un discours ; par abstraction, il désigne l'origine fondatrice, d'où, au pluriel *principia,* les éléments dont qqch. est formé, les fondements. *Principium* est spécialisé dans le langage militaire pour le front d'une armée, sa première ligne.

♦ Le mot a été repris dans son sens temporel de «point de départ, commencement», sorti d'usage sauf dans la locution ***dès le principe*** (1803, Chateaubriand) «dès le début». ◆ L'accent a été mis dès l'ancien français sur la notion de fondement : *principe,* tout en conservant une idée de commencement, désigne l'origine, la cause première, la source (v. 1265), le motif (XIIIe s.) d'une chose. Appliqué à une cause naturelle, il s'applique spécialement à un élément concret qui entre dans la constitution ou dans l'élaboration d'une chose en raison de ses propriétés, notamment en physique (1636) et en chimie (1680). Dès la première moitié du XIIIe s., il désigne la notion fondamentale qui est à la base d'une science (v. 1245), spécialement celle sur laquelle s'appuie un raisonnement logique et mathématique (1370, Oresme, *principes mathématiques*). Par extension, *principe* se rapporte à une loi de portée générale relative à une science ou à une discipline, par exemple en philosophie, physique et, au XXe s., en psychanalyse *principe de plaisir* (1923), *principe de réalité (id.).* ◆ Le pluriel *principes* recouvre les connaissances élémentaires de la science, de la discipline (1611, d'un art). ◆ En dehors du champ épistémologique, le mot a développé le sens de «règle d'action, formulée ou non, constituant une loi ou un but» (1351). Le pluriel *principes* désigne en particulier les règles morales auxquelles une personne ou un groupe est attaché (1688) ou, absolument, celles qui dominent dans une société donnée (1742, *des femmes sans principes*). ◇ Avec ce sens normatif, le mot entre dans quelques locutions : ***par principe*** (1755, Montesquieu), ***de principe*** (1789, Sieyès) et ***en principe*** (1792, Robespierre) dont les premières attestations montrent l'importance prise par les normes morales chez les philosophes des Lumières et leurs disciples révolutionnaires.

PRINTEMPS n. m., d'abord *printans* (v. 1200), résulte de la soudure de *prins tans* (XIIe s.), composé de *prins* (→ ① prime) et de *temps** et qui pourrait remonter au composé latin *primus tempus* «la bonne saison», composé de *primus* (→ ① prime) et de *tempus* au sens de «saison» (→ temps). *Printemps* a éliminé l'ancien *primever* «printemps» (→ primevère) disparu au XVIe siècle.

♦ Le mot désigne la première des quatre saisons. Il a pris par métaphore le sens figuré de «temps du jeune âge», d'usage poétique (1539, Marot). Par extension du sens propre, il désigne la végétation et la température de cette saison (1666). Il est employé dans la langue littéraire au sens d'«année», suivant un numéral (1770) en parlant d'une personne jeune, quelquefois par ironie en parlant d'une personne âgée *(quatre-vingts printemps).* ◇ Il a pris enfin le sens figuré de «période pendant laquelle des espoirs de libération, de progrès semblent sur le point de se réaliser» dans le domaine politique et social (1968), par exemple dans *le Printemps de Prague.*

▸ La dérivation est peu importante : l'adjectif **PRINTANIER, IÈRE** (1552) qualifie ce qui appartient au printemps, au sens propre et, chez les poètes de la Pléiade, au figuré (1587, Ronsard, *tétins printaniers*). Il se dit spécialement d'un potage (1767), d'une préparation culinaire composée de légumes de printemps (cf. *primeur*), finement découpés, et aussi d'une robe, d'une étoffe légère, claire et fleurie; il a été substantivé au féminin *printanière* en ce sens (1823). ➛ Le composé **AVANT-PRINTEMPS** n. m. (1933) ne se rencontre que dans l'usage littéraire. ◇ **PRINTANISATION** n. f. (1937) est un terme d'agriculture désignant le traitement d'une plante ou d'une graine par le froid et permettant d'en hâter le développement; il a alors pour synonyme *vernalisation.*

PRINTING n. m. est emprunté (1932) à l'anglais *printing,* substantif verbal de *to print* «imprimer» (1340-1370), employé spécialement avec diverses acceptions en typographie à partir du XVe siècle. Ce verbe, dont les formes anciennes sont *to priente, to preinte,* est emprunté à l'ancien français *priente, preinte,* participe passé féminin substantivé du verbe disparu *preindre* (antérieurement *priembre*), représentant du latin *premere* évincé par *presser** (→ empreinte, près).

♦ *Printing* a été emprunté pour désigner un appareil de télégraphie permettant de frapper directement les dépêches dans tous les récepteurs reliés à l'émetteur. *Le Larousse du XXe siècle* (1932) l'enregistre comme le nom d'un appareil employé par l'agence Havas. Les recommandations officielles préconisent *téléscripteur* ① (→ télé-), qui l'a en effet remplacé.

PRIORITÉ n. f. est emprunté (1377) au latin médiéval *prioritas, -atis* «préséance» (XIIIe s.), dérivé du latin *prior* «le plus en avant», «le premier de deux» (→ ② prieur).

♦ Le mot a été repris avec le sens latin de «primauté de rang», sorti d'usage au profit de *préséance.* Il exprime aussi une notion temporelle d'«antériorité» mais celle-ci est le plus souvent liée à celle d'«importance», spécialement dans le cas de la préférence qu'obtient un discours d'être entendu ou discuté avant les autres (1791), et de la primauté accordée à une chose. L'une et l'autre notion s'expriment en droit, où le mot désigne un caractère d'antériorité ou d'importance conférant un privilège, un avantage, spécialement en finances dans *actions de priorité* (1875). ➛ La valeur première de *priorité,* appliquée à une personne, est réactivée par ses emplois les plus récents, à propos du droit de passer avant les autres (1924) et, dans le cadre de la circulation routière, du droit de passage d'un véhicule par rapport à un autre selon les règles du code de la route (1930).

▸ Le seul dérivé du mot est **PRIORITAIRE** adj. (1948) et n. «(personne) ayant la priorité», qui correspond à tous les sens du nom comportant une notion de «plus grande importance» et, récemment, à celle de «priorité dans le code de la route». ➛ Il a produit **PRIORITAIREMENT** adv. (XXe s.).

◈ voir A PRIORI.

① **PRISER** → PRENDRE

② **PRISER** v. tr., d'abord *preiser* (1080), est issu du bas latin *pretiare,* «estimer, accorder de la valeur à», dérivé du latin classique *pretium* «valeur d'une chose» (→ prix).

♦ Le verbe, dès la *Chanson de Roland,* possède à la fois le sens propre d'«évaluer une chose concrète, faire l'estimation» et le sens figuré de «faire grand cas de (qqn, qqch.)» (1080). Seul ce dernier s'est maintenu, avec une restriction de son emploi au langage soutenu. L'usage du pronominal *se priser,* «avoir bonne opinion de soi», «se féliciter» et, avec une valeur passive, «être apprécié» (XVIe s.), a disparu en dehors de quelques survivances littéraires.

▸ Le déclin du verbe a entraîné la disparition de plusieurs dérivés comme *prisant, ante* adj. (v. 1155), *prisage* n. m. (XIIIe s., *presiage*) et *prisable* adj. (v. 1278). ➛ ② **PRISEUR** n. m. lui-même, d'abord *priseor, priseaur* (1252) «personne qui fait une estimation» et «personne qui vante» (1607-1675), survit dans l'appellation **COMMISSAIRE-PRISEUR** (1802, après *huissier-priseur,* 1718) pour l'officier public chargé d'estimer les objets mobiliers et de les vendre aux enchères. ➛ Le participe passé substantivé au féminin, **PRISÉE** n. f., d'abord *prisie* dans les coutumiers du nord de la France (1283), s'est maintenu avec le sens correspondant d'«estimation d'un objet meuble dans une vente publique», éliminant *prise* n. f. (v. 1360) de toutes façons compromis par l'homonymie avec *prise**, correspondant à *prendre.* Il n'a pas gardé le sens figuré de «louange» (v. 1360). ➛ Le préfixé **DÉPRISER** v. tr., d'abord *desprisier* (v. 1175) puis *depreiser* (XIIe s.) «avoir du mépris, du dédain pour», «diminuer le mérite d'une chose, d'une personne» (1370), a été éliminé d'une part par *déprécier**, de même origine, et d'autre part par un autre préfixé aujourd'hui démotivé, *mépriser**.

◈ voir APPRÉCIER, DÉPRÉCIER, MÉPRISER, PRÉCIEUX.

① **PRISEUR** → PRENDRE

② **PRISEUR** → ② PRISER

PRISME n. m. est emprunté en géométrie (1609) au bas latin *prisma,* lui-même emprunté au grec *prisma, -atos* «sciure, morceau, débris de bois scié» et, déjà chez Euclide, «polyèdre à pans coupés réguliers». Ce nom est dérivé du verbe *priein* «scier», en particulier «trépaner», d'où par analogie «faire grincer», «mordre» et enfin à la voix moyenne du verbe (médiapassif), avec l'idée de grincer des dents, «s'irriter», «se tourmenter». *Priein* repose apparemment sur un radical °*pris-*; c'est un terme technique sans étymologie claire.

♦ *Prisme* a été repris avec son sens latin de «polyèdre qui a deux de ses faces égales et parallèles». En optique (1637, Descartes), il désigne cette figure à section triangulaire ou quadrangulaire, en matière transparente qui a la propriété de dévier et de décomposer les radiations. ◇ De là, il a développé une valeur métaphorique, «élément transformant l'image du réel, généralement en la déformant», par exemple dans ***voir les choses à travers un prisme*** (1775). ◇ Le mot s'applique à un cristal ayant plusieurs faces parallèles à une même droite et, en histologie, à l'élément constitutif de l'émail de la dent, présentant des striations transversales.

▸ De *prisme*, d'après le radical grec du génitif, est dérivé **PRISMATIQUE** adj. (1659, Pascal) qui qualifie ce qui a la forme d'un prisme et, en optique, ce qui est muni d'un prisme (*jumelles prismatiques*, 1916), se disant spécialement des couleurs perceptibles à travers le prisme optique (1754). ➛ *Prismatique* a servi à former **PRISMATISER** v. tr. (1802) «donner la forme d'un prisme à qqch.» dont est dérivé **PRISMATISATION** n. f. (1802). ➛ Le radical de *prisme* a servi à former **PRISMOÏDE** n. m. (1829), concurrencé par **PRISMATOÏDE** n. m. (1869), fait sur le radical du génitif grec *prismatos*.

PRISON n. f., réfection graphique (v. 1155) de *prisun* (1080), est issu du latin *prehensionem*, accusatif de *prehensio* «action de prendre», spécialement «action d'appréhender qqn au corps», mot qui a donné par emprunt *préhension**. L'évolution menant au mot français passe par une forme contractée °*prensionem*, °*presione(m)* devenue °*preison* (trois syllabes), puis *prison* sous l'influence de *pris*, participe passé de *prendre**.

♦ Le mot a eu un sens actif, désignant l'action de prendre, la capture. Par métonymie, il a désigné l'état d'un individu privé de liberté, en captivité (v. 1140), sens lui aussi disparu mais dont procède l'emploi moderne de «peine privative de liberté subie dans un lieu de détention». ➛ Par un autre développement métonymique, *prison* sert surtout à nommer (1080) le lieu, le bâtiment de détention, sens qui donne une valeur nouvelle à des locutions où le mot avait le sens de «captivité» : ***jeter en prison*** (v. 1140; après *meiner en sa prisun*, 1080, «emmener captif»), *tenir en prison* (v. 1155) qui a disparu comme *garder en prison* (1176), ***mettre en prison*** (1160-1174). Les sens initiaux actifs de *prison* ont disparu du fait du sens concret qui l'a emporté. ◇ L'autre sens métonymique, «prisonnier, captif» (v. 1080), s'est totalement perdu. ◇ Quant au sens figuré de «service amoureux auprès d'une dame» (v. 1165), en usage dans le vocabulaire courtois, il a lui aussi disparu, mais on peut y rattacher de loin certains emplois métaphoriques du mot dans la rhétorique amoureuse traditionnelle, aujourd'hui compris comme métaphores du sens moderne, ainsi que des emplois du type *la prison du corps, des sens...* L'expression *triste comme la porte d'une prison* (1842) est postérieure à la variante ironique *attrayant* (*gai*, etc.) *comme la porte d'une prison* (1640); on dit plutôt aujourd'hui ***aimable comme une porte de prison.***

▸ Le mot a produit ses dérivés avant la fin du XIIe siècle. ➛ **PRISONNIER, IÈRE** n. et adj. (1176-1181, d'abord écrit avec un seul *n*) signifie «personne privée de sa liberté» et spécialement «mise dans une prison». Le mot s'emploie spécialement dès l'ancien français en parlant de celui qui a été fait captif à la guerre. Le mot a supplanté *prison*, qui désignait aussi en ancien français la personne détenue dans une prison. ◇ L'usage précise parfois le type de captif par un complément de détermination, ***prisonnier de guerre*** (1606; autrefois *prisonnier de bonne guerre* «véritable prisonnier de guerre», 1475) et au XXe s. ***prisonnier de droit commun*** (elliptiquement *un droit commun*), *prisonnier politique* (d'où *un politique*), etc. ➛ L'emploi adjectivé de *prisonnier* est attesté au XIIIe s. (1240-1280), le nom comme l'adjectif développant par la suite une valeur figurée (*prisonnier de...*). ➛ C'est aussi un terme du vocabulaire technique qui désigne un élément fixé dans une pièce métallique et assurant la liaison de celle-ci avec une autre (1845).

EMPRISONNER v. tr. (v. 1135), fait sur *prison* avec le préfixe *em-* (*en-*) et la désinence verbale, signifie «mettre (une personne) en prison» d'où, par analogie, «retenir (qqn) comme dans une prison» (v. 1135). Par extension, l'accent étant mis sur la notion d'espace restreint, le verbe s'emploie avec un nom de chose pour complément, au sens de «contenir, renfermer» (1806). Par une autre métaphore, il s'emploie avec un nom abstrait pour exprimer l'idée d'enfermer (av. 1842). ➛ Le verbe a produit le nom d'action **EMPRISONNEMENT** n. m. (1275), qui exprime l'idée d'«incarcération» ainsi que les valeurs métonymiques de «durée d'enfermement», «fait d'être en prison» et, par extension, «fait d'être privé de liberté», valeurs que possède *prison* en ancien français.

◈ voir APPRÉHENDER, PRÉHENSION.

PRIVÉ, ÉE adj. et n. m. est issu (fin XIe s.) du latin *privatus* «particulier, propre, individuel», substantivé pour désigner le simple citoyen. Le mot est dérivé de *privus* dont le sens premier devait être «qui est isolé en avant», d'où «mis à part» et qui, en latin classique, signifie «particulier, propre à chacun, spécial» et «chaque, chacun». *Privus* est lui-même dérivé d'un radical *pri-*, attesté par son comparatif et ses dérivés (→ ② prieur, ① prime, priorité) et appartenant à une famille de termes indoeuropéens à structure consonantique *p-r* exprimant à l'origine la notion de «situation en avant» (→ par, pour, pré-, pro- et, du grec, para-, péri-, pro-, proto-; protagoniste, protéine, protide, protocole, proton, prototype).

♦ *Privé* signifie d'abord «qui vit dans l'intimité de qqn, familier», d'où «intime» (v. 1140); en ancien français, ce sens était souvent mêlé d'une nuance dépréciative d'intimité excessive, le mot s'employant à propos d'un maître trop proche de ses gens, d'un voleur adroit, d'un homme ayant des manières trop libres et familières (cf. *privauté*). Appliqué à des entretiens, il entre dans l'expression *conseil privé* «conseil formé des plus intimes du roi» (v. 1360). L'une des expressions les plus courantes est *propriété* privée*. Associé à un nom de chose, de lieu, *privé* signifie «auquel le public n'a pas accès», spécialement dans *chasse privée* (d'abord en Sologne) et autrefois *prison privée* (1549). Il qualifie aussi ce qui est individuel, particulier, d'ordre personnel, spécialement dans les expressions *conseil* (idée) *privé* «pensée secrète» (v. 1174) et surtout ***vie privée*** «aspects de la vie d'une personne qui ne sont pas rendus publics». ➜ En relation avec ces différents emplois adjectifs, *privé* est substantivé, désignant autrefois ce qui est dans la possession de qqn (v. 1120), *un privé* désignant en ancien français un ami intime (v. 1140) et, au féminin *privée*, une femme par rapport à son ami intime. ◇ *Privée* n. f. (XIIIe s.), puis *privé* n. m. (1538) comme nom ont également servis à désigner les latrines, par allusion à la situation retirée de cet endroit. ◇ Avec une valeur de neutre, *(le privé)*, il servait à désigner l'intimité (v. 1160), spécialement dans la locution *en son privé* (v. 1180), de nos jours ***en privé***. ➜ En ancien français l'adjectif s'est appliqué à un animal apprivoisé (v. 1160), sens également sorti d'usage tout comme le verbe *priver* «apprivoiser» qu'il avait produit (XVe s.).

Le second sens de base, «qui n'a pas de part aux affaires publiques», remonte au moyen français (v. 1367), en parlant d'une personne et d'une chose. Par extension, *privé* est appliqué à une chose qui n'a pas de caractère officiel et, selon le contexte, s'oppose aux notions de *public, politique* et *social*. Il est spécialement employé en droit à propos d'un acte sous seing fait sans l'intervention d'un officier public (1690). ◇ Par opposition à *public, d'État, nationalisé*, l'adjectif est employé en parlant d'un secteur d'activité, aussi substantivé en ce sens (*le privé* pour *le secteur privé*) ; c'est dans ce sens que les dérivés récents *privatiser* et *déprivatiser* sont apparus. ➜ Il est substantivé spécialement pour désigner un détective (elliptiquement pour *détective privé*), surtout dans un contexte américain ; le mot est alors calqué de l'anglais *private detective* (1868), synonyme de *private dick, private eye*. En français, il évoque l'univers du roman et du film «noir» anglo-saxon.

▶ **PRIVÉMENT** adv. (1538), antérieurement *priveement* (1138), a perdu son ancien sens de «dans une grande familiarité» et s'emploie dans la langue littéraire avec le sens d'«en secret, en particulier».

PRIVANCE n. f. (v. 1120), «douceur, affabilité» et «amitié» (v. 1180), «familiarité» (v. 1200), s'ordonnait à l'idée d'intimité dans sa valorisation. Il a disparu après le XVIIe siècle.

PRIVAUTÉ n. f. (v. 1210) est la réfection, avec le suffixe de *royauté**, de l'ancien français *priveté* (v. 1170), *privité* (v. 1170), dérivés de *privé*. À la différence de l'adjectif, il a conservé la nuance dépréciative d'«excès d'intimité» qu'il réalise en particulier dans un contexte galant. Son autre sens de «secret» et, par métonymie, de «chose secrète» (v. 1220), a disparu.

Avec son deuxième sens fondamental, *privé* a produit récemment les termes d'économie et d'administration **PRIVATISER** v. tr. (v. 1970) et **PRIVATISATION** n. f. (v. 1965), sur le modèle de *étatiser, étatisation* et sous l'influence des mots anglo-américains *to privatize* (1969) et *privatization* (1959), eux-mêmes de l'anglais *private*, emprunté au latin *privatus*. Ces mots concernent l'opération de passage au secteur privé, inverse de la nationalisation ou étatisation. ➜ **DÉPRIVATISER** v. tr. et **DÉPRIVATISATION** n. f. (1987) correspondent au retour d'une entité économique au secteur public.

◈ voir APPRIVOISER, PRIVER, PRIVILÈGE, PROPRE.

PRIVER v. tr. est emprunté (v. 1300) au latin *privare* «mettre à part, écarter de, ôter de», «dépouiller» et «empêcher», dérivé de *privus* (→ privé).

♦ Comme le verbe latin, *priver* signifie «enlever à qqn, à qqch. la jouissance d'un bien, d'un avantage», spécialement «enlever en guise de châtiment, destituer» (1461). Par extension, avec un nom de personne pour complément, et le sujet désignant la mort, la maladie, il signifie «enlever (une personne) à ses proches» (1553). ◇ Le pronominal *se priver de* (1538) a le sens de «renoncer à (un bien, l'usage d'une chose agréable)». *Se priver*, absolument (1845), correspond à «s'imposer des sacrifices».

▶ De tous les dérivés de *priver*, seul le plus ancien, **PRIVATION** n. f. (1290), s'est maintenu. Le mot n'est pas emprunté au latin *privatio*, qui avait un autre sens. *Privation* désigne la perte, l'absence d'une faculté, d'un avantage qu'on devait ou pouvait avoir, spécialement la confiscation juridique (d'un bien), la destitution (d'une charge) [1307]. *Une, des privation(s)* concerne le fait d'être privé des choses nécessaires à la vie (1788).

PRIVATIF, IVE adj. est emprunté (1514) au latin des grammairiens *privativus*, dérivé du radical du supin *(privatum)* de *privare* (→ priver). ➜ Le mot a été repris par la langue du droit pour qualifier un type de peine par laquelle on enlève qqch. (la liberté, par exemple) au puni (par opposition à *peine positive*) ; ce sens est sorti d'usage, mais *privatif* qualifie encore en droit ce qui est exclusif (1544, *privatif à* «à l'exclusion de»). ◇ L'adjectif est spécialisé en grammaire pour qualifier une particule marquant la privation (1537), *préfixe privatif* étant substantivé ultérieurement au masculin (1690). ➜ Le sens plus courant de «qui prive de» (1555) est néanmoins du style didactique et peut reprendre l'emploi pénal ancien *(mesure privative de liberté)*. ◇ Quant à l'emploi pour qualifier une chose dont on a la jouissance exclusive mais non la propriété, perçu comme un emploi synonyme de *privé*, il est valorisé par l'usage de la publicité immobilière *(jardin privatif)*. ➜ *Privatif* a produit **PRIVATIVEMENT** adv. (1542) «exclusivement» et, avec la préposition *à*, «à l'exclusion de», devenu archaïque.

PRIVILÈGE n. m. est emprunté (v. 1170) au latin juridique *privilegium* «loi exceptionnelle (prise en faveur d'un particulier)» et «avantage, faveur». Le mot est composé de *privus* (→ privé) et de *lex* (→ loi).

♦ Le mot, repris comme terme juridique, désigne un avantage accordé à une personne ou à un groupe, qui en jouit à l'exclusion des autres. Par métonymie, il désigne concrètement un acte authentifiant la concession d'un tel privilège (XIIIe s.). Il a eu plusieurs sens particuliers dans des expressions telles que *privilège de croix* «privilège qu'avaient les croisés de ne pas payer d'impôt» (1252), *privilège du roi* «autorisation d'imprimer donnée par le gouvernement royal» (1508). Ainsi l'Académie française avait sous Louis XIV le privilège (exclusif) de publier un dictionnaire de la langue française. Par spécialisation, le mot a désigné sous l'Ancien Régime les droits et les avantages utiles ou honorifiques que possédaient certaines personnes selon leur naissance ou leurs fonctions (1690). ◆ La valeur figurée correspond à «faveur particulière» (1277), «droit, avantage» (XVe s.) et «don naturel du corps ou de l'esprit», spécialement à propos d'un vice, d'un inconvénient personnel (av. 1648). ◇ Le mot, assez littéraire, a été remis à la mode par la publicité, et certains emplois trahissent l'influence de l'anglo-américain *privilege*, de même origine mais de connotations différentes, «avantage personnel, agrément dont on bénéficie». *Privilège* est, avec *prestige*, un des mots-clés de l'incitation commerciale.

▶ Le dérivé **PRIVILÉGIER** v. tr. (v. 1223) a d'abord eu le sens particulier d'«attribuer des indulgences à (une église)» puis, plus généralement, «accorder un privilège à (qqn)» (1260). ◆ Le participe passé **PRIVILÉGIÉ, ÉE** est adjectivé (1283) et substantivé (1596) pour «(personne) qui jouit d'un privilège». ◇ Au pluriel, le nom insiste sur les avantages de la classe riche, dominante, dans une société. Il peut alors, dans l'usage contemporain familier, être renforcé par le préfixe *super-*. L'adjectif a développé, en relation avec le nom, le sens figuré de «qui s'attribue ou à qui l'on accorde certaines libertés dans la société» (1694), «qui a reçu de la nature un don particulier» (1695).

PRIX n. m., d'abord *pris* (v. 1050) avant *prix* (XVe-XVIe s.), est issu du latin *pretium*. Celui-ci désigne la valeur d'une chose et, par métonymie, la somme versée contre une chose ou un service, la récompense, le salaire et, en général, l'argent; au figuré, *pretium* désigne la valeur morale, intellectuelle, esthétique, sentimentale. L'étymologie de *pretium* n'est pas éclaircie : plutôt que du groupe balte et slave (par exemple, vieux slave *protivu*, russe *protiv* «contre») et le grec *proti*, on le rapproche du latin *interpres, -etis* «intermédiaire» (→ interprète) avec l'idée commune de «commerce, échange».

♦ Le mot, avec sa valeur matérielle, désigne d'abord la somme à payer pour une chose (le premier exemple connu concerne le passage sur un bateau) et la valeur commerciale d'une chose (1160-1174), que ce soit d'un point de vue objectif ou de celui du vendeur, de l'acheteur (1538). À partir du XVIe s., il est employé dans des contextes économiques, dans des locutions comme ***à juste prix*** (1579), ***prix constant, prix fixe*** (1690), cette dernière étant plus tard employée par métonymie pour un magasin à prix fixe (1789), puis ***prix de revient*** (1838), ***baisse des prix*** et ***blocage des prix*** (1958). ◇ Les locutions usuelles formées avec *prix* sont nombreuses dès l'ancien français; certaines, comme *mettre en prix* (v. 1200) remplacée par ***mettre à prix*** (1377), ont changé de sens, passant de l'idée de «vendre à un prix avantageux» à «fixer la valeur d'un objet dans une vente» (1538), aujourd'hui «dans une vente aux enchères». Après ***de prix*** (v. 1135) «de valeur», on note ***à bon prix*** «à bon marché» (1579), ***ne pas avoir de prix*** «être inestimable» (1671), ***à prix d'or*** «très cher» (1829), ***un prix fou*** «exagéré» (1865). Avec le sens abstrait de «valeur que l'on attribue à une chose, à une personne» (v. 1140), *prix* entre aussi dans des locutions : ***au prix de*** «en comparaison de» (v. 1500) est devenue archaïque, passée usuelle pour «en échange de» (1588, *au prix de sa vie*); la locution adverbiale *au prix* «en comparaison» a disparu. ***À tout prix*** (1863) «à quelque prix que ce soit» ne s'emploie plus qu'au figuré pour «malgré tout, à n'importe quelle condition» (1807). ***Mettre le prix*** (1860) signifie «payer le prix nécessaire». ***C'est le même prix*** (1886), au figuré, s'emploie pour «que vous le vouliez ou non». ◆ Dès l'ancien français, *prix* a développé le sens figuré de «récompense donnée à la personne qui réussit le mieux dans une compétition» (1176-1181), sens qui s'est maintenu, avec une spécialisation dans le domaine scolaire (1690), d'où au XIXe s. ***distribution des prix***, et les sens métonymiques de «compétition à la suite de laquelle on décerne une récompense» (1867), notamment en turf, et «personne à laquelle on décerne une récompense» (1875, *Prix de Rome*). Dans ces contextes, la nature du prix est parfois précisée (*prix de vertu* au XIXe s.; *premier, second prix* en relation avec *accessit*, etc.). ***Grand prix*** est fréquent lorsqu'il s'agit d'une compétition, d'une course (de chevaux ou automobile). ◇ Les sens plus généraux de «salaire, récompense» (1467) et, par antiphrase, «châtiment» (1643) ne vivent plus que dans la langue littéraire.

▶ *Prix* a servi à former le terme d'économie moderne **SURPRIX** n. m. (v. 1968) qui désigne un prix excessif ou un supplément de prix.

◈ voir APPRÉCIER, DÉPRÉCIER, MÉPRISER, PRÉCIEUX, ② PRISER

PRO- préf. est tiré de la préposition latine *pro* «avant, devant, sur le devant de», d'où avec l'idée de défense, de protection «pour» (→ pour), «dans l'intérêt de», «à cause de» et «à la place de», «en guise de, comme» et «en proportion de». Le mot correspond exactement au grec *pro* et partage avec lui un emploi de préverbe. Le français lui-même a emprunté l'élément sous la double forme *pour-**, *pro-*.

♦ *Pro-* marque l'antériorité spatiale, plus souvent encore l'antériorité temporelle ou bien l'idée qu'une chose (une personne) est favorable à une autre, alors opposable à *anti-*. Combiné à un adjectif ou à un substantif, plus rarement à un nom de lieu, il a pris une certaine extension au XXe s. dans la langue des sciences et des techniques (médecine, biologie), mais surtout dans la langue courante avec le sens de «favorable à» (y compris devant un sigle : *pro-OLP*). Sa popularité explique certains emplois de *pro* quasiment substantivé au sens de «partisan» (1976, *les pro et les anti*), emploi compromis par l'homonyme tiré de *professionnel*.

◈ voir **PRONATEUR**.

PROBABLE adj., d'abord *proubable* (1285), est emprunté au latin *probabilis* qui qualifie une chose vraisemblable, plausible et, avec une valeur laudative, une chose digne d'approbation, une personne estimable. C'est un adjectif dérivé de *probare* «faire l'essai de» (→ prouver), lui-même de *probus* (→ probe), pris au sens de «rendre croyable» et «apprécier», ce dernier étant repris en français par le représentant de son composé *approbare* (→ approuver).

♦ L'adjectif a d'abord le sens étymologique de «que l'on peut prouver, vérifier» aujourd'hui réservé à *prouvable**. Il a eu en moyen français la valeur latine de «louable, digne d'approbation», disparue en français classique. ➜ Son usage moderne s'est développé à partir de la fin du XIVe s., d'abord dans la langue didactique à propos d'une opinion ayant une apparence de vérité (1380), sens dans lequel il est substantivé avec une valeur de neutre (1656, Pascal dans *Les Provinciales*). Le même texte de Pascal atteste la spécialisation de l'adjectif en théologie, dans l'expression *opinion probable* (1656). ➜ La langue courante emploie surtout le mot pour qualifier un événement, un phénomène qu'il est raisonnable de supposer, de prévoir (1786), notamment dans une comparaison (1797), en locution impersonnelle *(il est, c'est probable)* et, elliptiquement, employé seul, dans une réponse familière (à la place de *c'est probable*). ◇ Un autre emploi didactique s'est développé en mathématiques (déb. XXe s.), sous l'influence de *probabilité*. ◇ L'emploi du mot pour qualifier une personne «présumée» (attesté 1862) est critiqué comme abusif.

▶ Le premier dérivé du mot est **PROBABLEMENT** adv. (1370-1372) «vraisemblablement», qui entre dans la locution conjonctive ***probablement que*** (1787). ➜ L'antonyme préfixé **IMPROBABLE** adj. (XVe s.) a d'abord eu le sens de «réprouvable», s'opposant à *probable* au sens ancien de «que l'on peut approuver» (XVIe s.). ◇ Symétriquement à *probable*, il a exprimé la notion de «qui ne peut pas être prouvé» (1606) avant de reculer au profit d'*improuvable**. Son usage moderne s'affirme, à partir du XVIIe s., par le sens didactique de «qui n'a pas de probabilité» (1611) et, couramment, de «qui a peu de chance de se produire» (1815). ➜ *Improbable* a produit, d'après *probabilité*, **IMPROBABILITÉ** n. f. (1610), d'usage didactique y compris dans son sens particulier d'«événement improbable» (1772), et **IMPROBABLEMENT** adv. (1931), peu usité. ➜ Un verbe **PROBABILISER** v. tr. a été formé (1847) pour exprimer le fait de rendre plus probable, donnant un dérivé didactique **PROBABILISABLE** adj. (attesté 1974).

PROBABILITÉ n. f., le nom correspondant à *probable*, est directement emprunté (1370-1372) au dérivé latin *probabilitas, -atis* au sens de «chance qu'une chose a d'être vraie, raison qui fait présumer qu'elle l'est». ◇ L'emprunt a supplanté son doublet *probableté* (1549), dérivé français de *probable*. Il est passé dans le langage théologique à propos du caractère d'une doctrine fondée sur les opinions probables (1657, Pascal, qui en fut l'adversaire). ➜ D'après le développement de *probable*, il s'est répandu dans l'usage courant à propos d'un événement (1786), spécialement dans une comparaison (1797), et s'emploie en mathématiques (déb. XVIIIe s.) pour désigner une branche de cette discipline, le ***calcul des probabilités***. Ce dernier sens a donné lieu à des applications en statistique, dans l'étude des phénomènes économiques, de la biologie biométrique, de l'astronomie, de la médecine (1re moitié XXe s.). ➜ À ces termes s'ajoute le terme de doctrine **PROBABILISME** n. m. (1697), formé savamment sur le radical du latin *probabilis* en théologie et repris en philosophie (1821). ➜ Par changement de suffixe, ce mot a produit **PROBABILISTE** n. et adj. (1704), employé en théologie puis en mathématiques, qualifiant ce qui utilise la notion de probabilité (1947) et désignant un mathématicien spécialiste du calcul des probabilités (1962).

PROBANT, ANTE adj. est emprunté (1566) au latin *probans, probantis* «qui prouve», participe présent de *probare* (→ prouver). ➜ L'adjectif, introduit en français comme terme de droit dans *en forme probante* «en forme authentique», emploi où il se substitue à *probatoire* (→ probation), se dit également (1756) d'une pièce qui constitue une preuve aux yeux de la justice. ◇ Son passage dans la langue courante pour qualifier une chose convaincante est attesté à la veille de la Révolution (1787).

◈ voir **APPROUVER, ÉPREUVE, PREUVE, PROBATION, PROBE, PROUVER, RÉPROUVER, SUPERBE**.

PROBATION n. f. est emprunté (v. 1330) au latin *probatio, -onis* «épreuve, examen» et «preuve, argumentation», dérivé de *probatum*, supin de *probare* (→ prouver), de *probus* (→ probe).

♦ Le mot, employé en moyen français au sens de «preuve» a été éliminé au XVe s. par ce mot (→ preuve). ➜ Il s'est spécialisé dans le langage religieux, où il désigne le temps d'épreuve qui précède le noviciat (v. 1350, *an de probation*) et le temps du noviciat précédant l'entrée définitive dans un ordre (1549). Par extension, il se dit quelquefois d'un temps d'épreuve (1870, dans un contexte pénal) et désigne, en droit pénal (attesté 1953), une méthode permettant le traitement des délinquants en vue de leur reclassement au moyen du sursis, cette méthode reposant sur une mise à l'épreuve.

▶ **PROBATOIRE** adj., attesté depuis 1594, est soit dérivé du radical de *probation**, soit emprunté au dérivé latin *probatorius*. ➜ Terme de droit dans l'expression *forme probatoire* «authentique», il a cédé cet emploi au mot de même famille *probant**. ◇ De nos jours, il qualifie ce qui est propre à prouver la capacité, le niveau d'un candidat, d'abord dans *acte probatoire* (1707) qui désignait autrefois un examen universitaire, aujourd'hui dans *examen* (1867), *épreuve, stage probatoire*.

PROBE adj., d'abord *prob* (1464) puis *probe* (XVIe s.), est emprunté au latin *probus*, terme de la langue rustique qui qualifie une récolte, un végétal qui pousse bien droit, passé dans l'usage courant au sens de «de bonne qualité» et, en parlant d'un homme «droit, honnête, bon». *Probus* est issu de °*probhos,* avec un second élément peut-être apparenté à la racine indoeuropéenne signifiant «croître» (→ futur; physique). On en rapproche pour le sens le vieil anglais *from* «de bonne qualité, qui a de la valeur», l'ancien haut allemand *fruma* «utilité», le vieil islandais *framr* «qui est au premier rang».

♦ Le mot, repris en français au sens moral de «droit, intègre» et appliqué aux personnes, est resté rare avant la fin du XVIIIe s. (1788). Par métonymie, il s'applique à ce qui est le fait d'une personne honnête, droite (1826). Il a vieilli.

▶ Le français a emprunté au latin plusieurs mots de la même famille. ◆ **PROBITÉ** n. f., emprunt (1429-1430) au dérivé latin *probitas, -atis* «bonne qualité morale, intégrité», s'est mieux implanté que *probe* dans l'usage, mais il est aujourd'hui réservé à un registre soutenu, sinon littéraire. ◆ L'antonyme préfixé **IMPROBE** adj., d'abord *improbe* (fin XVe s.), est emprunté au latin *improbus,* formé de *im-* privatif (→ in-) et de *probus,* qui signifie «de mauvais aloi, mauvais», moralement «méchant, pervers, malhonnête» et, avec l'idée de ce qui n'a pas les qualités requises, «démesuré, extravagant», «vorace, insatiable», «impudent, hardi, audacieux». En français, *improbe* n'a hérité que du sens moral avec lequel il s'oppose à *probe.* Il est encore plus rare que lui. ◆ Le nom correspondant, **IMPROBITÉ** n. f., est emprunté (v. 1350) au dérivé latin *improbitas, -atis* «mauvaise qualité d'une chose» et «méchanceté, perversité», également «audace, effronterie». Resté rare jusqu'à la fin du XVIIIe s., comme *probe,* il sert d'antonyme à *probité* mais son emploi est plus marqué.

◈ voir ACERBE, APPROBATION, APPROUVER, IMPROBATION, PROBABLE, PROBANT, PROBATION, PROUVER, RÉPROBATION, RÉPROUVER, SUPERBE.

PROBLÈME n. m. est emprunté (v. 1380) au latin *problema* «question à résoudre», lui-même emprunt au grec *problêma* qui désigne ce que l'on a devant soi, et spécialement un obstacle, une tâche, un sujet de controverse, une question à résoudre. Le mot est dérivé de *proballein,* composé de *pro* «devant» (→ pro-) et de *ballein* «jeter» (→ bal), proprement «jeter devant» et, par abstraction, «mettre en avant comme argument, proposer (une question, une tâche, etc.)».

♦ Le mot a été repris avec le sens du latin, dans le domaine spéculatif, philosophique et théologique. C'est la seule acception connue jusqu'au XVIIe s., époque où le mot s'emploie en mathématiques (1612) et en physique (1632, Descartes) pour désigner une question à résoudre par des méthodes rationnelles déductives ou par l'observation. Le sens métonymique de «question à résoudre par des éléments donnés dans l'énoncé» semble tardif (1900); il s'est spécialisé dans l'usage scolaire, à propos d'une épreuve, d'un devoir de physique ou de mathématiques (arithmétique, algèbre, géométrie) qui suppose un raisonnement. ◆ Au XVIIIe s., *problème* commence à se dire couramment d'une chose ou d'une personne que l'on explique mal (1753) et d'une difficulté d'ordre pratique (1775). ◇ Dans la seconde moitié du XXe s., il s'étend aux difficultés affectives, personnelles, psychologiques et professionnelles de qqn (1954, dans la locution ***avoir des problèmes***) et entre (av. 1959) dans l'expression ***il n'y a pas de problème***, familièrement ***y a pas de problème***, qui semble issue du milieu des écoles d'ingénieurs, d'où elliptiquement ***pas de problème*** dans le langage familier. Cette dernière est calquée de l'anglo-américain *no problem* où *problem* a le sens affaibli de «difficulté» (1934); son emploi en réponse ou en assertion peut correspondre à «oui, d'accord», et est devenu un tic de langage, de même que ***sans problème*** loc. adv. «facilement», qui, par affaiblissement, finit par correspondre à une réponse positive («oui»).

▶ **PROBLÉMATIQUE** adj. et n. f., d'abord écrit *probleumaticque* (1490), est emprunté au bas latin *problematicus* «constituant un problème auquel on ne peut apporter de solution», emprunté au dérivé grec *problêmatikos.* ◇ Le mot a repris le sens latin de «difficile à résoudre, douteux», passant dans l'usage général à propos d'une chose qui n'est pas certaine, dont l'existence, la vérité est douteuse (av. 1679). Par extension, il s'applique à ce qui est suspect, équivoque, mystérieux (1798), à ce qui a un caractère hypothétique, énigmatique (1852). ◆ Plus tard, sous l'influence de l'allemand *Problematik* et dans un usage didactique, ***la problématique*** n. f. (1951) désigne la technique qui consiste à bien poser un problème ou un ensemble cohérent de problèmes et, par métonymie, l'ensemble des problèmes se posant sur un sujet déterminé. ◆ De *problématique* ont été dérivés **PROBLÉMATIQUEMENT** adv. (1548) «de manière problématique, douteuse» et, dans la seconde moitié du XXe s., **PROBLÉMATISATION** n. f. qui implique un intermédiaire **PROBLÉMATISER**, attesté un peu plus tard dans la langue didactique contemporaine pour «organiser, présenter sous forme d'un ensemble de problèmes».

PROCÉDER v. est emprunté (XIIIe s.) au latin *procedere,* formé de *pro-* «devant» (→ pro-) et de *cedere* «aller» (→ céder), proprement «aller en avant, avancer» et, au figuré, «progresser», «avoir telle issue». Le mot a pris une valeur spéciale en droit et, à l'époque chrétienne, dans la langue ecclésiastique, où *procedere a, de* exprime le fait de sortir de, d'émaner de.

♦ *Procéder* a repris le sens d'«avancer», d'abord au figuré dans *proceder en son office* «s'acquitter de ses fonctions» (XIIIe s.) et plus généralement «avancer, continuer dans l'accomplissement d'une affaire» (1355). Dans ce sens, aujourd'hui sorti d'usage, on employait *bien procéder* au sens de «bien construire un ouvrage littéraire» (1690), qui a disparu au XIXe s. (les dictionnaires le considèrent comme vieilli depuis 1812). Le sens propre étymologique de «gagner du terrain, avancer» (1501) n'a pas vécu; il est resté vivant en anglais. ◆ Les sens actuels du verbe se sont établis au début du XIVe siècle : par emprunt au latin ecclésiastique, *procéder de* exprime le fait d'être produit, d'émaner de, surtout en parlant du Saint-Esprit, puis passe dans l'usage laïc au sens de «provenir de, tirer son origine de» (v. 1370). Le sens courant, avec un sujet nom de personne, correspond à «agir de telle manière» (1300), spécialement *procéder à* équivalent didactique ou administratif de *faire,* et, avec un nom de personne pour complément, *procéder avec, envers* (1553). ◇ Par emprunt au latin juridique, le mot exprime le fait d'agir judiciairement dans un procès (1302), presque toujours accompagné de la préposition *à* (1549).

▸ Le dérivé juridique **PROCÉDURE** n. f. (1344) désigne les formes suivant lesquelles on doit procéder en justice et, par métonymie, l'ensemble des règles, des formalités qui doivent être observées. Dans ce sens, il constitue une branche des activités et de l'étude du droit, avec des spécialisations *(procédure civile, criminelle).* Par analogie, le mot a désigné (XVe-XVIe s.) la manière de se comporter, d'agir, de procéder pour aboutir à tel résultat (1639), sens qui a vieilli à la différence de *procédé* (ci-dessous). ◆ *Procédure* a pris le sens technique d'«ensemble d'étapes successives dans la conduite d'une opération complexe» (1959) sous l'influence de l'anglais *procedure,* lui-même emprunté au mot français au début du XVIIe s. dans son ancien sens général de «procédé, méthode» et dont la valeur est distincte de celle de *processus* et de *procès* au sens étymologique, qui évoquent une suite d'événements naturels. Cette acception est courante dans le langage de l'aviation, de l'informatique (1968) et de la linguistique. ◆ De *procédure,* on a tiré deux termes de droit, **PROCÉDURIER, IÈRE** adj. et n. (1819), qui a souvent la valeur péjorative d'«amateur de procès, chicanier» (1842), et **PROCÉDURAL, ALE, AUX** adj. (1877), strictement descriptif et toujours didactique.
Le nom tiré du participe passé, **PROCÉDÉ** n. m. (1540), exprime la façon de faire, de s'y prendre, très généralement, ainsi que la façon d'agir à l'égard d'autrui (1659). Dans un langage plus technique, *procédé* correspond à la manière méthodique employée pour parvenir à un résultat (1627), spécialement en dessin et en rhétorique, et parfois avec une valeur péjorative d'«artifice». ◇ Il a pris le sens concret très spécialisé de «petite rondelle de cuir appliquée au bout d'une queue de billard et que l'on frotte de craie» (1842).

◈ voir PROCÈS, PROCESSEUR, ② PROCESSIF, PROCESSION, PROCESSUS.

PROCÈS n. m. est emprunté avec adaptation (v. 1178) au latin *processus,* dérivé de *procedere* (→ procéder) qui a également donné *processus**. Le mot latin désigne l'action de s'avancer d'où, par abstraction, la progression et, avec une valeur qualitative, le progrès; il désigne en particulier un progrès heureux, un succès. À l'époque médiévale, il s'est spécialisé en droit, pour désigner une démarche auprès d'une juridiction (XIIIe s.), sens attesté aussi en ancien gascon (1278).

♦ Le mot français est d'abord le résultat d'un emprunt juridique, désignant un titre, un contrat (v. 1178), un acte dressant un constat (XIIIe s.), un document (1549; dès 1340 en ancien provençal). L'accent se déplaçant de l'acte matériel à la démarche, ces valeurs ont disparu et le mot a pris le sens juridique d'«affaire poursuivie en justice, instance devant un juge» (1324). Il est ainsi entré dans des locutions comme ***être en procès*** (1341), ***procès pendant*** (1379), ***faire un procès à qqn*** (1475, *faire le procès*) ou encore ***sans autre forme de procès*** (1572) qui s'est d'abord dit d'une condamnation sans jugement, sans observation des formes légales, avant de se répandre au sens figuré de «sans façon, sans délai ni formalité» (1668). D'autres locutions sont également passées dans l'usage courant en prenant un sens figuré, comme *faire le procès à qqn* (1638), *à qqch.* (1672), remplacée par ***faire le procès de (qqch.)*** [1663], ***de qqn.*** ◆ Par un autre emprunt au latin, *procès* a pris le sens étymologique de «marche, développement, progrès» (1250), vieilli sauf dans quelques usages didactiques (v. 1560), spécialement en sciences, où il est concurrencé par *processus** (voir ci-dessous). ◆ Il a aussi développé en anatomie le sens concret de «prolongement d'une partie anatomique principale» (v. 1560, Paré, *procès mamillaires*), repris et généralisé à la fin du XVIIIe s. (1793) et qui a remplacé *processus.* Il est employé dans ce sens en philosophie et en linguistique (1927), sous l'influence de l'anglais *process,* emploi qui s'est généralisé dans un discours un peu prétentieux.

▸ *Procès* a produit quelques dérivés juridiques. ◆ Il entre dans **PROCÈS-VERBAL** n. m. (1367) «acte dressé par une autorité compétente et qui constate un fait entraînant des conséquences juridiques», et spécialement (1842) «acte par lequel un gendarme constate une contravention, un délit». Par extension, le mot sert à désigner un écrit relatant ce qui a été dit ou fait dans une réunion ou une assemblée, une circonstance officielle (1718). ◇ Le dénominatif de celui-ci, **PROCÈS-VERBALISER** v. intr. «dresser un procès-verbal» (1842), est sorti d'usage, remplacé par *verbaliser.* ◆ ① **PROCESSIF, IVE** adj. (1511) qualifie ce qui a rapport aux procès et se dit d'une personne aimant à intenter, à prolonger des procès (1549), autrefois en droit. Cet emploi a été repris en psychiatrie (1902) à propos d'une personnalité ayant tendance à se lancer dans des querelles, des réclamations.

◈ voir PROCESSEUR, ② PROCESSIF, PROCESSION, PROCESSUS.

PROCESSEUR n. m. est la francisation (1957) de l'anglais *processor* qui désigne une personne chargée de l'exécution d'une opération, d'un traitement, d'une production (1909), puis un dispositif exécutant une opération (surtout en composition). Le mot anglais est dérivé de *to process* (XIXe s.) «traiter», dénominatif de *process* «action qui se déroule, opération», du moyen anglais *process* emprunté au français *procès**.

♦ Le mot est employé en électronique et en informatique pour désigner la partie d'un ordinateur comprenant les organes de commande, les registres de calcul et effectuant le contrôle de l'exécution du programme et les opérations. Il désigne aussi le logiciel, pour la partie d'un programme effectuant le traitement. L'arrêté du 29 novembre 1973 en a officialisé l'utilisation.

▸ Sur *processeur*, on a construit les composés **BI-, TRI-, MULTIPROCESSEUR** et surtout **MICROPROCESSEUR** n. m. (v. 1976), emprunt à l'américain *microprocessor*, dérivé de *microprocess*, désignant un processeur miniaturisé dont tous les éléments sont rassemblés en un seul circuit intégré (le premier du genre a été introduit sur le marché en 1971).

① **PROCESSIF** → PROCÈS

② **PROCESSIF, IVE** adj. est emprunté (1966) à l'anglais *processive* «qui présente l'aptitude à avancer, capable de progrès» (1819), avec *-ive* correspondant au français *-if*, du radical du latin *processum*, supin de *procedere* (→ procéder). Un autre mot anglais, *processive*, est emprunté au français ① processif (→ procès).

♦ Le mot a été repris comme terme d'économie politique pour «facteur de progrès social et d'amélioration économique», en opposition à *récessif* (→ récession).

PROCESSION n. f. est emprunté (déb. XIIe s.) au latin *processio, -onis*, désignant proprement l'action de s'avancer, puis à basse époque la marche, la sortie solennelle (IVe s.) et, dans la langue chrétienne, un cortège (fin IVe s.). En théologie, *processio* s'applique au fait de venir de qqch., à une émanation (v. 350). Il est issu du supin *(processum)* de *procedere* (→ procéder).

♦ Dès les premières attestations, le mot désigne le cortège qui va au-devant d'un grand personnage et, dans le contexte religieux, une marche solennelle de caractère rituel (1160-1174). Par extension, il s'applique aussi à une suite d'hommes, d'animaux, de choses avançant à la file (v. 1155) et, au figuré, à une suite de personnes se succédant à brefs intervalles. À la Renaissance, il a pris le sens historique de «cortège religieux dans une fête ou un mystère antique» (1538). ◆ En relation avec le sens du verbe *(procéder de...)*, il correspondait en moyen français au sens de «condition, origine d'une personne» (v. 1278), s'appliquant en théologie à la production éternelle d'une personne divine par une autre (1690, *procession du Saint-Esprit*), par référence aux doctrines des Pères de l'Église (saint Hilaire, saint Augustin). Cette acception est très didactique.

▸ **PROCESSIONNAIRE** adj. et n. correspond en moyen français à «recueil de prières chantées aux processions» (1328) et, comme adjectif, «relatif aux processions» (1413, *livres processionnaires*); il est alors emprunté au latin médiéval *processionnarius* (Xe s.) «qui va en procession», «de procession» (XIe s.). ◇ Les emplois modernes en entomologie (1734, *chenilles processionnaires*) et pour désigner la personne qui suit une procession (1893) procèdent directement de *procession*. ◆ **PROCESSIONNAL** n. m. a d'abord été emprunté comme adjectif (1522), sous la forme *pourcessionnal*, au latin médiéval *processionnalis* «de procession» (XIe s.), spécialisé dans la langue liturgique, dérivé de *processio*. ◇ L'emploi moderne du mot comme nom pour désigner le recueil des prières chantées aux processions (1563) ne paraît pas être un emprunt au latin (seulement attesté en ce sens v. 1600), mais une création en français qui a évincé *processionnaire*. ◆ **PROCESSIONNEL, ELLE, ELS** adj. (1542; probablement fin XVe s.; cf. *processionnellement*) est issu par changement de suffixe de *processionnal* et exprime la qualité de ce qui se rapporte à une procession, tient de la procession (1825). Il empiète sur *processionnal* en désignant le livre contenant les prières de la procession (1718). ◇ En est dérivé **PROCESSIONNELLEMENT** adv. (fin XVe s.). ◆ Quant au dénominatif **PROCESSIONNER** v. intr., plus tardif (1779), il est d'abord employé dans la description entomologique des chenilles processionnaires avant de signifier «défiler en procession» et, par extension, «en file».

◈ voir PROCÈS, PROCESSUS, PROCESSEUR, ② PROCESSIF.

PROCESSUS n. m. est emprunté à la Renaissance (1541) au latin *processus* «progrès, progression», qui a donné *procès**.

♦ Il a été introduit par le langage de l'anatomie au sens de «prolongement d'un organe, d'une structure, d'un tissu», d'abord relevé dans une traduction de L. Vassée puis concurrencé par *procès*. ◇ Les extensions de sens sont tardives : *processus* a repris au latin le sens abstrait de «progrès, développement» dans le langage didactique (1865), spécialement en philosophie, en sciences humaines, en psychologie et psychiatrie (*processus psychique*, 1904) et dans les sciences exactes. Concurrençant *procès**, il est passé dans l'usage courant en parlant d'un ensemble de phénomènes se déroulant dans le même ordre. La spécialisation plus technique de «suite ordonnée d'opérations aboutissant à un résultat» (1926, *processus de fabrication*) empiète sur l'aire d'emploi de *procédure*.

▸ **PROCESSUEL, ELLE, ELS** adj., attesté en 1967, se rapporte à *processus* et signifie «relatif à un processus»; il est emprunté à l'anglais *processual* «qui appartient à une voie légale», dérivé de *process* «développement», lequel correspond à *procès**. Il est didactique et rare.

PROCHAIN, AINE adj. et n., réfection (v. 1155) de *prucein* (v. 1120), *proceain* (v. 1120-1150), est issu d'un adjectif latin populaire non attesté °*propeanus*, dérivé de l'adverbe *prope* «près, auprès» (de sens local et temporel), «presque, à peu près». Lui-même correspond à un adjectif *propinquus*, conservé dans quelques formes romanes. Comme le montre le superlatif *proxime* (→ proximité), *prope* repose sur un type °*prok*^{w}-.

♦ Dès les premiers textes, le mot exprime la proximité dans le temps, à propos d'un événement dont la venue est proche (1175, *mort prochaine*). Il qualifie une date qui est la première à se présenter à partir du moment où l'on parle (v. 1160), et un lieu qui suit immédiatement, dans un mouvement. ◆ Dès la première moitié du XIIe s., *prochain* a servi à exprimer la proximité dans la parenté, la fraternité, l'amitié (v. 1120); cet emploi a été concurrencé et absorbé par *proche**, mais il en est resté l'emploi substantivé de ***un prochain***, non plus pour un proche parent mais pour désigner, dans la langue religieuse, tout être humain considéré comme un semblable (v. 1120, dans les psautiers), particulièrement ceux qui ont besoin d'aide ou de miséricorde. Ce sens est spécialement réalisé dans le commandement *aime ton prochain comme toi-même* (1343) et, de nos jours, surtout par le singulier collectif *le prochain*, l'emploi du pluriel *les prochains* (v. 1540) ayant décliné. ◆ Le sens spatial du mot (1155) «non loin du lieu considéré» et «le plus proche du lieu considéré» (1549) est presque sorti d'usage au bénéfice de *proche* (ci-dessous) et de *voisin*. ◇ Enfin, *prochain* a développé un sens abstrait en logique et en théologie (v. 1360), avec une notion d'immédiateté logique dans les expressions *cause prochaine, effet prochain, genre prochain* et en théologie dans *occasion prochaine, pouvoir prochain*.

▶ Le mot a produit **PROCHAINEMENT** adv. (1130-1140) qui ne s'emploie qu'au sens temporel. ◆ Par dérivation régressive, *prochain* a fourni **PROCHE** adv., prép., adj. et n. indirectement attesté au XIIIe s. par l'adverbe *prochet* «tout près» et l'ancien français *prochement* adv. (1259), absorbé par *prochainement*. ◇ *Proche* a supplanté l'ancien *pruef, prof,* adverbe représentant du latin *prope*, et a évincé *prochain* dans certains emplois. Rare avant le XVIe s., il est d'abord attesté en tant qu'adjectif avec une notion de proximité dans la parenté (1330), spécialement dans ***proche parent*** (1549) et, par ellipse du nom, en emploi substantivé, plus souvent au pluriel ***les (ses) proches*** (1580) qu'au singulier (1588). Par extension, il est également employé depuis le XVIe s. (1588, Montaigne) pour exprimer la proximité dans le sentiment, l'amitié. ◆ *Proche* exprime aussi une notion spatiale, d'abord dans les anciennes locutions prépositionnelles ***proche à, proche en*** (v. 1460), ***proche de*** (1552), et en emploi absolu (1652) : cet emploi, dans lequel la préposition était parfois confondue avec l'adjectif et accordée, a disparu. En revanche, la notion spatiale est bien réalisée par l'adjectif (1587), également avec une valeur métaphorique (1588). ◇ Enfin, à partir de 1636, *proche* exprime le sens temporel de «qui va bientôt arriver, qui est arrivé il y a peu de temps». Le mot exprime enfin une notion plus abstraite de «proximité par la ressemblance» dans une comparaison. ◆ L'emploi adverbial date aussi de l'époque classique (1662), spécialement dans la locution ***de proche en proche*** (1679) à propos d'une nouvelle qui se répand.

◈ voir APPROCHER, APPROXIMATION, PROXIMITÉ, REPROCHER.

PROCIDENCE n. f. est emprunté (1560) au latin *procidentia* «chute ou déplacement d'un organe», dérivé de *procidere* «tomber en avant, s'écrouler», spécialement employé en médecine à propos du déplacement des organes. *Procidere* est composé de *pro* «en avant» (→ pour, pro-) et de *cadere* «tomber» (→ cadence).

♦ Le mot désigne l'issue, à l'extérieur, d'un organe ou d'une partie anatomique mobile. L'expression *procidence du cordon* (1904) désigne la chute du cordon ombilical en avant de la présentation fœtale, lors de l'accouchement.

PROCLAMER v. tr. est emprunté (1380) au latin *proclamare*, de *pro* (→ pro-) et *clamare* (→ clamer) «crier fortement, pousser de grands cris» et «protester, réclamer». En latin médiéval, l'accent étant mis sur le message, il signifie «faire connaître publiquement, divulguer» (XIIe s.), en droit féodal «lancer une sommation» (v. 1150) et, dans la langue ecclésiastique, «accuser publiquement, dans une réunion de chapitre» (XIIIe s.).

♦ Le verbe a été repris au sens d'«annoncer publiquement, publier» avec un nom de chose pour complément; avec un nom de personne pour complément suivi d'un attribut, il se dit pour «reconnaître officiellement l'autorité conférée à qqn» (1488 *proclamer comme roi*, avant *proclamer roi*). ◇ Par extension, il signifie «révéler, divulguer» en dehors de tout caractère légal et officiel (1496), «affirmer hautement que» et, avec un nom de chose pour sujet, «manifester ou exprimer de la façon la plus frappante».

▶ Le dérivé **PROCLAMATEUR** n. m. (1541) a désigné anciennement celui qui proclame l'Évangile avant de prendre, plus généralement, le sens de «personne qui proclame», son féminin *proclamatrice* n'étant attesté que depuis 1875. Le latin avait lui-même *proclamator*, attesté une seule fois à l'époque classique pour «celui qui crie», comme variante de *clamator* en parlant d'un avocat, et repris au moyen âge par la langue juridique pour l'avoué qui dépose une plainte (918), le demandeur (1122).
Le nom d'action correspondant, **PROCLAMATION** n. f., est emprunté (1370) au dérivé latin *proclamatio, -onis* «cris violents», spécialisé dans la langue juridique à basse époque pour les cris de réclamation et, en latin médiéval, pour une plainte en justice (718-810), une promulgation. ◆ En français, le mot s'est aligné sur les principaux sens du verbe, désignant l'action de proclamer publiquement, solennellement et, par métonymie, l'écrit, l'acte par lequel on proclame une chose (1694). Par extension, il désigne l'action d'affirmer, d'annoncer hautement une chose.
Le préfixé **AUTOPROCLAMÉ, ÉE** adj. (1971 à propos d'un pouvoir politique arbitraire, non démocratique : le *président autoproclamé*...), d'où **S'AUTOPROCLAMER** v. tr., est devenu usuel.

PROCLITIQUE → ENCLITIQUE

PROCONSUL n. m. est emprunté (1495-1496) au latin *proconsul*, désignant un magistrat qui gouverne une province après son consulat et, sous l'Empire, le gouverneur d'une province proconsulaire. Le mot est formé de *pro* «avant» (→ pour, pro-) et de *consul* (→ consul). Le nominatif *proconsul* avait donné le moyen français *proconse* (déb. XIVe s.); l'ancien provençal *proconsul* avait été emprunté vers 1140.

♦ *Proconsul*, terme d'antiquité romaine, est quelquefois employé par analogie en parlant d'un personnage qui exerce un pouvoir absolu et sans contrôle dans une province ou une colonie, puis, sous la Révolution, à propos de certains commissaires de la Convention (1797).

▸ **PROCONSULAIRE** adj., emprunté à la Renaissance (1512) au dérivé latin *proconsularis*, est l'adjectif de *consul*. Il a été repris en médecine où, par allusion au cou épais du proconsul Vitellius dans sa représentation en buste, il qualifie un cou dans lequel la délimitation du cou et de la mâchoire est effacée par une tuméfaction ; par extension, il se rapporte à un cou empâté. ◆ **PROCONSULAT** n. m., emprunt (1548) au latin *proconsulatus* «fonction de proconsul», garde ce sens. Les extensions sont des emplois métonymiques comme «durée de cette fonction» (1812). Par analogie, il se dit de l'exercice d'un pouvoir arbitraire et absolu (1914).

PROCRASTINATION n. f. est emprunté à la Renaissance (1520) au latin *procrastinatio, -onis* «ajournement, délai», de *procrastinare* «remettre une affaire au lendemain» (emplois transitif et absolu). Ce verbe est composé de *pro* «devant» (→ pour, pro-), de l'adverbe *crastinus* «de demain, à demain», lui-même dérivé de *cras* «demain» dont c'est la seule trace en français (cf. *demain*), et d'un suffixe d'infinitif.

♦ Le mot, repris avec le sens du latin, semble inusité entre 1639 et la fin du XVIIIe siècle. Depuis le XIXe s., son emploi est marqué comme plaisant ou littéraire.

▸ Ses dérivés **PROCRASTINER** v. tr. et **PROCRASTINATEUR** n. m. se rencontrent exceptionnellement chez certains auteurs (Amiel, Colette).

PROCRÉER v. tr. est emprunté (1324) au latin *procreare*, de *pro* (→ pour, pro-) et *creare* (→ créer), «engendrer, produire» et, au figuré, «causer, faire naître, produire».

♦ Le mot a été repris avec les deux sens du latin : «engendrer» en parlant de la race humaine et, au figuré, «produire» (déb. XIVe s.).

▸ Le nom correspondant **PROCRÉATION** n. f. a été emprunté antérieurement (1213) au dérivé latin *procreatio, -onis*. Il a les deux sens correspondants. ◆ **PROCRÉATEUR, TRICE** adj. a été emprunté (1547), pour servir d'adjectif à *procréer* et à *procréation*, au latin *procreator* «créateur» et, spécialement au pluriel, «les parents», du supin de *procreare*. ◇ Le mot est attesté comme adjectif, au masculin (1547) et au féminin (1586). Son emploi substantivé pour désigner, au pluriel, les parents (1581) est vieilli ou plaisant.

PROCURATEUR n. m., réfection avec le suffixe *-eur* (1317) de *procuratour*, forme attestée en anglo-normand (v. 1180), et de *procuratir* (XIIIe s.), est emprunté au latin *procurator*, dérivé du supin *(procuratum)* de *procurare* (→ procurer). *Procurator*, «celui qui a soin pour un autre, qui administre», désigne le gouverneur ou l'administrateur d'une province, le fonctionnaire chargé des revenus de l'Empire romain et l'avocat.

♦ Le mot a été repris pour désigner celui qui agit par procuration, sens vivant jusqu'à la fin du XVIe s., puis repris en 1800 mais peu usité. ◇ Il s'emploie surtout comme terme d'histoire moderne pour l'un des principaux magistrats des républiques de Venise et de Gênes (1680), alors par emprunt à l'italien, et comme terme d'histoire romaine (1765, *Encyclopédie*) pour le gouverneur des domaines impériaux dans les provinces sous l'Empire. ◇ En France même, il a désigné, sous le titre *grand procurateur de la nation* (1791), l'un des deux députés soutenant les accusations devant la Haute Cour, sous la première République.

▸ Il n'a donné que **PROCURATRICE** n. f. (1529), qui, en raison de la perte de vitalité du masculin dans son sens juridique, fournit une forme féminine à *procureur**. ◆ **PROCURATIE** n. f. est emprunté (1688) à l'italien *procuratia* désignant, depuis le XVIe s., le palais des procurateurs à Venise. Le mot italien est emprunté au dérivé latin médiéval *procuratia* (av. 1350). ◇ Le mot a été repris avec le sens de l'italien mais s'est peu répandu ; il désigne la charge, la juridiction des procurateurs (1802) en terme d'histoire.

◈ voir PROCURATION.

PROCURATION n. f. est emprunté (1219) au latin *procuratio, -onis* «action d'administrer» et, dans le domaine religieux, «cérémonie expiatoire» ; à l'époque médiévale, le mot désigne l'intendance, la charge de régisseur (737) et, en droit, le pouvoir d'un mandataire (887). Comme *procurateur*, le mot est dérivé du supin *(procuratum)* de *procurare* (→ procurer).

♦ Le mot a désigné en ancien français les frais d'entretien fournis par un village ou une ville lors de la visite du seigneur (1219) et ceux que fournissaient par les curés lors de la visite de l'archidiacre (1332). Il a aussi, dès les premières occurrences, le sens de «pouvoir donné légalement à une personne d'agir en son nom», emploi qui s'est implanté durablement, réalisé dans la locution ***par procuration*** (1789) qui signifie au figuré «par l'intermédiaire de qqn d'autre» (1837, Balzac). Par métonymie, il désigne concrètement l'écrit constatant un mandat et en déterminant l'étendue (v. 1360). ◆ D'autres sens vivants en ancien français, «action de se procurer, acquisition» (v. 1355), «intervention, sollicitation» (1486), sont sortis d'usage.

▸ **PROCURATOIRE** adj. a été emprunté (XIVe s.) au dérivé bas latin *procuratorius* pour lui servir d'adjectif.

◈ voir PROCURATEUR.

✳ **PROCURER** v. tr. est emprunté (fin XIIe s.) au latin *procurare* «donner des soins à», «s'occuper de», de *pro* (→ pour, pro-) et *curare* «avoir soin de», dérivé de *cura* «soin, souci» (→ cure).

♦ Le mot s'est progressivement détaché du sens latin : le sens propre de «prendre soin de (qqn, qqch.)», éliminé par *soigner, s'occuper de*, etc., s'est éteint au XVIIe s., prolongé au XVIIe s. par celui d'«obtenir, amener un résultat par ses soins, ses efforts» (1606) qui subsiste encore dans l'expression didactique *procurer une édition* (1720). ◇ En moyen français, *procurer qqn* correspondait à «servir, recevoir chez soi, loger» (v. 1278) et, avec une nuance se rapprochant du sens moderne, «munir, approvisionner d'une chose» (XIIIe s.). En relation avec *procura-*

tion et *procurateur,* il signifiait aussi «aider, intercéder, plaider au nom de qqn» (XIIIe s.), sens qui avait déjà vieilli à la fin du XIIIe siècle. ◆ Le sens moderne, apparu en ancien français, met l'accent sur le fait de causer un désavantage (v. 1278) ou un avantage et, concrètement, de faire obtenir une chose à qqn (XVe s.). ◇ La forme pronominale *se procurer* (1180) s'est fixée avec les sens correspondants. Elle exprime parfois avec une valeur passive le fait d'être procuré (1829).

▸ Les quelques dérivés du mot remontent au moyen français. ◆ **PROCUREUR** n. m., d'abord *procurrerre, procureor* (1213), a peut-être subi l'influence du latin *procurator* (→ procurateur) «celui qui a soin pour un autre, qui administre» d'où, en latin médiéval, «administrateur des bien extérieurs d'une communauté» (XIIe s.), terme d'histoire romaine et de droit désignant celui qui représente une partie lors d'un procès. Le moyen français connaissait aussi les formes *procureux* «celui qui procure» (XVe s.) et *procurier,* terme d'histoire romaine (XIIIe-XIVe s.), également appliqué à celui qui agit à la place d'un autre dans un procès (1353). *Procureur* a été employé comme terme d'histoire romaine avant de le céder à *procurateur.* ◆ Il s'est spécialisé au sens juridique de «personne ayant le droit d'agir au nom d'une autre» (v. 1253) et pour désigner, dans un ordre religieux, le religieux chargé des intérêts temporels de la communauté (1247). Depuis 1256, il désigne divers magistrats dont le titre et les attributions ont changé entre l'Ancien Régime, où l'on emploie *procureur du roi* (1285), *procureur général* (1475), l'Empire et l'époque moderne (1875, *procureur de la République*). ◆ Le féminin **PROCUREUSE** n. f. (1494) «femme d'un procureur» n'est plus guère employé ; il avait supplanté le type *procuresse* (XIIIe s.) «celle qui agit au nom d'une procuration», sorti d'usage au XVIe s., et subit la concurrence du féminin de *procurateur**, *procuratrice.* ◆ **PROCURE** n. f., le déverbal de *procurer* (XIIIe s., J. de Meung), a désigné en moyen français le pouvoir donné pour agir au nom de qqn, avant d'être évincé par *procuration.* ◇ Il a été repris comme terme religieux (1743) pour l'office de procureur, avec une valeur proche de *économat* et, par métonymie, le bureau, le logement de celui-ci (1798), ou encore le magasin.

◈ voir PROCURATEUR, PROCURATION.

PRODIGE n. m. est emprunté (v. 1355) au latin *prodigium* «signe prophétique», «chose merveilleuse, miracle», au figuré «être monstrueux» et «fléau». L'étymologie du mot latin est contestée : la formation de *portentum,* mot de sens voisin (de °*por-* et *tendere*), engage à l'analyser en °*prod-igium* de *pro-, prod-* (→ pour, pro-) et d'un second élément apparenté à *agere* (→ agir).

♦ Le mot a été repris pour désigner un miracle, un signe, un événement surprenant qui arrive contre le cours ordinaire des choses. ◇ Employé par analogie à propos d'une personne monstrueuse, qui atteint dans le mal un degré incroyable (1553, en style biblique), il a développé par affaiblissement ses sens courants et positifs de «personne extraordinaire» (1639) et «chose surprenante» (1652). De là, il est appliqué spécialement à un enfant précoce (1755), en apposition dans ***enfant prodige*** (1848).

▸ **PRODIGIEUX, EUSE** adj. est emprunté (1380) au dérivé latin *prodigiosus* «qui tient du prodige, surnaturel». ◇ Le mot, au sens propre de «qui tient du miracle», est littéraire ; il s'est répandu dans l'usage au sens affaibli de «monstrueux, plus grand qu'on ne s'y attendait» (1567), emploi d'abord familier. La langue classique l'a employé au sens fort, avec la valeur active de «qui fait des prodiges» (1625). ◆ *Prodigieux* a produit **PRODIGIEUSEMENT** adv. (1543), assez courant comme adverbe intensif, et, beaucoup plus tard, **PRODIGIOSITÉ** n. f. (1835, Gautier) «objet, action prodigieuse» et «caractère de ce qui est prodigieux» (1875), d'emploi littéraire et rare.

◈ voir PRODIGUE.

PRODIGUE adj. est emprunté (v. 1265) au latin *prodigus* «gaspilleur, dissipateur», dit aussi des choses, «qui fait gaspiller, ruineux» et, sans connotation péjorative, «qui produit en abondance, abondant» en parlant d'un élément de la terre et, au figuré, «généreux en». Le mot est dérivé de *prodigere* «pousser devant soi» et aussi «dépenser avec profusion, dissiper», formé de *pro-* (*prod-* devant voyelle) «devant» (→ pour, pro-) et de *agere* «mettre en mouvement, faire avancer» (→ agir).

♦ Le français a repris le mot avec toutes les valeurs du latin mais les emplois qualifiant les personnes l'ont emporté. *Prodigue* y est substantivé (1530) et employé en droit (1701). Il entre dans l'expression ***enfant prodigue*** (1560), allusion à une parabole évangélique (Luc XV, 11-32), d'abord pour désigner celui qui, ayant reçu et dissipé son héritage, retourne repentant chez son père qui l'accueille par une grande fête et, au figuré (1718), celui qui, après des absences et de l'inconduite, retourne dans la maison paternelle. L'expression a servi à former le proverbe ***à père avare, fils prodigue*** (1753). ◇ *Prodigue de,* au figuré, signifie comme en latin «généreux en» (1643, Corneille).

▸ **PRODIGUER** v. tr. semble directement repris (1552) au latin *prodigere.* ◇ Le verbe signifie «dépenser excessivement» et, sans idée péjorative, «accorder, sacrifier généreusement» (v. 1600), aussi au pronominal *se prodiguer* (v. 1600). ◇ Le sens de «montrer avec un empressement excessif» (1669, Racine), auquel correspond le pronominal pour «se montrer avec excès dans le monde» (1770), est propre à la langue des XVIIe et XVIIIe siècles. ◆ **PRODIGALITÉ** n. f. est emprunté en même temps que l'adjectif (v. 1265) au dérivé bas latin *prodigalitas, -atis* (VIe s.) «caractère d'une personne prodigue, d'une terre prodigue». ◇ Le mot désigne la propension à dépenser démesurément et s'emploie par métonymie, surtout au pluriel, pour des dépenses sans mesure (v. 1350). Comme l'adjectif et le verbe, il est également employé sans valeur péjorative (XVe s.) ; au figuré, il s'applique au domaine de l'expression verbale (Balzac). ◆ **PRODIGALEMENT** adv. (1492), dérivé de *prodigalité* par substitution de suffixe, est pratiquement sorti d'usage au XVIIIe siècle. L'adjectif **PRODIGAL** semble n'avoir pas pu servir d'intermédiaire car il n'est attesté qu'en 1517 et reste exceptionnel.

PRO DOMO loc. adv. est l'emprunt (1646) de la locution latine *pro domo sua,* littéralement «pour sa maison», composée de *pro* «pour» (→ pour, pro-) et de *domus* «maison» (→ dôme). La locution recouvre une allusion au discours de Cicéron, *De* (ou *Pro*) *domo sua* prononcé en 57 av. J.-C. devant les pontifes, pour obtenir la restitution de sa propriété confisquée par le tribun Clodius, lors de sa condamnation à l'exil. Cicéron était particulièrement fier de cette plaidoirie et de son succès.

♦ La locution est d'abord attestée isolément chez Voiture *(crier soi-même pro domo sua).* Elle est reprise au XIXe s. sous les formes *plaider, comme Cicéron, pro domo sua* (1813), *combattre, comme pro domo sua, l'opinion de qqn* (1863), *plaidoyer pro domo sua* (1890) qui, toutes, maintiennent explicitement le lien à l'allusion littéraire latine. ◇ Celle-ci se perd et la locution acquiert son autonomie au XXe s. sous la forme ***pro domo*** (1941, *plaidoyer pro domo;* 1945, *prêcher pro domo*) «pour sa propre cause».

PRODROME n. m. est emprunté à la Renaissance (1548) au latin *prodromus,* lui-même emprunté au grec *prodromos* «qui court devant, précède en courant», substantivé à propos d'un coureur envoyé en avant, d'une division d'avant-garde et employé spécialement pour qualifier un vent qui précède de huit jours la canicule*, et au figuré pour «précoce, précurseur». Ce mot est composé de *pro* «devant», correspondant au latin *pro* (→ pour, pro-), et de *-dromos* (→ -drome, drom-), de *dramein* qui sert d'infinitif aoriste à *trekhein* «courir».

♦ Le mot a été repris comme nom pour désigner un avant-coureur, un signe précurseur dans l'usage littéraire. Son acception spéciale d'«introduction à un traité d'histoire naturelle, préface» (1665) a disparu. Une autre spécialisation, en médecine, «état de malaise qui est avant-coureur d'une maladie» (1765, *Encyclopédie*), est, en revanche, restée en usage.

▶ C'est dans ce domaine que *prodrome* a produit **PRODROMIQUE** adj. (1855), quasi-synonyme de *symptomatique.*

✱ **PRODUIRE** v. tr. est un emprunt (1340), avec réfection sur le modèle de verbes comme *conduire*,* au latin *producere.* Celui-ci, formé de *pro* «en avant» (→ pour, pro-) et de *ducere* «mener» qui a donné *duire** en ancien français, signifie proprement «conduire en avant, mener»; il a développé de nombreux sens figurés : «exposer, présenter», «entraîner, provoquer», «étendre, allonger» et «faire pousser, développer (un arbre, un enfant)».

♦ Le verbe apparaît en droit pour «faire apparaître, présenter (une pièce, un document, puis des témoins)». Par extension, il a pris le sens, aujourd'hui disparu, d'«invoquer pour sa défense, à l'appui de sa thèse» (1549, en emploi absolu; XVIIe s., chez Pascal, en emploi transitif) et la valeur plus générale de «présenter, faire connaître» (v. 1465), quasiment sortie d'usage sauf avec la nuance de «présenter avec ostentation, patronner (un artiste)». Il reste vivant à la forme pronominale *se produire,* sortie d'usage au sens de «se présenter, se faire connaître» (1580), mais toujours employée en parlant de la personne qui se met en avant avec ostentation et de l'artiste qui paraît en public pour une représentation (1748). ◆ En moyen français, *produire* a repris au latin son sens étymologique de «mener, guider» (v. 1380) qui ne s'est pas maintenu. ◆ Il apparaît aussi chez Oresme (1377) avec le sens de «causer, amener, procurer», spécialement «créer, faire composer (un ouvrage de l'esprit)» (1377). Au cours des siècles suivants, *produire* a développé à partir de cette idée plusieurs sens spécialisés : il s'emploie en parlant de la terre, d'un végétal, au sens de «porter, offrir, procurer la croissance de» (1486), d'un être humain ou d'un animal, pour «engendrer» (1549), ce dernier sens étant sorti d'usage, de celui qui assure la réalisation de qqch. (1555); avec un nom de chose pour sujet, il signifie «donner un revenu, rapporter» et «donner naissance à (des biens)». Ces valeurs économiques se développent au XVIIIe s., ainsi que celles de *production, productif* et *producteur* (ci-dessous). ◆ La forme pronominale ***se produire*** correspond à «arriver, survenir» (1552) et s'emploie en tournure impersonnelle *il se produit,* avec le même sens (1784). ◆ Ultérieurement, *produire* est passé dans le langage du cinéma (1906) au sens d'«assurer la réalisation matérielle d'un film en le finançant et en l'organisant», en relation avec *producteur* et *production.*

▶ La famille du mot est importante et consiste, pour l'essentiel, en dérivés savants sur le radical latin *product-.* ◆ Le plus ancien est **PRODUCTION** n. f. (1283), d'abord attesté avec le sens juridique de «présentation des pièces pour un procès» par emprunt au latin juridique *productio, -onis* (XIIIe s.). Puis, *production* a pris, d'après le verbe, le sens plus général de «présentation au public, publication» (1580), sorti d'usage. Le sens d'«action d'engendrer, de donner naissance à» (v. 1330) a développé plusieurs acceptions spécialisées correspondant à celles qui sont issues du verbe : par métonymie, *production* désigne ce qui est produit, une manifestation, une œuvre intellectuelle ou artistique (1580). ◆ Par un emprunt direct au latin classique *productio* «allongement, prolongement», le mot est passé en anatomie en parlant d'une formation naturelle procédant d'une extension, d'un allongement (1562); cf. *procès;* puis d'une excroissance, d'une formation de nouveau tissu (1762). ◆ Au XVIIe s., il s'emploie, en relation avec le verbe, pour le fait de produire plus ou moins, le sujet désignant une terre, une entreprise (1695), avec le sens métonymique de «denrée, bien créé par l'activité agricole ou industrielle» (1695). Puis, il s'est spécialisé en économie (1755, Mirabeau) pour le fait de créer des biens matériels par l'activité industrielle ou agricole, en opposition à *consommation, circulation, distribution* et *répartition.* Divers syntagmes, tel *production en série,* spécifient le pro-

cessus de production. ◆ Le sens postérieur, «ouvrage filmé» (1906), métonymie de «réalisation d'un film» attesté quelques années plus tard (1915), est probablement emprunté à l'anglais *production* employé dans le domaine du spectacle (1896). ◆ Sur *production* sont formés les termes économiques **SURPRODUCTION** n. f. (1846, Proudhon en emploi absolu), lequel a lui-même donné **SURPRODUIRE** v. tr. (1897) et **SOUS-PRODUCTION** n. f. (1926).
◆ **PRODUCTIF, IVE** adj., dérivé savant (v. 1460), avec le suffixe *-if*, du supin *productum* du latin *producere*, qualifie ce qui est à l'origine, ce qui engendre, détermine ou provoque. ◇ Rare avant la seconde moitié du XVIIIe s., il prend alors le sens de «qui produit des œuvres, des objets concrets» (1763) et s'oriente vers l'économie pour qualifier ce qui permet d'obtenir de hauts rendements, une meilleure production (1768), s'appliquant spécialement à ceux qui travaillent à la production de biens (1770). ◆ Son dérivé **PRODUCTIVITÉ** n. f. (1766) est devenu essentiel en économie aux XIXe-XXe s. et s'emploie aussi avec les valeurs abstraites de *produire*, par exemple à propos d'un créateur, d'un auteur. ◆ Il a aussi donné **SOUS-PRODUCTIF, IVE** adj. (v. 1960), d'après *sous-production*, et le terme didactique **PRODUCTIVISME** n. m. (XXe s.) désignant, en relation avec son dérivé **PRODUCTIVISTE** adj. (1932), le système d'organisation économique dans lequel la production est donnée comme l'objectif premier. ◆ *Productif* a pour contraire **IMPRODUCTIF, IVE** adj. (1785), ce dernier donnant ensuite **IMPRODUCTIVEMENT** adv. (1840) et **IMPRODUCTIVITÉ** n. f. (1840), tous deux relevés chez Proudhon. ◆ **PRODUCTEUR, TRICE** n. et adj. (1482), autre dérivé savant du supin latin, désigne le créateur, celui qui engendre, provoque qqch., parallèlement au moyen français *productor*, emprunté au latin médiéval et employé dans les gloses (v. 1470) au sens étymologique de «celui qui guide». ◇ *Producteur*, comme *production* et *productif*, a développé ses spécialisations économiques dans la seconde moitié du XVIIIe s., comme adjectif (1758) et comme nom (1770). ◇ La valeur qu'il a prise en cinéma (1908) est un emprunt sémantique à l'anglais *producer*, d'ailleurs relevé en français en 1921 avec ce même sens. ◇ *Producteur* a produit le terme d'économie **SURPRODUCTEUR, TRICE** adj. (1963) d'après *surproduction*.

Le participe passé de *produire*, **PRODUIT** n. m., a été substantivé (1554), d'abord avec le sens spécial de «résultat d'une multiplication». ◇ Plus largement, le mot désigne ce que rapporte une charge, une propriété foncière, le gain d'une activité commerciale ou industrielle (1690), avec une valeur précise et plus technique en économie (1758, *produit net*) et en comptabilité. ◆ Le nom désigne spécialement les biens produits par l'agriculture ou l'industrie en tant qu'ayant une valeur (1734), spécialement en parlant de la production d'un pays (1755). Comme la plupart des mots de la famille de *produire*, *produit* a élargi ses emplois dans la seconde moitié du XVIIIe s. où il a commencé à s'appliquer à ce qui résulte d'une combinaison quelconque (1754), puis en chimie (1762) pour une combinaison ou un mélange, en biochimie, en physique et en géométrie (1845). Le sens général de «ce qui résulte de (qqch.)» apparaît avec ces spécialisations (1761). ◆ *Produit* a donné quelques composés dans lesquels il entre comme second élément dans le vocabulaire économique : **SOUS-PRODUIT** n. m. (1873), passé dans l'usage courant avec un sens figuré assez péjoratif (1897), **DEMI-PRODUIT** n. m. (v. 1950), plus technique.

D'autres dérivés savants de *produire* ont vu le jour dans la seconde moitié du XVIIIe s. : **PRODUCTIBLE** adj. et **PRODUCTIBILITÉ** n. f. (1771).

Au XVIe s., *produire* a fourni son premier dérivé verbal préfixé, **REPRODUIRE** v. tr. (1539) au sens itératif de «produire de nouveau», d'abord en parlant des productions naturelles par génération. ◇ Par extension, ce verbe a pris le sens de «répéter, rendre l'équivalent de» (1778), spécialement dans le domaine de la création artistique (1800), et, par affaiblissement, «imiter l'apparence, le comportement, les gestes de (qqn)» (1823). ◇ La forme pronominale *se reproduire* (1712) correspond à «produire des êtres vivants semblables à soi-même». ◇ Le sens économique, «faire, exister à de nombreux exemplaires (une chose déjà produite)» (apr. 1850), est contemporain de l'invention et de la diffusion des procédés techniques de la production en série.
◆ Une série de dérivés a été formée à partir de *reproduire* : **REPRODUCTION** n. f., fait sur le modèle de *production*, désigne d'abord (1690) l'action par laquelle une chose renaît, est produite de nouveau, spécialement pour un être vivant, la fonction par laquelle il donne naissance à d'autres êtres semblables à lui-même selon son espèce (1690). Il désigne spécialement, en agriculture, (1762) un moyen naturel ou artificiel de multiplier les végétaux. Son emploi métonymique en zoologie, pour désigner la nouvelle partie d'un organisme succédant à celle qui a été arrachée (1769), est sortie d'usage. ◇ Le sens actif général, «action de recréer, de produire une seconde fois par imitation, par répétition» (1758, Voltaire), donne lieu à des extensions ; le mot a servi, en économie politique, à désigner la production nouvelle de ce qui a été consommé (1758) avant de prendre son acception moderne de «reconstitution du capital» (apr. 1850). Dans le domaine de l'édition, il désigne la nouvelle publication d'un texte (1839) et, dans le domaine plus large de l'impression, le fait de reproduire, de multiplier les exemplaires d'une image, d'un texte, d'un matériel et, par métonymie *(une reproduction)*, l'image ainsi obtenue (1839). ◆ C'est le radical de *reproduction* qui a servi pour la formation de **REPRODUCTEUR, TRICE** adj. et n. (1762), appliqué spécialement aux animaux d'élevage, **REPRODUCTIF, IVE** adj. (1760), terme d'économie et (1769) de biologie conservé dans sa valeur la plus générale, **REPRODUCTIBLE** adj. (1798) et **REPRODUCTIBILITÉ** n. f. (1798).

Au XIXe s. apparaît **COPRODUCTEUR, TRICE** n. (1826) à propos de la personne qui participe à la production de qqch. ; le mot ne s'est répandu qu'au XXe s. en passant dans le domaine du cinéma où il est reformé grâce à *producteur* (ci-dessus) pour désigner la personne qui produit un film (ou un spectacle) avec d'autres personnes (1955). ◆ Les composés **COPRODUIRE** v. tr. (1950) et **COPRODUCTION** n. f. (écrit *co-production,* 1950), ce dernier abrégé familièrement en **COPROD,** se rapportent tous à cette activité cinématographique. ◇ Il en va de même pour **SUPERPRODUCTION** n. f. (1921), emprunt à l'anglo-américain, appliqué à un film, un spectacle produit avec un très gros budget.

PROÉMINENT, ENTE adj. est emprunté (1542) au latin *proeminens,* participe présent de *proeminere* «former un relief, une avancée, une saillie», altération à basse époque du latin classique *prominere.* Ce dernier, de même sens, également au figuré «s'étendre, se prolonger dans la postérité», est composé de *pro* (→ pro-) et de *minere* «faire saillie, avancer», terme très rare, le mot usuel étant *eminere. Minere* se rattache à *minae* «saillie, avancée», «choses suspendues» d'où, au figuré, «menaces» (seul sens usuel à l'époque classique), contenant la racine indoeuropéenne °*men-* «faire saillie» (→ menacer).

♦ *Proéminent* qualifie ce qui dépasse en relief de ce qui l'entoure, spécialement en anatomie, par exemple dans *vertèbre proéminente* (1814). Il est assez usuel, par exemple dans *un nez proéminent.*

▶ Par substitution de suffixe, *proéminent* a produit **PROÉMINENCE** n. f. (1755), d'abord attesté au sens de «partie proéminente», puis «état de ce qui est proéminent» (1798). ➜ *Proéminent* a aussi produit **PROÉMINER** v. intr., plus tardif (1819) et d'usage très littéraire (chez Gautier, Huysmans).
On rencontre encore quelquefois **PROMINENT, ENTE** adj. (1548), emprunté au latin *prominens,* participe présent de *proeminere.* Sur son modèle, *prominent* et *prominence* fournissent un synonyme recherché à *proéminent* et *proéminence.*
◈ voir COMMINATOIRE, ÉMINENT, IMMINENT, MENER, PROMONTOIRE.

PROFANE adj. et n., d'abord *prophane* (v. 1228), rectifié en *profane* à la Renaissance, est emprunté au latin *profanus,* formé de *pro* «devant» (→ pour, pro-) et de *fanum* «lieu consacré, temple» (→ fanatique). *Profanus* signifie proprement «qui est devant», c'est-à-dire «hors du temple», d'où «non consacré, qui n'est plus sacré» par opposition à *sacer* (→ sacré) et, par extension, «impie», et hors de toute référence religieuse «non initié, ignorant».

♦ En français, le mot a suivi le même développement : repris dans sa référence religieuse, il signifie «qui n'est pas sacré» *(terre profane)* d'où, pour une personne, «qui se comporte en impie» (1486). ➜ Il est substantivé à la Renaissance, d'abord dans le style biblique pour désigner la personne qui manque de respect aux choses de la religion (1553). ◇ Au XVIIe s., il passe dans l'usage général en parlant d'une personne qui n'est pas initiée à une science, aux lettres, aux arts (1690) et que l'on ne veut pas admettre dans une société (1694, sens qualifié de «plaisant»). Dans le domaine religieux, il désigne, en style didactique, celui qui n'est pas membre d'un ordre religieux (1691), spécialement, en termes d'antiquité, celui qui n'est pas initié aux mystères (1752), sens étendu aux religions ésotériques. ◇ Depuis 1788, *le profane* est employé avec une valeur de neutre pour désigner ce qui est étranger à la religion, par opposition à *sacré,* cette opposition étant d'une autre nature, symbolique, que l'antonymie institutionnelle entre *religieux* et *laïc.*

▶ L'adverbe dérivé de *profane,* **PROFANEMENT** d'abord écrit *prophanement* (1564), est littéraire et rare.
PROFANER v. tr., d'abord écrit *prophaner* (1328), puis *profaner* (1538) par rétablissement du *f* étymologique, est emprunté au latin *profanare,* de même étymologie que *profanus.* Le verbe latin signifie «rendre (une chose, une personne autrefois consacrée) à l'usage non sacré» et «souiller (ce qui est sacré)», par extension «violer (un secret)». ➜ Le mot exprime le fait d'abuser des choses de la religion, de les traiter avec irrévérence, de les employer à des usages non religieux. Par extension, il a développé les sens figurés de «violer le respect dû à une chose, une personne» (1538) et de «faire un mauvais usage de (ce qui est rare, précieux, respectable)» (apr. 1550), ce dernier emploi s'étant moins bien maintenu. Le sens premier du latin, «rendre (un objet sacré) à un usage profane» (1611), a cessé d'être attesté après 1878. ➜ **PROFANATION** n. f., dont la graphie actuelle (1549) corrige *prophanation* (1433), est emprunté au latin chrétien *profanatio, -onis,* dérivé du supin *(profanatum)* de *profanare.* ◇ Le mot désigne l'action de profaner les choses saintes, de leur manquer de respect. Par extension, il est employé dans un contexte laïc pour le fait de manquer de respect aux choses qui devraient le susciter (1694). ➜ **PROFANATEUR, TRICE** n., emprunté au latin chrétien *profanator,* dérivé du supin de *profanare,* a supplanté *profaneur,* dérivé (1597) du verbe français. ◇ Le mot est d'abord employé comme nom, au masculin puis (1829) au féminin. Son emploi adjectif est plus tardif (v. 1730, au masculin ; 1829, au féminin). ➜ **PROFANITÉ** n. f. a été emprunté sous la graphie *prophanité* (1492) au latin chrétien *profanitas, -atis* désignant la gentilité, de *profanus.* ◇ Le mot a eu cours en moyen français au sens particulier de «chose profane» *(une profanité)* ; il a été repris au XVIIIe s. avec le sens général de «caractère de ce qui est profane» (d'abord chez Voltaire) sans réussir à s'implanter.

PROFÉRER v. tr. est emprunté (v. 1265) au latin *proferre,* de *pro* «en avant» (→ pour, pro-) et *ferre* «porter» (→ -fère), littéralement «porter en avant», d'où «présenter, faire voir, révéler, exposer une chose publiquement, porter à la connaissance».

♦ Le verbe signifie «dire tout haut, prononcer», puis «réciter» (1501), «avancer, exposer» et, de nos jours, «dire, articuler (des paroles violentes, menaces, injures, ou encore menteuses)».

▶ Les anciens dérivés du mot sont tous sortis d'usage ; le seul a être usité, **PROFÉRATION** n. f., semble récent (1951) et rare.

PROFÈS, ESSE adj. et n. est emprunté (v. 1160) au latin ecclésiastique *professus* «celui qui fait profession monastique, a prononcé ses vœux», au féminin *professa* «religieuse» (398). C'est la substantivation, avec spécialisation de sens, de *professus* «qui a déclaré», participe passé de *profiteri* «déclarer ouvertement» et «promettre» (→ professeur).

♦ Le mot a repris la spécialisation religieuse du latin, qualifiant et désignant (v. 1278, au féminin *professe*) celui ou celle qui a prononcé ses vœux. Il n'a conservé ni le sens de «qui a embrassé un métier, une profession» (XVIe s.) ni celui de «déclaré» (1580, Montaigne, *ennemi profès*). ◇ Par analogie, il a désigné, dans l'usage familier, celui ou celle qui est initié, qui est passé maître en qqch. Seul le sens religieux initial est encore en usage.

◈ voir **PROFESSEUR, PROFESSION.**

PROFESSER → PROFESSION

PROFESSEUR n. m. est emprunté (1337, écrit *proffesseur*) au latin *professor* «celui qui se déclare expert dans un art ou une science», d'où «maître», employé absolument et avec un complément désignant la discipline enseignée. Ce nom est dérivé du verbe *profiteri* «déclarer ouvertement», d'où «se donner comme, faire profession de» et «offrir, proposer, s'engager», composé de *pro* «devant» (→ pro-) et de *fateri* «avouer, reconnaître, accorder que» et «déclarer, publier» (→ fatal, fatum).

♦ Le mot a été repris pour «celui qui enseigne (un art, une science)»; les rares extensions consistent en une spécialisation à l'intérieur de l'université, pour le titulaire d'une chaire d'enseignement supérieur, et en quelques emplois métaphoriques (parfois ironiques ou péjoratifs). ◇ Malgré la tentative de quelques formes féminines *(professeuse, professoresse, une professeur)*, le masculin est seul en usage en français d'Europe, en parlant d'une femme (1846). Mais en Amérique du Nord, notamment au Québec, le féminin purement graphique *professeure* est usuel dans la langue administrative et les journaux. ◇ Enfin, l'abréviation très fréquente **PROF** (1890), familière, s'emploie tant au féminin *(la prof de maths)* qu'au masculin. ◇ L'appellatif *Monsieur le professeur, Professeur* est rare en français. ◇ Récemment, à côté de *professeur du secondaire, professeur de lycée, de collège,* l'Administration française a remplacé *instituteur* par *professeur d'école* (1991).

▸ Ses deux dérivés, faits savamment sur le radical du mot latin, **PROFESSORAL, ALE, AUX** adj. et **PROFESSORAT** n. m., sont attestés en 1686 et 1685 chez Bayle. *Professeur* a déterminé un des sens de *professer** (voir *profession*).

✱ **PROFESSION** n. f., d'abord *professiun* (v. 1155), est emprunté au latin *professio, -onis* «déclaration, déclaration publique, action de se donner comme», d'où «état, condition, métier», dérivé de *professum,* supin de *profiteri* «déclarer ouvertement», d'où «se donner comme» (→ fatal, fatum, profès, professeur).

♦ Le mot a été introduit avec le sens de «déclaration ouverte d'une croyance, d'une opinion, d'un comportement», d'où *faire profession de* (XVIe s.) et ***profession de foi*** (1690), expression employée dans une acception religieuse et, par extension, pour toute déclaration de principe. Dans le domaine religieux, *profession* a pris dès le XIIe s. le sens d'«acte par lequel un religieux prononce ses vœux devenant alors *profès*» (v. 1160). ➜ L'acception de «métier» remonte au moyen français, d'abord sous la forme *prophecie* (1362), puis *prophecion* (1454), où le *ph* peut manifester l'influence de *prophétie,* et *profession* (XVIIe s.). Dans l'usage courant, la valeur du mot se restreint à «métier ayant un certain prestige par son caractère intellectuel ou artistique, ou la position sociale de ceux qui l'exercent», ce qui le distingue de *métier,* non marqué. Par métonymie, il recouvre l'ensemble des personnes exerçant la même profession (1716), spécialement considérée en tant que groupe représentant une certaine force sociale (1794). ◇ Au figuré, dans la locution ***de profession*** (1656, *calomniateurs de profession*), il réactive le sens d'«état» que le mot a eu également en latin.

▸ Le dérivé **PROFESSER** v. tr. (1584) a suivi l'évolution de *profession* tout en profitant des sens du latin *profiteri :* il signifie «avouer publiquement», «reconnaître, avoir une croyance, une opinion, un sentiment» (1681); le sens d'«exercer un métier» (1636) est sorti d'usage bien qu'il corresponde à *profession.* D'après *professeur*,* le verbe s'emploie pour «enseigner en public» (1731-1738; dès 1648, selon Bloch et Wartburg). Vieilli en emploi transitif (*professer les mathématiques,* on dit *enseigner*), le verbe s'emploie intransitivement, mais il est plus rare qu'*enseigner.*

PROFESSIONNEL, ELLE adj. et n. est dérivé tardivement (1842) de *profession,* probablement sous l'influence de l'anglais *professional* «relatif à, concernant une profession» (v. 1750), «de profession, dont c'est le métier» (1798), spécialement dans le domaine du sport (1838; *professional* est substantivé dans ce domaine depuis 1848). ➜ En français, le mot qualifie ce qui se rapporte à, qui est fait selon le métier ou la profession; spécialisé dans le domaine sportif, il y est substantivé en parlant d'un spécialiste, d'une personne de métier (1872) par opposition à *amateur.* Ce sens apparaît d'abord dans un contexte anglais comme le montre la forme *les professionals* (1876), puis dans un contexte français ou général (1876). Le féminin, apparu dans le syntagme *beautés professionnelles* (1885), calque de l'anglais, est pris familièrement pour désigner une prostituée (déb. XXe s.). En emploi général, l'adjectif s'applique aussi aux qualités et activités d'une personne qui maîtrise sa profession. ➜ *Professionnel* est abrégé familièrement en **PRO** n. et adj. (1881), d'abord appliqué au domaine des sports, étendu depuis 1960 à d'autres domaines. ➜ Le mot a produit quelques dérivés et composés aux XIXe et XXe s. : après **PROFESSIONNELLEMENT** adv. (1845), il a donné **PROFESSIONNALISME** n. m. (1893; 1881, avec un seul *n*), probablement d'après l'anglais *professionalism* (1856), mot devenu usuel pour désigner les qualités de sérieux et de compétence professionnelles; **PROFESSIONNALISER** v. tr. (1898, en sports), lui aussi d'après l'anglais *to professionalize* et dont est tiré **PROFESSIONNALISATION** n. f. (1946), qui adapte l'anglais *professionalization* (1901) et *professionalizing* (1907). ➜ *Professionnel* entre sous la forme d'un second élément dans quelques composés exprimant un rapport à la profession, tels **PARAPROFESSIONNEL, ELLE** adj., **PRÉPROFESSIONNEL, ELLE** adj., **PSEUDO-PROFESSIONNEL, ELLE** adj., **ULTRA-PROFESSIONNEL, ELLE** adj. tous apparus au XXe siècle.

◈ voir PROFESSEUR.

PROFIL n. m. est emprunté au XVIIe s. (1621) à l'italien *profilo* «aspect d'un visage vu de côté» (XVe s.), déverbal de *profilare* «représenter de côté» (XIVe s.). Ce verbe, qui signifie proprement «ourler, border» (déb. XIVe s.), est formé de *pro-* (du latin *pro;* → pour, pro-) et de *filare* de même origine que le français *filer**. L'ancien français avait *porfil* «bordure» (XIIe s.), composé de *por,* ancienne forme de *pour**, et de *fil** «bordure», spécialement employé pour un dessin ne donnant que les contours du visage (XVIe-XVIIe s.). Celui-ci a été évincé par *profil,* et son dérivé *porfiler* «ourler, broder» par *profiler.*

♦ *Profil* est introduit avec le sens de l'italien, «aspect d'un visage vu de côté» et «visage ainsi vu», spécialement dans ***profil perdu*** (1822) «vu de côté et un peu en arrière», terme de perspective et d'art. ◇ Par analogie, il est employé (1676) pour la représentation d'un bâtiment selon une coupe verticale en montrant l'intérieur. Par extension, il désigne la coupe d'un ornement d'architecture (1755), une coupe géologique (1869), celle d'un objet technique (1875), d'une route, d'une voie de chemin de fer (1875) et, en hydrologie, un graphe représentant l'évolution de l'altitude du lit d'un cours d'eau (1886). ◇ Au XXe s., *profil* est passé en psychologie pour l'ensemble des traits caractéristiques que présente une personne ou une catégorie de personnes (1925, Claparède), spécialement avec une valeur normative, notamment l'ensemble des caractéristiques que doit présenter qqn pour occuper un poste (1976). Par analogie, il désigne l'ensemble des caractéristiques d'une catégorie de choses (1955), entrant dans quelques expressions abstraites dont ***profil bas, profil haut*** pour «hypothèse minimale, maximale d'un programme d'action» s'appliquant par extension à une attitude confiante ou réservée, voire honteuse dans l'action. Ces expressions connaissent une certaine vogue dans le style journalistique.

▸ Le dérivé **PROFILER** v. signifie (1621) «représenter de profil». En architecture, il correspond à «représenter (un bâtiment) en coupe» (1755) et, en dessin, à «faire apparaître les contours de (qqch.)» (1827). La forme pronominale *se profiler* (1784) exprime le fait d'apparaître sous une forme dont seul le contour se détache nettement sur un fond. Par extension, il a pris le sens figuré de «s'esquisser» (1916). ◇ En menuiserie (1869), *profiler* v. intr. signifie «se joindre parfaitement par leurs profils», en parlant de deux pièces. ◆ **PROFILÉ, ÉE** adj. qualifie une pièce métallique réalisée selon un dessin de contour précis, d'où *un* **PROFILÉ** n. m. ◆ Le nom d'action **PROFILAGE** n. m. (1872), d'usage technique, spécialement en métallurgie (1878), est employé par métonymie pour une forme de carrosserie offrant le minimum de résistance à l'air (1951). ◆ **PROFILEUR** n. m. (1875) désigne un instrument employé en travaux publics, en concurrence avec le composé **PROFILOGRAPHE** n. m. (1890).

PROFIT n. m. (v. 1155), d'abord *prufit* (v. 1120), est issu par évolution phonétique du latin *profectus* «avancement, progrès», d'où spécialement «succès» et, en médecine, «amélioration». *Profectus* est issu de *proficere* (au supin *profectum*), composé de *pro* «en avant» (→ pour, pro-) et de *-ficere* pour *facere* (→ faire) exprimant le fait d'avancer et, spécialement dans la langue rustique, celui de croître (vigne) et, au figuré, de faire des progrès, de faire du gain (dans le commerce), d'être utile. ◈

♦ Le mot est passé en français avec le sens général d'«avantage, utilité». Il désigne spécialement un avantage d'ordre intellectuel ou moral (XIIIe s.) entrant dans plusieurs locutions encore usuelles : ***au profit de*** (1316), ***à profit*** (av. 1492), ***faire son profit de*** avec un sens matériel (1509-1510) et des valeurs abstraites (1678) ; ***tourner à son profit*** (1606), ***mettre à profit*** (1640) et ***faire du profit,*** d'une chose (1690). ◆ La spécialisation matérielle du mot en parlant d'un revenu, d'un avantage pécuniaire (v. 1155) s'est répandue dans l'usage courant du XIVe au XVIe s. ; le pluriel *profits* a désigné particulièrement les petites gratifications accordées aux domestiques (1616), sens qui a vieilli au XIXe siècle. Le mot est entré dans quelques expressions de comptabilité, dont ***profits et pertes*** (1869), passée dans l'usage sous la forme ***passer par profits et pertes*** (1869) «considérer comme définitivement perdu». ◇ Le singulier *profit* a reçu une acception spéciale en économie (1887), désignant ce que rapporte une activité économique en plus du salaire du travail et des investissements.

▸ Le dérivé **PROFITER** v. apparaît en même temps que *profit* (v. 1120), d'abord avec l'emploi intransitif pour «prospérer, réussir dans ses entreprises», aujourd'hui sorti d'usage. Avec un nom de chose pour sujet, il signifie «procurer un avantage matériel ou moral» (v. 1170), spécialement «procurer un profit» (1213). Avec un nom d'être animé pour sujet, il signifie «faire des progrès, s'améliorer intellectuellement ou moralement» (1298). ◇ Dans l'ancienne langue, et depuis 1260, on le rencontre en construction transitive directe *(profiter qqch.)* aux sens d'«augmenter, accroître», «recueillir à titre de profit» et, en parlant d'une chose, «fournir à titre de profit» ; ces emplois, encore normaux au XVIIe s., ont disparu en dehors d'un usage considéré comme fautif, dans la langue commerciale *(occasion à profiter).* ◆ *Profiter* a pris au XVIe s., en emploi absolu, le sens de «se développer, croître» (1532, *un enfant qui profite*) et, pour une chose, «être d'un usage avantageux, économique» (XVIIe s.) ; tous deux sont encore vivants dans l'usage familier ou régional. En revanche, le sens d'«être utile à qqn» (1563), en parlant d'une chose, a disparu. Le verbe s'emploie aussi (1668) à propos d'un aliment assimilable par l'organisme. ◆ L'emploi le plus courant est *profiter de* (1307) au sens de «faire son profit d'une chose», surtout psychologiquement. Il semble que le seul emploi nouveau soit ensuite celui de *profiter de qqn* (1909) «tirer le maximum de qqn», parfois dans un sens sexuel, vieilli. ◆ *Profiter* a produit les dérivés

PROFITABLE adj. (1155), dont est tiré **PROFITABLEMENT** (1266), **PROFITANT, ANTE** adj. (1226), familier, et le terme péjoratif **PROFITEUR, EUSE** n. (1636), spécialisé, en relation avec *profit,* pour «exploiteur». ◆ **PROFITARD, ARDE** n. et adj. (1972) s'applique péjorativement à un profiteur (il est rare).

Le second dérivé de *profit* est le diminutif **PROFITEROLE** n. f., d'abord écrit *profiterolle* (1542) dans l'ancienne expression *la profiterolle des indulgences,* employée par Rabelais avec le sens propre de «petit profit, petite gratification que reçoivent les domestiques». ◆ Ce mot s'est spécialisé dans le vocabulaire culinaire, désignant d'abord une pâte cuite sous la cendre (1549), puis un petit pain sans mie, garni et dont on faisait des potages (1690). ◇ Le sens moderne de «petit chou à la crème» est très postérieur (1881); c'est de lui que procède l'emploi du pluriel *profiteroles* pour un dessert à base de choux fourrés de glace à la vanille et nappés de sauce au chocolat (1935).

Le préfixé **SUPERPROFIT** n. m. (1924) désigne un profit supplémentaire ou anormalement élevé.

PROFOND, ONDE adj. est la réfection savante (fin XIVe s.), sous l'influence du latin *profundus,* de l'ancien français *parfunt* (1080), qui était issu avec changement de préfixe du même adjectif latin *profondus* «dont le fond est loin de la surface», «dense, épais, élevé», «sans bornes, sans fond», de *pro* (→ pour, pro-) et *fundus* (→ fond). Le fait que le *par-* de *parfunt* soit ressenti comme le préfixe augmentatif «très» et *-funt* comme un adjectif simple a favorisé son élimination au profit de *profond.* On rencontre en ancien provençal les formes *preon* et *pregon* directement issues de *profundus* avec dissimilation de la première syllabe en *e.*

♦ L'adjectif qualifie concrètement une étendue liquide dont le fond est éloigné de la surface et ce dont le fond est très bas par rapport aux bords (1476), par exemple un fossé; il qualifie aussi ce qui est très marqué, notamment en parlant d'une empreinte, d'une plaie (1492), ce qui est loin au-dessous de la surface du sol (1580) et ce qui présente une grande longueur perpendiculairement à son front, à sa façade (1559, d'une troupe rangée). ◆ Les sens figurés et analogiques se sont développés dès le moyen français : *profond* se dit d'un esprit et, par métonymie, de ses activités lorsqu'elles vont au «fond» des choses (v. 1480), d'où *sciences profondes* (1534) «grandes connaissances», en concurrence avec le composé *approfondi;* il qualifie une personne qui pénètre fort avant dans la connaissance des choses (1636). Il se dit aussi d'un sentiment intense et durable (1524-1527) ou extrême en son genre (1668), en parlant de l'ennui. ◇ Il exprime également la qualité de ce qui est difficile à atteindre, à pénétrer (1727). ◆ Par analogie, il s'applique à ce qui évoque la profondeur (1535), en particulier en parlant de la nuit, d'une couleur foncée et intense; il sert couramment à qualifier le sommeil (1559) et aussi une voix ou un son qui semble venir du fond des poumons (1548, d'un soupir). Si *profond* a au figuré des antonymes (dont *superficiel*), l'absence d'adjectif exprimant son contraire en emploi concret (traduisant par exemple l'anglais *hollow*), rend fréquents des syntagmes comme *peu profond.* ◆ L'emploi adverbial du mot remonte à la fin du XIIIe s., par exemple dans *creuser profond.* ◆ L'emploi substantivé, *le profond,* s'est d'abord rapporté à la partie la plus profonde (1529), sens qui n'est plus en usage que dans les parlers régionaux, tout comme le sens particulier de «partie profonde d'un cours d'eau» (1628). Le nom est plus vivant au sens abstrait de «ce qui est profond» (1535). ◆ Une substantivation au féminin, **PROFONDE,** renvoie en argot à la poche d'un vêtement (cf. *fouille*).

▸ Le dérivé **PROFONDÉMENT** adv. (v. 1225, sans accent) réalise d'abord le sens analogique de «en s'inclinant très bas»; il exprime le sens concret de «à une grande profondeur» (1358-1359) et le sens figuré de «en allant au fond des choses» (v. 1380).

APPROFONDIR v. tr. (1287) exprime concrètement le fait de rendre plus profond et, au figuré, de pénétrer plus avant dans la connaissance d'une chose (1607). ◇ Il s'est imposé comme le seul verbe du groupe de *profond* après la disparition de *profonder,* attesté de 1412 à la fin du XVIIe siècle. ◆ **APPROFONDI, IE** adj. est surtout employé au figuré, pour des connaissances, en concurrence avec *profond.* ◇ Le verbe a donné les dérivés **APPROFONDISSEMENT** n. m. (1578) de sens concret et abstrait (1669), **APPROFONDISSANT, ANTE** adj. et **APPROFONDISSEUR, EUSE** n.

PROFONDEUR n. f. (av. 1350) réfection de l'ancien *parfondor* (fin XIIe s.), dérivé de l'ancienne forme de l'adjectif, désigne la qualité, le caractère de ce qui est profond (1377), spécialement en géométrie (1538), et, par métonymie, la partie profonde d'une chose (1553). ◆ Il exprime au figuré la qualité de ce qui est extrême (av. 1350), la qualité des choses difficiles à comprendre (1553) ainsi que la grande pénétration d'esprit (1580) et la partie secrète d'une personne (1769). ◇ Par analogie (1754), il sert à exprimer la suggestion d'un espace à trois dimensions.

◈ voir DE PROFUNDIS.

PRO FORMA → **FORME**

PROFUS, USE adj. est emprunté (1478) au latin *profusus,* participe passé de *profundere* «répandre, verser, prodiguer» et au figuré «déployer, s'étendre», «gaspiller». Le mot est formé de *pro* (→ pour, pro-) et de *fundere* (→ fondre).

♦ *Profus* qualifie ce qui se répand en abondance, spécialement dans la description pathologique en parlant de sécrétions et d'excrétions (1865). Au figuré, il correspond à «excessif, prodigue» (fin XVIe s.). Il appartient à un niveau de langue littéraire ou didactique.

▸ Le dérivé **PROFUSÉMENT** adv. (1523) est didactique ou littéraire.

PROFUSION n. f., le nom correspondant, est emprunté (1495) au dérivé latin *profusio, -onis* «épanchement», «prodigalité». ◆ D'usage plus courant que l'adjectif, il exprime une idée d'abondance extrême, voire excessive, entrant dans la locution ***à profusion.*** ◇ Son emploi spécial, pour «fait ou habitude de répandre sans retenue les libéralités, de dépenser avec excès» (1580), est devenu archaïque ; *une profusion* «une largesse» (XVIIe s.) a disparu.

PROGÉNITURE n. f. est une formation savante (1481), soit d'après le latin *genitura* (→ géniture) avec influence de *progenies* «race, lignée», soit sur **PROGÉNITEUR** n. m. (1370-1372 ; dès 1347, *progenitour*), sur le modèle *géniteur-géniture*. *Progéniteur* est lui-même un emprunt au latin *progenitor* «aïeul, ancêtre», dérivé de *progignere* (au supin *progenitum*) «engendrer, créer, mettre au monde», de *pro* (→ pour, pro-) et *gignere* «engendrer» (→ géniteur).

♦ À la différence de *progéniteur*, aujourd'hui archaïque, *progéniture* continue d'être employé dans un registre soutenu. Il n'a pas conservé le sens d'«origine, extraction», mais désigne concrètement la descendance d'une personne (1610) et, par analogie, d'un animal (1753-1767).

PROGESTÉRONE n. f. est emprunté (1941) à l'allemand *Progesterone* (1935), composé à partir de l'anglais *progestin*, nom donné d'abord à cette hormone (1930, W. M. Allen) et composé de *pro-* «pour» (→ pro-), du radical de *gestation* (→ gestation) et du suffixe *-in*. La nouvelle dénomination résulte d'un croisement entre *progestin* et son synonyme allemand *Luteosteron* (K. H. Slotta, etc. 1934), lui-même formé de *luteo-*, élément représentant le latin scientifique *corpus luteum* «corps jaune», et de *-sterone*, élément intervenant dans le nom de certains stéroïdes (→ stéroïde) et issu de *cholesterol* (→ cholestérol).

♦ En français, *progestérone* a évincé la dénomination de l'hormone sexuelle femelle sécrétée par le corps jaune, *lutéine*, elle-même formée savamment à partir du latin *luteus* «jaune d'or» avec le suffixe *-ine*. **PROGESTINE** n. f., calque de l'anglais *progestin*, tend aussi à être abandonné.

▸ *Corps jaune* est quelquefois concurrencé par *corps progestatif* (1958), **PROGESTATIF, IVE** adj. étant dérivé savamment du latin *progestare* «porter en avant», de *pro-* (→ pro-) et *gestare* (→ gestation).

PROGNATHE adj. est emprunté (1843) à l'anglais *prognathous*, introduit en 1836 par l'anthropologue J. C. Prichard. Le mot est formé du grec *pro* «en avant» (→ pour, pro-) et de *gnathos* «mâchoire», «morsure» et «joue», «bouche». Ce dernier est tiré avec le suffixe *-thos* de *genus*, qui désigne lui-même la mâchoire et possède les mêmes extensions de sens. *Genus* est un très ancien mot indoeuropéen du vocabulaire des parties du corps : le thème en *u* se retrouve clairement en celtique, germanique et tokharien, et en latin même dans le dérivé *genuini* «dents de la joue». Le sens originel est «mâchoire».

♦ *Prognathe*, d'abord attesté dans la traduction en français d'un ouvrage de J. C. Prichard, est employé en anthropologie pour qualifier les êtres humains dont les maxillaires sont saillants. Il se dit plus couramment d'une personne (de son visage) ayant des mâchoires saillantes, en particulier la mâchoire inférieure. ◆ Il sert aussi à qualifier et, substantivé, à dénommer un insecte dont les pièces buccales sont placées en avant de la tête.

▸ Le dérivé **PROGNATHISME** n. m. (1849), mot didactique, est employé en anthropologie et en pathologie. ◇ On rencontre parfois **PROGNATHIE** n. f.

✳ **PROGRAMME** n. m. est un emprunt de la langue classique (1677) au grec *programma*, de *pro* «avant» (→ pour, pro-) et *gramma* «ce qui est écrit» (→ gramme, -gramme), littéralement «ce qui est écrit à l'avance», d'où «ordre du jour, inscription».

♦ Dans ses premières attestations, le mot désigne un écrit annonçant les matières d'un cours, le sujet d'un prix, etc., sens resté rare avant le XIXe s., époque où le mot commence à désigner l'ensemble des connaissances, des matières enseignées ou formant le sujet d'un examen. Dès la fin du XVIIe s., il désigne un écrit annonçant et décrivant les diverses parties d'une cérémonie, d'un spectacle, d'une fête, d'abord à propos des «actions publiques des collèges» (Richelet, 1680). ◆ De ce dernier sens procède au XXe s., peut-être sous l'influence de l'anglais *programme* (attesté avec ce sens depuis 1923), le sens de «ce qui est annoncé par le programme d'émissions d'une station de radio» (1933), alors en concurrence avec *émission*, *programme* ayant une valeur collective (*grille de programmes*, etc. ; cf. *programmation*). Le mot est usuel à la télévision et au cinéma avec divers syntagmes (*changement de programme*, etc.) pouvant donner lieu à des emplois figurés. ◆ Avec la Révolution (1789), *programme* prend le sens d'«exposé général des intentions et projets politiques (d'une personne, d'un groupe)». Cette valeur se répand dans l'usage au XIXe s. en parlant de la suite d'actions que l'on envisage en vue d'un résultat, d'où par exemple l'expression *vaste programme !* (allusion à une réplique plaisante du général de Gaulle à une exclamation de l'un de ses proches : «*Mort aux cons !*»). Le mot a développé des emplois didactiques en art, économie, architecture et musique avec le sens de base, «ensemble de conditions à remplir, de contraintes à respecter». Il est en concurrence partielle avec *plan*. ◇ Son acception en électronique (1954), où il désigne l'ensemble des dispositions déterminant l'ordre de fonctionnement d'une machine, est un emprunt à l'anglais *programme* (en ce sens depuis 1946), altération d'après le français de la forme ancienne *program*, *programma* (XVIIe s.). Par analogie, *programme* est repris en génétique, avec l'idée de codage.

▸ Tous les dérivés du mot datent du XXe s., exception faite de **PROGRAMMATIQUE** adj. formé savammment (1780) sur le grec *programma*. Encore faut-il noter que ce mot, attesté dans *pamphlet programmatique* «brochure contenant des observations pour un prix d'éloquence», est très rare avant les années 1970. On note également au XIXe s. **CONTRE-PROGRAMME** (1876). ◆ Le dérivé **PROGRAMMER** v. tr. (1917) a sans doute été formé sous l'influence de l'anglo-américain *to program* (1896) «établir un programme». Le verbe français, souvent employé au participe passé, est d'abord un terme de cinéma correspondant à «inscrire à un programme»; il a été très critiqué, avant de se répandre dans d'autres domaines du spectacle, de la radio et de la télévision. Il a pris le sens de «pourvoir (une salle de cinéma) d'un programme». ◇ Il est passé dans le domaine de l'électronique (1959), par un nouvel emprunt sémantique à l'anglo-américain (1946), pour l'action de préparer un ordinateur en vue de l'exécution d'un programme. Par analogie, il est employé pour l'action de munir un appareillage automatique, un appareil ménager d'un programmateur. ◇ Par extension, il exprime le fait de planifier en détail, spécialement dans le domaine de l'enseignement (1964, au participe passé *enseignement programmé*). ➜ *Programmer* a produit un certain nombre de dérivés, certains sous l'influence de l'anglo-américain : **PROGRAMMATION** n. f., après avoir fait l'objet d'une proposition isolée en 1845, a été formé (1921) pour désigner l'établissement d'un programme de spectacles, l'inscription à un programme, d'abord au cinéma puis aussi dans divers spectacles. ◇ Sous l'influence de l'anglais *programming* (1889), employé en informatique (1945), il s'emploie en français dans cette discipline (1959) et, par analogie, s'est répandu en économie, en politique et en génétique. ➜ Par changement de suffixe, en est dérivé **PROGRAMMATEUR, TRICE** n. (1936) qui traduit probablement l'anglais *programmer* (1890); le mot est lui aussi passé en informatique (1963), en concurrence avec *programmeur* et s'applique également à un système commandant le déroulement d'une série d'opérations simples dans un appareil électroménager (1966). ➜ En outre, plusieurs composés préfixés ont été formés, tels **MICROPROGRAMMATION** n. f. (1968), **MONOPROGRAMMATION** (v. 1970), **MULTIPROGRAMMATION** (v. 1965) en informatique. ➜ Les autres dérivés de *programmer* sont **PROGRAMMEUR, EUSE** n. (1960), emprunt à l'anglais *programmer* (1870) dans sa spécialisation technique en informatique (1948), souvent dans le composé **ANALYSTE-PROGRAMMEUR, PROGRAMMABLE** adj. (v. 1960), son antonyme **IMPROGRAMMABLE**, et les verbes préfixés **DÉPROGRAMMER** v. tr. (v. 1950) et **REPROGRAMMER** v. tr. (1975). ➜ D'autre part, *programme* a produit les termes didactiques **PROGRAMMERIE** n. f. (v. 1970), **PROGRAMMATHÈQUE** n. f. ➜ En politique économique, il a donné des composés, tels **LOI-PROGRAMME** n. f. (1964), **CHARTE-PROGRAMME** n. f. ➜ **SOUS-PROGRAMME** n. m. (v. 1950) a été introduit en informatique, reflétant la complexité accrue des programmes et des logiciels qui les portent.

✳ **PROGRÈS** n. m. est emprunté (1546) au latin *progressus* qui désigne proprement la marche en avant, d'où, au figuré, le développement, l'accroissement des choses. Le mot est dérivé de *progredi*, au supin *progressum*, «aller en avant» d'où «aller plus loin, avancer», de *pro* «avant» (→ pour, pro-) et *gradi* «marcher, s'avancer» (→ à grade).

♦ *Progrès* a repris le sens figuré du latin, «développement, avancement dans une action», désignant spécialement, au pluriel *les progrès*, une suite de succès militaires (1616). Ce sens neutre, sans idée d'amélioration, recule aux XVIIe-XVIIIe s. et disparaît au XIXe s. avec l'emploi généralisé du mot *évolution*, vers 1840. ➜ Le sens spatial étymologique de «mouvement en avant dans l'espace» (1611) n'a survécu que dans l'emploi militaire du mot. La spécialisation galante, «avancement dans l'affection de qqn» (1651, Corneille), par métaphore guerrière, est propre à l'usage classique. ➜ L'emploi le plus courant concerne le développement d'un être ou d'une chose en bien (1564), spécialement dans *faire des progrès, de grands progrès* (1564), et la transformation graduelle vers le mieux (1588, Montaigne), spécialement dans le domaine des études, puis dans une perspective philosophique (1644, Descartes). L'emploi absolu de *progrès*, parfois avec une majuscule, à propos de l'évolution de l'humanité, de la civilisation vers un terme idéal, appartient au Siècle des lumières (Mirabeau, 1757), tantôt à propos de l'évolution scientifique et technique, tantôt de l'évolution politique. La notion de progrès, par exemple dans *progrès social*, devient essentielle au XIXe s., lorsque l'idée neutre de changement progressif est exprimée par *évolution**. Les philosophes du progrès, typiques du XVIIIe et surtout du XIXe s. ont marqué un net recul au XXe s. où le progrès scientifique est souvent jugé de manière plus nuancée.

▶ Les dérivés formés en français correspondent d'ailleurs à la diffusion du concept au début du XIXe siècle. ➜ **PROGRESSER** v. intr. (1833) exprime le fait de se développer, d'évoluer, le plus souvent en mieux (1834), en particulier le fait d'acquérir de nouvelles connaissances (1836). ◇ Le sens spatial «avancer, s'animer par un mouvement de progression» (1902) et «se mouvoir en marchant» (1906), spécialement dans le domaine militaire (1914), est plus vivant que pour le substantif. ➜ L'autre dérivé, **PROGRESSISTE** adj. (1830) et n. (1841), désigne la personne qui est partisane du progrès social, économique et politique, et a éliminé *progressif* dans ce sens (voir ci-dessous). Le contenu du mot, en relation avec l'état social, tend à se confondre aujourd'hui en politique avec «de gauche» et à s'employer spécialement dans le catholicisme pour celui qui est partisan d'une évolution. ➜ Son radical a servi à former **PROGRESSISME** n. m. (1842), avec les sens correspondants.

PROGRESSION n. f. est directement emprunté (XIIIe s.) au latin *progressio, -onis*, nom d'action correspondant à *progredi*, au propre et au figuré. Le mot a été emprunté comme terme de mathématiques pour désigner une suite de nombres dérivant les uns des autres selon une même loi; d'où *progression arithmétique* (1690), *progression géométrique* (1718). Plus généralement, il désigne une suite interrompue, graduelle (1425), par exemple dans *progression des revenus* (1721). Par analogie des emplois mathématiques, il s'emploie en musique pour une succession de sons suivant une loi déterminée (1733). ➜ Au XVIIe s., *progression* a repris la valeur étymologique spatiale d'«action de marcher», «mouvement en avant» (1690) avec une spécialisation en astronomie (1752, *mois de progres-*

sion, de la Lune). ➛ Ce n'est qu'au XVIIIe s. qu'il a développé le sens figuré courant de «développement» (1746, parlant des idées). ◇ En linguistique, on nomme *aspect de progression* (1922) l'emploi du verbe *aller* suivi d'un gérondif ou d'un participe présent. cf. *progressif*. ➛ On rencontre exceptionnellement **PROGRESSIONNEL, ELLE** adj. (1846, Proudhon) pour ce qui a un aspect de progression. **PROGRESSIF, IVE** adj. est dérivé (v. 1370) du radical du latin *progressum*, supin de *progredi*, avec le suffixe *-if*. ➛ Le mot s'est longtemps limité au sens de «qui porte à avancer, à mouvoir», entrant dans l'expression *mouvement progressif* (1671), désignant le fait, pour un organisme animal, de se déplacer, emploi sorti d'usage. ➛ Après 1750, *progressif*, d'après les emplois scientifiques de *progression*, qualifie ce qui s'effectue d'une manière régulière et continue (1763), en particulier ce qui suit un développement par degrés, par étapes (1793), se spécialisant dans les vocabulaires de la médecine (1858) et de la linguistique (1931). Ces emplois correspondent en partie au fait que *évolution* et son dérivé *évolutif* ne sont disponibles que dans la deuxième moitié du XIXe siècle. ➛ La valeur politique liée à *progrès*, «qui amène des progrès de nature politique, sociale, etc.» (1770), est sortie d'usage sous la concurrence de *progressiste*, entraînant l'abandon du mot pour désigner la personne qui est partisane du progrès (1815, adj.; 1830, n.). ➛ Alors même que l'ancien sens concret du mot, «qui fait mouvoir», sortait d'usage, *progressif* a pris la valeur de «qui avance» (1800), dont procèdent des emplois spécialisés en logique (1842, *sortie progressive*) et en linguistique *(séquence progressive)*. ➛ Les dérivés **PROGRESSIVEMENT** adv. (1753), dont le sens physique a disparu au profit du sens figuré (1755), et **PROGRESSIVITÉ** n. f. (1833) sont relativement courants, le second étant limité aux emplois didactiques de *progressif*.

◈ voir AGRESSER, CONGRÈS, DIGRESSION, RÉGRESSER, TRANSGRESSER.

PROHIBER v. tr. est emprunté (1377) au latin *prohibere* «tenir éloigné, détourner, écarter», «empêcher, interdire», de *pro* «devant» (→ pour, pro-) et *habere* (→ avoir).

♦ Le verbe est un terme de droit exprimant l'action d'interdire absolument par une mesure légale. À la différence de l'usage moderne, où le complément désigne l'usage interdit ou un objet, la langue du XVIe s. et la langue classique employaient aussi *prohiber qqn de* (1531) et *prohiber à qqn de...* (1580), là où l'usage moderne utilise *défendre* et *interdire*. ◇ La spécialisation économique (1615) est surtout vivante au participe passé et dans les mots de la famille (ci-dessous).

▸ **PROHIBÉ, ÉE**, le participe passé adjectivé, signifie «défendu» (1488), spécialement en économie (1622) et en droit, en particulier dans l'expression *degré prohibé* (1680), qui définit la parenté rendant le mariage illégal. ➛ Le seul dérivé encore vivant du verbe est **PROHIBITIF, IVE** adj. (1506), formé savamment à partir du radical du supin latin *prohibitum*. Le mot qualifie ce qui est juridiquement interdit, spécialement en économie, ce qui est de nature à empêcher, interdire la fabrication, la vente de certains produits (1760), notamment la pratique de tarifs douaniers très élevés. ➛ Par extension de ce dernier emploi, cet adjectif est employé dans le langage courant à propos d'un prix si élevé qu'il décourage les consommateurs (1923).

PROHIBITION n. f. est emprunté (1237) au latin *prohibitio, -onis* «interdiction, défense», dérivé du supin de *prohibere*. ➛ Le mot a le sens juridique d'«interdiction légale absolue» et la valeur économique de «défense d'acheter, de vendre ou de faire entrer dans un pays une marchandise étrangère» (1237). Ce sens, qui semble rare, sera repris au XVIIIe s. (1723). ➛ L'emploi particulier désignant l'interdiction de vendre certaines boissons alcoolisées dans un état américain (1890) vient de l'usage du mot anglais de même origine *prohibition* (1851) aux États-Unis, s'appliquant à l'interdiction de toutes boissons alcoolisées dans ce pays entre 1919 et 1933, d'après le dix-huitième amendement de la Constitution du 16 janvier 1919 dont l'application relevait du *National Prohibition Act* ou *Volstead Act*. ➛ *Prohibition* a servi à former **PROHIBITIONNISTE** n. et adj. (1833) en parlant d'un partisan de la prohibition en économie. ◇ Par emprunt à l'anglo-américain *prohibitionnist* (1846), il désigne (1927) un partisan de l'interdiction des boissons alcoolisées aux États-Unis. ➛ Par changement de suffixe, on a formé **PROHIBITIONNISME** n. m. (1878) avec les sens correspondants. ➛ **PROHIBITEUR, TRICE** adj. est emprunté (1782, au masculin; 1792, au féminin) au bas latin *prohibitor* «celui qui éloigne, qui défend», dérivé du supin de *prohibere*. ◇ Le mot, rare ou didactique, est sorti d'usage pour «personne qui interdit» comme nom et comme adjectif; il ne s'emploie plus que pour qualifier ce qui constitue une interdiction juridique, en relation avec des emplois récents de *prohibition*.

◈ voir EXHIBER, PRÉBENDE, PROVENDE, RÉDHIBITOIRE.

PROIE n. f., d'abord *preie* (1119), est issu du latin *praeda* «ensemble des choses prises à l'ennemi, butin, dépouilles», «prise, à la chasse ou à la pêche» et, en général, «gain, profit». Le mot latin est issu d'une forme reconstituée °*prai-heda* dans laquelle le premier élément est l'ancienne forme du préfixe *prae-* (→ pré-) et le second élément représente la racine indoeuropéenne signifiant «prendre», qui apparaît en latin dans *praehendere* (→ prendre) et probablement dans *hedera* (→ lierre).

♦ *Proie* désigne l'être vivant dont un animal s'empare pour le dévorer, spécialement dans ***oiseau de proie*** (1275), ***bête de proie*** (cf. *prédateur*). ◇ Il a aussi repris au latin le sens militaire de «butin, dépouilles» (v. 1150), encore employé en langue classique, puis sorti d'usage. ◇ Par analogie, *proie* se dit d'une personne dont on s'empare (fin XIIIe s.) et, en général, de tout ce dont on s'empare (v. 1380). Mais les emplois métaphoriques modernes utilisent les images de la bête prédatrice. ◇ Au figuré, *proie* correspond à «ce qui est détruit», par exemple dans *être la proie des flammes*. ➛ La locution ***en proie*** (1587), anciennement construite avec la préposition *de*, puis avec *à*, est employée au propre et au figuré dans un registre soutenu pour «saisi par».

◈ voir DÉPRÉDATION, PRÉDATEUR.

PROJECTION n. f. est emprunté (1314) au latin *projectio, -onis* «action d'avancer, d'étendre», «fait de jeter», «saillie, avance». Le mot est formé sur le supin *(projectum)* de *projicere* «jeter en avant», composé de *pro* «devant» (→ pour, pro-) et de *-jicere* pour *jacere,* «jeter, lancer» (→ jeter, projeter).

♦ Le mot a été repris pour désigner l'action physique de jeter, de lancer en avant et, par métonymie, ce qui est jeté (par exemple, *projection de roches,* 1530). Plusieurs spécialisations de ce sens apparaissent à partir du XVIe s. : en alchimie où l'on nomme *poudre de projection* (1587) une poudre censée changer les métaux inférieurs en or ou en argent, en chimie pour l'action de jeter dans le creuset une matière que l'on entend calciner (1611); plus tard, le mot s'emploie avec une valeur analogue en géologie (1886) et en volcanologie. ◆ Dès le moyen français, par transposition au figuré, il désigne l'action de lancer hors de soi une force agissante (v. 1360), avec deux spécialisations tardives, liées aux emplois de *projeter,* en psychologie (1875) puis en psychanalyse (1914, Hesnard), en complément à *identification.* ◆ Au XVIIe s., *projection* commence à être employé en géométrie pour désigner, sur un plan graphique, la représentation des objets sur un plan (1674), donnant quelques syntagmes, dont *projection plane, projection orthogonale* (1875). Le mot s'emploie en cartographie (*projection de Mercator,* etc.) et en géodésie (1704); en optique (1801), il désigne l'action de «projeter*» (sens apparu au XVIIIe s.) des radiations, des rayons lumineux et, par métonymie (1801), l'effet de cette action. ◇ Par une autre spécialisation, *projection* désigne l'action de projeter à l'aide d'un appareil des rayons ou des images éclairées qui apparaissent sur un écran (1894) et cette image. Ce sens s'est répandu avec la lanterne magique, puis l'invention du cinématographe, l'emploi des diapositives, etc. ◆ Au XXe s., le mot a développé d'autres acceptions abstraites, en linguistique (1972) et en statistique (1963), désignant l'extrapolation temporelle d'une tendance observée sur un intervalle de temps (en démographie, en économie).

▸ *Projection* n'a produit directement que **PROJECTIONNISTE** n. (1907) pour désigner la personne qui fait des projections lumineuses, notamment au cinéma.

Les autres mots de la même famille ont été formés savamment sur le radical latin. ◆ **PROJECTILE** n. m. est dérivé (1749) du latin *projectum,* supin de *projicere,* avec le suffixe *-ile* (cf. ductile*, facile*). ◇ Le mot désigne tout corps pesant lancé par l'impulsion d'une force pour atteindre qqn ou qqch., en particulier tout corps destiné à nuire lancé par une arme de jet ou une arme à feu, en balistique (1771). Il est adjectivé dans ce domaine en parlant de ce qui projette vers l'avant (1762), emploi disparu. Le substantif, aujourd'hui, s'applique à ce qui est lancé à la main et surtout par une arme à feu (balle, obus, etc.); il est séparé de *projection* et de *projeter.* ◆ **PROJECTIF, IVE** adj., mot didactique, est dérivé (1822) du latin *projectus,* participe passé de *projicere* ou du radical du français *projection,* avec le suffixe *-if.* ◇ *Projectif* est d'abord un terme de géométrie servant à qualifier ce qui est relatif à la projection en perspective, en particulier dans *propriétés projectives* (1822) et ***géométrie projective*** (1905). ◇ Sous l'influence d'un autre sens de *projection,* il qualifie ce qui projette au loin (1826, Balzac). ◇ Il a été repris en psychologie (1946), d'après le sens correspondant de *projection* et avec influence de l'anglo-américain *projective* (1939), pour qualifier ce qui projette des états intérieurs ou suscite ce processus. Il est passé en psychanalyse en relation avec l'acception spécialisée de *projection,* ainsi qu'en linguistique (1972). ◇ Il a produit **PROJECTIVEMENT** adv. et **PROJECTIVITÉ** n. f. (enregistrés dans les dictionnaires dans les années 1970). ◆ **PROJECTEUR** n. m. est dérivé comme *projectile* (1882) du radical du supin *projectum,* de *projicere* avec le suffixe *-eur* exprimant l'agent. ◇ Le mot est employé, d'abord en optique, puis couramment pour désigner l'appareil (inventé av. 1860) dans lequel les rayons d'une source lumineuse sont réfléchis et «projetés». Il désigne, d'après le sens correspondant de *projection* et de *projeter,* un appareil destiné à projeter des images sur un écran (1923, au cinéma). ◆ L'abréviation familière en **PROJO** (1955) s'applique à un projecteur lumineux et aussi à une séance de projection (1974). ◆ *Projecteur* entre comme second élément dans les noms d'appareils **PHOTOPROJECTEUR** n. m. et **RÉTROPROJECTEUR** n. m. (1968), ce dernier plus courant.

PROJECTURE n. f. est un emprunt (1545) au latin impérial *projectura* «avancée, saillie», terme d'architecture formé sur le supin de *projicere.* ◆ Repris en architecture, le mot a été recréé en botanique (1817), désignant une petite côte faisant suite au pétiole et se prolongeant sur la tige de haut en bas.

◈ voir PROJETER.

PROJETER v. tr. est la réfection en *pro-* (XVe s.) de *pourjecter* (1386-1394), issu de l'ancien français *porjeter* ou *porjecter* (v. 1120, *purjeter*), dont le premier élément est l'ancien adverbe *puer* «en avant, au loin», issu du latin *porro,* spatial et temporel, également employé pour marquer la progression dans le raisonnement et comme interjection d'encouragement. C'est un adverbe du groupe de *pro* (→ pour, pro-), formé comme le grec *porrô.* Le second élément de *porjeter* est le verbe *jeter** pris au sens abstrait de «concevoir un projet», dans l'expression *jeter sentense [sentence]* et «faire le brouillon, la minute d'une lettre, d'un traité» (1334). À partir du XVe s., le préfixe *por-, pour-,* est latinisé en *pro-,* ramenant un parallélisme formel entre le verbe et le substantif *projection*,* utilisé sémantiquement au XVIIIe siècle.

♦ Conformément au sens premier de *jeter,* le verbe a d'abord exprimé l'action de dresser un premier état, de rédiger un premier relevé, des comptes. Au XVIe s., il exprime le fait d'écrire, d'arrêter à l'avance (1569, *projecter les points et articles*). En moyen français, *pourgeter* [sic] *une ville* signifie «la reconnaître par une expédition» (v. 1400); *pourjeter une embusque* (Froissart) correspond à «dresser une embuscade». ◆ Au XVe s., par extension, *projeter* prend le sens de «concevoir, mettre en avant (une idée à exécuter)» d'abord en parlant d'une construction (1452), sens qui correspond à *projet** (ci-dessous), le verbe prenant le sens de «réaliser un projet pour». Cette acception est restée vivante, de même que la suivante. ◇ Au XVIIIe s., *projeter* développe une autre valeur, cette fois sous l'influence de *projection** (ci-dessous) : il est employé en géométrie pour «représenter (une figure) par sa projection sur un plan» (1762) et, avec la valeur physique de *jeter*, pour «lancer en avant et avec force» (1774), spécialement en sciences naturelles, en physique, en optique (1788). ◇ C'est de ce dernier emploi que procèdent les sens figurés, «localiser hors de soi, faire sortir de soi (ce que l'on ressent)» (1829) en psychologie et en psychanalyse (voir aussi *projection*). ◇ Une spécialisation du sens en optique correspond à «faire paraître loin de sa source, par exemple sur un écran» (1895), en relation avec *projection**.

▶ Les dérivés proprement dits de *projeter* ne sont pas nombreux, en raison des mots de la même famille empruntés au latin ou formés sur un radical latin. ➜ Le déverbal **PROJET** n. m., d'abord *project* (1529) puis *projet* (1637), réfection de *pourget* (v. 1470), *pourjet* parallèle à celle du verbe, a dès les premiers textes le sens de «idée que l'on met en avant, plan proposé pour réaliser cette idée», valeur que le mot a conservée. ***Avoir des projets sur qqn*** s'est spécialisé en «compter épouser qqn» (1750). ◇ Au XVIe s., le mot avait pris par métonymie et spécialisation technique le sens de «travail, rédaction élémentaire, premier état» (1529), d'abord en architecture puis avec une acception plus générale (1637). Au XVIIIe s. *projet* se spécialise en droit et en politique, les syntagmes *projet de décret* (1789) et *projet de loi* (1792) apparaissant avec la Révolution. L'évolution de *projet* et celle de *programme* sont alors parallèles. ➜ *Projet* a servi à former le préfixé antonymique **CONTRE-PROJET** n. m. à l'époque révolutionnaire (1791). ➜ *Projeter* a produit deux autres dérivés : son participe présent **PROJETANT, ANTE** est adjectivé (Rousseau) et substantivé, spécialement au féminin en géométrie pour désigner une droite qui détermine la projection d'un point. ➜ **PROJETEUR, EUSE** n. (1774) désignait la personne qui forme des projets, emploi sorti d'usage. Il a été repris pour «responsable d'un projet d'urbanisme» (1953, dans les dictionnaires).

◈ voir PROJECTION.

PROLÉGOMÈNES n. m. pl. est emprunté (1600) au grec *prolegomena* «choses dites avant», «préliminaires», participe passif neutre pluriel substantivé de *prolegein* «déclarer d'avance, annoncer». Ce dernier, également employé pour «choisir d'avance», «désigner comme premier» et «prédire (dans la langue augurale)», est composé de *pro* «avant» (→ pour, pro-) et de *legein* qui recouvre deux verbes appartenant à la même racine, l'un signifiant «cueillir, choisir» et l'autre «dire, parler» (→ -logie).

♦ Le mot a été repris pour désigner une ample préface contenant les notions préliminaires nécessaires à l'intelligence d'un livre. ◇ Il désigne aussi les notions préliminaires nécessaires à l'étude d'une science ou d'une question particulière.

PROLEPSE n. f. est emprunté à la Renaissance (1564) au grec *prolêpsis* «opinion que l'on se fait d'avance, préjugé», spécialement en rhétorique «réponse anticipée à une question». Ce substantif est dérivé du verbe *prolambanein* (futur *prolêpsesthai*) «prendre, porter en avant» et, avec une valeur temporelle, «prendre par avance» d'où, au figuré, «prendre d'avance par l'esprit, présumer, préjuger». Ce verbe est formé de *pro* (→ pour, pro-) et de *lambanein* «prendre» (→ catalepsie, dilemme, épilepsie, lemme, syllabe, syllepse).

♦ Le mot désigne en rhétorique une figure par laquelle on va au-devant des objections de l'adversaire. Au XIXe s., il a été repris en philosophie pour désigner l'ensemble des notions généralisées a priori dans le système d'Épicure (1842) et, en théologie, à propos d'un anachronisme par anticipation. En stylistique, il désigne (1933) le fait de placer un mot dans la proposition qui précède celle où il devrait normalement figurer. Le poéticien G. Genette (1972, *Figures* III) étend ce sens, rejoignant l'emploi initial du terme.

▶ **PROLEPTIQUE** adj., emprunté (1750) au dérivé grec *prolêptikos* «qui anticipe», qualifie en médecine une fièvre dont chaque accès survient de manière anticipée. En chronologie, il signifie «relatif à un fait antérieur à une époque, à l'établissement d'une ère chronologique» (1842) et s'emploie en rhétorique, en philosophie et en stylistique comme l'adjectif didactique et rare correspondant à *prolepse*.

✳ **PROLÉTAIRE** n. et adj., d'abord *prolectaire* (v. 1375) refait en *prolétaire* (1578), est emprunté au latin *proletarius* désignant le citoyen appartenant à la dernière classe de la société romaine. Le mot signifie proprement «celui qui n'est considéré utile que par les enfants qu'il engendre», comme le commente saint Augustin : *proletarii illi, qui eo quod proli gignendae vacabant* «étaient prolétaires ceux qui s'occupaient de mettre au monde des enfants». Il est issu de *proles*, nom collectif de l'ensemble des enfants, de la race, de la lignée. Lui-même appartient à une racine indoeuropéenne °*ol-* «nourrir», représentée en latin dans les mots qui ont donné *adolescent, prolifère, prolifique, abolir, adulte* et peut-être *indélébile*. Cette racine est une variante de °*al-* que l'on a dans *haut* et dans *aliment*.

♦ Le mot, dont la signification étymologique a souvent été soulignée, a été introduit comme terme d'antiquité romaine en moyen français et de nouveau depuis le milieu du XVIIIe s. (1748, Montesquieu). ➜ Appliqué à la société moderne, il se dit d'abord de celui dont les ressources proviennent uniquement du travail manuel, une première fois en 1570, de nouveau en 1762 dans le *Contrat social* de Rousseau. Cet emploi, où le mot, également adjectivé (1789), avait un sens très proche de *pauvre, indigent*, est devenu caduc lorsque la pensée politico-économique du XIXe s. a donné au mot sa définition moderne en l'opposant à *capitaliste* et à *bourgeois* : l'adjectif est attesté avec ce sens depuis 1825 (Saint-Simon) et comme nom depuis 1848 (Marx et Engels : «*Prolétaires de tous les pays, unissez-*

vous!»). Les connotations antiques disparaissent alors, le mot s'appliquant de plus en plus aux ouvriers salariés de l'industrie. Il est abrégé familièrement en **PROLO** n. m. (fin XIXe s.). Par rapport à *ouvrier*, à *travailleur manuel*, le mot conserve des connotations de doctrine sociale, souvent marxistes.

▸ C'est avec son sens moderne que *prolétaire* a produit ses quelques dérivés. ◆ **PROLÉTARIAT** n. m. (1832) désigne d'abord la condition de prolétaire et la classe des prolétaires, spécialement dans sa définition marxienne et dans l'expression *dictature du prolétariat* (1850). L'adverbe **PROLÉTAIREMENT** (1834) reste peu usité. ◆ **PROLÉTARISME** n. m. (1832), mot didactique pour la situation du prolétaire, est sorti d'usage, senti comme un doublet de *prolétariat*. ◆ **PROLÉTARIEN, IENNE** adj., attesté un peu plus tard (1871), a donné lieu à de nombreux syntagmes, dont *révolution prolétarienne* (1901). ◆ **PROLÉTARISER** v. tr. (fin XIXe s., selon Bloch et Wartburg; 1904) «transformer en prolétaire» s'est surtout employé à propos de l'industrialisation qui transforme en ouvriers des populations rurales ou petites bourgeoises appauvries, d'où **PROLÉTARISATION** n. f.
Une série préfixée en *sous-* sert à désigner la partie la plus exploitée du prolétariat; **SOUS-PROLÉTAIRE** n. et adj. (v. 1950), **SOUS-PROLÉTARIAT** n. m. (1945), **SOUS-PROLÉTARISER** v. tr. (1969), d'abord au participe passé **SOUS-PROLÉTARISÉ, ÉE** adj. ◇ Le germanisme **LUMPEN PROLETARIAT** n. m. est attesté dès 1912.

◈ voir **PROLIFÈRE**.

PROLIFÈRE adj. est formé savamment (1766) des éléments *proli-*, tiré du latin *proles* «lignée, enfants, famille» (→ prolétaire) et *-fère** «qui porte, qui produit». Il est en partie inspiré par un composé plus ancien, *prolifique*, lui-même postérieur à *prolification* (ci-dessous). Le latin médiéval *prolificare* (cf. *prolification*) a pu servir de modèle.

♦ Le mot a été formé en botanique à propos de ce qui donne naissance à un organe surnuméraire. Plus généralement, il qualifie en biologie ce qui se multiplie rapidement (1883), synonyme en ce sens de *prolifique*; ces emplois ont vieilli.

▸ En revanche, le dérivé **PROLIFÉRER** v. intr. (1859, probablement antérieur; ci-dessous *prolifération*) «se multiplier en se reproduisant», d'abord didactique en biologie, en médecine (1878), est passé dans l'usage courant au sens figuré de «foisonner, augmenter en nombre» (1922, Proust). ◆ Son dérivé **PROLIFÉRATION** n. f. en botanique (1842), puis en biologie (1869) a développé les emplois analogique (1926) et figuré correspondant à ceux du verbe. ◆ Le radical a servi à former **PROLIFÉRATIF, IVE** adj. (1897), mot didactique qualifiant ce qui est capable de proliférer (en biologie et en médecine). ◇ Les participes de *proliférer* sont employés comme adjectifs, surtout **PROLIFÉRANT, ANTE** (1929), relativement usuel au figuré.
PROLIFIQUE adj. est directement composé en français (1520, Chauliac) des éléments *proli-* (→ prolifère) et *-fique*, du latin *-ficus*, de *facere* (→ faire). ◆ Le mot a longtemps eu le sens propre de «qui donne la faculté d'engendrer, la fécondité» : on appelait le sperme *germe prolifique* (1546) puis *liqueur prolifique* (1749). Il a qualifié des substances pharmaceutiques favorisant la procréation, comme *pilule prolifique* (1707), *remède prolifique* (1763-1764). ◇ Le sens moderne de «qui se multiplie rapidement» apparaît en zoologie (1770, Buffon), à l'époque où est formé *prolifère* (ci-dessus). ◇ Au figuré, le mot se dit de ce qui se multiplie vite (1833, Balzac) avec la spécialisation de «particulièrement fécond, pour un artiste» (1863, Baudelaire, à propos de Rubens). ◆ Le dérivé **PROLIFICITÉ** n. f. (1903) désigne la fécondité plus ou moins grande d'un être, d'un peuple, spécialement et par métonymie le nombre de jeunes nés vivants par femelle mettant bas (attesté 1977).
PROLIFICATION n. f., étant donné son antériorité vis-à-vis de *prolifique* (fin XIVe s.), est emprunté au latin médiéval *prolificatio, -onis*, dérivé du latin médiéval *prolificare* «procréer» (v. 1370), formé de *proli-* (→ à prolifère) et de *-ficare* (→ faire). ◆ Le mot a d'abord désigné la qualité prolifique d'un animal et l'engendrement, la production d'enfants (1524), sens sorti d'usage. Il a été repris en botanique (1812), alors dérivé de *prolifique*, à propos du fait de proliférer et du caractère d'un organe prolifère, puis en biologie animale, emplois devenus archaïques.

PROLIXE adj., réfection d'après le latin (1314) de *prolipse* (v. 1125) et *prolis* (1280), est emprunté au latin *prolixus* qui signifie littéralement «qui s'épanche en avant», d'où «long, allongé» et, au figuré, «diffus, verbeux», également «de sens général», «favorable (en parlant des circonstances)» et «bienveillant (d'une personne)». *Prolixus* est issu de *proliquere* «couler», de *pro* «devant» (→ pour, pro-), et de *liquere* (→ liquide).

♦ Le mot n'a pris et conservé du latin que la qualification d'un discours, d'un écrit trop long (v. 1125) et d'une personne qui a tendance à écrire ou à parler trop longuement (1280). Le sens de «long», en parlant d'une chose (1314), est sorti d'usage à la fois dans sa valeur temporelle et dans sa valeur concrète (déb. XVIe s., *barbe prolixe*). Cependant, par extension, *prolixe* qualifie (av. 1778) ce qui est abondant, copieux, rejoignant l'ancien emploi concret.

▸ Il a produit **PROLIXEMENT** adv. (v. 1125), d'usage littéraire. ◆ **PROLIXITÉ** n. f. est emprunté (v. 1278) au dérivé bas latin *prolixitas, -atis* «longueur, étendue dans l'espace et dans le temps», spécialement «longueur excessive d'un écrit, d'un discours». ◇ Le mot a suivi la même restriction que l'adjectif, désignant le défaut d'un orateur ou d'un écrivain verbeux et, par métonymie, le caractère d'un texte ou d'un discours trop long. Il a développé dans l'usage littéraire le même sens figuré, «abondance, exubérance».

PROLOGUE n. m., réfection (déb. XIIIe s.) de *prologe* (av. 1150), est emprunté au latin *prologus* qui désigne la partie d'une pièce de théâtre destinée à en exposer le sujet, un discours introductif, un préambule. Le mot est emprunté au grec *prologos,* composé de *pro* «avant» (→ pour, pro-) et de *logos* «discours» (→ -logie), signifiant proprement «discours avant». Au théâtre, *prologos* désigne à l'origine la première partie de la tragédie, avant la première apparition du chœur (Aristote, *Poétique*); Euripide la transforme ensuite en un monologue exposant l'origine de l'action. Par suite, le mot grec est passé en mathématiques pour désigner le rapport d'un nombre plus grand à un plus petit.

♦ Le mot est d'abord employé pour désigner un texte introductif; il passe rapidement dans l'usage général avec le sens figuré d'«entrée en matière», dans la locution ***sans prologue*** (XIIIe s.) «sans prévenir», supplantée par *sans préambule.* ◆ À l'époque classique, le mot commence à s'employer en référence au théâtre antique (1636), puis au théâtre moderne (1660), désignant alors un geste social destiné à assurer les faveurs du prince ou à donner un aperçu de la fonction de l'art ou du travail théâtral. Parallèlement, il désigne dans l'usage courant des paroles préliminaires dans une conversation (1666) et s'étend à d'autres formes artistiques, comme la musique (1680), puis à toute œuvre littéraire (1809). Par métaphore, il désigne (1826) un événement qui annonce ou prépare qqch.

◈ voir APOLOGUE, CATALOGUE, DIALOGUE, ÉPILOGUE, MONOLOGUE.

PROLONGER v. tr., d'abord *prolonjer* (1213), *prolongier* (1219), enfin *prolonger* (v. 1265), est emprunté au latin chrétien de la Vulgate *prolongare,* issu de *longus* (→ long) avec le préfixe *pro-* «en avant» (→ pour, pro-) et une terminaison verbale. Le verbe signifie «faire durer, allonger (une durée)», par exemple dans *ut prolongentur dies tui* «afin que tes jours soient prolongés» (*Deutéronome,* 6. 2.), et «différer, retarder» (*Ezéchiel,* 12. 28).

♦ Le verbe a été repris avec les sens temporels du latin : «augmenter la durée de», qui est resté vivant, et «différer», sorti d'usage (quoiqu'attesté au début du XIXe s., chez Las Cases). ◇ *Prolonger* s'emploie spécialement pour «faire durer plus longtemps (la vie d'un être)» (v. 1265), notamment dans *prolonger la vie* et *prolonger les jours* (1564). Ultérieurement, cette idée est exprimée familièrement par *prolonger qqn* (1884), par métonymie de l'objet. ◇ Au XVIe s., par transposition du plan temporel au plan spatial, le verbe a pris le sens d'«augmenter la longueur de (qqch.)» (1538), retrouvant au XVIe s. la graphie *prolonguer* (1541) par latinisme. ◆ Par extension et avec un nom d'inanimé pour sujet, il signifie «constituer le prolongement de (qqch.)» (1761). Un emploi spécialisé en marine correspond à «naviguer parallèlement à (un navire)» (1678), empiétant ainsi sur le sens du verbe simple *longer**. ◆ La forme pronominale *se prolonger* s'emploie aux sens spatial (1768) et temporel (1899).

▶ **PROLONGEMENT** n. m. (v. 1165) sert de nom d'action au verbe, exprimant en ancien français le fait de retarder, de différer qqch. ◇ De nos jours, le mot désigne le fait d'augmenter la durée d'une chose (v. 1275) et, par métonymie, ce par quoi un événement, une situation se prolonge ou semble le faire (1779), et, au pluriel, les conséquences, les suites (1860). ◇ Son emploi spatial correspond à l'action de rendre plus long (1549) ou, par métonymie, à ce par quoi on prolonge (1731), d'où la locution ***dans le prolongement de*** (1784). Ce dernier sens conduit à des spécialisations scientifiques et techniques : en anatomie *prolongement rachidien* (1814), en botanique (1831) avec *prolongements médullaires,* et en arboriculture (1876). Au XXe s., *prolongement* est repris en mathématiques (1948). ◆ Un autre nom, le déverbal **PROLONGE** n. f. (1349), signifiait «courroie, lanière» (cf. *longe*). ◇ Il a été repris (1538) comme terme d'artillerie pour désigner le cordage servant à manœuvrer les pièces d'artillerie, puis un chariot à munitions (1832), le plus souvent dans *prolonge d'artillerie* (1892). Par analogie, dans le langage des chemins de fer (1874, *Journal officiel*), il a désigné une longue corde utilisée pour la manœuvre des wagons. ◆ **PROLONGÉ, ÉE,** le participe passé de *prolonger,* est adjectivé au XVIIe s. (1690); avec une valeur temporelle, il qualifie spécialement l'enfance (1810); avec une connotation ironique, *une jeune fille prolongée* (1939, Montherlant), il correspond à «quasi vieille fille». ◆ Enfin, on a tiré de *prolonger* l'adjectif **PROLONGEABLE** (1788).

PROLONGATION n. f. est emprunté (v. 1265) au dérivé latin chrétien *prolongatio, -onis* «action de prolonger dans le temps», «éloignement» (IVe s.). ◆ Le mot a été introduit en français au sens temporel, avec une valeur plus active que le nom d'action formé en français, *prolongement* (ci-dessus). ◇ Par métonymie, il désigne (1559) la portion de temps prolongée. Il s'est spécialisé en musique (1842) et en sports (1901, football) où il entre dans la locution ***jouer les prolongations*** (1941). ◇ Le sens spatial, «action d'allonger une chose» (1314), est toujours resté rare par rapport à *prolongement.* ◆ Le langage technique moderne a formé **PROLONGATEUR** n. m. (1963), sur le radical de *prolongation,* pour désigner l'ensemble (fil et prises) reliant électriquement deux câbles souples l'un à l'autre.

PROMENER → MENER

PROMÉTHÉEN, ENNE adj. est dérivé, avec le suffixe *-éen* (1837), de *Prométhée,* emprunté au latin *Prometheus,* lui-même emprunté au grec *Promêtheus.* Le nom de ce personnage mythologique signifie littéralement «celui qui pense par avance, qui réfléchit d'abord», dérivé de *promêthês* «prévoyant, précautionneux», composé de *pro-* «d'avance», correspondant exact du latin *pro* (→ pour, pro-), et de *manthanein* «apprendre», d'où «comprendre» (→ mathématique). Prométhée, opposé à son frère Épiméthée (*Epimêtheus* «celui qui pense ensuite»), est un Géant, fils du Titan Japet et de Climéné, dont les exploits sont relatés par Hésiode qui en fait le centre de sa réflexion sur la place de l'homme par rapport à la nature et à l'univers divin. Inventeur et prophète, Prométhée défie à plusieurs reprises Zeus, en le dupant et en dérobant le feu divin pour le confier aux hommes qu'il arrache ainsi à la vie sauvage (il apparaît parfois comme le créateur de l'humanité, façonnant le premier homme à partir d'un bloc d'argile mêlé d'eau). Zeus, pour le punir, le fait enchaîner sur le Caucase et torturer par un aigle qui vient lui ronger le foie.

♦ L'apparition de l'adjectif, attesté tardivement (l'anglais a *promethean* dès 1538), correspond à l'époque qui voit le déploiement du mythe de Prométhée dans la littérature française, chez Ballanche, Michelet, Quinet, Hugo, avant Gide et Camus. Le mot qualifie à la fois ce qui est relatif à ce héros mythologique et ce ou celui qui se laisse caractériser par le désir de l'exploit, le goût du dépassement et la foi dans la grandeur humaine. Hugo l'a employé dans un sens voisin de *titanesque,* avec la valeur concrète d'«immense, énorme» (1869).

▸ Le courant intellectuel qui se réclame de l'ambition prométhéenne a reçu la dénomination de **PROMÉTHÉISME** n. m. (1939, A. Béguin, *L'Âme romantique et le Rêve*).

PROMETTRE v. tr. est l'emprunt (v. 980), francisé d'après *mettre*,* du latin *promittere,* dont le sens propre est «faire aller en avant», «laisser aller en avant», mais qui est surtout employé au figuré pour «garantir, assurer», plus rarement «prédire». *Promittere* est formé de *pro* «avant» (→ pour, pro-) et de *mittere* «envoyer» (→ mettre).

♦ Le verbe n'a repris que les sens figurés du latin, «s'engager à (qqch.)» et, avec un nom de chose pour sujet, «sembler annoncer (qqch.)» (v. 1160). Il a également signifié «annoncer (qqch.) comme sûr» (v. 1220) avant de céder cette valeur à *prédire.* L'emploi absolu de *promettre* (1559) a le sens de «donner de grandes espérances», quelquefois ironiquement dans la locution ***ça promet*** (1784). ◆ Le pronominal *se promettre* est d'abord (v. 1135) construit avec la préposition *à* au sens de «faire le vœu de» avant de se construire avec *de.* La préposition *à* reste employée lorsqu'elle introduit un complément d'attribution, dans *se promettre à qqn* (XIIIe s.) «se destiner». Plus souvent, *se promettre* exprime le fait de compter sur qqch. (1538). Depuis le XVIIe s., il possède aussi la valeur réciproque de «se faire une promesse mutuelle».

▸ Son participe passé **PROMIS, ISE** est employé adjectivement (1080) pour qualifier ce qui a été promis, d'où le proverbe ***chose promise, chose due*** (1694; 1690, sous une forme légèrement différente). Il est employé en religion dans ***terre promise*** (XVe s.; repris au XVIIe s., av. 1662, Pascal), expression appliquée d'après la Bible à la Palestine et couramment au sens figuré de «terre fertile» (1707). ◆ *Promis* qualifie également une personne vouée, destinée à qqch. (v. 1200); son emploi substantivé pour désigner le fiancé (1538) et, au féminin **PROMISE,** la fiancée (1752), est aujourd'hui régional, rural ou ironique. ◆ *Promettre* a aussi produit l'adjectif **PROMETTEUR, EUSE,** autrefois employé comme nom (v. 1180), de nos jours comme adjectif en parlant d'une chose, d'une personne pleine de promesses (1836, Balzac).

PROMESSE n. f. est directement emprunté (v. 1150) au latin de basse époque *promissa* «action de s'engager sur qqch.», pluriel substantivé du participe passé neutre *promissum* de *promittere,* considéré comme un féminin singulier. ◆ Passé en français pour servir de nom d'action à *promettre, promesse* (également écrit *pramesse, premesse* en ancien français) a développé par métonymie le sens d'«engagement ainsi contracté» et, au pluriel *promesses,* de «paroles prononcées pour promettre une chose». Il a éliminé *promission*.* ◇ Il reçoit spécialement la valeur juridique correspondant à «engagement de contracter une obligation ou d'accomplir un acte» (v. 1283) et une acception religieuse, spécialement dans *les enfants de la promesse* «les élus» (1553) et dans un emploi de *promesses* pour ce que Dieu a promis (1713). Par une extension analogue à celle du verbe, il désigne l'assurance ou l'espérance que semblent donner une personne, une chose, un événement (1607). L'emploi parallèle à celui du verbe, pour l'annonce d'un fait à venir, a été éliminé par *prédiction, prévision.*

◈ voir PROMISSION.

PROMISCUITÉ n. f. est dérivé savamment (1731), avec le suffixe *-ité,* de l'adjectif latin *promiscuus* «mêlé, indistinct, confondu». Ce dernier est dérivé, avec le préfixe *pro-* (→ pour, pro-), de *miscere* «mélanger» (→ miscible). Le moyen français avait emprunté l'adjectif *promiscue* «qui est en commun, confondu» (1580-1611), disparu au XVIIe siècle.

♦ Conformément à son étymologie, le mot a d'abord désigné un assemblage de gens, de sexes ou de milieux différents dont la réunion à caractère disparate est contraire aux bienséances et, plus généralement, un mélange confus (1832). ◆ L'usage moderne de *promiscuité* a déplacé l'accent vers la notion de «proximité», peut-être par attraction de *proximité,* donnant au mot un sens légèrement différent : «entassement de personnes résultant d'une situation particulière (généralement une exiguïté de lieu) ressentie comme désagréable ou néfaste».

PROMISSION n. f., d'abord écrit *promissiun* (v. 1170) et *promissïon* (v. 1175), est emprunté au latin *promissio, -onis* «promesse», dérivé du supin *(promissum)* de *promittere* (→ promettre).

♦ Le mot est d'abord relevé dans l'expression religieuse ***terre de promission*** «terre promise» (aux Hébreux) d'où, par analogie, «pays abondant et fertile». En dehors de cet emploi qui double celui de *terre promise,* il ne s'est pas maintenu avec le sens plus général de «chose promise» (v. 1175), supplanté par *promesse*.*

PROMONTOIRE n. m. est emprunté (1213) au latin médiéval *promontorium,* lequel correspond au latin classique *promunturium* qui désigne la partie avancée d'une chaîne de montagnes et un relief qui s'avance dans la mer. L'étymologie du mot n'est pas claire : il est généralement considéré comme un composé de *pro* «en avant» (→ pour, pro-) et d'un dérivé de *mons* (→ mont); on l'a aussi fait venir, mais sans aucune certitude, de *prominere* «faire saillie» (→ proéminent). Dans l'un et l'autre cas, *promunturium* se rattache, comme *pro-*

minere et *mons,* à la racine indoeuropéenne °*men-* «faire saillie».

♦ Le mot a été repris avec les sens du mot latin, désignant une pointe de terre s'avançant dans la mer et un relief élevé en dominant un autre. ◇ Par analogie, il désigne en anatomie la petite saillie osseuse de la paroi interne du tympan (1805) et l'angle saillant formé par la jonction du sacrum avec la cinquième vertèbre lombaire (1878). ◇ Le sens populaire et familier de «nez» (Gautier) a vieilli, malgré la célèbre tirade du *Cyrano* d'Edmond Rostand.

✳ **PROMOUVOIR** v. tr., réfection (v. 1460) de *promovoir* (v. 1200), aussi *pormovoir* (1279), est emprunté au latin *promovere.* Ce verbe, formé de *pro* «en avant» (→ pour, pro-) et de *movere* (→ mouvoir), signifie proprement «pousser en avant, faire avancer», d'où «étendre, agrandir» et, au figuré, «faire monter en grade», «développer» et «faire des progrès».

♦ Le mot a été repris pour «élever (qqn) à un grade, à une dignité». Son autre sens, «procurer l'avancement, l'avantage de (qqch.)» (v. 1460), semble disparaître à la fin du XVIIIe s., tout comme la valeur de «soutenir sa cause» (v. 1460). ➡ Le verbe a été repris au milieu du XXe s., spécialement dans le domaine de la recherche scientifique et du marketing (v. 1970) sous l'influence de *promotion**. ◇ Au XXe s., Paul Valéry a réactivé le sens étymologique de «tendre en avant» dans son recueil de poèmes *Charmes* (1922), mais cet emploi reste exceptionnel.

▶ **PROMU, UE** p. p. est adjectivé (v. 1360) et disparaît avec le verbe. Il est repris avec lui au XXe s. qualifiant la personne qui vient d'accéder à un grade plus élevé, qui bénéficie d'une promotion sociale. Il est aussi substantivé. ➡ On rencontre un adjectif **PROMOUVABLE** (1968) dans le style administratif moderne.

PROMOTEUR, TRICE adj. est emprunté (v. 1350) au latin médiéval *promotor* «celui qui accroît», dérivé du supin *(promotum)* de *promovere* (→ promouvoir). ➡ Le mot a été repris pour désigner celui qui provoque la réalisation d'une chose, qui en est la cause, l'initiateur. Spécialisé en droit canonique (fin XIVe s.), il désigne l'ecclésiastique tenant près des juridictions religieuses le rôle de ministère public. Ces valeurs sont archaïques, comme l'emploi adjectif pour «qui suscite un effet» (1580). Au milieu du XXe s., il a pris le sens de «personne assurant et finançant la construction d'immeubles», en emploi qualifié *(promoteur immobilier)* et absolument (1964), devenu courant. ➡ Il avait été repris en chimie à propos d'une substance qui, ajoutée en faible quantité à un catalyseur, en augmente beaucoup l'activité (1931).

PROMOTION n. f. est emprunté (v. 1350) au bas latin *promotio, -onis,* dérivé du supin *promotum* «accession, nomination d'une personne à un grade plus élevé». Le mot exprime d'abord, comme en latin, la nomination de qqn à un grade supérieur et sert de substantif à *promouvoir.* C'est le seul sens jusqu'au XVIIe s., où *promotion* commence à désigner collectivement l'élévation de plusieurs personnes à un même grade, à une même dignité (av. 1680). De là est issue, par métonymie et spécialisation, l'acception «ensemble des candidats admis la même année à un concours dans une grande école» (1847). ◇ Dans ce sens, le mot est abrégé couramment en **PROMO** n. f. ➡ L'expression ***promotion sociale,*** d'abord en droit du travail (1941), correspond à une renaissance de l'ancienne acception sous l'influence du sens nouveau, en commerce. Cette spécialisation du mot en marketing (1930) vient d'un emprunt à l'anglo-américain *promotion* «opération d'incitation à la vente d'un produit» (1925), lui-même spécialisation de l'anglais *promotion,* emprunt au mot français et attesté dès 1483 au sens d'«incitation, aide, encouragement, soutien». Le français parle d'abord de ***promotion des ventes*** pour désigner la technique commerciale permettant d'accroître le montant des ventes d'une entreprise, par calque de l'anglo-américain *sales promotion.* L'emploi elliptique de *promotion* s'est diffusé en dépit de la critique. ➡ **PROMOTIONNEL, ELLE** adj. adapte (1962) l'anglo-américain *promotional* (1922) spécialisé dans le domaine de la publicité, par exemple dans *ventes promotionnelles,* euphémisme pour *soldes.* Le terme a été très critiqué, mais s'est répandu. ◇ Avec un autre sens de *promotion,* l'adjectif a pris le sens de «relatif à la promotion sociale et professionnelle» (1970). ◇ **PROMOTIONNER** v. tr. (1967), à cause de l'existence de *promouvoir,* fait figure de barbarisme.

PROMPT, PROMPTE adj., d'abord *prons* (1174), puis *prompt* par conformation à l'étymologie, est emprunté au latin *promptus.* Le souvenir de l'ancienne graphie se perpétue dans la prononciation académique de *prompt* et de ses dérivés. Celui-ci signifie «visible, manifeste», puis «qui est sous la main, disponible» en parlant d'un objet ; de là, il s'est appliqué à une personne prête, disposée à agir, spécialisé en latin chrétien pour «enclin à mal agir, à pécher». C'est le participe passé passif adjectivé de *promere* «tirer de», d'où «faire sortir» et, de là, «exposer au grand jour, exprimer». *Promere* est issu de °*pro-emere,* de *pro* «devant» (→ pour, pro-) et *emere* «prendre» (→ exempt).

♦ Le mot apparaît dans un contexte religieux, dans *prons en péchié* «enclin au péché», où il réalise l'idée de «prêt à, disposé», encore vivante au XVIIe siècle. L'accent étant mis sur la notion de «rapidité», on passe en moyen français au sens moderne de «qui met peu de temps à ce qu'il fait, vif» (v. 1485), dont procèdent des extensions particulières : *prompt* qualifie une personne d'humeur ou de caractère vif (1616), employé par métonymie dans ***avoir la main prompte*** (1690) ; sur le plan intellectuel, il qualifie un esprit pénétrant (1580, Montaigne). ◇ Au cours du XVIe s., il commence aussi à s'appliquer à une chose qui survient rapidement (1540), en particulier à ce qui a un caractère de rapidité excessive ; il est employé dans la langue littéraire avec une nuance de «qui passe vite» (1662, Pascal). Dans tous ses emplois, il est plutôt d'usage littéraire.

▸ Le dérivé **PROMPTEMENT** adv. (v. 1300) a immédiatement son sens moderne, «rapidement»; il a eu d'autres sens en moyen français, tels «récemment» et «d'improvisation», *promptement que* ayant donné une locution conjonctive signifiant «dès que». Encore très usuel en français classique, le mot est aujourd'hui d'usage très soutenu, voire archaïque.
PROMPTITUDE n. f., le nom correspondant, est emprunté (1486) au dérivé bas latin *promptitudo* «zèle, empressement précipité» (Ve s.). ◆ Le mot français, désignant d'abord la disposition à faire qqch., s'est aligné sur le sens de l'adjectif et a suivi son évolution : il a pris le sens moderne de «vivacité» (v. 1490, sur le plan intellectuel dans *promptitude d'entendement*). Ainsi, il s'applique à la qualité d'une personne qui agit sans délai (v. 1525); en revanche, il ne se dit plus d'une vivacité d'humeur excessive portant à des éclats (1636). ◇ Il s'applique à une chose qui arrive vite (1662), qui est vive et rapide (1690). *Promptitude*, comme *prompt* et *promptement*, pose aujourd'hui un problème phonétique; malgré les puristes, le second *p* étymologique s'y fait de plus en plus sentir.

◈ voir IMPROMPTU, PROMPTEUR.

PROMPTEUR n. m. est l'adaptation abrégée (1975) de l'anglo-américain *Teleprompter*, marque déposée (1951) et terme générique appliqué à un appareil faisant défiler au-dessus de la caméra de télévision le texte que la personne visible sur l'écran doit dire. *Teleprompter*, qui s'emploie en anglais à côté de *autocue*, est formé de *tele-* (→ télé-) et de *prompter*, mot anglais qui signifie d'abord «instigateur, incitateur» (XVe s.), spécialisé dans la langue du théâtre (1604) au sens de «souffleur». Ce mot est dérivé avec le suffixe *-er* (équivalant au français *-eur*) de *to prompt* «inciter à l'action, aider à, assister», dérivé de l'adjectif *prompt*, lui-même repris au français *prompt** ou formé sur le latin *promptus*.

♦ Cet emprunt, de même que celui de *téléprompteur* (1974), est obscur en français en raison du sens de *prompt* «rapide», et l'on pourrait lui substituer le calque *souffleur*. L'arrêté du 24 janvier 1983 recommande d'ailleurs *télésouffleur*.

◈ voir IMPROMPTU.

PROMULGUER v. tr. est emprunté (v. 1355) au latin *promulgare*, terme de droit signifiant «afficher, publier (une loi, un projet de loi)». Le mot est sans doute apparenté à *mulgere* «traire», «presser» (→ émulsion) : il en serait l'intensif en *pro-* (→ pour, pro-), signifiant «faire sortir en exprimant, mettre au jour», d'où, en droit public, «faire connaître par tous».

♦ Repris en droit, le verbe signifie «publier officiellement (une loi, un décret) et rendre exécutoire». Il est aussi employé dans le domaine religieux en parlant d'un dogme. La valeur en droit constitutionnel s'élabore au XVIIIe s., puis au XIXe s. (ci-dessous *promulgation*). Par extension, il est passé dans l'usage littéraire au sens de «professer, annoncer publiquement» dans le contexte politique de la période prérévolutionnaire (1784, Mirabeau).

▸ **PROMULGATEUR, TRICE** n. (une fois en 1567; repris 1771), «celui qui atteste officiellement une loi», est probablement dérivé du verbe français, peut-être sous l'influence du dérivé bas latin *promulgator* (IIe s.). ◆ **PROMULGATION** n. f., le premier mot du groupe à être attesté (v. 1300), est un emprunt au latin *promulgatio, -onis*, dérivé du supin *(promulgatum)* de *promulgare*. ◆ Rare avant le XVIIIe s., il a suivi le même développement sémantique que *promulguer*, ajoutant au sens de «publication des lois» celui d'«acte par lequel le chef du pouvoir exécutif atteste l'existence d'une nouvelle loi et en ordonne l'exécution» (1845).

PRONAOS → NAOS

PRONATEUR adj. et n. m. est dérivé (1550) du radical du supin *pronatum*, du bas latin *pronare* «incliner en avant, faire pencher», dérivé de *pronus* «penché en avant», lequel est dérivé de *pro* «en avant» (→ pour, pro-).

♦ Le mot a été introduit en anatomie pour qualifier et, comme nom *(le pronateur)*, pour désigner (1550) un des deux muscles permettant à l'avant-bras d'effectuer un mouvement de rotation de la main, de dehors en dedans.

▸ **PRONATION** n. f. a été dérivé savamment du même radical (1639) pour désigner ce mouvement (en opposition à *supination*). Par métonymie, il désigne la position de la main, paume vers le sol, qui en résulte, avec des emplois spéciaux en escrime et en gymnastique.

✳ **PRÔNE** n. m., aboutissement (1176-1181) de *prodne* (fin XIe s.), avec une variante *prorne* (v. 1190), est issu d'un latin populaire °*protinum*, forme dissimilée du bas latin *protirum* (on rencontre aussi *protulum* au IXe s.). Le mot est un neutre singulier refait d'après le neutre pluriel *prothyra*, attesté antérieurement (Vitruve) pour désigner l'espace devant la porte, le vestibule, chez les Grecs. C'est un emprunt au grec *prothuron* qui désigne le couloir allant de la porte d'entrée à la porte intérieure, le porche, et qui est composé de *pro* «devant» (→ pour, pro-) et de *-thuron*, dérivé de *thura* «porte, entrée», littéralement «devant la porte». *Thura* est apparenté, comme le latin *fores* (→ forum), à une racine indoeuropéenne °*dhur-* «porte».

♦ Le mot a désigné une grille, un treillage séparant le chœur de la nef d'une église (1176-1181), devant lequel se tenait le possédé pendant la cérémonie de l'exorcisme, et où se tient le prêtre pour prononcer l'homélie (déb. XIIIe s.). ◆ C'est par métonymie de ce dernier sens qu'apparaît la locution figurée *faire le prône* «faire le hâbleur» (v. 1190), disparue en français moderne, et que le mot a pris son sens actuel, «homélie de la messe paroissiale» (1420). La locution *être recommandé au prône* s'est employée par antiphrase pour «être censuré comme on le mérite» (1675). *Prône* a désigné un bavardage (1640) et a pris, par analogie, le sens de «remontrances ennuyeuses et intempestives» (1675, Mme de Sévigné). Seul le sens religieux est resté en usage.

▸ Le dérivé **PRÔNER** v. tr. (1578), d'abord employé dans un contexte religieux au sens de «lire au cours du prône» et, absolument, «prêcher» (1680, *prôner* *tous les dimanches*), est passé dans l'usage courant au figuré, pour «discourir longuement de manière ennuyeuse» (1638). ◆ Ce sens a disparu au profit d'un autre sens figuré, où l'accent porte sur le fait de louer, de vanter (1664) et, par extension, de préconiser (1671). Ce verbe est aujourd'hui complètement détaché de *prône* par le sens. ◆ Le seul dérivé du verbe, **PRÔNEUR, EUSE** (1611), s'est dit du prêtre qui fait un prône et s'emploie encore au figuré, par archaïsme, pour désigner la personne qui fait un éloge (av. 1660). La langue classique utilisait aussi *prôneur* en parlant de celui qui proclame, qui publie (1671) et, au figuré, de celui qui fait des remontrances ennuyeuses (1690).

PRONOM n. m. est emprunté (XIVe s.) au latin *pronomen*, composé de *pro* «devant», «à la place de» (→ pour, pro-) et de *nomen* (→ nom) pour traduire le grec *antônumos*, lui-même formé de *anti* (→ anti-) et de *onoma* (→ onomatopée).

♦ Ce terme de grammaire désigne le mot qui a la propriété de remplir les mêmes fonctions qu'un nom (ou qu'un syntagme nominal). Il entre dans les dénominations *pronom possessif, démonstratif, relatif* (tous trois en 1550), *pronom personnel* (1688), *réfléchi* (1765), *interrogatif* (1811).

▶ **PRONOMINAL, ALE, AUX** adj. et n. est emprunté beaucoup plus tard (1714) en grammaire au dérivé bas latin *pronominalis* «relatif au pronom, de la nature du pronom». ◇ L'adjectif, d'abord attesté dans *particules pronominales*, entre dans *verbe pronominal* (v. 1720) et *adjectif pronominal* (v. 1750). Il est quelquefois substantivé par ellipse de *verbe*. ◆ **PRONOMINALEMENT** adv. (1829) est un dérivé français. ◆ Les termes de linguistique moderne, **PRONOMINALISATION** n. f. et **PRONOMINALISER** v. tr. (1968 dans les dictionnaires) sont des calques des termes anglais de même origine, employés en grammaire transformationnelle, puis en général en grammaire.

PRONONCER v. tr. est emprunté (1121-1134)) au latin *pronuntiare* «annoncer à haute voix, raconter», «proclamer, publier», en particulier «prononcer une phrase, un mot; déclamer». Ce verbe est composé de *pro* «en avant» (→ pour, pro-) et de *nuntiare* «faire savoir, faire connaître», «annoncer» et «dénoncer» (→ nonce), verbe éliminé en français par ses préfixés (→ annoncer, dénoncer, énoncer, renoncer).

♦ Le verbe a servi à exprimer comme en latin le fait de déclarer, de proclamer et spécialement, avec un nom de personne pour complément, de nommer (apr. 1350), toutes valeurs sorties d'usage au XVIIe siècle. Toutefois, le sens de «déclarer» s'est maintenu dans l'acception juridique de «déclarer avec autorité (une décision, une sentence, arrêt ou jugement)» (1283). ◇ En moyen français et au XVIIe s., *prononcer sur, contre, pour* (1604) signifie «décider, trancher» avant que l'on ne dise *se prononcer sur*, etc. (1798). ◆ L'accent étant mis sur la manière dont se fait l'émission de la parole, *prononcer* a pris dès l'ancien français le sens de «proférer, énoncer en articulant» (v. 1225), avec un complément, un adverbe (apr. 1350) ou un attribut du complément d'objet (1546-1549). Par extension, on passe à l'idée de «réciter, débiter à haute voix (un discours, etc.)» (1538) et, simplement, de «dire». ◇ À l'époque classique, le mot reçoit la valeur abstraite de «bien marquer, rendre sensible (un élément d'une figure)» (1667) qui procède de l'idée d'articuler; elle n'est restée vivante qu'au participe passé *prononcé* (ci-dessous) et au figuré dans *se prononcer* (1830), «être bien marqué».

▶ **PRONONCÉ** p. p. est adjectivé au sens de «déclaré, dit» (1312), spécialement en droit où il est substantivé (1718), *le prononcé* s'appliquant au texte de l'accusation, de la sentence lu par le juge. Il signifie également «articulé» et «dit, récité». ◆ À l'époque classique, *prononcé* qualifie en art, en architecture et en sculpture (1667) un trait net et très visible, en concurrence avec *marqué;* par extension, il s'applique couramment aux traits du visage, aux particularités physiques accusées (1798) et, abstraitement, aux mœurs, aux caractères (1742), au goût. Cet emploi est aujourd'hui isolé, les autres mots de la famille ne le connaissant pas ou plus. ◆ L'autre dérivé du verbe, **PRONONÇABLE** adj. (1611), qui a éliminé le type plus ancien *pronuncible* (v. 1501), qualifie ce que l'on peut prononcer, par opposition à **IMPRONONÇABLE** adj. (1542) qu'il a servi à former et qui semble inusité avant le XIXe s., où il devient courant.

PRONONCIATION n. f. est emprunté (1281) au dérivé latin *pronuntiatio, -onis* «publication, déclaration, annonce», «arrêt, sentence judiciaire», spécialement en bas latin «action, façon d'articuler les sons de la langue». Lui-même est dérivé du supin *(pronuntiatum)* de *pronuntiare*. ◆ Le mot a été repris avec son acception juridique de «jugement, arrêt, sentence», métonymie d'un sens actif, «action de lire un jugement, un arrêt, une sentence», attesté postérieurement (1400-1417). En moyen français, il a pris d'autres acceptions : «manière dont un mot est prononcé» (v. 1380), en particulier «manière d'articuler propre à chacun» (1550), emplois restés usuels; il a aussi développé une spécialisation en rhétorique ancienne, désignant l'art de bien utiliser les ressources de l'intonation et du geste dans le discours (1530).

◈ voir PRONUNCIAMENTO.

PRONOSTIC n. m., d'abord écrit *pronostique* (v. 1250), puis *pronostic* (1585), est emprunté à l'adjectif bas latin *prognosticus*, tiré du nom pluriel neutre classique *prognostica*, surtout employé comme titre d'ouvrage. Le mot latin est un emprunt au grec *prognôstika*, employé par Hippocrate comme titre d'un ouvrage et substantivation du neutre pluriel de l'adjectif *prognôstikos* «qui concerne la connaissance de ce qui doit arriver». Cet adjectif grec est dérivé du verbe *progignôskein* «savoir, connaître, comprendre d'avance» et «décider auparavant», d'où «pourvoir à», de *pro-* «avant», correspondant au latin *pro* (→ pour, pro-), et *gignôskein* «connaître» (→ gnose).

♦ Le mot a désigné un signe permettant de conjecturer l'avenir, un signe avant-coureur d'un événement. ◇ Depuis le moyen français, et encore dans l'usage moderne, il désigne une conjecture sur ce qui doit arriver, l'issue d'une affaire (fin XIVe s.), le plus souvent au pluriel. C'est cet emploi, repris au XXe s. à propos de politique et d'élection, de sports et de paris populaires, qui est aujourd'hui le plus courant. ◆ La spécialisation du mot en médecine vient du titre de l'ouvrage d'Hippocrate, traduit par *Les Pronostiques* (1314), et s'applique au jugement que porte un médecin sur la durée et le déroulement probables d'une maladie, en relation avec *diagnostic.*

▶ **PRONOSTIQUER** v. tr., réfection de *prongnostiquier* (1314) et *pronostiker* (v. 1350), est spécialisé dès ses premiers emplois au sens médical d'«établir son pronostic sur (une maladie)» et plus largement «émettre une opinion sur (ce qui doit arriver), annoncer» (v. 1350). Depuis 1611, le verbe se construit aussi avec un nom de chose comme sujet pour «constituer le signe annonciateur de (un événement)». ◆ Sur le verbe, on a formé **PRONOSTICATION** n. f. (1355), mot typique du XVIe s., titre d'un chapitre des *Essais* de Montaigne et illustré par Rabelais *(la Pantagruéline Pronosticquation).* ◆ Un autre dérivé du verbe est **PRONOSTIQUEUR, EUSE** n. (déb. XVIe s.), précédé par *prenostikeur* (av. 1399). Le mot s'est appliqué (1898) aux courses de chevaux ; il est lié aux valeurs modernes de *pronostic.*

PRONOSTIQUE adj., d'abord chez Rabelais avec la graphie *prognosticz* (1552), est emprunté au bas latin *prognosticus* «de prognostic». ◆ Le mot s'emploie en médecine pour qualifier tout ce qui a rapport au pronostic, spécialement dans *signes pronostiques* (1552) à propos des signes caractéristiques permettant d'émettre un pronostic sur une maladie. Cet emploi est archaïque ou très technique.

PRONUNCIAMENTO ou **PRONUNCIAMIENTO** n. m. est l'emprunt, sous les formes *pronunciamento* (1836) et *pronunciamiento* (1864), d'un mot espagnol d'Amérique latine signifiant proprement «déclaration», spécialisé pour désigner une insurrection militaire tentant de renverser un État légal. Le mot est dérivé de *pronunciar,* de même origine que le français *prononcer*.*

♦ Le mot désigne une insurrection militaire dans les pays hispaniques (d'abord à propos du Mexique) ; par extension, il est employé comme synonyme de *coup d'État* et de *putsch.* La forme traduite *prononcement* ne s'est pas implantée.

PROPAGANDE n. f. est l'adaptation (1689) du latin moderne *propaganda* dans l'expression *Congregatio de propaganda fide* «congrégation pour propager la foi», elliptiquement *Propaganda,* association fondée en 1622. *Propaganda,* littéralement «qui doit être propagée», est l'adjectif verbal, au féminin, du latin *propagare* (→ propager).

♦ Le mot a été introduit comme terme religieux dans *Congrégation de la Propagande* ou par ellipse *Propagande.* Celle-ci fut instituée le 22 juin 1622 par le pape Grégoire XV, sur un projet de Grégoire XIII, pour répandre la religion catholique et diriger toutes les missions. Urbain VIII en augmenta les revenus et créa un séminaire *(collège de la Propagande).* C'est pendant la Révolution française que le mot a pénétré le langage politique pour désigner une association ayant pour but de propager certaines opinions politiques (1790) et, par métonymie, l'action organisée en vue de répandre une opinion ou une doctrine politique (1792). Cette valeur s'est enrichie d'emplois nouveaux avec le développement des manipulations d'opinion par les régimes totalitaires et avec les techniques de communication de masse, d'autant que les mots anglais, allemand, etc. correspondants sont analogues. ◇ Par extension, le mot s'emploie pour désigner l'action de vanter une théorie, une idée, un homme et recueillir une adhésion, notamment dans *faire de la propagande pour...*

▶ Pendant la Révolution, ont été formés les dérivés **PROPAGANDISTE** n. et adj. (1792) et **PROPAGANDISME** n. m. (1794), ce dernier étant archaïque. ◆ Péguy a employé le verbe **PROPAGANDER** v. (1901) ainsi que les dérivés **PROPAGANDABLE** adj., **PROPAGANDEUR** n. m. et une série formée avec le suffixe *-iser (propagandiser, propagandisable, propagandisation, propagandisateur),* mais aucune de ces formes n'a eu de succès. ◆ **CONTRE-PROPAGANDE** n. f. (1917) reflète le développement des emplois au XXe siècle.

◈ voir **PROPAGER.**

PROPAGER v. tr., d'abord *propagier,* au participe passé *propagié* (1480), est emprunté au latin *propagare.* Celui-ci, formé de *pro* (→ pour, pro-) et de *pagere, pangere* «enfoncer, ficher» (→ pacte, paix), est employé dans la langue rurale pour «provigner», au sens spatial d'«agrandir, étendre» et au sens temporel de «faire durer, perpétuer».

♦ En moyen français, *propagé de* s'est dit d'un fleuve qui se détache d'un autre ; ce premier emploi a disparu. ◆ L'usage moderne du mot, suscité par les emplois de *propagation* (ci-dessous), s'est fixé dans la seconde moitié du XVIIIe s. en physique avec le sens de «répandre, étendre, multiplier» (la lumière, le feu) [1752]. Le verbe s'emploie aussi pour «transmettre par reproduction» en parlant d'une race, d'une espèce (1762, Diderot) et de «répandre, diffuser» (des idées, la foi) [1770], alors en relation avec *propagande,* puis «répandre (des maladies)» (1771). ◇ Le pronominal *se propager* (1752) a repris les sens correspondants ; celui de «se multiplier par reproduction», en parlant d'êtres vivants (1771), est sorti d'usage.

▶ Le nom correspondant, **PROPAGATION** n. f., a été emprunté plus tôt (XIIIe s.) au dérivé latin *propagatio, -onis* «provignement», «extension, agrandissement» et «prolongation». ◆ Le mot n'a pas gardé le sens de «rejeton, enfant», attesté isolément dans le style biblique, ni la valeur active, «action de multiplier la race par reproduction» (attesté v. 1380). ◆ *Propagation* a développé ses autres sens avant le verbe. À la fin du XVIIe s., il s'applique au fait de diffuser une croyance, une doctrine religieuse (1688), notamment dans *propagation de la foi* (→ propagande), puis à la diffusion d'une idée quelconque (1690). Sur le plan concret, le mot s'est d'abord employé pour «action de transmettre à distance» en physique (1690); son emploi en médecine est plus tardif (1812).

PROPAGATEUR, TRICE n. est emprunté (1495) au dérivé latin *propagator* qui a désigné en droit celui qui fait proroger une magistrature et, à basse époque, un conquérant, un dominateur. ◆ Le mot a été repris à propos de la personne qui diffuse une religion et, par extension, une doctrine quelconque (1787).

En marge de ce groupe, **PROPAGULE** n. f. représente une formation scientifique du XIXe s. (1815), issue par changement de suffixe de *propagine* n. f. «spore des mousses» (1803), lui-même emprunté au latin *propago, -inis* «provin, bouture», dérivé de *propagare.* ◆ *Propagule* désigne un corpuscule pluricellulaire assurant la multiplication végétative des mousses.

◈ voir **PROPAGANDE, PROVIN.**

PROPANE n. m. est emprunté (av. 1875, Würtz) à l'anglais *propane* (1866, Hoffmann), mot tiré de *(acid) propionic,* lui-même emprunté au français *propionique* (1847) où il est formé de *pro-*, du radical grec *piôn* «gras» et du suffixe *-ique.* Le mot grec est l'adjectif correspondant à *piar* «graisse» et se rattache à une racine verbale indoeuropéenne signifiant «abonder, regorger» (→ opime).

Cet adjectif qualifie un acide saturé, homologue de l'acide acétique. Le sens originel est «premier (acide) gras», les acides formique et acétique n'étant pas compris dans la série par les créateurs du mot.

♦ Le terme désigne le troisième corps de la série des hydrocarbures saturés (appelés *paraffines,* puis *alcanes*), gaz inflammable constituant du gaz naturel. Le mot est moins usuel que *butane.*

▸ Les dérivés sont soit des termes de chimie, parfois empruntés, comme **PROPANOL** n. m. qui est pris (1904) à l'anglais *propanol* (1892) et synonyme d'*alcool* **PROPYLIQUE** (1868), soit des termes techniques, comme **PROPANIER** n. m. (1968) «navire spécialisé dans le transport du propane».

PROPÈNE n. m. est emprunté (XXe s.) à l'anglais *propene* (1866, Hoffmann), formé parallèlement à *propane.* Il désigne un hydrocarbure éthylénique, utilisé dans de nombreuses synthèses industrielles.

PROPÉDEUTIQUE n. f. est un emprunt savant et tardif (1843) à l'allemand *Propädeutik* employé pour désigner une science dont l'étude est une préparation nécessaire à celle d'une autre science. Ce mot est formé d'après le grec *propaideuein* «enseigner auparavant», de *pro* «avant» (correspondant au latin *pro;* → pro-) et *paideuein* «élever un enfant, instruire», de *pais, paidos* «enfant» (→ pédagogue, pédant).

♦ Le mot, repris avec le sens allemand, est d'abord relevé chez Proudhon. De la philosophie, il est passé dans le domaine didactique, désignant un enseignement préparatoire en vue d'études plus approfondies (1877) et, par métonymie, un cours préparatoire obligatoire préparant les bacheliers à l'enseignement supérieur dans certaines facultés (1953). Cette spécialisation est devenue caduque depuis la réforme de l'enseignement supérieur en 1966, mais le mot, employé aussi comme adjectif, a conservé son usage didactique général, «préparatoire».

▸ Par dérivation régressive, on a formé **PROPÉDEUTE** n. m. «étudiant de l'année de propédeutique» (1958), sorti d'usage avec la disparition de cette classe.

PROPENSION n. f. est emprunté (1528) au latin *propensio, -onis* «penchant», dérivé du supin *propensum* de *propendere* «être penché en avant», au figuré «pencher vers, avoir une tendance à», de *pro* «en avant» (→ pour, pro-) et de *pendere* (→ pendre).

♦ Le mot a été repris avec le sens du latin : «tendance naturelle»; de nos jours, il est surtout employé avec la préposition *à* introduisant un complément (nom ou infinitif), plus rarement *pour* ou *vers.* Il est courant en parlant d'une personne, plus rare en parlant d'une chose. ◇ À l'époque classique, il a eu le sens physique d'«inclination d'un corps vers un point» (av. 1671 Mézeray), déjà rare au XVIIIe s., puis hors d'usage.

PROPERGOL n. m. a été formé (1946) par l'ingénieur Roger Lévy, à partir de l'élément *prop-*, tiré du latin *propulsum* (→ propulsion), et de *ergol,* tiré du grec *ergon* (→ ergo-). Le composé, fait d'après des mots allemands analogues, s'est substitué à *énergol* (sur *énergie*), qui faisait l'objet d'un dépôt de marque.

♦ Ce mot de chimie désigne une substance dont la décomposition ou la réaction chimique fournit l'énergie nécessaire à la propulsion des fusées fonctionnant sans air *(propergol solide, liquide).*

▸ D'autres composés en *-ergol* sont en usage (*lithergol,* etc.). ◆ Le simple **ERGOL** n. m. (attesté 1973) désigne un des constituants élémentaires d'un propergol.

PROPHÈTE n. m. est un emprunt très ancien (v. 980) au latin chrétien *propheta* «devin qui prédit l'avenir» et, dans la Bible, «homme inspiré par Dieu parlant en son nom pour révéler ses volontés». Le mot latin est emprunté au grec *prophêtês* désignant l'interprète d'un dieu, celui qui transmet la volonté des dieux, annonce l'avenir et, à l'époque chrétienne, celui qui annonce la volonté du Dieu unique *(Yahvé).* Le mot est dérivé de *prophanai,* littéralement «dire, annoncer d'avance», de *pro* «avant» (→ pour, pro-) et *phanai* «rendre visible par la parole, dire» (→ aphasie, blâmer, blasphémer, épiphanie, euphémisme).

♦ Le mot a été repris avec son sens biblique, souvent au féminin en ancien français, désignant celui qui, inspiré par Dieu, parle en son nom pour manifester ses volontés, spécialement dans l'expression ***faux prophète*** (v. 1170) «celui qui induit le peuple en erreur», puis «celui qui se trompe dans ses prédictions» (1694). ***Prophète de malheur*** (1668) fait suite à *prophète de malaventure* (v. 1278), et s'emploie aussi au figuré, de même que ***nul n'est prophète dans son pays,*** allusion évangélique (mil. XVIIe s.) à Luc, 4, 24. ◆ Par extension, *prophète* désigne un personnage important qui annonce l'avenir par conjecture (1080) et, par généralisation, toute personne annonçant des événements à venir (1429). Depuis 1672 (chez Racine), il est employé pour d'autres religions, d'abord l'Islam pour désigner Mahomet (1557) au sujet duquel on emploie le mot absolument *(le Prophète)* et, depuis, en anthropologie, pour les annonceurs de l'avenir dans quelque religion et culture que ce soit.

▶ **PROPHÉTIE** n. f. est lui aussi emprunté (1119) au latin chrétien *prophetia,* repris au dérivé grec *prophêteia* «action d'interpréter la volonté des dieux, de Dieu» et, par métonymie, «ce qui est ainsi annoncé», dérivé d'un verbe *prophêteuein* (→ prophétiser). ◆ Le mot, qui désigne une prédiction faite par inspiration divine, a suivi le même développement que *prophète* : il désigne une prédiction faite par un personnage important (1155) et, par extension, la prédiction d'un événement futur faite par pressentiment ou conjecture (1228).

PROPHÉTISER v. tr. est emprunté (1155) au latin chrétien *prophetizare,* lui-même emprunté au grec *prophêtizein,* autre forme pour *prophêteuein,* dérivé de *prophêtês.* ◇ Le mot a été repris avec son sens biblique, en emploi absolu et transitif (v. 1223). Par extension, il exprime le fait de prédire par divination, conjecture ou pressentiment (v. 1160), avec un complément ou en emploi absolu (v. 1425). ◆ Un dérivé **PROPHÉTISEUR** n. m. ne s'est pas répandu du fait de la synonymie avec *prophète.* ◆ **PROPHÉTESSE** n. f. a été emprunté (apr. 1350) au latin chrétien *prophetissa,* dérivé de *phopheta,* et a remplacé l'emploi de *prophète* au féminin, ainsi que l'ancien français *profetiseresse* (v. 1160).

PROPHÉTIQUE adj. est emprunté (1372-1374) au latin chrétien *propheticus* «propre à un prophète, qui se rapporte à un prophète», emprunté au dérivé grec *prophêtikos.* ◇ Le mot qualifie ce qui a le caractère de la prophétie et (1580) ce qui est propre, se rapporte à un prophète. ◇ On en a dérivé **PROPHÉTIQUEMENT** adv. (XVe s.).

PROPHÉTISME n. m. (1823) a été forgé en français sur le radical de *prophète,* comme en latin médiéval on avait déjà formé *prophetismus* (IXe s.), au sens de «prophétie». ◆ Le mot sert à désigner l'état, le système d'idées d'un prophète, spécialement un système religieux fondé sur les prédictions des prophètes (1875); il est didactique.

PROPHYLACTIQUE

PROPHYLACTIQUE adj. est un emprunt de la Renaissance (1537) au grec *prophulaktikos* «de précaution», en médecine «de préservation». L'adjectif est dérivé de *prophulassein* «veiller à la défense de, veiller sur», «prendre des précautions contre», spécialisé dans le langage médical au sens de «se prémunir contre». Ce verbe est composé de *pro* «en avant», mot répondant exactement au latin *pro* (→ pour, pro), et de *phulassein* (attique *phulattein*), «monter la garde», «surveiller» d'où «garder, conserver» (→ phylactère).

♦ Le mot a été repris dans sa spécialisation médicale; ses emplois métaphoriques sont rares et littéraires.

▶ Le dérivé **PROPHYLACTIQUEMENT** adv. est peu usité. ◆ **PROPHYLAXIE** n. f. est une adaptation (1771) du latin moderne scientifique *prophylaxis,* composée des éléments grecs *pro-* et *phulaxis* «protection», d'après *prophulaktikos.* ◇ Le mot est employé en médecine et en hygiène. Depuis la fin du XIXe s., il est employé au sens élargi de «mesures pour éviter un danger».

PROPICE

PROPICE adj. est emprunté (v. 1170) au latin *propitius* «favorable», terme de la langue religieuse qui s'applique aux dieux et qui, dans la langue commune, s'est étendu aux hommes et aux choses, avant d'être employé en latin chrétien en parlant de Dieu au sens de «miséricordieux, qui pardonne». Le mot doit appartenir au groupe de *petere* «rechercher» (→ pétition).

♦ *Propice* qualifie une personne bienveillante, favorable et, spécialement, Dieu, dans le style biblique (*Rois,* II, XXIII). ◆ Le sens s'étend à une chose favorable (1376, à propos de la chaleur du soleil), avec la préposition *à* ou absolument (*le vent est propice,* 1552), ainsi qu'à une chose abstraite (1640, *occasion propice*), valeur encore vivante dans un style soutenu un peu archaïsant.

▶ Le dérivé **PROPICEMENT** adv. (v. 1360) est rare avant le XIXe s., et du reste peu usité.

◈ voir PROPITIATION.

PROPITIATION

PROPITIATION n. f. est emprunté (v. 1120) au bas latin *propitiatio, -onis,* désignant un sacrifice expiatoire et, dans la langue chrétienne, l'action de rendre propice, l'expiation (chez les Juifs *dies propitiationis*), le prix d'un rachat, la rançon et, à propos du Christ, la victime. *Propitiatio* est dérivé du supin *(propitiatum)* de *propitiare* «rendre favorable», «fléchir par un sacrifice», lui-même de *propitius* (→ propice).

♦ Le mot, d'abord attesté dans le langage biblique avec le sens de «rachat, expiation», entre dans l'expression *jour de propitiation* (XIVe s.) pour désigner, chez les Hébreux de l'Ancien Testament, un rituel d'expiation célébré le dixième jour du septième mois religieux. Il est employé, par calque du latin, dans le Nouveau Testament en parlant du Christ (fin XIIe s.) appelé *victime de propitiation* (1667, de Sacy). Il est demeuré très rare, en dehors du vocabulaire biblique.

▶ **PROPITIATOIRE** adj. et n. m., d'abord *propiciatorie* (v. 1170), est emprunté au latin chrétien *propitiatorum,* proprement «lieu de propitiation», de *propitiatorius,* adjectif dérivé de *propitius.* C'est le nom donné dans l'Ancien Testament au couvercle d'or de l'arche d'Alliance sur lequel, le jour de l'Expiation, le prêtre célébrait le rite d'expiation (*Lévitique,* XVI). Dans le Nouveau Testament, ce rite trouve son accomplissement dans la personne du Christ dont le rôle rédempteur est assimilé à la fonction de grand-prêtre (IVe s.). ◆ Le mot a été introduit par le vocabulaire biblique, en parlant du couvercle d'or de l'arche d'Alliance, puis comme nom donné au Christ rédempteur (1535). ◆ Son emploi adjectif est directement repris (1611) au latin *propitiatorius* avec son sens religieux; il exprime quelquefois la valeur ironique de «propre à s'assurer les bonnes grâces de qqn» et s'emploie à propos de rites, dans toute culture *(victime propitiatoire, etc.)*. ◆ **PROPITIATEUR, TRICE** n. est emprunté (1519) au dérivé latin chrétien *propitiator* et désigne la personne par l'intermédiaire de qui Dieu se montre favorable. Il est didactique et rare.

PROPORTION n. f., (v. 1265) d'abord noté par erreur *porprorcion* (v. 1230), est emprunté au latin *proportio, -onis* «rapport, analogie» servant à rendre le grec *analogia* (cf. *analogie*) et formé de *pro* «en échange de» (→ pour, pro-), et de *portio* «part, rapport» (→ portion), dans l'expression *pro portione* «pour sa part».

♦ Le mot désigne le rapport entre les parties d'une chose (spécialement entre les parties du corps humain) et, au pluriel, la combinaison des différents rapports, souvent avec une idée de rapport harmonieux, correct. Le développement mettant l'accent sur le rapport de convenance, de correspondance (XIIIe s.), s'est perdu, le mot ne s'employant couramment que pour désigner un rapport quantitatif entre des choses (v. 1265). Il est spécialement employé en mathématiques à propos de l'égalité de deux rapports par différenciation ou quotient (1370-1372), entrant au XVIIe s. dans des expressions comme *proportion géométrique* (Pascal) et, dans les dictionnaires de la fin du siècle, dans *proportion arithmétique* (1680), *harmonique* (1680), *continue* (1691), *règle de proportion* (1690), et *proportion multiple* (1690). Ultérieurement, il se spécialise en chimie pour désigner le rapport des masses des volumes suivant lequel se combinent des corps simples ou composés (1835), par exemple dans l'expression *loi des proportions définies*. ◇ Au XVIIe s., le mot entre dans les locutions courantes ***à proportion de*** (1636), ***à proportion que*** (1649), ***à proportion*** (1651) «selon le même rapport de grandeur» (Pascal), puis, «selon le rapport requis par l'harmonie de l'ensemble» (1679). ***En proportion*** «proportionnellement» (1788) est aujourd'hui archaïque à la différence des locutions prépositionnelles ***en proportion de*** (1762) et ***en proportion avec*** (1829). La locution ***toutes proportions gardées*** est précédée par *proportion gardée* (1770-1783, Buffon); ***hors de toutes proportions*** (1830) et d'autres variantes négatives ont suivi, au XIXe siècle. ◆ Par métonymie, le pluriel *proportions* s'emploie spécialement pour désigner les dimensions par référence implicite à une échelle, à une mesure (1690), au propre et au figuré.

▶ En français même, *proportion* n'a donné que l'antonyme préfixé **DISPROPORTION** n. f. (1549) «manque de proportion» qui a supplanté *improportion* n. f. attesté en ancien provençal dès le XIVe s. et repris en français par les dictionnaires du milieu du XIXe siècle. ◆ À son tour, *disproportion* a produit **DISPROPORTIONNÉ, ÉE** adj. (1534) sur lequel on a fait un verbe **DISPROPORTIONNER** v. tr. (1640) resté rare, et **DISPROPORTIONNÉMENT** adv. (1838). ◆ Par symétrie avec *proportionnel*, on a formé **DISPROPORTIONNEL, ELLE** adj. (XIXe s.), peu employé.

PROPORTIONNER v. tr. est emprunté (1314) au dérivé bas latin *proportionare* «adapter, mettre en rapport». ◆ Le verbe a été introduit par les médecins pour «adapter, préparer, mettre dans un état convenable» en chirurgie, «remettre dans la position qui correspond à la proportion des membres» (1377), et «mélanger, répartir convenablement (des médicaments)» (1377). ◇ Tous ces emplois sont sortis d'usage, le mot s'employant de nos jours pour «soumettre aux lois de la proportion» (1470 en parlant de contributions). Ultérieurement, il a pris le sens de «donner des proportions à (qqch.)» (1869). ◇ *Se proportionner* (v. 1355) a vieilli, tant avec le sens d'«être mis en proportion avec» qu'avec celui de «se mettre à la portée de» (1687). ◆ Le participe passé **PROPORTIONNÉ, ÉE** est adjectivé (1314) avec les sens de «mis en état convenable pour, adapté à» et «à même de faire qqch.» (v. 1360), tous également sortis d'usage. ◇ Son sens moderne, «dont les parties ont entre elles le rapport qu'elles doivent avoir», est attesté dans la seconde moitié du XIVe s., et celui de «qui a telles proportions» (spécialement en parlant du corps) date de la Renaissance, donnant *bien, mal proportionné*. ◆ *Proportionné* a lui-même donné **PROPORTIONNÉMENT** adv. d'abord *proporcionneement* (1414) «d'une manière proportionnée», qui subit la forte concurrence de *proportionnellement*. ◆ **PROPORTIONNABLE** adj., attesté en ancien français, s'emploie encore dans le langage didactique (1845) au sens de «qui peut».

PROPORTIONNEL, ELLE adj. est emprunté (1370-1372) au bas latin *proportionalis* «proportionné» et «en rapport en qqch.», de *proportio*. ◆ Le mot qualifie ce qui a un rapport de proportion avec une autre chose du même genre. Il s'est spécialisé en mathématiques avec des expressions comme ***moyenne proportionnelle*** (1690), substantivé au féminin en *la proportionnelle* (1718). L'adjectif qualifie aussi ce qui est ou reste en rapport avec, ce qui varie dans le même sens, spécialement dans les domaines administratif (1833, de l'impôt) et politique (1839, ***représentation proportionnelle, scrutin proportionnel***). Le féminin *la proportionnelle* est substantivé pour «représentation proportionnelle dans les élections» (1923) et «retraite proportionnelle» (XXe s.). ◆ De *proportionnel* sont dérivés, outre **PROPORTIONNELLEMENT** adv. (1342, *pourporionnellement*), les termes didactiques récents **PROPORTIONNALISME** n. m. (déb. XXe s.) et **PROPORTIONNALISTE** n. m. (1906), employés en politique à propos des partisans de la représentation proportionnelle. ◆ **PROPORTIONNALITÉ** n. f. a été emprunté (1370-1372), pour fournir un nom d'état à *proportionnel*, au bas latin *proportionalitas, -atis*, de *proportionalis*. ◇ Il exprime le caractère de grandeurs qui sont ou restent proportionnelles entre elles et s'est spécialisé dans l'usage administratif et politique pour le fait de répartir selon une juste proportion.

PROPOSER v. est emprunté, avec francisation d'après *poser** (v. 1120), au latin *proponere*, de *pro* «devant» (→ pro-) et *ponere* «placer» (→ pondre). Ce verbe signifie proprement «placer devant les yeux, présenter» et, au figuré «(se) représenter mentalement», «faire un exposé, annoncer», «offrir (une récompense, un sujet de discussion)» et «se donner pour but, dessein de».

♦ Le verbe a été repris au sens propre, «présenter au regard», le plus souvent avec la notion seconde de «donner comme modèle, comme exemple», en parlant de Dieu. Il a bientôt repris du latin le sens de «projeter, avoir l'intention de» (1130-1140) dans la construction indirecte *proposer à* et infinitif (sortie d'usage), et en emploi absolu comme dans l'ancienne locution proverbiale *l'homme propose et Dieu ordonne* (1409) refaite en ***l'homme propose et Dieu dispose*** (XVe s., Commynes). Depuis que ce sens est réservé à la forme pronominale *se proposer* (construite avec *de,* 1429, et directement *se proposer qqch*), le sens du mot dans le proverbe tend à être compris comme «soumettre un projet en demandant d'y prendre part». ➜ L'acception qui correspond à «annoncer, proférer» (v. 1165) est sortie d'usage mais celle de «faire connaître à qqn» (v. 1250), spécialement «soumettre à l'approbation d'une instance» (1390), s'est maintenue, avec la nuance de «soumettre (un projet) en demandant d'y prendre part» (1588, Montaigne). ➜ Dès le XIIIe s., *proposer* correspond aussi à «offrir» suivi d'un nom concret ou abstrait; ultérieurement, il se construit avec un nom de personne pour complément, d'abord dans *proposer sa fille en mariage* (1655), puis pour «désigner comme candidat à une fonction, un emploi» (1694).

▶ Le déverbal **PROPOS** n. m., réfection (1214-1225) de *purpos* (fin XIIe s.), a eu, conformément au verbe et au latin *propositum* «projet, dessein, thème» (participe passé neutre substantivé de *proponere*), le sens de «dessein, résolution formée» : encore vivant en langue classique, ce sens est sorti d'usage sauf dans les locutions ***ferme propos*** (1216) «intention de ne plus commettre le péché» et ***de propos délibéré*** (XVe s.) «volontairement». ➜ En relation avec l'emploi de *proposer* comme verbe de parole, *le propos* a désigné autrefois ce dont on parle, ce dont il est question dans un ouvrage (v. 1380), sens qui ne survit plus que dans quelques locutions : ***à propos*** (fin XVe s.) «de manière opportune, au bon moment ou à bon escient», renforcé en ***à tous propos*** (fin XVe s.) «à chaque instant», ***bien à propos, mal à propos*** (1538), modulé en question dans ***à quel propos?*** (1549). Le mot est employé avec ce sens, depuis Montaigne (1580), dans la locution prépositionnelle ***à propos de*** «au sujet de» et dans ***à ce propos,*** employée en tête de phrase pour introduire ce qui va suivre, d'où elliptiquement ***à propos*** introduisant un sujet lié à ce qui vient d'être dit (1579). ***Hors de propos*** est d'abord une locution adjective (1549) puis aussi (Montaigne) adverbiale. ➜ Par métonymie, *un, des propos* désigne les paroles dites au sujet de qqch. ou qqn (v. 1510); il n'a pas conservé le sens spécialisé de «commérages» (1553). ➜ Le composé **AVANT-PROPOS** n. m. (1556) prolonge le sens ancien de *propos* «ce dont on traite dans un ouvrage». ➜ **À-PROPOS** n. m., emploi substantivé (1700) de la locution adverbiale, s'applique au fait d'intervenir de manière opportune *(avec à-propos)* et désigne ce qui vient à propos, spécialement une pièce de circonstance (1700).

PROPOSANT, ANTE, le participe présent de *proposer,* est adjectivé (1390) et substantivé (1390) pour désigner en droit la personne qui présente qqch. devant une instance judiciaire; le mot a désigné un étudiant en théologie protestante qui propose ses thèses (1561, Calvin) et le cardinal qui proposait les autres cardinaux (1752), en apposition dans *cardinal proposant* (1823). ➜ Enfin, **PROPOSABLE** adj. (1734) sert quelquefois à qualifier ce que l'on peut proposer et la personne que l'on peut proposer pour l'avancement dans une hiérarchie (1954, *officiers proposables*).

PROPOSITION n. f. est emprunté (v. 1120) au dérivé latin *propositio, -onis,* nom d'action de *proponere* signifiant «action de mettre sous les yeux, de présenter», sens dont procède, à époque chrétienne, l'expresssion *panes propositionis* (*Exode,* XXV, 30), qui désigne les douze pains placés devant le tabernacle du Temple et renouvelés chaque semaine. Par abstraction, *propositio* désigne en logique l'exposé d'un sujet, en grammaire le thème d'une phrase, d'un élément de phrase (Quintilien). À basse époque, il désigne aussi une intention, un dessein, un but, un conseil, une suggestion faite à qqn (553, *Digestes* de Justinien) et, en droit, l'énoncé d'un cas de controverse (553, id.). ➜ Le mot a été repris avec le sens d'«action de faire connaître ses intentions» d'où «résolution, dessein» propre à l'ancien français. Le langage biblique a repris du latin chrétien l'expression *pains de proposition* (v. 1170, *Rois,* III, VII, 4), seule survivance du sens étymologique, «action de présenter aux yeux». ➜ Au XIIIe s., *proposition* se dit de ce qu'on propose, ce qu'on soumet au consentement (v. 1265), prenant aussitôt le sens métonymique de «texte, énoncé proposé», d'abord dans le contexte juridique d'une assemblée délibérante. ➜ La spécialisation en logique, à propos de l'énonciation d'un jugement de vérité ou de valeur (v. 1265), et spécialement la prémisse d'un syllogisme (fin XIIIe-déb. XIVe s.), est un autre emprunt au latin. À la Renaissance, le mot se spécialise en théologie, désignant une thèse, un article résumant une doctrine par un nouvel emprunt au latin ecclésiastique moderne *propositio* (1560), d'abord à propos du jugement de condamnation par la Sorbonne de quatorze propositions du théologien M. Baius. Au siècle suivant, le mot est employé à propos du jansénisme et d'une bulle de 1641, condamnant globalement les thèses de l'Augustinus et celles des Jésuites, spécialement dans les *cinq propositions* (1657, Pascal) qui résumaient l'essentiel de la doctrine de Jansénius. De la rhétorique, le mot se spécialise en mathématiques pour l'énoncé d'une vérité à démontrer, d'une question à résoudre (1658). ➜ *Proposition* désigne à la même époque la seconde partie de la disposition dans laquelle le sujet est exposé (1660) et, en grammaire, l'unité syntaxique et psychologique constituant à elle seule une phrase simple ou entrant comme élément dans une phrase complexe (1677). ➜ Depuis le XVIIIe s. (1747), le mot, par dérivation de *proposer* «offrir», s'entend spécialement dans une acception sexuelle, d'abord au singulier, puis surtout au pluriel (*faire des propositions à une femme, propositions malhonnêtes,* *déshonnêtes*, aussi par plaisanterie). ◆ Après être entré comme second élément dans **CONTRE-PROPOSITION** n. f. (1771), *proposition* a produit tardivement l'adjectif **PROPOSITIONNEL, ELLE** (1928), terme didactique employé en logique (par exemple dans *logique propositionnelle*) et, en psychologie, en parlant d'une opération de la pensée manipulant des propositions hors de toute référence immédiate (chez Piaget).

✱ **PROPRE** adj. et n. m. est emprunté (1130) au latin *proprius* «qui n'appartient qu'à soi, que l'on ne partage pas avec d'autres», «spécial, caractéristique», spécialement «approprié», en parlant d'un mot, et, l'accent étant mis sur la durée de l'appartenance «stable, permanent». *Proprius* a probablement été formé sur la locution *pro privo* «à titre particulier», de *pro* (→ pour, pro-) et de l'ablatif de *privus* (→ privé). Dans la forme initiale °*propriuos*, l'o aurait été absorbé par le *u* précédent qui se serait vocalisé, d'où *proprius*.

♦ L'adjectif qualifie ce qui appartient en particulier à une personne, spécialement dans ***nom propre*** (1549), en ancien français *propre nuns* (v. 1155). Il qualifie spécialement le sens d'un mot lorsqu'il est considéré comme antérieur aux autres ou conforme à la propriété du mot, en concurrence avec *sens littéral* (XVIIe s. ; *Académie*, 1694) et souvent opposé à *figuré**. ◆ *Propre à*, suivi d'un nom (1562), signifie «caractéristique, spécifique». Par affaiblissement, il s'emploie avec un possessif qu'il renforce, étant généralement placé entre ce possessif et le nom *(sa propre idée)* ; par extension, il exprime l'idée de «pour soi, envers soi», spécialement dans *amour-propre** qui a remplacé *propre-amour*. ◆ Placé après le nom, *propre* exprime, comme en latin, la qualité de ce qui convient particulièrement, par exemple à propos d'un mot juste (v. 1265), cette idée de convenance étant réalisée dans la construction *propre à, propre pour* (v. 1485). Par dérivation, *propre à* qualifie la personne qui est apte par sa personnalité, ses compétences ou ses connaissances à faire qqch. *(être propre à qqch.)* surtout dans la locution proverbiale ***propre à tout, propre à rien*** (1798) annoncée par des emplois en discours, tel *«il est propre à tout (...) ce qui signifie (...) qu'il n'est propre à rien»* (La Bruyère). ◆ Ce même sens est réalisé par le substantif composé **PROPRE À RIEN** n. m. (quelquefois avec des traits d'union) attesté depuis 1844. ◆ Cette acception a entraîné pour l'adjectif quelques spécialisations dont ***mouvement propre*** (1691) en astronomie, «mouvement d'un astre par rapport au mouvement général des astres dus à la rotation terrestre». ◆ L'emploi substantivé correspond à l'idée d'appartenance et remonte à l'ancien français, avec le sens de «fortune particulière» (1213) qui a disparu ; il en reste une trace dans la locution ***en propre*** (1690) et dans *le propre*, qui désigne en droit civil les biens de la femme ou du mari qui restent propriété de chacun dans le régime de la communauté (v. 1610). ◇ Couramment, le nom désigne la qualité distinctive de qqn ou de qqch. (1611), spécialement le sens littéral d'un mot (1694, *le propre et le figuré*) et, en liturgie, l'élément de célébration propre à un saint, à un temps, à un lieu (1718).

Dès l'ancien français, *propre*, d'après l'idée de «digne d'une personne, digne de soi» a développé le sens de «bien arrangé, soigné, élégant» (v. 1280), attesté épisodiquement jusqu'au XVIIe s., puis devenu courant dans la langue classique et sorti d'usage depuis. Puis, l'adjectif signifie «d'aspect convenable» et «fait convenablement», par exemple dans *copie propre* (d'où *le propre, mettre au propre*), valeur souvent confondue avec le sens de «qui n'a aucune trace de souillure, de crasse» (1640) opposé à *sale*. Cette acception est devenue très courante. C'est assez tard que *propre* qualifie une personne qui se lave soigneusement ou souvent (1842), valeur qui correspond aux débuts de l'hygiène moderne en France, et, par extension, une personne, qui entretient avec soin les choses. ◇ Par transposition au figuré, l'adjectif qualifie une personne irréprochable sur le plan moral et ce qui est conforme à la morale, à la bienséance. Il est substantivé dans la locution ***c'est du propre !*** (1791), avec un sens antiphrastique qui induit la saleté morale.

▸ L'adverbe **PROPREMENT** (v. 1180) signifie d'abord «précisément, exactement» en parlant de l'expression langagière, spécialement dans ***à proprement parler*** (1664) et dans la locution adjective ***proprement dit*** qui correspond à *au sens propre*. Il correspond aussi à «d'une manière qui convient tout à fait» (1216), valeur qui n'est plus vivante qu'avec la nuance ironique de «bel et bien», et à «joliment» (v. 1280), notion modifiée, suivant l'évolution de l'adjectif *propre*, en «avec propreté» et, moralement, «avec décence». ◆ **PROPRET, ETTE** adj. (v. 1500), diminutif de *propre*, a été précédé par une forme *propet* (1478) «élégant», et concurrencé au XVIe s. par un type *propelet*. ◇ D'usage familier, il qualifie, souvent avec ironie, ce qui est coquet, d'aspect avenant ou une personne propre et soignée conservant en partie le sens archaïque de *propre* «soigné». ◆ **PROPRETÉ** n. f., d'abord (1538) avec le sens de «manière convenable de s'habiller, de présenter certaines choses» puis, en relation avec l'évolution de l'adjectif, de «netteté d'exécution» (1671), signifie surtout aujourd'hui, par opposition à *saleté*, «caractère d'une personne, d'une chose propre (1671) et (milieu XIXe s.) «qualité d'une personne qui se lave ou est lavée souvent, soigneusement ; bien nettoyé».

L'antonyme **MALPROPRE** adj., formé en français (v. 1460), a d'abord qualifié une personne inapte à qqch. avant de céder ce sens à *impropre*. Il s'est aligné sur le sens physique de *propre*, qualifiant une personne qui ne prend pas soin de soi, manque d'élégance (av. 1559), sens éliminé par la suite puis, avec le même glissement de sens que *propre*, qui manque de netteté, spécialement qui est mal lavé et, par extension, une chose mal exécutée (1873). ◇ Par transposition au figuré, il qualifie des paroles, des écrits manquant à la décence (1862) et, couramment, une personne manquant de probité, d'honnêteté (1873) ou de décence. ◆ Il a pour dérivés **MALPROPREMENT** adv. (1539) et **MALPROPRETÉ** n. f. (1663) avec les sens successifs de l'adjectif.

IMPROPRE adj. a été emprunté (1372) au bas latin des grammairiens *improprius* de *im-* et *proprius*, pour qualifier spécialement un mot qui ne convient pas, puis, en linguistique, le type de dérivation qui modifie la fonction et non la forme (de l'adjectif à l'adverbe, par exemple) (1893). ◇ Il est passé dans l'usage courant pour servir d'antonyme à *propre à* dans la construction *impropre à qqch.* (1676). L'adjectif ne correspond qu'au premier sens de *propre,* le contraire de l'autre valeur étant exprimée par *malpropre* et par *sale.* ➜ Il a pour dérivé **IMPROPREMENT** adv. (1366). ◇ *Impropriété* provient à la fois de *impropre* et de *propriété**.

◈ voir **APPROPRIER, EXPROPRIER, PROPRIÉTÉ.**

PROPRÉTEUR → PRÉTEUR

PROPRIÉTÉ n. f. est emprunté (1174-1176) au latin juridique *proprietas, -atis* «caractère propre, spécifique», à l'époque impériale «droit de possession», métonymiquement «chose possédée» et, au figuré, chez les grammairiens, «caractère adapté d'un terme»; *proprietas* est dérivé de *proprius* (→ propre).

♦ Le mot est repris en français dans son sens juridique, «droit d'user, de jouir et de disposer d'un bien», et avec le sens métonymique de «chose possédée» étendu par métaphore à une personne dont on dispose à son gré (1770). Son emploi à propos de biens incorporels (*propriété artistique,* 1842), discuté par les juristes, est usuel. ➜ En moyen français, le mot est spécialisé en parlant du bien-fonds possédé (1472), sens dont procèdent à la fois l'emploi pour des terres et exploitations agricoles et, plus couramment, une riche maison d'habitation avec jardin ou parc. ◇ Par métonymie, le mot englobe collectivement les propriétaires considérés du point de vue de leur importance économique (av. 1825), et répartis en *petite* et *grande propriété* (1869). ◇ *Propriété privée* s'emploie à la fois abstraitement et pour signaler une interdiction d'accès à un lieu.
L'autre sens du mot latin, abstrait, celui de «qualité propre, spécifique» est repris dès l'ancien français (v. 1265) et a pénétré les langages spécialisés des mathématiques et de la chimie. ◇ Un nouvel emprunt a introduit le sens de «qualité du mot propre, adéquat» (1576) relevant d'un usage littéraire.

▶ Les rares dérivés de *propriété* sont les termes juridiques et courants **COPROPRIÉTÉ** n. f. (1767) et **MULTIPROPRIÉTÉ** n. f. (v. 1965), voir ci-dessous les préfixés de *propriétaire.*
IMPROPRIÉTÉ n. f., emprunté (1488) au latin grammatical *improprietas,* dérivé de *improprius* d'après *proprietas,* sert d'antonyme à *propriété* et de substantif à l'adjectif *impropre.* Il exprime la notion d'incorrection langagière et, par métonymie, désigne un emploi impropre (d'un mot, etc.) (1541). ◇ Le sens d'«inaptitude» (1731) ne s'est pas implanté.
PROPRIÉTAIRE n. est emprunté (1263) au dérivé bas latin *proprietarius,* terme de droit qualifiant ce qui appartient à qqn et désignant la personne qui possède un bien. Le mot désigne la personne qui possède une chose en propre, spécialement, sans complément, celle qui possède un immeuble (1315) et, plus précisément, en opposition à *locataire,* qui possédant une maison, la loue (1690). ◇ Dans ce sens, il donne lieu à l'abréviation familière et usuelle **PROPRIO** n. (1878), toujours dans la relation entre l'occupant, le locataire et son propriétaire. ➜ Il est d'abord adjectivé (1317) par emprunt au latin *proprietarius* avec le sens de «concernant la propriété», sorti d'usage. Il ne s'emploie plus avec les sens de «possédant des biens en propre» et, par métonymie, «propre aux possesseurs» (av. 1704, *une âme propriétaire*). ➜ Il a pour dérivés **PROPRIÉTAIREMENT** adv. (1486) peu usité, et les préfixés **COPROPRIÉTAIRE** n. (1634), juridique et courant, lié à *copropriété* et **MULTIPROPRIÉTAIRE** n. (v. 1965), lié à *multipropriété.*

PROPULSION n. f. est le dérivé savant (1640), sur le modèle d'*impulsion,* du latin *propulsum,* supin de *propellere,* littéralement «pousser devant soi», de *pro* «en avant» (→ pour, pro-) et *pellere* «pousser» (→ pousser). L'anglais *propulsion* était attesté dès 1611 au sens d'«action de repousser» et (1799) de «force qui met en mouvement».

♦ Le mot a d'abord le sens d'«action de jeter, de lancer», très rare jusqu'au XIXe s.; Boiste (1834) le qualifie de «peu usité» au sens de «mouvement vers». Son expansion s'est produite au XIXe s. probablement d'après l'anglais, en sciences, tant pour «action de mettre en mouvement» qu'au sens de «production d'une force assurant le déplacement d'un mobile».

▶ Les quelques dérivés datent de l'époque où *propulsion* devient usuel. ➜ **PROPULSEUR** adj. et n. m. (1845) désigne un engin assurant le déplacement d'un bateau, puis (XXe s.) d'un avion, d'un engin spatial, et qualifie ce qui transmet un mouvement de propulsion. Les ethnologues et historiens de la préhistoire ont repris le mot pour désigner un instrument augmentant la force et la précision du lancer d'une arme de jet. ➜ On a formé à partir de *propulseur* les termes techniques **TURBOPROPULSEUR** n. m. (1910), **MICROPROPULSEUR** n. m. (v. 1975), et **MOTOPROPULSEUR** n. m. (XXe s.). ➜ **PROPULSIF, IVE** adj. a été fait (1846) sur *propulsion* par analogie avec *impulsion-impulsif,* et sous l'influence probable de l'anglais *propulsive* (1648) «qui repousse» et (1758) «qui propulse». ◇ L'adjectif qualifie ce qui propulse, et il est substantivé (milieu XXe s.) pour désigner une matière inerte recevant l'énergie produite par une pile atomique et servant à propulser un astronef ou un vaisseau spatial. ➜ **PROPULSER** v. tr. (1863) a été recréé sur *propulsion* longtemps après le moyen français *propulser* (1521) «écarter», qui avait été emprunté au latin *propulsare* «repousser». Avec une valeur concrète, «faire avancer au moyen d'un propulseur», le verbe est surtout usité au participe passé et à la forme pronominale *se propulser.* Par extension, il a pris le sens figuré de «faire avancer rapidement dans une carrière», d'usage familier. Familièrement aussi, *se propulser* s'emploie pour «avancer». ➜ Au XXe s., sont apparus quelques composés techniques comme **AUTOPROPULSION** n. f. (1932), **AUTOPROPULSÉ, ÉE** adj. (1950)

et la série **THERMOPROPULSION, THERMOPROPULSIF** et **THERMOPROPULSÉ, ÉE** (1949).

◇ voir PROPERGOL.

PRORATA n. m. inv. est emprunté (1360) au latin *pro rata* (sous-entendu *parte*), littéralement «selon la part déterminée», composé de *pro* (→ pour, pro-), *rata*, ablatif féminin de *ratus* «compté», lui-même participe passé adjectivé de *reri* «compter, calculer» (→ raison) et de *pars, partis* «portion» (→ part).

♦ Comme en latin, *prorata* a d'abord été employé adverbialement au sens de «proportionnellement», cet emploi sortant d'usage vers la fin du XVIe siècle. ➤ Le mot n'est plus usité que dans la locution adverbiale ***au prorata de*** (1541), après *a prorata du* (1526) qui ne s'emploie plus. ◇ Il a été substantivé à l'époque classique (1684) pour désigner les intérêts courants, proportionnels à la partie de l'année écoulée au moment d'un remboursement, puis il a été repris (1845-1846) au sens de «quote-part», avant de devenir archaïque. Seul *au prorata de* est d'usage contemporain.

PROROGATION n. f. est emprunté (1313) au latin *prorogatio, -onis* «prolongation, ajournement, remise, délai», dérivé du supin *(prorogatum)* de *prorogare* «prolonger (des pouvoirs, un délai, etc.)» et «payer d'avance». Ce verbe est formé de *pro* «devant» (→ pour, pro-) et de *rogare* «interroger, demander» (→ rogatoire).

♦ Ce terme de droit désigne la fixation d'un terme à une date postérieure à celle qui était fixée et, par métonymie, ce délai. Avec une valeur moins temporelle, il désigne en procédure le fait d'étendre le pouvoir juridictionnel d'un tribunal à une matière dont il n'avait pas à connaître ou à un ressort excédant ses limites territoriales (1752, *prorogation de compétence, de grâce, de jurisdiction*). ➤ Il s'est spécialisé en droit parlementaire (1683) pour désigner la suspension des séances d'une assemblée et leur report à une date ultérieure, d'abord dans un contexte anglais et par emprunt à l'anglais *prorogation*, dérivé (1472-1473) de *to prorogue* pris au français (voir ci-dessous *proroger*). L'emploi de *prorogation* au sens général de «prolongation», est littéraire et rare.

▶ **PROROGER** v. tr., d'abord *proroguer* (1325) avant *proroger* (1344), est emprunté au latin *prorogare*. ➤ Il est employé en droit aux sens de «prolonger la durée de» et de «renvoyer à une date ultérieure» (v. 1330, *proroguer*). ◇ Son emploi en politique au sens de «suspendre les séances d'une assemblée» (1687) est repris de l'anglais *to proroge, to prorogue*, lui-même emprunté au moyen français et qui, à partir du sens de «reporter à un terme plus ou moins éloigné, ajourner» a pris celui de «suspendre les séances d'une assemblée pendant un certain temps» surtout en parlant du Parlement (1425). Certains l'emploient comme un synonyme recherché de *prolonger*. ➤ Son radical a servi à former tardivement **PROROGATIF, IVE** adj. «qui proroge» (le latin *prorogativus* avait seulement le sens passif de «qui peut être prorogé»).

PROSCENIUM → SCÈNE

PROSCRIRE v. tr. est emprunté, avec francisation d'après *écrire** (1174-1176), au latin *proscribere* «publier par une affiche», en particulier «afficher pour une vente», spécialement «annoncer par affiche la confiscation et la vente des biens (de qqn)» et «mettre (qqn) sur les listes de condamnation à mort» (la *proscriptio*). *Proscribere* est composé de *pro-* «avant» (→ pour, pro-) et *scribere* (→ écrire).

♦ *Proscrire* a été emprunté au dernier sens du latin, dans le contexte des mesures prises dans les temps de troubles civils, spécialement pour «condamner au bannissement, à l'exil», sens assez rare avant le XVIIe s. et maintenu dans l'usage littéraire. À la Renaissance, il a été repris en histoire romaine au sens de «condamner à mort sans forme judiciaire en publiant par affiche le nom des condamnés» (1549). Ce latinisme est sorti d'usage. ➤ Le verbe a reçu le sens figuré de «rejeter, abolir, supprimer» (déb. XVIIe s.) en parlant d'un usage et, par extension, celui de «chasser, éloigner (qqn de sa compagnie)» (1718).

▶ **PROSCRIT, ITE**, participe passé de *proscrire*, est substantivé (1552) en parlant d'une personne frappée de proscription, d'abord dans un contexte antique puis pour l'époque moderne (1694) ; il est également employé adjectivement pour qualifier un mot banni de l'usage (1694). Il a qualifié une mine patibulaire (1812 *avoir une figure proscrite*), sens disparu. Les autres emplois ont vieilli. ➤ **PROSCRIPTION** n. f. est emprunté (1418) au dérivé latin *proscriptio, -onis* «affichage», en particulier «affichage pour une vente» et «condamnation à mort sans forme judiciaire». ◇ Le mot a été repris dans ce sens comme terme d'histoire romaine ; il est employé aussi en parlant d'une mesure de bannissement (1525), et, au figuré, de l'interdiction d'un mot, d'un usage (1672). ◇ Le langage juridique a repris au latin le sens de «partage ou vente des biens d'un débiteur en fuite au profit de ses créanciers» (1538, *proscription de biens*), archaïque. ➤ **PROSCRIPTEUR** n. m. a été emprunté (1542) au dérivé latin *proscriptor, -oris* «qui aime à proscrire». Ce terme d'antiquité désignant celui qui proscrit, a eu cours au XVIe s. puis de nouveau après 1721, et se dit par analogie de celui qui condamne formellement qqch. ; il est alors littéraire.

PROSE n. f. est emprunté (v. 1265) au latin impérial *prosa* «forme du discours qui n'est pas régie par les lois de la versification», substantivation de l'adjectif *prosus* (féminin *prosa*) «qui va en ligne droite», dans *prosa oratio* «discours droit» c'est-à-dire «sans les inversions typiques du vers». *Prosus* est lui-même l'altération de l'archaïque *prorsus* «tourné en ligne droite» et «en prose», issu par contraction de *pro* «devant» (→ pour, pro-) et de *vorsus*, variante de *versus* «tourné», participe passé de *vertere* (archaïque *vortere*) «tourner, se diriger» (→ ① et ② vers, version, verso).

♦ Le mot a été repris par les auteurs des premières rhétoriques en langue vulgaire pour désigner, comme en latin, tout discours qui n'est pas soumis aux lois de la versification ; la locution ***faire de la prose sans le savoir*** (1788) fait allusion au *Bourgeois Gentilhomme* où Molière utilise le fait qu'un mot alors savant désigne une chose banale et courante. Opposé à *rime* et à *vers*, *prose* désigne toute expression écrite courante (XIVe s.), d'où la locution ***coucher en prose*** «mettre par écrit» (v. 1400). Par métonymie, il se dit d'un texte en prose (1476) et de la manière propre à un auteur ou à un groupe, dans ce style de discours non versifié (1580). ◆ En relation avec *prosaïque* et *prosaïsme*, il a développé une valeur figurée péjorative à propos de l'ensemble des éléments matériels de la vie quotidienne» (1832, Hugo). ◆ Un emprunt direct au latin ecclésiastique *prosa* (VIe s.) lui vaut en histoire de la musique, le sens d'«hymne chantée par les fidèles et composée sur une base non prosodique» (1300-1350).

▶ Aucun dérivé de *prose* ne s'est maintenu si ce n'est le savant et rare **PROSAÏSTE** n. (1827), employé par Hugo dans la *Préface de Cromwell* pour désigner un partisan de la prose.

PROSAÏQUE adj. est emprunté (XVe s.) au dérivé latin tardif *prosaicus* «en prose». ◇ Le mot, repris au sens neutre de «relatif à la prose, en prose», s'est coloré de la valeur péjorative de «banal, plat, sans grâce» (1588, Montaigne) présente dans tous ses emplois modernes. Par extension, il s'est répandu hors du domaine littéraire pour qualifier une personne, un sentiment caractérisés par la mesquinerie, le manque d'idéal, de noblesse (1797), une œuvre d'art banale (1807). Il s'est parfois substantivé *(un, une prosaïque)* à propos d'une personne mesquine, sans distinction (av. 1842, Stendhal), mais cet emploi a disparu. ◆ Ses quelques dérivés ont suivi le même développement péjoratif : **PROSAÏQUEMENT** adv., d'abord «en prose» (1500-1503), signifie aujourd'hui «d'une manière commune, dépourvue d'élévation» (1832). ◆ **PROSAÏSER** v., formé (v. 1740) sur le modèle de *poétiser** en remplacement de l'ancien *prosaïquer* (1536), a perdu le sens d'«écrire en prose» pour «enlever tout éclat et toute noblesse à (qqch.)» (1831) emploi rare, tout comme le sens intransitif, «écrire platement» (1878). ◆ **PROSAÏSME** n. m. (1785) a vieilli avec le sens péjoratif de «défaut d'une poésie banale, ressemblant trop à de la prose», pour ne garder que celui de «caractère de ce qui est plat, sans noblesse» (1829) ; il est alors le substantif de *prosaïque*.

PROSATEUR, TRICE n. a été introduit, semble-t-il, par Ménage (1666) à l'imitation de l'italien *prosatore* (1543-1565), de *prosa* (→ prose) pour désigner un écrivain qui écrit en prose. Le mot n'est vraiment admis dans la langue française que depuis l'édition de 1762 de *l'Académie* (Richelet, en 1680, corrige *excelent* [sic] *prosateur* en *homme qui écrivoit bien en prose*).

PROSECTEUR n. m. est dérivé savamment (1796) du latin *prosectum*, supin de *prosecare* «couper», formé de *pro* «devant, avant» (→ pour, pro-) et de *secare* «couper» (→ scier). Le bas latin *prosector, -oris* est attesté au sens de «chirurgien» au début du IIIe siècle.

♦ Le mot, aujourd'hui archaïque, a été introduit en médecine pour désigner l'assistant d'un professeur de faculté qui prépare et dirige les travaux pratiques d'anatomie, notamment les dissections. ◇ De là un emploi plaisant pour «celui qui découpe les viandes dans un repas», sorti d'usage.

▶ Il a produit **PROSECTORAT** n. m. (1855), lui aussi archaïque.

PROSÉLYTE n., réfection savante (1553) de *proselite* (av. 1250), est emprunté au bas latin ecclésiastique *proselytus* «païen converti au judaïsme» (IIIe s.) et aussi «étranger» (Ve s.). Ce mot est emprunté au grec *prosêlutos* «nouveau venu», d'où «étranger établi dans un pays» et «nouveau converti», lui-même de *proserkhesthai* (à l'aoriste *prosêluthon*) de *pros* «vers» (→ prothèse) et *erkhesthai* «venir, aller», verbe dont l'étymologie n'est pas assurée.

♦ Le mot a été introduit en français comme terme d'antiquité hébraïque à propos d'un païen converti au judaïsme ; par extension, il sert à désigner toute personne nouvellement convertie à une religion et notamment au christianisme (1611). ◇ Au XVIIIe s., il a repris au grec son sens propre, «étranger admis et reçu aux lois d'un pays» (1752), sans réussir à l'imposer. ◇ Par extension, il se dit d'une personne récemment gagnée à une opinion, à une cause (1762).

▶ Il a produit **PROSÉLYTISME** n. m. (1721, Montesquieu, *Lettres Persanes*) «zèle à faire des adeptes» en religion et, couramment, dans tout autre domaine et, ultérieurement, **PROSÉLYTIQUE** adj. (1821), d'usage didactique pour qualifier ce qui se rapporte au prosélytisme.

PROSODIE n. f. est emprunté (1572) au latin *prosodia* «accent tonique, quantité des syllabes», repris du grec *prosǭdia* «chant pour accompagner la lyre», «variation dans le niveau de la voix» et spécialement «prononciation d'une syllabe accentuée». Le mot s'applique plus généralement à toutes les différences de prononciation normalement non écrites, comme la quantité et la respiration, et, par métonymie, aux signes donnant une indication de prononciation. *Prosǭdia* est dérivé de *prosǭdos* qualifiant ce que l'on chante avec un instrument et, au figuré, ce qui s'accorde avec, de *pros* «à côté de» (→ prothèse) et *-ǭdos*, de *ąidein* «chanter» (→ ode).

♦ Ancien terme de grammaire désignant la prononciation correcte et régulière des mots selon l'accent et la quantité des syllabes (l'anglais *prosodye* a déjà cette acception v. 1450), *prosodie* s'applique, par métonymie, à un traité de ces règles (1573). Depuis la même époque, et encore de nos jours, il est spécialisé en métrique pour désigner les caractères quantitatifs et mélodiques des sons, surtout en grec et en latin, en tant qu'ils interviennent dans la poésie, ainsi que les règles concernant ces caractères (1573). ◇ Il a été repris en musique en parlant des règles concernant les rapports de quantité, d'intensité, entre les temps de la mesure et les syllabes des paroles (av. 1593). ◇ Le mot a pris au XIXe s. le sens archéologique de «pièce vocale grecque accompagnée à la lyre» (1875) par réemprunt au grec. ◇ En linguistique, il désigne (XXe s.) l'étude de l'accent et de la durée des phonèmes.

▸ Le dérivé **PROSODIQUE** adj. (1736), terme de métrique puis aussi de linguistique, a lui-même donné **PROSODIQUEMENT** adv. (1869), ainsi que **PROSODIER** v. tr. (1805), rare et spécialisé en musique (1842), et **PROSODISTE** n. (1843, bien après l'anglais *prosodist* 1779-1781), autre mot peu usité.

PROSOPOPÉE n. f. est la resuffixation (1611) de *prosopopeÿe* (1507), emprunt au latin *prosopopeia,* lui-même emprunté au grec tardif *prosôpopoiia* «action de faire parler un personnage dans un récit». Celui-ci est dérivé de *prosôpopoiein* «personnifier», «animer par l'intervention de personnages», composé de *poiein* «faire» (→ poésie) et de *prosôpon* «face, figure», spécialement «masque de théâtre» d'où «rôle, personnage de théâtre». Ce dernier est composé de *pros-* «en face de» (→ prothèse) et du radical de *ôps* «vue» (→ myope, optique).

♦ Le mot a été repris en rhétorique pour désigner une figure par laquelle l'orateur, l'écrivain fait parler et agir un être animé, un animal, un absent ou un mort. Par métonymie, il s'applique quelquefois, dans un usage littéraire et archaïque, à un discours pompeux, véhément et emphatique (1677).

PROSPECTER v. tr. est emprunté (1862) en même temps que *prospecteur* (ci-dessous) à l'anglais *to prospect,* terme de mines dérivé du substantif *prospect* (XVe s.), de même origine que le français *prospect* (→ prospectus) désignant la vue, l'aspect, la manière de regarder. L'anglais *prospect* avait acquis aux États-Unis le sens de «sondage minier», lors de la ruée vers l'or, (1832) et plus tard celui de «client potentiel» (1922). *To prospect* est attesté en anglo-américain depuis l'époque de la ruée vers l'or (1841, intransitif; 1851, transitif).

♦ Le mot signifie «examiner (un terrain) pour rechercher des gisements minéraux», d'abord dans un contexte américain puis en France en ailleurs, en emploi absolu (1864) puis aussi en construction transitive (1899). ◇ Par métaphore, il signifie couramment «explorer (un domaine abstrait), scruter (une chose)» (1928). Le *Larousse du XXe s.* (1932) enregistre son emploi spécial en publicité, pour «rechercher (une clientèle)»; il s'agit alors d'un nouvel emprunt à l'anglo-américain.

▸ *Prospecter* a produit **PROSPECTION** n. f. (1874) qui adapte l'anglais *prospecting* (1850), plus fréquent que *prospection* dans cette langue pour désigner la prospection minière. En français, le nom signifie «recherche de gisements» et, au figuré, «recherche, exploration» dans tout domaine (1931), spécialement en publicité «recherche d'une clientèle». ◆ **PROSPECTÉ, ÉE,** le participe passé, est adjectivé (1951) et substantivé en parlant d'une personne ou d'une entreprise ayant fait l'objet d'une prospection publicitaire.

PROSPECTEUR, TRICE adj. et n. est emprunté (1862) à l'anglo-américain *prospector, prospecter* (1846), dérivé de *to prospect* soit par formation savante, d'après le latin tardif *prospector* «celui qui pourvoit, veille sur», soit à l'aide du suffixe anglais *-er, -or.* ◆ En français, le mot désigne celui qui prospecte un terrain, une région (d'abord dans une relation de voyage aux États-Unis) et, au figuré, la personne qui explore dans les domaines intellectuels, psychologiques (1890, *prospecteur de l'âme*). Il est adjectivé (1926) avec le sens de «de prospection», quelquefois employé comme synonyme de *prospectif**. ◇ **PROSPECTEUR-PLACIER** n. m. désigne (1971) celui qui recherche des emplois pour les personnes sans travail.

◈ voir PROSPECTIF, PROSPECTUS.

PROSPECTIF, IVE adj. a d'abord existé en moyen français comme adjectif dans le terme *science prospective* «optique» (1444) et comme nom de la perspective*, éliminé par ce dernier mot. Il était emprunté au latin tardif *prospectivus* «permettant de voir de loin, offrant une perspective», dérivé de *prospicere* «regarder de loin» (→ prospectus). Il a été repris (1834) sous l'influence de l'anglais *prospective* «qui permet de voir de loin» (1590), «tourné vers le futur, concernant l'avenir» (1800), lui-même emprunté au moyen français ou issu du latin tardif *prospectivus.*

♦ Le mot a été repris (1834) au sens de «relatif à l'avenir» et substantivé au féminin, ***la prospective,*** pour désigner l'ensemble des recherches ayant trait aux directions possibles de l'évolution du monde moderne. En ce sens, il a été répandu sous l'influence des travaux anglo-saxons; c'est Gaston Berger, fondateur du *Centre international de prospective* en 1957, qui l'a introduit en français.

▸ *Prospective* a produit **PROSPECTIVISTE** adj. et n. (1966), employé comme adjectif dans un sens très voisin de *prospectif,* et substantivé (1971) pour «spécialiste de la prospective».

◈ voir PROSPECTER, PROSPECTUS.

PROSPECTUS n. m. est emprunté (1723) au latin *prospectus* «action de regarder devant, au loin» d'où «vue, perspective», de *prospicere,* littéralement «regarder en avant», verbe formé de *pro* «devant» (→ pour, pro-) et de *specere,* mot archaïque signifiant «regarder» (→ spectacle). Le français avait déjà adapté *prospectus* en *prospect* n. m. (1580), mot qui a désigné une vue, une perspective.

♦ Le mot français est d'abord un terme de librairie désignant le programme donnant le plan et la description d'un ouvrage avant sa parution (notamment le célèbre *Prospectus* de l'Encyclopédie); le sens équivaut alors à «projet, programme». ◇ Avant la fin du XVIIIe s., il désigne aussi le document de présentation d'une opération (1789, d'un budget; 1790, d'une invention) et, plus généralement (1813), un document d'annonce publicitaire.

▸ **PROSPECT** n. m. a été repris (XXe s.) en urbanisme, où il s'applique aux rapports respectifs de hauteur et d'orientation entre bâtiments relativement à l'axe des voies au bord desquels ils sont situés.

◈ voir PROSPECTER, PROSPECTIF.

PROSPÈRE adj. est la réfection par emprunt savant au latin (v. 1355) de l'ancien français *prospre* (v. 1120), surtout attesté en anglo-normand et issu du latin *prosper,* à côté de *prosperus* «qui répond aux espérances», «qui est propice, favorable».

D'après les Anciens, le mot était formé de *pro* (→ pour, pro-) et de *sperare* (→ espérer), mais il peut s'agir d'une étymologie populaire.

♦ Le mot qualifie ce qui est fortuné, heureux, favorisé par le succès, souvent avec l'idée secondaire d'une belle apparence, en parlant d'une plante, d'un animal, et ironiquement d'un être humain. Ce sens, considéré comme vieilli en 1718, a été réintroduit par l'Académie en 1835 ; il doit correspondre à un usage de la Restauration. Le sens, repris à la langue poétique latine, de «favorable au succès, propice» (v. 1460 ; 1214, sous la forme *prospre*) seul usité au XVIIIe s., est quasiment sorti d'usage au bénéfice de *propice*.

▶ Le dérivé **PROSPÈREMENT** adv. (v. 1240), réfection de l'ancien *prosprement* (v. 1120), est archaïque après le XVIIe siècle.

PROSPÉRITÉ n. f., d'abord *prosperitet* (v. 1120), est emprunté au latin *prosperitas, -atis*, nom correspondant à *prosper*. Le moyen français avait aussi *properté, prospreté*. ➝ Le sens actuel, «état de ce qui prospère, heureuse situation», est fixé dès les premiers textes à propos d'une personne, quelquefois avec la notion secondaire de bien-être, de santé physique (v. 1155). Ni l'emploi de *une, des prospérités* au sens métonymique d'«événements heureux» (v. 1380), ni l'expression *visage de prospérité* «air de santé et de contentement» (1680), ne se sont maintenus dans l'usage vivant. ◇ La valeur économique, «état d'abondance, augmentation des richesses», beaucoup plus tardive (1751), est en revanche restée courante.

PROSPÉRER v. intr. est emprunté (v. 1350) au dérivé latin *prosperare* «rendre prospère, être favorable à» et, en latin tardif, plus souvent sous la forme du passif *prosperari* «réussir». ➝ L'usage moderne n'a pas conservé la construction transitive, *prospérer qqn* «le rendre heureux», *prospérer qqch.* «faire réussir» (1552), emploi abandonné après le premier tiers du XVIIe siècle. ◇ La construction intransitive (v. 1355) s'est imposée au sens d'«avoir un sort favorable» en parlant d'une personne, puis de «réussir» en parlant d'une chose (1532) et «se répandre en abondance» en parlant d'idées ou de choses spirituelles (1537), de plantes ou d'animaux (v. 1775) et, ironiquement, d'une chose mauvaise (1673). La construction attributive *prospérer à qqn* (1689) est propre à la langue classique ; elle a été remplacée par *réussir*.

PROSTATE n. f. est emprunté (1555) au grec *prostatês*, proprement «qui se tient devant», désignant par suite le chef, le président, le défenseur, le protecteur, mot spécialisé en anatomie pour désigner l'os hyoïde et employé en médecine à partir du IIIe s. au sens qui est passé en français. Il est formé de *pro-* «devant» (→ pro-) et de *-statês*, de *histanai* «placer debout, dresser» (→ statique).

♦ *Prostate* a été introduit par les médecins pour désigner, comme en latin tardif, la glande située chez l'homme à la jonction du col de la vessie et de l'urètre. Par métonymie, le mot désigne une affection de la prostate (une *prostatite*), souvent opérée chez l'homme âgé (déb. XXe s.) par ablation de la glande.

▶ Il a produit l'adjectif **PROSTATIQUE** (1765), substantivé pour un malade atteint d'hypertrophie de la prostate (1932), et les termes médicaux **PROSTATITE** n. f. (1823) «inflammation de la prostate» et **PROSTATECTOMIE** n. f. (1890), littéralement «ablation de la prostate». ➝ **PROSTAGLANDINE** n. f. a été créé par le Suédois Von Euler lors de la découverte en 1934 d'une substance hormonale élaborée par les tubes séminifères et par divers organes et tissus. La formation du mot, à partir de *prostate, glande** et du suffixe *-ine*, vient de ce que l'on croyait que ces substances étaient élaborées par la prostate.

PROSTERNER v. tr. est emprunté (1329) au latin *prosternere* «coucher en avant, jeter bas, renverser, terrasser», au figuré «abattre, ruiner», au pronominal *se prosternere* «s'incliner très bas en signe de respect, de soumission». Le verbe est composé de *pro* «en avant» (→ pour, pro-) et de *sternere* «étendre, abattre, terrasser» et «recouvrir, joncher» (→ strate).

♦ Le verbe est passé en français avec le sens transitif de «jeter bas, abattre, renverser», encore attesté au XIXe s., notamment avec la nuance adoucie de «courber, abaisser» (Balzac, Chateaubriand et encore Mallarmé). Le sens d'«abaisser jusqu'à terre en signe d'humble respect» (1496), le complément désignant une personne, une chose, une partie du corps, est aujourd'hui un archaïsme littéraire. ➝ L'usage moderne emploie principalement le pronominal *se prosterner* (1478) pour «se coucher la face contre terre», avec les extensions «s'humilier» (1496) et, à l'époque classique, «se jeter aux genoux de qqn» (1690) et «faire une profonde révérence» (XVIIe s., Mme de Sévigné). L'emploi intransitif du verbe avec le même sens (1756, Voltaire) a disparu.

▶ Les quelques dérivés datent du XVIe siècle. ➝ Le participe passé **PROSTERNÉ, ÉE** est adjectivé (1549) au sens de «couché à terre en signe d'adoration, de respect», évinçant *prostré**, mais cédant à ce dernier les anciens sens figurés de «délabré» (1580), «abattu, accablé» (1840). Il est substantivé (1809) en termes d'histoire ecclésiastique à propos d'un catéchumène du second ordre. ➝ Le dérivé **PROSTERNATION** n. f. (1568) est plus courant que son doublet **PROSTERNEMENT** n. m. (1580), à la fois au propre et au figuré.

◈ voir PROSTRÉ.

PROSTHÈSE → PROTHÈSE

PROSTITUER v. tr. est emprunté (v. 1380) au latin *prostituere*, de *pro* «devant» (→ pro-) et de *statuere* «placer, poser» (→ statuer). Le mot signifie proprement «placer devant, exposer aux yeux», valeur étymologique peut-être comparable à celle de l'ajectif *obscène* (dont l'origine est discutée), spécialement, «livrer à des activités sexuelles par intérêt» (également à la forme pronominale *se prostituere*) et, au figuré, «dégrader, souiller».

♦ Le mot signifie «déshonorer (qqch.) par l'usage indigne qu'on en fait», spécialement (1666) en parlant d'un écrivain. ➝ Par un nouveau latinisme, il signifie depuis le XVIe s. «livrer (qqn) aux désirs sexuels d'autrui pour des motifs d'intérêt ou dans le cadre de pratiques rituelles» (1530). La forme pronominale *se prostituer*, d'abord «s'exposer à qqch.» (v. 1512), prend aussi au XVIe s. la valeur de «se livrer aux désirs sensuels d'une ou plusieurs personnes par intérêt» (1560) et, par extension, «se livrer d'une manière dégradante» (1690). En français moderne, seuls les emplois concernant le commerce sexuel sont vivants, mais le verbe est moins usuel que ses dérivés.

▶ Le participe passé **PROSTITUÉ, ÉE,** employé comme adjectif depuis le XVIIe s., est substantivé au féminin, pour désigner une femme qui fait commerce de son corps (1596), puis employé par métaphore, spécialement en référence à l'*Apocalypse* XIV, 8 dans l'appellation *la Prostituée de Babylone* (1734), appliquée par dénigrement par les protestants à la Rome catholique. Substantivé au masculin, *prostitué* a désigné un homme vénal, débauché et, de nos jours, un homme, généralement homosexuel, faisant commerce de son corps (v. 1930). Au féminin, le mot est non marqué par rapport à son synonyme *putain*.

PROSTITUTION n. f., le plus ancien des mots du groupe, est emprunté (1250-1300) au latin chrétien *prostitutio, -onis* «profanation», «débauche», dérivé du supin *(prostitutum)* de *prostituere*. ◆ D'abord attesté dans une version anglo-normande de *l'Apocalypse*, *prostitution* désigne le fait de se livrer à la débauche, pour une femme, sens rare avant 1530 et de nos jours sorti d'usage au profit de l'acception spéciale, «fait de livrer son corps moyennant rémunération» (1690) ; celle-ci l'a emporté après avoir été en concurrence au XVIIIe s. avec l'expression *prostitution publique* (Montesquieu) et aussi *publicisme des femmes* (Restif). Son emploi figuré pour l'usage dégradant fait d'une chose se rencontre déjà chez Montaigne (1588). ◆ Le sens biblique, «fait de s'adonner au culte des idoles», est plus tardif, enregistré par *l'Académie* en 1718, et a disparu.

PROSTITUTEUR, TRICE n. est emprunté (1663) au dérivé latin chrétien *prostitutor* «celui qui débauche, corrupteur». ◆ Le mot, parfois en concurrence avec *prostitueur*, dérivé (1622) de *prostituer*, est rare en parlant de celui qui avilit une chose respectable par un usage dégradant. Appliqué à celui qui, par intérêt, livre qqn, en général une femme, aux désirs charnels d'autrui (1811), il a disparu sous la concurrence de *proxénète* et de ses synonymes (*souteneur, maquereau*, etc.).

PROSTRÉ, ÉE adj. est emprunté au XIIIe s. (après 1250) au latin chrétien *prostratus* «prosterné», participe passé de *prosternere* (→ prosterner).

♦ Le mot, ancien terme ecclésiastique, signifiait «prosterné» avant que *prosterné* s'impose, et servait aussi en moyen français à qualifier une personne couchée (XIVe s.), en particulier couchée sur le dos et renversée (1476). ◆ L'usage moderne le distingue de *prosterné* en lui faisant assumer l'autre valeur du verbe latin : *prostré* a été repris en médecine sous l'influence de *prostration*, pour «extrêmement abattu», devenant courant au sens d'«anéanti, accablé» (1869).

▶ On en a tiré un verbe **PROSTRER** v. tr. (1884, Huysmans), employé plutôt au pronominal.

PROSTRATION n. f. est emprunté (v. 1300) au dérivé latin chrétien *prostratio, -onis* employé avec tous les sens correspondant à ceux du verbe : pour désigner l'action de coucher, d'étendre, d'abattre, puis la ruine et l'anéantissement. ◆ Le mot a perdu son sens ecclésiastique ancien de «prosternement» parallèlement à *prostré*. ◇ Il a été repris en médecine pour désigner un état d'abattement extrême (1743), passant dans un usage plus courant en parlant d'un état d'accablement, d'inactivité (1826).

PROTAGONISTE n. est emprunté (1787) au grec *prôtagônistês* «celui qui combat au premier rang» d'où «l'acteur chargé du rôle principal» et au figuré «la personne tenant le premier rang». Ce mot est formé de *prôto-* «le premier» (→ proto-) et de *agônistês* «athlète», d'où «homme qui lutte par la parole ou par l'action» (avocat, acteur), tiré de *agônizesthai* «lutter, combattre» (→ agoniser).

♦ *Protagoniste*, repris pour désigner celui qui joue le rôle principal dans une tragédie grecque, est étendu au personnage principal dans le théâtre moderne, puis dans une œuvre littéraire. Il a pris le sens figuré de «personnage de premier plan» ou même «personnage important», et aussi de «promoteur» (1902).

PROTE n. m., d'abord *proto* (1649), francisé en *prote* (1710), est un emprunt à l'italien *pròto* désignant celui qui dirige les travaux dans une imprimerie (1585). C'est un emprunt au grec *prôtos* «premier» (→ proto-).

♦ *Prote* a été repris au sens du mot italien, mais la définition des compétences a évolué : jusqu'au début du XIXe s., les fonctions du prote incluaient la lecture et la correction des épreuves réservées de nos jours au chef du service de la composition.

PROTÉE n. m., d'abord *Prothé* (1555), puis *Prothée* (1563), est le nom d'un dieu marin de la mythologie grecque, chargé de faire paître les troupeaux de phoques et autres animaux marins appartenant à Poséidon, et doué du pouvoir de changer de forme à volonté. Le latin *Proteus* (également attesté au sens figuré pour «homme versatile») est emprunté au grec *Prôteus*, d'étymologie incertaine, soit emprunté à l'égyptien, soit apparenté à *prôtos* «premier» (→ proto-, prot-).

♦ Le mot, chez Ronsard, désigne comme en latin une personne changeant sans cesse d'opinion, d'humeur, avec une valeur péjorative. ◇ Par extension, il s'est appliqué à une chose qui se présente sous les aspects les plus divers (1685). ◆ Vers la fin du XVIIIe s., *protée* est repris par les zoologues pour désigner une amibe (1800), par emprunt au latin scientifique *proteus* (1755), mais qui sera éliminé par *amibe* ; puis il désigne un batracien urodèle (1805), là aussi par emprunt au latin scientifique *Proteus* (attesté en 1768), parce que cet animal vire au noir à la lumière.

▶ Les dérivés de *protée* ont vieilli à l'exception de **PROTÉIFORME** adj. (1761), toujours vivant dans le style littéraire ou soutenu. ◆ Ce sont **PROTÉEN, ENNE** adj. (1869) qui reprend le moyen français *protean* (1571), du latin *proteanus*, et les dérivés **PROTÉISME** n. m. (1826) et **PROTÉIQUE** adj. (1842).

✳ **PROTÉGER** v. tr. est emprunté (fin XIVe s.) au latin *protegere* «couvrir en avant, devant, abriter» d'où, au figuré, «garantir», de *pro* «devant» (→ pour, pro-) et de *tegere* «couvrir», «abriter» (→ toit).

♦ Le verbe signifie «défendre (qqn, qqch.) contre un danger, un risque» (1395, rare avant le XVIIIe s.), également à la forme pronominale *se protéger* (1756). Par extension, avec changement de sujet, il correspond à «constituer par sa présence physique un rempart, un abri contre...» (1763). ◆ L'idée de risque passant au second plan par rapport à celle d'appui, *protéger* prend à l'époque classique (1671) le sens de «faciliter l'intérêt, la carrière de (qqn)», dont procède la spécialisation : «entretenir (une femme)» (1838, Balzac). On est passé, par changement de complément, à «favoriser, encourager une activité» (1754), spécialement en économie en parlant du commerce, de l'industrie d'un État, que l'on privilégie par des tarifs établis sur l'importation de produits étrangers (1754, *Encyclopédie*).

▸ La dérivation directe est peu abondante. ◆ Le participe passé **PROTÉGÉ, ÉE** est substantivé (1741) pour désigner une personne qui a un protecteur ; il est adjectivé en économie politique (1859, *pays protégé*), et en droit internationnal dans *État protégé* (1875) en relation avec *protectorat*. Avec son sens de base, il est adjectivé dans le code de la route où l'on parle de *passage protégé* (1955). ◆ **PROTÈGEMENT** n. m. (1778) n'a pas réussi à s'imposer en raison de la concurrence de l'emprunt *protection*. ◆ Enfin, l'élément verbal **PROTÈGE-** entre dans un certain nombre de noms désignant des objets destinés à protéger (ce que désigne le second élément). Il est productif depuis le XIXe s. (**PROTÈGE-OREILLES**, 1897), et notamment dans la première moitié du XXe s. (**PROTÈGE-CAHIER, PROTÈGE-BAS, PROTÈGE-CHEVILLES** [1947 en sports], **PROTÈGE-DENTS, PROTÈGE-JAMBE, PROTÈGE-PARAPLUIE, PROTÈGE-NEZ** [1900], **PROTÈGE-POINTE, PROTÈGE-RADIATEUR, PROTÈGE-TIBIAS** [en sports, av. 1934], tous n. m.).

PROTECTION n. f. est emprunté (v. 1200) au bas latin et latin chrétien *protectio, -onis* «abri, défense», spécialement «assistance de Dieu», dérivé de *protectum*, supin de *protegere*. ◆ Le mot désigne l'action de protéger, de défendre, sens actif conservé depuis l'ancien français et dont procèdent au XXe s. des spécialisations telles que *protection sociale* (1930), *protection maternelle et infantile* (1933), *protection civile* (1951), *protection diplomatique* (1963) ou *protection routière* (1967). *Protection rapprochée* s'applique aux spécialistes qui protègent un homme public. ◇ S'agissant des choses, on peut noter *protection des sites* (1906) et, en informatique, *protection des fichiers* (1969). ◇ C'est aussi de ce sens que procède la locution ***sous la protection de,*** souvent construite avec des verbes tels que *se mettre, se placer* (1690) et, avec changement de point de vue, *prendre qqn sous sa protection* (1694). ◆ Par métonymie, *protection* désigne la chose ou la personne qui constitue une défense, un abri (XIIIe s.), d'où au XXe s. le dispositif technique préservant une chose, par exemple l'enduit placé sur le métal pour l'empêcher de s'oxyder (1932) et, en électricité, le dispositif permettant de détecter et d'éliminer les anomalies survenues dans un réseau de transport et une installation (1963). ◆ D'autres valeurs remontent aux XVIIe-XVIIIe s. : *protection* désigne le fait de favoriser les intérêts, la carrière de qqn (1633) ; il se dit aussi de l'action de favoriser qqch., d'abord en économie (1664, Colbert), et en parlant de toute activité (1745). Il sert aussi à désigner un comportement protecteur (1746). Dans la plupart des emplois, il correspond au verbe *protéger*. ◆ On en a dérivé les termes d'économie **PROTECTIONNISME** n. m. (1845) et **PROTECTIONNISTE** n. (1845) et adj. (1856), dont les correspondants anglais *protectionism* (1852) et *protectionist* (1844, nom ; 1846, adjectif) sont approximativement contemporains. ◆ Le mot technique **AUTOPROTECTION** n. f. est une création récente (1973, *Journal officiel*) désignant la protection contre les rayons dans la partie interne d'une matière absorbante. ◇ **SUPERPROTECTION** n. f., qui s'emploie en psychologie (mil. XXe s. : attesté 1966) a entraîné **SUPERPROTÉGER** v., et, adjectivé, **SURPROTÉGÉ, ÉE** (1970), ainsi que **SUPERPROTECTEUR, TRICE** adj. et n.

PROTECTEUR, TRICE adj. et n. est emprunté (1234) au bas latin *protector, -oris* «celui qui protège», spécialement «garde du corps, défenseur», dérivé du supin de *protegere*. ◆ Le mot, qui apparaît avec son sens de base, «celui qui protège», est devenu un titre politique au XVIe s. (1547), spécialement, par adaptation de l'anglais, celui de Cromwell (1657). ◆ En relation avec *protéger* et *protection*, il est appliqué à une personne favorisant une chose, une activité (1505), la carrière de qqn (1678), et spécialement à l'homme qui entretient une femme (1832, Balzac), avec des connotations sociales bien différentes de celles de *souteneur*. ◇ Des sens techniques sont apparus à partir de la seconde moitié du XIXe s. (Littré). ◆ Le mot est adjectivé assez tard (1717) dans son sens général, en particulier dans l'appellation *Société protectrice des animaux* (1857). L'adjectif s'est spécialisé en économie politique (1789, *lois protectrices*), en politique (1859, *État protecteur*) et en chimie (1958). ◆ C'est le seul mot de ce groupe à exprimer psychologiquement la nuance péjorative de condescendance, en parlant d'un air (1811) et d'un ton (1772). On a dit antérieurement (1726) *un air de protecteur.*

Le dérivé savant **PROTECTORAT** n. m. (1751), terme historique désignant la dignité de protecteur, en parlant de Cromwell d'après l'anglais *protectorate* (1692), est passé au début du XIXe s. en droit international. C'est alors un dérivé savant du radical latin, désignant anciennement le régime juridique établi par un traité international et selon lequel un État protecteur contrôle un État protégé (1809). ◇ Par analogie, il s'emploie en parlant de la domination de fait d'un pays sur un autre (1859) et, par métonymie, du pays soumis à cette dépendance (1890).

PROTÉINE n. f., terme de biochimie (1838), est emprunté au grec tardif *prôteios* «qui occupe le premier rang, de première qualité», de *prôtos* «premier» (→ proto-), avec le suffixe *-ine*.

♦ Le mot a été introduit par Berzelius, chimiste suédois, qui écrivait en français dans une lettre à Mulder *(Bulletin des sciences physiques et naturelles en Néerlande)* : «la matière organique, étant un principe général de toutes les parties constituantes du corps animal [...], pourrait se nommer *protéine*». Le concept moderne se dégage dans la seconde moitié du XIXe siècle.

▶ *Protéine* a produit un certain nombre de termes de chimie dont le plus ancien est **PROTIDE** n. m. (1838) «substance obtenue par la décomposition de matière animale par les alcalis», ensuite nom générique des acides aminés et de tous les composés azotés qui en contiennent (1923). ➜ L'ancien adjectif **PROTÉIQUE** (1841) a été refait en **PROTÉINIQUE** (XXe s.). ◇ **PROTÉIDE** n. f. (1903) a probablement été formé d'après l'anglais *proteid* (1871). ◇ La même année 1903, la *Revue générale des sciences* enregistre **PROTÉASE** n. f. «enzyme hydrolysant les protéines et les polypeptides» et **PROTÉOLYSE** n. f. «désintégration des substances protodiques complexes sous l'effet d'enzymes» (le dérivé **PROTÉOLYTIQUE** adj. figurant dès 1901 dans la même revue). ◇ L'adjectif **PROTÉINÉ, ÉE** est attesté depuis le milieu du XXe siècle. ➜ *Protéine* entre comme second élément dans quelques noms de molécules dont **HÉTÉROPROTÉINE** n. f. (v. 1850), **NUCLÉOPROTÉINE** n. f. (1932), **PHOSPHOPROTÉINE** n. f. (1949), **MUCOPROTÉINE** n. f., **SCLÉROPROTÉINE** n. f., **FERROPROTÉINE** n. f. (tous vers 1950), **LIPOPROTÉINE** n. f. (1959) et **MÉTALLOPROTÉINE** n. f. (1968), ces dates correspondant en général à l'entrée de ces termes dans les dictionnaires.

✳ **PROTESTER** v. est emprunté (1339) au latin impérial *protestari* «déclarer hautement, affirmer», au figuré «attester, témoigner», de *pro* «devant, en avant» (→ pour, pro-) et de *testari* «attester» (→ tester).

♦ L'histoire du mot reflète un affranchissement progressif des sens hérités du latin : *protester de,* suivi d'un infinitif pour «s'engager solennellement à», a disparu. Le sens de «déclarer solennellement», dans *protester de* et un substantif (1377) a lui aussi vieilli, mais l'emploi pour «attester formellement avec une certaine solennité» (1560) reste vivant dans un contexte impliquant une dénégation *(protester de son innocence)* ; le verbe est alors compris dans l'acception juridique de «déclarer publiquement que l'on est victime de qqch. ou que l'on récuse pour telle raison» (1650, *protester de nullité,* après *protester de qqch.* «récuser d'avance», au XVe s.). La valeur la plus vivante de ***protester de*** et substantif est «assurer avec énergie, insistance» *(protester de sa bonne foi).* ➜ D'abord dans la langue juridique, le sens de «déclarer formellement son opposition, son refus» s'est imposé (1650), surtout absolument (1668) et parfois avec un complément indirect, souvent introduit par *contre* (1650). Ce sens a dû se développer à partir de *protestation* qui l'a dès l'ancien français. ◇ Depuis 1611, *protester* est employé au sens juridique de «faire un acte constatant le non-paiement à l'échéance d'un effet ou le refus d'acceptation d'une traite» (cf. ci-dessous *protêt*).

▶ Le plus ancien dérivé créé en français est le déverbal **PROTÊT** n. m. (1566), anciennement *protest* (1479), passé du sens général de «déclaration, affirmation» au sens juridique d'«acte par lequel un billet à ordre, un effet de commerce est protesté» (1630).

PROTESTANT, ANTE, participe présent de *protester,* a été adjectivé (1542) et substantivé (1542) dans une acception religieuse, par emprunt à l'allemand *Protestant,* lui-même emprunté au latin *protestans, -antis,* participe présent de *protestari.* Tel était, en Allemagne, le nom donné aux partisans de Luther, lesquels, en 1529, à l'issue de la diète de Spire (19 avril), protestèrent (c'est-à-dire promirent solennellement) d'appeler à un concile général du décret de l'Empereur. Le mot ne concerne donc pas un refus formel de la hiérarchie romaine, comme on a pu le croire plus tard. En passant en français, cette désignation s'est d'abord appliquée aux luthériens d'Allemagne et de Suisse, puis aux Français (1546), restant toutefois rare jusqu'au XVIIe s. par rapport à *huguenot* ou *réformé.* Ainsi, Guez de Balzac, en 1651, déplore le peu d'usage du mot en France ; il est devenu aujourd'hui la qualification la plus usuelle. Depuis 1618, l'adjectif qualifie également ce qui est propre ou relatif aux protestants (d'abord *religion protestante*). ➜ De *protestant* sont dérivés **PROTESTANTISME** n. m. (1623), dit de la religion protestante et autrefois, par métonymie, de l'ensemble des Églises protestantes et de leurs membres (1790).

PROTESTATAIRE adj. et n. a été dérivé savamment de *protester* avec le suffixe *-aire* (1842) pour désigner la personne qui proteste contre, spécialement les députés alsaciens qui, entre 1871 et 1891, protestèrent contre l'annexion de l'Alsace-Lorraine par l'Empire allemand (1890, adjectif; 1891, nom). ➜ **PROTESTABLE** adj. et n. est employé en droit commercial à propos d'un effet que l'on peut protester.

PROTESTATION n. f., anciennement *protestacion* (v. 1278), est directement repris au dérivé bas latin *protestatio, -onis* «assurance, déclaration». ➜ Le mot a gardé le sens du latin : «déclaration par laquelle on atteste ses sentiments, sa volonté» ; dès 1283, bien avant le verbe, il désigne l'opposition à une demande, une exception puis la déclaration formelle par laquelle on s'oppose à qqch. (1304) et, par métonymie, l'écrit contenant cette déclaration, d'abord en droit (1479). Ce sens, devenu rare du XVIe au XVIIIe s., ne s'est répandu qu'à partir de 1790. ◇ Parallèlement, le mot désigne l'action par laquelle on dresse le protêt d'une lettre de change, d'une traite (1462), là aussi avant le sens correspondant du verbe. ➜ Au XIXe s., il désigne en histoire religieuse l'action par laquelle les partisans de Luther protestèrent en 1529 contre le décret de la diète de Spire, d'où, à l'époque, leur appellation de *protestants* (ci-dessus), (1842) et toute opposition de protestataires (1890).

PROTHÈSE n. f. est un emprunt de la langue classique (1695) au grec *prosthêsis*, désignant l'action de poser devant, sur ou contre, et spécialement, en grammaire, l'addition d'une lettre ou d'une syllabe initiale à un mot. Le mot est dérivé de *prostithenai* «placer auprès, contre, en plus», formé de *pros* (adverbe et préposition) «auprès, à côté, en outre», probablement apparenté à *pro* (→ pour, pro-). Le second élément est *tithenai* «placer, mettre» (→ thèse). *Prosthêsis* a souvent été confondu avec *prothesis* «préposition», de *pro* «devant» et de *thesis*, ce, dès le bas latin qui a emprunté les deux substantifs : ainsi, les grammairiens des IVe et Ve s. utilisent *prosthesis* et *prothesis* pour «addition d'une lettre ou d'une syllabe initiale».

♦ Le français a d'abord eu *prosthèse* (1658) en médecine, mais cette forme a été éliminée par *prothèse*, forme soutenue par l'influence de nombreux mots en *pro-*. *Prothèse* a été introduit par les médecins d'après le latin scientifique *prosthesis* dans ce sens, pour désigner le remplacement artificiel d'un membre, d'un organe qui a été enlevé, et spécialement un appareil servant à restaurer une dent (1859, ***prothèse dentaire***); par métonymie, il sert parfois à désigner une opération de chirurgie plastique (1958). ◆ L'emploi grammatical (1704), par réemprunt au grec, concerne le développement d'un élément non étymologique à l'initiale du mot. ◆ Depuis 1832, *prothèse* est aussi repris en architecture pour la petite abside latérale du sanctuaire des églises grecques et l'autel portatif qui sert à préparer le nécessaire pour la célébration de la messe (*prosthèse* dès le XVIIIe s.).

▸ Les deux dérivés du mot procèdent du sens médical : ce sont **PROTHÉTIQUE** adj. (1841), également noté en linguistique, et **PROTHÉSISTE** n. (1955), devenu usuel en chirurgie dentaire. ◆ *Prothèse* a éliminé *prosthèse*, mais le dérivé de ce dernier **PROSTHÉTIQUE** adj. (1898) se maintient en linguistique (1898) et en biochimie (1907) en parlant d'un groupement de molécules rattaché à la fraction protidique.

PROTIDE → PROTÉINE

PROTO-, PROT- est l'élément savant tiré du grec *prôtos* «premier, celui qui est en tête», également avec une notion de rang et d'importance, figurant sous la forme *prôto-* comme premier terme de nombreux composés. Le suffixe d'ordinal *-tos*, qui est le même que celui du superlatif, s'explique particulièrement dans le cas d'un terme signifiant «premier» ; la forme *prô-*, en revanche, est plus difficilement explicable.

♦ *Prot(o)-* entre dans la construction de nombreux noms et adjectifs, en particulier dans le vocabulaire scientifique. Productif depuis le XIXe s., il exprime l'antériorité temporelle ou spatiale (en anatomie, biochimie, botanique, géologie, minéralogie, linguistique, théologie, ethnologie, histoire de l'art, sciences humaines), ou bien le premier rang en importance dans des mots désignant les noms des supérieurs dans une hiérarchie. ◇ En chimie, il exprime le degré minimal d'oxydation et, en médecine, la première couleur fondamentale, le rouge.

▸ **PROTOPLASME** n. m. (1872 ; *-plasma*, 1846, trad. de l'allemand) est un emprunt à l'allemand (1846, H. Mohl; 1839, autre sens), formé sur le grec *plasma* (→ plasma). Le mot désigne la substance de la cellule (cytoplasme et noyau). ◇ Le dérivé **PROTOPLASMIQUE** adj. (1868, Robin) s'est employé au figuré pour «informe, indéterminé». ◆ **PROTOZOAIRE** n. m. (attesté 1834) semble lui aussi pris à l'allemand, où il est tiré du latin scientifique *protozoa, de proto-* et grec *zoon*. Ce mot, qui désigne les organismes animaux à une seule cellule, tend à être remplacé par **PROTISTE** n. m. (1873, Robin) pris à l'allemand *Protisten* (Haeckel, 1866), du grec *protestos*, superlatif de *protos*.

◈ voir PROTÉINE, PROTOCOLE, PROTON, PROTOTYPE ; HISTOIRE (PROTOHISTOIRE).

PROTOCOLE n. m., d'abord *protocolle* (1355), et *prothocole* (1330), encore au XVIIe s., est emprunté au latin médiéval *protocollum* «minute de contrat, registre de minutes» (945) d'où «registre de chancellerie» (XIVe s.) et aussi «acte original» (1166). C'est un emprunt au grec tardif *prôtokollon* qui, dans la traduction du *Code Justinien* (VIe s.), parallèlement au latin *protocollum*, désignait une feuille collée aux chartes pour les authentifier. Le mot signifie littéralement «ce qui est collé en premier», de *prôto-* (→ proto-) «premier», et de *kolla* «gomme», «colle» (→ colle).

♦ Le mot a désigné la minute d'un acte et, par métonymie, le registre sur lequel le notaire consignait ses minutes (1398), prenant par suite le sens de «recueil de formules prescrites pour la rédaction des actes officiels» (1611). De là, les acceptions de «recueil de formules en usage réglant la correspondance entre personnes selon leur rang» (1606) et de «formule traditionnelle, poncif» (XVIIIe s., Diderot), qui a disparu. ◇ Par retour au latin, le mot a pris en histoire le sens de «feuille collée aux chartes au moyen âge pour les authentifier» (1655). ◆ Il a ensuite connu deux types d'extensions : dans le langage technique et spécialisé, il désigne le document diplomatique constituant le rapport d'une délibération, le texte d'un engagement (1701), le procès-verbal des délibérations d'une assemblée (1823) et, plus tard, d'après l'anglais *protocol*, le compte rendu de la passation d'un test psychologique, une liste de conventions utilisée en guise de correction et mode d'emploi en imprimerie (1923) et en informatique, ainsi que le déroulement des gestes exécutés par un chirurgien dans le cadre d'une opération précise (v. 1950, *protocole opératoire*), valeur récemment étendue à toute thérapeutique complexe (tel *le protocole compassionnel* évoqué par Hervé Guibert à propos du sida). ◇ Un autre américanisme donne au mot la valeur d'«ensemble de règles conventionnelles permettant le fonctionnement associé de plusieurs ordinateurs, notamment dans un réseau». ◆ D'autre part, à partir du sens de «règle codifiant les relations officielles, diplomatiques» (1859), il s'est répandu en emploi absolu au sens figuré de «respect des formes, étiquette» (1839, Balzac, *Secrets de la princesse de Cadignan*).

▸ Il a produit un seul dérivé, le tardif **PROTOCOLAIRE** adj. (1904, *Nouveau Larousse illustré*), qui qualifie ce qui est relatif ou conforme au protocole, à l'étiquette, parfois avec une valeur péjorative de «formel» (v. 1950). ◆ Le dérivé **PROTOCOLAIREMENT** adv. (1902) est littéraire.

PROTON n. m. est emprunté (1923) au mot anglais *proton* proposé en 1920 par E. Rutherford comme forme simplifiée de *prouton*. Ce mot pourrait avoir été formé d'après le nom du chimiste et physicien *W. Prout* (1785-1850) puis croisé avec le grec *prôton*, neutre substantivé de *prôtos* «premier» (→ proto-), déjà emprunté par les biologistes britanniques pour désigner la substance primitive, la masse indifférenciée d'un être ou d'une partie d'être vivant.

♦ Le mot désigne une particule de charge électrique positive et qui, avec le neutron, forme le noyau atomique.

▸ Le dérivé **PROTONIQUE** adj. (1928) est formé sur le modèle de *électronique*.

PROTONOTAIRE → NOTAIRE

PROTOTYPE n. m. est emprunté (1552) au bas latin *prototypos* «forme primitive», substantivation (avec hellénisation de la finale) de l'adjectif *prototypus* «primitif», emprunt au grec tardif *prôtotupos* «primitif, le premier type», de *prôto-* (→ proto-) et de *tupos* (→ type).

♦ Le mot désigne un modèle premier, originel ou principal; il a pris un sens figuré de «modèle parfait» (av. 1641), de nos jours moins usité que l'emploi correspondant de *type*. ◆ Il s'est spécialisé en technique, se disant particulièrement des choses qui se moulent et se fondent (1740), désignant en imprimerie l'outil de fondeur réglant la force de corps d'un caractère d'imprimerie (1803) et, en industrie, le premier modèle réel d'un objet (1877, en apposition). Cet emploi est devenu courant à propos d'une voiture, d'un avion, d'un engin (attesté 1935). ◇ En sémantique, la *théorie des prototypes* est ainsi dénommée par emprunt à l'anglais.

▸ Il a produit ses deux dérivés au XIXe s. : **PROTOTYPER** v. tr. (1830), peu employé, et **PROTOTYPIQUE** adj. (1842), d'usage didactique, employé après 1988 en sémantique.

PROTUBÉRANT, ANTE adj. est emprunté (v. 1560) au bas latin *protuberans*, participe présent de *protuberare* «devenir saillant», de *pro* «en avant» (→ pour, pro-) et du latin impérial *tuberare* «se gonfler», lui-même issu de *tuber, -eris* «tumeur, excroissance» (→ tubercule).

♦ Le mot qualifie ce qui fait saillie, spécialement et dès l'origine dans les descriptions anatomiques.

▸ Le dérivé **PROTUBÉRANCE** n. f. désigne d'abord une saillie à la surface d'un os (1687), puis une saillie quelconque (1783). Le mot a été repris en astronomie pour désigner d'immenses jets de gaz en fusion observés à la surface du soleil (1868, *protubérance solaire*). ◆ *Protubérance* a lui-même donné l'adjectif d'usage didactique **PROTUBÉRANTIEL, ELLE** (1868), d'abord employé en astronomie puis étendu à ce qui a le caractère d'une protubérance (1869).

PROU adv., réfection (XVIe s.) de *prod, prud* (1080), *pro* et *preu*, est l'emploi adverbial de l'ancien substantif *proud* (v. 980), *pro* (v. 1050), *prod* (1080), *prou* (v. 1200). Celui-ci désignait le profit, l'avantage, une chose utile — sens encore attesté en 1665 chez La Fontaine : *bon prou vous fasse!* — et, avec une valeur quantitative, l'abondance (1050). Il est issu du latin populaire *prode* «profit», substantivation de l'adjectif invariable *prode* «utile, profitable» (→ preux).

♦ *Prou*, adverbe, procède de l'ancien emploi quantitatif du nom. Il est quasiment sorti d'usage en emploi absolu au sens de «beaucoup, assez» et «très», sauf dans des parlers régionaux. Il est aussi archaïque dans son ancien emploi de pronom indéfini au sens de «beaucoup» avec un complément introduit par *de* (v. 1165). La locution adverbiale *ni peu ni prou* (1547) a elle aussi disparu, et seul ***peu ou prou*** (1600) «plus ou moins» reste employé, malgré l'obscurité de *prou*, dans l'usage littéraire.

PROUE n. f., réfection (v. 1320) de *proe* (1246), forme encore relevée vers 1500, est d'origine incertaine. Il est probablement emprunté à l'ancien génois *proa* (XIIIe-XIVe s.), lequel semble issu par dissimilation du latin *prora*. Le mot latin est lui-même emprunté au grec *prôra*, mot apparenté à *pro* correspondant au latin *pro* (→ pour, pro-) et que l'on rapproche du sanskrit *pūrva* «le premier» et «le précédent». L'italien a de même *proda* (1255, à Venise), le catalan *proa* (XIIIe s.) et l'ancien provençal *proa* (1248). J. Fennis pense que le mot est parvenu en français à travers le provençal, mais cet intermédiaire ne semble pas nécessaire, étant donné que les premiers textes cités sont pour la plupart italianisants. La forme *prore*, attestée chez Ph. de Mézières et plusieurs fois au XVIe s., est empruntée à l'italien *prora*, lui-même pris au latin.

♦ Le mot a été repris avec son sens de «partie avant (d'un navire)», qui s'oppose à *poupe*, mais est plus fréquent. La locution ***figure de proue***, désignant une sculpture ornant l'avant du navire, s'emploie aussi au figuré, à propos de ce qui symbolise un mouvement, une action, un parti.

PROUESSE → PREUX

PROUT n. m., d'abord interjection de formation onomatopéique, remonte à l'ancien français sous des formes où la graphie, aberrante, présente une suite de consonnes *t-p-r-* ou *p-t-r-*, évoquant le doute, le mépris : *tprot* (1176-1177), *tproupt* (v. 1180), *tprout* (v. 1223) et d'autres variantes.

♦ Ces formes sont des interjections faisant fi d'une opinion et exprimant dédain et désinvolture (*dire tprot*, XIIe s.). De nos jours, *prout* évoque un bruit de pet (symbole de mépris), et s'emploie aussi comme interjection argotique (1866) évoquant la sodomie. ◇ Le féminin *proute* (1837) qui s'est dit au figuré d'une plainte (*pet* a cette même valeur figurée) et aussi d'un pet (1872), est sorti d'usage.

▶ Le dérivé **PROUTER** v. intr., d'abord attesté chez Vidocq au sens figuré de «se fâcher» (1836), signifie dans la langue populaire moderne «lâcher bruyamment un pet».

PROUVER v. tr., d'abord *prover* (fin XIe s.) avant *prouver* (v. 1278), est issu du latin *probare,* de *probus* (→ probe), «trouver bon, approuver», et aussi «faire approuver», «mettre à l'épreuve, vérifier», «rendre croyable, démontrer», mot qui s'est répandu dans le domaine roman (italien *probare,* espagnol *probar,* etc.), sauf en roumain.

♦ *Prouver* a d'abord signifié «mettre à l'épreuve», sens encore vivant au XVIe s. (surtout au participe passé) avant qu'ait lieu le partage des sens entre *prouver, éprouver** et *approuver**. Le sens actuel de «montrer, démontrer, apporter pour preuve» (v. 1112) s'est rapidement diffusé dès le XIIIe s. : *prouver,* souvent avec une subordonnée introduite par *que* (v. 1130), s'emploie au sens d'«établir la preuve», spécialement dans le langage juridique (v. 1130) ou dans un contexte scientifique (v. 1265). ◇ Avec un nom de chose pour sujet, le verbe signifie «être le témoignage, le signe de (qqch.)» (1197), se construisant aussi à la forme pronominale avec un sens passif (1657, Pascal). ◆ Par affaiblissement, *se prouver* exprime l'idée de «se montrer», autrefois réalisée par *bien se prouver,* employé à propos d'une personne (v. 1170) et, de nos jours, par *se prouver,* dit d'une chose avec la valeur voisine de «manifester sa réalité» (v. 1180). ◇ La construction transitive de *prouver* avec la valeur de «manifester, montrer (une qualité, un sentiment)» (v. 1215) est toujours en usage.

▶ **PROUVEUR, EUSE** n. est la réfection de *proveor* (v. 1120, cas sujet *pruverre*) «celui qui éprouve, qui sonde», dérivé de *prouver* sous l'influence du latin *probator,* dérivé du supin de *probare.* ◆ Le mot a été repris en moyen français au sens juridique de «personne qui apporte des preuves», spécialement «personne qui défend devant les juges», avant d'être supplanté par *avocat.* Il a été reformé (1834) pour désigner une personne désirant prouver qqch. et persuader les autres.
Le dérivé de *prouver* le plus usuel est son déverbal **PREUVE** n. f., réfection de *prueve* (v. 1155), issu des anciennes formes toniques du verbe avec accent sur le radical. ◇ Le mot désigne ce qui est susceptible d'établir la réalité, la vérité d'une chose, spécialement dans un contexte juridique, et dans les locutions ***faire preuve de*** (1265-1266), ***faire la preuve*** (1283) et, ultérieurement, ***faire ses preuves,*** dont le sens moderne est à rapprocher de *faire ses preuves de noblesse* (1671) «justifier de sa noblesse». En ancien français, il existe des interférences entre *preuve* et *épreuve,* les deux mots étant synonymes dans le vocabulaire du droit féodal pour désigner une épreuve judiciaire (1253) et *preuve* s'employant aussi pour «expérience» (v. 1265). ◇ À la Renaissance, *preuve* a pris le sens métonymique de «marque d'un sentiment, indice d'une disposition de l'esprit» (1580, Montaigne). Il a développé ensuite quelques emplois spéciaux en mathématiques (1677), en rhétorique (1765). Le mot, qui a une valeur rigoureuse en sciences, est employé de manière vague dans l'usage courant, pour ce qui corrobore une assertion. ◇ En distillerie, il a d'abord désigné, par métonymie, le flacon contenant le liquide (1832) avant de désigner l'essai lui-même par lequel on vérifie la richesse d'un liquide en alcool (1875) [→ éprouvette à éprouver].
PROUVABLE adj., d'abord *provable* (v. 1265) «dont on peut faire la preuve», a été l'homonyme, en moyen français, de *prouvable* (XIIIe s.) «digne de louange», lequel était une réfection d'après *prouver* du latin *probabilis* au sens de «digne d'être loué» (→ probable). ◆ Le préfixé **IMPROUVABLE** adj. (1554) est didactique.
Le verbe préfixé à valeur itérative **REPROUVER** v. tr. (1690) «prouver de nouveau» est assez rare.

◇ voir **APPROUVER, ÉPROUVER** (et **ÉPREUVE**), **IMPROUVER, PROBABLE, PROBANT, PROBATOIRE, PROBE, RÉPROUVER** et aussi : **ACERBE, DOUTER, SUPERBE.**

PROVÉDITEUR → **POURVOIR**

PROVENÇAL, ALE, AUX adj., d'abord sous les formes *provencial* (XIIIe s., cf. *provincial,* à *province*), *prouvenciel* (XIIIe s.), refait au XVIe s. (1574) d'après *Provence,* est dérivé du nom géographique *Provence,* lui-même emprunt au latin *Provincia (romana)* → province.

♦ L'adjectif qualifie ce qui est relatif à la Provence et entre dans divers syntagmes courants; les préparations *à la provençale* sont fréquentes en cuisine (1803; l'expression est attestée en emploi général dès 1634), d'où l'apposition *provençale* et l'emploi adjectif *(tomates provençales).* Le mot est aussi substantivé. ◇ *Provençal* n. m. (attesté anormalement tard : 1836; en anglais *the Provensall,* 1650, Cotgrave), désigne la langue (dialecte occitan) parlée en Provence et par extension, surtout depuis le félibrige, l'occitan tout entier. Voir *oc (langue d'),* encadré.

▶ **PROVENÇALISME** n. m. (1788, Féraud) désigne une particularité du français régional de Provence. ◆ **PROVENÇALISER** v. tr. (attesté XXe s.) se dit pour «donner un caractère provençal à».

PROVENDE n. f., attesté vers 1135 mais indirectement supposé par le dérivé *provenders* [provendiers] (v. 1050), est issu du latin médiéval *provenda* «distribution occasionnelle d'aliments» (787), spécialement et par métonymie «vivres distribués aux pauvres, aux serviteurs» (795). Ce mot est probablement une altération du bas latin *praebenda* (→ prébende) d'après *providere* «pourvoir, prévoir» (→ pourvoir).

♦ En ancien français, les champs sémantiques de *prébende* et *provende* interfèrent, *provenders* étant employé comme équivalent de *pauvres prébendiers* et, en latin médiéval, *praebenda* désignant aussi le fourrage des animaux (v. 1125). ◇ Alors que *prébende* s'est spécialisé à propos d'un revenu ecclésiastique, *provende* a conservé le sens concret de «provision de vivres pour une personne» (v. 1135). Celui-ci a vieilli, sauf emploi littéraire, par exemple chez Gide au figuré (1911), au profit de *provision,* mais *provende* s'est maintenu pour désigner la nourriture des bestiaux (v. 1150), se spécialisant à propos du mélange destiné à les engraisser (1869).

◈ voir **PRÉBENDE**

PROVENIR v. intr. est emprunté (v. 1210) au latin *provenire,* de *pro* «en avant» (→ pour, pro-) et de *venire* (→ venir), proprement «venir en avant», d'où «éclore, naître, croître» et «se produire, avoir lieu».

♦ Le verbe, au sens d'«arriver, naître» et, en parlant d'un événement, «se produire» (v. 1360), a vieilli, puis disparu; il est concurrencé par *survenir* et *arriver.* Il n'a pas gardé non plus le sens latin de «croître» en parlant d'un animal, d'une plante (XVIe s.). ➜ Le sens de «venir de», au propre et au figuré (1284, au participe présent adjectivé *provenant*), a déplacé l'accent sur l'origine du procès; il s'emploie spécialement à propos de biens, de revenus (1400-1500), et aussi, à l'époque classique, en parlant d'un processus abstrait (1665), notamment d'une nouvelle, d'une évolution.

▶ Son participe présent **PROVENANT, ANTE** est encore employé adjectivement (1284) en droit pour qualifier un bien provenant d'une certaine source. ◇ En revanche, il n'est plus usité comme substantif au sens de «produit, profit d'une affaire» (1575), non plus que le participe passé **PROVENU** n. m., en emploi synonyme (1627), évincé par *revenu.* ➜ Sur *provenant,* a été formé **PROVENANCE** n. f., d'abord attesté en ancien picard sous la forme *prouvenanche* pour désigner l'endroit d'où provient une chose (1294). ◇ Le mot a été repris, dérivé de *provenir* en français moderne (1801), pour «origine», d'abord au pluriel comme terme d'administration dans un emploi métonymique et, concrètement, pour l'endroit d'où vient une chose (1834), dans la locution ***en provenance*** (1906). Le féminin pluriel *provenances* (1823) recouvre les marchandises étrangères considérées du point de vue de leur origine.

PROVERBE n. m. est emprunté (1174-1187) au latin *proverbium* «dicton, adage», spécialement dans la locution *in proverbium venire* «passer à l'état de proverbe», employé à basse époque dans le langage biblique avec un sens proche de ceux de *énigme, comparaison, parabole* (*Ecclés.* XXXIX, 3. *Évang. selon St Jean* XVI, 25). Le mot est formé de *pro* (→ pour, pro-) et de *verbum* (→ verbe).

♦ Repris avec le sens d'«adage», le mot entre dans la locution ***passer en proverbe*** (1671, *passé en proverbe*) «devenir proverbial» et, au figuré, «être cité en exemple» (La Bruyère), après *tourner en proverbe* (1549). Par extension, il désigne une sentence morale, une maxime de sagesse (v. 1180), spécialement dans le langage biblique avec les *proverbes de Salomon* (v. 1216), emploi où il rend le latin *parabola* «maxime» (→ parabole) de *parabolae Salomonis,* également traduit en ancien français *respiz et sages diz* (v. 1170), *Livre des sermons* (1210-1216). Au XVIIe s., le mot s'emploie aussi pour «locution, manière de dire convenue». La distinction entre *locution, proverbe, dicton, adage* ne se fait clairement qu'à partir du XIXe siècle. ◇ Une extension pour «petite comédie dont l'action illustre un proverbe» (1768) appartient aujourd'hui à l'histoire littéraire, notamment en référence aux *Comédies et Proverbes* de Musset. Ce genre littéraire mondain fut à la mode à l'époque romantique, à côté des charades.

▶ **PROVERBIAL, ALE, AUX** adj. est emprunté (1487) au dérivé bas latin *proverbialis* «de proverbe». ◇ Le mot qualifie ce qui est de la nature d'un proverbe, qui en a valeur, spécialement dans l'expression *façon de parler proverbiale* (1579), et, ce qui est reconnu comme typique, légendaire (1803), souvent par extension «très connu, notoire». Dans la langue classique, il qualifie toute manière traditionnelle de s'exprimer, locution, manière de dire, surtout métaphorique, mais sans le contenu de sagesse traditionnelle qu'il implique aujourd'hui. ➜ Le dérivé **PROVERBIALEMENT** adv. (1555) a eu le sens d'«ordinairement» (Richelet, 1680), sorti d'usage, la valeur moderne liée à proverbe apparaissant au XVIe s. (1580). ➜ **PROVERBIALISER** v., obtenu par élargissement du suffixe de **PROVERBIALISÉ, ÉE** adj. (1594), s'emploie transitivement (1834) et intransitivement (1938).

PROVIDENCE n. f. est emprunté (v. 1165) au latin *providentia* «prévision, prévoyance», employé spécialement pour désigner la possibilité de prévoir en tactique militaire et aussi la prévoyance divine, d'où la divinité, servant même de nom propre à une déesse, chez les Romains. Le mot est dérivé du participe présent de *providere* «voir en avant, prévoir» et aussi «pourvoir à» (→ pourvoir). L'ancien français a dit aussi *porvëance* (v. 1160) aux sens de «providence» et de «prudence, sagesse, précaution» (v. 1180), «surveillance», «souci de sa santé», encore en ce sens dans le premier tiers du XVIIe siècle.

♦ *Providence* n'a pas gardé le sens de «prévision, vues pour l'avenir» (v. 1165), évincé par *prévision,* ni celui de «prévoyance, prudence» (v. 1300), remplacé au XVIIe s. par *prévoyance.* ➜ Il s'est spécialisé dans le vocabulaire religieux pour désigner la suprême sagesse par laquelle Dieu conduit tout (v. 1223), et, par métonymie, Dieu gouvernant le monde (1665, La Rochefoucauld), cet emploi seul requérant en principe la majuscule. Ce concept de nature religieuse entre au XVIIIe s. en conflit avec les notions de *destin, sort* et, sur un autre plan, de *Nature.* ◇ Par extension, le mot désigne une personne ou une chose contribuant au bonheur, à la fortune de qqn (1689), par exemple dans ***être la providence de qqn*** (1718).

▶ L'emprunt direct au participe présent latin *providens,* **PROVIDENT, ENTE** adj. (1262), est sorti d'usage. ➜ **PROVIDENTIEL, ELLE** adj., apparu pendant la Révolution (av. 1792, *main providentielle*), a été dérivé de *providence* sous l'influence de l'anglais *providential,* attesté dès 1648. ◇ L'adjectif qualifie une chose, une personne (1834) qui est un effet heureux de la providence et, par extension, qui arrive opportunément. ➜ On en a dérivé **PRO-**

VIDENTIELLEMENT adv. (1836), assez usuel, et **PROVIDENTIALITÉ** n. f. (1861), rare. ◆ L'usage didactique a introduit **PROVIDENTIALISME** n. m. et **PROVIDENTIALISTE** adj. et n. (av. 1865), formés sur *providence* pour désigner le finalisme de ceux qui croient à la providence et ses partisans.

◇ voir **IMPROVISER, PROVISEUR, PROVISION, PROVISOIRE, PRUDENT.**

PROVIGNER → **PROVIN**

PROVIN n. m. est la réfection (1538) de *provain* (v. 1225), issu du latin *propaginem*, accusatif de *propago, -inis* «marcotte, bouture», dérivé de *propagare* (→ propager) dans son sens agricole de «propager par bouture».

♦ D'abord employé au sens figuré de «conséquence (d'un péché)», le mot est bientôt attesté avec l'acception concrète et technique de «cep ou sarment de vigne qu'on couche et qu'on fixe en terre pour le multiplier» (v. 1250). ◇ De là, par métonymie ou sous l'influence de *provigner* (ci-dessous), il prendra le sens de «fosse dans laquelle on couche le cep ou le sarment» (1904, Larousse). ◆ Par métaphore, il s'est employé au sens de «progéniture, nombreuse descendance» (XIVe s.), comme *propagation* avant lui ; cette valeur est sortie d'usage à l'époque classique.

▸ **PROVIGNER** v. est la réfection (1393), sous l'influence de *vigne**, de *provainier* (fin XIe s.), dérivé de *provain, provin*. Le verbe s'emploie en agriculture pour «marcotter (une vigne) par des provins» et, intransitivement, «se multiplier par marcottes» (1694). ◇ Le sens figuré de «multiplier, accroître» (fin XIIe s.), spécialement en parlant de mots nouveaux (1572), auquel correspondait le sens intransitif de «se répandre, à propos d'un sentiment» (fin XIIe s.) est sorti d'usage. ◆ À son tour, le verbe a produit **PROVIGNEMENT** n. m. (1578), employé au propre pour le marcottage par provins et, par métaphore, à propos de l'action de multiplier par génération (av. 1615). D'après l'emploi de *provigner* au XVIe s., par exemple chez Ronsard, il a pris le sens de «procédé de formation de mots nouveaux par dérivation sur un modèle morphologique normal» (1923), emploi très didactique. ◆ Les autres dérivés du verbe sont **PROVIGNEUR** n. m. (déb. XIVe s.), **PROVIGNABLE** adj. (1600) et **PROVIGNAGE** n. m. (1611), synonyme de *provignement* au sens concret.

PROVINCE n. f. est emprunté (1160-1174) au latin *provincia*, terme technique du droit public désignant la charge confiée à un magistrat, le domaine où s'exerce son activité légale et, spécialement, la circonscription territoriale gouvernée par un proconsul ou un propréteur. La signification du mot s'étend à l'administration d'un territoire conquis puis, à basse époque, à une région, à un pays (déb. IIIe s.) ; au début du Ve s., *provincia* est employé dans le vocabulaire de l'administration ecclésiastique pour désigner le district d'un évêque métropolite ; à partir du VIIIe s., le mot entre dans le vocabulaire de l'administration franque pour désigner une circonscription territoriale, devenant synonyme de *ducatus pagus, comitatus* (747), cf. *duché, comté*. Avec le sens de «circonscription territoriale», il a désigné comme nom propre la première province de Gaule, ébauchée en 123-122 par le consul Caius Sextus Calvinus et qui, en 59, au moment où César en prit le gouvernement, comprenait le bassin du Rhône depuis le confluent de la Saône jusqu'à la Méditerranée et allait des Corbières et des Cévennes jusqu'aux Alpes. De là viennent, par voie populaire, l'ancien provençal *Proensa* (v. 1140) et la forme savante française *Provence* (→ provençal, et voir *oc* [langue d'], encadré). ◇ L'étymologie de *provincia* n'est pas éclaircie : ce peut être un mot d'emprunt déformé par de faux rapprochements avec le verbe *vincere* (→ vaincre).

♦ Le mot est d'abord attesté au sens du latin chrétien «circonscription ecclésiastique», désignant ensuite une unité de juridiction regroupant plusieurs maisons religieuses d'un ordre, d'une congrégation (1680). ◆ Le sens très général de «pays, contrée» (v. 1165), repris au bas latin, était encore usuel au XVIIe siècle. Avant la fin du XIIe s., *province* sert à désigner également une circonscription territoriale considérée en tant qu'État (v. 1175) et, spécialement, en France même, une certaine étendue de pays douée d'une personnalité historique (1328, *province de Poitou*). Sous l'Ancien Régime, le terme s'applique à une division territoriale issue de la féodalité, ayant des privilèges locaux et au sein de laquelle le roi était représenté par des baillis, sénéchaux, gouverneurs et intendants (1384). ◆ Avec la centralisation royale, le mot prend au XVIIe s., une valeur nouvelle : *une province* s'applique à une partie du pays ayant un caractère propre, à l'exclusion de la capitale (1653), également en parlant d'autres pays que la France, et *la province* à l'ensemble des provinces *(habiter la province, en province)* et notamment, aussi par métonymie, à l'ensemble de ceux qui n'habitent pas Paris (1672, Mme de Sévigné). Alors que *région* est plutôt valorisé, *province* connote une hiérarchie de pouvoir où les provinces sont soumises par rapport à la capitale. L'opposition entre Paris et la province prend au XIXe s., avec l'institution révolutionnaire des départements — qui supprime les anciennes provinces — des connotations nouvelles cf. ci-dessous *provincial*. ◆ Depuis le XIXe s., *province* s'emploie avec une acception spéciale dans le cadre du Canada (1867) : il s'agit d'un anglicisme, le mot *province* désignant en anglais les États fédérés formant le Canada. En Belgique (1899), *province* se rapporte à une division politique et administrative spécifique. ◆ Depuis 1883, il se rencontre dans la langue familière en emploi adjectif au sens de «provincial», par dénigrement *(faire province, un peu province)*.

▸ **PROVINCIAL, ALE, AUX** adj. et n. est emprunté (v. 1240) au dérivé latin *provincialis* «de province, des provinces», employé comme nom pour désigner l'habitant d'une province. À basse époque, il est passé dans le vocabulaire de l'administration ecclésiastique pour qualifier celui qui administre une province ecclésiastique, puis s'est dit de la personne qui est «du pays» par opposition à *peregrinus* (→ pèlerin), avant de passer dans le vocabulaire administratif (1122, *comes provincialis* «landgrave»).

➜ Repris comme terme d'administration ecclésiastique, en emploi adjectif (v. 1240) et substantif (1288), *provincial* est aussi un terme d'administration laïque (fin XVe s.) dont l'évolution a suivi celle de *province*. L'adjectif qualifie (1656) ce qui est relatif à une province, puis (1633) ce qui est relatif au pays, à l'exclusion de la capitale. Le substantif désigne une personne originaire d'une province ou vivant «en province» (par opposition à *Parisien*) [1640]. Le mot a dès l'époque classique une connotation péjorative, notée par Richelet, Vaugelas et Furetière. Au XIXe s., la province — et les départements — se substituant aux provinces, l'opposition entre *parisien* et *provincial* devient faussement égalitaire, mais la péjoration du second demeure sensible. Cette opposition s'est atténué au XXe s., surtout après 1945, avec le développement de la notion de *région**-régional*. ➜ Il est employé spécialement en relation avec l'acception de *province* au Canada (1867), alors opposé à *fédéral*. ➜ Le mot a produit quelques dérivés : **PROVINCIALITÉ** n. f. (1636) est sorti d'usage avec le sens d'«apparence, caractère provincial d'une personne», et désigne aujourd'hui dans l'usage didactique le caractère propre à une province, à une région (v. 1870). ➜ **PROVINCIALAT** n. m. (1694) est un terme d'administration ecclésiastique désignant la fonction de provincial et, par métonymie, sa durée. ➜ **PROVINCIALISME** n. m. est d'abord (1779) un terme de linguistique qualifiant le caractère d'un fait de langue propre à la province (on dit plutôt *régionalisme*) et, en particulier, un terme propre à une province (1823). Il prend une valeur péjorative pour désigner le caractère de ce qui est provincial (1864). ➜ **PROVINCIALEMENT** adv. (1800) est rare. ➜ **PROVINCIALISER** v. tr., «rendre provincial», est attesté avant 1841 à la forme pronominale en parlant d'un fait linguistique, puis chez Goncourt au participe passé (1868) en parlant d'une personne. ➜ **DÉPROVINCIALISER** v. tr. «faire disparaître le caractère provincial de (qqn)» chez Voltaire (av. 1778) correspond peut-être à un emploi de *provincialiser* dès le XVIIIe siècle. Les deux verbes sont demeurés rares.

PROVISEUR n. m. est emprunté (v. 1250) au latin *provisor*, dérivé du supin *(provisum)* de *providere* (→ pourvoir) : «celui qui pourvoit à, pourvoyeur», spécialement en latin chrétien «protecteur, abbé», également «intendant, économe de monastère» et «administrateur (laïque)», en latin médiéval «directeur des études chez les Cisterciens» et «chef d'un hospice».

♦ En héritier des sens du mot latin, *proviseur* a désigné autrefois le chef d'un hospice (v. 1250), un pourvoyeur, un fournisseur (v. 1360), un administrateur du fonds des pauvres (1405), ces dernières valeurs étant concurrencées par *économe*. Le mot désignait aussi le chef de certaines corporations, de maisons de l'ancienne université (av. 1615). ➜ Avec l'organisation moderne de l'enseignement secondaire en France, le mot prend (1802) le sens de «fonctionnaire chargé de la direction d'un lycée de garçons ou d'un lycée mixte». La femme qui remplissait cette fonction dans un lycée de filles était appelée *directrice*, avant que l'extension de la mixité entraîne l'usage de *proviseur* (en France, au masculin) pour les fonctionnaires des deux sexes.

▸ Avec son sens moderne, le mot est familièrement abrégé et modifié dans les milieux scolaires en **PROTO** (1905) puis **PROTAL** n. m. (1920) d'après le grec *prôtos* «premier», «chef» (→ proto-). ➜ Son radical a servi à former **PROVISORAT** n. m. «qualité, fonction de proviseur» (1835).

PROVISION n. f. est emprunté (v. 1265) au latin *provisio, -onis*, nom d'action dérivé du supin *provisum* de *providere* (→ pourvoir) : le mot désigne proprement l'action de prévoir et celle de pourvoir, d'où la prévoyance et, concrètement, une, des précautions ; il signifie à basse époque «approvisionnement» et, en latin médiéval, «attribution d'un bénéfice».

♦ *Provision* a d'abord désigné l'attribution d'un salaire, spécialement, en droit canonique, la mise en possession d'un bénéfice ou d'un office ecclésiastique (v. 1350) ; en ce sens, on a longtemps parlé, en droit, de ***lettres de provision*** (1611) et elliptiquement de *provisions* (1636), pour désigner les lettres par lesquelles un bénéfice ou un office était conféré à qqn. ➜ Depuis le moyen français (1316), *provision* désigne aussi la réunion de choses utiles ou nécessaires à la subsistance, à l'entretien d'un individu ou d'un groupe, entrant dans *provisions de guerre et de bouche* (1636). Au XVIe s., il a développé le sens métonymique concret, devenu très courant, d'«emplette, achat de choses nécessaires à la vie», désignant aussi par métonymie ces choses (1553). ◇ Il a reçu la valeur métaphorique et figurée de «réserves intellectuelles ou morales» (1549), aujourd'hui archaïque ou senti comme métaphorique du sens concret. ➜ Le sens étymologique et général «action de pourvoir» (v. 1460) a disparu sauf dans la locution ***faire provision de*** «se pourvoir de» avec une valeur active. ◇ De même, le sens de «prévoyance, précaution» (1320) et par extension «mesure de prévoyance» est sorti d'usage au profit de *prévoyance*. Cependant, il reste des traces de la valeur temporelle dans des acceptions juridiques : *provision* désigne ainsi une décision judiciaire provisoire (1466) ; il entre dans la locution ***par provision*** (v. 1460) encore vivante (dans un registre littéraire) au sens général de «provisoirement, d'une manière qui ne représente pas une solution définitive», alors qu'elle est sortie d'usage avec son sens juridique (1549) qui correspond à «en attendant que le jugement définitif soit rendu». ➜ Par métonymie, le mot désigne aussi une somme allouée par le juge au créancier en attendant le jugement définitif (1599), notamment dans *provision alimentaire* (1690), et *provision «ad litem»*, littéralement «en vue du procès» (XXe s.). ◇ Après avoir eu le sens général d'«acompte» (v. 1460), *provision* a désigné la «somme versée à titre d'acompte à un homme de loi, à un courtier ou à un homme d'affaires (1679) ; il s'est spécialisé en droit commercial pour désigner la somme déposée chez un banquier par l'émetteur d'un titre et destinée à assurer le paiement de celui-ci (1643) ; ce sens est passé dans l'usage courant avec l'utilisation des chèques, entrant dans l'expression ***chèque sans provision***.

► L'ancien dérivé de *provision*, **PROVISIONNER** v. tr. (1556), s'est éteint au cours du XVIIe s., supplanté par le composé *approvisionner*. Il réapparaît d'après le sens financier de *provision* en finances *(provisionner un compte)*. ◇ Le participe passé **PROVISIONNÉ, ÉE**, autrefois employé comme adjectif au sens de «pourvu, approvisionné» (XVIIe s., Scarron), a disparu dans ce sens. Le mot, par une nouvelle dérivation de *provision*, recommence à être employé pour qualifier un carnet de chèques, un compte dont la provision, le crédit est adéquat (1955). ➛ Le premier dérivé de *provision* est le verbe préfixé *approvisier* (1442), refait en **APPROVISIONNER** v. tr. (v. 1500) «munir de provisions». Par extension, il signifie à partir du XIXe s. «fournir à (un appareil) ce qui lui est nécessaire», spécialement, dans *approvisionner un compte* «déposer l'argent nécessaire aux opérations bancaires». ➛ Le verbe, également employé à la forme pronominale *s'approvisionner*, a produit les dérivés **APPROVISIONNEMENT** n. m. (1636), courant, et **APPROVISIONNEUR** n. m., apparu (1773) pendant les difficultés d'approvisionnement sous Turgot. ➛ Le préfixé **RÉAPPROVISIONNER** v. tr. (1877) a fourni à son tour **RÉAPPROVISIONNEMENT** n. m. (1877).

PROVISIONNEL, ELLE adj., réfection (1578) de *provisionnal* (1484), qualifie ce qui se fait en attendant autre chose, spécialement en droit (1611), en particulier en droit fiscal dans les expressions *acompte provisionnel* et *tiers provisionnel;* il ne se dit plus en parlant en général d'une chose provisoire. ➛ En est dérivé **PROVISIONNELLEMENT** adv. (v. 1580), terme de droit qui n'est plus employé au sens général de «provisoirement» (1762, Rousseau).

◈ voir IMPROVISER, IMPROVISTE, POURVOIR, PROVIDENCE, PROVISEUR, PROVISOIRE, PRUDENT.

PROVISOIRE adj. est dérivé savamment (1499), sur le modèle des termes juridiques en *-oire*, du latin *provisum*, supin de *providere* «prévoir, pourvoir à» (→ pourvoir). Le latin médiéval *provisorius* «relatif à une provision, à une décision papale» (XIIIe s.), n'a pas le sens pris par le français.

♦ Le mot a été introduit par les juristes pour qualifier une décision rendue ou prononcée, à laquelle on procède *par provision* avant un règlement définitif; il est substantivé au masculin (1765) pour désigner ce genre de jugement et, dans l'argot des prisons, au féminin, pour la liberté provisoire. ➛ Par extension, il est passé dans l'usage courant pendant la Révolution, qualifiant ce qui existe, se fait en attendant autre chose, ce qui est destiné à être remplacé (1790), spécialement en politique dans *gouvernement provisoire* (1793). Il est substantivé depuis cette époque (1791) avec une valeur de neutre *(le provisoire)*. Les domaines d'emploi de l'adjectif, opposé à *définitif*, se sont étendus au XIXe s., au point que le mot équivaut à *momentané*.

► Le dérivé **PROVISOIREMENT** adv. (1694), créé comme terme de droit, a développé lui aussi son sens courant pendant la Révolution (1790).

◈ voir IMPROVISER, IMPROVISTE, PROVIDENCE, PROVISEUR, PROVISION, PRUDENT.

PROVOQUER v. tr., réfection (fin XIIe s.) de formes adaptées et traitées comme *purvoquer, purvocher* (v. 1120), est emprunté au latin *provocare*, formé de *pro* «devant, avant» (→ pour, pro-) et de *vocare* «appeler» (→ vocation). *Provocare* signifie «appeler dehors», «faire venir», d'où «exciter à, défier», «faire naître qqch.» et, spécialement en droit, «faire un appel».

♦ Construit dès ses premiers emplois avec un nom de personne pour complément et un complément indirect, le verbe signifie «inciter, pousser (qqn) par une sorte de défi ou d'appel», par exemple dans *provoquer qqn en duel* (1669), et, sans complément second, «inciter (qqn) à la violence, l'irriter» (v. 1120). Dans un contexte juridique, il correspond à «prendre l'initiative, intenter une action» (1476, «en appeler»). ➛ Par spécialisation, il se dit d'une personne excitant le désir de qqn par son attitude (1762, Rousseau), d'où l'emploi moderne de *provoquant* (ci-dessous). ➛ Son emploi avec un nom de choses pour complément au sens d'«être la cause de» est attesté depuis le milieu du XVe s., notamment dans le domaine physiologique *(provoquer le sommeil, un malaise)*.

► **PROVOQUANT, ANTE**, le participe présent de *provoquer*, est d'abord substantivé en termes de droit (1461). Ce sens ayant vieilli, le mot a été repris comme adjectif (1775) pour qualifier une personne sensuellement troublante. ➛ Le plus souvent écrit **PROVOCANT, ANTE**, il qualifie aussi la personne qui cherche à inciter qqn à des actions violentes (1784). ➛ L'autre dérivé direct de *provoquer*, **PROVOQUEUR, EUSE** n. (1471) a désigné une personne qui en provoque une autre; il a été remplacé par *provocateur* (ci-dessous).

PROVOCATION n. f. est emprunté (1200-1250) au dérivé latin *provocatio, -onis* «défi», «appel», juridiquement «droit d'appel». ◇ En ancien et moyen français, le mot a désigné un appel. Il s'est employé spécialement en médecine pour ce qui déclenche une réaction d'ordre physiologique (1314), valeur mieux développée par le verbe. ◇ Ce n'est qu'au XVIe s. qu'il a pris les valeurs modernes d'«action d'inciter qqn à une action violente, répréhensible» (1549) et *(une provocation)* «acte, moyen par lequel on incite à attaquer ou à répondre à une attaque» (1569). ◇ Ultérieurement, est apparu un emploi spécialisé pour ce qui excite sensuellement (1865), resté assez rare par rapport à *provoquant*. ➛ **PROVOCATEUR, TRICE** n. et adj., emprunt (v. 1500) au dérivé latin *provocator* «celui qui défie», désigne une personne qui provoque, incite à la violence; l'emploi adjectif correspondant (1822) apparaît lorsque le nom se dit d'une personne incitant à la violence dans l'intérêt du parti opposé (1823, *agent provocateur;* 1828-1829 nom). ◇ Au XIXe s., le mot prend aussi le sens de «qui déclenche, est la cause de qqch.» (1809) et se dit spécialement, longtemps après les sens correspondants de *provoquer* et *provocation*, d'une femme ou d'un homme qui excite le désir (1842). ➛ L'abréviation **PROVO** n. m. (1965) est l'emprunt d'un mot néerlandais, tiré du radical du néerlandais *provocation*, pour désigner un jeune contestataire aux Pays-Bas (et particulièrement à Amsterdam) manifestant par son attitude provocatrice son opposition à la société établie. ➜ Une autre abréviation, **PROVOQUE** n. f. plus souvent **PROVOC** (1972) correspond en français à *provocation*, surtout en politique.

PROXÉMIE, PROXÉMIQUE n. f. est l'adaptation, sous les deux formes *proxémie* (1971) et *proxémique* (1971), de l'anglo-américain *proxemics*. Ce terme a été forgé par l'anthropologue américain E. T. Hall en 1963 à partir du radical de *proximity* (correspondant à *proximité**) pour dénommer la discipline qui étudie l'organisation signifiante de l'espace par les espèces animales et, notamment, par l'espèce humaine.

♦ Le mot a été introduit en français avec la traduction des travaux de E. T. Hall *(La Dimension cachée)*. La sémiotique l'entend spécialement de l'étude des positions relatives des interlocuteurs.

PROXÉNÈTE n. d'abord *proxenette* (1521), est emprunté, par l'intermédiaire du bas latin *proxeneta*, au bas grec *proxenetês* «celui qui s'entremet pour un marché, courtier». Ce nom est dérivé de *proxenos* «hôte public», titre d'honneur décerné à celui qui avait rendu service à une cité, et «patron, protecteur»; le terme est composé de *pro-*, correspondant exact du latin *pro* (→ pro-), et de *xenos* «étranger» (→ xéno-).

♦ Repris au sens étymologique et neutre d'«entremetteur dans un marché», *proxénète*, longtemps employé seulement au masculin, s'est chargé dès le XVIe s. d'une valeur péjorative (v. 1527) qui est devenue dominante à l'époque classique. Il s'est spécialisé dans le domaine galant (av. 1641, *proxenetes aux voluptés*), conservant cependant parfois la valeur non péjorative de «honneste(s) entremetteur(s) qui font vendre des offices, qui font des mariages ou autres affaires» (1690, Furetière). ◇ Le glissement vers le sens spécial de «personne qui tire des revenus de la prostitution» est déjà sensible chez Diderot (1762-1779). Le mot est juridique ou didactique, de nombreux équivalents courants, souvent d'origine argotique, étant en usage (cf. *maquereau, souteneur*).

▶ On en a dérivé **PROXÉNÉTISME** n. m. (1842) qui recouvre le rôle d'entremetteur galant et, surtout, le fait de tirer des revenus de la prostitution d'autrui, spécialement, en droit, le délit que cette action constitue.

PROXIMITÉ n. f. est emprunté (XIVe s.) au latin *proximitas, -atis* «voisinage» (spatial), au figuré «affinité», «ressemblance», «union, assemblage». C'est un dérivé de *proximus* «le plus proche», superlatif de *proprior*, lui-même comparatif d'un positif inusité correspondant à *prope* «près» (→ prochain). En français, l'emprunt savant a concurrencé et supplanté l'ancien et moyen français *proismeté* (XIIIe s., *proemeteit*) «parenté, droit de lignage», et aussi «voisinage», lui-même dérivé de *proisme* (v. 1120), ancien représentant du latin *proximus*, forme obtenue par évolution phonétique et supplantée par *prochain**.

♦ *Proximité* a exprimé la notion de parenté proche (XIVe s.) et, au figuré, de parenté spirituelle (1495, *spirituelle proximité*), ainsi que d'«amitié intime» (1596). Encore en langue classique, la consanguinité était exprimée par l'expression *proximité de sang* (1660). ➜ De nos jours, le mot exprime essentiellement la notion spatiale de «voisinage» (1543), spécialement dans la locution ***à proximité (de...)*** [1835]. Cet emploi connaît un grand succès, à partir des années 1980, à propos des emplois, travaux et commerces qui s'exercent près des usagers. ◇ Par transposition sur le plan temporel, il correspond à «proche dans le temps» (1608); il sert plus rarement à désigner une notion de contiguïté abstraite, de ressemblance (av. 1615).

▶ **PROXIMAL, ALE, AUX** adj. a d'abord été, au sens général de «proche, voisin de», un dérivé (1494) du latin *proxime* «proche, prochain», lui-même emprunté à *proximus*. La même forme a fait l'objet à la fin du XIXe s. (1887) d'un emprunt à l'anglais *proximal*, terme d'anatomie qualifiant une structure anatomique située le plus près du centre d'un corps ou d'un organe. Ce mot, dérivé savamment du latin *proximus*, est attesté en anglais dès 1727 au sens général de «prochain, voisin». Le français l'a repris dans son acception technique d'anatomie.

◈ voir **PROXÉMIE, PROXÉMIQUE.**

PRUDE → **PREUX**

PRUDENT, ENTE adj. et n. est emprunté (1090) au latin *prudens, -entis* «qui prévoit, qui sait d'avance» d'où «réfléchi, sagace, avisé», dérivé de *providens*, littéralement «prévoyant», d'où «sage, précautionné», participe présent adjectivé de *providere* (→ pourvoir), qui a donné le moyen français *provident* (→ providence).

♦ L'adjectif a d'abord qualifié une personne sage, avisée, puis une chose empreinte de sagesse (1455). ◇ Au XVIe s., en relation avec *prudence*, il s'est restreint à la notion de «circonspect, réfléchi, précautionneux» (1573), et à ce qui est inspiré par la prudence, est empreint de prudence. Au XXe s., l'un des contextes les plus courant du mot et de ses dérivés est la conduite automobile. ◇ La substantivation pour désigner une personne prudente (v. 1660) est assez rare, sauf au pluriel.

▶ Son dérivé **PRUDEMMENT** adv. (1538) est la réfection de l'ancien type *prudentement* (1370), passé du sens large de «sagement, raisonnablement» au sens moderne «avec circonspection» (1552). ➜ **PRUDENTISSIME** adj., formé à l'italienne avec le suffixe *-issime*, n'est pas rare. ➜ **PRUDENCE** n. f. est emprunté (v. 1200) au latin *prudentia*, tiré de *prudens* et désignant la prévision, la prévoyance et, par suite, la sagesse, la sagacité, concrètement le savoir-faire. ◇ Repris comme l'adjectif au sens de «sagesse, conduite raisonnable», transmis par l'histoire de la philosophie, *prudence* a repris au XVIe s. le sens latin de «prévoyance, circonspection qui consiste à se garantir des dangers possibles» (1552). *Une prudence* «un acte, une parole de prudence», attesté chez certains écrivains du XXe s., est beaucoup plus rare que *une imprudence*. La morale catholique a employé jusqu'au XIXe s. une phraséologie (*prudence chrétienne*, Pascal) tournant souvent autour de l'habileté dans les affaires temporelles : *prudence humaine* (1677), *prudence de la chair* ou *charnelle* (1694), *prudence du siècle* (1704), *prudence mondaine* (1718). Littré, en 1869, enregistre le proverbe ***prudence est mère de sûreté.***

IMPRUDENCE n. f. est emprunté directement (1370) au latin *imprudentia,* de *im-* *(in-)* et de *prudentia,* «ignorance, manque de connaissance», «absence de préméditation, inadvertance». Le mot, rare jusqu'au XVIe s., époque où *imprudent* prend sa valeur moderne, désigne l'absence de prudence et en particulier *(une, des imprudences)* une parole ou une action imprévoyante (1609). ◇ Il se dit aussi du caractère imprudent de qqch. ou de qqn (1669). Il a reçu une spécialisation juridique (1804), désignant le manque de prévoyance qui engage la responsabilité de celui qui a commis une faute involontaire, surtout dans *homicide par imprudence.* ➛ **IMPRUDENT, ENTE** adj. et n. a été repris (v. 1450) au latin *imprudens,* de *im-* *(in-)* et de *prudens.* De son sens ancien, «déraisonnable» et «ignorant», le mot est passé au sens moderne de «téméraire, inconsidéré» (1538), s'appliquant aussi à une chose, un acte indiquant le manque de prudence (1672). ➛ Il a produit **IMPRUDEMMENT** adv. (1508), courant.

◈ voir **IMPROVISER, IMPROVISTE, PROVIDENCE, PROVISEUR, PROVISION, PROVISOIRE.**

PRUD'HOMME → PREUX

PRUINE n. f. est emprunté (v. 1120) au latin *pruina* «frimas, gelée blanche», lequel appartient à une racine exprimant l'idée de «brûlure par le chaud ou par le froid» (→ prurit).

♦ Repris avec le sens du mot latin, une première fois au XIIe s., puis en 1516, le mot a pris au XIXe s., par analogie d'aspect, son sens moderne de «poussière cireuse recouvrant des parties de certaines plantes» (1842).

▸ Son dérivé **PRUINÉ, ÉE** adj. qualifie la couleur d'un fruit recouvert de pruine (1842).

◈ voir **BRUINE.**

◈ **PRUNE** n. f. est issu (fin XIIe s.) du latin populaire *pruna,* neutre pluriel pris comme féminin singulier de *prunum* «fruit du prunier». *Prunum* est emprunté à une langue méditerranéenne comme d'autres noms d'arbres fruitiers (le grec a *proumnon*). Le bas latin *bulluca,* d'origine celtique, qui survit dans certains parlers du nord et de l'est de la France, avait fourni l'ancien français *beloce* «prune sauvage».

♦ Ce nom de fruit, sans doute antérieur à sa première attestation (cf. ci-dessous *prunelle*), entre dès la fin du XIIe s. dans la locution *ne preisier une prune* «n'avoir aucune estime pour» avec une valeur d'insignifiance toujours vivante dans la locution ***pour des prunes*** (1507-1508). Les locutions *viennent les prunes* «l'été prochain» (1730-1765) et *aux prunes* «l'été passé» (1848) sont devenues archaïques. ➛ Parmi les extensions métonymiques et analogiques, le sens populaire de «coup», «blessure» (v. 1330) a vieilli ; depuis 1650, le mot désigne une balle d'arme à feu, spécialement de fusil (cf. ci-dessous *pruneau*). ➛ Il est employé adjectivement pour une couleur violet foncé (1733, *couleur prune*). ◇ Par extension, et avec un complément de détermination, il désigne les fruits d'autres arbres que le prunier (1803). ◇ L'eau-de-vie de prune est appelée elliptiquement *prune* d'où *une prune* (1877, Zola) «un verre d'eau-de-vie de prune».

▸ Le plus ancien dérivé de *prune* est le diminutif **PRUNELLE** n. f., d'abord *prunele* (fin XIe s.), dont l'ancienneté indiquerait celle de *prune.* ◇ Dès les premiers textes, le mot a son sens analogique usuel de «pupille de l'œil» et entre dans la locution comparative *sicum la purnele de sun oil* (v. 1120), annonçant ***comme la prunelle de ses yeux*** «avec un soin extrême, l'objet étant précieux» (1535), toujours en usage. ◇ Son emploi métonymique pour le regard, les yeux (1609), appartient à l'origine au style poétique, mais l'expression ***jouer de la prunelle*** (1633) est familière. ➛ Le premier emploi de *prunelle* au sens propre de «petite prune globuleuse de saveur âcre» est attesté au XIIe s. (v. 1165). ◇ Le mot désigne aussi la boisson que l'on fait avec ce fruit (1410-1420) et donne son nom, par analogie de couleur, à un tissu autrefois utilisé dans la confection de chaussons de femmes (1779). ➛ Il a pour dérivé le nom d'arbre **PRUNELLIER** n. m. (1694), antérieurement *pronnelier* (XVe s.), déjà relevé au XIIIe s. en occitan du Rouergue (*prunelier,* v. 1220). ➛ Il a aussi donné **PRUNELÉE** n. f. (1803) et **PRUNELET** n. m. (1803), noms de préparations culinaires sortis d'usage. ➛ Autre dérivé de *prune,* **PRUNIER** n. m. est la réfection (v. 1393) des anciennes formes *pruner* (v. 1200) et *pronnier* (v. 1256). ◇ La locution ***secouer qqn comme un prunier*** (1874) fait probablement allusion au sens de «coup, blessure» qu'a pris *prune* au XIVe siècle. ➛ **PRUNEAU** n. m., diminutif de *prune* (av. 1512), a été précédé par *proniaulx* au pluriel (1507) et désigne une prune séchée. ◇ En référence à la couleur du fruit, il s'est dit par ironie d'une personne au teint extrêmement brun (1718 ; 1694, *pruneau relavé*) et a servi à désigner une couleur très foncée (1750). ➛ Par analogie de forme, il fait concurrence à *prune* pour désigner dans l'usage familier une balle de fusil, de pistolet (1830). ➛ Plusieurs régions (Suisse romande, Franche-Comté) donnent à *pruneau* le sens de «prune», plus particulièrement de «quetsche» (v. 1830) et désignent par *pruneau sec* la prune séchée. ➛ **PRUNÉES** n. f. pl. est une création moderne (XXe s.) en botanique pour les arbres fruitiers dont le fruit est une drupe (par opposition aux *pirées*).

PRUNUS n. m. est directement repris (fin XVIIe s.) au latin *prunus,* nom d'arbre correspondant à *prunum,* pour désigner un genre d'arbres et d'arbustes. *Prunus (cersus, apricus)* figure dans un ouvrage de Baudry des Lozières (1802), mais, au sens de «petit arbre ornemental du genre Prunus», il ne semble pas en usage avant le XXe s. (1932, Larousse).

◈ voir **BRUGNON, PLUM (-CAKE, -PUDDING).**

PRURIT n. m. est emprunté (v. 1271) au latin *pruritus* «démangeaison», dérivé de *prurire* «être échauffé ou en chaleur», «démanger», au sens moral «brûler de», mot technique et populaire dérivé d'un ancien substantif °*pruris,* se rattachant à une racine indoeuropéenne exprimant l'idée de «brûlure» par le froid comme par la chaleur (→ pruine) et que l'on retrouve dans l'anglais *to freeze* «geler».

♦ Repris par les médecins pour désigner une démangeaison irritante, le mot a développé le sens figuré de «désir obsédant» (1694), assez rare.

▶ **PRURIGO** n. m. est emprunté par la terminologie médicale (1810) au latin *prurigo* «démangeaison», dérivé de *prurire*, le verbe *pruire* n'ayant pas vécu au-delà du moyen français. L'anglais *prurigo* est attesté vers 1646, l'ancien provençal *prurige* dès le XIIIe siècle. ◆ Le mot désigne une dermatose caractérisée par un prurit violent et, lui aussi quelquefois, par métaphore, un désir exacerbé (1870). ◆ **PRURIGINEUX, EUSE** adj. existe dès le moyen français (v. 1370-1470), emprunté au dérivé latin *pruriginosus* «qui cause des démangeaisons».

PRUSSIQUE adj., ancien terme de chimie, proposé en 1787 par Guyton de Morveau, Lavoisier, Berthollet et de Fourcray, est dérivé de *Prussia*, forme latinisée de *Prusse* avec le suffixe *-ique*, parce que cet acide fut extrait du *bleu de Prusse* (ci-dessous, *prussiate*). Sa découverte est due au chimiste suédois C. W. Scheele (1742-1786) qui a indiqué en 1780 les premiers procédés au moyen desquels on pouvait l'obtenir.

♦ L'adjectif a été remplacé par *cyanhydrique*.

▶ **PRUSSIATE** n. m., attesté en même temps que *prussique* (1787), est dérivé de *Prussia* à l'aide du suffixe *-ate*, à cause du *bleu de Prusse*, matière colorante bleu foncé (1723, Savary) appelée aussi *bleu de Berlin* (1723), ainsi nommée parce qu'elle fut découverte en Prusse (à Berlin), probablement par C. Dippel, au début du XVIIIe siècle. ◆ *Prussiate* a lui aussi vieilli au profit de *cyanure*.

PRYTANÉE n. m., d'abord féminin (1556) puis masculin (1579), est emprunté au latin *prytaneum*, lui-même du grec *prutaneion* «édifice public des cités grecques abritant le foyer du feu sacré, nourrissant les hôtes publics et les pensionnaires de l'État». Le mot est dérivé de *prutanis* «chef, maître», spécialisé pour désigner des magistrats importants dans certaines villes grecques (d'où en français, et au même sens, *pritanne* chez Oresme, 1372-1374; puis *prytane*, 1721); le mot grec, d'origine obscure, est sans doute un emprunt à l'Asie Mineure.

♦ Le mot est d'abord un terme d'antiquité grecque, désignant le lieu où étaient entretenus et logés aux frais de l'État les citoyens qui avaient bien mérité de la patrie, et aussi le lieu où les magistrats s'assemblaient et tenaient une permanence (1680, Richelet). ◇ *Prytanée* s'est appliqué au XVIIIe s. à un établissement analogue fondé par ceux qui avaient mérité de la patrie (dans les lettres, les arts) [1743], puis, peu avant 1800, à un établissement fondé sous la Ire République à Paris et dans quelques villes pour les élèves méritants ou les fils de personnes ayant rendu des services à l'État. C'est dans ce sens qu'il s'emploie encore, avec une majuscule, en parlant de l'école secondaire militaire de La Flèche.

▶ **PRYTANE** n. m., emprunté avant *prytanée*, est repris (v. 1370, *pritanne*) au latin *prytanis* «premier magistrat de Rhodes», transcription du grec *prutanis*. Après un emploi isolé chez Oresme au XIVe s., le mot est attesté en 1721, date à laquelle il est enregistré dans les dictionnaires comme terme d'histoire ancienne.

PSALMODIE n. f. est emprunté (v. 1120) au bas latin ecclésiastique *psalmodia* «art de réciter ou de chanter des psaumes», lui-même repris du grec *psalmǭdia* «chant ou composition de psaumes» et d'abord «action de chanter en s'accompagnant à la harpe». C'est un composé de *psalmos* (→ psaume) et de *-ǭdia*, de *ǭdê* «chant» (→ ode). L'ancien français a aussi eu une forme *salmodie*, attestée à la fin du XIIe et au XIIIe siècle.

♦ Ce mot didactique désigne l'art de chanter, de dire les psaumes; il a pris le sens figuré de «manière monotone de dire, de déclamer» (1803) emploi didactique et rare.

▶ En est dérivé **PSALMODIER** v. (1403), peut-être d'après le latin ecclésiastique *psalmodiare* (déb. Ve s.), «chanter ou réciter les psaumes», d'où, au figuré «déclamer de la poésie» (1669). ◇ Le verbe s'est employé transitivement pour «chanter (un air) en s'accompagnant d'un instrument à cordes» (v. 1525), puis au sens de «réciter ou chanter (un texte religieux) sur le ton de la psalmodie» (av. 1778) et, au figuré, «débiter sur un ton uniforme» (dès 1734), aussi intransitif (1835). ◆ L'autre dérivé de *psalmodie* est l'adjectif didactique **PSALMODIQUE** (1771).

◈ voir PSALTÉRION.

PSALTÉRION n. m., d'abord noté *psalterium* (v. 1155) puis, par retour au grec, *psaltérion* (v. 1240), est emprunté au latin *psalterium*, lui-même repris du grec *psaltêrion*, nom d'une cithare aux cordes pincées, grattées ou frappées. Le mot est dérivé du verbe *psallein* «pincer, tirer (une corde d'arc ou d'instrument de musique)» d'où, généralement, «jouer (d'un instrument à cordes)», mot sans étymologie claire. En ancien et en moyen français, on a employé les formes *sarterion* (déb. XIIIe s. jusqu'en 1411), *saltier* (v. 1120) encore au milieu du siècle suivant, et *sauter* puis *psautier* au XIIIe siècle.

♦ Le mot désigne cette cithare en usage dans l'Antiquité et dans l'Europe médiévale. Il est didactique.

◈ voir PSALMODIE, PSAUME (PSAUTIER).

PSAUME n. m., forme évoluée (XIIIe s.) de *psalme* (v. 1120), représente un emprunt au bas latin ecclésiastique *psalmus* «chant accompagné du psaltérion», «chant sacré», lui-même emprunté au grec *psalmos* «action de faire vibrer, de toucher un instrument à cordes» et, par métonymie, «air joué sur la lyre». *Psalmos* est dérivé de *psallein* «pincer, tirer (une corde d'arc ou d'instrument de musique)», d'où «jouer (d'un instrument à cordes)» (→ psaltérion). L'ancien et moyen français employaient aussi le type populaire *salme*, *saume* (v. 1155), attesté jusqu'à la fin du XVIe siècle.

♦ Le mot a été repris pour désigner chacun des poèmes religieux hébraïques constituant un livre de la Bible et servant de prières et de chants religieux dans la liturgie juive et chrétienne. Il est passé en histoire littéraire (1541, Marot) pour désigner un poème traduisant et paraphrasant un psaume, genre en honneur au XVIe et au XVIIe s. et, en musique, une composition vocale sur le texte d'un psaume (1565).

▸ **PSAUTIER** n. m. est l'aboutissement (1215) de *psaltier* (v. 1175), emprunt au bas latin ecclésiastique *psalterium* «recueil de psaumes», qui, avec un autre sens, a été adapté en *psaltérion**. L'ancien français a connu une forme populaire *saltier, sautier* (v. 1119). ◆ Le mot désigne le livre des psaumes, puis, par analogie, un gros chapelet monastique contenant autant de grains qu'il y a de psaumes (1690), sens sorti d'usage. ◇ Par une analogie plus lointaine, le mot a désigné, par allusion aux cordes du psaltérion, le troisième estomac des ruminants (1752). ◆ **PSALMISTE** n. m. est emprunté (v. 1175, *psalmistre*) au latin chrétien *psalmista* (IVe s.), de *psalmus*. Il a évincé son ancien doublet populaire, noté *salmistre* (v. 1150), *salmiste* (v. 1190) et *saumiste* (XIIIe s.). Le mot désigne un auteur de psaumes et, en liturgie, un chantre de psaumes (XVIe s.).

◈ voir PSALMODIE, PSALTÉRION.

PSCHENT n. m. est emprunté (1822, Champollion) à l'égyptien démotique *p-skhent*, lui-même de l'égyptien classique *p.' sḫm.tj* désignant la double couronne de Haute et Basse-Égypte, littéralement «les deux puissantes», de l'article défini masculin *p.'* et de *sḫm.tj*, duel féminin de *sḫm.t* «puissante». Le mot égyptien a été transcrit *pskhent* dans le texte grec qui figure à la suite des textes hiéroglyphique et démotique de la pierre de Rosette, découverte en 1799 et traduite par Champollion en 1822.

♦ Le mot, introduit par la traduction de la pierre de Rosette par Champollion, désigne la coiffure portée par les pharaons de l'ancienne Égypte, symbole de souveraineté sur la Haute et la Basse-Égypte.

PSEUD-, PSEUDO-, élément formant, est tiré du grec *pseud-, pseudo-,* de *pseudos* «mensonge, le plus souvent délibéré, parfois dû à l'erreur», «fiction poétique», «feinte, ruse (de guerre)» puis «fraude, falsification (de mesures, documents, récits)» et aussi «boutons (qui viendraient au nez des menteurs)». Le mot, employé comme premier terme de plus de cent vingt composés grecs, appartient à un groupe expressif peu clair : comme l'arménien *sut* «mensonge», il peut reposer sur un radical °*pseu-, psu-,* forme élargie d'une racine °*bhes-* «souffler»; l'évolution serait «souffler», spécialement «souffler du vent» d'où «mentir», cette métaphore ayant de nombreux exemples en plusieurs langues (→ psych(o)-).

♦ L'élément a une très grande vitalité, comparable à celle de *anti-* ou de *crypto-*, en particulier dans la langue courante pour construire des adjectifs et substantifs qualifiant et désignant des personnes (spécialement avec un nom propre ou un dérivé de nom propre : *pseudo-Delacroix,* 1845; *pseudo mallarméen,* 1903) ou des choses (*pseudo-art,* 1885; *pseudo-historique,* 1890). Les constructions possibles sont pratiquement illimitées; elles s'écrivent avec un trait d'union, ce qui manifeste la labilité de ces composés. ◆ Dans la langue scientifique, l'élément est très productif en biochimie, chimie et pathologie (*pseudo-acide,* 1903; *pseudo-cellule,* 1904; *pseudo-noyau,* 1904; *pseudo-tuberculose,* 1905; *pseudo-tumeur,* 1904), en mathématiques, informatique, météorologie et en philosophie.

◈ voir PSEUDONYME.

PSEUDONYME adj. et n. m. est emprunté (1690) au grec *pseudônumos* «qui a un faux nom», de *pseudo-* (→ pseudo-) et de *-onumos,* de *onoma* «nom» (→ anonyme, onomatopée).

♦ Le mot a qualifié puis aussi désigné (1800) un auteur publiant sous un nom d'emprunt; par métonymie, il a aussi qualifié (1762) et désigné (1813) un ouvrage écrit ou publié sous un tel nom. ◇ De nos jours, il dénomme surtout un nom d'emprunt dans la vie artistique, littéraire, commerciale ou dans une autre branche d'activité (1834, Balzac). Il est familièrement abrégé en **PSEUDO** n. m. (1961).

▸ On en a dérivé **PSEUDONYMIE** n. f. (1818), **PSEUDONYMAT** n. m. (fin XIXe s.), mot littéraire sur le modèle de *anonymat**, et les mots rares **PSEUDONYMER** v. tr. (1889), **PSEUDONYMIQUE** adj. (1894).

PSIT, PSSIT(T) ou **PST** interj., d'abord noté *pss* (1604) avec les variantes *dss, fss* (Hérouard, 1604-1605), puis *st* (1656, Molière), puis *pst* (1720) et *psit* (1795; 1765, *pzit*), est une formation onomatopéique.

♦ Il est employé comme interjection pour attirer discrètement l'attention, et comme onomatopée expressive (1720) pour traduire un geste indiquant l'immédiateté d'une action, une disparition soudaine, quelquefois en ponctuant un sentiment de dégoût, de mépris avec une valeur péjorative. ◇ On le trouve substantivé comme nom masculin (1864).

PSITTACISME n. m. est dérivé savamment (1704, Leibniz) du latin *psittacus* «perroquet», selon le latin moderne *psittacismus* ou l'allemand *Psittazismus. Psittacus* est lui-même emprunté au grec *psittakos,* également *psittakê, sittakos* et *bittakos,* d'origine orientale, peut-être indienne comme l'oiseau lui-même, selon Pline. Cependant, le flottement de l'initiale en grec rend difficile l'identification du terme indien et le rapport avec le sanskrit *śúka-* n. m. «perroquet» n'est pas clair.

♦ Le mot désigne la répétition machinale de phrases ou de notions sur lesquelles on n'a ni raisonné ni réfléchi. Il a été repris au XXe s. (1963, Larousse) en psychopathologie, pour un type de trouble du langage.

▸ Aux XIXe et XXe s., quelques termes didactiques de la même famille ont été formés sur *psittacus,* comme le terme de zoologie **PSITTACIDÉS** n. m. pl. (1827) et en médecine **PSITTACOSE** n. f. (1904) «maladie des perruches et perroquets, transmissible à l'homme».

PSOAS n. m. est emprunté (1690) au grec *psoas,* accusatif pluriel de *psoai* (pluriel), désignant les muscles de la région lombaire. Ce mot, dont l'initiale repose peut-être sur une racine plus ancienne *sph-*, pourrait être apparenté à *osphus* «hanche, reins», autre nom de partie du corps, sans que l'on puisse déterminer une étymologie.

♦ Le mot désigne chacun des deux muscles épais s'étendant de la colonne vertébrale lombaire au petit trochanter du fémur.

PSORA ou **PSORE** n. f., d'abord sous la forme *psora* (1538), puis *psore* (1572), est emprunté au latin *psora*, lui-même emprunté au grec *psôra* «démangeaison (surtout due à la gale)» et «gale», mot employé par analogie pour diverses affections des végétaux. Il appartient à la famille de *psên*, normalement employé avec des préfixes et signifiant «gratter, racler, frotter». *Psên* peut s'analyser en °*bhs-e-*, forme élargie d'une racine indoeuropéenne °*bhes-* «frotter, émietter».

♦ Cet ancien synonyme de *gale* ayant servi, par extension, à désigner toute maladie vésiculeuse ou pustuleuse de la peau, ne s'emploie plus guère.

▶ En revanche, **PSORIQUE** adj., emprunté (1761) au latin *psoricus*, du dérivé grec *psôrikos* «concernant la gale ou les affections cutanées», qualifie encore ce qui est de la nature de la gale et ce qui est efficace contre la gale (1765), ce dernier sens étant en concurrence avec **ANTIPSORIQUE** adj. (1783). ◆ **PSORIASIS** n. m., emprunté (1822) au latin savant moderne *psoriasis*, lui-même emprunt au grec tardif *psôriasis* «éruption galeuse», désigne une dermatose fréquente et rebelle, de cause inconnue. ◆ Il a pour dérivé **PSORIASIQUE** adj. et n. (1858), qui coexiste avec *psoriastique*.

PSYCHÉ n. f., d'abord masculin (5 septembre 1812), puis, dès la même année, féminin, est l'emploi comme nom commun de *Psyché*, du grec *Psukhê*, nom propre (qui est le même mot que *psukhê* «âme» → psych(o)-) de l'héroïne d'un conte relaté par Apulée dans les *Métamorphoses*, jeune princesse d'un beauté exceptionnelle dont s'éprit Cupidon.

♦ Le mot désigne un grand miroir mobile parce que la personne qui s'y regarde s'y voit belle comme Psyché.

◈ voir MÉTEMPSYCHOSE, PSYCHÉDÉLIQUE, PSYCH(O)-.

PSYCHÉDÉLIQUE adj., d'abord *psychedelic* (1966), francisé en *psychédélique* (1967), est emprunté à l'anglais *psychedelic*, mot proposé en 1956 par un correspondant de l'écrivain Aldous Huxley et popularisé par le psychologue américain Th. Leary (qui répandit l'usage du L. S. D.), notamment à partir de 1963 dans *The Psychedelic Review*. Ce mot est formé à partir du grec *psukhê* (→ psych(o)-) et de *dêloun* «rendre visible, révéler», surtout au passif : «être montré, être évident», dénominatif de *dêlos* «évident, visible», lequel appartient à l'importante racine indoeuropéenne °*dei-* «briller» qui a fourni au français les mots *jour** et *dieu**.

♦ Le mot, qui signifie proprement «qui manifeste l'âme», qualifie un état psychique provoqué par l'absorption de drogues hallucinogènes et, par métonymie, la substance provoquant cet état. Par extension, il s'applique à ce qui évoque ou recherche les représentations et visions propres à cet état (1967) ; il s'emploie spécialement en parlant du mouvement contestataire d'origine américaine issu vers 1966 de la «révolution verte» des hippies à San Francisco (1968).

▶ On en a dérivé **PSYCHÉDÉLISME** n. m. (1966) «état psychédélique», appliqué par extension à une façon de vivre préconisant l'usage des drogues hallucinogènes.

PSYCH-, PSYCHO- est un élément formant tiré du grec *psukh(o)-*, lui-même de *psukhê* «souffle, respiration, haleine», qui s'est dit de la force vitale et de la vie, sentie comme un souffle, de l'âme de l'être vivant, siège de ses pensées, de ses émotions et de ses désirs, et qui désigne par métonymie cet être lui-même, l'individualité personnelle, et toute créature vivante douée d'une «âme» (incluant les esclaves et les animaux) ; il désigne spécialement la partie immatérielle et immortelle de l'être, s'appliquant à l'âme séparée d'un mort, au souffle plus ou moins matériel séjournant dans l'Hadès. Le mot désignait aussi un papillon, précisément une espèce nocturne, la phalène (aujourd'hui encore, le papillon est appelé en grec *psukhari*), parce que le papillon était symbole de l'immortalité de l'âme chez les Anciens. *Psukhê* se rattache à la racine indoeuropéenne °*bhes-* «souffler» que l'on a dans le sanskrit *bhás-tr-* «soufflet» sous une forme élargie °*bhs-eu-* (→ pseudo-).

▶ Bien que l'on rencontre, après les emprunts du XVIe s. (ci-dessous *psychique, psychologie*), les premiers composés au XVIIe s. par exemple, **PSYCHOMANCIE** n. f. (1611), et au XVIIIe s., **PSYCHOMÈTRE** n. m. (1732), l'élément est surtout productif aux XIXe et XXe s., servant à former de nombreux termes de médecine et de pathologie en rapport avec le psychisme et la psychologie (voir ci-dessous). C'est d'ailleurs aussi au début du XIXe s. que les mots les plus anciens de la série prennent leur valeur moderne. ◇ **PSYCHOMÉTRIE** n. f. (1842), est dérivé de *psychomètre* n. m. (1764) «instrument censé mesurer le pouvoir psychique, l'âme». Il désigne aujourd'hui (dep. 1902) l'ensemble des procédés de mesure des phénomènes psychiques (intensité, fréquence, durée). ◇ Il a pour dérivé **PSYCHOMÉTRIQUE** adj. (1842, repris XXe s.).
Psycho-, avec un nom de science ou de pratique médicale, forme des composés qui témoignent aujourd'hui de l'influence de la psychologie, de la psychiatrie et de la psychanalyse sur l'ensemble des sciences humaines et sur la médecine. En général, l'adjectif et le nom de spécialiste correspondant sont créés peu après, mais c'est parfois l'adjectif qui apparaît d'abord. ◇ On peut citer **PSYCHOPATHOLOGIE** n. f. (1896) et **PSYCHOPATHOLOGIQUE** adj. (fin XIXe s.), **PSYCHOTHÉRAPIE** n. f. (1888) et ses dérivés **PSYCHOTHÉRAPIQUE** adj. (1894) et **PSYCHOTHÉRAPEUTE** n. (1902) ; **PSYCHOSOCIOLOGIE** n. f. (1901, *psycho-sociologie*) et **PSYCHOSOCIOLOGUE** n. (1918), auxquels correspondent l'adjectif **PSYCHOSOCIAL, ALE, AUX**

(1901), **PSYCHOLINGUISTIQUE** adj. et n. f. (1929) et **PSYCHOLINGUISTE** n. (v. 1950), etc. ➛ **PSYCHOTECHNIQUE** adj. (1928) concerne la psychologie expérimentale, de même que **PSYCHOTECHNICIEN, IENNE** n. (1930, H. Wallon) et **PSYCHOTEST** n. m., anglicisme (1946), alors que **PSYCHOPÉDAGOGIE** n. f. (1906, *psycho-pédagogie*) et ses dérivés relèvent de la psychologie appliquée. ◇ **PSYCHOBIOLOGIE** n. f. (1903, *psycho-biologie*) semble avoir été précédé par **PSYCHOBIOLOGIQUE** adj. (1901). ◇ **PSYCHOCHIRURGIE** n. f. (1936), désignant une branche de la neurochirurgie, n'a eu de dérivés qu'après 1950, semble-t-il. ◇ **PSYCHOPHARMACOLOGIQUE** adj. (v. 1960) et **PSYCHOPHARMACOLOGIE** n. f. (1956) sont devenus relativement courants.

D'autres composés sont plus techniques, tels **PSYCHOSEXUEL, ELLE** adj. (1895), **PSYCHOSENSORIEL, ELLE** adj. (1891), **PSYCHO-AFFECTIF, IVE** adj. (1914). **PSYCHOGÈNE** adj. (1908) se dit d'un phénomène agissant sur le plan psychique seul, après **PSYCHOGÉNÉTIQUE** adj. (1898) «qui étudie ou admet l'action de facteurs psychiques», et à côté de **PSYCHOGÉNÈSE** n. f. (1900, Flournay). **PSYCHOGÉNIE** n. f. et **PSYCHOGÉNIQUE** adj., qui sont relevés chez Lacan (1934). ◇ **PSYCHODIAGNOSTIC** n. m. (1902, Claparède) se dit surtout de l'interprétation des tests.

L'élément *psycho-*, mentionné plus haut, ne devient très productif que dans le dernier quart du XIXe s., lorsque *psychologie, psychique, psychiatrie* et quelques autres mots provenant du radical *psukhê* sont devenus usuels, d'abord en médecine et en sciences. ➛ Parmi les premiers composés nouveaux, apparaissent alors **PSYCHOPATHIE** n. f. (1877), formé sur le modèle de *névropathie*, et dont procède **PSYCHOPATHE** adj. et n. (1894) «malade mental», courant autour de 1900 et de nos jours vieilli, sauf dans un emploi médical plus technique. ➛ **PSYCHOMOTEUR, TRICE**, adj., terme de physiologie (1877), est resté technique, comme son dérivé **PSYCHOMOTRICITÉ** n. f. qui semble tardif (attesté dans les dictionnaires en 1952).

La vitalité de l'élément est forte ensuite, mais plusieurs composés sont des emprunts à l'allemand (*psychanalyse*, ci-dessous) ou à l'anglais. ➛ Parmi ces derniers, **PSYCHODRAME** n. m. (1911, repris en 1950 par calque de l'anglais *psychodrama* 1937, Moreno) est devenu courant pour désigner non seulement une psychothérapie de groupe, mais un ensemble de réactions vives, psychiquement significatives, dans un groupe. L'adjectif **PSYCHODRAMATIQUE** (1951) reste toutefois technique. ➛ En revanche, **PSYCHOCRITIQUE** adj. et n. f. est formé en français (v. 1950) par Charles Mauron pour désigner une méthode d'analyse des textes littéraires faisant ressortir des facteurs inconscients : *psycho-* y a la valeur spécifique de «psychanalytique».

Quant à la forme abrégée **PSY** adj. et n., elle est empruntée à l'anglais des États-Unis *psy*, abrègement monosyllabique de *psycho* servant à la fois pour *psychoanalyst, psychiatrist, psychiatric, psychology*, etc. En français (v. 1972), *psy* sert d'adjectif pour «psychologique», «psychique», «relevant des sciences en "psy-"», et surtout de nom commun à toutes les professions psychologiques, surtout thérapeutiques.

Les mots les plus usuels issus de ce radical grec sont souvent des emprunts à des composés ou à des dérivés latins, eux-mêmes pris au grec.

PSYCHIQUE adj. est emprunté (1557) au latin chrétien *psychicus*, substantivé au pluriel *psychici* «les matérialistes, les charnels», nom donné aux chrétiens par Tertullien et les Montanistes (notion traduite ensuite par *animalis*), par opposition à *spiritualis* ou *pneumaticus*. D'après les plus anciens témoignages, en particulier ceux de saint Paul, Irénée, Plotin, les gnostiques répartissaient l'humanité en trois catégories : *oi pneumatikoi* «ceux qui se sentent pourvus d'une perfection innée, dont la nature est esprit», *oi psukhikoi* «ceux qui n'ont qu'une âme et point d'esprit mais chez qui le salut peut encore être introduit par instruction» et *oi hulikoi* «êtres dépourvus d'esprit et d'âme, uniquement constitués d'éléments charnels voués à la destruction». *Oi psukhikoi* est le pluriel substantivé de l'adjectif *psukhikos*, dérivé de *psukhê* et signifiant «qui concerne le souffle, la vie», d'où «vivant, animé» puis «qui concerne les êtres vivants» d'où «terrestre» et «qui concerne l'âme (par opposition au corps)». ➛ Le mot a été introduit au XVIe s. comme nom pour désigner un partisan du «psychisme» (ci-dessous) et qualifier ceux qui sont attachés à la matérialité du fluide psychique, sens vivant jusqu'au XVIIe siècle. ◇ Un nouvel emprunt au latin a donné à *fluide psychique* (1721) le sens d'«animal, vital», sorti d'usage. ➛ La valeur moderne, «qui se rapporte à l'âme» est un autre emprunt plus tardif (1819), probablement inspiré de l'allemand, et à partir duquel le mot a pris le sens de «qui concerne l'esprit, mental» (1837, Balzac), plus tard substantivé avec une valeur de neutre : *le psychique* (1907, Bergson). Abusivement, l'adjectif qualifie des phénomènes plus ou moins occultes, concurrençant son composé *parapsychique**.

Par changement de suffixe, *psychique* a produit **PSYCHISME** n. m. (1812) qui concerne d'abord la théorie matérialiste supposant l'âme faite d'un fluide spécial, sens disparu, et a pris, d'après *psychique*, la valeur d'«ensemble de phénomènes psychiques» (1873). ➛ **PSYCHIQUEMENT** adv. (1822, Maine de Biran) est lui aussi dérivé de *psychique*. ➛ Dans plusieurs adjectifs d'usage scientifique, *-psychique* entre comme second élément : **PARAPSYCHIQUE** adj. (1893) se dit des phénomènes psychiques inexpliqués, tout comme **MÉTAPSYCHIQUE** adj. (1905 Charles Richet) en relation avec *para-* et *métapsychologie* ; **INTRAPSYCHIQUE** adj. (1907) qualifie ce qui a lieu entre les différents éléments de la personnalité ; **SOMATOPSYCHIQUE** adj. (1900, *somato-*), terme de médecine pour ce qui concerne à la fois les caractères physiques et les particularités psychiques d'un individu, s'emploie en relation avec *psychosomatique*.

PSYCHOLOGIE n. f. est emprunté (1588) au latin savant moderne *psychologiâ*, créé au XVIe s. avec les éléments grecs *psukho-* et *-logia* (→ -logie) par l'humaniste et réformateur allemand Melanchton (1497-1560) qui intitule ainsi une de ses conférences ; le mot a aussi été utilisé en 1579 par le philosophe allemand J. T. Freigius. Il reçoit une valeur plus moderne avec l'école de Leibniz et notamment Wolff (*Psychologia empirica*, 1732 ; *Psychologia rationalis*, 1734). ◆ *Psychologie* a d'abord désigné la science de l'apparition des esprits. ◇ Au XVIIe s., le mot s'applique à la partie de la philosophie traitant de l'âme, de ses facultés, de ses opérations (1690 ? Dionis). L'usage moderne qui vient de Wolff (ci-dessus) recouvre l'étude des phénomènes de la pensée, de l'esprit, de la vie mentale au sens le plus large de ces termes (1754), entrant spécialement dans les termes de classification *psychologie raisonnée, rationnelle, empirique, ontologique* (1765) qui lui confèrent déjà une certaine autonomie au sein de la philosophie. ◆ Ce n'est toutefois qu'au XIXe s. que se dégage la notion scientifique de psychologie et que la terminologie s'enrichit de syntagmes comme *psychologie scientifique* (1851), *psychologie individuelle* (1866), *psychologie appliquée* (1866) *expérimentale* (1894, Binet) puis aussi *psychologie comparée* (1905), *différentielle* (1909), *psychologie pathologique* (1907), *psychologies objectives* (1913), et bien d'autres. Malgré l'hostilité d'A. Comte pour ce concept (il passe, dans sa classification des sciences, directement de la *biologie* à la *sociologie*, mot qu'il invente), il s'est imposé. ◇ Le mot, qui se dit par métonymie d'un ouvrage de psychologie, est passé dans l'usage courant vers le milieu du XIXe s., désignant la connaissance empirique des sentiments (1857, Flaubert) et, par métonymie, l'ensemble des sensations, sentiments et motivations accompagnant un acte, un phénomène (1854, Flaubert) et, par un autre emploi métonymique, leur description (1887). Une valeur particulière et courante, «aptitude à prévoir les réactions de qqn», est attestée dans la locution relativement usuelle ***manquer de psychologie*** (1916). ◇ L'abréviation **PSYCHO** n. f. est d'abord scolaire (1889).

La dérivation du mot manifestant la vitalité du concept de psychologie est relativement riche à partir de la moitié du XVIIIe siècle. ◆ **PSYCHOLOGIQUE** adj. (1751) qualifie ce qui concerne la psychologie, avec les valeurs successives du nom, les faits psychiques, la pensée, (1815, *point de vue psychologique*, Maine de Biran). L'adjectif est passé dans l'usage courant au sens de «qui s'attache à étudier l'homme, ses réactions» (1834, Balzac), par exemple dans l'expression *flair psychologique* (1852, Flaubert) ; *moment* psychologique* (1870) est un germanisme. ◆ *Psychologique* est devenu courant pour qualifier ce qui agit sur le psychisme, vise à agir sur lui en utilisant les connaissances de la psychologie (1879). ◆ Il a fourni **PSYCHOLOGIQUEMENT** adv. (1815, Maine de Biran) qui, outre le sens de «relativement à la psychologie, science du psychisme», dispute à *psychiquement* le sens de «relativement au psychisme», et il entre dans la construction de quelques adjectifs didactiques sous la forme de l'élément *psychologico- (psychologico-moral, -métaphysique, -musical, -social)*. ◆ **PSYCHOLOGUE** n. et adj. (1760) «personne qui s'occupe de psychologie» s'emploie aussi comme adjectif (1789) et se dit couramment de toute personne ayant une certaine connaissance de l'âme humaine (1853, Flaubert), qualifiant celle qui manifeste de la pénétration psychologique (1929). ◆ **PSYCHOLOGISTE** adj. et n. (1801) a disparu au sens de «spécialiste en psychologie», supplanté par *psychologue* ; il se dit d'un partisan du psychologisme (1836) en relation avec **PSYCHOLOGISME** n. m. (1840), terme didactique désignant la tendance à faire prévaloir le point de vue de la psychologie sur celui d'une autre science. ◆ **PSYCHOLOGISER** v. (1847, Baudelaire) n'est plus guère usité qu'au sens transitif de «traiter du point de vue de la psychologie», son participe présent *psychologisant* étant adjectivé pour ce qui fait dominer les données psychologiques (1934, traduction de Reich). ◆ Au XXe s., *psychologie* a fourni le second élément de quelques composés comme **BIBLIOPSYCHOLOGIE** n. f. (déb. XXe s.) et **BIOPSYCHOLOGIE** n. f. auquel répond l'adjectif **BIOPSYCHOLOGIQUE** (1923, *bio-*).

PSYCHIATRE n., attesté dès 1802 au masculin, est alors un terme assez théorique, fort peu employé ; il reste rare jusqu'à la fin du XIXe siècle. Le médecin des maladies mentales est dénommé *aliéniste* à partir du milieu du siècle et, auparavant, simplement *médecin* (des aliénés, des fous). Ce n'est qu'avec la diffusion du nom de l'activité, *psychiatrie* (ci-dessous), que *psychiatre* va se substituer à *aliéniste*. Au XXe s., après l'apparition de *psychanalyste* et de *psychothérapeute*, le mot est redéfini par une appartenance plus stricte à une spécialité médicale nettement délimitée, en voisinage avec *neurologue* (cf. *neuropsychiatre*, 1913), et dont l'objet est le traitement médical, neurophysiologique des maladies mentales, surtout de la catégorie des psychoses. ◆ **PSYCHIATRIE** n. f., enregistré par le complément de l'Académie en 1842, est d'abord lui aussi un terme théorique et rare. Il pourrait être emprunté à l'allemand *Psychiatrie* (Heinroth, 1818), d'abord *psychiaterie* (Reil et Hoffbaner, v. 1810). En anglais, Bentham réclamait en 1817 la constitution d'une «pathologie psychologique» qui correspond au même concept. La médecine des troubles mentaux date pourtant de l'Antiquité mais, encore aux XVIIe et XVIIIe s., il n'y a pas de séparation théorique entre maladies du corps et troubles de l'esprit : c'est la thérapeutique des humeurs, héritée de Galien, qui construit ce domaine. La psychiatrie moderne est née de la rencontre des nouvelles théories médicales du XVIIIe et du début du XIXe s., et de la prise de conscience des conditions tragiques de l'enfermement des «fous», notamment avec Pinel (1745-1826) en France, et avec la loi de 1838 sur les asiles. Des mouvements parallèles se produisent en Italie (Chiarugi), en Angleterre (W. Tuke), en Allemagne (Reil, le premier à employer le mot). *Psychiatrie* est mentionné dans les dictionnaires français après 1840, mais sans développement ; la première encyclopédie à le traiter avec quelque détail semble être celle de Berthelot (v. 1900). Ensuite, le concept s'articule avec celui de neurologie et par ailleurs de psychanalyse (voir ci-dessus *psychiatre*). ◆ Le dérivé **PSYCHIATRIQUE** adj., enregistré en même temps que *psychiatrie* (1842), a dû se répandre avec lui, un peu avant 1900. ◆ Le groupe s'est enrichi au XXe s., avec **PSYCHIATRI-**

QUEMENT adv. et **PSYCHIATRISER** v. tr. (v. 1970) et, surtout, un grand nombre de composés désignant des spécialistes, **ETHNOPSYCHIATRE** (1952) et **ETHNOPSYCHIATRIE** (1952), **NEUROPSYCHIATRE** (1913) et **NEUROPSYCHIATRIE** (1910, *neuro-*), **PÉDOPSYCHIATRE** (1973) et **PÉDOPSYCHIATRIE** (v. 1920), **SOCIOPSYCHIATRE** (av. 1972) et **SOCIOPSYCHIATRIE** (av. 1972), **ZOOPSYCHIATRE** (v. 1970) et **ZOOPSYCHIATRIE** (v. 1970). ➝ **ANTIPSYCHIATRE** n. (1967) et **ANTIPSYCHIATRIE** n. f. (attesté 1972) ont un statut particulier, désignant une réforme radicale de la psychiatrie traditionnelle et asilaire.

PSYCHOSE n. f. est l'adaptation (1859) de l'allemand *Psychosis* (1845, Feuchtersleben), lui-même composé du grec *psukho-* pour *psukhê* et *-ôsis* d'après *neurôsis* (→ névrose). ➝ Terme de pathologie désignant une affection mentale grave dont le malade ne reconnaît pas le caractère morbide, *psychose* est spécialement employé par opposition à *névrose*. Par extension, il se dit couramment pour «idée fixe» (1913), par exemple dans le syntagme *psychose collective* (1926), et une crainte excessive (1936, *psychose de guerre*). ➝ Il a pour dérivé **PSYCHOTIQUE** adj. (1877), d'abord au sens descriptif de «qui a rapport à la psychose», spécialement dans *états psychotiques*. Aujourd'hui le mot s'emploie surtout pour «atteint de psychose», comme adjectif et comme nom (1959), éliminant **PSYCHOSIQUE** adj. (1934) «qui relève de la psychose». ➝ *Psychotique* a servi de base à **ANTIPSYCHOTIQUE** adj. et **PRÉPSYCHOTIQUE** adj., composés récents strictement didactiques. ➝ Un autre dérivé de *psychose*, **PSYCHOSÉ, ÉE** (v. 1960) adj. et n., qualifie et désigne une personne atteinte de psychose, en concurrence avec *psychotique*.

PSYCHANALYSE n. f. (1909), contraction de *psycho-analyse* (1896), puis *psychoanalyse* (1906), est emprunté à l'allemand *Psychoanalyse*, composé de *psycho-* et de *Analyse* (ayant leurs correspondants en français) par le médecin autrichien Sigmund Freud. Le mot apparaît en 1896 dans un article de Freud publié en français dans la *Revue neurologique* puis, la même année, dans un article en allemand (*Neurologisches Zentralblatt*, n° 10). En 1894, Freud employait *psychische, psychologische, hypnotische Analyse*. *Psycho-analyse* est employé par Apollinaire (*La Vie anecdotique*, 1911-1912), renseigné par Cendrars, retour d'Allemagne. ➝ *Psychanalyse* désigne la méthode de psychologie clinique mise au point par Freud et fondée sur l'investigation des processus psychiques inconscients. Par métonymie, il désigne le traitement de troubles mentaux et somatiques par cette méthode (1922). Par suite, il est employé pour désigner l'étude psychologique profonde d'une œuvre d'art, de thèmes (1921, Piaget). ➝ Dans le premier tiers du XXe s., il a produit **PSYCHANALYTIQUE** adj. (1909), d'abord *psycho-analytique* (1905, Freud [en français]) qui pourrait être emprunté directement à l'allemand *psychoanalytisch* (1898, Freud), **PSYCHANALYSTE** n., dont la forme actuelle (1912) a remplacé *psycho-analyste* (1910), et **PSYCHANALYSER** v. tr. (1926) qui signifie également, par extension (1932), «étudier, interpréter par la méthode psychanalytique». ➝ Tous les mots de cette série sont concurrencés par une forme simple : *analyse, analyser, analyste,* qui les remplace souvent dans l'usage surtout oral (→ analyse).

◈ voir MÉTEMPSYCHOSE, PHYSIOLOGIE, PSYCHÉ, PSYCHÉDÉLIQUE, SOMA.

PTÉR-, PTÉRO-, -PTÈRE, éléments de composition, sont tirés du grec *ptero-* et *-pteros*, de *pteron* «ce qui sert à voler» d'où «plume» et, surtout au pluriel, «ailes», au figuré, «colonne», employé par métaphore pour exprimer les idées de protection et de rapidité. Le mot appartient à la famille de *petesthai* «voler», qui se rattache à une racine indoeuropéenne °*pete-*, °*pt-* «voler» et «tomber» bien représentée en grec ainsi qu'en latin (→ panne, parpaing, pétition).

▸ *Ptér-, ptéro-* entre dans la formation de quelques termes savants (zoologie, paléontologie), tels **PTÉRODACTYLE** adj. (1809) avec *-dactyle** «qui a les doigts réunis par une membrane» (par exemple des chauves-souris), emploi disparu, devenu (1821) le nom d'un reptile fossile du secondaire, adapté au vol grâce à des ailes membraneuses. ➝ Le genre auquel appartenait ce reptile a été nommé **PTÉROSAURIENS** n. m. pl. (fin XIXe s.). ➝ **PTÉROPODE** n. m. (1804) est formé avec *-pode**, d'après le latin scientifique *pteropodus* (1798, Cuvier) où le premier élément a le sens de «nageoire». ➝ **PTÉRODON** n. m. (1875) «mammifère carnassier fossile de l'ère tertiaire» est peu usité. ➝ **-PTÈRE** élément suffixal, entre dans un certain nombre de mots savants relatifs au classement des animaux d'après la conformation de leurs ailes, principalement des insectes tels *coléoptères**, *lépidoptères* (→ lépid[o]-). ◇ Dans une moindre mesure, il figure dans des mots relatifs à la disposition des colonnes dans un édifice : **APTÈRE** (1754), **DIPTÈRE** (1694), **MONOPTÈRE** (1547), **PÉRIPTÈRE** (1547), tous adjectifs et noms masculins empruntés au grec.

PTOMAÏNE n. f. est emprunté (1879) à l'italien *ptomaina* (1878 ; 1876, *potomaina*), nom donné par le chimiste italien Selwi à une substance toxique qui se forme au cours de la putréfaction des protéines animales sous l'effet des bactéries. C'est un dérivé savant du grec *ptôma* «chute» (→ asymptote, symptôme), d'où «objet tombé», spécialement «ruine, cadavre», de *piptein* «tomber», les enzymes produisant cette substance étant très nombreuses dans les cadavres. *Piptein* appartient à la racine indoeuropéenne °*pet-*, °*pt-*, à la fois «voler, s'élancer» et «tomber» (→ pétition, ptér-).

♦ Repris comme terme de biochimie, *ptomaïne* est très rarement employé au figuré (déb. XXe s., Daudet).

PTOSE, PTÔSE n. f. est emprunté (1895) au grec *ptôsis* «chute», dérivé de *piptein* «tomber, s'abattre» d'où «rencontrer, se produire». Ce verbe repose sur la même racine que le sanskrit *pátati* «voler, se hâter, tomber», le latin *petere* «chercher» (→ pétition).

♦ Le mot, introduit en botanique en 1803 dans un sens qui a disparu, a été repris en médecine; il concerne l'abaissement d'un organe ou d'une structure organique par rapport à sa place normale.

▶ L'élément **-PTOSE** représente le grec *ptôsis* dans plusieurs substantifs féminins appartenant au domaine de la pathologie et désignant des déplacements d'organes. ◇ D'autre part, le mot grec a été francisé en **PTÔSIS** n. m. (1832), peut-être d'après l'anglais *ptosis* (dès 1743), pour désigner un abaissement permanent de la paupière supérieure.

① **PUB** n. m. est emprunté (1913, Larbaud) à l'anglais *pub* (1865), abréviation de *public* n. (1709), pour *public house* (repris en français dès 1786) désignant un établissement public où l'on sert des boissons alcoolisées, en Grande-Bretagne et dans certains pays anglo-saxons. Ce mot est formé de *public* (du français *public** ou du latin *publicus*) et de *house* «maison, établissement», de l'ancien anglais *hūs* correspondant à l'ancien haut allemand *hūs* et à l'ancien nordique *hús*.

♦ *Pub* a évincé la forme *public-house* comme terme de civilisation anglo-saxonne. Comme *drugstore*, il a développé en France un sens différent du mot d'emprunt, désignant un bar, une brasserie dont le cadre, le décor et, parfois, les boissons veulent évoquer le pub britannique (v. 1960).

② **PUB** → PUBLIC

PUBÈRE adj. est emprunté (1392) au latin *puber, -eris,* dérivé de *pubes* «qui a atteint l'adolescence», «adulte», de *pubes, pubis* (→ pubis).

♦ Le mot a été repris au sens juridique, pour qualifier ceux qui ont atteint l'âge où la loi permet de se marier. Il s'emploie plus généralement, dans un style littéraire, en parlant d'un être humain ayant atteint l'âge où il est apte à se reproduire (1734). ➡ Son emploi en sciences naturelles à propos de feuilles garnies de poils fins (1509) a disparu au profit de *pubescent**.

▶ **PUBERTÉ** n. f. est emprunté (v. 1362) au dérivé latin *pubertas, -atis* dans son acception juridique et, plus généralement, pour désigner l'âge auquel le jeune homme, la jeune fille sont formés (1599) et, par métonymie, l'ensemble des modifications accompagnant cette période. Dans le style littéraire, il se prête parfois à un emploi métaphorique (av. 1850). ➡ On en a tiré **IMPUBERTÉ** n. f. (1832), didactique (en droit) et littéraire, qui correspond à *impubère* (ci-dessous). ➡ **IMPUBÈRE** n. et adj. est emprunté (1488) au latin *impuber, -eris* «qui n'a pas atteint la puberté», dérivé de *pubes* avec le préfixe privatif *im- (in-)*. ◇ Ce terme juridique, rare jusqu'au XVIIe s., désigne et qualifie (1544) l'être n'ayant pas atteint l'âge ou l'état de puberté.
PUBESCENT, ENTE adj. est emprunté (1516) au latin *pubescens, -entis,* participe présent de *pubescere* «se couvrir de poil follet» d'où «entrer dans l'adolescence» et, par analogie, «pousser, se développer (de plantes)». Lui-même est dérivé de *pubes* (→ pubis). ➡ Emprunté au sens de «propre à la puberté», *pubescent* a été repris (1797) comme terme d'histoire naturelle en parlant d'une partie d'un végétal garnie de poils fins et courts. ➡ On en a dérivé **PUBESCENCE** n. f. (1799) employé en botanique à propos de l'état d'une surface pubescente. Le mot avait déjà été dérivé savamment du radical du latin *pubescere* (fin XVe s.) au sens de «puberté».

◈ voir PUBIS, PUBLIC, PUBLICAIN.

PUBIS n. m. est emprunté (1478) au bas latin *pubis,* autre forme du latin classique *pubes* n. f. désignant le poil qui caractérise la puberté et, par métonymie, une partie du corps qui se couvre de poil. Il est employé collectivement pour désigner la population mâle adulte en âge de porter les armes et de prendre part aux délibérations de l'assemblée (→ public, république). Le mot n'a aucune étymologie sûre, bien que l'on pense au sanskrit *pumān* «homme», qui ne rendrait compte que de la première syllabe, *-bes* devant être un second terme du composé.

♦ Le mot désigne en anatomie la partie inférieure et antérieure de l'os iliaque, d'abord en apposition à *os* (1478) puis absolument (1690). ◇ L'extension au sens de «région triangulaire du bas-ventre» (1793, Lavoisier) est plus courante.

▶ En sont dérivés **PUBIEN, IENNE** adj. (1796), d'où **SOUS-PUBIEN, IENNE** adj. (1805) et le terme médical **PUBALGIE** n. f. (1932, Spinelli), formé savamment avec l'élément *-algie. Pubien* lui-même est représenté par l'élément **PUBIO-, PUBO-** dans quelques termes d'anatomie.

◈ voir PUBÈRE, PUBLIC, PUBLICAIN.

✳ **PUBLIC, PUBLIQUE** adj. et n. m., réfection (XVe s.) de *publique,* qui était employé aux deux genres (1239), également *peuplique* (1388) et *puplique* (1432) [d'après le latin *poplicus,* ci-dessous], est emprunté au latin *publicus.* Cet adjectif signifie «qui concerne le peuple, qui appartient à l'État» et «de propriété ou d'usage commun», d'où «commun à tous» et, dans le langage poétique, «ordinaire, banal, rebattu». *Publicus* pourrait résulter d'un croisement entre un adjectif non attesté °*pubicus,* dérivé de *pubes* (→ pubis) et employé collectivement pour désigner la population mâle adulte, en âge de prendre part aux délibérations de l'assemblée, et *poplicus,* adjectif archaïque tiré de *populus* (→ peuple).

♦ Dès ses premiers emplois, l'adjectif qualifie ce qui concerne le peuple, la collectivité dans son entier, ce qui est relatif à l'État, entrant dans quelques syntagmes comme ***la chose publique*** (v. 1355), calqué du latin *res publica* (→ république), *bien public* (*bien publique,* 1362), *charges publiques* (1699), et plus tard *morale publique* (av. 1825). Il qualifie plus spécialement ce qui est relatif à l'administration et au gouvernement d'une société organisée (fin XVe s.), sens réalisé dans *charge publique* (1694), *droit public* (1701), *domaine public, fonction publique, service public* (→ service). ◇ Une spécialisation pour «de l'État, géré par l'État» oppose *public* à *privé,* et a entraîné le composé **SEMI-PUBLIC, IQUE** adj. (1928). ◇ Un *homme public* (1690) est un homme exerçant des fonctions dans le gouvernement ou la haute administration et, par métonymie, *la vie publique* (1757) est celle que l'homme public accomplit au titre de ses fonctions, par opposition à *vie privée.* ◆ À partir de la Renaissance, *public* qualifie ce qui est commun à la collectivité, à l'État (1538), ce qui est l'usage de tous et non d'une minorité (1538), s'appliquant aussi à une personne dont l'activité profite à la collectivité (1690), essentiellement dans les expressions ***fille publique*** «prostituée» (1771; autrefois *femme publique,* v. 1545), *crieur public* et *écrivain public.* ◇ L'adjectif signifie «ouvert à tous» dans *place publique* (1538) ou *jardin public.* ◆ L'autre sens exprimé par *public,* «connu de tous», est attesté dès le XIVe s., tantôt avec la valeur de «porté à la connaissance de tous» (1330), tantôt avec la nuance de «notoire» (XIVe s.) ou d'«éprouvé, exprimé par tous» (1683), réalisée dans le style littéraire dans les expressions aujourd'hui archaïques *cri public* (1706) et *clameur publique* (1765).

Les premiers emplois substantivés de **PUBLIC** n. m. apparaissent au XIVe s. (1391, *le publique*) et s'expliquent, soit à partir du français *public,* soit comme un emprunt au latin *publicum,* substantif neutre tiré de *publicus,* désignant le domaine public, spécialement le Trésor public, la chose publique (c'est-à-dire l'État) et, par métonymie, la foule, la collectivité. ◇ *Public* n. m. a eu aussi (1559) le sens d'«État, collectivité» qui a disparu. Au XVIIe s., il désigne concrètement la foule, la masse de la population (1646). ◆ Plus courant est l'emploi restreint pour désigner l'ensemble des personnes lisant, voyant ou entendant une œuvre ou un spectacle (1688) et l'auditoire, l'assistance d'un spectacle (1751), sens devenus usuels et qui donnent lieu à des expressions comme *bon public* (av. 1924), fréquente en emploi attribut. Dès le XIVe s., le mot était entré dans la locution usuelle ***en public*** (1320) «devant la collectivité» : la forme concurrente ***dans le public*** est à peu près inusitée.

▶ Le seul dérivé de *public* attesté en moyen français est **PUBLIQUEMENT** adv. (1302, *publicquement*), synonyme de la locution formée ***en public.***

Il faut attendre la fin du XVIIe s. pour que soit enregistré le dérivé **PUBLICITÉ** n. f. (1689) avec le sens juridique d'«action de porter à la connaissance du public», puis de «notoriété publique» (1694), devenu archaïque ou littéraire. ◆ Une autre valeur, «fait d'exercer une action sur le public à des fins commerciales», est une spécialisation apparue avec les moyens modernes de réclame par voie de presse, d'affiches et prospectus (1829), emploi concurrencé au XIXe et au début du XXe s. par *réclame.* Les extensions ultérieures procèdent de ces sens. *Une publicité* désigne en particulier un message destiné à faire connaître pour vendre et, par métonymie, le support présentant un tel message, par exemple dans *publicité lumineuse* (1912); par un autre emploi métonymique, le mot désigne le service chargé de ces messages et le monde professionnel correspondant. ◆ À son tour, avec l'expansion de la publicité au XXe s., le mot a produit des dérivés tels **PUBLICITAIRE** adj. (1930, *Larousse*) «de publicité» et «qui travaille dans la publicité» (1949), également employé comme nom (1930). ◆ De là **PUBLICITAIREMENT** adv. (v. 1950). ◆ *Publicité* est abrégé familièrement en ② **PUB** n. f. (v. 1965) et entre sous la forme de l'élément formant **PUBLI-** dans *publi-information, publireportage, publipromotionnel,* **PUBLIPHILE** et **PUBLIPHOBE** «qui aime; qui déteste la publicité», qui datent tous de la seconde moitié du XXe siècle. ◇ *Publicité* sert aussi à former le composé antonymique **CONTRE-PUBLICITÉ** (1905).

Au XVIIIe s., *public* a produit un autre dérivé, **PUBLICISTE** n. (1748), ancien terme de droit désignant un spécialiste de droit public, acception disparue. Les sens ultérieurs de «journaliste» (1789) et «écrivain public» (1845) ont vieilli, en partie parce que le mot a été réemprunté (1906) à l'anglo-américain *publicist,* lui-même employé dans ce sens depuis 1900, pour désigner un agent de publicité, un spécialiste de la publicité, emploi dû au désir de valoriser la profession : le terme est en effet moins «transparent» que son synonyme tardif *publicitaire.* ◆ En revanche, **PUBLICISME** n. m., dérivé de *public* dans *femme, fille publique* au sens de «prostitution» (1770, Restif), a disparu dans ce sens. Le mot est quelquefois employé pour l'enseignement du droit public (1836). ◆ **PUBLICISER** v. tr., dérivé de *public,* a été récemment introduit dans le langage politique au sens de «rendre public» (1965).

PUBLIER v. tr. est emprunté (1175), avec adaptation de la finale, au latin *publicare,* dérivé de *publicus* signifiant «rendre (qqch) propriété de l'État» et «rendre public» avec divers sens particuliers : «mettre à la disposition du public», «montrer au public», «exposer, étaler (des livres)» d'où «faire paraître un écrit». *Publier* s'est imposé aux dépens des variantes *poploier* (XIIIe s.), *puepleer* (1272), *peupleer* (1278), *pueplier* (1283). ◆ Le verbe, repris au sens littéral de «rendre public», a vieilli sauf dans son sens spécial, «annoncer officiellement» (v. 1265). Il s'est répandu dans l'usage au sens spécial de «faire paraître (un ouvrage) en librairie» (v. 1307) d'où «éditer» (1829). ◆ Plusieurs autres sens, tels «se confesser publiquement» (fin XIIe s.), *se publier* «se trahir» (1580), «répandre la renommée de qqn» (v. 1300) et «vanter, célébrer» (XVIIe s., Malherbe), sont sortis d'usage. ◆ *Publier* a produit **PUBLIABLE** adj. (1639; 1601, pour «qui peut être rendu public»), son antonyme **IMPUBLIABLE** adj. étant attesté dès 1588, et **REPUBLIER** v. tr. (v. 1970) sur lequel a été formé **REPUBLICATION** n. f. (v. 1970) d'après *publication*,* et qui remplace parfois l'anglicisme *reprint.*

PUBLICATION n. f., le nom d'action correspondant, est probablement emprunté (1290) au dérivé latin *publicatio, -onis* «confiscation, vente à l'encan» et, à basse époque, «action de rendre public». ◆ Le mot a suivi l'évolution de *publier.* Il signifie d'abord «action de rendre public», spécialement en parlant d'un acte juridique; il a pris à la Renaissance le sens courant d'«action, manière de publier un ouvrage» (1549). Par métonymie, il a développé beaucoup plus tard l'acception concrète d'«écrit publié» (1840, chez Sainte-Beuve).

◈ voir PEUPLE, ① PUB, PUBIS, PUBLICAIN, RELATION (RELATIONS PUBLIQUES, PUBLIC-RELATIONS), RÉPUBLIQUE.

PUBLICAIN n. m. est emprunté (v. 1170) au latin *publicanus* «fermier de l'État (de l'impôt public)», de *publicus* (→ public).

♦ Ce terme d'histoire antique désigne des riches chevaliers romains qui affermaient les revenus de l'État et, par métonymie, l'agent employé par ces chevaliers, choisi généralement dans la population locale. ◇ Il s'est appliqué sous l'Ancien Régime au fermier général (1549), surtout au XVIIIe siècle.

PUBLIER → PUBLIC

PUCE n. f., d'abord *pulce* (v. 1170) puis *puce* (XIIIe s.), est issu du latin *pulicem*, accusatif de *pulex, pulicis*, de même sens. Les langues indoeuropéennes offrent pour cet animal des noms voisins mais non réductibles à un original commun : sanskrit *pluṣi*, arménien *lu*, vieux slave *blŭxa*, lituanien *blusà*, vieil anglais *fléah* (d'où l'anglais *flea*), grec *psulla*.

♦ Nom d'un petit insecte sauteur, parasite des animaux et de l'homme, *puce* entre dans quelques locutions figurées : la plus ancienne est ***avoir, mettre la puce à l'oreille*** (XIIIe s., *avoir la puche en l'oreille*) qui a d'abord signifié «provoquer ou avoir un désir amoureux», ceci jusqu'au XVIe s. (encore chez La Fontaine), avant de prendre son sens moderne, «être intrigué, mis en éveil» (XVIIe s.). ***Secouer les puces à qqn*** (1640) est la variante de *remuer les puces à qqn* (attesté aussi en 1640) «le battre». ◆ Plus tard, le terme ***marché aux puces*** (déb. XXe s.), elliptiquement ***les puces*** «marché d'objets d'occasion», s'est répandu. ◆ Par analogie de taille, *puce* s'applique à de petits animaux (1562, ***puce de mer***; 1764 ***puce d'eau***) et, familièrement, à une personne de petite taille (XXe s.) souvent en appellatif *(ma puce!)*. ◆ Récemment, il est entré dans le langage de l'électronique (1960), désignant une tablette de silicium de quelques millimètres carrés sur laquelle est élaboré un microprocesseur monolithique. ◆ Son emploi adjectif (1775, Bachaumont) pour une nuance de brun rouge assez foncé rappelant la couleur de la puce a reculé. C'était l'un de ces noms de couleurs à la mode sous le règne de Louis XVI (on distinguait *jeune, vieille puce, dos, ventre, cuisse, tête de puce*, de manière très byzantine).

▸ *Puce* a servi à former quelques dérivés, le plus ancien étant le diminutif **PUCERON** n. m., attesté une première fois (XIIIe s.) au sens de «protubérance d'une pierre précieuse de la taille d'un insecte», et repris (1636) pour désigner un très petit insecte vivant sur les plantes. Le mot a développé un sens figuré qui oscille entre la valeur péjorative d'«individu méprisable», vieillie, et celle d'«enfant très petit» (1898); le féminin **PUCERONNE**, inusité au sens propre, se rencontre au figuré (1768). ◆ **PUCEROTTE** n. f., autre diminutif de *puce* (1875), sert communément à désigner le puceron des rosiers et l'altise de la vigne. ◆ ① **PUCIER** n. m. est la substantivation tardive (1888) de l'ancien adjectif *pulcier, pucier* «plein de puces» (1611) pour servir de nom populaire au lit, plus précisément à un matelas, plein de puces (1907, Larousse). ◆ Un masculin ② **PUCIER** n. m. (1963, dans les dictionnaires) a été tiré du féminin **PUCIÈRE** (1842), autrefois *pulciere* (1568) de même sens, désignant communément une autre plante, espèce de plantain à fleurs roses dite aussi *herbe aux puces*. ◆ On rencontre occasionnellement l'adjectif familier **PUCEUX, EUSE** (1932) qualifiant ce qui est plein de puces. ◆ **ÉPUCER** v. tr., d'abord *espulcer* (1564), signifie «ôter les puces de» puis, au figuré, «examiner attentivement». Le mot a vieilli.

PUCELLE n. f. et adj. f., d'abord *pulcella* (v. 881) francisé en *pulcele* (v. 1050), *pucele* (fin XIe s.) et *pucelle* (déb. XIIIe s.), est issu du bas latin °*pullicella* (*pulicella* dans les *Lois barbares* au XIe s.), «vierge pure». Le mot est d'origine discutée : on y a vu un diminutif du latin classique *pulla* (→ poule), féminin de *pullus* «petit d'un animal», avec altération du *ŭ* bref en *ū* long sous l'influence du latin *putus* «garçon» (→ putto). On a aussi proposé une dérivation, d'après °*dominicella* (→ demoiselle), de *pulla*, féminin de *pullus* «propret», contraction de *purullus* qui est le diminutif de *purus* (→ pur).

♦ Le mot a longtemps servi à désigner une jeune fille, sens marqué comme ironique (1608) ou archaïque depuis le XVIIe siècle. Le sens spécialisé de «jeune vierge» est très ancien (v. 1119), mais son emploi n'a modifié le sémantisme du mot que vers le XVIe s., rendant le sens général archaïque. Les syntagmes *la Pucelle d'Orléans* «Jeanne d'Arc» (1656, titre du poème de Chapelain) et *doctes pucelles*, nom donné aux Muses (1689), ont suivi la même évolution; le premier est encore connu. ◇ Ce mot est aujourd'hui familier et plaisant en parlant d'une fille vierge ou supposée telle, quelquefois adjectivé (v. 1170).

▸ Le mot a produit quelques dérivés : **PUCELAGE** n. m. (v. 1160) «virginité» est passé dans le langage familier, y développant le sens figuré de «fait de n'avoir jamais connu certaine expérience» (fin XVIIe s.). Par métonymie, le mot désigne l'hymen d'une jeune fille. ◆ *Petit pucelage* (1591) a été le nom usuel de la grande pervenche, et celui d'une espèce de coquillage (1752).

PUCEAU n. et adj. m., réfection (1530) de *pucel* (XIIIe s.), se dit d'un garçon vierge, toujours avec une intention railleuse, et quelquefois au figuré, de celui qui n'a pas encore accompli certains actes (1808).

DÉPUCELER v. tr. (v. 1165) «faire perdre sa virginité» a lui aussi évolué vers un emploi familier, tout comme ses dérivés **DÉPUCELAGE** n. m. (1580) et **DÉPUCELEUR** n. m. (XVIe s.), ce dernier entrant dans une locution figurée ancienne, encore attestée chez Zola : *dépuceleur de nourrice* (la nourrice, ayant du lait, est mère) à propos d'un homme naïf et vantard.

PUDDING n. m. est emprunté (1678) à l'anglais *pudding*, mot employé depuis le XVIe s. et qui vient du moyen anglais *poding, puddying* «boudin» (XIIIe s.), au pluriel «boyau» (XVe s.). Le mot a désigné une sorte de boudin consistant en un estomac ou un boyau empli de viande hachée accompagnée de divers ingrédients, bouilli et pouvant se conserver un certain temps (1305). Probablement à cause de sa cuisson dans un sac ou une poche de tissu, il est devenu le nom d'un mets dont les éléments sont liés par une pâte molle ou une croûte (v. 1550). Le lien avec le français *boudin** reste obscur mais certains rapprochent le mot anglais du bas allemand *pudding* ou de l'irlandais *putog*, voyant dans ces formes la racine germanique °*pud-* «gonfler», *boudin* reposant sur une racine onomatopéique de même sens.

♦ La graphie anglaise a été en concurrence avec *poudin* (1752, Trévoux) pour le gâteau à base de farine, d'œufs, de graisse, de rognons, de raisins et de rhum que l'on prépare traditionnellement à Noël en Grande-Bretagne (→ plum-pudding). L'ancienne prononciation du mot se reflète dans la graphie *poudingue** réservée à un terme de géologie. Par extension, *pudding* sert à désigner toute préparation molle et farineuse typique de la cuisine anglaise (1857). En France même, les boulangers proposent sous le nom de *pudding* un gâteau grossier fait avec du pain rassis et des raisins. Une variante régionale du nord de la France, *poudin*, relève d'un emprunt plus ancien à l'anglais et désigne un gâteau un peu différent.

◈ voir **PLUM-PUDDING, POUDINGUE.**

PUDDLER v. tr. est la francisation (1827) de l'anglais *to puddle* «barboter dans la boue» (XVe s.) qui a pris sa valeur technique en métallurgie à la fin du XVIIIe siècle. Le mot est dérivé de *puddle* n., en moyen anglais *podel, puddel*, diminutif du vieil anglais *pudd* «fossé, sillon». L'allemand dialectal a de même *pudel, pfudel*.

▸ *Puddler*, qui signifie comme en anglais «affiner la fonte en la brassant», a produit **PUDDLAGE** n. m. (1827) pour désigner cet ancien procédé métallurgique d'affinage et **PUDDLEUR** n. m. (1827), nom de l'ouvrier, d'après l'anglais *puddler* (attesté cependant un peu plus tard, 1831).

PUDEUR n. f. est emprunté (1542) au latin *pudor, -oris* «sentiment de honte, de retenue, de délicatesse», spécialement «sentiment moral, honneur» et, en mauvaise part, «honte, déshonneur, opprobre». Le mot est dérivé de *pudere* «avoir honte» et «causer de la honte», lequel a sans doute pour sens premier «éprouver ou inspirer un mouvement de répulsion»; on ne peut le rapprocher que du groupe très différent du grec *speudein* «s'efforcer, se hâter» et du lituanien *spudeti* «se donner de la peine», sans parvenir à dégager une racine indoeuropéenne.

♦ Le mot désigne un sentiment d'appréhension à l'égard de ce qui peut blesser le respect que l'on a pour soi-même, spécialement un sentiment de gêne éprouvé, à faire, à être témoin ou à envisager un acte de nature sexuelle (1580). ◇ Par métonymie, *une, des pudeurs* désigne une réaction inspirée par ce sentiment (1843, au pluriel). ➜ À l'époque classique, *pudeur* s'est dit de la chasteté féminine (1635, Corneille) et il a commencé à s'appliquer à la décence telle qu'elle est définie par les convenances sociales (1677), notamment en droit dans ***attentat à la pudeur*** (1810). ➜ La valeur classique correspondant à «confusion causée par la crainte de ce qui blesse la modestie» (av. 1615) et, par extension, à «modestie» (av. 1674), a disparu, alors qu'un sens contemporain (1674) «retenue empêchant de se livrer, d'exprimer ses émotions», correspondant à *pudique*, est resté courant.

▸ *Pudeur* n'a produit directement que son antonyme préfixé **IMPUDEUR** n. f. (1659), dont les premiers emplois sont très proches de *impudence* (→ impudent), exprimant l'idée de «manque de retenue», *une impudeur* désignant un acte, une attitude impudente. Le mot s'est progressivement rapproché des valeurs dominantes de *pudeur*, désignant le manque de pudeur, notamment sur le plan sexuel (répandu XIXe s.).

PUDIQUE adj., emprunté (XIVe s.) au latin *pudicus* «chaste, timide, vertueux, modeste», de *pudere*, qualifie une personne qui a de la pudeur, par métonymie une apparence, une attitude qui marque de la pudeur (1444). Au XVIIe s., il qualifie la personne qui ne dit pas les choses brutalement (1601) et, un peu avant *pudeur*, celle qui cache, par réserve, ses propres émotions (1640). ➜ Cet adjectif a produit **PUDIQUEMENT** adv. (v. 1378) et **PUDICITÉ** n. f. (1417) formé d'après le latin *pudicitia* «chasteté» puis, dans un style littéraire, «pudeur». ➜ L'antonyme de *pudique*, **IMPUDIQUE** adj., emprunté en même temps (v. 1378) au latin *impudicus*, fait sur *pudicus* avec le préfixe privatif *im- (in-)*, se dit des personnes et, par métonymie, des actes, attitudes (v. 1550). Comme *impudeur*, il s'est spécialisé au sens sexuel (répandu XIXe s.). ➜ En sont dérivés **IMPUDIQUEMENT** adv. (1488) et **IMPUDICITÉ** n. f. (fin XIVe s.), ce dernier tendant à vieillir tant dans son sens général que dans le sens métonymique *(une, des impudicités)* d'«acte, parole impudique» (1657).

PUDIBOND, ONDE adj., d'abord *pudibundes* (1488), est repris du latin *pudibundus*, dérivé de *pudere*, qualifiant la personne qui éprouve de la honte, de la confusion et, par métonymie, ce qui exprime la confusion, une chose infâme, honteuse. ◇ D'abord attesté dans l'ancienne locution *parties pudibundes* «organes génitaux» avec le sens de «honteux» (cf. ci-dessous *pudenda*), le mot est devenu un intensif de *pudique* (1542), aujourd'hui marqué d'une connotation ironique. ➜ On en a dérivé **PUDIBONDERIE** n. f. (1842, *le Charivari*) également ironique.

PUDENDA n. f. pl., ancien euphémisme pour les parties génitales (1845, Bescherelle), est l'emprunt du latin *pudenda*, neutre pluriel substantivé de l'adjectif verbal *pudendus* «dont on doit rougir, honteux», de *pudere* «avoir honte» (→ pudeur). ◇ Avant *pudenda*, le moyen français a employé *parties pudendes* (1512), elliptiquement *pudendes* (1532, Rabelais), au masculin singulier *pudende* (1555), puis au XVIIIe s. la forme du neutre singulier latin *pudendum* (1765, *Encyclopédie*).

◈ voir **IMPUDENT, RÉPUDIER.**

PUER v. est la variante (fin XIIIe s.), rare jusqu'au XVIIe s., de l'ancien verbe *puir* (v. 1175), qui a dû être précédé d'une forme archaïque en *-d-* (cf. ci-dessous *puant*); ce verbe est issu d'un latin populaire °*putire*, altération du latin classique *putere* «être gâté, corrompu», «sentir mauvais, exhaler une mauvaise odeur». Il est dérivé de *pus, puris* «humeur» (→ pus). Aujourd'hui, *puir* est encore représenté dans les parlers occitans du sud-ouest de la France. L'ancien provençal a *pudir,* l'italien *putire.*

♦ *Puer* s'emploie couramment au sens intransitif d'«exhaler une odeur fétide», parfois par métaphore. Il se construit aussi transitivement, d'abord au figuré pour «laisser apparaître de manière évidente (un caractère déplaisant)» (1580), le sujet désignant une chose puis une personne (déb. XXe s. : *il pue la bêtise, l'argent...*). ◇ Avec un complément direct, il a aussi le sens propre de «répandre une mauvaise odeur de...» (1668, Molière) et, par extension, «répandre une odeur violente». L'usage familier l'emploie parfois de manière neutre pour «sentir» *(ça pue bon).*

▶ **PUANT, ANTE,** adjectivation du participe présent de *puer,* est attesté très tôt sous la forme *pudent* (v. 980), laquelle implique que le verbe existait déjà à cette époque, puis *puant* (v. 1191). Le mot qualifie une chose, un animal, plus rarement une personne qui exhale une mauvaise odeur, spécialement dans ***bête puante*** (1573), par substantivation *un puant* (1765), expressions qui désignent en vénerie les animaux à forte odeur désagréable (putois, etc.), et, par extension, avec une valeur figurée péjorative. ◇ *Gaz puant* (1845) est l'ancien nom de l'acide sulfhydrique (ou hydrogène sulfuré). ◆ De bonne heure, l'adjectif qualifie familièrement, au figuré, une attitude, une action méprisable, honteuse (fin XIIe s.) et une personne provoquant l'aversion (XIIIe s., *Renart*), sens disparu et remplacé par celui d'«odieux de prétention, de vanité» (1660). ◆ *Puant* a été plus productif que *puer* puisqu'on lui doit **PUANTEUR** n. f. (XIVe s.), antérieurement *puantour* (1260), plus rare dans son sens figuré (1690) mais resté usuel au sens concret, l'ancien adverbe **PUAMMENT** (v. 1380), éteint de nos jours, et le composé **EMPUANTIR** v. tr. (1495) «remplir d'une odeur infecte», également au figuré, dont est tiré **EMPUANTISSEMENT** n. m. (1636), rare. ◆ L'autre dérivé de *puant* est **PUINE** n. m. (XVe s.) «l'arbrisseau puant», dit techniquement d'un arbrisseau considéré comme mort-bois.

◈ voir POURRIR, PUNAISE, PURULENT, PUTAIN, PUTOIS, PUTRÉFIER (et PUTRÉFACTION), PUTRESCENT, PUTRESCIBLE, PUTRIDE, SUPPURER et, du grec, PYO-.

PUÉRIL, ILE adj. est emprunté au XIVe s. au latin *puerilis* «enfantin» «irréfléchi», dérivé de *puer,* nom qui désigne l'enfant dans la période de la vie entre l'*infantia* (→ enfance) et l'*adulescentia* (→ adolescence), distinct de *liberi* (pl.), «enfants par rapport aux parents», auquel il sert pourtant parfois de singulier, et signifiant quelquefois «jeune esclave» comme le grec *pais, paidos* (→ pédo-). Le mot, évincé par l'extension de sens de *infans* (→ enfant) appartient à une famille de mots expressifs de caractère familier, signifiant «petit d'animal, enfant» représentée en latin dans *pullus* (→ poule), *pullulare* (→ pulluler), *pusillanimis* (→ pusillanime), *praeputium* (→ prépuce).

♦ Le mot, attesté une première fois comme nom féminin pluriel (*puériles* «rudiments», v. 1360), est repris comme adjectif (1508) au sens de «propre à l'enfant», spécialement dans l'expression ***civilité puérile** (et honnête)* (1690) désignant un manuel de bons usages destiné aux enfants. ◆ Supplanté par *enfantin* dans son emploi premier, il a pris le sens caractérisant de «qui rappelle l'enfance, frivole» (1476), le plus souvent avec la connotation péjorative de «manque de sérieux, profondeur» à propos d'un adulte. Il est alors en concurrence avec *infantile.*

▶ Il a pour dérivé **PUÉRILEMENT** adv. (1501), peu usité, **PUÉRILISER** v. (1801) et le terme de psychopathologie **PUÉRILISME** n. m. (1887) d'abord «caractère puéril» puis spécialement, en psychopathologie, «retour morbide de l'esprit adulte au niveau de celui d'un enfant» (1921).

PUÉRILITÉ n. f. est emprunté (1394, selon Bloch et Wartburg) au latin *puerilitas* «enfance, caractère enfantin, irréfléchi», de *puerilis.* ◆ Apparu au sens vague de «jeunesse» puis, plus précisément, «enfance et adolescence de sept à quinze ans environ» (XVe s.), le mot a reçu ensuite (1552) la valeur particulière d'«action, discours frivole digne d'un enfant» *(une, des puérilités),* prenant ensuite le sens général correspondant *(la puérilité)* de «caractère peu sérieux» (v. 1673), devenu le plus usuel. ◆ **PUÉRICULTURE** n. f. est formé savamment (1865) sur le latin *puer* «enfant» avec l'élément *-culture** sur le modèle de *apiculture*, agriculture**, etc. Le mot est d'abord attesté dans *La Puériculture, ou la science d'élever hygiéniquement et physiologiquement les enfants,* ouvrage du Dr Caron. ◆ En est dérivé **PUÉRICULTEUR, TRICE** n. (1924, *Le Rire*) devenu usuel.

Enfin, le radical latin *puer,* par l'intermédiaire de l'anglais, a fourni un terme de médecine. ◆ **PUERPÉRAL, ALE, AUX** adj. est emprunté (1783) à l'anglais *puerperal* «relatif à l'accouchée» (1783), surtout employé dans la locution *puerperal fever,* et formé par dérivation savante sur le latin *puerpera* «femme accouchée», de *puer* «enfant» et de *parere* «accoucher» (→ parturition). L'adjectif qualifie ce qui est relatif aux suites de couches, à la période qui suit l'accouchement, surtout dans ***fièvre puerpérale*** (1783, traduction de l'anglais) pour une maladie infectieuse pouvant se développer après l'accouchement. ◆ Le dérivé **PUERPÉRALITÉ** n. f. (1845), «période suivant l'accouchement jusqu'au retour des règles», est rare.

PUGILAT n. m. est emprunté (1570) au latin *pugilatus* désignant un combat à coups de poing, l'un des concours athlétiques en Grèce, devenu un élément des spectacles chez les Étrusques et les Romains. Le mot vient de *pugilari* «se battre à coups de poing», de *pugil,* désignant l'athlète pratiquant ce type de combat, dérivé de *pugnus* (→ poing), de manière analogue à *vigil* (→ vigile).

♦ Repris à la Renaissance comme terme d'antiquité, le mot est passé beaucoup plus tard dans l'usage courant au sens commun de «bagarre à coups de poing», étendu à une altercation en paroles (1789).

▶ **PUGILISTE** n. m. a été dérivé par suffixation (1789) du moyen français *pugile* (1531), lui-même emprunté au latin *pugil* au sens de «combattant à poings nus». On y a vu aussi l'emprunt de l'anglais *pugilist* (1790), formé parallèlement à *pugilism,* et cette influence a pu jouer même si le mot a été formé en français. ◆ Apparu au sens latin, le mot s'applique à la fois à un professionnel du combat aux poings (1836), devenant un synonyme noble de *boxeur,* reprenant le sens antique correspondant à *pugilat* «athlète antique pratiquant le pugilat» (1875, Larousse). ◆ Le dérivé **PUGILISTIQUE** adj. (1866), d'usage littéraire, qualifie ce qui est relatif au pugilat. ◆ **PUGILISME** n. m. est un anglicisme (1801) repris à l'anglais *pugilism,* formé sur le radical du latin *pugil* pour désigner l'art du pugiliste, du boxeur. Le mot est rare en français.

PUGNACITÉ n. f. est un emprunt (1788) au latin *pugnacitas* «ardeur au combat, combativité» (au propre et au figuré), dérivé de *pugnax, -acis* «belliqueux, ardent à la lutte, acharné», de *pugnare* «combattre à coups de poing» puis en général «combattre», lui-même dérivé de *pugnus* (→ poing).

♦ Ce mot littéraire désigne l'ardeur aux affrontements, aux luttes d'idées, et plus rarement l'ardeur au combat physique.

▸ **PUGNACE** adj., qui correspond à *pugnacité,* est emprunté (1840) au latin *pugnax, -acis,* et semble plus littéraire et rare que le substantif, aux sens correspondants, «porté à la lutte d'idées» et (1904) «à se battre physiquement».

PUINE → PUER

PUÎNÉ, ÉE adj. est composé (1160-1174) de *puis** et de *né,* participe passé de *naître*,* par soudure de *puis né* «né ensuite, après» (v. 1155).

♦ Le mot qualifie l'enfant né après un frère ou une sœur, en termes juridiques. Il est parfois substantivé.

PUIS adv. est issu (v. 1050, également *pois*) d'un latin populaire °*postius,* dérivé du latin classique *post* «après, depuis» et «en arrière, derrière» (→ post-) ou de son dérivé *postea* «ensuite, après, depuis», lequel survit dans l'italien *poscia* «après» et l'ancien provençal *poissas.* La forme °*postius* s'explique probablement par l'influence de *melius* qui a donné *mieux;* à son tour, elle a contribué à la réfection de *antea* en °*antius,* donnant l'ancien français *ainz* «avant» (→ aîné).

♦ Comme le mot latin, *puis* marque la succession dans le temps, qu'il y ait ou non continuité. Il entrait dans la locution adverbiale redondante *puis après* (fin XIIᵉ s.) «par la suite, plus tard», encore usuelle au XVIIᵉ s. et conservée dans certains dialectes. ◆ De même qu'en latin, *puis* marque aussi la succession aux yeux d'un observateur, l'échelonnement dans l'espace (v. 1160). Abstraitement, il sert à introduire un nouveau terme dans une énumération (av. 1207). ◇ ***Et puis*** (v. 1160) sert à exprimer la succession des actes ou des circonstances, souvent en les détachant plus fortement, puis (fin XVIᵉ s.) à introduire une raison supplémentaire, à exprimer une restriction (1660). ***Et puis ?*** dans une interrogation sert à marquer le désir de connaître la suite d'un récit (1636), ou à exprimer un doute (1636).

▸ **PUISQUE** conj. est la forme tardivement soudée (1636) de l'ancienne locution *post que* (v. 980), ***puis que*** (v. 1080). L'ancien sens temporel de «après que» a rapidement décliné (XIVᵉ s.), ainsi que celui de «depuis que» (v. 1130), supplantés par le sens logique «étant donné que, du moment que, dès l'instant où» (v. 1080) avec lequel le mot introduit une cause en faisant reconnaître le rapport de cause à effet comme incontestable. Cette valeur a éliminé celle de «si tant est que», attestée à partir du XIIᵉ s. (1176-1181). Les deux éléments pouvaient encore être séparés à l'époque classique par exemple dans la locution *puis donc que* (1548). ◆ Le mot justifie aussi une assertion, une question précédente et introduit la justification d'un terme employé dans la proposition principale (1678, La Fontaine), spécialement dans une proposition exclamative ayant valeur de principale (attesté milieu XXᵉ s.). Au moins depuis le XVIIᵉ s., *puisque* sert aussi à introduire la cause qui explique, non le fait énoncé dans la principale, mais son énonciation, l'acte intellectuel de constatation, jugement, affirmation posant le fait.

◈ voir APOSTILLE, DEPUIS, POST-, POSTÉRITÉ, POSTHUME, POTERNE, POTRON-MINET, PUÎNÉ.

PUISER → PUITS

PUISSANT, PUISSANCE → ① POUVOIR

PUITS n. m., d'abord *puz* (v. 1112), *puiz* (v. 1120) et *puis* (v. 1131), est issu du latin *puteus* «trou, fosse», spécialement «puits de mine» et «puits d'eau vive», mot dont la finale en *-eus,* la même que dans *calceus* (qui a donné *chausse**) laisse supposer une origine étrusque. La voyelle du français est due à un développement anormal qui s'explique probablement par l'influence du francique °*putti,* restitué par l'ancien haut allemand *putti* (d'où l'allemand *Pfütze* «bourbier, mare»), le mot germanique étant lui-même emprunté au latin. Ainsi, *puits* serait un exemple de ces formes hybrides dues au bilinguisme de la France du Nord après l'invasion des Francs. La graphie actuelle *puits* (XVIᵉ s.) réintroduit un *-t-* étymologique pour éviter l'homographie avec *puis.*

♦ Le mot désigne d'abord un gouffre, une fosse très profonde dans la locution *puis d'enfer* «les abîmes»; cette valeur sera reprise beaucoup plus tard par les géographes (1869, Littré) dans des appellations comme *le puits de Padirac,* en concurrence avec *gouffre,* qui l'a emporté. Dès le XIIᵉ s., le mot est aussi employé avec son sens courant de «grand trou creusé dans la terre pour atteindre une nappe d'eau souterraine» (v. 1120), d'où des expressions comme *puits perdu* (1671) «puits dont le fond perméable ne retient pas l'eau», *puits foré* (1765) «puits où l'eau jaillit elle-même», remplacée par *puits artésien* (1834) du nom de l'Artois où ces puits étaient connus dès le moyen âge. ◆ La phraséologie de *puits* comporte l'allusion à la *Vérité sortant d'un puits* et, d'après une fable de La Fontaine *(Le Loup et le Renard),* l'idée de *voir la lune au fond d'un puits* «être dupé» (1845, Bescherelle) et *montrer à qqn la lune dans un puits,* probablement à l'origine de ***offrir, demander la lune,*** une chose impossible. ◆ Le mot est employé au figuré en parlant d'une personne disposant de ressources inépuisables dans un domaine (1180-1190), dans *puits de sens et de clergie* (XIVe s.), ensuite dans *puits d'érudition* (déb. XVIIe s.) et, seul usuel aujourd'hui, ***puits de science*** (1718). ◇ Par une autre spécialisation de destination, *puits* désigne une excavation pratiquée dans le sol ou le sous-sol pour l'exploitation d'un gisement (1254), d'où ***puits de mine*** avec des emplois absolus, notamment dans l'exploitation de la houille (*le puits n° 4,* etc.). ◇ ***Puits de pétrole*** (1904) désigne une galerie cylindrique verticale menant à une nappe d'hydrocarbures; il s'emploie aussi absolument, lorsque le contexte est clair. ◇ D'autres extensions, consistant en des sens spécialisés ou analogiques, se sont développés : *puits* désigne une excavation de section carrée, utilisée autrefois dans la guerre de mines (fin XVIe s.), annonçant l'expression moderne *puits d'éclatement* (1904) «logement profond dans lequel on fait éclater des projectiles pour en étudier les effets». Le mot désigne aussi un passage vertical, spécialement en construction (1904) et en marine : *puits de marée* (1869), *puits de port* (1904). ◆ Enfin, il se dit en cuisine d'un creux au centre d'un mets (1814). L'expression ***puits d'amour*** (1735), qui suppose une métaphore érotique et désigne une espèce de pâtisserie, avait préparé ce sens.

▶ Le dérivé **PUISER** v. tr. (v. 1220), réfection de *puchier* (v. 1112) et *puisier* (v. 1130), signifie proprement «prendre (du liquide) à l'aide d'un récipient que l'on plonge dans un puits» et, par extension, «prélever (un liquide), par exemple dans un grand récipient» (1636). ◇ Par extension, il s'emploie dès le moyen français (v. 1360) pour «prendre dans une masse (un ensemble solide)». ◆ Étant donné son ancienneté, l'idée figurée de «prendre, emprunter» (v. 1210) doit procéder de la métaphore du puits ou de la source; elle est surtout reprise et répandue à l'époque classique : *puiser qqch. dans, chez qqn* «tirer (des idées) des ouvrages d'un auteur» (1666), *puiser dans la source* (1690) puis *à la source* (1696) «emprunter en se référant aux textes originaux». ◆ *Puiser* a servi à former plusieurs dérivés. L'ancien **PUISETTE** n. f. (v. 1120, *puisete*) est attesté en judéo-français pour désigner une constellation, puis un récipient en bois ou en métal servant à puiser de l'eau et à l'apporter à la cuisine (1328) [cf. *épuisette*]. ◆ Ensuite, **PUISEUR, EUSE** n., dont l'ancienne forme de cas sujet *puiseres* (v. 1220) a été remplacée par *puiseur* (1553), a désigné celui qui puise; de nos jours, il s'emploie techniquement à propos d'un ouvrier qui puise la pâte à papier dans la cuve (1875). ◆ Le nom d'instrument **PUISOIR** n. m. (1289, *puissouer*) a désigné un filet de pêche, l'endroit aménagé pour puiser de l'eau à une rivière puis, techniquement, un récipient pour puiser les liquides (1701). ◆ Enfin, *puiser* a donné deux noms d'action : **PUISAGE** n. m., longtemps *puchage* (1466), et **PUISEMENT** n. m. (XVe s.), tous deux assez rares. ◆ Le verbe *puiser* a encore permis de former **PUISARD** n. m. (1690) pour désigner un puits en pierres sèches destiné à recevoir et à absorber les eaux-vannes et les résidus liquides. Le mot a pris en marine un sens technique (XXe s.). ◆ **PUISATIER** n. m. (1845; 1836, *puisotier*), nom donné à l'ouvrier qui creuse les puits, a remplacé *puissier* (1301) et *puitier* (1548), dérivés de *puits* sortis d'usage au XVIIe siècle.

◈ voir ÉPUISER.

PULLMAN n. m. est un emprunt (1884) précédé par *pullman's car* (1874) à l'anglo-américain *Pullman car* (1867), composé de *car* «voiture» (→ ② car) et de *Pullman.* Il s'agit du nom de l'industriel américain de Chicago (1831-1897) qui, avec Ben Field, établit les plans de ce type de voiture et les fit breveter en 1864, lançant en 1865 le premier wagon-lit, le «Pioneer», dont le modèle allait se répandre en Grande-Bretagne à partir de 1875 et bientôt dans toute l'Europe. La forme abrégée *Pullman* apparaît aux États-Unis en 1870 (*Pullman's* à l'origine), en concurrence avec *(Pullman) palace car* (1867) et *hotel car* (1875).

♦ L'emprunt français apparaît au sens de «wagon de luxe» et désigne par métonymie un fauteuil confortable du type utilisé dans les wagons pullman.

PULL-OVER n. m. est l'emprunt (1925) de l'anglais *pull-over,* d'abord «voilette, chapeau couvert d'une voilette» (1875), puis «tricot que l'on passe par-dessus la tête» (1925). Ce mot est issu de *to pull over* «tirer au-dessus». Le verbe anglais *to pull* «tirer» vient de l'ancien anglais *pullian* ou *apullian,* à rapprocher du bas allemand *pulen* «arracher, écosser, dépouiller» et du moyen néerlandais *polen* «décortiquer». *Over,* «au-dessus», vient de l'ancien anglais *ofer,* représentant le germanique °*uberi* (d'où l'allemand *über*), lui-même de l'indoeuropéen °*uperi,* forme comparative représentée dans le grec *huper* (→ hyper-) et le latin *super* (→ super).

♦ Cet emprunt, désignant un tricot que l'on passe par-dessus la tête, s'est répandu dans l'usage courant. Il est fréquemment abrégé en **PULL** n. m. (1930), prononcé *poul* et surtout employé en parlant d'un pull-over léger. Le mot a été vivement critiqué, mais reste courant (notamment *pull*).

PULLULER v. intr. est emprunté (1320) au verbe latin *pullulare* «avoir des rejetons, proliférer», employé à propos des plantes et des animaux, et au figuré «se multiplier». Il est issu de *pullulus* «tout petit animal», «très jeune pousse», diminutif de *pullus* (→ poulain, poule).

♦ *Pulluler* signifie «se répandre avec profusion» et, dès les premiers emplois, au figuré «gagner de nombreux adeptes (pour une opinion, une théorie)». Il ne s'est pas maintenu au sens étymologique de «se reproduire, croître à un rythme très rapide» (XIVe s.) à propos de rameaux d'arbres, sinon en parlant d'animaux (1778, Buffon). ◆ Les emplois métaphoriques et péjoratifs datent du XIXe s., *pulluler* exprimant alors le fait de prospérer (av. 1850, Balzac) et de fourmiller, grouiller (en parlant d'êtres vivants) (1840).

▶ En sont dérivés **PULLULANT, ANTE** adj. (1773), adjectivation du participe présent, et **PULLULE-**

MENT n. m. (1873) «grande quantité», également au figuré «grand nombre de choses qui vont se multipliant» (déb. XXᵉ s.), lequel fait concurrence à l'emprunt **PULLULATION** n. f. (1555), représentant du dérivé bas latin *pullulatio, -onis*. Ce mot a pris le sens spécial de «prolifération» (1758), surtout en médecine (1869, Littré).

① et ② PULMONAIRE → POUMON

PULPE

PULPE n. f. est la réfection savante (1503) d'après le latin, et pour éviter une homonymie avec *poulpe*, de l'ancien français *polpe* (XIIᵉ s.), *poulpe* (v. 1350), *poupe* et *paupe* dont le diminutif *paupiette** s'est conservé. Le mot représente le latin *pulpa* «partie maigre de la viande, chair», qui se disait aussi de la chair des fruits et de la partie tendre du bois des arbres. Ce mot est sans étymologie connue.

♦ *Pulpe* désigne la partie charnue et moelleuse de la chair, humaine ou animale, sens qui n'est plus vivant qu'en anatomie (1611) dans *pulpe des doigts* (1834; 1827 absolument) et *pulpe des dents* (1836). ➜ Il a repris plus tard du latin le sens demeuré courant de «tissu riche en sucs de certains fruits charnus» (1503), spécialement en cuisine à propos de la chair de certains fruits et légumes, mais aussi de viandes (1771). Il désigne en pharmacie la bouillie de certains fruits utilisée à des fins thérapeutiques (1765) et, en agriculture, le résidu pâteux du traitement de végétaux pour la fabrication des alcools, sucres, huiles et fécules servant à alimenter le bétail (1836). L'expression *pulpe de bois* (1858) équivaut en français du Canada à *pâte à papier*.

▸ La dérivation du mot est relativement riche. ➜ L'adjectif **PULPEUX, EUSE** (v. 1500), réfection d'après *pulpe* et le latin *pulposus* «charnu», de *poulpeux*, qualifie ce qui contient de la pulpe, ce qui a l'apparence ou la consistance de la pulpe (1838), est de la nature de la pulpe (1869, Littré) et, au figuré, qui est plein de sève, de moelleux (XIXᵉ s.). Il se dit en particulier d'une femme, de son corps. ➜ Le dénominatif **PULPER** v. tr. (1821) et son dérivé **PULPATION** n. f. (1824), employés en pharmacie pour la réduction d'une substance en pulpe, sont quasiment sortis d'usage. ➜ **PULPITE** n. f. (1878), terme du vocabulaire médical, s'applique à une inflammation de la pulpe dentaire avec l'adjectif correspondant **PULPAIRE** (1922); de même, **PULPECTOMIE** n. f. (v. 1950) et **PULPOTOMIE** n. f. (1951) concernent la chirurgie dentaire. ➜ **ÉPULPEUR** n. m. (1890, Larousse), qui suppose une forme verbale *épulper*, désigne un appareil servant à séparer la pulpe des betteraves en cours de distillation. ➜ Un autre nom d'appareil, **PULPEUR** n. m., d'abord *pulper* (1963, Larousse), est emprunté à l'anglo-américain *pulper* «décortiqueur» lui-même de *pulp*, repris au mot français *pulpe*. Le mot désigne la machine transformant en pâte liquide les matières premières, notamment les vieux papiers.

PULSATILLE

PULSATILLE n. f. est emprunté (1611) au latin scientifique *pulsatilla*, dénomination créée en botanique d'après le latin *pulsatus* «battu par le vent», participe passé passif de *pulsare* (→ pousser). La plante doit son nom aux aigrettes de ses graines qui frémissent sous la moindre bise (d'où le nom populaire de *herbe au vent* employé en Champagne).

♦ Le mot désigne une plante herbacée vivace de l'espèce *anemone pulsatilla*, du genre Anémone, employée autrefois en médecine pour ses propriétés fébrifuges.

PULSATION

PULSATION n. f., d'abord *pulsacion* (XIVᵉ s.), refait en *pulsation* (v. 1560), est emprunté au latin *pulsatio, -onis* «action de frapper», «heurt, choc», spécialement en bas latin *pulsatio pudoris* «attentat à la pudeur», dérivé du supin de *pulsare* (→ pousser).

♦ Le mot, attesté isolément à propos d'une sonnerie de cloches, s'est introduit avec le sens médical de «battement douloureux dans une partie malade», sorti d'usage, avant de prendre l'acception moderne de «mouvement de battement du cœur, des artères» (v. 1560), d'où «battement du pouls». En physique (1765), il a désigné un mouvement de vibration des fluides élastiques, concept modifié en grandeur caractéristique d'un phénomène sinusoïdal, spécialement d'un courant alternatif (1932). ◇ Parallèlement, il a développé le sens figuré de «vibration, frémissement» (av. 1922, Proust).

▸ Son radical a servi à former le terme de médecine **PULSATIF, IVE** adj. (XIVᵉ s.) qui qualifie une douleur perçue dans les parties enflammées (en rapport avec les pulsations artérielles). ➜ Il a servi à former **PULSATOIRE** adj. (1842), qui ne s'est pas imposé en face de *pulsatif* mais a été repris par les physiciens pour qualifier une grandeur variant périodiquement en conservant le même signe (1963, Larousse). ➜ **PULSATILE** adj. est dérivé (1542) du latin *pulsare* en médecine pour qualifier un type de douleur qui se produit par pulsations. Quasiment synonyme de *pulsatif*, il fournit aussi l'adjectif correspondant à *pouls*.

PULSER v. tr. est emprunté plus tard en technique (1926) et aussi dans l'usage anglicisé familier des musiciens de rock et de jazz (v. 1975) à l'anglais *to pulse*. Son participe passé *pulsé* s'emploie adjectivement dans ***air pulsé*** (1949). Ces emprunts comblent l'absence d'un verbe plus ancien correspondant à *pulsation* (cependant, en 1516, on rencontre l'adjectif *pulsé*).

◈ voir PULSATILLE, PULSION.

PULSION

PULSION n. f. est emprunté (1572) au bas latin *pulsio* «action de repousser», dérivé rare et tardif de *pulsum*, supin de *pellere* (→ pousser). Le nom usuel pour désigner le fait de pousser est *pulsus*, autre dérivé de *pellere* qui a donné *pouls**.

♦ Introduit avec une valeur générale, «action de pousser», *pulsion* n'a pas réussi à s'imposer à côté de *poussée*. ◇ Au XVIIIᵉ s., il s'est spécialisé en physique pour désigner la propagation du mouvement dans un milieu fluide et élastique, emploi attesté en 1738 chez Voltaire, probablement calqué de l'anglais *pulse*, représentant (v. 1330) du latin *pulsus* qui avait été spécialisé en physique par Newton (1673). Cette acception, en dépit d'applications techniques

(1859, techniques d'aération) est sortie d'usage. ◆ Le mot a été repris en psychanalyse (début XXe s.) pour exprimer une force psychique inconsciente consistant en une poussée qui fait tendre l'organisme vers un but. Il a été introduit dans les traductions de Freud comme équivalent de l'allemand *Trieb* (de *treiben* «pousser»), introduit dans le texte original des *Trois Essais sur la sexualité* en 1905. La terminologie de la psychanalyse s'est enrichie de *pulsion d'agression, de destruction, d'emprise, d'autoconservation, de mort*, rendant les dénominations allemandes élaborées par Freud entre 1905 et 1920.

▶ **PULSIONNEL, ELLE** adj. a été introduit (1949) dans la traduction de Freud, qualifiant ce qui est relatif à une pulsion et ce qui en est la source ou la cause.

◈ voir **IMPULSION, RÉPULSION.**

PULTACÉ, ÉE adj. est formé savamment (1790) sur le latin *puls, pultis* «bouillie de farine», mot appartenant à une racine indoeuropéenne °*pel-* «poudre» (→ polenta, pollen, poudre, poussière, pulvériser) avec le suffixe *-acé*.

♦ Le sens initial, «pâteux comme la bouillie» *(tumeurs pultacées)*, s'est rapidement spécialisé en médecine pour qualifier un exsudat qui recouvre les amygdales (1829, Boiste) lors d'une angine appelée pour cette raison *angine pultacée*.

PULVÉRISER v. tr. est emprunté (1314) au bas latin *pulverizare* attesté au participe passé *pulverizatus* «réduit en poussière», dérivé du latin classique *pulvis, pulveris* (→ poudre).

♦ Le verbe a été repris au sens de «réduire en poudre», avec une valeur affaiblie, «réduire en miettes, en petites parcelles» (milieu XVIIe s.) et, d'abord dans le langage scientifique, «projeter (un liquide) en très fines gouttelettes» (1866). ◇ Il a pris le sens figuré de «réduire à néant» (1649) et, dans une polémique, «réfuter avec force (un argument, une objection)» (1718). ◇ En procède le sens familier de «battre de beaucoup (un record)», en sport (1901).

▶ Il a produit dès le XIVe s. l'adjectif **PULVÉRISABLE** (1390) et, plus tard, **PULVÉRISEUR** n. m. (1845) «personne qui pulvérise des drogues, etc.», lequel n'a plus cours dans cette acception, le mot désignant aujourd'hui une machine agricole servant à réduire les mottes de terre en fines parcelles (1904, Larousse). ◆ **PULVÉRISATEUR, TRICE** adj. et n. m. (1860) s'est spécialisé immédiatement à propos d'un appareil projetant sous pression des médicaments, des produits pulvérulents ou liquides. Comme *pulvériseur*, mais avant lui, il s'emploie en agriculture, mais désigne (1890) une machine portable destinée à l'épandage de produits insecticides. ◆ **PULVÉRISATION** n. f., le nom correspondant, est formé savamment (1390) d'après le radical de *pulverizare*.

PULVÉRULENT, ENTE adj. est emprunté (1773) au latin *pulverulentus* «couvert de poussière, poudreux» et, au figuré, «obtenu à grand-peine», dérivé de *pulvis*. ◇ Terme didactique, *pulvérulent* qualifie ce qui est à l'état de poussière ou se réduit facilement en poussière. Il se dit spécialement, en sciences naturelles, d'un insecte ou d'un végétal recouvert d'une efflorescence cireuse (1797). ◆ Il a pour dérivé **PULVÉRULENCE** n. f. (1823, *Mémoires de l'Académie des sciences*), mot qui désigne l'état d'un corps réduit en poudre et, en relation avec les acceptions spéciales de l'adjectif, l'accumulation de poussières sur les narines (1869, Littré), une fine sécrétion cireuse recouvrant les téguments de certains insectes (1904). Par métaphore, il se dit aussi d'un effet visuel dans l'air ou d'un fluide transparent formant des points nombreux comparés aux grains d'une poudre (1870, Flaubert).

PULVÉRIN n. m. est emprunté (1545) à l'italien *polverino* «récipient contenant une poudre servant à amorcer des armes à feu» et «cette poudre» (fin XVIe-début XVIIe s.) ; c'est le diminutif de *polvere* «poudre», correspondant au français *poudre** ◆ Le mot a désigné le mélange de salpêtre, charbon et soufre pulvérisés destiné à fabriquer la poudre utilisée pour amorcer les armes et, par métonymie, le récipient la contenant. ◆ Par extension, avec la valeur diminutive de «petite poudre», il désigne la poudre d'eau produite par les jets d'eau (1690) et, dans un style littéraire, la poussière (1879).

◈ voir **POLENTA, POLLEN, POUSSIÈRE, POUTURE, PULTACÉ.**

PUMA n. m. est emprunté (1633), par l'intermédiaire de l'espagnol *puma* (1602), au quichua *puma*, nom d'un mammifère carnassier d'Amérique, de la famille des félidés.

♦ Le mot est synonyme de *couguar*.

PUNAISE n. f., d'abord *punoise* (v. 1200), puis *punaise* (1256), est le féminin substantivé de l'ancien adjectif *punais, aise*. Celui-ci, réfection de *pudneis* (v. 1138), puis *punès* (v. 1160) et *pugnais*, signifiait «puant, fétide», s'employant comme terme d'injure à l'égard d'une personne détestée avec une valeur morale ; il s'est employé jusqu'au XIXe et même au XXe s. (Barrès, Queneau) avec le sens spécial de «qui sent mauvais par le nez», réactivant son sens étymologique. En effet, *punais* est issu d'un latin populaire °*putinasius*, proprement «qui pue», composé de l'adjectif *putidus* «gâté, fétide» (→ putain) et de *nasus* (→ nez).

♦ *Punaise* désigne un petit insecte plat d'odeur infecte lorsqu'on l'écrase, d'où *punaise de bois* (1762) devenu *des bois* (1835), *punaise des lits*, etc. Par allusion au ventre plat de la punaise et avec la valeur péjorative liée à l'origine du mot, il entre dans la locution figurée ***plat comme une punaise*** (1690) «lâche» et, par suite, désigne une personne vile, méprisable (1836), après s'être dit en moyen français d'une prostituée. La même connotation péjorative se retrouve dans l'appellation familière ***punaise de sacristie*** «bigote» (1901). ◆ Par analogie d'aspect, le mot désigne couramment une petite pointe à tête plate et ronde (1847, Bescherelle) et a désigné familièrement une lentille (1914-1918). ◆ Son emploi interjectif (attesté 1947), d'usage populaire, semble régional, du sud-est de la France (souvent associé à *funérailles !*).

▶ On en a dérivé **PUNAISER** v. tr., d'abord relevé chez Huysmans (1891) comme terme de peinture au sens de «piqueter de petites touches de peinture», et employé de nos jours familièrement au sens de «fixer avec les pointes appelées punaises» (1945).

① **PUNCH** n. m., attesté depuis 1673, a succédé aux formes complexes *bolleponge* (1653), parfois *bouleponge* (1671). Il est emprunté à l'anglais *punch* (1632) et, pour les formes antérieures, à *bowl of punch*. *Punch* est le nom d'une boisson alcoolisée que les Anglais apprirent à connaître aux Indes. D'après Fryer (*Account of East India*, 1698), le mot serait un emprunt au marathi et hindi *pānch*, du sanskrit *panchan* «cinq». Ce numéral vient de la racine indoeuropéenne que l'on a dans le grec *pente*, (→ pent[a]-) à cause des cinq éléments qui entraient dans la composition de la boisson. D'après le dictionnaire étymologique anglais de Onions, *punch* pourrait provenir d'une forme antérieure qui seule expliquerait la prononciation anglaise moderne. *Bowl of punch* (1658) a donc donné en français *bolleponge* «bol de punch», d'où s'est détaché en français, non seulement le mot *punch*, mais aussi *bol**. Arveiller a montré que l'anglais *punch* était en usage dans les Antilles anglaises au XVIIe s. et que l'emprunt du mot a pu se faire aux Caraïbes. À la même époque, le mot anglais était aussi employé en Afrique occidentale ; il a donné la forme francisée *ponche* (v. 1688), enregistrée au XVIIIe s. par les dictionnaires : Trévoux (1704), l'Académie en 1762. La forme *punch* fait son entrée dans les dictionnaires en 1750 et prend la place de *ponche* dans celui de l'Académie en 1835, mais la prononciation française normale reste *ponch*. On attribue généralement le succès du mot *punch* à Voltaire (1768, *La Guerre civile de Genève*) et à Rousseau.

♦ Nom d'une boisson alcoolisée, *punch* s'est dit, par métonymie, d'une réunion où l'on buvait du punch (1837). Seul le premier sens est resté en usage.

② **PUNCH** n. m. est emprunté (1909) à l'anglais *punch* (1580) «coup», spécialement «coup de poing», et au figuré «vigueur» (1911), de *to punch* (XIVe s.), d'abord «poinçonner, percer» d'où «poignarder, frapper d'un coup de couteau» puis «frapper, donner un coup» et, spécialement, «donner un coup de poing» (1530). Ce verbe est une variante de *to pounce* (sorti d'usage), représentant peut-être une abréviation, à partir du moyen anglais *ponson, ponsyon* (anglais *puncheon*), lui-même repris à *ponchon*, ancienne forme de *poinçon**.

♦ Ce terme de boxe désigne la capacité d'un boxeur à porter des coups secs et décisifs, et ce type de coup de poing (1909). Par extension, il est employé en sport pour désigner la réserve de vigueur permettant à un sportif d'agir avec énergie et rapidité (1933). ◇ Le mot s'est répandu dans l'usage courant avec le sens figuré et familier de «dynamisme» (1939). Prononcé plutôt à l'anglaise *(peuntch)*, il n'est pas homophone de ① *punch*.

▶ *Punch* a produit **PUNCHEUR, EUSE** n. (1920), construit en français sur le modèle de *catcheur*, autre pseudo-anglicisme de création française. *Puncheur*, terme de boxe, s'emploie aussi avec le sens figuré de *punch* ; il est concurrencé par l'anglicisme graphique *puncher* en musique (jazz, rock).

PUNCHING-BALL n. m. est emprunté (1900) à l'anglais *punching-ball*, de *punching* «en frappant» et *ball* «ballon» (→ balle), variante de *punch-ball* (1899), de *to punch*. ◆ Le mot désigne un ballon attaché de manière élastique servant à l'entraînement des boxeurs et, par métonymie, l'entraînement du boxeur avec cet instrument. Il a des emplois métaphoriques (*servir de punching-ball* «recevoir des coups»).

PUNIR v. tr. est emprunté (1260, E. Boileau ; fin XIIe s., selon *Larousse de la langue française*) au latin *punire* «châtier» et «venger», autre forme de *poenire* (Lucrèce), le *-u-* étant issu de la diphtongue *-oe-*. Malgré une parenté certaine, le verbe ne peut être dérivé directement de *poena* (→ peine) qui aurait fourni un verbe en *-are* : on a supposé l'influence du groupe de *moenia* «murailles», *munire* «construire» mais cette hypothèse n'est pas nécessaire, ou bien à une dérivation à partir de *impunis* «impuni» qui semble plus ancien.

♦ Le verbe a conservé son sens de base, «infliger un châtiment» ; il signifie d'abord «faire subir une peine à (qqn) en expiation d'une faute», en emploi transitif puis absolument dans un contexte juridique (XIIIe s.) avec la valeur d'«infliger par jugement une peine», cette valeur pouvant donner lieu à un emploi absolu (*surveiller et punir*, M. Foucault). ◆ Au XIIIe s. (v. 1240), il commence aussi à s'employer avec un nom de délit pour complément, au sens de «sanctionner par une peine», sens qui a disparu. Avec un nom de chose pour sujet, *punir* correspond à «atteindre (qqn) d'un mal constituant une sanction» (v. 1278). ◇ Le verbe entre dans la locution familière ***être puni par où l'on a péché*** (1835). ◇ Il exprime quelquefois la nuance de «mal récompenser» par figure stylistique (1647, Corneille), surtout au passif.

▶ *Punir* n'a produit directement en français que **PUNISSEUR, EUSE** adj. et n. (v. 1355), rare au sens de «qui punit», surtout avec la nuance de «qui aime punir» (1568) et **PUNISSABLE** adj. (1364), qui a changé son sens actif «qui punit» en sens passif «qui mérite d'être puni» (1477), et sur lequel est formé **IMPUNISSABLE** adj. (1604).

PUNITION n. f., d'abord *punission* (v. 1250), est emprunté au dérivé latin *punitio, -onis* «châtiment». ◆ Le mot désigne l'action de punir et, par métonymie, la peine infligée pour une faute (v. 1355), spécialement dans l'armée (av. 1870). Par extension, il se dit d'un événement fâcheux qui est ou paraît être la conséquence d'une faute (1642, Corneille) et, spécialement, pour les croyants, de la peine infligée par Dieu (v. 1485, *punition de Dieu, du Ciel*). La locution ***en punition de*** apparaît aussi dans la langue classique (1679, Bossuet). ◇ Depuis 1908, le mot désigne en boxe le fait de recevoir des coups sans pouvoir les rendre, probablement d'après l'anglais *punishment*, lui-même repris à l'ancien français *punissement*.

Le radical de *punition* a servi à former **PUNITIF, IVE** adj. (1370) «disposé à punir» et «qui a pour objet de punir» (1788), couramment employé dans la locution ***expédition punitive*** (1920). ◆ Le mot entre dans le terme de psychologie **AUTOPUNI-**

TION n. f. (1926), appliqué à l'acte par lequel le sujet prévient, atténue un sentiment de culpabilité en s'infligeant une punition.

IMPUNI, IE adj. est emprunté (1320) au latin *impunitus* «qui n'est pas puni», au figuré «effréné, sans bornes», composé de *im-* *(in-)* et de *punitus*, participe passé de *punire*. Le mot n'a repris que le sens de «non puni», en parlant d'une action ou d'une personne. ◆ Il a produit **IMPUNÉMENT** adv. (1554), attesté un peu plus tôt sous la forme normale *impuniment* (1553, Ronsard) «sans être puni», d'où, par extension, «sans dommage, sans s'exposer à aucun risque, sans inconvénient» (1667). Le mot n'est plus employé au sens actif de «sans punir, sans tirer vengeance» (1669). ◆ **IMPUNITÉ** n. f. a été emprunté, pour servir de nom à *impuni* (1352), au dérivé latin *impunitas, -atis* «caractère de ce qui n'est pas puni» et, au figuré, «licence impudique». ◇ Il sert à exprimer le caractère de ce qui est impuni, dans le langage administratif ou dans un style soutenu.

◈ voir **PEINE, PÉNAL, PENALTY.**

PUNK

PUNK n. et adj., attesté en 1974 en français, est emprunté à l'argot anglo-américain *punk* «voyou, vaurien», lui-même dérivé du sens de «pourri, délabré» (1902), ce qui le rattacherait au sens initial du mot américain *punk* «amadou» (v. 1618) peut-être d'origine amérindienne : dans la langue des Indiens Delaware, *punk* a cependant le sens de «cendres» et non de «bois pourri». Il se peut que le mot soit apparenté à *funk* «frousse», d'origine inconnue, peut-être identique à l'argot *funk* «fumée de tabac», et à *spunk* «amadou» comme les dictionnaires antérieurs en faisaient l'hypothèse. Le rapport du mot américain avec l'ancien mot anglais *punk* (aussi *punck[e], punque, pung*) «prostituée» (v. 1600) n'est pas éclairci.

♦ Le mot a été emprunté d'abord pour désigner un mouvement de contestation musicale né à Londres et, par métonymie, un adepte du mouvement (1977). Également employé comme adjectif dans ces deux sens, il fait partie de la série abondante des emprunts culturels du français à l'anglais autour des mouvements idéologiques (*hippie, rocker*, etc.) et musicaux. Les punks se caractérisent par leurs fantaisies capillaires et vestimentaires, leur agressivité, leur pessimisme nihiliste *(no future)*.

L'emprunt de *punk* a entraîné celui de composés anglais comme *punk music, punk rock* et la création de composés français sur le modèle de l'anglais *(punk philosophie)*, d'adaptations comme *rock punk*, ainsi que la production de dérivés plus ou moins durables tels **PUNKITUDE** n. f. (sur le modèle de *négritude**), **PUNKISME** n. m., **PUNKERIE** n. f., **PUNKETTE** n. f., etc., tous attestés dans les années 1980.

PUPAZZO

PUPAZZO n. m. est emprunté (1852) à l'italien *pupazzo* «marionnette italienne à gaine» (1738), diminutif de *pupa* «poupée», représentant comme le français *poupée** le latin *pupa*.

♦ Le mot est un emprunt culturel à l'italien dans le domaine des spectacles ; il est demeuré rare.

◈ voir **PUPE, ① et ② PUPILLE.**

PUPE

PUPE n. f. est emprunté (1822) au latin scientifique moderne *pupa*, terme d'entomologie repris du latin *pupa* «poupée, petite fille» (→ poupée). Le développement repose sur une analogie d'aspect entre la nymphe et un enfant emmailloté.

♦ Le mot désigne le stade nymphal de certains insectes, notamment les diptères, caractérisé par l'enveloppe qui entoure la nymphe devenue absolument immobile. ◇ En conchyliologie (1892), *pupe* désigne un petit mollusque gastéropode à coquille ovoïde ou cylindrique, communément appelé *maillot*.

▸ On en a dérivé **PUPIPARE** adj. et n. m. pl. (1819) à propos d'un sous-ordre de diptères sans ailes dont les femelles donnent naissance à des larves mûres, et **PUPIVORE** adj. et n. m. pl. (1827) en parlant d'insectes dont les larves sont parasites des larves d'autres espèces.

① PUPILLE

① **PUPILLE** n. est emprunté (1334) au latin juridique *pupillus* «mineur», qui correspond au féminin *pupilla* (→ ② pupille), diminutif de *pupus*, mot rare désignant un petit garçon et aussi la prunelle de l'œil ; il est formé sur le féminin *pupa* (→ poupée, pupazzo, pupe).

♦ Le mot désigne un orphelin mineur placé sous la garde d'un tuteur et, plus spécialement, un jeune soldat pris en charge par un officier (av. 1787), l'orphelin mineur qu'une collectivité a adopté (1811) : avec ce dernier sens, le mot est généralement déterminé, par exemple dans ***pupille de la Nation*** (1923), expression qui désigne un orphelin de guerre auquel un jugement d'adoption par l'État donne le droit d'obtenir un soutien matériel et moral jusqu'à sa majorité. ◆ Un autre sens correspond à «élève, enfant» par rapport à son précepteur, à sa gouvernante (1448) ; il est sorti d'usage.

▸ ① **PUPILLAIRE** adj., adjectif d'usage juridique, est emprunté (1409) au dérivé latin *pupillaris* «relatif à un ou une pupille». ◆ Il a donné **PUPILLARITÉ** n. f. (1398), terme juridique rare pour l'état de l'enfant en tutelle et, par métonymie, le temps que dure cet état.

② PUPILLE

② **PUPILLE** n. f. est emprunté (1314) au latin *pupilla* «petite fille» et, en raison de la petite image qui se reflète dans l'ouverture de l'œil, «prunelle». Ce mot est le diminutif de *pupa* «petite fille, poupée» (→ poupée, pupazzo, pupe). Un développement analogue se rencontre dans le grec *korê* «jeune fille» d'où «prunelle de l'œil».

♦ Le mot est synonyme de *prunelle* ; plus didactique, mais cependant assez courant, il assume des emplois en ophtalmologie et, par analogie, en optique et en physique.

▸ Le mot a permis de former ② **PUPILLAIRE** adj. (1727) «propre ou relatif à la pupille», par exemple dans *réflexe pupillaire*, et les composés **PUPILLOMÉTRIE** n. f. (1963, Larousse), **PUPILLOMÈTRE** n. m. (1975), didactiques.

◈ voir ① **PUPILLE.**

PUPITRE

PUPITRE n. m., *pupistre* (1444), *pupitre* (1467), réfection de *pepistre* (1357), emprunt adapté d'après les mots à finale en *-tre* au latin *pulpitum* «tréteau, estrade», spécialement «la scène, les planches», mot technique probablement emprunté. Le latin a fourni en outre le moyen français *poulpite* (XVe s.), emprunt plus fidèle, sorti d'usage.

♦ Le mot désigne un petit meuble en forme de plan incliné pour lire, écrire, dessiner commodément, avec diverses spécialisations, d'abord dans le mobilier liturgique (1357), dans celui des écoliers (1690), des musiciens (d'où *être au pupitre* «orchestrer»). Il désigne aussi une planchette inclinée servant au même usage (1768). ◇ Le mot a plusieurs spécialisations techniques, désignant le panneau de bois oblique dans lequel on place les bouteilles de champagne pour le temps du remuage et, récemment, l'emplacement où sont disposés les commandes et les appareils de contrôle d'un système électronique complexe (1959); on dit aussi *pupitre de contrôle*.

▸ Le dérivé **PUPITREUR, EUSE** n. (1966, dans *Le Figaro*) désigne le technicien chargé de suivre le fonctionnement d'un ordinateur au pupitre.

PUR, PURE adj. et n. est issu (v. 980) du latin *purus* «sans tache, sans souillure» et, par suite, «net, sans mélange», «exempt de». Ce terme, essentiellement employé dans la langue religieuse, comme le grec *katharos* (→ catharsis) auquel il correspond, appartient à la racine indoeuropéenne dissyllabique que représente le sanskrit *pavītár-* «celui qui purifie», *pūtáḥ* «purifié», *punā́ti* «il purifie». Comme d'autres termes de la langue religieuse, il s'est perdu ailleurs; le mot celtique, irlandais *úr* «vert, frais» que l'on a rapproché, est semblable à *purus* pour la forme et le sens en serait à la rigueur explicable, mais ce rapprochement reste hypothétique.

♦ Le mot a d'abord été repris avec le sens abstrait de «complet et sans mélange», d'abord en parlant de la foi. Ce sens était réalisé dans l'ancienne locution *à pur et à plein* (1391) «entièrement, sans aucune réserve», encore usuelle à l'époque classique. ◇ Il se construit avec un complément introduit par *de* au sens d'«exempt de, net de» (fin XIIe s.). C'est de ce sens initial que procèdent les emplois pour «fondamental, théorique» (1765), et en philosophie dans l'expression *état de pure nature* (1736) et dans la traduction de l'allemand kantien, *La Raison pure*, où *pur* est opposé à *pratique*. ◇ S'y rattache également l'emploi de *pur* pour qualifier un art qui s'interdit toute préoccupation étrangère à sa nature spécifique et une science pratiquée pour elle-même, indépendamment des applications possibles. ➜ Les extensions de sens d'ordre abstrait se sont développées à partir du XIIe s. : *pur*, placé avant le nom, qualifie ce qui est seulement et complètement tel (v. 1190), entrant dans des locutions usuelles ***en pure perte*** (1509), ***pur et simple***. La valeur voisine de «qui réalise parfaitement, exactement un type» rejoint celui de *science pure*. ➜ Avec un contenu moral, *pur* qualifie une personne ou une chose sans défaut, sans corruption, chaste (v. 1155), spécialement en psychologie, à propos de ce qui exclut l'aspect physique de l'amour (v. 1155). L'adjectif a parfois une nuance ironique ou moqueuse le tirant vers «naïf, innocent». ◇ Par une spécialisation d'ordre esthétique, toujours placé après le nom, il qualifie ce qui est parfait, impeccable (v. 1175) et, spécialement, une langue châtiée (1538); cf. *puriste*. ➜ En outre, dès le XIIe s., le mot est employé, presque toujours après le nom, avec une valeur concrète : le sens de base est alors «qui n'est altéré par aucun élément étranger», (v. 1160). *Pur* qualifie en particulier l'eau, l'air, le teint, la clarté (1273), ultérieurement une couleur (1735), un état du ciel (1869). L'expression ***pur-sang***, avec cette valeur, présente une antéposition anormale qui pourrait refléter l'ordre des éléments en anglais *(pure-bred)*; elle désigne un cheval dont la filiation est certaine (1842) et qualifie, au figuré, ce qui est racé, authentique (av. 1857). ➜ Le premier emploi substantivé de *pur* est attesté chez Montesquieu (1721), puis répandu pendant la Révolution (v. 1792) à propos d'une personne qui s'est donnée tout entière à une cause, à une doctrine. ◇ On peut rattacher à cet emploi celui de l'adjectif dans la locution récente ***pur et dur***, qui se dit en politique pour «sans concession». Le nom, rare au féminin, désigne aussi une personne moralement pure, et se dit spécialement en sport d'un sportif amateur. ◇ Le féminin **PURE** (*de la pure*) sert de dénomination argotique à la drogue pure.

▸ Plusieurs dérivés et composés de cet adjectif sont usuels. ➜ **PUREMENT** adv. signifie d'abord (v. 1200) «avec pureté», dans un contexte moral. Il a pris en moyen français, d'après la première valeur de l'adjectif «complet, intégral et homogène», le sens d'«intégralement et exclusivement», devenu le plus courant, avec la locution ***purement et simplement*** (1552). ◇ D'après la valeur esthétique de *pur*, il signifie à l'époque classique (1669) «avec pureté et élégance», en parlant de l'expression surtout littéraire; ce sens a vieilli. ➜ À la Renaissance apparaît **PURISTE** adj. et n. (1586) au sens religieux de «rigoriste», que l'emprunt *puritain** va assumer. ◇ Sorti d'usage en ce sens, *puriste* prend le sens de «personne affectant un souci excessif de correction dans le langage» (1620), puis plus généralement s'applique à une personne excessivement soucieuse de pureté, de conformité à un idéal. ➜ **PURISME** n. m. (1701) correspond au second sens de *puriste* «souci excessif de pureté dans le langage, le style»; il a aussi développé dans d'autres domaines le sens de «souci de conformité à un modèle idéal» (XXe s.).

Des composés préfixés (*apurer, épurer*, ci-dessous) et des emprunts *(purifier, dépurer*)* ont éliminé l'ancien verbe emprunté au latin, *purer*, qui n'a laissé en français moderne qu'un dérivé complètement démotivé, *purée**.

APURER v. tr. (fin XIIe s.), formé sur *pur* avec le préfixe *a-* (de *ad-*) et une finale verbale, a d'abord signifié «rendre pur», au sens physique; cette valeur, où *apurer* a été remplacé par *épurer* et *purifier*, survit dans la langue technique du XVIIIe s. pour «raffiner (l'or)» (1723). Le verbe, qui a dû s'employer en droit pour «vérifier (un acte)» (cf. *apurement*), s'est spécialisé en finances (1611) pour «reconnaître exact (un compte) après vérification»; au figuré, *avoir ses comptes bien apurés* signifiait «être en règle avec sa conscience», le sens moral de *pur* réapparaissant par la métaphore. ◆ Ce verbe a pour dérivé **APUREMENT** n. m. (1388), disparu au sens juridique de «vérification d'un acte» et avec la valeur générale, attestée au XVe s. (1423), de «purification». Il ne conserve que le sens correspondant au verbe en finances et comptabilité, «vérification définitive d'un compte» (1606).

ÉPURER v. tr., d'abord *espurer* (v. 1220), a eu le sens abstrait de «rendre plus pur, meilleur», avec des spécialisations : «rendre plus élégant», disparu, et «rendre plus fin (le jugement, le goût)», aujourd'hui archaïque, mais usuel dans la langue classique. ◆ Le sens social «éliminer (les éléments jugés impurs) d'un groupe, d'une société» (1772) s'est développé avec la Révolution, comme euphémisme politique pour «éliminer (les personnes jugées indésirables)», c'est-à-dire condamner, tuer ou exiler. Cette valeur a été reprise dans un autre contexte historique, en 1945 (cf. *épuration,* ci-dessous). *Éliminer* a eu la même évolution. ◆ Le verbe a en outre une valeur concrète à propos de substances mêlées, notamment l'eau, et en concurrence avec *purifier.* ◆ Le verbe *épurer* a servi à former deux noms d'action. **ÉPUREMENT** n. m. (v. 1220, *espurement*) conserve la valeur de «fait d'épurer» mais a perdu le sens actif d'«action d'épurer», réservé à *épuration.* ◆ **ÉPURATION** n. f. (1606) s'applique au fait de débarrasser des impuretés une substance matérielle. ◇ À la fin du XVIIIe s., le mot a pris le sens abstrait d'«assainissement, purification» (av. 1780) puis, pendant la Révolution, a commencé à désigner l'élimination des éléments indésirables dans un parti, une société (1791), parfois euphémisme pour «élimination». Le mot a été repris à propos des mesures prises en France, après la Libération, à l'encontre des personnes accusées d'avoir collaboré avec l'occupant allemand (1945). ◇ Au sens concret, le mot s'est spécialisé à propos de la purification des eaux, par exemple dans *station d'épuration.* ◆ Pendant la période révolutionnaire, *épurer* a également produit **ÉPURATIF, IVE** adj. (1792), **ÉPURATOIRE** adj., sortis d'usage, ainsi que **ÉPURATEUR, TRICE** adj. et n. (1792), en parlant de la personne chargée de procéder à une épuration au sein d'un groupe. ◇ Revenant au sens premier de *épuration, épurateur* est passé dans le langage technique avec un sens concret, pour désigner un appareil chargé d'épurer un liquide ou un gaz (1870). ◆ Un dernier nom d'action, **ÉPURAGE** n. m. (1870), est resté rare.

Quant à **ÉPURE** n. f., déverbal de *épurer* apparu dans la langue classique de l'art (1676), il ne semble pas avoir eu le sens pourtant prévisible d'«action d'épurer», mais celui de «dessin simplifié, épuré», en architecture et en technique. Il a pris un sens figuré analogue à celui du mot *ébauche,* «projet esquissé à grands traits». Le mot ne se rattache plus spontanément aux sémantismes de la série de *pur.*

L'ancien et le moyen français voient apparaître des emprunts aux dérivés latins de *purus.* ◆ **PURETÉ** n. f. est la réfection savante (1324) de l'ancien français *purté* (XIIe s.), lui-même issu du latin *puritas, -atis,* nom d'état et de qualité dérivé de *purus.* ◆ Le mot a été introduit avec le sens abstrait d'«état de ce qui est pur, sans souillure morale», dont procède, par spécialisation, celui de «chasteté» (1636). ◇ En relation avec les autres sens de *pur,* il s'applique au XVIIe s. à l'exactitude dans le choix et l'emploi des mots (1647) et, en art, à la correction, à l'élégance du trait (1768), à la limpidité des couleurs (1845). ◇ Le sens concret d'«état d'une substance sans mélange», n'est attesté que depuis 1530, alors que *pur* a cette valeur depuis l'ancien français.

PURIFIER v. tr. est emprunté (v. 1160) au latin *purificare,* de *purus* (→ pur) et de *-ficare* pour *facere* (→ faire), qui signifie «rendre plus pur, nettoyer» au propre et au figuré. ◆ Le mot est d'abord attesté au sens moral de «retrancher (de son cœur, de ses intentions) ce qu'il peut y avoir de contraire à la vertu» ; en ce sens, il a concurrencé puis supplanté *purger,* dont il est le synonyme plus noble à l'époque classique. Le sens propre et le sens figuré du verbe se rejoignent dans l'acception religieuse, «laver des impuretés par des cérémonies religieuses ou magiques» (1564), spécialement en parlant des juifs : «faire ce qui est ordonné pour les purifications légales» (1564) et aussi au pronominal *se purifier.* ◆ Entraîné par les valeurs littéraires de *pur, pureté* et *purisme, purifier* signifie aussi «rendre plus correct» en parlant de la langue (1718). ◆ Le sens physique ancien, «enlever ce qu'il y a d'étranger, de grossier» (v. 1265), a vieilli au bénéfice de mots de la même famille comme *épurer* et *purger.* D'autres sens, «satisfaire à des engagements pris» (1481), sémantisme auquel correspond *apurer* (ci-dessus), ont disparu. ◆ La forme pronominale *se purifier* (1657) a eu le sens physique de «se débarrasser de, se nettoyer de», sorti d'usage, et signifie «devenir pur» (1671), spécialement dans un contexte sacré. ◆ **PURIFIANT, ANTE,** le participe présent de *purifier,* est adjectivé (1470) pour qualifier ce qui est propre à purifier ; il est rare.

PURIFICATION n. f. est directement emprunté (v. 1190) au dérivé latin *purificatio, -onis,* nom d'action de *purificare.* ◆ Le mot a été introduit pour désigner un rite par lequel on se purifie, en parlant de la fête en l'honneur des relevailles de la Vierge qui alla au temple de Jérusalem pour s'y purifier. ◇ Son emploi se généralise à partir du XVIe s. (1580), il se dit spécialement à propos de la cérémonie de la messe qui suit la communion et qui consiste à sécher le calice après l'avoir lavé avec quelques gouttes de vin pur (1694). ◇ En dehors des contextes religieux, le mot exprime le fait de rendre pur le cœur, un sentiment, d'atteindre la pureté (v. 1370). ◆ Son emploi concret à propos de l'action de purifier une chose en la débarrassant des éléments étrangers qui y sont mêlés (1663) a vieilli, comme l'emploi du verbe. ◆ Le radical de *purification* a servi à former **PURIFICATEUR, TRICE** n. et adj. (1547) «celui, celle qui purifie», surtout employé adjectivement (v. 1860). ◇ Le nom a été repris pour désigner un appareil destiné à purifier un milieu physique (1881), à côté de *épurateur.* ◆ **PURIFICATOIRE** n. m. et adj., emprunt (1610) au latin ecclésiastique *purificatorium,* formé sur le supin de *purificare,* désigne en liturgie le linge dont se servent les prêtres pour essuyer le calice après la communion (d'après l'emploi spécial de *purification* ci-dessus) et le vase dans lequel les prêtres qui ont donné la communion en dehors de la messe se lavent le pouce et l'index de la main droite. ◇ Il est aussi employé adjectivement (1795), servant de synonyme très littéraire à *purificateur*.

IMPUR, URE adj. et n. a été emprunté (XIIIe s.) au latin *impurus* «corrompu, non pur» (au propre et au figuré), composé de *in-* et de *purus*. ◆ Le mot est apparu avec le sens concret de «sale» et, depuis le XIVe s., qualifie ce qui contient des éléments étrangers. Il s'est spécialisé en médecine (XVIe s.) en parlant de ce qui est chargé d'humeurs causant des maladies. ◇ À partir du XVIIe s., il se dit de la langue, avec une nuance proche d'«incorrect» (1638), emploi archaïque, et se charge d'une valeur morale (1611), spécialement dans le domaine des mœurs (1611) et de la religion (1672). ◇ À la même époque, il est substantivé à la fois avec une valeur de neutre (1656) et pour désigner une personne impure; en particulier le féminin *une impure* (1668) a désigné une courtisane; cet emploi a disparu. ◆ **IMPUREMENT** adv. (1576) «d'une manière immorale» et «salement» (1611) n'est pas devenu usuel. ◆ **IMPURETÉ** n. f., emprunté (fin XIVe s.) au latin *impuritas* et adapté, à côté de *impurité* (v. 1470), d'après *pureté*, a suivi l'évolution de l'adjectif. ◇ Le sens figuré, présent dès les premiers textes, s'est développé au XVIIe s. en «souillure morale» (1611), «souillure impie» (1690) et «impudicité» (1611). ◇ Concrètement, *une, des impuretés* se dit des particules solides en suspension dans un liquide lorsqu'elles sont indésirables.

◈ voir DÉPURATIF, DÉPURER, EXPURGER, PURÉE, PURGATIF, PURGATOIRE, PURGER, PURIN, PURITAIN.

PURÉE

PURÉE n. f. est le participe passé féminin substantivé (XIIIe s.) de l'ancien verbe *purer* (XIIIe s.) «purifier, nettoyer», «cribler», spécialement «faire s'écouler l'eau des pois, des fèves, etc. mis à tremper» (v. 1375). Ce verbe, éliminé par *purifier*, était encore vivant naguère dans les dialectes (en Moselle : «presser pour faire sortir le jus, réduire en purée»). *Purer*, issu du bas latin *purare* «rendre pur», de *purus*, a pu être senti comme dérivé de *pur** avant de disparaître. Il a un autre dérivé vivant, de sémantisme très différent, *purin**.

♦ *Purée* désigne une bouillie faite de légumes cuits dans l'eau et écrasés. On emploie encore parfois par plaisanterie *purée septembrale* (1534, Rabelais) et *purée de septembre* (1611) pour désigner le vin. ◇ L'expression familière ***purée de pois***, dite par métaphore d'un brouillard très épais (1896), est l'adaptation de l'anglais *peasoup*. ◆ Parmi les expressions concrètes, en cuisine, *purée de pois, d'oignons, de carottes* et quelques autres sont usuels, mais *purée de pommes de terre* l'a été plus que tous, donnant à *purée* employé seul cette valeur particulière (1891), au point que les métaphores modernes font plutôt référence à cette valeur du mot, qui n'a d'ailleurs pas cours dans toute la francophonie (les Québécois employaient naguère et disent encore parfois *patates pilées*). ◆ Par extension, *purée* désigne une chose de consistance pâteuse, assez liquide (1926). ◆ Le sens figuré de «pénurie d'argent» (1878) procède du même type de développement que *panade;* par métonymie, *purée* s'applique aussi à une personne dans l'embarras et il est adjectivé pour qualifier ce qui est signe de gêne ou de misère (1895). Il est employé familièrement en interjection (1895, *purée !*). Ces emplois péjoratifs sont peut-être en rapport avec les valeurs négatives réalisées par *purare* en latin (cf. *purin*), par *purger* et par les dérivés de *pus, puris* (*purulent*, etc.). Par ailleurs, l'interjection, en français européen d'Afrique du Nord, a une valeur voisine de *putain !* (cf. *la purée de ta mère, de tes os*, etc.), évoquant la série étymologique de *puer*. Ces emplois, avec le retour des Français d'Algérie en France, ont eu une certaine fortune.

▸ Les seuls dérivés sont les noms d'instruments ménagers **PRESSE-PURÉE** n. m. inv. (1855) et **PASSE-PURÉE** n. m. inv. (1903), ce dernier étant moins usuel.

PURGATIF, IVE

PURGATIF, IVE adj. et n. m. est emprunté comme adjectif (v. 1325) au bas latin médical *purgativus*, qualifiant un médicament propre à stimuler les évacuations intestinales, du latin classique *purgatum*, supin de *purgare* (→ purger).

♦ Le mot qualifie un médicament propre à purger. Il n'est substantivé (1669) que dans ce sens. ◇ L'adjectif a pris la valeur morale de «qui purifie l'âme» (1530), spécialement dans l'expression *vie purgative* (1671) en parlant de l'état de l'âme qui l'éloigne du péché par la crainte de l'enfer. ◇ Un autre sens concret et technique, «propre à nettoyer» (1783, Buffon, *feu purgatif*), est sorti d'usage.

▸ **PURGATION** n. f. est emprunté (XIIe s.) au latin *purgatio, -onis* «nettoyage, curage, évacuation», autre dérivé de *purgatum*, supin de *purgare*. ◆ Le sens religieux, «action de se purifier en parlant d'un pécheur», attesté une fois au XIIe et de nouveau au XVIe s. (1538), est sorti d'usage après 1675. La notion morale de purification ne survit que dans un autre sens, repris (v. 1370) directement au latin *purgatio*, traduisant alors le grec *katharsis* (→ catharsis) au théâtre. L'emploi juridique pour «justification d'une faute» (1549, spécialement «justification canonique») a lui aussi disparu. ◆ *Purgation* a également vieilli avec son sens médical, «action de purger» (XIIIe s.), mais cet emploi est encore compris, et il est sorti d'usage pour «action de nettoyer» (1530), concurrencé et supplanté au XVIIe s. par *purification*. ◆ *Purgatif* et *purgation* restent liés au verbe *purger*, plus encore que le dérivé de ce verbe, *purge*, qui a acquis d'autres valeurs.

◈ voir PURGATOIRE, PURGER.

PURGATOIRE

PURGATOIRE n. m., réfection pour le suffixe (v. 1220) de *purgatore* (v. 1190), est emprunté au latin ecclésiastique médiéval *purgatorius*, substantivation de l'adjectif bas latin *purgatorius* «qui purge», au figuré «qui purifie l'âme». Cet adjectif est dérivé de *purgator* «celui qui nettoie, qui purifie», de *purgare* (→ purger).

♦ Ce terme religieux, détaché par le sens des valeurs dominantes de la série de *purger*, désigne le lieu où les pécheurs morts en état de grâce expient leurs péchés jusqu'à la purification; son apparition au XIIe s. correspond à un grand renouveau de spiritualité, moins centrée désormais sur la figure terrible du Père que sur celle du Sauveur, Fils de l'homme, et moins sur l'Apocalypse que sur le jugement dernier. Le purgatoire modifie la vision manichéenne du haut moyen âge fondée sur le ciel et l'enfer. ◆ L'emploi du mot au figuré, à propos d'un lieu où l'on souffre pour expier ses fautes, n'est attesté en emploi libre qu'au milieu du XIXe s. (1862, chez Baudelaire) mais déjà actif au XVIIe s. dans la locution *faire son purgatoire* (1672). Au XXe s., le mot s'emploie aussi pour «temps d'épreuve» et spécialement «époque où une renommée posthume subit une éclipse». ◆ L'adjectif *purgatoire*, repris au latin (1372) dans son double sens de «qui purge» (éliminé par *purgatif*) et «expiatoire» (1382), est sorti d'usage au XVIIe s., certains dictionnaires du XIXe s. enregistrant encore *mois purgatoire* «février».

PURGER v. tr., d'abord *purgier* (v. 1190), est emprunté au latin *purgare* «nettoyer» (au propre et au figuré), spécialement en médecine «débarrasser», en droit «justifier, disculper», et aussi «racheter, expier». *Purgare* est dérivé de *purus* (→ pur).

♦ Le verbe a d'abord signifié «débarrasser (une substance) de ce qui l'altère, la souille, pour la rendre plus pure»; on a longtemps parlé de *purger le blé*, et le verbe se dit encore techniquement en parlant du fil de soie. C'est de cette valeur que procède l'emploi de *purger* pour «filtrer (un liquide, de l'eau)», puis pour «vider complètement d'un fluide indésirable (un cylindre, un radiateur)» (1904), mais cette origine n'est plus sentie. ◆ Le sens moral de «purifier, laver (un coupable)» (v. 1193), encore vivant dans la langue classique, est sorti d'usage, mais l'acception spéciale, au théâtre, pour «épurer les passions par la catharsis», attesté une première fois chez Oresme (v. 1370) et repris à partir de 1660 (Corneille), est encore comprise *(purger les passions)*. L'acception qui correspond à «débarrasser d'une chose néfaste», également au figuré (v. 1265), reste en usage dans le style littéraire et, spécialement en politique, avec la nuance d'«éliminer des personnes», apparue pendant la Révolution (1789) comme quasi-synonyme pour *épurer* et reprise au XXe s., mais aujourd'hui passée dans le dérivé *purge*. ◆ Un autre sens attesté dès le moyen âge, celui de «débarrasser (un organe, une humeur) d'impuretés dangereuses» (v. 1265), appartient à l'ancien langage de la médecine, le verbe s'employant aujourd'hui pour «traiter (qqn) en provoquant les évacuations intestinales» (XIVe s.), sens renforcé par l'emploi de *purge* (ci-dessous). ◆ Sur un autre plan, le mot a repris du latin le sens juridique «justifier (un accusé) en faisant disparaître l'accusation» (XIVe s.) d'où «faire disparaître (une peine, une condamnation)» (1583) et, plus couramment, «faire disparaître sa peine en la subissant» : *purger une quarantaine* (1869, Littré) et surtout ***purger une peine.*** Au XVIe s., il a développé son autre sens juridique de «débarrasser (un bien) des charges qui le grèvent» (XVIe s.). ◆ La forme pronominale *se purger* (v. 1138) a d'abord signifié «se purifier moralement d'un péché» et «se disculper, se justifier» (v. 1160), encore en langue classique. Ce pronominal n'est plus employé qu'au sens de «se débarrasser» et spécialement «s'administrer une purge».

▶ Le déverbal **PURGE** n. f. (fin XIIIe s., *F. e. w.*) a suivi l'évolution du verbe : il n'a pas conservé le sens juridique de «libération, acquittement, justification». En médecine, il a signifié «action de purger» (1538), sens à peu près éliminé par *purgation**, puis par métonymie «remède pour purger» (1607). ◆ Le sémantisme dominant de *purge* est passé de l'idée de rendre pur, d'éliminer les impuretés à celui de drogue désagréable, d'où l'argot vieilli (fin XIXe s.) *purge* pour «punition». Un autre sens médical, «action de désinfecter (les marchandises infestées par la peste)» (1752) ne s'est pas maintenu après le XIXe s., alors que la notion technique de «nettoyage» qu'avait le verbe reste réalisée à propos d'une opération textile des fils de soie grège (1869) et de l'évacuation d'un liquide, d'un fluide nuisant au bon fonctionnement d'un appareil (1863), avec une métonymie où *purge* vaut pour «appareil servant à cette opération». ◆ Pendant la Révolution, par métaphore du sens médical, le mot a pris le sens d'«élimination des indésirables» (1793), repris au XXe s. mais moins courant que *épuration* ou spécialisé dans d'autres contextes historiques *(les purges staliniennes)*. ◆ *Purge* est employé en droit pour l'opération qui libère un bien des charges qui le grèvent (1842).
Les autres dérivés de *purger* sont techniques. ◆ **PURGEUR** n. m., qui a désigné en moyen français celui qui nettoie (1531), au figuré et au propre (1576), a été repris au XIXe s. pour désigner l'appareil débarrassant le fil de sa bourre (1869, Littré) et l'organe d'un appareil destiné à évacuer l'air et l'eau de condensation des conduites (1869). ◆ Le féminin **PURGEUSE** n. f. (1869) désigne en filature l'ouvrière, puis l'appareil servant à purger les fils de soie. ◆ **PURGEOIR** n. m. (1752) désigne un bassin où l'on filtre l'eau.

◈ voir **PURGATIF, PURGATOIRE.**

PURIFIER → PUR

PURIN n. m., enregistré en 1842, est un mot dialectal du nord de la France, de Belgique (*puriel*, 1360, à Lille et *pureau*, 1457, à Tournai) ou de Normandie (le normand *purin* signifie «suint»). Il se rattache à l'ancien verbe *purer* «purifier» et «suinter, filtrer, égoutter» (→ purée), mais le sens, et la paronymie avec *purulent* interdisent tout rapprochement spontané avec les séries de *pur* et de *purger*. Il est encore bien attesté en picard, et aussi dans le Centre (Loire inférieure, Anjou).

♦ Le mot désigne le liquide formé par l'urine des animaux, les eaux de pluie et l'excédent de liquide des fumiers, utilisé comme engrais.

▶ **PUROT** n. m., mot régional dérivé de *purin*, désigne une fosse à purin (1842). ◆ Son dérivé **PUROTIN** n. m., terme familier (1878), s'est dit d'une personne misérable et sans ressources; une influence sémantique de *purée (être dans la purée)* est probable.

PURITAIN, AINE adj. et n. est probablement emprunté (1562 ; 1587, selon *T. L. F.*, Ronsard) à l'anglais *Puritan* attesté un peu plus tard tant comme nom (1572) que comme adjectif (1589), dérivé de *purity* «pureté», lui-même emprunté au bas latin *puritas*, dérivé de *purus* (→ pur). Le mot désigna d'abord des membres de l'Église anglicane qui voulaient épurer le rite officiel et refusaient certaines traditions héritées du catholicisme romain et maintenues par la reine Élisabeth Ire. Ces opposants s'étant alliés aux presbytériens dans les luttes contre Jacques Ier et Charles Ier, *puritan* désigna également des protestants calvinistes prônant des principes intransigeants. *Puritan* est probablement formé sur le modèle du bas latin *cathari*, *catharistae*, du grec *katharos* «pur» qui a donné au XIIIe s. le français *cathare** (→ catharsis). *Puritan* a eu pour synonyme anglais *catharan* et a été précédé par *catharite*. Cependant, *puritain* a pu être formé directement en français mais le mot ne s'est répandu que sous l'influence des événements politiques et religieux de Grande-Bretagne aux XVIe et XVIIe s. dans la recherche d'une *religio purissima* («religion très pure»).

♦ Le mot désigne les membres d'une secte de presbytériens rigoristes attachés à la lettre des Écritures et que les Stuarts persécutèrent. Il désigne également les adeptes de cette secte qui émigrèrent en Amérique entre 1620 et 1640 et tentèrent d'y réaliser une communauté religieuse et politique conforme à leur idéal. Il est adjectivé (1762) pour qualifier ce qui est propre à cette secte. ◇ Par extension, il s'emploie en parlant des membres de sectes rigoristes. ◆ Il se dit plus généralement d'une personne qui montre ou affecte une pureté morale scrupuleuse et un respect rigoureux des principes (1776), aussi adjectivé en ce sens (1828), spécialement pour qualifier une personne rigoureuse en matière de morale sexuelle. Même dans ces emplois généraux, il est plus souvent employé à propos des sociétés anglo-saxonnes, Grande-Bretagne et États-Unis, parfois de manière péjorative.

▸ Le dérivé **PURITAINEMENT** adv. (1853) est rare. ◆ **PURITANISME** n. m., emprunt (1649) à l'anglais *puritanism* (1573), de *puritan*, désigne la doctrine des puritains anglo-saxons et, par extension, se dit d'un rigorisme extrême et souvent affecté (1829), spécialement en matière sexuelle.

PURPURIN → POURPRE

PUS n. m. est un emprunt de la Renaissance (1520) au latin *pus, puris*, également employé comme terme d'injure. Celui-ci correspond à un thème en *-s-* °*puwos* comme le grec *puos* «pus» employé chez Hippocrate à côté de *puon* (→ pyo-) ; le sanskrit a *pūyati*, l'avestique *puyeiti* «il pourrit», le grec *puthein* «faire pourrir», l'arménien *hu* «sang purulent», le lituanien *púliai* «pus», l'ancien haut allemand *fūl* «pourri».

♦ Ce mot désigne un liquide pathologique parfois épais, produit lors d'une inflammation et dont on sait aujourd'hui qu'il contient des leucocytes et des micro-organismes.

▸ **PURULENT, ENTE** adj. est emprunté (1542) au dérivé latin *purulentus* «qui ressemble au pus, contient du pus». ◇ Repris avec les sens du mot latin, *purulent* se dit en particulier (1545) d'un lieu où se forme le pus (*foyer purulent*, 1833), d'une infection dans laquelle les microbes pyogènes ont envahi le sang (1932, Larousse). Un emploi figuré se rencontre dans la langue littéraire. ◆ **PURULER** v. intr. (1560), tiré de *purulent*, s'est dit au figuré de troubles politiques ; il a été repris (1891) au sens de «se décomposer, se putréfier» dans la langue littéraire. ◆ **PURULENCE** n. f. est emprunté (1555) au bas latin ecclésiastique *purulentia* «pus», et au figuré «rebut, lie», du dérivé *purulentus*. Le mot, rare avant le XVIIIe s., désigne l'état de ce qui est purulent, et quelquefois, au figuré, une infection morale (XXe s.). Il est resté didactique.

◈ voir POURRIR, PUER, PUNAISE, PUSTULE, PUTAIN, PUTOIS, PUTRÉFIER, SUPPURER.

PUSILLANIME adj. est emprunté (v. 1265) au bas latin chrétien *pusillanimis*, à côté de *pusillanimus*, proprement «faible en courage». Le mot est composé du latin classique *pusillus* «tout petit», diminutif de *pusus* «petit garçon», dérivé de *puer* «enfant» (→ puéril), et de *animus* «âme, esprit» (→ âme), et «courage», d'où *pusillus animus* «esprit étroit», chez Cicéron.

♦ Le mot qualifie une personne manquant d'audace et, par métonymie (1567), ce qui indique un manque d'audace (acte, comportement...). Il relève d'un registre soutenu ou littéraire.

▸ Son dérivé **PUSILLANIMEMENT** adv. (déb. XVe s.) est rare. ◆ **PUSILLANIMITÉ** n. f., nom correspondant, emprunt (1279) au dérivé bas latin *pusillanimitas, -atis*, est tout aussi littéraire que l'adjectif. *Une pusillanimité* (1840), désignant une manifestation concrète de ce caractère, est rare.

PUSTULE n. f. est emprunté (v. 1300) au latin *pustula*, dérivé de *pus, puris* (→ pus), «ampoule, petite tumeur purulente», également «bulle, bouillon» (produit par effervescence) et «bulles produites dans la fusion de l'argent», d'où «argent pur».

♦ Le mot n'a été repris qu'au sens médical de «bouton purulent», *pustule maligne* (1568) désignant la forme la plus commune du charbon chez l'homme. Par analogie d'aspect, il se dit d'une petite saillie, d'une tache ronde qui apparaît sur les tiges ou les feuilles de certaines plantes, sur la peau des crapauds (1869, Littré).

▸ Le dérivé **PUSTULÉ, ÉE** adj. (1560), à peu près inusité, a été repris (1842) comme terme didactique. ◆ **PUSTULEUX, EUSE** adj. est emprunté (1530) au bas latin médical *pustulosus* «couvert de pustules», du latin classique *pustula*. ◇ Le mot qualifie ce qui a la forme d'une pustule et (1571) ce qui est couvert de pustules. Il est également employé en botanique pour «couvert de petites saillies rondes» (déb. XXe s.).

PUTAIN n. f. est l'ancien cas régime en *-ain* (v. 1121) — du même type que *nonnain*, ancien cas régime de *nonne* — de l'ancien français *put, pute,* adjectif courant jusqu'au XVe s. au sens de «puant, sale», à côté de *ordorde*. Le mot est issu (1080) du latin *putidus* «pourri, gâté, puant, fétide» et, moralement «qui sent l'affectation», dérivé de *putere* «pourrir, se corrompre» (→ puer). *Put, pute,* proprement «puant», a pris dès les premiers textes le sens figuré de «sale, mauvais, vil, odieux, méchant», s'appliquant spécialement à une femme lascive, débauchée. L'ancien provençal a également *put* «mauvais» et «débauché» et, au féminin, *puta* et *putana* (d'où l'italien *putana*, l'espagnol *puta*). De nos jours, *put* vit encore dans les dialectes de l'Est au sens de «laid».

♦ *Putain,* désignant une prostituée, d'où *dame putain* qualifiant une femme débauchée (1278), a pris vers le XVIe s. une valeur triviale et insultante : Furetière rappelle en 1690 qu'«il a été un temps qu'il n'estoit point odieux» et ajoute que «la haine qu'on a contre ce nom l'a decredité chez les honnestes gens», qu'«il n'est plus en usage que chez le peuple, quand il veut dire une injure atroce». Par extension, il se dit d'une femme considérée comme débauchée (fin XIVe s.) et donne lieu à des emplois injurieux comme *fils de putain* (XVe s. ; 1155, *filz a putain*). ◇ Il est adjectivé au sens figuré de «qui cherche à plaire à tout le monde» (1867, *avoir la main putain*), emploi péjoratif mais non vulgaire, seulement familier et d'ailleurs plutôt recherché. ➜ La langue populaire en a fait une interjection pour marquer l'admiration, l'étonnement (1931), *putain de...* suivi d'un nom (1929) exprimant mépris ou exaspération, puis admiration. ◇ Des variantes régionales ont cours, comme *la putain, la putain de ta race,* etc. chez les Français qui vivaient en Afrique du Nord.

▸ L'ancien **PUTANIER** n. m. (XVe s.), d'abord *putenier* (1408), est emprunté à l'ancien provençal *putanier* (XIIIe s.) «homme fréquentant les prostituées», lui-même de *puta.* Il est surtout régional. ➜ *Putain* a produit **PUTANISME** n. m. (fin XVIe s.) «vie de prostituée» et, ultérieurement, **PUTANAT** n. m., que l'on rencontre d'abord chez Bloy (1887), plaisamment, avec le même sens.

PUTE n. f. est l'ancien cas sujet féminin substantivé (v. 1200) de l'ancien adjectif *put, pute,* précédé par une forme *puite* en anglo-normand (1120). Le mot a servi en ancien et moyen français à désigner une prostituée, une femme de mauvaise vie. Éliminé par *putain,* il a été repris assez récemment, sous l'influence d'usages régionaux, probablement par emprunt au provençal *puta.* ◇ *Pute* est un synonyme plus marqué de *putain,* mais qui peut être moins injurieux *(aller aux putes, chez les putes),* voire admiratif *(la belle pute !).* Il est également employé comme adjectif pour qualifier une personne (homme ou femme) qui se prostitue, qui n'hésite pas à se compromettre pour arriver à ses fins. Dans cet emploi, *pute* est plus courant que *putain.* ➜ *Pute* a servi à former **PUTASSE** n. f. (1558) avec le suffixe péjoratif *-asse* (de *grognasse, pouffiasse*), désignant très vulgairement une prostituée. ➜ Le mot a donné un verbe **PUTASSER** v. intr. dès avant 1486, signifiant «fréquenter les prostituées» et «vivre en prostituée» (1846). ➜ Si le verbe n'est plus guère employé, il a deux dérivés vivants : **PUTASSIER, IÈRE** n. (1549) et adj. (fin XVIe s.) et **PUTASSERIE** n. f. (1606), mot vulgaire pour désigner la vie de prostituée et la fréquentation des prostituées (1798), employé au figuré pour une chose ignoble, vile (XXe s.). ◇ Sous l'influence de *putain* et de *pute,* il désigne aussi le fait de chercher à plaire par tous les moyens.

◈ voir PUTIER, PUTOIS.

PUTATIF, IVE adj. est emprunté (XIVe s.) au latin médiéval juridique *putativus,* signifiant déjà en bas latin «imaginaire». Il est dérivé de *putare* au sens abstrait de «compter, calculer», d'où «penser», mot qui n'est pas passé en français sinon par ses composés (ainsi *computare* a donné *compter* et *conter*).

♦ *Putatif,* terme de droit, qualifie une personne qui passe juridiquement pour être celle qu'en fait elle n'est pas *(enfant, père putatif). Mariage putatif* (1842) a le sens de «censé, supposé avoir une existence légale», ce mariage étant contracté de bonne foi au moins par l'un des époux, mais entaché de nullité.

▸ Son dérivé **PUTATIVEMENT** adv., enregistré dans le dictionnaire de P. Larousse en 1875, semble très rare.

PUTIER ou **PUTIET** n. m. est dérivé (1666) de l'ancien adjectif *put, pute* «puant, nauséabond» d'où «sale, mauvais» (→ putain, putois), les feuilles et les fleurs de cet arbre dégageant une mauvaise odeur quand on les froisse entre les doigts.

♦ Le mot est attesté isolément, puis repris en 1808, comme un nom du merisier à grappes.

PUTOIS n. m. est dérivé (1165) de l'adjectif ancien français *put, pute* «puant» (→ putain).

♦ Le mot désigne un petit mammifère à odeur nauséabonde. Il donne lieu à la locution ***crier comme un putois*** (1897). ◇ Par métonymie, il désigne la fourrure de l'animal (1694) et, techniquement, un pinceau fait avec les poils de l'animal pour étendre les couleurs sur les poteries (1802).

▸ Son dérivé **PUTOISÉ, ÉE** adj. (1925) qualifie, en termes de chasse, un furet croisé avec le putois, plus féroce et plus résistant que le furet ordinaire.

PUTRÉFIER v. tr. est la francisation (1314), d'après les verbes en *-fier,* du latin *putrefacere* «pourrir, gâter, corrompre», de *putris* «corrompu, fétide, pourri», de *pus, puris* (→ pus) et de *-facere* (→ faire).

♦ Le verbe signifie «causer la décomposition de (une matière organique)» ; la forme pronominale réfléchie *se putréfier* (1530) est assez fréquente.

▸ Le participe passé **PUTRÉFIÉ, ÉE** est employé adjectivement (v. 1560). ➜ Un adjectif **PUTRÉFIABLE** a été dérivé (1875) du verbe.

PUTRÉFACTION n. f., le nom d'action correspondant, a été emprunté en même temps (1314) au bas latin médical, *putrefactio, -onis* «corruption d'une matière organique», de *putrefactum,* supin de *putrefacere.* Repris au sens du mot latin, *putréfaction* est rarement employé au figuré : *putréfaction morale* (1755, Mirabeau).

Du même radical latin vient **PUTRIDE** adj., emprunt (1256) au latin *putridus* «pourri, gâté, carié» et «flétri par l'âge», d'un autre adjectif de sens voisin, *putris* «gâté, corrompu», lui-même de *pus, puris* (→ pus). ◆ Le mot a été repris par les médecins dans la locution *fièvre putride* «fièvre attribuée à la corruption des humeurs», enregistrée dans les dictionnaires de 1680 à 1878. Il qualifie plus généralement ce qui est en état de putréfaction (v. 1560, Paré) et ce qui présente les phénomènes de la putréfaction, est produit par la putréfaction (1690). Le sens figuré, «dépravé moralement», semble tardif (milieu XXe s.) et rare. ◆ L'antonyme **ANTIPUTRIDE** adj. (1763) est substantivé (1765) pour un remède propre à empêcher la putréfaction. ◆ **PUTRIDITÉ** n. f. (1757) «état de ce qui est putréfié» est employé rarement au sens figuré de «corruption morale» (1783).

PUTRESCENT, ENTE adj. est emprunté (1549) au latin *putrescens, -entis,* participe présent de *putrescere* «se gâter, se corrompre», inchoactif de *putrere* «être gâté», lui-même de *putris.* ◇ Le mot qualifie ce qui est en voie de putréfaction ; après une occurrence isolée, il a été repris dans le style didactique (1790), produisant **PUTRESCENCE** n. f. (1801). ◆ **PUTRESCIBLE** adj. est emprunté (1390) au bas latin *putrescibilis* «sujet à la corruption», de *putrescere.* C'est un terme didactique prisé dans le style littéraire comme un synonyme recherché de *corruptible* (Péguy, 1913). ◆ L'antonyme **IMPUTRESCIBLE** adj., formé une première fois à la fin du XVe s. d'après le bas latin chrétien *imputrescibilis* «qui ne pourrit pas», est sorti d'usage ensuite. Le moyen français semble lui avoir préféré *imputréfactible* et *imputrible,* faits eux-mêmes d'après le latin. *Imputrescible* a été reformé (1796) d'après *putrescible* et, depuis, est devenu plus courant que ce dernier.

PUTSCH n. m. est emprunté (1921) à l'allemand *Putsch,* lui-même de l'alémanique *Putsch* «coup, action de pousser» d'où «mouvement en avant». C'est un mot de formation expressive que l'on peut rapprocher d'un ensemble de mots onomatopéiques français à structure consonantique *p-f* (→ pouf). *Putsch* exprime une explosion, une échauffourée, avant de désigner un soulèvement d'un groupe politique armé en vue de prendre le pouvoir, d'abord en Suisse (Zurich) en 1839.

♦ Le mot, d'abord employé en parlant de pays de langue allemande, s'est étendu à d'autres situations, notamment à tous les coups d'État militaires aboutissant à un pouvoir dictatorial (cf. *pronunciamiento*).

► On en a dérivé **PUTSCHISTE** n. et adj. (1920) «participant à un putsch, partisan d'un coup d'État».

PUY n. m., graphie ornée (XIVe s.) de *pui* (v. 1100), est issu du latin *podium* pris dans son sens géographique de «petite éminence» (VIe s.) [d'où l'italien *poggio* «coteau, tertre» et l'ancien provençal *poi, pog (podj)* «colline»] (→ appuyer). C'est donc un doublet de *podium.*

♦ Le mot a désigné une hauteur, un sommet, une colline, sens qu'il a conservé en géographie (1845-1846) et en toponymie dans les noms de hauteurs de nature volcanique à profil arrondi, notamment en Auvergne (1869, Littré). ◆ Par une évolution sémantique mal expliquée, *puy* désigne une société mi-littéraire, mi-religieuse qui, au moyen âge, organisait des concours de poésie dramatique et lyrique dans quelques villes du nord de la France (1248) : on a invoqué le sens ancien d'«estrade» (repris au latin *podium*) à cause de la plate-forme sur laquelle on jouait ou lisait les poèmes et les pièces, ou encore le nom de la ville auvergnate du *Puy* où une société analogue existait depuis très longtemps. Il s'agit peut-être simplement d'un emploi allégorique du sens de «montagne», un royaume des arts se devant d'être situé en hauteur, à l'endroit où le vulgaire ne peut s'élever.

PUZZLE n. m. est emprunté (1909) à l'anglais *puzzle* ou *Chinese puzzle* (1815) «casse-tête chinois» également *jig-saw puzzle* (1909) «jeu de patience découpé à la scie», de *puzzle* «embarras, perplexité» (av. 1612, Bacon), «problème, énigme» (1655) et «rébus» (1814). *Puzzle* est le déverbal de *to puzzle* «embarrasser, rendre ou laisser perplexe» (1595), employé intransitivement pour «essayer de résoudre» (1605), mot d'origine obscure, qui se rattache peut-être au moyen anglais *poselet,* forme de participe passé qui pourrait être issue de *to pose* (XVIe s.), aphérèse de *to appose.* Ce dernier, en usage du XIVe au XVIIe s. au sens de «confronter avec des objections, des questions», est issu de l'ancien français *aposer,* variante de *oposer,* forme archaïque de *opposer**.

♦ Le mot désigne un jeu de patience composé d'un grand nombre de pièces à assembler pour composer une image. Par métonymie, il désigne le support matériel de ce jeu (1910), et par analogie, un ensemble visuel formé d'éléments disparates (1913). ◆ Le sens figuré, «ensemble à reconstituer par un raisonnement logique» (1911), semble réemprunté à l'anglais. L'emprunt est passé dans l'usage tout en gardant plusieurs éléments caractéristiques de l'anglicité et une incertitude phonétique (*puzle* ou *peuzeul*) qui empêche sa complète francisation.

PYCNO- est emprunté au grec *pukno-,* de *puknos* «dru, serré, épais compact», abstraitement «fréquent» et, en parlant de l'esprit, «solide, précis, pénétrant». L'étymologie de ce mot reste obscure et son développement sémantique n'est pas clair.

► L'élément, au sens matériel de «dru, serré, épais», a servi à former quelques termes scientifiques, surtout en médecine et en psychologie, notamment **PYCNIQUE** adj. et n. (av. 1951), terme dû à l'Allemand Kretschmer et définissant un type morphopsychologique au physique bréviligne. ◆ En botanique, le latin scientifique *pycnidium* (1851, Tulasne) formé de *pycn(o)-* et de *(o)idium,* a fourni **PYCNIDE** n. f. (1878) «cavité contenant les spores chez les champignons ascomycètes». ◇ **PYCNIOSPORE** n. f., nom donné à la spore provenant d'une pycnide, a été directement formé à partir de l'adjectif grec *puknosporos* «semé dru». ◆ **PYCNOSE** n. f. (1904) représente un emprunt au grec *puknôsis* «condensation» par l'anglais *pycnosis*. Il concerne l'altération du noyau de la cellule avec condensation du matériel nucléaire.

PYÉL-, PYÉLO-, premiers éléments de mots scientifiques, sont empruntés au grec *puelos* «cavité, bassin», d'abord «auge, bassin à laver», dissimilation de °*plu-êlos*, du radical *plu-* de *plunein* «laver», d'origine indoeuropéenne (sanskrit *plavate* «flotter, noyer», comme le grec *plueín*).

▶ Le premier terme attesté est **PYÉLITE** n. f., avec le suffixe *-ite** (1849), désignant une inflammation de la muqueuse des bassinets du rein. ◆ **PYÉLONÉPHRITE** n. f. (1878), de *néphrite*, s'applique à l'inflammation des bassinets et du parenchyme rénal. ◆ **PYÉLOGRAPHIE** n. f. (1923) correspond à «radiographie du rein». ◆ D'autres composés ont suivi, ainsi que l'adjectif dérivé **PYÉLIQUE** «du bassinet du rein», enregistré dans le *Dictionnaire de médecine* de Manuila (1972).

PYGMÉE n. m. est emprunté (1491) au latin *Pygmaeus*, lui-même du grec *Pugmaios* (au pluriel *oi Pugmaioi*), désignant un nain appartenant à un peuple légendaire, déjà mentionné dans *l'Iliade* et qui passait pour habiter au sud de l'Égypte ou encore en Inde. *Pugmaios* est l'emploi substantivé de *pugmaios* «haut d'une coudée», dérivé de *pugmê* «poing» et, par métonymie, «longueur d'une coudée», mot qui a des correspondants en latin avec *pugil* (→ pugilat), *pugnus* (→ poing) et ses dérivés. Tous doivent se rattacher au radical verbal attesté dans le latin *pungere* «piquer» (→ poindre), le poing fermé étant l'agent au moyen duquel on blesse. Toutefois N. Van Brock a tenté de rattacher le mot grec à une racine signifiant «tout, ensemble» que l'on retrouverait dans *pan* (→ pan-) et *pente* «cinq» (→ pent[a]-), l'ancien haut allemand *fust* «poing» (cf. anglais *fist*) et le hittite *panku* «tout».

♦ Le mot, repris comme terme d'antiquité, a été concurrencé par les formes à suffixe *pigmain* (1247-1370), *pimain* (1380), *pigmeon* (1380), *pymeau* (1482), encore *pygmean* en 1593. ◆ Au XVIIIe s., il commence à s'appliquer à un individu appartenant à une race africaine ou indonésienne de très petite taille (1756, Voltaire qui le donne comme un terme d'explorateur). Aujourd'hui, on le réserve à des ethnies africaines dont la taille moyenne est relativement petite, mais la taille n'est plus un élément essentiel du concept. ◆ En outre, le mot est employé en parlant d'une personne de très petite taille (1532; sens fixé en 1611) et, par mépris dès le XVIe s., d'un être insignifiant et sans crédit, par une métaphore analogue à celle qui porte sur une autre désignation antique, *myrmidon*.

▶ Ses deux dérivés didactiques concernent le sens anthropologique : **PYGMÉEN, ENNE** adj. (1842) et **PYGMOÏDE** adj. (1972).

PYJAMA n. m. est emprunté, d'abord sous la forme *pyjaamah* (1837), à l'anglais *pyjamas* n. pl. (1800), *peijammahs, piejammahs, pyjamahs* ou *pajamas* (surtout en américain). Le mot anglais est emprunté à l'ourdou — forme islamisée de l'hindoustani et l'une des deux langues nationales du Pakistan — *pāejāma* ou *pājāma*, littéralement «vêtement de jambes», composé de deux emprunts au persan, *pāy* «pied, jambe» et *jāma* «vêtement». L'anglais a donné au mot la marque du pluriel sur le modèle de *breeches* «culottes», *trousers* «pantalons».

♦ Le mot a été repris avec le sens didactique de «pantalon à la mauresque porté dans certaines régions de l'Inde». Le sens courant de «vêtement de nuit ou d'intérieur composé d'un pantalon et d'une veste» apparaît tard dans le XIXe s. (1882), d'abord sous la forme *pajama(s)*, plus conforme à l'étymologie et peut-être due à une influence américaine, suivie par *pyjama* (1895) qui l'a emporté. Le succès du mot correspond à la désuétude de la chemise de nuit masculine et à l'évolution des mœurs, le pyjama étant également porté par les femmes, dans les années 1930. Le mot a aussi désigné un type de vêtement de plage ou de sport.

PYLÔNE n. m. est un emprunt tardif (1819) au grec *pulôn, pulônos*, dérivé de *pulê* «porte» (→ pylore) avec le suffixe des noms de lieu, pour désigner le portail d'un édifice public ou d'un temple, espace comportant parfois une construction ou une tour placée devant l'édifice.

♦ Le mot a été repris pour désigner en archéologie le «portail monumental à l'entrée des temples égyptiens, encadré de deux massifs de maçonnerie en forme de pyramides tronquées». Par analogie, il désigne un motif décoratif en forme de pilier quadrangulaire ornant l'entrée d'une avenue, d'un pont (1904). ◆ Le sens courant, «support en béton ou en charpente métallique ayant la forme d'une pyramide», semble apparaître à la fin du XIXe s. (1888). L'anglais a emprunté ce sens d'abord en aéronautique.

PYLORE n. m. est emprunté (1552, Rabelais) au bas latin médical *pylorus* «orifice faisant communiquer l'estomac avec le duodénum», lui-même emprunté au grec *pulôros* qui signifie proprement «gardien d'une porte». *Pulôros* est composé de *pulê* «battant de porte», surtout au pluriel «porte double», le plus souvent «portes d'une ville», «entrée, accès», mot d'étymologie inconnue, et de *ôra* «soin», que l'on rattache à l'importante racine °*wer-* «faire attention» (→ observer, regarder).

♦ Cet emprunt médical a conservé le sens anatomique gréco-latin.

▶ Il a produit **PYLORIQUE** adj. (1765) et, récemment, **PYLORISME** n. m. «tendance au spasme de la musculature du pylore».

◈ voir PYLÔNE.

PYO- est l'élément formant tiré du grec *puo-* «pus». *Puo-* représente le substantif *puon* ou *puos* «pus» (encore *puon* en grec moderne) qui a des répondants dans l'arménien *hu* «sang purulent» et le latin *pus* (→ pus); le substantif se rattache à la famille du verbe *puthein* «faire pourrir», au moyen (médiopassif) «pourrir, se putréfier», constituée autour de la notion de pus, de purulence et appartenant probablement à une racine indoeuropéenne °*pū*, exclamation de dégoût (cf. *pouah !*).

▸ L'élément, et sa variante *py- (pyurie)*, entre dans la composition d'une douzaine de termes savants de médecine. ➛ Il commence à être productif au début du XIXe s. avec la forme **PYOGÉNIE** n. f. (1809), remplacée aujourd'hui par **PYOGÉNÈSE** (1932) auquel correspond **PYOGÈNE** adj. (1890), qui a remplacé **PYOGÉNIQUE** adj. (1833). ➛ Par ailleurs, **PYORRHÉE** n. f. (1827) est emprunté par le latin médical moderne au composé grec *puorroia* «écoulement de pus», de *puo-* et de *rhein* «couler». ➛ Les composés sont plus nombreux dans la seconde moitié du XIXe s. : **PYOÏDE** adj. (1855) «qui a l'aspect du pus», **PYOCYANINE** n. f. (1872) «pigment bleu des bacilles pyocyaniques» et **PYOCYANIQUE** adj. et n. m. (1889) «bacille mobile, abondant dans l'eau, produisant la pyocyanine», mots tirés de *cyanine*, le pigment bleuâtre de ces bacilles colorant le pus des infections qu'ils provoquent. ➛ **PYOCYTE** n. m. (1878) désigne le leucocyte dégénéré qu'on trouve dans le pus. ➛ Au XXe s. apparaissent **PYODERMITE** n. f. (1932 ; d'abord *pyodermie*, 1904), infection de la peau par des germes pyogènes, et **PYOCULTURE** n. f. (dans Manuila, 1972) «culture de bactéries par prélèvement de pus».

◈ voir PUER, PUNAISE, PUS, PUTAIN, PUTIER, PUTRÉFIER, SUPPURER.

PYR(O)- est l'élément tiré du grec *pur, puros* «feu», parfois «flamme» et, chez les médecins, «fièvre», employé dans de nombreux composés (→ pyrèthre, pyrite). *Pur* appartient à l'ancien nom inanimé du feu en indoeuropéen, comme l'ombrien *pir*, l'arménien *hur*, le vieux norrois *furr, fyrr*, l'ancien haut allemand *fuir, fiur* (allemand *Feuer*, cf. l'anglais *fire*), le tchèque *pýř*. Comme pour le nom de l'eau (→ hydro-), le grec a préféré le nom d'inanimé au nom indoeuropéen animé du feu, pourvu d'une résonance religieuse que l'on a dans le sanskrit *agni-*, le latin *ignis* (→ igni-), auquel s'est substitué *focus* (→ feu).

▸ En dehors des mots empruntés directement au grec, parfois dès le moyen âge comme **PYROMANCIE** n. f. (XIIIe s.) «divination par le feu», *pyro-* devient productif au XVIe *(pyrotechnie)* et surtout à partir du XVIIe siècle. ➛ **PYROTECHNIE** n. f. signifie d'abord (1556) «art d'employer le feu», puis «préparation des pièces d'artifice et explosifs» (1690) d'où «emploi de feux d'artifice» (déb. XXe s.). ◇ Il a produit **PYROTECHNIQUE** adj. (1626, n. f. ; 1690). ➛ Les composés appartiennent aux vocabulaires didactiques des sciences et techniques (botanique, zoologie, géologie, minéralogie, physique, chimie, où il désigne particulièrement une substance obtenue par l'action de la chaleur). ◇ Parmi les mots qui se sont répandus dans l'usage courant, on peut citer **PYROMANIE** n. f. (1833) et **PYROMANE** n. (1833) à propos de l'impulsion obsédante à mettre le feu et de ceux qui s'y livrent, le second étant devenu courant à cause des méfaits attribués aux pyromanes à l'occasion d'incendies de forêts. Une autre série est assez usuelle : **PYROGRAVURE** n. f. (1895), **PYROGRAVER** v. tr. (1898) et **PYROGRAVEUR, EUSE** n. (1898), concernant un procédé de décoration sur bois à l'aide d'une pointe métallique portée au rouge.

◈ voir PYRÈTHRE, PYREX, PYRITE.

PYRAMIDE n. f. est emprunté (v. 1150, *Roman de Thèbes*) au latin *pyramis, -idis*, du grec *puramis, -idos*, qui désigne d'une part un grand monument égyptien et, par analogie, la figure géométrique que réalise ce monument, et d'autre part un gâteau de grains de froment grillés mélangés à du miel (en ce sens on a généralement *puramous*). Au sens de «gâteau», le mot est fait sur *puros* «froment», lequel a des répondants dans le groupe baltique et slave (lituanien *pūraĩ* pl. «blé d'hiver», lette *pūri*, vieux slave et russe *pyro*, peut-être à l'origine de *pirojki**). On a supposé que les pyramides égyptiennes auraient été dénommées d'après la forme d'un tel gâteau, mais rien ne prouve qu'elle ait été pyramidale. L'hypothèse d'un emprunt à l'égyptien *pr-m-us* «hauteur» a été écartée.

♦ *Pyramide* désigne un grand monument égyptien à base quadrangulaire et quatre faces triangulaires. On parle par extension de *pyramides à degrés*, et par analogie on désigne ainsi des monuments analogues hors d'Égypte (par exemple, dans le Mexique précolombien). ➛ Le mot a été repris en géométrie pour un polyèdre ayant pour base un polygone et pour faces latérales des triangles possédant un sommet commun (1361), d'où la locution ***en pyramide*** (1531). Par analogie, il se dit d'un entassement s'élevant d'une large base en s'amincissant (XVe s.), spécialement dans ***pyramide humaine*** (1831) qui se dit d'un exercice athlétique, et en termes de peinture à propos de la disposition des éléments du tableau en forme de pyramide (1765). L'expression ***pyramide des âges*** (1962) fait allusion à la représentation graphique de la répartition des âges d'une population. ◇ Divers sens techniques fondés sur une analogie de forme sont sortis d'usage, mais en anatomie, le mot s'emploie encore pour «saillie osseuse à la paroi interne de la caisse du tympan» (1812) et «éminence de la moelle épinière» (1842). ◇ Des emplois métaphoriques et figurés se rencontrent occasionnellement à propos de création monumentale d'ordre intellectuel, politique ; l'image de la *pyramide renversée* reposant sur sa pointe symbolise notamment l'instabilité d'une entreprise.

▸ Le dénominatif **PYRAMIDER** v. intr., d'abord *piramider* (fin XVe s.), s'employait autrefois transitivement au sens d'«entasser en pyramide», et en peinture pour «étager en pyramide (les éléments d'une composition)» (1761). ◇ Le sens intransitif, «être disposé en pyramide» (1765), tend lui aussi à vieillir. ➛ *Pyramide* a produit ses deux autres dérivés au XIXe s., le terme d'archéologie **PYRAMIDION** n. m. (1842) «sommet d'une pyramide», et le terme de minéralogie **PYRAMIDÉ, ÉE** adj. qualifiant (1875) une pierre à structure en forme de pyramide.

PYRAMIDAL, ALE, AUX adj. est emprunté (XIIIe s.) au dérivé bas latin *pyramidalis*. ➛ Il qualifie ce qui est en forme de pyramide, spécialement dans la description anatomique d'organes (v. 1700) dans *muscle, os pyramidal, cellule pyramidale* (1904, Larousse), *faisceaux pyramidaux* (1932, Larousse). ➜ Le sens figuré de «colossal, monumental» (1806), à la mode dans le vocabulaire des Jeunes-France autour de 1830, et reflétant la forte impression produite par les antiquités égyptiennes, après les expéditions de Bonaparte, est sorti d'usage. ➜ Son dérivé **PYRAMIDALEMENT** adv. (1380) a eu lui aussi dans les années 1830 le sens figuré de «colossalement» (1831, Balzac).

PYRÈTHRE n. m. est emprunté sous la forme *piretre* (1256), corrigée en *pirèthre* (1556), au latin *pirethrum* repris du grec *purethron* «plante du genre chrysanthème ou matricaire». Ce dernier est dérivé de *pur, puros* «feu» (→ pyro-), peut-être par allusion au pouvoir calorique de la plante. L'ancien et le moyen français ont eu des formes dissimilées : *peletre* en «judéo-français», *pelestre* (XIIIe s.), *paletre* (XVe s.), phénomène commun à l'italien *pilatro* et à l'espagnol, catalan et portugais *pelitre*.

♦ Le mot a gardé le sens de l'étymon.

◈ voir **PYREX, PYRITE.**

PYREX n. m. est un emprunt (1924) à l'anglo-américain *pyrex* (prononcé *païrex*), nom de marque déposée (1917). Le mot, qui semble à l'évidence tiré de *pyro-* «feu» (→ pyr[o]-), a été formé au dire de son inventeur William H. Curtiss sur l'anglais *pie* (prononcé *paï*) «tourte» car c'est la matière rêvée pour le plat à tourte (qui va au feu). Même si l'assertion n'est pas purement humoristique, la graphie en *pyr-* manifeste l'influence du radical grec. Le mot anglais *pie* est en général assimilé au nom d'oiseau *pie* (→ ② pie), probablement par allusion au fait que cet oiseau rassemble des objets composites, la tourte se caractérisant par sa farce composée d'ingrédients variés.

♦ Le mot se rencontre chez Mme P. Curie (in *T. L. F.*) dans la description d'instruments de laboratoire ; il s'est répandu avec la diffusion des ustensiles ménagers dans ce verre peu fusible.

PYRITE n. f. est emprunté avec changement de genre (av. 1150) au latin *pyrites* n. m., lui-même repris au grec hellénistique et tardif *puritês (lithos)* «minerai de cuivre» et «pierre précieuse» (littéralement «pierre de feu»). Ce mot est la substantivation de l'adjectif *puritês* «de feu», de *pur, puros* «feu» (→ pyr[o]-).

♦ Le mot désigne le sulfure naturel de fer servant à la fabrication de l'acide sulfurique ainsi que le sulfure de cuivre.

▸ Il a pour dérivé l'adjectif **PYRITEUX, EUSE** «qui renferme de la pyrite» (1783, Buffon), d'usage didactique.

PYRRHONIEN, IENNE adj. et n. est dérivé savamment (1546, Rabelais) du latin *pyrrhoneius*, lui-même du grec *purrhôneios* «de Pyrrhon», substantivé pour désigner un disciple de Pyrrhon, un philosophe sceptique. Le mot est dérivé de *Purrôn, -ônos*, nom du célèbre philosophe grec fondateur de l'école sceptique (v. 365-275 av. J.-C.), en latin *Pyrrho, -onis*, francisé en *Pyrrhon*.

♦ Le mot désigne proprement un disciple de l'école de Pyrrhon et, par extension, une personne qui affecte de douter de tout (av. 1662, Pascal), constituant un synonyme didactique de *sceptique*. ◇ Comme adjectif au sens de «relatif à Pyrrhon», il n'est attesté qu'en 1875.

▸ **PYRRHONISME** n. m. est formé à la Renaissance (1580) sur *Pyrrhon*. Le mot, attesté depuis Montaigne, désigne la doctrine philosophique sceptique et, par extension, la tendance à douter de tout.

PYTHIE n. f. est emprunté (1546, Rabelais) au latin *pythia*, lui-même repris au grec *puthia*, proprement «pythienne», spécialement «prêtresse de l'oracle d'Apollon à Delphes», de *Puthô*, ancien nom de Delphes (cf. ci-dessous *python*).

♦ Ce terme d'antiquité grecque a pris par extension le sens de «prophétesse, devineresse» dans un usage très littéraire.

▸ **PYTHIEN, IENNE** adj. a été dérivé savamment à la Renaissance (1550) du latin *Pytho*, du grec *Puthô*. Le mot, dès ses premières attestations chez Ronsard, sert d'épithète à *Apollon* et qualifie ce qui a rapport à la pythie.

PYTHON n. m. est emprunté (av. 1559) au latin *Python*, lui-même emprunté au grec *Puthôn*, nom d'un serpent mythologique qui rendait les oracles au pied du Parnasse et qu'Apollon tua de ses flèches avant d'installer son oracle à Delphes. Par suite, le mot s'est employé comme nom commun à propos d'un prophète inspiré par Apollon Pythien et aussi d'un ventriloque. Il est dérivé de *Puthô*, ancien nom de Delphes (cf. ci-dessous *pythonisse*), toponyme sans étymologie établie, que les Anciens rattachaient à *puthesthai* «se putréfier (→ pyo-)» parce que le serpent y aurait pourri. Le mot a été repris à la Renaissance par les poètes de la Pléiade (Du Bellay) avec son sens mythologique. Dans ce sens, il s'emploie par apposition *(le serpent python)*. ➜ Il a été recréé comme nom commun pour désigner un très grand serpent constricteur (1803, *Bulletin des sciences*), emploi didactique devenu usuel.

PYTHONISSE n. f., d'abord transcrit *phitonise* (XIIIe s.) avant *pithonisse* (v. 1380), est emprunté au latin médiéval *phitonissa* (fin XIIe s.), du latin ecclésiastique *pythonissa* (chez saint Jérôme et saint Augustin), employé dans la *Vulgate* comme synonyme de *pithonicus spiritus* «esprit prophétique». *Pythonissa* est lui-même dérivé de *python* «devin», du grec *puthôn* au sens de «prophète inspiré par Apollon Pythien» (ci-dessus). ➜ Le mot a été repris avec son sens biblique de «devineresse, enchanteresse, prophétesse». ◇ Par extension, il se dit ironiquement d'une femme qui fait métier de prédire l'avenir (1678, La Fontaine). ◇ Il s'est employé adjectivement pour qualifier celle qui est douée du don de prophétie (1584).

PYXIDE n. f. est emprunté (1478) au latin *pyxis, -idis* «petite boîte, coffret», lui-même emprunté au grec *puxis, -idos* «boîte pour les remèdes et autres substances», dérivé de *puxos* «buis», terme d'emprunt peut-être à l'origine du latin *buxus* (→ buis).

♦ Le mot a été introduit en anatomie pour désigner une cavité osseuse aux articulations, sens disparu à la fin du XVIe siècle. ➛ Le sens propre de «boîte» (av. 1483) s'est maintenu, spécialisé d'une part en archéologie ancienne, de l'autre en liturgie (1531) pour la petite boîte où l'on conservait autrefois l'eucharistie et que l'on utilise pour porter la communion aux malades. ➛ Au XIXe s., par analogie, *pyxide* est redevenu un terme du vocabulaire descriptif scientifique, mais en botanique où il désigne (1812) la capsule à déhiscence transversale dont la partie supérieure se soulève comme un couvercle.

Q

QUADR-, QUADRI-, QUADRU-, élément formant, est tiré du latin *quadri-* (ou *quadru-* devant labiale) «quatre», dérivé de *quattuor* (→ quatre). On attendrait °*quatr-* au lieu de *quadr-*, dont le *d* ne se retrouve dans aucune autre langue indoeuropéenne. Ce *d* doit pourtant être ancien, comme le *g* de *viginti* (→ vingt) et de *triginta* (→ trente) ; il se retrouve dans une série de dérivés de *quattuor* : *quadraginta* (→ quarante), *quadrus* (→ carré), *quadrans* (→ cadran), *quadrigae* (→ quadrige), etc.

♦ Cet élément entre dans des composés appartenant au langage didactique, sur le modèle de mots empruntés directement au latin (→ quadriceps, quadriennal, quadrilatère, quadrumane, quadrupède, quadruple).

▶ Il est surtout productif depuis le XIXe s. : **QUADRIPARTITION** n. f. (1802), **QUADRILOBÉ, ÉE** adj. (1783), **QUADRICOLORE** adj. (1842), **QUADRICORNE** adj. (1842), **QUADRIFOLIÉ, ÉE** adj. (1845), **QUADRICYCLE** n. m. (1888), sorti d'usage, **QUADRIMOTEUR, TRICE** adj. (1929), à propos d'un avion, surtout substantivé, **QUADRICHROMIE** n. f. (1945), **QUADRIPHONIE** n. f. (v. 1970) et **QUADRIPHONIQUE** (1973). ◆ **QUADRIMESTRE** n. m. (1875) est devenu usuel dans la langue des affaires et de la comptabilité ; il a pour dérivé **QUADRIMESTRIEL, ELLE** adj. (1975). ◆ **QUADRIPARTITE** ou **QUADRIPARTI, IE** adj. a été emprunté (v. 1370) au latin *quadripartitus, quadripertitus* «divisé en quatre parties», composé de *quattuor* et de *partitus*, de *partire* «partager» (→ ① partir). Le mot a été introduit par Oresme sous la forme *quadriparti* dans sa traduction du livre de Ptolémée dont le titre grec était *tetrabiblos* «en quatre livres». C'est là un emploi isolé avant le XVe s., mais le mot se répand véritablement au XIXe s., spécialement en botanique (1823, *quadriparti*) et en architecture. ◇ Le sens politique correspond à l'emploi de **QUADRIPARTISME** n. m. (v. 1945). ◆ La plupart de ces composés ont des correspondants en *bi-*, en *tri-*, souvent plus usuels ; ils ont quelquefois un doublet formé avec l'élément grec *tétra-* (tétraphonie)*.

◈ voir QUADRIPÔLE (art. PÔLE), QUADRISYLLABE (art. SYLLABE), QUADRIVALENT (art. ② VALENCE).

QUADRAGÉNAIRE adj. et n. est emprunté (1569) au latin *quadragenarius* «de quarante», «qui a quarante ans», du distributif *quadrageni* «quarante chacun, chaque fois quarante», de *quadraginta* «quarante» (→ quarante).

♦ Le mot, après avoir eu les sens de «qui contient quarante» et (1583) «d'une durée de quarante ans», se dit d'une personne entre quarante et cinquante ans (1606), quelquefois abrégé familièrement en **QUADRA** (XXe s.).

QUADRAGÉSIME n. f. est emprunté (1487) au latin *quadragesima* «quarantième partie», spécialement «impôt du quarantième» et, en bas latin ecclésiastique, «carême». Le mot est la substantivation, par ellipse de *pars* «partie», du féminin de l'adjectif *quadragesimus* «quarantième», de *quadraginta* (→ quarante). Le moyen français a eu une forme *quadrageme* (fin XIVe s.) désignant une quarantaine de jeûne.

♦ Le mot, repris avec sa spécialisation ecclésiastique, a subi la concurrence de *carême**, forme orale issue de *quadragesima*. Il s'emploie encore pour désigner le premier dimanche après le début du carême (1680), seul ou dans *dimanche de la Quadragésime* (1690).

▶ **QUADRAGÉSIMAL, ALE, AUX** adj. est emprunté (v. 1500) au bas latin ecclésiastique *quadragesimalis* «qui appartient au carême, lui est relatif», de *quadragesima*. ◆ Le mot continue de fournir l'adjectif didactique correspondant à *carême* (par exemple dans *jeûne quadragésimal*) ; par extension, il a qualifié une vie d'abstinences continuelles (1656, Pascal).

QUADRANT → CADRAN

QUADRATURE n. f. est emprunté (1407) au bas latin *quadratura*, terme de géométrie désignant l'opération consistant à construire un carré de même surface que celle d'une figure délimitée par une courbe fermée, et aussi un carré. *Quadratura* est dérivé de *quadratus* (→ carré).

♦ Ce terme de géométrie entre couramment dans l'expression ***la quadrature du cercle*** (1407), au figuré «problème insoluble» (1694), allusion au problème que posaient les géomètres anciens, l'opération étant impossible par construction géométrique. ◆ À la Renaissance (1546), le mot désigne la position de deux astres par rapport à la Terre telle que les rayons allant d'un astre à la Terre et à l'autre forment un angle droit. Il a pris le sens d'«opération consistant à déterminer l'aire délimitée par une courbe fermée» (1875) en mathématiques et, en physique, celui de «déphasage d'un quart de période» (1953, Larousse).

▶ **QUADRATURER** v. tr. «amener à la quadrature» et **QUADRATEUR** n. m. «celui qui cherche la quadrature du cercle» donnent lieu à des emplois ironiques au XXe siècle.

QUADRICEPS n. m. est emprunté en anatomie (1924, dans le dictionnaire de Poiré) au bas latin *quadriceps* (IVe-Ve s.) «qui a quatre têtes», de *quadri-* (→ quadri-) et de *-ceps*, de *caput* (→ chef), le muscle en question étant formé de quatre faisceaux. Le mot apparaît dans la terminologie anatomique anglaise en 1840 chez Ellis, employé adjectivement. En français, l'Académie l'enregistre en 1842 avec le sens littéral de «qui a quatre têtes», servant de synonyme à *quadrifons* en parlant de Janus.

♦ Cette dénomination récente du muscle de la cuisse entourant le fémur a remplacé dans cet emploi *quadrigemeaux* (1639) puis *quadrijumeaux*, forme attestée en 1765 (dès 1751 avec un autre sens, en anatomie).

QUADRIENNAL, ALE, AUX adj. est emprunté par la langue didactique (1652) au latin médiéval *quadriennalis* «qui dure quatre ans, qui revient tous les quatre ans» (v. 1330), formé sur *triennalis* (→ triennal), de *quadriennium* «espace de quatre ans», lui-même de *quadri-* (→ quadri-) et de *annus* (→ an) ou directement de *quadri-* et de *annus* d'après *triennalis*.

♦ Le mot a conservé le sens du mot latin, «qui revient tous les quatre ans». Celui de «qui dure quatre ans» n'est attesté qu'en 1869.

QUADRIGE n. m. est emprunté (1624) au latin *quadrigae, -arum* n. f. pl. «attelage à quatre», en particulier «attelage conduisant les chars de course aux jeux» et, par métonymie, «char à quatre chevaux». Le mot est issu par contraction de *quadrijugae*, substantivation au féminin pluriel de *quadrijugus* «attelé de quatre chevaux», de *quadri-* (→ quadri-) et de *jugum* (→ joug).

♦ En français, *quadrige* est resté un terme d'antiquité romaine, quelquefois employé pour un motif décoratif antique et néoclassique.

QUADRILATÈRE n. m. est emprunté (1554) au bas latin *quadrilaterus* «qui a quatre côtés», de *quadri-* (→ quadri-) et de *latus, -eris* «côté» (→ lé ; latéral).

♦ Ce terme de géométrie, autrefois employé comme adjectif, a été substantivé (1694) pour désigner un polygone à quatre côtés. ◇ Par extension, il est passé dans l'usage courant en parlant de ce qui a approximativement quatre côtés égaux et rectilignes, se disant spécialement d'une position stratégique appuyée par quatre places fortes (1859). Dans le langage technique, *quadrilatère articulé* désigne le dispositif transmettant le mouvement de l'axe du volant aux roues (XXe s.).

▶ Son dérivé **QUADRILATÉRAL, ALE, AUX** adj. (1586), peut-être formé directement sur le radical du latin *quadrilaterus*, a évincé l'ancien emploi adjectif de *quadrilatère*.

① **QUADRILLE** n. est un emprunt (fin XVIe s.) à l'espagnol *cuadrilla* n. f., proprement «réunion de quatre personnes» ou «le quart (d'une centaine)», d'où «division de l'armée en quatre parties pour la répartition du butin» (apr. 1250), et «troupe, équipe, compagnie», de *cuadro* «carré», lui-même du bas latin *quadrus* de même sens (→ carré).

♦ Le mot a été repris au féminin pour désigner une petite troupe d'environ vingt-cinq soldats à cheval, soit le quart d'une centaine, puis une troupe de cavaliers prenant part à un carrousel (1670). Il ne s'emploie plus en tauromachie pour désigner le groupe de toreros recrutés, payés et dirigés par le matador, sens où la forme espagnole *cuadrilla* l'a emporté. ◆ Dès le XVIIIe s., le masculin s'est imposé pour désigner l'ensemble des couples de danseurs dans une contredanse (1751) et une danse comportant une série de figures (1780), l'expression ***en place pour le quadrille !*** servant familièrement au XIXe s. à inviter qqn à se préparer pour une activité. Par métonymie, le mot s'est employé pour la seule musique de cette danse (1845). Il sert aujourd'hui à désigner les deux premiers échelons de la hiérarchie du corps de ballet de l'Opéra de Paris (1963, Larousse).

▶ ② **QUADRILLE** n. m., terme de broderie, est emprunté (1765) à l'espagnol *cuadrillo* «carré de guipure, jour en losange», de *cuadro* «carré». *Point de quadrille* (1765) désigne chacun des jours en forme de losange résultant de l'entrecroisement des franges d'une étoffe. ◆ Son dérivé, **QUADRILLÉ, ÉE** adj. (1786, *cadrillé*) «divisé en carreaux», a donné **QUADRILLER** v. tr. (1875, Larousse) «diviser en carreaux par des lignes entrecroisées» et spécialement, au figuré, «établir un dispositif militaire ou policier consistant à diviser en zones surveillées (un territoire en insurrection)» (XXe s.). ◆ Le mot a produit le nom d'action **QUADRILLAGE** n. m. (1860), d'abord attesté au sens particulier d'«ornement composé de losanges», c'est-à-dire «ensemble de *quadrilles*». De là, par extension, il se rapporte à l'action, à la manière de diviser en carrés et, par métonymie, à un ensemble de lignes se croisant en déterminant des carrés. Par dérivation du sens spécial de *quadriller*, il se dit aussi d'une opération militaire renforçant le contrôle sur une zone peu sûre (1958).

QUADRUMANE adj. et n. m., attesté depuis 1766 (Buffon), est soit emprunté au bas latin *quadrumanus,* variante de *quadrimanus* «qui a quatre mains», de *quadru-* (→ quadri-) et de *manus* (→ main), soit composé directement en français sur le modèle de *quadrupède**.

♦ Le mot est surtout courant comme nom, pour désigner les singes, dans un langage non scientifique.

QUADRUPÈDE adj. et n. m. est emprunté (déb. XIVe s.) au latin *quadrupes, -pedis,* de *quadru-* (→ quadri-) et de *pes, pedis* «pied, patte» (→ pied).

♦ Le mot n'est plus guère employé comme adjectif pour désigner un animal (généralement un mammifère) à quatre pieds, mais il est usuel comme nom masculin. L'équivalent grec *tétrapode* correspond à un concept scientifique beaucoup plus extensif.

▸ Le dérivé **QUADRUPÉDIE** n. f. (1911), didactique, désigne la marche des quadrupèdes mais correspond surtout, en sports, à un des exercices de marche et course «à quatre pattes» de la méthode naturelle Hébert.

QUADRUPLE adj. et n. m. est emprunté (XIIIe s.) au latin *quadruplus* ou *quadruplex, -plicis* «qui vaut quatre fois autant», «au nombre de quatre», aussi substantivé au neutre. Ce mot est formé de *quadru-* (→ quadri-) et de *-plus* ou *-plex,* élément à valeur multiplicative, qui signifie proprement «qui se plie», de *plectere* «entrelacer» (→ plexus).

♦ Le mot qualifie ce qui égale quatre fois la valeur d'une quantité donnée, spécialement en musique (1765, *quadruple croche*). Il est substantivé en ancien français au sens de «quatuor» (XIIIe s.). ◇ Il s'emploie aussi pour qualifier ce qui est égal à quatre fois la chose désignée, spécialement pour une ancienne monnaie d'Espagne (1594) et une pièce d'or de quatre écus fabriquée en France sous Louis XIII.

▸ Le mot a produit **QUADRUPLEMENT** adv., d'abord (XIIIe s.) *quadrublement* «en quatre manières», puis (1611) *quadruplement* «en quatre fois plus». ◆ Les diminutifs **QUADRUPLETTE** n. f. (fin XIXe s.) «bicyclette à quatre places», sorti d'usage, et **QUADRUPLET** n. m. (1903), terme scientifique désignant un ensemble ordonné de quatre éléments, sont eux aussi formés sur l'adjectif.
QUADRUPLER v. est emprunté (1404) au bas latin *quadruplare* «multiplier par quatre», de *quadruplex.* ◇ De ce verbe, employé pour «multiplier par quatre» et, intransitivement, «se multiplier par quatre» (1694), est dérivé **QUADRUPLEMENT** n. m. (1875, écrit *quadruplément*) «action de multiplier par quatre» et **QUADRUPLÉS, ÉES** n. pl. (XXe s.) pour quatre enfants nés d'un même accouchement.
QUADRUPLEX n. m. vient par emprunt du latin *quadruplex par l'intermédiaire de l'anglais* (1875) pour dénommer un système de transmission télégraphique permettant la transmission simultanée de quatre messages distincts sur une même ligne (1879, *le quadruplex d'Edison*).

QUAI n. m., d'abord *cai* attesté indirectement au XIIe s. par la forme latinisée *caiagium,* du dérivé français *quayage,* et lui-même seulement en 1311, est un mot normanno-picard, tiré du gaulois *caio,* lequel est attesté dans une glose et appuyé par l'ancien irlandais *cai* «maison», le gallois *cae* et l'ancien breton *cai* «haie». Une autre forme locale a donné *chai** avec un autre sens.

♦ Le mot désigne le rivage d'un port où accostent les bateaux, sens réalisé dans la locution tardive ***être à quai*** (1869). ◆ Les extensions sont rares : *quai* s'emploie (1671), après le picard *kay* (1311), en parlant d'une levée soutenue par un mur de pierre faite le long d'une rivière pour la contenir et permettre aux embarcations d'accoster. ◇ Par extension, il se dit de la voie publique aménagée entre les maisons et un cours d'eau ou canal (1690). ◆ Par analogie d'aspect et de fonction, il désigne la plateforme longeant la voie ferrée dans une gare (1846), éliminant dans cet emploi *embarcadère* et *débarcadère.*

▸ Le dérivé **QUAYAGE** n. m., attesté dès 1167 sous la forme *cayage* (latinisée en *caiagium*), a désigné le droit payé par les marchands pour l'usage du quai ; il est sorti d'usage.

QUAKER, KERESSE n. est emprunté (1657) à l'anglais *quaker,* littéralement «trembleur», de *to quake* «trembler», de l'ancien anglais *cwacian,* avec la même initiale expressive que *to quaver,* de même sens. Ce nom fut donné par le juge Bennet de Derby à George Fox, fondateur en 1648-1650 d'une secte protestante prêchant le pacifisme, la philanthropie et la simplicité des mœurs. Le mot avait déjà été appliqué (1647) à une secte religieuse féminine établie à Southwark, avant d'être retenu pour parler de la *Society of Friends* (Société des amis) de G. Fox en 1653.

♦ En français, le mot s'est prononcé *quouacre,* avec la transcription graphique correspondante *quacre* (1698, encore chez Littré en 1869). À l'origine, on a aussi traduit le mot par *trembleur.* Le féminin *coacresse* (1698) a disparu. Le féminin formé sur *quaker, quakeresse,* figure dans les *Lettres et Voyages* de C. de Saussure en 1729. *Quaker* est également employé comme adjectif (1851).

▸ **QUAKERISME** n. m., d'abord orthographié *kouakerisme* (1692) par emprunt oral, avant d'être réemprunté avec la graphie anglaise (1701), est pris à l'anglais *quakerism* «doctrine, religion des quakers» (1656). ◇ Il a produit en français le dérivé **QUAKERISTE** adj., rare, «du quakerisme» (XXe s.).

QUALIFIER v. tr., d'abord *califier* (XVe s.) et *calefier* (1532) puis, d'après le latin, *qualifier* (1552), est emprunté au latin scolastique *qualificare,* dérivé de *qualis* (→ quel) d'après *qualitas* (→ qualité) avec l'élément verbal *-ficare,* de *facere* (→ faire).

♦ Le verbe signifie «caractériser par l'attribution d'une qualité», spécialement «caractériser en exprimant un jugement moral» (1679). À partir du XVe s., il se rencontre également au sens de «conférer le titre pour faire qqch. à (une personne)» ; l'emploi pour «attribuer un titre à (qqn)» (v. 1570) a disparu. ◆ En sports, l'acception «conférer à un concurrent le droit de disputer une épreuve» (1840, en turf) est due à l'influence de l'anglais *to qualify*, lui-même emprunté au XVIe s. au français *qualifier* et spécialisé au sens d'«habiliter, autoriser». En ce sens, le pronominal *se qualifier* (1903) est usuel. ◆ Le verbe se dit aussi (1751) d'un adjectif qui s'applique à un substantif en ajoutant à la «substance» que ce dernier exprime une ou plusieurs qualités.

▶ **QUALIFIÉ, ÉE**, le participe passé de *qualifier*, est adjectivé (1556) pour «qui a reçu une qualification, qui a les qualités nécessaires pour» et en droit pour «qui a toutes les conditions requises par la loi pour constituer un délit ou un crime» (1566, *vol qualifié*). D'autres acceptions, «qui a les titres de la noblesse» (1625) et «considérable par son mérite excellent» (1636), appartiennent à l'usage classique et sont sorties d'usage. ◆ Parallèlement au verbe, et d'après l'anglais *qualified*, participe passé adjectivé de *to qualify*, *qualifié* signifie en sports «habilité à concourir», d'abord en parlant d'un cheval (1840). Plus généralement, il se dit d'une personne ayant qualité, compétence pour (1907), par exemple dans *ouvrier qualifié* (1937 ; *usineur qualifié*, 1920). ◇ De là **SURQUALIFIÉ, ÉE** adj. et **SOUS-QUALIFIÉ, ÉE** adj. (v. 1970). ◆ **QUALIFIANT, ANTE**, autre adjectif tiré du participe présent (1983), se dit d'un travail, d'un diplôme qui donne des compétences professionnelles. ◆ *Qualifier* a également donné deux adjectifs : **QUALIFIABLE** (1858), substantivé en sports, *les qualifiables* (pour une épreuve) [1932], et **INQUALIFIABLE** (1835), généralement employé à propos d'une conduite, d'une action qu'on juge très sévèrement. ◆ Avec sa spécialisation en sports, il a donné **REQUALIFIER** v. tr. (1905), lequel a également le sens de «donner une nouvelle qualification à qqn». ◇ Ce verbe a servi à former le nom d'action **REQUALIFICATION** n. f. (1908).

QUALIFICATION n. f., emprunt (1431) au latin scolastique *qualificatio, -onis*, dérivé de *qualificare*, désigne l'acte et la manière de qualifier une personne, une chose, spécialement en droit, en grammaire et en théologie, où il s'applique à l'appréciation d'une proposition théologique (1694). ◇ Sous l'influence de l'anglais *qualification*, lui-même emprunté (XVIe s.) au français ou au latin, il s'emploie en sports (1840, en turf), comme *qualifier* et *qualifié*. Au XXe s., de même que ces deux mots, il s'applique à la formation, à l'aptitude d'un ouvrier, d'un employé (1936), par exemple dans *qualification professionnelle* (1947). ◆ Avec ce dernier sens, il entre dans le composé **SOUS-QUALIFICATION** n. f. (v. 1965).

QUALIFICATIF, IVE adj. et n. m. est dérivé (v. 1740) du latin *qualificare* ou du radical de *qualification* avec le suffixe *-atif*. ◆ Cet adjectif, au sens de «qui sert à qualifier, à exprimer une qualité», se dit spécialement en grammaire d'un adjectif. ◇ Il est substantivé (v. 1750) pour désigner un mot ou un groupe de mots indiquant la manière d'être et, par extension, la manière d'appeler une personne ou une chose, généralement dans un sens péjoratif. ◆ Sous l'influence de la spécialisation en sports des termes de la même famille, l'adjectif se dit (1944) d'une épreuve servant à la qualification des concurrents.

◈ voir **DISQUALIFIER** (anglicisme).

QUALITÉ n. f. est emprunté (v. 1119) au latin *qualitas, -atis* «manière d'être plus ou moins caractéristique», en philosophie «attribut propre de l'être, de la chose» et, depuis Quintilien, «mode des verbes». Il a été tiré par Cicéron à partir de *qualis* (→ quel), sur le modèle du grec *poiotês* (de *poios* «lequel») «fait d'être tel ou tel, d'avoir telle propriété».

♦ Le mot a été repris dans son acception philosophique et courante, «manière d'être, fait d'être ce qu'on est». Depuis le XIIIe s., il s'applique à la disposition morale bonne ou mauvaise d'une personne, ce sens neutre étant concurrencé depuis le XVIIe s. (Voiture) par la valeur positive «manière d'être de qqn jugée heureuse, bonne». Il désigne aussi ce qui rend une chose recommandable par rapport à l'usage (1671, en parlant d'une marchandise). ◇ Il exprime spécialement une notion d'excellence (1694, dans un emploi spécial en œnologie), et s'emploie adjectivement dans la locution ***de qualité***. ◆ Dès le XIIIe s., *qualité* concerne spécialement la condition civile, sociale, politique, les titres d'une personne. Dans cette acception sociale, *qualité* connaît la même spécialisation valorisante que dans le sens général et se dit de la haute naissance, de la condition noble (1580 Montaigne), valeur qu'il n'a guère conservée que dans *homme, personne* ***de qualité*** «noble» (1554), qui fait aujourd'hui allusion à l'Ancien Régime. ◆ En droit, le mot désigne le titre sous lequel une partie ou un plaideur figure dans un acte ou une instance, le pluriel *qualités* désignant, par métonymie (XVIe s.), l'acte d'avoué énumérant les noms, qualités et prétentions des parties. ◆ Au XVIe s. également, le singulier entre dans la locution ***en qualité de*** (1549) qui a pris par extension le sens neutre de «comme, à titre de». ◇ Sauf dans l'usage philosophique et logique, *qualité* a des connotations positives, par exemple dans les expressions récentes ***qualité de la vie*** (1970) ou ***rapport qualité-prix***.

▶ **QUALITATIF, IVE** adj. a été formé à deux reprises : emprunté isolément (1569) au latin médiéval *qualitativus* «qui concerne la qualité» (VIe s.), il a eu le sens de «distingué», sans s'imposer à côté de la locution *de qualité*. ◇ Il a été repris et diffusé au XIXe s. avec son sens neutre (1834), sur le modèle de *quantitatif**, se spécialisant en chimie (1851, Cournot ; l'anglais a *qualitative* dans ce sens en 1842) dans *analyse qualitative* «analyse qui détermine la nature des éléments composant un corps sans tenir compte de leurs proportions». ◆ Il a pour dérivé **QUALITATIVEMENT** adv., dont la première occurrence (1495, «en qualité») semble indiquer que l'adjectif est plus ancien que son attestation. L'adverbe, au sens moderne de l'adjectif (av. 1865, Proudhon), est enregistré en 1875 par les dictionnaires généraux pour «du point de vue de la qualité».

QUAND conj. et adv., d'abord écrit *quant* (fin Xe s.), puis *quand* (XIVe s.), d'après le latin et pour distinguer le mot de *quant (à)*, est issu de l'adverbe latin *quando*, aussi conjonction, qui, depuis les plus anciens textes, a le même sens que *cum* «lorsque». Tandis que le latin classique distingue partiellement *quando* de *cum* en l'employant avec la valeur interrogative ou causale de «puisque», la langue familière tend à substituer *quando* à *cum*, ce qui explique que le premier soit demeuré avec sa valeur temporelle dans les langues romanes (italien *quando*, espagnol *cuando*). Le latin *quando* s'emploie aussi comme adverbe indéfini avec le sens de «quelquefois», parfois renforcé d'une particule généralisante. ◇ Le mot, dont la formation ne se retrouve pas dans les autres langues indoeuropéennes, appartient cependant à un thème °*kw-* qui a fourni le relatif, l'interrogatif et plusieurs adverbes dans ces langues. Il est probablement formé de °*quamdo*, de *quam* «que, combien» (→ quasi) et de *-do*, élément présent dans *donec* «jusqu'à ce que», «pourtant, enfin», ancienne particule locative : une forme *do* «vers, jusqu'à» est attestée par l'ancien haut allemand *za, zuo*, l'ancien anglais *to* (anglais *to*), le vieux slave *do* et *da* (russe *do*).

♦ Dès les premiers textes, *quand* est employé comme conjonction au sens temporel de «lorsque», exprimant quelquefois la notion de concomitance ou de corrélation répétée. Depuis le XIIe s., il s'emploie aussi comme adverbe interrogatif au sens de «à quel moment ?». ◇ Il a repris au latin, dès le XIe s., le sens causal de «puisque» (v. 1050), servant en ancien et moyen français à introduire une phrase dont on peut tirer une justification d'un jugement donné précédemment. Il lui arrive d'exprimer une opposition entre deux propositions (1080), une valeur conditionnelle, «au cas où» (1176), seul ou renforcé, autrefois dans *quand encore* (v. 1460), de nos jours *quand bien même* (v. 1544), ce dernier emploi donnant lieu à la locution adverbiale ***quand même*** (1839). La locution prépositionnelle *quand et* «en même temps que, avec» est sortie de l'usage du français central entre le XVIIIe et le XIXe s. mais se rencontre encore au Canada et dans certaines régions de France, quelquefois sous la forme *quant et* par confusion avec *quant*. La locution adverbiale et prépositionnelle *quand et quand* (XVe s.), «en même temps, en outre, tout de suite», est également sortie d'usage.

① **QUANT À** loc. prép. est issu par voie populaire (XIIIe s.) du latin *quantum ad* «pour, en ce qui concerne» (*quantum ad Pirithoum :* «quant à Pirithoüs», Ovide), emploi spécialisé de *quantum* «combien», souvent en relation avec *tantum* «autant... autant, autant... que». Celui-ci est l'adverbe tiré du neutre de *quantus* «combien grand», lui-même dérivé de *quam*, particule tirée du thème du relatif-interrogatif signifiant «que, combien» (→ ② que, qui, quoi). L'italien a *quanto a*, l'espagnol *(en) cuanto a*.

♦ L'ancien adverbe *quant* «combien» ne s'emploie plus que dans la locution ***quant à*** qui a d'ailleurs toujours été d'un emploi prépondérant, à côté de *quant est de* (1370), *quant de* (1377), *quant est à* (XVe s.), de même sens.

▸ **QUANT-À-SOI** n. m. inv. est la substantivation (1780) de la locution ***quant à soi***, de *quant*, *à** et *soi**, pour désigner les sentiments que l'on garde pour soi, surtout en locution, dans ***se tenir sur son quant-à-soi, tenir, garder son quant-à-soi*** (1798) ; on disait antérieurement *quant-à-moi* (1585).

◇ voir ENCAN, ② QUANT, QUANTITÉ, QUANTUM.

② **QUANT, QUANTE** adj. est issu (1080) du latin *quantus* «combien grand», employé adverbialement au neutre *quantum* (→ ① quant), et comme relatif en corrélation avec *tantus* (→ tant) au sens de «tel en grandeur... que». Le mot est dérivé de *quam* «que, combien», parfois exclamatif (→ quasi).

♦ *Quant*, usuel en ancien et moyen français comme adjectif interrogatif et exclamatif au sens de «quel en quantité, combien nombreux», a été supplanté vers le XVIe s. par *combien**. Il s'est maintenu un peu plus longtemps à l'intérieur des locutions *toutes et quantes fois que* (v. 1350), *quantes fois, toutes (les) fois et quantes que* (1530), vivantes à l'époque classique et encore dialectalement.

▸ Son dérivé **QUANTIÈME** adj. et n., attesté une première fois au XIVe s. et de nouveau à partir de 1487, a lui aussi vieilli au sens de «quel, quelle dans le rang, dans la série numérique», mais est toujours employé substantivé au masculin (av. 1502) dans le langage juridique, administratif ou littéraire pour désigner le jour du mois désigné par un chiffre, spécialement dans *montre à quantième* «montre indiquant la date du mois» (1787). *Le quantième*, encore en usage, est concurrencé par *le combien (du mois)*, oral et familier ; la langue spontanée emploie souvent un autre tour, du type *quel jour est-on ?*

QUANTIFIER v. tr. est emprunté (1897) à l'anglais *to quantify*, créé comme terme de logique par sir W. Hamilton au sens d'«attribuer une quantité à (un terme)» (v. 1840) et employé au sens général de «déterminer la quantité, mesurer», dès 1878. Le verbe anglais est emprunté au latin médiéval *quantificare*, de *quantus* «combien grand» (→ ② quant) et de *-ficare* pour *facere* (→ faire).

♦ Le mot a été introduit aussi bien comme terme de logique qu'avec une valeur générale. Il est ensuite passé dans la terminologie de la physique au sens d'imposer à une grandeur physique une variation discontinue par valeurs discrètes, multiples d'une valeur élémentaire, le quantum*.

▸ *Quantifier* a produit **QUANTIFIÉ, ÉE** adj., adjectivation (1929) de son participe passé, *grandeur quantifiée* étant l'expression la plus usuelle dans cette série de mots ; **QUANTIFIABLE** adj. (1932, Larousse) et le substantif **QUANTIFICATEUR** n. m. terme de linguistique (1929 H. Frei), de logique et de mathématiques désignant le symbole opérateur ayant pour objet de relier plusieurs variables à une quantité, spécialement dans les expressions *quantificateur universel, existentiel*. ➜ **QUANTIFICATION** n. f. est emprunté dès le milieu du XIXe s. à l'anglais *quantification*, créé comme terme de logique par sir W. Hamilton (v. 1840) d'après *to quantify*. ➜ Le mot désigne la détermination de la quantité d'un terme. Par la suite, il désigne en physique (1924) l'action de quantifier. Il est également enregistré au sens de «fait de mettre sous une forme quantitative, en économie» (1933, dans les dictionnaires généraux). ◆ **QUANTIFIEUR** n. m. est, de ces anglicismes, le dernier emprunté (v. 1960) à l'anglais *quantifier* comme terme de linguistique (1934), de logique et de mathématiques, de *to quantify*. ◆ Concurrencé par *quantificateur, quantifieur* n'est plus guère usité. Comme terme de linguistique, il désigne (1973) le déterminant qui indique la quantité par laquelle un nom est défini.

◈ voir ENCAN, ① et ② QUANT, QUANTITÉ, QUANTUM.

QUANTIQUE → QUANTUM

QUANTITÉ n. f. est emprunté (XIIe s., *quantiteit*) au latin *quantitas, -atis* «nombre d'unités, mesure», «abondance», dit spécialement d'une somme d'argent et, en philosophie, de l'étendue d'une proposition. Le mot latin est tiré de *quantus* «combien grand» (→ ① quant) à l'époque où celui-ci, qui interrogeait à l'origine sur l'intensité, s'était annexé la valeur de *quot*, qui interrogeait sur le nombre. Il a été fait à l'imitation du grec *posotês*, tiré par Aristote de *posos*, sur le modèle de *qualitas* (→ qualité).

♦ *Quantité* désigne le caractère de ce qui peut être mesuré dans son importance, sa masse ou de ce qui peut être dénombré. ◇ Les sens secondaires de «taille, stature» (XIIIe s.) et, abstraitement, de «gravité (d'un péché, d'une maladie)» (XIVe s.) n'ont pas vécu au-delà du XVe siècle. ◇ À partir du XVIe s., le mot est entré dans des constructions, *quantité de* (v. 1649), *en quantité* (1665), *une quantité de* (1680) et a développé plusieurs acceptions spécialisées. ◇ Avec une valeur temporelle, il est employé en prosodie à propos de la durée d'une syllabe (XVIe s., Du Bellay), puis en linguistique pour désigner la durée d'énonciation d'un phonème ou d'un groupe de phonèmes (1731), et aussi en musique (1743, Rousseau). ◇ En philosophie, le mot, dans son acception première, désigne l'ensemble des déterminations susceptibles de mesure (1636) et, en logique, la propriété qu'ont les jugements d'être généraux, particuliers ou individuels (1771). En mathématiques, il se dit de ce qui est considéré comme formé de parties homogènes, susceptible d'accroissement ou de diminution (1694); en physique, il entre dans l'expression *quantité de mouvement* (1645, trad. du lat. de Descartes) qui désigne le produit de la masse d'un corps par sa vitesse. ◇ L'emploi en linguistique dans *adverbe de quantité* semble récent (XXe s.).

▸ **QUANTITATIF, IVE** adj. (1586) est soit dérivé de *quantité*, soit emprunté au latin médiéval *quantitativus* (l'ancien provençal a *quantitatiu* dès le milieu du XIVe s., de *quantitas*). L'adjectif, rare avant la fin du XVIIIe s., qualifie ce qui a rapport à la quantité, et, dans divers usages didactiques, ce qui étudie, qui détermine la quantité, spécialement en chimie dans l'expression *analyse quantitative* (1845) opposée à *analyse qualitative*, et en économie dans *théorie quantitative* (1938, P. Lambert); il se dit aussi, en termes de grammaire, d'un mot désignant des quantités.

Il a servi à former **QUANTITATIVEMENT** adv. (1581, puis 1845) et **QUANTITATIVISTE** n. (v. 1950), terme d'économie désignant le partisan des conceptions quantitatives de la monnaie.

◈ voir ENCAN, ① et ② QUANT, QUANTIFIER, QUANTUM.

QUANTUM n. m., **QUANTA** pluriel est emprunté (1624) au latin *quantum* «quelle quantité», substantivation du neutre de l'adjectif *quantus* (→ ② quant).

♦ Le mot a été introduit en scolastique pour désigner une quantité finie et déterminée, sens auxquels se rattachent ses emplois postérieurs en philosophie (en allemand chez Kant) et au XXe s. en psychanalyse, dans l'expression *quantum d'affect*. Il désigne en droit le montant attribué à chacun dans une répartition faite au prorata (1845). ◆ En physique (1911, Poincaré, *L'Hypothèse des quanta*), le mot est un emprunt à l'allemand *Quantum* (1901, Max Planck) désignant la quantité minimum d'énergie lumineuse pouvant être émise ou absorbée. Dans ce sens, *quantum* fait le plus souvent au pluriel *quanta*, bien que le Comité du langage scientifique de l'Académie des sciences recommande *quantums*. Cet emploi correspond à l'une des notions clés de la physique du XXe s.; il a donné naissance au dérivé *quantique* (ci-dessous). Cependant, *quantum* (de lumière), notion élargie par Einstein, a été remplacé par *photon**, le terme *quantum* étant utilisé pour désigner la valeur élémentaire d'une grandeur quantifiée, quelle qu'elle soit. ◆ Le langage de l'informatique l'a repris pour désigner, dans l'expression *quantum de temps*, la durée élémentaire maximale d'un programme, dans les systèmes «en temps partagé».

▸ Le dérivé savant **QUANTIQUE** adj. (v. 1920) «relatif aux quanta» intervient en microphysique (physique des particules) et entre dans les syntagmes *théorie, mécanique, physique... quantique*, où les lois définies sont radicalement différentes de celles régissant la physique classique, macroscopique.

QUARANTE adj. num. et n. m. inv. est issu (1080) du latin populaire *quarranta*, attesté dans les inscriptions de la Gaule au Ve s., auquel remontent également l'italien *quaranta*, l'espagnol *cuaranta*, le portugais *quarenta*. *Quarranta* résulte de la contraction du latin classique *quadraginta*, d'où °*quadra(g)inta* et °*quadranta*, littéralement «quatre dizaines». *Quadraginta* est formé de *quadra-*, lequel représente sans doute un ancien neutre °*kətr̥-* tiré de *quattuor* (→ quatre), et de *-ginta* (→ vingt).

♦ Le mot, signifiant «quatre dizaines», est employé en liturgie dans *prière des quarante heures* (1690), elliptiquement *quarante heures* (1680), désignant les prières expiatoires durant lesquelles le saint sacrement est exposé, trois jours consécutifs avant le carême. ◇ Il est substantivé (attesté 1690) pour désigner le nombre ou le numéro quarante et, par métonymie, les chiffres représentant ce nombre (1869, Littré). ◆ Comme tous les noms de nombres, il est employé comme ordinal, entrant dans la locution familière ***s'en moquer comme de l'an quarante*** (1791), qu'on a voulu expliquer par une allusion, dans les milieux royalistes, à un an quarante de la République que l'on ne verrait jamais; mais cette explication semble gratuite. On a aussi vu dans *l'an quarante* une altération de *Alcoran*, forme de *coran**, dans l'expression «n'y comprendre non plus qu'à de l'algèbre ou bien à l'Alcoran». On notera en outre que *quarante* est le chiffre de l'attente (les quarante jours du déluge, ceux que passa Moïse sur le Sinaï et les quarante heures que passa Jésus au sépulcre). ◆ *Les Quarante,* absolument, désigne les membres de l'Académie française.

▶ Le dérivé **QUARANTAINE** n. f., d'abord *quaranteine* (XIIe s.), désigne un nombre d'environ quarante, spécialement un délai de quarante jours (XIIe s.), notamment en parlant des quarante jours du carême (XIIe s.) [→ carême], et de la période d'isolement destinée à éviter la propagation d'une épidémie (1635), notamment dans *être, mettre en quarantaine.* ◆ Ce dernier sens a donné lieu à un emploi figuré exprimant l'idée d'exclusion par un groupe (1772). Depuis le XVIIe s. (in *Furetière*, 1690), le mot désigne aussi un âge d'environ quarante ans ***(avoir la quarantaine).*** ◇ En botanique, *giroflée quarantaine,* où le mot est le féminin de l'adjectif dialectal *quarantain* «de quarante jours», a donné le nom féminin *quarantaine* (1829). ◆ À son tour, *quarantaine* a produit **QUARANTENIER** n. m. (1690), ancien terme de marine pour un cordage formé de trois petits torons servant à faire des enfléchures, et **QUARANTENAIRE** adj. et n. (1634), mot didactique employé en droit au sens de «qui dure quarante ans», servant aussi à qualifier ce qui est relatif à la quarantaine sanitaire (1858), pour désigner la personne soumise à ce délai et le lieu assigné pour une quarantaine.

QUARANTIÈME adj. num. (ordinal) et n. est la réfection (XVe s.) de *quarantisme* (v. 1190) et qualifie ce qui occupe un rang indiqué par le nombre quarante, ainsi que ce qui est contenu quarante fois dans l'unité (1690). ◇ L'adjectif est substantivé pour «chose ou personne occupant la quarantième place» (1688) et pour «ce qui est contenu quarante fois dans l'unité».

◈ voir CARÊME.

① **QUART, QUARTE** adj. est emprunté (1080) au latin *quartus* «quatrième», de *quattuor* (→ quatre). L'italien *quarto,* l'espagnol *cuarto,* le portugais *quarto* remontent au même étymon.

♦ L'adjectif, progressivement supplanté entre le XIVe et le XVIIe s. par *quatrième**, est sorti d'usage; il a mieux résisté dans l'ancienne dénomination médicale ***fièvre quarte*** (v. 1240), encore connue par les auteurs classiques, alors que *fièvre double-quarte* (1663) a totalement disparu. L'appellation *quart an* ou *quartan* désignait en vénerie la quatrième année d'un sanglier (1180) [cf. *quartannier,* ci-dessous]. ◆ Il a été réutilisé dans l'expression moderne ***quart-monde*** n. m. (1965), faite sur le modèle de *tiers-monde* (du fait de l'association conservée entre les formes *tiers* et *quart*), et désignant le sous-prolétariat des pays développés ainsi que les pays les plus démunis du tiers-monde (v. 1973).

▶ ② **QUART** n. m. est soit la substantivation de l'adjectif (XIIIe s.), soit un emprunt direct au latin *quartum,* neutre substantivé de *quartus.* Le mot, qui désigne le quart d'un tout, entre dans un grand nombre de syntagmes usuels, tel ***quart de cercle,*** employé spécialement en géométrie (1635). Les emplois spécialisés et métonymiques sont nombreux : le mot désigne la quatrième partie d'une quantité utilisée dans le commerce (XIVe s.; rare avant le XXe s.) et, par métonymie, un contenant d'un quart de litre ou de bouteille (1606), spécialement un gobelet contenant environ un quart de litre (1869) puis un peu moins, et, par une nouvelle métonymie, la ration qu'il contient. Son emploi pour le quart d'une livre, en commerce, est plus récent (déb. XXe s.). ◆ *Quart,* en marine, désigne la période pendant laquelle une partie de l'équipage est de service (1529), parce qu'originellement elle représentait le quart de la journée, soit six heures (*faire le quart,* déb. XVIIe s.). ◆ La locution ***quart d'heure*** date aussi du XVIe s. (Montaigne); très usuelle pour désigner une subdivision du temps (sur le même plan que *demi-heure*), elle a donné lieu à un emploi elliptique de *quart* en ce sens (1690), sorti d'usage, à la différence des expressions faites avec *heure : n heures* ou *midi, minuit et quart* (*n heures quart* en français de Belgique), *moins le quart,* régionalement *moins quart.* Le syntagme entre dans la locution ***le quart d'heure de Rabelais*** (1704) qui se dit d'un moment désagréable où il faut payer une note, par allusion à une anecdote probablement fausse sur Rabelais qui n'aurait pas eu de quoi payer son auberge. ◇ D'autres locutions avec *quart* réalisent aussi le sens propre de «quatrième», telles ***quart en réserve, de réserve*** (1845) en droit, et ***quart de tour*** en mécanique, sur lequel on a formé la locution figurée ***partir au quart de tour*** «partir, marcher, réagir immédiatement» (v. 1970), comme un moteur qui démarre au *quart de tour* de manivelle. ◆ Par extension, *quart* se dit d'une partie représentant très approximativement un quatrième, principalement dans les locutions ***les trois quarts*** «la plus grande partie» (1666) et ***de trois quarts,*** caractérisant une perspective (*de trois quarts face,* etc.) [1763]. ◇ Au XXe s., il est passé en sports dans l'expression ***quart de finale,*** calquée sur l'anglais *quarter final,* et qui s'est lexicalisée, produisant **QUART-DE-FINALISTE** (1932) ou **QUART-FINALISTE** (1934) n. et adj.

▶ La dérivation de *quart* est relativement abondante sans qu'il soit toujours possible de dire si le mot créé vient de l'adjectif ou du nom. ◆ **QUARTIER** n. m. (1080, *quarter* [de l'écu]) est resuffixé en *-ier* et employé avec son sens propre de «quatrième partie (d'un tout, par exemple d'un fruit)». Puis, le mot se spécialise dans des emplois techniques, en boucherie (XIIIe s.), aussi en astronomie pour les aspects de la Lune (1611). En blason (attesté mil. XVe s.), il s'agit d'une spécialisation du premier emploi qui concernait le quart de l'écu. ◆ Par extension, dès la fin du XIIe s. où il se dit d'un gros bloc de roche, il prend le sens de «partie d'une chose inégalement partagée» (XIIIe s.), tant dans l'usage courant que dans des expressions techniques (1680, *quartier de soulier*; 1690, *quartier d'une selle*). ◆ Par ailleurs, avec la valeur temporelle de «quart d'année», *quartier* a désigné un trimestre (XVe s.) et, par métonymie, un paiement trimestriel (dès 1360). ◆ Une autre extension rend compte du sens spatial très général de «pays, contrée» (v. 1150), sorti d'usage au profit du sens plus restreint de «division d'une ville» (1480), attesté indirectement au XIIIe s. dans l'ancien *quartenier* «officier préposé à la surveillance d'un quartier». Cet emploi peut avoir un aspect administratif (comme *arrondissement*), mais il concerne en général toute partie de ville ayant sa physionomie propre. ◇ Par deux métonymies, *quartier* désigne les habitants de cette partie de la ville (1671) et les bâtiments de logement (xvᵉ s.). Ce dernier sens est conservé dans un contexte militaire pour l'ensemble des bâtiments où une troupe est cantonnée (v. 1462), dans ***quartiers d'hiver*** (1688 ; 1668, au singulier), et dans ***quartier général*** «endroit où se trouve le commandant et son état-major» (1713). L'emprunt *quartier-maître** («maître de quartier») relève aussi de cette acception. Plusieurs expressions du langage militaire sont passées dans l'usage courant avec un sens figuré, comme ***quartier général*** «centre de décision» (av. 1841, Chateaubriand), également sous les initiales ***Q. G.*** (1916, argot des poilus). ◇ Une autre locution, ***ne pas faire de quartier*** (1690) correspond à «être impitoyable» : cette expression est la seule survivante d'une série *donner quartier, demander quartier* (xviiᵉ s.), où *quartier* désigne le bon traitement accordé à l'ennemi qui se rend (1611), par l'intermédiaire de la notion de sécurité. ➔ Par extension à d'autres domaines de la vie collective, *quartier* s'est dit de la partie d'un collège affectée aux élèves d'une catégorie (1798) et se dit aujourd'hui de la partie d'une prison affectée à une catégorie particulière de détenus (1834).

➔ *Quartier,* sous la forme ancienne *quarter,* a servi à former ① **QUARTERON** n. m. (1244), anciennement «poids de cinq onces» et, régionalement, «quart d'un cent, soit vingt-cinq» (1260) pour les choses qui se vendent à la pièce et non au poids. Ce mot, pourtant archaïque, a donné lieu à l'extension moderne de «petit groupe, poignée» (1941), le plus souvent péjorative, diffusée par un discours du général de Gaulle (un *quarteron de généraux,* d'ailleurs compris comme «un petit groupe de quatre ou à peu près») [→ aussi quartier-maître].

QUARTE n. f. (1244), féminin de *quart,* a désigné une mesure de capacité valant deux pintes, selon un développement métonymique analogue à celui du masculin. ➔ Ses valeurs modernes sont attestées depuis le xviiᵉ s. : en musique, par emprunt à l'italien *quarta,* féminin de *quarto,* correspondant de *quart,* il désigne un intervalle musical de quatre degrés (1611) ; en escrime, la quatrième des huit positions classiques d'attaque ou de parade (av. 1650) ; aux cartes, il a pris (1680) le sens de «suite de quatre cartes de même couleur».

Les dérivés postérieurs sont souvent techniques. ➔ **QUARTELETTE** n. f. (xviᵉ s.) a été formé une première fois comme diminutif de *quartelle,* attesté dans les dialectes pour désigner un récipient, et lui-même dérivé avec le suffixe diminutif *-elle* de *quarte* : il désignait alors une pinte de liquide. ◇ Il a été recréé comme diminutif (1721) d'un déverbal *quartelle* de l'ancien verbe *quarteler,* d'abord écrit *carteler* (xiiᵉ s., en ancien picard) ; ce verbe signifiait «couper en quatre», et désignait le plus petit modèle d'ardoise à vendre. On le rencontre encore sous la graphie *cartelette.* ➔ **QUARTANNIER** ou **QUARTANIER** n. m. (fin xviᵉ s.) est dérivé de la locution ***quart an,*** substantivée en *quartan,* désignant un sanglier de quatre ans.

Plusieurs composés formés avec *quart* sont enregistrés au xviiᵉ s., comme **QUART-DE-ROND** n. m. (1676), nom d'une moulure en architecture, qui a donné **QUARDERONNER** v. tr. «tailler les angles en quart-de-rond», **QUART-DE-CERCLE** n. m. (1690), désignant un instrument de mesure des angles utilisé en astrologie, et **QUART-DE-NONANTE** n. m. (1690) pour un instrument de mesure utilisé en astronomie, disparu.

Sur le modèle de *tiercé*,* on a formé **QUARTÉ** n. m. (1976) pour une forme de pari sur quatre chevaux.

◈ voir BÉCARRE, CADRAN, CADRE, CAHIER, CARAPATER, CARÊME, CARNET, CARRÉ, CARREAU, CARRIÈRE, CARILLON, CARREFOUR, CARRURE, ÉCARQUILLER, ÉCARTELER, ÉCARTER, ÉQUERRE, ESCADRE, ESCADRILLE, ESCADRON, ESCOUADE, INCARTADE, QUADRAGÉNAIRE, QUADRAGÉSIME, QUADRATURE, QUADRI-, QUADRIGE, QUADRILLE, QUADRU-, QUADRUMANE, QUADRUPÈDE, ② QUARTERON, QUARTETTE, QUARTIER-MAÎTRE, QUART-MONDE (art. MONDE), QUATERNAIRE, QUATORZE, QUATRE-QUARTS (art. QUATRE), QUATUOR, RENCART, SQUARE.

① QUARTERON → ① QUART

② QUARTERON, ONNE n., d'abord cité comme mot espagnol sous la forme transmise oralement *quarteronne* (1686), avant d'être adapté en *quarteron* (1722), est emprunté à l'espagnol *cuarterón* «homme ou femme nés de l'union d'un Blanc et d'une mulâtresse ou d'une blanche et d'un mulâtre». Ce mot est dérivé de *cuarto,* correspondant au français *quart*,* parce que le quarteron a «un quart d'indien et trois d'espagnol». La forme *quarteronné,* enregistrée par les dictionnaires du xviiiᵉ s. (de 1721 à 1771), est un essai de francisation, sur le modèle de *métis-métissé.*

♦ Le mot a hérité du sens de l'espagnol.

QUARTETTE n. m. est, comme l'indique son ancienne forme *quartetto* (1823), un emprunt à l'italien *quartetto,* terme de musique désignant une formation de quatre musiciens. Ce dernier est le diminutif de *quarto* «quatrième», de même origine que son correspondant français *quart*.* La forme actuelle est enregistrée par Littré en 1869.

♦ Le mot a été supplanté par *quatuor* dans le domaine de la musique classique. Par emprunt à l'anglais *quartet* ou *quartette* (lui-même de l'italien) qui possède depuis 1814 le sens d'«ensemble de quatre musiciens», il a été réemprunté à l'anglais des États-Unis *quartett* avec la musique de jazz et s'est spécialisé pour un ensemble de quatre musiciens, en jazz ou en musique légère (1922, *quartett,* Giraudoux).

▸ **QUARTETTISTE** n. (1909), employé dans le domaine de la musique classique où *quatuor* n'a pas de dérivé, est passé dans celui du jazz (1952), désignant le membre d'un quartette.

QUARTIER-MAÎTRE n. m. est la traduction (av. 1637, *cartier maistre*) de l'allemand *Quartiermeister* «maître de quartier», de *Quartier,* emprunté au français *quartier** dans son sens militaire de «cantonnement» et de *Meister*, emprunté au français *maistre*, forme ancienne de *maître**. Le néerlandais *Kwartiermeester* a pu également être une source d'emprunt, ce qui serait normal pour un terme de marine.

♦ Le mot désigne le premier grade au-dessus de celui de matelot, dans la marine militaire. Il a aussi désigné (1804) un officier ayant rang de lieutenant ou de capitaine, chargé du logement et de la nourriture d'un corps de troupe.

QUARTZ n. m., d'abord *quertz* (1729), corrigé en *quartz* (1749, Buffon), est emprunté à l'allemand *Quarz* de même sens, employé en moyen haut allemand (XIVe s.) comme terme spécialisé des mines de Bohême. L'étymologie du mot est controversée : pour les uns, il serait issu du slave de l'Ouest *kwardy*, forme colatérale du tchèque *tvrdý* et du polonais *twardy* de même sens, qui remontent au vieux slave *tvrŭdŭ* «dur» (d'où le nom du travail en russe, *trud*). Pour d'autres, après Voger (1857), il serait une variante de *zwerg* «nain» avec une initiale *qu-* propre au moyen allemand de l'Est, et une terminaison *-tz* hypocoristique (comme dans *Heinz* pour *Heinrich*, *Kunz* pour *Konrad*) ; le développement sémantique serait analogue à celui de *nickel* et de *cobalt*. *Zwerg* lui-même pourrait être issu du moyen haut allemand *zwero*, *twere* de l'ancien haut allemand *(gi)twerc* qui appartiendrait, comme l'anglais *dwarf* «nain», à une racine indoeuropéenne °*dhver-* «endommager, tromper, duper» ou °*dhreugh-* «induire en erreur».

♦ *Quartz* désigne un minéral siliceux, présent dans les roches ignées, métamorphiques et sédimentaires. Le mot s'est répandu dans l'usage général avec des syntagmes du type *montre, réveil à quartz* (v. 1950), désignant des mécanismes d'horlogerie utilisant la piézo-électricité du minéral comme résonateur.

▸ Il a produit quelques termes utilisés en minéralogie : **QUARTZEUX, EUSE** adj. (1771), **QUARTZIFÈRE** adj. (1801), **QUARTZITE** n. m. (1823), nom d'un minéral, et **QUARTZIQUE** adj. «composé de quartz» (1842).

QUASAR n. m. est emprunté (1965) à l'anglo-américain *quasar* (1963, Schmidt). Celui-ci est formé de *quas(i)* [→ ① quasi] et de *-ar*, terminaison de *stellar* (→ stellaire). Il constitue l'abréviation de *quasi stellar radiosource* «source d'émission radio quasi stellaire», nom donné à tout objet d'apparence stellaire dont le spectre présente un fort décalage vers le rouge (1963).

♦ Le mot a été repris en radioastronomie avec le sens de l'anglais.

① **QUASI** adv. est emprunté (v. 980) au latin *quasi*, conjonction de comparaison «comme si, comme», puis «à peu près, environ». *Quasi* est issu de *quam-si* avec amuissement du *m* dû au caractère accessoire du mot ; *quam* y est la particule tirée du thème du relatif-interrogatif *qui* (→ qui) au sens de «que, combien», marquant l'égalité, l'identité ; *si* y représente la conjonction qui a donné *si** en français.

♦ *Quasi*, rare avant la seconde moitié du XVe s., signifie «presque». Jugé archaïque au XVIIe s. par les puristes, il connaît un regain de faveur depuis le XIXe s. ; il est couramment employé dans certaines régions, modifiant un adjectif, un verbe, un terme à valeur quantitative ou un substantif (les deux mots liés par un trait d'union formant une sorte de mot composé). En français central, il est d'usage plutôt écrit et soutenu.

▸ *Quasi* a servi à former **QUASIMENT** adv. (1505) — l'italien *quasimente* est attesté dès le XIIIe s. — qui le concurrence devant un adjectif ou une forme verbale et s'emploie au sens de «en quelque sorte», en guise de réponse. ➜ La vitalité de *quasi-* dans la formation de noms est attestée par l'existence de plusieurs termes de droit, faits le plus souvent sur le modèle d'un mot latin : ainsi **QUASI-CONTRAT** n. m. (1675) est le calque du latin juridique *quasi contractus*, **QUASI-DÉLIT** n. m. (1690) celui du latin juridique *quasi delictum*, tandis que **QUASI-USUFRUIT** n. m. a été formé directement (fin XIXe s.) avec le mot français *usufruit**. ➜ **QUASI-CERTITUDE** n. f. (1892) signifie «opinion, jugement qui est presque une certitude».

◈ voir **QUASAR**, ② **QUASI**.

② **QUASI** n. m. est relativement tardif (1739) et d'origine discutée : certains évoquent le turc où *kas* signifie «muscle», en pensant au turc oriental *kası*, *kasï*, *khazı* «pli du ventre (aine ?) chez l'homme ; graisse du ventre chez le cheval» (XIe s., Turkestan), «graisse du ventre» et «saucisson de cheval» (Asie centrale) et au turc occidental (de Turquie) *kasık* «aine, bas-ventre, pubis». On a aussi évoqué, simplement, le latin *quasi* «comme si» (→ ① quasi) parce que ce morceau, situé sous le gîte à la noix, est «quasiment» du gîte. P. Guiraud suppose un rapport avec le provençal *casit*, participe passé de *casir* «mettre à sa place», dérivé d'une forme correspondant au français *case**, selon le même développement que *gîte*, lui aussi terme de boucherie.

♦ *Quasi* est un terme de boucherie désignant un morceau du haut de la cuisse du bœuf ou du veau.

QUASSIA n. m., apparu sous la forme *Coissi* dans une *Description générale de la Colonie de Surinam* (1769, *bois de Coissi*), puis enregistré par Trévoux sous la forme *Quassia, bois de Quassi* (1771), est tiré du nom de Graman *Quassi* ou *Quacy*, sorcier noir de l'île de Surinam qui découvrit la racine médicinale de cet arbuste en 1730. Par l'intermédiaire de M. Dahlberg, le naturaliste suédois Linné prit connaissance de cette plante en 1761 et lui donna le nom latin de *Quassia* (1767) qui s'est répandu en français. L'anglais *quassi-wood* «bois de quassi» est attesté en 1765.

♦ Le mot désigne un arbuste tropical dont le bois contient une substance amère aux propriétés toniques et insecticides.

▸ Le dérivé **QUASSIER** n. m. (1832) désigne seulement l'arbuste.

QUATERNAIRE adj. et n. m. est emprunté (1488) au latin *quaternarius* «qui a quatre éléments», de *quaterni* «quatre chaque fois», distributif de *quattuor* (→ quatre).

♦ Le mot, qui qualifie en arithmétique un nombre divisible par quatre, se dit de ce qui est formé de quatre éléments, et spécialement en chimie d'un corps contenant quatre éléments (1845). ➛ Sa spécialisation en géologie se fait dans le syntagme *terrains quaternaires* (1829), puis *période quaternaire* (1884), *ère quaternaire* (1907) d'où l'emploi substantivé, *le quaternaire* (1882). ➛ Il s'est spécialisé en économie (1971), par analogie avec *primaire, secondaire, tertiaire,* dans la définition d'un groupe social comprenant les personnes ayant une fonction de commandement, de direction, de recherche.

QUATORZE adj. num. et n. m. inv. est issu (XIIe s.) du latin populaire °*quattordecim,* altération du latin classique *quattuordecim,* de *quattuor* (→ quatre) et de *decem* (→ dix). Au mot latin remontent l'italien *quattordici,* le catalan *catorze,* l'espagnol *catorce* et le portugais *quatorze.*

♦ *Quatorze heures* désigne deux heures de l'après-midi dans le compte par vingt-quatre heures. L'expression ***chercher midi à quatorze heures*** (déb. XVIIe s.) signifie «compliquer inutilement une chose simple», c'est-à-dire «ne pas voir une chose là où elle est». ◇ La Première Guerre mondiale qui eut lieu de 1914 à 1918, donne lieu à l'appellation ***guerre de quatorze*** (1920) ou de ***quatorze-dix-huit,*** d'où vient l'expression figurée ***repartir comme en quatorze*** (1962), allusion au départ volontaire et joyeux des mobilisés de 1914 pour la guerre.

▸ Le mot a produit **QUATORZIÈME** adj. num. ordinal et n., réfection (XVe s., *quartorziesme*) de *quatorzime* (XIIe s.), qualifiant ce qui se trouve au rang indiqué par le nombre quatorze et se disant d'une partie contenue quatorze fois dans l'unité. Il a désigné un impôt (XVe s.) avant de se dire en général de la quatorzième partie d'un tout (1694) et de désigner une personne ou une chose qui occupe le rang quatorze (1869). ➛ Il a pour dérivé **QUATORZIÈMEMENT** adv. (1798).

✳ **QUATRE** adj. num. et n. m. est issu (v. 980) du latin populaire *quattor* (dans les inscriptions), réduction du latin classique *quattuor.* Celui-ci est à l'origine déclinable : en indoeuropéen, les noms des chiffres un, deux, trois et quatre sont déclinables; les autres, à partir de cinq, indéclinables. *Quattuor* est devenu invariable, passant de °*quattuor(e)s* à °*quattuorr* puis *quattuor.* Le *a* final du neutre °*quattuora* avait aussi tendance à tomber, de sorte que le masculin et le neutre se sont confondus avec le nominatif, entraînant l'invariabilité du mot. Il est à comparer au sanskrit *catvāraḥ,* au grec *tettares,* à des mots slaves, arméniens, à l'irlandais *cethir,* tous attestant l'ancienne existence d'une flexion.

♦ *Quatre,* adjectif cardinal, a connu une certaine vitalité dans la formation de locutions dès l'ancien français, souvent avec une valeur indéterminée variant entre «quelques» et «plusieurs» : *quatre et quatre* (v. 1316) a été refait en ***quatre à quatre*** (1692), spécialisé pour «très vite» (en faisant quatre pas, en franchissant quatre marches d'un coup). Au XVIIe s. apparaissent ***se mettre en quatre*** par une métaphore analogue à *se décarcasser* «faire de grands efforts» (1636), ***ne pas y aller par quatre chemins*** «être direct» (1656), ***comme quatre*** (Molière) «beaucoup», ***aux quatre coins du monde*** «partout dans le monde» (1674). ➛ L'emploi de *quatre* comme adjectif ordinal existe dès 1254; son emploi substantivé est attesté au XVIIe s., à la fois pour désigner le nombre quatre (1665) et, spécialement, le chiffre l'indiquant, en parlant d'une carte à jouer (1679), d'une date (1692).

▸ *Quatre* a produit ses dérivés en deux temps : en ancien et moyen français, *quatre-vingts* et *quatrième.* ➛ **QUATRE-VINGT(S)** adj. num. et n. m. inv., d'abord écrit *quatre-vins* (XIIe s.), qui a également développé des emplois d'adjectif ordinal et de substantif, donnant **QUATRE-VINGTIÈME** adj. num. ordinal et n. (1530). L'aire d'emploi de ces deux mots est limitée en Suisse et en Belgique par *octante, octantième.* De même, celle de **QUATRE-VINGT-DIX** adj. num. et n. m. inv. (1390) et de **QUATRE-VINGT-DIXIÈME** adj. num. ordinal et n. (1530) est limitée par *nonante* et *nonantième,* plus courants (mais ignorés en France). L'autre dérivé ancien apparaît en moyen français; c'est **QUATRIÈME** adj. num. ordinal et n. (v. 1300, *quatroysme;* v. 1360, *quatriesme*), qui a pratiquement évincé *quart** et, comme substantif, a développé quelques emplois spéciaux, souvent elliptiques, désignant la quatrième classe, la quatrième vitesse d'une automobile *(passer en quatrième),* une série de quatre cartes consécutives de la même couleur (1679). Il a pour dérivé **QUATRIÈMEMENT** adv. (1551) qui a supplanté *quartement* (v. 1360-1606). ➛ Le terme de poétique **QUATRAIN** n. m. est une création du XVIe s. (1544, Marot) pour une strophe de quatre vers.

Dans un deuxième temps, *quatre* entre dans des noms composés. **QUATRE-DE-CHIFFRE** n. m. inv. (1740), nom d'une sorte de piège en forme de 4 (le syntagme a d'ailleurs servi à désigner la figure 4); **QUATRE-ÉPICES** «mélange d'épices», «nigelle» qui est d'abord (1803) un nom féminin pluriel, puis par lexicalisation un nom singulier, féminin (1875) ou masculin; **QUATRE-FEUILLES** n. m. inv. (1842) en architecture; **QUATRE-SAISONS** n. f. inv. (1873), appellation commerciale d'une variété de fraise (1875); **QUATRE-QUARTS** n. m. inv., nom d'un gâteau fait de quatre éléments (farine, œufs, beurre, sucre) à poids égal (1893); **QUATRE-MÂTS** n. m. inv. (1907); **QUATRE HEURES** n. m. inv. (1866, au pluriel dans l'Est; puis XXe s.) «goûter» et **QUATRE-CENT-VINGT-ET-UN** n. m. inv. (1950), nom d'un jeu.

QUATRE-QUATRE n. m. inv., nom d'une formule rythmique musicale (XXe s.), a été repris comme nom (masculin ou féminin) d'une automobile tout-terrain à quatre roues motrices (adjectif en 1958).

◈ voir BÉCARRE, CADRAN, CADRE, CAHIER, CARAPATER (SE), CARÊME, CARILLON, CARRÉ, CARREAU, CARREFOUR, CARRIÈRE, CASERNE, ÉCARQUILLER, ÉCARTER, ÉQUARRIR, ÉQUERRE, ESCADRE, INCARTADE, QUADRAGÉNAIRE, QUADRAGÉSIME, QUADRATURE, QUADRI-, QUADRICEPS, QUA-

DRIENNAL, QUADRIGE, ① QUADRILLE, QUADRUMANE, QUADRUPÈDE, QUADRUPLE, QUARANTE, QUARTIER (art. ① **QUART**), ② **QUARTERON, QUARTETTE, QUARTIER-MAÎTRE, QUATERNAIRE, QUATORZE, QUATRE-TEMPS** (art. **TEMPS**), **QUATUOR, SQUARE.**

QUATUOR n. m. est l'emprunt tardif, en musique (1722), du latin *quatuor,* variante de *quattuor* qui a donné *quatre*.*

♦ Le mot désigne une œuvre écrite pour quatre instruments ou quatre voix et, par métonymie, les quatre musiciens ou chanteurs qui interprètent cette œuvre (1868); hors de la musique classique, on emploie *quartette*.* ◆ Par extension, il se dit familièrement d'un groupe de quatre personnes (1832, Casanova).

① **QUE** conj. et adv. est issu (842) du latin médiéval *que,* bien attesté depuis le VIIIe s., et auquel remontent également le toscan (d'où l'italien) *che,* l'ancien provençal, le catalan, l'espagnol et le portugais *que.* Le latin tardif *que,* souvent écrit *quem* par suite d'une confusion phonétique avec le pronom relatif *quem* (→ ② que), est la forme, affaiblie par un usage fréquent, d'un type *qui,* vivant en gallo-roman, dans l'Italie centrale et en ibéro-roman. Celui-ci est la simplification devant voyelle de la conjonction *quia,* à côté de *qua* devant consonne, d'où est issu *ca* en Italie, en Sardaigne, en Espagne au moyen âge, et encore dans beaucoup de dialectes. Le bas latin *quia,* d'abord employé avec une valeur interrogative puis avec un sens causal pour «le fait que, parce que» (→ quia) avait remplacé *ut* (→ ut) et *quod,* ce dernier pourtant d'un usage fréquent, et servait à introduire une complétive après les verbes d'opinion, d'affirmation ou de sentiment (Pétrone), ainsi qu'à introduire le discours direct.

♦ Depuis le IXe s., *que* est employé comme conjonction de subordination. Dès l'ancien français, il est le subordonnant le plus usuel, seul ou dans les nombreuses locutions conjonctives qu'il a servi à former, régissant l'indicatif ou le subjonctif selon le degré de réalité/virtualité du procès.

Que introduit des propositions circonstancielles dès les premiers textes : notions de condition restrictive (842, avec *mais, pourvu, à condition*), comparaison (881, *mieux... que*) et avec *ainsi, autant, autre, même, mieux, moins, plus*), finalité (881, *pour que*), conséquence (937-952, avec un terme intensif d'appel dans la proposition régissante comme *si, tant*), cause (v. 980, *parce que, puisque*), exclusion ou exception (1050, avec *à moins, sans, sinon*), hypothèse (1160-1174), concession (avec *alors, bien, malgré, où*). On notera que dans la plupart de ces emplois, *que* pouvait s'employer seul en ancien et moyen français, et encore à l'époque classique. Cet usage pouvait occasionner bien des ambiguïtés sémantiques, *il est sourd qu'il n'entend* pouvant signifier «il est si sourd qu'il n'entend pas». La langue classique goûtait particulièrement l'usage de *que* restrictif (*sors vite que je ne t'assomme,* Molière), ou bien équivalant de *sans que* (*et n'entreprennent rien qu'ils n'en viennent à bout,* Régnier), de *si ce n'est* (*que peut-on espérer que d'en être outragé ?,* Montchrétien), ou de *à moins que* (*il ne peut rien donner qu'il ne l'ait).* L'usage de *que* explicatif a fait de *que,* en ancien français, un synonyme de *car,* une ligature coordonnante ; cet emploi — complexe, du fait que *car* assumait aussi une fonction subordonnante à cette époque — a commencé à se raréfier dès le XVe siècle. En outre, *que* avait parfois pour antécédent le pronom neutre *ce* qui est demeuré dans certaines locutions une fois soudées *(parce que).* ◇ Outre l'expression d'une relation logique, *que* est très fréquent dès le XIe s. pour introduire le second élément d'un système temporel (1080), donnant lieu à une multitude de locutions notant la concomitance *alors que, lorsque, tandis que, pendant que,* etc., le point de départ d'un procès principal *(depuis que),* son point final *(jusque),* l'antériorité *(avant que, devant que)* ou la postérité *(après que).* Enfin, dans le cas de deux ou plusieurs subordonnées circonstancielles (notamment temporelles ou hypothétiques) juxtaposées ou subordonnées, *que, et que* (1050) sert de repère, timidement en ancien français puis fréquemment à partir du XIVe-XVe s., même si on lui préfère encore *et* ou *ne.* Cet emploi est tout à fait distinct d'un emploi redondant de *que,* exprimé une seconde fois lorsqu'il était séparé du premier par une subordonnée en incise *(il dit que, quand il fut parti, qu'il chevaucha...).* Cet usage, également valable pour *que* en tête de subordonnée complétive, s'opposait à un usage surtout caractéristique des anciens textes épiques, mais encore relevé au XVIe s., qui consistait à sous-entendre *que.*

Dès le IXe s., *que* introduit une subordonnée complétive avec un verbe de parole qui exprime la prière, le commandement (881), le conseil (881), la volonté (937-952), la convenance (v. 980), la crainte (v. 1050), la défense (1080), une opinion ou une appréciation (v. 980).

Enfin, le subordonnant *que* introduit des propositions indépendantes ou principales au subjonctif, exprimant le souhait (v. 980), le regret (fin XIIe s., *que pleüst Deu,* forme archaïque pour *Plût à Dieu*), l'ordre (1174-1176). On peut dire qu'il y a alors ellipse d'une principale, y compris dans les formules de têtes de chapitre de Montaigne à V. Hugo (où la principale sous-entendue correspond à *on va montrer*). ◆ Il peut équivaloir aussi à un système hypothétique (*si* + imparfait du subjonctif), donc exprimer la condition ; cet usage perdure sous la forme *que si* (calque du latin *quodsi*) dans le style juridique et le style soutenu. L'emploi de *que* pour introduire une proposition incise apparaît au XIIe s. ; il se distribue entre l'usage soutenu (*que je sache,* v. 1450) et l'usage populaire *(que tu dis).* Certains grammairiens y voient plutôt un emploi du pronom relatif *que*.*

Que adverbe se rencontre d'abord dans une proposition interrogative avec le sens de «pourquoi» (v. 980), puis également dans une interrogation indirecte (v. 1135). ◆ En phrase exclamative, *que* assume depuis le XIIe s. un sens proche de «combien» (v. 1165) que lui dispute l'expression ***qu'est-ce que, ce que,*** attestée au XIXe s. dans la langue parlée *(que tu es beau !/ce que tu es beau !).*

② **QUE** pron. rel. est issu (842) du latin *quem,* accusatif masculin en position atone du pronom relatif *qui* (→ qui). À basse époque (dès le IVe s.), *quem* a été pris comme accusatif commun aux trois genres, remplaçant le féminin *quam* et le neutre *quid* (→ quoi). Ce neutre s'était substitué à *quod* par suite de la confusion des paradigmes du relatif et de l'interrogatif *quis* (→ quidam) ainsi que des formes du pluriel.

♦ *Que* pronom, dans sa fonction la plus ancienne et la plus courante de complément d'objet direct (842), introduit une proposition qui était quelquefois suivie d'une complétive introduite par *que, qui* (fin XIIe s.), construction encore usuelle au XVIIe s. : *«un caractère que je puis dire qui n'a point déplu»* (Racine in *G. L. L. F.*), construction à laquelle la langue moderne préfère l'infinitif (... *que je puis dire n'avoir pas déplu*). Il était couramment employé sans antécédent (XIe s.) : on disait *faire que sage* «faire ce que fait un sage» (1080), avec ellipse de *ce* et du verbe. ➜ Un ancien emploi en début de proposition incise (v. 1155) subsiste dans la locution figée ***que je sache*** (v. 1450), et, d'autre part, dans l'usage familier avec un verbe d'opinion ou un verbe déclaratif pour mettre en doute les propos de l'interlocuteur, ou simplement, dans la langue populaire, pour faire l'économie de l'inversion dans l'incise (quelle heure *qu*'il est ?). ➜ À côté de syntagmes figés, ***coûte que coûte, vaille que vaille,*** témoins de l'ancien usage de *que* pour *ce que,* le tour ***advienne que pourra,*** enregistré tardivement (1845), témoigne de l'ancien emploi comme sujet, en concurrence avec *qui** et *ce qui.* ➜ L'emploi de *que* en fonction de complément indirect (v. 980) temporel, «pendant que» *(viendra le jour que je partirai),* ou spatial, «où, par où» *(c'est le pré que se trouve l'âne),* a reculé, après l'usage classique, au profit de celui d'autres relatifs comme *où, auquel;* il s'est toutefois maintenu aux deux extrêmes de l'usage : dans le style littéraire et, à titre d'incorrection, dans la langue populaire. Il a mieux résisté comme complément de manière *(de la façon que tu t'y prends),* malgré la concurrence de *dont.* ➜ *Que* s'emploie également en fonction d'attribut (v. 1175), après un nom *(l'enfant que j'étais),* un adjectif *(tout pâle que j'étais)* [certains grammairiens y voyant alors un adverbe issu de la conjonction *que** au sens de «comme»] et, plus littérairement, un participe comme antécédent.

③ **QUE** pron. interr. est issu (v. 980) du latin *quid* «quoi ?», neutre du pronom interrogatif *quis* «qui ? lequel ?» (→ quidam) et dont procède également la forme tonique *quoi**.

♦ Le mot, qui exprime une question concernant une chose, est employé dans une interrogation directe où il fonctionne surtout comme élément d'objet direct (premier emploi attesté), puis comme attribut (v. 1050). *Que* figure dans quelques locutions impersonnelles, comme sujet et comme complément (v. 1120). Il sert aussi de complément circonstanciel sans préposition (1080), de nos jours uniquement avec le sens de «combien ?» et jusqu'au XVIIe s. également pour «à quel propos ?», «en quoi ?», «pourquoi ?», «à quoi ?». ➜ À partir des XIVe-XVe s., il est employé concurremment dans les formules ***qu'est-ce que, qu'est-ce qui*** (autrefois souvent écrites *qu'esse que, qu'esse qui*), lesquelles, malgré la résistance des grammairiens, sont devenues usuelles. À l'époque classique (XVIIe-XVIIIe s.), et encore au XIXe s., on pouvait employer *qui* pour les choses, à la place de *qu'est-ce qui. Que* s'emploie aussi dans une interrogation indirecte, quelquefois en concurrence avec *quoi,* moins abstrait, après certains verbes comme *avoir, savoir,* à la forme négative et devant un infinitif (***n'avoir, ne savoir que*** *faire de*...). Au XVIe et au XVIIe s., il pouvait s'employer elliptiquement pour *ce que* et, dans *que c'est,* pour *ce que c'est, ce qu'est* (av. 1549).

QUÉBÉCOIS, OISE adj. et n., attesté en 1754 (écrit sans accents) est tiré de *Québec* (1608), graphie française du nom algonquin *Kébek* signifiant «détroit, resserrement», appliqué au Saint-Laurent sur le site de la ville de Québec.

♦ Le mot qualifie ce qui appartient au Québec, province souveraine de l'État du Canada, et à Québec, sa capitale. *Les Québécois* correspond à l'usage plus ancien de *Canadiens français.* ◇ *Le québécois* n. m. s'applique à l'usage de la langue française au Québec. Voir l'encadré page ci-contre et suivantes.

✱ **QUEL, QUELLE** adj. et pron. interr., adj. exclam. et indéf. est issu, d'abord sous la forme *qual* (v. 980) puis *quel* (1050), du latin *qualis, quale,* adjectif et pronom, qui répond pour le sens au grec *poios. Qualis* s'emploie également en corrélation avec *talis* (→ tel) et, absolument, au sens de «de la nature de» (en phrases relatives), «de telle nature» (en phrases interrogatives et exclamatives). À basse époque, *qualis* a tendu à se confondre avec le pronom relatif *qui* (→ ② qui) et le pronom interrogatif *quis* (→ quidam) dont il est issu avec un vocalisme *a* et un suffixe *-li-* que l'on a aussi dans le vieux slave *kolikŭ,* correspondant pour le sens au latin *quantus* (→ quant). La forme féminine française *quelle* (d'abord *quele*) a été formée par analogie sur le masculin, éliminant lentement (XVIe s.) les formes *quels, queus, quieus* (au cas sujet), *quel* (au cas régime), issues phonétiquement du latin.

♦ Dès les premiers textes, *quel* est employé comme adjectif interrogatif et questionne sur la qualité, la nature d'une chose ou d'un être, parfois également sur l'identité (usurpant le rôle du latin *quis*), la quantité (latin *quantum*), la numérotation et le rang (latin *quotus*; → quote), en fonction d'attribut et d'épithète. De son ancien usage en tant que pronom interrogatif en concurrence avec *lequel (quel veux-tu ?),* la langue moderne n'a conservé qu'un emploi de *quel* devant le verbe *être* et accompagné d'un partitif (exprimé ou sous-entendu) *[de ces deux routes, quelle est la plus courte ?].* Un autre emploi ancien à la place de *qui* a décliné puis disparu après le XVIIe s. *(ils ne savent quel il est ni où il habite).* ➜ Dès 1050, *quel* est employé en tant qu'adjectif exclamatif pour exprimer l'étonnement, l'admiration, l'indignation. ➜ Son emploi en fonction d'adjectif indéfini est déjà attesté en 1080 dans la locution ***quel que*** marquant une concession d'extension indéterminée avec le sens de «que telle personne, telle chose soit telle qu'on le voudra»,

LE QUÉBEC ET LA LANGUE FRANÇAISE

Le français au Québec et au Canada.

Historique. En Amérique du Nord, les colons français du XVIIe et du début du XVIIIe s., peu nombreux, venaient en majeure partie de l'ouest de la France. En 1763, année du traité de Paris par lequel la France perdait le Canada, leur assimilation future à l'anglais était prévisible. Seuls quelques facteurs sauvèrent la langue française. L'un d'eux fut la tolérance de l'administration anglaise quant au français pour les affaires de droit privé, d'ailleurs au prix d'une anglicisation de la langue juridique française. Mais un facteur social fut plus déterminant : une forte natalité, jointe à un puissant sentiment de spécificité culturelle, canalisé et renforcé par le clergé. Compensant l'afflux d'anglophones fidèles à la Couronne, après l'Indépendance des États-Unis, les francophones du Canada passent de moins de 100 000 vers 1770 à 700 000 en 1842. Politiquement, après la révolte de 1837 et la loi de 1841 faisant de l'anglais la seule langue officielle, une réaction indignée aboutit à son abrogation en 1848.

Lorsque le Canada devient un dominion britannique fédéral (1867), l'anglais et le français sont langues officielles, théoriquement égales. Le Bas-Canada, colonie anglaise, devient alors le Québec, province fédérée. Les francophones québécois, ruraux à 85 %, scolarisés à 5 % environ vers 1850, sont alors largement unilingues et pratiquent un français régional fortement typé par ses origines (dialectes d'oïl et français régionaux de l'Ouest : Aunis, Saintonge, Poitou, Normandie, etc.) et fort traditionnel. Mais beaucoup vont chercher du travail vers l'Ouest (Manitoba), le Sud (600 000 vers les États-Unis, en Nouvelle-Angleterre, de 1840 à 1900); en milieu anglo-saxon protestant, ces derniers conserveront longtemps leur langue grâce à l'Église catholique. Après l'expulsion des Acadiens, qui se réfugient en Louisiane (devenant les Cajuns), le français se maintient dans l'extrême-est du Canada par un retour partiel en Nouvelle-Écosse et surtout au Nouveau-Brunswick.

Entre 1867 et la Seconde Guerre mondiale, le français, soumis à la pression très forte de l'anglais, devient, sauf au Québec, une langue infériorisée et s'anglicise. Au Québec même, si la scolarisation lui permet de se normaliser et de s'assurer, l'urbanisation (40 % d'urbains en 1901, 50 % en 1911) soumet la langue, notamment dans le grand Montréal, à des effets de contact. Ainsi s'élabore un français oral spécifique, lexicalement anglicisé, phonétiquement très marqué, un «français cheval» ou «choual, joual», très différent des normes rurales et de la norme cultivée, elle-même privée de l'accès aux fonctions de la société moderne : en effet, les affaires, la technique, la banque s'expriment surtout en anglais. Les francophones cultivés doivent apprendre l'anglais; les anglophones se désintéressent de la langue inférieure.

Vers 1870-1880, une idéologie très répandue joint «l'Église catholique et la race franco-canadienne» (Thomas Chapais) : de là un conservatisme intolérant, mais qui fut au XIXe s. et jusqu'aux années 1920-1930 le véritable garant de la permanence du français. Celui-ci était protégé par l'isolement culturel de la vie rurale et soutenu par une démographie forte — le Québec ne bénéficiant pas de l'apport des immigrés qui affluaient au Canada anglophone. Mais les conditions sociales changent rapidement. L'économie industrielle liée à l'urbanisation infériorise de plus en plus la francophonie canadienne : «En dehors de la terre [...], de quelques îlots où nous nous maintenons par la force de l'inertie, nous n'avons rien», écrivait Victor Barbeau en 1936. Partout, l'administration britannique et le protestantisme orangiste attaquent le français, mis hors la loi au Manitoba (1890), par exemple. La résistance est alors catholique, la langue française étant considérée comme «le principal auxiliaire humain de la foi catholique, des mœurs catholiques, des traditions catholiques» (Henri Bourassa). Les luttes scolaires et politiques reflètent jusqu'en 1940 ce souci de conservation, nécessaire sans doute et efficace jusqu'à la mutation économique des premières décennies du XXe s., puis rapidement anachronique. La littérature canadienne en français, et même française, lorsqu'elle décrit le Canada (Louis Hémon), reflète l'idéologie du maintien, de la vie rurale ou pionnière, de la supériorité morale du catholicisme. Esthétiquement, c'est l'influence de la France qui l'emporte, notoirement chez les poètes.

Les années 1939-1960 sont celles d'une lente transition : la population du Québec passe de

quant à son identité, à sa quantité, à sa nature. Cette locution reste vivante en fonction d'attribut devant le verbe *être (quel que soit)* ou un verbe équivalent; en revanche, en fonction d'épithète, elle a considérablement reculé (elle était déjà condamnée par Vaugelas) au bénéfice de la locution ***quelque... que.***

▶ L'adverbe dérivé de *quel*, **QUELLEMENT** (XIVe s.), s'est éteint, y compris dans la locution ***tellement quellement*** (→ tellement).

Quel a servi à former **LEQUEL, LAQUELLE** pron. relatif et interrogatif (1080), d'abord employé comme pronom interrogatif représentant une personne ou une chose qui vient d'être ou va

3,2 millions à 5 millions ; le nationalisme apparaît et les heurts entre la province et Ottawa se multiplient ; les revenus augmentent de manière inégalitaire, banalement (en 1961, le revenu moyen du Montréalais excède le double de celui du Gaspésien), et ces inégalités sont en rapport avec le statut linguistique ; ces revenus sont inférieurs à ceux de la population ontarienne anglophone (25 % entre 1920 et 1940). Ainsi, en 1961 encore, les revenus annuels vont de plus de 6 000 $ pour l'anglophone unilingue à un peu plus de 3 000 pour le francophone unilingue : ceux des bilingues se situent entre les deux, avec la même prime pour l'«Anglais». Malgré la colonisation économique du Québec par l'Ontario, puis par les États-Unis, un début d'émancipation culturelle se dessine ; en outre, le conservatisme social, lié au nationalisme québécois, est battu en brèche par une idéologie sociale à l'américaine, où les syndicats s'expriment grâce à l'industrialisation.

L'époque contemporaine. C'est en 1960 que l'on date le début de la «révolution tranquille» du Québec. Peu à peu, une idéologie nationaliste réformiste et pluraliste se substitue au conservatisme catholique. En 1968, René Levesque fonde le Parti québécois, qui va marquer la période contemporaine ; malgré ses difficultés, ce parti va battre en brèche le fédéralisme conservateur champion de l'unité canadienne «sans trait d'union» (Diefenbaker). Au-delà des péripéties politiques, sociales (recul de l'Église, flux d'immigrants néo-canadiens au Québec) ou même économiques (développement d'une économie proprement québécoise), une mutation idéologique et culturelle s'opère, directement liée à la langue française.

Celle-ci, on l'a vu, s'est conservée dans le vase clos rural et catholique. Mais elle est restée, malgré l'archaïsme d'un fonds régional français hérité des XVIIe et XVIIIe s., avec des évolutions divergentes par rapport au français européen, un *français langue maternelle,* qui partage ce caractère avec les français de France, de Belgique et de Suisse. Cependant, son phonétisme très caractéristique — articulations moins tendues, palatalisation du *t* et du *d,* voyelles allongées et parfois diphtonguées provenant des dialectes de l'Ouest, accents de phrases originaux — lui donne une spécificité forte. Quant au lexique, il est marqué de mots dialectaux souvent devenus archaïques en Europe et surtout d'anglicismes particuliers, remarquables par une intégration souvent plus grande qu'en français contemporain (le *gagne,* de *gang* «petit groupe» ; les *pinottes,* de *peanuts ;* le *fonne,* de *fun ;* naguère la *drave* «flottage du bois», de *to drive,* etc.). Ces anglicismes sont très abondants en joual, usage populaire surtout montréalais, alors que ceux qui inondent les terminologies — par exemple l'automobile, l'électricité : *plugger,* de *to plug,* etc. — régressent peu à peu. La langue courante connaît aussi des calques, des adaptations, des anglicismes de sens (*gaz* pour «essence», *pouvoir* pour «courant électrique», *lumière* pour «feu de signalisation», etc.) et même de syntaxe (*le deuxième meilleur...).*

De manière comparable à l'anglais des États-Unis par rapport à celui d'Angleterre, le français du Québec, passablement écarté de celui d'Europe, tend depuis 1960 à se normaliser, et donc à se stabiliser, et souvent à réduire cet écart.

Le français en Amérique du Nord : la référence québécoise.

Cette stabilisation va de pair avec une affirmation linguistique et culturelle de nature politique : à la loi de 1969, encore favorable au bilinguisme, ont succédé la «loi 22» (1974) qui affirme la prééminence du français dans la «province» (autre anglicisme) et surtout la «loi 101» (1977) qui impose le français comme seule langue officielle, crée un Conseil et un Office de la langue française qui succèdent à une «Régie» jugée insuffisante. Ces organismes veillent à l'application des principes de la loi et pratiquent notamment une forme d'«aménagement» linguistique (J.-Cl. Corbeil), qui stimule la créativité lexicale et terminologique pour suppléer aux anglicismes. La politique est double : emploi du français dans la communication sociale, enseignement du français aux nouveaux immigrés pour assurer la vitalité de la langue ; la rigueur terminologique et l'action des intellectuels, des journalistes, de leur côté, garantissent la «qualité du français». Aujourd'hui, celle-ci ne se définit plus seulement par la référence européenne, essentiellement française, mais aussi belge et suisse : la littérature francophone non française est de plus en plus enseignée. L'action des écrivains et des chansonniers, défendant une forme populaire d'usage, très divergente par rapport au français «central», a débloqué une attitude de

être nommée. Son emploi comme pronom relatif a vieilli en dehors de la langue juridique ou lorsqu'il a pour fonction d'éviter une répétition de *qui,* assumant, dans le style littéraire, un rôle emphatique.

◆ *Lequel* est fréquent en fonction de complément indirect (XIIIe s.), spécialement comme complément d'un nom introduit par une préposition *(auquel, duquel, pour lequel...).* En revanche, il a vieilli en fonction de complément direct (av. 1563) et ne se rencontre plus que dans le style littéraire.

QUELQUE adj. indéf. et adv. est la forme soudée (v. 1112) de *quel que* (1080), les deux formes se rencontrant toutes deux au XIIIe siècle. *Quelque* est employé d'une part au singulier, en corrélation avec culpabilité et de prudence devenue insoutenable.

En effet, la société québécoise est culturellement double : française par ses origines, par de nombreux traits de mentalité et de mœurs ; nord-américaine par la vie quotidienne, les divertissements (où l'anglais des États-Unis est encore plus présent que celui du Canada). Le niveau de développement matériel est grand, le développement économique spectaculaire. La langue française est reconnue, célébrée, illustrée dans ses usages propres et dans son histoire locale ; les variétés régionales sont identifiées, bien décrites. La sociolinguistique et la terminologie du français sont plus actives au Québec et à Ottawa qu'en France même et l'aménagement linguistique, malgré ses difficultés, plus efficace.

Le français québécois cherche sa norme et commence à l'élaborer en profondeur : des dictionnaires «québécisés» apparaissent, en attendant les dictionnaires véritablement québécois. Cependant, des usages très marqués, fortement anglicisés, subsistent dans la pratique urbaine orale. Les clivages sociaux semblent alors plus importants que les variations géographiques. Le français spontané québécois, par ailleurs, se juxtapose à une «compétence passive» ou «semi-active» du français d'Europe, véhiculé par les médias — moins puissamment d'ailleurs que l'anglo-américain. Ceci aboutit parfois à une forme artificielle d'usage médiatique oral (radio, télévision, publicité), assez comparable par son artifice et ses effets pervers aux usages analogues du français d'Europe, mais plus hybride. Par ailleurs, la démographie est devenue défavorable à la francophonie canadienne et l'attrait de l'anglais subsiste très fortement chez les Néo-Québécois. En revanche, le modèle québécois a donné un second souffle à certaines communautés francophones canadiennes : surtout au Nouveau-Brunswick (Acadie), mais aussi dans l'Ouest. Le cas d'Ottawa, où le bilinguisme effectif est favorable à l'usage du français, est particulier.

Le français d'Amérique du Nord, en dehors du Canada — c'est-à-dire aux États-Unis —, est en régression, malgré de nombreux efforts associatifs (en Nouvelle-Angleterre) et même officiels. La véritable langue seconde des États-Unis est aujourd'hui l'espagnol et non plus le français. Le statut de ce dernier, comme langue maternelle, est assez infériorisé. Un renouveau louisianais est appuyé significativement par une agence d'État américaine, le CODOFIL (Council for the Development of French in Louisiana), fondée en 1968 par James Demangeaux. L'enseignement d'une deuxième langue est imposé dans cet État depuis 1984 et le français a été choisi par 90 % des intéressés dans les districts où la loi est appliquée (pour des raisons financières). Malgré le renouveau culturel cajun, qui est effectif, les difficultés de la refrancisation sont grandes : la norme française de France est plus appréciée, mais l'usage québécois est plus proche.

De manière générale, la population d'origine française diminue aux États-Unis, absolument (plus de 5 millions en 1971, moins de 3 en 1978) et relativement. En outre, l'unilinguisme français, test de vitalité, tend à disparaître. Partout, la langue de communication sociale est la variété d'américain de la région (→ anglais aux États-Unis).en passant du Québec francophone au reste de la francophonie nord-américaine, on passe d'un univers à l'autre, de la langue maternelle assumant toutes les fonctions de la vie sociale (cas analogue à celui de la France, de la Belgique wallonne, de la Suisse romande) à une situation de «diglossie» où le français est en position inférieure (alors qu'il est en position supérieure aux Caraïbes, par rapport aux créoles). De ce point de vue, le Québec fait partie du même ensemble que la francophonie d'Europe. Mais il s'en distingue fortement, linguistiquement par une variation plus forte, culturellement par l'appartenance à la civilisation d'Amérique du Nord, politiquement par une situation menacée, consciente de l'être, et par là même plus active en tant que soutien de la francophonie tout entière.

A. Rey

BIBLIOGRAPHIE

J.-Cl. CORBEIL, *L'Aménagement linguistique du Québec*, Montréal, 1980.

M. LEMIEUX, *Les Tendances dynamiques du français parlé à Montréal*, 2 vol., Québec, Office de la langue française, 1985.

J. MARCEL, *Le Joual de Troie*, Montréal, E. I. P, 1982.

J. NIEDEREHE, L. WOLF, Colloque de Trèves, *Français du Canada, français de France*, Tübingen, Max Niemeyer, 1987.

J. PICOCHE, C. MARCHELLO-NIZIA, *Histoire de la langue française*, chap. III, Paris, Bordas, 1989.

que encadrant un nom (v. 1112), formant une locution concessive *(quelque sérieux qu'il soit)* qui a supplanté la locution *quel... que* dans la même fonction. ◆ *Quelque* est employé adverbialement devant un adjectif (XIIIe s.) et, comme tel, il est invariable, conformément à la règle préconisée par Vaugelas, entraînant de nombreuses corrections chez les auteurs classiques qui faisaient d'abord l'accord. *Quelque* est également employé comme indéfini (v. 1155) avec une valeur d'indétermination quant à l'identité ou la quantité, emploi qui relève du style littéraire sauf dans la locution ***quelque peu,*** plus courante. ◇ ***Quelque temps*** est lui aussi usuel. ◆ D'autre part, *quelques* (v. 1278) indique un petit nombre qui n'a pas été compté; il est alors employé seul ou précédé de l'article *les,* autrefois devant *cent, mille* qu'il multiplie, quelquefois dans le tour ***et quelques*** après un nom de nombre (1869) *[mille francs et quelques].* ◇ Devant un nom de nombre, *quelque* marque l'approximation (v. 1450); il est adverbialisé et, en tant que tel, invariable (1493), règle qui souffrait encore de nombreux manquements au XVIIe s., malgré la recommandation de Vaugelas.

QUELQU'UN, QUELQU'UNE pron. indéf. est formé (fin XIIIe s.) de *quelque* et de *un*;* il a progressivement évincé le nominal *un,* avec lequel il est resté en concurrence jusqu'au XVIe siècle. Dès le XIVe s., *quelqu'un* est employé absolument avec la valeur de «une personne indéterminée» et spécialement pour «une personne indéterminée faisant partie d'un ensemble déterminé», alors accompagné d'un complément introduit par *de* et par une proposition relative introduite par *qui,* quelquefois avec la valeur spéciale de «personne que l'on ne veut pas nommer». ◇ Depuis le XVIIe s., *quelqu'un* possède la valeur emphatique de «personne remarquable» (1651), emploi dont procède la locution populaire ***c'est quelqu'un!*** «c'est trop fort, c'est extraordinaire!» (1942, Queneau). ➜ L'emploi du mot au singulier avec un complément partitif *(quelqu'un des...)* pour indiquer tel ou tel des êtres ou des choses désignés par le complément (fin XVe s.) est marqué aujourd'hui comme archaïque. ◇ Le pluriel *quelques-uns, quelques-unes* se rencontre à partir du XVIe s., indiquant un petit nombre parmi les êtres ou les choses mentionnés dans le contexte (1541), et, moins souvent, certaines personnes avec une valeur qualitative (1564).

QUELQUEFOIS adv. (1513), soudure de *quelque fois* (attesté dès 1490, encore souvent au XVIe s.), a d'abord eu le sens d'«une fois, une certaine fois», auquel on peut rattacher le tour populaire moderne *quelquefois que* «si jamais par hasard». Le mot a pris la valeur de «en quelques occasions» (1538).

QUELCONQUE adj. indéf., réfection (v. 1175) de *quelcunques* (v. 1120), est la francisation, d'après *quel*,* du relatif et indéfini latin *qualiscumque* «quel... que, de quelque nature que», «n'importe quel, quel qu'il soit». Celui-ci est formé de *qualis* (→ quel) et de *cumque* «en toutes circonstances», formé de *cum* (→ comme) et de la particule *-que,* et souvent joint à des relatifs auxquels il donne une idée d'indétermination. On rencontre des formes comme *quel ki onques, quel ke onkes,* probablement refaites d'après le latin sur le modèle de celles qui sont à la base de *quiconque** (→ qui). ➜ *Quelconque* est employé comme adjectif indéfini, spécialement en logique et en mathématiques; plus tard, *quelconque* avant le nom a pris la valeur péjorative de «sans intérêt particulier, médiocre», emploi qui lui donne le statut d'un adjectif qualificatif, le plus souvent postposé (1891, Valéry), dont le sens est neutre ou péjoratif, comme *ordinaire, moyen, médiocre;* il a souvent un contenu de jugement social, comme *ordinaire, commun.*

◈ voir DISQUALIFIER, QUALIFIER, QUALITATIF, QUALITÉ, QUELQUE CHOSE (art. CHOSE).

QUÉMANDER v. est l'altération (1582) de *caimander* (1413), *quey mander,* dérivé de l'ancien français *caïmand* (1393), *caymant, quémand* «mendiant», bien attesté jusqu'au début du XVIIe s. et lui-même d'origine obscure, la deuxième syllabe pouvant être en rapport avec *mander*.* P. Guiraud propose de voir dans la syllabe initiale une forme dérivée de *écaille*,* au sens de «morceau de pain».

♦ Le mot a progressivement perdu son sens premier intransitif de «mendier». Devenu intransitif, le verbe, sous l'influence probable de *demander,* a pris le sens de «solliciter humblement avec insistance» (1762), souvent assorti d'une nuance péjorative.

▸ **QUÉMANDERIE** n. f. (1558, *caymanderie*), abandonné au XVIIe s. et repris au XIXe s., est demeuré exceptionnel. ➜ **QUÉMANDEUR, EUSE** n. (1740), rare au féminin, est d'un usage plus littéraire que le verbe, mais relativement courant. ➜ **QUÉMANDAGE** n. m. (1896) est rare.

QU'EN-DIRA-T-ON → ON

QUENELLE n. f. est emprunté (1750, *Dictionnaire des aliments*) à l'alsacien *Knödel* «boulette de pâte», allemand *Knödel.* Il s'agit d'un emprunt modifié par une prononciation francisée puis écrit à la française. Celui-ci est issu du moyen haut allemand tardif *knödel,* forme diminutive de l'ancien haut allemand *knodo* «nœud» (correspondant à l'anglais *knot*), d'un germanique commun *°knu-dan, °knupan.*

♦ Le mot désigne une préparation en forme de boulette ou de cylindre à base de viande, de poisson finement haché et incorporé à une pâte de farine ou de mie de pain.

QUENOTTE n. f., enregistré depuis 1640 (Oudin), est d'origine dialectale, de Normandie ou d'une région voisine. Il est dérivé, avec un suffixe diminutif, de l'ancien français *cane* «dent» (v. 1160), également attesté sous la forme *kenne* «joue» dans des textes picards. Ce mot rare, disparu de bonne heure, est issu d'un francique *°kinni* «mâchoire», lui-même d'un germanique commun *°kinn-* (allemand *Kinn,* anglais *chin* «menton»), équivalent du grec *genus* (→ ganache, prognathe) et du latin *genu* (→ genou). Tous relèvent d'une racine indoeuropéenne *°gen-* «articulation» d'où «angle» (→ diagonal, -gone et gonio-).

♦ Le mot, familier, désigne la dent, dans le langage enfantin, et, affectueusement, une petite dent.

◈ voir RICANER.

QUENOUILLE n. f. est la réfection suffixale (v. 1278) de *quenoille* (v. 1179; XIe s., selon *G. L. L. F.*), *conoille,* formes issues du latin médiéval *conucula,* forme dissimilée de *colocula* «bâton dont une extrémité est garnie de laine destinée à être filée» (VIe s.). Ce mot est issu du latin classique *colus,* formation parallèle au grec *polos* (→ pôle), qui représente une racine indoeuropéenne *°k^{w}el-* «tourner en rond», «se trouver habituellement dans», importante dans les vocabulaires grec et latin.

♦ Le mot a gardé le sens du mot latin et développé, par métonymie, celui de «matière textile dont une quenouille est chargée» (v. 1278). Il entre dans la locution figurée ***tomber en quenouille*** (XVIe s.) qui se dit d'un domaine qui passe par succession dans les mains d'une femme et, par extension, d'une chose qui perd sa valeur ou sa force (1913). ➛ Quelques sens analogiques, fondés sur une comparaison de forme, sont apparus à partir du XVIe s. pour *quenouille* employé seul; le mot désigne le pilier supportant un ciel de lit, un dais (XVIe s.); il a servi de désignation familière pour le membre viril (1718); il se dit de la tige et de l'épi de certaines plantes fusiformes (1797), d'une certaine manière de tailler les arbres (1821) et, par métonymie, de l'arbre fruitier ainsi taillé (1829). En botanique (XXe s.), il désigne une maladie des graminées provoquant des manchons autour de la gaine des feuilles supérieures.

▶ Il a produit **QUENOUILLÉE** n. f. (1552) désignant la quantité de matière textile dont on garnit une quenouille.

◈ voir BUCOLIQUE, CALANDRE, CLOWN, COLON, CULTURE, CYCLE, CYLINDRE, PÔLE, POULIE.

QUÉQUETTE n. f. est probablement (1901) une formation enfantine consistant dans le redoublement du radical expressif *kik-* qui s'applique à une chose pointue, saillante. On peut évoquer à son sujet *bistoquette*, mot ancien de nourrice (attesté 1920), dérivé de *bistoquer* «faire l'amour» (déb. XVIe s.).

♦ Le mot est une dénomination enfantine hypocoristique du pénis d'un jeune garçon. En exclamation, il correspond à «rien du tout», par analogie probable avec *zob, zobi*, les deux mots étant d'ailleurs souvent associés.

QUERELLE n. f., écrit *querele* (v. 1155), *querelle* (v. 1175), est emprunté au latin *querela* (ou *querella*) «plainte, lamentation», «doléances», spécialement «plainte en justice» et, au figuré, «maladie». Le mot est dérivé de *queri* «pousser des cris plaintifs», «se plaindre», mot qui semble isolé et pour lequel un rapprochement avec le sanskrit *çvásiti* «il souffle fort» n'est satisfaisant ni pour le sens ni pour la forme de la racine. On évoque aussi, pour le sens de «pousser un sifflement», le vieil islandais *hu̯œsa* et l'ancien anglais *hwœsan*.

♦ Le mot a été repris au sens juridique latin de «procès, réclamation», aujourd'hui sorti d'usage. Après avoir eu en ancien et moyen français diverses valeurs, «chance», «façon de jouer», «motif», «causerie», «intérêts de qqn dans une affaire», ce dernier subsistant dans la locution ***épouser la querelle de qqn*** (1671), il s'est fixé dans l'usage courant au sens de «vive opposition, altercation» (v. 1260), entrant dans les locutions ***chercher querelle*** (1690) et ***querelle d'Allemand*** (XVIIe s., après *querelle d'Allemagne*), cette dernière étant due soit à la mauvaise réputation des soldats allemands lorsqu'ils sont ivres, soit aux conflits répétés entre les petits princes allemands. ◇ Par extension, *querelle* se dit d'une lutte d'ordre intellectuel, d'un conflit.

▶ Son dérivé **QUERELLER** v. tr. (XIIe s.) a suivi le développement sémantique du nom : il a eu le sens juridique d'«intenter (un procès), réclamer» et celui de «disputer (qqch.) à qqn» (du XVIe au XVIIe s.), qui ont disparu. ➛ L'usage moderne correspond à «attaquer fortement (qqn)» (1174-1176), sens restreint à une dispute verbale, et à «protester, critiquer» (1636). ◇ L'acception de «s'emporter contre (qqn)» (1640, Corneille) est propre à la langue classique. La forme pronominale ***se quereller***, elle aussi attestée chez Corneille (1640), est plus usuelle que le verbe transitif. ➛ Le dérivé de *quereller*, **QUERELLEUR, EUSE** adj. et n. (XIIIe s.), a désigné en droit la personne qui intente un procès, puis qualifie (1528; 1611, dans sa généralité) et désigne celle qui aime les querelles, les provoque. Il s'est dit spécialement d'un chien hargneux (1680), emploi sorti d'usage. ➛ Sa variante **QUERELLEUX, EUSE** adj. (v. 1260) est devenue archaïque. ➛ Récemment, la psychologie a formé **QUÉRULENCE** n. f. (1960) à partir du latin *querulus* «qui se plaint» (lui-même de *queri*). Elle a nommé ainsi une tendance pathologique à la revendication qui revêt parfois une forme processive. Ce phénomène avait déjà reçu en allemand le nom de *Querulantenirrsein* «manie des querelles, des procès» (1879), lui aussi formé à partir du latin *querulus*.

QUÉRIR v. tr. est la réfection par changement de conjugaison (fin XIIe s.) du verbe *querre* «chercher» (v. 980), issu du latin *quaerere* qui, comme le grec *zêtein*, signifie «chercher», «faire une recherche, une enquête, s'informer» puis «demander», «chercher à se procurer», et quelquefois même «gagner, obtenir». L'étymologie de *quaerere*, mot attesté anciennement et panroman, n'est pas connue.

♦ Le verbe, passé en français avec le sens de «chercher pour amener, pour apporter», a été éliminé au XVIIe s. par *chercher*, sauf à l'infinitif et dans *aller, venir, envoyer... quérir*, qui se maintiennent dans l'usage régional et par archaïsme littéraire.

▶ Son unique dérivé, **QUÉRABLE** adj., enregistré dans l'*Encyclopédie* à l'article *requérable** (1765), est un terme juridique qualifiant ce que l'on doit aller chercher. ➛ **QUÉRABILITÉ** n. f. (10 juin 1874, *Gazette des tribunaux*) est didactique et peu usité.

◈ voir ACQUÉRIR, CONQUÉRIR, ENQUÉRIR, EXQUIS, INQUISITION, PERQUISITION, QUESTEUR, QUESTION, QUÊTE, REQUÉRIR, RÉQUISITION.

QUÉSACO loc. interr. et n. m. est un emploi plaisant de la locution interrogative provençale *qu'es aco?* «qu'est-ce que ceci?» (1774), formée de *qu'(que*)*, de *es*, troisième personne du singulier de l'indicatif présent correspondant au français *est*, et de *aco* «ceci», du latin *hoc* (→ oc, oui).

♦ *Quésaco*, locution familière et plaisante pour «qu'est-ce?», a fourni un nom en histoire de l'habillement, pour un bonnet de femme composé de trois panaches que l'on portait derrière le chignon, à la mode à la fin du XVIIIe siècle.

QUESTEUR n. m. est emprunté (1213) au latin *quaestor, -oris*, dérivé du supin *(quaesitum)* de *quaerere* «chercher, demander, faire une enquête» (→ quérir). La charge de questeur fut créée en 447 av. J.-C. devant la multiplication des tâches auxquelles devaient faire face les consuls. Leur nombre passa de deux à quatre, huit, vingt sous Sylla, quarante sous César, puis de nouveau vingt au début du principat. La fonction du questeur était avant tout financière : élus par les comices tributes, deux d'entre eux (les questeurs urbains) possédaient les clés du Trésor de l'État, autorisaient les dépenses et recevaient tribut et contributions de guerre ; les autres avaient la charge des caisses des armées consulaires et intervenaient dans la perception des impôts en Italie ; ils n'avaient aucune juridiction. Sous le principat, le questeur perdit le contrôle du Trésor et devint l'assistant des gouverneurs des provinces et des consuls dans le domaine financier. Un seul garda un rôle important : le *quaestor Caesaris*, porte-parole de l'empereur devant le Sénat. Au milieu du IIIe s., comme les autres magistrats du cursus sénatorial, il cessa d'avoir une fonction particulière et la questure finit en simple curatelle municipale de Rome.

♦ Relevé une première fois pour désigner un magistrat chargé d'enquêter, le mot est repris comme terme d'antiquité romaine (XIVe s. ; de nouveau 1488). ➝ À la fin du XVIIIe s., il est passé dans le langage juridique, s'appliquant au membre du bureau d'une assemblée parlementaire chargé d'ordonner les dépenses, de veiller au maintien de l'ordre et de la sécurité (1775).

▸ **QUESTURE** n. f., emprunté un peu plus tard (1574) au dérivé latin *quaestura* «charge, fonction de questeur», est employé comme terme d'antiquité et (1799) pour les services dirigés par un questeur.

◈ voir QUESTION, QUÊTE.

QUESTION n. f. est emprunté (v. 1119) au latin *quaestio, -onis,* nom d'action dérivé du supin (*quaestum,* également *quaesitum* d'où *quaesitio* en latin impérial), de *quaerere* (→ quérir). Le mot, qui désigne la recherche en général, s'est spécialisé en droit au sens d'«enquête», «interrogatoire», plus spécialement «enquête avec torture», et dans la langue philosophique «interrogation, discussion», correspondant au grec *zêtêsis, zêtêma.*

♦ Le mot, sans reprendre le sens général du latin, réservé en français à *quête* et à *recherche,* a été emprunté pour désigner une demande faite en vue d'une information, d'un éclaircissement. Avant la fin du XIIe s., *question* désigne un point qui prête à discussion, soulève un débat théorique ou pratique (v. 1190). Ce sens est réalisé dans des locutions comme ***mettre qqch. en question*** (1541), ***faire question*** «être douteux» (1821, Chateaubriand), ***remettre en question*** (1842), ***il est question de,*** spécialement «on envisage» (1882, Zola), ***il n'en est pas question*** (XXe s.) et ***pas question !, c'est hors de question*** (XXe s.). ➝ *Question* s'applique spécialement à un point d'intérêt, une matière à réflexion (v. 1190), à ce dont il s'agit (v. 1370), là encore dans des locutions courantes, ***la chose, la personne en question*** (1694), ***il est question de*** (1690), plus tard ***c'est une question de*** (1875) et, familièrement, ***la question prix, temps, travail,*** etc. (1869). Quelques emplois spéciaux et tardifs, dans l'enseignement (1869) et dans le cadre d'une enquête, aboutissent à des expressions comme *question ouverte, fermée* (1968). ➝ Le sens spécial de «torture infligée à un accusé pour obtenir des aveux» (fin XIVe s.), repris du latin, a disparu avec l'Ancien Régime, sauf en histoire.

▸ Le principal dérivé de *question* est **QUESTIONNER** v. tr. (XIIIe s.) qui signifie «poser des questions à (qqn)» ; son autre sens de «soumettre à la torture» (1349) est sorti d'usage, parallèlement au sens correspondant du nom. ◇ Le verbe a produit **QUESTIONNEUR, EUSE** n. (1554) et adj. (1713), «personne qui aime poser des questions» et, par extension, «ce qui comporte une question» (av. 1850, Balzac), ainsi que **QUESTIONNEMENT** n. m. (déb. XVIIIe s.), d'usage didactique, pour le fait de poser un ensemble de questions. Aucun nom ne désigne l'action de questionner qqn au sens général. ➝ ① **QUESTIONNAIRE** n. m. (1533), «série de questions auxquelles on doit répondre», est emprunté au bas latin *quaestionarius* de même sens ; il ne semble pas attesté après 1555 et a été repris au XIXe s. (1845). ➝ Un homonyme ② **QUESTIONNAIRE** n. m., emprunté (fin XVIe s.) au bas latin *quaestionarius* «bourreau mettant à la question» de *quaestio,* est sorti d'usage, sauf comme terme d'histoire.

QUÊTE n. f., d'abord *queste* (XIIe s.), est la substantivation du féminin d'un ancien participe passé supposé, issu du latin *quaesitus,* participe passé passif de *quaerere* «chercher» (→ quérir). En latin, les noms d'action dérivés étaient *quaestio* (qui a donné *question**), également *quaesitio* à l'époque impériale, et secondairement *quaesitum* et *quaesitus.*

♦ *Quête,* «action de rechercher», a subi la concurrence de *recherche.* Il n'a bien résisté que dans la locution ***en quête de*** (v. 1175) qui a eu une variante, *à la quête de,* et dans sa spécialisation en vénerie à propos de l'action de chercher la voie du gibier, pour un chien (XIIIe s.). ➝ L'usage moderne du mot, en dehors de ces expressions, s'est restreint à l'action de demander des aumônes pour une œuvre charitable (XIIIe s.) et, de là, à l'action de recueillir de l'argent auprès d'un public et, par métonymie, à l'argent recueilli (1648). ➝ On parle aussi, dans un usage didactique et littéraire, de *quête* pour «recherche» à propos des mythes du Graal.

▸ *Quête* a pour dérivé **QUÊTER** v. tr., d'abord *quester* (v. 1150), qui a suivi le même développement sémantique : le sens général de «chercher» a disparu sous la concurrence de *quérir** et surtout de *chercher,* conservant une spécialisation en vénerie (1394, puis 1606). Le sens d'«entrer en possession de» (1246) a été évincé par *acquérir.* ➝ De nos jours, *quêter* se dit pour «demander et recueillir des aumônes» (XVIe s. ; absolument chez Montaigne, 1588), spécialement à propos d'une quête religieuse et, au sens figuré, «demander qqch. (jugement, sentiment) comme un don, une faveur» (1740). ➝ À son tour, le verbe a produit **QUÊTEUR, EUSE** n., d'abord *questeor* (déb. XIIIe s.), doublet morphologique de l'emprunt *questeur**. Le mot désigne une personne qui est à la recherche, à l'affût de qqch. et, plus couramment, une personne recueillant des aumônes (v. 1460). ◇ Son emploi en vénerie pour désigner le chien qui quête le gibier est enregistré tardivement (1869, Littré).

QUETSCHE n. f., d'abord *coetche, coitche* (1775), *couetche* (1777), mot des parlers romans de l'est de la France, a pénétré en français grâce au commerce de ces fruits. Il est emprunté à l'allemand *Quetsche,* variante régionale de *Zwetschge* «espèce de grosse prune», issu d'une forme originelle à *tw-* ou *dw-* initial provenant du grec *damaskênon* «prune de Damas». C'est le neutre substantivé de l'adjectif *damaskênos* «de Damas», de *Damaskos* «damas» (→ damasser).

♦ Le mot désigne le fruit et par métonymie (1929) une eau-de-vie faite avec celui-ci. Avec ce dernier sens, il a éliminé l'expression *quetsche-wasser* (1869), calquée de l'allemand *Quetschenwasser,* variante de *Zwetschgenwasser* (1842, *Koetschwasser*); cf. *kirsch,* pour une homonymie analogue.

QUEUE n. f., d'abord *cue, coe* (1080), *keue* (v. 1155), puis *queue* (v. 1220), est issu du latin *coda,* variante de *cauda* «prolongement du corps d'un animal», dit aussi, par analogie, du pénis. *Cauda* est un mot populaire d'origine inconnue (→ coda).

♦ Le mot est passé en français avec le sens du latin «prolongement de la colonne vertébrale d'un mammifère formant un appendice du corps». Le mot entre dans de nombreux syntagmes pouvant évoquer des formes *(queue de rat),* une couleur *(queue de vache)* — voir les composés ci-dessous — et quelques expressions comme ***à la queue leu leu*** (→ loup) à la construction archaïque, ***avoir la queue basse, la queue entre les jambes*** (1606), ***tirer le diable par la queue*** (1651), ***pas la queue d'un, d'une*** «pas un seul, une seule» (1656) qui pourrait venir d'un autre sens (queue d'un fruit, par exemple). ◇ Très tôt, *queue* a commencé de s'appliquer à d'autres appendices naturels, comme les plumes du croupion d'un oiseau (1080), l'extrémité postérieure allongée de certains vertébrés (poissons, reptiles) ou invertébrés (1119). ➜ La valeur symbolique de *queue* appliquée à l'homme s'est cristallisée au XVIe s. dans le sens érotique et latinisant (latin *cauda*) de «pénis» (1534, Rabelais) qui, en se répandant, a rendu de nombreuses locutions anciennes inutilisables : au XVIIe s. par exemple, on disait encore *je suis bien aise de voir votre queue* (1640) au sens de «je souhaite voir votre dos, vous voir partir». ➜ Par analogie, et dès le XIIe s., *queue* désigne un appendice en forme de queue ou un objet allongé : une bandelette de parchemin pendant au bas d'un acte et supportant le sceau (v. 1155), le pédoncule attachant le fruit à la branche, le pétiole de la feuille (v. 1220). ◇ Il s'est dit de la partie d'un vêtement pendant par derrière (fin XIIe s.), avant de céder ce sens à *traîne,* et de ne plus désigner que les basques plongeantes à l'arrière d'un habit (le plus souvent dans *queue-de-pie**, *queue-de-morue*). La vitalité de ce groupe d'emplois analogiques est attestée par les sens de «partie qui excède par le bas le corps d'une lettre» (1548), «traînée lumineuse d'une comète» (1471), «touffe de cheveux serrés derrière la tête» (1762), les syntagmes ***queue de billard*** (v. 1750), ***piano à queue*** (1806). ➜ Dans le domaine abstrait, *queue* avait pris très tôt la signification de «fin, extrémité» (v. 1155), d'abord en parlant de ceux qui sont aux derniers rangs d'un cortège, avec une valeur spatiale. Opposé à *tête, queue* se dit ensuite de la partie finale d'un convoi, d'un train, etc., spécialement dans *(monter, voyager...)* ***en queue.*** Il s'y ajoute parfois une valeur symbolique, le mot s'étant employé pour les médiocres partisans entraînés à la suite d'un parti politique (1801) et s'appliquant aux derniers fidèles d'un homme (1845), d'un mouvement en fin de course. Ces emplois ont vieilli. ➜ Par spécialisation, *queue* se dit de la file des personnes attendant leur tour (1794), notamment dans ***faire queue*** puis ***faire la queue*** (1798) [on dit régionalement *file*]. ➜ Un certain nombre d'emplois spécialisés sont apparus ultérieurement, en reliure dans *tranche de queue* (1690), en musique où il a été remplacé par *coda,* en imprimerie dans l'expression *queue de page* (1932). ➜ Au XIXe s., apparaît au sens initial de *queue,* l'expression ***queue de poisson*** reprise d'un sens propre ancien (v. 1121), qui prend la valeur figurée de «fin brusque et décevante» (1833, Balzac), l'expression ***finir en queue de poisson*** traduisant l'expression latine *(desinit) in piscem* «en poisson». *Queue de poisson* s'applique, par allusion au mouvement ondoyant d'un coup de queue de poisson, au fait de se rabattre brutalement devant un véhicule que l'on vient de dépasser (1926). ◇ ***Queue de cheval*** désigne un type de coiffure (*en queue de cheval,* 1832, comme nom, 1866). ◇ À ce sens initial et animal se rattache aussi ***se mordre la queue*** «former un cercle (d'où raisonnement, etc.)» par allusion au serpent, et ***n'avoir ni queue ni tête*** «être incohérent» (1835). ➜ Dans le langage technique, l'expression ***produits de queue*** *d'une distillation* (1892) s'oppose à *produits de tête* en désignant les substances d'un mélange qui ont le point d'ébullition le plus élevé, mais *queue* a alors une valeur temporelle : «fin d'une opération», cette dernière stigmatisant l'incohérence d'une chose. ➜ Enfin, reprenant une locution d'ancien français *faire la queue à qqn* (XIIIe s.), *faire les queues à qqn* (1875) correspond à «tromper», notamment en amour, par l'idée d'«agir derrière le dos de qqn», combinée à celle de «laisser une dette impayée» (1690), la *queue* désignant le reste d'une dette (1687). Cette locution est sortie d'usage.

▶ Les dérivés de *queue* sont peu nombreux et le principal est complètement détaché de son origine. **COUARD, ARDE** adj., d'abord *cuard* (v. 1080), est un vestige de la forme archaïque de *queue, coe.* Signifiant proprement «qui a la queue basse», le mot qualifie une personne lâche, peureuse et, par extension, une chose manifestant la peur; son emploi est aujourd'hui régional ou littéraire. ➜ C'est aussi le cas de ses dérivés. **COUARDISE** n. f. (v. 1080, *cuardise*) est encore en usage, mais archaïque ou littéraire, **COUARDER** v. tr. (v. 1080 à la forme pronominale) étant disparu. ◇ **COUARDEMENT** adv. (déb. XIIIe s., *cuardement;* également *coairdement,* v. 1209) est très rare. ➜ Le composé **ACCOUARDIR** v. tr. (1209; 1167, par son participe passé adjectivé) est sorti d'usage. ➜ **QUOAILLER**

v. intr., d'abord et encore écrit *coailler*, autre dérivé de *coe* enregistré par Furetière (1690) et certainement bien antérieur, signifie, pour un chien de chasse, «quêter la queue haute» et, pour un cheval, «remuer continuellement la queue».
QUEUTER v. intr. (1765), terme de billard et, par extension, de croquet, reste d'un usage spécialisé, tout comme son dérivé **QUEUTAGE** n. m. (1875). ◆ **QUEUSOT** n. m. (1922), dérivé de *queue* avec un *s* d'appui, est un terme technique désignant, par analogie de forme avec une queue, un tube de verre servant à faire le vide dans les ampoules avant de les souder.
Le verbe préfixé **ÉQUEUTER** v. tr. (fin XIXe s.) se dit techniquement pour «ôter la queue des fruits», d'où **ÉQUEUTAGE** n. m. (XXe s.).
Queue est d'une grande vitalité dans la formation de noms composés en *queue de* et nom d'animal. **QUEUE-DE-CHEVAL** n. f. (v. 1550) désigne la prêle, avant d'être un nom de coiffure désignant une mèche de cheveux serrée derrière la tête (1952). ◆ **QUEUE-DE-RENARD** n. f., autrefois employé lui aussi pour la prêle (1538), désigne également d'autres plantes et un outil à deux biseaux (1803). ◆ **QUEUE-DE-RAT** n. f. (1680) désigne d'abord la queue d'un cheval dépourvu de crin, puis une lime ronde (1752) et le bout aminci d'un cordage (1832). ◆ **QUEUE-DE-PAON** n. f. (1694) est le nom d'un motif ornemental en architecture. ◆ **QUEUE-DE-LION** n. f. (1762) est un nom de plante, **QUEUE-DE-COCHON** n. f. (1803) le nom d'une tarière (1803) et d'un ornement (1876), **QUEUE-DE-CHAT** n. f. (1873) le nom d'un nuage fin en météorologie, **QUEUE-DE-MORUE** n. f. celui d'un large pinceau plat et aussi d'une basque d'habit (1871).

◈ voir CAUDAL, CAUDATAIRE, CODA.

QUEURSE ou **QUEURCE** n. f. représente l'altération, par adjonction d'un *r* (1845, *queurse;* 1875, *queurce*), de l'ancien *queuz* (XIIe s.), *queue* ou *queux* (XIVe s.), aussi *queuxe* (1664). Ce mot est issu du latin *cos, cotis* «pierre à aiguiser», apparenté à une racine indoeuropéenne représentée également dans le sanskrit *çāṇaḥ* «pierre à aiguiser», le grec *kônos* «pomme de pin» (→ cône). *Cos* vit également dans l'italien *cote*, le roumain *cute*, et, en français même, dans de nombreuses formes dialectales à initiale *c* ou *k*.

♦ Le mot a désigné une pierre à aiguiser, en général. Depuis le XVIIe s., il s'est spécialisé en technique pour «pierre à aiguiser utilisée par les tanneurs pour dépiler la peau» (1664).

► De ce sens est dérivé **QUEURSER** v. tr., dont la forme actuelle (1875) est une réfection de *quiosser* (1723) et *queusser* (1845) «dépiler (une peau) avec la queurse». ◆ Le verbe a produit **QUEURSAGE** n. m. (fin XIXe s.) et **QUEURSOIR** n. m. (XXe s.), nom d'instrument.

QUEUX n. m., d'abord *cous* (1080) puis *queu* (v. 1175) et *queux* (déb. XVIe s.), est issu du latin *coquus*, autre forme de *cocus* «cuisinier», de *coquere* (→ cuire).

♦ Le mot, qui a aussi désigné une charge de cuisinier de cour, jusqu'à la Révolution, ne s'emploie plus que par plaisanterie dans l'expression ***maître queux*** (1538).

◈ voir COQ.

QUI pron. rel. et interr. est issu (842) du latin *qui*, pronom relatif et interrogatif nominatif singulier, appartenant à un thème indoeuropéen *°kw-*, *°k^{w}o-* auquel s'est ajoutée la particule *i* dans une forme supposée *°kwo-i*, d'où *qui*. À côté de *°k^{w}o-*, il existait un thème *°k^{w}i-* qui a fourni les formes de l'interrogatif indéfini *quis, quae, quod* (→ quidam). Les deux thèmes ont réagi l'un sur l'autre et leur conjugaison est le résultat d'une contamination (l'accusatif singulier *quem*, le datif et ablatif pluriel *quibus* étant fournis par le thème de *quis*). En bas latin (IVe s.), *qui* est devenu la forme commune aux trois genres, éliminant *quae* et *quod*. De plus, le datif singulier *cui*, valable pour les trois genres, est devenu cas régime singulier et pluriel en langue populaire, donnant en ancien français le cas régime tonique *cui*, assez rapidement réduit à la forme *qui*.

♦ La quasi-totalité des emplois de *qui* est attestée avant la fin du XIIe s., même si la syntaxe moderne du pronom s'est dégagée plus lentement. Dès les premiers textes, *qui* est employé en tant que relatif, comme sujet, avec un antécédent pouvant être un nom de personne ou de chose *(la personne, la chose qui...)*. La séparation de cet antécédent par plusieurs mots, courante dans l'ancienne langue, s'est raréfiée au profit de la clarté de la phrase; de la sorte, on a vu disparaître l'emploi de ***et qui*** servant à représenter dans l'usage classique un pronom plus ou moins éloigné et caractérisé par un adjectif ou un participe passé. ◆ L'élision de *qui* en *qu'*, qui occasionnait des confusions avec la forme élidée de *que*, a également cessé de se pratiquer. ◆ L'emploi de la relative introduite par *qui* dépendant d'une complétive d'objet ou d'une interrogative a été généralement expliqué par l'analogie avec des phrases comportant un verbe de perception et, selon Gougenheim *(Grammaire de la langue française du XVIe s.)*, par une confusion phonétique avec *qu'il* ou *qu'ils* (avant d'être étendu au féminin). Ce flottement s'est maintenu dans certains cas *(l'argent qui lui reste; l'argent qu'il lui reste)*. ◆ L'emploi de *qui* sans antécédent exprimé s'applique à une personne au sens de «celui qui, quiconque» (v. 1050), à une chose pour «la chose qui, ce qui» (v. 1260). Dans le premier cas, *qui* est spécialement employé comme attribut avec un sens indéfini dans ***qui que ce soit*** (1080); autrefois, il s'employait également avec un sens de «si l'on» (1080); cet usage, continu au moyen âge et extrêmement répandu au XVIe s., s'est raréfié au XVIIe siècle. La langue moderne l'a conservé dans ***tout vient à point qui sait attendre***, locution en général modifiée en ***... à qui sait attendre***, en français moderne. ◆ *Qui* s'emploie aussi comme sujet, en apposition à un pluriel ou à un collectif et répété avec une valeur de distributif (v. 1131). Dans le second cas, il a vieilli, sauf dans quelques tours figés comme ***qui plus est, qui mieux est, qui pis est*** et après *voici* et *voilà*. ◆ *Qui*, dans son emploi en fonction de complément indirect introduit par une préposition : *de qui, à qui, pour qui* (1080), a concur-

rencé puis supplanté *cui* après le XIIIe siècle. L'usage classique de *qui* renvoyant dans ce cas à un nom de chose n'est possible aujourd'hui que lorsque la chose est personnifiée ou représente une personne; dans tous les autres cas, *qui* fait figure de bizarrerie de style ou d'archaïsme. ◆ *Qui* est également employé comme complément direct (v. 1174), seulement en parlant d'une personne.
L'emploi de *qui* comme pronom interrogatif remonte à la fin du Xe s. (v. 980) dans l'interrogation directe ou indirecte, représentant une personne; son emploi avec la valeur neutre de «quelle chose» (v. 1175), encore vivant en français classique, est sorti d'usage. Il est concurrencé par la forme développée *qui est-ce qui, qui est-ce que.*

▶ *Qui* a donné **QUI VIVE ?** loc. interj., formé (1419, sous la forme latinisée *qui vivat ?;* puis 1478-1480) avec *vivre**, pour le cri d'une sentinelle sommant qqn de se faire connaître, et isolément comme équivalent de «qui est vivant» (v. 1500). Le mot est substantivé en **QUI-VIVE** n. m. (1626), surtout dans la locution ***être sur le qui-vive*** «vigilant» (1690).
QUICONQUE pron. rel. et pron. indéf. est issu (v. 1170) de la locution *qui qui* de *onques* (v. 1170), par l'intermédiaire de la forme *qui qu'onques,* avec élision (fin XIIe s.), proprement «quel que soit jamais celui qui», de *qui... qui* «quel que soit... la personne qui» (aujourd'hui *qui que ce soit... qui*) et de *onques** «jamais». Par la suite, le mot, d'abord écrit *kiqunques,* a été rapproché du latin *quicumque* «quel... que, n'importe lequel» (→ quelconque) et a perdu le *s* adverbial. ◆ Le mot remplit d'abord la fonction d'un pronom relatif indéfini introduisant une proposition relative sans antécédent dont il est le sujet indéterminé, avec le sens de «celui, quel qu'il soit, qui», cette proposition pouvant être placée en tête de phrase. ◆ Son emploi comme pronom indéfini au sens de «n'importe qui, personne» (fin XVIIe s.) a été condamné par certains grammairiens; exceptionnel dans la langue classique, il s'est répandu au XIXe s. (surtout à la fin); de nos jours, il est reçu par le meilleur usage.

◈ voir CAHIN-CAHA, CAR, COMME, POURQUOI, QUE, QUIA, QUIBUS, QUOI, QUOIQUE, QUOLIBET.

QUIA (À) loc. adv., d'abord dans *venir à quia* (v. 1460), est emprunté au latin *quia,* ancien pluriel neutre de *quis* (→ quidam), *quid* (→ quid), d'abord employé avec une valeur interrogative, puis devenu particule causale, au sens de «parce que», en concurrence avec *quod* que la langue classique lui préfère. Le mot est passé en français par l'intermédiaire des milieux scolastiques où la connaissance d'après la cause *(scire quia...)* était considérée comme inférieure à la connaissance d'après l'essence *(scire propter quid...).* Le moyen français a eu la forme *chya, chia !* employée comme interjection d'assentiment et de résignation, en particulier dans les mystères.

♦ La locution, d'abord dans des textes de provenance ecclésiastique, est exclusivement employée dans les locutions ***être à quia*** «n'avoir rien à répondre» (v. 1550) et ***pousser jusqu'à quia*** «pousser à bout» (1672), surtout ***réduire à quia*** (1654-1655); elle appartient à un usage archaïque.

QUIBUS n. m., d'abord en usage dans les milieux parlant latin (v. 1462), est un emprunt au latin *quibus* «au moyen desquelles choses», ablatif pluriel du pronom relatif *qui* (→ qui).

♦ *Quibus* est un mot populaire désignant la fortune, l'argent *(avoir du quibus),* qui correspond à la locution familière *avoir de quoi* «avoir une certaine aisance» et au moyen français *dequoi* n. m. «argent, fortune» (v. 1462). *Du quibus* se disait encore au XIXe et au début du XXe s. pour «de l'argent».

QUICHE n. f., d'abord attesté (1805) dans une *Histoire... de Nancy* et inclus (1807) dans un *Dictionnaire des expressions vicieuses de Lorraine,* est l'adaptation de l'alsacien *küchen* «gâteau», variante de l'allemand *Kuchen* de même sens. Celui-ci, de l'ancien haut allemand *chuohho, kuocho,* appartient, comme l'anglais *cake* «gâteau» (→ cake) et *to cook* «cuisiner», à une forme germanique °*kokan-*, °*kakan-* de la racine indoeuropéenne représentée dans le latin *coquere* (→ cuire) et sa famille.

♦ Le développement de sens est une spécialisation de l'idée de «pâtisserie» en «tarte salée» (un auteur lorrain parle aussi de *quiche aux quetsches,* 1907, pour une tarte sucrée). La *quiche lorraine,* plus ou moins modifiée, est devenue un plat international, le mot étant emprunté par diverses langues.

QUICONQUE → QUI

QUIDAM n. m., également *quidem* en moyen français, est emprunté (XIVe s.) au latin *quidam* «certain», «un certain», désignant une personne qu'on ne veut pas désigner plus clairement. Le mot est issu phonétiquement de °*quis-dam,* formé de l'adjectif et pronom interrogatif indéfini *quis* «qui ?», «quelqu'un», et de la particule *-dam* qui correspond à *-dem* (→ idem). Ce °*quisdam* a abouti à *quidam,* le premier élément se confondant avec le relatif *qui* (→ qui) qui appartient au même groupe.

♦ Comme en latin, *quidam* s'emploie en français pour désigner une personne qu'on ne peut ou ne veut pas nommer plus précisément; d'abord employé en procédure, devenu péjoratif, il relève aujourd'hui d'un usage plaisant. L'ancien féminin *quidame* (1690), *quidane* (1694) a disparu.

QUIET, QUIÈTE adj., attesté au XIIIe s. mais probablement antérieur, car le dérivé *quiété* existe dès le XIIe s., est un emprunt au latin *quietus* «en repos, tranquille» (→ coi, quitte).

♦ Le mot a été usuel jusqu'au XVIe s., surtout sous la forme *quiete* ou *quiette,* aux deux genres. Malgré le soutien de l'antonyme *inquiet**, il a vieilli puis disparu au XVIIIe siècle. Furetière, en 1690, signale qu'«on ne le dit gueres qu'en ces phrases. Il a l'ame quiete... ce malade a passé une nuit fort quiete».

▶ Son dérivé **QUIÈTEMENT** adv. (v. 1265) a lui aussi vieilli. Il était encore régional au XIXe s. (G. Sand); chez Gide, c'est un archaïsme.
QUIÉTUDE n. f. est emprunté (1482) au bas latin ecclésiastique *quietudo, -inis* «repos», du latin classique *quies, quietis* «repos», «vie tranquille», «sommeil» (→ coi), apparenté à *quietus.* ◆ Le mot, plus

usuel en français moderne que *quiet*, désigne la tranquillité, surtout morale et psychologique, dans un langage plus soutenu que son antonyme *inquiétude**. Il est spécialement employé dans la langue religieuse pour l'anéantissement de la volonté en Dieu (1691), depuis l'époque de l'épanouissement du quiétisme.

QUIÉTISME n. m. est dérivé savamment (v. 1671) du latin *quietus* «en repos, tranquille» (→ coi, quiet, quitte). La transcription *quietismus* est relevée en latin religieux après le mot français. ◆ Ce terme d'histoire religieuse désigne une forme de mystique faisant consister la perfection chrétienne dans un état continuel d'union avec Dieu. Il évoque le repos complet dans lequel se trouve l'âme plongée en Dieu, la totale passivité dans laquelle elle doit se maintenir pour laisser Dieu agir en elle. Cette doctrine, dont les racines plongent dans le renouveau mystique du XVIe s., est apparue en Italie (1670-1680) après les théories du sommeil mystique et de l'indifférence complète; elle s'est répandue en Espagne (Molinos) autant qu'en France (Malaval, puis Mme Guyon [1648-1717], proche de Fénelon). Elle a soulevé une vive opposition et a été condamnée en 1687 par une bulle du pape Innocent XI et, en 1699, par un bref du pape Innocent XII. ◆ Le dérivé savant **QUIÉTISTE** n. et adj. (v. 1671) vient du latin *quietus*. L'opposition et les opposants à la doctrine quiétiste ont reçu le nom d'**ANTIQUIÉTISME** n. m. et **ANTIQUIÉTISTE** n. et adj.

◈ voir ACQUIESCER, COI, INQUIET, QUITTE, QUITTER, REQUIEM.

QUIGNON n. m. est l'altération (XIVe s.) de *coignon* «coin», dérivé de *coin**, au sens de «morceau de pain en forme de coin». Le gallo-roman présente divers autres dérivés de *coin* désignant un morceau, comme le wallon *cougnet* «morceau de pain», et le français *coin de beurre* (XVIe-XIXe s.). D'autres dérivés désignant des gâteaux, tels *coignel, cugneul, coignet, cuignot*, encore usités dans les parlers de l'Est, du Nord-Est et franco-provençaux pour désigner des gâteaux de Noël, viennent du dérivé latin *cuneolus* «petit coin».

♦ Le mot désigne un gros morceau de pain comprenant une bonne part de croûte.

① **QUILLE** n. f. est emprunté (fin XIIIe s.), avec adaptation au français, à l'ancien haut allemand *kegil* (allemand *Kegel*) «cheville, piquet», «pieu» et spécialement «morceau de bois utilisé dans un jeu». Ce mot est issu d'un germanique °*kagila*, diminutif d'un nom attesté par le souabe *Kag* ou le bavarois *Kag* «trognon de chou».

♦ Le mot, repris avec le sens de l'allemand à propos d'une pièce cylindrique de bois qu'il faut abattre dans un jeu, entre dans des locutions dont ***comme un chien dans un jeu de quilles***, «mal à propos et brutalement» (1665). Au sens concret, le mot a vieilli; il s'emploie au pluriel, *les quilles*, pour désigner le jeu, concurrencé par l'américanisme *bowling*, qui désigne un jeu un peu différent. ◆ Dès le moyen français, par analogie de forme, il devient une appellation familière de la jambe (v. 1460, Villon), conservée jusqu'au XIXe s. dans la locution ***jouer des quilles*** «s'enfuir» (1846), variante moderne de *trousser ses quilles* (XVe s.). ◆ Quelques développements spéciaux apparaissent ensuite: en termes d'habillement, le mot, qui s'employait autrefois pour un parement le long d'une couture (1746), se dit d'une pièce d'étoffe donnant de l'ampleur au bas d'une jupe (1909). *Quille* désigne aussi (1866) la tige fixée à l'arrière d'une voiture à deux roues pour la maintenir droite lorsqu'elle est dételée. Il se dit d'un type de bouteille allongée utilisé notamment pour les vins du Rhin (1917). ◆ Son emploi dans l'argot militaire pour désigner la fin du service militaire (1936) procède peut-être de *quille* «jambe», avec l'idée de fuite réalisée dans *jouer des quilles*, mais la motivation en demeure obscure. Par extension, *quille* se dit aussi de la libération de prison.

Le mot argotique (1895) puis familier ③ **QUILLE** «fille», aujourd'hui vieilli, semble être un jeu de mots sur *fille*, peut-être d'après *quille* «jambe», mais cette valeur demeure inexpliquée. Il s'agit peut-être d'un autre mot.

▸ La dérivation de ① *quille* consiste surtout en termes techniques. ◆ **QUILLER** v. tr. (1330), autrefois employé intransitivement au sens de «jouer aux quilles», se dit pour «lancer (une quille) le plus près possible d'une boule pour savoir qui jouera le premier» (1694) et «remettre debout (les quilles abattues)». La forme pronominale *se quiller* (1752) est empruntée au provençal *se quilla* «se percher, se jucher»; elle a signifié «se tenir debout comme une quille», mais se rencontre encore régionalement au sens de «se placer dans un endroit sûr, abrité» (1922). ◆ Autre terme de jeu, **QUILLIER** n. m. (1370) désigne l'espace carré dans lequel on dispose les quilles, l'ensemble des neuf quilles d'un jeu (1690). ◆ **QUILLON** n. m. (1570) désigne chacune des deux branches de la croix dans la garde d'une épée ou d'une baïonnette, puis (1932) la petite tige placée près de l'embouchoir (douille qui réunit le canon au fût) d'un fusil de guerre. ◆ Un diminutif, **QUILLETTE** n. f. (1732), a été formé en agriculture pour désigner un brin d'osier que l'on enfonce dans le sol. ◆ Au XXe s. sont apparus **QUILLEUR, EUSE** n. (1916), utilisé au Canada pour désigner un joueur de quilles et en français central pour celui qui est chargé de remettre les quilles en place (1933), et le terme d'argot militaire ① **QUILLARD** n. (v. 1950), qui signifie «soldat qui va être libéré, avoir la quille».

◈ voir RESQUILLER.

② **QUILLE** n. f., terme de marine, est probablement emprunté (1382) au vieux norrois *kilir*, pluriel (parce qu'il faut plusieurs pièces de bois pour faire cet objet) de *kjǫir* appartenant à un type °*keluz*. Le mot a des correspondants dans l'anglais *keel*, l'allemand *Kiel*, le néerlandais *kiel*.

♦ Repris avec le sens du mot norrois, «pièce allongée à la partie inférieure de la coque d'un navire, sur laquelle s'assemblent les pièces transversales formant l'ossature», *quille* s'emploie aussi, par métonymie, pour le lest fixé à la quille.

▸ Le dérivé **CONTRE-QUILLE** n. f. (1677), mot technique, désigne la pièce de bois doublant et renforçant la quille. ◆ ② **QUILLARD** n. m. (XXe s.) signifie «voilier à quille».

QUINAUD, AUDE adj., d'abord *quinault* (1522), forme longtemps dominante, est probablement le diminutif du moyen français *quin* «singe» (v. 1510), dont l'origine est incertaine : P. Guiraud propose de le rattacher à une variante picarde (en *qui-*) de *chigner* «grimacer» (→ rechigner), mot d'étymologie germanique. À la même époque, on a dit *faire la quine à qqn* pour «se moquer de lui en faisant la grimace ou un geste de moquerie avec les mains» (1564, et jusqu'en 1660).

♦ La notation physique de «laid, grimaçant», dans *un laid quinault* (1522) et dans l'emploi du mot pour «vieux singe» ou «marmot fort laid», dans les dictionnaires de langue de 1690 à la fin du XVIIIe s., a disparu, le mot continuant à s'employer jusqu'au XIXe s. au sens psychologique de «penaud, confus» (1534, *faire rendre quinault qqn*). Ce développement témoigne d'une évolution sémantique de «personne qui fait la grimace» à «celle qui subit les quolibets, qui a le dessous». Ce sens, qualifié de «bas et burlesque» par l'Académie (1694), appartient au XIXe s. à un usage archaïsant, le mot normal étant *penaud*. Il n'est plus en usage.

QUINCAILLE n. f., attesté vers 1360 sous les formes *quinquelle, quincalle* et probablement antérieur (cf. *quincaillerie*), est l'altération d'une forme *clincaille*, plus ancienne et encore employée au XIXe siècle. Celle-ci est issue, avec chute du *l* par assimilation, du radical expressif qui a fourni *clinquer**, évoquant des objets qui résonnent.

♦ À la différence de ses dérivés, le mot n'est presque plus en usage : son emploi pour des objets de cuivre, de fer a vieilli, de même que son emploi métonymique pour de la petite monnaie (v. 1534). ◆ Son emploi moderne pour désigner les éléments matériels d'un système informatique est un équivalent plaisant de l'anglais *hardware* (proprement «quincaillerie»); proposé par Louis Armand en contraste avec *mentaille* pour remplacer le couple *hardware-software*; malheureusement, il ne s'est pas répandu; on dit *matériel* ou *hard*.

▸ Le dérivé **QUINCAILLERIE** n. f. (v. 1268) a supplanté *quincaille* au sens collectif, «ensemble des articles métalliques servant au ménage et à l'outillage». ◇ Les extensions sont le sens familier de «bijoux, décorations» (1770) et les extensions métonymiques de «commerce de ces objets» (1875) et «magasin où ce commerce a lieu» (XXe s.), ce dernier emploi étant probablement le plus courant. De là «ensemble de décorations», au XIXe s. (1872, Labiche).

QUINCAILLIER, IÈRE n. (1442; 1428, selon Bloch et Wartburg) désigne le fabricant ou vendeur de quincaillerie.

QUINCONCE n. m. (1596), d'abord *quincunce* (1534), est emprunté au latin *quincunx, -cuncis* qui désigne les cinq douzièmes d'un tout, une monnaie de cuivre de cinq onces marquée de cinq points et, par extension, une plantation de cinq arbres (voir ci-dessous). Il est formé de *quinque* (→ cinq) et de *uncia* (→ once). Le français l'a aussi adapté en *quinconche* (1690) et *quinconge* (1691).

♦ Le mot, d'abord chez Rabelais dans la locution *en ordre quincunce*, est employé comme nom (1555) pour une plantation d'arbres disposés par cinq (quatre au carré et un au milieu), dans la locution ***en quinconce*** et dans *les quinconces*. Cette acception, en France, évoque notamment la *place des Quinconces*, à Bordeaux. Par extension, le mot désigne un assemblage de divers éléments ainsi disposés (1600), spécialement une formation de joueurs au football.

▸ **QUINCUNCIAL, ALE, AUX** adj. est un emprunt savant (1845) au dérivé latin *quincuncialis* «qui contient les cinq douzièmes d'un tout» et «planté en quinconce». L'adjectif, qui signifiait «planté, disposé en quinconce», s'est spécialisé en botanique à propos d'une disposition d'organes sur la tige, lorsque l'angle de divergence est de deux cinquièmes (v. 1950).

QUINE n. m. (régionalement féminin) est emprunté (v. 1155) au latin *quini* «cinq chaque fois, cinq chacun», distributif correspondant à *quinque* (→ cinq).

♦ Le français en a fait un terme de jeux désignant le coup où chacun des dés amène un cinq. Depuis le XVIIIe s., *quine* s'emploie aussi pour une série de cinq numéros sortis ensemble à la loterie (1783, *quine de la loterie royale*) et une série de cinq cases remplies sur une ligne horizontale au loto (1798). La locution figurée *un quine à la loterie* «une chance inespérée» (1835) a disparu, mais l'argot emploie encore *en avoir quine de* «en avoir assez de» (XXe s.), renversant l'idée de «gain heureux» pour évoquer la satiété.

QUININE → QUINQUINA

QUINQUAGÉNAIRE adj. et n. est emprunté (1482) au latin *quinquagenarius* «de cinquante» et, spécialement, «âgé de cinquante ans», dérivé de *quinquageni*, distributif de *quinquaginta* (→ cinquante).

♦ Le mot qualifie une personne ayant entre cinquante et soixante ans; il est substantivé en ce sens (1740), parfois abrégé familièrement en *quinqua* (1970).

QUINQUENNAL, ALE, AUX adj. est emprunté (1520; auparavant *quinquennial*, 1491) au latin *quinquennalis* «qui a lieu tous les cinq ans», «qui dure cinq ans», dérivé de *quinquennis* «âgé de cinq ans», composé de *quinque* (→ cinq) et d'un adjectif tiré de *annus* (→ an).

♦ Le mot signifie d'abord «qui a lieu tous les cinq ans» puis aussi «qui dure cinq ans» (1740), spécialement dans *assolement quinquennal, plan quinquennal*, devenu usuel à cause de la mention de ce type de plan économique, à propos de l'ex-U. R. S. S.

▸ Le dérivé **QUINQUENNALITÉ** n. f. «fonction de cinq ans» (1830) est didactique. ◆ **QUINQUENNAT** n. m. (mil. XXe s.) est plus usuel.

QUINQUET n. m. est l'abréviation (1800) de la locution ***lampe à la Quinquet*** (1785, d'après Nyrop), du nom d'Antoine *Quinquet* (1745-1803), pharmacien qui perfectionna, en la dotant de cheminées de verre, cette lampe inventée par le physicien suisse Aimé Argand (1755-1803).

♦ Le mot désigne une lampe à double courant d'air et à réservoir supérieur, très employée dans la première moitié du XIXe siècle. ◆ Par métaphore, il a rapidement fourni une désignation populaire de l'œil (1808), surtout dans *ouvrir* (*allumer*, métaphoriquement) *ses quinquets*.

QUINQUINA n. m. est considéré comme l'altération (attesté 1661) de *Kinakina* (1653), les deux formes chez G. Patin, mot emprunté à l'espagnol *quinaquina*, lui-même du quechua (langue indienne du Pérou) *kinakina* désignant une espèce d'arbre et son écorce aux propriétés toniques et fébrifuges. On a dit *quina* (XVIIe s.), comme en espagnol. Le quinquina fut introduit en Europe en 1639 par la comtesse de Chinchón (en Castille), femme du vice-roi du Pérou. La date tardive des attestations espagnoles (*quina, quinaquina*, v. 1740) et les problèmes posés par la langue quechua, décrite au XVIe s. sans allusion à ce mot, conduisent Corominas à proposer pour étymon *Chinchona*, prononcé *Kinkona* et déformé; cette hypothèse est très douteuse, d'autant qu'un texte anglais de 1656 (Digby) attribue déjà le mot aux Espagnols.

♦ Le mot désigne l'écorce amère et fébrifuge de cet arbre, appelée aussi *écorce des Jésuites, écorce du Pérou*, et ne désigne la plante elle-même que depuis le XVIIIe s., à côté du nom scientifique *chinchona*, du nom de la comtesse de Chinchón que le quinquina avait guérie. Par une autre extension métonymique, *vin de quinquina* (1760) puis *quinquina* désigne un vin apéritif et tonique contenant une certaine proportion de quinquina (1896).

▶ L'ancienne forme abrégée de *quinquina, quina*, a servi à former le dérivé savant **QUININE** n. f. (1820), nom d'un des premiers alcaloïdes isolés, extrait de l'écorce de quinquina par les pharmaciens français P. J. Pelletier et J. B. Caventou en 1820-1823. Cette découverte eut de grands retentissements : les ressources naturelles de quinquina (Équateur, Pérou, Bolivie) furent épuisées vers 1880; s'ensuivirent des rivalités nationales et des essais concurrents d'introduction de ces arbres dans différentes régions chaudes et montagneuses, Indes, Ceylan et Java, où les Hollandais obtinrent des résultats remarquables avec une variété riche en quinine. Jusqu'à la Seconde Guerre mondiale, les Hollandais eurent le monopole de la production, avant de nouvelles tentatives d'acclimatation. ◆ Une dizaine de termes scientifiques ont été formés sur *quinine* à partir du milieu du XIXe s., comme le composé **QUINOLÉINE** n. f. (1843), emprunt à l'allemand, mot créé par Gerhardt qui obtint ce premier composé chimique, **QUINISME** (1878) ou **QUININISME** (XXe s.) n. m. en médecine. ◆ **QUINONE** n. f., nom d'un composé découvert en 1838, est directement formé sur *quina*. ◇ Il a pour composé **ANTHRAQUINONE** n. f. (1878), du radical de *anthracène*, désignant un produit de l'oxydation de l'anthracène, employé dans la fabrication des colorants.

✻ **QUINT, QUINTE** adj. et n. continue le latin *quintus* «cinquième», issu de °*quinctos*, de *quinque* (→ cinq).

♦ Au sens de «cinquième», l'adjectif a pratiquement disparu après le XIVe s., de même que les anciens ordinaux *tierce, quart*, etc. Il subsiste dans quelques expressions juridiques, dans des noms d'origine espagnole et italienne par emprunt à ces langues (*Charles Quint, Sixte-Quint*) et en médecine ancienne dans l'appellation ***fièvre quinte*** (1557), en rapport avec *fièvre tierce, quarte*..., et qui a été en concurrence avec fièvre *quintane*, mot repris au XVIe s. au latin *quintana*, féminin du distributif de *quintus*. ◆ En emploi substantivé, *quint* «cinquième partie, cinquième» (v. 1170) a subsisté jusqu'à la Révolution comme terme de droit féodal pour le cinquième d'une succession.

▶ ① **QUINTE** n. f. provient (1611) de *note quinte* (1372), spécialisation en musique bien antérieure à celle de *quarte*, et dont témoigne l'ancienneté de l'ancien verbe *quintoyer* «faire l'accord de quinte» (XIIIe-XIVe s.). Le mot désigne le cinquième degré de la gamme. ◆ Au XVIIe s., *quinte* commence à désigner une suite de cinq cartes de même couleur (av. 1622), et, en escrime (1670), un des engagements ou parades en ligne haute dedans.

② **QUINTE** n. f., au sens d'«accès de toux» (1644), est issu de *quint* par spécialisation comme dans *fièvre quinte* (ci-dessus). Guy Patin écrit : «M. de Baillon a fort parlé, en ses Épidémies, d'une certaine toux à laquelle sont sujets les petits enfants, que les Parisiens appellent une quinte, *quod quinta quaque hora fere videatur recurrere*» (parce qu'elle paraît revenir à peu près toutes les cinq heures). ◆ On en a tiré beaucoup plus tard l'adjectif ① **QUINTEUX, EUSE** (1835) «qui comporte des quintes», puis «sujet à des quintes de toux», à propos d'une personne (attesté XXe s., mais préparé par ② *quinteux*, ci-dessous).

QUINTESSENCE n. f. est issu de la soudure de *quinte essence* (v. 1265), calque du latin médiéval *quinta essentia* «cinquième essence», de *quinta*, féminin de *quintus*, et de *essentia*. L'expression traduit littéralement le grec *pemptê ousia*, de *pemptê* féminin de *pemptos* «cinquième», dérivé de *pente* «cinq» (→ pent(a)-), et de *ousia* «essence, substance» (→ parousie). C'est ainsi qu'Aristote appelait l'éther qui, dans sa théorie physique, plane dans l'univers au-dessus des quatre autres éléments. On a dit *quint élément* (v. 1265, Brunetto Latini), d'après le grec *pempton sôma* (→ somatique). ◆ Le mot a été introduit comme terme de philosophie scolastique au sens d'«éther» conformément à Aristote qui en fait l'essence du ciel et des astres, Cicéron en faisant la matière de l'âme. En alchimie, *quintessence* désignait la partie la plus subtile extraite d'un corps par distillation (fin XVIe s.). C'est en ce sens qu'il faut entendre ***abstracteur de quintessence*** (1534), nom que se donne Rabelais. L'expression, souvent mal comprise, a fini par désigner un esprit qui se complaît à de vaines subtilités. ◇ Au XVe s., le mot a développé le sens figuré de «condensé résumant l'essentiel d'une chose». ◆ Le sens concret, «extrait le plus concentré d'une substance» (fin XVIe s.), a disparu avec l'alchimie, tandis que d'autres spécialisations classiques, «préparation liquide obtenue par l'action de l'eau-de-vie sur les substances minérales, végétales ou animales», «sueurs excessives dans le traitement des maladies vénériennes» et «profit à tirer d'une affaire, d'une charge», sont sorties d'usage. ◆ Le mot a produit **QUINTESSENCIER** v. tr. (1584) qui signifiait «raffiner à son plus haut point» et «tirer la quintessence de (une chose)» (1611). ◆ Les adjectifs dérivés, **QUINTESSENCIÉ, ÉE** (1611), devenu très littéraire, **QUINTESSENCIEUX, EUSE** (1611), sorti d'usage (on rencontre *quintessentiel*, mot du XVIe s., chez Balzac, par archaïsme), signifient par extension «extrêmement raffiné».

③ **QUINTE** n. f. a désigné une humeur fantasque (1555) et, par analogie, le mouvement désordonné d'un cheval rétif (1560, le texte du XIIIe s. cité par Littré n'étant pas clair). Le mot est d'origine incertaine ; on a évoqué une allusion aux accès de la fièvre quinte (ci-dessus) ; il est sorti d'usage ou réinterprété d'après ② *quinte*. ◆ ② **QUINTEUX, EUSE** adj., attesté un peu avant le nom (1542), a qualifié une personne fantasque, acariâtre, et un cheval rétif. En français moderne, le mot n'est plus compris ou bien il est réinterprété d'après ① *quinteux* (ci-dessus) «sujet à des quintes de toux». C'est le cas de *vieillard quinteux* qui, dans l'usage classique, ne fait pas allusion à la santé, mais à la mauvaise humeur.

◈ voir CINQ, CINQUANTE, QUINTAINE, QUINTETTE, QUINTUPLE.

QUINTAINE n. f. est issu (v. 1176) du latin *quintana (via)*, féminin substantivé de l'adjectif *quintanus* «de cinq en cinq», lui-même dérivé de *quintus* (→ quint), *quintana*, proprement «rue du cinquième rang». Le mot désignait dans un camp romain la ruelle qui séparait le cinquième du sixième manipule et où était établi le marché du camp, puis ce marché lui-même.

♦ Cet ancien terme de manège a dû commencer par désigner le chemin à parcourir par les cavaliers, dans une expression comme *courir la quintaine*. Il désigne le but poursuivi, souvent un poteau servant de cible, dans les exercices de manège. Cette évolution a pu être favorisée par le double sens de *courir* (anciennement *courre*) «parcourir» et «courir sus à, poursuivre». Selon le dictionnaire de Hatzfeld, le sens de «poteau destiné à l'exercice militaire» existait déjà en latin tardif. ◇ Par extension, *quintaine* a désigné un mannequin de manège, dit aussi *quintan* ou *faquin*, adapté au-dessus de ce poteau et frappant le cavalier qui l'avait mal touché de sa lance (1273). Il a eu le sens figuré d'«objet d'attaques continuelles» (fin XVIe s.), encore au XVIIe siècle. La locution *servir de quintaine* s'employait encore au XIXe s., comme variante de *servir de cible*.

QUINTAL, AUX n. m. est emprunté (v. 1220), par l'intermédiaire du latin médiéval *quintale* (XIIe s.), à l'arabe *qinṭār* «poids de cent», mot emprunté à l'araméen, lui-même du grec byzantin *kentênarion*. Ce dernier est emprunté au latin médiéval *centenarium* «poids de cent livres» (VIe-VIIe s.), neutre substantivé de l'adjectif du latin classique *centenarius* «au nombre de cent» (→ centenaire). La forme *quintar*, attestée aux XIIIe et XIVe s., est probablement un emprunt direct à l'arabe.

♦ Le mot signifie d'abord «poids de cent livres» puis, après le triomphe du système métrique, «poids de cent kilogrammes» (1835). Il a continué à désigner au Canada un poids de cent douze livres (apr. 1760). Il se dit quelquefois par hyperbole d'un poids considérable.

QUINTESSENCE → QUINT, QUINTE

QUINTETTE n. m., d'abord *quintet* (1801), puis *quintette* (1828), est l'emprunt francisé de l'italien *quintetto* «morceau de musique pour cinq instruments», diminutif de *quinto* «cinquième», correspondant au français *quint**. Le mot, formé en italien sur le modèle de *quartetto* (→ quartette), a remplacé en français *quinque* (XVIIIe s.), emprunté au latin *quinque* (→ cinq) sur le modèle de *quatuor*, dont le sens propre est «quatre» ; on a dit aussi *un quintetto* (1826).

♦ Le mot, dont les premières graphies *quintet* et *quintett* signalent un intermédiaire allemand *Quintett*, désigne une œuvre de musique écrite pour cinq instruments, puis (1851) un «ensemble de cinq instruments à cordes». Par extension, il s'applique à un groupe quelconque de cinq personnes (1866). ◆ Le sens de «formation de jazz de cinq musiciens» (1934) est un emprunt à l'anglais *quintet* ou *quintette* «ensemble de cinq personnes, musiciens, chanteurs, sportifs» (v. 1880), lui-même emprunté au français *quintette*. ◇ Le sens sportif de «groupe de cinq joueurs d'attaque» (1931) est d'origine britannique.

QUINTEUX → QUINT

QUINTUPLE adj. et n. m. est emprunté (1484) au bas latin *quintuplex* «qui vaut cinq fois autant», du latin classique *quintus* «cinquième» (→ quint) et de l'élément *-plex*, tiré de *plicare* (→ plier ; duplex, triplex).

♦ Le mot désigne et qualifie une chose cinq fois plus grande qu'une autre, et, parfois, ce qui est répété cinq fois ou au nombre de cinq (1869). En botanique, l'adjectif qualifie un stigmate à cinq divisions (1845) et, en musique, une figure de note dont la queue porte cinq crochets *(quintuple croche)*.

▶ Le dérivé **QUINTUPLER** v. (1789), «rendre quintuple» et «devenir quintuple», a pour participe passé *quintuplé, ée* qui a été substantivé au pluriel **QUINTUPLÉS, ÉES** (1934) pour cinq enfants nés d'une même grossesse. ◆ Par croisement avec *bicyclette**, *quintuple* a produit **QUINTUPLETTE** n. f. (1898), mot rare pour désigner un cycle à cinq places. ◇ *Quintuplette* ◆ est quelquefois employé en concurrence avec *quintette** pour le quintette des avants en rugby (1924, Montherlant, *Les Olym-*

piques). ◆ **QUINTUPLETS** (1889) et **QUINTUPLETTES** (1936) sont un doublet de *quintuplé(e)s*.

QUINZE adj. num. et n. m. inv. est issu (1080) du latin *quindecim* «dix plus cinq» de *quinque* (→ cinq) et de *decem* (→ dix).

♦ L'adjectif numéral cardinal est spécialement employé dans le syntagme usuel *quinze jours* qui équivaut usuellement (au lieu de *quatorze jours*) à «deux semaines». Comme les autres noms de nombre, *quinze* est aussi employé comme ordinal (déb. XVIIIe s.) pour le quinzième jour d'un mois *(le quinze août)*. ◆ Ses emplois substantivés en font un terme de jeux, d'abord pour un des quatre coups au jeu de paume (v. 1470), puis pour un jeu de cartes où le gagnant était le joueur qui atteignait le premier quinze points (1711). Il se dit aujourd'hui, en tennis, du premier point marqué dans le jeu avant *trente, avantage* et *jeu* (1932, Larousse). Il se dit également en parlant d'une date (1719), pour le nombre ou le numéro quinze (1869, Littré) et, spécialement, pour l'ensemble d'une équipe de rugby composée de quinze joueurs (1898), par exemple dans *le quinze de France* (attesté mil. XXe s.).

▸ *Quinze* a servi à former plusieurs dérivés. ◆ L'ordinal **QUINZIÈME** adj. et n., réfection (XIVe s.) de l'ancienne forme *quinzime* (v. 1119), qualifie et désigne (XIVe s.) ce qui se trouve au rang quinze et ce qui est compris quinze fois dans l'unité; lui-même a donné **QUINZIÈMEMENT** adv. (1797). ◆ **QUINZAINE** n. f. (v. 1112) désigne un nombre de quinze environ et, spécialement, une période de deux semaines, sens réalisé en religion dans *la quinzaine de Pâques* (v. 1265) et en droit dans *délai de quinzaine*. ◇ Au XIXe s. apparaît la valeur d'«espace de deux semaines de travail payé» (av. 1851), comme pour d'autres noms désignant des espaces de temps. ◆ *Quinze* entre dans **QUINZE-VINGTS** adj. num. (XIVe s.), «trois cents» dans le système vigésimal (où l'unité est *vingt*), encore employé dans l'expression *hôpital des Quinze-Vingts*, elliptiquement *les Quinze-Vingts* (1550), hôpital fondé par Saint Louis et destiné à recevoir trois cents aveugles; de là part *quinze-vingt*, le sens métonymique «aveugle», sorti d'usage. ◆ Avec le sens qu'il a pris au XXe s. en rugby, *quinze* a produit **QUINZISTE** n. m. et adj. (1981) «joueur de rugby à quinze».

QUIPROQUO n. m. est la forme soudée (1508) de *quid proquo* (1452), aussi écrit *quid pro quo* (1370), locution empruntée au latin médiéval scolastique *quid pro quod* «(prendre) un quoi pour un ce que». Celle-ci, utilisée notamment dans le langage de la pharmacie pour la substitution volontaire ou non d'un médicament à un autre, est formée du latin classique *quid* (→ quoi), *pro* «à la place de» (→ pour, pro-) et *quod*, neutre du pronom relatif *qui* (→ qui).

♦ La diffusion du mot, qui désigne une erreur consistant à prendre une chose pour une autre, doit beaucoup à son emploi dans la langue des apothicaires à propos d'une erreur en pharmacie, le médicament en cause étant aussi nommé *quiproquo* (1482). ◇ Il s'est généralisé en français moderne, et s'applique notamment à une méprise entre les rôles d'une situation théâtrale (XIXe-XXe s.).

✳ **QUITTE** adj., d'abord écrit *quite* (1080), est emprunté au latin juridique médiéval *quitus* «libéré d'une obligation juridique ou financière», altération de *quietus*. Il s'agit d'une réaction des milieux cultivés contre la prononciation populaire *pariétem* au lieu de *parietem*, *quiétus* ayant dû être accentué erronément sur le *é*, d'où une forte accentuation «hypercorrecte» sur le *í*, aboutissant à *quitus*. Le latin classique *quietus* «tranquille», par deux autres voies, a donné *coi** et *quiet**. Le mot français a été emprunté par les langues voisines.

♦ *Quitte* appartient au vocabulaire juridique, d'abord au sens d'«acquitté, délivré» (1080), sorti d'usage au profit de *acquitté*, puis de «qui a payé ce qu'il doit» (v. 1175), spécialement en locutions : ***tenir quitte de*** (1538), ***rendre quitte, être quitte*** (XVIIe s., suivie d'un complément introduit par *à*). Une extension pour «exonéré, déchargé» (en parlant d'un objet, de qqn) a suivi (XIIIe s.). ◆ D'autre part, dès le XIe s. (1080), *quitte* correspond à «libéré d'une obligation morale ou sociale», d'abord avec une connotation religieuse, pour «à qui ses péchés sont remis» et avec la valeur affaiblie de «débarrassé d'une chose désagréable, d'un danger» (1080), d'où plus tard *être quitte pour* (v. 1450), menant à *en être quitte pour*, par exemple dans ***en être quitte pour la peur*** (1538). En procèdent plusieurs locutions dont la plus ancienne, *quitte à quitte* (fin XIVe s.), altération de *quite quite* «sans plus d'obligation de part et d'autre» (1190), a disparu dès le XVIIe siècle. Ce n'est pas le cas de ***être quitte,*** *jouer à quitte ou à double* (1564), c'est-à-dire «à doubler la mise ou à abandonner», puis à ***quitte ou double*** (XIXe s.), mal analysé aujourd'hui, et de ***quitte à*** (XVIIe s., Mme de Sévigné). Le sens de «tranquille» (v. 1265), repris du latin classique, s'est éteint au XVIIe siècle.

▸ Dérivé de *quitte*, **ACQUITTER** v. tr., d'abord *aquiter* (1080), avait en ancien français un éventail de sens plus riche que dans l'usage moderne. Le verbe signifiait «délivrer (un pays) en combattant, conquérir» (1080) et «tirer (qqn) d'embarras» (1080) d'où, à la fois, «dépasser (qqn) par une qualité» (XIIIe s.) et «vaincre (un homme)» (1450). Il avait aussi le sens de «céder à qqn (ce que l'on possède)» (XIIIe s.), redoublant là un des emplois de *quitter* (voir ci-dessous). Le sens de «se soumettre à qqn, remplir une obligation morale» est d'une part réalisé par la construction transitive (v. 1150) et, de l'autre, à partir du moyen français, par la forme pronominale *s'acquitter de* qui l'a emporté. Le sens matériel correspondant, «payer ce que l'on doit», est lui aussi réalisé transitivement (1172-1174), dans *acquitter une dette*, puis à la forme pronominale (XIIIe s.); la spécialisation juridique de «constater sur une facture le paiement de (une dette)» (1694) en procède. ◆ Le mot, construit avec un nom de personne pour complément, s'est maintenu au sens concret de «libérer d'une dette» (1225) et avec le sens figuré moral correspondant, prenant aussi le sens juridique de «déclarer (un prisonnier) non coupable» (1829). Ce dernier, très tardif, ne s'en inscrit pas moins dans la ligne de l'ancien sens «af-

franchir» (1213-1239) et de celui de *quitter* «pardonner» (ci-dessous).
ACQUIT n. m., le déverbal de *acquitter* (XIIe s.), a suivi le même type d'évolution restrictive : le sens de «paiement d'une dette» (XIIe s.) a vieilli en dehors du langage administratif, au profit du sens métonymique de «reconnaissance écrite d'un paiement» (XIIIe s.) avec lequel il concurrence *quittance* et entre dans l'expression ***pour acquit*** (1723), formule attestant le paiement d'un dû. ◆ De l'ancien sens figuré, «ce qui garantit la vérité de ce que l'on dit» (v. 1250), ne restent que deux locutions : ***par manière d'acquit*** «négligemment, par impossibilité de s'en dispenser» (v. 1560) a vieilli ; ***par acquit de conscience*** (1559), rare jusqu'au XIXe s., est devenu assez usuel, sa variante *à l'acquit de sa conscience* (1694) ayant disparu. ◆ *Acquit* a servi à former le terme de droit **ACQUIT-À-CAUTION** n. m. (1723).
◆ **ACQUITTEMENT** n. m. (XIIIe s.), dérivé de *acquitter,* a gardé aux dépens de *acquit* le sens de «paiement d'une dette», avant de souffrir lui-même de la concurrence de *paiement.* Il sert à exprimer l'action d'acquitter un droit et, moralement, une obligation, mais son emploi le plus courant (1725) pour la déclaration qui établit qu'une personne n'est pas coupable n'est attesté normalement qu'après 1835.
QUITTER v. tr. (v. 1165) est soit créé en français sur *quitte,* soit emprunté au latin médiéval juridique *quitare,* altération du bas latin *quietare* «donner le repos à», terme médical issu de *quietus.* En ancien et moyen français, le champ des emplois de ce verbe s'est presque entièrement renouvelé au détriment des anciens sens qui correspondaient à ceux de *quitte,* aboutissant à masquer le lien de parenté entre les deux mots. Ainsi, l'emploi pour «dispenser (qqn) du paiement d'une dette» (v. 1165) et plus largement «d'une obligation» (XIIIe s.) a disparu, donnant naissance à un dérivé encore vivant, *quittance* (ci-dessous). Les extensions concrètes «solder entièrement» (1476), «diminuer le prix d'autant» (1538), et l'extension figurée «dispenser de» sont aussi sorties d'usage. ◆ L'autre sens juridique médiéval «pardonner, donner la rémission de» a disparu ; quant à celui d'«abandonner, céder, renoncer à» (XVIe s.), encore relevé au XIXe s. chez P.-L. Courier par archaïsme, il s'est prolongé un peu plus longtemps par ses spécialisations en marine, pour l'ancre qui ne mord plus la terre (1736) et au jeu (1740), et vit toujours dans les dialectes. Il n'a pas disparu entièrement en français central, car l'idée d'«abandonner» est encore réalisée avec un complément désignant plus largement une activité, un genre de vie (XVIIe s.) : *quitter* se dit d'un jeu dans la locution ***quitter la partie,*** au figuré «abandonner» (1690), il s'est dit d'un travail (1675), de la vie séculière (1694, *quitter le monde*) et, par euphémisme, de la vie (1640, Corneille), ces deux derniers emplois étant encore possibles. Mais *quitter un travail* serait aujourd'hui senti comme un anglicisme, le verbe anglais *to quit,* pris au français, ayant conservé ce type d'emploi. ◆ Par extension, *quitter* se construit avec un nom de personne pour complément, signifiant «s'éloigner de (qqn)» (XVIIe s.) et, au figuré, avec un nom de chose pour sujet, «cesser d'habiter, d'affecter» (1642) et concrètement «cesser d'accompagner». ◆ À partir du XVIe s. (1559), le verbe est attesté avec un complément désignant un lieu au sens de «partir», et un complément désignant un vêtement au sens d'«ôter, retirer». C'est de cette dernière acception que procèdent les locutions ***quitter le deuil*** (1671), ***quitter sa peau*** à propos d'un serpent qui mue (1694) et, par suite, au figuré, d'une personne qui renonce à ses vieilles habitudes (1835). ◆ L'usage de la forme pronominale de sens réfléchi *se quitter* «se séparer de» (1530) a disparu alors que le sens réciproque est resté très courant, notamment dans un contexte sentimental, amoureux. Celui de la construction intransitive pour «s'en aller» (1647) a décliné sauf en parlant d'un travail et, couramment, par ellipse pour *quitter l'écoute (téléphonique)* dans *ne quittez pas !*
L'ancien sens juridique du verbe survit dans son principal dérivé, **QUITTANCE** n. f. (v. 1155). Celui-ci, qui n'est plus senti comme rattaché au verbe, a perdu plusieurs acceptions : «fait d'être quitte» (v. 1165), «paix, tranquillité» (XIIe s.), les sens juridiques d'«état d'une terre libre de redevances» (XIIe s.) et «action de libérer d'un impôt» (XIIIe s.), et le sens religieux de «rémission des péchés» (1453).
◆ *Quittance* n'a conservé que le sens juridique et métonymique «écrit par lequel un créancier reconnaît avoir reçu paiement de sa créance» (XIIIe s.) et, en finances, «titre emportant libération, reçu ou décharge». ◆ Il a pour dérivé **QUITTANCER** v. tr., d'abord *quitancier* «libérer par une quittance» (1396) en termes de comptabilité. ◆ *Quitter* n'a produit aucun dérivé de sens général, à l'exception de **QUITTEUR, EUSE** n. (XVIIe s.), terme précieux employé par Mlle de Scudéry pour des amants qui se quittent, en relation avec un nom d'action éphémère **QUITTERIE** n. f. ◆ **INQUITTABLE** adj. (1891), «dont on ne peut se défaire», semble une création d'auteur (Huysmans).
QUITUS n. m. est emprunté (1421) au latin médiéval *quitus,* mot du langage financier désignant l'acte par lequel le responsable de la gestion d'une affaire est reconnu s'en être acquitté, de manière à être déchargé de toute responsabilité. Comme l'adjectif *quitus,* ce nom est la forme altérée tardivement de *quietus ;* il a subi l'influence sémantique de *quitte* (ci-dessus). ◆ Le mot, employé avec le sens du latin, entre tardivement dans l'expression *arrêté de quitus* (1860) [puis *arrêt*], par lequel la Cour des comptes déclare un comptable quitte envers le Trésor des deniers qu'il a gérés.

◈ voir ACQUIESCER, COI, INQUIET, QUIET, QUIÉTISME, QUIÉTUDE, REQUIEM.

QUI-VIVE → QUI

QUOAILLER → QUEUE

QUOI pron. rel. et interr., d'abord sous la forme *quei* (1080), puis *quoi* (v. 1175), est la forme tonique, à côté de la forme atone *que**, du latin *quid,* neutre du pronom interrogatif, relatif et indéfini *quis* (→ quidam). En tant que pronom interrogatif neutre, *quid* interroge (directement, indirectement) sur «quelle chose» et s'emploie comme formule oratoire de transition, souvent associé à d'autres particules. En tant que pronom indéfini neutre, surtout après *si, nisi, ne, cum,* il signifie «quelque chose». Il est aussi pronom relatif équivalant à «la chose qui» ou «la chose que...». Par ailleurs, il est employé adverbialement au sens de «pourquoi, à quoi bon», en interrogation directe, ou indirecte, concurrençant *quod* (→ quiproquo).

♦ Dès les premiers textes, *quei* puis *quoi* est employé comme pronom interrogatif directement ou indirectement (cf. *je ne sais quoi* et *n'importe* quoi*), quelquefois, dans la langue familière, à la place de *que* (v. 1450). ◇ Son usage en tête de phrase pour exprimer l'étonnement ou l'indignation est ancien (v. 1180), autrefois accompagné d'un point d'interrogation, de nos jours fréquemment précédé de *et* (1669, Molière) ou de *mais* (1678, La Fontaine). Son usage en fin de phrase après un mot, résumant une énumération, une idée, est assez récent (déb. XIXe s.), et marqué comme «familier».
Les premières attestations de *quoi* pronom relatif sont anciennes (v. 1119), d'abord dans ***quoi que*** «quelle que soit la chose que», qui jusqu'au XVIIe s. pouvait se rapporter à une personne. Relèvent de cet emploi les locutions ***quoi qu'il en soit*** «de toute façon» (1580), et ***quoi que j'en aie, qu'il en ait,*** cette dernière issue d'un croisement de *malgré que j'en aie* avec des tours tels que *quoi que j'en dise, quoi que je fasse,* etc. et critiquée par les puristes. ◇ À partir du XIIe s., *quoi* se rencontre après une préposition pour représenter un pronom ou un nom de chose de sens indéterminé ; depuis le XIIe s. (v. 1190), il pouvait également représenter un nom de chose de sens déterminé *(c'est l'amour après quoi je soupire).* Cet usage a décliné après l'époque classique mais il n'est pas rare dans la langue littéraire. ➛ Depuis le XIIIe s., *quoi* est employé avec une préposition pour représenter le contenu d'un énoncé antérieurement exprimé, spécialement dans ***à quoi, après quoi*** (1668), ***faute de quoi*** (1636), ***comme quoi,*** (1466), ***moyennant quoi*** (1668), ***sur quoi*** (1836). Dans l'usage ancien, son antécédent pouvait être un nom de personne, usage abandonné dans le premier tiers du XVIIe s. mais réapparu dans la langue littéraire moderne chez des écrivains archaïsants. ➛ *Quoi* est souvent employé avec des verbes comme *avoir, trouver, chercher* et suivi d'un infinitif pour exprimer une notion de conséquence, spécialement dans *de quoi* (XIIe s.) «ce qui est nécessaire pour» (*il y a de quoi manger,* etc.). En procèdent la locution ***avoir de quoi*** «avoir ce qu'il faut pour vivre» (XIIe s.), d'usage familier et glissant vers «avoir de l'argent», d'où en moyen français *du dequoi* n. m. «argent, fortune» (v. 1462), *mon dequoi* (→ quibus), et la formule de politesse courante ***(il n')y a pas de quoi*** (1773), d'abord sentie comme triviale et servant aujourd'hui de réponse à *merci.*
QUOIQUE conj. résulte de la soudure (XIVe s.) de *quoi que* (XIIe s.), encore écrit ainsi au XVIIe siècle. Une variante *que que,* formée avec la forme atone *que* issue du pronom latin *quid,* est attestée dès 1080. ➛ Le mot introduit une proposition circonstancielle d'opposition ou de concession, en concurrence avec *bien que,* lequel appartient à un registre de langage plus soutenu et est moins fréquent. En dehors des cas d'ellipse du verbe (1656, *quoique pieux*) et de propositions participiales (1715), *quoique* se construit le plus souvent avec le subjonctif, par exemple dans *quoiqu'il pleuve* ; la construction avec l'indicatif est archaïque ou correspond à un cas particulier qui lui donne une valeur de conjonction de coordination adversative «pourtant, cependant» (après une ponctuation forte), par exemple dans *je sais, quoique tu m'avoueras, c'est une idée bizarre.* Lorsque la concessive-oppositive énonce une éventualité ou fait partie d'un système hypothétique, *quoique* peut être suivi du conditionnel présent ou passé *(quoique je préférerais aller à la montagne).* ***Quoique ça*** est employé en fonction de préposition dans l'usage familier et populaire au sens de «malgré» (1790, Brunot).

◈ voir **POURQUOI, QUID, QUIPROQUO.**

QUOLIBET n. m. est un emprunt (v. 1300, Joinville *quolibez* ; 1501, *colibet*) au latin scolastique *quolibet,* dans l'expression *disputationes de quolibet* «questions, débats sur n'importe quel sujet». Le latin classique *quolibet* est l'ablatif neutre de *quilibet,* de *qui* (→ qui) et de *libet* «il plaît» (→ lubie). Dans l'enseignement scolastique où la dispute jouait un grand rôle, on distinguait les *disputationes ordinariae* qui se faisaient tous les quinze jours et étaient en étroit rapport avec la leçon, et les *disputationes de quolibet* qui avaient lieu deux fois par an, avant Noël et pendant le carême. On pouvait y mettre en avant n'importe quel problème et ces questions étaient appelées *quaestiones de quolibet* ou *quodlibeticae.*

♦ Le développement sémantique du mot vient de ce que ces questions étaient souvent ridicules ou jugées telles : repris avec le sens de «propos décousu, ce qui passe dans la tête des personnes présentes», *quolibet* a pris l'acception péjorative moderne de «propos railleur» (1501, également sans idée de raillerie). Il n'a pas gardé le sens de «proverbe, dicton» (1572), ni celui de «sobriquet» (XVIIe s., Retz) qu'il avait à l'époque classique. La spécialisation pour «pièce musicale faite de thèmes, de fragments empruntés souvent pour produire un effet comique» (1817) appartient à l'histoire de la musique ; *potpourri* l'a remplacé. La variante *quodlibet,* réfection d'après le latin *quod,* semble tardive (1834, Fétis) semble concerner surtout cette acception musicale.

QUORUM n. m. est emprunté (1672) à l'anglais *quorum* n. (1455), d'abord «juge dont la présence était nécessaire au tribunal» et aussi «nombre minimum de membres présents à une assemblée pour qu'elle puisse délibérer et prendre une décision» (1616). C'est un emprunt au latin *quorum* «desquels», génitif pluriel du pronom relatif *qui* (→ qui) au sens partitif, employé dans les formules des commissions qui désignaient les personnes dont la présence était nécessaire pour qu'une délibération fût valable.

♦ Le mot, senti comme anglicisme, a longtemps été employé exclusivement à propos des assemblées anglo-saxonnes. En droit parlementaire français, le quorum est une institution révolutionnaire. Depuis la Constitution de 1791, il correspond à la majorité absolue du nombre légal des membres d'une assemblée, mais le mot lui-même ne semble pas employé ; il n'est attesté en ce sens qu'en 1868. Littré (1869) et le *Dictionnaire universel* de Pierre Larousse (1875) ne signalent encore que le quorum des assemblées anglaises. Il a dû se répandre avec le droit constitutionnel de la IIIe République.

QUOTA n. m. est emprunté (1927) à l'anglais *quota* «quote-part» (1668) et «quotité», emprunt au latin *quota,* féminin substantivé par ellipse de *quota (pars)* [→ quote-part]. C'est le féminin de l'adjectif *quotus* «en quel nombre, quel», dérivé de *quot* «combien nombreux, aussi nombreux», mot qui appartient à la famille indoeuropéenne *°kw-* qui a fourni à la plupart des langues indoeuropéennes le relatif, l'interrogatif, l'indéfini et divers adverbes (→ qui). On compare *quot* au sanskrit *káti,* qui s'emploie sans acception de genre comme le mot latin, avec le même sens.

♦ D'usage récent, le terme est surtout utilisé en économie pour désigner un contingent, un pourcentage déterminé, par exemple dans ***quota de vente*** (1960) ou, en emploi absolu, le chiffre d'affaires imposé à un représentant, un agent, un service de ventes.

◈ voir COTE, QUOTE-PART, QUOTIDIEN, QUOTIENT, QUOTITÉ.

QUOTE-PART n. f., attesté sous cette forme depuis 1568, est emprunté au latin juridique *quota pars,* littéralement «quelle part (revient à chacun)», de *quota,* féminin de *quotus* «en quel nombre» (→ côte, quota) et de *pars* (→ part). *Quote-part* a éliminé les expressions antérieures *quote et portion* (1390), *cota-portion* (XVe s.), *cote-portion* (1480) et *quote partie* (fin XVe s. ; XIVe s. selon Littré), *cocte part* (1490).

♦ Le mot, uniquement employé au singulier, ne s'est pas éloigné de son sens littéral de «part revenant à chacun dans la répartition d'une somme à payer ou à recevoir». Il prend quelquefois la valeur figurée de «part, contribution».

◈ voir COTE, QUOTA, QUOTIDIEN, QUOTIENT, QUOTITÉ.

QUOTIDIEN, IENNE adj. et n. m., réfection étymologique (XVe s., av. 1453) de *cotidian* (v. 1120), *cotidien* (XIIe s.), est emprunté au latin *quotidianus* «de tous les jours» et, familièrement, «ordinaire, commun». Le mot est dérivé de *quotidie* (ou *cottidie*) «chaque jour», formé de *quot* «combien» (→ quote-part) et de *dies* «jour» (→ jour).

♦ L'adjectif qualifie ce qui est de chaque jour, spécialement le pain, dans un syntagme diffusé par la prière du *Pater* (*pain cotidian* dans le psautier d'Oxford, v. 1120). Il a développé le sens figuré de «ce que l'on fait tous les jours, à quoi on a sans cesse affaire» (av. 1613). ◇ Les médecins emploient depuis l'ancien français jusqu'à l'époque classique l'expression *fièvre quotidienne* ou *la quotidienne* (XIIIe s.), allusion à la régularité journalière des accès. ◆ *Journal quotidien* (1820) est sorti d'usage au profit de l'emploi substantivé ***un quotidien*** (1830, Fourier), plusieurs journaux s'étant appelés *La Quotidienne* (le premier en 1792), *Le Quotidien.* ◆ La valeur figurée péjorative de «monotone, banal», qui existait déjà en latin, s'est développée au XIXe s. (1836), y compris en emploi substantivé (1836, *le quotidien*), la locution *au quotidien* étant récente.

▸ Les dérivés **QUOTIDIENNEMENT** adv. (1421) et **QUOTIDIENNETÉ** n. f. (1834) sont assez littéraires ou didactiques, surtout ce dernier.

QUOTIENT n. m. est emprunté, avec changement de classe grammaticale (1484), au latin *quotiens,* variante de *quoties,* adverbe interrogatif direct et indirect signifiant «combien de fois» et relatif signifiant «toutes les fois que». C'est un dérivé de *quot* «combien nombreux» (→ quota).

♦ Le mot est employé en arithmétique pour désigner le résultat d'une division. Les extensions dans d'autres vocabulaires scientifiques sont tardives : en physiologie dans *quotient respiratoire* (1904, Larousse) pour le rapport du volume de gaz carbonique expiré à celui de l'oxygène inhalé, en botanique dans *quotient chlorophyllien,* en psychologie où il a donné la locution ***quotient intellectuel*** (av. 1951 ; après *quotient d'intelligence,* Stern, 1912), couramment abrégée en *Q. I.,* en droit dans ***quotient électoral*** (1866, Amiel), en droit fiscal dans ***quotient familial,*** en démographie, etc. Toutes ces expressions expriment le résultat d'un rapport entre deux quantités.

◈ voir COTE, QUOTE-PART, QUOTIDIEN, QUOTITÉ.

QUOTITÉ n. f. est dérivé savamment (1473 ; 1436, selon Bloch et Wartburg) du latin *quotus* «en quel nombre, quel» (→ cote, quota) sur le modèle de *quantité**. Une graphie *cotité* a été en usage du XVIe à la fin du XVIIIe siècle.

♦ Ce terme juridique désigne la proportion fixée par une quote-part. L'expression *impôt de quotité* (1833) concerne un impôt dont le produit, n'étant pas fixé d'avance, dépend entièrement des objets ou personnes qu'il doit frapper.

◈ voir COTE, QUOTA, QUOTE-PART, QUOTIDIEN, QUOTIENT.

R

RABÂCHER v., d'abord *rabascher* (1611), est une variante suffixale de l'ancien français *rabaster* (v. 1160), «faire du vacarme», dans les patois *rabater* et, en ancien provençal, *rabastar* «se quereller», *rabasta* «querelle». Le verbe appartient à une grande famille de mots formés avec un radical °*rabb-* (d'origine préromane ou germanique) et divers suffixes (*-âcher, -aster* mais aussi *-aler*, etc.) évoquant une idée de «tapage». P. Guiraud préfère postuler une préfixation en *ra-, (re-)* de la famille de *bât*, bâche**, par des verbes du latin populaire °*basitare* (pour *rabaster*) et °*basicare* (pour *rabâcher*), du latin classique *basis* (→ base). Mais le rapport sémantique entre «ramener à la base» et «faire du bruit, se quereller» est trop lointain.

♦ Le mot, écrit *rabâcher* depuis 1735, a eu le sens de «faire du tapage» comme en latin; il en reste une trace en vénerie pour «crier continuellement en arrière de la meute» (1876). Il a pris une autre valeur, «redire constamment la même chose de manière lassante» (déb. XVIIIe s.). *Rabâcher de qqn* (1735) a vieilli, mais le verbe est fréquent en construction absolue. Par extension, il signifie «répéter, refaire sans conviction la même chose» (1913).

▸ Le plus ancien dérivé est **RABÂCHEMENT** n. m. (1611) «tapage» enregistré tardivement (1869, Littré) avec son sens moderne. ◆ Il est moins courant que **RABÂCHAGE** n. m. (1735), «propos rabâché». ◆ **RABÂCHEUR, EUSE** n. et adj. (1740) a succédé au type ancien *rabâcheux* (1577); **RABÂCHERIE** n. f., plus familier (v. 1760), a vieilli.

RABAISSER → BAISSER

RABAN n. m. est emprunté (1573) au moyen néerlandais *rabant* ou *raband*, littéralement «lien de vergue»: le premier élément est *ra* «vergue» issu, comme le moyen haut allemand *rahe*, du germanique °*raho-* «perche, mât, piquet» (cf. l'allemand *regen* «bouger» et probablement *Reck* «barre fixe»). Le second élément est *bant* ou *band* «lien», correspondant à l'allemand *Band* (ancien haut allemand *bant*), anglais *bend*, et *bind*, gotique *bandi-*, appartenant à l'indoeuropéen °*bhondhia* «lier, attacher» (→ bande).

♦ Le mot est employé en marine pour un petit cordage de vergue ou de filet et, postérieurement, pour la corde retenant un filet dormant (1812).

▸ *Raban* a produit deux termes techniques de marine : **SAUVE-RABAN** n. m. (1694) désigne un anneau de cordes près des bouts des grandes vergues pour garantir les rabans; **RABANTER** v. tr. est la réfection du verbe plus ancien *rabaner* (1687), lui-même encore usité, «serrer, amarrer avec un raban».

RABANE n. f., nom donné à un tissu en fibres de raphia (1864), est d'origine incertaine, peut-être emprunté au malgache *rebana* de même sens (mais ce mot manque dans le *Dictionnaire franco-malgache* de R. P. Malzac, 1899).

RABATTRE → ABATTRE

RABBIN n. m., réfection graphique (1540) de *rabain* (1351), est emprunté au latin ecclésiastique médiéval *rabbinus*, de l'araméen *rabbîn*, pluriel de *rabb* «maître», conservé dans les traductions de l'Évangile avec le suffixe possessif de la 1re personne, sous la forme *rabbi* «mon maître!». Il est formé sur *rav* «chef, prince, seigneur, maître». Ce titre d'honneur et de respect était donné, probablement depuis le Ier s. av. J.-C., aux docteurs de la loi puis à tout personnage ayant une autorité religieuse.

♦ Le mot a été repris à propos du judaïsme ancien, pour «docteur de la loi qui étudiait, commentait la Thora et avait des fonctions juridiques et pédagogigues». ◆ De nos jours, il s'applique au chef religieux d'une communauté juive, qui préside au culte, prêche, instruit la jeunesse, célèbre les mariages, etc. (1808, Boiste); il entre dans le titre de *Grand Rabbin* (1835) pour désigner le chef d'un consistoire israélite. La forme **RABBI** a été empruntée elle-même comme vocatif à l'adresse du Christ dès la fin du XIIIe siècle. Elle s'emploie comme titre devant un nom propre (1314) de chef charismatique d'une communauté hassidique ; par métonymie, elle désigne ce chef spirituel, partageant cet emploi avec *rabbin* lorsqu'il est appliqué à un rabbi thaumaturge en Ukraine et en Pologne.

▸ **RABBINISME** n. m., d'abord attesté (v. 1600, Scaliger) au sens figuré de «subtilité comme en font les rabbins», n'a gardé que le sens d'«enseignement, doctrine des rabbins» (av. 1662, Pascal). ◆ **RABBINIQUE** adj. (av. 1596) qualifie ce qui se rapporte aux rabbins, spécialement dans *caractères* (1694), *écriture* (1763), *école, langue* (1845-1846) *rabbiniques,* dans une perspective linguistique. ◆ Le terme de religion **RABBINAT** n. m. est plus tardif (1842), désignant la fonction de rabbin et, par métonymie, l'ensemble des rabbins (1883). L'existence de deux formes **RABBANITE** ou **RABBINISTE** n., pour le tenant du judaïsme rabbinique, s'explique par la concurrence entre l'emprunt adapté (1542, *rabaniste*) de l'hébreu postbiblique *rabbānī,* dérivé avec le suffixe adjectif *-ī* de l'araméen *rabbān,* titre honorifique supérieur à celui de *rabbī,* et le dérivé français de *rabbin* (1605).

RABELAISIEN, IENNE adj., dérivé au moyen du suffixe en *-ien* (1828) du nom de *Rabelais* (1494?-1553), auteur de *Pantagruel* et de *Gargantua,* s'est substitué aux synonymes anciens *rabelaitique* (1566-1567) et *rabeliste* (1571). L'équivalent anglais *rabelaisian* est attesté dès 1817 *(rabelaisian humour).*

♦ Le mot est employé par les historiens de la littérature pour qualifier ce qui se rapporte à Rabelais, à son œuvre, à l'exégèse de celle-ci (1903, *Revue des études rabelaisiennes*). ◇ Parallèlement, semble-t-il d'abord chez Balzac, grand amateur de Rabelais (1830), il a développé par extension la valeur de «gai, licencieux, grivois, truculent», allusion aux caractères de l'œuvre de Rabelais (1830, *joyeusetés rabelaisiennes ;* 1839, *rire rabelaisien*). ◆ Il est substantivé (1836) à propos de l'amateur de Rabelais (ou des aspects plaisants de son œuvre), puis du spécialiste de son œuvre, concurrençant dans ce dernier emploi *rabelaisant, ante* adj. et n. (1891).

RABIBOCHER v. tr., attesté depuis 1842 chez E. Sue, est un mot d'origine dialectale, répandu dans les parlers du nord de la Gaule. Il se rattache à un groupe de mots formés sur le radical expressif *bib-* qui évoque une chose de peu d'importance, de peu de consistance ou de peu de durée (→ bibelot) ; on a ainsi dans les dialectes, le saintongeais *biber* «importuner», le béarnais *bibalhe* «menus brins de bois pour allumer». P. Guiraud préfère expliquer la formation du mot comme une altération (métathèse) de *rabobicher* «raccommoder», variante régionale de *rabobiner,* de *bobine**. Les deux explications sont d'ailleurs compatibles.

♦ *Rabibocher* a d'abord le sens concret de «réparer de manière sommaire, provisoire» puis au figuré «réconcilier, remettre d'accord», d'abord à la forme pronominale *se rabibocher* «se réconcilier» (1877).

▸ **RABIBOCHAGE** n. m. signifie «action de remettre sommairement en état» (1867) et «action de réconcilier des personnes» (in *Grand Robert,* 1962).

RABIOT n. m., orthographe refaite (1863) de *rabiau* (1831), est d'origine incertaine. Selon Wartburg, le mot serait emprunté au gascon *rabiot* «rebut de la pêche, fretin que le distributeur s'adjuge», de *rabe* «œufs de poisson», proprement «rave», de même sens et étymologie que le français *rave**, et qui procède d'une allusion au fait que les femelles de poissons pleines d'œufs ont le corps en forme de rave. D'après Esnault, l'origine de *rabiot* serait plutôt à rechercher du côté de *rebiots* (1638) «taxes en surcroît» et «primes de séance attribuées aux moines d'un chapitre qui n'étaient pas versées aux absents mais réparties en surplus aux présents» (1770, également *rebiaux*). P. Guiraud rattache *rebiaux* à une forme romane °*ratabellum* «raclette, chose raclée», du latin *rutabulum* «instrument de boulanger, fourgon» (→ ① râble). La solution de G. Esnault paraît plus simple.

♦ Le mot est à l'origine un terme de l'argot militaire appliqué à ce qui reste de vivres, de vin, d'eau-de-vie après la distribution des rations aux hommes (1831), puis du temps de service supplémentaire auquel est astreint un militaire qui a encouru une peine disciplinaire (1863). Il s'est répandu dans l'usage populaire et familier pour désigner tout supplément ou bénéfice, le plus souvent inespéré (1832), et un temps supplémentaire de travail (1920).

▸ On en a tiré le dénominatif **RABIOTER** v. (1832), d'abord *rabiauter,* «s'approprier, obtenir en supplément» et intransitivement «faire de petits profits supplémentaires». ◆ À son tour, ce verbe a produit **RABIOTEUR, EUSE** n. (1848, *rabiauteur*) et **RABIOTAGE** n. m. (1867), d'abord *rabiautage.* ◆ La langue familière a tiré de *rabiot* la forme apocopée **RAB** n. m. (1893) pour ce qui vient en plus, notamment dans *du rab* et *en rab* «en surplus».

RABIQUE adj. est dérivé savamment (1824) du latin *rabies* (→ rage).

♦ Il qualifie ce qui a rapport, est propre à la rage, par exemple dans *virus rabique* (1836). ◇ Le type *rabéique* (dictionnaires, de 1836 à 1875) ne s'est pas imposé, non plus que *rabien* enregistré par Littré (1869) et Larousse (1875).

▸ Avec l'élément *anti-**, **ANTIRABIQUE** adj. (1866) qualifie, et, par ellipse du nom, désigne (1907) un remède contre la rage.

① **RÂBLE** n. m. est l'aboutissement (XVe s.) de *roable* (XIIIe s.), *roable* (1388), *raable* (1401), formes issues du latin *rutabulum,* mot technique désignant un fourgon, une spatule de boulanger, également employé comme désignation familière du membre viril. C'est un dérivé, avec suffixe diminutif, du supin *(rutum)* de *ruere* «renverser» et «s'écrouler» (→ ruer).

♦ Ce terme technique désigne un outil de chauffe à l'extrémité recourbée et aplatie, servant à déplacer le combustible ou les scories sur la grille d'un foyer. Par extension, il se dit de la pièce en forme de râteau utilisée dans les fours métallurgiques pour étaler et déplacer le minerai (1762). Dans le contexte des exploitations salines, *râble* désigne un outil servant à extraire le sel de la poêle en y laissant la saumure (ce sens entre dans les dictionnaires généraux, en 1963, Larousse, mais est bien antérieur, cf. *râbler*).

▸ Une autre spécialisation technique, fondée sur une analogie de forme, a détaché de *râble* un homonyme ② **RÂBLE** n. m. (1625) qui désigne la traverse d'un bâteau plat. ◆ Ultérieurement, *râble* a produit **RÂBLER** v. (1788) «remuer avec un râble», employé dès 1801 dans le cadre d'une exploitation saline, et **RÂBLOT** n. m. (1836) «petit râble», mots rares.

③ **RÂBLE** n. m. est probablement une extension (1532) de ① *râble*, par analogie d'aspect, certains instruments appelés *râbles* étant munis de fourchons fixés dans la barre comme l'échine est munie de ses côtes (selon Bloch). ◆ Le mot, d'abord attesté chez Rabelais, désigne la partie du corps de certains quadrupèdes (surtout lièvre et lapin) qui s'étend depuis le bas des épaules jusqu'à la queue ; il est usuel en cuisine. ◆ Par analogie, il désigne familièrement la partie du dos d'une personne correspondant aux reins (1599), d'où les locutions ***tomber sur le râble de qqn*** et, au figuré, ***vous allez voir ce qui va vous tomber sur le râble*** «vous arriver» (XXe s.), d'usage familier. ◆ Le mot a produit **RÂBLÉ, ÉE** adj. (v. 1570) «au râble épais et court», d'où, en parlant d'un homme, «trapu et fort» (1765), qui s'est imposé aux dépens de la variante **RÂBLU, UE** adj. (1655).

RÂBLURE n. f. (1860) dénomme le fait d'être fort et carré. Il est rare.

◈ voir RABIOT.

RABOT n. m. est la forme masculine tirée (1342) du mot dialectal *rabotte* «lapin», encore vivant dans le Berry et peut-être à l'origine de l'anglais *rabbit* «lapin». *Rabotte* serait issu par dissimilation de °*robotte*, dérivé d'un °*robe* «lapin», qui serait emprunté au moyen néerlandais *robbe* de même sens (→ rabouillère). On explique l'évolution sémantique par une comparaison entre la forme de l'objet et celle de l'animal, la lame oblique rappelant les oreilles (cf. pour le même type de développement *chevalet*, *poutre*). Cependant, P. Guiraud préfère voir dans *rabot*, pour °*rebot*, le dérivé du dialectal *rebotter*, de *boter* «élaguer» (1611), lui-même dérivé de *bot* «émoussé» d'un radical expressif °*butt-* (→ bot); cette hypothèse rend mal compte des emplois anciens.

♦ Dans les premiers textes, le mot est employé pour «pierre dure servant à paver» (c'est-à-dire pour aplanir) à côté du sens courant, «outil de menuiserie servant à aplanir le bois» (av. 1350), d'où ***passer le rabot*** «polir un ouvrage» (1694), locution classique sortie d'usage. ◆ Les extensions, nombreuses à partir du XIXe s., consistent en dénominations analogiques d'autres outils : *rabot* désigne un râble de boulanger (1432), un outil en T servant à remuer le mortier (1482), un instrument pour polir les glaces et le marbre (1676, les métaux), un outil pour couper les poils du velours-soie et des peluches (1875), un instrument agricole (1863), un outil servant à régulariser le fond des tranchées de drainage (1904), enfin un appareil d'abattage et de chargement mécanique utilisé dans les mines de houille (1963, dans les dictionnaires).

▸ *Rabot* a produit **RABOTER** v. tr. (1409) «dresser une surface plane au rabot», puis également «usiner en surface (une pièce) avec une machine» et «râper le bord inférieur de (un sabot de cheval)» (1869). Le sens figuré classique de «polir une œuvre littéraire» (1654) a disparu, mais le verbe s'emploie plus généralement pour «polir, supprimer ce qui est excessif». Le sens figuré et populaire de «dérober» (cf. *chiper*, *piquer*) [1888] a lui aussi disparu. ◆ Les dérivés du verbe sont assez nombreux : **RABOTAGE** n. m., d'abord attesté (XVIe s.) au sens concret de «copeaux» (par métonymie), est le nom d'action correspondant à *raboter* (1765), évinçant **RABOTEMENT** n. m. (1611) et désignant spécialement l'usinage d'une surface plane au moyen d'un rabot (1932). ◆ **RABOTEUR, EUSE** n. (1576) désigne l'ouvrier spécialisé dans le rabotage, spécialement celui qui effectue la finition d'un parquet (1893) et un ouvrier de la taillerie de pierre tendre (1963). ◆ Le féminin **RABOTEUSE** n. f. (1858) sert essentiellement à désigner une machine-outil et s'emploie dans le syntagme *raboteuse à bois* (1878). ◆ Un autre dérivé, **RABOTURE** n. f., a été formé pour désigner un copeau formé par le rabot.

Rabot a produit directement **RABOTEUX, EUSE** adj. (1531) qualifiant une surface présentant des aspérités et employé au figuré pour qualifier une œuvre au style heurté (1657) et, par extension, une personne à l'abord rude (1827); ces emplois sont littéraires. ◆ Ultérieurement, on a formé le nom d'outil de taillerie **RABOTIN** n. m. (1904).

RABOUGRIR → BOUGRE

RABOUILLÈRE n. f. est dérivé (1542, Rabelais) du radical du mot dialectal *rabotte* «lapin» (→ rabot). On rencontre également les variantes *rabouiller* (1690), *rabolier* (d'où *raboliot*, pour désigner le lapin de garenne [1925, chez M. Genevoix]) et *rabolière* (1925, également M. Genevoix).

♦ Le mot est régional pour «terrier du lapin». À noter que le verbe régional *rabouiller* appartient à une autre série lexicale, celle de *bouillir (bouiller)*.

RABROUER v. tr. est formé (XIVe s.) du préfixe composé *ra-* (de *re-* et *a-*, ce dernier issu du latin *ad* «vers») et de l'ancien verbe *brouer* «écumer» (1488), pris au sens figuré de «gronder, être furieux». Ce dernier est dérivé de l'ancien français *bro*, *breu* «bouillon» (fin XIIIe s.), usuel au sens d'«écume» dans la région normande et encore vivant par son dérivé *brouet**. *Rabrouer* signifierait donc proprement «être furieux envers qqn, le repousser».

♦ Le mot ne s'est pas éloigné du sens initial, «traiter avec rudesse, brusquerie». Il s'est imposé aux dépens de la variante *rebrouer* (1584), disparu après 1700 sauf régionalement.

▸ Au XVIe s., *rabrouer* a produit deux dérivés, **RABROUEUR, EUSE** n. (1537) et **RABROUEMENT** n. m. (1544), peu usités.

RACA ou **RACCA** interj., d'abord *racha* (1553, *Bible Gérard*) puis *raca* (1672, Sacy), est emprunté au bas latin ecclésiastique *raca* «pauvre individu», lui-même emprunté, par l'intermédiaire du grec *raka*, à l'araméen *rêqâ* «vide, qui ne vaut rien», «sot», employé comme expression méprisante. Le mot est connu par le passage de *Matthieu V, 22* : «Celui qui dira à son frère *raca* mérite d'être puni par les juges.»

♦ Le mot n'est employé que par allusion à l'Évangile, dans la locution ***crier raca sur qqn*** «l'insulter» (1836), didactique ou littéraire. Quelques écrivains (Huysmans, Goncourt) ont employé l'interjection de dégoût *raca!* et un substantif marquant un mépris prononcé.

RACAILLE n. f., simplification (fin XIIe s.) de *rascaille* (v. 1138, en anglo-normand), est issu d'un ancien verbe anglo-normand et normand °*rasquer*, attesté indirectement par l'ancien provençal *rascar* «racler», le liégeois *rahî*, l'angevin *râcher* «dréger du lin», etc. Ces formes remontent à un latin populaire °*rasicare*, variante du latin impérial *rasitare* «raser souvent», fréquentatif du latin *radere* (→ raser), formé sur son supin *rasum*. °*Rasicare* a aussi fourni l'espagnol, le catalan, et le portugais *rascar* «gratter», le sarde *rasigare*, etc. Le verbe, appliqué aux hommes, a pris l'acception péjorative de «se livrer à des ébats tumultueux et bruyants», soulignée à son tour par le substantif avec le suffixe *-aille*; on peut aussi partir de l'idée de «raclure» vers celle de «rebut, hommes de rien». L'anglais *rascal* «vaurien» vient de l'ancienne forme *rascaille*.

♦ Le mot désigne collectivement le rebut de la société, d'où son emploi pour désigner une catégorie de personnes que l'on méprise (av. 1672). Par le sens et la forme, il est proche de *canaille*. ◇ Son extension à des objets de rebut, enregistrée par Furetière (1690), ne survit que régionalement.

◈ voir RACLER, RÂLE, RÂLER, RASCASSE.

RACCOMMODER → ACCOMMODER

RACCORDER → ACCORDER

RACCOURCIR → COURT

◈ ✻ **RACE** n. f. est emprunté (fin XVe s., *rasse*) à une forme post-latine méridionale, soit l'italien *razza* «espèce de gens» (XIVe s.), soit l'ancien provençal *rassa* «bande d'individus qui se concertent», «complot, conjuration» (1180), soit le mot *rassa* des parlers de l'Italie Supérieure «convention entre les membres d'une famille ou entre ceux qui ont le même métier». On a supposé que ces formes, avec un changement de terminaison (emprunt du *-a* final du féminin), remontaient au latin *ratio, -onis* «calcul» (→ raison) dans l'emploi qu'en faisaient à l'époque médiévale les savants au sens d'«espèce d'animaux, de fruits» (VIe s.). Il est plus probable qu'elles représentent une altération par aphérèse (phénomène fréquent en Italie du Nord) du latin *generatio* (→ génération); *naraccia* «race», attesté au XVIe s. dans un dialecte vénitien, pourrait être une forme intermédiaire. Cette hypothèse est consolidée par la proximité d'emploi entre l'ancien italien, l'ancien provençal et le latin biblique *generatio* «famille, descendance, engeance, espèce». On a aussi rappelé l'emploi de l'ancien français *generace* (issu de l'accusatif latin *generationem*) pour «famille» (apr. 1250) et «bande de gens au service de qqn» (fin XIIe s.). Un philologue, G. Merk, a évoqué une contamination phonétique et sémantique de *generatio* avec *ratio*, aidée par la synonymie partielle de *natio* (→ nation). Il est donc probable que des personnes parlant latin ont fait passer ce mot du latin au roman du sud de la France et en Italie septentrionale; de ces parlers, il a ensuite gagné les autres langues romanes.

♦ Le mot est d'abord employé avec sa définition génétique large de «subdivision de l'espèce humaine, à caractère héréditaire, représentée par un certain type d'humains». Par extension, il désigne un groupe d'individus apparentés par intermariage, c'est-à-dire une population qui se distingue des autres par la fréquence de certains traits héréditaires (1749), ce sens se diffusant au XIXe siècle. Par une autre extension de type analogique, *race*, appliqué aux animaux, désigne une subdivision de l'espèce zoologique constituée par des individus ayant des traits communs héréditaires (1500, *race des chevaux*), d'où l'expression ***de race*** (1740, *chien de race*). Il est quelquefois employé dans ce sens par métaphore, en parlant d'une personne (1836, ***avoir de la race***). ➛ Dès le début du XVIe s., *race* a aussi le sens d'«ensemble des ascendants et descendants d'une même famille, d'un même peuple» (1512), surtout à propos des grandes familles, *la race* signalant l'origine noble (1579), et, historiquement, des lignées de rois (rois de France, 1636). Par extension, il désigne les ancêtres (1669), les descendants (av. 1606) et une génération (Ronsard), sens sorti d'usage. Au XVIe s., il a développé ces deux valeurs figurées : il s'emploie à propos d'une communauté plus vaste considérée comme une famille, une lignée, spécialement dans l'expression *la race humaine* (pour *espèce*); dans un langage plus familier, il s'emploie, souvent avec une nuance péjorative, pour «catégorie, classe de gens de même profession, de même goût» (1564). ➛ C'est au XIXe s., après les travaux du XVIIIe s. (Buffon, *Histoire naturelle de l'homme*), que se développe l'étude de la variété des races humaines, liée à la fois aux progrès de l'anatomie, de la médecine et à l'idéologie de la supériorité européenne. L'*Essai sur l'inégalité des races humaines* de Gobineau (1853) est à la base des théories appelées plus tard *racistes*, qui s'appuient aussi sur certains développements du darwinisme. Darwin lui-même écrivait (traduction française de 1881) : il est «fort indifférent qu'on désigne sous le nom de 'races' les diverses variétés humaines, ou qu'on emploie les expressions 'espèces' ou 'sous-espèces', bien que cette dernière désignation paraisse la plus convenable» (*La Descendance de l'homme*, p. 198). Au bénéfice d'un arianisme militant, H. S. Chamberlain, Anglais naturalisé Allemand (1855-1925), et le Français Vacher de Lapouge (*L'Aryen, son rôle social*, 1899; *Race et milieu social*, 1909), ce dernier au nom de l'«anthroposociologie», ont préparé les sinistres applications du racisme par le nazisme. C'est à cette époque que les dérivés *raciste*, puis *racisme* apparaissent, après *antisémite, antisémitisme,* qui semblent créés en allemand.

▶ La dérivation est récente. ◆ **SOUS-RACE** n. f. (1873) est un terme de classification anthropologique. ◆ **RACÉ, ÉE** adj. caractérise un animal de race (déb. XXe s., cf. *racer* 1894) et, par extension, une personne ayant de la distinction (1890, *allure racée*). ◆ **RACEUR, EUSE** adj. et n. (1907) se dit techniquement d'un animal reproducteur présentant de manière accusée les caractères raciaux recherchés.

À l'époque de l'exploitation politique de la notion de «race» ont été créés **RACISME** n. m. (1902), «théorie sur la hiérarchie des races» et, couramment, «hostilité envers un groupe racial», cette valeur se développant probablement dans les années 1930-1940. ◆ **RACISTE** adj. semble un peu antérieur (1892, puis 1895, Maurras). Il signifie «relatif au racisme» et «partisan du racisme», et il est employé aussi comme nom. Cet emploi substantif n'est attesté qu'en 1924. *Racisme* et *raciste* ont pris une valeur forte, pour «hostilité envers les représentants de races différentes», et *raciste* peut servir de terme d'invective, pour dénoncer cette attitude. ◆ Pour ces deux mots, la caractérisation par la race a fait place à l'hostilité pour un groupe humain, la notion de race faisant place à celles de nationalité (*racisme* est alors employé de manière abusive pour *xénophobie*), d'appartenance religieuse ou culturelle — l'ambiguïté étant présente dès l'origine, dans le «racisme» antisémite —, voire de sexe (*racisme anti-femme*) ou d'âge. ◆ Des antonymes en *anti-*, **ANTIRACISME** n. m. (v. 1950) et **ANTIRACISTE** adj. et n. (1938) leur sont opposés.

RACIAL, ALE, AUX adj. (1911) qualifie objectivement ce qui est relatif à la race et s'emploie spécialement avec *émeute, hostilité, haine,* etc. dans le contexte de racisme, pour *raciste.* ◇ De cet adjectif dérivent **RACIALEMENT** adv. (1941) et **RACIOLOGIE** n. f. «science qui étudie les phénomènes raciaux» (1954 in *T. L. F.*).

INTERRACIAL, ALE, AUX adj. (1935) qualifie des relations entre races (ou ethnies) différentes.

RACHETER → ACHETER

✳ **RACHIS** n. m. est emprunté (v. 1560) au grec *rhakhis, rhakheôs* «colonne vertébrale, échine», souvent employé au figuré pour désigner la crête d'une montagne, la nervure d'une feuille, l'arête du nez. On rapproche le terme du lituanien *ražỹs* «chaume» et *rãžas* «chaume, pointe de fourche, branche sèche», sans toutefois reconstituer une famille indoeuropéenne assurée.

♦ Le mot fournit le nom scientifique de la colonne vertébrale ou de l'épine dorsale. ◇ En sciences naturelles, il désigne un axe végétal portant de part et d'autre des rameaux plus courts (1774), et la partie du pétiole des feuilles portant les folioles ou les profondes divisions du limbe (1845). ◇ Par analogie, il est employé pour l'axe de la plume des oiseaux (1878).

▶ **RACHITIQUE** adj. est dérivé (1707) de *rachis* d'après l'adjectif grec *rhakhitês* «de l'épine dorsale», de *rhakis;* il qualifie une personne affectée d'une maladie de croissance et se dit d'un végétal qui se développe mal sur un sol trop maigre (1762). *Rachitique,* plus courant que les autres mots de la série, surtout au sens étendu de «maigre et souffreteux», est abrégé familièrement en **RACHO** adj. et n. (1965) «chétif, petit». ◆ Il a produit **RACHITISME** n. m. (1749), lequel désigne à la fois la maladie du squelette caractérisée par une déformation du rachis et le développement incomplet d'une plante (1757, dès 1732 selon Bloch et Wartburg). ◆ Les autres dérivés de *rachis* sont des termes d'anatomie et de médecine. **RACHIALGIE** n. f., formé (1795) avec l'élément *-algie**, désigne une douleur siégeant en un point de la colonne vertébrale; en est issu **RACHIALGIQUE** adj. (1795). ◆ **RACHIDIEN, IENNE** adj. est dérivé irrégulièrement (1806) sur *-dien* pour *-ien,* de *rachis* pour qualifier ce qui a rapport au rachis, spécialement dans *nerfs rachidiens* (1869) et *canal rachidien* (1875). ◆ Les composés savants **RACHIANESTHÉSIE** n. f. de *anesthésie**, et **RACHICENTÈSE** n. f., où l'élément *-centèse* représente le grec *kentêsis* «action de piquer», de *kentein* «piquer, percer», synonyme de *ponction lombaire,* entrent dans les dictionnaires généraux en 1932.

RACHITIQUE → RACHIS

RACINE n. f. est issu (v. 1120) du bas latin *radicina* (comme le sarde *raigina* et le roumain *radacina*), lui-même dérivé du latin *radix, radicis* «racine» de sens propre et figuré : «base, fondement». *Radix,* dont le représentant en français, *raiz,* ne survit que dans le composé *raifort** et dans certains parlers méridionaux, appartient au même groupe que *ramus* (→ ① rame, rameau, ramée); de même se répondent sémantiquement le lituanien *šakà* «branche» et *šaknìs* «racine». L'initiale latine n'enseigne rien car le *r* peut reposer sur *wr-;* le vieil anglais *rot* «racine» (anglais *root*) offre la même ambiguïté; il y a un *wr-* initial dans le gallois *gwrysgen* «branche» et *gwraidd* «racine» à côté de l'irlandais *frēm* «racine». Il s'agit d'un groupe de mots populaires apparentés entre eux mais dont les formes ne se laissent pas ramener à une racine indoeuropéenne commune.

♦ *Racine* désigne la partie de l'axe principal d'une plante qui croît vers le bas dans le sol, entrant au XIXe s., avec la constitution d'une terminologie scientifique moderne, dans des syntagmes didactiques tels que *racine pivotante, adventive* (1869), *racine fasciculée* (1875), *racine principale* (1962). Il entre dans la locution courante ***prendre racine,*** qui a pris le sens figuré (1629) de «s'installer durablement», et dans la locution familière ***manger les pissenlits par la racine*** «être mort» (XIXe s.). ◆ L'extension de type métonymique pour désigner une plante dont la partie souterraine est comestible (v. 1155), encore vivante en langue classique, a vieilli (on n'emploie plus *manger des racines* comme La Bruyère encore), le mot s'étant spécialisé à propos des arbres et arbustes. ◆ Par analogie de situation, *racine* désigne le point de départ d'une structure anatomique, d'un organe (fin XIIe s.), par exemple *racine des cheveux* (av. 1549), *racine* *d'une dent* (1575) et s'emploie en chirurgie pour la partie la plus profonde d'une tumeur. ◇ Le mot s'est également appliqué à la base d'un objet enfoui dans le sol (XIVe s.), sens sorti d'usage, sauf dans *racine d'un filon minier* (1963) et dans *racine d'un pli, d'une nappe,* en géologie (1932). ➛ Ses deux sens figurés, «attache, lien» et «fondements, base», sont attestés dès les premiers emplois, la première occurrence étant un emploi métaphorique pour les provignements du peuple d'Israël. Au XIIIe s., le mot devient un terme de mathématiques, avec la valeur abstraite d'«origine cachée (d'une grandeur)», dans ***racine carrée, cubique,*** et en algèbre *racine d'une équation* (1875). ◇ Sa spécialisation en linguistique pour «mot souche» apparaît au XVIe s. (1578). ➛ Du fait que des décoctions de plantes souterraines étaient employées en teinture, vient le sens d'«herbe à teinture» (1636), d'où le verbe *raciner* (ci-dessous).

▸ Le mot a trois dérivés verbaux. ➛ **RACINER** v. s'est d'abord dit (v. 1155) d'un peuple qui se fixe quelque part, emploi supplanté par *enraciner* (ci-dessous), avant de signifier, d'après le sens concret de *racine,* «commencer à produire des racines», en parlant d'une bouture (v. 1160). ➛ De l'emploi transitif pour «teindre en couleur fauve» (1669), issu de *racine* avec un sens spécial (ci-dessus), procède la valeur la plus vivante du mot : «soumettre (une peau de reliure) à l'opération de teinture imitant les nœuds du bois» (1827). ➛ D'où le dérivé ① **RACINAGE** n. m. (1827), antérieurement employé pour désigner la décoction destinée à la teinture (6 mars 1674). ➛ L'autre dérivé du verbe, le nom d'action **RACINEMENT** n. m. (fin XIIe s.), a d'abord eu le sens figuré de «descendance, race», avant de se fixer au sens propre de «fait de prendre racine» en parlant d'une plante (v. 1550), repris au XXe s. avec quelques effets de sens figuré (1910, Péguy).

ENRACINER v. tr. (v. 1175) n'a pas conservé son sens intransitif de «prendre racine»; il s'emploie transitivement au figuré pour «fixer profondément dans l'esprit et le cœur» (v. 1175) et au sens concret de «fixer une plante au sol par les racines» (v. 1265), dont procèdent des extensions analogiques (à propos d'un objet) et métaphoriques (à propos d'une personne que l'on fixe dans son lieu d'origine, 1870). La forme pronominale *s'enraciner* (fin XIIIe s.) correspond aux mêmes sens. ➛ En dehors de l'adjectif tiré du participe passé **ENRACINÉ, ÉE,** *enraciner* n'a guère produit qu'**ENRACINEMENT** n. m. (1338), passé de l'ancien sens de «lignée» au sens actif, «fait de prendre racine» (1378), au propre et au figuré.

DÉRACINER v. tr., d'abord *desraciner* (v. 1200), a été formé sur *enraciner* par changement de suffixe et signifie «arracher ce qui tient au sol par les racines» d'où, par analogie, «extirper, extraire» (1610 à propos d'une dent). Dans la seconde moitié du XIXe s., apparaît le sens métaphorique d'«arracher (qqn) à son pays d'origine» (v. 1865). ➛ En sont tirés l'adjectif **DÉRACINÉ, ÉE** adj. et n., **DÉRACINEMENT** n. m. (av. 1429), de sens propre et figuré, et **INDÉRACINABLE** adj. (1782) sur lequel a été fait plus tard **DÉRACINABLE** adj. (1842), plus rare.

Au XVIe s., *racine* a produit **RACINAL, AUX** n. m. (1578), nom technique d'une grosse pièce de charpente pour un pont et (1676) d'autres édifices. ➛ Les autres dérivés, apparus au XIXe s., sont **RACINEAU** n. m. (1803), «petit tuteur de jeunes plants», les noms d'outils, **COUPE-RACINES** n. m. (1832) et **ARRACHE-RACINES** n. m. (1898), composés à l'aide de formes verbales de *arracher* et *couper,* et ② **RACINAGE** n. m., nom collectif pour l'ensemble des racines alimentaires, mot d'usage technique (1869).

◈ voir ARRACHER, ÉRADICATION, RADICAL, RADICELLE, RADICULE, RADIS, RAIFORT.

RACISME, RACISTE → RACE

RACKET n. m. est un emprunt (1930) à l'anglais *racket,* mot probablement onomatopéique, parfois rattaché au gaélique *racaid,* «tapage, raffut» (1565) puis «escroquerie, trafic» (1812), qui a pris à Chicago (1928) le sens emprunté.

♦ Ce mot d'importation américaine désigne une association de malfaiteurs se livrant au chantage et à l'intimidation pour extorquer des fonds. Il s'emploie surtout par métonymie pour une forme d'activité (chantage, extorsion de fonds par violence) exercée par ces malfaiteurs (1938).

▸ De *racket* est dérivé le français **RACKETTER** v. tr. (1961) «soumettre à un racket». ➛ **RACKETTEUR** ou **RACKETTER** n. m., d'abord cité comme mot américain (1930, P. Morand) sous la forme *racketeer,* puis écrit *racketter* (1938) et *racketteur* (1962), est emprunté à l'anglo-américain *racketeer* (1928) dérivé de *racket* et distinct de la formation anglaise *racketer* «personne bruyante», du sens premier de *racket.* Le mot désigne la personne qui extorque des fonds par un racket.

RACLER v. tr., en raison de sa date tardive (1377, *raicler,* puis au XVe s., *racler*) et de l'absence de formes en *s,* paraît d'origine dialectale, méridionale (→ râler). Il serait emprunté à l'ancien provençal *rasclar* (XIIIe s.) «passer la racloire sur une mesure de grains pour faire tomber ce qui s'élève au-dessus du bord», lui-même issu, comme l'italien *raschiare,* d'un latin populaire *°rasclare,* contraction de *°rasiculare,* lequel dérive du latin classique *rasum,* supin de *radere* «raser, gratter» (→ raser).

♦ Le mot signifie «gratter, frotter la surface de (qqch.) pour égaliser, enlever ce qui adhère», sens rare avant la fin du XVe s., et dont procèdent les locutions ***se racler la gorge*** (déb. XXe s.) et, familièrement au figuré, ***racler les fonds de tiroir*** (1936). ➛ Les extensions sont peu importantes et assez tardives : au XVIIe s., *racler* a pris le sens péjoratif de «jouer maladroitement» (on disait déjà, en parlant de musique, ***racler les oreilles,*** 1582), suivi d'un complément désignant l'air exécuté (1648) ou l'instrument utilisé (1623, *racler les boyaux,* les cordes du violon). ➛ L'accent portant plus spécialement sur une caractéristique de l'acte, le verbe signifie aussi «frotter rudement sur», d'abord dans l'expression familière racler (et ***se racler***) ***le gosier*** (1768), puis en général (1839). ➛ À partir de 1845, il est enregistré en arboriculture pour «éclaircir un taillis».

▸ **RACLURE** n. f., attesté une première fois en 1372 puis vers 1460, concerne la petite partie enlevée d'un corps que l'on racle; il a pris un sens figuré péjoratif, «ensemble d'individus du plus bas étage» (1549), selon le même développement que *racaille**. Employé au singulier comme terme d'injure, il semble beaucoup plus récent (1897, L. Bloy). Depuis le XXe s., il est employé au pluriel, familièrement, pour désigner les déchets. ◆ Le nom d'outil **RACLOIR** n. m. est plus tardif (1538), bien qu'une forme féminine **RACLOIRE** ait été employée en moyen français (1329) et subsiste pour désigner la planchette à mesurer le grain (1680). Il se dit en général d'un outil servant à racler et s'utilise dans les langages techniques des mouleurs (1932), mineurs et horlogers (1963); il est employé régionalement pour désigner un décrottoir en fer (1947). ◆ **RACLE** n. f., déverbal de *racler* (1561), ne concurrence le précédent que dans l'usage régional; il s'applique à un heurtoir formé d'un anneau de fer mobile dans un fond (1611). ◆ **RACLEUR, EUSE** n. et adj. désigne d'abord (1576) une personne qui racle, et spécialement qui joue mal d'un instrument à cordes (v. 1660); son emploi technique en parlant d'une chose agissant par raclage est récent, à la fois comme adjectif (1932) et comme nom (1963). ◆ **RACLEMENT** n. m. sert de nom d'action courant (1602, en parlant du fait de racler les cordes d'un instrument) à *racler* et, par métonymie, s'emploie couramment pour le bruit résultant de cette action (*raclements de gorge*, etc.). ◆ **RACLETTE** n. f., formé sur *racle* avec un suffixe diminutif (1788), désigne un racloir de petite taille; par métonymie, il sert à désigner (1896) un plat valaisan confectionné avec du fromage dont on racle la partie ramollie à la flamme, voisin de la fondue. ◆ **RACLÉE** n. f., substantivation du participe passé féminin de *racler* (v. 1792), relève d'un usage populaire puis familier et usuel, au sens de «volée de coups» et, par extension, de «défaite» (1877, Flaubert). ◆ *Racler* est redevenu productif au XIXe s., avec **RACLON** n. m. (1842), employé régionalement pour l'engrais constitué par du gazon pourri et, familièrement, pour les particules d'aliments attachées au fond d'un récipient où ils ont cuit (1875). ◆ **RACLAGE** n. m. (1845) fournit un autre nom d'action, d'usage plus technique que *raclement*, pour désigner l'éclaircissement des taillis d'une forêt et des opérations pratiquées dans l'industrie textile (1875), puis en chirurgie (XXe s.).

◈ voir RACAILLE, RÂLE, RÂLER, RASCASSE.

RACOLER → COL

RACONTER → CONTER

RACORNIR → CORNE

RADAR n. m. est emprunté (1941) à l'anglais d'origine américaine *radar* (1941), contraction de *radio detecting and ranging (system)*, où *ra(dio)* a le même sens et la même origine que l'élément *radio-**, *detecting* est le gérondif de *to detect* (correspondant au français *détecter**), *and* signifie «et», *ranging* est le gérondif de *to range* «repérer», dérivé de *range*, lui-même repris à l'ancien français *range*, déverbal de *ranger** (cf. *rangement*). L'expression signifie «détection et télémétrie par radioélectricité». Les Français, qui furent parmi les pionniers dans le domaine du radar, avaient introduit l'expression *D. E. M., Détection Électro-Magnétique;* c'est toutefois l'acronyme anglo-américain *radar* qui s'est répandu en français et dans plusieurs autres langues.

♦ Le mot se dit d'un appareil de détection. Il est employé seul ou en apposition à un nom (1963, *système radar, écran radar*) et a développé le sens figuré de «ce qui permet de découvrir, de détecter» (1948), relativement usuel dans la locution verbale *naviguer au radar,* surtout pour «se diriger de manière imprécise, presque à l'aveuglette». *Marcher au radar* s'emploie au figuré.

▸ Il a servi à former les dérivés **RADARISTE** n. (1946), là où l'anglais a *radarman,* **RADARISER** v. tr. (1953), rare pour «munir d'un radar», ainsi que **RADARASTRONOMIE** n. f. (1975), d'après l'anglais *radar astronomy* (av. 1966), et **RADARPHOTOGRAPHIE** n. f. (1978), calqué sur l'anglais *radar photography.* ◆ **ANTIRADAR** n. m. et adj. inv. date lui aussi des années 1960.

① **RADE** n. f. est emprunté (1474) au vieil anglais *rád, rade* (anglais *road*) «course», spécialement «course à cheval, course en bateau» d'où, par deux développements métonymiques, «bassin naturel ou artificiel où les bateaux peuvent s'abriter» (v. 1320) et «route» (1596). Le mot, à l'origine de la variante écossaise ayant donné *raid**, se rattache à une racine à structure consonantique *r-dh* «voyager», représentée en celtique par le gaulois °*reda* «chariot», lui-même emprunté par le latin sous la forme *raeda,* en bas latin par *veredus* «cheval léger», mot d'origine gauloise (→ palefroi), et en germanique par le vieil anglais *rad,* anglo-saxon *râd* (d'où le normand *rade* «sentier formé par le passage des piétons dans un champ»), et, du côté des verbes, par l'anglo-saxon *ridan,* l'ancien haut allemand *ritan,* d'où l'anglais *to ride,* l'allemand *reiden* «aller à cheval» (→ redingote, reître).

♦ *Rade* est un anglicisme ancien, également écrit *radde* (1483) qui a conservé le sens d'origine «bassin naturel ou artificiel ayant une issue vers la mer, où les navires trouvent un bon mouillage». ◇ Par l'intermédiaire des locutions employées en marine ***être en petite rade*** «être au mouillage dans la partie de la rade la plus proche du port» (1835), ***être en grande rade*** «être au mouillage dans la partie de la rade la plus éloignée» (1835), il est entré dans la locution figurée d'usage familier ***être en rade*** «être abandonné» (1914, également avec les verbes *laisser, rester*), employée à Nantes avec un autre sens : «faire la noce».

▸ *Rade* a produit deux termes de marine. ◆ **DÉRADER** v. intr. (1529), rare avant 1691, signifie «être emporté loin d'une rade par les courants, le vent». ◆ **RADER** v. tr., d'abord intransitif «se mettre en rade» (1536), est aussi employé transitivement avec le sens correspondant (1762).

② **RADE** → RADEAU

✱ **RADEAU** n. m., d'abord au féminin *radelle* (v. 1355), le masculin *radeau* étant plus tardif (1477), est emprunté à l'ancien provençal *radel* «assemblage de poutres liées de manière à former un plancher» (XIIIe s.). C'est le diminutif de l'ancien provençal *rat,* auquel correspond l'ancien français des Gloses juives *red,* le français classique *rat* (1630) puis *ras* (1678), lequel a perdu son sens général au profit de *radeau.* Ce mot simple est issu du latin *ratis* de même sens, employé en poésie comme substitut de *navis* qui a donné *nef**, souvent considéré comme apparenté à *rarus* «clairsemé, espacé» (→ rare) ou à *rete* «rets, filets» (→ rets) en raison de la construction à claire-voie mais cette hypothèse étymologique est sans preuve. C'est peut-être un mot d'emprunt.

♦ *Radelle* puis *radeau* désigne une plate-forme flottante, et spécialement celle sur laquelle se tiennent les ouvriers réparant les parties inférieures de la coque d'un navire (1866), concurrençant alors le mot simple *ras* (ci-dessus). Par extension, il entre dans *radeau pneumatique, radeau de sauvetage* pour une embarcation de sauvetage pneumatique. ◇ Furetière enregistre aussi l'acception technique de «train de bois transporté par flottage» (1690). ➜ L'argot ancien a employé *radeau* figurément à propos d'un comptoir de café (1849) et, par métonymie, d'un tiroir de comptoir (dès 1837) et de la boutique elle-même (1867); cf. ci-dessous *rade,* ① *radin.*

► **RADELIER** n. m., attesté en français central depuis 1544, semble d'origine dialectale, repris soit de l'ancien lyonnais où il désigne (1513) un marchand de bois de construction, soit de l'ancien provençal qui l'a encore plus tôt (1351) pour «conducteur de radeaux». Le mot, dérivé de *radel,* variante de *radeau,* est technique; il désigne un flotteur de bois, un constructeur de radeaux. ➜ On rencontre aussi **RADELEUR** n. m. (1955) avec le même sens, désignant spécialement l'homme chargé de démarrer et d'amarrer les bateaux à vapeur, et dérivé de *radeler* «accoster le bateau à vapeur avec une barque à fond plat» (Neuchâtel, 1901), «transporter sur un radeau» (Suisse). ➜ Le verbe a aussi donné **RADELAGE** n. m. (1926), postérieur à *raselage* (1724) en français de Suisse.

En français, *radeau,* pris avec son sens argotique ancien, a produit ② **RADE** n. m. (1815), autrefois «boutique», puis «comptoir» (1844, avec hésitation sur le genre), dit également par métonymie d'un bar, et par la suite, d'un bistrot. À la différence de *radeau,* ce mot est resté vivant dans un usage argotique et familier, connotant l'ancien Paris, à côté de *troquet* (plus usuel).

② **RADIN, INE** adj. et n. (1920), antérieurement *redin* (1885) «avare», est souvent considéré comme un emploi adjectivé avec spécialisation de sens de ① **RADIN** n. m. «tiroir-caisse, gousset» (1835), variante argotique de *radeau* (cf. ci-dessus *radeau* et *rade*). Cependant, Wartburg range *radin* «avare» (ainsi que *radiner*) dans la famille de *rature** et *ratisser** (d'un latin °*rasitoria*). Le développement sémantique serait analogue à celui de *rapace** et *rapiat**, le *radin* étant proprement, selon cette hypothèse, celui qui racle les rognures pour ne rien laisser perdre. Il faudrait alors partir du mot régional *radin* attesté dès 1821 (puis en 1859 et en 1867) au sens de «gratin», encore vivant dans les dialectes du Centre *(radin, redin, râdin).* Cette hypothèse rend compte de la forme *redin* pour «avare», la forme moderne ayant pu être inspirée par *rat* et ne pas être liée à *radin* «tiroir-caisse».

RADIAL, ALE, AUX adj. est dérivé (1363, Chauliac) du latin *radius* (→ rai, radius) avec le suffixe *-al.*

♦ Le mot est emprunté en anatomie pour qualifier ce qui appartient, se rapporte au radius humain; il est substantivé au masculin (1690), en concurrence avec le syntagme attesté plus tard *muscle radial* (1869), et au féminin (1805) en concurrence avec *veine radiale* (1875). ➜ Au XVIIe s., il a été reformé comme terme de physique d'après le latin *radius* «rayon», pour qualifier ce qui se rapporte aux rayons (1615). Il caractérise ce qui est disposé, dirigé suivant un rayon (1765), dans *vitesse radiale* (1898), *champ radial* (1963). Avant de pâtir de la concurrence de *rayonné* et de *radié,* il servait à qualifier une couronne surmontée de pointes ou de rayons (1615), sens encore vivant en héraldique et en histoire antique. Cf. *radié.* ➜ Plus récemment, son féminin *radiale* a été substantivé (1941) pour *voie radiale* «grande voie de circulation orientée vers le centre d'une ville».

► Le dérivé de *radial,* **RADIALEMENT** adv. (1876) «en forme de rayons, de branches», s'est mieux implanté dans l'usage courant que **RADIAIREMENT** adv., lui-même dérivé (1897) de **RADIAIRE** adj. et n. (1778), autre dérivé savant du latin *radius,* spécialement employé dans la description en sciences naturelles comme nom d'une ombellifère à bractées en rayons, et comme adjectif qualifiant ce qui est disposé en rayons (1796).

◈ voir IRRADIATION, RADIANT, RADIATION, RADIÉ, RADIEUX, RADIO, RADIUM, RADIUS, RAI, RAYONNE.

RADIAN n. m. est emprunté (1904) à l'anglais *radian* attesté en trigonométrie depuis 1879, dérivé savant du latin *radius* «rayon» (→ rai) avec le suffixe *-an.*

♦ Le mot désigne une unité de mesure d'angle plan équivalant à l'angle qui intercepte, depuis le centre d'un cercle, un arc égal au rayon du cercle. Il désigne aussi la mesure de l'arc de cercle intercepté. ◇ Le *radian par seconde* est une unité de vitesse angulaire, et le *radian par seconde carrée* une unité d'accélération angulaire (1959).

RADIANT, ANTE adj. est emprunté (déb. XIIIe s.) au latin *radians, -antis* «rayonnant, radieux», participe présent adjectivé de *radiare* «envoyer des rayons, rayonner», dérivé de *radius* (→ radius, rai).

♦ Le mot, autrefois employé au sens général de «qui rayonne», a été remplacé par *rayonnant,* qui prend ce sens au début du XIXe siècle. ➜ Dans la seconde moitié du XIXe s., il est passé dans le langage scientifique, qualifiant en astronomie le point du ciel d'où paraissent provenir les météores d'un essaim

(1865), d'où **RADIANT** n. m. (1907), et, en physique, ce qui se propage par radiations (1880).

▶ Son dérivé, **RADIANCE** n. f., a d'abord (1826) le sens figuré d'«état de ce qui rayonne moralement» et le sens physique de «rayonnement, lumière» (1875), encore en usage dans le style littéraire. ◆ Comme *radiant*, il devient (1904) un terme de physique pour désigner le flux lumineux émis par l'unité de surface qui se mesure en lux ou en phots. L'anglais *radiance* (1601) «rayonnement lumineux» est attesté en physique dès 1800.

◈ voir IRRADIATION, RADIAL, RADIATION, RADIÉ, RADIEUX, RADIO, RADIUM, RADIUS, RAI, RAYONNE.

① **RADIATION** n. f. est dérivé savamment (1378) du latin médiéval *radiare* «rayer» (XIVe s.; 1559 dans du Cange), latinisation fautive, par méprise étymologique, du verbe français *rayer*, qui vient de *raie** (le latin *radiare* signifie «rayonner, étinceler»).

♦ Le mot désigne l'action de rayer officiellement qqn d'une liste, d'un compte, d'un écrit, notamment dans *radiation d'un condamné* (1893) «suppression du nom d'une personne d'une liste de condamnés». Le Code civil (1804) utilise *radiation d'inscription hypothécaire*; *radiation d'instance* semble récent (1963, dans les dictionnaires).

▶ *Radiation* a servi à former ① **RADIER** v. tr. (1819) «rayer, supprimer d'une liste, d'un écrit», dont le participe passé ① **RADIÉ, ÉE** est quelquefois employé comme adjectif et comme nom.

◈ voir IRRADIATION, RADIAL, RADIANT, RADIÉ, RADIEUX, RADIO, RADIUM, RADIUS, RAI, RAYONNE.

② **RADIATION** n. f. est emprunté (1448) au latin *radiatio, -onis* «rayonnement, éclat lumineux (du marbre)», dérivé du supin *(radiatum)* de *radiare* «munir de rayons» et «être rayonnant, étinceler» (→ radiant).

♦ Le premier sens, «émission de lumière», a vieilli dans sa généralité, le mot s'étant spécialisé tardivement dans le langage scientifique pour désigner l'ensemble des éléments constitutifs d'une onde qui se transmet dans l'espace, d'abord en médecine (1814), puis en physique (1839), en astronomie (*pression de radiation d'une étoile*, 1955). ◇ À côté de ses emplois scientifiques, où le mot est parfois en concurrence avec *rayonnement**, *radiation* s'emploie volontiers en parapsychologie, à propos d'ondes qui seraient émises par des objets cachés ou des êtres absents et qui permettraient de les déceler, d'en recevoir l'influence. Cf. ci-dessous *radiesthésie*. ◇ En météorologie, il désigne la quantité d'énergie reçue en un lieu donné dans un temps déterminé (XXe s.). En biologie, *radiations évolutives*, «lignes divergentes selon lesquelles évoluent les diverses lignées issues d'un ancêtre commun», correspond à une autre valeur du mot. ◆ Une extension métonymique au sens de «partie d'un four de raffinage utilisant la chaleur radiante» est enregistrée dans les dictionnaires généraux à partir de 1963.

▶ Sur le radical de *radiation*, a été formé **RADIATEUR** n. m., d'abord relevé comme adjectif au sens de «qui peut rayonner» (1877) avant d'être substantivé pour désigner un dispositif augmentant la surface de rayonnement d'un appareil de chauffage ou de refroidissement (1878). ◇ D'abord technique, le mot est entré dans l'usage courant, par une métonymie, pour «appareil de chauffage muni de ce dispositif» (1907) et «organe de refroidissement d'un moteur à explosion» (1897). ◆ Ces deux acceptions sont devenues indépendantes; la première s'applique à des appareils de chauffage différents, du *radiateur de chauffage central* aux divers *radiateurs électriques*. ◆ Sous l'influence de *radiation*, le mot désigne en physique un corps émettant soit de l'énergie sous forme de quanta ou de particules matérielles, soit un rayonnement électromagnétique (1934). ◆ Au sens usuel, *radiateur* a pour composé **CACHE-RADIATEUR** n. m. (1926). ◆ L'autre dérivé de *radiation* est l'adjectif **RADIATIF, IVE** (1928), employé en physique pour ce qui concerne les radiations et l'émission d'un rayonnement gamma (1968, Larousse). ◆ **ANTIRADIATIONS** adj. inv. (v. 1960), de *anti-*, se dit de ce qui protège des radiations, notamment de la radioactivité. Le composé **RADIESTHÉSIE** n. f. (1930), fait avec l'élément *-esthésie* tiré du grec (→ esthétique), concerne la faculté de percevoir des radiations émises par certains corps et la méthode de détection fondée sur celle-ci. Les dérivés **RADIESTHÉSIQUE** adj. et **RADIESTHÉSISTE** n. sont eux aussi en usage.

◈ voir IRRADIATION, RADIAL, RADIANT, RADIÉ, RADIEUX, RADIO, RADIUM, RADIUS, RAI, RAYONNE.

RADICAL, ALE, AUX adj. et n., attesté depuis le XVe s. (v. 1465) et indirectement dès 1314 par le dérivé *radicalement*, est emprunté au bas latin *radicalis* (Augustin) «de la racine, premier, fondamental», dérivé du latin classique *radix* «racine» (→ racine, radis, raifort). La substantivation de *radicalis* en gallo-roman est à l'origine d'un moyen français *racheau* «souche» (XIVe-XVIe s., Orléanais).

♦ *Radical* qualifie ce qui tient à la racine, au principe d'un être, d'une chose, donc ce qui est profond, intense, absolu; il s'est appliqué en ancienne médecine à un fluide imaginaire tenu pour le principe de la vie dans le corps (v. 1500), à une humeur (1526, *radicable*), à l'humidité (1564). Avec la même signification, il s'emploie en philosophie (XVIIe s., Pascal), en chirurgie (1765, *cure radicale*) et en droit (1812, *nullité radicale*), acquérant la valeur générale d'«absolu», qui va se développer par influence de l'anglais (ci-dessous). ◆ Au XVIIe s., on l'applique en botanique à ce qui se rapporte à la racine d'un végétal (1611). Par ailleurs, les grammairiens l'ont repris dans *lettres radicales* (1660) et dans *mot radical* (1690), donnant lieu à la substantivation de **RADICAL** n. m., d'abord pour désigner un mot donnant naissance à plusieurs autres (Dumarsais) puis un élément lexical, opposé à *affixe* (1867). ◆ Depuis le XVIIIe s., *radical* s'emploie aussi en algèbre (1762) et en chimie (1765), comme adjectif (lié aux divers sens spéciaux de *racine*) et substantivé avec des sens correspondants : en algèbre, *un radical* désigne le signe se mettant devant les quantités dont on veut extraire la racine (1798); en chimie, le corps simple qui, dans les acides ou les bases, est

combiné avec un autre corps que l'on regarde comme principe acidifiant ou basifiant (1812).
L'emploi spécialisé de l'adjectif et du nom en politique (1820) est emprunté à l'anglais *radical* adj. (1398), de même origine que le français, qui, à partir du sens de «complet, absolu», a pris la valeur de «qui remonte à la source, aux principes fondamentaux, qui va jusqu'au bout de ses conséquences» (1651). De cet emploi procède l'expression *radical reform* «réforme radicale» (v. 1786), à l'origine du nom donné, d'abord en mauvaise part, aux partisans les plus convaincus de la nécessité d'une réforme démocratique totale parmi les membres du parti libéral (1802). En français, le mot s'est d'abord employé dans un contexte britannique puis s'est acclimaté en France (1831), abrégé plus tard familièrement en *radic* (1881) et, par jeu de mots avec *radis*, en *radi* (1912), formes sorties d'usage. ◇ *Radical* a pris sa place dans la vie politique française comme appellation d'un parti de gauche, libéral, laïque, de plus en plus modéré et réformiste par rapport aux autres partis de gauche (notion récente de *centrisme*), contredisant ainsi l'étymologie. À la fin du XIXe et au XXe s., *radical* se dit pour *radical-socialiste*. ◇ Par américanisme, il est appliqué à celui qui est partisan d'une politique d'extrême-gauche aux États-Unis.

▶ Le plus ancien dérivé de *radical* est **RADICALEMENT** adv. (1314) «complètement», peut-être comme adaptation du latin tardif *radicaliter*. ➜ Une vague de dérivés, au XIXe s., correspond à l'emprunt à l'anglais de termes politiques. ◇ **RADICALISME** n. m. est repris (1820) à l'anglais *radicalism* (1820), d'abord attesté en français comme terme de philosophie anglo-saxonne puis enregistré dans son acception politique britannique (1823, Boiste) et française (20-II-1832). ➜ **RADICALISER** v. tr., déjà proposé en 1845 par Richard de Radonvilliers, a été repris (1899, *se radicaliser;* puis 1913) à l'anglais *to radicalize* v. intr. (1823) et tr. (1830), dérivé de *radical* au sens de «rendre plus extrême». Le français emploie aussi le mot à la forme pronominale *se radicaliser* dans une acception politique et, plus généralement, au sens de «devenir plus intransigeant, se durcir» (1968) ou «plus extrême» (d'une situation). ◇ Sous l'influence de l'anglais *radicalization*, on a dérivé de *radicaliser* **RADICALISATION** n. f. (1929). ➜ À la fin du XIXe s., on a formé les termes politiques **RADICAL-SOCIALISTE** adj. (1881; 1871, *socialiste radical*), abrégé plus tard en **RAD-SOC** (1950, aussi *radic-soc*, 1944) et **RADICAL-SOCIALISME** n. m. (fin XIXe s.). ➜ Un dérivé savant, **RADICALAIRE** adj., a été formé (v. 1960) pour qualifier une réaction chimique dans laquelle interviennent des radicaux libres.

◈ voir ARRACHER, ÉRADICATION, RACINE, RADICULE, RADIS, RAIFORT.

RADICULE n. f. est emprunté comme terme de botanique (1676, *Journal des savants*) au latin *radicula* «petite racine», diminutif de *radix* «racine» (→ racine, radis, raifort).

♦ Le mot sert à désigner la partie de l'embryon qui perce la première l'enveloppe de la graine pour s'enfoncer en terre. ◇ Ni le sens diminutif de «petite racine» (1762) ni le sens encore postérieur de «radis» (1875) ne se sont imposés.

▶ *Radicule* a servi à former les adjectifs **RADICULEUX, EUSE** adj. (1817) «qui a une longue radicule», «qui pousse sur les racines» et, à partir du mot latin, **RADICULAIRE** adj. (1817) «appartenant à la radicule». Celui-ci, en médecine, qualifie ce qui concerne les racines des nerfs crâniens ou rachidiens (1879), et s'emploie dans le terme de pathologie *paralysie radiculaire* (1932). ➜ À partir du latin *radicula* a été formé le terme de pathologie **RADICULITE** n. f. (1923).
Le mot apparenté **RADICELLE** n. f. (1815) est formé sur le latin *radix, icis* avec le suffixe diminutif *-elle*. ◇ Il désigne la ramification secondaire d'une racine.

◈ voir ARRACHER, ÉRADIQUER, RACINE, RADICAL, RAIFORT.

② **RADIÉ, ÉE** adj. est adapté (1679) du latin *radiatus* «muni de rais», «muni de rayons lumineux», d'où «rayonnant» et «irradié», de *radius* (→ radius, rai).

♦ Ce mot didactique qualifie ce qui présente des lignes rayonnant depuis un point central, concurrençant l'adjectif *radiaire**. Le syntagme *couronne radiée* (1690) est traduit du latin *radiata corona* (cf. *radial*). ➜ Le féminin pluriel **RADIÉES** est substantivé (1816) en botanique comme terme de classification d'une famille de plantes comportant des capitules ayant des fleurs tubuleuses au centre et des fleurs ligulées à la périphérie.

◈ voir IRRADIATION, RADIAL, RADIANT, RADIEUX, RADIO, RADIUM, RADIUS, RAI, RAYONNE.

① **RADIER** v. tr. → ① RADIATION

② **RADIER** n. m., depuis 1352, est d'origine incertaine, peut-être du même radical que *radeau**. À l'appui de cette hypothèse, P. Guiraud propose de passer par un bas latin °*ratarium*, dérivé de *rataria* «radeau», lui-même dérivé de *ratis* «assemblage de poutres, de bois flottants» (→ radeau).

♦ *Radier*, d'abord attesté au pluriel avec le sens de «madrier», sorti d'usage, est un mot technique désignant le revêtement qui protège une construction contre le travail des eaux (1684), ainsi qu'un plancher en maçonnerie ou en charpente sur lequel on assoit une construction hydraulique (1684). ➜ Par extension, il a pris le sens de «partie d'une rivière sans profondeur sur laquelle l'eau coule rapidement» (1877, Littré). ➜ Enfin, il désigne la cale d'un navire militaire transporteur de chalands, que l'on peut remplir d'eau (1975).

RADIEUX, EUSE adj. est emprunté (v. 1460), avec adaptation du suffixe, au latin *radiosus* «rayonnant», de *radius* «rayon» (→ radius, rai).

♦ Signifiant comme en latin «brillant», et «lumineux, ensoleillé» en parlant du temps, le mot a pris au XVIIe s. le sens figuré de «rayonnant de joie, de bonheur», caractérisant un visage (1661), une personne (1671) ou une chose abstraite. ➜ Substantivé au masculin (1767), il a désigné un poisson remarquable par les rayons sortant de ses yeux.

▸ L'adverbe dérivé, **RADIEUSEMENT** (1769), est rare au propre comme au figuré.

◈ voir **IRRADIATION, RADIAL, RADIATION, RADIÉ, RADIO, RADIUM, RADIUS, RAI, RAYONNE.**

① et ② **RADIN** → **RADEAU**

◈ **RADINER** v. intr. et pron. est probablement issu (1864) de l'adjectif ancien et dialectal *rade* «rapide, vif, impétueux», issu (XIIe s.) par voie populaire du latin *rapidus* qui a donné *rapide** par voie d'emprunt. Cependant, Wartburg classe *radiner* dans le groupe de *rature** et de *ratisser**, d'un latin °*rasitoria*, le rapprochant des formes dialectales *râdiner* (Centre) «enlever le gratin d'un poêlon» et *radiner* (Chastenay) «frotter l'un sur l'autre deux corps durs pour en obtenir un grincement désagréable»; cette étymologie rendrait également compte de ② *radin** qu'on a aussi expliqué comme un dérivé de ② *rade, radeau** «tiroir». Le développement menant à l'idée d'«arriver» reste toutefois à expliquer.

♦ Ce verbe argotique, puis familier, signifiant «rentrer», «revenir», a été étendu à la notion de «venir» (1865), «aller, arriver» (1876). Il est employé à la forme pronominale *se radiner* (1909).

RADIO- est l'élément tiré du latin *radius* (→ radius, rai) pris au sens de «rayon lumineux». Très productif depuis le dernier tiers du XIXe et surtout au XXe s., cet élément entre dans plus d'une centaine de termes scientifiques (notamment en physique, chimie, médecine) et techniques. Les composés se répartissent selon deux sémantismes, liés aux domaines de la radiophonie et des radiations, en physique.

▸ **RADIOPHONIE** n. f., formé (1880) de *radio-* et de *-phonie**, désigne l'ensemble des procédés et techniques de transmission du son par ondes hertziennes. A. Graham Bell proposa aussi *radiophone* pour remplacer *photophone* (sujet à confusion) et désigner ce qu'il définit comme un «appareil servant à la production du son par une forme quelconque de l'énergie radiante» (1881). ◆ Il a produit **RADIOPHONIQUE** adj. (1880), d'usage plus courant que *radiophonie* et dont est dérivé **RADIOPHONIQUEMENT** adv. (1932). ◆ À partir de *radiophonie*, un nouvel emploi de l'élément *radio-* a permis la création de formations évoquant directement ce moyen de communication.

RADIODIFFUSION n. f. est formé (19 août 1925, *Tribune de Genève*) de l'élément *radio-* tiré de *radiophonie* et de *diffusion**, employé à côté de *transmission*, puis d'*émission*, pour désigner la transmission par ondes hertziennes de programmes sonores variés. ◆ En est dérivé **RADIODIFFUSER** v. tr. (1927), plus courant au participe passé adjectivé **RADIODIFFUSÉ, ÉE.**

Radiodiffusion est couramment abrégé en ① **RADIO** n. f. (1932; 1933 au masculin, Alain) qui l'a remplacé en dehors de l'usage technique, éliminant par ailleurs *T. S. F.*, qui fut usuel avant 1940-1945. *Radio*, dans *ondes radio*, est probablement abrégé de *radioélectrique* (ci-dessous) [→ télégraphie]. ◇ *Radio* connaît plusieurs extensions de nature métonymique, désignant une station émettrice d'émissions en radiophonie, le poste récepteur (av. 1949), puis l'ensemble des programmes transmis par un émetteur. Le mot entre dans de nombreux syntagmes *(radio privée, radio libre)* et noms propres *(radio X)*. Au propre et au figuré, on parle de *silence* radio*. ◇ En composition, il sert à former **RADIOREPORTAGE** n. m. (→ reportage) et **RADIOREPORTER** n., **AUTORADIO** n. m. (1956) [→ automobile] et **RADIOTÉLÉVISION** n. f. (v. 1950) et il a produit **RADIOTEUR** n. m., mot plaisant d'usage stylistique (par ex. chez Galtier-Boissière, 1945), fait par jeu de mots sur *radoteur**, pour «homme de radio». ◆ L'entourage lexical du mot *radio* et son usage ont beaucoup varié selon les contextes historiques. D'abord limité par la fréquence de son concurrent *T. S. F.*, il s'y est substitué entre 1935 et 1950 environ. *Une radio* «un poste récepteur», en passant du poste à lampes, en général fixe et encombrant (à côté des récepteurs à galène) au poste à transistors*, portatif car souvent alimenté par piles, a pris des connotations nouvelles. Le mot désigne aussi un émetteur-récepteur *(la radio du bord)*, notamment dans le cadre de la radiotéléphonie privée *(citizen band)*. Par ailleurs, *la radio*, en français contemporain, est mise sur le même plan que *télé* et *télévision* (mot plus courant que *radiodiffusion*). Dans la reproduction sonore de haute fidélité (chaînes), l'élément radiophonique, souvent transmis par modulation de fréquence, est plutôt appelé *tuner* que *radio*. ◆ En français d'Afrique, *radio-trottoir, radio-cancan*, etc., s'emploient pour «rumeur publique» (cf. *téléphone arabe*).

RADIOTÉLÉPHONE n. m. est formé (1903) de *radio-* tiré de *radiophonie* et de *téléphone** pour l'appareil téléphonique utilisant les ondes électromagnétiques. ◇ **RADIOTÉLÉPHONIE** n. f. est formé (1906) de *radio-* et de *téléphonie* pour «téléphonie sans fil». ◇ Il a pour dérivé **RADIOTÉLÉPHONIQUE** adj. (1907).

Dans le contexte scientifique, *radio-* évoque d'autres types de radiations. ◆ **RADIOACTIF, IVE** adj., formé (1896) de *radio-* et de *actif**, désigne un élément possédant la propriété de se transformer par désintégration en un autre élément, tout en émettant des rayonnements corpusculaires ou électromagnétiques. ◆ Ont été formés à sa suite **RADIOACTIVITÉ** n. f. (1896), avec l'élément *activité**, **RADIOÉLÉMENT** n. m. (1906), avec *élément**, **RADIO-ISOTOPE** n. m. (1947), avec *isotope**, et, sur ce dernier, **RADIO-ISOTOPIQUE** adj. (v. 1950), **RADIOACTIVATION** n. f. (av. 1963). Dans ce contexte, *radio-* sert de premier élément à des composés formés avec le nom d'un corps simple (*radiocarbone*, etc.). ◆ **RADIOSCOPIE** n. f. est formé (1896) de *radio-* et de *-scopie** et signifie «examen que forme, sur un écran fluorescent, un corps traversé par des rayons X». ◆ Le mot a produit **RADIOSCOPIQUE** adj. (1898, la même année que l'anglais *radioscopic*). Il est familièrement abrégé en ② **RADIO** n. f. ou, dans l'argot médical, en *scopie* n. f. *Une radio* correspond aussi à **RADIOGRAPHIE** n. f. (1896), contraction de *radiophotographie* n. f. ou formation savante à l'aide de *-graphie**. Ce composé a donné **RADIOGRAPHIQUE** adj. (1896)

et **RADIOGRAPHIER** v. tr. (1896). ◆ **RADIOTÉLÉGRAPHIE** n. f. (1905) et son dérivé **RADIOTÉLÉGRAPHIQUE** adj. (1905), ce premier apparu après l'anglais *radiotelegraphy* (1898) se rapporte à un procédé de transmission de messages en alphabet morse au moyen d'ondes radioélectriques. ◇ On a formé **RADIOTÉLÉGRAPHISTE** n. (1910), nom d'agent, lui-même abrégé en **RADIO** n. m. ◆ **RADIOÉLECTRIQUE** adj. (1913) a entraîné la création de **RADIOÉLECTRICITÉ** n. f. (1922) et **RADIOÉLECTRICIEN, IENNE** n. (1931). ◆ De très nombreux autres composés sont en usage.

◈ voir ÉLÉMENT, PHARE, RADIOASTRONOME, etc. (art. ASTRO), RADIOCOMMUNICATION (art. COMMUNIQUER), RADIOSONDAGE (art. SONDE), RADIOSONDE (art. SONDE), RADIOSTÉRILISATION (art. STÉRILE), REPORTER, SEXTANT, TAXI.

RADIS n. m. est la réfection (1611) de *radice* (1507), emprunt à l'italien *radice* «racine» (XIVe s.), équivalent de l'ancien français *raïz* (→ raifort), supplanté par *racine**.

♦ Le mot désigne une plante crucifère dont plusieurs variétés sont cultivées pour leurs racines comestibles et, par métonymie, cette racine. Il entre dans quelques syntagmes, tel *radis noir* (1775), employé anciennement au sens figuré de «prêtre» (1878). *Des radis*, absolument, se dit pour *radis roses*. D'autres variétés, plus grosses, sont nommées *raifort**. ◆ Au figuré, ***n'avoir plus un radis*** (1842) signifie «n'avoir plus d'argent», le *radis* symbolisant, comme plusieurs noms de petits fruits et légumes désignant une chose de peu (*nèfles*, etc.), une petite somme insignifiante (cf. *sou*).
◆ Le sens argotique d'«orteil», surtout au pluriel (1907), est une analogie de forme.

◈ voir ARRACHER, ÉRADIQUER, RACINE, RADICAL, RADICELLE, RADICULE, RAIFORT.

RADIUM n. m., attesté le 26 décembre 1898 par M. et P. Curie, ainsi que G. Bémont, dans les *Comptes rendus de l'Académie des Sciences*, est soit issu par changement de suffixe du latin *radius* «rayon» (→ radius, rai), soit, plutôt, de *radio*(actif), avec le suffixe *-ium* des noms de métaux.

♦ Le mot désigne l'élément métallique de numéro atomique 88 découvert en 1898 par P. Curie, M. Curie et G. Bémont dans les résidus barytiques obtenus au cours du traitement de la pechblende, minerai émettant un rayonnement.

▸ *Radium* entre dans les composés **RADIUMTHÉRAPIE** n. f. (1905) «thérapeutique fondée sur l'emploi du radium et, par extension, d'autres corps radioactifs», et **RADIUMBIOLOGIE** n. f. (1923). ◆ **RADON** n. m. (1923), emprunt à l'allemand *Radon* créé par C. Schmidt sur *Radium* par changement de suffixe, désigne l'émanation du radium, découverte en 1908 et d'abord nommée au moyen de la périphrase *émanation du radium*, ainsi qu'en général une émanation radioactive (v. 1960).

◈ voir IRRADIATION, RADIAL, RADIANT, RADIÉ, RADIEUX, RADIO, RADIUS, RAYONNE.

RADIUS n. m. est le doublet savant de *rai**, emprunté (1541, Canappe) au bas latin *radius* «os long formant la partie externe du squelette de l'avant-bras», spécialisation de sens en anatomie, par analogie de forme, du latin classique *radius* «rayon de roue».

♦ Le mot a été repris comme terme d'anatomie. Par analogie de forme, il désigne la troisième nervure de l'aile des insectes (1869), en concurrence avec *nervure radiale*.

◈ voir IRRADIATION, RADIAL, RADIANT, RADIÉ, RADIEUX, RADIO, RADIUM, RAI, RAYONNE.

RADOIRE n. f., d'abord *rastoire* (fin XIe s.), est issu d'un latin populaire °*rasitoria*, nom d'un instrument de bois plat avec lequel les mesureurs de grain et de sel enlevaient le trop-plein des mesures (→ racloire). Le mot est dérivé du latin impérial *rasitare*, fréquentatif de *radere* «raser, gratter» (→ raser) formé sur son supin *rasum*. L'ancienne forme a évolué en *ratoire* (XIIIe s.) puis, avec sonorisation de la dentale, *radouire* (1322), aboutissant à *radouere* (1611), *radoire* (1690).

♦ Le mot, qui a gardé le sens de l'étymon, appartient à un ancien usage technique; sauf dans les dialectes, il a reculé sous la concurrence de *racloire*.

▸ On a tiré de son radical **RADER** v. tr. (1723), ancien mot technique pour «mesurer ras (du sel, des grains)», également employé par les tailleurs de pierre (1875). Le latin avait *radere*, spécialisé à l'époque médiévale pour «araser une mesure de grain» (av. 1166) à partir du sens général de «gratter, enlever en grattant».

RADOTER v. intr. est la réfection, par adjonction de *a* (XIIIe s.), issu du latin *ad-*, préfixe marquant l'aboutissement, de l'ancien français *redoter* «tenir des propos décousus» (v. 1155), indirectement attesté (1080) par le participe passé adjectivé *redoté* «fou, tombé en enfance». Ce verbe est formé du préfixe *re-** et d'un verbe hypothétique issu d'un radical germanique *dot-* attesté par le moyen néerlandais *doten* «rêver, tomber en enfance, être aliéné» (correspondant à l'anglais *to dote*). Une influence du latin *addubitare* «hésiter» (→ doute, douter) n'est pas exclue.

♦ *Radoter* signifie proprement «tenir des propos décousus dénotant un affaiblissement de l'esprit»; par affaiblissement, il s'emploie pour «se répéter sans cesse de façon fastidieuse» (1690), d'où «rabâcher», peut-être par réactivation du sens itératif de *re-*.

▸ En dérivent **RADOTEUR, EUSE** adj. et n. (1536) qui a supplanté *radoteux, euse* (1560) et *radotier, ière* n. et adj.; **RADOTERIE** n. f. (1646), fortement concurrencé par **RADOTAGE** n. m. (1740), aussi usuel que *radoteur*, ainsi que **RADOTANT, ANTE** adj. (1900), tiré du participe présent de *radoter*.

RADOUBER v. tr., d'abord *redauber* (1260) puis *radouber* (1290), est dérivé avec le préfixe *re-** de *adouber** au sens de «réparer, raccommoder».

♦ Le mot signifie «réparer, remettre en état», sens avec lequel il a supplanté *adouber* avant de tomber lui-même en désuétude, sauf emploi archaïque ou régional à partir du XIXe siècle. Il s'est maintenu par une spécialisation technique en marine, «faire des travaux d'entretien ou des réparations de la coque» (déb. XVIe s.), là où on disait auparavant *adouber*. Les développements figurés pour «raccommoder (des personnes), réconcilier» (v. 1500, *se radouber*) et «réparer sa santé, sa fortune» (1798) ont disparu au XIXe siècle. ◇ Deux autres acceptions techniques sont apparues : «traiter à nouveau une matière explosive avariée» (1828) et «refaire les mailles d'un filet de pêche» (1904).

▸ Parmi les dérivés de *radouber*, le substantif d'action **RADOUBEMENT** n. m. (v. 1460) a reculé devant **RADOUBAGE** n. m. (1555), lui-même assez rare au sens de «réparation d'un bateau». Tous les deux ont été supplantés par le déverbal **RADOUB** n. m. (1532), spécialisé dès les premiers emplois, d'abord par métonymie pour «cale où l'on répare les navires», puis (1533) pour «entretien ou réparation de la coque» dans ce qu'on appellera *bassin* ou *forme de radoub*. ◆ **RADOUBEUR** n. m. (1538) a été synonyme de *réparateur* en général ; il s'est dit du raccommodeur de vieux habits (1567), sens disparu. Il s'est en revanche maintenu à propos de l'ouvrier effectuant le radoub d'un bateau (1677).

◈ voir DAUBE.

RADOUCIR → DOUX

RAFALE n. f. résulte (1640) de la contamination de l'italien *ráffica* «brusque coup de vent», lui-même d'un radical expressif *raff-* évoquant un mouvement rapide, et du français *affaler** «être porté par le vent sur la côte sans pouvoir se relever». L'influence de ① *rafle** au sens de «coup de vent» est possible.

♦ Le mot désigne un coup de vent soudain et assez violent. ◇ Par analogie, avec la même idée de coup violent, il est appliqué (1904) à un ensemble de coups tirés rapidement, à intervalles variables, notamment dans l'expression ***en rafale.*** ◇ Il est passé en sports pour désigner la descente des avants groupés au rugby (1931), et dans le domaine des transports pour une succession rapprochée de trains.

▸ Son dérivé **RAFALÉ, ÉE** adj. (1810) est d'abord attesté avec le sens figuré argotique de «qui a subi des revers de fortune», sorti d'usage. Il a qualifié aussi (1845) un navire qui a subi des rafales, avec influence probable d'*affalé*.

RAFFERMIR → FERME

RAFFINER → ② FIN

RAFFOLER → FOU

RAFFUT ou **RAFUT** n. m. est le déverbal (1867) de *raffuter*, verbe attesté dans les patois depuis le XVIIIe s. au sens de «protester, exprimer sa colère, faire du tapage, rosser» (1777, *Dictionnaire roman*). Celui-ci serait dérivé de *rafuster* (1477), aujourd'hui *rafûter* (1845), dérivé de *affûter**, par une extension sémantique menant de «mettre en état» à «faire du bruit» ou peut-être, par antiphrase, de «mettre en état» à «rosser». Cette origine n'étant pas certaine, on a aussi proposé d'y voir le dérivé de *fuster* «battre à coups de bâton», issu, comme *affûter*, de *fût**, anciennement *fust*, «bâton».

♦ Le mot, d'usage familier, est synonyme de *tapage, vacarme*, sur le même plan que *boucan*.

RAFIOT n. m., d'abord *rafiau* (1792), puis *rafiot* (1866), est d'origine obscure. On a émis l'hypothèse d'une parenté avec la racine nordique et germanique représentée dans l'ancien nordique *raptr* «radeau», à l'origine de l'anglais *raft* et de l'ancien haut allemand *ravo*. P. Guiraud préfère voir dans *rafiot* un déverbal de *rafler**, *érafler**, signifiant proprement «copeau» et employé dans l'argot des marins pour une embarcation, par le même type de métaphore que *coquille de noix*.

♦ D'abord employé par les marins méditerranéens pour une embarcation à rames et petite voile, alors écrit *rafiau*, le mot a été adopté par les marins d'autres régions pour «canot le plus léger à bord d'un navire» (1832, J. Lecomte). L'emploi populaire et péjoratif, pour «bateau ne tenant pas la mer, vieux bateau de piètre apparence» semble plus tardif (1866, Delvau).

RAFISTOLER v. tr., attesté une fois en 1649 (dans une mazarinade) et repris au XIXe s., est composé de *re-* et du moyen français *afistoler* «enchanter, séduire par de belles paroles», et «ajuster, parer, bien s'habiller» (XVe s.). Celui-ci est probablement formé sur l'italien *fistola* «flûte», du latin *fistula* «tuyau, flûte» dont la spécialisation médicale a donné *fistule**. L'évolution sémantique, à partir du sens propre de «charmer comme avec une flûte», est comparable à celle de l'ancien français *flageoler* «jouer de la flûte» et ensuite «tromper par des faux-semblants» (→ flageolet). P. Guiraud préfère faire remonter le mot à un bas latin °*fixitare*, altération de °*fixicare* «fixer, arranger», de *fixus* (→ fixe).

♦ Le mot, issu du sens secondaire de *afistoler*, signifie «rajuster, remettre en état», et a pris la valeur de «réparer grossièrement», d'usage familier. Son emploi dans un contexte abstrait ou figuré est attesté depuis le début du XIXe s. (1830, Balzac).

▸ De *rafistoler*, on a tiré les dérivés **RAFISTOLAGE** n. m. (1833) et **RAFISTOLEUR, EUSE** n. (1896), eux aussi familiers.

✳ ① **RAFLE** n. f. est emprunté (XIIIe s., également *rafe*) au moyen haut allemand *raffel*, allemand *Raffel*, «instrument pour racler le feu», dérivé du radical du moyen haut allemand *raffen*, allemand *raffen* «emporter promptement».

♦ Le mot, employé en ancien français avec le sens concret de l'étymon, a développé rapidement des sens métaphoriques et métonymiques : il a désigné la gale (XIIIe-XVIe s.) et d'autres maladies éruptives, encore de nos jours et, régionalement, une maladie éruptive des bovins (1845). ◇ Il désignait aussi un coup de vent violent (1382), sens qui a pu influencer le mot plus récent *rafale**. ◆ En moyen français, il désigne aussi un jeu de dés (1371) et, par métonymie, un coup à ce jeu où chacun des dés amène le même point, ce qui fait gagner la mise (XVIe s.), spécialement dans la locution ***faire rafle*** (1771). ◆ Peut-être le développement métonymique concret de «chose que l'on dépouille promptement» rend-il compte du sens spécial de ② *rafle** «grappe de raisin» (1549), généralement perçu comme un autre mot. ◆ Avec le développement de «chose servant à dépouiller», il désigne un filet servant à prendre les petits poissons ou les petits oiseaux en quantité (1680). ◆ Au sens actif, «action de dérober, de dépouiller rapidement» (XVIe s.), il est rapidement considéré comme le déverbal de son dérivé *rafler*. De nos jours, ce sens a vieilli au profit d'une nuance spéciale, «action d'arrêter des gens en quantité», plus tardive (1867) et devenue la valeur la plus courante du mot, comme méthode policière, et aussi au figuré.

▸ Le dérivé **RAFLER** v. (1573) a d'abord été un terme de jeu, signifiant «mettre comme enjeu au jeu de la rafle» et «faire rafle aux dés» (1771). Au XVIe s., il a pris le sens plus général d'«enlever vivement sans rien laisser», d'usage familier, très répandu en contexte financier. Le verbe a quasiment perdu le sens de «toucher en passant» (1611), relevé exceptionnellement chez Huysmans (1881). ◆ **RAFLEUR, EUSE** n., d'abord «atteint de gale», procédait de *rafle* «gale de la lèpre» (XIIIe s.). Il a été repris comme nom de la machine ramassant le foin dans les prés (1835) et, familièrement, de la personne qui vole qqch., l'emporte promptement (1958).

Le préfixé **ÉRAFLER** v. tr. dont l'ancienneté, sous une forme *arafler* (1394) refaite en *érafler* (1449), soulève un problème chronologique et étymologique, exprime encore l'idée d'«écorcher légèrement en effleurant», d'où, par extension, «abîmer légèrement (un objet) en l'effleurant» (av. 1880). ◆ En est dérivé **ÉRAFLURE** n. f. (1671), lequel a supplanté le plus ancien *éraflade* de même sens (Rabelais), et le nom d'action **ÉRAFLEMENT** n. m. (1811).

② **RAFLE** n. f., d'abord *raffle* (déb. XVe s.) puis *rafle* (1549), est d'origine incertaine, peut-être la même que ① *rafle* par allusion à l'égrappage dépouillant promptement une grappe de ses grains.

♦ Le mot désigne l'ensemble du pédoncule et des pédicelles d'une grappe (de raisin, de groseille). Par analogie, il s'emploie pour l'axe renflé de l'épi de maïs femelle (1845) et de la partie centrale d'un régime de noix de palme.

RAFRAÎCHIR → FRAIS

RAGAILLARDIR → GAILLARD

RAGE n. f. est issu (1080), comme ses correspondants romans, d'un latin populaire *rabia* attesté dans les Gloses, altération du latin classique *rabies* «maladie du chien, transmissible à l'homme» d'où, au figuré, «transport de fureur», par allusion à l'un des symptômes de la maladie. *Rabies* est dérivé de *rabere* «être enragé», dont le vocalisme en *a* correspond à une origine populaire et qui a été rapproché avec vraisemblance du sanskrit *rábhaḥ* «impétuosité, violence», *rabhasáḥ* «impétueux». Le latin reposerait sur un radical *°r°bh-* et ce rapprochement, limité au sanskrit, permet d'écarter l'hypothèse d'un rapport avec le grec *labros* «violent». L'existence antérieure du verbe *rabere* exclut l'idée d'un emprunt à un nom de maladie méditerranéenne.

♦ *Rage* est d'abord attesté avec le sens figuré d'«accès de fureur agressive», réalisé dans *de rage* (v. 1155) et dans ***en rage*** (cf. *enrager*). ◇ Par affaiblissement, le mot désigne une passion démesurée, à laquelle on ne peut résister, un désir forcené de faire une chose (v. 1130); de ce sens procèdent d'une part la locution ***faire rage***, appliquée à une chose (fin XIIe s.), autrefois également à une personne (1379), et de l'autre, l'ancienne expression *à la rage* «d'une façon excessive» (1718). Un ancien emploi mettant l'accent sur la notion de «douleur physique» a disparu sauf dans ***rage de dents*** (1549, Estienne). ◆ La spécialisation médicale du mot à propos d'une maladie virulente transmise à l'homme par certains animaux (1288) est d'abord réalisée par un type *rabe* qui semble indiquer un réemprunt sémantique au latin. Ce sens, resté courant, donne lieu à des locutions et proverbes.

▸ L'essentiel de la dérivation procède des sens figurés de *rage*, si l'on excepte **PASSERAGE** n. f. (1549), nom d'une plante qui a servi de remède contre la rage. ◆ Le dérivé **RAGER** v. intr., dont l'ancienne forme *ragier* (v. 1155) a fait plus tard place à *rager* (déb. XVIIIe s., Saint-Simon), signifie «manifester un vif dépit». En ancien français, il semble avoir surtout été usité avec le sens dérivé de «folâtrer, s'agiter» (fin XIIe s.) dans lequel l'accent portait sur l'idée de mouvement; ce sens a disparu avant l'époque classique et *rager* correspond, comme intransitif, au factitif *faire enrager* (ci-dessous). ◆ Son dérivé **RAGEUR, EUSE** adj. et n. (XVIe s.) a lui aussi perdu le sens de «folâtre» et s'est fixé d'après *rage* et *rager* au sens de «hargneux» (1832). Par métonymie, il s'applique à une chose dénotant un vif sentiment de colère (1836) et, par extension, à un son évoquant, par sa violence, les manifestations extérieures d'un accès de rage (av. 1918). ◇ Du féminin est issu **RAGEUSEMENT** adv. (1837). ◆ Le participe présent de *rager*, **RAGEANT, ANTE**, est adjectivé familièrement pour ce qui met en rage, provoque le dépit (1949).

ENRAGER v., autre dérivé de *rage* attesté dès le XIIe s., a supplanté le synonyme préfixé en *a-*, *aragier* (v. 1155), *arager*, dont le participe présent adjectivé, *arageant*, se rencontre jusqu'au XVIe siècle. *Enrager* est surtout employé pour «éprouver un vif sentiment de dépit» (v. 1165), notamment dans ***faire enrager***, la valeur intransitive ayant vieilli au profit de *rager*. En relation avec le développement sémantique de *rage*, le verbe a pris le sens affaibli d'«éprouver un violent état de désir», puis d'«avoir une forte envie de»; ces acceptions ont disparu. La construction transitive (1870), le plus souvent avec la valeur d'«exciter sexuellement», doit procéder de *enragé*. ◆ Le sens propre, «avoir la rage», a lui aussi disparu et n'est plus guère réalisé que par le participe passé adjectivé. ◆ **ENRAGÉ, ÉE** (XIIIe s.) continue d'être employé au sens figuré de «passionné, frénétique» (1546, *amour enragé*), spécialement dans diverses acceptions historiques, désignant, lorsqu'il est substantivé, les ultra-révolutionnaires de 1793-1799 et les étudiants ultra-révolutionnaires de mai 1968. Il ne s'emploie plus guère à propos d'une chose (1552). Le sens propre, «atteint de la rage», est resté en usage, notamment dans *chien enragé*, qui s'emploie aussi au figuré. ➛ *Enrager* a produit **ENRAGEMENT** n. m. (v. 1350), qui désignait autrefois l'état de la personne en colère, à côté de *enragerie* n. f. dialectal. ➛ Le participe présent **ENRAGEANT, ANTE** se rencontre depuis 1690 en emploi adjectivé et ne s'emploie qu'au figuré pour «qui met en rage, rend furieux». ➛ **DÉRAGER** v. intr., l'autre dérivé verbal de *rage*, plus tardif (1870) et plus rare, est employé dans un style littéraire au sens de «sortir de sa colère», généralement dans une phrase négative.

◈ voir **RABIQUE**.

RAGLAN n. m. et adj. inv. est emprunté (v. 1855) à l'anglais *raglan* (seulement attesté en 1863 dans le premier supplément de l'*Oxford Dictionary*), du nom de Lord Fitzroy James Henry Somerset, baron *Raglan* (1788-1855), feld-maréchal anglais qui fut commandant en chef de l'armée anglaise pendant la guerre de Crimée et mourut à Sébastopol. Le vêtement fut dénommé en son honneur, par allusion à celui que portaient ses troupes.

♦ Le mot s'est d'abord employé comme nom pour un ample manteau de voyage à pèlerine pour homme, à la mode sous le Second Empire. ◇ Il a été repris vers la fin du XIXe s. au sens de «pardessus assez ample à emmanchures coupées en biais remontant en pointe sous le col» (1904, Larousse). L'accent portant désormais sur la coupe des emmanchures, le mot est employé adjectivement pour qualifier des manches du même type (1915, *manches raglan*), et le manteau qui en comporte (1933).

RAGONDIN n. m. (1869), d'abord écrit *rat gondin* (1867, Laboulaye), à côté d'une forme *raconda*, est d'origine obscure. Le mot a été précédé par *raconde* (1846, d'Orbigny, qui le donne comme ancien ; art. *Myopotame*) ; le passage de *raconde* à °*racondin, ragondin* (*rat-gondin* par étymologie populaire) n'est pas clair. *Raconde* pourrait être apparenté à l'anglais *racoon*, mot d'origine algonquine, qui désigne un autre animal.

♦ Le mot désigne un petit mammifère d'Amérique du Sud *(myocastor coypus)* à la fourrure estimée ; par métonymie, il sert, en concurrence avec d'autres mots, à désigner la fourrure de cet animal et de certains autres rongeurs d'Amérique du Sud (1904).

① **RAGOT, OTE** n. m. et adj., attesté à la fin du XIVe s. (1392), est d'origine obscure : Wartburg le rattache à un radical onomatopéique *rag-* évoquant une voix criarde, comme dans le bas latin *ragire* «braire, grogner, pousser des cris» (→ railler), et Guiraud au latin *radere* «gratter, enlever en grattant» (→ raser) avec l'idée d'une «chose rognée, émoussée».

♦ Le mot s'est d'abord dit d'un cochon de lait (encore dans quelques patois) avant de servir à désigner un jeune sanglier mâle de moins de trois ans (1655). Par analogie de forme ou, si l'on suit Guiraud, avec un développement de l'idée de «chose raccourcie», il signifie en moyen français «arbre rabougri» (1489), avec des sens voisins vivants dans les parlers régionaux. Un processus analogue conduit pour l'adjectif (1609) à la valeur de «petit et court, râblé», à propos des personnes, d'où un emploi substantif. Cette acception (1660) se rencontre encore au XXe s. (Pourrat, Mauriac) comme témoignage littéraire d'emplois régionaux, mais elle est archaïque en français central. ➛ Le mot est passé dans le vocabulaire du manège, anciennement pour désigner un mauvais cheval (1675), puis comme adjectif pour qualifier (1680) et comme nom désigner (1835) un cheval de taille ramassée, au cou très court.

▸ Le dérivé **RAGOTER** v. intr., probablement apparu en moyen français, un ancien dérivé *ragote* «propos offensant» étant attesté dès 1409, n'est usuel qu'à partir du XVIIe s. (1640). Il signifie «tenir des propos malveillants», sens qui procède d'une extension figurée de «grogner comme un ragot, un sanglier» (1690). Ce verbe a vieilli, puis disparu, à la différence du déverbal ② **RAGOT** n. m. (1767) qui a pris la suite du type féminin *ragote* et désigne un propos malveillant sans fondement, surtout au pluriel. Isolé par la disparition de *ragoter*, le nom est resté vivant. ➛ Le dérivé **RAGOTIN** n. m., «homme petit et contrefait», est l'emploi comme nom commun (1794) de *Ragotin*, nom propre d'un personnage du *Roman comique* de Scarron (1651), lui-même dérivé de *ragot*, appliqué aux personnes.

RAGOÛT et dérivés → **GOÛT**

RAGTIME ou **RAG-TIME** n. m. est emprunté (1913) à l'anglo-américain *rag-time, ragtime* (1897), proprement «temps *(time)* en haillons» pour désigner une musique syncopée et rapide des Noirs américains, consistant en marches qui adaptaient des airs populaires et des danses d'origine européenne, à la fin du XIXe siècle. Le premier élément du mot est l'anglais *rag* «chiffon, haillon, loque» (XIVe s.), et au figuré «petite chose sans importance» (XVIe s.), du moyen anglais *ragge*, lequel est probablement le dérivé régressif de *ragged* «éreinté», «accidenté, rugueux» (XIIIe s.), «en lambeaux» (XIVe s.), correspondant à l'ancien nordique *rǫggvar* «en touffe». Le second élément, *time* «temps», du vieil anglais *tima*, a un correspondant dans l'ancien nordique *tími* «temps, bon temps, prospérité». Il remonte à un germanique °*timon*, formé de °*ti-* «étirement» et de l'élément *-mon-*.

♦ Le mot est passé en français comme nom d'une forme de musique apparue à la fin du XIXe s. dans les communautés noires des États-Unis, issu des orchestres de cuivres d'origine européenne (musiques militaires ou de parade), *rag* correspondant à la «déchirure» du rythme par syncope. C'est l'une des sources du jazz, essentielle sur le plan instrumental.

✳ **RAI** ou **RAIS** n. m. est issu (v. 1119) du latin *radius* «baguette pointue», «rayon lumineux (ordinairement représenté sous la forme d'une lance à pointe aiguë)» et «rayon de roue», mot d'origine incertaine dont un emploi spécial a donné le doublet savant *radius**.

♦ Le mot, souvent écrit *rais* (v. 1380), désigne un faisceau partant d'une source lumineuse. Concurrencé, puis éliminé par son dérivé *rayon* (ci-dessous), il est d'emploi poétique et archaïsant, toutefois repris par la prose contemporaine, surtout pour évoquer un faisceau se détachant sur un fond sombre, souvent dans *un rai de lumière*. ➛ Depuis le XIIIe s., il désigne le rayon d'une roue de bois (1200-1220) et, en héraldique, le rayon des étoiles d'une roue (1681), sens où il a été éliminé par *rayon*. ◇ Au XVIIe s., en architecture, il entre dans l'expression ***rai de cœur*** (1676) pour un ornement de moulure formé de feuilles aiguës en forme de cœur alternant avec des fers de lance.

▶ *Rai* est moins vivant que ses deux dérivés dont la forme témoigne probablement de l'influence de *rayer*, dérivé de *raie** et peut-être aussi de l'ancien français *reille* «barre» (cf. *rail*). ➛ **RAYON** n. m. (1474, *reon du soleil*), à ne pas confondre avec ② *rayon** (de miel), a supplanté *rai* au sens de «jet de lumière». Il est employé spécialement en optique pour la matérialisation du trajet des ondes lumineuses (av. 1650), *rayon visuel* désignant la ligne idéale joignant un point à l'œil et le rayon lumineux qui impressionne l'œil (1677). Par analogie, *rayon* désigne un phénomène physique semblable aux rayons de la lumière (1753, *Encyclopédie*), valeur où *rayonnement* (ci-dessous) et ② *radiation* le concurrencent. Le mot sert à former de nombreux syntagmes en physique : *rayons calorifiques*, 1803 ; *ultra-violets*, 1858 ; *infrarouges*, 1869 ; *cathodiques*, 1892 ; *rayons X* (1896, de l'allemand *X Strahlen*), *rayons alpha, bêta, gamma* (α, β, γ, 1903, P. Curie), *rayons delta, rayons cathodiques, rayons positifs, rayons canaux* (tous attestés en 1904), *rayons cosmiques* (1923). C'est également avec ce sens de base que *rayon* est employé dans *rayon vert*, attesté fin XVIIIe s. dans un autre sens, et qui désigne la coloration d'un vert limpide se produisant à l'endroit où le soleil vient de disparaître à l'horizon (sens attesté au XIXe s. : 1882, titre d'un roman de Jules Verne). ➛ Une extension figurée, au sens de «ce qui éclaire, apporte le bonheur, la connaissance», participant du symbolisme positif de la lumière, est attestée depuis le XVIe s., et appliquée aux yeux et au regard dans la rhétorique amoureuse (1549, Ronsard). ➛ À partir de 1538, *rayon* est aussi employé au sens concret, repris du latin, de «bâton allant du moyeu aux jantes (d'une roue)». Dans cette acception aussi, il concurrence *rai*. Par analogie, il désigne chacun des éléments qui divergent à partir d'un centre (XVIIIe s.), en botanique (1765) et en zoologie (1777) où il s'applique à des pièces dures formant la charpente de la nageoire des poissons. ➛ En géométrie, *rayon* (1634, Mersenne) désigne le demi-diamètre d'un cercle, et par extension un segment joignant un point fixe à un point quelconque d'une courbe, sens spécialisé en technique, notamment dans ***rayon de braquage*** (1932). ➛ Par métonymie, on passe au sens de «distance mesurée à partir d'un point d'origine» (1835), spécialement dans la locution courante ***dans un rayon de***, et dans ***rayon d'action*** (1910), passée du domaine de l'aviation à l'usage courant pour «zone d'activité».

Rayon a aussi produit **RAYONNER** v. (1549) «répandre de la lumière», employé en construction transitive dans un style littéraire. Le verbe a pris plus tard le sens figuré de «se répandre comme une lumière» (v. 1880), et en sciences l'acception analogique de «se propager par rayonnement» (v. 1850). ◇ En relation avec le sens concret de *rayon*, il signifie «être disposé en rayons» (1760), d'où, par extension, «se répandre dans toutes les directions», spécialement d'après le sens abstrait de *rayon* : «se déplacer dans un certain rayon» (v. 1950). ➛ *Rayonner* a donné à son tour plusieurs dérivés. **RAYONNEMENT** n. m. (1558) désigne l'action d'émettre des rayons lumineux, évoluant en fonction des connaissances physiques, parallèlement au mot *rayon*, et devenant concurrent de *radiation**. Le concept s'élargit spécialement en «mode de propagation de la chaleur» (1827), puis «mode de propagation de l'énergie» (par ex. *rayonnement noir*, 1900). ➛ À l'époque romantique, le mot a développé un sens figuré : «éclat sur le visage d'une personne sous l'impression d'un vif sentiment de bonheur» (1832, Hugo). ➛ **RAYONNANT, ANTE**, le participe présent de *rayonner*, est adjectivé au sens propre de «disposé en rayons» (1511), dont procèdent des spécialisations en héraldique et en histoire de l'art, à propos du style gothique de la seconde moitié du XIIIe et du XIVe s., dans ***gothique rayonnant***, et, moins souvent, *style, art rayonnant* (fin XIXe s.). ➛ Le mot a pris le sens plus actif de «qui émet des rayons lumineux», autrefois en physique (1821), aujourd'hui en emploi littéraire. ◇ En revanche, la valeur figurée correspondante (XVIIe s., Mme de Sévigné), plus imagée que pour *radieux*, est devenue courante, spécialement dans *rayonnant de*, suivi du nom de la cause (1680). ➛ **RAYONNÉ, ÉE**, le participe passé de *rayonner*, a été adjectivé plus tard (1765), qualifiant ce qui est disposé en rayons, ou orné de rayons (1842), et une coquille dont la surface est parsemée de stries rayonnantes (1845). ◇ Son pluriel masculin **RAYONNÉS** a été substantivé pour fournir le nom d'une ancienne division du règne animal comprenant les animaux sans vertèbres dont les organes sont disposés en rayons autour d'un centre (1842). ➛ **RAYONNEUR** n. m., formé sur le radical du verbe avec un suffixe d'agent (1842), désigne un dispositif agricole. ➛ Au XXe s., *rayon* a aussi produit **RAYONNISME** n. m. (1913) et **RAYONNISTE** adj. (1913), termes d'histoire de l'art traduisant le russe *loutchizm*, de *loutch* «lumière» et «rayon», mot dont la racine est la même que celle du latin *lux* (→ lucifer). Ces mots sont appliqués à une école de peinture issue du futurisme, développée à partir de 1912 en Russie, notamment par Larionov et Gontcharova, et caractérisée par l'utilisation de rayons de couleur.

L'autre dérivé de *rai* est le verbe **ENRAYER** v. tr. (1546) «entraver le mouvement d'une roue en agissant sur les rayons». En procèdent le sens figuré de «retenir (qqn)» (mil. XVIe s.), le sens abstrait «arrêter (une chose en cours de réalisation)» (1611), et, plus tard, le sens concret spécial : «empêcher accidentellement (une arme, un mécanisme) de fonctionner» (fin XIXe s.), souvent au pronominal *(le pistolet s'est enrayé).* ➙ En 1680, le verbe est enregistré avec un autre sens, seulement technique, «monter (une roue) en mettant les rayons dans les mortaises du moyeu et de la jante». ➙ Il a produit plusieurs dérivés. Le plus ancien, **ENRAYOIR** n. m. «sabot permettant d'arrêter une roue» (fin XVIe s.), est sorti d'usage en même temps que le sens propre du verbe. ➙ **ENRAYURE** n. f., d'abord *enrayeure* (1676), est un mot technique désignant l'assemblage de pièces de bois rayonnant autour d'un centre. ➙ Le préfixé **DÉSENRAYER** v. tr. (1694) a eu le sens d'«ôter la chaîne bloquant une roue», et se dit aujourd'hui (fin XIXe s.) pour «réparer (une arme enrayée)». ➙ Le nom d'action **ENRAYAGE** n. m. (1826) est isolé avec le sens d'«action d'entraver une roue»; il se dit spécialement de l'arrêt momentané et occasionnel d'une arme à feu (1932). L'autre nom d'action, **ENRAIEMENT** ou **ENRAYEMENT** n. m. (1808), ne désigne plus l'action d'entraver une roue de véhicule mais, au figuré, l'action d'entraver un processus dangereux (1870).

◈ voir IRRADIATION, RADIAL, RADIAN, RADIANT, RADIÉ, RADIEUX, RADIO, RADIUM, RADIUS, RAYONNE.

RAID n. m. est emprunté (1864) à l'anglais *raid* (1425), variante écossaise du vieil anglais *rád* (aujourd'hui *road* «route»), proprement «action de parcourir à cheval» d'où, par spécialisation, «incursion, irruption en vue de piller» (→ rade).

♦ Le mot désigne une opération militaire rapide pour une mission déterminée, évoquant surtout, dans les emplois les plus anciens, une marche de manœuvre. Il se dit spécialement d'une opération aérienne en territoire éloigné par une formation de bombardement (1915). ◇ Par analogie, il s'applique à une épreuve sportive destinée à mettre en valeur l'endurance des hommes, la résistance du matériel (1885, d'abord dans un contexte militaire).

◈ **RAIDE** adj. et adv., d'abord *roide* (v. 1160), puis *raide* (v. 1190), est la forme féminine de l'ancien adjectif *reit, roit* (fin XIe-déb. XIIe s.). Celui-ci est issu par évolution phonétique du latin *rigidus* «dur», au figuré «inflexible» (→ rigide). En français, la graphie du mot est restée hésitante jusqu'à l'époque classique où l'on écrit encore couramment *roide, roidement, roideur, roidir. Raide* s'est généralisé au XVIIIe et au XIXe s., mais *roide* subsiste encore, surtout à titre de survivance graphique, et assume quelquefois dans l'usage écrit, notamment littéraire, une valeur intensive stylistique.

♦ Le mot qualifie d'abord concrètement un objet qui ne se laisse pas plier, puis une personne qui se tient très droite (v. 1125), est dénuée de souplesse (v. 1165, «qui n'a plus la souplesse de la vie»). Il caractérisait aussi, avec une notion secondaire de mouvement, une chose se déplaçant violemment et rapidement, selon une trajectoire tendue (v. 1175); cette valeur s'est conservée par l'adverbe (ci-dessous). ◇ Avec une idée de développement spatial n'impliquant plus nécessairement le mouvement, il qualifie une pente fortement inclinée (XIIIe s.), sens encore vivant. ➙ L'apparition des valeurs abstraites est beaucoup plus étalée dans le temps : *raide* qualifie (fin XIIe s.) une personne qui se refuse aux compromis, sens qui régresse au XVIIIe s. partiellement en faveur de *rigide*, mais se maintient dans le style littéraire et dans la locution usuelle ***raide comme la justice*** (1867) «affectant un maintien très digne». À partir du XVIIIe s., *raide* qualifie aussi ce qui manque de grâce, d'abandon, de spontanéité (1759, Diderot). Puis, il se dit familièrement pour «dur à supporter, à croire, à accepter» (v. 1850). Une autre valeur familière, «dénué d'argent» (1880), fait peut-être allusion à une personne allongée sans mouvement, *raide morte*, ou à la raideur de la démarche d'un ivrogne. L'adjectif a pris le sens spécial de «complètement ivre» (1859) et, dans l'argot militaire, celui de «malade» : ***se faire porter raide.*** Les premiers emplois adverbiaux de *roit, raide* remontent au XIIIe s., avec le sens figuré de «rudement, fermement» (v. 1250, *roit;* v. 1559, *raide*). Le sens temporel de «tout à coup, rapidement» (fin XIVe s., *roit;* XVe s., *raide*) est réalisé dans la locution usuelle ***tomber raide mort*** (1580) où le mot continue de s'accorder comme un adjectif. ➙ *Raide* signifie aussi «avec force, impétuosité» (1636); cette acception est sortie d'usage (après le XVIIIe s.) comme celle de l'adjectif qui lui correspondait, mais il en reste une trace dans la locution familière ***raide comme balle*** «sans hésitation» (1833). Puis *raide* signifie «de façon brutale, brusque» (1888) et, d'après un sens de l'adjectif *(pente raide),* «avec une grande déclivité».

▸ Pour la plupart des dérivés, l'ancienne grahie en *-oi-* est sortie d'usage. ➙ **RAIDEMENT** adv., de sens propre et surtout figuré, a supplanté (XVIe s.) *reddement* (v. 1160), *roidement.* ➙ **RAIDEUR** n. f. (v. 1320) a succédé à *reddur* (v. 1170), *roidor* (fin XIIe s.), *roideur* (v. 1220). Il a d'abord désigné, au figuré, la qualité d'une personne qui s'en tient à ses principes, à sa ligne de conduite, sens aujourd'hui marqué. En ancien français, il a développé l'acception concrète de «manque de souplesse», en parlant d'une chose (v. 1190), puis d'une personne (XIIIe s.). Le sens de «rapidité, violence d'un mouvement» (XIIIe s.) a disparu après le XVIIe siècle. Le mot désigne spécialement la forte déclivité d'une pente (1487). En mécanique, *raideur d'un ressort* désigne le quotient de la force agissant sur un ressort par l'allongement ou le raccourcissement qu'il subit. ➙ **RAIDIR** v. tr. existe lui aussi sous la forme *roidir* (XIIe s.) puis *redir* (v. 1212) avant *raidir* (XVIe s.). Il signifie «tendre fortement (un objet, spécialement son propre corps, un membre)». À partir de 1580 (Montaigne), il se dit figurément pour «affermir sa volonté ou une partie de soi-même dans un effort de résistance», puis «contribuer à fortifier (qqn) dans son attitude obstinée ou intransigeante» (fin XVIIe s.); ces emplois sont devenus littéraires. ➙ Parallèlement à l'évolution de *raide* et de *raideur*, le verbe s'emploie concrètement (1690) pour «rendre raide, immobiliser une partie du corps en en paralysant les mouvements». Une acception culinaire, «passer vivement (un aliment) dans le beurre ou un corps gras brûlant» (1938), demeure propre aux professionnels. ➙ Le verbe est également employé en construction intransitive (v. 1398) et à la forme pronominale *se raidir* (1538) pour «devenir ferme moralement» puis, concrètement, «devenir raide» (1549), et spécialement «bander ses muscles» (av. 1573). Ultérieurement, *se raidir* s'applique à une chose qui prend un caractère dogmatique, intangible (1885, Zola). ➛ *Raidir* a produit **RAIDISSEMENT** n. m. (1547, *roydissement*) qui a également développé une valeur figurée (attestée XXe s.), **RAIDISSAGE** n. m. (1876) et **RAIDISSEUR** n. m. (1875) d'usage technique.

RAIDILLON n. m., d'abord *roidillon* (1762), forme encore attestée par Littré (1869) à côté de la forme actuelle, est dérivé isolément de *raide* au sens concret de «petit chemin en pente raide».

① **RAIE** n. f. est emprunté (1155) au latin *raia* de même sens (Pline), mot sans étymologie établie.

♦ Le mot désigne un grand poisson plat et, par métonymie, sa chair comestible (v. 1398), notamment dans les noms de préparations culinaires comme ***raie au beurre noir.***

▶ Nombre de tentatives ont été faites pour en dériver un diminutif. C'est le premier, **RAITON** n. m. (1771), réfection d'une forme normande *rayton* (1553), qui s'est conservé, refait graphiquement en **RAJETON** (1904), d'ailleurs d'emploi exceptionnel. *Rayon* (1781), *ratillon* (1781) et *raiteau* (1845) puis *raieteau* (1869), n'ont pas vécu.

♦› ② **RAIE** n. f., d'abord *reie* (déb. XIIe s.) et *roie* (v. 1155), puis *raie* (v. 1360), remonte à un latin médiéval °*riga* (VIIe s., chez un écrivain né en Angleterre), lequel représenterait un gaulois °*rica* «ligne, sillon», postulé d'après l'ancien irlandais *rech*, le gallois *rhych* et l'ancien breton *rec*, et répandu dans toute l'aire gallo-romane.

♦ Le mot désigne d'abord le sillon, la tranchée ouverte dans la terre par le soc de la charrue, sens vivace dans les parlers gallo-romans, par exemple l'ancien provençal *rega* «sillon». Par spécialisation, *raie* s'applique à la ligne séparant deux sillons d'une terre retournée à la charrue, et à la dernière ligne ou tranchée ouverte par le soc et limitant la partie labourée d'un champ (1690). ➛ Cependant, dès le XIIe s., *raie* désigne une ligne tracée ou creusée (v. 1175), et des possibilités de croisement avec *rai* sont manifestes, les deux mots concernant une ligne droite. À partir du XIIIe s., le mot désigne spécialement une bande ou ligne de couleur sur une étoffe, un papier (1266), un sillon peu profond sur le corps (XIIIe s.), surtout dans des expressions du type *raie du dos, la raie des fesses*, etc. Il s'applique en particulier et couramment à la séparation rectiligne des cheveux qui laisse voir la peau du crâne. Ultérieurement, il désigne la bande caractéristique qui se trouve sur la livrée de certains animaux (1770), cette acception produisant des composés formés avec *de* et le nom de l'animal en question (1869, *raie de mulet*). ➛ Le mot a été repris en physique pour désigner la bande fine de largeur variable qui, dans un spectre, caractérise un rayonnement de fréquence donnée ou correspond à un corps déterminé (1861), sens souvent explicité en *raie spectrale*, et entrant dans des syntagmes en spectrographie comme *raies d'émission, d'absorption, raies de Fraunhofer* (expression observée en 1882, Fraunhofer étant mort en 1826).

▶ **RAYER** v. tr., dérivé de *raie*, est d'abord attesté sous l'ancienne forme de participe passé *roié* (XIIe s.), puis *rayé*, de loin plus fréquente que les autres formes verbales et l'infinitif. Le verbe signifie «marquer (une surface) d'une ou plusieurs raies», d'où «constituer une raie, un sillon» (1283). ◇ Sa spécialisation pour «biffer, raturer» est attestée au XIIIe s. (1266). Ultérieurement, le mot se rapporte au fait d'abîmer un objet en y creusant des raies (1694), au XXe s. un disque phonographique. ➛ Des trois noms dérivés de *rayer*, **RAYURE** n. f., réfection de *roiure*, est le premier (XIVe s.) et le plus usité : il s'est appliqué à l'état d'une étoffe présentant des malfaçons (1372), puis à l'action de biffer, à une rature (1530, *rayure*) ; il a développé ses sens modernes au XVIIe s. : à partir du sens de «manière dont une étoffe est rayée», il a pris par métonymie la valeur de «partie d'une surface rayée» (1690), en particulier, surtout au pluriel «bande se détachant sur un fond de couleur différente» (1690). ◇ Il désigne spécialement chaque rainure hélicoïdale pratiquée à l'intérieur du canon d'une arme à feu (1680) et, par extension, toute trace allongée laissée sur une surface par un corps rugueux, pointu ou coupant (1829). ➛ L'autre nom tiré de *rayer*, **RAYEMENT** n. m. (XVIe s.), est quasiment sorti d'usage au profit de **RAYAGE** n. m. (1868), qui désigne à la fois l'action de rayer, l'état de ce qui est rayé et, en technique, l'opération consistant à pratiquer des rayures dans le canon d'une arme à feu. ➛ Quant à **RAYÉ, ÉE**, adjectivé, il est employé dans tous les sens du verbe, avec des valeurs plus précises dans certains contextes, comme *canon rayé*, opposé à *lisse* (voir ci-dessus *rayure*) ou *disque rayé* (voir *rayer*).

RAIFORT n. m. est composé en moyen français (XVe s.) de l'ancien substantif *raïz* (v. 1155) «racine», employé spécialement pour le raifort (mil. XIIe-XIIIe s.), et représentant l'aboutissement phonétique du latin *radix* «racine» (→ radis) et de l'adjectif *fort**. *Raïz* a été supplanté en français par *racine**.

♦ Le mot, d'abord écrit *raiz fors* (XVe s., Berry) puis *raix forte* (1525) avant de se souder en *refort* (1538), *raifort* (1545), désigne une plante dont la racine charnue, à odeur forte, est utilisée comme condiment dans certains pays et entre dans certaines préparations antiscorbutiques. Il donne quelquefois son nom au gros radis d'hiver (1962) et, dans quelques régions du sud de la France, à un gros radis employé comme fourrage dit *raifort champêtre* (1963).

◈ voir RACINE.

RAIL n. m. est emprunté (1817) à l'anglais *rail* désignant depuis le XVIIIe s. (1734) chacune des barres de fer mises bout à bout sur deux lignes parallèles et fixées sur des traverses pour constituer une voie ferrée. Le mot anglais est lui-même emprunté (XIIIe s.) à l'ancien français *raille, reille* «barre», issu par voie populaire du latin *regula* «règle, barre» (→ règle).

♦ Comme l'a montré Wexler, *rail*, cité comme mot anglais avant d'être acclimaté (1825), a mis longtemps à s'imposer en face de nombreux termes concurrents d'origine française : *guide* (1776), *bande* (1784), *longuerine* (1787), *tringle* (1791), *plaque* (an IV), *barreau* (an VIII), *barre* et *coulisse* (an IX), *boudin* et *ornière* (1803), *lame* (1803), *limande* (1806) coexistent en effet en français pour désigner cette réalité technique, dans le premier tiers du XIXe siècle. *Rail* a fini par en triompher sous l'influence des techniques ferroviaires importées d'Angleterre et des options linguistiques des ingénieurs français, notamment Seguin et Biot qui construisirent la ligne allant de Saint-Étienne à Lyon, commencée en 1826. Le terme, d'abord prononcé à l'anglaise, a connu une évolution phonétique et graphique avant de se fixer (on rencontre *raile* en 1827, *la rail* en 1826, *la raile* en 1831). Par métonymie du sens de «barre de métal guidant et supportant les roues d'un train», il a pris le sens de «voie ferrée» (1826) pour lequel l'anglais dit *track*, et surtout, au singulier, celui de «transport par voie ferrée» (1836) souvent en parallèle avec *la route*. Il est entré dans la locution ***sur les rails***, spécifiquement française et employée notamment en navigation maritime, passée ultérieurement dans l'usage commun avec un sens figuré avec les verbes *mettre, remettre*. Pour *rail* employé librement, des emplois métaphoriques existent très tôt (1836, *les rails de la vertu*). ➜ Par réemprunt postérieur à l'anglais *rail*, il a pris le sens de «barrière métallique de protection sur le bord des routes, autoroutes et pistes de course» (1970). ◇ En marine, le mot désigne une route assignée aux navires *(le rail d'Ouessant)*.

▶ *Rail* a produit de nombreux dérivés français. ➜ **DÉRAILLER** v. intr. (1842), d'abord *dérayer* (1838) «sortir des rails», a développé de bonne heure la valeur figurée d'«aller de travers, dévier (pour un geste, une voix)» (1856), d'où «s'écarter de la norme» (1890) et «se comporter de manière aberrante», «être un peu fou». ➜ Il a produit **DÉRAILLEMENT** n. m. (1839) avec les sens propre et figuré (1863) correspondants, et **DÉRAILLEUR** n. m. (1911) qui désigne un dispositif permettant de faire passer la chaîne sur un autre pignon, sur une bicyclette. Ce dernier est sémantiquement isolé par cette spécialisation, le sens virtuel «qui fait dérailler (un train)» n'étant pas réalisé. ➜ *Rail* fournit notamment le second élément de **CONTRE-RAIL** n. m. (1841), **ENTRE-RAIL** n. m. (1855), termes techniques. ➜ Il sert aussi à former **AUTORAIL** n. m. (1928), usuel pour désigner une automotrice sur rails (→ automobile), **MONORAIL** n. m. (1907), système de transport ne comportant qu'un rail.

RAILWAY n. m., d'abord *rail-ways* au pluriel (1801) puis *railways* (1825), est emprunté à l'anglais *railway, rail-way* (1776), équivalent de *voie ferrée* et *chemin de fer*, formé avec *way* «voie»; ce dernier appartient à un groupe de mots germaniques dont la racine, indoeuropéenne, se retrouve à la base du latin *vehere* (→ véhicule). Cependant, le développement sémantique de l'anglais *way* doit beaucoup à l'influence du latin *via* et de son représentant français *voie**. *Railway*, concurrencé aux États-Unis par *railroad*, juxtaposé de *rail* et de *road* «route» (→ rade), est entré dans le nom de la première compagnie nationale anglaise de chemin de fer (la *British Railways*). Il ne s'est pas acclimaté en français, où l'on emploie *chemin de fer*, mais sert à désigner un système ferroviaire en pays anglophone.

RAILLER v., attesté en 1462 chez Villon, mais antérieur (voir ci-dessous *railleur*), est emprunté à l'ancien provençal *ralhar* «plaisanter, babiller» qui paraît représenter, selon Wartburg, un latin populaire °*ragulare*, également postulé par l'italien *ragliare* «braire» et qui a donné l'ancien français *reillier* «aboyer» (v. 1270 en picard). Diverses formes de ce verbe vivent dans les dialectes avec les sens de «beugler», «crier» (du taureau furieux), «hennir», «braire». Ce °*ragulare*, dérivé par suffixation diminutive du bas latin *ragere*, de formation probablement expressive et signifiant «rugir, hurler», a donné le roumain *rage* «beugler», et le français *raire* (XIIIe s.), également *rere* (1611), *réer* «pousser un cri (d'un animal en rut comme le chevreuil, le cerf)» et «jeter les hauts cris», verbe sorti d'usage, encore répertorié au XXe s. par certains dictionnaires. Le passage de ces valeurs à l'acception psychologique de *railler* demeure inexpliqué. Selon P. Guiraud, que ce développement sémantique reconstitué convainc peu, et malgré l'intermédiaire provençal, il conviendrait de rapprocher *railler* de *érailler**, mot qu'il propose de dériver d'un gallo-roman °*radiculare* «râcler», faisant ainsi de *railler* un synonyme d'*égratigner*, employé lui aussi par métaphore; l'hypothèse convient mieux pour le sens moderne du verbe que pour sa valeur première, qui n'est d'ailleurs guère explicable par l'autre étymologie.

♦ *Railler* a d'abord le sens de «badiner, tenir des propos à ne pas prendre au sérieux», à la fois en construction intransitive et à la forme pronominale *se railler* (1538). L'usage du mot dans la construction transitive indirecte *railler de* (1538), à côté de la forme pronominale correspondante *se railler de* (XVe s.) «se gausser, se moquer de», a également disparu en dehors de quelques emplois littéraires. Seule la construction transitive directe, *railler qqch., qqn* (1636) «tourner en ridicule, en dérision», est vivante, encore que littéraire. L'emploi intransitif s'en est rapproché par le sens.

▶ Les dérivés sont plus usités que le verbe. ➜ **RAILLEUR, EUSE** n. et adj. est indirectement attesté par une forme féminine ancienne *railleresse* (1410-1417), antérieure à la première attestation de *railler*. Le masculin est attesté comme nom propre d'un personnage de *Maître Pathelin* (1465) avant de se rencontrer sans majuscule (1490). Il désigne une personne portée à la moquerie, et, comme adjectif, qualifie (1538) la personne qui se moque, la chose qui exprime la moquerie. Son emploi en parlant d'une personne que l'on soupçonne de ne pas parler sérieusement (1694) est sorti d'usage. Il a produit **RAILLEUSEMENT** adv. (1834). ➜ L'autre dérivé de *railler*, **RAILLERIE** n. f. (v. 1490), a remplacé le déverbal *raille* n. f. (1453), sorti d'usage. Il désignait autrefois une plaisanterie moqueuse et une absence de sérieux, surtout dans les locutions ***en-***

tendre raillerie, ne pas entendre raillerie (1640), ***raillerie à part*** «sérieusement» (1669). Le sens moderne, «action, habitude de tourner en dérision les gens et les choses» et «aptitude à railler», s'est dégagé au XVIIe s., entraînant le changement de valeur de locutions comme ***entendre raillerie.*** Par métonymie, *une, des railleries* désigne un propos, une action particulière par lesquels on se moque de qqn.

RAILWAY → RAIL

RAINETTE n. f., réfection (v. 1425) de *ranete* (XIVe s.), est le diminutif de l'ancien français *raine* «grenouille» (v. 1120) vivant jusqu'au XVIIe s. (encore dans l'*Encyclopédie* en 1765 avec le sens de «rainette»), et encore attesté récemment, avec des variantes, dans quelques parlers du wallon, du picard, du sud des Vosges, de la Suisse romande et de la région rhodanienne. *Raine* représente le latin *rana* (Varron) «grenouille» et «baudroie», probablement d'origine onomatopéique. Un diminutif populaire *ranunculus* a donné *renoncule** tandis qu'un type sans nasalisation, °*ranucula,* est à l'origine de *grenouille**, mot qui a supplanté *raine.*

♦ *Rainette* désigne une petite grenouille aux doigts munis de ventouses et vivant souvent dans les arbres près de l'eau. Son homonymie avec *reinette,* de *reine,* a pu contribuer à le maintenir.

RAINURE n. f., d'abord *royneure* (1382) puis *raineure* (1464), d'où *rainure* avec la variante *rénure* (1611), est dérivé de l'ancien verbe *roisnier* «trépaner» (fin XIIe s.) et «entailler» (déb. XIVe s.), lui-même issu de *roisne,* ancienne forme de *rouanne**, nom technique d'instrument.

♦ Le mot désigne une entaille longue et étroite, pratiquée dans une pièce de bois ou de métal. D'abord technique, il est devenu courant pour désigner une moulure creuse (1810) et, par extension, une longue dépression étroite et peu profonde à la surface d'un objet (1808). Par analogie, il s'est spécialisé en anatomie où il désigne un sillon ou une dépression allongée à la surface d'un os (1803). Dans ces deux derniers sens, la paronymie avec *rayure* (de *raie**) a pu jouer.

► Le dérivé **RAINURER** v. tr. «creuser d'une rainure» est relevé chez Proust au participe passé adjectivé *rainuré,* dans la description de la fameuse madeleine (1913). ◆ Du verbe ont été dérivés **RAINURAGE** n. m. et un nom de machine-outil **RAINUREUSE** n. f., tous deux d'usage technique et attestés en 1932 dans les dictionnaires généraux.

RAIPONCE n. f., d'abord *responce* (v. 1450), encore prononcé avec le *s* dans différents patois, puis *raiponce* (1564), est emprunté à l'italien *raponzo,* également *raponzolo* et *raperonzolo* «plante de la famille des campanulacées, cultivée pour ses feuilles que l'on mange en salade». Ce nom est le diminutif de *rapa,* de même origine que le français *rave**. L'adaptation en français s'est faite, pour sa première syllabe, sous l'influence de l'ancien et moyen français *raïz* «racine, rave» (→ radis, raifort).

♦ Le mot a conservé son sens d'origine, fournissant aussi un des noms de la mâche.

① **RAÏS** ou **REIS** n. m. (1540, *raiz*) restitue le turc *reis* «chef, président, capitaine», lui-même emprunté à l'arabe *ra'īs.*

♦ Repris comme désignation d'un capitaine de navire turc ou proche-oriental, le mot s'est également appliqué à un dignitaire de l'Empire turc (1630), servant notamment de titre pour le secrétaire d'État aux Affaires étrangères (1670, *Reis Efendi, Reis Kitab*).

► ② **RAÏS** n. m., enregistré en 1963 dans un dictionnaire général sous la forme *ra'īs* et mentionné par la presse sous les formes *rais* et *raïs,* est emprunté à l'arabe *ra'īs* «chef, président, directeur», dérivé de *ra's* «tête» selon un développement analogue à celui du français *chef.* Le mot, diffusé en français à propos du président Nasser, désigne le chef d'État de certains pays arabes, en particulier le chef de l'État égyptien.

RAISIN n. m., réfection (v. 1275) de *resin* (v. 1119) et *roisin,* provient du latin médiéval *racimus* (IXe s.), altération du latin classique *racemus* qui, désignant la grappe en général, s'est spécialisé pour dénommer la grappe de raisin et, par métonymie, le raisin lui-même. Le mot, rapproché du grec *rhax, rhagos* «grain de raisin», aussi nom de diverses baies, est probablement un terme du substrat méditerranéen comme les autres noms relatifs au vin et à la vigne. Il a conservé le sens de «grappe de raisin» dans l'italien *(g)racimolo* et l'espagnol *racimo* tandis qu'en gallo-roman, sauf en provençal, il a supplanté le représentant du latin classique *uva* (italien, espagnol *uva*); en effet, les quelques exemples de l'ancien français *uve* sont des latinismes, le mot figurant surtout dans l'expression *uve passe,* francisation du latin *uva passa* «raisin sec» (→ uval).

♦ Le mot désigne le fruit de la vigne, spécialement dans plusieurs expressions désignant les diverses variétés, comme *raisin de Corinthe* (1545) et *raisin de Damas* (1690), l'appellation générale de ***raisin sec*** ayant supplanté *raisin pour Carême* (1326) et *raisin de caisse* (1690), laquelle s'appliquait aux raisins expédiés en caisses. Il entre dans la locution figurée ***mi-figue, mi-raisin,*** d'abord *moitié-figue, moitié-raisin* (1611) et *ni figue, ni raisin* (1787), allusion aux fruits du Carême, qui s'est également employée avec les sens de «moitié de gré, moitié de force» (1620) et «en partie bien, en partie mal» (1620) en langue classique. Cette expression a reçu au XIXe s. (Quitard) une explication anecdotique et fictive concernant les pratiques commerciales des Grecs, qui auraient vendu pour des raisins les figues qui se trouvaient au-dessous; rien n'appuie cette fable. ◆ Par extension, le mot désigne une baie en grappe (1538), sens resté vivant dans certains patois dans la désignation de la groseille, de la groseille à maquereau, et dans les appellations populaires de baies et plantes à baies comme *raisin de renard* (1550) «parisette», *raisin d'ours* (1732) «busserolle», *raisin d'Amérique* (1769) «phytolacca», *raisin des bois* (1769) «airelle». ◆ Par métonymie, *raisin* désigne spécialement un format de papier caractérisé à l'origine par un filigrane représentant une grappe (1710), aussi dans les syntagmes *grand raisin* (1710), *petit raisin* (1723) et *carré au rai-*

sin (1765). ◆ Par analogie, le mot désigne l'agglomération en grappes des œufs de certains mollusques (1752) et se dit de certaines algues fucacées (1875).

▶ Le seul dérivé de *raisin* encore vivant est **RAISINÉ** n. m. (1606), d'abord écrit *résiné* (1508) «confiture faite de jus de raisin réduit en gelée et d'autres fruits». ◇ Par métaphore, le mot fournit un nom argotique du sang (1808), par exemple dans la locution ***faire du raisiné*** «saigner du nez», archaïque.

RAISON n. f. est issu (v. 980) du latin *rationem*, accusatif de *ratio, -onis*, nom tiré du supin *(ratum)* de *reri* «compter» et «penser», par extension «être d'avis, croire», lui-même ancien et d'origine inconnue. *Ratio* désigne le compte, puis la matière du compte, les affaires, souvent joint à *res* «chose» (→ rien). De là sont issus de nombreux sens dérivés : *ratio* désigne la faculté de calculer, de réfléchir, le jugement, la méthode, la doctrine. Il est fréquent dans la langue de la rhétorique et de la philosophie où il traduit le grec *logos* (→ -logie) en vertu du double sens de ce mot : «compte» et «raison» (en outre, «langage»). Cicéron l'emploie à propos de la justification d'une action regardée comme criminelle, de l'argument qui justifie une action, ce qui vaut à *ratio*, en latin médiéval, le sens de «dispute, discussion» (v. 600). Cicéron donne aussi à *ratio* la valeur de «le pourquoi d'une chose» (tel qu'un homme se l'explique), en le distinguant de *causa* «cause réelle», comme l'allemand a différencié *Grund* et *Ursache*. Cette distinction s'est perdue en français (la philosophie médiévale confondant les deux concepts) mais a reparu à la Renaissance avec l'emprunt de *cause*. D'autres spécialisations tardives du latin se sont prolongées dans le doublet *ration** et peut-être dans *race**.

♦ Dès le XIIe s., *raison* possède la plupart des sens de *ratio*, et en enrichit la phraséologie. En moyen français, la valeur de «calcul, compte» a déjà perdu du terrain pour se restreindre à certains emplois spécialisés, conservés dans l'usage courant par quelques locutions (*livre de raison*, etc. ; voir ci-dessous). Le champ sémantique du mot devient très complexe à l'époque classique où la richesse de la phraséologie développée depuis le XVIe s. multiplie les risques d'ambiguïté. Depuis le XVIIIe s., les principales extensions concernent des acceptions d'ordre philosophique grâce à la pensée des Lumières puis à l'introduction de la terminologie philosophique allemande (kantienne). ◆ Dès les premiers textes, *raison* est employé par métonymie pour désigner ce qui est conforme à la vérité ou à la réalité, à propos d'une opinion, d'une action, d'un comportement, sens surtout réalisé dans des expressions où le mot, employé sans article, s'oppose à *tort*. C'est le cas d'***avoir raison*** (v. 1175), ***avoir raison de*** + infinitif (v. 1170) et, ultérieurement, ***donner raison à qqn*** (1775), ou encore ***à tort ou à raison*** (1797). ◇ L'usage très ancien de *raison* pour ce qui est conforme à l'équité, à la justice, au droit, au devoir (v. 980) a régressé après le XVIIe s. où, ayant pris par extension le sens de «ce qui est convenable, suffisant», le mot était entré dans un certain nombre de locutions. L'une d'elles, *c'est (bien) la raison que* «c'est bien naturel, bien juste que» (1644) prolongeait la forme médiévale *est raison* (XIIe s.), *est bien raison que* (fin XIIe s.) ; les autres, *à telle fin que de raison* «à toutes fins utiles» (1655), *contre toute raison* «de manière excessive» (1680), *(il n'y a) point de raison* «la chose est excessive, demesurée» (1690) et *comme de raison* «comme de juste» (1694) sont propres à la langue classique. Avec la même valeur, l'usage moderne a seulement gardé ***plus que de raison*** (1549), relativement usuelle au sens de «plus que convenable», et ***pour valoir, servir, être ordonné ce que de raison*** (1694), locution juridique pour «conformément à la justice, à l'équité».

Dès la fin du XIe s., *raison* s'applique généralement à toute règle de la pensée et de l'action humaines, conçue comme la faculté et l'ensemble des principes permettant d'établir des rapports entre les choses, et rendant possible la connaissance (il s'oppose alors à *instinct*). Il désigne aussi les facultés intellectuelles considérées dans leur intégrité et leur exercice normal ou dans les troubles pouvant les affecter (fin XIe s.), ***perdre la raison*** ayant d'abord le sens fort de «devenir fou» (1559), puis par affaiblissement, de «dire n'importe quoi» (1694), ***recouvrer la raison*** étant bien postérieur (1796). ◆ Dès la fin du XIe s., le mot s'applique à la faculté de bien juger, de penser avec justesse, de distinguer le bien du mal, le possible de l'impossible, le beau du laid, s'opposant alors à des mots comme *folie, passion, imagination*. Il donne bientôt les locutions ***entendre raison*** «être sensible à ce jugement», ***se rendre à la raison*** (v. 1165) puis au XVIIe s. ***âge de raison*** appliqué à l'âge où un enfant est considéré comme capable de raisonner (1690), ***mettre qqn à la raison*** (1668) «l'amener à une attitude raisonnable» et, par extension, «le réduire de force pour l'empêcher de commettre des actes de violence» (1673), ***parler raison*** «parler le langage de la raison» (1692), ces deux dernières ayant vieilli. Ultérieurement, le mot entre dans ***ramener qqn à la raison*** (v. 1770) et ***écouter la raison, la voix de la raison*** (attesté XXe s.). On peut rattacher à ce sens l'expression ***mariage de raison*** (1826). ◆ Dans le dernier tiers du XIIe s. (v. 1175), *raison* commence à désigner dans le discours savant l'intelligence discursive, qui procède de façon méthodique en saisissant des rapports logiques entre les notions et les faits, en établissant ses preuves et ses démonstrations, par opposition au domaine de l'intuition et du sentiment. Ce sens didactique, quelquefois dans des syntagmes qualifiés *(raison discursive, raison raisonnante)*, est réalisé en philosophie dans l'expression ***être de raison***, employée par Descartes (1641) à propos de ce qui n'existe que dans la pensée, de ce qui est créé par l'esprit pour les besoins du discours. Par opposition à *expérience*, *raison* désigne l'ensemble des principes directeurs de la pensée dont l'homme prend connaissance par la réflexion (v. 1175), sens dont procède l'emploi du mot à l'intérieur de la philosophie kantienne, dans les expressions ***raison pure*** (1810, Mme de Staël), ***raison pratique, théorique, spéculative*** (1831) traduites des expressions employées par Kant *(reine Vernunft, praktische Vernunft)*. Le mot est employé spécialement par opposition à *foi*, pour le domaine de la connaissance naturelle (v. 1175). Il se spécialise au XVIIIe s. pour l'ensemble des acquisitions de la philosophie des Lumières conçues comme une victoire sur le fanatisme et la superstition (av. 1703), en relation avec l'emploi spécial de *philosophie.* ◇ Cependant, le mot et la notion sont employés par les tenants de la religion pour désigner l'absolu, le Verbe, avec une majuscule *la Raison,* conçue dans son essence divine (1677, Bossuet). Ce développement, propre au langage religieux, est une extension du sens de «faculté saisissant l'absolu par une intuition directe».

L'usage particularisant du mot *(une/des raisons)* dans un sens objectif se rencontre dès le XIIe s., *raison* servant alors à désigner le principe explicatif rendant compte d'un fait, d'un événement, de manière satisfaisante pour l'esprit (v. 1112). Ce sens était réalisé dans la locution *rendre raison de qqch.* «l'expliquer d'une façon claire» (déb. XIIIe s.), et, à l'époque classique dans *faire raison de qqch.* «expliquer une chose obscure et surprenante» (1661), emploi disparu. ◇ De nos jours, il l'est encore dans la locution ***se faire une raison*** (fin XVIIe s.), et en philosophie dans *principe de raison suffisante* ou *déterminante,* ou simplement *principe de raison* (1710) «principe selon lequel tout a une raison d'être intelligible». ◆ De manière plus objective et sans allusion à l'esprit humain, *raison* indique la cause, le motif d'une action (v. 1112), sens réalisé dans plusieurs locutions usuelles comme ***sans raison*** (v. 1165), ***à plus forte raison*** (1580), ***avec raison*** (1647), ***raison de plus*** (1792), ***ce n'est pas une raison [pour...]*** (1802), ***pour une raison ou pour une autre*** (XXe s.). ◇ Il l'est aussi dans ***raison d'État*** (1609), dénommant une notion ancienne dont l'expression se trouve déjà en latin chez Cicéron sous la forme *ratio reipublicae* et dans ***raison d'être*** (1875). ◆ De nouveau avec l'idée de faculté de l'esprit, *une raison* désigne spécialement l'argument, la preuve que l'on avance pour appuyer une affirmation ou justifier une position (v. 1112). Ce sens s'était spécialisé pour désigner les arguments échangés dans une controverse, une dispute (cf. *ratio* en latin médiéval, ci-dessus), d'où les locutions usuelles au XIXe s. : *chercher des raisons à qqn* «lui chercher querelle», *avoir des raisons avec qqn* «être en désaccord avec lui» (1835). ◇ Avec l'idée de «point de vue», *raison* sert à former ***entrer dans les raisons de qqn*** «admettre ses vues» (1732). La locution proverbiale ***comparaison n'est pas raison*** «n'est pas un bon argument» (1881) n'est plus comprise dans ce sens. ◆ Par extension, le mot a pris au XVe s. le sens de «satisfaction que l'on réclame, que l'on obtient, que l'on donne pour une offense», spécialement «réparation par les armes» (1538). Ce sens, surtout réalisé dans des locutions verbales comme ***demander raison de*** (1538) encore connue, *avoir raison* ou *avoir la raison de qqch.* (1670) et, dans les tragédies, *se faire raison* «se faire justice» (1604); *tirer sa raison de qqn* «se venger» (1629), est marqué comme archaïque. Il est cependant réalisé avec une notion de «victoire» dans les locutions ***avoir raison de qqn*** (1819), ***de qqch.*** (av. 1869) qui reprennent ***faire raison de qqn, de qqch.*** (v. 1460), *avoir raison d'une offense* (v. 1580, Montaigne).

Le sens, hérité du latin, de «calcul, compte» (v. 1190) a disparu au début du XVIIe siècle. Il s'est prolongé dans l'expression ***livre de raison*** (1551) qui, après *livre des raisons* (fin XIIIe s.), a désigné un livre de compte, ainsi que dans la spécialisation du mot au sens de «part de chaque associé dans une société commerciale» (1675), qui réactive une des spécialisations tardives du latin *ratio* (→ ration). Ces valeurs, conservées dans l'usage, ne sont plus analysées ni rattachées au sens étymologique de *ratio.* De cette spécialisation procède la dénomination *raison* (1703), puis ***raison sociale*** (1807, *Code de commerce*) comportant le nom des associés, sous laquelle sont pris les engagements sociaux d'une société dont ils sont indéfiniment responsables. ◆ D'autre part, *raison* continue d'exprimer la notion de rapport, de proportion, en moyen français dans l'expression *à la raison de* «en proportion de» (fin XVe s.), de nos jours en arithmétique (1637), dans les expressions ***raison inverse*** (1734), ***raison directe*** (1771), *en moyenne et extrême raison* (1834) et *raison d'une progression* (1840). Par extension, ***en raison inverse*** et ***en raison directe de*** sont passés dans l'usage commun à propos d'une chose qui est inversement (1762) ou directement (1865) proportionnelle à une autre. ◆ *Raison* entre dans deux locutions prépositionnelles : ***à raison de*** (déb. XVIe s.), précédé par *à la raison de* (v. 1450), qui signifie «sur la base de, au prix de» et «à cause de» (v. 1534). ***En raison de*** (1748) correspond à «selon, à proportion de» et à «du fait de, vu» (1835).

Enfin, le sens très ancien de «paroles, récit, discours» (v. 980), avec ses extensions («voix», «façon de s'exprimer», «parole donnée», «dialecte»), a disparu avant le XVIe s., *parler raison* (ci-dessus) correspondant au sens intellectuel et moderne du mot.

▶ Le plus ancien dérivé de *raison* est **RAISONNABLE** adj., réfection (v. 1278) de *reidnable* (v. 1120) et *raisnable* (v. 1155). L'adjectif a d'abord le sens de «qui possède la raison, doué de raison», aujourd'hui propre à la langue philosophique; il qualifie une chose conforme aux principes de la raison (v. 1155). ◆ Par extension, il s'applique couramment aux personnes qui se conduisent avec mesure et de manière réfléchie (XIVe s.), sens dont procède l'application à un commerçant modéré dans ses exigences (1673), probablement d'après *prix raisonnable* (ci-dessous), et en général à une personne modérée, portée à la mesure (fin XIXe s.). Le mot a développé le sens de «suffisant, convenable, acceptable» (v. 1250) qui, de nos jours, indique plutôt une grandeur ou une importance supérieure à la moyenne et parfois appréciable, appliqué notamment à un prix (1514). ◆ **RAISONNABLEMENT** adv., réfection (XIIIe s.) de *raisnablement* (v. 1130), signifie «selon les principes de la raison» et «conformément à la sagesse», spécialement «avec modération» (1802). Comme l'adjectif, il signifie quelquefois «de manière suffisante» (1314).

RAISONNER v. (v. 1185), d'abord *resuner* (v. 1138), a remplacé l'ancien français *raisnier, raisner, resner* issu du latin *rationare,* dérivé de *ratio.* La forme actuelle est refaite d'après *raison.* En ancien français, le verbe signifiait «parler (avec qqn)», d'après l'ancien sens de *raison* «récit, parole»; le sens moderne

(v. 1380) correspond à «faire usage de sa raison pour former des jugements, apprécier des situations»; il se réalise spécialement dans les locutions familières ***raisonner comme une pantoufle*** (1798), après *raisonner pantoufle* (1694) et ***raisonner comme un tambour*** (1869, d'abord *comme un tambour mouillé*). ◇ *Raisonner* signifie ensuite «faire un raisonnement» (1553), «chercher à prouver, à convaincre» (1583) ainsi que «soulever des objections, répliquer» (1662). ◆ À la même époque, il commence à s'employer transitivement pour «soumettre (une chose) à une analyse systématique» (1580), sorti d'usage, et «chercher à convaincre (qqn) de changer de résolution ou de comportement» (1666), acception qui était assumée par le composé *arraisonner* (ci-dessous). Un emploi transitif indirect du mot avec la préposition *de*, exprimée ou sous-entendue, (1772) se rencontre au sens de «discuter, s'entretenir de».

Raisonner a produit plusieurs dérivés. ◆ **RAISONNEUR, EUSE** n. et adj. (1345) a d'abord été employé pour désigner un avocat; il a développé au XVIIe s. le sens général de «personne qui raisonne» (1678), lequel a vieilli au profit des nuances péjoratives : «qui abuse du raisonnement» (1666), «qui réplique sans cesse, discute les ordres et les observations» (1666). ◆ **RAISONNEMENT** n. m. (v. 1380) désigne l'action de raisonner, quelquefois avec la nuance péjorative de «manie de raisonner» (1672). Depuis le XVIIe s., *un, des raisonnements* est employé pour parler d'une opération de l'esprit passant d'un jugement à un autre pour aboutir à une conclusion (1636), d'où en sciences et en philosophie *raisonnement déductif* (1851), *expérimental* (1878), *par analogie* (1907), et dans l'usage courant, souvent avec une nuance péjorative (1869, *raisonnements à perte de vue*, après *raisonnements à perte d'haleine*, 1782). ◆ La spécialisation pour «objection, contestation d'un ordre», correspondant à un sens de *raison* et de *raisonneur*, remonte aussi à l'époque classique (1667).

① **RAISONNÉ, ÉE**, le participe passé de *raisonner*, est adjectivé (1611), qualifiant ce qui est fondé sur le raisonnement, ce qui résulte d'un examen réfléchi des arguments pour et contre (1674), spécialement en parlant d'un ouvrage didactique qui motive les règles enseignées (1680). Il est distinct d'un homonyme ② *raisonné, ée* (XIIIe s.), employé en parlant d'une personne, dérivé directement de *raison* et sorti d'usage, remplacé par *raisonnable*. ◆ Quant au participe présent de *raisonner*, **RAISONNANT, ANTE**, il est lui aussi adjectivé au XVIIe s., qualifiant dans un registre soutenu ce qui procède par raisonnement, dans *raison raisonnante, folie raisonnante* (1865), vieilli, et, à l'époque classique, la personne qui est portée à répliquer (1673), remplacé par *raisonneur*.

En ancien français, le groupe de *raison* s'est enrichi de composés. **ARRAISONNER** v. tr. (1080) signifie d'abord «interpeller qqn», puis «convaincre par de bonnes raisons» (XIVe s.). Ces valeurs générales ont disparu, la seconde remplacée par *raisonner*, et le verbe s'est limité au sens technique d'«inspecter un navire» (1598), notamment «le contraindre à subir une inspection, le contrôler de manière autoritaire». Le dérivé **ARRAISONNEMENT** n. m. (1174), autrefois *aresunement* «consultation», a été repris au XIXe s. avec le sens technique correspondant (1866).

Avec le préfixe privatif *dé(s)-*, *raison* a produit l'antonyme **DÉRAISON** n. f. (v. 1175), d'abord pour «bavardage absurde» puis «manque de bon sens, folie» (1177-1179). ◆ À son tour, *déraison* a produit **DÉRAISONNER** v. intr. (v. 1225) «s'éloigner de la raison» d'où «tenir des propos dénués de raison» (1740), qui a éliminé l'ancien français *deraisnier* (XIIe s.) «expliquer, raconter», dérivé de l'ancien français *raisnier* (cf. ci-dessus *raisonner*). ◆ Les dérivés du verbe, **DÉRAISONNEMENT** n. m. (av. 1755) qui a évincé l'ancien français *deraisnement* «discours, sermon» (v. 1200) et **DÉRAISONNEUR, EUSE** n., ont peu de vitalité. ◆ Il n'en va pas de même pour **DÉRAISONNABLE** adj. (v. 1371, *desraisonnable*), formé comme antonyme d'après *raisonnable*, et qui a supplanté l'ancien doublet *desraisnable* (av. 1250) de *raisner*. Cet adjectif a pour dérivé **DÉRAISONNABLEMENT** adv. (1353), évinçant *desraisnablement* (1220-1225).

Par adjonction du préfixe privatif *in-* à *raisonnable*, on a formé **IRRAISONNABLE** adj., d'abord *irresonnable* (v. 1360) «qui n'est pas doué de raison», sens sorti d'usage. Le mot qualifie une chose non raisonnable, contraire à la raison (v. 1365). ◆ En dehors d'**IRRAISONNÉ, ÉE** adj., fait (1842) sur *raisonné* et qui est assez usuel, les autres mots de la série (**IRRAISONNABLEMENT** adv., **IRRAISONNANT, ANTE** adj., **IRRAISON** n. f.) sont très exceptionnellement employés.

◈ voir IRRATIONNEL, RACE, RATAFIA, RATIFIER, RATIOCINER, RATION, RATIONNEL.

RAJA, RAJAH ou **RADJAH** n. m., d'abord *raia* (v. 1525, *Voyage d'Antoine Pigaphetta* [Pigafetta]) puis *raja* (1638), *rajah* (1756) et *radjah* (1845), est emprunté à l'hindoustani *raja*, du sanskrit *râjâ* «roi», lui-même apparenté au groupe indoeuropéen important du latin *rex* (→ roi). Il est probable que, comme dans le cas de l'anglais *raja* ou *rajah* (XVIe s.), le portugais ait servi d'intermédiaire.

♦ Le mot désigne le roi, le noble par excellence, dans la tradition védique et, par extension, un noble indien. Une valeur spéciale concerne un prince vassal de la dynastie moghole qui régna sur l'Inde du XVIe au XIXe s. et, dans l'Inde anglaise, le grand vassal de la Couronne britannique, titre honorifique (1875).

▸ **MAHARAJAH** n. m., d'abord *marrajah* (1758) puis *maha-rajah* (1830), est emprunté à l'hindi *mahārājā* «grand roi», formé de *mahā* «grand», de la même racine indoeuropéenne que le latin *magnus* (→ majeur) et de *rājā*. Le mot, qui s'est aussi écrit *maharadjah* (1878), est le titre donné en Inde aux rois et empereurs, puis aux princes feudataires.

MAHARANI ou **MAHARANÉ** n. f. est emprunté (1901) à l'hindi *mahārānī* «grande reine», formé de *mahā* et de *rānī* «reine», du même type indoeuropéen que le latin *regina* (→ reine). Le mot désigne l'épouse du maharajah.

RAJEUNIR → JEUNE

RAJUSTER → JUSTE

RAKI n. m., d'abord *raqui* (1628) puis *raki* (1827), est emprunté, dans le contexte de relations commerciales, au turc *raki*, déformation par aphérèse d'*araki* «eau-de-vie au marc de raisin». Le français a aussi repris la forme *arack* à l'arabe *'araq* «liquide exsudé» auquel le turc est emprunté.

♦ Le nom s'est étendu, sous diverses formes locales, à diverses boissons enivrantes : dans l'Inde et la Malaisie, un spiritueux obtenu avec du riz fermenté, du lait de coco, de la sève de cocotier; à Bourbon (La Réunion), l'alcool de canne à sucre.

◈ voir ARACK.

① **RÂLE** n. m., nom d'oiseau, est l'aboutissement de *rascle* (1164), puis *rasle* (fin XIIe s.), *raalle* (v. 1300), *rale* (1476), écrit *râle* au XVIIe s. (1636). Le mot serait le déverbal de *râler**, doublet de *racler**, et issu d'un latin populaire °*rasclare*, contraction pour °*rasiculare* «racler» en raison du cri rauque de cet oiseau.

♦ Le mot désigne un échassier migrateur dont certaines espèces vivent dans les marais *(râle d'eau)* et d'autres dans les champs.

▸ De *râle* est dérivé savamment **RALLIDÉS** n. m. pl. (1839), terme de classification zoologique désignant la famille d'oiseaux dont le type est le râle.

◈ voir RACAILLE, RACLER, RÂLER, RASCASSE.

② **RÂLE** → RÂLER

RALENTIR → LENT

RÂLER v. intr., longtemps écrit *rasler* (1456), également *raller* (1549), l'accent circonflexe n'étant attesté que depuis le XIXe s., est le doublet français de *racler**, d'origine méridionale. La signification première est conservée dans les dérivés *éraler, déraler* «écorcher» répandus dans les patois.

♦ Dès les premiers textes, le mot a le sens de «faire des façons, marchander», emploi disparu, et repris au XIXe s. (1841), dont procède le sens populaire de «marchander âprement et sans fin» (1875), aujourd'hui compris comme une spécialisation du sens figuré moderne (ci-dessous). ➛ Au XVIe s. *râler* prend le sens de «faire un bruit rauque provoqué par l'embarras des bronches, en respirant» (1549), dont procède un emploi transitif rare «dire en râlant» (1857, Gautier). Par analogie, il se dit de certains animaux qui font entendre un bruit de gorge (1690, du cerf en rut). ➛ Par une extension figurée, il a pris le sens d'«être en colère, de mauvaise humeur» (1916), usuel dans l'usage familier en concurrence avec *rouspéter*. Cf. ci-dessous les dérivés *râlant*, ③ *râleur, râlage*.

▸ ① **RÂLEUR, EUSE** adj. et n., d'abord *ralleur* (1571), a connu la même évolution que le verbe. Il a signifié «qui pousse des râles», et, par dérision, s'est dit d'un mauvais chanteur (1879, Huysmans). La valeur correspondant au premier sens de *râler* «marchander» (1845) a disparu. ➛ De nos jours, il n'est plus employé qu'au sens familier de «personne qui proteste à tout propos» (1923), et aussi comme adjectif. ➛ ② **RÂLE** n. m., d'abord *rasle* (1611), désigne le bruit rauque de la respiration, quelquefois en concurrence avec le doublet **RÂLEMENT** n. m. (1611). Depuis 1845, *râle* est spécialement employé en pathologie médicale à propos d'une anomalie respiratoire. ➛ **RÂLANT, ANTE**, le participe présent de *râler*, est adjectivé (1834) avec le sens concret de «qui fait entendre un râle» et, ultérieurement, le sens familier correspondant à celui du verbe, «qui est de nature à mettre en colère» (v. 1930), devenu usuel et relativement indépendant de la série *râler, râleur*, prenant la valeur de «désagréable, ennuyeux». Cf. *emmerdant, chiant*. ➛ ② **RÂLEUR, EUSE** n. (1847) a d'abord été employé au sens de «marchande» (au féminin), spécialement «marchand du Temple chargé d'attirer les chalands» (1867). Ce mot a disparu avec les emplois correspondants de *râler*. ③ **RÂLEUR, EUSE** a été reformé (1920) sur *râler* «protester», comme adjectif et comme nom. ➛ **RÂLAGE** n. m. (1924), «protestation», est un mot familier peu usité.

◈ voir ① RÂLE.

RALINGUE n. f., d'abord *raelinge* (v. 1155) puis *ralingue* (fin XIVe s.), est d'origine incertaine, peut-être emprunté à l'ancien nordique °*rár-lík* «cordage de vergue», de *rá* «vergue» (au génitif *rár*) et *lík* «bordure d'une voile», ou bien du néerlandais correspondant *ralijk* (→ raban). Cependant, comme le fait remarquer P. Guiraud, la forme est romane (italien, provençal, espagnol) et les variantes en *re-* *(relingue, raelingue)* postuleraient un dérivé de *élingue** «corde», confirmé par le sens : *ralinguer une voile*, c'est proprement la border d'une élingue.

♦ Le mot désigne le cordage cousu le long des bords d'une voile et destiné à la renforcer, spécialement dans *voile en ralingue* (1691) «voile qui reçoit mal le vent», et dans *ralingue de chute, de fond, de têtière, d'envergure* (1904, Larousse). Par analogie, il désigne le filin constituant la bordure d'un élément de filet (1812).

▸ Le dérivé **RALINGUER** v. (1687) signifie «orienter une voile de façon que la ralingue soit dans le lit du vent», sens aujourd'hui peu usité. ◇ Il signifie également comme intransitif «battre au vent» (1687), en parlant d'une voile (1701) et, transitivement, «pourvoir de ralingues (une voile ou un filet)» (1773).

RALLIER, RALLIEMENT → ALLIER

RALLONGER → LONG (ALLONGER)

RALLYE, RALLY ou **RALLIE** n. m. est en partie un pseudo-anglicisme : avec son premier sens de «jeu équestre ou pédestre dans lequel un concurrent parti avant les autres laisse des papiers sur sa route» (1885), il représente l'abréviation de *rallie-paper* (1877) puis *rally-paper* (1882), anglicisation artificielle de *rallie-papier* (1877), le terme employé en anglais étant *paper-chase* (1856) ou *paper-hunt* (1871), avec un second élément signifiant «chasse, poursuite». *Rallie-papier* était formé à l'aide de *rallie*, emprunté à l'anglais *to rally* «réunir, rassembler», lui-même emprunté au français *rallier** (→ allier), la forme *rallie* étant américaine. *Rallye-ballon* ou *rallie-ballon*, formé (1899) sur le modèle de *rallye-papier* à propos d'un sport consistant à rejoindre un aérostat à son point d'atterrissage, est également un pseudo-anglicisme; il a aujourd'hui disparu. ◆ Quant à *rallye* au sens d'«épreuve automobile de régularité à moyenne horaire imposée» (1911, année de l'organisation du premier rallye de Monte-Carlo), c'est la forme elliptique de *rallye-auto* (1900), lui-même forgé sur le modèle de *rallye-paper* et éliminé par la forme simple.

♦ *Rallye* désigne en français contemporain l'épreuve automobile. ◆ Par extension, il s'applique aussi à un événement sportif réunissant un grand nombre de concurrents généralement partis de points divers (1931). ◆ Il se dit aussi d'un cycle de réunions dansantes ou de réunions ayant le bridge pour prétexte, de compétitions non sportives organisées dans les familles aisées pour permettre aux jeunes filles de rencontrer des jeunes gens. Le sens de «meeting, rassemblement» (1950), nouvel emprunt à l'anglais (qui l'a dès 1840), ne s'est pas diffusé.

▸ Le mot français a produit **RALLYEUR, EUSE** n. (1932) «personne prenant part à un rallye», ainsi que le synonyme **RALLYEMAN** n. m. (1966), de consonance plus britannique, également rare.

RAM, RAME, RAIM → **RAMAGE, RAMEAU, RAMURE**

RAMADAN n. m. est emprunté (1441) à l'arabe *ramaḍān*, nom du neuvième mois de l'année de l'Hégire pendant lequel les musulmans doivent s'astreindre au jeûne entre le lever et le coucher du soleil. Ce mot vient de la racine du verbe *ramiḍa* «être chauffé par le soleil», «être chaud», parce qu'à l'époque où il fut adopté, le mois du ramadan correspondait à l'époque des fortes chaleurs d'été (ce qui n'est plus le cas, l'année musulmane étant une année lunaire sans intercalation, le mois passant successivement par toutes les saisons). Le mot, prononcé par les Persans et les Turcs *ramazān*, a fourni les variantes *ramasan* (1542), *ramazan* (1624), à propos des musulmans d'Orient.

♦ *Ramadan* désigne le neuvième mois des musulmans et, par métonymie, les prescriptions religieuses, comparables à celles du carême chrétien d'autrefois ***(observer, faire le ramadan)***.

▸ *Ramadan* a donné, avec changement de graphie et reprise de la prononciation arabe dialectale (d'Algérie) *ramḍān*, **RAMDAM** n. m. (1890), mot familier pour «tapage», par allusion à la vie nocturne bruyante du ramadan. Par extension, il s'est dit pour «désordre, événement brutal» (argot des Poilus) et, dans l'argot des prostituées (1918), pour «amour physique» *(aller au ramdam, faire ramdam)*; les extensions traduisent l'emploi du mot par les soldats de l'armée d'Algérie, puis par toute l'armée. Un développement sémantique analogue se rencontre dans le provençal *ramadan* qui se dit du tapage que font les chats pendant la nuit (quelquefois déformé en *roumedan*) et du hurlement des loups dans la montagne.

① **RAMAGE** n. m. est dérivé (v. 1160) de l'ancien français *ram, raim* «branche» (→ rameau) avec le suffixe *-age*, comme *feuillage* de *feuille*.

♦ En ancien français, *ramage* est d'abord un adjectif qualifiant un oiseau (surtout l'épervier) vivant ou ayant longtemps vécu en forêt (v. 1160) ainsi qu'un animal sauvage, mal dressé (v. 1200). Parallèlement, il qualifiait une forêt touffue (XIIIe s.), un lieu boisé (v. 1380). ◆ L'emploi qui s'est conservé est celui du nom (v. 1278) qui désignait collectivement l'ensemble des rameaux, sens qu'il a perdu au profit de *feuillage*, mais qui a survécu lorsque *ramage* se dit d'une représentation de feuilles et de branches sur une étoffe (1611) déjà ancien dans l'ancien provençal *ramatge* (XIVe-XVe s.). Ce mot désignait également, en droit féodal, le droit de couper des branches dans la forêt du seigneur (1298); c'était aussi un terme de généalogie (→ rameau, ramifier) s'appliquant à une branche d'une ligne généalogique (1328) d'où, par métonymie, à la race (v. 1460) et à la parenté (1611), sens assez vite disparu. ◆ Par l'intermédiaire d'un emploi adjectif dans l'expression *chant ramage* (v. 1540) employée jusqu'au XVIIe s. à propos du chant des oiseaux dans les branches, *ramage* s'est substantivé au sens de «chant d'oiseau dans les branches» (1538), puis en général «chant d'oiseau», emploi le plus vivant du mot. ◇ De là, il a pris divers sens figurés ironiques, «manière de parler d'un terroir» (1588), «discours inintelligible, confus» (v. 1784), «réprimande» (1808), tous sortis d'usage. ◇ L'emploi pour «babil enfantin» (1835) est senti comme une métaphore du chant des oiseaux.

▸ *Ramage* a produit **RAMAGER** v. (1585), proprement «faire entendre son ramage (d'un oiseau)»; ce verbe a aussitôt développé la valeur figurée de «dire doucement et à mi-voix» (1585), puis «chanter des chansons» (1625), «grommeler, répéter constamment la même chose» (1808), «babiller (d'un bébé)» (1907), tous à peu près disparus. ◆ En dérive **RAMAGEUR, EUSE** adj. (1895, Daudet), mot rare pour qualifier celui qui babille beaucoup. ◇ *Ramage* a aussi donné **RAMAGÉ, ÉE** adj. (1843, Gautier), d'usage littéraire, qualifiant ce qui présente des figures évoquant des ramages, des feuillages.

◈ voir ① **RAME, RAMEAU***.

RAMASSER → **MASSE**

RAMBARDE n. f. est l'altération (1773) de *rambade* (1445), mot technique désignant une construction élevée à la proue d'une galère. Le mot est emprunté, probablement par l'intermédiaire du provençal de Marseille, à l'italien *rembata* ou *rambata*, dérivé, peut-être par un verbe °*arrembare* (XVe s.) «aborder un bateau», du vénitien *rambar* «enlever de force», du longobard °*rammôn* ou °*rambôn* «enfoncer avec une masse». Celui-ci appartient à une racine germanique, commune à l'allemand *rammen* «enfoncer», *Ramme* «bélier, hie, éperon de navire», à l'anglais *ram*, au frison *ram, room*, au moyen néerlandais *rum*, et peut-être à rapprocher de l'ancien nordique *ramr* «fort».

♦ Le mot, d'abord employé pour désigner la surélévation à la proue de certains navires, servant de plate-forme pour les assaillants, désigne aujourd'hui le garde-corps placé dans un navire autour des ponts supérieurs et des passerelles (1773, sens encore donné en 1875 par Larousse au mot *rambade*). ➛ Par extension, il désigne toute espèce de rampe métallique, de main courante formant garde-fou (attesté 1942), seul sens usuel.

RAMBOUR → ② RANCARD, RANCART

RAMBOUTAN n. m. est emprunté (1604) au malais *rambūtan*, nom d'arbre et de fruit dérivé de *rambut* «poil», par allusion à la villosité de ce fruit. Le portugais a dû servir d'intermédiaire, le nom de l'arbre, *rambuteira*, étant attesté dans cette langue au XVIe s. (1552).

♦ Le mot désigne un fruit exotique (Asie tropicale) dont la peau, de couleur rouge, est couverte de petits filaments. Par métonymie, il se dit de l'arbre qui produit ce fruit (1877).

RAMDAM → RAMADAN

① **RAME** n. f., modification de *raime* (XIIe s.) devenu *rame* (1180) sous l'influence de *rameau**, est le féminin de l'ancien français *ram*, *raim* «branche» (→ rameau).

♦ Le mot désignait un branchage, une branche d'arbre, sens vivant jusqu'au XVIe s., et conservé dans certains dialectes. Il s'est dit aussi d'un fagot de ramilles (1180). ➛ Le sens actuel de «branche rameuse que l'on fiche en terre à côté d'un plant de pois, de haricots à longue tige pour lui servir de support» est une spécialisation (1669, probablement antérieur, ou alors dérivé du verbe, cf. *ramer*).

▸ Le dérivé ② **RAMER** v. tr. est attesté dès 1549 — ce qui laisse penser que le sens correspondant du nom est plus ancien — avec le sens de «soutenir une plante grimpante avec une rame». On rencontre encore quelquefois la locution ***s'y entendre comme à ramer des choux*** (1688) «ne rien y connaître», les choux n'étant jamais soutenus par une rame.

◈ voir RAMAGE, RAMEAU, RAMÉE, RAMIER, RAMIFIER, RAMILLE, RAMONER, RAMURE, RINCEAU.

② **RAME** n. f., d'abord *raime* (déb. XIVe s.) puis *rame* (1377), est emprunté au moyen néerlandais *raem*, *rame* «châssis de tissage ou de fenêtre» ou à son correspondant moyen haut allemand *ram*, *rame* «étai, châssis de tissage» (allemand *Rahmen* «cadre, châssis») qui vient de l'ancien haut allemand *rama* «colonne, étai», issu du francique °*hrama* «support de planches», «solive» et «latte».

♦ Le mot, d'usage technique, a d'abord été employé en parlant d'une perche sur laquelle on place des habits et aussi d'une solive servant à poser un plancher. Sous les formes *ranme* (1405), *ramme* (1412), puis *rame* (1723), il désigne spécialement un cadre servant à maintenir tendue dans les deux sens une pièce de laine ou de coton pendant le séchage ; c'est le seul emploi vivant du mot. Un sens postérieur de «châssis d'imprimerie» (1655) a disparu.

▸ La dérivation consiste en quelques mots techniques : ② **RAMEUR, EUSE** n., d'abord *rameour* (1405), désigne l'ouvrier qui conduit l'appareil appelé *rame* dans la fabrication du drap ; il ne semble pas attesté du XVIe au XIXe s., et son emploi est rendu difficile par l'homonymie avec ① *rameur* (→ ramer). Le féminin *rameuse* désigne une machine-outil (1962). ➛ L'ancienne spécialisation de *rame* en typographie a produit le diminutif ① **RAMETTE** n. f. (1690) «petit châssis d'imposition à un seul compartiment». ➛ Le verbe ③ **RAMER** v. tr. (1723) signifie «étirer le tissu sur une rame pour le faire sécher», opération pour laquelle on en a dérivé ② **RAMAGE** n. m. (1723).

③ **RAME** n. f., modification (1507) de *rayme* (XIVe s.), *raime* (1358-1359), *remme* (1451), *reyme* (1489), est emprunté à l'espagnol *resma* et au catalan *rayma*, lui-même repris de l'arabe *razma* variante de *rizma* «paquet de hardes», «ballot» et, spécialement, «ensemble de cinq cents feuilles de papier», dérivé de *razama* «mettre en paquet». Ce sont en effet les Arabes qui ont introduit en Espagne au Xe s. l'industrie du papier chiffon (cf. *papier*). Le portugais a *rima* (avec chute du *z*), l'italien *risma*. Une résurgence du sens étymologique de «ballot» est attestée en français classique chez Tournefort qui parle de *rames de coton*.

♦ Le mot désigne un ensemble de vingt mains de papier, spécialement dans la locution ***mettre un livre à la rame*** «en vendre des exemplaires au poids du papier» (1706). Par extension, il désigne un ensemble de vingt rouleaux de papier de tenture (1869). ➛ Par une extension analogique, il a pris le sens de «convoi, attelage de plusieurs voitures manœuvrant ensemble» (1908), valeur qui apparaît d'abord en batellerie, à propos d'un convoi de bateaux sur certains canaux (1855). Ce sens, d'abord technique, est devenu usuel à propos du métro parisien.

▸ De *rame* dérive le diminutif ② **RAMETTE** n. f. (1845), dit d'un paquet de cent vingt-cinq feuilles de papier, d'une rame de papier de petit format.

④ **RAME** → ① RAMER

RAMEAU n. m., d'abord *ramel* (v. 1165), est issu d'un latin populaire °*ramellus*, diminutif du latin classique *ramus* «branche», au figuré «ramification», d'origine inconnue. Celui-ci a donné l'ancien français *raim*, *ram*, *rame* qui, supplanté au XVIe s. par *branche*, continue de vivre dans un certain nombre de dérivés (*ramage**, *ramée**, *ramure**...).

♦ Le mot désigne une petite branche d'arbre prenant naissance sur une branche principale. Ce sens est réalisé spécialement par le pluriel *Rameaux*, employé en liturgie dans *feste des Rameaux* (1549), *jour des Rameaux* (1660), calques du latin *dies ramorum* et *Ramorum festum*, *dimanche des Rameaux* (1669) et, par ellipse, en emploi absolu (XXe s.) ; antérieurement, on parlait de *jour del Ramispalmaus* (fin XIIe s.), d'après le bas latin ecclésiastique *dominica in ramis palmarum* «dimanche dans les branches de palmes», de *dominica* qui a donné *dimanche**, *in* «dans», *ramis*, ablatif pluriel de *ramus* et *palmarum*, génitif pluriel de *palma* (→ palme). La fête commémore l'accueil triomphal réservé à Jésus à son entrée à Jérusalem, au début de la grande semaine de Pâques, par ses disciples qui jetèrent des branches de palmier sur son passage pour l'honorer. Il est entré dans la locution figurée ***faire, mettre Pâques avant les Rameaux*** (1907) «consommer le mariage avant qu'il ne soit célébré». ➛ *Rameau*, par métonymie, a pris le sens spécial de «représentation de la tige d'un végétal en arts décoratifs» (1936). ➛ Par analogie, le mot désigne depuis le XVIe s., par influence très probable de *se ramifier**, la subdivision d'un objet qui se partage dans son cours en prenant des directions différentes en anatomie pour la subdivision d'une artère, d'une veine, d'un nerf ou une branche collatérale (v. 1560); il a désigné aussi le bras d'un cours d'eau (v. 1580). ◇ Plus tard, il est repris par le langage militaire pour une petite galerie communiquant entre une galerie principale (1676). ◇ En généalogie il désigne abstraitement la subdivision d'une des branches d'une famille (1690). ◇ Il prend en géographie le sens de «chaînon secondaire d'une chaîne ou d'un massif montagneux» (1796) et, en chiromancie, correspond à chacun des traits qui s'étendent à l'une des extrémités des principales lignes de la main (1904, Larousse). ◇ Au XVIIIe s., *rameau* commence également à désigner la subdivision d'un objet mental déjà divisé par l'esprit (av. 1747).

▶ **RAMEUX, EUSE** adj. est emprunté (fin XIIIe s.) au dérivé latin *ramosus* «branchu, qui a beaucoup de rameaux» et, au figuré, «qui a plusieurs branches». ➛ Le mot qualifie une plante ayant de nombreux rameaux, et une branche se divisant en de nombreux rameaux. Il a qualifié en moyen français (1314) ce qui présente des ramifications. Par analogie, il se dit en vénerie pour qualifier le bois du cerf divisé en rameaux secondaires (v. 1550).

◈ voir RAMAGE, ① RAME, RAMÉE, RAMIER, RAMIFIER, RAMILLE, RAMONER, RAMURE, RINCEAU.

① **RAMÉE** n. f. est dérivé (v. 1160) de l'ancien *ram, raim* «branche, rameau», du latin *ramus* de même sens (→ rameau).

♦ D'abord attesté dans le sens métonymique de «hutte de branchages», *ramée* désigne le couvert formé par les branchages des arbres avec leurs rameaux et leurs feuilles. Ce sens, en dehors d'un usage poétique ou allusif, a disparu tout comme le sens très voisin de «feuillage» (→ ramage). ◇ Le mot a également vieilli dans sa spécialisation à propos de branches d'arbres coupées, garnies de leurs feuilles pour servir au chauffage ou au pâturage (XIVe s.). Ultérieurement, il a développé des sens techniques, désignant une bouture employée dans les travaux de boisement (1875) et les petits arbrisseaux ou les branches garnies de feuillage que les oiseleurs placent à l'intérieur des filets pour offrir aux oiseaux des endroits où se poser (1932).

◈ voir ① RAME, RAMEAU, RAMURE.

RAMENER → MENER

RAMENTEVOIR v. tr. est composé (v. 1175) du préfixe *re-** et de l'ancien verbe *amenteveir* (v. 1160), *amentevoir* (v. 1175) «rappeler au souvenir, mentionner». Ce dernier est formé du préfixe *a-** marquant le mouvement vers (latin *ad*) et de l'ancien verbe simple *mentaveir* (v. 1155), *menteveir* (v. 1160), *mentevoir* (v. 1175) «rappeler, rapporter, retracer, mentionner». Ce verbe représente le bas latin *(in) mente habere* «avoir à l'esprit» d'où «songer à, se rappeler», de *in* «dans», *mente*, ablatif de *mens* «esprit, pensée, intelligence» (→ mental) et *habere* (→ avoir).

♦ Le verbe, qui signifie «remettre en mémoire, rappeler» et, à la forme pronominale (v. 1460) «se remémorer», était sorti d'usage au XVIIe s.; il n'est plus employé que par archaïsme, à titre de régionalisme (Champagne) ou par plaisanterie.

▶ On rencontre encore chez Chateaubriand (1848) **RAMENTEUR, EUSE** adj. «qui rappelle, remet en mémoire» (1528), dérivé de l'ancien verbe *ramenter* «rappeler» (XIIIe-XVIe s.), lui-même tiré de *ramentevoir* par l'intermédiaire de formes comme *ramentoit*, troisième personne du présent de l'indicatif qui pouvait aussi bien appartenir à un infinitif en *-ter*.

RAMEQUIN n. m. est emprunté (1654) au moyen néerlandais *rammeken* (1544) «pain grillé», lui-même d'origine incertaine : si Bloch, à la suite de Behrens, y voit le diminutif du correspondant néerlandais de l'allemand *Rahm* «crème», Wartburg infirme cette hypothèse pour des raisons morphologiques, le mot néerlandais pour «crème» étant *room*. Par ailleurs l'anglais *ramekin* ou *ramequin* est emprunté au XVIIIe s. au français.

♦ Le mot désigne une préparation culinaire faite avec du fromage (et, dans de nombreux parlers, divers types de rôties à la viande, au beurre, au vin chaud, au fromage fondu). Par métonymie, il dénomme un petit récipient utilisé pour la cuisson au four et au bain-marie (attesté 1957).

① **RAMER** v. intr. est dérivé (1213) de l'ancien français *reim, raim* «pièce de bois servant à faire se mouvoir une embarcation» (fin XIe s.), également *rain* (v. 1112, *Voyage de saint Brendan*). Lui-même est issu du latin *remus* de même sens, qui, d'après les formes de la Colonne Rostrale, *triresmon, septeresmon*, comporterait le suffixe °*-smo-*, connu en grec et en lituanien. Pour l'idée de «ramer», l'indoeuropéen avait une racine °*erə-*, °*rē-*,°*rō-* dont peu de langues offrent des formes verbales. Le plus souvent, cette racine ne subsiste que sous des formes nominales parfois rattachées à des formes verbales qui ont disparu : sanskrit *aritá* «rameur» et *arítraḥ* «rame», grec *eretês* «rameur», *eretmos* «rame», ainsi que des formes en lituanien, en ancien haut allemand et en irlandais. Le latin a généralisé *re-*, non attesté ailleurs mais indirectement indiqué par le grec *eretês*.

♦ *Ramer*, «manœuvrer une pièce de bois en forme de pelle pour faire avancer le bateau», est peu attesté avant le XVIe siècle. Les extensions sont tardives, si l'on excepte, au XVIe s., l'ancien sens d'«avancer, pour un bateau» (1574) et, transitivement, «faire avancer avec les rames», chez les poètes de la Pléiade. ➡ L'édition de 1718 du dictionnaire de l'Académie enregistre le sens figuré et familier «prendre beaucoup de peine, s'imposer des efforts épuisants», sens vivace dans les parlers de l'Est et de la Suisse romande et devenu usuel dans la langue familière générale (peut-être par diffusion des emplois dialectaux) ; cet emploi a été précédé par la locution *être à la rame* (ci-dessous). ➡ Par analogie, *ramer* se dit pour un oiseau qui bat des ailes, par opposition à *planer* (1765) et, par image, d'un homme qui bat l'air avec ses bras étendus (1877).

▶ Le dérivé ① **RAMEUR, EUSE** n., d'abord *rameor* (v. 1213) et *remeur* (1273), puis *rameur* (1599), désigne la personne qui manœuvre la pelle faisant avancer le bateau. ◇ Par analogie, le mot se dit d'un oiseau aux ailes largement déployées en vol (1791). ◇ *Rameurs* a désigné une famille d'insectes hémiptères comprenant des espèces nageant à la surface de l'eau (1869).

④ **RAME** n. f., réfection (XVe s.) d'après *ramer* de *raime* (XIVe s.), *rayme* (1364) et *reme* (v. 1460), a supplanté l'ancien type masculin *raim, reim* qui est à l'origine du verbe (ci-dessus) et paraît avoir d'abord désigné les rames de grands bateaux et des galères. Avec son sens propre, *rame* est entré dans les locutions ***faire force de rames*** (1207, *nagier à force de rames*) et *lève rames!* (1875), formule de commandement. La locution *à toutes rames* (av. 1613) avait le sens figuré et familier de «à toute vitesse» ; elle a vieilli. ➡ *Être à la rame, tirer à la rame* (1694) exprimait l'idée figurée de «travailler beaucoup», probablement par allusion à la tâche pénible des galériens. Disparue, elle est prolongée par la locution populaire ***ne pas en ficher, en foutre une rame*** (1892). On y rattache le sens figuré de «paresse», surtout réalisé dans *avoir la rame* (1910), vieillie ; mais il peut s'agir d'un autre mot. ◇ Le dérivé ② **RAMÉE** n. f. s'emploie dans le même sens *(ne pas en fiche une ramée).*

RAMEUTER → MEUTE

RAMEUX → RAMEAU

RAMI

RAMI n. m. est la francisation (1937) de *rummy* (1929), forme qui suppose un emprunt oral à l'anglo-américain *rummy* (1915), antérieurement *rum, rhum* (1913) aussi *rummy game* (1949) et *game of rummy* (1949). Le mot anglais vient peut-être, par spécialisation de sens, de l'adjectif argotique *rummy* «étrange, bizarre» (substantivé pour désigner une drôle de personne), dérivé de *rum*, mot argotique d'étymologie obscure. *Rum* «rhum», d'où *rummy* «du rhum, qui tient du rhum», ne permet pas d'expliquer le cheminement vers le nom du jeu.

♦ Le mot, qui a remplacé la forme écrite *rummy* (cité en 1929), désigne un jeu de cartes consistant à former des combinaisons d'au moins trois cartes.

RAMIER, IÈRE

RAMIER, IÈRE n. m. et adj. est dérivé (av. 1173) de l'ancien et moyen français *ram, raim* «branche» (→ rameau) avec le suffixe *-ier*.

♦ D'abord employé adjectivement avec le sens de «touffu» en parlant d'une forêt (cf. *rameux*), le mot prend son sens actuel dans l'expression *colon remier* (v. 1215), *coulon ramier* (XIIIe s.) «pigeon vivant dans les branches». ◇ De nos jours, le substantif *un ramier* (v. 1440) et l'expression ***pigeon ramier*** (1531) sont les seuls emplois vivants.

▶ *Ramier* a produit **RAMEROT** n. m. (1552) ou **RAMEREAU** (1611) n. m. «jeune ramier», peu usité. On rencontre rarement le féminin **RAMIÈRE** n. f. (XVIe s., puis av. 1885) «femelle du ramier».

◈ voir RAMAGE, ① RAME, RAMEAU, RAMÉE, RAMEUX, RAMURE.

RAMIFIER

RAMIFIER v. tr. pron., d'abord *se remifier* (1314) puis *se ramifier* (v. 1560), est la francisation, d'après les verbes en *-fier*, du latin médiéval médical *ramificare* «partager en rameaux», du latin classique *ramus* «branche» (→ ① rame, rameau) et *facere* (→ faire).

♦ Le pronominal, attesté le premier, se dit d'une artère, d'une veine ou d'un nerf qui se partage en plusieurs rameaux. ◇ Le verbe, en botanique, se dit de branches, de racines, de nervures qui se séparent en plusieurs parties (1762), et par extension, d'un objet complexe, abstrait (1724) ou concret (v. 1750, Buffon), qui se sépare en plusieurs parties. L'emploi transitif (1875) est peu répandu.

▶ **RAMIFIÉ, ÉE**, le participe passé, est adjectivé avec les acceptions correspondant à celles du verbe. ➡ Le nom d'action **RAMIFICATION** n. f. (1541) paraît emprunté au dérivé du latin scolastique *ramificatio, -onis.* ◇ Son évolution est parallèle à celle du verbe : terme de description anatomique, il est passé au XVIIIe s. en botanique pour «rameau provenant de la division d'une branche plus grande» (1721) et «disposition des branches d'un arbre» (1771), retrouvant ainsi le domaine d'emploi de son étymon *ramus.* ➡ Par extension, il sert à désigner la subdivision d'un objet, concret (1875, du réseau ferroviaire) et abstrait (1755).

◈ voir RAMAGE, ① RAME, RAMEAU, RAMÉE, RAMEUX, RAMIER, RAMILLE, RAMONER, RAMURE, RINCEAU.

RAMILLE

RAMILLE n. f. est dérivé (v. 1205) de l'ancien français *ram, raim* «branche» (→ rameau) par suffixation diminutive en *-ille.*

♦ Le mot désigne collectivement les petites branches que l'on coupe pour divers usages. Il est aussi employé au pluriel en parlant des plus petites et dernières divisions des rameaux (1802).

▶ De *ramille* dérive **RAMILLON** n. m. (1876, *in* Littré, *Supplément*) dont le sens diminutif ne se distingue pas du second sens de *ramille.*

◈ voir ① RAME, RAMEAU.

RAMOLLIR → MOU

RAMONER

RAMONER v. tr., d'abord *rammoner* (v. 1220) puis *ramoner* (XIVe s.), est dérivé de *ramon* «balai fait de branches», lequel n'est attesté qu'au début du XIVe s. et sorti d'usage, sauf dans certains parlers régionaux. *Ramon* est lui-même dérivé de l'ancien français *ram, raim* «branche, rameau» (→ rameau).

♦ Le verbe a d'abord signifié «balayer», sens encore enregistré en 1688 par Miège. En moyen français, il avait développé, par des images liées au balayage, des sens figurés aussi divers que «piller» (v. 1360), «purifier moralement» (XIVe s.), «s'agiter, s'évertuer» (1381), «rosser» (v. 1350), «chasser devant soi» (v. 1460) et «rabâcher, répéter la même chose» (v. 1550), l'image étant ici moins évidente, probablement celle d'une opération lassante, toujours à recommencer, comme le balayage. ➜ Une spécialisation est à l'origine du sens actuel, «déboucher le conduit d'une cheminée» (attesté 1530 mais antérieur, cf. *ramonage*). En alpinisme il signifie par métaphore «se hisser dans une cheminée en poussant contre les parois» (1886). Par extension, il a pris le sens général de «déboucher le conduit d'un objet quelconque» (1920). ➜ Dans l'usage populaire, *se ramoner* vaut pour «se purger l'estomac» (1874) et le transitif correspond à «pénétrer sexuellement», sens ou allusion qui remonte au XVIe s., notamment dans l'expression *ramoner la cheminée à* (une femme) [v. 1580, A. Chrestien].

▶ Le dérivé **RAMONAGE** n. m. (1317, *ramonnage*) a perdu le sens de «balayage» au cours du XVe s., et désigne l'action de nettoyer une cheminée (1439 dans le Nord), sens dont procède la spécialisation métaphorique en alpinisme (1927). ➜ **RAMONEUR** n. m. (v. 1470), d'abord employé avec une équivoque sexuelle, a remplacé **RAMONEUX** n. m. (v. 1520) employé comme nom d'ouvrier. Du XVIIe au XIXe s., le personnage du *petit ramoneur* savoyard, avec sa marmotte, confère au mot une valeur sentimentale et symbolique. ◇ Le féminin *ramoneuse* désigne spécialement une machine chargée de ramoner (1875), le masculin se disant spécialement d'un appareil nettoyant les tubes de chaudières (1962). ➜ Par substitution de la voyelle *a* au suffixe *-eur*, on a dérivé **RAMONA** n. m. «petit ramoneur» (1808), employé au XIXe s. dans la langue populaire. Le sens érotique de *ramoner* et *ramoneur* (ci-dessus), après le succès d'une chanson américaine très populaire (1927), traduite en français, interprétée par des célébrités, notamment Tino Rossi (1935) et où *Ramona* était un innocent prénom féminin hispanique (équivalant à Raymonde), a conduit à la locution ***chanter Ramona***, qui équivaut à *ramoner*. *Entendre* et *chanter ramona* s'emploient aussi pour «entendre, répéter un refrain lassant».

◈ voir ① RAME, RAMEAU.

RAMPEAU → APPELER

◈ ✳ **RAMPER** v. intr. est issu (v. 1120) du francique °*hrampon*, °*rampon* «grimper», dérivé de °*hrampa*, °*rampa* «crochet, courbure». Ce nom relève de la racine germanique °*hramp-* désignant un objet crochu, représentée dans l'ancien haut allemand *rimpfan* «courber, rider» et le moyen néerlandais *ramp* «crampe»; en roman, l'italien a *rampa* «griffe», *rampo* «crochet», le catalan et l'espagnol *rampa* «crampe», le provençal et le francoprovencal *rampa, rampo*. Le fait que le français n'a pas *fr-* mais *r-* à l'initiale indique une introduction assez tardive.

♦ *Ramper* a d'abord signifié, conformément à son sens étymologique, «grimper» (v. 1150). Ce sens, encore répertorié en 1611, existe encore en blason où le mot se dit de quadrupèdes représentés dressés sur les armoiries (XIIIe s.), surtout sous la forme du participe présent adjectivé (ci-dessous, *rampant*). L'évolution sémantique s'est opérée très tôt par la valeur de «s'accrocher de tout son corps à une surface pour grimper» (XIIIe s.) bien que le rapport ne soit plus senti; le verbe s'applique notamment à des plantes pourvues de tiges et de rameaux qui s'étalent sur un support en s'y accrochant au moyen de vrilles (XVIe s.), la notion de verticalité ayant disparu au profit de celle d'adhérence. Le verbe s'emploie en médecine ancienne en parlant d'affections cutanées, de veines qui s'étendent (1314). ➜ Ce changement d'accent est peut-être à l'origine du sens courant, «se déplacer sur une surface, sur le sol par un mouvement d'ensemble du corps» en parlant de certaines espèces animales, pressenti dès les premières occurrences (v. 1120, *choses rampantes* «reptiles»), notamment les reptiles (→ reptation, reptile) et, par extension, de l'homme et de quadrupèdes se déplaçant lentement le corps appuyé au sol (v. 1250). ◇ Diverses extensions figurées sont apparues à partir du XVIe s. : *ramper* a signifié «manquer de distinction, d'élévation» (1549, Du Bellay à propos d'un auteur); à l'époque classique, il a eu le sens de «vivre dans une condition obscure, abjecte» (1580); de nos jours, il signifie «faire preuve de bassesse par complaisance ou intérêt» (1680) dans un usage littéraire.

▶ Très tôt, ① **RAMPANT, ANTE**, le participe présent de *ramper*, a été adjectivé pour qualifier un animal qui se traîne à terre (v. 1120). En parlant des plantes, il s'oppose (1690) à *grimpant*. La notion étymologique de «grimpant» (v. 1175), évincée de l'usage courant, reste vivante en blason (v. 1200) et dans le domaine de la construction où l'adjectif, probablement d'après le nom ② *rampant*, signifie «incliné, en pente» (1694). ◇ En relation avec le verbe, l'adjectif prend à l'époque classique des valeurs figurées : «dans une position humble» (1660), «qui s'abaisse» (1670). ◇ Dans l'argot de l'aviation, d'après le sens concret de «collé au sol», il qualifie le personnel employé au sol (1918), par opposition au personnel navigant; il est substantivé dans ce sens. ➜ ② **RAMPANT** n. m. réalise encore aujourd'hui la notion étymologique de verticalité. Le nom s'applique en blason à un animal à fourrure qui grimpe dans les arbres (XVe s.). Il a désigné le penchant d'une colline, d'une montagne (1671) et se dit aujourd'hui, en construction, d'une partie ou de la surface d'un édifice qui n'est pas horizontale (1640), spécialement d'une galerie de mine inclinée réunissant le puits de retour au ventilateur principal (attesté 1964, dans les dictionnaires généraux). ➜ **RAMPEMENT** n. m. (1538) s'est imposé au sens d'«action de ramper sur le sol» aux dépens du sens étymologique, «action de grimper», attesté (par hasard) un peu plus tard (1596). ◇ Par métonymie, ce nom désigne le mouvement de ce qui rampe, spécialement en technique le mouvement des rails de chemin de fer qui paraît dû à la succession des déformations élastiques entre les traverses (mil. XXe s.).

Le déverbal **RAMPE** n. f. (1584) a conservé, comme *rampant* n. m., le sémantisme originel de «grimper»; de ce fait, il est détaché de son origine. C'est d'abord un terme de construction désignant une volée d'escaliers et, par métonymie, la partie d'un escalier entre deux paliers (1669). ◇ Par un autre développement métonymique, *rampe* a pris son sens actuel et courant de «balustrade d'escalier» (1690), d'où les locutions figurées ***tenir bon la rampe*** «conserver une activité, résister» et ***lâcher la rampe*** «mourir» (1860) et «abandonner, céder». ➛ Par analogie, il s'est appliqué à la balustrade bordant la scène du côté de l'orchestre (1821), prenant, avec l'abandon matériel de cette balustrade, le sens de «rang de lumières disposés au bord de la scène» (1821), spécialement dans les ***feux de la rampe*** «le théâtre, le spectacle» et ***passer la rampe*** (1867) «avoir un effet sur le public». Par extension, *rampe* sert à désigner un dispositif présentant une suite de sources lumineuses (1889), spécialement sur un aéroport. *Rampe au néon* est attesté en 1927. ◇ La notion de «suite» a totalement évincé celle de «balustrade» dans l'expression technique *rampe de culbuteurs* (XXe s.) désignant l'ensemble des culbuteurs et de leurs supports dans un moteur d'automobile. ➛ Parallèlement, l'idée initiale s'est spécialisée dans «plan incliné tenant lieu d'escalier dans les jardins et places fortes» (1694) et «pente (d'un terrain, d'une route, d'une voie)» (1875) et, par métonymie, «partie inclinée (d'une voie)», notamment «partie montante, côte». Par extension, ***rampe de lancement*** (1945) s'applique au plan incliné lançant des avions catapultés, des fusées et autres engins propulsés; l'expression est passée dans l'usage courant avec le sens figuré de «ce qui donne de l'importance, de la notoriété», d'après un sens figuré de *lancer.* ➛ *Rampe* a produit **RAMPISTE** n. (1836) «menuisier ou serrurier qui fait des rampes d'escalier», terme technique.

RAMPONNEAU n. m., d'abord dans la locution *à la Ramponneau* (v. 1760), puis sans majuscule (1780), vient du nom de *Jean Ramponneaux* (1724-1802), cabaretier français dont l'établissement de la Courtille, à Paris, devint célèbre. Après avoir accepté de vendre son fonds, Ramponneaux se ravisa, provoquant un procès que raillèrent les moqueurs parmi lesquels Voltaire. La vogue de ce personnage bedonnant et pittoresque inspira les chansonniers, libellistes et faiseurs d'almanachs et le nom du cabaretier s'attacha plaisamment aux modes nouvelles au point que pendant quelque temps, tout fut *à la Ramponneau,* par exemple une tabatière en forme de petit tonneau et incrustée d'écaille (1780), un couteau très long (1790).

♦ Le mot passa dans l'usage, où il est d'abord relevé comme adjectif pour «ivre» (1780) avant d'être substantivé : *ramponneau* devint le nom d'un petit couteau (1802) d'après le *couteau à la Ramponneau,* puis (1832) d'un jouet constitué d'une petite figurine munie à sa base d'un plomb la faisant se relever quand on la renverse, autrement dit *poussah.* ➛ C'est de ce sens que vient la valeur la plus connue aujourd'hui, c'est-à-dire «coup, bourrade» (attesté 1914, F. Carco), par allusion aux coups infligés à ce jouet. ➛ En technique, le mot a désigné un marteau de tapisserie dont l'une des branches se termine en arrache-clou (1904). ➛ L'idée de «gros ventre» est peut-être à l'origine d'une autre acception, en français de Belgique, *ramponneau* prenant le sens de «filtre en forme de bourse introduit dans la cafetière» (1913).

RAMURE n. f., réfection suffixale (1307) de *rameure* (XIIIe s.), est dérivé de l'ancien *ram, raim* «branche» (→ rameau).

♦ Le mot désigne l'ensemble des rameaux et branches d'un arbre. Par analogie, il s'applique en vénerie à l'ensemble des bois d'un ruminant à cornes ramifiées (1524) et, en blason, au bois d'un ruminant figurant isolément sur l'écu (1690).

◈ voir ① RAME, ① RAMÉE, RAMEAU.

① **RANCART** ou **RANCARD** n. m., attesté depuis 1755 dans *mettre au rancart,* est d'origine incertaine : selon Wartburg, la locution est l'altération du normand *mettre au récart* «se défaire», où *récart* est le déverbal de *récarter* «répandre du fumier, éparpiller» (Normandie, Berry), verbe préfixé de *écarter**. On a évoqué, avec la même origine mais un autre développement, le terme poissard *rencarter* «écarter des cartes sans valeur», d'où *rencart* «cartes ainsi éliminées», formes parisiennes pour *récarter, récart,* de *re-* et *écarter.* P. Guiraud, mettant en doute le lien sémantique qui lie *rancart* à *récarter,* postule, en se fondant sur l'origine argotique du mot, une dérivation de *quarre, carre** «coin», d'où sont issus le moyen français *se jeter à quart* «se jeter de côté», l'argot *encarre* «entrer, introduire» et *décarrer* «s'enfuir, partir». Selon lui, *rencart* pourrait représenter le déverbal d'un verbe °*rencarrer* au sens de «mettre dans un coin». On peut aussi, avec M. Heron, établir un rapport entre *rang* et *rancart,* comme entre *plaquer* et *placard.* Quant à l'hypothèse faisant de *rancart* un mot de la famille de *carte**, elle manque de fondement.

♦ Le mot est employé dans la locution ***mettre*** (rarement *jeter*) ***au rancart,*** qui signifie «mettre au rebut» au propre, puis au figuré (av. 1857, Musset). On trouve aussi ***mise au rancart*** et ***au rancart*** employé adjectivement.

② **RANCARD** ou **RANCART** n. m., mot d'abord argotique (1889, Esnault), est d'origine inconnue. On a songé à la première syllabe de *renseignement* (cf. *enseigner*) qui ne rend pas compte de la forme du mot, à ① *rancart* «rebut», mais cette hypothèse supposerait l'utilisation de la notion de mise à l'écart, qui est opposée, enfin à une altération d'un dérivé de l'ancien verbe *racorder, recorder,* «rapporter, rappeler» (→ recors, record par l'anglais), qui supposerait une nasalisation °*rancord,* puis une resuffixation d'après les mots en *-ard,* non attestées. Un croisement de ce *racord* et de ① *rancart* est possible.

♦ Le mot signifie «renseignement» en argot, mais tend à vieillir sauf dans des expressions comme ***filer un rancard.***

▸ Le dérivé **RANCARDER** ou **RENCARDER** v. tr. (1899, Nouguier), synonyme argotique de *rensei-*

gner, est également employé à la forme pronominale *se rancarder* (1901). ➜ Par changement de finale, sous l'influence d'un mot d'argot commercial, *rembour, rembourre* «fourniture de marchandises», dérivé de *rembourrer*, rancard* a produit **RAMBOUR** n. m. (1909), également attesté sous les variantes *rembour,* et par changement de finale, *rambot, rembot* qui sert de synonyme à la fois à ② *rancard* «renseignement» et à ③ *rancard** «rendez-vous».

③ **RANCARD** ou **RANCART** n. m., synonyme populaire de *rendez-vous* (1898, Esnault), est d'origine incertaine, peut-être de la forme *renque* «rendez-vous», abréviation pour *rencontre*,* qui n'est cependant attestée qu'en 1926 par Esnault. Une dérivation du verbe *rencarrer* «rentrer chez soi, se mettre en lieu sûr», du radical de *carre* «coin» (→ ① rencard), est possible. Une influence de *rencontre** ou de *rendez-vous** est certaine.

♦ Le mot signifie familièrement «rendez-vous», et s'emploie dans des syntagmes comme *donner un rancard à qqn, filer (un) rancard.* Le rapport étymologique avec ② *rancard* est très probable, le rendez-vous servant souvent, notamment dans le contexte de la police et des activités délictueuses, à transmettre des informations, des renseignements. Quelles qu'en soient les modalités, le rapport entre ① *rancard* au sens de «mise à l'écart» et *rancard* «rendez-vous secret» n'est pas à exclure.

RANCE adj. et n. m. est emprunté (av. 1350) au latin *rancidus,* proprement «avarié, qui sent», d'où «putréfié, infect» et, au figuré, «désagréable, déplaisant, insupportable». Ce mot panroman est dérivé de *rancere,* verbe rarissime, attesté par un exemple de participe présent chez Lucrèce et par les Gloses ; le verbe signifie «mûrir, pourrir». Le mot présente un vocalisme *-a-* et un suffixe °*-ko-* caractéristique de mots désignant des tares physiques (→ manchot, peut-être pécher) mais son étymologie est inconnue. L'ancien provençal a la forme *ransa* adj. f. «flétrie, fanée», en parlant de la peau, de la chair humaine, du XIIe au XIIIe siècle.

♦ *Rance,* d'abord nom, exprime proprement, avec une valeur de neutre, l'état d'un corps gras avancé en âge, sens rare avant 1580. ➜ L'adjectif *rance* (av. 1350) a d'abord eu le sens figuré de «perdu, déchu moralement», sorti d'usage ; il est presque toujours appliqué à un corps gras, notamment au beurre, qui a pris une saveur âcre et forte due au développement d'acides gras (1546) et, par extension, à une substance comestible vieillie (1694, à propos de confitures). En procède un emploi métaphorique au sens de «vieux et désagréable», resté rare, alors que la locution ***sentir le rance,*** où *rance* est substantif (1927), est vivante avec une valeur identique.

▸ *Rance* a produit **RANCIR** v. qui signifie «devenir rance», d'abord à la forme pronominale *se rancir* (1538) et, plus couramment de nos jours, en construction intransitive (1636). Ultérieurement, le verbe s'emploie au figuré à propos d'un esprit, d'un talent qui se corrompt par l'effet du temps, à la forme pronominale (1801) et, plus souvent, en construction intransitive (1875). Le *Dictionnaire universel* de P. Larousse enregistre en 1875 le sens spécial de «jaunir, pour une peinture, par l'effet des huiles qui ressortent», d'usage technique. ➜ **RANCI, IE,** le participe passé de *rancir,* est adjectivé avec les sens propre (1539) et figuré (1867) correspondants. Il est substantivé pour caractériser une atmosphère aigre et désagréable, par métaphore littéraire (1867, Baudelaire), et désigne concrètement la partie rance d'un produit (1932). ➜ *Rancir* a aussi produit **RANCISSURE** n. f. (1538) «état d'un produit rance», concrètement, «partie rance d'une chose», et, beaucoup plus tard, **RANCISSEMENT** n. m. (1877), seulement employé au sens propre. ➜ Un autre nom, **RANCIDITÉ** n. f., a été dérivé savamment (1752) du radical du latin *rancidus* pour désigner la qualité de ce qui est rance ; le mot a pris le sens technique de «tache provenant de la mauvaise qualité de l'huile dont le peintre s'est servi» (av. 1872).

◈ voir RANCŒUR, RANCUNE.

RANCH → RANCHO

RANCHO n. m. est un emprunt (1822) à l'espagnol d'Amérique *rancho* «maison de berger ou d'ouvrier agricole», emploi spécialisé de l'espagnol *rancho* «cabane», d'où «réunion» et «repas pris en commun par des militaires», lui-même dérivé de l'ancien provençal *rancharse* «se loger» (par la langue des soldats), lequel est emprunté du français *se ranger*.*

♦ Le mot désigne une exploitation d'élevage et de ferme où vivent les exploitants en Amérique du Sud et en Amérique centrale.

▸ Le français a aussi emprunté **RANCHERO** n. m. (1907) à l'espagnol d'Amérique du Sud *ranchero* «fermier tenant un rancho», dérivé de *rancho.*

RANCH n. m. est emprunté (1862) à l'anglo-américain *ranch* (1808), lui-même repris de l'espagnol *rancho* (→ rancho) «cabane», employé dans toute l'Amérique latine pour une modeste demeure, la plupart du temps isolée, une petite ferme. En américain, *ranch* eut les sens de «village, habitation rustique», «taverne», «maison de ferme», puis «petite ferme» (1831) et «grande exploitation agricole ou d'élevage» (v. 1850). On emploie *ranch house* (1862) pour une maison de ferme, et *ranch* s'est spécialisé en parlant d'une grande ferme d'élevage des plaines de l'Ouest en Amérique du Nord. ➜ Le français a repris *ranch* au sens général de «bâtiment isolé dans un lieu solitaire» (1862), mais l'emploie surtout pour désigner une habitation, des bâtiments de ferme dans la Prairie nord-américaine (1872), ou une exploitation agricole d'élevage dans le même contexte. Par analogie, il se rencontre quelquefois appliqué, en France, à un établissement où l'on pratique l'équitation, comme dans un ranch (1944, Queneau).

➜ **RANCHMAN** n. m., emprunté (1885) à l'anglo-américain *ranchman* (1856) «personne possédant un ranch ou travaillant dans un ranch», formé de *ranch* et de *man* «homme» (cf. *barman,* etc., et *mannequin*), au pluriel *ranchmen,* semble inusité. ◇ Lui correspond l'hispanisme **RANCHERO** n. m.

(1838). ➛ **RANCHER** n. m. est emprunté (1909) à l'anglo-américain *rancher* (1836) «fermier» (1884), dérivé de *ranch* avec le suffixe *-er* indiquant l'agent.

RANCŒUR n. f. est la réfection d'après *cœur* (v. 1460) de *rancor* (v. 1190), puis *rancour* (XIIIe s.), *rancuer* (1317), *rankeur* (XIVe s.), et remonte, comme l'italien *rancore*, l'espagnol *rancor* ou *rencor*, au bas latin *rancorem*, accusatif de *rancor*, *-oris*, proprement «rancidité, rancissure» et, au figuré, «rancune», de *rancere* (→ rance).

♦ Le mot est passé en français avec le sens figuré de «ressentiment tenace», spécialement «amertume que laisse une déception, une injustice» (1856, Baudelaire). Il n'a pas gardé les sens de «méchanceté, malice» et de «dégoût» qu'il avait aussi au XVIe siècle. Le sens concret est demeuré le fait de *rance** n. m. et de *rancidité*.

◈ voir RANCE, RANCUNE.

RANÇON n. f. est le doublet populaire de *rédemption** : il est issu, d'abord sous les formes *raençon* (v. 1130), *raançon* (v. 1155), *reanson* (v. 1250) puis *rançon* (v. 1360), du latin *redemptionem*, accusatif de *redemptio* «action de racheter, de délivrer» d'où «rachat», spécialement «procès mené à la place de qqn contre rétribution» et, dans la langue ecclésiastique chrétienne, «rachat des hommes par le sacrifice du Christ». Le mot est dérivé du supin *(redemptum)* de *redimere* «racheter une chose vendue, un prisonnier, un acquittement», «acheter en retour» (→ rédimer).

♦ Le mot est passé en français au sens de «prix exigé pour la libération d'un prisonnier», notamment dans la locution *mettre a raançon* (v. 1155), devenue archaïque, puis dans la locution familière *c'est la rançon du roi* (1690) «un prix trop élevé». ➛ Par l'intermédiaire d'un emploi métaphorique attesté très tôt dans le style biblique (v. 1138, *pur raançun de nos pechez* «pour le rachat de nos péchés» en parlant du sacrifice du Christ), mais réservé dès le XIIIe s. à *rédemption*, il a pris beaucoup plus tard le sens figuré de «contrepartie fâcheuse d'une chose agréable» (1723).

▸ Le dérivé **RANÇONNER** v. tr. (XIVe s.), d'abord écrit *ransonner* (1260), signifie «exiger une certaine somme de (qqn) pour le remettre en liberté». Par extension, le verbe a développé le sens, plus usuel, de «forcer (qqn) à payer une somme qu'il ne doit pas» (v. 1360). L'extension figurée pour «faire payer à (qqn) un prix exorbitant pour une chose» a vieilli. ➛ À son tour, *rançonner* a produit **RANÇONNEMENT** n. m. (*ranchonnement*, XIVe s.), d'abord employé au sens de «pillage, rapine», sorti d'usage, et, depuis le début du XVIIe s., avec son sens actuel, au propre (1636) et au figuré. ➛ **RANÇONNEUR, EUSE** n., d'abord écrit *raensonneur* (1409), désigne la personne qui, par la menace, extorque de l'argent à une autre et, par extension, la personne qui en exploite une autre en lui faisant payer des prix exorbitants (v. 1534) ; il est peu usité.

RANCUNE n. f. est l'altération (1080) de l'ancien français *rancure* (v. 1165), encore employé au XVe s. et à l'origine d'un verbe *rancurer* attesté jusqu'au XVIe siècle. Le changement de consonne est probablement dû à l'attraction d'*amertune*, forme ancienne à côté d'*amertume* : la variante *rancume* est attestée en normand. *Rancure* lui-même remonte à un latin populaire °*rancura*, forme altérée de *rancor* (→ rancœur) par croisement avec *cura* «souci» (→ cure) ; l'italien et l'espagnol archaïques *rancura* viennent du même étymon.

♦ *Rancune*, qui désigne le souvenir aigu et tenace que l'on garde d'une offense avec la volonté bien arrêtée de se venger, semble avoir été employé en ancien français avec les valeurs plus générales de «colère», de «contrariété, désagrément» (v. 1165), «querelle, révolte». Sa valeur s'étant affaiblie de manière à désigner une hostilité due au souvenir d'un acte agressif, il entre dans l'expression *sans rancune !* (1718) qui a évincé *point de rancune* (1670).

▸ En ancien français, *rancune* a produit un adjectif **RANCUNEUX, EUSE** (v. 1170) «qui a de la rancune», et «qui témoigne de rancune (d'un acte)» (1346), aujourd'hui cantonné à un usage littéraire ou régional (Belgique, Canada). ➛ Cet adjectif a été supplanté par **RANCUNIER, IÈRE** adj. (1718), quelquefois substantivé (1740), employé aussi pour qualifier une action, un caractère dénotant de la rancune (1756).

◈ voir RANCE, RANCŒUR.

RANDONNÉE n. f., d'abord écrit *randonée* (v. 1131) puis *randonnée* (v. 1330), est le participe passé féminin substantivé de l'ancien verbe *randoner*, *randonner* (XIIe s.) «courir rapidement, impétueusement», sorti d'usage à l'époque classique et encore répertorié par le dictionnaire de l'Académie en 1842. Un sens transitif, «poursuivre avec impétuosité», a survécu dans les parlers de la Normandie et de la Picardie avec la nuance de «courir après (qqn) en faisant du bruit» et «battre». Le verbe est tiré des locutions d'ancien français *de randon*, *à randon* «à toute vitesse, avec force», formées avec *randon* «violence, jet impétueux et violent» (emprunté par l'anglais *random*, employé dans des locutions adverbiales exprimant la rapidité puis le hasard : *at random*). *Randon* vient d'un autre verbe employé en ancien français, *randir* «courir, galoper», transitivement «parcourir rapidement», et, au figuré, «s'étendre». Ce verbe est dérivé, selon Wartburg, d'un ancien substantif °*rant* (comme *brandir* vient de *brant*), lui-même issu du francique °*rant* «course», substantif verbal correspondant au verbe allemand *rennen* que l'on retrouve dans les dialectes allemands méridionaux (Bavière, Suisse, Lorraine). P. Guiraud, en rapprochant *à randon* de *à l'andan* «vite» et de *landonner*, préfère supposer un verbe °*ander* issu d'un latin populaire °*ambitare* «aller autour», d'où «courir», de *ambire* «entourer» (→ ambition), avec un préfixe *re-* augmentatif qui a pris une valeur itérative (d'où l'idée de «revenir au point de départ»). Aucune des deux origines, la germanique et la romane, n'est solidement appuyée.

♦ *Randonnée*, après avoir été usuel jusqu'au XVIe s. au sens de «course impétueuse, rapide», s'est restreint au vocabulaire de la vénerie (1574) pour désigner le circuit que fait un animal autour de l'endroit où le chasseur l'a lancé. ◆ Par extension, il est passé dans l'usage commun au sens de «longue promenade ininterrompue et en général circulaire» (1798), devenu usuel à la fin du XIXe siècle. Il s'est spécialisé en sports (XXe s.) pour une marche en pleine nature sur des sentiers balisés (d'où *sentiers, chemins de grande randonnée*) et pour une promenade à skis en dehors des pistes (1908, *randonnée en skis*).

▸ Sous l'influence des sens modernes de *randonnée*, l'ancien verbe **RANDONNER** v. intr. a été repris (1875) d'abord comme terme de chasse au sens de «tourner, battre et entourer le canton dans lequel un lièvre a été attaqué». Il est plus courant avec l'acception de «faire une randonnée» (1896) et en sports (attesté v. 1950). ◆ Le verbe est moins usité que son dérivé **RANDONNEUR, EUSE** n. (1909) qui désigne une bicyclette équipée pour la randonnée et la personne qui pratique la randonnée, spécialement à bicyclette (1921), et à skis (1962).

✱ **RANG** n. m., réfection (v. 1175) de *renc* (1080), est issu du francique °*hring* «anneau, cercle», d'où viennent l'allemand *Ring*, l'anglais *ring* (→ ring) qui a dû prendre le sens d'«assemblée judiciaire, militaire» selon les mœurs des anciens Germains qui tenaient des assemblées de ce genre (→ harangue). De là s'explique le développement du mot français vers l'idée de disposition de personnes assemblées, à la fois concrètement et symboliquement, puis d'ordre hiérarchique.

♦ Dès les premiers textes, le mot est employé concrètement à propos de l'alignement des hommes côte à côte dans une formation guerrière (par opposition à *file*). Ce sens, qui pourrait correspondre au passage du mot francique dans le contexte de la guerre, a donné plus tard des locutions correspondant à des ordres donnés par les supérieurs, comme ***serrer les rangs*** (1636), au figuré «se grouper pour s'entraider» (av. 1848), ou bien ***à vos rangs, fixe!*** qui se dit lorsqu'un officier supérieur entre dans un lieu où se trouvent des soldats. ◇ Par extension, le pluriel *rangs* est employé pour l'ensemble des hommes d'une armée (1869) tandis que *le rang* désigne collectivement l'ensemble des hommes de troupe (1893), comme dans les locutions ***sortir du rang*** (1893), au figuré «avoir réussi après avec occupé une place modeste», et ***rentrer dans le rang*** (av. 1951), allusion à l'officier qui redeviendrait simple soldat. ◆ Des extensions analogiques et figurées se développent à partir de l'époque classique, comme ***se mettre sur les rangs*** (1678), «se joindre à un groupe de concurrents», antérieurement au sens propre, «se présenter à un tournoi» (1636) d'après le sens ancien de *renc, rang* «piste pour la joute». La valeur figurée plus vague de «nombre, masse» est réalisée dans la locution ***grossir, rejoindre les rangs de...*** (1875). ◆ En marge de sa valeur militaire, *rang* désigne un ensemble de personnes placées côte à côte (fin XIe s.), et une suite d'objets disposés en largeur sur la même ligne (v. 1130) d'où la locution ***en rang*** «en file» (1080) et, avec une pure valeur temporelle, ***de rang*** «de suite» (v. 1460). ◇ Les extensions spécialisées sont nombreuses : *rang* désigne une ligne de perles (1690), le nombre de mailles de tricot faites sur une même ligne, dans *rang de mailles* (1910), puis absolument (1936); en technique, le nom s'applique à une assise d'une construction (1869) et, par métonymie, à l'endroit où des objets semblables sont disposés les uns auprès des autres, en imprimerie (1812) et en termes de pêche (1845). ◆ Avec le sens d'«alignement», le mot a pris au Canada (1721) le sens de «peuplement rural dispersé avec des exploitations agricoles s'étendant en lignes parallèles de part et d'autre d'une voie qui les dessert». ◆ En moyen français, la notion militaire d'ordre prenant le pas sur celle l'alignement, *rang* désigne aussi la place occupée dans la hiérarchie sociale (1462), surtout en parlant des places les plus élevées, et alors en emploi absolu (1462) : *une personne* ***de rang, tenir son rang.*** Puis le mot désigne la place occupée dans une hiérarchie administrative, militaire, politique (1549) et, spécialement, la place d'un dignitaire ou d'un fonctionnaire dans l'ordre des préséances (1687). ◇ Par extension, il désigne la situation d'une personne ou d'une chose dans une classification (1462), sens auquel s'ordonnent divers emplois spécialisés, dans l'ancienne marine où le mot désignait la position assignée aux grands bâtiments d'après leur structure et leur armement (1690), et de nos jours (attesté mil. XXe s.) avec une valeur abstraite, en mathématiques *(rang d'une matrice)* et en linguistique structurale. ◆ Par extension, *rang* est employé à propos du degré d'importance, de la valeur attribuée à une chose, d'un être parmi d'autres de la même catégorie (1640, Corneille) et, l'idée de hiérarchie passant au second plan, de la place d'une personne ou d'une chose dans un ensemble quelconque (1538). C'est ce dernier sens qui est représenté dans la locution classique *mettre une chose au rang des péchés oubliés* (v. 1590) et ***prendre rang*** (1875), ***être au rang de*** (1875), toujours en usage dans une langue soutenue.

▸ ① **RANGER** v. tr., dérivé de *rang*, est la réfection (XIIIe s.) de *rengier* (v. 1160) et *rangier* (v. 1175) probablement antérieur (cf. *dérangier*, fin XIe s.). Il est employé transitivement au sens de «disposer côte à côte (des personnes, des objets en ligne)» d'où, au figuré, «classer (qqn, qqch.)» dans un ensemble (déb. XVIIe s.). ◆ L'accent étant mis sur la valeur normative, contraignante d'une telle action, le verbe a pris le sens figuré de «réduire à» (1559) et de «mettre (qqn) dans la voie du devoir» (1585), courants dans la langue classique, puis archaïques. En revanche, *ranger* signifie toujours «soumettre (les individus d'une communauté) à une contrainte matérielle ou morale» (1636) et, par analogie, «amener (qqn) à se rallier à ses convictions» (1734). ◆ Plus couramment, le verbe implique l'idée de «disposer (des objets concrets) dans un ordre nettement et soigneusement établi» (1373), spécialement afin de laisser un passage dégagé (1660) et, par extension, de «mettre en ordre (un lieu) pour qu'il paraisse bien tenu» (1680), acception très usuelle dans l'usage spontané, à côté de synonymes plus marqués (*serrer*, régional, *mettre en ordre*). ◇ Par extension, *ranger* s'emploie pour «mettre (une chose) à un endroit déterminé» ou «remettre à sa place habituelle» (1792), avec complément ou plus récemment sans complément (1939). ◆ Son emploi à propos du classement d'objets abstraits remonte au XVIIe s., époque où l'on employait le verbe au sens intellectuel large de «disposer selon un certain plan» (1636) et de «décider, arrêter un choix en l'organisant» (1672); de nos jours, *ranger* implique davantage l'idée d'un classement simple selon un ordre déterminé. ◆ Une ancienne extension spatiale pour «marcher à travers, parcourir» (v. 1188) est encore vivante en marine où ***ranger la terre, la côte*** signifie «la longer» (1559); de là l'expression ***ranger à l'honneur*** (1834) «passer à la poupe du vaisseau amiral» et, par extension, «passer le plus près possible d'un objet». ◆ Aussi courante que l'actif, la forme pronominale **SE RANGER** (1207) a suivi le même type de développement, à partir de son sens propre «se disposer côte à côte sur une ou plusieurs lignes, se placer dans un certain ordre». ◇ Le sens figuré, «accepter de se soumettre à une autorité, à une contrainte», apparaît en moyen français (fin XVe s.) d'où, par analogie, *se ranger à* «adopter les façons de voir, de penser, de juger d'un individu ou d'un groupe» (1559). ◆ Au XVIIe s., *se ranger* a, d'après le sens militaire de *rang*, signifié aussi «servir dans les troupes commandées par tel chef» et, dans la locution aujourd'hui disparue *se ranger sous les drapeaux*, «devenir soldat» (1673). ◇ Aujourd'hui, il est employé absolument avec l'idée normative de «revenir à une vie régulière et ordonnée» (1732), également réalisée dans la locution populaire ***se ranger des voitures*** (1881). Par une autre figure, il se dit pour «avoir une place dans une série» (1862). ◆ Le second emploi concret de *se ranger*, l'accent étant mis sur la finalité de l'action, correspond à «s'écarter pour ne pas gêner le passage ou se préserver d'un danger» (1668). C'est de cette acception que procède, en parlant d'un véhicule, le sens de «se placer dans un lieu de stationnement» (1845).

Ranger a plusieurs dérivés : le premier attesté, le déverbal **RANGE** n. f., d'abord écrit *renge* (1050), désignait en ancien français une ceinture de guerre servant à pendre le baudrier ou l'épée, et un rang, une file d'hommes (v. 1175) puis une file d'objets (v. 1354). C'est ce mot qui est à l'origine de l'anglais *range*, d'où vient, par le verbe *to range*, *ranger* (→ ranger). Ce nom est devenu au XVIIe s. un terme technique pour une disposition en ligne, en parlant des pavés (1694), puis il est sorti d'usage, éliminé par *rangée*. ◇ Son diminutif **RANGETTE** n. f. (1757), «fer forgé», a lui aussi disparu.

RANGÉE n. f. est le participe passé féminin de *ranger*, substantivé sous la forme *rengie* (fin XIIe s.), *rengée* (1227), correspondant à *renc*, puis *rangée* (XVe s.), pour désigner une suite d'objets ou de personnes disposés sur une même ligne. ◆ Parmi ses divers emplois correspondant à ceux du verbe, le participe passé **RANGÉ, ÉE** est adjectivé (1196) dans la locution ***bataille rangée***. ◇ Qualifiant une personne, cet adjectif s'est dit au XVIIe s. d'une personne bien installée quelque part (1675, Mme de Sévigné), puis d'une personne faisant preuve d'ordre dans son travail, dans l'administration de ses affaires, de sa maison (1732); ces acceptions ont vieilli. ◇ De nos jours, il correspond à «sérieux, menant une vie réglée» (1694), et se dit de ce qui dénote un esprit respectueux des normes de la morale bourgeoise (1869). La locution familière ***être rangé des voitures*** (1873) forme jeu de mots entre *être rangé* et *se ranger*.

RANGEUR, EUSE n., d'abord *rengeur* (v. 1298), autre dérivé du verbe, a signifié d'abord «gouverneur» d'après le sens normatif de *ranger*. Il a été repris en technique, pour «ouvrier d'une briqueterie qui pétrit la terre» (1776). ◇ Il est peu usité en parlant d'une personne qui met de l'ordre (1844), sens pourtant le plus usuel du verbe. ◆ **RANGEMENT** n. m., nom d'action correspondant à *ranger*, est relativement tardif (1630); il est surtout employé concrètement, surtout dans *de rangement* après un nom d'objet servant à ranger des affaires (1869). ◇ Dialectalement, il signifie «fait de mener une vie rangée» (1848, Sand).

Le préfixé **DÉRANGER** v. tr., attesté avant le verbe simple (1080), a d'abord eu le sens de «sortir des rangs», en ancien et en moyen français. L'usage transitif (XIIIe s.) correspond au sens propre de «mettre les rangs en désordre» et, par extension, à «déplacer de son emplacement assigné», acception la plus courante (1596). ◆ Les extensions figurées datent de l'époque classique : *déranger* signifie alors «changer de manière à troubler le fonctionnement d'une chose» (fin XVIIe s., Mme de Sévigné) et «obliger (qqn) à se déplacer, à interrompre ses occupations, etc.» (av. 1693). Par une extension naturelle, il est devenu synonyme de *troubler, gêner* (1752), valeur exploitée dans *déranger l'esprit*, moins usuel que *dérangé* (ci-dessous). ◆ **DÉRANGEMENT** n. m., le nom d'action tiré du verbe (1636), signifie d'abord «sortir de son rang», valeur rare par rapport à «mise en désordre», et «action de gêner qqn» (fin XVIIe s., Mme de Sévigné). Le sens figuré, «introduction d'un changement dans des relations» (1675), le sens spécialisé de «gêne pécuniaire» (1680) et, par métonymie, «état de ce qui est perturbé, altéré» (1694), ont disparu au cours du XVIIIe siècle. ◇ La langue moderne emploie le mot en parlant de l'état d'une chose troublée dans son fonctionnement, que ce soit un organisme (1718), une machine, un appareil (1835), spécialement dans la locution ***en dérangement*** (XXe s.) qui est synonyme de *hors service*. ◇ Le sens d'«action de se déplacer», qui correspond à l'emploi pronominal *se déranger*, est attesté depuis 1835. ◆ Parmi plusieurs emplois spéciaux, **DÉRANGÉ, ÉE** adj., du participe passé du verbe, a été synonyme de «dévoyé, débauché» (1694); cf. *dévergondé*. Il qualifie spécialement des facultés mentales altérées (1713) et, familièrement, une personne un peu folle. ◆ **DÉRANGEANT, ANTE** adj. «troublant, gênant», figure chez Maupassant (1884).

◈ voir ARRANGER, HARANGUE, RANCH, RANCHO, RANZ, RING; RADAR.

② **RANGER** n. m. est emprunté (1844) à l'anglais *ranger* au sens américain de «milicien, policier». Le mot anglais a signifié d'abord (XIVe s.) «garde-chasse»; il est dérivé de *to range* «placer en ligne, disposer» puis «prendre une position», lequel vient d'un nom *range* «file», «ligne», qui est emprunté à l'ancien français *range** (→ rang), mot d'origine germanique.

♦ Le mot a d'abord désigné un membre de la police montée américaine, puis (1869) un garde des réserves et parcs nationaux des États-Unis. Il s'est appliqué aussi (1947) à certains soldats de corps d'élite de l'armée américaine. ➜ Un sens propre au français est «brodequin, chaussure à tige montante de certaines unités de choc, parachutistes, etc.».

RANIMER → ANIMER

RANZ n. m. est une variante graphique de Suisse (1767) du mot *rang**, employé pour traduire l'alémanique *Kühreihen*. Ce mot est composé de *Kuh* «vache» (correspondant à l'anglais *cow*) et *Reihen, Reigen* «danse, air, chant», confondu, lors de l'emprunt, avec l'allemand *Reihe* «file, rang»; il désigne des chansons pastorales en Suisse allemande. On peut évoquer l'emploi de *rang* en moyen français dans la locution ***rang de vaches*** (v. 1580) pour désigner une file de vaches en route vers un pâturage.

♦ Le mot, attesté dans le *Dictionnaire de musique* de Rousseau *(«le célèbre ranz des vaches... cet air si chéri des Suisses»)*, désigne un air de berger, une chanson pastorale suisse dont il existe de nombreuses variantes locales ou dues à des musiciens professionnels.

◈ voir RANG.

RAOUT n. m., d'abord *rout* (1776), écrit *raout* d'après la prononciation anglaise (1824), est emprunté à l'anglais *rout* au sens de «grande réception, soirée mondaine» (1742), employé au XVIIIe et au XIXe siècle. Celui-ci est une spécialisation de *rout* «troupe, compagnie, bande» (XIIIe s.), emprunté à l'ancien français *route* (→ ② routier), également *rote, rotte* « bande, compagnie » qui contient l'idée de « chose rompue » *(rupta)*. → ① route.

♦ Le mot n'évoque plus que la vie mondaine du XIXe s. (à partir de Stendhal, Balzac). Il a bénéficié d'un regain de vie à quelques moments du XXe s., dans un contexte assez snob.

RAP n. m. est un emprunt (1983) à l'anglo-américain *rap* (v. 1970 dans ce sens; 1967 style de réparties, «conversation de rue»), de *to rap* «donner des coups secs, répétés», formation onomatopéique.

♦ Le mot désigne un style de poésie populaire créé et diffusé par les Noirs américains, caractérisé par des paroles souvent contestataires, mises en rythme musical. En France, le rap est, avec le tag, caractéristique de la culture populaire des banlieues.

▸ Le dérivé **RAPPEUR** n. m. aussi écrit **RAPEUR** désigne un chanteur de rap (fém. inusité). Le verbe **RAPPER** ou **RAPER** est plus rare.

RAPACE adj. et n. m. est emprunté (v. 1310) au latin *rapax, -acis* «qui entraîne à soi» au propre, et au figuré «ravisseur» et «voleur, pilleur», secondairement «avide» et «prompt». L'adjectif latin est dérivé de *rapere* «entraîner avec soi, emporter vite et de force» (→ ravir).

♦ La première forme attestée est le pluriel *rapax* qui, du fait que l'on identifiait la graphie *-ax* du mot latin à la terminaison française *-aus* du pluriel (souvent écrite *-ax*), correspond à un singulier *rapal*. Celui-ci a été refait en *rapace* (v. 1460). ◇ Le mot qualifie une personne âpre au gain et sans scrupules, cherchant à s'enrichir aux dépens d'autrui. Par métonymie, il se dit aussi de ce qui laisse transparaître cette âpreté (1845). ◇ Par analogie, mais sans connotation péjorative, il s'applique à un animal, en particulier un oiseau de proie (av. 1502). Il est substantivé dans ces deux acceptions : il désigne en zoologie un super-ordre d'oiseaux carnassiers (1768) et, au singulier, un oiseau appartenant à ce super-ordre. ◇ Par substantivation de l'adjectif, ***un rapace*** désigne aussi une personne âpre au gain (1845). Ce dernier sens est souvent perçu, à tort, comme un développement métaphorique du sens d'«oiseau», devenu de loin le plus usuel (cf. *vautour, faucon*).

▸ **RAPACITÉ** n. f. est emprunté directement (1380) au dérivé latin *rapacitas, -atis* «penchant au vol». ➜ Il exprime le caractère avide d'une personne qui s'empare du bien d'autrui, et, par analogie, l'avidité avec laquelle un animal (oiseau) se jette sur sa proie (1530). À la différence de *rapace*, le mot ne s'applique, dans l'usage actuel, qu'aux humains.

RAPAILLER → ① RÂPE

RAPATRIER → PATRIE

① **RÂPE** n. f., étant donné son ancienneté, attestée à la fois par son dérivé *râpé* (v. 1175) et par la forme latinisée *raspa* (1202), ne peut guère être considéré comme le déverbal de *râper*. On suppose que, sous une forme *raspe* (attestée seulement en 1374) puis *râpe* (XVIe s.), il est directement formé d'après le francique °*raspôn* «gratter», attesté d'après l'ancien haut allemand *raspôn* et auquel remonte, probablement par l'intermédiaire d'un latin populaire °*raspare*, le français *râper*. L'italien a de même *raspare*, l'espagnol et l'ancien provençal *raspar* «gratter, racler». Par ailleurs, l'italien et l'ancien provençal ont *raspa* pour une grappe de raisin dépouillée de ses grains. ⟨G⟩

♦ Dès les premiers textes, *râpe* désigne le reste de la grappe qui a été pressée, le marc de raisin, résultat de l'action de racler. ◇ Par extension, il s'applique à l'ensemble du pédoncule et des pédicelles d'une grappe de raisin ou de groseille (fin XVIe s.), à ce qui reste d'un épi de blé dont on a enlevé les grains (1752). ◇ En moyen français, il a aussi désigné le bois coupé provenant des taillis, une grosse branche ou baliveau d'arbre de futaie, sens qu'il a conservé dans le nord de la France et dans les pays wallons.

▸ Avec le sens de «marc de raisin», *râpe* a produit ① **RÂPÉ**, d'abord employé comme adjectif dans le syntagme *vin raspé* (1175), puis substantivé (v. 1200) en parlant d'un vin fabriqué en faisant passer un vin faible dans un tonneau dont on a rempli un tiers de raisin nouveau. Par extension, il désigne une boisson fabriquée en faisant passer de l'eau sur le marc (1600), un vin éclairci avec des copeaux (*rappé*

1650 ; *rapé de copeaux*). ◇ Il désigne également les restes de vin que l'on mélangeait pour les servir à certains clients dans les cabarets (1750).

RÂPER v. tr., d'abord *rasper*, seulement attesté au XIVe s. mais probablement antérieur (l'ancien provençal a *raspar* «gratter un vaisseau»), est issu, soit de ① *râpe*, soit directement du francique °*raspôn*, peut-être par un verbe latin populaire °*raspare* (ci-dessus *râpe*). ➜ Le verbe, qui signifiait «gratter», a pris, sous l'influence de son déverbal ② *râpe*, le sens de «réduire en poudre ou en pulpe au moyen d'une râpe» (1568), et techniquement «travailler la surface d'un corps à la râpe» (1596). Il est employé au figuré à propos d'un mauvais vin âpre (1606). Sous l'influence du participe passé adjectivé ② *râpé* «élimé jusqu'à la corde» (1761), il a pris le sens d'«user (un vêtement) jusqu'à la corde» (av. 1834), surtout à la voix passive.

La dérivation de *râper* est riche. ➜ Le déverbal ② **RÂPE** n. f., distinct de ① *râpe*, d'abord écrit *raspe* (1269), désigne une grosse lime d'acier à entailles profondes ou à grosses dents pour gratter *(râper)*, user une matière. Par analogie, il désigne couramment un ustensile de ménage servant à réduire une substance en poudre ou en très petits morceaux (1559). Par extension du sens technique, il est employé en médecine dans ***bruit de râpe*** (1869) caractérisant un souffle observé dans certaines maladies de cœur. ◇ Le *Dictionnaire universel* de Pierre Larousse enregistre en 1875 deux autres spécialisations techniques : des noms d'outils employés dans les distilleries et cidreries ainsi que dans la fabrication des aiguilles. ➜ ② *Râpe* a produit **RÂPEUX, EUSE** adj., d'abord *raspeux* (1577), qui pourrait bien être le même que *raspos* (v. 1175), ce qui tendrait à avancer la date de ② *râpe* «lime» et, donc, de *râper*. Le mot qualifie ce qui est rude au toucher et se dit, par extension, de ce qui est âpre au gosier (av. 1880), d'un son qui évoque celui d'une râpe frottant sur une matière dure (1869). ➜ ② *Râpe* a également donné **RÂPURE** n. f. (1646), mot technique pour ce que l'on enlève en râpant (le moyen français a eu *raspure* «rafle de raisin» dérivé au XIIIe s. de ① *râpe*). ➜ **RÂPEUR, EUSE** n. (1611) désigne la personne qui râpe, spécialement l'ouvrier chargé de râper le tabac (1765). ➜ **RÂPEMENT** n. m. (1611) fournit un nom d'action d'usage plus littéraire que **RÂPAGE** n. m. (1775, après un *râpage* «grapillage», 1616, qui vient de ① *râpe*). ➜ **RÂPERIE** n. f. (1872) est un mot technique pour l'atelier dans lequel on râpe les betteraves et le bois destiné à fabriquer le papier (1962, dans le *Grand Robert*). On le rencontre une première fois en 1682 à propos d'une maison de détention dans laquelle les détenus doivent râper les bois durs et un établissement dans lequel les pauvres doivent se livrer au même labeur. ➜ Enfin, ② **RÂPÉ, ÉE**, le participe passé de *râper*, courant pour qualifier une matière débitée à la râpe *(fromage râpé)* et au figuré une étoffe, un vêtement très usé (1761), a été substantivé pour désigner le tabac à priser (1759), puis reformé (1920) pour désigner le fromage râpé. Il est adjectivé dans l'usage familier avec un sens figuré de «râté» (v. 1972) qu'il doit probablement à un jeu de mots (paronymie) avec *raté*. L'ancien sens de *râper* «grappiller (le raisin)» (1609) se maintient dans le suffixé verbal **RAPAILLER** v. tr., employé dans certaines régions, notamment au Canada (1894), pour «ramasser des objets ici et là, rassembler des personnes» (cf. *rapiat*). De là, au figuré, *rapaillé*, qui correspond à «raccommodé, fait de pièces hétéroclites».

◈ voir RAPIAT, RAPIÈRE, RAPIN.

RAPETASSER v. tr., attesté depuis 1532 (Rabelais, *repetasser*), est originaire du domaine franco-provençal (en particulier de la région de Lyon) où il signifie «réparer grossièrement». Il vient de l'élément *ra-*, de *r(e)-* et de *a-* tiré du latin *ad-* marquant le mouvement et de l'ancien occitan *petassar* «rapiécer» ou de l'ancien franco-provençal *petasser* de même sens. Ces verbes viennent de l'ancien occitan et de l'ancien provençal *petas* «morceau (de cuir, d'étoffe) pour réparer». *Petas* est issu du latin impérial *pittacium* «morceau de cuir ou de parchemin, emplâtre» qui, à basse époque, avait pris le sens de «pièce sur un vêtement, une chaussure» ; disparu en français central, *petas* est encore vivant en français régional d'Occitanie (notamment en Auvergne). Celui-ci est emprunté au grec hellénistique et tardif *pittakion* «feuille de tablette à écrire, billet» d'où, par métonymie, «liste des membres, association», et, par un autre développement, «emplâtre». Ce mot est d'origine obscure : il faut renoncer à un rapport avec *pitta* «poix, résine» et, peut-être, rapprocher le mot, en vertu de certains des sens de *pittacium* en latin, de *pisungos* «cordonnier», qui est lui-même un emprunt d'origine inconnue. L'espagnol *pedazo*, «pièce, morceau» avec un *d* mal expliqué se retrouvant dans une autre forme de l'ancien provençal *pedas*, remonte également au latin.

♦ Le verbe, d'usage familier, signifie «racommoder grossièrement (des vêtements) avec des pièces». Il est employé au sens figuré et familier de «corriger, remanier (une œuvre) en y ajoutant des morceaux pris de tous côtés» (av. 1615), employé aussi absolument (1775, Voltaire).

► Son dérivé **RAPETASSEUR, EUSE** n. se rencontre également chez Rabelais (av. 1553) avec le sens figuré de «personne composant des ouvrages décousus faits d'emprunts mal assimilés». Par le hasard des attestations, le sens propre, «personne qui fait métier de réparer sommairement toutes sortes d'objets», est attesté plus tard (1659). ➜ L'autre dérivé, **RAPETASSAGE** n. m. (1609), se dit de l'action de rapetasser (cf. *raccommodage*), et, au figuré, des corrections successives qui dénaturent un ouvrage littéraire (1751).

RAPETISSER → PETIT

RAPHIA n. m. est emprunté (1781, écrit *raffia*) à un mot malgache noté *raphia* (1773), puis *raffia*, plus tard *rafia* (1885) et au XXe s., plus exactement *raofia*. Le mot a été transcrit *rafier* en anglais, dès 1729. Ce mot désigne un palmier ; dans sa transcription et en français, le *ph-* est pseudo-savant, et *rafia* conviendrait mieux.

♦ Le mot désigne un genre de palmier dont la variété malgache fournit des fibres servant à faire des cordages, des liens, des tissus d'ameublement. Par métonymie, il désigne la fibre textile extraite des feuilles de cet arbre (1832) et, par une métonymie secondaire, une broderie rustique exécutée avec des mèches de rafia glycérinées (1964).

RAPIAT, ATE adj., attesté tardivement (1836, Vidocq), est d'origine discutée. Il est généralement considéré comme un mot dialectal qui, comme *rapiamus* de même sens, est usité dans diverses régions de France depuis la Picardie jusqu'à Lyon. Ce mot est tiré de la locution latine de l'argot scolaire *faire rapiamus* «chiper», où *rapiamus* est la première personne du pluriel du présent du subjonctif (à valeur d'impératif) du latin classique *rapere* «emporter avec soi» et spécialement «voler, piller» (→ ravir). Cependant, P. Guiraud, contestant le lien sémantique «vol»-«avarice» que suppose cette hypothèse, propose de voir en *rapiat* un dérivé de *râper** «racler, gratter» avec le développement «amasser de petites raclures» que l'on a en français québécois dans les mots apparentés *rapiller, rapailler* «amasser de petites choses», *rapailleur* (→ ① râpe).

♦ *Rapiat* caractérise familièrement une personne mesquinement avare, qui recherche les petits profits. Le mot a été substantivé et employé comme sobriquet pour désigner un Auvergnat, un Savoyard résidant à Paris et exerçant un petit métier comme celui de brocanteur.

▸ Deux dérivés, **RAPIATER** v. intr. et **RAPIATERIE** n. f., attestés chez J. Dutourd (1967), semblent d'usage familier et surtout oral.

RAPIDE adj. et n. est emprunté en moyen français (av. 1502) au latin *rapidus* «qui entraîne, qui emporte» d'où «dévorant», «impétueux, prompt», de *rapere* «emporter violemment» (→ ravir). L'emprunt a supplanté définitivement au XVIe s. la forme populaire *rade* (v. 1175), issue du latin par évolution phonétique, avec la variante *robde* (fin XIe s.) en judéo-français.

♦ *Rapide* qualifie un être, une chose se déplaçant à une vitesse supérieure à la moyenne de sa catégorie. Les extensions remontent pour la plupart au XVIIe s. : l'adjectif qualifie un cours d'eau dont le débit est accéléré par la déclivité de son lit (1640), d'où ce qui est fortement incliné et entraîne vers le bas (XVIIIe s.); il se dit d'un mouvement exécuté à vive allure en un temps bref (1690). ➛ Avec une notion, non de mouvement mais de brièveté, il qualifie ce qui est mené à son terme en un temps relativement court (1670), ce dont le déroulement paraît si bref que la fin semble proche du début (1687). Il caractérise spécialement un style ou un récit exprimé sous une forme concise (1669) et se dit d'une personne qui peut concevoir, décider et exécuter une chose en peu de temps (1679). ➛ Par extension, sur un plan intellectuel, il se dit de l'esprit qui saisit, conçoit et assimile vite (1781). ➛ Au XXe s., par métonymie, il qualifie en sports des installations permettant des performances rapides en course *(une piste rapide)*. Il s'est spécialisé en technique pour qualifier un ciment à prise rapide (1926), un acier très dur pour fabriquer des outils de coupe à grande vitesse (*acier rapide,* d'abord *acier à coupe rapide,* 1923). ➛ Un *rapide* n. m., substantivation (1736), désigne la partie d'un cours d'eau où le courant est agité et tourbillonnant du fait d'une rupture de pente. En Europe, ce sens évoque souvent les cours d'eau tumultueux de régions exotiques; au Québec, la chose étant courante, le mot est plus familier. ➛ Depuis 1870, *rapide* n. m. sert également à désigner un train allant plus vite que l'express; cet usage, concurrencé par d'autres désignations, a vieilli.

▸ De *rapide* est dérivé **RAPIDEMENT** adv. (1611), qui a succédé à l'ancien français *radement,* dérivé du doublet populaire *rade* (ci-dessus). Il n'a pas conservé le sens classique figuré de «cruellement» procédant de l'idée d'un emportement tumultueux des passions. ➛ Au XXe s., a été créé l'adverbe familier **RAPIDOS** avec le suffixe populaire *-os* (1928) et l'adverbe plaisant **RAPIDO-PRESTO** sur le modèle des adverbes italiens employés en musique pour indiquer un tempo (→ presto).

RAPIDITÉ n. f., emprunté (1573) au dérivé latin *rapiditas, -atis* «vitesse d'un courant», «violence», a éliminé les formes populaires *radece, radesse* (v. 1190) attestées jusqu'au XVIe s., *radeur* (1170, *rador*) et *radement* «violence» (1474-1506), dérivées de l'ancien et moyen français *rade* (voir ci-dessus *rapide*). ➛ Le mot exprime le caractère d'un être, d'une chose rapide, véloce; au XVIIe s., il a pris les sens abstraits de «caractère de ce qui est fait en peu de temps» (1680), «caractère de ce qui dure peu» (v. 1660), et «qualité d'une œuvre, d'un récit rapide», ceux-ci correspondant aux extensions de sens de l'adjectif. Il n'a pas gardé la valeur classique d'«impétuosité des passions». Son emploi à propos de la promptitude des qualités intellectuelles est attesté depuis le début du XIXe s. (1810, Mme de Staël).

◈ voir RADE, RADINER, RAPIAT, RAPIN, RAPINE, RAPT, RAVINE, RAVIR.

RAPIÉCER → PIÈCE

RAPIÈRE n. f. est tiré (1485) de *espée rapière* (1474) dans lequel *rapière* est un adjectif dérivé de ② *râpe** par comparaison entre la forme d'une râpe et la poignée trouée de l'épée.

♦ Nom de l'ancienne épée longue et affilée avec laquelle on frappait d'estoc, *rapière* a pris par extension le sens de «mauvaise épée» avant de servir de dénomination plaisante pour l'épée en général, tout en évoquant le contexte des aventures de mousquetaires.

RAPIN n. m. est un mot argotique (1821, Esnault) d'origine incertaine. Une attestation antérieure, au sens d'«auteur de rapines» (1619), postulerait son rattachement à *rapine**, appuyé par le sens de «petit maraudeur» répertorié par Esnault; mais il peut s'agir d'un autre mot. P. Guiraud, s'intéressant au développement du sens moderne, en fait un dérivé de *râper** «gratter, réduire en poudre avec une râpe», l'activité de l'apprenti-peintre consistant à «râper» les couleurs, les résidus de palette. Selon lui, le mot récupérerait aussi les connotations de *râpé* «porteur de vêtements élimés», de *rapin* «voleur» (lui-même lié à *rapine*) et de l'occitan *raspalha* «balayer», ce qui est aussi une des fonctions du garçon d'atelier. Mais cette hypothèse ne tient pas assez compte de la chronologie de ces différents mots.

♦ Le mot a désigné, dans l'argot du métier, l'apprenti qui était chargé des besognes subalternes dans l'atelier d'un peintre (1824). ◇ Par extension, il s'est dit par mépris d'un peintre sans talent et d'allure bohème (1832), puis d'un type d'artiste bohème, dans le contexte parisien.

▸ On rencontre **RAPINADE** n. f. chez Baudelaire (v. 1865) pour désigner péjorativement une peinture médiocre et prétentieuse ; le mot a disparu.

◈ voir (hypothétiquement) RAPINE.

RAPINE n. f., d'abord *rappine* (v. 1160) puis *rapine* (v. 1190), est emprunté au latin *rapina*, surtout employé au pluriel au sens de «vol, pillage», moins souvent au singulier pour «action d'emporter», dérivé de *rapere* «emporter», d'où «piller» (→ ravir).

♦ *Rapine* désigne l'action de s'approprier indûment une chose en usant de violence physique et, par métonymie, le produit du vol, le butin (v. 1278). Il s'est spécialisé à propos du détournement de biens publics ou le vol de biens privés effectué par un administrateur, un fonctionnaire (v. 1278), et a pris le sens métonymique de «gains illicitement accumulés de la sorte» (v. 1460). ◇ D'autres sens du mot en ancien français («désir de voler, rapacité» et «sorte de redevance») ne sont déjà plus attestés à la Renaissance. ◇ Le mot est encore compris, mais d'usage littéraire ou employé par allusion au passé.

▸ Le dérivé **RAPINER** v. (v. 1250) est devenu archaïque, tant au sens transitif de «prendre par la violence (ce qui appartient à autrui)» qu'avec la valeur intransitive de «se livrer à la rapine, à la concussion» (v. 1460). ➝ Son dérivé, **RAPINEUR, EUSE** n. (fin XIIIe s.), relayé par *rapinier* (1832, Hugo), est quasiment inusité. ➝ **RAPINERIE** n. f. «action de rapiner» et, particulièrement, «acte de rapine» (av. 1720) est archaïque.

◈ voir RADE, RADINER, RAPACE, RAPIAT, RAPIDE, RAPT, RAVINE, RAVIR ; peut-être RAPIN.

RAPLAPLA → PLAT

RAPPELER → APPELER

RAPPLIQUER → APPLIQUER

RAPPORTER → APPORTER

RAPPROCHER → APPROCHER

RAPT n. m. est la réfection savante (XIVe s.) de l'ancien français *rap* (v. 1155), également attesté sous la forme populaire *rat* (1237), et qui pourrait aussi être un emprunt francisé. Le mot représente le latin *raptus* «enlèvement» et «vol, rapine», techniquement «enlèvement d'éclats, de copeaux par le rabot». Il est dérivé de *rapere* «enlever» (→ ravir). *Raptus* survit sous une forme transmise par la langue parlée dans la péninsule Ibérique, *rato* «instant» par un développement comparable à celui de *momentum* (→ moment).

♦ *Rapt* désigne l'action d'enlever une personne par séduction ou violence. Il a été employé en moyen français avec le sens de «viol» (v. 1283) qui correspond à celui de l'anglais *rape*, lui-même du verbe *to rape* représentant le latin *rapere*. ➝ En physique, il est recommandé officiellement (1973) en lieu et place de l'anglicisme *pick-up* pour désigner une réaction nucléaire.

▸ Le dérivé **RAPTER** v. tr., absent des dictionnaires, est d'usage familier, au propre *(se faire rapter)* et au figuré.

À côté de *rapt*, **RAPTUS** n. m. est un emprunt médical (1788) au latin *raptus* (ci-dessus) pour désigner le transport des humeurs, accompli avec une certaine violence, de nos jours dans *raptus hémorragique* (1855). Il s'est dit aussi d'un mouvement violent de l'âme, extase, ravissement (1884) et s'emploie en psychiatrie avec une spécialisation clinique : «impulsion pouvant avoir des conséquences tragiques» (1915).

◈ voir RAVIR.

RAQUER v. tr., mot argotique pour «payer» (1893, Esnault), est très probablement issu par métaphore de *raquer* «cracher» qui vit dans les parlers du Nord, lui-même anciennement attesté sous une forme *rakier* (XIIIe s.) correspondant à l'ancien français *rachier* (v. 1190). Le mot vient d'un radical onomatopéique *rakk-* évoquant un raclement bref, également à la base du provençal *racá* et du lyonnais *raco* «vomir», *rakọ* «débourser» (Rhône) et *racar* «payer» (chez les maçons de la Tarentaise).

♦ Le mot est devenu simplement familier ; son évolution sémantique est conforme à une métaphore que réalise aussi *cracher*, mais il est complètement démotivé.

RAQUETTE n. f., modification (fin XVe s.) de *rasquette* (XIVe s.) et *rachette* (1314) *[rachette de la main]*, *raquecte* (v. 1450), est emprunté au latin médiéval *rasceta (manus)* «paume (de la main)», employé pour la première fois par Constantin l'Africain au XIe s. à propos du tarse (cf. *nuque*). Le mot est emprunté à l'arabe dialectal *rahet*, en classique *r̄ahat* «paume de la main». L'espagnol et le portugais *raqueta*, l'italien *rachetta* ont la même origine.

♦ Le mot a été repris pour désigner la paume de la main ; en chiromancie, on appelle encore *rascette* ou *rassette* l'endroit où plusieurs lignes transversales sont tracées à la jointure intérieure de la main et du bras. Il a aussi désigné spécialement le carpe ou le tarse (1314), sens qui fait supposer à M. Devic une influence d'un autre mot arabe, *rusġ*, nom anatomique de ces os ; ce mot arabe rend mieux compte des formes *rascette*, *rasquette*. L'évolution vers le sens actuel (v. 1450) se comprend en raison de la vogue du jeu de paume. Ce sens s'est implanté lorsqu'on est passé (XVe s.) au jeu de la paume ou main nue au gant de cuir et au battoir de bois couvert de parchemin, puis (entre 1500 et 1525) à l'instrument que nous continuons à nommer *raquette. Paume* atteste le même type d'évolution, commenté au XVIe s. par Pasquier. L'objet appelé *raquette* a beaucoup évolué, notamment avec l'apparition du tennis* et du ping-pong*, puis du badminton. L'emploi le plus usuel au XXe s. concerne la raquette de tennis. Par métonymie, *raquette* est quelquefois employé avec un adjectif pour désigner le joueur (de tennis) lui-même (1887) : *une fine raquette.* ➛ Les extensions procèdent essentiellement d'une analogie de forme : *raquette* désigne une grande semelle à claire-voie servant à marcher dans la neige molle (1557), acception surtout usuelle en français du Canada. ◇ En botanique il sert de nom usuel au nopal ou oponce *(opuntia)* [1704], par analogie de forme. *Raquette* désigne aussi un type de piège à détente pour les oiseaux (1834), une variété de scie à ruban (1845) et, en sports, sert de surnom à la surface en forme de trapèze sous le panier d'un terrain de basket (1948).

▸ La dérivation est peu importante : **RAQUETIER, IÈRE** n. (1571) figure dans les Statuts que Charles IX octroya à la compagnie des maîtres paumiers (cf. *paume*) existant depuis 1457 pour celui qui fabrique des raquettes ; **RAQUETTEUR, EUSE** n. (1705) est usité au Canada pour celui qui se déplace avec des raquettes aux pieds dans la neige. On trouve aussi **RAQUETTISTE** n. (1906).

RARE adj., réfection (1377, Oresme) de *rere* (fin XIIe s.) d'après le latin, représente par emprunt (Bloch et Wartburg) l'adjectif *rarus* qui qualifie ce qui présente des interstices ou des intervalles, ce qui est clairsemé, espacé, poreux, et signifie par suite «épars», «isolé», «peu fréquent», et «remarquable, exceptionnel». Le mot est hypothétiquement rapproché de *ratis* «radeau», avec l'idée d'une construction à claire-voie, et appartiendrait à une racine °*erə-*, °*re-* «séparer» que l'on pense retrouver dans le lituanien *irù, ìrti* «se dissoudre, tomber en ruines», *ardyti* «séparer», le vieux slave *oriti* «dissoudre, détruire» et *ředŭkŭ* «rare». Le rapport reste cependant vague.

♦ *Rare* qualifie ce qui se rencontre, se perçoit peu souvent, dont il existe peu d'exemplaires et ce qui est peu commun, peu habituel et d'autant plus prisé (v. 1220), spécialement un élément de la langue peu usité et une espèce peu répandue, par exemple dans ***oiseau rare*** (1636) dès 1665 avec une valeur figurée, «personne remarquable». ◇ À partir du milieu du XVIe s., il est employé avec la valeur qualitative latine d'«exceptionnel, extraordinaire» en parlant d'une chose, d'un être vivant (1553), souvent associé à l'idée de chose précieuse, digne d'être considérée et conservée (*livres rares*, etc.). Depuis le XVIIe s., le mot comporte aussi une nuance péjorative d'étrangeté (av. 1679), s'employant quelquefois de nos jours pour «étonnant, improbable» (1916). ➛ Par latinisme, il a repris le sens primitif de *rarus* «peu serré, peu dense» (1555), aujourd'hui disparu mais dont procède l'acception «clairsemé, peu dense» en parlant de la barbe, des cheveux, des poils, de l'herbe (1636). ➛ L'accent étant mis sur l'intervalle temporel, il indique qu'une chose se produit peu souvent (1504-1509), et qualifie familièrement une personne que l'on voit rarement (1694), notamment dans *se faire rare, devenir rare* (1694). C'est également en langue classique que l'on rencontre les premiers emplois du mot substantivé *(le rare)* avec une valeur de neutre (1691). ➛ Son emploi antéposé à un nom au pluriel avec le sens de «très peu nombreux» semble assez récent (1859) *[de rares passants]*. ◇ *Jour, lumière rare* «qui donne une faible clarté» n'est attesté qu'au XXe s. (1962 dans les dictionnaires).

▸ On en a tiré l'adverbe usuel **RAREMENT**, d'abord *relment* (v. 1170) et *rerement* (v. 1190) avant *rarement* (1555) «peu souvent». ➛ **RARISSIME** adj., d'abord attesté chez Maurice Scève (1544), est emprunté à l'italien *rarissimo* «extrêmement rare», superlatif de *raro* correspondant de *rare*, issu comme lui du latin *rarus*. C'est l'une des plus usuelles des formations en *-issime* venues de l'italien.

RARÉFIER v. tr., emprunt (1370, Oresme) au composé latin *rarefacere* «réduire, desserrer, défaire», composé de *rarus* et de *-facere* (→ faire), apparaît en sciences au sens de «rendre moins dense, soit par augmentation de volume, soit par absorption». ➛ Le verbe n'est attesté avec le sens courant de «rendre moins fréquent» que depuis le XIXe s. (1836). La forme pronominale *se raréfier* a suivi le même développement, d'abord employée en physique pour «devenir moins dense» (1637, Descartes) puis (1832) au sens de «devenir moins nombreux, moins abondant». ➛ Le verbe a produit **RARÉFIABLE** adj., employé en physique au sens de «susceptible de se raréfier» (1641) et **RARÉFIÉ, ÉE** adj., assez usuel au concret *(air raréfié)*. ➛ **RARÉFACTION** n. f., emprunté (1377) au latin médiéval *rarefactio* (av. 1233), sert de substantif à *raréfier*. Il a connu, comme ce dernier, un élargissement d'usage, d'abord en physique pour la diminution de la densité d'un corps. Supplanté en ce sens par *dilatation*, il a été repris au XIXe s. dans d'autres domaines, médecine (1855), commerce (1872), et s'est répandu au sens de «diminution en quantité».

RARETÉ n. f., modification (1611) de *rarité* (1314, encore au XVIe s.), est emprunté au dérivé latin *raritas, -atis* «porosité» et «faible nombre de». ➛ Le mot a été repris, de même que *raréfier*, comme terme de physique pour «diminution de densité», synonyme de *raréfaction*, puis avec le sens de «faible densité» (v. 1560), encore chez Laplace et sorti d'usage. ◇ Il s'est répandu pour désigner le caractère de ce qui n'existe qu'en petit nombre (fin XVe s.), est peu fréquent (av. 1648), spécialement dans l'ancienne locution plaisante *vous devenez d'une grande rareté !* (1869) adressée à qqn «qui se fait rare». Dans un style plus littéraire, il réalise la valeur qualitative de «ce qui est exceptionnel» (XVIe s.). Par métonymie, il désigne une chose rare, précieuse (v. 1550, *rarité*), quantitativement ou qualitativement.

✱ **RAS, RASE** adj., réfection ancienne (1191) de *res* et *reis* (v. 1175), forme qui perdure dans l'ancien nom *rez*, conservé dans *rez-de-chaussée**, est issu du latin *rasus*, participe passé passif de *radere* «raboter, raser» (voir ci-dessous *raser*).

♦ Cet adjectif qualifie une mesure remplie jusqu'au bord (1191) et spécialement une mesure dont le contenu, n'excédant pas le bord, est exact, par opposition à *comble* (1690). La même idée est réalisée en marine, où l'on appelle *navire ras, ras d'eau* (1680) un navire très chargé dont le plat-bord est presque au niveau de l'eau. ➜ Par extension d'objet, *ras* qualifie une surface unie et dégagée : il entre dans la locution ***table rase*** (1314, *teble rese*), rare avant le XVIIe s. qui la diffuse en philosophie, calquée du latin *tabula rasa* «tablette de cire vierge sans inscription» ; la métaphore est prise au grec et employée par Aristote pour représenter l'âme à sa naissance; *table rase* entre à son tour dans la locution ***faire table rase de*** avec une valeur dynamique (1835). ◇ Avec le même sens, l'adjectif entre dans l'expression *campagne rase* (1559) modifiée en ***rase campagne*** (1636) «pays plat et découvert», souvent «lieu désert, loin de toute habitation» (XVIIe s.), employée spécialement dans la langue militaire par opposition à *place forte (se battre en rase campagne)*. ➜ Le sens de «coupé, tondu tout contre la peau» (v. 1278) a vieilli lorsque *ras* qualifie la peau, la tête, mais reste usuel dans *cheveux, poil ras* (1549); par extension, l'adjectif qualifie aussi le poil d'un tissu (1532, Rabelais) et celui d'un animal (1690). ➜ Dès le XIIe s., *ras*, substantivé, s'est montré productif en locutions adverbiales et prépositionnelles : *au res de* (v. 1175), forme primitive pour *au ras de* (fin XVIIe s.) [cf. *rez*], concurrencé ensuite par ***à ras de*** (XVIIIe s.) «très près de», notamment dans *à ras de bord* (1798), contracté en ***à ras bord*** (1893), *à ras de l'eau* (1835) vieilli et ***à ras de terre*** (av. 1755; après *ras terre,* 1536) répandu avec un sens figuré voisin de *terre à terre.* De *au ras du sol,* au figuré «bas» (dans *voler bas*), la langue familière a tiré ***au ras des pâquerettes, des marguerites,*** équivalents de *en rase-motte* (cf. *raser,* ci-dessous). Des expressions du type *un pull-over ras du cou* «au ras du cou» ont donné lieu à la substantivation *un ras du cou* (1969). ◇ *Ras* lui-même se prête à un emploi adverbial au sens de «très près» (1606) et entre dans les locutions adverbiales ***à ras*** (mil. XXe s.; 1962 in *Robert*) et, familièrement, ***ras le bol*** (1968), où *bol** signifie «anus» comme l'indique la variante vulgaire ***ras le cul,*** mais est généralement compris au sens de «tête», comme le montrent certaines variantes plaisantes sur le motif de la coiffure (cf. *par-dessus la tête*), par exemple ***ras la casquette.*** Par analogie, on rencontre en complément à *ras de* d'autres substantifs, l'idée générale restant celle de remplissage excessif, les expressions du type ***en avoir ras le (la)...*** signifiant toutes «en avoir assez, en avoir marre». *Ras le bol* est substantivé *(le, un ras-le-bol)* pour «état de saturation, de dégoût». ➜ De l'ancien emploi substantif de *ras,* qui désignait autrefois un drap à poil ras (v. 1570), proviennent un sens technique, «première filière des tireurs d'or pour le dégrossissage du trait» (1723), et le substantif *rez**.

▶ De *ras* au sens de «rempli jusqu'au bord» est dérivé **RASADE** n. f. (1670) «quantité de boisson représentant un verre rempli jusqu'au bord». Le pluriel *rasades* (1690) «petites étoffes sans poil» n'a pas vécu au-delà de la fin du XVIIIe siècle. Le rapport entre *ras* et *rasade* n'étant plus senti, *rasade* évoque aujourd'hui le mouvement du liquide qu'on verse ou qu'on avale (cf. *coup* dans *boire un coup*).

RASER v. tr. est issu (v. 1175) d'un latin populaire °*rasare* «tondre, faire la barbe», refait sur le supin *rasum* ou le participe passé *rasus* (cf. ci-dessus *ras*) du latin classique *radere* «gratter, enlever en raclant» d'où «toucher en passant, effleurer», «écorcher» et «tondre, faire la barbe», au figuré «rafler (l'argent)». L'étymologie du mot est obscure : il n'y a aucun rapprochement net, le vocalisme étant différent de celui du latin *rodere* «rogner» (→ roder) et de celui du sanskrit *rádati* «il gratte, il bêche» dont la parenté sémantique est nette. L'attestation de *raser* au début du XIIe s. avec le sens de «remplir à ras bord» correspond à un autre verbe, dérivé de *ras* (v. 1140). ➜ *Raser* signifie dès l'origine «couper (le poil) au niveau de la peau» et, avec extension des compléments, «dépouiller (une surface) des poils qui y poussent», «couper à (qqn) sa barbe très ras», *raser qqn, raser son crâne* correspondant à «couper les cheveux à la tondeuse ou au rasoir» (av. 1662). Par analogie, *raser* est employé techniquement au sens de «tondre (une étoffe) à ras» (1665). ➜ Une extension figurée signifiant «rafler, dépouiller» (v. 1530) est aujourd'hui sortie d'usage, bien qu'on en relève encore des exemples chez Balzac et Daudet; cet emploi correspond à celui de *tondre.* Au XIXe s. divers sens figurés font allusion aux effets métaphoriques de l'opération, par exemple «railler» (1862) et «blaguer» (1881), sortis d'usage. Le sens parallèle à celui de *barber*,* qui correspond à «ennuyer» (1851), s'est implanté d'abord chez les gens du peuple, les gens de lettres et les artistes; il peut faire allusion à la longueur de l'opération, aux propos insignifiants qui l'accompagnent. Il existe également à la forme pronominale *se raser* (1903). ➜ Une autre valeur ancienne est «détruire, abattre totalement à ras de terre» (fin XIIe s.) d'où «mettre à ras, de niveau» (1538) avec spécialisations, en marine dans *raser un navire* «abattre ses mâts» (1671), puis en travaux publics au sens de «suivre le niveau du sol, sans remblais ni tranchées» (1932, Larousse). ➜ Une troisième valeur, «passer très près d'une surface en l'effleurant», est également attestée dès les premiers textes (v. 1175), bien qu'elle ne semble usuelle qu'à partir de 1611. Par spécialisation de ce sens, *raser* s'est employé à propos d'un cheval qui ne lève que très peu les pieds en marchant (1678; *raser le tapis,* 1690). ◇ D'autres spécialisations, pour «polir» (1355) et «raturer» (1523), ont disparu.

Les dérivés sont nombreux. ➜ **RASANT, ANTE,** le participe présent, est employé dans l'ancienne locution *aller rasant* «serrer de près» (fin XIIe s.) avec le sens de «au ras de». On retrouve cette valeur dans certaines expressions : *vol rasant* (XVIIIe s., Buffon), *vue rasante* (1788), *tir rasant* (1869) après *feu rasant* (1762, d'un canon). ➜ D'après l'emploi figuré de *raser,* l'adjectif a développé, comme *barbant,* le sens figuré familier d'«ennuyeux» (1875, Larousse). ➜ Le dérivé **RASANCE** n. f., mot technique tardif (1940) dérivé de l'adjectif dans *tir rasant,* désigne le rapport entre la hauteur de la trajectoire et celle de l'objectif en balistique. ➜ **RASEUR, EUSE** n., réfection suffixale (v. 1380) de *raseres* (v. 1290), a désigné une personne qui rase le poil, acception sortie d'usage (cf. *tondeur, barbier,* puis *coiffeur*). ◇ Il a le sens figuré et familier de «qui ennuie» (1853). ◇ L'acception technique, «ouvrier faisant le rasage des étoffes et des cuirs» (1858), dépend du sens technique de *raser.* ➜ **RASEMENT** n. m. (fin XIVe s.) désigne en maçonnerie l'action d'abattre une construction au niveau du sol. En médecine vétérinaire, d'après une spécialisation du verbe relativement ancienne (1678), il désigne la disparition de la cavité dentaire externe des incisives du cheval par suite de l'usure de la dent (1845). ➜ **RASETTE** n. f., d'abord *razette,* a été formé (1396) pour un outil agricole destiné à couper les mauvaises herbes. ➜ Le nom d'action courant est fourni par **RASAGE** n. m. (1467) qui, après avoir perdu le sens technique du moyen français, dans *pierres à rasaige,* a pris le sens d'«action de raser» (1797). ◇ Il a servi à former **APRÈS-RASAGE** adj. (mil. XXe s.), calque de l'anglais *after shave,* lui-même employé en français.

La productivité de *raser* est moindre après le XVIe s. où l'on note les premiers emplois de son participe passé **RASÉ, ÉE,** substantivé au masculin pour désigner un prêtre (fin XVIe s.) par allusion à sa tonsure. Elle se réduit à la formation de composés en *rase- :* **RASE-PET** n. m. (1871), mot familier pour un manteau d'homme très court, a vieilli ; **RASE-MOTTES** n. m. a été formé (1917) avec *motte** pris au sens d'«élévation de terrain» à propos d'un vol très près du sol et, au figuré, d'une personne très petite ; **RASE-BITUME** n. m. (XXe s.), où *bitume* vaut pour «sol d'une rue, trottoir», est une formation plaisante pour désigner familièrement un individu très petit.

Deux verbes préfixés restés vivants ont été formés en ancien et en moyen français. ➜ **ARASER** v. (1200), composé de *a-* et de *raser,* signifie «mettre à ras de terre, abattre (un bâtiment)», en maçonnerie. Il a développé une spécialisation technique en menuiserie (1732) puis en géologie. Un sens figuré, «passer très près de», et la forme pronominale *s'araser* «se tapir», sont sortis d'usage. ➜ Le verbe a produit **ARASEMENT** n. m. (1367), terme technique employé en maçonnerie et en menuiserie (1762) ainsi qu'**ARASE** n. f. (1751), lui aussi d'usage technique ou didactique pour une pierre destinée à combler un vide dans un mur et à mettre la partie supérieure de niveau. ◇ On rencontre également **ARASAGE** n. m. pour servir de nom d'action à *araser.* ➜ **DÉRASER** v. tr. a existé au XVIe s. sous la forme *desraser* comme doublet de *raser,* avant d'être repris avec le sens technique actuel : «abaisser le niveau de, enlever le sommet de» (1870), produisant **DÉRASEMENT** n. m. (1870).

RASIBUS adv. est un mot du latin scolaire, formé plaisamment (fin XIVe s.) avec la finale *-ibus* du datif et de l'ablatif pluriel de la troisième déclinaison latine sur le latin *rasus.* ➜ D'abord employé dans ***faire rasibus*** «dépouiller», il sert d'équivalent familier et intensif à *ras,* au figuré «tout juste, difficilement». La locution prépositionnelle *rasibus de* «tout près de» (fin XVe s.) est sortie d'usage.

RASOIR n. m., réfection suffixale (v. 1240) de *rasuir* (v. 1150), *rasor* (v. 1160), puis *rasour* (v. 1190), est issu du latin populaire *rasorium,* attesté à basse époque avec les sens de «burin», «grattoir» (XIIIe s.). Lui-même est dérivé de *rasum,* supin de *radere* «gratter, raser» (→ raser, radoir). ➜ Le mot désigne un instrument à tranchant très fin servant à raser, à se raser. Ce sens est réalisé dans la locution comparative ***couper comme un rasoir,*** d'abord à propos d'un vent violent qui entame la peau (1690), puis d'un instrument tranchant qui coupe parfaitement (1740), et dans les syntagmes *pierre à rasoir* (1717), *cuir à rasoir* (1869). Pendant la Révolution, *rasoir national* est l'un des innombrables surnoms de la guillotine. ➜ Jusqu'à la fin du XIXe s., le rasoir était constitué par une lame très tranchante, souvent pliante, avec un manche. Au XXe s. apparaît un instrument différent formé d'un manche et d'un dispositif de serrage où l'on place une lame amovible *(lame de rasoir),* appelé *rasoir américain, rasoir mécanique* (1904), *rasoir de sureté* (1907), l'ancien rasoir étant nommé *rasoir à main* (1904). *Rasoir* désigne de plus en plus le nouvel instrument, l'autre étant désigné par un syntagme ou plaisamment par le mot *sabre.* Ensuite, apparaît un troisième type, nommé *rasoir électrique* (v. 1945). *Rasoir jetable* est plus récent. ➜ Peut-être par l'intermédiaire de l'ancienne locution figurée ***ça fait rasoir*** (1790) dite quand on ôte qqch. de manière qu'il n'en reste trace, et surtout sous l'influence de *raser*, rasoir* a développé le sens figuré d'«ennuyeux» comme nom (1867, *rasoir national*), éliminé par *raseur,* et comme adjectif (1881), qui a vieilli (cf. *rasant, barbant*).

◈ voir ABRASION, RACAILLE, RACLER, RADOIRE, RÂLE, RÂLER, RASCASSE, RASTAQUOUÈRE, RÂTEAU, RATIBOISER, RATINE, RATISSER, RATURE, REZ et, hypothétiquement, RAGOT.

RASADE → RAS

RASCASSE n. f. est emprunté (1554) au provençal *rascasso,* lui-même de l'ancien provençal *rascassa* (XVe s.) désignant un poisson. Celui-ci est dérivé de *rascas* «teigneux» (1235-1237), lui-même de *rasca* «teigne» (déb. XIIIe s.), mot apparenté au latin populaire °*rasicare,* du latin classique *rasum,* supin de *radere* «raboter, raser» (→ ras). Le poisson doit son nom («la teigneuse») aux nombreuses taches qu'il porte et qui évoquent la teigne. Le même verbe, continué par l'espagnol *rascar* «gratter» et le sarde *rasigare,* a donné en français °*rasquer,* attesté indirectement par son dérivé *racaille**.

♦ Ce mot régional, désignant un poisson hérissé d'épines venimeuses, et dont la chair est appréciée, est passé en français général comme de nombreux termes culinaires provençaux. La rascasse figure souvent dans la composition de la bouillabaisse et de la bourride.

◈ voir RACAILLE, RACLE, RACLER, RÂLER, RAS.

RASE-MOTTES → RAS

RASER → RAS

RASSASIER v. tr. est composé (v. 1120) de *re-* à valeur intensive et de l'ancien verbe *assasier*

(v. 1170) qui représente un latin populaire °*adsatiare* «apaiser la faim», lui-même formé du préfixe *ad-* marquant le mouvement vers qqch. et du latin *satiare* «apaiser, assouvir», de *satis* «assez» (→ insatiable, satiété, satisfait) qui avait donné l'ancien français *satier, sasier* (v. 980-XVIe s.).

♦ *Rassasier* signifie «apaiser complètement la faim de (qqn)» en construction transitive et à la forme pronominale *se rassasier* (fin XIIe s.). Dès le XIIe s., il est employé au sens figuré de «satisfaire les passions, les aspirations de (qqn)» (v. 1180), quelquefois avec la valeur négative de «satisfaire jusqu'à dégoûter» (XIIIe s.), en construction transitive et absolument (1671, La Fontaine). Il a supplanté un autre dérivé de *sacier, ressasier,* attesté de la fin du XIIe jusqu'au XVIIe s. (1660, Oudin).

▸ Il a seulement produit **RASSASIEMENT** n. m., d'abord *razaziement* (fin XIIe s.) avant *rassasiement* (1538), peu usité au propre comme au figuré, où il est marqué stylistiquement. ◆ **RASSASIANT, ANTE,** le participe présent de *rassasier,* est adjectivé (1551) comme le participe passé **RASSASIÉ, ÉE.**

RASSEMBLER → ASSEMBLER

RASSEOIR, RASSIS → ASSEOIR

RASSÉRÉNER → ① SEREIN

RASSURER → ASSURER

① **RASTA** → RASTAQUOUÈRE

② **RASTA** n. et adj. est l'abrègement (1979) de *rastafari* (1976), du nom du ras Tafari Makkonen, couronné empereur d'Éthiopie sous le nom d'Haïlé Sélassié et considéré comme le Messie noir. *Ras,* emprunt à l'arabe *răss* «chef, tête», est le titre le plus élevé en Éthiopie, après celui de *négus;* il a été emprunté en ce sens sous les formes *arraze* (1556), *eras* (1614) qui ont disparu, puis *ras* (1683).

♦ Le mot, qui désigne un adepte du retour culturel à l'Afrique et de la musique reggae, vient de la Jamaïque, où il désigne d'abord le membre d'une secte messianique. Les traits retenus en Europe sont essentiellement la musique et la coiffure en nombreuses petites nattes.

RASTAQUOUÈRE n. m. et adj. est l'emprunt déformé (1880) d'un mot espagnol d'Amérique (notamment argentin), *arrastacuero* ou *rastracuero* «personne méprisable», proprement «traîne-cuir» ou «ratisse-cuir», du verbe *arrastrar* «ratisser» (et «traîner» en espagnol de la Péninsule), de *rastro* «râteau», lui-même du latin *raster* de même sens (→ râteau) et de *cuero* «cuir» du latin *corium* qui a donné *cuir**. Le mot, employé pour désigner un parvenu, se comprend peut-être par allusion aux culottes ou jambières de cuir signalant en Argentine l'ancien gaucho ou l'ancien vacher enrichi; en outre, beaucoup devaient leur enrichissement spectaculaire au commerce des cuirs et des peaux («ratisse-cuir» pouvant équivaloir à «tanneur»); on peut aussi partir de l'idée de «ratisser les portefeuilles», *cuero* «cuir» pris par métonymie pour «portefeuilles», impliquant l'étalage de sa richesse.

♦ Le mot, quelquefois écrit *rastacouère* (1880) et abrégé familièrement en ① **RASTA** (1886), désigne péjorativement un étranger ayant gardé qqch. d'exotique et étalant un luxe suspect et de mauvais goût. Par extension, il se dit d'un aventurier de bas étage. Il est également employé comme adjectif. Les deux emplois, qui traduisent la xénophobie de l'époque (cf. *métèque*), ont vieilli.

▸ On en a dérivé **RASTAQUOUÉRISME** n. m. (1882), péjoratif pour l'attitude faite de fatuité et d'arrogance du rastaquouère.

✱ **RAT** n. m., mot ancien (v. 1175), est d'origine obscure. On admet généralement que cet animal, venant d'Asie, n'a pénétré en Europe que dans les premiers siècles du moyen âge. Le mot est commun aux langues germaniques (allemand *Ratte,* anglais *rat*) et aux langues romanes (italien *ratta,* espagnol *rato,* aujourd'hui «souris», ancien provençal *rat*). Il est impossible de dire où cette famille de mots a pris origine. *Rat* ne peut de toute façon pas représenter, comme on l'a supposé, le latin *rapidus* (→ rapide). L'explication la plus vraisemblable est celle d'après laquelle l'élément *ratt-* est né pour évoquer le bruit que fait en grignotant l'animal, redouté pour les dégâts qu'il cause. ◇ P. Guiraud préfère y voir un dérivé roman de *radere* «gratter, racler» pris au sens de «ronger», par l'intermédiaire de °*raditare,* °*raditus* «qui ronge» (une partie des mots regroupés par Wartburg dans l'article °*rasitoria* semble remonter à des formes en *d* : °*raditare* aussi bien que °*rasitare*; → ratisser, rature). Selon Guiraud, il n'est pas impossible d'imaginer en latin une réduction des deux dentales en une, et la forme italienne *ratto* pourrait être le déverbal de °*raditare* de même qu'en italien *taxitare* a donné *tastar. Rat* a aussi le sens de «souris» dans beaucoup de patois, soit au masculin, notamment dans la région franco-provençale et le Midi, soit au féminin dans l'Est et le Midi (ancien provençal *rata*).

♦ Le mot désigne un petit mammifère rongeur et, par extension, d'autres muridés et petits animaux ressemblant au rat, dans *rat d'eau* (XVIe s.), *rat des champs* (1668, La Fontaine) «mulot», *rat musqué* (1725). Dès le moyen français, le mot entre dans des locutions comparatives, *pauvre comme un rat, gueux comme un rat* (1652), sorties d'usage, tout comme *être comme un rat en paille* (1541) «heureux dans une vie libre et pauvre». La langue moderne emploie toujours ***s'ennuyer comme un rat mort*** (XIXe s.), ***crever comme un rat*** et ***être fait comme un rat*** (1918), qui procède de *être pris comme un rat* (1725). ◆ De nombreuses expressions métaphoriques ont été formées avec *rat* et un déterminant : ***rat de cour*** (XVIe s.) servait de sobriquet pour «courtisan»; ***rat de cave*** a servi de surnom (XVIIe s.) pour l'employé des contributions indirectes amené à descendre dans les caves, avant de prendre le sens de «bougie longue et mince dont on se sert pour descendre à la cave» (1803). Puis est apparu *rat d'église* (1773) «bigot», disparu. Sont toujours en usage, ***rat de l'opéra*** (1725) «jeune élève de danse de l'opéra», ***rat d'hôtel*** (1907) «voleur spécialisé dans la visite des chambres d'hôtel», ce dernier prolongeant un emploi figuré de *rat* «voleur» (1821), enfin ***rat de bibliothèque*** «érudit besogneux» (1932). ◆ Avec un adjectif possessif ou qualificatif *(mon [petit] rat),* le mot peut servir d'appellatif affectueux (1808). ◆ Deux extensions de sens sont apparues au XVIIe s. dans l'usage technique : *rat,* dans la locution *prendre rat* (1651) à propos d'une arme enrayée, s'explique, selon Guiraud, d'après l'ancien français *raster, rater* (→ ratisser) «racler, ronger», le rouet du mousquet puis le chien du fusil grattant sans réussir à tirer d'étincelle. On a dit ensuite *prendre un rat* (1668), par extension «échouer», sorti d'usage au XIXe s. et remplacé par le verbe *rater* (ci-dessous). ◆ Depuis 1680, *rat* désigne aussi en technique une filière à petits trous servant à étirer les fils d'or ou d'argent.

▶ Le dérivé **RATIER, IÈRE** adj. s'est employé d'abord avec le sens figuré de «capricieux» (XIIe s.), auquel correspond un emploi de *rat,* «caprice», très postérieur (XVIIIe s.). ◇ *Ratier* a eu divers sens figurés comme «avare» (v. 1200) «voleur, pillard» (XIVe-XVe s.), et «cachottier» (1576). L'adjectif n'a gardé que le sens neutre descriptif de «relatif au rat» (1485), avec lequel il a évincé **RATEUX, EUSE** adj. (1678). ◆ Le féminin ① **RATE** n. f. (fin XIIe s.), quelquefois écrit *ratte,* désigne la femelle du rat ; cette acception est rare, à cause de l'homonymie avec ② *rate,* sauf lorsqu'il s'agit d'élevages de laboratoire. Il se rencontre comme terme d'affection à l'adresse d'une petite fille (1752-1771, puis 1869), cf. ci-dessus *rat,* et comme terme injurieux pour une vieille femme revêche cherchant à s'emparer de tout ce qui est à sa convenance (v. 1840), emploi disparu. ◆ **RATON** n. m. (v. 1278), nom du petit du rat, sert aussi à former le nom d'un autre mammifère (1753), spécialement dans *raton crabier* (1776, Buffon) et ***raton laveur*** (1870). ◇ Parallèlement à *rat* et ① *rate,* il est employé familièrement comme terme d'affection envers un petit enfant (1732). ◆ Au XXe s., il a développé le sens injurieux de «Nord-Africain» (1937) pour des raisons obscures. ◇ Ce sens raciste a fourni **RATONNER** v. (v. 1955) et **RATONNADE** n. f. (v. 1955) à propos d'une expédition punitive, de brutalités envers les Nord-Africains et, par extension, contre un groupe social ou ethnique. ◆ L'emploi du féminin **RATONNE** n. f. (1721), «femelle du raton», est exceptionnel. ◆ **RATIÈRE** n. f. (v. 1250), «piège à rats», a remplacé *ratoire,* en usage du XIIIe au XVIIe s. ; il a développé le sens figuré de «repère», puis de «piège» (av. 1662), surtout dans la locution ***être pris comme dans une ratière*** (1715), fournissant aussi un synonyme argotique de *prison* (1899). *Souricière,* demeuré plus usuel, a une valeur figurée comparable. ◆ **RATIER** n. m. (1362), concurrencé par le féminin *ratière,* a eu le sens de «piège à rats» et, par métaphore, de «cachot» (1393), tous deux disparus. Le mot a été repris pour désigner une espèce de chien chassant les rats (1869), en apposition dans *chien ratier.*

RATICHON n. m., d'abord écrit *rastichon* (1628) avec un *s* purement graphique, puis *ratichon* (1725), a été créé en argot pour désigner un prêtre, un aumônier des prisons. Relativement démotivé, il est fréquent dans le vocabulaire anticlérical, notamment entre 1871 et 1914. ◆ Les dérivés **RATICHONNIÈRE** (1837), le titre irrévérencieux *votre ratichonnade* (1859), sont assez artificiels ; mais **RATICHONNERIE** n. f. (1860) et **RATICHONNER** v. intr. «fréquenter les prêtres» ont été usités.

Dérivé démotivé de *rat,* **RATER** v. tr. est apparu après un verbe *rateler* (1611) attesté aussi sous la forme *rater* (1743-1752) «faire la chasse aux rats», sorti d'usage. Le développement sémantique de *rater* se comprend d'après l'ancienne locution *prendre rat, prendre un rat* (ci-dessus) «ne pas partir», pour une arme à feu, puis «ne pas réussir» en parlant d'une personne. Dès ses premiers emplois (1718), *rater* correspond à «manquer la proie que l'on visait parce que le coup n'est pas parti au moment où l'on tirait» et à «ne pas réussir» avec un complément tel que *coup, examen, vie ;* ensuite, il exprime aussi le fait de ne pas réussir à rencontrer une personne (1873) ; la négative *ne pas rater qqn* (1904), *ne pas en rater une* (1929) équivaut familièrement à «faire son compte à qqn», et «saisir toutes les occasions de commettre un impair». *Rater* est l'équivalent familier de *manquer.* ◆ Son participe passé **RATÉ, ÉE,** resté usuel comme adjectif, a été substantivé (1836) pour désigner l'accident par lequel la charge d'une arme à feu ne s'enflamme pas sous le choc. L'adjectif équivaut ensuite à *manqué,* dans de nombreux contextes *(vie ratée, c'est raté,* etc.). Le paronyme *râpé,* dans *c'est râpé,* le concurrence. ◆ Par extension, *un raté* désigne l'accident survenant dans un moteur à explosion quand l'allumage ne se produit pas correctement (1890) d'où, en général, un arrêt de fonctionnement (1967). *Un, une raté(e)* se dit également d'une personne ayant raté sa vie (1867). ◆ **RATAGE** n. m. (1864) a le sens général d'«échec», quelquefois «fait de ne pas atteindre son objectif».

Quelques dérivés de *rat,* au sens propre, apparaissent encore aux XIXe et XXe siècles. ◆ **RATEL** n. m. (1846) désigne une espèce de mammifère carnivore d'Afrique friand de miel. ◆ **DÉRATISER** v. tr. (1907), dont est tiré **DÉRATISATION** n. f. (1906), concerne la lutte contre les rats. ◆ **RATICIDE** n. m. est formé récemment (v. 1965) d'après d'autres composés hybrides en *-cide* (cf. *pesticide*).

◈ voir MORT-AUX-RATS (art. ① MORT).

RATAFIA ou **RATAFIAT** n. m. Selon une tradition étymologique, le mot serait un emprunt en milieu créole (v. 1675) à la forme latine *rata fiat* (sous-entendu *conventio*), littéralement «(que notre accord) soit ratifié». Cette expression est formée de *rata,* féminin de *ratus* «ratifié», participe passé adjectivé de *reri* «penser, estimer» (→ ratifier), de *fiat,* troisième personne du singulier du présent du subjonctif de *fieri* «devenir» (également dans *fiat lux*), verbe d'aspect duratif qui sert de passif à *facere* (→ faire), et de *conventio* «accord» (→ convention). L'alcool aurait dû son nom à la formule qui accompagnait le toast porté à l'occasion d'un marché conclu. ◆ P. Guiraud, qui estime anecdotique cette étymologie, évoque la déformation d'un mot créole, qui correspondrait mieux que le latin au contexte originel du mot, peut-être *rectifié**, terme de distillation. Cette hypothèse était celle de Leibniz (selon Le Duchat) ; Ménage se bornait à écrire : «c'est un mot des Indes orientales». Il paraît logique de mettre *ratafia* en relation avec un autre mot créole *tafiat* : «quand un Indien du pays boit du brandevin à la santé d'un Français, entre autres mots de sa langue, il lui dit, *tafiat* : à quoi le Français répond en faisant raison, *ratafiat*» (Le Duchat, citant de la Croze, *in* Ménage, 1750). Cette origine, analogue aux échanges du type *belote, rebelote,* ferait de *ratafia* l'équivalent (avec assimilation vocalique) de *re-tafiat.*

♦ Le mot, d'abord employé comme interjection sous la forme *ratafiat* «à votre santé», est substantivé sous les deux formes *ratafiat* et *ratafia* pour désigner une liqueur faite d'eau-de-vie, de sucre et certains fruits, autrefois très en vogue comme médicament stomachique.

RATATINER v. tr., attesté d'abord au participe passé *ratatiné, ée* (1606), puis au pronominal *se ratatiner* (1662), est formé sur le radical expressif *tat-* qui, avec des suffixes diminutifs, évoque la diminution, l'amoindrissement d'un état, d'une action : on le retrouve dans le manceau *tatiller* «bavarder», «chuchoter», variante *tatiner,* le champenois *tatiner* «manier», le français du XVIIe s. *tatin* «petite quantité» (1611), l'ancien verbe *retatiner* «effacer les plis» (1508). Selon P. Guiraud, ce radical *tat-* représenterait un gallo-roman °*tactitare* (→ attaquer) qui explique un autre sens de *tatin* «coup» et de *tatiner* «battre, rosser». Un rapport avec °*taxicare* qui a donné *tâter** est possible. *Ratatiner* se comprendrait à partir de *retatiner* «passer le plat de la main sur les plis d'un objet», d'où «en effacer les plis» (1508) et, avec une notion de violence dans le geste, «écraser, froisser». Cf. *aplatir, plates coutures.*

♦ *Ratatiné,* en emploi adjectif, qualifie ce qui est flétri, ridé, une personne tassée, rapetissée par l'âge, la fatigue, la maladie (1637). ◇ *Se ratatiner* signifie «se rapetisser en se desséchant» (1662), «se flétrir, se rider» (1690), «se tasser, se recroqueviller, en parlant d'une personne» (1690). ◇ L'emploi en construction transitive, attesté un peu plus tard (1762), correspond à «rapetisser, déformer la taille de». ➜ Au XXe s., le verbe se dit familièrement pour «tuer» (1932), «endommager gravement» (1940), la forme pronominale prenant le sens de «subir un choc violent, s'écraser» (v. 1950).

▸ Le mot n'a produit qu'un nom d'action pour lequel il y a concurrence entre les formes **RATATINEMENT** n. m. (1845) et, avec une valeur plus dynamique, **RATATINAGE** n. m. (XXe s.).

RATATOUILLE n. f. est formé (1778) sur le verbe *touiller** autour duquel s'est formé dans les patois un ensemble foisonnant de verbes expressifs, quelquefois avec des syllabes de renforcement comme *fertouiller, tantouiller, entouiller, tartouiller, tatouiller, ratouiller, patouiller,* et dont la signification tourne autour de «se vautrer, agiter un liquide, tremper, salir». P. Guiraud, en acceptant le croisement avec *touiller,* fait de *ratatouille* le déverbal d'un °*ratatouiller,* doublet de *ratatiner**, qui serait formé de *re-* à valeur intensive et perfective, de la racine *tatt-* «tripoter» et de l'élément *-ouiller* à valeur fréquentative.

♦ Le mot a d'abord désigné péjorativement un ragoût grossier, sens qui s'est élargi à «mauvaise nourriture». En gardant sa valeur péjorative, il a pris le sens figuré de «mélange douteux, suspect» (1880). ◇ Celui de «volée de coups, raclée» (XXe s.) est en rapport avec *tatouille.* ➜ En cuisine, le mot a aussi le sens non péjoratif de «ragoût», s'appliquant au XIXe à divers types de plats régionaux, et au XXe s. à l'un d'entre eux, fait de légumes cuits, appelé *ratatouille niçoise* ou simplement *ratatouille.*

▸ Le mot est abrégé familièrement en **RATA** n. m. (1828), mot qui a désigné un ragoût de pommes de terre et de haricots, puis péjorativement un mélange de viande et de légumes servis à l'armée (fin XIXe s.). La locution figurée ***ne pas s'endormir sur le rata*** signifie «être diligent» (1928) ; elle a vieilli. *Rata* désigne en général une mauvaise pitance (1833) ; en ce sens, il s'est employé au féminin. Légèrement archaïque, il fait aujourd'hui allusion à un ordinaire militaire déplaisant.

① **RATE** → RAT

② **RATE** n. f., attesté depuis le XIIe s. (1165) et précédé par le latin médiéval *rata* (Xe s.), est d'origine incertaine : en raison d'une certaine ressemblance que la rate présente avec un rayon de miel, son enveloppe se prolongeant dans l'intérieur de l'organe sous forme de cloisons, on a proposé de faire du mot un emprunt du moyen néerlandais *rate* «rayon de miel», en se fondant sur l'existence d'un développement analogique en hongrois où *lép* signifie à la fois «rayon de miel» et «rate». Cependant, le moyen néerlandais n'est attesté nulle part au sens de «rate», pas plus que le mot français au sens de «rayon de miel», ce qui limite l'intérêt de cette hypothèse.

♦ Le viscère que désigne la rate ayant dans l'ancienne médecine la réputation d'attirer l'humeur mélancolique, *rate* est employé dans les locutions figurées *décharger sa rate* «laisser éclater sa colère» vieillie et, symétriquement, ***dilater, désopiler sa rate*** (1652), également ***épanouir sa rate*** «rire». D'autres locutions sont apparues récemment, comme ***se fouler, ne pas se fouler la rate*** «se fatiguer et se soucier (ou non)», et ***se mettre la rate au court-bouillon*** «se faire beaucoup de souci».

▸ En est dérivé **DÉRATER** v. tr. (1535), proprement «enlever sa rate à (une personne, un animal)», couramment employé à la forme pronominale *se dérater* avec le sens figuré de «courir le plus vite possible», selon le même type de développement que *décarcasser.* ➜ Le participe **DÉRATÉ, ÉE,** adjectivé, a fourni un substantif employé dans la locution ***courir comme un dératé*** «très vite» (1750), de la légende selon laquelle les *chiens dératés* couraient très vite. ◇ Comme adjectif, le mot a signifié (1735) «alerte, vif».

◈ voir RATTE.

RÂTEAU n. m., d'abord *rastel* (v. 1180) puis *ratteau* (v. 1460), *rastiau* (1473), *rateau* (1534) écrit au XVIIe s. avec l'accent circonflexe *râteau* (1636), est issu du latin *rastellus,* diminutif de *raster* (à côté du neutre *rastrum*) désignant un instrument qui tient à la fois de la fourche, de la houe et du râteau actuel. Ce mot, surtout usité au pluriel, la tête de l'outil comptant plusieurs dents, est dérivé, par contraction d'un °*rad-trum*, de *radere* «gratter, racler, raser» (→ raser).

♦ *Râteau* désigne un instrument agricole formé d'une barre munie de dents et montée sur un manche. Les extensions sont fondées sur une analogie de forme ou de fonction; la plus ancienne concerne la garde d'une serrure dont les pointes passent dans les entailles du museau de la clef (1490); *râteau* a été repris pour désigner le segment de roue dentée qui sert à régler le mouvement d'une montre. Des extensions plus proches du sens initial concernent un outil servant à retirer les poissons et les coquillages du sable (1752), un gros peigne de tisserand pour monter les chaînes en tissage manuel (1765) et, plus couramment, l'instrument avec lequel le croupier ramasse l'argent au jeu (1831, Balzac). ◇ Le mot est devenu un terme de sciences naturelles désignant le groupe de fortes dents chez certaines mygales maçonnes (1932) et le nom usuel de l'esquille (attesté XXe s.).

▶ Les dérivés sont tirés de l'ancienne forme *ratel*. ◆ **RÂTELER** v., d'abord *rasteler* (v. 1220) et *rateler* (XIVe s.), avant *râteler* (XVIIe s.), signifie «ramasser avec un râteau» et «nettoyer avec un râteau» (1611), sens où il est supplanté par *ratisser**. ◇ Ce verbe a servi à former un certain nombre de termes techniques : **RÂTELAGE** n. m., d'abord *reisteilage* en normand (1436), a eu en moyen français un sens figuré «exposé très libre de ce que l'on pense», avant d'être repris pour désigner concrètement ce que prend un râteau en une fois (1636). ◇ **RÂTELEUR, EUSE** n. et adj. (1694) s'est imposé aux dépens de *rastelaire* (1527). ◇ **RÂTELURES** n. f. pl. désigne ce que l'on ramasse avec un râteau (1876). ◆ **RÂTELIER** n. m., autre dérivé de *ratel, râteau*, réfection (v. 1354) de *rastelier* (1250), écrit avec un accent circonflexe au XVIIe s., désigne d'abord divers types de supports comportant des échancrures plus ou moins espacées pour le rangement d'objets longs (armes, pipes), *râtelier d'établi* (1873) dénommant un support d'outils. ◇ Le mot s'est spécialisé en agriculture pour l'assemblage à claire-voie servant à contenir la nourriture du bétail (déb. XIVe s.), sens réalisé dans la locution figurée ***manger à tous les râteliers*** (1740-1755) qui utilise une métaphore plus ancienne : *je leveray le ratelier à ce gourmand* (1671). ◆ Par l'intermédiaire d'une valeur métaphorique burlesque, «denture» (av. 1590) sortie d'usage, il a pris le sens familier de «dentier» (1777), d'abord dans *râtelier de fausses dents* (1718). Le mot, en français contemporain, n'est pas clairement rattaché à *râteau*. ◆ **RÂTELÉE** n. f. (1456-1467) a eu le sens figuré de «conte, récit», conservé dans la locution familière *dire sa râtelée* (1478-1480) «dire librement ce que l'on pense» disparue en français classique. Le sens concret, «quantité de foin emportée d'un seul coup de râteau» (1636), a vieilli.

RATER → RAT

◈ **RATIBOISER** v. tr. serait formé par fantaisie (1875) sur *ratisser** «dépouiller», dont la finale *-sser* a été remplacée par la finale *-boiser* d'origine controversée. L'hypothèse la plus répandue est celle d'un croisement avec l'ancien verbe *emboiser, emboisier* «tromper» (v. 1220), encore vivant dans les patois, lui-même composé de l'ancien français *boisier* (v. 1135), que l'on ramène à un francique °*bausjan* «dire des niaiseries ou des bêtises, radoter» restitué d'après l'ancien haut allemand *bôsôn* de même sens et le moyen haut allemand *bôsen* «faire du mal» (d'où l'allemand *böse* «méchant»). Ce verbe dérive d'un francique °*bausia*. La date tardive d'attestation et le registre populaire rendent sceptique quant à cette origine, surtout appuyée sur des formes d'ancien français, *emboisier* et *boisier* n'étant pas attestés au XIXe siècle. Cependant, on peut imaginer une transmission orale et dialectale.

♦ Le mot est d'abord un terme de l'argot des joueurs (baccara) signifiant «rafler les enjeux»; par extension, il s'est répandu au sens de «prendre, dépouiller». Il est également employé à la voix passive, au sens d'«être ruiné, perdre», d'abord au jeu (1881) et, par extension, en parlant de qqn envisagé dans sa santé, sa situation; l'influence de *ratatiner* est probable pour le sens.

▶ Le dérivé **RATIBOISEUR, EUSE** n. se rencontre rarement dans la langue familière (XXe s.).

RATIFIER v. tr., réfection (1297) de *rattefier* (1204), est un emprunt au latin médiéval *ratificare* (XIIIe s.) «rendre (un acte) pleinement valable», formé du latin classique *ratus* «valable», participe passé de *reri* «penser, estimer» (→ raison) et de *-ficare* pour *facere* (→ faire).

♦ Le mot signifie «approuver ou confirmer par un acte authentique (ce qui a été fait ou promis)». Ce verbe juridique et administratif a eu le sens général de «confirmer ou approuver publiquement» (av. 1654), demeuré littéraire.

▶ **RATIFICATION** n. f., emprunt (1328) au dérivé latin médiéval *ratificatio, -onis* (XIIIe s.), désigne la confirmation en forme authentique de ce qui a été fait ou promis et, par métonymie, le document contenant cette confirmation (v. 1680). Il s'est spécialisé en droit diplomatique pour désigner l'acte par lequel une puissance contractante décide d'appliquer un traité international (1875), d'où *échange, dépôt de ratification* (XXe s.). ◆ Par changement de suffixe, il a produit **RATIFICATEUR, TRICE** n. et adj. qui désigne (1636) et qualifie (1791) une personne approbatrice, avant de se dire de celui ou ce qui est favorable à la ratification d'un traité.

RATINE n. f. est la modification par changement de genre (1593), probablement d'après d'autres noms de tissus *(mousseline, crépine)*, du masculin *rastin* «étoffe de laine croisée dont le poil est tiré en dehors et frisé pour former comme des petits grains» (1260). *Rastin* est dérivé de l'ancien verbe *raster, rater* «racler, raturer» (→ ratisser).

▶ Les quelques dérivés sont des termes techniques relatifs au traitement du tissu permettant d'obtenir la ratine : **RATINER** v. tr. (1765) d'où **RATINAGE** n. m. (1812) et **RATINEUSE** n. f. (1869), nom de machine.

RATIO → RAISON

RATIOCINER v. intr. est emprunté (1546, Rabelais) au latin *ratiocinari* «calculer», au figuré «raisonner», dérivé de *ratio* dans son double sens de «calcul» et de «raison, raisonnement» (→ raison).

♦ Ce verbe didactique signifie dès le XVIe s. «exercer la faculté de raisonner». Furetière (1690) le qualifie de «terme logique» seulement en usage «dans le domestique». ◇ Il a cessé d'être employé au XVIIIe s. et a été repris (1907) avec sa valeur péjorative actuelle «raisonner d'une manière subtile et pédante».

▶ **RATIOCINATION** n. f., emprunté (1495) au latin *ratiocinatio*, de *ratiocinatum*, supin de *ratiocinari*, a suivi la même évolution que le verbe : autrefois employé didactiquement pour «exercice de la faculté de raisonner», sens disparu au XVIIIe s., il a été repris pour désigner une argumentation vaine exagérément subtile. ◆ **RATIOCINAGE** n. m. (1936) et **RATIOCINEMENT** n. m. (1938), dérivés rares de *ratiociner*, sont quasi synonymes de *ratiocination*. ◆ Quant à **RATIOCINATEUR** n. m. (1549), emprunté au dérivé latin *ratiocinator* «calculateur», pour «celui qui se laisse guider par la raison», il a été épisodiquement employé comme terme d'histoire antique pour désigner l'esclave ou l'affranchi qui tenait les comptes d'un maître (1842), avant de prendre le sens péjoratif de «personne qui ratiocine». ◆ En ce sens, il subit la concurrence du dérivé moderne **RATIOCINEUR, EUSE** adj. et n. (1929). Tous les mots de la série sont rares.

RATION n. f. est le doublet savant de *raison**, par emprunt (fin XIIIe s.) au latin *ratio* qui, à partir du sens de «calcul, somme, compte», avait développé à basse époque et au moyen âge les sens métonymiques de «bien matériel, ce que l'on possède» (v. 615), en droit, «part d'un copossesseur dans une possession en indivis» (v. 796), «fraction, part» (v. 792) et «procuration d'aliments» (v. 850).

♦ Le mot a désigné en ancien français la partie de la solde d'un militaire qui est mise en réserve en commun (fin XIIIe s.) et, écrit *racion*, une prébende, un bénéfice ecclésiastique (1376). ◆ Son usage moderne remonte au XVIIe s. : *ration* a commencé par se dire de la quantité de pain, de biscuit, de viande, de vin donnée quotidiennement aux marins (1643) et, par analogie, de la portion de vivres distribuée à chaque soldat (1671). Puis, son usage s'est élargi à la portion de nourriture revenant à un homme ou à un animal (1810), en élevage à la quantité normale d'aliments consommée quotidiennement par un animal (1869), spécialement dans *ration d'entretien*, *ration de production* (1860). ◆ Par extension, *ration* désigne au figuré, et souvent avec une valeur ironique, tout ce que qqn reçoit en fait de peines, d'épreuves (1822), cf. *part; avoir sa ration de* indique en outre la satiété (1836, *j'ai ma petite ration*).

▶ Le dérivé **RATIONNAIRE** n. m. (1777) désigne, en termes administratifs, celui qui bénéficie d'une ration. ◆ **RATIONNER** v. tr., verbe révolutionnaire (24 avril 1795, *Journal de Paris*), signifie «déterminer la ration que chacun recevra», et par extension «soumettre (une population, qqn) à une mesure de distribution de rations limitées» (1869). Il est également pronominal (1868). ◆ Du verbe est issu **RATIONNEMENT** n. m. (1870) de sens actif pour «action de rationner» et, par métonymie, «ensemble de rations». Le verbe et son dérivé ont connu une fréquence accrue dans chaque période de difficultés alimentaires : le premier, on vient de le voir, apparaît pendant la Révolution, le second pendant le siège de Paris, les deux furent usuels de 1940 à 1945 (*tickets de rationnement*, etc.), tout comme *ration*, qui évoque aujourd'hui encore la privation.

RATIONNEL, ELLE adj. et n. m., d'abord *rationel* (v. 1120) et *rational* (1483) avant de s'écrire avec deux *n* (XVIIe s.), est emprunté au latin impérial *rationalis* «doué de raison», «où l'on emploie le raisonnement» et «fondé sur la raison», du latin classique *ratio* (→ raison, ration). *Ration* ayant abouti à un autre sémantisme, *rationnel* est l'adjectif de *raison*, à côté de *raisonnable*.

♦ L'adjectif qualifie d'abord une âme douée de raison et, par extension, un être vivant doué de raison (XVIe s.), sens qu'il partageait avec *rationable* avant de le céder à *raisonnable* (→ raison). *Livre rationel*, latinisme, comme *livre de raison**, désignait un livre de compte et, substantivé, celui qui tient les comptes (1483), d'après un des sens de *ratio*, «compte, calcul». ◆ L'usage moderne de l'adjectif s'est établi au XVIe s. : *rationnel* s'applique à une personne qui emploie le raisonnement (1546) et, en mathématiques, à une expression ne comportant aucun radical (1549), sens développé en algèbre (XVIIe s.). Au XIXe s., on qualifie de *rationnelle* une fraction dont les deux termes sont des polynômes entiers (1875). ◇ Au XVIe et au XVIIe s., *rationnel* se dit aussi d'un médecin non empirique, travaillant par le raisonnement (v. 1560, Paré). ◆ Avec une valeur générale, il signifie généralement «qui relève de la raison» (1691), par opposition à ce qui relève de l'expérience, par exemple dans *mécanique rationnelle* (XVIIIe s.). Il s'est étendu à ce qui est fondé sur une méthode scientifique par des calculs ou des raisonnements (1835), tout en se répandant dans l'usage courant au sens de «conforme à la logique, au bon sens» (1836) et, pour une personne, «qui raisonne logiquement» (déb. XIXe s.). Dans cet emploi, il est souvent construit en phrase négative, tout comme *logique (c'est pas rationnel)*.

▶ **RATIONNELLEMENT** adv. (1802) est didactique et usuel, avec la valeur de «logiquement»; **ANTIRATIONNEL, ELLE** adj. (1866), seulement didactique. ◆ **RATIONALITÉ** n. f., dérivé savamment du latin *rationalis* sous la forme *racionalité* «activité rationnelle» (fin XIIIe s.), a été reformé tardivement avec le sens didactique actuel de «caractère de ce qui est rationnel» (1836) en philosophie. ◆ **RATIONALISTE** adj. et n. est aussi un dérivé savant de la forme latine de l'adjectif, comme terme de médecine pour désigner un médecin qui suit un raisonnement (1539), par opposition à *empirique*. Il a été recréé (1718) en philosophie, peut-être sous l'influence de l'anglais *rationalist* (1626 en ce sens); dès 1692, ce sens existe en latin scientifique moderne *rationalista* (P. Poiret). L'adjectif qualifie un penseur, une théorie qui prétend ne s'appuyer que sur la raison, avec une valeur proche d'*antireligieux* dans la seconde moitié du XIXe siècle. ➜ On a formé sur ce mot l'antonyme **ANTIRATIONALISTE** adj. et n. (1842). ➜ **RATIONALISME** n. m., formé sur le latin *rationalis* (1803) d'après *rationaliste*, désigne la doctrine philosophique selon laquelle tout ce qui existe a sa raison d'être et peut être considéré comme intelligible, puis la position selon laquelle toute connaissance certaine vient de la raison. Par extension, il développe au cours du XIXe s. le sens de «croyance, confiance à la raison», avec des spécialisations en art, en théologie et en psychiatrie pour des raisonnements logiques poussés jusqu'à l'absurde (***rationalisme morbide*** chez Minkowski). Comme *rationaliste*, le mot a pris dans la seconde moitié du XIXe s. la valeur spéciale de «croyance en la seule raison humaine» s'opposant à toutes les attitudes religieuses, notamment théistes (*rationalisme athée; union rationaliste*). ➜ En est tiré **ANTIRATIONALISME** n. m., enregistré par le dictionnaire de l'Académie en 1838.

RATIONALISER v. tr., autre dérivé savant de *rationalis*, est attesté en 1826, au participe passé *rationalisé*, puis en 1839, et repris à la fin du XIXe s. (v. 1890, Renan) au sens de «rendre rationnel, conforme à la raison». Par extension, le verbe s'applique au domaine de l'organisation du travail, de la production (1907). En psychanalyse et psychologie, il a le sens de «justifier (une conduite) par des motifs rationnels» (1946 dans les dictionnaires généraux, mais antérieur, si l'on en juge par *rationalisation*), d'après l'anglais. ➜ Il a pour dérivé **RATIONALISATION** n. f., attesté une fois en 1842 et de nouveau au XXe s. pour «action de rationaliser» (1907), spécialement en économie pour «organisation d'une activité économique selon des principes rationnels d'efficacité» (1927). Il est passé en psychanalyse (1912), probablement d'après l'anglais, où ce sens, «justification consciente et rationnelle d'une conduite déterminée par des motivations inconscientes», est introduit par Jones en 1908.

IRRATIONNEL, ELLE adj. est emprunté (v. 1370) au bas latin *irrationalis* «dépourvu de raison, où la raison n'intervient pas», formé sur *rationalis* à l'aide du préfixe privatif *in-*. ➜ Le mot, introduit par les philosophes, est dans tous ses emplois le strict antonyme de *rationnel* : il qualifie d'abord la personne ou l'entité qui n'est pas douée de raison. Passé en mathématiques en même temps que *rationnel* (1549, *proportion irrationnelle*), il indique qu'une réalité, en particulier un nombre (1685), une racine, une équation, n'a pas de rapport mesurable, calculable avec l'unité de mesure fondamentale. ➜ Il se répand au XIXe s. en parlant d'une personne, d'un comportement qui n'est pas conforme au bon sens, à la logique (1836). Il est substantivé avec une valeur de neutre (1866). ➜ On en a dérivé **IRRATIONNELLEMENT** adv. (1835-1842, A. Comte) et **IRRATIONALITÉ** n. f., apparu en mathématiques (1812) et employé aussi dans l'acception philosophique et générale correspondant à l'adjectif (1839, A. Comte). ➜ **IRRATIONALISME** n. m. (1828) et **IRRATIONALISTE** adj. et n. (1922) sont postérieurs à leurs équivalents anglais *irrationalism* (1811) et *irrationalist* (1836) dont ils ont subi l'influence.

RATISSER v. tr. est dérivé (XIVe s.), après une forme *rastiz* attestée au XIIIe s. : *gastel* [gâteau] *rastiz* «gâteau fait avec des raclures de pâte», de l'ancien verbe *raster, rater* «racler», «peler» et «ratisser», aussi «raturer», en usage aux XIVe et XVe s., peut-être même dès le XIIIe s. au sens de «racler» comme l'atteste indirectement le dérivé *raston, raton*, nom d'une pâtisserie (XIIIe s., en picard). Ce verbe *raster, rater* représenterait le latin impérial *rasitare* «raser souvent», fréquentatif de *radere* (→ raser, râteau), formé d'après le supin *rasum*, à moins qu'il ne soit une formation régressive à partir de *rature**, ce qui soulèverait un problème chronologique pour le sens de «biffer», attesté bien avant le sens correspondant pour *rature*.

♦ *Ratisser* a d'abord signifié «ôter en raclant la surface de (qqch.), racler légèrement». Sous l'influence de *râteau**, et senti depuis lors comme une sorte de dérivé irrégulier de ce nom, il a pris le sens de «nettoyer ou égaliser (la terre, le sol) à l'aide d'un râteau» (1679). ➜ D'où des extensions en argot : «voler, rafler» (1867), familièrement : «soutirer tout son argent à (qqn)» (1879), notamment dans *se faire ratisser* «perdre son enjeu» (1867), et transitivement «ramasser (les enjeux) avec le râteau de croupier» par remotivation (1932). ➜ Au XXe s., le verbe s'emploie en sports dans l'expression *ratisser le ballon*, dite du talonneur qui s'empare du ballon de rugby en se servant de ses pieds (1931). Il a aussi développé le sens de «fouiller (un terrain), comme au râteau ou au peigne fin», d'abord dans un contexte militaire (déb. XXe s.) puis en général (v. 1955), avec une valeur proche de «ramasser», par exemple dans *ratisser large* «chercher dans toutes les directions».

▶ Le dérivé **RATISSEUR, EUSE** adj. et n. (1530) a désigné un instrument servant à râper et une personne raturant le papier (1532), avant de prendre le sens de «personne qui ratisse» (1538, plaisamment, en parlant du barbier), enregistré comme adjectif en 1910. ➜ **RATISSOIRE** n. f. (1517), après un type *ratissouer* «canif servant à enlever les lettres» (1530), a désigné un instrument pour racler avant de prendre le sens moderne d'«instrument pour râtisser» (1680), un moment concurrencé par **RATISSOIR** n. m. (1765, *Encyclopédie*). ➜ **RATISSAGE** n. m. est apparu plus tard (1765) au sens d'«action de ratisser»; d'après le verbe, il a pris le sens de «fouille complètement d'un lieu» (XXe s.), d'abord en contexte militaire (1932, *tir de ratissage;* 1952, *opération de ratissage*). ➜ **RATISSETTE** n. f., nom technique d'un outil de briquetier servant à rassembler la terre (1803), semble archaïque.

RATONNADE, RATONNER → RAT

RATTE n. f., mot régional, attesté à la fin du XIXe s. à Lyon (écrit *rate*, 1894), est une métaphore de *rate* «femelle du rat».

♦ Le mot, diffusé en français général à partir des années 1970, désigne une variété de pomme de terre de petite taille, allongée, à chair jaune clair, savoureuse, appelée aussi *quenelle de Lyon.*

RATTRAPER → ATTRAPER

RATURE n. f., d'abord *rasture* peut-être au XIIe s. (texte anglo-normand de la seconde moitié du XIIe s., le manuscrit datant de la fin du XIIIe s.), puis *rature* (1294), est issu du latin médiéval *rasitoria* «racloire» (1145) ou d'un latin populaire °*rasitura* ou °*raditura,* de *radere* «racler» (→ raser), mais peut être aussi la réfection de l'ancien français *rasure,* dérivé de *raser** et usité du XIIIe au XVIe s. pour «action de tondre», «tonsure», «raclure», «suppression», «mesure rase», parmi d'autres sens.

♦ Le mot a désigné à l'origine les petites parties que l'on enlève d'un corps en le raclant, puis les raclures (1578) et, dans divers domaines techniques, ce qu'on enlève des peaux (1680), la petite bande détachée par le potier d'étain en tournant le métal sur sa roue (1680), ce que l'essayeur enlève d'un lingot (1766), tous sens archaïques, cette valeur étant passée à *raclure.* ◇ Le lien étymologique avec *raser* était sensible dans le sens d'«action de faire la barbe à qqn» (1415), sorti d'usage à l'époque classique. ➛ Le développement du sens actuel, «action de biffer» et «trait, barre que l'on tire sur un ou plusieurs mots pour les annuler» (1537), est probablement plus ancien que ne l'indique cette attestation puisqu'un verbe *rater* (→ ratisser) existe pour «raturer, biffer» au XIVe s., et que le dérivé *raturer* réalise cette valeur dès 1458 (voir ci-dessous). En ce sens, *rature* a supplanté *rasure* attesté depuis 1235 et encore au XVIe s. où le dictionnaire franco-latin de Thierry (1564) donne les deux mots comme synonymes.

▸ Le dérivé **RATURER** v. tr. s'est imposé avec le sens de «biffer par des ratures» (1458) aux dépens de son autre sens, «faire la barbe à (qqn)» (1552) qui a été éliminé par *raser**. ◇ Il a concurrencé et supplanté l'ancien verbe *rater* (1397-XVe s.), *raster* (1461) et son doublet *rasurer* (1378, *rasuré*). ➛ Le verbe a produit **RATURAGE** n. m. (1875) «action de biffer» et, en technique, «opération qui succède à l'écharnage, à l'effleurage et qui consiste à rendre le parchemin plus mince, plus uni et plus blanc» (1875).

RAUQUE adj., d'abord écrit *rauc* (v. 1270), puis *rauque* (1377), est emprunté au latin *raucus* «enroué» et, par extension, «âpre et rude» en parlant d'un son (oiseau, trompette). *Raucus* est la contraction d'un latin oral °*ravicus,* de *ravis,* mot archaïque désignant l'enrouement, d'origine inconnue. L'emprunt a supplanté le type populaire *rois* «enroué» (v. 1112) ou *roe* (v. 1175), attesté en judéo-français sous une forme *rois, ros,* issu phonétiquement de *raucus.*

♦ *Rauque* a eu le même type de développement que le latin *raucus,* qualifiant une voix enrouée, rude et âpre et, par extension, un instrument de musique, et tout bruit rappelant une telle voix (1690). Hugo lui donne le sens de «rude, sauvage» (1828), dans une description visuelle.

▸ **RAUQUEMENT** adv. (1374) est rare. ➛ **RAUQUER** v. intr. (1761, Buffon) signifie «pousser son cri (du tigre)» en concurrence avec *feuler* et, quelquefois, par extension, «émettre un cri semblable à celui du tigre» (1863). ➛ **RAUQUEMENT** n. m. (1822) se dit de l'action de rauquer (tigre) ou de rugir (lion) et, par extension, de l'action de crier avec une voix rauque (1886). ➛ **RAUCITÉ** n. f. est directement emprunté (XIVe s.) au dérivé latin *raucitas, -atis* «caractère d'une voix, d'un son rauque», qui a supplanté le mot latin archaïque *ravis.*

◈ voir ENROUER.

RAVAGE → RAVIR

RAVALER v. est dérivé (v. 1165) de ① *avaler** avec le préfixe *re-**.

♦ Comme ① *avaler, ravaler* a d'abord signifié «descendre» et, d'après la valeur itérative de son préfixe, «redescendre» (v. 1165). Ce sens est sorti de l'usage en dehors d'un emploi technique décrivant le mouvement de certains poissons qui descendent un cours d'eau vers la mer. Le sens secondaire de «tomber» (1180-1205) a lui aussi disparu, mais le développement ultérieur du verbe (en construction transitive) s'est fait d'après l'idée d'un mouvement dirigé vers le bas, au propre comme au figuré. Le sens de «faire descendre ou redescendre» (v. 1260) a disparu au profit d'acceptions techniques : en maçonnerie, *ravaler* consiste à «remettre à neuf le parement d'un mur en procédant de haut en bas» (1432, *ravaller le mur*) et à «diminuer (une chose) en hauteur ou en épaisseur» (1431, aussi en menuiserie). La même idée de «diminuer» est à l'œuvre en agriculture pour «recéper (des souches coupées trop haut)» (1676), c'est-à-dire «tailler» (1690). Elle est réalisée dans un emploi absolu en vénerie pour «porter des bois irréguliers et bas» en parlant d'un cerf ou d'un chevreuil vieillissant, qualifié de *ravalé* (1794). ◇ D'autre part, interprétée moralement, l'idée de «diminuer» est devenue «abaisser», d'abord «persécuter, malmener» (1382), puis de manière atténuée ou plus psychologique «déprécier, dénigrer» (1382), également au pronominal *se ravaler* (v. 1460). Celui-ci a eu autrefois la valeur spéciale de «se rabaisser par humilité chrétienne». ➛ À partir du XVIe s., *ravaler* a rejoint le sens dominant de ① *avaler,* signifiant «faire descendre dans son gosier de nouveau» (1538). Le fait de ravaler sa salive pouvant être un signe d'émotion (inquiétude, hésitation), *ravaler* a évolué vers des valeurs figurées, «empêcher une parole, un sentiment, une émotion de s'exprimer» (1689, *ravaler de ce qu'on a envie de dire,* écrit Mme de Sévigné), par exemple dans *ravaler ses larmes, sa colère.*

▸ **RAVALEMENT** n. m. (v. 1460) est d'abord employé avec le sens moral «abaissement, avilissement» (*mépris et ravalement,* chez Chastellain). Il a ensuite développé les sens concrets techniques correspondant au verbe : «diminution, renfoncement» en maçonnerie (1554) et en menuiserie (1694), «remise à neuf (d'un mur)» (1676, *ravalement d'un mur*), «remise en état (d'une façade)», sens aujourd'hui très courant, et, en arboriculture, «action de recéper (le vieux bois) d'un arbre ou d'une souche coupée trop haut» (1715). L'extension tardive en «aspect cave ou concave» relève d'un style littéraire (1924, Gide, *le ravalement de ses joues*). ◇ **RAVALEUR** n. m. (v. 1460), «dénigreur», s'est moins bien maintenu que *ravaler* et *ravalement* dans le sens figuré, rare après le XVIe s., sauf archaïsme (1831, Chateaubriand). ◇ Il a été repris comme nom d'ouvrier, en maçonnerie (1892), seul ou dans *ouvrier ravaleur* (1907). ◇ **RAVALANT, ANTE** adj., du participe présent de *ravaler*, se rencontre quelquefois au sens moral de «dépréciateur, humiliant» (1836, Sand).

RAVAUDER v. tr., d'abord *ravaulder* (1530) puis *ravauder* (1552), est le dérivé verbal de *ravault* puis *ravaut*, variantes de *raval* qui est en moyen français le déverbal de *ravaler**. Le développement sémantique se comprend, selon Wartburg, à partir du sens de *ravaut* «sottise, bourde» (1360), «diminution de valeur, dépréciation» (1587) et, selon P. Guiraud, d'après un autre sens plus technique, du même *ravaut* «action de ravaler un mur, c'est-à-dire de l'aplanir, d'en rendre la surface sans bosses et sans trous».

♦ Le mot signifie concrètement «rapiécer, repriser (de vieux vêtements)». À l'époque classique, il a eu le sens figuré de «dire des impertinences, des choses futiles» (1675), d'après l'ancien sens de *ravaut* «sottise» (dans la locution *donner un ravaut* «faire croire une sottise») qui procède lui-même de l'idée de dépréciation. ◇ Le verbe était aussi employé pour «ressasser, rabâcher» (1585), «avoir des occupations sans intérêt, dire des choses hors de propos» (v. 1673). Il signifiait aussi «tourner et retourner des objets, fourrager», attesté en 1581 et employé comme les deux sens précédents, chez Mme de Sévigné (1675) qui semble aimer ce mot. ➜ Par extension du sens de «rapiécer», il a pris au XIXe s. le sens de «raccommoder, mettre bout à bout, réparer grossièrement».

▸ **RAVAUDEUR, EUSE** n. (1530) désigne une personne qui reprise, raccommode. Après avoir désigné chez Montaigne (1588) un compilateur, il a eu dans la langue classique le sens figuré de «rabâcheur, personne qui ne dit que des choses futiles et sans intérêt» (1606). ➜ **RAVAUDAGE** n. m. (1553), «action de rapiécer», a pris immédiatement le sens métonymique d'«ouvrage fait de morceaux plus ou moins bien assemblés», archaïque. À l'époque classique, il était synonyme de «bavardage futile» (1672, Scarron), tout comme **RAVAUDERIE** n. f. (1675, Mme de Sévigné), attesté antérieurement pour désigner concrètement une chose de peu de valeur (fin XVIe s.) et qui a disparu.

① **RAVE** n. f., d'abord *rabe* (v. 1195), est, sous sa forme actuelle *rave* (v. 1393), emprunté au franco-provençal *rava, rave* qui continue le latin *rapa*, nom féminin à côté du neutre *rapum*, désignant une plante potagère à racine alimentaire voisine du navet. Le terme se retrouve sous diverses formes dans plusieurs langues indoeuropéennes, comme l'ancien haut allemand *ruoba* «rave», le lituanien *rópė*, le grec *rhapus* «rave», et *rhaphanos* «chou» et parfois «radis» et «raifort», le vieux slave *repa* «rave»; toutefois, la parenté de ces termes ne remonte probablement pas à l'indoeuropéen. Le type *rave* s'est répandu dans les parlers septentrionaux et a éliminé le type régulier *rêve* (XIIIe s.), rare en ancien français, mais qui survit dans le Nivernais, en Champagne et en Franche-Comté. La forme méridionale *raba* (d'où *rabe*) s'étend jusqu'à la Loire, peut-être parce que cette racine constituait au moyen âge la principale nourriture des habitants du Limousin et de l'Auvergne.

♦ *Rave*, nom d'une plante potagère alimentaire, désigne par métonymie la racine comestible de cette plante; on disait dès le XIIe s. *vivre de pain et de raves*. ***Comparer*** (ou ***additionner***) ***des choux et des raves*** signifie «mettre sur le même plan des choses différentes». L'ancienne confusion entre *rave* «navet» et un homonyme ancien *rave* «radis» (fin XIe s.), du latin *raphanus*, a cessé lors de l'emprunt de *radis** à l'italien, lequel a éliminé *rave* «radis».

▸ En est dérivé **RAVIÈRE** n. f. (1539) «champ de raves».

◈ voir BETTERAVE, RABIOT, RAIPONCE, RAVENELLE, RAVIER, RAVIOLI.

② **RAVE** n. m. ou f., prononcé *rève* (ou à l'anglaise, avec diphtongue) est un emprunt (1990) à l'anglo-américain *rave*, de *to rave* «délirer».

♦ Cet anglicisme désigne une réunion d'adeptes de la musique techno* et de danse, en général nocturne, parfois clandestine.

▸ Il a pour dérivé **RAVEUR, EUSE** n., prononcé *rèveur, euse*.

RAVELIN n. m. (1546), d'abord *ravellin* (v. 1450), est emprunté à l'italien *ravellino*, variante de *rivellino* «demi-lune dans un système de fortification». Celui-ci est dérivé de *riva* «rive», qui représente le latin *ripa* de même sens (→ rive).

♦ Le mot français, qui a gardé le sens de l'étymon italien, est archaïque ou archéologique.

RAVENELLE n. f. (1596), d'abord *ravenielle* (1382), est dérivé, avec le suffixe *-elle*, de l'ancien français *rafne, ravene* n. m. «radis» (av. 1100), lui-même issu du latin *raphanus* «raifort, radis noir». Ce mot est emprunté au grec *raphanos* «chou, rave», lequel est apparenté au nom latin de la rave (→ rave) et, par-delà, à d'autres dénominations indoeuropéennes.

♦ Le mot a désigné une variété de garance, un petit radis (1596), une fleur blanche venant dans les champs parmi les blés (1679), et s'est finalement fixé comme nom de la giroflée des jardins (1694).

RAVIER n. m. est dérivé (1827) de l'ancien français *rafne* (dans les Gloses juives), ② *rave* (1530) «radis». Celui-ci, à ne pas confondre avec son homonyme ① *rave** (d'ailleurs apparenté), est issu du latin *raphanus* «raifort, radis noir», emprunté au grec *raphanos* (→ rave). Une première attestation de *ravier* en 1535 concerne, de manière isolée, le champ de raves, de radis.

♦ D'abord attesté pour désigner une espèce de champignon, le mot fait partie des métonymies (moins nombreuses que la figure inverse: *terrine*, etc.) qui vont d'un contenu à un contenant. Il désigne un plat dans lequel on met des radis et, par extension, des crudités, divers hors-d'œuvre (1836) ; par une seconde métonymie, il est aussi employé pour le contenu du ravier.

RAVIGOTER → VIGUEUR

RAVINE n. f., d'abord *raveine* (v. 1120, puis 1388), est le déverbal de l'ancien français *raviner* «enlever de force, violemment» et «couler avec force, se précipiter avec impétuosité» (fin XIIe s., «courir» du cerf). Ce verbe, attesté au début du XIIIe s. (v. 1215), est sorti d'usage au XVIIIe s. ; il est dérivé de l'ancien substantif *ravine* «acte de violence» (v. 1120), «impétuosité» (v. 1160) et «vol» (XIIIe s.). Ce mot est le doublet populaire de l'emprunt *rapine**, les deux mots remontant au latin *rapina* (→ rapine).

♦ *Ravine*, d'abord employé dans les expressions *ravine de terre* «chute de terre», «avalanche» et *ravine d'eau* «trombe d'eau» (1388), est attesté au début du XVIIe s., mais doit exister auparavant (cf. *raviner*, ci-dessous) au sens de «lit creusé par un torrent, petit ravin» (1616), qu'il a conservé.

▸ De *ravine* avec le dernier sens est dérivé un nouveau verbe, **RAVINER** v. tr. (1585) «creuser des sillons profonds sur le sol, en parlant des eaux». ◆ Depuis la fin du XIXe s., le verbe est employé au figuré pour «creuser des rides profondes sur un visage» (1897). Il se rencontre à la forme pronominale *se raviner* pour ce qui s'entaille de dépressions, de sillons profonds. ◆ **RAVINÉ, ÉE**, le participe passé de *raviner*, est adjectivé (1813) pour qualifier un sol, un terrain creusé de ravines, érodé et, au figuré, un visage marqué de profondes rides (av. 1922).
RAVIN n. m., une première fois (v. 1460) comme dérivé de *ravine*, puis à nouveau comme déverbal de *raviner* (1690), s'est répandu pour désigner une petite vallée étroite à versants raides et, par métonymie, le fond d'un ravin servant de voie, un chemin creux au fond d'une vallée (1787), une rigole creusée par le ruissellement des eaux. ◆ *Ravin* lui-même a produit **RAVINÉE** n. f. (1875), d'usage régional, pour désigner le creux formé par le passage d'un torrent. ◆ **RAVINEMENT** n. m., nom d'action tiré du verbe (1848), est également employé par métonymie pour désigner les sillons laissés par le passage des eaux de ruissellement. ◆ Au XIXe s., *ravine* a produit un autre dérivé, **RAVINEUX, EUSE** adj. (1843), qui qualifie dans l'usage littéraire ce qui est creusé, découpé par des ravins. ◆ On rencontre occasionnellement **RAVINEAU** n. m. (XXe s.), mot régional pour la fente d'un sol raviné, par francisation des formes dialectales *ravena, revenno, rabino*.

⟐ voir RAPACE, RAPIAT, RAPIDE, RAPIN, RAPINE, RAPT, RAVIR.

RAVIOLI n. m. pl., d'abord *raviolle* (déb. XIVe s.), *raviole* (v. 1393), sorti d'usage sauf régionalement (Dauphiné), puis *ravioli* (1803, Boiste), est emprunté à l'italien *ravioli* «petit carré de pâte renfermant de la viande hachée ou des légumes» (latin médiéval *rabiola*, 1243, à propos de Crémone ; *raviolus*, 1284, à Parme). Le mot est peut-être dérivé du lombard *rava*, correspondant du français *rave**, les raves entrant quelquefois dans la composition de ce mets, comme l'indique la première attestation en français au sens de «pâté de raves et de viande». Toutefois, ce fait n'est pas confirmé par les plus anciens livres de cuisine italiens ; pour cette raison, en s'appuyant sur la forme médiévale latine *rabiola*, on a postulé une dérivation du latin *rubeolus* (féminin *rubeola*) ; ce dérivé de *rubeus* (→ rouge) se trouverait en effet chez Pline comme nom d'un fromage de chèvre ou de brebis et serait à l'origine de l'italien du Nord *robiola* «fromage de chèvre». Cette seconde hypothèse est elle aussi douteuse.

♦ Le mot désigne un petit carré de pâte cuite à l'eau, contenant de la viande hachée, des légumes.

▸ **RAVIOLE** n. f., forme régionale ancienne évincée par *ravioli*, continuait de s'employer en cuisine, notamment dans l'aire franco-provençale *(les ravioles de Romans, du Dauphiné)*. Cette variante reparaît à titre d'appellation culinaire régionale à la mode dans la restauration depuis les années 1980. Elle recouvre une préparation de pâte contenant des mets plus variés que les classiques raviolis à l'italienne.

⟐ voir BETTERAVE, RABIOT, RAIPONCE, RAVE, RAVIER.

✳ **RAVIR** v. tr. est issu (v. 1112) d'un latin populaire °*rapire*, altération du latin classique *rapere* «entraîner avec soi, emporter violemment, enlever de force ou par surprise, prendre rapidement» d'où «piller, voler». *Rapere*, que l'on peut rapprocher du lituanien *ap-repiu* «je prends de force», de l'albanais *rjep* «je prends, j'enlève», est d'origine indoeuropéenne.

♦ Le mot est passé en français en gardant le sens latin, «enlever de force ou par surprise», puis signifie «enlever (qqn) à l'affection des siens», avec un nom inanimé pour sujet (v. 1450) et d'occasionnels emplois figurés (1643). ◆ Depuis le XIIe s., l'accent se déplaçant sur la notion psychologique de «transport», *ravir* correspond à «faire éprouver un mouvement d'exaltation, un vif sentiment d'admiration» en contexte mystique (v. 1170) et laïque (v. 1220), réalisé dans les locutions ***être ravi en extase*** (1319) et ***à ravir*** (1627) qui a d'abord une valeur forte, aujourd'hui très littéraire. ◇ Plus banalement, il prend le sens de «procurer du plaisir à (qqn)» (XIIIe s.), d'où plus tard la valeur faible de *à ravir* «excellemment» *(danser, chanter à ravir)*.

▸ **RAVISSEUR, EUSE** adj. et n., d'abord *ravisor* (fin XIIe s.), a conservé le sens propre de «personne s'emparant d'une autre par la force ou la ruse». Il a été adjectivé pour caractériser un animal vivant de rapines (fin XIVe s.) avant d'être repris par la langue didactique pour qualifier la patte antérieure de certains insectes par allusion à sa fonction prédatrice (1904) ; il se rencontre également dans le style littéraire en qualifiant ce qui emporte qqch. avec soi (mil. XXe s.). ◆ **RAVI, IE** adj., tiré du participe passé (XIIIe s.), qualifie une personne qui éprouve une grande joie, d'où, avec une valeur affaiblie et conventionnelle, son emploi dans des formules de politesse du type *je suis ravi de faire votre connaissance* (av. 1850). Par métonymie, il se dit de ce qui exprime une joie intense. ◆ **RAVISSEMENT** n. m. (fin XIIIe s.) a exprimé jusqu'à l'époque classique le fait d'enlever qqn de force, aujourd'hui réalisé par *rapt** (de la même famille) et, couramment, par *enlèvement.* ◇ En mystique, le mot désigne une forme d'extase dans laquelle l'âme se sent saisie par Dieu comme par une force supérieure à laquelle elle ne peut résister (1287). ◇ Il s'est répandu dans l'usage commun avec le sens affaibli d'«état d'une personne transportée d'admiration, de joie» (1553). ➡ **RAVISSANT, ANTE** adj. (*ravisant,* 1350), vient du participe présent de *ravir;* d'abord employé au sens de «qui enlève par la force *(loup ravissant)* ou par ruse» et, jusqu'au XVIIe s., «impétueux, rapide», il a suivi le même type d'évolution que *ravissement,* prenant au figuré la valeur de «qui transporte d'admiration ou qui procure un plaisir extrême par sa beauté» (1627), d'où, par affaiblissement, «charmant, joli».

Outre *ravisseur,* le sens propre du verbe survit dans le dérivé **RAVAGE** n. m. (1350), lequel a commencé par désigner le pillage et, par analogie, ce que les eaux entraînent avec elles. *Ravage* n'est plus senti comme lié au verbe *ravir.* Par métonymie, il désigne un dommage important causé avec violence et rapidité par l'homme (av. 1680), d'abord au singulier, de nos jours au pluriel (1718). Le sens de «dégâts causés par les forces naturelles» (1586) réactive l'acception ancienne pour «ce que charrient les eaux» et «flots impétueux» (1543). À partir de l'époque classique, *ravages* se dit abstraitement des dégâts causés par le temps, la maladie, le souci (1680). La langue familière l'emploie aujourd'hui avec une autre valeur figurée dans la locution ***faire des ravages*** «se faire aimer et faire souffrir» (1830). ➡ *Ravage* a servi à former **RAVAGER** v. tr. (1300), autrefois employé en agriculture pour «arracher des plants de vigne», puis pour «piller» (1506-1507). De nos jours, le verbe signifie «endommager gravement en dévastant», d'abord en parlant de fléaux naturels (1611) et, au figuré, «apporter (à qqn) de graves perturbations physiques ou morales» (1660). ➡ À son tour, le verbe a produit quelques dérivés : **RAVAGEUR, EUSE** adj. et n. (1578), «destructeur», au propre et au figuré (1688), était autrefois employé comme nom pour ce qui produit des dégâts physiques, moraux ou sentimentaux et il s'est dit d'une femme de mauvaise vie (v. 1890). Au masculin, il nommait, dans la langue populaire, celui qui recherche les fragments de métal dans les ruisseaux, les rivières (1832). ➡ **RAVAGEANT, ANTE,** adjectif tiré (1660) du participe présent de *ravager,* reste rare à côté de *ravageur.* ➡ Quant au troisième adjectif, **RAVAGÉ, ÉE,** tiré (1685) du participe passé de *ravager* à côté de son sens propre, «endommagé», il a pris le sens figuré de «marqué, flétri par le temps» (av. 1850), spécialement avec un complément d'agent introduit par *de* et *par.* Il est passé dans le langage familier avec le sens de «fou» (v. 1950).

◈ voir RAPACE, RAPIAT, RAPIDE, RAPIN, RAPINE, RAVINE.

RAVISER → AVIS

RAVITAILLER v. tr. est composé (1425) de *re-* et du verbe *avitailler* (XIIIe s.) «pourvoir de nourriture», lui-même formé de *a-* (du latin *ad-* marquant le mouvement vers) et de l'ancien français *vitaille* «nourriture» (v. 1138), issu du bas latin *victualia* que continue l'emprunt savant *victuaille**. **AVITAILLER** est resté vivant dans la langue technique aux sens d'«approvisionner un navire» (1386) et «approvisionner (un aéronef) en carburant» (XXe s.) ; ses dérivés **AVITAILLEUR** n. m. (fin XIVe s., *advitailleur*) et **AVITAILLEMENT** n. m. (1417) ont suivi la même évolution technique.

♦ *Ravitailler* a supplanté *avitailler* dans son sens courant de «pourvoir de vivres, de munitions», également à la forme pronominale (1828), en contexte militaire, et (1836) en général. Il a reçu la valeur figurée de «nourrir spirituellement, intellectuellement» (1831). ➡ Par extension, il signifie (déb. XXe s.) «fournir (une population) de ce qui lui est nécessaire» et «pourvoir (un véhicule) de carburant», s'employant intransitivement dans l'argot sportif au sens de «faire le plein de carburant».

▶ Le dérivé **RAVITAILLEMENT** n. m., d'abord *ravictaillement* (1430), lui sert de nom d'action et, par métonymie, désigne l'alimentation, l'approvisionnement (*aller au ravitaillement,* 1932). Il a été abrégé sous l'Occupation à Paris en **RAVITO,** aphérèse de formation populaire (v. 1942). ◇ *Ravitaillement* est spécialement employé pour le transfert de combustible d'un avion à un autre en plein vol (1943). ➡ **RAVITAILLEUR, EUSE** n. et adj., absent des dictionnaires jusqu'au XXe s., désigne d'abord (1527) la personne préposée au ravitaillement. Sorti d'usage, il a été repris dans le domaine militaire pour désigner un véhicule employé au ravitaillement (1878), en sports pour celui qui ravitaille les coureurs cyclistes en vivres et les coureurs automobiles en carburant (1962, Robert). Il est adjectivé au masculin (1962) pour qualifier un véhicule, un appareil préposé au ravitaillement.

RAVIVER → VIF

RAYER → ② RAIE

① RAYON → RAI

② **RAYON** n. m., réfection (1538) de *royon* (1429), est dérivé de l'ancien français *ree* «gâteau de cire fait par les abeilles» (v. 1120). Ce mot est issu du francique °*hrâta* de même sens, postulé par le moyen néerlandais *râta* «miel vierge» et par le latin des Gloses de Reichenau, *frata : «favum : frata mellis»* (glose 100).

♦ Le sens propre de «gâteau de cire des abeilles divisé en alvéoles remplies de miel et de couvain» (1538) est attesté après la valeur analogique de «casier» (1429, *royon*). De là, au XVIIe s., le mot désigne une division des armoires des marchands en petits carrés où se tiennent les marchandises (1690). Ensuite, *rayon* a pris le sens de «casier ou tablette de rangement» (XVIIIe s.) et, par métonymie, «ensemble des comptoirs d'un magasin consacrés à un même type d'articles» (1841). La locution ***c'est mon rayon,*** à côté de variantes vieillies *(c'est de mon rayon, dans mon rayon)* «c'est mon domaine», vient très probablement de cet usage commercial. Dans la locution ***en connaître un rayon*** «être très compétent», le mot prend une valeur plus abstraite.

▸ Les dérivés, peu nombreux, remontent au XIXe siècle. ② **RAYONNER** v. tr. (1861), «former des rayons», voit son usage limité par l'homonymie avec ① *rayonner*. ◆ **RAYONNAGE** n. m. (1874), «ensemble des rayons de rangement; rayons assemblés pour constituer un meuble, une bibliothèque», est d'usage courant, surtout au pluriel.

RAYONNE n. f. est la forme graphique francisée (1930) correspondant à la prononciation de l'américain *rayon* (1924), marque déposée d'une soie artificielle. *Rayon* est dérivé de l'anglais *ray* «rayon», lui-même repris à l'ancien français *rai**, et du suffixe *-on* (→ nylon) en raison du caractère brillant de cette matière.

① RAYONNER → RAI

② RAYONNER → ② RAYON

RAYURE → ② RAIE

RAZ n. m., longtemps écrit *ras* (v. 1360) puis également *raz* (1842), est emprunté, comme le mot breton correspondant, au dialecte normand qui l'a lui-même pris à l'ancien scandinave *rás* «courant d'eau», par emprunt aux Normands vikings, envahisseurs de cette province. Le mot scandinave, auquel est apparenté l'ancien anglais *raes* «courant, assaut» d'où vient l'anglais *race* «course», est d'origine inconnue.

♦ Le mot a été repris pour désigner un courant marin violent qui se fait sentir dans un passage étroit; par métonymie, il est employé en Bretagne et en Normandie dans des noms propres désignant des passages où se produit un tel courant (1484). Le mot est surtout connu par le nom géographique, *pointe du Raz*.

▸ Il a servi à former le composé **RAZ-DE-MARÉE** (1678, *rats de marée;* puis *ras-de-marée*) désignant une énorme vague d'origine sismique ou volcanique et, au figuré, un bouleversement, un brusque envahissement qui détruit l'équilibre existant (1946).

RAZZIA n. f. est emprunté, adapté successivement en *gaze* (1725), *gazia* (1808), puis *razia* (1836) et *razzia* (1838), à l'arabe algérien *ġazyaᵗ*, en classique *ġazwaᵗ* «expédition, incursion militaire».

♦ Le mot, d'abord mentionné puis, vers 1840, adopté dans le cadre historique de la conquête de l'Algérie, désigne l'attaque qu'une troupe de nomades lance contre une tribu, une oasis, une bourgade pour enlever les troupeaux, les récoltes. Il est passé dans la langue familière avec le sens d'«enlèvement, rafle» (1841) et de «rafle de police» (1845-1846), aujourd'hui peu usité; il est relativement usuel dans la locution ***faire une razzia sur qqch.*** «l'emporter» (1869, Littré).

▸ En est dérivé **RAZZIER** v. tr. (1842) «piller», dont le sens propre «soumettre (une tribu) à une razzia» est enregistré en 1845.

RE-, RÉ-, R- est le préfixe tiré du préverbe latin *re-*, *red-* marquant un retour en arrière (*recedere*, → récession), un retour à un état antérieur (*restituere*, → restituer) et, par suite, une répétition (*recantare* «répéter») ou un mouvement en sens contraire qui détruit ce qui a été fait (*renuntiare*, → renoncer). *Red-*, qui est peut-être la forme ancienne de *re-*, s'est employé devant consonne avant de ne plus apparaître que devant voyelle, ceci dès l'époque classique. *Re-*, *red-* est une particule italique, attestée dans l'ombrien *revestu*, correspondant au latin *revisito* «je visite», et pour laquelle on ne connaît aucun autre correspondant.

♦ L'élément, antéposé à un verbe ou à un dérivé de verbe (nom d'action), réduit à *r* devant voyelle, sert à former des verbes, des substantifs et des adjectifs verbaux. Comme le préverbe latin, il indique le fait de ramener en arrière *(reculer*)*, le retour à un état antérieur *(ramener*)*; il a aussi exprimé le renforcement, l'achèvement *(relier*)*, valeur qui a cessé d'être productive. Le préfixe est très vivant avec la valeur itérative *(recommencer*)*. Avec une valeur affaiblie, il sert à former un composé dont le sens est quelquefois équivalent à celui du simple, ce dernier étant moins usité ou réservé à d'autres emplois : ce verbe simple commence en général par une voyelle et a vieilli *(ralentir*, raccourcir*, remplir*)*. ◇ Dans l'usage familier, *re-* peut se combiner avec des noms avec la valeur de «encore» surtout associé à des noms à valeur verbale (ordre, exclamation), moins fréquemment avec des noms concrets *(rebonjour; rebelotte)*. La langue parlée familière moderne l'emploie seul, dans un contexte clair, au sens de «on recommence, on remet ça» : *allez, re!* ◆ L'élision devant voyelle était de règle jusqu'au XVIe s., sauf devant la série des mots en *im-*, *in-* et quelques mots isolés en *u-*, ainsi que quelques emprunts savants en *a-*. Les débuts de *re-* devant voyelle datent de la fin du XVIe siècle.

RÉ n. m., nom de la seconde note de la gamme d'ut (v. 1220), est tiré par Guido D'Arezzo (v. 995-1050) de la première syllabe de *re(sonare) fibris*, deuxième vers de l'hymne latine de saint Jean-Baptiste; cf. *gamme*.

RÉACCOUTUMER → COUTUME

RÉACTEUR, RÉACTIF, RÉACTION → RÉAGIR

RÉACTIVER → ACTIF

RÉACTUALISER → ACTION

RÉAGIR v. intr. est emprunté (1516, puis v. 1750) au bas latin *reagere* (IVe s.) «pousser de nouveau», au figuré, courant dans l'usage scolaire médiéval et formé de *re-* (→ re-) et *agere* (→ agir).

♦ Le verbe a été introduit par la langue scientifique sous l'influence d'*agir*, au sens d'«exercer une action sur un corps naturel», en alchimie, non attesté avant la reprise du verbe en chimie (v. 1750) d'après l'emploi antérieur de *réaction* (ci-dessous) à propos de corps ou de forces qui exercent une action combinée les uns sur les autres *(réagir contre)*, et dans *faire réagir* (1831). ◇ *Réagir* passe en physiologie à la même époque avec le même sens (1774, *tous les organes agissent et réagissent les uns sur les autres*), puis pour «manifester une action à la suite d'une action» (1809, *nerf non réagissant*). ◆ Vers la fin du XVIIIe s., et après *réaction*, il se répand en parlant de deux ou plusieurs personnes exerçant une action l'une sur l'autre (1784) et, dans *réagir contre* (1788), se spécialisant en politique pendant la Révolution (1792). Sur le plan psychologique, le verbe, en emploi absolu (1869), équivaut à «avoir une réaction», spécialement «éprouver une émotion à la suite d'un événement».

▶ Les chimistes ont emprunté **RÉACTION** n. f. (1616) au latin scolaire *reactio*, attesté vers 1345 dans le domaine anglais et recommandé par Vossius (XVIe-XVIIe s.). *Réaction* est formé avec le préfixe *re-* sur le latin classique *actio* (→ action). Le mot, correspondant sémantiquement à *réagir*, désigne une action opposée à une autre et engendrée par elle. Dès le XVIIIe s., il s'applique aux faits sociaux et psychiques, désignant la réponse à une action par une action contraire tendant à l'annuler (1734) et le comportement de qqn en réponse à une action extérieure (1790, *une réaction de cupidité*), spécialement une émotion forte à la suite d'un événement (1859, *éprouver une réaction violente*). ◇ Pendant la Révolution, il désigne un mouvement d'opinion qui agit dans le sens inverse de celui qui l'a précédé (1790); *réaction* s'applique à tout mouvement d'idées qui s'oppose aux modifications radicales issues des principes de la Révolution et vise à rétablir des institutions ou des principes antérieurs (1792 chez Marat). ◇ Au XIXe s., le mot se spécialise en physiologie (1803; 1805, *la réaction du système nerveux*), par exemple dans *temps de réaction* (1931, au figuré). En médecine, le mot s'applique à la modification de l'organisme produite par une cause morbide (1857), avec des expressions comme *réaction inflammatoire* (1874), désignant parfois des réactions provoquées, par exemple *réaction de (Bordet-)Wasserman* (1913), diagnostic de la syphilis, ou *cutiréaction*. ◇ Plus couramment, on parle de *réaction de défense* (1902, en psychologie; 1921, en psychanalyse). ◆ Au XXe s., le sens physique de base, d'après ses applications pratiques en mécanique, se spécialise dans la dénomination d'un mode de propulsion d'un mobile utilisant l'émission vers l'arrière d'un fluide sous pression (1932, *propulsion par réaction*). De là ***avion à réaction*** (1948); cf. ci-dessous *réacteur*. L'idée d'«action en retour» trouve des applications spéciales en électronique (1960) et cybernétique (1964). ◆ En physique atomique, *réaction nucléaire* (1946) recouvre un processus entraînant la modification d'atomes et ***réaction en chaîne*** (1946) une succession de ruptures de noyaux atomiques obtenue dans un réacteur nucléaire.

Le sens politique, exerçant pendant la Révolution une forte attraction sur le groupe de *réagir*, a produit **RÉACTIONNAIRE** adj. et n. (1794), «partisan de la politique de réaction», employé ultérieurement comme substantif (1850); par extension, mais sans se départir de sa valeur péjorative, le mot qualifie une personne ou un tempérament conservateur, passéiste (1831). Il est abrégé familièrement en **RÉAC** n. et adj., abrègement qui apparaît pendant la Révolution de 1848 (selon L. Larchey), notamment avec le personnage comique de *Monsieur Réac*. ◆ **RÉACTEUR, TRICE** adj. et n., créé par substitution de suffixe, lui aussi pendant la Révolution (1794) pour désigner le partisan d'une politique de réaction, comme substantif et comme adjectif (1797), s'est employé au XIXe s. avant de disparaître sous la concurrence de *réactionnaire*. ◆ *Réacteur* a connu un grand essor dans la langue technique et scientifique où, après une attestation isolée en 1817, il a été repris au XXe s. : il désigne spécialement un moteur propulseur à réaction (1949), un dispositif nucléaire dans lequel on maintient et contrôle des réactions de fission nucléaire en chaîne (1949) et une installation où s'effectue une réaction chimique en présence d'un catalyseur (1975). Le substantif entre dans la construction de quelques composés techniques, spécialement en aviation, comme **BIRÉACTEUR** n. m., **TRI-** et **QUADRIRÉACTEUR** n. m. désignant des avions. ◆ **RÉACTIF, IVE** adj., «qui réagit ou fait réagir», est apparu en chimie (1740) où il a été substantivé au masculin (1797) à propos d'une substance utilisée pour découvrir la nature d'un corps inconnu par l'action qu'elle produit sur celui-ci. Après une vogue momentanée pendant la Révolution comme synonyme de *réactionnaire* (1792), il a été repris au XXe s. en électricité (1894; en rapport avec *réactance*) et en psychologie (1968). ◆ Son dérivé **RÉACTIVEMENT** adv. (1832, Balzac) n'a pas eu de diffusion, mais **RÉACTIVITÉ** n. f., formé (mil. XXe s.) sur *réactif*, est courant en physico-chimie. Un autre mot *réactivité* avait été formé sur *activité* au sens de «nouvelle activité» (1798); il était sorti d'usage. ◆ **RÉACTANCE** n. f. semble être un emprunt (1894) à l'anglais *reactance* (1893), de *to react* qui correspond à *réagir*. Le concept correspond à la quantité qu'on doit ajouter à la résistance pour calculer l'impédance d'un courant alternatif, sa période étant connue. ◆ **RÉACTIONNEL, ELLE** adj., dérivé de *réaction*, est attesté une première fois chez Balzac (1832, *Louis Lambert*) qui nomme *être réactionnel* la partie de l'être humain qui réagit; il s'est spécialisé peu après en physiologie (1865) et a été repris en psychologie et en psychanalyse (1968, *formation réactionnelle*).

RÉAJUSTER → JUSTE

REALGAR n. m., d'abord *riagal* (v. 1300), *reagal* (1377) puis *realgar* (fin XVe s.), en outre *réalgal* au XVIIe s., est l'adaptation avec déformation de l'arabe *rahǧ al-ǧār*, littéralement «poudre de caverne», employé chez les Arabes du Maghreb pour désigner l'arsenic, parce que cette matière était tirée des mines d'argent. Selon Lammens toutefois, l'arabe *rahǧ al-ǧār* serait une erreur de lecture pour *rahǧ al-fār* «poudre des rats», cette substance étant effectivement employée comme mort-aux-rats. Il est difficile de déterminer quelle langue a servi d'intermédiaire vers le français : ce peut être l'espagnol *rejalgar* ou l'ancien provençal *rialgar*, l'italien *risagallo* n'ayant pas donné de forme comparable.

♦ Le mot est l'ancien nom du sulfure rouge d'arsenic.

RÉALISER, RÉALISME, RÉALISTE, RÉALITÉ → RÉEL

RÉANIMER → ANIMER

REBAPTISER → BAPTÊME

RÉBARBATIF, IVE adj. est en général considéré comme dérivé (v. 1360), avec un suffixe savant, de l'ancien français *(se) rebarber* «faire face à l'ennemi, regimber» (v. 1250), proprement «faire face barbe contre barbe», formé de *re-* et de *barbe**. P. Guiraud préfère le faire venir du latin *barbatus* «barbu», de *barba*, l'adjonction du préfixe *re-* correspondant à *re(brousser)* et l'idée étant «à contre-poil, revêche».

♦ Le mot caractérise d'abord une personne qui rebute par un aspect rude et comme hérissé, concurrençant et supplantant l'ancien *rebarbe*, dérivé de *rebarber;* il s'est dit au XVIe s. d'un peuple non civilisé. ◆ Au siècle suivant, il a développé le sens figuré d'«aride et ennuyeux» (1670, Molière), resté usuel, à propos des personnes, des actes, des écrits, des œuvres.

REBEC n. m. est l'altération (1379), peut-être d'après *bec** en raison de la forme de l'instrument, de l'ancien français *rebebe, rubebe* (v. 1278), également altéré en *rebelle* (XIVe s.) d'après l'espagnol. C'est un emprunt à l'arabe *rabab* de même sens, probablement par l'intermédiaire de l'ancien provençal *rebeb*, l'ancien italien *ribeba* étant peut-être emprunté au gallo-roman. Le croisement avec *bec** se retrouve dans l'ancien provençal *rebec*, d'où également l'italien *ribeca*.

♦ Le mot désigne un instrument de musique à trois cordes en usage au moyen âge et dont on jouait avec un archet. Par réemprunt, il s'applique de manière vague à un instrument à cordes frottées, analogue au violon et en usage en Orient, quelquefois sous la forme **REBAB** ou *rabab* (1850) repris directement à l'arabe.

REBELLE adj. et n. est emprunté (v. 1160) au latin *rebellis* «qui recommence la guerre», «révolté», de *re* itératif (→ re-) et de *bellum* «guerre» (→ belliqueux) avec un suffixe d'adjectif.

♦ *Rebelle* se dit d'une personne qui refuse de se soumettre à l'autorité d'un gouvernement, d'un État ou d'une personne. Par extension, il qualifie une chose qui ne reste pas dans la position que l'on veut lui donner, spécialement les cheveux (v. 1360), et un mal difficile à guérir (v. 1560). Dans la construction *(être) rebelle à* (1642, Corneille), il caractérise ce qui est indocile, résiste à qqch., sens plus ancien en parlant de la chair dans un contexte chrétien (v. 1220), et, au figuré, une personne qui n'a pas de disposition pour qqch. La nuance de «contraire, néfaste» (v. 1360) est sortie d'usage.

▶ **REBELLER (SE)** v. pron. est emprunté (v. 1180) au latin *rebellare* «reprendre les armes, se soulever, se révolter» au propre et au figuré, de *re-* et de *bellare* «faire la guerre», dérivé de *bellum*. *Rebeller* a supplanté la forme plus ancienne *reveler* (1080), forme plus francisée issue de *rebellare*, usuelle jusqu'à la fin du XVe s. avec son déverbal *revel* «rebellion». ◆ Le verbe est aussi intransitif en moyen français; il signifie «refuser d'obéir à l'autorité de l'État ou à toute autorité de droit ou de fait». Il a pris le sens figuré de «protester, regimber» (1395).

RÉBELLION n. f. est emprunté (v. 1212) au dérivé latin *rebellio, -onis* «reprise des hostilités, révolte». ◆ Le mot désigne l'action de se révolter contre une autorité de droit ou de fait, et, en droit pénal, l'infraction commise contre l'autorité publique consistant en une attaque ou en une résistance active contre un agent de la force publique (1664). Par extension, il s'applique à la tendance à se rebeller, à désobéir (v. 1370). Une extension métonymique pour «ensemble des rebelles» est attestée depuis 1628. ◆ Son dérivé **RÉBELLIONNER** (se) v. pron. (fin XVIIIe s.) a connu une certaine vitalité pendant la Révolution, de même que **RÉBELLIONNAIRE** adj. et n. (1771). Tous deux ont disparu malgré la création du dérivé **RÉBELLIONNEMENT** n. m., affectionné par les Goncourt (1877).

◈ voir BELLIGÉRANT, BELLIQUEUX, DUEL.

REBIFFER (SE) v. pron. et intr., attesté depuis le début du XIIIe s., est d'origine obscure. L'hypothèse d'un étymon °*biffe* «griffe», déverbal de *biffer** «griffer», manque de fondement, de même que celle d'un rattachement à l'ancien nordique *biffa*, attesté par le bas allemand *bäven* «trembler», et allusion au frémissement des naseaux des chevaux. Le recours à un verbe *biffer* «tromper» (v. 1310), dérivé, malgré le décalage chronologique, de *biffe* «étoffe de mauvaise qualité» d'où «fausse apparence» (XVIe s.), fait également problème. On pourrait s'en tenir à un radical onomatopéique *baff-* exprimant la moquerie (→ bafouer).

♦ On part du sens transitif concret de «relever, retrousser», sorti d'usage au début du XVIIIe s., qui, probablement par le même type de métaphore que *retrousser les babines*, a donné le sens figuré de «repousser» (v. 1225). ◆ Le mot a été repris au XVIIe s. dans son usage pronominal moderne, *se rebiffer* signifiant «se refuser à faire qqch., regimber» (av. 1640). ◇ L'argot du XIXe s. ajoute un emploi intransitif équivalant à «recommencer, repiquer» (1846), d'après l'idée de «réagir avec vivacité (contre une attitude hostile, méprisante)».

▶ **REBIFFE** n. f. (1837), «vengeance», est plus argotique que **REBIFFADE** n. f. (1810) et **REBIFFEMENT** n. m. (1888), très rares.

REBIQUER → BIQUE

REBLOCHON n. m. est emprunté (1877, Littré) au nom savoyard d'un petit fromage gras de forme ronde, dérivé d'un verbe *reblyochi*. Ce verbe exprime l'action de faire sortir par une nouvelle pincée le lait qui se trouve encore dans le pis après la traite, le fromage étant à l'origine fait avec le lait de la seconde traite; il signifie aussi «faire pour la seconde fois». C'est le dérivé en *re-* du verbe dialectal *blossi, bloc'hi, blocher* «pincer», répandu en

Suisse et en Savoie, que l'on ramène à un latin populaire °*blottiare* d'origine inconnue.

REBONDIR → BONDIR

REBORD → BORD

REBOURS, REBOURSE adj., réfection (v. 1220) de *rebors* (v. 1160), est issu d'un latin °*rebursus* qui est probablement une contamination du bas latin *reburrus* «qui a les cheveux retroussés», lui-même dérivé de *burra* (→ bourre) et de *reversus* «renversé» (→ revers).

♦ Le mot, repris comme adjectif, a eu le sens du latin (v. 1160), puis la valeur figurée de «revêche» (v. 1220) par le même type de développement que *rébarbatif;* ces deux valeurs ont disparu. Il est passé dans le vocabulaire du manège pour un cheval difficile à monter, rétif (XVe s.) et dans celui de la menuiserie avec le sens technique de «noueux, difficile à travailler» en parlant d'un bois (1771), à peu près disparu. ➜ Son emploi le plus vivace est la locution adverbiale ***à rebours*** (v. 1165, *a rebors;* 1534, *au rebours*) «en sens contraire au sens habituel, normal» et, au figuré, «de façon contraire à l'usage, à la norme» (fin XIIIe s.). L'emploi pour «à rebrousse-poil» (1611) réactive la valeur étymologique. En fonction de préposition, ***au rebours de*** (v. 1265) puis ***à rebours de*** (fin XVIe s.) signifie «contrairement à». ➜ L'emploi substantivé du mot est rare au sens figuré de «contre-pied» (1276), et sorti d'usage au sens propre de «contre-poil d'une étoffe» (1694).

▸ De l'ancienne forme *rebors* est dérivé l'ancien verbe *reborser* v. intr. «venir à manquer» (v. 1155) et v. tr. «retrousser (la peau d'un animal)» (XIIIe s.). D'après l'évolution graphique du nom, il a pris la forme *rebourser* (fin XIVe s.), refaite en **REBROUSSER** (XVIe s.). La construction transitive de ce verbe, attestée la première au sens de «relever dans le sens contraire du sens naturel» (fin XIVe s.), est la plus courante, notamment dans ***rebrousser chemin,*** au propre et au figuré (1589). Le sens de «prendre à rebours (qqn), choquer» (fin XVIe s.) appartient à l'usage classique. Puis, le mot a pris des sens spécialisés en mégisserie (1723) et en tricot (1964). ➜ La construction intransitive, attestée depuis le XVe s. avec le sens de «revenir en arrière», a vieilli; elle se rencontre encore à propos d'un instrument tranchant qui recule et manque à couper. *Rebrousser* a produit une première série de dérivés au XVIIe s., avec le nom d'instrument technique **REBROUSSOIR** n. m. (1628), réfection de *rebour-soir* (1606), qui a survécu à **REBROUSSE** n. f. (1723) et **REBROUSSETTE** n. f. (1803) avec le même sens. ➜ **REBROUSSEMENT** n. m. (1604), d'abord «fait de rebrousser chemin», s'emploie en géométrie dans ***point de rebroussement*** (1696) et ***arête de rebroussement*** (1749), désignant par extension le changement de direction d'une courbe (1869). Il se dit en géologie du changement de direction d'un pli, brusque et aigu (1888). ◇ Puis le mot exprime en général l'action de rebrousser (1842). L'élément verbal *rebrousse* entre dans **À REBROUSSE-POIL** loc. adv. (1636), d'abord au figuré «à l'opposé» et, proprement, «à contre-poil» (1694). ➜ Au XXe s., *rebrousser* a produit deux mots d'usage technique : **REBROUSSAGE** n. m. (v. 1950) et **REBROUSSEUR, EUSE** n. (v. 1950), relatifs à une opération en bonneterie.

REBOUTER, REBOUTEUX → BOUTER

REBROUSSER → REBOURS

REBUFFADE n. f. est dérivé (1550) de *rebuffe* «refus brutal ou accueil désagréable accompagné de paroles dures» (1540), sorti d'usage. Le mot est emprunté de l'italien qui hésitait entre les trois formes *rebuffo, ribuffo* et *rabuffo* (aujourd'hui surtout *rabuffo*), déverbal de *rebuffare* «déranger, houspiller», lequel est formé de *re-* à valeur intensive (→ ré-) et de *buffare* «souffler, gonfler» appartenant au radical onomatopéique *buff-* qui exprime la bouffissure, le dédain (→ bouffe, bouffer, bouffir, bouffon).

♦ Le mot a gardé le sens de l'étymon; il est aujourd'hui d'usage limité (*essuyer une rebuffade* et quelques expressions) et assez littéraire.

RÉBUS n. m. est l'emploi spécialisé (v. 1480; 1512 selon *T. L. F.*) du latin *rebus,* ablatif pluriel de *res* «chose» (→ rien). Pour certains, le point de départ serait à chercher dans la formule latine *de rebus quae geruntur* «au sujet des choses qui se passent», nom donné aux libelles que les clercs de Picardie composaient au temps du carnaval et qui comportaient des dessins énigmatiques, dits *rébus de Picardie, rébus d'Arras.* Pour d'autres, comme Wartburg qui écarte cette hypothèse pour des raisons chronologiques, le mot se réfère au jeu d'esprit consistant à représenter les objets et les personnes par des dessins, *rebus* étant implicitement opposé à *litteris* «par les lettres». Selon P. Guiraud, qui part de l'acception primitive de «mot pris dans un autre sens que celui qui lui est naturel» (encore chez Rabelais) et s'appuie sur le sens de «bévue» et de «mauvais jeu de mots», encore attesté dans les dictionnaires au XIXe s., le français *rébus* serait une forme volontairement équivoque de *rebours** «contre-pied, contraire de ce qui devrait être», lui-même attesté au sens de «devinette» (1655, 1771). *Rebous,* variante attestée en ancien français, aurait donné lieu à une équivoque avec le latin *rebus,* prononcé *rébous;* les rébus en images, apparus au milieu du XVIe s., correspondraient dans ce cas à une acception secondaire liée au latin *rebus,* opposé à *litteris.* Le contexte des premières occurrences, où *rébus* rime avec *abus* et *imbutz,* ne semble cependant pas confirmer cette hypothèse.

♦ Le mot a d'abord désigné un mot pris dans un autre sens que le sens normal, d'où un mauvais jeu de mots (1668). Il a aussi désigné un langage figuré, conventionnel (1546) et une bévue (1583-1590). ➜ Le sens actuel remonte au XVIe s. (v. 1530, Marot); en procède la valeur figurée, «écriture difficile à déchiffrer, propos difficile à comprendre» (1546), peut-être influencée par le sens primitif du mot; la locution *parler rébus* «de manière énigmatique» (1845) est sortie d'usage.

◈ voir RÉEL, RIEN.

REBUTER → BUT

RECACHETER → CACHET (art. CACHER)

RÉCALCITRANT, ANTE adj. et n. est le participe présent adjectivé (1551) de l'ancien verbe **RÉCALCITRER** v. intr. (v. 1120) «regimber, faire opposition à», encore employé en français moderne par plaisanterie. Ce verbe est emprunté au latin *recalcitrare,* formé de *re-* (→ re-, ré-) à valeur intensive et de *calcitrare* «ruer, regimber», proprement «repousser du talon», dérivé de *calx, calcis* «talon» (→ chausser).

♦ L'adjectif, rare avant la fin du XVIIe s., qualifie un animal, une personne qui se refuse opiniâtrement à faire ce à quoi on veut le contraindre. Par extension, il qualifie une chose qu'on ne peut agencer, utiliser à son gré (1840).

▸ Le dérivé **RÉCALCITRANCE** n. f. (1793) est rare; on le trouve chez Baudelaire.

RECALER → CALE

RÉCAPITULATION n. f. est emprunté (1245) au bas latin *recapitulatio, -onis,* nom d'action tiré du supin du bas latin *recapitulare* «reprendre à la tête, au début», d'où «résumer, reprendre» (IIe s.), du préfixe *re-* à valeur itérative (→ re-) et de *capitulum* (→ chapitre, da capo).

♦ Le mot désigne la répétition d'une chose point par point et, par métonymie, l'écrit qui récapitule. Il s'applique spécialement à une figure de rhétorique par laquelle on énumère les points principaux de la péroraison. En histoire des sciences, *loi de récapitulation* désigne la loi selon laquelle l'ontogénie répète la philogénie.

▸ **RÉCAPITULER** v. tr., le verbe correspondant, est emprunté un peu plus tard (v. 1370, Oresme) au verbe latin (ci-dessus).
Il signifie «reprendre point par point (ce que l'on a dit ou écrit)» et, par extension, «rappeler dans sa mémoire (des faits, des événements)» (v. 1570; 1764). ➛ Le dérivé savant **RÉCAPITULATIF, IVE** adj. (1831), «qui sert à récapituler», est assez courant.

RECASER → CASE

RECELER, RECEL → CELER

RECENSER v. tr. est emprunté (v. 1240) au latin *recensere* «passer en revue», et spécialement «faire l'examen critique de (un écrit)». Ce verbe est formé de *re-,* préverbe pris dans sa valeur intensive (→ re-) et de *censere* «estimer, évaluer» (→ censé).

♦ Le verbe a d'abord signifié «raconter, rapporter, exposer», sens usuel du XIIIe au début du XVIIe s. (répertorié en 1611) d'où vient une spécialisation juridique pour «entendre des témoins» (XVIIe-XVIIIe s.). ➛ Jusqu'au XVIe s., d'après la solidarité des notions de *conter* et *compter* (cf. ces mots), le verbe signifie également «énumérer» (v. 1278), puis «compter» (1532), avant de prendre le sens de «dénombrer, faire le compte de» (1534), resté vivant. ◇ Cette acception semble s'être surtout répandue à partir du XIXe s., le verbe s'appliquant au compte des habitants d'un pays (1869, *recenser la population*), des voix d'un suffrage, des jeunes gens atteignant l'âge du service militaire, du matériel susceptible d'être requis en temps de guerre.

▸ **RECENSEUR, EUSE** n. et adj. s'est d'abord écrit *recenseour* au sens de «celui qui raconte» (XIVe s.) avant d'être repris pour «celui qui compte les suffrages dans un vote» (1789). Il prend au XIXe s. (1869) le sens de «personne procédant au dénombrement d'une population», seul vivant aujourd'hui. ➛ Le dérivé **RECENSEMENT** n. m. (1611), créé au sens de «récit, action de passer en revue», sorti d'usage, et de «dénombrement», valeur durable et qui s'est spécialisée pour l'opération administrative ayant pour but de recueillir des renseignements statistiques auprès d'une population et de la dénombrer (1798, probablement antérieur en politique, pendant la Révolution) [cf. *recenser* ci-dessus]. Le mot signifie spécialement «conscription» (1845) et «inventaire des animaux, véhicules, installations et équipements susceptibles d'être réquisitionnés en temps de guerre» (1904).
RECENSION n. f. est soit dérivé du verbe français, soit emprunté (1753) au dérivé latin *recensio, -onis* «dénombrement, énumération détaillée». ◇ Le mot a d'abord désigné l'énumération des cartes géographiques d'un ouvrage avec examen critique de leur établissement. Ensuite (1808), il désigne la vérification de l'édition d'un auteur ancien d'après les manuscrits, puis, par extension, une édition critique. Au XXe s., il a pris un sens figuré qui le rapproche de *recensement* «examen, inventaire détaillé et critique».

◈ voir CENS, CENSÉ, CENSEUR, CENSURE.

RECENTRER → CENTRE

RÉCENT, ENTE adj. est emprunté (v. 1450) au latin *recens, -entis,* dont le sens originel pourrait avoir été «qui vient en ligne droite», et qui signifie «nouvellement arrivé», «frais, jeune» et, au figuré, «dispos, intact», substantivé dans la langue médicale tardive pour «eau», d'après le grec *nearon (hudôr)* «eau fraîche». L'étymologie du mot n'est pas certaine : on a analysé *recens* en *re-cent-,* et rapproché du second élément le vieux slave *po-čĭnǫ* «je commencerai», *konĭ* «commencement», mais ce n'est là qu'une hypothèse.

♦ Le mot a été repris au sens de «frais, vif», en parlant d'une blessure, d'une douleur, d'une personne qui a une connaissance toute fraîche de quelque chose. Il a supplanté l'ancienne forme populaire *roisant* (déb. XIIIe s.), *raisant* (1200), *resant* «frais». ◇ La valeur initiale, également employée pour caractériser une couleur (1491) et, au figuré, une personne saine et vive (1508), est sortie d'usage au bénéfice de la valeur temporelle «qui s'est produit depuis peu de temps» (v. 1460). Le sémantisme ancien ne survit que dans les dialectes du nord de la France avec le sens de «qui a repris ses sens (après l'ivresse, l'évanouissement)» et «calme, rassis» d'une personne. Au sens dominant, le mot s'oppose à *ancien;* son sémantisme le distingue de *moderne* par un contenu strictement chronologique.

▶ Le dérivé **RÉCEMMENT** adv., dont la forme (1646) a éliminé le type antérieur *recentement* (1544), signifie «depuis peu». ◆ Une tentative pour former un nom, **RÉCENCE** n. f. (1801), après le moyen français *en recence* «de nouveau» (1537), a échoué.

◇ voir RINCER.

RÉCÉPISSÉ n. m. est l'abréviation (1380) de la formule latine *cognosco me recepisse* «je reconnais avoir reçu» qui s'écrivait sur les reçus. Cette expression est formée de *cognosco*, première personne du singulier de l'indicatif présent de *cognoscere* (→ connaître), de *me* (→ moi) et de *recepisse*, infinitif parfait de *recipere* (→ recevoir).

♦ Le mot a d'abord été employé en fonction d'adjectif (mais invariable) dans *lettre recepissé*, avant d'être substantivé, sous la forme dialectale *rechepissé* (1398), puis *récépissé* (v. 1450) pour l'écrit constatant qu'un document, qu'un objet a été reçu. Par extension, il désigne le reçu donné pour un versement d'argent.

RÉCEPTACLE n. m. est emprunté (1314) au latin *receptaculum* «magasin», «réservoir, bassin» et «refuge, asile», dérivé avec un suffixe à valeur diminutive de *receptare* «retirer», «recevoir», forme fréquentative de *recipere* (→ recevoir).

♦ Le mot désigne d'abord le lieu où se rassemblent des choses venues de divers endroits, puis le lieu de rassemblement de choses et de personnes (XVe s., repris 1552), souvent péjoratif. Deux spécialisations techniques sont apparues ultérieurement en hydraulique où le mot désigne le bassin de rassemblement des eaux (1701), et en botanique à propos du sommet du pédoncule d'une fleur sur lequel s'insèrent les pièces florales (1765).

◇ voir RÉCEPTION.

RÉCEPTION n. f., d'abord *receptiun* (v. 1200), la graphie actuelle apparaissant au XVe s., est emprunté, pour servir de nom d'action à *recevoir**, au latin *receptio, -onis* qui remplit ce rôle vis-à-vis de *recipere* (→ recevoir), verbe qui fait au supin *receptum*.

♦ Le mot ne s'est pas écarté de l'idée de base, «action de recevoir», les variations de sens dépendant de la nature des compléments et des contextes, ainsi que de l'évolution de *recevoir**. Il désigne d'abord l'action de recevoir qqn (v. 1200), d'où par spécialisation une cérémonie officielle par laquelle on accueille qqn dans une société, un groupe (1418) et, qualifié, la manière dont on reçoit (1610). S'agissant de recevoir des invités (1559), *réception* a pris par métonymie le sens de «réunion mondaine d'invités, d'amis» (1830, Stendhal). ◆ L'accent se déplaçant, par une autre métonymie, sur le lieu où l'on reçoit, le mot s'applique à l'ensemble des pièces où l'on donne les réceptions puis au bureau, au service d'un hôtel, d'une maison de commerce où le client est accueilli (av. 1922, Proust). ◆ Dès le début du XIIIe s., *réception* désigne aussi l'action de recevoir une chose, puis l'accueil qu'on lui réserve (1637), sens réalisé dans les locutions *accuser la réception, accuser de réception* (1826) et ***accuser réception de...*** (1835) dans le vocabulaire postal (→ récépissé). ◆ Dans le langage scientifique, le mot s'applique au fait de recevoir des ondes (av. 1650, Descartes) et, avec un nom abstrait, à l'action d'accepter ce qui est reçu, par exemple dans ***réception de caution*** (1690), ***réception de travaux*** (1845). Par une métonymie d'ordre spatial, il sert à désigner le service chargé de recevoir les produits livrés par les fournisseurs (1883). ◆ Au XXe s., il désigne en sports l'action de recevoir le ballon en le contrôlant (1913, en rugby) et la manière dont le corps se reçoit au sol après un saut (1939, en athlétisme).

▶ Les dérivés sont assez récents. ◆ **RÉCEPTIONNAIRE** n. est attesté dans le *Bulletin des lois* du 13 juin 1866 au sens juridique ou technique de «personne prenant livraison de marchandises pour son compte ou celui du destinataire», spécialement dans des noms de métiers. Il sert aussi à désigner le chef de la réception dans un hôtel (1962 dans les dictionnaires). ◆ **RÉCEPTIONNER** v. tr. (1923) est à la fois employé au sens technique de «recevoir, vérifier une livraison», parfois en relation avec *recette*, et en sports, de «recevoir un ballon en le contrôlant» (1924). ◆ Quant à **RÉCEPTIONNISTE** n., il désigne couramment la personne chargée de l'accueil de la clientèle (1945).

RÉCEPTEUR, TRICE n. m. et adj. a été formé au XIXe s. après un usage en ancien et moyen français, d'abord sous la forme *receteur* (v. 1265), refaite en *recepteur* (1391). Il est emprunté au latin *receptor* «celui qui a repris», employé spécialement à propos d'un receleur et dérivé de *receptum*, supin de *recipere* (→ recevoir). *Receteur* «receleur» a disparu, et *récepteur* désignait en ancien français l'employé préposé à la comptabilité des ouvrages communaux (1283); en relation avec l'ancien *recet* «asile, refuge» (→ recette), il s'est dit en moyen français de la personne donnant asile à qqn (XVe s., spécialement au féminin *recepteuse* une femme donnant asile à des brigands, 1435). Concurrencé dans l'un de ses emplois par *receveur*, puis sorti d'usage, le mot a été recréé savamment (1845) d'après le latin *receptum* et *réceptif*. ◆ Mot technique, *récepteur* désigne alors un contenant, un espace destiné à recevoir les eaux surabondantes puis un appareil recevant de l'énergie brute pour la transformer en énergie utilisable. Il désigne ensuite couramment un appareil destiné à recevoir des impulsions électriques ou ondes électromagnétiques (v. 1860), spécialement dans *récepteur de téléphone, récepteur téléphonique* nommant le dispositif qui transforme un courant alternatif en ondes sonores reproduisant le son initial. De là, par métonymie et plus couramment, le sens de «partie de l'appareil téléphonique où l'on écoute» (1879); cf. *combiné*. ◆ En physiologie, *récepteur* désigne une structure organique ayant pour fonction de recevoir des stimuli et de les traduire en messages sensoriels qu'elle transmet au système nerveux central (1874). ◆ En finances, *récepteur d'un compte courant* concerne la partie devenant débitrice d'une autre du fait d'un versement en compte courant et, en linguistique, la personne qui reçoit un message envoyé par un *émetteur* (ces deux sens étant enregistrés dans *Le Robert* en 1962). Le sens de base de «ce qui reçoit» est réactivé dans l'emploi figuré du mot pour «organisme vivant recevant des impressions» (1914). ◆ *Récepteur, trice* est adjectivé (1859) pour caractériser un appareil qui reçoit (spécialement des ondes) et, en physiologie, une structure nerveuse centrale recevant des influx. ◆ Le nom a servi à former des termes de physiologie avec un premier élément désignant l'objet reçu, tels **PHONORÉCEPTEUR** n. m. (XXe s.), **CHIMIORÉCEPTEUR** n. m. (av. 1970), **BARORÉCEPTEUR** n. m. (av. 1969).

RÉCEPTIF, IVE adj. est d'abord le dérivé savant (v. 1450) du latin *receptum*, supin de *recipere* (→ recevoir). Autrefois employé au sens général de «qui reçoit», il s'est limité à quelques spécialisations : après avoir qualifié une personne recevant une connaissance scientifique (déb. XVIIe s.), il est sorti d'usage. ◆ Il a été reformé (1818) avec le sens de «susceptible de recevoir des impressions», et se dit d'un organisme exposé à contracter une maladie infectieuse (1875, Larousse, mais antérieur, cf. *réceptivité*). ◆ De *réceptif* est dérivé **RÉCEPTIVITÉ** n. f. (1801) «disposition à recevoir des impressions», spécialement dans *état de réceptivité* (1928). Le mot désigne également l'aptitude d'un organisme à contracter certaines maladies (1845). Il se dit aussi de la qualité d'un récepteur radiophonique capable de recevoir des ondes de longueurs très diverses (1949). ◆ **RÉCEPTIBILITÉ** n. f. (1803), formé savamment sur le latin *receptum*, supin de *recipere*, avec le sens de «faculté de recevoir des impressions», est rare.

◈ voir **RÉCEPTACLE**.

RÉCESSION n. f. est un emprunt savant (1869) au latin *recessio, -onis* «action de s'éloigner», formé sur le supin *(recessum)* de *recedere* «s'éloigner, se détacher». Ce verbe est formé de *re-* marquant le mouvement en arrière *(re-)*, et de *cedere* «aller, marcher» (→ céder).

♦ C'est d'abord un terme didactique signifiant «action de se retirer» ; il s'est spécialisé en astronomie dans l'expression *récession des nébuleuses* «éloignement progressif des nébuleuses extragalactiques avec des vitesses proportionnelles à leurs distances» (1949), concept à la base de la théorie de l'expansion de l'Univers et de celle du big-bang. ◆ Son usage en économie politique, devenu très fréquent, est emprunté (1954) à l'anglo-américain *recession* (1929 dans ce sens), de même origine que le français. *Récession* a eu d'abord une valeur d'euphémisme (au lieu de *crise, dépression*) ; il s'est imposé dans la langue des spécialistes pour un type de crise mineure.

▶ Par changement de suffixe, *récession* a produit **RÉCESSIF, IVE** adj. (1907), en biologie, dans les expressions *caractère récessif, hérédité récessive, gène récessif* (1911) à propos d'un gène dont les effets sont masqués par ceux d'un gène dominant. La notion vient de l'allemand (*recessiv*, 1865), à propos des expériences de Mendel, au milieu du XIXe siècle. ◆ De *récessif* est dérivé **RÉCESSIVITÉ** n. f. (1953) «état d'un gène, d'un caractère récessif».

RECETTE n. f., graphie moderne (fin XVIe s.) de *recete* (1314), *recepte* (1361), est la réfection de *reçoite* (XIIIe s.), *rechoite* (1288). C'est un emprunt au latin *recepta*, neutre pluriel substantivé pris pour un féminin singulier de *receptus*, participe passé passif de *recipere* (→ recevoir). L'ancien français a eu le substantif *recet* n. m. (1080) «habitation, refuge, lieu où l'on se retire», spécialement «repaire d'un animal», «enterrement» (v. 1240), emprunté au latin *receptus* substantivé et désignant un refuge, une retraite militaire et l'action de reprendre son souffle.

♦ Le premier sens du mot, écrit par souci étymologique *recepte* du XIVe au XVIIe s., est économique et apparaît dans les coutumiers ; il correspond à «montant de l'argent reçu par un établissement commercial ou industriel». En procèdent les extensions métonymiques de «local où le receveur exerce son emploi» (1469, *recette générale*), d'où «bureau d'un receveur» (1830, *recette de tabac ;* 1848, *recette buraliste*), et de «fonction de celui qui reçoit les contributions, souscriptions aux emprunts de l'État» (1636), plus tard en relation avec *perception*. ◆ Au XIIIe s., d'après l'idée d'indication reçue, *recette* a été repris en pharmacie pour «formule indiquant les éléments entrant dans la préparation d'un remède», déclinant en faveur de *formule* mais conservé avec un emploi dépréciatif dans ***recette de bonne femme*** (attesté au XIXe s.). ◇ Par extension, le mot s'est répandu à partir du moyen français pour désigner la manière de préparer un mets, ***recette de cuisine*** prenant aussi une valeur figurée, et un produit domestique (v. 1398) et a développé le sens figuré de «moyen, procédé» (v. 1550), souvent péjoratif. ◆ Dans certains contextes professionnels, le mot désigne par métonymie le lieu où l'on manipule le charbon pour le trier (1816), et l'action de recevoir des marchandises et de les vérifier (1831), en relation avec *réceptionner*.

RECEVOIR v. tr., d'abord *receveir* (1080) et *recivoir* (v. 1200) avant *recevoir* (1273), est la réfection d'après la première personne du pluriel au présent de l'indicatif *(recevons)* sur le modèle de *avons/avoir, devons/devoir*, de l'ancien infinitif *receivre* (fin Xe s. : v. 980). Ce verbe est issu du latin *recipere* «retirer, ramener, reprendre», «accepter, accueillir», «retirer de l'argent de», de *re-*, préfixe marquant l'intensité, le mouvement en arrière ou la réitération (→ re-), et de *capere* «prendre, saisir» (→ à chasser).

♦ Le verbe est d'abord employé avec la valeur active de «laisser venir à soi, donner accès à» : il signifie dès les premiers textes «accueillir (qqn qui se présente)». En faisant porter l'accent sur la manière dont se déroule l'action, il signifie «accueillir de telle ou telle manière» (v. 1145). Il développe ensuite dans différents contextes des valeurs spécialisées : «inviter des amis» (1798, en emploi absolu), «accueillir des clients» (fin XIXe s.) et, en emploi absolu, «avoir un jour fixe de réception des visiteurs» (1832) ; ces valeurs, également au passif *être reçu* (1721), correspondent surtout aux mœurs du XIXe siècle. ◆ Avec une insistance quant aux modalités de l'action, *recevoir* signifie «admettre (qqn) après diverses épreuves» (v. 1207), «installer dans une charge, une fonction» (XVe s.), surtout au passif *(être reçu)* avec un changement de point de vue

(1549). Par extension, le verbe correspond à «autoriser (qqn) à», au passif «être autorisé à» (1531) dans ***être (bien) reçu à...***, d'usage surtout classique. ◆ Par substitution de complément à l'inanimé, le verbe a pris très tôt le sens d'«admettre, reconnaître pour vrai» (1080) puis, concrètement, de «faire entrer (une substance) dans un lieu» (1538). Il signifie en droit «accepter comme étant dû» (v. 1155) d'où *non-recevoir* (1690), ***fin de non-recevoir,*** et se dit pour «accepter comme agréable» (1538), emploi plus marqué comme littéraire. ◆ La forme pronominale *se recevoir* se range dans les emplois à valeur active : autrefois employé au sens de «se réfugier, se retirer» (XIVe s.), *se recevoir* a été repris en sports, turf (1872), lutte (1899) au sens de «prendre contact avec le sol après un saut». ◆ Le verbe a aussi la valeur passive de «se voir adresser qqch.» : il signifie «prendre, accepter» (ce qui a été donné, offert, envoyé) avec un nom d'objet concret (1050) et abstrait (1080) pour complément. Avec les deux types de complément, *recevoir* vaut pour «être l'objet d'une action que l'on subit» (1080), également avec un nom de chose pour sujet (v. 1155), par exemple dans *la terre reçoit la pluie.*

▶ La dérivation est modeste en comparaison des emprunts faits au latin (*réception*, etc.). ◆ Le plus ancien dérivé est **RECEVEUR, EUSE** n., réfection de *receverre* (v. 1120, au cas sujet), employé dans les traductions des psaumes à propos de celui qui donne un soutien moral. ◇ Le mot s'est spécialisé dans le domaine administratif (en relation avec *recette**) pour désigner la personne chargée de faire une recette ou de gérer une recette (v. 1170), spécialement dans *receveurs généraux* (1416), *receveurs particuliers,* nom d'officiers de l'Ancien Régime. De nos jours, *receveur* concerne le comptable public chargé d'effectuer les recettes et certaines dépenses publiques, spécialement dans *receveur des finances, receveur des contributions, receveur buraliste* (1848), *receveur des postes.* D'autres spécialisations sont apparues dans la seconde moitié du XIXe s., où le mot s'applique à l'employé préposé à la recette dans les transports en commun (1869), emploi qui fut usuel dans *receveur de tramway, d'autobus,* avant la disparition de cette fonction. ◆ En technique, le mot désigne un ouvrier imprimeur qui reçoit les feuilles sortant de la presse (1872), l'ouvrier employé à la recette dans une mine (déb. XXe s.). En médecine, il s'applique à la personne qui reçoit le sang du donneur et le malade à qui l'on implante un fragment de tissu ou d'organe (v. 1960) : dans ces emplois, il s'oppose à *donneur.*

RECEVABLE adj. qualifie ce qui peut être reçu (v. 1260); en droit, ce qui peut être admis (1265) et celui qui est admis à poursuivre qqn en justice (1549). ◆ Dans sa spécialisation juridique, il a produit l'antonyme préfixé **IRRECEVABLE** adj. qui qualifie aussi un argument, une raison que l'on ne peut admettre, accepter, et, les deux noms correspondant aux adjectifs, **RECEVABILITÉ** n. f. (1829) et **IRRECEVABILITÉ** n. f. (1874).

REÇU, UE, le participe passé de *recevoir* a été adjectivé (v. 1190, *receuz*) au sens de «recueilli», en parlant du sang d'un martyr. Entre autres emplois correspondant à ceux du verbe, il se dit de ce qui est admis, reconnu par tout le monde (1655, Pascal), et spécialement d'un mot considéré comme appartenant à la norme du français cultivé (mil. XXe s.). ◇ À l'époque classique, il s'est dit d'une personne jouissant d'un grand crédit (1679). ◆ Le mot a été substantivé, d'abord au sens d'«accueil» (v. 1315, *resut*) puis repris, *un* **REÇU** signifiant «écrit sous seing privé par lequel une personne reconnaît avoir reçu une lettre, un objet» (1611); cet emploi administratif est passé dans l'usage courant.

◈ voir **RÉCÉPISSÉ, RÉCEPTACLE, RÉCEPTEUR, RÉCEPTIF, RÉCEPTION, RECETTE, RÉCIPIENDAIRE, RÉCIPIENT, RECOUVRER, RÉCUPÉRER.**

RÉCHAPPER → **ÉCHAPPER**

RECHARGER → **CHARGER**

RÉCHAUD, RÉCHAUFFER → **CHAUFFER**

RÊCHE adj., d'abord *resque* (1244), *reech* (v. 1268), écrit *rêche* au XVIIe s. (1697), est d'origine incertaine : Wartburg revient sur l'étymologie proposée par Bloch et Wartburg d'un gaulois °*reskos* «frais» et propose un francique °*rubisk* «rauque, rude, âpre», dérivé d'un radical que l'on retrouve dans l'ancien haut allemand *hruf* «croûte d'une plaie», devenu °*ruvisk,* °*roesk,* °*reesk* et dont le féminin s'est généralisé. Cette hypothèse présente des problèmes phonétiques non résolus. P. Guiraud est tenté de voir dans cet adjectif une forme de *revêche**, tant la parenté sémantique des deux mots est étroite : mais cela postulerait la syncope du *v* du latin populaire °*reversicus* auquel P. Guiraud fait remonter *revêche,* alors que l'on n'a pas d'exemple d'une telle syncope entre deux voyelles palatales (le *v* de *vivenda,* → viande, est tombé par dissimilation). Le mot est apparu dans le nord-est de la France, aire où la chute de la labiale intervocalique est fréquente, ce qui appuierait l'hypothèse d'un croisement d'une forme dialectale avec une forme francique qui pourrait être le °*rubisk* évoqué par Wartburg.

♦ Dès les premiers textes, le mot est employé avec le sens figuré de «désagréable, revêche», en parlant d'une personne. Il qualifie concrètement ce qui est âpre au goût (v. 1268) et, par extension, une chose souple rude au toucher, légèrement râpeuse (1761, Rousseau), sens aujourd'hui dominant (*laine rêche,* etc.), ce qui n'exclut pas quelques emplois à propos d'une sonorité (1882).

RECHIGNER v. intr., d'abord *rechignier* (v. 1155) puis *rechigner* (v. 1200), est formé de *re-** à valeur intensive et d'un verbe non attesté °*chignier* issu du francique °*kînan* «tordre la bouche» que l'on restitue d'après l'ancien haut allemand *kînan* «ouvrir, éclater» et le moyen néerlandais *kinen* «ouvrir la terre». °*Kînan* est peut-être apparenté à °*kinni* «mâchoire»; (cf. *quenotte).*

♦ Le mot est d'abord relevé dans la locution ancienne *denz rechignier* (rechigner les dents) «montrer les dents en grimaçant, grincer des dents». Son emploi transitif pour «montrer par sa mauvaise humeur, son air maussade, une répugnance à faire une chose» est attesté peu après (v. 1175), mais la construction courante *rechigner à* (nom ou infinitif) n'est attesté qu'en 1798.

► Le participe passé **RECHIGNÉ, ÉE** est adjectivé (v. 1175) pour qualifier une personne manifestant sa mauvaise humeur à faire une chose et, par extension, ce qui est empreint de morosité. ◆ Un nom d'action **RECHIGNEMENT** n. m. a été tiré (déb. XIVe s., *reskinement*) du verbe, ainsi qu'un adjectif rechigneux, euse (1553) ou **RECHIGNEUR, EUSE** (1595, comme nom).

RECHUTE → CHOIR

RÉCIDIVE

RÉCIDIVE n. f. est emprunté (v. 1560) au latin médiéval *recidiva*, féminin substantivé de l'adjectif classique *recidivus* «qui revient, qui retombe», «renaissant», dérivé de *recidere* «retomber», de *re-* à valeur itérative (→ re-) et *cadere* «tomber» (→ cadence).

♦ Le mot a été introduit par les médecins (Paré) pour désigner la nouvelle apparition d'une affection se manifestant chez un sujet guéri depuis plus ou moins longtemps. ◇ Il a été repris par la langue juridique d'après *récidiver* (ci-dessous), pour désigner la situation d'un délinquant qui commet une nouvelle infraction (1593). Par extension de ce sens, devenu courant, le mot désigne le fait de commettre une nouvelle fois la même faute (1593).

► Au XIXe s., *récidive* a produit le dérivé savant **RÉCIDIVITÉ** n. f. avec le double sens de *récidive*, médical (1858) et juridique (1864).
RÉCIDIVER v. intr. représente par emprunt (1478) le latin médiéval *recidivare* «recommencer un délit» (XIIe s.), dérivé de *recidivus*. ◆ Repris en médecine à propos d'une maladie qui reparaît, il a pris en droit pénal (1488) le sens de «commettre une seconde fois une infraction», puis dans l'usage courant «retomber dans les mêmes fautes» (à la même date, 1488). ◆ En sont dérivés **RÉCIDIVISTE** n. (1845) et adj. (1847), courant dans son sens juridique de «délinquant qui a déjà été condamné», et **RÉCIDIVANT, ANTE**, adjectif tiré du participe présent (une première fois fin XVIe ; repris au XXe s.), en médecine.

RÉCIF

RÉCIF n. m. est emprunté (1688, *ressif*) à l'espagnol *arrecife* «rocher, chaîne de rochers à fleur d'eau près des côtes» (1498), d'abord *arracife* «chaussée, chemin empierré» (v. 1280), lui-même emprunté à l'arabe *(ar)raṣīf* «chaussée, levée, digue». Ce mot est dérivé du verbe *raṣafa* «paver». On a aussi évoqué un emprunt du français au correspondant portugais *recife* (dès 1258 comme toponyme, puis au XVIe s. comme nom commun sous sa forme réduite, par aphérèse de *arrecife*).

♦ Le mot, introduit en français par les colons d'Amérique qui l'ont reçu des Espagnols, désigne un rocher ou un groupe de rochers à fleur d'eau près des côtes. Les géographes ont formé les termes *récif-barrière* (1869), *récif corallien, frangeant* (1888), traduisant probablement l'anglais *coral reef* (1745), *barrier-reef* (1805) et *fringing-reef* (1845). Au XXe s., *récif* a développé la valeur figurée d'«obstacle», comparable à celle d'*écueil*.

► L'adjectif dérivé **RÉCIFAL, ALE, AUX** «relatif aux récifs» (1908) est d'usage didactique.

RÉCIPIENDAIRE

RÉCIPIENDAIRE n. est le dérivé savant (1674) du latin *recipiendus* «qui doit être reçu», adjectif verbal de *recipere* (→ recevoir), avec le suffixe *-aire*.

♦ Le mot désigne la personne qui vient d'être admise dans une société et en l'honneur de laquelle on donne une réception (1674). Ce n'est qu'au XXe s. qu'il a désigné également, dans l'usage administratif, le bénéficiaire d'une nomination, d'un diplôme universitaire.

RÉCIPIENT

RÉCIPIENT n. m. est emprunté (1544) au latin *recipiens, -entis* «qui reçoit», participe présent de *recipere* (→ recevoir), employé par les alchimistes médiévaux pour désigner le contenant servant à leurs opérations.

♦ Le mot, d'abord adjectif dans *vaisseau récipient*, est substantivé (1600) pour désigner le contenant adapté à certains appareils dans lequel on reçoit les produits de diverses opérations, en particulier d'une distillation. *Récipient florentin* (1836) a désigné une sorte de matras. Au XVIIe s., le mot sert à désigner la cloche de la machine pneumatique sous laquelle on fait le vide (1690). ◆ Ce n'est qu'au XIXe s. qu'il passe dans l'usage courant pour désigner tout ustensile creux servant à contenir un liquide, un gaz, une matière pulvérulente, se substituant au mot *vase* lorsqu'il s'agit d'objets utilitaires. Il est parfois employé par métaphore.

RÉCIPROQUE

RÉCIPROQUE adj. et n. est emprunté (v. 1380) au latin *reciprocus* «qui va en arrière après avoir été en avant» (notamment à propos de la mer), «alternant, renversé, répercuté» et, spécialement, en grammaire, «réfléchi». Le mot traduit à la fois le grec *palintonos* «tiré ou tendu en arrière», «lancé après avoir été tiré en arrière» et *antistrephôn* «qui va en sens contraire», spécialisé en logique et en balistique. Le mot latin, ancien mais assez rare, repose sur °*reco-procos*, composé des adjectifs hypothétiques °*reco-s* et °*procos*, dérivés respectivement des particules *re-* (→ re-) et *pro-* (→ pour, pro-).

♦ L'adjectif qualifie une action, une relation entre personnes qui s'exerce de façon équivalente à celle d'un premier terme sur un second et du second sur le premier. Cette valeur est demeurée courante, le mot acquérant en outre diverses acceptions spécialisées : *réciproque* a été repris en grammaire pour qualifier un type de verbe pronominal exprimant une action que deux ou plusieurs sujets exercent les uns sur les autres (1466) ; il a aussi qualifié un type de pronom personnel (1550) et, en logique, une proposition ayant pour sujet l'attribut d'une première proposition et pour attribut le sujet de cette même proposition (1690). ◇ En mathématiques, il décrit une proposition ou un théorème qui se déduit d'une proposition ou d'un théorème initial en permutant son hypothèse et sa conclusion (1690); en géométrie, il se dit de figures dont les côtés peuvent se comparer de telle sorte que l'antécédent d'une raison et le conséquent de l'autre se trouvent dans la même figure (1691). ◆ La substantivation du masculin, dans ***au réciproque*** (fin XIVe s.) «en échange, en contrepartie», est sortie d'usage. Celle du féminin (1800), qui s'emploie à propos d'une action inverse et qui est utilisée spécialement en logique et en mathématiques par ellipse du nom (1834), est relativement répandue.

▶ Le dérivé de *réciproque,* **RÉCIPROQUEMENT** adv., a le sens de «par une action réciproque» (fin XVe s.) et «par une action inverse, en retour» (1559). La formule *et réciproquement* (1639) s'emploie notamment en mathématiques pour introduire la proposition réciproque de celle que l'on vient de citer.

RÉCIPROCITÉ n. f., emprunt (1729) au dérivé bas latin *reciprocitas, -atis,* exprime le caractère de ce qui est réciproque, spécialement en droit international dans les expressions *à titre de réciprocité, réciprocité diplomatique, réciprocité législative* (1962, dans les dictionnaires généraux) et aussi en ethnographie, en logique (1964). ◆ Il a produit **IRRÉCIPROCITÉ** n. f. (1922), rare et didactique pour le refus d'accepter la réciprocité, l'absence de réciprocité d'une chose, d'une relation.

RÉCIPROQUER v. tr. est repris (fin XIVe s.) au latin *reciprocare* «ramener en arrière de nouveau, faire aller et venir, avoir un mouvement alternatif» de *reciprocus.* ◆ Le verbe était employé dans les constructions *réciproquer qqn* «lui rendre la pareille» et, pronominalement, *se réciproquer* «être dans un rapport de réciprocité» (1664). Il ne se rencontre plus que dans l'usage régional (Belgique).

RÉCITAL

RÉCITAL n. m. est emprunté (1872) à l'anglais *recital* employé depuis le XVIe s. au sens de «répétition, récit, narration» et dérivé de *to recite* «rapporter, réciter», lui-même emprunté (XVe s.) au français *réciter**. La spécialisation de *recital* en musique a d'abord concerné une exécution musicale faite par un seul artiste (déb. XIXe s.); le mot anglais s'est diffusé à propos des concerts donnés par Fr. Liszt (1840), et s'est étendu au XXe s. à toute audition à plusieurs exécutants ou avec des œuvres de différents compositeurs (1929), aussi pour désigner un enregistrement.

♦ D'abord cité comme mot anglais (1872, Mallarmé), le mot est acclimaté en 1884. Il désigne une séance musicale donnée par un seul artiste sur un seul instrument, puis par un chanteur. Par extension, il désigne une séance donnée par un seul interprète ou consacrée à un seul genre, dans un autre domaine que la musique.

◈ voir RÉCITATIF, RÉCITER.

RÉCITATIF

RÉCITATIF n. m. est l'emprunt (1680) de l'italien *recitativo,* spécialisé en musique, où l'on parle de *stilo recitativo* (1632) pour la mise en musique libre de paroles, d'après les hauteurs d'accent; le *recitativo* (1640) est opposé à l'*aria* «air». Le mot italien (1632, adj.) est repris à l'ancien adjectif français *récitatif* «qui relate qqch.» (1473), dérivé de *réciter**.

♦ Le mot, d'abord attesté pour «récit», probablement d'après l'ancien adjectif français, est devenu par emprunt à l'italien, vers le milieu du XVIIe s., un terme de musique (*in* Furetière, 1690) pour une déclamation notée, un chant cadencé selon la coupe des phrases et les inflexions de la voix parlée. En opéra, il désigne les passages ainsi chantés, le récitatif s'opposant à l'air. La valeur moderne s'en est fixée au début du XIXe s. avec l'évolution de l'opéra, notamment à partir de Mozart.

◈ voir RÉCITAL, RÉCITER.

RÉCITER

RÉCITER v. tr., longtemps écrit *reciter* (v. 1155), l'accent étant institué au XVIIe s., est emprunté au latin *recitare,* proprement «lire à haute voix un acte, un ouvrage» d'où «débiter, dire de mémoire», de *re-* (→ re-) préfixe à valeur intensive et *citare* «appeler, entonner à haute voix» (→ citer).

♦ Le mot a été repris au sens étymologique de «lire à haute voix (un texte, un ouvrage)», encore vivant au XVIIe siècle. De tous les sens relevés dans *Le Roman de la Rose* (v. 1278), seul celui de «dire à voix haute (un texte appris par cœur)» est toujours vivant en français moderne; il est quelquefois employé absolument (1688). Ceux de «raconter en détail et de vive voix (un événement)» et de «rapporter oralement, citer» sont sortis d'usage au XVIIIe s. malgré le soutien que constitue le déverbal *récit.* L'emploi intransitif du verbe au sens de «déclamer, jouer la comédie» (1663) disparaît après l'époque classique. D'après l'emprunt *récitatif**, *réciter* s'est employé en musique pour «chanter un récitatif» (1768).

▶ Le déverbal **RÉCIT** n. m., d'abord *resit* (1498), puis *recit* (1531), désigne la narration d'événements réels ou imaginaires, de vive voix ou par écrit. Le mot n'a pas suivi l'évolution de sens du verbe, ce dernier ayant déjà *récitation* comme nom d'action. *Récit* a développé quelques valeurs spécialisées, désignant de manière didactique l'exposé, par un personnage de tragédie, d'événements non représentés sur scène (1660), une œuvre littéraire narrative relatant des faits réels ou imaginaires (1704), avec des valeurs plus précises en rhétorique et en théorie littéraire, liées à *narration, narratif,* etc. ◆ Parallèlement, le mot s'est spécialisé en musique où il désignait tout morceau destiné à une seule voix ou à un seul instrument (1671) et s'employait avec le sens réservé aujourd'hui à *récitatif* (1764). De nos jours, *récit* s'applique à la partie qui exécute le sujet principal dans une symphonie (1768) et à un des claviers de l'orgue (1904). ◆ **RÉCITANT, ANTE,** le participe présent de *réciter,* est adjectivé (1771) en musique pour qualifier la partie vocale ou instrumentale interprétée par un soliste, spécialement les voix de solistes (1869, *voix récitantes*). ◇ Au XXe s., il est substantivé au masculin pour désigner le chanteur chargé de la narration dans une œuvre vocale ancienne (1904) et moderne (1932). Il a supplanté l'ancien emprunt *récitateur* pour désigner la personne qui dit par cœur son texte (av. 1922, Proust), et spécialement dans une œuvre dramatique, un film, une émission de radio ou de télévision, l'interprète qui commente l'action (1940).

RÉCITATION n. f. est emprunté (v. 1398) au dérivé latin *recitatio, -onis* «action de dire à haute voix», «lecture publique». Le mot a signifié d'abord «énumération» et «narration» (fin XIVe s.), manifestant, comme dans *conte-compte* et *recensement*, la solidarité des notions de compte et de relation, dans l'ancienne langue. ➝ En relation avec le verbe, il désigne l'action de dire à haute voix ce que l'on a appris par cœur (1530) et, par métonymie, un texte que l'on apprend par cœur à titre d'exercice scolaire (1893). ➝ **RÉCITATEUR, TRICE** n. est emprunté (XVe s.) au latin *recitator* «auteur qui lit publiquement ses ouvrages», du supin de *recitare*. Le mot a désigné la personne qui relate des événements, avant de prendre, sous l'influence de *réciter* (sens incertain, 1549) le sens de «personne qui dit un texte de mémoire» (1611). Il est à peu près sorti d'usage.

◈ voir **RÉCITAL, RÉCITATIF.**

RÉCLAMER

RÉCLAMER v., d'abord *reclamer* (1080) puis, avec l'accent, *réclamer* (XVIe s.), par retour à la prononciation latine, est emprunté au latin *reclamare* «crier contre, se récrier, protester» et, transitivement, «appeler plusieurs fois à haute voix». Ce verbe est formé de *re-* (→ re-), préfixe à valeur intensive et itérative, et de *clamare* «crier», «demander à grands cris» (→ clamer).

♦ Le verbe est apparu à la fois pour «invoquer, implorer», sens sorti d'usage après le XVIIe s., et avec la valeur de «demander (qqch., qqn) avec insistance» (1080), devenue courante. L'accent étant mis sur la légitimité de la demande, il correspond à «revendiquer, exiger» (1219), en droit «demander la restitution de (qqch.)» (1690). ◇ À l'époque classique, *réclamer* prend le sens figuré de «revendiquer comme sien (ce dont on estime être l'auteur, le promoteur)» (1672), emploi littéraire; avec un nom de chose pour sujet, il se dit pour «requérir, exiger» (1675). ➝ Après un ancien emploi en fauconnerie, «appeler (l'oiseau) pour le faire revenir sur le poing» (v. 1160), il s'est spécialisé au sens d'«appeler ses petits, de la perdrix» (1680) et en vénerie «appeler (les chiens)» (1835). ➝ La construction indirecte *réclamer de qqch.* (fin XIVe s.) puis l'emploi absolu (1549), exprime l'idée de «protester contre ce qui paraît illégal, injuste», et spécialement «formuler une réclamation auprès d'une autorité» dans *réclamer en justice* (1671). ***Réclamer en faveur de qqn*** (1869) correspond à «intercéder». ➝ La forme pronominale *se réclamer de* (v. 1175) signifie d'abord, dans la langue juridique, «interjeter appel, en appeler d'une cour inférieure à une cour suzeraine»; elle est reprise avec un nom de chose comme complément (1824) pour «invoquer en sa faveur, se prévaloir de», emploi littéraire.

▸ *Réclamer* a produit deux déverbaux homonymes. ➝ Le plus ancien est ① **RÉCLAME** n. m. (1560), variante en *-e* de l'ancien *reclaim* (v. 1112) «appel, invocation», employé spécialement en fauconnerie pour le cri dont on se sert pour appeler, *réclamer* le faucon (v. 1175). *Réclame*, par métonymie, désignait les appeaux, sifflets et autres instruments servant à attirer les oiseaux (1690). ➝ Le féminin ② **RÉCLAME** n. f. apparaît beaucoup plus tard (1609), d'abord comme terme de typographie désignant le mot que l'on mettait au-dessous de la dernière ligne d'une feuille ou d'une page imprimée pour indiquer qu'il était le premier de la page suivante et faciliter le travail du relieur. Par extension, il s'applique à l'indication manuscrite qui rappelle au correcteur le dernier mot ou le dernier folio d'une épreuve (1835), et désigne par analogie, au théâtre, les derniers mots d'une tirade qui avertissent l'interprète que c'est à lui de donner la réplique (1813). ➝ Le sens de «publicité commerciale» (1842) est une spécialisation de ce terme technique de typographie : le mot s'est dit d'abord (1838) d'un petit article inséré à titre onéreux dans une publication en dehors des annonces et contenant l'éloge d'un livre, d'un produit; ce sens est déjà signalé en 1834 dans une acception imprécise. L'influence de l'anglais d'Amérique *reclaim* (du verbe *to reclaim* «attirer l'attention», lui-même emprunté au français *réclamer*) est peu probable à cette date, mais elle a pu s'exercer plus tard. Le mot, qui a vieilli avec la concurrence de *publicité*, s'est diffusé au XIXe s. et a pris le sens figuré de «ce qui est propre à attirer l'attention sur qqn ou qqch. et à le faire connaître avantageusement» (1843), quelquefois par ironie avec une valeur antiphrastique (XXe s.). Dans la langue commerciale, *réclame* a pris ultérieurement le sens d'«appel à la clientèle par un rabais sur le prix» (1935, *prix de réclame*), en apposition dans *vente-réclame* (1955) et en locution ***en réclame*** (1962, Robert), en relation avec *soldes* et concurrencé par *promotion*. ➝ Le dérivé savant de *réclamer*, **RÉCLAMATEUR** n. m. (1672), a eu le sens général de «personne qui réclame», sorti d'usage, puis s'est spécialisé pour le destinataire du chargement dans les transports maritimes (1681). ➝ Le participe présent **RÉCLAMANT, ANTE** a été substantivé (1775) en parlant de celui qui présente une réclamation, surtout dans un cadre juridique. ➝ **RÉCLAMIER** n. m. (1881) appartient à l'ancien vocabulaire de la publicité pour désigner celui qui rédigeait des réclames. Il s'est quelquefois employé comme adjectif et comme nom avec la valeur figurée de «qui fait parler de soi à son avantage».

RÉCLAMATION n. f. est emprunté (1282) pour servir de nom abstrait à *réclamer*, au dérivé latin *reclamatio, -onis* «acclamation» et «désapprobation manifestée par des cris». ➝ Le mot désigne l'action de s'adresser à une autorité pour faire reconnaître l'existence d'un droit, spécialement dans un contexte juridique, dans *réclamation d'état* (1804), en droit fiscal, en sports et dans l'armée pour la demande adressée par un militaire à son supérieur au sujet d'une sanction qu'il juge imméritée (1904). ◇ En dehors de ces spécialisations, les développements sont de deux sortes : *réclamation* désigne l'action de protester, de se plaindre (1798), plus rarement le fait de réclamer une chose. Par métonymie, *une réclamation* se dit de la lettre, de la demande par laquelle on réclame (1901, *registre des réclamations*; 1907) et, au pluriel, *les réclamations*, le service recevant les plaintes dans une administration.

RECLASSER → CLASSE

RECLUS, USE adj. et n. est le participe passé adjectivé (v. 1160), antérieurement attesté comme nom au sens de «lieu de retraite» (fin xe s.), du verbe *reclure* v. tr. (fin xe s.). Celui-ci, employé en ancien et moyen français, est issu du latin *recludere*, formé du préfixe *re-* (→ re-) indiquant le mouvement contraire et *claudere* «fermer» (→ clore), et passé du sens d'«ouvrir» en langue classique à celui de «fermer» à partir de Tertullien à la suite d'une réinterprétation du suffixe *re-*, renforcement de l'action. *Reclure*, «renfermer dans une clôture rigoureuse», et au figuré «isoler du monde» (v. 1278), essentiellement dans un contexte monastique, a toujours été plus rare, sauf aux formes composées et au participe passé, que son doublet *reclore* v. tr. (xie s.), issu du bas latin *reclaudere*, variante de *recludere*, sorti progressivement d'usage à partir de la fin du xvie s., quelquefois encore employé à certains temps et modes, comme *clore**. La concurrence de *renfermer* a nui aux deux verbes et à *reclos*, participe passé de *reclore*.

♦ L'adjectif *reclus* qualifie une personne qui vit retirée, à l'écart du monde et des gens, spécialement une personne vivant étroitement enfermée dans une maison religieuse, voire dans une cellule sans aucun contact avec l'extérieur (v. 1190). Il est substantivé (v. 1175) pour désigner une personne vivant étroitement enfermée dans une cellule monacale, spécialement, une personne qui, par esprit de pénitence, s'enfermait dans un local pour longtemps. Par extension, il désigne une personne vivant en solitaire (1611), sortant peu (1688), le lien à l'acception religieuse du mot restant sensible, même en locution comparative *(vivre en reclus, comme un reclus)*.

▸ **RÉCLUSION** n. f. est probablement dérivé (1270) de *reclure* sur le modèle du dérivé latin *reclusio*, ou emprunté à ce dernier, «état de reclus» (794). Le mot exprime l'état d'une personne recluse. Sa spécialisation en droit (1771), pour «peine criminelle consistant dans la privation de liberté avec assujettissement au travail», d'abord *reclusion* modifiée en *réclusion* (1791), est devenue courante *(peine de réclusion, réclusion à vie)* comme quasi-synonyme de *prison*. ◆ Avec ce sens juridique, *réclusion* a pour dérivé **RÉCLUSIONNAIRE** n. (1828), mot didactique pour «condamné à la réclusion».

RECOIFFER → COIFFE

RÉCOLER v. tr., indirectement attesté en 1337 par son participe passé, puis à la forme pronominale (1356), l'emploi transitif étant attesté peu après (v. 1370), est emprunté au latin *recolere* «cultiver de nouveau, complètement» d'où «pratiquer de nouveau», «repasser dans son esprit, passer en revue». Ce verbe est formé de *re-* (→ re-) pris dans sa valeur itérative ou intensive, et de *colere* «cultiver», «honorer» et «habiter» (→ cultiver).

♦ Après une attestation de *recolé* qualifiant un acte minuté (1337), le verbe repasse dans le langage administratif et juridique au xvie siècle. En moyen français, *se recoler* signifie «se souvenir» (1356) et «rappeler, repasser dans son esprit» (v. 1370). Au xvie s., *recoler* correspond à «parler», «dire», et spécialement à «faire répéter son rôle à un acteur» d'après l'idée de base de «se rappeler (des mots)». Avec la même idée, il a pris le sens de «relire leur déposition à des témoins pour vérifier s'ils en maintiennent les termes» (1538) et «vérifier juridiquement le nombre de meubles saisis avant de les mettre en vente» (1690). ◇ L'accent aigu de *récoler* date du xviiie siècle. Le verbe est archaïque.

▸ À la différence de *récoler*, le dérivé **RÉCOLEMENT** n. m. (1389) a toujours été un terme juridique et administratif, désignant d'abord le dénombrement opéré par un fonctionnaire. Les spécialisations modernes sont didactiques ou techniques : «action de récoler un témoin» (fin xve s.), «vérification de la conformité d'un inventaire» (1690) et, en droit forestier, «vérification contradictoire de l'exécution des clauses et conditions imposées dans la coupe d'une forêt» (1690). Le mot s'emploie aussi à propos de la vérification contradictoire de constructions et d'ouvrages (1690) et de la vérification et pointage sur inventaire (1690).

RÉCOLLECTION, RÉCOLLET, RÉCOLLETTE → RECOLLIGER (SE)

RECOLLIGER (SE) v. pron., d'abord *recolligier* (v. 1370, Oresme) est emprunté au latin *recolligere* «rassembler, réunir», «reprendre», au propre et au figuré. À basse époque, le mot s'employait aussi concrètement pour «acquérir», «moissonner» et «accueillir qqn», et *se recolligere* pour «se retirer (dans un monastère)». Il a donné *recueillir** et, par l'intermédiaire de l'italien, *récolte**.

♦ Le verbe a été éliminé par son doublet *recueillir**; *se recolliger* a signifié «se recueillir religieusement» (1636) et *recolligé* (1656, Bossuet) «recueilli en soi-même».

▸ **RÉCOLLECTION** n. f. est emprunté (1372) au latin médiéval *recollectio, -onis* «recueil, recueillement», dérivé du supin *(recollectum)* de *recolligere*. ◆ Repris au sens de «résumé», sorti d'usage, le mot s'est spécialisé dans la langue religieuse pour l'action de se recueillir par la prière, la méditation (1553); par métonymie, il désigne en religion une retraite spirituelle de courte durée (1876, *petite récollection*). Le rapport ressenti avec *collection** n'est pas analysé.

RÉCOLLET n. m. est emprunté (1611) au latin ecclésiastique médiéval *recollectus*, participe passé de *recolligere*, nom pris par des religieux d'une branche réformée de l'ordre de Saint-François pour indiquer leur vocation de la récollection. ◆ Le féminin *récollecte* (1690), **RÉCOLLETTE** n. f. (1771), a désigné des religieuses de certaines communautés franciscaines. Tous les mots de cette série étymologique sont archaïques.

RÉCOLTE n. f. est emprunté (1550) à l'italien *ricolta*, participe passé substantivé au féminin de *ricogliere* «recueillir», représentant du latin *recolligere* (→ recueillir, recolliger).

♦ Italianisme rival de *cueillette* («nous disons la récolte, au lieu qu'on souloit dire la cueillette», écrit H. Estienne en 1578), le mot s'est imposé pour «action de recueillir les produits du sol, les produits cultivés». Par métonymie, il désigne ces produits (1558). ◇ Depuis le XVIIe s., il se dit, par analogie, du fait de recueillir des produits non végétaux comme le miel, les perles (1690) et, au figuré, désigne ce que l'on recueille à la suite d'une recherche ou comme résultat d'une conduite (1690).

▸ **RÉCOLTER** v. tr., dénominatif de *récolte,* est attesté en 1742. Le mot, blâmé par Voltaire et toutefois admis par l'Académie en 1762, a le sens de «faire la récolte (des produits du sol)». Il a développé le sens figuré (1788) et le sens analogique (1862) correspondant à ceux du nom. ➛ Il a donné les dérivés **RÉCOLTABLE** adj. (1788), assez rare, **RÉCOLTANT, ANTE** adj. (1834) en parlant d'un exploitant qui procède lui-même à la récolte (notamment dans *propriétaire récoltant*) et **RÉCOLTEUR, EUSE** n. (XXe s.), surtout à propos des ouvriers employés à la récolte du caoutchouc (1927).

RECOMMANDER → COMMANDER

RÉCOMPENSER

RÉCOMPENSER v. tr. est emprunté (v. 1290) au bas latin *recompensare* «donner en retour, en compensation, payer», formé du préfixe *re-* (→ re-) et du latin classique *compensare* (→ compenser).

♦ Jusqu'à la fin du XVIIe s., le sens du mot était très proche de celui du verbe simple *compenser,* avec l'idée de dédommagement : il signifiait «dédommager (qqn) d'une perte, d'une privation, d'un mécompte» (v. 1290), «réparer (une perte, un dommage)» et, avec un nom de chose pour sujet, «constituer une réparation» (1322), *se récompenser* signifiant «se dédommager» (v. 1460); à l'époque classique, *récompenser le temps perdu* (1669) a le sens de «rattraper le temps perdu». ➛ L'usage moderne, effaçant toute idée négative et faisant disparaître le rapport avec *compenser,* met l'accent sur la gratification d'un mérite, d'un service : il apparaît en moyen français pour «gratifier (qqn) d'un don, d'une faveur pour le remercier ou en hommage» (v. 1380), sens qui ne s'implante qu'à partir du XVe siècle. *Récompenser* prend en outre le sens de «reconnaître le mérite de (qqch.) par une faveur» (1580, Montaigne) et se dit d'une conséquence heureuse qui constitue une gratification (1671) *[la réussite a récompensé son courage].* Il s'emploie aussi par antiphrase pour «recevoir la punition méritée» (1550).

▸ **RECOMPENSATION** n. f. (1263, *recumpensacion*) est emprunté au bas latin *recompensatio* (IIIe s.) au sens de «compensation, dédommagement» et signifie aussi «gratification» entre 1294 et le XVe s. (1422). ➛ Il a été éliminé par le déverbal **RÉCOMPENSE** n. f. (1413) qui a suivi une évolution analogue à celle du verbe : le sens de «dédommagement» (1441), déjà vieilli au XVIIe s., a été réactivé dans la spécialisation juridique d'«indemnité pécuniaire due par la communauté à l'un des époux ou par l'un des époux à la communauté après dissolution de la communauté» (1803). ➛ Le sens moderne, «avantage (matériel, moral) accordé en reconnaissance d'un service, d'un acte méritoire» (1413), s'est répandu à partir du XVIe siècle. La valeur antiphrastique de «punition» (v. 1485) est devenue plus rare après l'époque classique. ➛ On rencontre quelquefois, dans le style littéraire, **RÉCOMPENSEUR** n. m. (av. 1544), d'abord «celui qui donne en retour» puis «celui qui récompense» (1577), et **RÉCOMPENSANT, ANTE,** adjectivation (XXe s., Gide) du participe présent.

RÉCONCILIER

RÉCONCILIER v. tr. est emprunté (v. 1160) au latin *reconciliare* «remettre en état, rétablir», «ramener» (au propre), d'où «regagner, renouer avec (qqch.)» (au figuré). Ce verbe est formé de *re-* (→ re-), préverbe à valeur itérative, et *conciliare* «unir, associer» (→ concilier).

♦ *Se réconcilier* apparaît au XIIe s. avec le sens de «se remettre en bons termes (avec qqn)», plus tard dans les locutions ***se réconcilier avec soi-même*** (v. 1692), ***se réconcilier avec Dieu*** «demander pardon à Dieu de ses péchés et recevoir l'absolution» (av. 1710). Le pronominal s'est employé au XVIIe s. pour «redevenir favorable à» (1636). Au XXe s., *se réconcilier* se rencontre aussi avec la valeur figurée de «s'unir contre qqn alors qu'on a toutes les raisons de s'opposer». ➛ Le verbe actif est d'abord attesté avec une spécialisation liturgique, pour «bénir à nouveau (un lieu saint profané)» (v. 1188), d'après le latin médiéval *reconciliare* (fin VIIIe s.), et «absoudre (un pécheur)», en le ramenant dans le sein de l'Église après une confession sacramentelle (v. 1190). ◇ Le sens courant de «réunir (des personnes) qui étaient brouillées» (ou une personne avec une autre) semble un peu plus tardif (fin XIIIe s.); il donne lieu à des emplois figurés en parlant de personnes (v. 1692), *réconcilier contre* (1831) s'employant pour «réunir contre (un ennemi commun)», et, dans un style soutenu, de choses (1668).

▸ **RÉCONCILIÉ, ÉE,** le participe passé, est adjectivé très tôt (v. 1190) dans l'acception religieuse d'«absous par l'Église», avant de prendre le sens courant de «raccommodé». ➛ **RÉCONCILIABLE** adj. (v. 1587) semble dû à l'influence d'*irréconciliable* (ci-dessous), beaucoup plus courant.
RÉCONCILIATION n. f., emprunt (XIIIe s.) au dérivé latin *reconciliatio, -onis,* apparaît au sens religieux de «cérémonie par laquelle une personne est réintroduite dans l'Église» (XIIIe s.), étendu à la cérémonie par laquelle un lieu saint profané est béni de nouveau (XVIe s.), d'après des valeurs du latin chrétien et médiéval. ➛ Comme pour le verbe, le sens courant d'«action de rétablir l'amitié entre deux personnes», est second (v. 1350); en droit, le mot se dit du rétablissement des liens conjugaux entre époux en instance de divorce ou de séparation de biens (1804), et, par extension, assume un emploi synonyme de *concorde, fraternisation,* spécialement en politique (1831). ➛ **RÉCONCILIATEUR, TRICE** adj. et n. est emprunté (1355) au latin *reconciliator;* repris isolément en parlant de celui qui rétablit, le mot se répand au XVIe s. dans un double contexte religieux (déb. XVIe s.) et laïque (adj., 1512, puis 1545; n., 1588).

IRRÉCONCILIABLE adj. est emprunté à la Renaissance (1534) au bas latin *irreconciabilis,* formé de *ir-* (→ in-) et de *conciliare* avec une terminaison d'adjectif. Le mot qualifie des personnes ou des groupes humains (1587) entre lesquels il n'y a pas de réconciliation possible. Par métonymie, il qualifie des sentiments ne pouvant être apaisés (1669). Il a été employé pour qualifier le parti d'opposition radicale refusant toute compromission avec Napoléon III en 1869, et substantivé pour désigner les membres de ce parti. ➜ Les dérivés **IRRÉCONCILIABLEMENT** adv. (fin XVIe s.) et **IRRÉCONCILIABILITÉ** n. f. (XXe s.) sont peu usités. ➜ Par croisement avec *réconcilié, irréconciliable* a produit **IRRÉCONCILIÉ, ÉE** adj. (1838-1840), qui sert de synonyme littéraire à *non réconcilié.*

RECONDUCTION

RECONDUCTION n. f. est un emprunt juridique (XVIe s.) au latin médiéval *reconductio, -onis,* dérivé du supin *(reconductum)* de *reconducere* «se charger en retour» et, en droit, «relouer, reprendre à loyer», verbe formé de *re-* (→ re-) marquant le mouvement en retour, et de *conducere* «conduire ensemble, louer» (→ conduire).

♦ Le mot, introduit en droit, désigne le renouvellement automatique d'un contrat à durée limitée lorsqu'il n'a pas été résilié en temps voulu, spécialement dans les locutions ***reconduction tacite, verbale*** (1582). ◇ On parle aussi (XXe s.) de ***reconduction du budget.*** Par extension, il est passé dans l'usage en désignant le maintien en vigueur, la continuation de qqch. (attesté mil. XXe s.). Dans ces deux sens, il a influé au XXe s. sur le développement du verbe *reconduire,* dérivé de *conduire*.*

RECONDUIRE → CONDUIRE

RÉCONFORTER → CONFORT

✻ RECONNAÎTRE

✻ **RECONNAÎTRE** v. tr., d'abord *reconoistre* (v. 980), est issu par voie orale du latin *recognoscere* «retrouver», «rappeler à sa mémoire, passer en revue, inspecter», «faire un examen critique d'un ouvrage, réviser»; à basse époque, ce verbe s'emploie pour «connaître, comprendre, se rendre compte», «avouer sa faute», à la fois en construction transitive (IVe s.) et réfléchie (*se recognoscere* «faire des aveux», 852). Il est adopté par le vocabulaire féodal pour «faire l'aveu d'un fief, reconnaître les droits d'un seigneur» (1102) et «confirmer les droits de qqn sur un bien» (1063). Ce verbe est formé de *re-* (→ re-), préfixe pris dans sa valeur itérative, et *cognoscere* (→ connaître). L'italien *riconoscere* et l'espagnol *reconocer* remontent à ce même verbe latin.

♦ Le verbe exprime d'abord l'opération intellectuelle par laquelle l'esprit saisit un objet en reliant entre elles des images et perceptions le concernant : il correspond à «faire renaître dans la mémoire une image, une idée» (v. 980), et spécialement à «identifier de manière certaine (une personne ou une chose déjà rencontrée)» (fin XIIe s.) et «retrouver (qqn ou qqch.) avec son caractère véritable» (v. 1170), par exemple dans ***je te reconnais bien là*** (1671). ➜ Avec un complément désignant une personne ou une chose que l'on n'a jamais vue, le verbe s'emploie d'abord dans un contexte militaire au sens d'«explorer le terrain, la position de l'ennemi» (1557), puis en général «identifier (une chose, une personne) à certains caractères» (1608). De la valeur militaire, vient le sens d'«explorer (un site, une situation)» (1611), notamment en marine (1748, *reconnaître un port*) et en vénerie *reconnaître entre les chasses* (1810), au XXe s. ***reconnaître le pays.*** ➜ Le second sens de base, «savoir, connaître comme vrai», apparaît dès l'ancien français (1080); il correspond spécialement à «admettre pour chef, maître» (1080), plus couramment «admettre comme religion». Une valeur fréquente est «avouer, confesser» (v. 980), spécialement dans la construction *reconnaître de* et l'infinitif (1676, Mme de Sévigné), propre à l'usage classique. La nuance exprimée est tantôt «être conduit à constater» (XIIIe s., «se rendre compte»), tantôt «admettre pour vrai après avoir nié ou douté, malgré ses réticences» (XIVe s.), par exemple dans la locution impersonnelle ***il faut reconnaître que...*** (1908). Une troisième valeur est «accorder une qualité à qqn» (1580). De là, en droit, «admettre officiellement l'existence de (qqch., qqn)» (1539, *recognoistre la debte*). ➜ Le troisième sens de *reconnaître,* celui de «témoigner de la gratitude» (XIIIe s.), s'est moins bien implanté que dans les dérivés *reconnaissance,* et *reconnaissant* (ci-dessous) : sorti d'usage avec un nom de personne pour complément (1226), il ne s'emploie guère qu'avec un nom de chose, dans un registre littéraire. ➜ La forme pronominale *se reconnaître* a été employée très tôt (v. 980) pour «avouer qu'on a péché, et qu'on s'en repentit», sens disparu pour cette construction. Il exprime l'idée de «savoir où l'on est, s'orienter» (v. 1160), dont procède, en langue classique, l'idée de «reprendre conscience, se remettre» au figuré (1629). Il signifie également «retrouver son image» (fin XVIIe s.), par extension, «trouver de la ressemblance entre une personne (réelle, imaginaire) et soi-même» (av. 1784, Diderot).

▸ Les dérivés de *reconnaître* sont anciens. ➜ **RECONNAISSABLE** adj., d'abord *reconoisable,* qualifie (1080) ce ou celui qui peut être reconnu, en s'opposant souvent à *méconnaissable*.* ➜ **RECONNAISSANCE** n. f., anciennement *reconuisance,* apparaît aussi dans *La Chanson de Roland* (1080). Le mot a d'abord servi à désigner un signe de ralliement, cette valeur métonymique, «ce qui sert à reconnaître», donnant en marine l'expression *signaux de reconnaissance* (fin XVIe s.). ◇ Au sens actif, «action de reconnaître», il désigne (1573) l'exploration d'un lieu, d'une position (d'abord dans un contexte militaire), d'où, ce qui sert à reconnaître (1835), et ce qui reconnaît (1875). ➜ En relation avec l'emploi pronominal réciproque du verbe, il désigne le fait de se reconnaître (1680) et, spécialement au théâtre, la péripétie au cours de laquelle deux ou plusieurs personnes se reconnaissent (1667). ➜ Suivant un développement sémantique parallèle à celui de *reconnaître, reconnaissance* désigne aussi le sentiment de gratitude (v. 1190), notamment dans la locution ***en reconnaissance de*** et dans des locutions déterminées, d'ou familièrement ***reconnaissance du ventre*** «pour la personne qui a nourri» (XXe s.). L'autre valeur de base, «action d'admettre, d'accepter une chose», est d'abord (fin XIIe s.) religieuse et correspond à «confession, aveu»; sens disparu. Le mot acquiert ensuite la valeur de «fait d'admettre, après avoir nié ou douté», et, en droit, se dit pour «fait de reconnaître pour sien» (1606, *reconnaissance d'écriture*) et «action de reconnaître formellement» (1771), d'où *reconnaissance de gouvernement* (1835), *reconnaissance de dettes*. ➛ **RECONNAISSANT, ANTE**, le participe présent de *reconnaître*, est adjectivé, d'abord sous les formes *reconoissant* (v. 1175) et *recunussant* (déb. XIIIe s.), aux sens de «facile à reconnaître» et «qui avoue». ◇ Ces acceptions sont sorties d'usage, l'adjectif se spécialisant (v. 1335) avec la valeur de *reconnaître* «témoigner de la gratitude», malgré la rareté du verbe dans cet emploi, mais en relation avec *reconnaissance* qui a conservé les deux types d'emploi. *Reconnaissant*, en français moderne, n'est plus senti comme lié à *reconnaître*.

RECONSTITUER → CONSTITUER

RECORD n. m. est emprunté (1882) au mot anglais *record* «témoignage enregistré» (XIIIe s.), emprunté à l'ancien terme de droit français *record, recort* «rappel, témoignage», du verbe *recorder* «rapporter» et «rappeler» (→ recors) et spécialisé en sports à propos de la constatation officielle d'un exploit (1883).

♦ Le mot, repris avec le sens d'«exploit sportif», a eu d'après l'anglais la valeur de «liste des performances d'un champion» (1902). Par extension, il désigne tout résultat supérieur à tous ceux qui ont été obtenus dans le même domaine (1893), quelquefois ironiquement (1904). ◇ Par l'intermédiaire d'un emploi apposé (1884, *course-record*), il est adjectivé pour qualifier ce qui surpasse tout ce qui a été fait (1916), spécialement ***dans, en un temps record*** (mil. XXe s.).

▸ Par adjonction de l'anglais *man* «homme», comme dans *tennisman, rugbyman, record* a produit le faux anglicisme **RECORDMAN** n. m. (1883) pour désigner le détenteur d'un record. ➛ Par analogie, on a formé **RECORDWOMAN** n. f. (1896) avec l'anglais *woman* «femme». Ces composés sont vieillis mais n'ont pas reçu d'équivalent français; on leur préfère *champion, championne*.

RECORS n. m., sous sa graphie actuelle (v. 1490), semble être une forme de pluriel de l'ancien *recort* employé pour «témoin» (XIVe s.), d'après l'ancien verbe *recorder* qui était fréquent dans l'ancienne langue juridique au sens de «rapporter comme témoin», d'où *recordeur* «témoin» (XIIIe s.). *Recort* existait antérieurement comme adjectif au sens de «qui se souvient» (v. 1160). De même que l'ancien français *record* «souvenir, mémoire», usuel jusqu'au XVIe s. et encore employé par Montesquieu comme terme de jurisprudence (→ record), il est dérivé de l'ancien verbe *se recorder* «se rappeler» (1050) et *recorder* (v. 1120), également «répéter (qqch.) pour le savoir par cœur» (v. 1120) et «rafraîchir la mémoire à qqn» (v. 1155), encore à l'époque classique et au XVIIIe siècle. *Recorder* représente le latin de basse époque *recordare*, variante du latin classique *recordari* «se rappeler, se représenter par la pensée», de *re-* (→ re-), préverbe à valeur itérative, et de *cor, cordis* «cœur, esprit» (→ cœur).

♦ *Recors*, terme de juridiction, désignait le témoin d'un huissier susceptible de lui prêter main-forte en cas de contrainte par corps (1552), sens courant jusqu'à la fin de l'Ancien Régime; puis (depuis 1769) il désigne un agent préposé à l'exécution des ordres de la justice.

RECOUPER → COUP

RECOURBER → COURBE

RECOURIR v., réfection (XVIe s.) de *recorre* (v. 1160), puis *recourre*, par changement de paradigme verbal sur le modèle de *courre-courir*, est formé de *re-** et de *courre*, devenu *courir**. Le développement sémantique, en dehors du sens le plus anciennement attesté, s'est fait par emprunt au latin *recurrere*, lui-même formé de *re-* marquant un retour en arrière (→ re-), et de *currere* (→ courir) «revenir en courant», d'où «revenir dans son cours, dans sa course», au figuré «revenir» et, spécialement en droit, «avoir recours».

♦ Avec le préverbe itératif, le verbe signifie d'abord «courir de nouveau», intransitivement et transitivement avec un complément tel que *course* (XIIIe s.). Ce sens est réalisé en sports dans le cadre d'une course redisputée (1880) et c'est de lui que procède, par extension, l'emploi familier pour «retourner rapidement quelque part». Par emprunt au latin, *recourir* exprimait aussi l'idée de «revenir en courant» (XIIIe s.). ➛ Le sens de «faire appel», repris au latin sous l'influence de *recours**, est attesté dès 1244 sous l'ancienne forme *recourre a*, refaite (1480) en *recourir à*. Avec la même idée, le mot s'est spécialisé en droit, en emploi absolu, au sens de «se pourvoir» (1869). En emploi intransitif, le verbe était parfois conjugué avec l'auxiliaire *être*, au XVIIe siècle.

RECOURS n. m. est emprunté (fin XIIe s.) au latin *recursus* «retour en courant», «retour», spécialisé à basse époque en droit pour l'action de se pourvoir. Le mot est dérivé du supin *(recursum)* de *recurrere* «revenir en courant», «revenir» et, en droit, «se pourvoir» (→ recourir). ➛ Le mot, repris seulement au figuré, désigne l'action de demander du secours, de l'aide, la locution ***en dernier recours*** n'étant attestée qu'au XXe siècle. Par métonymie, il désigne la personne ou la chose à laquelle on demande de l'aide (XIIIe s.), sens encore vivant mais peu fréquent. En droit, il s'applique à l'action en garantie ou en dommages-intérêts contre une personne tenue d'indemniser qqn du préjudice qu'elle a causé (1260), au procédé par lequel un plaideur demande à une juridiction d'examiner à nouveau un litige tranché par un juge (1460), d'où l'expression ***recours en grâce*** (1835). Il désigne aussi l'action de déférer à une autorité ou à une juridiction administrative la décision d'un fonctionnaire ou d'un juge en vue d'en obtenir le retrait (1875) et, en droit commercial, une action en garantie contre qqn (1807, *Code de commerce*).

RECOUVRER v. tr., réfection (fin XIIe s.) de *recovrer* (v. 1050), *recuvrer* (1080), est le doublet populaire de *récupérer**, issu du latin *recuperare* «rentrer en possession de» et, au figuré, «regagner, ramener à soi». Ce verbe, attesté également sous la forme archaïque *recipere (Monument d'Ancyre)*, est composé du préfixe *re-* (→ re-) et de *caper-o*, forme de première personne du présent élargie. C'est un doublet de *recipere* (→ recevoir).

♦ Le verbe a d'abord eu le sens de «trouver», puis le sens très proche d'«acquérir» (1080), avec l'idée de «se procurer qqch. qu'on n'a pas», qui vit encore dans certains emplois de *récupérer**. Cette valeur a disparu après l'époque classique tout comme celle d'«obtenir de nouveau» (XIIIe s.), qui réinterprétait la valeur du préfixe *re-*. Le sens étymologique, «rentrer en possession de» (1080), s'est implanté, faisant de *recouvrer* le synonyme littéraire de *récupérer*. Le mot s'est répandu au sens spécial de «retrouver ses forces, sa santé» (fin XIIIe s.) et de «recevoir le paiement d'une somme due» (1636). ◆ Jusqu'au XVIIe s., le participe le plus usuel était *recouvert*, mais le dictionnaire de l'Académie de 1694 déclare cette forme vieillie, sauf dans la locution aujourd'hui disparue *pour un perdu, deux recouverts*, au bénéfice de *recouvré*, pour empêcher l'ambiguïté avec le participe passé de *recouvrir*.

▸ Le risque de confusion avec des dérivés de *recouvrir* subsiste pourtant avec les deux dérivés de *recouvrer*. ◆ **RECOUVRANCE** n. f. (1080), nom d'action, est devenu archaïque, et ne subsiste que dans des noms de lieux. ◆ **RECOUVREMENT** n. m., d'abord *recuvrement* (1080), a d'abord exprimé l'idée de salut, de secours, puis signifie «action de rentrer en possession de ce qui était perdu» (v. 1155), emploi littéraire. ◇ La spécialisation plus courante pour «encaissement (de sommes dues)», attestée depuis la fin du XIVe s., s'applique à la perception de l'impôt (1690) et au XXe s. aux frais de justice sur les condamnés (1932). **RECOUVRABLE** adj. (1450) a eu le sens de «réparable moralement», qui est sorti d'usage, puis qualifie ce qui peut être recouvré (1564), presque exclusivement de nos jours en parlant de sommes d'argent (1694). ◇ Ces deux derniers mots sont homonymes de dérivés de *recouvrir**. ◆ Son antonyme préfixé **IRRÉCOUVRABLE** adj. (déb. XVe s.) a suivi une évolution analogue, passant du sens d'«irréparable» à «que l'on ne peut recouvrer» (1840).

RECOUVRIR → COUVRIR

RÉCRÉER v. tr., d'abord *recreer* (XIIIe s.), réfection de *recrier* (v. 1155), puis *récréer* (1501), est emprunté au latin *recreare* «produire de nouveau», d'où «faire revivre, réparer, refaire», de *re-* (→ re-), préfixe à valeur itérative, et *creare* (→ créer).

♦ Le mot a perdu le sens étymologique de «créer de nouveau», *se recréer* signifiant «se vivifier»; cette valeur sera assumée plus tard par le préfixé de *créer**, *recréer*. *Récréer* signifie au pronominal «se divertir» (v. 1155), et transitivement «divertir» (fin XIIe s.). Avec ce sens, concurrencé par *distraire, amuser, divertir*, le verbe est beaucoup moins usuel que *récréation*. ◇ Il n'a pas gardé la valeur seconde de «produire sur les sens une impression agréable et confortable» (v. 1220), qui disparaît après le XVIIe siècle.

▸ **RÉCRÉATION** n. f., d'abord *recreation* (1215), est emprunté au dérivé latin *recreatio, -onis* «rétablissement». ◆ D'abord attesté au sens de «réconfort» qui a disparu, le mot désigne le repos, le délassement qui vient interrompre un travail (v. 1282) et, par métonymie, le temps accordé aux élèves dans les écoles pour se délasser ou jouer (1482) d'où ***cour de récréation***. ◆ Il n'a pas conservé après le XVIIe s. le sens de «ce qui plaît, réjouit» (v. 1370), sinon dans un style très littéraire. ◆ Par une autre extension métonymique, il se dit, surtout au pluriel, d'exercices traités d'une manière divertissante (1558), notamment en mathématiques. ◆ Du radical de *récréation* est tiré **RÉCRÉATIF, IVE** adj. (v. 1490) «délassant, détendant». ◆ L'argot des collégiens a abrégé *récréation* en **RÉCRÉ** n. f. (1878), passé dans l'usage familier.

RÉCRIER → CRIER

RÉCRIMINER v. intr. est emprunté (1543) au latin médiéval *recriminari*, composé du latin classique *re-* (→ re-), préfixe à valeur intensive, et *criminari* «accuser de manière calomnieuse», dérivé de *crimen, -inis* «accusation» (→ crime).

♦ Le mot a longtemps signifié «répondre par des accusations et des reproches à d'autres accusations». De nos jours, il est employé pour «se répandre en critiques acerbes et plaintes véhémentes» (1836).

▸ Avec son sens moderne, il a produit tardivement **RÉCRIMINATEUR, TRICE** adj. et n. (1845) «qui récrimine», ainsi que **RÉCRIMINATOIRE** adj. (1771). ◆ **RÉCRIMINATION** n. f. est emprunté (1550) au latin médiéval *recriminatio, -onis*, formé sur le supin *(recriminatum)* de *recriminari;* suivant l'évolution du verbe, le mot, d'«accusation opposée à celle de son adversaire», conservé dans une acception spécialisée comme nom d'une figure de rhétorique, est passé au sens de «reproche, revendication» (1794), surtout au pluriel.

RÉCRIRE → ÉCRIRE

RECROQUEVILLER (SE) v. tr. pron. est un mot expressif aux formes multiples *(racroquevillie, recroquillie, recoquillie)*, altération (v. 1330) de *recoquiller*, composé verbal de *coquille**. La syllabe *croque-* serait due à *croc**, le *v* à *ville*, forme ancienne de *vrille**. Plus tard, on rencontre aussi *recroquebiller* (1611), *recrobiller* (Saint-Simon) qui rappellent *recorbelées* (XIIIe s.), dérivé de *courbe**.

♦ Le mot ne s'est longtemps employé qu'au participe passé adjectivé *recroquevillé, ée*, pour qualifier une chose dont la surface se rétracte, dont les bords s'enroulent sous l'action de la sécheresse, du froid ou de la chaleur. La forme active (1627) signifie «crisper, contracter» et *se recroqueviller* «se rétracter, former des plis sous l'effet du dessèchement» (1694). ◇ Par analogie, *recroquevillé* (1886) et le pronominal (1842, au figuré) s'emploient couramment en parlant d'un corps, d'une personne qui se tasse, se replie sur elle-même.

RECONSTRUCTION ET RECONSTITUTION

La reconstruction est le procédé qui consiste à déduire, à partir de formes ou de structures attestées dans une langue, des formes ou des structures antérieures non attestées. C'est un terme utilisé par les comparatistes, c'est-à-dire par les linguistes qui étudient deux ou plusieurs langues afin d'en révéler les correspondances et d'établir ainsi la parenté génétique de ces langues entre elles. On peut parfois postuler l'existence d'une langue commune d'où sont issues les langues étudiées et, par reconstruction comparative, essayer d'en retrouver le prototype. Tel est le cas, entre autres, pour l'indoeuropéen, langue non attestée, mais dont l'hypothèse s'impose si l'on veut expliquer les nombreuses concordances précises que l'on relève entre la plupart des langues d'Europe et d'Asie. On a également appliqué la méthode de reconstruction d'une langue primitive commune à ce que l'on appelle le germanique commun, forme particulière d'un dialecte indoeuropéen et ancêtre des langues germaniques.
La technique de reconstruction consiste à élaborer des correspondances lexicales et grammaticales en se fondant en particulier sur le caractère régulier des changements phonétiques. Son principe est toujours le même : «simuler le changement et en restituer par conjecture le point de départ» (Haudry, *L'Indo-Européen,* p. 5) et sa démarche est étymologique. Qu'il s'agisse de reconstruction comparative ou interne — méthode employée surtout pour les langues isolées, comme le basque —, la reconstruction, qui vise donc à restituer des termes d'un système linguistique disparu ou le système lui-même, est une méthode fiable. Il ne faut toutefois pas perdre de vue que le système ne peut être reconstruit intégralement, car on ne peut reconstruire qu'à partir de ce qui a laissé des traces. Par ailleurs, les formes ou les structures auxquelles on aboutit relèvent de strates d'âge différent dont la chronologie est difficile sinon impossible à établir. Une tentative comme celle du comparatiste allemand A. Schleicher, qui rédige en 1862 une fable en indoeuropéen dans son *Compendium der vergleichende Grammatik der indogermanischen Sprache [Abrégé de grammaire comparée des langues indoeuropéennes],* est, de ce fait, considérée aujourd'hui comme irrecevable.
On fait actuellement une distinction entre les termes de *reconstruction* et de *reconstitution,* bien que le procédé soit identique. En effet, les états de langue conjecturés ont un degré de certitude et de fiabilité plus ou moins grand. Les formes supposées auxquelles on aboutit, marquées typographiquement par un astérisque qui les précèdent ou par un signe analogue (ici : °), n'ont pas la même valeur ni le même statut selon qu'il s'agit de l'indoeuropéen, du francique, du gaulois ou du latin populaire, langues non attestées pour certaines, partiellement attestées pour d'autres. On qualifiera, par exemple, de *reconstituée* une forme du latin populaire, d'une part parce que le latin classique dont il dérive est une langue attestée et connue, d'autre part parce que cette forme est étayée par les représentants qu'elle a laissés dans une ou plusieurs langues romanes : cette forme reconstituée est datable et s'insère dans une chronologie délimitée, au contraire d'une forme de l'indoeuropéen ou du germanique commun. On pourrait exprimer cette distinction de la manière suivante : la *reconstruction* restitue un état de langue primitif aléatoire qui comporte des éléments de diverses natures et difficilement datables; la *reconstitution* restitue un état de langue intermédiaire dont on connaît la phase antérieure ainsi que ses résultats.
On remarquera, en outre, que les formes supposées qui servent d'étymon sont elles-mêmes de nature différente : il peut d'agir d'une racine (comme c'est le cas pour l'indoeuropéen), c'est-à-dire d'une forme symbolique irréductible exprimant une notion; il peut s'agir d'un mot (pourvu d'un préfixe, d'un suffixe, etc.) ayant un sens précis.

voir **CELTIQUES** (langues), **FRANCIQUE**, **GAULOIS**, **GERMANIQUES** (langues), **INDOEUROPÉENNES** (langues).

M.-J. Brochard

BIBLIOGRAPHIE

J. HAUDRY, *L'Indo-Européen,* Paris, Que sais-je?, n° 1798, 1984 (2e éd.).

▸ **RECROQUEVILLEMENT** n. m. a été reformé tardivement d'après la forme moderne du verbe; un type *recoquillement* existait au XVIe siècle.

RECRU, ① RECRUE adj., réfection (XVIe s.) de *recreüz* (1080), *recreü* (v. 1175), est le participe passé adjectivé de l'ancien verbe *recroire* v. intr. et pron. «s'avouer vaincu, renoncer» (1080) et «se fatiguer excessivement» (XIIe s.), surtout en parlant d'un cheval. Ce dernier provient par évolution phonétique du latin médiéval *se recredere* «se rendre à merci» (IXe s.), du latin classique *re-* (→ re-) et *credere* «avoir confiance» (→ croire).

♦ L'adjectif, après avoir eu le sens de «qui s'avoue vaincu», qualifie une personne harassée, à la limite de la fatigue (v. 1175), le plus souvent dans la locution ***recru de fatigue*** (av. 1696). ◇ Par extension, ***recru de*** se trouve avec d'autres types de compléments, pour «accablé, submergé de» (1552). Richelet, en 1680, remarquait déjà son vieillissement et ajoutait : «cependant, on s'en peut encore servir quelquefois dans un style grave et un peu soutenu» ; de nos jours, le mot est littéraire, mais vivant.

RECRUDESCENCE n. f. est dérivé savamment (1810) du latin *recrudescere* «devenir plus violent», littéralement «redevenir saignant», au figuré «se raviver, se ranimer». Ce verbe est formé de *re-*, préfixe à valeur intensive et itérative (→ re-), et *crudescere* «saigner», «ne pas se digérer (d'un aliment)» et, au figuré, «devenir plus violent, plus cruel, empirer», de *crudus* «saignant, non cuit» et «cruel» (→ cru).

♦ Le mot désigne d'abord la reprise, avec une intensité accrue, des manifestations d'une maladie après une rémission, puis l'augmentation des sujets atteints, dans une épidémie (1875). ◇ Hors du domaine médical, il se dit de la brusque réapparition d'un phénomène sous une forme plus violente (1832), quelquefois avec un nom abstrait (1860).

▶ Par dérivation régressive, on en a tiré **RECRUDESCENT, ENTE** adj. (1842), d'un emploi plus littéraire.

② **RECRUE, RECRUTER** → CROÎTRE

RECTA adv. et adj. inv. est un emprunt classique (1718) au latin *recta* «tout droit, en droite ligne», adverbialisation de l'adjectif *rectus* «droit (verticalement ou horizontalement)», «régulier, juste, honnête», dérivé du supin *(rectum)* de *regere* «diriger, mener» (→ régir).

♦ Le sens d'emprunt, «directement», a disparu au profit des valeurs secondes, «ponctuellement, exactement» (1788) et «d'une façon nette» (déb. XXe s.), avec lesquelles le mot est familier. Il est adjectivé pour «net, qui inspire confiance» (fin XIXe s.), rare et littéraire à la différence du sens de «régulier, ponctuel» (attesté depuis 1947), familier.

◈ voir RECTANGLE, RECTEUR, RECTIFIER, RECTILIGNE, RECTITUDE, RECTO, RECTUM.

RECTANGLE adj. et n. m. est emprunté (1549) au latin médiéval *rectangulus* (1267), altération du bas latin *rectiangulus* «à angles droits», substantivé au neutre *rectiangulum* qui désigne le triangle rectangle, mot formé du latin classique *rectus* «droit» (→ recta) et *angulus* (→ angle).

♦ L'adjectif est employé en géométrie pour qualifier une figure ayant un ou plusieurs angles droits, notamment dans *triangle rectangle* (1549), puis *parallélogramme rectangle* (1869), *parallélépipède rectangle* (1875). Par extension, il qualifie ce qui affecte cette forme (déb. XXe s.) mais est concurrencé en ce sens par *rectangulaire*. ◆ En revanche, il est usuel comme nom masculin (1690) pour désigner un parallélogramme à angle droit ; dans l'usage courant, il désigne une figure à quatre angles droits dont les côtés sont égaux deux à deux, excluant le *carré*.

▶ De *rectangle* est dérivé, d'après le latin médiéval *rectangulus*, **RECTANGULAIRE** adj. (1571), employé en géométrie pour qualifier ce qui forme des angles droits, spécialement dans *coordonnées rectangulaires* (1845), *axes rectangulaires* (1875). Il s'est répandu dans l'usage général pour «en forme de rectangle» (av. 1845). ◇ Au figuré, il s'est dit «d'une personne qui agit avec droiture» (1834), emploi analogue à celui de *carré* mais qui est sorti d'usage. ◆ De *rectangulaire* sont dérivés **RECTANGULARITÉ** n. f. (1819), d'usage didactique, et **RECTANGULAIREMENT** adv. (XXe s.), peu usité.

① **RECTEUR** n. m., d'abord *rector* (1213) puis *recteur* (v. 1261), est emprunté au latin *rector, -oris* «celui qui régit, qui gouverne» (souvent en emploi déterminé), spécialement «gouverneur d'une province» et «précepteur, tuteur», dérivé du supin *(rectum)* de *regere* «diriger, guider, mener» (→ régir). À basse époque, le mot a désigné un supérieur ecclésiastique, le directeur de certaines maisons religieuses (IVe-Ve s.).

♦ Le mot, qui a d'abord désigné un capitaine de navire, par calque du latin *navis rector*, a repris au latin sa spécialisation dans le domaine de l'éducation, désignant d'abord le chef et le premier officier électif d'une université (1261) jusqu'à la fin de l'Ancien Régime, et, au moyen âge, un directeur d'école (v. 1270, *rectur*). ◇ De nos jours, et depuis le premier Empire (1806), il s'applique à un universitaire mis à la tête d'une des académies qui forment l'Université de France. Dans la hiérarchie ecclésiastique, il a désigné un supérieur ecclésiastique, un prélat (v. 1283), spécialement le supérieur des collèges de Jésuites (1690) et s'applique de nos jours au prêtre catholique à qui l'évêque confie la charge de certaines églises non paroissiales (1964). ◇ En Bretagne, il a gardé le sens plus ancien de «curé d'une paroisse» (XVIe s.). ◆ Le féminin *rectrice* (1558) ne s'est pas imposé, sauf au Canada, où il est en concurrence avec *recteure.*

▶ Le mot entre comme second élément de **VICE-RECTEUR** n. m. (1868). ◆ Ses dérivés ont été tirés de la forme latine *rector* : **RECTORAT** n. m. (1560), qui a supplanté *rectorerie* (v. 1350) et *rectorage*, attesté une fois en moyen français, désigne la charge de recteur et, par métonymie, le temps pendant lequel on exerce cette fonction (1636), puis les bâtiments et bureaux du recteur d'Université et de ses services (XXe s.). ◆ **RECTORAL, ALE** adj. (1588) qualifie ce qui appartient au recteur, est du recteur, aujourd'hui à propos du recteur d'une académie.
② **RECTEUR, TRICE** adj. est emprunté savamment (milieu XIVe s., Bersuire) au latin *rector* «qui dirige», du supin de *regere*. Le mot, qui signifie d'abord et en général «qui dirige», a servi à qualifier l'esprit constituant le principe des odeurs, dans l'ancien vocabulaire de la chimie (1762, *esprit recteur*). ◇ Il n'est plus employé qu'au féminin, comme adjectif et comme nom (*rectrice*, 1803) à propos des plumes de la queue des oiseaux qui dirigent le vol.

RECTIFIER v. tr. est emprunté (v. 1280) au bas latin *rectificare* «redresser», du latin classique *rectus* «droit», «juste», «exact» (→ recta) et *-ficare*, pour *facere* (→ faire).

♦ Le mot a d'abord le sens moral de «réformer, amender», sorti d'usage après le XVIIe siècle. Le sens physique et étymologique de «rendre droit» (1314) s'applique en mathématiques dans *rectifier une courbe* (1762) «en calculer la longueur, ramenée à une portion de droite». Par retour au sens figuré de *rectus* «juste, exact», le verbe correspond à «modifier l'état, la disposition, la forme de (une chose) pour la rendre conforme à ce qu'elle doit être», d'abord dans le domaine matériel (v. 1370), spécialement en alchimie (XIVe s.), puis en chimie, en navigation (1883, *rectifier la voilure*) et en mécanique, à propos d'une pièce usinée. Abstraitement, il correspond (1687) à «corriger, rendre exact (un calcul erroné, une citation fausse, etc.)». ◇ De ce sens procède celui de «faire disparaître en corrigeant» (XXe s.) d'où, en argot, au figuré, «tuer, éliminer» (1953, et d'abord en 1940, «fusiller»).

▸ *Rectifier* a produit les dérivés habituels. Le participe passé **RECTIFIÉ, ÉE** est adjectivé (v. 1560, Paré) pour ce qui a été épuré par rectification, notamment dans *alcool rectifié*. Il s'emploie aussi en chimie (1875), comme **RECTIFICATEUR, TRICE** adj. (1611) et n. m. (1829). ➙ **RECTIFIABLE** adj. (1727) qualifie d'abord en mathématiques un arc ou une courbe que l'on peut rectifier, avant de s'employer avec une valeur générale (1845). ➙ Autre dérivé savant de *rectifier*, **RECTIFICATIF, IVE** adj. et n. (1819), qualifie ce qui apporte une rectification ; il est substantivé pour désigner un document officiel rectifiant un acte précédent (attesté mil. XXe s.). ➙ Enfin *rectifier* a produit **RECTIFIEUR, EUSE** n. (1932) pour l'ouvrier qui finit les pièces métalliques, notamment à l'aide d'une machine-outil qui a reçu le nom de **RECTIFIEUSE** n. f. (1932).

RECTIFICATION n. f. est soit emprunté au bas latin, soit formé savamment (1314) sur le radical de *rectifier* par l'intermédiaire de ce bas latin *rectificatio, -onis* «redressement», du supin *(rectificatum)* de *rectificare*. ➙ D'abord employé en chirurgie, le mot désigne l'action de remettre droit, spécialement en mathématiques (1708). Il a suivi un développement analogue à celui du verbe, se disant du fait de rendre correct, exact, conforme à une norme, spécialement en droit (1835). ◇ Il avait reçu en chimie (1611) la valeur spéciale de «seconde distillation». Il se dit d'une note ou déclaration apportant une modification sur un point particulier (1907).

RECTILIGNE adj. est emprunté (v. 1370), avec adaptation d'après *ligne*, au bas latin *rectilineus* «en droite ligne», formé du latin classique *rectus* «droit, horizontalement ou verticalement» (→ recta) et *linea* (→ ligne).

♦ Le mot qualifie en géométrie une figure formée de lignes ou de segments de droite ; il est passé dans l'usage courant pour qualifier ce qui est ou a lieu en ligne droite (1796), et en physique un mouvement en ligne droite (1789). Le sens figuré, «qui ne dévie pas des principes», apparaît pendant la Révolution (1793, C. Desmoulins à propos de Billaud-Varenne) ; il est resté stylistique et rare. ➙ L'adjectif est substantivé au masculin en géométrie dans l'expression *le rectiligne d'un dièdre*.

▸ Sur le modèle *ligne-linéaire*, il a produit le mot didactique **RECTILINÉAIRE** adj. (1774), relevé chez Diderot au sens de «formé par des lignes droites», en parlant d'un espace, repris et employé (1932) en parlant d'un objectif photographique qui fournit une image géométriquement semblable à l'objet. ➙ De *rectiligne* est dérivé **RECTILIGNEMENT** adv. (1898) «d'une manière rectiligne», lui aussi didactique et rare.

RECTION n. f. a été emprunté à deux reprises, d'abord écrit *rheccion* (1503), au latin *rectio* «action de gérer, administration, gouvernement», dérivé du supin *(rectum)* de *regere* (→ régir).

♦ Le mot a été emprunté à la Renaissance au sens politique de «direction, gouvernement», d'après l'usage qu'en fait Cicéron. ➙ Les grammairiens modernes l'ont réintroduit au XXe s. en parlant de la propriété qu'a un mot de régir un complément dont la construction, le cas, sont déterminés.

RECTITUDE n. f. est emprunté (1370) au bas latin *rectitudo, -inis* «direction en droite ligne» et, au figuré, «droiture, justice», dérivé du latin classique *rectus* «droit» au propre et au figuré (→ recta).

♦ Le mot a été repris avec la valeur morale de «qualité d'une personne (et par métonymie de ses actions) qui ne dévie pas de la bonne direction, dans le domaine intellectuel ou moral». ➙ Son emploi pour désigner la qualité physique de ce qui est droit, rectiligne (v. 1560, Paré), est rare ou technique.

RECTO n. m. est l'abréviation (1663) de la locution du latin médiéval *folio recto* «sur le feuillet qui est à l'endroit», opposé à *folio verso* (→ verso). *Folio recto* est formé de l'ablatif de l'adjectif du latin classique *rectus* «droit» (→ recta) et de *folium* (→ feuille).

♦ Le mot désigne, par opposition à *verso*, la première page d'un feuillet.

RECTUM n. m. est l'abréviation (v. 1363) de la locution du bas latin médical *rectum intestinum*, elliptiquement *rectum*, désignant la portion terminale du gros intestin, littéralement «intestin droit», du latin classique *rectus* «droit» (→ recta) et *intestinum* (→ intestin).

♦ Le mot appartient au langage anatomique et médical. On rencontre encore chez Voltaire la locution francisée *intestin rectum*.

▸ Il a pour dérivé **RECTAL, ALE, AUX** adj. «relatif au rectum» (1812), et le terme médical **RECTITE** n. f. (1833) pour «inflammation du rectum».

RECUEILLIR v. tr., d'abord *recuillir* (1080) et *recoillir* (v. 1155), puis *recueillir* (v. 1188), d'après *cueillir*, est issu du latin *recolligere* «rassembler, réunir», «ressaisir, reprendre» au propre et au figuré. Ce verbe est formé de *re-* (→ re-) avec une valeur intensive, et de *colligere* «réunir» (→ cueillir). Une série savante d'emprunts à *recolligere* apparaît en moyen français (→ recolliger et dér.).

♦ Le développement du verbe a été parallèle à celui de *cueillir** et *accueillir** : l'emploi de *recueillir* a souffert de la double concurrence de *cueillir* et de *récolter.* Son emploi pour «ramasser (les produits de la terre)» (v. 1150), encore usuel en langue classique avec un complément, aussi en emploi absolu (1258), a disparu, au bénéfice de *récolter.* Cependant, *recueillir* s'emploie toujours avec un complément désignant des produits autres que végétaux (1080) et avec la valeur figurée de «retirer (un profit matériel ou moral)» (1080), dont procède un emploi ironique (v. 1360), par exemple dans *recueillir des coups;* par extension, il réalise la valeur vague d'«obtenir» (1559). ◆ Dès les premiers textes, *recueillir* exprime aussi l'idée de «réunir, rassembler (des choses éparses) en vue d'une utilisation», spécialement «réunir (des textes à inclure dans un ensemble)». Quant aux sens de «rassembler en peu de mots, résumer» (1660) et, au figuré, «rassembler en soi, concentrer» (1690), apparus en langue classique, ils sont quasiment sortis d'usage. ◆ À partir du XIIe s., le verbe exprime aussi l'action concrète de laisser entrer et séjourner dans un récipient ce qui s'échappe, se répand, coule, sens dont procède l'emploi figuré pour «noter, conserver (ce qui paraît digne d'intérêt)» (v. 1240). ◇ Avec un nom de personne ou d'animal pour complément, il ajoute à la valeur d'*accueillir* une nuance de protection, s'appliquant naturellement à des enfants orphelins, des personnes sans ressources... (1174). ◆ Le sens spécial de «recevoir en héritage» remonte à la fin du XIIe s.; il met l'accent sur l'appropriation. ◆ La forme pronominale *se recueillir,* d'abord attestée (v. 1196) au sens de «s'embarquer», a signifié au XVIe s. «s'enfermer» (v. 1530); ces acceptions ont disparu. *Se recueillir* reste vivant à l'abstrait, pour «concentrer son attention sur un sujet» (1559) et a développé au XVIIe s. une spécialisation religieuse, «pratiquer la méditation» (1683), peut-être sous l'influence du latin ecclésiastique *recolligere* et de *récollection**. L'emploi poétique ou littéraire à propos de la nature correspond au transfert romantique de la religion à une sorte de panthéisme; il se rencontre à partir de Lamartine (1820).

▶ **RECUEIL** n. m., déverbal (v. 1360), a d'abord eu le sens de «bon accueil, protection, refuge», éliminé par *accueil,* puis a servi de nom d'action au verbe pour «action de recueillir» (1559). Dans l'usage moderne, il est rare comme nom d'action *(le recueil d'éléments),* et s'emploie concrètement pour le volume réunissant des documents, des écrits reproduits et imprimés (1534), quelquefois au figuré avec la valeur de «collection» (1671). ◆ **RECUEILLI, IE,** le participe passé de *recueillir,* a été adjectivé avec les sens correspondant à ceux du verbe, qualifiant notamment ce qui se passe dans la méditation, la récollection* (1588) et aussi ce qui incite à la méditation (1820, Lamartine); s'appliquant aux êtres humains (1690), il correspond à «qui se recueille, médite». ◆ **RECUEILLEMENT** n. m., attesté au XVIIe s. (1660), désigne notamment l'action de se détacher du monde extérieur pour se concentrer sur un objet intérieur, en particulier Dieu (Bossuet). ◇ Par extension, il désigne l'attention mêlée de ferveur que l'on porte à une chose (1705), et un respect quasi religieux (1887). À côté de ce développement figuré, le sens général, «action de rassembler des choses éparses» (1762), n'a pas réussi à s'implanter.

RECULER v., est formé au XIIe s. de *re-, cul* (→ cul) et suffixe verbal.

♦ D'abord intransitif (v. 1135) au sens d'«aller en arrière», puis au figuré (v. 1209) pour «renoncer, abandonner», le verbe s'employait aussi transitivement (v. 1200, «faire aller [qqn] en arrière»). *Se reculer* est attesté depuis le XIIIe siècle. Le transitif s'est conservé à propos des objets (1690) et au figuré, pour «reporter à plus tard» (fin XIVe s.). ◇ La locution *reculer pour mieux sauter* (1536; d'abord *reculer pour le plus loin saillir,* XVe s.) fait allusion au comportement animal.

▶ Le déverbal **RECUL** n. m., d'abord attesté au figuré (*sanz recul* «sans possibilité de se dérober», XIIIe s.), est devenu usuel au concret (en artillerie, v. 1575, Montluc), dans divers emplois techniques : *recul d'échappement* (d'une horloge) [1752]. ◇ Il signifie par métonymie «position plus éloignée» (par exemple pour observer) (1893), et en sports «espace dégagé pour le jeu» (1921). ◇ Il a supplanté **RECULEMENT** n. m. (1340), qui signifiait aussi «retard» (fin XIVe s.) et par métonymie «renfoncement» (fin XVe s.), et qui a conservé des emplois techniques. ◆ **RECULADE** n. f. a vieilli pour «mouvement de recul» (1611) et s'est spécialisé au figuré (1756, d'Argenson) : «fait de céder; abandon» (souvent péjor.). ◆ **À RECULONS** loc. adv. (1178) a conservé la valeur de «par un mouvement de marche arrière», avec des emplois figurés à partir du XIVe s. (1360-1370). ◆ Le participe **RECULÉ, ÉE** adj. s'est spécialisé aux sens de «difficile d'accès» et «éloigné dans le temps» (1549 pour les deux emplois).

RÉCUPÉRER v. tr. est emprunté (fin XIIIe s.) au latin *recuperare* «rentrer en possession de (qqch.), regagner, ramener à soi», mot dont l'évolution phonétique a donné *recouvrer**.

♦ D'abord employé à la forme pronominale *se récupérer* «se réfugier», *récupérer* n'apparaît que deux siècles plus tard au sens de «rentrer en possession de (une chose)» (v. 1495). Il est d'ailleurs resté absent des dictionnaires jusqu'au XVIIIe s. (1762, Dictionnaire de l'Académie). Il semble rare encore au XIXe s. où apparaît *se récupérer* pour «se dédommager de ses pertes». Au XXe s., le verbe redevient usuel. Avec un complément tel que *santé, forces,* il est employé comme synonyme de *recouvrer,* mais d'usage plus courant (1936); il semble un peu plus ancien employé seul (1897). Dans cet usage, ou avec un complément désignant un certain temps de travail, il correspond à «remplacer (un temps de travail chômé ou perdu) par un temps de travail équivalent» (1939); avec un complément désignant un matériau, une forme d'énergie, il se dit pour «recueillir pour l'utiliser (ce qui serait perdu)» (probablement en 1940 à propos des métaux nécessaires à l'effort de guerre). La langue familière, sans idée de reprise, l'emploie au sens de «faire un gain ou une économie (considérés comme dédommagement)». ◆ L'emploi du mot avec un complément animé est d'abord familier, pour «retrouver (qqn dont on était séparé)» (1922). ◇ Plus récemment, le verbe a pris le sens de «réinsérer (qqn) dans la vie professionnelle ou sociale» (1968) et de «se concilier, s'assimiler (un adversaire politique, une idéologie, un mouvement d'opinion)» (v. 1965), le plus souvent de manière abusive ou trompeuse.

▸ *Récupérer* a d'abord produit **RÉCUPÉRABLE** adj., attesté dès le XVe s. au sens de «qui peut être récupéré», peut-être d'après le latin médiéval *recuperabilis*, mais sorti d'usage, et repris au XIXe s.; le mot se dit spécialement d'un temps de travail à remplacer par un temps équivalent et de militaires réformés susceptibles de devenir actifs (XXe s.). Cet adjectif subit l'influence de *irrécupérable*, plus ancien. ◆ Le verbe a aussi servi à former **RÉCUPÉRATEUR, TRICE** adj. et n. m. (fin XVIe s.) au sens général de «personne qui récupère», sorti d'usage après 1675 jusqu'au XIXe siècle. De nos jours, le mot s'emploie techniquement comme nom (masculin) d'une machine destinée à utiliser des résidus de matière ou d'énergie (1888) et d'un appareil destiné à emmagasiner la force vive du recul d'une arme à feu pour ramener le canon à sa position de tir après le départ du coup (1904). ◇ Le mot désigne également la personne qui recueille des machines et objets pour en réutiliser certains éléments (XXe s.). Son emploi adjectivé s'applique à un nom d'objet concret puis abstrait, dans un contexte idéologique (v. 1968). ◆ **RÉCUPÉRÉ, ÉE**, le participe passé de *récupérer*, est adjectivé à propos d'un militaire de troupe placé dans la position de réforme et qui se trouve reclassé dans le service armé (av. 1921).

RÉCUPÉRATION n. f. semble directement emprunté (1356) au dérivé latin *recuperatio, -onis* «recouvrement», mais est senti comme dérivé de *récupérer*. ◆ Le mot, rare avant la fin du XIXe s., a eu auparavant une acception astronomique, «émersion (d'un astre)» (1752). Il désigne familièrement l'action de récupérer qqch., sens réalisé spécialement en aérospatiale pour le fait de ramener un engin en bon état au sol (1963). Les spécialisations et extensions se manifestent comme celles du verbe, au XXe s. : *récupération* se dit de l'action de récupérer ce qui pourrait être inutilisé ou perdu (av. 1948), spécialement dans un contexte industriel, notamment l'industrie pétrolière (1964). Il désigne le fait de récupérer un temps de travail, et de récupérer ou d'être récupéré idéologiquement (v. 1965).

IRRÉCUPÉRABLE adj. est emprunté (1386) au latin tardif *irrecuperabilis*, de *ir-* (→ in-) et du latin classique *recuperare*, avec le suffixe *-abilis*. ◆ Le mot a d'abord le sens de «irréparable» avant de qualifier ce qui ne peut être récupéré (fin XIVe s.). ◇ Sorti d'usage, il a été repris au XXe s. pour qualifier une personne qui ne peut être incorporée dans un groupe, un parti (v. 1950). Il comporte quelquefois, par extension, la nuance familière et péjorative de «bon à rien».

RÉCURER → CURER

RÉCURRENT, ENTE adj. est emprunté (1541) au latin *recurrens, -entis*, participe présent de *recurrere* «courir en arrière», «revenir en courant», d'où au figuré «revenir». Ce verbe est formé de *re-* (→ re-) et *currere* (→ recours).

♦ L'adjectif a été repris en anatomie, en parlant d'un rameau nerveux ou artériel qui revient en arrière (*nerf récurrent*). Les autres valeurs sont tardives : avec un contenu temporel et non plus spatial, *récurrent* s'emploie en mathématiques dans *série récurrente* «série dont chaque terme est une fonction des termes immédiatement précédents» (1713), puis en médecine dans *fièvre récurrente* (1904). ◆ Par extension, il qualifie ce qui a trait au retour, à la répétition d'un état, d'une situation (av. 1922, Proust).

▸ Son dérivé **RÉCURRENCE** n. f. correspond d'abord à la spécialisation anatomique (1840); la valeur temporelle s'impose ensuite, comme pour *récurrent*, au sens de «caractère de ce qui se répète» (1867, Baudelaire) «de ce qui revient en mémoire» (fin XIXe s., Huysmans). *Récurrence* est employé en logique pour un raisonnement, dit *raisonnement par récurrence* (1902), par lequel on étend à une série une propriété de l'un des termes. Il exprime l'idée d'un retour de l'agent sur lui-même, notamment la modification qu'une connaissance fait subir à son objet (1951), et, en épistémologie, la notion selon laquelle une science et son passé doivent être appréciés d'après l'état présent de cette science. ◇ En informatique, il s'applique à la répétition d'un traitement (1975). ◇ Comme *récurrent*, le mot est didactique.

RÉCUSER v. tr. est emprunté (XIIIe s.) au latin *recusare* «repousser, refuser, protester contre, opposer une objection», de *re-* (→ re-) marquant le mouvement vers l'arrière, et de *causa* «cause, motif» et «procès» (→ cause). *Recusare*, par l'ancien verbe *reüser*, a donné *ruse**.

♦ Le mot, signalé par Bloch et Warburg sans indication de sens, a eu au XIVe s. la valeur juridique de «refuser d'accepter pour juge (une personne dont on suspecte l'impartialité)» (v. 1355, Bersuire). Par extension, il est employé au sens de «rejeter, repousser (qqn, qqch. dont on ne reconnaît pas l'autorité)» (1669, Racine). ◇ Le pronominal *se récuser* (déb. XIVe s.), d'abord attesté au sens de «refuser de se soumettre à la décision d'un juge», a pris celui de «refuser de faire acte de juge ou de témoin» (1690). Par extension, *se récuser* s'emploie dans un usage littéraire à propos de quiconque refuse d'accepter une charge, une mission, de trancher une question (1832).

▸ *Récuser* a produit **RÉCUSABLE** adj. (1529) qui qualifie en droit un témoin qui peut être récusé et, par extension, une personne, une chose dont on ne reconnaît pas l'autorité (fin XVIe s.). ◆ Le participe présent **RÉCUSANT, ANTE** est adjectivé (1611) pour qualifier, en droit, celui qui exerce un droit de récusation. ◆ **RÉCUSATION** n. f. est repris (1332) au dérivé latin *recusatio, -onis* «refus, protestation, réclamation»; c'est un terme juridique, pour «action de récuser».

IRRÉCUSABLE adj. est emprunté directement (1552) au latin *irrecusabilis*, de *ir-* (→ in-) et du dérivé bas latin *recusabilis*. Employé en droit pour qualifier une pièce ne pouvant être récusée et, ultérieurement, une personne (1778), le mot est passé dans l'usage général au sens d'«indiscutable». ◆ Il a produit **IRRÉCUSABLEMENT** adv. (1782) et **IRRÉCUSABILITÉ** n. f. (attesté XXe s.), d'usage didactique.

RECYCLER → CYCLE

RÉDACTION n. f. est emprunté (1534), pour servir de nom d'action à *rédiger**, au bas latin *redactio, -onis* «réduction» en mathématiques, dérivé du supin *redactum* de *redigere* «ramener, réduire» (→ rédiger).

♦ D'abord employé avec le sens latin, «fait de réduire, de ramener à» (1560), qui sera éliminé par *réduction*, le mot désigne ensuite, sous l'influence de *rédiger*, l'action (1534) ou la manière (1690) de rédiger un texte. Il s'est spécialisé dans le domaine de la presse et de l'édition, désignant l'activité de la personne qui rédige pour un journal (1798) et, par métonymie, l'ensemble des *rédacteurs* (ci-dessous) d'un journal, d'une publication, ainsi que le local où ils travaillent (1845). ◇ Par une autre spécialisation, celle-ci scolaire, il désigne l'exercice consistant à développer un sujet, généralement de caractère descriptif ou narratif (1858). ➜ Le mot s'applique aussi à tout service chargé de produire des textes pour la publication (ouvrages de référence, etc.) ; ce sens paraît récent (mil. XXe s.).

▶ Il a produit **RÉDACTIONNEL, ELLE** adj. (1874), «relatif à la rédaction d'un texte», qui est fréquent dans le langage du journalisme, puis de l'édition et, en publicité, dans *publicité rédactionnelle*.

RÉDACTEUR, TRICE n., plus tardif que *rédaction*, peut être considéré soit comme son dérivé, soit comme le dérivé savant du latin *redactum*, supin de *redigere*. ➜ Le mot a désigné spécialement la personne qui compile des documents juridiques, ainsi que l' «auteur de la rédaction d'un texte» (1777). Il s'est spécialisé pour désigner la personne dont le métier consiste à assurer la rédaction d'un texte, d'abord dans le cadre journalistique (1798), où il a supplanté *rédigeur* (1796). Il entre dans la locution ***rédacteur en chef*** (1825), et se dit aussi en parlant d'un fonctionnaire chargé de rédiger les pièces administratives (1869), et d'autres professionnels dans l'édition, la publicité. ◇ En parlant d'une femme, le féminin *rédactrice* est concurrencé par le masculin *rédacteur*, notamment dans le syntagme ***rédacteur en chef***, au moins en français de France, où ce syntagme est abrégé en argot de métier en *rédac chef*, valable pour les deux sexes.

REDAN → DENT

REDDITION n. f. est emprunté (1356), pour servir de nom d'action à *rendre** dans quelques-uns de ses sens, au latin impérial *redditio, -onis* «action de rendre» et «action de reprendre, de revenir sur». C'est un dérivé du supin *(redditum)* de *reddere* (→ rendre).

♦ Le mot fournit un nom pour l'action ou le fait de se rendre, de capituler. Il est beaucoup plus rare pour «action de rendre», dans la spécialisation juridique d'«acte par lequel on présente l'état de la recette et de la dépense relatif aux biens d'autrui qu'on a administrés» (fin XIVe s.). ◇ Une spécialisation technique, *reddition de voie*, désigne le fait de rendre la voie ferrée libre (1964, dans les dictionnaires généraux).

◈ voir RENDRE, RENTE.

REDÉMARRER → DÉMARRER (à AMARRER)

RÉDEMPTION n. f., doublet savant de *rançon**, est emprunté très tôt (v. 980) au latin *redemptio, -onis* «adjudication», «action de délivrer» et «rachat, rançon», spécialisé à basse époque dans la langue ecclésiastique à propos du rachat du genre humain par le sacrifice du Christ. Le mot est dérivé du supin *(redemptum)* de *redimere* «racheter» (→ rédimer).

♦ Le mot est attesté dans la *Passion du Christ* avec son sens religieux (toujours avec une majuscule), cette valeur n'étant réattestée que vers 1175. Le sens général du latin, «action de racheter», s'est spécialisé en droit (1342, *redempcion d'un droit*), sens sorti d'usage, et s'est appliqué au rachat des prisonniers (1360), notamment celui des chrétiens captifs des Infidèles par les religieux de l'ordre de Notre-Dame-de-la-Merci et de l'ordre de la Trinité (1381). ➜ Par extension, le mot est passé dans l'usage courant pour «action de favoriser le salut de qqn, de se racheter (au sens religieux ou moral)» (1541, Calvin). ➜ Par emprunt à une acception métonymique de l'espagnol *redempción*, *rédemption* a servi à nommer chacun des établissements fondés au Paraguay par les Jésuites (1781). Cf. *réduction*.

▶ **RÉDEMPTEUR, TRICE** adj. et n. est emprunté (v. 980) au latin *redemptor, -oris*, féminin *redemptrix*, «entrepreneur de travaux publics, soumissionnaire», en droit «personne qui se charge d'un procès moyennant rétribution» et «celui qui rachète (un esclave) de la servitude», employé spécialement en latin chrétien à propos du Christ. *Redemptor* est formé sur le supin de *redimere*. ➜ Le mot a été repris au latin chrétien, comme *rédemption* dans sa spécialisation religieuse (toujours avec une majuscule) qui ne semble plus employé avant le début du XIVe siècle. Au XVIe s., il s'est dit des Hébreux pouvant racheter la propriété d'un parent sans attendre le jubilé (1553). ◇ Par extension, il désigne ce qui peut racheter qqn au sens moral ou spirituel (XIXe s.), emploi littéraire et rare. ◇ Il commence à s'employer adjectivement (1803) pour qualifier ce qui opère la Rédemption, *le signe rédempteur* se disant autrefois (1828) du crucifix. Par extension, l'adjectif qualifie ce qui rachète, réhabilite (fin XIXe s., Huysmans).

Le radical du latin *redemptor* a été repris pour former **RÉDEMPTORISTE** n. m. (1829), nom des religieux de l'ordre du Très-Saint-Rédempteur, fondé en 1732 par Alphonse de Liguori. ➜ On rencontre le féminin **RÉDEMPTORISTINE** n. f. (1932) pour désigner une moniale de cet ordre.

REDENT → DENT

REDÉPLOYER → PLOYER (art. PLIER)

REDÉPOSER → POSER

REDEVOIR → DEVOIR

RÉDHIBITOIRE adj. est emprunté (XIIIe s.) au bas latin juridique *redhibitorius*, lui-même dérivé du latin classique *redhibitum*, supin de *redhibere* «faire reprendre (une chose vendue)». Ce verbe est composé de *red-*, variante de *re-* indiquant l'action en retour (→ re-) et de *habere* (→ avoir).

♦ Le mot apparaît, en droit, dans *action rédhibitoire* désignant l'action qui tend à faire prononcer l'annulation d'une vente à raison de l'existence d'un vice, appelé ***vice redhibitoire*** (1765, *Encyclopédie*). ◇ De ce dernier syntagme, l'adjectif est passé dans l'usage général pour qualifier ce qui peut motiver l'annulation d'un engagement quelconque (1690), prenant par extension la valeur de «tout à fait inacceptable» (1852).

▸ **RÉDHIBITION** n. f., emprunt (XIIIe s.) au dérivé bas latin *redhibitio, -onis*, est strictement juridique. Le mot concerne la résolution de la vente d'un objet entaché d'un vice rédhibitoire.

REDIFFUSER → DIFFUS

RÉDIGER v. tr. est emprunté (1379) au latin *redigere*, formé du préfixe *red-*, variante de *re-* (→ re-) marquant l'action en retour, et de *agere* «pousser, conduire» (→ agir). Le mot signifie «pousser pour faire revenir, ramener», «ramener à un état inférieur», «retirer de (en parlant d'argent)» et «réduire à». C'est de cette dernière idée, envisagée spécialement par rapport à un ordre, à une disposition, qu'il a développé en latin médiéval le sens de «minuter (un acte, un écrit)» (v. 871), d'où est parti le sens du français.

♦ Dès les premiers textes, le verbe signifie «mettre par écrit avec ordre et suite», valeur issue de l'idée de «réduire (un événement, une décision) à une proposition écrite brève» (1455). D'autres sens du moyen français sont plus proches du latin classique : «réduire à» (1466), «réduire (un territoire) en son pouvoir» (1573), «ranger, inclure (un objet) dans une forme ordonnée» (1690). ➝ À partir du XVIe s., une série d'acceptions concerne cependant l'écriture, signifiant «résumer par écrit» (1541), «compiler en recueil (des documents)» (1573). Dans ce domaine, la valeur principale est passée progressivement de «réduire» à «écrire, mettre en forme écrite» et, à partir du XVIIIe s., on peut dire *rédiger longuement*. ➝ Une spécialisation ultérieure, «faire les principaux articles d'un journal et en diriger la composition» (1798), était liée à *rédaction*; elle est sortie d'usage. De nos jours, *rédiger* s'emploie en journalisme, mais au sens général, souvent au passif et accompagné d'un adverbe de manière *(bien, mal rédigé)*; d'autres emplois correspondent aux extensions des substantifs *rédaction* et *rédacteur*.

RERÉDIGER v. tr. «rédiger à nouveau», bien qu'absent des dictionnaires, est en usage à côté de l'anglicisme *rewriting*, dans *faire (un, le) rewriting*.

◈ voir RÉDACTEUR, RÉDACTION.

RÉDIMER v. tr. est emprunté (fin XIVe s.) au latin *redimere* «racheter», de *red-*, variante du préfixe *re-* (→ re-) marquant l'action en retour, et *emere* «prendre» et spécialement «prendre contre de l'argent, acheter» (→ exempt). L'ancien français avait une forme issue de l'évolution orale, *raembre*, qui s'est éteinte devant la forme empruntée. *Redimere*, comme *redemptio* et *redemptor*, a pris la valeur chrétienne à basse époque.

♦ Le mot a été repris avec le sens religieux de «racheter le genre humain par son sacrifice» en parlant du Christ et en relation avec *rédemption** et *rédempteur**. Par extension, il est employé au sens de «racheter (une peine)» (1439), «sauver» en général (déb. XVe s.) dans un registre soutenu et archaïsant. ◇ Dans la seconde moitié du XVIe s., il a pris, en construction transitive et à la forme pronominale *(se rédimer)*, le sens juridique concret de «s'affranchir d'une obligation en payant une contribution en argent». *Se rédimer* a pris le sens figuré de «se racheter» (1891), propre au style littéraire.

▸ **RÉDIMÉ, ÉE**, le participe passé de *rédimer*, adjectivé (1690) avec le sens de «racheté», sorti d'usage, se dit en histoire des provinces qui s'étaient libérées de la gabelle en versant une somme définitive (1833) et des villes ou des débitants qui s'exemptent de l'exercice en assurant à l'État d'autres garanties du paiement des droits dus (1869).

◈ voir RANÇON, RÉDEMPTION.

REDINGOTE n. f. est la francisation (1725) de l'anglais *riding coat* (1507) «habit pour monter à cheval», de *riding*, participe présent de *to ride* «monter à cheval», à rattacher à la famille de *raid* (→ raid) et de *coat* «habit, manteau», lui-même emprunté au XVIe s. à l'ancien français *cote* (→ cotte). Cet emprunt, effectué par voie orale, a connu plusieurs variantes dialectales et populaires avant d'être intégré en français avec sa graphie et sa prononciation définitives. On trouve encore *reguingote* à la fin du XIXe s. (1897) et, par changement de suffixe, *reguimpette* ou *requimpette* n. f. (régional), à rattacher à *péter*.

♦ Le mot a désigné une longue veste masculine croisée, ajustée à la taille et à basques descendant jusqu'aux genoux, appelée en anglais *frock-coat* (1823). ◇ Par analogie, il a servi à désigner une robe évasée et plus ou moins appuyée à la taille (1847), quelquefois appelée *robe redingote*. De nos jours, il désigne un manteau pour dame de même style (1786), appelé en anglais *fitted-coat*, littéralement «manteau ajusté à la taille».

◈ voir ① RADE, REÎTRE.

REDONDER v. intr. est emprunté (fin XIIe s.) au latin *redundare* «déborder, être inondé de» d'où, au figuré, «être en excès, abonder en», de *red-* variante de *re-* (→ re-) marquant l'action en retour, et de *unda* «flot, vague» (→ onde).

♦ Le verbe a eu en ancien français le sens d'«abonder» (fin XIIe s. en parlant de la charité chez un prêtre). Il s'est spécialisé après *redondant* (ci-dessous) de manière à signifier «constituer une répétition superflue dans le discours» (1690), quelquefois en construction transitive indirecte *redonder de* (1798). À peu près sorti d'usage, il est senti aujourd'hui comme un dérivé de *redondant*.

▸ **REDONDANT, ANTE** adj. n'est pas dérivé du verbe français mais directement emprunté (v. 1278) au latin *redundans, -antis* «qui déborde», «superflu», adjectivation du participe présent de *redundare*. ◆ Après une attestation isolée au sens de «surabondant», le mot s'est répandu au XVIe s. pour qualifier une expression caractérisée par une abondance superflue et ce qui est superflu dans le discours (1559). En emploi déterminé, il a pris la valeur figurée d'«excessif» (1839), emploi qui s'est répandu au XXe siècle. ◆ Dans la seconde moitié du XXe s., il passe d'après l'anglais *redundant*, employé en théorie de l'information, dans la terminologie de la linguistique (1968) et de l'informatique.

REDONDANCE n. f., attesté depuis 1352 (une forme signalée au XIVe s. par Bloch et par Dauzat vient d'un autre radical), est emprunté au latin *redundantia*, dérivé de *redundans*. ◆ Le mot, avec le sens de «surabondance», s'est employé en médecine pour «surabondance d'humeur», ses emplois modernes apparaissant après ceux de *redondant* : «abondance excessive dans le discours» (1690) et, par métonymie, «partie d'un énoncé considérée comme superflue» (1762). ◇ Par anglicisme *(redundancy)* et comme *redondant*, il désigne en théorie de l'information, puis en linguistique (1964) et en informatique (1968) le concept complémentaire de celui d'information, bien distinct de la notion courante de «paroles superflues»; en effet la redondance est nécessaire à certains codes (telles les langues naturelles) pour assurer leur fonctionnement optimal.

REDOUBLER → DOUBLER

REDOUTE n. f. est, comme d'autres termes de fortification, emprunté (1569) à l'italien *ridotto* «lieu où l'on peut se retirer», spécialement «fortification fermée» (XIVe s.). C'est le participe passé substantivé de *riddure* «ramener, réduire» et, au pronominal, «se retirer», représentant le latin *reducere* (→ réduire). Le mot s'est aussi écrit *redote* (1616, D'Aubigné) et à l'italienne *ridotte*. Sa forme actuelle est due à un croisement avec *redouter**.

♦ Le mot désignait autrefois un ouvrage de fortification fermé, de forme carrée; il a aussi désigné un type de radeau protégé et armé servant à franchir de vive force les cours d'eaux (v. 1650). ◆ Par un nouvel emprunt à l'italien *ridotto* au sens de «bal public», il a désigné un endroit public où l'on dansait, où l'on donnait des fêtes (1764) et, par métonymie, une fête donnée dans ce lieu (1752); dans ces derniers sens, le mot est historique.

REDOUTER → DOUTER

REDOUX → DOUX

REDOWA n. f. est un emprunt (1846) à l'allemand *Redowa*, lui-même emprunté au tchèque *rejdovák* désignant une danse rustique de Bohême. Lui-même dérive de *rejditi*, itératif *rejdovati* «s'ébattre, gambader», ce verbe étant dérivé de *rej* «danse».

♦ Le mot, également écrit *rédowa*, désigne une danse sur un rythme à trois temps tenant de la valse et de la mazurka et, par métonymie (1869), l'air sur lequel cette danse s'exécute. Il est resté rare en français, par rapport aux emprunts analogues, tels que *mazurka*.

REDRESSER → DRESSER

RÉDUIRE v. tr. est emprunté (v. 1175), avec francisation d'après *conduire**, au latin *reducere* «ramener, reconduire», au propre et au figuré, de *re-* (→ re-) marquant le mouvement en arrière, et *ducere* «mener, conduire» (→ conduire). Le moyen français a eu un type plus proche du latin, *réducer*, aux XIVe et XVe siècles.

♦ Jusqu'au XVIe s., le sens principal de *réduire* était «ramener, rétablir (dans un lieu, un état), rapprocher»; le verbe s'employait à la forme pronominale au sens de «se retirer, se réfugier» (v. 1175), probablement d'après l'emprunt *réduit**, ainsi qu'au figuré dans la locution *réduire à mémoire de qqn* «rappeler» (1380, encore déb. XVIIe s.). Ce sens a disparu en dehors d'un usage dialectal, souvent avec la valeur de «ranger», mais se perpétue en chirurgie pour «remettre en place (un os, un organe déplacé)» (XIVe s., puis v. 1560), soutenu par le substantif *réduction* (ci-dessous). ◆ L'usage moderne du verbe se fait jour dès le moyen français et s'établit au XVIe s. : la valeur figurée de «ramener (qqn, qqch.) à un état inférieur, à un état plus simple» donne une extension pour «anéantir» (XIIIe s.), sortie d'usage. Avec un nom de personne pour complément, *réduire* s'est d'abord employé sans complément indirect au sens de «soumettre, dompter» (v. 1460), d'où en langue classique «ramener (qqn) à la raison, à l'obéissance par la force ou l'autorité» (fin XVe s.). ◇ Plus usuel avec un complément indirect (fin XVe s.), il a pris le sens d'«amener (qqn) contre sa volonté à un état de dépendance, de soumission, à une situation fâcheuse» (1538), spécialement dans *réduire qqn à l'extrémité* (v. 1580), surtout au passif *en être réduit à* (1673), *réduire qqn (au lait, au bouillon)* «l'obliger à ne consommer que...» (1690), ***réduire au silence*** (v. 1695). La préposition utilisée pour introduire le complément indirect, généralement *à* ou *en* (fin XVe s.), pouvait être *de* (1665) dans la langue classique. ◇ Aux XVIe et XVIIe s., *réduire* s'employait aussi sans idée de contrainte pour «conduire (qqn) à un certain état» (1559), sens qui survit en religion dans *réduire un clerc à l'état laïc* «le renvoyer à la vie séculière». ◆ Avec un nom de chose pour complément, le verbe s'est employé pour «limiter à» (v. 1370), «adapter, conformer à» (avec l'idée d'une difficulté à surmonter), sens vivant jusqu'au XVIIIe s., et «ramener (un objet de pensée) à une forme équivalente plus simple, plus compréhensible ou à ses éléments fondamentaux» (1538), sens resté vivant et qui a produit plusieurs spécialisations : en mathématiques *réduire une fraction* (1520), en géométrie (XVIIIe s., Buffon), en logique (1798, *réduire à l'absurde*). ◆ Avec un objet concret, *réduire* correspond à «faire passer d'un état à un autre plus simple» (1538), dans ***réduire en cendres*** (1665) et spécialement en chimie (1680), par exemple dans *réduire un oxyde*. Certains emplois (en dessin, en géométrie) correspondent à la valeur générale de «ramener (qqch.) à une quantité ou à une dimension moindre» (1538, une fois *redurre* au XVe s.), devenue le plus courant de nos jours, au propre (spécialement en art, 1690; en musique, 1870) et au figuré (*réduire son train de vie,* v. 1650). ➜ La forme pronominale *se réduire* a pris ses valeurs modernes au XVIIe s. et vaut absolument pour «se résumer» (1670). ◇ L'emploi intransitif du verbe est tardif (1808) et exprime, d'abord en cuisine, puis (1893) en chimie, en technique, le processus concret de «diminuer le volume, devenir concentré par évaporation», notamment en cuisine, surtout dans *faire réduire.*

▶ ① **RÉDUIT, UITE,** le participe passé de *réduire,* est adjectivé depuis le XVIIe siècle. Il qualifiait une personne rangée et vivant dans le recueillement, spécialement une personne soumise à son devoir, faisant preuve d'humilité (1651, Corneille). En français actuel, *réduit* qualifie un objet dont les dimensions ont été diminuées (1770), notamment dans *modèle* réduit,* s'employant parfois au figuré à propos d'une personne (1880), de sa taille. Il se dit de ce qui est inférieur en nombre à la normale (1644) et de ce qui a subi une diminution en valeur (*à prix réduits,* 1874).

RÉDUCTION n. f., réfection savante (v. 1300) de *redution* (fin XIIIe s.), est emprunté au dérivé latin *reductio, -onis* «action de ramener». Le mot, bien qu'il serve de nom d'action à *réduire*,* n'a pas conservé dans son intégralité les sens du verbe. Le sens de «rapprochement» est sorti d'usage dès le moyen français, celui de «rétablissement, retour à l'état précédent» (v. 1300) ne survit que dans sa spécialisation en chirurgie (XIVe s.). ◇ Presque tous les emplois du mot en parlant d'une personne sont sortis d'usage : «fait de soumettre par la force militaire, l'autorité» (v. 1450), «état d'épuisement, de pénurie (d'une collectivité)» (fin XVIIe s.), «gêne, état de dénuement (d'une personne)» (1718). ➜ L'emploi métonymique pour un village chrétien établi par les missionnaires au Paraguay est un emprunt (1770) à l'espagnol *reducíón*; cf. *rédemption.* ➜ En parlant d'une chose, le mot désigne le fait de diminuer, de rendre moins nombreux, plus faible, sens qui semble apparaître avant l'emploi correspondant de *réduire* (v. 1350), mais ne se répand qu'au XVIIe s.; au XXe s., *réduction* désigne par métonymie la quantité dont une chose est diminuée (1935) et, absolument, un rabais, une diminution de prix (1935), spécialement dans *réduction d'impôt* (1936). ➜ En biologie, *réduction chromatique* (1897) recouvre le mécanisme par lequel les chromosomes d'une cellule sont diminués de moitié. ➜ En relation avec *réduire, réduction* désigne l'action de changer en diminuant les proportions (1752), spécialement en géométrie (1762) et en arts. ➜ Dès l'ancien français, comme *réduire,* il se dit du fait de ramener une chose à un état plus élémentaire ou plus utilisable, d'abord en parlant d'une chose concrète (1300), d'un corps chimique (1680), puis aussi d'une construction de l'esprit (1690), avec des emplois spéciaux en mathématiques (1690), en logique (1701, *réduction à l'absurde,* calque du latin), en métrologie, en astronomie (1870), en psychologie, en cuisine (1807), lié au verbe *réduire,* intransitif, avant de se répandre dans l'usage courant avec une valeur générale au XXe s. (av. 1960, Camus).

Au XXe s., *réduction* a servi à former des dérivés didactiques. ➜ **RÉDUCTIONNEL, ELLE** adj. (1931) correspond à sa spécialisation en biologie. ➜ **RÉDUCTIONNISME** n. m. (1966), d'où est tiré **RÉDUCTIONNISTE** adj. et n., désigne la réduction systématique d'un ordre de connaissance à un autre plus formalisé et, spécialement, des mathématiques à la logique formelle (*réductionnisme logique).* ➜ *Réduction* a servi de base au composé **OXYDORÉDUCTION** n. f. (1904) désignant une réaction où un réducteur est oxydé et un oxydant est réduit (par échange d'électrons).

RÉDUCTEUR, TRICE adj. et n., attesté isolément à la Renaissance au sens de «qui ramène» (1542) et comme mot de chirurgie (v. 1560, Paré) par emprunt au dérivé latin *reductor, -oris,* a été repris comme nom (1813) et comme adjectif (1835) par dérivation savante du latin *reductum* ou de *réduire.* ➜ Le nom a d'abord désigné un appareil distillateur propre à réduire le titre de l'esprit-de-vin, et par la suite d'autres appareils et mécanismes techniques ayant pour fonction d'opérer une réduction. Puis il s'applique, comme dans son ancien emploi, à un appareil propre à réduire les luxations et fractures en chirurgie (1835). ◇ Il désigne aussi un mécanisme employé pour diminuer la vitesse d'un mouvement de rotation (1898), un appareil propre à réduire des dessins (1904, Larousse), un commutateur électrique (mil. XXe s.). ◇ Repris au XIXe s., l'adjectif, en chimie, qualifie ce qui a la propriété de ramener certains corps à un degré moindre d'oxydation (1835), supplantant dans cet emploi *réductif* (1680), d'où *un réducteur* n. m. (1904, Larousse). Le mot s'est répandu dans un usage courant pour qualifier ce qui opère une réduction (1875) et il a été repris en psychologie pour désigner, spécialement chez H. Taine, le phénomène psychique qui, en s'opposant à une représentation imaginaire, empêche qu'elle ne soit prise pour une perception (1870, Taine). ➜ L'emploi chimique a fourni le composé **OXYDORÉDUCTEUR, TRICE** adj. (1904); cf. ci-dessus *oxydoréduction.*

RÉDUCTIBLE adj. est le dérivé savant (1607) du latin *reductum,* supin de *reducere.* ➜ Formé comme terme de jurisprudence, au sens de «transformable», appliqué à une rente transformable en argent, l'adjectif a été repris à la fin du XVIIe s., subissant l'influence de *réduire* : en chimie il qualifiait ce qui est susceptible d'être réduit en chaux (1680), sens disparu, puis ce qui peut être ramené à un moindre degré d'oxydation (1812). ➜ D'après *réduire* et *réduction,* il s'emploie pour «qui peut être réduit à une forme plus simple, plus utilisable ou plus intéressante» (1690), sens spécialisé en mathématiques (1717), en géométrie et en logique. Il est passé en chirurgie après *réduire* et *réduction* à propos de ce qui peut être remis à sa place normale (1802). ◇ Enfin, il qualifie en droit ce qui peut être diminué (1804, *Code civil*). ➜ Le préfixé **IRRÉDUCTIBLE** adj. (1676) lui sert d'antonyme, d'abord dans les mêmes spécialisations en chimie, en algèbre (1690) et en chirurgie (1835). L'adjectif signifie dans l'usage général «qui ne peut être diminué» (1867, à propos d'une souscription, d'une propriété). ◇ Il se dit aussi d'une personne que l'on ne peut faire changer d'avis, correspondant à un emploi de *réduire* mais pas de *réductible*. ➜ Les deux adjectifs ont produit des noms didactiques en *-ité*, **RÉDUCTIBILITÉ** n. f. (1757) et **IRRÉDUCTIBILITÉ** n. f. (1762).

◈ voir REDOUTE, ② RÉDUIT.

◈ ② **RÉDUIT** n. m., d'abord *reduiz* (v. 1165), ne peut pas être un dérivé du verbe *réduire**, qui non seulement semble plus tardif mais dont les sens ne concordent pas avec l'idée de «lieu retiré»; il est issu du latin populaire *reductum*, neutre substantivé du latin classique *reductus* «qui est à l'écart, en retrait», «en recul» (pour un lieu, un objet), participe passé adjectivé de *reducere* «ramener» (→ réduire). Ce sens se retrouve dans l'italianisme *redoute**.

♦ Le mot désignait, encore au XVIIe s., un petit logement retiré, une retraite. Par spécialisation, il s'appliquait également à un lieu de réunion pour une société choisie (v. 1240) et, par métonymie, à la société, au cercle qui s'y réunissait (1549). ➜ Le premier sens moderne est celui de «recoin, enfoncement dans une pièce» (1580). Par extension, *réduit* désigne (1690) un local exigu, généralement sombre et peu aménagé, une petite pièce servant de lieu de travail, d'habitation. Seules ces deux valeurs sont usuelles en français contemporain. ➜ Par un développement analogue à celui de l'italien *ridotto (redoute*)*, il s'est spécialisé en fortification pour un ouvrage construit à l'intérieur d'un plus grand ou en arrière, pour assurer la retraite (1671); par analogie, il a désigné le compartiment cuirassé placé au centre des anciens bâtiments de guerre et où étaient assemblées les pièces d'artillerie principales (1890).

RÉDUPLICATION n.f. est emprunté (v. 1363, Chauliac) au bas latin *reduplicatio, -onis* «redoublement», terme de rhétorique, formé de *re-* (→ re-), préfixe à valeur itérative, et du latin impérial *duplicatio*, de *duplex* (→ double).

♦ Le mot a désigné d'abord le repli d'un organe, en anatomie. Il a été repris au XVIe s. comme terme de stylistique pour la figure consistant à répéter consécutivement certains mots (1501). Il s'emploie aussi en linguistique (1718) à propos de la répétition d'une même syllabe, d'une même lettre ou d'un mot entier. Il est passé en biologie, notamment en botanique, pour désigner le mode de dédoublement de certaines algues (1875). C'est enfin un synonyme littéraire de *redoublement* (attesté mil. XXe s.).

▶ Il a produit **RÉDUPLICATIF, IVE** adj. (1613), terme de logique qualifiant une énonciation, puis (1662) une proposition contenant une restriction pour indiquer la manière dont le sujet est considéré. Repris en grammaire (1690) où il est substantivé (1835), le mot est passé ultérieurement en botanique (1842) pour qualifier les parties d'un végétal repliées du côté extérieur, spécialement dans ***floraison réduplicative*** (1870). ➜ Un autre adjectif, **RÉDUPLIQUÉ, ÉE**, a été dérivé de *réduplication* en botanique, pour qualifier une feuille dont les deux bords s'appliquent l'un contre l'autre par la face inférieure.

✳ **RÉEL, ELLE** adj. et n., attesté en 1283 mais antérieur (le dérivé *réellement* est attesté au XIIe s.), est emprunté au bas latin *realis*, mot didactique signifiant «effectif» (IVe s.), spécialisé au moyen âge en philosophie pour «réaliste» (XIIe s.) et «qui existe par soi-même» (XIIIe s.), ainsi qu'en droit pour «relatif aux choses, aux biens» (1198-1199). *Realis* est dérivé du latin classique *res* «chose» (→ rien). Une forme *real*, moins francisée, se rencontre en ancien et moyen français.

♦ Le mot a pénétré en français à deux reprises : d'abord emprunté en droit pour qualifier ce qui est relatif aux biens, non aux personnes, il a été repris dans l'usage scolaire, puis courant, pour qualifier ce qui existe effectivement (1380, puis v. 1485). Ainsi, *réel* et ses dérivés s'opposent tantôt à *personnel* et tantôt à *apparent*. Les emplois juridiques ont presque tous survécu en droit moderne, où l'adjectif est synonyme d'*immobilier* (XVIe s., *droit réel*), *action, servitude réelle* (1680). ◇ Hors du langage juridique, le sens général est apparu, d'abord en théologie (1575) en parlant de la *présence réelle* de Dieu dans le pain et le vin de l'Eucharistie, et en philosophie, substantivé avec une valeur de neutre, *le réel* «ce qui est, existe effectivement» (av. 1662, Pascal). Il s'est répandu avec la nuance d'«authentique» (1688), d'où «notable» (1831), alors placé avant le nom qualifié. ◇ Opposé à *idéal* par les Romantiques, il a reçu des connotations spéciales au début du XIXe s. chez les historiens des idées qui en firent un synonyme de *réaliste* (1812). ◇ En musique, il qualifie des notes, des parties formant des accords accompagnant une mélodie (1870); en mathématiques, il s'applique à une quantité (1829) puis à un nombre rationnel ou irrationnel (1872) parfois opposé à *imaginaire*. L'emploi à propos d'une image formée par l'intersection de rayons lumineux et du foyer où se forme cette image apparaît au XVIIIe s. (1765). ➜ Le mot est entré dans la terminologie grammaticale (1932, *sujet réel*), en géométrie, en chimie *(gaz réels)* et en informatique (1968, *temps réel*). Dans les expressions *valeur réelle* (1807) en commerce, et *salaire réel* (1952, par oppositon à *nominal*), l'adjectif correspond à «authentique». ◇ L'usage moral qu'on en a fait à l'époque classique en parlant d'une personne qui tient ses promesses correspond à «exact, constant» (1684) et ne paraît pas avoir vécu au-delà de 1800 malgré le témoignage de dictionnaires postérieurs (encore en 1875). ➜ À la suite d'une confusion avec *reial* (→ royal), l'adjectif a désigné en alchimie une préparation pharmaceutique non identifiée, et en zoologie une espèce d'esturgeon de grande taille (cf. les *poissons royaux*) [1552].

▶ La vitalité du mot est attestée par les nombreux dérivés. ➜ L'adverbe tiré de *réel* avec les formes successives *relment* (v. 1170), *relement, reallement, reaument*, témoigne d'un passage ancien de l'adjectif dans l'usage. La forme moderne se fixe au début du XVIIe s. : **RÉELLEMENT** (1611). Le mot passe en droit dans l'expression *saisir réellement* (1680).

◆ *Réel* a produit par préfixation **IRRÉEL, ELLE** adj. (1794), qui n'entre dans les dictionnaires qu'à partir de 1840. Substantivé au masculin, l'*irréel* a valeur de neutre (1890, Courteline) comme *irréalité* (voir ci-dessous *réalité*). Spécialisé en grammaire, *irréel* qualifie et, elliptiquement, désigne un mode exprimant une action ou un état donné comme non réel (1907). ◆ L'adverbe **IRRÉELLEMENT** (1945, Gracq) est rare et littéraire. ◆ À la suite de l'introduction des termes *surréaliste, surréalisme* et *surréalité* (ci-dessous, *réalisme* et *réalité*), **SURRÉEL, ELLE** adj. (1924, Aragon) qualifie et désigne ce qui est au-delà du réel, notamment dans le contexte surréaliste.

RÉALISER v. tr. est dérivé (1495) de *réel* d'après le latin *realis.* C'est d'abord un terme de juridiction longtemps localisé au nord de la France (encore inconnu à Paris en 1605). D'abord employé pour «convertir par contrat (un capital) en prestations périodiques», il entre dans ***réaliser un contrat*** «le reconnaître pour acquérir un droit réel» (1507). Terme du Palais aux XVIIe et XVIIIe s., le verbe a disparu avec l'Ancien Régime. Par extension, il s'est spécialisé en finances et en commerce pour «convertir en argent» (v. 1719), d'où l'emploi courant et abusif au sens de «faire» qui s'impose (1835) dans *réaliser des bénéfices, des profits.* La forme pronominale *se réaliser* «s'effectuer» (av. 1742), spécialement dans la langue commerciale (1758), a pris le sens d'«accomplir pleinement sa nature, s'épanouir» (1850). ◆ Dans son sens courant, «rendre réel, effectif» (1611), *réaliser* est un verbe didactique de philosophie et s'oppose à *idéaliser.* D'abord chez les traducteurs d'anglais (1858, chez Baudelaire traduisant Poe), le verbe a pris la valeur de l'anglais *to realize* «se rendre compte avec précision, exactitude». Cette acception, répandue à la fin du XIXe s. (1895, P. Bourget) malgré de sévères condamnations (Souday, Léautaud), s'est répandue largement, y compris dans la langue littéraire (Proust l'écrit en italiques, Montherlant entre guillemets). ◆ Au XXe s., *réaliser* se dit pour «faire (un film)» (1908), puis «une émission (de radio, de télévision)». Comme *réalisation,* il s'emploie en psychanalyse (1907).

Le dérivé, **RÉALISATION** n. f., a été formé en droit (1508), spécialement dans *clause de réalisation* «clause par laquelle on exclut de la communauté matrimoniale certains biens des époux» (1692). Il désigne en finances et en commerce la vente de biens, de valeurs en vue de leur transformation en argent (1765). ◆ À la même époque, il a pris un sens aujourd'hui courant, «action de rendre réel, effectif» (1755). ◇ De là, par métonymie, *une, des réalisations* s'emploie pour une chose réalisée (1853), valeur spécialisée en écriture musicale (1865), ainsi que pour l'ensemble des opérations nécessaires à l'achèvement d'un film, d'une émission (1908), sens lié à *réalisateur* et à *réaliser.* ◇ *Réalisation* a reçu deux acceptions spécialisées en psychanalyse (1904, *réalisation d'un souhait réprimé;* 1921, *réalisation des désirs,* puis *réalisation symbolique*), et en linguistique (1972). ◆ **RÉALISABLE** adj., dérivé du verbe (1780), a le double sens de «qui peut être vendu ou escompté» en finances, et, couramment, «qui peut être rendu effectif». ◆ À son tour, il sert à former l'antonyme **IRRÉALISABLE** adj. (1831), quelquefois substantivé avec une valeur de neutre (1833, Sand). ◆ La création de **RÉALISATEUR, TRICE** adj. (1842) «personne qui rend réel, fait exister qqch.» a permis de fournir un nom de métier pour la personne chargée de mettre en images, de *réaliser* (voir ci-dessus) le scénario d'un film (1918) et, par analogie, le spécialiste assurant le montage et la direction d'une émission de radio ou de télévision (mil. XXe s.). ◆ Une série d'antonymes préfixés en *in- (ir-)* a donné **IRRÉALISÉ, ÉE** adj. (1842) et n. (1883), **IRRÉALISER** v. tr. (1905), surtout à la forme pronominale *s'irréaliser,* en philosophie et dans la langue littéraire (1914), **IRRÉALISATION** n. f. (1937) rare, et **IRRÉALISANT, ANTE** adj. (1939); ces mots restent d'un usage didactique et rare, à la différence d'*irréel.*

RÉALISME n. m. est le dérivé savant (1801) de *réel** d'après le latin *realis.* ◇ Le mot, créé en philosophie (dans un cadre kantien), désigne la position selon laquelle la réalité du monde extérieur existe indépendamment de nos efforts pour le connaître, en opposition à *idéalisme* et à *spiritualisme,* spécialement en référence aux doctrines dénommées *conceptualisme, nominalisme* (1829, pour la scolastique médiévale), *formalisme* selon les époques. ◇ Repris en art et en littérature, il s'applique à une doctrine selon laquelle l'artiste ne doit pas chercher à modifier le réel ou à en donner une représentation partielle, moralisée ou soumise à un préjugé (1826). Il désigne spécialement l'école littéraire et artistique apparue au milieu du XIXe s. en réaction contre le lyrisme romantique (1853, à propos de Courbet). Par métonymie, il a pris le sens de «qualité d'une œuvre prétendant à la représentation du réel dans ses aspects les plus crus, les plus grossiers» (1869), en concurrence avec *naturalisme**. Tout en se répandant dans l'usage courant pour la disposition à voir la réalité telle qu'elle est et à agir en conséquence (1855), il continue au XXe s. à s'employer en art : il entre dans l'expression ***réalisme socialiste*** (1933; 1932, à propos de Gorki : *son réalisme est... socialiste*), laquelle s'applique à la doctrine selon laquelle l'art doit refléter la réalité sociale et dépeindre les transformations révolutionnaires de la société, d'après les théories exposées au premier congrès des écrivains d'U. R. S. S., à Moscou en août 1934 (le syntagme *réalisme socialiste* apparaît dans un autre sens en 1889). *Nouveau réalisme* (1960, P. Restany) dénomme une réaction contre une certaine sclérose de l'art abstrait des années 1950. ◆ **RÉALISTE** adj. et n. autre dérivé savant de *réel** d'après le latin médiéval *reales* n. m. pl. opposé, dans le débat philosophique scolastique, à *nominalistes* (XIIIe s.), est attesté, longtemps avant *réalisme,* au XVIe s. (1587) à propos d'une personne professant le réalisme en philosophie, emploi dans lequel il est adjectivé beaucoup plus tard (1869). Au XIXe s., il suit le développement de *réalisme* en art (1852, dans des paroles prêtées à Courbet) et en littérature (1832), y compris avec le sens péjoratif de «qui dépeint les aspects vulgaires du réel» (av. 1872, Gautier) comme *naturaliste.* Parallèlement, il se répand dans l'usage courant, désignant (1855) et qualifiant (1856) la personne qui tient compte des réalités, des intérêts matériels; l'adjectif correspond aussi à «ce qui témoigne du sens des réalités» (1888). ◆ Plusieurs composés sont devenus usuels. **NÉO-RÉALISME** ou **NÉORÉALISME** n. m. (1891) désigne une théorie artistique ou littéraire renouvelée du réalisme, spécialement dans le domaine cinématographique (1939), notamment un courant du cinéma italien (1942). Il s'est spécialisé en philosophie (1931). ◆ **NÉO-RÉALISTE** ou **NÉORÉALISTE** adj. et n. (1869) a pris les valeurs correspondantes. ◆ D'après *irréel* (voir ci-dessus), *réalisme* a servi à former **IRRÉALISME** n. m. (1907) avec le sens général de «manque de réalisme»; spécialement employé en art à propos d'un effort pour s'exprimer sans se référer au réel et, dans l'usage courant, pour «qui ne tient pas compte de la réalité». ◆ Le nom a donné **IRRÉALISTE** adj. et n. (1927), d'abord employé dans sa spécialisation artistique, puis avec la valeur courante correspondant à *irréalisme*.

La création de **SURRÉALISTE** adj. et n. est attribuée à G. Apollinaire (1917, *Les Mamelles de Tirésias, drame surréaliste*); le mot lui aurait été suggéré par P. Albert-Birot : employé primitivement au sens de «surnaturaliste», il a pris peu après (1920) une valeur particulière en relation avec un mouvement intellectuel, artistique et littéraire issu de Dada et qui sera défini sous le terme de *surréalisme* par André Breton autour de valeurs psychanalytiques et révolutionnaires. L'adjectif s'applique surtout à la littérature et à la peinture; il est aussi substantivé (1924 : *les surréalistes*). L'école surréaliste s'étant fait connaître, le mot se banalisa au point de passer dans la langue familière pour qualifier ce qui évoque, par l'étrangeté, la bizarrerie, l'art surréaliste (1951). Il a fini par correspondre dans l'usage courant à «étrange, invraisemblable, extravagant». ◆ À sa suite, G. Apollinaire créa ou diffusa le premier **SURRÉALISME** n. m. (1917) qui lui serait venu de Chagall ou de P. Albert-Birot. Le mot, défini et illustré par A. Breton dans le *Premier manifeste du surréalisme* (1924) comme un «automatisme psychique [exprimant] le mouvement réel de la pensée», resta lié plus que *surréaliste* à la référence artistique et littéraire. ◆ Avec un suffixe verbal a été formé **SURRÉALISANT, ANTE** adj. (1936, Aragon) «qui se rapproche, tient du surréalisme» (voir ci-dessous *surréalité*).

HYPERRÉALISME n. m., emprunt (1971) à l'anglo-américain *hyperrealism*, de *hyper-* → hyper- et *realism* → réalisme, désigne une école de peinture, et en général de création plastique, qui cherche la reproduction minutieuse des apparences visibles en s'inspirant des effets (souvent peu réalistes) des procédés photographiques.

RÉALITÉ n. f., d'abord *reellité* (v. 1290), puis *realté* (XIVe s.) et *réalité* (v.1550), est emprunté, à la suite de *réel**, au latin médiéval *realitas, -atis*, dérivé de *realis* (→ réel). *Realitas* correspond à «bien, propriété» (1120) et, dans l'usage scolastique, «caractère réel de qqch., de qqn» (v. 1300, Duns Scot). ◆ Le mot, en droit, désigne un contrat rendu «réel» à fin d'hypothèque et de nantissement et, dans l'usage général, le caractère de ce qui est réel (par opposition à ce qui est personnel). ◇ Il a suivi le même développement que l'adjectif, dans la langue philosophique, puis aussi théologique, pour désigner la présence réelle de Dieu dans l'Eucharistie (1680), et en art (1762) où il a interféré momentanément avec *réalisme* qu'il a précédé. ◆ Dans l'usage courant, la locution adverbiale ***en réalité*** (v. 1320, *en réalté*) atteste un emploi fréquent dès le moyen français. ◇ L'emploi particularisant du mot *(une, des réalités)*, s'applique aux choses sensibles, par opposition à ce qui n'existe que dans l'esprit (1666). ◇ Dans l'usage courant, *la réalité* correspond à «vie réelle», par opposition au rêve, au désir, à la fiction (v. 1700), (par exemple dans : *la réalité dépasse la fiction*), et *une, des réalité(s)* désigne une chose telle qu'elle est, un fait réel (1657-1662). La psychanalyse freudienne a élaboré un concept qui lui est propre avec *principe de réalité* (1923), contemporain de *principe de plaisir, épreuve de la réalité* (1922).

L'antonyme **IRRÉALITÉ** n. f. est dérivé de *réel*, d'après l'adjectif *irréel* (1885, Maupassant). Il s'est employé avec une valeur particularisante pour une chose, un fait irréel (1903, chez Paul Janet rapportant des paroles de malades), emploi rare. ◆ **SURRÉALITÉ** n. f. fut créé (1919) d'après *surréalisme** pour désigner, chez les surréalistes, la réalité absolue, considérée comme synthèse de la réalité courante et de l'inconscient, du rêve. En dehors de cet emploi d'école, il désigne, dans un usage littéraire, ce qui va au-delà de la réalité courante.

RÉENSEMENCER → SEMER

RÉFECTION n. f., d'abord *refectiun* et *refection* (v. 1120) avant *réfection* (v. 1200), est emprunté au latin impérial *refectio, -onis* «réparation (d'un édifice)», au figuré «repos, réconfort», spécialement «action de recouvrer la santé», et aussi «nourriture, repas» (→ réfectoire). Le mot latin est dérivé de *refectum*, supin de *reficere* «refaire», de *re-* (→ re-), préfixe à valeur itérative, et *facere* (→ faire).

♦ Emprunté par l'intermédiaire de la Vulgate, au sens figuré, dans l'expression *eau de réfection* «eau régénérante qui redonne des forces», ce mot de la langue des clercs ne s'employait en ancien français que par rapport aux humains, en tant qu'individus physiques et sujets de droit, soit dans son acception générale, soit pour «action de réparer ses forces en prenant de la nourriture» (fin XIIe s.). ◇ L'extension métonymique pour «repas pris en commun» (v. 1380) est encore usitée dans les communautés religieuses, à côté de *réfectoire*. En revanche, les valeurs de «nourriture» (v. 1350) et de «lieu du repas» (au pluriel) ont disparu.

En moyen français le mot est devenu le nom d'action du verbe *refaire* (→ faire), exprimant l'action de refaire, de remettre en état (1332), spécialement dans le domaine des travaux de construction (XVe s.), en chirurgie (1877) et, abstraitement, en linguistique et en droit (1964 dans les dictionnaires généraux : *réfection d'un acte*).

▸ **RÉFECTIONNER** v. tr. (1410) «faire des réparations», employé absolument et transitivement (1415), a été repris par les dictionnaires de la seconde moitié du XIXe s. (1869), après deux siècles sans attestations. Le sens de «nourrir» (v. 1450), continué jusqu'au XVIe s. avec un changement de point de vue pour «se nourrir» (1530), a disparu malgré une reprise au XIXe s. dans le dictionnaire de Boiste (1800) et quelques autres.

RÉFECTOIRE n. m., d'abord *refeitor* (v. 1160) puis *refectoir* (fin XIIe s.) et *refectoire* (XIIIe s.), après une forme altérée *refraitur* (v. 1112), est emprunté au latin ecclésiastique médiéval *refectorium*, neutre pris substantivement de l'adjectif bas latin *refectorius* «qui répare, restaure», lui-même dérivé du supin *(refectum)* de *reficere* «refaire» (→ réfection). Le mot latin, employé dès le VIe s. pour désigner la salle à manger d'un monastère, a été emprunté par les langues romanes, subissant parfois de fortes altérations dialectales. Jusqu'au milieu du XIIe s., le mot français n'apparaît que dans des textes anglo-normands; il a dû se répandre dans la langue écrite à cette époque, avec diverses formes employées concurremment; ces formes montrent une variation sur le suffixe *(-or, -oir)* et dans le traitement du groupe *-ct-*, présentant souvent jusqu'au XVIe s. un *r* qui pourrait correspondre à l'attraction paronymique de *rafraîchir* (*refraitur, refroitoir, refreteur, refrechor, refrotour*, etc.).

♦ Le mot, désignant la salle où les membres d'une communauté prennent leur repas, s'est surtout employé jusqu'au XVIIe s. en parlant d'une communauté religieuse. Il a été étendu à des collectivités militaires (1769) et, surtout, scolaires. Cette acception est très vivante. ◇ En ancien provençal, le mot correspondant s'est employé en poésie dans le sens étendu de «couvent» (déb. XIIIe s.) et de «salle à manger dans un logis quelconque» (v. 1240).

▸ Le dérivé **RÉFECTORIER, -IÈRE** n. (1180) a désigné la personne chargée des vivres et du réfectoire dans une communauté religieuse. ◆ L'adjectif **RÉFECTORIAL, ALE, AUX** «qui concerne le réfectoire» (1836) est didactique et rare.

① **RÉFÉRENDAIRE** n. m. et adj., d'abord *referendare* (v. 1310) puis *référendaire* (fin XIVe s.), est emprunté au bas latin *referendarius*, proprement «celui qui est chargé de ce qui doit être rapporté», ayant servi depuis l'époque mérovingienne à désigner certains hauts personnages. Ce mot est dérivé du latin classique *referendus* «qui doit être rapporté», adjectif verbal de *referre* «rapporter» (→ référer).

♦ Le mot a désigné les officiers de chancellerie ayant la garde du sceau royal et des archives, sous l'Ancien Régime. Le titre a été repris sous l'Empire (*grand référendaire du Sénat impérial, de la pairie*, attesté 1835). Il a aussi désigné le juge-commissaire chargé de rapporter une affaire (1374) et, en Belgique, un magistrat et greffier auprès d'un tribunal de commerce. De nos jours, il qualifie, dans l'expression *conseiller référendaire* (1835) ou *un référendaire* (1844), le magistrat chargé de vérifier les pièces de la comptabilité publique, d'en faire un rapport et de rédiger ensuite les arrêts rendus sur ces rapports.

▸ **REFERENDUM** ou **RÉFÉRENDUM** n. m. est tiré (1781) de la locution juridique *demander (des documents) **ad referendum*** «les demander pour en rapporter à qqn» (1750), formée des mots latins *ad* (→ à) et *referendum*, accusatif du gérondif de *referre* «rapporter» (→ référer). ◆ Le mot s'est employé à la fin du XVIIIe s. pour désigner une demande de consultation à propos de procédures judiciaires. Il a été repris pour désigner le vote direct du corps électoral sur une mesure constitutionnelle ou législative (1874), seul sens usuel en français de France. ◇ Par extension, il désigne la consultation des membres d'un groupe ou d'une collectivité sur un problème, une mesure les concernant (1923, Larousse). En diplomatie, il se dit de la dépêche d'un agent diplomatique pour demander de nouvelles instructions (1859, *ad referendum*). ◇ En Suisse, il se dit du droit en vertu duquel un nombre déterminé de citoyens peuvent demander une consultation à propos d'un texte législatif émanant du Parlement communal, cantonal ou fédéral. ◆ *Référendum* a produit l'adjectif ② **RÉFÉRENDAIRE** (1967) «relatif à un référendum», à ne pas confondre avec l'homonyme (ci-dessus).

RÉFÉRER v. est emprunté (1370, Oresme) au latin *referre* «reporter, rapporter», au propre et au figuré, secondairement «raconter», «saisir» en droit, «déposer», de *re-* (→ re-) marquant le mouvement en arrière, et *ferre* «porter» (→ -fère).

♦ Aucun des emplois transitifs du verbe ne s'est maintenu, depuis le sens d'emprunt, «rapporter (une chose) à une autre», jusqu'à celui d'«annoncer» (1452), «raconter» (v. 1460). Celui de «mettre au compte de, attribuer» (1559) se rencontre encore dans un style archaïsant. ◇ En droit, *référer un serment* (1615) s'est employé pour «déférer le serment en retour à la partie qui l'avait déféré la première». ◆ La forme pronominale *se référer à* (v. 1485) exprime l'action de «s'en rapporter à qqn, à qqch. comme à une autorité, pour s'en prévaloir», et spécialement en mathématiques de «prendre pour système de référence» (1690). Dans ce dernier emploi, le pronominal subit la concurrence du transitif indirect *référer à* «renvoyer à la réalité en tant que signe» qui traduit l'anglais *to refer to* et qui, au XVIe s., a signifié «attribuer à» (1559). ◇ La construction transitive indirecte *en référer à* (1636) correspond à «s'en remettre à une autorité dont on accepte d'avance la décision».

▸ **RÉFÉRÉ** n. m. est le participe passé de *référer*, substantivé comme terme de droit, d'abord pour désigner le rapport que fait un juge sur un incident d'un procès (1690). De nos jours, il désigne la procédure d'urgence par laquelle le président du tribunal règle provisoirement un litige sans se prononcer sur le fond (1806) et, par métonymie, l'arrêt rendu selon cette procédure (1875). ◇ Il est aussi employé en droit des finances (1877) pour la lettre adressée à un ministre par la Cour des comptes afin de demander des explications sur la comptabilité des services dont il est responsable.

RÉFÉRENCE n. f. est emprunté (v. 1820) à l'anglais *reference* (1612), «renvoi à un livre pour y trouver certaines informations», lui-même de *to refer*, qui représente le latin *referre*. ◆ Le mot, d'abord attesté dans les traductions de Bentham par Dumont, a rapidement été senti comme le dérivé de *référer*. Il désigne l'action ou le moyen de se référer, de se situer par rapport à qqch., spécialement en géométrie dans l'expression *système de référence*. Par spécialisation, il désigne le fait de renvoyer à un texte, à un document faisant autorité en la matière et, par métonymie, la note, l'indication précise qui en résulte (1845), spécialement dans l'expression ***ouvrage de référence*** (1870) «destiné à être consulté». ◇ Le pluriel *références* se dit à propos des attestations ou certificats de personnes auxquelles on peut s'en rapporter pour avoir des renseignements sur qqn qui cherche un emploi (1870; 1845, pour des demandeurs d'actions). ◇ Le singulier reparaît dans un emploi figuré et métonymique où ***ce n'est pas une référence*** correspond par litote à «c'est qqn ou qqch. de médiocre». Par emprunt à l'anglais *reference* dans sa spécialisation en logique et en sémiotique, *référence* désigne en linguistique (apr. 1969) la fonction par laquelle un signe renvoie à qqch., parfois nommé **RÉFÉRENT** n. m. (1955). ➜ *Référence* a produit **RÉFÉRENCER** v. tr. (1877), terme de commerce signifiant «joindre une référence à un échantillon», surtout employé au participe passé adjectivé *référencé* (XXe s.), quelquefois altéré en *référencié* (1967). ➜ Un nom d'action correspondant, **RÉFÉRENCEMENT** n. m., est dérivé du verbe (1974). ➜ Au XXe s., *référence* a produit **RÉFÉRENTIEL, ELLE** n. m. et adj. (1953), employé en mathématiques comme synonyme de repère et, en physique, pour désigner un système de coordonnées spatio-temporelles lié à l'observateur (1953) et, plus généralement, en épistémologie (Gonseth), un système de référence. L'emploi adjectivé de *référentiel* en linguistique (1965) a subi l'influence de l'anglais *referential* «qui concerne une référence» (1660). ◇ Il a produit le composé **AUTORÉFÉRENTIEL, ELLE** adj. (v. 1970).

◈ voir **RÉFÉRENDAIRE**.

RÉFLÉCHIR v. tr., d'abord *reflekir* (fin XIIe s.), puis *reflechir* (v. 1278), est un emprunt modifié au latin *reflectere* «courber en arrière, recourber», au figuré «ramener, retourner, détourner», «reporter sa pensée sur (un objet)», de *re-* (→ re-) marquant le mouvement en arrière, et *flectere* «courber, ployer» (→ fléchir). ➜ Lors de son introduction en français, le verbe a subi l'attraction de mots apparentés, en particulier de *fléchier* (d'où *reflechier* au XVe s.), forme ancienne de *fléchir** et à l'est de la France, l'influence de *flanc** (d'où *reflenchir* en ancien bourguignon, déb. XIIIe s.). La forme participiale *reflexi* (v. 1280) témoigne peut-être de l'influence du latin *reflexus* (→ réflexe); la forme actuelle s'impose au début du XVIe siècle.

♦ Le verbe, d'abord employé au sens de «diriger l'œil, la pensée», a eu anciennement une signification concrète très générale impliquant l'idée de détourner (déb. XIIIe s., en ancien bourguignon) et de «tourner dans une direction différente» (v. 1280), *se réfléchir* s'employant spécialement en anatomie au sens étymologique de «se recourber, revenir en arrière» (1300). ➜ La spécialisation, en optique, pour «renvoyer (les rayons lumineux) dans une direction différente» (v. 1278), par laquelle on tenta de recréer sur le latin la forme *reflecter* (1530), a pris une grande importance au XVIIe s. par suite du développement de la science optique. À ce sens correspond *se réfléchir* au sens passif (1604). Par analogie, il s'est appliqué à la voix, au son que l'on répercute (1718) et, improprement, aux rayons caloriques que l'on réverbère (1935). Sous l'influence du participe passé *réfléchi, se réfléchir* est employé spécialement en grammaire (1835).

Le principal emploi figuré peut aujourd'hui être considéré comme un homonyme. Cet emploi, attesté au XVIIe s. (1672), vient de l'idée de «se recueillir par un retour de la pensée sur elle-même»; il est tributaire du sens abstrait pris par *réflexion**. Un emploi métaphorique de la forme pronominale *se réfléchir* «méditer, se recueillir» est attesté isolément en 1609. Cette valeur intellectuelle de *réfléchir* s'est répandue au XVIIIe s., au point de devenir le sens le plus vivant du mot dans l'usage actuel. Elle est réalisée en construction intransitive, par exemple dans ... *qui donne à réfléchir, qui fait réfléchir*. Elle est également réalisée en construction indirecte, avec les prépositions *sur* (1675) et *à* (1701). L'ancien emploi transitif (1735) a laissé quelques traces comme l'expression passive ***tout bien réfléchi*** (1935) et *réfléchir que* introduisant une complétive (1833).

▶ **RÉFLÉCHISSANT, ANTE** adj., le participe présent de *réfléchir*, a eu le sens de «qui a la faculté de réfléchir» (1697, Bossuet); par extension, il s'est également dit de la personne qui fait preuve de réflexion occasionnellement ou habituellement (1764, Voltaire). À la suite de *réfléchir*, l'adjectif s'emploie aussi en optique (1720). ➜ **RÉFLÉCHI, IE** adj., le participe passé de *réfléchir*, apparaît au XIIIe s. sous la forme *refleki* (v. 1280) au sens concret de «tourné sur soi-même». Il s'est répandu comme terme de grammaire, qualifiant les mots qui expriment une action retournant sur son auteur (1701, *verbe réfléchi*; 1771, *pronom réfléchi*). ➜ Au XVIIIe s. également, *réfléchi*, d'après *réfléchir* et *réflexion*, qualifie (1734) ce qui est pensé, dit ou fait après réflexion, ce qui dénote la concentration d'esprit (1751), puis (v. 1770 chez J.-J. Rousseau) une personne qui fait preuve de réflexion. ➜ Au XIXe s., par retour au sens étymologique, l'adjectif qualifie en botanique et en anatomie ce qui est recourbé par rapport à une direction générale ou normale (1803). ➜ Au sens intellectuel, *réfléchi* a servi à former le préfixé **IRRÉFLÉCHI, IE** adj. (1784) qui qualifie une personne agissant sans réflexion et (1810) un acte, une parole faite sans réflexion.

RÉFLECTIF, IVE adj., didactique, signifiant «qui résulte de la réflexion» (1803), est probablement emprunté à l'anglais *reflective* (1678). Il constitue aussi l'adjectif correspondant à *réflexe* en physiologie (1755). Il a pour dérivé **RÉFLECTIVITÉ** n. f. (1875), en physiologie et en physique, mais non en philosophie.

◈ voir **RÉFLECTEUR, REFLET, RÉFLEXE, RÉFLEXION**.

RÉFLECTEUR, TRICE n. m. et adj. est dérivé savamment (1804) du latin *reflectus*, participe passé de *reflectere* (→ réfléchir).

♦ Le mot désigne un appareil destiné à réfléchir les ondes lumineuses ou calorifiques au moyen de miroirs, de surfaces prismatiques, spécialement dans les locutions déterminées *(réflecteur d'antenne, réflecteur de neutrons)*, selon la destination du dispositif. Par extension, il se dit d'un objet qui réfléchit la lumière. Il est adjectivé (1831, *tapis réflecteur*) au sens de «réfléchissant».

▸ En est dérivé **RÉFLECTANCE** n. f., mot didactique (1953, Larousse) désignant le pouvoir réflecteur d'une surface, emprunt à l'anglais *reflectance* (1926), dérivé savant du latin *reflectere.*

REFLET n. m. est emprunté comme terme de peinture (1651, Fréart de Chambray) à l'italien *riflesso,* attesté en peinture depuis le XVIe s. (Vasari). Celui-ci est dérivé, d'après le bas latin *reflexus* «enfoncement, retour en arrière», du verbe *riflettere* «réfléchir», qui représente le latin *reflectere. Reflexus* vient du latin classique *reflexum,* supin de *reflectere* (→ réfléchir).

♦ Le mot a été repris en peinture, dans la traduction du *Trattato della Pittura* de Léonard de Vinci pour désigner la teinte lumineuse qui se joue sur des fonds différents, c'est-à-dire, selon le *Traité de la peinture* de R. de Piles (1677) «ce qui est éclairé dans les ombres par la lumière que renvoient les objets voisins et éclairés». ◇ C'est par extension, alors que de nos jours le sens pictural est senti comme une spécialisation, que *reflet* désigne la lumière réfléchie par un corps, accompagnée ou non d'une sensation de couleur (1662), le mot tendant à se substituer à *réflexion* dans son sens optique. Il désigne spécialement l'image réfléchie (1662), sens dont procède par métaphore l'emploi spécialisé en philosophie pour une représentation entièrement déterminée par le représenté. Avec cette valeur métaphorique, la *théorie du reflet* a été développée par le marxisme-léninisme. ◇ Le développement du sens figuré, «image plus ou moins affaiblie (d'une chose) dans ses traits les plus marquants», remonte au XVIIIe s., souvent avec la notion accessoire d'éclat qui rejaillit (1763).

▸ *Reflet* a produit **REFLÉTER** v. tr., d'abord enregistré (1762) en emploi intransitif en peinture, pour «renvoyer la couleur et la lumière sur l'objet et le corps voisins», sens sorti d'usage. La construction transitive a triomphé avec le sens propre de «réfléchir de façon affaiblie, plus ou moins vague», également à la forme pronominale *se refléter* (1791), et un sens figuré, «être un reflet de, présenter un reflet de» (1784). ➛ De refléter est dérivé le nom d'action **REFLÈTEMENT** n. m. (1870), littéraire et rare à côté de *reflet* et de *réflexion.*
Reflet a aussi donné l'adjectif invariable **ANTIREFLET** (v. 1960), qualifiant un dispositif diminuant les reflets parasites sur les verres, lentilles, prismes.

REFLEX adj. inv. et n. m. est un emprunt (1922, Coustet) à l'anglais *reflex* «reflet», mot spécialisé en photographie pour désigner un appareil muni d'un dispositif de visée donnant l'image exacte du sujet tel qu'il apparaîtra sur la surface sensible. Le mot anglais est emprunté au français *reflet** avec réfection de la finale d'après le latin *reflexum,* supin de *reflectere* (→ réfléchir).

RÉFLEXE adj. et n. m. est emprunté (1372) au latin *reflexus,* participe passé de *reflectere* «ramener en arrière, retourner» (→ réfléchir). Le latin médiéval a *reflexus* «mouvement réflexe» (v. 1325).

♦ Le mot a été emprunté par les physiciens, une première fois au XIVe s., puis à la Renaissance (1556) pour qualifier ce qui a lieu par réflexion. Cet emploi, ainsi que le sens abstrait, «qui marque la réflexion, est dit ou fait par réflexion» (1697), est sorti d'usage. ➛ *Réflexe* a été repris en physiologie au XIXe s. pour qualifier une activité nerveuse involontaire résultant d'une impression extérieure, spécialement dans *action réflexe* (1841), *phénomène réflexe* (1875), *arc réflexe* (XXe s.) pour l'ensemble de nerfs intervenant dans la production d'un réflexe, et *centre réflexe.* ◇ Il est substantivé (1855) avec le sens correspondant, souvent en emploi qualifié (notamment *réflexe conditionné,* 1904, traduit du russe dans l'emploi qu'en fait Pavlov). ◇ Au XXe s., le mot s'est répandu dans l'usage courant, désignant, souvent abusivement, une réaction immédiate et mécanique à une impression donnée, précédant toute réflexion et indépendante de la volonté (1928), spécialement en emploi qualifié *(réflexe professionnel, réflexe social).*

▸ Le mot a servi à former **ARÉFLEXIE** n. f. (v. 1920) «absence de réflexes», en médecine.

RÉFLEXION n. f. est emprunté (v. 1370, Oresme) au bas latin *reflexio, -onis* «action de tourner en arrière, de retourner», «reflet» (IVe s.), «méditation, connaissance de soi» (XIIIe s.), au figuré «proposition réciproque»; le nom est dérivé de *reflexum,* supin de *reflectere* (→ réfléchir).

♦ *Réflexion* correspond sémantiquement au verbe *réfléchir** : d'abord employé comme terme de mécanique, il désigne le phénomène par lequel un corps est renvoyé par un obstacle. À partir de ce sens, à côté d'un sens anatomique, «repliement sur soi-même» (XVe s.), qui a disparu, il se spécialise en optique (XIVe s.) pour le phénomène par lequel la lumière est renvoyée par un obstacle (XIVe s., *reflic-tion*). Il est ensuite étendu au même type de phénomène pour une onde sonore (1694) et, abusivement, pour un rayon calorique (1845). Le mot sert à former des syntagmes scientifiques, tel *angle de réflexion* (1690), *instruments à réflexion* (1835). ➛ Avant *réfléchir,* il a pris métaphoriquement un sens intellectuel, d'abord sous une forme altérée au XVIe s. (1532), dans *reffrection de pensee* «méditation», simple métaphore du sens concret général, puis fréquemment depuis le milieu du XVIIe s., en parlant du retour de la pensée sur elle-même en vue d'examiner et d'approfondir une donnée de la conscience spontanée (1637, Descartes), spécialement dans *faire réflexion* (1669), puis ***réflexion faite,*** *toute réflexion faite* (1788), *à la réflexion* (1870). *La réflexion* désigne la capacité de réfléchir, la qualité d'un esprit qui sait réfléchir (1669); par métonymie, *une, des réflexions* désigne une pensée exprimée par écrit ou oralement par une personne ayant réfléchi (1643). Spécialement, le pluriel *réflexions* désigne un ensemble de pensées constituant un enseignement moral. Le mot est utilisé comme titre, avec *maxime,* par La Rochefoucauld (1664). ◇ Par extension, il s'emploie pour une remarque adressée à qqn et qui le concerne personnellement, d'où, familièrement, une remarque désobligeante.

▶ Avec son acception intellectuelle, *réflexion* a produit deux dérivés : l'antonyme préfixé en *ir- (in-)* **IRRÉFLEXION** n. f. (1785) pour le manque de réflexion et, particulièrement, un acte irréfléchi, et le verbe **RÉFLEXIONNER** v. intr. (1884), rare et familier pour «exercer sa réflexion sur qqch.».

RÉFLEXIF, IVE adj. est emprunté (1611) au latin scientifique *reflexivus,* dérivé savant du latin classique *reflectere* (→ réfléchir). ◆ Le mot, formé comme terme concret de mécanique et d'optique au sens de «qui se réfléchit, relatif à la réflexion», est sorti d'usage dans cette acception. Il a pris le sens de «propre au retour de la conscience sur elle-même» en philosophie (1612), aujourd'hui dans *acte réflexif, conscience réflexive* (1943, Sartre) et, en psychologie, *analyse réflexive.* ◆ *Relation réflexive* se dit en mathématiques (XXe s.) de la relation binaire dans un ensemble telle que tout élément de cet ensemble est en relation avec lui-même et, en linguistique, d'après le sens de *réfléchi,* à propos d'une transformation remplaçant un complément nominal identique au sujet par un pronom. ◆ De *réflexif* sont dérivés **RÉFLEXIVEMENT** adv., dont la première attestation en 1551 fait supposer l'antériorité de *réflexif,* repris au XIXe s. (1846), et **RÉFLEXIVITÉ** n. f. (1857), employé spécialement en philosophie, en mathématiques, en psychologie, dans les sciences humaines.

RÉFLEXIBLE adj. est emprunté comme terme de physique (1706) à l'anglais *reflexible* «qui peut être réfléchi» (1706), dérivé de *to reflex* «réfléchir», formé sur le radical latin *reflex-* de *reflectere* (→ réfléchir, reflex). ◆ **RÉFLEXIBILITÉ** n. f. est emprunté parallèlement (1706) à l'anglais *reflexibility,* terme créé par Newton (1673) à partir de *reflexible* pour «propriété de ce qui est réflexible».

REFLUER v. intr., d'abord sous la forme *refluir* (v. 1380) précédant *refluer* (1450), est emprunté au latin *refluere* «couler en sens contraire» (de la marée), dérivé de *fluere* «couler, s'écouler» (→ flux), avec le préfixe *re-* (→ re-) marquant le retour en arrière.

♦ Le mot a gardé le sens du latin ; il se dit d'abord du mouvement de la marée (v. 1380) et, après la découverte de la circulation, de celui du sang, en médecine (1762). ◇ Il a développé un emploi figuré à propos d'une foule qui revient vers son point de départ (1788) et un emploi abstrait, à propos de pensées, de sentiments qui ressurgissent à la conscience (1752).

▶ Le dérivé **REFLUEMENT** n. m. (1877, Littré) signifie «action de refluer», et l'adjectif tiré de son participe présent **REFLUANT, ANTE** (Baudelaire) est surtout employé abstraitement à propos de ce qui remonte à la conscience.

REFLUX → FLUX

✱ **RÉFORMER** v. tr. est emprunté (1174) au latin *reformare* «rendre à sa première forme, refaire», d'où «rétablir, restaurer» et, au figuré, «corriger, améliorer», de *re-* (→ re-) marquant le retour en arrière, et *formare* (→ former).

♦ Le verbe apparaît au sens figuré de «ramener (qqn, qqch.) à une forme meilleure, à un état préférable», cette forme étant généralement conçue comme ancienne, primitive. Emprunté comme terme moral et institutionnel à la fois, il s'emploie relativement à une discipline religieuse, spécialement monastique, également à la forme pronominale *se réformer* (1665), prenant à la suite du mouvement chrétien antipapiste du XVIe s. une valeur précise (mil. XVIe s.), c'est-à-dire «modifier les règles du christianisme» (cf. ci-dessous *réformé, réforme, réformation*). Le verbe s'emploie aussi pour «ramener l'observance d'une règle qui s'est relâchée» (1690). Depuis le début du XVe s., il entre dans le vocabulaire de l'administration et du droit à propos de lois, d'institutions, de textes juridiques (1491, *réformer un testament*), spécialement d'une décision judiciaire (1657), l'idée de «restaurer l'ancien» s'effaçant au profit de celle d'«améliorer» (1636). ◆ Par extension, il prend le sens de «mettre hors service», spécialement en numismatique où il se dit pour «modifier l'empreinte d'une monnaie, en changer la valeur légale», «déclarer qu'elle n'a plus cours» (1636) et, dans l'armée, «retirer du service (ce qui est reconnu inapte)», surtout au passif (1671). En relation avec *réforme,* il correspond en politique à «modifier progressivement, sans violence».

▶ Cette répartition des sens se retrouve dans la plupart des dérivés. ◆ **RÉFORMABLE** adj. (1483), employé dans un sens juridique en moyen français, a été étendu à la valeur générale de «qui peut, qui doit être réformé» (1762). ◇ L'antonyme préfixé **IRRÉFORMABLE** adj. (1603) s'emploie spécialement à propos d'un jugement (1767). Il a pour dérivé **IRRÉFORMABILITÉ** n. f. (1752). ◆ **RÉFORMÉ, ÉE** adj., le participe passé de *réformer,* a été adjectivé lors du mouvement protestant du XVIe s. dans les syntagmes ***Église réformée*** (1546, Calvin) et ***religion réformée*** (1576), la terminologie catholique officielle de la seconde moitié du XVIIe s. parlant de *religion prétendue réformée,* expression abrégée au XVIIIe s. en *R. P. R. Un, une réformé(e),* n., désigne un protestant (1563). ◆ Depuis 1832, *réformé* désigne et qualifie une personne reconnue impropre pour le service militaire, et, par extension, le matériel, l'équipement déclaré inapte (1875).

RÉFORME n. f., déverbal (1625), possède dès le milieu du XVIIe s. les mêmes valeurs que le verbe : il désigne le rétablissement de l'ancienne discipline dans un ordre religieux (1625), le changement introduit dans la doctrine et la discipline chrétienne par les théologiens protestants du XVIe s. (1640) et, plus généralement, un changement en bien provoqué dans une situation quelconque (1640), se substituant en partie à l'emprunt *réformation* (ci-dessous) qui recule dans l'usage courant. ◇ *La Réforme,* pour désigner — sur le même plan que *Renaissance* — la période de l'histoire qui voit l'éclatement du christianisme et du pouvoir de la papauté dans le monde chrétien, est une valeur du mot développée au XIXe siècle. ◆ Le sens de «régularité des mœurs, piété» (av. 1696, La Bruyère) a disparu après l'époque classique. Dans le langage militaire, il signifie «action de retirer du service» (1671), s'appliquant aux personnes et aux chevaux (1762). ◆ La spécialisation politique remonte au dernier tiers du XIXe s. (1870), spécialement, avec une majuscule, en parlant du mouvement qui, au cours des derniers mois de la monarchie de Juillet, rassembla les membres de l'opposition désireux de modifier le système électoral. En politique, il s'oppose à *révolution* depuis le milieu du XIXe s., cf. ci-dessous *réformiste*. ◆ Dans son acception religieuse spéciale, le mot a produit **CONTRE-RÉFORME** n. f. (1914; en politique 1850) mot forgé tardivement par les historiens pour désigner la réaction du catholicisme romain, notamment des Jésuites, à la réforme protestante. Le mot s'applique à la période correspondante, notamment au XVIIe s., et sert à caractériser son art, dans les pays catholiques romains (Italie, Espagne, France). ◆ *Réforme* a aussi produit le diminutif **RÉFORMETTE** n. f. (v. 1960), dit familièrement d'une réforme politique, institutionnelle jugée superficielle, insuffisante.

RÉFORMATION n. f. est emprunté (1213) au dérivé latin *reformatio, -onis* «métamorphose», «retour aux bonnes mœurs». ◆ Le mot a précédé *réforme* dans tous les emplois réalisant l'idée d'un changement de forme constituant une amélioration, spécialement dans les domaines moral et religieux (1526). ◇ Il a reculé dans l'usage courant dès le XVIIe s. au profit de *réforme;* en revanche, il s'emploie en droit pour la modification d'un acte par une autorité supérieure (1821-1824), seul sens à n'être pas couvert par *réforme.* ◆ **RÉFORMATEUR, TRICE** n. et adj., emprunté (1327) au dérivé latin *reformator* (*reformatrix* au féminin), a été repris pour désigner le magistrat chargé par le roi de connaître les abus, avant de prendre la valeur générale «personne qui réforme» et d'être employé comme adjectif avec le sens correspondant (1580). Spécialisé en religion, comme *réformer* et *réforme,* le mot correspond à «fondateur, premier adepte de la religion protestante» (v. 1622). En psychiatrie, il se dit d'un type de malade psychotique voulant réédifier la société selon ses plans (1893). Il est entré dans le vocabulaire politique de la France, s'appliquant au partisan du mouvement créé en 1971, rapprochant des membres du parti radical et du centre démocrate.

RÉFORMISTE n. et adj. est emprunté (1834) à l'anglais *reformist,* terme créé en 1589 pour désigner les partisans de la Réforme religieuse, spécialisé en politique (1641) et devenu fréquent entre 1792 et 1830. Le mot anglais est soit dérivé de *to reform* «réformer» (XIVe s.), soit formé à partir de l'ancien français *réformer* ou du latin *reformare.* ◆ En français, *réformiste* s'est d'abord employé à propos des partisans de la réforme électorale en Angleterre, puis généralement de tout partisan des réformes politiques, également comme adjectif (1842, *banquet, pétition réformiste*). Dès 1841, il désigne spécialement le partisan de réformes politiques légales et progressives destinées à faire évoluer la société vers plus de justice sociale, en opposition à *révolutionnaire.* ◆ À la fin du XIXe s. apparaît **RÉFORMISME** n. m., qui a eu le sens général de «tendance aux réformes», puis (déb. XXe s.) s'applique à la doctrine des réformistes, par opposition à l'action révolutionnaire. ◆ **ANTIRÉFORMISTE** adj. est attesté en 1846.

REFOULER

REFOULER v., d'abord *refoler* (fin XIe s.), est le dérivé en *re-* de *fouler**.

♦ Le mot signifie d'abord (fin XIe s.) «marcher de nouveau sur qqch.» et se spécialise très tôt au sens de «refluer», «monter», en parlant de la marée (v. 1175, intr.), d'où à partir du XVIIe s. *refouler la marée, le courant* (1680) à propos d'un navire qui avance contre le courant; ces valeurs ont disparu. L'idée de pression, à laquelle se rattachent des sens anciens, «fouler de nouveau ou plus (une étoffe)» (1260), «émousser» (1538), est conservée dans les usages modernes du verbe, qui sont apparus à l'époque classique. ◇ *Refouler* s'emploie au sens de «pousser en arrière, faire refluer» dans différents contextes techniques, en artillerie pour le fait de bourrer un canon (1611), et à propos de liquides : cet emploi se rapporte au fait de déplacer un fluide dans une tuyauterie (1765) et de le faire remonter vers son point de départ par une pression (1798), mais *pompe refoulante* est relevé plus tôt (1694). ◇ Le mot a pris le sens de «comprimer» dans le travail des métaux (1832; *refouler un rivet*). ◆ Le premier emploi figuré est contemporain du préromantisme : le verbe signifie absolument «refluer, reculer» (1770) et, transitivement, «faire rentrer en soi (ce qui veut s'exprimer)» (1830), par exemple *refouler ses larmes* (fin XIXe s.). Cette valeur s'est diffusée avec la psychanalyse, pour «éliminer inconsciemment (un désir)» (1905). Par figure également, *refouler* s'emploie à propos de personnes que l'on expulse en les jugeant indésirables (1824).

▸ **REFOULÉ, ÉE** adj. et n. est un terme technique, autrefois appliqué à une étoffe (v. 1268). Au figuré, il s'est spécialisé en psychanalyse (1906), comme adjectif et comme nom (*le refoulé,* n. m.). De là vient l'emploi courant de l'adjectif, puis du nom, analogue à celui de *complexé,* pour qualifier et désigner une personne qui a refoulé ses pulsions sexuelles (1923). ◆ **REFOULEMENT** n. m., d'abord «action d'émousser» (1538), est également un terme technique désignant l'action de refouler la charge de poudre dans le canon (1611), puis des eaux ou des gaz (1771). Par l'idée d'une contrainte physique destinée à faire reculer (1823), on passe aux sens psychologique (1829) et psychanalytique (1906) répandus dans l'usage courant. ◆ Les autres dérivés, le nom d'outil **REFOULOIR** n. m. (1575), et **REFOULEUR** n. m. (1875) sont limités au vocabulaire technique.

RÉFRACTAIRE

RÉFRACTAIRE adj. et n. est emprunté (1539) au latin *refractarius* «intraitable, querelleur», de *refractum,* supin de *refringere* «briser» (→ réfringent), le sens premier étant «celui qui casse, brise». En latin médiéval, le préfixé de *fragari,* lui-même dérivé de *frangere,* est devenu transitif et a pris le sens de «contredire, réfuter, résister». *Refragare* d'où *refragatio* (charte de Dagobert, 639) ont contribué au passage de l'idée active de querelle ou d'attaque à celle de résistance, de «ce qui brise» à «ce qui ne se laisse pas briser».

♦ Le mot qualifie une personne, une collectivité qui résistent à une autorité, à une emprise. Il s'est employé en religion au XVIIIe s. (1723). Il s'est dit, sous la Révolution (attesté 1791), des prêtres qui avaient refusé de prêter serment à la Constitution civile du clergé en 1790 et, sous le Consulat et l'Empire, de ceux qui s'efforçaient d'échapper au service militaire obligatoire (1816) [on parle aujourd'hui d'*insoumis*]. Pendant l'occupation allemande (1940-1944), il a désigné en France et en Belgique ceux qui refusaient de se soumettre au service du travail obligatoire en Allemagne. Dans ces différents emplois, il est également substantivé. ➜ Il est passé dans le langage scientifique et technique au XVIIIe s. pour qualifier ce qui résiste à certaines influences physiques ou chimiques (1762), spécialement les matériaux qui ne fondent qu'à de très hautes températures (1762). En physiologie, il se dit d'un organisme qui ne réagit pas à un stimulus, en médecine d'un organisme résistant à une infection (1827), d'une maladie qui résiste aux traitements. ➜ Au figuré, l'adjectif *(réfractaire à...)* qualifie une personne incapable de goûter ou de comprendre qqch., de connaître certains sentiments (1834).

◈ voir RÉFRACTER, RÉFRACTION, REFRAIN, RÉFRANGIBLE.

RÉFRACTION n. f. est emprunté (v. 1270) au bas latin *refractio, -onis* «renvoi, renversement», spécialement «renvoi d'un rayon lumineux», du latin classique *refractum*, supin de *refringere* «briser» (→ réfringent), formé de *re-* intensif, et *frangere* (→ fraction).

♦ Le mot a été repris en physique et en optique à propos de la déviation que subit le rayon lumineux en passant d'un milieu transparent dans un autre; il s'est répandu au début du XVIIIe s. sous l'influence de l'anglais *refraction* employé par Newton, alors clairement distingué de *réflexion*, et qui donne lieu à des syntagmes tel *indice de réfraction* (1756). En astronomie, il désigne la déviation par les couches atmosphériques du rayon provenant d'un astre (1644), en acoustique le changement de direction d'une onde acoustique à cause de la variation de vitesse de cette onde dans un milieu non isotrope (mil. XXe s.); en physiologie, on parle de *réfraction oculaire*.

▶ Le dérivé **RÉFRACTIONNISTE** n. désigne le praticien mesurant la réfraction de l'œil et la corrigeant par des verres adaptés (1964 dans les dictionnaires généraux).

RÉFRACTER v. tr. est emprunté en physique (1734) à l'anglais *to refract* (1612), dérivé savamment du latin *refractum*, supin de *refringere* «briser, faire dévier un rayon lumineux» (→ réfringent). L'introduction du mot a été facilitée par le fait que le français employait déjà *réfraction**. Dans sa traduction du *Traité d'optique* de Newton, P. Coste recule encore en 1720 devant *réfracter* (il emploie le verbe *rompre*) alors qu'il emploie *réfraction*. Voltaire emploie le verbe et le substantif en 1734 et l'adjectif **RÉFRACTÉ, ÉE** en 1738. Le mot passe aussitôt en acoustique (1785, *son réfracté*), puis en médecine (1870) où une *dose réfractée* est une dose administrée par petites quantités. ➜ Le verbe a produit **RÉFRACTEUR, TRICE** adj. et n. m. (1870), nom de certaines lunettes astronomiques dont le *réfracteur interférentiel* (1892), appareil permettant de calculer les indices de réfraction au moyen de franges d'interférence.

RÉFRACTIF, IVE adj. est dérivé de *réfraction* ou emprunté (1760) à l'anglais *refractive* (1673; 1709, dans *refractive power*). Le terme de physique a vieilli au profit de *réfringent*, et *réfractif* s'est spécialisé en psychologie pour un type de test. ➜ **RÉFRACTIVITÉ** n. f. (1930), créé d'après l'anglais *refractivity* (1889), désigne la propriété spécifique d'une surface de réfraction.

◈ voir RÉFRACTAIRE, REFRAIN, RÉFRANGIBLE.

REFRAIN n. m. est la réfection (1260), d'après *refraindre*, de l'ancien substantif *refrait* «mélodie» (fin XIe s.), «répons liturgique» (v. 1112), «paroles répétées» (v. 1165), et aussi «chant des oiseaux» (XIIe s.); le mot était également écrit *refreit, refrai, refroit, reffroy* (v. 1460). *Refrait* est le participe passé substantivé de l'ancien verbe *refraindre* «briser» (v. 1138), d'où «réprimer, modérer, contenir» et, en parlant de la voix, «moduler, retentir». Ce verbe est issu d'un latin populaire °*refrangere*, réfection, d'après le latin classique *frangere* «briser» (→ fraction), du latin classique *refringere* «briser, déchirer» (→ réfringent), composé de *re-* intensif, et *frangere* (→ fraction), auquel remontent aussi l'italien *rifrangere* «rompre», l'ancien provençal *refranher* «réprimer» et aussi «moduler». Les sens de «moduler» et, pour *refrait*, de «paroles d'une chanson qui reviennent à intervalles réguliers», qui ne sont pas attestés en latin, se sont peut-être développés dans les chansons de danse, le refrain étant un élément musical qui revient régulièrement «briser» la suite du chant.

♦ Le mot est attesté avec son sens actuel dès 1260. L'extension figurée de «propos, discours» est sortie d'usage, à la différence de celle de «ce qu'une personne répète à tout propos» (1580), notamment dans ***c'est toujours le même refrain*** (1788). ➜ On rencontre chez Chateaubriand un emploi littéraire de *refrain* avec le sens étymologique de «rejaillissement des vagues qui se brisent»; ce latinisme n'a pas eu de suite.

◈ voir RÉFRACTAIRE, RÉFRACTION, RÉFRANGIBLE.

RÉFRANGIBLE adj. est emprunté (1706) à l'anglais *refrangible*, mot créé par Newton en 1673, du latin *refringere* «briser» (avec l'idée de renvoi et de force, exprimée par le préfixe *re-*, ici intensif) [→ réfraction, réfringent] avec altération de vocalisme d'après le simple *frangere* «briser» (→ fraction).

♦ Le mot sert en optique à qualifier ce qui peut être réfracté.

▶ Le nom correspondant, **RÉFRANGIBILITÉ** n. f., emprunt (1706) à l'anglais *refrangibility*, créé lui aussi par Newton (1673), désigne en physique la propriété qu'a la lumière d'être déviée par réfraction.

◈ voir RÉFRACTAIRE, RÉFRACTION, REFRAIN, RÉFRINGENT.

REFRÉNER ou **RÉFRÉNER** v. tr. est emprunté (v. 1120) au latin *refrenare* «arrêter par le frein» et, au figuré, «dompter, maîtriser, brider (qqn, qqch.)», de *re-* (→ re-) marquant l'intensité, et de *frenare* «mettre un mors, brider» de *frenum* «mors, frein», au propre et au figuré (→ frein).

♦ Le verbe a été repris avec son sens figuré, le complément désignant un inanimé ou (1160-1174) une personne.

▸ Il a produit **REFRÈNEMENT** ou **RÉFRÈNEMENT** n. m. (XIIIe s.), mot très rare avant le XIXe s., qui lui sert de nom d'action. ◆ On rencontre aussi, mais plus rarement, **REFRÉNATION** ou **RÉFRÉNATION** n. f., emprunté (XIIe s.) au dérivé latin *refrenatio, -onis* «répression».

RÉFRIGÉRER v. tr. est emprunté (1328, par le participe présent *réfrigérant*) au latin *refrigerare* «refroidir, rafraîchir», au figuré «enlever le zèle, l'ardeur de (qqn)», de *re-* (→ re-) marquant l'intensité, et de *frigerare* «rafraîchir», lui-même de *frigus, -oris* «froid, froidure» et au figuré «refroidissement» (→ froid). Le synonyme de *refrigere, refrigescere* (avec un suffixe inchoatif) a produit le galicien *arrefecer* et, avec un autre suffixe, le portugais *arrefentar*. Avant le XIVe s., le français avait tiré le substantif *refrigerie* (v. 1120), *refrigere* (v. 1190) «consolation, réconfort», emprunté au latin *refrigerium* «rafraîchissement», employé depuis Tertullien et spécialement dans la Vulgate au sens moral de «consolation». Ce mot avait développé en moyen français le sens physique de «refroidissement» avant d'être abandonné au XVIIe siècle.

♦ *Réfrigérer* signifie «abaisser la température d'un corps par une technique appropriée». Sous l'influence de *réfrigérant* (ci-dessous), il s'emploie en médecine (1560), puis en physique pour «déterminer le refroidissement» (1870). ◇ L'emploi figuré moderne de «freiner, arrêter dans son ardeur» (1883) n'est pas assimilable à l'ancien sens moral, «éteindre les ardeurs de la concupiscence» (fin XVIe s.).

▸ **RÉFRIGÉRANT, ANTE** adj. et n. m. est emprunté (1328) au participe présent latin *refrigerans* et employé depuis la Renaissance comme adjectif (1560), puis aussi comme nom (1694). Puis il qualifie en physique ce qui détermine le refroidissement (1799) et enfin prend au XXe s. la valeur psychologique de «qui refroidit le désir» (av. 1922, Proust), et de «froid, désagréable» *(un accueil réfrigérant; il est réfrigérant)*. Cf. *glacial*. ◆ **RÉFRIGÉRATION** n. f. est emprunté (1478) au latin *refrigeratio, -onis* «rafraîchissement, fraîcheur», au figuré «soulagement», du supin *(refrigeratum)* de *refrigerare*. ◇ Le mot a été introduit par les médecins pour désigner l'action de refroidir un corps et son résultat, avant d'être étendu à tout abaissement de température (1530) et de se spécialiser plus tard dans l'industrie alimentaire (1838), sens diffusé et répandu au XXe siècle. ◇ Le sens figuré de «consolation, soulagement» (v. 1520) a disparu après le XVIe siècle. ◆ **RÉFRIGÉRATEUR** n. m. semble directement tiré (1552) du verbe français, plutôt qu'emprunté avec substantivation au latin *refrigeratorius*. Ce dernier avait donné au XVIe s. **RÉFRIGÉRATOIRE** n. m. pour un récipient destiné à refroidir les corps par immersion dans l'eau froide et, au figuré, pour le soulagement. *Réfrigérateur* a d'abord eu le sens général de «ce qui rafraîchit». Au XIXe s., il désigne un appareil servant à réfrigérer, d'abord en tant que terme de sciences, un élément qui réfrigère la vapeur condensée (1857). Cet emploi du mot s'est répandu au XXe s. pour désigner l'appareil ménager, en forme d'armoire à aliments, qui a remplacé la glacière (1933), en concurrence avec l'abréviation *frigo* n. m. et le nom de marque *Frigidaire*. Il est rare dans l'usage spontané où il a donné, au figuré, *mettre au réfrigérateur* «délaisser pendant un certain temps» (1962), malgré les efforts de la firme General Motors pour limiter l'emploi de *frigidaire* aux produits de cette firme. La désignation la plus usuelle, au moins dans l'usage spontané, semble être *frigo, réfrigérateur* n'ayant pas donné lieu à abréviation et demeurant un peu didactique. Le mot sert aussi d'adjectif pour «propre à réfrigérer» (mil. XXe s.).

RÉFRINGENT, ENTE adj. est emprunté (1720) au latin *refringens, -entis,* participe présent de *refringere* «briser, enfoncer, déchirer» (→ refrain), spécialement «réfracter (un rayon de soleil)», et au figuré «abattre», de *re-* (→ re-), préfixe à valeur intensive, et de *frangere* «briser, rompre» (→ fraction).

♦ Le mot est employé en physique à propos de ce qui produit la réfraction, fait dévier les rayons lumineux. Depuis le milieu du XIXe s., il tend à éliminer *réfracteur.*

▸ Il a pour dérivé **RÉFRINGENCE** n. f. (1799) «propriété de réfracter les rayons», et les composés **BIRÉFRINGENT, ENTE** adj. (1830, écrit *bi-réfringent*), **BIRÉFRINGENCE** n. f. (1878), le préfixe *bi-* exprimant la division du rayon lumineux en deux rayons réfractés.

◈ voir RÉFRACTAIRE, RÉFRACTION, REFRAIN, RÉFRANGIBLE.

REFROIDIR → **FROID**

REFUGE n. m. est emprunté (v. 1120) au latin *refugium* «action de se retrancher», «fuite», et par métonymie «asile», de *refugere* «reculer en fuyant, s'enfuir» et «chercher asile». Le verbe latin est formé de *re-* (→ re-), marquant le mouvement à rebours, et de *fugere* «s'enfuir, se dérober» (→ fuir). L'ancien français a surtout utilisé la forme évoluée *refui* (v. 1155), relevée encore en 1655 pour «ce dont on attend le secours, la consolation», conservée plus longtemps comme terme de vénerie pour «fuite, retraite du gibier» (1803).

♦ Le premier sens est celui de «personne à qui l'on fait appel, sauveur» (d'abord en parlant de Dieu), que l'on rencontre encore dans le style littéraire, et aujourd'hui compris comme métaphore du sens moderne spatial. Le mot désigne en effet un moyen de se dérober à un danger (v. 1160) et, par métonymie, le lieu où l'on se retire momentanément pour échapper à ce danger (v. 1278); il s'est dit des villes qui avaient le droit d'asile (1690, *villes de refuge*), des asiles pour indigents (1718, *maison de refuge* ou simplement *refuge*); il s'emploie aussi à propos d'un port dans lequel un navire s'abrite de la tempête (attesté depuis 1904 dans les dictionnaires). ◆ Par analogie, *refuge* désigne un lieu où se réunissent fréquemment des personnes qui ne peuvent ou ne veulent aller ailleurs (1663), spécialement, avec les débuts des sports de montagne, un chalet installé en haute montagne pour abriter les promeneurs et alpinistes (1877). Dans l'aménagement des voies urbaines, *refuge* désigne un petit espace (analogue au trottoir) disposé au milieu de la chaussée pour permettre aux piétons d'être à l'abri des voitures lorsqu'ils traversent une rue (1875). ◆ Le sens figuré de «mauvaise excuse, prétexte» (1663), qui se rencontre quelquefois après l'époque classique, rappelle les valeurs de «recours», «ressource», vivantes en ancien et en moyen français.

▶ *Refuge* a produit **RÉFUGIER** v., d'abord attesté au participe *réfugié* (1432), puis à l'actif (XVIe s.). Le mot est surtout usité à la forme pronominale *se réfugier* (1597), au sens propre puis (1759) au figuré pour «s'évader vers un monde où l'on se sent à l'abri». L'emploi transitif *(réfugier qqn, qqch.)* [1572] a régressé après le XVIIe s. au sens propre de «mettre en lieu sûr», et de «donner asile à qqn» (1636) puis a disparu. ◆ Le participe passé **RÉFUGIÉ, ÉE** est adjectivé (1432) pour qualifier une personne qui a quitté son pays pour se soustraire à des persécutions, un danger, une condamnation. ◇ Il est substantivé avec le même sens (1573), notamment en parlant des protestants français qui durent s'exiler après la révocation de l'Édit de Nantes (1740, au pluriel). De nos jours, le nom désigne surtout une personne ayant quitté son pays pour des raisons politiques, religieuses ou raciales (sens attesté en 1832, *Bulletin des lois*).

REFUSER v. est issu (fin XIe s.) d'un latin populaire °*refusare* «repousser», croisement des verbes du latin classique *recusare* (→ récuser) et *refutare* (→ réfuter). L'hypothèse d'une dérivation de *refusus,* participe passé de *refundere* «répandre de nouveau» d'où «refouler, repousser, renvoyer», est moins satisfaisante (→ fondre). L'espagnol *rehusar* représente le même type étymologique, de même que la variante *rehuser* en ancien français (fin XIIe s.).

♦ La construction transitive directe, la première attestée, correspond à «ne pas accepter (ce qui se présente, ce qui est offert)» et «ne pas consentir à donner, à accorder (ce qui est demandé)» (v. 1155), par affaiblissement «ne pas accorder (ce qui est souhaitable)» (1580). ◇ Avec un nom de personne pour complément, l'idée est celle de «ne pas admettre (qqn), repousser la demande de» (v. 1155), spécialement à propos d'une demande en mariage (v. 1165), puis dans les locutions ***refuser un parti*** (1690), ***refuser sa fille à qqn*** (1718). ◆ Du XIIIe au XVe s., le verbe a eu d'autres valeurs, par exemple «répudier» (1350-1400) et «récuser» (1283, un juge). Avec la nuance de «renoncer à, esquiver», *refuser* s'emploie dans l'expression ***refuser le combat*** (v. 1260), employée par extension pour «ne pas accepter, ne pas assumer (une situation de fait, jugée dangereuse ou pénible)» (v. 1265). ◆ C'est, semble-t-il, beaucoup plus tard, au XVIIIe s., que *refuser* s'emploie pour «dénier (une qualité) à qqn» et «ne pas accepter (ce que l'on juge défectueux, de mauvaise qualité)» (1751, Voltaire). ◆ La construction transitive indirecte ***refuser à*** (v. 1120), usuelle en langue classique, est encore relevée au XIXe s., en termes de manège à propos d'un cheval qui ne veut pas franchir un obstacle, et dans la locution ***ne refuser à rien*** «se charger de toutes les besognes» (1798); elle a été supplantée par la construction ***refuser de,*** apparue en moyen français. ◆ L'emploi absolu, anciennement au sens de «ne pas consentir à ce qui est demandé» (v. 1160), a été repris en marine à propos du vent qui est ou devient contraire (1718), et en technique à propos d'un pieu, d'un pilotis qui cesse de pénétrer en rencontrant une résistance trop forte (1870; probablement antérieur, *refus* [ci-dessous] ayant cette valeur dès la fin du XVIIe s.). Quant au pronominal *se refuser à,* il exprime d'abord l'idée de «se soustraire, ne pas consentir» (v. 1228); il se dit d'une personne qui se prive volontairement de qqch. (1670) d'où, ironiquement, la locution ***ne rien se refuser*** (1721). En parlant d'une chose, *ne pas se refuser,* au passif, correspond à «être accordé» (1761) puis, dans l'usage familier, à «être agréable, digne d'être accepté» *(ça ne se refuse pas).* ◆ L'emploi de *se refuser,* au sens de «ne pas se donner à un homme» en parlant d'une femme, est relevé en 1890 chez Zola; il souligne le rapport d'antonymie entre *donner* et *refuser,* qui définit la valeur dominante de ce dernier en français moderne.

▶ Les dérivés apparaissent dès l'ancien français. ◆ Le déverbal **REFUS** n. m. (fin XIIe s.) a d'abord eu le sens d'«action de fuir qqn, de s'en détourner», *faire refus à qqn* signifiant «se détourner de lui» (fin XIIe s.) et *tourner à refus* «mettre en fuite». ◇ Le sens moderne, repris au verbe (1226), correspond à «fait de ne pas accorder une demande, de ne pas donner (ce qui était demandé)», puis aussi «rejet de ce qui est offert, de ce qui existe» (v. 1352), entrant dans la locution ***ce n'est pas de refus*** «accepter volontiers» (1659). ◆ L'emploi métonymique du mot pour désigner concrètement ce qui est refusé (1340), et, dans le langage amoureux classique, la personne repoussée (Corneille), a disparu. Cette métonymie a encore cours en agriculture pour les plantes non consommées par les animaux (régionalement) et en technique pour ce qui est retenu par un crible (1951). Cf. *rejet.* Par une autre métonymie, *refus* désigne le moment d'arrêt de la progression d'un pieu que l'on enfonce (av. 1683). ◆ Les autres noms d'action tirés de *refuser,* pourtant nombreux *(refusement, refusance, refuse, refusation, refusal),* sont tous sortis d'usage avant le XVIe siècle.

REFUSABLE adj. (v. 1200) est surtout employé dans des tournures négatives. ◆ **REFUSÉ, ÉE,** le participe passé de *refuser,* a été adjectivé et substantivé en parlant de celui, celle qui résiste, refuse (v. 1278) et de la personne éconduite en amour (1278). De nos jours, il sert à qualifier un élève recalé à un examen (1842) et à désigner, en histoire de l'art, un artiste dont l'œuvre ne fut pas admise dans les Salons (1863, *Salon des refusés*).

RÉFUTER v. tr., réfection (v. 1330) de *refuder* (v. 980) sous l'influence du latin, est emprunté au latin *refutare* qui signifie proprement «faire tomber en repoussant, refouler» et s'est employé en rhétorique au sens de «refuser d'admettre». Le mot est formé du préfixe *re-* (→ re-), marquant l'intensité, et d'un verbe simple archaïque °*futare,* attesté chez Festus comme une reconstruction faite sur *refutare* et *confutare,* verbe qui signifie d'abord «abattre, bouleverser, renverser», surtout employé au sens figuré de «convaincre, réduire, rejeter une thèse». Le rapprochement avec le groupe de *fundere* «verser, répandre» (→ fondre) n'est pas appuyé par le sémantisme, trop divergent; on a aussi évoqué un rapprochement avec *futuere* (→ foutre).

♦ Le mot n'a pas conservé après le XVe s. le sens général de «refuser, repousser, rejeter» avec lequel il a été emprunté. Il s'est spécialisé au sens de «montrer la fausseté des opinions de (qqn)» (v. 1330)» et, par changement de complément, «repousser (une allégation, une position) en démontrant sa fausseté» (1546) ou «en démontrant qu'elle n'est pas fondée» (1559). Au XXe s., il s'emploie également dans un style soutenu avec un nom d'inanimé pour sujet *(un argument réfute une position...).*

▸ **RÉFUTATION** n. f., emprunt (1284) au dérivé latin *refutatio, -onis,* désigne d'abord en droit le refus de réclamer, le fait de renoncer à ses droits, puis l'action de repousser une allégation, une proposition. Le mot reste rare avant la fin du XVe s., époque, où, d'après *réfuter* et par métonymie, il commence à désigner une suite de raisons, de preuves démontrant la fausseté d'une thèse alléguée (1495). Dans la rhétorique ancienne, il a pris le sens spécialisé de «partie d'un discours dans laquelle on répond aux objections» (1521). Le sens figuré (1835) de «ce qui s'inscrit en faux contre, oppose un démenti à» (d'un événement, d'une attitude) est didactique. ◆ **RÉFUTABLE** adj., emprunté (1552) au dérivé bas latin *refutabilis* (Ambrosius), signifie «qui peut être réfuté». Il est peu attesté avant le XIXe siècle. ◆ En revanche, l'antonyme **IRRÉFUTABLE** adj. (av. 1747, Vauvenargues), fait sur *réfutable* d'après le bas latin *irrefutabilis,* est usuel, signifiant par affaiblissement «certain, indiscutable», et produisant **IRRÉFUTABLEMENT** adv. (1845) et **IRRÉFUTABILITÉ** n. f. (1846), avant que *réfutable* ne donne naissance à **RÉFUTABILITÉ** n. f. seulement attesté au XXe s. dans le langage didactique.

RÉFUTATEUR, TRICE n. est emprunté (XVIIe s., Bossuet) au dérivé latin tardif *refutator* pour «personne qui réfute». Il est rare.

◈ voir REFUSER.

REG n. m. est emprunté (1923) à l'arabe *ruqq* «désert rocheux d'où les parties fines ont été enlevées par le vent», probablement par l'anglais *reg* (1904). Le mot n'a rien à voir avec *erg.*

♦ Ce terme de géomorphologie désigne une étendue désertique rocheuse et plate.

① **REGAIN** → GAGNER

② **REGAIN** n. m., d'abord *regaïn* (v. 1174), est formé du préfixe *re-,* pris dans sa valeur itérative, et de l'ancien substantif *gaïn* «herbe du pâturage» (XIIIe s.), encore usité dans les patois de l'Est et du Nord-Est. Celui-ci, distinct de *gaaing* (→ gagner), représente une forme de latin gallo-roman °*waidimen,* dérivée d'un francique °*waiđa* que permet de restituer l'ancien haut allemand *weida* «prairie, fourrage» (→ gagner). Le *m* étymologique du germanique s'est conservé dans l'adjectif *(prez) guimaulx,* employé au XVIe s. par Rabelais. Le préfixe *re-* s'explique par le fait que le regain est une seconde coupe : la plupart des termes qui le désignent dans les patois commencent par *re- : revivre* dans le Sud-Est, *recor,* issu du latin *chordum (fenum)* dans la région franco-provençale, *refoin,* de *foin* dans le Sud-Ouest.

♦ Le mot désigne l'herbe qui repousse dans une prairie naturelle ou artificielle après la première coupe. Il est parfois compris comme exprimant l'idée de «regagner, repousser».

RÉGAL n. m., d'abord *rigale* (1310), *rigalle* (v. 1480), puis *regalle* (encore chez Molière) avant *régal,* est en général considéré comme dérivé, avec le sens ancien de «bruit joyeux», de l'ancien français *gale* «réjouissance, plaisir, amusement» (→ gala, galant). *Rigale* aurait, dans cette hypothèse, emprunté son premier élément à l'ancien français *rigoler** «se divertir», ce qui a été facilité par l'identité de son et de sens; le préfixe *ri-* aurait ensuite été remplacé par *ré-**, beaucoup plus fréquent. P. Guiraud, partant du fait que le mot est commun à toutes les langues romanes, préfère y voir une forme substantivée de l'ancien adjectif *régal* (→ régale), doublet savant de *royal**, emprunt archaïque au latin, largement attesté en ancien français et dans les autres langues romanes; on rencontre d'autres emplois substantivés de *regal* pour «vêtement royal» (v. 1225), et, au féminin *regale,* «investiture royale, fief royal». Dans cette hypothèse, *régal* aurait désigné à l'origine un cadeau, une fête, une réjouissance royale. Cependant, P. Guiraud admet un croisement avec *rigale* «bruit joyeux» qui serait alors un mot différent, ou avec le provençal *galet* «gosier» et «goulot de bouteille», à l'origine de l'expression *boire à la régalade* (ci-dessous).

♦ En moyen français et jusqu'au XVIIe s., le mot désignait une fête de plaisir, un repas somptueux offert en l'honneur de qqn, et par extension dans la langue classique, un présent (1638), une gratification (1690, antérieurement sous la graphie *régale* aux deux genres, XVIIe s.). Ce sens, disparu en français, est vivant dans l'italien *regalo.* On peut comparer cet emploi à celui de *cadeau**. ◆ Le sens figuré actuel de «joie, grand plaisir» (1666) procède probablement du sens primitif plutôt que de la spécialisation moderne pour désigner le mets préféré de qqn (1690).

▸ Le mot a servi à former **RÉGALER** v. tr. (1507), après que sa forme ancienne *rigale* a donné *rigalir* «festoyer» (v. 1370). Le verbe a suivi le même développement que le nom, passant de «donner un divertissement à (qqn)», par suite «faire plaisir» (spécialement par antiphrase, 1648), à «offrir un festin à (qqn)» (1671) et familièrement «offrir à boire ou à manger» (1708). ◇ La forme pronominale *se régaler* (1611) signifie «manger avec grand plaisir ce qu'on aime». Au XIXe s., elle exprime, au figuré, l'idée de

«se donner du plaisir» (1820) et au XXe s., par extension familière, «faire une excellente affaire».
RÉGALADE n. f. (1719), s'il a assurément subi l'influence de *régaler*, provient vraisemblablement du mot régional *galade, galet* «gosier», du latin *galla*, employé dans la locution ***boire au galet*** «boire en renversant la tête en arrière et en faisant couler le liquide dans son gosier sans toucher le récipient de ses lèvres». *Régalade* a ensuite servi de nom d'action à *régaler* (1808).
On rencontre encore quelquefois l'adjectif **RÉGALANT, ANTE**, tiré du participe présent de *régaler* (v. 1780) au sens d'«agréable, divertissant», surtout régionalement et dans des phrases négatives exprimant une déception, un ennui.
◈ voir **RÉGALE** (hypothèse de P. Guiraud).

RÉGALE n. f., anciennement *regaile* (1147) et *regaille* (v. 1160) puis *régale* (fin XIIe s.), est l'adaptation du latin médiéval *regalia* (sous-entendu *jura*) «droits royaux», formé des neutres pluriels de l'adjectif *regalis* «royal» (→ royal) et *jus* «droit» (→ juridique) avec substantivation de l'adjectif pris pour un féminin singulier.

♦ Ce terme juridique ancien désigne un droit considéré comme inhérent à la monarchie, et spécialement le droit du roi de percevoir les revenus des évêchés vacants (v. 1245), par exemple dans *régale temporelle*, et de pourvoir pendant ce temps aux bénéfices qui en dépendent *(régale spirituelle)*.

▸ De *régale* est dérivé **RÉGALISTE** n. m. (1567), dit en droit ancien de celui qui avait un bénéfice en régale. ◆ **RÉGALIEN, IENNE** adj. est un dérivé savant (1413) du latin *regalis* «du roi» (→ royal). En droit ancien, le mot servait de doublet spécialisé à *royal* pour qualifier ce qui est afférent à l'exercice de la souveraineté, ce qui appartient au roi. Le langage politique moderne l'emploie à propos d'un pouvoir absolu, sans contrôle démocratique.
◈ voir **RÉGALER** (hypothèse de P. Guiraud), **RÉGENT, RÉGIR**.

REGARDER v. est dérivé (1080) de *garder** qui avait la valeur d'«avoir l'œil sur, regarder», avec le préfixe *re-** indiquant à la fois le mouvement en arrière, en retour et la réitération. À une époque antérieure, on rencontre la forme *reswarder* (v. 980) d'où *resgarder* (v. 1175), mais celle-ci est dérivée par préfixation de l'ancien verbe *eswarder, esgarder, égarder* (v. 980) de même sens, lui-même dérivé de *garder* (→ égard). D'autres préfixés de *garder* exprimaient la même notion, tels *agarder*, et, avec une insistance sur le fait d'observer, *engarder, surgarder, pourgarder*. *Regarder* les a tous supplantés.

♦ Le verbe signifie «diriger sa vue sur (qqn, qqch.)» (1080). Une riche phraséologie précise la valeur psychologique de cet acte, responsable d'effets de sens figurés : ***regarder*** (qqn) ***en face*** (fin XVe s.) marque en français moderne la franchise et *regarder les choses en face* (1875) la lucidité, tandis que ***regarder (qqn) en dessous*** (1870) dit la dissimulation ; ***regarder de haut en bas*** «toiser» (1690) est souvent porteur d'une valeur de mépris (1663), surtout réalisée dans la forme abrégée *regarder de haut*. ***Regarder de travers*** (1671) s'oppose à des locutions comme ***regarder d'un bon œil*** (1870). La valeur de «regarder avec bienveillance» était autrefois assumée par *regarder* employé seul. ***Regarder (qqn) sous le nez*** (1690), de nos jours familier, correspond à «regarder avec insolence, pour provoquer». ◆ Dès l'ancien français, *regarder* se charge d'une signification intellectuelle ou morale : il exprime le fait de prendre qqch. en considération, d'accorder toute son attention, à la fois dans la construction indirecte *regarder à* (v. 1120) et transitivement (1188). À ce sens se rattachent ***y regarder de près*** (1622), ***y regarder à deux fois*** (av. 1778), ***ne pas y regarder de trop près. Regarder à la dépense*** (1559) «être économe jusqu'à l'avarice» (cf. *regardant*), donne au verbe la valeur d'«économiser». ◆ *Regarder* exprime le fait de considérer avec une certaine disposition d'esprit (v. 1250), spécialement dans *regarder en pitié* (fin XVe s.) «considérer avec compassion» et, en parlant de Dieu, «manifester sa miséricorde pour (qqn)» (1685, Bossuet). *Regarder qqn*, avec un nom de chose pour sujet, équivaut à «concerner» (v. 1190), d'où la locution familière moderne ***mêlez-vous de ce qui vous regarde*** (XXe s.). ◆ ***Regarder comme***, avec un attribut (1642), correspond à «tenir pour», et a supplanté les constructions concurrentes *regarder en* (1661) et *regarder pour* (1732), disparues au XIXe siècle. ◆ Par extension du sens de «diriger son regard vers», on est passé à celui d'«être orienté, tourné vers» avec un sujet désignant une chose (déb. XIVe s.) et un complément introduit directement ou (av. 1549) par une préposition *(à, vers)*. ◆ Le pronominal ***se regarder***, en ancien français «regarder autour de soi» (v. 1118), s'est répandu pour «se considérer (dans un miroir)» (v. 1480) et, avec une valeur réciproque «s'observer l'un l'autre» (1690). Il s'est chargé de la valeur réflexive de «se juger» (1611), parfois avec l'idée d'une satisfaction vaniteuse (1538, «être suffisant»). *Se regarder comme* (1675) fait écho au transitif au sens de «se tenir pour». Le mot assume aussi l'idée de «se faire face, être vis-à-vis» (1690), spécialement en astrologie en parlant de deux astres (1690).

▸ Le déverbal **REGARD** n. m. (v. 980, *regart*) exprime l'action de la vue fixée sur un objet et, en emploi qualifié, la manière de regarder : on appelait *mauvais regard* (v. 1196) le mauvais œil. ◆ Par abstraction, le mot correspond à «attention» (v. 1120) et «inspection» (1262), ce sens disparu resurgissant, par l'intermédiaire de celui de «contrôle administratif» (1464) dans l'expression moderne ***droit de regard*** (1932). C'est à la signification intellectuelle du mot que se rattachent les locutions prépositionnelles ***au regard de*** (fin XIIe s.) «par rapport à», «du point de vue de» (av. 1704) et, dans l'usage classique, *pour le regard de* (1538). ◆ Le sens de «position d'une chose en face d'une autre» (1273) est sorti d'usage en dehors de sa spécialisation en astrologie (1377, *regard sextile*) et de la locution adverbiale ***en regard*** (1811) «en face», d'où *en regard de* (1834). ◆ Le sens optique a produit la valeur métonymique concrète d'«ouverture» (1580), restreinte à des emplois techniques, à propos de l'ouverture pratiquée dans une paroi d'appareil et, en travaux publics, dans une conduite souterraine (1893), en concurrence avec *bouche (d'égout)*. Les géologues l'ont repris à propos d'une ouverture entre une cavité souterraine et la surface (1904). ➜ **REGARDANT, ANTE** est la substantivation du participe présent (XVe s.) au sens de «témoin, spectateur», de nos jours «personne qui regarde». Le mot est employé adjectivement depuis le XVIIe s. pour qualifier la personne qui regarde de près à qqch. (1611), spécialement, dans l'usage familier, qui regarde à la dépense (1694). ◇ En héraldique, il qualifie un animal figuré avec la tête tournée en arrière (1690). ➜ **REGARDEUR, EUSE** n. (v. 1278) «personne qui aime à observer» est archaïque.

RÉGATE n. f. est emprunté (1679) au vénitien *regata* (anciennement *regatta, rigatta*), proprement «défi», et «course de gondoles» (1315 en latin médiéval, *regatta*), emploi d'origine incertaine : on y a vu le déverbal du verbe *regatar* (anciennement *rigattar*) «se disputer, rivaliser», considéré par certains comme dérivé de l'italien *gatto* «chat» (→ chat), d'après le tempérament querelleur prêté au chat. On oppose à cette hypothèse non corroborée une dérivation d'un latin populaire °*recaptare* «rechasser», d'où «lutter, rivaliser», de *captare* (→ capter, chasser), doublet de °*captiare*. Cette hypothèse semble confirmée par *regattare* attesté en 1560 à Vicence au sens de «rivaliser».

♦ Le mot désigne une course de bateaux, à la voile ou à l'aviron, d'abord en parlant des courses de bateaux à Venise et surtout usité au pluriel, il a été repris pour désigner des compétitions de yachts. ➜ Par métonymie, il se dit d'une cravate rappelant celle des marins sur les bateaux de plaisance, dont le nœud laisse échapper deux pans verticaux superposés (1900 ; d'abord *nœud régate* 1894) ; ce type de cravate étant aujourd'hui dominant, le mot est devenu rare par rapport au terme générique *cravate*, les autres formes étant désignées par des mots spécifiques.

▶ Le mot a produit **RÉGATIER, IÈRE** n. (1855) «personne participant à une épreuve de régates», et **RÉGATER** v. intr. «participer à une régate» et «lutter de vitesse avec un autre yacht à voile» (1957).

RÉGÉNÉRER v. tr. est emprunté (1050) au latin impérial *regenerare* «faire revivre, reproduire» et, dans la langue ecclésiastique, à basse époque «ranimer spirituellement», du latin classique *re-* (→ re-), préfixe à valeur itérative, et *generare* «engendrer, produire», au propre et au figuré (→ générer).

♦ Le mot a été repris avec le sens religieux de «faire revivre spirituellement». Le sens concret, «reproduire une partie détruite de (un être vivant)» (1377), est plus rare, d'autant que, par extension, *régénérer* s'emploie dans le style littéraire au sens figuré de «renouveler en donnant les qualités perdues» (v. 1210, rare avant 1782). La forme pronominale *se régénérer* (v. 1560), qui apparaît au sens concret de «se reconstituer» en parlant d'une partie du corps humain, est surtout employée avec la valeur figurée de «se rénover» (1789), valeur qui semble avoir été précédée par l'emploi correspondant de *régénération*.

▶ **RÉGÉNÉRATIF, IVE** adj. (déb. XIVe s.) «qui a la vertu de régénérer (un organe)» a été formé en médecine et étendu à d'autres emplois à l'époque prérévolutionnaire (1769, Mirabeau). ➜ Le dérivé savant **RÉGÉNÉRATEUR, TRICE** n. et adj. (1495) est employé pour désigner et qualifier (v. 1560, Paré) une personne, une chose qui régénère, au propre et au figuré, spécialement dans *eau régénératrice* (av. 1872) pour l'eau du baptême. ➜ Au XIXe s., le nom masculin a servi à désigner divers types d'appareils, d'abord la partie d'un four constitué par un assemblage de briques réfractaires dans laquelle la chaleur des fumées est cédée à l'air ou au gaz de chauffage : l'emploi à propos du *régénérateur de Siemens* (attesté 1874) semble emprunté à l'anglais *regenerator* (1835). *Régénérateur de la prairie* désigne (1904) un instrument servant à briser la couche superficielle du sol des prairies. ➜ Le préfixé **SURRÉGÉNÉRATEUR** adj. et n. m. (v. 1970), mot technique du domaine nucléaire, désigne un régénérateur produisant des noyaux fissibles, en nombre excédentaire (cf. ci-dessous *surrégénération*). ➜ **RÉGÉNÉRESCENCE** n. f. est un terme didactique (1801), formé d'après *dégénérescence*, qui désigne la transformation de ce qui se régénère. ➜ **RÉGÉNÉRÉ, ÉE**, adjectivation du participe passé de *régénérer*, est attestée au XVIIe s. au sens abstrait avant d'être repris (1964) avec une valeur technique, «reconstitué dans son état premier». ➜ **RÉGÉNÉRANT, ANTE** (1904) est l'adjectivation du participe présent.

RÉGÉNÉRATION n. f., réfection graphique (XIIIe s.) de *regeneracion* (v. 1160), est emprunté au bas latin ecclésiastique *regeneratio, -onis* «retour à la vie spirituelle», du latin impérial *regeneratum*, supin de *regenerare*. ➜ Comme le verbe, le nom a été repris en théologie à propos du changement provoqué dans l'âme par les sacrements du baptême ou de la pénitence. Il a pris aussi le sens concret de «reconstitution des tissus des parties lésées dans les organismes animaux ou végétaux» (1314), s'appliquant en sylviculture à un mode de reproduction des arbres (1932) et, d'après le sens spécial de *régénérateur* (ci-dessus), à une technique d'amélioration des prairies anciennes. ➜ Au XVIIe s., l'emploi figuré de *régénération* s'étend au renouvellement moral, intellectuel (1687) et, dans la seconde moitié du XIXe s., au sens abstrait d'«action de reconstituer dans son état antérieur non corrompu» (1875). ➜ Au XXe s., en relation avec *régénérer* et *régénérateur*, le mot désigne en technique l'opération rétablissant l'activité d'un catalyseur, la récupération de chaleur dans un régénérateur (1964 dans les dictionnaires généraux) et, pour un réacteur nucléaire, l'épuration du combustible par élimination des résidus de fission (1968). ➜ **SURRÉGÉNÉRATION** n. f. (av. 1970), mot technique lié à *surrégénérateur*, désigne la production de noyaux fissibles en nombre excédentaire par un réacteur.

RÉGENT, TE n. et adj. est emprunté (1261) au latin *regens, -entis*, participe présent de *regere* «diriger, gouverner» (→ régir), employé en particulier en latin médiéval pour qualifier et désigner un membre de l'université exerçant effectivement le droit d'enseigner acquis par ses titres.

♦ Le mot apparaît dans ***régent d'université*** désignant un professeur d'université, puis absolument (1532) pour celui qui dirigeait une classe, un élève ; *régent de collège*, à l'époque classique, peut avoir les mêmes connotations que *pédant*. Quand le vocabulaire de l'éducation se forme pendant et après la Révolution, *régent* change d'emploi et désigne, de manière spécialisée, un professeur de collège communal (1835) ; il continue de se dire en Belgique pour celui qui enseigne dans le «secondaire inférieur» (1835). ➛ Dans un autre domaine, politique, il désigne depuis le moyen français (1316) la personne qui gouverne une monarchie pendant la minorité ou l'absence du roi, s'employant avec la majuscule *(le Régent)* pour désigner Philippe d'Orléans qui gouverna sous ce titre entre 1715 et 1723 pendant la minorité de Louis XV. Dans ce sens, le mot s'emploie adjectivement (1662) dans *prince régent, reine, princesse régente*. Par métonymie, on appela *le Régent* un célèbre diamant acheté en 1737 par ce prince et qui fit partie des joyaux de la couronne de France (cette désignation est attestée en 1775). ➛ Par retour au sens littéral de «personne qui administre, régit» (v. 1330) devenu archaïque ou littéraire, le titre entre dans ***régent de la Banque de France*** (1835), dénomination de chacun des membres du conseil général de la Banque de France avant sa nationalisation en 1936.

▸ Le dérivé **RÉGENTER** v. s'est employé intransitivement aux sens de «gouverner» (XVe s.) et d'«enseigner» (1529) au propre, puis au figuré (1671, Mme de Sévigné). La construction transitive s'est employée au sens spécial de «diriger ses brebis» en parlant d'un pasteur (v. 1420) et de «diriger une classe» en parlant d'un régent, d'un professeur (1580, Montaigne). *Régenter une matière* (déb. XVIIIe s., Saint-Simon) s'est dit pour «enseigner». ➛ De nos jours, le verbe signifie «gouverner de manière autoritaire» (fin XVe s.) et s'emploie au figuré pour «commander à (qqn), soumettre (qqn) à ses règles» (1580).

L'autre dérivé de *régent*, **RÉGENCE** n. f. (1403), a désigné l'action de gouverner, le gouvernement en général, avant de se restreindre au gouvernement exercé par un régent ou une régente pendant la minorité d'un souverain (1549), s'employant notamment à propos du gouvernement de Philippe d'Orléans et de la période (1732). Attestée au XVIIIe s. pour caractériser la période, par exemple en art décoratif (*commode à la Régence*, 1768), cette dénomination, répandue en histoire au XIXe s., a servi à caractériser familièrement une personne, un acte digne des roueries galantes de la cour du Régent (1841). Le mot a qualifié plus tard (XXe s.) celui ou ce qui a un caractère suranné, un peu guindé, aussi en emploi adjectif (*il est très régence*, attesté mil. XXe s.) et qui paraît avoir vieilli après 1960-1970. ➛ *Régence*, au sens disparu de «gouvernement», a donné lieu à des spécialisations jusqu'au XIXe s. : il s'est dit de l'administration municipale de certaines villes d'Europe (fin XVIIe s.), spécialement à Amsterdam (1870, Littré), et a servi à désigner trois petits États musulmans d'Afrique dépendant du sultan de Turquie avant la colonisation (1835).

◈ voir **RÉGIR**.

REGGAE n. m. est emprunté (1976) à l'anglais de la Jamaïque *reggae*, mot d'origine inconnue, peut-être de *rege-rege* «dispute, rixe, tapage», ou encore contraction et altération de l'anglais *raggamuffin* «va-nu-pieds», désignant une musique des Noirs jamaïquains à rythme marqué et structure répétitive. Cette musique a été portée à la connaissance du grand public aux États-Unis par Eric Clapton avant que ses créateurs (principalement Bob Marley, Peter Tosch et Bunny Livingstone) n'acquièrent une renommée internationale ; cependant, le mot et la chose furent peut-être connus antérieurement aux Antilles. Dans son origine, le reggae est lié au militantisme des Ras-Tafaris (anglais *Rastafarians*) [→ ② rasta], mouvement apparu en 1916 chez les descendants des esclaves noirs cherchant un retour à leurs sources africaines. Le reggae fit école notamment en Angleterre.

① **RÉGICIDE** adj. et n. est emprunté au latin scolastique *regicida* «assassin d'un roi», du latin classique *rex, regis* (→ roi) et de *caedere* «frapper, tuer» sur le modèle de *homicida* «assassin» (→ homicide). La date d'apparition du mot était fixée à 1594 (Wartburg, après Godefroy) d'après une citation de la *Satire Ménippée* que donne le Dictionnaire de Trévoux, en 1771 ; selon le *T. L. F.*, ce passage ne date que de 1724, les versions de la *Satire* étant multiples. Cependant, l'anglais atteste *regicide* dès 1548 (Hall, *Chronicle of Henry the IVth, in* N.E.D.).

♦ Le mot désigne le meurtrier d'un roi et s'emploie adjectivement pour qualifier ce qui se rapporte au meurtre d'un roi (1770). Sous la Restauration, il s'est dit de ceux qui votèrent la mort de Louis XVI (attesté en 1797, avec une définition juridique en 1816). Dans ce sens, il est aussi adjectif *(les Conventionnels régicides)*. Il s'emploie également dans le contexte de l'histoire anglaise à propos de ceux qui condamnèrent à mort Charles Ier après la restauration des Stuarts.

▸ L'homonyme ② **RÉGICIDE** n. m. a été emprunté en même temps au latin médiéval *regicidium*, fait sur le modèle de *homicidium* (→ homicide), pour désigner l'acte visant à attenter contre la vie d'un souverain et le meurtre d'un souverain. On disait précédemment *parricide**, dans ce sens.

RÉGIE → **RÉGIR**

REGIMBER v. intr. est la forme nasalisée (fin XIIe s.) de l'ancien français *regiber* «ruer, en parlant d'un cheval touché par l'éperon» (v. 1175), du préfixe *re-** à valeur intensive et de l'ancien verbe *giber* «lutter en jouant des bras et des jambes», attesté à la fin du XIVe s. mais probablement antérieur. Ce verbe serait issu d'un radical expressif *gib-* évoquant l'action de pousser du pied, de sauter (dialectal *gibe* «ruade») ; P. Guiraud en fait le dénominatif d'un °*gibe* «cuisse» représentant probablement le latin *gibbus* «renflement» (→ gibbeux).

♦ Le mot a d'abord signifié «ruer, se défendre sur place au lieu d'avancer» en parlant d'un animal, surtout d'une monture. Il est devenu plus courant avec le sens figuré de «résister en refusant, se montrer récalcitrant», en parlant d'une personne (1450), alors employé absolument ou suivi d'un complément introduit par *contre* (1672, Pomey) et à la forme pronominale *se regimber* (XVIIIe s.), forme redondante qui semble provenir d'un rapprochement avec *se rebiffer*.

▶ Les dérivés du mot, **REGIMBEUR, EUSE** n. et adj. (1538) et **REGIMBEMENT** n. m. (1538), sont d'usage littéraire.

① **RÉGIME** n. m., d'abord *regimen* (v. 1265) puis *régime* (déb. XIVe s.), est emprunté au latin *regimen* «direction, gouvernement» (au propre et au figuré), de *regere* «diriger» (→ régir). Le type populaire plus ancien *roiame* (fin XIIe s.), *riame* (v. 1343), a été évincé par le mot d'emprunt; *roiame*, croisé avec *royal**, a servi à former *royaume**.

♦ *Régime* a servi de nom d'action à *régir* dans son ancienne acception générale, désignant l'action de gouverner et au figuré l'action de diriger qqn moralement (1654, Bossuet), emploi sorti d'usage au XVIIIe siècle. ◇ Suivant le même développement sémantique que *régir*, le mot désigne l'action de gouverner une collectivité (1408). Cette valeur s'est restreinte, par métonymie, au moment même où la structure politique de la France est mise en cause, à la forme de gouvernement, d'abord dans la désignation par ***ancien régime*** (1789) de la monarchie absolue qui venait d'être renversée, l'expression symétrique de ***nouveau régime,*** créée à la même époque (1789), n'ayant pas le même succès. Très vite, le mot désigne toute structure politique et devient une notion clé en droit constitutionnel, en politique et en histoire. ◆ Parallèlement, dès le début du XVe s., *régime* a commencé de s'appliquer à l'ensemble des dispositions légales qui régissent un objet particulier, produisant surtout à l'époque moderne des syntagmes comme *régime hypothécaire, pénitentiaire, sanitaire* (1870), *régime censitaire, capacitaire* (1936), *régime douanier*... ◇ Une spécialisation lui donne le sens de «méthode générale de culture d'une forêt» (1870, aussi *régime forestier*). ◆ Par l'intermédiaire d'un emploi en médecine ancienne pour «traitement des maladies» (1314), *régime* a désigné la manière de vivre, l'ensemble des règles de vie, de conduite, de santé (1438). Ce sens, vivace en langue classique, avec la locution *vivre de régime* (1678) après *régime de vivre* (1559), exprimait l'idée d'une vie méthodiquement réglée. L'usage courant prend *régime* dans l'acception plus restreinte de «conduite à tenir en matière d'hygiène, de nourriture» (fin XVIe s.), spécialement «alimentation raisonnée». ◆ Par un développement métonymique conduisant à l'idée de «chose régie», d'après un développement particulier du verbe *régir**, le mot a été repris par les grammairiens pour désigner (1680) un mot ou une suite de mots régis par un verbe ou par une proposition, spécialement dans les syntagmes *régime direct, indirect* (1798) et en apposition dans *nom régime, cas régime*. Cette terminologie concerne surtout le latin, l'ancien français. ◆ Au XIXe s., le mot est passé dans l'usage scientifique pour la manière dont se produisent certains phénomènes physiques du point de vue des conditions qui les règlent (1828, à propos du débit d'un fluide) : il s'applique en géographie à l'ensemble des variations de caractère saisonnier subies par l'écoulement d'un cours d'eau (1870), à l'ensemble des variations affectant un phénomène météorologique (1908), et, en mécanique, au mode de fonctionnement d'une machine à l'état normal (1904), spécialement à la vitesse de rotation d'un moteur (déb. XXe s.), notamment dans *haut régime* (1924, P. Morand), *régime de croisière, à plein régime,* qui ont des emplois figurés. Il s'emploie spécialement en balistique (1932, *régime absolu d'une bouche à feu*) et à propos du fonctionnement continu d'une installation de raffinage de pétrole (1964).

▶ Le mot n'a produit aucun dérivé en dehors de **SURRÉGIME** n. m. (1970), fait avec le préfixe *sur-** à propos du régime d'un moteur supérieur à celui pour lequel il a été prévu.

◈ voir RÉGIMENT, RÉGIR.

② **RÉGIME** n. m. est l'adaptation (1640), par attraction de ① *régime**, de l'espagnol des Antilles *racimo* «grappe de raisin, raisin» (v. 1250), et par analogie «inflorescence de certaines plantes telles que le bananier» (1495). Celui-ci représente le latin populaire *racimus*, altération de la forme classique *racemus* «grappe de raisin» (→ raisin); la forme normale serait *racime*.

♦ Le mot désigne l'inflorescence de certaines plantes comme le bananier, le dattier et, par métonymie, l'ensemble des fruits qui constituent cette inflorescence. Du fait de l'homonymie, il s'emploie surtout couramment dans ***régime de bananes, régime de dattes.***

RÉGIMENT n. m., réfection (1314, *regiment*) de *regement* (1250), écrit au XVIe s. avec l'accent *régiment* (1553), est emprunté au bas latin *regimentum* «direction (au propre et au figuré)», doublet du latin impérial *regimen* (→ régime).

♦ Du XIIIe au XVIe s., le mot a désigné le gouvernement, le règlement, la direction, l'administration en général (cf. *régime*) et, par métonymie, le bâton de chef de justice. Il se disait aussi de la façon de se comporter, de la conduite (XIVe s.), et spécialement en médecine, comme *régime*, d'un traitement, d'un soin. ◆ Tous ces sens sont devenus caducs et ont été assumés par *régime* lorsque le mot a repris (1553) à l'allemand *Regiment* (1546), de même origine, le sens de «corps militaire composé de plusieurs bataillons ou escadrons». À partir de ce sens militaire, toujours usuel avec une définition précisée selon l'organisation de l'armée, le mot a développé le sens familier de «grand nombre indéterminé» (1623). Dans le contexte militaire, il a pris par extension, au pluriel, le sens d'«armée» (1758).

▶ *Régiment* a servi à former sous la Révolution **RÉGIMENTAIRE** adj. (1791) «qui a rapport au régiment», spécialement au XXe s. dans l'expression *unités régimentaires*.

Le dérivé verbal préfixé **ENRÉGIMENTER** v. tr. (1722) s'emploie proprement pour «incorporer dans un régiment» et, au figuré, avec une valeur familière pour «faire entrer (qqn) dans une partie, une coterie» (1864) avec la même valeur que *embrigader.* ➜ À son tour, il a produit les dérivés **ENRÉGIMENTATION** n. f. (1870) et **ENRÉGIMENTEMENT** n. m. (1866) assez rares. ➜ Le dérivé verbal simple **RÉGIMENTER** v. tr. (1771) «former en régiment, mettre en régiment» ne s'est pas répandu.

RÉGION n. f. est emprunté (fin XIe s.) au latin *regio, -onis* «direction», «ligne, limite», aussi «zone, territoire, pays», en particulier «quartier d'une ville» et, au figuré, «domaine». C'est un dérivé de *regere* «diriger» (→ régir). L'ancien français a eu un type populaire *reiun* (v. 1119), *reon* (v. 1220), *roion* (XIIe-XIIIe s.), *reion* (1334), *roon* (1334) qui correspond à l'italien *rione* «quartier (d'une ville)» et que *région* a évincé.

♦ Le mot a d'abord le sens large du latin *regio* «pays, contrée», encore vivant au XVIe siècle. Avec une restriction progressive, il a développé le sens de «zone qui s'étend autour d'une ville, d'un lieu» (XIIe s.). Puis l'idée dominante est celle d'une étendue de territoire dont l'unité est due à la similitude de ses caractères physiques ou à l'origine commune des populations qui y vivent (v. 1380), le critère étant parfois précisé (1824, *régions naturelles;* 1904, *régions géographiques*). Depuis le XVIe s., le mot se définit également selon des critères économiques et administratifs (1559), variant historiquement et géographiquement, selon l'organisation de chaque pays francophone. Cumulant les deux types de critère, *région* désigne une entité assez vaste, à l'intérieur d'un pays, d'un ensemble de pays, d'un continent. La région française traditionnelle est fondée sur l'histoire, et se subdivise en *pays* caractérisés par un toponyme. Ainsi, en France, le mot se précise au XIXe s. (cf. *régional,* 1848); récemment, il s'applique aussi aux vingt-cinq divisions territoriales de la S. N. C. F. qui ont remplacé en 1971 les six divisions des anciens réseaux. ◇ Le mot désigne en particulier l'établissement public organisé par la loi du 5 juillet 1972 disposant de ses ressources propres, d'une assemblée à rôle consultatif et d'une assemblée délibérative. Le critère de découpage est précisé dans *région économique, région de défense* (1964), *région de programme* (1975). Ces termes sont propres au français de France. ➜ À partir du XVe s., *région* s'applique aussi à une portion d'espace, de surface ou de volume délimitée et, en médecine, à une partie du corps plus ou moins arbitrairement délimitée (v. 1478). Abstraitement, dans la continuité d'anciens emplois métaphoriques du sens de «pays» (XIIIe s.), le mot désigne le champ où s'exerce une autorité, une influence (av. 1654). En astrologie et astronomie, il s'emploie pour une zone du ciel (1636). Au XXe s. il prend des valeurs spécialisées en mathématiques pour désigner une partie d'un plan limité par des droites ou des courbes (1904), en anatomie végétale un massif de cellules séparé par des limites très nettes (1932) et, en aviation, une zone déterminée de l'espace aérien (1964, *région de navigation, d'information, de vol*).

▸ *Région* a produit **RÉGIONAL, ALE, AUX** adj. (1478) «qui appartient, se rapporte à une région», mot semble-t-il employé dans un contexte anatomique, peu attesté après le milieu du XVIe s., puis repris au XIXe s., avec la spécialisation de «qui se rapporte à une région administrative» (3 octobre 1848, *Bulletin des lois*). Dans le langage administratif français du milieu du XXe s., il entre dans des désignations comme *Commission de développement économique régional,* abrégée en *C. O. D. E. R.* (1955) et *Société de développement régional,* abrégée en *S. D. R.* Au XXe s., *régional* s'emploie pour qualifier une division territoriale inférieure au pays, dans quelque domaine que ce soit (économique, linguistique...). ➜ Ce n'est que vers le milieu du XXe s. que l'adjectif prend les valeurs figurées de *région,* notamment «qui se rapporte à un domaine particulier d'une discipline» (1949 en philosophie, Ricœur). Il qualifie aussi ce qui groupe plusieurs nations voisines dans le vocabulaire des institutions internationales (1956) par opposition à *mondial. Régional* est substantivé dans de rares emplois elliptiques, en sports pour un coureur ne disputant que des épreuves régionales (1927) et, autrefois, pour le réseau téléphonique régional (1949, Larousse). ➜ Le dérivé **RÉGIONALISME** n. m. est attesté en 1875 dans le *Journal des débats* (6 octobre) pour désigner la doctrine politique et sociale dont le principe est de favoriser, au sein d'une même nation, des groupements régionaux conformes aux divisions imposées par la géographie et l'histoire. De nos jours, il désigne la tendance à conserver les caractères originaux d'une région (1878), sens répandu vers le milieu du XXe s. avec la montée de cette revendication. Il se dit spécialement du caractère d'une œuvre littéraire ou artistique choisissant ses sujets dans une région déterminée. ◇ Sous l'influence d'emplois spécialisés de *région,* il s'emploie spécialement en linguistique (1922 Collinet et R. Bloch) pour un mot, une locution, un sens, un trait linguistique quelconque propre à une partie géographique de la communauté linguistique, qu'il s'agisse d'une région traditionnelle ou même d'une zone pouvant correspondre à un pays entier. ➜ De *régionalisme* est dérivé **RÉGIONALISTE** n. et adj. (1906), désignant une personne favorable au régionalisme en politique, spécialement un écrivain, une œuvre puisant son sujet dans une région (1926, Giraudoux). ◇ Sous l'influence de *régionalisation,* le mot s'emploie pour désigner un partisan d'une forme d'autonomie régionale (1975). ➜ Au XXe s., l'adjectif *régional* a servi à former **RÉGIONALEMENT** adv. (1902 chez Péguy) et **RÉGIONALISER** v. tr. (1936) «transférer aux régions une compétence qui appartenait au pouvoir central», également en emploi absolu (1969). ➜ Du verbe est dérivé le nom d'action **RÉGIONALISATION** n. f. (1960), quasi-synonyme de *décentralisation,* également employé au figuré pour désigner une spécialisation par zone d'activité, dans un style didactique (1967).

RÉGIR v. tr. est l'adaptation (déb. XIIIe s.) d'un emprunt au latin *regere* «diriger, guider, gouverner» au propre et au figuré, «exercer le pouvoir», de *rex, regis* (→ roi). Le verbe a changé de conjugaison, évinçant la forme du moyen français *reger.*

♦ *Régir* a d'abord le sens de «gouverner, avoir sous son autorité» puis de «gérer, administrer pour son compte ou celui d'autrui» (1466); il a disparu dans ces emplois. ➜ L'usage actuel remonte au XVIe s. : *régir* prend alors le sens figuré de «soumettre (qqn, sa conduite) à une direction, à des règles» (v. 1550); puis il s'emploie avec un nom d'inanimé pour sujet *(règles, principes, lois)* au sens de «déterminer (qqn) dans ses actions, (qqch.) dans son évolution» (1580, Montaigne). ◇ En grammaire, il se dit (v. 1530) d'un mot qui détermine la fonction ou la forme grammaticale d'un autre mot. Au XIXe s., en sciences, il signifie «déterminer (un phénomène naturel) dans ses conditions et son développement» (1870, Taine).

▶ **RÉGISSANT, ANTE**, participe présent de *régir*, a été adjectivé (fin XVe s.) au sens général de «qui régit, gouverne», sorti d'usage. Sa spécialisation en grammaire pour qualifier un terme qui gouverne la fonction ou la forme grammaticale d'un autre terme est attestée depuis 1775 (Condillac).

Le participe passé de *régir* a été substantivé au féminin **RÉGIE** n. f. (déb. XVIe s.) au sens politique général de «gouvernement», puis de «palais, résidence royale», sens directement emprunté au latin *regia* «résidence royale, cour, basilique», de *rex, regis* (→ roi). Comme ces deux acceptions, le sens métonymique de «quartier d'une ville dont on a le gouvernement» (1556) a lui aussi disparu, l'usage moderne du mot s'établissant au XVIIe siècle. ◇ *Régie* commence alors à s'employer, sous l'influence de *régir*, pour «administration de biens au compte d'autrui, soumise à l'obligation d'une reddition de comptes» (1670). Par spécialisation, le mot désigne le mode de gestion d'une entreprise publique par les fonctionnaires d'une collectivité publique, le type de gestion étant souvent précisé : *régie intéressée* (1835), *régie directe, régie municipale* (1936). ◇ Par métonymie, il désigne l'entreprise publique ainsi gérée; il sert à désigner certaines entreprises nationalisées, bien qu'elles présentent les caractères d'entreprises capitalistes (v. 1945). ➜ Au XVIIIe s., le mot était devenu un terme de fiscalité, désignant le système selon lequel l'impôt est assis et recouvré par des fonctionnaires publics, par opposition à d'autres systèmes comme la *ferme* (1748, Montesquieu); par métonymie, il a désigné l'administration chargée de la perception de l'impôt dans ce cadre (1779, Condorcet) puis, par extension, l'administration chargée de percevoir l'impôt, son personnel, ses bureaux, spécialement sous la dénomination *régie financière* (1936). ➜ En comptabilité publique (1936), *régie* désigne le règlement d'une dépense future au moyen d'une avance. *Régie de publicité* s'applique à une agence chargée de la vente d'espaces publicitaires aux annonceurs. ◇ Par une autre spécialisation (1840), en relation avec l'emploi de *régisseur*, il désigne la conduite et l'organisation matérielle d'une représentation théâtrale, puis au XXe s. (1924), d'une production cinématographique, et, spécialement, le travail de mise en scène (1925) [cf. *régisseur*], désignant aussi par métonymie le local réservé au régisseur (1958). ◇ *Régie (de radiotélévision)* s'applique au local technique dans lequel sont réunis les commandes et contrôles permettant de réaliser une émission (attesté 1975), souvent dans l'expression *en régie*.

L'autre dérivé de *régir*, **RÉGISSEUR, EUSE** n., apparaît au XVIIIe s., d'abord avec le sens administratif de «personne qui gère par commission et a charge de rendre compte» (1724), disparu avec l'Ancien Régime. Depuis 1732, le mot s'emploie pour désigner la personne qui administre, gère une propriété, rarement employé au féminin *régisseuse*. Depuis le XIXe s., il s'emploie comme *régie* dans l'administration des spectacles, désignant la personne qui organise matériellement une représentation (1831) et, par analogie, dans un studio de cinéma ou de télévision, le tournage (XXe s.). Sous l'influence de l'allemand, il est parfois pris (1912) comme synonyme de *metteur en scène*, mais cette expression, au cinéma comme au théâtre, a en général évincé *régisseur*. ➜ En droit, il désigne, d'abord employé seul (1845), puis au XXe s. dans *régisseur d'avances* (1964), l'agent d'une administration qui peut engager de menues dépenses sans avoir à fournir aux comptables de justification immédiate.

◈ voir RÉGENT, RÉGIME, RÉGION.

✳ **REGISTRE** n. m. est l'adaptation (XIIIe s.), sous l'influence d'*epistre*, ancienne forme d'*épître**, de l'ancien français *regeste* (v. 1155), *regestre* (v. 1265) «récit, histoire». Ce mot rare a été repris au XIXe s. (1870, Littré) par les historiens médiévistes pour désigner le répertoire chronologique enregistrant les actes issus des pouvoirs publics ou intervenus entre des particuliers. Il est emprunté au bas latin *regesta* «répertoire, catalogue», féminin singulier issu du neutre pluriel substantivé de *regestus*, participe passé passif du verbe *regerere* «porter en arrière», «porter ailleurs», «reporter», d'où «transcrire, consigner». Le verbe est formé de *re-* (→ re-) marquant le mouvement en arrière, et *gerere* «porter» (→ gérer). La prononciation *regître* était usuelle au XVIIe s., sous l'influence de la forme moderne d'*épître*.

♦ Le mot désigne le cahier sur lequel on peut noter des faits, noms et dates pour en garder le souvenir, et spécialement un répertoire contenant des renseignements administratifs, juridiques, comptables, présentés d'une manière déterminée. Des emplois particuliers concernent l'enregistrement des naissances, décès, etc. dans les paroisses (1680); après la Révolution apparaissent *registre d'état civil* (1804), au XXe s. *registre d'avoué* (1936), *registre du commerce, des métiers*. ◇ Le mot a eu un sens figuré dans *être sur les registres de qqn* (1669), *tenir registre* (1636), *avoir sur son registre* (1875) «avoir en mémoire». Par extension, il s'emploie à propos d'un compte rendu, d'un recueil. ◇ Il a développé en informatique le sens de «support d'information en cours de traitement dans un ordinateur» (v. 1965).

Un emprunt direct au latin médiéval *registrum campanae*, «corde de cloche», explique l'usage du mot en musique pour désigner les commandes d'un orgue que l'on tire ou pousse à la console, ainsi que les réglettes de bois situées sur la partie supérieure du sommier (1559). ➜ Par extension de ce sens, *registre* s'est dit du changement dans l'étendue de la voix d'un chanteur (1835), sens sorti d'usage, et désigne l'étendue de la voix d'un chanteur (1811), l'étendue des sons qu'un instrument peut émettre (1904). ◆ D'autres emplois figurés et techniques apparus plus tôt sont indépendants de la musique. Dès 1559, le mot désigne l'étendue des moyens dont qqn dispose dans un certain domaine (d'abord à propos de la parole). ◆ En technique, *registre* désigne (1676) une plaque mobile servant à régler le tirage dans un conduit. En typographie, il correspond, après avoir assumé d'autres acceptions (1496), à la correspondance des lignes d'une page imprimée avec celle de l'autre page du même feuillet (1588). ◇ La même idée de régulation intervient dans la spécialisation du mot en art, à propos de chacun des compartiments entre lesquels est divisée la surface d'un bas-relief, d'une peinture ou la panse d'un vase (1875).

▶ Le dérivé **REGISTRER** v. tr. (v. 1283) s'employait en ancien français pour «inscrire sur un registre». Concurrencé par *enregistrer* (ci-dessous), ce verbe a disparu en dehors d'un emploi technique en droit. Il a été repris au XXe s. en musique en parlant d'une technique d'interprétation d'une œuvre en choisissant les registres (à l'orgue, au clavecin). ◆ Le dérivé **REGISTRATION** n. f. (1435) «enregistrement» a lui aussi disparu. Puis, le mot a été repris au XXe s. comme terme de musique.

Dès le XIIe s., **ENREGISTRER** v. tr. est employé pour «inscrire sur un registre», spécialement en droit «transcrire (un acte) sur un registre public». Par extension, il se dit pour «consigner par écrit» (v. 1360) et, abstraitement, «constater pour se le rappeler». ◆ Ultérieurement, il est appliqué au fait de recueillir des informations sur un support au moyen d'un instrument (1870) et, couramment, de «conserver pour reproduire (le son, l'image)» (XXe s.). Absolument, *enregistrer* se dit surtout pour «recueillir le son en vue d'une émission de radio ou de la réalisation d'un disque, d'une bande», mais aussi pour «recueillir les images et le son, en télévision». ◆ Son emploi courant à propos de bagages (mil. XXe s.) procède d'une spécialisation du sens ancien d'«inscrire» (moyennant un droit fiscal) [av. 1615]. ◇ Le participe passé **ENREGISTRÉ, ÉE** est courant comme adjectif dans ces acceptions. ◆ Le dérivé **ENREGISTREMENT** n. m. (1310) a suivi le même développement, prenant au XIXe s. le sens élargi d'«action de consigner par écrit» (1863) et, en sciences, «action de stocker sur un support (des informations)» (1870), répandu au XXe s. dans l'usage courant, dans ses applications audiovisuelles, surtout pour le son, par exemple dans *studio d'enregistrement*. ◆ Par métonymie, il désigne le support sur lequel a été effectuée l'opération. Depuis le milieu du XXe s., il désigne l'opération consistant à constater et à inscrire les bagages dont les voyageurs ne conservent pas la garde. ◆ **ENREGISTRABLE** adj. (1580) qualifie ce qui peut être consigné par écrit puis sur un support. ◆ **ENREGISTRANT, ANTE**, participe présent d'*enregistrer*, est adjectivé avec le sens actif de «qui enregistre» (1898), d'abord dans le langage technique.

✱ **RÈGLE** n. f., d'abord *reugle* (XIIe s.) puis *regle* (v. 1265), encore souvent *rigle* au XIVe s., est l'adaptation savante du latin *regula* «instrument servant à mettre d'équerre», «étalon permettant de juger, de corriger», «barre, latte». Le mot est dérivé de *regere* (→ régir). ◆ En français, ce type savant a évincé au XVIe s. les formes populaires *reille* «barre servant à refermer une porte» (fin XIe s.), *riule* «prescription d'ordre moral» (v. 1190) et «instrument de forme rectiligne» (v. 1170).

♦ Le mot est emprunté avec une valeur figurée très générale : «prescription d'ordre moral, intellectuel ou pratique s'appliquant à la conduite». Au XVIIe s., il a pris le sens plus restreint de «prescription fondée sur l'usage, les conditions, et à laquelle il convient de se conformer dans certaines circonstances» (av. 1662), servant à former des locutions : ***dans les règles*** (1688, Racine), ***en règle*** (1740), ***de règle*** (v. 1780), ***pour la bonne règle*** (1935). ◆ Dès le XVIe s., une restriction d'une autre nature le fait appliquer à une prescription qu'il convient de suivre dans l'étude d'une science, d'une technique, d'un métier (1538); de ce sens procède l'emploi du mot en art et en littérature (1660, *règles classiques*), ainsi qu'en grammaire (1690). Le même sens est réalisé dans ***il y a des exceptions à la règle*** (av. 1662), devenu *il n'y a pas de règle sans exception* (1870) et ***l'exception confirme la règle*** (1870). ◆ Au XVIe s., le mot se spécialise en mathématiques (1520, ***règle de trois***), entrant dans l'expression *les quatre règles* (1690) «les quatre opérations fondamentales de l'arithmétique». ◆ Il s'emploie surtout au pluriel pour l'ensemble des conventions propres à un jeu (1538), donnant au figuré l'expression ***la règle du jeu*** (1921). ◆ Dès le moyen français, il s'emploie dans un contexte général, au sens de «ce qui se passe, ce qui se produit ordinairement quand certaines circonstances sont réunies» (1458), dans les locutions ***c'est la règle*** (1707), ***en règle générale*** (déb. XXe s.). ◆ Le mot a reçu une acception spéciale dans le cadre de la vie domestique, en relation avec *régulier*, désignant l'ensemble des préceptes qui la régissent (XIVe s.) d'où, au figuré, la locution ***vivre selon la règle*** (av. 1951, Gide). Son sens, comme celui de *loi*, passe au XVIIe s. de l'idée d'obligation sociale à celle de «loi naturelle et scientifique» (av. 1650, Descartes) et de «régularité» (1671, Mme de Sévigné).

L'acception de «menstrues» que reçut le pluriel *règles* (1690) relève, comme les emplois précédents, de l'idée de régularité : «ce qui se produit à intervalles réguliers»; cette valeur du mot s'est détachée sémantiquement des autres emplois.

Le sens concret de *règle* est emprunté au latin (1317); en procèdent de nombreux emplois pour désigner des instruments scientifiques : *règle à calcul* (1842), *règle logarithmique* (1842), *règle graduée* (1893), *règle d'appareil* (1904). ◆ Dans le langage technique moderne, le mot désigne une planchette épaisse dont le maçon se sert pour lisser une surface cimentée (1904), un instrument de plâtrier (1904, *règle à manchette*), d'ajusteur-mécanicien ou de vérificateur (1932), et l'organe de la machine à papier qui délimite l'épaisseur de la feuille (1964).

▶ Le dérivé le plus important est **RÉGLER** v. tr. (1278), apparu avec le sens figuré de «gouverner (qqn)» et, simultanément, le sens concret de «marquer (le papier) de droites tracées à la règle, puis imprimées» (1288). Le verbe a suivi un développement parallèle à celui de *règle,* les sens figurés étant aujourd'hui largement dominants. L'acception de «gouverner», aussi à la forme pronominale (déb. XIVe s., *se rieugler* «se gouverner»), est sortie d'usage au XIXe siècle. ◇ Le sens de «soumettre à des règles, contrôler, discipliner ses actions, ses pensées, ses sentiments» (v. 1350) est aujourd'hui littéraire ou archaïque, y compris avec la nuance de «soumettre à la mesure, modérer» (1640), qui était courante au XVIIe siècle. ◇ L'emploi pour «diriger en tant que règle ou principe» (1538), avec un sujet désignant une chose abstraite, s'est conservé dans l'usage littéraire, tandis que celui pour «servir de modèle, d'exemple» (av. 1742), qui procède du précédent, a disparu. ➛ Le sémantisme du verbe s'enrichit au XVIIe s. : *régler sa conduite sur* «agir en conformité avec qqn ou qqch.» (1640), au pronominal réfléchi *se régler sur qqn* (1640), *sur qqch.* (1644), idée qui était exprimée par *se régler par qqn* (v. 1460) et *régler à qqn, à qqch.* (fin XVIe s. et encore au XVIIe s.). Du sens de «fixer dans les détails, décider» (1629), on passe, avec un sujet désignant la chose qui règle, à «rendre (un processus) régulier, soumettre (qqch.) à un ordre, à un rythme» (av. 1854). ◇ *Régler* correspond aussi à «résoudre, trancher (une question délicate ou compliquée)» (1654) et *se régler* a signifié «se décider» (1662), sens sorti d'usage comme l'emploi transitif pour «mettre en ordre» (1685), «remettre d'accord (les gens)» (1679). ➛ En comptabilité, le verbe correspond à «arrêter (un compte) après la dernière opération effectuée et acquitter le solde» (1690), aussi en emploi absolu (XXe s.); par métonymie, *régler qqn* signifie «payer (la personne à laquelle on doit qqch.)» (1851) et *régler une somme à qqn* «lui payer son dû». De ce sens devenu courant procède l'emploi familier dans la locution figurée *régler le compte de qqn* (1851), devenue ***régler son compte à qqn*** (1935) et ***avoir un compte, des comptes à régler avec qqn*** (1964). ➛ L'emploi de *régler* dans le domaine technique, au sens de «mettre (un mécanisme, un appareil, une machine) en bon état de fonctionnement» (1688) est lui aussi devenu usuel. Par extension, *régler* se dit pour «assurer (une opération) dans les conditions d'exécution voulue» (1826). Au XXe s. apparaissent des spécialisations (1904, *régler des chronomètres*), notamment en parlant d'un moteur.

Régler a servi à former de nombreux dérivés. **RÉGLOIR** n. m., créé au XIIIe s. sous la forme *rigloir,* désigne d'abord un instrument servant à régler le papier; il a été repris (1723) avec une valeur technique. ➛ **RÉGLÉ, ÉE,** le participe passé de *régler,* adjectivé sous la forme *riglé* (1373) puis *reiglé* (fin XVe s.), enfin *réglé* (1559), possède les valeurs figurées de «qui a une vie méthodique, organisée», «qui est soumis à des règles, des principes» et «qui est dirigé dans le respect de certains principes» (1690). ◇ Les médecins du XVIe s. l'appliquent à une femme qui a ses menstrues, dans la locution *bien réglée de ses mois* (v. 1560, Paré), puis en emploi absolu (1658) ou précisé par un adverbe (1718). ➛ Au XVIIe s., *réglé* est attesté au sens concret de «qui porte des lignes droites», en parlant d'un papier (1640) d'où *réglé comme du papier à musique* (1640) «organisé de manière méticuleuse». ◇ Au figuré, à l'idée de soumission à une règle sociale s'ajoute celle d'organisation dans «assujetti à un ordre régulier», d'abord en parlant de troupes (1654), puis celle de régularité, comme pour le sens de «menstrue», à propos d'une fièvre aux accès réguliers (1690). Il s'applique aussi à une affaire décidée, tranchée (1686). Dans le domaine technique, *réglé* se dit d'un appareil mis au point, soumis à un réglage (av. 1747). En mathématiques, *surface réglée* s'applique à une surface engendrée par une droite mobile dépendant d'un paramètre (1875). ➛ En moyen français, *réglé* a produit un adverbe en *-ment,* d'abord écrit *regleement* (fin XIVe s.) puis *reiglément* (v. 1550), *reglement* et enfin *réglément* (1631). Probablement gêné par la ressemblance avec *règlement* n. m., cet adverbe est sorti d'usage après le XVIIe siècle. Il signifiait «conformément à la règle, à la discipline» (fin XVe s.); quelques emplois au sens de «périodiquement, régulièrement» (v. 1550) se rencontrent encore dans un style très littéraire. ➛ **RÉGLAGE** n. m. (1508) sert de nom d'action à *régler,* d'abord pour le fait de régler du papier. Rare avant le XIXe s. (1832), il a pris plusieurs valeurs techniques, désignant la façon de régler un mécanisme (1870), par métonymie les différents organes d'un émetteur ou d'un récepteur chargés d'établir une relation correcte (1932), et en armement l'ensemble des opérations ayant pour fin d'amener sur un objectif le point moyen du tir d'une pièce (1904). D'autres spécialisations techniques sont apparues au XXe siècle. ➛ **RÉGLEUR, EUSE** n. correspond à *réglage* et désigne l'ouvrier chargé de régler les feuillets d'un livre (1527). Ce sens, comme celui de «personne réglant le papier en feuilles à la machine» (1704), a disparu. ◇ De nos jours, le mot désigne la personne assurant le réglage de certains instruments et appareils (1877) et, dans l'industrie mécanique, l'ouvrier chargé de régler l'outillage sur les machines (1932). S'appliquant à des machines, le féminin **RÉGLEUSE** n. f. sert à dénommer une machine à régler le papier en feuilles (1852).

RÈGLEMENT n. m., d'abord *reglemens* (1465), *reiglement* (1538) avant *règlement* (1611), désigne une décision législative faisant autorité et, spécialement, dans le régime parlementaire (après 1871), un acte législatif de portée générale, émané d'une autorité autre que le parlement pour légiférer sur des matières non réglées par la loi. ➛ Par extension du premier sens, *règlement* s'applique à l'ensemble des dispositions auxquelles doivent se conformer les membres d'une collectivité, en général (av. 1648). Par métonymie, il désigne concrètement l'imprimé donnant ces dispositions servant à former les noms de décrets particuliers, comme *Règlement d'Administration publique* (1836). ➛ Il s'est spécialisé pour l'ensemble des prescriptions concernant les actes militaires (1835), désignant particulièrement une disposition réglementaire (1834). ➛ Son emploi comme nom d'action de *régler* remonte au début du XVIIe s. : «action de soumettre à une discipline morale, intellectuelle ou pratique» (av. 1605), sens disparu. C'est aussi au XVIIe s. que le mot désigne le fait de soumettre une chose à un ordre déterminé, de fixer ce qui doit l'être dans tel ou tel domaine (av. 1648), sens dont sortirent plusieurs emplois normatifs en droit (dès 1585, *le règlement de plaidoirie*). Ultérieurement, il s'étend au fait de régler une question (1835), de payer une dette ou un dû (1824), entrant avec ce dernier sens dans la locution figurée ***règlement de comptes*** (1832 ; répandu mil. XXe s.) «acte d'hostilité punitive» et dans des formules commerciales *(en votre aimable règlement)*. ➛ De *règlement* sont tirés **RÉGLEMENTER** v. tr. (1768), employé avec ou sans complément (1840), et **RÉGLEMENTAIRE** adj. (1768) «qui multiplie à l'excès les règlements», sens disparu, puis «qui concerne les règlements» (1780). ➛ Du verbe sont dérivés **RÉGLEMENTATION** n. f. (1845) «action de réglementer» et, par métonymie, «ensemble des mesures qui régissent une question» (1875), et **RÉGLEMENTATEUR, TRICE** adj. et n. (av. 1865) qui élimina la forme non savante *réglementeur* (1775, Condorcet). ➛ L'adjectif *réglementaire* a servi à former **RÉGLEMENTAIREMENT** adv. (1845) ainsi que **RÉGLEMENTARISME** n. m. (1870) et **RÉGLEMENTARISTE** adj. et n. (1925), souvent assortis d'une connotation péjorative signalant l'abus de réglementation. ➛ De *réglementer* vient le préfixe antonyme **DÉRÉGLEMENTER** v. tr. (v. 1980) et, de *réglementation* ou de ce verbe, **DÉRÉGLEMENTATION** n. f. (v. 1980).

RÉGLURE n. f. (1549) concerne l'opération de réglage du papier et, par métonymie, son résultat (1643). ➛ Enfin l'adjectif **RÉGLABLE** (1842) est d'usage technique et courant.

DÉRÉGLER v. tr., d'abord *desreigler* (v. 1280), a éliminé la forme populaire *desrieuller* (XIIIe s.), *derieuler, desrieler* au cours du XVIe s. et pris sa forme actuelle, *dérégler* (1636). Le verbe signifie «mettre en désordre, bouleverser, déranger» au propre, et au figuré «troubler l'ordre moral, la discipline de» (1690). ➛ Le dérivé **DÉRÈGLEMENT** n. m., d'abord *desriglement* (1458) et *desreiglement* (1538), avec la graphie moderne au XVIIe s., a eu comme le verbe et son participe passé le sens figuré de «désordre dans la conduite morale, le savoir-vivre» (XVIe s.), devenu archaïque au profit d'autres valeurs métaphoriques (Rimbaud : *le dérèglement de tous les sens*). ➛ **DÉRÉGLÉ, ÉE**, participe passé adjectivé (XVIIe s.), a donné l'adverbe **DÉRÉGLÉMENT** (1835) quasiment inusité ; **DÉRÉGLAGE** n. m. (1956) constitue un nom d'action à valeur dynamique, à côté de *dérèglement*.

Outre le groupe important formé par *régler* et ses dérivés, *règle* a servi à former deux noms concrets par suffixation diminutive. ➛ **RÉGLET** n. m. (1370) «petite règle à l'usage des écoliers», s'est maintenu dans des spécialisations techniques, en charpenterie (1530), en imprimerie (1635) et en architecture (1688). ➛ Le féminin **RÉGLETTE** n. f., après avoir désigné, sous la forme *reglete* (1415) l'aiguille d'un cadran, a reçu sa forme actuelle (1680) au sens de «petite règle plate utilisée dans l'imprimerie». Il désigne aussi une règle à quatre faces égales (1845) et une petite règle utilisée en topographie et en balistique (1904, *réglette de direction*).

◈ voir BARIOLÉ, RAIL, RÉGULIER, RIGOLE, RILLETTES.

RÉGLISSE n. f. est, après *requelice* (XIIIe s.) et *regulisse* (1268), une des altérations (1393) de l'ancien français *ricolice* (fin XIIe s.), l'initiale *régl-, régul-* pouvant venir de l'influence de *règle**, la réglisse étant vendue en bâtons. *Ricolice* est la déformation par métathèse de *licorece* (v. 1138), *licorice* (XIIe s.) [cf. anglais *liquorice*], qui remonte au bas latin *liquiritia*, altération, sous l'influence de *liquor* (→ liqueur) du latin classique *glycyrrhiza*. Ce dernier est emprunté au grec *glukkurriza* désignant une plante dont les racines rhizomateuses sont riches en sucre et signifiant proprement «racine douce», de *glukus* «doux» (→ glucose) et *rhiza* «racine» (→ rhizome). ◇ Parmi les nombreuses déformations du mot, *reygalisse* (XVIe s.) est une interprétation du mot par *rai* (de *radix* «racine», → radis, raifort) *de Galice*, la Galice ayant été longtemps le principal fournisseur de réglisse : *rai de Galice* s'est employé jusqu'au XXe s. en Suisse.

♦ Le mot désigne la racine d'une plante employée en pharmacie et pour des boissons rafraîchissantes (XIIIe s.), spécialement dans *jus de réglisse* (1256, sous la forme *ricolice*) et *bâton de réglisse* (v. 1560). Dans les emplois elliptiques, malgré les recommandations des puristes (qui l'ont condamné en 1835), le masculin prévaut dans l'usage courant. Par analogie, le mot entre dans les dénominations de plantes comparées à la réglisse (1850), notamment dans *réglisse sauvage* (1870), *réglisse d'Amérique, des bois*. ➛ L'origine végétale de la réglisse étant le plus souvent oubliée ou inconnue, *réglisse* ne désigne plus en français moderne que la substance comestible noire fabriquée à partir du rhizome de la plante et servant de confiserie.

RÈGNE n. m. est la réfection (fin Xe s.) de la forme populaire *ren* (v. 980), par emprunt au latin *regnum* «autorité royale», «souveraineté», «royaume», «état de roi», de *rex, regis* (→ roi). L'ancien français a eu de nombreuses variantes, certaines issues de *regnum* par voie orale, *rein, reine, raine* (v. 1190), *resne* (fin XIIe s.), ainsi que *ranne* (v. 1175), *renne* (XIIIe s.), *rainne*, d'autres demi-savantes, comme *rengne, raigne, reigne*.

♦ Le sens d'emprunt de *règne* «pays» a été pris par *royaume*, se maintenant plus longtemps en religion dans l'expression *règne de Dieu* (1553, antérieurement *regne Dieu*) et, quelquefois, à propos du royaume de Naples (v. 1300). ➛ Le sens d'«endroit, quartier», procédant d'une extension de la même idée spatiale, est propre à l'ancien français. C'est à la même idée transposée abstraitement (cf. *domaine*) que le mot doit de désigner, en sciences naturelles, chaque domaine d'étude correspondant aux trois grandes divisions de la nature sensible et chacune de ces divisions : ***règne végétal, animal, minéral*** (1730). ◇ L'emploi de *règne* en philosophie, notamment à propos de Kant (1938), réalise l'idée analogue de «vaste ensemble d'êtres unis et gouvernés par un principe commun».

Cependant le sens actif de «gouvernement exercé par un roi, un souverain» apparaît dès le XIIe s. (v. 1155) ; par métonymie, il s'y mêle dès cette époque l'acception temporelle d'«époque historique à laquelle correspond l'exercice effectif du pouvoir d'un souverain» *(sous le règne de...)* d'où, par extension, «période d'exercice d'un pouvoir politique absolu» (1636). ◆ L'emploi figuré du mot attesté en moyen français par la locution *être en règne* «être en vogue» (av. 1453), sortie d'usage après le XVIIIe, s'est développé au XVIIe s., en parlant de la domination d'une personne ou d'un groupe dans un domaine donné (1660, Bossuet) et, abstraitement, de l'influence d'une idée, d'une théorie sur la manière de penser ou d'agir d'une époque (1670, Bossuet). Ce sens est réalisé spécialement dans l'expression *le règne de la loi* (1936) désignant le régime juridique dans lequel les gouvernants et leurs agents sont tenus de se soumettre aux règles de droit posées par la loi ou le règlement. ◆ Une extension métonymique concrète, désignant un objet symbolique du règne, correspond à «couronne suspendue au-dessus du maître-autel dans certaines églises» (1690), désignant spécialement chacune des trois couronnes qui, depuis le XIVe s., forment la tiare pontificale (1652), appelée pour cette raison **TRIRÈGNE** n. m. (1690), emprunt au latin *triregnum*, par l'intermédiaire de l'italien *triregno*.

▶ **RÉGNER** v. intr. est emprunté en même temps que *règne* (v. 980) au dérivé latin *regnare* «être roi», au figuré «dominer». Le verbe apparaît au sens propre, pour «exercer le pouvoir politique en tant que roi ou souverain dans un État». Il a cette valeur dans deux formules politiques qui firent date : ***le roi règne et ne gouverne pas*** (1830), de Thiers, et ***diviser pour régner***, enregistrée en 1864 par Littré. ◆ Dès l'origine, *régner* s'emploie au figuré à propos d'une personne (d'abord le Christ) exerçant un pouvoir ou une hégémonie sans partage (v. 980), emploi bientôt étendu à une chose qui exerce une influence prépondérante dans un domaine (v. 1174). ◆ L'affaiblissement de la notion d'influence en celle de mode aboutit au sens de «jouir d'un certain crédit, d'une vogue» (1669), en parlant d'une chose matérielle ou abstraite qui existe, s'est établie quelque part (1533); ce sens est fréquent dans la forme impersonnelle *il règne*, suivi d'un nom (av. 1696, La Bruyère) et en parlant d'une maladie qui sévit (1731); avec une valeur ironique, il se retrouve dans la locution familière et ironique ***la confiance règne !*** (XXe s.). ◆ Au XVIIe s. *régner* a pris en architecture le sens de «s'étendre en longueur sur une ligne continue» (1611). ◆ Le participe présent **RÉGNANT, ANTE**, substantivé au masculin au sens de «règne» (v. 1138) sorti d'usage, est adjectivé (v. 1350) au sens propre (*prince régnant*, etc.) puis au figuré (v. 1460) dans un usage littéraire ou soutenu.

RÉGNICOLE adj. est formé (1509) de *règne* et de l'élément *-cole;* le latin chrétien atteste *regnicolae* «habitants du royaume des cieux». ◇ Le mot s'applique aux habitants d'un royaume, d'un pays, par opposition aux étrangers. Il est archaïque ou historique.

RÉGNICOLE → **RÈGNE**

REGORGER → **GORGE**

RÉGRESSION n. f. est emprunté (XIVe s.) au latin *regressio, -onis* «retour», en rhétorique «reprise à la fin d'un énoncé de ce qui est énoncé au début», de *regressum*, supin de *regredi* «revenir, rétrograder», de *re-* (→ re-) marquant le retour en arrière, et *gradi* «marcher, avancer» (→ grade).

◆ Le mot apparaît en français avec le sens concret et général de «marche en arrière, recul», sorti d'usage au XVIe s., mais dont procède une spécialisation en géologie à propos de l'abandon par un milieu générateur de dépôts, des territoires qu'il occupait (1923). ◇ Le mot est peu attesté jusqu'au XVIIIe s., époque où il est repris en rhétorique (1765, *Encyclopédie*). Il se répand assez récemment avec le sens d'«évolution en sens inverse du progrès, affaiblissement» (1899), extension de l'acception spécialisée, «retour d'un tissu, d'un organe, d'une fonction, d'un individu à un type moins évolué» (1865), introduite par Wetter et Burdach; il est alors opposé à *progression*. ◆ Au XXe s., *régression* s'emploie en logique pour une démarche de la pensée allant des conséquences aux principes (attesté 1947), en psychologie à propos du retour d'un individu à des modes de comportement caractéristiques d'un état antérieur du développement et, en psychanalyse, de la réapparition de formes infantiles de l'affectivité comme mécanisme de défense lors d'un conflit (1906, *régression de la personnalité;* 1911, *régression*). Il est aussi passé en mathématiques où il désigne la réduction des données d'un phénomène complexe en vue de le représenter par une loi simplificatrice.

▶ Le mot a produit quelques dérivés fournissant des antonymes à *progressif* et à *progresser*. ◆ **RÉGRESSIF, IVE** adj. est d'abord (1842) un terme de logique pour «raisonnement qui remonte des conséquences aux principes». Littré (1870) l'enregistre au sens de «qui va en arrière», «qui constitue un retour à un stade antérieur moins évolué», devenus courants. Il a développé les spécialisations correspondant à celles du verbe en biologie (1855), en psychologie et en géologie (1964). ◇ En est dérivé **RÉGRESSIVEMENT** adv. (1870), d'usage didactique. ◆ **RÉGRESSER** v. intr. (1878), introduit en médecine, a le sens général d'«évoluer dans un sens inverse du progrès» (1893). Ce verbe a des emplois spéciaux en psychologie et en psychiatrie, ainsi qu'en géologie (1964).

REGRÈS n. m., d'abord *regres* (1210), est l'adaptation du latin *regressus* «action de revenir en arrière», employé en droit (XIIe s.), de *regressum*, supin de *regredi*. Il a d'abord eu le sens général de «retour» et désignait spécialement, en moyen français, le droit de rentrer dans un bénéfice résigné ou permuté lorsque le résignataire n'observait pas les conditions stipulées (1550). Sorti d'usage, il a été repris d'après *progrès* et *régression*, pour «évolution régressive» (1907); il est resté rare du fait de l'homonymie de *regret*.

REGRETTER v. tr., d'abord *regreter* (1050), est d'origine incertaine. Le verbe vient probablement de *re-** et d'un verbe non attesté emprunté à l'ancien scandinave *grâta* «pleurer, gémir», de la famille du gotique *grêtan* «pleurer, se plaindre» et de l'anglais *to greet* «pleurer». La forme *regreter,* au lieu de *regrater,* plus rare en ancien français, fait difficulté. Cependant, selon P. Guiraud, *regretter* pourrait représenter un latin populaire °*recrepitare* «faire éclater sa douleur en cris et lamentations» reconstitué à partir de *crepitare* «émettre un cliquetis, un grincement, un claquement» et «faire retentir, avoir toujours qqch. à la bouche» (→ crépiter). Ce verbe est un fréquentatif de *crepare,* par exemple dans *crepare pauperiem* «crier misère»; cependant, cette hypothèse semble contredite par le fait que l'ancien français disait aussi *regrater* (v. 1190), forme qui a survécu jusqu'au XVIIIe s. dans l'anglais *to regrate* (*to regret* est plus récent); l'alternance des voyelles *a* et *e* s'explique probablement par l'influence d'un verbe comme *acheter* à côté de la variante *achater;* l'adjonction du préfixe *re-* est due à l'influence de nombreux verbes de la vie affective et intellectuelle commençant par *re-,* tels *repentir, remémorer, remembrer, recorder,* (cf. *record, recors*).

♦ Le verbe signifie en ancien français «se lamenter au sujet d'un mort» (1050), «appeler (qqn) au secours, implorer» (1080), «invoquer dans ses plaintes» (v. 1155); il s'employait à la forme impersonnelle (1080) pour dire qu'une chose est cause de souffrances. ◇ Comme verbe de parole, il signifiait aussi «mentionner», «exposer des faits, raconter», «demander (de faire qqch.)». ◆ En moyen français, apparaissent les deux valeurs modernes : «ressentir de façon désagréable ou pénible la perte ou l'absence de (qqn, qqch.)» (v. 1460 chez Villon) et «être indisposé, contrarié par (un fait, une situation qui s'oppose à ce que l'on désire)» (v. 1460), d'où procède la valeur «éprouver du déplaisir à ce qu'une chose n'existe pas» (1690), avec les constructions classiques *regretter de ce que* (1651) et *regretter que* et subjonctif (1838). Par extension, *regretter,* suivi d'un complément inanimé ou de l'infinitif, signifie «être mécontent de soi ou se sentir coupable» (1668), spécialement en encouragement à agir (1918, *vous ne le regretterez pas*) et en menace (1920, *tu le regretteras*). La valeur spéciale de «donner qqch. à regret, à contrecœur» (1668) n'est plus perçue comme telle. Enfin, *regretter,* en construction transitive indirecte, sert à exprimer à qqn le déplaisir qu'on a d'avoir agi de telle ou telle façon, à s'excuser de ce dont on s'estime responsable; de là l'emploi de *je regrette,* à l'oral, pour opposer un démenti (attesté depuis 1964 dans les dictionnaires).

▶ **REGRET** n. m., déverbal (v. 1160) de *regretter,* présente la même histoire sémantique que le verbe : en ancien français, il était surtout employé dans les locutions *faire regret de* «manifester sa douleur au sujet de», *faire regret à qqn* «reprocher à», et, en moyen français, *avoir le regret de, en, à* (1377) «s'inquiéter de». Le pluriel *regrets* exprimait des plaintes, des lamentations (XIIIe s.). ◆ L'usage moderne du mot remonte à la fin du XVe s. avec le sens de «sentiment pénible causé par la perte ou l'absence de qqn, de qqch.», spécialement dans la formule funèbre ***regrets éternels*** (1869). ◆ *Regret* se dit aussi du mécontentement de soi ou de la culpabilité dus au fait que l'on estime avoir agi de façon inadéquate ou répréhensible (1530); il se dit dès le XVe s. dans ***à regret*** (v. 1460) du déplaisir éprouvé quand les faits, les circonstances s'opposent à la réalisation de ce que l'on souhaitait pour soi ou pour un autre (av. 1549). La langue classique employait la construction *avoir regret que* (1664); l'usage moderne les formules de politesse ***avoir le regret de*** (1834), ***être au regret de, à mon grand regret*** (1790) et, au pluriel, ***exprimer ses regrets*** (XXe s.). ◆ *Regretter* a aussi produit **REGRETTABLE** adj., d'abord *regretable* (av. 1472) au sens actif de «qui exprime le regret», sorti d'usage. ◇ Puis, le mot qualifie une personne (1515) et, plus souvent, une chose (1694) qui mérite d'être regrettée, que l'on regrette. Le sens de «propre à causer du remords, déplorable» (1833) est réalisé dans la tournure impersonnelle ***il est regrettable que*** (fin XIXe s.). L'adjectif s'emploie rarement à propos d'une personne (1875). ◆ De *regrettable* est dérivé l'adverbe **REGRETTABLEMENT**, tardif (1834) et assez peu usité.

REGROUPER → GROUPE

RÉGULARISER, RÉGULATEUR, RÉGULATION → RÉGULIER

RÉGULIER, IÈRE adj. et n. m. est la réfection (déb. XIVe s.) par changement de suffixe (comme dans *bouclier, sanglier, singulier*) de l'ancien adjectif *reguler* (v. 1119), emprunt au latin impérial *regularis* «en forme de barre» et, au figuré, «qui sert de règle», «canonique», dérivé du latin classique *regula* (→ règle). En latin médiéval, l'adjectif est entré dans la terminologie des calendriers (XIe s.). L'ancien français a employé les formes populaires *reuler* (v. 1180, en anglo-normand), *riuler* (v. 1210), *rieuler,* francisées d'après le substantif *reule, rieule* (→ règle).

♦ L'adjectif qualifie en ancien français une chose conforme à la règle, d'abord dans l'expression *jurs regulers* désignant le nombre qui, ajouté à l'épacte de l'année, permet de savoir quel jour de la semaine tombe le premier jour de chaque mois (v. 1119). ◆ Sous l'influence de *règle,* l'adjectif qualifie ce qui est conforme aux règles morales (déb. XIIIe s.) et, de là, s'emploie à l'époque classique pour qualifier une personne soumise aux devoirs de la morale et de la religion (1671); cet usage a vieilli, mais le sens voisin de «qui respecte un certain code de l'honnêteté» l'a réactivé dans la langue familière (1922), à propos des personnes et de leurs actes *(le coup est vache, mais régulier);* cf. ci-dessous l'abréviation *réglo.* ◆ Par spécialisation du sens courant, «fait dans les bonnes formes» (1552), le mot devient un terme de droit (1676, *une procédure régulière*) et s'applique à toutes sortes de domaines : logique, grammaire et versification (1690); la langue classique l'emploie spécialement pour ce qui est conçu selon les règles édictées en matière littéraire (1660), le substantivant avec la valeur de «classique, puriste». Ultérieurement, il prend le sens vague de «qui se déroule normalement» (1875). ◆ Dès l'ancien français, l'adjectif avait repris au latin ecclésiastique (saint Augustin) une spécialisation religieuse, se disant des ordres soumis à une règle interne (v. 1175) par opposition à *séculier*, et, par métonymie, des lieux qui sont dans la clôture d'un couvent (1690). Dans le langage militaire, il qualifie des troupes permanentes dépendant du pouvoir central et soumises à des règles strictes (1751). ◆ Dès l'ancien français, l'accent passant de l'idée de règle à celle de rythme constant, l'adjectif qualifie ce qui se développe dans le temps d'une manière uniforme, constante, sans présenter de variations (XIIe-XIIIe s.), c'est-à-dire un mouvement, un processus, une activité, un travail, un effort (1887), le pouls (1870). ◇ Avec cette même valeur, il se dit des personnes dont l'activité est marquée par la constance, la ponctualité (1658, La Rochefoucauld). Au XVIIe s., en accord avec les canons de l'esthétique classique, il caractérise une chose présentant une disposition, des formes harmonieuses (1666, *beautés régulières*), spécialement en architecture (1671) et en géométrie (1680), ultérieurement en botanique (1870) et, dans la langue courante, à propos d'une écriture (1882). Il qualifie aussi ce qui se répète à intervalles fixes (1835), s'appliquant aux moments où ces événements ont lieu (1863, *à intervalles réguliers*); il se dit encore de ce qui a un caractère permanent, durable, et d'une personne travaillant de manière non occasionnelle; la langue populaire l'a substantivé au sens d'«époux ou épouse légitime» (au féminin, 1930). ◇ Elle l'abrège en **RÉGLO, RÉGUL** avec la valeur de «correct» qu'a pris l'adjectif (1922), en parlant des personnes, d'abord en argot, puis familièrement *(un type régulier)*.

▶ **RÉGULIÈREMENT** adv., d'abord *regulerement* (v. 1170), a d'abord eu le sens religieux de «conformément à la règle monastique» qu'il perdit au XVIIIe siècle. Dans l'usage didactique, il signifie «conformément à la loi, à la règle» (1791). Une autre valeur correspond à «selon un mouvement ou un rythme régulier» (1377) et «ponctuellement» (1426), «de façon ordonnée, régulière» (1680). En tête de phrase, il correspond à «normalement» (1875). ◆ **RÉGULARITÉ** n. f. (v. 1370), également attesté en moyen français sous la forme *regulaireté* (v. 1370), est dérivé savamment du latin *regularis* (voir ci-dessus *régulier*). Désignant d'abord l'uniformité d'un mouvement et, en géométrie, le caractère d'une figure, d'un corps ayant ses angles et ses côtés égaux (v. 1370), il s'emploie aussi dans le domaine moral (1581). La langue classique lui donne en esthétique une valeur voisine de celle de *règle, loi*, au singulier et au pluriel (1666) et le dit de la conformité d'un auteur, d'une œuvre aux règles littéraires, ce sens étant sorti d'usage. ◆ *Régularité*, à la même époque, se dit du fait de présenter des proportions harmonieuses (spécialement en architecture, 1680), de la ponctualité (Racine) et de l'exacte observance de la règle dans un ordre religieux (1688). ◆ Le sens moral, «observance des devoirs de la morale et de la religion» (1680), a disparu. Au XIXe s., l'usage juridique introduit le sens de «conformité aux lois» (1810).

IRRÉGULIER adj. et n. est la réfection (v. 1310) de *irreguler* (XIIIe s.), adaptation d'après *réguler*, puis *régulier*, du bas latin *irregularis*, antonyme de *regularis* qualifiant dans l'usage chrétien ce qui n'est pas conforme à la règle monastique et substantivé au moyen âge pour désigner celui qui ne peut être ordonné selon les règles monastiques. ◆ Le mot apparaît dans le langage religieux pour qualifier celui qui, après avoir reçu les ordres ecclésiastiques, devient incapable d'en exercer les fonctions pour avoir encouru les censures. ◇ Sous l'influence de *régulier*, il s'applique en général à ce qui n'observe pas les règles, en droit (1283), avant de s'étendre à ce qui n'est pas conforme aux règles en général (v. 1370), avec des spécialisations en grammaire (XIVe s.), en versification (1690) et en esthétique (1694). ◆ D'après *régulier*, il a pris le sens de «non uniforme» en parlant d'un mouvement, d'un processus (1580), développant le sens concret de «non harmonieux» (1659, spécialement en architecture) et des sens moraux correspondant à «capricieux» (1656), «désordonné, dissolu» (1671) puis «contraire à la bienséance» (1730, Marivaux), qui ont disparu. Des spécialisations techniques en langue militaire (1751) et en botanique (Rousseau, selon Trévoux, 1771) se développèrent symétriquement à celles de *régulier*. ◆ **IRRÉGULIÈREMENT** adv., réfection (v. 1510) de *irregulairement* (v. 1370), terme juridique, est passé dans l'usage courant avec le sens de «sans périodicité régulière» (v. 1560) avant de s'employer pour «sans harmonie» (1718) communément. ◇ Pour *irrégularité*, voir ci-dessous *régularité*.

RÉGULARISER v. tr. est dérivé savamment (1723) du latin *regularis* «qui sert de règle» (voir ci-dessus *régulier*) avec un suffixe verbal. L'anglais *to regularize*, de *regular* (emprunté avec changement de suffixe à une ancienne forme du français *régulier*), n'a pu servir de modèle : bien qu'attesté une fois au XVIIe s. dans un dictionnaire, il a été repris au XIXe s. d'après le verbe français. ◆ Le verbe signifie «rendre conforme aux dispositions légales ou réglementaires», spécialement pour «rendre légale une union illégitime» (1846) dans ***régulariser sa position*** (1870) puis ***sa situation*** (1904). ◇ D'après un autre sens de *régulier*, il signifie «rendre régulier, assujettir à un ordre, à un rythme déterminé» (1794). ◆ De *régulariser* est dérivé **RÉGULARISATION** n. f. (1809), d'abord «action de rendre conforme aux lois et règlements», et spécialement «fait de régulariser sa situation par un mariage» (1870) et récemment «procédure par laquelle un étranger se trouve en situation régulière». ◇ Le sens physique d'«action de régulariser un cours d'eau» est enregistré dans les dictionnaires en 1964 après celui de «diminution des irrégularités du relief d'une côte» (1886).

RÉGULARITÉ n. f. est dérivé savamment (v. 1370) du latin *regularis* (voir *régulier*). Une forme moins savante *regulaireté* est attestée chez Oresme (v. 1370). ◆ Le mot exprime d'abord le caractère d'un mouvement, d'un processus soumis à un rythme uniforme, et, de là, le caractère de ce qui se produit à des intervalles réguliers, constants (av. 1699) et le caractère d'une action produite sans à-coups. Dès les premiers textes, il se dit aussi du caractère de ce qui présente de justes proportions, une composition symétrique, avec, à l'époque classique, une connotation d'«harmonie» (1680). ◆ Sous l'influence de *règle*, le mot a développé le sens moral de «conformité aux règles, normalité» (fin XVIe s.), vieilli en dehors de l'acception juridique de «conformité au règlement, aux lois» (1810). Dans l'usage classique, il se disait également de la conformité aux règles naturelles (1690), aux règles édictées en matière littéraire (1666), et, pour une personne, de l'exacte observation des devoirs de la morale et de la religion (fin XVIe s.), ainsi que de l'observance de la règle dans un ordre religieux (1688). ◇ De nos jours, appliqué à une personne, il est surtout compris comme «conformité dans l'utilisation régulière du temps». ➜ **IRRÉGULARITÉ** n. f. est emprunté (av. 1382, Oresme) au bas latin chrétien *irregularitas*, dérivé de *irregularis* (cf. *irrégulier*) désignant la non-conformité aux règles, l'indiscipline, et prenant au moyen âge une valeur morale (XIIIe s.), et en outre le sens spécial de «situation irrégulière (d'un clerc)» (XIIIe s.), «empêchement canonique de recevoir les ordres». ◇ Le mot, qui sert de substantif à *irrégulier*, désigne le caractère de ce qui n'est pas régulier, le manque de légalité. Il s'est répandu au XVIIe s., s'appliquant par métonymie *(une, des irrégularités)* à un acte, une chose irrégulière (1611), spécialement dans le domaine moral (1651), en architecture (1680), en droit canonique (1656-1657). ◇ Au XVIIIe s., il se dit aussi du caractère irrégulier d'une chose, du fait de se produire sans périodicité, avec des durées ou des intensités inégales (1704, *irrégularité du pouls*), et en sciences (Buffon) à propos du mouvement de la Lune, puis d'autres phénomènes et évolutions.

RÉGULATION n. f. a d'abord été dérivé savamment, avec son sens ancien de «domination» (v. 1460), du verbe ① *réguler* «décider qqch., déterminer» (v. 1368), représentant par emprunt le bas latin *regulare* «diriger, régler». *Régulation* a été reformé au XIXe s. (1832) d'après le supin latin *regulatum*, de *regulare* et sous l'influence de *régulateur* (ci-dessous). ➜ Le mot désigne l'action de régler un appareil, d'en corriger le fonctionnement ou les données, notamment dans *régulation du compas* et *courbe de régulation*, en navigation (1904). *Régulation* se répand à la fin du XIXe s. avec le sens de «fait d'agir sur un système complexe et d'en coordonner les actions pour un fonctionnement correct et régulier», spécialement en physiologie (1897), puis à propos du contrôle des naissances (mil. XXe s.). Le mot sert aussi à désigner le concept fondateur de la cybernétique*. Dans le style littéraire, il s'emploie pour «action de régler qqch., de le rendre conforme à des normes» (av. 1945, Valéry). ➜ Du radical de *régulation* sont dérivés **RÉGULATIF, IVE** adj. (1930) et un nouveau verbe ② **RÉGULER** v. tr. (1932), didactique au sens de «soumettre à une régulation», également à la forme pronominale *se réguler*. ➜ Deux composés en *auto-*, **AUTORÉGULATION** n. f. (1878), et, sur le participe passé du verbe, **AUTORÉGULÉ, ÉE** adj. (1969), sont didactiques et techniques. La notion d'autorégulation correspond au principe du thermostat et des machines cybernétiques.

RÉGULATEUR, TRICE adj. et n. est dérivé savamment, au moins à deux reprises (déb. XVIe et XVIIIe s.), d'après *régulation*, du bas latin *regulare* «diriger, régler», du latin classique *regula* (→ règle). ➜ Au XVIe s., le mot s'est employé comme adjectif pour qualifier la personne qui règle qqch., en assure la direction; inusité ensuite, le mot réapparaît dans ce sens comme substantif au XVIIIe s. (1788). Le nom désigne un système de commande destiné à maintenir constante la valeur d'une grandeur (1728, *régulateur de montre*), puis au XIXe s. s'emploie dans *régulateur à force centrifuge* (1870), *régulateur de Watt* (1888), enfin au XXe s., il s'applique à un dispositif sur un véhicule automobile. D'autres emplois techniques concernent l'organe d'une charrue permettant de régler la position des socs (1870), une horloge de précision qui sert à régler les autres (1862). ➜ L'emploi général pour «chose ou personne qui rend régulier qqch., qui discipline» (1770, D'Alembert) est resté rare. Dans ce sens lié à *régulation*, le nom s'applique à une personne s'occupant de la régulation du trafic et à l'officier général ou supérieur chargé des transports dans une zone déterminée (mil. XXe s.). ➜ L'adjectif a été refait à la fin du XVIIIe s. pour qualifier ce qui règle, amène une régularité (1796, Laplace); au XXe s., en relation avec les emplois spécialisés du substantif, il qualifie des appareils assurant un contrôle, une commande réglée (1904), spécialement en mécanique, et l'organisme chargé en temps de guerre de veiller aux moyens de transport nécessaires aux opérations militaires (1917); d'autres spécialisations en architecture (*tracé régulateur*, 1942) et en physiologie (1884) sont contemporaines. ➜ Le mot a servi à former **AUTORÉGULATEUR, TRICE** adj. (1866), d'usage didactique.

◈ voir RÈGLE.

RÉGURGITER

RÉGURGITER v. tr. est un dérivé savant (1540), avec le préfixe *re-**, probablement d'après *ingurgiter**, du latin *gurges* «tourbillon d'eau, gouffre» (→ gorge).

♦ Le verbe a été introduit en médecine et en physiologie. Il s'est employé absolument pour «regorger, refluer» (en parlant du sang, du contenu de l'œsophage). ◇ Son usage moderne est tardif (1842) pour «faire revenir (le contenu de l'estomac) dans la bouche», spécialement en parlant de ruminants, des très jeunes enfants, et quelquefois par métaphore. Il s'emploie quelquefois au figuré, pour «ruminer».

▶ Le dérivé **RÉGURGITATION** n. f., d'abord attesté au sens de «débordement d'un liquide» (1567) dans un document juridique, s'est spécialisé en médecine et physiologie dès le XVIe s. en parlant du reflux du sang (1573, Paré). ◇ Depuis le XIXe s., il s'applique aussi au retour des aliments de l'estomac ou de l'œsophage dans la bouche (1824), spécialement en parlant du mode de digestion des ruminants (1834). Il s'emploie parfois au figuré, pour «ce qui revient à l'esprit, ce qu'on rumine».

RÉHABILITER → HABILITER

REICHSTAG

REICHSTAG n. m. est emprunté (1874) à l'allemand *Reichstag*, proprement «Diète d'Empire», composé de *Reich* «royaume, empire», lequel est dérivé de la racine de l'adjectif qui a donné *riche**, et de *Tag* «session, assemblée», par métonymie de «jour», spécialement «jour assigné pour l'assemblée». L'idée est rendue en français par *diète*. *Tag* appartient à la dénomination du jour dans les langues germaniques (anglais *day*, néerlandais *dag*). Si l'on pose pour sens de base «moment où le soleil chauffe la terre», cette dénomination pourrait être rapprochée d'une racine indoeuropéenne °*dhegh-* «brûler», bien établie en sanskrit, latin, grec, balto-slave et celtique. La Diète d'Empire est la continuation de la tradition franque des assemblées populaires d'hommes libres pour élire le roi, discuter et promulguer les nouvelles lois. Disparu avec l'Empire en 1806, le Reichstag a été réintroduit en 1849 par le parlement de Francfort dans sa constitution mort-née, puis en 1871 par Bismarck dans la constitution de la Confédération de l'Allemagne du Nord, et en 1919 dans celle de Weimar.

♦ Le mot désigne l'assemblée législative allemande et, par métonymie, le palais où siégeait cette assemblée à Berlin, incendié dans la nuit du 27 au 28 février 1933. Cet événement historique *(l'incendie du Reichstag)* symbolisa la fin du parlementarisme et valut à Hitler, qui l'avait peut-être suscitée et qui avait su l'exploiter politiquement et policièrement, l'accession aux pleins pouvoirs d'exception.

◈ voir RIXDALE.

RÉIFIER v. tr. est dérivé en philosophie (1930, Benda) du latin *res, rei* «chose» (→ rien) avec le suffixe *-ifier* correspondant au latin *-ficare*, pour *facere* (→ faire).

♦ Le verbe, attesté après *réification*, est synonyme de «chosifier».

▸ **RÉIFICATION** n. f., attesté en 1912 chez J. Benda, est synonyme de «chosification». Il s'emploie spécialement en économie politique pour traduire l'allemand *Verdinglichung*, terme employé par Marx pour désigner de manière critique le processus par lequel une réalité sociale ou un sujet individuel sont niés en tant que tels et réduits à l'état de chose, notamment la transformation de l'activité humaine en marchandise. Le concept a été défini également dans sa dimension psychologique et psychiatrique, recouvrant la transformation pathologique d'opérations mentales en réalités objectives. L'analyse du discours emploie le mot pour désigner le fait d'inscrire un sujet humain dans la position d'objet à l'intérieur du discours d'autrui.

◈ **REIN** n. m. est issu (v. 1120) du latin *ren, renis* (presque toujours au pluriel *renes*) «région lombaire», «organe sécrétant l'urine», puis, dans les textes chrétiens, «siège de la vie affective» et «dos», mot d'origine inconnue.

♦ Le mot est d'abord employé au pluriel, désignant la région lombaire, sens conservé, malgré l'évolution ultérieure, notamment dans les locutions du XIXe s. ***tour de reins*** (1870), ***coup de reins*** (1891, Huysmans) et, en argot ancien, *avoir (qqn, un poursuivant) aux reins* «être traqué» (1926). Selon le symbolisme qui fait des reins le siège des passions et impulsions inconscientes par rapport au cœur, siège de l'activité consciente, *cœur* et *reins* se trouvent associés, d'après le discours biblique ***(sonder les reins et les cœurs)***, dans les locutions figurées comme *avoir les reins forts* (1660) devenu ***avoir les reins solides*** (1904), ***avoir les reins souples*** (1875), ***casser les reins à qqn*** (XXe s.). Par analogie de situation, le mot désigne en construction les extrados d'une voûte (1491). ◆ Le singulier *rein*, attesté une fois au XIVe s. dans un texte médical (1328), puis repris en 1538, est probablement un nouvel emprunt au latin médical pour chacun des deux organes sécréteurs, qui élaborent l'urine et sont situés dans les fosses lombaires. Il entre dans de nombreux syntagmes, dont *rein flottant* (1949) et *rein artificiel* (1964).

▸ De *rein* est dérivé l'adjectif **REINTÉ, ÉE** (1680), qualifiant en vénerie un chien dont les reins sont élevés en arc et larges, et, par extension, appliqué à un humain ayant une forte région lombaire (1762). Le mot a vieilli.

Le dérivé verbal **ÉREINTER** v. tr. (1690) est la réfection, par introduction d'un *t* épenthétique, de l'ancien français *esrener, erener* (v. 1130). Le verbe a perdu son sens propre, «blesser, déformer les reins de (qqn, un animal) en le battant», pour le sens figuré «excéder de fatigue» (1698). Un sens figuré secondaire, «décrier, attaquer par la parole» (fin XVIIe s.), a mené au sens de «critiquer violemment, de manière à détruire la réputation» (1837). ◆ Également employé à la forme pronominale *s'éreinter* avec le même développement, le verbe a produit trois dérivés. ◇ **ÉREINTEMENT** n. m. (1842) s'emploie, d'abord dans l'argot journalistique, pour «critique malveillante et sévère», et aussi pour «grande fatigue» (1864). ◇ **ÉREINTAGE** n. m. (1846), «action de critiquer avec violence», et **ÉREINTEUR, EUSE** n. (1859), aussi dans la spécialisation journalistique, procèdent de la même valeur du verbe. ◆ **ÉREINTANT, ANTE** adj. (1870) s'applique à ce qui fatigue à l'extrême.

RÉNAL, ALE, AUX adj. est emprunté par les médecins (1314) au bas latin médical *renalis* «des reins, néphrétique», dérivé du latin classique *ren, renis*. Il a supplanté *reineux* (1571-1611). ◆ Ce mot fournit l'adjectif correspondant à *rein* en anatomie et en médecine, notamment dans les syntagmes *veines rénales* (v. 1560, Paré), *plexus rénal* (1870), *artères rénales* (1875), *loge rénale* (1964). ◆ L'adjectif a pour préfixé **SURRÉNAL, ALE, AUX** adj., avec le préfixe localisant *sur-** (1762), pour qualifier ce qui est placé au-dessus du rein, spécialement dans ***glandes*** (1765), ***capsules surrénales*** (1803). Il est substantivé au féminin pluriel, *les surrénales*, pour les deux glandes endocrines situées sur le sommet des reins (1890, encyclopédie de Berthelot), le singulier désignant une de ces glandes. Par extension, l'adjectif sert à qualifier ce qui est relatif aux surrénales et à leurs sécrétions. ◆ *Surrénal* a servi à former une demi-douzaine de termes de médecine et de chirurgie, comme **SURRÉNALITE** n. f. (1903), **SURRÉNALECTOMIE** n. f. (1914), **SURRÉNALIEN, IENNE** adj. (1908), **SURRÉNALOME** n. m. (1953), **CORTICO-SURRÉNALE** n. f. (1938), **MÉDULLO-SURRÉNALE** n. f. (1938), tous liés par le sens à *glandes surrénales*.

RÉINCARNER → INCARNER

REINE n. f., réfection (XIVe s.) de *reïne* (1080), parfois *roïne* en ancien français sous l'influence de *roi**, est issu par évolution phonétique du latin *regina* «femme d'un roi, souveraine» (au propre et au figuré), «princesse, grande dame», de *rex, regis* (→ roi).

♦ Le mot signifie «femme d'un souverain», puis «souveraine exerçant effectivement le pouvoir (sans que son mari soit roi)» (XIIIe s.). L'emploi ancien du mot seul pour désigner, par métaphore, la Vierge Marie (v. 1155), a cédé la place aux locutions ***reine du ciel, reine des anges*** (v. 1530, Marot). ➛ Depuis le début du XIIIe s., *reine* s'applique, en rapport avec un nom abstrait féminin, à ce qui domine, s'impose. Dans la locution ***reine de la fève*** (1377), puis en emploi absolu, le mot désigne celle qui trouve la fève dans la galette des Rois ou que le *roi* (dans ce contexte) a élu. ➛ L'emploi figuré à propos d'une femme qui l'emporte en beauté, en esprit, en valeur sur toutes les autres apparaît au XVIe s. (1531); il est repris et spécialisé au début du XXe s. dans l'expression ***reine de beauté,*** dans un concours de beauté. ➛ À l'époque classique, le mot se rencontre dans le titre de ***reine mère*** donné à la mère du roi (1680) et s'étend, au figuré, à celle qui domine, dirige, conduit (1689, Mme de Sévigné). Par ailleurs, il s'emploie dans des locutions comparatives flatteuses comme ***avoir un port de reine*** (1690) d'où, plus tard *(être, faire qqch.) comme une reine* (1843), parallèle à *comme un roi.* ➛ Dans le vocabulaire des cartes, il désigne la figure représentant une dame couronnée (1690), concurrencé par *dame,* car le discours révolutionnaire a (vainement) tenté d'éliminer cet emploi évocateur de l'Ancien Régime. ➛ Au XVIIIe s., *reine* désigne en zoologie l'unique femelle féconde chez les insectes sociaux (1751). ◇ Il entre dans la locution ***reine des bois,*** désignant le petit muguet (1791) [cf. ci-dessous *reine-des-prés*]. ➛ La locution ***à la reine*** (1680) caractérise des objets à la mode en principe lancés par une reine : *fauteuils, chaises à la reine* (1730) puis ***bouchée à la reine*** «petit vol-au-vent» (1870). ◇ L'expression ***petite reine*** (déb. XXe s.; aussi *reine-bicyclette,* 1907) a fourni une appellation aujourd'hui désuète, mais encore citée, de la bicyclette.

▸ La dérivation, peu importante, consiste en quelques composés qui, si l'on excepte **VICE-REINE** n. f. (1718), concerne des noms de plantes : **REINE-DES-PRÉS** n. f. (1655), plante à fleurs des prairies (la spirée ulmaire), **REINE-MARGUERITE** n. f. (1715), plante composée à fleurs blanches, roses ou mauves (le collistèphe).

REINE-CLAUDE n. f., nom d'une prune verte à chair fondante et sucrée, est l'abréviation (1690) de la locution *prune de la reine Claude* (1628) formée avec le nom de la femme de François Ier. Littré et l'Académie recommandent l'orthographe *reines-claudes* au pluriel mais ce pluriel est incertain : Flaubert écrit *des reines-Claude,* Colette *des reine-claudes* (ce qui correspond à la tendance simplificatrice souhaitable), et Zola fait le mot invariable.

REINETTE n. f. est tiré par ellipse (1680) de l'expression *pomme de renette* (1536), *pomme renette* (1549), ***pomme de reinette*** (v. 1560), où *reinette* est le diminutif de *reine* employé pour désigner des fruits ou des plantes estimés (cf. *roynette* «spirée ulmaire»). Il est évident que *reinette* ne peut pas se rattacher au latin *rana* (→ rainette) comme on l'a cru; l'orthographe *rainette* vient d'une confusion plutôt que d'une comparaison entre la peau de la grenouille et celle du fruit.

RÉINTÉGRER v. tr. est emprunté (1352) au latin médiéval *reintegrare,* variante du latin classique *redintegrare* «recommencer, rétablir, restaurer», de *red-,* variante de *re-* (→ re-), à valeur itérative, et de *integrare* «réparer, renouveler», de *integer* «intact» (→ intègre).

♦ Le mot a d'abord signifié «rétablir dans son état premier, dans son entier» (sens disparu après 1660) avant de se spécialiser en droit au sens de «rétablir (qqn) dans la possession intégrale de qqch.» (1532), spécialement en parlant d'un fonctionnaire auquel on restitue son emploi (enregistré par Furetière, 1690); une autre acception citée par ce dictionnaire est «remettre (qqn) dans un lieu qu'il avait quitté», au propre, et aussi au figuré (v. 1950). Le verbe est plus courant avec un nom de lieu pour objet au sens de «reprendre possession de (un lieu) après l'avoir quitté» (1875), spécialement en droit dans ***réintégrer le domicile conjugal*** (1875); d'où un emploi figuré (1920) et un emploi absolu de *réintégrer* pour «rentrer chez soi» (av. 1924).

▸ Le nom d'action **RÉINTÉGRATION** n. f. (fin XIVe s.) a d'abord désigné la remise en état, la restauration, sens sorti d'usage au XVe s., avant de suivre un développement analogue à celui du verbe, désignant le fait de réintégrer qqn dans ses possessions, son domicile (1367), ses fonctions (XVIe s.). Au XXe s., le mot a pris en droit le sens de «récupération de sa nationalité antérieure par un ex-Français». ◇ En biologie, il désigne l'ensemble des mécanismes qui feront de l'individu une unité fonctionnelle harmonieuse, adaptée à son milieu (1964). ➛ **RÉINTÉGRANDE** n. f. est dérivé de *réintégrer* comme terme de droit, d'abord pour le fait de rester entier, en parlant d'un fief (1411), puis pour l'action possessoire par laquelle le détenteur d'un immeuble dépossédé par violence réclame sa remise en possession (XVIe s.). ➛ L'adjectif **RÉINTÉGRABLE** (1845), «qui peut être réintégré», est surtout administratif.

RÉITÉRER, RÉITÉRÉ → ITÉRER

REÎTRE n. m., d'abord *reistre* (1560) puis *reïtre* (fin XVIe s.), est emprunté à l'allemand *Reiter* «cavalier», de *reiten* «monter à cheval», correspondant à l'anglais *to ride* (→ rade, redingote).

♦ Le mot, introduit par les mercenaires de langue germanique, désigne les cavaliers allemands mercenaires qui se mettaient au service de la France aux XVe et XVIe siècles. ◇ Par métonymie, et par l'intermédiaire de la locution *manteau fait à la reître* (1560), il s'est dit d'une capote semblable à celle que portaient ces mercenaires (1562, Ronsard), valeur disparue. ➛ Par extension, il s'emploie dans un style littéraire pour désigner et qualifier un homme expérimenté au métier de la guerre (1680), un homme rusé (1690), d'abord dans l'expression *vieux reître,* puis absolument et péjorativement (1870) pour un guerrier brutal, un soudard. Ce dernier emploi est le seul vivant aujourd'hui, dans un usage littéraire.

REJETER v. tr. est composé de *jeter* (fin XIIe s.) d'après le latin *rejectare* «jeter en sens inverse», «repousser» et «répercuter», fréquentatif formé sur le supin *(rejectum)* de *rejicere,* verbe formé de *re-* (→ re-) à valeur intensive ou marquant le mouvement en arrière, et de *jacere* (→ jeter).

♦ Le verbe signifie «repousser avec force, brutalement» et, peu après, «jeter à sa place antérieure, à son point de départ» (déb. XIIIe s.). Il prend au XIIIe s. le sens de «renvoyer plus ou moins brutalement hors de soi, loin de soi» (1256), «vomir», d'où vient un emploi figuré pour «repousser qqn» (v. 1480). Avec une valeur affaiblie, le verbe développe son premier sens figuré : «reporter, annuler» (1463). ➛ Au XVIe s., tout en prenant le nouveau sens concret de «jeter de nouveau» qui donne au préfixe *re-* une valeur itérative, il développe ses principaux sens figurés : «refuser, ne pas admettre» (1530), «faire retomber (qqch. : responsabilité, faute) sur autrui» (1538). Un nouveau sens concret, «faire retomber l'un sur l'autre en modifiant leur position vers l'arrière ou sur le côté», est attesté ultérieurement (1911). ➛ Le verbe s'est employé intransitivement pour un cheval qui rue (v. 1200) et (v. 1398) en parlant d'une plante, d'un arbre qui produit à nouveau, emploi rare, repris quelquefois par métaphore (déb. XXe s.). ➛ La forme pronominale *se rejeter* (XVIe s.), réactivant la valeur itérative du préfixe, signifie «se jeter à nouveau», au propre et au figuré (1559), mais aussi «se porter en arrière brusquement» (1559). L'emploi figuré de *se rejeter* «se reporter sur, chercher une compensation dans» n'est pas attesté avant 1819 (Boiste).

► Le déverbal de *rejeter,* **REJET** n. m., est la réfection (XVIe s.) de *regiet* (1241). Il exprime l'action de rejeter, de renvoyer hors de soi et, par métonymie, le résultat de cette action, spécialement, en arboriculture (1357), la nouvelle pousse d'une plante et (1870) la terre qu'on rejette en creusant un fossé. ➛ Au XVIe s., *rejet* prend le sens figuré d'«action de ne pas admettre, de repousser» (1530), et au XVIIe s. (1690) l'emploi technique pour «renvoi d'une partie d'un compte commercial qui doit être portée sur un autre chapitre». ◇ Au XIXe s. apparaissent d'autres valeurs techniques : «différence de niveau entre les deux parties d'une couche coupée par une faille» en géologie, «jeune essaim d'abeilles abandonnant la ruche». Sans métonymie et dans un tout autre domaine, *rejet* se dit du procédé rythmique consistant à rejeter un mot par-dessus la césure (1828). Ces nouveaux emplois sont enregistrés par Littré (1870). ➛ Au XXe s., avec le sens figuré de «refus», *rejet* développe d'autres spécialisations en physiologie et médecine (1964), en psychologie et sociologie (1968, dans *Paris-Match*), en logique (1970), etc.

Avec son sens intransitif, «pousser de nouveau, produire de nouveau», *rejeter* a produit **REJETON** n. m. (1539), probablement sous l'influence de *rejet* et de l'ancien français *jeton* «nouvelle pousse» (XIIIe s.), dérivé de *jeter**. Le mot désigne proprement un nouveau jet poussant sur la souche ou le tronc d'un arbre. ◇ Il a pris le sens figuré de «descendant, enfant» (1564), de nos jours littéraire et archaïque, à côté de la reprise plaisante et familière au sens d'«enfant, fils» (1935), avec lequel on rencontre quelquefois le féminin *rejetonne.*

L'adjectif **REJETABLE**, d'abord *rejettable* (1538), est assez rare.

REJOINDRE → JOINDRE

RÉJOUIR → JOUIR

RELÂCHER → LÂCHER

RELAIS → RELAYER

RELAPS, SE adj. et n. est emprunté (1384) au latin ecclésiastique médiéval *relapsus* «retombé dans le péché» (1324), emploi spécialisé et figuré du latin classique *relapsus* «retombé», participe passé adjectivé de *relabi* «refluer, retomber en arrière», et, au figuré, «retomber dans, revenir à». Ce verbe est formé de *re-* (→ re-) marquant le mouvement en arrière, et de *labi* «glisser, tomber» et, au figuré, «se tromper» (→ lapsus).

♦ Le mot est emprunté au sens religieux de «retombé dans la faute, le péché», employé en particulier à propos de Jeanne d'Arc, accusée d'hérésie et de rechute dans l'hérésie après abjuration (1431, *Procès de condamnation... de Jeanne d'Arc*). Par extension, il se dit au figuré d'une personne qui réitère une faute, un crime, emploi très littéraire (par exemple, Bloy).

◈ voir COLLAPSUS, LABILE, LAPS.

RELATER v. tr. est un dérivé savant (1342) du latin *relatus* «relation, narration», de *relatum,* supin de *referre* «reporter, rapporter, rétablir, raconter» (→ référer).

♦ Le verbe signifie «raconter de manière précise et détaillée». Il s'emploie spécialement en termes de procédure au sens de «rapporter, mentionner» (XVIe s.).

◈ voir RELATIF, RELATION.

RELATIF, IVE adj. et n. est emprunté (1265) au bas latin *relativus,* terme scolastique qualifiant ce qui n'est tel que par rapport à certaines conditions, spécialement employé en grammaire ; c'est un dérivé (IVe s.) du latin classique *relatum,* supin de *referre* «rapporter» (→ référer).

♦ Le mot, emprunté en philosophie, garde le sens de l'adjectif bas latin et s'oppose à *absolu.* Il est substantivé dans cet emploi, avec une valeur de neutre, à l'époque de la systématisation de la terminologie philosophique (1803). ➛ Repris comme terme de logique (1370), il qualifie un terme dont l'idée comporte un rapport avec un autre terme. Le sens philosophique entre dans l'usage courant avec la construction *relatif à* (1380), qualifiant une chose qui se rapporte à une autre chose, à une personne.

◇ L'adjectif qualifie aussi, au XVIIIe s., ce qui dépend d'un état du sujet (1760), par opposition à *objectif*, et ce dont on peut se contenter même si cela n'est pas satisfaisant (v. 1776, Rousseau). ◇ De l'emploi correspondant en latin médiéval procède au XVIe s. la spécialisation grammaticale moderne, pour qualifier les pronoms qui rattachent un mot à une proposition ou deux propositions l'une à l'autre (1562); *un relatif* n. m. désigne ce pronom (1680); *une relative* la proposition; la terminologie grammaticale s'enrichit par la suite des syntagmes *adjectif relatif* (1835), *proposition relative* (1870) et *adverbe relatif* (1907). ◇ En musique, l'adjectif qualifie un ton donnant à la clef les mêmes signes de tonalité qu'un ton de l'autre mode (1737, Rameau). ◇ Il qualifie en mécanique un mouvement étudié par rapport à un système mobile (1923); antérieur si l'on en juge par relativité.

▶ Les dérivés se rapportent aux sens philosophique et courant : RELATIVEMENT adv. (XIVe s.) exprime d'abord l'idée «de manière conditionnée, non absolue», et s'emploie spécialement dans la locution ***relativement à*** «pour ce qui est de, quant à» (1718). Par extension, il a pris la valeur familière de «moyennement» (1875, Larousse). ➜ RELATIVITÉ n. f. (1805) désigne la qualité de ce qui est relatif, d'abord en sciences (chimie) et en philosophie, spécialement dans l'expression *relativité de la connaissance* (1866, *de nos connaissances*). ➜ D'après les mouvements relatifs de systèmes de référence, il s'emploie spécialement (1915) pour l'ensemble des théories fondées sur les travaux d'Einstein à partir de 1905. Selon ces théories, certaines lois se conservent dans des systèmes en mouvement relatifs les uns par rapport aux autres mais non dans tous. La nouvelle hypothèse physique fut énoncée par Einstein en deux étapes que désignent en français les appellations ***relativité restreinte*** et ***relativité généralisée*** enregistrées en 1932. ➜ RELATIVISME n. m. est un terme de philosophie, peut-être d'après l'anglais *relativism* (1865), pour désigner la doctrine qui admet la relativité de la connaissance humaine (1875). Par extension, il s'applique à la position selon laquelle les valeurs morales, intellectuelles sont relatives aux circonstances sociales, culturelles et, par conséquent, variables. ➜ À son tour, le mot a produit (1876) RELATIVISTE n. pour désigner le partisan d'une telle doctrine, adjectivé ultérieurement pour qualifier ce qui concerne la théorie de la relativité, par exemple dans *physique relativiste*. ➜ RELATIVISER v. tr., formé ultérieurement (1932), signifie «dénier à (une chose) un caractère absolu». En linguistique, le verbe a la valeur technique de «transformer en une proposition relative». ◇ Le dérivé RELATIVISATION n. f. est d'un usage didactique ou technique (1969 en linguistique, «transformation en relative»).

◈ voir CORRÉLATION, RELATER, RELATION.

RELATION n. f. est emprunté (v. 1220) au latin *relatio, -onis*, nom tiré du supin *relatum* du verbe *referre* (→ référer) pour désigner l'action de reporter ou de rapporter, avec à partir du Ier s. la valeur juridique de «témoignage, rapport» et la valeur logique de «lien entre deux choses».

♦ Le mot, emprunté comme terme philosophique pour désigner le rapport d'indépendance entre deux choses ou deux personnes dans leur mode d'existence, a reçu un sens général, nommant un rapport réciproque quelconque entre deux êtres, deux choses (1338). La locution *avoir relation à*, «être en rapport avec» (1588), a disparu après le XVIIe s. au profit de la variante ***être en relation avec*** (1718), toujours employée. Appliqué aux rapports sociaux, le mot s'applique à des liens de dépendance, d'interdépendance et d'influence réciproque (1677), au fait de communiquer avec qqn (1677); par métonymie, il désigne la personne avec laquelle on entretient des rapports professionnels ou mondains (1829). ***Avoir des relations*** (mil. XIXe s.) correspond à «connaître des personnes influentes». ➜ À partir du XIXe s., le pluriel *relations* désigne les rapports officiels entre les peuples, les nations, les États (1835; déjà au singulier, 1762). ◇ Une autre valeur concerne les rapports sexuels, elliptiquement pour ***relations sexuelles.*** ➜ L'expression ***relations publiques*** est calquée (1959) sur l'anglais des États-Unis *public relations*, aussi utilisée par emprunt en français et désignant l'ensemble des activités professionnelles dont l'objet est d'informer l'opinion sur les réalisations d'une entreprise et de susciter l'intérêt en sa faveur; cet emploi a reculé depuis 1975-1980, ces activités étant englobées dans la *communication*. ➜ Le sens abstrait initial de *relation* a été repris au XVIIIe s. dans divers vocabulaires techniques, l'*Encyclopédie* enregistrant le mot comme terme de géométrie, de musique, et aussi d'art (1765). ◇ En physiologie, l'expression ***fonctions de relation*** (1918) désigne celles qui mettent en œuvre le système nerveux supérieur, par opposition aux fonctions de nutrition et de reproduction, et, en zootechnie, *relation nutritive* se dit du rapport existant dans une fonction alimentaire entre les matières digestibles et non digestibles (1923). ◇ En logique, *relation* désigne une fonction propositionnelle à deux arguments (1964), d'où ***calcul des relations, théorie des relations*** (1968). ➜ Emprunté simultanément au latin dans le sens de «récit» (v. 1220, *faire relation*), spécialisé dans sa valeur juridique de «disposition faite par qqn de ce qu'il sait de qqch.» (1284, encore au XVIIIe s. dans les *Coutumes d'Auvergne et du Berry*), il désigne dans l'usage courant, le récit, la narration d'un fait (v. 1360), spécialement le récit d'une expédition lointaine (1602). Du XVIIe au XIXe s., ***terme de relation*** (1690) s'est dit d'un mot que les voyageurs donnent comme employé dans les pays lointains qu'ils ont visités, et qui peut donner lieu à un emprunt.

▶ RELATIONNEL, ELLE adj. apparaît d'abord en logique dans un commentaire (1870) d'un emploi du Britannique M. Morell, puis en psychologie pour qualifier ce qui consiste en une relation, est propre à une relation; il est repris en linguistique (1916) pour qualifier l'adjectif dérivé d'un nom exprimant le rapport entre le nom dont il est issu et le nom auquel il est joint. Dans la plupart de ces emplois, c'est probablement un emprunt à l'anglais *relational*, attesté dès le XVIIe siècle. ➜ RELATIONNÉ, ÉE adj. s'est employé au début du XXe s. (av. 1922, Proust) pour qualifier une personne pourvue de relations, de connaissances influentes ; il est demeuré rare, tout comme **RELATIONNER** v. tr. «mettre en relation» (1957, Jankélévitch) et, absolument, «entrer en relation» (dans les petites annonces).

◈ voir CORRÉLATION, RELATER, RELATIF.

① **RELAXER** v. tr. est emprunté (XIIe s.) au latin *relaxare* «desserrer, relâcher, dilater», au figuré «détendre, épanouir» (→ relâcher), de *re-* à valeur intensive (→ re-), et *laxare* «étendre, élargir» (→ lâcher, laisser).

♦ En ancien français, le verbe avait le sens moral de «pardonner» (XIIe s.) s'employant pour «faire grâce d'une dette» (déb. XIVe s.) et pour «remettre à plus tard» (v. 1360). Il n'a conservé que le sens juridique de «remettre en liberté un détenu» (1466 ; dès 1338, «acquitter»). Le sens médical de «détendre» (v. 1560, Paré) a vieilli, mais son emploi par archaïsme a fini par se confondre avec l'anglicisme *se relaxer* (ci-dessous).

▸ ① **RELAXANT, ANTE,** son participe présent, est adjectivé en médecine dans l'expression *médicamens relaxans* (v. 1560, Paré) ; sorti d'usage, sa reprise au XXe s. dépend des anglicismes ② *relaxer** et ② *relaxation** (ci-dessous). ➛ Le déverbal ① **RELAXE** n. f., créé comme terme de droit pénal (1671) dans *sentence de relaxe* «sentence qui absout un accusé», a été repris (1823) pour la décision par laquelle un tribunal renvoie des fins de la poursuite celui qui en était l'objet.

① **RELAXATION** n. f., réfection de *relanssacion* (1314), est emprunté au latin *relaxatio, -onis* «détente, relâche», «repos», du supin *(relaxatum)* de *relaxare.* ➛ Le mot, repris par les médecins médiévaux pour désigner l'action de relâcher, de desserrer un pansement, prend ensuite le sens de «décontraction (musculaire)» (v. 1560, Paré), archaïque puis réactivé par anglicisme (ci-dessous). Le sens juridique de «mise en liberté», enregistré par Furetière en 1690, tend à vieillir.

② **RELAXER (SE)** v. pron. est emprunté (v. 1950) à l'anglais *to relax,* lui-même emprunté au français ① *relaxer** «relâcher» (1420), qui a pris plusieurs valeurs physiologiques, puis psychologiques aux XVIIe et XVIIIe s., dont celui de «se détendre» (1935). L'acclimatation de l'anglicisme a été favorisée par l'existence du sens médical archaïque (ci-dessus ① *relaxer*). ➛ Le verbe s'est répandu à la forme pronominale, quelquefois employé en construction transitive avec le sens de «détendre (qqn)» (1969). ➛ Son participe présent adjectivé ② **RELAXANT, ANTE** (1961), qui rend l'anglais *relaxing,* rejoint un emploi ancien, mais dans un autre contexte.

② **RELAXATION** n. f. est aussi un emprunt du XXe s. à l'anglais *relaxation* (1526), lui-même emprunté comme le français ① *relaxation* au latin *relaxatio.* Outre les valeurs communes aux deux langues, il s'est employé depuis le XVIe s. au sens de «relâchement de l'esprit». L'adaptation de l'anglicisme a été facilitée par l'existence du sens médical français qui était à peu près sorti d'usage. ➛ Ce mot désigne en psychologie (v. 1950) une méthode thérapeutique de détente et de maîtrise des fonctions corporelles par des procédés psychologiques actifs, technique développée aux États-Unis et en Allemagne. Par extension, il signifie en général «détente» (1953). ◇ Le mot avait repris de l'anglais le sens technique d'«ensemble des phénomènes par lesquels un système en rupture d'équilibre revient à son équilibre initial» (1937), très voisin du sens que *relaxation* a eu autrefois en physiologie *(relaxation de fibres).* ➛ La forme ② **RELAX** ou **RELAXE** adj. et n. (v. 1955) recouvre plusieurs mots : deux anglicismes par emprunt d'un nom et d'un adjectif archaïques, un déverbal du verbe ② *se relaxer,* et enfin une abréviation de ② *relaxation.* La relation avec la forme française ① *la relaxe* (ci-dessus) est de simple homonymie.
Le mot qualifie et désigne ce qui favorise la relaxation, le repos ; par extension, il est synonyme de «repos, décontraction» (1966). On le rencontre en emploi interjectif avec une valeur incitative *(relax, Max !),* quelquefois écrit *rilax,* par transcription de la prononciation anglaise du verbe *(just relax !).*

② **RELAXER (SE)** → ① RELAXER

RELAYER v., d'abord *relaier* (fin XIIIe s.) puis *relayer* (1573), est formé de *re-** et de l'ancien verbe picard, wallon et lorrain *laier* «laisser les chiens fatigués pour en reprendre de frais», et peut-être en général «laisser». Ce verbe (fin XIIe-XVe s.) est d'origine incertaine, soit apparenté à *laisser**, soit d'un francique *°laibjan,* restitué par l'ancien haut allemand *leiben* «laisser». P. Guiraud, contestant le rapprochement *laier-laisser,* fait remonter le premier au latin populaire *°lacare* «être stagnant» d'où «immobiliser», *relayer* consistant selon lui à «immobiliser les chevaux ou les chiens».

♦ Le verbe s'employait autrefois intransitivement en vénerie pour «changer les chiens pendant la chasse à courre» et, par analogie, «changer de chevaux» (1573). Au XVIIe s., la construction transitive assume le sens étendu de «remplacer (qqn) dans un travail, une occupation» (1636), aussi à la forme pronominale *se relayer* (1680). Le mot s'emploie absolument en sports (1869). Il se dit aussi d'un satellite de télécommunications, d'une station de radio ou de télévision qui retransmet une émission de l'émetteur principal à un autre émetteur (1933), en relation avec *relais.*

▸ Le déverbal *relai* n. m. (XIIIe s.) s'est altéré en **RELAIS** d'après le verbe *relaisser,* préfixé de *laisser**, employé comme terme de chasse au sens de «s'arrêter de fatigue» (1559, *se relaisser*) ou d'après le déverbal de ce dernier, *relais* «ce qui est laissé» (XIIe s.). L'Académie recommandait en 1976 l'ancienne graphie *relai,* par analogie avec *délai.* ➛ Le nom présente le même sémantisme que le verbe : c'est d'abord un terme de chasse désignant le repos des chiens (XIIIe s.) et, collectivement, les chiens postés sur le parcours d'une chasse pour remplacer les chiens fatigués (1549), d'où, par extension, la locution ***donner le relais*** «lancer les chiens» (1685). De même, *relais* désigne le cheval posté pour renforcer ou remplacer celui qui avait servi (1573) d'où, par métonymie, le poste où ce cheval était préparé (surtout dans *relais de poste*). Il s'ensuit un usage métaphorique et figuré répandu notamment dans la locution ***prendre le relais*** (1951), le mot s'appliquant à une étape entre deux points, à une personne servant d'intermédiaire entre deux autres. Déjà au début du XVIIe s. (1616), *relais* s'applique à un groupe d'hommes se remplaçant. ➜ En technique, *relais* désigne un poste de travail, avec diverses applications en électricité (1877), radioélectricité, mécanique. Il dénomme en particulier un dispositif servant d'intermédiaire pour déclencher, par la mise en œuvre d'une énergie relativement faible, une énergie plus forte (1860) et (XXe s.) un dispositif recueillant et renvoyant des ondes *(relais de radio, de télévision...)*. ◇ En sports (1905), *relais* et ***course de relais*** désignent une épreuve courue par quatre coureurs successifs qui se passent un témoin. ➜ L'autre dérivé de *relayer*, **RELAYEUR, EUSE** n., créé pour désigner la personne qui entretenait les relais de chevaux (1855), s'emploie aujourd'hui en sports à propos de la personne qui prend le relais d'un coéquipier, puis l'athlète spécialisé dans les courses de relais (1924).

RELÉGUER v. tr., d'abord *releguer* (v. 1370) puis *reléguer* avec accent (1549), est emprunté au latin *relegare* «éloigner, écarter d'un lieu», spécialement «bannir, frapper d'exil dans un lieu assigné sans priver des droits civils et politiques». Ce verbe est composé de *re-* (→ re-) marquant le mouvement en arrière et le mouvement de côté, et de *legare* «envoyer avec une mission, députer» (→ légat), lui-même de *lex, legis* (→ loi).

♦ Le verbe a été introduit au sens latin comme terme d'antiquité romaine. Par extension, il signifie «mettre, maintenir (qqn, qqch.) dans un lieu écarté» (1588), développant le sens figuré de «rejeter et maintenir dans une condition médiocre, classer avec mépris» (1680). ➜ En droit pénal, il s'applique à la peine de la relégation, pour «interner (un condamné) dans un territoire colonial déterminé» (1888), puis «infliger la peine complémentaire de la tutelle pénale à (un récidiviste)». Ces emplois sont un peu postérieurs à celui de *relégué, ée* (ci-dessous).

▶ L'adjectif **RELÉGUÉ, ÉE**, tiré du participe passé (1588), s'est employé au sens général de «mis à l'écart» et a été repris en droit pénal (1885, *Bulletin des lois*). ➜ **RELÉGABLE** adj., autre adjectif d'usage juridique, désigne un prévenu passible de la peine de relégation (1888).

RELÉGATION n. f., apparu en même temps que le verbe sous la forme *relegacion* (v. 1370) refaite en *relégation* (1549) d'après le latin, est emprunté au latin *relegatio, -onis* «exil dans un lieu assigné», du supin *(relegatum)* de *relegare*. ➜ Le mot reste d'un usage plus technique que *reléguer*. Repris comme terme de droit romain, il a pris en droit pénal, d'après *relégué* (ci-dessus), l'acception d'«internement dans une colonie française à titre de pénalité» (27 mai 1888), désignant ensuite la peine complémentaire qui frappait certains récidivistes (1953), remplacée en 1970 par la tutelle légale.

RELENT n. m., d'abord écrit *relans* (déb. XIIIe s.), puis *relent* (1256), est la substantivation d'un adjectif lui aussi écrit *relans* (déb. XIIIe s.) puis *relent* (v. 1550, Ronsard), usité jusqu'au XVIIe s. pour qualifier une substance ayant mauvais goût à la suite d'un séjour dans un lieu clos et humide. Cet adjectif est formé de *re-** intensif exprimant l'idée que l'objet en question a été enfermé pendant un laps de temps excessif, et de *lent** au sens ancien de «visqueux, humide, moite», sens attesté au XVIe s. dans l'usage littéraire (v. 1580, Montaigne), mais ancien dans les dialectes, du latin *lentus* qui avait aussi le sens de «visqueux». L'idée de base, pour l'ancien français *lent* comme pour *lentus*, est alors celle de «mollesse». Cet adjectif est encore attesté en Belgique (Mons), le sens de «moite, humide» restant vivant en Bourgogne, dans le Berry et le sud de la France, ainsi que dans l'espagnol *liento*, le rhéto-roman *lien*, le sarde *lentu* et pour la forme préfixée, le catalan *rellent*, de même que le picard *relent* «moiteur».

♦ Le mot a d'abord désigné une odeur de moisi et, par métonymie, le lieu où règne cette odeur (1256); il s'employait souvent à propos d'un cadavre et, à partir du XVIe s., désigne la mauvaise odeur contractée par un aliment resté dans un lieu fermé ou humide. ◇ De nos jours, il est surtout employé au sens élargi et plus faible de «mauvaise odeur qui persiste» (1875). Dès la fin du XVIIe s., renouant avec son premier emploi (v. 1215, *les relents de la paresse*), il est employé au figuré à propos d'une trace déplaisante qui subsiste de qqch.

✳ **RELEVER** v. est soit formé en français (1080) de *re-* et du verbe *lever**, soit emprunté au latin *relevare* «soulever», au figuré «soulager», de *re-* (→ re-) à valeur intensive, et de *levare* «alléger, soulager, soulever». Les deux modes de formation ont pu jouer aux XIe-XIIe siècles. Le verbe a dû s'employer plus tôt, probablement dès le XIe s., *relief* (ci-dessous) étant dérivé de formes verbales anciennes comme *je relief*.

♦ Le premier sens du verbe est concret : «remettre debout (un être animé)». Celui de «prendre à terre (un objet)» (v. 1155) a vieilli en dehors de locutions métaphoriques, comme ***relever le gant*** ou figurées, ***relever un défi***, ce sémantisme survivant cependant dans l'emploi moderne du mot à propos d'un professeur qui ramasse des copies, des cahiers sur les tables. ◇ Un autre sens concret, «remettre en bon état, en bonne position (une chose abattue)» (v. 1160), s'est largement répandu; en procèdent quelques emplois techniques comme *relever un navire* (1680), *relever une maille* (1812), *relever un fer à cheval* (1870). ➜ À cette idée de rétablissement se rattache le sens figuré de «rendre (la dignité, la prospérité)» (v. 1170), «redonner (énergie, courage)» (1564). ◇ C'est de contextes comme *relever un défi* que procède le sens de «répondre vivement et avec aigreur à (qqch.)» (v. 1360), sorti d'usage, et à partir duquel le verbe a acquis les valeurs classiques de «reprendre vertement (qqn)» (1611), «corriger» (1696), toutes deux devenues archaïques, et «mettre en relief, faire remarquer (qqch.) en bien ou en mal» (1636) encore en usage. ➜ De cette dernière valeur, interprétée avec une valeur neutre faisant de *relever* un synonyme d'*enregistrer* (v. 1465), viennent les sens de «noter la position, la disposition de (qqch.)» en topographie (1640), «noter par écrit, par un croquis» (1811) et, de manière moins formelle, «remarquer une chose, y prêter attention» (1811). *Relever les compteurs,* métonymie pour «relever les chiffres inscrits» (1890, *relever sur un compteur à gaz*), s'emploie au figuré pour «faire le bilan».

Un second sens fondamental lié à *lever* est «remettre au plus haut», attesté à travers le sens figuré de «mettre en relief, donner de l'éclat à (qqch.)» (v. 1278), dont procède l'acception technique «broder (une broderie) en point de coton, de soie ou de métal pour donner plus d'éclat» (1690). ◆ Au XVIe s., le verbe commence à s'employer concrètement pour «remettre au plus haut, donner plus de hauteur à» (1573) et «orienter, diriger vers le haut» (1559), d'où l'expression courante ***relever la tête*** au figuré «reprendre de la fierté, du courage» (1835). Selon le type de complément et le contexte, ce sens de base se décline en «porter (une chose) à un niveau supérieur» (1674) et «donner plus de goût à (un mets)» (1670), plus courant dans le participe adjectivé *relevé.* À l'époque classique, le mot a signifié «exalter, louer (qqn)» (1608). ◆ Par l'intermédiaire de «délivrer (qqn) d'une peine» (v. 1355), métaphore sur «faire sortir en levant», *relever* a dégagé son troisième sens «libérer (qqn) d'une obligation, d'un engagement» (1549), valeur dont procèdent deux acceptions : «remplacer (qqn) dans ses fonctions» (1654) et «destituer de ses fonctions» (1875). ◆ L'emploi du verbe dans le contexte d'un repas pour «remplacer (un service) par le suivant» (1671), qui participe du même sens, est quasiment sorti d'usage, mais survit au XIXe s. avec le participe substantivé *relevé* (ci-dessous). ◆ La forme pronominale *se relever* (déb. XIIe s.) signifie concrètement «se remettre debout» et, avec une valeur itérative, «sortir du lit à nouveau» (v. 1360); au figuré, *se relever* s'emploie pour «sortir d'une situation difficile» (1588) et tend à supplanter l'emploi intransitif au sens de «se diriger vers le haut» (1841).

Quant à l'emploi intransitif du verbe, aussi ancien que l'emploi transitif (1080, «se mettre debout»), il est plus rare; il assume le sens de «se remettre» (v. 1155), avec un complément, dans le contexte de la maladie (1256) ou de l'accouchement : on a dit *relever* absolument (XIVe s.) puis *relever de couches* (1640). ◇ La construction ***relever de,*** d'abord «être dans la dépendance de» (1573), signifie couramment «être sous la domination de» (1636), «être du domaine de» (1846) et enfin «être du ressort, de la compétence de» (1910), le sujet désignant une chose.

▶ **RELIEF** n. m., dont la première attestation (1050) fait présumer d'une ancienneté au moins égale pour le verbe, est le déverbal de *relever* d'après les anciennes formes accentuées sur le radical, comme *je relief* à l'indicatif présent. ◆ Le mot désigne au singulier, puis surtout au pluriel (v. 1320), les restes de nourritures que l'on enlève («relève») de la table une fois le repas terminé. Il a reçu en droit féodal le sens d'«action de relever un fief». Les emplois où *relief* est encore en relation avec le verbe ont disparu, on ne connaît plus que ***les reliefs du repas, du festin.*** ◆ Le développement sémantique ultérieur est conditionné par l'influence de l'italien *relievo* «ce qui fait saillie» (XIVe s.), terme de sculpture, lui-même déverbal de *rilevare* «relever», de *ri-* préfixe à valeur intensive (→ re-), et de *levare* «lever, enlever» (→ lever) du latin *levare* de même sens. **RELIEF** n. m. au sens technique d'«ouvrage de sculpture relevé en bosse» (1547) peut être considéré comme un mot nouveau. Son sens s'est étendu à tout ce qui fait saillie sur une surface (1596), tout en donnant à l'architecture les termes *bas*-relief* (1547) et beaucoup plus tard *haut*-relief* (1875). Au XVIIe s., il désigne aussi l'apparence de saillies et de creux donnée à un tableau, par l'opposition des parties claires et des parties sombres (1641); cette valeur s'étend à la photo au XIXe siècle. Le sens figuré de «ce qui ressort, tranche sur le banal, le commun» (1655) correspond à celui d'«éclat, considération dans le domaine social» (1637), métaphore spatiale sur l'élévation. On dit ainsi *donner du relief* (1671) «donner de l'éclat». La locution ***mettre en relief*** (1830) a suivi le même développement, prenant une valeur figurée (1893). *Relief* s'est spécialisé en géographie physique (1831), emploi entré dans l'usage courant, et, plus techniquement (1934) dans *relief acoustique* désignant la sensation auditive de l'espace donnée par les deux oreilles.

D'autres dérivés de *relever* conservent un lien sémantique avec le verbe. ◆ **RELEVÉ, ÉE,** participe passé de *relever,* est employé dès l'ancien français comme adjectif pour «qui a repris courage» (fin XIIe s.), sens disparu. ◇ Le mot est repris au XVIe s., avec le sens concret de «ramené vers le haut» (1559) et quelques valeurs figurées : «au-dessus du commun dans l'ordre moral, intellectuel» (fin XVIe s.) s'est maintenu; les emplois pour «sublime» (1580), «élevé socialement» (1670) ont disparu. ◆ L'adjectif sert à caractériser un mets piquant, fortement assaisonné (1670) et, par analogie, ce qui est rendu éclatant par une autre chose (av. 1662, Pascal), ce qui a un ton vif, haut en couleur (fin XIXe s.). ◇ Substantivé, ***le relevé*** (1740) désigne le travail du maréchal-ferrant enlevant le fer d'un cheval et le rattachant avec des clous neufs. Plus couramment, le nom, d'après le verbe, désigne l'action de noter par écrit (1740), d'où la levée d'un plan, de renseignements (XXe s.). Il se dit aussi de l'action de lever, de relever (1870), spécialement en parlant d'un mouvement de danse (1964). Il s'est employé pour un plat qui en remplaçait un autre (1803, probablement antérieur, le sens correspondant de *relever* étant attesté dès le XVIIe s.) [ci-dessus]. ◆ **RELEVÉE** n. f., participe passé féminin, est substantivé (v. 1150) pour désigner, par allusion au moment où l'on se relève après la sieste, le temps de l'après-midi *(deux, trois heures de relevée)*; ce sens, supplanté dans l'usage général par *après-midi,* reste vivant localement. ◆ **RELEVAILLES** n. f. pl. (fin XIIe s.) désigne une cérémonie à l'église, la première fois qu'une femme s'y rend après ses couches, ainsi que le fait de se relever de couches (v. 1360). Plus souvent, il se dit, par métonymie, des réjouissances célébrées à l'occasion de la cérémonie (1690). ◆ **RELÈVEMENT** n. m. (fin XIIe s.) a eu le sens religieux de «résurrection» et une valeur plus générale, «action de relever, de soulager» (v. 1190).

Au XVIe s. (1559), le mot désigne au figuré le rétablissement, le redressement de la prospérité économique ou sociale. Il s'emploie aussi concrètement pour le fait de remettre une chose debout, en place (1611). ◆ Dans l'usage classique, il se dit d'après le verbe, pour l'action de noter par écrit (av. 1654) et, par métonymie, signifie «tableau, écrit» (av. 1654), avant d'être remplacé par *relevé*. *Relèvement* a pris, par l'intermédiaire du sens d'«action de déterminer la position d'un objet» en topographie (1771), des valeurs techniques en marine : «angle que fait avec le nord vrai la direction d'un point fixe à terre, d'un bateau (déterminant la position), d'un astre» (1835) ; en aéronautique, «position géographique d'un avion en vol». D'après l'emploi du verbe en économie, il désigne l'action d'augmenter un prix, une rémunération (1923). ◆ **RELEVEUR, EUSE** n., attesté une première fois sous la forme *releveres* (cas sujet) au sens de «celui qui relève, qui soutient la sainte Église» (v. 1250), a été repris en médecine sous sa forme actuelle (v. 1560) pour qualifier un muscle dont l'action est de relever un organe. Il s'est étendu beaucoup plus tard au sens général de «qui relève» (1875), substantivé comme nom d'appareil (1865, en chirurgie ; 1877, pour un appareil de la moissonneuse) et pour désigner l'employé chargé de faire des relevés de compteur (v. 1920), emploi le plus usuel. ◆ **RELEVAGE** n. m. (1348), employé comme terme de féodalité, pour «droit de relever un fief», a disparu. Le mot a été repris au XIXe s. en technique pour «action d'éplucher et de nettoyer le papier nouvellement fabriqué et encore humide» (1842). Il joue aussi le rôle de nom d'action de *relever* (1845), spécialement pour «escamotage du train d'atterrissage d'un avion», «remise à flot d'un navire coulé» et «dégagement et remise sur la voie d'un matériel ferroviaire déraillé» (sens mentionnés dans les dictionnaires en 1964). ◆ **RELÈVE** n. f., déverbal (1872, *Journal officiel*), est le nom d'action correspondant à *relever*, pour le remplacement d'une troupe et par extension de ceux qui sont chargés d'une tâche, d'une équipe de travail. Par métonymie, il s'applique à la troupe exécutant cette opération (1904) et, par métaphore, à ceux qui remplacent ou doivent remplacer les générations précédentes. La locution ***prendre la relève*** (1895) possède ces divers emplois.

RELIEF → RELEVER

RELIER → LIER

RELIGION n. f. est un mot emprunté (v. 1085) au latin *religio* dont l'étymologie est controversée depuis l'Antiquité. À la suite de Lactance, de Tertullien, les auteurs chrétiens se plaisent à rattacher *religio* au verbe *religare* «relier», de *re-* (→ re-) à valeur intensive, et de *ligare* (→ lier). La religion ayant pour objet des relations que l'on entretient avec la divinité, le mot signifierait proprement «attache» ou «dépendance», les variations de sens étant analogues à celles de *rattachement* et *attachement*, désignant à la fois le lien effectif et le lien affectif. Une autre origine est signalée par Cicéron et appuyée de son autorité : *religio* serait tiré soit de *legere* «cueillir, ramasser» (→ lire) avec adjonction d'un préfixe *re-* (→ re-) marquant l'intensité ou le retour en arrière, soit de *religere*, «recueillir, recollecter», verbe attesté seulement par un participe. D'après Émile Benveniste, il signifiait, abstraitement, «revenir sur ce que l'on a fait, ressaisir par la pensée ou la réflexion, redoubler d'attention et d'application», développement comparable à celui de *recolligere* (→ recueillir, recolliger). De fait, *religio* est synonyme de «scrupule», «soin méticuleux», «ferveur inquiète», ce qui semble exclure, en latin classique au moins, l'idée de relation avec le sacré. Dans ce sens, le mot convient cependant à l'exercice du culte, à l'observance rituelle qui exigent une pratique littérale et vigilante. Équivalant à «délicatesse de conscience, recueillement, circonspection minutieuse», le terme a pu se fixer rapidement et presque exclusivement sur l'expérience ou la manipulation du sacré. Il ne recouvre à l'origine qu'un ensemble de pratiques, croyances et obligations morales, glissant de la disposition subjective évoquée ci-dessus aux réalités objectives que cette disposition concerne. Aussi, dans le haut moyen âge, *religio* désigne la discipline monastique, la profession religieuse (Ve s.), l'ordre religieux (1143) et l'ensemble des vérités et devoirs religieux. Il semble que les langues occidentales, à la différence d'autres idiomes, même indoeuropéens, ont spécialisé un vocable pour distinguer l'appareil des croyances et des rites de toutes les autres institutions sociales. Cette rupture et ce transfert correspondent à la pensée distincte d'un domaine qui n'avait jamais été pensé à part, les sociétés archaïques n'isolant pas la sacralité de la socialité, leur constitution du social étant intrinsèquement religieuse.

♦ Le mot passe en français avec la restriction sémantique qu'il avait subie en latin médiéval, désignant le monastère, la maison religieuse, appelée aussi *église de religion*. Avec ce sens, devenu rare vers la fin du XVIIe s., il prend des valeurs concrètes et abstraites, désignant un ordre monastique (v. 1155) et l'état des personnes engagées par des vœux dans un ordre, spécialement dans les locutions ***entrer en religion*** (v. 1170) et ***nom de religion*** (1870) ; il fut même étendu à une société reconnue par l'autorité ecclésiastique et dont les membres prononcent des vœux (v. 1460), spécialement à propos de l'ordre de Malte (1614). Ces nuances sont confondues dans la locution figurée *être de la religion de saint Joseph* «être marié» (1640), qui a disparu. ◆ Depuis la première moitié du XIIe s. (v. 1120), le mot désigne en général une pratique liée à une foi déterminée et à une certaine doctrine de la divinité ; dans cette acception liée à *culte* et à *rit (rite)*, le mot ne concerne, jusqu'au milieu du XVIe s., que le seul catholicisme romain ; l'extension à d'autres cultes, même non chrétiens, apparaît au XVIe s. (1538). C'est à cette même époque que le mot s'emploie avec une majuscule pour désigner le protestantisme (1533), d'où *ceux de la religion* «les protestants», elliptiquement pour «religion réformée» (fin XVIe s.) devenu chez les catholiques romains *religion prétendue réformée** ou *R P R* (→ réforme). L'expression ***guerres de reli-***

gion est postérieure (1701); au XVIIe s., l'emploi dominant de *religion* en France pour la seule religion catholique romaine témoigne du refus de considérer les autres systèmes de croyance; ainsi Furetière écrit : «Tous les cultes des faux Dieux ne sont que superstition, ne s'appellent religion qu'abusivement» (1690). Cependant, on commence à employer le mot plus objectivement, par exemple dans *religion de Mahomet* (v. 1590). À l'époque des Lumières, le mot entre dans l'expression ***religion naturelle*** (v. 1742), d'abord en parlant des principes moraux communs à tous les humains, puis d'une religion indépendante de toute révélation divine (1765). ***Religion d'État*** désigne (1868) une religion bénéficiant de la protection de l'État sur tout son territoire reflétant la séparation de la religion et de la politique, qui correspond à celle des institutions, Église et État. ◆ En dehors du domaine ecclésiastique et dogmatique, le mot a pris dès le XIIe s. des valeurs éthiques plus subjectives (v. 1155), désignant une disposition intérieure de piété, de dévotion (v. 1275) et un sentiment de respect, d'adoration et d'obéissance exacte envers ce que l'on considère comme une obligation morale (déb. XVIIe s., Malherbe). Ce sens, renforcé par la valeur de *religio* en latin classique, se réalise dans quelques locutions comme ***se faire une religion de*** (1677), ***mettre sa religion à*** (fin XVIIIe s.), ***éclairer la religion de qqn*** «l'éclairer» (1797), qui suppose une ancienne métaphorisation, ou ***surprendre la religion de qqn*** (1690) «abuser (un juge) par des subterfuges» ; ces locutions sont devenues littéraires, et ce sens tend à se confondre avec l'emploi figuré plus général du mot pour «activité, organisation comparée à une doctrine religieuse» (1810), souvent par ironie.

▶ Le seul dérivé de *religion* procède de son ancienne spécialisation pour désigner l'Église protestante : **RELIGIONNAIRE** n. (1562) désigne un membre de l'Église protestante. Il n'est plus utilisé que par les historiens.

RELIGIEUX, EUSE adj. et n., réfection (XIIIe s.) de *religius* (v. 1112), *religious* (v. 1190), est emprunté au latin *religiosus* tiré de *religio*, avec les sens de «scrupuleux», «pieux», «consacré». À basse époque, le mot signifie chez les auteurs chrétiens «qui appartient à un ordre et en respecte la règle» (Ve s.), substantivé pour désigner un moine (VIe s.); il offre, dans le haut moyen âge, la même valeur double que *religio* (ci-dessus). ◆ Le mot suit le développement sémantique de *religion* : emprunté en parlant d'une personne qui vit en vertu de sa foi, selon les règles de sa religion (v. 1112), il a pris une valeur subjective : «animé par une foi sincère» (v. 1278). Sa spécialisation pour «adepte du protestantisme» (XVIe s., Brantôme) a disparu. Son extension, par un latinisme littéraire, à une personne exacte, ponctuelle, qui exerce scrupuleusement (v. 1572), encore normale à la fin du XVIIe s. (La Bruyère), est sortie d'usage. ◆ *Religieux* s'est appliqué assez tôt (v. 1283) à des choses conformes à la pratique de la religion, témoignant de foi et de piété; dans un usage didactique, il a le sens neutre de «relatif à la religion» (1538), entrant sous la Révolution, dans des composés comme *religio-civique* (v. 1792) et *civico-religieux* «à la fois religieux et civique». Par extension, il qualifie une personne pleine d'une vénération comparable à celle que la religion inspire pour Dieu (1802, Chateaubriand). ◆ Depuis le XVIe s., *religieux* et surtout **RELIGIEUSE** désignent différents oiseaux à plumage blanc et noir (1555), par comparaison avec l'habit des moniales. ◇ L'expression ***mante religieuse*** (1845) fait allusion à l'attitude de prière de l'insecte. ◆ Le mot est passé en couture pour des plis plats groupés dépassant les uns sur les autres (1874, *des plis à la religieuse*, Mallarmé). Ultérieurement, le nom féminin **RELIGIEUSE** a été choisi pour désigner un type de gâteau à la crème, parfumé au chocolat ou au café (1904). ◆ Le mot, par un autre emprunt au bas latin ecclésiastique, qualifie ce qui se rapporte à l'organisation monastique (v. 1155), en particulier des biens (XIIIe s.), des lieux (XIIIe s.). Substantivé, il désigne les moines et les moniales (1240), en concurrence avec *moine, sœur*, emploi toujours usuel.

◆ **RELIGIEUSEMENT** adv., dérivé de *religieux* pour «avec foi, piété» (XIIIe s.), a pris les valeurs figurées de «scrupuleusement, avec exactitude» (fin XIXe s.), et «avec adoration ou vénération» (1847, Balzac). ◆ Pendant la Révolution, on forma **ANTIRELIGIEUX** adj., «hostile à la religion» (1793). La création d'**ARELIGIEUX, EUSE** adj. «sans religion» est postérieure d'un siècle (1906-1907, Barrès). ◆ **RELIGIOSITÉ** n. f. est emprunté (XIIIe s.) au dérivé bas latin *religiositas, -atis* «piété» (IVe s.). ◆ Le mot signifie d'abord «sentiment religieux, habitude de piété», sens sorti d'usage au XVIe siècle. Rare à l'époque classique, il est repris (1801) pour désigner l'aspect sentimental de la religion dénuée de toute attache avec une foi précise, souvent avec une connotation péjorative et par opposition à *religion*.

IRRÉLIGIEUX, EUSE adj. est emprunté (1403) au latin *irreligiosus*, antonyme en *in- (ir-)* de *religiosus* aussi employé dans le tour impersonnel *irreligiosum est*. Le mot qualifie une personne dépourvue d'esprit religieux; il se diffusa au XVIIe s. sous l'impulsion des milieux jansénistes, s'étendant à toute chose étrangère à la religion, alors considérée comme contraire à la religion dominante (cf. *antireligieux* ci-dessus). ◆ Il a produit **IRRÉLIGIEUSEMENT** adv. (fin XVe s.), mot littéraire et didactique.

◆ **IRRÉLIGIOSITÉ** n. f., emprunté (1483) au latin chrétien *irreligiositas* «irréligion, impiété», de *irreligiosus*, se dit de l'absence de sentiments religieux. Très proche sémantiquement de *irréligion*, il n'entretient pas avec *religiosité* un rapport d'antonymie. Il a éliminé *irreligieuseté* (déb. XVIe s.), dérivé de *irréligieux* avec le suffixe *-té (-ité)*.

◆ **IRRÉLIGION** n. f. est emprunté au XVIe s. (1527) au latin impérial *irreligio, -onis*, de *in- (ir-)* et du latin classique *religio*. Le mot, désignant l'absence de croyance et de pratique religieuse, n'a donné lieu à aucune extension de sens. Il est didactique.

RELIQUAT n. m. est emprunté (XIVe s., *reliqua*; 1409, *relicat*) au latin *reliqua* «reste», neutre pluriel substantivé de l'adjectif *reliquus* «restant», dérivé du verbe *relinquere* «laisser derrière soi, abandonner». Ce verbe est formé de *re-* (→ re-) à valeur intensive, et de *linquere* «laisser, abandonner, quitter» ancien, mais moins usité que la forme à préverbe. On rapproche *linquere* de différents termes indoeuropéens comme le lituanien *lëkù* «je laisse», le grec *leipein* et le gotique *leihwa* «je prête» (sens dû sans doute à un ancien nom de «prêt», dont le latin n'a pas gardé le représentant). En français, le mot a pris son *-t* final au XVIe s. d'après le latin des gloses *reliquatum* «ce qui reste après qu'un compte a été arrêté», participe passé neutre substantivé de *reliquare* «redevoir qqch. sur un compte» (533), lui-même dérivé de *reliquus.*

♦ Le mot est emprunté en comptabilité pour désigner la somme restant due après la clôture et l'arrêté d'un compte. Il a développé d'une part un sens général, «ce qui subsiste d'une chose» (1538, *les reliquats du dîner*), d'usage littéraire, et d'autre part, un sens métonymique, «somme restante» (1856). ◆ Sa spécialisation médicale (1549) a disparu sous la concurrence de *séquelles.*

▸ Le dérivé **RELIQUATAIRE** n. (1566), terme juridique, désigne la personne redevable d'un reliquat.

◈ voir **RELIQUE.**

RELIQUE n. f. est emprunté (1080) au latin *reliquiae,* désignant des restes, des débris, spécialisé en latin ecclésiastique pour désigner les restes du corps d'un martyr, d'un saint (fin IVe-Ve s.) et dérivé de *reliquus* «qui reste» (→ reliquat).

♦ Le mot a gardé le sens religieux chrétien puis, par analogie, s'applique à d'autres religions. En latin médiéval comme en français, *les reliques* désigne une réalité religieuse importante et l'objet d'un culte populaire, d'un commerce et d'une symbolique qui seront vivement critiqués à partir de la Réforme; le mot est très courant, d'où une phraséologie abondante, par exemple *garder qqch., qqn comme une relique* (1698). ◆ L'emploi du pluriel au sens profane de «restes, débris» (v. 1393), littéraire, est devenu archaïque. ◇ Du sens religieux initial procède la valeur figurée, «chose à laquelle on attache moralement le plus grand prix, que l'on garde en souvenir d'un être cher» (av. 1553). ◆ Récemment, le mot s'applique aussi au dernier représentant d'un groupe zoologique ancien. ◇ Un emploi correspondant de l'adjectif *relique,* emprunté savamment au latin *reliquus,* est attesté en géomorphologie à propos d'une forme de relief qui ne correspond plus aux conditions climatiques actuelles (1964).

▸ Avec son sens religieux, *relique* a donné **RELIQUAIRE** n. m., d'abord *reliquiaire* (XIIIe s.) puis *reliquaire* (1328), désignant un coffret précieux, la boîte renfermant une ou des reliques, *châsse* s'employant plutôt lorsque le coffret contient l'intégralité des restes d'un saint, d'un martyr.

◈ voir **RELIQUAT.**

RELIRE → LIRE

RELIURE → LIER

RELUIRE → LUIRE

◈ **RELUQUER** v. tr., attesté (v. 1730) dans un texte poissard, est d'origine discutée : selon Bloch et Wartburg, il serait emprunté, avec adjonction du préfixe *re-** marquant l'intensité, au moyen néerlandais *loeken* «regarder», lequel avait donné en moyen français *luquer* «regarder» (fin XIIIe s.) et est apparenté à l'anglais *to look* (→ look). La voyelle *u* au lieu du *ou* attendu (liégeois *rilouki,* composé de *louki*) s'explique peut-être par l'influence de *luquet* «œil de bœuf» (XVe s., Flandres), du moyen néerlandais *lûke* «fermeture» et par celle de *lucarne**. P. Guiraud, s'appuyant sur le fait que le mot appartient à l'ensemble du domaine gallo-roman, y voit une forme préfixée du latin *lucere* «faire luire» (→ luire) par l'intermédiaire d'une forme °*lucicare.*

♦ Le mot appartient à l'usage familier pour «regarder avec intérêt et curiosité», d'où, au figuré, «considérer avec convoitise, envie» (1828-1829).

REMAKE n. m. est un emprunt (1946) au jargon cinématographique américain *to remake* «donner une nouvelle forme à» et *remake* «nouvelle version», spécialisation de sens de l'anglais *to remake* «refaire», de *re-,* préfixe correspondant au français *re-** dans sa valeur itérative, et *to make* «faire, confectionner» (→ ② maquereau).

♦ Le substantif *remake* entre dans le vocabulaire français du cinéma après la Seconde Guerre mondiale, conservant sa prononciation d'origine *(rimèque)*; on a proposé de le remplacer par *copie, adaptation, révision, refonte, remaniement, reconstruction,* mais sans succès. Employé avec une valeur active et au sens concret de «nouvelle version d'un film», il s'étend à la nouvelle version d'une œuvre, d'un texte (1954), avec un succès moindre.

RÉMANENT, ENTE adj. et n. m. est, dans son usage actuel (1832), la reprise d'un ancien substantif écrit *remanant* (v. 1119), désignant le reste, le surplus, le relief d'un repas, collectivement ceux qui restent, les survivants et, dans le nord de la France, un descendant, un héritier (XIIIe-XVIIe s.). Ce nom est la substantivation du participe présent de l'ancien verbe *remaneir* (1050), *remanoir* (1080) qui couvrait tout le champ sémantique de *rester* avant de céder la place à ce dernier, et qui remonte au latin *remanere* «s'arrêter, séjourner, demeurer», de *re-* (→ re-) à valeur intensive, et *manere* «rester, attendre» (→ manoir).

♦ Repris sous la forme *remanants* puis *rémanents* (1850), au pluriel, puis collectivement au singulier, le mot désigne le petit bois restant dans les coupes après l'exploitation, emploi dialectal devenu technique. ◆ Sous l'influence de *rémanence* et par emprunt au latin *remanens, -entis,* participe présent de *remanere,* il s'emploie en sciences (v. 1870), spécialement en parlant d'un phénomène magnétique qui persiste après la disparition du champ inducteur; comme pour *rémanence,* le mot dépend alors de l'anglais *remanent* (1866).

▸ **RÉMANENCE** n. f. est aussi dans son usage moderne (v. 1870) un emprunt à l'anglais *remanence* «reste, restant», spécialisé en sciences (1817), et lui-même emprunté à l'ancien et moyen français *remanence,* antérieurement *remanance* (v. 1112), dérivé de *remanoir* qui désignait le fait de demeurer quelque part, le séjour, la demeure, et, concrètement, le reste, spécialement le reliquat d'un compte. ◆ *Rémanence* est réintroduit par anglicisme dans le langage scientifique pour désigner la persistance partielle d'un phénomène après la disparition de sa cause (appelé aussi *hystérésis*), spécialement à propos de l'aimantation après disparition de l'influence magnétique. Il a développé d'autres spécialisations scientifiques en optique *(rémanence des images visuelles)*, en écologie et éthologie *(rémanence d'un signal olfactif, chimique)*. Dans la langue littéraire, il fournit un synonyme recherché de *persistance* (fin XIXe s., Huysmans). ◇ Au XXe s., il désigne, au pluriel, les taxes sur la consommation qui ne sont pas payées directement sur les ménages.

REMARQUER v. tr. est la réfection d'origine normanno-picarde (1549) du moyen français *remerchier* (1376), *remerquer* (v. 1393) sous l'influence de *marquer**, verbe de même provenance dialectale qui a supplanté *merchier*. Le préfixe *re-** a ici une valeur intensive.

♦ Le mot signifie «arrêter son attention, son regard sur qqch.», redoublant et évinçant progressivement *marquer* dans cet emploi. L'accent est mis sur le fait de distinguer une personne ou une chose parmi d'autres (1585), la locution verbale ***se faire remarquer*** (1653) constatant d'abord objectivement un état de fait avant de prendre la valeur péjorative de «manquer de tenue» (1893). ◇ Par le même développement métonymique que *observer, remarquer* correspond à «porter verbalement à la connaissance d'autrui (un constat, une réflexion)» (1657-1662), souvent en incise dans un énoncé *(remarqua-t-il)* et dans la construction factitive *faire remarquer que* (1767) qui a remplacé l'emploi synonyme de *remarquer* (fin XVe s.) courant au XVIIe siècle. Le sens de «marquer de nouveau» (1611) ne s'est pas développé, gêné par l'expansion du sens usuel.

▸ Le déverbal **REMARQUE** n. f., sous sa forme actuelle (1579), est la variante picarde qui a remplacé l'ancien français *remerche* (v. 1505), aussi *remerque* (1577) d'après *marque*. Le sens dynamique, «action de remarquer», encore réalisé dans la locution *digne de remarque* (1609), a disparu au profit des emplois métonymiques apparus au XVIIe s. : «note écrite exprimant réflexions et commentaires» (1647, au pluriel, *remarques*) et une opinion (1657-1662, *faire une remarque*), «commentaire désobligeant» (dès 1577). Le mot s'applique notamment, dans la seconde moitié du XVIIe s., aux ouvrages de réflexion sur le bon usage du français (Vaugelas, Bouhours), servant à former (XXe s.) le dérivé **REMARQUISTE** n. «auteur de remarques sur le langage». ◆ Il a aussi le sens de «repère» dans un emploi technique en gravure où, après *épreuve à la remarque* (1864) «épreuve tirée avant que l'artiste ait fait disparaître un accident», il se réfère à une petite gravure faite en marge d'une planche gravée (1944).

REMARQUABLE adj. (1547-1555) qualifie objectivement ce qui est susceptible d'être remarqué, d'attirer l'attention, sens réalisé spécialement en mathématiques à propos d'éléments possédant des propriétés que les autres ne possèdent pas (attesté mil. XXe s.). ◆ La valeur caractérisante de «digne d'être remarqué» (1607), surtout sur le plan intellectuel, confère au mot le sens de «brillant, émérite», demeuré usuel. ◆ L'adverbe **REMARQUABLEMENT** (1616) correspond à la valeur subjective de l'adjectif et fournit un superlatif *(très)* dans le registre soutenu.

REMBARRER → BARRE

REMBLAI, REMBLAYER → BLÉ

REMBOBINER → BOBINE, EMBOBELINER

REMBOURRER → ① BOURRE

REMBOURSER → BOURSE

REMBRUNIR → BRUN

REMÈDE n. m. est emprunté (1181) au latin *remedium* «médicament», «expédient», de *re-* (→ re-) à valeur intensive, et *mederi* «soigner», spécialisé dès l'origine dans la langue médicale (→ médecin). L'ancien français a eu un type plus francisé, *remire* (v. 1120), encore attesté exceptionnellement au XVe s., et qui correspond à l'ancien français *mire* «médecin».

♦ Le nom, qui était aussi féminin en ancien français, se disait généralement de tout moyen (hygiénique, médical, chirurgical) appliqué à titre curatif ou préventif. Encore au XVIIe s. la locution *être dans les remèdes, faire des remèdes* (1690) signifiait «suivre un traitement, se soigner» ; le mercure, dans le traitement de la syphilis, était appelé *le grand remède* (1690). De nos jours, les expressions ***remède de bonne femme*** (1798) et ***remède de cheval*** (1864) sont plutôt comprises au sens restreint de «substance médicamenteuse» qui s'impose au XVIIIe siècle. ◆ C'est du sens large et archaïque que procède la valeur figurée pour «ce qui combat, prévient, guérit un mal quelconque», attestée dès la fin du XIIe s. sous les formes *remedie* et *remeide* (v. 1190) puis *remède* (v. 1283, au féminin ; puis au masculin, v. 1355). Dans ce sens, la locution ***sans remède*** (v. 1360), autrefois employée adverbialement au sens d'«irrémédiablement», est devenue (1636) locution adjective. *Remède*, toujours avec l'acception large, entre dans la locution péjorative *remède d'amour* (1690) devenue ***remède contre l'amour, à l'amour***, pour caractériser une personne (le plus souvent une femme) vieille et laide. ◆ Par extension, le mot s'emploie aussi à propos d'une mesure, d'un ensemble de mesures propres à diminuer ou à supprimer un inconvénient grave (v. 1190). C'est avec ce sens que s'entendent les expressions *metre remede a* (v. 1330) remplacée au XIXe s. par ***porter remède à..., aux grands maux les grands remèdes*** (1823) et ***le remède est parfois pire que le mal*** (XXe s.). ◆ Le mot a pris (fin XVe s.), par réemprunt à une spécialisation en bas latin *(remedium ligae, remedium ponderis)*, un sens spécialisé en orfèvrerie : «écart autorisé entre le titre légal et le titre réel de l'argenterie», remplacé de nos jours par *tolé-*

rance. Les points ronds placés de chaque côté du poinçon qui indiquent cet écart s'appelaient *grains de remède* (1690).

▸ **REMÉDIER** v. tr. indir. (avec *à*) est emprunté (1282) au dérivé latin *remediare* «guérir». ◆ Le mot, autrefois employé au sens général de «soigner par un remède», a pris le sens figuré de «combattre un mal, un inconvénient» (v. 1355). Le verbe, qui n'a pas subi la restriction de sens de *remède*, a correspondu à «essayer d'améliorer, de guérir un état pathologique, un mal physique» (1636). En français moderne, seul le sens figuré est d'usage, le mot étant en partie détaché de son origine. ◆ **REMÉDIABLE** adj., emprunt (fin XIVe s.) au latin *remediabilis* «guérissable», de *remediare*, qualifie un mal auquel on peut porter remède, au propre et au figuré; il est plus rare que son contraire. En moyen français, il a eu également le sens actif de «qui remédie» (1501). Il est archaïque ou littéraire. ◆ **IRRÉMÉDIABLE** adj. (v. 1450), formé sur *remédiable* avec le préfixe *in-* (*inrémédiable*, v. 1460), qualifie, d'abord au figuré puis au propre (1549), ce à quoi on ne peut remédier. Il a eu en moyen français le sens d'«inévitable, indispensable» (v. 1460), sorti d'usage. Il s'emploie comme substantif avec une valeur de neutre (1901). ◆ Plus courant que *remédiable*, au moins dans un usage soutenu, il a servi à former **IRRÉMÉDIABLEMENT** adv. (v. 1460) qui eut en moyen français la variante *inremediablement* (1492).

REMEMBRANCE → REMÉMORER

REMEMBREMENT, REMEMBRER → MEMBRE

REMÉMORER

REMÉMORER v. tr. est emprunté (fin XIVe s.) au bas latin *rememorari* «se ressouvenir» employé par des auteurs ecclésiastiques, formé avec le préfixe *re-* (→ re-) à valeur itérative sur le modèle de *commemorari*, variante tardive du latin classique *commemorare* (→ commémorer), de *memoria* (→ mémoire). Une forme populaire, *remembrer*, d'abord *remembrar* (v. 980), est sortie d'usage depuis le XVIe s., sauf emploi par affectation d'archaïsme (XVIIe s.), comme son dérivé *remembrance* (ci-dessous).

♦ *Remémorer* a d'abord signifié «faire la commémoration de» avant de se séparer de *commémorer* et de prendre une autre valeur : «faire resurgir dans sa mémoire» (fin XVe s.). Il est surtout usité à la forme pronominale *se remémorer* (1579) «rappeler volontairement, reconstituer avec une certaine précision dans sa mémoire», d'abord construite avec *de*, puis directement (1762).

▸ Les dérivés **REMÉMORATIF, IVE** adj. (déb. XVe s.) et **REMÉMORATEUR, TRICE** adj. (av. 1841, Chateaubriand), de sens très voisin, sont rares et littéraires.

REMÉMORATION n. f. est emprunté (v. 1370, Oresme) au bas latin ecclésiastique *rememoratio, -onis* «commémoration», du supin *(rememoratum)* de *rememorari*. Le mot, qui désigne l'action de remémorer, est d'un usage rare ou didactique, par exemple en psychologie pour «rappel volontaire (d'un souvenir)».

Le verbe d'ancien français *remembrer* (ci-dessus) a eu pour dérivé **REMEMBRANCE** n. f. qui signifie en ancien français «conscience» (1080), puis «souvenir» (v. 1119). Dans ce sens, il s'est maintenu comme archaïsme et dans les parlers régionaux, comme en témoignent encore au XIXe s. des emplois littéraires, tel les *Remembrances du vieillard idiot* (Rimbaud).

REMERCIER → MERCI

RÉMÉRÉ

RÉMÉRÉ n. m. est emprunté avec changement de classe grammaticale (1470) au verbe latin médiéval *reemere*, altération du latin classique *redimere* «racheter» qui a donné *rédimer**.

♦ Ce terme de droit désigne le rachat possible de son bien par le vendeur, moyennant restitution du prix principal et remboursement de certains accessoires. En termes de Bourse, *contrat de réméré* se dit (XXe s.) d'un contrat de vente d'obligations assorti d'une promesse de rachat à date et prix fixé.

▸ Le dérivé **RÉMÉRER** v. tr. (1583), «racheter en vertu d'un pacte de réméré», est rare.

◇ voir RÉDIMER ; RANÇON, RÉDEMPTION.

✳ REMETTRE

✳ REMETTRE v. tr. est issu (v. 1118) du latin *remittere*, de *re-* (→ re-), et *mittere* (→ mettre), «renvoyer, rendre», «relâcher, détendre» d'où «amollir» et, moralement, «s'apaiser, se calmer» (au passif et au pronominal en parlant d'une maladie, d'une douleur). Le verbe s'employait aussi dans la langue des juristes pour «abandonner, renoncer à, faire remise (d'une dette, d'un châtiment)», et à basse époque chez les auteurs chrétiens, pour «absoudre (les péchés)».

♦ Héritier des emplois du verbe latin, *remettre*, senti rapidement comme un préfixé de *mettre*, a acquis d'autres valeurs d'après le verbe simple. Il a eu le sens concret de «fondre, liquéfier» (intransitivement, «se liquéfier», v. 1120), continuation du sens latin d'«amollir». Ce sens et son extension pour «affaiblir, détruire» (XIIIe s.) sont sortis d'usage dès le moyen français. ◆ Le groupe d'emplois au sens itératif de «mettre de nouveau» s'est immédiatement imposé : d'abord attesté dans la locution figurée *remettre en vie* (v. 1145), il est réalisé avec une valeur concrète et un nom de personne pour sujet, au pronominal *se remettre* (v. 1165) par exemple dans *se remettre à table* (v. 1175), et transitivement (v. 1208). La locution ***remettre (qqn) à sa place*** (1539, *en sa place*) a acquis plus tard une valeur figurée désobligeante (1823). ***Remettre en selle*** s'est chargé d'une signification imagée (fin XVIIe s.). ◆ Secondairement, *remettre*, avec un complément second, a signifié «réprimander» (XVe s.), [cf. *reprendre*], sens continué par des emplois comme *remettre au pas* (1793-1794, *remettre dans le droit chemin*). ◆ Le sens de «reconduire» (1635), usuel avec un nom d'animal et un complément de lieu, a vieilli quand le complément désigne un être humain. ◆ Le verbe s'emploie aussi avec un nom de chose pour objet (v. 1170), spécialement en médecine pour «remboîter, replacer (un os, un organe)», attesté une première fois au XIIe s. (1174-1187), puis à partir de 1564 (Paré, qui emploie aussi *remettre une* *fracture, une luxation,* 1575). Au XIVe s., *remettre* prend la valeur spéciale de «revêtir de nouveau (un habit)» (1306) et celle de «mettre en remplacement» (1306). Avec la valeur locative de «placer», apparaissent des constructions comme *remettre qqch. en face de qqn* (v. 1470, *à*) puis aussi *remettre qqch. devant les yeux de qqn* (1561) et, abstraitement, *remettre qqch. dans l'esprit de qqn* (1640), *remettre en mémoire* «représenter qqch. à qqn, rappeler», valeurs qui existent aussi au pronominal : *se remettre en mémoire* (1579), *se remettre dans l'esprit* (1687). C'est d'elles que procède l'emploi de *remettre qqn* pour «reconnaître en représentant devant ses yeux, dans sa mémoire» (v. 1475), usuel au XVIIe s. (1688, *je te remets à présent*), et aujourd'hui plutôt familier. ◆ *Remettre le pied quelque part* «y retourner» (1687) est aujourd'hui surtout employé négativement : *ne plus jamais remettre le pied* (1839) puis *les pieds* (1848) *quelque part.* ◆ Alors que le pronominal *se remettre à* assume dès l'ancien français l'idée de «recommencer à» (1306), il faut attendre le XXe s. pour voir se développer, d'abord en argot, le sens transitif correspondant de «redonner, recommencer»; d'abord avec la valeur spéciale de «redonner des coups, répéter des propos désagréables» (1907), la formulation elliptique ***remettre ça*** s'entend pour «recommencer la bagarre» (1913) et aussi pour «servir de nouveau la même consommation dans un café» (1913). Un autre tour elliptique, ***en remettre,*** correspond à «en rajouter, exagérer» (1911). ◆ La locution ***remettre les gaz*** (1937), d'abord dans l'aviation, «accélérer à nouveau», se situe parmi les emplois de *remettre* pour «refaire fonctionner» *(remettre en route, en marche, sur les rails).* ◆ Le sens de «ramener à un état antérieur» (v. 1175) a lui aussi engendré un grand nombre d'emplois usuels. Le verbe s'entend spécialement pour «rétablir (qqn, qqch.) dans un état physique ou psychique antérieur» (fin XIIe s.), que ce soit du point de vue de la santé, par exemple dans ***se remettre*** (1559, *se remettre sus*) et ***remettre sur pied*** (1651), ou dans la perspective d'un rapport social, avec *remettre ensemble* (XIIIe s.) et *se remettre ensemble* (1283) «(se) réconcilier». ◇ Le verbe s'emploie aussi à propos du temps qui se rétablit (1659, *se remettre au beau*); au XVIIIe s. absolument (av. 1778). *Remettre* concerne aussi une affaire qui s'arrange (1697, transitivement), et le fait de réparer, de restaurer dans *remettre à neuf* (1797).

Au plus près du sens originel du verbe latin, *remettre* recouvre aussi l'idée de «livrer, confier, transmettre» (v. 1155) avec un objet concret ou abstrait (*remettre une affaire à qqn,* v. 1560), un nom de chose ou de personne, dans un contexte général ou spécialisé, par exemple en droit, *remettre entre les mains de la justice* (1740), *remettre les sceaux* «démissionner (pour le garde des Sceaux)» (1771). ◇ Au pronominal, *se remettre* réalise spécialement la valeur figurée de «se confier» dans *se remettre à Dieu* (1553) et *se remettre entre les mains de Dieu* (1694), *entre les mains de qqn, s'en remettre à qqn* (1559), *se remettre à la discrétion de qqn* (1559), *au jugement de qqn* (fin XVIe s.). Ces emplois font du verbe un synonyme de *en appeler à, se reposer sur.* ◆ Emprunté au latin chrétien, le sens de «faire grâce de, épargner» apparaît à la fin du XIVe s., d'abord dans un emploi isolé pour «épargner la vie de qqn», puis dans une double spécialisation, juridique (1398) et religieuse (fin XIVe s.), cette dernière étant réalisée dans l'expression religieuse *remettez, et il vous sera remis* (1694), écho d'une formule du *Pater.* ◆ Transposition temporelle du sens de «renvoyer», la valeur de «différer» (v. 1380) est réalisée en particulier dans l'expression *remettre la partie,* surtout employée au figuré (1580), vieillie à l'actif, mais demeurée vivante au passif (1690), surtout sous la forme *ce n'est que* ***partie remise*** (1838), aboutissement de *c'est partie remise* (1731-1741).

▶ **REMIS, REMISE,** le participe passé, a fourni au verbe toute sa dérivation : son adjectivation est constatée dès les premières occurrences du verbe (1118), au sens ancien de «liquéfié, fondu». ◇ Les sens modernes datent du XVIIe s. à propos d'une personne «qui a retrouvé la santé, l'équilibre» (1642), également «redevenu calme» (av. 1613), emploi disparu après l'époque classique et, d'une chose, «différé, reporté» (1690). ◆ La substantivation du féminin ① **REMISE** n. f. (1260) a fourni au verbe un substantif d'action pour la plupart de ses sens. Après une première attestation obscure, le mot désigne le fait de mettre de nouveau quelque part (1311), emploi répandu au début du XVIe s. (1511); il s'applique ultérieurement au rétablissement de la position d'une chose (1876, *remise à l'heure*), spécialement en sports, au fait de réintroduire la balle dans la surface de jeu (1896), emploi explicité par l'expression *remise en jeu* (1935). ◆ *Remise* répond dès le moyen français à l'emploi juridique du verbe pour «réduction (d'une peine)» (1482), d'où ***remise de peine*** (*remise de sa peine,* 1876), mais ce n'est qu'au XIXe s. qu'on l'enregistre sur un plan religieux (1819, *la remise des péchés*). ◆ La valeur temporelle de «renvoi à une date ultérieure» (1513) est réalisée spécialement dans l'expression juridique *remise de cause* «renvoi des débats d'une affaire à une audience ultérieure» (1765). ◇ De l'idée d'«abandon, fait de renoncer», également de nature juridique et liée au sort d'une dette (1611), procède le sens moderne de ***remise de dette*** «réduction totale ou partielle de dette» (1765) et l'emploi d'*une remise* pour «rabais sur un prix consenti par le vendeur» (1680). ◇ *Remise,* «action de confier, de mettre qqn en possession de (qqch.)» (1611), concerne surtout l'attribution officielle d'une distinction, et, en religion, l'abandon de soi à Dieu. ◇ Enfin, le mot correspond à l'action de faire de nouveau qqch., autrefois spécialement à la reprise d'un spectacle (1769). ◆ En marge de ces emplois actifs, *remise* a développé un sens local, aujourd'hui senti comme un autre mot. ② **REMISE** n. f. est d'abord attesté en vénerie pour l'endroit où l'animal se remet pour se réfugier ou se reposer (av. 1525). Par extension, il s'est dit de la partie d'un port où l'on mettait les bâtiments désarmés (1654), du local où l'on abritait des voitures à chevaux (1659), emploi disparu sous la concurrence de *garage,* mais encore vivant dans *voiture de remise* et *remise* «voiture de louage» (av. 1747), surtout dans *grande remise* avec une connotation de luxe, par allusion à l'endroit fermé et abrité où l'on entreposait ce véhicule. ◇ Au XIXe s., *remise* dans ce sens acquiert de nouveaux emplois, s'appliquant au local où l'on abrite les locomotives (1876) et à un abri, un hangar où l'on range les outils et autres objets (1879). ➜ À son tour, *remise* a suscité un verbe correspondant à ce sens local, **REMISER** v. (1761), «mettre à l'abri dans une remise». Ce verbe, supplanté en ce sens par *garer*, s'est maintenu avec le sens large de «mettre à l'abri, de côté (une chose peu employée)» (1788). Il s'est spécialisé en vénerie où il redouble un emploi de *se remettre* «se réfugier, s'arrêter», à la fois au pronominal (1834) et absolument (1869). D'après un sens actif de *remise* en sports, *remiser* exprime le fait de riposter instantanément en escrime (1906) et en boxe (1931). ➜ **REMISAGE** n. m. (1867), pour l'action de ranger les véhicules, a connu le même déclin que *remise* et *remiser*.

◈ voir **RÉMISSION**.

RÉMIGE n. f. est un emprunt zoologique (1789) du latin *remex, remigis* «rameur», de *remus* (→ rame), pris dans son emploi poétique pour l'aile d'après la métaphore de Virgile *remigium alarum* «mouvement consistant à ramer des ailes».

♦ Le mot a été repris comme adjectif dans *plume rémige*, avant d'être substantivé (1823) pour désigner la plus grande plume de l'aile des oiseaux.

RÉMINISCENCE n. f. est emprunté (XIIIe s.) au bas latin philosophique *reminiscentia* «fait de se souvenir» (IIIe-VIe s.), dérivé du verbe *reminisci* «se souvenir», formé de *re-* à valeur intensive, et d'un verbe *minisci* «se souvenir, avoir présent à l'esprit», rare au présent mais courant sous la forme *memini*, parfait à valeur de présent. *Memini* est apparenté à *mens* «esprit, intelligence» (→ mental). *Reminiscentia* traduit le grec *anamnêsis* (→ anamnèse) dans sa signification platonicienne.

♦ Le mot, repris en scolastique, désigne un ressouvenir, le renouvellement d'une idée presque effacée. Il s'est répandu au XVIe s., d'une part dans cette acception philosophique, notamment dans l'étude de Platon et d'Aristote (1580, Montaigne), et d'autre part dans la langue courante pour «souvenir vague, imprécis, à forte tonalité affective» (1651). Le sens large de «mémoire» (1684) est sorti d'usage, sauf avec la valeur de «mémoire collective». Le mot s'est spécialisé à propos de l'élément d'une œuvre artistique inspiré par une influence généralement inconsciente (1767, Diderot) et dans la terminologie psychologique.

① et ② **REMISE** → REMETTRE

RÉMISSION n. f. est emprunté (v. 1120) au latin *remissio, -onis* «action de renvoyer, de détendre, de relâcher», dans les textes chrétiens, «action de remettre les péchés, pardon», de *remittere* (→ remettre).

♦ Le mot apparaît en français dans l'acception religieuse de «pardon», désignant spécialement le pouvoir conféré par le Christ aux apôtres (*Jean*, XX, 23) et exercé par le prêtre dans le sacrement de la pénitence. Il est passé dans la langue courante par la locution ***sans rémission*** (v. 1138) «sans possibilité de pardon» qui s'est colorée des autres sens pris par le mot. ◇ Par analogie, il a désigné en droit, sous l'Ancien Régime, une remise de peine (XIIIe s.), spécialement dans l'expression ***lettres de rémission*** (1358), par lesquelles le roi accordait la grâce d'un criminel. Il s'est répandu avec le sens général d'«indulgence dont on use envers un débiteur, un obligé» (1532) d'où «indulgence» (1690). ➜ Sous l'influence de *remettre*, il a développé d'autres sens : «action de renvoyer à plus tard» (1491) puis «action de faire parvenir» (1769), sortis d'usage ; une autre acception, «relâchement, diminution» (de la fièvre) en médecine (v. 1560, Paré) s'est étendue à «diminution ou arrêt provisoire des symptômes de la maladie». L'extension figurée, «diminution d'intensité» (1746), relève du style littéraire.

► Le dérivé **RÉMISSIONNAIRE** n. (1594) «bénéficiaire d'une remise de peine» et le préfixé **IRRÉMISSION** n. f. «défaut de pardon» (1840) sont didactiques et très rares. ➜ **RÉMISSIBLE** adj., emprunt (XIVe s.) au dérivé bas latin *remissibilis* «digne de pardon», qualifie didactiquement ce qui est pardonnable. Il a eu la valeur active de «qui pardonne» (1508), sortie d'usage. ➜ Le dérivé **RÉMISSIBILITÉ** n. f. (1875) ainsi que les antonymes préfixés **IRRÉMISSIBLE** adj. (1234), **IRRÉMISSIBILITÉ** n. f., ce dernier faisant concurrence à l'emploi substantivé de l'adjectif (v. 1850), sont eux aussi didactiques, mais *irrémissible* s'emploie normalement en théologie morale. ➜ **RÉMITTENT, ENTE** adj. est emprunté en médecine (1756) au latin *remittens*, participe présent de *remittere*, spécialement «se calmer» (le médecin romain Celse utilisait le verbe dans un sens propre, dans *febres remittuntur* «des fièvres qui se calment»). Ce latinisme a produit parallèlement des formes analogues en anglais et dans d'autres langues modernes européennes. ◇ En français, le mot s'emploie en relation avec *rémission** pour une fièvre, une maladie présentant des périodes d'accalmie. ➜ **RÉMITTENCE** n. f. (1776) désigne le caractère des affections rémittentes ; par extension, il est employé comme synonyme de *rémission* dans son acception médicale (1907, Larousse) et, au figuré, pour «reflux, accalmie» (1842). ➜ *Rémittent* a produit **IRRÉMITTENT, ENTE** adj. (1922) «qui ne présente pas de rémission (d'une maladie)», terme médical rare.

REMONTER → MONTER

REMONTRER v., d'abord *remostrer* (v. 1175), *remoutrer* (XIIIe s.), *remoustrer* (fin XIVe s.), est le dérivé de *montrer** par adjonction du préfixe *re-**.

♦ Le sens de «faire voir, connaître, exhiber», qui place le verbe dans le domaine de la parole, a décliné au profit du simple *montrer*. Cependant, par l'intermédiaire d'emplois insistant sur le fait d'exposer à qqn avec autorité ce qu'on lui reproche (v. 1360), *remontrer* s'est détaché de *montrer* et a pris ses deux valeurs modernes : il s'est employé pour «faire des remontrances au roi» (1465 ; v. 1610, absolument) et, le plus souvent dans la construction indirecte, ***en remontrer à*** (v. 1803) ; dès 1656 *remontrer à* s'employait pour «donner des leçons à qqn». ➜ Le lien avec le verbe simple est réactivé par la valeur itérative de «montrer de nouveau» (1555), plus fréquente au pronominal *se remontrer* (1571).

▸ **REMONTRANCE** n. f. (XIVe s.), dérivé du verbe, oriente le sens de «discours, exposé» vers celui d'«admonestation, avertissement» (1450); le mot a perdu la valeur du moyen français, «preuve, témoignage» (v. 1360, *remontrances d'amour*). ◇ Après une première attestation à propos d'une doléance adressée par un particulier au roi (1468), le pluriel *remontrances* (1568) prend la valeur politique d'«observations adressées au roi par le Parlement». Les acceptions juridiques de «représentation en justice» (1619), «écritures fournies par les deux parties» (1752) ont disparu. ◆ **REMONTRANT, ANTE** adj. et n., employé encore quelquefois à propos de la personne qui fait des remontrances (1560), a servi à dénommer les Arminiens, à cause des remontrances qu'ils firent en 1610 contre leur condamnation par le synode de Dordrecht (fin XVIIe s.), l'antonyme **CONTRE-REMONTRANT** dénommant en retour le calviniste s'opposant aux Arminiens (fin XVIIe s., Bossuet).

RÉMORA n. m., d'abord sous la forme francisée *rémore* (av. 1553) puis restitué en *rémora* (1562), est emprunté au latin *remora* «retard, obstacle», spécialisé à basse époque pour désigner un poisson ayant, selon les croyances du temps, le pouvoir d'arrêter les bateaux auxquels il s'attache. Le mot est formé de *re-* (→ re-), préfixe à valeur intensive, et de *mora* «retard, délai, obstacle» (→ demeurer, moratoire).

♦ Le mot désigne un poisson téléostéen pouvant s'attacher par un disque adhésif à de plus gros poissons dont il partage la nourriture. Il était censé pouvoir arrêter les bateaux, mais aussi les conduire. ◆ Son emploi métaphorique et figuré à propos d'une personne ou d'une chose qui fait obstacle, qui retarde qqch. (1610), usuel à l'époque classique sous les deux formes *rémora* et *rémore*, est sorti d'usage dans la seconde moitié du XIXe s. (on le trouve encore chez Balzac et Amiel). Une autre valeur métaphorique concerne la conduite, le fait de guider.

① **REMORDRE** → MORDRE

✻ ② **REMORDRE** v. tr. est emprunté (v. 1170) au latin *remordere*, de *re-* (→ re-) à valeur itérative, et *mordere* (→ mordre), proprement «mordre en retour, de nouveau», et, de l'époque classique jusqu'au latin chrétien, moralement «ronger par le regret d'avoir mal agi».

♦ Le verbe est repris avec son sens moral, qui s'est éteint au XVIIIe s., malgré la vitalité du dérivé *remords*. ◆ Senti comme le composé à valeur itérative de *mordre**, *remordre* a reçu le sens propre de «mordre à nouveau» (1538), avec le sens figuré correspondant (v. 1530); dès cette époque on emploie aussi *remordre à*, le plus souvent en parlant d'un poisson (v. 1538). Au XVIIe s. apparaît un emploi métaphorique de *remordre à* (sur *mordre à*) [1690, *remordre à l'hameçon*], qui a donné le sens figuré de «montrer de nouveau des dispositions pour une chose» *(remordre aux maths)*.

▸ **REMORDS** n. m. est l'ancien participe passé substantivé de *remordre*. Il s'est écrit *remors* dans *remors de conscience* (XIIIe s., Rutebeuf), puis absolument (XVe s.). Le *d* de la graphie actuelle (1596) vient de l'infinitif *remordre*. ◇ Le lien qui unit le substantif au verbe n'en a pas moins été altéré, puis a disparu dans la conscience du locuteur depuis la disparition du sens moral de *remordre*, *remords* entrant dans le vocabulaire psychologique sur le même plan que *regret* ou *repentir*. Malgré sa fréquence d'emploi et une phraséologie active (***remords de conscience, être bourrelé de remords***, etc.), le mot reste isolé et n'a pas de dérivé. La langue distingue, comme pour la plupart des mots de ce type, *le remords* et *un, des remords*.

REMORQUER v. tr. est emprunté (1478) à l'italien *rimorchiare* «tirer à sa suite au moyen d'un système d'attelage» (1431), verbe issu d'un latin populaire °*remulculare*, élargissement du latin *remulcare* «traîner» (70 av. J.-C. et dans une glose du VIIIe s.), lui-même dérivé du latin classique *remulcum* «corde pour hâler, câble pour tirer après soi». Ce mot latin est emprunté, avec déformation du préfixe sous l'influence du préfixe *re-*, au grec °*rhumoulkos* (supposé par l'existence du verbe *rhumoulkein*), formé de *rhuma* «câble qu'on tire, pour traîner» et de *holkos* «action de tirer». Le premier élément est dérivé de *eruein* «tirer», d'étymologie obscure; le second, qui vient de *helkein* «tirer, traîner», répond au latin *sulcus* «sillon». Le moyen français a eu antérieurement *remocquer* (1449-1495, puis 1611) en Provence et le type *remolquer* (1541), employé par Rabelais et emprunté à l'espagnol *remolcar*, issu du même verbe latin.

♦ Le verbe signifie «tirer après soi au moyen d'un système d'attelage», spécialement et dès les premiers emplois en parlant d'un navire, entrant dans des expressions techniques, comme *remorquer en couple* (1904, Larousse), *en flèche*, etc. ◆ Il a pris le sens figuré d'«emmener d'autorité à sa suite» (1751), connoté comme familier, à la différence du sens figuré abstrait, «transporter chez soi» que l'on rencontre chez Chateaubriand. ◆ Au XXe s., sous l'influence de *remorque*, il se dit des véhicules terrestres automobiles, sens très usuel aujourd'hui (*se faire remorquer*, etc.).

▸ **REMORQUE** n. f., déverbal de *remorquer* (1693), désigne d'abord la traction exercée par un véhicule sur un autre, surtout dans des locutions verbales *(prendre en remorque)*. Par métonymie, le mot s'applique concrètement au câble utilisé par les marins (1773), également nommé *câble de remorque* (1835), et s'emploie dans les locutions courantes et techniques *prendre à la remorque* (1835), devenu *prendre en remorque, donner la remorque* (1870), *filer, larguer les remorques* (1904). ◆ Au XIXe s., la locution ***à la remorque*** (1827) s'emploie au figuré pour «à la suite, à la traîne». ◆ Par une autre extension métonymique, *remorque* désigne un véhicule sans moteur tiré par un autre véhicule (1900), par exemple dans *prendre en remorque*, spécialement un véhicule sur rails tiré par un autorail. ◆ Le composé **SEMI-REMORQUE** n. f. (v. 1950; l'abréviation *une semi* est attestée en 1956) vient du dernier sens attesté de *remorque*. Le mot est devenu très courant à propos des camions, éliminant *demi-remorque* n. f. ◆ Les deux autres dérivés ont une valeur plus générale : **REMORQUEUR, EUSE** adj. apparaît dans *bateau à vapeur remorqueur* (1817) ; le mot s'est répandu comme nom masculin, de nos jours limité à un type de navire à machines puissantes utilisé pour remorquer de plus gros navires, soit en difficulté, soit dans un port. ◇ Il s'est dit, aussi, vers 1830-1850 des locomotives, valeur sortie d'usage. ◇ Par métonymie, il désigne un marin employé sur un remorqueur (1823). ◆ **REMORQUAGE** n. m. (1834), nom d'action de *remorquer*, s'emploie au sens propre, en marine, et à propos de véhicules terrestres, comme une modalité de dépannage.

RÉMOULADE n. f., d'abord *ramolade* (1693) et *rémolade* (1740) avant *rémoulade* (1835), est d'origine discutée. Selon Wartburg, il viendrait du rouchi (patois de Valenciennes) *rémola* ou du picard *ramolas* «gros radis noir». Ce dernier (atteste dès le XVIᵉ s.) serait issu, par l'italien *ramolaccio*, du latin *armoracea*, nom d'une rave sauvage pour lequel Dioscoride a la forme grecque *armorakia* mais que Pline donne comme italique. Ce mot serait croisé avec l'ancien substantif *rémolade* (1640) ou *rémoulade* (1798) désignant un emplâtre pour guérir les foulures des chevaux composé de miel, de son, etc. Ce dernier est emprunté à l'italien dialectal *remolada* de même sens, issu d'un latin populaire °*remola*, supposé par le latin des gloses *remolum*, lui-même tiré du verbe *remolere* «moudre de nouveau», de *re-* (→ re-) à valeur itérative et *molere* (→ moudre). Le suffixe *-ade* est fréquent dans les termes de cuisine (cf. par exemple *salade*). Cependant, P. Guiraud, remarquant, premièrement que la rémoulade est une sorte de mayonnaise montée avec des herbes qui sont plutôt du persil, de l'estragon pilés que du raifort, et deuxièmement que la terminaison *-ade* a des résonances méridionales, écarte l'hypothèse d'une origine picarde. Selon lui, le mot dérive de *remouler*, de *re-* à valeur intensive, et *mouler*, variante de *meuler* (dénominatif de *meule**) «écraser à la meule», en l'occurrence «écraser dans un mortier» (l'ancien provençal *molador* désigne un mortier). La rémoulade serait alors une sauce aux herbes pilées, et le latin *armoracea* ne serait pas en cause ; dans cette hypothèse, le mot serait apparenté à *rémouleur*.

♦ Le mot, utilisé en cuisine, est surtout courant en apposition dans les syntagmes *céleri rémoulade* et *sauce rémoulade*.

RÉMOULEUR n. m. est issu (1334) de l'ancien verbe *rémoudre* «émoudre de nouveau» (attesté seulement en 1481), de *re-* à valeur itérative et de *émoudre* (v. 1155, *esmoldre*), mot technique pour «aiguiser sur une meule». *Émoudre* est issu d'un latin populaire °*exmolere*, du latin impérial *emolere* «moudre entièrement» (→ émoulu).

♦ Le mot désigne l'ouvrier ambulant qui aiguise sur une meule à pédale les couteaux et autres instruments tranchants. Il tend à vieillir avec ce métier traditionnel, qui disparaît peu à peu.

◈ voir **RÉMOULADE** (hypothèse de Guiraud), **REMOUS**.

REMOUS n. m., d'abord *remoux* (1687) puis *remous* (1798), est selon de nombreux linguistes le déverbal du moyen français *remoudre* «moudre de nouveau» (1481) qui survit dans le nom d'ouvrier *rémouleur** et, selon une hypothèse, dans le terme culinaire *rémoulade**. Le sens moderne serait dû à une comparaison entre la rotation de la meule et le tourbillonnement de l'eau. Selon d'autres étymologistes, le mot est emprunté à l'ancien provençal *remou*, réfection de *revou*, apparenté au latin *revolvere* «retourner», de *re-* marquant le mouvement en arrière (→ re), et *volvere* «rouler» (→ révolu, révolution, volte). La modification de *revou* en *remou* se serait faite en provençal d'après le verbe *remoulina* «tourner comme un moulin, tournoyer» qui remonte aussi au latin *molere*. Les tenants de cette hypothèse évoquent l'ancien *remole* n. m. «tourbillon», enregistré par Furetière (1690) et encore employé par Chateaubriand (1827).

♦ Le mot désigne proprement un tournoiement d'eau qui se forme à l'arrière d'un bateau en marche (1687) d'où, plus couramment, le refoulement de l'eau qui se brise contre un obstacle (1765), ou un contre-courant le long des rives d'un cours d'eau (1749). ◇ Depuis la seconde moitié du XIXᵉ s., le mot prend des valeurs figurées, se disant d'un mouvement en sens divers entraînant des personnes ou des choses (1885, Maupassant), de mouvements divisant et agitant diversement l'opinion (1884, A. Daudet), aussi dans *remous d'opinion*.

REMPAILLER → PAILLE

REMPART n. m. est le déverbal (1370), adapté graphiquement d'après *boulevard** (écrit *-art*) de *remparer* v. tr. (v. 1360) «entourer de fortifications» d'où «fortifier», au propre et au figuré (XIVᵉ s.), également à la forme pronominale *se remparer* (v. 1360). Ce dernier, vivant jusqu'à l'époque classique et encore employé par archaïsme (Chateaubriand, Claudel), est dérivé avec le préfixe *re-** de *emparer** au sens ancien de «fortifier» (1323). Le déclin de *remparer* d'une part, l'abandon d'*emparer* (et de son antonyme *désemparer**) comme terme de fortification d'autre part ont causé la démotivation de *rempart*.

♦ Le mot désigne la levée de terre tirée du fossé et consolidée par une muraille qui entoure et protège une ville. L'usage du pluriel *les remparts*, attesté chez Racine et repris à partir de 1845, est usuel s'agissant des murailles d'une ville médiévale. ◆ Par extension, le mot s'applique à ce qui sert de défense, avec des effets de sens métaphoriques (1636, Corneille, *mon nom sert de rempart*) et des emplois figurés, par exemple dans la locution ***faire à qqn un rempart de son corps*** (1835). ◆ Par métonymie, il se rapporte à l'espace compris entre les murailles et les plus proches maisons d'une ville anciennement fortifiée (1680) ; cf. *fortifications*.

REMPLACER → PLACE

REMPLUMER → PLUME

REMUER v. est dérivé (1080) de *muer** avec le préfixe *re-**.

♦ Lié à *muer*, l'emploi du verbe pour «opérer un changement» (1080), usuel jusqu'au XVIe s. avec les spécialisations «changer (de vêtement)» (1174-1176, *remuer son habit*), «permuter» (1130-1140) et «remplacer, renouveler (des personnes, des objets)», a décliné puis disparu au profit de *changer, échanger*. ◇ Le sens figuré correspondant, de nature psychologique, «changer de conduite, de sentiment» (1174-1176), en emploi transitif et intransitif, a lui aussi disparu au profit de *changer*. ➜ *Remuer* s'est imposé avec le sens de «mettre en mouvement» : d'abord avec le nom d'une partie du corps pour objet, dans *ne remuer ne les mains ne les piez* (v. 1135), reprise dans la forme moderne et familière ***ne remuer ni pied ni patte*** (av. 1660). Avec un complément désignant un être animé, personne ou animal, *remuer* correspond à «faire se déplacer» (1160-1174), surtout à la forme pronominale (v. 1131), valeurs disparues avec leurs connotations anciennes. En revanche, l'emploi intransitif, en parlant des êtres vivants (v. 1175), est demeuré usuel, avec une extension pour «entrer en action» (v. 1200), tandis que *se remuer* «s'activer, faire des efforts pour atteindre un but» (1668) est devenu de nos jours familier. ➜ Avec une notion supplémentaire d'agitation, d'effervescence, l'emploi intransitif (v. 1170) et transitif, pour «ébranler, troubler, émouvoir» (v. 1270), conserve au verbe sa valeur psychologique. Une valeur voisine, «susciter le trouble, la sédition chez qqn» (1607) et «soulever, appeler à la révolte» (1681, *remuer l'Orient*), est devenue archaïque, par rapport à *soulever*, la forme pronominale (1691), propre à la langue classique, étant sortie d'usage. ➜ Avec un nom de chose pour complément, *remuer* vaut pour «déplacer, bouger» (1160), «agiter en tous sens, tourner et retourner (une substance)» (v. 1398), par exemple dans *remuer la terre* (déb. XVe s.). Un sens voisin, «changer de position, de place» d'où «déménager» (v. 1213, *remuer hostel*), a disparu mais *remuer mesnage* a donné naissance à *remue-ménage* (ci-dessous). Le verbe a développé les valeurs figurées de «ressasser, agiter (des pensées)» (1610), «mettre en branle, en alerte» (1588, dans une variante de la locution conservée ***remuer ciel et terre***) et «brasser (de l'argent)», notamment dans ***remuer les écus*** (1640), ***l'argent à la pelle*** (fin XVIIe s.) ou *remuer beaucoup d'argent* (1798).

▸ **REMUEMENT** n. m., substantif d'action (1155), a d'abord le sens de «modification», disparu au XVIIe s. au profit de *changement* et *mutation*. D'autres sens correspondant au verbe, «bouleversement» (v. 1165), «transport d'une dette» (v. 1283), «trouble soulevé dans un pays» (fin XVIe s.), «émotion morale» (XVIIe s.), ont disparu après l'époque classique. ➜ Seul le sens physique, «action de remuer, de déplacer», «résultat de cette action» (v. 1170), a conservé une certaine vitalité, parfois avec l'idée du bruit accompagnant l'action. Mais le mot est relativement rare. ➜ **REMUANT, ANTE,** adjectivation du participe présent du verbe au sens de «vif, rapide, actif» (1174-1177, dans le *Roman de Renart*, à propos de Renart), a développé dans cet axe différentes nuances, dont la valeur figurée d'«indocile, séditieux» (1636) qui est sortie d'usage. Le sens de «changeant, variable» (v. 1170) à propos d'une chose a disparu au XVIe s. ; une valeur psychologique «de nature à émouvoir» (1870) a été supplantée par *émouvant*. L'adjectif continue à s'employer à propos d'une personne qui bouge, s'agite, fait preuve de vitalité parfois encombrante *(un enfant remuant)*. ➜ **REMUEUR, EUSE** adj. et n. a dénommé l'ouvrier chargé de remuer le grain dans un grenier pour éviter qu'il ne s'échauffe (1275). ◇ **REMUEUSE** n. f., d'après l'ancien sens de *remuer* «panser, soigner», a désigné la femme chargée d'assister la nourrice d'un enfant de haute naissance et de changer ses langes (1571, *remueuse de l'enfant*). ◇ De nos jours, *remueur* se rapporte à la personne chargée d'effectuer le *remuage* (ci-dessous) des bouteilles de champagne (1909). ◇ Le mot, en emploi général, désigne la personne qui met en mouvement, remue quelque chose, et celle qui met en branle les personnes et les choses (fin XVIe s.), entrant dans des syntagmes déterminés qui correspondent à mainte locution verbale (1581, *remueur de ménage* ; 1615, *remueur d'affaires* [disparus] ; 1862, *remueur d'idées*). ➜ **REMUABLE** adj. (v. 1265) est passé du sens de «changeant, variable» à «susceptible d'être déplacé» (1596), très rare jusqu'en 1834 ; la valeur psychologique, «susceptible d'être ému» (1796), est devenue archaïque. ➜ **REMUAGE** n. m., équivalant à «droit de mutation» en droit médiéval (1314-1487), a été repris à propos du droit perçu pour le transport des vins (1720, *billet de remuage*). *Remuage* est le substantif d'action de *remuer* pour deux emplois spéciaux du verbe, concernant l'opération consistant à remuer le blé afin d'éviter la moisissure (1347, *remuage des blés*) et, dans la fabrication du champagne, celle qui consiste à secouer quotidiennement les bouteilles (on parle aussi de *remueur*, ci-dessus) pour éviter la formation d'un dépôt (déb. XXe s.). ➜ Le déverbal **REMUE** n. f. (1410), tombé en désuétude pour «action de mettre en œuvre» et «changement» (1553-1562), a été repris au XXe s. avec des spécialisations techniques rurales : il désigne la migration saisonnière dans les régions alpines pour assurer au bétail une nourriture venant des différents étages de pâturages, par métonymie, chaque lieu de séjour temporaire du bétail sur un haut pâturage et un abri rudimentaire du haut pâturage (ces valeurs, certainement anciennes régionalement, sont enregistrées dans les dictionnaires généraux depuis 1949). ➜ Quant au participe passé **REMUÉ, ÉE** qui avait été adjectivé dès le XIIIe s. dans la locution *cousin remué de germain* «issu de germain» (v. 1265), il ne s'emploie guère qu'avec la valeur psychologique du verbe, pour «profondément ému» (1731).

REMUE-MÉNAGE n. m., d'abord *remuemesnage* (1585), peut être considéré comme le déverbal de l'ancienne locution *remuer mesnage* «s'agiter, produire du désordre, intriguer» et concrètement «déménager» (1551). Le mot, éliminant *remuement de mesnage* «trouble» (1578), a été synonyme de «déménagement» et a désigné le changement de résidence et de poste de plusieurs personnes en même temps (1684). Il reste une trace de ce sens dans l'emploi conservé de *remue-ménage* à propos d'un déplacement de meubles, d'objets divers créant un état de confusion momentané. L'accent étant porté sur l'idée d'«agitation confuse» (1648). Le mot s'applique aussi, au figuré, à un état de trouble intérieur et à une situation sociale et politique confuse (1690). ◆ Le composé ingénieux **REMUE-MÉNINGES** n. m., paronyme du précédent, a été proposé par Louis Armand (probablement en 1965; attesté en 1973) pour remplacer l'anglicisme *brainstorming* (recommandation officielle en 1983).

REMUGLE n. m., réfection (1549) de *remeugle* (1507), est formé de *re-**, exprimant la longueur du temps nécessaire pour que la chose soit produite (comme dans *relent**) et d'un substantif disparu, issu de l'ancien scandinave *mygla* «moisi, moisissure» qui avait déjà donné l'ancien français *mugle* «maladie des yeux» (déb. XIVe s.). Le normand *mucre* «moisi» (XIIIe s.), encore vivant au XIXe s. (Maupassant), remonte probablement à l'ancien scandinave *mjukr* «mou, souple» et aurait modifié son sens sous l'influence de *remugle*.

♦ Le mot s'est d'abord employé adjectivement, au sens d'«humide, qui sent le moisi». Il ne s'emploie plus que substantivé pour «odeur d'humidité», longtemps dans la locution ***sentir le remugle*** (1514), puis en emploi indépendant au XIXe s. (attesté 1884, Huysmans). Il tend à vieillir en dehors du style littéraire.

RÉMUNÉRER v. tr. est emprunté (v. 1330) au verbe latin *remunerare* ou *remunerari* «donner un présent, de l'argent en retour, récompenser», de *re-* (→ re-), préfixe marquant le mouvement en retour, et de *munerare* «donner un présent, gratifier, récompenser», lui-même de *munus, muneris* «office, fonction, tâche», «don, présent, faveur» (→ commun, communier, communiquer, immunité, municipal, munificence).

♦ Le mot signifie «payer à (qqn) une somme convenue ou non, en échange de son travail ou de ses services» d'où, par extension et avec un complément inanimé, «donner une somme correspondant à (la valeur d'un travail ou d'un service)» (1559). La valeur morale et religieuse de «récompenser» (v. 1350) est archaïque sinon sortie d'usage.

▸ Le mot a servi à former **RÉMUNÉRATOIRE** adj. (1514), terme juridique pour qualifier ce qui a un caractère de récompense, et **SOUS-RÉMUNÉRER** v. tr. (v. 1968), employé comme synonyme de *sous-payer*.

RÉMUNÉRATEUR, TRICE adj. est emprunté (XIIIe s.) au bas latin ecclésiastique *remunerator, -oris*, employé à propos de Dieu en tant qu'il récompense la vertu des chrétiens. C'est un dérivé du latin classique *remuneratum*, supin de *remunerari*. Il a évincé l'ancien *remunereur* (fin XIVe s.), dérivé de *rémunérer*. ◆ Le mot, rare avant 1403, est repris dans son acception religieuse, devenue archaïque comme le sens correspondant du verbe. Il s'est répandu dans l'usage général au XIXe s., alors comme dérivé, pour qualifier ce qui procure des avantages pécuniaires (1863), remplaçant les adjectifs dérivés de *rémunérer* **RÉMUNÉRATIF, IVE** (1770) et **RÉMUNÉRANT, ANTE** (1870).

RÉMUNÉRATION n. f. est emprunté (1300) au dérivé latin *remuneratio, -onis* «récompense, reconnaissance». Le mot, introduit dans les coutumiers, désigne le prix dont on paie les services rendus, un travail fourni. Le sens religieux de «récompense divine» (1541, Calvin) est archaïque comme les acceptions correspondantes de *rémunérer* et *rémunérateur*. ◆ ***Rémunération d'assistance*** se dit en marine de la somme due à un navire qui a prêté assistance à un navire en péril (1964, dans les dictionnaires généraux).

RENÂCLER v. intr. est issu tardivement (1725) de la modification, sous l'influence de *renifler*, du moyen français *renaquer* (v. 1355, encore au XVIIIe s.) qui est lui-même un composé de *naquer* «flairer», attesté au XIIIe s. sous la forme *naskier* et répandu dans les patois. Ce verbe représente très probablement un latin populaire °*nasicare* «renifler», du latin classique *nasus* (→ nez). *Naquer* peut être la forme picarde, à laquelle correspondent les formes *nâcher* en lorrain, *nascier*. Il a pu se répandre dans d'autres régions comme terme pittoresque.

♦ Le verbe, d'abord employé au sens de «crier après qqn», disparu, a pris la valeur de «témoigner de la répugnance à une chose» (1762), absolument et construit avec *à* (1819). ◇ Le sens étymologique est réactivé dans l'emploi pour «ronfler» (1803) puis «faire du bruit en reniflant fortement en signe de mécontentement (en parlant des animaux)» (1848), emplois qui ont disparu.

▸ Les dérivés **RENÂCLEMENT** n. m. (1837, Gautier), **RENÂCLEUR, EUSE** adj. (1881) sont rares. ◆ **RENÂCLANT, ANTE,** forme de participe présent, est substantivé comme désignation argotique du nez (1859), sortie d'usage, avant d'être adjectivé (1902) au propre et au figuré.

RENAÎTRE v. intr. est dérivé (1174-1176) de *naître** avec le préfixe *re-**.

♦ Le mot est d'abord employé avec la valeur religieuse de «connaître une nouvelle disposition d'âme, un changement spirituel», et équivaut dans la théologie chrétienne à «sortir du péché et retrouver l'état de grâce par le sacrement du baptême et la pénitence» (fin XIIe s.). Le sens strict de «naître une seconde fois» (1176-1181) renvoie à la croyance religieuse en la résurrection*, laquelle a son pendant dans tous les systèmes mythologiques : le verbe s'applique ainsi au mythe du phénix qui renaît de ses cendres (v. 1278). Dès le XIIIe s., *renaître* s'applique aux astres qui réapparaissent (v. 1220) d'où *renaissant soleil* (1549, Ronsard) pour «soleil levant», et aussi à la végétation qui croît de nouveau (v. 1278). Les références religieuse et biologique se mêlent dans le sens figuré, «connaître une nouvelle vie, une nouvelle vigueur», en parlant d'un sentiment (fin XIIIe s.), d'où *faire renaître* (1559) et *renaître à la vie*. Par affaiblissement, *renaître à la gloire, au plaisir* correspond à «être rendu à, recouvrer».

▸ **RENÉ, ÉE,** participe passé, a été adjectivé et substantivé (1552) à propos d'une personne qui connaît une nouvelle vie, métaphoriquement. Le mot n'est plus connu que par le prénom *René, Renée.*

RENAISSANCE n. f., d'abord *renaiscence* (1363), est dérivé de *renaître* d'après *naissance.* C'est d'abord un terme de théologie, synonyme de «régénération spirituelle» (1363, *renaissance par baptême*), qui renvoie également à la croyance dans la réincarnation de l'âme après la mort (av. 1563). Longtemps après le verbe, le nom acquiert une valeur laïque, «action de repousser», en parlant d'un végétal (1515), ou encore des cheveux (1598). ◆ Au XVIIe s., Le Maistre (dans Bouhours, 1692) parle de *renaissance des lettres humaines,* avec l'idée d'un nouvel essor intellectuel et artistique, mais il s'agit alors d'un emploi général, tout comme *renaissance des sciences* (1801). En effet, la spécialisation historique du mot, à propos du retour aux canons artistiques de l'Antiquité, d'abord en Italie, puis en Europe au XVe s., n'est attestée qu'au début du XIXe s. (1828, *poètes de la renaissance ;* 1829, *les artistes de la Renaissance*), le mot étant souvent écrit avec la majuscule. Cette datation ne doit pas masquer que le phénomène a été baptisé dès le XVe s. par ceux qui en furent les artisans en Italie (*Rinascità* puis *Rinascimento*) ; en France, le mot *renaissance* était trop accaparé par son acception religieuse et mystique, à côté de *réforme* et *réformation, régénération,* et *renouvellement, rénovation,* mots employés pour désigner la Réforme. Même si, au XVIe s., le verbe *renaître* concerne souvent l'impulsion donnée aux arts par François Ier, c'est là aussi un contexte de l'emploi général, et on parle aussi de *restituer* (Rabelais), de *restaurer* (Brantôme). Les substantifs correspondants sont encore au XVIIIe s. *résurrection (des lettres et des arts)* [1714, Fénelon] et *régénération* (1751, D'Alembert). Sitôt son usage acquis en histoire de l'art, *renaissance* s'emploie en apposition avec une valeur adjective (1835, *maison renaissance ;* 1848, *ameublement renaissance*). Les historiens élargissent le concept et appliquent le mot au mouvement social et culturel qui bouleversa non seulement l'art mais aussi la pensée et l'organisation de la société occidentale aux XVe et XVIe siècles. Puis le mot désigne la période qui commence au XIVe s. pour l'Italie, au XVIe s. pour le reste de l'Europe. ◆ **RENAISSANT, ANTE,** adjectivation du participe présent, signifie «qui renaît» (1550), au propre et au figuré (1640, *Rome renaissante* dans une traduction de Tacite). Il s'est spécialisé plus tard et d'après *Renaissance,* en histoire de l'art pour ce qui s'y rapporte (1886), substantivé au pluriel *les renaissants* (1897 ; souvent avec majuscule) pour les artistes de cette période.

RÉNAL → REIN

RENARD n. m., d'abord écrit *renart* (déb. XIIIe s.) puis *renard* (v. 1530), est l'emploi comme nom commun de *Renart,* nom propre d'homme d'origine germanique, issu du francique °*Reginhart,* de °*ragin* «conseil» et °*hart* «fort», dont le correspondant anglais est *hard* «dur» et qui repose sur un radical indoeuropéen (→ -crate, -cratie). °*Reginhart* a donné *Reinhart* en allemand. ◇ Depuis le IXe s., on a pris les animaux pour héros de petits poèmes épiques en latin médiéval, particulièrement dans les régions de l'est et du nord de la France, et dans les Flandres où se mêlent le roman et le germanique. En Flandres, des noms humains sont appliqués aux animaux dans l'épopée latine *Ysengrinus* (1150), du maître Nivardus, dans laquelle paraît *Reinardus. Renart* est aussi le nom d'un goupil particulièrement rusé dans le *Bestiaire* de Guillaume le Clerc, auteur normand (1211). Le *Roman de Renart* (XIIIe s.), lui-même inspiré de l'*Ecbasis captivi* (Xe s.) traite du conflit de deux animaux symboliques, le loup (force, cruauté et esprit borné) et le goupil. Avec le grand succès de ce texte, qui exploite la typologie animale de l'*Ysengrinus* où Renart figure au premier plan de toutes les histoires, le mot devint la désignation préférée pour l'animal, *Renart le goupil* devenant *le renart.* Ainsi, la nouvelle désignation a concurrencé, puis éliminé l'ancien et moyen français *goupil* (XIe-XVIIe s.) → goupil. Aujourd'hui, si l'on excepte quelques patois des régions alpines et pyrénéennes, *renard* est le mot unique de tout le domaine gallo-roman, pour désigner cet animal.

♦ *Renard* désigne une espèce de mammifère carnassier voisin du chien et du loup et, par extension, différents mammifères proches du renard, comme *renard polaire* (XXe s.), après *renard des mers polaires* (1875). Soit par allusion littéraire au *Roman de Renart* et aux fables de La Fontaine, soit par allusion aux caractéristiques observées ou symboliques de cet animal redouté des paysans comme prédateur de la volaille, le mot est entré dans un certain nombre de locutions. L'une des plus anciennes, ***écorcher le renard*** (fin XVe s.), fréquente chez Rabelais, reprise sous la forme *piquer un renard* (1849, Flaubert), qui ne s'est pas maintenue, et en argot ***aller au renard,*** exprime l'action de vomir, soit à cause du bruit du renard se grattant la gorge, soit de la coutume consistant à passer la queue du renard par sa gueule en retournant sa peau, soit encore par allusion à la nausée que donne l'odeur du renard qu'on écorche. Les locutions se multiplient au XVIIe s., avec *crier au renard* (1644, Scarron), *être enfumé comme un renard, faire la guerre en renard, le renard prêche aux poules, prendre martre pour renard, se donner la discipline avec une queue de renard,* toutes enregistrées par Furetière (1690) et aujourd'hui oubliées. ◆ Comme avec les noms d'autres animaux recherchés pour leur fourrure, un emploi métonymique de *renard* au sens de «peau de l'animal» se rencontre seul (1797) et dans *renard blanc,* ***renard argenté*** (1690), usuel à propos de la fourrure, ***renard bleu*** (1875), *renard roux du Canada,* etc. ◆ Conservant les valeurs originelles de l'*Ysengrinus* et du *Roman de Renart, renard* a pris naturellement le sens figuré d'«homme rusé», parfois «fourbe», dès les premières occurrences du mot (*savoir de renart* pour «être maître en tromperie»). ◇ Par allusion à la cruauté du prédateur, on a appelé *renard* plusieurs squales (1611). ◆ Une comparaison concernant tel ou tel trait caractéristique de l'animal a donné lieu à divers sens techniques mais certains sont imparfaitement expliqués ; celui de «trou par où se perd l'eau d'un canal» (1690) fait peut-être allusion aux terriers. Par extension, *renard* désigne le passage de l'eau à travers un barrage en terre (1964 dans les dictionnaires généraux). Le sens de «mur décoré pour la symétrie comme le mur opposé» (1721) n'est pas expliqué. Celui de «petit moellon dépassant un mur» (1875) est une comparaison avec la queue d'un renard, probablement comme celui d'«outil employé pour percer, formé d'une tige d'acier à deux biseaux» (1904). ◆ Quant aux sens figurés de «mouchard» (1829), «aspirant compagnon» (1839) et «ouvrier qui refuse de faire grève» (1909), tous populaires et vieillis, ils réactivent le symbolisme traditionnel de l'animal rusé, fourbe.

▶ Comme beaucoup de noms d'animaux, *renard* a des dérivés pour désigner la femelle par le féminin, **RENARDE** n. f. (XIIIe s.), et le petit par le suffixe *-eau* : **RENARDEAU** n. m., d'abord *renardiaus* au cas régime pluriel (1288, *Renart le Nouvel*) puis *renardeau* (v. 1320). ◆ Un ancien verbe **RENARDER** v. intr. (1288) a eu le sens figuré de «ruser». Il s'est employé transitivement dans la langue populaire au sens de «vomir» (1576), d'après *écorcher le renard* (ci-dessus) mais est sorti d'usage. ◆ **RENARDIÈRE** n. f., d'abord attesté en toponymie dans l'Anjou (1463), a servi à désigner la tanière du renard (v. 1525). ◇ **RENARDIER, IÈRE** n. m. et adj. (fin XVe s.) désigne celui qui détruit les renards et qualifie (1562) ce qui évoque cet animal, s'y rapporte. ◆ Le langage technique tire de *renard* un adjectif de couleur, **RENARDÉ, ÉE** (1694) pour qualifier l'ambre lorsqu'il est de couleur gris foncé à noir. *Renardé* correspond parfois à ce qui évoque le renard, surtout dans la description physique et (1862) morale de qqn.

◈ voir RENAUDER.

◈ **RENAUDER** v. intr., mot populaire attesté en 1808 par écrit mais qui doit remonter au moins au XVIIe s. (voir ci-dessous *renaud*), est d'origine discutée. Selon Dauzat, il pourrait être dérivé du nom propre *Renaud* d'origine germanique, du francique °*ragin* «conseil» (→ renard) et de °*waldan* «gouverner», par le même type de développement que l'ancien *arnauder* «chercher noise» tiré du prénom *Arnaud.* Selon Wartburg, il serait dérivé de *renard** d'après le cri de l'animal, par l'ancienne locution *parler renaud* «parler du nez» (XVIe s.) ; une variante de *renard, regnaut,* était employée au sens métonymique de «cri du renard» (1611) et paraît confirmer cette hypothèse.

♦ Le verbe, qui signifie «protester avec mauvaise humeur», est resté vivant en argot du milieu, mais n'est pas d'usage courant.

▶ Le déverbal **RENAUD** n. m., si on l'identifie à la forme *regnaud* (v. 1673), pourrait indiquer une présence du verbe dès le XVIIe siècle. La forme *renaud* (1844) provient du verbe *renauder* attesté au début du XIXe siècle. Le mot désigne une chicane, une querelle démonstrative, spécialement dans la locution argotique *mettre à renaud* (1844), *en renaud* (1886), et ***être en renaud contre qqn,*** attestée après ***être à renaud*** (1904, Larousse). L'accent étant mis sur le bruit résultant de la querelle, *regnaud* signifie «tapage» (1798). ◆ Le féminin *renaude* (1880) s'est employé dans la locution *faire de la renaude* avec la même valeur. ◆ **RENAUDEUR, EUSE** n. (1846) a servi en argot à désigner un être grognon, râleur. Tous les mots de cette série ont vieilli.

RENCHÉRIR → CHER

RENCONTRER v. est dérivé (v. 1175), à l'aide du préfixe *re-**, de l'ancien et moyen français *encontrer* «trouver sur son chemin» (v. 980), encore attesté en 1636 (écrit *ancontrer*), et lui-même dérivé de *encontre**.

♦ Le verbe est d'abord attesté dans un contexte guerrier pour «affronter en combat», de nos jours affaibli en sports pour «affronter en compétition» (XXe s.) ; cf. *rencontre,* ci-dessous. ◇ Le sens dominant est «se trouver en présence de (qqn)» (v. 1225) et comporte souvent la notion d'événement fortuit ; celle-ci s'efface dans une valeur spéciale, «avoir une entrevue avec (qqn)» (1611), mais elle intervient quand le verbe correspond à «se trouver en présence de circonstances ou de sentiments» (1580) et à «heurter sur son chemin» (1690), et moins nettement dans l'expression *rencontrer le regard, les yeux de qqn* (1669, Racine). Les valeurs abstraites de «s'apercevoir fortuitement que» (1610, *rencontrer que*) et «trouver en parlant, en écrivant» (av. 1696) disparaissent après l'époque classique. ◆ Le verbe s'emploie en marine pour «mettre la barre du gouvernail au bord opposé à celui qu'elle occupait antérieurement», pour *rencontrer* (1702) et pour *rencontrer la barre.*
L'usage du pronominal réciproque **SE RENCONTRER** (XVIe s.) correspond à «se trouver en présence» (1559), ironiquement dans la locution ***les grands esprits se rencontrent*** (1690, *les beaux esprits...*) et à «s'affronter dans un combat, un duel» (1559), emploi archaïque (cf. ci-dessous *rencontre*), d'où «s'affronter en sport» (XXe s.). ◇ Les sens de «se heurter fortuitement» (1690) et «avoir une entrevue» (XXe s.) complètent l'usage du pronominal, parallèle à celui du transitif. ◆ L'emploi pour «exister (d'une chose)» (1580) a disparu, sauf dans la tournure impersonnelle *il se rencontre* (1738).
Dans l'usage classique, le verbe était aussi intransitif au sens de «faire une heureuse trouvaille, un bon mot» (1538) et «tomber juste ou mal» (1538). ◇ En vénerie, on dit *les chiens rencontrent* pour «sentent la voie du gibier» (1740).

▶ Le seul dérivé vivant est le déverbal **RENCONTRE** n. f., également masculin depuis sa première attestation (1234) jusqu'au XVIIe siècle. Comme pour le verbe, le sens de «combat singulier non prémédité» a disparu, sauf en parlant d'un duel (1811) et dans un contexte sportif (1936, *une rencontre de rugby*). Le sens de «réplique, réponse» (1310-1340), lié à l'ancien sens intellectuel du verbe, a débouché sur celui de «bon mot, trouvaille» (1538), mais tous deux sont sortis d'usage, sauf emploi littéraire exceptionnel (Valéry). ◆ En revanche, le mot exprime couramment le fait de rencontrer qqn ou qqch. sur son chemin (v. 1485), supposant une notion de hasard, très nette dans la locution ***par rencontre*** «par hasard» (1580). *Bonne* et *mauvaise rencontre* s'emploient depuis le XVIe s. (1549, Calvin). Cette idée de hasard s'efface dans la locution ***aller à la rencontre de*** (1666 ; 1636, *au rencontre*). Elle est sensible dans le sens classique de «circonstance, occurrence» (fin XVIe s., souvent au masculin), dans celui d'«association (fortuite) de deux objets, deux éléments» (1580), et dans les emplois spécialisés aux jeux de cartes (1845, *mariage de rencontre*), en cartomancie (1904) et au billard (1932). ◇ Un emploi métonymique récent (1936) concerne une réunion d'études (souvent au pluriel *rencontres*), en concurrence avec *congrès, colloque, entretiens*... ➜ Le genre masculin s'est maintenu dans l'usage héraldique de *rencontre* pour une tête d'animal représentée de face (1671). ➜ **RENCONTRABLE** adj., relevé chez Bloy en 1898, ne s'est pas répandu.

✱ **RENDRE** v. tr. est issu (v. 980) du latin populaire °*rendere*, altération du latin classique *reddere*, sous l'influence de *prehendere* d'où vient *prendere* (→ prendre), auquel il sert d'antonyme. *Reddere*, formé de *re- (red-)* «en retour» (→ re-), et de *dare* «donner» (→ date), signifie «donner en retour», concrètement «accorder», «vomir», «renvoyer» et abstraitement «exposer», «s'acquitter de», «traduire», «répliquer», «ramener à un état antérieur».

♦ Plusieurs sens du verbe se sont fixés avant le XIIIe s. : dès les premiers textes, *rendre* signifie «donner en retour, en échange», par exemple dans *rendre des coups* (1080), ***rendre la pareille*** (v. 1590), et aussi «procurer de nouveau à un être, à une chose (ce dont ils étaient privés)», «restituer (qqch.) à la personne qui l'a prêté ou donné». Il s'emploie au figuré pour «s'acquitter d'une obligation, d'un devoir, témoigner à qqn (du respect, de la reconnaissance)» (v. 980), sens dont procèdent, entre autres locutions usuelles, ***rendre service*** (1080), ***rendre visite à (qqn)*** [1669], équivalent du transitif direct *visiter*. La valeur de «céder, livrer» (1080) se réalise essentiellement dans des locutions comme ***rendre les armes, rendre la place***, dans un contexte guerrier. ◇ Le sens d'«émettre un avis» (1080) a fait du mot un verbe de parole usuel, dans ***rendre compte de*** (1155) et, dans une spécialisation juridique, *rendre un jugement* (v. 1170), *une sentence* (v. 1288). ➜ L'idée de «restituer malgré soi (ce que l'on ne peut retenir)» s'est actualisée comme en latin dans le sens de «vomir, expectorer» (fin XIe s.), avec des locutions expressives dont ***rendre l'âme*** (1256) «mourir», qui correspond à ***rendre l'esprit*** (les deux compléments ayant la valeur étymologique de «souffle»), et, concrètement et familièrement, ***rendre tripes et boyaux*** (1640). ◇ Ce sémantisme s'applique en sports dans ***rendre de la distance*** (1885, en turf). ➜ Un développement partant du latin *reddere* «ramener à un état antérieur», d'où «mener d'un état dans un autre», aboutit au sens de «faire devenir» (1080), *rendre* devenant un verbe d'état aux constructions multiples ; l'une d'elles, avec un participe pour attribut du complément d'objet comme dans *rendre mort* «faire mourir», a été condamnée par les grammairiens au XVIIe siècle. Depuis le XIIe s., *rendre* a développé le sens de «remettre à destination», lequel a disparu avec un complément désignant une chose mais qui se maintient au passif et au participe passé avec un complément désignant une personne *(me voici rendu)*, non sans une connotation régionale ou une affectation archaïque ; l'emploi absolu du mot au sens de «mener» est sorti d'usage. Dès les premiers emplois connus (v. 980), *rendre* équivaut à «donner, produire», aujourd'hui aussi en emploi absolu, avec une valeur assez familière *(ça rend bien)*. *Rendre* se dit aussi d'une chose qui émet sa clarté (v. 1170), qui fait entendre un son (XVe s.), sens dont vient un emploi métaphorique d'usage littéraire, au XXe siècle. En revanche, *rendre* pour «rapporter, répéter (des paroles)» (v. 1200) s'est éteint sous la concurrence d'autres verbes préfixés en *re-* (*rapporter*, etc.). Au XVIe s., *rendre* s'emploie pour «produire (un effet) en retour, en réponse» (1531), sens riche en applications dans les domaines intellectuel et esthétique : d'abord limité à l'idée de «présenter en traduisant», par latinisme, il s'est étendu au sens de «présenter en exprimant (une image, un sentiment)» (1681), se spécialisant à propos de l'expression littéraire, artistique où il s'emploie avec un nom de chose pour sujet pour «produire un effet plus ou moins heureux», absolument et avec un adverbe (1875).

La forme pronominale ***se rendre*** (v. 1155) a d'abord eu le sens de «se livrer parce qu'on est le moins fort» demeuré d'usage courant, y compris avec des nuances affaiblies et figurées (v. 1240), et, avec un attribut, celui de «devenir» (v. 1175). ◇ Une autre acception, «se transporter, aller» (1415), avec préposition *(à, en, dans, chez)*, s'est répandue dans l'usage, à la différence de l'emploi correspondant du verbe transitif.

▸ Le dérivé **RENDEMENT** n. m. (v. 1190), à la différence du verbe, n'a pris ses sens actuels qu'au XVIe s. : le sens général, «action de rendre» (d'abord *rendement de grâces* dans un contexte religieux), a décliné au XIVe s. tandis que celui d'«action de se rendre, de céder» (v. 1213) souffrait de la concurrence de l'emprunt savant *reddition**. ➜ Le sens moderne, «rapport entre le revenu d'une affaire et les capitaux investis, le prix de vente et le prix de revient» (1538), spécialisation en économie, est resté rare avant le XIXe s., où il est repris (attesté 1832) en parlant du produit du raffinage du sucre (une loi de 1826 prévoyait l'estimation de ce rendement). Les expressions *rendement des terres* et *rendement des capitaux* sont attestées chez Proudhon (1846). ➜ Avec le même sémantisme, le mot se répand au XIXe s., se spécialisant en physique pour désigner le rapport entre le travail utile produit par une machine et la quantité d'énergie dépensée (v. 1850), au XXe s., en chimie, le pourcentage de molécules d'une espèce chimique transformées au cours d'une réaction et, dans le domaine technique, un certain pourcentage de produit obtenu par rapport à la matière traitée, le rapport entre le poids vif des animaux abattus et le poids de la viande qu'ils fournissent (mil. XXe s.). Par extension, cette valeur est passée dans l'usage courant au sens de «gain», «efficacité» (XXe s.), spécialement dans le travail (1905, *rendement de l'ouvrier*). ◇ D'après une spécialisation de *rendre*, il se dit en sports pour «action de rendre de la distance, handicap» (1885).

RENDEZ-VOUS n. m. est l'emploi substantivé (1578) de la seconde personne du pluriel de l'impératif présent de *se rendre*. D'abord appliqué au lieu où l'on doit se rencontrer, spécialement au point de ralliement donné aux différents navires d'une escadre pour se retrouver en cas de séparation (1696) et au lieu servant de point de rencontre habituel (av. 1696), il désigne aussi (1606) une rencontre entre deux ou plusieurs personnes, souvent avec des implications galantes *(maison de rendez-vous)*. Il reçoit au XXe s. des applications nouvelles : au concret *rendez-vous spatial* (1967), au figuré *rendez-vous social* (1969), expressions de style journalistique. ➜ **RENDEZ-MOI** n. m. est l'emploi substantivé, sur le même modèle, de la seconde personne du pluriel de l'impératif présent de *rendre* et du pronom *moi** (1836). ***Vol au rendez-moi*** a désigné dans l'argot des voleurs le vol consistant à payer un achat avec un billet et à reprendre à la fois le billet et la monnaie rendue.

◈ voir REDDITION, RENTE.

◈ **RÊNE** n. f., d'abord *resne* (1080), *renne* (fin XVe s.), *rene* (1573), avec l'accent circonflexe au XVIIe s. (1680), est issu d'un latin populaire °*retina* «courroie pour guider la monture», déverbal du latin classique *retinere* «arrêter, contenir» (→ retenir). Le latin classique a un diminutif *retinaculum* «lien», mais tous les correspondants romans viennent du type populaire : italien *redina*, espagnol *rienda*, catalan *regna*, ancien provençal *regna*, portugais *redea*.

♦ Le mot désigne chacune des courroies fixées au harnais d'une bête de selle afin de la retenir, de la guider, d'abord en concurrence avec *guide* pour les chevaux attelés, puis dans tous les cas. Il entre dans les expressions techniques *fausse rêne* (1690) et *longues rênes* (1932) pour désigner des longes d'un usage spécial, et en équitation dans la locution ***prendre la cinquième rêne*** (1842) «saisir la crinière de la monture ou le pommeau de la selle pour ne pas tomber». ➜ De bonne heure, le mot a pris la valeur métaphorique, puis figurée, de «direction d'un mouvement, d'une affaire» (v. 1240), surtout au pluriel et en locution ***(tenir les rênes)*** dans un style soutenu.

▸ Son dérivé **ENRÊNER** v. tr., réfection de *enreignier* (v. 1170), est sorti d'usage, notamment au sens propre de «harnacher (un cheval de carrosse) en nouant les rênes», le sens figuré «retenir (qqn) dans son action» se conservant plus longtemps dans un usage littéraire. ➜ De ce verbe est tiré **ENRÊNEMENT** n. m. (1908), mot technique synonyme d'*harnachement* et employé par métonymie pour un système de rênes mobiles permettant de fixer le cheval dans une attitude de travail.

RENÉGAT, ATE n. et adj. est probablement emprunté (1450) à l'italien *rinnegato* «qui a renié la religion», participe passé adjectivé de *rinnegare*, remontant, comme le français *renier*, au latin populaire °*renegare* (→ renier), de *negare* (→ nier). Un réemprunt au correspondant espagnol *renegado* n'est pas exclu.

♦ Attesté une première fois au XVe s. comme adjectif avec un sens peu clair, le mot a désigné une personne ayant renié sa religion, en particulier la religion catholique. Cet emprunt a éliminé les dérivés anciens du verbe *renier* : *renié*, *reneier* (XIIIe s.) et *renoiier* n. m. (v. 1280), *renoiois* et *renieur* (1460). *Renégat* a désigné spécialement aux XVIIe et XVIIIe s. une personne ayant renié le christianisme pour se convertir à l'islam. ◇ Dans l'usage classique, le mot s'employait en apostrophe avec la valeur de «traître, méchant» (1705), emploi qui se rencontre encore au XIXe s. en littérature (comme adjectif chez Hugo). ➜ Par extension, il a pris le sens le plus courant aujourd'hui de «personne qui abjure ses opinions, trahit son passé» (1819).

RENFLOUER v. tr. est formé (1529) à partir du substantif normand *flouée* «marée» (1604), lui-même dérivé du normand et anglo-normand *flod* «marée montante» (v. 1138), d'origine scandinave (→ flot), avec les préfixes *re-**, *en-** et la désinence *-er*.

♦ Le mot se rencontre isolément au XVIe s. ; il n'est réattesté qu'à partir de 1825, supplantant *afflouer* v. tr., formé dans l'intervalle (1773) d'après le normand *flouée*. Du sens propre de «remettre à flot (un bâtiment échoué)» en marine, se dégage au XXe s. le sens figuré de «rétablir (ce qui est dans une situation compromise)» (1924), surtout dans une perspective financière (1932, *renflouer une affaire ;* 1939, *renflouer qqn*).

▸ **RENFLOUAGE** n. m. (1868) a évincé en marine l'ancien *afflouage* n. m. (1863); il est rare. ➜ **RENFLOUEMENT** n. m., de peu postérieur (1870), est en revanche usuel, et possède également le sens figuré de «rétablissement d'une situation financière compromise» (1877). ➜ **RENFLOUABLE** adj. apparaît avec le sens figuré (1936, Céline).

RENFORCER v. tr., d'abord *renforcier* (v. 1155) puis *renforcer* (XIIIe s.), est formé du préfixe *re-** marquant l'intensité, et de l'ancien verbe *enforcier* «rendre plus fort» (v. 1130) ou *enforcir* (fin XIIe s.), de *en-**, *force**, et suffixe verbal.

♦ Le verbe signifie proprement «rendre plus fort, plus solide» et, abstraitement, «rendre plus intense (la souffrance)» (v. 1175). Le sens militaire, «accroître les effectifs» (fin XVIe s.), est le premier d'une série de spécialisations. ◇ Par ailleurs, la valeur abstraite pour «rendre plus ferme, établir plus solidement (une conviction, une position intellectuelle)» est attestée depuis le milieu du XVIIIe s. (1762, Rousseau). Ce sens est resté très vivant, de même que l'emploi concret pour «rendre plus solide».

▸ Le participe passé **RENFORCÉ, ÉE** est d'abord adjectivé au sens figuré ancien de «frappé d'aggrave» en religion (v. 1283). De nos jours, il qualifie concrètement une pièce, un élément plus épais, plus robuste (v. 1560), entrant dans quelques syntagmes comme *toile renforcée* (1904) pour les toiles de fabrication bretonne des XVIIe et XVIIIe s., ou *talon renforcé* (mil. XXe s.). ➜ Le sens figuré, «parfait dans son genre» (1668, *un âne renforcé*), d'usage familier, est archaïque.

RENFORT n. m., déverbal de *renforcer* (1340), a d'abord eu le sens d'«enchères», sorti d'usage, puis a été repris au sens de «surcroît d'épaisseur donné à une pièce pour en augmenter la solidité» (1409, écrit *renforch*). ◆ Sous l'influence des emplois concrets du verbe, il désigne, surtout au pluriel, un accroissement d'effectifs ou de matériel destiné à renforcer une troupe et, par métonymie, ces effectifs (av. 1526, pour ces deux emplois). ◆ Il a servi à former la locution ***à grand renfort de*** loc. prép. «en utilisant très abondamment» (1534). Le sens figuré d'«accroissement d'intensité» (1665) relève de l'usage classique et a disparu. ◆ Le nom d'action **RENFORCEMENT** n. m. (1388) est employé plus généralement, au propre et au figuré; au XXe s., il a pris quelques acceptions techniques en phonétique (1904), photographie (1932), et récemment en psychologie expérimentale. ◆ **RENFORÇATEUR, TRICE** n. et adj., dérivé savant tardif (1904) qui n'a pas repris l'ancien *renforceur* (1340), possède des acceptions techniques en photographie (1964) et en psychologie expérimentale (1968, dans les dictionnaires généraux). Il qualifie (1898) un écran placé contre un film pour rayons X qui augmente l'activité de ceux-ci, et en psychologie ce qui renforce un sentiment (1906).

RENFROGNER v. tr. est la variante nasalisée (XVIe s.) de l'ancien verbe *refrogner* d'abord attesté (v. 1220) au participe substantivé *li refrongniez* «le diable»). Ce verbe encore vivant dans des patois, est formé de *re-* (→ re-), préfixe qui se retrouve dans les mots de sens voisin *renâcler**, *renifler**, et de l'ancien verbe *froigner* (XIVe s.) de même sens, une forme °*frongner* étant vraisemblablement antérieure. À la même époque, on trouve le substantif *froigne* «mine renfrognée» que l'on considère comme d'origine gauloise : on restitue le gaulois °*frogna* «narines» d'après le gallois *ffroen* «nez»; des formes dialectales de l'Est, notamment le vosgien *frognon* «groin», sont encore plus près du sens étymologique de «faire le groin» (cf. *faire le museau, tirer un long nez*) d'où vient celui de «contracter le visage par mécontentement».

♦ Le verbe est rare à l'actif; il s'emploie surtout au pronominal. L'idée concrète de «froncer le nez, contracter les traits du visage» se double presque toujours d'une notation de mauvaise humeur.

▸ Les deux dérivés de *renfrogner* se sont imposés devant des formes plus anciennes non nasalisées : **RENFROGNEMENT** n. m. (1553) par rapport à *refrognement* (1539) et **RENFROGNÉ, ÉE** adj. (1580) qui a remplacé *refrogné* (XVe s.), *refrongniez* (ci-dessus), et qui est le mot le plus courant de cette série, qualifiant le visage, l'air et la personne.

RENGAINE n. f., attesté en 1680, est peut-être le déverbal ou, selon J. Picoche, la 2e personne de l'impératif du verbe *rengainer* (1526), formé de *re-** et de *engainer* «remettre dans le fourreau», lui-même composé de *en-** et de *gainer* (→ gaine).

♦ *Rengaine* n. f., d'abord au masculin, signifie au XVIIe s. «refus». Le développement du sens actuel de «propos répété à satiété», avec lequel il s'est fixé au féminin (1807, *c'est toujours la même rengaine*), s'expliquerait par le fait que la suppression d'une nouvelle que l'on voulait annoncer amène souvent à répéter les mêmes choses, mais cette évolution sémantique convainc peu. Le passage à la valeur moderne est inexplicable et il pourrait s'agir d'un autre mot. Par analogie, *rengaine* s'emploie pour une chanson lassante à force d'être répétée (1935), parfois en emploi quasi adjectif.

▸ On rencontre **RENGAINARD, ARDE** n. chez Maupassant (1887) à propos d'une personne qui reprend toujours la même rengaine.

RENGAINER → **GAINE**

RENIER v. tr. est l'aboutissement (XIIIe s.) des formes *raneier* (v. 881), *reneier* (v. 1155) puis *renoier* (v. 1155) issues d'un latin populaire °*renegare* «refuser» (Xe s.) qui dut prendre dans les milieux religieux le sens de «apostasier» (également en italien). Ce mot, auquel remontent également l'italien *rinnegare* et l'espagnol *renegar* (→ renégat), est formé du latin classique *re-* (→ re-) marquant l'intensité et de *negare* «nier, refuser» (→ nier).

♦ Le mot est introduit avec sa valeur religieuse, «apostasier, abjurer sa religion», dans la locution ***renier Dieu*** et en emploi absolu (v. 1240). Il s'est diffusé dans l'usage courant avec le sens de «ne plus se reconnaître engagé envers (sa patrie, ses parents), désavouer» (v. 1160), et «ne pas rester fidèle à (une valeur, etc.)» (v. 1240). ◇ Ultérieurement, il a pris le sens de «refuser d'admettre qu'on connaît (qqch., qqn)» (v. 1553), sorti d'usage. ◆ La forme pronominale *se renier*, d'abord *soi reneer* (déb. XIIIe s.), signifie d'abord «abjurer sa foi, son parti» avant d'être reprise au sens affaibli de «revenir sur ses propres déclarations» (1847). ◆ À l'époque classique, le verbe s'employait absolument au sens de «blasphémer» (1534), emploi synonyme de *renier Dieu* au XVIIe siècle. ◇ La locution *renier chrême et baptême* avait le sens figuré de «perdre patience» (1689).

▸ *Renier* a produit deux noms dès le XIIe s. : le déverbal **RENI** n. m., d'abord *renei* (v. 1160) et *renoi* (v. 1250) avant *reni* (XVIIe s.), exprimait l'idée de «trahison» et, encore à l'époque classique, servait de nom d'action à *renier* (v. 1250). ◆ Il a été éliminé, comme le participe substantivé *renié* l'a été par *renégat*, par **RENIEMENT** n. m. (v. 1160), d'abord *reneiement*, qui a perdu le sens de «trahison» pour celui d'«action de renier» (XIIe s.). Jusqu'au XVIIe s., il exprime aussi, dans la langue religieuse, l'idée de «blasphème» (fin XIVe s.). ◆ **RENIEUR, EUSE** n. «personne qui renie» (déb. XIVe s., *reneor*) a remplacé l'ancien français *renoüer* (v. 1200-XVe s.) et a été remplacé par *renégat**. ◆ **RENIABLE** adj., créé plus tard (XVIe s.), qualifie ce qui est de nature à être renié, notamment dans l'adage juridique *tous mauvais cas sont reniables*.

◈ voir JARNIDIEU, RENÉGAT.

RENIFLER v. est dérivé (1530) de l'ancien verbe *nifler*, encore usité dans certains patois, «aspirer très fortement par le nez» (fin XIIe s.), et qui appartient à un radical onomatopéique *niff-* évoquant le bruit fait en flairant ou en aspirant la morve, représenté dans l'allemand *niffeln* «flairer», le *n* rendant la résonance nasale et *f* le bruit de l'aspiration (cf. l'onomatopée d'origine anglaise *sniff*) ; le préfixe *re-**, à valeur intensive, se retrouve dans les mots sémantiquement proches *renâcler**, *renfrogner**.

♦ *Renifler* signifie «aspirer fortement l'air par le nez en faisant du bruit», sens d'où est sortie l'acception figurée de «marquer de la répugnance pour» (fin XVIIe s.), aujourd'hui sortie d'usage. On trouve également la construction transitive, avec cette valeur figurée (1764, Voltaire) ainsi qu'au sens propre (av. 1784, Diderot). Le verbe a pris dans l'usage familier (1855) le sens de «soupçonner» (1855), comme *flairer, subodorer.*

▸ **RENIFLEMENT** n. m. désigne l'action de renifler (1576) et souvent, par métonymie, le bruit fait en reniflant. Par une autre extension métonymique, il se dit d'une maladie osseuse du porc (1870). ➛ **RENIFLEUR, EUSE** n. et adj. (1576) qualifie et désigne une personne qui renifle, d'abord, semble-t-il, un ronfleur, sens dont procède une spécialisation en psychiatrie pour un type de pervers sexuel (XXe s.). ◇ Le langage technique de la prospection pétrolière en a fait le nom d'un appareil placé à l'avant d'un bateau pour détecter d'éventuelles émanations de gaz (1975). ➛ **RENIFLERIE** n. f. (1653), «action ou habitude de renifler», s'est peu répandu, et **RENIFLADE** n. f., lui aussi attesté chez Scarron (1653), est marqué comme régional (Provence). ➛ **RENIFLARD** n. m. est un terme technique (1821) désignant la soupape provoquant automatiquement une rentrée d'air dans un milieu où se produit une dépression, et une tuyauterie montée sur le carter d'un moteur à explosion destinée à évacuer les vapeurs d'huile de graissage (1964 dans les dictionnaires).

RENNE n. m., d'abord *reen* (1552) dans une traduction de la *Cosmographie* de l'Allemand S. Münster, puis par francisation *renne* (1680), est emprunté à l'allemand *Reen* (XVIe s.), lui-même repris du scandinave (norvégien ou suédois *ren*). L'islandais a *hreinn* et une autre forme *hreindýri* qui a donné l'allemand *Rentier,* l'anglais *reindeer* et l'ancien français *rangier* (XIIIe s.), lequel est encore répertorié dans les dictionnaires comme terme d'héraldique.

♦ Le mot conserve le sens de l'étymon, désignant un grand cervidé d'Europe du Nord, élevé en Laponie, et par métonymie, sa peau apprêtée, sa viande.

RENOMMER v. tr. est dérivé (1080) de *nommer** avec le préfixe *re-*.

♦ La valeur réitérative du préfixe soutient le développement du verbe dans deux directions : le sens de «nommer souvent dans un certain esprit» explique l'apparition du sens laudatif, «célébrer, glorifier» (1080) et du sens péjoratif, «blâmer, accuser» (XIIIe s.) qui a disparu en français classique. Les deux acceptions convergent dans celle de «citer (qqn) en bien ou en mal» (v. 1360), au pronominal *se renommer* «faire parler de soi» (v. 1365). Ce sens, malgré l'appui des dérivés *renommée* et *renom,* a vieilli, tout comme ceux de «faire passer pour» (v. 1541), et pour *se renommer* «se réclamer de» (1554). ➛ Ces valeurs étant devenues archaïques, un verbe *renommer,* de *re-* à valeur itérative neutre, signifie «nommer (qqn) une seconde fois» (1669) et «élire de nouveau» (1812). ◇ Les dérivés sont sans rapport avec ce nouvel emploi.

▸ **RENOMMÉE** n. f., participe passé substantivé (v. 1121, *renumee*), désigne la rumeur publique qui répand l'éloge ou le blâme sur qqn, spécialement représentée comme un personnage allégorique embouchant une trompette (v. 1165). Par métonymie, il désigne la réputation de qqn, bonne ou mauvaise (v. 1155), sens dont procède la locution proverbiale ***bonne renommée vaut mieux que ceinture dorée*** (1615) où la valeur de *renommée* est déterminée par l'adjectif. En emploi non qualifié, la valeur laudative l'a emporté (1538). ➛ Le mot ne conserve l'ancien sens de «témoignage, rapport» (v. 1360) que dans l'expression juridique *(enquête, preuve)* ***par commune renommée*** (1690), «fondée sur les témoignages relevant de l'opinion commune». ➛ Le déverbal **RENOM** n. m. (1176), quasi-synonyme du précédent, a le sens de «réputation», ne recouvrant plus aujourd'hui que celui de «bonne réputation» (1508), par exemple dans ***de renom,*** «illustre».

RENONCER v. tr. ind., d'abord *renoncier* (v. 1155) puis *renoncer* (XIIIe s.), est emprunté au latin *renuntiare* «annoncer en retour, rapporter, renvoyer» d'où «abandonner l'usage, la jouissance de (qqch.)», spécialisé en droit (en emploi absolu) pour «dénoncer un contrat» et, à basse époque, dans la langue ecclésiastique, pour «quitter spirituellement le monde». *Renuntiare* est formé de *re-* marquant le mouvement en arrière, en retour (→ re-), et de *nuntiare* «annoncer» (→ nonce).

♦ Le verbe a eu le sens d'«annoncer, déclarer, révéler», d'où aussi «expliquer» (v. 1220) jusqu'au XVe s. avant d'être éliminé comme synonyme superflu d'*annoncer.* Avant la fin du XIIe s., il a pris le sens de «cesser de prétendre (à une chose), d'en envisager la possibilité» avec un nom ou un infinitif (XIIIe s.) pour complément ; avec un autre type de complément, il signifie «abandonner l'usage, la jouissance de (qqch.)» (1274). ◇ Le sens transitif de «renier, désavouer» (v. 1320), sorti de l'usage courant après le XVIIe s., survit à la fois dans le style littéraire (notamment avec la nuance d'«abandonner, laisser» du verbe intransitif indirect), et en français de Belgique pour «donner congé à un locataire». ➛ La valeur religieuse du latin chrétien est reprise au XVIe s. (l'emploi antérieur de *renoncement* dans ce contexte incite à penser que ce sens est plus ancien) ; surtout dans les locutions ***renoncer à soi-même*** (1541, Calvin) et ***renoncer au monde*** (1690). ➛ Depuis le XVIIe s., *renoncer* se construit avec un complément désignant une chose abstraite, au sens de «cesser de s'attacher à (un dogme, une conviction)» (av. 1662, Pascal), et avec un complément désignant une personne, au sens de «se résoudre à admettre qu'on n'entretiendra plus de relation avec elle» (1662). Ces acceptions sont usuelles, comme celle de «ne plus revendiquer, ne plus avoir l'intention». ➛ La forme pronominale *se renoncer* (1541, Calvin) relève d'un usage plus soutenu, voire littéraire, pour «rejeter tout intérêt personnel, se sacrifier», non sans connotations religieuses.

▸ Le dérivé **RENONCEMENT** n. m. (XIIe s.) a suivi le développement du verbe, perdant le sens d'«annonce, nouvelle» et prenant, d'abord en droit (1267), celui de «fait de cesser de prétendre à, de demander». Il s'emploie absolument avec la valeur religieuse d'«esprit d'abnégation visant à une plus grande pureté spirituelle» (fin XIIIe s.), conjointement à l'expression *renoncement à soi-même* (av. 1654; 1541, *renoncement de nous-même*). ◆ **RENONCE** n. f., déverbal (1690) de *renoncer*, est spécialisé comme terme de jeu de cartes pour l'absence d'une couleur dans la main d'un joueur et, plus souvent, pour le fait de ne pas fournir une couleur alors qu'on le peut. ◆ En Belgique, le déverbal revêt la forme **RENON** n. m. (1874) dans la spécialisation «résiliation d'un bail». C'est un vestige de l'ancienne forme *renonc* (v. 1220) «action de renoncer à», «réponse négative» (v. 1260). ◆ Trois dérivés techniques appartiennent au vocabulaire du droit : **RENONCIATAIRE** n. (1829) désigne la personne bénéficiaire d'une renonciation juridique, **RENONCIATEUR, TRICE** n. (1839), distinct du moyen français *renonciateur* qui désignait un confesseur, un messager (v. 1355), s'applique à la personne qui effectue la renonciation, et **RENONCIATIF, IVE** adj. qualifie spécialement une clause ayant trait à une renonciation (1961).

RENONCIATION n. f. est emprunté (1266) au latin *renuntiatio, -onis*, fait sur le supin *(renuntiatum)* de *renuntiare* pour désigner une annonce, une déclaration, une publication. Il s'est spécialisé plus tard en droit pour l'acte par lequel on abandonne ses droits. ◆ Le mot désigne d'abord l'action de renoncer en général, en concurrence avec *renoncement*. Un partage des attributions entre les deux substantifs d'action aboutit à une spécialisation dans le domaine juridique (1266), dans l'expression ***clause de renonciation.*** Le nom s'employait aussi à l'époque classique (av. 1662) à propos de l'action de renoncer spirituellement et moralement, sens assumé aujourd'hui par *renoncement*.

RENONCULE n. f., d'abord *ranuncule* (1549) avant *renoncule* (1660), est emprunté au latin *ranunculus* «petite grenouille», dit plaisamment au figuré de l'habitant d'un lieu marécageux, dérivé par suffixation diminutive de *rana* «grenouille» (→ rainette).

♦ Ce nom est d'abord donné à la variété aquatique de la fleur appelée également en français *grenouillette*, parce qu'elle pousse dans les fossés, les étangs, au bord de l'eau ; il s'est ensuite étendu à la variété terrestre.

▸ En est dérivé **RENONCULACÉES** n. f. pl. (1798), nom scientifique de la famille de plantes dont le type est la renoncule.

◈ voir GRENOUILLE, RAINETTE.

RENOUÉE → NOUER

RENOUVELER → NOUVEAU

RÉNOVER v. tr. représente par emprunts successifs (v. 1119, *renover*, puis XIXe s.) le latin *renovare* «renouveler, rafraîchir» au propre et au figuré, de *re-* (→ re-), préfixe marquant l'intensité, et *novare* «refaire, renouveler», dérivé de *novus* (→ neuf). Le verbe latin a aussi produit l'italien *rinnovare* et le portugais, l'espagnol et le catalan *renovar*.

♦ Il se pourrait que la forme employée en ancien français soit issue du latin par voie orale et tradition populaire au sens ancien de «renouveler (qqn) par le sacrement du baptême». *Rénover* a signifié «reconduire» ou «renouveler», par exemple dans *renover le traité* (1627-1628). Il a été évincé par *renouveler* au cours du XVIIe siècle. ◆ Le verbe a été repris au XIXe s. avec le sens de «donner une nouvelle existence à (une chose abstraite, sentiment, pensée)» (1828) et s'est imposé avec le sens concret de «remettre à neuf (un bâtiment, un local)» vers le milieu du XIXe s., prolongeant un ancien sens, «réparer, remettre en état» (1348, attestation isolée).

▸ **RÉNOVATION** n. f., d'abord *renovacion* (1310), puis *renovation* (1553) et *rénovation* (1718), est emprunté au dérivé latin *renovatio, -onis* «renouvellement», au propre et au figuré, spécialement «cumul des intérêts». ◆ Le mot a désigné la réitération, l'action de faire à nouveau une chose déjà accomplie (1310), puis l'action de renouveler qqch., qqn, et spécialement de renouveler périodiquement des magistrats, de refaire des vœux, en parlant d'un religieux (1718). Lors du partage de sens entre *rénovation* et *renouvellement*, le premier n'a conservé que le sens de «fait de redonner toute sa force à ce qui a été affaibli, de rétablir un être déchu de son intégrité» (fin XIVe s.). Il s'est répandu dans l'usage courant pour «remise en état (d'un bâtiment, d'un local)» (v. 1490). Comme *rénovateur*, le mot a pris vers 1985 une valeur politique, désignant une réforme visant à renouveler et rajeunir un parti. ◆ **RÉNOVATEUR, TRICE** adj. et n. est emprunté (1555) au bas latin *renovator* «celui qui répare, restaure», du supin de *renovare*. ◇ Le mot, d'abord employé au féminin pour «femme qui renouvelle qqch.», puis au masculin (1569) dans le contexte féodal, «celui qui renouvelle les titres d'une terre», a pris (1660) le sens général de «personne qui rénove (qqch.)». Son emploi comme adjectif n'est constaté qu'en 1835. ◇ Le masculin *rénovateur* a donné son nom à divers produits à faible action décapante servant à raviver les couleurs des peintures et des vernis (1939). ◆ Enfin, vers 1985, le mot s'applique en politique au membre d'un parti qui cherche à le rajeunir, à le renouveler (d'abord à propos du parti communiste français).

RENSEIGNER v. tr., d'abord écrit *renseignier* (v. 1145), est le dérivé en *re-* de *enseigner**, de nos jours démotivé.

♦ L'usage ancien du verbe recouvre à la fois l'idée d'apprendre qqch. à qqn, avec laquelle il constitue l'intensif d'*enseigner* et, déjà, le sens plus large de «donner à (qqn) une indication sur une chose». Cette extension est généralisée au XIXe s., en relation avec *renseignement*, antérieur en ce sens (voir ci-dessous), par le pronominal *se renseigner* (1823) et le verbe actif (1834). ◇ Entre-temps, la spécialisation administrative apparue en moyen français, «mentionner, porter en compte» (1358), et l'emploi didactique du sens itératif, «enseigner de nouveau» (1798), explicitant le lien étymologique à *enseigner*, ont disparu.

▶ **RENSEIGNEMENT** n. m. est attesté une fois en moyen français au sens d'«indication, information, libellé dans un compte» (1429). ◇ Repris au milieu du XVIIIe s., le mot désigne une information sur une personne ou une chose (1755), souvent au pluriel comme dans *prendre des renseignements* (1779) et dans ses spécialisations en art militaire (1823, *renseignements militaires*), dans la police (1838) et dans l'administration (1854, *bureau de renseignements*). Dans l'espionnage et le contre-espionnage français, le ***service des renseignements*** (1899), distinct de celui des ***renseignements généraux*** (1928), fournit des renseignements politiques auprès de la préfecture de police. L'emploi elliptique, *le renseignement*, apparu pendant la guerre (1943), correspond à ce sens, tandis que *(les) renseignements* (1949) renvoie simplement à un bureau où l'on renseigne le public. ◆ Le participe passé adjectivé **RENSEIGNÉ, ÉE** «qui a des renseignements» (1846) et «qui contient beaucoup d'informations, documenté» (1861), surtout qualifié par un adverbe *(bien, mal renseigné)*, s'emploie quelquefois substantivement (av. 1922, *un renseigné*).

RENTE n. f. est issu (v. 1112) d'un latin populaire °*rendita* «ce que rend l'argent placé», féminin substantivé d'un °*renditus*, participe passé de °*rendere* «donner en retour» (→ rendre) qui est lui-même l'altération du latin classique *reddere* (participe passé *redditus*). L'italien *rendita*, l'ancien provençal *renda* remontent à ce mot latin populaire.

♦ D'abord attesté au sens général de «restitution», avec lequel il sert de nom d'action à *rendre** en ancien français, *rente* prend très tôt la valeur spéciale de «revenu donné périodiquement en retour d'un capital aliéné, d'un fonds affermé» (v. 1119). L'acception figurée qui s'en est dégagée, «chose inéluctable revenant régulièrement» (1195-1200), a disparu avec l'évolution du mot en économie. Par extension, *rente* se dit d'un revenu annuel, à l'exclusion de celui que procure le travail (v. 1207), aussi dans la locution ***vivre de ses rentes*** (1651), lié aux valeurs successives de *rentier*. *Rente* développe le sens figuré courant de «personne ou chose dont on tire un profit» (1668, Molière) dont vient l'emploi familier antiphrastique pour une chose désagréable que l'on subit périodiquement. Tout en servant à former des syntagmes spécialisés, *rente viagère* (XVIe s.), *rente amortissable* (1863), *rente perpétuelle* (1870), *rente au porteur, rente nominative* (mil. XXe s.), il se spécialise en économie politique sous l'influence de l'anglais *rent* («loyer qu'un fermier paie à son propriétaire»), désignant le revenu de la production annuelle d'une terre (1750). Il désigne spécialement l'emprunt de l'État représenté par un titre donnant droit à un intérêt contre remise de coupons (1835). L'expression figurée ***rente de situation*** (1971) s'applique à un avantage acquis et qui n'est plus mérité, considéré par le bénéficiaire comme un droit irréversible.

▶ Le dérivé **RENTIER, IÈRE** n. et adj., d'abord terme de féodalité (fin XIIe s.), désignait celui qui devait des rentes seigneuriales. Un homonyme *rentier* s'appliquait en Bretagne au livre des rentes dues à un seigneur (1463). Le mot s'est répandu au XIVe s. pour désigner la personne bénéficiant d'une rente, vivant de revenus non professionnels (1356), d'où spécialement *rentier viager* (1770), s'étendant à une personne qui a des revenus suffisants pour vivre sans travailler, à l'époque où le travail rémunéré devient la règle, même pour les classes moyennes et supérieures (bourgeoisie et noblesse) [1755]. ◆ L'adjectif **RENTÉ, ÉE** «qui vit de rentes» (fin XIIIe s.) n'est plus guère employé, de même que le verbe **RENTER** v. tr. (XIIIe s.) «servir une rente, un revenu fixe à (qqn)» et, par extension, «pourvoir d'argent» (1549). *Être renté* est encore vivant avec une valeur figurée (v. 1225, *bien renté* «riche»). ◆ **RENTABLE** adj. (1290) est lui aussi sorti d'usage au XVIe siècle. En ancien français, il s'est employé en Picardie au sens de «chargé d'une redevance annuelle» (en parlant d'une terre). ◇ Il a été repris au XXe s., en relation avec *revenu, rapport*, et d'après *rentabilité* qui semble antérieur, pour qualifier une chose permettant de tirer un bénéfice net suffisant par rapport au capital investi (1932), et s'est étendu à une personne ou à une chose qui concourt à la productivité d'une entreprise. Par extension, il est devenu, dans l'usage général, synonyme de «qui rapporte» (1964). ◆ Il a servi à former **RENTABILITÉ** n. f. (1909) et **RENTABILISER** v. tr. (1962, R. Dumont), termes d'économie qui n'ont pas tardé à se répandre dans l'usage au sens de «rendre rentable», au propre et au figuré. On en a tiré **RENTABILISATION** n. f. (1969), d'emploi économique.

RENTRAIRE v. tr. est formé (déb. XVe s.) du préfixe *re-**, et de l'ancien verbe *entraire* «entraîner, attirer dans» (v. 1160), spécialisé dans la même acception technique, lui-même du latin *intrahere* «traîner», au figuré «outrager», de *in-* (→ en) et *trahere* «tirer» (→ traire).

♦ Ce terme technique de couture signifiait «rajuster deux morceaux d'étoffe par une couture invisible», sens d'après lequel il était quelquefois employé avec une valeur figurée (av. 1778, Voltaire). Il s'est spécialisé en tissage et tapisserie, pour «refaire des portions de trame et de chaîne lorsqu'un déchirement s'est produit dans le drap lors du tissage» (1611) et pour «rétablir la trame et la chaîne d'une tapisserie» (1690). ◆ Au XVIIIe s., une variante **RENTRAYER** v. intr., refaite (av. 1778) d'après les formes conjuguées *nous rentrayons, vous rentrayez*, s'est spécialisée pour «réparer après le tissage les défauts de fabrication apparents».

▶ *Rentraire* a produit **RENTRAYEUR, EUSE** adj. et n. (fin XVe s.) pour désigner l'ouvrier tapissier chargé des diverses opérations exprimées par le verbe, et **RENTRAITURE** n. f., formé sur le participe passé *rentrait* (1530) «couture faite en rentrayant», et par métonymie «point de couture liant deux surfaces monochromes d'une tapisserie de lisse» (1964). ◆ **RENTRAYAGE** n. m., tiré de *rentrayer*, sert de nom d'action (1802).

RENVERSER v. tr. est formé (1280) de *re-**, et de l'ancien verbe *enverser* (XIIe s.) «mettre sur le dos», «tomber sur le dos» (v. 1155), lui-même de l'ancien adjectif *envers* «sur le dos, en sens contraire» (→ envers) ou, selon Bloch et Wartburg, d'un latin populaire °*inversare* (→ envers) conservé également dans l'ancien provençal *enversar* et dans quelques dialectes de l'Italie.

♦ D'abord employé au sens limité, attesté isolément, de «tondre sur l'envers» qui participe de l'idée de «retourner de façon que la face interne devienne la face externe», le verbe s'emploie (1316) pour «faire tomber (une personne, une chose)». Les emplois s'enrichissent aux XVe et XVIe s. : le verbe commence alors à s'employer à la forme pronominale *se renverser* «se laisser tomber en arrière» (1534), et absolument «tomber à la suite d'une rupture d'équilibre» (fin XVIe s.). ➛ En construction transitive, *renverser* a pris les sens de «pencher en arrière» (v. 1440) et «faire aller en sens inverse» (1572). Il a développé la valeur figurée de «changer brusquement (ce que l'esprit avait admis jusque-là)» (1538) et, jusqu'au XVIIIe s., celle de «dérégler, perturber» (v. 1480) d'où «bouleverser radicalement» (1538). ➛ Au XVIIe s. *se renverser* se dit d'une voiture qui verse sur le côté (1654), devenant une sorte d'intensif de *verser*, et l'actif prend le sens figuré de «mettre à bas» (1671, Molière). Le sens figuré évolue vers l'idée d'«étonner grandement» (1675). ◇ Au XIXe s., la forme pronominale acquiert des emplois spécialisés en manège (1835) et en chorégraphie (1866), le sens transitif figuré de «mettre à bas» s'appliquant en politique pour «obtenir la démission d'un gouvernement» (1875), cependant que le verbe se spécialise en mathématiques (1875, *renverser une fraction, un rapport*), en logique et en stylistique (1932, *renverser l'ordre des termes*). La locution technique ***renverser la vapeur*** (1861) est passée dans l'usage courant au sens figuré (1952). ◇ La construction intransitive (1907) se spécialise en parlant de la marée qui change son courant de direction *(la marée renverse)*.

▶ Le participe passé **RENVERSÉ, ÉE** est adjectivé (1316) avec le sens limité, correspondant à celui du verbe, de «préparé en tournant l'intérieur vers l'extérieur» (en parlant d'un poisson) ; cette acception a disparu. L'adjectif a suivi l'évolution sémantique du verbe, prenant les sens de «jeté à terre» (v. 1360), «rejeté en arrière» (1559), et «dans un sens contraire à la position naturelle» (1690), spécialement dans ***crème renversée*** (1855). ➛ En même temps que le verbe, l'adjectif *renversé* a pris le sens figuré et familier de «bouleversé (en parlant d'un visage)». Au XIXe s., il se spécialise dans la description botanique (1820) et en paléographie à propos d'un type d'écriture employé notamment dans les inscriptions (1842). ◇ Substantivé (av. 1784, Diderot), *le renversé* a signifié «l'inverse», sens disparu.

Le déverbal **RENVERS** n. m., d'abord *ranvers* employé adjectivement (v. 1354), s'est dit d'un objet plus large en bas qu'en haut. Il a été substantivé (fin XVe s.) pour désigner le revers de la main, puis aussi l'envers d'une médaille (fin XVIe s.). Supplanté dans ces deux emplois par *revers* et *envers*, le mot est repris avec le sens actuel technique de «faîte d'une couverture d'ardoise» (1782) qu'il a conservé. ➛ Le déverbal féminin **RENVERSE** n. f., d'abord employé en locution dans *avoir la renverse* «être renversé» et ***à la renverse*** (v. 1433) «en arrière, sur le dos», emploi resté usuel, s'est employé seul avec le sens de «mouvement en sens contraire» au propre et au figuré (1594), sens disparu au bénéfice de *revers*. *Renverse* a été repris pour désigner le changement de direction du vent, de la marée, du courant (1866).

Le nom d'action **RENVERSEMENT** n. m. apparaît en moyen français (1478) pour l'action de renverser, de se renverser, au propre et au figuré (1541, Calvin : *un tel renversement de toutes choses*). Il a suivi le développement du verbe, prenant le sens figuré d'«action de jeter le trouble, le désordre» (1656), devenu archaïque, et «action de transposer, résultat de cette action», d'abord au figuré (av. 1662, Pascal) puis aussi au propre (1703, en musique) et dans diverses spécialisations (en rhétorique, 1730, Dumarsais). ◇ Il s'est spécialisé pour «changement de direction de la marée, du courant, du vent» (1859), en physique (1903), et aussi pour désigner une figure de voltige aérienne (1918).

Au XIXe s., *renverser* redevient productif avec **RENVERSANT, ANTE** adj., familier pour «étonnant, choquant» (1830), **RENVERSABLE** adj. (1838), spécialisé en musique, **RENVERSOIR** n. m. (1838), rare, et **RENVERSURE** n. f., anciennement nom d'action de *renverser* (XVIe s.), recréé au XIXe s. (1875), d'usage technique. ➛ Au XXe s. apparaît **RENVERSEUR, EUSE** n., peu usité pour «personne qui renverse», au propre et au figuré (1973).

RENVIDER → VIDE

RENVOI, RENVOYER → ENVOYER

RÉORGANISER → ORGANISER

RÉOUVERTURE → OUVERTURE

REPAIRE n. m. est le déverbal (1080) de l'ancien verbe *repairer* v. intr. ou *repairier* (v. 1050), d'abord *repadrer* «revenir au point de départ» (v. 980), spécialement employé en vénerie à propos de l'animal sauvage qui se trouve au gîte, d'abord à la forme pronominale (v. 1119), et encore aujourd'hui intransitivement (XVe s.). Ce verbe est l'aboutissement du bas latin *rapatriare* «rentrer dans sa patrie, chez soi», de *re-* (→ re-) marquant le retour, et *patria* (→ patrie).

♦ *Repaire* désigne en ancien français le retour au pays, le retour en général et, par métonymie, la demeure, le logis, l'habitation (1080). ➛ Sous l'influence de la spécialisation du verbe *repairer* en vénerie, il prend dès le XIIe s. son sens actuel de «gîte, lieu de refuge des bêtes sauvages» (v. 1119), d'où au figuré «refuge de malfaiteurs» (1653, Vaugelas).

▶ L'homonyme **REPÈRE** n. m. (1676, Félibien) est l'altération graphique de *repaire* d'après le latin *reperire* «retrouver, découvrir, imaginer» (→ répertoire). Le développement sémantique qui le détache de *repaire* s'appuie sur l'idée du retour à un certain point, l'accent étant mis par métonymie sur ce point ; le rapport entre les deux noms n'est plus senti. ◇ La forme *repaire* est elle-même employée en architecture (1578), précédant *repère* pour désigner une marque faite aux différentes pièces d'un assemblage. *Repère* désigne plus généralement toute espèce de marque servant à signaler un point (1690) et, spécialement, un trait servant d'index sur un instrument de mesure (1690). Il se dit aussi d'une marque sur un mur, sur un jalon, sur un terrain pour indiquer ou retrouver un alignement, un niveau (1694), spécialement dans la locution ***repères de position*** (1932). ◇ La locution ***point de repère*** «point déterminé permettant de s'orienter» a pris une valeur figurée usuelle (1801). ◇ De nouveaux emplois techniques sont apparus au XXe s., par exemple en parlant de la marque faite sur un bâti de machine pour retrouver la position d'un organe mobile (1932).

Repère a produit **REPÉRÉ, ÉE** adj. (1676, Félibien), d'abord dans l'expression technique *pièces repérées* pour les pièces de charpente ayant des marques indiquant la place de leur assemblage, puis avec une valeur plus générale (1731). ➛ L'infinitif **REPÉRER** (1819) signifie «marquer de repères»; par spécialisation technique, il correspond à «marquer deux pièces qui doivent fonctionner ensemble» et «relever la position d'un organe mobile de machine par rapport à l'ensemble» (1932, Larousse). ◇ L'acception familière, «apercevoir, distinguer parmi d'autres une personne ou une chose» (1881), donne lieu à la construction passive *être repéré* (1918, en contexte militaire) et au factitif ***se faire repérer*** (1922). Ce développement procède probablement du sens technique «découvrir l'existence de (qqch.) et en déterminer le tracé, l'emplacement» postulé par la forme pronominale *se repérer* «déterminer sa position exacte grâce à des repères» (1870). ➛ Le dérivé **REPÉRAGE** n. m. désigne l'action de repérer, de mettre au point à l'aide de repères (1845) et, par métonymie, ce qui sert à mettre au point (1845). Il s'est spécialisé pour désigner l'indication de l'endroit où des dessins tracés sur des feuilles isolées doivent se joindre pour que le raccord soit fait exactement (1845) et en imprimerie l'ensemble des mesures prises avant le tirage pour une impression correcte (1932). ◇ D'après *repérer* et *se repérer,* le nom désigne aussi l'action de déterminer exactement l'emplacement d'une chose dans l'espace (1901), spécialement dans le cadre de manœuvres militaires (1915), puis au cinéma. ➛ **REPÉRABLE** adj. (1949) qualifie ce qui peut être repéré, spécialement en sciences dans *grandeur, quantité repérable.* ➛ **REPÉREUR, EUSE** n. (1954) est didactique.

REPAÎTRE → PAÎTRE

RÉPANDRE → ÉPANDRE

REPARAÎTRE → PARAÎTRE

RÉPARER v. tr. est emprunté (v. 1130) au latin *reparare* «préparer de nouveau, remettre en état, rétablir», de *re-* (→ re-) préfixe à valeur itérative, et *parare* «préparer» (→ ① parer).

♦ Le verbe signifie dès l'origine «remettre en état (ce qui est détérioré, endommagé, déréglé)» et s'applique très tôt à un objet d'art, à un édifice ancien (v. 1150). En ancien français, il a pris le sens figuré de «rétablir dans son état premier, sa pureté primitive», suivi d'un complément d'objet désignant une personne (1176-1181), et plus souvent une chose (v. 1629), d'où ***réparer ses forces, sa santé*** (1671). ◇ D'un sens concret légèrement différent, «remettre en état (une chose ayant un défaut, ayant subi des dégâts)» (déb. XIIIe s.), très courant et appuyé sur *réparation* et *réparateur,* se dégage en deux étapes la valeur figurée de «faire disparaître, effacer» (fin XVe s.) qui a disparu, puis de «faire cesser (un état préjudiciable) en y apportant un remède» (1538), d'où vient ***réparer un oubli*** (1868). ◇ Le verbe est employé avec une idée de compensation morale, d'abord dans le discours religieux en parlant du Christ qui restaure l'humanité dans sa dignité par son sacrifice (v. 1350), puis dans un cadre juridique (1538), en particulier *réparer l'honneur (d'une femme)* «épouser (une femme séduite)» (v. 1690).

▸ **RÉPARAGE** n. m. (déb. XIVe s.) a souffert de la concurrence du mot emprunté *réparation** dans son rôle de nom d'action de *réparer;* il se maintient pour l'action spécifique consistant à réparer un objet d'art (1842). ➛ **RÉPARABLE** adj., apparu plus tard (v. 1460) que son antonyme *irréparable** (ci-dessous), apparaît dans une spécialisation juridique *(clause réparable)* et étendu à la notion de «remédiable» (1475); la valeur concrète est enregistrée la dernière (1690, *maison réparable).* ➛ **RÉPARATOIRE** adj., dérivé savant du verbe (XVIe s.) dans l'expression juridique *droit réparatoire* «droit des fermiers (en Bretagne) de se faire rembourser les réparations effectives», a été repris (1842) pour qualifier une mesure dont l'objet est de réparer.

RÉPARATION n. f., d'abord *reparacion* (1310) puis *réparation* (XVIe s.), est emprunté au dérivé bas latin *reparatio, -onis* «action de rétablir, de renouveler». ➛ Le nom a suivi le développement sémantique de *réparer.* Repris au sens concret pour désigner l'action de remettre en état ce qui est endommagé, hors d'usage, il s'étend aussitôt par métonymie à la main-d'œuvre et aux pièces nécessitées par cette opération, tandis que le pluriel *réparations* a pris la valeur particulière de «travaux d'entretien ou de remise en état» (XIVe s.), s'appliquant plus tard à l'action consistant à remettre en état la partie d'un objet ayant subi un dommage (1690), sens usuel au XXe s. en mécanique, électricité. ➛ Il désigne aussi l'action de rétablir dans sa vigueur première ce qui a été affaibli (v. 1370), le dédommagement d'un préjudice matériel ou moral (v. 1450), passant dans le langage religieux pour l'acte par lequel le Christ rédempteur puis l'homme rachète ses péchés (1580). ◇ La valeur morale se réalise spécialement dans la locution ***faire réparation*** (1663) qui, à l'époque classique, s'employait dans *faire réparation à l'esprit de qqn,* au sens de «reconnaître que qqn a plus d'esprit qu'on ne le pensait» (1689). De cette idée vient la spécialisation juridique de «dédommagement d'un préjudice» (1538), notamment dans *réparation civile,* et, par métonymie, «peine frappant l'auteur d'une infraction» (XXe s.). ◇ Du sens juridique procède l'emploi spécialisé de *répa-*

ration en sports, au football (1906), notamment dans les locutions ***surface de réparation, point de réparation*** (1906). ➜ Le pluriel s'est spécialisé à la fin de la Première Guerre mondiale pour désigner les prestations dues par les États vaincus aux États vainqueurs, après les dommages résultant de la guerre (1919). ➜ En biologie, *réparation* désigne la reconstitution des tissus d'un organisme (mil. XXe s.).

RÉPARATEUR, TRICE n. et adj. est un emprunt (v. 1350) au latin impérial *reparator*, tiré du supin de *reparare* au sens de «restaurateur», et spécialisé dans les textes ecclésiastiques pour désigner le Sauveur (IVe s.). ➜ Le mot, qui a éliminé le dérivé *répareur* (av. 1350, *repareor*), a reçu le sens concret très général de «personne qui répare, remet en état», qui fut le seul à s'implanter. Son emploi comme nom du Christ (déb. XIVe s.) a disparu, et le sens moral (1556) dans ***réparateur de torts*** (1718) est archaïque, sauf par dérision. ◇ En revanche, l'adjectif, d'abord dans *Dieu réparateur de nos misères* (av. 1695, Nicole), réalise à la fois la valeur physique de «qui redonne de la vigueur» (1834) et le sens moral de «qui rachète une faute» (1819), ce dernier dans une perspective religieuse, d'où le nom de *religieuses réparatrices* porté par les membres de trois congrégations contemplatives (mil. XXe s., dans les dictionnaires). ◇ Aujourd'hui l'emploi le plus courant en fait le nom d'agent de *réparer*, appuyé sur *réparation* (*faire venir un réparateur*, etc.).

IRRÉPARABLE adj. est, de tous les emprunts de cette série, le plus ancien (1236). Il est emprunté au latin *irreparabilis*, formé de *in-* *(ir-)* et de *reparabilis* «réparable», de *reparare*. ➜ Repris avec une valeur abstraite, il l'a conservée avec un emploi substantivé à valeur de neutre : *l'irréparable* (déb. XIXe s., Mme de Staël). Le sens concret n'est attesté qu'à la fin du XIXe s., mais on relève en moyen français *inréparable* (1365). L'emploi du mot avec un terme temporel est archaïque. ➜ De *irréparable* sont dérivés **IRRÉPARABLEMENT** adv. (1370) et, ultérieurement, le mot didactique **IRRÉPARABILITÉ** n. f. (1840).

① et ② **REPARTIR** (et **REPARTIE**) → ② **PARTIR**

RÉPARTIR

RÉPARTIR v. tr., d'abord *repartir* (v. 1155), est formé de *re-** et *partir** «séparer». Sans qu'on puisse dater l'apparition du phénomène à l'oral, le préfixe *re-* a été modifié en *ré-* (1559 à l'écrit), afin d'éviter la confusion avec *repartir* «répliquer» et «partir de nouveau».

♦ Le verbe exprime le fait de partager, de distribuer en attribuant à chacun ce qui lui revient, sens usuel en économie et générateur d'emplois figurés, au sens de richesses morales, intellectuelles. En français classique, il signifie «disposer (une chose ou un ensemble de choses, de gens) dans un espace donné, selon certaines contraintes» (1718) et «échelonner (une chose) dans le temps» (1854). La construction *répartir en, par* correspond à «classer, rassembler (des éléments, des gens) en fonction de certains critères» (1864, *répartir des hommes en tribus et en phratries*).

▶ **RÉPARTITION** n. f. (1389), «action de répartir», se spécialise au XVIIe s. dans le domaine commercial et financier, plus tard dans le domaine fiscal (1835, *impôt de répartition*), et enfin en gestion. ◇ Le sens spatial correspondant à celui du verbe (1836) lui vaut une acception technique dans les sciences de la Terre, à propos de la dispersion d'une chose dans une aire géographique ; il s'accompagne d'un emploi à valeur temporelle. Le sens de «classement» (1846, Proudhon) est réalisé dans la construction *répartition par*, parallèlement à celle du verbe. ➜ **RÉPARTISSABLE** adj., attesté en 1596, puis repris en 1845, qualifie ce qui peut être réparti. ➜ **RÉPARTITEUR, TRICE** n. et adj. (1728) désigne la personne qui a pour rôle de répartir, spécialement en économie politique et fiscale, celui qui est chargé de répartir certains impôts entre les contribuables (1819, *commissaire répartiteur*) et, dans le commerce ou l'industrie, celui qui répartit des fonds, des produits finis, des matières premières. ◇ Le masculin se prête à des emplois techniques, désignant un instrument ayant pour fonction de distribuer une substance, une énergie dans une installation (1878, en électricité ; 1924, pour le dispositif assurant la disposition des circuits qui aboutissent à un central téléphonique). ➜ **RÉPARTITIF, IVE** adj. (1846, Proudhon), mot didactique, réalise le sens de «qui a pour fonction de répartir».

REPAS

REPAS n. m., d'abord écrit *repast* (v. 1112), forme usitée jusqu'au XVe s., puis *repas* (v. 1350), est l'élargissement en *re-** d'après *repaître* (→ paître) de l'ancien français *past* qui désignait en vénerie la curée laissée aux chiens de chasse (v. 1175) et aussi la succession de plats pris par une personne à heures régulières (v. 1112). *Past* remonte au latin *pastus* «pâture, nourriture des animaux ou de l'homme» et au figuré «nourriture», dérivé de *pascere* «faire paître, nourrir, alimenter» (→ paître).

♦ Jusqu'au XVIe s., le mot signifiait «nourriture» en général, avant de se spécialiser au sens de «succession de mets accompagnés de boisson que l'on prend à certaines heures» (1534, Rabelais), l'accent étant mis tantôt sur l'acte de se nourrir, tantôt sur la nourriture ainsi prise. Dans ce sens, le mot n'est plus senti comme lié à *repaître* et prend une valeur sociale très codifiée. Les repas, dont les noms sont anciens mais s'appliquent à des actes sociaux qui ont varié dans leur nature et leurs horaires (→ déjeuner, dîner, souper), rythment la journée ; le mot entre dans de nombreux syntagmes courants et est au centre d'un riche vocabulaire. Il sert d'élément de composition dans *coin-repas, panier-repas*. ◇ Par analogie, il est employé pour la nourriture donnée en une fois aux animaux domestiques (v. 1350) et pour celle que les animaux prélèvent eux-mêmes (1829, Musset).

◈ voir **PAÎTRE**.

REPASSER

REPASSER v., d'abord *respasser* (v. 1160), est dérivé de *passer** à l'aide du préfixe *re-**.

♦ Le verbe, dont le sens de «guérir» correspond peut-être à une antonymie par rapport à *passer* «mourir» et a disparu au XVe s., constitue l'itératif de *passer*, au sens spatial de «traverser de nouveau (par exemple un cours d'eau, la mer)» (v. 1175) et «passer de nouveau par un endroit» (1538) puis «revenir voir qqn» (1694). Ce dernier sens est détourné ironiquement dans l'expression récente *tu repasseras* (1964), exprimant refus ou incrédulité ; *repasser* s'applique aussi au fait de déplacer de nouveau une partie du corps sur une surface (XXe s.). ◆ Par transposition au figuré, *repasser* s'applique à des idées, à des images qui reviennent à l'esprit (1613) ainsi qu'à l'action d'une personne qui se remet une chose en mémoire, en esprit (1635), spécialement un objet d'étude (1668) ; cette valeur est restée usuelle dans le contexte des examens. ◆ De l'idée d'un mouvement physique répété, mais avec la notion supplémentaire d'un échange, procède une autre acception, «être transmis de nouveau à qqn (une chose)» (1893), familièrement dans *repasser un plat* (1932). ◆ Le mot a développé plusieurs acceptions techniques liées à une activité faite en plusieurs temps : au XVIIe s., il exprime l'idée de «corriger, retoucher» une œuvre littéraire ou artistique (1671), qui a disparu. ◇ Au contraire, celle de «passer le fer chaud sur un tissu pour le rendre lisse et net» (1669, *repasser du linge*) est devenue usuelle, donnant naissance à des syntagmes *(fer à repasser, planche à repasser)*. cf. aussi *repassage, repasseuse*. Une autre valeur, «aiguiser des couteaux» (1679), est elle aussi courante, alors que «donner un nouvel apprêt à (des cuirs)» (1690) est technique. ◇ L'emploi du verbe, dès cette époque, pour «rendre potable (du vin affaibli) en le mêlant avec du vin nouveau» (1690) anticipe sur le sens actuel de «redistiller (une eau-de-vie faible)» (1904). *Repasser du pain* (1701), correspondant à «remettre au four pour lui donner l'apparence du pain frais», et *repasser une montre* (1875) «vérifier l'état de chacune de ses pièces et les ajuster» ne s'emploient plus. ◆ Au XXe s., *repasser* correspond aussi à «passer de nouveau» dans le cadre d'un concours, d'un test, d'une visite médicale (→ passer).

▶ **REPASSAGE** n. m. (1340) s'est imposé comme l'unique nom d'action de *repasser*, évinçant les déverbaux *repas, repasse*, le participe passé substantivé *repassée*, ainsi que *repassement* et *repassade*. ◇ Il renvoie à l'action de passer de nouveau, à la fois dans un sens spatial et, à partir du XVIIIe s., dans les multiples acceptions techniques du verbe, spécialement l'opération pratiquée sur un tissu avec un fer chaud (1753), sens le plus courant, et aussi l'aiguisage d'une lame (1835), la révision d'un mécanisme d'horlogerie (1893), le fait de redistiller une eau-de-vie (1904). ◆ **REPASSEUR, EUSE** n. (1753) correspond à l'ouvrier ou l'ouvrière qui affûte des lames (1765) et, surtout au féminin, à la personne qui repasse le linge (1789), souvent une blanchisseuse (cf. *blanchir*). ◇ Il désigne aussi le cylindre cannelé dont on se sert pour régulariser les plis dans cette opération (1845, n. f.).

REPASSE n. f., déverbal (1777) de *repasser*, a plusieurs acceptions techniques, «farine mêlée de son (qu'il faut repasser au tamis)», et surtout (1803) «redistillation de l'eau-de-vie», et «boisson deux fois infusée» (1867), en particulier (1866, Delvau) «mauvais café, passé deux fois».

REPENTIR (SE) v. pron. est issu (1080) du latin médiéval *repoenitere* (IXe s.), également représenté dans l'ancien lombard *repentirse* et l'ancien espagnol *rependirse*, composé de *re-* (→ re-) à valeur intensive, et de *poenitere*, altération populaire sous l'influence de *poena* (→ peine) du latin classique *paenitere* «être mécontent de soi» (→ pénitent). La forme *poenitere* est attestée dès le VIIe s. et survit dans l'italien *pentirsi*, le catalan *penedirse ;* le verbe latin s'est utilisé dès le IIIe s. à la forme réfléchie. On trouve parallèlement l'ancien français *peneïr* et l'ancien provençal *penedir*, plus proches du latin *paenitere*, et de sens moral et religieux.

♦ *Se repentir* est employé dans la *Chanson de Roland* au sens de «renoncer à, cesser de», qui a disparu en moyen français, et signifie encore aujourd'hui «regretter amèrement d'avoir pris une décision, d'avoir ou de n'avoir pas accompli un acte», l'ellipse de *se* après le verbe *faire* étant normale dès le XIIe siècle. La valeur religieuse de «manifester le regret d'avoir commis une faute et la promesse de la racheter» est également attestée en ancien français (v. 1119). Du sens courant procède la locution ***il s'en repentira*** (1559), employée par menace de vengeance ou avertissement.

▶ Les quelques dérivés sont apparus en ancien français. ◆ **REPENTANCE** n. f. (v. 1112) désigne le regret douloureux que l'on a de ses fautes et de ses péchés ; à l'époque classique, par le même type de développement que *regret*, il s'employait dans la locution ***sans repentance*** (1679) «sans changement de résolution». ◆ Le mot a été réactivé par la ***déclaration de repentance*** de l'Église catholique à l'égard des juifs (1998). ◆ En dehors de ces contextes, le nom a été supplanté par **REPENTIR** n. m., forme substantivée de l'infinitif (v. 1160) désignant l'acte par lequel on regrette sa faute et l'on promet de la réparer, et, par extension, le regret d'avoir accompli une action quelconque (fin XIIe s.). *Un, des repentir(s)* désigne une manifestation de repentir (1640) et, dans le vocabulaire de la mode, une coiffure où les cheveux, roulés en tire-bouchon, pendent de chaque côté du visage (1845), sens aujourd'hui oublié. ◇ Le singulier s'emploie aussi en art, désignant un changement intervenu en cours d'exécution dans une peinture, un dessin (1798) et entrant dans la locution ***droit de repentir***, d'abord employée (v. 1860, Baudelaire) à propos d'une correction apportée par l'écrivain au texte primitif puis aussi, juridiquement, pour le droit qu'un auteur conserve sur son œuvre tant qu'elle n'a pas été cédée à un tiers (mil. XXe s. ; 1966, Larousse). ◆ **REPENTANT, ANTE**, participe présent de *repentir*, adjectivé très tôt (v. 1190), est employé le plus souvent avec le sens fort de «qui manifeste un vif regret de ses fautes et de ses péchés». ◆ Le participe passé **REPENTI, IE**, lui aussi adjectivé (déb. XIIIe s.), exprime la même nuance ; il est substantivé (1280), spécialement au féminin (1318) les *Repenties*, désignant un ordre religieux accueillant les femmes ayant renoncé à une vie dissolue. Par ailleurs, *fille repentie* (fin XIVe s., *ribaude repentie*) s'est dit d'une ancienne prostituée. Au XVIe s., *repenti* a pris, en emploi épithète, la nuance de «qui s'est corrigé d'un grave défaut, d'un vice» (av. 1559). ◇ Jugé contradictoire, le sens de «renégat» (fin XIVe s.) puis, en parlant d'une nonne, «celle qui a rompu ses vœux» (fin XIVe s.), correspondant à l'idée de «changement de conviction», a rapidement disparu. Le mot s'applique aujourd'hui aux personnes ayant renoncé à des activités délictueuses *(terroriste repenti).*

RÉPERCUTER v. tr. est emprunté (1370) au latin *repercutere* «faire rebondir, repousser», et au passif «être renvoyé, réfléchi, reflété», de *re-* (→ re-) marquant le mouvement en arrière, et de *percutere* «frapper» (→ percuter).

♦ Le verbe, d'abord didactique, s'emploie pour «renvoyer dans une autre direction (la lumière, les sons)», interprété scientifiquement (1611) en «renvoyer les ondes lumineuses, caloriques et surtout sonores, souvent en prolongeant le son lorsque ces ondes frappent une surface réfléchissante». ◆ Dans le cadre de l'ancienne théorie humorale, la médecine l'employait pour «faire rentrer les humeurs à l'intérieur» (1377), sens encore relevé au XVIIIe s. (Rousseau). ◆ D'abord à la forme pronominale *se répercuter* (XVIIIe s.), apparaît le sens abstrait, «avoir une incidence sur»; le verbe a pris à l'actif le sens abstrait de «faire supporter qqch.» (1957), se répandant dans la langue familière pour «faire que qqch. se transmette» (1970). *Se répercuter* s'emploie aussi concrètement pour «être réfléchi» (1823).

▶ **RÉPERCUSSION** n. f., le nom correspondant, est emprunté (v. 1300) au dérivé latin *repercussio, -onis* «réflexion de la lumière». ◇ Le mot s'est introduit comme substantif verbal en physique, et aussi en médecine pour désigner, en relation avec le verbe et l'adjectif, l'action de répercuter, de faire refluer les humeurs à l'intérieur du corps, sens sorti d'usage mais dont procède l'emploi médical moderne pour «disparition d'un symptôme extérieur» (1870, Littré). Comme le verbe, le nom a eu ultérieurement un emploi figuré, se disant d'un effet en retour ressenti comme une conséquence indirecte ou lointaine (1805); il s'est spécialisé en fiscalité, où l'expression *répercussion de l'impôt* (1964 dans les dictionnaires) désigne le processus d'après lequel l'individu payeur intermédiaire de l'impôt a tendance à transférer en tout ou partie la charge sur d'autres. ◆ Par changement de suffixe, **RÉPERCUSSIF, IVE** adj. est dérivé (1314) de *répercussion,* ou emprunté au latin médiéval *repercussivus* (1250), en médecine pour qualifier et elliptiquement désigner un médicament propre à faire refluer les humeurs engorgeant une partie malade. ◇ De nos jours, il est employé didactiquement au sens général de «qui répercute» (av. 1559).

REPÈRE → REPAIRE

RÉPERTOIRE n. m. est emprunté (fin XIVe s.) au bas latin juridique *repertorium* «inventaire», du latin classique *repertum,* supin de *reperire,* mot littéraire disparu de la langue courante, dont le sens propre était «se procurer» et qui avait pris ceux de «retrouver» (spécialement après recherche), «découvrir», «trouver de nouveau, imaginer». Le verbe est formé de *re-* (→ re-) indiquant l'intensité, l'itération, et de *parere* «procurer» (→ ① parer), employé couramment au sens d'«enfanter, mettre au monde» (→ parent) avec passage à la quatrième conjugaison.

♦ Le mot, d'abord relevé dans *répertoire de science* appliqué à la personnification allégorique du savoir méthodique et complet, désigne (1458) l'ensemble des connaissances transmises (le mot *encyclopédie* est plus tardif) et (1468) une table ou un recueil où les matières sont classées selon un ordre qui facilite les recherches. Il est appliqué au figuré (une première fois au XVe s., puis au XVIIe s., avant 1654) à une personne dont la mémoire a enregistré un grand nombre de faits, de renseignements, et que l'on peut consulter à tout moment, mais ce sens tend à vieillir sous la concurrence de l'emploi analogue d'*encyclopédie.* ◇ Au XVIIIe s., *répertoire* se spécialise au théâtre : d'abord relevé chez Voltaire au sens de «liste des pièces que l'on doit jouer dans la semaine» (1769), sorti d'usage, il désigne ensuite la nomenclature des pièces formant le fonds ordinaire d'un théâtre, d'une troupe (1798), sens réalisé dans divers emplois *(pièce du répertoire, jouer le répertoire,* 1893). Par extension, il s'applique à la nomenclature des rôles appris et joués par un acteur ou une actrice et des pièces appartenant à une même catégorie (1875). Dans d'autres domaines du spectacle, il désigne la liste des œuvres jouées par un musicien, interprétées par un chanteur (1875) et tout ce qu'un artiste peut exécuter sur scène (1887). ◆ Du sens initial procède l'emploi pour l'ensemble des termes, expressions, tournures dont dispose une personne (1826). Par métonymie, le mot figure dans le titre de certains recueils disposés par ordre alphabétique (1835) et désigne couramment un carnet contenant un inventaire alphabétique (1875). L'appellation *répertoire des métiers* (1962) désigne le registre tenu par chaque chambre des métiers et où sont immatriculés les artisans employant moins de dix personnes (l'expression a remplacé *registre des métiers*).

▶ Du latin *repertorium* est dérivé tardivement **RÉPERTORIER** v. tr. (1904) «consigner en une liste (des choses) sous forme de registre» et «dénombrer (des êtres, des choses) en les consignant selon une classification».

◈ voir RÉPARER.

RÉPÉTER v. tr. est emprunté (déb. XIIIe s.) au latin *repetere* «chercher à atteindre», «atteindre de nouveau», «ramener», «recommencer», «raconter», «reprendre par la pensée», «réclamer», de *re-* (→ re-), préfixe à valeur intensive et itérative, et de *petere* «chercher à atteindre, à obtenir» et «demander, réclamer» (→ pétition). L'ancien français a eu une forme populaire *repeïr* (avec chute du *t*) «reprendre la lecture d'un psaume une seconde fois» (v. 1200).

♦ Le premier sens du verbe, «redire (ce que l'on a déjà dit, ce qu'un autre a déjà dit)», est demeuré le plus courant. Comme son étymon latin, *répéter* a eu le sens de «réclamer, demander» (XVe s.) jusqu'à l'époque classique, encore vivant en droit pour «réclamer (ce que l'on a versé ou livré, ce qui a été pris sans droit)» (1626), par exemple dans *répéter des frais sur qqn* (1793), d'abord *répéter des frais contre qqn* (1690). *Répétition* semble antérieur dans cet emploi. ➛ Le sens intellectuel de «ramener à sa mémoire» (v. 1278) ne s'est pas répandu, sinon pour «réviser une leçon» (1530). L'acception spécialisée de «s'exercer à redire, à faire ce que l'on fera en public» (1530), dans les arts du spectacle, manifeste déjà une extension de la parole seule à l'acte, et annonce le sens de «refaire (ce que l'on a déjà fait)» (1682) d'où, avec un sujet désignant une personne, «reproduire intentionnellement pour la symétrie» (1798). ➛ Parallèlement, le verbe de parole a étendu son champ d'emploi à «expliquer de nouveau à qqn (ce qui a fait l'objet du cours d'un professeur)», dans l'éducation (fin XVIIe s.), en relation avec *répétiteur*, et, avec une valeur péjorative, «rapporter (ce que l'on a entendu)» (1798). Par extension au figuré, le verbe correspond à «chercher à reproduire, à copier» (av. 1850). ➛ La forme pronominale *se répéter* signifie «se servir des mêmes tours, des mêmes moyens» (av. 1699, Racine), emploi qui pâtit de la valeur péjorative usuelle «avoir tendance à redire les mêmes choses» (1718). Avec un sujet désignant une chose, *se répéter* assume la valeur passive d'«être redit» (1798) et, au théâtre, «être mis en répétition» (1872). Comme le verbe transitif, il se dit d'un fait, d'un événement qui se reproduit (1770) et d'une chose reproduite symétriquement dans une intention esthétique (1835).

▶ Les rares dérivés formés en français sont **RÉPÉTABLE** adj. (XVIe s., Montaigne), **RÉPÉTÉ, ÉE,** adjectivation du participe passé (av. 1662, Pascal) au sens de «redit» et surtout de «reproduit, renouvelé» (1690), et **RÉPÉTEUR** n. m. (1677) «celui qui répète», sorti d'usage, et repris dans l'acception technique d'«organe qui amplifie le courant passant sur une ligne téléphonique» (XXe s.).

RÉPÉTITION n. f. est emprunté (v. 1295) au dérivé latin *repetitio, -onis* «action de faire remonter en arrière», «redite» et, en bas latin juridique, «action de redemander, de réclamer». ➛ Attesté une première fois et isolément au sens de «copie d'un document» (en l'espèce la loi de Moïse), le mot est emprunté par les juristes avant même le sens correspondant de *répéter*, pour «action de réclamer en justice ce qu'on a payé» (1312), sens dont procède au XIXe s. l'expression *répétition de l'indu* «demande de restitution d'une somme versée par erreur» (1875). ➛ Le sens courant, «action de dire plusieurs fois le même mot, d'exprimer la même idée», semble réemprunté ou dérivé du verbe en moyen français (v. 1370). Le mot, spécialisé en rhétorique dans une acception très générale (av. 1493), s'étend au XVIIe s., d'après l'emploi spécial du verbe, aux pratiques de la séance de travail théâtral (1614; le mot est employé par Molière, 1663) et de la séance de travail d'une leçon particulière (1680), alors en relation avec *répétiteur*. ➛ Il est aussi, comme le verbe, étendu à la reproduction d'un acte, d'une action (1664), entrant dans la locution ***à répétition*** (1694), employée surtout en parlant d'une sonnerie, d'une montre (*pendule à répétition*, 1694) et d'une arme à feu (1889). Il se spécialise en art où, par l'intermédiaire du sens de «reproduction d'après un modèle» (1783), il a désigné métonymiquement la reproduction d'une statue, d'un tableau faite par l'artiste lui-même (1842), sens disparu au profit de *reproduction*. ➛ Son emploi classique dans le domaine des spectacles donne lieu aux locutions ***répétition générale*** (1835), ***mettre une pièce en répétition*** (1875), ***répétition des couturières*** d'où, elliptiquement, *la couturière*. ➛ Par changement de suffixe, il a servi à former **RÉPÉTITIF, IVE** adj. (attesté 1962) «qui a tendance à répéter, à se répéter», d'où est tiré **RÉPÉTITIVITÉ** n. f. (1970).

RÉPÉTITEUR, TRICE n. est emprunté (1671) au latin *repetitor* «celui qui réclame», supin de *repetere*. ➛ Le mot est emprunté en éducation pour désigner une personne donnant des leçons particulières (1671). Au XIXe s., il s'étend au fonctionnaire des lycées et collèges chargé de la surveillance et du contrôle du travail des élèves (1859), en apposition dans *maître répétiteur*, puis il est éliminé par *surveillant*. ◇ En technique, le mot désigne l'appareil reproduisant les indications d'un autre appareil (1878, *phonographe répétiteur*). ➛ Avec la finale de *doctorat**, *professorat**, a été formé **RÉPÉTITORAT** n. m. (1891), pour «fonction de maître répétiteur».

RÉPIT n. m., d'abord *respit* (v. 1155) puis *répit* (XVe s.), est le doublet populaire de *respect**, issu du latin classique *respectus*, proprement «action de regarder en arrière» d'où «considération, égard» et, d'autre part, «possibilité de regarder vers qqn ou qqch., c'est-à-dire de compter dessus», sens qui a dégagé la notion de délai. *Respectus* est le nom d'action dérivé de *respicere* «regarder derrière soi» d'où, par les mêmes développements, «avoir égard, considération pour», «avoir l'œil sur, protéger» et «songer à, envisager». Ce verbe est formé de *re-* indiquant un mouvement en arrière (→ re-), et de *spicere* «regarder» (→ spectacle).

♦ Le mot est passé en français avec la double valeur du latin : il a exprimé l'égard, la considération, sens sorti d'usage et aussi le délai octroyé pour l'exécution d'une chose pénible, ainsi que l'arrêt momentané d'une souffrance physique, morale, et un temps de repos, de détente, ceci dès les premiers textes dans la locution ***sans répit***. Le premier sens a été abandonné au doublet savant *respect*, introduit ultérieurement. Au XVIIe s., note F. Brunot, le mot était considéré comme un terme familier et bas (du langage de la chicane). La seconde valeur est très vivante en français moderne, surtout pour «interruption permettant une détente», employé dans plusieurs expressions (***sans répit***, très ancien; *avoir, ne pas avoir de répit*, etc.).

◈ voir RESPECT.

REPLET, ÈTE adj. est emprunté (v. 1180) au latin *repletus*, participe passé passif de *replere* «remplir», de sens propre et figuré, de *re-* (→ re-) préfixe à valeur itérative et intensive, et du verbe archaïque *plere* «emplir», seulement usité en composition (→ complet).

♦ L'adjectif, repris au sens propre de «rempli», s'en est éloigné, d'abord dans l'usage des médecins qui l'appliquèrent spécialement au corps humain rassasié, gorgé de nourriture (1314), avec une valeur très proche de *soûl* et qu'a conservée *réplétion*. ◇ Par extension, il a pris sa nuance actuelle de «gras, qui a de l'embonpoint» (1370), avec laquelle il est passé dans l'usage général (v. 1460). Il doit probablement à sa terminaison, qui évoque celle d'un diminutif, d'échapper aux connotations péjoratives qui accompagnent plusieurs mots de sens voisin et d'évoquer une stature petite et un peu grasse.

▸ **RÉPLÉTION** n. f. est emprunté (v. 1240) au bas latin *repletio, -onis* «action de remplir, de compléter», du latin classique *repletum*, supin de *replere*. ◆ Le mot est lui aussi introduit par les médecins, désignant selon l'ancienne théorie des humeurs l'abondance des humeurs et du sang ainsi que l'état de l'organisme rempli d'aliments (v. 1240), d'où l'état d'un organe rempli (v. 1330). ◇ Passé dans l'usage général avec le sens d'«embonpoint» (1549), il n'a pas eu le succès de *replet* et il est sorti d'usage, le mot désignant en français moderne la sensation d'avoir beaucoup mangé et bu. ◇ Il avait pris au figuré le sens d'«état d'un gradé ayant obtenu un bénéfice en vertu de ses grades» (1690), sens disparu au XVIIIe siècle. ◆ **RÉPLÉTIF, IVE** adj., emprunté (1611) au bas latin *repletivus* «qui sert à compléter», du supin de *replere*, a été repris en médecine pour qualifier ce qui sert à remplir, et ne s'est pas éloigné de ce sens technique. ◆ L'adverbe **RÉPLÉTIVEMENT** (1611) est d'un usage limité.

REPLI, REPLIER → PLOYER, PLIER

RÉPLIQUER v. est emprunté (1226) au latin *replicare* «replier, recourber, renvoyer, refléter» d'où «dérouler (un manuscrit), lire, parcourir», alors synonyme de *revolvere* qui signifie au contraire «dérouler», et, à basse époque, en droit «répondre vivement à une objection». Il est formé de *re-* (→ re-), préfixe à valeur intensive, et de *plicare* «plier, replier» (→ plier).

♦ Le mot signifie «répondre avec vivacité et à-propos à des raisonnements, des objections», spécialement en droit. Il a aussi la valeur de «répondre avec impertinence et obstination», en emploi absolu (1283) ou avec un complément direct (v. 1393).

▸ Le déverbal **RÉPLIQUE** n. f. (v. 1307) a eu une expansion sémantique plus riche : outre les sens correspondants au verbe, «réponse faite pour réfuter ce qui vient d'être dit ou écrit» et «réponse vive et prompte, impertinente» (déb. XVe s.), par exemple dans la locution ***sans réplique*** (1775), il se spécialise au XVIIe s. au théâtre en parlant de la partie d'un dialogue dite par un acteur lorsque son interlocuteur cesse de parler (1646). De là, il désigne notamment le dernier mot d'un acteur (1798), entrant dans ***manquer sa réplique*** (av. 1799), ***donner la réplique*** (1803), cette dernière expression passant dans l'usage courant dans le contexte d'une conversation (1844, Balzac). ◆ D'après l'ancien sens de *répliquer*, «reporter à plusieurs reprises» (1377) et «répéter, redoubler» (1420), à la suite de l'ancien provençal (v. 1350, en réthorique), et activant la valeur itérative de *re-*, *réplique* a pris le sens de «reproduction, simulacre» (v. 1480). Ce sens a été repris et répandu au XIXe s. en art pour la répétition d'une œuvre par son créateur ou sous la surveillance de celui-ci (1875); par extension, le mot désigne une œuvre semblable à son original (1875) et une personne qui semble le double d'une autre (1636). ◇ En musique, *réplique* désigne la répétition d'une note à l'octave (1690) et la reprise du sujet principal dans une fugue (1703). ◆ Le dérivé **RÉPLIQUEUR, EUSE** n. (1907) est peu usité.

RÉPONDRE v., d'abord *respondre* (v. 980), puis *répondre* (v. 1155), est issu d'un latin populaire °*respondĕre* (*e* bref) par altération de la quantité syllabique du latin classique *respondēre* (*e* long), à l'origine terme de la langue religieuse, qui signifie «répondre à un engagement pris solennellement», puis «répliquer par oral ou par écrit», «se présenter à un appel», «être à la hauteur de», «se refléter, produire». Ce verbe est formé de *re-* (→ re-) marquant le mouvement en retour, et de *spondere* «promettre, garantir» (→ épouser). L'italien *rispondere* (d'où *riposta* → riposte), l'espagnol *responder* remontent au même étymon.

♦ La diversité des constructions du verbe, souvent génératrice de sens nouveaux, existe dès l'ancien français : *répondre* signifie «faire connaître (sa pensée, ses sentiments) en retour, à un interlocuteur qui a exprimé les siens, par oral ou par écrit» (v. 980), avec un complément direct ou en emploi absolu, puis avec un complément indirect désignant la personne à qui l'on s'adresse (v. 1175) : *répondre à qqn*. ◇ En emploi absolu, il prend le sens de «renvoyer un son» avec un nom de chose pour sujet (1080), sens disparu, et avec un sujet nom de personne, de «discuter au lieu d'obéir» (v. 1155) et «se porter caution pour qqn en justice» (v. 1160). *Répondre de qqn ou de qqch.* (v. 1206) exprime l'idée d'«accepter la responsabilité des actes de qqn». Dès le XIIe s., la construction indirecte *répondre à* correspond à «parler ou écrire pour réfuter une objection, se justifier» (v. 1175) et s'emploie avec le sens élargi de «manifester une attitude opposée ou semblable à celle d'une personne» et d'«être en conformité avec» (XIIIe s.). ◆ Les diverses constructions, intransitive (v. 1190), transitive (1220) et absolue (1228) s'emploient spécialement en liturgie pour le fait de répondre aux paroles prononcées par le célébrant. (cf. *répons*). ◆ Le sens spatial, «être en communication avec (qqn)» (v. 1360), est sorti d'usage après le XVIIe siècle. ◆ Au XVIe s., *répondre* s'emploie pour «se présenter à un appel» (1538) dont procèdent des emplois spéciaux : comme terme de manège, dans *répondre aux aides* pour un cheval (1690), et au XIXe s. *répondre à la sonnerie d'une porte* (1875), *répondre au téléphone* (XXe s.) d'où absolument *répondre* (téléphone, radio, etc.). ◆ La construction transitive directe s'est spécialisée en droit pour «fournir une réponse à» (1549) et *répondre une lettre* a pris le sens de «répondre en retour à une lettre» (fin XVIe s.), emploi aujourd'hui sorti d'usage et assumé par la construction indirecte *répondre à*, apparue au XVIe s. (1538). ◆ ***Répondre de***, autrefois «accepter la responsabilité de» (ci-dessus), s'est répandu avec le sens de «se porter garant d'une chose», spécialement dans l'expression ***je vous en réponds*** (v. 1530). ◆ Toujours au XVIe s., la forme pronominale *se répondre* s'est employée avec un sens réfléchi pour «être assuré d'une chose» (v. 1580), qui a disparu au profit du sens réciproque, «être en rapport de correspondance avec» (1690). L'époque classique a vu le mot signifier «correspondre par symétrie» (1663) et «se faire sentir par une communication» (1640). ◆ L'essentiel des sens actuels est alors établi, le XXe s. n'apportant que la spécialisation didactique et technique pour «produire une réaction, un effet attendu» (1935), également réalisée par l'emploi absolu, surtout en phrases de sens négatif (1937), comme *ça répond mal, ça ne répond pas.*

▶ **RÉPONDEUR, EUSE** adj., réfection (XIIIe s.) de *respondeor* et *respondeur* (fin XIIe s.), était employé en ancien français à propos d'une personne qui fait une réponse. Il a disparu. ◆ Repris au XIXe s. comme adjectif, le mot qualifie une personne qui répond avec obstination et impertinence aux remontrances (1855). ◆ Au XXe s., substantivé, il désigne un appareil électronique émetteur-récepteur installé dans les avions (1949), puis un appareil permettant de répondre à un appel téléphonique et d'enregistrer un message (1963). ◆ **RÉPONDANT, ANTE,** participe présent de *répondre,* a été substantivé (v. 1220) pour désigner la personne qui se porte garante de qqn; il a désigné aussi celle qui soutient une thèse et qui devait répondre aux objections (1690) et celui qui répond la messe (1731). ◇ Les historiens de l'Ancienne Égypte s'en servirent pour désigner la figurine représentant le défunt et destinée à répondre de lui dans l'au-delà. ◆ Dans la langue familière ***avoir du répondant*** désigne l'argent servant de garantie (av. 1922, Proust) et se dit au figuré d'une femme bien en chair (1936, Céline).

RÉPONS n. m., réfection (v. 1150, *respons*) de *respuns* (v. 1050), écrit *répons* au XVIIe s., remonte par voie demi-savante au latin *responsum* «fait de répondre», «consultation d'un jurisconsulte» puis, dans la langue liturgique, «graduel» (av. 1150). *Responsum* est le participe passé neutre substantivé de *respondere.* À la différence de l'ancien provençal *respos* (féminin *resposa*), le français a conservé le *n* d'après *répondre;* les autres langues romanes ont des mots issus du participe passé de leur verbe (italien *risposta,* → riposte; espagnol *respuesta*). ◆ Le mot désigne d'abord une parole dite à la personne qui fait une demande (cf. *réponse*) avant de se restreindre au sens liturgique de «chant exécuté alternativement par le chœur et par un soliste, dans les offices de l'Église catholique» (v. 1190). Par métonymie, il a été repris pour désigner un signe en forme de R indiquant les répons dans un livre d'Église et marquant le revers des monnaies et des médailles en numismatique (1803).

Le féminin **RÉPONSE** n. f. (fin XIIIe s.), d'abord *response* (v. 1160), a supplanté *répons* dans le sens général de «paroles dites en retour» et «action de répondre», puis pour désigner une lettre écrite pour répondre à une lettre reçue (v. 1265) et ultérieurement, dans un débat d'idées, à un argument opposé à un autre pour le réfuter (1563). Le sens de base est réalisé dans des locutions dont *réponse normande* (1684) devenue ***réponse de Normand*** (1798), allusion à la réputation de ruse qui s'attache aux Normands dès le XVIIe s., ***avoir réponse à tout*** (1722), ***la réponse du berger à la bergère*** (1870, Littré). ◆ Comme *répons,* mais avec un autre sens, le mot s'est spécialisé en musique pour la reprise du sujet dans une fugue (1753, Rousseau). ◇ Dans le langage de la Bourse, il désigne (1867), dans les opérations à primes, l'option faite par l'acheteur à terme à la date fixée par le règlement de la Bourse (1869, *réponse des primes*). ◇ Il a développé le sens général de «réaction» (XIXe s.) dans l'usage courant. ◇ Au XXe s., on relève la locution ***droit de réponse*** (1923) employée avec une valeur précise en droit. ◆ Le mot a reçu récemment des sens spécialisés en psychophysiologie, désignant la réaction d'un organe à une excitation (1935) et, en technique, la propriété qui caractérise la qualité d'une chaîne électroacoustique (1964).

① **REPORTER** v. tr. est dérivé (v. 1050) de *porter** avec le préfixe *re-** indiquant la réitération, l'action en retour.

◆ Réalisant l'idée de «porter de nouveau» avec une idée de mouvement en arrière, le verbe signifie «ramener (un être, une chose) à l'endroit où ils se trouvaient antérieurement». La notion de retour prend un relief particulier dans le sens temporel plus tardif de «ramener à son origine» (1719), «faire revenir son attention sur une chose d'une époque antérieure», «faire remonter dans le temps à» (1784), au pronominal *se reporter* «revenir à un moment antérieur» (1752). ◆ Le sens de «porter à son tour témoignage», d'abord réalisé dans un contexte juridique (1176-1182, *reporter témoin*), correspond en général à «redire» (1260), en particulier «rapporter, dénoncer» (1660); il a été supplanté par *rapporter**. ◇ Le sens de «porter de nouveau (qqch.)», indécis dans une attestation de 1213, où *reporter les armes* peut signifier «les porter à son tour», est réalisé clairement dans l'emploi ancien pour «être de nouveau enceinte» (v. 1200), puis dans le sens moderne de «revêtir de nouveau» (1771, des joyaux). ◇ La valeur itérative du préfixe disparaît quand le verbe s'emploie dans le sens de «déplacer en un autre endroit» (1220, au pronominal; puis 1770) et «transmettre, transférer en d'autres mains» (1252). Avec le même sens, le verbe s'emploie en contexte abstrait pour «transférer (son attention, un sentiment) vers un autre objet, une autre personne» (1783). ◇ Il a plusieurs acceptions techniques en correction de copie (1827), en impression et en comptabilité (1835). ◆ Transposé sur le plan temporel, ce sens correspond à «différer» (1884), sens usuel qui marque l'aboutissement d'une évolution comparable à celle de *remettre.*

▶ Le déverbal **REPORT** n. m., équivalent de «rapport, récit» (v. 1200) en ancien français, semble avoir été repris au début du XIXe siècle. C'est d'abord un terme de Bourse (1826) désignant une opération traitée à la liquidation d'un marché à terme en vue de proroger la spéculation jusqu'à la liquidation suivante. Par métonymie, il recouvre le bénéfice réalisé par le détenteur de capitaux qui prête aux spéculateurs les fonds nécessaires pour réaliser cette prorogation (1831). ◇ Le mot, à la suite du verbe, est passé en comptabilité (1835), par exemple dans le syntagme *report à nouveau,* dans le vocabulaire des techniques d'impression (1867, *report d'impression;* 1964, *papier report*), en droit commercial (1870, *report de faillite*), dans le langage des jeux de paris et en politique *(report des voix).* Dans tous ces sens, il correspond au second groupe de sens du verbe. ◆ Par substitution de suffixe, a été créé ② **DÉPORT** n. m. (1852) en finances puis (1864) en Bourse pour servir d'antonyme à *report.* **REPORTEUR** n. m., ancien synonyme de «mouchard» en moyen français (1288), a été repris au XIXe s. pour «celui qui fait des reports en Bourse» (1855) et comme nom de l'ouvrier qui exécute les reports des dessins (1874). ◇ Malgré la recommandation officielle, il n'est pas parvenu à remplacer l'anglicisme *reporter*.* ◇ Le féminin *reporteuse* (XXe s.) désigne la machine à cartes perforées qui reporte les données contenues dans un fichier sur les cartes d'un autre fichier.

② **REPORTER** n. m. est emprunté (1828) à l'anglais *reporter* spécialisé en journalisme (1813), proprement «celui qui rapporte, relate» (XIVe s.) et spécialement en droit «rapporteur des tribunaux» (1617). Lui-même est repris de l'ancien français *reporteur** «rapporteur» (1288).

♦ Le mot, d'abord employé comme terme anglais par Stendhal, est repris à l'anglais comme terme de journalisme, se répandant à la fin du XIXe siècle. Par extension, il s'emploie à propos d'un journaliste d'information travaillant avec la photographie (1905, *reporter photographe*) ou d'autres moyens audiovisuels. ***Grand reporter*** (attesté 1939) désigne une catégorie de journalistes affectés aux *grands reportages.* ◇ L'Administration préconise la francisation graphique en *reporteur* (*Journal officiel,* 18 janvier 1973), forme utilisée au XIXe s. (1830), puis par Étiemble en 1952, et le terme de *reporteur d'images* comme équivalent de l'anglais *reporter-cameraman;* ces recommandations ne sont guère suivies. Le mot a connu plusieurs formes de féminin *(reportrice, reporteresse, dame reporter)* mais aucune n'a survécu.

▸ *Reporter* a produit le dérivé français **REPORTAGE** n. m. (1865) «activité de reporter» et, par métonymie, «document élaboré par le reporter» (1883), le premier enregistré par Littré dans son *Supplément* en 1877. L'anglais a *reporting* à propos du métier de reporter ou du genre journalistique ou littéraire que représente le reportage; d'autre part, il utilise *report* ou *article* pour désigner l'article écrit par un reporter. Le français n'a pas de verbe pour décrire cette activité : on dit *faire un reportage.* Le mot s'applique aussi aux témoignages photographique, cinématographique ou de télévision. ◆ Les composés **PHOTOREPORTER** n. m., **RADIOREPORTER** n. m. (1930), d'où **RADIOREPORTAGE** n. m. (1930, Höfler) et **TÉLÉREPORTER** n. m. (v. 1968), à côté de **TÉLÉREPORTAGE** n. m. (1953), plus rares, désignent spécifiquement différents types de reporters.

La langue de l'économie connaît un nouvel anglicisme de la même famille, **REPORTING** n. m. «établissement ou publication d'états financiers», emprunt à une valeur spéciale du mot anglais, qui correspond à «rapport» (en français, l'expression *rapport financier* conviendrait).

① **REPOSER** v. tr. et pron., modification graphique d'après *pose* (v. 1050) de *repauser* (v. 980), vient, comme l'italien *riposare,* du bas latin *repausare* «calmer, apaiser», «se délasser» (IVe s.), de *re-* à valeur intensive (→ re-), et de *pausare* «cesser, s'arrêter» (→ poser), lui-même du latin classique *pausa* «arrêt, cessation» (→ pause).

♦ Dès les premiers textes, le verbe s'emploie à la forme pronominale *se reposer* avec le sens de «cesser de travailler, d'agir, d'être en mouvement pour faire disparaître la fatigue», toujours usuel et dominant. L'emploi intransitif pour «être dans un état de délassement» (v. 1050) est aujourd'hui plus littéraire et l'emploi transitif a le sens plus restrictif de «mettre (le corps, une partie du corps) en état de délassement» (v. 1112). L'extension de la forme pronominale à «se calmer, s'apaiser» est plus tardive (déb. XVIIe s.). ◆ *Reposer* s'emploie intransitivement avec la valeur spéciale de «se trouver en tel ou tel endroit après la mort» (v. 1150), euphémisme à connotation religieuse (d'abord appliqué aux reliques d'un saint), en particulier dans la formule d'inscription funéraire *ici repose* X (1690). ◆ *Reposer,* suivi d'un complément prépositionnel de lieu (*dans, sur, sous,* etc.), exprime par ailleurs l'idée d'«être posé, placé à demeure, soutenu par», en parlant d'une chose (XVe s.), sens à partir duquel se dégage bientôt le figuré, «être établi sur» (v. 1460). Un emploi liturgique, à propos du saint sacrement (1694) correspond à *reposoir.* ◆ Le verbe transitif diversifie ses constructions, s'employant avec un sujet désignant une chose au sens de «procurer une détente à (qqn, ses yeux, son esprit)» (fin XVe s.). ◆ Au XVe s., *se reposer sur,* suivi d'un nom de personne, prend le sens psychologique de «compter sur, s'en remettre à» (v. 1460), également dans *s'en reposer sur qqn* (1580). ◇ Cette idée a infléchi la signification de la locution figurée ***se reposer sur ses lauriers*** en lui faisant prendre sa valeur restrictive actuelle (v. 1850) alors qu'une variante plus ancienne, *se reposer à l'ombre de ses lauriers,* signifiait simplement «goûter un repos mérité» (XVIIIe s., Saint-Simon). ◆ *Faire reposer* correspond à l'idée de «laisser immobile (un liquide) afin qu'il se clarifie» (1570), à «laisser (une terre) en jachère» (1564) puis, en cuisine, à «laisser (la pâte) un moment avant de la cuire» (enregistré dans les dictionnaires depuis 1964). *Reposer ses yeux, sa vue sur...* se dit pour «arrêter avec complaisance (sa vue) sur un objet» (av. 1580), emploi qui réactive le lien étymologique *poser/reposer.*

▸ **REPOS** n. m., déverbal de *reposer* (1080), signifie dès l'origine «cessation d'activité, de travail» et concerne spécialement l'absence de troubles sociaux, politiques, d'agitation, de guerre, emploi qui a vieilli. ◆ Dès le XIIe s., il sert de désignation euphémistique à l'état qui suit la mort (v. 1112), souvent dans l'expression ***repos éternel*** (1564). Dans un style plus littéraire, il correspond à «absence de trouble, d'inquiétude, tranquillité d'esprit» (v. 1155). ◆ Son emploi métonymique pour désigner un lieu de repos (XIIe s.) a vieilli après le XVIIe s., puis disparu. ◆ Le sens neutre de «cessation de mouvement» (v. 1175), sans valeur de délassement, est surtout réalisé dans des locutions, ***en repos*** et ***au repos*** (v. 1175), appliquées aux choses et aux êtres vivants. ◇ Du XVIe au XVIIIe s. se développent une série de sens spécialisés : le mot désigne un petit palier interrompant une suite de marches (1534), en peinture la partie d'un tableau dans laquelle les détails sont plus rares, les lumières moins vives et les couleurs moins éclatantes (1677), en architecture la partie d'un édifice sans ornements, présentant une surface unie (1765). ◇ Avec un autre sémantisme, *repos* s'applique en serrurerie à un épaulement sur une pièce, et sur lequel vient s'appuyer («reposer») une autre pièce (1704). ◇ En rhétorique, *repos* est synonyme de *pause* (1690) et, à l'époque classique, désigne la césure, la coupe dans un vers (1669). Ce sens trouve son équivalent en musique (1688). ◆ Appliqué aux personnes, le mot désigne dès le XVIIe s. un congé accordé en dehors des congés habituels (1690), cette valeur se développant avec le droit du travail (XIXe-XXe s.), donnant lieu à des emplois comme *repos des femmes allaitant leurs enfants, repos hebdomadaire* (1949), etc. ◆ Le sens neutre d'«absence de mouvement», spécialisé en physique (1647), a donné naissance en mécanique à des expressions comme *repos absolu, repos relatif* (1870), *échappement à repos* (1964). ◆ Depuis le XIXe s., le mot sert de commandement militaire, en emploi interjectif (1812), succédant à des commandements comme *garde à vous!* ou *portez armes!* ◇ Il s'emploie aussi en biologie pour l'absence de circulation de la sève dans certains végétaux pendant l'hiver des régions tempérées. ◆ Au sens psychologique ancien de «tranquillité d'esprit», la locution ***de tout repos*** (1867) s'emploie surtout négativement par euphémisme (*ce n'est pas de tout repos* «c'est très fatiguant», mil. XXe s.).

REPOSÉ, ÉE, le participe passé de *reposer*, fournit un adjectif (v. 1138) qualifiant la personne qui a pris du repos et, par métonymie, un visage qui ne porte plus de trace de fatigue (1671). Il s'est spécialisé à propos d'un vin débarrassé de ses impuretés par décantation (1694). ◇ La locution ***à tête reposée*** (mil. XVIIIe s., Saint-Simon) correspond à l'idée de calme mental, de tranquillité. ◆ Son féminin **REPOSÉE** a été substantivé (v. 1170) au sens de «repos, halte» puis s'est spécialisé en vénerie pour le lieu où un cervidé se repose (v. 1354). Il s'employait encore à l'époque classique dans la locution *à reposées* (XIIIe s. ; v. 1150, *à une reposée*) «tout à son aise». ◆ **REPOSANT, ANTE**, participe présent de *reposer*, a lui aussi été adjectivé, d'abord dans la locution *jor reposant* «jour sur son déclin» sortie d'usage. ◇ L'adjectif est repris à la fin du XIXe s. pour qualifier ce qui procure un délassement du corps et une tranquillité de l'esprit (1877), ce qui atténue la fatigue, repose l'esprit (1935). ◆ Le déverbal **REPOSE** n. f., d'abord *repouse* (v. 1380) puis *repose* (1611) «halte, repos», spécialisé en musique classique, est sorti d'usage.

REPOSOIR n. m., réfection (1549) de *reposouer* (fin XIVe s.), commence par désigner de manière générale un endroit où l'on se repose, prenant ensuite une valeur figurée (av. 1654). ◇ Ce sens a disparu au profit de la spécialisation religieuse, «autel aménagé sur le parcours d'une procession pour y exposer le saint sacrement» (1660). ◇ Le mot a pris par ailleurs le sens technique de «cuve dans laquelle repose la teinture» (1752). On a essayé de nommer ainsi un édicule construit au bord d'une route pour le repos des voyageurs (1875), mais sans succès.

Quelques noms d'objets conçus pour le confort ont été formés avec l'élément verbal *repose-* : **REPOSE-PIED** ou **REPOSE-PIEDS** n. m. (1886), **REPOSE-TÊTE** n. m. (1965) et **REPOSE-BRAS** n. m. (1974), en concurrence avec *appuie-tête, appuie-bras*.

② **REPOSER** → POSER

REPOUSSER → POUSSER

RÉPRÉHENSION n. f. est emprunté (v. 1190) au latin *reprehensio, -onis* «reprise de ce qui est omis», d'où «blâme, critique», et par métonymie «objet de blâme». Ce nom est dérivé de *reprehensum*, supin de *reprehendere* «saisir, retenir» et au figuré «empêcher» (→ reprendre).

♦ Le mot est d'abord attesté dans *sans répréhension* «sans hésitation» puis «sans obstacle» (v. 1450), locution sortie d'usage avant le XVIe siècle. ◇ La valeur de «blâme, réprimande» (1380) a vieilli après le XVIIe s. sans s'éteindre tout à fait.

▶ Le dérivé **RÉPRÉHENSIF, IVE** adj. «qui réprimande» (XVe s.) est lui aussi archaïque ou rare. ◆ **RÉPRÉHENSIBLE** adj. est emprunté (1314) au dérivé bas latin *reprehensibilis* «digne de blâme, de critique». Il est resté vivant avec le sens de «coupable, blâmable». Il a eu en moyen français la valeur passive de «blâmé, puni» (1493), sortie d'usage. ◆ Le dérivé **RÉPRÉHENSIBLEMENT** adv. (1495) est rare.

✳ **REPRENDRE** v. est issu (v. 1119) du latin *reprendere*, variante contractée de *reprehendere*, proprement «empêcher d'avancer», au figuré «blâmer, gourmander, critiquer». Le mot est formé de *re-* (→ re-) à valeur intensive, et de *prehendere, prendere* «saisir», au propre et au figuré (→ prendre).

♦ Le développement sémantique, sur plusieurs siècles, a suivi celui de *prendre*, dont *reprendre* devient rapidement le dérivé préfixé. Avec une valeur itérative, *reprendre* signifie «prendre de nouveau» (qqn) [1140], puis (qqch.) [déb. XIIe s.] ; de ce sens procèdent plusieurs emplois spéciaux, comme *reprendre un prisonnier* (1538), *reprendre une pièce de théâtre* (av. 1778), *reprendre la mer* (1893). Du sens psychologique, réalisé par *reprendre qqn à qqch.* «le surprendre à nouveau» (vieilli), procède la locution ***on ne m'y reprendra plus, que je ne nous y reprenne plus*** (1835), toujours en usage, et qui correspond à un emploi de *prendre*. ◆ Dès le XIIe s., le verbe signifie «continuer d'accomplir (ce qui a été momentanément interrompu)» (v. 1155), spécialement dans le domaine juridique, avec *reprendre un procès* (1538), *reprendre une instance* (1690), dans l'expression *reprendre son chemin, la route* (1817) et, au figuré, dans les locutions ***reprendre son cours*** (1875) et ***reprendre en main***

(XXe s.), d'après *prendre en main.* ◆ L'idée de «rétablir dans son état habituel, faire revenir à soi» (v. 1185) est réalisée dans les locutions ***reprendre le dessus, reprendre son haleine*** (v. 1200), ***reprendre haleine*** (fin XVIe s.), ***reprendre ses esprits, reprendre du poil* de la bête.*** ◆ Le sens figuré de «blâmer, réprimander (qqn)» (v. 1119) est probablement un nouvel emprunt au mot latin (→ répréhensible, répréhensif, répréhension). ◆ L'influence de *prendre* se fait sentir dans le sens de «rendre (ce que l'on avait pris)» (1538), spécialement en termes de commerce, sens à partir duquel le mot acquiert le sens de «racheter à un client (un objet usagé)» (1773). ◇ L'idée de «prendre ce qui a été donné» s'est répandue dans l'usage courant avec un complément désignant une chose concrète (1640) ou abstraite, dans des expressions comme *reprendre sa parole* (1643), familièrement et par métaphore ***reprendre ses billes*** (XXe s.). ◆ Au XVIIe s., *reprendre* a développé le sens de «regagner» (1649, Corneille) qui a eu cours en langue classique, celui de «prendre (la parole) après un silence, une interruption» (1640, souvent en incise, *reprit-il, reprit-elle*), et ceux de «remonter à un temps plus éloigné» (1679), de «redire, répéter» (1690), dont procède l'emploi au théâtre (XXe s.), et aussi pour «apporter des modifications, des transformations à (qqch.)» (1690).

Dès le XIIe s., *reprendre* est employé intransitivement avec le sens de «redonner des signes de croissance, de vitalité» (v. 1175), dont procèdent des emplois spéciaux dans le domaine économique (1870), liés au dérivé *reprise.* ◆ Le sens de «recommencer, avoir lieu de nouveau» est attesté dès l'ancien français (v. 1200). Ultérieurement, le verbe s'est spécialisé dans le domaine de la santé et de la physiologie en parlant d'une greffe, des bords d'une plaie qui se ressoudent (1798), après un emploi de la forme pronominale *se reprendre* au même sens (1538), qui sorti d'usage. *Reprendre* se dit en particulier d'un feu qui se ranime (XXe s.) et d'un moteur, d'un véhicule qui fournit rapidement la puissance sollicitée par l'accélérateur (v. 1950).

La forme pronominale *se reprendre* (XIIIe s.), employée en ancien français au sens de «se cacher», exprime depuis le XVIe s. (1559) l'idée de «corriger, rectifier ce que l'on a dit». Au XIXe s., elle prend le sens de «recommencer à», construite avec une préposition régissant l'infinitif (av. 1854), notamment avec l'idée accessoire de «tenter» dans la locution ***se reprendre à plusieurs fois*** (1862). Elle a également l'acception de «se ressaisir, redevenir maître de soi» (1835).

▸ Les dérivés sont peu nombreux mais usuels. ◆ **REPRISE**, le participe passé féminin, a été substantivé pour servir de substantif d'action au verbe (v. 1213) dans la quasi-totalité de ses sens. Dès les premiers textes, où il désigne le fait de reprendre les armes, ce nom exprime l'action de prendre, de s'emparer de nouveau, généralisé en moyen français (déb. XIVe s.), sens dont procèdent des emplois spéciaux en droit, en agriculture (1845). ◆ Par métonymie, *reprise* s'applique dès le XIIIe s. à chacun des coups disputés au jeu au cours d'une partie, d'où son emploi au billard (XXe s.). ◇ Il désigne l'action de se remettre à qqch., de recommencer (v. 1307), spécialement en parlant d'une pièce de théâtre (1738), des affaires (1875), et l'action de continuer ce qui a été interrompu (v. 1307), entrant dans les locutions ***à plusieurs reprises*** (1559), ***à diverses reprises*** (1636), et s'employant spécialement en droit à propos d'un procès (1690). Au XVIIe s., le mot se spécialise dans les domaines de la musique (1690), de la poésie et de la chanson (1690) pour «partie d'œuvre que l'on répète», en équitation à propos de chaque leçon donnée au cavalier ou au cheval (1680) et, de là, à l'ensemble des figures exécutées par un ou plusieurs cavaliers selon un tracé déterminé (1694) puis, par métonymie, à l'ensemble des cavaliers travaillant en même temps dans le même manège (1835). Le même sens est spécialisé au XXe s. en boxe (1932), en sports, au cirque, pour «arrêt et recommencement». ◇ D'après *reprendre* «réparer», *reprise* reçoit le sens concret de «réparation» (1611), de nos jours limité à un travail de couture (1762), avec un dérivé verbal spécifique (ci-dessous *repriser*). Le sens d'«action de réparer» se spécialise en bâtiment (1755) et demeure rare en emploi général (1835). ◇ Au sens de *reprendre* «récupérer», *reprises matrimoniales* (1694) s'est dit en droit des biens personnels que chaque époux a le droit de prélever avant partage sur les biens de la communauté, lorsqu'elle est dissoute. Dans le cadre de la théorie anarchiste, *reprise* désigne le droit de chacun de s'emparer de ce qu'il estime être son dû (av. 1935). Il a développé des acceptions spéciales en droit dans le cadre d'un contrat de location, pour «somme versée pour obtenir le contrat et censée correspondre au fait de reprendre du mobilier, de l'équipement» (1935). ◆ La valeur intransitive de *reprendre* «redonner des signes de croissance, d'activité» est spécialement réalisée à propos de l'accélération rapide de la vitesse de rotation d'un moteur en vue d'obtenir un accroissement de puissance en un temps très bref (1906), et, en économie, pour désigner la fin d'une période de crise, de récession (XXe s.).

Dans sa spécialisation en couture, *reprise* a produit **REPRISER** v. tr. (1835), également en emploi absolu (XXe s.), lequel a donné **REPRISEUR, EUSE** n. et adj. (1846), terme désignant un ouvrier, une ouvrière spécialisé(e) dans le raccommodage, qualifiant ce qui reprise (1957), ainsi que **REPRISAGE** n. m. (1868).

Le participe passé masculin *repris* a lui aussi été substantivé, en droit dans l'expression ***repris de justice*** (1835) qui existait antérieurement comme adjectif (1549) et qui constitue aujourd'hui un mot composé.

Reprendre a produit aussi **REPRENEUR** n. m. pour un homme d'affaires spécialisé dans le rachat d'entreprises en difficulté (v. 1980).

◈ voir **RÉPRÉHENSION**.

REPRÉSAILLES n. f. pl., réfection (1443) de *reprisailles* (1401), est emprunté au latin médiéval *represalia* «dommages infligés à titre de réciprocité, de punition», lui-même probablement calqué sur l'italien *ripresaglia* ou *rappresaglia* de même sens (XIVe s.). Celui-ci, qui désigne proprement l'action de reprendre ce qui a été pris, est dérivé de *ri-*

prendere, du latin *reprehendere, reprendere* (→ reprendre).

♦ Le mot désigne une mesure de violence illicite que prend un État pour répondre à un acte également illicite commis à son égard par un autre État. Par extension, et d'abord dans la locution ***lettre de représailles*** (1611) à propos d'une lettre du roi autorisant un particulier lésé à tirer seul et directement vengeance du tort qui lui a été causé (emploi disparu avec l'état du droit autorisant cette pratique), *représailles* s'est étendu à toute action individuelle de riposte à un mauvais procédé (1654), la locution ***user de représailles*** (1718) ayant vieilli. L'usage du singulier *représaille* (1564) semble disparaître dans la seconde moitié du XVIIIe siècle.

① **REPRÉSENTER** v. tr. est emprunté (v. 1175) au latin *repraesentare* «faire apparaître, rendre présent devant les yeux, reproduire par la parole», «répéter», «rendre effectif», «payer sans délai ou comptant», puis «amener devant qqn» (VIe s.), «livrer à la justice» (VIIIe s.) et «remplacer qqn» (Ve s.). Le verbe latin est formé de *re-* à valeur intensive, et *praesentare* (→ présenter).

♦ Le sens premier est «faire apparaître d'une manière concrète ou symbolique l'image d'une chose abstraite». Parmi les nombreuses extensions, celle de «rendre présent à la mémoire le souvenir de (qqn, qqch.)» (v. 1175) est sortie d'usage après le XVIIe siècle. Le verbe s'est bientôt employé pour «rendre présent par le jeu théâtral» (fin XIIe s.), et plus spécialement «incarner (un personnage)» (av. 1553). Il se réfère également à l'expression de la réalité visible par les arts plastiques (v. 1278). ◇ Autrefois employé au sens de «faire valoir, exposer par la parole» (v. 1278), il est resté plus longtemps en usage pour «faire observer, remontrer avec égard» (1611), emploi devenu archaïque (cf. ci-dessous *représentations* «remontrances»). ➜ Les sens affaiblis de «ressembler à, évoquer» (1678) et de «donner la sensation de» (fin XVIIe s.) sont sortis d'usage, alors que les acceptions voisines, «donner une impression d'importance, en imposer» (1694) et «être la réplique plus ou moins fidèle de» (1708) sont toujours vivantes. ➜ Du sens initial procède celui de «tenir la place de (un absent)», d'abord dans un contexte juridique et administratif, pour «être mandaté officiellement ou légalement pour exercer les droits et défendre les intérêts d'un groupe ou d'un pays» (1283), puis en emploi général (1530) et, ultérieurement, d'après *représentant,* pour «être le représentant de» (1899).
Le sens de «présenter de nouveau», activant la valeur itérative du préfixe *re-*,* correspond à un homonyme ② **REPRÉSENTER,** itératif de *présenter*,* et, pour *se représenter* (v. 1360) [à un examen, etc.], de *se présenter.*

▸ **REPRÉSENTABLE** adj., formé au XIIIe s. au sens actif de «qui représente, symbolise», sorti d'usage, a été repris au XVIIIe s. avec la valeur actuelle (1754).
➜ **REPRÉSENTATIF, IVE** adj. et n., dérivé savant de *représenter* (fin XIVe s.), peut-être d'après le latin médiéval *representativus,* terme de philosophie (v. 1270), qualifie ce qui représente convenablement un ensemble. Au XVIIe s., il a été étendu à ce qui représente un objet, en est l'image, en philosophie (1644, Descartes), puis en psychologie. ➜ Au XVIIIe s., le mot est passé dans le langage des institutions en emploi adjectif (d'abord en diplomatie, 1718) et substantif (av. 1825), et en relation avec *représentant, représentation,* à propos d'une forme de gouvernement selon laquelle la nation délègue à un parlement l'exercice du pouvoir législatif. Il a enrichi la terminologie de *corps représentatif* (1764), *gouvernement représentatif* (1789) et *système représentatif* (1791) avant et pendant la Révolution. ➜ Le sens de «qui est le modèle, le type d'une catégorie de personnes» (av. 1924), répandu avec les progrès de la sociologie et des sondages, est devenu usuel.
➜ De *représentatif* ont été dérivés **REPRÉSENTATIVEMENT** adv. (v. 1330) et ultérieurement **REPRÉSENTATIVITÉ** n. f. (1961), employé en statistique et en psychologie sociale (1968). ➜ *Représentatif* fournit lui-même la base de composés dans le vocabulaire des institutions *(semi-représentatif, ultra-représentatif).* ➜ **REPRÉSENTANT, ANTE,** participe présent de *représenter,* a été adjectivé (XVe s.) avec le sens psychologique de «qui a de la prestance, en impose» sans réussir à s'imposer durablement. Cette acception a disparu. ➜ Il a été refait comme nom pour désigner en droit la personne qui agit à la place d'une autre (1508), puis celle qu'une personne morale, une société choisit pour agir en son nom (1680). Son emploi pour désigner le comédien, l'acteur qui représente un personnage à la scène (1616), est sorti d'usage. ➜ Depuis le XVIIIe s., il se dit en politique du citoyen nommé par élection à une assemblée législative (1748) d'où *représentant de la nation* (1755, Turgot), ***représentant du peuple*** (1762), ces valeurs se répandant avec les institutions révolutionnaires.
➜ Buffon a tenté d'imposer le mot dans la terminologie des sciences naturelles pour désigner une espèce analogue à d'autres (1778), emploi qui anticipe sur le concept moderne de «chose, individu, animal pris comme type, comme modèle d'une classe, d'une catégorie» (déb. XIXe s.). ➜ Au XIXe s., *représentant* se spécialise en commerce, désignant celui qui recueille des affaires pour une maison de commerce (1875), spécialement dans ***représentant de commerce.*** Au XXe s., le mot s'emploie aussi en diplomatie pour la personne chargée de représenter un État, un gouvernement auprès d'un autre. Il acquiert également des spécialisations en mathématiques, en grammaire et en psychanalyse.
➜ **REPRÉSENTÉ, ÉE,** le participe passé, a été substantivé dans la langue juridique (1804) pour désigner l'héritier décédé à la place de qui se présente un autre héritier (appelé *représentant*).
REPRÉSENTATION n. f. est emprunté (v. 1250) au dérivé latin *repraesentatio, -onis* «action de mettre sous les yeux», et à basse époque «paiement en argent comptant». ➜ Le mot a évincé les dérivés français *representement* (v. 1190), *representance* (XIIIe s.) et *representage* (1465), tout en suivant le développement sémantique de *représenter.* ➜ *Représentation,* désignant d'abord le fait de mettre devant, de placer sous les yeux (une lettre, des pièces justificatives), est mal distingué de *présentation,* mais s'emploie encore en droit à propos de la pro-

duction d'un acte pouvant servir de titre ou de preuve (depuis 1393); le mot assume aussi la fonction d'itératif de *présentation* «nouvelle présentation» en ce sens (1530).

Représentation est devenu en moyen français le substantif d'action de *représenter,* désignant l'action de rendre présent ou sensible qqch. à l'esprit, à la mémoire, au moyen d'une image, d'une figure, d'un signe et, par métonymie, ce signe, image, symbole ou allégorie (v. 1370). Il s'est spécialisé en parlant de l'acte artistique consistant à reproduire le réel observable par le dessin, la peinture, la sculpture (v. 1370), puis aussi par la photographie. En moyen français, il s'est appliqué à l'effigie de cire peinte représentant le défunt dans les obsèques princières (XIVe s.) et, ultérieurement, au faux cercueil recouvert d'un drap dans les cérémonies funèbres (1660). ➜ Il s'emploie couramment pour l'action de donner un spectacle en public (1538), désignant par métonymie ce spectacle. Cet emploi souligne le caractère de signe par rapport à une virtualité, qui est l'œuvre. Au XVIIe s., il est passé dans la terminologie philosophique pour désigner l'image fournie à l'entendement par les sens ou la mémoire (av. 1654). ➜ À l'époque classique, le mot désigne l'action de tenir son rang, les relations d'apparat (fin XVIIe s.), sens auquel se rattache celui de «train de vie auquel certaines personnes sont tenues du fait de leurs fonctions», et dont procèdent ***frais de représentation*** et la locution ***être en représentation*** (1890), influencée par l'emploi du mot au théâtre. ➜ L'ancien sens de «remontrances faites avec égard», qui correspond à un emploi archaïque du verbe (ci-dessus), est réalisé par le pluriel *représentations* (1718), et survit dans le langage diplomatique, appliqué aux protestations adressées par un gouvernement à un autre. ➜ Au XXe s., apparaissent de nouvelles spécialisations scientifiques au sens de «signe qui représente» : en mathématiques, pour la mise en correspondance des éléments de deux ensembles (1932, dans *représentation conforme*); en statistique (1964, *représentation statistique*) et en psychanalyse ainsi qu'en informatique. ◇ Depuis le moyen français, le mot suit le sémantisme de *représenter* en désignant l'action de tenir la place de qqn, d'abord par métonymie l'ensemble des personnes et des services qui représentent d'autres individus, d'autres services (v. 1360). Il s'est spécialisé en droit pour une théorie selon laquelle le représentant accomplit un acte au nom et pour le compte du représenté (v. 1398), et selon laquelle les héritiers du défunt viennent à sa succession, non de leur chef, mais à la place d'un de leurs ascendants prédécédé (v. 1398). ➜ Rarement usité avec une portée générale, sinon dans l'usage classique (1611, jusqu'au XVIIIe s.), le mot est repris en diplomatie (v. 1360), puis en politique pour l'exercice du pouvoir législatif par des assemblées élues (1772), d'où *représentation proportionnelle* (1910). Il dépend alors de *représentant* dans ce sens. ➜ Il désigne aussi en commerce la profession de représentant (1893) et, en droit, la charge imposée par la loi à certaines personnes d'agir en justice au profit d'une autre (1936).

SOUS-REPRÉSENTÉ, ÉE adj., et **SOUS-REPRÉSENTATION** n. f. (1966) s'emploient pour «insuffisamment représenté», «représentation insuffisante», avec l'idée de proportionnalité non respectée.

RÉPRESSION n. f. est soit emprunté (1372) au latin médiéval *repressio, -onis,* de *repressum,* soit formé savamment en français, d'après *oppression, suppression,* sur le radical du latin *repressum,* supin de *reprimere* «contenir, empêcher» (→ réprimer).

♦ Le mot, employé par Oresme pour exprimer le fait de contenir un sentiment trop violent, par exemple la colère, est attesté une seconde fois au XVe s. (1482); il semble s'être normalement employé aux XVIe et XVIIe s. avant de tomber en désuétude. ◇ Il est de nouveau attesté en 1802, mais pourrait être un peu antérieur, si l'on en juge par *répressif* (1795), et il sert alors de nom d'action à *réprimer* dans son sens usuel et second, et concerne la plupart du temps une mesure punitive et non préventive. Il se spécialise à l'époque des grands mouvements sociaux du XIXe s. pour désigner le fait d'arrêter par la violence un mouvement collectif, s'employant aussi à propos d'opérations militaires de maintien de l'ordre (*unités de répression,* XXe s.). ➜ Avec sa valeur initiale, il a été repris en psychologie pour «rejet conscient d'un désir réprouvé par la morale» (1867) et en psychanalyse pour «mécanisme de défense conscient excluant du champ de la conscience des contenus désagréables» (XXe s.), distinct de *refoulement.*

▶ Il a servi à former **RÉPRESSEUR** adj. m. et n. m. (1840) «qui réprime», toujours employé au masculin, substantivé en sciences en parlant d'un organisme cellulaire qui bloque la fabrication des enzymes quand ceux-ci ne sont pas nécessaires (1968 dans les dictionnaires généraux). ➜ Sur le modèle de *bataillonnaire,* on a formé **RÉPRESSIONNAIRE** n. (XXe s.), peu usité pour une personne faisant partie d'une unité «de répression».

Étant donné que *répression* semble inusité à cette époque, il se peut que **RÉPRESSIBLE** adj. (1793) soit directement dérivé du latin *repressum.* D'abord employé pour qualifier ce qui sert à réprimer, il a pris le sens passif de «qui peut être réprimé» (1845), didactique et rare comme son synonyme *réprimable.* ➜ Le préfixé **IRRÉPRESSIBLE** adj. (1845) est plus courant que son antonyme et qualifie ce qui ne peut être réprimé. ◇ En est dérivé **IRRÉPRESSIBLEMENT** adv. (1907), d'usage littéraire et rare. ➜ **RÉPRESSIF, IVE** adj. (v. 1328) est dérivé du latin médiéval *repressivus* (formé à partir de *repressum*) dans sa spécialisation médicale «qui fait disparaître, qui résorbe», sortie d'usage. ◇ Sa reprise s'est faite d'après *oppressif* et pour doter *réprimer* au sens second et usuel d'un adjectif (1795, dans un cadre juridique), en relation avec le mot *répression.*

RÉPRIMANDE n. f., d'abord *reprimende* (1549) puis *réprimande* (1588, Montaigne) d'après *mander**, est emprunté au latin *reprimenda (culpa)* «faute qui doit être réprimée, punie», de *culpa* «faute» (→ coulpe) et *reprimenda,* adjectif verbal féminin de *reprimere* (→ réprimer).

♦ Le mot désigne la remontrance que l'on fait à une personne sur laquelle on a autorité pour la rappeler à l'ordre. Le sens d'«action de réfréner» (1552), correspondant aux premiers emplois de *réprimer**, est sorti d'usage. Au début du XIXe s., *réprimande* est passé dans le langage juridique (administration, travail) pour désigner une peine disciplinaire purement morale (4 avril 1802, *Bulletin des lois*). En droit pénal, le mot désigne le blâme infligé par le juge de police à un mineur ayant commis une contravention (1936) et, dans le règlement militaire, une punition disciplinaire non restrictive de liberté qu'un chef de corps peut infliger à un officier ou sous-officier (1966).

▸ Le dérivé **RÉPRIMANDER** v. tr., d'abord écrit *resprimander* (1535) avant *réprimander* (1636), signifie «faire une réprimande à (qqn)» et, avec les mêmes acceptions spéciales que le nom, «infliger une réprimande». ◆ Il a pour dérivé **RÉPRIMANDABLE** adj. (1836), rare.

RÉPRIMER

RÉPRIMER v. tr. est emprunté (fin XIIIe s.) au latin *reprimere* «faire reculer, réfréner, refouler», de *re-* (→ re-) marquant le mouvement en arrière, et *premere* «presser» au propre et au figuré (→ presser).

♦ Le verbe, attesté une première fois pour «contenir (ce qui est excessif)» a été réintroduit par les médecins (1314) avec le sens de «diminuer (la sensibilité)». Cet emploi a disparu, et *réprimer* est passé dans l'usage courant dès le milieu du XIVe s., pour «faire en sorte de refouler (la manifestation d'une tendance, d'une chose condamnable)» et «empêcher (les fauteurs de troubles) d'agir, par la contrainte» (v. 1355), emploi en rapport avec *répression* et *répressif*, en français actuel. ◆ La spécialisation médicale moderne pour «arrêter l'action, le progrès de» apparaît au XVIe s. (v. 1560). ◇ Du XVIe au XVIIIe s., le mot s'employait également avec un complément d'objet désignant une personne ; cet emploi disparu est encore enregistré par les dictionnaires du XIXe siècle.

▸ **RÉPRIMABLE** adj. (fin XIVe s.) est rare, tout autant que son synonyme savant *répressible* (→ répression). ◆ **RÉPRIMANT, ANTE**, le participe présent de *réprimer*, s'est employé substantivement en médecine pour désigner un remède qui arrête la maladie (1645) ; cet emploi a disparu. Le mot a été adjectivé (1748) pour qualifier une personne qui réprime.

◈ voir **RÉPRESSION, RÉPRIMANDE.**

REPRISE, REPRISER → REPRENDRE

RÉPROBATION

RÉPROBATION n. f. est emprunté (1496) au bas latin ecclésiastique *reprobatio, -onis* «action de désapprouver moralement», nom d'action tiré du supin *(reprobatum)* de *reprobare* «condamner moralement» (→ réprouver).

♦ Le mot sert de nom d'action à *réprouver** : d'abord employé dans le langage religieux, il désigne l'acte par lequel Dieu exclut un pécheur du bonheur éternel. Ce n'est que fin XVIIIe s. que le mot s'est répandu dans l'usage courant pour «blâme par lequel une personne condamne sévèrement les actes, la conduite d'une autre personne» (1793), par affaiblissement «désapprobation sévère» (1810).

▸ **RÉPROBATEUR, TRICE** adj. est l'emprunt tardif (1788), d'après *réprobation*, du latin *reprobator*, nom d'agent tiré du supin de *reprobare*. Il sert à qualifier ce qui témoigne d'une condamnation sévère, puis (XIXe s.) d'une simple désapprobation. Il s'applique aussi aux personnes.

REPROCHER

REPROCHER v. tr., réfection (XVe s.) de *reprochier* (v. 1132), remonte à un latin populaire °*repropriare* signifiant proprement «mettre sous les yeux, rapprocher» et qui a dû s'employer au figuré pour «blâmer, faire grief de». Ce verbe est formé du latin classique *re-** marquant l'intensité (→ re-), et de *prope* «près, auprès de», sur le modèle du bas latin attesté *appropriare* (→ approcher). Il est seulement gallo-roman et correspond à l'ancien provençal *repropchar* ; l'espagnol *reprochar* est repris au français.

♦ Le verbe signifie «rappeler avec aigreur, faire grief de qqch.» et, avec une nuance différente, «blâmer (qqn) en le rendant responsable d'une faute, d'une chose fâcheuse» (v. 1175). La construction avec *de* et l'infinitif *(reprocher d'avoir fait)* a éliminé la construction classique avec *que* (1640) ou *de ce que* (av. 1662) qui régissait l'indicatif : *reprocher à qqn qu'il a* ou *de ce qu'il a* (fait telle chose). ◆ Le sens de «récuser en alléguant des raisons» (1339) a disparu, mais survit dans le langage juridique pour «demander que l'on écarte un témoin en invoquant une cause précise» (1538). La locution familière de sens figuré ***reprocher la nourriture à qqn*** «faire sentir à qqn qu'il mange trop» est enregistrée depuis 1718 (Académie). ◆ La forme pronominale *se reprocher* (1686) s'emploie d'abord au sens réfléchi pour «se faire des reproches à soi-même», puis réciproque.

▸ **REPROCHE** n. m., déverbal de *reprocher* (v. 1160), est d'abord attesté sous la forme *reproce* (v. 1080). Le mot est parfois considéré comme féminin (v. 1160) jusqu'au milieu du XVIIe s. ; ce féminin est encore chez Corneille. ◇ *Reproche* désigne ce que l'on dit à qqn pour lui manifester son mécontentement, spécialement dans la locution ***sans reproche*** loc. adj. ou adv. qui a deux valeurs, l'une passive (1527) «à qui on ne peut faire de critiques» (Bayard est appelé le Chevalier ***sans peur et sans reproche***), l'autre active, «sans prétendre reprocher quoi que ce soit» (1594). Le sens métonymique de «motif de blâme» (v. 1160) a disparu au XVIIe siècle. Le pluriel *reproches* a pris en droit, d'après le sens spécial du verbe, le sens de «raisons que l'on produit pour récuser des témoins» (1549). ◆ **REPROCHABLE** adj. a perdu le sens général de «qui mérite des reproches» (v. 1200), encore usuel à l'époque classique, et ne survit guère qu'au sens juridique de «récusable» (1636). ◆ Il en va autrement du dérivé et antonyme **IRRÉPROCHABLE** adj. (1565), antérieurement *inreprochable* (v. 1460), répandu dans l'usage courant pour qualifier une personne ou une chose à laquelle on ne peut faire aucun grief ; d'où une chose parfaite dans son genre, avec un développement comparable à celui d'*impeccable*. ◇ Le mot a pris la spécialisation juridique d'«irrécusable» (av. 1622). ◇ Il a pour dérivés : **IRRÉPROCHABLEMENT** adv. (1613, Nostradamus) et **IRRÉPROCHABILITÉ** n. f. (1791), plus rare.

REPRODUIRE → **PRODUIRE**

RÉPROUVER v. tr., d'abord *repruver* (1080) puis *reprover* (v. 1120), *reprouver* (v. 1278), écrit depuis le XVIIIe s. avec un accent, *réprouver* (1721), d'après la prononciation latine, est issu du latin ecclésiastique *reprobare* «rejeter, condamner», formé de *re-* (→ re-) exprimant le mouvement en arrière, au figuré la mise à l'écart, et de *probare* «éprouver, approuver» (→ prouver).

♦ Le verbe a eu en ancien français le sens de «reprocher (qqch.) à qqn». ◇ Il s'est fixé avec le sens fort de «rejeter en condamnant sévèrement, écarter avec indignation, critiquer vigoureusement» (v. 1120), perdant les valeurs voisines de «réfuter», «récuser» (v. 1370) et la valeur affaiblie de «regretter» en emploi absolu (XVe s., Charles d'Orléans). Il se spécialise dans la langue religieuse, le sujet désignant Dieu, pour «condamner (un pécheur)», surtout à la voix passive (v. 1278). L'usage de la forme pronominale *se réprouver* au sens de «se garder de» (XVIe s.) a été rapidement abandonné.

▸ **RÉPROUVÉ, ÉE**, le participe passé de *réprouver*, est adjectivé (v. 1170 dans un sens peu clair) et employé avec le sens religieux de «qui s'oppose délibérément à la loi divine par le péché» (v. 1354). ◇ Ultérieurement, il est substantivé, *les réprouvés* désignant les damnés (1608), puis se laïcise, s'appliquant à l'époque classique à un être condamnable, un mauvais sujet (1680). Cette valeur profane, devenue archaïque, a été remplacée à l'époque romantique par celle de «personne rejetée par la société et qui entre en guerre avec elle» (v. 1820). ➜ **RÉPROUVABLE** adj. (1370), longtemps écrit *reprouvable* sans accent, qualifie la personne ou l'action qui doit être réprouvée.

◈ voir **RÉPROBATION**.

◈ **REPS** n. m., d'abord noté *retz* (1730), puis *reps* (1812), est d'origine incertaine, l'hypothèse de l'emprunt à l'anglais *rep* étant à écarter. En effet, ce mot, postérieur au français, écrit *rep* (1860) puis *reps* (1867) semble lui-même emprunté au français. On a évoqué l'anglais *reb*, forme dialectale de *rib* «côte» (ce tissu étant à côtes), employée au pluriel *rebs* (la forme *ribs* est à l'origine de l'allemand *Rips*) et, plus vraisemblablement (P. Guiraud), la forme picardo-wallonne *réper* «racler, râper», les côtes de ce tissu formant comme une sorte de râpe, de *râper**. On pourrait aussi imaginer une forme lorraine de *râper, réper*, dont *reps* procéderait par métathèse du *s* (cf. *raps* «râpe» en Wallonie). Toutefois, aucune base historique ne corrobore cette hypothèse.

♦ Le mot désigne techniquement la combinaison de croisement de fils de trame et chaîne ; par métonymie, il dénomme une étoffe à côtes perpendiculaires aux lisières, souvent employée dans l'ameublement.

REPTATION n. f. est emprunté dans l'usage didactique (1834 ; peut-être 1810) au latin *reptatio, -onis* : «action de se traîner», dérivé du supin *(reptatum)* de *reptare* «ramper», fréquentatif (surtout usité dans la langue poétique) du latin classique *repere* «ramper», «se traîner», «cheminer lentement, se glisser». Ce dernier a des correspondants exacts pour le sens et proches pour la forme dans les langues baltes : lette *ràpuôs, raptiês* «ramper», lituanien *rèplióti* «aller à quatre pattes». Le verbe latin indiquant la progression particulière au serpent était plutôt *serpere* (→ serpent). En français, les verbes latins ont été remplacés par un mot germanique détourné de son sens premier, *ramper**.

♦ Le mot désigne le mode de locomotion de certains animaux pourvus de pattes très courtes ou dépourvus de pattes et se propulsant par ondulations et rétractations alternatives. Par analogie, il se dit d'un mode de progression semblable chez l'être humain à plat ventre (1935). ➜ Comme *ramper*, auquel il sert de nom d'action, il a développé une valeur figurée péjorative, désignant l'attitude d'une personne qui s'abaisse devant des gens puissants ou influents (XXe s.). ➜ Il a été repris en géomorphologie pour un type de très lente descente du sol (1964), et en physique pour le déplacement progressif des cycles des valeurs prises par l'induction magnétique dans un corps ferromagnétique (1975). *Reptation* est recommandé officiellement pour remplacer l'anglicisme *snaking* (de *snake* «serpent»), dit des oscillations d'un aéronef autour de l'axe de lacet.

◈ voir **REPTILE**.

REPTILE adj. et n. m. est emprunté (1304) au bas latin *reptilis* «qui rampe», employé substantivement au neutre *reptile* pour désigner un animal rampant, du latin classique *reptum*, supin de *repere*, «ramper» (→ reptation).

♦ Le mot, repris comme nom pluriel (*reptilles*, 1314), le singulier n'étant attesté que depuis 1530, s'entendait autrefois dans l'acception large d'«animaux rampants», s'appliquant aussi bien aux serpents qu'aux vers et aux chenilles. La distinction ultérieure entre vertébrés et invertébrés le fit se restreindre aux seuls serpents, ce qui est conforme à l'usage courant moderne, où les concepts de *reptile* et de *reptation* sont perçus comme liés. En zoologie, cependant, et depuis Brisson (1756), le mot, précisé par Lamarck (1804), Brongniart, Cuvier, Duméril, sert à désigner une vaste classe de vertébrés à respiration pulmonaire, à température variable, à peau écailleuse, comprenant non seulement les serpents, mais les tortues, lézards, crocodiles... (sauriens), etc. et, identifiés au cours du XIXe s., de très nombreuses espèces fossiles du secondaire, parmi lesquelles les dinausoriens, sauroptérygiens, ichtyosauriens, le ptérodactyle, etc. Au XIXe s., les reptiles (depuis Brongniart et Duméril) [1807] incluent les batraciens*, parfois appelés *reptiles nus* (Blainville, 1816) ; l'extension du terme se réduit ensuite. ➜ L'emploi adjectivé du mot au sens de «qui rampe» (1304) a vieilli, sauf acception métaphorique dans le style littéraire (1697). Le même type de métaphore fit appliquer péjorativement le nom à un homme bas, méprisable, «rampant» (av. 1778). ◆ D'après une métaphore d'un discours de Bismarck en 1869, le mot s'est employé à propos d'un journaliste payé sur des fonds secrets (1888), fonds par lesquels Bismarck soudoyait la presse officieuse et qui reçurent l'appellation de *fonds des reptiles* (1874), d'après l'allemand *reptilien Fonds.*

▶ De *reptile* dans cette acception circonstancielle est dérivé **REPTILIEN, IENNE** adj. (1888) dit de ce qui était payé sur des fonds secrets. ◇ Le sens général neutre de «qui se rapporte aux reptiles, rappelle les reptiles», (1874) est peut-être un emprunt, l'anglais *reptilian,* qui, dans ce sens, est attesté au milieu du XIXe siècle.

REPU, REPUE → REPAÎTRE (art. PAÎTRE)

RÉPUBLIQUE n. f. est emprunté (v. 1140) au latin classique *respublica* qui désigne le bien public, la propriété d'État, puis l'État, les affaires publiques, la vie politique, spécialement le gouvernement dans ses rapports avec l'extérieur et aussi une forme de gouvernement. Le mot est issu de la soudure de *res publica* «chose publique» (par opposition à *privatae res*), de *res* «chose» (→ rien), lui-même employé elliptiquement pour *res publica,* et de *publica,* féminin de *publicus* (→ public).

♦ Le mot a été repris avec le sens restreint, aujourd'hui courant et majoritaire, de «forme d'État dans lequel les citoyens exercent la souveraineté, soit en désignant par leurs votes un président et des représentants, soit en élisant des représentants qui à leur tour désignent le président». Avant la Révolution cependant, le mot, rare avant le XVIe s., époque où il évoque l'Antiquité romaine, n'eut pas de définition juridique, les dictionnaires des XVIIe et XVIIIe s. le définissant comme «État ou gouvernement populaire» comprenant la démocratie et l'aristocratie, mais excluant leurs déformations (oligarchie, démagogie). Le sens latin de «chose publique» (1520) a vieilli lorsque le sens politique restreint, défini juridiquement avec la Révolution, s'est imposé. Il subsiste toutefois dans les emplois historiques où le mot renvoie à la notion antique et ancienne, notamment dans les titres de traités de Platon, Cicéron, en français Jean Bodin (1576), La Bruyère; la tragédie classique diffuse ce sens historique du mot, se référant au type de régime que connut la Rome antique entre la fin des Tarquins et l'Empire (1651, Corneille, *Nicomède*). Par ailleurs, des régimes modernes sont aussi désignés par ce mot (*république de Hollande,* par exemple) dès le XVIIe siècle, établissant une opposition avec *royauté.* ◆ Du sens général latin est sorti l'usage ancien du mot pour une société organisée (1549), un corps politique et, collectivement, un ensemble d'États ayant un caractère commun (XVIIe s.), un État, un gouvernement légitime où le pouvoir exécutif est le «ministre du souverain» (XVIIIe s.). En est également sorti l'emploi figuré à propos d'un groupe social formant une communauté fraternelle (1680), surtout dans l'expression ***république des lettres*** couvrant l'ensemble des œuvres littéraires (1648) et des gens de lettres (1664). Son emploi analogique appliqué à une colonie d'animaux vivant en communauté (1667), encore chez Zola, a disparu. ◆ L'application de *république* à un régime français date de la Révolution et de l'instauration de la *première République* (acte constitutionnel du 24 juin 1793), qui, après l'Empire et la Restauration, fut suivie de la *seconde République* (acte constitutionnel du 4 novembre 1848), puis de la *troisième* (1871), de la *quatrième* (1944) et de la *cinquième République* (1958). *République* peut être qualifié pour spécifier le type de régime républicain : *république représentative, libérale,* etc. Par métonymie, le mot désigne l'État régi par une république, par exemple dans les expressions ***république populaire*** (1869), reprise au XXe s. pour désigner les régimes à partis communistes, et ***république socialiste*** (v. 1920) ou dans des désignations officielles d'États. ◆ Psychologiquement, le mot s'applique à l'état d'esprit prenant pour principe la souveraineté du peuple, par exemple dans la locution familière ***on est en république*** «on est libre» (1964) où le mot équivaut à *démocratie. Se ficher de la république* (1901, Bruant) équivalait à *se ficher du monde.* ◆ Dans le domaine artistique, il s'emploie pour l'allégorie représentant (sous la troisième République française) la République sous les traits d'une femme (1875).

▶ **RÉPUBLICAIN, AINE** adj. et n. (1586) s'est appliqué à une personne vivant sous le régime de la république avant de prendre le sens de «partisan de ce type de régime» (av. 1630), notamment dans le cadre d'un régime différent, en général monarchique (1690) ou impérial. Au XVIIe s., le mot a commencé à s'employer adjectivement pour qualifier une personne favorable à la république (1658), d'abord péjorativement dans le cadre d'une France monarchique (1694), et, dans un sens descriptif neutre, ce qui a rapport au régime politique appelé république (1690). ◇ Par métonymie, il qualifie ce qui est caractéristique de l'état d'esprit des partisans de la république (1875). Le nom figure dans la dénomination de groupes ou partis politiques (1869). Employée spécialement, la dénomination ***parti républicain*** (1904; déjà *les républicains* en ce sens, 1875) est un calque de l'anglais pour désigner l'un des deux grands partis politiques américains (opposé à *démocrate*). ◆ L'ancien sens de *république* «collectivité animale» s'est trouvé réactivé par *républicain* désignant en zoologie un passereau qui bâtit un nid collectif divisé en nombreux logements (1828). ◆ *Républicain* a donné deux dérivés : **RÉPUBLICANISME** n. m. (1750) et **RÉPUBLICANISER** v. tr. (1792) «donner le caractère républicain à» et «constituer en république» (1798).

RÉPUDIER v. tr. est emprunté (XIIIe s.) au latin *repudiare* «repousser qqn, rejeter qqch.», spécialisé en droit pour «refuser d'accepter (un héritage, un fidéicommis)» et «renvoyer (sa fiancée, sa femme)». Ce mot est issu de *repudium,* «fait de repousser du pied» d'où «rejet de la femme, divorce, séparation», rapproché par étymologie populaire du verbe impersonnel *pudet* «avoir honte» (→ pudeur), mais probablement issu de *pes, pedis* (→ pied), avec *re-* indiquant le mouvement en arrière. L'ancien français a eu le type populaire *repuier* (1174-1176).

♦ Le mot a été repris avec sa spécialisation juridique, «repousser (sa femme) en vertu d'une disposition légale ou coutumière» et a développé le sens figuré de «rejeter (ce que l'on avait admis jusque-là)», qui reprend (v. 1360) le sens de l'ancien verbe *répuier*. Avec un complément d'objet désignant un inanimé, *répudier* a pris en droit le sens de «renoncer volontairement à (un bien)» (XVIe s., *répudier la succession*, Coutumier général).

▸ **RÉPUDIATION** n. f. est emprunté (v. 1330) au dérivé latin *repudiatio, -onis* «action de rejeter, refus». ◇ Le mot fournit un nom d'action au verbe dans son acception juridique la plus courante : «renvoi de la femme par son mari». Il a été étendu au XIXe s. à l'action de renoncer à un droit sur un bien (1804) et, au figuré, à l'acte par lequel on rejette ce que l'on admettait jusque-là (1839, Balzac). ➔ Le radical latin a donné **RÉPUDIATOIRE** adj. «relatif à la répudiation» (1925), tardif et d'usage littéraire.

RÉPUGNANT, ANTE adj., attesté avant le verbe correspondant (1213), est emprunté au latin *repugnans, -antis*, participe présent de *repugnare* «résister», «lutter contre», «être incompatible avec», de *re-* (→ re-) marquant le mouvement en arrière d'où l'opposition, et de *pugnare* «lutter à coups de poing, se battre», lui-même issu de *pugnus* (→ poing). À basse époque, *repugnans* a été adjectivé au sens de «contradictoire», son pluriel neutre *repugnantia* étant substantivé dès l'époque classique en rhétorique pour désigner des choses contradictoires (Cicéron).

♦ L'adjectif, emprunté en scolastique au sens de «contraire, opposé, résistant à», encore relevé au XVIIe s., s'est spécialisé pour «en opposition avec (la foi, la raison, la loi)» (v. 1600), lui-même répertorié jusqu'en 1878. ➔ Après le XIVe s., l'attraction de *répugner* lui a fait prendre le sens actif de «qui ressent une grande aversion envers qqch.» (1540). Par changement de point de vue, il a pris au XVIIIe s. sa valeur actuelle, «qui inspire un dégoût physique» (1753), d'où «qui dégoûte moralement» (seulement attesté au XXe s. ; 1932, Céline), laquelle semble provenir des emplois plus anciens de *répugnance*.

▸ **RÉPUGNANCE** n. f. est emprunté (v. 1250) au latin *repugnantia*, issu du participe présent et désignant un moyen de défense, un désaccord, une antipathie, une opposition, une incompatibilité. ➔ Le mot, d'abord didactique comme *répugnant*, désigne alors l'opposition, la contradiction, l'incompatibilité. ◇ À partir du XIVe s., il subit l'influence de *répugner* et de *répugnant* et s'applique à l'aversion physique que l'on éprouve à l'égard d'une chose que l'on ne peut supporter (v. 1650), et, par affaiblissement, au sentiment de gêne, de réticence avec lequel on subit ou on fait qqch. (1651), aussi au dégoût physique ou moral qui fait éviter une personne (1680). Il est alors voisin de *répulsion*, de *rejet* et de *dégoût*.

▸ **RÉPUGNER** v. tr. ind. est emprunté (v. 1370) au latin *repugnare* (ci-dessus), l'adjectif *répugnant* étant déjà en usage. ➔ Le verbe, repris pour «être contraire, s'opposer, résister à» et aussi «s'opposer à, contredire», à propos de contradictions et d'opposition d'opinions, est sorti d'usage après l'époque classique. Sporadiquement, on le rencontre en construction directe au sens de «repousser» (1519). Aux XVIe et XVIIe s., il s'emploie absolument avec la valeur plus générale de «lutter, exercer une résistance» (v. 1519) ; l'idée d'«hostilité» cédant le pas à celle d'«aversion», il s'emploie pour «éprouver de l'aversion à faire une chose» (XVIIe s.), puis, suivi d'une préposition, pour «éprouver de l'aversion envers» (1643). ◇ Par changement de point de vue, il s'emploie également avec un sujet désignant la chose ou la personne qui inspire la répulsion (1718), notamment dans la construction impersonnelle *il me répugne de* (1798). ➔ Le participe passé adjectivé **RÉPUGNÉ, ÉE** a aussi les deux valeurs : «qui exprime la répugnance» (1880) et «qui éprouve de la répugnance» (1885). Les autres dérivés, tous relatifs au sens ancien d'«être contraire à, s'opposer», sont sortis d'usage.

RÉPULSION n. f. est emprunté (v. 1450) au bas latin *repulsio, -onis* «action de repousser» et au figuré, «rejet», du latin classique *repulsum*, supin de *repellere* «repousser, écarter» de sens propre et figuré. Ce mot est formé de *re-* (→ re-) indiquant la mise à l'écart et de *pellere* «remuer, pousser» (→ pousser).

♦ En moyen français, le mot a servi de nom d'action à *repousser*, désignant l'action concrète de repousser l'ennemi, de chasser qqn. Il a été repris au XVIIIe s. probablement, d'après *répulsif* (ci-dessous), comme terme de physique pour désigner l'effet résultant des forces qui tendent à éloigner deux corps l'un de l'autre (1746, Nollet). ➔ Ensuite, il a développé le sens figuré d'«éloignement par désaffection ou antipathie» (v. 1772), surtout littéraire, prenant dans l'usage courant le sens renforcé de «vif sentiment de dégoût» (1775), alors proche de *répugnance* et de *dégoût*. ➔ Au XXe s., il a été repris en sport pour désigner un mouvement de gymnastique par lequel on repousse le corps après avoir fléchi les bras (1911), réactivant le sens concret du mot.

▸ **RÉPULSIF, IVE** adj. et n. m. est le dérivé savant (1478) du latin *repulsum* avec le suffixe *-if*. ◇ Employé par les médecins au sens de «qui repousse», sorti d'usage, il a été réintroduit au début du XVIIIe s. comme terme de physique, qualifiant une force contraire à la force de cohésion, qui s'oppose au contact des molécules du corps (1705). ➔ Il a développé le sens figuré de «qui provoque l'aversion» (v. 1772, J.-J. Rousseau), d'usage littéraire. ➔ Au XXe s., il a été substantivé, *un répulsif* désignant en technique une substance utilisée en agriculture pour protéger les cultures en tenant les insectes à distance (v. 1960) et un appareil repoussant les insectes sans les détruire. ➔ Son dérivé **RÉPULSIVEMENT** adv. n'est attesté qu'au XXe s., mais pourrait être antérieur.

RÉPUTER v. est emprunté (1261) au latin *reputare* «calculer, compter», «examiner, méditer, réfléchir», de *re-* (→ re-) à valeur intensive et *putare* «supputer, estimer» (→ putatif).

♦ Le verbe, repris avec le sens de «considérer comme, tenir pour», toujours en usage, était aussi employé jusqu'au XVIIe s. avec la préposition *pour* suivie d'un substantif (1261) ou d'un attribut du complément d'objet (1291) [*réputer qqn pour mauvais*] et, plus rarement, avec la préposition *à* (v. 1360). Seule la construction à la voix passive suivie d'un attribut ou d'un infinitif (fin XIIIe s.) s'est maintenue, dans un style soutenu (*être réputé...*). L'usage de la forme pronominale *se réputer* «se croire tel ou tel» (v. 1355) a disparu, de même que la construction *réputer que* «croire que» (v. 1370). ◇ Les sens transitifs de «dénombrer, compter» (1294), et complémentaires, «blâmer» et «faire honneur à» (1368, Tournai, également *réputer qqch. à qqn*) «faire honneur de qqch. à qqn», sont également sortis d'usage.

► Le participe passé **RÉPUTÉ, ÉE**, adjectivé une première fois au sens de «compté», disparu, a été repris au XVIIe s. avec la valeur de «considéré comme» (1694) qui correspond au verbe, et s'est conservée. Il s'emploie aussi absolument pour «jouissant d'une grande notoriété» (1859), d'une personne et d'une chose (*un vin réputé*) et suivi de la préposition *pour* (1812) en parlant d'une personne, d'une chose connue en raison d'une qualité ou d'un défaut. Il est plus usuel que le verbe.

RÉPUTATION n. f. est emprunté (1370) au dérivé latin *reputatio, -onis* «réflexion, examen», «considération», «compte». Le mot, à la différence du verbe, est resté courant, désignant l'honorabilité morale, la célébrité d'une personne ou d'une chose en raison de sa valeur (1370). ◇ Puis, il a désigné l'opinion bonne ou mauvaise que les gens ont de qqn, de qqch. (1530), par exemple dans les locutions *être en réputation de* (1650) et *avoir qqn en réputation de* (1694), sorties d'usage, et ***ne connaître (qqn) que de réputation*** (1671), ***connaître de réputation*** (av. 1784), ***avoir une, la réputation de*** (1786).

◈ **REQUÉRIR** v. tr. est la réfection (1200) d'après *guérir** de la forme ancienne *requerre* (v. 980) largement usitée jusqu'au milieu du XVIe s. et conservée dialectalement. Ce verbe remonte à un latin populaire °*requaerere*, altération d'après *quaerere*, du latin classique *requirere* «rechercher, être à la recherche de», «être en quête de», et, par l'intermédiaire d'«être en quête d'une réponse», «demander» et «réclamer, exiger». Ce verbe est formé de *re-* (→ re-) à valeur intensive et de *quaerere* «chercher» (→ quérir).

♦ Tout comme *quérir* a pâti de la concurrence de *chercher*, *requérir* a perdu une partie de ses emplois au profit de *rechercher*. *Requerre* s'employait en ancien français pour «prier (qqn), demander (qqch.)» [v. 980], «réclamer (qqch.)» [v. 1050] et, spécialement dans un contexte guerrier «choisir (son adversaire) pour l'attaquer» et «attaquer» (1080), emplois disparus. ➡ De nos jours, le verbe s'emploie encore pour «rechercher (qqn)» [1080] et «prier instamment (qqn) de», spécialement avec la valeur contraignante de «sommer (qqn) de faire qqch.» (1538), suivi de la préposition *de* introduisant un infinitif complément. Le sens de «réclamer» est également réalisé dans un style soutenu avec un complément désignant un abstrait (1538), notamment dans *requérir de l'aide* (1875). Avec un sujet désignant une chose, *requérir* (comme *réclamer*) signifie «exiger, avoir besoin de» (1538), notamment en tournure impersonnelle. ➡ De la spécialisation juridique ancienne de «demander par voie judiciaire» (1231), est tiré «accuser (qqn) de» (1538), «porter plainte contre» (1549), qui ne s'est maintenu qu'en parlant du procureur qui présente son *réquisitoire** contre l'accusé (1690). ➡ Ultérieurement, *requérir* a développé un sens très proche du verbe apparenté *réquisitionner** (1789) «réclamer pour utiliser en vertu d'un droit légal», spécialement «faire la réquisition de personnes» (1847).

► Les dérivés remontent tous à l'ancien français. ➡ **REQUÊTE** n. f. (1291), d'abord *requeste* (v. 1155), est tiré de l'ancien infinitif *requerre* d'après *quête**. ◇ Il désigne la demande instante adressée à une personne ayant officiellement un pouvoir de décision et, par extension, une prière adressée dans une forme polie (v. 1278). Son usage, plus que celui du verbe, est surtout juridique : il désigne la demande par écrit présentée suivant certaines formes établies à un magistrat pour ordonner une mesure de procédure, solliciter une autorisation, notamment dans la locution ***à la requête de*** (1283), reprise à l'usage courant où elle signifiait «à la demande de» (1256). Toujours en droit, le mot s'est spécialisé à propos du mode d'introduction en justice de certaines procédures (1611) dans *requête civile* (1611), *requête verbale* (1690), *requête incidente* (1875), désignant aussi par métonymie le mémoire présenté par un avocat ou une partie civile pour introduire une procédure devant la Cour de cassation ou le Conseil d'État (22 juillet 1806, *Bulletin des lois*), d'où ***maître des requêtes*** (1809 au sens actuel ; 1424 dans le cadre du Conseil du roi) et *section des requêtes* (1870). Ces emplois institutionnels sont propres au français de France. ➡ L'ancien emploi de *requérir* à valeur itérative, «chercher de nouveau», spécialisé en vénerie, survit dans l'emploi de *requête* en vénerie (v. 1270) qui a produit à son tour le verbe **REQUÊTER** v. tr. (1394). ◇ Le participe passé, de ce verbe, **REQUÊTÉ**, est substantivé (1794) à propos du ton de chasse employé afin de rappeler les chiens à soi.

REQUIS, ISE, participe passé de *requérir*, a été adjectivé (v. 1160) pour qualifier d'après l'ancien français *requerre* (ci-dessus) un combat acharné, une personne distinguée (v. 1240), puis une chose demandée, recherchée (XVIe s.). Cette disparité de sens fut résolue, certains sens étant transférés à *exquis**, et *requis*, sous l'influence du verbe, ne signifiant plus que «demandé, réclamé, convenable» (1534). ◇ Ultérieurement, suivant le développement de *requérir*, le mot a pris le sens d'«engagé par voie d'autorité» (cf. *réquisition*), substantivé en parlant d'un civil réquisitionné en temps de guerre (1932), puis d'un citoyen contraint d'exercer certains travaux pour une puissance occupante (1943) et en parlant d'un civil faisant l'objet de réquisition pour un emploi déterminé en temps de paix (milieu XXe s.).

REQUÉRANT, ANTE, le participe présent, a été adjectivé (v. 1278) au sens de «solliciteur, soupirant», sorti d'usage. Il s'emploie en droit pour désigner la personne qui requiert en justice (1342 comme nom, 1690 comme adjectif), et se dit en vénerie d'un chien qui quête pour retrouver la trace d'un animal (1573) cf. ci-dessus *requête*. ✦ **REQUÉRABLE** adj. (1275) s'emploie en droit pour ce que l'on doit requérir en personne.

◈ voir RÉQUISITION, RÉQUISITOIRE.

REQUIEM n. m. est l'emploi comme nom commun (1277) du latin *requiem*, accusatif de *requies*, de *re-* (→ re-) à valeur intensive et *quies* «calme» (→ coi, quiet) qui désignait spécialement, chez les auteurs chrétiens, l'endroit où reposait un saint, l'autel sous lequel se trouvaient ses reliques. L'accusatif *requiem* fournissait le premier mot d'une prière catholique de l'office des morts : *requiem aeternam dona eis, domine* («donne leur le repos éternel, Seigneur»). Les représentants de *requies* en ancien français, *requei* n. m. (v. 1155) et *recoi* (XIe s.) : «cachette, abri» et «repos» (XVe s.), sont sortis de l'usage au XVIIe siècle.

♦ Le mot désigne une prière pour le repos de l'âme d'un mort, spécialement dans l'expression *messe de requiem* (fin XIVe s.). L'expression figurée *face de requiem* s'est dite d'une figure pâle et défaite. ◇ L'emploi pour désigner l'introït de la messe des morts commençant par ce mot est enregistré en 1690 par Furetière. Il désigne aussi la partie de la messe des morts mise en musique (1810, Mme de Staël à propos du *Requiem* de Mozart).

◈ voir REQUIN.

◈ **REQUIN** n. m., attesté depuis 1529, est d'origine controversée. La graphie *requien* (1578), puis *requiem* (XVIIe s.) disparue, est une altération due à l'étymologie alors donnée du mot : «Quand il a saisi un homme... il ne reste plus qu'à faire chanter le Requiem pour le repos de l'âme de cet homme-là» lit-on chez Huet ; il s'agit probablement là d'une étymologie populaire, perpétuellement reprise. Bloch et Wartburg évoquent à meilleur escient un dérivé du normand *quin* «chien» (→ chien), forme courante en picard, avec un préfixe *re-** ayant valeur de renforcement et rappellent la dénomination populaire *chien de mer* désignant un squale depuis le XIIIe siècle. P. Guiraud préfère partir d'une forme normande de *rechigner** «montrer les dents en grimaçant», d'où est sorti l'adjectif *rechin* «grincheux» (attesté plus tard : XVIIe-XVIIIe s.), avec allusion à la denture impressionnante de l'animal ; l'existence d'une forme non palatalisée est attestée par l'ancien picard *rekigner* «faire triste figure» ; certaines valeurs de *requinqué** pourraient aussi être évoquées. Une autre hypothèse, moins convaincante, part d'une fausse coupe d'un mot supposé °*orquin* emprunté à l'italien °*orchino*, forme diminutive supposée de *orca* (→ orque).

♦ Le mot s'emploie pour désigner un squale de grande taille, seul ou dans quelques syntagmes déterminés, du type *requin baleine* (1529) puis *requin pèlerin*, *requin-marteau* (ci-dessous), etc. ◇ Par allusion à la voracité et à la puissance du squale, il s'emploie au figuré à propos d'un homme d'affaires impitoyable et avide (1790).

▸ Le composé **REQUIN-MARTEAU** n. m. (1904), désigne un grand requin dont la tête porte une protubérance (comparée à un marteau). ✦ **REQUINISME** n. m. «cupidité» (XXe s.) est un dérivé rare du sens figuré.

REQUINQUER v. tr. (1578) est d'origine incertaine : selon Bloch et Wartburg, c'est un mot picard issu d'un verbe °*reclinquer* «redonner du clinquant, de l'éclat», lui-même formé de *re-** et de l'ancien verbe *clinquer* (→ clinquant) avec chute du *l* comme dans *quincaille**. Cependant, ce verbe était aussi connu en Provence et Languedoc : Odde de Triors définit le languedocien *requinqua*, «s'égayer, se reverdir» (de personnes habituellement tristes, de vieillards). On a aussi évoqué *reclinquer* «réparer une barque» (1382) du néerlandais *klink*. P. Guiraud part de *déglinguer**, lui-même variante de *déclinquer*, interprété comme «disloquer (un bateau) en arrachant les *clins*», et qu'il fait remonter à *clincher*, *clinquer* «faire pencher, incliner» et, dans les dialectes normanno-picards «perdre son aplomb, céder, plier». *Clinquer* est issu d'un latin °*clinicare*, de *clinare* (→ incliner). *Requinquer* signifierait alors proprement «remettre d'aplomb». Le mot a été popularisé par une chanson déjà connue au temps de François Ier, où on se moquait d'une vieille femme coquette cherchant à se parer comme une jeune ; le refrain en était : «Requinquez-vous, vieille, requinquez-vous donc». ◈

♦ D'abord attesté par le participe passé *requinqué*, adjectivé dans l'expression *camus requinqué* «nez retroussé» (1578), le verbe s'est employé à la forme pronominale *se requinquer* (1611) «se parer, se vêtir de neuf», sens aujourd'hui sorti d'usage. ✦ *Requinquer* a pris au XVIIIe s. (1732, Voltaire) le sens figuré de «redonner le moral» mais ce n'est qu'au XXe s. que la forme pronominale a le sens usuel de «reprendre des forces» (1932) et que le verbe transitif signifie «redonner une belle apparence à (qqn)» (1904), puis «redonner de la vigueur» (milieu XXe s.).

▸ Les dérivés **REQUINQUAGE** n. m. (1904), **REQUINQUANT, ANTE** adj. (1950) et **REQUINQUÉ, ÉE** adj. usuel, datent du XXe s. et sont, comme le verbe, d'usage familier.

RÉQUISITION n. f. est emprunté (v. 1160) au latin impérial *requisitio, -onis*, nom d'action dérivé du supin *requisitum* de *requirere* (→ requérir). Le mot latin signifie «recherche» ; il s'est spécialisé à l'époque médiévale aux sens juridiques de «réclamation» (v. 779), «demande» (XIIIe s.) et «droit de mutation» (v. 1081).

♦ Le mot a désigné l'action de demander, de sommer, avant d'être définitivement évincé par le terme apparenté *requête**. Il a été repris au XVIIe s. en droit pénal pour désigner l'acte par lequel le procureur demande l'application de la loi contre un accusé déclaré coupable (1636, le plus souvent au pluriel *réquisitions*), en concurrence avec *réquisitoire**. L'expression *réquisition d'audience* (1690) désigne la demande incidente faite à l'audience pour requérir la présentation d'une pièce ou d'une personne. ✦ C'est avec la Révolution que le mot a commencé à s'appliquer à l'acte par lequel l'autorité militaire, en temps de guerre, procède à des prélèvements de biens ou exige des prestations de services (26 avril 1792, *Moniteur universel*), entrant dans l'expression *réquisition armée* à propos de la levée en masse décrétée en 1793 par le Comité de salut public (23 août 1793, *Moniteur universel*). En droit administratif, le mot désigne (20 février 1790) l'action d'une autorité civile qui exige d'une personne ou d'une collectivité une prestation d'activité ou la remise d'un bien ; il a servi à former des syntagmes déterminés précisant la nature de la réquisition, tels *réquisition de paiement* (1936), *réquisition de logement* (1945).

▸ Ses deux dérivés sont apparus sous la Révolution. ◆ **RÉQUISITIONNAIRE** adj. et n. m. (1793) qualifie et désigne un jeune soldat réquisitionné lors de la levée en masse décrétée en 1793, puis lors de certaines mobilisations. ◆ **RÉQUISITIONNER** v. tr. (1796), «se procurer une chose par voie de réquisition», signifie aussi et plus récemment «assigner une tâche à qqn en vertu d'un acte de réquisition» (1888, Zola). Il est passé dans la langue familière au sens d'«utiliser (qqn) d'office, de manière autoritaire» (1883 ; entré tardivement dans les dictionnaires : 1964, *Le Robert*). ◇ Son emploi intransitif au sens de «prononcer un réquisitoire» en droit pénal (1842) est quasiment abandonné. ◆ Du verbe dérivent **RÉQUISITIONNABLE** adj. (1922, P. Hamp) et **RÉQUISITIONNÉ, ÉE** adj. (1935).

◈ voir RÉQUISITOIRE.

RÉQUISITOIRE n. m. est un dérivé savant (1379) du latin *requisitum*, supin de *requirere* (→ requérir), sur le modèle de nombreux adjectifs juridiques en *-oire*.

♦ L'emploi adjectif qualifiant ce qui exprime une requête (*lettres réquisitoires* ; 1403, *commission réquisitoire*) a été abandonné au profit de son dérivé (ci-dessous). ◆ Le mot, substantivé au sens juridique large de «requête, demande» (1577), avec lequel il a été synonyme de *requête*, s'est spécialisé en relation avec *requérir**, pour le développement du procureur de la République énumérant les charges qui pèsent sur l'accusé et demandant contre lui l'application de la loi (1637). Malgré le décalage chronologique des attestations, ce sens explique l'emploi du mot pour tout discours ou écrit rassemblant des reproches véhéments (1594).

▸ **RÉQUISITORIAL, ALE, AUX** adj. (1743) a suivi l'évolution du nom : il a perdu le sens de «qui exprime une requête» pour ceux de «qui concerne la réquisition» (1793) et «qui se fait par réquisitoire» (1823), manifestant ainsi le chevauchement sémantique entre *réquisitoire* et *réquisition*. Dans son emploi étendu pour «critique motivée et condamnation explicite», *réquisitoire* constitue un élément de composition (*livre-réquisitoire, film-réquisitoire*).

RESCAPÉ → ÉCHAPPER (RÉCHAPPER)

RESCINDER v. tr. est emprunté (1406) au latin *rescindere* «déchirer, rompre», au figuré «annuler, abolir», de *re-* (→ re-) à valeur intensive et *scindere* «déchirer, fendre» (→ scinder). Le moyen français a aussi utilisé le type *rescindre* (1481) jusqu'au XVIe s. et le latin avait donné par emprunt, en anglo-normand (v. 1138), un verbe *recendir* «fixer le droit de qqn au détriment de».

♦ Le verbe est employé en droit d'abord pour «alléger en réduisant, en retranchant», puis pour «casser, annuler (un acte, un contrat)» (1422).

▸ *Rescinder* a produit **RESCINDANT, ANTE** adj. (1579), d'abord *rescindent* (1551) «qui donne lieu à l'annulation d'un contrat», substantivé à propos de l'instance ayant pour but la rétraction de la décision attaquée (XVIe s.).

RESCISION n. f. est emprunté (1465) au dérivé bas latin des juristes *rescissio, -onis* «abolition, annulation». ◇ Ce terme désigne l'annulation judiciaire d'un acte pour cause de vice radical. ◇ Un nouvel emprunt au latin classique pour «action de couper» aboutit à un sens médical en chirurgie, «ablation d'une partie molle» (1796, Sabatier). ◆ **RESCISOIRE** adj. et n. m. emprunt (XIIIe s.) au bas latin juridique *rescissorius* ou *rescisorius* «résolutoire», du supin de *rescindere*, qualifie ce qui donne lieu à rescision. Il est employé substantivement (déb. XVIIe s.) pour une action intentée sur le fond quand le jugement ou l'acte a été annulé, en concurrence avec *rescindant*.

RESCOUSSE n. f., réfection (XIIIe s.) de *rescosse* (v. 1130), *rescusse* (v. 1160), serait le participe passé féminin substantivé de l'ancien verbe *rescorre, rescourre* (v. 1170) «reprendre, délivrer». Ce verbe est composé de *re-** et de l'ancien français *escorre* (v. 1120), «secouer, agiter», qui remonte au latin *excutere* «faire sortir ou tomber en secouant, arracher», de *ex-*, préfixe marquant le mouvement de l'intérieur vers l'extérieur (→ e-), et de *quatere* «secouer, agiter» (→ casser). Pierre Guiraud analyse le doublet archaïque *recousse* (en usage du XVIe au XIXe s.) comme le représentant du latin *recursus* «retour en courant» (→ recours) avec assimilation du *r* de *sr* donnant *ss* (fait bien attesté en français, → revêche). Toujours selon Guiraud, le type *rescousse*, comme le provençal *rescossa*, l'italien *riscossa*, correspond bien au verbe *rescorre* «secourir, délivrer» mais ce verbe n'aurait rien à voir avec le latin *excutere* : il remonterait au latin *excurrere* «faire une sortie» (→ excursion). Le français aurait donc deux formes voisines : l'une apparentée à *recurrere* «courir en arrière» et l'autre à *re(e)xcurrere* «revenir en arrière en faisant une sortie».

♦ Le mot s'est employé pour l'action de reprendre une personne ou une chose enlevée par force puis, en droit maritime, la reprise, par un navire de sa nation, d'un bâtiment de commerce saisi par l'ennemi (1702). ◆ De nos jours, il n'est plus utilisé que dans la locution ***à la rescousse*** (fin XIVe s., puis 1828), d'abord employée comme cri poussé par un chevalier appelant à l'aide et, de nos jours, pour porter aide et renfort (1870).

RESCRIT n. m. est emprunté (v. 1265) au bas latin juridique *rescriptum* désignant la réponse par écrit de l'empereur aux questions qui lui étaient posées par les magistrats et les gouverneurs de province au sujet de difficultés. *Rescriptum* est le participe passé passif neutre substantivé de *rescri-*

bere «écrire en retour», «répondre» et «écrire de nouveau», de *re-* (→ re-) indiquant le mouvement en retour et *scribere* (→ écrire).

♦ Le mot, repris comme terme d'histoire ecclésiastique, désigne d'abord une réponse à un impétrant, une expédition pour les bénéfices, sens disparu, puis les lettres d'ordre données par certains souverains sur une affaire particulière (v. 1300). ◇ Devenu un terme de droit romain par retour au sens latin (1690), il s'applique également à une lettre du pape portant décision de quelques points de droit (1690).

RÉSEAU → RETS

RÉSECTION → RÉSÉQUER

RÉSÉDA n. m. est emprunté par l'intermédiaire des traductions de Pline (1562) au latin *reseda* de même sens, emploi substantivé de la deuxième personne du singulier de l'impératif présent de *resedare* «calmer un mal», «guérir», de *re-* à valeur intensive (→ re-) et *sedare* «calmer, apaiser» (→ sédatif). Le développement s'explique par les valeurs sédatives attribuées à la plante que l'on appliquait sur les plaies ou les tumeurs (Pline), l'impératif supposant une formule invocatoire du type *reseda morbos reseda* «calme les maladies, calme».

♦ Attesté une première fois en 1562 et repris au XVIIe s. (1659), le mot désigne une plante herbacée à fleurs blanches ou jaune clair en grappes, et ces fleurs. ◇ Il est quelquefois employé comme adjectif de couleur pour une nuance vert-jaunâtre (1864, *couleur jaune de réséda;* 1874 n. m.; 1878 adj.).

▸ Le dérivé **RÉSÉDACÉES** n. f. pl. (v. 1815), terme de classification botanique, désigne la famille de plantes dont le réséda est le type.

RÉSÉQUER v. tr. est emprunté (v. 1350) au latin *resecare* «enlever en coupant, retrancher», de *re-* (→ re-) à valeur intensive, et *secare* «couper, découper» (→ scier). Le moyen français a eu une forme populaire *resser* «scier» (1372), encore vivante dans certains dialectes du Centre.

♦ Le verbe s'est employé, avec un complément désignant une chose, au sens de «ôter, enlever, biffer» (par exemple un passage dans un document) et avec un complément désignant une personne, au sens de «retrancher (qqn) d'une société» (1398). Il signifiait aussi «couper (l'herbe)» (1450). Tous ces emplois ont disparu. ➛ L'usage moderne en a fait un terme de médecine, employé au sens général de «couper, extirper» (1478), puis restreint à la valeur de «retrancher l'extrémité d'un organe malade» (1827).

▸ **RÉSÉCABLE** adj. (1878) qualifie ce qui peut être réséqué.

Le latin *resecare,* par le dérivé tardif *resectio* «taille de la vigne», a servi à former **RÉSECTION** n. f. (1549), «action de couper», spécialisé en chirurgie (1799) et désignant d'abord le fait de retrancher une des extrémités d'un os malade, avant de prendre la valeur actuelle, «action de retrancher la portion malade d'un organe en rétablissant la continuité de sa fonction» (1875), dans *résection cuticulaire* (1875), *résection apicale, endoscopique* (XXe s.). ➛ **RÉSECTEUR** n. m. est tiré de *resection* (1964 dans les dictionnaires généraux) comme nom d'un instrument chirurgical utilisé pour le traitement de certaines affections de la prostate et du col de la vessie.

RÉSERVER v. tr. est emprunté (XIIe s.) au latin *reservare,* de *re-* (→ re-) à valeur intensive et *servare* qui a des acceptions variées, développées par les composés qui ont donné *observer, conserver* et *préserver* (→ serf). *Reservare* signifie «mettre de côté, sauver» et, dès le haut moyen âge, s'emploie en droit au sens de «mettre à part dans un contrat (un droit que l'on ne veut pas exercer aussitôt mais que l'on pourra invoquer plus tard)».

♦ Le verbe a été emprunté à la fois dans sa spécialisation juridique et au sens courant d'«accorder, assigner (une chose concrète, abstraite) à qqn» (v. 1190). De là, un développement sémantique dans deux directions principales, selon que l'accent porte sur le sujet ou l'objet de l'action. ◇ Avec une idée d'anticipation chronologique, *réserver* signifie (1534) «garder (une chose) pour une autre occasion», *se réserver* exprimant l'idée de «se proposer d'agir de telle manière au moment opportun»; le verbe est alors construit avec *à* et l'infinitif (v. 1534), puis *de* et l'infinitif (v. 1680), ou suivi de *pour* et substantif (au pronominal *se réserver pour qqch.*), et signifiant aussi «s'abstenir dans l'immédiat, avec l'intention de se consacrer à qqch. plus tard (1559)». Cet emploi est lié à celui de *réservé* (ci-dessous) qui a produit une acception de *réserve* «retenue». ➛ Dans un usage plus littéraire, *réserver (qqn)* correspond à «destiner (qqn) à une fonction, un avenir» (v. 1587). Avec un complément désignant une chose, il exprime les nuances voisines de «mettre en réserve en vue d'une utilisation ultérieure» et «remettre à plus tard (ce que l'on ne veut pas accomplir pour l'instant)», d'abord *réserver à* et *réserver pour* (1665). Le verbe a aussi la valeur de «mettre de côté (qqch.) à la demande de qqn, pour qu'il en dispose au moment convenu» (1893) et, au XXe s. : «retenir (qqch.)», avec ou sans complément (v. 1950); cette acception, devenue fréquente dans l'organisation des transports, des spectacles, du tourisme, correspond à l'emprunt de ② *réservation* (ci-dessous). ➛ *Se réserver* a pris en outre le sens spécial de «manger modérément dans l'intention de garder de l'appétit pour d'autres mets» (1888). Le pronominal s'emploie absolument en parlant d'un sportif qui garde ses forces pour un autre moment de la compétition ou une autre épreuve (attesté 1964).

La seconde orientation du verbe, dominante depuis la fin du moyen âge, met en jeu l'idée d'une disposition quantitative. Si le sens de «mettre à l'abri d'autrui, préserver» (v. 1360) est sorti d'usage, *se réserver de qqch.* reste usuel pour «garder (qqch.) exclusivement pour soi» et *réserver qqch. à...* signifiant «vouer, consacrer (qqch.) à un usage, une fonction» (XXe s.). Avec un sujet désignant une chose, le verbe exprime l'idée d'être propre à qqn, de lui revenir, notamment au passif dans la tournure impersonnelle *il est réservé à qqn de* (v. 1742) et, avec une nuance rétrospective, *il était réservé à, il lui était réservé de...* «le sort, le destin devait lui accorder de...» (1778). ◆ Au XXe s., toujours avec un sujet désignant un inanimé, *réserver* s'emploie pour «faire qu'une personne soit employée exclusivement par une autre» (déb. XXe s.). ◇ Avec un sujet désignant une personne, il est employé spécialement en peinture, en imprimerie, en gravure en relation avec *réserve* (ci-dessous), au sens de «laisser en blanc dans un tableau, un ouvrage imprimé, soustraire une partie d'une gravure à l'action de l'acide» (attesté milieu XXe s.).

▶ Le déverbal **RÉSERVE** n. f. apparaît (1342) avec son sens juridique «fait de garder à l'avenir un droit dans un contrat». Par métonymie, il désigne la portion de succession dont le testateur ne peut librement disposer (1628). Le pluriel *réserves* s'est employé en droit canon pour les rescrits par lesquels les papes se réservent la nomination et la collation des bénéfices vacants (1549), sens concurrencé ultérieurement par ① réservation et *réservat.* Le singulier *réserve* désigne l'application que l'on fait des cas réservés, fautes que le pape seul peut absoudre (v. 1704). ◆ Le mot était passé au début du XVIIe s. dans l'usage courant pour désigner (surtout au pluriel) la restriction, la limitation que l'on apporte à l'approbation de qqch. (1628), plus tard dans la locution ***faire des réserves*** (1870) qui a originellement le sens de «garder un dissentiment pour l'exprimer plus tard», et qui équivaut surtout aujourd'hui à «exprimer un dissentiment». Ce sens était déjà réalisé dans des locutions adverbiales dont la plus ancienne est ***sans réserve*** (v. 1460) «sans restriction pour l'avenir» d'où «absolument» (av. 1714, Fénelon). ***À la réserve de*** (1660) et ***à la réserve que*** (1676), respectivement «à l'exception de» et «excepté que», sont de nos jours archaïques. ***Sous toute(s) réserve (s),*** au singulier (1843, Nerval) et au pluriel (1878), signifie «sans pouvoir répondre de ce que l'on avance» et devient une formule juridique placée à la fin d'un acte de procédure pour garantir ce qui n'est pas stipulé de manière expresse (1838). ***Sous réserve de*** (1804) locution juridique signifiant «en se réservant le droit, le recours», passe au XXe s. dans l'usage général au sens de «en se réservant la possibilité de». ***Sous réserve que,*** d'un usage plus littéraire, équivaut à «à condition que».
Réserve recouvre aussi, par métonymie, le sens concret de «ce qui est réservé» en correspondance avec les divers sens du verbe : l'idée d'une chose gardée pour un usage ultérieur vient de locutions où le mot conserve la valeur initiale, «fait de réserver», comme ***en réserve*** (v. 1460) «de côté», ***de réserve*** (1690) déterminant un nom d'objet avec l'idée de ce qui reste disponible (d'où par exemple, en chemins de fers, *matériel de réserve*). La métonymie *une, des réserve(s)* [1580] correspond à «chose (s) réservée(s)». Par une autre métonymie, *une réserve* s'applique au local dans lequel on entrepose ce qui n'est pas destiné à une utilisation immédiate. ◆ Un certain nombre d'emplois spéciaux sont devenus usuels : en termes militaires, ***la réserve*** désigne les hommes gardés disponibles pour être envoyés au combat en renfort (1667, *corps de réserve*) puis pendant la Révolution (1791), l'ensemble des citoyens soumis aux obligations militaires légales et qui ne sont plus en service militaire actif mais en disponibilité ; d'où les locutions ***cadre de réserve*** (1870), ***réserve active, unité de réserve*** (XXe s.). De ce sens vient le dérivé *réserviste* (ci-dessous). ◇ En parlant d'un être vivant, le mot exprime les ressources dont il dispose au point de vue physique, moral, intellectuel (1893) ; en physiologie, le pluriel *réserves* recouvre les substances accumulées dans certaines parties des organismes d'animaux et végétaux pour être utilisées à un certain moment de leur développement (1904). ◆ En termes liturgiques, il s'est dit, seul (1704), puis dans l'expression ***sainte réserve*** (1935), des hosties conservées en vue de la communion et de l'exposition du saint sacrement. ◆ En droit, le mot désigne la fraction des bénéfices non distribuée conservée à la disposition d'une entreprise (1936), seul et dans *réserve légale, de garantie, occulte, apparente, réserves monétaires* (1964 dans les dictionnaires généraux). ◆ Toujours avec un sens concret mais avec une autre destination correspondant aux idées de «protection» et de «conservation», *réserve* apparaît d'abord dans l'*Encyclopédie* pour désigner la partie du bois que l'on ne coupe pas pour la laisser croître en haute futaie (1765). ◆ L'emploi de *réserves* (XXe s.) pour désigner en géographie économique les quantités de matière minérale non exploitées relève de sémantisme. ◆ De la même idée, avec un autre développement, participent les expressions *réserve de chasse* (1798, *réserve*), *de pêche* (1845), et *réserve* (1935) ou ***réserve naturelle*** (1964 dans les dictionnaires). L'emploi du mot pour désigner un territoire réservé à des populations indigènes est un américanisme (1868) adapté de l'anglo-américain *reservation* (1830), spécialisation du sens de l'anglais *reservation* (1320) «action de réserver» (la forme *réservation**, également reprise en français au XIXe s., a disparu). ◆ En relation avec le verbe, *réserve* s'emploie techniquement à propos de la surface qui, dans une peinture, une aquarelle, ne reçoit pas de teintes et qui, dans une gravure est protégée de la morsure de l'acide (1804) ; par extension, il s'applique à la partie laissée en blanc dans un fond imprimé (1875), à la surface enduite d'un isolant qui la soustrait à l'action effectuée sur les parties voisines (1875) et, par métonymie, à la substance employée à cet effet (1828). ◆ Dans un autre sens lié à celui d'«action de garder», *la réserve* se dit de la partie des collections non exposées, non communiquées sans contrôle dans les musées, les bibliothèques (1935). ◆ Beaucoup plus ancien, le sens psychologique de «discrétion, retenue» (1664, Mme de Sévigné) ne vient pas du verbe, mais de son participe passé *réservé* (ci-dessous). Il est notamment réalisé dans la locution ***être*** (1751), demeurer, se tenir sur la réserve (1762, Rousseau). Une spécialisation dans l'usage diplomatique et politique est réalisée dans la locution ***obligation de réserve*** (v. 1970). ◆ Le sens militaire de *réserve* a produit le dérivé **RÉSERVISTE** n. m. (1870) «homme qui appartient à la réserve».

RÉSERVÉ, ÉE, le participe passé de *réserver,* a d'abord été employé dans l'ancienne locution ***réservé que*** «sous la réserve que» (v. 1290) et, en fonction de préposition, au sens d'«excepté» (1409). ➜ Probablement d'après le pronominal *se réserver,* il a été adjectivé avec la valeur psychologique de «retenu, modeste», s'appliquant à une personne (1559) et, par métonymie, à son comportement (v. 1695). ➜ Son emploi dans l'expression *être réservé à,* suivi de l'infinitif, pour «destiné à» (v. 1782) est archaïque. Dans le prolongement des locutions médiévales, *réservé* qualifie en droit ce qui fait l'objet d'une réserve (av. 1613), spécialement dans *biens réservés* (1804) et, en droit canon dans *cas réservé* (1870). ➜ L'adjectif qualifie couramment ce qui est destiné à qqn en particulier (1651), spécialement dans *quartier réservé* (déb. XXe s.), *emploi réservé* (1923), *chasse réservée.* D'après un emploi du verbe, *réservé* signifie spécialement «qui a été retenu à l'intention de qqn» (1894, Zola), sens développé au XXe s. (*place réservée, table réservée,* etc.). ➜ Le dérivé **RÉSERVOIR** n. m. (1510) a le sens concret de «lieu où l'on met en réserve», notamment «bassin aménagé ou construit où des matières (principalement des fluides) peuvent être mises en réserve». En pisciculture, il désigne dès le milieu du XVIe s. un bassin rempli d'eau pour conserver des poissons ou des crustacés vivants (1549) et, plus récemment, une caisse à claire-voie que l'on immerge pour conserver le poisson vivant (1875). ◇ En technique, le mot a donné lieu au XXe s. à de nombreux syntagmes : *réservoir d'air* (1932), *réservoir de stockage,* et en composition *barrage-réservoir, wagon-réservoir* (1964). ➜ Les sens de «cavité d'un corps où s'accumule un liquide organique» (1684) et de «lieu constituant une réserve naturelle» (1742) ont disparu. L'emploi figuré pour «lieu où se trouvent amassées certaines réserves» (1701, un *réservoir d'hommes*) relève d'un usage soutenu.

RÉSERVAT n. m. est une formation savante sur le latin *reservatum* (1904) pour fournir un terme spécifique, en droit canon, à ce que l'on appelait *réserve* et ① *réservation**.

① **RÉSERVATION** n. f., terme juridique, représente (v. 1330) le dérivé latin médiéval *reservatio, -onis* désignant l'action de se réserver un droit et, par métonymie, ce droit. ◇ Le mot, d'abord attesté dans la locution médiévale *réservation faire* «faire des économies», qui correspond à un sens de *réserver,* a été repris en droit pour désigner l'action de se réserver un droit dans un contrat (XVe s.). Il s'est spécialisé en droit canon pour désigner le droit en vertu duquel le pape se réservait la nomination à certains offices et la collation de bénéfices devenus vacants (1690).

Le terme usuel ② **RÉSERVATION** n. f. est un anglicisme (1930-1935) repris de l'anglais *reservation* (XIVe s.) qui vient, soit de l'ancien français, soit du latin médiéval juridique. ◇ D'abord employé pour l'action de se réserver un droit, le mot anglais s'est spécialisé aux États-Unis pour «action de retenir une place» (1906). ➜ Il est passé en français par l'intermédiaire des compagnies de navigation maritimes ou aériennes, et malgré une longue polémique, s'est implanté avant d'être accepté par l'Office du vocabulaire français (1963). Il correspondait à un emploi virtuel de *réserver* et de *réservé* (ci-dessus), spécialisé par rapport à un sens attesté dès la fin du XIXe s. et évitait l'emploi de *réserve,* déverbal très polysémique ; d'où son succès. ◇ D'ailleurs **SURRÉSERVATION** n. f. (1973) sert à remplacer l'anglicisme *surbooking.*

RÉSERVATAIRE adj. et n. m. est un dérivé savant (1846) de *reservatum* pour qualifier et désigner (1875), en droit, le bénéficiaire d'une réserve légale.

RÉSIDENT, ENTE n. et adj., d'abord écrit sans accent, *resident* (1260), est emprunté au latin *residens, -entis,* participe présent du latin *residere* «rester assis, demeurer, séjourner», au figuré «subsister» verbe formé de *re-* (→ re-) à valeur intensive et *sedere* «être assis, se tenir, demeurer» (→ seoir). L'ancien français a eu la forme populaire *reseant* (v. 1160) «celui qui habite quelque part» usité dans la langue juridique jusqu'au XVIIIe s., et, en termes de féodalité, «vassal ne pouvant changer de lieu d'habitation sans l'autorisation de son seigneur» (v. 1160) ; de là le verbe *resseoir* «être situé, pour un endroit» (1310), «séjourner» puis «arrêter» (XVe s.) et «se calmer» (XVe s.).

♦ *Résident,* d'abord synonyme d'«habitant», ne prit le sens de «personne établie à demeure dans un pays étranger» qu'à l'extrême fin du XIXe siècle. Dans l'intervalle, il était devenu un terme d'administration désignant un agent diplomatique de grade inférieur à celui d'ambassadeur (1501) et plus généralement un envoyé représentant. ◇ ***Résident général,*** dans les pays de protectorat désignait un haut fonctionnaire que l'État protecteur plaçait auprès du souverain de l'État protégé et dont les pouvoirs étaient définis par le traité de protectorat (1893).

▸ **RÉSIDENCE** n. f. est emprunté (1271) au latin médiéval *residentia,* «séjour, logis» (v. 870), «domicile» (XIIe s.), «fait d'être domicilié» (v. 1200) dérivé de *residere* (cf. *résider,* ci-dessous) ➜ Le mot a d'abord le sens administratif de «séjour actuel et obligé (d'un fonctionnaire, d'un évêque) dans un lieu», d'où l'expression *à résidence,* reprise en droit pénal dans *assigner, assignation à résidence.* ◇ Le sens courant, «fait de séjourner effectivement dans un lieu déterminé», s'est répandu dès l'ancien français avec l'extension métonymique de «lieu où l'on demeure» (ces deux valeurs étant attestées en 1283). L'emploi du mot pour le fait de garder la chambre, d'être sédentaire (1689, Mme de Sévigné) ne s'est pas implanté. ➜ Les spécialisations postérieures développent la valeur de «lieu», désignant celui où réside un personnage revêtu de fonctions officielles, notamment un chef d'État (1690), s'appliquant au lieu où était établi, dans les pays de protectorat, le résident. Il a reçu la définition juridique de «lieu où une personne habite ou exerce une activité professionnelle» (1804), ce qui le distingue de la notion de *domicile,* tandis que l'usage courant en a fait une désignation du domicile entourée de connotations mélioratives (1840). De ce dernier sens procèdent l'expression ***résidence secondaire*** (milieu XXe s.), souvent équivalent prétentieux de *maison de campagne,* l'emploi du mot pour désigner un groupe d'habitations assez luxueux (v. 1955) et le syntagme *résidence-hôtel* (v. 1970) «immeuble disposant de services hôteliers tels que bar, restauration, boutiques».

Résidence a produit **NON-RÉSIDENCE** n. f. (1652) qui lui sert d'antonyme dans le langage administratif, et, d'après sa valeur récente **RÉSIDENTIEL, ELLE** adj. (1895), employé pour ce qui est relatif à la résidence, puis présente un haut niveau de confort, voire de luxe, et pour qualifier un lieu réservé à l'habitation (1949), par exemple dans *quartiers résidentiels,* également avec un nom abstrait (1966) comme dans *de caractère résidentiel.*

RÉSIDER v. intr., emprunt (v. 1380) au latin *residere* (voir ci-dessus) signifie «avoir sa résidence dans un lieu, y séjourner habituellement» et, dès le XIVe s., s'emploie au figuré pour «avoir son siège, se trouver dans», puis aussi «avoir son fondement dans» (1541). Avec un sujet nom de personne, il est employé elliptiquement avec le sens administratif et juridique d'«observer l'obligation de résidence» (1549). ➜ Par figure, le verbe, avec un sujet nom de chose, s'emploie pour «consister en qqch., être constitué par qqch.» (av. 1662, Pascal). Dans l'usage classique, il a eu aussi l'acception de «reposer sur» (1690, Mme de Sévigné, *résider sur la tête de qqn*).

◈ voir **RÉSIDU.**

RÉSIDU

RÉSIDU n. m. est emprunté (1330) au latin *residuum* «reste, restant», neutre substantivé de l'adjectif *residuus* «qui reste en arrière» et «de reste», «qui subsiste», psychologiquement «inactif, oisif», de *residere* «rester, séjourner» (→ résident, résider).

♦ Le mot apparaît à la fois dans la terminologie juridique pour «reliquat d'un compte» (sens devenu archaïque après 1650, et déclaré vieilli en 1694) et dans la terminologie médicale où un emploi isolé correspond à «matière qui se dépose», en l'occurrence le pus (XIVe s.). ➜ Le mot est passé dans l'usage courant pour désigner ce qui reste des biens de qqn et, plus généralement, ce qui reste (v. 1360). Ce sens s'est répandu dans le domaine abstrait, le plus souvent marqué de connotations péjoratives (1398) sauf dans des emplois scientifiques (ci-dessous), et en emploi didactique (av. 1824). ◇ Le mot est employé de manière neutre en mathématiques pour «reste (d'une division ou de l'extraction d'une racine)» (1690), en chimie pour «matière utilisable qui subsiste après une opération» (1740), en géologie, en physiologie et en physique, *résidus de fission* (1964) désignant les déchets radioactifs inutilisables qui s'accumulent dans les réacteurs nucléaires. L'expression *méthode des résidus,* en logique (1875), désigne la méthode d'induction indiquée par Stuart Mill et consistant à retrancher d'un fait partiellement expliqué les effets dont les causes sont connues, ce qui reste devant être l'effet des antécédents restants; de là en mathématiques, *théorie des résidus* (1903). ➜ Dans l'usage courant, le mot désigne péjorativement le reste d'un objet (ou d'objets) concret(s), avec une valeur voisine de *débris* ou *déchet.*

▶ Le dérivé **RÉSIDUEL, ELLE** adj. (1870) qualifie ce qui forme un reste, un résidu; terme d'électricité, d'industrie, il a été repris (milieu XXe s.) en géologie pour qualifier ce qui est le résidu d'une roche ou d'un terrain préexistants, dont une partie de la matière a été enlevée. Il est employé au figuré en qualifiant la fraction d'une chose qui persiste malgré les efforts faits pour l'éliminer, notamment dans *chômage résiduel* (1974). ➜ **RÉSIDUAIRE** adj. (1877) constitue un doublet du précédent, s'appliquant spécialement à ce qui forme le résidu ultime dans la distillation d'une huile (1964).

RÉSIGNER

RÉSIGNER v. tr. et pron. est emprunté (v. 1225) au latin *resignare* «rompre le sceau, ouvrir (une lettre, un testament)» d'où «ôter toute garantie, annuler», «dégager de» et «faire le report d'un compte à l'autre», emploi synonyme de *rescribere* (→ rescrit), d'où «rendre ce que l'on a reçu». Le mot est formé de *re-* (→ re-) indiquant le mouvement en arrière et de *signare* «marquer d'un signe, d'un sceau» d'où «signaler» et «sceller», verbe dérivé de *signum* (→ signe). L'ancien français a eu aussi la forme *resiner a* «renoncer à» (v. 1260-1320).

♦ L'usage transitif du verbe est premier au sens d'«abandonner volontairement (un droit, un office, une charge) en faveur de qqn», repris au latin médiéval (1112). ◇ De ce sens, aujourd'hui littéraire, procède l'emploi pour «abandonner (qqch.) à qqn» (1261) abandonné après le XVIIe s., et pour «se priver volontairement de (un avantage), sacrifier» (1771), également littéraire. ➜ Au XVIe s., les protestants parlent de *résigner l'âme à Dieu* (1541, Calvin) «la soumettre, la remettre à Dieu» et, au pronominal, *se résigner à Dieu* (id.) «se soumettre à Dieu». ➜ *Se résigner* est passé dans l'usage commun avec une acception laïcisée : «accepter, subir ce que l'on ne peut empêcher» (1690); son emploi absolu (1673) est resté plus proche de l'ancienne signification religieuse, et se rencontre chez certains auteurs avec une valeur figurée (1857, Baudelaire).

▶ **RÉSIGNANT** n. m. substantivation du participe présent de *résigner* désignant celui qui résigne un office, un bénéfice (1467), est sorti d'usage, de même que **RÉSIGNATAIRE** n. m. (1539) qui s'applique symétriquement à celui au profit de qui on résignait qqch. ➜ **RÉSIGNABLE** adj. (XVIe s.) qualifie ce à quoi l'on peut renoncer volontairement. ➜ **RÉSIGNATEUR** n. m. a été formé savamment, lui aussi en droit et administration, pour «celui qui résigne un contrat, une rente» (1636). ➜ *Se résigner,* avec son sens usuel, a produit **RÉSIGNÉ, ÉE** adjectivation du participe passé employée dans *résigné à qqch.* (1686, Bossuet), absolument (1690), et, pour qualifier une chose témoignant de résignation (1857, Flaubert).

RÉSIGNATION n. f., réfection par emprunt (fin XIIIe s.) de *resination* (1265), qui correspond à l'ancienne forme *résiner* est emprunté au latin médiéval *resignatio, -onis* «action de résigner un bénéfice», du supin de *resignare.* ◇ Le nom a les mêmes valeurs que le verbe mais, à la différence de ce dernier, il n'a pas conservé ses emplois d'ancien français : «action de démissionner» (1265), «de renoncer à un droit, à un bénéfice» (XIIIe s.), et «renoncer à une charge, à un office» (1690). ◇ Par l'intermédiaire du langage religieux où il désignait l'action de soumettre à la volonté divine, dans la locution

résignation de soi-même (1651) et absolument (1690), il a pris son sens actuel et courant, désignant l'état d'esprit d'une personne qui accepte son sort, ce qu'elle ne peut empêcher (1690).

RÉSILIER v. tr. est la francisation, successivement en *résiler* (1501), *résilir* (1583), forme la plus fidèle, et *résilier* (1679), du latin *resilire* «sauter en arrière, rebondir, rejaillir, se retirer» et, à basse époque, dans la langue juridique «renoncer, se dédire». Ce verbe est formé de *re-* (→ re-) indiquant le mouvement en arrière, et de *salire* «sauter, bondir» (→ sauter).

♦ *Résilier* est employé en droit pour «mettre fin à (un contrat, une convention) d'un commun accord ou unilatéralement». La construction transitive directe a triomphé des constructions prépositionnelles *résilier de* et *se résilier de* apparues au XVIᵉ s. et répertoriées jusqu'au milieu du XVIIIᵉ siècle.

▶ *Résilier* a produit **RÉSILIATION** n. f. (1429, puis 1740) et **RÉSILIEMENT** n. m. (1611) qui, passé du sens général ancien de «retrait d'une promesse» à sa spécialisation juridique (1722), ne réussit pas à s'imposer. ➛ Ultérieurement, ont été formés **RÉSILIABLE** adj. (1836) et son antonyme **IRRÉSILIABLE** adj.

Le sens propre du latin survit dans les termes de physique **RÉSILIENT, ENTE** adj. (1932) et **RÉSILIENCE** n. f. (1906), emprunts, très probablement antérieurs aux attestations connues, aux mots anglais *resilient* (1674) «rejaillissant, rebondissant», spécialement «qui présente une résistance aux chocs élevée», et *resilience* «rejaillissement, rebondissement» (1626), spécialisé pour le nombre caractérisant la résistance aux chocs d'un matériau (1824).

RÉSILLE n. f. d'abord *rescille* (1775) puis *résille* (1785, Beaumarchais), est l'adaptation d'après *réseau** de l'espagnol *redecilla* «filet» (XVIIᵉ s.), spécialement «filet pour les cheveux» (XVIIIᵉ s.). Ce mot est le diminutif de l'espagnol *red* «filet» qui représente le latin *rete* de même sens (→ rets).

♦ Le mot, employé comme hispanisme de genre masculin et féminin par Beaumarchais, désigne un filet dont les femmes enveloppent leurs cheveux, d'abord dans un contexte espagnol, puis un filet à mailles serrées servant à divers usages (en apposition dans *bas résille*). ➛ Par analogie, il s'emploie techniquement à propos du réseau des plombs d'un vitrail (1880), et au figuré pour un ensemble de lignes évoquant les mailles d'un réseau (1911).

◈ voir RÉTICULE.

RÉSINE n. f. d'abord *rysyn'* en judéo-français puis *resine* dans *pois resine* (v. 1210) et en emploi indépendant (v. 1250), écrit ensuite avec accent, *résine* (1488), est emprunté au latin *resina* «gomme» (depuis Caton). Ce mot est probablement emprunté, comme le grec *rhêtinê* (grec moderne *rhetsina*) à une langue non indoeuropéenne.

♦ Le mot désigne le produit collant et visqueux qui exsude de certains végétaux, notamment des conifères. *Résine fossile* (1850) désigne l'ambre jaune. Au XXᵉ s., le mot s'applique en chimie à un corps extrait de la résine par distillation et, par analogie, à une matière plastique ayant des propriétés communes avec les résines végétales (1932), *résines de pétrole* (1964) désignant les corps semi-solides qui doivent être éliminés des matières premières à lubrifiant.

▶ En moyen français, *résine* a produit **RÉSINER** v. tr. d'abord écrit *raisinner* (1382), «enduire de résine», sorti d'usage puis repris, avec un complément désignant un arbre, pour «extraire la résine de (un arbre)» (1820). ➛ L'adjectif **RÉSINÉ** adj. et n. m. (1562) qualifie un vin renfermant une faible quantité de résine mais il est resté rare avant le XIXᵉ s. (1845) où il a été substantivé en ce sens (1848). ◇ Au XXᵉ s., cet emploi semble être un réemprunt au grec moderne. ➛ **RÉSINAGE** n. m. est le nom d'action de *résiner* (1870, Littré). ➛ **RÉSINIER** n. m. fut autrefois le nom d'un arbuste, le bursère d'Amérique (1768) avant de servir à désigner le professionnel qui pratique des saignées dans les pins pour récolter la résine (1827); il est employé adjectivement pour qualifier ce qui se rapporte à la résine et aux produits résineux (1923). ➛ Plusieurs dérivés sont apparus au XIXᵉ s. : **RÉSINIFIER** v. tr. «transformer en résine» est certainement plus ancien que la première attestation relevée (1836), puisque son dérivé **RÉSINIFICATION** n. f. est attesté en 1801 ; **RÉSINIFIABLE** adj. est enregistré par Littré (1877). ➛ **RÉSINITE** n. f. (1812), terme de minéralogie, désigne une variété d'opale colorée par des hydrocarbures. ➛ Plusieurs adjectifs d'usage didactique ont été formés, comme **RÉSINIFÈRE** (1812), de *-fère,* **RÉSINOÏDE**, de *-oïde* (1875) et **RÉSINIQUE** (v. 1950). ➛ **RÉSINERIE** n. f. (milieu XXᵉ s.), correspond à «production industrielle des résines» et «usine productrice de résine».

RÉSINEUX, EUSE adj. et n. m., d'abord *rezinos* (XIVᵉ s.), puis *résineux* (1538), est emprunté au dérivé latin *resinosus*. ➛ Le mot qualifie un arbre qui produit de la résine, sens avec lequel le pluriel *résineux* a été substantivé (1923) et, par extension, ce qui rappelle la résine, lui est propre (1538). ◇ On a appelé ***électricité résineuse*** (1811) l'électricité négative mise en évidence en frottant un corps avec de la résine parce que l'on croyait que l'électricité était en défaut dans les corps résineux; l'adjectif s'opposait à *vitreux*.

◈ voir RÉSORCINE.

RÉSIPISCENCE n. f. est emprunté (1405) au bas latin ecclésiastique *resipiscentia* «repentir», dérivé du latin classique *resipiscens,* participe présent de *resipiscere* «reprendre ses sens», au propre et au figuré, d'où «se remettre», «revenir à soi» et, chez les auteurs de l'Église chrétienne, «se repentir». Ce verbe est formé de *re-* (→ re-) indiquant le mouvement en arrière, et de *sapere* «avoir du goût, de l'intelligence, du jugement» (→ savoir).

♦ Le sens de «reprise de connaissance après un accès d'aliénation mentale» est un latinisme isolé. ➛ Le mot a été repris au siècle suivant dans l'expression *venir en résipiscence* (1542), le mot désignant en théologie le repentir amenant le retour au bien. ◇ Le seul emploi moderne est ***amener qqn***

à résipiscence, recevoir à résipiscence (1875) et, par pléonasme, ***revenir à résipiscence.*** Il est encore usité dans le langage religieux et dans un usage soutenu, où il sert de synonyme recherché à *repentir.*

RÉSISTER v. tr. ind. est emprunté (v. 1240) au latin *resistere* «s'arrêter, se tenir en faisant face», «faire obstacle à», de *re-* (→ re-) à valeur intensive et contraire, et *sistere* «(se)poser, (se) placer, tenir ferme» (→ assister, consister, désister, insister, persister, subsister).

♦ Le verbe, qui dans sa première attestation (Bloch et Wartburg) est peu clair, s'emploie avec un sujet désignant un être vivant au sens de «s'opposer par la force (à une personne qui fait usage de la force ou de moyens de contrainte)», avec ou sans complément (1327), spécialement dans le contexte de la guerre (v. 1350). Par extension, il signifie «se rebeller, refuser de se soumettre à une autorité» (1370). ➜ Son emploi à propos d'une chose se répand au XVIe s. : *résister* se dit d'un sentiment qui demeure vivace en dépit de ce qui le menace (1538) et, matériellement, d'une chose qui fait obstacle à l'action d'une force en lui opposant une autre force (1559) et d'une chose qui ne cède pas à l'action d'un agent extérieur mais conserve son intégrité sans se détériorer (1559); ces valeurs concrètes étant représentées dès l'ancien français pour *résistance* (ci-dessous). ◇ *Résister* se dit aussi d'un être vivant qui supporte sans dommage les effets d'une action pénible ou éprouvante (1559). ➜ Dès le moyen français, il correspond à «refuser, s'opposer à» et développe ses valeurs psychologiques actuelles, se disant d'une personne qui s'oppose à ce qui exerce une séduction, une attirance mais que l'on estime moralement mauvais (v. 1350), d'une femme qui repousse une tentative de séduction (v. 1393), de la personne qui lutte pour ne pas céder à ses propres entraînements (1672). La locution classique *il n'y a point de cœur qui lui résiste* (1690) annonce la forme moderne ***on ne peut lui résister*** «il, elle est irrésistible». ➜ Au XVIIIe s., le mot est employé en termes de manège à propos d'un cheval qui se contracte pour ne pas obéir aux indications des aides du cavalier (1762).

▶ **RÉSISTANCE** n. f., d'abord écrit *resistence* (v. 1270) a les mêmes sens que le verbe. La totalité des valeurs physiques fonctionne déjà en ancien français : le mot désigne, pour une chose matérielle, le fait de s'opposer à l'action d'un agent extérieur et la capacité de conserver son intégrité sous l'effet des causes de destruction (v. 1270). Il s'applique à la qualité des choses matérielles qui résistent aux actions auxquelles elles sont soumises et se définit comme la propriété de la matière perçue par l'être humain, grâce au toucher et aux sensations cénesthésiques (v. 1370, Oresme). Il sert à caractériser une force, dans la mesure où elle s'oppose à une autre force et à la qualité des êtres vivants capables de subir sans dommage des atteintes diverses (v. 1370). ➜ *Résistance* désigne aussi l'action, pour qqn, de résister à une contrainte physique (fin XIVe s.), spécialement dans le contexte de la guerre (fin XIVe s.). Depuis le XVIe s., il s'emploie avec une valeur politique, s'appliquant au fait de tenir tête à une autorité établie, à une limitation de sa liberté (1530) et se dit de l'action de faire obstacle aux desseins de qqn (1530). Il développe au XVIe s. (1527) des emplois psychologiques «fait de repousser une sollicitation amoureuse» (1549), «de résister à ses propres faiblesses» et «force morale permettant de supporter sans faiblir des épreuves, des chagrins», tous attestés chez Marguerite de Navarre. ◇ Le sens politique a donné sous la Révolution l'expression *droit de résistance à l'oppression* (1791) incluse dans la *Déclaration des droits de l'homme.* Le nom entre dans la désignation d'un parti politique conservateur de la monarchie de Juillet (1840, *parti de la Résistance,* par opposition au parti du mouvement); cette connotation, proche de *réaction,* a disparu. ◇ Pendant la Seconde Guerre mondiale, le mot s'applique à l'action menée par ceux qui s'opposèrent à l'occupation de leur pays, notamment la France, la Belgique, par les troupes allemandes (v. 1942, le plus souvent avec une majuscule) et, par métonymie, s'emploie pour l'ensemble des personnes (appelées *résistants*), organisations et mouvements participant à cette action (1949). ➜ Le sens concret de *résistance,* appliqué à la matière inerte ou vivante, a trouvé un vaste champ d'emploi dans la terminologie scientifique en physiologie, physique et technique : *résistance vitale, pratique* (1832), ***résistance des matériaux*** (1875), syntagme désignant par métonymie un domaine de la mécanique appliquée, très important en technique, *résistance capillaire, globulaire, résistance de forme, de flottement, résistance induite* (XXe s.). En électricité, le mot désigne le quotient d'une différence de potentiel constante appliquée aux extrémités d'un conducteur par l'intensité du courant qu'elle produit, lorsque le conducteur n'est pas le siège d'une force électromotrice (1888, *Larousse*); d'où au XXe s. des syntagmes comme *boîte de résistance, résistance apparente, spécifique* (1964). Par métonymie, *une résistance* (1810) désigne un conducteur capable de dégager de l'énergie thermique; cette acception est passée dans l'usage courant. ➜ Au début du XXe s., les valeurs psychologiques du mot s'appliquent aussi à la manifestation chez un sujet d'un désaccord avec lui-même face à un engagement important, sens dont procède une spécialisation en psychanalyse : «comportement du sujet qui, lors de l'investigation analytique, s'oppose à la règle de libre association» (1907). ➜ C'est avec ce sens qu'il a produit son unique dérivé **RÉSISTANCIEL, ELLE** adj. (1967), très didactique.

RÉSISTANT, ANTE, le participe présent de *résister,* a été adjectivé (XIVe s.) en rapport avec *résistance,* avec les sens physiques de «qui résiste», «qui a de la cohésion», «qui offre une résistance au toucher», «qui oppose une force à la force subie, en particulier au mouvement». Appliqué à une personne, il qualifie surtout celle qui s'oppose à qqch., refuse d'adhérer, aussi substantivé (1355), s'appliquant aussi à l'être qui supporte sans dommage des conditions rigoureuses (déb. XVIe s.). ➜ Le mot a pris le sens correspondant à celui de *résistance* pendant l'occupation allemande (v. 1942). ➜ Il se dit aussi d'une chose fabriquée, d'une matière qui résiste bien aux causes de destruction (v. 1750) et, qualifie ce qui résiste au temps et aux causes de dissolution (1875). En électricité, il qualifie ce qui est doué d'une résistance électrique (1949 dans les dictionnaires).

RÉSISTIBLE adj. est créé sur le modèle des adjectifs verbaux en *-ible* comme terme de théologie (1687 Bossuet, *grâce résistible*) et employé comme terme général (av. 1728). Il n'a pas eu le succès de son antonyme *irrésistible* et est sorti d'usage, cependant reformé dans la traduction du titre d'une pièce (en allemand) de Bertolt Brecht, *La Résistible Ascension d'Arturo Ui*. ➜ **IRRÉSISTIBLE** adj. préfixé en *ir-* (→ in-) [1687], est passé du langage de la théologie, dans l'usage général au XVIIIe s., qualifiant ce qui force l'adhésion intellectuelle, émotive, ce qui charme (av. 1727) et la personne à qui on ne peut résister (1787). ◇ Antérieurement, le moyen français avait eu le couple *résistable* (XIVe s.)-*irrésistable* (1478). ➜ *Irrésistible* a pour dérivés **IRRÉSISTIBLEMENT** adv. (1701) et **IRRÉSISTIBILITÉ** n. f. (av. 1715), termes de théologie qui, dans la seconde moitié du XVIIIe s. ont pris une valeur générale, le second demeurant rare.

RÉSISTIVITÉ n. f. (1896), emprunt à l'anglais *resistivity* (1885), lui-même dérivé de *resistive* (1603), de *to resist* «résister», désigne la caractéristique électrique d'une substance conductrice. ◇ De son radical est dérivé, avec l'élément *-mètre**, **RÉSISTIVIMÈTRE** n. m. (attesté 1975) «appareil mesurant la résistivité d'un conducteur».

RÉSOLU → RÉSOUDRE

RÉSOLUTION n. f., d'abord *resolucion* (v. 1278) puis *resolution* (v. 1460), est emprunté au latin *resolutio, -onis* «action de dénouer», «réfutation», «désagrégation, décomposition» et, à basse époque, «mort», de *resolutum*, supin de *resolvere* (→ résoudre).

♦ Le développement des sens marque l'influence de *résoudre**, *résolution* jouant le rôle de substantif d'action pour ce verbe. Le mot a désigné d'abord concrètement l'action de se dissoudre, de se désagréger, avant de céder la place à *dissolution**. Il est passé en médecine en parlant du retour à l'état normal et sans suppuration d'un tissu enflammé (1314) puis de l'abolition ou de la diminution de la contractilité musculaire au cours des maladies graves (v. 1560, Paré), sens rare, repris au XIXe siècle. ➜ *Résolution* désigne aussi le fait de décomposer en des éléments simples (v. 1460), emploi rare, réactivé en optique (XXe s.), avec le sens de «propriété d'un instrument de permettre la vision distincte de deux points rapprochés» (*pouvoir de résolution*, etc.) ➜ Dans la langue classique, la valeur dominante du mot est devenue «action de se transformer, de passer d'un état dans un autre» (1680). Dès le XVIe s., *résolution* avait acquis des emplois abstraits et figurés : en droit «action de dissoudre un contrat en raison de l'inexécution des conditions ou des charges» (1549), et couramment, «action d'élucider, de trouver la solution d'un problème», seul (1532) et surtout dans *la résolution d'un problème* (1573). De ce dernier sens, participent des emplois didactiques en logique, en mathématiques (1715), en géométrie (1870, *résolution d'un triangle*). ◇ La même idée originelle de «passage du complexe au simple» sous-tend l'emploi du mot en musique, d'après l'italien *resoluzione*, employé dans le dictionnaire de Brossard en 1703, pour la séparation des voix dans un canon ou une fugue perpétuelle (1721), acception archaïque, puis pour le procédé harmonique consistant à résoudre une dissonance (1842). ➜ D'après le sens psychologique de *résoudre* et *se résoudre, résolution* s'applique au fait de se déterminer et, par métonymie, à la décision prise (v. 1480). Il recouvre plus largement le caractère d'une personne résolue, la fermeté (1580). ➜ Du sens métonymique procède en France l'emploi institutionnel pour «ordonnance concernant la police, la politique et le commerce» (1723), puis «acte normalement dépourvu de force exécutoire» et qui résulte du vote d'une seule Chambre du Parlement agissant sur proposition d'un des membres (1789, répandu après 1870). Par extension, il désigne les dispositions réglementant les travaux des Chambres prises par le congrès d'un parti.

▸ **RÉSOLUTIF, IVE** adj. est dérivé savamment (1314) du latin *resolutum*, supin de *resolvere* (→ résoudre). ◇ Le mot a été formé par les médecins pour qualifier, et comme substantif, pour désigner (1377) un médicament qui diminue l'inflammation des tissus tout en empêchant la suppuration ; il s'est imposé aux dépens de *résolvant*. ➜ Le sens de «qui prend une résolution, est capable de décider» (1484) a disparu en dehors d'un emploi didactique (1521) où il rejoint le sens de «décisif». Au XXe s., il qualifie en médecine ce qui favorise le relâchement musculaire» (1972 dans les dictionnaires). ➜ **RÉSOLUTOIRE** adj. a été formé savamment en droit (1701, *clause résolutoire*) au sens de «qui entraîne la résolution d'un contrat». Repris en musique et en médecine, il est quelquefois employé au sens général de «qui résout (un problème)», alors d'usage littéraire.

Le dérivé préfixé **IRRÉSOLUTION** n. f. (1553), qui correspond à *irrésolu*, sert d'antonyme à *résolution* dans le sens psychologique : «incertitude, manque de fermeté» ; au XVIIe s., il eut parfois la nuance d'«inconstance» (1636).

RÉSOLUBLE adj. est emprunté (fin XIVe s.) au bas latin *resolubilis* «qui peut être désagrégé» au propre et au figuré, dérivé du latin classique *resolvere* (→ résoudre). ◇ Le mot, repris en chimie au sens de «soluble», a été abandonné au profit de *soluble*. Il a été repris au XVIIIe s. dans quelques emplois didactiques : il qualifie, par opposition à *insoluble*, ce qui peut recevoir une solution (1715), s'emploie en droit pour ce qui est sujet à annulation (1804). ◇ Le sens concret étymologique a été réactivé en sciences, *résoluble* qualifiant ce qui peut se décomposer en des parties plus simples (1825), en relation avec *résolution*. ➜ Il a servi à former **RÉSOLUBILITÉ** n. f. (v. 1840), didactique.

RÉSONNER v. intr. est emprunté (v. 1130, *resoner*) au latin *resonare* «renvoyer les sons, retentir,

faire un écho, faire retentir» de *re-* (→ re-) marquant le mouvement en retour et *sonare* «rendre un son», «retentir» (→ sonner). Le verbe, d'abord écrit *resoner,* puis *resuner* (v. 1155) a pris deux *n* (1380, *resonner*) sous l'influence de *sonner**, puis un accent au début du XVIIe siècle.

♦ Le verbe signifie «produire un son amplifié et prolongé» au propre et, très vite, en emploi métaphorique ou figuré (v. 1160). Il correspond également, en donnant au préfixe *re-* sa valeur pleine, à «renvoyer un son, le réfléchir» (v. 1130), également au propre et au figuré dans la construction indirecte *résonner de* (fin XVIe s.; une première fois au XIIIe s.). ◇ À l'époque classique, il s'est employé transitivement au sens de «faire entendre (des notes, des vers)» (1553), sorti d'usage au XIXe siècle.

▸ **RÉSONNEMENT** n. m., d'abord *resonement* (XIIe s.), avait en ancien français le sens physique de «rebondissement»; avec la graphie moderne, il est devenu le substantif d'action de *résonner* (XVe s.) mais n'a pas réussi à s'implanter, évincé par *résonance* et probablement gêné par la proximité formelle de *raisonnement.* ◆ **RÉSONANCE** n. f. (1372), plutôt qu'un emprunt au latin *resonantia* «écho» (de *resonare*), est dérivé de *résonner* avec maintien du *n* unique par référence au latin. ◆ Le mot désigne la propriété d'accroître la durée ou l'intensité du son que possèdent certains objets, certains milieux. Son aire d'emploi s'est élargie à partir du XVIIIe s., avec plusieurs acceptions scientifiques : «amplification des sons produits dans une ou plusieurs parties des cavités bucco-nasales par le jeu des organes phonateurs», «amplification de l'amplitude d'une oscillation sous l'effet d'impulsions régulières», en physique (1746, Condillac) «propriété pour un corps d'entrer en vibration quand il est soumis à une excitation convenable» (ces trois valeurs étant définies dans l'*Encyclopédie* 1765). ◆ En médecine il désigne le bruit distingué lorsqu'on fait résonner le larynx, le cou ou le thorax (1855, Nysten). ◆ À côté d'emplois terminologiques, le sens courant entre dans la locution ***caisse de résonance*** (1875), appelée d'abord *résonance* (1803), et a développé un sens figuré : «ce qui fait vibrer l'esprit ou le cœur» (1891). ◆ Cependant, les valeurs scientifiques du mot, à partir de l'acoustique (ci-dessus), se sont développées ou précisées, d'abord en physique où, après les travaux de Helmholtz (1862), on parle de *résonance mécanique, acoustique...,* puis en électricité (fin XIXe s.; cf. anglais *resonance,* 1886) pour désigner le phénomène par lequel un signal oscillant (courant électrique ou rayonnement électromagnétique) produit un effet sur un courant oscillant de même fréquence et les conditions dans lesquelles un circuit produit la réponse la plus importante à une oscillation donnée; puis la condition analogue dans laquelle une particule réagit, par emprunt à l'anglais *resonance* (1895). En physique nucléaire, le mot désigne l'état d'excitation du noyau formé dans une réaction nucléaire, correspondant à une valeur de l'énergie de la particule incidente telle que la section efficace de la réaction passe pour être un maximum (1934, Joliot et Joliot-Curie), aussi dénommée ***résonance magnétique***; de là en médecine *imagerie à résonance magnétique* ou *I. R. M.* Le mot désigne également une particule instable à durée de vie très courte. ◇ La chimie l'utilise dans l'expression *résonance entre formules* qui désigne la relation existant entre plusieurs formules qui peuvent représenter les mêmes molécules. En psychologie, l'expression *résonance intime* a été introduite par traduction de Rorschach pour désigner, dans le cadre de sa typologie, l'attitude fondamentale du sujet vis-à-vis de l'objet. ◆ **RÉSONNANT, ANTE,** le participe présent de *résonner,* est attesté au XVIe s. comme adjectif (1531) et doit être plus ancien comme l'indique son dérivé *résonamment* (v. 1380) «de façon sonore», lui-même sorti d'usage. ◇ *Résonnant* qualifie ce qui accroît la durée, l'intensité d'un son, et, par extension, ce qui est sonore, retentissant. L'usage actuel s'en sert surtout en physique pour «susceptible d'entrer en résonance». ◆ **RÉSONATEUR, TRICE** adj. et n., dérivé savant de *résonner* (1862), a conservé sa graphie latinisante avec un seul *n* (celle de *résonance*) en dépit de la tentative faite pour imposer *résonnateur* (1868). ◇ Il qualifie ce qui produit un phénomène de résonance et s'emploie substantivement en physique, *résonateur de Helmholtz* (1870) désignant un globe creux à deux ouvertures ayant la propriété de ne transmettre à l'oreille, parmi plusieurs sons produits simultanément, que celui pour lequel l'oreille est accordée. *Résonateur* s'est étendu (1893) à divers dispositifs où peut se produire un phénomène de résonance, par exemple *résonateur de Hertz* (1897). On rencontre quelquefois le mot avec une valeur figurée en parlant d'une personne dont la sensibilité perçoit et amplifie certaines sensations (1921) ou d'une abstraction.

RÉSORBER v. tr. est un emprunt savant et tardif (1761) au latin impérial *resorbere* «avaler, aspirer de nouveau» «refluer» (de la mer), de *re-* (→ re-) à valeur itérative et de *sorbere* «avaler», «gober (un œuf)» «absorber (au propre et au figuré)», «engloutir». Ce verbe, également conservé dans le composé *absorber**, appartient à une racine indoeuropéenne peu documentée, que l'on retrouve dans le lituanien *surbiù* ou *srébiù* «boire à petites gorgées», «sucer».

♦ Le mot a été repris en médecine pour «opérer ou laisser s'opérer la reprise progressive par la circulation d'humeurs ou de liquides épanchés». Au XIXe s., il a pris le sens figuré d'«éliminer progressivement par une action interne» (1856) et, sans idée de mal, «faire disparaître par assimilation» (av. 1865). La forme pronominale *se résorber,* «disparaître petit à petit» (1870, Littré), s'emploie au propre et au figuré.

▸ **RÉSORBANT, ANTE,** adjectivation de son participe présent (1764, Ch. Bonnet), est spécialisé en thérapeutique. ◆ **RÉSORBABLE** adj. (1932, *Larousse*) est rare.

RÉSORPTION n. f. est dérivé savamment (1746) du latin *resorbere* sur le modèle d'*absorption**. ◇ Le mot, en physiologie et en médecine, désigne la disparition partielle ou totale d'un produit pathologique absorbé par les tissus voisins. Il s'est répandu à propos de la disparition progressive d'une chose dans ce qui l'entoure (av. 1865), avec des spécialisations en médecine. Il a été repris en physique pour l'absorption par un corps ou un système de particules libérées d'une absorption antérieure (XXe s.), spécialement en physique nucléaire, pour la diffusion en arrière de particules chargées ou de neutrons. ◇ Il est passé dans l'usage courant, comme substantif de *résorber*, désignant la suppression progressive d'un inconvénient, d'un surplus.

RÉSORCINE n. f. est très probablement emprunté (1865) à l'allemand *Resorcine*, mot créé par Hlasivetz et Barth qui découvrirent cette matière colorante dans les produits de la fusion d'une résine, le galbanum avec la potasse. Le mot est composé savamment du latin *resina* (→ résine) et du latin moderne *orcina* «matière colorante tirée d'une espèce de lichen», formé sur le radical du catalan *orcella* désignant un lichen, qui a donné *orseille*, nom d'un lichen (*orsolle*, XVe s.) et qui vient peut-être de l'arabe.

▸ Le mot a pour dérivé **RÉSORCYLIQUE** adj. (1890) qualifiant un acide dérivé de la résorcine.

✱ **RÉSOUDRE** v. tr. (XIIIe s.), est l'adaptation, d'après l'ancien verbe *soudre* «payer» (XIIe s.), du latin *resolvere* «dénouer, délier», «dissoudre», aussi «payer», par ailleurs «expliquer», de *re-* (→ re-) à valeur intensive et *solvere* «délier, détacher», «acquitter», «trouver une solution», lequel est à l'origine de *soudre* (→ solution, solvable). *Résoudre* a éliminé l'emprunt *résolver* (1370).

♦ D'abord attesté à l'infinitif passif *estre resous* avec un sujet désignant une chose et un complément d'attribution désignant une personne, le verbe se confond avec *soudre* et signifie «être payé, remboursé». Ce sens, encore manifesté en 1498 par *se résoudre de* «s'acquitter de», a disparu au XVIe siècle. ➜ L'emploi actif apparaît (v. 1300) au sens concret de «décomposer (un corps) dans ses éléments constituants, faire disparaître», le passif restant plus courant (début XVIe s.). Par extension, le verbe signifie «faire passer d'un état dans un autre, plus simple» (v. 1462). ➜ La forme pronominale **SE RÉSOUDRE** réalise la valeur passive de «se séparer, se diviser» (v. 1360), «se dissoudre» (1690) et par extension «être converti dans un autre état» (1559); bien avant la forme active, elle prend le sens figuré de «consister en» (1580, Montaigne). ➜ Avant la fin du XVIIIe s., le verbe signifie en médecine (v. 1560) «faire disparaître (une tumeur, un abcès)» et, à la forme pronominale, «disparaître progressivement». Il est employé en droit au sens d'«annuler (un contrat)» (1668) et en musique pour «opérer la résolution de (une dissonance)» (1752). ➜ Au XVe s., *résoudre* prend le sens de «trouver la solution de, élucider», soit par réemprunt au latin, soit par spécialisation de l'idée de «transformation en un état plus simple», d'abord en logique, puis aussi en mathématiques (1765, *résoudre une équation*) et couramment. ➜ Le développement du troisième sens principal de *résoudre* date du moyen français où *resoldre de* (1356), avant *résoudre de,* correspond à «décider de». L'emploi du transitif *résoudre qqch.* (1544, *Scève*) a régressé en dehors de quelques emplois comme *résoudre la perte de qqn* (1665); les constructions *résoudre qqn à* (fin XVIe s.) «le décider à», et *résoudre que* (1662, Corneille) se sont mieux conservées. Le pronominal *se résoudre* réalise la même idée, (fin XVe s.), surtout dans *se résoudre à* (déb. XVIIe s.); *se résoudre que* (déb. XVIIe s.) a décliné au profit de *se résoudre à ce que.* ➜ Les trois valeurs principales correspondent à une répartition entre deux substantifs, *résolution* (la première et la troisième) et *solution* (la deuxième).

▸ L'ancien participe passé **RESOUS** (souvent *résout* aux XVIe et XVIIe s.) au féminin **RÉSOUTE**, adjectivé (fin XIIe s.), couvrait tous les emplois du verbe. Il a disparu en dehors des dialectes où il signifie «hardi, dispos, en bonne santé, déluré, gaillard»; le sens physique d'«évaporé, décomposé», peut-être soutenu par *dissous* dont il est le quasi-synonyme, s'est employé plus longtemps. ➜ Le participe moderne, **RÉSOLU, UE**, calqué du latin *resolutus*, adjectivé, d'abord *ressolu* «solitaire» (1340), puis *résolu* (v. 1370) «décomposé en», a disparu. ◇ Seule l'acception postérieure de «ferme dans ses projets» (1478-1480) s'est maintenue, en emploi indépendant et dans la construction *résolu à* (1549) qui a éliminé l'emploi classique *résolu de.* ➜ Avec ce sens, *résolu* a produit plusieurs dérivés. **RÉSOLUMENT** adv. (1544), d'abord *resoluement* (av. 1450) signifie «sans contredit possible», «sans hésitation»; jusqu'au XVIIe s., il avait aussi le sens de «à tout prix, coûte que coûte» (1530). ➜ L'antonyme préfixé **IRRÉSOLU, UE** adj. (v. 1550) qualifie la personne qui ne s'est pas encore décidée à qqch., se trouve dans un état d'indécision; plus rarement, il qualifie une question non encore tranchée (1580). ➜ L'adverbe dérivé, **IRRÉSOLUMENT**, d'abord écrit *irresoluement* (1580), n'a pas eu le succès de *résolument.*
RÉSOLVANT, ANTE adj., emprunt (1314) au latin *resolvens, -entis,* participe présent de *resolvere,* s'est confondu plus tard avec le participe présent de *résoudre.* ◇ Il a été introduit par les médecins pour qualifier ce qui détermine la résolution des tumeurs, des engorgements, avant de décliner sous la concurrence de *résolutif**. Cet adjectif était aussi substantivé (v. 1549). ◇ Le féminin **RÉSOLVANTE** a été substantivé en mathématiques (1932) d'après *forme résolvante* (1904), à propos d'une nouvelle équation typique permettant de résoudre une équation. ➜ De *résolvant* est dérivé **RÉSOLVANCE** n. f. (v. 1970), mot didactique qui désigne le pouvoir séparateur d'un instrument d'optique d'après *résolution.*

◈ voir **RÉSOLUBLE, RÉSOLUTIF, RÉSOLUTION.**

RESPECT n. m. est emprunté (1287) au latin *respectus* «regard en arrière» qui a pris d'une part le sens de «recours», «refuge», développé dans *répit**, et de l'autre le sens d'«égards, considération». *Respectus* est formé de *re-* (→ re-) et *spectus* participe passé du verbe *specere* (→ spectacle).

♦ Le sens de «point de vue, rapport, prise en considération, motif», réalisé dans la locution ***au respect de*** «à l'égard de, en comparaison de» (XVIe s.), est sorti d'usage à la fin du XVIIe s.; il continue de vivre dans l'anglais *respect* emprunté au XIVe s. au français ou au latin. L'acception de «redevance due aux églises» (1374) est propre au moyen français. ◇ Les sens actuels sont issus au XVIe s. de l'ancienne valeur par un développement propre au français et à l'ancien provençal (dès 1455) : *respect* désigne le sentiment qui porte à traiter qqn avec les égards dus à son âge, son rang, son mérite (av. 1540), son sexe, d'où ***manquer de respect à une femme*** (1671, Mme de Sévigné). *Respect* est entré dans les formules de politesse, telles ***sauf votre respect*** (1636), ***sauf le respect que je vous dois*** (1690), ***avec le respect que je vous dois*** (1718) et son pluriel *respects* a reçu le sens métonymique de «témoignages, marques de déférence» (1580), conservé dans la formule de politesse ***mes respects.*** ➜ Par extension et affaiblissement de l'idée de «vénération», le mot désigne l'attitude qui consiste à ne pas porter atteinte à une chose jugée bonne, précieuse (1588, Montaigne). ◇ L'accent étant mis sur l'autorité, il désigne aussi la soumission forcée par considération de force, de la supériorité (v. 1675), dans les locutions verbales ***tenir, garder qqn en respect.*** Dans l'expression ***respect humain*** (1651, Corneille), il réalise l'idée voisine de «réserve, pudeur conduisant à se garder de certains actes par crainte du jugement des hommes». ➜ Comme en témoigne la rime *respec-bec* relevée chez La Fontaine, le *c* était encore prononcé au XVIIe siècle.

▶ **RESPECTABLE** adj., s'il est vraiment antérieur au verbe *respecter* (il est attesté v. 1460), ne peut en être dérivé. L'existence de correspondants dans d'autres langues romanes (italien, espagnol, portugais) postulerait un bas latin °*respectabilis,* vraisemblable mais non attesté. ◇ L'adjectif semble rare en français jusqu'au XVIIe s. où il compte parmi les mots à la mode (Bouhours, en 1692, le dit né à la Cour) et où il est emprunté par l'anglais (d'où *respectability,* repris par le français, voir ci-dessous *respectabilité*). ➜ Au XIXe s., sans être considéré comme un anglicisme à l'instar de *respectabilité**, il est souvent employé dans un contexte anglo-saxon et développe la valeur d'«assez important, digne de considération» (déb. XIXe s.). ➜ **RESPECTUEUX, EUSE** adj. dérivé de *respect* (1540) qualifie une personne qui témoigne du respect aux êtres et aux choses et, par métonymie, ce qui est signe de respect, de savoir-vivre (1572), quelquefois avec un complément introduit par *de* et spécialement, en droit, dans les expressions *sommation respectueuse* (1718) et *acte respectueux* (1804). ◇ L'idée de crainte s'ajoute parfois à celle de «désir de ne pas porter atteinte», par exemple dans la locution ***à une distance respectueuse*** (1835). ◇ Par allusion au titre de la pièce de J.-P. Sartre, *La P[utain] respectueuse,* le mot a été substantivé pour désigner une prostituée (1947), emploi déjà sorti d'usage. ➜ *Respectueux* a produit **IRRESPECTUEUX, EUSE** adj. (1611) dont est tiré **IRRESPECTUEUSEMENT** adv. (1710), **DÉRESPECTUEUX, EUSE** adj. (1787) synonyme momentané de *irrespectueux,* et **RESPECTUEUSEMENT** adv. (1636). ➜ **IRRESPECT** n. m., préfixé de *respect* d'après *irrespectueux,* apparaît pendant la Révolution (1794, *Vocabulaire de nouveaux privatifs français*), et est devenu usuel dans une langue soutenue.

RESPECTER v. tr., attesté au XVIe s. (1554, antérieur si *respectable* [ci-dessus] en est dérivé) est emprunté au latin *respectare* «regarder derrière soi», «être dans l'attente», et au figuré «prendre en considération». Ce verbe est le fréquentatif de *respicere,* formé de *re-* (→ re-) indiquant le mouvement en arrière et de *spicere* «regarder» (→ spectacle). Il a donné en ancien et moyen français les formes plus populaires *respoitier* (v. 1155) «épargner, sauver», *respiter* (v. 1175), *répiter* «sauver», «différer, ajourner», alignées sur le substantif *répit** et qui signifient parfois «observer un droit». Le mot correspond en anglais à l'emprunt *to respite* (XIVe s.). ➜ Le verbe a rejoint le sens moderne du substantif *respect,* et a été considéré comme son dérivé : le sens de «considérer comme une chose dont on doit tenir compte» (1554) est sorti d'usage. *Respecter* signifie ensuite «avoir de la déférence, des égards pour (qqn)» (1560), et «observer scrupuleusement (ce qu'il convient de faire, ce qui est prévu)» (1580), emplois dont procèdent les acceptions de «ne pas abîmer» (1636), «ne pas troubler» (1672). Il s'emploie, d'après le sens du nom, dans la locution ***respecter une femme*** (1833). ➜ La forme pronominale *se respecter* (1740) entre dans la locution ***qui se respecte*** (1875), qualifiant un substantif avec la valeur de «réel, qualifié à juste titre».

RESPECTABILITÉ n. f. est emprunté (1784, Beaumarchais) à l'anglais *respectability* «qualité, condition d'une personne jugée respectable» (v. 1785), lui-même dérivé de l'adjectif *respectable,* emprunté au français *respectable* (ci-dessus) au XVIIe siècle. ➜ Le mot, rare avant le milieu du XIXe s. (1842), s'est employé au XIXe s. pour évoquer une notion anglaise ; il a longtemps été senti comme anglo-saxon, souvent avec la graphie anglaise *respectability* (Balzac, 1842), avant d'être acclimaté en français et considéré comme le dérivé de *respectable.*

◈ voir **RESPECTIF.**

RESPECTIF, IVE

RESPECTIF, IVE adj. est emprunté (v. 1534) au latin scolastique *respectivus* «relatif à» (av. 1216), dérivé du latin classique *respectus* «égard, considération» (→ respect). L'ancien provençal *respectiu* (v. 1350) incite à croire que le mot français est antérieur au XVIe siècle.

♦ Les premiers sens, «attentif, prudent» (encore en 1611), et «respectueux» (1593), sont sortis d'usage. ◇ En français moderne, l'adjectif qualifie ce qui concerne chaque chose, chaque personne par rapport à une autre. Attesté au XVIIe s. (1680), ce sens est probablement plus ancien et même antérieur aux autres acceptions, si l'on en juge par le dérivé *respectivement* (ci-dessous).

▶ **RESPECTIVEMENT** adv. est attesté dès 1415 avec son sens actuel. Il se construit avec *à* et signifie «en ce qui concerne l'un parmi plusieurs éléments».

RESPIRER

RESPIRER v. est emprunté (v. 1190) au latin *respirare,* «renvoyer en soufflant, exhaler», employé absolument au sens physiologique, et «reprendre haleine», au figuré «se reposer, avoir du répit». Ce verbe est formé de *re-* (→ re-) indiquant le mouvement en retour et de *spirare* «souffler» (→ spirituel). Son aire de diffusion est vaste, même si, dans le sud de la France, il n'a pu remplacer partout les représentants d'un latin populaire °*alenare* (→ haleine) et que, çà et là, il a été refoulé par ceux de *pulsare* (→ pousser). La prononciation de l'*s* est probablement due à l'influence de *esprit* ou peut être un rétablissement à l'époque moderne d'après le latin.

♦ Le mot a été repris au sens ancien de «revenir à la vie», auquel correspondait le sens transitif de «rendre la force vitale, le souffle» (déb. XIIIe s.), et qui témoigne de l'attraction de *esprit* «souffle, vie», la formule *respirer l'esprit* réunissant les deux mots. ➜ Il a repris, peut-être sous l'influence de *répit*, le sens figuré du mot latin, «avoir un délai, un moment de calme» (déb. XIIIe s.), et le sens primitif «exhaler» (v. 1280). Ce dernier, moins vivant aujourd'hui en emploi propre, a reçu le sens figuré de «se répandre, rayonner de, témoigner de» (v. 1585). ➜ La valeur physiologique, qui existait déjà en latin, «attirer l'air dans sa poitrine puis l'en rejeter», apparaît en même temps (v. 1280); ultérieurement, une certaine confusion se produisit avec *aspirer* «attirer par la respiration» (fin XVIe s.); de là *respirer* pour «humer» (1671, La Fontaine). Mais l'emploi de *respirer après*, au sens figuré de «désirer ardemment» (v. 1570) ne réussit pas à concurrencer *aspirer à*. ➜ L'emploi absolu au sens de «vivre» (fin XVIe s.) procède de la valeur physiologique mais aussi d'«aspirer l'air». ◇ Plus tard, le mot s'est spécialisé en botanique (1768), la notion physiologique de «respiration» s'élargissant. ◇ Les valeurs métaphoriques, «avoir l'apparence de la vie (pour un tableau)» (déb. XIXe s.) et «se manifester par quelque apparence» (1870), sont littéraires.

▸ **RESPIRABLE** adj. (1380) évoque le bas latin *respirabilis* mais peut être dérivé en français. Il a signifié «qui respire» et «grâce à quoi on respire» (v. 1585) avant de prendre le sens de «que l'on peut respirer» (1686), seul en usage aujourd'hui *(air, atmosphère respirable)*. Il a servi à former l'antonyme **IRRESPIRABLE** adj. (1779), souvent employé avec la valeur figurée d'«insoutenable» (XIXe s.), et **RESPIRABILITÉ** n. f. (1836) d'où **IRRESPIRABILITÉ** n. f. (1845) d'après *irrespirable*, d'usage didactique. ➜ Le dérivé **RESPIR** n. m. (1530) ou *respire* (XIXe s.), très vivant au XVIe s. comme désignation du souffle, de l'action de respirer, a été évincé par *respiration*, mais survit dans plusieurs parlers du Centre et de l'Ouest (et au Canada). ➜ **RESPIRATEUR** n. m., dérivé savant du verbe (1802), désigne un appareil permettant de rester longtemps dans un air suffocant, et (milieu XXe s.) un appareil destiné à assurer une ventilation pulmonaire artificielle.

RESPIRATION n. f. est emprunté (v. 1370), comme l'ancien provençal *respiracio* (XIVe s.) au dérivé bas latin *respiratio, -onis* «respiration, pause pour reprendre haleine, exhalaison». ➜ Le mot est dès l'origine un terme de physiologie s'appliquant à la fonction commune à tous les êtres vivants, mais d'abord chez les animaux supérieurs et l'homme, fonction par laquelle ils absorbent de l'oxygène et rejettent du gaz carbonique et de l'eau. ◇ Les emplois figurés, tel «action de reprendre courage» (v. 1450) sont archaïques; quelques valeurs métaphoriques insistent sur l'idée de souffle, de rythme, spécialement en musique «action d'observer certaines mesures pour respirer en chantant» (1845). ◇ Les emplois didactiques et techniques se multiplient à partir du XVIIIe s., le concept initial s'élargissant aux plantes (1783) et, dans les syntagmes ***respiration artificielle*** (1834), *respiration assistée ou contrôlée* (1964), désignant des techniques d'aide. Au XXe s., confondu avec *aspiration*, il désigne l'absorption de qqch. par les voies respiratoires. ➜ *Respiration des réservoirs* (attesté dans les dictionnaires en 1964) s'applique en technique à l'aspiration d'air extérieur ou au rejet de vapeurs par un réservoir de stockage pétrolier, lorsque les variations de la température ambiante modifient le volume et la tension de vapeur du produit stocké.

RESPIRATOIRE adj. est soit emprunté (1566) au dérivé bas latin *respiratorius* (Ve s.), soit dérivé du verbe français. ◇ Le mot, qui qualifie ce qui concourt à la respiration, est rare avant le XIXe s.; il qualifie alors un appareil permettant à l'homme de séjourner dans des milieux impropres à la respiration (1845) et ce qui a rapport à la respiration (1833), d'où *quotient respiratoire* (1904). Il qualifie aussi (1904) les échanges gazeux qui se produisent au niveau de l'alvéole pulmonaire et des tissus par absorption d'oxygène.

RESPLENDIR v. intr. est la francisation (v. 1120) du latin *resplendĕre* (*e* bref), altération de *resplendēre* (*e* long) «renvoyer la clarté, reluire», de *re-* (→ re-) indiquant le mouvement en retour, et *splendere* «briller, être éclatant» au propre et au figuré (→ splendeur, splendide). Ce verbe, surtout poétique et noble, est d'origine incertaine; un rapprochement avec le lituanien *spléndžiu* «je brille», est mal établi et on ignore s'il s'agit d'une forme indoeuropéenne.

♦ Le verbe signifie «répandre une lumière abondante et éclatante, briller d'un vif éclat», également avec des connotations nobles, superlatives, qui favorisent des emplois plus abstraits.

▸ Le dérivé **RESPLENDISSEMENT** n. m. (v. 1120) relève d'un usage littéraire. ➜ **RESPLENDISSANT, ANTE**, adjectivation du participe présent de *resplendir* (v. 1160), est employé assez couramment au propre et au figuré.

RESPONSABLE adj. et n., d'abord *responsavle* (1284) comme nom et *responsable* (1304) comme adjectif, est un mot savant dérivé du latin *responsum* (→ répons), supin de *respondere* pris au sens de «se porter garant» (→ répondre).

♦ Dans son ancien emploi substantif, c'est un terme de féodalité désignant l'homme ayant la charge à vie de payer à un seigneur la rente d'un fief ecclésiastique, et l'adjectif a d'abord qualifié en droit une personne admissible en justice (1304). ➜ C'est au XIVe s., que cet adjectif qualifie la personne qui doit rendre compte de ses actes et de ceux des personnes dont elle a la garde, d'abord dans un cadre juridique, puis aussi en vertu de la morale admise. À l'époque classique, on pouvait introduire par la préposition *à* le complément désignant la personne, l'autorité devant laquelle on est responsable (1669, Molière, *Tartuffe*). ◆ Au XVIIIe s., l'adjectif s'emploie aussi dans un contexte politique, à propos d'un gouvernant devant rendre compte de sa politique; cf. ci-dessous *responsabilité*. Par extension, suivi d'un complément introduit par *de*, il correspond à «chargé de». ◇ Au XXe s., il est substantivé à propos d'une personne ayant une fonction de décision et devant rendre compte de ses actes (1935). ◆ Sous l'influence de l'anglais *responsible*, l'adjectif a pris la valeur psychologique de «sérieux, réfléchi» (v. 1965), s'appliquant par métonymie à un acte (1968, *l'Observateur*).

▸ **RESPONSABILITÉ** n. f. (1783), dérivé de *responsable*, d'abord dans des traductions de discours de Fox *(Courrier de l'Europe)*, a subi l'influence sémantique de l'anglais *responsibility* (1733), spécialisé en droit constitutionnel, mot dérivé de *responsible;* le moyen français *responsibiliteit* (XVe s.), dérivé de l'ancien français *responsible*, était depuis longtemps sorti d'usage. ◇ Le mot est apparu en droit constitutionnel anglais, puis général, pour désigner l'obligation pour les ministres de quitter le pouvoir lorsque le corps législatif leur retire sa confiance. ◇ Il est passé dans l'usage courant, connaissant un véritable engouement dans la langue des journaux et des discours politiques, avec la valeur de l'adjectif français pour «obligation de répondre de ses actes» (1788). Il désigne en droit civil l'obligation de réparer les dommages causés à autrui par soi-même ou par une personne, un animal, une chose que l'on a sous sa garde (1845), et, en droit pénal, l'obligation de supporter le châtiment prévu par la loi (1904), d'où *responsabilité atténuée* (1936). Au XXe s., il a pris par métonymie le sens de «charge qui confère l'initiative de décisions mais oblige celui qui en est investi à rendre compte de ses actes» (1930). ◆ **IRRESPONSABLE** adj. (1786), antonyme préfixé de *responsable*, a immédiatement les deux valeurs, juridique et courante; il est substantivé pour désigner une personne qui agit à la légère, sans se préoccuper des conséquences de ses actes (1934). ◆ Il a produit d'après *responsabilité* le nom correspondant, **IRRESPONSABILITÉ** n. f. (1790), qui a supplanté la forme *non-responsabilité* (1784). ◆ **RESPONSABILISER** v. tr., tiré de *responsable*, semble dater des années 1960 (1963, A. Boudard au pron.). Ce verbe et son dérivé **RESPONSABILISATION** n. f. (v. 1970) sont assez courants malgré leur lourdeur.

RESQUILLER v. est emprunté (1910) au provençal *resquilha, resquilla* qui a de nombreuses variantes dans les dialectes méridionaux: «glisser, laisser échapper un mot trop libre», «faire un faux pas». Ce mot est selon les uns (par exemple Wartburg) rattaché au germanique *Kegil* «quille» par une évolution obscure, ou, selon les autres, formé de *re-* (→ re-) à valeur intensive et de *esquilha* «s'enfuir», lui-même de *quilho* «jambe», de même origine que le français *quille**, avec un préfixe du latin *ex-* (français *e-*) marquant l'éloignement, et la privation (des jambes).

♦ Le verbe semble signifier d'abord «outrepasser son droit»; selon Dauzat, il a eu cours dans l'argot des marins à Salonique au sens de «s'esquiver du bord» (1915-1916). Esnault le donne en 1910 avec son sens transitif actuel de «se procurer une chose, un avantage sans payer». La spécialisation pour «se faufiler dans une salle de spectacle, entrer sans payer, sans faire la queue», est attestée depuis 1927.

▸ De *resquiller* dérive le nom d'action **RESQUILLE** n. f. (1924) ou **RESQUILLAGE** n. m. (1936), le premier plus courant. ◆ **RESQUILLEUR, EUSE** n. et adj. est emprunté (1924) au provençal *resquilhaire* «qui disparaît sans payer», de *resquilha* ou plutôt, vu les dates d'attestation, dérivé du verbe français. ◇ Le mot qualifie la personne qui fraude, resquille et, par affaiblissement, une personne débrouillarde et peu scrupuleuse.

RESSAC n. m. est emprunté (1613), peut-être par l'intermédiaire du provençal *ressaco*, à l'espagnol *resaca* qui vient de la locution *saca y resaca* «mouvement de flux et de reflux de la mer», parce que le mouvement de la mer enlève les objets qui se trouvent sur le sable, les y rejette et les y enlève de nouveau. Ce mot est tiré du verbe *resacar* «tirer en arrière», de *re-* (latin *re-*, → re-) indiquant le mouvement en arrière et *sacar* «tirer», de *saco* «sac» qui remonte au latin *saccus* (→ sac).

♦ *Ressac* désigne le va-et-vient de la mer, des vagues, le long du littoral, avec une idée de violence résultant d'un choc.

RESSAISIR → SAISIR

RESSASSER → SAS

RESSAUT n. m. est emprunté (1651) à l'italien *risalto*, employé en architecture pour désigner une saillie interrompant le plan vertical d'un bâtiment. C'est le dérivé du verbe *risaltare* «faire saillie», proprement «sauter de nouveau», de *ri-*, préfixe à valeur intensive (latin *re-*, → re-) et de *saltare* «danser, sauter», correspondant au français *sauter** et de même origine latine.

♦ Repris en architecture avec le sens du mot italien, *ressaut*, d'abord dans l'expression *escalier qui fait ressaut* (1676) «qui ne se développe pas de façon continue», est passé plus tard dans l'usage général pour désigner une saillie, une dénivellation (1811), et techniquement une rupture de pente (1796). ◆ Déjà employé dans la première moitié du XVIIIe s. par Saint-Simon à propos d'un sursaut dans la conversation (1740-1755), il a pris le sens figuré de «mouvement brusque, sursaut» (1875), parfois confondu avec un homonyme, le déverbal de *ressauter* (→ sauter), qui a cours dans l'usage populaire; cette valeur figurée a vieilli.

▸ Lui-même a produit ② **RESSAUTER** v. intr. (1691) pour «former un ressaut» en architecture.

RESSEMBLER → SEMBLER

RESSENTIMENT, RESSENTIR → SENTIR

RESSERRER, RESSERRE → SERRER

① et ② **RESSORT** → SORTIR

RESSOURCE n. f., réfection d'après *source* (déb. XVe s.) de *resorce* (v. 1160), est le féminin de *resors, resours* «relevé, rétabli» (v. 1155), encore dans les dialectes en parlant d'une pâte bien levée ou de ce qui vient en abondance, substantivé en moyen français aux sens de «renouvellement, jaillissement, relèvement». C'est le participe passé de l'ancien verbe *resurdre* (v. 980), *resordre* (XIIe s.) puis *resourdre* «ressusciter» *(resurdre)*, «se remettre debout» (v. 1160), «se renouveler, recommencer» (v. 1160), «reparaître quelque part» (1247), «se rétablir» (XIIe s.) et, transitivement «secourir». Le verbe est issu du latin *resurgere* «rejaillir», au figuré «se rétablir» (→ résurgence, résurgent), et constitue donc le doublet populaire de *resurgir* (→ surgir). *Resurgere* vient de *re-* et *surgere* (→ sourdre, surgir).

♦ En ancien et moyen français, le mot désignait le secours que l'on obtient d'un pays, puis aussi le relèvement, le rétablissement (XVe s.). ➔ Le passage au sens moderne s'est fait par déplacement métonymique sur les moyens : *ressource* désigne alors le moyen de faire face à une situation difficile, sens qui, dans sa généralité, (déb. XVe s.) donne lieu aux locutions ***sans ressource*** (déb. XVe s.), ***en dernière ressource*** (attesté milieu XXe s.). ➔ Les extensions précisent la nature des moyens mis en œuvre : *ressource* désigne la capacité physique de fournir un nouvel effort après une dépense d'énergie (1588), ainsi que les moyens matériels dont on peut disposer pour assurer son existence ou subvenir à ses besoins (fin XVIe s.), surtout au pluriel *ressources* (av. 1799). ◇ Au XVIIe s., le mot se dit de la capacité permettant de soutenir qqn moralement (1687, Bossuet), le pluriel s'appliquant aux moyens d'action inhérents à une situation, un comportement, une activité, et aussi aux capacités inhérentes à une personne (av. 1692, Fénelon) notamment dans la locution ***plein de ressources*** (1718), ***homme de ressource*** (1740). *Ressources* s'est spécialisé pour les possibilités langagières (av. 1782, D'Alembert) et aussi les réserves dont dispose un pays, son potentiel économique (fin XVIIIe s.). ➔ Le XXe s. apporte deux spécialisations techniques, en couture «partie d'étoffe laissée en suspens dans les coutures, les ourlets» (déb. XXe s., Colette) et en informatique, «partie d'un système utilisable par différents utilisateurs» (1975). D'après l'anglais, on parle aussi de *personne-ressource*. ➔ En marge de ce développement, *ressource* a gardé en fauconnerie le sens concret de «redressement» ; il désigne la remontée de l'oiseau après un mouvement de descente (1373) ; de ce sens procède l'emploi en aéronautique pour la manœuvre de redressement d'un avion après un piqué (1920).

▸ **RESSOURCEMENT** n. m. (déb. XXe s., Péguy), «rejaillissement, retour aux sources» et **SE RESSOURCER** v. pron. (v. 1978), le plus souvent employés dans des contextes idéologiques (religion, politique), sont soit dérivés de *ressource,* soit recréés sur *source** avec le préfixe *re-** à valeur itérative et un suffixe.

RESSUSCITER v. est emprunté (v. 1119) au latin *resuscitare,* de *re-* (→ re-) à valeur itérative, et *suscitare* «lever, soulever» (→ susciter). Le verbe latin, rare à l'époque classique, où il a le sens de «réveiller, rallumer (la colère)» a développé à basse époque d'autres acceptions : «reconstruire, relever», au figuré «ramener à la vie, faire revivre», se spécialisant dans la Vulgate avec la double construction transitive et intransitive.

♦ La langue ecclésiastique l'a repris en français, au sens de «revenir de la mort à la vie» et, transitivement, «faire revenir de la mort à la vie» (v. 1155). Les extensions de sens consistent en emplois hyperboliques et figurés : *ressusciter* se dit d'un malade qui revient à la santé (XIIIe s.) et, au figuré, de qqn qui se manifeste à nouveau, témoigne d'un regain de vitalité (v. 1360). ➔ La construction transitive correspond symétriquement à «rendre à la santé» (fin XVIe s.), «donner une nouvelle vigueur à (un être vivant)» (1690) et, au figuré, «donner un nouveau lustre à (qqch.)» (1546), «rendre à (qqn) la joie de vivre» (1633). Le sens fort de «ramener à la vie» a suscité un emploi métaphorique (1694) et la locution figurée expressive ***capable de ressusciter un mort*** (1870), annoncée dès le XIIe s. par *faire ressusciter le mort.* ◇ L'emploi pronominal *se ressusciter* (1559) «se ranimer» et proprement «revenir à la vie» (fin XVIe s.), senti comme superflu, a été abandonné.

▸ Les dérivés français ne parvinrent pas à supplanter *résurrection :* **RESSUSCITÉE** n. f. (déb. XIIIe s.) et **RESSUSCITEMENT** n. m. (v. 1220) ont disparu. ➔ **RESSUSCITATION** n. f. (XIIIe s.), emprunté au bas latin ecclésiastique *resuscitatio, -onis* (du supin de *resuscitare*) ne s'est maintenu que dans un emploi médical métonymique : «ensemble des moyens mis en œuvre pour ramener un malade à la vie». ➔ **RESSUSCITEUR** adj. et n. m. (XIVe s.) tiré savamment du verbe, est resté rare au sens propre et figuré de «celui qui renouvelle, rétablit» (1549). Il s'est appliqué avec une intention laudative à un bon médecin (v. 1750).

✻ **RESTAURER** v. tr., d'abord *restaurar* (fin Xe s.) puis *restaurer* (v. 1138), est emprunté au latin impérial *restaurare* «rebâtir, refaire, réparer» et, à basse époque «reprendre, renouveler». Ce verbe a été formé, par substitution de préfixe (*re-* ayant ici valeur itérative, → re-), sur *instaurare* (→ instaurer), verbe rare, surtout technique, dont le sens de «réparer, recommencer» était peu conciliable avec la valeur du préfixe *in-* (→ en). La substitution de préfixe s'est faite sur le modèle de *instituere-restituere* (→ instituer, restituer) et *instaurare* a pris le sens d'«offrir pour la première fois». L'ancienne forme française *restorer* fut empruntée par le moyen néerlandais *(restoren)* et l'anglais *(to restore)*.

♦ Le verbe présente en ancien français des sens différenciés : exprimant d'abord le fait de guérir une blessure, un organe malade, de rendre l'usage d'une partie du corps (v. 980) ; il signifie ensuite «redonner des forces à (qqn)», le sujet désignant la nourriture, des aliments fortifiants (v. 1216). Il a aussi développé les sens figurés de «ressusciter», «faire le salut spirituel de» (v. 1250) qui ont disparu. ➔ Dès le XIIe s., il s'est employé dans un sens général pour «remettre dans un état antérieur» (v. 1155), spécialement en architecture (v. 1138), puis en art (1680). ➔ Il a eu d'autres valeurs en ancien français «remplacer (qqch.)» (1165), «restituer» (1284, en droit), «compenser, dédommager» (1209) d'où «indemniser» (1278). ◆ La forme pronominale *se restaurer* (XIVᵉ s.) a seulement le sens de «reprendre des forces», spécialement «en prenant de la nourriture» (1819).

▶ Dès le XIIᵉ s., le dérivé *restor* n. m. (v. 1160), ensuite écrit **RESTAUR** (1690), dont provient le moyen néerlandais *restoor*, correspond au verbe ; il a progressivement reculé sous la concurrence de *restauration*, résistant plus longtemps comme terme de droit (1752), spécialement en droit commercial (1690). Les autres tentatives faites pour donner à *restaurer* un nom d'action, *restorement* (v. 1155), *restaurance* (v. 1200), *restaurage* (déb. XIIIᵉ s.) ont échoué, la fonction étant assumée par *restauration*.

RESTAURANT, le participe présent, est substantivé dès le moyen français avec plusieurs sens correspondant au verbe, «dédommagement» et «rétablissement» (1534), dans la locution *être hors de restaurant* «sans aucune force». ◇ L'acception d'«aliment reconstituant» (1521, dès 1507 en ancien provençal pour une boisson) a eu un usage plus important, auquel correspond un emploi adjectif (1660). Au milieu du XVIIᵉ s., *restaurant* s'est spécialisé pour désigner un bouillon reconstituant fait de jus de viande concentré (1666, La Fontaine). Le mot a pris le sens figuré de «réconfort» (v. 1750) et, par métonymie, la seule valeur vivante aujourd'hui «établissement servant des repas (à l'origine des bouillons) contre paiement» (1771). L'institution, distincte dès l'origine de l'auberge avec sa table d'hôte, est urbaine ; elle se développe en France au XIXᵉ siècle. Par extension, le mot désigne la partie d'un établissement réservée au service des repas (1862) ; il entre dans quelques composés, indiquant que les repas peuvent être pris dans le lieu indiqué par le premier élément du terme *(café-restaurant, hôtel-restaurant, wagon-restaurant)*. On l'abrège familièrement en **RESTAU** (1899), ou **RESTO** (1970), spécialement dans *restau U* (v. 1960), abréviation étudiante pour *restaurant universitaire*.

RESTAURATION n. f. est emprunté (fin XIIIᵉ s.) au dérivé bas latin *restauratio, -onis* «renouvellement». L'ancien français a eu le doublet populaire *restoreson* (1252) «rétablissement de la santé, guérison». ◆ Le mot a le même sémantisme que le verbe : il désigne l'action de remettre une chose en état, et spécialement le rétablissement d'un édifice ancien (1560), d'un objet d'art. ◆ Les médecins l'emploient dès le début du XIVᵉ s. pour désigner le retour de l'organisme à l'état précédant une maladie, une blessure ou des privations (1314). Il a pris le sens figuré de «nouvelle vigueur donnée à une fonction spirituelle disparue ou dégradée» (1553) ; ces valeurs ont disparu. ◆ Le mot s'est spécialisé en politique pour le retour à la tête du pays d'un souverain d'une dynastie écartée, d'abord en parlant de la dynastie des Stuart en Angleterre au XVIIᵉ s. (1677). Il s'agit alors aussi, dans le vocabulaire de l'époque, d'une *révolution*. Le mot est repris à propos du retour de la dynastie des Bourbons en France après l'Empire en 1815 (sens attesté en 1829) : avec une majuscule, il désigne la période historique pendant laquelle, de 1815 à 1830, la monarchie fut restaurée (attesté 1827), se prêtant à un emploi en apposition comme terme d'arts décoratifs. ◆ Au XXᵉ s., le sens physique est spécialisé en géographie à propos d'un rétablissement d'un site naturel dans son état primitif (v. 1950), dans ***restauration des montagnes*** (1964), à propos de l'ensemble de mesures de protection et de remise en état des terrains de haute montagne attaqués par l'érosion après l'exploitation abusive des forêts. ◆ Le contact du mot avec *restaurant* s'est produit en Suisse *restauration* désigne un mets servi dans un restaurant (Neuchâtel), et aussi l'établissement qui sert à manger (1890, dans les récits des voyageurs en Suisse alémanique). En français de France, il sert à désigner la branche d'activité industrielle ou artisanale consistant à fabriquer et à servir des repas (1961), en relation avec *restaurant* et *restaurateur*.

RESTAURATEUR, TRICE n. est emprunté (XIVᵉ s.) du bas latin *restaurator* «celui qui rebâtit une ville», du supin du latin classique *restaurare* (→ restaurer). ◆ Le mot a désigné jusqu'au XVIIᵉ s., un aide-chirurgien qui remet en place un membre cassé. Puis d'après *restaurer*, il désigne la personne qui rétablit, répare qqch. (v. 1505), spécialement l'artiste dont le métier consiste à réparer des œuvres d'art (1782). D'Aubigné s'en sert pour surnommer Henri IV (1630) avec la valeur de «personne qui remet en honneur une institution, rend vigueur à un État», mais ce sens ne se répandit pas dans l'usage. ◆ Au XVIIIᵉ s., d'abord au féminin *restauratrice* (1767), puis au masculin (1771), c'est devenu le nom de la personne qui tient un restaurant ; son emploi métonymique pour l'établissement où l'on mange (1798) n'eut pas de succès. Il a été adjectivé (1706) pour qualifier un aliment fortifiant, un «restaurant», sens disparu quand le mot prend son sens moderne.

RESTER v. intr. est emprunté au XIIᵉ s. (apr. 1150) au latin *restare*, «s'arrêter», «persister», «subsister» et «être de reste», formé de *re-* (→ re-) à valeur intensive et de *stare* «se tenir debout, se tenir ferme» (→ station) qui a produit plusieurs formes du verbe *être : étant, j'étais...* (→ état).

♦ Le verbe signifie dès l'origine «demeurer sur place dans le lieu où l'on est». Il est alors en concurrence avec l'ancien français *remanoir* (→ rémanent). Ce sens est resté usuel et a donné lieu à des emplois connus, comme l'exclamation attribuée à Mac-Mahon après la prise du fort de Malakoff, en septembre 1855 : *J'y suis, j'y reste !*, reprise plus tard ironiquement lorsqu'il refusa de démissionner de la présidence de la République. Dès les premiers emplois, *rester* signifie aussi «s'arrêter en cours de route sans aller plus loin», au propre (v. 1190) et au figuré, notamment dans les locutions postérieures ***rester court*** (1559), ***en rester à*** (1773) «s'en tenir à», ***en rester là*** (1754). Cette valeur a donné lieu à des emplois figurés et spécialisés, comme *rester en arrière*, employé par exemple à propos d'un bâtiment dont la construction avance moins vite que d'autres (1845), ou bien, en termes de manège, ***rester dans la main*** (1870), qui se dit d'un cheval qui ne cherche pas à échapper à l'action du mors. ➛ Plusieurs extensions se sont développées à partir de cette même valeur : *rester* a pris le sens de «loger, habiter» (1647), marqué comme gasconisme au XVIIIe s., puis comme familier (1893), en fait usuel dans de nombreux usages régionaux du français, notamment occitan, et en français d'Afrique. L'expression elliptique ***y rester*** (1585), d'usage familier, induit l'idée de «ne pas revenir d'une entreprise hasardeuse» et constitue souvent un euphémisme pour «mourir», comme les locutions ***rester sur place*** (1732), ***rester sur le carreau*** (1771). ➛ Le sens temporel de «s'attarder, passer trop de temps», enregistré tard dans les dictionnaires (1870), doit être beaucoup plus ancien régionalement, notamment avec une nuance durative dans la construction *rester à* et infinitif (1832). *Rester* signifie aussi «être présent, prolonger son séjour» et, avec un sujet désignant une chose, «continuer à apparaître, à se manifester» (1875), cette dernière signification réalisée familièrement dans les locutions ***rester sur l'estomac, le cœur,*** «écœurer». ➛ Une autre acception ancienne du verbe est «se trouver durablement dans une position» (v. 1240) et, de là «continuer à être dans tel ou tel état», suivi d'un complément prépositionnel ou d'un attribut (1671). D'où le sens de «se maintenir dans la même attitude» (v. 1750, Buffon), par exemple dans les expressions *rester debout,* ***rester tranquille,*** et le sens abstrait «garder le même statut, la même fonction professionnelle» (av. 1778, Voltaire). ➛ Un développement du XVIIe s. a donné au verbe le sens de «subsister, continuer à vivre», réalisé en construction impersonnelle (1635) et personnelle (1640). ◇ Par opposition à ce qui passe, disparaît, il exprime l'idée de «continuer à être, à exister» (1748) et, «se perpétuer dans la mémoire, dans l'usage» (1764).

Avec un nom de chose pour sujet, *rester* exprime l'idée d'«être à la disposition de qqn» (1382), réalisée à la fois en construction personnelle et impersonnelle (*il reste...* 1538). Le verbe a eu la nuance accessoire d'«être de rebut» (1382) cf. ci-dessous *reste,* alors que *rester* implique plutôt en français contemporain une utilisation possible. Placé en tête de phrase et entraînant une inversion du sujet, il correspond à «être encore à faire» (1549), également dans *il reste à* ou ***reste à*** (1580) par exemple *reste à savoir,* et *il reste de* (1657, Pascal), construction devenue littéraire et recommandée de nos jours dans le cas d'une action passée qui a produit un résultat permanent et durable. ➛ ***Il reste que*** (1936), ***reste que*** «il est néanmoins vrai que», constitue le seul cas où la tournure impersonnelle ne répond à aucun emploi du verbe personnel.

▸ **RESTE** n. m., souvent féminin jusqu'à la fin du XVIe s., est le déverbal (v. 1220) de *rester.* ◇ Dès les tout premiers textes, il désigne la plus petite partie d'un tout et, avec une valeur de neutre, ce qui demeure d'une quantité, d'un ensemble dont la plus grande partie a été retranchée. Il s'applique spécialement à la partie d'une somme qu'il faut encore payer ou qui reste à recevoir (1324), par exemple dans la locution ***être en reste*** (*demeurer en reste,* fin XVe s.), dont le sens propre, «être redevable d'une partie d'une somme» (1382, *être en reste de payer*) a disparu ; le sens figuré, «être débiteur dans un échange avec autrui, être redevable de» (1694), également à la forme négative (1835, ***n'être jamais en reste***) est resté en usage. ◇ Le même sens est réalisé dans quelques locutions figurées comme *donner son reste à qqn* (1673) «avoir toujours le dernier mot», sortie d'usage, et ***ne pas demander son reste*** (1694) ou ***ne pas attendre son reste*** (1798) «abandonner, fuir, sans chercher à résister ou à poursuivre», *reste* ayant perdu dans ces locutions sa valeur comptable. ➛ Le langage mathématique a repris *reste* pour lui faire désigner ce qui est en excès d'un dividende (1754, *Encyclopédie*), le résultat d'une soustraction (1765, *Encyclopédie*), et spécialement le nombre qu'il faut ajouter au carré de la valeur approchée de la racine carrée d'un nombre pour retrouver ce nombre, ou encore (XXe s.) la somme de la série restante après suppression de tous les termes qui précèdent un terme déterminé *(le reste d'une série).* ◇ Par transposition de l'idée de «quantité nombrable» sur le plan temporel, *reste* désigne aussi le temps qui doit encore s'écouler (1559, au féminin dès 1445) ; on disait autrefois *jouir de son reste* pour «profiter des derniers moments d'une situation agréable que l'on va perdre». ➛ Par ailleurs et depuis l'ancien français, le mot désigne, avec une inversion du rapport, la plus grande partie d'un tout, à l'exclusion d'une petite quantité. Il désigne ainsi tout ce qui, dans un tout, n'appartient pas à la partie prise en considération (v. 1220), sens dont procèdent des emplois comme *ne pas s'embarrasser du reste* (av. 1747). Il s'applique plus particulièrement à ce qui reste à faire ou à dire (1487), l'expression ***et le reste*** (1659), placée à la fin d'une énumération, indiquant qu'on ne la complète pas ou, par litote, qu'on ne veut pas la compléter. Cette idée de base s'applique à l'espace qui demeure en dehors d'une petite parcelle (XVe s.), au temps excédant un bref moment et, dans des locutions adverbiales, à tout ce qui n'a pas encore été exprimé dans ***du reste*** (1553), ***au reste*** (1559). ➛ Au XVIe s., *reste* commence à évoquer l'idée de ce qui subsiste d'une chose altérée ou enfuie (souvent avec un complément prépositionnel), d'abord une personne qui demeure la seule survivante d'une famille, d'un groupe, d'une catégorie (1559), et ce qui reste d'un sentiment, d'une qualité (1580, Montaigne) ; ces acceptions ont disparu. ➛ Depuis le XVIIe s., le pluriel *restes* reçoit des sens particuliers, désignant le cadavre d'un être humain, souvent décomposé ou mutilé (1616), et aussi les traits de beauté qui demeurent chez une personne d'âge mûr (1680), dès 1660 dans la locution ***avoir de beaux restes,*** ou encore ce qui subsiste d'une chose que le temps ou une autre cause a dégradée (1675). Le singulier *reste* évoque ce qui persiste d'un phénomène naturel sur le point de s'achever (av. 1890). ➛ Là encore, par une inversion du rapport, *reste* s'applique aussi, depuis le XVIe s., à ce qui reste en plus, le surplus. Il a quelquefois d'après une valeur de *rester* qui a vieilli, la valeur dépréciative de «rebut», d'abord en parlant des reliefs d'un repas (1548 ; 1663 au pluriel), et spécialement à l'époque classique où *les restes (d'un homme)* s'applique péjorativement à une femme dédaignée par un homme

parce qu'elle a appartenu à un autre (1642) — emploi qui trahit un antiféminisme méprisant — et en général à ce que qqn à dédaigné (av. 1696). À la même époque, on appelait *reste de gibet* (1640) un coupable ayant échappé à un châtiment mérité, d'où, ultérieurement *reste de potence* (1842), *reste de bagne* (1875), tous emplois sortis d'usage. La locution *voici le reste de notre écu* (1651) puis *de nos écus* (1762), s'est employée familièrement à propos d'une personne que l'on attendait pas et qui vient malencontreusement troubler une situation.
RESTANT, ANTE, le participe présent de *rester*, est adjectivé et substantivé (v. 1228) en parlant d'une personne qui demeure après le départ des autres, et spécialement d'une personne qui survit à d'autres (1870). L'expression *poste restante* (→ poste) a pris une valeur spécifique. ➜ **RESTANT** n. m. est une sorte de doublet de *reste*, surtout appliqué à des choses matérielles (1323); il est employé seul ou dans la locution ***un restant de*** (et substantif) [1875] à propos de ce qui subsiste de qqch. avant son entière disparition.
◈ voir RÉTIF; ÊTRE, STATION.

RESTITUER v. tr. est emprunté (1261) au latin *restituere* «remettre à sa place primitive, dans son état premier ou normal», «rétablir, rendre», de *re-* (→ re-) marquant le mouvement en arrière et *statuere* «établir, poser, placer» (→ statuer). Les nombreux préfixés de *statuere* ont produit par emprunt plusieurs verbes en français *(destituer, prostituer...)*.
♦ Le mot a repris du latin ses sens de base, «rendre (ce qui a été pris ou qui est possédé indûment)» et «rendre (qqch.) à sa forme, à son état régulier après une altération» (v. 1355). ➜ En droit, il signifie «remettre (qqn) dans la situation juridique où il était avant un jugement annulé» (1362). ➜ Il signifie spécialement «rétablir (un texte altéré)» (1690), «représenter en plan d'après les documents (un édifice, un monument détruit)» (1835). ➜ L'argot l'a employé dans la locution *restituer sa doublure* «mourir» (1867), qui a disparu, puis au sens de «vomir» (1888 intr.). ➜ Le verbe a développé le sens figuré de «rétablir par la pensée, recréer» (1849), s'employant aussi avec un sujet désignant un appareil au sens de «donner en retour, produire» (1885).
▸ De *restituer* sont dérivés des adjectifs tirés des participes passé et présent, et **RESTITUABLE** adj. (1460) «qui doit être rendu», d'usage juridique.
RESTITUTION n. f. est emprunté (1251) au dérivé latin *restitutio, -onis* «rétablissement, restauration, réparation» et, à basse époque, «action de rendre». ➜ Le mot a été emprunté pour désigner l'action de rendre ce que l'on possédait indûment, mais il faut attendre le XVIe s. pour le voir désigner, comme substantif verbal de *restituer*, l'action de remettre une chose dans son état originel (1542) et, en droit, le jugement qui relève qqn d'un engagement contracté, le remet dans son état antérieur (1549). ➜ Il a pris les sens spéciaux du verbe, désignant l'opération qui consiste à donner un passage disparu dans un texte altéré (1542), un édifice disparu (1818) avec influence probable de *reconstitution*. Il s'emploie spécialement en numismatique antique à propos de médailles reproduisant des types anciens (1762, *monnaies de restitution*; 1721, elliptiquement *restitutions*). Déjà employé dans *l'Encyclopédie* (1765) pour désigner l'action par laquelle un corps élastique se rétablit dans son état premier, il s'est spécialisé au XXe s. en physique (1956, *coefficient de restitution*). En agronomie, il concerne le retour au sol des résidus de récolte produits par une exploitation agricole (1920). ➜ **RESTITUTEUR** n. m. emprunt (fin XIVe s.) au dérivé latin *restitutor* au sens de «celui qui fait restitution», s'est spécialisé en numismatique pour désigner un empereur romain qui a fait frapper des médailles en mémoire de ses prédécesseurs (1771). Il s'emploie rarement à propos de celui qui opère une restitution artistique (v. 1850). Dans le langage technique, il est adjectivé pour qualifier un appareil effectuant la restitution de documents microcopiés (1969). ➜ **RESTITUTOIRE** adj. est emprunté (XVIe s.) au dérivé bas latin juridique *restitutorius*, du supin de *restituere*. ◇ D'abord attesté dans un coutumier, le mot est très rare avant 1845; Littré l'enregistre (1870) qualifiant ce qui est relatif à une restitution juridique.

RESTREINDRE v. tr. est emprunté (v. 1130), avec francisation d'après les verbes en *-eindre* comme *étreindre**, au latin *restringere* «serrer ou attacher en ramenant en arrière, resserrer», au figuré «ramener à des limites plus réduites». Le mot est formé de *re-* (→ re-) indiquant le mouvement en arrière et de *stringere* «serrer, resserrer, lier» (→ strict).
♦ En ancien français, où la forme la plus courante était *restraindre*, à côté des variantes *rétrindre, rétreindre, retraindre*, le sémantisme du verbe était étendu et comprenait divers sens concrets : «attacher solidement, réparer, refermer» (v. 1130), «resserrer, presser, lier» (v. 1155), «embrasser, étreindre» (XIIIe s.), «harnacher, brider (un cheval)» (v. 1180), «bander, panser» (v. 1180). Par l'image de l'objet ou du territoire délimité et comme attaché, le verbe s'employait au figuré pour «tenir de près, surveiller», «soulager de» *(restreindre de qqch.)*. ◇ La forme pronominale *se restreindre* avait le sens moral de «se contraindre», empiétant sur l'aire d'emploi d'*astreindre*, et celui de «s'abstenir» (fin XIIe s.). ➜ Seul le sens de «réduire à des limites plus étroites», au propre et au figuré (1283), est resté vivant, la construction *restreindre qqn à qqch.* signifiant «assigner comme limite à». *Se restreindre* a pris le sens de «réduire volontairement ses dépenses» (fin XIVe s.), puis «devenir moins étendu» au propre et au figuré (1559). L'emploi pronominal postérieur pour «se borner à» (fin XVIIe s., Bossuet) est demeuré rare.
▸ **RESTREINT, EINTE**, participe passé de *restreindre*, est employé adjectivement au sens de «contenu dans d'étroites limites» (fin XIVe s.). ➜ **RESTREIGNANT, ANTE**, participe présent, d'abord écrit *restregnant*, a perdu son emploi adjectif pour «qui resserre, donne de l'angoisse» (fin XVIe s.) pour celui de «qui restreint» (av. 1778, Voltaire), d'usage littéraire.
RESTRICTION n. f., réfection (v. 1380) de *restrinction* (v. 1314), est emprunté au dérivé bas latin *res-*

trictio, -onis, «modération, limitation». Le mot a éliminé les anciens dérivés français *restrainte* que l'on retrouve dans l'anglais *restraint,* ou *restreinte, restraignement* ou *restreignement, restrainture.* ◆ Le mot a un sémantisme plus simple que le verbe : le sens physique de «resserrement, arrêt», en usage chez les médecins en moyen français, a disparu. Le mot désigne une considération limitant la portée d'une chose (v. 1380), notamment dans la locution ***sans restriction*** (fin XVIIe s.). ◆ Le pluriel *restrictions* a reçu le sens de «limitation des dépenses, du train de vie» (1419), repris en économie à propos des mesures limitant la consommation en temps de guerre ou de pénurie (1921) et particulièrement appliqué à la période où la France et la Belgique étaient occupées par l'armée allemande (1941-1945). ◆ La locution ***restriction mentale,*** d'abord relevée dans la critique pascalienne contre les jésuites (1657), désigne un artifice consistant à s'exprimer en passant sous silence une condition ou une réserve formulée mentalement et qui restreint ou change le sens de ce qu'on dit de manière à tromper l'interlocuteur. Par extension, *restriction* désigne l'omission volontaire d'une partie de ce que l'on pense (1869). ◆ L'emploi pour l'action de réduire, de limiter le nombre, la quantité de qqch. (1890, *Journal des savants*) est didactique.

RESTRICTIF, IVE adj. est formé savamment (fin XIVe s.) sur le radical du latin *restrictus,* participe passé de *restringere.* Il a éliminé l'ancien doublet *restraintif* (1385) «astringent», «qui resserre», substantivé pour désigner un médicament astringent (encore au XVIIe s.) et, en général, ce qui contient, retient, réprime, freine, forme obstacle ou empêchement. ◆ *Restrictif,* dans sa spécialisation médicale, a subi au XVIIIe s. la concurrence de *restringent* (1537; 1694 comme nom), lui-même emprunté au participe présent *(restringens)* du latin *restringere* et éliminé par le mot apparenté *astringent.* ◇ L'adjectif qualifie ce qui restreint, limite la portée d'une chose (1512), spécialement en grammaire, une proposition subordonnée introduite par *excepté que, hormis que.*

RÉSULTER

RÉSULTER v. tr. ind. est emprunté (1491) au latin *resultare* «sauter en arrière, rebondir, rejaillir» et, en latin médiéval, «apparaître comme l'effet de» (XIIIe s.), et aussi «regimber, faire résistance à», de *re-* (→ re-) marquant le mouvement en arrière et *saltare* «danser, sauter» (→ sauter).

♦ Le verbe, emprunté avec le sens abstrait logique de «s'ensuivre de», qui s'explique étymologiquement par l'idée de rebondissement, de rejaillissement, s'est spécialisé dans le domaine intellectuel au sens d'«être établi par un raisonnement, une démonstration» (1636), également dans la tournure impersonnelle *il résulte, il en résulte.* ◆ Les sens concrets du latin, «rejaillir, ressortir» (1531), «rebondir» et «retentir» n'ont eu cours qu'au XVIe siècle.

▶ Le participe présent adjectivé **RÉSULTANT, ANTE** (av. 1553, Rabelais) est d'abord usité dans le langage de la procédure. Il se dit, en mathématiques, de ce qui est relatif au résultat de la composition de tous les éléments d'un système (1811), s'emploie spécialement en physique et en musique. ◆ Son féminin **RÉSULTANTE** a été substantivé en mécanique pour désigner la force unique résultant de la composition de ces forces (1652, puis 1796). ◇ Il est passé dans l'usage courant à propos du résultat de l'action conjuguée de plusieurs facteurs (1874, Hugo). ◆ Le masculin **RÉSULTANT** est lui-même substantivé en mathématiques pour le résultat de l'élimination de la variable entre deux équations (1877). ◆ **RÉSULTATIF, IVE** adj. a été dérivé savamment du verbe en linguistique (1933) pour caractériser des morphèmes lexicaux impliquant un état présent résultant d'une action passée (*savoir* par rapport à *apprendre, tenir* à *saisir*).

RÉSULTAT n. m. est emprunté (v. 1570) au bas latin scolastique *resultatum* «effet qui s'ensuit d'un fait d'une action», substantivation du participe passé neutre de *resultare* dans son sens logique. ◆ Le mot, introduit par les clercs, est resté didactique jusqu'au XIXe siècle. Il désigne ce qui résulte, s'ensuit (d'une délibération, d'un principe, d'une opération, d'un événement). Son emploi comme substantif d'action de *résulter* appartient à l'usage classique. ◇ Les extensions, souvent au pluriel *résultats,* désignent des informations fournies par une étude, une recherche scientifique (1753, Buffon), puis, le mot étant devenu usuel au XIXe s., les effets d'une consultation électorale (1885), la décision de succès ou d'échec à un examen scolaire (1908) et la valeur du travail scolaire (v. 1950), la solution d'une opération mathématique (1932), ce qui résulte d'une compétition sportive (1899), et, en comptabilité, le solde des profits et pertes (milieu XXe s.).

RÉSUMER

RÉSUMER v. tr. est emprunté (1370) au latin *resumere* «reprendre, ressaisir», de *re-,* préfixe à valeur itérative (→ re-) et de *sumere* «prendre, se saisir de», lui-même issu de °*sus-(e)mere* «se saisir, se charger de» (→ somptueux) qui dérive de *emere* «prendre», «acheter» (→ exempt).

♦ Le verbe apparaît en français au sens concret de «reprendre (un objet jeté)» et au figuré «reprendre (ce que l'on a dit), répéter» (1370, encore au XVIIIe s. dans le style burlesque), tous deux sortis d'usage, tandis que l'anglais *to resume* continue de s'employer en ce sens. ◆ Le développement du sens actuel procède de cette idée de répétition ; *résumer* a pris à la fois le sens spécialisé de «répéter (un argument) afin d'y apporter ensuite une solution», dans l'ancienne scolastique (attesté XVIIe s.), et la valeur de «dire l'essentiel en peu de mots» (1690) pour un acte impliquant la restitution, la reprise d'idées, de mots, devenue la plus usuelle. La forme pronominale *se résumer* (1796) exprime également l'idée de «se redire en peu de mots». ◇ Par extension, *résumer* (1838) et *se résumer* (1831) s'emploient avec un sujet désignant une chose, objet concret ou abstraction, avec le sens figuré de «contenir en soi sous une forme condensée», «consister en».

▶ **RÉSUMÉ,** le participe passé de *résumer,* a été substantivé (1750) pour désigner un exposé condensé consistant en peu de mots. Par le même développement métonymique qu'*abrégé,* il s'applique à un type d'ouvrage succinct faisant le point sur une question (1825). Il a servi à former la locution adverbiale ***en résumé*** «en bref» (1803) et s'emploie également avec une valeur figurée.

RÉSURGENCE n. f. est dérivé savamment (1896) du latin *resurgens, -entis,* participe présent de *resurgere* «se relever» et, au figuré, «se rétablir», spécialement «ressusciter» (→ résurrection). L'ancien français avait un verbe issu de *resurgere : resurdre* (v. 980), *ressourdre* (XIIIe s.), dont il reste le participe passé féminin *ressource**. Le verbe latin est formé de *re-* à valeur itérative (→ re-) et de *surgere* (→ sourdre, surgir).

♦ Ce mot didactique désigne la réapparition à l'air libre, sous forme d'une source à gros débit, d'une nappe d'eau souterraine. Il s'emploie au figuré pour «réapparition» (1924).

▶ **RÉSURGENT, ENTE** adj., emprunt (déb. XVIe s.) au participe latin *resurgens, -entis,* est employé au XVIe s. au sens de «ressuscité», en parlant du Christ, sens sorti d'usage sous la concurrence de *ressuscité.* Il a été repris sous l'influence de *résurgence* pour qualifier les eaux d'une rivière qui réapparaissent à l'air libre (1923) et, au figuré, un phénomène qui se produit de nouveau (1925).

RÉSURRECTION n. f., d'abord *resurecciun* (v. 1120) puis *résurrection* (v. 1160), est emprunté au latin ecclésiastique *resurrectio, -onis* «fait de se relever en revenant à la vie», de *resurrectum,* supin de *resurgere* (→ résurgence).

♦ Le mot a triomphé des divers dérivés de *ressusciter* avec le sens religieux de «retour à la vie», devenant par le sens et la quasi-paronymie le dérivé sémantique de *ressusciter.* Par métonymie, il désigne une fête de l'Église catholique célébrant la résurrection du Christ (début XIIe s.), une image de cet événement (1680). ◆ Le sens second de «guérison prompte et inattendue» (1676), et le sens figuré de «remise en honneur de ce qui était oublié ou en décadence» (1669, Molière) restent marqués par la valeur religieuse et correspondent à des emplois du verbe *ressusciter.*

▶ La dérivation consiste en quelques mots tardifs, d'usage littéraire : **RÉSURRECTEUR** n. (1788) et adj. (1842) s'est peu répandu de même que **RÉSURRECTIONNEL, ELLE** adj. (1832). ◆ **RÉSURRECTIONNISTE** adj. et n. m. (1834), d'abord appliqué au criminel qui déterrait clandestinement les cadavres pour les vendre aux anatomistes, désigne les personnes qui croient en la résurrection (1840). ◇ Au figuré, le mot désigne l'artiste qui semble ressusciter par son art des êtres ou des choses disparus (av. 1867), qui fait revivre un art ancien (1870), emplois archaïques.

RETABLE n. f., attesté depuis 1426, est d'origine discutée : Bloch et Wartburg en font un emprunt à l'ancien provençal *retaule,* avec adaptation d'après *table**, comme l'espagnol *retablo* adapté du catalan *retaule.* Le mot d'ancien provençal est lui-même issu, par simplification du préfixe, de *reiretaule* (XIIIe s.) auquel correspond le latin médiéval *retrotabulum,* de *retro* (→ rétro-) et *tabula* «planche», «autel» (→ table) avec changement de terminaison et de genre. L'hypothèse d'un emprunt à l'espagnol *retablo* est infirmée pour des raisons chronologiques. On a aussi évoqué une formation en français, de *re-** marquant la position en arrière, et de *table**.

♦ Le mot désigne le panneau vertical placé derrière un autel et surmontant la table, lorsqu'il est décoré de peintures, puis l'œuvre peinte sur ce support. Il appartient au vocabulaire religieux, puis à celui de l'histoire de l'art.

RÉTAMER → ÉTAIN

RETAPER → TAPER

RETARDER v. est emprunté (v. 1175) au latin *retardare* «arrêter, ralentir», au figuré «arrêter, réprimer, empêcher», de *re-* (→ re-) à valeur intensive, et *tardare* «ralentir, gêner dans sa marche, son processus» (→ tarder).

♦ Le mot a été repris avec l'une des valeurs du latin, «négliger, omettre de, s'abstenir», qui implique l'annulation du processus. ◆ L'idée d'une gêne provisoire de l'action entraînant un délai par rapport aux prévisions, également connue du latin, a été reprise simultanément et s'est seule maintenue. Elle a été réalisée par la construction intransitive, avec le sens de «tarder» (1540), avant d'être supplantée par le verbe simple *tarder**. L'emploi transitif correspond à «remettre à un temps ultérieur» (v. 1175), «ralentir (un mouvement, un processus)» (1278), «faire arriver ou faire se produire plus tard que prévu» (1538). ◆ Au XVIIe s., *retarder* a pris la valeur particulière de «faire indiquer à (une horloge, une montre) une heure moins avancée» (1690). ◆ La construction transitive indirecte *retarder de* et infinitif (1671, Mme de Sévigné) est usitée au XVIIe s. là où le français moderne emploie *différer de* et infinitif. ◆ La construction intransitive a été reprise pour «arriver plus tard que la fois précédente» en parlant de la lune, des marées (1690) ; elle s'emploie aussi pour une horloge marquant une heure moins avancée que l'heure exacte (1694). De là, par transfert du sujet, elle se dit d'une personne dont la montre indique une heure moins avancée (av. 1834). ◆ Au XIXe s., le mot a commencé, dans la construction *retarder sur qqn, qqch.,* à s'employer au figuré pour «avoir des idées désuètes, par rapport à (qqn)» (1834). Il est employé absolument avec le même sens et, familièrement, avec la valeur d'«ignorer une nouvelle que tout le monde connaît» (1935).

▶ **RETARDÉ, ÉE** participe passé de *retarder,* a été adjectivé avec le sens courant de «différé» (1283). ◇ En français contemporain, il a pris le sens d'«arriéré par rapport au temps, à une évolution» (déb. XXe s.), spécialement en parlant d'un enfant dont le niveau de développement est inférieur au niveau moyen des autres enfants du même âge, en concurrence avec *arriéré* (attesté milieu XXe s.). ◇ En physique, il se dit d'un mouvement dont la vitesse décroît.

RETARDATION n. f. (déb. XIVe s.) s'est éteint aux sens d'«obstacle» et de «retard» (1396), mais a été repris au sens technique d'«accélération négative» (on dira *décélération*) [1748, Diderot]. ➜ **RETARDEMENT** n. m. (1345) a eu la valeur de substantif d'action de *retarder* et s'est employé, par métonymie, pour le résultat de cette action, l'atermoiement (1384), le retard (ci-dessous). Sous la concurrence de *retard*, le mot est sorti d'usage, se maintenant dans la locution ***à retardement*** (1923) à propos de ce qui se manifeste après un certain délai notamment dans ***bombe, engin à retardement*** et, adverbialement, pour «avec un certain retard» (1931).

Le déverbal **RETARD** n. m. a été formé en français préclassique (1629) pour exprimer l'état, mesuré ou non en unités de temps, d'un être ou d'une chose qui arrive ou agit plus tard que prévu. Il est entré dans la locution courante ***en retard*** (1704). Par ailleurs, il désigne un mécanisme d'horlogerie permettant de régler le mouvement en le portant à avancer ou à retarder (1765). ➜ Le mot s'est répandu au début du XIXe s., s'étendant, au figuré, à l'état d'une chose ou d'un être moins développé qu'il ne conviendrait (1808) et désignant la différence entre l'heure marquée par une pendule qui retarde et l'heure réelle (1893). Il a pénétré les langages spécialisés de la musique où il désigne la prolongation d'une note constitutive d'un accord sur l'accord suivant (1842), et de la pyrotechnique où il désigne le détonateur d'un artifice appelé *artifice à retard* (1875), ou *à retardement*. ◇ Au XXe s., *retard*, en sports, désigne l'intervalle (en espace, en temps) séparant un coureur de celui qui le précède. ➜ Un emploi adjectivé, souvent en apposition, qualifie le mode de préparation d'un médicament qui permet de prolonger son action (1954).

RETARDATEUR, TRICE adj. est un dérivé savant de *retarder* (1743) qualifiant ce qui provoque un retard, ce qui ralentit (1757), surtout dans l'usage technique. Il est substantivé (1875) pour désigner collectivement l'ensemble des dispositifs servant à la conservation des aliments en retardant la fermentation. ◇ De nos jours, il désigne aussi un corps dont l'addition retarde une réaction chimique, spécialement la prise du ciment ou du plâtre (1964, dans les dictionnaires généraux). ➜ **RETARDATAIRE** adj. et n. qualifie couramment la personne qui arrive, qui est en retard (1808) et se dit, au figuré, de la chose ou de la personne en retard sur l'évolution des techniques, des idées, des mœurs (1875). ➜ **RETARDANT, ANTE**, le participe présent de *retarder*, a été adjectivé tardivement (1904) pour «qui prolonge l'action d'une substance, d'un produit d'effet naturellement fugace» ; il est didactique.

RETENIR v. est formé en français (1050) de *re-** et de *tenir** sur le modèle du latin *retinere*, formé de *re-* indiquant le mouvement en arrière (→ re-) et de *tenere* (→ tenir), avec les sens d'«arrêter» au propre et au figuré, «garder, conserver», «maintenir dans les bornes», «empêcher de».

♦ *Retenir*, d'abord employé au sens de «prendre possession de (qqch.)», signifie aussi dès le XIe s. «garder en sa possession (ce qui appartient à autrui) et ne pas vouloir s'en dessaisir» (v. 1090). Le sens d'«avoir en sa possession, continuer à posséder», qui en procède (fin XIIe s.), s'est maintenu jusqu'à l'époque classique, puis est sorti d'usage, éliminé par *garder*. ➜ Dès les premiers textes, le verbe signifie également «réserver (qqch.) pour qqn», sens dont procède celui de «se réserver (une chose) afin d'être sûr d'en disposer ensuite» (1553) et, avec un complément désignant une personne, «se réserver par avance les services de (qqn)» (1553). L'ancien sens lié à la valeur initiale «prendre (qqn) à son service» (1080) a disparu. ➜ Au XIIe s., *retenir qqn* signifie «empêcher d'aller librement» (v. 1155), sens dont procèdent des emplois toujours vivants, dans le vocabulaire de la civilité : «garder (qqn) près de soi en l'invitant à déjeuner ou à dîner» (1548, *retenir à souper*) et la formule ***je ne vous retiens pas*** pour donner congé (1667). ➜ Dès le XIIe s. le verbe signifiait aussi «empêcher (qqn) d'agir, d'accomplir ce qu'il est sur le point de faire» (v. 1155). ➜ Une valeur importante et ancienne est abstraite : «fixer dans sa mémoire» (v. 1155) avec l'idée d'une connaissance intellectuelle ; *ne rien retenir* correspond à «ne pas avoir de mémoire», mais *retenir* est d'emploi plus restreint que *se souvenir de*. ➜ Le pronominal *se retenir* se rencontre (déb. XIIe s.) avec le sens concret de «s'accrocher pour éviter une chute, freiner un mouvement de glissade», précédant l'emploi correspondant de *retenir* : «empêcher (qqn, qqch.) de tomber» (1538). Avec un sujet nom de personne, *se retenir* a aussi la valeur abstraite de «s'empêcher par un effort de volonté de faire qqch.» (v. 1265) notamment «de se battre», d'où la formule plaisante ***retenez-moi ou je fais un malheur !***. ➜ Le sémantisme du verbe est donc riche au propre et au figuré dès le XIIe s., sur le modèle du latin *retinere*. Cependant, par nombre d'emplois, *retenir* est mal distingué en ancien et en moyen français du simple *tenir* et, surtout, il empiète sur l'aire d'emploi (moderne) d'autres composés de *tenir* comme *maintenir**, *soutenir** (au sens figuré de «prétendre»), *entretenir** (aux sens de «conserver en bon état» et de «pourvoir aux besoins de»). Enfin, *retenir* peut aussi correspondre en ancien et moyen français à «mettre à l'écart, écarter» et à «concevoir», avec une disparité qui sera réduite au XVIe s. par retour à une structure plus proche de celle du mot latin. ➜ Au XVIe s., *retenir* prend le sens psychologique de «maîtriser (des réactions qui manifesteraient des sentiments)» (1538), et ***retenir son haleine*** (1538) correspond à «s'empêcher de respirer». La locution *retenir sa langue* (1553) a cédé la place à *tenir sa langue*. ➜ C'est aussi au XVIe s. que le verbe commence à s'employer avec un sujet désignant une chose au sens de «fixer dans une position», d'abord abstraitement (1559), dans ***retenir l'attention***, puis aussi au concret (1690). ◇ Au XVIIe s., *retenir une cause* (1690) signifie «se juger compétent pour un procès», *retenir* prenant au XIXe s. en droit l'acception de «maintenir (un procès) au rôle pour le juger aussitôt que possible» (1835) et «garder contre qqn (un chef d'accusation)» (1877). ➜ *Retenir* a aussi le sens de «prélever une partie de (une somme due)» (1738) et, en mathématiques, «réserver (un chiffre) pour le reporter dans une colonne située à gauche dans la catégorie d'unités qui est la sienne» (1740, déjà au XIIIe s.). Cf. ci-dessous *re-*

tenue. ◆ *Retenir un cheval* (1835) «empêcher un cheval de donner tout son effort» est précédé par *se retenir* (du cheval) [1762]. ◆ L'idée de «contenir (une chose qui s'écoule au passage)» est attestée chez Rousseau (v. 1770). ◆ *Retenir qqn, qqch.* «prendre en considération pour un emploi, une application ultérieure», qui paraît récent (1891), peut être rapproché du sens de «prendre à son service», fixé antérieurement, comme l'emploi familier par antiphrase de ***je vous retiens!*** (1870) compris au sens de «je ne vous garde pas» et aussi de «je me souviens de vous». ◆ La langue familière moderne emploie *se retenir* par euphémisme pour «différer de satisfaire ses besoins».

▶ Les anciens dérivés de *retenir* ne se sont pas maintenus, parfois évincés par la concurrence d'emprunts comme *rétention** et *rétenteur**. ◆ Cependant, le participe passé féminin **RETENUE** reste bien vivant dans son emploi substantivé (v. 1160). ◇ En ancien français, sous l'influence de l'ancien sens de *retenir qqn* «garder prisonnier», il a désigné le fait de garder qqn en captivité. ◆ Comme substantif d'action de *retenir,* il ne désigne l'action de retenir qqn ou qqch. (XIVe s.) que dans certains contextes : avec la valeur métonymique de «résultat de l'action de retenir», il s'emploie dans un contexte fiscal pour ce qui est prélevé sur une somme due (1765, déjà en 1573 dans l'expression *brevet de retenue* à propos d'une grâce royale assurant au titulaire d'une charge une somme payable par son successeur). ◇ Avec une valeur active («action de retenir un élève») et résultative, il se dit d'un type de punition scolaire (1835) où l'on garde l'élève (cf. *consigne*) *en retenue* (1816) en lui imposant un travail supplémentaire. Il s'applique au fait de retenir des marchandises en douane (1836) et, surtout avec une valeur résultative, du chiffre réservé dans une opération mathématique (1904, Larousse). ◆ Des sens métonymiques techniques du mot, pour «ce qui retient» autrefois synonyme de «digue» (1572), correspondent à «espace s'étendant entre deux écluses et où l'eau s'est maintenue à un niveau constant» (1812), «assujettissement des extrémités d'une poutre» (1676), «cordage maintenant un objet que l'on hisse, à bord d'un navire» (1694). ◆ D'après le sens psychologique de *retenir, retenue* désigne la qualité d'une personne faisant preuve de modération dans ses sentiments, ses élans (1611), sens qu'il a repris à l'ancien masculin substantivé *retenu* (XVIe s.). ◆ Enfin, au XXe s., un sens technique de *retenir* (un fluide, etc.) aboutit pour *retenue* à «fait de contenir l'eau dans un barrage» et, par métonymie, «hauteur d'eau emmagasinée dans un réservoir, un bief» (1962 dans les dictionnaires).

◈ voir **RÉTENTION.**

RÉTENTION

RÉTENTION n. f. est emprunté (1291) au latin *retentio, -onis* «action de retenir», spécialement en médecine *(urinae retentio)* et en droit *(retentio dotis* «retenue de dot»), également «maintien», de *retentum,* supin de *retinere* (→ retenir).

♦ Le mot fut repris par les clercs au sens juridique d'«action de réserver ses droits», sorti d'usage au XVIIe siècle. En ancien et moyen français, il correspondait assez précisément à *retenir,* désignant l'action de retenir qqn (1315), qqch. (1530) et exprimait l'action de maintenir, d'entretenir (1312, *retension* en picard), le fait de conserver ses cheveux. ◆ Parallèlement, il a été emprunté en médecine pour désigner un processus de conservation pathologique d'un liquide ou d'un solide destiné à être évacué (1314). ◆ Au XVIIe s., il se dit, en droit, de la faculté donnée à un créancier de refuser la restitution d'un objet au débiteur tant que celui-ci ne s'est pas intégralement acquitté (1690). ◆ Son emploi actuel en psychologie (1632) à propos de la dissimulation d'une information, et (XXe s.) de la période pendant laquelle ce qui a été mémorisé se trouve conservé de façon latente, réactive l'ancien sens de «mémorisation» (1580, Montaigne). ◆ Le mot a partiellement souffert de la concurrence de *retenue**, par exemple au sens de «fait de retenir un chiffre en mémoire dans une opération mathématique» (1645, Pascal), emploi sorti d'usage. ◆ Au XXe s., il s'est spécialisé en hydrologie, en relation avec *retenue,* pour le pouvoir ou l'action de retenir l'eau des précipitations un certain temps avant qu'elle ne rejoigne les cours d'eau (1964, Larousse).

▶ Les dérivés, peu nombreux, se rattachent aux spécialisations du verbe. ◆ **RÉTENTIONNAIRE** n. m. (1681), terme de droit, désigne la personne exerçant un droit de rétention sur une chose. ◆ **RÉTENTIONNISTE** n. (1923) s'emploie en médecine pour un malade affecté de rétention d'urine. ◆ **RÉTENTAT** n. m. (v. 1970) est dérivé du radical de *rétention,* en physique, pour désigner la partie d'une solution qui ne passe pas à travers la membrane (par opposition à *osmosat*). ◆ **RÉTENTEUR, TRICE** adj. et n. (1552) est dérivé savamment du radical du supin du verbe latin selon un type savant °*retentor* (le bas latin atteste *retentor* «celui qui retient»). ◇ Le mot s'emploie dans les vocabulaire de l'anatomie, de la physiologie et du droit.

RETENTIR

RETENTIR v. intr. est formé en français (v. 1155) de *re-** et de l'ancien français *tentir* (v. 1138) «résonner», «faire entendre un son» et, transitivement «faire entendre, proférer», lui-même issu d'un latin populaire °*tinnitire,* fréquentatif expressif du latin classique *tinnire* «tinter, rendre un son clair» (→ tinter, issu d'une autre forme).

♦ Le verbe, démotivé dès que *tinter* se substitue à *tentir* et en l'absence d'un °*retinter,* se dit d'un lieu, d'un espace qui est rempli de bruit (v. 1175), fréquemment suivi d'un complément construit avec *de.* Il est plus courant en parlant d'un bruit qui se fait entendre avec force (v. 1210). Il a développé une valeur figurée très comparable à celle de la locution *faire du bruit* et, dans un style didactique, signifie «avoir des répercussions, une action sur» (XVIe s.), emploi comparable à celui de *trouver un écho.*

▶ Le dérivé **RETENTISSEMENT** n. m. (v. 1160) désigne proprement le fait de retentir et, plus souvent, le son ainsi produit (XIIIe s.), répercuté par un écho mais cet emploi est devenu secondaire par rapport aux figurés. Il concerne la manière qu'a un individu de parvenir à la notoriété (1615), sens disparu. ◆ À partir du XIXe s., le mot désigne l'ensemble des répercussions, des conséquences (av. 1830) et les réactions suscitées par un événement notoire (1870). Il est employé spécialement pour un des traits constitutifs du caractère (à côté de *émotivité* et *activité*) dans la caractérologie de Heymans, Wiersma et Le Senne, désignant la manière plus ou moins rapide et profonde dont les événements de la vie psychologique affectent un sujet. ◆ **RETENTISSANT, ANTE**, participe présent adjectivé de *retentir* (1546), qualifie un lieu rempli de bruit, ce qui produit un son puissant (1690). ◇ Il a quelquefois le sens dévalorisant de «creux, vide» (1825, Lamartine : *mots retentissants*), puis le sens figuré de «qui a de grandes répercussions, dont on parle beaucoup» (1824). Mais, à la différence de *retentissement*, c'est pour l'adjectif le sens concret ou métaphorique qui l'emporte.

RÉTIAIRE n. m. est emprunté (1611, puis v. 1620) au latin *retiarius*, nom donné au gladiateur sans cuirasse, armé d'un trident, d'un poignard et d'un grand filet avec lequel il cherchait à envelopper son adversaire (généralement le mirmillon). Le mot est dérivé de *rete* «filet» (→ rets).

♦ Le mot français est resté didactique et n'a pas eu la diffusion de *gladiateur*.

RÉTICENCE n. f. est emprunté (v. 1552) au latin *reticentia* «action de taire qqch., silence», en rhétorique «figure consistant à s'arrêter avant d'avoir exprimé toute sa pensée mais en laissant entendre ce que l'on tait». Le mot est dérivé de *reticere* «taire, garder (une chose) par devers soi» et, absolument, «garder le silence», de *re-* (→ re-) à valeur intensive et de *tacere* «se taire, taire» (→ taire).

♦ Le mot désigne l'action de taire à dessein ce que l'on pourrait, que l'on devrait dire, désignant spécialement, comme en latin, une figure de rhétorique consistant à ne pas terminer un énoncé dont le contenu reste pourtant clair (1671). Il a développé par métonymie le sens d'«omission volontaire» (1774). En droit, il désigne la dissimulation volontaire, donc délictueuse, des faits que l'on s'est engagé par serment ou contrat à révéler (1807, Code civil). ◆ Par métonymie encore, il désigne l'attitude, le comportement de la personne qui se garde d'exprimer ouvertement sa pensée mais marque par sa réserve une désapprobation (1751). Cet emploi, condamné par les puristes, se rencontre chez beaucoup d'écrivains (Gide, Valéry, Maurras, au figuré Proust) et s'est répandu dans l'usage commun.

▸ **RÉTICENT, ENTE** adj., d'abord proposé comme néologisme par Richard de Radonvilliers (1845), s'est répandu à la fin du XIXe s., qualifiant ce qui dénote une attitude réservée, voire réprobatrice (1897), une personne ayant un tel comportement (1914, Gide, qui s'en sert aussi pour qualifier ce qui comporte des manques, des omissions volontaires 1934).

RÉTICULE n. m. est un emprunt savant (1682) au latin *reticulum*, employé pour désigner un réseau, un filet à petites mailles, une résille, un sachet. Le mot latin est le diminutif de *rete* «filet» (→ rets).

♦ Le mot est employé en optique pour le disque percé d'une ouverture circulaire coupée par deux filets très fins se croisant à angle droit au centre et servant à la visée dans les lunettes astronomiques et terrestres. ◇ La forme latine **RETICULUM** n. m. (1765) désigne une résille, puis (1817) la gaine fibreuse qui entoure la base des feuilles dans les palmiers, avant d'être remplacée par *réticule* dans ces deux sens (respectivement 1842 et 1845). ◆ Le mot a subi la concurrence de l'hispanisme *résille** mais reste employé pour désigner une coiffure féminine antique (1842), puis un petit sac à main en filet à la mode sous le Directoire et la Restauration (1800 ; 1834) sens étendu plus tard à «très petit sac à main de dame». ◆ *Reticulum* est resté vivant en histologie pour «réseau formé par les fibres de certains tissus ou les anastomoses des petits vaisseaux» (1878).

▸ *Réticule* a produit, peut-être sous l'influence du latin *reticulatus*, **RÉTICULÉ, ÉE** adj. (1784) «fait en forme de réseau, croisé» et, par extension, «qui supporte un réseau» (av. 1848, Chateaubriand). ◇ Le mot, d'un usage littéraire ou didactique, qualifie aussi une porcelaine à deux enveloppes (1870), un sol polygonal, et, en anatomie, un tissu conjonctif constitué de cellules et de fibres réunies en réseau. Cet emploi correspond à celui du composé **RÉTICULO-ENDOTHÉLIAL** adj. (v. 1930), avec un premier élément productif en médecine et en biologie. ◆ **RÉTICULAIRE** adj. formé savamment (1610) sur le latin moderne *reticulum*, est un terme didactique désignant l'état d'une surface réticulée, spécialement en minéralogie (1763 *pierre réticulaire*) et à propos du plissement de la gélatine d'un phototype provoqué par la trop grande différence de température ou d'acidité de deux bains successifs ; le mot s'applique aussi à la formation de liaisons additionnelles entre les chaînes d'atomes de macromolécules qui provoquent un durcissement de la substance (1968 dans les dictionnaires généraux). ◆ **RÉTICULATION** n. f. (1812) se dit de l'état d'une surface réticulée, en chimie de la formation d'un réseau de relations additionnelles entre molécules, notamment de la formation de certains polymères à liaisons transversales. ◆ Le radical de *réticulaire* et de *réticulation* a aussi produit **RÉTICULER** v. tr. (v. 1974) «provoquer la réticulation de (un polyèdre)», en chimie.

RÉTIF, IVE adj. et n., d'abord *restif* (1080), remonte à un latin populaire °*restivus*, forme surprenante dans laquelle on est amené à voir une haplologie de °*resitivus*, proprement «qui s'arrête», du latin classique *restare* «s'arrêter» (→ rester). Le lien sémantique avec *rester* s'affaiblissant, le *s* s'est amuï, conformément au développement du *s* en français devant consonne ; de là *rétif* (fin XIIe s.) alors que le nom propre *Restif* conservait son *s*.

♦ D'abord employé dans *La Chanson de Roland* dans la locution *faire restif* «forcer à s'arrêter, vaincre», sortie d'usage, le mot qualifie encore aujourd'hui une monture qui s'arrête ou recule au lieu d'avancer (v. 1130), puis s'applique, par analogie, à une personne difficile à entraîner ou à conduire (début XIIIe s.). Il est perçu de plus en plus comme un caractérisant psychologique et qualifie spécialement une personne qui s'oppose à une tentative amoureuse (1690). ◇ Par métonymie, il qualifie une chose qui ne répond pas facilement aux sollicitations, notamment sur un plan intellectuel, la mémoire et, plus rarement, l'esprit (1726).

▶ De *rétif* est dérivé **RÉTIVITÉ** n. f., d'abord *restiveté* (XIIIe s.) avant l'amuïssement du *s* conduisant tardivement à la forme actuelle (1868); le mot désigne le refus d'avancer d'une monture. Par analogie, il se dit du caractère d'une chose qui ne répond pas facilement aux sollicitations (1853, Flaubert parlant de sa plume). Il est resté littéraire et assez rare.

RÉTINE n. f. est emprunté (1314) au latin médical médiéval *retina* «membrane du fond de l'œil», lui-même du latin classique *rete* «rets, filet» (→ rets), la rétine présentant un réseau de vaisseaux sanguins.

♦ Terme de physiologie devenu assez usuel, *rétine* s'emploie par analogie dans *rétine électrique* pour l'ensemble des cellules photosensibles d'un lecteur optique (1973), d'ailleurs rare par rapport à *œil électrique*, qui a un autre sens.

▶ Au XIXe et au XXe s., le mot a produit une dizaine de termes scientifiques : **RÉTINITE** n. f. (1830), **RÉTINIEN, IENNE** adj. (1854) le plus usuel, **RÉTINOSCOPIE** n. f. (1932), de *-scopie*, **RÉTINOPATHIE** n. f. (1964) de *-pathie*, **RÉTINOGRAPHIE** n. f. (1975) de *-graphie*.

RETIRER v. tr. est formé (v. 1155) du préfixe *re-* et de *tirer**, mais sa fréquence et sa polysémie l'ont en partie démotivé.

♦ Dans ses premiers emplois connus, il signifie «raccourcir la bride d'un cheval», sens sorti d'usage au profit de *tirer*. ◇ Depuis le XIIIe s., où il commence à être employé pour «enlever (une arme, un avantage à qqn)», il réalise dans de nombreux emplois l'idée d'«enlever, ôter», assumée à la même époque par l'ancien français *détirer*, entre autres sens. À partir du XIVe s., *retirer* exprime aussi l'idée de «recueillir (de l'argent) d'une charge». ➛ Les principales extensions apparaissent à partir de la Renaissance; quant aux sens différents, comme «faire aller dans une retraite» (XVIe s.), et *retirer à, retirer sur* (1538) «ressembler», ils sont sortis d'usage (cf. *tirer sur*, avec un nom de couleur). Dans le dernier emploi cité, le verbe laisse toutefois un dérivé régional, *retirance* «ressemblance», fréquent chez G. Sand (Berri). ◇ Toujours en moyen français (XVe-XVIe s.), *retirer* a pris le sens d'«extraire d'un lieu» (v. 1485), spécialement «délivrer (qqn) d'un péril, d'un lieu où il était mal» (1553) également vieillis au profit de *tirer*. En revanche, les nuances de la notion d'extraire pour «ramener à soi (sa main)» (1559), au figuré «cesser d'accorder (son amitié)» (1553), «faire quitter à qqn une place» (v. 1580, *retirer des soldats*), restent vivantes, de même que «reprendre (ce qu'on avait déposé)» (1636) «se dégager (d'une promesse)» (1664). À ce titre, on a longtemps dit *retirer son épingle du jeu* (1585) avant de lui préférer *tirer*. D'autres spécialisations, «faire cesser les représentations de (une pièce)» (1742), aussi *retirer de l'affiche*, et «rétracter (un mot, un compliment)» (1798), restent usuelles. ➛ Depuis 1611, *retirer*, itératif de *tirer*, exprime le fait de tirer à nouveau un coup de feu et, dans un tout autre domaine, un imprimé (1886), puis aussi une photographie.
La forme pronominale *se retirer* signifie d'abord (XVe s.) «s'en aller d'un lieu»; elle est employée spécialement dans le contexte de la guerre pour «battre en retraite» (1606) [cf. *retraite*]; cet emploi est archaïque. *Se retirer* «rompre la liaison que l'on avait avec qqn» (1553) et «abandonner un sentiment» (1538) est sorti d'usage. Cependant les emplois au sens de «se réfugier, rentrer chez soi» (1530), «quitter la profession qu'on exerçait» (1538) et, en parlant de l'eau, «rentrer dans son lit après avoir débordé» (v. 1500) restent vivants, ainsi que «être tiré, rétréci par une contraction» (1530) plus rare. ◇ Un emploi concret s'est spécialisé dans un contexte érotique, pour «retirer le pénis du vagin». ➛ L'emploi de *se retirer* au sens spécial de «quitter le commerce du monde, mener une vie moins dissipée» (1669), préparé par les sens de «s'en aller pour s'isoler» (v. 1485) et «rentrer en soi-même» (v. 1580), remonte à l'époque classique et appartient à la thématique janséniste; il est sorti d'usage, mais on comprend encore *se retirer du monde*. ➛ Depuis 1740, on rencontre *se retirer*, absolument, pour «prendre sa retraite» dans un contexte professionnel (cf. *retraite*).

▶ Les divers sens du verbe se retrouvent dans le participe passé adjectivé **RETIRÉ, ÉE**, surtout ceux de la forme pronominale; l'adjectif qualifie une personne qui vit loin du commerce des hommes (1580), un endroit éloigné de tout (fin XVIe s.), une vie qui s'écoule dans la retraite (XVIe s.) et l'expression *retiré en soi-même* (1701) correspond à «qui fuit la société». ➛ Le verbe a donné plusieurs noms d'action : le plus ancien, **RETIRADE** n. f. (1465) a désigné une retraite militaire puis le retranchement d'une armée dans le corps d'un ouvrage fortifié (1611). Il a disparu. ➛ **RETIREMENT** n. m. (1488) est peu usité avec sa valeur générale «action de retirer, de se retirer»; il est passé dans le langage technique de la poterie, désignant un défaut par contraction de la glaçure (1844). ➛ **RETIRATION** n. f. (1564) est employé en technique pour une opération par laquelle on imprime le verso d'une feuille et dans *machine à retiration*. ➛ **RETIRAGE** n. m., créé avec le sens d'«action de retirer la teinture» (1753), disparu, a été repris d'après *retirer* «tirer de nouveau» dans le domaine de l'impression (surtout d'une gravure, d'un livre) pour «nouveau tirage» (1874). ➛ À la même époque apparaît l'adjectif **RETIRABLE** adj. (1788), d'abord pour un fonctionnaire amovible. ➛ Les noms **RETIRURE** n. f. (1803) «défaut d'une pièce coulée», et **RETIRONS** n. m. pl. (1812) «bourres de laine restées dans les peignes après le peignage» sont d'emploi technique. ➛ Au XXe s., un nouveau nom d'action, **RETIRAISON** n. f., d'abord régional (1923), puis technique, s'applique en commerce à l'enlèvement d'une marchandise (1973).

RETORDRE v. tr. est la francisation d'après *tordre** (attestée v. 1160, mais antérieure, cf. *retort* ci-dessous) du latin *retorquere* «tourner en arrière» qui a donné *rétorquer** par emprunt. Il est rapidement senti comme un préfixé intensif de *tordre.*

♦ D'abord employé intransitivement pour «se tordre» (en parlant d'un fil), *retordre* est devenu un verbe transitif signifiant «donner un mouvement de torsion à (un ou plusieurs fils) pour leur donner plus de solidité» (v. 1268). La locution figurée ***donner du fil à retordre*** s'est d'abord employée, par une image obscure, au sens de «se prostituer» (av. 1633) puis pour «donner du mal, causer des difficultés» (1680). ➜ Comme dérivé itératif de *tordre,* le verbe a pris le sens de «donner une nouvelle torsion à» (1606) et, ultérieurement, «déformer de nouveau en pliant, en courbant» (1875).

▶ L'ancien participe passé (*retort,* déb. XIIe s.), s'est dit d'un bâton tordu puis a été adjectivé sous la forme *retuert* (fin XIIe s.), *retort* (v. 1250) et **RETORS, ORSE** adj. (v. 1268) avec le sens propre de «soumis à l'action de retordre (en parlant de fils)», substantivé (1904) pour le fil obtenu. Le sens concret de «courbé, fortement crochu» (v. 1250) ne s'est pas imposé. ➜ Le sens psychologique «rusé, d'une habileté tortueuse» (v. 1740), qui procède d'un développement analogue à celui de *tordu, tort, tortueux,* est devenu le plus courant, donnant lieu à un emploi substantivé (1756). ➜ Les autres dérivés ont une valeur concrète souvent technique. **RETORDAGE** n. m. (1372), après avoir désigné un atelier où l'on tord le fil, est devenu le substantif d'action de *retordre* (1798), rôle dans lequel il concurrence **RETORDEMENT** n. m., plus tardif (1606) et sorti d'usage. ➜ **RETORDEUR, EUSE** n., d'abord au féminin *retorderesse* (XIVe s.), puis au masculin *retordeur* (1459), désigne l'ouvrier qui, dans une filature, retord les fils ou, depuis la mécanisation, la machine appelée **RETORDEUSE** n. f. (1874). ➜ **RETORDOIR** n. m. (1803) et **RETORSOIR** n. m. (1721) désignaient l'appareil chargé de retordre les matières filamenteuses. ➜ **RETORDERIE** n. f. s'applique à l'atelier de retordage (1870).

RÉTORQUER v. tr., d'abord *retorquer* (v. 1355) puis avec accent *rétorquer* (1549), est emprunté au latin *retorquere* «tourner en arrière» d'où «friser les cheveux», et, au figuré, «se reporter en arrière», «changer ses dispositions d'esprit», «faire retomber la faute sur (qqn)» et «retourner contre qqn l'argument dont il s'est servi». Le verbe est formé de *re-* (→ re-) indiquant un mouvement en retour, et de *torquere* (→ tordre).

♦ Les premiers sens, «ramener, rapporter, attribuer» (v. 1355) et «renvoyer, rejeter (une balle)» (1552) sont sortis d'usage rapidement. ➜ Le sens actuel, qui correspond à «tourner contre son adversaire les arguments dont il s'est servi» (1549), autre latinisme, est resté d'usage littéraire, le verbe se répandant dans l'usage courant avec la valeur plus vague de «répliquer, répondre» (1840; 1910 *rétorquer que*). Töpffer a forgé par plaisanterie un verbe simple *torquer* (*torquer et rétorquer,* dans les *Voyages en zigzag*).

▶ Les dérivés relèvent d'un usage didactique ou littéraire, **RÉTORQUABLE** adj. (1580, Montaigne) a suscité **IRRÉTORQUABLE** adj., formé ultérieurement (1840) pour lui servir d'antonyme; les deux sont rares. ➜ **RÉTORQUEMENT** n. m. (v. 1460) et **RÉTORQUATION** n. f. (1704 dans *rétorquation de crime*) sont sortis d'usage.

RÉTORSION n. f., attesté vers 1300, est soit emprunté au latin médiéval *retorsio, -onis,* soit dérivé en français de *rétorquer,* d'après *torsion**, nom d'action de *tordre**. ➜ Il n'a pas gardé le sens physique isolé de «retroussement des lèvres», «retournement», s'alignant sur la valeur rhétorique de *rétorquer* pour désigner l'action de retourner un argument (1607). ◇ Il s'est spécialisé dans le langage diplomatique avec un sens voisin de «représailles», dans ***mesures de rétorsion*** (1845), seul emploi vivant. ➜ Son dérivé **RÉTORSIF, IVE** adj. (1764, Rousseau) n'a pas eu de succès.

RETOUCHER v. tr. est dérivé (1176-1181) de *toucher** avec le préfixe *re-**, mais s'est spécialisé, ce qui l'a rendu indépendant.

♦ Après une occurrence isolée au sens moral, «aller droit au cœur», le verbe est repris avec la valeur itérative de «toucher de nouveau», suivi d'un complément direct (v. 1225) ou introduit par *à* (1655). ➜ Au XVIIe s., il développe par extension le sens de «reprendre en modifiant, en corrigeant», dans ces deux mêmes constructions (1663; 1688 *à*), en parlant d'une œuvre littéraire, d'une œuvre d'art. ◇ Des spécialisations de ce sens apparaissent en photographie (1850) et en couture (1860) au XIXe siècle.

▶ Le déverbal **RETOUCHE** n. f. apparaît en moyen français (1507, *restouche*) et s'est imposé plus lentement; après un emploi isolé au sens d'«action de retoucher», il est repris au XVIIIe s. à propos d'une correction, spécialement en peinture (1751) et en gravure (1765). Comme le verbe, il s'emploie au XIXe s. en photographie (1860) et en couture (1857). ➜ **RETOUCHABLE** adj. «qui peut être retouché» remonte au XIXe s. (1853), tout comme **RETOUCHEUR, EUSE** n. spécialisé en photographie (1877) et en confection (1882).

RETOURNER v., d'abord *returnar* (842), *retorner* (v. 980), est dérivé de *tourner** avec le préfixe *re-*, mais s'est en partie détaché du verbe simple.

♦ Employé transitivement, le verbe a signifié «détourner (qqn) de qqch.» avant de céder ce sens à *détourner**. Dans plusieurs emplois, il exprime l'idée de «tourner en sens inverse» (v. 1165); il correspond à «rendre, renvoyer», encore de nos jours pour «réexpédier» (1832 *retourner le manuscrit*), à «orienter dans le sens opposé» (1170-1183) et à «utiliser ses propres armes contre qqn» (XIVe s.). Ce dernier sens est riche d'emplois abstraits dans le domaine de la parole, avec *retourner un compliment* (av. 1564), et comporte souvent un valeur ironique (1872), par exemple dans ***retourner le compliment*** «rendre une insulte, une remarque désagréable» (1918); on dit aussi, familièrement, *retourner une gifle* (dès 1878 en ce sens, *retourner atout*). ➜ Le verbe signifie «faire changer qqn d'opinion» (déb. XIIIe s.) et «changer d'opinion»; la locution figurée ***retourner sa veste*** (1870), préparée par l'ancienne variante *re-*

tourner sa robe (fin XVe s.) correspond à la même valeur. ◆ La locution ***retourner la situation*** (1862) réalise l'idée d'un changement général. ◆ Plus concrètement, *retourner* se dit pour «tourner en sens contraire, à l'envers» (déb. XIVe s.), en particulier aux jeux de cartes où *retourner une carte,* de manière à ce qu'on en voie la figure (1680), est à l'origine de la locution figurée ***de quoi il retourne*** (1739) «de quoi il est question». ◇ Le mot exprime aussi l'idée d'un bouleversement sens dessus dessous (fin XIVe s.) et, ultérieurement, avec une valeur familière, un bouleversement psychologique, une violente émotion (1851) plus courante au passif et participe passé. ◇ Parallèlement, il correspond à une opération volontaire dans *retourner la terre* (1660), *retourner la salade* (1761), etc. ◆ Dès l'ancien français, le préfixe *re-* se charge d'une valeur itérative qui donne au verbe le sens de «tourner de nouveau, en tous sens» (v. 1320 *tourne et retourne*) d'où, au figuré, «revenir en esprit sur qqch., débattre, examiner» (fin XVIe s.; 1573 également dans *tourner et retourner*). ◆ Le pronominal *se retourner* (v. 980) a signifié «revenir à son point de départ» avant de céder ce sens à la construction ***s'en retourner*** (v. 1050), prise avec une valeur figurée dans *s'en retourner comme on était venu* (1690). ◇ *Se retourner* correspond à «faire demi-tour» ou à «tourner la tête vers l'arrière» (v. 1130) et, de manière moins précise, à «changer de position» (1188). Au figuré, le sens de «se rapprocher de nouveau de qqn» (v. 1200), réalisé de nos jours avec la préposition *vers,* coexiste avec «s'opposer à» (1563 *se retourner contre;* rare avant 1794). ◇ Absolument, *se retouner* indique un changement d'opinion (fin XVe s.-déb. XVIe s.) et de comportement (1723 *se retourner comme on peut*) pour s'adapter aux circonstances. Moralement et spirituellement, il exprime le fait de regarder mentalement le chemin parcouru (1834), de redescendre en soi-même (1835).

L'intransitif *retourner* s'emploie d'abord comme verbe de mouvement pour «aller de nouveau là où l'on est déjà allé» (1080) et «revenir sur ses pas» (v. 1160), avec un complément de lieu, «regagner l'endroit d'où l'on vient et où l'on devrait se trouver» (v. 1170). ◆ Avec un nom de chose pour sujet, il signifie «être restitué à, redevenir la propriété de» (1276). Dès l'ancien français, le verbe exprime abstraitement le fait de retrouver son état initial, de revenir à un état antérieur (v. 1180) et de se remettre à une activité (v. 1180), à une conviction (v. 1200, dans un contexte religieux), de reprendre un sujet de conversation (v. 1200), par exemple dans ***retourner à ses moutons*** (v. 1480). ◆ Dans le sens voisin de «recommencer à faire, faire de nouveau» (1376), *retourner* a été supplanté par d'autres verbes.

▸ Le déverbal **RETOUR** n. m., d'abord *return* (v. 1118) et *retor* (v. 1165), exprime d'abord le fait de repartir pour l'endroit d'où l'on vient et, par métonymie, le chemin parcouru à cet effet (v. 1165). Dans les transports en commun (XIXe s.) *retour* s'oppose au premier trajet, dit *aller,* d'où *billet d'**aller et retour*** (1874) elliptiquement *un aller-retour. Retour* désigne aussi le moment où l'on arrive, le fait d'arriver (1172-1190), dans la locution usuelle ***être de retour*** (1549), ***de retour*** (1636). ◆ Dès le XIIe s., il décrit simplement un mouvement en sens inverse d'un mouvement précédent (1170-1183) : la notion exprimée est à la fois spatiale, comme dans *retour de marée* (1691; 1649 *retour de la marée*) et temporelle (1866 *le retour de l'hiver*). Elle inspire à partir du XIXe s. des emplois techniques eux-mêmes générateurs d'emplois figurés, dans les expressions ***choc en retour*** (1842; 1884 au figuré), ***retour de flamme*** (1890; 1926 au figuré), ***retour de manivelle*** (1906; 1945 au figuré). La phraséologie figurée s'est accrue avec ***retour de bâton*** (1860) qui a le même sémantisme que *choc en retour, retour de flamme* et *retour de manivelle,* et ***retour en force*** (1946). ◇ Le langage technique du XXe s. a introduit le mot en cybernétique avec la valeur de «rétroaction» (1951) appelée aussi *action en retour* (1964), et en biologie où *croisement en retour* (1970 *de retour*) concurrence *rétro-croisement.* ◆ Par métonymie, le mot s'applique, de manière analogue à *détour,* à un coude, un virage, une sinuosité (v. 1210); ce sens, supplanté par *détour,* se maintient dans une spécialisation technique en architecture en parlant de l'angle formé par une construction, un élément naturel (1671; 1694 *retour d'équerre*). ◆ Le mot est quasiment synonyme de «renvoi» en commerce (1669) et dans le domaine postal (1679 *retour de la lettre*), où il est entré dans les expressions usuelles ***par retour du courrier*** (1857; 1794 *par le retour*) d'où ***par retour,*** et ***retour à l'envoyeur*** (1946), ainsi que dans le domaine de la librairie à propos des invendus retournés à l'éditeur appelés *les retours* (1897). ◆ L'expression ***cheval de retour*** (1690) concerne proprement un vieux cheval utilisé pour ramener un équipage au lieu de louage; elle a pris le sens métaphorique de «forçat évadé ramené au bagne» (1828-1829), puis de «politicien discrédité» (début XXe s.). ◆ L'ancien sens de «changement, revirement» (v. 1155) disparut, l'idée de changement n'étant pas sentie comme compatible avec la notion dominante qui concerne le fait de revenir à un état antérieur; l'histoire du mot *révolution* atteste le même conflit d'idées. ◇ Cependant, dans l'axe des ***retours de fortune*** (1569), on parle encore de ***juste retour des choses*** (1669). ◆ L'accent étant mis sur la restitution, la compensation à l'intérieur d'un échange, *retour* s'est spécialisé en droit (1270) avec *retour conventionnel, légal* (1765), *droit de retour* (1755). ◆ Avec la même valeur temporelle que *retourner,* le mot exprime le recommencement, le fait de se produire (fin XIIIe s.), spécialement la répétition, la reprise (1751), d'où en philosophie, l'***éternel retour*** (1829, Sainte-Beuve), aujourd'hui appliqué à Nietzsche. ◇ En ce qui concerne le cours de la vie humaine, il comporte une idée de «déclin» sensible dans les expressions ***sur le retour*** (1685; 1611 *sur son retour*) et, en médecine, ***retour d'âge*** (1842) «ménopause». ◇ Au XVIIe s., appliqué plus spécialement à la vie morale et affective, il commence à exprimer le fait de retourner à un état habituel (1660 *retour à la joie*), de se recueillir en Dieu (1672) ou de méditer en «revenant sur» soi-même (av. 1662, *retour sur soi-même*). Il s'applique aussi à une vue mentale rétrospective (1672), notamment dans l'expression *retour en arrière* (1876), passée dans la description d'un procédé du récit littéraire (1899) et cinématographique (1949) [cf. *flash-back*].

L'autre substantif d'action dérivé de *retourner*, **RETOURNEMENT** n. m. (fin XIIe s., *retornement*), a pâti de la concurrence de *retour*, mot auquel il a abandonné le sens d'«action de revenir sur ses pas, de retourner quelque part» au XVIe siècle. Le sens de «fait de se détourner de» (fin XIIe s.), solidaire d'un ancien emploi du verbe, a lui aussi disparu, mais au profit de *détournement*. ◆ Le mot a évolué selon deux axes sémantiques : le premier, depuis le XVIIIe s., à partir de l'action qui consiste à retourner quelque chose (1754), conduit à des emplois spécialisés en astronomie (1812), géodésie, mathématiques (1870) et aviation (1913). Le second exploite l'idée de «bouleversement, renversement d'une situation» (1859), par exemple dans *retournement de situation* (1911). ◆ **RETOURNEUR, EUSE** n., attesté une première fois avec le sens de «porteur de message» (XVe s.), puis de «personne qui ressasse des idées, des paroles» (1770), a une vitalité limitée. ◇ Il a été repris en technique à propos de la personne qui retourne les vêtements, en couture (1875) et de l'appareil employé en brasserie pour retourner automatiquement l'orge en germination (1934). ◆ **RETOURNAGE** n. m. a modelé son évolution sur *retourneur*. Il a signifié «action de retourner» (1715), puis s'est spécialisé techniquement en couture (1927) et en brasserie (1934).

① **RÉTRACTER** v. tr. et pron. est emprunté (v. 1370) au latin *retractare*, lequel recouvre deux verbes. L'un est formé de *re-* (→ re-) indiquant le mouvement en arrière et de *tractare* (→ traiter) et signifie «remanier, reprendre en main» d'où, au figuré, «traiter de nouveau, revenir sur un sujet, pratiquer de nouveau», «renouveler», «repasser dans son esprit». L'autre est le fréquentatif de *retrahere* (→ retrait) et signifie «chercher à tirer en arrière», absolument «ne pas vouloir avancer, être récalcitrant, résister», et, au figuré, «reprendre sa parole» *(dicta retractare)*. L'ancien français a eu la forme plus francisée *retraitier* (1267) «revendiquer» et «révoquer», en usage jusqu'au XVe siècle.

♦ Le verbe issu de *tractare* a été repris en français par les clercs au sens juridique de «revenir sur un acte, sur une affaire; annuler» et s'est répandu dans l'usage général au sens de «déclarer qu'on n'a plus l'opinion qu'on avait avancée, se dédire» (1549), beaucoup plus fréquent à la forme pronominale *se rétracter* qui apparaît en même temps (1545).

▶ La dérivation se borne à **RÉTRACTABLE** adj. (1372 puis 1611), d'usage juridique, et à **RÉTRACTÉ, ÉE** adjectivation de son participe passé, spécialement employé dans l'expression *prêtre rétracté* (1795), en histoire de la Révolution française.

RÉTRACTATION n. f. est emprunté (1247) au dérivé latin *retractatio, -onis*, substantif d'action désignant le remaniement, spécialement la correction de ce que l'on a déjà dit, ainsi que la résistance, le fait d'être récalcitrant. ◆ Attesté par Bloch et Wartburg en 1247, le mot a été repris au pluriel *rétractations* (1376) au bas latin *Retractationes*, titre d'un ouvrage de saint Augustin dans lequel l'auteur traite des sujets déjà traités en y apportant des corrections. Le mot s'emploie d'abord en droit (1549), puis couramment pour l'action de se rétracter, de désavouer ce qu'on a déjà dit.

② **RÉTRACTER** v. tr. et pron. est dérivé savamment (1600) du latin *retractum*, supin de *retrahere* «faire revenir en arrière» (→ retrait, retraite). ◆ Le verbe est d'abord employé à la forme pronominale *se rétracter* en parlant d'un fossé qui devient plus étroit dans sa partie inférieure. *Se rétracter* a été repris en médecine (1803), le verbe actif *rétracter* s'employant pour «tirer en arrière par contraction» (1875), par exemple à propos d'un escargot qui rentre ses cornes.

Le participe passé **RÉTRACTÉ, ÉE** a été adjectivé (1817), d'abord en botanique pour qualifier une radicule cachée par les cotylédons. ◇ Le sens général de «raccourci par la rétraction» apparaît plus tard en anatomie (1870), se spécialisant en phonétique à propos de la position dans laquelle les lèvres sont en retrait par rapport à leur position neutre (milieu XXe s.), et en psychologie (1946). ◆ Le verbe a pour dérivé **RÉTRACTIBLE** adj., doublet de *rétractile* (ci-dessous).

RÉTRACTION n. f. est emprunté (v. 1210) au dérivé latin *retractio, -onis* «raccourcissement, retrait». ◆ L'ancien français employait le nom au sens figuré de «blâme» et au sens général d'«action de se retirer» (XIIIe s.); ce dernier sens a des spécialisations médicales au XVIe s., par exemple «serrement de cœur» (1552) et «raccourcissement de certains organes et tissus» (1539). ◆ Le mot est repris au XIXe s. pour désigner la réaction par laquelle un animal, un organe se contracte et se déforme pour occuper le moins de place possible. ◇ Au XXe s., il prend un sens figuré et d'emploi littéraire : «réaction de défiance» (1918, Bourget). Conservant ses emplois en physiologie, il sert à désigner une maladie, la *rétraction de l'aponévrose palmaire* (1904), également appelée *maladie de Dupuytren*. ◆ **RÉTRACTIF, IVE** adj., dérivé savant (1500) du latin *retractum*, qualifie d'abord au figuré ce qui détruit, puis (1537) ce qui cause une rétraction, concurrencé en ce sens par *rétractile*.

RÉTRACTILE adj., dérivé savamment (1770) du latin *retractum*, supin de *retrahere*, qualifie d'abord ce qui produit une rétraction, sens abandonné, puis qualifie un organe qui a la propriété de se tirer en arrière ou en dedans, par exemple dans *ongles rétractiles des chats* (1798). Dans ce sens, il a éliminé *rétractible*, dérivé de ② *rétracter**. Il a développé le sens figuré de «qui se retire, fait se retirer par défiance» (fin XIXe s.). ◆ Son dérivé **RÉTRACTILITÉ** n. f. (1835) se dit surtout, dans une description didactique, de la propriété d'un organe, d'un tissu.

✱ **RETRAIT** n. m. est le participe passé substantivé (v. 1150) de l'ancien verbe **RETRAIRE** (1080) qui signifiait d'une part «raconter, relater», et d'autre part «contracter» (fin XIe s.), puis en jurisprudence «retirer (qqch.)» (v. 1155 *se retraire*; déb. XIIIe s. *retraire*) et également «abandonner (un lieu)» (déb. XIIe s.). Ce verbe est issu par voie orale du latin *retrahere* «tirer en arrière, ramener, réduire», de *re-* (→ re-) marquant le mouvement en arrière et *trahere* «tirer, traîner» (→ traire). De même que le verbe simple *traire*, issu de *trahere*, a été évincé de l'usage courant par *tirer*, *retraire* a pâti de la concurrence de *retirer** et ne se rencontre plus qu'à titre d'archaïsme littéraire et juridique. Les deux formes du participe passé *retrait* et *retraite*, se sont en revanche imposées, différenciant progressivement leurs sémantismes.

♦ Le mot, d'abord attesté dans les locutions *sans nul retrait* (v. 1180) «(perdu) sans retour» et *avoir retrait vers qqn* «s'en approcher pour s'adresser à lui», est également employé pour désigner l'action de se retirer, d'abandonner un lieu (v. 1180), et spécialement le reflux de la mer, du flot (v. 1160). ◆ Le sens métonymique de «lieu où l'on se retire», emploi qui a disparu aux XVIIIe-XIXe s., avait donné lieu à des spécialisations comme «refuge» (v. 1175), «lieux d'aisances» (1387; on trouve encore en 1853 le terme *chaise de retrait*), et aussi «logis» (v. 1380), «lieu où l'on veut être seul» (1580) auquel correspond *chambre de retrait* (v. 1360) où *retrait* a le sens actif d'«action de se retirer». ◆ Le mot désigne aussi en droit l'action de retirer qqch., de se substituer à l'acquéreur d'un bien en lui remboursant le prix, les intérêts et les frais (1549). ◆ La locution ***en retrait*** (1611) a d'abord le sens de «seul» et a été reprise pour «en arrière de l'alignement» (1893), d'où, au figuré, «moins avancé, pour un homme, un parti» (av. 1906), conformément à l'évolution générale du mot. ◇ Au XIXe s., en effet, *retrait* a étendu ses emplois, et signifie «action de se contracter, pour un corps» (1824, déjà assumé par le féminin *retraite* chez Buffon), voisin de *rétraction* et, au figuré, «fait de se replier sur soi-même comme pour se défendre» (1913). ◇ La locution ***retrait d'emploi*** (1870) désigne une sanction professionnelle. Dès lors, *retrait* tend à fonctionner comme substantif verbal de *retirer*, notamment dans un contexte administratif (*retrait d'autorisation, de permis de conduire*, etc.).

▶ **RETRAITE** n. f., substantivation du participe passé féminin de l'ancien verbe *retraire* (v. 1185), est plus vivant en français moderne que *retrait*. ◆ Le mot désigne d'abord l'action de se retirer d'un lieu, le départ. Ce sens, sous la concurrence de *retrait* et de mots d'autres séries, notamment *départ*, a vieilli dans sa généralité, *faire retraite* «se retirer» (v. 1330) étant sorti de l'usage après le XVIIe siècle. ◆ Cependant, en contexte militaire, *retraite* désigne encore l'action de se retirer du champ de bataille lorsqu'on ne peut s'y maintenir (v. 1213, *sonner la retraite*) [alors que *se retirer* est archaïque dans ce contexte], quelques locutions techniques comme ***battre en retraite*** (1671) passant dans l'usage courant au propre (av. 1861) et au figuré (1702). Par métonymie, le mot désigne la sonnerie du clairon qui annonçait le couvre-feu (XIVe s.), puis l'obligation pour les soldats de regagner leur casernement (v. 1580) et, de nos jours, la fin d'une manœuvre. Dans la marine, le ***coup de canon de retraite*** désigne un coup de canon à blanc que le navire tirait pour faire prendre le service de nuit (1686). ◆ En vénerie, le mot s'emploie à la fois pour le rappel des chiens, et, par métonymie, la sonnerie de trompe qui l'annonce (1387-1389). ◆ L'expression ***retraite aux flambeaux*** (1875) réalise à l'origine la même idée de «fait de se retirer» dans un contexte de parade militaire, puis celle de déplacement collectif de défilé. ◆ À partir de 1580 (Montaigne), *retraite* exprime, sans idée de mouvement physique, l'action de se retirer de la vie professionnelle ou mondaine. Il est surtout employé avec divers sens métonymiques, désignant l'état d'une personne qui s'est retirée des affaires (1636), et, avec l'évolution des conditions de travail et les droits du salarié, la situation d'une personne qui ne travaille plus et touche une pension (1870), notamment dans ***en retraite*** et ***à la retraite*** *(mettre, être mis à la retraite, partir en retraite)*. Par une autre extension métonymique, il désigne la pension versée à un salarié admis à cesser son activité, d'abord dans l'armée en parlant d'un officier (1752), puis d'un fonctionnaire (1768), enfin au XIXe et surtout au XXe s. de tous les salariés dans le système d'assurances sociales, puis de la Sécurité sociale (en France) ou d'assurances privées. Quelques locutions concernent l'organisation de ce service : ***caisse de retraite*** (1845), ***régime de retraite***, etc. Le mot désigne par métonymie le temps de la retraite. ◇ En dehors de la vie professionnelle, le mot *(une retraite)* désigne une période pendant laquelle on s'éloigne de la vie mondaine pour la récollection spirituelle (v. 1673). ◆ *Retraite* a eu un usage plus fréquent que *retrait* avec le sens de «lieu où l'on se retire», «lieu de refuge, abri» (v. 1460) et «lieu de repos» (v. 1580); il se disait également autrefois du repaire de certains animaux; ces valeurs sont littéraires ou archaïques. ◆ Une autre valeur «fait pour un corps de se retirer, de se rétracter, résultat de ce fait» (1314, en anatomie), supplantée par *retrait, rétraction*, a disparu, sauf en architecture à propos de la diminution d'épaisseur d'un mur (1481, *pierre de retraite;* 1549).

Les dérivés se rapportent au fait de se retirer d'une activité professionnelle ou de la vie mondaine. ◆ **RETRAITER** v. tr. (1723), d'abord employé dans *faire retraiter* «mettre qqn à la retraite» avant de s'employer indépendamment (1819), a vieilli. ◆ En revanche, le participe passé **RETRAITÉ, ÉE**, adjectivé et substantivé (1819), reste usuel pour désigner une personne mise à la retraite. ◆ Le préfixé **PRÉRETRAITE** n. f. (1966), d'abord écrit *pré-retraite*, signifie «retraite anticipée» et par métonymie «allocation versée à cette occasion», **SEMI-RETRAITE** n. f. recouvrant la cessation partielle des activités. ◆ On rencontre **RETRAITANT, ANTE** n. (1886) «personne qui fait une retraite pieuse».

◈ voir ① et ② RÉTRACTER.

RETRANCHER v. tr., d'abord *retrenchier* (v. 1131) et *retrencher* (v. 1175), est dérivé de *trancher** avec le préfixe *re-**, mais s'est détaché du verbe simple dans la plupart de ses valeurs.

♦ Le verbe signifie «ôter, supprimer», faisant passer au second plan ou en éliminant la valeur concrète de «trancher» qui le lie au verbe simple. Ce sens couvrait autrefois une aire d'emploi plus importante que de nos jours; les emplois concrets ont décliné sous la concurrence de *couper* ou de verbes plus précis (relatifs à la taille d'un arbre, à la résection d'un organe). L'emploi pour «faire des économies sur qqch., réduire une dépense», à la fois transitif (v. 1155) et pronominal (1656, Pascal), est sorti de l'usage tout comme son extension pour «réduire, borner à» (1658, *retrancher à*). ◇ Il s'est maintenu dans la spécialisation mathématique de «soustraire (une valeur quantifiable, une valeur numérique)» (1907). ◆ Le sens d'«exclure, éliminer» (1607), avec un nom de personne pour complément, équivalait spécialement à «excommunier» (1587, *retrancher de l'Église*) et dans *retrancher qqn du nombre des vivants*, à «faire mourir», emplois littéraires et archaïques. ◇ Le sens de «supprimer un énoncé» (1669) est en revanche usuel. ◆ Dans un second axe de sens, *retrancher* est lié à l'emploi de *tranchée* en fortification; il correspond à «munir une place de fossés, de fortifications pour arrêter l'ennemi et s'y abriter» (1611). Ce sens a disparu en emploi transitif, mais il correspond ensuite au pronominal *se retrancher*, «s'abriter derrière des fortifications» (1652) et, au figuré, «se retirer pour se protéger» (1674, Corneille); *se retrancher dans*, avec un nom abstrait pour complément, correspondant à «borner son attitude à» (1662). ◆ Le sens réitératif de «trancher de nouveau», relevé une fois au XVe s., a été gêné par les sens concurrents, mais il demeure disponible.

▸ **RETRANCHEMENT** n. m. (v. 1190, *retrenchemant*) a suivi la même évolution; son sens de «suppression d'une partie d'un tout» a reculé en parlant d'une mesure d'économie (v. 1614), de l'action d'exclure qqn de l'Église (1587) et de le mettre à mort. Il demeure vivant à propos de la suppression d'un énoncé (1579, de certaines syllabes dans un mot) et celle d'une chose quantifiable. Le sens local d'«espace retranché d'un plus grand» fait de retranchement un terme d'architecture strictement équivalant à *réduit* (1664). ◆ Le second sens, «ouvrage de défense» (1587), surtout au pluriel *retranchements*, a produit la valeur figurée de «moyen dont on use pour se protéger» (1656), en particulier dans une polémique (*pousser qqn dans ses derniers retranchements;* dès 1688 au singulier). ◆ Le participe passé **RETRANCHÉ, ÉE** est employé adjectivement dans le domaine militaire *(positions retranchées)*, et avec la valeur figurée de «replié dans une attitude défensive».

RÉTRÉCIR v., réfection (1549) de *restroicir* (XIVe s.), est formé de *re-** à valeur intensive et de l'ancien verbe **ÉTRÉCIR**, (*estrécir*, déb. XIVe s.) qui, sous cette forme, est la variante de l'ancien français *etritser, estrecier*, en usage du XIe au XVIe s., signifiant «rendre étroit, devenir étroit, resserrer» et au figuré «presser, s'appliquer avec intensité contre». Ce mot est issu d'un latin populaire °*strictiare* «rendre plus étroit», dérivé du latin classique *strictus* «serré, étroit» (→ strict), participe passé de *stringere* (→ étreindre). La forme renforcée *rétrécir* a éliminé progressivement *étrécir*, encore vivant au XVIIIe s. au sens propre de «rendre plus étroit» et au figuré «amoindrir, restreindre la part de» (av. 1704, Bossuet), également employé à la forme pronominale *s'étrécir* au propre (XIIIe s.) et au figuré (1721).

♦ *Rétrécir* signifie proprement «rendre plus étroit» d'où, au figuré «réduire l'activité de (qqn), la portée de (qqch.)» (1689). La forme pronominale *se rétrécir* correspond à «devenir plus étroit» (1596) et à «restreindre son activité, sa portée» (1689). *Rétrécir* s'emploie aussi comme intransitif, notamment à propos d'un vêtement qui devient plus étroit après le lavage (1718).

▸ **RÉTRÉCISSEMENT** n. m. (fin XVIe s.), d'abord *restrécissement* (1546), correspond par le sens au verbe. Il s'emploie techniquement en pathologie pour «diminution permanente du calibre d'un conduit, d'un orifice» (1832). ◆ Le participe passé **RÉTRÉCI, IE** est adjectivé, au propre (fin XVIIe s.) et au figuré (1778) avec une valeur morale péjorative de «borné, étriqué». ◆ Tandis que l'adjectif simple **RÉTRÉCISSABLE** est resté rare. ◆ Son antonyme préfixé **IRRÉTRÉCISSABLE** adj. (1845) se rencontre plus fréquemment au XXe s. (av. 1922) pour qualifier un tissu. ◇ Il a pour dérivé **IRRÉTRÉCISSABILITÉ** n. f. (v. 1950), terme technique.

RÉTRIBUER v. tr. est emprunté (1370) au latin *retribuere* «donner en échange, en retour, rendre, restituer, récompenser», de *re-* marquant le mouvement en retour (→ re-) et *tribuere* «répartir (entre les tribus), distribuer, accorder», mot dont un dérivé a donné *tribut*, de *tribus* (→ tribu).

♦ Le verbe s'est éloigné à partir du XVIe s. du sens originel d'emprunt, «donner en retour, indemniser, rendre», et ceci lorsqu'il a pris dans le style biblique le sens de «donner à (qqn) le salaire, la rémunération qu'il mérite», sous l'influence de *rétribution*, d'abord (1541, Calvin) dans *rétribuer qqch. à qqn.* Cette valeur ne s'est répandue dans l'usage courant qu'au XIXe s., le mot étant alors construit avec un complément désignant soit la personne, l'employé (1831), soit le travail, le service (1834). D'usage assez large, le mot peut aussi recouvrir le concept de «récompenser».

▸ **RÉTRIBUTION** n. f. est emprunté (v. 1120) au dérivé bas latin *retributio, -onis* «récompense, renvoi» et «action de rendre la pareille», «rétorsion». Il remplace le dérivé français *rétribuement* (v. 1350). ◆ Le mot désigne concrètement la somme d'argent, l'avantage en nature donné pour un travail, un service rendu. Il renvoie également à une récompense en rapport avec une action (v. 1220), spécialement comme terme de dévotion (1694), par exemple dans *rétribution céleste.* Au XVIIe s., Capelain l'emploie au sens de «réciprocité» par latinisme; Vaugelas, Alemand le censurèrent («il peut être très utile et très significatif parmi les ecclésiastiques sans qu'on puisse inférer qu'il doive être mis par tout»). ◇ Sa spécialisation en commerce maritime pour le partage des frais et des avaries entre les assureurs et les assurés (1690) est sortie d'usage. Seul le sens premier est resté en usage.

① **RÉTRO** → RÉTRO- (RÉTROVISEUR)

② et ③ **RÉTRO** → RÉTROGRADE

RÉTRO-, premier élément de composés, est emprunté au latin *retro*, adverbe signifiant «en arrière», «derrière», «en retour» et «en sens contraire», employé depuis Apulée comme préposition, également au premier terme de composés et juxtaposés (voir ci-dessous). *Retro* est dérivé de *re-*, *red-* (→ re-) avec le même suffixe comparatif que *intro* «à l'intérieur» (→ introduire).

♦ *Rétro-*, productif aux XIXe et XXe s., exprime un mouvement spatial ou temporel d'avant en arrière.

▶ Il entre notamment dans **RÉTROVISEUR** n. m. (1920), devenu usuel pour désigner le miroir permettant de regarder vers l'arrière, dans une voiture automobile. Il est quelquefois abrégé en ① **RÉTRO** (1953).

◈ voir RÉTROACTIF, RÉTROCÉDER, RÉTROGRADE, RÉTROSPECTIF; FUSÉE, POSITION; RÉTROPROJECTEUR (art. PROJECTION).

RÉTROACTIF, IVE adj. est dérivé savamment, d'après *actif** (1510), du latin *retroactum*, supin de *retroagere* «faire reculer, rétrograder», de *retro-* (→ rétro-) et de *agere* «mener, conduire» (→ agir).

♦ Cet adjectif didactique qualifie une chose, essentiellement une mesure légale (1510, *clause rétroactive*) qui exerce une action sur ce qui est antérieur.

▶ **RÉTROACTIVEMENT** adv., après une première attestation en 1603, a été repris au XIXe s. (1842, Académie). ◆ **RÉTROACTIVITÉ** n. f. (1801, *non rétroactivité*) a été formé sur le modèle d'*activité**. ◆ **RÉTROACTION** n. f. est dérivé savamment d'après *action** (v. 1550) du latin *retroactum*. ◇ Le mot a désigné le fait d'accuser, en réaction à une accusation, *rétro-* indiquant un mouvement en retour, sens sorti d'usage. Sous l'influence de *rétroactif*, le nom désigne une action ayant un effet sur le passé (1750). Il s'emploie en sciences pour «action en retour», servant à rendre l'anglais *feed back* dans les théories de l'information, son quasi-synonyme *réaction* ayant une valeur affaiblie.
RÉTROAGIR v. intr. est la francisation (1790, C. Desmoulins), d'après *agir**, du latin *retroagere*, usage suscité par l'emploi politique de *rétroactif* et *rétroaction* avant et pendant la Révolution. ◇ Le verbe, qui signifie «avoir une force sur le passé», est plus didactique que *rétroaction* et, surtout, que *rétroactif*. Il correspond à «agir en retour».

RÉTROCÉDER v. est emprunté (1534) au latin *retrocedere* «reculer, rétrograder», spécialisé en latin médiéval au sens juridique de «remettre (qqch.) à qqn par un nouveau don». Le verbe est formé de *retro-* (→ rétro-) et *cedere* «aller, marcher» (→ céder).

♦ Le sens physique de «reculer» a été abandonné au profit de *rétrograder*, comme le sens correspondant de *céder*. Le verbe s'est spécialisé en droit pour «remettre à qqn par un nouvel acte (ce qu'il avait cédé auparavant)» (1611). ◇ Au XIXe s., il a pris le sens secondaire de «céder à un tiers (un bien acheté pour son usage personnel)» (1836) et a été repris en médecine d'après *rétrocession* (ci-dessous), s'employant intransitivement pour «régresser», en parlant d'un processus pathologique (1951).

▶ Le participe présent **RÉTROCÉDANT, ANTE** a été adjectivé (XIXe s.) en droit pour qualifier une personne qui rétrocède une chose à qqn, puis substantivé.

RÉTROCESSION n. f. est emprunté (1530) au dérivé bas latin *retrocessio, -onis* «situation en retrait», spécialisé en droit en latin médiéval. ◆ Le sens physique de «marche en retrait, recul», correspondant à l'ancien sens du verbe, est sorti d'usage. ◆ Comme *rétrocéder*, le mot s'est spécialisé en droit au sens du latin médiéval, «acte remettant à qqn ce qu'il avait cédé» (1640), signifiant par extension «transfert d'un bien acquis à la personne qui l'avait antérieurement cédé» (1904). ◆ Depuis le XIXe s., il désigne en médecine le recul, la diminution de manifestations pathologiques (1845), se rapprochant sémantiquement de *régression* et de *rétrogradation*, et influençant le développement du verbe. ◆ Les dérivés **RÉTROCESSIONNAIRE** adj. et n. (1829) et **RÉTROCESSIF, IVE** adj. (1842) sont deux termes didactiques employés en droit.

RÉTROGRADE adj. est un emprunt (v. 1350) au latin *retrogradus* «qui va en arrière, en sens inverse», de *retrogradi* «aller en arrière», lui-même de *retro-* «en arrière» (→ rétro-) et de *gradi* «marcher, s'avancer» (→ grade).

♦ Le mot est emprunté comme terme de poétique par Guillaume de Machaut dans l'expression *rime rétrograde*, à propos d'une rime telle que le second vers doit commencer par le mot qui finit le premier et ainsi de suite. ◇ Parallèlement, il est repris en mathématiques avec le sens propre de «qui va en arrière, reprend en sens contraire le chemin parcouru» (v. 1370), qualifiant en astronomie le mouvement d'un astre se faisant en sens contraire du sens direct (XIVe s.). ◆ L'adjectif s'est répandu dans l'usage courant au concret (XVe s.), d'où *mouvement rétrograde* au billard (1875), et au figuré (1636), développant une nouvelle spécialisation en versification gréco-latine en parlant de vers pouvant se lire à rebours en inversant l'ordre des mots (1685, Furetière). ◆ Le sens psychologique péjoratif, «opposé au progrès», est attesté pour la première fois pendant la Révolution (v. 1790) chez Mirabeau; l'emploi substantivé (1842, Académie) est rare. De ce sens vient l'abréviation, ③ *rétro* (ci-dessous). Au XXe s., le mot est passé dans la terminologie médicale pour qualifier un type d'amnésie relative aux faits antérieurs à un moment donné (1932). ◆ Sa substantivation pour le fait de revenir en arrière par un mouvement contraire (v. 1600) s'est spécialisée en mécanique (1765) et a disparu au bénéfice de *rétrogradation* (ci-dessous).

▶ *Rétrograde* n'a pas produit de dérivés, mais il a été abrégé à deux reprises. ② **RÉTRO** est substantivé au billard (1861 *in* D.D.L.) par ellipse pour *mouvement rétrograde* en parlant du coup consistant à frapper une bille pour qu'elle revienne en arrière. ◆ ③ **RÉTRO** s'emploie adjectivement (1973) en parlant d'une mode, d'un style qui imite le passé ou s'y réfère, d'une personne qui suit cette mode, adopte ce style. Le mot s'est répandu à partir de l'automne 1973 à propos de la mode vestimentaire; en 1974, il a gagné tous les domaines de la vie culturelle (*un film rétro*, etc.) politique et sociale (y compris en emploi adverbial et substantivé) de sorte qu'il a bientôt été galvaudé et a repris chez certains la va-

leur péjorative qu'il avait éliminée par rapport à *rétrograde.*
RÉTROGRADER v. est emprunté (fin XIVe s.) au bas latin *retrogradare,* variante du latin classique *retrogradi.* ◆ Le verbe a suivi la même évolution que *rétrograde.* Il est d'abord relevé au participe passé *rétrogradé* en poétique médiévale (fin XIVe s.), puis à l'actif en astronomie pour un astre qui traverse les constellations zodiacales dans le sens contraire à celui où les traverse le soleil (1488). ◇ Au XVIe s., il a élargi son aire d'emploi, au propre (1564) et au figuré, pour «revenir en arrière dans le temps, remonter à une période antérieure» (1589). Il s'emploie quelquefois avec la valeur dépréciative de «revenir à une situation plus ancienne jugée inférieure» (1690), spécialement «passer dans une situation hiérarchiquement inférieure» (1907) d'où, en construction transitive, «soumettre (qqn) à une telle punition» (1906). ◇ Il s'est spécialisé comme intransitif en parlant d'un véhicule qui passe à une vitesse inférieure (1964, Larousse), et, par métonymie, de son conducteur. ◆ Sous l'influence de *progression** et *régression*, rétrograder* a produit **RÉTROGRESSION** n. f. (1836) «mouvement en arrière, recul», qui fonctionne en concurrence avec *rétrogradation.* ◆ **RÉTROGRADATION** n. f., emprunt (av. 1300) au dérivé bas latin *retrogradatio, -onis* «mouvement en arrière», s'emploie d'abord en astronomie. Le sens général, «action de revenir en arrière» (1550), semble avoir eu du mal à s'imposer, ce qui explique la création ultérieure de *rétrogression.* ◇ Le sens figuré (v. 1794) demeure plus rare que pour le verbe et l'adjectif. ◇ Au XXe s., le mot s'applique aussi à une sanction disciplinaire dans l'armée, dans l'administration (v. 1904) et, par extension, en sport.

RÉTROPROJECTEUR → PROJECTION

RÉTROSPECTIF, IVE adj.

RÉTROSPECTIF, IVE adj. est formé (1775) d'après *prospectif** et *perspectif** avec l'élément *rétro-** indiquant le mouvement en arrière, et le radical du latin *spectare* «regarder, observer», forme fréquentative du verbe archaïque *specere* (→ spectacle).

♦ Cet adjectif qualifie ce qui est dirigé vers le passé, vers une période antérieure, ce qui «regarde» en arrière. Il se dit aussi de ce qui permet de revoir le passé (1836), et d'un sentiment, d'un état affectif s'appliquant à des faits passés (1854).

▸ Il a produit **RÉTROSPECTIVEMENT** adv. (1845) et **RÉTROSPECTION** n. f. (1850), mot didactique. ◆ Le féminin **RÉTROSPECTIVE** a été substantivé (1919) pour désigner une projection, une exposition présentant l'ensemble des œuvres d'un artiste, d'une époque (l'attestation de 1855 donnée par Dauzat-Dubois-Mitterand correspond seulement à un emploi adjectif dans un titre : *Esquisse rétrospective des ruines et des reliques nationales,* 1843). ◇ Un emploi substantivé du masculin *rétrospectif* a été proposé (1973) pour faire barrage à l'anglicisme *flash-back* rendu au Canada par *rétrospective.*

RETROUSSER → TROUSSER

RETS n. m. est l'orthographe savante (1538) de *rei* (v. 1120), *roi* (v. 1130), *reiz* (v. 1155), *rez* (déb. XIIIe s.), formes archaïques issues du latin *retis* n. f., surtout au pluriel *retes,* variante du neutre *rete, -is* (au pluriel *retia*) «filet», d'origine obscure. Le mot français fut d'abord féminin, comme *retis* en latin, avant que sa finale ne le fasse assimiler à un masculin à partir du XVIe s., le féminin disparaissant au XVIIe siècle.

♦ Le mot, le plus souvent usité au pluriel, servait à désigner un filet pour prendre des oiseaux, des poissons, du gibier, acception archaïque. Seul le sens figuré, «artifices par lesquels on s'empare de qqn ou de son esprit» (fin XIVe s., Ch. de Pisan), est resté vivant, dans un style soutenu ou littéraire. Le sens technique de «réseau» en anatomie dans *rets admirables* «petit plexus ou lacis de vaisseaux entourant la glande pituitaire» (v. 1560, Paré) est sorti d'usage. *Rets* a perdu de son importance au profit de son dérivé diminutif *réseau.*

▸ **RÉSEAU** n. m., d'abord *resel* (v. 1180), *roisel, raysiau* (XIIIe s.) avant la forme actuelle (v. 1300), désigne d'abord un petit filet pour prendre des oiseaux ou du menu gibier. Il a perdu cette valeur diminutive et désigne (fin XVIe s.) un ouvrage formant un filet à mailles plus ou moins larges et, par analogie, un tissu formé de petites mailles (fin XVIe s.), appelé plus tard *résille** (→ réticule). ◆ Le sens figuré, «ensemble de choses abstraites emprisonnant peu à peu l'individu» s'est développé de bonne heure (v. 1240). ◆ À partir du XVIIIe s. la vitalité du mot se manifeste par des spécialisations concrètes : *réseau* est devenu un terme de description physiologique, pour l'entrelacement de nerfs, de vaisseaux où circule le sang (1762). ◇ Dans la seconde moitié du XIXe s., il s'applique aussi par abstraction à un ensemble de personnes en liaison entre elles, directement ou indirectement (1862), notamment une organisation clandestine, et en sciences un ensemble de points communiquant entre eux (av. 1869). ◆ Parallèlement, le sens premier suscite d'autres spécialisations, «fond de dentelle à dessins géométriques» (1870), «entrelacement des fils d'une toile d'araignée» (1875). En optique, le mot désigne une surface striée (1827), d'où ***réseau cristallin*** (XXe s.). ◆ Les sens analogiques se sont multipliés vers le milieu du XIXe s. avec l'idée d'un ensemble de lignes entrecroisées : *réseau* désigne un ensemble de voies de communication reliant les régions d'un pays (1849), un ensemble de voies de communication télégraphiques (1849), téléphoniques (1879), par métonymie une ancienne division administrative des chemins de fer français (1870) formant aujourd'hui une région, et un ensemble de lignes aériennes, *réseau aérien* (déb. XXe s.). ◆ Au XXe s., *réseau,* dans un sens quasi étymologique, désigne l'entrelacs de pierre d'une fenêtre ou d'une rose gothique (1904), une ligne de défense constituée par de la ronce artificielle pour interdire le passage des gens et de certains véhicules (1931) ; il s'emploie par analogie en mathématiques (1904), en hydrologie pour désigner l'ensemble des canalisations construites pour évacuer les eaux de ruissellement (1924, *réseau fluvial*), et en géographie, à propos de l'ensemble des fleuves et de leurs affluents drainant une région. En biologie, l'expression *réseau nucléaire* désigne l'entrecroisement de lignes peu colorables qui apparaît dans le noyau après coloration (1904). ◇ Le sens figuré d'«ensemble de points communiquant entre eux» a trouvé de nouvelles applications relatives à la télévision, au commerce *(réseau de concessionnaires, de courtage, de distribution, de prospection).* L'application du terme à l'informatique est particulièrement importante, qu'il s'agisse de *réseaux locaux,* par exemple les *réseaux d'entreprise,* de *réseaux «longue distance»* ou du *«réseau des réseaux»* (→ Internet).

◈ voir **RÉSILLE, RÉTIAIRE, RÉTICULE, RÉTINE.**

RÉUNIR → UNIR

RÉUSSIR v., d'abord écrit *reuscir* (v. 1550), puis *réussir* (v. 1570), est emprunté à l'italien *riuscire,* proprement «ressortir» d'où «déboucher» et, par un développement abstrait, «avoir du succès». Le mot est formé de *ri-,* préfixe à valeur itérative (du latin *re-,* → re-) et de *uscire* «sortir», représentant du latin *exire* de même sens qui a donné l'ancien français *issir* (→ issue).

♦ Le verbe a d'abord signifié «résulter, sortir» *(réussir de,* encore chez Pascal) et «avoir pour conséquence, se révéler», sens vivants jusqu'au XVIIe siècle. L'usage moderne s'est dégagé au XVIe s., *réussir à,* puis *réussir* exprimant l'idée d'«aboutir à un heureux résultat» avec un sujet désignant une chose (1537) et aussi une personne (1541). Le sens de «se révéler vrai» (v. 1629, Corneille), a disparu. ➛ Au XVIIe s., le verbe commence à diversifier ses constructions, s'employant intransitivement d'abord en parlant de ce qui est bénéfique à qqn (1631) puis aussi d'une personne qui obtient un succès dans un domaine (1624), suivi dans ce cas d'un substantif ou (1627) d'un infinitif. Des emplois ironiques se rencontrent avec les deux constructions depuis la fin du XIXe s., et surtout pour le participe passé **RÉUSSI, IE** adj. qui s'emploie pour «conforme au projet», «bien accompli, réalisé» et aussi ironiquement *(c'est réussi ! ; il est réussi !),* renvoyant à l'ancienne ambivalence du mot. L'usage transitif direct du mot *(réussir qqch.)* est seulement enregistré par Boiste en 1834 ; il est devenu usuel.

▶ **RÉUSSITE** n. f. est emprunté (1583) à l'italien *riuscita* «issue», d'où «bonne issue, succès», participe passé féminin substantivé de *riuscire* (ci-dessus). ➛ Le mot a été repris au sens neutre de «résultat, issue», sorti d'usage au XVIIIe s., puis, d'abord employé par Guez de Balzac se moquant des italianismes, il désigne le fait, pour une personne, d'obtenir du succès dans ce qu'elle entreprend (1622), et pour une chose, d'aboutir à un résultat (cf. *issue*) et spécialement à un résultat heureux (1639). ➛ Au XIXe s., il désigne une méthode de consultation par les cartes à jouer fondée sur des combinaisons de hasard et aussi un jeu de cartes, en général pratiqué par une seule personne, et qui, si on peut le terminer, est censé prédire la réalisation d'un vœu (1842). ➛ Par métonymie, le mot désigne, d'abord familièrement, une chose qui obtient du succès, une personne qui représente un succès (déb. XXe s.), quelquefois avec une valeur ironique rappelant que le mot, comme le verbe *réussir,* pouvait à l'origine désigner une issue bonne ou mauvaise.

REVANCHER v. tr., attesté en 1165, également *revanchier* (v. 1278) et *revengier* (1345) en ancien français, est formé du préfixe *re-* et de *vengier* ou de sa variante *venchier,* formes anciennes de *venger**. Le changement formel l'a démotivé par rapport à *venger,* mais leur sens les rapproche.

♦ Le mot est resté sémantiquement très proche de *venger,* ce qui a fini par nuire à sa vitalité. Comme intensif de *venger,* il s'est employé absolument et à la forme pronominale (v. 1278) pour «rendre la pareille en mal» ; le sens symétrique de «rendre la pareille en bien», plus tardif (1593) et qualifié de familier par les dictionnaires au XVIIIe s. et jusqu'en 1878, a disparu. ➛ L'usage classique a privilégié pour le pronominal l'idée de «rendre coup pour coup, se défendre contre une attaque» (1345) et, avec un complément introduit par *sur,* «se rattraper, se dédommager sur» (1690). En emploi transitif, il a fait prévaloir le sens de «prendre le parti de qqn pour racheter sa défaite par une victoire» (1669), vivant jusqu'au XXe s. dans l'usage populaire.

▶ Le déverbal **REVANCHE** n. f., d'abord *revenche* (v. 1270), *revange* (1358) et *revenge,* conservé dans le mot anglais *revenge,* s'est mieux affirmé en se différenciant de *vengeance* dont il est le quasi-synonyme (v. 1270). Si le sens d'«action de rendre la pareille pour un bien qu'on a reçu» (1588) a disparu, il a laissé ***à charge de revanche*** «de réciprocité» (1797). La valeur complémentaire de «fait de rendre la pareille pour un mal reçu» (v. 1525) connaît une grande vitalité aux jeux (1538) et en sports. Par ailleurs, le thème de la revanche est fréquent à propos d'une guerre perdue. La locution adverbiale usuelle ***en revanche*** (av. 1619) «en retour, en contre-partie» procède de la notion de compensation ; elle est parfois en concurrence avec *par contre,* ce dernier ayant été condamné par les puristes. ➛ **REVANCHARD, ARDE** adj. et n. (1894), **REVANCHISME** n. m., (1900), d'où **REVANCHISTE** n. et adj. (v. 1960) sont marqués par le thème politique de la revanche militaire.

RÊVE → RÊVER

REVÊCHE adj., d'abord écrit *revesche* (v. 1220), puis *revêche* au XVIIe s. (1671), est d'origine discutée. Certains (dont Bloch et Wartburg) évoquent un emprunt au francique °*hreubisck* «rude, âpre, ébréché, raboteux», restitué par l'ancien nordique *hriúfr.* P. Guiraud, s'appuyant sur l'existence des variantes *reverse* et *reverche* (Littré), est favorable, pour des raisons phonétiques et sémantiques, à un dérivé du latin *reversus* (→ revers), «qui tourne en sens contraire», par une forme non attestée °*reversicus* avec *i* bref ; l'assimilation de *r* devant *s* ne pose pas de problème, étant un fait de phonétique française bien établi (cf. *pêche,* de *persica*). ◈

♦ En ancien français, l'adjectif s'est employé pour qualifier un feu violent, dangereux, et une personne farouche, sans pitié (v. 1278). De nos jours, il caractérise une personne peu engageante aux manières brusques et déplaisantes (déb. XVe s.) et, par métonymie, ce qui dénote un tel comportement : *air, parole revêche...* (av. 1709). Le sens de «qui rebute, aspire de l'aversion» en parlant d'une chose (déb. XVe s.) s'est moins bien maintenu. ◆ L'adjectif s'emploie aussi techniquement pour un diamant, un marbre rebelle au polissage dans certaines de ses parties (1835), survivance probable de l'ancien sens de «rude au toucher, âpre au goût» (1549). ◆ Le féminin a été substantivé (fin XVe s.) comme nom technique d'un tissu grossier, non croisé et peu serré, à poils très longs, frisés ou non, dont l'Angleterre eut la spécialité jusqu'au milieu du XVIIe s. ; de nos jours, il désigne, perdant la valeur d'origine, un tissu solide et spongieux, tantôt lisse, tantôt croisé (1875).

RÉVEIL, RÉVEILLER → ÉVEILLER

RÉVÉLER v. tr. est emprunté (v. 1120) au latin impérial *revelare* «dévoiler, découvrir», spécialement à basse époque chez les auteurs chrétiens «manifester à l'homme (la connaissance divine)». Le verbe est formé de *re-* (→ re-) marquant un mouvement en arrière, et de *velare* «couvrir» (→ voiler, à ① voile).

♦ *Révéler,* d'abord attesté dans des psautiers, est un mot de religion, signifiant «faire connaître par une voie surnaturelle (ce qui était ignoré des hommes et inconnaissable par la raison)». Le sens général de «connaître, faire savoir (une chose inconnue, secrète)» existe aussi dès le XIIe s. (v. 1155). Au XVIIe s., le verbe s'employait aussi avec un complément désignant une personne, au sens de «faire connaître l'existence, l'identité de (qqn)» (1691, Racine). ◆ Ultérieurement, avec un sujet désignant une chose ou une personne, le mot s'est employé pour «être l'indice, la marque de (qqch.)» (1803). Il s'est spécialisé avec une valeur concrète en photographie (1895), probablement d'après *révélateur* (ci-dessous). ◆ La forme pronominale *se révéler,* relevée en 1715 chez Montesquieu au sens d'«être dévoilé», en parlant d'un secret, a développé ses sens modernes au XIXe s. : elle signifie «se faire connaître sous un aspect encore ignoré» (1807, Mme de Staël) ; suivie d'un attribut, elle s'emploie comme un verbe d'état au sens de «se manifester tel» (1875). En emploi absolu, *se révéler* se dit d'une personne, pour «affirmer sa personnalité» (1864, *Journal des Débats*) et spécialement «manifester sa valeur par une belle performance», en parlant d'un sportif (1886), d'un acteur (1906). Le verbe actif a aussi le sens de «faire connaître son talent de manière subite».

▶ Le participe passé **RÉVÉLÉ, ÉE** est adjectivé, notamment à propos de ce qui est connu des humains par la volonté divine (1725, *religion révélée*).

RÉVÉLATION n. f., d'abord *revelaciun* en anglonormand puis *revelation* (fin XIIe s.), avec des variantes, est emprunté au bas latin ecclésiastique *revelatio, -onis* «action de laisser voir, de laisser apparaître, de découvrir», spécialement «acte par lequel Dieu fait connaître aux hommes sa volonté, son enseignement». Le mot est dérivé de *revelatum,* supin de *revelare.* ◆ Le premier emploi, comme pour le verbe, est religieux, et concerne l'acte par lequel Dieu fait connaître surnaturellement à l'homme certaines choses ; par métonymie, il désigne l'ensemble de la doctrine consignée dans l'Ancien et le Nouveau Testament (av. 1662, Pascal). Son sens général et laïque, «action de faire connaître ce qui était caché, secret», est attesté un peu plus tard (v. 1318, *revelaucion*). ◆ Le sens courant prend par extension la valeur d'«inspiration, connaissance intuitive», surtout réalisée dans la locution ***savoir par révélation*** (av. 1654). Par métonymie, *révélation* désigne une information écrite ou orale qui explique des événements obscurs ou fait connaître de nouveaux événements (1835), un fait qui apparaît subitement ou qui, une fois connu, en explique d'autres (1870), par exemple ***avoir la révélation de qqch.*** (1883), une personne qui manifeste subitement un grand talent, de grandes qualités (av. 1922, Proust). ◆ Un emploi spécialisé en photographie est en relation avec *révéler* et *révélateur.* ◆ *Révélation* a produit tardivement **RÉVÉLATOIRE** adj. (1937, Breton, *L'Amour fou*), littéraire et rare. Le même type de formation se rencontre dès le XIIIe s. dans l'ancien provençal *reveladoira* «qui est à révéler par une inspiration divine». ◆ **RÉVÉLATEUR, TRICE** adj. et n. est emprunté (1444) au bas latin ecclésiastique *revelator,* du supin de *revelare.* ◇ Le mot est rare pour désigner la personne qui fait des révélations, sauf dans son sens spécial teinté de messianisme «celui qui révèle une doctrine, une religion, une philosophie» (av. 1865, Proudhon). Il désigne aussi ce qui fait connaître qqch. ou constitue un indice, un signe (1823). ◇ L'usage de l'adjectif pour qualifier ce qui fait connaître ce qui était caché est tardif (1826). ◆ Le nom s'est spécialisé en photographie pour désigner le bain dont les constituants chimiques rendent visibles une image latente (1864), d'où un emploi spécial du verbe *révéler.*

REVENDICATION n. f. est la modification (1506) avec le préfixe *re-**, de *reivendication* (v. 1435), adaptation du latin juridique *rei vindicatio,* proprement «réclamation d'une chose». Le terme est formé de *rei,* génitif de *res* «chose» (→ rien) et de *vindicatio* «action de réclamer en justice, de prendre la défense, de tirer vengeance, de punir», tiré du supin *(vindicatum)* de *vindicare* (→ venger).

♦ Ce terme de jurisprudence désigne l'action en justice d'un propriétaire qui réclame la mise en possession de sa propriété et, surtout aux XVIIe et XVIIIe s., la réclamation d'une cause par un juge (1690). ◆ Le passage du mot dans l'usage général pour «action de réclamer ce que l'on regarde comme un droit» est d'abord attesté chez les socialistes du milieu du XIXe s. (1861, Proudhon) et vient de l'usage étendu de *revendiquer* (ci-dessous), déjà ancien. La psychopathologie l'a repris (1927) pour désigner un type de délire chronique appelé *délire de revendication,* recherchant réparation d'un préjudice, réel ou imaginaire, mais l'usage dominant du mot appartient au vocabulaire social *(revendications salariales).*

▶ Le dérivé **REVENDIQUER** v. tr., d'abord *reivendiquier* (v. 1395) puis *revendiquier* (v. 1395), *revendiquer* (1660), évolue comme *revendication :* terme de jurisprudence (spécialement en parlant d'un juge qui demande à juger une affaire comme étant dans ses compétences, 1690), il est passé dans l'usage courant en parlant d'une personne qui demande à être reconnue comme l'auteur d'une action, d'une parole, d'un écrit, d'une œuvre (1674); puis, il correspond à «réclamer (ce que l'on regarde comme un droit)» (1708) et, par extension, à «prendre sur soi, assumer» (1875), valeur que n'a pas *revendication*. Son emploi absolu se rencontre quelquefois au XXe siècle. ◆ À son tour, il a produit quelques dérivés: son participe présent **REVENDIQUANT, ANTE**, d'abord *reivendicant* (1567), a été substantivé en jurisprudence *(un revendicant)* pour la personne qui revendique. ◆ **REVENDIQUEUR, EUSE** adj. et n. m. «personne qui revendique» (XIXe s.) s'emploie surtout en psychopathologie. Le mot subit la concurrence du dérivé savant **REVENDICATEUR, TRICE** adj. et n. (1870). ◆ Du radical de *revendication* est tiré **REVENDICATIF, IVE** adj. (milieu XXe s.), souvent lié au contexte des conflits sociaux.

✱ **REVENIR** v. intr. est emprunté très anciennement (v. 980) au latin *revenire* «venir de nouveau» et «venir à son point de départ», d'où «échoir (d'un bien)» (730), de *re-* (→ re-) et *venire* (→ venir).

♦ Dès les premiers textes, le verbe a le sens itératif de «venir de nouveau» avec un sujet indiquant un animé (personne, animal); de là, les locutions figurées ***revenir à la charge*** «recommencer une requête» et *revenir sur l'eau* (1690), remplacée plus tard par *refaire surface*. Abstraitement, *revenir* correspond à «reprendre une question pour l'examiner, la traiter de nouveau» (1762, *revenir sur une affaire*) et, par croisement avec l'idée de «retourner sur ses pas», «annuler, changer complètement»; d'où au XVIIIe s. la locution *revenir sur le compte de qqn* (1728). ◆ Avec un sujet désignant un inanimé, il équivaut à «apparaître ou se manifester de nouveau» (v. 1174), sens très vivant, par exemple dans la locution familière ***revenir sur le tapis*** (1904). ◆ Le second sens du latin, «retourner dans un lieu, à son point de départ», s'applique aux personnes (v. 1050), d'où la locution ***revenir sur ses pas***, de sens propre (1643) et figuré (fin XVIIe s.). Une spécialisation a concerné le retour des esprits des morts (1559), d'où *revenant* (ci-dessous). ***S'en revenir*** (v. 1050), qui a le même sens, est moins usuel que *s'en retourner*. Depuis le XVIIe s., le sujet peut désigner une chose dans ce sens spatial (1665) mais la valeur d'«être renvoyé par une régurgitation» est beaucoup plus ancienne (1256). ◆ Par extension, ***revenir près de qqn, vers qqn, à qqn*** exprime l'idée de «se manifester de nouveau avec lui, dans son intimité», spécialement «revenir auprès de la personne qu'on avait quittée» en lui cédant ou par désir de réconciliation (v. 1640); dans ce sens, la langue classique disait aussi *revenir pour* (1670) et, absolument, *revenir* (1680). ◆ *Revenir à* exprime abstraitement l'idée de «reprendre (ce qu'on avait interrompu, abandonné)» (v. 1050), spécialement dans ***en revenir à*** «reparler de» et «retourner à ses anciens goûts» (1673) et ***n'y revenez plus*** «ne recommencez plus» (1752) où le préfixe *re-* hésite entre ses deux valeurs. ◆ Le verbe correspond aussi (1080) à «sortir d'un état pour retrouver son état normal», le complément désignant l'état que l'on quitte *(revenir de)* et, avec *à*, l'état où l'on revient (v. 1112), spécialement dans ***revenir à soi*** (fin XIIIe s.; acception attestée en ancien provençal v. 1195). D'abord utilisées pour désigner un changement d'état physique, ces constructions s'appliquent aussi à un changement affectif, mental, moral, *revenir à soi* exprimant l'idée de «reprendre le droit chemin» (1553); *revenir à Dieu* «retrouver ses sentiments de piété» (av. 1704); dans l'usage courant, ***n'en pas revenir*** (d'une surprise, d'un étonnement) [1671] signifie «rester surpris». ◆ L'emploi du verbe avec un sujet désignant une fonction physique ou mentale exprime le même processus de recouvrement (fin XIIe s.). À *la mémoire revient*, succède *la mémoire lui revient*. ◇ Avec un sujet désignant une abstraction *(souvenir, nom, image)*, *revenir* correspond à «se présenter de nouveau à l'esprit qui a oublié ou cessé de considérer», en emploi absolu (v. 1200) et avec un complément introduit par *à* et désignant une personne (1553) d'où ***cela me, lui revient***. ◇ En parlant d'une rumeur, d'une nouvelle, *revenir* signifie «être rapporté» (av. 1679), notamment à la forme impersonnelle *il m'est revenu que* (1676). ◆ Le sujet désignant une chose considérée sous le rapport de sa valeur, le verbe a le sens de «échoir à titre de profit» (v. 1175) [cf. ci-dessous *revenu*]. De là, il s'emploie avec un sujet désignant une abstraction, au sens d'«incomber» et, au figuré, devient synonyme de «plaire à» (v. 1460), de nos jours avec une négation *(ça ne me revient pas)*. ◆ Le rapport entre le sujet et l'objet étant considéré comme un rapport d'équivalence, ***revenir à*** s'est employé pour «équivaloir» (v. 1350), de nos jours uniquement vivant avec un pronom sujet dans *cela revient à*. Cette équivalence recouvrant spécialement un rapport financier, il a pris le sens de «coûter à qqn» (1530) : *cela lui revient à...* L'usage courant emploie ***revenir au même*** pour «être équivalent» : *tout revient au même* (1671), *cela revient au même*, «cela se vaut».

Probablement par l'intermédiaire de la locution *revenir à soi* «retrouver vie» et par l'emploi ancien de *se revenir* à propos d'une viande qui se ramollit quand on la passe au feu (av. 1558), la construction ***faire revenir*** (1606) renvoie à une opération culinaire; celle-ci consiste d'abord à faire renfler la viande en la mettant sur des charbons allumés ou sur un gril avant de la larder ou de la piquer, puis à passer un aliment dans un corps gras chaud pour dorer et rendre plus ferme (1798).

▸ **REVENUE** n. f., participe passé féminin substantivé de *revenir* (v. 1155), sert à ce dernier de nom d'action exprimant le retour; il est littéraire et vieilli. Il signifie «nouvelle pousse des bois de taillis» en sylviculture (1283) et, en vénerie, «sortie des bêtes des bois lorsqu'elles reviennent pâturer à découvert» (1328). ◆ Le participe passé masculin, **REVENU**, est substantivé (1320) pour désigner ce qu'on peut retirer annuellement d'un domaine, d'un emploi, à titre de profit, de rente, et, par extension, de salaire. Il se dit de ce que l'État tire des impôts (1471) d'où *revenu public* (1588), et, au pluriel, *revenus de l'État* (1690), *revenus publics* (1748). Les emplois du mot dans le contexte socioéconomique sont devenus essentiels au XXe s. (cf. par exemple, l'expression administrative française *Revenu minimum d'insertion,* d'où *R.M.I.**. ➜ Un sens psychologique, «avantage qui revient à qqn» (1608) a disparu. ➜ Depuis le XVIIIe s. le mot désigne en technique le traitement thermique que l'on fait subir à l'acier après la trempe, consistant en un réchauffage régulier suivi d'un refroidissement lent (1723). Le participe présent de *revenir* a d'abord été adjectivé ① **REVENANT, ANTE** adj. (v. 1360) pour qualifier ce qui donne un revenu, sens qui subsiste dans **REVENANT-BON** n. m. (1690), substantivation de *revenant bon* (1549) «qui reste comme profit». Le terme, d'abord appliqué à l'argent restant entre les mains d'un comptable après qu'il a rendu ses comptes, désigne par extension le profit venant d'un marché, d'une charge (1692) et, au figuré, un avantage venant comme par hasard (1740). ➜ ② **REVENANT, ANTE** adj. a qualifié ce qui plaît (v. 1380) et aussi ce qui repousse (1559). ➜ Le seul emploi qui s'est perpétué concerne l'âme d'un mort que l'on suppose revenir de l'autre monde (1690). Ce sens, dérivé de *revenir* «venir hanter un lieu» a donné lieu à un substantif usuel (1718, *il a peur des revenants*) synonyme de *fantôme* et entraînant une imagerie traditionnelle, liée à celle du lieu hanté. Le sens de «personne que l'on revoit après une longue absence» (1690), pourtant indépendant, est senti comme familier et plaisant et s'est rattaché au précédent. ➜ La locution substantivée **REVENEZ-Y** n. m. (1638) «retour d'un sentiment depuis longtemps oublié», a été reprise (1808) en parlant familièrement d'une chose à laquelle on revient avec plaisir, surtout dans ***avoir un goût de revenez-y*** (1893). Ses emplois pour évoquer un retour vers le passé, les choses anciennes (av. 1869) et pour «action de recommencer» (1870) ont disparu. ➜ **REVIENT** n. m., autrefois en emploi autonome (1833), de nos jours dans la locution ***prix de revient*** (1842), désigne le prix auquel un objet *revient* au fabricant.

RÊVER v., d'abord *resver* (v. 1130), puis *rever* (v. 1174) avant l'accent circonflexe, qui apparaît au XVIIe s., est d'origine incertaine. La première syllabe est identifiée comme le préfixe *re-**, mais le second élément fait problème : Wartburg y voit un verbe simple °*esver* «vagabonder», non attesté mais postulé par l'ancien français *desver* «perdre le sens», représenté en français moderne par le préfixé *endêver**. Ce verbe viendrait d'un gallo-roman °*esvo* «vagabond», réduction phonétique normale d'un latin populaire °*exvagus* de même sens (par °*exvagu*, °*exvo* et °*esvo*), comme *sarcophagus* a évolué en °*sarcophagu*, °*sarcou*, donnant l'ancien français *sarqueue* (cf. *cercueil*). *Exvagus* est formé de *ex-* à valeur intensive (→ é-) et de *vagus* «qui erre çà et là, c'est-à-dire vagabond» (→ vague). On pourrait même restituer un verbe gallo-roman °*exvagare*, autre forme pour °*exvagari*, composé de *vagari*, présent dans les composés attestés *pervagari*, *circumvagari*, *divagari* (→ divaguer), *extravagari* (→ extravaguer). De son côté, P. Guiraud, qui considère la réduction de °*exvagus* en °*esvo* comme peu normale, et qui tient compte du doublet *raver* (formes provençales *raba*, *rava* à côté de *reba*, *reva*), est amené à postuler deux étymons : d'une part, *raver*, dont le sens est principalement «délirer», «être en fureur», représenterait un type °*rabare*, dérivé roman du latin *rabere*, doublet de *rabiere*, *rabiare* «être en rage», de *rabia* (→ rage). Dans ce raisonnement, *resver* procéderait, non pas tant d'un °*exvagere* (car le *g* intervocalique aurait dû laisser les traces d'un yod dans le français : °*resvier*) mais du latin *evadere* «sortir, s'échapper» (→ évader) par l'intermédiaire d'une forme °*re-exvadere*, *rêver* étant interprété par «s'échapper de la réalité en imagination». Les deux mots, *raver* et *rêver* se seraient croisés en confondant les idées de «délire de la rage» et de «fuite dans l'imagination». Les deux hypothèses, vraisemblables et ingénieuses, reposent sur des reconstitutions invérifiables.

♦ Le verbe a d'abord eu le sens de «délirer», encore usuel chez les auteurs du XVIIe s., et celui de «dire des choses extravagantes, déraisonnables» (v. 1170). Ces sens, si l'on se range à l'étymologie classique (Wartburg), seraient des emplois figurés de l'ancien sens de «vagabonder», seulement attesté dans le *Roman de la Rose* (v. 1278) mais dominant en ancien et moyen français, où *rêver* signifie le plus souvent «aller de-ci de-là pour son plaisir, rôder, s'amuser», spécialement «se promener déguisé pendant le carnaval». ➜ Au XVIe s., le verbe s'est orienté vers l'idée abstraite de «laisser aller sa pensée au hasard sur des choses vagues» (1552, Ronsard), souvent avec une valeur péjorative. *Rêver* s'emploie aussi transitivement pour «inventer de toutes pièces» (fin XVIe s.) et suivi de la préposition *à* ou *de* pour «réfléchir à qqch.» (fin XVIe s.), se rapprochant ainsi du sens de *songer** au XVIIe s. ; *rêver* s'emploie alors pour «méditer profondément» (1620), «s'absorber dans» et même, transitivement, «méditer» (1643, Corneille). ➜ Le sens moderne, devenu courant, de «voir en songe pendant le sommeil» s'est dégagé au XVIIe s. en emploi transitif (1640, avec un complément indiquant l'objet vu en rêve) et absolument pour «faire des rêves en dormant» (1649, Descartes) ; il est devenu prédominant, supplantant *songer* au XVIIIe et au XIXe s. et s'implantant dans la phraséologie courante : *il me semble que je rêve* (av. 1656, Pascal), ***on croit rêver*** (fin XVIIIe s.) «c'est invraisemblable». Comme transitif, *rêver* signifie aussi «se représenter comme réalité (ce que l'on désire ardemment)» (1606) et comme intransitif, «laisser aller son esprit sur ce qui n'a aucun rapport avec la réalité présente» (1672). Par extension, le verbe équivaut à «se laisser aller à des idées chimériques, comme dans un rêve», dans les locutions ***rêver éveillé*** (av. 1780) puis ***rêver tout éveillé*** (1835) d'où, familièrement, ***il ne faut pas rêver*** (XXe s.), ***tu rêves !*** et, au Québec, ***rêver en couleurs*** «se faire des illusions». ➜ *Rêver* exprime, transitivement, l'idée de «voir comme dans un rêve» (av. 1780, Condillac). La construction *rêver de qqch.*, *de qqn* «le voir la nuit en rêve», attestée relativement tard (av. 1794, Chénier) est, selon une figure analysée par la psychanalyse, employée couramment pour «souhaiter ardemment une chose, un être, de faire qqch.» (1874, Verlaine), et l'on dit familièrement *en rêver la nuit* (XXe s.) avec le même sens.

▶ Le dérivé **RÊVERIE** n. f., d'abord *resverie* (v. 1210), *reverie* (v. 1350) puis *rêverie* (1680) signifie en ancien français «ébats tumultueux, réjouissance», et aussi (v. 1210), jusqu'en langue classique, «délire, perturbation d'esprit due à la fièvre» puis «entêtement intéressé» et «fureur» (v. 1230). ◇ Par métonymie, il en est venu au XVIe s. à désigner une chose trompeuse, une chimère (1535) souvent avec une valeur péjorative : *faire une rêverie* signifiait «concevoir une idée étrange» (1671, Mme de Sévigné). ◆ Son sens moderne, «activité psychique non soumise à l'attention», apparaît chez Montaigne (v. 1580), d'où l'emploi par Descartes de *recueil de rêveries* (1631), mais ne prend sa résonance actuelle que dans la seconde moitié du XVIIIe s., avec Rousseau et le préromantisme, s'employant par métonymie pour l'image ou la pensée produite par cette activité (av. 1613) et son expression littéraire (v. 1776, *Rêveries du promeneur solitaire*, Rousseau). ◆ Les valeurs nouvelles ont fait disparaître les sens classiques de «méditation où l'on s'absorbe, réflexion profonde» (1580), puis «pensée qui absorbe» (1656, surtout dans un contexte amoureux).

RÊVEUR, EUSE n., d'abord écrit *reveeur* (v. 1260), *resveeur* (v. 1330) puis *reveur* (1401), au XVIIe s. avec accent circonflexe, semble confirmer, par ses anciens sens, l'hypothèse étymologique de Wartburg : il désignait en ancien et moyen français un rôdeur, un coureur de jupons, et en particulier (1481) celui qui se déguisait pour le carnaval. Au XVIe s., le mot s'applique à un radoteur, une personne qui délire (1538). ◆ Son emploi pour désigner une personne qui se laisse aller à la rêverie, qui a l'air absent, songeur (av. 1679, Retz, peut-être déjà au XVIe s.), a d'abord été associé à la tristesse, à l'inquiétude, à la mélancolie avant de prendre sa valeur moderne avec Rousseau. Comme adjectif, *rêveur* s'applique alors à une chose indiquant cet état d'esprit, en ayant les caractères (av. 1778, Rousseau). Le mot abandonne alors définitivement sa valeur ancienne, par laquelle il qualifiait le radoteur, le sot (1534), la personne qui poursuit des idées extravagantes, des chimères (1656). Quant à l'emploi pour «personne qui est absorbée dans ses réflexions» (1690), il est réactivé dans l'expression moderne ***cela me laisse rêveur*** «perplexe» (1932, Céline). ◆ Le sens de «personne qui fait un rêve nocturne» (1677) relève d'un usage didactique. ◆ Le dérivé **RÊVEUSEMENT** adv. est apparu (1833) avec le sens moderne de *rêveur*.

Le dérivé péjoratif **RÊVASSER** v. intr., d'abord *ravacer* (fin XIVe s.) puis *ravasser* (v. 1490), *revasser* (1489) et *resvasser* (av. 1615), avant *rêvasser* (XVIIe s.), a signifié d'après *rêver* «divaguer» (fin XIVe s.), «méditer» (1489), «délirer» (1611), «être distrait» (1653) et «radoter, rabâcher» (1690). ◆ De nos jours, depuis le milieu du XVIIe s., il correspond à «avoir un sommeil traversé de rêves vagues» (1609) et à «laisser la pensée, l'imagination se perdre en des rêveries imprécises» (1694), quelquefois (comme *rêver*) en construction indirecte avec *à* (1835) et un complément précisant l'objet de la rêverie. ◆ Le verbe a pour dérivés **RÊVASSERIE** n. f., d'abord *ravasserie* (1533) avant *rêvasserie* (XVIIIe s.), employé par Montaigne au sens de «chimère» et employé pour «action de rêvasser» (déjà chez Rabelais, puis réattesté en 1824), ainsi que **RÊVASSEUR, EUSE** adj. (1537, puis 1736).

RÊVE n. m., dérivé implicite de *rêver*, est apparu tardivement (1674, Malebranche) pour désigner, à côté de *songe*, la suite d'images qui se présente à l'esprit durant le sommeil. Furetière (1690) précise qu'il «ne se dit guères que des songes des malades qui ont le cerveau aliéné»; il le dit «vieux» et le dictionnaire de Trévoux (1732), «bas et de peu d'usage». C'est au XVIIIe s. que le mot, en relation avec le verbe et dans un rapport de complémentarité avec *rêverie*, remplace peu à peu *songe**. Employé absolument, il désigne l'activité psychique pendant le sommeil, avec une confusion faite, jusqu'aux travaux sur la physiologie du rêve, entre l'activité psychique immédiate dans le sommeil et l'ensemble des représentations et souvenirs qu'a le dormeur. ◆ Il empiète cependant sur les valeurs de *rêverie* en désignant aussi une construction de l'imagination en état de veille (1718), sens qui, d'abord péjoratif (Voltaire : *le rêve d'un homme en délire*), prend avec Rousseau et les préromantiques une valeur poétique. Depuis la Révolution (1794), il désigne spécialement un projet chimérique, sans fondement, d'où (1819) la construction imaginaire destinée à satisfaire un besoin, un désir, dite spécialement au XXe s. selon la terminologie psychanalytique, *rêve diurne*, et entre dans les locutions usuelles ***de rêve, de mes rêves*** (1885), désignant, par métonymie, l'objet d'un désir, d'où, familièrement avec une valeur affaiblie, une chose très charmante, dans ***c'est le rêve***, et négativement ***ce n'est pas le rêve*** (déb. XXe s.).

RÉVERBÉRER v. est emprunté (XIVe s.) au latin *reverberare* «repousser, refouler», «faire rebondir» et «réfléchir des rayons lumineux». Le mot est formé de *re-* (→ re-) indiquant le mouvement en arrière, et de *verberare* «battre à coups de verge, frapper», au figuré «fustiger, rabrouer», dénominatif de *verber, -eris* (au négatif, à l'ablatif), presque toujours au pluriel *verbera, -erum* «baguette, verge, fouet», et «réprimandes». Les correspondants indoeuropéens les plus proches se trouvent en baltique et en slave : lituanien *vir̃bas* «jeune branche», serbe *vr̃ba* «osier».

♦ Le verbe s'est employé absolument au sens figuré de «regimber», et, transitivement, au sens concret de «frapper de nouveau». Le sens moderne de «réfléchir le rayonnement, les sons», est repris du latin (1496, en parlant du son) et peu attesté avant le XVIe s. (1538). En sont issus le sens figuré de «diffuser à la manière d'un rayonnement» (1851) et, sous l'influence de *réverbération**, celui de «transformer (un son) par le phénomène de la réverbération acoustique» (milieu XXe s.). ◇ On rencontre également le verbe en emploi absolu (v. 1460) et à la forme pronominale *se réverbérer* (1530) au sens passif «être réfléchi». ◇ À l'époque classique, *réverbérer sur* s'est employé au sens figuré de «se reporter sur» (1654), sorti d'usage.

▸ **RÉVERBÉRANT, ANTE,** participe présent, est adjectivé (v. 1500) pour qualifier ce qui a la propriété de réverbérer ; il est peu employé avant la fin du XVIIIe siècle.

Le déverbal **RÉVERBÈRE** n. m. (av. 1502, sans accent) fut d'abord synonyme d'«écho» ; au XVIIe s., il se spécialise techniquement, dans *feu de réverbère* «feu dont on fait rabattre la flamme sur les matières qu'on expose à son action» (1676), et comme désignation d'un fourneau à métaux dans lequel on utilise la chaleur réfléchie par une voûte (1676), d'où *fourneau de réverbère* (1694) puis *fourneau à réverbère* (1812) éliminés par ***four à réverbère*** (1875). ◆ Le mot désigne aussi un dispositif de miroir réflecteur, ordinairement en métal, adapté à une lampe pour faire converger la lumière en un point (1718). Par métonymie, c'est devenu le nom d'une lanterne à réflecteurs et spécialement d'un appareil destiné à éclairer la voie publique (1771), sens qui fut usuel, avec des emplois comme *allumeur de réverbères.* ◆ Un autre développement métonymique en a fait le nom de la coloration rouge que les faïences prennent à la cuisson (1875), d'usage technique.

RÉVERBÉRATION n. f. est dérivé savamment (1314) du latin *reverberare* plutôt que dérivé du verbe français. D'abord employé en médecine dans *reverberation* («effet secondaire») *du venin,* expression sortie d'usage, il désigne la réflexion et la diffusion de la chaleur, de la lumière. De l'ancien emploi analogique au sens d'«écho» (v. 1560) procède en physique moderne, d'après *réverbérer,* la valeur de «persistance du son après l'arrêt d'émission de la source sonore, du fait de réflexions successives et rapprochées qui produisent un écho» (1949 dans les dictionnaires). ◆ Le sens figuré d'«effet, reflet» (1675) appartient au style littéraire ; à l'époque classique, il était réalisé dans l'expression *par réverbération* «indirectement» (1677, Mme de Sévigné), sortie d'usage.

RÉVÉREND, ENDE adj. et n., d'abord *reverent* (1273) puis *révérend* (1538) par retour au latin, est emprunté du latin *reverendus* «vénérable», adjectif verbal de *revereri* (→ révérer).

♦ Le sens d'emprunt ne vit plus que dans un usage plaisant et ironique. Le mot s'emploie en épithète comme titre dans *Révérend Père, Révérende Mère* (v. 1290 *reverent*) pour des religieux et religieuses. Son emploi substantivé pour désigner un religieux prêtre, quelquefois précédé d'un possessif en s'adressant à lui (1835) n'est plus guère usité. ◆ L'emploi comme titre donné par les Anglo-Saxons aux pasteurs de la plupart des Églises chrétiennes non catholiques (1873) est repris à l'anglais *reverand* (1608 comme nom en ce sens, antérieurement comme adjectif), lui-même emprunté de l'adjectif ancien français.

▸ **RÉVÉRENDISSIME** adj. et n. est emprunté (1529) au bas latin ecclésiastique *reverendissimus,* superlatif de *reverendus* (→ révérend). L'ancien français *reverentissime* (fin XIIIe s.) était lui-même emprunté au latin *reverentissimus,* autre forme de superlatif qui correspond au latin classique *reverens, -entis* «respectueux, respectable», participe présent de sens actif et passif de *revereri* (→ révérer). ◆ Le mot est employé comme épithète honorifique pour les archevêques, les généraux d'ordres.

◈ voir **VERGOGNE** (et **DÉVERGONDÉ**).

✳ **RÉVÉRER** v. tr. est emprunté (1404) au latin *revereri* «craindre avec respect» et par affaiblissement «avoir de la déférence, des égards pour (qqn)», de *re-* (→ re-) avec une valeur intensive et de *vereri* «avoir une crainte respectueuse pour..., craindre, respecter». Le mot provient d'une racine indoeuropéenne °*wer-* représentée dans un grand nombre de mots germaniques, tels que le vieil islandais *varr-* «qui fait attention, qui prend garde», *vara* «rendre attentif à», le gotique *war* «attentif», le grec *horan* «regarder, faire attention» (→ panorama).

♦ Le verbe, avec le sens de «traiter, considérer (qqn, qqch.) avec un profond respect», couvrait autrefois une aire d'emploi étendue ; on employait ce verbe, dit Furetière (1690), à propos de ses parents, des supérieurs, des magistrats, des gens d'âge et de mérite, des choses saintes, des caractères sacrés, des images et des reliques de saints, des lois et des ordres politiques, des grands monuments de l'Antiquité. De nos jours, concurrencé par *respecter* et *vénérer, révérer* est employé dans un style littéraire pour le sentiment que l'on témoigne à ce qui est revêtu d'un caractère sacré ou, du moins, chargé de pouvoir symbolique.

▸ **RÉVÉRENCE** n. f. est emprunté (v. 1155) au dérivé latin *reverentia,* «crainte respectueuse, respect, déférence».

Le mot, avec le sens du latin, s'inscrit dans le voisinage de *respect, déférence, vénération,* en réalisant une notion accessoire de crainte. Comme le verbe, il est employé dans un style littéraire à propos du sentiment inspiré par ce qui est considéré comme sacré. ◆ Dans l'usage classique, il était employé dans des formules de politesse familières destinées à s'excuser de propos qui pouvaient paraître inconvenants : *parlant par révérence* (1636, après *parlant en révérence* 1588), *révérence parler* (1657-1662) et *sauf votre révérence* (1615); toutes sont sorties d'usage. ◆ Il fournissait un titre honorifique à l'adresse des religieux prêtres (1650, *votre Révérence*) en relation avec *révérend* (ci-dessus). ◆ Le mot est resté plus vivant avec son sens métonymique de «geste que l'on fait en salut cérémonieux pour témoigner sa révérence à qqn» (v. 1360) ; il désigne en particulier une génuflexion ou inclination destinée à traduire le respect dû à Dieu, aux autorités ecclésiastiques (v. 1450), puis un geste de civilité rapidement réservé aux femmes, notamment pour saluer et prendre congé, dans les locutions ***faire la révérence*** (1480) et ***tirer sa révérence à*** *qqn* (1735), cette dernière développant les sens figurés d'«opposer un refus à» (av. 1754) et surtout de «quitter avec désinvolture» (1835). C'est le nom d'une figure de danse classique en usage dans les ballets de cour (repris au XXe s., 1931).

▸ **RÉVÉRENCIEL, IELLE** ou **RÉVÉRENTIEL, IELLE** adj. est la réfection (1690) de *reverencial* (XVe s.) et s'emploie d'abord dans *crainte révérencielle* «sentiment d'obéissance craintive qui paralyse les jeunes gens, jeunes filles dans le libre choix de leur vie». Les emplois pour «qui inspire le respect» (1530) puis «inspiré par le respect» ont disparu. ➜ **RÉVÉRENCIEUX, EUSE** adj. (1731), d'abord *révérentieux* (1642), a signifié «qui témoigne un profond respect», péjorativement, qui fait trop de courbettes (1690); ces acceptions ont disparu. Le mot sert à qualifier ce qui manifeste un extrême respect (1835). ➜ L'adverbe dérivé **RÉVÉRENCIEUSEMENT** (fin XVIe s. *reverentieusement*) a vieilli.

IRRÉVÉRENCE n. f. est emprunté (XIIIe s.) au latin *irreverentia* «manque de respect» et «licence, excès», dérivé de *irreverens* «irrespectueux»; l'adjectif est formé de *ir-* (→ ① in-) et de *reverens*, participe passé adjectivé de *revereri*. La variante *inreverence* (1279) est encore attestée en 1429. Le latin avait abouti en ancien français à *enrievreté* «obstination» (v. 1165), puis *enrieveté* «désordre, dissolution» (XIVe s.). ◇ Introduit avec le sens étymologique de «manque de respect», le mot s'emploie ensuite par métonymie *(une irrévérence)* à propos d'une parole, d'une action marquée d'irrévérence (1429). ➜ Le dérivé **IRRÉVÉRENCIEUX, EUSE** adj. (1776, Voltaire), d'où **IRRÉVÉRENCIEUSEMENT** adv. (1839), est d'emploi encore plus littéraire. ➜ **IRRÉVÉRENT, ENTE** adj., apparu dans le troisième quart du XVe s., est certainement antérieur, d'après l'adverbe dérivé **IRRÉVÉREMMENT**, attesté en 1380. Cet adjectif est un emprunt savant au latin *irreverens*, qui avait abouti en ancien français à *enrievre* «méchant, malicieux», «opiniâtre» et «extravagant» (1165-1170), puis «dissolu» (XVe s.). ➜ Notamment employé en parlant d'actions, de paroles marquées d'irrespect, en particulier à l'égard de Dieu, l'adjectif est sorti d'usage, remplacé par *irrévérencieux*.

REVERS n. m. est emprunté (1185) au latin *reversus*, participe passé de *revertere* «retourner sur ses pas, revenir», de *re-* (→ re-) indiquant le mouvement en arrière et de *vertere* «tourner, faire tourner» (→ vertige). L'ancien français avait le verbe *reverter* et *revertir* «retourner, revenir» au propre et au figuré, spécialement «revenir à soi», «se changer en», transitivement «retourner», «changer en» et, à la forme pronominale «s'en retourner», qui correspondait à *revers* pour le sens; il a disparu en moyen français.

♦ Le mot, après un ancien emploi adjectif au sens de «renversé» et, au figuré, «pervers» (v. 1185), a été substantivé au sens neutre de «la réciproque» (v. 1269), sorti d'usage. ➜ Le sens concret de «côté d'une chose opposé au côté principal ou à celui qui s'offre le premier à la vue» est attesté à la fin du XIVe siècle. *Revers* a cette valeur dans ***revers de la main*** (1636), [d'un] ***revers de main***, et prend le sens figuré de «contrepartie, aspect opposé (de qqch.)» (1559) qui obéit au symbolisme négatif de l'envers opposé à l'endroit. ➜ Il est également réalisé dans diverses spécialisations : le mot désigne l'envers d'une médaille ou d'une monnaie (1556), seul ou dans la locution ***le revers de la médaille*** qui s'applique aussi, au figuré, au mauvais côté d'une chose quelconque (1640). ◇ *Revers* s'emploie dans l'habillement pour ce que l'on ne voit pas, le repli d'une pièce d'habillement (av. 1553), spécialement la partie supérieure des devants d'un vêtement, veste ou manteau, repliée sur l'endroit dans le prolongement du col (1797), et aussi le repli de la partie supérieure de la tige d'une botte (1834). Il s'emploie en fortification dans l'expression *revers de fossé* (1731) qui, après *revers de tranchée* (1718), permet de différencier le bord extérieur du fossé de celui de l'enceinte. ➜ Par métonymie, avant même que l'expression *revers de la main* ne soit attestée, le mot désigne un coup porté avec ce côté de la main (v. 1480; *reverse* dès 1306) et, avec l'idée d'un mouvement inversé par rapport au mouvement normal, un coup donné de droite à gauche avec la main gauche ou de gauche à droite avec la main droite. Ce sens, appliqué au figuré dans *donner un revers à qqch.* «contrecarrer» (XVIe s.), est sorti d'usage. Il a donné lieu à un emploi technique en sports : au jeu de paume (fin XVIe s.), il désigne un coup où la main est renversée par rapport à la paume (coup droit); ce sens s'est diffusé au tennis (1903), alors opposé à *coup droit*, au tennis de table, à la pelote basque (1924), et en boxe (1936). À la pêche, il désigne une façon de lancer la ligne (1964, *lancer en revers*). ➜ La locution adverbiale ***à revers*** (XVe s.) a perdu son ancien sens de «à la renverse, à terre», assumé par la locution *à la renverse* (→ renverser) et signifie «par terre» (1611); sa variante *de revers* (1680) est plus marquée stylistiquement. ➜ Par l'intermédiaire de la locution *donner un revers* «contrecarrer» (ci-dessus), le mot a développé le sens figuré d'«événement malheureux», seul (1640) et plus fréquemment, dans l'expression ***revers de fortune*** (1583-1590). Son emploi au sens indéterminé de «vicissitude bonne ou mauvaise» (1668, Molière) a été contrarié par le symbolisme négatif du mot, un emploi comme *revers prospère* étant senti comme contradictoire.

◈ voir **REVERSI, RÉVERSIBLE, RÉVERSION.**

REVERSI ou **REVERSIS** n. m., (1611), d'abord *reversin* (XVIe s.), avec la variante *reversis* (1617), est la francisation d'après *revers** de l'italien *rovescina*. C'est le nom d'un jeu de cartes, dérivé de *rovescio* «à rebours» (XIVe s.), par allusion au fait que le gagnant de ce jeu est celui qui fait le moins de levées, à rebours de la règle générale. *Rovescio* remonte à un latin populaire °*reversius*, altération du latin classique *reversus*, participe passé de *revertere* «retourner» (→ revers).

♦ Le mot désigne un jeu de cartes dans lequel le gagnant est celui qui fait le moins de levées et le moins de points et, par métonymie, un coup consistant à faire toutes les levées ce qui, par exception, fait gagner la partie (1680 *faire reversi, le reversi*). Il a vieilli avec le jeu, qui disparaît au XIXe siècle.

RÉVERSIBLE adj. est emprunté (1610) au latin médiéval juridique *reversibilis*, qui se dit d'un bien qui doit faire retour à son propriétaire, du latin classique *reversum*, supin de *revertere* (→ revers).

♦ Le mot s'est employé en droit féodal en parlant de ce qui fait retour au seigneur, après la mort du vassal décédé sans héritier ou dans des circonstances particulières, et a été élargi à tout bien devant faire retour au propriétaire qui en a disposé (1690). ◆ Par glissement de l'idée de retour à celle de transmission, et peut-être sous l'influence de *reverser* (→ verser), pris dans son sens figuré, il qualifie une rente, une pension qui, à la mort du titulaire, doit être reversée sur la tête d'une autre personne (v. 1770, Rousseau). De là, il passe dans l'usage commun au sens de «qui peut profiter à une autre personne» (v. 1791). ◆ Au XIXe s., d'après l'anglais *to reverse* «faire aller dans le sens opposé» (1500), *réversible* est passé dans le langage scientifique et technique, qualifiant une transformation mécanique, physique ou chimique pouvant changer de sens sous l'influence d'une modification infinitésimale dans les conditions de production du phénomène (1863); cet emploi se répand à propos de ce qui peut se produire à nouveau en sens inverse (1877), dans *hélice à pas réversible* (1932), et *rame réversible* (1964) «rame de voiture de chemin de fer équipée pour fonctionner dans les deux sens». En mathématiques, l'adjectif qualifie une opération dont l'ordre des termes peut être inversé (1963) et, en psychologie (Piaget), une opération pouvant s'effectuer en sens inverse dans un stade du développement de l'enfant. ◆ Concrètement, *réversible* qualifie un vêtement qui peut se porter à l'envers et à l'endroit indifféremment (1870).

▶ **RÉVERSIBILITÉ** n. f. (1745) a la même valeur que l'adjectif : c'est un terme de droit féodal et de droit moderne (1790 en parlant d'une pension, d'une rente). Il est spécialement employé en théologie dans ***réversibilité des mérites*** (1797, J. de Maistre), application de la doctrine de la communion des saints en vertu de laquelle les mérites de saints et des justes profitent à tous les membres du corps mystique. ◆ À la fin du XIXe s., il désigne aussi le caractère d'un phénomène, d'une transformation, d'un processus réversible (1883), le caractère d'une chose dont le sens peut être renversé (1889), développant des applications spéciales en chimie, physique, mécanique (1964) et, abstraitement, en psychologie (Piaget).

Le préfixé **IRRÉVERSIBLE** adj. (1907) qualifie ce qui ne peut fonctionner ou agir que dans un sens et, concrètement, ce que l'on ne peut faire agir en sens contraire (1935), spécialement en chimie une réaction qui se poursuit jusqu'à achèvement (1931). L'emploi courant de l'adjectif à propos d'un processus qui ne peut changer d'origine ou de manière d'agir date du début du XXe siècle. ◆ **IRRÉVERSIBILITÉ** n. f. (1900), fait sur *irréversible* d'après *réversibilité*, désigne le caractère irréversible.

RÉVERSION n. f., attesté une fois au XIIIe s. *(reversion)*, puis *revercioun* (1304) et *reversion* (XIVe s.) avant *reversion* (1611), est emprunté au latin *reversio, -onis* «retour en arrière», «réapparition», employé spécialement en rhétorique, de *reversum*, supin de *revertere* «retourner» (→ revers).

◆ Attesté une première fois pour «épanchement de larmes» (avec un autre sens de *versio*), le mot a été reformé en droit (1304) en parlant du droit de retour en vertu duquel les biens dont une personne a disposé en faveur d'une autre lui reviennent quand celle-ci meurt sans enfant, la locution ***pension de réversion*** étant récente (1932). ◆ D'autres spécialisations techniques sont apparues au XIXe s. plus ou moins liées à l'adjectif *réversible* : en rhétorique à propos d'une figure de style qui reprend en les inversant les termes d'une proposition pour former une nouvelle proposition de sens différent (1842); en génétique, pour la réapparition, dans une lignée d'individus issus de croisements destinés à améliorer une race domestique, d'un individu conforme au type de la race primitive (1870). Au XXe s., le mot désigne le traitement thermique applicable à certains alliages d'aluminium, consistant en un réchauffage très court après la trempe et destiné à ralentir le durcissement ultérieur (1968 dans les dictionnaires généraux).

REVÊTEMENT, REVÊTIR → **VÊTIR**

REVIGORER → **VIGUEUR**

RÉVISER ou **REVISER** v. tr. est emprunté (v. 1250) au latin *revisere* «revenir pour voir, revisiter», de *re-* (→ re-) marquant le mouvement en arrière et de *visere* «examiner, venir voir», de *visum*, supin de *videre* (→ voir). Le doublet *revoir* est préfixé de *voir*.

◆ Le verbe signifie d'abord «considérer, examiner» et «passer en revue» (fin XVIe s. *réviser une troupe*). ◆ Avec la valeur itérative du préfixe *re-*, *réviser* a pris le sens de «soumettre (une chose) à un nouvel examen pour l'adapter aux circonstances» (1565). Il est employé en imprimerie pour «relire (une épreuve)» (1835), plus généralement, «revoir (un texte) pour l'améliorer» et, en technique, «vérifier le bon fonctionnement de (une machine, un véhicule, une installation)» (1921). ◆ Le sens de «revoir (ce que l'on a déjà étudié) pour se le remettre en mémoire avant une composition, un examen» semble récent (1946).

▶ **RÉVISEUR** ou **REVISEUR, EUSE** n. (1567), longtemps au masculin seul, a d'abord désigné un juge choisi par les deux parties pour reconsidérer un procès. Son emploi pour «personne qui révise, revoit» (1611), spécialement «correcteur des épreuves d'imprimerie» (1659), s'est surtout répandu au XXe s., où les deux termes, *correcteur* et *réviseur*, sont nettement distingués et parfois associés *(correcteur-réviseur)*. ◆ **RÉVISIBLE** adj. (1875) et son dérivé **RÉVISIBILITÉ** n. f. (1875) appartiennent à l'usage didactique et sont rares.

RÉVISION ou **REVISION** n. f., d'abord *resvision* (1298), *revision* puis *révision* (1611), est emprunté au dérivé bas latin *revisio, -onis*. ◆ L'ancien français n'a connu que le sens d'«examen, inspection», sorti d'usage. Le développement de la valeur moderne, où *re-* est itératif, est d'abord juridique — Estienne répertorie le mot pour «action d'examiner de nouveau un procès» (1549) —, annonçant le sens moderne d'«examen par une juridiction supérieure de la décision définitive d'une autre juridiction attaquée» (XVIIIe s., Fontenelle). ◆ Le sens d'«examiner de nouveau (qqch.) en vue d'y apporter une modification qui l'améliore» (1611) donne lieu à quelques emplois spéciaux, par exemple à propos de la modification d'un texte juridique (1690) et, au XIXe s., en droit constitutionnel (1835, *révision constitutionnelle*) et en politique (1875 *révision des listes électorales*). ◆ Au XVIIe s., le mot désigne aussi l'action de revoir un texte, un ouvrage en vue d'y apporter des modifications et des améliorations (1679, Bossuet), sens dont procède la spécialisation technique en imprimerie, en rapport avec *correction* (1797, *révision des épreuves*). Dans ces emplois, le substantif correspond plus au verbe *revoir* qu'à *réviser*. ◆ Au XIXe s., *révision*, dans le domaine militaire, signifie «opération de l'appel du contingent sous les drapeaux, vérifiant l'état des recrues» (1825, dans ***conseil de révision***). Le sens technique de «vérification de l'état d'une machine, d'un moteur» (1932) et le sens scolaire «fait de revoir une étude en vue d'une épreuve» (1907) sont en relation avec le verbe *réviser*. ◆ L'expression ***révision déchirante*** (v. 1954) est une traduction de l'anglais *agonizing reappraisal* «réévaluation torturante», employée à propos de la modification radicale et pénible d'une habitude, d'une attitude, d'une situation politique ou économique. ◆ Les dérivés sont surtout politiques et constitutionnels. **RÉVISIONNISTE** adj. et n. a d'abord désigné (1851) et qualifié (1920) le partisan d'une révision, en particulier de celle de la Constitution. Le mot désigne spécialement les partisans du général Boulanger, dont le programme comprenait la révision de la Constitution de 1875 (emploi attesté au XXe s., en histoire), et les personnes favorables à la révision du procès de Dreyfus (1920, dans Proust). En politique, c'est le nom donné aux membres des partis communistes taxés de révisionnisme (1955). ◇ Un autre sens (v. 1985) concerne la «révision» de la réalité historique, et notamment celle de la shoah (→ négationniste). ◆ **RÉVISIONNISME** n. m., dérivé de *révisionniste* par changement de suffixe (1897), désigne l'attitude de ceux qui remettent en question une constitution, puis ceux qui contestent les fondements d'une doctrine (1903); il s'est spécialisé en politique pour la révision du marxisme par les tenants d'une solution réformiste. Le mot s'applique aux partis sociodémocrates ou socialistes, avec l'établissement du premier État de dictature du prolétariat, en octobre 1917, puis, en France, avec la scission survenue au congrès de Tours (décembre 1920), au parti socialiste. Dans le discours de l'orthodoxie stalinienne, le mot s'est appliqué aux tendances sociodémocrates en général et aux régimes socialistes de type modéré (Yougoslavie en 1948) ou moins absolu (l'U. R. S. S. elle-même après 1953 pour l'Albanie ou la Chine). La notion reste relative et variable. Elle n'a plus d'objet autre qu'historique après la disparition des orthodoxies marxistes-léninistes. ◇ Le mot s'applique aussi (v. 1985) à la «révision» de l'histoire par les négationnistes. ◆ **RÉVISIONNEL** ou **REVISIONNEL, ELLE** adj. (1875) qualifie ce qui a trait à une révision, surtout en droit.

REVOIR → VOIR

RÉVOLTER v. tr. est un emprunt (1414) à l'italien *rivoltare* «échanger, retourner» (XIVe s.), de *rivolto*, participe passé de *rivolgere* «retourner», lequel représente le latin *revolvere* «rouler en arrière» (→ révolu, révolution). Le verbe italien *voltare*, issu d'un fréquentatif du latin *volvere* «rouler, tourner» (→ volte, volute, voûte), est en relation avec *rivoltare;* qui peut aussi être considéré comme son préfixé.

♦ La forme pronominale *se révolter* (d'abord *se revoultrer*) s'est implantée la première, d'abord avec le sens concret de «se retourner, se rouler» en parlant des cheveux et celui de «tourner» (1542), disparus au XVIIe siècle. ◆ Par un développement analogue à celui de *se retourner, se révolter* signifie «se détourner d'une influence» (1541, Calvin, *se révolter de*) dans un contexte religieux, puis «se dresser contre une autorité» (av. 1520). ◆ Au XVIIe s., *se révolter* commence à exprimer l'idée de «refuser d'obéir, de se soumettre à l'autorité de qqn ou de supporter des contraintes» (1674), spécialement «refuser d'accepter ce qui paraît inévitable» (1677). ◇ Il développe des sens psychologiques : «être indigné, irrité par ce qu'on se refuse à admettre» (1630) et, en parlant d'une chose, «s'opposer, résister à» (1674). ◆ La forme active *révolter*, qui ne s'est pas implantée au sens de «faire se révolter (qqn)» (1502), s'est répandue au XVIIe s. avec les sens de «choquer violemment (qqn)» (1667) et de «heurter, irriter qqch. chez qqn» (1690), également en emploi absolu (1735); cette valeur, à partir du XVIIIe s., est appuyée par *révoltant* (ci-dessous).

▶ **RÉVOLTE** n. f. a été formé par dérivation régressive du verbe (v. 1500) avec le sens de «rebellion ouverte contre l'autorité établie, civile ou militaire», conçue comme un retournement. ◆ Par extension, le mot désigne le refus d'admettre ce qui paraît inacceptable (1643), et une réaction violente de rejet, d'ordre affectif ou intellectuel (1642). Son emploi à propos du refus individuel d'obéir à une personne ou à une autorité est plus récent (1860). C'est l'un des axes d'opposition avec *révolution*, toujours collectif. ◆ Au XXe s., *révolte* a été défini philosophiquement comme la position de ceux qui, face à l'absurdité du monde, refusent d'assumer la condition humaine (1942, Camus). Dans un style littéraire, il se dit aussi d'un mouvement violent dans les choses (1932, Larousse). ◆ Les sens de «défection et adhésion à un parti adverse» (1546), «apostasie» (1564), en rapport avec le sens étymologique de *révolter*, et qui illustrent le même sémantisme du retournement que *conversion*, lequel est généralement pris en bonne part, n'ont eu d'existence qu'aux XVIe et XVIIe siècles. Un emploi pour «action de rompre avec une maîtresse», où le préfixe a la valeur de «mouvement en arrière», s'est rencontré chez les précieux du XVIIe siècle. ◆ **RÉVOLTÉ, ÉE**, participe passé de *révolter*, est adjectivé et substantivé, d'abord à propos d'un apostat (1564), puis en parlant d'une personne en rébellion (1596) et, par extension, qui éprouve un violent sentiment d'indignation (1667), qui est heurtée, choquée par qqch. (1667). Comme *révolte*, il s'est étendu à celui qui est individuellement en révolte contre la société établie et son ordre (1860). ◆ **RÉVOLTANT, ANTE**, participe présent de *révolter*, est adjectivé (1731, Voltaire) au sens psychologique du verbe pour qualifier ce qui suscite une réprobation violente.

◈ voir **RÉVOLU, RÉVOLUTION, REVOLVER.**

RÉVOLU, UE adj. est emprunté (1377) au latin *revolutus,* participe passé de *revolvere* «rouler en arrière», «faire rétrograder», «ramener», «rappeler», «raconter», de *re-* (→ re-) marquant le mouvement en arrière, et *volvere* «rouler» (→ volute).

♦ Le mot qualifie ce qui a accompli un tour complet (en parlant de la terre) et une période de temps achevée (1382-1383), d'abord en relation avec *révolution* puis s'en détachant au XVIe siècle. ➛ Ultérieurement, il est appliqué par métonymie à une chose qui appartient au passé, n'existe plus (1826, Hugo).

◈ voir RÉVOLTER, RÉVOLUTION, REVOLVER.

RÉVOLUTION n. f. est emprunté (v. 1190) au bas latin *revolutio, -onis* (saint Augustin) «retour» et «déroulement», «cycle, retour (des âmes par la métempsychose)» et, au moyen âge, «retour périodique d'un astre à son point de départ» (1086). Le mot vient du latin classique *revolutum,* supin de *revolvere* «rouler en arrière, ramener» (→ révolu), lui-même préfixé de *volvere* «rouler, tourner» (→ volte, volute, voûte).

♦ Le mot est introduit en astronomie pour désigner le mouvement circulaire par lequel un astre revient à son point de départ sur son orbite; par extension, il désigne plus couramment la marche de l'astre et, par métonymie, le temps qu'il met à parcourir son orbite (1690). ➛ Dès le XIIIe s., *révolution* prend le sens temporel d'«achèvement d'un cycle» (1267) et, dans la description didactique, le sens spatial de «repli, contour» à propos d'un tour de fil, d'un nœud (1314), qui correspond sur le plan statique à *évolution* et se retrouve dans le sens technique de «forme de ce qui est enroulé sur soi-même, en hélice» (1764), d'où ***escalier à double révolution*** (1883, après *révolution d'escalier* 1857). ➛ Au XVIIIe s., le sens astronomique produit, avec sa valeur dynamique, des spécialisations en géométrie (1727) et en technique : «tour complet d'une pièce mobile autour d'un axe» (1765). ➛ Le passage dans l'usage courant est venu des emplois en chronologie liés à *révolu,* à propos du bouleversement que peut constituer un événement fixé d'avance (1559), effaçant la notion de retour. Depuis le XVIIe s., avec influence de l'anglais *revolution,* d'abord dans les syntagmes *révolution des États* (av. 1615), *d'État* (1636), *des monarchies* puis seul, le mot concerne un changement brutal, pouvant impliquer trouble et renversement de régime. Jusqu'au XVIIIe s., celui-ci ne se distingue guère du coup d'État et n'implique pas, comme par la suite, de changements profonds du droit (concept venant de Montesquieu) ou dans la société. Le mot est très courant au XVIIIe s. dans de nombreux contextes, notamment politiques : il signifie aussi «réforme». ➛ Déjà appliqué à un événement précis de l'histoire depuis le changement de dynastie en Angleterre au XVIIe s., par emprunt à l'anglais *revolution,* le mot s'est employé ensuite à propos de l'Indépendance américaine, des événements qui préparent le changement de régime (vers 1760-1780), et surtout des événements de 1789-1799 en France (*la Révolution,* 1790). ➛ Par métonymie, le mot désigne les forces révolutionnaires, le régime qui résulte du bouleversement. ➛ Au XIXe s. apparaissent de nombreux emplois qui correspondent aux modifications du concept (*révolution sociale, prolétaire,* puis *prolétarienne,* etc.) et à son interprétation (*révolution bourgeoise,* concept marxiste, *révolution permanente* [Trotsky], etc.). Par ailleurs le mot s'applique à de nombreux bouleversements politiques, comme *révolution de 1848,* puis, au XXe s., *révolution russe* (1917) et *révolution d'octobre* (v. 1920) du russe *revolutcija,* ***révolution culturelle*** (v. 1966), adaptation d'une expression chinoise signifiant «changement total de la civilisation, des mœurs», *révolution islamique* (arabe *thawra*). ➛ Par extension, le mot désigne un renversement dans les modes d'échanges socioculturels, en fonction d'une critique radicale : *révolution sexuelle* (1934). ➛ La locution ***révolution tranquille*** (1960, dans un éditorial du *Devoir* de Montréal) s'applique aux profonds changements survenus dans la société québécoise depuis le début de 1960. D'autres expressions ont eu cours pour désigner les mouvements de libération des ex-démocraties socialistes (*révolution des œillets, révolution de velours,* etc.). ◇ Transposé sur le plan économique, le concept donne lieu à *révolution industrielle* (1839, Comte, après les saint-simoniens). ➛ Le sens figuré de «brusque changement apportant un trouble», apparu au XVIe s. et fréquent au XVIIIe s. avant la restriction d'emploi causée par 1789, procède, au XIXe s., du sens politique devenu dominant; cette acception est sortie d'usage y compris dans sa spécialisation psychologique de «trouble passager violent» (av. 1720), et dans sa spécialisation médicale (1694 *révolution d'humeurs*). L'emploi spécialisé de *révolution* en sciences, dans les théories selon lesquelles les cataclysmes (sur le modèle du déluge) auraient bouleversé terrains et faunes successives observables dans les terrains géologiques (1718, *Mémoires de l'Académie des sciences*), a disparu au cours du XIXe siècle. ◇ Avec la valeur affaiblie de «changement important», on parle en histoire des sciences de ***révolution copernicienne***, la notion étant suggérée par Kant (1787), par exemple dans *révolution intellectuelle* (de Villers, 1801) et appliquée nommément au passage du géocentrisme de Ptolémée au système héliocentrique de Copernic au XXe s. (1932, Gilson).

▸ Les dérivés sont apparus avec la Révolution française. **RÉVOLUTIONNAIRE** adj. et n. (1789) qualifie ce qui favorise ou provoque une révolution politique, un changement brusque et complet, spécialement des mesures prises pour satisfaire aux exigences impérieuses du moment, lors de la Révolution (1793-1794 *mesures révolutionnaires*), en particulier le *tribunal révolutionnaire* (9 mars 1793). Il s'applique également à ce qui est institué par une révolution politique ou en est l'émanation (1795), ce qui est propre à une révolution (1800). Il qualifie une personne (1790) et, substantivé (1790), désigne un partisan de la révolution. ◇ Il se rencontre très vite (1793) avec le sens de «partisan de changements radicaux et soudains» (en général) et avec celui de «novateur, original» ou simplement «très nouveau» (par exemple dans la publicité et le commerce, dans le langage du journalisme). ➛ Pendant la Révolution même, il a servi à former **RÉVOLUTIONNAIREMENT** adv. (1793, Saint-

Just). ◆ Ultérieurement en ont été dérivés les termes didactiques **RÉVOLUTIONNARISME** ou **RÉVOLUTIONARISME** n. m. (1843), autrefois «esprit révolutionnaire», de nos jours souvent péjoratif pour «tendance politique à considérer la révolution comme une fin en soi» (v. 1963); **RÉVOLUTIONNARISTE** ou **RÉVOLUTIONARISTE** adj. et n. (1949), et **RÉVOLUTIONNARISATION** n. f. (1967), référant à la mise en œuvre d'un processus révolutionnaire. ◆ **RÉVOLUTIONNER** v. tr. a d'abord (1793) le sens politique de «mettre en état de révolution, agiter par un mouvement révolutionnaire», seul emploi pendant la Révolution avec son extension, «transformer radicalement», dans le domaine des arts (1794), du commerce, etc. ◆ De nos jours, le verbe exprime l'idée plus générale de «modifier radicalement (qqch.)» (1821) et, avec une valeur figurée «mettre en émoi, bouleverser (qqn)» (1832), sens qui correspond à des emplois de *révolution* propres au XVIIIe siècle. ◆ Le substantif d'action **RÉVOLUTIONNEMENT** n. m. (1797) a suivi la même évolution sémantique au XIXe s.; mais il est plus rare que le verbe.

CONTRE-RÉVOLUTION n. f. (1790) et **CONTRE-RÉVOLUTIONNAIRE** adj. (1790) et n. se sont répandus à la faveur des luttes politiques de la Révolution française; le second très courant dès 1790 a servi à diffuser l'adjectif *révolutionnaire,* d'abord assez peu usité. ◆ **ANTIRÉVOLUTIONNAIRE** adj. (1790) s'est moins répandu. ◆ **POST-RÉVOLUTIONNAIRE** adj. (1924) est plus rare que **PRÉ-RÉVOLUTIONNAIRE** adj. (1927).

REVOLVER n. m. est emprunté (av. 1848) à l'anglais *revolver,* mot anglais d'origine américaine (1835) tiré du verbe *to revolve* «tourner», emprunté au latin *revolvere* «rouler en arrière» (→ révolte, révolu, révolution). Ce nom fut créé par l'inventeur, le colonel américain Samuel Colt (→ colt) pour évoquer le mouvement du magasin de l'arme (barillet) qui tourne sur lui-même. L'Académie des sciences avait signalé une invention analogue en France en 1767, décrite ainsi : «fusil qui tire vingt-quatre coups de suite, se charge, s'amorce, et s'arme par le seul mouvement circulaire du canon».

♦ *Revolver* est d'abord cité en français comme mot américain avant d'être acclimaté (1853, *Dictionnaire des Arts et Manufactures*). Il désigne proprement le pistolet à barillet pour lequel on a aussi dit *revolver Colt.* Dans le langage technique, l'usage est rigoureux, bien que la langue courante confonde *pistolet automatique* et *revolver* (*pistolet* reste le terme générique) et que l'on emploie *revolver* pour toute arme à feu à répétition se tenant d'une seule main, munie ou non d'un barillet (1895). ◆ Par analogie, le mot se rapporte au mécanisme tournant d'un appareil permettant le passage rapide de différents éléments en cours d'utilisation; il désigne un instrument en forme de revolver ou dont l'utilisation rappelle celle de l'arme (1875, *revolver photographique*).

▸ **RÉVOLVÉRISER** v. tr. «tuer au revolver» (1892) n'est employé que par plaisanterie.

RÉVOQUER v. tr. est la réfection savante (v. 1355) du plus ancien *revochier* (v. 1190), emprunté au latin *revocare* «rappeler, faire revenir», spécialement dans la langue poétique, «rappeler les morts à la vie» et «faire rétrograder, ramener en arrière». À basse époque, le verbe s'est employé en droit avec les sens de «restituer», «transférer», et aussi «prendre possession de» (v. 553), «prendre, percevoir» (v. 573), et chez les auteurs chrétiens, «célébrer (la messe)». *Revocare* est formé de *re-*, marquant le mouvement en arrière (→ re-), et de *vocare* «appeler» (→ vocation), de *vox, vocis* (→ voix).

♦ *Révoquer* signifie d'abord «rappeler les âmes des morts» et généralement «rappeler, faire revenir», sens bien vivant au XVIIe s. où *se révoquer* correspond à «être rappelé» (1642, Corneille), et qui ne se rencontre plus aujourd'hui que comme archaïsme d'écrivain (Gide). Les autres sens repris du latin («redemander», «rétablir, remettre en usage») n'eurent d'usage qu'au XVIe siècle. ◆ De l'idée de rappel, le verbe est passé à celle de destitution, de renvoi (XIVe s.) et s'est spécialisé en droit avec la valeur privative de «reprendre sa décision» d'où «annuler» (1261), réalisée de nos jours dans le cadre de l'annulation d'un acte juridique. Le sens de «se rétracter» (v. 1450, *se révoquer*), «rétracter ce que l'on a dit» (1552) et celui de «supprimer, calmer» dans *révoquer sa mélancolie* (1492), *révoquer son ire* (1564), ont décliné au XVIIIe s. puis disparu. La locution ***revoquer en doute*** «mettre en doute» (v. 1500) est calquée du latin *revocare in dubium.*

▸ **RÉVOCATION** n. f. est emprunté (XIIIe s.) au dérivé latin *revocatio, -onis* «rappel, action de s'éloigner», spécialisé en droit pour la faculté de regagner sa patrie *(revocatio domum),* et en rhétorique pour la reprise d'un mot par insistance (Cicéron). ◆ Le mot a été repris avec une valeur juridique, «annulation, abrogation», utilisée dans *révocation de l'édit de Nantes* (1685) qui marque la fin de la tolérance royale à l'égard des protestants, et pour ceux-ci le début d'une époque de persécutions et d'exil. ◆ Il a désigné en théologie le temps de réconciliation, de retour dans le droit chemin (fin XIIIe s.), le fait de rappeler qqn d'exil (1400) et l'action de reprendre un cadeau (fin XVIe s.), tous emplois disparus. La valeur aujourd'hui dominante, «fait de destituer un fonctionnaire», apparaît au XVIIe s. (attestée 1680). ◆ **RÉVOCABLE** adj., emprunt (1307) au dérivé latin *revocabilis* «que l'on peut faire revenir» et «sur quoi l'on peut revenir», est apparu avec le sens juridique actuel; il qualifie couramment ce que l'on peut révoquer (1549) et s'applique à un fonctionnaire que l'on peut destituer de ses fonctions (1680). ◆ Il a pour dérivé **RÉVOCABILITÉ** n. f. (1789). **IRRÉVOCABLE** adj., aussi *inrevocable* (1357), *irrevocable* attesté au XVe s. (v. 1460) étant certainement antérieur, est emprunté au latin *irrevocabilis* ou *inrevocabilis* «que l'on ne peut modifier, irréparable», dérivé de *revocabilis* qui s'employait souvent avec une négation. ◆ L'ancienneté de son dérivé **IRRÉVOCABLEMENT** adv. (1266) induit l'antériorité de l'adjectif. ◆ **IRRÉVOCABILITÉ** n. f. (1534) est didactique.

RÉVOCATOIRE adj. est emprunté (1407) au dérivé bas latin juridique *revocatorius* «destiné à rappeler», substantivé au féminin *revocatoria* «lettre de rappel», et employé dans *litterae revocatoriae* «annulation» (XIIIe s.). ◆ Le mot se dit d'un acte qui produit une révocation.

① **REVUE** → VOIR

② **REVUE** n. f. est emprunté à l'anglais *review*, cité sous la forme anglaise (1708), puis *revue* (1711), attesté dans le sens de «publication périodique» en 1705, lui-même emprunté de l'ancien français ① *revue* (alors écrit *reveue*) au sens de «révision» (1565). Le développement sémantique fait allusion au fait que la revue se présente comme une «révision», un «passage en revue» périodique de l'actualité, de certains événements.

♦ Le mot, d'abord employé à propos d'une publication périodique anglaise puis comme titre d'un quotidien, sous la Révolution, désigne ensuite une publication périodique plus ou moins spécialisée, souvent mensuelle (1804, *Revue de philosophie*). Par une métonymie habituelle, il désigne un exemplaire de la publication (XXe s.).

RÉVULSION n. f. est emprunté (1538, Chauliac) au latin *revulsio, -onis* «action d'arracher», de *revulsum*, supin de *revellere* «ôter de force, arracher», au propre et au figuré, de *re-* à valeur intensive (→ re-) et de *vellere* «arracher, déchirer», en particulier «tirer les poils, la laine, les plumes, épiler», passé en français dans des composés (→ convulsion, svelte). On rapproche le terme du gotique *wilwan* «dérober», et peut-être du grec *haliskesthai*, sans qu'il soit possible de reconstituer une famille indoeuropéenne. Un rapprochement avec le latin *lana* (→ laine) est rendu malaisé par le caractère de la racine (→ velours, velu, villeux, peut-être flanelle, du gallois).

♦ Le mot est un terme de médecine désignant collectivement l'ensemble des procédés thérapeutiques visant à provoquer une irritation locale (afflux sanguin) pour faire cesser un état congestif ou inflammatoire. Il désigne aussi, par métaphore (1843), l'effet de ce qui révulse, bouleverse.

▸ **RÉVULSIF, IVE** adj. est une formation savante (1538) sur le radical du latin *revulsum*, qualifiant, en médecine, les remèdes provoquant une irritation locale; il est substantivé au masculin (1814) par ellipse de *remède*. ◆ **RÉVULSER** v. tr. est un dérivé savant (1845) du latin *revulsum*, fournissant un verbe correspondant à *révulsion*. Il signifie en médecine «faire affluer le sang au moyen d'une révulsion». ◇ La forme pronominale *se révulser* est employée dans l'usage général en parlant des yeux qui se retournent à moitié sous l'effet d'une émotion violente (1886), et d'une réaction physique exacerbée (1895, Huysmans), d'une partie du corps qui se crispe dans un spasme (1891) par influence probable de *convulser*. De là, *révulser* s'emploie au sens de «retourner, bouleverser le visage, les yeux» (XXe s.) et, au figuré «bouleverser par un effet pénible, négatif». ◆ **RÉVULSÉ, ÉE**, le participe passé de *révulser*, est adjectivé (av. 1867, Baudelaire) pour qualifier des yeux retournés sous l'effet d'un choc violent, une partie du corps rejetée en arrière par une contraction violente, un visage aux traits bouleversés. ◆ **RÉVULSANT, ANTE**, le participe présent, est quelquefois employé adjectivement avec le sens figuré de «qui révolte» (v. 1950).

REWRITING n. m. est l'emprunt (1945) du terme de journalisme américain *rewriting* «adaptation, remaniement d'un texte, d'un scénario en vue de sa publication», de *to rewrite* «écrire en réponse à qqn» (XVIe s.), puis «adapter, mettre au point ou remodeler la rédaction de» (1730); le verbe est composé de *re-* (→ re-) et de *to write* «écrire». Celui-ci, du vieil anglais *wrītan*, appartient à une racine germanique *wrīt-* également dans l'ancien saxon *wrîtan*, l'ancien haut allemand *rîzan* (allemand *reisen*), l'ancien nordique *rita* (norvégien *rita*, *vrita*, suédois *rita*).

♦ En français, le mot, répandu dans l'usage journalistique, a pris par extension le sens de «nouvelle version réécrite» (1956), là où l'américain dit *rewrite* ou *remake* (→ remake) qu'on a proposé de remplacer par *réécriture* et *adaptation*.

▸ ① **REWRITER** n. m., d'abord *rewrighter* (1957) puis *rewriter* (1958), est emprunté à l'anglo-américain *rewriter* (1912), synonyme de *rewrite man* (1901), de *to rewrite* et de *man* «homme». ◆ Cet emprunt sert à désigner la personne chargée du «rewriting» dans un bureau de rédaction ou pour une maison d'édition, la presse, le cinéma. On a proposé de le remplacer par *adaptateur* et, officiellement, par *rédacteur-réviseur*. Il reste cependant usité, comme le verbe ② **REWRITER** v. tr. (1952) tiré de *rewriting* et adaptant le verbe anglais *to rewrite*. *Réécrire* et, plus précisément, *rerédiger* conviendraient.

REZ-DE-CHAUSSÉE → CHAUSSÉE

RHABDOMANCIE n. f. est composé (1579 écrit *rhabdomantie*) du grec *rhabdos* «baguette» et *manteia* (francisé en *-mancie*).

♦ Le mot désigne la divination et spécialement la découverte de sources, mines, trésors, à l'aide d'une baguette divinatoire.

▸ **RHABDOMANCIEN, IENNE** n. (1836) correspond plus ou moins à *radiesthésiste*.

RHABILLER (et dér.) → HABILLER (à ② bille).

RHAPSODE n. m., d'abord *rapsode* (1552) puis, avec restitution du *h* étymologique, *rhapsode* (1670), est emprunté au grec *rhapsǫ̂dos* désignant le chanteur qui allait de ville en ville en récitant des poèmes homériques et épiques. Le mot est composé de *rhaptein* «coudre, ajuster en cousant», mot d'origine obscure, et de *ǫ̂dê* : «chant» (→ ode); signifiant proprement «celui qui coud ou ajuste des chants», il se serait appliqué à la composition linéaire de l'épopée narrative, par opposition aux strophes lyriques. Tarditi y voit un terme péjoratif désignant des épigones de la poésie épique.

♦ Le mot, repris comme terme d'antiquité grecque, s'est quelquefois employé péjorativement, d'après la valeur prise par *rhapsodie*, à propos de l'auteur d'un amas de choses sans valeur (1670).

▸ **RHAPSODIE** n. f. est emprunté (1582) au grec *rhapsôdia,* dérivé de *rhapsôdos,* qui désigne la récitation d'un poème, un poème épique par opposition à la poésie lyrique, puis un poème en général, en particulier un morceau détaché ou un chant homérique, et s'emploie quelquefois en mauvaise part avec le sens de «récit usé». ◆ Le mot, aussi écrit *rapsodie,* a été repris comme terme d'antiquité grecque. À la fin du XVIe s., il s'emploie péjorativement à propos d'un assemblage disparate de vers médiocres, de mauvaise prose (1588). De ce sens figuré, aujourd'hui sorti d'usage, procèdent des valeurs ultérieures : «affaire ridicule» (Saint Simon), «mauvais ragoût composé de viandes ou de légumes mal associés» (1842), sorties d'usage. ◆ Avec une valeur méliorative, le mot a été choisi par le musicien tchèque V. J. Tamasek, qui publia quelque cinquante ans avant Liszt six fantaisies pour piano sous le titre de *Rhapsodies* (attesté 1836), puis par Liszt «pour désigner l'élément fantastiquement épique..., l'expression de certains états d'âme dans lesquels se résume l'idéal d'une nation» (1859). ◆ Le dérivé **RHAPSODER** v. tr. (1666 *rapsodier*) «mal arranger, parler à tort et à travers», péjoratif, est archaïque.

RHAPSODIQUE adj., enregistré par l'Académie en 1842, est emprunté au dérivé grec *rhapsôdikos :* «qui concerne les rhapsodes, de rhapsode». L'adjectif qualifie une composition formée de fragments; depuis l'emploi qu'en a fait Baudelaire, par calque de l'anglais *rhapsodical* chez Poe, il caractérise ce qui évoque une rhapsodie par le décousu, la fantaisie désordonnée, (1852). Il sert également d'adjectif à *rhapsodie* (1875).

RHÉNAN, ANE adj. est emprunté (1808) au latin *rhenanus,* de *Rhenus* «le Rhin», d'un radical celtique *ren (Renos ?),* repris par les langues germaniques.

♦ Il signifie «relatif au Rhin, aux régions où passe le Rhin (Rhénanie)».

RHÉOSTAT n. m. est emprunté (1844) à l'anglais *rheostat* (1843, Wheatstone), terme technique désignant une résistance variable qui, intercalée dans un circuit, permet de régler l'intensité du courant électrique. Le mot est formé de *rheo-,* élément de composition du verbe grec *rhein* «couler, s'écouler» (→ -rrhée) et du grec *statos* «stationnaire», «qui se tient raide», de *histanai,* forme à redoublement de °*sista- :* «placer debout» qui se rattache à la racine indoeuropéenne °*sta- :* «être debout», présente dans un grand nombre de mots grecs, latins (→ station) et, dans une moindre mesure, germaniques, repris en français.

♦ Le mot a été repris avec le sens de l'anglais.

▸ Le dérivé **RHÉOSTATIQUE** adj. (1877), attesté avant l'anglais *rheostatic* (1878), semble dérivé en français. ◆ De nombreux composés en **RHÉO-** ont été formés dans le domaine de la physique (électricité, mécanique des fluides) et de la biologie : l'élément réalise l'idée de «courant électrique» et d'«écoulement de la matière».

RHÉSUS n. m. est l'emprunt en zoologie (1799, J. B. Audebert) du latin *Rhesus* (grec *Rhêsos*), nom d'un prince légendaire de Thrace qui vint au secours de Troie pendant la dernière année du siège et qui fut tué par Ulysse et Diomède. L'attribution du nom à un singe est inexpliquée.

♦ Le mot est d'abord issu du latin zoologique (*Siwia Rhesus,* puis *Macacus Rhesus*) puis (déb. XIXe s.) du français *(rhesus macaque) ;* il désigne le macaque à courte queue de Buffon, considéré plus tard comme un genre distinct parmi les macaques (1840, Lesson). ◆ Le singe étant couramment employé dans les expériences scientifiques, *rhésus* désigne un facteur agglutinogène dont la présence ou l'absence dans le sang détermine un système de groupes sanguins, d'abord dans ***facteur rhésus*** (1945) puis en emploi autonome. Les chercheurs Wiener et Landsteiner ont mis en évidence ce facteur en injectant du sang de singe rhésus dans l'oreille d'un lapin en 1940 (le mot est attesté en anglais en 1941).

RHÉTIQUE adj. est un emprunt (1732) au latin *rhaeticus,* de *Rhaetia* «la Rhétie», région des Alpes orientales, entre Rhin et Danube.

♦ Le mot s'applique à ce qui concerne la Rhétie. ◇ Le *rhétique* n. m. désigne une langue ancienne du groupe italo-celtique, l'adjectif s'appliquant parfois au rhéto-roman (ci-dessous).

▸ **RHÉTIEN, IENNE** adj. qualifie les Alpes de Rhétie (1636), puis est repris en géologie (1813) pour «qui concerne un étage du trias» (bien représenté dans les Alpes orientales). ◆ **RHÉTO-ROMAN, ANE** adj. (v. 1870) qualifie ce qui concerne les dialectes romans parlés en Rhétie (Suisse orientale : Grisons, Tyrol, Frioul), aussi appelés *romanche, ladin.* ◇ Le mot s'emploie aussi comme nom masculin, désignant l'ensemble de ces parlers.

① **RHÉTORIQUE** n. f. est emprunté (v. 1130) au latin *rhetorica,* repris au grec *rhêtorikê (tekhnê)* «art de l'éloquence», féminin substantivé de l'adjectif *rhêtorikos* «qui concerne les orateurs, l'art oratoire», de *rhêtôr* (ci-dessous *rhéteur*). L'art de la rhétorique a d'abord été défini comme celui de parler en public, comme celui de l'orateur de l'agora, du forum, de la curie, puis en général de la technique pour bien parler et bien écrire, c'est-à-dire convaincre et persuader l'auditeur ou le lecteur. Historiquement, les règles d'Empédocle (Ve s. av. J.-C.), de Corax et Tisias (Ve s. av. J.-C.) en Sicile, ont été recueillies, enrichies et codifiées en un système complet par deux ouvrages d'Aristote, la *Rhétorique* (v. 330 av. J.-C.) et la *Poétique* (v. 334) qui, tout en distinguant les deux notions, montraient soigneusement leur interdépendance, de plus en plus affirmée par la suite. L'héritage grec a été recueilli à Rome par Cicéron (*De oratore,* 55 av. J.-C.) et Quintilien (*De institutione oratoria,* v. 95).

♦ Le mot a été emprunté très tôt par l'ancien français savant avec la variante *rectorique* (XIIIe s.) désignant l'ensemble des procédés constituant l'art de l'éloquence orale et écrite, d'où ***fleurs de rhétorique*** (fin XVe s.) et, plus tard, ***figures de rhétoriques*** (1671). Par métonymie, le mot désigne un ouvrage traitant de cet art (v. 1278), en l'occurrence d'abord un ouvrage de Cicéron. ◇ Il s'emploie aussi avec une valeur dépréciative, visant un déploiement d'éloquence pompeuse pour persuader (v. 1360), puis tout discours emphatique et vide (1655, Molière). ◆ En ancien et moyen français, le concept, très étendu, comprenait l'art de l'expression en vers, par opposition à la prose (v. 1350) et la technique de la versification (v. 1480) nommée aussi *poétique.* On distinguait au XVe s. *la première rhétorique,* en prose, et *la seconde rhétorique,* la poétique. ◆ Par métonymie, le mot est devenu le nom d'une classe de l'enseignement secondaire où l'on enseignait particulièrement la rhétorique (1591), nommée aussi *classe de rhétorique.* Le mot, remplacé en France par (classe de) *première* en 1885, s'est encore employé pendant quelque temps, et s'emploie encore dans le système éducatif belge pour la classe terminale classique du secondaire supérieur. ◆ L'appellation *chambres de rhétorique,* enregistrée par Littré (1870), est un terme d'histoire désignant des sociétés littéraires qui se formèrent au XIVe s. en Flandre et en Artois.

▸ Le dérivé **RHÉTORICIEN, IENNE** n. et adj., d'abord *rettoricien* (v. 1370) puis *rhétoricien* (fin XIVe s.), désigne la personne qui connaît et pratique l'art de la rhétorique, s'appliquant surtout, de nos jours, à un spécialiste de la rhétorique et de ses techniques. Le moyen français et le français classique possèdent d'autres sens : «celui qui connaît l'art de la composition littéraire et le pratique, spécialement en poésie» (XIVe s.), «auteur de traités sur la rhétorique» (déb. XVIe s.), «professeur de rhétorique dans un collège» (1671) et «élève qui étudie la rhétorique» (1680, abrégé familièrement en *rhéto* dans l'argot scolaire du XIXe s. 1888), tous sortis d'usage. Le mot est adjectivé pour qualifier ce qui a trait à la rhétorique (fin XIVe s.).

RHÉTORIQUEUR n. m. (av. 1493, G. Coquillart) a été formé d'après le moyen français *rhétoriquer* «parler selon les règles de la rhétorique» (fin XIVe s.). C'est un terme d'histoire littéraire désignant, surtout dans l'appellation (imposée au XIXe s.) ***les grands rhétoriqueurs,*** des poètes de la cour de Bourgogne comme Olivier de la Marche, Georges Chastellain et surtout Jean Molinet, bientôt imités au XVe s. par des poètes de la cour de France (Jean et François Robertet, Octavien de Saint-Gelais, Guillaume Crétin, Jean Lemaire de Belges, dans une certaine mesure Jean Marot) qui avaient le goût de l'hyperbole et de la virtuosité, une tendance au culte de la forme et de la gloire. Le sens d'«écrivain ou orateur utilisant abondamment les procédés rhétoriques» (av. 1493), sorti d'usage, est peu distinct de *rhéteur* et de *rhétoricien.*

② **RHÉTORIQUE** n. m. et adj. est emprunté (fin XIVe s.) au latin *rhetoricus,* lui-même emprunté au grec *rhêtorikos* (→ ① rhétorique). ◆ Le mot, qui s'est aussi écrit *rhetoric* (v. 1510), a été repris comme désignation de celui qui connaît tous les secrets de la composition littéraire, avant d'être supplanté par *rhéteur*, rhétoricien*.* ◇ L'adjectif a d'abord eu le sens de «conforme aux lois d'une composition littéraire harmonieuse» (v. 1510), avant de prendre la valeur neutre de «relatif à la rhétorique» (1611).

◆ **RHÉTORIQUEMENT** adv. (1380) est aussi didactique et plus rare que l'adjectif.

RHÉTEUR n. m. est emprunté (1534) au latin *rhetor,* nom donné à l'orateur, à celui qui enseigne l'art de l'éloquence, lui-même repris au grec *rhêtôr* de même sens, quelquefois employé en mauvaise part et dit également de celui qui prononce une sentence, le juge. Le mot est dérivé de *eirein* «dire, déclarer», qui se rattache à la racine indoeuropéenne °*werə-/°wre-* exprimant l'action de proférer, de dire une formule, d'où «dire», et que le latin a dans *verbum* (→ verbe). ◆ L'ancien français avait formé antérieurement le dérivé *rectoriien* (v. 1200), *retorien* (1213), *rhetorien* (v. 1214) en adjoignant au latin le préfixe *-ien* marquant l'appartenance à un groupe ; celle-ci fut supplantée au XVIe s. chez les théoriciens de la littérature par l'emprunt latin. ◆ Repris pour désigner celui qui fait profession d'enseigner l'art de l'éloquence, d'abord en parlant de l'antiquité, *rhéteur* s'applique ensuite à un professeur de rhétorique (1728), à un auteur d'ouvrages sur la rhétorique (1798). Ces acceptions sont sorties de l'usage avec le déclin de l'enseignement de la rhétorique, puis remplacées par les dérivés de *rhétorique.* Le mot ne s'emploie guère que dans le contexte antique et dans un sens péjoratif, «homme au discours apprêté, emphatique et déclamatoire» (1694), que lui a donné l'évolution du goût.

RHINGRAVE n. m. et n. f. est emprunté (1549) à l'allemand *Rheingraf,* «seigneur, comte du Rhin», de *Rhein* «Rhin» et *Graf* «comte» (→ Burgrave). Ce dernier vient de l'ancien haut allemand *gravo, gravio,* probablement issu du latin médiéval germanique *grafio, graffio, garafio* désignant un fonctionnaire franc primitivement muni de pouvoirs exécutifs et qui, à partir du VIe s., se substitue au *thunginus* comme juge président une assemblée judiciaire *(mallus).* Par un processus qui sera terminé vers la fin du VIIIe s., le *grafio* s'identifie peu à peu avec le *comes* (→ comte). L'origine du mot est controversée : à côté d'une étymologie germanique qui le ramène à un verbe signifiant «décider, décréter», une autre hypothèse le rapproche du grec *grapheus* «copiste, scribe, secrétaire», employé en grec byzantin comme titre d'un officier, de *graphein* (→ graphie).

♦ *Rhingrave,* au masculin, est l'ancien titre des juges et des gouverneurs des villes situées le long du Rhin et de quelques princes d'Allemagne. Par l'intermédiaire d'une locution non attestée °*culotte à la rhingrave,* il est employé au féminin (v. 1660, Scarron) pour un haut-de-chausse ample, attaché par le bas avec des rubans, en usage au XVIIe s. : le rhingrave Salm, gouverneur de Mäestricht, en avait introduit l'usage. ◆ Le féminin (attesté chez Littré, 1870) désigne la femme d'un rhingrave.

▸ Le dérivé **RHINGRAVIAT** n. m. (1836) désigne les fonctions, la dignité de rhingrave.

RHINO- est l'élément formant emprunté au grec *rhino-,* lui-même de *rhis, rhinos* «nez» (de l'homme, parfois de l'animal), mot d'origine obscure spécifique au grec et qui s'est substitué au groupe attesté par le latin *nares* (→ nez), le védique *nasa,* l'allemand *Nase.*

♦ L'élément entre dans la construction de termes scientifiques (généralement substantifs) appartenant aux vocabulaires de la médecine et de la zoologie, notamment de la pathologie humaine et animale.

▸ Il est productif depuis la fin du XVIIIe s., avec le terme de zoologie **RHINOLOPHE** n. m. (1799) désignant une chauve-souris caractérisée par des excroissances nasales en forme de fer à cheval et en fer de lance (l'élément *-lophe* représente le grec *lophos* «nuque» d'où «aigrette, panache»). Ce mot de sciences naturelles a pris une certaine importance littéraire avec Lautréamont. ◆ Au XIXe s., il a donné au vocabulaire médical **RHINOPLASTIE** n. f. (1822) en chirurgie esthétique, **RHINITE** n. f. (1830) «inflammation de la muqueuse nasale», **RHINO-LARYNGITE** n. f. (1845) «inflammation de la muqueuse nasale et du larynx», **RHINORRHÉE** n. f. «écoulement du mucus par le nez» (→ -rrhée), **RHINO-BRONCHITE** n. f. (1878) et la série **RHINO-PHARYNGITE** n. f. (1892), **RHINO-PHARYNGÉ, ÉE** adj. (1897), **RHINO-PHARYNX** n. m. (1902) se rapportant à un ensemble constitué par les fosses nasales et le pharynx. L'élément demeure productif au XXe siècle.

◈ voir **OTO-RHINO-LARYNGOLOGIE**, **RHINOCÉROS**, **RHINOVIRUS** (art. **VIRUS**).

RHINOCÉROS n. m., réfection (1549, *rhinoceros*) de *rhinocerons* (1288), *rhineceront* et *rinoceros* (1380), est emprunté au latin *rhinoceros*, lui-même repris au grec *rhinokêros*. Ce mot est formé de *rhis, rhinos* «nez» (→ rhino-) et *keras* «corne d'un animal» d'où «corne comme matière première», mot employé à propos d'un instrument de musique à vent, d'une corne à boire et, par métaphore, pour les extrémités d'une chose : ailes d'une armée, bras d'un fleuve, bras d'une lyre, manière de coiffer les cheveux, etc. *Keras*, également utilisé au premier (→ kératine) et au second terme de composés, est un ancien neutre à vocalisme *e* qui repose sur *°ker-ə-s* et appartient à la même racine que le nom de la tête *kara* (→ chère) et celui du crâne *kranion* (→ crâne). En ce qui concerne les autres noms de la corne, les autres langues indoeuropéennes ont des formes diverses : le germanique, une forme en *n* (allemand *Horn*), le latin une combinaison du *n* et du *u*, *cornu* (→ corne).

♦ Le mot désigne donc, depuis le XIIIe s., l'un des animaux semi-fabuleux décrits par les Anciens, puis par les voyageurs modernes. Il a été concurrencé par *rhinocerote* (1552) et *rhinocérot* (v. 1640, encore chez Trévoux en 1721 et 1771). Il a servi, aux XVIIe et XVIIIe s., de désignation expressive pour un gros nez (1690, *nez de rhinocéros*) et une coiffure «à corne» des petits-maîtres du XVIIIe s., la *coiffure au rhinocéros* (1759, Voltaire). ◆ Par analogie, le mot désigne un insecte coléoptère caractérisé par une grosse corne recourbée en arrière (1742 *scarabée Rhinocerôt* dans une traduction, puis 1756 *rhinoceros*).

▸ Le mot a produit **RHINOCÉROTIDÉS** n. m. pl. (1904), après *rhinocérotins, rhinocérotés* (1875), terme de classification zoologique. ◇ Dans sa pièce *Rhinocéros*, E. Ionesco a forgé les dérivés *rhinocérite, rhinocérique ;* les Goncourt avaient déjà osé *rhinocérisé, ée* et *rhinocéroser (se)* dans leur *Journal* (1879 et 1875).

RHIZO- est l'élément tiré du grec *rhizo-* qui représente en composition le substantif *rhiza* «racine», en particulier «racine médicinale», au figuré «fondement (d'une chose concrète)», «souche (d'une famille)» et «origine (d'une chose abstraite)». Le mot, dont le développement sémantique est le même que celui du latin *radix*, est rapproché naturellement de ce dernier (→ raifort) mais son vocalisme en *i* n'est pas expliqué.

▸ Les premières formations savantes avec *rhizo-* ou *rhiz-* sont relevées au XVIIIe s. : **RHIZOTOME** n. m. (1740), employé pour «herboriste», a disparu ; il a été repris au sens de «coupe-racines» (av. 1867). L'élément est surtout productif aux XIXe et XXe s. en botanique : **RHIZOCTONE** adj. (1839), **RHIZOCARPÉ, ÉE** (1845), **RHIZOPHYLLE** adj. (1875) et, dans une moindre mesure, en zoologie **RHIZOPODES** n. m. pl. (1842), et en biologie.
RHIZOME n. m. est emprunté savamment (1817, Gérardin) au grec *rhizôma* «ce qui est enraciné, touffe de racines» et, au figuré, comme *rhiza*, «fondement», «principe, élément» et «souche, race». Le mot est dérivé de *rhizoun* «enraciner» et, au passif, «s'enraciner», au propre et au figuré, par extension «couvrir de plantations». Le verbe est lui-même dérivé de *rhiza*. Le latin botanique *rhizoma* (1804), forgé par le botaniste anglais Gawler, a probablement servi d'intermédiaire. ◆ Le mot désigne une tige rampante souterraine qui porte des racines adventives et des tiges feuillées aériennes. Un emploi métaphorique (1976), dans un essai de Deleuze et Guattari portant ce titre, évoque, en opposition à *racine* le caractère irrégulier et proliférant des structures de pensée. ◆ Le mot a produit **RHIZOMATEUX, EUSE** adj. en botanique (1875).

RHODODENDRON n. m., d'abord *rododendron* (1500), puis *rhododendron* (1796), est emprunté au latin *rhododendron* (Pline) «laurier-rose», lui-même repris au grec *rhododendron* de même sens. Le premier élément est *rhodon* «rose» qui repose sur *°ϝrodon* (*°wr̥do-)*, lequel, comme le montre le mycénien, provient d'une langue de l'Orient, probablement de l'iranien, passé en arménien sous la forme *vard* et en arabe sous la forme *ward* ; une étymologie sémitique a également été proposée. *Rhodon* est certainement apparenté, les relations étant mal connues, avec le latin *rosa* (→ rose). Le second élément est *dendron* «arbre», tiré du thème *°drew-*, *°dru-* que l'on a aussi dans *drus, druos* «arbre», d'où «chêne» (→ druide). Sous l'influence du latin *olere* «avoir une odeur» (→ olfactif), le latin botanique *rhododendron* a donné *oleander*, forme dont le moyen français a tiré *oléandre* (1314), ancien nom du laurier-rose encore employé comme terme d'apothicaire aux XVIe-XVIIe s. et nom d'un genre de fougère au XIXe siècle.

♦ Le mot a d'abord désigné le laurier-rose, puis est devenu (1796, Saussure) le nom d'un arbrisseau de montagne de la famille des Éricacées, à feuilles persistantes et fleurs pourpres, violettes, roses ou blanches maculées de rose.

RHODOÏD n. m. est le nom déposé (1949 dans les dictionnaires) d'une matière thermoplastique à base d'acétate de cellulose, analogue au celluloïd mais incombustible, de *rhod-*, élément tiré du latin *Rhodanus* «Rhône», cette matière étant fabriquée par les usines Rhône-Poulenc, et *-oïd*, tiré de la terminaison de *celluloïd**.

RHOMBE n. m. et adj. est emprunté (1505) au latin *rhombus* «losange», «fuseau ou rouet d'airain dont on se servait dans les enchantements» et aussi «turbot, poisson de mer». Celui-ci, avec ses différents sens, est emprunté au grec *rhombos* qui désigne d'abord un instrument de bois attaché à une corde (toupie, roue, tambourin) et que l'on fait tournoyer d'un mouvement rapide. D'autre part, par analogie de forme, il désigne la figure du losange et le turbot, d'où l'ancien provençal *rom* (XIIIe s.). *Rhombos* est dérivé de *rhembesthai* «aller et venir, errer, tourner en rond, agir au hasard», apparu assez tard dans les textes mais formant avec *rhombos* un couple ancien. Deux étymologies ont été proposées : l'appartenance à une racine indoeuropéenne °*wremb-* (moyen bas allemand *wrimpen* : «rider, froncer le visage») est lointaine par le sens; il est préférable, d'après Chantraine, de rattacher ces termes expressifs à la racine °*wer-* «tourner» (→ vers, vertige).

♦ Le mot, après un emploi en zoologie pour un coquillage univalve, emploi disparu, a désigné un losange sans angle droit (1536), avant d'être supplanté par le terme général *losange*. Ce sens se retrouve dans l'expression *cristal à faces rhombes* (1812), en cristallographie, où *rhombe* est adjectivé. Les sens de «toupie» (1564), «filet» (1611) sont sortis d'usage. ◆ La forme latine *rhombus* a été reprise dans l'*Encyclopédie* (1765) comme terme d'histoire antique désignant un instrument magique que l'on faisait tourner au moyen de lanières. ◇ L'ethnologie a repris *rhombe* (1839) avec une acception très voisine pour désigner un instrument musical formé d'une lame de bois que l'on fait ronfler par rotation rapide autour d'une cordelette, souvent utilisé (Amérique, Nouvelle-Guinée, Australie) dans des pratiques magiques, rituelles.

▸ Les dérivés se rapportent au sens ancien de «losange» : **RHOMBIFORME** adj. (1817) et **RHOMBIQUE** adj. (1870, après *rhombé* 1817), mots didactiques, qualifient ce qui a la forme d'un losange, d'un rhombe. ◆ L'élément **RHOMB-**, **RHOMBO-**, repris du grec *rhombos*, a servi à former quelques termes didactiques comme **RHOMBOÏDE** n. m. (1542), emprunt au bas latin *rhomboides*, calque du grec *rhomboeidês*, en géométrie, conservé comme terme d'anatomie pour un muscle (v. 1560), **RHOMBOÈDRE** n. m. (1784), employé en géométrie et en cristallographie (1818), dont on a tiré **RHOMBOÉDRIQUE** adj. (1842).

◈ voir RHUMB.

RHUBARBE n. f., réfection (1570) de *reubarbe* (XIIIe s.), puis *rubarbe* (fin XIIIe s.), est emprunté au latin médiéval *rheubarbarum* de même sens chez Isidore de Séville (VIIe s.), qui le fait venir de *rheu*, nom «barbare» (non latin), de genre neutre, signifiant «racine» et de *barbarum*, neutre de *barbarus* (→ barbare). Il se pourrait que *rheubarbarum* soit l'altération du type médiéval *rhabarbarum* par association avec *rheum*, nom scientifique de la rhubarbe repris du grec *rhêon*, lui-même emprunté du persan *rivand*. Le grec et le latin possèdent aussi la forme *rha*, qui viendrait, d'après Ammien Marcellin, du nom de la rivière *Ra*, l'actuelle Volga. Les langues européennes ont des formes se rattachant aux deux types : français *rhubarbe* (d'où l'anglais *rhubarb*) mais aussi *rhabarbe* chez Rabelais, italien *reobarbaro* et *rabarbaro*, allemand *Rhabarber*. On trouve aussi le type médiéval *rhaponticum*, littéralement «rhubarbe du pont» d'où est issu le français *rhapontic* (v. 1560, Paré), après *rheupontic* (XVe s.), encore dans les dictionnaires.

♦ Le mot désigne une plante employée en médecine (pour ses vertus laxatives) et importée depuis longtemps de Chine en Europe, à travers la Russie et le Levant, et dont quelques espèces ont été acclimatées en France et en Angleterre comme alimentaires et ornementales. L'expression familière *passez-moi la rhubarbe, je vous passerai le séné* se dit plaisamment de deux personnes ayant entre elles des complaisances intéressées (1788) par allusion à une phrase de *l'Amour médecin* de Molière (III, 1) où il s'agit des deux remèdes.

RHUM n. m., d'abord *rum* (1688), puis *rome* (1723), avant *rhum* (1768), est emprunté de l'anglais *rum* de même sens (1654), avec les variantes *rumme* et *rhum*, lequel est à l'origine de l'allemand *Rum* et du néerlandais *rum*, du danois et du suédois *rum*, *rom*, du russe *rom*, de l'espagnol et du portugais *ron*. Le mot anglais, d'origine obscure, est peut-être l'abréviation des formes longues *rumbullion* ou *rumbustion*, attestées un peu plus tôt avec le même sens (respectivement 1651 et 1652). L'emploi de *rumbullion* dans le dialecte moderne du Devon au sens de «bagarre, tumulte» inciterait à faire du nom de la boisson une extension métonymique du sens de «bagarre», par allusion aux effets de la boisson alcoolisée, mais rien ne permet de restituer cette filiation, sinon l'emploi de *rumbustion* dans le parler des colons de la Barbade pour une «boisson forte qui cause souvent des rixes». Le premier exemple de *rum* en français se rencontre dans *l'Amérique angloise* traduction anonyme d'un ouvrage de Richard Blome paru en 1687.

♦ Le mot désigne une eau-de-vie de canne à sucre obtenue par fermentation et distillation du jus de canne. Il donne lieu à des syntagmes comme *rhum blanc, rhum agricole, grog* au rhum* et, du fait de son utilisation en pâtisserie, *baba, omelette, crêpes... au rhum*. La *route du rhum* fait allusion au commerce du rhum entre les «îles» et l'Europe, aux XVIIIe et XIXe siècles.

▸ *Rhum* a produit en français les dérivés **RHUMERIE** n. f. (1802) «distillerie de rhum» et «café où l'on boit du rhum et des boissons à base de rhum» (1949), **RHUMÉ, ÉE** adj. (1932) «additionné de rhum», et **RHUMIER, IÈRE** adj. (1930) «relatif à l'industrie ou au commerce du rhum».

◈ voir ROGOMME.

RHUMATISME n. m., d'abord *rheumatisme* (1549), puis *rhumatisme* (1673), est emprunté par l'intermédiaire du latin *rheumatismus,* au grec *rheumatismos.* Celui-ci désigne un écoulement d'humeur, en particulier un catarrhe et les maladies caractérisées par une fluxion ou un épanchement articulaire. Il est dérivé de *rheumatizein* «couler, découler», spécialement «souffrir d'un épanchement d'humeurs» (en particulier d'un rhume ou de rhumatismes), dérivé de *rheuma* (→ rhume).

♦ Ce terme de médecine recouvre des affections diverses ayant pour caractère commun une atteinte douloureuse du système locomoteur, en particulier des articulations. À partir du XIXe s., il est employé dans des syntagmes désignant ces différents types d'affections : *rhumatisme articulaire* (1814), *rhumatisme articulaire aigu et chronique* (1875), *rhumatisme infectieux* (1905), etc.

► **RHUMATISMÉ, ÉE** adj. (1683, Mme de Sévigné), dit d'une personne atteinte de rhumatismes, n'est plus usité. ◆ **RHUMATISMAL, ALE, AUX** adj. (1755) qualifie ce qui a les caractères du rhumatisme, est propre au rhumatisme. ◆ **RHUMATOLOGIE** n. f., de *rhumato-* pour *rhumatisme* et *-logie** (1945), désigne la branche de la médecine traitant les rhumatismes ; son radical a servi à former **RHUMATOLOGISTE** n. (v. 1953) et son doublet **RHUMATOLOGUE** n. (v. 1968) ainsi que **RHUMATOLOGIQUE** adj. (v. 1972). ◆ **RHUMATISMANT, ANTE** adj., d'abord *reumatizante* (1478), est un emprunt au bas latin médical *rheumatizans, -antis,* participe présent de *rheumatizare* «être atteint de rhumatismes, de catarrhe», lui-même calqué du grec *rheumatizein.* ◆ Le mot s'est employé en moyen français dans la locution *humeur reumatizante* «cause de rhumatismes». Son emploi moderne au sens de «atteint de rhumatismes» est attesté en 1780.

RHUMB n. m. est, sous la forme ancienne *ryn* (1484, *ryn de vent*) emprunté à l'anglais *rim,* anciennement *rime* (1400-1450) ou *rym* (1440), désignant la jante d'une roue et, par suite, le rebord extérieur d'un objet circulaire (1603). Le mot, en ancien anglais *rima,* vient d'une racine germanique représentée dans l'ancien norrois *rime, rimi* (norvégien *rime*) «bande bordée de terre». L'altération de *ryn* en *rumb* (1553), attestée dans une traduction du castillan, s'est effectuée sous l'influence de l'espagnol *rombo* (1494), emprunté du latin *rhombus* (→ rhombe). La forme *rhumb* (1611) résulte du rétablissement du *h* latin. L'anglais *rhumb, rumb* (1578), loin d'être, comme on l'a dit, à l'origine de la forme française, semble emprunté à l'espagnol *rombo,* voire au français.

♦ Ce terme de marine désigne l'espace angulaire qui sépare l'une de l'autre les trente-deux aires de vent de la boussole (les syntagmes synonymes *aire de vent* et *quart de vent* ont supplanté l'ancien *rum de vent*). L'expression ***ligne de rhumb*** (1834), réfection de *ligne du rhumb* (1765) désigne la courbe décrite par un vaisseau faisant toujours un même angle avec le méridien.

RHUME n. m., d'abord *reume* (1226) et *rume* (v. 1276), refait d'après le latin et le grec en *rheume* (1575) et *rhume* (1578), est emprunté au bas latin *rheuma* «flux de la mer» et «catarrhe», lequel est repris au grec *rheuma* «eau qui coule», spécialisé en médecine pour un écoulement d'humeurs, une suppuration, etc. Le mot, conservé en grec moderne au sens de «courant», est dérivé de *rhein* «couler» (→ -rrhée).

♦ Le mot, indifféremment masculin ou féminin, encore au début du XVIIe s., s'est fixé en français classique au masculin, le féminin se rencontrant encore dans certains patois. De l'idée restrictive d'un écoulement d'humeur (du nez, des yeux), attestée jusqu'au XVIIe s., on est passé à celle d'une inflammation de la membrane muqueuse du nez, de la gorge, accompagnée de cet écoulement, d'abord dans la dénomination ancienne *rhume de froidure* (XIIIe s.), puis en emploi autonome. ◇ ***Rhume de cerveau*** (1740 ; 1694 *du cerveau*) désignant une inflammation de la muqueuse nasale, est le vestige d'une ancienne croyance à la communication entre le cerveau et les fosses nasales. La locution figurée ***en prendre pour son rhume*** (1899), équivalant à *en prendre pour son grade,* se rattache à ce sens, qui est le plus usuel. ◆ La pathologie a étendu le mot à d'autres inflammations causées par un autre virus que celui de la grippe ou par d'autres agents infectieux : *rhume* (1765), puis *rhume de poitrine* (1786) pour «bronchite» et, par plaisanterie, *rhume ecclésiastique* (1718), «vérole», sont sortis de l'usage ; ***rhume des foins*** (1901), pour une inflammation de la conjonctive et de la muqueuse du nez, fréquente à l'époque de la fenaison, est usuel.

► De tous les dérivés de *rhume,* seul le préfixé **ENRHUMER** v. tr. s'est maintenu. C'est la réfection vocalique, avec substitution de la désinence, de l'adjectif *anrimé* (déb. XIVe s.), *enrimé, enrummé, enrumé* (XIVe s.). Le verbe lui-même, surtout employé à la forme pronominale (1492, *s'enrimer*) pour «contracter un rhume», signifie «provoquer un rhume». La valeur figurée «ennuyer» (1808), après «tromper» (1798 *c'est ce qui vous enrhume* «c'est en quoi vous vous trompez»), argotique et populaire, a disparu. **ENRHUMABLE** adj. (1920, Proust) est le seul dérivé de ce verbe à s'être conservé.

◈ voir RHUMATISME.

RHYTON n. m. est l'emprunt (1829) du grec *rhuton* «vase à boire», neutre substantivé de *rhutos* «qui coule», adjectif verbal de *rhein* «couler» (→ -rrhée).

♦ Le mot a été repris en archéologie grecque pour un vase à boire en forme de corne ou de cornet façonné, représentant le plus souvent une tête d'animal.

RIA n. f. est l'emprunt (1896), par l'intermédiaire de l'allemand où le mot a été introduit dans la terminologie géographique par F. von Richthofen (1886), du castillan ou du portugais *ria* «baie étroite» (v. 1493), lui-même issu de *rio* «fleuve», correspondant au français *ru**.

♦ Le mot est employé en géographie pour un golfe marin étroit, allongé, résultant de l'envahissement de la partie basse d'une vallée fluviale par la mer *(côte à rias)*. Cette réalité géographique est analogue au fjord.

▸ L'espagnol *rio* a lui-même été emprunté par **RIO** n. m. (1732), mot appliqué en géographie à une rivière ou à un fleuve dans un pays de langue espagnole ou portugaise, ou qui l'a été (sud-ouest des États-Unis, par exemple).

◈ **RIBAMBELLE** n. f. (1790) est d'origine incertaine, peut-être d'un mot dialectal issu de la contamination de *riban*, forme dialectale de *ruban**, et du radical expressif *bamb-* qui évoque le balancement, attesté dans le franc-comtois *bamballer* «balancer», le lorrain *bambiller* «osciller». La contamination aurait été favorisée par l'identité de la syllabe *-ban-*. P. Guiraud voit en *ri-* la variante de *re-**, préfixe fréquentatif et itératif, et le sens propre du mot serait selon lui «longue suite d'oscillations».

♦ *Ribambelle* s'emploie pour désigner une longue suite et, par extension, un grand nombre d'hommes, de choses, d'animaux. Il se dit spécialement d'un motif découpé dans un papier plié en accordéon et qui, déplié, présente une suite de figures identiques.

RIBAUD, AUDE n. et adj. est issu (v. 1165) de l'ancien verbe *riber* «se livrer à la débauche», proprement «frotter», emprunté à l'ancien haut allemand *rîban* «frotter» et «coïter» (allemand *reiben* «frotter»). Godefroy rapproche le mot français du neuchâtelois *riber* «frotter, râper, user par le frottement» et de la variante vaudoise *ribler*; le français a eu également le type *ribler* (1424) «se livrer à la débauche» qui a repris la valeur étymologique en s'employant pour «rectifier (une meule, un carreau), dresser ou arrondir sa surface par abrasion» (1846).

♦ En ancien et moyen français, *ribaud* était un terme d'injure général appliqué à un débauché, un méchant, un scélérat, voire un simple vagabond. Il lui arrivait de désigner un amant coupable d'adultère ou d'inceste. Il a désigné un homme ou une femme qui suivait l'armée en vue du pillage (XIIIe s.). Passant du jugement moral négatif — d'abord sexuel — à la dépréciation sociale, il s'est employé (v. 1278) pour désigner, du temps de Saint Louis, les gens de peine tels que les portefaix et les crocheteurs. L'expression *roi des ribauds* (v. 1278) désignait l'officier de la suite du roi qui avait à s'enquérir des divers crimes et délits et était chargé de la police des gueux et des femmes publiques. Le féminin **RIBAUDE**, moins général, concerne surtout les femmes de mauvaise vie (v. 1175). ◆ Le mot s'employait aussi adjectivement en parlant d'une chose sale, déshonnête (1587), d'une personne débauchée (1690). ◆ Ultérieurement, le féminin *ribaude* est devenu un terme technique pour un canon (ci-dessous *ribaudequin*), puis une barre saillante que présente quelquefois la surface des étoffes et qui provient soit de l'inégalité des matières employées, soit d'un défaut produit lors du foulage des draps. Le mot, au masculin comme au féminin, est archaïque dans tous ses emplois, mais vivant par les évocations historiques du moyen âge.

▸ **RIBAUDAILLE** n. f. (1150), mot collectif méprisant pour une troupe de vauriens, et **RIBAUDERIE** n. f. (v. 1268), élargissement de *ribaudie* (v. 1180), «comportement de débauché», sont sortis d'usage. ◆ **RIBAUDEQUIN** n. m. est emprunté (1346) au néerlandais *ribaudekijn*, nom d'un engin de guerre formé de plusieurs bouches à feu de petit calibre, montées parallèlement sur un affût à roues. C'est un diminutif du français *ribaude* pris dans son sens ancien de «canon» (1340) parce que cet engin était confié à la garde des ribauds ou (plutôt) par une métaphore érotique.

◈ voir RIBOTE, RIBOULDINGUE.

RIBOTE n. f. (1764), d'abord *ribotte* (1754), est dérivé de *riboter* v. intr. signifiant «faire la noce, mener joyeuse vie», dont le dérivé *riboteur* est attesté en 1745. **RIBOTER**, attesté à la même époque (1755), est issu par changement de suffixe de l'ancien verbe *ribauder* «paillarder» (1260), lui-même de *ribaud**.

♦ Le mot se rencontre encore plaisamment pour désigner un excès de table et de boisson ayant quelque chose d'inhabituel (1834 *faire ribote*), spécialement l'état d'ivresse (1835, *en ribote*). Le sens figuré, «excès» (1861, Baudelaire *ribotes de travail*) est inusité.

RIBOUIS n. m. (1854) est d'origine discutée : selon Bloch et Wartburg, il remonterait à *bouis*, ancienne forme de *buis** encore répandue dans les parlers, désignant dans la langue des cordonniers un brunissoir de buis servant à polir la semelle. Le préfixe *re-*, toujours selon Bloch et Wartburg, viendrait de *rebouiser*, attesté dès le XVIIIe s. au sens figuré de «donner bon air à qqch.» et dont le sens propre se serait perdu, ce qui n'est pas étonnant pour un mot d'argot. Selon P. Guiraud, qui accepte une relation entre *ribouis* et le *bouis* des cordonniers, *ribouis* serait aussi à rattacher à *bouis* «marionnette» (→ boui-boui) et à *bouif* «cordonnier», mots qui, selon lui, appartiennent à un radical expressif *bobb-* désignant un objet rond ; selon cette hypothèse, *rebouiser* signifierait «donner une forme ronde» (c'est pourquoi on *rebouise* un chapeau). ◈

♦ *Ribouis*, mot du langage populaire, a été employé pour désigner un savetier avant d'être attesté au sens de «vieux soulier réparé» (1880) et, par extension «vieux soulier», par métonymie «pied» (1901). Il a vieilli.

RIBOULDINGUE n. f. vient (1892) du croisement entre un premier élément discuté et un second élément identifié comme *dinguer**. Certains y voient le déverbal de *ribouldinguer* (ci-dessous). Ils font du premier élément *ribouler* v. intr. (1890) «vagabonder», un élargissement d'après *boule* de l'ancien *ribler* (1424), lui-même altération de *riber* «vagabonder, courir les rues la nuit» (→ ribaud). Celui-ci, déjà considéré comme vieux au XVIIe s. (Furetière), avait donné *ribleur* n. m. (1484) «fripon, mauvais garçon», sorti d'usage et parfois repris par archaïsme (Moréas). D'autres voient dans *riboul-* un dérivé probable du dialectal *riboula*, *reboula* «festin à la fin de la moisson» (d'où *reboule* dans le

Vivarais) ou encore le dérivé intensif en *ri-* (variante de *re-**) de *bouler* «rouler ou devenir comme une boule», de *boule**.

♦ *Ribouldingue*, mot familier, désigne une partie de plaisir (cf. les synonymes plus modernes tels que *bamboula, java*) surtout dans la locution ***faire la ribouldingue*** (1932, après *pousser la ribouldingue*, 1909, qui suggère une autre acception) équivalant au verbe *ribouldinguer*. Le mot a servi de nom pour l'un des trois Pieds-Nickelés.

▸ **RIBOULDINGUER** v. intr. (1900, A. Allais) est soit dérivé du nom, soit directement formé sur *dinguer* (voir ci-dessus); il signifie «faire la noce, la ribouldingue», et a vieilli comme le substantif.

RIBOULER v. intr. (1862) est un mot des dialectes où il est antérieurement attesté sous la forme *rebouler;* il est formé de *ri-, re-**, à valeur intensive, et de *boule**.

♦ Le mot, qui appartient à l'usage populaire, s'emploie dans la locution ***ribouler des yeux, des prunelles*** (1862) «rouler des grands yeux en signe d'ébahissement». Il tend à vieillir.

▸ **RIBOULANT, ANTE**, participe présent adjectivé, qualifie des yeux ronds et mobiles qui expriment la stupéfaction (milieu XXe s.).

RICAIN → AMÉRICAIN

RICANER v. (fin XIVe s.) est peut-être la variante, influencée par *rire**, de *recaner* «braire» (XIIIe s.) forme normanno-picarde correspondant à l'ancien français *rechaner* de même sens (v. 1119). Ce mot est formé de *re-** et de l'ancien français *kenne* n. f. «mâchoire, joue» (v. 1160), variante *chane* (v. 1220) [→ quenotte], emprunté au francique °*kinni* «mâchoire, joue» (apparenté à l'anglais *chin* «menton»), issu d'une forme en *k* de l'indoeuropéen °*genu-* «menton, mâchoire» dont relève le grec *genus* «mâchoire inférieure» (→ ganache, -gone, prognathe). P. Guiraud ajoute que, quelle que soit la parenté du mot avec la famille de °*kinni, ricaner* a dû être spontanément interprété comme formé sur °*riquer* «rire» et *haner* «hennir».

♦ Le verbe s'est éloigné de son sens premier «braire» pour signifier péjorativement «rire», soit «rire de manière forcée pour se moquer de manière malveillante» (1538) soit «rire bêtement à propos de tout» (1690). Il a gardé ces deux valeurs, la première donnant au figuré «ironiser de manière sarcastique» (1875). On emploie aussi le verbe avec un complément en *de* (XVIIIe s., Voltaire) désignant l'objet de la dérision, et transitivement pour «dire (qqch.) en ricanant» (1887), emploi rare.

▸ Les dérivés sont **RICANEUR, EUSE** n. (1555) et adj. (1679), **RICANERIE** n. f. (fin XVIIe s.) «rire mauvais», rare et archaïque, **RICANEMENT** n. m. (1702), **RICANANT, ANTE**, adjectivation du participe présent (déb. XXe s.). ◆ *Ricaner* a aussi influencé la formation de **RICASSER** v. intr. (av. 1525, et chez Huysmans) dérivé de *rire**.

RICHE adj. et n., également *rice* en ancien français (1050), est issu du francique °*rîki* «puissant». Ce mot appartient à une racine germanique que l'on retrouve dans le vieil anglais *ríce* (anglais moderne *rich*), le moyen néerlandais *rijcke, rijck* (néerlandais *rijk*), l'ancien haut allemand *rîchi, rîche* (allemand *reich*) l'ancien norrois *ríkr* (norvégien et suédois *rik*, danois *rig*), le gotique *reiks*. Cette racine représenterait une adaptation précoce du celtique *rix* (gaulois *rix*, par exemple dans *Vercingétorix*, irlandais *rí*) correspondant au latin *rex* (→ roi), de la racine indoeuropéenne qu'on retrouve dans *rajah** «souverain».

♦ En ancien et moyen français, l'adjectif correspond à «puissant», à la fois quant au pouvoir politique, à l'importance sociale (l'état de noble) et à l'ampleur des possessions matérielles. De ce sens large procèdent, aux XIIe et XIIIe s., la valeur figurée de «considérable», avec une nuance admirative et la valeur psychologique de «courageux, intrépide (à la guerre)». Les textes religieux, notamment la parabole du *mauvais riche*, firent prendre au mot la valeur morale dépréciative de «hautain, arrogant, orgueilleux». ◆ Par spécialisation, on est passé dès le XIe s. (1050) au sens demeuré actuel de «qui possède de grands biens», le même développement s'opérant pour l'ancien anglais dès les premiers textes (v. 900). *Riche* est employé seul ou dans *riche de...* avec le sens de «qui possède en abondance (qqch.)» (v. 1207) et, ironiquement, «qui n'a pour tout bien que...» (XVe s.), également «dont la fortune s'élève à...» (1751). Il entre dans des locutions intensives : ***être riche comme Crésus*** (1690), ***être riche à millions*** (1694) et dans des syntagmes comme *riche parti* (1870), *riche mariage* (1870). ◆ Dès le XIIe s., l'adjectif qualifie une collectivité dont la situation financière ou économique est prospère (v. 1160). De ce sens relèvent les emplois du XXe s. ***pays riches*** (en concurrence avec *développés*), *économie riche*, etc. ◆ *Riche en* (1553) *de...* (1580) qualifie figurément une personne possédant en abondance des qualités personnelles ou une qualité à un haut degré. C'est de ce sens, avec un souvenir de la valeur large de l'ancien français («puissant, noble»), que procède l'ancienne locution *riche taille* (XVIe s.) usuelle au XVIIe s. : «taille harmonieuse et élancée». ◇ Par métonymie du sens financier, le mot qualifie une chose d'un grand prix, d'une grande valeur (v. 1112), vieilli comme adjectif mais continué par l'emploi adverbial (1919, *ça fait riche*). ◆ Par extension, *riche* qualifie une terre propre à fournir des récoltes importantes (v. 1131), par métonymie ces récoltes (1694) et, familièrement, une affaire pouvant rapporter gros (1907). ◆ Plus généralement, l'adjectif qualifie toute chose qui renferme beaucoup d'éléments d'une certaine sorte, seul (déb. XIIIe s.) et avec un complément introduit par *en, de* (1690), d'abord concret, puis abstrait (1861). ◆ Avec une valeur figurée proche du sens initial de l'adjectif, il se dit dès l'ancien français (v. 1155) de ce qui présente les caractères (opulence, variété, éclat) attachés aux choses de prix. ◇ Ultérieurement, il est employé en parlant des choses de l'esprit offrant une large possibilité de développements (1580, Montaigne), notamment en parlant de la rime en poésie (dès 1548), ou encore dans *langue*

riche (1690) et dans l'expression familière ***une riche idée*** (XXe s.).
L'adjectif est substantivé dès les premiers textes (1050) en désignant une personne puissante qui possède de grands biens par opposition au *pauvre* (*«a lui en vindrent e li riche e li povre»). Les riches et les pauvres* équivaut à *les gros et les petits,* plus familier. ◇ Le nom est employé dans le syntagme lexicalisé ***nouveau riche*** (1721, Montesquieu), à son tour pris adjectivement (déb. XXe s.) avec une valeur péjorative. Celle-ci se retrouve dans ***gosse de riche,*** familier pour «enfant gâté de famille aisée» (déb. XXe s.).

▶ Le dérivé **RICHESSE** n. f. réfection (v. 1138) de *richoise* (v. 1119) puis *richece* (v. 1130), a les mêmes valeurs sémantiques que *riche.* Il a évincé le type *richeté* (v. 1130) tandis que *pauvreté* supplantait *pauvresse* n. f. ◆ Le mot signifie d'abord «puissance, haut rang», puis désigne l'état d'une personne qui possède des biens importants et, par métonymie, l'abondance de biens en possession d'une personne (v. 1119), sens véritablement assuré au milieu du XIIIe siècle. ◇ Il s'applique aussi à l'état d'un groupe, d'une société dont la situation économique est prospère (1273). ◆ Avec une valeur particularisante, le pluriel *les richesses* (v. 1119) s'applique aux biens matériels considérés comme des objets de possession et à tout ce qui (biens matériels, services) est susceptible de satisfaire un besoin matériel de l'homme, possédant ordinairement une valeur d'échange (1273); dans ce dernier cas, il s'emploie parfois au singulier. ◆ Par métonymie, *richesse* concerne le caractère des objets de grand prix ou qui en possède l'opulence, la somptuosité (v. 1138). Le plus souvent au pluriel, *richesses,* il recouvre ce qui est propre à la satisfaction des besoins et désirs humains (1273) et les choses précieuses, celles auxquelles on attache une valeur particulière (1273). ◆ Il s'emploie aussi en parlant de la faculté de produire en abondance des biens économiques et, concrètement, d'une ressource, d'une activité permettant de produire des biens, une source de revenus (acceptions attestées en 1562 à propos de la fertilité agricole). Cependant, le mot n'a acquis sa valeur économique moderne qu'au XVIIe siècle. *Richesse en...* s'applique à ce qui renferme en quantité appréciable une certaine chose (Académie 1694). ◆ Le développement des sens figurés abstraits remonte au français classique : *richesse* désigne un bien intellectuel, moral, spirituel (1587, surtout au pluriel), le caractère de ce qui est fécond du point de vue intellectuel, affectif ou esthétique (1647, *les richesses de la langue*), ce qui fait la valeur d'une chose (1675). Il concerne aussi la qualité d'une faculté, d'un don qui atteint une grande perfection chez une personne (av. 1742).
L'adverbe **RICHEMENT** (v. 1138) a tous ses sens dès l'ancien français, de «luxueusement», «avec profusion» (v. 1170) à «en fournissant des biens matériels importants» (1273). L'emploi figuré avec une valeur intensive, pour «extrêmement» (1552) est sorti d'usage. ◆ **RICHISSIME** adj., relevé une première fois au XIIIe s., a été repris en 1801 pour qualifier familièrement une personne très riche. ◆ **RICHARD, ARDE** n. (1466), autre dérivé d'usage familier, est employé avec le même sens. Cette forme, avec le suffixe péjoratif *-ard,* est soutenu par l'existence du prénom et patronyme usuel *Richard.*
Le composé **ENRICHIR** v. tr. (v. 1120) exprime le fait de donner de grands biens à qqn et, avec un complément désignant une collectivité, un pays, de procurer la prospérité économique (1323). Il est employé avec un complément second introduit par *de* au sens de «pourvoir (qqch.) de (ce qui constitue un ornement précieux, une richesse)» (v. 1460), surtout au participe passé ***enrichi de.*** Depuis le XVIe s., au figuré, le verbe signifie «ajouter à (un récit) des détails pour le rendre plus vivant» (1549), «rendre (une langue) plus expressive par l'apport de mots nouveaux» (1572) puis «cultiver (l'esprit, une faculté) de manière à accroître ses qualités, ses connaissances» (1680). ◆ La forme pronominale *s'enrichir* «devenir riche» (1352) a supplanté l'emploi intransitif de *enrichir* (v. 1175), qui a disparu. *S'enrichir* se dit aussi au figuré, d'un esprit qui accroît ses qualités (1680), d'une langue qui accroît son expressivité (1690). ◆ *Enrichir* a produit le substantif d'action **ENRICHISSEMENT** n. m. (1530), antérieurement *enrichiment* (1500, une première fois au XIIIe s.) «fait de recevoir un don», sens sorti d'usage. ◆ Le mot concerne le fait de pourvoir d'ornements précieux (1530) et, par métonymie, désigne un ornement précieux dont un objet est pourvu (1542). Au figuré, il correspond à *enrichir,* au sens d'«accroissement du pouvoir expressif (d'une langue)» (1579, Du Bellay) et pour «fait d'orner (un texte littéraire)» (1631). ◆ Le sens matériel pour «accroissement de fortune», tardif (1787), est d'abord qualifié de fautif puis de rare dans les dictionnaires du XIXe s.; il s'est depuis imposé comme le plus courant. ◆ **ENRICHI, IE,** le participe passé, est adjectivé et substantivé, surtout avec la valeur péjorative de «nouvellement riche» (1754, *nouvel enrichi*). ◆ Le participe présent **ENRICHISSANT, ANTE** s'emploie adjectivement (1845) pour qualifier, au figuré, ce qui enrichit l'esprit, la sensibilité, et ne s'emploie pas au sens concret.
RICHOMME n. m. est la francisation (1721), d'après *riche* et *homme,* de *rico hombre,* forme enregistrée par Furetière en 1690 et empruntée à la locution espagnole *rico hombre* (ou *ricombre, ric-hombre*) qui désignait, du XIIe au XIVe s., les membres de la haute noblesse portugaise, castillane, navarraise, aragonaise. Ce terme est formé de *rico* «puissant» (du francique °*rîki* de même sens, ci-dessus) et de *hombre* du latin *homo, hominis* (→ homme). On a écrit aussi *riche-homme* (fin XIXe s.). Le mot, formé sur le même modèle que *prud'homme,* est didactique.

RICIN n. m. est emprunté (1548) au latin *ricinus* «tique» et «plante dont les graines fournissent une huile, également appelée *cici* ou *croton*» (Pline). Ce mot rural, dont seul le premier sens est ancien, est d'origine obscure; les deux sens peuvent correspondre à une homonymie.

♦ Le mot a été repris comme terme de botanique et, d'après l'huile tirée des graines de cette plante, on a fait ***huile de ricin*** (1775), employée comme purgatif. *Ricinus de l'Amérique* (1615) puis *ricin d'Amérique* (1870), désigne une autre plante herbacée (nom botanique : *jatropha*). ◆ Reprenant plus tard l'autre sens du latin, le mot désigne aussi les Acariens du genre ixode (1870).

▶ Les dérivés sont **RICINÉ, ÉE** adj. (1871) en pharmacologie, les termes de chimie **RICINOLÉIQUE** adj. (1875), d'abord *ricinolique* (1855), dont est tiré **RICINOLÉATE** n. m. (1875), **RICININE** n. f. (1875), **RICINISME** n. m. «intoxication par les graines de ricin» (XXe s.).

RICOCHET n. m. est tiré (1604) de l'expression *la fable du ricochet* (XIIIe s.) désignant une ritournelle de questions et de réponses, une chose inlassablement répétée, la variante reprise au XVIe s., *chanson du ricochet* (Rabelais III, 10) désignant un raisonnement sans fin. L'origine du mot *ricochet* est obscure : l'usage l'a rattaché à la famille de *coq** par le diminutif *cochet*, d'où la *fable du rouge cokelet* (dialectal), appuyé par l'existence en italien de *favola dell'uccellino* : «fable de l'oiselet». Le préfixe *re-* se retrouve dans *ripoton* «petit canard» et *recoquet* (en normand) «oiseau dernier né». ◇ Selon P. Guiraud, le rapport de *ricochet* à *coq* n'est que de nature homonymique et favorisé par la présence fréquente du coq dans le type de chanson qui rebondit à chaque strophe sur un événement générateur d'un nouvel épisode (cf. *coq à l'âne*). Selon lui, le *ricochet*, qui désigne un rebond, serait formé d'une racine *rik-* avec un suffixe *-oche* ou le verbe *hocher** «vaciller» : cette base onomatopéique *rikk-* a donné des mots exprimant un petit mouvement, coup, bruit comme *riquet* «hoquet» (Saintonge), *rikoter* «roter» (Vendée), *riqua* «heurter de la tête en parlant des vaches» (Forez, Auvergne), *roquer* de même sens. Il s'agirait d'un composé verbal de *riqu(er)* «donner un petit coup» et *hocher* «vaciller, osciller».

♦ Le mot désigne le rebond d'une pierre plate lancée obliquement sur la surface de l'eau, un corps en mouvement qui frappe un obstacle, notamment dans la locution ***faire ricochet*** (1752) «rebondir sur un obstacle». ***Tir à ricochet*** (1870) se dit d'un tir inventé par Vauban dans lequel le projectile rencontre le sol sous un angle de chute assez faible pour rebondir. ◆ L'emploi figuré du mot pour «effet indirect, conséquence d'un autre», se rencontre depuis le XVIIIe s., d'abord dans *un ricochet de qqch.* (1709) et ***par ricochets*** (1718).

▶ **RICOCHER** v. intr. est attesté dans les *Mémoires de l'Académie des sciences* (1807, second semestre) au sens de «faire ricochet, être envoyé dans une autre direction après avoir frappé un obstacle». De ce sens procède un emploi figuré pour «être répercuté, venir par voie indirecte» (1841) puis «être réfléchi» (reflet, lumière) [XXe s.]. Le langage militaire emploie le mot avec le sens transitif de «faire un tir à ricochet contre» (1904).

RIC-RAC ou **RIC-À-RAC, RIC-ET-RAC** loc. adv., d'abord *ric-à-rac* (v.1450) puis *riqueraque* (1611) avant *ric et rac* (1807), est formé du radical onomatopéique *rik-* évoquant la petitesse (→ riquiqui) et de sa variante *rak-*.

♦ La locution, d'usage familier, a d'abord signifié «complètement». La valeur actuelle (1807) est «avec une exactitude rigoureuse ou parcimonieuse» et «de façon juste et suffisante, sans plus».

RICTUS n. m. est un emprunt (1821, J. de Maistre) au latin *rictus* signifiant «ouverture de la bouche», «bouche ouverte», substantivation de *rictus*, participe passé du verbe déponent *ringi* «grogner en montrant les dents», mot familier conservé dans quelques langues romanes sous la forme *ringere*. Ce verbe pourrait venir d'une racine indoeuropéenne °*reng-* que l'on retrouve dans le vieux slave *ręgnąti* «s'entrouvrir, s'ouvrir, se fendre», «ouvrir la bouche pour parler», le serbe *régnuti* «gronder», *rezăti* «montrer les dents», le vieux slave *rǫgŭ* «moquerie». Cette hypothèse est douteuse. Il s'agit en tout cas d'un mot expressif.

♦ Le mot désigne la contraction spasmodique des muscles peauciers de la face qui découvre les dents en donnant au visage l'air d'un rire crispé. ◇ Par métonymie, passant de l'usage médical à l'usage général, il désigne un rire forcé et grimaçant (1862, Hugo).

RIDEAU → RIDER

RIDELLE n. f., d'abord *reidelle* (XIIIe s.) puis *ridelle* (v. 1268), est emprunté au moyen haut allemand *reidel* «rondin» (allemand *Reitel*), de l'ancien haut allemand *rîdan* «tordre, tourner» (→ rider) qui appartient à une racine indoeuropéenne °*ver-* ou °*wer-* «tourner» (→ vers).

♦ Le mot désigne une balustrade légère, pleine ou à claire-voie, placée de chaque côté d'un véhicule découvert ou bâché pour maintenir la charge. Il s'applique aux branches de chêne employées par les charrons pour la fabrication des diverses parties d'un chariot (1771), comme la variante *rivelle* (1812).

✳ **RIDER** v. tr. est considéré comme emprunté (XIIe s.) à l'ancien haut allemand *rîdan*, anciennement *wrîdan* «tourner, tordre» reposant sur la racine que l'on a dans *vers, vertige*, l'adjectif ancien haut allemand *reid* «crépu, frisé» permettant assez difficilement de rendre compte du développement sémantique. P. Guiraud préfère y voir le représentant d'un gallo-roman °*rigitare* «faire des lignes», dérivé de *riga* «ligne» et «sillon», à côté de °*rica* «sillon» représenté par le français *raie**. Cet étymologiste identifie les deux mots et propose de les faire venir de *rigare* (→ irriguer), d'où «creuser des rigoles». On a aussi proposé °*rugidare* (de *ruga* «ride») pour expliquer le sens de «plisser» et *rigidare* (de *rigidus* → rigide) pour «tendre une voile» ; mais les difficultés phonétiques sont sérieuses dans les deux cas.

♦ Le verbe a signifié : «froncer, plisser (un tissu, une chemise...)», d'abord en emploi actif, puis intransitif (1688) et pronominal, *se rider* (1690) «se plisser, se froisser». Le sens de «sillonner (la peau, surtout celle du visage) de plis» (XIIIe s.) est devenu plus courant, également à la forme pronominale *se rider* (1747) et au participe passé (ci-dessous). ◆ Par extension, le verbe a pris le sens de «froncer en signe de mécontentement» (1549), de nos jours sorti d'usage. Par métaphore, *rider* signifie «marquer de stries ou d'ondulations (la surface de l'eau, d'une chose)» (1553, et au pronominal v. 1560 avec ellipse du pronom personnel réfléchi). ◆ La spécialisation technique, en marine, pour «tendre (une manœuvre dormante)» (1572) s'explique traditionnellement par le fait que l'on tordait le cordage pour le raidir, ou, selon P. Guiraud, comme une résurgence du sens étymologique du mot («ligne»). À ce sens correspond un emploi de *ride* et le dérivé *ridoir* (ci-dessous).

▶ **RIDÉ, ÉE**, le participe passé de *rider*, est adjectivé (v. 1175) au sens de «plissé», sorti d'usage. L'adjectif signifie «marqué de sillons» (v. 1278), quelquefois avec la valeur caractérisante de «vieux, usé». Par extension, le mot qualifie une surface, la peau d'un fruit marquée de stries (1538).

Le déverbal **RIDE** n. f. (XIIIe s.) a eu la valeur active de «ce qui sert à plisser», en l'espèce, «fer à plisser». Ce sens a disparu et le mot désigne, d'après *rider*, un sillon plus ou moins marqué sur la peau (1488), évinçant les anciens doublets *ridure* (1442) et *ridée* n. f. (1530). La valeur sémantique est alors «ce qui est ridé, plissé». *Ride* a pris la valeur figurée de «signe d'usure, de vieillissement» (1524). ◆ Il désigne aussi une strie, un sillon marquant une surface (av. 1525), spécialement, un pli à la surface d'une feuille, les anneaux laissés sur la tige par les écailles protectrices du bourgeon après leur chute (attesté XXe s.); le pluriel *rides* désigne en vénerie des marques sur les traces des sangliers âgés (1561). Au XVIIe s., le mot a développé le sens métaphorique de «petite ondulation à la surface de l'eau» (1690). ◆ À la suite du verbe *rider*, *ride* s'est spécialisé en marine pour désigner le petit cordage servant à faire effort pour tendre les haubans (1634). Par extension, il s'applique aussi à une ondulation de terrain (1865) et à un pli très petit sur une feuille de papier (1875). ◆ On a dérivé de *ride* le diminutif **RIDULE** n. f. (XXe s.), d'usage littéraire, indirectement attesté au XIXe s. par son dérivé *riduler* (1881, chez Huysmans).

L'ancienne valeur de *rider* «froncer» se réalise dans le dérivé **RIDEAU** n. m. (1347) qui désigne une étoffe froncée ou pouvant former des plis. Le mot, complètement détaché de son origine, s'emploie seul et dans des syntagmes (*doubles rideaux*, 1934), ainsi que dans quelques locutions comme ***tirer le rideau, les rideaux sur qqch.*** au figuré «laisser volontairement dans l'ombre» (av. 1616). ◆ Par extension, le mot sert à désigner, dans un théâtre, la toile qui descend pour cacher et découvrir la scène (1538), les parties de décor qui descendent pour former le fond de la scène (1761). Cet emploi, qui a modifié le sens de la locution *tirer le rideau sur...*, est l'occasion de locutions souvent figurées, comme ***lever le rideau, le rideau tombe*** (1690), ***se tenir derrière le rideau*** (1798) et *au rideau!* (1875) puis ***rideau!*** (milieu XXe s.) employé familièrement pour «c'est assez !». Plusieurs syntagmes différencient les types de rideaux de scène tels *rideau à l'italienne, à la française, à l'allemande, à la grecque, à la guillotine, à la romaine.* ◇ ***Rideau de fer,*** d'abord employé au théâtre (1893), désigne aussi la fermeture métallique de la devanture d'un magasin (1900) et est devenu, par métaphore, le nom de la ligne séparant en Europe les pays communistes des pays non communistes (*Le Monde,* 20 octobre 1945), traduisant alors l'expression anglaise *iron curtain* (1920) employée par Churchill dans un discours célèbre en 1946. ◆ *Rideau* ou *rideau de cheminée* désigne le tablier d'une cheminée (1870-1871). ◆ *Rideau de...* se dit aussi de tout ce qui forme écran et masque la vue ou est susceptible de s'opposer à une action : ***rideau de troupes*** désigne une ligne de défense mobile (fin XVIe s.). Par extension, *rideau* s'applique, au concret (1770) et au figuré (av. 1784), à des objets relativement plats qui forment écran, notamment dans *rideau d'arbres* (1755), *rideau de flammes, rideau de fumée* (1964). ◆ Au XIXe s., le mot s'emploie en langage technique à propos d'un talus établi au-dessus d'une route ou d'un canal (1870), de celui qui sépare les deux champs cultivés étagés sur le versant d'une vallée afin de retenir l'érosion (XXe s.); il se dit en sport de la ligne de défense que forment les avants ou les trois-quarts au rugby (1908). ◇ *Rideau* et ***mur-rideau,*** en architecture, désignent une construction rectangulaire longue et peu profonde. ◆ La locution familière ***tomber en rideau*** «en panne», qui vient de l'argot des coureurs automobiles (milieu XXe s.), demeure obscure.

D'autres dérivés de *rider* ont gardé un rapport plus étroit avec le verbe. ◆ **RIDEMENT** n. m. (1520) est peu usité. ◆ **RIDAIN** n. m., d'abord *ridein* (1679) puis *ridain* (1829), est un mot technique désignant certains plis de terrain au fond de la mer. ◆ **RIDAGE** n. m. (1831) sert de substantif d'action à *rider* dans sa spécialisation en marine. Il a été repris avec une autre valeur technique, désignant le défaut apparu dans une peinture appliquée en couche trop épaisse et dû à un séchage non uniforme (1947). ◆ **RIDOIR** n. m. (1859) est le nom technique d'un appareil à poulie, à crémaillère ou à vis qui, sur un navire, permet de tendre (de *rider*) un cordage ou une chaîne.

DÉRIDER v. tr. (1538) «enlever les rides» a bientôt pris sa valeur figurée de «rendre le sourire» (1553) d'où, positivement «égayer» (1829), seule courante en français moderne. La forme pronominale *se dérider* (XVIIe s.) «se rasséréner» est plus fréquente encore. ◆ Le verbe a produit **DÉRIDEMENT** n. m. (1538) et **DÉRIDEUR, EUSE** n. (1860). Toute la série, vivante au figuré, s'est détachée de son origine.

① **RIDICULE** adj. et n. m. est emprunté (v. 1500) au latin *ridiculus,* dérivé de *ridere* (→ rire) et signifiant en bonne part et activement («qui cherche à provoquer le rire») «drôle, plaisant» (substantivé pour «bouffon»), et en mauvaise part et passivement («qui suscite involontairement le rire») «absurde, extravagant», cf. la double valeur de *risible* en français.

♦ Par rapport à *risible,* le mot n'a gardé que la valeur dépréciative de «qui excite le rire, la dérision», perdant celle d'«amusant, suscitant volontairement le rire» (av. 1696, La Bruyère). Par extension, *ridicule* qualifie une personne déraisonnable, absurde (1580, *se rendre ridicule*) et au XIXe s. (1865), surtout en parlant d'une somme d'argent, une chose insignifiante, dérisoire. ◆ *Le ridicule* désigne le caractère risible d'une personne, d'une chose, le côté par lequel elle suscite la moquerie (av. 1654) et *un ridicule*, un travers, une manière d'agir prêtant à rire (v. 1500), surtout précédé d'un déterminant défini ; on parle aussi *des ridicules de qqn* pour ce qui, dans un comportement, est susceptible d'être moqué (av. 1678, La Rochefoucauld). Dans les deux cas, la valeur neutre du mot, sensible dans tel ou tel emploi au XVIIe s., a quasiment disparu. ◇ Les locutions ***tourner en ridicule*** (1657, Pascal) puis ***se donner le ridicule de*** (1747) sont restées usuelles. ◆ L'emploi substantivé pour désigner une personne digne de moquerie (1662, Molière) est sorti d'usage, de même que celui qui exprime l'action, la manière de tourner qqn en dérision (1683).

▶ **RIDICULEMENT** adv. (1552), «d'une manière ridicule, qui prête à rire», a pris au XXe s. la valeur de «à un degré infime» (ridicule tellement il est infime) [1908]. ◆ **RIDICULISER** v. tr. (av. 1648), également à la forme pronominale *se ridiculiser*, avec une valeur réfléchie (1668), a eu du mal à s'imposer au XVIIe s. ; si Ménage le trouve bon, Richelet ne le tolère que dans le style bas et certains le réservent à l'usage familier. Il est devenu courant au XVIIIe s. (1772) et a définitivement supplanté les formations antérieures, *ridiculer* (1565), *ridiculariser* (1666). ◆ **RIDICULITÉ** n. f. (1664) s'est dit en particulier d'une chose ridicule, d'une parole par laquelle on se rend ridicule et, en général, du défaut, du caractère de ce qui est ridicule (1675). Le mot a été critiqué dès le XVIIe s. ; on lui a préféré l'emploi substantivé de *ridicule*. Il est devenu archaïque.

② **RIDICULE** n. m., «petit sac», est l'altération populaire (1798) de *réticule** par attraction et jeu de mots avec ① *ridicule*. Ce mot s'est employé au XIXe et au début du XXe siècle. ◆ Enfin un mot-valise a été formé par Edmond Rostand sur *ridicule* et *cocu* : **RIDICOCULISER** v. tr. «rendre ridicule en faisant cocu».

◈ **RIEN** pron. indéf., n. m. et adv., d'abord *ren* (v. 980), puis *rien* (XIe-XIIe s.), est issu par évolution orale du latin *rem*, accusatif de *res, rei* n. f. Ce mot désigne originellement le bien, la possession, la propriété, sens qu'il conserve dans des expressions juridiques ou fixées par l'usage comme *res publica* (→ république), *habere rem* «avoir du bien». Par suite, il se dit d'un intérêt à débattre, d'une affaire à traiter ou à discuter, spécialement en justice, jusqu'à signifier «affaire» dans le sens moderne du mot français. *Res*, désignant des biens concrets, a pu servir à désigner ce qui existe, la chose, la réalité, ainsi que les actions accomplies, puis les choses, par opposition aux personnes ; par affaiblissement de sens, il a pris le sens vague et général dévolu aujourd'hui en français à *chose*. Il a ainsi pu devenir un substitut poli pour des mots tabous. Joint à un adjectif, il équivaut souvent à un neutre, mais subit la concurrence de *causa* (→ cause, chose), qui était arrivé à une signification identique. ◆ Étymologiquement, le nominatif *res* a été fait sur l'accusatif *rem*, comme *dies* «jour» sur *diem* (→ jour), l'importance particulière de ce cas ressortant de sa conservation dans le français *rien*. Cette forme *rem* répond au védique *rā̆m* (attesté une seule fois) qui a entraîné l'accusatif pluriel *rā́ḥ* et le composé *çatá-rā* «qui ont cent richesses» (au duel). Le mot indo-iranien signifie «richesse» ; le sanskrit *revā́n*, l'avestique *raevā́* signifient «riche». Dans le domaine indoeuropéen occidental, en celtique, le moyen gallois a *rai* (dissyllabique) «biens, richesses». Ce sens est le seul qui se retrouve en indo-iranien mais la valeur plus générale, «affaire», existe déjà en italique (ombrien *ri esune* «affaires religieuses»). Il s'agit de termes archaïques propres à l'italo-celtique et à l'indo-iranien.

♦ Dans quelques cas, *rien* est employé sans *ne* (v. 1131) dans quelques phrases interrogatives ou dubitatives, après *sans, sans que, avant de, avant que, trop... pour*, avec le sens latin de «quelque chose». Cet emploi est en relation avec *une rien* n. f. «une chose» (v. 1050), encore en usage au XVIe siècle. ◆ Mais l'usage majoritaire, dès les premiers textes, utilise *rien* comme auxiliaire négatif de *ne* dans ***rien... ne*** et ***ne... rien*** (v. 980). Aux XVIe et XVIIe s., *ne... rien* sert à former quelques locutions usuelles : *ne... rien que* «ne... que» (1532) s'est éteint après l'époque classique, mais ***ne... rien moins que*** (1534) s'est maintenu, le sens initial de «ne... pas du tout» s'inversant pour le sens actuel d'«exactement, bel et bien» (1683). Cette idée est exprimée de manière plus explicite dans *ne... rien de moins que* (1683). D'anciennes locutions, *pour riens* (1422) et *ne... rien du monde* (1541) se sont modifiées en ***pour rien au monde*** (1690) et ***ne... rien au monde*** (1669), tandis que le langage familier emploie ***ne... rien du tout*** (1559) et ***ne... rien de rien*** (1690) pour la même idée : «absolument rien». Ces renforcements s'emploient aussi comme pronom. Depuis l'ancien français, *ne... rien* s'emploie dans de nombreuses locutions avec quelques verbes : ***il n'en est rien*** «ce n'est pas vrai» (v. 1360) ; ***ce n'est rien*** (1538) «c'est sans importance», ***n'être rien***, en parlant d'une personne, «n'avoir aucune valeur propre» (1541), puis aussi «n'avoir aucune fonction particulière» (déb. XVIIIe s.) et, en parlant d'une chose, «être insignifiant» (av. 1549). Au XVIIe s., on employait *n'être de rien à qqn* au sens de «ne pas l'intéresser» (1675) ; ***n'être rien à qqn*** (1680) se dit encore avec le même sens et la nuance secondaire de «n'être nullement lié à qqn» (par la parenté ou autrement). ***Comme si de rien n'était*** est attesté depuis le XVIIe s. (1658). Depuis le XIIIe s., *ne... rien* se combine avec *avoir* dans ***ne rien avoir*** «être sans fortune», puis selon le contexte, également «n'avoir aucune maladie» et «n'avoir subi aucun dommage». ***N'avoir rien de*** s'emploie suivi d'un adjectif (1674), et longtemps après, suivi d'un nom (1923) avec le sens de «ne pas être particulièrement, pas du tout». ***N'avoir rien contre*** *(qqn, qqch.)* apparaît au XXe siècle. ◆ Plusieurs locutions sont formées avec le verbe *faire* (cf. aussi *fainéant*) : ***ne faire semblant de rien*** (v. 1460) «prétendre ne pas remarquer qqch.» ; ***ne rien faire*** «être paresseux» (1559) et, avec un sujet désignant une chose, «n'avoir aucun effet sur qqn» (1875). L'usage oral emploie ***ça ne fait rien*** (1870) ; au XXe s. ***il n'y a rien à faire*** se dit tantôt pour «c'est impossible», tantôt pour «c'est inévitable» et ***n'en avoir***

rien à faire, à foutre, etc. est l'équivalent désinvolte de «n'être pas intéressé par qqch., qqn»; cet emploi surtout oral fait disparaître le *ne : j'en ai rien à faire, (foutre, branler, cirer...).* ➛ *Ne... rien* s'emploie aussi dans des locutions verbales, comme ***ne servir à rien*** (1553) qui a évincé *ne servir de rien* (déb. XVe s.), ***ne rien dire qui vaille (à qqn)*** [1668], *ne compter à rien* (1642) ou *ne compter rien* (1665) «négliger, ne faire aucun cas de», sortis d'usage. Le mot s'emploie aussi dans ***ne tenir à rien*** (1690), ***parler pour ne rien dire*** (1719), ***ne ressembler à rien*** (1758) et ***ne rien dire à qqn*** «ne pas faire envie à qqn» (1870), puis également «ne lui rappeler aucun souvenir» (XXe s.). La locution impersonnelle ***il n'y a rien à dire*** «c'est correct» semble récente (milieu XXe s.).

Le pronom indéfini *rien* est employé dès le XIIe s. avec ellipse de *ne* et avec une valeur négative pour «aucune chose», d'abord dans la locution ***pour rien*** (*por rien,* v. 1131) «sans aucun résultat», seule locution ancienne encore en usage, et qui a développé d'autres sens : «gratuitement» (fin XVIe s.) et «pour une somme modique» (1690). ➛ À partir du XVIe s., *rien* s'emploie absolument dans des phrases comportant l'ellipse de plusieurs mots et sert à former de nombreuses locutions : ***rien que*** (v. 1550, Ronsard) «seulement», ***de rien*** «sans importance» (1559). L'emploi de *rien de* suivi d'un adjectif ou d'un adverbe (1580) est concurrencé par un emploi sans *de : rien mieux,* etc. (av. 1549) sorti d'usage vers la fin du XVIIe siècle. Quelques locutions vivantes au XVIIe s., comme ***homme de rien*** «homme de basse condition» (1648), et ***devenir à rien*** «perdre toute réalité» (1674, Mme de Sévigné) ou «n'avoir plus qu'une valeur insignifiante» (1687), sont archaïques. Dans un système comparatif, la locution ***comme rien*** a signifié «en aucune façon» (1541); elle a été reprise au XXe s. au sens de «facilement». On dit aussi ***mieux que rien*** (1456-1457) et ***moins que rien, en moins de rien*** (1583). ***Compter pour rien*** «négliger» (1656), et, familièrement, ***rien que ça!*** soulignant ironiquement l'importance de qqch. (fin XVIIe s.) s'emploient encore de nos jours. Parmi les expressions plus récentes, on peut noter ***(c'est) tout ou rien,*** (1833), ***de rien,*** employé par politesse en réponse à un remerciement (1784), ***sortir de rien*** (1935) «être d'une origine humble», reprise de ***venir de rien*** (1694), et aussi ***ce n'est pas rien*** (1928).

L'emploi substantivé de *rien* n. m. (v. 1360), influencé par les nombreux emplois négatifs du pronom, a éliminé au XVIe s. l'ancien nom féminin *une rien* «chose». Cet emploi procède de la valeur négative bien établie du pronom et renvoie à une chose sans importance, minime, à la fois au singulier *(un rien)* et au pluriel (*des riens,* 1667); d'abord seul (v. 1537 *un rien*), puis dans ***un, une rien du tout*** (av. 1695), et les variantes *un rien qui vaille* (1655), *un rien de propre* (sorties d'usage), il se dit d'une personne méprisable, de basse condition. *Un petit rien* désigne une chose insignifiante et *un, une rien du tout* une personne qu'on méprise. La locution ***comme un rien*** vient probablement de *comme rien;* ***en un rien de temps*** (1831) prolonge l'ancienne variante elliptique *en un rien* (fin XVIe s.) de même sens. Le mot offre un raccourci de l'évolution du sens étymologique de «chose» renversé en «néant» (v. 1530), dans le style littéraire ou didactique.

Rien est employé adverbialement dans la locution ***en rien*** (v. 1360) «aucunement», seul de manière antiphrastique dans le langage populaire avec la valeur intensive de «très» (1875) et dans la locution *un rien* «un peu» (1544).

◈ voir RÉBUS, RÉEL, RÉIFIER, RÉPUBLIQUE, REVENDICATION.

RIESLING n. m. est emprunté (1832) à l'allemand *Riesling,* d'abord attesté sous la forme *Russlinge* (1490), *Rissling* (1565), d'origine obscure.

♦ Le mot désigne un cépage blanc cultivé en Alsace, Moselle, dans la région du Rhin et en Autriche. Par métonymie, il désigne le vin blanc très estimé issu de ce cépage (1926, peut-être déjà en 1852).

RIEUR, EUSE → RIRE

RIF n. m., d'abord *riffe* (1598) et *rifle* (1612), repris en *riff* (1821) et *rif* (1867), est la variante de l'argot *ruffe* «érypisèle» (1455 chez les Coquillards), «feu» (1545). Ce dernier est emprunté au fourbesque (argot italien ancien) *rufo* «rouge» qui représente le latin *rufus* «rouge, roux, rougeâtre», mot rare, populaire ou technique, évité par la prose classique, et probablement dialectal. *Rufus,* comme une autre forme dialectale, *robus,* est apparenté à *ruber* «rouge» et au dérivé *rubeus* (→ rouge).

♦ Le mot est un nom argotique du feu; une chanson du XVIIIe s. emploie l'expression *au coin du riffle;* avec la même idée d'immédiateté que dans *avoir le feu aux trousses* (et, négativement *il n'y a pas le feu),* ***de rif*** correspond à «rapidement» (1821). En 1914, le mot s'est appliqué au feu de la zone des combats désignant aussi la zone des combats elle-même *(monter au rif)* et le combat, puis la bagarre (surtout écrit *rif,* 1914). Il est devenu, par métonymie, le nom de l'arme à feu (emplois vieillis).

▸ Le dérivé **RIFFAUDER** v. tr. (1598) a perdu le sens de «se chauffer» pour «incendier, brûler» (1628) d'où «tuer avec une arme à feu» (1844); il est sorti d'usage. ➛ Le type *rifle* a donné **RIFLETTE** n. f. (1915), diminutif désignant la zone des combats puis la guerre. ➛ *Rif* a produit **RIFIFI** n. m. (1942), mot argotique rare pour «bagarre», popularisé par le titre du roman de A. Le Breton *Du rififi chez les hommes* (1953), cet auteur en faisant même une marque déposée.

① **RIFLARD** n. m., d'abord *riflart* (1450), puis *riflard* (1622), est dérivé du verbe *rifler* (v. 1170) «écorcher légèrement», puis «frôler, effleurer» (v. 1213), lui-même d'origine incertaine. Wartburg en fait un emprunt à l'ancien haut allemand *riffilôn* «frotter, déchirer en frottant». Cependant, pour le verbe anglais apparenté *to rifle,* le dictionnaire d'Oxford, sans élucider le français *rifler,* évoque un rapprochement avec *rafler**, *érafler** et l'anglais *rafle* «cohue, foule» (1486), qui serait lui-même repris de l'ancien français *raffle, rafle* dans des expressions comme *rifle ou rafle* «n'importe quoi», *ne rifle ne rafle* «rien du tout», dont la structure d'alternance vocalique est expressive.

♦ *Riflard,* mot technique, désigne d'abord la laine la plus grosse et la plus longue d'une toison, sens qui pourrait correspondre à une métonymie de l'action d'arracher à ce qui doit être arraché, tondu. ◇ En revanche, les autres acceptions se rattachent clairement au verbe : «grand rabot de menuisier pour dégrossir le bois» (1622), «ciseau des maçons servant à ébarber des ouvrages de plâtre» (1835), et «grosse lime pour dégrossir les métaux» (1845).

▸ **RIFLER** v. tr. «limer, égaliser avec un riflard» (1765) est plutôt un dérivé de *riflard* que la continuation de l'ancien verbe, qui avait donné (XVIe s.) **RIFLOIR** n. m., autre nom technique de diverses sortes de limes.

◈ voir RIFLE.

② **RIFLARD** n. m. est l'emploi comme nom commun (1825) de *Riflard,* nom d'un personnage de *La Petite Ville,* comédie de L. B. Picard (1801) qui portait un énorme parapluie (cf. le développement analogue de *pépin*).

♦ Ce nom populaire du parapluie s'applique surtout à un parapluie de grande taille, avec des connotations ironiques (parapluie de paysan, etc.). Puis il désigne tout parapluie. Le mot a vieilli.

RIFLE n. m., d'abord cité comme mot anglais (1831), est un emprunt à l'anglais *rifle,* d'abord (1751) «rainure d'un canon de fusil», de *to rifle* «faire des rainures», lui-même emprunté au XVIIe s. du français *rifler* «racler, égratigner» (→ ① riflard). Comme nom d'arme à feu, *rifle* est un américanisme (1772) dont le sens viendrait des armuriers allemands de la Pennsylvanie et qui serait à rapprocher directement de l'allemand *Riffel* «crête d'une cannelure, cannelure» et «rainure d'un canon». Le mot allemand, s'il repose bien sur la racine indoeuropéenne **ru-* «briser, frotter» (Wahrig), serait apparenté lointainement *à ruer*, ruine*.* Mais cette racine est «médiocrement établie» (Ernout-Meillet).

♦ Le mot, d'abord féminin désigne une carabine à long canon rayé, à l'origine, dans un contexte nord-américain. Il ne s'emploie plus guère que dans l'expression ***22 long rifle*** (1919 à propos d'une carabine), par analogie, *pistolet 22 long rifle,* et par ellipse un *22 long rifle* (1919), calque de la syntaxe anglaise.

RIGIDE adj. est emprunté (1457) au latin *rigidus* «raide, dur, sévère, inflexible» (→ raide), dérivé de *rigere* «être raidi, insensible», souvent employé, comme tous les mots de la même famille, avec l'idée accessoire de froid ; Cicéron oppose *rigere frigore* «être transi de froid» à *uri calore* «brûler de chaud». Ainsi, alors que l'étymologie du mot n'est pas éclaircie, l'usage a rapproché *rigidus* et *frigidus* (→ frigide); pour cette raison, les formes romanes de *frigidus* (italien *freddo,* français *froid*) supposent en partie un *i* ouvert (cf. aussi le doublet populaire *roide, raide*).

♦ L'adjectif se dit, comme en latin, d'une personne inflexible appliquant à la lettre pour soi et pour autrui les règles et lois édictées. Par extension, il qualifie une chose portant à une attitude intransigeante (1542). ➡ Le sens concret, «qui ne plie pas», semble second (1523); il s'est aussi bien implanté que le sens psychologique.

▸ Le mot a produit **RIGIDEMENT** adv. (1573), peu usité en emploi concret, et **RIGIDIFIER** v. tr. (1885). **RIGIDITÉ** n. f. est emprunté (1641) au dérivé latin *rigiditas, -atis* «raideur», «inflexibilité». ◇ Le mot désigne le caractère d'une personne rigide, qui applique à la lettre les règles. Par métonymie, il se dit du caractère d'une chose comportant une contrainte rigoureuse (av. 1703). Le sens concret est d'abord appliqué spécialement à l'anatomie pour «manque de souplesse des muscles» (1761), puis devient général (1782), d'où *rigidité cadavérique* (1857) «état d'un corps solide résistant aux efforts tentant de le déformer» (1870). Le mot est employé en termes de manège à propos du manque de souplesse de la monture ou du cavalier (1870) et, en électricité, à propos de la propriété d'un isolant de s'opposer au passage d'une étincelle électrique.

◈ voir RAIDE, RIGUEUR.

RIGODON n. m. (1673, Mme de Sévigné), également *rigaudon* (1694), est d'origine incertaine. On a évoqué, sur la foi d'une indication vague donnée par J.-J. Rousseau dans son *Dictionnaire de musique,* que le mot viendrait d'un *Rigaud,* l'inventeur présumé de cette danse. P. Guiraud apparente avec vraisemblance le mot à *gaudir* «se réjouir» (→ joie), dont le moyen français présente une forme composée *se régaudir* «se divertir», *se rigaudir* en Poitou. ◈

♦ Le mot désigne une danse des XVIIe et XVIIIe s., vive et gaie, qui se pratiquait en levant haut la jambe sur un rythme à deux temps. Par métonymie, il désigne aussi l'air sur lequel se pratiquait cette danse (1694). Il est passé dans le langage militaire (1907) pour une sonnerie ou un mouvement de fanion signalant, au champ de tir, qu'une balle est placée au centre de la cible. Par métonymie, il désigne cette balle. Le mot, sorti d'usage avec ce qu'il désigne, conserve un pouvoir évocateur, utilisé notamment par Céline.

RIGOLE n. f., d'abord *regol* n. m. (v. 1210) puis *rigolle* (1339) et *rigole* (1482), surtout employé dans l'extrême nord de la France, en ancien et moyen français, est emprunté au moyen néerlandais *regel* «rangée, ligne droite», *richel* «fossé d'écoulement dans l'étable» eux-mêmes empruntés au latin *regula* (→ règle), la variation de la première syllabe du néerlandais expliquant l'hésitation du français entre *re-* et *ri-*. Cependant, P. Guiraud, évoquant l'existence parallèle de *rigola, regola* en provençal (XVe s.), préfère rattacher le mot au latin impérial *riguus* «qui arrose» et «arrosé», dérivé de *rigare* «arroser, répandre pour arroser» (→ irriguer), *rigua* désignant chez Pline des conduits d'arrosage. La forme en *e* pourrait procéder d'un croisement de *riguus* avec *regula* au moins en provençal, où la fermeture du ẹ de la syllabe initiale en *i* est un phénomène bien attesté.

♦ Le mot désigne un canal étroit ménagé pour l'écoulement ou l'arrivée d'eau. Par analogie de forme, il se dit d'une petite tranchée creusée pour recevoir les fondations d'un mur de clôture (1660), d'un sillon peu profond dans lequel on sème des graines, où l'on dispose de jeunes plants (1690). ◇ Par analogie de forme et de fonction, il désigne la rainure tracée dans les pièces d'appui d'une fenêtre pour évacuer l'eau (1932).

▶ Le dérivé ② **RIGOLER** v. tr. (1297) signifiait «bien creuser (un fossé) pour que l'eau puisse couler librement». Il a été repris pour «couper (un pré) par des rigoles» (1801). ➜ Il a produit **RIGOLAGE** n. m. (1842) et **RIGOLEUSE** n. f. «charrue employée pour établir de petits fossés d'irrigation ou d'assèchement dans les prairies» (1904).

① **RIGOLER** v. intr., attesté depuis le XIIIe s. mais nécessairement plus ancien que son dérivé *rigolage* (v. 1175), est d'origine discutée ; on a évoqué un croisement de *rire** et de *régaler**. Plus souvent, on fait provenir ce verbe de la tendance des parlers gallo-romans à former sur *rire** des verbes suffixés qui en modifient un peu le sens tels *rioter* «rire un peu», *riocher, riauder* «rire d'un air niais» ; ou encore *riole* n. f. «partie de plaisir», quand on a senti le besoin de former un substantif. *Rigoler* pourrait être un croisement de °*rioler* avec le synonyme *gale,* ou le verbe *galer* «s'amuser, mener joyeuse vie» (→ galant). P. Guiraud penche pour une formation à partir d'une base *ric-, rig- (rigoler, ricaner*, richoler, richonner)* représentant le dérivé latin *ridicare,* de *ridere* (→ rire) aboutissant à un verbe simple °*riquer,* °*riguer* qui n'aurait pas laissé de traces.

♦ La construction transitive «se moquer de (qqch.)» et le pronominal *se rigoler* «s'amuser» (1306) sont sortis d'usage. La construction intransitive, «s'amuser beaucoup, plaisanter» (fin XIIIe s.) s'est appliquée dans l'usage populaire au fait de se réjouir, boire, manger entre amis (1665) et de faire l'amour. ➜ L'usage moderne de l'intransitif pour «rire, s'amuser beaucoup» (1808) et «ne pas parler sérieusement» (1875), familier, est concurrencé par des synonymes comme *se marrer.*

▶ Le seul dérivé ancien de *rigoler* encore vivant est **RIGOLEUR, EUSE** adj. (XVe s.) qui a perdu le sens de «railleur». Il qualifie la personne qui aime rire et (1580, puis XIXe s.) prendre du bon temps et, par métonymie, ce qui exprime la gaieté, ce qui est d'apparence enjouée. ➜ Il subit la concurrence de **RIGOLARD, ARDE** adj. (1867) «qui aime à rire» et, par métonymie, «qui exprime l'amusement» (déb. XXe s.). ➜ **RIGOLADE** n. f. (1815) a d'abord été synonyme de «fantaisie» avant de s'employer pour «amusement, divertissement» (1844) et, métonymiquement, «chose dite pour faire rire, par dérision» (1877) d'où «chose non sérieuse, sans importance ou sans difficulté» (1875). ➜ ① **RIGOLO, OTE** adj. et n. (juin 1848, *Le Gamin de Paris*) a suivi le même développement que *drôle,* signifiant «amusant» et prenant la nuance d'«étrange, bizarre, curieux» (milieu XXe s.), peut-être par l'intermédiaire de l'emploi substantivé *(un rigolo),* pour désigner une personne amusante (1873), donc que l'on ne peut pas prendre au sérieux (1946).

L'homonyme ② **RIGOLO** n. m., argotique, a désigné (1865) une pince-monseigneur, avant de s'appliquer (1886) à un pistolet, un revolver. Son origine est inconnue, s'il n'est pas un emploi comique de ① *rigolo* — on peut mettre en rapport, pour le second sens, un *drôle de pistolet* et un *rigolo.*
RIGOLBOCHE adj. et n. (1860), dérivé du verbe avec un suffixe qu'il doit peut-être à *bamboche*,* apparaît en 1860 dans le titre *Mémoires de Rigolboche,* du nom d'une danseuse qui l'aurait créé en 1858 au Prado, en lançant à des agents de police qui tentaient de séparer deux femmes qui se battaient : «laissez-les donc, c'est plus rigolboche». Le mot, intensif populaire de *rigolo,* était encore bien vivant au début du XXe s. en rapport formel avec *ribouldingue.*

② **RIGOLER** → RIGOLE

RIGOLLOT n. m., nom d'un cataplasme en papier sinapisé (1875), vient de *Rigollot,* nom de l'inventeur. Le nom est déposé comme marque.

RIGUEUR n. f. est formé par changement de suffixe (v. 1283) sur *rigor* (fin XIIe s.), emprunt au latin *rigor, -oris* «raideur, dureté, rigidité», en particulier «raideur causée par le froid» et, au figuré, «inflexibilité, sévérité». C'est un dérivé de *rigere* «être raide» (→ rigide).

♦ Le mot s'applique à la sévérité, l'inflexibilité, l'austérité et, par métonymie, à la manière stricte d'appliquer les lois (v. 1283). Il s'emploie couramment dans la locution ***tenir rigueur à*** (1559), d'abord *tenir la rigueur à* «garder du ressentiment pour» (1538). ◇ Par extension, il s'applique au caractère d'une obligation stricte, d'une règle que l'on ne peut enfreindre impunément (XIVe s.), sens dont participe l'expression biblique *loi de rigueur* désignant la loi de Moïse (1870), par opposition à la loi nouvelle dite *loi de grâce.* ➜ Par métonymie, le pluriel *des rigueurs* désigne les traits de sévérité, des dispositions répressives (1588), des actes d'austérité (1651). ◇ Les autres nuances psychologiques, «ingratitude, révolte» (XVIe s.) et «cruauté» (XVe s.), sont sorties de l'usage, tandis que l'emploi du mot à propos de l'insensibilité d'une femme à l'égard d'un homme appartient au vocabulaire galant du XVIIe s. (1667, Racine), comme l'emploi métonymique du pluriel : *les rigueurs* d'une femme. ➜ Le sens de «caractère de ce qui est dur à supporter» (déb. XVe s.) réactive une valeur étymologique du mot lorsqu'il s'applique au caractère âpre du froid (1580, *la rigueur de l'hiver*). Le mot désigne aussi l'exactitude inflexible d'une chose, d'un principe, d'une règle, etc. (1549), spécialement dans *juges de rigueur* (1694) «qui doivent se prononcer selon la rigueur de la loi». ➜ Ce sens a dû faciliter le passage de l'ordre moral à l'ordre intellectuel et au sens de «caractère d'une recherche méthodique et précise ne laissant pas de place au doute et à l'équivoque» (1580) spécialement dans le domaine des arts et de l'expression. ➜ L'ancienne locution *a rigueur* (1458) «de manière exacte, stricte», est devenue ***à la rigueur*** (1501), par extension «en allant jusqu'à la limite de ce qui est acceptable» (av. 1869) et «en cas de nécessité absolue» (1875), seuls emplois en usage en français contemporain. ***De rigueur*** loc. adj. (1690) a conservé sa valeur initiale «imposé par l'usage, le règlement», spécialement dans ***être de rigueur*** «être indispensable» (1798) et ***délai de rigueur*** (1877). ***En toute rigueur*** loc. adv. (1671) a relayé *à la rigueur* pour «de manière rigoureuse et stricte». ◇ L'une des connotations essentielles du mot, dans la seconde moitié du XXe s., concerne une gestion, une politique financière stricte où les dépenses sont limitées et contrôlées.

▶ **RIGOUREUX, EUSE** adj., réfection (XVe s.) de *rigoreux* (1385, mais antérieur comme l'indique son dérivé *rigoureusement*) est emprunté au latin tardif *rigorosus* «très froid», «sévère, inflexible», dérivé de *rigor*. ➛ Le mot n'a pas les mêmes emplois que *rigueur*; le sens moral fort de «sévère, inflexible», aujourd'hui marqué, a décliné au profit de ceux de «pénible, difficile à supporter» (fin XIVe s.), spécialement en parlant du froid (1640), «exact, d'une perfection incontestable» (v. 1530) et, dans le domaine intellectuel, «qui procède avec une grande précision». ➛ Le dérivé **RIGOUREUSEMENT** adv. apparaît (v. 1220) au sens physique de «avec une grande vigueur» qui suppose pour l'adjectif une valeur correspondante, et a rapidement disparu. ➛ Le sens moral fort, «avec beaucoup de sévérité» (XIVe s.), est devenu archaïque. De nos jours, le mot signifie surtout «avec une exactitude scrupuleuse» (1559) et «d'une manière incontestable, absolument» (1798), par exemple dans *rigoureusement exact, vrai*.
Le sens moral fort de *rigueur* survit dans **RIGORISTE** adj. et n. (1683), dérivé savant du latin *rigor* pour qualifier et désigner la personne qui fait preuve d'un attachement farouche au respect des règles morales ou religieuses les plus austères. ➛ Il a produit **RIGORISME** n. m. (1696), quelquefois employé par extension dans un domaine non religieux et non éthique au sens d'«aspect sévère» (1837).

RILLETTES n. f. pl. est originaire de l'ouest de la France (Touraine) et est dérivé (1835, Balzac) du moyen français *rille* «bande de lard» (1480, Du Cange), variante de l'ancien français *reille* «barre» (fin XIe s.) et «latte» (XIIIe s.). *Reille* est issu par évolution phonétique du latin *regula* «règle, barre, latte» qui a donné *règle** par emprunt. Le moyen français avait *rillé*, employé par Rabelais (1546) au même sens que *rillettes*.

♦ D'abord exclusivement réservé aux préparations de porc, *rillettes* a depuis les années 1960-1970 d'autres emplois *(rillettes d'oie, de canard, de thon...)*.

▶ Du même *rille* sont dérivés les mots régionaux **RILLONS** n. m. pl., d'abord *rillon* au singulier (1611) puis *rillons* (1835, Balzac) «résidus de viande de porc que l'on fait cuire pour en obtenir la graisse et petits morceaux de porc cuits dans la graisse et servis froids», et **RILLOT** n. m. (1921) «petit morceau de viande de porc».

RIME n. f. (v. 1160) est d'origine discutée. L'étymologie traditionnelle le fait remonter au latin *rhythmus* (→ rythme), également *rythmus, rithmus*, emprunt au grec, employé en latin médiéval pour désigner le vers simplement accentué par opposition au vers métrique *(metrum)* fondé sur la quantité. L'identité de consonance entre les terminaisons accentuées étant un trait fréquent du vers cadencé, *rhythmus* aurait désigné cette consonance. Cette étymologie n'est pas très satisfaisante sémantiquement, car le vers accentué n'a été défini par la rime que postérieurement, et elle se heurte à l'inexistence de formes telles que °*ritme* ou °*ridme* en ancien français : les graphies avec *h* ont été introduites d'après l'étymon par les lettrés du XVIe siècle. De même, l'anglais *rime*, emprunté au français (v. 1200), a été la seule forme jusqu'au milieu du XVIe s., lorsque le retour aux formes classiques a conduit à la nouvelle graphie *rithme, rythme, rhythm*, vivante jusqu'à la fin du XVIIe siècle. Le besoin de distinguer *rime* de *rythme* a conduit à la graphie intermédiaire *rhyme* (1610, une première fois *rhime* en 1565). ➛ Une seconde étymologie, défendue par Wartburg, fait de *rime* un emprunt au francique °*rîm* «série, nombre», dont l'existence est postulée par l'ancien haut allemand *rîm* ; ce mot peut avoir désigné une suite, une série de vers semblables et, de là, l'identité phonétique de plusieurs vers formant une suite ; ceci reste très hypothétique. Le genre masculin du mot germanique serait conservé dans l'ancien provençal *rim* et dans l'allemand *Reim*, emprunté au gallo-roman ; le féminin du mot français s'explique si l'on en fait le déverbal de *rimer*, lui-même dérivé du substantif en gallo-roman ou représentant d'un verbe francique °*rîman*, tiré de °*rîm*. En anglais, le retour à cette étymologie explique la nouvelle faveur de la graphie *rime* (par rapport aux formes avec *th*), depuis 1870 environ, chez les philologues et les écrivains. ➛ Une troisième hypothèse est défendue par P. Guiraud pour qui «l'origine allemande d'un terme rhétorique est très improbable, à plus forte raison d'un mot commun à l'ensemble des langues romanes». De fait, le mot français est passé dans les langues romanes, dans la forme féminine du provençal à côté du masculin *rim*, dans le catalan, l'espagnol, le portugais et l'italien *rima*, et s'est répandu dans les langues germaniques, où il apparaît sous une forme généralement monosyllabique, peut-être en partie par assimilation avec le mot germanique *rîm* : moyen néerlandais *rime* n. f., néerlandais *rijm*, ancien norrois et islandais *rîm* n. m., norvégien, suédois et danois *rim*, etc. P. Guiraud voit donc dans *rime* le dérivé du latin *rimare* «rechercher, examiner avec soin» (ce qui évoque le sémantisme de «trouver» dans *trouvère, troubadour*), et en latin médiéval «raconter» et «rimer» (XIIIe s.). Ce verbe est le doublet tardif du latin classique *rimari* «fendre, ouvrir», employé dans la langue augurale pour «fendre les entrailles pour les fouiller et les interpréter» d'où, au figuré «scruter, sonder, interpréter», dénominatif de *rima* «fente, crevasse», mot d'origine obscure passé dans le mot savoyard *rimaye*. ➛ Historiquement, il faut rappeler que la rime n'était pas en usage dans la poésie latine classique, sinon comme effet stylistique occasionnel. Elle est apparue comme marque de fin de vers dans la poésie latine chrétienne, en particulier chez saint Augustin (IVe s.). L'explication la plus courante est celle qui rapproche la rime chrétienne de textes sémitiques et de poèmes hébraïques rimés; c'est par ceux-ci que les chrétiens d'Afrique en auraient appris l'usage qu'ils auraient introduit en latin, où la tradition rhétorique lui ouvrait un large champ de développement.

♦ Le mot désigne l'identité de consonance entre les terminaisons accentuées de deux ou plusieurs vers, seul et dans des syntagmes qualifiés ou déterminés (comme *rime léonine* XIIe s.) précisant techniquement la nature de la rime. Le sens métonymique de «vers» (v. 1165) a décliné après le XVIIe siècle. ◇ La locution familière ***n'avoir ni rime ni raison*** (fin XVIIe s.) d'abord *il n'y a ni rime ni raison en...* (milieu XIVe s.) a un correspondant dans l'anglais *without rime or reason* (v. 1460 *as for ryme or reson*). Elle serait selon Bloch et Wartburg issue du latin médiéval : on opposait dans la versification latine le *metrum* fondé sur la quantité et le *rythmus* fondé sur l'accent; une œuvre qui n'était pas conforme à l'un de ces deux modèles était jugée mauvaise; le sens se serait ensuite étendu à l'usage commun en parlant d'une chose absurde, incohérente. L'hypothèse d'une opposition de la forme poétique (la rime) et du contenu conceptuel ou narratif (la raison, latin *ratio*), semble la plus fondée.

▶ **RIMER** v., dérivé (v. 1119) de *rime,* équivaut à «faire des vers», et, en construction transitive, à «mettre en vers» (v. 1165). Le sens transitif de «faire rimer» (v. 1550) n'a pas eu de succès après le XVIIe siècle. Le verbe est surtout employé intransitivement en parlant de mots qui se terminent par le même son ou les mêmes sons (v. 1530) et dans la locution *rimer aux yeux* (1690), devenue ***rimer pour les yeux, pour l'œil*** (1904), qui se dit de mots se terminant par les mêmes lettres mais correspondant à des sons différents. ◇ L'expression *rimer en Dieu* «blasphémer» (1651), allusion aux nombreux jurons formés avec le nom de Dieu souvent déformé *(-bleu, -guieu),* a disparu. ◇ La locution ***ne rimer à rien,*** usuelle dans le langage familier (1779), exprime la même idée d'«incohérence» que ***ni rime ni raison.***

Les dérivés de *rimer* procèdent tous du sens de «mettre en vers». ◆ **RIMEUR, EUSE** n., réfection suffixale (fin XIIIe s.) de *rimere* (fin XIIe s.) puis *rimeor* (déb. XIIIe s.), a perdu son sens neutre de «personne qui compose des vers, poète» pour désigner péjorativement celle qui fait des vers sans inspiration (v. 1550), qualifiant plus rarement ceux qui s'intéressent surtout à la forme et aux rimes (1678), la valeur générale et neutre étant réservée à *poète.* ◆ **RIMAILLER** v., d'abord *rithmailler* (av. 1553, Rabelais) puis *rimailler* (1648), signifie «faire des vers médiocres» et, par extension «faire des vers en amateur» (XXe s.). ◆ **RIMAILLE** n. f., substantif verbal de *rimailler* d'abord écrit *rithmaille* (1518) avant de prendre sa forme actuelle (1611), est péjoratif pour «écrit en vers»; il est sorti d'usage. ◆ En revanche, **RIMAILLEUR, EUSE** n., d'abord *rithmailler* (1518), s'emploie encore dans l'usage littéraire.

RIMMEL n. m. est l'emploi comme nom commun (1929, chez Claudel) du nom de marque déposé *Rimmel.*

♦ Le mot désigne un fard pour les cils.

▶ Aragon emploie dès 1936 *(Les Beaux Quartiers)* le dérivé **RIMMELLISÉ, ÉE** adj. «fardé avec du rimmel».

RINCEAU n. m. est une altération graphique (1676), d'après *rincer,* de *rainsel* (v. 1200), *rainseau* (v. 1350) puis *rinsseau* (1533), mot issu d'un latin populaire °*ramuscellus,* variante du bas latin *ramusculus* «petit rameau», diminutif du latin classique *ramus* «rameau, branche» (→ à rameau).

♦ Le mot s'est éloigné du sens d'emprunt de «petit rameau», vivant jusqu'au XIVe s., et dont partait le sens collectif de «fagot de ramilles» (1472 en picard). Il s'est spécialisé par métonymie pour désigner un ornement en forme de branchage (1360), puis un ornement sculpté ou peint composé de branches, de feuilles, de fruits en enroulement, servant principalement à la décoration des frises et des pilastres (1553). Parfois écrit encore *rainceau* au XVIIe s., il a été repris en blason pour désigner une branche coupée avec son feuillage (1690).

RINCER v. tr., d'abord *raincer* (v. 1206), *rinser* (XIVe s.), puis *rincer* (XVe s.), est issu par dissimilation de l'ancien verbe *recincier* «nettoyer un objet en le frottant et en le mouillant» (v. 1167), au figuré «purifier» et «renouveler, rafraîchir». Ce mot remonte à un latin populaire °*recentiare* «rafraîchir», «laver», du bas latin *recentare,* dérivé du latin classique *recens, -entis* «frais, jeune, nouveau» (→ récent).

♦ Le sens de «nettoyer (un objet) en le mouillant et en le frottant» n'est plus réalisé de nos jours qu'en parlant de récipients. *Rincer* a perdu le sens de «nettoyer», encore réalisé au pronominal dans *se rincer la bouche* (1673). Il exprime l'idée de «passer dans une eau nouvelle (ce qui est lavé) afin de faire disparaître toute trace de produit de lavage» (1530 *rainser*). ◆ De bonne heure, il a développé des sens figurés argotiques et familiers à partir de l'idée de «frotter» ou de celle de «laver, faire écouler». Le sens de «battre, rosser» (1391, *rainser;* 1750, *rincer*) et, argotiquement, «tuer» a disparu, mais le verbe s'emploie encore pour «voler, ruiner» (1821 au jeu) et, autrefois, «dévaliser, cambrioler». ◇ La locution ***rincer le gosier*** (XVe s.), puis ***se rincer le gosier, le corridor*** (1865), ***la dalle*** (1866) signifie dans l'usage populaire «boire (du vin, de l'alcool)». ◆ Au passif et dans la construction ***se faire rincer,*** le mot signifie familièrement «être mouillé par la pluie» (1740). ◆ ***Se rincer l'œil*** (1883) signifie «regarder avec plaisir un spectacle affriolant, licencieux».

▶ **RINÇURE** n. f. est d'abord attesté au pluriel *rainsseures* (1393), puis au singulier *rinçure,* dans la locution familière ***rinçure de pot*** (1690), puis ***rinçure de tonneau*** (1887, Zola), désignant familièrement un vin additionné de beaucoup d'eau. *Rinçure* désigne également l'eau qui a servi à rincer (1680; 1660 au pluriel, *rinseures*). ◆ **RINCEUR, EUSE** n. (déb. XVIe s.), d'abord attesté dans la locution plaisante *rinceur de godets et de pots,* «grand buveur», désigne la personne chargée de rincer (1611). ◇ Ultérieurement, le féminin *rinceuse* désigne une machine à rincer les bouteilles (1904). ➜ **RINÇAGE** n. m. est relevé une première fois dans l'ancienne locution juridique *droit de rinçage* (15 août 1715) «droit que l'on paie afin de charger les marchandises d'un bateau sur un autre»; *rinçage* y correspond figurément à «nettoyage». Le sens actuel (1845) s'applique spécialement en coiffure dans *faire un rinçage* (v. 1950) ➜ L'ancien nom d'action **RINCEMENT** n. m., autrefois *reinsement* (XVIe s.), est sorti d'usage. ➜ **RINÇOIR** n. m. (1800) a désigné, en papeterie, un récipient dans lequel on rince avant d'être appliqué à la cuve réservée au rinçage du linge ou de la vaisselle (1870). ➜ **RINCÉE** n. f. (1791) est un mot populaire correspondant aux sens figurés du verbe et s'appliquant à une volée de coups, à une averse (1832). ➜ **RINCETTE** n. f. est un mot familier désignant une quantité de vin versée à nouveau dans le verre (et dont on prétend plaisamment qu'il le rince) [1855] et une petite quantité d'eau-de-vie que l'on verse dans son verre ou dans une tasse à café après les avoir vidés (1861). ➜ L'élément verbal *rince-* fournit des noms d'instruments tels **RINCE-BOUCHE** n. m. (1842), qui désigne aussi, par métonymie, l'opération elle-même (1904), **RINCE-BOUTEILLES** n. m. inv. (1894) et **RINCE-DOIGTS** n. m. (1907), ce dernier étant le plus usuel.

RING n. m. est emprunté (1829) à l'anglais *ring*, du vieil anglais *hring*, correspondant à l'ancien frison *hring*, (frison *ring*), au moyen néerlandais *rinc*, *ringh* (néerlandais *ring*), à l'ancien saxon *hring*, à l'ancien haut allemand *hring* (allemand *Ring*), à l'ancien norrois *hringr* (islandais *hringur*, norvégien, suédois, danois *ring*) (→ rang). Toutes ces formes germaniques appartiennent à une racine indoeuropéenne qui apparaît aussi dans l'ombrien *krenkatrum* «ceinture» et, avec altération, dans le vieux slave *kragŭ* «cercle». Le mot anglais désigne d'abord un anneau, un rond, un cercle (v. 950); au XIVe s., il désigne par métonymie une enceinte où se déroule une activité sportive, une compétition, une représentation dramatique (1330); il s'est spécialisé dans le domaine du turf (1607) et de la lutte (1659), désignant également l'emplacement où se tiennent les parieurs (1859).

♦ D'abord cité en français (1829) comme un mot anglais pour désigner un cercle, un attroupement spontané autour d'une querelle de passants, *ring* a désigné, en termes de turf, l'enceinte où se tenaient les parieurs à la cote (1850) et, par métonymie, l'ensemble de ces parieurs. Il s'est également dit de l'arène d'un cirque (1879), de l'enceinte réservée à la pratique d'un sport, d'épreuves (1886). ➜ La spécialisation pour désigner l'estrade (carrée, non pas ronde) où se déroulent les combats de boxe, de lutte (1911) est le seul sens vivant. Le mot a désigné, comme l'anglais *ring* (1770), la boxe elle-même, d'abord par citation de l'anglais (1861), puis en contexte français (1908), mais cet emploi n'a pas vécu. ➜ Par emprunt à l'allemand, on parle parfois en français du *Ring* de Vienne, «boulevards circulaires autour de la ville».

① **RINGARD** n. m. est emprunté (1731), avec substitution du suffixe *-ard* à la finale *-èle*, au wallon oriental *ringuèle* «levier». Ce dernier est emprunté à l'allemand dialectal *Rengel* «bûche, rondin» qui correspond au verbe *rangeln* «écarter les scories dans un fourneau de forge avec un crochet de fer», ce qui est précisément une des opérations que permet de faire l'instrument appelé *ringard*.

♦ Le mot désigne une barre de fer dont on se sert pour manier de grosses pièces à forger, attiser le feu (1803), retirer les scories. Dans les dialectes, c'est le nom de divers instruments.

▸ *Ringard* a produit **RINGARDER** v. tr. (1873) «remuer le combustible, retirer les scories du feu avec un ringard», et celui-ci **RINGARDAGE** n. m. (v. 1950). ➜ **RINGAGE** n. m., dérivé irrégulier (1877), «mâchefer, scories obstruant la grille d'un foyer», est sorti d'usage.

② **RINGARD, ARDE** adj. et n., attesté dans les années 1960 mais antérieur dans l'argot des théâtres, est d'origine obscure; un développement de sens spécialisé du mot technique ① *ringard** est difficile à concevoir; on évoque en dernier recours un nom propre, sans preuve. La terminaison en *-ard* est interprétée comme péjorative (cf. *connard*).

♦ Le mot désigne d'abord un acteur, un chanteur à demi oublié qui cherche de petits rôles; il est devenu usuel pour désigner par extension, un incapable (v. 1970), et comme adjectif pour qualifier une personne médiocre, démodée, incapable (1974), et une chose ridiculement vieillotte, de mauvaise qualité (1974).

▸ Le dérivé **RINGARDISE** n. f. (1974) désigne familièrement le caractère démodé un peu ridicule de qqn ou de qqch. et, par métonymie, ce qui possède ce caractère.

RIPAILLE n. f. est dérivé (1579) de l'ancien verbe *riper** «gratter», conservé dans plusieurs spécialisations techniques.

♦ Le mot est d'abord employé dans la locution *faire la ripaille chez qqn*, appliquée aux soldats qui vont manger et s'approvisionner chez les paysans et les bourgeois, peut-être d'après l'idée de «racler les plats» ou selon un développement analogue à celui de *rapace** et de *rapiat** (cf. aussi *gratte*). ➜ Par extension, ***faire ripaille*** signifie «faire grande chère» (1585); l'emploi indépendant de *ripaille* au sens de «débauche de table» (1611) s'est moins répandu.

▸ Le dérivé **RIPAILLER** v. intr. (1821) «faire bombance» et **RIPAILLEUR, EUSE** adj. et n. (1803), dont le sens prolonge l'ancien *ripailleux* (fin XVIe s.), sont moins fréquents que *ripaille*, mais encore en usage.

RIPER v. tr. est emprunté (1328) au moyen néerlandais *rippen* «tirailler avec force», mot qui se rattache à une racine germanique représentée dans le bas allemand *rippen*, variante de *reppen*, d'où le vieux danois *rippe*, le moyen suédois et norvégien *rippa*, l'anglais *to rip* «fendre, déchirer, arracher» et le flamand *rippen*.

♦ Le verbe, d'abord employé au sens de «gratter, étriller» au propre et au figuré, une première fois au XIVe s., puis au XVIIe s. (1623), s'est spécialisé en technique au XVIIe siècle. Sous l'influence de son déverbal *ripe*, il signifie «gratter, polir (la pierre) avec l'outil nommé *ripe*» (ci-dessous) [1690]. Il correspond aussi à «faire glisser (un fardeau) sur ses supports» (1752, *Encyclopédie*), notamment en chemins de fer (déb. XXe s.). ➝ Le verbe a diversifié ses constructions, s'employant intransitivement en parlant d'une cargaison mal arrimée qui se déplace par glissement (1752) et de cordages, de pièces de bois qui glissent les uns contre les autres par suite d'un effort qui s'exerce sur eux (1904). Il est passé dans l'usage courant pour «déraper, glisser par frottement», prenant au figuré le sens de «passer» et développant celui de «s'en aller» (1916, Barbusse) dans le langage familier, également à la forme pronominale *se riper*.

▸ La dérivation consiste en quelques termes techniques. Le déverbal **RIPE** n. f. (1676) désigne surtout l'outil du tailleur de pierre ou du sculpteur, en forme de S, servant à racler et à polir une pierre ; il entre (1905) dans la locution populaire *faire la ripe* «vagabonder» avec une valeur dynamique. ➝ **RIPAGE** n. m. (1846) se dit à la fois de l'action de racler une pierre avec la ripe et du déplacement des cargaisons, des cordages par glissement (XXe s.) ; plus couramment, il désigne le dérapage des roues d'un véhicule (1904). ➝ **RIPEMENT** n. m. (1851) est quelquefois employé avec les mêmes sens. ➝ **RIPEUR** n. m. (XXe s.) désigne l'ouvrier qui décharge les marchandises d'un wagon, d'un camion et **RIPABLE** adj. (1975) qualifie un engin pouvant être déplacé par glissement.

◈ voir RIPAILLE, RUPIN.

RIPOLIN n. m. est emprunté (1907) au néerlandais *Ripolin*, mot désignant un procédé utilisé dès 1886 en Hollande et créé par l'inventeur du produit, *Riep*. Ce dernier l'a fait sur son propre nom, avec *ol* pour *olie* «huile», du latin *oleum* (→ huile), et le suffixe scientifique *-in*.

♦ C'est le nom d'une marque déposée de peinture émail brillante.

▸ De *ripolin* vient **RIPOLINER** v. tr. (1907) «peindre au ripolin», fréquent au participe passé adjectivé **RIPOLINÉ, ÉE**.

◈ **RIPOPÉE** n. f., d'abord *ripopé* n. m. (v. 1450) puis *ripopée* n. f. (1770, Rousseau), est probablement formé de *ri-*, première syllabe de *ripaille**, lequel, attesté au XVIe s., devait exister antérieurement, et de *pop*, variante du radical expressif *pap-* qui évoque le bruit des lèvres (→ papa, papoter). La voyelle arrondie *o* pourrait être la figuration mimétique de l'ouverture des lèvres de celui qui sirote le liquide. P. Guiraud voit plutôt dans *ripopée* un dérivé préfixé du moyen français *pouper* «têter, sucer», avec *ri-*, variante dialectale de *re-** pris dans sa valeur itérative : la ripopée serait proprement une resucée ; mais le *o* ouvert et le caractère purement méridional de *pouper* «sucer» (→ poupard, poupée) affaiblissent l'hypothèse.

♦ Le mot a existé en moyen français comme adjectif dans le syntagme *vin ripopé* désignant un mélange de vins, sans doute fait par les cabaretiers avec les fonds de bouteilles. Il a été substantivé au masculin *ripopé* (encore au XVIIIe s.), puis au féminin *ripopée* (v. 1770) pour désigner un mélange de sauces. ➝ Son emploi figuré pour un ouvrage composé d'idées disparates, incohérentes (1718, comme n. m., 1798 comme n. f.), et pour un mélange de choses disparates, a été en usage au XIXe s., puis a lui aussi disparu.

RIPOSTE n. f., altération (1578) par dissimilation de *risposte* (v. 1527), est emprunté à l'italien *risposta* «réponse», également terme d'escrime (1553), participe passé féminin substantivé de *rispondere*, lequel représente le latin *respondere* (→ répondre).

♦ Le mot désigne une réponse vive et rapide à un interlocuteur agressif. Il a été réemprunté en escrime pour désigner une attaque qui suit immédiatement la parade (1640) et en équitation pour l'action du cheval qui rue sous l'éperon (1678). Il a développé un emploi spécialisé dans un contexte militaire, et des emplois figurés très généraux.

▸ Son dérivé **RIPOSTER** v. (1645) apparaît en escrime ; il s'est employé transitivement aux sens de «rendre la pareille» et de «répondre sur le champ avec vivacité» (1694). De nos jours, il se construit avec la préposition *à*, au sens de «rendre immédiatement à un adversaire la contrepartie de ce que l'on a subi» (av. 1660), et en emploi absolu (av. 1660), désignant la riposte à une riposte. ➝ **CONTRE-RIPOSTE** n. f. (1838) est un terme d'escrime.

RIPOU → POURRIR

RIQUIQUI ou **RIKIKI** n. m. et adj. inv. est dérivé (1789) du radical expressif *rik-* qui évoque la petitesse (d'un mouvement, d'un coup, d'un objet) et, au figuré, l'exactitude, le caractère strict, puis l'avarice, l'étroitesse d'esprit, et que l'on a, selon P. Guiraud, dans *ricochet**, dans le normand *riquet* «petit, mesquin», le provençal *riqueto* «petit repas», etc. *Riquiqui*, avec redoublement pseudo-enfantin à valeur intensive et affective, désigne probablement dans son premier sens ce que l'on appelle un «petit» verre.

♦ Ancien nom populaire pour une liqueur alcoolique, *riquiqui* s'emploie aussi familièrement pour qualifier une personne ou une chose minuscule ou d'aspect mesquin, quelquefois avec une valeur accessoire de «vieillot» (1867). Ce sens a été préparé par le vaudeville de Frédéric et Roset, *M. Rikiki ou Le Voyage à Sceaux* (1806), où M. Rikiki est un personnage prétentieux, ridicule et niais. Il désigne aussi, dans le langage enfantin, le petit doigt. Les connotations actuelles sont l'extrême petitesse et parfois la mesquinerie.

◈ voir RIC-RAC.

① **RIRE** v. est issu (1080) d'un latin populaire °*ridĕre* (*e* bref), altération phonétique du latin classique *ridēre* (*e* long) d'emploi absolu et transitif, signifiant «rire», ensuite «sourire», «avoir un esprit ◈

plaisant» et quelquefois appliqué aux choses dans le langage poétique (comme le grec *gelan* et *meidian*). Le verbe, très ancien et panroman, a une origine non éclaircie ; Ernout et Meillet évoquent un rapprochement possible avec la racine sanskrite *krīḍ-*.

♦ *Rire* s'emploie dès les premiers textes avec son sens courant actuel, seul ou dans des locutions précisant la manière de marquer ce sentiment de gaieté manifeste et son intensité, comme ***rire du bout des dents*** (av. 1613, v. 1450 sous une autre forme, ***rire jaune*** (1640 *jaune comme farine*), ***sous cape*** (1643 ; v. 1350 *dessous son chaperon*), ***dans sa barbe*** (1694) «secrètement», ***du bout des lèvres*** (1798), ***aux éclats*** (1779), ***mourir, crever de rire*** (1690), d'où ***c'est à mourir de rire*** (1878) produisant récemment *(être)* ***mort de rire, hurler de rire*** et dans des proverbes, ***rira bien qui rira le dernier*** (1690). *Rire à l'envers* «pleurer» (1751, «faire la grimace») a disparu ; *rire à la caisse* (1875) s'est employé en termes de bourse pour le fait de percevoir chez un agent de change le produit d'une heureuse spéculation et, au théâtre, de recevoir une gratification, une indemnité (1875). ➛ Des extensions mettent l'accent sur un effet possible : le fait de rire pouvant exprimer la moquerie, ***rire de*** (qqn, qqch.) équivaut à «se moquer de» (1080), sens qu'on retrouve dans ***rire au nez de qqn*** (1609). ***Prêter à rire*** (1834), transformation de *apprêter à rire* (1668, Molière) correspond à «être risible, ridicule». ➛ La forme pronominale *se rire* (1080) «tourner (qqn, qqch.) en ridicule», puis surtout «dédaigner, se moquer de» a vieilli. ◇ L'idée très différente de «faire un accueil flatteur, bienveillant à», dans *rire à qqn* (v. 1155), est sortie d'usage, à la différence de l'emploi avec un sujet désignant une chose, au sens d'«être favorable à» (1559). Le sens figuré d'«offrir un aspect gracieux, plaisant», qui repose sur une comparaison implicite avec l'aspect d'un visage plaisant et gai, «riant» (v. 1278), appartient, comme le sens équivalent du verbe latin, au style littéraire. ➛ Le fait de rire étant ordinairement signe d'agrément, de plaisir, *rire* est synonyme de «se divertir», à la forme pronominale *se rire* (v. 1175), sortie d'usage, puis à l'intransitif, par exemple dans ***il n'y a pas de quoi rire*** (1415). ➛ Un sens figuré, «scintiller vivement, joyeusement» a été introduit par les poètes de la Pléiade (v. 1550, Ronsard) ; il procède du même type de développement que celui que réalisait, en sens inverse, le latin *renidere* «briller, resplendir» d'où «briller de joie» et spécialement «sourire, rire». ➛ *Rire* s'applique aussi au fait de prendre une expression de gaieté, pour une partie du visage (déb. XVIIe s., Malherbe), après un emploi métaphorique au XIIIe s. (v. 1278). ➛ Par l'opposition entre le rire et le sérieux, il est devenu synonyme de «ne pas agir, ne pas parler sérieusement» (1464), surtout dans des expressions comme ***pour rire*** (1538, également locution adjective 1690), et dans l'usage enfantin ***pour de rire*** (opposé à *pour de vrai*), ou encore ***vous voulez rire*** (1690).

▸ **RIANT, ANTE**, le participe présent de *rire*, est adjectivé très tôt (1080) pour qualifier ce qui exprime, annonce la gaieté, la joie ; il sert aussi à caractériser une chose agréable à la vue, surtout en parlant des choses de la nature, des lieux, d'une chose pleine de séduction et incitant à la gaieté (v. 1220). ➛ Son emploi à propos d'une personne qui rit, montre de la gaieté (1314) a vieilli, plus ou moins remplacé par *rieur*, mais existe encore à propos d'une chose exprimant de la gaieté, telle que le visage (1314). ➛ Le mot qualifie abstraitement une chose séduisante pour l'esprit, inspirant des pensées, des idées gaies (XVe s.).

② **RIRE** n. m. (XIIIe s.), substantivation de l'infinitif, sert de nom d'action à *rire* et, par métonymie, désigne la manifestation physique de cette action, seul ou qualifié : *rire sardonique* (1762), *rire homérique* (1825), *rire jaune* (1899), etc. Le syntagme lexicalisé ***fou rire*** (1718) qui inverse les termes de *rire fou* (1694), est resté usuel. ◇ Par analogie, le mot désigne le cri d'un animal (hyène) qui évoque un rire humain.

RIEUR, EUSE n. et adj. (v. 1460) s'est répandu aux dépens de *riant* avec le sens de «qui rit, aime à rire», «qui aime plaisanter» (1605). La locution ***mettre les rieurs de son côté*** (1690), qui remplace *les rieurs sont pour (qqn)* [1666], réalise plus spécialement l'idée de moquerie. ➛ Par métonymie, le mot qualifie une expression du visage, des yeux, indiquant la joie (1803). ➛ Le féminin **RIEUSE** s'est spécialisé en zoologie pour qualifier (1764) et, elliptiquement, pour désigner, comme nom, (1870) une sorte de mouette par allusion au cri de l'oiseau. ➛ De *rieur* est dérivé **RIEUSEMENT** adv. (1875).

◈ voir RICANER, RIDICULE, RIGOLER, ① RIS, RISIBLE ; DÉRISION, SOURIRE.

① **RIS** n. m. est emprunté (fin XIe s.) au latin *risus* «rire, objet de rire», de *risum*, supin de *ridere* (→ rire).

♦ Le mot désignait l'action de rire, spécialement le rictus de certaines bêtes, par exemple du chien (1380) et la manière de rire, par exemple dans *ris d'hostelier* «accueil aimable et gai, peu sincère» (1589), *ris jaune* (v. 1640), *ris qui ne passe pas le nœud de la gorge* (1640), tous appliqués à un rire contraint. Avec une majuscule, *Ris* a été emprunté par la Pléiade (1559) au latin *Risus* (Apulée), nom de la divinité qui préside à la gaieté. De nos jours, éclipsé par *rire**, il ne s'emploie plus que par archaïsme.

▸ Les deux dérivés sont vivants. ① **RISÉE** n. f. (v. 1170) a désigné les éclats de rire d'un groupe de personnes, d'où l'expression *éclats de risée* (1651). ➛ Avec changement de point de vue, le mot s'applique à la moquerie dont une personne est victime (v. 1170) et, par métonymie, à l'objet de cette moquerie (1563), notamment dans ***être la risée de (qqn, tous...)*** [1636]. ➛ ① **RISETTE** n. f., diminutif de *ris* (1836), est un mot familier pour «petit rire ou sourire enfantin» et, par dérision, «sourire de commande», surtout dans la locution ***faire risette, faire des risettes*** (1840, *faire une risette*).

◈ voir ③ RIS (pour ② RISETTE).

② **RIS** n. m., terme de boucherie (1583), est d'origine controversée. On l'avait rapporté à un mot *risée* (1598), attesté avec le même sens, mais Bloch et Wartburg y voient une mauvaise leçon pour *rilée* «rangée de lattes», de *reille, rille* (latte). P. Guiraud considère que *ris* est le même mot que le terme de marine ③ *ris** dont le dérivé *risée* désigne la toile prise entre les bandes horizontales de voiles que l'on peut replier au moyen de rabans. Le passage de la marine à la cuisine reposerait sur une métaphore : de la *risée de toile,* on passerait à la *risée de veau,* ainsi nommée à cause de ses plis, de même qu'on appelle *risée de vent* les rides à la surface de l'eau.

♦ Le mot désigne le thymus comestible de certains animaux, essentiellement le veau et l'agneau. Sa brièveté et les homonymes font qu'on emploie surtout les formes ***ris de veau*** (1583) et ***ris d'agneau.***

③ **RIS** n. m. est la variante graphique (v. 1155) d'une forme non attestée °*rifs,* pluriel de °*rif,* lui-même emprunté de l'ancien scandinave *rif,* lequel désigne un dispositif servant à raccourcir, et pourrait être un emploi spécialisé de *rif* «côte». Ce mot est bien représenté dans les langues germaniques, dans l'anglais *reef* (moyen anglais *riff, refe*), le néerlandais *reef, rif,* le bas allemand *reff* (allemand *Reff*), le suédois *ref,* le norvégien *riv,* le danois *rev, reb.*

♦ Ce terme de marine désigne la partie d'une voile où passent les garcettes, qui permettent de la serrer sur la vergue pour diminuer sa surface. Il a servi à former quelques syntagmes techniques comme *prendre un ris* «diminuer la surface de la voile» (1694), *larguer un ris* «exposer de nouveau au vent le ris qui avait été pris» (1870), *bas ris* «dernière bande de ris d'un hunier» (1845), et *filière de ris, œillet de ris, raban de ris* (1904, Larousse).

▸ Les deux dérivés procèdent à la fois de ③ *ris* et de ① *ris.* ➜ ② **RISÉE** n. f. (1689, *rizée*) désigne l'augmentation subite et violente du vent (proprement «plein un ris») mais s'entend aussi, par métonymie ou sous l'influence du groupe de *rire,* des rides produites à la surface de l'eau par le vent. ➜ En ce sens, il est synonyme de ② **RISETTE** n. f. (1877) «légère ondulation sur une étendue d'eau, en particulier la mer lorsqu'il fait calme», lequel peut être considéré comme un développement métaphorique de ① *risette.* En effet, la même métaphore se retrouve dans plusieurs langues dont le grec *gelôs* «rire, plis ou rides que dessinent les vagues», *gelasma* «rire, pli, ride sur la surface de l'eau», le provençal *risent* n. m. «eau qui vient affleurer sur le bord, eau miroitante, clapotis».

◇ voir ② RIS.

RISIBLE adj. est emprunté (1370) au bas latin *risibilis* «capable de rire (caractère opposant l'homme aux animaux) ou de faire rire», du latin classique *risum,* supin de *ridere* (→ rire).

♦ Le sens de «propre à faire rire», qui s'entendait spécialement en moyen français avec la nuance de «qui porte à la gaieté, à la joie», a développé la nuance dépréciative de «digne de moquerie» (1611). Son évolution est analogue à celle de *ridicule**, qui insiste davantage sur l'aspect objectif déclenchant la moquerie, tandis que *risible* insiste sur le comique involontaire. En outre, *risible* est senti comme très proche du verbe *rire* (un quasi-dérivé). Le sens actif de «qui a la faculté de rire» (1550), repris du mot latin et vivant jusqu'au XVIIIe s., est sorti d'usage au XIXe siècle.

▸ *Risible* a produit **RISIBILITÉ** n. f. (XVIe s.), lequel, après avoir désigné la faculté de rire, a pris son sens actuel de «caractère de ce qui prête à rire» (1845), et **RISIBLEMENT** adv. (1655, Molière).

RISOTTO → RIZ

RISQUE n. m. est emprunté (1557) à l'ancien italien *risco* (aujourd'hui plus souvent *rischio*), qui représente le latin médiéval *risicus* ou *riscus* dans un texte de 1359 cité par Du Cange. Certains rapprochent ce mot du latin *resecare* «enlever en coupant» (→ réséquer), par l'intermédiaire d'un latin populaire °*resecum* «ce qui coupe» et, de là, «écueil», puis «risque que court une marchandise en mer». Bien que ce développement sémantique soit partiellement corroboré par l'espagnol *riesgo* «rocher découpé», d'où «écueil», et que le mot latin médiéval corresponde bien à l'idée d'un danger encouru en mer par une marchandise, P. Guiraud estime qu'«il n'y a pas le moindre commencement de preuves à ce roman nautique»; selon lui, le mot viendrait du roman °*rixicare,* élargissement du latin classique *rixare* «se quereller», de *rixa* (→ rixe) par un développement menant des valeurs de «combat» et de «résistance» à celle de «danger». Le mot est d'abord féminin, le genre masculin (1657) l'emportant au XVIIe siècle.

♦ Le mot désigne un danger, un inconvénient plus ou moins prévisible. Il a donné les locutions ***courir un risque*** (1690, antérieurement *courir risque* 1596), ***à tout risque*** (v. 1770; 1656 au féminin), ***au risque de*** (1694) et, au XXe s., ***prendre un risque, des risques.*** ➜ Il a été repris en droit pour désigner l'éventualité d'un événement futur, soit incertain, soit d'un terme indéterminé qui causera un dommage (1690), seul et dans *risque de guerre* (1875), *risque professionnel* (1912), *risque social, risque de mer* (tous deux dans les dictionnaires en 1936). Il s'emploie spécialement en termes d'assurances (1842) et, en droit civil, se réfère au fondement de certains cas de responsabilité qui permettent à l'individu de se retourner contre l'auteur d'un dommage subi sans avoir à prouver la faute de celui-ci (1966).

▸ Le dénominatif **RISQUER** v. tr., attesté une première fois (1577) au pronominal *se risquer* «s'exposer à une chance douteuse», signifie «exposer (qqch.) à un danger, à un inconvénient possible, à l'éventualité d'une perte», absolument (1596) ou avec un complément indiquant l'objet concerné (1604). De ce sens procède la locution proverbiale ***qui ne risque rien n'a rien*** (1798). ➜ Par extension, le verbe exprime l'idée de «tenter une chose douteuse» (1798), réalisée dès l'époque classique dans ***risquer le tout pour le tout*** (1694) et dans la locution d'usage familier ***risquer le paquet*** (1694). Il induit l'idée de «s'exposer à une chose fâcheuse» (av. 1673), également dans la construction indirecte *risquer de* (1694) que certains grammairiens limitent à l'expression d'un sens défavorable, bien qu'on rencontre dans l'usage spontané des phrases comme *il risque de réussir, d'y arriver.* Dans un contexte pénal il peut avoir la valeur d'«être passible d'un châtiment» (1887, Zola). ◆ Par affaiblissement, il exprime l'idée de «s'enhardir à exprimer qqch. à tout hasard», avec un complément désignant une parole (1771), et de «s'enhardir à regarder en s'exposant à être découvert» avec un complément désignant un regard (1862, *risquer son regard*). La forme pronominale *se risquer* signifie d'abord (fin XVIe s.) «s'aventurer dans une situation à l'issue aléatoire» puis aussi «se rendre physiquement dans un lieu où l'on s'expose à un danger» (1885). Elle se construit indirectement avec *à* et infinitif pour «se résoudre à faire qqch. malgré d'éventuelles conséquences fâcheuses» (XXe s.). ◆ Le participe passé **RISQUÉ, ÉE** est adjectivé (1690), aussi pour caractériser ce qui est inconvenant (1743) et, plus généralement, ce qui comporte des risques (1875). ◆ **RISQUABLE** adj., dérivé de *risquer* au sens de «où il y a des risques à courir» (1722), se rencontre encore quelquefois pour «qui peut être risqué» (1788). ◆ **RISQUE-TOUT** n. m. inv. (1863) caractérise une personne audacieuse jusqu'à l'imprudence. ◆ **RISQUEUR, EUSE** n. et adj. (1916) est quelquefois concurrencé par **RISQUEUX, EUSE** n. et adj. (1771), lequel a perdu le sens de «périlleux» pour «qui prend des risques» (1947, Morand).

RISSOLE n. f. (v. 1240), d'abord *rousole* (v. 1185), sous l'influence de *roux**, puis *rusole* (v. 1200) et *roissole* (v. 1223) est issu d'un latin populaire *°russeola*, féminin substantivé de *russeolus* «rougeâtre», lui-même du latin impérial *russeus* «rouge foncé» (→ roux). Le mot latin qui signifie «préparation rougeâtre», est devenu le nom d'une préparation culinaire cuite à grande friture en raison de la couleur de celle-ci (cf. l'expression de cuisine moderne *faire un roux*).

♦ Le mot a désigné, selon les époques et les régions, diverses préparations de pâte frite, contenant souvent de la viande. Ses anciens emplois figurés, dans les locutions *dormir sur des roissoles* «mener une vie oisive» et *querre le moule as roissoles (chercher le moule aux rissoles)* «baguenauder», du fait que les rissoles ne sont pas des pâtisseries moulées, ont disparu en français classique.

▸ **RISSOLER** v. (1549), dérivé de *rissole*, signifie «exposer une préparation culinaire quelconque à feu vif de manière à en dorer et griller la surface». Il s'emploie absolument avec un nom d'aliment pour sujet, d'abord au participe passé (1690) puis à l'infinitif (1870) avec le sens de «cuire de cette façon». ◆ **RISSOLETTE** n. f., diminutif (1803) de *rissole* désignant une rôtie de pain couverte de viande hachée et passée dans le four, n'est plus en usage.

RISTOURNE n. f., d'abord *restorne* (1705), puis *ristourne* (1783), est formé de *ri-*, variante italianisante de *re-** et de l'ancien substantif *extorne* «action de reporter d'un compte à l'autre pour réparer une erreur» (attesté en 1723). Ce dernier est la francisation savante par le préfixe *ex-* de l'italien *storno* «annulation d'un contrat», de *s* (du latin *ex-*) et de *tornare*, représentant le latin *tornare* (→ tourner). L'adjonction du préfixe *ri-* vient du besoin de souligner l'idée de répétition. Un emprunt direct à l'italien *ristorno* n'est pas vraisemblable, ce mot signifiant seulement «rebondissement».

♦ Le mot s'est éloigné du sens initial de «report», sorti d'usage, et s'est spécialisé en droit maritime, où il désigne l'annulation d'un contrat d'assurance maritime au profit de l'assureur (1755), puis la diminution sur la somme pour laquelle un navire a été assuré quand cette somme excède la valeur du chargement (1835). En droit commercial, il désigne l'attribution en fin d'année, à l'adhérent d'une société d'assurance mutuelle, d'une partie de sa cotisation lorsque le montant des cotisations a dépassé les engagements de la société (1904). ◆ Il s'est répandu dans l'usage courant à propos de bonifications compensant en principe un trop-perçu compris dans une facture, devenant par extension et par le sens de «commission versée à un intermédiaire» (1918), un quasi-synonyme de «réduction» (1923); ce sens implique un rapport avec *retour*. Il est senti comme familier quand il n'est pas technique.

▸ **RISTOURNER** v. tr., modification analogique (1829) de *restorner* (1704), a suivi le même développement, perdant le sens initial de comptabilité pour devenir un terme de droit maritime (1755), puis un terme de droit commercial (1938). Dans l'usage courant, il équivaut à «donner, rendre (une somme) par une réduction» (1953).

RITE n. m., d'abord *rit* (v. 1395), puis *rite* (1676), est emprunté au latin *ritus*, terme religieux désignant la cérémonie, le culte, également employé avec le sens plus général d'«usage, coutume», souvent joint ou substitué à *mos, moris* (→ mœurs). Ce mot ancien, appartenant surtout à la langue écrite, est la forme à élargissement en *i* de la racine de *armus* «haut du bras, épaule» réservé en principe à un animal (→ ars, articuler); ce *i* est conservé dans le grec *ari-thmos* «nombre» (→ arithmétique), dans *nê-ri-tos* «sans nombre», dans le vieil irlandais *rím* «compte» et le gallois *rhif* «nombre». Pour le sens, on est passé de la valeur concrète, «articulation de l'épaule», à celle de «découpage, articulation, subdivision» par une évolution analogue à celle qui mène de la valeur anatomique de *membre* aux emplois figurés. Quant à *rite*, la valeur religieuse existe dès le sanskrit *ṛtám*, avestique *ašəm* où l'idée d'articulation correspond à celle d'organisation, d'où «ordre conforme à ce qu'exige la religion». Le suffixe *-tu* est à rapprocher de *artus* «mesuré, limité, serré» (→ articulation). Sous une forme aberrante, *ritus* est un exemple des concordances du vocabulaire religieux observées entre l'Est (indo-iranien) et l'Ouest (italo-celtique) du domaine indoeuropéen.

♦ Le mot, pris en moyen français au sens général, surtout dans la langue juridique, de «coutume, mœurs», sorti d'usage, a été réintroduit avec son sens religieux de «cérémonial, culte» (1535), quelquefois sous la graphie *rit* (1669) qui s'est maintenue assez longtemps dans l'usage religieux quand on parle de l'ensemble de la liturgie d'une confession (*rit catholique, grec*, etc.). ◆ Par métonymie, *rite* désigne une cérémonie réglée ou un geste prescrit par la liturgie d'une religion (fin XVIIe s., Bossuet). Le sens s'est étendu à l'ensemble des prescriptions réglant les pratiques et cérémonies d'une association organisée de manière analogue à une Église (1875) et, au figuré, à toute pratique réglée, invariable (1875), renouant avec le sens général de «coutume». Il a servi, par métonymie, à désigner le degré de la solennité d'une fête religieuse *(rite double, rite simple).* ◇ Repris en ethnologie, *rite* désigne les pratiques réglées de caractère sacré ou symbolique, spécialement, dans *rites de passage* (1909, Van Gennep) «ensemble des pratiques destinées à préparer ou accompagner le passage d'une personne d'un état défini à un autre, dans un groupe social»; ou encore *rites d'initiation.*

▶ Les dérivés sont tous formés savamment sur le latin *ritualis.* ◆ **RITUEL, ELLE** adj. et n. m., d'abord *ritual* (av. 1553, Rabelais) puis *rituel* (1636), est emprunté au dérivé latin *ritualis* «propre au rite, relatif au rite», spécialement au pluriel dans le syntagme *rituales libri* «livres traitant des rites». ◆ Le mot qualifie ce qui concerne les rites religieux. Il est bientôt substantivé au masculin, d'abord sous la forme *ritual* (1605), à propos d'un livre liturgique contenant l'ordre et la forme des cérémonies religieuses. L'emploi de l'adjectif pour «qui est fait selon l'usage» (1669) est sorti d'usage après l'époque classique. ◇ *Le rituel* s'applique aussi par métonymie à l'ensemble des prescriptions à observer au cours des cérémonies du culte (1864) et se répand dans l'usage général avec le sens figuré de «principes, règles que l'on suit» (1778, Voltaire). Ce sens a réagi sur celui de l'adjectif, qui qualifie ce qui est réglé comme par un rite (XXe s.) et, par extension, signifie «précis, exact», concurremment aux valeurs religieuses de «prescrit par les rites religieux» (1935) et «réglé par les coutumes religieuses» (v. 1950, Malraux). ◇ L'adverbe **RITUELLEMENT** (1910, Péguy), absent des dictionnaires du XIXe s., est probablement plus ancien que cette attestation. ◆ **RITUALISTE** n. et adj., dérivé savant (1704) du latin *ritualis* a désigné l'auteur traitant des différents rites, puis a été repris (1870) sous l'influence de *ritualisme* à propos d'un fidèle de l'Église anglicane accordant une grande importance aux rites et cérémonies, se disant par extension d'autres religions. L'adjectif sert à qualifier ce qui est relatif au ritualisme et aux pratiques rituelles (v. 1950). ◆ **RITUALISME** n. m., autre dérivé savant (1829) du latin *ritualis,* a désigné le système, l'ensemble des rites d'une Église, puis le strict respect des rites (1829). Le mot s'est appliqué spécialement aux anglicans puseyistes et à tous ceux qui cherchent à augmenter l'importance dans le culte des rites et des liturgies (1875). ◆ **RITUALISER** v. tr. (1909, *ritualisé*) est dérivé savamment du latin *ritualis,* avec le sens didactique de «codifier par des rites». ◇ Il a servi à former **RITUALISATION** n. f. (1912); son participe passé **RITUALISÉ, ÉE** est adjectivé en éthologie lorsqu'un comportement animal emprunte une séquence de formes à un autre contexte (1975). Cette valeur fonctionne aussi pour le verbe, le nom et pour l'adjectif *rituel.*

RITOURNELLE n. f. (1671), avec la variante disparue *ritornelle* (1670), est emprunté à l'italien *ritornella,* terme de musique dérivé de *ritorno* «retour», déverbal de *ritornare* «retourner». Ce verbe est formé de *ri-,* marquant le mouvement en arrière (du latin *re-,* → re-), et de *tornare* (→ tourner). La graphie moderne est une francisation d'après *tourner.*

♦ Le mot désigne le court motif instrumental qui précède ou suit chaque couplet d'une chanson, chaque reprise d'une danse et, très tôt, s'emploie au figuré, comme *refrain,* dont le sémantisme est analogue, à propos de ce que l'on répète sans cesse (1671, Mme de Sévigné). ◇ Par métonymie, il sert à désigner un air, une chanson comportant des strophes identiques (1852, Gautier). C'est aujourd'hui la valeur dominante du mot, qui évoque une chanson simple et naïve de genre traditionnel.

RIVAL, ALE, AUX n. et adj. est emprunté (XVe s.) au latin *rivalis* «de ruisseau, relatif à la rivière», de *rivus* «ruisseau» (→ ru); le mot, surtout employé comme substantif au pluriel *rivales* «les riverains», parce qu'«ils tirent leur eau du même cours d'eau», en est venu, par une métaphore du latin rustique à désigner deux personnes concurrentes en amour. Le français a aussi employé *corrival* (1546, Rabelais aux XVIe et XVIIe s.), emprunt au bas latin *corrivalis* «concurrent avec d'autres», de *cum* «avec» (→ co-) et *rivalis.* Cette forme a été éliminée par *rival.* ◆ L'origine du latin *rivus* remonte à la racine indoeuropéenne °*rei-* (peut-être liée à celle de *oriri* «sourdre, s'élancer hors de» → origine), laquelle est attestée par le sanskrit, le vieux slave, avec l'idée de base de «faire courir, couler», «mettre en mouvement». *Rivus* est sans rapport avec *ripa* (→ rive).

♦ Le mot désigne d'abord, comme en latin, la personne qui dispute à une autre l'amour de qqn. Par extension, il se dit en général d'une personne qui prétend en même temps que d'autres aux avantages, aux biens qu'une seule personne peut obtenir et qui s'oppose à autrui pour les disputer (1604) et aussi, sans idée de compétition, de celui qui dispute le premier rang, ***sans rival*** correspondant à «inégalable» (1866). ◆ Le nom est adjectivé pour qualifier celui qui est opposé à un autre pour lui disputer un avantage (1690) et, par métonymie, ce qui est inspiré par le désir du même objet (1830).

▶ Le dérivé **RIVALISER** v. intr. s'est d'abord employé transitivement (1750) avec un complément désignant la personne rivale, puis intransitivement (1777). Sans idée d'opposition active, le verbe signifie «faire preuve d'émulation» (1807).

RIVALITÉ n. f. est emprunté (1656, Molière) au dérivé latin *rivalitas, -atis* désignant la concurrence entre deux femmes, puis entre deux personnes antagonistes en amour, la jalousie. ◆ D'abord employé spécialement dans un contexte amoureux, aussi bien en parlant d'hommes que de femmes, le mot désigne en général toute situation de compétition pour le premier rang (1694). Il s'emploie aussi avec une valeur particularisante *(une/des rivalités)* [déb. XIXe s.].

◈ voir **DÉRIVER, RU, RUISSEAU.**

✱ **RIVE** n. f. est issu (1080) du latin *ripa,* désignant une bande de terre bordant un cours d'eau, plus rarement la côte de la mer, également employé au figuré. Ce mot est peut-être à rapprocher du grec *ereipein* (aoriste *eripein*) «tomber, s'abattre», *eripnê* «pente, côte, versant» et du vieil islandais *rifa* «déchirer». Il semble n'y avoir aucun rapport entre cette famille et celle de *rivus* «rivière» (→ rival, ru).

♦ *Rive* désigne une bande de terre qui borde un cours d'eau, un lac, un étang. En ancien et moyen français, il se disait aussi du bord de la mer (déb. XIIe s.) avant de céder ce sens à *rivage* après le XVIIe siècle. ◇ *Rive* s'appliquait aussi à la margelle d'un puits (fin XIIe s.), d'une fontaine (1549). ◇ Le sens moderne a donné, en poésie classique, l'expression *rive infernale* (1674, Racine) désignant les enfers de la mythologie antique, parcourus par le fleuve Styx, avec les variantes *rive sombre* (av. 1741), *rive fatale* (1875). ➛ Par métonymie, *rive* désigne le territoire de part et d'autre d'un fleuve (1797), le quartier d'une ville qui borde un fleuve (1834), *rive droite, rive gauche* (1870) s'appliquant spécialement aux quartiers situés à Paris de part et d'autre de la Seine, *rive gauche* devenant le symbole de la vie intellectuelle et artistique (1864), employé à ce titre aussi comme adjectif. ➛ Une extension plus large du pluriel *rives* au sens de «contrée, pays» relève d'un usage poétique vieilli (1678). ➛ Le sens général de «limite» (XIIe s.), «limite d'un objet» (v. 1314), est sorti d'usage en dehors du langage technique ; *rive* désigne ainsi le bord d'un four, d'où *pain de rive* (1549) pour «pain bien cuit et doré de tous côtés, étant placé au bord (la rive) d'un four» ; cet emploi est archaïque. *Rive* se dit du bord longitudinal d'un produit plat (1723), la locution ***poutre de rive*** (1904) désignant chacune des poutres longitudinales d'un pont soutenant le tablier. *Rive* sert aussi à désigner la bordure en terre cuite couronnant le faîte d'un toit ou d'un mur (1930) et, en général, ce qui limite un pan de couverture sur ses côtés (milieu XXe s.). Ces emplois, détachés de leur origine, sont en général pris pour des métaphores du sens usuel.

▸ **RIVAGE** n. m. (fin XIe s.), dérivé de *rive* avec le suffixe *-age* à valeur collective, désigne la partie de la terre qui borde une mer ou, plus rarement, un lac. Avant la fin du XVIIe s., il est mal distingué de *rive* et s'applique à la berge d'un cours d'eau (1409), spécialement dans la poésie classique où les locutions *rivages des morts, du Cocyte* (1677, Racine), *noir rivage* (1694) et *rivage du Styx* (1893) désignent, comme *rive,* les Enfers de la mythologie antique. ➛ Le sens métonymique de «contrée, pays» (1184-1187) d'usage littéraire, est sorti d'usage, en français classique, tout comme le sens juridique de «droit payé sur les marchandises chargées ou déchargées sur la rive» (1246 à Compiègne). Les définitions juridique (1681) et géographique du mot renvoient spécialement à la zone de terre soumise à l'action des vagues et, le cas échéant, des marées (l'estran). ➛ Enfin, comme *rive, rivage* a eu en moyen français (v. 1354) la valeur étymologique de «bord, lisière (par exemple, d'un bois)» qui a disparu en français classique.

② **DÉRIVER** v. tr., d'abord *desriver* (v. 1223) «écarter du bois flottant d'une rive», est archaïque.

◈ voir **ARRIVER, RIVER, RIVIÈRE.**

RIVER v. tr. est, selon Wartburg, qui écarte l'emprunt à des verbes comme le moyen néerlandais *wrîven* et le provençal *ribar,* un dérivé (v. 1160) de *rive** au sens de «bord», dans des emplois techniques.

♦ Le verbe signifie «attacher solidement (qqn) avec des pièces de métal (fers)» et «assembler (deux ou plusieurs éléments, anneaux de chaîne par exemple)» par écrasement d'une partie de l'un dans une partie de l'autre et, notamment (XIIIe s.), «rabattre et aplatir à coups de marteau (la pointe, d'un clou, d'une goupille)» sur la surface d'où elle émerge. Le rapport avec la notion étymologique de «bord» vient de ce que le clou est rabattu au marteau sur les bords de l'élément qu'il traverse. Le verbe est par ailleurs employé en Normandie et dans le Centre pour «replier sous le matelas les couvertures d'un lit», d'après un sens de *rive* «bord (du lit)». ➛ Avec changement de complément, il s'est employé dans la locution métaphorique ***river les fers, les chaînes de qqn*** «rendre son esclavage plus assuré» (fin XVIIIe s.). Du sens technique concret vient (fin XVe s.) la locution ***river son clou à qqn*** qui correspond à peu près à *clouer le bec,* d'usage familier. ◇ Ultérieurement, le verbe se répand au figuré dans l'usage commun pour «assujettir, attacher, immobiliser» (1721), réactivant le sens ancien, «maintenir fermement, maîtriser» (v. 1270), surtout au passif *être rivé.* ◇ D'autres emplois techniques apparaissent par la suite, *river* se disant pour «assembler au moyen de clous, chevilles, goupilles que l'on rive» (1433) et «fixer, assujettir à demeure deux éléments» (1904).

▸ Le dérivé en *-et* **RIVET** n. m. (1260) existe dès l'ancien français, désignant une broche métallique servant à assembler deux pièces, constituée par une tige cylindrique munie d'une tête et dont l'autre extrémité est aplatie après sa mise en place. Terme technique usuel, il entre dans des syntagmes comme *rivet explosif, tubulaire, fendu, foré* (XXe s.). Le mot désigne la pointe du clou broché dans le sabot du cheval, qui est rivée sur la paroi (1680). D'autres acceptions manifestant l'idée de «bord, bordure» entre le XIIIe et le XVIIIe s. sont sorties d'usage. ➛ À son tour, *rivet* a produit **RIVETIER** n. m. (1762), ancien nom d'un outil servant à river des clous, conservé comme nom de l'ouvrier fabriquant des corps de rivets à la machine (XXe s.), et **RIVETER** v. tr. «fixer au moyen de rivets» (1877, *Journal officiel*). ➛ Ce verbe a produit les dérivés **RIVETAGE** n. m. (1877) et **RIVETEUSE** n. f. (1900) «machine pour poser des rivets», puis aussi au masculin **RIVETEUR** «ouvrier qui rivette» (1927), plus fréquent que le nom dérivé du verbe *river,* **RIVEUSE** n. f. (1904), antérieurement «ouvrière qui pose des rivets» (1877).

RIVURE n. f., réfection (1694) de *riveure* (1480), est le nom de la broche métallique entrant dans la charnière des fiches. ◇ Le mot désigne en général le résultat de l'opération consistant à river deux éléments (1611) et, concrètement, la partie de la tige métallique écrasée afin d'assurer sa liaison avec une autre pièce (1870). ◆ **RIVOIR** n. m. est enregistré par l'*Encyclopédie* (1769) comme désignation du marteau dont on se sert pour river, dans le cas où l'on n'a pas à former de tête. On a dit aussi *rivois* (1870). *Rivoir* sert aussi à désigner la machine à river (1904), en concurrence avec le féminin **RIVOIRE** (1964).

RIVERAIN → RIVIÈRE

RIVIÈRE n. f., d'abord écrit *riviere* (fin XIe s., Gloses de Raschi) puis surtout *rivaire* (v. 1100), *river* et *rivere* (v. 1112) en ancien français, est issu d'un latin populaire *riparia*, qui devait désigner une région proche d'un cours d'eau ou de la mer. Ce mot, attesté par de nombreux toponymes dès le VIIIe s. et employé au sens de «littoral» (951), «bord d'un fleuve», est le féminin substantivé de l'adjectif latin classique *riparius* «qui se trouve, se tient sur les rives», de *ripa* (→ rive). L'espagnol *ribera* signifie «rive, rivage», l'ancien provençal *ribiera* désigne à la fois la rive et la rivière ainsi que l'italien du Nord *riviera*, emprunté au français (cf. ci-dessous *riviera*).

♦ L'emploi pour «ruisseau» semble le plus ancien ; il annonce le sens de «cours d'eau de faible ou moyenne importance» (v. 1138) dont l'usage imprécis semble exclure les plus petits cours d'eau (nommés *ruisseaux*) mais peut ou non en inclure de plus importants, l'opposition avec *fleuve*, en géographie étant d'une autre nature, et plus tardive. Le mot est employé dans *oiseau* (v. 1354), *poisson de rivière* (1875), alors opposé à *de mer* ou *de lac*. ◆ Le sens étymologique de «bords d'un cours d'eau ou de la mer» (v. 1112), où *rivière* est synonyme de *rive** et de *rivage* dans un emploi ancien, n'existe plus que dialectalement, spécialement avec le sens de «vallée» (1870) dans le Sud-Ouest et dans quelques expressions ; *veau de rivière* (1670, Molière) ne se dit plus, mais *vins de rivière* (1694), pour des vins faits avec le raisin récolté en Champagne sur les bords de la Marne, est toujours en usage. ◆ Au sens de «cours d'eau», *rivière* s'emploie en héraldique pour désigner un meuble (figure du blason) ayant l'aspect d'une face ondée (1671). ◆ Par métaphore il peut désigner avec un complément une nappe allongée (1705) et s'emploie au figuré dans ***rivière de diamants*** (1747) ou *rivière* (1830) «collier de diamants montés en chatons». ◆ Par extension, il désigne un cours d'eau souterrain et, dans *fausse rivière* (1904), la partie d'un cours d'eau isolée du cours principal et résultant de la rupture d'un méandre. ◇ Par analogie, il est employé pour désigner le fossé rempli d'eau que doit sauter le cheval, dans un parcours à obstacles (1855).

▸ Le dérivé **RIVIÉRETTE** n. f., dont la forme actuelle (v. 1250) a remplacé *riverete* (déb. XIIIe s.) «petite rivière», est à peu près inusité. ◆ **RIVIÉREUX, EUSE** adj., d'abord *rivereux* (v. 1354), est un terme technique de fauconnerie qualifiant un oiseau dressé à voler sur les rivières ; on dit aussi *rivereux* (XXe s.).

RIVERAIN, AINE n. et adj., d'abord *riveran* (1532) par emprunt à l'ancien lyonnais *reveyran* «batelier», dérivé de *rivière*, a été reformé sur *rivière* sous sa forme actuelle avec les sens propre et analogique qui retrouvent ceux du latin *rivalis*, lequel a donné *rival**, à savoir «personne qui vit au bord d'un cours d'eau» (1690). Il s'emploie adjectivement pour qualifier ce qui se trouve sur la rive et, par analogie (1732), sur le bord (d'une route, d'un bois, d'une autre propriété). ◆ En terme administratif, il s'applique aux habitants des maisons qui bordent une voie urbaine. Il a pour dérivé **RIVERAINETÉ** n. f. (1898), d'usage juridique pour la qualité de riverain telle que la reconnaît la loi.

RIVIERA n. f., emprunt (XXe s.) à l'italien *riviera* «cours d'eau» (déb. XIVe s.) et «rive» (av. 1350), dans un emploi spécialisé comme nom propre, «côte allant de La Spezia à Nice», désigne aussi en français cette côte, et notamment la partie française, formant une partie de ce qui est nommé *Côte d'Azur*. Le sens correspond à l'ancienne valeur de *rivière* «rive, rivage» (voir ci-dessus).

◈ voir RIVAL, RU, RUISSEAU.

RIXDALE n. f. est l'adaptation, sous les formes successives *richetale* (1619), *richedale* (1626), *rixdalle* (1677), du néerlandais *rijksdaalder, rijksdaler*, nom de monnaie composé de *rijk* «empire, royaume» (→ reichstag, riche) et *daalder* «thaler» (→ thaler). On relève *riches talers* en 1607 en Suisse dans le canton de Neuchâtel, *richstaller* en 1637 dans le canton de Berne, emprunts à une forme alémanique de l'allemand *Reichstaler*.

♦ Le mot désigne une monnaie d'argent qui, avec différentes valeurs, avait cours dans les pays du Nord et en Europe centrale.

RIXE n. f. est emprunté (1477) au latin *rixa* «dispute, différend, contestation», mot d'origine inconnue. À titre d'hypothèse, si l'on postule que la formation comporte un *s* «désidératif», on évoque un rapprochement avec le grec *ereikein* «briser, déchirer» et le sanskrit *riçati* «il arrache», *rikháti* «il déchire», ainsi qu'avec les formes nominales du latin *rima* «fente» (→ rime, selon P. Guiraud) et du vieil haut allemand *riga* «rangée, ligne» (→ rime, selon l'hypothèse de Wartburg).

♦ Le mot signifie «dispute violente», «bagarre». Il est soit littéraire ou journalistique, soit administratif.

◈ voir RISQUE (selon P. Guiraud).

RIZ n. m., d'abord *ris* (v. 1270) puis *riz* (XIVe s.), le *z* étant dû à l'influence du latin, est emprunté à l'italien *riso*, lui-même repris d'un latin °*orizum*, variante de *oriza, oryza*. Ce dernier est emprunté au grec *oruza* ou *oruzion* (en grec byzantin *ruzi*), probablement d'origine iranienne orientale (l'afghan a *vrižē* n. f. pl.). L'ancien français est à l'origine de l'anglais *rice*, d'abord *rys* (v. 1234) ; l'espagnol et le portugais *arroz* viennent tous deux de l'arabe *aruz (z), uruz(z)*, de même origine persane.

♦ Le mot désigne comme l'étymon la graine d'une plante préparée pour la consommation, seul et dans les noms de multiples préparations culinaires. Employé comme nom de la plante d'où proviennent ces graines, le mot est attesté en français en 1298 (Marco Polo). La construction *...de riz* est employée dans des locutions désignant des choses tirées de la plante, comme ***eau de riz*** (1776), ***paille de riz*** (1835, *Maison rustique*), ***papier de riz*** (1875). ➜ Par ailleurs, le mot entre dans de nombreux syntagmes culinaires (*riz à l'eau, au lait* [1608], *riz au gras*, etc., récemment *riz cantonais* ou *cantonaise, riz au curry*...), agricoles (*riz en paille* ou *paddy, riz glacé, perlé; riz gluant*...) multipliés par la diffusion des cuisines chinoise, japonaise et indienne en Occident. ➜ Par analogie, la locution ***grain de riz*** est employée au pluriel pour désigner les éléments de la structure granulée de la surface apparente de la photosphère solaire (1870) et, au singulier, à propos d'un procédé de décoration céramique principalement pratiqué par les Chinois (1932 dans les dictionnaires).

▶ Les dérivés sont en majorité des termes didactiques ou techniques. ➜ **RIZIÈRE** n. f. (1718), «terrain où l'on cultive le riz», est le plus ancien et le plus courant. ➜ Au XIXe s. apparaissent les termes de commerce **RIZON** n. m. (1835) et **RIZOT** n. m. (1835), les adjectifs **RIZAIRE** (1838), sorti d'usage, **RIZICOLE** (1870) et **RIZIFORME** (1878), ainsi que **RIZERIE** n. f. (1868) qui désigne l'usine où l'on traite le riz. ➜ Au XXe s., on a formé **RIZICULTURE** n. f. (1912) et **RIZICULTEUR, TRICE** n. (v. 1915 au masculin).

RISOTTO n. m. est un emprunt (1855) à l'italien *risotto*, nom d'un plat fait de riz coloré au safran ou à la tomate et accompagné de beurre, de parmesan rapé, parfois d'autres ingrédients. *Risotto* est dérivé de *riso* (→ riz, ci-dessus).

R. M. I. n. m., est le sigle (1988) de *revenu minimum d'insertion*.

▶ Il a pour dérivé **RMiste** n. (prononcé *érémiste*).

ROB ou **ROBRE** n. m., d'abord *robre* (1767) puis aussi *rob* (1773), est l'adaptation et la déformation de l'anglais *rubber* n. (1599), également *rubbers*, mot d'origine inconnue. On ne peut l'apparenter à *rubber* «frotteur, frottoir» (1536), lui-même dérivé de *to rub* «frotter», que sans tenir compte du sens. En outre, de *rubber* ou *rubbers* on ne sait quelle est la forme originelle, ni si le second est un singulier ou un pluriel. Le mot anglais désigne une partie en trois manches, spécialement au whist (1749) et, par extension, dans toutes sortes de jeux (1807). On rencontre aussi en français du XIXe s. les formes anglaises *robber* et *rubber* (Balzac).

♦ Le mot a gardé le sens de son étymon, au whist et au bridge, où il est encore en usage.

✳ **ROBE** n. f. est emprunté (v. 1155) au germanique occidental °*rauba* «butin, rapine» (→ dérober), auquel est apparenté l'anglais *to rob*, d'où, pense-t-on, «vêtement pris en guise de butin». L'italien a *roba* «vêtement» et «biens mobiliers et immobiliers», l'espagnol a *ropa* (avec un *p* hétéroclite) «vêtement», et l'ancien provençal a *rauba* «butin», «robe».

♦ L'ancien et le moyen français *robe* ont encore fréquemment, et jusqu'au XVIe s., les sens de «butin, pillage» (v. 1155) d'où «vol, larcin» et «rapt», notamment dans les locutions *en robe* «à la dérobée», et *bonne robe* «de bonne prise», en parlant d'une femme et dans un contexte galant. ➜ Le sens de «vêtement» (v. 1160), d'abord pris avec une valeur collective : «ensemble de vêtements taillés dans une même étoffe, habillement complet à l'exclusion de la chemise», peut provenir d'un glissement de sens (non attesté) en germanique, de «butin» à «vêtements pris comme butin». Il concerne d'abord le long vêtement que portaient les personnes des deux sexes dans l'Antiquité et jusqu'au XVIe s., et qui reste en usage dans certains pays d'Orient ; ce sens est toujours vivant mais secondaire. L'évolution de l'habillement occidental a fait réserver le mot au vêtement féminin composé d'un corsage et d'une jupe d'un seul tenant (v. 1175). Plusieurs syntagmes, dont ***robe du soir*** (1889), sont usuels. Le sens général de «vêtement long» est en revanche réalisé dans l'expression ***robe de chambre*** (1596), précédée par *robe à relever* (1387), *robe de nuit* (v. 1462), et concurrencée à l'époque classique par l'emploi de *robe* seul (1670). ➜ Le sens général de «long vêtement ample» reste vivant quand *robe* désigne l'habit distinctif de certains états et professions : vêtement des ministres de certaines religions (v. 1160), *la robe* désignant par métonymie la «profession ecclésiastique» (fin XVIe s.) et les ecclésiastiques ; cet emploi a reculé devant celui de *soutane*, dans l'Église catholique, avant la suppression de cet habit. En partie par allusion à l'ancien vêtement civil médiéval, *robe longue* (1587) a servi sous l'Ancien Régime à différencier la noblesse et le clergé. L'opposition *robe longue/robe courte* était effective à l'intérieur de l'état ecclésiastique, *un jésuite de robe courte* (1842) désignant un membre non clerc de la compagnie de Jésus et, ironiquement, un partisan des jésuites. *Robe* désigne aussi le vêtement porté traditionnellement par les magistrats, les avocats et les professeurs dans l'exercice de leur profession (1530) ; de là, l'expression ***noblesse* de robe*** par opposition à *noblesse d'épée*, et là encore, une opposition *robe courte, robe longue* à propos de deux types d'officiers du Châtelet, par suite d'une charge créée par François Ier en 1527 ; au XVIIe s., on parle aussi de *chirurgiens en robe courte ou longue*. Par métonymie, *robe* a désigné la profession des gens de justice (1643) et l'ensemble des personnes exerçant cette profession (1685), aussi dans les syntagmes *haute robe* «première magistrature du pays» (1798) et *ancienne robe* (1798) «magistrature ancienne dans une famille». ➜ Par métaphore du sens concret général, *robe* s'applique à la parure dont se revêtent les végétaux, la nature (1553). ➜ Par analogie *robe* désigne des enveloppes, notamment de fruits et légumes (1546), par exemple dans l'expression culinaire *pommes de terre en robe de chambre* (1870) ou, plus rarement, *en robe des champs* (1938) expression qui prétend corriger la précédente (de même que *homard à l'américaine* a donné lieu à *à l'armoricaine*). ◇ *Robe* désigne aussi le boyau qui recouvre une andouille (1680), l'enveloppe d'un cigare (1729), la partie superficielle d'un pain de sucre (1870) et la partie cylindrique d'un réservoir de stockage de pétrole (1964) ; *jupe* a des emplois comparables. ➜ En œnologie, le mot désigne la couleur du vin (1870) par une métonymie portant sur la couleur du vêtement et son caractère apparent. ➛ *Robe* doit à un autre développement analogique le sens de «pelage (de certains animaux, cheval, bœuf)» [1640] ; il a désigné techniquement la laine fournie en une seule fois par un mouton (1752).

▸ **ROBETTE** n. f. (v. 1460), diminutif de *robe,* sorti d'usage, s'emploie parfois en parlant de la chemise de laine que les chartreux portent sur la peau (1680). ➛ **ROBERIE** n. f. (déb. XVIe s., repris 1836) s'emploie dans les communautés religieuses pour désigner la pièce où l'on tient les vêtements. ➛ **ROBIÈRE** n. f. désigne parallèlement la religieuse chargée du soin des vêtements (1665), ainsi que l'armoire qui les contient (1803). ➛ ① **ROBIN** n. m. (av. 1621), dérivé de *robe* dans *homme de robe,* par allusion plaisante à l'homonyme *robin* (→ robinet), a été une appellation familière et péjorative pour un homme de loi, usuelle aux XVIIe et XVIIIe siècles. ➛ **ROBER** v. tr. (1723), d'abord attesté par son participe passé adjectivé dans *garance robée,* puis à l'actif (1803), a signifié «dépouiller la garance de son écorce» ; de nos jours, il indique l'opération consistant à entourer le cigare ou les rôles de tabac d'une *robe* (1904). ◇ En est dérivé **ROBEUSE** n. f. (1875) «ouvrière» et (milieu XXe s.) «machine affectée à cette tâche».

◈ voir DÉROBER, ENROBER, RUBATO.

ROBERT n. m. est l'emploi comme nom commun (1903) du nom propre *Robert.*

♦ Le mot a d'abord désigné en argot un œil poché, sens conservé régionalement (région lyonnaise) d'où l'emploi pour «œil» chez San-Antonio. ➛ De nos jours, il est employé, surtout au pluriel (1928), comme désignation populaire des seins, d'après *Robert,* nom de marque du premier biberon à tétine de caoutchouc fabriqué industriellement (1888) et lancé par la publicité. L'analogie de fonction et d'apparence explique cet emploi argotique, puis familier, devenu moins courant.

◈ voir ROBINET.

ROBINET n. m. est le diminutif (1285) du moyen français *robin* désignant une fontaine où l'eau sort par un mascaron (attesté en 1527 dans l'Ardenne mais évidemment plus ancien) : c'est un emploi figuré de l'ancien français ② **ROBIN**, nom du mouton (v. 1450), l'extrémité des tuyaux de fontaines étant souvent ornée d'une tête de mouton stylisée, thème décoratif courant. ◇ *Robin* est une forme familière (suffixée) du prénom *Robert.* Dans la littérature médiévale, Robin était souvent employé par dénigrement pour un paysan sot et prétentieux (déb. XIVe, encore au XIXe s.) ; d'autre part, le nom servait à désigner le mouton *(Robin mouton)* et des animaux domestiques. *Pomme de Robin* (1387) s'est dit d'une pomme, *bon robin* d'une herbe, *robine* d'une poire d'été (1690). L'anglais a emprunté *robin* à l'ancien français dans des emplois analogues et en a fait le nom du rouge-gorge.

♦ *Robinet* désigne d'abord un mascaron ornant le haut bout d'un instrument à cordes (et qui devait représenter une tête de mouton), ainsi que la pièce ajustée à l'issue d'un tuyau de fontaine et qui permet de laisser couler ou de retenir l'eau (1401). Ce sens l'a emporté, réalisé dans des syntagmes plus fréquents lorsque la distribution d'eau courante, succédant aux fontaines à réservoir, s'est diffusée. Après 1870, on parle de *robinet électrique* (1888), de *robinet d'incendie,* etc. ➛ Par métonymie, le mot désigne surtout la partie de l'appareil permettant la manœuvre d'ouverture ou de fermeture (1690). L'usage des robinets était normal dès le XVIIe s., comme l'atteste l'emploi figuré du mot appliqué à ce qui retient ou laisse passer un flux : sons, distribution d'argent, d'avantages (1675, Mme de Sévigné) et s'employant dans la locution ***tenir le robinet*** «pouvoir disposer et user d'une chose à sa volonté» (fin XVIIe s.). L'expression ***robinet d'eau tiède*** (1835) s'emploie à propos d'un bavard prolixe et insipide. ➛ Le mot fournit une désignation familière de la verge d'un petit garçon (1604), surtout dans *petit robinet.*

▸ **ROBINETTERIE** n. f. (1845) désigne la fabrication de robinets et, par métonymie, l'entreprise (1904), l'industrie, le commerce des robinets. Il s'emploie avec le sens collectif d'«ensemble des robinets (d'une chaudière, d'un appareil)» (1935). ➛ **ROBINETIER** n. m. désigne un fabricant ou marchand de robinets (1870) et qualifie celui qui travaille dans la robinetterie (1870).

◈ voir ROUBIGNOLES.

ROBINIER n. m. est la francisation (1778) du latin botanique moderne *robinia* de même sens, tiré par Linné du nom de Jean *Robin* (1550-1629), botaniste des rois Henri III, Henri IV et Louis XIII, qui introduisit cet arbre, natif d'Amérique du Nord, place Dauphine à Paris en 1601. En 1635, son fils Vespasien Robin le transplanta à son emplacement actuel, au jardin des Plantes.

♦ Le mot employé en botanique mais peu courant dans l'usage général est parfois employé à tort pour désigner l'acacia. Par ailleurs, le mot *acacia,* en botanique *faux acacia,* s'emploie réciproquement pour désigner le robinier, dans l'usage courant.

ROBINSONNADE n. f., d'abord attesté chez J. Ray (1872), traducteur du *Capital* de Karl Marx, sous la forme *Robinsonade,* est emprunté à l'allemand *Robinsonade.* Le mot est tiré du nom de *Robinson* dans *Robinson Crusoe* (1719), titre de l'œuvre de Daniel Defoe, désigne un type de récit exploitant le mythe de l'île déserte et se donnant parfois comme un manuel du parfait «bricoleur-agriculteur-éleveur». En Allemagne, après *l'Île Felsenburg* (1731-1743) de G. Schnabel, c'est le *Robinson des jeunes* (1799) de J. H. Campe où se retrouve l'idée rousseauiste que toute expérience contribue à former l'être social, donnant à l'œuvre un caractère initiatique qui sera celui de *L'École des Robinsons* de Jules Verne (1882), de *L'Île mystérieuse* du même auteur, du *Robinson suisse,* etc. Marx a rendu célèbre le terme en l'employant comme désignation de l'utopie au sens le plus réducteur *(«la révolution sur cinquante kilomètres carrés»)* à laquelle s'oppose la révolution selon le matérialisme historique.

♦ Repris dans le sens donné au mot par Marx, *robinsonnade* désigne aussi un récit d'aventures dans la nature à la manière de celles de Robinson.

▸ **ROBINSON** n. m. est l'emploi comme nom commun (1857, Flaubert) du nom propre *Robinson* (Crusoé) appliqué à une personne qui vit seule dans la nature. ➝ Il a désigné un grand parapluie, familièrement depuis la représentation en 1805 d'une pièce de Guilbert de Pixerécourt dans laquelle le héros apparaissait avec un parasol, allusion entretenue par les illustrations de l'œuvre de Defoe. ➝ **ROBINSONNER** v. intr. est dérivé (1870) du nom de *Robinson,* exprimant le fait de «vivre comme Robinson, dans un lieu désert».

ROBORATIF, IVE adj. est dérivé savamment (1501) de l'ancien verbe *reborer* v. tr. (1295) «confirmer, ratifier», *roborer* «fortifier» (déb. XIVe s.) au propre et au figuré, lui-même emprunté au latin *roborare* «fortifier, affermir, consolider» (→ corroborer) de *robur, roboris* (→ robuste, rouvre).

♦ Le mot est le seul dérivé vivant de la famille de *roborer;* il qualifie ce qui donne des forces, au propre (dans l'ancienne langue médicale) puis au figuré, en style littéraire.

▸ **ROBORANT, ANTE,** le participe présent adjectivé de *roborer* employé au même sens (1821), est sorti d'usage.

◇ voir **ROBUSTE.**

ROBOT n. m. a été introduit en 1924 dans le titre *Les Robots universels de Rossum,* traduction de *Rossum's Universal Robots* ou *R. U. R.* (1921) de l'écrivain tchèque Karel Capek (Tchapek) [1890-1938], où le mot désigne des «ouvriers artificiels», des automates fabriqués par la firme R. U. R. Il a été tiré par Capek du tchèque *robota* «travail» et spécialement «travail forcé, corvée». Ce mot est issu du vieux slave *rabota* (russe *robot'*) dont le premier sens est «esclavage», d'où «travail pénible de l'esclave», puis «travail physique» et par extension «activité laborieuse». Ce mot, représenté dans toute la famille slave, est l'altération par métathèse, de *orbota,* qui appartient à une racine indoeuropéenne °*orbho-,* bien représentée dans les langues germaniques (ancien haut allemand *arabeit[i],* moyen haut allemand *ar[e]beit,* allemand *Arbeit* «travail», moyen néerlandais *arbeit[d]*).

♦ Le mot, d'abord appliqué à un androïde artificiel capable d'accomplir des travaux normalement exécutés par l'homme (1924), désigne plus généralement une machine à l'aspect humain capable de se mouvoir et de parler (1939). Il est employé par métaphore et au figuré à propos d'une personne réduite à l'état d'automate (1935). ➝ Il a été repris pour désigner un appareil capable d'agir automatiquement pour une fonction donnée (1949; dès 1944 dans le français régional de Liège pour désigner les V1), en particulier un appareil ménager (1964); il n'implique plus alors l'apparence humaine. Ce genre d'emplois, après le vieillissement du mot entre 1940 et 1960, s'est multiplié en relation avec l'automatisation de l'industrie et l'apparition de dérivés (voir ci-dessous) et d'expressions. ➝ *Robot* s'emploie comme second élément d'un grand nombre de mots pour indiquer que le premier terme, s'il s'agit d'une machine, est à commande automatique et, s'il désigne une personne ou une collectivité, qu'elle a des attitudes, des gestes dont l'automatisme évoque qqch. d'inhumain (1956).

▸ **ROBOTISER** v. tr., attesté en 1957 par son participe passé adjectivé *robotisé,* est employé à l'actif (1969) un peu plus tard, mais au pronominal dès 1957. Le mot est employé à la fois dans son sens propre «équiper de machines automatiques» et au figuré pour «transformer (une personne) en robot». ➝ *Robotiser* a produit **ROBOTISATION** n. f. (1962), attesté longtemps après l'anglais *robotization* (1927), substantif d'action au sens propre et au sens figuré (1967). ➝ **ROBOTISME** n. m. (1959, Cocteau) est un mot rare référant à l'emploi de robots. ➝ **ROBOTIQUE** n. f. (1974; *ingénieur robotique* 1972) formé en français d'après *automatique,* ou peut-être emprunté à l'anglais *robotic,* également attesté comme nom (1941, *robotic*) désigne l'étude et la mise au point d'automatismes adaptables à un environnement complexe et pouvant remplacer ou prolonger des fonctions humaines. ◇ Il a produit **ROBOTICIEN, IENNE** n. (1974) «spécialiste de la robotique».

ROBUSTE adj. est emprunté (XIIIe s.) au latin *robustus,* proprement «de rouvre, de chêne», d'où «solide (comme le chêne), fort, résistant» et, en parlant de personnes, «vigoureux». Ce mot est dérivé de *robur, -oris* «chêne très dur» (→ rouvre), au figuré «dureté, solidité», «vigueur» et «cœur, noyau, élite». L'ancien français *rubeste* «sauvage, cruel» (1080), et «fort, rude» (fin XIIe s.), était issu d'un latin populaire °*rebustus,* altération de *robustus.*

♦ Le mot qualifie un être humain ou un animal solidement constitué et résistant (v. 1300); il se dit en particulier du corps ou d'une partie du corps, de l'état de l'organisme qui ne se laissent pas facilement altérer (1690). Par analogie il qualifie un végétal qui vit sans dommage dans des conditions climatiques difficiles (1604). Au figuré, l'adjectif signifie «ferme, inébranlable» (1481) et caractérise une chose résistante (1869). Le mot appartient à l'usage soutenu; il semble plus spontané en français québécois.

▸ **ROBUSTEMENT** adv. (1539) est rare. ➝ **ROBUSTICITÉ** n. f. dérivé savant (1776) s'est substitué au moyen français *robusteté* (1508) «état d'une personne robuste». Devenu archaïque, il a été repris en médecine militaire dans l'expression *indice de robusticité* (1922). ➝ Il a souffert de la concurrence de **ROBUSTESSE** n. f. (1852, Gautier), autre dérivé de l'adjectif, d'usage courant.

◇ voir **CORROBORER, ROBORATIF.**

① **ROC** → **ROCHE**

② **ROC** ou **ROCK** n. m., nom d'un oiseau fabuleux, est emprunté (déb. XVIIIe s., Galland, traduction des *Mille et Une Nuits*) à l'arabe, qui l'avait pris au persan *ruḫ* (→ roquer). Le mot avait déjà été employé par Marco Polo, sous la forme *ruc* (1298).

♦ *Roc* ou ***oiseau roc*** désigne un grand oiseau mythique de la légende persane et arabe, gigantesque oiseau de proie. ◇ C'est le même mot que *roc* «la tour, aux échecs» (→ roquer).

ROCAILLE → ROCHE

ROCADE → ROQUER

ROCAMBOLESQUE adj. est dérivé (fin XIXe s.) de *Rocambole,* nom du héros d'une trentaine d'œuvres du romancier français Pierre Alexis Ponson du Terrail (1829-1871) publiées en feuilleton de 1859 à 1870, relatant des aventures aussi incroyables qu'animées. Le nom du personnage est peut-être repris du nom commun **ROCAMBOLE** n. f. (1680), nom d'une espèce d'ail, autrefois employé au figuré pour «attrait piquant» (1705), qui serait alors une allusion au caractère de la narration. Mais cette hypothèse est douteuse. Quoi qu'il en soit, *rocambole,* qui avait pris au XIXe s. le sens péjoratif de «chose sans valeur» (XIXe s.), est d'origine obscure : on y a vu l'emprunt de l'allemand *Rockenbolle,* formé de *Rocken* «quenouille» (→ ② rochet) ou forme ancienne de *Roggen* «seigle» et de *Bolle* «oignon». D'autres étymologistes, notamment les auteurs de l'*Oxford Dictionary,* font du mot allemand dialectal et de l'anglais *rocambole* (1698) des emprunts au français.

♦ Le mot qualifie une aventure pleine de rebondissements extravagants, par allusion certaine aux œuvres de Ponson du Terrail.

✳ **ROCHE** n. f. est issu (v. 980) du latin médiéval *rocca* «roche, rocher» (VIIIe s.) d'un type prélatin °*rocca* d'origine inconnue ; l'italien *rocca* et l'espagnol *roca* remontent au même mot.

♦ *Roche* désigne couramment un gros bloc de matière minérale dure, spécialement envisagée comme élément constituant de l'écorce terrestre, et, par métonymie *(la roche),* un sol formé de matière minérale très dure (v. 1120) ; il se dit aussi d'une pierre utilisée comme matériau de construction (v. 1178), emploi disparu, et d'un écueil à fleur d'eau (XIIIe s.). Les sens métonymiques de «caverne, grotte» (v. 1210), «château fort bâti sur une roche» (v. 1245) et «carrière de pierres» (1269) ne se sont pas maintenus après le moyen français. ➛ La locution ***de roche*** qualifie une chose qui sort de la roche, comme dans la locution ***eau de roche*** (1690), au figuré ***clair comme de l'eau de roche*** (1690), «clair, évident», et une espèce vivant près des roches, des rochers, dans ***coq de roche, poisson de roche.*** *De roche* se dit aussi au figuré d'une chose ferme, inébranlable moralement (Malherbe) et s'emploie comme symbole de la dureté, de l'implacabilité (1633, Corneille). ➛ Par spécialisation, le mot désigne le minerai contenant des pierres fines (1690), en particulier dans ***de (la) vieille roche*** avec le sens figuré d'«ancien et éprouvé» (1658), emploi archaïque, «de vieille souche» à propos d'un noble (1718). ➛ Le mot a désigné concrètement le borax impur (1690) et ***roche à feu*** (1691, *roche de feu*) une composition incendiaire en pyrotechnie, emplois sortis d'usage. ➛ Au XVIIIe s., il reçoit une définition scientifique, «assemblage de minéraux définis par leur composition chimique» (1749, Buffon), servant à former de nombreux syntagmes didactiques. D'autres sens et expressions, *pierre de roche* (1835), *moellon de roche,* sont techniques. Par allusion à la masse pierreuse, on a baptisé *fromage de roche* un fromage rond d'un kilo fabriqué à Roanne (1723). ➛ Le sens de «petit morceau de pierre», usuel en français du Canada *(lancer, tirer des roches),* ne correspond plus en français de France qu'à un emploi technique, pour «morceau de charbon de plus de quatre-vingts millimètres» (milieu XXe s.).

▸ ① **ROCHER** n. m. (v. 1138) désignant une grande masse de matière minérale dure, est un quasi-synonyme de *roche* mais indique davantage une forme déterminée, souvent abrupte, pointue et souvent considérée selon sa matière ou sa paroi (1764). Il est plus courant que *roche* dans la langue parlée. ◇ Il partage avec *roche* le sens d'«écueil, récif» (1580) et s'emploie aussi avec des valeurs symboliques ; le style religieux biblique lui donnait le sens d'«abri, refuge» (1560), la langue courante le prend comme symbole de l'insensibilité (déb. XVIIe s., Malherbe) puis de la fermeté et de la constance (av. 1558). ➛ Le mot est employé en décoration pour désigner (1599) un ouvrage d'orfèvrerie en vogue au XVIIe s., dont la forme et la décoration rappelaient l'apparence d'un rocher, aussi dans la locution ***rocher d'argent*** (1599) sortie d'usage. ➛ En architecture, *rocher* sert à désigner un massif de pierre imitant un rocher naturel d'où ***rocher factice*** (1690), ***rocher artificiel*** (1870), et une fontaine en forme de rocher (1694, *rocher d'eau*). ➛ Par analogie, on a nommé *rocher de confiture* (1690) expression sortie d'usage, ou *rocher* (1904) une petite pâtisserie légère en forme de rocher. ➛ Parmi les sens spéciaux répertoriés au XVIIIe s., plusieurs, «fourneau d'alchimiste» (1721), «mousse s'étendant sur la bière lorsqu'elle commence à fermenter» (1765), ont disparu. Cependant, *rocher* désigne encore une coquille du genre murex (1736) et, en anatomie, la partie massive de l'os temporal, en forme de pyramide quadrangulaire (1765).

▸ **ROCHIER** n. m. est la substantivation d'après *roche* (1560) de l'ancien adjectif *roquier* (1300) dérivé de *roc* dans *colomb* (pigeon) *roquier.* ◇ Ce mot régional désigne un poisson de rocher, spécialement un squale des côtes de France, et pour l'émerillon, surtout le vieux mâle (1776).

ROC n. m., attesté vers 1470 mais probablement antérieur si l'on en juge par les dérivés *rocaille* (ci-dessous) et *roquier* (ci-dessus), est la forme masculine tirée de *roche,* désignant un bloc ou une masse de pierre dure formant une éminence, ainsi que la matière rocheuse. Le mot, qui selon Condillac «marque plus la dureté et la stabilité de la pierre» (Dictionnaire de synonymes), est plus littéraire que *rocher* et indique souvent un soubassement. Comme ces deux derniers, il symbolise la dureté insensible ou l'extrême fermeté (1626). ➛ Il a pour dérivé **ROCAILLE** n. f., d'abord *roquailles* au pluriel (v. 1360) puis, sous l'influence de *roche, roichaille* (1373), *rochaille* (1611) formes abandonnées au profit de *rocalle* (1636) et *rocaille* (1648). ◇ Ce mot désigne un amas de petites pierres sur le sol, un terrain rempli de petits cailloux et de débris minéraux; il s'est appliqué en Normandie aux coquillages et crustacés pêchés dans les rochers (1373). ◇ Au XVIIe s., dans le vocabulaire des arts décoratifs, il désigne un morceau de minéral, un caillou de forme tourmentée, comme la *perle baroque**, utilisé avec des coquillages pour construire des grottes artificielles, des décorations de jardins (1636). ◇ Par métonymie, le mot désigne l'ouvrage construit avec ces matériaux (1669), servant à caractériser le genre décoratif baroque qui s'est épanoui sous la Régence et le règne de Louis XV, caractérisé par des lignes contournées évoquant la forme des rochers et coquilles (1845); cf. *rococo*, ci-dessous. *Une rocaille* désigne une pièce fabriquée dans ce style (1842). Le mot est aussi adjectivé (*style rocaille*, 1842; *meuble rocaille*, 1846). ➜ *Rocaille* a produit plusieurs dérivés. **ROCAILLEUR** n. m. (1665) est le nom technique du cimentier spécialisé dans la confection de rocailles, puis (XXe s.) de l'artisan ou artiste fabriquant des objets de style rocaille. ➜ **ROCAILLEUX, EUSE** adj. (1692) qualifie un lieu couvert de petites pierres, plein d'aspérités, au figuré (1788) une œuvre, un style manquant de grâce et d'harmonie, puis (XXe s.) des sons rudes qui heurtent l'oreille. ➜ **ROCAILLER** v. tr. est d'abord attesté sous la forme du participe passé *rocaillé* (1765) en parlant d'une fontaine faite avec de la rocaille, puis à l'actif (1875), pour «faire (une ornementation) en rocaille». ◇ Ce verbe a produit **ROCAILLAGE** n. m. (1875).

ROCOCO n. m. et adj. est une formation plaisante née dans les ateliers pour se moquer du style décoratif rocaille, lequel, comme de nombreux éléments artistiques de l'Ancien Régime (cf. *trumeau, perruque*), sert à qualifier ce qui est vieillot, désuet, ridicule (1825, Stendhal). Le mot, à l'origine péjoratif, a cessé comme *baroque** de l'être en histoire de l'art (1828), où il est réemprunté à l'allemand qui distingue plus nettement *barok*, terme qui s'applique à un style pratiqué du XVIe au XVIIIe s., et *rokoko*, pour le style du XVIIIe siècle. ➜ *Rococo* est resté péjoratif en français dans l'usage courant, appliqué par extension à une recherche artistique ou littéraire qui tombe dans la mièvrerie (1846, Baudelaire), à un genre ou à un objet passé de mode (1834). ◇ On rencontre au XIXe s. les dérivés plaisants **ROCOCOTERIE** n. f. (1839), **ROCOCOTE** adj. f. (1845), **ROCOCOTIER, IÈRE** adj. et n. (1858), **ROCOCOTER** v. intr. (1864), témoins disparus de l'engouement pour le style rococo.

ROCHEUX, EUSE adj. (1549), d'abord employé pour qualifier ce qui est situé sur un rocher puis avec le sens actuel de «couvert de roches apparentes» (1598), est resté rare jusqu'au XIXe s. où il se diffuse dans ce second sens; il est admis tardivement par l'Académie (1878). Il qualifie, en géologie et couramment, ce qui est formé de roche (déb. XXe s.). ➜ ② **ROCHER** v. est un verbe technique qui procède (1622) du sens spécial de *roche* «borax», et signifie «saupoudrer (un métal à souder) de borax». Il s'emploie intransitivement en parlant de l'argent fondu qui se refroidit en se couvrant d'excroissances (1872). ➜ **ROCHASSIER, IÈRE** n. (1904), terme d'alpinisme dérivé de *roche* mais lié par le sens à *rocher*, signifie «personne qui fait du rocher», par opposition à *glaciériste*.

Par préfixation en *dé-* indiquant l'éloignement, un verbe *desrochier* (XIIe s.) puis **DÉROCHER** a été tiré de roche. Il s'emploie intransitivement pour «lâcher prise et tomber d'une paroi rocheuse», sens avec lequel il a été repris au début du XXe s. comme terme d'alpinisme plus tard en concurrence avec *dévisser*. ◇ Le verbe s'emploie aussi transitivement pour «dégager (un lieu : terrain, chenal)» des rochers qui l'encombrent (1671). ◇ Le verbe correspond aussi à ① *dérochage*, d'abord dans *se dérocher* (1879). ➜ Les dérivés se répartissent entre les deux sens : **DÉROCHEMENT** n. m., en moyen français *desrochement* «démolition» (1472), a été repris en technique pour «acte de dégager un terrain des rochers qui l'encombrent». ➜ **DÉROCHEUSE** n. f. (1889) est le nom donné à la machine destinée à dégager un chenal. ➜ ① **DÉROCHAGE** n. m. fournit le substantif d'action, en alpinisme, pour le fait de lâcher prise (1838).

① **ROCHET** n. m. est le diminutif (v. 1170) d'une forme non attestée °*roc* «habit», transcription du latin médiéval *roccus* ou *rochus, roquus, hroccus*, lequel désignait un vêtement masculin, une tunique (v. 799), un froc de moine (v. 817), un vêtement féminin, robe ou jupe. Ce mot est emprunté au francique °*rokk-* de même sens, variante de °*hrokk* qui a donné *froc**.

♦ *Rochet* désigne le surplis à manches étroites, orné de dentelles ou de broderies que portent les évêques et certains dignitaires ecclésiastiques; de là un emploi métonymique pour désigner familièrement un évêque (1765, Voltaire), sorti d'usage. ➜ Le mot a aussi désigné (1265) un vêtement médiéval, casaque, capote ou tunique courte portée par les hommes et les femmes, surtout dans le peuple, et que les paysans ont continué à revêtir jusqu'au XVIIIe s. et, dans certaines provinces, jusqu'au XIXe s.; ce sens n'existe plus qu'en histoire. *Rochet* a aussi désigné le mantelet de cérémonie des pairs d'Angleterre (1698).

② **ROCHET** n. m., attesté au début du XIIIe s., également sous la forme *rocquet* (v. 1560, encore au XVIIIe s.), est d'origine incertaine. L'hypothèse la plus communément admise (Wartburg) en fait le diminutif d'une forme non attestée °*roc* «quenouille», emprunt hypothétique au francique °*rokko*, variante masculine du féminin gotique °*rukka* de même sens (→ roquette); l'allemand *Rocken* «quenouille» appartient à cette famille de mots. L'italien *rocca* et l'espagnol *ruecca* «quenouille» se rattachent à la forme gotique du même mot germanique. Le mot français n'ayant jamais eu le sens de «quenouille», P. Guiraud, pour qui le rochet est une rondelle et non pas une tige, préfère supposer un gallo-roman °*rotica* dérivé de *rota* (→ roue).

♦ En ancien français, le mot désignait le tampon au bout de la lance courtoise puis (XVIe s.) le fer de lance de joute dont on avait rabattu la pointe pour l'empêcher de porter des coups mortels. ◇ Par comparaison avec ce fer, *rochet* a désigné la roue dentée d'un ressort courbé (v. 1560) avant de se dire, seul (1752) ou dans ***roue à rochet*** (1875), d'une roue dentée qu'un cliquet oblige à tourner dans un seul sens. Le sens de «bobine de filature sur laquelle on enroule la soie» (1669) viendrait d'une comparaison de forme mais évoque aussi le sens hypothétique ancien de «quenouille».

▶ **ROCHETTE** n. f. (1964 dans les dictionnaires) désigne l'outil du fileur d'or sur lequel passe le fil enroulé sur la bobine.

ROCK AND ROLL n. m. inv. est un emprunt (v. 1955) non modifié à l'anglais des États-Unis *rock-and-roll,* (1934, dans un titre de chanson), souvent écrit *rock'n'roll,* dont le sens propre est «balancez et roulez!» et qui désigne une musique populaire américaine issue directement du rhythm and blues. Le mot est formé des verbes anglais *to rock* (v. 1100), du vieil anglais *roccan,* appartenant à la racine germanique *rukk-*, et de *to roll* «rouler, tourner», emprunté (1375) à l'ancien français *roler, roller,* devenu *rouler**.

♦ Le terme est apparu en français dès les débuts de ce genre de musique en Amérique du Nord. La forme abrégée américaine **ROCK** a aussi été empruntée, comme adjectif (1957) et comme nom (1956). Elle s'emploie dans de nombreuses expressions empruntées ou formées en français comme *comédie rock, jazz-rock* (1973), *opéra-rock* ou avec la syntaxe anglaise *rock opera, rock culture, rock music. Hard-rock* (1972), littéralement «rock dur» est souvent abrégé en *hard.*

▶ **ROCKER** n. est emprunté (1963, *Salut les copains*) à l'anglais *rocker,* dérivé de *rock* avec le suffixe d'agent *-er.* ➛ Le mot, qui s'emploie comme en anglais à propos du chanteur ou musicien de rock et aussi de l'amateur de rock (1973), a eu plus de succès que la forme *rock'n'roller* (1972) et a été suivi par son abréviation familière *rocky* (pluriel *rockys*) et la graphie francisée **ROCKEUR** (1981) à laquelle correspond un féminin **ROCKEUSE** (1981). Il désigne aussi un type vestimentaire et de comportement.

ROCKING-CHAIR n. m. est un emprunt (1851) à l'anglais d'Amérique du Nord *rocking-chair* (1766) composé de l'anglais *chair* «chaise» lui-même emprunté à l'ancien français *chaire* (français moderne *chaise**) et de *rocking,* gérondif de *to rock* «balancer, bercer» (→ rock and roll).

♦ Le mot, depuis sa première attestation dans les *Lettres d'Amérique* de Xavier Marmier, n'est guère employé que dans un contexte américain, car il désigne un article d'ameublement rare en Europe; ce siège avait été un objet de curiosité parmi les relations de Benjamin Franklin lorsque ce dernier, chargé en septembre 1766 de solliciter l'aide financière et économique de Louis XVI en faveur de l'indépendance des États-Unis, s'était fait envoyer un rocking-chair pour son séjour en Europe. En français, on a désigné ce meuble sous le nom de *chaise berceuse* ou *berceuse, chaise à bascule, fauteuil à bascule.* Les Québécois, chez lesquels ce meuble est répandu depuis longtemps, ont *chaise berçante* ou *berçante,* calque du mot américain attesté dès 1824.

▶ L'abréviation **ROCKING** n. m. (1895, P. Bourget) est peu répandue; on note aussi chez Bourget un emploi isolé de *rocking,* substantif verbal pour «action de se balancer dans un rocking-chair».

ROCOCO → **ROCHE**

ROCOU n. m., à la fois *roucou* et *ouroucou* (1614 dans le *Récit de voyage dans les Antilles* de Claude d'Abbeville), quelquefois *rocou* (1615), est l'adaptation de *urucú, rucú, rocú,* d'une langue indienne du Brésil (tupi ou guarani) désignant un pigment rouge orangé extrait de la matière cireuse rouge qui entoure les graines d'un arbre.

▶ Le mot, repris avec le même sens, a immédiatement produit des dérivés. **ROCOUYER** n. m., nom de l'arbrisseau qui produit les graines produisant le rocou, s'est d'abord écrit *rocchouier* (1645) avant *roucouier* (1727) puis *roucouyer* (1798) et *rocouyer* (1798). ➛ **ROCOUER** (1640) ou **ROUCOUER** (1658) v. tr. «colorer ou teindre avec du rocou» est sorti d'usage.

RODÉO ou **RODEO** n. m. est emprunté (1923) à l'anglo-américain *rodeo* (1914), nom d'un jeu équestre consistant à maîtriser un cheval sauvage ou un bœuf non domestiqué, et lui-même emprunté (1834) à l'hispano-américain *rodeo* «encerclement du bétail, emplacement circulaire où l'on marque le bétail» (XVIIIe s.). Ce dernier est dérivé de l'espagnol *rodear* «tourner, encercler», élargissement de *rodar* «tourner» qui représente le latin *rotare* de même sens, de *rota* (→ roue).

♦ Le mot, essentiellement employé pour désigner le jeu équestre pratiqué dans l'ouest des États-Unis et, par extension, le lieu où se déroule cette fête, se dit aussi, au figuré (XXe s.), comme *corrida,* d'une course agitée, d'une vive agitation collective et spécialement d'une poursuite en voiture.

RODER v. tr. est emprunté (1520) au latin *rodere* «ronger, miner, user» au physique et au moral, mot d'origine incertaine; les rapprochements avec les formes germaniques du vieil allemand *rāzi* «âpre, sauvage» et du vieux saxon *ratte* «rat» et d'autre part avec le sanskrit *rádati,* «il gratte, il bêche», sont vagues. L'ancien français a eu un type populaire *rore* (v. 1200), *reure* «ronger», vivant sous diverses formes dans les dialectes méridionaux et centraux.

♦ Le sens étymologique de «ronger» a disparu. *Roder* a été repris comme terme d'armurerie (1723) avec un sens technique également sorti d'usage. De nos jours et depuis le début du XIXe s. (1836), il exprime l'action de polir, d'user une pièce par le frottement, pour qu'elle s'adapte exactement à une autre. ➛ Par extension, il équivaut à «user par frottement» et s'applique notamment (1933 dans les dictionnaires) au fait de soumettre un moteur, et, par métonymie, une voiture neuve, à l'opération faisant subir une très légère usure aux pièces frottantes de sorte que celles-ci s'ajustent parfaitement. Ce sens, devenu le plus courant, a produit familièrement la valeur figurée de «mettre au point (une chose nouvelle) par la pratique, des essais» (1933) et «faire acquérir à (une personne, un groupe) l'expérience permettant d'accomplir correctement une tâche nouvelle» (1932, en sports).

▸ Le dérivé **RODOIR** n. m. est d'abord un terme d'arquebusier désignant l'outil servant à *roder* (tailler les crans) de la platine d'une arme (1812). En français moderne, il s'emploie en tannerie pour désigner la cuve dans laquelle les peaux sont assouplies (1812) et désigne un outil servant à roder les pièces métalliques (1836). ◆ **RODAGE** n. m. (1836) désigne l'opération technique consistant à roder une pièce, spécialement le moteur d'un véhicule neuf (av. 1933) et, par métonymie, la période pendant laquelle les pièces mobiles du moteur se mettent en place et ne doivent pas être soumises à un effort excessif (1933) d'où *en rodage*. Le mot s'emploie familièrement au figuré (1941), comme le verbe, emploi usuel. ◆ **RODÉ, ÉE**, le participe passé de *roder*, est adjectivé au propre (1933) et au figuré (1968).

◈ voir CORRODER, ÉRODER, ROGNE, ROSTRE.

RÔDER v., d'abord *rodder* (1418) et *rauder* (1530) avant l'orthographe *rôder* (1539), est emprunté à l'ancien provençal *rodar* «tourner, aller en rond, faire tournoyer», encore usité dans les parlers occitans. Ce verbe remonte au latin *rotare* «tourner, faire tourner (comme une roue)», «tournoyer», de *rota* (→ roue). Cependant, P. Guiraud, pour lequel la forme dominante est *rauder*, a risqué l'idée d'un composé de *re-** et de l'ancien français *hoder*, variante *hauder* «fatiguer, remuer, agiter» (v. 1360), d'origine inconnue.

♦ Du XVe s. jusqu'à l'époque classique, le verbe s'est employé transitivement au sens de «parcourir (une région) en errant» d'où, au figuré «tourner, diriger çà et là (les yeux)» [1580, Montaigne]. L'usage intransitif s'est substitué à ce transitif, pour «aller çà et là sans but précis, souvent par désœuvrement, par ennui» (1530), quelquefois en parlant d'une chose personnifiée (v. 1570). On a dit, par analogie, un *navire qui rôde sur son ancre* (1831) à propos d'un bâtiment mouillé dans un courant violent qui se meut de part et d'autre. *Rôder* a pris la valeur péjorative d'«errer avec une intention suspecte et hostile» (1559), s'employant spécialement dans un contexte galant pour «chercher à séduire par des moyens détournés» (1668). Il se dit aussi d'une chose abstraite qui manifeste sa présence de façon furtive mais obsédante (XXe s.).

▸ **RÔDEUR, EUSE** n. et adj. (1539) a d'abord désigné une personne qui erre sans but précis (1538), sens archaïque, puis, péjorativement, une personne d'allure suspecte qui erre à la recherche d'un mauvais coup à faire (1538; 1690 *rôdeur de nuit*). ◆ L'adjectif qualifie d'abord (1764) un animal qui se déplace sans suivre d'itinéraire fixe; il se répand au XIXe s. pour qualifier une personne qui vagabonde à la recherche d'aventures plus ou moins louches (1823) et, au figuré, ce qui appartient à un être qui erre avec des intentions malveillantes (av. 1857). Il qualifie spécialement un esprit, un fantôme errant (av. 1890, Maupassant), une chose personnifiée qui va et vient dans l'attente du moment où elle pourra se manifester (fin XIXe s.). ◆ **RÔDAILLER** v. intr. (1838) fournit un dérivé familier à valeur diminutive; le dérivé **RÔDAILLEUR, EUSE** n. et adj. (1951, Céline) est rare. ◆ **RÔDERIE** n. f. (1864), substantif d'action tiré de *rôder*, est littéraire et rare.

RODOMONT n. m. et adj. m., réfection (1573) de *rodomone* (1527), est l'emploi comme nom commun de l'italien *Rodomonte*, nom d'un roi d'Alger plein de bravoure, mais fier et insolent, qui apparaît dans le *Roland amoureux (Orlando innamorato)*, poème chevaleresque écrit de 1476 à 1492 par Matteo Maria Boiardo, puis dans le *Roland furieux (Orlando furioso)* continuation de l'œuvre du précédent (1506-1532) par l'Arioste.

♦ Ce mot littéraire, par le même développement de sens que *matamore*, désigne un fanfaron qui se vante de prétendus actes de bravoure et affecte une hauteur méprisante.

▸ Le dérivé **RODOMONTADE** n. f. (1587), plus courant, désigne l'attitude d'un fanfaron, une prétention ridicule et injustifiée, et par métonymie *(une, des rodomontades)*, les paroles d'un fanfaron.

ROGATION n. f., d'abord écrit *rogacion* (v. 1355), puis *rogation* (1530), est emprunté au latin *rogatio, -onis* «question, demande», sens classique mais rare, et techniquement «sollicitation, requête»; à basse époque, le pluriel *rogationes* (Ve s.) se dit des prières publiques faites pendant une procession. Le mot est dérivé de *rogatum*, supin du verbe *rogare* «s'adresser à», puis «poser une question, interroger», également employé dans le sens de *petere* (→ pétition) «demander», spécialisé en droit public pour «demander à qqn l'avis motivant son vote» et, de là, «consulter (le peuple)», «proposer une loi *(legem)*» et «proposer (un magistrat) à l'assemblée du peuple». Le mot s'apparente sans doute à *regere* (→ régir), du radical de *rex* «roi».

♦ Le mot, repris comme terme d'antiquité romaine, désigne le projet de loi présenté au peuple réuni en comice pour lui demander de l'approuver, d'abord par oui ou non puis, à partir du IIe s. av. J.-C., au scrutin secret; il n'est pas réattesté avant 1701. Le pluriel *rogations*, dans sa spécialisation religieuse (fin XIVe s.), désigne les cérémonies des trois jours précédant l'Ascension, qui ont pour but d'attirer la bénédiction divine sur les récoltes. Il a remplacé l'ancien type populaire *rovaisons* (v. 1119).

◈ voir INTERROGER; ROGATOIRE, ROGATON.

ROGATOIRE adj. est emprunté (1599) au bas latin ecclésiastique *rogatorius* «de demande», notamment dans l'expression *epistola rogatoria* «lettre portant la requête adressée au métropolitain d'ordonner un évêque élu» (715). Ce mot est formé sur *rogatum*, supin de *rogare* «demander» (→ rogation).

♦ Le mot, d'abord dans le syntagme juridique ***commission rogatoire***, emploi le plus usuel, qualifie plus largement ce qui est relatif à une demande (1875). Il s'emploie aussi en termes d'antiquité romaine, qualifiant ce qui est relatif à un projet de loi soumis au peuple romain (1842).

▸ **ROGATOIREMENT** adv. (1875, *Journal officiel*) signifie «par voie rogatoire, au titre d'une commission rogatoire».

◈ voir INTERROGER, ROGATION, ROGATON.

ROGATON n. m. est un emprunt (1367), orthographié d'après la prononciation ancienne du latin (cf. *dicton*), au latin médiéval *rogatum* «demande», participe passé passif substantivé, au neutre, du latin classique *rogare* «demander, solliciter, interroger» (→ rogation).

♦ Le mot a d'abord servi à désigner une assignation, une convocation, l'expression *porteur de rogatons* (1367) désignant l'officier chargé de porter cette convocation. Désignant un religieux mendiant qui porte les reliques et les indulgences (1534, Rabelais), elle est ironique, de même qu'à propos de ceux qui présentaient de courts poèmes louangeurs ou des placets aux grands seigneurs dans l'espoir d'obtenir de l'argent (1640). À l'époque classique, le mot signifie en général «requête» (av. 1660), spécialement «placet pour demander une aumône» (1690); il s'emploie familièrement au sujet d'une petite pièce littéraire sans importance (fin XVIIe s.) et d'une nouvelle du jour, de peu d'intérêt (1676, Mme de Sévigné). ◆ De nos jours, le mot n'est plus employé qu'avec le sens général dépréciatif de «chose de rien» (1662), au propre et au figuré (1860, Baudelaire), comme *bricole, brimborion,* etc. et, surtout avec le sens spécial de «menus débris de nourriture (de viande en particulier), restes d'un repas» (1694) et spécialement pour un plat composé des restes d'autres plats (1740). De nos jours, avec le sens général de «résidus, restes», il est toujours péjoratif et dérisoire.

◈ voir INTERROGER, ROGATOIRE, ROGATION, ROGOMME (selon P. Guiraud).

ROGER-BONTEMPS n. m. est l'emploi comme nom commun de l'association du prénom *Roger* et du nom ou surnom *Bontemps* (de *bon* et *temps,* XIVe s.). La date à laquelle le mot est attesté pour la première fois, sous la forme *Rogier Bon tens,* interdit l'interprétation longtemps donnée selon laquelle il se serait agi du surnom du poète R. de Collerye né en 1470, joyeux viveur qui «gallait le bon temps». Après la forme *Rogier Bon-Temps* (1480, René d'Anjou), on est passé à la forme soudée (1572).

♦ Le mot, désignation familière d'un personnage insouciant et jovial, s'est employé jusqu'au XIXe siècle.

◈ ① **ROGNE** n. f., réfection (v. 1220) de la forme évoluée *ruinne* (v. 1125) est issu d'un latin populaire °*ronea* «gale», altération sous l'influence du latin classique *rodere* «ronger» (→ roder) du latin classique *aranea* qui désigne l'araignée (→ araignée), sa toile, et à basse époque, l'herpès. Le mot latin ne vit plus que dans le roumain *rîie.*

♦ Ancien nom populaire de la gale et de la teigne invétérées, le mot désigne une maladie des arbres provoquée par l'humidité (1562), puis la mousse qui pousse sur le bois et le détériore (1676) et l'excroissance qui se développe sur les rameaux de l'olivier diminuant l'abondance de leur produit (1842).

② **ROGNE** → ② ROGNER

① **ROGNER** v. tr., d'abord *redognier* (fin XIe s. Gloses de Raschi), *reoignier* (v. 1131), puis *rongner* (XIIIe s.) et enfin *rogner* (1570 mais *rongnure* est antérieur), est issu d'un latin populaire °*retundiare.* Ce mot est l'altération d'un °*rotundiare* «couper en rond», du latin classique *rotundus* (→ rond, rotonde). ◈

♦ Le verbe, qui apparaît avec le sens de «tonsurer» et «couper autour» (v. 1160) a perdu l'idée étymologique de rondeur, n'exprimant plus que celle de couper de manière à diminuer la surface, la largeur, la longueur, l'épaisseur (v. 1175 et peut-être dès la première attestation). De ce sens procèdent plusieurs valeurs spéciales pour «limer frauduleusement les bords d'une pièce de métal précieux» (v. 1283), «couper les marges d'un livre en reliure» (1690). Le verbe se construit également avec un complément désignant une partie d'un être vivant (v. 1260, les ongles), par exemple dans ***rogner le pied d'un cheval*** (1870), et métaphoriquement dans la locution ***rogner les griffes à qqn*** (1768). ◆ Depuis le XIVe s., dans l'ancienne expression *bien près rongnier les ongles à aucun* (1358) «rogner les ongles de très près», *rogner* signifie «retrancher mesquinement à (qqn) une partie de ce qui lui revient» (1559) avec un complément désignant une chose concrète ou abstraite; la construction indirecte ***rogner sur qqch.*** signifiant «faire de petits profits en réduisant ce dont on dispose» (av. 1902, Zola).

▸ **ROGNURE** n. f. est attesté sous la forme latinisante *rodognedure* (fin XIe s., Gloses de Raschi), puis *rogneüre* (fin XIIIe s.), *rongnure* (1547) et enfin *rognure* (1636). Le mot désigne ce qui se détache d'une chose que l'on rogne, souvent avec la valeur péjorative de «déchet». ◆ Il a les mêmes emplois spéciaux que le verbe, désignant un déchet de papier (1690), une parcelle limée frauduleusement au pourtour d'une pièce d'or ou d'argent (1870), une opération de reliure consistant à rogner les tranches d'un livre (1875). ◆ **ROGNEUR, EUSE** n. (1690), d'abord *rongneur* (1355), s'est dit de celui qui rognait frauduleusement les monnaies puis a été repris pour désigner l'ouvrier chargé des opérations de rognage (1845). ◇ Le féminin *rogneuse* désigne une machine à rogner le papier (1875) et un appareil utilisé en viticulture pour rogner les plants (1968). ◆ **ROGNEMENT** n. m. (1636), antérieurement *rongnement* (1538), sert de substantif d'action au verbe, concurrencé par **ROGNAGE** n. m. (1842). ◆ Le nom d'action **ROGNERIE** n. f. (1608), dit spécifiquement de l'action de rogner frauduleusement les monnaies, est sorti d'usage. ◆ **ROGNOIR** n. m. (1803), d'abord «plaque de cuivre chaude servant à rogner les chandelles», est un autre nom d'instrument pour rogner (1836), spécialement en reliure (1875). ◆ *Rogner,* représenté par l'élément *rogne-,* a servi à former **ROGNE-PIED** n. m. inv. (1762), nom de l'outil du maréchal-ferrant servant à rogner la corne du sabot d'un cheval.

② **ROGNER** v. intr., d'abord *ruignier* (XIIIe s.) attesté tardivement sous la forme *rogner,* (1876, Huysmans), certainement antérieur régionalement, relève d'un radical onomatopéique *ron-* exprimant le grognement *(grogner, grommeler, gronder)*, très répandu en gallo-roman avec des variantes vocaliques (normand *roincer*, limousin *rundir*).

♦ *Rogner*, terme familier pour «être en colère, rager», est usuel dans les patois.

▸ Le dérivé verbal **ROGNONNER** v. intr. (1680), antérieurement *rongnoner* (1611), attesté dès 1556 en normand, est un mot expressif signifiant «ronchonner (entre ses dents)». ◆ ② **ROGNE** n. f., d'abord *rongne* (1501) a d'abord désigné, par métonymie, la difficulté d'obtenir qqch., une longue discussion pénible. Longtemps usité dans la région de Lyon et de Genève (franco-provençal) dans la locution ***chercher (la) rogne*** «chercher noise» (1701), le mot s'est répandu plus tard à Paris (XIXe s.) avec une valeur concrète, pour «action de grogner entre ses dents». On est passé au sens figuré de «mauvaise humeur», surtout dans ***être en rogne*** (1888) plus courant que *rogner*. La paronymie avec *grogne*, de *grogner*, a été exploitée dans un discours célèbre du général de Gaulle. ◆ **ROGNEUX, EUSE** adj., d'abord relevé dans un texte lillois sous la forme *rongneux* «hargneux» (1867), n'est attesté que depuis 1935 (Duhamel) sous la forme moderne ; il caractérise une personne et, par métonymie, ce qui témoigne d'un mécontentement agressif. Ces mots sont tous familiers.

◈ voir RONCHONNER, RONFLER, RONRONNER.

ROGNON n. m., d'abord *roignon* (fin XIIe s.), *rongnon* (v. 1460) puis *rognon* (av. 1613), est issu d'un latin populaire °*ronionem*, assimilation vocalique de *renionem*, accusatif de *renio* «rein», élargissement du latin classique *ren, renis* de même sens (→ rein). L'italien *rognone*, l'ancien provençal *renhon, rinhon*, l'espagnol *riñón* viennent du même étymon.

♦ Le mot désignait le rein de l'être humain, encore à l'époque classique, avant d'être supplanté par l'emprunt médical *rein*. Il se rencontre aussi au sens métonymique de «hanche» (fin XIIe s.). En français moderne, l'emploi de *rognon* s'est restreint au rein d'un animal, le plus souvent en cuisine, cette acception étant en usage depuis l'ancien français (fin XIIe s.). Par analogie, il désigne, aussi en cuisine, les testicules d'animaux notamment dans ***rognon de coq*** (1690) et, par un nouveau développement analogique, certaines prunes, haricots et raisins de forme allongée (1701). ◆ D'autres sens techniques procèdent d'une analogie de forme avec le rein : en géologie à propos d'une petite masse minérale arrondie enrobée dans une roche différente (1779), en termes de pêche d'une cuiller métallique (1904), en arts décoratifs d'une petite table de style Louis XV (XXe s.).

▸ Le dérivé **ROGNONNADE** n. f. (1938), désigne la longe de veau que l'on fait cuire avec le rognon enveloppé de sa graisse, et rappelle le provençal *ronhonada* «longe de mouton» dérivé de *ronhon* attesté dès le XVIe siècle.

ROGOMME n. m., d'abord *rogum* (1700), *rôgomme* (1735), *rogome* (1823), est un mot d'origine incertaine dont la forme initiale suggère une provenance exotique. On a aussi évoqué la rencontre de *rhum** et de *gomme** «sirop de sucre» — de manière purement hypothétique sur le témoignage d'emplois où le mot désigne un verre d'eau-de-vie bu à la santé de qqn — ou encore un doublet de *rogaton**, latin de cuisine pour *rogatum* «chose que l'on demande» ; selon Guiraud, auteur de cette hypothèse, le rogomme serait un pourboire bu à la santé du client généreux.

♦ Le sens premier du mot correspond à «liqueur forte, eau-de-vie» dans la langue populaire. Il s'est effacé derrière l'emploi de la locution ***voix de rogomme*** (1823) «voix enrouée (d'ivrogne)» (cf. *mélécasse*) à partir duquel *rogomme* a pris la valeur adjective de «rauque, éraillé» (1861).

▸ **ROGOMMISTE** n. m. «marchand d'eaux-de-vie et de liqueurs» (1788 *rogomiste*) et **ROGOMMEUX, EUSE** adj. «rauque, éraillé par l'abus d'alcool» (1847), sont sortis d'usage.

① **ROGUE** adj. *rogre* (v. 1180), puis *rogue* par dissimilation, est probablement emprunté à l'ancien scandinave *hrókr* «excès, insolence». P. Guiraud, comparant *arrogant**, qui remonte au participe présent du latin *arrogare* «demander avec insistance», suppose le représentant d'un type °*rogicus* dérivé de °*rogicare*, doublet gallo-roman hypothétique du latin *rogitare* «demander avec insistance», fréquentatif de *rogare* «demander» (→ interroger, rogation, rogatoire, rogaton).

♦ Le mot, après avoir exprimé une notion d'agressivité, caractérise la personne à la fois méprisante, froide et rude (v. 1278) et, par métonymie (1567), le ton, la voix, l'air, les manières d'une telle personne.

▸ Ni **ROGUEMENT** adv. (1564) ni **ROGUERIE** n. f. (1re moitié XVIIe s., Saint-Simon) ne se sont répandus.

② **ROGUE** n. f. est un emprunt (1723) au breton *rog*, lui-même pris à un radical germanique *hrogn* (cf. danois et norvégien *rog*, allemand *Roggen*).

♦ Le mot désigne des œufs de morue, de hareng, utilisés comme appât pour la pêche, puis (1870) des œufs de poisson employés en cuisine.

ROI n. m., d'abord sous la forme latine *rex* (v. 881) puis *rei* (v. 980) et *roi* (v. 1160), est issu du latin *regem*, accusatif de *rex, regis*. Ce mot désigne le monarque qui dirige seul les affaires de l'État, et, pendant la république, a pris la valeur péjorative de «tyran, despote». Il désigne également celui qui commande ou préside qqch., spécialement le prêtre et Jupiter, roi des dieux et des hommes. Par extension, *rex* se dit familièrement de toute personne riche et puissante, d'où chez Horace *reges* pour «les riches». Le nom indoeuropéen °*rēg-* est un de ces mots de la langue politique et religieuse qui se trouvent à la fois à l'est (indo-iranien) et à l'ouest (italo-celtique) de l'aire indoeuropéenne. Sous forme verbale (en latin, *regere* → régir), la racine n'apparaît que dans l'Inde védique : *rāṣṭi*, et secondairement *rājati* «il règne». Sous forme nominale, avec valeur de nom d'agent, °*rēg-* est surtout

Les noms du ROI

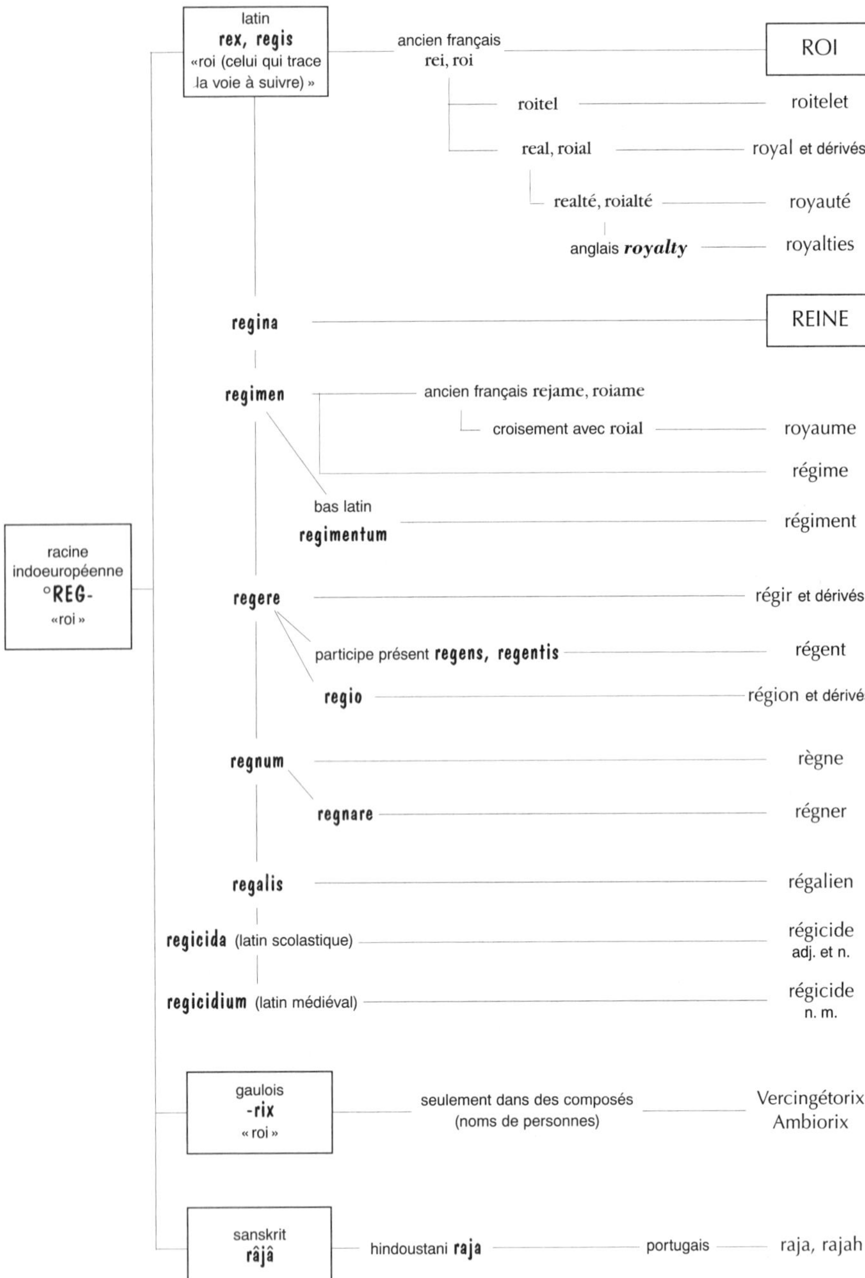

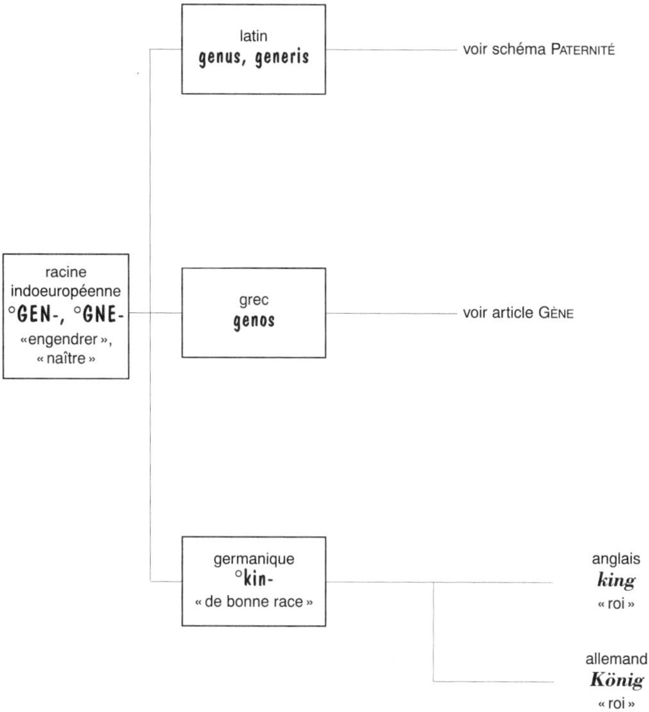
racine indoeuropéenne °GEN-, °GNE- « engendrer », « naître »
latin genus, generis
voir schéma PATERNITÉ
grec genos
voir article GÈNE
germanique °kin- « de bonne race »
anglais king « roi »
allemand König « roi »

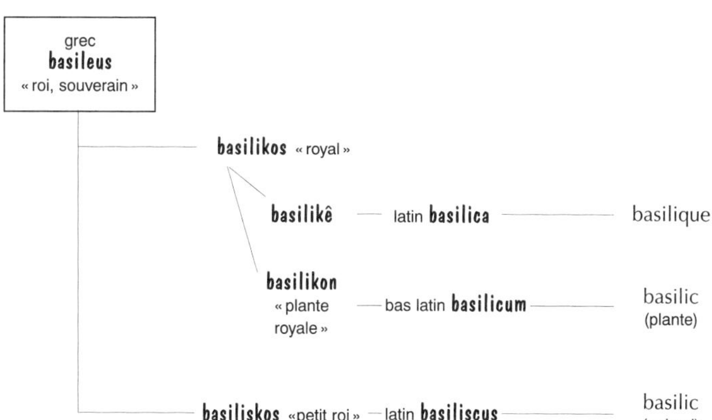
grec basileus « roi, souverain »
basilikos « royal »
basilikê
latin basilica
basilique
basilikon « plante royale »
bas latin basilicum
basilic (plante)
basiliskos « petit roi »
latin basiliscus
basilic (animal)

représenté dans le second terme de composés ; *rāj-* n'est courant en sanskrit que dans cette position : *sam-rā́j-* «roi suprême» ; au simple, la forme usuelle est *rā́jan-* avec le féminin *rā́jñī* «reine» (→ rajah). Le gaulois a de même beaucoup de noms propres composés du type de *Dumno-rix,* cf. le nom *Vercingétorix,* et le groupe germanique, par le celtique *rix,* a un adjectif signifiant «puissant» (→ riche). Toutefois, le védique n'ignore pas le nom singulier *rā́ṭ* «roi» qui a pour correspondant le latin *rex* et l'irlandais *rí.* Il est naturel de penser que *rex* appartient au groupe de *regere* (→ régir) comme *dux* «chef» (d'où l'italien *duce*) au groupe de *ducere* (→ duire ; conduire, etc.). L'emploi de ces thèmes-racines pour désigner les agents étant exceptionnel, on doit être en présence de l'un des archaïsmes provenant des langues périphériques du domaine indoeuropéen. *Rex* est probablement apparenté à *directio* (→ direction, droite), sa valeur originelle en latin correspondant au grand prêtre qui définit l'axe de séparation entre sacré et profane, société et nature (Benveniste).

♦ Dès les premiers textes, le mot se dit en général du souverain qui, par droit héréditaire ou plus rarement par suite d'une élection, est investi à vie des pouvoirs de chef d'État ; il est quelquefois accompagné d'une détermination comme dans *roi de théâtre* (1671) ou *roi en peinture* (1690) «souverain sans autorité», expressions disparues. Il s'est employé en fonction d'adjectif dans la locution *roi vraiment roi* (1669) en parlant de celui qui exerce effectivement tous ses pouvoirs. ◇ À l'époque classique, et depuis le XIIIe s., le mot s'écrit parfois *roy,* graphie reprise par archaïsme aux XIXe et XXe siècles. ◇ Par extension, *peuple roi* s'est dit (1753) du peuple romain qui, sous la république, restait le maître de tous les pouvoirs qu'il conférait à ses magistrats. ➙ *Roi,* nanti d'un déterminant, s'emploie dans de nombreux noms et titres de monarques particuliers : dans la locution figurée ancienne ***c'est la cour du roi Pétaud*** (1611), «c'est l'anarchie et tout le monde veut commander» (→ pétaudière), dans *Grand Roi* et ***Roi-Soleil*** (fin XVIIe s.) désignant Louis XIV. La locution figurée ***travailler pour le roi de Prusse,*** répandue au moment de la paix de 1748, alors que la France semblait avoir œuvré pour la Prusse, existait dès le début du XVIIIe s. en parlant de mercenaires ou d'agents du roi de Prusse fort mal payés. ➙ Quant à la dénomination ***Rois mages*** (→ mages), qui paraît très tardive (attestée en 1893), elle a en partie remplacé *les trois rois* (fin XIIe s.) et les *Rois* (fin XVe s.). La célébration de l'épiphanie* a donné lieu aux expressions *feste des trois Rois* (XIVe s.) puis *fête des Rois* (fin XVe s.) ou *jour des Rois* (1564), *gâteau des Rois* (1553) et *galette des Rois* (XXe s.), ainsi que *faire les Rois* (1680), *tirer les rois* (1615) le mot prenant alors la valeur extensive traitée ci-dessous. Dans le même contexte, on appelait *roi de la fève* (1549) celui qui avait trouvé la fève dans le gâteau ; cette expression était usitée antérieurement à propos d'un roi faible et sans autorité (v. 1450) ; la phrase exclamative *le roi boit !* (fin XVIe s.) saluait le moment où le roi de la fève buvait. ➙ Dès l'origine, la langue religieuse emploie le mot pour désigner celui qui exerce une souveraineté spirituelle indiscutable, d'abord seul sous la forme *rex* et *reis* (v. 980) en parlant de Jésus-Christ, messie annoncé par les prophètes, puis en emploi déterminé : *roi céleste* (1050), *Roi des Rois* (v. 1175), calque de l'hébreu, *livres des Rois* (v. 1170), *roi des Juifs* (1550), *roi du ciel* (1553). L'appellation *Christ-Roi* vient d'une fête instituée en 1925 par Pie XI. ◇ Par analogie, *roi* se dit poétiquement de souverains de la mythologie antique, tels que *roi des dieux* (av. 1741), *roi des enfers* (1875). ➙ Le mot est pris figurément comme symbole de la puissance et du bonheur attachés à l'exercice du pouvoir souverain (fin XIVe s.), dans des locutions comme ***morceau de roi*** (1678), ***plaisir de roi*** (1690), *parler en roi* (1694) et *vivre en roi,* ces deux dernières sorties d'usage, alors que ***heureux comme un roi*** est resté usuel, de même que ***le roi n'est pas son cousin*** (1685 ; 1595 *mon cousin*). ➙ Concrètement, il se dit d'une figure représentant ou évoquant la personne d'un monarque, d'abord aux échecs, d'où ***échec au roi*** (v. 1175), puis aussi aux cartes (1665). En astronomie, *les trois rois* (1752) s'applique aux trois étoiles dessinant le baudrier d'Orion et où l'on voyait les figures des rois mages. ➙ En emploi absolu, le mot s'applique au souverain du pays dans lequel on se trouve ou dont il est question (XIIe s.), seul et dans de nombreuses locutions telles ***le feu roi*** (fin XVe s.), ***la maison... du roi*** (1606), ***le roi est mort, vive le roi,*** phrase exprimant la continuité du pouvoir. ◇ Plusieurs expressions emploient le mot comme symbole de légalité et marque de l'autorité officielle ; depuis la chute de l'Ancien Régime elles sont sorties d'usage : ce sont par exemple ***de par le roi,*** injonction juridique remplacée après la Révolution par *au nom de la loi, gens du roi* (1549), *coffres du roi* (1627), *main du roi* (1694), *taux du roi* (1690), *deniers du roi* (1798). ➙ L'emploi spécial de *roi* comme nom d'une couleur rappelant celle des armes des rois de France s'est réalisé dans le syntagme *couleur de roi* (1543) qui a laissé place à *bleu de roi* (1690), de nos jours abrégé en ***bleu roi*** (déb. XXe s.). ◇ En vertu de l'essence divine de la royauté absolue d'ancien régime, en France, le mot est spécialement pris comme symbole de l'autorité spirituelle émanant de la personne du souverain, dit *Roy Très-Chrétien* (1606) dans les appellations *ordre du roi,* au pluriel *les ordres du roi* (1611). ➙ Après la Révolution et l'Empire, époques où le mot prend des connotations négatives, la Restauration lui donne de nouveaux emplois officiels et courants. La locution ***être plus royaliste que le roi*** apparaît alors (1816, Chateaubriand). *Roi constitutionnel* est attesté plus tard (1893).

Par extension, *roi* désigne une personne exerçant un pouvoir suprême conventionnel dans une collectivité (cf. aussi ci-dessus, *roi de la fève*) ; ainsi, au moyen âge, il a servi de titre aux officiers ayant juridiction sur certains groupes de personnes (*roi des ribauds* v. 1278, *roi des merciers* 1467) ; sous l'Ancien Régime, ce fut le titre des chefs des corporations jouissant de privilèges publics (1338) et des chefs de certaines institutions (1469, *roi de la basoche*). Le titre de *roi de Thune* (1628) désignait en argot le chef d'une association de mendiants et de gueux importante au XVe siècle. En termes d'antiquité, la locution *roi du festin* (1690) sert à désigner le convive choisi pour présider un repas romain. Le titre d'*archonte roi* (1866) est attribué au second des neuf archontes d'Athènes chargé des fonctions religieuses. ◆ Selon un développement analogue à celui du latin *rex, roi* se dit au figuré, dès l'ancien français, d'un personnage dont l'autorité s'exerce sans contestation (fin XIIe s.), souvent adjectivement (fin XIIe s.). Il est employé à propos d'une personne qui surpasse toutes les autres de même catégorie ou jouit de la prééminence dans sa sphère d'activité (fin XIIe s.), quelquefois par ironie (fin XIVe s.), ce qui explique la valeur des nombreux noms de famille *Roi, Roy, Leroy* (ainsi que *Rey,* occitan et franco-provençal). ◆ La locution ***le roi de la nature*** «l'homme» (1667) et l'emploi adjectif (1690), par exemple dans la locution proverbiale ***au royaume des aveugles, les borgnes sont rois*** (1690), relèvent du même sémantisme. Cette valeur est reprise au XXe s. par calque de l'anglo-américain *king,* pour «industriel le plus important (dans un domaine)» (*le roi du pétrole, de l'acier,* etc.). ◆ À partir du XVIe s., se manifeste un dernier groupe d'emplois dans lesquels *roi* se dit d'un animal ou d'une chose se distinguant par sa puissance ou l'éminence de certaines qualités : *roi des cailles* (1547) «râle des genêts», semble inaugurer une série de désignations d'animaux comme *roi des rougets* (1870), *roi des gobe-mouches, roi des harengs* (1875). La langue poétique classique emploie *roi des oiseaux* (1694) «aigle» puis «paon» (1770) et *roi des animaux* (1668, La Fontaine) «lion». ◆ *Roi* s'applique poétiquement aussi à une chose abstraite qui semble disposer d'un pouvoir absolu (av. 1613), y compris en emploi adjectif (1875), et à une chose concrète qui est la plus réputée dans sa catégorie (déb. XXe s.). Les alchimistes s'en sont servi pour désigner le soufre et l'or colloïdal (1721), les minéralogistes ont appelé l'or *roi des métaux* (av. 1814). Dans le langage poétique, le chêne a reçu le titre de *roi des arbres* ou *des forêts* (v. 1800). Voir aussi le schéma *les noms du roi* pp. 3274-3275.

▶ **ROITELET** n. m., attesté une fois en 1180 selon Wartburg (à tort selon *T. L. F.*), repris au XIVe s., est le diminutif de l'ancien français *raitel* (v. 1138), *roitel* (fin XIIe s.), *roitel* (fin XIVe s.), «roi d'un petit État», lui-même diminutif de *roi.* Dès sa première attestation, puis de nouveau à partir de 1559, le mot désigne un tout petit passereau chanteur. ◆ Il s'emploie quelquefois ironiquement (fin XIVe s., *reytelet*) pour un souverain peu puissant, parfois comme désignation familière d'un roi de petite taille (v. 1550) et d'un très jeune roi (1875).

VICE-ROI n. m. (1466), d'abord *vige-roy* (1463), *vir-roy* (1463), désigne le délégué direct d'une puissance royale. ◇ On en a dérivé **VICE-ROYAUTÉ** n. f. (1680). ◆ **INTERROI** n. m. (apr. 1350) a désigné le magistrat chargé de gouverner pendant l'interrègne.

◈ voir RÉGAL, RÉGALIEN, RÉGENCE, RÉGICIDE, RÉGIR, RÈGNE, REINE, ROYAL, ROYAUME, ROYAUTÉ.

✳ ① **RÔLE** n. m., d'abord écrit *rolle* (v. 1180) et *role* (XIIIe s.), également *roole* et *roolle* du XIVe au XVIe s., puis *rôle* (XVIIe s.), est issu du latin médiéval *rotulus,* attesté quelquefois dans la basse latinité. Ce mot, diminutif du latin classique *rota* (→ roue) «petite roue», désigne un rouleau, une feuille roulée portant un écrit (v. 751) et spécialement, dans la langue administrative et juridique, un registre d'actes, une liste, un rouleau faisant part d'un décès et implorant des prières pour l'âme du défunt (v. 964). L'idée de déroulement se retrouve dans le latin *volumen* (→ volume), de *volvere.* Par une autre spécialisation, *rota* désigne déjà le texte que doit apprendre un acteur de théâtre. L'ancien provençal *role, rolle,* etc. «rouleau, écrit» et l'espagnol *rolde* «cercle de personnes» sont également issus du latin *rotulus;* l'italien *ruolo* «liste» et l'espagnol *rol* viennent du français.

♦ Le sens initial de «feuillet, recueil portant une liste de personnes ou de choses appartenant à une même classe» est sorti d'usage après le XVIIe s. sauf dans des emplois spéciaux. C'était une extension métonymique de la première acception «rouleau de parchemin, de papier» (XIIIe s.) qui ne subsiste qu'en archéologie médiévale et en paléographie. ◇ D'autres extensions sont usitées dans le langage administratif et juridique : *rôle* désigne la feuille ou le registre sur lesquels on transcrivait certains actes ou certains titres (v. 1390), spécialement le feuillet écrit recto verso d'un acte notarié, d'un cahier des charges (1690), et enfin, les registres manuscrits des actes du Parlement anglais (1870). ◆ C'est du sens juridique de «registre sur lequel les affaires sont inscrites dans l'ordre où elles doivent être plaidées devant un tribunal» (1454) que vient la locution usuelle ***à tour de rôle*** (1636) d'abord *à son tour de rolle* (1454), qui était passée dans l'usage commun (av. 1493), alors que les expressions *rôle général, rôle particulier* (1799) sont restées juridiques. Le mot s'est spécialisé aussi en législation financière (XVIe s.) pour désigner le cahier qui, dans chaque commune, porte le nom des individus assujettis à certains impôts et le montant de leur cotisation individuelle. ◇ En droit maritime, il désigne (1728) la liste des personnes qui composent l'équipage d'un navire et, éventuellement, de celles qui sont à bord comme passagers, plus spécialement une liste distribuant les membres de l'équipage dans les différents services (1870). ◆ Dès les premiers textes, le mot a repris du latin le sens figuré de «fonction propre à une personne dans la société» (v. 1196, *servoit au role d'escuier*), actualisé dans les locutions ***jouer son rôle*** «assumer son rôle de manière satisfaisante» (v. 1550, Ronsard) ***jouer un rôle*** «agir sur les événements» (1671), *faire un rôle* (1677) étant sorti d'usage au XVIIIe s., toutes surdéterminées par la spécialisation du mot au théâtre (ci-dessous). ◆ Par extension, *rôle* se dit des attributions d'un objet (concret ou abstrait) à l'intérieur d'un ensemble, sens précoce (v. 1268) mais qui ne semble s'être répandu qu'au XXe, la locution *jouer son rôle,* en parlant d'une chose, étant déjà attestée au XVIIIe s. (1778). ◆ La spécialisation du mot au théâtre date du XVIe s., *rôle* désignant la partie d'une œuvre dramatique correspondant aux paroles d'un personnage (1580) et (1538) le personnage tel que le joue et le conçoit le comédien qui le représente. Ce sens donne lieu à des locutions du métier comme ***jouer un rôle*** (1663), ***créer un rôle***

(1798), ***l'esprit du rôle*** (1798), ultérieurement ***prise de rôle*** (1975), ***rôle de composition*** (1964). ◇ *Rôle* se dit couramment de la conduite d'une personne, par allusion au comportement d'un acteur, d'un personnage sur scène (1580); de là au XXe s. la locution ***avoir, tenir le beau rôle*** (1927) «apparaître à son avantage». De ce sens procède la spécialisation en psychologie sociale (1968) pour «système d'obligations et de droits déterminant l'ensemble des comportements d'une personne légitimement attendus par les autres».

▶ **RÔLET** ou **ROLLET** n. m., d'abord *rolet* (v. 1220) puis *rollet* (v. 1278) et *rôlet* (fin XVIe s.), diminutif de *rôle*, a désigné un petit rouleau ou feuillet de papier sur lequel on écrit un texte; c'est de ce sens que viennent les locutions *être au bout de son rôlet* «ne plus savoir que dire, que faire» (déb. XVIIe s.), sortie d'usage (cf. ci-dessous *rouleau*), et ***ce n'est pas à mon rôlet***, allusion savante (1935) à *la Farce du Cuvier* du XVe s. dans laquelle un mari débonnaire doit exécuter tous les travaux domestiques que sa femme a inscrit sur un rôlet et qui, lorsque sa femme, tombée un jour dans un cuvier, l'appelle à son secours, se contente de répéter : *ce n'est pas sur mon rôlet*, jusqu'à ce qu'il ait obtenu la promesse de n'être plus tyrannisé. ◇ Le sens de «petit rôle joué sur scène ou dans la société» (1535, *roulet*, fin XVIe s. *rôlet*) est sorti d'usage. ◆ Du sens de «rouleau», spécialement «rouleau de drap» (XVe s.) est issu le dérivé féminin **ROLETTE** ou **ROLLETTE** n. f., qui a gardé une graphie archaïque et désigne un fil de lin fabriqué à Ypres et à Courtrai aux XVIIe et XVIIIe siècles.

ROULEAU n. m. est l'autre dérivé diminutif de *rôle*, d'abord *rollel* (1315) puis *roliel* (1328), *roolleau* (déb. XVe s.) et *rouleau* (1430). Le mot est probablement croisé avec l'ancien français *ruele* (v. 1119), *roele* (fin XIIe s.), puis *rouelle** (v. 1450) qui est proche par le sens et par la forme. ◇ Le mot désigne d'abord une bande enroulée en cylindre allongé (1315), spécialement le rouleau portant un écrit (v. 1360), par exemple la bande à demi déroulée qui sort de la bouche d'un personnage dans certaines représentations au moyen âge (fin XVe s.), ainsi nommée d'après le mot grec qui a donné *phylactère*. De là vient la locution ***être au bout du rouleau, de son rouleau*** (1835), employée avec un sens figuré voisin de *être au bout de son rôlet* «avoir épuisé toutes les ressources», spécialement «être à bout de forces» (1923). ◆ Ultérieurement, le mot désigne une serviette en cuir qu'on peut rouler et dans laquelle on range des partitions de musique (1904). ◆ Par extension, *rouleau* désigne le cylindre formé par une chose enroulée, une forme cylindrique; en orfèvrerie, il désigne un vase ou une fiole de forme cylindrique (déb. XVe s., repris comme terme technique), puis une boucle de cheveux (1843), une grosse lame qui se brise sur la plage (1910). En sports, par adaptation de l'anglais *roll* (1912 *western roll*), *rouleau* désigne une technique de saut en hauteur. ◆ L'influence de *rouler*, enrouler* est encore plus sensible dans une série d'emplois apparus à partir du XIVe s.; *rouleau* se dit d'un cylindre destiné à être roulé (1328) et dont l'usage est précisé dans des syntagmes comme *rouleau à encrer* (1970), *rouleau à pâtisserie, rouleau essoreur* (v. 1950). Le mot désigne notamment un morceau de bois cylindrique que l'on glisse sous les objets très lourds pour les déplacer plus facilement (XVe s.), un instrument servant à briser les mottes de terre (1606), d'où ***rouleau compresseur*** (1878) appliqué par métonymie à un engin muni d'un tel rouleau et qui, en 1914, a été appliquée par figure aux armées russes, par allusion à leur nombre et à leur puissance supposée. ◇ Le mot sert également à désigner un instrument exerçant une pression circulaire en imprimerie (1870), en peinture et, au pluriel *rouleaux*, un instrument de culture physique triturant. ◆ Son emploi pour désigner un objet cylindrique destiné à recevoir ce qui s'enroule participe d'un croisement des sens de «petite roue» et de «petit rôle (liste)» sans qu'il soit aisé de démêler les influences des deux mots (*rôle* et *roue*); en marine, il désigne un cylindre de bois dur facilitant les mouvements des câbles ou amarres (1883), spécialement dans *rouleau de cabestan* (1904), *voile à rouleau* (1964); en tissage, il se dit d'un cylindre employé dans la fabrication des tissus (1875) d'où *rouleau presseur, rouleau d'appel*. En sports, il se dit d'un cylindre protecteur tournant librement, adapté à la roue arrière d'une moto dans les courses (1902). ◆ Le dérivé de *rouleau*, **ROULEAUTÉ, ÉE** adj. «façonné en bourrelet», comme terme de tailleur (1819), a été refait en **ROULOTTÉ, ÉE** (1933) sous l'influence de *roulotter* v. tr. dérivé de *rouler** qui a lui-même pris d'après *rouleauté* le sens d'«enrouler finement le bord d'un papier, d'un tissu» (1932). *Roulotté* est substantivé pour désigner un petit ourlet roulé (1933). ◆ À son tour, le verbe a produit **ROULOTTEUSE** n. f. (1970), également écrit *rouloteuse* et *rouleauteuse* «ouvrière spécialisée dans cette opération».

ROULON n. m., d'abord *roiloun* (v. 1280) puis *roullon* (XVe s.) et *roulon* (1680), a désigné un barreau de bois cylindrique qui entrait dans la fabrication des râteliers, ridelles, échelles; puis un petit balustre des bancs d'église (1694).

② **RÔLE** n. m. d'abord *roole* (XVe s.), est le même mot que ① *rôle** issu du bas latin *rotulus* «petite roue, cylindre» en emploi concret. ◇ Le mot, d'usage technique, a désigné un rouleau, spécialement un rondin de bois pour le chauffage. Il désigne encore la corde de feuilles de tabac torsadées, enveloppée de la feuille appelée *robe* (1681). ◆ Le dérivé **RÔLEUR, EUSE** n. (1762, *Encyclopédie*), désignant l'ouvrier qui fait les rôles de tabac, et **RÔLAGE** n. m. (1832), nom de l'opération par laquelle on met le tabac en rôles, sont des termes techniques.

Le verbe composé (parasynthétique) **ENRÔLER** v. tr., réfection (1464) d'après *rôle* de *enroller* (v. 1190), avec la variante *enrouler* (XIIIe s.), homonyme de *enrouler**, a d'abord signifié «faire entrer (qqch.) dans les rôles» avant de se spécialiser pour «inscrire sur un rôle» (XIIIe s.), notamment «sur les rôles de l'armée» (déb. XVIe s.), et, par analogie, «affilier (qqn) à un groupe, un parti» (1553). La forme pronominale *s'enrôler* prend au XVIIe s. les sens correspondants de «se faire inscrire sur les rôles d'une armée» (1636) et «se faire affilier à un groupement»

(1690). ◆ Le dérivé **ENRÔLEMENT** n. m. (1559), d'abord sous la forme altérée *enroulement* (1285), a suivi le même développement que le verbe ; depuis «action d'enregistrer des personnes», il passe à «action d'enrôler ou de s'enrôler dans l'armée» (1559) et désigne par métonymie l'acte certifiant cette inscription (1718). Par analogie, il se dit péjorativement du fait d'amener qqn à s'affilier à un groupement, un parti (XXe s.). ◆ **ENRÔLEUR, EUSE** n. (1660) s'est dit sous l'Ancien Régime, au masculin, de celui qui enrôlait les recrues (cf. *recruteur*). ◆ **ENRÔLÉ**, le participe passé de *enrôler*, est adjectivé (XVIe s.) et substantivé (fin XVIIe s.) en parlant de celui qui est inscrit sur les rôles de l'armée.

◈ voir CONTRÔLER, ROTULE.

ROLLMOPS n. m. inv. est l'emprunt (1923) de l'allemand *Rollmops* (peu avant 1878 à Berlin) qui désigne un hareng mariné dont on a enlevé les arêtes en le fendant, enroulé autour d'un cornichon. Le premier élément représente le verbe *rollen*, du moyen haut allemand *rollen*, lui-même emprunté (comme l'anglais *to roll*) à l'ancien français *rol(l)er*, français *rouler**. L'élément *mops* n'est pas expliqué (l'allemand a *Mops* «petit chien», sans qu'on voie le rapport ; on peut toutefois songer à une métaphore analogue à celle de *hot dog*, littéralement «chien chaud», en anglais).

① **ROMAIN, AINE** n. et adj. est emprunté (1080 comme nom) au latin *romanus* «de Rome», employé avec une valeur caractérisante dans l'expression *romano more* («à la mode romaine»), c'est-à-dire «franchement, nettement» et, à basse époque, pour «de l'Église romaine». Cet adjectif est substantivé comme nom ethnique du peuple romain (*Romani* pluriel, *Romanus* singulier collectif) et, particulièrement, de l'habitant (*Romanus, Romana* au féminin). Le mot est dérivé de *Roma* «Rome», nom probablement d'origine étrusque.

♦ *Romain* est repris comme nom ethnique pour désigner l'habitant de la Rome antique, ville et empire (XIIIe s.), puis aussi de la Rome moderne, après la chute de l'Empire romain (v. 1380), l'adjectif qualifiant d'abord (fin XIIe s.) ce qui est relatif à la Rome moderne, siège de l'Église catholique. D'autres emplois concernent la Rome moderne : dès les premières attestations, *romain* qualifie, en religion, ce qui est du ressort du Saint-Siège, entrant ultérieurement dans les syntagmes *Église romaine* (1688, chez Bossuet), *Église catholique, apostolique et romaine* (1657), *liturgie romaine*, etc. ◆ Les extensions de sens se rapportent à la Rome antique : *Romain* s'est spécialisé en imprimerie pour désigner (1592) et, dans *caractères romains* (1723), qualifier un type de caractères inventé vers 1466 par l'imprimeur Jenson, Français établi en Italie, en référence à l'alphabet latin et par opposition à *italique*. ◇ L'acception morale «qui rappelle les vertus légendaires des anciens Romains de la République» s'est répandue au XVIIe s. sous l'influence de Corneille (chez qui elle apparaît en 1640) et déjà de Montaigne. Cette valeur inspire la locution ***à la romaine*** (av. 1696, La Bruyère) enregistrée par Furetière au sens d'«à la mode romaine». Le mot se retrouve dans les locutions *le dernier des Romains* (1835) «un homme d'une hauteur morale digne des Anciens», sorti d'usage, et ***un travail de Romain*** (1907) «un immense travail ; un travail intense et grandiose». Furetière (1690) répertorie l'expression *beauté romaine* et, dans d'autres domaines, ***chiffres romains*** (attesté en 1676) opposé à *chiffres arabes*, et *droit romain* (1657).

► L'appellation *laitue romaine* (1570), de nos jours ② **ROMAINE** n. f. (1800), est due au fait que cette salade passait pour avoir été introduite par Bureau de la Rivière, chambellan de Charles V et de Charles VI, qui l'aurait apportée d'Avignon, où siégeait alors la cour pontificale. C'est à cette laitue «papale» que fait allusion la locution populaire ***bon comme la romaine*** (1915), qui se dit d'une personne d'une bonté à toute épreuve, puis d'une personne qui se trouve dans une situation fatale, par renforcement d'un sens populaire de *bon (être bon)* «dupé». Sa motivation est à chercher dans le cri des marchands des quatre-saisons («*Elle est bonne, ma romaine !*»).

Les dérivés sont formés savamment sur le radical latin. ① **ROMANISTE** n. (1535) a désigné le partisan du pape dans le langage des autres confessions chrétiennes. Il se dit du spécialiste du droit romain (1870). ◇ Le pluriel *romanistes*, spécialisé en histoire de l'art, se dit (1876) des peintres flamands du XVIe s. qui avaient travaillé à Rome et imitaient les maîtres de la Renaissance italienne. Un homonyme, en linguistique, est tiré de *roman**. ◆ **ROMANISER** v. (1566), a d'abord eu le sens intransitif de «parler la langue latine», avant de se dire en religion pour «embrasser la foi de l'Église romaine» (1683, Bossuet) ; ces acceptions ont disparu. Depuis le XIXe s., le verbe s'emploie transitivement pour «donner un caractère romain», «imposer la langue, les mœurs, les coutumes des Romains» (1833), spécialement en religion «conduire (qqn) aux dogmes de l'Église romaine» (1874). En linguistique, il signifie «transcrire en caractères romains» (1870). ◆ En sont dérivés ① **ROMANISANT, ANTE** adj. (1875) à propos des tendances d'un culte schismatique (cf. à l'art. *roman* l'homonyme), et **ROMANISATION** n. f. (1894) qui désigne l'extension de la culture et de la civilisation romaine en même temps que le fait de romaniser une écriture (1931). ◆ **ROMANISME** n. m., dérivé savant de *romain* (fin XVIIIe s.), a désigné la manière d'agir à la romaine puis la doctrine de l'Église romaine dans le langage des autres confessions (1857). ◆ **ROMANITÉ** n. f. est emprunté (1851) au bas latin *romanitas, -atis* «les coutumes romaines», dérivé du latin classique *romanus*.

◈ voir ② ROMAINE, ROMAN, ROMANCE, ROMANTIQUE.

③ **ROMAINE** adj. et n. f. est l'altération (v. 1450) d'après ① *romain**, de *rommane* (1400), *roumane*, encore au XVIe s., avec un masculin *romman* (XIVe s.) «balance composée d'un fléau dissymétrique reposant sur un couteau soutenu par un anneau tenu à la main» et «peson». Le mot est d'origine arabe, *rummāna* «grenade» ayant servi (par analogie de forme) à désigner un peson. L'ancien provençal *romana*, qui a les deux sens de «balance» et «peson», et l'espagnol *romana* ont pu servir d'intermédiaire entre l'arabe et le français.

♦ Le mot, employé seul ou dans **balance romaine,** désigne le même type de balance qu'en arabe. Il est spontanément rattaché à *romain,* adj.

✳ ① **ROMAN** n. m., d'abord *romanz* (v. 1135) puis *roman* (fin XIIe s.), est issu d'un latin populaire °*romanice,* adverbe tiré de *Romanus* (→ romain) et signifiant (XIe s.) «en langue populaire, naturelle», par opposition à «en latin», puis employé par la suite en opposition aux mœurs et à la langue des Francs, considérés comme barbares.

♦ Le mot s'applique d'abord à la langue alors parlée dans la partie Nord de la France (v. 1135), langue vernaculaire opposée au latin qui était la langue écrite et savante, et au germanique des Francs (francique) appelé *thiois* en moyen français. *Roman* se dit en philologie (1690) de l'état de la langue que l'on suppose avoir été intermédiaire entre le bas latin populaire et l'ancien français. Ultérieurement, des linguistes ont nommé *pré-roman* n. m. le latin «vulgaire» parlé en Gaule et *roman* a été étendu à la langue latine populaire parlée dans l'ensemble des pays romanisés (la *Romania*), et à l'ensemble des langues romanes entre le Ve et le Xe s. (1870); ce dernier emploi est abandonné en linguistique. ➜ Par extension, le mot désigne simultanément (v. 1140) un récit en vers français (en roman) et non en latin, adapté des légendes de la littérature latine, puis celte (le roi Artus, le Graal), et aussi germanique, légendes où dominent les aventures fabuleuses et galantes. Le premier type de récit, appelé aujourd'hui *roman antique* par les spécialistes, constitue une transition entre l'épopée et le *roman courtois.* Depuis le XIIe s., *roman* se dit d'un récit en vers contant des aventures merveilleuses, les amours de héros imaginaires ou idéalisés (v. 1160) puis s'applique au même type narratif en prose (XIVe s.). Ce sens, historiquement daté (les historiens de la littérature parlent de *romans courtois,* de *romans de chevalerie*), se prolonge jusqu'au XVIIe s., où l'on nomme encore *romans* des poèmes relatant des aventures fabuleuses. Cependant, dès le XVIe s., le mot répond en partie à sa définition moderne : «œuvre d'imagination en prose, assez longue, qui fait vivre dans un milieu des personnages donnés comme réels et fait connaître leur psychologie, leur comportement, leurs aventures». Aux XVIIe-XVIIIe s., *roman* suppose un imaginaire galant peu réaliste, parfois peu éloigné de la *bergerie (l'Astrée)*; ainsi Furetière, en qualifiant son récit de *roman bourgeois,* fait une contradiction plaisante (cf. aussi le *Roman comique* «des comédiens», Scarron). ◇ Ce n'est qu'au XIXe s. que le concept moderne se dégage, les romans français du XVIIIe s. restant pour la plupart dans la tradition des aventures galantes et invraisemblables ou, par contrepied, du récit satirique et parodique. Puis, on commence à nommer rétrospectivement *roman* des œuvres qui n'étaient pas considérées comme telles lorsqu'elles furent écrites. Aux XIXe et XXe s., de nombreux syntagmes spécifient diverses catégories de romans : *roman de mœurs* (1835), *roman picaresque* (1839), *roman épistolaire, didactique* (1875), *roman expérimental* (1879; Zola), *roman d'aventures* (1893), *roman psychologique* (1904), *roman policier* (1923), et, aussi au XXe s., *roman noir* ou *gothique* appliqué à un type de récit effrayant de la fin du XVIIIe s. et du préromantisme, *roman noir* à propos d'un type de récit policier (ou plutôt criminel) violent, jusqu'au *nouveau roman* (10 juillet 1967) qui désigne une tendance littéraire de la seconde moitié du XXe s., caractérisée par son refus du roman narratif et psychologique traditionnel. Plusieurs donnent lieu à de véritables noms composés comme ***roman-feuilleton*** (1850, Nerval), et au XXe s. *roman-ciné* (1929) inversé de nos jours en ***ciné-roman, roman-fleuve*** (1930) et ***roman-photo*** (v. 1950), auxquels viennent s'ajouter de nombreux composés occasionnels (voir *vérité* pour *roman-vérité*). ➜ Du sens qu'avait pris le mot au XVIIe s., vient la valeur de *roman* comme synonyme de «chimère, fable, suite d'événements extraordinaires digne d'un roman» (1656); il se dit d'un tissu d'idées fausses (av. 1654), d'un assemblage de faits dénués de vraisemblance et inventés (1656), d'une aventure amoureuse passionnée et exaltée (1659, Molière), sens toujours vivants, rapportés au roman moderne, mais qui réactivent la conception romanesque médiévale et classique. ◇ La locution ***roman familial*** (1975) traduit l'allemand *Familienroman* défini par Freud dans un article datant de 1909 (et annoncé plus tôt). ◇ Le composé **ANTIROMAN** n. m. (1948, Sartre) s'applique à un récit qui se présente comme un roman tout en contrevenant aux règles traditionnelles du genre.

L'adjectivation de *roman,* ② **ROMAN, ANE,** adj., est relevée en 1596 puis dans l'*Encyclopédie* (1765) pour qualifier la langue vernaculaire — assez théorique — parlée entre le Ve et le Xe s. dans l'ensemble de la Romania et, par extension, ce qui a trait à cette langue, ce qui est écrit en cette langue. Cet emploi a évincé le synonyme *romance* (*langue romance,* 1671). *Roman* qualifie par extension la langue d'oc (1808), emploi disparu, et les différentes langues vivantes issues du latin (1863) en concurrence avec *langues néo-latines,* qui a vieilli. Il s'applique aussi à ce qui est relatif aux peuples conquis et civilisés par Rome (fin XIXe s.). Voir l'encadré *Les langues romanes* pages suivantes.

La spécialisation du mot en histoire de l'art médiéval est attesté en 1818 dans une lettre adressée par l'archéologue normand Charles Duhérissier de Gerville à Auguste Le Prévost : tirée de *romain* par allusion à la ressemblance des styles et par influence de *roman* employé à propos du moyen âge, elle instaure une distinction à l'intérieur de ce que l'on qualifiait d'*art gothique* (le roman étant nommé *gothique ancien* ou *gothique normand*). L'adjectif *roman,* dans ce sens, a été diffusé par l'archéologue A. de Caumont (1823) puis par Hugo *(Notre-Dame de Paris),* Stendhal, Mérimée, qui fut le premier inspecteur des monuments historiques. Il s'est imposé après 1860 aux dépens de *saxon, normand, byzantin* et *lombard.* Qualifiant ce qu'on pensait être un art romain dégénéré, l'adjectif ne s'appliquait qu'à l'architecture et englobait tout le haut moyen âge, alors très mal connu. ◇ De nos jours, *roman* se dit de l'art et d'abord de l'architecture d'Occident, de la fin de l'État carolingien (VIIIe s.) jusqu'à la diffusion de l'ogive et du style «gothique», cet art roman

(Suite page 3286)

LES LANGUES ROMANES

On appelle langues romanes les langues qui continuent directement et d'une manière ininterrompue le latin parlé (ou latin populaire, latin vulgaire). On distingue en général onze groupes dans cette famille de langue se rattachant, par le latin, à la branche italique : le français, l'italien, l'espagnol, le portugais, le catalan, l'occitan, le franco-provençal, le rhétoroman, le roumain, le sarde et une langue aujourd'hui disparue, le dalmate. Cet ensemble linguistique porte le nom de *Romania* (nous l'emploierons ici indifféremment pour l'ensemble linguistique ou territorial).

I. ORIGINE ET FORMATION DES LANGUES ROMANES.

La question qui se pose, lorsqu'on étudie l'origine et la formation des langues romanes, est la suivante : comment peut-on expliquer la diversité de ces langues à partir d'une langue unique, le latin? Pour y répondre, nous examinons ci-après les trois facteurs qui ont joué un rôle déterminant dans la fragmentation linguistique de la Romania :

1. Le latin parlé, un et divers (voir l'article encadré *langues latines*).

Nous insisterons tout d'abord sur un fait essentiel : les langues romanes ne sont pas issues directement du latin littéraire, mais bien du latin parlé. Au Ier s. cohabitaient déjà dans l'Empire romain le latin littéraire *(sermo urbanus)* et le latin parlé *(sermo rusticus)*, qu'un auteur comme Cicéron utilise dans ses écrits, étant entendu que le latin parlé n'est pas une forme décadente du latin littéraire. Le latin parlé n'était, en fait, pas aussi homogène qu'on a voulu le croire. Certes, le latin littéraire, celui de la cité *(urbs)*, celui de Rome et du Latium, devient avec la colonisation la langue officielle, la langue de culture, celle de l'administration, des écoles, puis, plus tard, celle de la liturgie chrétienne, bref, la langue qui unifie les différents peuples occupant le territoire de l'Empire. Mais le latin parlé, un puisqu'il est celui du peuple, se diversifie avec les peuples (présence de régionalismes) et dans le peuple, selon les différentes couches sociales de la population (le latin parlé du paysan était différent de celui du militaire; le patricien qui parlait devant le sénat utilisait un niveau de langue autre que dans son milieu familial). D'où le caractère hétérogène de ce latin vulgaire et le choix ultérieur des pays de langue romane pour tel ou tel niveau de langue. Prenons un exemple. Le latin «noble» se servait des mots *ĕdĕre* «manger» et *pulcher* «beau; noble», un latin moins élevé utilisait à la place *comĕdĕre* «manger (avec la nuance de tout manger); dévorer» et *formosus* «beau, élégant, bien fait», à côté de *mandūcare* «mâcher; manger» et de *bellus* «charmant, aimable». Le français, l'italien, le catalan, le rhétoroman, le roumain, le dalmate ont hérité de *mandūcare>manger* (fr.), *manicare* (ancien ital.), *mangiar* (rhétorom.), *menjar* (catal.), *mâncar* (roum.), *mancŭr* (dalm.) et de *bellus>beau* (fr.), *bello* (ital.), *bell* (catal.), *bel* (rhétorom.); l'espagnol et le portugais, en revanche, ont opté pour *comĕdĕre>comer* et pour *formosus>hermoso* (esp.), *formoso* (port.), ainsi que le roumain *frumos*. Quant à *ĕdĕre*, déjà menacé en latin littéraire, et à *pulcher*, ils ne connaissent pas de représentants dans les langues romanes. Wartburg fait remarquer, d'autre part, que le latin parlé, importé par les classes supérieures de la société, a moins tendance à évoluer que lorsque la latinisation a été accomplie par le petit peuple ou les paysans. Prenons comme exemple, le *-s* final, effacé, semble-t-il, en latin parlé, réhabilité en latin littéraire : il est tombé dans les pays occupés par des colons d'origine paysanne, d'où latin *duos* «deux»>roumain *doi*, italien *due* mais sarde *duos*, rhétoroman *dus*, français *deux*, occitan et espagnol *dos*, portugais *dous*. Un autre fait vient se greffer sur les deux précédents : l'espace roman a été latinisé à différentes époques plus ou moins profondément; en Europe de l'Est, par exemple, le grec a fait obstruction à la poussée du latin qui restera dans ces régions une langue purement administrative, sauf en Illyrie et en Dacie (future Roumanie). Ces trois éléments concourent donc à la diversification du latin parlé dans la Romania, diversification qui s'intensifiera, bien sûr, après la chute de l'Empire romain.

2. L'action des différentes langues parlées avant la conquête romaine (langue de *substrat*) et après la conquête romaine (langue de *superstrat*).

a) *Les substrats.* On appelle *langue de substrat* une langue évincée par une autre et qui laisse des traces notables dans la langue qui s'est imposée.

Si historiquement, les peuples indigènes n'ont pas eu une grande importance, leur langue, en revanche, a laissé plus ou moins de traces dans le latin parlé. L'action de substrat contribue à accentuer les divergences entre le latin de la Gaule, celui de l'Espagne, etc.; elle se fait sentir aussi bien au niveau phonétique, morphologique, syntaxique que lexical et sémantique. Certaines évolutions phonétiques communes à quelques pays de la Romania sont attribuées au substrat : *osco-ombrien*, au centre et au sud de l'Italie, de même qu'au nord-est de l'Espagne; *étrusque*, dans les parlers toscans; *ligure*, en Italie du Nord (Piémont, Lombardie, Émilie) et en Provence; *pré-indoeuropéen* (*basque*, par exemple), au nord de l'Espagne et dans les Pyrénées; *ibérique* et *celtique*, en Espagne et en Gascogne; *grec*, sur le pourtour méditerranéen, des Alpes-Maritimes jusqu'en Andalousie; *dacique*, en Roumanie. C'est toutefois le substrat *gaulois* qui a eu la plus forte influence dans la Romania. On lui attribue le passage de *u*... *(ou)* à *ü (u)* qui a eu lieu en français mais aussi dans les parlers de l'Italie du Nord et dans certaines parties du Portugal comme, par exemple, latin *murus* «mur» > français *mur (/m ü r/)*, rhétoroman *mür*, au contraire d'espagnol, italien *muro (/m u r o/)*, [prononcés *ou*, comme en latin] etc.; de même que celui de *-ct-* à *-it-*, comme, par exemple, latin *factum* > français *fait*. Ces changements phonétiques différencient, dans une large mesure, le français des autres langues romanes. On estime que quelques 180 mots gaulois sont passés en latin de la Gaule, puis en français, tels que gaul. °*ande-banno* > fr. *auvent*, *drūto* > *dru*, *carrūca* > *charrue*, etc. (voir l'article encadré *Le gaulois*).

Ces langues de substrat ne nous sont connues que par reconstruction à partir de quelques données onomastiques (noms de lieux et de personnes), quelques traces dans le lexique et quelques attestations sous forme d'inscription. Il est, dans ces conditions, difficile et périlleux de faire la part exacte des substrats dans la formation des langues «néo-latines». Il ne faut cependant pas en nier l'existence.

b) *Les superstrats.* On entend par *superstrat* une langue qui est venue se superposer sur l'aire d'une autre langue, langue qui a été adoptée par les conquérants au détriment de la leur. Tel est le cas du slave pour le roumain, de l'arabe pour l'espagnol et des langues germaniques pour la majeure partie de la Romania. Le superstrat slave s'est particulièrement fait sentir sur la morphologie du roumain, qui lui doit quelques suffixes et préfixes très productifs; le superstrat arabe se manifeste dans le lexique de l'espagnol : environ 4 000 mots, dont certains ont disparu aujourd'hui, sont entrés dans les langues ibériques. Le superstrat germanique a joué, quant à lui, un rôle prépondérant dans la Romania. À partir du IIIe s., les invasions germaniques modifient insensiblement le paysage roman. C'est vers le Ve s. toutefois que leurs effets furent perceptibles. Elles sont responsables, d'après Wartburg, de la scission de la Romania : isolement de la Romania de l'Est (*Romania orientale* avec l'Italie centrale et méridionale et la Roumanie) du reste de la Romania *(Romania occidentale)* — cette répartition n'étant valabe qu'historiquement —; on leur attribue également la séparation entre le galloroman et le rhétoroman, la poussée des Alamans confinant le latin dans les hautes vallées suisses des Grisons et de l'Engadine; elles ont mis un frein aux relations de la Gaule et de l'Hispanie avec l'Italie. En interrompant les communications à l'intérieur de la Romania, elles ont favorisé le morcellement de l'espace linguistique. On trouvera des éléments germaniques dans les différentes parties de la Romania : *ostrogothiques*, en Italie, *wisigothiques*, dans le sud-ouest de la France et en Espagne; *longobardes*, en Italie; *franciques*, au nord de la France. C'est certainement sur le territoire de la Gaule que le superstrat germanique (francique) eut le plus d'incidence : il accentue et fixe la frontière linguistique entre la France du Nord et celle du Sud; il scinde l'espace normanno-picard en deux zones. La longue période de bilinguisme roman/germanique contribue par ailleurs «à faire du français la langue romane la plus germanisée» (Camproux, *op. cit.*, p. 59).

3. L'apport du christianisme et le rôle du clergé.

Le christianisme, qui touche vers la fin du IIe s. l'ensemble de la Romania, introduit dans le latin des notions nouvelles, liées au dogme, à la théologie et à la morale chrétienne, notions qui s'étendent parfois au-delà du domaine religieux. L'exemple bien connu de *parler* est éloquent. Le latin littéraire possédait le verbe *loqui*, le latin familier, *fabulari*. Le latin chrétien dérive, à partir de *parabola* «parabole», le sens de «parole» et crée le verbe *parabolare* «parler». Les langues romanes les plus conservatrices (espagnol, sarde, rhétoroman) choisissent *fabulari* (d'où l'espagnol *hablar*) ou sa variante *fabellari*, les autres langues *parabolare*. Langue de secte, au départ, ce latin parlé et écrit — la littérature chrétienne naît vers le IIe s. — devient rapidement une «langue chrétienne», cohérente, marquée par un vocabulaire particulier, une syntaxe claire et un style très simple. Le but était, en effet, d'atteindre les masses en utilisant un discours sans ornements *(sermo humilis)*. Lorsque l'Empire romain s'effrite au Ve s., la force unificatrice que représentait l'administration romaine est remplacée par les gouvernements ecclésiastiques. Le diocèse devient alors le noyau administratif autour duquel la vie sociale s'organise. L'influence du diocèse est renforcée par le fait que ses limites coïncident avec les zones de peuplement des tribus préromanes. On a longtemps cru, de ce fait, que les phénomènes linguistiques s'arrêtaient aux frontières des diocèses. C'était sans compter avec la distribution géographique et la configuration topographique (voies de communication, fleuves, montagnes, etc.). Quoi qu'il en soit, le latin ecclésiastique réussit à maintenir un semblant d'unité sans pour autant fixer les évolutions internes des différents parlers. La preuve en est qu'en 814, le Concile de Tours demande aux prêtres de prêcher «*in rusticam romanan linguam aut theotiscam*» (en langue vulgaire romane ou germanique), afin d'être mieux compris par le peuple, ce qui permet à Wolff de conclure que la prédication «a été comme une 'accoucheuse' des langues romanes» (*op. cit.*, p. 71).

Ainsi, les évolutions linguistiques immanentes à toute langue et modifiant son système ont été renforcées par des facteurs externes qui ont abouti à la différenciation de ces langues issues de la même souche : diversification, dès le départ, du latin parlé ; apport du christianisme ; différentes strates d'invasion ; résurgence des anciens idiomes locaux ; nouvelle configuration administrative et politique. Les changements se sont accélérés, en outre, lorsque ces différents groupes se sont retrouvés dans une situation d'isolement, après la chute de l'Empire romain en 476. On peut dire, en fait, qu'«il n'y a pas eu un latin vulgaire unique se scindant en langues nouvelles, mais accroissement des divergences au point de susciter de nouveaux regroupements» (Wolff, *op. cit.*, p. 65).

Bien que cette évolution aboutissant à des langues distinctes s'inscrive dans un long continuum allant par exemple du latin parlé au latin de la Gaule, au roman, puis au français, on peut toutefois poser quelques jalons chronologiques. Vers 500, «la langue parlée partout mérite un nom unique, c'est encore du latin (même si certains linguistes préfèrent l'appeler protoroman) ; vers 800 dans la France du Nord (et plus tard ailleurs), l'opposition entre latin et langue parlée est reconnue par les contemporains eux-mêmes» (Wolff, *op. cit.*, p. 65). Au ve s., on peut déjà parler de *balkanoroman*, d'*italoroman*, de *galloroman*, de *rhétoroman* et d'*ibéroroman*, qui sont autant de variantes du bas latin. D'autre part, les principaux changements phonétiques discriminants s'achèvent vers la fin du ve siècle. On peut avancer, *grosso modo*, que les langues romanes ont commencé à se former entre le IIIe et le ve s., qu'elles se sont distinguées les unes des autres autour de 600 et qu'au début du IXe s. on prend conscience de l'existence des idiomes romans distincts. Rappelons que le plus ancien texte rédigé intentionnellement en roman (galloroman) est celui des *Serments de Strasbourg* (842). Nous avons jusqu'à présent parlé, par commodité, de *langues*. Sachons cependant qu'autour de l'an 1000, il s'agit encore de dialectes. Si nous devions établir une carte linguistique du domaine roman à cette époque, elle présenterait une multiplicité de dialectes plus ou moins spécifiques et d'une «langue» unique : le latin. Ce n'est que plus tard, en effet, que certains de ces dialectes spécifiques accéderont au statut de langue.

II. LES LANGUES ROMANES.

Nous nous abstiendrons d'établir une typologie des langues romanes car, dans la pratique, nous aurions sous les yeux une longue énumération des traits spécifiques (phonétiques, phonologiques, morphologiques, etc.) qui différencient chaque langue et des traits communs qui les rapprochent. Nous constaterons simplement que l'on peut classer, selon leurs affinités, les langues romanes en trois grands blocs (pour reprendre la division de Wartburg) : le roumain, d'une part, le français (galloroman), d'autre part, et enfin le groupe méditerranéen ou méridional (italoroman, ibéroroman, rhétoroman, sarde), qui comporte toutes les autres langues du groupe — notons toutefois que cette typologie ne rallie pas la majorité des linguistes. Nous nous contenterons donc de donner brièvement quelques caractéristiques, avant tout lexicales, de ces langues.

Commençons tout d'abord par quelques généralités. Certaines régions de la Romania se montrent plus conservatrices que d'autres. C'est le cas de la Roumanie et de l'Espagne, qui, par leur lexique, manifestent leur caractère conservateur. Citons quelques exemples : lat. class. *(h)umerŭs* «humérus ; épaule» > roum. *umăr* «épaule» et esp. *hombro* alors que les autres langues romanes ont préféré le lat. tardif *spatŭla* «épaule» > fr. *épaule*, ital. *spalla* ; ou encore lat. class. *fervĕre* «bouillir» > roum. *fierbe* et esp. *hervir* à côté du latin *bullīre* «bouillonner, former des bulles», plus expressif, > fr. *bouillir*, ital. *bollire* (voir également l'exemple cité sous I.3.). Le sarde également, dans sa variante dialectale logoudorienne, est certainement l'idiome roman le plus archaïque ; cette situation linguistique particulière est renforcée par le caractère insulaire de la Sardaigne. Le français, quant à lui, passe pour la langue romane la plus évoluée. P. Bec parle même «d'évolutionnisme endémique», «spécificité atavique du français, qui dès sa genèse lui conférait dans l'ensemble roman surtout du point de vue phonétique, une typologie particulière [...]» (Bec, *op. cit.*, II, 9). De fait, c'est l'idiome qui a évolué le plus rapidement. Le caractère archaïque et conservateur de certaines de ces langues (sarde, roumain, rhétoroman, dalmate) permet d'attester, d'une part, des formes du latin parlé que l'on ne posséderait pas sans elle, et d'autre part, de reconstituer et dater des évolutions phonétiques ou sémantiques particulières, disparues du reste de la Romania.

1. L'italien se distingue par le nombre impressionnant de ses dialectes toujours très vivants : on a pu traduire en à peu près 700 dialectes italiens une nouvelle de Boccace ! Les premiers documents d'une langue italoromane remonteraient au IXe siècle. La langue littéraire, qui devient la langue commune, est celle diffusée par Dante (1265-1321), en particulier grâce à sa *Divine Comédie*. La base en est le toscan et plus particulièrement le dialecte florentin. Il faut attendre cependant le début du XIXe s. pour que ce dialecte soit définitivement adopté comme langue nationale et le XXe s. pour qu'il se diffuse.

La base du lexique italien est constituée par des types lexicaux qui continuent le latin parlé, mais aussi le latin classique; certains sont spécifiques de cette langue : *pècora* «brebis» < lat. *pĕcora; némbo* «nuage» < lat. *nimbus,* etc. Le lexique s'est enrichi par des emprunts précoces au latin qui se distinguent très difficilement des mots hérités à cause du conservatisme phonétique de la langue; l'italien a également beaucoup emprunté, d'une part, à ses nombreux dialectes, d'autre part, à l'espagnol (mots de cour) et à date ancienne au français et au provençal (voir Italien).

2. L'ibéroroman : espagnol et portugais.

a) *L'espagnol* possède beaucoup moins de dialectes que l'italien ou le français. La langue commune actuelle est basée sur le dialecte castillan. Ce n'est qu'à la fin de la *Reconquista* (après 1492) que le dialecte castillan s'impose comme langue commune, après avoir éliminé, dans sa progression vers le Sud, le mozarabe, parler roman, en fait peu prestigieux, des populations sous domination arabe. C'est contre l'arabe, avant tout, que le castillan dut lutter. Les plus anciens témoignages remontent au xe s. : ce sont les *Glosas emilianenses* et les *Glosas silenses.*

Le fonds lexical, constitué essentiellement par le latin parlé, a conservé quelques types du latin classique qu'il a en commun avec le portugais : ex. lat. *mĕtus* «peur» > esp. *miedo,* port. *medo;* lat. *avis* «oiseau» > esp. et port. *ave,* etc. Les autres langues romanes ont préféré les types *pavor* > fr. *peur,* ital. *paura* et *avicellu* > fr. *oiseau,* ital. *uccello* (voir d'autres exemples sous I.1.). Le lexique de l'espagnol s'est enrichi par quelques emprunts au basque, qu'il partage parfois avec le portugais et le gascon : ex. basq. *ezker* > esp. *izquierdo,* port. *esquerdo,* gascon *esquer.* Son originalité réside cependant par le nombre d'emprunts à l'arabe, peu nombreux, à vrai dire, si l'on considère le fait que les Arabes sont restés pendant huit siècles dans ce pays. Les arabismes se retrouvent surtout dans les domaines de l'administration, de la guerre, et des sciences. Notons que beaucoup de ces termes arabes ont pénétré en italien et en français par l'intermédiaire de l'espagnol, comme par exemple : ar. *az'ar* «rougeâtre» > esp. *alazán* > fr. alezan ou ar. *baṭāna* «doublure d'un vêtement» > esp. *badana* «peau de mouton tannée» > fr. *basane.* Ajoutons enfin que l'espagnol a emprunté au français, dès le moyen âge, et à l'italien, au XVIe s. (comme le français, d'ailleurs) — voir l'article encadré *L'espagnol.*

b) *Le portugais* a des dialectes encore plus homogènes que l'espagnol. Ceci s'explique à nouveau par le mouvement d'extension de la *Reconquista* vers le Sud. Se rattache aux dialectes portugais le galicien *(gallego),* parlé en Galice espagnole et qui semble en être l'origine. Portugais archaïque et galicien furent intimement liés au moyen âge et cet ensemble sert de base à la langue littéraire, illustrée particulièrement par la poésie lyrique. Les plus anciens témoignages datent du XIIe siècle.

On a vu que le portugais partageait des types lexicaux avec l'espagnol. Il comporte toutefois beaucoup moins d'arabismes et s'en distingue par quelques archaïsmes. Là où l'espagnol dit *ventana* «fenêtre» < lat. °*ventana,* le portugais utilise *janela* < lat. *janua,* mot qui ne s'est maintenu que dans les régions les plus conservatrices de la Romania. Comme l'espagnol, il a emprunté au français; pourtant le stock des gallicismes désignant des objets courants est différent : port. *chapeu* «chapeau», *rua* «rue» mais esp. *sombrero* «chapeau» et *calle* «rue». — Voir l'article encadré le Portugais.

3. L'occitano-roman : occitan et catalan.

On rattache en général le catalan à l'occitan, parfois à l'ibéroroman. Il présente toutefois d'étonnantes ressemblances avec les parlers languedociens; il fait en outre partie, au moyen âge, de la communauté culturelle des pays de langue d'oc. On remarquera, de plus, qu'à partir du XIIIe s., le catalan constitue une entité culturelle autonome, se démarquant de la France du Sud puis de la Castille. L'ancien catalan littéraire ne se distingue pas de l'ancien occitan. On le traite donc dans l'ensemble «occitano-roman».

Comme pour la phonétique et la morphologie, cet ensemble présente, au niveau lexical, une situation intermédiaire entre le galloroman et l'ibéroroman. Soit il prend les solutions du français, comme par exemple, pour occit. et catal. *finestra,* fr. *fenêtre,* qui se distinguent de l'esp. *ventana* et du port. *janela,* soit il adopte celles de l'espagnol et du portugais comme pour *campana* «cloche», esp. *campana* < lat. *campana,* là où le français a eu *sein* < lat. *signum,* puis *cloche* < lat. *clocca* (du vieil irlandais probablement). D'autre part, occitan et catalan possèdent en commun avec l'espagnol des mots spécifiques de la région aquitano-pyrénéenne, tel occit. *esquèr* «gauche», catal. *esquerre,* aragonais et port. *esquerdo,* esp. *izquierdo,* d'origine basque, là où le français a un terme d'origine germanique *gauche* < francique °*wenkjan;* d'autres mots, spécifiques de la région méditerranéenne comme occit. *mourre* «museau», catal. *morre,* esp. *morro,* sarde *mourrou,* gênois *mourou,* d'un mot probablement préroman dont la base est °*mŭrr-*. Le lexique de l'occitan et du catalan possède également quelques mots d'origine arabe que le français ne connaît pas. Les plus anciens témoignages datent de la fin du Xe s. et sont rédigés en ancien occitan; c'est, avec le roman des Gaules, la langue romane la plus anciennement attestée. Les premiers témoignages d'une langue vulgaire catalane remontent à 892 ; le premier texte en catalan n'apparaîtra qu'à la fin du XIIe siècle. Le catalan littéraire se détachera enfin de l'occitan au début du XIVe siècle. En ce qui concerne la période contemporaine, il faut noter la renaissance du catalan, surtout en Espagne, avec la fin du franquisme.

4. Le français. (Voir l'article encadré).

5. Le roumain constitue à l'heure actuelle une enclave romane dans un monde slave et hongrois. Pourtant, dès la conquête des territoires balkaniques (Dalmatie, Illyrie) par Rome, la Dacie était rattachée au reste de l'Empire romain. Perdue par Rome dès 271 à la suite d'invasions de peuplades venues d'Asie et du Nord, ce territoire se trouve isolé du reste de la Romania. Seul le latin de Dacie survivra. La Dacie n'ayant été soumise que pendant deux siècles à peine à l'emprise de Rome, il est curieux de constater que sa romanisation se soit produite si rapidement. On pense que la rapidité de ce processus d'assimilation linguistique est dû au brassage des populations citadines et rurales ; les habitants des villes s'étant réfugiés dans la campagne sous la pression des Barbares, ils ont achevé de romaniser les populations rurales. Un autre facteur important explique cette rapidité d'assimilation : les Daces, peuple essentiellement composé de paysans, d'artisans et de colons, ont été profondément christianisés, et ce, avant le départ des Romains. Un îlot daco-latin s'étant formé dès le IIIe s., la langue évoluera très vite en daco-roman et se démarquera des autres langues romanes en manifestant, d'une part un profond conservatisme, d'autre part une grande homogénéité. L'influence slave commence à s'exercer dès le VIIe s. alors que la structure de la langue, différenciée et du latin et des autres langues romanes, est déjà fixée ; l'action de superstrat sera, de ce fait, sporadique, ce qui marque l'originalité du roumain par rapport aux autres langues romanes.

On distingue en général cinq phases dans l'évolution du latin parlé en Dacie et jusqu'au roumain actuel : le *daco-latin* (avant le IIIe s.), peu différent du latin des autres pays romans mais présentant cependant quelques «dacismes» ; le *proto-roumain*, formé entre le Ve et le VIIIe s. ; l'*ancien roumain* (IXe au XIe s.) : pendant cette période (IXe au XIIe s.), le proto-roumain se fragmente sous l'influence des migrations slaves en quatre aires linguistiques. Les premières attestations d'ancien roumain manifestent des traits dialectaux nord-danubiens. L'*âge classique* se situe entre le XVIIe s. et la première moitié du XVIIIe siècle. L'immobilisme social explique que la langue a dû puiser dans ses propres ressources pour s'enrichir, d'où son archaïsme et son conservatisme. Le *roumain moderne* apparaît au début du XIXe siècle.

Les différentes influences qu'a subies le roumain (hongroise, grecque, turque puis française) n'ont touché que le lexique ; seules les influences slave et française ont atteint le fonds lexical originel et ont modifié la structure de la langue. On notera que le français a largement contribué à la formation du roumain littéraire et commun par un apport lexical massif et une élimination des éléments slaves si bien que l'on peut parler de «réromanisation» du roumain. Un sondage effectué sur le lexique de base du roumain révèle que sur 1 419 mots, environ 58 % sont d'origine latine et environ 21 % d'origine slave. Dans la langue parlée, en revanche, le pourcentage des éléments d'origine latine (français, italiens, etc.) s'élève à environ 80 %. On peut caractériser, en résumé, le roumain comme suit : «Dans nombre de faits de langue, le roumain fait cavalier seul (c'est, avec le français, l''enfant terrible' de la Romania), tout en ayant gardé une structure foncièrement romane et ayant évolué moins que d'autres idiomes romans» (P. Bec).

6. Le sarde est rattaché généralement au groupe italoroman car il présente avec les parlers de l'Italie du Sud de nombreux traits communs. On peut néanmoins le traiter comme une langue à part : le caractère insulaire du pays, ses dialectes très archaïques (en particulier le logoudorien et le nuorais à côté du campidanien, à base sarde mais fortement italianisé) et un système linguistique caractéristique en font un îlot linguistique spécifique. Langue véhiculaire et administrative jusqu'au XIVe s., elle fut alors remplacée par le catalan, puis par l'espagnol et enfin par l'italien, ces langues faisant office de langue de culture et d'administration. Le logoudorien est considéré comme le sarde par excellence. L'ancien sarde nous est connu par des textes appelés *condaghi,* dont les premiers datent du XIe siècle.

Le lexique sarde se caractérise par son archaïsme, d'un côté, et la variété de ses couches lexicologiques, de l'autre. Parmi les archaïsmes, on notera des types lexicaux latins particulièrement originaux que l'on ne retrouve que dans cette langue : ex. lat. *cĭnus* «cendre» > sarde du Sud *tšinus*, là où le reste de la Romania (sauf le roumain) a des représentants du latin *cĭnis, -ĕris ;* d'autres ont disparu dans les rares langues où ils étaient attestés : ex. lat. *domus (domo),* au sens premier de «maison» sarde et ancien lombard *domo* (là où l'ital. a *casa*) ; lat. *imber* «pluie, averse» > logoudorien *imbre* «pluie», ancien occit. *ymbre ;* on rencontre également d'anciens types lexicaux latins qui ne se retrouvent que dans des zones marginales et archaïsantes de la Romania : ex. lat. *vĕtĕrānus* «vieux» > ancien logoudorien *betranu,* roum. *betran,* sicil. *vitranu,* rhétorom. (frioulan) *vedran* «vieux garçon» ; lat. *jūbĭlare* «appeler ; pousser des cris de joie» > logoudorien *džuilare (/djouilare/)* «appeler (qqn)», rhétorom. (engadinois) *džüvler (/djuvler/)*

«pousser des cris de joie». L'action du substrat *punique*, langue des Carthaginois qui s'étaient installés en Sardaigne au VIe s. avant J.-C., est très faible. Parmi les langues de superstrat (germanique, arabe), seuls l'espagnol et le catalan ont joué un rôle très important : présence de nombreux éléments catalans au Sud (en campidanien), espagnols, au Nord (logoudorien). Quant à l'influence italienne, elle s'est traduite au moyen âge par l'apport d'éléments génois et pisans, aujourd'hui par l'adoption de l'italien comme langue officielle.

7. Le rhétoroman : romanche, ladin, frioulan forme un ensemble constitué de trois groupes de parlers : le groupe occidental situé en Suisse, dans les Grisons, formé par les dialectes *romanches* (en particulier le *sursilvan* et l'*engadinois*) ; le groupe central constitué par les dialectes *ladins* des Dolomites (Italie) ; enfin, le groupe oriental *frioulan* (parlé dans la province d'Udine, en Italie). Cet ensemble, unifié autrefois, se trouve aujourd'hui morcelé et deux groupes de parlers se détachent de par leur conscience linguistique et leur identité culturelle : le romanche, reconnu comme quatrième langue en Suisse en 1938, et le frioulan. Les vagues successives d'invasions germaniques expliquent l'éclatement de ce domaine. La question qui se pose aux linguistes est de savoir à quel type il faut rattacher cet ensemble de parlers : au galloroman ou à l'italoroman ? Historiquement, les affinités entre l'italoroman du Nord (gallo-italien) et le rhétoroman sont incontestables ; les évolutions linguistiques qui rapprochent le rhétoroman du galloroman septentrional ont eu lieu indépendamment l'une de l'autre et à des époques différentes ; actuellement, le romanche et le frioulan sont des langues distinctes. Cependant, si l'on considère leur ancienne unité et la situation actuelle, le rhétoroman constitue un groupe en soi. Le romanche a obtenu le statut de langue ; comme il est formé d'environ une vingtaine de sous-dialectes, la Confédération helvétique a créé une espèce de romanche commun écrit appelé *interromanche*.

L'espace linguistique rhétoroman se distingue, comme beaucoup de zones marginales, par son conservatisme et son archaïsme, en particulier lexical. Il conserve des types lexicaux qui lui sont spécifiques : ex. lat. *algēre* «avoir froid» > romanche *aulzě (/aouljé/)* ; lat. *caseolus*, diminutif de *caseus* «fromage» > romanche *kizíəl*, engadinois *tsážọel (/tsajeul/)* alors que le frioulan possède un type *fromage* ; proche du gallo-italien, il partage avec lui certains types comme lat. *mēla*, pluriel de *mēlum*, variante de *mālum* «pomme» > rhétoroman *mayl*, ital. *mela* et franco-provençal (fribourgeois) *mel* ; avec le galloroman, des types tel le diminutif du lat. *sōl*, °*soliculus* «soleil», présent dans la majeure partie du galloroman, en occitan et en catalan ; le rhétoroman possède en commun avec les zones marginales archaïsantes quelques termes tout à fait spéciaux comme par exemple les trois noms de couleur, «rouge», «blanc» et «fauve», issus respectivement du lat. *coccĭnus* (à l'exception du frioulan), *albus* et *mēlĭnus* : on ne les retrouve, comme mots hérités, le premier qu'en roumain et en albanais, le second en roumain, dalmate, ancien sicilien, ancien sarde, portugais, espagnol et très rarement en galloroman, le troisième en sarde et en ancien occitan. L'originalité du rhétoroman ressort, en outre, du choix aléatoire et différent des types latins répartis sur son territoire ; il est frappant que ce phénomène se soit produit dans des domaines aussi fondamentaux que celui de la nature ou des animaux. Pour désigner l'arbre, le frioulan a choisi le terme courant latin *arbor*, le romanche le lat. *planta*, le tyrolien le lat. *lĭgnum* et l'engadinois le germanique °*bosk-* ; pour désigner la brebis, le romanche s'est décidé pour un représentant de °*nutrica*, l'engadinois pour *bestia* et le frioulan pour *pĕcora* (probablement emprunté à l'italien).

Comme pour les autres langues romanes, les langues de superstrat ont enrichi le vocabulaire. Le courant slave a introduit dans le Frioul une centaine de mots slaves. L'apport le plus important est celui des langues germaniques, à date ancienne — ceci est valable particulièrement pour le Frioul dont la langue officielle fut pendant trois siècles (X^e au XIIIe s.) l'allemand ; actuellement, les emprunts aux divers dialectes germaniques environnants sont continus. L'influence de l'italien s'exerce particulièrement dans le Frioul, mais aussi en Engadine. On remarquera qu'à l'intérieur du domaine linguistique rhétoroman, le Frioul entretient un individualisme certain.

8. Le franco-provençal.

La spécificité du franco-provençal n'a été reconnue que récemment (1873). Pourtant, cet ensemble linguistique possède des traits propres qui le distinguent d'une part du français d'oïl,

étant caractérisé par la prédominance de l'architecture religieuse, notamment monacale, la variété régionale des styles *(art roman normand, auvergnat, poitevin...)*, le développement d'une iconographie abondante. Stylistiquement, on parle de *baroque roman*. ◆ Le mot est substantivé pour «architecture, style roman» (1837, Stendhal) et l'adjectif s'applique par extension aux styles, aux artistes, à la sculpture, à la fresque et tous les objets d'art de cette période, et aussi à la période même. ◆ Le composé **PRÉ-ROMAN, ANE** adj. (1900) se dit de l'art qui précède immédiatement l'art roman d'autre part, de l'occitan. Son aire recouvre la plus grande partie des cantons suisses de Fribourg et de Neuchâtel, le Valais et le canton de Vaud (groupe septentrional), le canton de Genève, en France le Lyonnais, le Dauphiné, la Savoie, et en Italie, le Val d'Aoste (groupe méridional). La grande plaque tournante qu'était Lyon au moyen âge a permis le développement d'une «langue de cité» et d'une langue écrite à base dialectale lyonnaise ; c'est le prestige de cette même ville, qui, dès le XIVe s., favorisera la pénétration du français dans l'aire méridionale. On s'accorde aujourd'hui pour reconnaître que le franco-provençal n'est pas une entité intermédiaire entre le français d'oïl et l'occitan ; ce serait, en fait, le premier ensemble à s'être détaché, vers le Xe s., du galloroman septentrional (dès le VIe s. des évolutions françaises ne s'y produisent pas) pour former une aire marginale, et par là même conservatrice, ce caractère étant renforcé par le fait que son territoire est surtout constitué de régions montagneuses. Comme pour le rhétoroman, certains traits le rapprochent du domaine d'oïl, d'autres du domaine d'oc. Le fonds lexical est essentiellement latin ; un substrat pré-roman se fait surtout sentir dans les Alpes ; le superstrat germanique, plus précisément burgonde, n'a marqué que le lexique du franco-provençal. Le franco-provençal a emprunté au français, à l'italien, à l'occitan et aux dialectes germaniques qui l'entoure.

9. L'illyro-roman, ou dalmate est une langue disparue aujourd'hui. Le dernier sujet parlant s'est éteint en 1898. Le dalmate était parlé autrefois dans une dizaine de villes côtières, dans ce qui fut naguère la Yougoslavie. Cette langue est essentiellement connue par le *vegliote*, mot formé d'après le nom italien de la ville de KrK : Veglia ; le *ragusain*, de Raguse aujourd'hui Dubrovnik, moins bien attesté que le vegliote, était aussi un dialecte du dalmate. On a essayé de rattacher au groupe illyro-roman l'*albano-roman* parlé au moyen âge dans quelques villes de la côte d'Albanie et du Montenegro ; ce dialecte est trop peu connu pour que l'on en tienne compte ici. Si la Dalmatie romane formait sous l'Empire romain un territoire continu, elle ne comporte plus, au VIIe s., que quelques îlots disséminés en milieu slave, croate. Soumis à l'influence de la République de Venise dès le XVe s., le parler vénitien y a été modifié. La comparaison entre le vénitien parlé en Dalmatie et celui qui était parlé en Italie permet de reconstruire quelque peu le dalmate de cette époque, pour laquelle nous ne possédons aucun document. Un autre moyen de reconstruction est fourni par les emprunts à date ancienne que le croate a fait au dalmate. Le lexique dalmate fait preuve de conservatisme. Quelques types lexicaux latins anciens se retrouvent aussi en roumain et, parfois, en rhétoroman. Comme le roumain, le vegliote a perdu certains types lexicaux latins qu'il a remplacé par d'autres mots d'origine latine : ex. lat. *ecclēsia* a été remplacé par *basīlica*. Fortement influencé par le croate, le dalmate a également emprunté, dans une faible mesure, au vénitien, au grec, aux langues germaniques et au dialecte roumain d'Istrie (au nord-ouest de la Yougoslavie).

CONCLUSION

La différenciation des langues romanes a été étudiée ici sous l'aspect lexical et non phonétique. Les différentes couches lexicales d'une langue sont, en effet, plus faciles à reconstituer et à dater que les évolutions phonétiques ; la reconstruction d'une action de substrat sur le phonétisme d'une langue est, en outre, plus aléatoire à déterminer que celle d'un type lexical. Il faut dire que le linguiste possède un matériel lexical exploitable très riche — tous les pays de langue romane possèdent des altas linguistiques et des dictionnaires étymologiques ; les dictionnaires de latin médiéval par région sont en cours d'achèvement. Il est, pour ces raisons, moins aventureux d'aborder le problème de l'origine des langues romanes par le biais du lexique : «celui qui voudra s'attaquer au sujet de la différenciation des langues romanes, devra s'en tenir essentiellement au vocabulaire» (trad. de Wartburg, cité d'après Schmitt, *Die Sprachlandschaften der Galloromania [Les Paysages linguistiques de la Galloromania]*, Berne/Francfort, 1974, p. 44).

Marie-José Brochard

BIBLIOGRAPHIE

P. BEC, *Manuel pratique de philologie romane*, 2 vol., Paris, 1970.

Éd. BOURCIEZ, *Éléments de linguistique romane*, Paris, 1967.

Ch. CAMPROUX, *Les Langues romanes*, Paris, Que-sais-je ?, n° 1562, 1976.

Ph. WOLFF, *Les Origines linguistiques de l'Europe occidentale*, Toulouse, Association des publications de l'université de Toulouse-Le-Mirail, série A, T. 48, 1982.

W. von WARTBURG, *La Fragmentation linguistique de la Romania*, Paris, 1967.

(VIIIe-Xe s.) en donnant à *roman* une extension un peu moins large.

▸ Les principaux dérivés concernent ① *roman* et le domaine littéraire. **ROMANCIER, IÈRE** n., dérivé de *romanz* (XVe s.), continue, avec un autre suffixe, la forme ancienne *romanceor* (v. 1175). ◆ Le mot s'est appliqué au moyen âge à celui qui composait des œuvres en langue romane, en français, avant de désigner l'auteur de romans de chevalerie (XVe s.) et, de nos jours, un auteur de romans (1669, La Fontaine). Le féminin *romancière* est récent (1844). ◇ Adjectivé au sens figuré, il a qualifié ce qui est digne de figurer dans des romans (1786), et celui qui raconte des histoires mensongères et extraordinaires (av. 1799), valeurs disparues. ◆ **ROMANCER** v., d'abord *romancier* (v. 1228), a signifié «traduire du latin en français» et «lire, déclamer, chanter en langue d'oc», par emprunt à l'ancien provençal *romencar* ou *romensar* (v. 1200), ainsi que «composer des romans médiévaux» (1586). Son sens actuel, figuré, «s'éloigner de la réalité en déformant à la manière d'un roman» (av. 1681), est peu attesté avant le XIXe siècle. ◇ Le participe passé **ROMANCÉ, ÉE** est adjectivé (1840) pour qualifier ce qui mêle le réel à l'imaginaire notamment dans *histoire, vie romancée.*

ROMANESQUE adj., attesté une fois au XVIe s., puis à partir de 1627, a subi l'influence de l'italien *romanesco.* Il qualifie ce qui est merveilleux comme les aventures de roman, une personne exaltée et le genre de sentiment qu'elle a (1628). L'adjectif s'emploie aussi dans le langage didactique pour qualifier ce qui est propre au roman, en tant que genre littéraire (1690). Le substantif qui en est tiré s'emploie à la fois au sens didactique (1683) et dans son sens figuré de «caractère extravagant» (1689). Au XVIIIe s., il servira à traduire l'anglais *romantic* (→ romantique). ◇ Le dérivé **ROMANESQUEMENT** adv. (1672) est peu usité.

En linguistique, ② *roman* a produit les composés *italo-roman, hispano-roman, gallo-roman* (voir le premier élément) et *rhéto-roman* pour qualifier et désigner les catégories géographiques de langues romanes. ◆ ② **ROMANISTE** n. (1872) désigne le linguiste étudiant la structure et l'évolution des langues romanes (on dit aussi ② **ROMANISANT, ANTE** adj. et n. 1872). ◆ **ROMANISTIQUE** n. f. «étude des langues romanes» est un emprunt à l'allemand qui paraît récent (mil. XXe s.?).

◈ voir ① ROMAIN, ROMANCE, ROMAND, ROMANTIQUE.

ROMANCE

ROMANCE n. f. est emprunté (1599) à l'espagnol *romance* n. m., désignant spécialement un bref poème épique en octosyllabes dont les vers pairs sont assonancés. Comme l'italien *romanzo* «roman», le mot est repris au provençal *romans,* issu d'un latin populaire °*romanice* (→ ① roman). Introduit comme féminin, puis considéré comme masculin (1606), le mot est indifféremment de l'un ou de l'autre genre au XVIIe s.; sa terminaison l'a fixé au féminin.

♦ Le mot se réfère d'abord au petit poème épique espagnol («*j'ay veu... chanter en Espagne une vieille chanson que proprement on appelle la romance*», Brantôme), sens pour lequel les spécialistes français de la littérature espagnole maintiennent le genre masculin (1606). ◆ Par analogie et probablement par attraction de *roman* au sens de «récit galant et irréaliste», il désigne aux XVIIIe et XIXe s. (1718) une pièce poétique simple sur un sujet sentimental et «attendrissant» (Marmontel); par métonymie, il se dit de la musique sur laquelle cette pièce est chantée. ◇ Le mot s'applique ensuite à un chant d'amour sans élément dramatique et à une pièce instrumentale romantique de caractère mélodique (1870), d'où *Romances sans paroles* de Mendelssohn, traduction de l'allemand *Lieder ohne Worte.* *Romance* s'est répandu dans l'usage pour désigner une chanson sentimentale d'inspiration populaire (apr. 1750), d'où ***pousser la romance,*** quelquefois avec une valeur figurée (dans l'ancienne locution *c'est de la romance*) et en fonction d'adjectif, avec une connotation péjorative. Par allusion à la douce musicalité monotone de la romance, on a dit en argot *piquer une romance* pour «dormir, ronfler» (1883).

▸ Le dérivé **ROMANCISTE** n. (XXe s.) désigne dans un usage littéraire un auteur de paroles de romances.

ROMANCERO n. m. est emprunté (1827) à l'espagnol *romancero* «collection de romances», dérivé de *romance.* Ce terme d'histoire littéraire espagnol, notamment appliqué au recueil poétique concernant le Cid Campeador, est également employé, par extension, à propos d'un recueil de poèmes épiques d'une autre nationalité.

ROMANCHE

ROMANCHE → encadré ***LANGUES ROMANES*** (II, 7 : le rhétoroman p. 3286), et l'article *ROMANCHE* du glossaire final.

ROMAND, ANDE

ROMAND, ANDE adj., attesté au XVIe s. (1556 écrit *romandt*) est une graphie en *-and* de ② *roman, ane,* où le *d* est analogique de celui de l'adjectif *allemand.* ◆ L'adjectif qualifie ce qui est relatif à la Suisse de langue française ; il est substantivé pour désigner les habitants de cette zone. *Le romand* n. m. se dit des parlers franco-provençaux de Suisse romande. Voir franco-provençal, Suisse (encadré). ◆ Le dérivé **ROMANDISME** n. m. (1965) s'applique à un fait de langue française propre à la Suisse romande (cf. *helvétisme*).

ROMANICHEL, ELLE

ROMANICHEL, ELLE n., écrit par erreur *romamichel* (1828, Vidocq) puis *romanichel* ou *romannichel* (1845), est l'adaptation d'un mot du tsigane d'Allemagne signifiant littéralement «peuple tsigane». Le premier élément est *romani,* pluriel et féminin de l'adjectif *romano,* dérivé de *rom* «homme, mari». Ce mot, sans rapport avec le latin *romanus,* est attesté dans plusieurs langues tsiganes d'Europe Centrale sous les formes *dom, dōm, dum, lom* et est apparenté au sanskrit *ḍōma, ḍōmba* «musicien-danseur d'une caste inférieure». Le second élément représente le tsigane *tschel, tšel* «peuple, tribu».

♦ Le mot désigne un tsigane nomade appelé au XIXe s. *bohémien,* mais s'emploie surtout, de manière péjorative, en parlant de personnes sans domicile fixe, nomades et étrangers (1904). C'est un mot xénophobe, sinon raciste, puisqu'il ne s'applique plus à une communauté ethnique déterminée.

▸ La forme abrégée **ROMANO** n. (1859, Liszt) et sa variante **ROMANI** (1845) s'emploient, aujourd'hui péjorativement, comme *romanichel.* ◆ **ROMANI** n. m. est également un nom de la langue tsigane (1877).

ROMANTIQUE

ROMANTIQUE adj. et n. est, dans ses deux premiers sens, un emprunt (1675) à l'anglais *ro-*

mantic, adjectif (1650) et nom (1679), peut-être formé directement sur le latin moderne *romanticus* (XVe s.) ou tiré de *romant, romaunt,* anciennes formes du français *roman**. Le mot anglais qualifie ce qui est caractéristique du genre littéraire appelé *roman* et qui parle à l'imagination (alors appelé en anglais *romance* par emprunt à l'ancien français *romanz, roman*).

♦ Repris pour qualifier ce qui tient du roman (au sens du XVIIe s.), ce qui en a le caractère merveilleux et chimérique, le mot est d'abord attesté à propos d'ouvrages anglais. Ce sens sera abandonné au profit de *romanesque,* et Littré l'enregistre encore comme son synonyme. C'est pour qualifier des sites, des paysages, puis des jardins et des tableaux qui touchent la sensibilité à la manière des descriptions de romans que *romantique,* d'abord sous la forme anglaise *romantic* (1745), a été francisé au XVIIIe s., en concurrence avec *romanesque.* En 1774, C. H. Watelet, dans un *Essai sur les jardins,* définissant les trois caractères de la décoration des nouveaux jardins (à l'anglaise), cite le pittoresque, le poétique et le romanesque. C'est en ce sens (attesté depuis 1705 en anglais), que l'adjectif *romantique* est lancé par les *Rêveries* de Rousseau (1781), qui hésitent encore entre *romantique* et *romanesque.* Devenu à la mode à la fin du XVIIIe s. comme notion distincte de celle de *pittoresque,* l'adjectif *romantique* est ensuite accouplé à *voyage* comme synonyme de *sentimental,* autre anglicisme dû à Sterne, et se rapproche à nouveau de *romanesque* (*Voyages pittoresques et romantiques dans l'ancienne France* par Ch. Nodier, J. Taylor et A. de Cailleux, t. I, 1820). L'emploi du mot s'élargit ensuite à ce qui évoque la mélancolie, le mystère, l'imagination, mais *romantique* serait peut-être tombé en désuétude s'il n'avait été repris au début du XIXe s. par une seconde vague d'emprunt, cette fois de l'allemand qui tient lui-même son adjectif *romantisch* (1698), *romantik,* de l'anglais *romantic.* C'est de là que vient une valeur littéraire spéciale «propre aux œuvres littéraires inspirées de la chevalerie et du christianisme médiéval» (1804), d'après le sens donné par Schlegel à *romantisch,* dès les dernières années du XVIIIe s., et plus systématiquement dans son *Cours de littérature dramatique* (1809), par opposition à *classique* (allemand *klassisch*), dont l'emploi technique en littérature est d'ailleurs contemporain. Ce sens est popularisé en France par Mme de Staël et Sismondi et plus encore par Victor Hugo (préface des *Odes et Ballades*); c'est aujourd'hui un archaïsme littéraire ou un emploi d'historien de la littérature. ➛ C'est également de l'allemand que vient le sens littéraire et artistique connu aujourd'hui (1810, Mme de Staël). Cependant, l'influence anglaise sur la terminologie et la doctrine littéraire est restée intense, du fait de l'activité poétique en Grande-Bretagne et de la référence constante des écrivains romantiques français à Shakespeare. Dans l'emploi adjectif et substantif pour «partisan du romantisme» (1824), par des écrivains tournés vers l'Angleterre, tels Stendhal, Jacquemont, Mérimée, se manifeste la persistance du courant d'emprunt initial. Au cours du XIXe s., *romantique* se répand, qualifiant ce qui évoque les attitudes et les thèmes chers aux romantiques (av. 1837). Une autre substantivation correspond à «écrivain, poète romantique», par exemple dans *les petits romantiques.* ➛ Le mot est passé dans l'usage général, à la fois de manière méliorative, pour «sentimental et désintéressé», et péjorative à propos de ce qui manque de réalisme, sacrifie l'analyse positive des faits à une certaine mystique (1875), notamment en politique.

▸ **ROMANTISME** n. m. est attesté en 1804 chez Senancour comme synonyme de *le romantique* n. m. (1804), chez le même auteur au sens ancien de «caractère romantique (romanesque) d'un site, d'une chose». L'évolution du mot échappe à l'histoire des anglicismes, même si le concept est resté lié à l'évolution littéraire des idées et des sensibilités outre-Manche. Il désigne à l'origine, d'après l'emprunt à l'allemand (ci-dessus), le genre *romantique* inspiré par la chevalerie et le christianisme médiéval (1816), puis nomme le mouvement de libération de l'art qui s'est développé en France, entre la Restauration et la monarchie de Juillet, par réaction à ce qu'on appelle alors d'un mot nouveau, le *classicisme,* et au rationalisme des siècles précédents. Les grands écrivains l'emploient en ce sens dès 1820; discuté en 1824 par l'Académie, le mot est alors déjà usuel. ◇ Par extension, il caractérise le comportement, l'attitude romantique dans la vie, puis avec une connotation péjorative, en politique (1826). Ultérieurement, l'histoire littéraire en fait un usage généralisé en parlant de tendances littéraires étrangères (d'abord en parlant des sources anglaises et allemandes, puis d'autres littératures) et rétrospectif en parlant d'éléments propres au romantisme décelable chez les artistes de toutes époques (1935). ➛ Le dérivé préfixé **PRÉROMANTISME** n. m. est un terme d'histoire littéraire (1923) fréquemment employé par la critique entre les deux guerres : le concept de préromantisme a pour fonction de ménager la continuité entre le XVIIIe et le XIXe s. et de souligner l'ancrage national du mouvement romantique en France. Certains critiques usèrent de la notion moins comme un principe de périodisation que comme une tendance transhistorique de la littérature; d'autres insistèrent sur les influences anglaises et allemandes. La catégorie, mise en cause pour son finalisme, est quelquefois remplacée par celle de *premier romantisme.* ➛ **PRÉROMANTIQUE** adj. et n. a été créé conjointement au début du XXe siècle (1909, n. m.). ➛ **ROMANTIQUEMENT** adv. (1833) «à la manière des romantiques», ne s'est guère répandu. ➛ **ROMANTICISME** n. m. (1818), emprunt à l'anglais *romanticism* (1803; 1844 en ce sens) ou bien à l'italien *romanticismo,* a été lancé par Stendhal, qui l'a abandonné en 1824 au profit de *romantisme* (lettre au baron de Mareste du 26 avril 1824 et *Racine et Shakespeare,* t. II, 1825). Il est sorti d'usage et passerait aujourd'hui pour un anglicisme.

◈ voir ROMAIN, ROMAN, ROMANCE.

ROMARIN n. m., d'abord *rosmarin* (XIIIe s.) puis *romarin* (v. 1354), est emprunté au latin *rosmarinus* de même sens, littéralement «rosée de mer», de *ros, roris* (→ rosée) et *marinus* (→ marin). La plante était plus connue dans l'Antiquité pour son parfum basalmique que pour ses vertus médicinales. Cultivée dès le haut moyen âge dans les monastères du nord de la France, probablement dans une intention thérapeutique, elle accéda au XVIe s. à la renommée grâce à la fameuse «eau de la reine de Hongrie», qui était produite par distillation d'une macération alcoolique de la plante : Isabelle de Hongrie, prétendait en avoir reçu la formule d'un ange et s'en était servi avec succès pour guérir ses rhumatismes. Cette eau de romarin servit d'élixir de jouvence jusqu'à la fin du XVIIIe siècle. Les fleurs n'étaient pas moins célèbres, appelées en officine *anthos* (→ anth[o]-), c'est-à-dire la fleur par excellence. La plante est toujours utilisée en phytothérapie.

♦ Le mot, son histoire en pharmacie étant à peu près oubliée, est caractéristique des plantes aromatiques et évoque avec le *thym* les odeurs champêtres et les parfums culinaires.

ROMBIÈRE n. f., attesté depuis 1860 environ (selon Esnault), est d'origine incertaine, peut-être formé sur un radical onomatopéique *rom-* évoquant le grognement (→ grommeler, rogner), peut-être par un verbe lorrain *rombe(r)* «gronder sourdement» qui pourrait être une variante dialectale de *romer* «grommeler», «respirer difficilement», «bougonner». Guiraud évoque un développement sémantique analogue à celui de *roquentin** «vieux qui fait le jeune homme» d'après le dialectal *roquer* «tousser», le grommellement évoquant la vieillesse maussade (cf. *ronchonner*).

♦ Le mot, argotique puis familier, désigne une bourgeoise d'âge mûr, ennuyeuse, prétentieuse et un peu ridicule ; par extension, il se dit d'une femme vieille et laide (1925), notamment dans *une vieille rombière*.

▸ **ROMBIER** n. m. apparaît en argot (*Dictionnaire de Rossignol*, 1901) au sens de «vieillard» et prend au XXe s. la valeur générale d'«homme, personnage». Ce mot pourrait être directement dérivé du verbe *romber* et équivaloir à «grognon». À la différence de *rombière*, il reste marqué comme argotique, équivalant à *type, mec* (cf. *gazier*), notamment dans l'usage militaire.

ROMPRE v., d'abord écrit *rumpre* (v. 980), puis *rompre* (XIe s.), est issu du latin *rumpere* «briser avec force», souvent avec une idée accessoire d'arrachement, d'éclatement, de valeur concrète et abstraite avec le sens de «couper court à (qqch.)». Si la forme à infixe nasal *(rump-)* est propre au latin, la racine, avec une alternance *p/b* (attestée en germanique par la coexistence du vieil anglais *réofan* «briser, déchirer» et du gotique *raupjan*), remonte à l'indoeuropéen. Le sanskrit a le présent dérivé *rúpyati* qui concerne les tiraillements dans le corps ; on a aussi évoqué le polonais *rupič* «tirailler», *rypač* «briser», le serbe *rùpa* «trou». L'italien *rompere* et l'espagnol *romper* remontent aussi au latin *rumpere*.

♦ Le verbe signifie «réduire d'un seul coup et violemment (un objet récalcitrant)», spécialement dans la locution biblique ***rompre le pain*** (v. 1550) qui s'emploie par extension pour «partager le même repas» (av. 1843). Ce sens, usuel jusqu'au XVIIe s., a reculé au profit de *briser* et surtout de *casser, rompre,* ne s'employant plus que pour insister sur le caractère délibéré de l'opération ou introduire une intention stylistique. *Rompre* correspondait aussi (v. 1155) à «déchirer» et «arracher», sens qui disparaît progressivement après le XVIIe siècle. ◆ Par exagération, le verbe est employé dans la locution ***rompre le cou, l'échine à qqn*** et, au figuré, ***rompre les oreilles*** «abasourdir» (1549). ◆ *Rompre qqn* «épuiser de fatigue» s'est spécialisé pour «faire subir à (qqn) le supplice de la roue» (1659). ◇ De la même idée de rupture violente procèdent les locutions ***rompre la glace*** (1601) et ***rompre des lances*** (1612), cette dernière également au figuré pour «prendre la défense de qqn» (1718), et ***rompre ses chaînes, ses fers*** de sens propre (1686) et figuré (1690), dans une langue écrite très littéraire. ◇ La locution ***applaudir à tout rompre*** (1768) reprend formellement l'ancienne locution adverbiale *à tout rompre,* qui avait le sens de «tout au plus» (1549). ◇ Une extension figurée donne à *rompre qqn* le sens affaibli de «disposer à supporter aisément qqch., plier à» (1580).

Rompre exprime aussi l'idée concrète de «défoncer», d'abord réalisée par le sens ancien de «labourer» (XIIIe s.). Le sens de «rendre (une voie) impraticable en la défonçant» (v. 1460) est sorti d'usage malgré le soutien du mot apparenté *route**, étymologiquement «voie rompue». ◆ Dans un contexte militaire, *rompre* se dit pour «pénétrer dans (un dispositif ennemi), disloquer par une action offensive» (v. 1460), et «disperser un rassemblement» (v. 1460), sens disparu, mais repris dans la locution ***rompre les rangs*** (1807), absolument *rompre,* surtout à l'impératif ***rompez !*** aussi avec le sens figuré de «allez-vous en» (1888). ◆ Le sens de «détruire» notamment «détruire (un ouvrage) en pénétrant par la force» (1508), est réalisé dans la locution ***rompre les ponts,*** au figuré «interrompre les relations». Dans l'usage classique, le verbe était devenu synonyme de «disperser, congédier (une assemblée)» (1673), spécialement dans les locutions *rompre son ménage* (1672), *son train, sa maison* (1690), «congédier ses gens, changer le service», sorties d'usage. ◆ Dès le XIIIe s., *rompre,* comme le latin *rumpere,* signifie abstraitement «mettre fin à (un état existant, une situation établie, un déroulement en cours)» (v. 1210), sens archaïque sauf dans les locutions ***rompre le silence*** (XIIIe s.) notamment en prenant la parole (1675), et au XXe s. ***rompre le combat*** (1935), ***rompre le contact*** (1961). ◆ Dans un registre voisin, le verbe a signifié, au XIIIe s. (v. 1210) «renoncer (à une entreprise, un projet) ; supprimer», à propos d'un voyage (1611) et, dans *rompre sa table* «cesser de recevoir des invités à dîner» (1690). Il équivaut à «mettre un terme à (une relation)» (v. 1370). L'ancienne locution *rompre un coup* (XVe s.) «en amortir l'effet», au figuré «faire échouer» (XVe s.), annonce déjà le sens de «faire cesser, détourner ou affaiblir (une action, un mouvement) en s'interposant» (1552). En procèdent deux locutions techniques encore en usage ***rompre les chiens*** «arrêter les chiens dans leur poursuite de la bête» (av. 1573), au figuré «détourner le cours de (la conversation)», et ***rompre la mesure,*** en escrime «reculer en parant» (1718). ◆ *Rompre* s'emploie pour «se délivrer de (une promesse)», «manquer à (un engagement)» (1550), notamment dans les locutions ***rompre le jeûne*** (1656), *rompre son ban* (1875), archaïque, et ***rompre ses fiançailles,*** en relation avec l'intransitif dans ***rompre avec qqn.***

En construction intransitive, le sens de *rompre,* «se casser brusquement» (v. 1155), est archaïque, comme le sens transitif correspondant. *Rompre* s'est dit pour «mettre brusquement fin à un entretien» (1424). Il est demeuré bien vivant au sens d'«interrompre brutalement et délibérément des relations» (1370) et «se détacher brusquement et définitivement de qqch.» (fin XVIIe s.). *Rompre avec (qqn, des habitudes),* etc. est aussi usuel que l'emploi absolu. ◇ La locution ***rompre en visière à*** ou avec qqn, qqch. s'emploie au figuré avec la valeur de «prendre violemment à partie» (1651), par allusion au chevalier qui rompait sa lance dans la visière du casque de son adversaire lors d'un tournoi (sens concret qui n'est répertorié qu'au XIXe s., en 1870). ◆ En termes militaires, *rompre* signifie «passer d'un ordre de bataille à un autre» (1835). ◇ En escrime la locution ***rompre d'une semelle*** (1870) signifie «reporter en arrière la pointe du pied à l'endroit qu'occupait le talon de l'autre pied» et, par extension, «reculer», surtout en phrases négatives. Le sens de «reculer pour fuir un conflit» (1870) est sorti d'usage.

La forme pronominale *se rompre,* d'abord employée au sens figuré de «se ruiner» (fin XIVe s.), disparue avant l'époque classique, s'est substituée à l'intransitif *rompre* pour «tomber brusquement en morceaux» (1559). ◇ La locution ***se rompre le cou*** (1668) correspond à «se tuer». ◆ À l'époque classique, le pronominal se dit spécialement de la lumière qui se brise, se réfracte (1690) et s'applique à une masse d'eau qui éclate dans diverses directions (1653). ◇ Le sens figuré, «cesser d'être en vigueur» (1640, Corneille), est sorti d'usage alors que *se rompre* «cesser brusquement de se manifester» (déb. XVIIe s.) est encore en usage.

▸ **ROMPU, UE,** le participe passé de *rompre,* est adjectivé dès le XIIe s. pour qualifier un objet séparé violemment en morceaux, sens dont procède la spécialisation en héraldique à propos d'une pièce en longueur représentant une solution de continuité (1690). C'est une des valeurs de ***bâtons rompus*** (→ bâton). ◆ Dès le XIIIe s., l'adjectif attribut qualifie une personne qui ressent une fatigue musculaire extrême. En moyen français, il commence à qualifier une chose interrompue, détruite, annulée (déb. XVe s.), et à se dire d'une personne très exercée par une longue pratique (fin XVIe s.). ◇ Des spécialisations techniques sont apparues au XVIIe s., *rompu* qualifiant un style au mouvement irrégulier, saccadé (1673) et une couleur qui a des reflets d'une autre couleur (1680), d'où *ton rompu* (1870), par la même métaphore que *blanc cassé.* ◆ **ROMPU** n. m., substantivation du participe passé (1871), est un mot technique désignant la quantité de titres à regrouper, insuffisante pour acheter un titre nouveau, appliqué également à la fraction qui reste d'un ensemble. ◆ Le substantif d'action **ROMPEMENT** n. m. (v. 1355) a été évincé par *rupture*,* sinon dans ***rompement de tête*** (av. 1526) avec le sens figuré de «fatigue causée par le bruit, l'agitation» et *rompement de visière* «provocation» (1651), qui est devenue archaïque. ◆ **ROMPIS** n. m. est un mot technique à valeur collective désignant un ensemble d'arbres cassés (1870).

RUPTEUR n. m. (1903), dérivé de *rompre* d'après *rupture,* peut-être par emprunt morphologique au latin *ruptor* «celui qui rompt, trouble, violateur», désigne un interrupteur de courant. Il a été repris en informatique (v. 1980) pour l'appareil permettant de séparer des feuilles d'une sortie d'ordinateur (on dit aussi *rupteuse*).

◈ voir ABRUPT, CORROMPRE, CORRUPTION, COURROUCER, ÉRUPTION, INTERROMPRE, INTERRUPTION, IRRUPTION, RAOUT, ROTURE, ROUTE, ROUTIER, RUPESTRE, RUPTURE.

ROMSTECK ou **RUMSTECK** n. m. est l'emprunt, d'abord sous la forme *romesteck* (1816), *rump-steak* (1842), *rumsteak* (1852), adapté en *romsteck* (1880) ou *rumsteck* (1875), de l'anglais *rump-steak.* Ce composé anglais (1747) signifiant «partie de l'aloyau», antérieurement *rum-beef,* signifie littéralement «bœuf dans la croupe» (1689). Le premier élément, *rump,* mot du moyen anglais (XVe s.) désignant la croupe, est probablement d'origine scandinave : en effet, le moyen danois et le danois ont *rumpre,* le moyen suédois et le suédois *rumpa,* l'islandais *rumpr;* le sens étymologique pouvant être «souche d'arbre». Le second élément, *steak,* «tranche de viande» (XVe s.), est issu du vieux norois *steik,* apparenté à *steikja* «rôtir à la broche», *stikna* «être rôti» (→ bifteck). La graphie *romsteck,* adoptée tardivement par le français, est aberrante car, outre son élément *rom-* francisé, l'élément *-steck* ne correspond ni à une graphie française ni à celle de l'anglais. J. Perret s'est amusé à franciser la graphie en *romstèque* (1953).

◈ voir BIFTECK.

RONCE n. f. est issu (v. 1175) du latin *rumicem,* accusatif de *rumex, -micis* «dard», «oseille» (ainsi nommée à cause de sa feuille en fer de lance) et à basse époque, comme on le suppose d'après les dérivés romans, «arbuste épineux». Le mot, qui présente une forme en *-ex* commune à beaucoup de noms de plantes, est sans étymologie connue.

♦ *Ronce* désigne une plante épineuse et buissonneuse et, plus couramment, une branche épineuse et basse (1403). Il a développé le sens figuré de «désagréments» (1690) et, tardivement, quelques sens techniques, servant à désigner les veines de bois à l'enchevêtrement irrégulier (1842) puis ces bois (1936), par exemple dans *ronce de noyer.* ◇ Le syntagme *ronce artificielle,* désignant un petit câble formé de fils de fer tordus (1894), a remplacé *ronces en acier* (1885).

▸ Le dérivé **RONCERAIE** n. f., dont la forme actuelle (1771) prolonge l'ancien *runcerei* (XIIIe s.), désigne un terrain envahi par les ronces. ◆ ① **RONCIER** n. m. (1547) désigne un buisson de ronces et **RONCEUX, EUSE** adj. (1583) qualifie un lieu plein de ronces, avant de qualifier un bois présentant des ronces (1830). ◆ **RONCIÈRE** n. f. (1611), doublet féminin de *roncier*, est demeuré rare. ◆ Ultérieurement, *ronce* a produit **RONCET** n. m. (1907), antérieurement *roncé* (1867), pour dénommer une maladie de la vigne caractérisée par un rabougrissement de la plante. ◆ ② **RONCIER** n. m. a été formé pour désigner l'ouvrier qui fabrique les fils de fer barbelés à la machine (1955).

RONCHONNER v. intr., répertorié par Delvau en 1867, est originaire de la région lyonnaise, où le verbe *roncher* «gronder», est entouré de nombreux dérivés comme *ronchonner, ronchina* signifiant aussi «gronder, grommeler». *Roncher* est une survivance de l'ancien français *ronchier* (XIIIe s.), *ronkier* (XIIIe s., picard), qui représente le bas latin *r(h)oncare* «ronfler», dérivé du latin classique *r(h)onchus* «croassement», «ronflement». Ce mot est l'emprunt latinisé du grec *ronkhos*, de la famille de *renkhein* «ronfler». Le groupe expressif de mots grecs repose sur une harmonie imitative; l'initiale a dû être *sr-* ou *wr-* (on en a rapproché des mots celtiques : vieil irlandais *srēnnim* «ronfler», moyen irlandais *srēimm* «ronflement»). Cette famille évoque le grec *rhunkhos* «groin (du porc), museau (du chien), bec (de l'oiseau)», également expressif par la sonorité. En français même, la valeur onomatopéique du mot a certainement été pour beaucoup dans son adoption par le langage populaire.

♦ Le verbe est employé dans le langage familier pour «manifester sa mauvaise humeur en bougonnant».

▶ **RONCHONNEUR, EUSE** adj. et n. (1878), par changement de suffixe, a lui-même donné **RONCHONNOT** n. m. (1878), nom donné à un officier trop méticuleux qui ronchonne au moindre prétexte (aussi en nom propre, le *colonel Ronchonnot*). ◆ Deux autres dérivés sont des noms d'action : **RONCHONNEMENT** n. m. (1880) et **RONCHONNADE** n. f. (1884), moins usité. ◆ **RONCHON, ONNE** adj. et n. (1878) désigne une personne qui a l'habitude de ronchonner (notamment dans *un vieux ronchon*). ◆ Le participe présent **RONCHONNANT, ANTE** s'emploie adjectivement (1894) pour «qui ronchonne» et «propre à qqn qui ronchonne» (1920).

◈ voir ROGNE, RONFLER, RONRON.

◈ ✳ **ROND, RONDE** adj., réfection (v. 1380) de *reont* (v. 1100), *runt* (v. 1170), est issu d'un latin populaire °*retundus*, altération, par dissimilation de la première voyelle, du latin classique *rotundus* «qui a la forme d'une roue, arrondi», employé au figuré à propos d'un style dont les parties sont bien équilibrées. Ce mot, dont le féminin a donné *rotonde** par l'intermédiaire de l'italien, est dérivé de *rota* (→ roue).

♦ Dès les premiers textes, l'adjectif qualifie ce qui a la forme approximative d'une roue ou d'une sphère. À partir du XIIIe s., il se dit d'une figure géométrique obtenue par révolution d'une surface, d'une ligne autour d'un axe (v. 1265), le vocabulaire didactique employant *circulaire*. *Rond* caractérise ce qui présente une surface circulaire (fin XIIIe s.), un corps qui présente un aspect cylindrique ou tronconique dont la section a la forme d'un cercle (v. 1265), servant spécialement en anatomie (1721, *ligament rond*) à décrire certains muscles ou ligaments (1805, *muscle petit rond*; 1827, *muscle grand rond*). ◆ Dès le XIIIe s., l'adjectif est plus courant encore pour caractériser un volume, et se dit de ce qui présente une forme arrondie, constituant souvent avec le nom qu'il qualifie un syntagme (*lettre ronde*, 1680), voire un nom composé, par exemple **RONDE-BOSSE** n. f. (1615) «ouvrage de sculpture en plein relief» (→ bosse). ◆ À partir du XIIIe s., l'adjectif est employé pour décrire le volume sphérique d'une partie du corps ou du corps humain (1277). Cette valeur, aujourd'hui usuelle en emploi concret, est bientôt attestée avec une valeur figurée, dans la locution ***être rond*** «être ivre» (1474), par allusion à la réplétion, comme dans *soûl, bourré; être rond* s'emploie aussi dans les dialectes pour «être rassasié de nourriture» (1669) et ce sens doit être ancien. ◆ Par la suite, l'adjectif qualifie une personne petite et grosse (1690), un objet gonflé en forme de sphère tel qu'une bourse (av. 1753), un ballon de football, ***ballon rond*** se disant par métonymie pour désigner ce sport, opposé à *ballon ovale* (rugby). ◆ Abstraitement, *rond* qualifie une quantité numérique complète, entière, qui ne comporte pas de décimales (av. 1493); *tout rond* se disant d'une somme qui n'oblige pas à ajouter ou à rendre de monnaie (1887). ◆ ***Table ronde***, fort de la valeur symbolique qu'il tient des romans de chevalerie du cycle d'Artus (le roi Arthur), est entré dans l'usage d'abord pour désigner un repas auquel peuvent participer ceux qui le désirent (XVe s.), de nos jours une réunion où tous les participants sont mis sur un pied d'égalité dans la discussion (1955, in *Témoignage chrétien*). ◆ L'adjectif qualifie moralement une personne qui agit avec franchise et simplicité, parle franc et net sans discussion superflue (fin XIVe s.).

L'adjectif est adverbialisé tardivement dans la locution ***tourner rond*** (1870), dite d'un moteur qui tourne bien régulièrement, sans à-coups, et répandue dans le langage familier pour ce qui se déroule de manière régulière, satisfaisante (1901). À la forme impersonnelle, ***cela ne tourne pas rond*** (1928) s'emploie en parlant d'une personne qui présente des troubles. La locution *jouer rond* (1886), dite autrefois dans l'argot du théâtre à propos d'un acteur dont le jeu manque de vigueur, est sortie d'usage.

Dès l'ancien français, *rond* est substantivé (v. 1155) dans la locution ***en rond***, d'abord employée avec le sens de «pris ensemble». ◆ Depuis le XIIIe s., *un rond* sert à désigner tout objet en forme d'anneau ou de couronne, seul et en emploi déterminé, comme ***rond de serviette*** (1843), ***rond-de-cuir***, ce dernier employé par métonymie (1885) pour désigner familièrement un employé de bureau, sens illustré par Courteline. D'autres emplois ont fourni des locutions figurées comme ***en baver des ronds de chapeau*** (1901), d'ailleurs mal expliquée. ◆ Par métaphore, le nom s'emploie (1461) pour désigner une pièce de monnaie dans la langue familière, entrant ultérieurement dans des locutions comme ***plus un***

rond (1870), et récemment ***pour pas un rond*** «gratuitement». ◆ *Rond de flan* n'est en usage que dans ***en être, en rester comme deux ronds de flan*** (1892, chez Courteline; → flan). ◆ *Rond* désigne également la figure plane appelée plus savamment *cercle* (XVe s.), par exemple dans la locution ***faire des ronds dans l'eau*** (1660), qui a pris la valeur figurée de «perdre son temps à des futilités». La locution usuelle ***en rond*** (1538) «en formant une figure circulaire», entre à son tour dans la locution familière ***tourner en rond*** «ne pas progresser, revenir toujours à son point de départ» (1904). ◆ Le mot désigne en outre une piste circulaire dans un manège (av. 1577), spécialement la piste circulaire située dans l'enceinte du pesage où les chevaux tournent au pas avant de prendre part à la course (milieu XXe s.). ◆ ***Rond de jambe*** «figure circulaire que semble décrire la jambe» (1817), symbolise une attitude obséquieuse ou affectée, par allusion aux révérences (1874); ***rond de bras*** (1846) est rare ou technique (danse). ◆ À partir du XIXe s., *rond* désigne la tranche d'un objet cylindrique (av. 1850), par exemple dans *rond de saucisson,* et développe quelques emplois concrets d'usage technique : il est repris en botanique à propos d'une maladie des arbres résineux (1877), en anatomie pour désigner deux muscles de l'épaule par substantivation d'un emploi adjectif (ci-dessus) [1870]; il est employé en boucherie dans les expressions *rond de gîte à la noix* (1933) et *rond de tranche grasse. Rond à béton* (1963) se rapporte à un fer rond utilisé pour la réalisation des armatures dans les ouvrages en béton armé. ◆ L'appellation ***rond de sorcière*** «cercle magique» s'est appliquée parfois à un groupement de fructifications de certains grands champignons disposés sur le pourtour d'un cercle.

▶ **RONDEMENT** adv., réfection (v. 1380) de *roondement* (v. 1155), *reondement* (v. 1265), a signifié «environ, en chiffres ronds», là où le français moderne dit *rond.* Il a signifié «en rond» (v. 1265) avant d'être supplanté au XVIIe s. par la locution adverbiale *en rond.* ◇ De nos jours, plus encore qu'avec le sens psychologique de «franchement, sans façon» (v. 1360), il s'emploie avec celui de «avec décision et célérité» (v. 1460) d'usage familier, quelquefois avec la valeur superlative de «le plus vite possible» (1732).

① **RONDE** n. f. (XIIIe s.), d'abord *reonde* (v. 1175), *roonde* (XIIIe s.), féminin substantivé de *rond,* est d'abord employé dans la locution ***à la ronde,*** avec le sens spatial de «dans un espace circulaire qui s'étend alentour» et, selon le contexte, «en se tournant successivement vers tous les membres d'une assemblée réunie» (1653). ◇ Depuis le XIIIe s., ce nom est employé de manière autonome, d'abord pour «chape à forme ronde», emploi sorti d'usage, et en parlant d'une danse collective. Ce sens est signalé une fois au XIIIe s. et semble repris au XVIIIe s. (1783, Berquin), d'abord pour «chanson à refrain» (*ronde de table,* 1751; *ronde,* 1763, Favart). L'acception concernant une danse où l'on se tient par la main en tournant autour d'un point central est la plus usuelle. ◆ Parallèlement, *ronde* a développé deux sens techniques : en calligraphie «écriture à jambages courbes, panses et boucles circulaires» (1752) et en musique «figure de note présentée par un ovale allongé, valant deux blanches ou quatre noires» (1703). ◆ Avec son sens de «danse», le plus courant, il a donné le verbe **RONDER** v. intr. «danser une ronde» (Suisse). ◆ **RONDELLE** n. f., d'abord *rondele* (fin XIIe s.), puis *rondelle* (1279), diminutif de *rond* n. m., «petit rond ou cercle», a d'abord désigné un cercle de fer, puis une tête de chardon utilisée pour le peignage des draps bon marché. En armurerie, *rondelle de lance* (1309) désigne une pièce d'acier façonnée en pavillon de cor et protégeant la poignée de la lance de guerre, et *rondelle* un petit bouclier en usage au moyen âge (1535) [cf. *rondache*], ainsi qu'une pièce d'armure ronde protégeant le haut de l'épaule, la garde ronde d'une épée. ◆ Le mot a pris le sens de «ciseau arrondi utilisé par le sculpteur ou le marbrier» (déb. XVIIe s.), d'où **DEMI-ROND** n. m. (1846) «couteau de corroyeur à lame en demi-cercle». ◆ Au XIXe s., il est passé dans l'usage courant, désignant une tranche mince coupée dans un objet cylindrique (1862), en concurrence avec *rond,* tout en prenant de nouvelles acceptions techniques : «large rebord mobile placé à chaque extrémité du métier à tisser» (1875) et, en serrurerie, «douille de renforcement dans laquelle est actionnée la pièce qui reçoit la tige carrée du bouton» (milieu XXe s.). ◆ **RONDIR** v. tr. (1243) «rendre rond» a été supplanté par *arrondir* (voir ci-dessous); il a été repris en technique pour «tailler (les ardoises) à la forme et à la dimension voulues» (1782, *Encyclopédie*). ◇ Ses dérivés **RONDISSAGE** n. m., **RONDISSEUR** n. m. et **RONDISSEUSE** n. f., apparus au XXe s., dérivent de ce sens. **RONDEAU** n. m., qui, sous sa forme actuelle (fin XIVe s.), a remplacé **RONDEL** (fin XIIIe s.), sauf en histoire littéraire, est le diminutif de *ronde.* Il a désigné une danse en rond, puis un petit poème à forme fixe sur deux rimes avec des répétitions obligées (fin XIIIe s.), qui a connu plusieurs formules (nommées *rondeau* à partir du XVe s.) dont certaines sont restées relativement vivantes dans la poésie du XIXe s. (Banville, Corbière). Par l'intermédiaire du sens de «refrain» (1690), il se dit en musique d'une forme instrumentale se rapprochant de la chanson populaire à refrain et couplets (1740), appelée *ronde* (ci-dessus) [→ rondo]. ◆ **RONDET** n. m., diminutif de *rond* (fin XIIIe s.), s'est employé comme synonyme de *rondel* et dans la locution *rondet de carole* «chanson accompagnant une ronde». **RONDELET, ETTE** adj. (v. 1354), diminutif de l'adjectif *rond,* qualifie ce qui est assez rond, d'abord en fauconnerie, en parlant de la tête de l'épervier, puis avec une nuance familière bienveillante (v. 1550), par exemple à propos des formes du corps. Il est employé au figuré, d'après une valeur de *rond,* en parlant d'une somme d'argent assez importante (1728). ◆ Le féminin *rondelette* est substantivé (1724) pour désigner une toile à voiles, puis un tissu de lin et coton dont la trame est un fil assez gros, d'après *soie rondelette* (1723). ◇ Le masculin, pris comme dénomination du rondeau (1301-1389), est sorti d'usage.

RONDIN n. m. (1387), nom d'une sorte de tonneau, sorti d'usage, a été reformé pour désigner un morceau de bois de chauffage qu'on a laissé rond au lieu de le refendre (1526), d'où, couramment, un gros bâton (1701), puis une bille de bois non équarrie (1843). Par métaphore, il a été employé parallèlement à *rond*, pour désigner populairement une pièce de monnaie (1829), sens disparu. Le mot a désigné un petit traversin destiné à soutenir les reins (v. 1750) et un veston court à pans arrondis porté par les garçons de café (1879).

RONDEUR n. f., relativement tardif (v. 1460), désigne l'état d'une surface ronde, la forme sphéroïde d'un objet (1530), en particulier l'état d'une personne ou d'une partie du corps bien en chair (1480) et, le plus souvent au pluriel, *rondeurs* (1806), une partie du corps ronde et charnue, acception souvent appliquée à l'anatomie féminine. ◆ Parallèlement, il s'emploie avec les sens figurés de l'adjectif, se disant de ce qui est franc et sans façon (1541), de l'attitude qui exprime le naturel allié à un prompt esprit de décision (1541) et, en rhétorique, de l'harmonie d'une phrase bien équilibrée (1558).

② **RONDE** n. f. (1559), à ne pas confondre avec le féminin substantivé de *rond*, est le déverbal de l'ancien verbe *roonder* v. tr. (v. 1185), *ronder* «tailler en rond», «faire la ronde» (déb. XVe s.). Le mot désigne, dans le langage militaire, le parcours autour d'une place pour s'assurer que tout va bien, d'où le syntagme ***chemin de ronde*** (1676) ; par extension, il désigne l'inspection faite, surtout la nuit, par des policiers, des gardiens pour vérifier que l'ordre règne (1623). Par métonymie, il se dit collectivement de l'ensemble des personnes chargées de cette mission (1567).

Au XIXe s., *rond* redevient productif avec **RONDOUILLARD, ARDE** adj. (1866), d'abord employé dans l'argot des ateliers de peintres à propos d'un dessinateur maladroit qui procède par masses rondes, puis, en arts plastiques, pour un dessin, une sculpture aux formes trop arrondies, d'un style mou et fade. ◇ Le sens plus courant de «replet, grassouillet (en parlant d'une personne)» est postérieur (1893). ◆ Au XXe s., *rond* a produit les termes techniques **RONDAGE** n. m. (XXe s.), dit en horlogerie du tournage de la platine et des ponts, et **RONDADE** n. f., qui désigne un mouvement de gymnastique (1964).

Le composé **ROND-POINT** n. m., d'abord écrit *roont-point* «demi-cercle» (1375), a désigné la partie semi-circulaire à l'extrémité de la nef d'une église (1740), sens aujourd'hui archaïque. ◇ Le mot désigne couramment la place circulaire où aboutissent plusieurs rues d'une ville (1831), extension analogique du carrefour vers lequel convergent plusieurs allées dans une forêt ou un jardin (1708).

ARRONDIR v. tr. (v. 1278), également *areondir* (v. 1310) en moyen français, a supplanté *rondir* au sens de «rendre rond» et spécialement de «donner une forme courbe de façon à supprimer les angles», d'où, avec une valeur figurée, la locution ***arrondir les angles*** qui semble assez récente. De ce sens procède, en marine, le sens de «contourner (un obstacle) en suivant une trajectoire arrondie» (1829). ◆ Le verbe se dit en rhétorique pour «équilibrer les parties des phrases, leur donner un rythme harmonieux» (1671) et s'emploie avec une valeur quantitative pour «augmenter la surface ou la valeur d'une chose afin de constituer un tout complet» (1678). ◆ **ARRONDI, IE,** le participe passé, est adjectivé (v. 1280) pour qualifier une chose à peu près ronde. Il se dit en phonétique de phonèmes émis en arrondissant les lèvres. Il est substantivé pour désigner la partie arrondie d'une chose *(un arrondi)*. ◆ **ARRONDISSEMENT** n. m. (v. 1450) a progressivement cessé de s'employer comme substantif d'action de *arrondir*. Il a eu quelques emplois spéciaux, par exemple en peinture pour l'action de faire sentir les rondeurs (1621), le fait d'arrondir une somme au franc supérieur, l'agrandissement d'un domaine (1680) et, en phonétique, le fait d'arrondir les lèvres pour émettre certains phonèmes. ◆ Il est beaucoup plus vivant dans un emploi métonymique, désignant (en France) une division territoriale (1737) puis la circonscription administrative française créée par la loi du 28 pluviôse an VIII (1800) et, couramment, une subdivision administrative dans les très grandes villes, Paris, Lyon, Marseille. ◆ En ce sens, il a produit **SOUS-ARRONDISSEMENT** n. m. (1871) et **ARRONDISSEMENTIER** n. m. (1885), qui s'est dit du partisan du scrutin uninominal majoritaire à deux tours pour lequel la circonscription électorale était l'arrondissement. ◆ **ARRONDISSAGE** n. m. (1838) sert de substantif d'action à *arrondir* dans l'usage technique.

◈ voir RONDACHE, RONDO.

RONDACHE n. f. est une forme normanno-picarde (1569), ainsi que la variante *rondace* (fin XVIe s.), dérivée avec un suffixe péjoratif, du français *rondelle*, diminutif de *rond** employé au XVIe s. à propos d'un petit bouclier rond et dont l'emploi devait créer des ambiguités à cause de la polysémie de ce mot. L'hypothèse d'un emprunt à l'italien *rondaccia* se heurte au fait que ce dernier est attesté ultérieurement (1622), mais cette attestation peut fort bien être provisoire. On a aussi écrit et dit *rodanche* (1561) et *ridache* au XVIe s. (1573).

♦ Le mot désigne un grand bouclier circulaire employé au XVIe s. par les fantassins ; par métonymie, il désigne le fantassin ainsi armé (fin XVIe s.). ◇ Il se dit aussi d'un ornement en forme de rondache. *Feuille en rondache* (1870) désigne en botanique une feuille dont le pétiole est fixé au milieu du limbe.

▸ **RONDACHIER** n. m., d'abord *rondacier* (fin XVIe s.), puis *rondachier* (1625), désigne le soldat qui portait la rondache, au XVIe siècle. C'est un mot didactique d'historien.

RONDO n. m. est emprunté (1814, Stendhal) à l'italien *rondo* (seulement attesté en 1826). Ce mot (déjà passé dans l'anglais *rondo* en 1797) est emprunté au français *rondeau**.

♦ Le mot a été repris en musique, désignant une forme caractérisée par la répétition d'une phrase musicale entre les couplets, utilisée dans la sonate et la symphonie.

RONÉO n. f. est l'emploi comme nom d'instrument (1921) du nom déposé de la Compagnie du *Ronéo*. Ce mot est déposé en anglais *(Roneo)* le

27 novembre 1901 dans le *Journal des Marques* et recouvre du matériel de bureau, notamment une machine reproduisant des textes. Il est formé des premières lettres de *rotary* «presse rotative» (→ rotary) et de *Neostyle,* littéralement «nouveau style» (→ néo-, style), dans *Neostyle Manufacturing Company Limited.*

♦ Le mot a été emprunté comme nom féminin d'une machine reproduisant des textes préalablement tapés sur un stencil. Par métonymie, *un ronéo* se rapporte au texte (cours scolaire ou universitaire) ainsi reproduit.

▸ Là où l'anglais utilise un verbe transitif *to roneo* (1921), le français a créé **RONÉOTYPER** v. tr. (1939) ou **RONÉOTER** (1941; 1939, *ronéoté*), le premier avec *-type** et une désinence verbale, pour «reproduire un texte au moyen de la Ronéo». La *ronéotypie* (nom attesté en 1962) a décliné au profit d'autres techniques de reprographie (photocopie), et tous les mots de la série avec elle.

RONFLER v. intr. est une création onomatopéique (v. 1130) du type de *ronchonner** et *ronron**, mais dans laquelle le radical expressif *ron-* a été allongé par le groupe *-fl-* évoquant le bruit du souffle qui sort de la bouche. On peut aussi y voir une modification expressive, d'après *souffler**, *siffler**, de l'ancien français *ronchier* de même sens (→ ronchonner) qui survit dans les parlers du nord-est et de l'est de la France et surtout dans le domaine occitan. Le mot est aussi répandu en Italie (ombrien *ronfiare*) et en Espagne.

♦ D'abord employé pour «souffler bruyamment en respirant (à l'état de veille)», *ronfler* s'emploie surtout aujourd'hui, et dès le XIIe s., en parlant de qqn qui produit en dormant un bruit sonore venant de la gorge et des narines (v. 1179). Par extension de ce sens, il rend l'idée de «dormir profondément» (1809), dans l'usage familier. ◇ Plus généralement, il correspond à «produire un bruit sourd et régulier qui se prolonge» (v. 1570). *Faire ronfler* se dit familièrement au figuré pour «déclamer qqch. de manière emphatique» (1659, Molière). ➜ L'usage familier s'en sert comme équivalent d'«aller bien», par allusion à un moteur qui ronfle, c'est-à-dire qui fonctionne régulièrement sans à-coups (XXe s.).

▸ Le participe présent **RONFLANT, ANTE** est adjectivé (1529) pour qualifier ce dont le bruit évoque le fait de ronfler, spécialement en médecine dans la locution ***râle ronflant*** (1870). ➜ Au XVIIe s., l'adjectif prend un sens figuré et péjoratif: «d'une sonorité riche à l'oreille mais vide de sens» (1688), notamment dans *promesse ronflante* (1835). L'idée d'emphase se retrouve dans son emploi caractérisant une chose, un discours d'un goût tapageur et ridicule (1866). ➜ **RONFLEUR, EUSE** n. désigne, et quelquefois qualifie (1552) une personne qui souffle et, plus couramment (1559), une personne qui ronfle. ➜ Il a été repris au masculin comme nom d'un relais électromagnétique à lame vibrante dont le fonctionnement produit un ronflement de basse fréquence (1901). ➜ **RONFLEMENT** n. m. (1553), d'abord pour le bruit que fait un cheval par les narines quand il a peur, désigne le bruit sonore fait quelquefois par le dormeur (1596) et, par extension, tout bruit rappelant celui-ci (1555). ➜ **RONFLOTER** ou **RONFLOTTER** v. intr. (1879, Huysmans) est un verbe familier pour «émettre un petit ronflement». ➜ **RONFLETTE** n. f. (1924) procède du sens familier de *ronfler* «dormir», et se dit d'un petit somme.

◈ voir **ROGNE, RONCHONNER, RONRON.**

RONGER v. tr., d'abord *ronyer* dans les gloses juives (v. 1100), puis *rungier* (v. 1130), *rongier* (v. 1193), enfin *ronger* (déb. XIVe s.), est issu du bas latin *rumigare* «ruminer» (le sens chez Apulée, au IIe s., étant «avaler»). Ce verbe, latin par la forme, se rattache mieux à *rumis,* à côté de *ruma* «pis, mamelle d'un animal», combiné à *agere* (→ agir), bien que par le sens il procède plutôt de *rumen, -inis* «premier estomac des ruminants, panse», témoignant de la confusion existant en latin entre *rumis (ruma)* et *rumen* (→ ruminer). La forme française actuelle s'expliquerait par l'influence du latin *rodere* «ronger» (→ roder) qui s'est conservé dans les langues romanes : italien *rodere,* espagnol *roer,* ancien provençal *roire,* ancien français *rore.* On peut évoquer aussi les dérivés populaires de *rodere* que sont °*rodicare* (angevin *rouger,* occitan *rouzega*) et °*rosicare* (normand *roucher*). Ce croisement entre deux séries de verbes est dû à l'analogie des deux actions, «ruminer» et «ronger» : le gascon *aroumega* a les deux acceptions.

♦ Le sens étymologique de «ruminer», encore enregistré au XVIIe s., s'est conservé en parlant d'un cerf, en vénerie, et dans les dialectes (Allier, Loire). Le sens figuré correspondant, «réfléchir» (XIIe s.), «ressasser dans son esprit» (XIIIe s.) a décliné conjointement puis disparu. ➜ Le sens d'«user en grignotant» (v. 1175), en revanche, s'est répandu, d'abord en parlant d'animaux puis d'humains qui prélèvent avec les dents les derniers restes comestibles adhérant à une surface dure (v. 1180). Par extension, le verbe s'emploie à propos d'animaux (insectes, etc.) qui, munis de pièces buccales broyeuses, attaquent une substance en l'absorbant (v. 1190). ◇ Il équivaut aussi à «mordiller, mâcher», d'abord dans la locution ***ronger son frein*** dont le sens figuré «être très impatient» (XIIIe s.) est attesté longtemps avant le sens propre, qui concerne le cheval, puis dans tout autre contexte (1769). Il correspond aussi à «attaquer avec les dents (une chose dure non comestible)» [1678, La Fontaine]. ➜ Par abstraction, *ronger,* dès l'ancien français, se dit pour «entamer petit à petit», à la fois au figuré, avec la valeur de «miner» (v. 1190) et, au propre, en parlant de ce qui réduit peu à peu la surface d'une chose (v. 1460), de ce qui attaque une chose, notamment le tissu vivant, en la désagrégeant (v. 1460). ➜ La forme pronominale *se ronger* (1610) ne s'emploie qu'au sens figuré de «se tourmenter» (on disait *ronger son cœur* v. 1460 en moyen français); elle s'emploie dans la locution familière ***se ronger les sangs*** (1876).

▸ L'ancien déverbal **RONGE** n. m., d'abord *runge* (v. 1170), survit dans les dialectes pour désigner la portion d'aliment ruminée par l'animal dans la locution de vénerie ***faire son ronge*** «ruminer (en parlant du cerf)» (1622). ◇ Le sens moral, «action de repasser dans son esprit» (v. 1170), spécialement «remords» (v. 1170), qui correspond aux emplois figurés du verbe pour «ruminer», a disparu. ◆ **RONGÉ, ÉE**, participe passé de *ronger*, est adjectivé avec un sens concret (1314, *os rongé*) et, ultérieurement, au sens figuré de «miné par une lente dégradation morale» (av. 1559, Du Bellay). ◆ **RONGEUR, EUSE** adj. et n. m., attesté dès le XVe s. (Bloch et Wartburg, sans indication de sens), s'est employé en moyen français dans la locution *rongeur d'or* «celui qui rogne les monnaies» (1530). Vers la fin du XVIIe s., la locution *ver rongeur*, dans la langue poétique, se dit d'un souci obsédant qui mine le moral, avant que l'adjectif seul ne soit attesté avec l'acception figurée de «qui tourmente» (v. 1762, Rousseau), correspondant au sens concret «qui corrode lentement» (av. 1794). ◆ Enfin, l'adjectif qualifie un animal qui ronge, dont la denture est conformée pour ronger (1800), sens où le mot est substantivé, d'abord au pluriel *les rongeurs* (1803) pour désigner un ordre de mammifères végétariens ou omnivores possédant de longues incisives coupantes. ◆ **RONGEURE** n. f., ancien substantif d'action de *ronger* (av. 1502), a été repris avec la valeur métonymique de «débris d'un objet rongé» (1877). Il ne s'emploie plus qu'en technique pour désigner le défaut d'un drap rasé jusqu'à la chaîne aux endroits où se trouvaient des nœuds et des déchets (1904). ◆ **RONGEMENT** n. m. (1538) fait office de substantif d'action, au propre et au figuré, à propos d'une douleur morale (av. 1615) et, par analogie, de l'action de faire disparaître peu à peu (déb. XXe s.). ◆ **RONGEANT, ANTE**, participe présent de *ronger*, est adjectivé avec un sens moral (v. 1770, Rousseau), le sens propre n'étant attesté qu'au milieu du XIXe siècle. ◇ Le substantif *un rongeant* n. m. (1845) désigne un produit chimique qui détruit certains colorants. ◆ **RONGEAGE** n. m. (1949), outre un nom d'action, est un terme technique réservé à l'impression sur tissu réalisée au moyen de produits rongeants.

RONRON n. m. est le redoublement (1761, Rousseau) de l'onomatopée *ron* qui évoque un bruit sourd et continu, comme *ronfler** ou *ronchonner**.

♦ Le mot se dit à propos d'un bruit sourd et continu, quelquefois avec une valeur figurée péjorative de «routine». Il évoque spécialement le petit ronflement régulier que le chat tire de sa gorge pour marquer son contentement (1834).

▶ **RONRONNER** v. intr. (1853), dérivé de *ronron*, est employé en parlant d'un chat qui fait entendre des ronrons (Baudelaire) et, par analogie, en parlant de qqn qui évoque par son comportement la béatitude du chat satisfait (1935). Plus généralement, il signifie «émettre un bruit sourd et régulier» (1908) et, au figuré, «se complaire dans la routine». ◆ Son dérivé **RONRONNEMENT** n. m. (1862) exprime l'action de ronronner, jouant le rôle de nom d'action et de collectif par rapport à *ronron*. ◇ **RONRONNANT, ANTE** adj. (1890 dans Verlaine) se dit du chat et, au figuré, de ce qui exprime la routine.

◈ voir RONCHONNER, RONFLER.

ROQUEFORT n. m. est l'emploi comme nom commun (1642) de *Roquefort*, aujourd'hui nom d'un chef-lieu de canton de l'Aveyron *(Roquefort-sur-Soulzon)*, dans la région duquel ce fromage est fabriqué. La graphie *rocfort* a eu cours au XVIIIe s. et est encore répertoriée en 1836 par le dictionnaire de l'Académie.

♦ Le mot désigne un fromage à moisissures (cf. *bleu**) fait avec du lait de brebis.

ROQUENTIN n. m., attesté depuis 1630, également sous la forme ancienne *rocantin* (1669), est d'origine obscure. Le sens de «vieux soldat» donné par les dictionnaires postérieurs n'étant confirmé par aucun texte, le rattachement proposé à *roque* «roche, forteresse» est plus que douteux. L'emploi de *vieux roquart* chez Villon (XVe s.), à propos d'un vieillard morose, permet le rattachement du mot à un radical onomatopéique *rok-* exprimant le bruit d'objets se heurtant. Un verbe *roquer* «heurter», et aussi «roter», «craquer», etc. est répandu dans les parlers régionaux (→ roquet); on peut penser que *roquentin* a été formé sur le participe présent de ce verbe avec un suffixe *-tin* d'après *ignorantin*, *plaisantin*, etc.

♦ Le mot a désigné un jeune élégant qui fait la cour à une femme, puis (1669) un vieillard ridicule qui prétend faire le jeune homme. Cet emploi était vivant au XIXe et au début du XXe s., surtout dans *vieux roquentin*. ◇ Pour une raison obscure, le mot a aussi désigné au XVIIe s. un chanteur de chansons satiriques (1631) et ces chansons (1640). Il est archaïque dans toutes ses acceptions.

✳ **ROQUER** v. intr. est dérivé (1690) de ② *roc* n. m. (v. 1170), ancien nom de la tour aux échecs, conservé en blason (1581). Ce mot est emprunté, probablement par l'intermédiaire de l'espagnol *roque*, au persan *ruḫ*, nom d'un oiseau fabuleux (appelé en français *oiseau roc**) et aussi de la pièce d'échecs représentée par un éléphant surmonté d'une tour. Le mot est passé du persan à l'arabe, puis s'est diffusé dans plusieurs langues.

♦ Le verbe, aussi écrit *rocquer*, s'emploie aux échecs pour «placer l'une de ses tours à côté de la case du roi et faire passer celui-ci de l'autre côté de la tour lorsqu'il n'y a aucune pièce entre eux». ◇ Par analogie, il se dit au croquet lorsque l'on place sa boule près de la boule touchée et qu'on la frappe de manière à les pousser toutes deux ensemble (1889).

▶ **ROCADE** n. f. (av. 1790), terme militaire désignant une voie parallèle à la ligne de combat et reliant des secteurs voisins (également *ligne de rocade*, *voie de rocade*), est dérivé de *roquer* par comparaison du va-et-vient qui s'opère sur la ligne de rocade avec le mouvement de croisement du roc aux échecs. Le mot, non attesté au XIXe, est passé dans l'usage au milieu du XXe s. pour désigner une voie destinée à détourner la circulation d'une région déterminée en la contournant ou en la longeant, et qui prend son origine et aboutit à une voie principale. ◆ **ROQUE** n. m. (1859), autrefois également ③ *roc* (1875), déverbal de *roquer*, terme d'échecs, désigne le coup qui consiste à roquer. ◆ On emploie quelquefois le dérivé suffixé **ROQUAGE** n. m. (1904) dans le même sens.

ROQUET n. m. appartient (1544), comme les mots dialectaux *rokè* «grenouille verte» (Pas-de-Calais) et *rokè* «crécelle» (Nord), à la famille du verbe dialectal *roquer* «craquer, croquer, heurter». Ce verbe, répandu dans presque tous les parlers gallo-romans du Nord, est dû à une onomatopée qui rend un son brusque, soudainement interrompu (→ roquentin).

♦ Le mot désigne spécifiquement, mais toujours par allusion aux aboiements, un petit chien à oreilles droites issu du croisement du petit danois et d'une espèce de dogue. Par la locution comparative *comme un roquet qui aboie* (1739), il se dit au figuré d'une personne hargneuse mais que son insignifiance rend peu dangereuse (1752). Par extension du premier sens, il s'applique à tout petit chien hargneux qui aboie beaucoup (1845).

◈ voir ROQUENTIN.

① **ROQUETTE** n. f. est emprunté (1505) à l'italien *rochetta,* variante (XVIe s.) de *rucchetta,* nom d'une plante cultivée pour ses feuilles mangées en salade. Le mot est le diminutif de *ruca,* issu par aphérèse du latin *eruca* «chenille» d'où, par analogie, «plante dont la tige velue rappelle la chenille», déformé en *uruca, urica* sous l'influence de *urere* «brûler» (→ combustion), en raison de la vertu aphrodisiaque supposée de la plante. L'étymologie de *eruca* est inconnue.

♦ Le mot, qui a pour variante *rouquette,* a gardé le sens du mot italien. Son emploi pour désigner une perdrix grise (1875) procède d'un développement peu clair : il peut s'agir d'un autre mot.

② **ROQUETTE** n. f. est la reprise (1939), d'après l'anglais *rocket,* de *roquette* (1752) dans la locution *faire la roquette* «jeter des fusées éclairantes». Ce mot français (1561) est le féminin de l'ancien *riquet,* variante picarde de ② *rochet.* L'anglais *rocket* (1611) «fusée» est lui-même soit emprunté de l'ancien mot français *roquet* ou *roquette,* soit repris de l'italien *rocchetto,* diminutif de *rocca,* du germanique °*rŭkka* «quenouille», par analogie de forme (→ ② rochet). *Roquette* est en concurrence avec l'anglicisme **ROCKET** n. m. (1949), condamné par un arrêté ministériel du 12 août 1976, mais techniquement en usage.

♦ Le mot désigne un projectile autopropulsé par fusée utilisé comme arme tactique et, par métonymie, l'arme qui lance ces projectiles (1953).

▸ Cette arme est spécifiquement appelée **LANCE-ROQUETTE(S)** n. f. (1953), composé usuel dans le vocabulaire militaire, en concurrence avec l'anglicisme *bazooka,* et qui a soutenu la diffusion de la forme *roquette.* Le terme officiel est *lance-fusées (antichars).*

RORAGE → ROSÉE (ROSAGE)

RORQUAL n. m. est emprunté (1789) au norvégien *røyrkval,* mot issu du vieil islandais *reyðarhvalr,* composé de *reyðr,* nom de l'espèce, et de *hvalr* «baleine», lequel est apparenté à l'anglais *whale* «baleine» et est également passé en français dans le nom d'un autre cétacé (→ narval).

♦ Le mot désigne une espèce de cétacé, à nageoire dorsale très développée, également appelé *baléinoptère.*

ROSACE → ROSE

ROSAIRE n. m. est un emprunt (1495), adapté par le suffixe *-aire,* au latin ecclésiastique *rosarium* qui désignait la guirlande de roses dont on couronnait la Vierge et qui, par le même développement de sens que *chapelet,* s'est appliqué à un objet de piété. *Rosarium,* en latin impérial «champ de roses, roseraie», est le neutre substantivé de l'adjectif latin classique *rosarius* «de rose», dérivé de *rosa* (→ rose). L'italien et l'espagnol *rosario* représentent le même mot. Le moyen français avait aussi *rosier* (v. 1525), éliminé pour son homonymie avec le nom de l'arbrisseau, et avait réemprunté *rosaire* pour «terrain planté de roses» (1542), emploi sorti d'usage.

♦ Le mot désigne un grand chapelet composé de quinze dizaines de petits grains précédées chacune d'un grain plus gros (le pater) et consacré à la Vierge : par métonymie, il se dit des prières récitées en égrenant le chapelet (1694), d'où l'expression *mois du rosaire* (attesté XXe s.) pour nommer le mois d'octobre pendant lequel l'Église catholique encourage les fidèles à réciter le rosaire. ◆ On a appelé *herbe rosaire* (1845) puis ***herbe à rosaire*** (1870) un végétal dont les graines servent à faire les chapelets.

ROSBIF n. m., d'abord sous la forme analytique *ros de bif* (1691) puis sous sa forme actuelle (1727), est l'adaptation de l'anglais *roast-beef* (également *roastbeef, roast beef*). Ce mot est formé (1635) de *beef* «bœuf» (→ bifteck), lui-même emprunté à l'ancien français *boef, buef* (→ bœuf) par l'anglo-normand, et de *roast* «rôti», de *to roast* «griller, rôtir», de l'ancien français *rostir* (→ rôtir). La forme *rosbif* a évincé l'emprunt brut *roast-beef* (1764), sauf à propos de l'Angleterre et des pays anglo-saxons.

♦ Le mot désigne un morceau de bœuf rôti ou à rôtir, généralement coupé dans l'aloyau. Il a aussi désigné la partie de derrière d'un mouton, d'un chevreuil, que l'on sert rôtie (1727). ◆ Par métonymie, d'après *mangeur de rosbif, un, les rosbifs* s'est dit péjorativement pour «Anglais» (1774; dès 1727, comme nom donné à un négociateur anglais), les peuples étant volontiers qualifiés par leurs habitudes alimentaires. Cet emploi a disparu au cours du XIXe s., sauf reprise plaisante et occasionnelle.

✳ ① **ROSE** n. f. est emprunté (déb. XIIe s.) au latin *rosa* qui désignait à la fois la fleur du rosier (également avec une valeur collective) et l'arbuste qui porte des roses, et était employé au figuré comme terme d'affection. Le mot est apparenté au grec *rhodon* (→ rhododendron), sans lui être emprunté : les deux formes ne sont pas indoeuropéennes; elles sont probablement des emprunts indépendants à une langue de l'Orient, pour le grec, probablement à l'iranien °*wr̥ da.* Le *s* latin pourrait indiquer un passage par l'étrusque.

♦ Le mot désigne la fleur du rosier et, par extension, l'arbuste couvert de roses. L'ancienne dénomination *eau rose* (v. 1433; antérieurement *eve rose*, déb. XIIIe s.; cf. *eau*), désignait une eau de toilette préparée au cours de la distillation de l'essence de rose; elle est devenue ***eau de rose*** (v. 1560) et a donné la locution figurée ***à l'eau de rose*** (1893) «fade, mièvre». Par ailleurs, on explique traditionnellement l'expression *le pot* aux roses* par «le pot d'eau de rose». ◇ La locution adjective ***de rose*** (av. 1648) a développé d'autres emplois évoquant la couleur rouge très pâle du type primitif de la fleur, comme dans l'épithète homérique de l'Aurore *aux doigts de rose* (1685), traduite du grec, dans la dénomination ***bois de rose*** (1694), désignant un bois de placage rosé, et dans la locution *voir tout couleur de rose* (1754), remplacée par voir *tout en rose* (ci-dessous). ➛ Dès le moyen français, le mot inspire des emplois métaphoriques et figurés, induisant une idée de plaisir, d'agrément (v. 1460), désignant familièrement la virginité féminine (v.1460), d'où *cueillir la rose* (1626), cf. *déflorer*. La rose évoque aussi la jeunesse, la vie éphémère (1607), et aussi la félicité (1665, *être sur un lit de roses*). La locution proverbiale ***nulle rose sans épine*** (1611), ***il n'y a pas de rose sans épines*** (1651) sont toujours en usage. ◇ ***Être sur les roses*** «dans une situation fâcheuse» (1844) et ***envoyer qqn sur les roses*** (1961), d'usage familier, viennent probablement d'une image apparentée à *envoyer promener*, et jouent sur l'idée d'épines. ➛ Depuis le moyen français, le mot suscite des emplois spéciaux fondés sur une analogie avec la fleur, le plus souvent en emploi déterminé. *Rose d'or* (XIVe s.) désigne la rose en or que le pape avait coutume de bénir à la messe du quatrième dimanche de carême et qu'il envoyait ensuite à un souverain catholique. *Rose* désigne aussi un joyau (diamants, rubis) en forme de rose, et une taille du diamant (1752). ***Rose des vents*** (1678), après *rose* (1634), se dit d'une étoile à trente-deux divisions correspondant au trente-deux aires du vent sur la boussole. ***Rose des sables*** ou ***rose du désert*** (1923) s'applique à une agglomération de cristaux de gypse jaune ou rose rencontrée dans certains déserts de sable. ➛ En emploi absolu, *rose* sert à désigner un ornement d'architecture, de menuiserie, de marqueterie en forme de rose (1380), l'ouverture se trouvant au centre d'un luth, d'une guitare, d'un clavecin (1617), la marque ronde que le teinturier laisse au bout de l'étoffe pour distinguer les couleurs qui ont servi de fond (1689); en architecture, il s'applique à une baie circulaire garnie de vitraux (1690), appelée spécifiquement *rosace* (ci-dessous). La locution ***rose du gouvernail*** (1736) désigne les ferrures. ➛ Enfin, *rose* entre dans le nom de variétés de plantes dont la fleur ressemble plus ou moins à la rose, comme *rose trémière* (fin XVIe s.), *rose de Jéricho* (1562), *rose d'Inde* (1660), *rose de Noël* (1803), *rose du Japon* (1823), *rose d'hiver* (1842).

▶ ② **ROSE** adj. «couleur de la rose», a été tiré en ancien français du nom de la fleur (v. 1160), seul, puis aussi dans des syntagmes déterminés, comme ***rose thé*** «d'un jaune délicat comme la rose du même nom» (av. 1896), ***rose saumon, vieux rose*** (XXe s.), etc. ➛ Il a développé tardivement le sens figuré de «sentimental, agréable», enregistré par l'Académie en 1835, notamment dans la locution *ce n'est pas (tout) rose* (1809). ➛ À son tour, cet adjectif est substantivé (v. 1310) pour nommer la couleur rose et quelquefois pour exprimer l'idée figurée d'optimisme (1809, ***voir la vie en rose***; cf. ci-dessus *voir tout couleur de rose*).

La dérivation de l'adjectif est importante. ➛ **ROSÉ, ÉE** adj. (fin XIIe s.) qualifie ce qui est vaguement teinté de rose. Par ellipse de ***vin rosé***, il est substantivé de bonne heure pour un type de vin rouge clair (XIIIe s.). ➛ Il sert à former **ROSÉ-DES-PRÉS** n. m. (XXe s.), nom d'un champignon comestible de teinte rosée. ➛ ② **ROSETTE** n. f. (XVIe s.), dérivé de *rose* nom et adjectif de couleurs se dit techniquement de certaines matières rosées ou tirant sur le rouge (d'un cuivre [1576], d'une encre [1589], d'une craie). Son emploi est limité par l'existence de l'homonyme tiré du nom (ci-dessous). ➛ **ROSER** v. tr., formé ultérieurement (1765) en technique picturale, a pris la valeur générale de «donner une teinte rose à (qqch.)» [av. 1850], d'où *se roser* «devenir rose» (1833). ➛ **ROSAGE** n. m., nom technique, désigne une opération de teinture artisanale par laquelle on ravivait le coton peint à la garance (1846). ➛ **ROSELET** n. m., diminutif (1758), se dit de l'hermine dans son pelage d'été et, par métonymie, de la fourrure rousse de l'hermine (1904), tandis que **ROSELLE** n. f. (1768) sert régionalement à désigner la grive rouge. ➛ Le suffixe péjoratif *-âtre* a servi a former **ROSÂTRE** adj. «d'un rose sale» (1812). ➛ **ROSIR** v. (1823), intransitif et transitif, exprime l'idée de «devenir rose» et, en concurrence avec *roser*, de «rendre rose». Il a donné le substantif d'action **ROSISSEMENT** n. m. (1894). ➛ **ROSANILINE** n. f. (1870), fait avec *aniline**, est le nom d'un alcaloïde. ➛ **ROSÉOLE** n. f. (1828) a été fait d'après *rougeole* et *rubéole* pour désigner une éruption de taches rosées qui s'observe dans certaines maladies infectieuses.

① **ROSETTE** n. f., diminutif du nom *rose*, s'est éloigné de son sens propre de «petite rose» (fin XIIe s.) pour développer des acceptions spéciales fondées sur une analogie de forme avec une petite rose : ornement circulaire (1298), nœud formé d'une ou deux boucles que l'on peut détacher en tirant sur les bouts (1765), décoration formée d'un petit cercle d'étoffe (1830, Balzac). ➛ En sciences naturelles, il désigne un bouquet de petites feuilles terminant la tige d'une mousse (1817), l'ensemble des feuilles herbacées disposées en rayon au contact du sol (1870; 1812, *feuilles en rosette*). ➛ Il désigne aussi la plaquette fixée de part et d'autre de la serrure (1842). ➛ Dans l'expression *rosette de Lyon* (1938), le mot s'applique à un type de saucisson sec. ➛ D'autres valeurs techniques sont moins usuelles; certaines viennent de l'adjectif (cf. ① *rosette*). ➛ Le sens figuré et populaire d'«anus» (1864) sert à former quelques locutions référant à l'homosexualité.

① **ROSIER** n. m. (v. 1175), nom de l'arbuste portant des roses, qui entre dans de nombreux syntagmes désignant des variétés, a donné **ROSIÉRISTE** n. (1868) «horticulteur cultivant des roses». ➛ **ROSERAIE** n. f. (1690), dérivé de *rosier* sur le modèle d'autres formations en *-aie* sur des noms d'arbres en *-er*, désigne une plantation de rosiers.

ROSACE n. f. (1546) a été formé d'après le latin *rosaceus* pour désigner une figure symétrique faite de courbes inscrites dans un cercle et, par métonymie, un ornement ayant cette forme. Il est employé en concurrence avec *rose* pour un grand vitrail de forme circulaire (1831). ◇ Le mot désigne aussi l'ensemble des huit cases accessibles en un coup aux échecs. ➜ **ROSACÉ, ÉE** adj. et n. f. (1694) sert à qualifier ce qui ressemble à une rose, spécialement, en botanique, une fleur dont les pétales sont disposés comme ceux d'une rose. ➜ Les **ROSACÉES** n. f. pl. désigne une famille de plantes dont les fleurs présentent ce caractère (1812). ➜ Repris en médecine avec la notion de «couleur rose», *rosacé* qualifie (1932) et, comme nom, désigne la couperose.

① **ROSIÈRE** n. f. (1559), «lieu planté de rosiers», a été éliminé par *roseraie*. ➜ ② **ROSIÈRE** n. f., nouveau dérivé de *rose*, est le nom familier donné à une jeune fille vertueuse à laquelle on décerne une récompense, originellement une couronne de roses (1779). Par extension, il se dit plaisamment d'une jeune fille pure et candide (1846). Le masculin ② **ROSIER**, ironique, est une création littéraire de Maupassant (*Le Rosier de Mme Husson*, 1888).

ROSAT adj. inv., qui a remplacé (XIIIe s.) *huile, eve (eau) rosade*, est calqué sur le latin impérial *rosatum (oleum)*. *Rosatum* y est le neutre de *rosatus* «fait avec des roses», de *rosa*, combiné avec *oleum* (→ huile). ➜ Le mot qualifie en pharmacie une préparation où entrait originellement un distillat de roses rouges : *miel rosat, pommade rosat, vinaigre rosat* (v. 1560). Le sens de «de couleur rose» (1546), dans la locution ***vin rosat*** «vin rosé», est sorti d'usage.

◈ voir RHODIUM, RHODODENDRON, ROSAIRE, ROSE-CROIX.

ROSEAU

ROSEAU n. m., d'abord *rosel* (v. 1160), puis *roseau* (XIIIe s.), est le diminutif de l'ancien français *raus* (v. 980) ou *ros* (v. 1155) désignant lui aussi une plante aquatique à tige droite et lisse. *Raus* est peut-être un emprunt au germanique °*raus* «jonc», à une époque antérieure à l'époque francique (en raison de la présence de la diphtongue *-au-*), et que permettent de reconstituer le gotique *raus* et l'allemand *Rohr*. Cette forme ancienne a fourni aussi l'ancien provençal *raus*.

♦ Le mot est le nom usuel de plantes aquatiques à tige droite et lisse. Il a développé des valeurs métaphoriques insistant sur la fragilité, la vulnérabilité (déb. XIIIe s. ; cf. au XVIIe s., Pascal, «l'homme est un *roseau pensant*») ou encore sur la flexibilité (cf. la fable de La Fontaine, *Le Chêne et le Roseau*). ➜ Par extension, il est employé techniquement en architecture en parlant d'un ornement dont on remplit par le bas les cannelures des colonnes rudentées (1870). Par métonymie (XXe s.), il désigne la tige de roseau utilisée pour faire des cannes à pêche.

▸ Son dérivé tardif **ROSELIER, IÈRE** adj. (1868) s'emploie régionalement pour qualifier un endroit qui produit des roseaux, le féminin **ROSELIÈRE** étant substantivé pour désigner un endroit où poussent des roseaux (1802).

ROSE-CROIX

ROSE-CROIX n. f. et n. m. et f. est la traduction (1623) de l'allemand *Rosenkreuzer* désignant une personne membre d'une confrérie formée au XVIIe s. et dont le nom remonterait à celui de Christian *Rosenkreuz*, littéralement «croix de rose», personnage qui aurait vécu de 1378 à 1484. Ce magicien, grand voyageur, aurait vécu à Damas puis serait revenu en Allemagne pour y fonder un cloître. En 1604, on retrouva sa tombe qui contenait des formules magiques et des conseils de règle de vie. Le manifeste paru à Cassel en 1614 porte en français le titre de *Commune et Générale Réformation de tout le vaste monde, suivi de la Fama Fraternitatis de l'ordre louable de la Croix de Rose, adressé à tous les savants et les chefs de l'Europe*. Il se présente comme une compilation et traduction des grands mystiques des siècles précédents, et il satirise la situation spirituelle et morale du luthéranisme. En 1615, la *Fama* est rééditée à Francfort avec une *Confession de la Fraternité* qui, tout en se défendant des accusations d'hérésie, promet le règne de l'Esprit et la régénération intérieure. En 1616, paraissent *Les Noces chymiques de Christian Rozencreutz, anno 1454* : l'auteur en est probablement J. V. Andreae (1586-1654), luthérien de Tubingen et diacre depuis 1614, qui anime un cénacle avec C. Besold et T. Hess. Bien que le «cénacle de Tubingen» se doit défait dès 1616, le thème et le nom de *Rose-Croix* inspirent dès lors une abondante littérature et un grand nombre d'associations.

♦ *La Rose-Croix* se dit de la confrérie mystique, et *un rose-croix* du membre de cette confrérie allemande (1671) et de diverses confréries analogues, ésotériques et mystiques (1648). *Rose-Croix*, en apposition, sert aussi d'adjectif. ◇ Du fait que les cercles Rose-Croix et, au XVIIIe s., les groupements dits *Rose-Croix d'or* comptent de nombreux francs-maçons, le mot est devenu le nom d'un grade maçonnique supérieur à celui de maître, grade créé en 1761 (attesté 1825).

▸ **ROSICRUCIEN, IENNE** n. et adj. (1907), attesté très tard par rapport à son équivalent anglais *rosicrucian* (XVIIe s.), et **ROSICRUCIANISME** n. m. (XXe s.), postérieur à l'anglais *rosicrucianism* (v. 1740), ont été formés savamment sur le latin moderne *rosa crucis* (Du Cange), latinisation de *Rose-Croix*, peut-être d'après l'anglais. On dit aussi en français **ROSICRUCISME** n. m.

ROSÉE

ROSÉE n. f., d'abord *rusee* (1080), *rosede* (v. 1120), avant *rosee* (v. 1160), est issu d'un latin populaire °*rosata* désignant l'ensemble de fines gouttelettes produites par la condensation de l'eau qui se dépose sur des objets en plein air. Le mot est dérivé du latin classique *ros, roris* de même sens, nom radical fixé en latin avec le *o* long du nominatif. D'autres mots indoeuropéens présentent un *a*, tel le lituanien *rasà*, le védique *rasā*, le sanskrit *rásaḥ* «humidité, goût» ; le vieux slave a *rosa*. Un rapprochement avec le grec *drosos* «rosée» (→ drosera) est possible, mais non assuré.

♦ *Rosée* a gardé le sens du mot latin et pris en français une valeur figurée inattendue (fin XIIe s.), peut-être par influence de *rose (feuille, pétale de rose)*, désignant un aliment très tendre (1690), sens disparu, et entrant dans la locution comparative ***tendre comme la rosée*** (av. 1515). Par analogie, dans le langage vétérinaire, il désigne le suintement qui sort de la sole du cheval quand le pied est paré de trop près (1762). ◆ La locution ***point de rosée*** (1832) dénomme en physique la température pour laquelle la vapeur d'eau de l'air, en un point donné et à une pression donnée, se condense en gouttelettes de rosée.

▶ **ROSOYER** v. intr., formé sur *rosée* (v. 1350) avec le suffixe *-oyer* de *poudroyer*, a signifié «être mouillé de rosée», puis «tomber sous forme de rosée» (av. 1589, Baïf), deux sens devenus archaïques. ◇ Le dérivé **ROSOYANT, ANTE**, adjectivation du participe présent, qualifiait ce qui tombe en rosée (déb. XVIIe s.). ◆ Le dérivé **ROSAGE** n. m. (1923), mot technique pour l'exposition du lin à la rosée, concurrence **RORAGE** n. m. (1812), formé savamment sur le latin *ros, roris*. ◆ **ROSÉOSCOPIE** n. f. (v. 1950), composé hybride de *rosée* et de *-scopie**, d'usage didactique, désigne la détermination du point de rosée.

◈ voir **ARROSER, ROMARIN, ROSSOLIS.**

◈ **ROSSE** n. f. et adj., d'abord *roche* (v. 1460) puis *rosse* (v. 1550), est le féminin de l'ancien français *ros* n. m. (v. 1160) «mauvais cheval», qui semble emprunté avec une valeur péjorative au moyen haut allemand *ross* (allemand moderne *Ross*) «cheval, coursier» (Wartburg). Ce mot, de l'ancien haut allemand *ros* ou *hros, hross*, est apparenté au moyen néerlandais *ors* (devenu *ros* par métathèse en néerlandais moderne), à l'ancien frison *hors, hars*, à l'anglo-saxon et au moyen anglais *hors* (anglais *horse*), à l'ancien norois *hross* (d'où le suédois et danois *hors, ros*). Toutes ces formes relèvent de la racine germanique °*hersa-*, °*hursa* et, avec gémination expressive, °*hrussa-* qui pourrait être apparentée à la racine °*kurs-* que l'on retrouve dans le latin *currere* (→ courir). Cependant, parce qu'un tel emprunt «par l'intermédiaire des mercenaires allemands» lui semble peu probable au XIIe s., P. Guiraud, s'appuyant sur l'existence de variantes provençales *roussin, arroussin*, postule une origine méridionale et probablement une dérivation d'un verbe qui pourrait être le provençal *roussa* «fatiguer», «herser», lequel continue un latin °*ruptiare* «rompre» (→ rosser). Selon cette hypothèse, un *ros* et une *rosse* désignent un animal qui a «le dos rompu» par le travail de charge et de trait (on peut évoquer aussi l'espagnol *Rocinante* fait d'après *roçar* «déchirer»; → rossinante, roussin); alors le mot pourrait correspondre à *rosser*, en tant que déverbal. Mais l'hypothèse germanique repose sur une large famille bien attestée, et le cheminement originel du mot en moyen français est mal connu.

♦ Le mot désigne un cheval sans vigueur, sans force, souvent maigre et vieux. ◇ Il s'est employé par métaphore à propos d'une femme vieille et décrépite (fin XVe s.), d'une personne sans valeur (1618), notamment paresseuse; ces emplois figurés ont disparu. ◆ De nos jours, le mot s'emploie dans l'usage familier à propos d'une personne qui aime à dire ou à faire des méchancetés, comme nom (1840) et comme adjectif (1870), quelquefois avec les nuances secondaires d'ironie mordante et brusque (1889) et de sévérité, d'exigence (XXe s.). Le passage d'une valeur figurée à l'autre n'est pas clair et évoque le cas de *vache**, de l'idée de «mollesse avachie» à celle de «méchanceté».

▶ En est dérivé **ROSSARD, ARDE** adj. et n. (1867), qui s'est dit d'une personne paresseuse (comme un cheval fourbu) et, proprement, d'un mauvais cheval (1904). ◆ D'après le sens figuré moderne de *rosse*, le mot s'emploie à propos d'une personne malicieuse encline à la méchanceté (1935). ◆ **ROSSERIE** n. f. (1886) désigne à la fois le caractère rosse, méchant et *(une, des rosseries)* un acte, une parole rosse. C'est un quasi-synonyme de *vacherie*.

ROSSER v. tr. est, selon une étymologie traditionnelle, la déformation tardive (1650), sous l'influence de *rosse**, de l'ancien français *roissier* (v. 1175) de même sens, qui continue un latin populaire °*rustiare* «battre». Ce dernier serait le dérivé de °*rustia* «gaule», altération du latin °*rustum* «arbuste, buisson», «ronce», également postulé par le provençal *rouissio* «branche morte». Bloch et Wartburg n'excluent pas que *rosser* soit directement dérivé de *rosse** au sens de «traiter comme une rosse, malmener, battre». Selon P. Guiraud, *roissier* et *rosser* sont, malgré leur parenté sémantique, deux mots différents. *Rosser*, qui a signifié aussi «ronger» et «fatiguer», représenterait un roman °*ruptiare* fait d'après *ruptus*, participe passé de *rumpere* (→ rompre), le *o* ouvert postulant une origine dialectale, à côté de la forme normale *rousser*, bien attestée et parallèle au provençal *roussa* (→ rosse). Selon cette hypothèse, *rosse* serait au contraire le déverbal de *rosser*. ◈

♦ Ce verbe familier, bien vivant, signifie «frapper (qqn) avec violence» et, par extension «battre, vaincre dans une bataille» (1690).

▶ Son participe passé féminin substantivé (1834), **ROSSÉE** n. f., correspond familièrement à «correction, raclée».

ROSSIGNOL n. m. est emprunté (v. 1160) à l'ancien provençal *rossinhol* qui passe pour avoir été emprunté aussi par les langues voisines, l'italien *lusignuolo*, l'espagnol *ruiseñor*, et qui doit probablement sa diffusion au rôle de cet oiseau dans la poésie des troubadours. *Rossinhol* continue le latin populaire °*lusciniolus*, masculin tiré de *lusciniola* (déjà chez Plaute), dérivé de *luscinia*, mot sur l'étymologie duquel on ne peut faire que des hypothèses : on évoque notamment un dérivé de *luscus* «borgne» (mot populaire d'origine inconnue) sous l'influence des composés en *-cen, -cinus*, par allusion au fait que le rossignol chante dans l'obscurité. Le *r* initial, attesté déjà dans *roscinia*, dans une glose du VIIe s., est peut-être dû à une dissimilation du *l-* initial conservé dans l'italien *lusigniolo*, ou encore à un croisement avec *russus* (→ roux), le rossignol ayant un plumage roussâtre. On rencontre aussi en ancien français les formes *losseignol* (v. 1175) et *lourseignos* (XIIIe s.) conformes au latin populaire, et *roussigneul*, forme traitée selon la phonétique du français, et qui semble attester l'influence de *roux*.

♦ Le mot est le nom d'un petit passereau au chant varié et harmonieux dont la place dans la littérature, notamment la poésie, est importante. Cette caractéristique lui vaut son emploi dans la locution ***voix de rossignol*** (1694). La locution classique ***rossignol d'Arcadie*** (1611) est une désignation ironique de l'âne, par allusion à son braiement. ◇ En musique, *rossignol* a désigné une petite pièce adaptée aux anciens orgues de France et imitant le chant du rossignol (1690), et aussi une petite flûte d'enfant (1812). ◆ Le sens de «crochet pour ouvrir les serrures», ancien (1406) et utilisé dans le jargon des malfaiteurs, procède d'un développement peu clair : P. Guiraud l'explique par un croisement avec *rosse, roussin* (qu'il rattache à °*ruptiare* «rompre», cf. *rosse*), rendant compte en même temps de l'emploi pour «instrument de torture destiné à rompre les membres» (1569). Mais une métaphore sur le chant de l'oiseau est possible : une clef qui tourne bien «chante» ; par ailleurs, l'instrument de torture arrache des cris aux victimes. ◆ Le sens familier de «livre invendu» (1835, Balzac), dont procède celui d'«objet démodé, invendable» (1847), ferait référence au fait que les livres, les objets perchés sur les plus hauts casiers, comme le rossignol sur la plus haute branche, restent dans la boutique ; cette explication n'est pas très convaincante.

▶ **ROSSIGNOLET** n. m., d'abord *russignolet* (v. 1180) puis *rossignolet* (v. 1240), «jeune rossignol», est d'un usage poétique ou plaisant. ◆ **ROSSIGNOLER** v. intr., réfection (1492) de *lousegnoler* (v. 1200), est familier, voire ironique, en tout cas archaïque, pour «imiter le chant du rossignol». ◆ De ce dernier vient **ROSSIGNOLADE** n. f. (1837) «chant orné de roulades», quelquefois dit par péjoration d'un chant orné de fioritures excessives.

ROSSINANTE n. f. est l'adaptation (1718) d'après *rosse** du masculin *rocinant* (1633) «cheval maigre et efflanqué». Ce dernier est emprunté de l'espagnol *Rocinante*, nom du cheval de don Quichotte dans le roman de Cervantès. Ce nom est dérivé de l'espagnol *rocín* «cheval de bât» qui continue le latin populaire °*runcinus*, également prolongé par le français *roussin**.

♦ Le mot a vieilli en dehors d'emplois littéraires.

◈ voir **ROSSE**.

① **ROSSOLIS** n. m. est emprunté (1669) au latin médiéval *ros solis* «rosée du soleil», de *ros, roris* (→ rosée) et du génitif de *sol* (→ soleil), employé comme nom d'une plante dont les feuilles portent des poils terminés par des vésicules transparentes ressemblant à des gouttes de rosée.

♦ Le mot désigne une plante appelée également *rosée du soleil* (1611) et *drosera**, du nom grec de la rosée.

▶ ② **ROSSOLIS** n. m. (1645), aussi écrit *rossoli* au XVIIe s. (1667), est d'origine incertaine. Bloch et Wartburg excluent un emprunt à l'italien *rosolì*, ultérieurement transformé en *rosòlio* «huile *(oleo)* de rose *(rosa)*», lequel serait au contraire repris (1753) du mot français. Ils considèrent qu'il s'agit d'un emploi spécialisé du nom de plante ① *rossolis*, qui aurait pu être utilisé pour faire de la réclame à une liqueur ou parce qu'on se serait servi d'une décoction de cette plante comme ingrédient. ◆ Le mot, d'abord défini vaguement comme «liqueur parfumée», désignait une liqueur composée d'eau-de-vie brûlée, de sucre, de cannelle et quelquefois parfumée (selon Trévoux, 1732). Il s'est appliqué aussi à une liqueur fabriquée en Turquie et en Italie au XIXe s., à partir d'une macération de pétales de roses, de fleurs d'oranger, de cannelle, de girofle, de jasmin dans de l'alcool. Il est demeuré rare.

RÖSTIS ou **RŒSTIS** n. m., adapté en *reuchties* (1899) d'après la prononciation, puis *röstis* et *rœstis* (1916), est emprunté à l'allemand de Suisse *rösti* (1892), surtout au pluriel et déjà dans le composé *Erdäpfelrösti* (1863). *Rôsti* est attesté en allemand de Souabe en 1850. Le mot est dérivé de *rosten* «griller, rôtir», d'un verbe germanique dont une forme a donné *rôtir**.

♦ Le mot est un terme de cuisine régional (Suisse), désignant un plat de pommes de terre râpées et rissolées à la poêle. Il est peu connu en français de France.

ROSTRE n. m., attesté une première fois au XIVe s. chez Bersuire, puis en 1577 et de nouveau en 1730, est emprunté au latin *rostrum*, dérivé de *rodere* «ronger» (→ roder). *Rostrum* désigne proprement ce qui sert à ronger, un museau, un bec. Les représentants romans du mot latin ayant le sens de «bouche», «visage», une acception familière de *rostrum* devait être analogue à celle du français *bec, museau*. Par suite de la ressemblance avec un bec, *rostrum* correspond à «éperon de navire» et à tout objet en forme de bec, pointe de la serpe, de la charrue, bec d'une lampe, tête d'un marteau. Le pluriel *rostra* désignait la tribune aux harangues du Forum, qui était ornée d'éperons *(rostra)* de navires pris aux Volsques d'Antium pendant la guerre latine.

♦ Le mot a été repris au pluriel comme terme d'antiquité en parlant de la tribune aux harangues de Rome (v. 1355). ◆ Au XIXe s., le singulier a été repris au latin, d'abord en zoologie pour désigner le prolongement de la cage thoracique chez les crustacés (1812), et la pièce buccale pointue de certains insectes (1845). ◆ En termes d'antiquité, le mot désigne comme en latin l'éperon qui prolongeait la proue d'un navire de guerre romain (une fois en 1577, puis 1870) et, en architecture, un ornement représentant cette proue (1835).

▶ Son dérivé **ROSTRÉ, ÉE** adj. (déb. XVIe s.), «pourvu d'un éperon de navire», puis «allongé en forme de bec» (1812), n'est plus usité. ◆ **ROSTRAL, ALE, AUX** adj. est emprunté (v. 1363) au dérivé bas latin *rostralis* «des Rostres». ◇ Ancien terme descriptif qualifiant ce qui est en forme de bec, *rostral* a été repris au XVIIe s. dans ***colonne rostrale*** «colonne ornée de proues de navires en souvenir d'une victoire navale» (1663), et ***couronne rostrale*** «récompense acccordée à celui qui montait le premier à l'abordage d'un navire ennemi» (1690).

◈ voir **CORRODER**, **ÉRODER**, **RODER**; **LAMELLIROSTRE** (à **LAME**).

◈ **ROT** n. m., d'abord sous les formes *rut* (v. 1150) et *rout* (XIIIe s.), devenues *rot* (v. 1560) avec une voyelle plus expressive, est issu du bas latin *ruptus* (IVe s.) de même sens. Ce mot est l'altération, par attraction du participe passé de *rumpere* (→ rompre), du latin classique *ructus* «expulsion bruyante de gaz stomacaux par la bouche» (→ éructer).

♦ *Rot*, avec le même sens que le mot latin, est, au moins en français moderne, d'usage populaire et vulgaire, tout comme *pet*. Par extension, il peut désigner un bruit analogue (déb. XXe s.). Littérairement, comme synonyme énergique de *renvoi*, il a pu s'appliquer au retour à la conscience de souvenirs déplaisants (Flaubert).

▶ Il a produit **ROTOTO** n. m. par réduplication enfantine (XXe s.), mot familier pour le rot du bébé après la tétée.

ROTER v. intr., d'abord *ruter* (v. 1120) ou *rutter* (v. 1130), refait en *roter* (v. 1130), continue le dérivé bas latin *ruptare*, altération, par attraction de *ruptus*, du latin classique *ructare* «faire un rot» et «prêcher» (→ éructer). ➜ Le verbe s'emploie comme intransitif pour «faire des rots», populaire ou très familier. ◇ Les sens figurés anciens «proférer (une parole)» et «exhaler» (v. 1130) supposent un usage concret ancien non marqué. ◇ Dans la locution elliptique *en roter* (1881), il prend le sens figuré de «peiner sur un travail dur ou excessif» et aussi «éprouver une admiration éperdue» (fin XIXe s.). La métaphore est comparable à celle qui porte sur *baver*.

ROTARIEN n. et adj. m. est tiré (1922) sur le modèle de l'anglais *rotarian*, de *Rotary Club*, nom d'une association internationale fondée en 1905 aux États-Unis, réunissant des membres de chaque profession ou activité sociale et dont l'insigne est une roue, symbolisant la réunion de tous les efforts. *Rotary* est une spécialisation de l'anglais *rotary*, adj. et n., issu du latin tardif *rotarius*, du latin classique *rota* (→ roue). **ROTARY** n. m. est passé en français (1928) pour désigner un appareil dont le mécanisme imprime un mouvement de rotation continu à certains organes et un système de téléphonie automatique dans lequel certains organes sont animés d'un mouvement de rotation continu (1952). Ces emplois techniques ont vieilli.

♦ *Rotarien* désigne un membre d'une association nommée *Rotary* et, par extension, qualifie ce qui est relatif à cette association.

◈ voir **RONÉO**.

ROTATION n. f. est emprunté (1375) au latin *rotatio* «action de mouvoir en rond, de faire tourner», dérivé de *rotatum*, supin de *rotare* «tourner» (→ roue, ① rouer).

♦ Le mot, terme technique désignant le mouvement d'un corps tournant autour d'un axe fixe, est rare avant le XVIIIe s. (1701), date où il fait l'objet d'un nouvel emprunt. Par extension et par l'intermédiaire d'un emploi en physiologie, il passe dans l'usage courant (v. 1710) pour désigner un mouvement circulaire. ◇ Avec une valeur abstraite, il passe en économie où ***rotation des stocks, des capitaux*** (1765) concerne la succession des renouvellements d'un stock, la circulation. L'idée d'une série périodique d'opérations s'applique aussi en agriculture dans la locution ***rotation des cultures*** (1801), puis en sylviculture où le mot désigne la durée séparant deux passages consécutifs sur le même point des coupes (1933). ➜ La notion de *rotation* en géométrie (XVIIIe s.) et en cinématique *(rotation plane, dans l'espace, rotation vectorielle; mouvement de rotation des solides)* donne lieu à des applications en astronomie, en physique *(rotation du plan de polarisation, rotation des molécules, des particules*; cf. *moment cinétique, spin)*. ◇ On parle aussi de *rotation* en physiologie, en gymnastique, en sports (ski, volley-ball), à propos des mouvements rotatoires du corps ou d'une partie du corps. ➜ Le sens abstrait, vers le milieu du XXe s., concerne la fréquence des voyages effectués par un moyen de transport affecté à une ligne régulière (1953) et, dans ***rotation du personnel*** (1964), au roulement des fonctions.

▶ Sur le radical de *rotation* est formé **ROTATIF, IVE** adj. (fin XIVe s.), repris avec le sens technique actuel «qui agit en tournant» (1942), spécialement dans *machine rotative* (1845) et ***presse rotative*** (1873), cette dernière donnant lieu à l'emploi de **ROTATIVE** n. f. (1907), mot qui évoque surtout l'impression des journaux, la presse. ◇ Le dérivé **ROTATIVISTE** n. dénomme le technicien qui conduit une rotative. ◇ *Rotative* a donné, par apocope et suffixation en *-o*, **ROTO** n. f. (1923, dans les dictionnaires). ➜ **ROTOGRAVURE** n. f. formé (1914) d'un élément *roto-* et de *gravure*, désigne un procédé d'héliogravure sur cylindre. ➜ Le radical de *rotation* a servi à former **ROTATOIRE** adj. (1746), qualifiant ce qui constitue une rotation et spécialement, en physique et chimie, le pouvoir qu'ont certaines substances de faire tourner le plan de polarisation d'un rayon lumineux qui les traverse (1847). ➜ *Rotation* a aussi produit **ROTATIONNEL, ELLE** adj. (1894, P. Curie), spécialisé en physique et substantivé dans *le rotationnel d'un champ de vecteurs*.

ROTATEUR, TRICE adj. est emprunté (1611) au bas latin *rotator* «celui qui fait tourner», du supin de *rotare*. ➜ Ce mot didactique a été repris en anatomie, d'abord comme substantif, puis adjectivé (1690 à propos d'un muscle; emploi général mil. XIXe s.).

ROTOR n. m., désignant la partie d'un moteur affectée d'un mouvement de rotation, est la contraction (1900) du bas latin *rotator*, «ce qui fait tourner», du latin classique *rotare*. Pour «voilure tournante (d'un hélicoptère)» c'est probablement un emprunt (1933) à l'anglais *rotor* (1930).

① **ROTE** n. f. est emprunté (v. 1155) à un germanique °*hrôta* attesté sous la forme latinisée *chrotta* (VIe s., Fortunat), *rotta* (v. 750), et par l'ancien haut allemand *hruozza*. Le gallois *crwth* «violon» et l'irlandais *cruit* «harpe», qui représentent certainement le même mot, signifient respectivement «ventre» et «bosse». Ces noms d'instruments pourraient donc être nés d'emplois par analogie de forme ; dans ce cas, les acceptions originelles («bosse» ou «ventre») n'étant représentées que dans les langues celtiques, le mot a pu être emprunté par les Francs et pourrait remonter au gaulois ou, venant de Grande-Bretagne, avoir été transmis en Gaule par les Francs.

♦ Ce mot désigne un ancien instrument de musique à cordes pincées, utilisé notamment par les jongleurs «bretons» (Celtes de Grande-Bretagne).

② **ROTE** n. f. est un emprunt (1526) au latin ecclésiastique moderne *rota,* désignant le tribunal ecclésiastique siégeant à Rome. Ce terme est un emploi spécialisé du latin classique *rota* (→ roue). La juridiction a été créée en 1331 par le pape Jean XXII à Avignon et a pris le nom de *rota* parce que les juges s'installaient pour siéger sur un banc circulaire.

♦ Le mot désigne la juridiction ecclésiastique du Saint-Siège instruisant surtout des causes matrimoniales, formée de juges qui ont reçu (av. 1720) le nom de *auditeurs de rote.* Par analogie, il s'applique à un tribunal collégial espagnol fonctionnant comme la rote romaine et qui lui est subordonné (attesté XXe s.).

ROTIFÈRE adj. et n. m. est un composé savant (1762) de l'élément *roti-,* tiré du latin *rota* (→ roue) et de *-fère** «qui porte».

♦ Ce terme de zoologie est employé surtout au pluriel pour désigner un groupe d'organismes microscopiques, abondants dans les eaux douces, portant deux couronnes de cils vibratiles autour de la bouche. ◆ L'adjectif qualifie en zoologie ce qui porte un organe rotateur.

① **ROTIN** n. m. est emprunté (1688), par le néerlandais *rottin,* au malais *r̃otan,* nom d'un palmier d'Inde, de Malaisie et d'Afrique tropicale (appelé aussi *jonc d'Inde*) dont les tiges servent à fabriquer des cannes, des meubles. Avant l'emprunt par le néerlandais, la forme *rota* (1610) atteste le passage par le portugais. La variante *rotang* (1610) pourrait venir directement du malais.

♦ Le mot désigne la partie de la tige des branches du rotang servant à faire des meubles, des cannes, ce matériau *(du rotin)* et, par métonymie, *(un rotin)* une canne faite de tige de rotin (fin XVIIe s.).

▸ **ROTINEUR** n. m. (1875), puis **ROTINIER** n. m. (1933) ont servi à désigner l'ouvrier qui travaille le rotin.

② **ROTIN** n. m., mot populaire attesté depuis 1835, est d'origine obscure : on a pensé à une altération de *rondin* au sens argotique de «pièce d'or» (1837), diminutif de *rond*,* attiré par l'homonyme ① *rotin.* P. Guiraud évoque un dérivé de l'adjectif *rot* «rompu», employé substantivement, comme dans *ropts* n. m. pl. «tessons d'un pot» ou *roupte* n. f. «partie cassée de qqch.», issu du latin *ruptus,* féminin *rupta* (→ route), participe passé passif de *rumpere* (→ rompre). Selon cette hypothèse non corroborée, le rotin serait proprement un petit morceau, une petite pièce. À noter que, de manière aussi peu explicable, *jonc, osier* désignent l'or en argot.

♦ Le mot est un synonyme populaire de «sou», surtout usité dans des phrases négatives *(n'avoir pas, plus un rotin).*

RÔTIR v., d'abord *rostir* (v. 1155), puis *rôtir* (1487), est emprunté à une forme germanique *°raustjan* «faire griller à la broche», postulée par l'ancien haut allemand *rôsten* (moyen haut allemand et allemand *rösten*), lequel serait dérivé de *rôst* n. m., *rôste* n. f. «gril». L'ancien provençal *raustir* et l'italien *arrostire* remontent au même étymon, lui-même passé dans le latin du Bas-Empire par les garnisons franques du long du Rhin. L'anglais *to roast* est repris de l'ancien français. Selon P. Guiraud, qui ne nie pas la possibilité d'un emprunt germanique, la forme romane représenterait aussi un latin *°rŭstum* «buisson de ronces», et signifierait proprement «cuire sur un feu de broussailles ou de roseaux». Cette hypothèse manque de supports concrets.

♦ Le mot signifie «faire cuire à la broche, au four» et, par extension, «faire cuire dans la braise ou dans la cendre» (1690). ◇ Par exagération, et dès l'ancien français, ce verbe est employé dans le langage familier pour «exposer à une forte chaleur» (v. 1190). La forme pronominale *se rôtir* (v. 1190) exprime cette même idée, en parlant d'une personne qui s'expose au soleil, de même que le passif et le participe passé *(être rôti au soleil),* et que le factitif *(se faire rôtir).* ◆ *Rôtir* est également employé intransitivement à propos d'un aliment qui cuit à feu vif (1178 ; rare avant le français classique). Au figuré et familièrement, il se dit d'une personne qui reçoit une chaleur très vive (1690).

▸ Le déverbal **RÔT** n. m., attesté très tôt sous la forme *rost* (v. 1112) refaite en *rôt* (1636), ne se dit plus que par archaïsme pour *rôti.* Dans l'ancienne ordonnance du repas, le mot a désigné par métonymie le service qui suivait les potages et entrées, puis a désigné le repas lui-même (v. 1398). On connaît encore la locution figurée *la fumée du rôt.*

RÔTI n. m. est la substantivation du participe passé masculin de *rôtir,* d'abord sous la forme *rosti* (v. 1160) puis *rôti* (1636). Le mot désignait autrefois toute pièce de viande rôtie, emploi qui s'est substitué à celui de *rôt* (ci-dessus), et dont procède la locution ***s'endormir sur le rôti*** «retarder d'accepter un avantage» (1611), de nos jours équivalente à «se reposer après un succès» (1842) ; cf. *se reposer sur ses lauriers.* C'est aussi de cette acception large qu'est venu le sens métonymique de «partie du repas où l'on sert les viandes» (1671). ◆ De nos jours, *rôti* se réfère seulement à un morceau de viande de boucherie bardé et ficelé, cuit à sec peu de temps et à feu vif, ou destiné à cette cuisson, notamment dans ***rôti de veau,*** plus courant que *rôti de bœuf,* à cause des termes spéciaux et des emprunts (→ rosbif). ◆ Le participe passé féminin, **RÔTIE**, est lui aussi substantivé sous la forme *rostie* (XIIIe s.) puis *rôtie* (fin XVIe s.) pour désigner une tranche de pain grillée et, autrefois (1765), une tartine. De nos jours archaïque ou régional en France, le mot est courant au Québec où il désigne la tranche de pain de mie grillé appelée *toast* en France, la tranche de pain français grillé étant appelée en France *pain grillé*.

RÔTISSEUR, EUSE n., d'abord *rostisseur* (1396) avant *rôtisseur* (1636), sert à nommer le commerçant qui vend des viandes rôties, un cuisinier qui sait rôtir les viandes (v. 1590) et (XXe s.) le traiteur qui les prépare et les sert. ◆ **RÔTISSERIE** n. f., d'abord *rostisserie* (v. 1460) puis *rôtisserie* (1636), désignait anciennement la boutique du rôtisseur, où l'on vendait des viandes rôties et où on les mangeait. Il se disait de la pièce voisine de la cuisine, dans les grandes demeures, affectée à la préparation des viandes rôties (v. 1465), sens qui a été repris par les historiens modernes. De nos jours, il figure surtout dans des noms d'établissements et des enseignes, et désigne un restaurant spécialisé dans les viandes, les volailles rôties (v. 1930) ou encore, par retour au sens initial, un volailler où l'on vend des volailles rôties. *Rôtisserie* et *rotisseur* désignent aujourd'hui un commerce et un commerçant qui vend aussi des plats cuisinés; cf. *traiteur*. ◆ **RÔTISSOIRE** n. f., anciennement *rostissoir* n. m. (v. 1390) et *roustissoire* (1462), refait en *rôtissoire* (1765), désigne un ustensile de cuisine servant à faire rôtir la viande, consistant en broche et tournebroche, coquille et lèchefrite. Le mot, devenu archaïque, a été repris (milieu XXe s.) pour désigner un four muni d'une broche tournante. ◆ **RÔTISSAGE** n. m. (1757), «torréfaction des minerais», a été repris d'après *rôtir* (1826) comme substantif d'action de *rôtir*.

◈ voir ROSBIF, RÖSTIS, ROUSTIR.

ROTONDE

ROTONDE n. f. est emprunté (1488) à l'italien *Rotonda*, nom propre d'un édifice romain circulaire surmonté d'une coupole (dénomination correspondant au romain *Ritonna*), féminin substantivé de *rotondo* «rond», lequel est emprunté au latin *rotundus* (→ rond).

♦ Le mot, d'abord employé comme nom propre *Saincte Marie la Rotonde, Notre-Dame de la Rotonde*, pour l'église établie à Rome dans l'ancien Panthéon, est peu usité avant la fin du XVIIe siècle. ◆ *Rotonde* est alors repris comme nom commun pour désigner un édifice circulaire surmonté d'une coupole (dans Furetière, 1690). De là ses spécialisations pour «petit pavillon sur colonnes placé dans un jardin» (1782) et, en chemins de fer, «construction circulaire ou demi-circulaire dans laquelle les locomotives sont remisées sur des voies en éventail» (1875). Par métonymie, *rotonde* désigne un emplacement de forme ronde, anciennement le compartiment arrière d'une diligence (1833), sens repris dans certains autobus parisiens (v. 1980), l'emplacement où se tenaient les parieurs aux courses et, en technique, l'ensemble des panneaux arrondis constituant l'arrière d'une carrosserie automobile (1949). ◆ Dans l'histoire de l'habillement, les sens de «fraise ronde, à la mode sous Henri IV et Louis XIII» (1613) puis «ample manteau de cavalier à pèlerine» (1875) pourraient être des emprunts indépendants.

◈ voir ROTONDITÉ.

ROTONDITÉ

ROTONDITÉ n. f. est emprunté (1314) au latin *rotunditas* «caractère de ce qui est rond», dérivé de *rotundus* (→ rond, rotonde).

♦ Le mot exprime le caractère de ce qui est rond, sphérique, autrefois dans la locution *en rotondité* «à la ronde». ◇ Au XVIIe s., il a pris le sens concret de «rondeur physique (d'une personne)» (1696), familier, le pluriel *rotondités* se disant plaisamment des formes rondes et pleines du corps féminin, et spécialement des fesses.

▶ **ROTOND, ONDE** adj. (av. 1867), emprunt savant du latin *rotundus*, se rencontre chez quelques écrivains avec les sens de «rond» (Baudelaire) et, d'après *rotondité*, «bedonnant» (1891, Huysmans).

ROTOR → ROTATION

ROTULE

ROTULE n. f. est emprunté (1487) au latin *rotula*, proprement «petite roue», diminutif en *-ula* de *rota* (→ roue).

♦ Ce terme d'anatomie désigne l'os mobile en forme de disque arrondi sur le dessus, situé à la partie antérieure du genou; il est passé dans l'usage général. De là, la locution expressive familière ***être sur les rotules*** «être épuisé» (1954), variante de *être sur les genoux*. ◆ Par analogie de forme, le mot est employé en zoologie pour désigner un oursin irrégulier, très aplati (1776), et en mécanique pour une articulation sphérique utilisée dans les organes qui s'orientent dans tous les sens (1875).

▶ Son dérivé **ROTULIEN, IENNE** adj. (1822), didactique, qualifie ce qui concerne la rotule *(ligament rotulien, réflexe rotulien)*.

ROTURE

ROTURE n. f. est issu par évolution phonétique (v. 1175) du latin impérial *ruptura* «fracture» qui a donné *rupture** par emprunt savant. C'est un dérivé de *rumpere* (→ rompre). En latin populaire, le mot a probablement désigné une terre «rompue», défrichée (*rompre une terre* s'est dit en ancien français et longtemps encore régionalement, par exemple dans le Berry) et, par suite de l'organisation sociale de la France, la redevance due pour une terre à défricher, enfin la terre soumise à cette redevance (cf. le développement de *coterie*), c'est-à-dire un héritage non noble.

♦ Passé en ancien français avec le sens concret de «déchirure», sorti d'usage, *roture* a été repris en parlant d'une terre nouvellement défrichée, soumise à un cens, c'est-à-dire non noble; cette reprise, attestée au début du XVe s. (1406, *roupture*), doit être antérieure, à en juger par *roturier*. ◆ L'emploi du mot pour l'état d'une personne non noble est seulement relevé dans les textes en 1549, mais est probablement plus ancien, comme l'indique aussi le dérivé *roturier* (ci-dessous), à moins qu'il ne vienne lui-même de ce dérivé, pour servir de pendant à *noblesse*. Le mot a développé un sens figuré dans la locution ***en roture*** «déprécié moralement» (1665) à l'époque classique. La valeur figurée pour «manque de culture» (av. 1922, Proust) est un emploi d'auteur, plutôt métaphorique du sens usuel. Parallèlement, par métonymie, *roture* se dit avec une valeur collective pour «ensemble des roturiers» (1611).

▸ Le dérivé **ROTURIER, IÈRE** adj. et n., à rapprocher du latin médiéval *ruptuarius* «paysan» (1072), est attesté dès le XIIIe s. dans le Poitou, puis à partir de 1306 à Paris (comme terme régional) pour désigner et qualifier une personne non noble possédant une «terre rompue», une *roture* (voir ci-dessus). Il gagne tout le domaine d'oïl au XVIe s. dans la langue littéraire. Par extension, l'adjectif s'applique avec une valeur figurée à une personne qui manque de distinction (XVe s.). ◆ De *roturier* est dérivé **ROTURIÈREMENT** adv. (1411), autrefois «selon les lois qui concernent la roture», de nos jours et rarement «à la manière des roturiers» (1573).

① **ROUAN, ANNE** adj. est un emprunt oral (1340) à l'ancien espagnol *roán* (espagnol moderne *roano*) qui se dit d'un cheval, d'un mulet ou d'un bœuf aux crins noirs et à la robe formée de poils blancs, noirs ou roux. Ce mot est issu d'un latin populaire °*ravidanus*, issu par élargissement du latin classique *ravidus* «grisâtre». Ce dernier est dérivé de *ravus* «d'un gris tirant sur le jaune», mot à l'étymologie obscure, le rapprochement avec l'ancien haut allemand *grão* «gris» se heurtant à des difficultés formelles ; le suffixe °-*wo*- est cependant courant à la base de mots exprimant des couleurs, avec la valeur probable de «tirant sur», par exemple dans *canus* (→ chenu) *helvus* «jaunâtre».

♦ Ce terme d'hippologie a gardé son sens d'emprunt.

② **ROUANNE** n. f., réfection (attesté 1680 mais antérieur ; cf. *rouannette*) d'après la prononciation de *roisne* (attesté XIIIe s.) puis *roynne* (déb. XVe s.), est issu d'un latin populaire de Gaule °*rucina*, altération du latin classique *runcina*. Celui-ci est emprunté, avec développement d'une consonne nasale sous l'influence de mots comme *rincare* «sarcler, aplanir», au grec *rhukanê* «rabot, varlope». Ce mot n'a pas d'étymologie claire : un rapprochement avec le sanskrit *srúc-* «longue cuillère de sacrifice» est peu plausible.

♦ Le mot est un nom technique d'outil, employé anciennement pour une tarière et, en médecine, une rugine* (1314), puis pour un compas muni d'une branche tranchante à l'aide duquel les employés des contributions indirectes marquaient les tonneaux visités (déb. XVe s.). ◇ Il désigne aussi un compas servant à marquer le bois de charpente (déb. XVe s.), puis l'outil de tonnelier, de sabotier, servant à tailler, à dégrossir et à évider le bois (1904).

▸ **ROUANNER** v. tr., réfection graphique tardive (1870) de *roisnier* (fin XIIe s.), *roysner* (1543), s'est employé en médecine pour «trépaner» et pour «entailler avec la rouanne» (1333), puis «marquer avec la rouanne» (1543). ◆ **ROUANNETTE** n. f., diminutif de *rouanne* (1642), d'abord *royenette* (XIIIe s.), désigne une petite rouanne servant au marquage des bois de charpente.

ROUBIGNOLES n. f. pl. est le pluriel (1896) de *robignole* (1836), *roubignole* (1862), employé pour une petite boule de liège utilisée dans un jeu, puis disparu. L'origine du mot est obscure : on a pensé au provençal *roubignoli*, attesté en 1886 au sens de «testicules», probablement à rattacher à *roubin* «mouton», même mot que l'ancien français *robin* d'où est dérivé *robinet**.

♦ Le sens argotique moderne de «testicules» se comprend aisément à partir de celui de «petite boule avec laquelle on joue» ; mais ce dernier pourrait être métaphorique du premier, qui serait alors plus ancien.

ROUBLARD, ARDE adj. et n. (1830) est d'origine incertaine : on a évoqué un dérivé de l'argot ancien *roubliou* «feu», lui-même emprunté de l'italien *robbio* «rouge» qui continue le latin *rubeus* «roux, roussâtre» (→ rouge). Littré le fait venir de *rouble** au sens non attesté de «homme à roubles, richard». P. Guiraud préfère partir du sens ancien de «mal habillé, mal mis» et en faire un dérivé argotique de *râbler* «ramasser avec un râble», de *râble**, en s'appuyant sur les formes dialectales *rouabler*, *robler*. Selon lui, de *roubler* «racler», on aurait tiré un *roublard* «raclé, éraillé» d'où «mal mis, misérable», un autre *roublard* de sens actif désignant celui qui racle, tire les marrons du feu, d'où, au figuré, un extorqueur de tripot. Cette hypothèse tente de rendre compte du développement sémantique paradoxal de *roublard*, dans ses premiers emplois.

♦ La concomitance des sens d'«heureux» (1830) et de «mal habillé, sans valeur» (1835) d'où «laid, défectueux» (1836), tous deux sortis d'usage, est en effet difficile à expliquer. ◆ Le sens moderne, «habile à se tirer d'affaire ou à défendre ses intérêts et capable d'user de moyens peu délicats» (1864), peut se comprendre par l'intermédiaire de celui de «personne extorquant de l'argent dans les casinos» (1858), lui-même sans rapport apparent avec les valeurs initiales, ou encore à l'argot ancien «agent de police» (1830). Selon l'hypothèse de P. Guiraud, cette acception s'explique d'après l'idée de «celui qui rafle» (*raille*, déverbal de *railler* «racler, rafler», ayant le même sens argotique).

▸ *Roublard* a produit **ROUBLARDER** v. intr. (1875) «agir en roublard», rare, et **ROUBLARDISE** n. f. (1877) «caractère d'une personne roublarde» et, en particulier *(une, des roublardises)*, «action d'un roublard» (1934), d'usage familier.

ROUBLE n. m. est emprunté (1606) au russe *rubl'* qui désigne l'unité monétaire de la Russie (1316, selon Fasmer ; XIIIe s., selon Tsuganienko), puis de l'Union soviétique (1917) et à nouveau (1991) de la Russie. Cette unité a d'abord été instaurée à Novgorod, avant d'être reprise dans le système monétaire moscovite au milieu du XVe siècle. Le mot est d'origine incertaine. Fasmer rejette l'hypothèse d'un emprunt de l'arabe *rub'* «quart», fondée sur le fait que le rouble représentait un quart de l'unité antérieurement en vigueur, la *grivna*. Il évoque un rapprochement avec le verbe *rubiti* (russe moderne *rubit'*) «fendre, casser, couper» soit par allusion au fait que le rouble était un morceau coupé dans une barre d'argent ou une barre dentelée, soit parce qu'il représentait une fraction de grivna. Le verbe *rubiti* a un dérivé *rubl'* désignant d'abord une bille de bois, un tronçon de bois (XIe s.).

♦ Le mot désigne l'unité monétaire de la Russie, puis (1917) de l'U. R. S. S. et à nouveau (1991) de la Russie.

ROUCHI n. m. est le nom donné (1812) par Gabriel Hécart à ce parler, d'après l'expression patoise *drouchi, drochi* «droit ici».

♦ Le mot désigne le dialecte picard du Hainaut (région de Valenciennes).

ROUCOULER v. intr., d'abord *rencouller* (v. 1462), puis par changement de préfixe *rouconner* (1495), vient peut-être d'un radical onomatopéique *ruk-* qui avait plusieurs variantes. On évoque également le latin *raucus* «enroué» (→ rauque).

♦ Le mot est employé en parlant des pigeons, des tourterelles qui émettent leur son spécifique. Par extension, il s'est employé transitivement à propos d'une personne qui chante ou parle langoureusement (v. 1770). ◇ La valeur figurée, «tenir des propos tendres et langoureux» (1835), est restée vivante.

▸ **ROUCOULEMENT** n. m. (1611) désigne le bruit que font entendre les pigeons et les tourterelles et, par extension, un chant tendre et monotone (1831). ◆ **ROUCOULANT, ANTE,** participe présent de *roucouler,* est adjectivé (1821, in D. D. L.), qualifiant ce qui roucoule (au propre et au figuré) et, par extension, ce qui rappelle le roucoulement de l'oiseau (1855). ◆ **ROUCOULADE** n. f. (1857), quasi synonyme de *roucoulement,* se dit du bruit que font entendre les oiseaux en roucoulant, et, familièrement, de propos tendres entre amoureux. ◆ **ROUCOULIS** n. m. (1890) recouvre le doux bruit des oiseaux qui roucoulent; il est à peu près inusité.

✳ **ROUE** n. f. est la réfection (XIVe s.), d'après la série *rouelle**, *rouet* et *rouer,* du type plus ancien *riuode* (v. 980), *rode* (fin XIe s.), puis *roe* (v. 1112), *ruee* (XIIIe s.) qui aurait abouti à *reue,* attesté dans de nombreux parlers de l'Est, du Nord et de l'Ouest. Sous ses formes anciennes, le mot continue le latin *rota* qui désigne aussi bien la roue du char, celle du potier, la roue hydraulique et celle du supplice, et qui sert en outre à désigner un poisson rond. *Rota* est apparenté par sa racine aux langues baltes (lituanien *ritū* «rouler»), celtiques, au sanskrit *ráthaḥ* «char». Une autre série verbale exprimant la même notion correspond au vieux prussien *kelan,* au slave *kolo* et au grec *kuklos* (→ cycle). En ce qui concerne la racine de *rota,* l'indo-iranien exprime la notion de char à l'aide de *ráthaḥ* tout en usant, pour celle de roue, d'un nom tiré de l'autre racine; la série qui correspond à *ráthaḥ* se retrouve donc du baltique à l'italo-celtique. Il semble que la racine indoeuropéenne de *rota* soit plus spécifique du char; celle du grec *kuklos* (*k^w*el-*) correspondrait plutôt au mouvement, à la circulation, se spécialisant pour «roue» et «cercle». La répartition entre les deux racines est géographique.

♦ Le mot désigne proprement un disque qui tourne sur un axe passant par son centre. Dès les premiers textes, il désigne ce disque utilisé comme organe de déplacement d'un véhicule. Cette acception donne lieu à des syntagmes, à des locutions figurées, telles que ***cinquième roue du carrosse*** (1743), variante de *quinte roue du chariot* (XVe s.), «élément inutile, superflu», ***pousser à la roue*** «aider» (1559), ***mettre des bâtons dans les roues*** «gêner, empêcher» (1807). De l'ancien français à nos jours, les applications évoluent en fonction des véhicules : chars, chariots, carrosses, voitures à cheval et (fin XIXe s.) cycles et automobiles. De là les syntagmes usuels comme ***roue libre*** (1897, en cyclisme), ***roue de secours*** (1935). ◆ Par métonymie, le syntagme ***deux roues*** sert à désigner un véhicule à deux roues (1932), tant dans le langage administratif que dans l'usage courant. ◆ Avec la même fonction, *roue* désigne un disque muni d'éléments perpendiculaires servant à propulser un navire *(aube à roue, bateau à roue)* [1858]. ◆ Dès l'ancien français, *roue* se dit du même disque utilisé comme un organe de transmission ou d'élévation (v. 1190), seul et dans des syntagmes techniques, comme *roue de gouvernail* (1757), *roue hydraulique* (1863), *roue dentée* (1870), *maîtresse roue* (1870). ◆ Dès le XIIe s., *roue* se dit également, comme le latin *rota,* d'un disque tournant, notamment d'un instrument de torture formé d'une roue horizontale sur laquelle on liait le supplicié (v. 1112), d'où *supplice de la roue* (av. 1778); la locution figurée *être sur la roue* «souffrir le martyre» (1798), est sortie d'usage, mais le dérivé ② *rouer* (ci-dessous) perpétue cette acception. ◆ Dès le XIIe s. également, le mot est investi de significations métaphoriques et symboliques, la locution ***roue de la fortune*** (v. 1155) exprimant les vicissitudes, les «révolutions» du sort capricieux. D'où la locution *être au plus haut, au plus bas de la roue* (v. 1650) qui prolonge des variantes anciennes (milieu XIIIe s.). Telle est l'origine de la roue de loterie, d'abord dénommée *roue de Fortune* (1690) et désignant à l'origine un tambourin où l'on enfermait les numéros pour les tirer au sort, aujourd'hui une roue verticale. ◆ Par métaphore, *roue* est employé dans ***faire la roue,*** anciennement dit d'une personne qui déployait en rond la queue de sa robe ou de son manteau (XIIIe s.) et appliqué par la suite à un volatile déployant en rond les plumes de sa queue (v. 1278), d'après un emploi autonome de *roue* désignant le déploiement de la queue du paon (v. 1228). La locution s'emploie au figuré à propos d'une personne qui adopte une position avantageuse (fin XIVe s.). *Roue* désigne aussi une figure de gymnastique (1802) d'où *faire la roue,* dans un autre sens que la locution. ◇ La locution ***roue de derrière*** a fourni une désignation familière de la pièce de cinq francs (1725). ◆ Les emplois où *roue* n'est pas conçu comme une forme en mouvement mais un simple disque ou cylindre plat sont assez rares; on parle cependant de *roue de fromage.* Voir aussi les schémas pp. 3308 sqq.

▸ ① **ROUÉ, ÉE** adj., réfection (XIVe s.) de *roé* (1080), qualifie d'abord ce qui est orné de dessins en forme de roue ou est en forme de roue; ce sens ne survit que dans quelques locutions techniques : ***tête rouée,*** terme de vénerie, a d'abord désigné une tête de chevreuil, de daim ou de cerf ayant des perches serrées (1561), puis une tête dont les merrains sont recourbés en dedans (1870); *encolure rouée,* terme de manège, se dit d'une encolure qui s'arrondit progressivement du garrot à la nuque (1864). Un homonyme est le participe du verbe *rouer* (ci-dessous). ➡ **ROUAGE** n. m., qui a pris sa forme actuelle (v. 1268) après *roage* (1147), est à l'origine un terme de féodalité désignant le droit seigneurial perçu sur les voitures roulant sur les grands chemins, particulièrement celles qui transportaient du vin. ➡ Par une autre dérivation, *rouage* désigne concrètement l'ensemble des roues d'un véhicule ou d'une machine (v. 1536), d'où la locution ***bois de rouage*** «bois servant à faire les roues des véhicules» (1723). ◇ Le mot désigne aujourd'hui chacune des pièces d'une machine, d'un engrenage (1578), d'où par métaphore (1762) une personne, un service participant au fonctionnement d'une administration, d'une entreprise. ➡ **ROUET** n. m., réfection (1382) de *roet* (XIIe s.), diminutif de *roe, roue,* a désigné la roue de la fortune ainsi qu'une roue servant à monter l'eau (v. 1215). ◇ Le mot est resté vivant avec d'autres emplois, désignant une petite machine à roue servant autrefois à filer le chanvre et le lin (fin XIIIe s.), la désignation restant connue après la disparition du procédé. ◇ D'autres sens ne sont plus connus que par les historiens des techniques : «petite roue de bois ou de métal faisant partie d'une poulie ou d'un moufle» (1371); aux XVIe et XVIIe s., «roulette d'acier dentée qui, frappant sur un silex, enflamme la poudre des armes à feu» (v. 1536). Au XVIIe s., le mot a développé de nouveaux sens techniques, s'appliquant à une pièce de serrurerie (1660), une charpente cylindrique en bois posée au fond d'un puits (1690).

② **ROUER** v. tr., dérivé de *roue* (1326) à ne pas confondre avec ① *rouer** qui représente le latin *rotare,* signifiait «faire subir le supplice de la roue à (qqn)». La locution ***rouer de coups*** (1648), toujours usuelle, est une extension hyperbolique. Le sens d'«écraser sous les roues d'une voiture» (1643), nouvelle dérivation de *roue,* est sorti d'usage. ➡ Le participe passé ② **ROUÉ, ÉE** a été adjectivé au sens de «qui a subi le supplice de la roue» (1628), devenu archaïque comme les emplois hyperboliques qui en procèdent, dans la locution ***roué de fatigue*** (1694). ➡ L'emploi de *roué* avec un sens moral pour «digne d'être roué» (cf. *gibier de potence, pendard*) est d'abord un surnom donné aux compagnons de plaisir de Philippe d'Orléans qui se réunissaient chez lui au Palais-Royal ou au Luxembourg chez la duchesse de Berry (déb. XVIIIe s., Saint-Simon). Le développement de sens est controversé : certains, dont Wartburg, l'imputent au fait que les compagnons de débauche du Régent étaient comme «roués de fatigue» le lendemain de leurs excès; P. Guiraud, pour sa part, invoque une influence sémantique de *rouler* et de certains de ses dérivés (*rouleux* «vagabond», *roulure* «femme de mauvaise vie», dialectal *roulado*) : selon lui, le *roué* serait proprement celui qui a roulé sa bosse dans les mauvais lieux et en mauvaise compagnie; mais la première valeur indiquée semble la plus vraisemblable. Le mot est passé dans l'usage en parlant d'un débauché, d'une personne sans scrupules (1788), par extension, d'une personne qui use d'artifices pour tromper et spécialement, au féminin, d'une femme rusée à laquelle il ne faut pas se fier (1850). ➡ De *roué* est dérivé **ROUERIE** n. f. (1777) «action d'un roué», puis aussi «acte d'une personne rusée» et, généralement, «caractère d'une personne rusée, sans scrupules» (1846).

◈ voir BROUETTE, ÉRAILLER, RODÉO, RÔDER, ROGNER, RÔLE et CONTRÔLE, ROND, ROTATION, ROTONDE, ROTONDITÉ, ROTULE, ROUELLE, ① ROUER, ROUND.

ROUELLE n. f. est la réfection d'après *roue* de *rodele* (av. 1100), *rüele* (1119), *roiele* (XIIIe s.) issus du latin tardif *rotella* «petite roue», diminutif de *rota* (→ roue), à côté de *rotula* (→ rotule). Son dérivé verbal *rueler, roueler,* est devenu *rouler**.

♦ Le développement sémantique procède du sens littéral de «petite roue», lui-même attesté en 1119 *(rüele).* Dès les premières attestations, le mot s'emploie en cuisine pour une tranche mince coupée en rond, emploi que lui dispute *rondelle* depuis la fin du XIIe s., sauf dans deux spécialisations, à propos d'une épaisse tranche de veau taillée dans le cuisseau ou le jarret (1600) et aussi d'une roue de fromage. Le mot, devenu archaïque, s'est conservé comme terme historique à propos du cercle d'étoffe coloré porté comme signe infamant par les juifs au moyen âge (v. 1170), de la large rondelle contre laquelle la main abritée saisit la poignée d'une arme (1481), enfin de la pièce circulaire en fer couvrant les articulations de certaines armures (1611).

▶ Le diminutif **ROULETTE** n. f., aboutissement de *reüelette* (1119), *rouellette* (1406-1442), absorbant le sens littéral de «petite roue» qu'avait *rouelle,* a évincé ce dernier de l'usage courant. Senti comme un dérivé de *rouler,* le mot a connu une grande fortune dans les désignations techniques d'instruments : d'abord appliqué à une petite roue de brouette (1406-1442), il se rapporte à la petite roue fixée sous le pied d'un meuble (1680), à un dispositif analogue au patin (à glace) mais muni de petites roues, donnant la locution adjective ***à roulettes*** (1875, ***patin à roulettes***). ◇ *Roulette* est l'ancien nom de la cycloïde (1615) et d'un fauteuil à roulettes utilisé pour véhiculer un invalide (1689). ➡ La locution comparative ***comme sur des roulettes*** suggérant l'aisance dans le mouvement, *aller comme sur des roulettes* (1813) équivaut à «aller très bien». ➡ *Roulette* désigne aussi un outil de relieur (1680) et de graveur (1866), de couturier, de cordonnier (1904) et de dentiste (XXe s.), valeur plus courante. ➡ Il s'est spécialisé dans le domaine des jeux de hasard (1726, *jouer à la roulette*), suscitant des emplois métaphoriques comme symbole du hasard (1840, Balzac), et en géométrie (1875) pour une courbe de nature quelconque roulant sur une courbe fixe.

◈ voir ROULER.

ROUENNERIE n. f., correction (1800) de *rouannerie* (1798), est dérivé de *rouen,* nom d'une variété de toile (1609), emploi comme nom commun de *Rouen,* nom de la ville où étaient fabriqués ces tissus.

ROUE

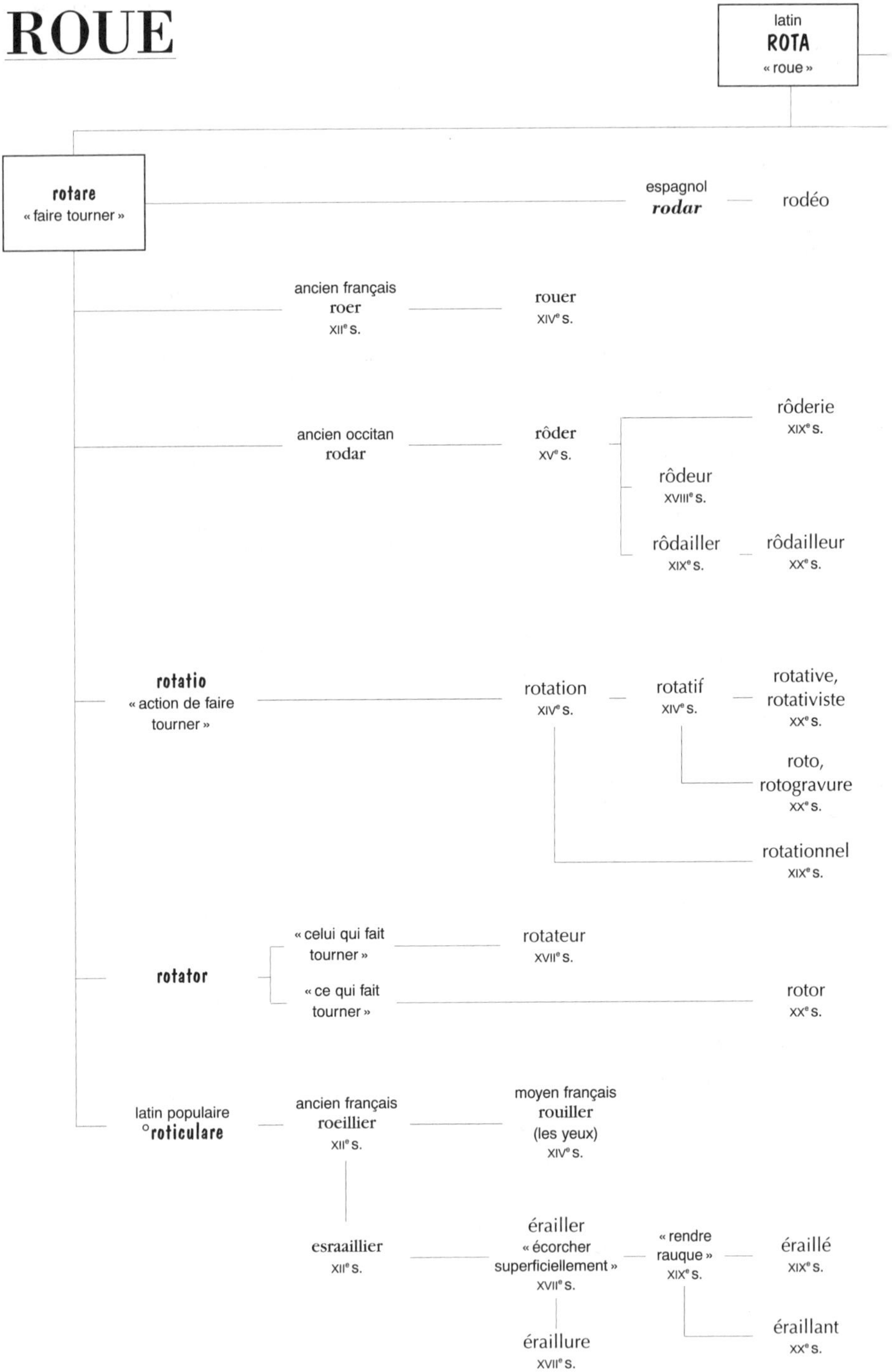
latin
ROTA
« roue »
rotare
« faire tourner »
espagnol
rodar
rodéo
ancien français
roer
XIIe s.
rouer
XIVe s.
ancien occitan
rodar
rôder
XVe s.
rôderie
XIXe s.
rôdeur
XVIIIe s.
rôdailler
XIXe s.
rôdailleur
XXe s.
rotatio
« action de faire tourner »
rotation
XIVe s.
rotatif
XIVe s.
rotative, rotativiste
XXe s.
roto, rotogravure
XXe s.
rotationnel
XIXe s.
rotator
« celui qui fait tourner »
rotateur
XVIIe s.
« ce qui fait tourner »
rotor
XXe s.
latin populaire
°roticulare
ancien français
roeillier
XIIe s.
moyen français
rouiller
(les yeux)
XIVe s.
esraaillier
XIIe s.
érailler
« écorcher superficiellement »
XVIIe s.
« rendre rauque »
XIXe s.
éraillé
XIXe s.
éraillant
XXe s.
éraillure
XVIIe s.

- **rotundus rotella rotula** (v. pages suivantes)
  - ancien français riuode, Xe s.
    - roe, XIIe s.
      - ROUE, XIVe s.
        - rouer « faire subir le supplice de la roue », XIVe s.
          - roué « supplicié », XVIIe s.
            - rouerie, XVIIIe s.
      - roé « en forme de roue », XIe s.
        - roué en vénerie, XIVe s.
      - roet, XIIe s.
        - rouet, XIVe s.
      - roage, XIIe s.
        - rouage, XIIIe s.
  - rotifère, XVIIIe s.
- **birota** « à deux roues »
  - ancien français °beroue
    - brouete, XIIIe s.
      - brouette, XIIIe s.
        - brouetter, XIVe s.
          - brouetteur, XIIIe s.
          - brouettée
          - brouettier, XIVe s.

ROUE

(suite)

- latin **ROTA** « roue »
  - **rotundus** « rond »
    - italien ***rotondo*** — rotonde
    - °**rotundiare** « couper en rond »
      - °**retundiare**
        - ancien français **redognier** XIe s.
          - **rogner** XIIe s.
            - rognage XIXe s.
            - rognoir XIXe s.
            - rogne-pied XVIIIe s.
          - rognement XVIe s.
          - **rongneur** XIVe s. — rogneur XVIIe s.
          - **rodognedure** puis **rongnure** XIe s. — rognure XVIIe s.
    - ancien français **reont** XIe s.
      - **rond** XIVe s. — anglais ***round*** — round
        - rond-point XIVe s.
        - rondelet XIVe s.
        - rondeur XVe s.
        - rondin XVIe s.
        - rondouillard XIXe s.
        - rondage XXe s.
        - rondade XXe s.
      - **reonde** XIIe s.
        - **ronde** « danse » XIIIe s. — **rondel** XIIIe s. — rondeau XIVe s. — italien ***rondo*** — rondo
      - **roonder** XIIe s. — **ronder** « tailler en rond », « faire la ronde » XVe s. — **ronde**

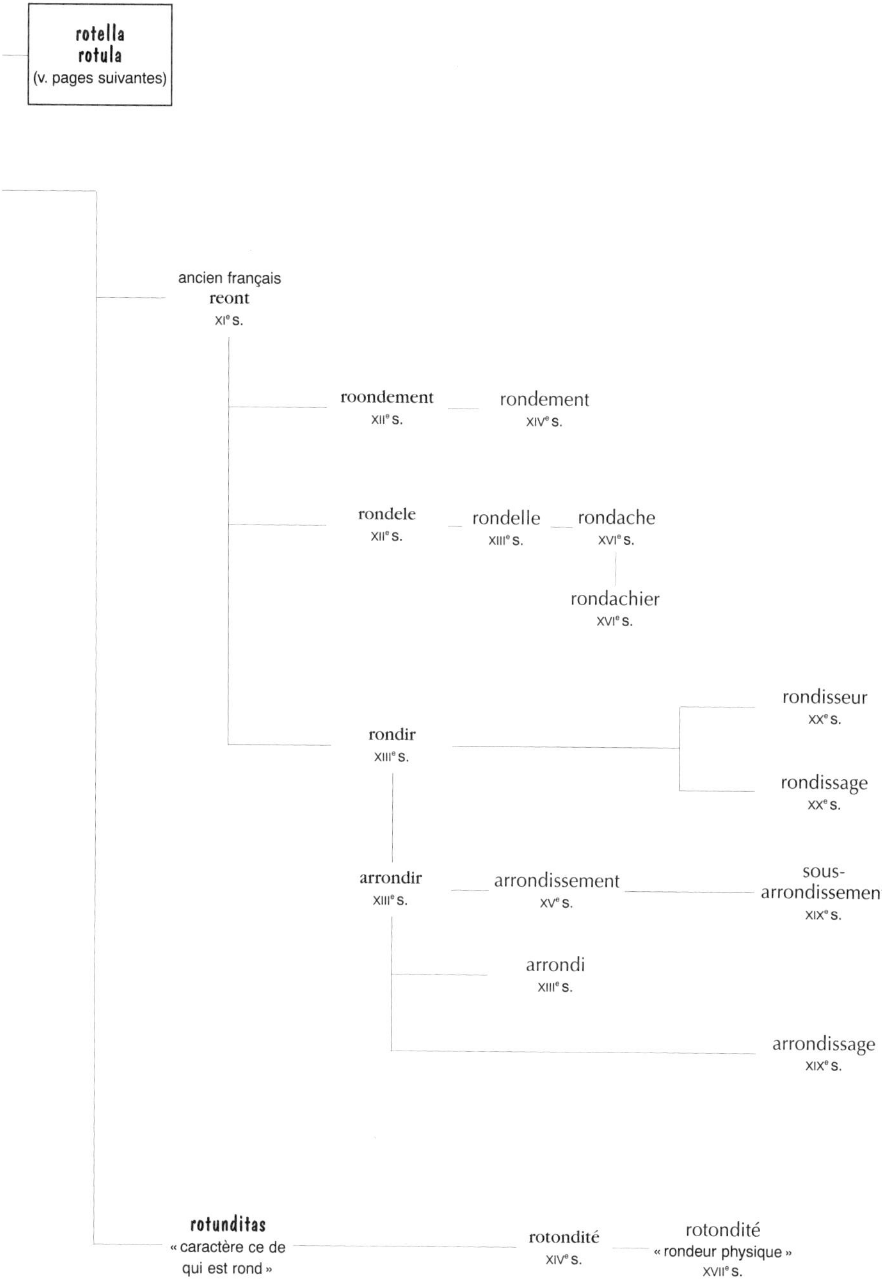
rotella
rotula
(v. pages suivantes)
ancien français
reont
XIe s.
roondement
XIIe s.
rondement
XIVe s.
rondele
XIIe s.
rondelle
XIIIe s.
rondache
XVIe s.
rondachier
XVIe s.
rondir
XIIIe s.
rondisseur
XXe s.
rondissage
XXe s.
arrondir
XIIIe s.
arrondissement
XVe s.
sous-arrondissement
XIXe s.
arrondi
XIIIe s.
arrondissage
XIXe s.
rotunditas
« caractère ce de qui est rond »
rotondité
XIVe s.
rotondité
« rondeur physique »
XVIIe s.

ROUE

(suite et fin)

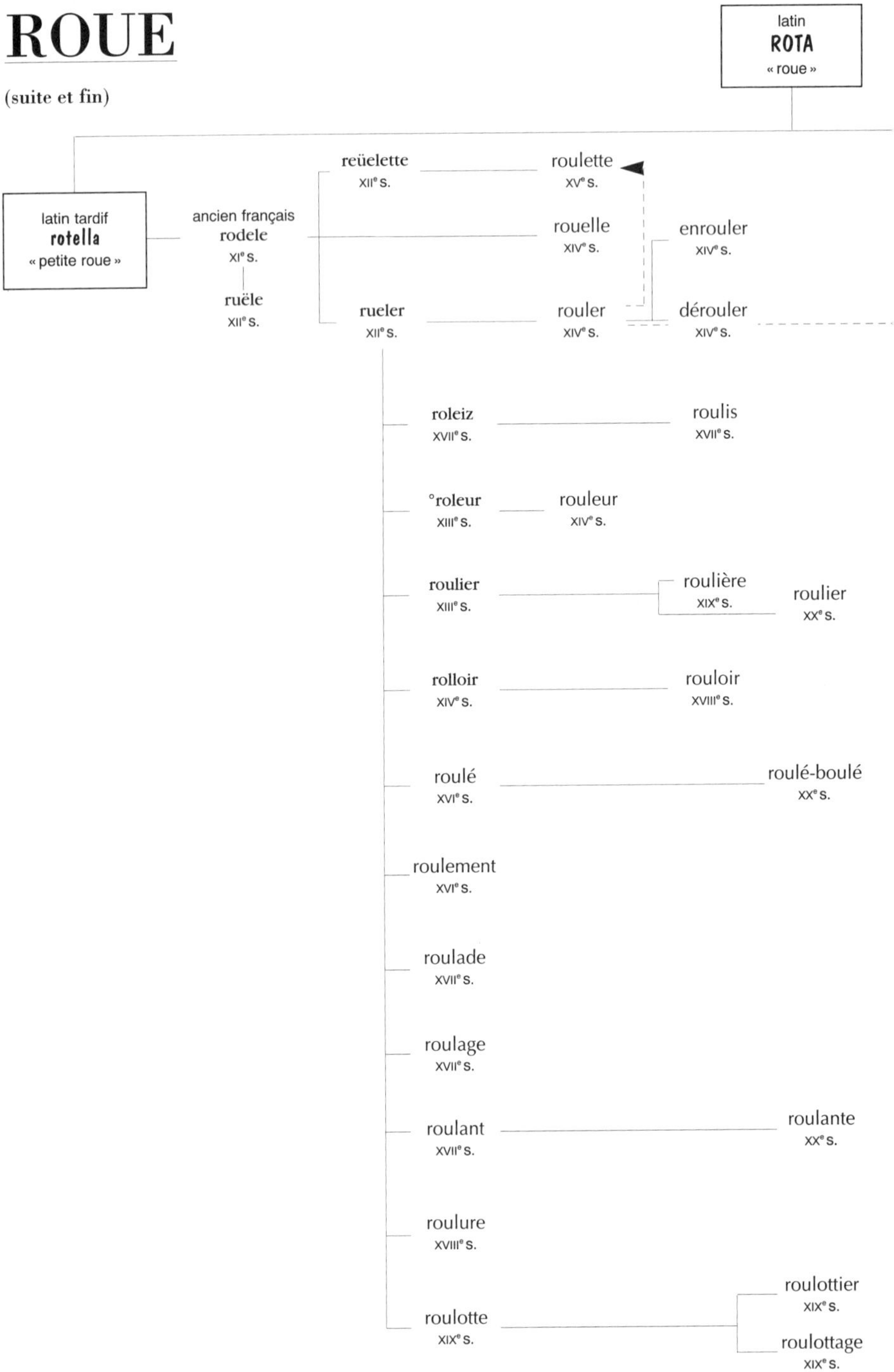

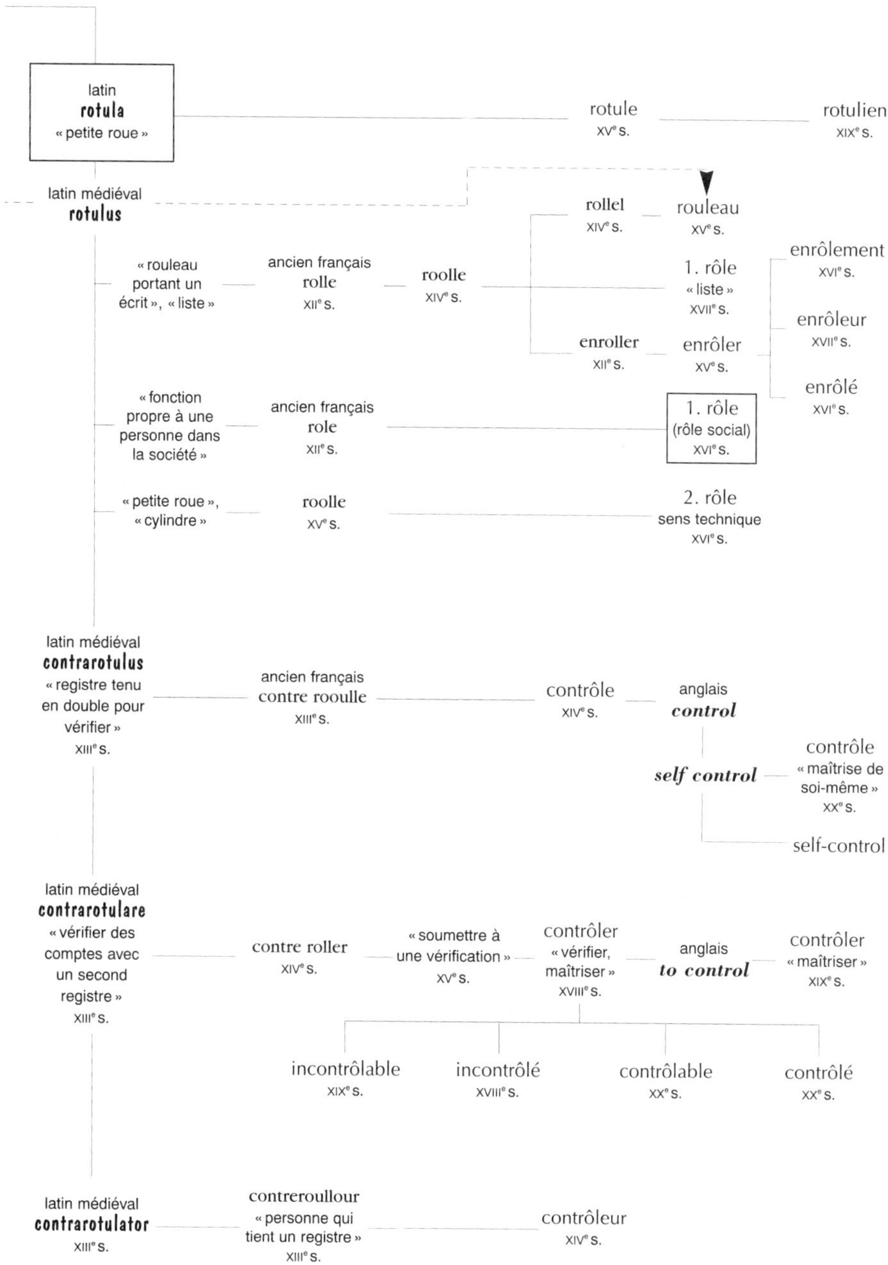
latin
rotula
« petite roue »
rotule
XVe s.
rotulien
XIXe s.
latin médiéval
rotulus
rollel
XIVe s.
rouleau
XVe s.
« rouleau portant un écrit », « liste »
ancien français
rolle
XIIe s.
roolle
XIVe s.
1. rôle
« liste »
XVIIe s.
enrôlement
XVIe s.
enrôleur
XVIIe s.
enroller
XIIe s.
enrôler
XVe s.
enrôlé
XVIe s.
« fonction propre à une personne dans la société »
ancien français
role
XIIe s.
1. rôle
(rôle social)
XVIe s.
« petite roue », « cylindre »
roolle
XVe s.
2. rôle
sens technique
XVIe s.
latin médiéval
contrarotulus
« registre tenu en double pour vérifier »
XIIIe s.
ancien français
contre rooulle
XIIIe s.
contrôle
XIVe s.
anglais
control
self control
contrôle
« maîtrise de soi-même »
XXe s.
self-control
latin médiéval
contrarotulare
« vérifier des comptes avec un second registre »
XIIIe s.
contre roller
XIVe s.
« soumettre à une vérification »
XVe s.
contrôler
« vérifier, maîtriser »
XVIIIe s.
anglais
to control
contrôler
« maîtriser »
XIXe s.
incontrôlable
XIXe s.
incontrôlé
XVIIIe s.
contrôlable
XXe s.
contrôlé
XXe s.
latin médiéval
contrarotulator
XIIIe s.
contreroullour
« personne qui tient un registre »
XIIIe s.
contrôleur
XIVe s.

♦ Le mot désignait des tissus en laine, en coton, dont les dessins ou effets de relief résultent de l'agencement de fils teints avant le tissage. Il a vieilli.

▸ Son dérivé **ROUENNIER, IÈRE** n. (1870) se disait de la personne qui fabrique ou vend de la rouennerie.

① **ROUER** v. tr., d'abord *roer* (XIIe s.) puis *rouer* (XIVe s.), est issu du latin *rotare* «tourner, faire tourner», dérivé de *rota* (→ roue), et auquel remonte également, par l'intermédiaire de l'ancien provençal, le verbe *rôder**.

♦ Le verbe était usuel en ancien et moyen français aux sens de «jeter au loin en faisant tournoyer», «faire rouler», «tournoyer», «rouler» et «rôder autour de»; la forme pronominale *se rouer* signifiant «tourner sur soi-même» (XVIe s.). La spécialisation en marine pour «rouler un cordage en cercle» (1691) a elle aussi disparu. Le mot est quelquefois employé dans un style littéraire avec le sens de «faire la roue» (v. 1330), sous l'influence de *roue**.

◈ voir ② ROUILLER.

② **ROUER** → ROUE

ROUF n. m. est emprunté (1582) au moyen néerlandais *roof, rouf, roef* (néerlandais *roef*) «cabine sur un bateau». Ce mot vient d'une racine germanique représentée dans l'ancien frison *rhoof* (frison *roef*), le bas allemand *rôf,* l'ancien islandais *hróf,* et, avec un sens élargi, dans le vieil anglais *hróf* (d'où l'anglais *roof*) «toit». Le français a connu des variantes *roufle* et *rouffle* (1871).

♦ D'abord employé à propos d'une cabine de bateau, le mot a été repris (1752) pour désigner un petit abri élevé sur le pont d'un navire et autour duquel on peut circuler. La graphie moderne *roof* est due à l'influence de l'anglais et n'est donc pas étymologique.

ROUFLAQUETTE n. f., attesté depuis 1873 (chez Charles Cros), est d'origine obscure. Selon P. Guiraud, cet argotisme est tiré du dialectal *roufle* «gifle» (1798), à rattacher au radical onomatopéique *raff-, rouff-* exprimant l'idée de «souffler (en gonflant les joues)». Le développement de sens s'est fait par synonymie avec l'argot *baffe* «gifle» et aussi «favoris», qui relève du radical onomatopéique *baff-, bouff-* «souffler». Cette ressemblance de sens a entraîné le croisement des deux mots en *roufles* «favoris», avec adjonction du suffixe diminutif *-ette,* la syllabe *-aque-* étant inexpliquée (sinon par influence d'un élément *flac-, flaque*) : les *rouflaquettes* seraient proprement de «tous petits favoris». Cependant, *roufle* n'est attesté au sens de «mèche» qu'en 1901 (Esnault), comme s'il s'agissait d'une aphérèse. La forme et le sémantisme de *rouflaquette* restent obscurs.

♦ Le mot désigne d'abord, dans le langage des souteneurs, des mèches de cheveux, lisses et huilées, en forme de virgule, collées sur les tempes, puis une mèche de cheveux qui descend à côté de l'oreille. ◇ De nos jours, il se dit surtout d'une patte sur le côté de la joue, qui forme une sorte de favori court.

ROUGE adj., d'abord *roge* (v. 1130) puis *rouge* (av. 1191), est issu du latin *rubeus* «roux, roussâtre», dérivé de *rubere* «être rouge» et qui a supplanté dans les langues romanes le mot ancien et classique *ruber,* de la même famille. *Ruber* était d'ailleurs le mot romain à côté de *robus, rufus,* qui ont des caractères dialectaux. Cette famille appartient à une racine indoeuropéenne présentant une alternance °*reudho-*, °*roudho-* : le vocalisme en *-eu-* est supposé par le vieil islandais *riódr,* le vieil anglais *réod* (anglais *red*) ; le vocalisme *-ou-* est déduit d'après le gotique *raūps* et le serbe *rūd ;* les formes celtiques (irlandais *ruadh,* gallois *rhudd*), baltiques (lituanien *raūdas,* en parlant de chevaux) et italiques ne permettent pas de discerner ces variantes. La racine fournit aussi des formes verbales, dont le grec *ereuthein* «rougir» (→ érysipèle, érythème). *Rubeus* s'est conservé presque partout dans les langues romanes mais désigne des nuances de rouge (espagnol *rubio* «blond doré», surtout en parlant de la robe des chevaux).

♦ L'adjectif qualifie la couleur qui constitue l'une des limites visibles du spectre solaire, celle du métal chauffé, du sang, etc. Il est le plus souvent postposé au nom en fonction d'épithète et sert à former de nombreux syntagmes : il se dit d'animaux et de plantes caractérisés par leur couleur, quelquefois avec une fonction classificatoire dans ***vin rouge*** (1538; 1228, *rouge vin*), opposé à blanc, d'où *du rouge* (1754) qui donne lieu à plusieurs expressions, et, par exemple, *chou rouge, viande rouge* (cf. *chou, viande*). Il entre dans des dénominations d'animaux comme *perdrix rouge* (1690), et de parties d'animaux, par exemple *canard aux pattes rouges, écrevisses à pattes rouges.* Il indique souvent le signe distinctif d'un état : *chapeau rouge* (1611) après *rouge chapel* (v. 1450) «chapeau du cardinal», et *enfants rouges* (1690) «mousquetaires du roi, qui étaient vêtus de rouge». D'après le *livre rouge* (1690) de la justice, sur lequel on enregistrait les défauts prononcés à l'audience, on a dit *être écrit sur le livre rouge* (1690), puis *marqué en lettres rouges* (1718) pour «être signalé à la justice» et, par extension, «être signalé comme condamnable». C'est ainsi que *rouge* s'est trouvé associé à l'idée d'alarme et d'interdiction (d'où *pétrole rouge* «en vente illégale», 1971), par exemple dans *téléphone rouge, liste rouge...* L'adjectif sert à distinguer un insigne, un signal destiné à attirer l'attention, après des mots comme *feu, lanterne, drapeau* (1731), *croix* (→ Croix-Rouge). ➡ Par métonymie de son emploi dans un contexte politique révolutionnaire *(drapeau* rouge),* il sert à qualifier les partisans d'une révolution politique ou sociale (1834) et, par métonymie, ce qui a trait à la révolution, à la pratique révolutionnaire (1860), spécialement dans le contexte de la révolution russe (*armée rouge,* v. 1920) et chinoise *(le petit livre rouge).* ◇ Il est substantivé pour désigner un révolutionnaire (1843), et spécialement un membre du parti communiste, mais aussi, anciennement au Canada, un membre du parti libéral (1864). Le féminin *la rouge* (1871) a désigné la République révolutionnaire, sous la Commune. ◆ La couleur ainsi appelée est, par extension, une couleur vive tirant sur le rouge (1180-1200), en particulier rousse (1368, à propos de la robe d'un cheval). ◆ Depuis le XIVe s., *rouge* qualifie spécialement un matériau qui a pris, par élévation de sa température, la couleur du feu, d'où la locution figurée *tirer à boulets* rouges* (1798). ◆ *Rouge* caractérise également la peau, et, par métonymie, une personne de race «blanche» dont la peau prend la coloration du sang sous l'effet d'une cause physique ou psychologique (1611), tant comme épithète que comme attribut, par la locution ***être rouge comme un coq*** (1690). De la même idée participe l'emploi en médecine vétérinaire pour décrire des maladies du porc dites *maladies rouges* (fin XVIIIe s.) ou des dindons, paons, pintades et faisans (*maladie rouge* ou, substantivé, *crise du rouge*) [XXe s.], après la locution ***pousser le rouge*** (Buffon, 1770). ◆ Ce sens est à distinguer de celui de *rouge* dans *race rouge* (1755) ou ***Peaux-Rouges*** (1842), terme vieilli appliqué de façon vague aux Amérindiens, notamment ceux d'Amérique du Nord, plutôt à cause des peintures corporelles que des pigments de la peau.

L'adjectif est substantivé très tôt au masculin (XIIe s.) pour désigner la couleur rouge, sens avec lequel il développe plusieurs emplois spéciaux, désignant un afflux de sang qui colore la peau du visage (1661), la couleur rouge à la roulette (1870), d'où les annonces du type *rouge, impair et passe,* et aux cartes (1933), une maladie des vers à soie (1870; 1796, au féminin), du pin (1859), des chiens et des oiseaux (1870). ◆ Des emplois qualifiés tels que *rouge sombre, rouge vif, rouge cerise* servent à distinguer différentes nuances et des températures (1870) de métaux chauffés. ◆ Le mot désigne également la couleur caractérisque des signaux d'arrêt ou de danger (XXe s.), spécialement dans la locution *mettre le rouge,* ***le rouge est mis*** (1935), employée à la fois au cinéma, à la radio, à la télévision pour signifier une interdiction d'entrer dans une cabine, un studio ou un plateau de tournage (XXe s.), et aux courses, par allusion au disque rouge qui, une fois placé sur le tableau d'affichage, annonce que la décision est irrévocable. ◇ Le *rouge* désigne aussi une situation alarmante, dans *être, entrer dans le rouge,* d'une affaire en déficit. ◆ En emplois métonymiques, le substantif *rouge* désigne une matière qui fournit un colorant rouge (1636) : il s'est spécialisé pour un fard dans *rouge d'Espagne* (v. 1560) ou *rouge* (1690) par exemple dans *mettre du rouge,* d'où spécialement ***rouge à lèvres*** et *rouge* (*tube de rouge,* etc.), élément important du maquillage féminin. À partir du XIXe s., il désigne le peroxyde de fer dont on se sert pour polir les métaux, les verres et pierres dures (1870, *rouge à polir* ou *rouge de Prusse*) et, en emploi déterminé, diverses espèces de marbre (1875). *Rouge neutre* et *rouge Congo* désignent un colorant biologique employé dans des expériences en biologie. ◆ Seul, et surtout dans la locution *rouge de rivière,* le mot sert de désignation régionale pour le souchet (1877); il désigne également une variété de grive appelée aussi *rouge-aile* (1826). Le féminin de l'adjectif est substantivé pour «bille rouge, au billard» (1792).

L'adjectif est aussi adverbialisé (1784) dans des locutions familières exprimant le fait de se mettre en colère comme ***se fâcher tout rouge*** et ***voir rouge*** (1842, Sue). ◇ Dans le contexte politique, *voter rouge* (1945) équivaut à «voter pour les partis révolutionnaires».

▶ **ROUGEUR** n. f., réfection (attesté XIVe s.) d'après *rouge* de *rogor* (v. 1130), puis *rogeur* (v. 1280), dérivé de *roge* (ci-dessus), puis *rouge,* est d'usage poétique ou littéraire pour désigner la teinte rouge, l'emploi substantivé de *rouge* étant plus courant. ◆ Il est surtout usité au pluriel, *rougeurs* (1314), à propos de plaques rouges inflammatoires sur la peau et, en vénerie, pour des traces de sang que laisse le cerf aux branches des arbres ou sur le sol lorsqu'il frotte son bois pour en faire tomber la peau qui le recouvre (1834). ◆ Le mot désigne aussi la teinte rouge passagère qui colore le visage et révèle une émotion (1538).

ROUGET, ETTE adj., d'abord *roget* (v. 1130) puis *rouget* (v. 1170) «un peu rouge», est connoté de nos jours comme «familier». ◆ Le mot est surtout usité comme nom masculin pour désigner (XIIIe s.) deux sortes de poissons marins de couleur rouge, le barbet ou ***rouget barbet*** et, moins souvent, le grondin. ◆ Le mot désigne aussi une maladie infectieuse des porcs caractérisée par des taches rouges sur la peau (1855), et la forme larvaire d'un petit insecte parasite de l'homme (1904).

ROUGEOYER v. intr., d'abord *rogeir* (v. 1160), *rojooier* (v. 1213), *roujoier* (XIIIe s.), a signifié «rougir» en ancien et moyen français puis a été abandonné avant d'être repris sous la forme moderne pour «prendre une teinte rougeâtre» (1836, Hugo). ◆ Ses dérivés ont suivi le même développement : son participe présent **ROUGEOYANT, ANTE** adj., d'abord *rogeiant* (fin XIIe s.) «rougissant», a été repris sous sa forme actuelle et avec son sens moderne (1831, Hugo). ◆ **ROUGEOIEMENT** n. m., plus tardif (1903), désigne une teinte ou un reflet rougeâtre.

ROUGIR v. (v. 1155), d'abord intransitif au sens de «devenir rouge sous l'effet d'une émotion», a fréquemment dès cette époque la valeur figurée d'«avoir honte» (v. 1160). Il est également employé en parlant d'une chose qui devient rouge (v. 1190), emploi symétrique du transitif pour «rendre rouge» (fin XIIe s.). Le sens figuré concerne l'intransitif ***rougir de qqch., de qqn*** (1580) «en avoir honte». Le transitif donne lieu à une métaphore : ***rougir ses mains dans le sang*** «commettre un meurtre» (1870, Littré). ◆ **ROUGI, IE**, participe passé de *rougir,* est adjectivé (déb. XVe s.) en parlant de ce qui a été rendu rouge pour une cause quelconque, spécialement une eau dans laquelle on a mis un peu de vin (1694). ◆ **ROUGISSANT, ANTE**, le participe présent, est lui aussi adjectivé (1555) pour «qui devient rouge», en particulier à propos d'une jeune fille ou d'une jeune femme que la pudeur fait rougir facilement (1890). ◆ **ROUGISSEMENT** n. m., après deux occurrences isolées au sens de «rougeur» (1516 et 1576), a été repris (1793) comme substantif d'action de *rougir,* appliqué spécialement à l'aspect plus rouge d'une étoile lorsque son rayonnement ultraviolet est absorbé par la matière interstellaire (1975). ➜ **ROUGISSURE** n. f., ancien terme de chaudronnerie (XVIIe s.), s'emploie pour désigner une maladie du fraisier comparable à une sorte de rouille (1846).

ROUGEÂTRE adj. et n. m., réfection de *rougaste* (v. 1270), écrit *rougeastre* (1491) puis *rougeâtre* (1636), qualifie ce qui tire sur le rouge, souvent avec une valeur péjorative. Le masculin est substantivé comme dénomination d'une espèce de poisson (1791), de champignon (1846) et d'une pierre (1875). ➜ **ROUGEAUD, AUDE** adj. (1640) est un qualificatif dépréciatif pour une personne qui a le teint haut en couleur et, par extension, le visage ou une de ses parties d'un rouge prononcé (1668). ➜ **ROUGETTE** n. f., formé avec un suffixe diminutif (1768) pour désigner une chauve-souris rougeâtre, est surtout usité régionalement, y compris pour désigner la terre argilo-siliceuse arable qui se trouve dans l'Île-de-France (1874). ➜ **ROUGEAU** n. m. (1870) fournit l'appellation régionale du canard milouin. ➜ **ROUGERON** n. m. (1874), synonyme de *rougette*, désigne une espèce de terre rougeâtre.

Deux composés désignent des oiseaux : **ROUGE-GORGE** n. m. (1464) et **ROUGE-QUEUE** n. m. (1640) «rossignol des murailles».

INFRAROUGE adj. et n. m., formé savamment avec l'élément *infra** (1860), se dit des radiations qui prolongent la lumière visible au-delà du rouge, dans le spectre solaire; il est substantivé (1873) pour désigner l'ensemble de ces radiations, leurs fréquences. En tant que radiation invisible, il s'oppose, à l'autre bout du spectre, à *ultraviolet**.

◈ voir RISSOLE, ROUGEOLE, ROUILLE, ROUX, RUBÉOLE, RUBESCENT, RUBICOND, RUBIS, RUBRIQUE.

ROUGEOLE

ROUGEOLE n. f., d'abord écrit *rougeolle* (1538), est la réfection, sous l'influence de *vérole**, de *rougeule* (1425). Ce dernier est issu d'un latin populaire °*rubeola*, nom d'une maladie caractérisée par une éruption de taches rouges sur la peau (→ rubéole), féminin substantivé de l'adjectif *rubeolus* «rouge», lui-même à l'origine du terme d'origine dialectale *rouvieux* et du nom d'un bœuf *(Rogel)* dans le *Roman de Renart*. C'est une extension du latin classique *rubeus* «roux» (→ rouge).

♦ C'est le nom d'une maladie infectieuse et, par analogie, d'une maladie de l'orge et du seigle (1431, *roujolle*).

▸ Le dérivé **ROUGEOLEUX, EUSE** adj. et n. (1897) et le préfixé **ANTIROUGEOLEUX, EUSE** adj. (XXe s.) sont usités en médecine.

◈ voir ROUVIEUX, RUBÉOLE.

ROUILLE

ROUILLE n. f., d'abord *roil* au masculin (v. 1120), puis au féminin *roïlle* (v. 1175) et enfin *rouille* (v. 1380), continue le latin populaire °*robicula* (au masculin °*robiculu[s]*). Lui-même est l'altération, par changement de suffixe, du latin classique *robigo, -ginis* qui désigne la corrosion du fer par oxydation et aussi, peut-être même d'abord, la nielle des blés, personnifié et divinisé avec majuscule : *Robigo* «la Rouille des blés», d'où *Robigus* «le dieu Rouille». Au figuré, *robigo* désigne l'inaction, les mauvaises habitudes. Le mot est dérivé de *robus* «roux», dit en particulier de la robe des bœufs et conservé dans quelques dialectes italiens. C'est une forme dialectale de *ruber* «rouge» (→ rouge).

♦ Le mot désigne le produit de corrosion du fer en présence de l'oxygène de l'air et en milieu humide. On a parlé par extension de *rouille de cuivre, rouille verte* «vert de gris» (1538), *rouille de plomb* «blanc de plomb» (1870), dénominations sorties d'usage. ➜ Dès l'ancien français, le mot s'emploie au figuré à propos de ce qui empêche une fonction, la rend inefficace (v. 1278). ➜ Il sert, d'après un autre sens du latin, à dénommer aussi une maladie des végétaux atteignant surtout les céréales et caractérisée par la présence de taches brunes ou jaunes sur les tiges et les feuilles (1597). ➜ En technique, il désigne spécialement l'altération du tain d'une glace (1803), le mordant composé avec un sol ferrique employé dans la teinture en noir de la soie (1875; 1870, au masculin et dans *bain de rouille*). ➜ En cuisine, *rouille* désigne une sorte d'aïoli relevé de piment rouge et servi avec la bouillabaisse, la soupe de poisson (XXe s.).

▸ ① **ROUILLER** v., dérivé de *rouille*, d'abord attesté au participe *roïllié* (v. 1175), puis à l'actif *roïllier* (v. 1196), *rouiller* (XVe s.), exprime d'abord l'idée de se couvrir de rouille, en construction intransitive et à la forme pronominale (*se rouiller*, 1547). Avant la fin du XVIe s., il s'emploie au figuré pour «perdre sa force, sa souplesse, ses facultés par manque d'exercice», d'abord comme intransitif (av. 1563) puis à la forme pronominale *se rouiller* (fin XVIe s.). ➜ L'usage transitif du verbe correspond aussi à «donner la couleur de la rouille à (qqch.)» (v. 1550) et, au figuré, «engourdir par manque d'exercice» (v. 1550). Le sens concret «couvrir de rouille» n'est enregistré qu'en 1680. D'après un autre sens de *rouille*, le verbe signifie en agriculture «produire la maladie de la rouille sur (les végétaux)» (1715). ➜ **ROUILLÉ, ÉE**, le participe passé, est adjectivé pour qualifier un métal couvert de rouille (v. 1175); par extension, il se dit aussi de ce qui a l'aspect de la rouille (déb. XIIIe s.), spécialement en évoquant la couleur de la végétation en train de se faner (fin XIXe s.). ◇ Le sens figuré correspondant au verbe, «affaibli par manque d'exercice» (fin XVIIe s.), a évincé un autre sens figuré en usage au XVIe s. (1564) et au XVIIe s., *rouillé* se disant alors d'un esprit embarrassé, altéré sous l'influence du mal, des passions (1676, Mme de Sévigné).

En fait de dérivés, *rouiller* n'a donné que ① **ROUILLURE** n. f., d'abord *roilleure* (1464), dit de l'état du fer, d'une plante, et **ROUILLEUX, EUSE** adj. (XVe s.) qui a remplacé *rouleux* (1389) «qui a l'aspect de la rouille», peu usité, avant de sortir d'usage.

Le préfixé **DÉROUILLER** v., d'abord *desroïllier* en emploi intransitif au sens de «perdre sa rouille» (1195), emploi sorti d'usage, rare en emploi transitif pour «débarrasser de la rouille», est surtout usité avec le sens figuré de «rendre plus actif, plus vif» (1616). ◇ Au XXe s., il a pris des valeurs argotiques : intransitivement, il se dit d'une prostituée qui fait son premier gain de la journée (1907). ◇ Il s'emploie pour «attraper des coups» (1926) et, symétriquement, transitivement pour «donner des coups à, battre (qqn)» (1924), surtout à la voix passive. La forme pronominale *se dérouiller* s'emploie au propre et au figuré. ➛ Contrairement à *rouiller, dérouiller* a produit des substantifs d'action : **DÉROUILLEMENT** n. m. (XVIe s.), **DÉROUILLAGE** n. m. (1875) et, dans l'usage familier, **DÉROUILLÉE** n. f. (1926) ou **DÉROUILLE** n. f. (1930) «action de battre ou d'être battu».

② **ROUILLER** v. tr., d'abord *roellier* (v. 1131), *rooillier* (v. 1160) puis *rouiller* (v. 1354), continue un latin populaire °*roticulare* «faire tourner», élargissement du latin classique *rotare* «tourner, faire rouler» (→ rôder, rouer), qui se disait aussi des yeux.

♦ Le mot, employé jusqu'au XVIIIe s. dans la locution *rouiller les yeux*, est encore vivant dans certains patois français septentrionaux. Dans l'est de la France (Champagne, Moselle), il s'est dit pour «aplanir (un champ) à l'aide d'un rouleau» (1400).

▸ Il a servi à former ② **ROUILLURE** n. f., mot technique d'origine dialectale (1905) pour une coupure dans le front d'abattage d'une mine. ➛ De ce mot est dérivé un autre verbe ③ **ROUILLER** v. intr. (v. 1950), «pratiquer une rouillure dans une mine».

ROUIR v., d'abord *ropïr* (XIIIe s.), puis *rouir* (1552), est emprunté au francique °*rōtjan*. Ce mot appartient à une racine germanique représentée par le moyen bas allemand *rôten, râten*, le moyen haut allemand *rôȝen* (d'où allemand *röstzen, rösten*), le moyen néerlandais *rooten* (d'où néerlandais moderne *roten*). Les formes nordiques du norvégien *røyta*, suédois *röta*, danois *rode* postulent un ancien norois °*reyta* dont paraissent aussi procéder les formes anglaises *rayt, rait* correspondant à l'anglais *ret*. Toutes ces formes sont apparentées à la racine de l'anglais *to rot* «pourrir, se putréfier».

♦ Le verbe, d'usage technique, apparaît dans la France du Nord, et signifie «éliminer par immersion les matières dans lesquelles sont noyés les faisceaux de fibres de plantes textiles, afin d'en extraire ces fibres». Depuis le XVIe s., il est employé intransitivement en parlant d'une matière textile (lin, chanvre) qui subit cette opération. ◇ Son extension pour «subir un commencement de décomposition» en parlant d'autres substances (1690, viande qui s'altère; 1723, vigne) est sortie d'usage.

▸ Le dérivé régulier **ROUISSOIR** n. m. (1549), «lieu où l'on met à rouir les fibres textiles», a remplacé *routoir* n. m. (1559; d'abord *rotour*, 1321), mot emprunté à la même racine germanique. ➛ **ROUISSAGE** n. m. (1706) a éliminé le substantif d'action **ROUISSEMENT** n. m. (1611). ➛ **ROUISSEUR** n. m., nom de l'ouvrier pratiquant le rouissage, est enregistré en 1875 par le grand dictionnaire de Pierre Larousse.

ROULEAU → **RÔLE**

✳ **ROULER** v., réfection (XIVe s.) de *rëoller* (v. 1160), *rueler* (v. 1170), *roueler* (v. 1170), est dérivé de *ruele, roele*, anciennes formes de *rouelle** «petite roue» et, dans certains sens, de *rôle**. Il y a également eu confusion, dans certains cas, avec les représentants du latin populaire °*rotulare*, de *rotula* (→ rotule), attesté par l'ancien provençal *rollat* (v. 1300) «tourner qqch. autour d'un axe».

♦ Dans son usage transitif, le verbe signifie «déplacer (un objet) en le faisant tourner sur lui-même», emploi concret auquel correspond, depuis l'époque classique, un emploi figuré (1642, Corneille). La locution ***rouler les yeux*** «les mouvoir en tous sens» (fin XIIe s.) réalise l'idée de balancement ou de rotation (du corps, d'un organe) réalisée ultérieurement dans plusieurs locutions figurées : ainsi ***se rouler les pouces*** (1869), elliptiquement ***se les rouler*** «ne rien faire» (1901); ***rouler sa bosse*** (1816), qui semble une modification expressive de *rouler son corps* «beaucoup voyager» (1781); ***rouler les, des mécaniques*** (1947), après *rouler les épaules* «balancer les épaules» (1876), au figuré «prendre une attitude avantageuse». De l'idée de rouler sa langue vient ***rouler un patin*** «faire un baiser profond» (→ patin). ➛ D'après le latin °*rotulare, rouler* signifie aussi «faire tourner (une chose), lui donner la forme d'un rouleau» (1553), en particulier dans *rouler une cigarette* (1854) et, en marine, dans *rouler la toile* «la serrer sur la vergue» (1904). ➛ *Rouler* exprime le fait de «faire avancer, déplacer» lorsque le complément désigne un véhicule monté sur roues ou roulettes (1611) et, par métonymie, la personne qui s'y trouve (1833). La locution ***rouler carrosse*** (1709), modification de *faire rouler un carrosse* (où *rouler* est intransitif, cf. ci-dessous) [1690], signifie «avoir une voiture à soi»; elle s'emploie par extension pour signifier de qqn qu'il mène un grand train de vie (1837). ➛ ***Rouler qqch. dans sa tête*** ou ***dans son esprit*** (1636) correspond à «tourner et retourner dans sa tête». L'emploi concret correspondant, pour «tourner et retourner (qqch., qqn) sur toute sa surface» , est beaucoup plus tardif (attesté indirectement dans un emploi métaphorique en 1836 : *rouler qqch. dans la boue*). Le sens d'«aplanir (une chose) avec un rouleau» (1680, Richelet) témoigne directement de l'influence de *rouleau* (→ rôle). Ultérieurement, *rouler qqch., qqn dans* (un objet souple) signifie «envelopper complètement» (déb. XIXe s.). La locution ***rouler les «r»*** (1845) fait allusion au fait de faire vibrer («rouler») sa langue contre ses dents (cf. ci-dessous *r roulé*). ➛ Un emploi figuré et familier, avec un complément nom de personne, est «abuser (qqn) pour en tirer le meilleur profit» (1834) et, spécialement, «voler», sens qui a influencé la locution ***rouler qqn dans la farine*** (1867), issue de la cuisine, et qui se rattache à un emploi qui semble antérieur de *rouler* pour «se moquer de» (1808), d'où ***se faire rouler*** «être trompé, volé».

L'usage intransitif de *rouler* date lui aussi des premiers textes, à propos d'une personne, d'une chose qui tombe en tournant sur soi et d'une chose qui avance en tournant sur elle-même (v. 1160), notamment des roues, roulettes, etc. Par extension, *rouler* se dit de ce qui remue en tous sens, par exemple les yeux (v. 1695). ➛ La plupart des autres emplois apparaissent au XVIe et au XVIIe s. : par métonymie, *rouler* s'emploie en parlant d'un véhicule qui se déplace (1585) et, par une autre métonymie, d'une personne qui se déplace en véhicule (1611), d'abord surtout un véhicule hippomobile, en relation avec l'emploi transitif, par exemple dans *rouler carrosse* (ci-dessus). Ce dernier emploi a suscité les locutions figurées ***rouler sur l'or*** (1736), qui est peut-être une altération du pronominal *se rouler sur l'or* (1690) dans laquelle *rouler* avait un autre sens. ◇ Au début du XXe s., le verbe tombe dans l'attraction du contexte de l'automobile, d'où de nombreux emplois plus ou moins figés (*rouler vite, bien, rouler à 100 à l'heure,* etc.). ➛ Au figuré, *rouler* intransitif correspondant à «bien fonctionner», et se substituant à *aller, marcher,* apparaît (1859) dans la tournure impersonnelle *ça roule* (généralement déterminée par un adverbe comme *bien* ou *mal*). ➛ Le sens figuré pour «avoir les moyens de subvenir à ses besoins, vivre» (1640) a disparu après l'époque classique, à la différence du sens plutôt péjoratif de «mener une existence aventureuse» (1618), demeuré littéraire *(il a roulé un peu partout),* le transitif ***rouler sa bosse*** étant plus courant. ➛ *Rouler* se dit abstraitement d'idées, de projets qui sont tournés et retournés dans l'esprit (1656). Il concerne aussi un entretien, un discours qui a pour objet tel thème, dans la construction *rouler sur* (1660). *Rouler sur* signifiait aussi «dépendre de» (1668) d'où la locution ***tout roule là-dessus*** «le reste en dépend» (1690). ➛ *Rouler* se dit également de ce qui a une circulation active (1690), d'un navire animé de mouvements alternatifs sous l'effet de la mer (1678); cf. ci-dessous *roulis.* Il s'emploie techniquement en imprimerie en parlant d'une presse mise en mouvement (1680), aujourd'hui d'une rotative, notamment pour l'impression des journaux. ➛ Il exprime encore le fait de produire un bruit sourd, prolongé, pareil à un grondement (1787).

La forme pronominale *se rouler* «se tourner de côté et d'autre (dans, sur qqch.)» (1538) a pris au XIXe s. la valeur de «s'envelopper entièrement dans une chose» (1830), par exemple *se rouler dans une couverture,* en concurrence avec *s'enrouler.* ➛ La locution ***se rouler par terre*** (1869), au figuré, signifie «être pris d'une crise de fou rire», le rire non maîtrisé étant exprimé par la torsion du corps (cf. *se tordre, se gondoler* et ci-dessous *roulant*).

▶ **ROULIS** n. m., d'abord *roeleïz* (v. 1160), *rolleïs* (XIIIe s.), a désigné dans sa première occurrence une mêlée d'hommes et, concrètement, une palissade de troncs d'arbres ou de fascines roulés (XIIIe s.), sens limité à l'ancien français. Ce n'est qu'au XVIIe s. (*roulis,* 1611) qu'il a pris son sens moderne courant, désignant le balancement d'un navire sous l'effet du vent et de la houle (1671), d'où ***coup de roulis*** (1904, au propre et au figuré), ***planche à roulis, rappel de roulis*** (1904), expressions techniques. ◇ Par extension, le mot désigne un mouvement de droite à gauche (fin XVIIe s.) et, au figuré, le bouleversement, la confusion (av. 1885, Hugo). Par analogie, il s'applique au mouvement d'un véhicule (1844), d'une motrice, d'une voiture de chemin de fer oscillant autour d'un axe parallèle au sens de la marche (1875), et au mouvement oscillatoire d'un aéronef autour de son axe longitudinal (v. 1950).

ROULEUR, EUSE adj. et n. est attesté en 1284 sous la forme archaïque *roleresse* au féminin, en parlant d'une femme qui fait rouler qqch. L'adjectif qualifie ce qui roule (1358), spécialement un insecte qui roule les feuilles des plantes pour s'en nourrir ou pour y pondre (1734). ◇ Il est substantivé d'abord pour désigner l'ouvrier qui roule des tonneaux (fin XVIe s.) puis celui qui, dans les mines, est occupé au roulage à bras (1765, *Encyclopédie*), qui pousse des chariots (1803). ➛ Avec une valeur péjorative liée à un sens de *rouler* (et de *rouler sa bosse*), il s'est appliqué à un marchand forain (1771), puis à un ouvrier, une ouvrière qui change trop souvent de place (1813) et aussi à une personne qui erre dans de mauvais lieux (1790), une femme de mauvaise vie (1856). De nos jours, *rouleur* désigne un navire qui roule beaucoup (1725), un coureur cycliste doué de qualités d'endurance pour les parcours à plat (1926). Il désigne aussi certains appareils roulants, par exemple un cric monté sur roues pour manœuvrer les véhicules dans un garage (1933). ➛ Le féminin *rouleuse* a servi à désigner une ouvrière (1837), puis un appareil destiné à rouler à la main les cigares et cigarillos (v. 1950).

ROULIER, IÈRE n. m. et adj. (1292) a longtemps désigné un voiturier transportant des marchandises. Le mot s'employait aussi comme adjectif pour qualifier ce qui a trait au transport des marchandises par roulage (1435, *civiere ruilliere,* en parlant d'une brouette). Il s'est spécialisé en marine pour un navire qui touche tous les ports où il peut trouver du fret (1931), un type de navire de charge et un marin qui voyage sans cesse (1936). ➛ Le féminin **ROULIÈRE** n. f. (1829) «blouse de roulier» a désigné un vêtement féminin à la mode à la fin du XIXe s., puis est sorti d'usage.

ROULOIR n. m., d'abord *rolloir* (1364), employé comme adjectif en parlant d'un tonneau qui roule facilement, a été substantivé comme nom d'un instrument servant à rouler (1444). ➛ Le mot a pris sa forme actuelle et a reçu ses sens techniques au XVIIIe s. : il désigne alors l'outil au moyen duquel le cirier roulait les bougies et les cierges sur une table (1723), le rouleau d'un métier à bras (1751), le cylindre dont on se sert dans l'industrie textile pour effacer les plis de la toile (1763, *Encyclopédie*).

ROULANT, ANTE adj., participe présent de *rouler,* d'abord attesté comme nom (v. 1468), a été adjectivé pour qualifier un objet qui roule (1606). Par extension, il se dit d'un objet muni de roulettes (1668), en particulier dans ***chaise roulante*** (1694). ◇ ***Matériel roulant*** se dit (1863) de l'ensemble des locomotives et voitures employées à l'exploitation d'une voie ferrée. Par métonymie, *roulant* qualifie et désigne familièrement le personnel employé à bord des véhicules de transport en commun (1939), ainsi que l'employé des postes qui trie le courrier dans le train (1968, dans les dictionnaires). ➛ Par une autre métonymie, l'adjectif s'applique à une voie de communication bien tracée et favorisant la vitesse (*chemin roulant,* 1694). ***Tapis roulant*** (1907) se dit d'une surface animée d'un mouvement continu, servant à transporter les personnes ou des marchandises; ***escalier roulant*** correspond à *escalier mécanique.* ➛ En relation avec les sens figurés du verbe, *roulant* qualifie un feu de tir continu (1751). Il se dit aussi des fonds avec lesquels on fait face aux besoins courants (1770). ➛ *Roulant,* d'après *se rouler* (par terre, de rire), est employé au figuré dans le langage populaire, puis familier, au sens de «qui fait rire à se tordre» (1883, Huysmans); cf. *tordant.*

◆ Ses quelques emplois substantivés, au masculin et au féminin, pour désigner des objets roulants (1566, pour une charrette ; 1827, pour une voiture), ou un nomade vivant dans une roulotte (1875), sont sortis d'usage. ◇ Seul l'emploi de **ROULANTE** n. f. désignant une cantine (1933), elliptiquement pour *cuisine, marmite roulante* (1877), est encore en usage.

ROULEMENT n. m. (1538) désigne proprement l'action, le mouvement de ce qui roule, sens dont participent les locutions techniques récentes comme ***chemin de roulement*** «voie cimentée d'aérodrome» (1960). ◆ Le mot désigne aussi le mouvement alternatif des yeux ou d'une partie du corps (1665). Par métonymie, il se dit d'un bruit pareil à celui d'un objet qui roule bruyamment, d'abord en parlant des sons différents poussés d'une même haleine par la voix (1680), puis dans ***roulement de tambour*** (1732) et en général (v. 1776). ◆ Au figuré, avec l'idée d'échange circulaire, *roulement* s'applique à l'action de remplacer qqn dans ses fonctions (1819) et, spécialement, de la répartition annuelle des magistrats d'un même tribunal entre les chambres qui le composent (1835). En termes de commerce, ***fonds de roulement*** (1838) s'emploie pour la somme ou les valeurs destinées à faire face aux dépenses d'exploitation, ***roulements de fonds*** (1842) désignant la circulation d'espèces, de capitaux. ◆ Le mot ne se rencontre que plus tard à propos du déplacement d'un objet qui tourne sur lui-même sans glisser sur une surface (1838) et, en mathématiques, du déplacement d'une courbe plane que l'on fait rouler sur une base (1875).

ROULÉ, ÉE, participe passé de *rouler*, est employé adjectivement (v. 1560) pour qualifier un objet disposé en boule ou en rouleau, en particulier un gâteau dont la pâte est enroulée sur elle-même (1938), emploi avec lequel il est aussi substantivé (v. 1950). ◆ Son emploi familier dans le syntagme ***bien roulé*** «bien proportionné (en parlant du corps, et notamment d'une femme)» (1869), vient de la même métaphore que *fait(e) au tour*. ◆ L'emploi de *roulé* en phonétique, pour qualifier la consonne *r* prononcée avec vibration de la langue, date du début du XXe siècle. ◆ Le féminin *roulée*, de son côté, est substantivé avec quelques acceptions spéciales : ce nom désigne un filet utilisé pour la pêche à la lamproie (1771), a servi à désigner une volée de coups dans le langage populaire (1800) [cf. *tournée*] et sert de nom, dans l'usage populaire, pour la cigarette roulée à la main (et non à la machine, comme la *toute cousue*) [v. 1950].

ROULÉ-BOULÉ n. m. (1961 in Petiot) désigne, d'abord dans le contexte du parachutisme militaire, une chute volontaire suivie d'une culbute. Il est formé des participes passés de *rouler* et de *bouler*, fam., de *boule*.

ROULAGE n. m., daté par Bloch et Wartburg de 1567, sans indication de sens, a d'abord concerné, en relation avec l'ancien sens de *roulis*, l'opération par laquelle on réunit des branchages en fascines (v. 1600), sens disparu. Le mot désigne le transport des marchandises par voiture (1668) et, par métonymie, l'établissement se chargeant du transport par voiture (1803). D'usage plus technique que *roulement*, il s'est employé comme nom d'action de rouler (1690), mais ce sens rare a disparu. ◆ Quelques valeurs spéciales correspondent à celles du verbe : passage au rouleau d'un champ (1842) ; transport du charbon en berline dans les mines (1875). L'Administration préconise *roulage* pour la manutention de marchandises à l'aide d'engins roulants, afin d'éviter l'anglicisme *roll on/roll off* (1975).

ROULADE n. f., spécialisé au domaine acoustique, désigne un ornement de chant, une succession de notes chantées rapidement et légèrement sur une seule syllabe (1622), ainsi que le chant trillé de certains oiseaux (1690). ◆ Au sens spatial de *rouler*, le mot désigne une tranche de viande ou de poisson roulée et garnie (1778), concurrençant aussi *roulé* en pâtisserie (1933). ◆ Le mot dénomme aussi un mouvement de gymnastique, distinct du *roulé*, consistant à s'enrouler sur soi-même (v. 1950).

ROULURE n. f. (1775) est apparu, en relation avec le sens figuré péjoratif du verbe, «aller çà et là» (cf. *rouler sa bosse*), au sens de «femme vile, prostituée de bas étage». C'est aussi un terme d'injure agressive (cf. *salope*). Dans ce sens, le rapport avec le verbe *rouler* n'est plus senti. ◆ Ce nom est repris pour désigner l'état de ce qui est enroulé sur soi-même (1812) et, en technique, la manière de réunir deux plaques métalliques entre elles par roulage (1876).

ROULOTTE n. f., dérivé de *rouler* au sens d'«aller, avancer (en parlant d'une voiture)», a eu le sens de «charrue» et de «voiture attelée» (début XIXe s.), dont procède la locution familière ***vol à la roulotte*** «vol dans les voitures en stationnement» (1836). ◆ Le sens moderne, «grande voiture où logent les forains et les nomades» (1878), s'est différencié dans la première moitié du XXe s. de la voiture ou remorque aménagée en logement pour faire du tourisme (1933), à laquelle est aujourd'hui réservé le nom de *caravane*, par anglicisme. ◆ De *roulotte* sont dérivés **ROULOTTIER, IÈRE** n. (1821), autrefois «charretier», puis «voleur à la roulotte» (1835) et «nomade vivant dans une roulotte» (1895), ainsi que **ROULOTTAGE** n. m. (début XIXe s.) avec le sens argotique de «vol à la roulotte» (1956).

La productivité de *rouler* au XXe s. est attestée par **ROULISSE** n. f. (v. 1950), mot technique désignant l'anneau de surface élargie intallé à la base de chaque retraite de revêtement d'un puits de mine. ◆ Enfin, *roulette*, forme altérée de *rouellette*, diminutif de *rouelle**, est aujourd'hui spontanément rattaché à *rouler*.

Rouler a servi à former deux verbes préfixés. ◆ **ENROULER** v. tr. (1334), dérivé verbal de *rouler* formé avec le préfixe *en-*, enchérit sur l'emploi de *rouler* pour «envelopper (une chose) autour d'une autre ou sur elle-même» et «envelopper dans qqch. que l'on roule autour» (XXe s.). La forme pronominale *s'enrouler* se dit pour «se retourner, se lover sur soi-même» (1834), entourer qqch. en faisant des spires (av. 1850) et, par extension, en parlant d'une personne, pour s'envelopper dans qqch. qui entoure (XXe s.). ◆ Il a donné le substantif d'action **ENROULEMENT** n. m. (1641), le nom plus technique **ENROULAGE** n. m. (XIXe s.), les termes techniques **EN-**

ROULEUR, EUSE adj. et n. m. (1870) et **ENROULOIR** n. m. (v. 1950), et le préfixé de sens itératif **RENROULER** v. tr.

DÉROULER v. tr., d'abord *desroller* (1389), est formé avec le préfixe *dé-* pour servir d'antonyme à *rouler* et à *enrouler* au sens de «défaire (ce qui était roulé, enroulé)», à la fois dans l'usage courant et dans des emplois techniques (dans l'industrie du bois). ◆ Avec un sujet désignant une chose, il correspond à «étaler sous le regard», «offrir à l'œil ou à l'esprit» (1790), sur un plan spatial ou temporel. ◆ La forme pronominale *se dérouler,* en plus du sens propre, «s'étendre en longueur en cessant d'être roulé», se dit au figuré d'une suite d'événements, de pensées qui prennent place dans le temps (1798). ◆ Les principaux dérivés sont **DÉROULEMENT** n. m. (1704), d'abord relevé en géométrie descriptive, puis avec la valeur générale, «action de dérouler ou de se dérouler» (1805) et, au figuré, «fait de se succéder dans le temps» (1799). ◆ **DÉROULAGE** n. m. (1802), synonyme du précédent, est technique pour le débit d'une bille de bois en une feuille mince et continue (1870). ◆ **DÉROULEUSE** n. f. (1911) et **DÉROULEUR** n. m. (1924) désignent des dispositifs permettant l'enroulement et le déroulement d'une bande, d'un câble. Le mot avait été formé (1802) pour «personne qui déroule (qqch.)».

◈ voir BROUETTE, CONTRÔLE, ÉRAILLER, RODER, ROGNER, RÔLE (et ROULOTTÉ), ROND, ROTATION, ROTE, ROTONDE, ROTULE, ROUE, ROUELLE (et ROULETTE), ROUER, ROUND.

ROULETTE → ROUELLE

ROUMAIN (langue roumaine) voir l'article encadré *Les langues romanes.*

ROUND n. m., cité en 1816 comme mot anglais et traduit par *assaut* à propos du ring de boxe anglais, puis acclimaté (1850), est emprunté à l'anglais *round* n. (XIVe s.), «rond» d'où «cercle», «cycle», spécialisé en boxe pour la reprise du combat (1812). *Round* est lui-même emprunté au XIIIe s. au français *rond**. La forme refrancisée *rond* a été employée par Hugo (1869) au sens de «suspension, arrêt du combat».

♦ L'emprunt s'est imposé dans le vocabulaire sportif au début du XXe s., mais, de nos jours, *reprise* et *passe* gagnent du terrain.

◈ ① **ROUPIE** n. f., attesté à partir du XIIIe s., est d'étymologie inconnue. G. Alessio a proposé un étymon latin °*ruppita* qui serait emprunté au grec *rupos* «crasse, saleté; substance gluante, poix». P. Guiraud propose d'y voir une variante dialectale de *reupie* «crachat», la notion de «crachat» étant souvent associée à celle de «morve», comme dans *crac, crache. Roupie* est attesté au XVIe s. dans la région angevine au sens de «rouge-gorge», mais il peut s'agir d'un autre mot; en raison de l'obscurité de l'étymologie, on ne peut déterminer le sens propre et le type d'évolution.

♦ *Roupie,* mot familier désignant la goutte d'humeur qui pend du nez, n'est resté vivant que dans la locution familière ***(ce n'est pas) de la roupie de sansonnet*** (1877), précédée par *ce n'est pas de la roupie de singe* (1864) dite à propos d'une chose appréciable, d'importance. L'argot ancien l'a employé adjectivement dans *c'est roupie* pour «c'est laid, sans intérêt». Ces emplois figurés dépréciatifs sont à rapprocher de ceux qui concernent les excréments *(crotte, merde, pipi de chat...).*

▶ **ROUPIEUX, EUSE** adj. (v. 1278) servait à qualifier une personne ayant souvent la goutte au nez et, par extension, son nez (1631). ◆ **ROUPIOU** n. m. (1840) désignait un étudiant en médecine qui remplaçait un externe dans un hôpital. Le mot *roupiot,* que l'on trouve chez Céline à propos d'un commis, d'un apprenti, en est une variante, elle aussi sortie d'usage.

② **ROUPIE** n. f., d'abord *rupia* (1614), puis *roupie* (1663), est emprunté au portugais *rupia,* lui-même emprunté à l'hindoustani *rûpîya* «unité monétaire de l'Inde et de divers pays asiatiques», du sanskrit *rûpya* «argent».

♦ Le mot désigne l'unité monétaire de l'Inde et du Pakistan.

ROUPILLER v. intr., attesté fin XVIe s. (1597), est peut-être un terme onomatopéique, formé sur le radical *roupp-,* parallèle à celui de *ronfler,* mais qui a probablement marqué un ronflement saccadé. On a aussi évoqué un dérivé de *roupille* n. f. (1594; antérieurement *ropille,* 1576), nom d'un ancien manteau court, emprunté à l'espagnol *ropilla,* de *ropa* «costume, robe», lui-même emprunté au gotique °*raupa* «chiffon, guenilles»; selon cette hypothèse, *roupiller* signifierait proprement «s'emmitoufler pour dormir». En fait, l'origine et l'évolution sémantique sont obscures. ◈

♦ Le mot populaire aurait commencé par exprimer le fait de sommeiller à demi, avant de devenir synonyme de *dormir.*

▶ Il a produit **ROUPILLEUR, EUSE** n. (1740) «personne qui roupille, aime roupiller» et **ROUPILLON** n. m. (1881), plus courant, qui, après un emploi au sens d'«homme endormi», désigne un somme (1894), surtout dans la locution ***piquer un roupillon*** (1916), ***un petit roupillon.***

ROUQUIN, INE adj. et n., d'abord attesté en Champagne (1845), est un mot des parlers du nord de la France. Étant donné son aire géographique, il est probablement formé de *roux** avec l'élément *-quin* qui représente soit la variante picarde pour *chien**, soit le suffixe diminutif *-quin* emprunté du néerlandais *-ken* (→ mannequin). Une variante *roucain* est attestée en 1889 et *rouquin* est lui-même relevé en 1889 pour désigner le sang, le sens étant alors «le rouge».

♦ En français central familier, le mot qualifie et désigne familièrement (1885) la personne qui a des cheveux roux et, par extension, qualifie ces cheveux (déb. XXe s.). ◆ Au sens maintenu de «rouge», il fournit un nom populaire pour *le rouge,* désignant un vin rouge de qualité ordinaire (1914), d'où ***un coup de rouquin.***

▸ Dans ces deux sens, il est suffixé populairement en **ROUQUEMOUTE** adj. et n. et **ROUQUINOS** adj. et n.

ROUSCAILLER v. est issu (1628) du croisement de deux verbes : le premier est l'ancien mot argotique *rosser* (XVIe s.), *rousser* «gronder par mécontentement» (1611) qui présente un radical onomatopéique *ross-* évoquant le grondement ou qui, selon J. Picoche, viendrait par chute de la consonne initiale de l'ancien français *grocier, grousser* (XIIe s.), apparenté à l'allemand *grunzen* «gronder», du radical *grun-* évoquant le cri du porc (→ goret, grogner, groin, grommeler, gronder). Le second est un verbe non attesté °*cailler* «bavarder» supposé d'après *caillette* «femme bavarde», de *caille**, et, selon Guiraud, apparenté au picard *calander* «bavarder» et *caliéte* «petite fille babillarde» d'après le flamand *kallen* «bavarder», mot reposant, comme l'anglais *to call,* sur une racine indoeuropéenne bien représentée en germanique et en slave.

♦ Employé transitivement en argot ancien au sens de «parler», le mot, sous l'influence de *rouspéter**, est employé intransitivement pour «protester» (1899). Cette valeur populaire, puis familière, a été précédée par un emploi peu explicable pour «avoir des relations sexuelles» (1823), peut-être par une métaphore sur «parler, converser» ou par allusion aux cris et soupirs. Ce sens est aussi représenté par le dérivé *rouscailleur.*

▸ En dérivent **ROUSCAILLEUR, EUSE** adj. et n. (1859), anciennement «libertin, débauché» et de nos jours «rouspéteur» (1899), et **ROUSCAILLURE** n. f. (1915) «protestation» dans la locution ***faire la rouscaillure,*** qui a vieilli.

◈ voir ROUSPÉTER.

ROUSPÉTER v. intr. est issu (1878) du croisement du verbe argotique ancien *rousser* «gronder» (→ rouscailler) et de *péter* «protester bruyamment, faire du bruit», ancien verbe apparenté à *pet** ou à un verbe *péter* «piétiner (de colère)», du latin des gloses *peditare* (→ pied).

♦ Ce mot argotique est passé dans le langage familier pour «marquer son opposition, protester». Il a attiré dans son sémantisme le verbe *rouscailler**, qui a eu au XIXe s. une valeur érotique.

▸ Ses dérivés **ROUSPÉTANCE** n. f. (1878), plus rarement **ROUSPÉTAGE** n. m. (XXe s.), «action de rouspéter», et **ROUSPÉTEUR, EUSE** n. (1894) «râleur» sont d'usage familier et courant.

① **ROUSSIN** n. m., attesté au XIVe s. (1350), avec la variante *rossin* en moyen français (déb. XVe s.), est l'altération, sous l'influence de *roux**, de l'ancien français *roncin* (1080), *runcin* (v. 1090) «cheval de charge» (d'où l'italien *runzino*), parallèle à l'ancien provençal *rocin* (d'où vient l'espagnol *rocín* ; → rossinante). Le mot est d'origine controversée. On a proposé un latin de basse époque *ruccinus (caballus)* qui serait dérivé de l'ancien haut allemand *rukki* «dos» (allemand *Rücken*), mais cette hypothèse se heurte au fait qu'à l'époque où le mot aurait été formé, la forme germanique était encore °*ruggi.* P. Guiraud rattache *roussin* à *ros, rosse** «mauvais cheval» et celui-ci au latin populaire °*ruptiare ;* il fait de la forme *roncin* le résultat d'un croisement entre *roussin* et *roncer* «défricher» (du latin *runcare*), ce cheval étant employé aux travaux des champs, mais cette hypothèse est gratuite. Une simple spécialisation de ② *roussin* (→ roux), avec influence de termes désignant le cheval, n'est pas à écarter.

♦ Anciennement employé pour désigner un cheval de service, le mot a désigné ensuite un cheval entier, de forte taille, que l'on montait pour aller à la chasse, à la guerre (1530). La locution ***roussin d'Arcadie*** (La Fontaine, 1678) désigne l'âne (cf. *rossignol d'Arcadie*). Le mot a dû être éliminé pour sa paronymie péjorative avec *roux* et *rosse.*

② **ROUSSIN** → ROUX

ROUSTE n. f. est un emprunt au provençal *rousto* (Mistral), déverbal de *roustá* «rosser», issu du latin populaire °*rustiare,* de °*rustum* «arbuste, buisson» (→ rosser). On dit aussi *roustée,* mot dialectal de l'Ouest, substantivation du participe passé féminin de *rouster* (déb. XXe s.).

♦ Le mot, régional (Midi), désigne une volée de coups.

ROUSTIR v. tr. est emprunté (1789) au provençal *roustir* «rôtir» d'où, au figuré, «flamber, escamoter», de même étymologie que le français *rôtir**.

♦ Ce mot a été repris dans un usage populaire avec le sens figuré de «duper, escroquer», d'où «voler, dévaliser» (1867), de nos jours peu usité. Par extension, il aussi eu le sens de «perdre, dissiper complètement (qqch.)» (fin XIXe s., A. Daudet). ◆ Le sens propre de «rôtir, griller» (déb. XXe s.) est régional.

▸ Le participe passé **ROUSTI, IE** est adjectivé et substantivé dans *sentir le rousti* «le grillé», au propre et au figuré. ◆ **ROUSTISSURE** n. f. (1859) s'est dit en argot d'une blague, d'une escroquerie. L'argot de théâtre a repris le mot pour désigner une pièce sans valeur vouée à l'échec (1875), un rôle sans importance (1867), puis un échec à la scène (1954). *Roustissure* s'est dit aussi d'un objet sans valeur (1877, A. Daudet).

✳ ① **ROUTE** n. f., d'abord *rote* (XIIe s.), *rute* (v. 1155), puis *route* (XVIe s.), continue un latin populaire °*rupta,* substantivation par ellipse pour °*via rupta,* littéralement «voie ouverte, frayée» ; le *p* étymologique apparaît dans la variante *roupte* (1347). L'expression latine est formée du latin classique *via* (→ voie) et de *rupta,* participe passé passif féminin de *rumpere* «briser ; ouvrir» (→ rompre), dans *rumpere viam* «ouvrir, pratiquer un passage». On évoque aussi, au sens concret de *rumpere,* l'idée de pierres «cassées» *(rupta),* celles-ci étant implicitement opposées au pavage, aux dalles revêtant les voies principales en Italie, mais l'opposition ainsi posée entre deux catégories de voies n'est pas corroborée.

♦ Le mot a désigné un chemin ouvert dans une forêt pour faciliter les charrois, la chasse, la promenade, puis une voie de communication terrestre de première importance (v. 1155). L'extension du concept, qui exclut cependant les voies urbaines (cf. *rue*), est précisée ultérieurement dans des syntagmes déterminés comme *grande route* (1694) puis *grand-route* (1835), *route royale* (1810) et *route impériale* (1870), sortis d'usage; de nos jours, on emploie *route départementale* (1835), *route nationale* (1875), avec les substantivations *une départementale, une nationale*, et aussi *route militaire* (1765), *stratégique* (1842). Ultérieurement, le mot est passé dans le vocabulaire du cyclisme, par opposition à *piste*, dans la locution ***sur route*** (1882), inspirant les locutions nées de la rhétorique des chroniqueurs sportifs, ***les géants*** (1903), ***les rois*** (1909), ***les forçats*** (1913) ***de la route*** «les coureurs du Tour de France». ◆ Dès le XIIe s., *route* désigne comme *chemin* l'itinéraire à suivre pour se rendre d'un lieu à un autre (v. 1130) et, par extension, un trajet parcouru ou à parcourir (1690); ce sens est réalisé dans des locutions comme ***barrer la route à qqn*** «l'empêcher de passer» (fin XIXe s.), également au figuré (XXe s.), et plus concrètement ***feuille de route*** (1825), ***faire de la route*** «parcourir une longue distance, aller vite» (1907), surtout dans le contexte automobile qui modifie l'équilibre sémantique du mot depuis le début du XXe s. (voir ci-dessous). ◆ Employé par métaphore pour désigner la voie que l'on suit (XIIIe s.), *route* a pris le sens figuré de «moyen, ligne de conduite pour parvenir au but que l'on se propose» (1549), notamment dans des locutions déterminées ***(la route du succès)*** et dans des locutions comme ***être sur la route de qqn*** (av. 1719), ***se mettre en travers de la route de qqn*** (attesté milieu XXe s.), ***être sur la bonne route***, etc. ◆ Le sens spécial de «direction dans laquelle progresse un bateau» (1552, mais antérieur; cf. ci-dessous *routier*) a suscité toute une phraséologie : *faire route...* (1680), *donner la route* (1690), ***faire fausse route*** (1690) dont l'emploi figuré (1835) est compris dans le contexte terrestre, *route magnétique, route vraie. Route* est aussi employé pour l'itinéraire habituellement suivi pour les communications et les échanges entre certains points du globe (1694), parfois dans des syntagmes à valeur historique, comme *la route de la soie* (v. 1950), *la route du rhum*, etc. Par métaphore normale sur l'emploi du mot dans le cadre de la navigation, *route* s'applique aussi aux itinéraires aériens : *route aérienne* (1931, dans les dictionnaires). ◆ Avec une valeur très générale de «déplacement», il s'emploie dans des locutions de valeur active : *faire la route avec qqn* (1798), de nos jours plus souvent ***faire route, en route!*** (1835), ***se mettre en route*** (av. 1850) et dans les syntagmes *frais de route* (XXe s.), *délais de route* (1904), *carnet de route* (1924). La locution ***mettre en route***, attestée tardivement dans les dictionnaires (1964), s'emploie en parlant de la mise en marche d'un moteur et, au figuré, du commencement de l'application de qqch. ◆ Au XXe s., *route*, employé absolument, désigne avec une valeur générale le réseau routier et aussi la circulation automobile considérée en tant que moyen de communication et opposé au chemin de fer (→ fer, rail, et cf. ci-dessous *ferroutage*), à l'avion, etc. d'où ***code de la route*** (déb. XXe s.), ***accidents de la route, faire de la route*** (ci-dessus) et ***prendre la route*** (v. 1950). ◆ Enfin, en relation avec *routard*, le mot évoque le voyage individuel et libre, parfois à pied (***faire la route***, 1975; *tailler la route*).

▶ ① **ROUTIER, IÈRE** adj. et n. m., réfection (XVe s.) de *rotier* (XIIe s.) qui correspond à l'ancienne forme *rote*, qualifiait anciennement un voleur sur les routes; cf. *voleur de grand chemin*. La confusion avec ② *routier* est certaine. ◆ L'adjectif *routier, ière* «relatif aux routes» (1539) semble inusité avant le premier tiers du XIXe s. (1828), qualifiant depuis des substantifs comme *carte, transports, gare, sécurité, prévention* (XXe s.). ◆ En moyen français, *routier* désigne aussi un recueil de cartes marines (1484). ◆ Au XVIIIe s. le mot est repris pour désigner une personne, un conducteur de voitures publiques (1765). De nos jours, il s'applique spécialement à un coureur cycliste sur route (1886), au membre d'une association de scoutisme, les *Scouts* routiers* ayant dépassé l'âge de seize ans (1949). ◇ Plus couramment, il se dit du conducteur d'un poids lourd sur longue distance (1953), sens qui reprend l'emploi du XVIIIe siècle. Le mot, dans ce sens, est usuel et donne lieu à nombre d'emplois codés (*les routiers sont sympas*, par exemple). Par métonymie, *un routier* s'applique à un restaurant fréquenté principalement par les routiers (1970).

Le verbe dérivé **ROUTER** v. tr., anciennement employé au sens intransitif de «marcher» (déb. XIVe s.), puis comme transitif pour «percer (un chemin) dans une forêt» (1347), a disparu. ◆ Comme terme technique, il est dérivé à nouveau de *route*, dans des emplois spéciaux : «grouper (les imprimés) en liasses selon leur destination» (1908), «diriger (un document) sur sa destination» (1959), en marine «fixer à (un navire) l'itinéraire qu'il doit suivre» (1968, dans les dictionnaires). ◆ Son dérivé **ROUTAGE** n. m., attesté en moyen français sous la forme *rouptage* — qui correspond à *roupte*, ci-dessus —, «action de percer des chemins dans un bois» (1347), a été repris au XXe s. avec les spécialisations techniques correspondant au verbe, en termes de poste (1907), de navigation (1968), de transport automobile, domaines où il est courant. ◇ De là le composé **FERROUTAGE** n. m. (1970), formé de *fer* (cf. *chemin de fer*, voie ferrée**) et de *route*, d'après *routage*, pour désigner un transport combiné route-rail.

ROUTINE n. f. (1580), d'abord *rotine* (1559), dérivé de *route* au sens figuré de «moyen, ligne de conduite» (ci-dessus), a d'abord évoqué un savoir-faire acquis par une pratique prolongée. Détaché par le sens de *route* et de ses autres dérivés, il a pris le sens figuré d'«action accomplie par habitude, machinalement» (1673), d'où le sens péjoratif courant «habitude d'agir, de penser toujours de la même manière» (1715); *une, des routines* correspondant (1780) à «conservatisme borné, ensemble des tendances s'opposant à l'innovation». ◆ Dans la seconde moitié du XXe s., sous l'influence de l'anglo-américain *routine* «procédure», lui-même d'un mot anglais repris au français, il est employé dans ***de routine***, sans valeur péjorative, à propos d'une opération de caractère habituel, périodique, spécialement en médecine et en politique. Un second emprunt à l'anglais *routine* explique son emploi en informatique pour désigner une séquence d'instructions à l'ordinateur destinée à engager une suite d'opérations pour obtenir un résultat partiel ou faciliter la conduite de la machine (1968). ➜ *Routine* a produit **ROUTINER** v. tr. (1617), qui s'est éloigné du sens de «pratiquer par routine» pour prendre celui de «habituer (qqn) par une routine» (1730), de nos jours d'usage régional. ➜ **ROUTINIER, IÈRE** adj. (1761) s'applique couramment avec une valeur péjorative à une chose et, moins souvent, à une personne (1789). ◇ L'adverbe dérivé de l'adjectif, **ROUTINIÈREMENT** (1832), est peu usité.

ROUTIN n. m., diminutif de *route* (1829, Balzac), est un mot dialectal de l'Ouest pour «petit chemin». ➜ **ROUTARD, ARDE** n. (v. 1970) marque déposée (1975) pour le *Guide du Routard*, se dit familièrement d'une personne qui prend la route et voyage librement, puis d'une personne qui pratique la moto sur route.

Route a aussi servi à former un dérivé «parasynthétique», formé avec le préfixé *dé-* et le suffixe verbal *-er*. ① **DÉROUTER** v. tr., d'abord *soi desrouter* «s'égarer de sa route» (v. 1270), s'est spécialisé en vénerie et en marine. Puis, par abstraction, absorbant partiellement l'ancien verbe homonyme ② *dérouter* (→ ② routier), ① *dérouter* signifie «détourner, empêcher d'aboutir» et, de là, «rendre incapable de réagir, de se conduire comme il faudrait» (1718). La construction intransitive correspondait à «faire un détour». ➜ Outre les adjectifs tirés de ses participes passé et présent, *dérouter* a produit **DÉROUTEMENT** n. m. (1870), substantif d'action réservé spécialement au changement de route d'un navire et, par analogie, d'un avion. ◇ Le mot est en concurrence avec **DÉROUTAGE** n. m. (1965).

◈ voir AUTOROUTE (art. AUTOMOBILE).

② ROUTIER

② **ROUTIER** n. m. est dérivé (v. 1220) de l'ancien français *rote* «troupe militaire en marche, petite troupe de gens» (v. 1155), devenu (XIIIe s.) ② *route* (→ raout), mot sorti d'usage au XVIIe s., mais encore répertorié comme terme ancien par certains dictionnaires modernes. Ce mot est le participe passé féminin substantivé de *rot, rout* «rompu» (XIIe s.), issu du latin *ruptus*, participe passé passif de *rumpere* (→ rompre, route).

♦ Le mot, d'abord appliqué à un valet d'armée, a désigné, surtout au pluriel *routiers* (v. 1250), les soldats irréguliers organisés en bandes qui pillaient les provinces aux XIIe-XIVe s., sens conservé par les historiens de cette période. Le mot a dû se confondre avec le dérivé de ① *route** au sens de «voleur de grand chemin». Telle est, par l'intermédiaire d'un ancien emploi figuré de *routier* (1538), l'origine aujourd'hui méconnue de l'expression ***vieux routier*** (av. 1606 Nicot) «homme expérimenté, habile», rattaché spontanément à un sémantisme analogue à celui de *vieux loup de mer*, et donc à l'idée de voyage, de route, au figuré.

▶ Le composé ② **DÉROUTER** v. tr. (*desroter*, 1155) a été confondu avec le verbe formé sur ① *route**, et il est sorti d'usage au sens de «se débander, se disperser (en parlant d'une troupe)». ➜ Son déverbal **DÉROUTE** n. f. (1541) est en revanche resté très vivant pour «fuite désordonnée de troupes battues ou prises de panique», mais senti comme isolé. Il a pris par extension le sens de «confusion, mise en désordre» (1643), emploi classique disparu plus tard. La locution ***en déroute*** est en revanche restée en usage, notamment dans *armée, troupes en déroute*. Par métaphore du sens militaire, *déroute* signifie «échec complet, catastrophe».

ROUTINE → ROUTE

ROUVIEUX, EUSE

ROUVIEUX, EUSE n. m. et adj. est issu (1743) du normand *rouvieu* qui continue le latin °*rubeolus*, dont le féminin nous a donné *rougeole**. On rencontre parfois la forme *roux-vieux* due à une étymologie populaire.

♦ Ce terme de médecine vétérinaire désigne la gale du cheval, du chien, par allusion à la couleur rousse du liquide sécrété par la peau malade; il qualifie par métonymie l'animal atteint de cette maladie.

ROUVRE

ROUVRE n. m., modification (1552) de *roure* (1401), puis *robre* (1538), est issu d'un latin populaire °*roborem*, accusatif masculin remplaçant le latin classique *robur*, lequel est l'accusatif du neutre *robur*. Ce mot désigne un chêne très dur (→ robuste) et se dit par métonymie de son bois; il s'emploie aussi avec les valeurs figurées de «dureté, force, résistance, vigueur» au physique et au moral. Il représente une forme supposée °*reudh-os* de genre neutre comme tous les noms désignant des matières et viendrait de la racine indoeuropéenne °*reudh-*, °*roudh-* que l'on retrouve en latin dans les noms de la couleur rouge : *robus, ruber, rubeus, rufus, russus* (→ rouge, roux). Le *o* de *robur*, au lieu du *u*, traitement normal de la diphtongue *eu, ou*, témoigne de son origine dialectale. La parenté de *robur* n. et de *robus* «rouge» adj. était connue des Anciens. *Rouvre* est à peu près inconnu des parlers français septentrionaux mais de nombreux noms de lieux dans presque toutes les régions de langue d'oïl l'attestent pour le haut moyen âge : peut-être distinguait-on alors entre *quercus pedunculata* (°*cassanus* d'où *chêne*) et *quercus sessiliflora*, ce dernier étant appelé aujourd'hui par les botanistes *chêne rouvre*, distinction qui n'a été maintenue que dans peu de parlers. L'italien *rovere* et l'espagnol *roble* continuent le même mot latin.

♦ Le mot, seul ou dans *chêne rouvre* (1753, *Encyclopédie*), désigne un chêne des forêts plutôt sèches, à feuilles pétiolées et glands sessiles (d'où, en latin scientifique, sa dénomination *quercus sessiliflora*).

▶ **ROUVRAIE** n. f., écrit *rouvraye* (1611) puis *rouvraie* (1870), désigne le lieu où croissent les rouvres. La forme masculine correspondante est attestée dans le domaine d'oïl par les toponymes du type *(le) Rouvray* (Aisne, Pas-de-Calais, Yonne, Seine-Maritime, Eure-et-Loir, Meuse).

◈ voir CORROBORER, ROBUSTE.

ROUX, ROUSSE

ROUX, ROUSSE adj. et n., d'abord *ros* (fin XIe s., Gloses de Raschi), puis *rous* (v. 1160) et *roux*

(XVIe s.) continue le latin *russus* «rouge, fauve», apparenté au latin *ruber* (→ rouge).

♦ Le mot, d'abord employé pour qualifier la figure rouge d'un homme, a reculé au profit de *rouge* et de ses dérivés. ◇ Il qualifie une chevelure et un système pileux d'une couleur rouge doré, d'où, par métonymie, une personne qui a les cheveux de cette couleur (v. 1160). Cet emploi est demeuré usuel, mais le mot a perdu les connotations péjoratives qu'il avait au moyen âge. *Roux* se dit généralement d'une chose de couleur orangée plus ou moins vive (v. 1175). Il sert spécialement à caractériser des animaux par la couleur de leur robe, la locution ***bêtes rousses*** (1549) englobant autrefois les cerfs, daims et chevreuils. ◇ ***Lune rousse*** désigne la lune d'avril qui, selon la tradition paysanne, roussit et gèle la végétation (1628). En cuisine, *beurre roux* (1679) rend compte d'un beurre fondu qu'on a laissé roussir. ◆ *Roux* est substantivé, d'abord comme nom d'une variété de cheval (v. 1196). Une nouvelle substantivation désigne la couleur rousse (1636) et, en cuisine, une préparation composée de farine que l'on fait cuire dans du beurre plus ou moins longtemps (1762).

▶ La dérivation est abondante. ◆ **ROUSSEUR** n. f., d'abord *rousor, russur* (v. 1155) puis *rousseur* (v. 1398), exprime la qualité de ce qui est roux et s'emploie spécialement au pluriel *rousseurs* (1611) ou, plus souvent, dans ***taches de rousseur*** (1642), aussi *marques de rousseur* (1640), éliminé par *tache*, pour désigner des taches rousses qui apparaissent sur la peau. ◆ **ROUSSEAU** n. m. et adj. m., d'abord *russel* (v. 1170), *roussiel* (v. 1190) puis *roussel* (XIIIe s.), *rousseau* (XIVe s.), a servi de synonyme à *roux*, se spécialisant pour qualifier une personne aux cheveux roux (XIVe s.), emploi devenu archaïque ou dialectal mais demeuré courant comme nom patronymique (aussi *Roussel*). Ce sens s'est maintenu dans les dialectes. ◆ *Rousseau* a désigné le crabe tourteau (1560) et a été repris aux parlers de la Vendée pour désigner un poisson marin du genre pagel, de couleur rougeâtre (XIXe s.). ◇ Son emploi pour une espèce de poire à la peau roussâtre (attesté 1611) survit dans le dérivé **ROUSSELET** n. m. (1600; *poire de rousselet*, 1611), mot qui recouvre aussi un cépage noir cultivé dans les Bouches-du-Rhône (1870). ◆ L'ouest de la France et le Canada emploient **ROUSSELÉ, ÉE** adj. pour «couvert de taches de rousseur» (1820, Nantes).

ROUSSIR v. tr. (v. 1278), «rendre roux», s'emploie spécialement pour «faire devenir roux en brûlant légèrement, par une forte chaleur ou par le froid» (1690); par extension, il se dit pour «brûler superficiellement» (1802) et spécialement «détruire par la flamme (le duvet d'une étoffe)» (v. 1950). ◆ L'emploi intransitif correspond à «devenir roux, prendre des teintes rousses» (v. 1398), concurrencé par l'emploi de la forme pronominale *se roussir* (1766). ◆ Le verbe a produit les dérivés habituels : son participe passé ① **ROUSSI, IE** est adjectivé (v. 1278) et substantivé (1680) en parlant de l'odeur d'une chose qui a légèrement brûlé, seul et dans la locution ***odeur de roussi*** (1870). La locution ***sentir le roussi*** (av. 1834), ***ça sent le roussi*** (XXe s.), de sens figuré, s'explique par allusion aux hérétiques menacés du bûcher et plus prosaïquement par les dégâts causés par un plat qui brûle. ◆ **ROUSSISSURE** n. f. (v. 1790) désigne l'action de roussir et surtout l'état de ce qui est roussi, *une roussissure* désignant une tache rousse (av. 1902). ◆ **ROUSSISSAGE** n. m. (1827) est peu usité, de même que **ROUSSISSEMENT** n. m. (1866).

ROUSSÂTRE adj., d'abord *roussastre* (1401) puis *roussâtre* (1549), qualifie ce qui tire sur le roux. ◆ **ROUSSETTE** n. f. est le féminin substantivé (1530) de l'adjectif *rousset* (XIVe s.), antérieurement *roset* (v. 1131), *rosset* (v. 1170), *rousset* (XIVe s.) «un peu roux», diminutif de *roux*. Il s'applique à un petit squale à taches rousses, aux chauves-souris de grande taille de couleur rousse (1765) et à la fauvette des bois (1732). ◇ Il se dit communément d'un champignon de couleur rousse (1870), en concurrence avec le masculin *rousset*. En cuisine, *roussette* désigne de petites pâtisseries frites confectionnées dans l'Orléanais et analogues aux merveilles (1904). ◆ **ROUSSELINE** n. f. (1778) a désigné une alouette des marais, puis un pipit (petit oiseau) à plumage roussâtre que l'on voit en France au moment des passages (1904), sens qui reprend l'ancien *rousselin* n. m. (1875). ◆ **ROUSSILLE** n. f. (1816) est usité régionalement pour une variété de bolet. ◆ **ROUSSE** n. f. (1827), mot argotique puis familier pour «police», s'explique comme le féminin substantivé de *roux* pris dans son ancienne valeur morale de «traître» (XIIIe s.) d'après un préjugé négatif appliqué aux personnes rousses. ◇ De là, **ROUSSI** n. m. (1829), ancien mot d'argot pour «mouchard de la police», et ② **ROUSSIN** n. m. (1855, une fois en 1811), désignation plaisante pour un officier, dont est tiré **ROUSSE** n. m. (1829), de même sens. ◆ **ROUSSANE** n. f. (1837), dérivé du radical de *roux* ou emprunté au franco-provençal *roussano*, fournit un nom régional pour un cépage blanc-roux. ◆ **ROUSSÉE** n. f. (1842) s'emploie lui aussi dans les Alpes-Maritimes pour un cépage blanc.

◈ voir RISSOLE, ROUQUIN, RUSSULE.

ROYAL, ALE, AUX adj. et n., d'abord *real* (fin XIe s.), *roial* (v. 1188), puis *royal* (déb. XIIIe s.), est dérivé de *roi** d'après le latin *regalis* «de roi», dérivé de *rex, regis* «roi», et qui avait fourni la forme ancienne *regiel* (v. 881).

♦ Le mot qualifie ce qui est propre au roi, à sa fonction, ce qui lui appartient. Il entre dans des syntagmes comme *maison royale* (1559), *altesse royale, famille royale* (tous deux enregistrés par Furetière, 1690) qui correspond pour le sens à l'ancienne locution *real li(g)nage* (v. 1138). ◆ Dès les premiers textes, *royal* qualifie aussi ce qui dépend de l'autorité du roi, se fait en son nom, d'où en droit *cas royaux* (1611), *juges royaux* (1690), s'appliquant à la justice rendue au nom du roi sous l'Ancien Régime. ◆ Par extension, le mot qualifie ce qui est digne d'un roi, majestueux, grandiose (v. 1170) et, au figuré, «qui atteint un haut degré de qualité» (v. 1119), nuance développée au XVIIe s., puis dans la seconde moitié du XIXe s. et, de nos jours, surtout usitée dans le langage familier *(une paix royale)*. La locution figurée *route royale* (1810), puis ***voie royale*** procède à la fois de l'emploi figuré du mot et de l'ancienne habitude d'accoler *royal* à un nom désignant un lieu *(rue, place, palais*).* Sous l'Ancien Régime et dans un État monarchique, *royal* qualifie notamment (déb. XVIe s.) des institutions placées sous l'autorité du roi : *musée, imprimerie, académie, collège : collège royal* (1752) étant l'ancien nom de l'actuel *Collège de France.* ◆ Avec une valeur figurée, l'adjectif sert à qualifier certaines espèces végétales et animales particulièrement remarquables (déb. XVIe s.). On notera la persistance de l'ancien pluriel épicène *royaux* dans quelques expressions historiques (*ordonnances royaux* à côté de *royales*).

Le masculin *royal,* substantivé *(un royal),* a désigné une monnaie (v. 1250), le féminin *royale* une sorte de culotte (fin XVIe s.), emplois disparus. ◇ La locution ***à la royale*** «à la mode du roi» (1588) s'emploie de nos jours à propos de certaines préparations culinaires riches et complexes (1690), notamment dans *lièvre à la royale.* ◆ En emploi autonome, **ROYALE** n. f. a désigné une petite touffe de barbe (une mouche) mise à la mode sous Louis XIII et qu'on laissait pousser sous la lèvre inférieure (1798). ◇ En cuisine, le mot s'applique à une préparation faite de consommé ou d'une purée liée aux œufs utilisée comme garniture des potages clairs (1938).

▶ Le dérivé **ROYAUTÉ** n. f., aboutissement (XIIIe s.) de *realted* (v. 1138), *realté* (v. 1155), de *real,* a signifié «domaine d'un roi ou d'une reine», sens disparu au profit de *royaume*.* Le mot a conservé son autre acception, «fonction de roi ou de reine» (v. 1155), correspondant au latin médiéval *regalitas* (v. 1115). Il se disait parfois de la dignité du roi* de la fève (1680). Son extension figurée pour «influence souveraine» est attestée à la fin du XIIIe siècle. Par une autre extension de nature métonymique, le mot désigne le pouvoir monarchique avec une valeur politique (1573). ◆ Il entre dans **VICE-ROYAUTÉ** n. f. (1680) «fonction de vice-roi».

ROYALEMENT adv., écrit *roialment* (déb. XIIIe s.), *royalment* (v. 1360), puis *royalement* (déb. XVe s.), a succédé à *reialment* (v. 1155), de *real, reial.* Il signifie au figuré «magnifiquement» dès ses premiers emplois, alors que le sens strict, «d'une manière royale», est peu attesté. Il a pris la valeur familière de «parfaitement» (1870).

ROYALISTE adj. et n. (1589) qualifie et désigne le partisan du roi, de la royauté, sous une monarchie puis sous la république (1789), en concurrence avec *monarchien,* puis *monarchiste.* La locution ***être plus royaliste que le roi*** est une extension d'emploi de la phrase historique *il ne faut pas être plus royaliste que le roi,* que Chateaubriand fait remonter au règne de Louis XVI. ◇ Par métonymie, *royaliste* qualifie une opinion, un parti favorable à la monarchie (1611). Le mot, retourné sur le plan des valeurs en 1789, a donné lieu au composé *ultra-royaliste* (1798) [→ ultra]. Il a été concurrencé par des désignations spéciales (*orléaniste,* etc.) au XIXe s. ; ses connotations sont fonction de la situation politique : l'opposition avec *républicain* ne produit ses effets qu'avec un régime républicain stable lorsque les *royalistes,* comme les *bonapartistes,* s'opposent au régime en place. Les connotations sont propres au français de France. ◆ **ROYALISME** n. m., repéré dans la période prérévolutionnaire (1770, Beaumarchais), désigne l'attachement à la monarchie et aux idées monarchiques. Il a été précédé par **ANTI-ROYALISME** n. m., déjà relevé en 1766.

ROYALTY, IES n. f. est emprunté (1865) à l'anglais *royalty* n. (1398), lui-même emprunté à l'ancien français *roialté* (→ royauté), et employé au pluriel *royalties* au sens de «droit régalien» (1400), «prérogative accordée par le souverain à un individu ou à une corporation» (1483), puis «redevance payée par l'exploitant au propriétaire d'une mine» (1839), et, enfin, «droits d'auteur (d'un inventeur)» (1864) et «droits d'auteur» au sens large (1880). En 1865, le mot anglais est cité en France comme terme étranger au sens historique de «droit régulier» et de «prérogative accordée par le souverain à un particulier». ◆ Le mot a été repris en français au pluriel *royalties* (1897), à propos des redevances payées par les compagnies concessionnaires de mines au propriétaire *(landlord)* du sous-sol, d'abord dans un contexte britannique. Le plus souvent au pluriel, il désigne la redevance due à un inventeur, à un auteur, à un interprète, à un éditeur (1910, *le Vocabulaire technique de l'éditeur*), concurrencé par le terme *droits d'auteur, droits d'inventeur* (juridiquement différents). Le pluriel *royalties* est employé aussi en termes de commerce pour la somme que l'utilisateur d'un brevet étranger verse à l'inventeur, et qui est proportionnelle au nombre d'objets fabriqués (1947). Sa diffusion se heurte alors à la recommandation officielle de *redevance.* Le terme *royauté(s),* utilisé au Canada pour éviter l'anglicisme, n'a pas été accrédité en France où *royalties,* malgré les critiques et les propositions d'équivalences, se maintient, la notion étant juridiquement distincte de celle de droits d'auteur.

◈ voir **ROYAUME.**

ROYAUME n. m., d'abord *reialme* (v. 1080), puis *roiaume* (v. 1196) et *royaume* (XIIIe s.), est l'altération, par croisement avec *royal*,* de l'ancien français *reiame, roiame* «état gouverné par un roi», attesté à la fin du XIIe s. et jusqu'au milieu du XIVe s. mais probablement antérieur. Ce mot, compris comme un dérivé du latin *rex, regis* «roi», représente en réalité le latin *regimen, -inis* «direction, gouvernement» qui, par voie plus savante, a donné *régime*.* L'ancien provençal, qui emploie à la fois *regeme, regeime* et *realme* pour «état gouverné par un roi», appuie cette hypothèse. L'italien *reame,* l'espagnol archaïque *reame, realme* et l'anglais *realm* viennent du gallo-roman.

♦ Le mot désigne un pays, un État gouverné par un roi (le régime étant nommé *royauté*), notamment en ce qui concerne la France d'Ancien Régime, dans *royaume de France,* poétiquement *royaume des lis* (av. 1843). De ce sens procède la locution ***ne pas en vouloir pour un royaume*** «n'en vouloir à aucun prix» (fin XVIIe s.), avec des variantes attestées antérieurement, comme *pas pour le royalme de Bavière* (v. 1360). Le mot a donné lieu à des citations littéraires et historiques comme ***mon royaume*** pour un cheval (1904), allusion à l'exclamation de Richard III à la bataille de Bosworth où il devait être battu et tué, rendue célèbre par Shakespeare. ➙ Dès l'ancien français, le mot s'emploie au figuré dans la locution *Deu* [Dieu] *reaume* (v. 1280), forme archaïque pour ***royaume de Dieu*** «souveraineté de Dieu dans les âmes et dans le ciel» (forme attestée tardivement : 1660, Pascal); la locution ***mon royaume n'est pas de ce monde*** (1672, Sacy) cite la réponse de Jésus à Pilate dans l'Évangile (*Jean*, XVIII, 36). ◇ Au XVIe s., les poètes de la Pléiade emploient la locution ***royaume des morts*** (v. 1550); on parle ensuite en poésie de *royaume sombre* (1659), *noirs royaumes* (1875) avec le même sens, et aussi de *royaume de Pluton* (1875). L'expression populaire parodique *royaume des taupes* désignant le cimetière (1611) est encore employée par allusion littéraire. ◇ *Royaume* est employé abstraitement en parlant du domaine dans lequel une personne exerce sa prééminence, une chose règne sans partage (1643); avec la même valeur figurée, il se dit aussi d'un lieu, d'un milieu où l'on est maître absolu (av. 1857, Musset).

-RR(H)AGIE est l'élément tiré du grec *-rr(h)agia*, lui-même tiré d'une des formes verbales de *rhêgnunai* «briser, détruire, faire éclater, éclater», employé au figuré à propos de la voix qui éclate, de larmes et de sources qui jaillissent. Le mot repose sur une racine °*wrēg-*, °*wrog-* et on l'a rapproché d'un verbe attesté en baltique (lituanien *rė́žiu, rė́žti* «arracher») et en slave (vieux slave *rězati*).

♦ L'élément, écrit *-rrhagie*, puis *-rragie*, entre dans la construction d'un certain nombre de mots de médecine (substantifs féminins) où il désigne un jaillissement du liquide exprimé par le premier élément (→ blénorrhagie, hémorragie), ou bien un écoulement soudain et abondant, le plus souvent de sang. Cette spécialisation explique que son concurrent *-rrhée**, de sens très voisin en français, l'emporte en parlant d'un écoulement autre que l'écoulement sanguin. *Otorragie*, par exemple, désignera un écoulement de sang provenant de l'oreille, mais on emploiera *otorrhée* à propos de l'écoulement d'un autre liquide.

-RR(H)ÉE est l'élément tiré du grec *-rr(h)oia*, de *rhein* «couler, s'écouler» employé dans diverses métaphores (à propos des cheveux qui tombent, d'un flot de paroles, d'une matière qui se liquéfie, pour exprimer l'échec, le changement). Ce verbe appartient à une famille indoeuropéenne bien établie par le sanskrit *srávati* «couler», le russe *ostrov* «île entourée de courants» et *strumenĭ* «torrent», le vieil irlandais *sruaimm* «fleuve».

♦ L'élément, écrit *-rrée* sans *h* plus récemment que *-rragie*, entre dans la construction de termes de médecine et de pathologie (substantifs féminins) où il indique un écoulement, normal ou non, d'un liquide organique autre que le sang (cette dernière spécialisation étant accaparée par l'élément *-rr[h]agie*).

◈ voir CATARRHE, DIARRHÉE, GONORRHÉE, HÉMORROÏDE, LOGORRHÉE, RHÉOSTAT, RHUMATISME, RHUME, RHYTON.

ru n. m., d'abord *rui* (v. 1160), puis *ru* (v. 1175), continue le latin *rivus* «ruisseau, petit cours d'eau», également «conduite d'eau, canal, tranchée» et, au figuré, «écoulement (de larmes, de sang, d'argent)». Le mot, auquel remontent l'italien et l'espagnol *rio* (→ rio), l'ancien provençal *riu*, vient d'une racine indoeuropéenne °*rei-*, peut-être type élargi de °*er-* qui apparaît dans le latin *oriri* «se lever, naître» (→ orient) : elle est représentée dans le sanskrit *riṇā́ti* «il fait courir, il fait couler», les verbes vieux slaves *rinǫti sę* «se précipiter» et *rějǫ, rějati* «pousser, mettre en mouvement». La notion d'«émission, cours d'un liquide» figure dans le vieux slave *rěka* «rivière», le vieil anglais *rip* «rivage», le vieil irlandais *riathor* «torrent». REM. *Rive* et *rivière* ont une autre origine.

♦ *Ru* «petit ruisseau» a été supplanté par *ruisseau*, *ruisselet* et ne s'emploie plus que dans les dialectes (dans de nombreux parlers septentrionaux).

◈ voir RIA, RIVAL, RUISSEAU.

RUBAN n. m., dont la forme la plus ancienne, en dépit des attestations, serait non pas *ruban* (v. 1268) mais *riban* (XIVe s.), est emprunté au moyen néerlandais *ringhband* «collier». Le premier élément de ce mot serait, selon Diez, le moyen néerlandais *rinc, ring* (néerlandais *ring*) : «anneau» qui correspond à l'anglais *ring* (→ ring). Le second élément correspondrait au mot *band* «lien», représenté en français par le terme de marine *hauban** et qui a de nombreux correspondants dans les langues germaniques (→ bande, raban). Le sens propre du mot serait, dans cette hypothèse, «lien de forme circulaire», ce qui est compatible avec le sens du flamand *ring-band* «cravate», et que ne démentent pas les plus anciens emplois du mot français (Du Cange, parlant de ruban de perles, paraît induire l'idée du collier honorifique). L'anglais a repris le mot du français sous ses deux formes : *riban*, *riband* (d'où *ribbon*) et *ruban*, cette dernière sortie d'usage à la fin du XVIIIe siècle.

♦ Le mot désigne une étroite bande de tissu servant d'ornement ou d'attache; les rubans, plutôt féminins jusqu'au XVIe s., sont fréquents dans la mode masculine aux XVIIe et XVIIIe s. : *ruban de queue* désigne (1740) le ruban dont les hommes entouraient une touffe de leurs cheveux pour en faire une queue pendant sur la nuque (mode reprise par la *queue de cheval*); de là, l'emploi figuré de cette expression pour une route qui s'allonge à perte de vue (v. 1800), sorti d'usage. ➙ Les expansions sémantiques sont tardives : par spécialisation, *ruban* désigne une décoration qui se porte à la boutonnière gauche des hommes (1802), par exemple dans *ruban rouge* (de chevalier de la Légion d'honneur), absolument, *avoir le ruban* (distinct de la *rosette*), *ruban violet* «palmes académiques» (1893) et *ruban bleu* (XXe s.), traduction de l'anglais *Blue Ribbon* (1875), allusion au trophée symbolique décerné naguère pour un record de vitesse aux paquebots transatlantiques effectuant le service entre l'Europe et les États-Unis. ➙ Par analogie de forme, le mot désigne aussi une bande mince et étroite d'une matière flexible (1730) : il se dit de la bande de pâte dont on entoure certaines pâtisseries

(1842), de la disposition des matières textiles pendant les opérations de filature (1870), de la boîte circulaire dans laquelle est enroulé un ruban métallique portant des divisions en mètres et servant à mesurer les distances (1904), aussi dans *mètre à ruban,* de la lame élastique venant s'appliquer par serrage contre un tambour de frein (1933). Il s'emploie aussi dans des syntagmes comme *ruban encreur* (1877), *ruban magnétique* (v. 1950), concurrencé par *bande.* ◇ *Ruban d'eau* (1765) est le nom d'une plante aquatique à feuilles plates et minces. ➜ *Ruban* se dit au figuré de l'apparence que présente une voie vue de loin sur une longueur importante (av. 1841) ; il est repris en argot avec le sens plus abstrait de «chemin, trajet» (1896) et le sens concret de «trottoir» (1904).

▶ Le dérivé **RUBANER** v. tr. (1349) n'est plus usité au sens propre de «garnir de rubans» et il est rare avec une valeur figurée (XXe s.) ; il s'est spécialisé techniquement pour «disposer en ruban» (1800). ➜ **RUBANÉ, ÉE,** participe passé adjectivé (1379), a qualifié une chose garnie de rubans, sens disparu, sauf dans le terme technique *canne rubanée* «canne à pêche ligaturée d'un bout à l'autre d'un ruban recouvert de vernis» (v. 1950). ➜ L'adjectif s'emploie en sciences naturelles à propos de ce qui présente des bandes analogues à des rubans ou des bandes moirées (1770) et d'une chose ayant la forme d'un ruban (1856). *Rubané* qualifie aussi un canon d'arme à feu formé d'une lame de métal tordue en spirale (1839). En préhistoire, il s'applique à un faciès culturel du néolithique ancien et moyen, d'après le décor de la poterie en rubans et en spirales (*poterie rubanée,* 1930). ➜ **RUBANEUR, EUSE** adj. (1870) est d'usage technique pour qualifier ce qui sert à mettre en rubans les matières textiles. ➜ **RUBANAGE** n. m. (1884) «ensemble de couches géologiques superposées», substantif d'action de *rubaner,* s'applique à la mise en place de rubans de papier isolant autour des conducteurs électriques (v. 1950).

RUBANIER, IÈRE n. et adj. désigne le tisseur qui fabrique des rubans (1387), aujourd'hui au métier mécanique. Il fournit un autre nom pour la plante dite *ruban d'eau* (1803). Son emploi comme adjectif est enregistré au XIXe s. (1839). ➜ **RUBANERIE** n. f., d'abord *rubennerie* (1490), puis *rubannerie* (1594) et *rubanerie* (1723), est le nom de la fabrication et du commerce en gros des rubans et galons, différencié en *petite* et *grande rubanerie* (1845), et de la profession de rubanier.

ENRUBANNER v. tr., attesté indirectement par le participe passé *enrubannié* (1532), avant d'être repéré à la fin du XVIIIe s. (Beaumarchais), concurrence *rubaner* au sens de «garnir de rubans». ◇ Le mot, d'usage courant et technique, au figuré «orner à l'excès», a produit **ENRUBANNAGE** n. m. (v. 1950), nom technique, dit aussi par métonymie de la bandelette de tissu ou de gomme placée en hélice autour d'une tige dans un pneu.

RUBATO n. m. et adj. est emprunté (*tempo rubato,* 1907) à l'italien *tempo rubato,* littéralement «temps dérobé», expression employée en musique depuis 1601 à propos d'un mode d'exécution qui consiste à décaler légèrement le rythme de la mélodie en retardant certaines notes et en en précipitant d'autres. *Rubato* y est le participe passé adjectivé de *rubare* «voler, dérober», du germanique °*raubôn* (→ dérober, robe).

♦ Ce terme de musique est employé dans l'expression *tempo rubato* et, de manière autonome, comme substantif et comme adverbe.

RUBÉFIER v. tr., reprise (1812) de *rubifier* (1412), est la francisation du latin *rubefacere* «rendre rouge», de *rubere* «être rouge», lui-même dérivé de *ruber* (→ rouge) et de *facere* (→ faire), avec influence des verbes en *-fier.*

♦ Le mot, employé en moyen français au sens de «chauffer au rouge», sorti d'usage, a été refait en médecine pour «rendre rouge par l'effet d'une cause irritante» (1812), probablement d'après *rubéfiant* (ci-dessous).

▶ **RUBÉFACTION** n. f., d'abord *rubifaction* (1555) «action de chauffer au rouge», est devenu *rubrifaction* (v. 1560) en médecine pour «rougeur qui se manifeste à la surface de la peau». Après la disparition de ces formes, le mot a été repris sous la forme actuelle (1812). Il s'applique aussi au phénomène de coloration rouge des sols (1904). ➜ Le participe présent du verbe, adjectivé d'abord sous la forme *rubrifiant* (v. 1560) puis **RUBÉFIANT, ANTE** (1765, *Encyclopédie*), se dit d'un agent médicamenteux qui produit sur la peau une congestion intense et passagère ; il est substantivé avec le même sens (1793).

◈ voir ROUGE, RUBÉOLE, RUBESCENT, RUBIACÉES.

RUBÉOLE n. f. est dérivé savamment (1743) du latin *rubeus* (→ rouge).

♦ Le mot a d'abord désigné la garance. Au XIXe s. (1845), il s'est spécialisé en médecine, sur le modèle de *roséole*,* pour une maladie éruptive, contagieuse et épidémique, rappelant la rougeole.

▶ En dérivent **RUBÉOLIQUE** adj. (1836) «rougeâtre» en parlant des taches de la rougeole, puis (1870) au sens actuel de «relatif à la rubéole», et **RUBÉOLEUX, EUSE** adj. et n. (1873, comme nom) «relatif à la rubéole» et «atteint de rubéole».

◈ voir ROUGE, RUBÉFIER.

RUBESCENT, ENTE adj. est l'emprunt savant tardif (1817) du latin *rubescens, -entis,* participe présent de *rubescere* «devenir rouge», lequel dérive de *rubere* «être rouge», de *ruber* «rouge» (→ rouge).

♦ Le mot est d'usage didactique ou littéraire pour qualifier ce qui devient rouge.

▶ Il a produit **RUBESCENCE** n. f. «rougeur de la peau» (milieu XXe s.), mot didactique.

◈ voir ROUGE, RUBÉFIER.

RUBIACÉES n. f. pl. est un dérivé savant (1718) du latin *rubia* «garance». Ce dernier, emprunté en français sous la forme francisée *rubie* (1570), relatinisée en *rubia* (1870), désigne une herbe des haies et buissons dont on tirait l'alizarine. *Rubia* est dérivé de *ruber* «rouge» (→ rouge).

♦ Ce terme de classification botanique concerne une famille de plantes phanérogames comprenant des espèces dont certaines (garance, hamélia) fournissent des colorants rouges.

◇ voir ROUGE, RUBÉFIER.

RUBICAN adj. m. et n. m. est la réfection (déb. XVIIe s.), peut-être sous l'influence de *rubicond**, de *rabican* (1559), lui-même emprunté à l'italien *rabicano*, employé pour qualifier la robe d'un cheval noir, bai ou alezan semée de poils blancs. Le mot italien est repris de l'espagnol *rabicano*, proprement «qui a la queue blanche», de *rabo* «queue» (du latin *rapum*; → rave) et de *cano* «blanc», du latin *canus* (→ chenu).

♦ Le mot, employé à propos d'un cheval à robe semée de poils blancs (ou de cette robe), est quelquefois substantivé au masculin (1611) pour désigner les poils blancs épars de cette robe ou (1718) en parlant de cette couleur de robe.

RUBICON n. m., tiré de la locution ***passer le Rubicon*** (fin XVIIe s., Saint-Simon), est le nom propre, emprunté au latin *Rubico*, d'une petite rivière formant la limite entre l'Italie et la Gaule cisalpine, que César franchit avec ses troupes au mépris de la loi romaine qui interdisait à un général de passer cette frontière avec son armée. Cette action eut lieu en janvier 49 av. J.-C. et reste liée à l'expression «*Alea jacta est*» (le sort en est jeté), prononcée par César. Le nom propre repose sur la racine «rouge» que l'on retrouve en latin dans *ruber* (→ rouge).

♦ Le mot, en dehors des locutions ***passer, franchir le Rubicon***, s'est employé pour «coup de force». *Jouer le rubicon* (1933) se dit pour «jouer une partie de piquet en quatre coups en doublant les points obtenus par chaque joueur au premier et au dernier coup». Il est adjectivé dans *être rubicon* (1964), aux cartes, pour «être perdant dans une telle partie».

RUBICOND, ONDE adj. est emprunté (v. 1398) au latin *rubicundus* «rouge, rougeaud», dérivé de *rubere* «être rouge», lui-même de *ruber* (→ rouge).

♦ D'abord employé en médecine, qualifiant une urine rouge, colorée de sang, le mot a été repris en parlant d'un visage rouge vif ou, par métonymie, d'une personne ayant un tel visage (1640); il est rare avant le XVIIIe s. (1732) et a aujourd'hui une connotation plaisante.

◇ voir RUBICAN, RUBIS, RUBRIQUE.

RUBIK'S CUBE n. m. est emprunté (1980) à l'anglo-américain *Rubik's cube*, nom déposé, de *cube* (→ cube) et du nom du mathématicien hongrois Eznö *Rubik*, qui inventa le jeu et le présenta au Congrès de mathématiques d'Helsinki en 1978. Ce jeu, aussitôt commercialisé aux États-Unis, s'est répandu dans le monde entier tant pour l'amusement que comme applications de théories scientifiques (les groupes finis).

♦ L'expression est parfois francisée en *cube de Rubik* ou *cube hongrois*; elle semble déjà vieillie.

RUBIS n. m. est la forme du pluriel, pris pour un singulier (v. 1196), de *rubi* (v. 1175), réfection, sous l'influence de l'ancien provençal *robi* qui avait perdu normalement son *n* final, de l'ancien français *robin* (v. 1160), *rubin*. Ce mot est emprunté au latin médiéval *rubinus* «pierre précieuse rouge», dérivé du latin classique *rubeus* «roux, roussâtre» (→ rouge). L'italien *rubino* (d'où viennent l'espagnol *rubín* et l'allemand *Rubin*) est emprunté au latin médiéval.

♦ Le mot désigne une variété rouge de corindon, pierre précieuse qui peut être montée en bijou; par analogie, il entre dans les dénominations d'autres pierres précieuses (déb. XIIIe s.) comme *rubis de Bohème* (1768), *faux rubis* et *rubis de Sibérie* (1836). Son emploi figuré en parlant d'un bouton rouge qui vient sur le visage, notamment dans le cas d'un buveur (1539), est sorti d'usage. ➛ La locution *faire rubis sur l'ongle* (1640) a d'abord fait référence au fait de boire en vidant son verre de manière à ce qu'il reste à peine une goutte de vin qui, versée sur l'ongle, ne s'épanche pas; par l'idée de «boire jusqu'à la dernière goutte», on est passé à l'idée de «payer immédiatement jusqu'au dernier sou» et à la locution moderne ***payer rubis sur l'ongle*** (1668). ➛ *Rubis* se dit quelquefois par métaphore d'un éclat de lumière rouge (av. 1794) et s'emploie en apposition avec la valeur d'un adjectif de couleur (1849). Par métonymie, il désigne la monture de pivot en pierre dure, d'abord en rubis puis en cristal de roche, dans un rouage d'horlogerie (1801).

RUBRIQUE n. f., d'abord *rubriche* (XIIIe s.) puis *rubrique* (1606), est emprunté au latin *rubrica* «terre rouge», «craie rouge», en technique, «couleur rouge», spécialisé en droit pour désigner un recueil de lois où les titres des chapitres étaient inscrits en rouge (cf. *miniature*) et, à basse époque, un titre écrit en couleur rouge. Le mot est le féminin substantivé de l'adjectif *rubricus* «rouge», lui-même attesté seulement à basse époque, dérivé du latin classique *ruber* (→ rouge).

♦ Le mot a été repris dans sa spécialisation juridique, désignant le titre de chapitre des livres de droit. À la fin du XIVe s., il s'emploie pour «craie, terre rouge», puis au XVIIe s., par réemprunt au latin, désigne une terre rouge, épaisse et pesante (1606) et la craie rouge utilisée par les charpentiers pour faire des marques (1673). Du sens juridique vient un emploi spécial en liturgie pour les parties des livres imprimées en rouge contenant des règles à observer (1671). ➛ Par métonymie, il a pris dans l'usage classique le sens familier de «règles, pratiques, coutumes» (XVIIe s.) et la valeur spéciale de «ruses, finesses» (1632, *savoir des rubriques*), aujourd'hui disparue. Puis, le mot a désigné, dans un manuscrit, le titre écrit en couleurs et orné (av. 1850, Balzac), l'indication de la matière dont il va être traité (1862). Tous ces sens ont vieilli. ➛ Par l'intermédiaire du sens de «titre, date indiquant le lieu d'où vient une information» (1812), *rubrique* désigne en journalisme la catégorie d'articles dans laquelle est classée une information (1846), entrant dans des syntagmes comme ***chef de rubrique, sous telle rubrique,*** également employé au figuré dans l'usage général, où c'est le seul emploi vivant du mot.

▶ Le dérivé **RUBRIQUER** v. tr., d'abord altéré en *rebrichier* «enregistrer, marquer par des rubriques» (1267), est sorti d'usage. Le verbe a été repris sous sa forme actuelle (1803) au sens de «connaître toutes les ruses». D'un sens spécial de *rubrique* vient l'emploi pour «marquer de notes à l'encre rouge» (1868). ◆ **RUBRICAIRE** n. m. (1682), terme de liturgie, désigne celui qui connaît parfaitement les rubriques des livres liturgiques. ◆ **RUBRICATEUR** n. m. (1836) s'emploie dans le langage didactique à propos de celui qui écrivait les rubriques, les lettres, les mots et titres en couleurs sur les chartes, les diplômes, et de celui qui peignait sur un manuscrit des miniatures* (autre mot évoquant à l'origine la couleur rouge).

RUCHE n. f., d'abord écrit *rosche, rusche* (déb. XIIIe s.), avec les variantes *rousche* et *rouche* (XIIIe s.), *ruque* (XIVe s.), enfin *ruche* (1538), est issu du latin médiéval *rusca* (attesté par des gloses du IXe s.), du gaulois *rusca* «écorce», postulé par l'ancien irlandais *rúsc.* L'ancien provençal *rusca* «écorce» et le catalan *rusc,* «écorce de chêne-liège» et «ruche d'abeilles», ont la même origine celtique. Le sens du gallo-roman et du catalan vient de ce que l'on s'est d'abord servi d'écorce de chêne-liège pour faire des ruches avant que la ruche en paille tressée ne soit apportée dans la Gaule septentrionale par les Francs; l'ancienne désignation est restée parce que, *rusca* ayant été remplacé par le latin *scortea* au sens d'«écorce» (→ écorce), le rapport du mot *rusca* avec la matière n'a plus été senti. La ruche en écorce a subsisté plus longtemps dans une partie du sud de la France.

♦ Le mot désigne un petit logement aménagé pour recevoir un essaim d'abeilles. Par métonymie, il a désigné aussi chacun des alvéoles du gâteau de cire contenant le miel (XIVe s.), sens disparu après l'époque classique, ainsi que celui qui correspond à «colonie d'abeilles habitant un même abri» (1538). Par analogie de forme avec le panier de la ruche, le mot a désigné une grande nasse servant à la pêche en mer (1614). ◆ Par ressemblance avec la gaufre de cire, *ruche* s'est dit d'une bande plissée de dentelle, de tulle ou de toile servant à orner un vêtement de femme (1818), d'où *rucher* et *ruché* (ci-dessous). Il désigne techniquement les tuiles disposées en piles pour recevoir le naissain des huîtres (1877). ◆ L'emploi métaphorique ou figuré pour parler d'une grande agglomération, d'un endroit où règne une grande activité humaine (1819), préparé par des comparaisons entre l'homme et l'abeille (1756), relève de l'assimilation fréquente des humains en grand nombre à des insectes.

▶ **RUCHÉE** n. f. (1562) désigne à la fois la population d'une ruche et le produit de la ruche (1611). ◆ ① **RUCHER** n. m., d'abord écrit *ruscher* (1600) puis *rucher* (1803), sert à désigner l'endroit abrité où sont groupées des ruches et, par métonymie, l'ensemble des ruches réunies sur une même plate-forme (1875). ◆ ② **RUCHER** v. tr., anciennement employé au sens intransitif de «recueillir le miel des abeilles» (1611), a été repris comme transitif en couture, d'après le sens correspondant de *ruche,* pour «garnir d'une ruche» (1834) et «plisser (une étoffe) en forme de ruche» (1870). ◇ Par analogie, il est employé à propos de l'opération consistant à disposer le foin en petites meules voisines les unes des autres et évoquant des ruches (1904). ◆ **RUCHÉ, ÉE,** le participe passé, est adjectivé (1861) en couture pour qualifier ce qui est plissé ou froncé en ruche, et, par métonymie, un vêtement garni d'une ruche (av. 1896). Il est substantivé au masculin (1904) en désignant une bande d'étoffe légère, plissée, froncée et cousue sur une seule ligne (dès 1396, on rencontre *la ruchie* au même sens).

RUCKSACK n. m., d'abord écrit *rücksack* (1896) puis *rucksack* (1899), est emprunté à l'allemand *Rucksack* «sac à dos», mot des dialectes alpins composé de la forme sans inflexion, propre à l'Allemagne du Sud, de l'allemand *Rücken* «dos» et de *Sack* «sac». *Rücken,* comme ses correspondants anglais *ridge* (lequel, avec le sens de «dos», a été éliminé par *back*), néerlandais *rug,* se rattache à un thème germanique lui-même apparenté à des termes celtiques, lituaniens et sanskrits. *Sack* fait partie d'un groupe de dénominations germaniques (néerlandais *zak*) de même origine que le français *sac**.

♦ Le mot a été introduit par le Club alpin français; il a supplanté *havresac,* d'origine allemande et liée à d'autres contextes, mais il a lui-même décliné sous la concurrence de *sac à dos,* appelé simplement *sac.*

RUDE adj. est emprunté (v. 1131) au latin *rudis* «qui n'est pas travaillé, brut, grossier», employé également au figuré pour «non dégrossi», par opposition à *politus* (→ poli). *Rudis,* «inexpérimenté, inculte, ignorant, novice», est souvent joint à un génitif qui précise l'objet de cette ignorance. Le mot a pu être rapproché de *rudus* (→ rudéral), mot technique désignant des gravois, du plâtras, des décombres, assez proche par le sens, mais sans pouvoir fournir une étymologie.

♦ Après avoir qualifié en ancien français un caractère humain dur, violent, *rude* qualifie une personne non civilisée, sans raffinement (XIIe s.) et, par extension, des traits physiques et moraux qui donnent une impression de force naturelle primitive (v. 1355). Parallèlement, il qualifie une chose brute, inorganisée (v. 1213), sens qui a décliné après le XVIIe s.; *rude* qualifie aussi concrètement une chose dure au toucher (v. 1260), une chose qui cause de la fatigue (XIIIe s.) et, abstraitement, qui est pénible à supporter (v. 1460), en concurrence avec *dur,* aujourd'hui plus usuel. Cette dernière valeur est réalisée dans la locution ***être à rude école*** (1688); elle l'a également été dans l'emploi de *rude à* et infinitif, «pénible à» (1689), et dans *c'est un peu rude, cela me paraît rude* «c'est peu acceptable» (1798). ◆ Par extension, *rude* a pris la valeur intensive de «remarquable en son genre» (1580), alors placé devant le nom qui désigne une chose ou une personne (1841, *rude gaillard*). Au XIXe s., par extension de l'idée de chose pénible sur le plan intellectuel, il se dit aussi de ce qui est ardu, difficile à comprendre (1859). Il est substantivé dans la locution ***en voir de rudes*** «supporter beaucoup» (1872).

▸ **RUDEMENT** adv. (fin XIIe s.) recouvre en ancien français les sens de «brutalement» et «cruellement, sans ménagement» (XIVe s.). En relation avec l'adjectif, il a pris le sens intensif familier de «beaucoup» (1594) qui est resté plus vivant que l'emploi correspondant de l'adjectif, et un sens figuré «avec une peine physique ou morale intense» (1875). ◆ **RUDESSE** n. f. (XIIIe s.) se dit d'abord de l'âpreté des paroles, du ton, du comportement. Il désigne ensuite, d'après le sens pris par l'adjectif, l'état de ce qui n'a pas été adouci par la civilisation ou policé par l'éducation (v. 1355), d'où l'emploi de *une, des rudesses* pour «impolitesse» et le sens spécial de «tournure de style sans élégance», tous deux attestés aussi au milieu du XIVe et en déclin après le XVIIe siècle. ◆ *Rudesse* correspond aussi à ce qui est désagréable à voir ou à entendre, parce que mal dégrossi (1538), et à l'état de ce qui est pénible à supporter (1559). Le sens physique, «état de ce qui est rugueux au toucher» (1580), n'a eu qu'une vitalité limitée. ◆ **RUDOYER** v. tr., attesté une première fois en 1372 et de nouveau au XVIe s. (1564), exprime le fait de «traiter sans ménagement, avec dureté et brusquerie». Il s'est dit pour «mener brutalement (une monture)» (av. 1660). ◇ Il a pour dérivé **RUDOIEMENT** n. m. (1571), d'usage plus littéraire que le verbe. ◆ **RUDISTE** n. m. (1834), terme de paléontologie désignant un mollusque fossile de l'ère secondaire, est dérivé de *rude* par allusion au fait que la coquille de ce mollusque comporte beaucoup d'aspérités.

◈ voir ÉRUDIT, RUDIMENT.

RUDÉRAL, ALE, AUX adj. est un dérivé savant, avec le suffixe *-al* (1802), du latin *rudus, ruderis,* terme technique désignant les plâtras, les décombres et les moellons servant à paver en blocage (cf. *rudération,* ci-dessous). Le mot se laisse facilement rapprocher de *rudis* (→ rude) par la forme et par le sens, sans qu'on puisse lui assigner une étymologie.

♦ Le mot a été formé par les botanistes pour qualifier un végétal qui pousse sur les décombres, les tas d'ordures aux abords des habitations et des voies de circulation, parce que ces sols (appelés *rudéraux*) sont souvent riches en azote et en potasse.

▸ **RUDÉRATION** n. f. est un emprunt plus ancien (1547) au latin *ruderatio* «pavage en blocage ou blocaille», dérivé de *ruderare,* de *rudus.* Le mot s'emploie pour désigner une maçonnerie grossière avec des plâtras, sens disparu, et de nos jours un pavage en cailloux, en petites pierres (1765).

RUDIMENT n. m. est emprunté (1495) au latin *rudimentum* «apprentissage, débuts, premiers éléments», dérivé de *rudis* «qui n'est pas travaillé, brut» et «inculte, ignorant» (→ rude).

♦ Le mot est d'abord attesté dans *rudiment de continence* au sens de «premier exercice, première tentative». Il est employé au pluriel pour désigner les premiers éléments d'une discipline, d'un art, d'une science (1545). Le singulier *rudiment* a désigné, par métonymie, un petit livre contenant les premiers éléments d'une science, en particulier de la langue latine (1666), d'où les locutions *en être encore au rudiment* et *renvoyer qqn au rudiment* (1740), sorties d'usage. Parallèlement, le mot a désigné la partie élémentaire d'une grammaire (1690). ◆ Dans le domaine concret, il s'appliquait aux premiers éléments de tissus animaux ou végétaux aptes à se développer (1553) puis, depuis le XVIIIe s. (1782, Buffon), à un organe ne prenant qu'un très faible développement, emplois archaïques alors que le dérivé *rudimentaire* s'est maintenu.

▸ **RUDIMENTAIRE** adj., d'abord employé comme nom (1789) pour désigner l'auteur d'un rudiment grammatical, s'est répandu très rapidement comme adjectif (dès 1789) pour «à l'état de rudiment», «sommaire», spécialement en sciences naturelles, «à l'état d'ébauche ou de résidu» (1842) et «à un stade de développement imparfait» (1865). ◆ *Rudimentaire* a produit **RUDIMENTAIREMENT** adv. (1875), d'usage didactique et littéraire, et **RUDIMENTATION** n. f. (1976, dans les dictionnaires généraux), terme scientifique pour «formation d'un organe rudimentaire».

① **RUE** n. f. est issu (v. 1050) du latin *ruga* «ride» (conservé en ce sens par l'italien *ruga,* l'espagnol *arruga,* l'ancien provençal *ruga*), qui a pris par métaphore en latin populaire le sens de «chemin (spécialement bordé de maisons)». Le mot n'a pas d'étymologie claire. À cause de la concordance du sens, on hésite à écarter le lituanien *raũkas* «ride», *runkù, rùkti* «se rider», *raukiù, raũkti* «rider» qui indiquerait une forme athématique à *k* alternant avec *g,* fait courant, et qui pourrait indiquer une source indoeuropéenne lointaine.

♦ Le mot désigne depuis l'origine une voie bordée, au moins en partie, de maisons, dans une agglomération; il est employé en français moderne dans des syntagmes qualifiés comme *grand-rue* (1802), *grande rue* (1870), *rue couverte* (av. 1902) précisant une caractéristique. Par ailleurs, les rues sont nommées depuis le moyen âge par des expressions (*rue des orfèvres, rue pavée,* etc.) et, à partir du XVIIIe s., par des noms propres commémoratifs. ◆ Au-delà de la signification dénotative, *rue* suggère plusieurs types de contenus : celui d'espace parcouru dans *courir les rues,* d'abord attesté pour «être fou» (1549) puis «être connu de tout le monde» (1660); celui de lieu habituel, inchangé, dans *être vieux comme les rues* (1640) indiquant un grand âge. *Enfant ou gamin des rues* (1834, Hugo), avec une valeur distincte de *fille* des rues,* se dit d'un enfant qui, rejeté ou privé de milieu familial, erre dans les rues; *être à la rue* exprime le manque de domicile et *la rue* correspond alors à «milieu extérieur, dans une ville». ◆ Par métonymie, *rue* désigne l'ensemble des habitants de la rue (1675), spécialement le peuple, dans ses virtualités insurrectionnelles, cette valeur rejaillissant sur le sens propre, dans *descendre dans la rue* (pour manifester, etc.). ◆ Par analogie, le mot a développé quelques sens techniques : «espace qui reste vide dans une carrière après l'extraction de bancs de pierre» (1701) ; «subdivision d'une scène de théâtre en profondeur» (1772) et «espace vertical produit par l'alignement fortuit de blancs dans une page imprimée» (1904), emploi où il est synonyme de *cheminée*.

▸ **RUELLE** n. f., d'abord *ruele* (v. 1138) et *reuelle* (déb. XIVe s.) puis *ruelle* (XVe s.), désigne proprement une petite rue étroite. ◆ Par analogie, il se dit de l'espace laissé entre le lit et le mur d'une chambre, dans *ruelle du lit* (1408, *ruyelle du lit*), puis en emploi autonome (1580). Aux XVIIe et XVIIIe s., *ruelle* désigne par métonymie la partie de la chambre à coucher (située en principe entre le lit et le mur) où les dames de qualité recevaient leurs visiteurs (1614) et, par métonymie, la réunion mondaine qui se tenait en ce lieu (1614) ; d'où *style de ruelle*, pour «style précieux» (1723), par allusion à cette forme de convivialité littéraire (emploi sorti d'usage au XIXe s.).

◈ voir **RUGUEUX**.

② **RUE** n. f., d'abord *rude* (fin XIe s., Gloses de Raschi) puis *rue* (XIIe s.), est issu du latin *ruta*, nom d'une plante vivace à fleurs jaunes vivant dans les endroits secs. Le latin est peut-être repris du grec *rhutê* de même sens, à moins qu'il n'y ait deux emprunts parallèles à un même substrat.

♦ Le mot a gardé son sens d'emprunt, désignant une plante méditerranéenne dont les feuilles étaient autrefois prisées pour leur vertu antiseptique et stimulante.

▸ **RUTACÉES** n. f. pl. est un dérivé savant (1803) employé en classification botanique pour des plantes ayant un appareil sécréteur interne. Le XVIIe s. atteste une occurrence unique de l'adjectif *rutacé* (1615) qualifiant l'huile tirée de la rue. Au XIXe s., la sécrétion de la rue et d'autres plantes est nommée **RUTINE** n. f. (1855), calque de l'allemand *Rutin* (1842) fait sur le latin, et **RUTOSIDE** n. m. (1949), tiré de *rutine* avec le suffixe *-oside* composé de *-ose* et de *-ide*.

RUER v. est issu (v. 1112) d'un latin populaire °*rutare*, intensif du latin classique *ruere* (supin *rutum*), verbe transitif archaïque que l'on trouve surtout chez les comiques et en poésie, «précipiter, faire tomber, ruiner» et, verbe absolu, pour «se précipiter, s'écrouler». Pour des raisons morphologiques et phonétiques, on hésite à rattacher *ruere* à une racine indoeuropéenne °*ru-* «briser», d'ailleurs médiocrement établie à partir du sanskrit et de correspondants douteux en vieux slave et dans les langues baltes.

♦ Le sens transitif de «jeter avec impétuosité», auquel correspond un emploi absolu pour «lancer une pierre» (v. 1180), est sorti d'usage au XVIIIe s., sauf dans certaines régions (Nord). ◆ La forme pronominale **SE RUER** est devenue usuelle avec le sens de «se jeter impétueusement en avant» (v. 1175), au propre et quelquefois au figuré. ◆ En construction intransitive, *ruer*, qui avait perdu le sens de «se précipiter» (v. 1155) au profit de *se ruer*, s'est spécialisé en parlant d'un équidé, cheval, âne, qui lance vivement les pieds de derrière en soulevant son arrière-train (v. 1212). Quelques locutions faisant allusion à différentes manières de ruer, comme ***ruer en vache**** (1718), *ruer à la botte* (1845), disparu, ***ruer dans les brancards*** «protester», sont passées dans l'usage avec une valeur figurée. ◇ La langue familière a employé *ruer à tort et à travers* (1718) avec l'idée de «frapper de tous côtés dans la foule». La locution *ruer* ou *se ruer en cuisine* «manger gloutonnement» (1534, Rabelais) est elle aussi sortie d'usage.

▸ **RUÉE** n. f., participe passé féminin de *ruer*, est substantivé en ancien français pour désigner la portée d'un objet qu'on lance (v. 1170). ◇ Sorti d'usage après le XIIIe s., le mot a été repris assez récemment (1864) pour traduire l'anglais *rush* et désigner le mouvement impétueux d'une foule qui se rue dans une même direction, spécialement dans la locution ***ruée vers l'or*** (qui rend l'anglo-américain *golden rush*). ◆ **RUEMENT** n. m. (v. 1310) a signifié «action de lancer» d'après l'emploi transitif du verbe ; il a été repris pour «action de se ruer» et «action d'un cheval qui rue» (1877), tout en restant rare. ◆ **RUADE** n. f. (v. 1500) désigne couramment l'action du cheval qui rue et se dit quelquefois au figuré d'une réaction de défense brutale et inattendue (fin XVIe s.).

◈ voir **RÂBLE**, **RUINE**.

RUFIAN ou **RUFFIAN** n. m., d'abord *ruffien* (XIVe s.), puis *rufian* (1512), est emprunté, peut-être par l'intermédiaire de l'ancien provençal *rofian* ou *rufian* «entremetteur» (XIIIe-XIVe s.), à l'italien *ruffiano* de même sens (XIIIe s.). Ce mot est d'origine incertaine ; on a évoqué l'ancien italien *roffia* «saleté». On considère ce dernier soit comme emprunté à l'ancien haut allemand *hrŭf* «escarre» soit comme représentant de *rufulus*, diminutif du latin *rufus* «roux» apparenté à *ruber* «rouge» (→ rouge), croisé avec la finale de *puttana* «putain» (→ pute), masculinisée.

♦ Le mot désignait autrefois un entremetteur, un souteneur, un débauché (fin XIVe s.). Pour des raisons qui tiennent vraisemblablement de l'analogie avec *forban* et avec les éléments initiaux de *rustre*, *rude*, sa signification a évolué en «aventurier intrépide, homme hardi et sans scrupules vivant d'expédients», le mot évoquant une époque historique (XVIe-XIXe s.). ◇ Au XXe s., les médias, en particulier le cinéma, contribuent à donner au mot des connotations positives de «bandit au grand cœur», «aventurier peu scrupuleux mais sympathique», et il ne comporte plus l'idée d'infamie habituellement associée au proxénétisme.

RUGBY n. m. est emprunté (1888) à l'anglais *rugby* n. m. (1879) ou *Rugby game* «jeu de Rugby» (1864), du nom du célèbre collège de la ville de Rugby dans le comté de Warwick, où ce sport fut inventé en 1823. Le mot familier *rugger* n. m. (1893), altération populaire de *rugby*, a été repris en français où il a été interprété à tort comme un nom d'agent désignant le joueur de rugby (1927), mais il a disparu. Bloch et Wartburg avaient cru pouvoir attester *rugby* en français dès 1859, mais le mot anglais ne semble employé comme nom commun qu'en 1879 et, antérieurement, il doit s'agir du nom propre.

♦ Le mot s'est diffusé en France au début du XXe s., aussi dans le syntagme *football rugby,* opposé à *football association* (→ football). Ce que l'on nomme en Amérique du Nord *foot-ball* est nommé en français ***rugby américain,*** le *football* européen étant appelé *soccer* en anglais et en français du Canada. En français d'Europe, *rugby,* opposé à *football,* est concurrencé par la périphrase métonymique *ballon ovale.* Selon le nombre de joueurs, on distingue le *rugby* (ou *jeu*) *à treize** et *à quinze**.

▸ En français, *rugby* a produit **RUGBYMAN** n. m. (1909), pseudo-anglicisme forgé sur le modèle de *cameraman, clergyman,* avec l'élément *-man* (de l'anglais *man* «homme»), qui a supplanté l'emprunt *rugger,* et **RUGBYSTIQUE** adj. (1920) «relatif au rugby», mot journalistique.

RUGINE n. f. est l'adaptation attestée en 1520, mais probablement plus ancienne (cf. *ruginer*), du latin médiéval *rugo, ruginis* de même sens (XIVe s.), lequel est la relatinisation de *roisne,* ancienne forme de *rouanne**, mot d'origine populaire.

♦ Ce terme technique désigne un instrument de chirurgie servant à racler les os, à les isoler du périoste et des parties molles.

▸ Le dérivé **RUGINER** v. tr. (v. 1363) signifie «racler avec la rugine». Il a pour dérivé **RUGINATION** n. f. (1855).

◈ voir ② ROUANNE.

RUGIR v., réfection savante (1538) de *rugier* (1120), *rujier* (XIIe s.), parfois altéré en *rougir* (fin XVe s.), est emprunté au latin *rugire* exprimant le cri du lion, celui de l'âne qui braie et, au figuré, le bruit d'un ventre qui gronde. Le mot, surtout attesté à basse époque, proviendrait d'un élément *ru-* susceptible d'être diversement élargi, et qui a servi à désigner des bruits d'animaux. Des mots semblables, non nécessairement apparentés, sont le moyen irlandais *rucht* «cri, hurlement», le grec *êrugai* «mugir» (à l'aoriste) et le vieux slave *rŭzati* «hennir». L'ancien français a eu une forme plus francisée *ruir, ruire* «gronder (en parlant du lion)», «gargouiller» et «faire du tumulte» (v. 1190).

♦ Le verbe s'applique à un fauve qui pousse le cri propre à son espèce. Par extension, il se dit pour «pousser des cris rauques, inarticulés, analogues à ceux des bêtes féroces» (XIIe s.). ◇ Au figuré, il peut s'employer en parlant d'une chose qui produit des bruits rauques et violents (1690). L'usage transitif du mot pour «proférer en rugissant, en hurlant» est tardif (1853); il s'applique également à une chose (av. 1867, Baudelaire).

▸ Le substantif d'action **RUGISSEMENT** n. m., aboutissement (1539) de *rujement* et *ruugisement* (v. 1120), désigne le cri du lion et de certains grands fauves ainsi qu'un cri violent, inarticulé (attesté dès l'origine). Il est appliqué, au figuré, au bruit violent produit par une chose (1769). ➛ **RUGISSANT, ANTE,** le participe présent de *rugir,* est adjectivé (v. 1460) avec le sens propre et, ultérieurement, le sens figuré (1875) correspondants, par exemple dans les ***quarantièmes rugissants,*** expression récente qui désigne les zones de tempêtes autour du quarantième degré de latitude sud, traduisant la locution anglaise *the roaring forties.*

◈ voir RUT.

RUGUEUX, EUSE adj. est emprunté (1461) au latin *rugosus,* qui qualifie une peau ridée et, par extension, une chose plissée, râpeuse. Le mot est dérivé de *ruga* «ride» qui a donné l'ancien français *rugue* (éliminé par *ride*) et, au sens figuré, *rue**. L'ancien provençal *rugos* «ridé» est attesté dès le milieu du XIVe siècle.

♦ L'adjectif, d'abord attesté au sens figuré de «dévasté» en parlant d'un pays, n'est repéré qu'au XVIe s. avec son sens actuel de «ridé, raboteux», d'abord sous la forme *rougueux* (1525) puis *rugueux* (1541). Il a pris la valeur figurée d'«âpre, rude» (av. 1891).

▸ **RUGOSITÉ** n. f. n'est pas emprunté au latin *rugositas,* qui signifie «froncement de sourcil», mais dérivé savamment (1503) de la forme latine *rugosus* pour désigner une petite saillie, une irrégularité sur une surface *(une, des rugosités).* Le mot semble abandonné après le XVIe et il est repris au XVIIIe s. (v. 1760). *La rugosité* se dit de l'état de la qualité d'une surface présentant des aspérités (1812) et, en aéronautique, de la caractéristique d'un revêtement dont la surface n'est pas parfaitement polie (v. 1950). ➛ En sont dérivés les termes didactiques **RUGOSIMÈTRE** n. m. (v. 1950) et **RUGOTEST** n. m. (1968) pour «test de rugosité».

RUINE n. f. est emprunté (v. 1155) au latin *ruina* qui désigne la chute, l'écroulement, en particulier l'éboulement des bâtiments, le pluriel *ruinae* désignant concrètement les décombres; le mot est également employé au figuré pour «effondrement, désastre». Il est dérivé de *ruere* «faire tomber, s'écrouler» (→ ruer).

♦ Le sens très général de «destruction, dégât», attesté dans les premiers textes, est usuel jusqu'au XVIIe s., puis littéraire. Le sens parallèle de «perte de la vie» en parlant d'une personne (XIIIe s.) est archaïque après le XVIIe siècle. Le mot désigne aussi abstraitement la désagrégation d'une chose qui amène progressivement sa disparition, cause sa perte (v. 1160); de là, par métonymie, la cause de la destruction (1559). Un emploi familier concerne la chose ou la personne qui est cause d'une importante perte d'argent (1559) dans *être la ruine de qqn,* avant la spécialisation courante du mot pour «perte de la fortune, des biens» (1636). ➛ Avant la fin du XIIe s., le mot s'emploie également, surtout au pluriel, pour désigner concrètement, par réemprunt au latin *ruinae,* les débris, les restes d'un édifice abattu, écroulé (1180). À la fin du XVIIIe s., les ruines nourrissant l'exaltation de la sensibilité et du sentiment de la mélancolie, le mot est à la mode et s'applique à la représentation picturale d'un édifice en ruines (1765); cf. ci-dessous *ruiniste.* ➛ Le sens actif correspondant, «dégradation d'un bâtiment qui le met hors d'usage à la suite d'un manque d'entretien ou d'un sinistre» (XIIIe s.), est surtout réalisé dans des locutions : ***battre en ruine,*** de sens propre (1611) et figuré (1671) «détruire à coups de canon ou par mines», n'est plus guère usité ; en revanche, ***tomber en ruine*** (1549) est demeuré usuel. ➜ La valeur étymologique latine de «chute» (1262) a été réactivée en parlant de trombes, de chutes d'eau (av. 1655), puis a disparu. ➜ L'emploi du mot pour désigner une personne dans un état de délabrement physique ou intellectuel (1833, *femme en ruine, une sorte de ruine*) est senti comme une métaphore du sens d'«édifice écroulé», alors qu'il continue l'acception ancienne plus générale.

▸ **RUINER** v. tr., d'abord employé intransitivement à propos de navires qui s'enfoncent, sombrent (v. 1260) et de constructions qui tombent en ruine (1358), n'est plus que transitif. Il a eu le sens de «saccager, dévaster en ne laissant que des ruines» (déb. XIVe s.) et d'«endommager gravement» (v. 1370), puis d'«altérer progressivement et définitivement (un organe, la santé de qqn)» (fin XIVe s.). Ces emplois, comme la locution technique *ruiner un cheval,* par travail excessif et manque de soins (1690), ont disparu. ➜ Sur un plan abstrait, *ruiner* signifie «faire perdre à (qqn) sa raison d'être» (fin XIVe s.) puis «causer la perte de» (1538), comme dans *ruiner l'Empire romain* (1559), «faire perdre tout crédit à (qqch.) dans l'esprit du public», «anéantir un raisonnement sans preuves» (1580), spécialement «causer la perte de biens, de la fortune d'une personne ou d'une collectivité» (1636), sens devenu le plus usuel. De ce dernier sens procède la locution ironique ***cela ne (vous, te) ruinera pas*** (1883) adressée à une personne qui a largement les moyens de faire face à une dépense. ➜ La forme pronominale *se ruiner* (1559) signifie «perdre sa fortune» et, par hyperbole, «faire des dépenses excessives» (1690). ➜ Le verbe a donné un terme de construction, **RUINURE** n. f. (1676), pour l'entaille pratiquée sur la face latérale d'une solive ou d'un poteau afin de donner prise à la maçonnerie. ➜ **RUINIFORME** adj. (1803), formé de *ruine* et du second élément *-forme*,* qualifie une roche qui a pris l'aspect de ruine sous l'action de l'érosion. Il est didactique. ➜ **RUINISTE** n. est le nom donné (1943) en histoire de l'art à un peintre de ruines, de paysages comportant des ruines, en référence au genre pictural pratiqué surtout à la fin du XVIIIe et au début du XIXe s. (Hubert Robert, etc.).

RUINEUX, EUSE adj., réfection (XIIIe s.) de *ruinus* (XIIe s.), est emprunté au latin *ruinosus* «qui menace ruine, écroulé», puis au figuré «dangereux, funeste» (fin IVe-début Ve s.), dérivé de *ruina.* ➜ Le mot a été repris avec le sens général de «qui cause un dommage, un tort», usuel jusqu'au XVIIIe s. puis sorti d'usage. Son emploi pour qualifier un bâtiment qui menace de s'écrouler, tombe en ruine (fin XIIIe s.) a vieilli, de même que le sens figuré qui en était tiré (1559). Le sens de «qui amène la ruine matérielle» et, par hyperbole, «qui provoque des dépenses excessives» (v. 1380), correspond au seul emploi usuel du mot. ➜ Le dérivé **RUINEUSEMENT** adv. (déb. XVIIe s.) «coûteusement», inusité avant 1842, est demeuré rare.

◈ **RUISSEAU** n. m., d'abord *russeal* (v. 1120), *ruisel* (v. 1130), *ruissel* (v. 1155) puis *ruisseau* (v. 1380), continue un latin populaire °*rivuscellus* (avec le même type de préfixe que dans le mot qui a donné *rinceau*), diminutif du latin classique *rivus* «petit cours d'eau», qui a donné *ru**.

♦ Le mot désigne un petit cours d'eau peu profond et de faible débit ; il entre en ce sens dans la locution proverbiale ***les petits ruisseaux font les grandes rivières*** (1640). Par métonymie, il se dit du lit de ce petit cours d'eau (1538). ➜ Il est employé dès le XIIe s. avec une valeur figurée, à propos de ce qui semble couler sans fin (1155) et *des ruisseaux de* (*sang,* etc.) s'applique à un liquide coulant avec abondance, avec des effets de sens métaphoriques (1573-1575, *un ruisseau de perles*) ; cf. le dérivé *ruisseler* (XIVe s.). ➜ *Ruisseau* a longtemps désigné le caniveau ménagé de chaque côté de la chaussée ou en son milieu pour l'écoulement des eaux (1530) ; de là plusieurs emplois figurés (fin XVIIe s., *dans le ruisseau, tirer du ruisseau*) où le mot s'applique à un endroit sordide, au dénuement (1660), à une situation dégradante physiquement ou moralement (fin XVIIe s.), à une origine vile (1672) ; une bonne part de ces emplois ont disparu après l'époque classique.

▸ **RUISSELER** v. intr. (v. 1340), d'abord *rusceler* (v. 1180), est dérivé de *ruissel, ruscel,* anciennes formes de *ruisseau.* Il se dit d'une eau qui coule sans arrêt en formant un ou plusieurs filets, au figuré, d'une chose qui retombe souplement en nappe comme une onde (fin XIXe s.) et, abstraitement, d'une chose qui se répand à profusion à partir d'un point qui en est la source (1830). Le verbe s'emploie aussi avec la valeur passive pour «être couvert d'un liquide qui coule» (1658). ➜ Par métaphore (fin XVIe-début XVIIe s.), il exprime l'état de la personne qui laisse paraître ce qui la transporte (bonheur, joie) et l'état d'une chose qui est inondée de traits ou de jeux de lumière évoquant ceux de l'eau vive (1874). ➜ **RUISSELANT, ANTE,** le participe présent de *ruisseler,* est adjectivé (1491) pour qualifier un liquide qui coule sans cesse et en abondance ; les valeurs active et passive, propre et métaphorique, correspondent à celles du verbe : *ruisselant* qualifie ce qui est mouillé par un liquide qui ruisselle (1615) et, absolument, ce qui dégoutte de pluie (1804). ➜ Au figuré, il qualifie ce qui se répand à profusion comme une onde (av. 1872) et, passivement, ce qui est inondé d'un éclat se répandant à profusion (1829), une personne et, par métonymie, un visage paraissant rayonner sous l'emprise des sentiments qui l'exaltent (1893). ➜ **RUISSELLEMENT** n. m., bien qu'attesté une première fois en 1613, ne s'est répandu qu'au XIXe s. (1831) ; il désigne proprement le fait de ruisseler, l'écoulement d'un liquide sous forme de nappe ou de filets, spécialement l'écoulement des eaux de pluie ou de la fonte des neiges à la surface de la terre (1880). ◇ Par métaphore, il se dit du jaillissement de lumière qui se répand à profusion (av. 1872) et d'une expression manifestant avec éclat un sentiment exaltant (1873).

RUISSELET n. m., diminutif (v. 1188) de l'ancien *ruissel,* continue de s'employer pour «petit ruisseau», dans un style littéraire. ➜ **RUISSON** n. m., issu de *ruisseau* par changement de suffixe pour désigner un petit ruisseau (fin XIIe s.), a disparu, sauf dans les dialectes. ◇ Il est repris au XIXe s. (Littré, 1870) comme nom d'un petit canal aménagé pour vider un marais salant ; en ce sens, il est emprunté aux parlers saintongeais.

SAUTE-RUISSEAU n. m. inv. (1796 ; écrit sans division, en un seul mot, 1794) est une dénomination imagée qui a désigné un agent de spéculateur, puis un petit clerc d'avoué ou de notaire qui fait les courses et porte les paquets, enfin un jeune garçon de courses ; le mot a vieilli.

RUMBA n. f. est emprunté (1930, écrit en italique), probablement par l'anglo-américain, à un mot espagnol des Antilles désignant une danse populaire cubaine connue depuis le XVIe s. et, par métonymie, la musique sur laquelle elle se danse. Le développement sémantique s'est fait à partir de celui de «fête, partie de plaisir», le mot étant le féminin de l'espagnol *rumbo* «vacarme, tapage».

♦ La *rumba* est devenue vers 1930 une danse de salon, après sa diffusion en Amérique puis en Europe.

RUMEUR n. f., d'abord *rimur* (1080), *rumor* (v. 1180) puis, par francisation de la finale, *rumeur* (XIIIe s.), est issu du latin *rumorem*, accusatif de *rumor, -oris* «bruits vagues», «bruit qui court», «propos colportés», «opinion courante», usité au singulier et au pluriel. Le mot est le seul représentant clair en latin de la racine attestée par le sanskrit *ruváti* «il crie», le vieux slave *rovǫ, rjuti* «crier». Un rapport avec le latin *rugire* (→ rugir) est possible.

♦ Le mot désigne d'abord un grand bruit confus, et s'est employé en ancien français au sens de «tapage». Comme en latin, il se dit aussi d'une nouvelle de source incontrôlée qui se répand dans le public, d'un propos colporté de bouche à oreille (1264), par exemple dans *les rumeurs publiques* (1756). Il s'est spécialisé à propos du bruit sourd et menaçant d'une foule qui manifeste son mécontentement ou une intention de violence, de révolte (1407). Enfin, il s'emploie (1651) à propos de l'assemblage confus de sons produits par les voix et bruits d'un grand nombre de personnes réunies, puis d'un lieu de passage.

RUMINER v. tr. est emprunté (déb. XIIIe s.) au latin *ruminare* employé transitivement et absolument, en parlant des animaux qui mâchent de nouveau des aliments revenus de l'estomac. Comme *rumigare* (→ ronger), le verbe est dérivé de *rumen, -inis* «premier estomac des ruminants», «panse», «gosier».

♦ Le sens figuré de «faire longuement et obstinément repasser dans son esprit les mêmes choses» est le premier attesté, en emploi transitif direct et indirect. ◆ Le sens propre «remâcher les aliments ramenés de la panse dans la bouche» n'est attesté qu'au XIVe s. (1328) en emploi transitif et ultérieurement en emploi absolu (v. 1600) ; il a supplanté l'emploi synonyme du doublet *ronger* qui a pris un autre sens.

▸ Le dérivé **RUMINEMENT** n. m., substantif d'action (1538), s'est employé à propos de la manière de mastiquer les aliments en les broyant par un mouvement lent, continu et bruyant des mâchoires (1884). ◇ L'emploi figuré pour «action de ressasser les mêmes choses» (déb. XXe s.) est concurrencé par celui de *rumination*. ◆ **RUMINANT** adj. et n. est le participe présent de *ruminer* adjectivé pour qualifier un mammifère qui rumine (1553), puis substantivé (1680) en parlant des mammifères herbivores pourvus d'une panse et capables de ruminer.

RUMINATION n. f., d'abord *ruminacion* (fin XIVe s.) puis *rumination* (1615), est emprunté au dérivé latin *ruminatio, -onis* «mode de digestion propre à certains mammifères herbivores» et, au figuré, «réflexion, méditation». ◆ Le nom, d'abord employé d'après le latin religieux pour «récitation d'un psaume», sert à désigner au sens propre la fonction physiologique des ruminants (1615). ◆ Son sens figuré, «action de revenir en esprit sur les mêmes choses», s'est développé tard (1936) par métaphore du sens propre ; il est à la fois d'usage courant et didactique, *rumination mentale* caractérisant un type de comportement en psychopathologie.

RUNE n. f. est un emprunt (1653) au danois *rune*, au norvégien *rune* ou au suédois *runa* qui désignent un caractère de l'ancien alphabet des langues germaniques orientales (gotique) et septentrionales (norois). Voir (langues) germaniques. Ces mots scandinaves sont issus du vieux nordique et islandais *rún* «secret ; signe magique, rune» (pluriel *rúnar* puis *rúnir*), mot apparenté au gotique *rūna* «mystère, secret».

♦ Le mot a gardé son sens d'emprunt.

▸ *Rune* a produit immédiatement **RUNIQUE** adj. (1653) «formé de runes, relatif à cet alphabet», dit par extension de l'art scandinave du IIIe au Xe siècle. ◆ **RUNOLOGUE** n. (1870) «linguiste spécialiste de l'écriture runique» et **RUNIFORME** adj. «qui a la forme des runes» (v. 1950) sont également d'usage didactique.

RUOLZ n. m. est l'emploi comme nom commun (attesté 1853 mais antérieur) du nom du chimiste français François Albert Henri-Ferdinand, vicomte de *Ruolz* (1808-1887), qui inventa en 1841 un procédé permettant de fabriquer un alliage utilisé en orfèvrerie, d'une couleur analogue à celle de l'argent.

♦ Le mot, d'usage technique, désigne cet alliage ; sa valeur figurée, dans *c'est du ruolz* «c'est du toc» (1853), est sortie d'usage.

▸ Le dérivé **RUOLZÉ, ÉE** adj. (1852, Gautier) est archaïque.

RUPESTRE adj., dont la forme actuelle (1812) a supplanté le dérivé suffixé *rupestral* (1802), est emprunté au latin moderne *rupestris* «relatif aux rochers». Ce mot est dérivé savamment du latin classique *rupes* «paroi de rocher», par métonymie «grotte, caverne» et «défilé rocheux, précipice» ; il est dérivé de *rumpere* «briser» (→ rompre).

♦ L'adjectif est employé en botanique à propos d'une espèce végétale qui vit dans les rochers et pour qualifier une inscription, une peinture, exécutée sur une paroi rocheuse (1919).

RUPIN, INE adj. et n. est un mot d'argot (1628) d'origine incertaine. On a évoqué l'anglais argotique *ripping* «épatant» (1826), de *to rip* «ouvrir en coupant», qui ne convient pas, ne serait-ce que du point de vue chronologique. L'hypothèse généralement admise y voit le dérivé de l'argot *rupe, ripe* «dame» (1596), lequel, par une étape sémantique intermédiaire non attestée (injure à une femme), est probablement un emploi figuré du moyen français *ripe* «gale» (1422-1425). Ce dernier est dérivé de *riper* «gratter», emprunt au moyen néerlandais *rippen* «tirailler, toucher, racler» (→ riper). P. Guiraud, tout en acceptant la parenté de *rupe, ripe* avec *riper* et *ruper* «gratter», évoque un autre développement sémantique en se fondant sur des mots d'ancien et moyen français *ripault* «gentilhomme», *ripaudier* «gouverneur de ville», *ripois* «prince», *ripe* et *ripaude* «dame». Cette série partirait de *riper* «polir» (toutefois non attesté avant le XVIIIe s.), d'où *ripe* «outil de sculpteur pour polir la pierre» (XVIIe s.), et permettrait de considérer en *rip-*, *rup-* un doublet de *poli* au sens figuré de «raffiné, élégant».

♦ Le mot apparaît comme substantif dans *l'Argot réformé* pour désigner un gentilhomme et une dame. Adjectivé, il qualifie une personne bien habillée, élégante et riche (1630). ➛ Passant au XIXe s. dans l'usage familier, il fait coexister les notions d'élégance (1835; 1836, comme nom) et de richesse (1844, nom et adjectif), cette dernière étant dominante dans l'usage actuel. Son emploi substantivé pour «riche apparence» est attesté chez Huysmans (fin XIXe s.), et a disparu. Le mot a vieilli dans tous ses emplois, mais il reste connu.

▸ L'argot scolaire en a dérivé **RUPINER** v. (1890) «avoir des résultats brillants» et, transitivement, «bien réussir une épreuve», lui aussi vieilli.

RUPTEUR → ROMPRE

RUPTURE n. f. est emprunté (1372), pour servir de substantif d'action à *rompre**, au latin impérial *ruptura* «fracture, fait de casser» qui, par voie non savante, a donné *roture**. *Ruptura* est dérivé du supin de *rumpere* (→ rompre).

♦ Le mot, rare avant le XVIe s., désigne le fait de se rompre, l'action par laquelle une chose est rompue. Il exprime également la séparation brutale en deux ou plusieurs morceaux d'une chose résistante, sous l'effet d'une force trop intense ou d'un effort trop prolongé (1372). De ce sens procèdent des spécialisations dans les sciences et les techniques, en mécanique, dans des locutions comme ***point de rupture*** (1784) et en balistique (1904, *projectile* ou *obus de rupture*). ➛ Il est employé dans un contexte guerrier (1549) à propos de l'opération ouvrant une brèche dans le dispositif défensif de l'adversaire, puis du fait de rompre le dispositif d'une troupe rangée en bataille pour la former en colonne (1904). En médecine, le mot exprime la déchirure d'un organe qui n'est pas produite par un instrument tranchant (1680), après avoir désigné la hernie (1538). ➛ Au figuré, *rupture* se dit de la désunion, de la séparation entre personnes liées par l'amitié, le sang, l'amour (1636). Il a eu le sens de «dissolution d'une assemblée» (1601). ◇ Il s'applique aussi au fait de faire cesser brusquement un état existant, d'interrompre le cours de qqch. (1690), au XXe s. dans des locutions comme ***rupture d'équilibre*** (1933, à propos d'un avion) ou ***rupture des relations diplomatiques*** (1933). Il s'emploie en droit à propos de l'annulation d'un acte public ou privé (1441), en particulier dans les syntagmes déterminés ***rupture de ban***, d'où, au figuré, *être en rupture de ban**, *rupture d'un hymen* (1644), *d'un mariage* (1870) et, en droit du travail, *rupture abusive* «résiliation abusive d'un contrat de travail» (v. 1950). ➛ Enfin, le mot indique une opposition tranchée, un changement brusque entre les éléments d'un ensemble et interrompant leur continuité, d'abord en peinture (1684, *rupture des couleurs*), seul et dans le syntagme ***rupture de ton***, ainsi que dans la locution ***(être) en rupture avec.*** L'idée d'interruption est exprimée en commerce dans l'expression ***rupture de stocks***, d'où *être en rupture de stocks* «à court (d'un produit)». Sur le plan spatial et concret, ***rupture de pente*** se dit d'un brusque changement de pente.

◈ voir ROTURE.

RURAL, ALE, AUX adj. et n. est emprunté (début XIVe s.) au bas latin *ruralis* «des champs, de la campagne», dérivé du latin classique *rus, ruris* «campagne», opposé à la fois à *domus* «maison» (→ dôme) et à *urbs* «ville» (→ urbain), spécialement au pluriel *rura* «champ, domaine campagnard». Ce mot appartient à une racine indoeuropéenne, mais on ne sait s'il repose sur °*rewos* lié à l'avestique *ravō* «espace libre» (*ravas-čarāt-* désignant les animaux non domestiqués, particulièrement ceux de la plaine) ou sur °*rū-s*, ce qui le ferait rapprocher du radical de l'ancien haut allemand *rūm* «espace libre»; cf. l'anglais *room*. En tout cas, il y a parenté entre les trois mots, latin, avestique et ancien haut allemand. *Rus*, surtout usité jusqu'au premier siècle de l'Empire, a été éliminé par un dérivé de *campus* (→ camp, champ), probablement en raison de son caractère monosyllabique; en outre, comme *domus* «maison», il ne s'employait guère qu'aux cas ayant une valeur locale (accusatif *rus*, locatif *ruri*, ablatif *rure*) et, au pluriel, uniquement au nominatif-accusatif *rura*.

♦ L'adjectif qualifie ce qui concerne la vie dans les campagnes, l'agriculture, avec une valeur plus neutre que *agreste, campagnard, champêtre* et que le terme apparenté *rustique**. ◇ Rarement usité pour qualifier une personne vivant à la campagne (v. 1398), il est courant avec ce sens en emploi substantif, au singulier (v. 1453) et surtout au pluriel, *les ruraux* (1602), spécialement en parlant de députés des campagnes à l'Assemblée nationale (1871).

▸ **RURALITÉ** n. f. existait en ancien français au sens d'«ignorance de campagnard» (fin XIVe s.), encore attesté en 1842 mais évincé par *rusticité*. Le sens actuel neutre est enregistré par Littré en 1870. ➛ **RURALISME** n. m. (1874) désigne le préjugé en faveur des conditions de vie rurales. ➛ **RURALISTE** n. (1953) désigne un juriste spécialisé dans le droit rural. ➛ **RURALISER** v. tr. «rendre rural» (1973, *Le Monde*) et **DÉRURALISATION** n. f. (1972) restent très didactiques. ➛ Les deux adjectifs *rural* et *urbain* ont été combinés pour former l'adjectif **RURBAIN, AINE** (1975), mot-valise mal formé pour qualifier ce qui relève à la fois de l'influence de la campagne et de la ville, et qui n'a guère eu de succès.

◈ voir RUSTIQUE, RUSTRE.

RUSE n. f., d'abord *reüsse* (v. 1138), puis *ruse* (v. 1280), est le déverbal de l'ancien français *reüser* (v. 1112), *ruser* (v. 1155) «repousser, faire reculer (qqn)» et absolument «se retirer, reculer» (v. 1155). Ce verbe était encore employé au XVIIe s. à la forme pronominale *se ruser* pour «s'écarter» (1605), le déverbal *ruse* s'employant parallèlement en moyen français (1466) pour «action de repousser, renvoi». Il remonte au latin *recusare* «refuser» qui a donné *récuser** par voie savante et qui a dû prendre en latin populaire le sens de «repousser», déjà annoncé par l'emploi chez Ovide de *frena recusare* «regimber contre le frein». L'ancien provençal *rebuzar* «reculer, empirer» s'explique par un croisement de *reüzar, raüzar* (la chute du *c* entre voyelles atteste que ces formes viennent de la région septentrionale du domaine provençal) avec *rebotar* «repousser». La forme *rehusser, russer*, passée en anglais, a fourni *rush*, réintroduit en français dans l'anglicisme *rush**.

♦ *Ruse* est d'abord un terme de vénerie désignant le détour (fait de reculs) que fait le gibier pour mettre les chiens et les chasseurs en défaut. Il est passé dans l'usage général en désignant un procédé habile, un artifice dont on se sert pour tromper, pour abuser qqn (XIIIe s.). ◇ Le mot a eu en ancien français diverses nuances, «mensonges», «propos frivoles, attrayants», «badinage», «chanson satirique», qui ne se sont pas maintenues après le XVe siècle. ◇ La locution ***ruse de guerre*** concerne tout moyen utilisé au combat pour tromper ou surprendre l'ennemi (1538). *La ruse* désigne abstraitement l'art de dissimuler, de tromper (v. 1360) et s'applique aussi aux animaux, traditionnellement au renard.

▶ Le verbe moderne **RUSER** v. intr. (XIVe s.), d'abord *reüser* (v. 1240), peut être considéré, au moins sémantiquement, comme un dérivé de *ruse*, distinct de l'ancien verbe *ruser* (ci-dessus). En ancien et moyen français, il s'employait transitivement au sens de «tromper» et de «se moquer de (qqn)». ◇ L'usage intransitif s'est généralisé à propos d'une personne ou d'un animal (XIVe s.) et, spécialement en vénerie, de la bête chassée qui emploie divers expédients pour échapper aux chasseurs et aux chiens (1561). ◆ **RUSÉ, ÉE** adj., dérivé de *ruse* (XIIIe s.), qualifie la personne qui fait preuve de ruse, possède l'art de tromper autrui. Il se dit aussi des animaux. Par métonymie, il s'applique à ce qui annonce la ruse (v. 1550) et à ce qui est fait avec ruse, finesse et habileté (v. 1550). Il est également substantivé (1553).

RUSH n. m. est l'emprunt (1851) de l'anglais *rush* n. (1380), dérivé de *to rush* «se précipiter, se ruer», lui-même emprunté à l'ancien français *rehusser, russer* (→ ruse) au sens de «repousser, faire reculer», par l'intermédiaire de l'anglo-normand *russher* au XIVe siècle. *Rush* désigne un mouvement violent, précipité; il s'est spécialisé en parlant de l'invasion rapide d'une région par des colons et chercheurs de mines (1850), en sports pour un effort suprême (1857), au cinéma pour une prise de vues brute.

♦ En français, *rush* est d'abord employé à propos de l'afflux brusque d'une multitude de colons dans une région, en concurrence avec *ruée*, puis de l'afflux d'un grand nombre de personnes dans la même direction (1901), en concurrence avec *affluence* et *pointe*. ◇ Par un nouvel emprunt, il désigne, d'abord en turf, l'accélération d'un concurrent en fin de course (1875). ◆ Ultérieurement, il a repris de l'anglais sa spécialisation en cinéma (1925) pour «épreuves de tournage» et «séance au cours de laquelle on visionne l'ensemble des prises de vues»; la recommandation officielle de *épreuves de tournage* (1973) n'a pas réussi à l'évincer dans ce dernier sens, alors que les emplois antérieurs semblent vieillis.

RUSSE adj. et n. assez tardif (att. 1715 comme adj.; 1671 n. m. «langue russe») a succédé à *moscovite*. Il est tiré de *Russie*, pris au russe *Rosija, Rossija*, du slave *Rus* (grec byzantin *Ros*, att. en 839). Il s'agit probablement de la slavisation d'un mot vieux norrois (de *rodh* «ramer, naviguer») appliqué aux Varègues. Le latin médiéval, outre *Moscovitae*, employait *Rutheni* (de sens plus étendu : Ukraine, Biélorussie).

▶ Le mot correspond à «de (la) Russie». Il entre dans des syntagmes figés (tels *montagnes russes, salade russe, roulette russe*). ◇ *Le russe* n. m. (1671) désigne la langue la plus parlée du groupe slave oriental, écrite en caractères cyrilliques.

▶ *Russe* a pour dérivés **RUSSIFIER** v. tr. (1815, Joseph de Maistre), d'où **RUSSIFICATION** n. f. (XIXe s.) et **DÉRUSSIFICATION** n. f. (1926). ◇ Parmi les composés : **ANTIRUSSE** adj. (1844) et, en histoire, **PANRUSSE** adj. (1881) d'où **PANRUSSISME** n. m. (1890). ◇ **RUSSOPHILE** adj. et n. (1854) et **RUSSOPHOBE** adj. et n. (av. 1918) sont en usage, ainsi que **RUSSOPHONE** adj. et n. «locuteur de la langue russe».

RUSSULE n. f. est l'adaptation (1816) du latin scientifique moderne *russula*, nom d'un genre de champignon à lames dont le chapeau coloré tire, dans certaines variétés, vers le rouge. Ce mot est le féminin substantivé du bas latin *russulus* «rougeâtre», diminutif du latin classique *russus* «rouge, roux» (→ roux).

♦ Le mot, bien que didactique, peut s'employer dans la langue courante; il désigne un champignon très commun dans les forêts françaises, dont plusieurs espèces sont comestibles.

RUSTAUD → RUSTRE

RUSTINE n. f. correspond à la diffusion (v. 1910) du nom de marque *Rustine*, lui-même tiré de *Rustin*, nom du fabricant de ces petites rondelles adhésives en caoutchouc servant à réparer un objet de caoutchouc, particulièrement une chambre à air;

les usines Rustin étaient à Clichy. ➜ L'ancien terme technique *rustine* n. f. (1754) «face postérieure du creuset dans lequel on affine la fonte», emprunt à l'allemand *Rückstein*, proprement «pierre de dos», de *rück-* «de dos» et de *Stein* «pierre», est un tout autre mot.

① **RUSTIQUE** adj. et n., réfection (v. 1355) de *ruistique* (XIIe s.), est emprunté au latin *rusticus* «relatif à la campagne, campagnard», substantivé pour désigner l'homme de la campagne. Par extension, l'adjectif latin qualifie ce qui rappelle la campagne, s'employant en bonne part pour «simple, naïf, modeste» et surtout avec la valeur péjorative de «grossier, gauche». Il est dérivé de *rus, ruris* «campagne» (→ rural). Une adaptation plus populaire a produit *rustre**.

♦ Le mot, repéré isolément au sens ancien de «féroce», qualifie ce qui est relatif aux activités, aux choses de la campagne. En ce sens, il a vieilli en dehors de certains syntagmes didactiques, comme *dieux rustiques* (1549, *demydieux rustiques*), présidant à l'agriculture. Il qualifie ce qui est propre à la vie, aux mœurs des gens de la campagne (v. 1355), en particulier un langage, un accent, une expression littéraire, spécialement, en philologie (fin XVIe s.), d'après le latin médiéval *rusticus*, un latin tardif répandu dans les diverses provinces de l'Empire romain, et une écriture latine de basse époque constituée par des capitales au tracé amaigri et simplifié (1875). ➜ Il s'emploie spécialement pour qualifier un mobilier fabriqué, d'abord artisanalement, dans le style traditionnel de chaque province (1835), après s'être dit avec une tout autre valeur d'un objet d'art qui imite la nature sans l'embellir (1563, *grotte rustique*). Depuis le XVIIe s. il se dit d'une architecture dont les colonnes, les entablements sont ornés de bossages vermiculés (1676) et, par analogie, d'un ouvrage de maçonnerie dans lequel les pierres de parement demeurent ou semblent brutes (1690). La vogue du style campagnard dans l'architecture et l'ameublement, aux XVIIIe et XIXe s., a suscité *bois rustique*, désignant d'abord un bois aux fibres nouées (1723) puis des troncs et branches utilisés à l'état brut pour donner une note campagnarde à certains ouvrages (1842). Par extension, il se dit d'un décor, d'un meuble conçu avec la simplicité propre à recréer une ambiance de campagne (1835). ➜ Dès les premiers textes, *rustique* qualifie des manières (v. 1355), puis une personne simple, mal dégrossie (1507), quelquefois avec une intention valorisante, simple, sans détour (1666). L'influence de *rude* et, bien entendu, de *rustre* est alors sensible. L'adjectif qualifie aussi un végétal ou un animal robuste et demandant peu de soins (1845).

Un rustique n. m. (v. 1520) a servi à désigner un habitant de la campagne ; d'abord neutre, cet emploi est devenu péjoratif (1888). En arts décoratifs, *le rustique* réfère au genre rustique (1549, *à la rustique*).

▶ **RUSTIQUEMENT** adv. (1539) «d'une manière rustique» est demeuré rare. ➜ **RUSTIQUER** v. tr. (1676) est spécialisé d'après un emploi technique de l'adjectif en architecture, pour «tailler (une pierre) au marteau à tranchant dentelé pour lui donner l'aspect brut» et «crépir (un mur) dans le genre rustique» (1875). L'ancien verbe intransitif *rustiquer* «habiter la campagne», «se livrer aux travaux des champs» (1564) était un emprunt du latin *rusticari* de même sens, dérivé de *rusticus* «de la campagne». Le verbe moderne a donné **RUSTICAGE** n. m. (1842), désignant un mortier très clair que l'on jette sur le mur pour le crépir et (1890) l'action de rustiquer, ainsi que le déverbal ② **RUSTIQUE** n. m. (1904) «marteau de tailleur de pierre pour rustiquer».

RUSTICITÉ n. f. est emprunté (v. 1380) au dérivé latin *rusticitas* «choses ou mœurs de la campagne», «grossièreté, gaucherie». ➜ Le mot s'est employé en moyen français pour désigner le travail des champs. Il se dit de la manière d'être prêtée aux gens de la campagne (1512), souvent avec une valeur péjorative de «manque de raffinement allant jusqu'à la grossièreté» (1512, 1862). Cette acception est archaïque et littéraire. ◇ Littré enregistre *rusticité* avec le sens technique de «robustesse (d'un végétal, d'un animal domestique)» (1870).

◈ voir RUSTRE.

RUSTRE n. m. et adj. est la réfection (1375) de l'ancien français *ruiste* (1112), également *ruste* (v. 1190) et *ruistre*, qui qualifiait un coup, un combat violent, rude et, parallèlement, un homme vaillant, vigoureux avec une notion de vigueur physique, et se disait d'une pente, d'un gué difficile et, abstraitement, d'un conseil important. Ce mot est l'adaptation semi-savante du latin *rusticus* qui, par voie d'emprunt, a donné *rustique**.

♦ *Rustre*, employé dès les premiers textes comme nom, désigne un individu grossier, brutal, manquant d'éducation, voire brutal et prétentieux (1607). Un emploi classique neutre, pour «rural de la campagne» (1678, La Fontaine), synonyme de *rustique, paysan*, ne s'est pas implanté. ➜ Le mot est adjectivé pour qualifier une personne grossière, inculte (1668, La Fontaine) et, par métonymie, une chose témoignant d'un manque de finesse, de savoir-vivre (1751). L'influence paronymique de *rude* est probable.

▶ De *rustre* est dérivé **RUSTAUD, AUDE** adj. et n. (1530), également *rustaut* au XVIe s., avec chute du *r* par dissimilation. Le mot, comme *rustre*, est péjoratif, désignant et qualifiant (1668) un homme lourd et grossier dans ses manières, le féminin se disant parallèlement d'une femme brutale (1611). ◇ Comme dans le cas de *rustre*, la tentative pour imposer un emploi non péjoratif pour «propre à la campagne, simple et naturel» (1677) puis «qui vit à la campagne, paysan» (av. 1890) a échoué ; c'est l'adjectif *rural* qui l'assume. ➜ Un emploi historique du mot concerne les membres d'une secte d'anabaptistes composée de paysans qui, au XVIe s., tentèrent de susciter des révoltes (1875).

RUSTRERIE n. f. (v. 1534) s'est employé dans *faire la rustrerie* «faire bonne chère, vivre joyeusement» et au pluriel *rustreries* «désordres» (v. 1570) ; cette valeur a disparu en français classique. ◇ Le sens de «manière d'être d'un rustre» (1866) ne s'est guère répandu.

◈ voir **RUSTIQUE.**

RUT n. m., d'abord sous la forme *ruit* (v. 1130), encore au XVIe s., puis *rut* (v. 1155), est issu du bas latin *rugitus,* lui-même dérivé de *rugire* (supin *rugitum*) qui a donné *rugir**. *Rugitus* signifie proprement «rugissement», au figuré «borborygme», et s'est dit spécialement du bramement du cerf lorsqu'il recherche la femelle. À la différence du francais et du frioulan *rût, arût,* l'espagnol et le portugais *ruido* signifient «bruit».

♦ Le mot désigne d'abord la période d'accouplement chez les mammifères (v. 1155). Il se dit familièrement au figuré de l'excitation sexuelle chez les humains (v. 1130), surtout dans ***(être) en rut.*** Un sens plus général, «tumulte, grand bruit», était en usage en ancien français.

RUTABAGA n. m. est emprunté (1768) au suédois dialectal *rotabagge* (Götland occidental) ou *rotabaggar,* proprement «chou-rave», spécialement «chou-navet à grosse racine fourragère consommé par le bétail et, parfois, lorsqu'il est jeune, par l'homme». Ce mot, dont viennent également l'anglais *rutabaga* et l'allemand *Ruta-* (ou *Rota-*)*baga,* est formé avec la racine *rot* d'origine germanique (°*wrot*) apparentée au latin *radix* «rave, racine» (→ racine, radis, raifort).

♦ Le mot, qui a conservé le sens de l'étymon, a été associé dans la mémoire collective française, depuis 1941-1945 et les restrictions alimentaires, et jusqu'à une époque récente, au topinambour, en tant que symbole de nourriture grossière. La nouvelle cuisine a parfois réhabilité ce légume.

RUTHÉNIUM n. m. est un mot du latin scientifique moderne (1847), dérivé du latin médiéval *Ruthenia* «Russie» (*Ruthenus* «Russe» est attesté v. 1250 dans le domaine anglais), mot considéré comme une version latinisée de *Rus* (IXe s.), tenu pour l'étymon du nom *Russie. Ruthenia* a été francisé en *Ruthénie,* nom d'une région d'Ukraine anciennement tchécoslovaque, rattachée à l'U. R. S. S. en 1945, et redevenue ukrainienne (1991). Le terme de chimie *Ruthenium* a été créé en allemand en 1828 par le pétrographe allemand Osann qui a découvert ce corps en Oural; Claus l'a isolé en 1844.

♦ Le mot désigne un métal blanc argenté brillant, dur et cassant, utilisé en alliage, dans la fabrication de contacts électriques et pour certaines catalyses.

▸ **RUTHÈNE** adj. (1882) correspond à «de la Ruthénie» (voir ci-dessus). ◇ Le dialecte ukrainien de Ruthénie est nommé (1904) *le ruthène,* n. m.

RUTILER v. intr. est emprunté (1458) au latin *rutilare* «teindre en rouge (les cheveux)» et, intransitivement, «briller comme l'or, être éclatant». Ce mot est dérivé de *rutilus,* ancien adjectif qualifiant des cheveux roux, le poil d'un animal et ce qui est éclatant, ardent comme l'or ou le feu : *rutila pellis* «la Toison d'or». L'origine de *rutilus* est énigmatique, même si l'on admet un élément radical de type °*eru-,* °*ru-* à côté du groupe bien établi de *ruber* (→ rouge).

♦ Le mot, repris avec le sens de «briller d'un vif éclat», est resté rare entre le XVIIe et la seconde moitié du XIXe s.; il demeure littéraire et beaucoup moins courant que *rutilant* (ci-dessous); Hugo l'emploie (1831) avec sa valeur étymologique «briller d'un rouge éclatant», en parlant de visages.

▸ Le dérivé **RUTILEMENT** n. m. (1871), «fait de briller, aspect de ce qui rutile», a joui d'une certaine vogue dans la littérature symboliste (Huysmans, Bloy). ➛ **RUTILANT, ANTE** adj. est emprunté, sous la graphie *rutillant* (1495), corrigée en *rutilant* (1559), au latin *rutilans, -antis* «brillant, éclatant», participe présent adjectivé de *rutilare.* ◇ L'adjectif qualifie proprement ce qui est d'un rouge éclatant, sens archaïque, puis ce qui brille d'un vif éclat (1512, *rutilan*). ◇ En chimie, *vapeurs rutilantes* s'est dit (1789) pour des vapeurs de peroxyde d'azote d'un rouge brunâtre. ➛ De *rutilant* dérive **RUTILATION** n. f., attesté une première fois en 1785, puis au XIXe s., «état de ce qui brille en émettant de vifs reflets» et, plus rarement, «état de ce qui est d'un rouge ardent» (1801). ➛ **RUTILANCE** n. f. (1851), également marqué comme «littéraire», possède les mêmes sens.

RUTILE n. m., repris savamment (1821) de l'allemand *Rutil,* mot formé par Werner en 1803 ou 1800 d'après le latin *rutilus,* est un terme de chimie désignant une variété du dioxyde de titane qui est parfois d'un rouge brun. ➛ **RUTILISME** n. m., dérivé savant (1953) du latin *rutilus,* s'emploie en médecine pour désigner une pigmentation rousse anormale.

RYTHME n. m., réfection savante (1549, chez Du Bellay) de *rime* (v. 1370), puis *rithme* (1512), est emprunté au latin *rhythmus* «mouvement, battement régulier, mesure, cadence», spécialement en rhétorique «nombre oratoire» et, en latin médiéval, «poème» (v. 1036). Le mot latin est repris au grec *rhuthmos* qui a en outre les valeurs analogiques de proportions régulières, d'ordonnance symétrique et, par extension, de manière d'être, s'appliquant à la forme d'une chose, à une figure géométrique et, par suite, à un type, à une espèce. C'est un des mots clés de la philosophie aristotélicienne (psychologie, théorie de l'art). Le mot est dérivé de *rhein* «couler» et *rhuthmos* aurait, d'après Benveniste, d'abord le sens de «forme», assumé par ce qui est mouvant, fluide, modifiable. De ce sens, qui correspond à «arrangement des parties, dans l'espace», on serait passé à une notion temporelle, illustrée dans les textes à partir de Platon.

♦ *Rythme,* après un emploi isolé en musique, est repris au XVIe s. et désigne le retour imposé à des intervalles réguliers d'éléments harmoniques caractéristiques du vers; puis, il renvoie au mouvement général résultant, dans un texte, de la répartition, du retour régulier et plus ou moins rapide de certains éléments de la phrase (1647, N. Poussin). ◇ Le mot s'applique aussi à la musique (v. 1512) où il est distingué plus tard de *tempo* et de *mouvement.* ◇ En médecine, *rythme* s'applique à la cadence présentée par les mouvements du sang dans les artères (1765), d'où *rythme cardiaque, rythme respiratoire* (1890), etc. Il s'étend à toute espèce de cadences et de mouvements proportionnés que comprend la vie organique (1845) et se répand dans l'usage courant à propos de l'allure, de la vitesse à laquelle va un véhicule (1846), s'exécute une action, se déroule un processus (1917 au cinéma), une suite d'événements (1924). ◆ Par glissement de la valeur d'organisation temporelle à celle de proportions donnant un effet dynamique, le mot est passé dans le domaine spatial, en art, d'abord en sculpture (1765), puis dans tous les arts plastiques.

▶ **RYTHMÉ, ÉE** adj., d'abord sous la forme *rimé* (v. 1370), *rythmé* et *rhithmé* n'étant attestés que tardivement (1836), apparaît une première fois chez Oresme pour rendre une phrase grecque, dans *musique rimée* «qui possède une alternance déterminée de sons forts et de sons faibles». ◇ Il est repris au XIXe s. pour qualifier ce qui a un rythme sensible et bien marqué, aisément perceptible, à la fois en poétique (1852, *strophe rythmée ;* 1867, *prose rythmée*), et dans les autres contextes du mot *rythme* (av. 1854). ◆ En dérive **RYTHMER** v. tr. qui, après une première attestation (1372-1374), est repris au XIXe s., d'abord écrit *rhythmer* (1856) «soumettre à un rythme, à une mesure» et, par extension, «régler (qqch.) selon une cadence» (1862, Mallarmé). ◇ À son tour, ce verbe a produit **RYTHMEUR, EUSE** n. (1842) «poète habile dans le maniement des rythmes», mot peu usité. ◆ **RYTHMIES** n. f. pl. (1972, Manuila) est un terme de médecine désignant les mouvements rythmiques stéréotypés accomplis involontairement par certains malades mentaux.

① **RYTHMIQUE** n. f. est emprunté (v. 1355) au bas latin *rhythmica* «science du rythme», lui-même repris du grec *rhuthmikê* «le langage rythmé, la poésie», féminin substantivé de *rhuthmikos.* ◆ Le mot, introduit en musique, et rare avant le XVIIe s., a désigné l'art des cadences et de la suite des mouvements, spécialement dans l'étude de la musique ancienne, et la partie de la musique des Anciens qui concernait les lois du rythme, de la mesure (1842). Il se dit aussi de la partie de la grammaire ancienne relative au rythme des vers grecs et latins (1870). ◆ De nos jours, il s'emploie à propos de la science des rythmes, appliquée à la prose et surtout à la poésie (1765).

② **RYTHMIQUE** adj., d'abord altéré en *richmique* (fin XVe s.), puis *rithmique* (1521) et *rythmique* (1690), est emprunté au bas latin *rhythmicus* «qui concerne le rythme, cadencé», déjà employé à l'époque classique comme nom désignant un technicien du rythme. Ce dernier est emprunté au grec *rhuthmikos* «qui concerne le rythme, se conforme au rythme», dérivé de *rhuthmos.* ◆ L'adjectif est introduit par les théoriciens des XVe-XVIe s. pour qualifier les éléments harmoniques de la rhétorique en tant qu'elle s'applique à l'art des vers. Subissant l'attraction de *rythme,* il a élargi son emploi, qualifiant ce qui est relatif aux cadences et retours proportionnés de mouvement (enregistré par Furetière, 1690). Par latinisme, d'après *versus rhythmici,* il a qualifié un vers léonin reposant sur l'identité des terminaisons (1588). Il s'étend à la musique (1636, *art rythmique, musique rythmique*), spécialement à une méthode d'éducation musicale, musculaire et respiratoire créée par Émile Jacques-Dalcroze et appelée *gymnastique rythmique* (1906) ou *danse rythmique* (1933). ◆ *Rythmique* a produit **RYTHMIQUEMENT** adv. (1816) et **RYTHMICIEN, IENNE** n. (1870), nom du spécialiste des questions de rythmique grecque et latine, et du poète habile dans le maniement des rythmes, ainsi que **RYTHMICITÉ** n. f. (1877), «caractère rythmique».

ARYTHMIE n. f. est un emprunt de la langue médicale au grec *aruthmos,* de *a-* privatif et *ruthmos,* d'après *arythmique.* ◇ Il désigne (1879, Sée) une irrégularité du rythme cardiaque et s'est étendu à diverses irrégularités rythmiques. ◆ **ARYTHMIQUE** adj. se dit du pouls irrégulier (1865 dans le dict. de Littré-Robin), puis d'une mélodie, d'une suite sonore.

◈ voir EURYTHMIE.

S

S n. m., parfois aussi n. f., vient du *s* latin.

♦ Le mot entre dans des locutions, dont la plus pittoresque est *allonger les S* qui a signifié (1542) «faire une tromperie dans un compte», car on terminait les articles d'un compte par des *s* pour «sous» qui, allongés vers le bas, formaient des *f*, qui signifiaient «francs». *S* désigne une forme sinueuse (XVIe s.), en particulier dans ***faire des S*** «faire des zigzags comme une personne ivre» (1640), et ***avoir les jambes en S*** «être bancal» (1808), qui a vieilli. ◇ Il désigne enfin des objets et outils de cette forme (→ esse).

SABAYON n. m., d'abord *sabaillon* (1803) pour une boisson italienne, écrit ensuite *sabaione* (1807), puis (1845-1846) avec un *y*, est emprunté à l'italien *zabajone* (déb. XVe s.), puis *zabaglione* (1640, Oudin). Ce mot d'origine inconnue se rattache peut-être au bas latin *sabaya*, nom d'une boisson illyrienne.

♦ *Sabayon* désigne une crème constituée d'un mélange de jaunes d'œufs, de sucre, de vin et d'aromates, que l'on a fait cuire.

SABBAT n. m. est emprunté (v. 1170, *sabat*) au latin ecclésiastique *sabbatum*, lui-même à l'hébreu *šabbāt*, proprement «repos», par le grec *sabbaton*.

♦ Ce terme religieux désigne le repos que les juifs observent le 7e jour de leur semaine (le samedi), consacré au culte divin. À partir du XIIIe s., les juifs étant mis à l'écart de la société française, leurs usages sont dépréciés par les chrétiens ; les prières étant dites à voix haute, le mot *sabbat* prend la double valeur de «grand bruit» et «activités de sorcier» ; ces acceptions sont d'abord attestées par le dérivé *sabateis* (XIIIe s.). Vient ensuite le sens de «tapage» (v. 1360), dans ***mener le sabbat*** (1451, Ch. d'Orléans), puis d'«assemblée nocturne des sorciers» (1508) ; de là des locutions disparues : *faire ses sabbats* «se livrer à des réjouissances» (1485), *garder le sabbat de qqn* «avoir le culte de qqn» (1512). L'idée de «bruit» explique que *sabbat* ait eu le sens de «gronderie» (1671, Mme de Sévigné) et ait désigné un instrument pour nettoyer les grains (1842). Tous les figurés ont disparu, sauf peut-être «grand bruit».

▸ **SABBATIQUE** adj., emprunté au dérivé latin chrétien *sabbaticus*, lui-même emprunt au grec, est relevé en 1569 en emploi figuré, s'appliquant à une rivière qui s'arrête de couler un jour sur sept. Qualifiant ce qui a rapport au sabbat, l'adjectif n'est attesté qu'au XVIIe s. (1611), après l'adjectif *sabbathaire* (1578), disparu. ***Année sabbatique*** (1650 ; 1569, *an sabbatique*) a désigné la 7e année pendant laquelle les juifs laissaient reposer la terre et n'exigeaient pas les créances, acception archaïque dès le XVIIe s. (1680, Richelet) ; on a dit (1587) *an sabbathaire*. ◇ Par emprunt (1948) à l'anglais *sabbatical year* (1886), l'expression se dit de l'année de congé accordée tous les 7 ans aux professeurs d'université, aux États-Unis, puis au Canada et dans d'autres pays. ◆ **SABBATAIRE** n., terme d'histoire religieuse, reprend l'ancienne forme *sabbathaire* (ci-dessus) et désigne (1721) un juif converti au christianisme qui, au Ier s., continuait à observer le sabbat et, par ailleurs, une secte anabaptiste qui observe le sabbat (aussi *sabbatarien*, 1694).

◈ voir SAMEDI.

SABIR n. m. représente une altération (1852) de l'espagnol ou du provençal *saber* «savoir», tiré de phrases souvent répétées, comme *mi non sabir* «moi pas savoir» : chez Molière, dans *Le Bourgeois gentilhomme*, IV, 10 (1670) *Si ti sabir, ti respondir*, mots prêtés au muphti. L'occitan *saber* est emprunté au latin *sapere* qui a donné *savoir**.

♦ Le mot désigne d'abord un jargon mêlé d'arabe, de français, d'espagnol et d'italien, qui était utilisé en Afrique du Nord et dans le Levant pour les relations commerciales avec les Européens (cf. *lingua franca*). Sans la connotation péjorative prise dans la seconde moitié du XIXe s. (1882), *sabir* s'emploie en linguistique (1919) pour désigner un système mixte, limité à quelques règles et à un vocabulaire déterminé, issu des contacts entre des langues très différentes et servant de langue d'appoint (opposé à *créole** et à *pidgin**). Par figure, le mot désigne un usage impur et incorrect de la langue, un jargon (cf. le *sabir atlantique,* autre désignation du *franglais* par Étiemble).

① **SABLE** n. m., attesté isolément vers 1150, est issu du latin *sabulum* «sable»; repris au XVe s., c'est alors un dérivé régressif de *sablon* (v. 1170) ou *sablun* (1125), aboutissement du latin *sabulonem,* accusatif de *sabulo, -onis* «gros sable, gravier», dérivé de *sabulum* «sable». *Sabulum* se rattache à d'autres noms indoeuropéens du sable, comme le grec *psamathos* ou l'ancien haut allemand *sampt.* Voir ci-dessous *sablon.*

♦ *Sable,* qui désigne comme en latin une matière pulvérulente formée de petits grains minéraux, s'emploie depuis le XVIe s. au pluriel, comme *sablons,* au sens de «lieu ensablé, étendue de sable» (v. 1200), d'où «désert de sable» (1503). ◇ *Horloge de sable* (1552, Rabelais), puis *horloge à sable* (1636) est un synonyme ancien de *sablier** (ci-dessous). ◇ En technique, *sable* se dit (1597) d'une composition réfractaire à base de sable, utilisée en fonderie pour le moulage; de là, ***jeter en sable*** (1636) «couler dans un moule de sable», qui a signifié au figuré (mil. XVIIe s.) «boire d'un trait un verre de vin, d'alcool»; ce figuré est archaïque. Ce sens figuré est probablement fondé sur la propriété qu'a le sable d'absorber les liquides. ◇ ***Sable mouvant*** (déb. XVIIe s.), le plus souvent au pluriel, désigne un sable que les vents ou les eaux déplacent et qui, peu consistant, s'enfonce sous les pieds; la locution s'emploie au figuré (1689) pour «fondement peu solide». ⬥ Par analogie de forme et d'aspect, le mot a désigné (1588 Montaigne) une concrétion qui se forme dans les reins; cf. *pierre, calcul.* ⬥ *Sable* s'emploie dans diverses locutions figurées, parmi lesquelles ***bâtir à chaux et à sable*** (fin XVIe s.) «solidement», d'où ***être bâti à chaux et à sable,*** d'une personne (1878); ***bâtir sur le sable*** (1625) et ***fonder sur le sable*** (1718) «de manière précaire»; ***le marchand de sable a passé*** (1659) correspond dans l'usage enfantin à ***avoir du sable dans les yeux*** «envie de dormir» (1798; 1690, *le petit homme luy a jetté du sable dans les yeux*). ◇ ***Être sur le sable*** signifie «être sans argent», d'abord en argot de la marine (1725) par comparaison avec le bateau qui s'échoue sur le sable; la locution ne se répand qu'à partir du XIXe s., d'abord en argot (1827, «être dans la misère, faute de femme», dans le vocabulaire des souteneurs). ◇ Le mot s'emploie également dans *vin de sable* «fait à partir de raisin cultivé dans une terre sablonneuse».

▸ Le dérivé **SABLEUX, EUSE** adj. est la réfection de *sabelous* (v. 1285). Il signifie «de la nature du sable». ⬥ **SABLER** v. tr. est d'abord attesté au sens de «recouvrir d'une matière en poudre» (1587); le verbe est sans doute antérieur, car ① **SABLÉ, ÉE** adj. «recouvert de sable» est relevé en 1507. ◇ Le sens actif de «recouvrir de sable» (1680; p.ê. 1588) a vieilli, puis disparu. *Sabler* signifie ensuite (1645) «couler dans un moule fait de sable». Par allusion au métal en fusion versé dans le moule, *sabler* a signifié «boire d'un trait» (1695) encore au XIXe s.; au milieu du XVIIIe s. (Voltaire), ***sabler le champagne*** s'emploie pour «boire du champagne en abondance». À la fin du XVIIIe s., le verbe signifiait «bâcler (un travail)» (1789), comme si l'on jetait du sable dessus, métaphore proche de *gâcher,* sens encore relevé au milieu du XIXe siècle. *Sabler,* terme technique, s'emploie (déb. XXe s.) pour «décaper, polir à la sableuse». ⬥ Le verbe a fourni plusieurs mots techniques : **SABLEUR, EUSE** n. (1756), **SABLERIE** n. f. (1870), **SABLAGE** n. m. (1786), **SABLEUSE** n. f. (1907).

① **SABLIÈRE** n. f., «carrière de sable» (1690), succède à l'ancien provençal *sabliera* (1366). Le mot a désigné dans le vocabulaire des chemins de fer (fin XIXe s.) un réservoir contenant du sable que l'on fait tomber sur les rails pour augmenter l'adhérence des roues. ⬥ **SABLIER** n. m. désigne couramment (v. 1640), après *sablière* n. f. (1609), une horloge à sable; le mot s'est dit (1662) d'un petit récipient contenant du sable fin pour sécher l'encre et a désigné (1767) un arbre d'Amérique dont le fruit, capsule dure, servait au même usage. Par une nouvelle dérivation de *sable,* il a désigné un marchand de sable (1832), un ouvrier qui récolte le sable dans une rivière (1867). ◇ Le mot, dans sa première valeur («récipient, instrument empli de sable»), est employé ensuite comme terme technique, désignant le compartiment d'une machine à papier où sont arrêtées les impuretés de la pâte (1877), et une boîte allongée et percée utilisée pour le soufrage de la vigne (1904). ⬥ **SABLINE** n. f. se dit (1778) d'une plante des sables, des éboulis (nom scientifique : *arenaria*).

Plusieurs verbes sont composés à partir de *sable.* ⬥ **ESSABLER** v. intr. (1546) et **DESSABLER** v. tr. (mil. XVIIIe s.) «ôter le sable» ont disparu. ⬥ **ASSABLER** v. tr. a signifié «échouer sur le sable» (1544, intr.; 1550, pron.) jusqu'au XVIIIe s., et en technique «remplir de sable» (1546, Rabelais; 1690, pron.), d'où **ASSABLEMENT** n. m. (1629), disparu. ◇ On trouve aussi la forme **ASSABLIR** v. intr. (1660) au premier sens. ⬥ **ENSABLER** v. tr. est plus vivant. Il signifie d'abord, intransitivement, «échouer sur le sable» (1537), puis est pronominal (1607) et transitif (1636); le participe passé adjectivé est usuel. ◇ Le verbe signifie également «remplir, combler de sable» (1585-1600), plus courant qu'*assabler.* Il s'est employé pour «tendre des filets sur un fond de sable» (1771). ◇ En dérive **ENSABLEMENT** n. m. «amas de sable» (1673) et, attesté plus tard, «action d'ensabler» (1864). ◇ Le préfixé **DÉSENSABLER** v. tr. (1694) a produit **DÉSENSABLEMENT** n. m. (v. 1860).

SABLO-VASEUX, EUSE adj. (1950), terme de géographie, s'applique à un sol constitué de sable et de vase.

Avant que *sable* ne soit devenu courant, on employait en diverses acceptions **SABLON** n. m. (1125, *sablun*), pour «sable» et «terrain sablonneux» (v. 1130). Voir ci-dessus l'étym. de *sable.* Le mot se dit toujours d'un sable très fin (1294), la finale *on* ayant été interprétée comme un diminutif. Dans ses autres emplois, il a été supplanté par *sable,* par exemple dans *horloge à sablon* (1393) ou *sablon mouvant* (1611). ⬥ *Sablon* survit dans des noms de lieux et par ses dérivés. ⬥ **SABLONNIER** n. m. (v. 1190, *sablonier*), d'abord au sens disparu de «ter-

rain sablonneux», désigne un ouvrier des carrières de sable (XVe s.) et est sorti d'usage pour «marchand de sable» (1422), emploi où il avait un féminin **SABLONNIÈRE** n. f. (1803) Le mot a aussi servi d'adjectif (v. 1236). ➜ **SABLONNIÈRE** n. f. a désigné (v. 1200) une plaine de sable, une carrière de sable (1237). ◇ Avec une autre valeur, il désigne un coffre dans lequel on prépare le sable pour les moules de fonderie (1723). ➜ **SABLONNER** v. tr., d'abord terme technique (1387), signifie «jeter du sable fin sur le fer chaud pour souder» (1790) et, plus généralement, «couvrir de sable fin» (1483) ainsi que, spécialement, (1494) «récurer avec du sable fin» : en ce sens, **ENSABLONNER** v. tr. (mil. XVIe s.) a disparu. ➜ **SABLONNEUX, EUSE** adj. (1380), réfection de *sablonos* (1165-1170) «naturellement couvert de sable», s'est appliqué à un fruit qui a la consistance d'une poudre pierreuse. Il est demeuré vivant dans son premier sens et pour «où il y a beaucoup de sable (d'un sol)».
SABULICOLE adj., formation savante à partir du radical de *sabulum* et de *-cole**, s'applique à des animaux qui vivent dans le sable. L'élément savant *sabuli-* concurrence *sablo-*, de *sable*.

◈ voir ② SABLÉ, ② SABLIÈRE.

② **SABLE** n. m. est un emprunt (v. 1165) au latin médiéval *sabellum*, lui-même emprunté au russe *sobol* ou au polonais *sabol* «martre à fourrure noire».

♦ Le mot est utilisé jusqu'au XVIe s. pour désigner la martre zibeline et la peau de l'animal employée comme fourrure. ◇ En termes de blason (v. 1240), il signifie «noir», couleur de la zibeline.

◈ voir ZIBELINE.

① **SABLÉ** → ① SABLE

② **SABLÉ, ÉE** n. m. et adj. désigne (1870) un petit gâteau sec à pâte friable, d'abord produit dans la ville de *Sablé*. L'adjectif s'applique (v. 1900) à ce qui a la texture de ce gâteau *(pâte sablée)*, souvent compris comme «friable comme le sable».

① **SABLIÈRE** → ① SABLE

② **SABLIÈRE** n. f., terme technique de charpenterie (1359), et antérieurement *sablier* (1346), est peut-être dérivé de ① *sable* parce que cette poutre soutient le mortier et le sable ou vient, selon P. Guiraud, de *sapel, sapelle* «sapin» et serait alors un doublet de *sapine* «poutre», «solive en bois de sapin».

♦ Le mot désigne une pièce de charpente horizontale, disposée parallèlement au mur qui la supporte ou qu'elle soutient, et qui reçoit d'autres pièces de charpente.

SABORD n. m. (1573), d'abord écrit *sabort* (1402), est peut-être un composé de *bord**, mais le premier élément est inexpliqué ; P. Guiraud suggère que *sa-* pourrait représenter le verbe *saper* «creuser», le sabord étant une ouverture pratiquée dans le bord, ou le mot *sas*, pour «passage dans le bord».

♦ Ce terme de marine désigne une ouverture pratiquée dans la muraille d'un navire et servant sur un navire de guerre de passage à la bouche des canons. Par métaphore, ***coup de sabord*** s'emploie (1850) pour *coup d'œil ;* l'expression, d'abord employée dans la marine, a été altérée en *coup de saveur* (mil. XXe s.). ◇ ***Mille sabords !*** est un pseudo-juron (fin XIXe s.) mis dans la bouche des marins par les auteurs de romans d'aventures. Aujourd'hui, il est souvent repris par allusion au répertoire du capitaine Haddock, dans *Tintin et Milou* de Hergé.

▸ Le dérivé **SABORDER** v. tr. signifie (1831) «percer (un navire) comme par des sabords, mais au-dessous de la flottaison, en créant des voies d'eau pour le faire couler». ◇ Par métaphore, il s'est dit (1942) des journaux qui renoncèrent d'eux-mêmes à paraître après l'occupation totale de la France, puis pour «mettre fin volontairement aux activités (d'une entreprise)». ➜ En dérivent **SABORDAGE** n. m. (1894), employé au propre et au figuré, et **SABORDEMENT** n. m. (1846), qui a vieilli.

SABOT n. m., d'abord sous la forme *çabot* (déb. XIVe s.) au sens de «toupie», puis *sabot* «chaussure de bois» (1512), est d'origine incertaine. Pour Bloch et Wartburg, il représenterait, par croisement avec *savate**, une altération de *bot,* autre forme de *botte** signalée en 1564 dans la région du Poitou ; ce mot serait propre aux parlers septentrionaux, le sud de la France employant des formes qui continuent l'ancien provençal *esclop,* du latin *scloppus* «bruit produit en tirant contre la joue un doigt introduit dans la bouche» (→ escopette). Cette explication ne rend pas compte du sens de «toupie», antérieur. P. Guiraud propose de distinguer *çabot* et *sabot ;* le normanno-picard *cabot, çabot, chabot* «toupie», puis «chaussure» serait un dérivé de *bot,* adjectif «émoussé, contrefait» (cf. espagnol *boto* «émoussé») et nom signifiant «objet mal dégrossi» et «crapaud» ; *bot* se rattache à un germanique °*butta* «émoussé», que l'on trouve aussi dans les langues slaves. La forme *sabot* serait alors méridionale et liée à l'ancien *saboter* «heurter, secouer, ébranler» (d'où «gâcher le travail»), lui-même dérivé du provençal *saba* (anc. prov. *sabar*) «frapper sur l'écorce pour la détacher», bien attesté dans l'aire méridionale et qui remonte au latin *sapa,* lequel a donné *sève**. Les deux séries se seraient croisées à partir d'une métaphore sur le nom du crapaud, appliquée à des objets de facture grossière : on relève en franco-provençal *sabota* «crapaud» (Hautes-Alpes), en provençal *sabatas* «crapaud» et «chaussure grossière» (→ savate), les diminutifs *babi* «crapaud» et *bobo* «soulier d'enfant» ; par ailleurs, *bot, botte* «crapaud», *bot* «sabot» et *botte* «chaussure grossière» sont attestés en ancien français.

♦ *Sabot,* au sens de «grosse toupie que l'on fait tourner au moyen d'un fouet», est souvent considéré comme venant du sens de «chaussure faite d'une pièce de bois» ; Littré cite La Monnoye expliquant que «ces toupies sont faites la plupart d'un morceau de vieux sabot» ; mais *cabot* «toupie» semble plus ancien. Avec ce sens de «toupie», le mot entre dans la formule *le sabot dort* «il tourne sur place tellement vite qu'il paraît immobile», d'où ***dormir comme un sabot*** «profondément», attesté chez Villon (XVe s.) et qui n'est plus compris. ◆ *Sabot*, «chaussure», désigne par analogie (1564) l'ongle très développé qui entoure l'extrémité du doigt des ongulés; le mot entre dans plusieurs locutions figurées: *avoir cassé son sabot* «avoir perdu sa virginité» (XVIIe s.), en parlant d'une jeune fille, est sorti d'usage; *avoir du foin dans ses sabots* «être riche» (d'un paysan), relevé à la fin du XVIIIe s., a vieilli, à la différence de la variante *avoir du foin dans ses bottes; **voir qqn venir avec ses gros sabots*** (1624; dès 1587, *je vous vois venir: vous portez des bots et sabots, in* P. Enckell) et ***arriver avec ses gros sabots*** «laisser voir où l'on veut en venir» (1790) exploitent l'idée de naïveté rurale attachée aux sabots; ***être (rester) les deux pieds dans le même sabot*** «incapable d'agir», d'allure archaïque, n'apparaît qu'au XXe siècle. ◆ Par analogie de forme, *sabot* désigne de nombreux objets; c'est le nom d'une baignoire courte, où l'on se baigne assis (1798), à l'origine en forme de sabot; on dit aussi *baignoire sabot*. ◇ *Manches à sabots* ou *sabots* (1838) désignait des manches courtes et évasées. ◆ Parallèlement, la locution ***comme un sabot*** s'emploie à partir de la première moitié du XIXe s. pour «très mal», surtout en parlant d'une manière de travailler, du jeu d'un musicien, d'un acteur; cet emploi s'explique à partir de *saboter* (ci-dessous) et du sens péjoratif de *sabot* «mauvais instrument de musique» (attesté 1835), métaphorique avec une idée de qualité médiocre, de manque d'efficacité. ◇ L'analogie et la figure se développent au XIXe et au XXe siècle; *sabot* se dit d'un mauvais billard (1852, Goncourt), d'un bateau médiocre, d'où (XXe s.) d'un véhicule terrestre. ◇ Le mot désigne aussi divers outils, un rabot cintré (1876), une boîte ouverte sur l'un de ses côtés pour distribuer les cartes à certains jeux d'argent (1886), une garniture de métal protégeant l'extrémité d'une pièce de bois, etc. ◇ Il est sorti d'usage pour «personne maladroite» (av. 1879, Huysmans). ◆ ***Sabot de Denver,*** nom déposé, ou *sabot,* désigne (1970) une pince (en forme de sabot) servant à bloquer la roue d'un véhicule en stationnement illicite.

▶ Le dérivé **SABOTER** v. (XIIIe s.) a eu en ancien français les sens de «heurter», «secouer» (d'où *sabouler*), peut-être en relation avec l'ancien sens de *sabot* «toupie». De cette acception vient le sens, encore vivant régionalement, de «piétiner bruyamment avec des sabots», et celui de «maltraiter», disparu. Le verbe a aussi signifié (1564) «jouer à la toupie». Selon les dictionnaires, il est resté intransitif jusqu'à la fin du XVIIIe siècle. ◆ Au début du XIXe s. (1808), *saboter* est relevé au sens, devenu usuel, de «faire (qqch.) vite et mal», peut-être lié aux emplois anciens du type «secouer» ou «maltraiter». ◇ Le verbe s'emploie également en technique, alors sans contenu péjoratif, pour «fouler (le drap)», l'étoffe passant entre deux sabots de bois, acception du XIXe s. disparue, «garnir (un pieu) d'un sabot» (1842), «percer (une traverse de rail) pour préparer le logement du patin du rail» (1872). ◇ Par extension du sens de «gâcher (un travail)», *saboter* signifie (fin XIXe s.) «détériorer ou détruire (une machine, une installation), pour empêcher le fonctionnement d'une entreprise», d'où l'emploi particulier dans le domaine militaire, où le sabotage va jusqu'à la destruction (XXe s.), et l'usage figuré dans *saboter un projet*.

Le dérivé **SABOTEUR, EUSE** n. a désigné (1694) qqn qui joue à la toupie; au sens (1800) de «personne qui fabrique des sabots», le mot n'a pas remplacé *sabotier*. ◇ *Saboteur* est lié aux valeurs du verbe, mais il est courant au sens de «personne qui sabote (un travail)» (1808) en le faisant mal, puis qui endommage ou détruit volontairement. ◆ **SABOTAGE** n. m. ne désigne plus (1842) la fabrication des sabots, valeur où il est supplanté par *saboterie*. Il a suivi une évolution parallèle à celle de *saboteur*, comme terme technique (1870), et courant pour «action de mal faire», puis «d'endommager, de détruire en sabotant» (fin XIXe s.).

Les autres dérivés de *sabot* sont archaïques et rares. ◆ **SABOTIER, IÈRE** n. (1518), qui n'a pas été menacé par *saboteur* (ci-dessus), a perdu sa vitalité avec le recul de l'artisanat auquel il correspond. ◆ **SABOTERIE** n. f., qui avait remplacé (1855) *sabotage*, a vieilli plus encore que *sabotier*. ◆ Enfin, **SABOTIÈRE** n. f., qui s'est dit d'une danse paysanne en sabots (1832), est un synonyme rare (1904) de *baignoire sabot*.

SABOTER → SABOT

SABOULER v. tr., relevé au XVIe s. (1530), mot d'origine incertaine, est pour Bloch et Wartburg un croisement de *saboter* «secouer» et de *bouler* «renverser» (1390; → bouler, chambouler); P. Guiraud le donne pour un doublet de *saboter*, dérivé du provençal *saba* (anc. prov. *sabar*) «frapper sur une branche pour détacher l'écorce» (→ sabot).

♦ Le verbe s'est employé pour «houspiller» puis (1546) «bousculer, secouer», d'où *se sabouler* «s'agiter» (1628) et «se battre» (XVIIIe s.). L'idée de mouvement violent explique les sens de «frotter, cirer» (v. 1830), de «laver énergiquement» (fin XIXe s.), emplois disparus. ◇ Du dernier cité vient *se sabouler* «s'apprêter, se farder» (v. 1935), vieilli comme l'adjectif **SABOULÉ, ÉE** «habillé».

▶ Les dérivés **SABOULEMENT** n. m. (1573) et **SABOULAGE** n. m. (1673, Mme de Sévigné) sont sortis d'usage.

SABRE n. m. a été introduit par les mercenaires allemands; relevé en 1598 (Bouchet), le mot est emprunté à l'allemand *Sabel* (1428), variante de *Säbel* «arme blanche à lame plus ou moins recourbée», lui-même du hongrois *szablya*, peut-être par l'intermédiaire du polonais *szabla*.

♦ D'abord attesté au sens de «fouet» (1598), *sabre* reprend ensuite la valeur de l'étymon (1634; 1629, écrit *sable*). Le mot entre dans la locution péjorative ***traîneur de sabre*** «militaire fanfaron et belliqueux» (v. 1830), le sabre symbolisant l'armée (1817, Mme de Staël); ***bruit de sabre*** «menace de guerre» est vieilli (cf. *bruit de bottes*); ***sabre de bois!*** est un juron familier. En argot (v. 1930), par la métaphore fréquente du pénis comparé à une arme d'estoc, ***coup de sabre*** s'est dit pour «pénétration sexuelle».

◇ Le mot désigne par métonymie (1898) le sport de l'escrime au sabre (à côté d'*escrime, épée*...) et un cavalier armé d'un sabre. *Sabre d'abattis* ou *d'abattage* (1964) se dit d'un outil servant à se frayer un chemin en brousse (cf. *machete*). ◇ *Sabre* s'emploie plaisamment pour «rasoir à main». ➞ Le mot est employé par analogie pour nommer un poisson étroit et allongé (1770) et divers instruments courbes : en verrerie traditionnelle (mil. XVIIIe s.), dans le traitement des peaux (XIXe s.), la tonte des haies (1840), etc. ; *haricot sabre* (1870) désigne une variété à gousse plate et recourbée.

▶ Le dérivé **SABRER** v. tr., «frapper à coups de sabre» (1680), s'est utilisé par métaphore (1718) dans *sabrer une affaire* «la juger avec précipitation» et par extension «exécuter rapidement à grands traits» (1798). ◇ À côté de l'usage du verbe dans la technique des peaux, parallèle à celui de *sabre*, c'est l'idée de «hâte» ou de «coup porté» qui domine. *Sabrer* a vieilli au sens (XXe s.) de «critiquer sans ménagement» et signifie surtout «pratiquer de larges coupures dans (un texte)» et «traiter sans ménagement», d'où *se faire sabrer* «se faire renvoyer (d'un établissement scolaire), licencier». ◇ Par figure et en même temps que *sabre*, *sabrer* se dit aussi (v. 1930) pour «posséder sexuellement (une femme)». ➞ Le dérivé **SABREUR** n. m. désigne celui qui se bat au sabre (1790) et au figuré un soldat brutal (1790). Le sens sportif de «personne qui pratique l'escrime au sabre» apparaît au XXe s. (1924). ◇ Le mot est sorti d'usage (1860) en parlant de qqn qui travaille vite et mal (cf. *saboter*). ➞ Le verbe a fourni d'autres dérivés techniques : **SABRAGE** n. m. apparaît (1883) au sens de «hachure», en dessin, et signifie ensuite (1895) «action de sabrer» ; **SABREUSE** n. f. (1951) est le nom d'une machine employée pour le sabrage des peaux.

◈ voir SABRETACHE.

SABRETACHE n. f. représente (1752) une altération, d'après *sabre*, de l'allemand *Säbeltasche* «poche de sabre», composé de *Säbel* «sabre*» et de *Tasche* «poche» ; on trouve aussi *sabeltache* (1845), *saberdache* (1851).

♦ Le mot désignait un sac plat plus ou moins orné, en cuir, que les cavaliers suspendaient au ceinturon, à côté du sabre ; ce sac contenait à l'origine des ordres ; il devint un simple ornement. La sabretache fut supprimée des uniformes en 1870.

SABURRE n. f. est emprunté (1538) au latin *saburra* «lest de navire, ballast», terme technique sans doute emprunté, dont le dérivé *saburratus* est employé au figuré pour «lesté», en parlant de l'estomac. Le latin avait abouti en ancien français à *savoure* n. f. «lest» (1298), devenu ensuite *saorne* (1615), *savorne* (1622).

♦ D'abord relevé au sens de «lest», *saburre* se disait en médecine ancienne (1765) de l'humeur qui enduit la langue et le palais d'un malade, des matières muqueuses que l'on supposait se trouver dans l'estomac, à la suite de mauvaises digestions.

▶ Le dérivé **SABURRAL, ALE, AUX** adj. (1776), toujours employé, se dit de la langue lorsqu'elle est recouverte d'un enduit blanc jaunâtre. On trouvait chez Rabelais *saburrer l'estomac* «se remplir la panse» (1534).

✳ ① **SAC** n. m. est l'aboutissement (v. 1050) du latin classique *saccus*, terme général pour «sac à blé, à argent», employé dans des expressions comme *saccus vinarius* «crible pour filtrer le vin» ; le mot a pris par métonymie, en latin populaire, le sens de «vêtement de crin grossier». *Saccus* est un emprunt ancien au grec *sakkos*, lui aussi terme commercial, nom de la toile d'emballage, emprunté au sémitique, probablement au phénicien (cf. l'hébreu *sáq*). Le mot existe dans les langues romanes (italien *sacco*, espagnol *saco*) et a pénétré dans le domaine germanique (gotique *sakkus*, allemand *Sack*, anglais *sack*). ◈

♦ *Sac*, d'abord employé pour désigner une étoffe grossière, est ensuite attesté dans un emploi métonymique en «judéo-français» (XIe s.) au sens de «contenu d'un sac», précisément «quantité de raisins ou d'olives pressée en une fois», puis on le trouve au sens général (v. 1160) de «contenant de toile ouvert seulement par le haut». Les usages du mot sont liés à ces deux valeurs. *Sac* se dit (v. 1120) d'un vêtement grossier confectionné avec de la toile, signe de pénitence dans la Bible, d'où *sacbeni* (1690) «vêtement de toile donné aux condamnés à mort par l'Inquisition», terme disparu. ◇ Par analogie, le mot s'est employé en médecine (1314) pour «dépôt d'humeurs formé près d'une plaie», encore au XIXe s. (1835). Au figuré, *faire le sac* a signifié (1375) «mettre un lit en portefeuille». À la fin du XIVe s., *sac* s'est dit par analogie pour «ventre, estomac», d'où ***sac à vin*** «ivrogne» (1485), toujours en usage, *sac à bran* (à merde) «homme ventru» (1640). ◇ On relève au milieu du XVe s. *trousser son sac et ses quilles* (1680, *avoir*... ; 1690, *prendre*...) «déguerpir sans demander son reste», sorti d'usage, comme *le sac et les quilles de qqn* «son bien» (v. 1510) ; *donner à qqn son sac et ses quilles* signifiait «le congédier» (1611), d'où *donner son sac à qqn* (1808) qui a produit ② *saquer*. Le mot a désigné (1478) le dossier contenant les pièces d'un procès, à l'origine un sac, d'où ***sac de procès*** (1549) et les locutions figurées et vieillies : ***le fond du sac*** «ce qui est caché» (1608), *juger sur l'étiquette (du sac)* «sur les apparences» (1675) ; restent vivantes les locutions ***vider son sac*** (1640 ; 1596, *tu me vuyderas le fond du sac de tes pensées, in* Enckell) «n'avoir plus de ressources mentales», puis «dire le fond de sa pensée» (1837), sens actuel, et ***l'affaire est dans le sac*** «le succès est assuré» (1680). ➞ Par extension de l'idée de «contenant», le mot désigne un objet souple qui sert à ranger, à transporter diverses choses (1599, *sac de nuit*), d'où *sac à ouvrage* (1740), *sac à dos* (1824), *sac de voyage*, etc. ➞ Au XVIIe s., le mot entre dans plusieurs expressions : ***(homme) de sac et de corde*** «peu recommandable» se dit par allusion à la façon dont on traitait certains malfaiteurs, enfermés dans un sac noué d'une corde et noyés (et, pour *corde*, à la pendaison) ; *sac* évoquait la pratique du vol, par jeu de mots sur *sac* «pillage» (→ ② sac) ; *avoir la tête dans le sac* signifiait «être dans la plus totale ignorance» (1675) ; on relève ensuite ***prendre qqn la***

main dans le sac «le prendre sur le fait» (1798). ◇ *Sac à terre* (1676), aujourd'hui *sac de terre*, aussi *sac de sable*, désigne un matériau pour édifier une fortification. *Sac percé*, métaphore pour «prodigue» (1690), a été remplacée par *panier percé*. ◇ Parallèlement, *sac* devient un terme d'anatomie (1677) désignant une cavité ou une enveloppe en forme de sac. ◇ Le mot s'est employé pour «taie d'oreiller» (1692) et «petit filet pour la pêche» (1752). *Sac à laine*, disparu, puis ***sac à papier*** (1791), vieilli, sont des euphémismes remplaçant un juron (→ sacré). ◇ ***Sac d'os***, fig. «personne très maigre», a été précédé par *sac à os* (1878). ◆ *Sac* pour «situation complexe» (XIXe s.) fait allusion au fait que le contenu d'un sac n'est pas visible ; il est a cédé la place à ***sac de nœuds, sac d'embrouilles.*** ◇ Au concret, *sac à coucher* (1825) est remplacé par ***sac de couchage*** (1904) et a eu des équivalents argotiques : ***sac à viande*** (1850) ou, familier ***sac à puces*** (1916), expression qui s'applique aujourd'hui à un chien. D'abord argotique (1846), *sac* équivaut familièrement à «billet de 1 000 F» et a donné le dérivé argotique SACOTIN n. m. (v. 1910) ; la métaphore vient du fait que la Banque de France emploie à partir de 1805, pour les transports de fonds, des sacs de toile contenant chacun 1 000 F en pièces d'or ou d'argent ; de là ***avoir le sac*** (1844), ***être au sac*** «être riche» (XIXe s.), ***épouser le sac*** «faire un riche mariage». ◇ ***Mettre dans le même sac*** (mil. XIXe s.) signifie figurément «englober dans la même réprobation», le sac étant alors ce qui sert à ranger ou à enfermer ; ***avoir bien des tours*** (1851), ***plus d'un tour*** (1935) ***dans son sac*** et ***sac à malices*** (1876) reprennent la valeur de *sac* pour «esprit». ◇ Par figure, *un sac à charbon* s'est dit (1884) pour «prêtre en soutane», *un sac au dos* pour «fantassin» (1899). ◇ *Sac à main* (v. 1903) ou *sac* désigne un accessoire féminin qui contient les fards, l'argent, etc. ; *sac*, dans le langage des écoliers (déb. XXe s.), équivaut à «cartable». D'une manière générale, les emplois de *sac* «contenant souple ou rigide» se sont multipliés après 1950-1960. Les sacs (de voyage) tendent à devenir plus fréquents que les valises dans la catégorie des bagages ; les sacs de papier, plastique... remplissent de nombreux usages, représentés par des syntagmes comme *sac plastique, sac poubelle*, etc. Le mot a pour synonyme régional *poche*.

▶ Le dérivé SACHET n. m., formé (v. 1190) avec le suffixe diminutif *-et*, se dit d'un sac, puis (1416) d'un petit coussin où l'on met des parfums, placé dans le linge. Au sens de «petit sac», on trouve *sacon* (v. 1200), *sacel* (v. 1215) et *sachot* (XIVe s.). ◆ SACHÉE n. f., en ancien et moyen français, s'est dit (v. 1190, *sachiee*) du contenu d'un sac ; on emploie plutôt *sac* par métonymie, et la locution *à la sachée* «en abondance» (1493) a disparu. SACHERIE n. f., «fabrique de sacs», n'est attesté qu'en 1941, mais on relève *saquerie, sacquerie*, de sens incertain, en *moyen français* (1485). ◆ SACQUER ou SAQUER v. tr. (v. 1175), d'abord *sachier* (1150), a signifié «tirer (l'épée) du fourreau» et «retirer violemment (qqn) d'un endroit», puis «tirer violemment, ôter, arracher» (mil. XIIe s. ; v. 1175, *saquer les yeux à qqn* «les crever»). ◇ Par ailleurs, le verbe s'est dit (XIIIe s., *sachier*) pour «bousculer, bouleverser», et encore aujourd'hui pour «agiter par saccades». Il s'emploie figurément pour «tirailler (au moral), réprimander» (1300-1350, écrit *sakier* ; v. 1380, *sachier*), valeur reprise au XXe s. surtout dans un contexte scolaire (cf. *sabrer*). ◇ Comme terme de marine, il signifie «tirer en dedans du navire» (1678, *saquer la voile*). *Sa(c)quer* «renvoyer, exclure» (1866), d'abord en argot puis familier, vient de la locution *donner son sac à qqn* «le congédier», attestée dès 1611. ***Ne pas pouvoir sacquer qqn*** signifie «ne pas le supporter» (1919).

Le préfixé ENSACHER v. tr. (v. 1220, *ensachier* ; forme moderne, XVe s.) signifie «mettre (qqch.) dans un sac», spécialement «mettre (des fruits encore sur l'arbre) dans des sachets pour les préserver» (XXe s.). ◇ Le verbe a fourni les termes techniques ENSACHEMENT n. m., attesté isolément au XVIe s. *(ensacquement)* et repris en 1829, synonyme de ENSACHAGE n. m. (1848), et ENSACHEUR, EUSE n. (1800), spécialement au féminin «machine à ensacher» (1888) et au masculin «dispositif facilitant le remplissage des sacs» (1907). ◆ BISSAC n. m. (v. 1460), formé avec *bis-* indiquant le redoublement (→ bi-), désigne un sac fendu en long par le milieu et dont les extrémités forment deux poches. Le mot s'est employé dans les locutions *réduire au bissac* «réduire à la mendicité» (v. 1550), *être au bissac* «aller mendier» (1694), sorties d'usage (→ besace).

◈ voir SACOCHE, SACQUEBUTE.

② **SAC** n. m. est un emprunt (1466-1467) à l'italien *sacco* (XIVe s.), notamment employé dans *mettere a sacco* «mettre à sac». *Sacco* représente une abréviation de *saccomanno* «pillard», analogue à l'espagnol *sacomano* «pillage», lui-même emprunté au moyen allemand *sakman*, littéralement «homme au sac», d'où «pillard, brigand». Le premier élément *sak* remonte peut-être au latin *saccus* (→ ① sac), mais on a aussi proposé de voir dans *saccomanno* un dérivé du latin populaire °*saccare*, lui-même d'origine germanique. *Saccomanno* a eu pour correspondants en moyen français *sacquement* n. m. (1422), *saquemand* (1596) «pillard» et «pillage», encore employé au XVIIe s. et directement emprunté de l'allemand.

♦ Le mot est d'abord employé dans la locution *metre en saq* «massacrer», puis (1527) ***mettre à sac*** (une ville, etc.) «piller de fond en comble». Par affaiblissement de sens, *mettre à sac* s'est employé au XIXe s. (chez Balzac) pour «déranger complètement».

▶ SACCAGER v. tr. est emprunté à l'italien *saccheggiare* (XIIIe s.), dérivé de *saccheggio* «pillage», lui-même de *sacco*. ◇ Le verbe signifie «mettre à sac» (v. 1450), d'où par extension «détruire». Il s'est dit pour «mettre à mal (qqn)» (1553) jusqu'au milieu du XVIIe siècle ; par affaiblissement, il s'emploie (XVIe s.) au sens de «bouleverser, mettre en désordre». On relève aussi en moyen français, pour le premier sens, *sacquer* (v. 1530) et *sacmenter* (mil. XVe s.), encore au sens de «massacrer» (1540) au XVIIe siècle.

Le dérivé SACCAGE n. m. (1596) s'emploie aussi au sens affaibli et désigne (1803) un amas d'objets abîmés et en désordre. ◆ SACCAGEMENT n. m.

est sorti d'usage pour «pillage» (1544) et est vieilli pour «bouleversement» (attesté 1870, Goncourt). ➜ **SACCAGEUR, EUSE** n. s'emploie au propre (1553) et au figuré.

SACCADE n. f., attesté chez Rabelais en 1534, est d'origine discutée. Pour Bloch et Wartburg, le nom est dérivé par suffixation en *-ade* (cf. *ruade*) de *saquer* (v. 1175), forme dialectale de l'ancien français *sachier* (1150) «tirer violemment», dérivé de ① *sac* — le remplissage des sacs de blés suppose des secousses successives —; il pourrait aussi être dérivé de l'espagnol *sacar*, de même sens et de même origine, beaucoup de termes de manège ayant été empruntés au XVIe s. à l'espagnol ou à l'italien. P. Guiraud relève que *sachier* a aussi eu le sens de «renverser» (1172-1174) et dans les dialectes «secouer violemment», «rouer de coups». Le rapprochement des deux valeurs et de la forme avec les mots d'argot *satte, satou* «gourdin» et *satonner* «rouer de coups» conduisent P. Guiraud à proposer un gallo-roman °*sapicare*/°*sapitare*, dérivé d'un °*sapare* «faire couler la sève», reconstitué par les formes dialectales *saver, saber* (→ sabot). Le verbe signifierait «faire sortir la sève en frappant sur l'écorce» et secondairement «déchirer», «écraser» et «frapper avec violence, rosser», ces acceptions étant en accord avec celles de *sachier* dont procède *saccade*. Mais ceci reste très hypothétique.

♦ *Saccade* a désigné, en termes de manège, une brusque secousse donnée par un cheval pour jeter bas le cavalier; Rabelais utilise aussi le mot par métaphore avec une valeur érotique (1534) dans *elle aura la saccade*. Par extension, le mot signifie «secousse violente que l'on donne à qqn en le tirant» (1617) et spécialement «brusque secousse donnée aux rênes d'un cheval» (1651). ◇ L'idée de brusquerie est conservée dans l'emploi figuré pour «rude réprimande, correction» (1694) et dans la locution figurée *donner la saccade à qqn* «supplanter» (1701), qu'on peut interpréter comme érotique (cf. *baiser, avoir*); ces emplois sont sortis d'usage. La notion d'irrégularité est retenue en parlant de l'écriture (1765), du discours et du style (1788). ◇ Par extension, *saccade* désigne (v. 1800) tout mouvement brusque et irrégulier.

▸ Le dérivé **SACCADER** v., d'abord employé, comme *saccade*, dans un contexte érotique par Rabelais (1532, *saccader une femme*), se dit en équitation (1611) et pour «avoir un mouvement saccadé» (XXe s., intr.) Le transitif «rendre saccadé» est attesté en 1839 chez le romantique Ph. O'Neddy. ➜ **SACCADÉ, ÉE** adj. s'applique par figure au style (1774, Beaumarchais) et qualifie un mouvement brusque et irrégulier (1779, de la diction). Les emplois concrets sont attestés postérieurement.

SACCAGER → ② SAC

SACCHAR-, SACCHARO- est un élément tiré du latin *saccharum*, emprunté au grec *sakkharon* «sucre», lui-même emprunt au pali *sakharā;* le mot désignait une concrétion siliceuse logée dans les entre-nœuds de certains bambous, que l'on importait d'Inde pour l'utiliser en médecine.

▸ Il sert à former, à partir du XIXe s., des termes scientifiques, en particulier en chimie. ➜ **SACCHARIN, INE** adj., didactique, s'applique d'abord (1573, puis 1694) à ce qui est de la nature du sucre, à ce qui a rapport au sucre, puis au XIXe s. qualifie ce qui est relatif à la production du sucre (1846, *industrie saccharine*). ◇ Le mot est substantivé, d'abord au masculin (1812) puis au féminin (1868), pour désigner une substance blanche à pouvoir édulcorant. ◇ De l'adjectif procède **SACCHARINIQUE** adj. (1890), équivalent de **SACCHARIQUE** adj. (1837). *Saccharine* a fourni l'adjectif **SACCHARINÉ, ÉE** (1842), d'usage assez courant. ➜ **SACCHARATE** n. m. (1799) «sel de l'acide saccharique» est formé avec le suffixe *-ate*. ➜ **SACCHARIFIER** v. tr. (1823, au p. passé; puis 1843) signifie «transformer en sucre (les matières amylacées et cellulosiques)». ◇ Le verbe a fourni **SACCHARIFICATION** n. f. (1823), **SACCHARIFIABLE** adj. (1843) et **SACCHARIFIANT, ANTE** adj. (1846). ➜ **SACCHAROSE** n. m. (1860), formé avec le suffixe *-ose*, désigne le sucre alimentaire constitué de glucose et de fructose; le composé **SACCHAROSURIE** n. f. (XXe s.), de *-urie*, est un terme de médecine. ➜ **SACCHAROMYCES** n. m. pl. (1890), formé avec l'élément *-myces*, du grec *muke* «champignon», ou **SACCHAROMYCÈTES**, terme de botanique, est le nom générique des levures employées comme agents de fermentation des sucres. ◇ Le radical de ces mots a fourni le terme de biologie **SACCHAROMYCOSE** n. f. (1933), de *mycose*. ➜ **SACCHARASE** n. f. (mil. XXe s.), formé avec le suffixe *-ase*, est un terme de biochimie.

SACERDOCE n. m. est emprunté (fin XIIIe s.) au latin *sacerdotium*, dérivé de *sacerdos, -otis* «celui qui accomplit les cérémonies sacrées» puis «prêtre», en général; *sacerdos* représente un composé ancien de type indoeuropéen, issu de °*sakro-dhō-ts* «qui fait une action sacrée» (→ ① sacrer). Le second élément appartient à la racine °*dhē-* «placer», représentée dans *facere* (→ faire). *Sacerdos* «prêtre» est représenté en judéo-français sous la forme *sezers*, en ancien français *sacerdote* (v. 1120), forme employée par Ronsard et attestée encore au XIXe s. (cf. aussi en moyen français *sacerdos*, 1442; 1538, *sacerdot*, jusqu'au XVIIe s.).

♦ *Sacerdoce* s'est d'abord employé pour désigner le ministère de ceux qui, dans l'Ancien Testament, avaient le pouvoir d'offrir à Dieu des victimes pour le peuple; le mot désigne ensuite, dans la religion catholique, la prêtrise (1611) et le ministère du pape, des évêques. ◇ Il désigne par extension (fin XVIIe s.) le corps ecclésiastique et l'autorité ecclésiastique (v. 1680) et s'emploie en parlant du ministère de ceux qui, dans l'Antiquité, offraient les sacrifices aux dieux (1694, Académie). ◇ Par figure, *sacerdoce* se dit (1677) d'une fonction qui demande de l'abnégation, comme *vocation*.

▸ **SACERDOTAL, ALE, AUX** adj. est emprunté (1325) au latin *sacerdotalis*, dérivé de *sacerdotium*, avec la variante *sacerdote* (v. 1420). ◇ Le mot qualifie ce qui est propre au sacerdoce, en tant qu'état et que corps, et ce qui évoque le sacerdoce. Il entre dans des expressions didactiques : ***jeux sacerdo-***

taux, que les prêtres donnaient au peuple, et ***le corps sacerdotal*** «les prêtres». ➝ L'adjectif a fourni des dérivés sortis d'usage : **SACERDOTALITÉ** n. f. (v. 1508), **SACERDOTALEMENT** adv. (1552), **SACERDOTALISME** n. m. (1872).

SACHEM n. m. est un mot iroquois introduit en français dans un récit de voyage (1784) et employé ensuite par Chateaubriand (1801). Selon l'hypothèse de Bruneau, dans l'*Histoire de la langue française, sachem* serait «un mot oriental qu'une fantaisie du voyageur anglais Carver avait naturalisé américain» (en 1774); cependant, l'attestation du mot dès 1622 dans des relations anglaises va à l'encontre de cette thèse.

♦ *Sachem* désigne un vieillard qui faisait fonction de conseiller et de chef chez les peuples indiens du Canada et du nord des États-Unis *(un grand sachem).* Th. Gautier a appliqué le mot à Chateaubriand (1872, «Sachem du romantisme»); *grand sachem* se dit familièrement (XXe s.) pour «grand personnage, chef».

SACOCHE n. f. (1636), qui apparaît sous la forme *sacosse* (1606), est emprunté à l'italien de Toscane *saccoccia* «poche, sacoche», dérivé de *sacco,* mot emprunté au latin *saccus* (→ ① sac). *Sacoche* est d'ailleurs senti comme un quasi-dérivé de *sac.*

♦ Le mot a d'abord désigné au XVIIe s. un double sac de cuir dont se servaient les courriers en voyage, et par la suite (1835) un long sac de cuir ou de toile où les garçons de recette mettent l'argent qu'ils touchent. Dans le vocabulaire militaire (1870), il se dit d'une poche de cuir fixée à la selle du cavalier, puis (XXe s.) d'un cycle. ◇ Depuis le début du XXe s., *sacoche* désigne une grosse bourse de cuir qui se porte au côté ou dans le dos; il s'emploie en Belgique pour «sac à main (de femme)».

SACQUEBUTE ou **SAQUEBUTE** n. f., qui apparaît sous la forme *saqueboute* (v. 1310), toujours en usage dans l'*Encyclopédie,* puis *saquebute* (1524), est formé à partir des verbes *saquer* (→ ① sac) et *bouter**. La graphie *saqueboute* a été reprise avec la redécouverte du répertoire de la musique ancienne.

♦ Ce terme d'archéologie désigne une lance, armée d'un fer crochu pour désarçonner un cavalier. ➝ Il désigne par analogie de forme (1466) un ancêtre du trombone, nommé aussi *trompette saicqueboute* (v. 1488). Probablement né en Italie, l'instrument connaît un grand succès à la Renaissance, souvent associé au cornet à bouquin; disparu en France avec Lully, modifié au XVIIIe s., il est remplacé par le trombone.

SACQUER, SAQUER → ① SAC

① **SACRE** n. m. est un mot emprunté (fin XIIIe s.) à l'arabe *ṣăqr,* d'où vient aussi l'espagnol *sacre,* l'italien *sagro,* désignant un oiseau de proie asiatique proche du faucon.

♦ Le mot, en français, désigne cet animal que l'on utilisait à la chasse (1622, *sacre* «sacre femelle»). ◇ Par la même métaphore que *fauconneau* (1554), il s'est dit d'un canon lançant des projectiles de cinq livres et, par figure (fin XVe s.), d'un homme sans foi ni loi, emploi disparu sans doute par confusion avec les dérivés de *sacré. Sacre* s'est aussi dit, en argot ancien (1628), pour «sergent».

▸ Le dérivé **SACRET** n. m. (1373), d'abord *sacrellet* «petit sacre» (XIIIe s., hapax), désigne en fauconnerie un sacre mâle, plus petit d'environ un tiers (→ tiercelet), la femelle, plus employée en chasse, étant désignée par *sacre.*

② et ③ **SACRE** → ① SACRER

① **SACRÉ** → ① SACRER

② **SACRÉ** → SACRUM

SACREMENT → ① SACRER

✳ ① **SACRER** v. tr. est un emprunt (1138), postérieur à *sacrement* (ci-dessous), au latin *sacrare* «consacrer à une divinité», «vouer, comme malédiction, à une divinité», d'où «dédier qqch. à qqn», donc «rendre sacré» et en poésie «consacrer». Le verbe dérive de *sacer, -cra, -crum,* anciennement *sacros;* le *sacrum* désigne ce qui appartient au monde du divin, opposé à ce qui est propre à la vie courante des hommes, le *profanum* (→ profane), le passage de l'un à l'autre s'effectuant par des rites. *Sacer* diffère de *religiosus;* il désigne ce qui ne peut être touché sans souiller ou sans être souillé, d'où le double sens de «sacré» et «maudit»; le coupable voué aux dieux des enfers est *sacer,* d'où le sens de «criminel». Le mot se rattache à une racine indoeuropéenne °*sak-,* comme *sanctus* (→ saint).

♦ Le verbe est introduit en français avec le sens repris au latin de «conférer un caractère sacré à (qqn ou qqch.), au moyen de rites, de cérémonies religieuses». Il s'est employé pour «consacrer» à Dieu (v. 1155) ou à qqch. (XVIe s.) et, comme verbe intransitif, a signifié «faire la consécration à la messe» (v. 1200), «présenter une offrande» (v. 1220). Son emploi actif a disparu, notamment sous la concurrence de *consacrer**.

▸ En revanche, le participe passé est demeuré très vivant. ① **SACRÉ, ÉE** adj. et n. m., d'abord attesté dans *pain sacré* «pain consacré» (v. 1130), puis seul (v. 1200), s'applique à ce qui est consacré à Dieu; le mot a été senti comme une traduction de l'adjectif latin *sacer,* diffusé par l'Église : un adjectif *sacre* «sacré», directement tiré du latin à la fin du XVe s., s'est employé jusqu'au milieu du XVIe siècle. *Sacré* qualifie ce qui appartient à un domaine interdit et inviolable (par opposition à *profane*) et qui fait l'objet d'un sentiment de révérence religieuse (XVIIe s., n. m.). L'adjectif entre dans de nombreux syntagmes où il s'applique à ce qui appartient au sacré ou au culte : *vases sacrés,* servant au culte (1550), *l'Écriture sacrée* «l'Écriture sainte» (1564), *livres sacrés* «l'Ancien et le Nouveau Testament» (1690). ◇ Dans l'ancienne médecine, *maladie sacrée* se disait de maladies attribuées à une influence surnaturelle : *mal sacré* désigne d'abord (1564) les écrouelles puis (1793) l'épilepsie, *feu sacré* l'érysipèle (1611). ◇ Au XVIIe s., le mot s'applique aussi à ce qui concerne les cultes païens (1636) et, dans un sens plus moral que religieux, qualifie ce qui est digne d'un respect absolu (1640), d'où *personne sacrée* (1673). *Sacré* est employé dans des expressions pour désigner des pratiques propres à l'Antiquité : *feu sacré,* entretenu sur l'autel des dieux (1690), *poulets sacrés,* dont on tirait des augures (v. 1730), *année sacrée,* pendant laquelle on célébrait des jeux périodiques (1765), etc. *Feu sacré* se dit au figuré (1777, Voltaire) de sentiments passionnés qui se communiquent chez les individus et ***avoir le feu sacré*** signifie «avoir foi dans son art» (1842), puis «avoir de l'ardeur au travail» (XXe s.). ◆ Depuis le milieu du XVIIIe s., l'adjectif s'emploie avec une nuance d'admiration ou d'ironie et une valeur intensive. Il est alors antéposé, et reste très vivant, avec une valeur positive : *une sacrée bonne femme, une sacrée rigolade,* etc. ◇ Du fait de l'ambiguïté étymologique de *sacré* ou bien par antiphrase, il se dit (1788) pour «maudit, exécré», là aussi toujours placé avant le nom. *Sacré* est notamment utilisé pour renforcer un juron (***sacré nom de Dieu,*** etc.), souvent abrégé en *cré* (1832), d'où *crénom,* et autrefois en *acré* (1837).

De ce sens vient l'intensif **SACRÉMENT** adv. «d'une manière intense», attesté au XXe s. (1929, Giono, *in* T.L.F.) mais plus ancien régionalement. ◆ De l'adjectif employé dans les jurons dérive ② **SACRER** v. intr. «jurer» (1726), vieilli en français d'Europe mais très fréquent en français canadien, également dans *se sacrer de qqch.* «s'en moquer» et avec d'autres sens figurés. ◆ De *sacre* «sacré» ou de *sacré, sacrer* dérive ② **SACRE** n. m. (1549, Mazarinades) pour «formule de juron», régional mais courant dans l'usage général au Canada (1894, Clapin). Les sacres sont une partie très spécifique du vocabulaire franco-canadien et utilisent quantité de mots empruntés au culte *(hostie, tabernacle...)* ou de noms propres sacrés (notamment *Christ*). ◆ **SACREBLEU** interj. (1745), d'abord ***par la sacre bleu*** (1642), est un euphémisme de *sacré Dieu, sacre Dieu* (1552) et est employé comme juron familier. ◇ **SACRÉDIÉ** interj. (1757, *par la sacredié*), altération phonétique de *sacredieu* (XIVe s.), est rural et vieilli, ainsi que *sacrenom* (XVIIIe s.). ◆ On relève d'autres jurons familiers formés à partir d'une altération de *sacrer :* **SACRISTI** (1827; *sacr...istie,* 1790) abrégé en *cristi* (1866), devenu archaïque, a été altéré en **SAPRISTI** (1834), d'abord écrit *sapristie* (1808), lui-même abrégé en *pristi* (XIXe s.); **SAPREDIÉ** ou **SAPRÉDIÉ**, attesté au XIXe s., est sorti d'usage; **SAGUERNON** (1790), de *sacré nom,* a disparu. **SAPERLIPOPETTE** est la resuffixation (1864 chez Rimbaud) de *saperlotte* (1809), *saprelotte,* altération de *sacrelotte* (1750). D'autres suffixes plaisants sont attestés chez Rimbaud (*saperlipouille, -pouillotte*).

③ **SACRE** n. m., autre substantif verbal tiré de *sacrer,* désigne d'abord (1172-1174) la cérémonie par laquelle un prêtre reçoit l'épiscopat, et aussi (v. 1170, Chrétien de Troyes) celle par laquelle l'Église sanctionne la souveraineté royale. Le mot a eu plusieurs emplois en liturgie : «saint sacrement» (XIIIe s.), «huile pour le service religieux» (XIVe s.), «Fête-Dieu» (XVe s.), etc. ◇ *Sacre* s'emploie aussi par figure pour «consécration solennelle».

L'adjectif *sacré,* par l'expression ***cœur sacré de Jésus,*** a servi à former **SACRÉ-CŒUR** n. m. (1863), désignant Jésus-Christ dont le cœur, symbole de son amour pour les hommes, est l'objet d'un culte spécifique de l'Église catholique.

SACREMENT n. m. est le mot le plus ancien de la série latine de *sacer.* Il est emprunté, d'abord (v. 980) sous la forme *saccrament,* puis *sacrement* (1165-1170), au latin ecclésiastique *sacramentum* qui désignait tout objet ou acte ayant un caractère sacré (mystère, révélation, rite, etc.); en latin classique, le mot signifie d'abord en droit «dépôt fait aux dieux d'une certaine somme comme garantie de sa bonne foi, ou de la justesse de sa cause dans un procès»; ce dépôt s'accompagnant d'une prestation de serment, le mot a pris le sens de «serment solennel», notamment dans la langue militaire; par évolution phonétique, il a donné *serment,* dont *sacrement* est le doublet savant (→ serment). *Sacramentum* dérive de *sacratum,* supin de *sacrare* «consacrer» (cf. ci-dessus *sacrer*). ◆ *Sacrement,* terme de liturgie chrétienne, apparaît avec le sens général de «rite religieux institué par Jésus-Christ pour donner ou augmenter la grâce (chacun des sept sacrements)». Il se dit spécialement (1172-1174) du sacrifice de la messe, et s'emploie aussi, comme ② *sacre,* pour «consécration d'un évêque». Le mot désigne en particulier (v. 1190) la partie de la messe qu'on appelle *consécration* et *élévation,* et *Saint(-) Sacrement* correspond à Eucharistie. ◇ *Sacrement* s'est employé dès l'ancien français hors du contexte chrétien pour «commémoration solennelle» (v. 1190). Au XIIIe s., le mot s'est dit spécialement pour «affirmation ou promesse faite en attestant Dieu, un être ou un objet sacré», acception reprise du latin et encore relevée au XVIIe s. (1607). ◇ *Les sacrements,* désignant les sacrements de pénitence, d'eucharistie et d'extrême-onction est attesté en 1309, ainsi que l'expression ***sacrement de l'autel. Saint sacrement*** est repris (v. 1480) avec le sens de «la Fête-Dieu»; *sacrement* se dit spécialement pour «sacrement de mariage» (1515) et équivaut familièrement à «mariage» (cet emploi a vieilli). Au milieu du XVIe s., le mot s'emploie pour «cérémonie rituelle» (1549) en parlant d'autres religions. Il entre aussi dans la locution *avoir eu, avoir reçu tous les sacrements,* ceux de pénitence, d'eucharistie et d'extrême-onction, quand on est gravement malade (1549); de là ***les derniers sacrements*** (1636) et ***être muni des sacrements de l'Église.*** D'autres locutions, aujourd'hui sorties d'usage, se forment au XVIIe siècle : *s'approcher des sacrements* «se confesser et communier» (1685), *fréquenter les sacrements* «se confesser et communier souvent» (1690), *avoir tous les sacrements* «être en règle», «ne manquer de rien» (1690) au figuré. Au début du XIXe s., *saint sacrement* se dit spécialement pour «ostensoir» (1802).

SACRAMENTAL, ALE, AUX adj. et n. m., emprunté au latin ecclésiastique *sacramentalis,* dérivé de *sacramentum,* est sorti d'usage dans son emploi adjectivé (1382) pour qualifier ce qui appartient à un sacrement ; il est alors remplacé par *sacramentel* (ci-dessous). ◇ Le mot s'emploie aujourd'hui comme substantif, attesté seulement au début du XXe s. (1904), et correspond au latin ecclésiastique *sacramentalia* «sacrements mineurs» (dans le vocabulaire scolastique au XIIe s.). Ce terme de liturgie désigne le rite sacré, institué par l'Église, pour obtenir par son intervention des effets d'ordre surtout spirituel. ➡ **SACRAMENTEL, ELLE** adj. (1382) s'efface devant *sacramental* jusqu'au XVIIIe s. et s'impose ensuite comme terme de théologie pour qualifier ce qui appartient à un sacrement. L'usage général connaît *paroles sacramentelles* (1798), *mots sacramentels* (1835) «paroles, mots qui sont essentiels à la validité d'un acte, d'une convention». ◇ De l'adjectif dérivent **SACRAMENTELLEMENT** adv. (XVe s.), précédé par la variante *sacramentalement* (v. 1450), de *sacramental*, et **SACRAMENTALITÉ** n. f. (XXe s.), termes didactiques de religion. ➡ **SACRAMENTAIRE** n. et adj., emprunté au bas latin ecclésiastique *sacramentarium* «rituel pour l'administration des sacrements», a d'abord désigné (1535, n. pl.) les hérétiques qui ont enseigné des dogmes divergents touchant l'eucharistie ; l'adjectif (1660), rare avant le XIXe s., qualifie ce qui est relatif aux sacrements.

Le terme de religion le plus récent qui se rattache au latin *sacer* est **SACRAL, ALE, AUX** adj., attesté en 1930 (Maritain), mais antérieurement en anglais (1882) et en allemand (déb. XXe s., *sakral*) d'où il semble procéder ; il est formé sur le radical du latin classique *sacer*. ◇ L'adjectif, très didactique, s'applique, par opposition à *profane*, à ce qui a revêtu un caractère sacré, notamment en parlant de civilisations. ➡ *Sacral* a permis de former **SACRALISER** v. tr., attesté plus tôt (1899, Hubert et Mauss) «attribuer un caractère sacré à», d'où l'antonyme **DÉSACRALISER** v. tr. (1949), de ① *dé-*, qui s'emploie aussi dans un sens étendu *(désacraliser une profession)*. ◇ Du verbe dérive ① **SACRALISATION** n. f., attesté (1941) après son antonyme **DÉSACRALISATION** n. f. (1934). ➡ **SACRALITÉ** n. f. (mil. XXe s.) se dit du caractère de ce qui a été sacralisé.

SACRO-SAINT, SACRO-SAINTE adj. est emprunté (1546, *sacrosainct*) au latin *sacrosanctus*, de l'ablatif de *sacer* et *sanctus* (→ saint). Sorti d'usage comme terme de religion, il s'applique ironiquement (XIXe s.) à ce qui fait l'objet d'un respect exagéré.

De nombreux mots rattachés à la famille du latin *sacer* sont plus ou moins démotivés : *sacrilège* et *sacrifier* sont encore sentis liés à *sacré* mais semblent posséder une certaine autonomie ; *sacristain* et *sacristie* sont encore plus autonomes ; *sacripant* et *sacrum*, terme d'anatomie, n'ont plus guère de lien intuitif. Enfin *saperlipopette, scrogneugneu*, par leurs formes altérées, ne sont plus en rapport.

◈ voir CONSACRER, EXÉCRER, OBSÉCRATION, SACERDOCE, SACRIFIER, SACRILÈGE, SACRIPANT, SACRISTAIN, SACRUM, SCROGNEUGNEU, SERMENT.

SACRIFIER v. tr. est un emprunt (1119) au latin classique *sacrificare* «offrir un sacrifice à une divinité» (intr.) et «offrir en sacrifice» (tr.), de *sacrum facere* «faire une cérémonie sacrée», composé de *sacrum* (→ ① sacrer) et de *facere* (→ faire). Le mot s'est spécialisé en latin chrétien.

♦ *Sacrifier* conserve le sens du latin chrétien, en parlant d'une offre à Dieu (1119), à une divinité quelconque, à une idole (v. 1120) ; on a dit *sacrifier un sacrifice* du XIIIe au XVIe siècle. Le verbe s'emploie spécialement pour «faire le sacrifice de la messe» (1669), d'après les emplois du type *sacrefier le cors de Notre Seignor* (v. 1220). La locution *sacrifier une fête de sacre* «consacrer une Fête-Dieu» (1225-1250, *secrefiier*) est sortie d'usage, le verbe n'ayant plus de complément interne (du type *sacrifice, cérémonie*, etc.). ➡ Le premier emploi figuré est relevé à la fin du XVIe s. (1580, *sacrifier qqn à son ambition*), le verbe signifiant ensuite «abandonner volontairement (qqn) au bénéfice de ce qu'on fait passer avant» ; d'où *sacrifier qqch.* (1636). Depuis le début du XVIIe s., *sacrifier à*, par extension du premier sens dans le domaine profane, s'emploie pour «se conformer à, faire la volonté de», d'abord (1611) dans la locution *n'avoir pas sacrifié aux Grâces* «n'avoir aucun agrément, faire tout gauchement» ; ce type d'emploi littéraire est devenu archaïque. De ce sémantisme procède plus tard *sacrifier à la mode, aux préjugés* (1820). *Sacrifier aux Muses* (déb. XXe s.) «faire des vers, de la musique, etc.» est un archaïsme littéraire plus ou moins ironique. *Se sacrifier (pour, à)* signifie «se dévouer par le sacrifice de soi, de ses intérêts» (mil. XVIIe s.). ◇ Le verbe se dit ensuite (1670) pour «tuer», sans qu'il y ait d'intention sacrificielle *(sacrifier un animal malade)*, mais ce sont les idées d'«abandonner» et de «suivre» qui sont à la base des nouveaux emplois : d'une part, *sacrifier une personne, une chose à une autre* (1669), notamment *sacrifier un amant* (1690), *sacrifier tout à ses intérêts* (1690), *sacrifier son bonheur à celui d'un autre* (1718), d'où *sacrifier* «mettre dans un rang inférieur» (1756) ;

▸ Plusieurs mots ont été empruntés à des dérivés de *sacrificare*. ➡ **SACRIFICE** n. m. (fin XIVe s.), d'abord *sacrifise, sacrefise* (v. 1120), est emprunté au latin *sacrificium* «sacrifice», terme religieux. Le mot a eu une évolution parallèle à celle du verbe. Il désigne d'abord une offrande rituelle à Dieu (v. 1120), caractérisée par la destruction, l'immolation réelle ou symbolique, ou l'abandon volontaire de la chose offerte, d'où par extension *sacrifier sacrifise de loenge* «célébrer les louanges de Dieu» (v. 1120), devenu (1550) *offrir un sacrifice de louange*, et *faire sacrefice* «sacrifier» (XIIe s.). ◇ *Sacrefise* (v. 1120) puis *sacrifice* a pris la valeur particulière de «mort de Jésus-Christ sur la Croix pour la rédemption du genre humain» (mil. XVIIe s., *sacrifice de J.-C.*). *Saint sacrifice* se dit du sacrifice de la messe (1670) et *sacrifice* désigne la consécration à la vie religieuse (1675) et le saint sacrement (1687). ◇ Par métonymie, le mot désigne la victime d'un sacrifice (v. 1155) ; dans ce sens, il a été concurrencé par *hostie* aux XVIe-XVIIe siècles. ◇ Par extension, il s'emploie en parlant du culte rendu aux divinités païennes (v. 1180, *sacrefixe*). On relève au XVIIe s. *sacrifice sanglant* «où l'on immole une créature vivante» (1680), puis *sacrifice humain* (XVIIIe s.). ➡ Au milieu du XVIIe s., *sacrifice* prend la valeur figurée de «renoncement ou privation volontaire, en vue d'une fin». L'idée de «renoncement» s'étend au domaine esthétique, *sacrifice* se disant (1812) d'un artifice par lequel un peintre néglige certaines parties d'un tableau pour en faire ressortir d'autres; le mot est ensuite employé (1835, au pluriel) en parlant d'une fin utilitaire au sens de «dépenses que l'on s'impose» et par extension pour «privation».

SACRIFICIEL, ELLE adj., dérivé didactique, qualifie ce qui est propre à un sacrifice (1931 chez Bernanos) et a remplacé **SACRIFICIAL, ALE, AUX** (v. 1510; aussi *sacrifical,* 1581), qui a disparu.

SACRIFICATEUR, TRICE n. est emprunté (1535) au dérivé latin *sacrificator* (n. m.), *-atrix* (n. f.) «prêtre, prêtresse préposé(e) aux sacrifices» et en conserve le sens; ***le grand sacrificateur*** désigne spécialement (1553) le grand prêtre chez les Hébreux. Le féminin apparaît au milieu du XVIIe s. (1656). ◆ **SACRIFICATURE** n. f., dérivé savant obtenu par substitution de suffixe (1535), se dit de la dignité de sacrificateur. ◆ **SACRIFICATOIRE** adj. (1597), emprunté au dérivé latin *sacrificator* «relatif au sacrifice religieux», équivaut à *sacrificiel* (ci-dessus).

SACRILÈGE adj., n. et n. m. est emprunté (v. 1190) au latin classique *sacrilegus* «qui dérobe des objets sacrés», d'où «impie, profanateur, sacrilège». À l'époque impériale apparaît le dérivé par substantivation *sacrilegium* «vol dans un temple» et «profanation, impiété». *Sacrilegus* est composé de la base de *sacrare* (→ ① sacrer) et de *-legus* «qui recueille» (*-legium* «action de recueillir»), second élément de composition issu de *legere* (→ lire).

♦ *Sacrilège* est introduit en français comme nom d'action avec le sens du latin impérial, «profanation de choses sacrées» (1190, n. m.); de là un sens étendu, «outrage à une personne digne de vénération, d'égards» et «action dirigée contre une personne sacrée» (1283). ◇ Parallèlement, le mot reprend l'emploi du latin classique pour désigner comme nom (1283) une personne qui profane les choses sacrées, puis comme adjectif pour qualifier une chose (1528) qui a un caractère de sacrilège et une personne (1550) coupable de sacrilège. Des emplois extensifs et figurés (fin XVIIIe s.) sont liés aux extensions de *sacré.*

SACRIPANT n. m. est emprunté (1600, comme nom propre), à l'italien *Sacripante,* nom d'un faux brave de l'*Orlando innamorato* (*Roland amoureux,* 1476-1494) de Boiardo et personnage repris par Berni et Arioste. Le mot, en italien, représente une formation plaisante sur l'adjectif *sacro* «sacré», du latin *sacer* (→ ① sacrer); il est passé aussi en portugais (*sacripante* «fripon, coquin, gredin»).

♦ *Sacripant* s'est d'abord dit pour «fanfaron, faux brave, bravache», par allusion au personnage italien. Le mot est encore relevé en ce sens au XIXe siècle. Aujourd'hui, il désigne (depuis 1713) un mauvais sujet, un vaurien, probablement par un effet de paronymie sur la finale *(chenapan)* et par les valeurs prises par *sacré,* employé dans les jurons et comme intensif dans des contextes péjoratifs (→ sacré à ① sacrer).

SACRISTAIN n. m. est la réfection (1552) d'une série de formes de l'ancien français, dont *secrestain* (1145-1170), *secretain* (v. 1280) : elles sont toutes empruntées à *secrestanus* (XIIe s.), variante de *sacristanus,* dérivée du latin médiéval *sacrista* (v. 1050), d'abord «celui qui garde le trésor de l'Église»; *sacristanus* a évincé *secretarius* (→ secrétaire) et a été emprunté sous la forme *sacrestain* (1375), relatinisée en *sacristain* au XVIe s. (1552). De *sacristanus* viennent également l'italien *sagrestano* et l'espagnol *sacristan.* La variante *segrestain* (v. 1150) représente un latin médiéval *segrestanus. Sacrista,* emprunté en ancien français (XIIIe s., *sacriste*), dérive du radical du latin classique *sacer* (→ ① sacrer).

♦ Le mot désigne en français dès le XIIe s. celui qui a soin des objets sacrés d'une église. *Sacristain* s'est dit pour «serviteur» (apr. 1550) et s'est employé au pluriel *(les sacristains)* et au figuré (1793) pour «les croyants», puis «les faux dévots» (cf. *calotin*); ce sens a disparu. ◇ Au XXe s., *sacristain* désigne aussi, sans qu'on en connaisse la raison, un petit gâteau de pâte feuilletée, en forme de rouleau, garni d'amandes grillées.

▸ *Sacristain* a fourni **SACRISTAINE** n. f. (1636) et **SACRISTINE** n. f. (1671), «religieuse chargée de l'entretien de la sacristie».

SACRISTIE n. f. est emprunté (XVe s.), d'abord sous la forme *sacrestie* (1339), au latin ecclésiastique *sacristia* «charge d'un sacristain avec ses revenus» (1128), puis «sacristie» (v. 1209), dérivé de *sacrista.* La sacristie a été désignée en latin médiéval par d'autres dérivés de *sacrista : sacristania* (1038) et *secretarium,* qui correspond à *secretarius* (ci-dessus). ◆ Le mot désigne la partie de l'église où sont déposés les vases sacrés, les vêtements sacerdotaux, les registres de baptême et de mariage et, par métonymie (1694), s'applique à ce qui est contenu dans la sacristie. *Sacristie* s'est dit au XVIIe s. (1690) des bénéfices tirés de ce qui est donné pour faire dire des messes, des services ou prières. Le mot s'emploie (1862) avec une valeur péjorative pour désigner les prêtres, le parti clérical, en tant que symbole de la religion (cf. *sacristain,* ci-dessus), d'où la locution familière ***punaise de sacristie*** «dévote» (1890, *des sacristies*). La locution figurée, *être de la sacristie* «appartenir à un petit cercle de curieux, d'amateurs» (1874), est sortie d'usage. ◇ En argot, *sacristie* s'est dit par dérision et analogie («lieu situé à côté»), pour «cabinet d'aisances» (1888).

SACRUM n. m. représente une abréviation (1793) de *os sacrum* (1478, Chauliac), mots latins signifiant «os sacré», ainsi nommé parce que cet os soutient les entrailles de l'animal que l'on offrait aux dieux dans les sacrifices.

♦ Ce terme du latin médical est passé dans diverses langues, dont le français dans le vocabulaire de l'anatomie, pour désigner l'os formé par la réunion des cinq vertèbres dites *sacrées* (ci-dessous), situé à la partie inférieure de la colonne vertébrale.

▸ Du nom dérive ② **SACRÉ, ÉE** adj. (v. 1560, Paré) qui qualifie ce qui est relatif au sacrum et à sa région.

② **SACRALISATION** n. f. est un terme de médecine emprunté (1912) à l'anglais *sacralization,* de *sacral* «relatif au sacrum».
Du radical de *sacrum* a été tiré **SACR-, SACRO-,** élément signifiant «du sacrum» et servant à composer des termes d'anatomie et de médecine : **SACRO-LOMBAIRE** adj. (v. 1560), de *lombaire;* **SACRO-COCCYGIEN, IENNE** adj. (1765), de *-coccygien;* **SACRO-SCIATIQUE** adj. (1765), de *sciatique;* **SACRO-ILIAQUE** adj. (1836), d'*iliaque.* **SACRO-COXALGIE** n. f. (1876), de *coxalgie,* et **SACRALGIE** n. f. (XXe s.), du suffixe *-algie,* sont des termes médicaux.

◈ voir VERTÈBRE (SACRO-VERTÉBRAL).

SADE

SADE adj. représente l'aboutissement (v. 1175, Chrétien de Troyes) du latin impérial *sapidus* «qui a du goût, de la saveur» (→ sapide) et au figuré «sage, vertueux», dérivé du latin classique *sapere* (→ savoir), et qui a par ailleurs abouti, par une forme populaire, à *sage**.

♦ L'adjectif, sorti d'usage au XVIIe s., s'est employé en ancien et en moyen français avec le sens propre du latin pour qualifier ce qui est savoureux, agréable en parlant de choses, et ce qui est charmant, agréable, gracieux en parlant de personnes. Le mot n'a survécu que dans quelques dialectes, notamment méridionaux (ancien provençal *sabe*), et en composition dans *maussade**. Ses dérivés ont disparu.

◈ voir MAUSSADE, SAGE, SAPIDE.

SADISME

SADISME n. m. a été formé (1834) sur le nom du marquis de *Sade* (1740-1814); cet écrivain fut longtemps voué à l'anathème en raison de la part accordée dans ses romans à un érotisme de la violence et de la cruauté (incestes, viols, sodomie, etc.). On a voulu faire de ses ouvrages le délire d'un pervers sexuel, en assimilant ses violences imaginées à sa vie, d'ailleurs inquiétante. C'est Krafft-Ebing, médecin allemand, qui a donné à la fin du XIXe s. un statut scientifique au mot *sadisme,* comme antonyme de *masochisme**.

♦ Le premier emploi de *sadisme* est aujourd'hui vieilli : le mot était défini en 1839 (Boiste) comme «aberration épouvantable de la débauche; système monstrueux et antisocial qui révolte la nature». Il se dit couramment (1887) du goût pervers de faire souffrir. ◇ *Sadisme* est par ailleurs un terme didactique (psychiatrie, psychanalyse), proposé par Krafft-Ebing pour désigner (1892, traduction en français de *Psychopathia sexualis*) une perversion sexuelle dans laquelle la satisfaction est liée à la souffrance ou à l'humiliation infligée à autrui en relation avec le masochisme, où le plaisir vient de la souffrance du sujet lui-même. Freud, qui, le plus souvent, réserve le terme de *sadisme* à l'association de la sexualité et de la violence exercée sur autrui, a cependant élargi l'emploi du mot pour désigner cette seule violence, hors de toute satisfaction sexuelle. Bien que considérée par Freud lui-même comme manquant de rigueur (*sadisme* équivalant à *agressivité*), cette acception a pris une large extension en psychanalyse, notamment dans les écrits de Mélanie Klein et de son école. De l'emploi courant vient le sens étendu (XXe s.) de «plaisir mauvais, méchanceté».

▶ **SADISTE** adj. et n. (1850) «disciple de Sade» est sorti d'usage. ◆ **SADIQUE** adj. et n. (1862, adj. dans la correspondance de Flaubert; 1882, n.) a des emplois analogues à ceux de *sadisme;* il a vieilli au sens de «luxurieux et cruel», à la manière des personnages du marquis de Sade. Le mot s'emploie en psychanalyse, en particulier en composition (*stade sadique-anal* ou *sadico-anal, sadique-oral*), et couramment pour «cruel», abrégé familièrement en **SADO** adj. et n. (mil. XXe s.), par opposition à *maso* (→ masochisme). ◇ *Sadique* a fourni **SADIQUEMENT** adv. (1951). ◆ **SADIEN, IENNE** adj. (av. 1969), didactique, s'applique à ce qui est propre aux œuvres de Sade, du point de vue littéraire ou idéologique.
Sado-, élément tiré du radical de *sadisme,* entre dans la composition de **SADOMASOCHISME** n. m. (1935; 1914, *sadi-masochisme*), de *masochisme,* «sadisme combiné au masochisme», et **SADOMASOCHISTE** adj. et n. (mil. XXe s.), abrégé en **SADOMASO** (1977, au pluriel). ◇ D'abord didactiques, ces termes se sont relativement répandus à la suite de *sadique* et de *maso(chiste).*

SAFARI

SAFARI n. m. est un mot emprunté (mil. XXe s.) au swahili *safari* signifiant «bon voyage», qui vient de l'arabe *safara* «voyager».

♦ *Safari* désigne une expédition de chasse, d'abord en Afrique noire.

▶ Du nom procèdent **SAFARISER** v. intr. (1971) «faire des safaris», **SAFARISTE** n. (1972) «personne qui participe à un safari» et **SAFARIEN, IENNE** adj. (1972) «relatif aux safaris», tous trois très peu usités. ◆ Le composé **SAFARI-PHOTO** n. m. (1968), de *photo,* désigne une expédition, à la manière d'un safari, au cours de laquelle les animaux sont photographiés au lieu d'être chassés.

SAFRAN

① **SAFRAN** n. m. est emprunté (v. 1150) au latin médiéval *safranum,* lui-même pris à l'arabe *zafarān;* de là viennent l'italien *zafferano,* l'espagnol *azafrán* (avec l'article arabe *al,* ici *az*); l'allemand *Safran* et l'anglais *saffron* sont eux-mêmes empruntés au français.

♦ *Safran* désigne, comme son étymon, une plante (*crocus* dans le vocabulaire scientifique) dont les stigmates sont utilisés pour leurs propriétés aromatiques et colorantes; de là vient l'emploi (XIIe s.) en parlant de la matière colorante jaune et de l'extrait de la plante, en particulier pour des usages culinaires. *Safran* s'emploie pour «couleur jaune» (1587), aussi comme adjectif invariable (1778). ◇ La locution *safran des métaux* «oxysulfure de fer utilisé contre l'anémie» est sortie d'usage.

▶ Le nom a produit plusieurs dérivés. ◆ **SAFRANER** v. tr. (fin XIVe s.) et **SAFRANÉ, ÉE** adj. s'appliquent à l'arôme (1463) et à la couleur. ◇ **SAFRANÉE** n. f. (mil. XXe s.) est le nom donné à un papillon à ailes jaunes. ◆ **SAFRANIER** n. m. apparaît au XVIe s. dans un emploi figuré pour «personne qui fait faillite» (1549), issu de l'expression *aller au safran* «faire banqueroute» (1539), par allusion au fait que les boutiques de banqueroutiers étaient peintes en jaune. Il s'est dit d'un marchand de safran (1568). Ce n'est qu'au XIXe s. que *safranier* désigne (1845) une personne qui cultive le safran. ◇ **SAFRANIÈRE** n. f. (1600; 1568, *safrenière*) «plantation de safran» est rare. ◆ **SAFRANIQUE** adj. (1847, Baudelaire) «qui évoque le safran» est littéraire et rare. ◆ **SAFRANINE** n. f. (1875) est un terme de chimie.

② **SAFRAN** n. m., d'abord *saffryn* (v. 1382), est emprunté à l'arabe *za'frân*. La forme moderne est influencée par ① *safran*.

♦ Ce mot de marine désigne la pièce principale, verticale, d'un gouvernail.

① **SAGA** n. f. est un emprunt (1721, Dict. de Trévoux) à l'ancien norrois *saga* «dit, conte», apparenté à l'allemand *sagen* «dire» et à l'anglais *to say*. Ces mots reposent sur une racine indoeuropéenne qui semble occidentale, n'ayant aucun représentant en indo-iranien.

♦ Ce terme littéraire désigne un récit historique ou mythologique de la littérature médiévale scandinave et, par extension, un récit légendaire dans d'autres civilisations (cf. *mythe, légende*). ◇ Par emprunt à l'anglais *saga*, il se dit pour «histoire (d'une famille) présentant un aspect légendaire». Ce sens s'est répandu avec *La Saga des Forsyte*, cycle romanesque de J. Galsworthy, puis avec les récits littéraires, cinématographiques, télévisuels américains.

② **SAGA** n. f., mot du latin scientifique, désigne en zoologie (1876) une grande sauterelle verte, commune dans le midi de la France. Son origine est obscure; on ne voit pas le rapport avec ① saga.

SAGACE adj. est emprunté (1495, *sagax* isolément; rare av. 1788) au latin *sagax, sagacis* «qui a l'odorat subtil» et, au figuré, «pénétrant, habile à découvrir, à deviner», dérivé de *sagire* qui a signifié d'abord en termes de chasse «quêter» (en parlant d'un chien) et «avoir du nez»; ce verbe, peu usité et remplacé par le composé *praesagire* (→ présage, présager), se rattache à une racine indoeuropéenne °*sāg*- «avoir du flair», également représentée en grec (→ exégèse, musagète).

♦ *Sagace*, d'emploi littéraire, a conservé le sens figuré du latin, qualifiant ce qui dénote de la pénétration d'esprit et s'appliquant aux personnes, aux paroles.

▸ En dérive **SAGACEMENT** adv. (1842). ◆ **SAGACITÉ** n. f. (1444), devenu plus courant que *sagace*, se dit pour «pénétration d'esprit», sens figuré du latin *sagacitas*, dérivé de *sagax*, auquel il est emprunté. ◇ Le mot est rare avant le XVIIIe s. où il s'est employé (1725) avec le sens propre du latin, «finesse de l'odorat», sorti d'usage. C'est la valeur initiale qui l'a emporté.

SAGAIE n. f. (*sagaye*, 1476, puis 1556) a remplacé les formes *archegaie* (v. 1300), *harcegaye* (1414), *assagaie* (Rabelais, 1546) et *azagaye* (1556); la graphie moderne en *s* (1752) continue *zagaie* (1537), seule forme donnée par Littré. Il s'agit d'un emprunt à l'espagnol *azagaya*, lui-même de l'arabe *(az)-zaġāya*, mot d'origine berbère désignant une sorte de javelot. Les formes anciennes contiennent l'article arabe *al-* (*az-*).

♦ *Sagaie* se dit d'une lance utilisée comme arme de chasse et de guerre dans diverses sociétés de chasseurs, notamment africaines.

SAGE adj. et n. représente l'aboutissement (1080), par l'intermédiaire de la forme *savie* (1050), d'un latin populaire °*sapius*, °*sabius*, attesté aussi par l'ancien provençal *savi*, l'espagnol et le portugais *sabio*. C'est une altération du latin classique *sapidus* «qui a du goût, de la saveur» (→ insipide, sade adj., sapide) et au figuré «sage, vertueux»; Pétrone a un composé *nesapius* «imbécile» parallèlement à *nesapus* «qui non sapit», «qui ne sait pas». *Sapidus* dérive du verbe *sapere* (→ savoir) et a, par ailleurs, abouti à l'ancien adjectif *sade**.

♦ L'adjectif s'applique d'abord à une personne instruite, savante; de cet emploi vieilli procèdent par extension les autres acceptions du mot; en ce sens, le nom *(un sage)* est sorti d'usage (1080). *Sage* qualifie et désigne aussi, comme adjectif et comme nom, une personne prudente, circonspecte, judicieuse; *saive homme* se dit en ancien français d'un homme de bon conseil (1080) et *sapi* (v. 1080) puis *sage* (XIIe s.) correspond à «raisonnable, intelligent», alors opposé à *fou, écervelé*, souvent au pluriel comme nom. ◇ Par extension, l'adjectif s'applique (v. 1150) à la conduite, aux paroles, etc. et qualifie une personne experte, habile dans son art, acception qui demeure dans *sage-femme* (ci-dessous). ◇ Par extension du premier emploi, le nom a désigné (v. 1135) ceux qui se sont distingués par leur connaissance de la philosophie et des sciences dans l'Antiquité grecque. ◇ L'adjectif s'est employé dans *sage de* «instruit de, renseigné sur» (1155, *saive de*) et dans l'expression *faire sage de, que* «informer de»; on trouve encore au XVIIe s. *rendre sage de* (1610), *cela ne me rend pas plus sage* «mieux instruit» (1690). Cette valeur se manifeste dans les désignations disparues *sage homme de loi* «jurisconsulte» (v. 1280), *homme sage* «homme de robe» (1385). ◇ Au XVIe s., *un sage* se dit (1580) de qqn qui, par un art de vivre supérieur, se met à l'abri de ce qui tourmente les autres hommes; cette valeur voisine de celle de *philosophe* est encore vivante dans l'usage littéraire. ◆ Au XVIIe s., c'est la notion de «modération» qui devient prédominante, en parlant de la conduite et des mœurs. L'adjectif s'applique alors à une jeune fille chaste, pudique (1663) et signifie plus généralement «modéré, maître de ses passions» (attesté 1669); par extension, il s'emploie en parlant d'un enfant calme et docile (1690) et d'un animal domestique docile (1694). La première valeur, «savant», a été reprise au XVIIIe s. pour désigner une personne qui a fait de grands progrès dans l'alchimie (1740) et comme équivalent de «libre penseur, philosophe» (1765). Avec l'idée de «mesure», *sage* s'applique à ce qui est écrit, exécuté avec correction, de façon classique; dans ce cas, l'adjectif connote souvent l'absence de hardiesse, d'originalité. ◇ Le nom a été repris au milieu du XXe s. (attesté 1953) pour désigner une personne appelée pour sa compétence et sa réputation d'objectivité comme conseiller d'un gouvernement ou d'un organisme, en matière économique et sociale. La valeur s'étend dans des expressions du genre ***comité des sages.***

▸ **SAGEMENT** adv. (v. 1120), avec la variante *saivement* (v. 1138) en ancien français, correspond aux valeurs principales de l'adjectif. Le sens va de «habilement» à «modérément, sans excès» (mil. XVIe s.) et «sans grande originalité» en art (1798). ◆ **SAGESSE** n. f. a eu une évolution parallèle à celle de *sage*. Le nom, d'abord terme de théologie (v. 1170, *saivesce*), s'est dit pour la deuxième personne de la Trinité (la connaissance étant le premier des attributs de Dieu). Le mot désigne ensuite une connaissance surnaturelle ou acquise des choses (v. 1240, *sagesse*), sens noté «vieux» en 1821, encore vivant littérairement. Depuis le début du XVe s., *sagesse* se dit pour «prudence, circonspection». Il est repris dans le vocabulaire religieux (1535) désignant la connaissance inspirée des choses divines et humaines (par ex. des apôtres), d'où *la Sagesse,* le *Livre de Sagesse,* «livre de l'Ancien Testament attribué à Salomon» (1694). Le mot s'emploie également pour «modération, retenue, maîtrise de soi» (1549), sens courant, d'où par métonymie *(une sagesse)* pour «acte de prudence» (1611), sorti d'usage. La locution ***dents de sagesse*** (1611) «secondes dents après les *dents de lait*», caractéristiques de l'âge «de raison», est demeurée vivante. ◇ *Sagesse* est vieilli pour parler de la chasteté féminine (1668). En revanche, comme *sage,* le mot s'emploie encore à propos des enfants (1694) et des actions (1783) tranquilles et dociles.

Le composé préfixé **ASSAGIR** v. a d'abord eu le sens d'«instruire (qqn) de qqch.» (1188, *assagir qqn de qqch.*). Depuis le moyen français, il signifie «rendre (qqn) sage» (1340-1370) et ne s'emploie plus qu'au pronominal pour «devenir sage» (1530), alors qu'on disait *assagir* intransitivement (fin XIVe s.). Une valeur extensive s'applique aux choses, pour «rendre moins vif, moins rapide ou incontrôlé». ◆ Le dérivé **ASSAGISSEMENT** n. m. a désigné (1440-1475) l'action de donner des renseignements; il ne se dit plus que de l'action d'assagir (1580, Montaigne).

SAGE-FEMME n. f. est attesté sous cette forme en 1212; on trouve aussi les variantes *femme sage* ainsi que *sage mère* (XVe s.), *mère sage* (1609). Le mot est composé de *sage* signifiant «expert, habile (dans son art)» (1155, *saive* en ce sens) et de *femme**. Le mot du latin classique *obstetrix* a été emprunté avec un autre sens (→ obstétrique). *Sage-femme* apparaît avec le sens de «femme dont la profession est d'accoucher les femmes» qu'il a conservé; il s'est employé aussi (v. 1375) pour «sorcière», par une péjoration qu'a aussi connue *matrone.* ◇ Le développement de la médecine a conduit à une extension de l'acception de *sage-femme,* désignant une personne dont l'activité n'est pas limitée à l'accouchement. Par ailleurs, la profession s'ouvrant aux hommes (depuis 1980), on a proposé *sage-homme, matron* (sur le féminin *matrone*), *maïeuticien* (proposé par l'Académie) ou *maïeutiste* (hellénismes savants), *parturologue,* termes finalement écartés au bénéfice de *sage-femme* pour les deux sexes, malgré la bizarrerie de l'expression appliquée à un homme.

SAGINE → SAINDOUX

① **SAGITTAIRE** n. m. est emprunté (1119) au latin *sagittarius* «archer», «fabricant de flèches», et nom d'une constellation, dérivé de *sagitta* «flèche» et «objet en forme de flèche (bout d'un bourgeon ou d'une crossette)», désignant par ailleurs une plante et une constellation («la Flèche»). *Sagitta* résulterait d'un emprunt à une langue non indoeuropéenne (la finale *-itta* est peut-être étrusque), l'arc et la flèche n'étant pas des armes nationales à Rome.

♦ En français, *sagittaire* désigne d'abord (1119) le signe du zodiaque représenté sous la forme d'un centaure qui tient un arc prêt à tirer (v. 1200, *sajetaire* «centaure»). Le sens d'«archer» est repris du latin à la fin du XVe s., puis le mot désigne (1655) un archer auxiliaire dans l'armée romaine, comme terme d'Antiquité.

▸ ② **SAGITTAIRE** n. f. est emprunté (1780) au latin des botanistes *sagittaria,* dérivé savant (Linné) du latin *sagitta,* en raison de la forme des feuilles de cette plante aquatique nommée aussi *flèche d'eau* ou *sagette* (ci-dessous). ◆ **SAGITTAL, ALE, AUX** adj., didactique, a été dérivé savamment (1534, Rabelais) du latin *sagitta* «flèche» (cf. *sagittatus* «percé d'une flèche»), remplaçant *sagitelle* (1490). L'adjectif qualifie ce qui a une forme de flèche, ce qui contient des flèches et ce qui évoque la position de la flèche par rapport à la cible, c'est-à-dire un plan de symétrie: *commissure sagitale* (Rabelais), *suture sagittale* (v. 1560, Paré), *coupe sagittale* (v. 1560), *gouttière sagittale* (1845), *plan sagittal* (1910). ◇ En dérive **SAGITTALEMENT** adv. (1897).

SAGETTE n. f. représente une réfection (XVe s.) de l'ancien français *saiete* (1138), *saete* (1155), *saite* (XIIIe s.), *sayette* (1412), formes issues du latin classique *sagitta. Sagette,* «flèche», donné comme vieux et réservé au style baroque par Malherbe, est sorti d'usage, sauf par archaïsme littéraire. ◇ Le mot a désigné (1611) une plante nommée ensuite *sagittaire.*

SAGOU n. m. est emprunté (1611) à un mot malais, par l'intermédiaire du portugais *sagu.* On trouve déjà *sagu, saghu* en 1525 (trad. de Pigafetta) donné comme mot malais.

♦ Le mot désigne une fécule amylacée qu'on retire de la moelle de divers palmiers. Il s'est appliqué (mil. XVIIIe s.) au palmier qui produit cette fécule.

▸ Le dérivé **SAGOUTIER** n. m. (1779) semble plus normal que *sagou* pour désigner l'arbre (scientifiquement *metroxylon*). ◆ **SAGOUIER** n. m., variante dérivée de *sagou* sans *t* (1827), semble inusité.

SAGOUMENTA n. f. (attesté 1933) désigne une pâte alimentaire faite avec le sagou.

SAGOUIN, OUINE n. est emprunté (1537) au tupi *sahy* «singe» par l'intermédiaire du portugais *saguim* (variante *sagui*). On relève plusieurs variantes: *sagouyn* (1537), *sagoin* (1582), encore chez Buffon, et *sahuin* (1745) plus proche de l'étymon.

♦ Le mot est sorti d'usage pour désigner une espèce de petit singe à longue queue, originaire du Brésil. Parce qu'on attribue au singe des habitudes malpropres et surtout par influence de *salaud, salopard,* le mot se dit familièrement (1675, n. m.; 1791, n. f.) d'une personne ou d'un enfant malpropre et porte l'idée secondaire de «laideur» (1690). ◇ *Sagouin* s'emploie encore comme injure, équivalent de *salaud.*

▸ **SAÏ** n. m. est une adaptation (1766, Buffon) du mot tupi; terme didactique, il se dit d'un singe d'Amérique du Sud (→ sapajou).

SAHARIEN, IENNE adj. et n. qui apparaît en 1845 à la nomenclature des dictionnaires (Bescherelle), dérive du nom géographique *Sahara,* de l'arabe *sahrā* «le désert».

♦ L'adjectif qualifie ce qui est propre au Sahara ou à ses habitants, d'où *un, une saharienne* (attesté 1857); il s'applique par analogie à ce qui rappelle le Sahara (v. 1901, *climat saharien*). *Langues sahariennes* (v. 1964) désigne un groupe de langues parlées à l'ouest et au nord du lac Tchad, au Tibesti et dans le sud de la Libye.

▸ **SAHARIENNE** n. f. (1945), de *veste saharienne,* est le nom d'une veste de toile légère dont la coupe est inspirée de l'uniforme militaire.

SAHEL n. m., attesté au XIXe s. (1839), après *Séhel* (1667), comme nom propre géographique, est une adaptation de l'arabe *sāḥil* «rivage».

♦ Le mot se dit d'une région de collines littorales, en Afrique du Nord, spécialement en Algérie et en Tunisie (*le Sahel* d'Alger, de Sfax, etc.), et, par extension (v. 1901), de la zone de transition entre les zones désertiques et celles qui sont soumises au climat soudanais. ◇ Par métonymie, *sahel* désigne un vent du Sud marocain.

▸ En dérive **SAHÉLIEN, IENNE** n. m. en géologie (1858, Pomel) et adj. en géographie (1900).

SAHIB n. m. est un mot indien emprunté (1872, Rousselet) à l'arabe *ṣāḥib* «seigneur», probablement par l'anglais.

♦ *Sahib* est, en Inde, un titre de respect; il était employé à l'égard des Européens durant la colonisation anglaise.

SAIE n. f. est issu (v. 1185), comme l'ancien provençal *saya* (v. 1180), d'un latin populaire °*sagia,* dérivé de *saga,* pluriel neutre du latin classique *sagum* «manteau en laine grossière». Le mot, d'origine gauloise d'après Polybe, a désigné spécialement un manteau de soldat, opposé à *toga* «vêtement civil» (→ toge); par extension, *sagum* désignait une couverture, un gros drap.

♦ *Saie* ou *saye* (1370) désigne d'abord une serge de laine légère, puis un manteau ou une cape à larges manches de grosse étoffe (v. 1510), sens peut-être introduit par l'espagnol *sayo* (XVe s.), de même origine que *saie.* Ces acceptions sont archaïques. ◇ Il s'emploie aussi comme terme didactique (1559, *saye*) pour désigner le vêtement court que les Romains, les Gaulois et les Perses portaient à la guerre; en ce sens, on a dit aussi *sagum* n. m. (1665).

▸ **SAYETTE** n. f. (1494), «serge de laine», est sorti d'usage, comme **SAYETTEUR** n. m. (1290) et **SAYETTERIE** n. f. (v. 1440). ◆ **SAYON** n. m., emprunt à l'espagnol *sayón,* dérivé de *saya,* désignait (1487) une casaque grossière de paysan. Le mot s'est dit aussi d'une tunique militaire (1671), spécialement portée par les Gaulois (1798).

SAIGNER v. (XIe s.) coexiste avec diverses variantes en ancien français : *seiner* (1080), *seigner* (v. 1130), *seinier, seinner* (v. 1155), *segner* (v. 1200), *saignier* (v. 1210), etc. La forme *sangner* (fin XVe s.), refaite sur *sang,* a elle aussi disparu. Le verbe est issu du latin impérial *sanguinare* «saigner, être sanglant, ensanglanté», dérivé de *sanguis* (→ sang).

♦ Le verbe, comme en latin, signifie intransitivement (XIe s.) «perdre du sang», en parlant du corps ou d'un organe. La locution *saigner par le nez* (XIIIe s.) est devenue ***saigner du nez*** (1591) et s'est employée pour «manquer à un engagement» (1560) et «manquer de courage», acceptions disparues. ◇ Par hyperbole, on dit ***saigner comme un bœuf*** (1690). ◇ *Saigner* a ensuite (v. 1130, *seigner*) la valeur transitive de «tirer le sang de (qqn), en ouvrant une veine»; de là vient la locution *saigner qqn jusqu'au blanc* (1798) «jusqu'à ce que le patient devienne exsangue», aujourd'hui ***saigner à blanc,*** au figuré «priver (qqn) de toutes ses ressources» (1863). *Sainner* pour «ensanglanter» est attesté isolément au XIIIe siècle. Le verbe s'emploie aussi à partir du XIIIe s. au sens de «faire couler le sang» (1213, *sainier*), d'où par extension «blesser, tuer» (déb. XVIIe s.) et au figuré «être le siège d'une souffrance (comme une plaie vive)», d'abord dans la locution ***le cœur (me) saigne*** (fin XIVe s.), puis ***cela fait saigner le cœur*** (1798). ◇ Par figure, il a signifié «affaiblir (qqch.)» dans *saigner la terre* «la remuer hors de saison» (v. 1600). Par analogie, *saigner* prend le sens de «pratiquer (une rigole) pour faire écouler (un liquide)» : *saigner un fossé* (1671), *saigner une rivière* «en détourner le cours». Ces emplois semblent procéder de *saignée.* ◇ Avec un nom de personne pour complément, il signifie «affaiblir (qqn) en lui retirant ses ressources», d'abord dans *saigner sa bourse* «en tirer de l'argent», *se saigner* «donner (de l'argent, etc.) jusqu'à se gêner»; *saigner qqn* est attesté dans ce sens en 1690. Cf. ci-dessus la métaphore *saigner à blanc.* ◇ Par figure, on a dit d'une pièce d'or récemment rognée qu'elle *saignait encore* (1690). ◇ Le verbe s'emploie en boucherie dans *saigner une viande* «en enlever le sang»; il signifie aussi (1835) «tuer (un animal) en le privant de son sang par égorgement». ◇ On retrouve aussi la métaphore de *saigner qqn (à blanc)* dans ***saigner un compte en banque*** (1876) et ***se saigner aux quatre veines*** (déb. XXe s.). Parallèlement aux emplois de *saignant,* ***ça va saigner*** se dit familièrement (mil. XXe s.) pour «il va y avoir du sang, de la violence».

▶ **SAIGNÉE** n. f. (1371), d'abord *saigniee* (v. 1150), a désigné un coup qui fait saigner. ◇ Le mot se dit de l'ouverture d'une veine pour tirer du sang (v. 1190, *sainie*) et par métonymie (XIIIe s., *sainée*) du pli entre le bras et l'avant-bras, où se fait souvent la saignée, puis plus tard s'emploie (1694) en parlant du sang qu'on tire d'une saignée. *Saignée* est attesté isolément (XVe s.) pour parler de l'écoulement du sang par une blessure, ce sens demeurant virtuel. ◇ Au milieu du XVIe s., le mot s'emploie par figure dans la locution disparue *selon le bras fais la saignée* «on emprunte à qqn proportionnellement à ses biens», qui a pris le sens de «on proportionne ses dépenses à ses recettes». ◇ *Saignée* désigne alors (1669, Molière) ce que l'on tire de qqn (argent, etc.) et, selon une métaphore analogue (1690), une perte d'hommes, par la guerre, l'émigration, etc. L'emploi figuré de *faire une saignée à qqn* «lui prendre beaucoup d'argent» correspond aux emplois analogues du verbe. Par une autre figure, le mot désigne concrètement une rigole (1555), une incision faite à un arbre (1796). ➜ **SAIGNANT, ANTE** adj. et n. m. est d'abord attesté au figuré (v. 1155, *signant*), se disant d'une blessure morale récente et douloureuse. L'adjectif s'applique par ailleurs (v. 1189, écrit *çagnant*) à ce qui dégoutte de sang, d'où *viande saignante* (1694) «peu cuite», devenu l'une des références du degré de cuisson des viandes rouges (*bleu, saignant, à point, médium*, par anglicisme, *bien cuit*). ◇ En ce sens, *saignant* n. m. est attesté en 1860 (Goncourt). ◇ L'adjectif qualifie figurément un propos cruel (1888), équivaut à «agressif» dans l'argot des sports (1926) et à «sensationnel» dans celui des journalistes (v. 1970, adj. et n. m., *du saignant*). Ces emplois sont parallèles à ceux de *saigner (ça va saigner)* et de *sang (il va y avoir du sang)* pour connoter la violence, l'agression, la lutte. ➜ **SAIGNEUR, EUSE** adj. et n. m., dérivé de *saigner* (1275) qui a remplacé *sainneor* (XIIIe s.), au féminin *saineresse*, a désigné la personne qui pratique la saignée, puis celle qui saigne un animal *(saigneur de porcs)*. ◇ Il se dit d'un ouvrier qui récolte le latex (en «saignant» les arbres à caoutchouc). Le mot a disparu ou est rare, du fait de l'homonymie avec *seigneur*. ➜ **SAIGNEUX, EUSE** adj. «taché de sang» (1538) a disparu. ➜ **SAIGNOIR** n. m. est un terme technique pour «couteau à saigner» (XXe s.); il n'a pas de rapport direct (autre que la morphologie) avec le dérivé ancien *sangnoir* «plaie qui saigne» (1620). ➜ **SAIGNEMENT** n. m. «écoulement de sang» (1680) est resté vivant, surtout dans ***saignement de nez.*** ➜ Le composé **SAIGNE-NEZ** n. m. inv. est une dénomination de l'achillée (1571).

◈ voir SANG.

◈ **SAILLIR** v. est issu (1080) du latin *salire* «sauter, bondir», spécialement «jaillir» (d'un liquide), «palpiter» (du cœur) et dans la langue des éleveurs «couvrir la femelle»; l'intensif *saltare* tend à se substituer à *salire* pour «sauter*». *Salire* n'a pour correspondant que le grec *hallesthai* (→ haltère).

♦ Les emplois intransitifs, encore vivants à l'époque classique, sont sortis d'usage, *saillir* ayant été remplacé dans beaucoup d'emplois par *sauter* ou par *assaillir*; ces emplois sont liés à la valeur générale du latin, «sauter, bondir». Le verbe est attesté aux XIe-XIIe s. avec plusieurs acceptions: «sauter», «s'élancer (en avant, en dehors, sur)», «jaillir», en parlant du sang, du feu, que l'on retrouve dans des emplois variés de l'ancien et du moyen français, par exemple *saillir hors* «se précipiter hors de», «sortir vivement» (1155) et «assaillir» (1175; v. 1300, tr.), *faire saillir (qqn)* «faire tomber» (v. 1200), *reculer pour plus loin saillir* (v. 1250), *pour mieux saillir* (1617), remplacé par ...*pour mieux sauter*. *Saillir* s'employait aussi pour «se mettre debout (d'un chevreuil)», «partir (d'une perdrix)» (v. 1375), au figuré «passer brusquement d'un sujet à un autre» (1538), par extension «jaillir (d'une source)» (1690). Pour une partie de ces sens, le verbe s'est aussi employé transitivement. ➜ Par spécialisation de l'idée de «sortir», *saillir fors* (fin XIIe s.) a signifié «apparaître hors de». ◇ Le sens latin de «couvrir la femelle» est attesté au XIVe s. (1375). Voir ci-dessous *saillie*. À partir de la seconde moitié du XIIIe s., *saillir* est attesté au sens moderne de «déborder le mur, avancer en faisant un relief» (cf. ci-dessous *saillant*). Ensuite, par extension de l'idée de «déborder», il signifie «avoir beaucoup de relief, sembler sortir de la toile» en peinture (1771), puis «être mis en évidence» (1823).

▶ **SAILLER** v. tr., usuel dans la marine ancienne, signifiait «pousser un objet de l'avant» (1773), «pousser (ou tirer) avec force pour hisser une manœuvre» (1812), d'où *sailler les boulines* (1836); ce verbe est dérivé de *saille!*, impératif de *saillir*, exclamation des marins lorsqu'ils poussaient ou élevaient un fardeau (1721).

Les dérivés de *saillir* ont eu une évolution sémantique en partie parallèle à celle du verbe. ➜ **SAILLANT, ANTE** adj. et n. m., d'abord «jaillissant» (1119) et «qui saute, agile, léger» (v. 1175), acceptions sorties d'usage, s'applique (mil. XVIe s.) à ce qui avance, sort en dehors, d'où *angle saillant* «dont le sommet avance vers l'extérieur de la figure». ◇ Du premier sens subsiste l'emploi en termes de blason, à propos d'un animal qui se dresse comme pour sauter (1681, *bélier saillant*), d'où *contre-saillant* adj. (1754). Le mot se dit ensuite au figuré (1740) de ce qui ressort sur le reste, s'impose à l'attention (1771, en peinture). *Saillant* n. m. (1765), d'abord terme de fortification, désigne la partie d'un ouvrage, d'une construction qui fait saillie. ➜ **SAILLIE** n. f. s'est dit pour «sortie, attaque des assiégés» (1165-1170). ◇ Le mot désigne au XIIIe s. (1287; 1260, sous la forme *salie*) une avance formée par un ornement d'architecture ou une partie d'un édifice par rapport au reste de la construction, puis (1535) ce qui dépasse un alignement quelconque, spécialement une bosse à la surface de certains objets (1538), l'arête d'une pierre précieuse (1538). ◇ *Saillie* concerne ensuite ce qui ressort sur le reste (1748), spécialement le relief apparent des objets représentés dans un tableau (1835). ➜ Par figure du premier sens, *saillie* s'emploie (1580, Montaigne) à propos d'un mouvement soudain de la pensée, acception disparue, et, en particulier, d'un trait d'esprit brillant et imprévu, emploi encore vivant mais littéraire. ➜ Comme terme d'élevage, correspondant à un emploi latin repris en français au XIVe s. pour *saillir,* il n'est attesté qu'en 1870.

◇ voir ASSAILLIR, RÉSILIER, SALACE, SAUTER, TRESSAILLIR.

① SAIN, SAINE

① SAIN, SAINE adj. est issu (v. 1050) du latin *sanus* «bien portant (de corps ou d'esprit)», d'origine inconnue.

♦ L'adjectif s'est appliqué à la personne qui est débarrassée d'un mal, qui est guérie ou (v. 1155) qui est en bonne santé. Ces emplois ont disparu, sauf quand *sain* est opposé à *malade* et dans la locution ***sain et sauf*** «en bon état physique après quelque danger» (v. 1155, *sain et salf*), correspondant à l'italien *sano e salvo,* à l'espagnol *sano y salvo.* ◇ Par analogie, l'adjectif s'emploie à propos de fruits, de plantes, de l'eau, etc. (v. 1155), d'un objet, d'un édifice (v. 1175) avec l'idée de bon état et de bon effet sur l'utilisateur. ◇ *Sain* qualifie ensuite (v. 1165) une personne qui jouit d'une bonne santé mentale, d'où la locution disparue *sain de l'entendement* (1552), *sain d'entendement* (1690), remplacée par ***sain d'esprit*** (1694; *sain de corps et d'esprit,* 1732, Lesage). ◇ Le mot, sorti d'usage pour «juste, loyal» (1172-1174), est demeuré d'emploi courant (v. 1175) pour qualifier ce qui contribue à la bonne santé; il fonctionne alors parallèlement à *santé.* On parle aussi d'un *organe sain* (1550). ◇ Par analogie, il a qualifié un lieu, un port «sans danger» (v. 1240), un rivage (1680), un bois (1694), une pierre (1752). ◇ Abstraitement, il se dit d'un jugement, d'une idée (1440-1475), d'où *saine raison* (1610). Il s'emploie en théologie dans *saine doctrine* (1662, Pascal) «conforme aux décisions de l'Église», puis en parlant d'une critique impartiale (1740) et de ce qui est conforme à la vertu, au bon goût (1835).

▸ **SAINEMENT** adv., d'abord aux sens disparus de «sans danger» (v. 1050), «d'une manière parfaite» (XIIIe s.), signifie aujourd'hui «d'une manière profitable à la santé» (depuis 1380) et «d'une manière correcte sur le plan intellectuel (1562) ou moral».
Le composé **MALSAIN, AINE** adj. a disparu au sens de «malade, souffrant» (v. 1350) et s'applique à ce qui est nuisible à la santé (1553), en parlant du climat, d'une eau, etc. *Malsain* s'est employé pour «prédisposé aux maladies» (1611) et appliqué à une constitution qui porte en soi le germe d'une maladie (1835); ces acceptions ont vieilli. ◇ Au figuré, l'adjectif qualifie une personne qui n'est pas normale, qui est tournée vers les choses mauvaises (av. 1577) avec une valeur voisine de *morbide.* Il se dit ensuite de ce qui est contraire à la morale (av. 1850) par une assimilation fréquente entre le mal moral et la maladie. ◆ **SAINBOIS** n. m., formé avec *bois,* signifie «gaïac» (1540) et est une désignation du garou (1791) et de son écorce.
Enfin, le préfixé verbal **ASSAINIR** v. tr., «rendre sain, plus salubre» (1774, Buffon), s'emploie spécialement (1840) à propos d'un sol humide. Par figure, le verbe signifie (1866) «purifier (les mœurs, l'esprit)» et en économie «rendre plus stable (une monnaie)» (1932). ◇ Le dérivé **ASSAINISSEMENT** n. m. (fin XVIIe s.), qui semble oublié au XVIIIe s. (il est relevé, en 1801, par S. Mercier comme néologisme), est de nouveau usuel, surtout à propos d'aménagement urbain; **ASSAINISSEUR** n. m. (1866) est un terme technique relativement usuel.

◇ voir ① FOIN (SAINFOIN), INSANE, SANATORIUM, SANTÉ, VÉSANIE.

② SAIN → SAINDOUX

SAINDOUX

SAINDOUX n. m. (1538, en deux mots), d'abord *saïmdois, saïmdous* (XIIIe s.), est composé de *doux** et de l'ancien français *saïm* (1155), puis *sain* (v. 1210), issu du latin populaire °*saginem,* du latin classique *sagina,* mot sans étymologie connue. Ce dernier signifie «engraissement», puis «nourriture, régime» (en particulier des gladiateurs) et «embonpoint, graisse», plus rarement «animal engraissé». L'ancien provençal *saïn, sagin* «graisse» (d'où l'espagnol *saín*) représente un latin populaire °*saginum. Saindoux* a sans doute été composé pour éviter une équivoque de *sain* avec les homonymes, notamment ① *sain, sein. Saïm* a désigné en ancien français la graisse des animaux qu'on abat (v. 1155), en particulier celle du porc.

♦ ② **SAIN** demeure comme terme technique de vénerie (1549) pour désigner la graisse des bêtes «mordantes», notamment celle du sanglier, mais il est inconnu de l'usage général. En revanche, *saindoux* se dit couramment de la graisse de porc fondue (1538); il a éliminé l'expression *sain de porque* (XVIe s.). *Saindoux* évoque familièrement l'adiposité.

▸ **SAGINE** n. f. (1876), adaptation du latin scientifique *sagina,* lui-même repris au latin classique, désigne une petite plante herbacée qui était employée pour engraisser les moutons.

◇ voir SAYNÈTE.

✳ SAINT, SAINTE

✳ SAINT, SAINTE adj. et n. est issu (1050), par l'intermédiaire de *sancz* (fin Xe s., adj. et n. m.) et *sanz* (v. 980), du latin *sanctus* adj. «rendu sacré et inviolable». L'état de *sanctus* est obtenu par un rite de caractère religieux, alors que *sacer* marque un état initial (→ ① sacrer). *Sanctus* a pris ensuite le sens du grec *hagios* (→ hagio-) qui avait lui-même reçu la valeur de l'hébreu *qādôš* «saint» (et *qōdeš* «sainteté») chez les juifs et les chrétiens. Du sens de «consacré, établi», on passe à des acceptions essentiellement morales: «vénérable», «vénéré», «vertueux» puis, dans la langue de l'Église, «saint». *Sanctus* est le participe passé passif, employé adjectivement, de *sancire,* verbe de la langue religieuse et politique signifiant «rendre sacré ou inviolable», puis «établir solennellement» (par ex. par une loi) et ensuite «ratifier, sanctionner». *Sancire* a aussi le sens de «proclamer comme exécrable», d'où «interdire solennellement» et «punir» (→ sanction). Ce verbe se rattache comme *sacré* (→ ① sacrer) à une racine indoeuropéenne exprimant l'idée de domaine réservé, surhumain et protégé.

♦ *Saint,* dans la religion chrétienne, s'applique d'abord à Dieu, signifiant alors «souverainement pur et parfait», et à ceux qui sont admis dans le séjour des bienheureux; dans ce cas, il s'emploie écrit avec une minuscule devant le nom propre. Le nom désigne (fin Xe s.) une personne qui, après sa mort, est l'objet d'un culte de la part de l'Église catholique. Depuis le XIe s., l'adjectif qualifie (1050) ce qui appartient à la religion chrétienne, ce qui est destiné à des usages sacrés, d'où *le saint lieu* «l'église, le temple» (v. 1120) ou *le lieu saint* (1235), *l'Écriture sainte,* etc. Au XVIe s., ***le lieu saint*** est le sanctuaire précédant le saint des saints, chez les Hébreux (1564); ***les lieux saints*** (1564) ou *les saints lieux* (1690, sorti d'usage) se dit des lieux de la *Terre sainte* où le Christ a vécu. ◇ L'adjectif s'applique également (1050) à une personne pure et vénérable, aussi substantivé (1456), à une chose, à une action qui inspire ou doit inspirer de la vénération. ◇ Au milieu du XIIe s., *saint* s'est employé pour «chrétien» puis a désigné au pluriel (1172-1174, *sainz*) les reliques des saints. Le sens de «statue de saint» est ancien (v. 1280). ◇ ***Le saint des saints,*** par calque du superlatif hébreu, se dit (fin XIIIe s.) de la partie du tabernacle où était enfermée l'arche d'alliance, dans le temple de Jérusalem; l'expression a pris beaucoup plus tard (1845) la valeur figurée de «partie la plus retirée, partie cachée (d'une maison, etc.)», puis «partie secrète (d'une entreprise, etc.)». L'expression *mal de saint* s'employait pour une maladie pour laquelle on demandait l'aide d'un saint (v. 1375), d'où le sens de «sans remède (humain)»; *malade de saint* «épileptique» (v. 1375) se disait encore à la fin du XIXe siècle. ◇ Les requêtes adressées aux saints expliquent la locution figurée ***ne savoir à quel saint se vouer*** «ne plus savoir comment se tirer d'affaire» (v. 1500, Commynes).

À partir du XVIIe s., *saint* n. m. entre dans des locutions figurées : *à chaque saint sa chandelle* (1611) se disait quand on tâche d'obtenir l'aide de qqn qui peut faire réussir une affaire; *il n'y a pas si petit saint qui veuille sa chandelle* (1640) signifiait «chacun veut avoir son droit». *Saint qui ne guérit de rien* (1640) désignait une personne qui, dans la disgrâce, ne pouvait ni aider ni nuire; ces locutions ont disparu. En revanche, on dit encore ***il vaut mieux parler à Dieu qu'à ses saints*** «au chef plutôt qu'à ses subordonnés» (1690, Furetière), *un petit saint de bois* (une statue de saint) devenu ***un petit saint*** «une personne vertueuse et inoffensive» (cf. *sage comme une image*), ***avoir la patience d'un saint*** (1773) «être très patient», ***prêcher pour son saint*** (1823) «avoir en vue son intérêt personnel» et le proverbe ***comme on connaît ses saints on les honore*** (1835). Dans le calendrier, où les noms de saints désignent traditionnellement le jour de leur fête (*à la saint Médard, à la saint Jean,* etc.; cf. aussi *la saint Glinglin*), ***les saints de glace*** (1866, Amiel) désignent les saints des 11, 12 et 13 mai, époque de la fin des gelées nocturnes, après les réchauffements, et où l'on observe souvent un abaissement important de la température.

▶ **SANCTUS** n. m., attesté vers 1250, n'apparaît pas dans les dictionnaires avant le XIXe siècle; le mot latin désigne dans la liturgie catholique un chant de louange à Dieu, chanté à la messe après la Préface, et dont les premiers mots sont *Sanctus, sanctus, sanctus Dominus;* par extension, le mot se dit de la partie de la messe où l'on chante cette hymne (mil. XIXe s.).

Les dérivés de *saint* apparaissent au XIIe siècle. ◆ **SAINTEMENT** adv. (v. 1145), «d'une manière sainte», a aussi signifié «raisonnablement» (1440-1475). ◆ **SAINTEUR** n., qui correspond à *saintor* «saint» en franco-provençal (v. 1180), a désigné (1284) un homme libre qui s'était fait serf dans une église, une abbaye. ◆ **SAINTETÉ** n. f., variante classique (1636) de formes médiévales, *saintité* (v. 1132), *saintetez* (v. 1250) et par latinisme *saincteté* (1487), représente avec toutes ces variantes une réfection d'après le latin de l'ancien *sainteed* (v. 1120), *sainté* (v. 1200) qui se maintient jusqu'au XIVe siècle. Ce dernier était issu du latin classique *sanctitas* «sainteté, caractère inviolable, sacré», «probité, droiture», mot donné comme titre à un évêque. ◇ *Sainteté* désigne le caractère de ce qui est saint; précédé d'un possessif *(sa, votre),* c'est un titre de respect donné au pape (1325, *saintité;* 1285, *saintee*). *Sainteté* se dit ensuite du fait de vivre comme un saint (1645), d'où ***mourir en odeur de sainteté*** (XIXe s.).

Beaucoup de noms composés comprennent le mot *saint.* Certains désignent des réalités liées à la religion catholique : **SAINT-PÈRE** n. m. désigne le pape (XIIe s.), **SAINT-SIÈGE** n. m. le pouvoir, le gouvernement du souverain pontife, la papauté (1669), **SAINT-OFFICE** n. m. est le nom (1671) de la congrégation romaine établie en 1542 pour diriger les inquisiteurs. ◆ D'autres reprennent le nom d'un saint patron d'une profession : **SAINT-CRÉPIN** n. m. (1660, des cordonniers) est sorti d'usage pour «ensemble des outils du cordonnier» et par figure pour «bagage» (1690); on dit aujourd'hui *saint-frusquin* (→ frusquin); **SAINTE-BARBE** n. f., nom de la patronne des canonniers, a désigné (1669) la partie du navire qui servait de magasin à poudre; par contamination avec le sens familier de *barbe*,* le mot se dit d'une personne ou d'une chose ennuyeuse. ◇ On appelle **SAINT-HONORÉ** n. m., d'après le nom du patron des boulangers ou d'après celui de la rue Saint-Honoré, où était établi le pâtissier Chiboust qui donna ce nom au gâteau (1863), un gâteau garni de crème Chantilly et de petits choux glacés. ◆ Plusieurs désignations viennent de toponymes; on trouve notamment des noms de fromages, comme **SAINT-BENOÎT** n. m. (XXe s.) de *Saint-Benoît-sur-Loire* (Loiret), **SAINT-MARCELLIN** n. m. (attesté en 1926) de *Saint-Marcellin* dans l'Isère, **SAINT-NECTAIRE** n. m. (1900; altéré en *senectore* 1862) de *Saint-Nectaire* (Puy-de-Dôme), **SAINT-PAULIN** (mil. XXe s.) de *Saint-Paulin,* **SAINT-RÉMY** (mil. XXe s.) de *Saint-Rémy-en-Bouzemont* (Marne), et aussi des noms de vins, comme **SAINT-ÉMILION** n. m. (1797) de *Saint-Émilion* (Gironde) et **SAINT-ESTÈPHE** n. m. (1844) de *Saint-Estèphe* (Gironde). **SAINT-GALMIER** n., du nom d'un bourg de la Loire où se trouvent des sources d'eau minérale, s'emploie (v. 1950) dans la locution familière ***avoir des épaules comme une*** (ou ***en***) ***bouteille de Saint-Galmier*** «des épaules tombantes», d'après la forme de ces bouteilles. ◆ **SAINT-BERNARD** n. m. (1868) est tiré de *chien du mont Saint-Bernard* (1837) «chien de montagne de grande taille», qui vient du nom du col du Grand-Saint-Bernard, dans les Alpes, où les religieux de l'hospice utilisent ces chiens pour retrouver les voyageurs égarés dans la neige. ◆ **SAINT-CYRIEN** n. m. (1851) est dérivé de *Saint-Cyr,* ville où fut installée cette école militaire, et désigne un élève de l'École militaire de Saint-Cyr, appelé en argot *cyrard*. ◆ **SAINT-HUBERT** n. m. (attesté en 1933) vient du nom de l'abbaye de Saint-Hubert, dans les Ardennes, où cette race de chien de chasse fut introduite. ◆ **SAINT-LUC** n. m. «cul», euphémisme littéraire et plaisant (déb. XVIIIe s.) où *luc* représente l'inversion graphique de *cul* (cf. *noc* pour *con*), était en usage au XVIIIe siècle; il est sorti d'usage. ◆ **SAINT-PIERRE** n. m. (1793) vient de *poisson Saint-Pierre* (1611), nom d'un poisson de mer à chair estimée; on doit cet emploi au fait que le poisson porte sur chacun de ses côtés une tache ronde où la légende voit l'empreinte que laissèrent les doigts de saint Pierre quand, sur l'ordre du Christ, il tira de la bouche du poisson le statère du cens (Évangile selon saint Matthieu, XVII, 26).

◈ voir ESPRIT (SAINT-ESPRIT), FRUSQUIN, NITOUCHE, ① SACRER (SACREMENT), SACRO-SAINT, SANCTIFIER, SANCTION, SANCTUAIRE, ① et ② SANTON, TOUSSAINT.

SAINT-SIMONIEN, IENNE adj. et n. est dérivé (1830) du nom de Claude Henri de Rouvroy, comte de *Saint-Simon* (1760-1825), philosophe et théoricien socialiste.

♦ L'adjectif s'applique à ce qui est relatif à sa doctrine, le nom désigne un de ses partisans (1832, variante *saint-simoniste*).

▸ **SAINT-SIMONISME** n. m., «doctrine de Saint-Simon», est aussi attesté vers 1830.

SAINT-GLINGLIN (À LA) loc. adv., attestée à la fin du XIXe s. (1897), est probablement composée de *seing**, issu du latin classique *signum* «signal» puis «sonnerie de cloche» en bas latin (→ signe), et d'un dérivé du verbe dialectal *glinguer* «sonner» (cf. allemand *klingen*). *Seing* au sens de «cloche» (v. 1155, *sein*), aussi écrit *saint* (1170), a été confondu avec *saint** issu de *sanctus*.

♦ La locution, que l'on écrit aussi ***saint-glin-glin,*** s'emploie familièrement pour «jamais». Elle évoque un saint fictif et comique ou un nom de lieu.

◈ **SAISIR** v. tr., déjà attesté avec plusieurs acceptions dans *La Chanson de Roland* (1080), est un mot d'origine controversée. Bloch et Wartburg proposent, comme pour beaucoup de termes de droit féodal, un étymon germanique, d'ailleurs difficile à déterminer. La forme latine tardive *sacire* «prendre possession» et «s'emparer», relevée dans les Lois Barbares (700), ne représente pas un francique °*sakjan* «revendiquer des droits», restitué d'après l'ancien saxon *saca* et l'ancien haut allemand *sahha* «procès»: le passage au sens de «mettre en possession» s'expliquerait mal. Un francique °*satjan*, représenté par le gotique *satjan* et l'ancien haut allemand *sezzen* (d'où l'allemand *setzen* «poser, mettre»), n'est pas plus satisfaisant, puisqu'il aurait abouti à °*saïr*, comme °*hatjan* a fourni *haïr*. Bloch et Wartburg suggèrent une pénétration tardive du mot en gallo-roman (v. 800) et donnent pour origine l'ancien haut allemand *sazjan*, lui-même issu du francique °*satjan*, le *t* évoluant régulièrement en *z*. Pour le sens, ces étymologistes rapprochent *saisir* du moyen haut allemand *einem etwas setzen* «assigner à qqn un objet en propriété». L'italien *sagire* serait emprunté du gallo-roman comme d'autres termes féodaux. ◆ Pour P. Guiraud, le lien entre le vocabulaire féodal et le germanique ne s'impose pas dans tous les cas; le latin médiéval *sacire* et *saisir* pourraient correspondre, selon lui, à °*satiire*, forme progressive vraisemblable du latin classique *satiare* «rassasier, satisfaire», dérivé de *satis* (→ assez); *saisir qqn d'une possession* signifie alors «combler un désir de possession», donc «mettre à la disposition de» et, en droit, *saisir une possession*, «satisfaire à toutes les obligations liées à la jouissance de cette possession», d'où «prendre avec la main» pour s'assurer de la possession. *Saisir*, dans cette hypothèse, serait une variante en *-ir* de l'ancien français *sacier* (v. 980), *saisier* «satisfaire pleinement», «donner pleine satisfaction», issu de *satiare* (→ rassasier).

♦ Le verbe signifiait en droit féodal «mettre (qqn) en possession de qqch.» (1080, *saisir qqn de qqch.*) et le participe passé *saisi* «qui est en possession de qqch.» (1165-1170), acception encore relevée au XVIIIe s. et qui subsiste dans l'adage juridique ***le mort saisit le vif*** (1270) «l'héritier est investi sans délai des biens du défunt». Par extension, le verbe a signifié (XIIIe s.) «donner (qqch. à qqn)». *Saisir* est aussi sorti d'usage au sens de «s'emparer de (qqch.), occuper (un lieu) avec la force armée», remplacé par *se saisir de* (v. 1155). ◇ On trouve aussi dans *La Chanson de Roland* le sens demeuré courant de «prendre (qqch.) avec la main, vivement et avec force». Au XIIe s., *saisir* se dit par extension pour «attaquer (au combat)» (1165-1170), sens disparu. En parlant d'un sentiment, d'une émotion, etc., le verbe signifie abstraitement (v. 1200) «s'emparer brusquement de la conscience, de l'esprit, des sens de (qqn)». ◆ C'est la valeur de «prendre» qui se développe dans l'usage à partir du XVe s., au propre et au figuré. *Saisir au corps* «arrêter (qqn), prendre en son pouvoir» (1466) a été supplanté par *se saisir de qqn* (1538) et *saisir (qqn)* [1553]. ◇ En droit, le verbe signifie «faire la saisie de qqch.» (1495), d'où *se saisir de qqch.* (1690). Par extension, *saisir* signifie ensuite «confisquer» (1643, d'une arme), repris au XVIIIe s. (1723) à propos d'objets prohibés ou de marchandises de contrebande. *Saisir qqn de ses biens* (déb. XIXe s.) a été supplanté par *saisir qqn* «faire une saisie contre lui» (1839). Toujours en droit, mais avec une autre valeur, on relève aussi depuis le XVIe s. *saisir un tribunal* (1549). ◇ Par figure, le verbe est employé, en parlant d'un agent physique, d'une maladie, etc. (1553), du froid, pour «avoir une action vive, subite sur (qqn, qqch.)», puis au sens de «se mettre rapidement en mesure d'utiliser (une chose abstraite)»: *saisir un prétexte* (1580), *saisir une occasion* (XVIIe s.). ◇ Au XVIIe s., il se dit par figure pour «se mettre en mesure de connaître (qqch.) par les sens» et spécialement pour «comprendre, discerner» (1694), d'où *saisir qqn* «le comprendre». Aujourd'hui, le verbe s'emploie notamment (attesté 1923) en emploi absolu pour «comprendre» *(tu saisis ?)*. ◇ Le verbe signifie aussi «faire une impression vive et forte sur (qqn)» (1665), d'où *être saisi* (1694), usuel, et soutenu pour *saisissant*; cette valeur est sortie d'usage au pronominal (1640, *se saisir de jalousie*). ◇ En parlant d'un agent physique, *saisir* est devenu un terme de cuisine (1904), signifiant «exposer brusquement à une forte chaleur (ce qu'on fait cuire)». ◇ Le dernier emploi, en informatique (v. 1968), correspond à celui de *saisie* (ci-dessous).

▶ Le dérivé **SAISINE** n. f. apparaît en droit féodal (v. 1138) pour «action de saisir», c'est-à-dire «mise en possession, prise de possession», «possession», *saisine de* désignant (v. 1155) plus généralement l'emprise que l'on a sur qqn. Hors du domaine juridique, *avoir la saisine d'une langue* «bien la posséder» est un emploi isolé (fin XIVe s., E. Deschamps). Le mot est surtout resté un terme de droit avec diverses valeurs, par exemple ***droit de saisine*** (1495) «droit dû au seigneur pour la possession d'un héritage relevant de lui». ◇ Avec la valeur concrète de *saisir, saisine* a été repris en marine (XVIIe s.) à propos d'un cordage servant à saisir, à fixer, à maintenir. ◇ Le mot est encore repris en droit, désignant (1804) le droit à la possession d'un héritage et, par ailleurs, la prérogative ouverte à un organe, une personne de saisir un autre organe, pour faire exercer ses droits (attesté 1949 *in* T.L.F.).

Le participe passé féminin substantivé **SAISIE** n. f. s'est dit d'abord (1465) de l'action de prendre qqch. D'après les valeurs juridiques de *saisir,* le mot entre à la fin du XVe s. (1494) dans le vocabulaire juridique, désignant en droit féodal la mainmise par le suzerain sur le fief de son vassal pour s'en attribuer les revenus (1507, *saisie féodale*) et une procédure par laquelle des biens mobiliers ou immobiliers sont mis sous la main de la justice, dans l'intérêt d'un créancier ou (1765) parce que leur propriété est revendiquée, ces derniers sens étant toujours vivants. *Saisie* se dit ensuite (1666) de la prise de possession d'objets prohibés, interdits par l'autorité publique, ou en droit pénal des preuves d'un délit. ◇ Le mot entre dans des expressions figées donnant fréquemment des composés, qui précisent la nature de la procédure de saisie. ◇ *Saisie et exécution* (1690), aujourd'hui **SAISIE-EXÉCUTION** n. f. (1756), ou *saisie mobiliaire* (1690), puis ***saisie mobilière*** (1762), *saisie et arrêt* (1690) puis **SAISIE-ARRÊT** n. f. (1762), **SAISIE-GAGERIE** n. f. (1757), *saisie-réelle* (1690) remplacée par ***saisie immobilière*** (1835), **SAISIE-BRANDON** n. f. (1806), **SAISIE-REVENDICATION** n. f. (1806), ***saisie-foraine*** (1842), *saisie conservatrice* (1845) ensuite ***saisie conservatoire*** (1863). ◇ *Saisie* est rare pour parler de l'action de s'emparer de qqch. (1559). ◇ Le mot a été repris au sens concret en informatique (v. 1968) pour désigner la mise en possession de données par la machine, grâce au travail d'un opérateur et ce travail lui-même, la *saisie* d'un texte correspondant à ce qu'est sa frappe sur la machine à écrire.

Le dérivé **SAISISSEMENT** n. m. s'est employé avec une valeur concrète, désignant l'action de faire qqn prisonnier (1170) et en droit l'action de faire la saisie de qqch. (1463). ◇ Au figuré, le mot se dit (1548) d'un sentiment brusque, d'une émotion vive qui saisit, qui s'empare de la conscience (1762, Rousseau). ◇ Par métonymie, il a désigné (1680, Richelet) les cordes dont le bourreau liait les mains d'un condamné; ce sens est sorti d'usage, comme celui de «fait de saisir (qqch.)» (1701, Sade). ◇ *Saisissement* s'emploie ensuite (1762) en parlant de l'impression subite et violente causée par le froid. ◆ **SAISISSANT, ANTE** adj. et n. m. qualifie et désigne (1690) une personne qui fait opérer une saisie. L'adjectif s'applique aussi à une sensation physique qui surprend (1694) et, par figure, à ce qui frappe l'esprit (1791). ◆ **SAISISSABLE** adj., introduit en chimie (d'un corps isolable, 1727, Réaumur), puis en droit (1764) pour qualifier ce qui peut faire l'objet d'une saisie, qualifie ensuite (1831, A. Dumas *in* T.L.F.) ce qui peut être saisi, compris par les sens ou par l'esprit. Il s'emploie enfin concrètement (1875) pour «que l'on peut saisir, attraper». ◇ Le contraire préfixé, **INSAISISSABLE** adj., est lui aussi un terme de droit (1770) et se dit d'un bien sur lequel on ne peut lever d'impôt (1789); le mot s'emploie au figuré (1824) avec une valeur concrète (1845) et s'applique à une personne qu'on ne parvient pas à rencontrer (1867). ◆ **SAISISSEUR, EUSE** n., attesté au XXe s. pour désigner une personne qui saisit qqch., est rare.

Le verbe entre en droit dans des composés qui explicitent le type d'action juridique entreprise et qui correspondent souvent à des composés de *saisie.* ◇ **SAISIR-GAGER** v. tr. (1806); **SAISIR-ARRÊTER** v. tr. (1835), d'abord *saisir et arrêter* (1690), qui correspond à *saisie-arrêt;* **SAISIR-EXÉCUTER** v. tr. (1835), antérieurement *saisir et exécuter* (1690); **SAISIR-REVENDIQUER** v. tr. (1835); **SAISIR-BRANDONNER** v. tr. (1845), d'abord *saisir et brandonner* (1505), correspondant à *saisie-brandon.*

Parmi les composés verbaux de *saisir,* deux verbes subsistent. ◆ **DESSAISIR** v. tr. est d'abord attesté (v. 1155, aussi pron.) au sens de «déposséder, priver (qqn de qqch.)», d'où les emplois juridiques disparus, *se dessaisir de* «céder la saisine de» (XIIIe s.) et *dessaisir qqch.* «renoncer à la possession de qqch.» (1495). ◇ Dans le vocabulaire juridique, le verbe a pris vers la fin du XIXe s. (attesté av. 1893) le sens de «priver une instance (par ex. un tribunal) de ce dont elle est saisie», sens toujours vivant. ◇ Le dérivé **DESSAISISSEMENT** n. m. est littéraire pour «action de se dessaisir (de qqch.)» (1609) et rare pour «action de dessaisir qqn de qqch.» (1636). Ce nom s'emploie aussi en droit (1645, «main levée»; 1872, en parlant d'un tribunal). ◆ **RESSAISIR** v. tr. a d'abord eu divers sens juridiques, «remettre en possession de» (1207), «arrêter de nouveau par voie de saisie» (1510, *ressaisir qqch.),* et s'emploie encore au sens de «rentrer en possession de qqch.» (1616). ◇ Le verbe, avec un sujet nom de chose, a le sens de «saisir de nouveau (qqn)» (1643) et Corneille écrit *ressaisir (qqn) d'un sentiment* (1635). Au sens concret, le verbe signifie «reprendre (ce qui a échappé)» (1690). *Se ressaisir* est courant (av. 1893) pour «redevenir maître de soi». ◇ Le dérivé **RESSAISISSEMENT** n. m., d'abord terme de droit (1510) sorti d'usage, est rare jusqu'au XXe s. et demeure littéraire.

SAISON n. f. représente l'aboutissement (v. 1175), écrit d'abord *seison* (v. 1119), de *sationem,* accusatif du latin *satio* «semailles», «temps des semailles», «semences» et au pluriel «champs ensemencés», synonyme de *sementis* (→ semence). *Satio* dérive de *satum*, supin du verbe *serere* «semer» et «planter»; ce double sens s'explique par le fait qu'anciennement on semait en enfonçant les graines dans la terre et non à la volée. Le verbe se rattache à une racine indoeuropéenne °*sē-* «semer», inconnue à l'indo-iranien et au grec mais que l'on retrouve dans l'ouest de la zone, du slave à l'italique et au celtique (→ semer).

♦ Le mot est d'abord attesté au sens de «temps qu'il fait», puis de «temps indéterminé, époque, laps de temps», encore au XVIIIe s., d'où viennent les locutions disparues *en nule saison* «jamais» (v. 1155), *longue saison* «longtemps» (XIVe s.). ◇ Il désigne spécialement (1160, *seison*) l'époque de l'année où se font certains travaux agricoles, la période où poussent certains produits de la terre (cf. judéo-français *saizon* «moisson»), par exemple dans *fruits, légumes de saison*, et aussi dans *marchande des quatre saisons*. De cette acception vient l'emploi (v. 1190) pour «temps favorable, moment opportun pour faire qqch.», avec les locutions *en saison* «à propos, opportun» (v. 1175), supplantée par ***de saison*** (v. 1220); *il est saison de* «le moment est venu de» (v. 1220) s'est maintenue jusqu'au XVIIIe siècle; *de saison*, qui a aussi signifié (v. 1210) «à point, assez cuit» en parlant de la viande, correspond à «bon à manger dans son état actuel» en parlant d'un animal (*cerf de saison*, v. 1250; *bœuf de saison*, 1534, Rabelais). ◇ De l'idée de «moment favorable» viennent les emplois disparus pour «prospérité» (v. 1230) et «puissance, faveur» (v. 1260-1270). ◆ Au XIIIe s., *saison* prend dans l'usage didactique le sens aujourd'hui dominant, «chacune des quatre grandes divisions de l'année» [en zone tempérée] (v. 1260), d'où «chacune des époques de l'année caractérisée par un climat relativement constant», avec par exemple l'expression ***saison des pluies*** (v. 1370) aujourd'hui employée, en contraste avec ***saison sèche***, pour caractériser les deux saisons des pays tropicaux. ◇ Par métonymie de l'emploi en agriculture, *saison* s'est dit d'une terre qu'on laboure dans l'année tandis qu'on laisse reposer les autres (1303, en ancien wallon; relevé, en 1690, par Furetière). ◇ En moyen français (1440-1475) apparaît le sens particulier, en emploi qualifié, de «période de l'année propice à une activité» (voyages, bains, etc.). Au XVIe s., on relève la locution *en temps et en saison* «en temps voulu» (1538) puis *en temps et saison* (1613, encore en 1678), opposée à *hors temps et saison* (1538). Cette dernière a été supplantée par *hors de saison* (mil. XVIe s.) puis ***hors saison***. *Avant la saison* «prématurément» (1538) puis *avant saison* (1669) est sorti d'usage. ◇ Par figure, le mot désigne (mil. XVIe s., Du Bellay) une période particulière de la vie, d'où *la vieille saison* «l'âge avancé» (fin XVIe s., Brantôme), et la durée de la vie (déb. XVIIe s.), emplois disparus, comme *jeune saison* «la jeunesse» (1re moitié XVIIe s.). À partir du XVIIe s., l'emploi du mot dans des locutions se développe; on relève ***la belle saison*** (1669), opposé à ***la mauvaise saison*** (attesté en 1835); *saison de l'amour* «époque de l'année où les animaux s'accouplent» (mil. XVIIIe s., Buffon), devenu ***saison des amours*** (1805). ◇ L'emploi pour «durée pendant laquelle on prend les eaux» est relevé au XVIIIe s. (1770, Diderot, *saison d'eaux*; puis absolument au XIXe s.); il s'est étendu à toutes sortes d'activités plus ou moins périodiques (*avant, pendant la saison*). Au milieu du XIXe s., le mot désigne en emploi absolu l'époque de l'année où des visiteurs, des touristes affluent en un lieu, d'où ***haute saison, basse saison, hors saison*** (XXe s.), et du moment où un sport s'exerce. ***De demi-saison***, par exemple en parlant d'un vêtement, est attesté en 1870, et *quatre-saisons* «variété de fraise remontante» en 1875. ◆ Enfin *les Saisons*, comme nom propre didactique, s'applique aux trois déesses qui présidaient à l'année chez les Grecs (1788) et aux quatre déesses représentant les saisons chez les Romains (1842).

Le dérivé **SAISONNIER, IÈRE** adj. et n. qualifie (1775) ce qui est propre à une saison, ce qui ne dure qu'une saison (1870); il désigne et qualifie spécialement (1928, adj.) un ouvrier qui travaille à des tâches liées à une saison et une activité qui varie selon l'époque de l'année. **SAISONNER** v. intr. a signifié (1295) «être de saison»; terme d'agriculture, il s'est employé au XVIe s. pour «rendre fertile (une terre)». Aujourd'hui c'est un terme technique (v. 1560) qui signifie «donner une grosse récolte (de fruits)». ◆ Les composés et préfixés sont usuels. **ASSAISONNER** v. tr. apparaît (1209) avec le sens de «disposer, préparer», proprement «approprier à la saison» d'où le participe passé *asaisnié, assesonné* «apprêté», en parlant d'un plat (XIIIe s.), et *soi asaizoner* «se préparer, se mettre en état convenable» (v. 1320). Le verbe s'est employé au sens concret de «cultiver (la terre)» (1371), proprement «conduire les cultures selon les saisons», d'où *assaisoné* «mûr» en parlant du blé (1407), des fruits (XVIe s.) et le sens de «faire mûrir» (mil. XVIe s.). ◇ Au XVIe s., *assaisonner* prend le sens aujourd'hui courant d'«accommoder (un plat) avec des produits qui en relèvent le goût» (1538; mais antérieur, car *saysonner* est relevé en 1530). Par figure, le verbe signifie (1572) «donner du piquant, de l'agrément à (qqch.)», métaphore littéraire. Il s'est employé au XVIIe s. pour «accommoder ensemble (des choses différentes)». Le sens métaphorique et familier de «maltraiter (qqn)» (XXe s.), qui correspond à *arranger*, est très vivant. ◆ Le dérivé **ASSAISONNEMENT** n. m. désigne ce que l'on emploie pour assaisonner (1538), l'action, la manière d'assaisonner un plat (1597). Il a vieilli au sens figuré (1580, Montaigne). ◆ **ASSAISONNEUR, EUSE** n. (1538) est noté peu usité par Furetière.

MORTE-SAISON n. f. (v. 1380), de ② *mort*, s'est d'abord dit du temps de l'année où la terre ne produit rien, où l'on ne fait rien; l'emploi moderne, en parlant de l'époque de l'année où l'activité économique ou commerciale est réduite, est attesté dès 1611. ◆ **ARRIÈRE-SAISON** n. f. (v. 1500), de *arrière*, désigne l'automne, dernière saison de l'année, et la fin de l'automne, le commencement de l'hiver. Dans le domaine agricole, le mot se dit de la fin d'une saison, des mois qui précèdent la nouvelle récolte (1690, *vin, blé d'arrière-saison*); par extension, il s'emploie en parlant de toute fin d'époque (1907) et au figuré de l'âge voisin de la vieillesse. ◆ **CONTRE-SAISON (À)** loc. adv., qui signifie d'abord (déb. XVIIe s.) «hors de saison», est d'emploi littéraire et s'applique notamment aux fruits, légumes ou fleurs produits hors de la saison normale. ◆ **INTERSAISON** n. f. (1934), de *inter-*, se dit en sports de l'espace de temps qui sépare deux saisons sportives.

◈ voir **INSÉRER**.

SAJOU → **SAPAJOU**

SAKÉ n. m., qui apparaît d'abord sous les formes *saqué* (1667), *sakki* (1719), *sacki* (1777), *saki* (1818), puis *saké* (1863), est la transcription d'un mot japonais.

♦ Il désigne une boisson alcoolisée obtenue par fermentation du riz, dite aussi *bière de riz*, que les Japonais consomment tiède.

SALACE adj. est emprunté (1555) au latin *salax* «lubrique» et «aphrodisiaque», dérivé de *salire*, au participe passé *saltus*, «sauter, bondir» et spécialement, dans la langue des éleveurs, «saillir», emploi dont procède le sens de *salax* (→ saillir). On a rapproché erronément le mot de *sel** et on l'a défini par «qui a en soi beaucoup de sel» (Furetière, 1690), par référence aux emplois figurés du type *propos salés*.

♦ L'adjectif, d'emploi littéraire, qualifie (1576) une personne lascive et spécialement prompte aux rapprochements sexuels. Il se dit aussi des animaux (première valeur attestée). *Salace* qualifie aussi (1638) un comportement, des propos, des paroles.

▸ **SALACITÉ** n. f., emprunté (1552, Rabelais) au dérivé latin *salacitas* «lascivité», se dit de la propension aux plaisirs érotiques.

① **SALADE** n. f. est emprunté (1414) aux formes dialectales *salada*, *salatta* (fin XIIIe-déb. XIVe s.) de l'italien *insalata*, également emprunté par l'espagnol *ensalada*, le catalan *ansalada* (1456), *ensalada* (1502) et l'occitan *ensalada*; en revanche, l'ancien provençal a *salada* (1333). L'italien *insalata* a été formé, par préfixation *in-* (du latin *in-*) sur le participe passé du verbe *salare* «saler», dérivé de *sale*, lui-même emprunté au latin *sal* (→ sel).

♦ *Salade* désigne d'abord un mets composé d'herbes potagères ou de légumes, assaisonnés d'huile et de vinaigre ou de citron, de poivre et de sel. Par métonymie, le mot se dit (1536, Rabelais) de la plante, du légume que l'on mange en salade et, spécialement, des espèces cultivées à cet effet, par exemple *salade de chanoine* «mâche» (1591). ◇ Aujourd'hui, *salade* sans détermination équivaut à *salade verte*; s'il y a risque de confusion, c'est à ce syntagme que l'on recourt, les autres salades ayant des désignations spécifiques. ◇ La salade étant un mélange, le mot en est venu à désigner des compositions diverses : à base de fruits (1690, *salade de fruits*), de viandes froides (1694), de légumes variés (1877, *salade russe*); de là vient aussi ***en salade*** «accommodé comme une salade» (1876). ◆ À partir du XVIIe s. apparaissent des emplois figurés; plusieurs ont disparu, comme *salade de Gascogne* pour désigner le chanvre dont on fait les cordes (1619) et *salade de Gascon* «corde de pendu» (1690). *Salade* s'est aussi employé pour «correction manuelle» (1798), «réprimande» (1803). ◇ De l'idée de «mélange hétérogène», «ensemble de propos, récits, actions embrouillés», déjà illustré par *la Salade* d'Antoine de la Sale (1441), viennent les emplois (1732) dans *(troupes de) salades* «formées d'hommes tirés de divers corps» et *régiment de salade* «petit régiment qui n'a pas encore servi»; plus largement, le mot se dit d'une mêlée confuse (1830), puis (1856) d'une réunion de choses confusément assemblées (cf. *salmigondis*, étymologiquement apparenté). ◇ On aboutit à la fin du XIXe s. à *salade* (souvent *des salades* au pluriel) pour «histoires, mensonges» (1901, Bruant) et à la locution ***c'est toujours la même salade*** «la même histoire», emploi précédé par une valeur argotique du mot, «réponse, message» (1836, Vidocq). De l'idée de «proposer, vendre», souvent associée à un discours ambigu et flatteur, procède ***vendre sa salade***, d'abord dans l'argot du spectacle, où la locution s'est dite d'un artiste qui essaie d'être convaincant en public (1901). ◇ C'est à l'idée péjorative de «complication, confusion» que se rattache la locution populaire ***chercher des salades à qqn*** «chercher querelle». De *panier à salade*, qui a remplacé *saladier* (ci-dessous) au sens propre, vient figurément le sens de «voiture cellulaire» (où l'on est secoué) (→ panier).

▸ Le dérivé ① **SALADIER** n. m. a d'abord désigné (1558) un fournisseur de légumes, puis s'est employé comme adjectif en parlant d'une herbe qui se sert en salade (1580-1587) et pour qualifier ce qui concerne la salade (1611). ◇ Le sens moderne de «plat où l'on sert la salade» est attesté au XVIIe s. (1660). *Saladier* s'est dit aussi (1680) d'un panier à jour dont on se sert pour secouer la salade après l'avoir lavée, acception encore attestée en 1923 (cf. ci-dessus *panier à salade*). ◆ ② **SALADIER, IÈRE** n. dérive des emplois figurés de *salade* au sens de «bonimenteur» (1901), puis en argot de «personne (notamment femme) qui embrouille tout par ses mensonges». La variante *saladeur* ne s'est pas maintenue.

② **SALADE** n. f. est emprunté (1417), avec une variante *celade* (1611), à l'italien *celata* signifiant proprement «pourvu d'une (grande) voûte», comme l'espagnol *celada*, et issu du latin *caelum* «ciel*». La transformation de *ce-* en *sa-* pourrait s'expliquer par le passage du mot par le domaine provençal ou franco-provençal; un document de Savoie fait mention en 1417 de *cellatas* que le duc Amédée VIII avait fait venir de Milan.

♦ Le mot désigne un casque profond de forme presque sphérique porté par les cavaliers aux XVe et XVIe siècles; par métonymie, il s'est dit (1557) d'un soldat équipé de ce casque. ◇ *Salade* a été repris pour désigner un casque plat en usage dans l'armée britannique, mais il est alors senti comme relevant de ① salade (plat à salade).

SALAIRE n. m. est emprunté (v. 1260) au latin *salarium*, à l'origine «ration de sel» puis «somme donnée aux soldats pour acheter leur sel», d'où «solde, traitement», dérivé de *sal* (→ sel).

♦ Le mot désigne au sens large, dès le XIIIe s., la rémunération d'un travail; il s'emploie ensuite par figure (v. 1380) pour parler d'une récompense ou d'une punition méritée par des actions. ◇ *Salaire* se dit au XVIIe s. d'une somme d'argent payable régulièrement par l'employeur à celui qu'il emploie. Cette acception, aujourd'hui courante, ne se répand qu'au XIXe siècle et donne lieu à de nombreux syntagmes au début du XXe s. : ***salaire minimum*** (puis ***salaire horaire minimum garanti***, 1930), ***salaire de base*** (1923), puis au milieu du siècle et ensuite : ***allocation de salaire unique*** (1941), ***salaire minimum interprofessionnel garanti*** *(S. M. I. G.)* [1950], remplacée par ***de croissance*** *(S. M. I. C.)* [v. 1969]; ***salaire minimum d'insertion*** (1988), remplacé par *revenu*. Ces syntagmes institutionnels français, rapidement remplacés, donnent lieu à des sigles qui ont eux-mêmes des dérivés : **SMIGARD, ARDE** (v. 1964) puis **SMICARD, ARDE** n. (v. 1969).

▶ Du radical de *salaire* a été dérivé savamment **SALARIER** v. tr., attesté en 1369, puis fin XIVe s., rare jusqu'au XVIIIe s. où le dictionnaire de Trévoux ne le donne, avec des restrictions, qu'au figuré pour «récompenser» (attesté 1456-1457); il est remis en usage par les physiocrates (1766, Turgot). On relève au XVIe s. une forme *salariser*, disparue. ◇ Le verbe a fourni, par son participe passé, **SALARIÉ, ÉE** adj. et n., employé au figuré pour «récompensé» (XVe s.), au sens moderne «qui reçoit un salaire d'un employeur», comme nom et adjectif (1758; sens précisé, en 1810, dans le Code pénal). ◇ Son opposé **SALARIANT** n. m. (1758) ne s'est pas maintenu; on dit *employeur*. ◆ De *salarié* dérive **SALARIAT** n. m., «état, condition d'une personne salariée» (1845) et «ensemble des salariés» (v. 1860, Proudhon). ◆ L'adjectif **SALARIAL, ALE, AUX** (mil. XXe s.), dérivé savant de *salaire*, qualifie ce qui est relatif au salaire; il est usuel et s'emploie en économie, en administration (*masse salariale*, 1953, etc.).

SURSALAIRE n. m. (1925) correspond à «supplément de salaire», puis à «salaire surévalué».

SALAMALEC n. m. est emprunté (1559) à l'arabe *as-salām 'alayk*, formule de salutation signifiant «paix sur toi».

♦ Introduit avec le sens de «salut à la turque, grande révérence» (on relève aussi l'ancien provençal *çalamalec* «salut arabe»), le mot est employé à partir du XVIIe s. (1659) avec une connotation péjorative et n'a conservé que le sens familier, surtout au pluriel, de «révérences, politesses exagérées» *(faire des salamalecs)*.

On rencontre la graphie *salamalek* chez Nerval et, en français d'Afrique, la forme empruntée *salamalekoum*, formule de salutation équivalant à «la paix soit avec vous (pluriel)».

▶ **SALAM** n. m., emprunt direct à l'arabe, désigne en français d'Afrique la prière rituelle musulmane *(faire le salam)*.

◈ voir **ISLAM, MUSULMAN.**

SALAMANDRE n. f., emprunt du XIIe s. (1121-1134), a eu plusieurs variantes, *salemandre* (v. 1265), *salmandre* (1538), *salmande* (1549), *salmende* (1554), etc. Il s'agit d'un emprunt au latin *salamandra* «gros lézard», mot grec sans origine connue.

♦ Le mot désigne d'abord, comme en latin, un batracien à la peau jaune et noire. ◇ C'est ensuite le nom (1298, *salemandre*) donné à l'amiante flexible, qui ne brûle pas quand on la jette dans le feu, par référence à la faculté que l'on attribuait à l'animal de vivre dans le feu. De cette croyance vient l'emploi pour «esprit, animal vivant dans le feu» (XVIe s., d'après Paracelse), «esprit de feu» (1670), et la valeur symbolique d'«ardeur amoureuse» en blason. Pour les mêmes raisons, *sang de salamandre* (1708) a désigné en alchimie la vapeur rouge qui s'élève pendant la distillation de l'esprit de nitre et se condense dans la sublimation, le soufre incombustible (1721) et le mercure philosophal. En chimie ancienne, l'amiante est dénommé *salamandre fossile, salamandre de pierre* (1765) ou *pierreuse* (1828). ◆ Le lien entre l'animal et le feu se retrouve enfin dans l'emploi de *salamandre* pour désigner (1889; d'abord marque déposée) un poêle à combustion lente, placé dans une cheminée.

SALAMI n. m. est un emprunt (1841), d'abord sous la forme *salame* (av. 1674; repris en 1852), à l'italien *salami*, pluriel de *salame, salume*, [prononcé *loumé*], désignant, comme terme collectif, de la viande salée; l'italien dérive de *sale* «sel», emprunté au latin *sal* (→ sel).

♦ *Salami* désigne un gros saucisson sec, d'abord fabriqué en Italie (en particulier à Bologne et à Milan). ◇ Par analogie, le mot se dit en politique (1969; sens probablement emprunté à l'anglo-américain, par une métaphore analogue à celle de *saucissonner*) d'une méthode consistant à amener un adversaire à composer, en lui extorquant une suite de concessions minimes (de même que l'on débite une à une de fines tranches dans un salami).

SALAUD → **SALE**

SALE adj. est issu (v. 1160-1170) du francique °*salo* «qui est trouble, terne», représenté dans les langues celtiques, comme l'ancien irlandais *sail* «sale», et germaniques, comme l'ancien danois *salo* «sale, terne» et l'anglo-saxon *salo*. ◈

♦ L'adjectif s'applique d'abord, dans le domaine concret, à ce qui est malpropre, personne ou chose, et spécialement (v. 1210 *in* T.L.F.) à une personne qui se lave insuffisamment. Dans ce sens, plusieurs locutions comparatives ont cours (*sale comme un cochon, un peigne*, etc.). Avec une valeur abstraite, il qualifie (XIIIe s.) ce qui est déshonnête, blesse la pudeur. ◇ Par extension du premier emploi, il se dit (fin XVe s.) de ce qui, sans être souillé, n'est pas net, est d'une teinte équivoque, terne, d'où *gris sale* (1611); cette valeur correspond au sens initial de l'étymon. ◇ L'adjectif s'est employé (XVIe s.) en parlant de ce qui est contraire à l'honneur, de ce qui est impur. De l'idée d'«absence de netteté» vient l'emploi figuré dans *côte sale* «dangereuse, pleine de bancs» (1680), qui s'est dit jusqu'à la fin du XIXe siècle. *Son cas est sale* s'est dit (1690) d'un homme fortement menacé de poursuites judiciaires. Employé en peinture à propos des couleurs mal fondues d'un tableau (1798), l'adjectif est encore en usage. ◇ La valeur abstraite et morale se développe au XIXe siècle ; l'adjectif qualifie (1870) des personnes que l'on condamne ou que l'on méprise (*sale type*, etc.), d'où son emploi fréquent dans les injures, notamment xénophobes et racistes. ◇ Il s'applique à ce qui est laid, d'où ***avoir une sale gueule*** (1888, Courteline), ou très désagréable, par exemple dans ***une sale affaire*** (1847, Balzac), et est employé en général comme dépréciatif pour «très mauvais» (*sale temps*, 1858 au figuré). ◇ Avec sa première valeur, il est repris (1968) en parlant d'une bombe atomique dont les retombées radioactives sont importantes (opposé à *propre*, aussi dans cet emploi spécial).

▶ Le dérivé **SALIR** v. tr. signifie «rendre sale ou plus sale» (XIIe s. ; seulement XIIIe s. selon T.L.F.) ; avec le même sens, *ensalir* (XIIIe s.) s'est maintenu jusqu'au début du XVIIIe siècle. ◇ *Salir* s'emploie au figuré depuis la première moitié du XVIIe s. (Guez de Balzac, au pronominal). ◇ Le pronominal s'utilise spécialement aux sens de «perdre son éclat», en parlant d'une couleur (1740, *se salir*), et de «se souiller par ses déjections» (1764, le sujet désignant un enfant, un malade). Le transitif s'emploie avec les mêmes valeurs.

Le verbe a fourni plusieurs dérivés. ◆ **SALISSURE** n. f. «chose qui salit» (v. 1540), **SALISSEMENT** n. m. (1576) «action de salir», rare. ◆ **SALISSEUR, EUSE** n. (1886, Bloy, au figuré). ◆ **SALISSON** n. f., régional et familier pour «petite fille malpropre» (1585) et analogue à *souillon*, a désigné une petite servante chargée des travaux les plus salissants (1690). ◆ **SALISSANT, ANTE** adj. s'applique à ce qui se salit facilement (1694), à ce qui fait que l'on se salit (1834) ; il s'emploie spécialement en agriculture dans *plante salissante* (XXe s.), semée à la volée, ce qui exclut le sarclage. ◇ Le composé **INSALISSABLE** adj. (1845) est rare. ◆ **RESALIR** v. tr. (1875) a le sens itératif attendu.

Par ailleurs, *sale* a des dérivés noms et adverbe. ◆ **SALETÉ** n. f., «caractère de ce qui est sale» (1511 [1563 selon T.L.F.]), se dit au figuré pour «impureté, obscénité» (1572). *Une saleté* désigne une chose sale (1680) et au figuré une chose immorale, grossière (1690). ◇ Le mot s'emploie familièrement (1836) pour «chose sans valeur» et comme terme d'injure (1916). ◆ **SALEMENT** adv. (1511) s'emploie au figuré (1671) «impudiquement», et spécialement comme intensif familier (1902), équivalent de «beaucoup, très». ◆ **SALAUD, AUDE** n. et adj. est sorti d'usage au sens de «personne très sale» (1584 ; XIIIe s. selon Dauzat). Le mot s'emploie familièrement (1798) comme terme d'injure, puis équivaut à «personne moralement répugnante» (mil. XIXe s.) et à «homme salace» ; dans ce cas, il n'y a pas forcément de péjoration, l'état des mœurs valorisant la liberté sexuelle chez l'homme ; à l'inverse, cette liberté est dépréciée chez la femme dans l'emploi de *salope**. Le féminin *salaude* (1584 ; «prostituée», 1798) ne s'emploie plus, supplanté par *salope**. ◆ **SALINGUE** adj. et n. est formé (1925) à partir du suffixe argotique *-ingue* et reprend les valeurs de sale.

◈ voir SALIGAUD, SALOPE (et SALOP).

SALER et dér. → **SEL**

SALICAIRE n. f. est emprunté (1694) au latin des botanistes *salicaria*, dérivé du latin classique *salix, -icis* «saule», qui a pour correspondant l'irlandais *sail* et est apparenté à l'ancien haut allemand *salaha* (→ saule).

♦ Le mot désigne une plante du bord des eaux (nom scientifique : *Lythrum*), utilisée en pharmacie comme antidiarrhéique ; son nom vient du fait qu'elle pousse souvent parmi les saules.

▶ **SALICACÉES** n. f. pl., dérivé savant (1884) du latin *salix* avec le suffixe *-acées*, désigne en botanique une famille de plantes regroupant les saules et les peupliers. ◇ On rencontre, avec le même sens, **SALICINÉES** n. f. pl. (1817) et **SALICARIÉES** n. f. pl. (1845), sortis d'usage. ◆ **SALICALES** n. f. pl., formé savamment (mil. XXe s.) sur le latin *salix*, désigne un ordre de plantes ne comprenant que la famille des salicacées.

◈ voir SARGASSE, SALICYLIQUE.

SALICOQUE n. f., mot normand de formation obscure, apparaît sous la forme *saige coque* en 1530 (donné comme terme de Rouen), puis *salecoque*, *salcoque* (1554) et *salicoque* en 1560 (variante *salicot*, dans le midi de la France). Une forme *saillecoque* (1642) permet de supposer une composition avec *salir*, variante ancienne et dialectale (Normandie) de *saillir** «sauter» et de *coque** «coquillage» (cf. le normand *sauticot*), mais il ne s'agirait peut-être, selon Bloch et Wartburg, que de croisements secondaires. Selon P. Guiraud, le mot serait un composé tautologique ; le second élément serait à rapprocher de *coquer* «frapper» et *coter* «donner des coups de corne», la salicoque étant l'animal qui «donne des coups de corne en sautant» ; *crevette**, forme normande de *chevrette*, manifesterait ce sémantisme, la crevette projetant ses antennes en avant comme si elle donnait des coups de corne.

♦ *Salicoque*, terme régional, désigne une crevette grise ou (en Normandie) rose, nommée à Paris *bouquet* (dérivé de *bouc* présentant aussi l'idée de «corne»).

SALICORNE n. f. représente une altération (1611) d'après *corne** de *salicor* (1564), qui serait un mot d'origine arabe d'après O. de Serres («salicor, par les Arabes dit salcoran»). P. Guiraud fait l'hypothèse d'un croisement entre le latin *sal, salis* (→ sel) et *corneus* «de corne», dérivé de *cornu* (→ corne), *salicorne* étant proprement selon lui une «corne à sel».

♦ Le mot désigne une plante qui pousse sur les terrains salés du littoral atlantique ou méditerranéen, aussi nommée *christe-marine* (XVe s., *crete marine*).

SALICYLIQUE adj. est dérivé (1838) de *salicyle* n. m. (1838). Ce terme sorti d'usage est composé, par suffixation en *-yle* (du grec *hulê* «bois, matière»), du radical de *salicine* n. f. (1830), terme de chimie également disparu, dérivé savant du latin *salix, -icis* (→ salicaire), avec le suffixe *-ine*.

♦ *Salicylique* se dit de l'acide ortho-hydrobenzoïque, présent dans les fleurs de reines-des-prés; autrefois employé pour la conservation des aliments, cet acide est utilisé en médecine pour ses valeurs antiseptiques.

▸ De l'adjectif dérivent les termes de chimie **SALICYLATE** n. m. (1844), suffixe *-ate*, **SALICYLIDE** n. m. (1904) et le terme de médecine **SALICYLISME** n. m. (XXe s.).
Le composé préfixé **ACÉTYLSALICYLIQUE** adj. (fin XIXe s.), de *acétyl-**, se dit, en chimie et en pharmacie, de l'acide couramment nommé «aspirine».
Sur le radical de *salicyle* ont été formés **SALICYLER** v. tr. (1890) et **SALICYLÉ, ÉE** adj. (1912). ◆ **SALICOSIDE** n. m. ou f., composé (1933) de *salic(ine)* et de *-oside*, d'après *glucoside*, s'est substitué à *salicine* pour désigner un glucoside contenu dans l'écorce du saule, du peuplier.

SALIGAUD n. m., écrit *saligot* (v. 1170) jusqu'au XVIIe s., puis *saligaud* (1656), est un mot appartenant d'abord aux parlers picard et wallon, probablement dérivé du francique °*salik* «sale», dérivé de °*salo* (→ sale) à l'aide du suffixe péjoratif *-ot*. Le mot apparaît dans deux chansons de geste d'origine picarde, vers 1170 et vers 1220, comme nom propre de deux rois sarrasins, puis comme surnom (1269, à Liège).

♦ *Saligaud* est attesté vers 1380 en wallon comme épithète injurieuse. Au début du XVIIe s. (1611) en emploi adjectivé, il qualifie une personne négligente dans sa mise, sale, d'où l'emploi substantivé moderne et familier pour une personne sale (1656, *saligot* et *saligaud*). ◇ Par figure, *saligaud* se dit (1866) d'une personne qui agit de manière moralement répugnante.

▸ La variante graphique *saligot, saligote* «femme sale» (1821) a fourni le dérivé **SALIGOTER** v. tr. ou *saligauder* (1859) «salir» (fin XIXe s.), qui se dit familièrement pour «faire très mal (un travail)», comme *saloper*.

SALIQUE adj. est un emprunt savant (1380) au latin médiéval *salicus*, dérivé du bas latin *Salii* «les Francs Saliens», nom d'une tribu franque établie sur les bords de la rivière *Sala* (aujourd'hui l'*Yssel*).

♦ L'adjectif est d'abord attesté dans *Loi salique* «recueil de lois des anciens Francs Saliens» qui contient une règle excluant les femmes du droit de succession à la terre des ancêtres; cette règle a été invoquée au XIVe s. pour empêcher les femmes de succéder à la couronne de France. En histoire, *salique* qualifie plus généralement ce qui est relatif aux Francs Saliens.

▸ **SALIEN, IENNE** est la forme française désignant les Francs *Salii* (ci-dessus). Comme nom, il est attesté en 1589, comme adjectif, au XVIIIe s. (1756).

SALIVE n. f. est un emprunt savant (1170) au latin *saliva* «salive, bave» et «saveur (qui excite la salive)», aussi «salive en tant que marque de désir ou d'appétit». *Saliva*, d'origine obscure, est bien représenté dans les langues romanes où il s'est vu cependant concurrencé par d'autres dénominations plus fortes et plus expressives, comme *bave* en français.

♦ *Salive* désigne le liquide produit par la sécrétion des glandes de la bouche. À partir du XVIIe s., le mot entre dans plusieurs locutions figurées : ***la salive en vient à la bouche*** «on a un grand appétit de» (1636) et, par une relation avec la bouche, organe de la parole (réalisée aussi dans *baver, bavasser, bavard*), ***perdre sa salive*** «perdre du temps à parler, à s'efforcer de persuader qqn» (1843), ***dépenser sa salive*** «parler beaucoup» (1867; *dépenser beaucoup de salive*, 1907), ***avaler sa salive*** «se retenir de parler» (1870).

▸ Le dérivé **SALIVEUX, EUSE** adj., d'abord «plein de salive» (1570), puis «qui ressemble à de la salive» (1842), acceptions disparues, est un équivalent littéraire et rare de *baveux*.
À l'époque impériale, ont été formés des dérivés du latin *saliva*, auxquels sont empruntés plusieurs mots. ◆ **SALIVATION** n. f., emprunt savant (v. 1560, Paré) à *salivatio* (de *salivatum*, supin de *salivare*), se dit en anatomie de la sécrétion de la salive, spécialement de la sécrétion excessive. ◇ Ce substantif semble antérieur au verbe **SALIVER** v. intr. «sécréter, rendre de la salive», emprunt (1611) de *salivare*, mais l'ancien provençal connaissait le verbe *salivar* dès le XIVe siècle. ◇ Le verbe a fourni **SALIVANT, ANTE** adj. (1765) «qui fait saliver», d'emploi rare, et **SALIVEUR, EUSE** n. (XXe s.) «personne qui salive». ◆ **SALIVAIRE** adj. (fin XVIe s. *bave salivaire*, puis 1690), emprunt au dérivé latin *salivarius*, s'emploie en anatomie (1718, *glandes salivaires*). ◆ **SALIVAL** adj. (v. 1560, Paré), dérivé de *salive* et qui correspond à un adjectif de l'ancien provençal (v. 1350), est sorti d'usage.
Salive a enfin fourni le composé **INSALIVATION** n. f. «imprégnation des aliments par la salive» (1805), didactique, et on relève le verbe *insaliver* chez Flaubert.

◈ voir SIAL(O)-.

SALLE n. f., réfection graphique (v. 1250) des formes *sale* (1080) et *saule* (1220), employées à côté de *salle* jusqu'au XIVe s., est issu du francique °*sal*, mot masculin (cf. allemand *Saal*) devenu féminin : on relève *sala* dans les Lois Barbares. La voyelle accentuée *a* a été conservée, peut-être sous l'influence de *halle*. L'espagnol et le portugais ont *sala* «pièce principale d'habitation».

♦ Le mot a d'abord désigné, dans un château, la grande pièce où avaient lieu les réceptions (aussi *grand-salle*). Jusqu'au XVIe s., le mot s'emploie seul; il s'est dit par métonymie pour «palais, résidence d'un souverain» (v. 1250) et pour «bâtiment» en général (1340). Également au XIVe s., il a désigné l'ensemble des rideaux et des tapis dont on peut garnir une pièce, sens disparu. Il s'est employé à la même époque pour parler de la salle du palais où se tenait l'audience d'un tribunal, d'où le sens de «tribunal» (1382), lui aussi disparu (on dit *salle d'un tribunal*). C'est toujours l'idée de «lieu vaste» que l'on a avec le sens de «cour pour les tournois». ◇ *Salle capitulaire* (du chapitre) semble une expression d'archéologue (1832). ◇ À partir du XVIe s., le mot, souvent qualifié, se spécialise pour désigner un lieu destiné à des activités spécifiques ou un lieu ouvert au public. On relève *salle d'audience* (d'un tribunal) en 1538 et l'emploi de *salle* pour «lieu vaste et ouvert destiné à un service public» (1559), puis *salle du bal* (1582), devenu *salle de bal* (1591). *Salle* désigne aussi l'endroit où le maître d'armes enseigne (1594), puis on emploie *salle d'escrime* (1636), *salle d'armes* (1677). ◇ Au XVIe s. (1558) et au XVIIe s., *salle* se disait couramment de la pièce où l'on vivait et recevait; cet emploi reste régional et rural, *salle* désignant encore la pièce principale; en ville, il a été concurrencé et supplanté par *salon*, puis *living* et *salle de séjour* (1955, Camus), d'où *le séjour* (1960). *Salle du commun* «salle où les domestiques mangent» (1616) a disparu, de même que *salle* employé seul pour «endroit du collège où l'on se réunit, spécialement pour les punitions»; de là *avoir la salle* «être fouetté» (1611), *donner la salle* «le fouet» (1636). ◇ *Salle*, au sens de «pièce disposée pour y prendre les repas» (XVIIe s.), est sorti d'usage, remplacé par ***salle à manger*** (1636), véritable composé qui s'emploie aussi, par une métonymie commune aux mots désignant des pièces d'habitation *(chambre, salon)*, pour le mobilier de cette pièce. *Salle de danse* (1669) ou *salle* (1690) «lieu où l'on enseigne la danse» n'est plus employé. ◇ *Salle* désigne spécialement (1680) une pièce où sont les lits des malades, dans un hôpital. Le mot employé seul, dans ce contexte, semble très antérieur à *salle d'hôpital* (attesté 1833, P. Borel). *Salle d'opération* (1855) a vieilli (par rapport à *bloc opératoire*) mais *salle* reste usuel dans de nombreux termes hospitaliers. ◇ *Salle* s'est dit (1690) pour «pièce où l'on fait la classe», remplacé par *salle d'étude* (1855), puis *salle de classe* (1900, Colette) et plus couramment *classe*. Plusieurs expressions ont disparu: *salle des gardes* (1643) pour les gardes du corps du souverain, *salle de garde*, aujourd'hui réservé à la salle où se tiennent les internes de garde, dans un hôpital, toujours vivant et qui évoque l'humour particulier des carabins dans *chansons de salle de garde*, en général obscènes. ◇ ***Salle de bains*** a désigné (1691) une pièce d'un appartement de bains; au sens moderne, *salle de bains* (1765) a remplacé *salle à bains*, en usage aux XVIIIe et XIXe s., et est devenu usuel vers la fin du XIXe s., avec la diffusion de l'hygiène domestique. *Salle d'eau* (1952), dans ce sens, est indépendant de *salle d'eau* «partie basse d'une fontaine» (1691). ◇ À la fin du XVIIIe s., *salle de discipline* se dit du local disciplinaire d'une caserne, aussi nommé ***salle de police*** (1835). ◇ *Salle d'asile* (1801) «établissement public où l'on reçoit les très jeunes enfants» a été remplacé au XXe s. par *(école) maternelle*. ◆ Le mot désigne aussi un local aménagé pour recevoir des spectateurs, dans *salle des comédies* (Académie, 1694), *salle de spectacles* (1738) et aussi dans *salle de concert* (1835), absolument *salle*, en particulier pour le théâtre, le cinéma (1917, *salle obscure* «cinéma», le plus souvent au pluriel); par métonymie, *la salle* désigne (1835, Vigny) le public d'une salle de spectacle. ◇ ***Salle des pas perdus***, nom d'une grande salle au Palais de justice de Paris (1835), se dit de la pièce qui précède la salle d'audience, puis au XXe s. du hall d'une grande gare. ◇ On relève, aussi au XIXe s. (1835), *salle de réception* et *salle d'attente* (1823; 1835 dans une gare). *Salle de contrôle* est apparu en radiodiffusion (1934). ◇ ***Salle des ventes*** est attesté au XIXe s. (1860, Duranty). ◇ *Fille de salle, garçon de salle* correspond à «domestique chargé de l'entretien d'une pièce commune» (1875).

▸ Le composé **ARRIÈRE-SALLE** n. f. (1853) se dit d'une salle située derrière une autre (par exemple dans un restaurant).

◈ voir SALON, SALOON.

SALMIGONDIS n. m. (1627), (d'abord *salmigondin* 1552, Rabelais), représente un élargissement du moyen français *salemine* (1393) ou *salamine* (1545) «mets dans lequel entrent plusieurs espèces de poissons», dérivé du radical de *sel** par suffixation en *-ain*, *-in* (du latin *-amen*) ou *-ine*, à valeur collective. Au XVIe s., *salemine, salmin* se serait croisé avec un second élément *-gondin (-gondis)*, qui pourrait être issu de l'ancien verbe *condir* «accommoder» (XIIe s.) et «assaisonner» (XVIe s.), emprunté au latin *condire* «épicer, assaisonner» et «embaumer» (→ condiment).

♦ Le mot est sorti d'usage pour désigner un ragoût fait de plusieurs viandes réchauffées (1552). ◇ Au figuré, par la même métaphore que dans *salade, macédoine*..., il se dit (1618) d'un mélange confus de divers éléments, en parlant d'un discours, d'une conversation, d'un ouvrage.

▸ **SALMIS** n. m., d'abord écrit *salmi* (1718), est la forme abrégée de *salmigondis*. Le mot est surtout employé au propre, notamment en parlant d'un ragoût de pièces de gibier (1740). ◇ Sa valeur figurée (1800), qui équivaut à celle de *salmigondis*, est plus rare.

SALMONICULTURE → SAUMON

SALON n. m. représente un emprunt (1650 dans une traduction) à l'italien *salone* «grande salle», augmentatif de *sala* «salle», de même origine que le français *salle**.

♦ *Salon* désigne d'abord la pièce d'un appartement ou d'une maison, voire d'un palais (le *salon Carré* du Louvre), meublée et aménagée pour recevoir des visiteurs, d'où l'expression *salon de compagnie* «pièce où l'on reçoit ses amis», sortie d'usage. Le mot s'est employé par extension dans *salon de feuillage* (1678), *salon de treillage* (1691), à propos d'un espace couvert de verdure, dans un jardin; *salon de verdure* fut en usage aux XVIIe et XVIIIe siècles. Au milieu du XVIIIe s., *salon* prend une nouvelle valeur: «exposition périodique des ouvrages d'artistes vivants» (1750); cette acception vient du fait que des expositions eurent lieu dans le salon Carré du Louvre à partir de 1737; par métonymie, le mot désigne (1768, *Les Salons* de Diderot) le compte rendu d'une exposition artistique. L'emploi absolu (1777) pour désigner la galerie où l'on expose les œuvres des artistes vivants (à l'époque, la Galerie du Louvre) s'est effacé devant le sens moderne d'«exposition», en particulier dans des syntagmes comme *Salon des refusés* (1863), devenu le *Salon des artistes indépendants* (1884) puis *le Salon des in-*

dépendants, ou encore *Salon d'automne* (1903), *Salon des Tuileries* (1922), etc. Dès la fin du XIXe s., le mot dans cet emploi passe aux domaines industriel et technique, dans un contexte analogue à celui d'*exposition* : *Salon de l'automobile* (1898), etc.
À la fin du XVIIIe s., on retrouve la valeur initiale de *salon* avec le sens de «salle, ou local, où l'on reçoit des clients, dans un établissement public ou commercial» (1798, *salon* «salle d'un traiteur»). Dans cette acception, le mot s'emploie le plus souvent dans des locutions figées, comme ***salon de coiffure,*** d'abord *salon pour la coupe des cheveux* (1822), ***salon d'essayage*** (1863), ***salon de thé*** (1923), etc. ◇ Parallèlement au développement de ce sens, *salon* se dit (1807, Mme de Staël) d'un lieu de réunion dans une demeure privée, où l'on reçoit régulièrement, d'où ***faire (tenir) salon*** «se réunir» (av. 1885); par métonymie, il désigne la société mondaine (1829, surtout au pluriel) dont procède ***poète de salon*** (1835), rapidement péjoratif comme *mondain.* La locution ***le dernier salon où l'on cause*** (XXe s.) se dit par plaisanterie de toute réunion, de tout lieu où les gens bavardent. Par métonymie, *salon* se dit (1883) d'un mobilier de salon. ◇ Du sens de «local dans un lieu public ou commercial» vient l'emploi du mot pour désigner une pièce conçue pour recevoir les clients, dans certaines professions (1888, Maupassant), analogue à *salle d'attente.*

▸ **SALONNIER, IÈRE** n. et adj. s'est dit (1870, n.) d'un journaliste, d'un critique qui rend compte des réunions mondaines. L'adjectif s'emploie (1891) pour qualifier ce qui est propre aux salons. ◇ En dérive **SALONNIÈRE** n. f. (1890, Maupassant), «femme qui fréquente les salons», vieilli, et en haute couture (XXe s.) «employée d'une maison de couture qui reçoit les clients». ◆ **SALONNARD, ARDE** adj. (1914, L. Daudet), formé avec le suffixe péjoratif *-ard,* se dit d'une personne qui, fréquentant les salons mondains, en tire des profits pour s'assurer une situation. On trouve aussi la graphie *salonard.* ◆ **SALONNER** v. intr. (1947), «fréquenter un salon», est rare.

◈ voir SALOON.

SALOON n. m. est un emprunt (1852) à l'anglais des États-Unis *saloon,* lui-même emprunté au français *salon**. *Saloon* avait en anglais le sens (1728) de «pièce de réception (dans une maison privée)»; le mot se dit ensuite (1747) d'une grande salle ou du hall d'un lieu de rencontre, de divertissement; au XIXe s., *saloon* a pris en anglo-américain le sens de «vaste bar avec de la musique et des jeux», surtout dans l'Ouest (1841).

♦ Le mot s'est quelquefois employé en français comme terme étranger (1800, puis 1852, Nerval, à propos de l'Angleterre). ◇ C'est au sens américain de «bar, tripot» (1895) qu'il s'impose, en parlant du Far-West; le mot a été vulgarisé par les westerns et ne s'utilise guère hors de ce contexte.

◈ **SALOPE** n. f. et adj. (1660), d'abord *saloppe* (1611; *salouppe* 1607) et donné comme orléanais par Cotgrave, est d'origine incertaine. On propose habituellement d'en faire un composé tautologique de *sale** et de *hoppe,* variante dialectale de *huppe**, cet oiseau étant réputé très sale, ce que confirmerait l'expression attestée régionalement (Wartburg) *sale comme eune hoppe* (Lorraine), *sale comme une oupotte* (Franche-Comté).

♦ Le mot, qui désigne d'abord une femme sale, s'est appliqué à une personne (homme ou femme) très malpropre (1690), sens disparu. ◇ De l'idée de «saleté, souillure», on passe au sens de «femme dévergondée» (1775), «prostituée» (1808), par un glissement sémantique courant en français. *Salope* s'utilise ensuite comme terme d'injure pour une femme (1877, Zola), rattaché alors à *salaud* dont il est devenu le féminin, puis comme terme intensif de mépris adressé à un homme.

▸ **SALOPERIE** n. f. a d'abord signifié (1694) «très grande malpropreté»; les sens postérieurs sont liés à cette valeur, au propre et au figuré. ◇ Le mot désigne aussi une chose sale (1704; cf. *ordure*), une chose de très mauvaise qualité, répugnante, sans valeur (1830; cf. *cochonnerie*). Par figure, il se dit d'un acte (1893) ou d'un caractère (XXe s.) moralement abject. ◇ Par hyperbole, *saloperie de* s'emploie (1919) pour parler de ce qui est méprisable, détestable. ◆ **SALOPER** v. tr. s'est employé (1806, intr.) pour «fréquenter les prostituées». Il prend ensuite familièrement le sens de «mal faire un travail» (1841) et est employé (XXe s.) comme intensif de *salir.* ◆ **SALOPETTE** n. f. désigne un vêtement d'enfant (1832, *salopète*) ou un vêtement de travail (1836) que l'on met par-dessus les vêtements pour ne pas les salir; aujourd'hui la salopette est aussi un vêtement de fantaisie, pour enfant ou adulte. Il a perdu toute connotation négative. ◆ **SALOP** n. m. (1837), sorti d'usage à cause de la paronymie avec *salaud,* signifiait «individu méchant». ◇ En dérive **SALOPIAUD** n. m. (1866) ou *salopiau* (1879, Huysmans), vieilli au sens fort de «salaud» et employé familièrement pour «petit sale» (XXe s.). On trouve les variantes *salopio* et *salopiot.* ◆ **SALOPARD** n. m. est d'abord attesté comme terme d'argot militaire (1911), nom injurieux par lequel les soldats français désignaient les dissidents marocains aux ordres d'Abd el-Krim. Ce mot est sans doute beaucoup plus ancien, la forme *chalopparde* étant relevée en 1752. Il s'emploie couramment pour *salaud,* en moins injurieux. ◆ **SALOPIN** n. m., mot dialectal repris par Jarry (1896), est probablement un croisement de *salop*(ard) et (galo)*pin* et équivaut à «sale galopin». ◆ Le composé **MARIE-SALOPE** n. f., de *Marie,* nom donné couramment à des bateaux, désigne d'abord (1777) un bateau à fond mobile qui conduit en haute mer les produits de dragage. ◇ Le mot a vieilli aux sens de «femme malpropre» (1831) ou de «prostituée» (1867).

SALPÊTRE n. m. est un emprunt du XIVe s. (1338; puis v. 1360) au latin médiéval *salpetrae,* proprement «sel de pierre», composé du latin classique *sal, salis* (→ sel) et de *petrae,* génitif de *petra* «roc, roche, rocher» (→ pierre). On relève plusieurs variantes latinisantes : *salipestre* (1375), *sallepetre* (1406), *sallepestre* (XVe-XVIe s.), etc.

♦ *Salpêtre* est le nom usuel du nitrate de potassium utilisé comme engrais et dans la composition des poudres, des explosifs, etc.; de là viennent les emplois figurés de *salpêtre* pour «vivacité du tempérament» (1677) et les expressions *être tout (pétri de) salpêtre* (1694), qui se disait d'une personne très vive, *n'être que (feu et que) salpêtre* (1694), *c'est du salpêtre,* etc.; ces emplois sont sortis d'usage ainsi que le sens étendu de *salpêtre* pour «poudre de guerre» (1667, Boileau) propre à la poésie classique (XVIIe-XVIIIe, voire XIXe siècles). ◇ Le mot désigne aujourd'hui couramment les efflorescences de mélanges de nitrates qui se forment sur des corps humides (1871, *salpêtre terreux*).

▶ *Salpêtre* a fourni plusieurs dérivés. **SALPÊTRIER** n. m. désignait un ouvrier fabriquant du salpêtre (1482) et, sous l'Ancien Régime, un officier qui était autorisé à collecter et à fabriquer le salpêtre. ➜ **SALPÊTREUX, EUSE** adj. (1571) «couvert de salpêtre» est rare. ➜ **SALPÊTRER** v. tr. (1762), d'abord **SALPÊTRÉ** p. p. adj. (1585) «mêlé de salpêtre», a donné **SALPÊTRAGE** n. m. (1838), «action de salpêtrer un sol». ➜ **SALPÊTRIÈRE** n. f. désignait (1660) la salle d'un arsenal où l'on fabriquait le salpêtre. *La Salpêtrière,* à Paris, ancienne fabrique de poudre, fut transformée en hôpital au XVIIe siècle. ➜ **SALPÊTRISATION** n. f. (1845) s'est dit de la formation de salpêtre sur les murs.

SALPICON n. m. est un emprunt (1712) à l'espagnol *salpicón,* composé de *sal* «sel», du latin classique *sal* (→ sel), et d'un dérivé de *picar* «piquer», du latin populaire °*pikkare* (→ piquer).

♦ Le mot, encore utilisé comme terme de cuisine, conserve le sens de l'étymon et désigne une préparation de volailles, crustacés, champignons, légumes, etc., coupés en petits dés et servant à garnir des vol-au-vent, des bouchées, etc., ou à accompagner une viande.

SALPINGITE n. f. est un dérivé savant (1858), avec le suffixe *-ite* indiquant une affection aiguë, du bas latin *salpinx, -ingis* «trompette», emprunt au grec *salpinx, -ingos,* de même sens, mot sans étymologie assurée.

♦ Le mot désigne, en médecine, l'inflammation d'une ou des deux trompes de l'utérus (trompes de Fallope) et l'inflammation de la trompe d'Eustache (dans l'otite).

▶ **SALPING-, SALPINGO-** est un premier élément tiré du latin *salpinx, -ingis* et entre dans la composition de termes médicaux concernant la trompe d'Eustache, tels que **SALPINGOSCOPIE** n. f. (1903), de *-scopie.* ◇ D'autres composés concernent les trompes de l'utérus, comme **SALPINGOTOMIE** n. f. (1890), de *-tomie,* du grec *tomê* «coupure, ablation»; **SALPINGECTOMIE** n. f. (fin XIXe s.), de *-ectomie,* du grec *ektomê;* **SALPINGO-OVARITE** n. f. (1904), de *ovarite;* **SALPINGOSTOMIE** n. f. (mil. XXe s.), de *-stomie,* du grec *stoma* «bouche, ouverture»; **SALPINGOPLASTIE** n. f. (mil. XXe s.), de *-plastie,* du grec *plastos* «modelé».

SALSEPAREILLE n. f. apparaît (v. 1560, Paré) sous la forme *salseparille;* on relève chez Ménage (XVIIe s.) les variantes *salseperille, sarzepareille.* La forme moderne (1585) représente une francisation, d'après l'adjectif *pareille,* féminin de *pareil**, du portugais *salsaparilla* ou de l'espagnol *zarzaparrilla,* mot composé de *zarza* «ronce», emprunt à l'arabe *saras* «plante épineuse», et de *parrilla,* qui est peut-être un diminutif de *parra* «treille», d'origine prélatine. Scaliger avait proposé au XVIe s. de tirer *parrilla* du nom de *Parillo,* médecin espagnol qui aurait le premier utilisé les propriétés de cette plante, importée d'Amérique par les Espagnols.

♦ *Salsepareille* est le nom donné à une plante de la famille des Liliacées (nom scientifique : *Smilax*), arbuste épineux dont la racine a des vertus dépuratives.

SALSIFIS n. m., qui apparaît sous les formes *salsefie* (fin XVIe s.), *sercifi* en 1600 (O. de Serres), a de nombreuses variantes au XVIIe siècle : *sassefique* (1611, Cotgrave), *sassefrique, sassefy, salsifix* (mil. XVIIe s.); la forme actuelle est relevée en 1680 par Richelet. Le mot est emprunté à l'italien *(erba) salsifica* (XIVe s.), qui a eu lui-même des formes variées : *salsefica, sassifrica* (XVIe s.), *sassefrica,* et dont l'origine est obscure. *Salsifica* représenterait peut-être le latin *saxifrica,* proprement «(plante) qui brise les rochers», variante du bas latin *saxifraga* (→ saxifrage). P. Guiraud suppose un composé de deux éléments : *salsa* «salée», en raison de l'amertume des feuilles de l'*erba salsifica* et °*fica,* de *ficus* «figue» et «verrue», le salsifis commun étant nommé «salsifis à feuilles de poireau»; mais cette hypothèse n'est pas étayée.

♦ *Salsifis* désigne une plante potagère cultivée pour sa racine *(salsifis blanc, à feuilles de poireau, salsifis noir)* et plus couramment, par extension, la racine comestible. ◇ Par analogie de forme (1891), le mot s'est employé en argot, puis pour «doigt».

SALTARELLE n. f. est emprunté (1834) après *saltarella,* donné comme mot italien (1703), à l'italien *saltarello* «danse populaire, rapide et sautillante» (issue des danses bachiques), diminutif de *salto* «saut*», de même origine que le mot français.

♦ *Saltarelle* conserve le sens de l'italien.

SALTATION n. f. est emprunté (1372, *saltacion;* 1559, forme moderne) au latin *saltatio* «danse», formé sur *saltatum,* supin de *saltare* «danser», «exprimer par la danse, la pantomime» (→ sauter).

♦ Le mot désigne, en parlant de l'Antiquité romaine, l'art des mouvements réglés du corps, comprenant la danse, la pantomime et l'action théâtrale. ◇ Par l'idée de «mouvement vif», il désigne en paléontologie (1919) l'apparition brusque d'une nouvelle espèce vivante et, en géomorphologie (mil. XXe s.), le déplacement des particules d'un fluide par brusques entraînements successifs.

▶ Des dérivés du latin *saltare* viennent deux emprunts didactiques. ➜ **SALTATEUR** n. m. (1819), pris au latin *saltator,* du supin du verbe, désigne un mime danseur de l'Antiquité romaine. ➜ **SALTATOIRE** adj. (1893; au sens de «de la danse», 1878,

Goncourt), pris au latin *saltatorius* «adapté au saut» (en zoologie), est appliqué en médecine à une maladie qui se manifeste par des mouvements rappelant ceux de la danse (*chorée saltatoire* dite couramment *danse de saint Guy*).

SALTIMBANQUE n. est emprunté au XVIe s. (Pasquier) ou au XVIIe s. (1615 selon T.L.F.) à l'italien *saltimbanco*, littéralement «saute-en-banc» (aussi *cantimbanco* «chante-en-banc»), mot formé de *saltare* «sauter», du latin classique *saltare* «danser» (→ sauter), de *in* «dans, sur» et de *banco* «banc, estrade» (du radical du germanique °*bank*; → banc).

♦ Le mot est d'abord employé (XVIe s.) pour désigner un bateleur qui se produit sur les places publiques, dans les foires. Il se dit ensuite péjorativement d'une personne qu'on ne peut prendre au sérieux (1690) et d'un mauvais orateur aux gestes outrés (1694); ces emplois sont vieillis.

SALUBRE adj. est emprunté (1444; p.-ê. XIVe s., sans doute antérieur, cf. *salubrement*) au latin *saluber* (et *salubris*) «utile à la santé, salutaire, sain» et «bien portant», dérivé de *salus, -utis* «bon état, santé» et «sauvegarde, conservation» (→ salut).

♦ Reprenant les valeurs du latin, l'adjectif qualifie d'abord ce qui a une action favorable sur l'organisme. En ce sens, plus fort que *sain*, il s'emploie notamment en parlant du climat, d'un cadre de vie; il se dit par figure (1580, Montaigne) de ce qui est propre à préserver la santé morale.

▶ De l'adjectif dérive **SALUBREMENT** adv. (v. 1190) «d'une manière salubre», d'emploi rare.

SALUBRITÉ n. f. est emprunté (1444; 1491 selon T.L.F.) au dérivé latin *salubritas* dont il reprend d'abord le sens propre, «caractère de ce qui est favorable à la santé des humains» (aussi *salubricité*, 1569, de *salubre*). ◇ *Salubrité* s'emploie spécialement (1835) en parlant des soins que l'administration prend de la santé publique, d'où ***salubrité publique*** (1870, Littré), et de l'état d'un milieu favorable à la santé. L'emploi figuré (XXe s.) pour «apparence de santé (d'une personne)» est littéraire et rare.

INSALUBRE adj., emprunté (1505) au latin *insalubris* «malsain», de *in-* (→ ① in-) et *salubris*, qualifie au propre ce qui est malsain, spécialement en droit en parlant d'industries ou d'établissements; au figuré pour «malsain», le mot est littéraire et vieilli. ➡ Le dérivé **INSALUBREMENT** adv. (1838) est rare. ➡ **INSALUBRITÉ** n. f., «caractère de ce qui est insalubre» (1532), est rare avant la fin du XVIIIe s. puis assez usuel, notamment en droit.

SALUT n. m. représente l'aboutissement (v. 980) de *salutem*, accusatif de *salus, -utis* «état de la personne ou de ce qui est entier», «bon état», «salut, sauvegarde, conservation» puis «vie», par opposition à «mort». La notion est personnifiée et divinisée dans la déesse *Salus*, «celle qui assure le salut», et le mot est souvent employé comme formule de salut (*salutem dicere, dare*). Comme *fides* (→ foi), *salus*, ancien terme religieux passé dans la langue courante, a été repris dans la langue de l'Église chrétienne qui lui a donné une nouvelle valeur. Le mot dérive de *salvus* «entier, intact» (→ sauf).

♦ C'est d'abord dans le vocabulaire religieux que *salut* est employé, en relation de sens avec le verbe *sauver*, désignant le fait d'échapper à la mort, à la damnation éternelle, grâce à la médiation du Christ. ◇ Depuis *La Chanson de Roland* (1080), le mot désigne une marque extérieure de civilité qu'on rend aux personnes que l'on rencontre ou que l'on quitte et devient une formule exclamative par laquelle on souhaite à qqn santé, prospérité (v. 1155). ◇ À partir du XIIe s., il se dit du fait d'échapper à la mort ou au danger (v. 1150), avec les locutions ***arriver à port de salut*** «à bon port» (XVIe s.) et ***planche de salut.*** Au XIIIe s., *salut la Dieu mere* équivaut à *avé Maria* (v. 1223), ensuite sous la forme *salut de la Vierge* (1660). ◇ *Salut* a aussi été employé au XIIIe s. (XIIe s., en ancien provençal) pour désigner une pièce de vers qui commence par une salutation à la dame dont le poète fait l'éloge, d'où l'emploi pour «récit» (v. 1250) qui a lui aussi disparu. ◇ En tant que formule de souhait, *salut* s'utilisait spécialement (1316) dans le préambule des lois et ordonnances, dans les bulles des papes, etc., usage qui se maintient avec *salut et fraternité*, utilisé pour terminer une adresse, une lettre, à l'époque de la Révolution. ◇ Dans le vocabulaire de la liturgie catholique, *salut* (v. 1520) ou *salut du saint sacrement* se dit d'une cérémonie qui comprend la bénédiction du saint sacrement. Dans un contexte religieux, le mot a aussi désigné un sauveur, spécialement le Christ (1535; 1689, Racine, dans un emploi profane). ◇ Comme formule brève d'accueil ou d'adieu, avec une valeur très affaiblie, le mot est attesté dès 1612; il est devenu en français moderne un équivalent familier de *bonjour* et d'*au revoir*. Il s'emploie spécialement en marine pour désigner (1670, aussi *salut de mer*) un échange de signes de reconnaissance entre deux navires, et dans le vocabulaire militaire (1680, *salut militaire*). ◇ Dans le sens initial du mot, «fait d'être sauvé», il entre à la même époque dans le proverbe ***hors de l'Église, point de salut*** (Furetière, 1690), généralisé en *hors de…, point de salut.* ◇ *Salut public* est une expression consacrée par le Comité de la Convention qui porte ce nom (1793), mais employée auparavant et usitée avec un sens large dans ***mesure de salut public*** «mesure d'urgence» (XIXe s.). ◇ *Armée du Salut* est le nom (1884; anglais *Salvation Army*) d'une association protestante fondée par William Booth, destinée à la propagande religieuse et au secours des indigents, d'où le dérivé **SALUTISTE** n. et adj. (1890).

▶ **SALUER** v. tr. est issu (1080) par l'intermédiaire de la forme *saluder* (v. 980) du latin *salutare*, rarement employé au sens de «donner le salut, sauver», et très couramment avec les sens affaiblis de «dire bonjour à qqn», «venir présenter ses hommages»; le verbe dérive de *salus*. ➡ Le verbe apparaît vers 980 (*saluder*) au sens d'«honorer, adorer». Avec une autre valeur du latin, «donner à qqn une marque extérieure de civilité, de respect, en le rencontrant», il est attesté à partir de *La Chanson de Roland* (1080, *saluer*) et il est demeuré usuel. ◇ Le verbe reprend (v. 1170) le sens premier du latin, «sauver», encore au XVIIe s. avec une valeur affaiblie. Il s'emploie spécialement (1538) pour «faire ses compliments par lettre», puis «faire le salut militaire à» (1609), *saluer de la voix* correspondant à «crier Vive le Roi», dans la marine (1690, Th. Corneille). *Saluer empereur*, etc., «nommer par acclamation» (1643), est sorti d'usage. *Saluer* signifie aussi «manifester du respect à (qqch.) par des pratiques réglées» (1611, *saluer le drapeau, l'autel*, etc.). ◇ Le verbe reprend au XVIIe s. le sens latin de «visiter (qqn)» (1662). ◇ Au XIXe s., il signifie par figure «accueillir (qqch., un événement) par des manifestations extérieures» (1839, Balzac).

➜ Le dérivé **SALUABLE** adj. s'est appliqué à ce qui donne la santé (v. 1155) et qualifie (XXe s.) ce qui mérite d'être salué. ➜ **SALUEUR, EUSE** adj. et n. (v. 1530; féminin, relevé en 1875) se dit de qqn qui fait beaucoup de saluts, qui salue. ➜ **SALUADE** n. f. «révérence» (v. 1560), donné pour vieilli en 1762, est sorti d'usage.

SALUTATION n. f. est emprunté (v. 1275) au latin *salutatio* «geste de salut», «action de présenter ses civilités», «hommages, visite», dérivé de *salutatum*, supin de *salutare*. ◇ Le mot est sorti d'usage pour «action de saluer», premier sens attesté, noté peu usité en 1718. ◇ Dans le vocabulaire religieux, *sainte salutation* (XVe s.), puis *salutation angélique* (1680), désigne les paroles de l'*Ave Maria* par lesquelles l'ange Gabriel annonça à la Vierge Marie qu'elle serait mère du Christ. ◇ Le mot se dit aussi (1718) d'une manière de saluer solennelle ou exagérée. Il s'emploie au pluriel dans les formules de politesse écrites.

SALUTAIRE adj. est un emprunt au dérivé latin *salutaris* «qui concerne la conservation, le salut», «utile, avantageux, favorable». L'adjectif conserve d'abord le sens du latin (1315, *estat salutaire*, d'une ville), dans le domaine physique (1567) ou moral (1495); il s'applique en religion à ce qui est propre à assurer le salut de l'âme (v. 1400), d'où *legation salutaire* «legs pieux» (1619), sorti d'usage. ➜ **SALUTAIREMENT** adv. (XVIe s.) est vieilli ou littéraire.

◈ voir SALUBRE, SAUF, SAUVER.

SALVATEUR, SALVATION → SAUVER

① SALVE

① **SALVE** n. f. est un emprunt savant (1559) au latin *salve* «salut», «porte-toi bien», impératif de *salvere* «être sain et sauf, bien portant», surtout usité comme formule de salutation; l'italien *salva* n'est attesté qu'en 1614 au sens de «salutation». Le verbe dérive de l'adjectif *salvus* «entier, intact», puis «sauf, sain et sauf, en bonne santé» (→ sauf).

♦ *Salve* désigne d'abord une décharge simultanée d'armes à feu et, plus tard, de coups de canon (1829), tirée en l'honneur de qqn, puis pour annoncer une nouvelle ou en signe de festivités. Le mot s'emploie aussi (1587, au masculin, d'Aubigné) en parlant d'une décharge d'armes à l'exercice ou au combat, d'où la locution ***tirer en salve*** «tirer plusieurs pièces de canon en même temps». ◇ Par analogie, le mot correspond dans *salve d'applaudissements* à «applaudissements éclatant ensemble» (1792). ◇ Au XXe s., il désigne par analogie en physique l'apparition brusque d'un grand nombre de paires d'ions (1975; aussi *salve de neutrons*).

◈ voir ② SALVE.

② SALVE

② **SALVE** n. m. inv., attesté en 1387 (écrit *salvé*), est le premier mot d'une antienne latine dite en l'honneur de la Vierge, *Salve, Regina* «Salut, Reine», de *salve* «salut» (→ ① salve) et *regina* «reine*».

♦ Dans la liturgie catholique, le mot désigne une prière en l'honneur de la Vierge; on dit aussi *le Salve Regina* n. m. (1870). La locution figurée *il faut chanter le salvé* «l'affaire est terminée» (1690), encore relevée au XIXe s., est sortie d'usage.

③ SALVE

③ **SALVE** n. f. est emprunté (1666) à l'espagnol *salva*, dérivé de *salvar* «sauver», lui-même du bas latin *salvare* «sauver*».

♦ Le mot, aujourd'hui didactique, désigne comme l'étymon une coupe en vermeil sur laquelle l'étiquette voulait que l'on présentât certains objets à un prince; le nom vient du fait qu'à l'origine la coupe avait été employée pour vérifier que les aliments et boissons destinés à un prince étaient sains, non empoisonnés.

SAMARITAIN, AINE

SAMARITAIN, AINE n. apparaît sous la forme *samarithan* en 1330 et sous la forme moderne au XIXe s. (1870, *la Samaritaine, le bon Samaritain*). Le mot est emprunté au bas latin ecclésiastique *Samaritanus* «de Samarie», dérivé du latin classique *Samaria* «Samarie», ville et région de Palestine (en grec *Samareia*).

♦ Terme d'histoire des religions, *samaritain* désigne un Juif (une Juive) de Samarie, et *les Samaritains*, une secte religieuse gnostique et ascétique qui ne croyait pas à la Résurrection. Dans l'Évangile selon saint Luc (IV, 10), *le bon Samaritain* est le personnage présenté par le Christ dans une parabole comme un modèle de charité discrète; d'où la locution figurée ***être*** (1879), ***faire le bon samaritain*** *(de qqn)* «se montrer secourable, dévoué», souvent employée avec une nuance d'ironie, et l'emploi régional (Suisse) de *samaritain* pour «secouriste». ◇ Le mot s'applique aussi, didactiquement (1876), à ce qui est relatif à la Samarie et désigne (1876) la langue des Samaritains.

SAMARIUM

SAMARIUM n. m. est formé (1879) à partir de *samar(skite)* [1878], nom d'un minerai découvert (et ainsi nommé en allemand, en 1847) par le chimiste russe *Samarski* et duquel fut extrait ce métal (symbole *Sm*) qui fait partie des terres rares.

SAMBA

SAMBA n. f. est un emprunt (v. 1923) au portugais du Brésil *samba*, lui-même emprunté à une langue négro-africaine ou au tupi.

♦ Le mot, qui ne s'est répandu qu'après la guerre de 1939-1945, désigne une danse d'origine brésilienne à deux temps, apparentée à la rumba.

SAMBUQUE

SAMBUQUE n. f., réfection classique (1640) de la forme *sambue* (v. 1175), devenue *sambique* (1288) puis *sambucque* (1533), altéré chez Oresme (XIVe s.) en *jambus*, est un emprunt au bas latin *sambuca*, lui-même du grec *sambukê* dont il a repris les sens. Le mot grec désignait un instrument de musique triangulaire à quatre cordes (espèce de harpe) et par ailleurs une machine de guerre pour lancer des projectiles, dont la forme s'apparentait à celle de l'instrument. *Sambukê* est d'origine orientale : il transcrit, dans la Bible, le nom araméen d'un instrument de musique, *sabbᵉkā*. Par analogie de forme, le mot se dit en latin médiéval pour «selle de femme».

♦ *Sambuque* est utilisé en ancien français avec ce sens et par métonymie pour «housse de selle» (v. 1175, Chrétien de Troyes). ◇ Le nom reprend ensuite les acceptions du grec et du bas latin. Il désigne d'abord (1288, *sambique*; 1533, *sambucque, sambuche*) une machine de guerre en usage au moyen âge, constituée d'une échelle portée sur un chariot, munie d'une plate-forme sur sa partie supérieure. ◇ Comme terme de musique, le mot a d'abord désigné (1372, *sambux*) une sorte de flûte; l'emploi pour «harpe», attesté une première fois au XIVᵉ s. *(sambue)*, est repris en 1765 pour désigner l'instrument à cordes pincées en usage dans la Grèce antique.

SAMEDI n. m. (1155), d'abord *samadi* (1119), représente une forme réduite de *sambedi*, sous l'influence de l'ancien français *seme* (du latin *septimus*); *sambedi* est issu du bas latin *sambati dies* «jour du sabbat», du génitif de *sambatum*, variante d'origine grecque du latin classique *sabbatum* (→ sabbat) et du latin classique *dies* «jour» (→ diurne). La forme *sabbatum* est représentée dans les langues romanes par l'italien *sabato*, l'espagnol *sábado*, avec inversion de l'ordre latin dans le catalan *dissapte* et l'occitan *disapte*; *sambedi* est représenté dans le roumain *sâmbătă*, l'ancien haut allemand *sambaztac* (allemand *Samstag*); cette forme en *mb* est à la base des formes slaves, ce qui supposerait un déplacement depuis la région des Balkans, par le Danube et le Rhin, parallèle à une première vague de christianisation.

♦ *Samedi* désigne le septième jour de la semaine, correspondant au jour du sabbat chez les juifs, d'où *samedi saint*, dernier jour de la semaine sainte.

SAMIZDAT n. m. est emprunté (1960) au russe *samizdat* signifiant proprement «auto-édition», mot composé, sur le modèle de *gosizdat* «édition d'État» et comme abréviation de *samoizdatiel'stvo* «auto-édition», de *samo*, neutre, «auto» et de *izdatiel'stvo* «édition». Le mot n'existe pas dans les dictionnaires russes (absent du dictionnaire de l'Académie des sciences, 1982), bien qu'il ait été employé tout à fait normalement avant la période de libéralisation.

♦ *Samizdat* désigne la diffusion clandestine des ouvrages interdits par la censure en U. R. S. S. et par métonymie un ouvrage ainsi diffusé.

◈ voir SAMOVAR.

SAMOURAÏ n. m. est la translittération (1852) d'un mot japonais d'emploi didactique.

♦ *Samouraï*, terme d'histoire, désigne un membre de la classe des guerriers (aussi nommé *bushi*) qui, dans la société féodale du Japon et jusqu'à la fin du XIXᵉ s., était au service d'un seigneur appelé *daïmyo* (littéralement «les grands noms»). Le code d'honneur de la classe des guerriers, défini au début du XIIIᵉ s., incluait notamment la pratique de la mort rituelle nommée *seppuku* (*hara-kiri* par les Occidentaux). Le mot s'emploie couramment en parlant d'un guerrier du Japon ancien, tel que la tradition le fige dans des images convenues.

SAMOVAR n. m., emprunté en 1843 (1829, *samowar*), est un mot russe, composé de *samo* «auto-, soi-même» (neutre de *sam* «lui-même», apparenté à la racine indoeuropéenne du latin *similis*; → similaire) et de *varit'* «cuire, bouillir». Schifner croit y voir un calque du latin *authepsa* (Cicéron) «marmite faisant sa cuisson elle-même (contenant à la fois ce que l'on veut faire cuire et le foyer)», du grec *authephês*, également *panthephês* «ustensile pour faire bouillir». L'explication selon laquelle *samovar* viendrait du turc *sanabr* semble peu fondée.

♦ Le mot désigne une bouilloire en cuivre où l'on met des braises, qui permet d'avoir de l'eau bouillante pour les usages domestiques, notamment pour la préparation du thé.

◈ voir SAMIZDAT.

SAMPAN n. m. est un mot emprunté, d'abord sous la forme italienne *ciampane* (v. 1540, dans un récit de voyage, attestation isolée), puis sous les formes *champan* (1602), forme qui existe en néerlandais, *siampan* (1736), *sampan* (1848), au chinois *sanpan*, proprement «trois *(san)* planches *(pan)*». Ce mot extrême-oriental (également malais) a peut-être été importé par les Portugais (cf. portugais *champana*, espagnol *sampán*).

♦ *Sampan*, aussi écrit *sampang*, désigne une petite embarcation à voile unique utilisée en Chine et servant souvent d'habitation.

▸ Le dérivé **SAMPANIER** n. m. (av. 1899) se dit de celui qui fait naviguer un sampan.

SANATORIUM n. m. est emprunté (1878, *sanatoria*) au neutre du bas latin *sanatorius* «propre à guérir», adjectif dérivé de *sanatum*, supin du latin classique *sanare* «guérir», lui-même de *sanus* «bien portant» (→ sain). Une variante *sanitarium*, relevée en 1870 chez L. Rousselet au sens de «station de repos» (aux Indes), représente sans doute un emprunt à l'anglais *sanatorium*, d'abord «station de plein air» (1842).

♦ *Sanatorium*, qui a signifié «hôpital maritime» (1878), désigne ensuite (1888) une maison de santé où l'on soigne au grand air certains malades, notamment les tuberculeux pulmonaires.

SANA n. m. représente une abréviation familière (déb. XXᵉ s.) de *sanatorium*.

▸ Le dérivé **SANATORIAL, ALE, AUX** adj. (1968) est d'emploi didactique.

SAN-BENITO ou **SANBENITO** n. m. inv. est emprunté, d'abord sous la forme francisée *sant (-)béni*, *sanbenite* (1611; 1618, d'Aubigné) puis sous la forme d'origine (1675), à l'espagnol *sambenito*, tiré du nom propre *San Benito* «saint Benoît», par allusion ironique à l'habit des moines de l'ordre de Saint-Benoît. Une forme *sac béni* (1690), de *sac**, est relevée avec le même sens (encore dans Trévoux, 1771).

♦ Terme d'histoire des religions, *sanbenito* désigne une casaque jaune que devaient revêtir ceux que l'Inquisition avait condamnés au bûcher. On emploie aussi la forme *sambenito.*

SANCTIFIER v. tr. représente une réfection (1486) par latinisation de l'ancien français *saintefier* (v. 1120), issu du latin ecclésiastique *sanctificare* «rendre saint» (IIIe s.), formé à partir du latin classique *sanctus* (→ saint) et de *facere* (→ faire). On relève aussi en judéo-français la forme *saintijer* (cf. espagnol *santiguar*) et en ancien français les variantes *santifier* (1155, Wace), *saintefier* (XIIe-XIIIe s.), *sainctifier* (fin XIVe s.).

♦ Les principaux emplois du verbe apparaissent dès le XIIe siècle ; il signifie comme en latin ecclésiastique «rendre saint (qqch.), conforme à la loi divine» (XIIe s., *saintefier*) et, spécialement, «honorer dignement (le nom de Dieu)» (XIIe s., *saintefier;* forme moderne, 1550), d'où «célébrer religieusement (le dimanche, les fêtes de l'Église)» (v. 1265), sens disparu. ◇ *Sanctifier* se dit parallèlement (v. 1155, *santifier*) pour «rendre sacré, noble (qqch.), par l'accomplissement de certains rites religieux» ; cet emploi est aujourd'hui littéraire. ◇ De la première valeur vient le sens de «mettre (qqn) en état de grâce» (1550, *sainctifier;* 1541, *se sanctifier,* chez Calvin) et ensuite «mettre par de bons exemples dans la voie du salut» (1689, Racine). Le verbe s'est dit à l'époque classique pour «sanctionner» (1649, Retz), acception sortie d'usage.

▸ Le dérivé **SANCTIFIANT, ANTE** adj., «qui sanctifie», s'emploie dans *grâce sanctifiante* (1641).

Aux dérivés du latin ecclésiastique *sanctificatum,* supin de *sanctificare,* ont été empruntés deux mots. ➛ **SANCTIFICATION** n. f., forme refaite (1560) sur *sanctificatio,* de *saintificatiun, santificatiun* (v. 1120), *sanctificassion* (v. 1300), désigne d'abord l'action de sanctifier (qqn, qqch.), puis l'action de révérer comme saint (1541, Calvin) ainsi que la célébration des jours consacrés à Dieu (1561, Calvin). Au XIXe s., *sanctification* se dit du fait de conférer (à qqch.) un caractère sacré. ➛ **SANCTIFICATEUR, TRICE** n. et adj., emprunt au dérivé latin *sanctificator* «celui qui sanctifie», est une réfection (1486 ; le T.L.F. ne retient que 1539, Calvin) des formes nominales anciennes empruntées, *sanctifiaire* (XIIIe s., hapax), ou évoluées : *saintefierres* (fin XIIIe s., Joinville) et *saintefieur* (v. 1310). On relève au XIIIe s. *sanctificador* en ancien provençal. ◇ Le mot conserve le sens religieux du latin ; il est attesté comme adjectif à partir de 1752.

SANCTION n. f. est un emprunt (XIVe s., hapax) au latin classique *sanctio* «peine, punition» et en bas latin «édit, ordonnance» (Ve s.). *Sanctio* dérive du supin *sanctum* (→ saint) de *sancire,* terme de la langue religieuse et politique signifiant «rendre sacré ou inviolable» puis «établir solennellement (par une loi)», d'où «ratifier, sanctionner».

♦ Introduit dans la langue religieuse, le mot désigne un précepte, puis une règle monastique (1493), un règlement concernant les matières ecclésiastiques (1516 ; encore à la fin du XIXe s.), toutes acceptions disparues. ◇ *Sanction* se dit ensuite (1762) de l'approbation donnée à qqch. et en droit (1765) d'une peine ou d'une récompense prévue pour assurer l'exécution d'une loi, d'où la valeur générale de «peine ou récompense provoquée par une certaine manière d'agir» et «conséquence résultant d'une façon d'agir», d'ordre naturel ou social (av. 1778, Rousseau). ◇ Comme terme de droit ou d'histoire, le mot désigne aussi (1788, Féraud) l'acte par lequel le souverain, le chef du pouvoir exécutif, revêt une mesure législative de l'approbation qui lui donne une force exécutoire. ◇ Au XXe s., *sanction* se dit couramment d'une peine établie par une loi pour réprimer certains actes, et en droit international s'emploie dans *sanction économique, militaire,* etc. En français contemporain, le mot évoque le concept de punition et sa valeur générale (incluant «récompense») n'est connue que d'une minorité de locuteurs.

▸ **SANCTIONNER** v. tr. signifie (1777) «donner la sanction (à une loi)» puis le verbe prend le sens général (1798) de «confirmer (légalement ou officiellement)». ◇ Au XXe s., il se dit pour «punir par une sanction».

SANCTUAIRE n. m. est la réfection (v. 1380) d'après le latin de l'ancien français *saintuarie* (v. 1120), issu du latin *sanctuarium* «cabinet d'un roi» et, en bas latin, «lieu sacré», lui-même dérivé de *sanctus* (→ saint).

♦ Le mot désigne d'abord la partie du temple de Jérusalem où était gardée l'arche d'alliance, aussi nommée *Saint* des Saints ;* dès le XIIe s., il s'emploie (v. 1155) à propos du lieu le plus saint d'un édifice religieux. ◇ Par extension, *sanctuaire* désigne un lieu saint (1559), un édifice consacré aux cérémonies du culte (1611) et la partie d'une église où se trouve le maître-autel (1690). Il s'emploie par figure à propos d'un lieu fermé, secret (1788), dès le XVIIe s. dans l'expression sortie d'usage *le sanctuaire de la justice* «le palais de justice» (1677). ➛ Au XXe s., par emprunt (1970) à l'anglais *sanctuary, sanctuaire* se dit d'un lieu protégé des combats au cours d'un conflit, puis d'un lieu protégé où vit une espèce d'animal menacée (1932) ; le mot anglais, emprunté (XIVe s.) à l'ancien français, a le sens de «lieu protégé» depuis le XVIe s. dans des composés (*sanctuary town* «ville sanctuaire»).

▸ Lié aux emplois récents de *sanctuaire,* **SANCTUARISER** v. tr. (1973) est probablement emprunté à l'anglais *to sanctuarize* (1602) ; il a fourni **SANCTUARISATION** n. f. (1973).

SANDALE n. f., réfection (v. 1225) de *sçandale* (v. 1170), *cendale* (1260), est emprunté au latin *sandalium* (pl. *sandalia*) «sandale, chaussure de femme», lui-même emprunté au grec *sandalion,* diminutif de *sandalon* désignant une chaussure de bois fixée par des courroies passant sur le pied, probablement emprunt oriental (cf. persan *sandal*). La sandale était connue dans l'Égypte ancienne et en Syrie, où elle était le privilège des dieux, des rois et des hauts dignitaires ; de l'Égypte, elle passe en Grèce puis en Italie où, ornée d'or et de soie, elle reste réservée à l'aristocratie. Au début de l'ère chrétienne, les prêtres se distinguent par le port de sandales pour célébrer les cérémonies sacrées.

♦ *Sandale*, en concurrence avec *sandaile* (v. 1240) et *sandaire* (XIIIe s.), désigne (v. 1225) une chaussure légère constituée d'une semelle retenant le pied par des cordons ou des lanières, d'abord utilisée par les religieux, qui en eurent longtemps l'exclusivité. ◇ Le mot s'est aussi employé, par analogie de forme (1694, Corneille), pour désigner un bateau en usage dans le Levant et sur les côtes de l'Afrique septentrionale. ◇ Certains emplois particuliers du sens premier sont sortis d'usage : *sandale* a désigné un soulier à demi-empeigne et forte semelle, que l'on chaussait pour tirer ou faire de l'escrime (1701, Furetière), et la petite plaque de bois sur laquelle on appuie le pied pour faire mouvoir un soufflet d'orgues (1836). ◇ La locution figurée ***secouer la poussière de ses sandales*** «quitter pour jamais (qqn ou qqch.)» (1839) est très littéraire. ◇ Au XXe s., la sandale devient une chaussure légère courante, portée par les hommes et les femmes, caractéristique des vacances.

▸ **SANDALIER** n., terme technique, désigne (1680) la personne qui fait des sandales. ◇ Il a pour équivalent **SANDALISTE** n. (mil. XXe s.). ◆ Le diminutif **SANDALETTE** n. f. (1922) désigne une sandale légère à empeigne très basse.

SANDARAQUE n. f., réfection (1547) de formes comme *sandarach* (1537), antérieurement altérée en *landarache* (1482), est un emprunt au latin impérial *sandaraca* «sulfure rouge d'arsenic, réalgar», lui-même pris au grec *sandarakê*, emprunt oriental de source inconnue.

♦ Le mot s'est employé autrefois au sens du latin jusqu'au XVIIIe siècle ; il désigne ensuite (1611, aussi *sandarache*) une résine extraite d'une espèce de thuya, utilisée autrefois pour glacer le papier et l'empêcher de boire, aujourd'hui dans la préparation de vernis ; en ce sens, on relève les formes latines *sandaraca* (1559) et *sandaracha* (1562). ◇ Il s'est dit par analogie de la substance dont se nourrissent les abeilles ouvrières (1812 ; sous la forme latine, 1562).

SANDOW n. m., relevé en 1902 chez Jarry, est le nom anglais d'une marque déposée par la firme qui produisait l'extenseur ainsi appelé, probablement d'après *Sandow*, nom d'un athlète célèbre au XIXe siècle.

♦ Le mot désigne un câble élastique, d'abord utilisé dans le montage de certains appareils de gymnastique, d'où son emploi (1933) pour un câble freinant l'atterrissage d'un avion (1929), pour l'appareil gymnastique, pour le lancement des planeurs (1933), etc.

SANDRE n. m. est une adaptation (1785, trad. de l'allemand) de l'allemand *Zander ;* sous l'influence du latin scientifique *sandra*, de même origine, et sans doute aussi de l'homonyme *cendre*, le mot est donné comme féminin dans la plupart des dictionnaires de 1900 à 1950.

♦ *Sandre* désigne un poisson de rivière, que l'on rencontre en particulier dans les cours d'eau de l'Allemagne du Nord et dans le bassin du Danube.

SANDWICH n. m., attesté en 1802 et répandu au XIXe s., est emprunté à un mot anglais (1762) tiré du nom de John Montagu, comte de *Sandwich* (1718-1792), dont le cuisinier inventa, dit-on, ce mode de repas sommaire pour éviter à son maître de quitter sa table de jeu. Le mot s'est employé au féminin, encore dans Littré, en 1870. Queneau l'a francisé en *sandouiche* (1951), mais l'orthographe anglaise est seule normale.

♦ Le mot désigne un mets constitué par deux tranches de pain entre lesquelles on place des aliments froids. En France, la réalité ainsi désignée est très différente de son équivalent anglo-américain. Le sandwich est souvent fait avec de la baguette, et non avec le pain de mie anglo-saxon. Le sandwich à la française est appelé *sous-marin* (anglais *submarine*) en français du Canada. ◇ Le mot donne lieu à divers syntagmes : *sandwich au jambon, au pâté*, en apposition *sandwich jambon, rillettes*, etc. ◇ Il s'emploie par analogie dans la locution adverbiale ***en sandwich*** (1875) «en étant coincé entre deux choses ou deux personnes» et dans *homme-sandwich* (1876), payé pour se promener dans les rues en portant des placards publicitaires, à l'origine, l'un devant l'autre derrière ; cet emploi semble inspiré par l'anglais *sandwich* (1836-1839) et *sandwich-man* (1864 ; de *man* «homme»). ◇ C'est aussi par analogie que le mot est utilisé en biologie (1933) et dans le vocabulaire technique (1934 ; en apposition *matériaux sandwich*).

▸ **SANDWICHER** v. tr. s'emploie au propre (1925) et au figuré (relevé en 1958).

SANG n. m. est issu (v. 980), écrit aussi *sanc* (1080), du latin classique *sanguen*, forme neutre fréquente pour cette notion dans d'autres langues, de *sanguis, sanguinis* «sang qui coule», par opposition à *cruor* «sang coagulé» (→ cru, cruel). *Sanguis* est toujours au singulier, sauf en latin ecclésiastique. Il signifie aussi «constituant de la parenté ou de la descendance», selon la tradition ancienne et rendue caduque par la science du XIXe s., qui fait du sang le porteur des caractères héréditaires et raciaux. Le latin a employé *sanguis* par figure pour «force vitale, vie», en parlant de l'État, de l'éloquence, etc., et par ailleurs dans des locutions. Le mot reste d'origine obscure, comme les équivalents grec *haima* (→ hémo-) ou gallois *gwaed ;* le vieux slave *kruvi* est de la famille de *cruor*, alors que les formes du baltique remontent au groupe du sanskrit *ásṛk, asnáḥ*.

♦ Le mot désigne, comme son étymon *sanguis*, le sang liquide, liquide organique rouge présent dans le corps des animaux supérieurs, notamment les oiseaux et les mammifères, surtout perçu lorsqu'il s'échappe soit par une cause naturelle, pathologique ou non (le sang menstruel), soit et surtout par une cause traumatique, blessure, coupure. Le sang est alors culturellement le symbole de la vie qui s'écoule et, par transfert métonymique, celui de la violence, voire de la cruauté *(verser le sang)*. Le lien entre violence et parenté, et donc hérédité, est déjà établi par la Genèse, à propos de l'assassinat d'Abel par Caïn : il s'exprime par la locution *la voix du sang.* Ces thèmes symboliques sont exploités tout au long de l'histoire des mots exprimant cette notion fondamentale, comme on va le voir pour le français *sang.* Enfin, le concept scientifique de sang, après la distinction antique des veines* et des artères* et la théorie galénique, se met en place au XVIIe s., grâce à Harvey, premier descripteur de la circulation (1619 ; puis 1628), et à Leuwenhoek qui observe les globules rouges en 1652. La découverte des groupes sanguins est récente (1900, Landsteiner) et permet de reprendre le thème de l'hérédité, validé par celui de la permanence génétique, après les déviations idéologiques des XVIIIe-XIXe s., où un mythe du sang, toujours actif au XXe s., alimente la pensée raciste.

Le sens du mot et sa symbolique essentielle n'évoluent que très lentement ; en revanche, le concept scientifique se construit aux XVIIe et XVIIIe, puis se précise aux XIXe et XXe siècles. À partir de cette acception, le mot est employé au propre et au figuré dans de nombreuses locutions : *sang versé* (à la guerre, dans une rixe...). *Sang* sert de métaphore de la vie humaine, spécialement dans le vocabulaire religieux et comme principe (fictif) de la famille et de la descendance, voire d'une naissance «pure». ◆ Dès les premières attestations phraséologiques, le sang est celui versé par violence (1080) : *de sang* «de nature sanguinaire» (XIIe s.), *traire* («tirer») *le sang* «verser le sang» (seconde moitié XIIe s.), *espandre le sang* (XIIe s.) puis *respandre* (1550). *Sang* a signifié aussi «meurtre, sang versé» (1170) et *faire sang* s'est dit (1283) pour «blesser», d'où *sang fait* «blessure». ◇ La valeur métaphorique de «principe des passions» apparaît dans *avoir le sang müe* «être troublé, bouleversé» (v. 1172), sorti d'usage. *Faire bouillir le sang* (*le sang bout dans les veines*, 1624, Hardy) et *sang-bouillant* «homme d'un caractère emporté» (XVIIe s.) réalisent une métaphore plus ancienne (XIVe s.). On trouve aussi *le sang se glace, se gèle* (1583, Garnier). ◇ *Sang* «principe de vie» est souvent associé à *chair ;* ainsi, on dit que le Christ *prend la chair et le sang,* devient un homme (v. 1206). Par ailleurs, en religion, le mot désigne le sang que le Christ a versé pour la rédemption des hommes ; attesté isolément, cet emploi est repris au XVIIe s. (1670). ◆ Vers 1200 apparaît aussi la valeur métaphorique du sang avec la valeur de «famille», puis comme constituant de la descendance, de la parenté, dans *boins sains ne poet falir* (*bon sang ne peut faillir ;* v. 1330), devenue ***bon sang ne peut mentir*** (1577) «les qualités, (par ironie) les défauts des parents se retrouvent chez les enfants» et (1640) «l'affection naturelle entre personnes de même sang ne manque pas de se déclarer». On relève aussi en moyen français la locution *estre de sang à qqn* «être son parent» (1390), *mon* (*ton,* etc.) *sang* «mon père», «ma fille», etc. (1440-1475) et *estre de sang* «de famille royale» (1440-1475), locutions disparues à la différence de ***prince du sang*** (1573). ◆ Dans l'ordre du caractère, sont employés *de froid sang* (1395) qui a donné *sang-froid* (ci-dessous), *a sanc rassis* «avec calme» (1346), d'où *être de sang rassis* (1538) ; *fort à sang* «emporté» (1440-1475) qui a été remplacé par ***avoir le sang chaud*** (1636). ***Mauvais sang*** «mauvaise intention» (1440-1475) a pris ensuite une autre acception (ci-dessous). ◇ Au XVIe s., *sang* est employé en médecine dans *sang meurtry* «meurtrissure» (1510), *sang mort* «ecchymose» (1598) et dans *tirer du sang à qqn* (1538) qui correspond à *saigner* (→ saignée, saigner). ◇ *Prix de sang* (1550), puis ***prix du sang*** «prix payé à un homme qui a livré un condamné à mort» traduit une expression biblique (en latin *pretium sanguinis*). ◇ Le mot s'emploie pour «liquide mêlé de sang» dans ***suer sang et eau*** (1588). ◇ *Rouge sang de bœuf* désigne une couleur (déb. XVIIe s.). ◇ Le XVIe siècle voit apparaître la précision conceptuelle qui va de pair avec les progrès de la physiologie : *sang arterial, sang veynal* (1520).

Au XVIIe s., les locutions se multiplient, beaucoup étant aujourd'hui littéraires et archaïques. Elles concernent notamment le thème symbolique de la violence et de la mort violente : (1636) *tremper ses mains dans le sang* (variante : *au sang*), *laver un outrage dans le sang ;* (1647) ***être altéré de sang ;*** (1652) ***pleurer des larmes de sang ;*** (1662) ***verser le sang, se couvrir du sang de qqn ;*** (1664) ***mettre qqn en sang, inonder un pays de sang ;*** (1675) ***nager dans le sang.*** ◇ Le vocabulaire religieux s'enrichit pour désigner le sang du Christ (1670, ***le sang de l'Agneau***), spécialement avec ***Précieux sang,*** vin changé en sang du Christ, dans l'Eucharistie (1680). ◇ À la fin du siècle, les dictionnaires enregistrent de nouvelles locutions figurées, comme *tirer le sang des veines* «tirer de l'argent de la bourse (d'un avare)», ***donner jusqu'à la dernière goutte de son sang*** «se sacrifier entièrement», ***le sang répandu*** «les tués», ***payer qqch. de son sang*** (1690, Furetière), ***épargner le sang. Se battre au premier sang*** signifie «se battre en duel, en cessant le combat dès la première blessure» (1694, Académie).

La métaphore de l'extraction dans ***sang noble*** (1665) se retrouve (1701) dans ***droit du sang*** «que donne la naissance», *force du sang* (vieux), ***voix du sang ; (être) dans le sang*** se dit des caractères héréditaires (1701) ou pour «inhérent à la personne» (1798). Le thème du sang pour «hérédité», devenu scientifiquement caduc, alimentera pourtant les hiérarchies racistes aux XIXe et XXe siècles. ◇ Sur le plan psychologique, le sang «tempérament» produit au XVIIIe s. *faire du bon sang* «éprouver du plaisir» (1735), transformé en ***se faire du bon sang*** (1870), à côté de *cela fait faire de mauvais sang* (1752), puis *du mauvais sang* (1766) et ***se faire du mauvais sang*** (1769) «se tourmenter». ◆ À la même époque, le mot s'emploie concrètement en cuisine : ***au sang*** «cuit dans son sang» (1740, *canard au sang*). ◇ En sciences, la division proposée au XVIIIe s. (1781) en *animaux à sang chaud* (oiseaux et quadrupèdes), *à sang froid* (serpents, poissons), *à sang rouge, à sang blanc* restera en usage jusqu'au début du XXe s. où c'est la variation thermique du sang qui devient le critère (*homéothermie,* etc.). ◇ La figure du sang en mouvement pour exprimer l'irritation, l'excitation a de nombreuses variantes, comme ***fouetter le sang*** (1784), ***allumer le sang*** (1800), etc. À la fin du XVIIIe s., les dirigeants de la

LE SANG

latin SANGUIS « sang (dans le corps) »

- sang
  - palsambleu
- **sanguinare** — saigner
  - saignée
  - saignement, etc.
- **sanguineus** — sanguin — sanguine
  - **consanguineus** — consanguin
- **sanguinolentus** — sanguinolent
  - bas latin **sanguilentus** — sanglant
    - ensanglanter
- **sanguisuga** — sangsue
- **exsanguis** — exsangue

latin CRUOR « sang répandu ou coagulé »

- **crudus** « qui fait couler le sang », « cruel », « non cuit » — cru
  - écru
  - **cruditas** — crudité
- **crudescere** « saigner »
  - **recrudescere** — recrudescence
- **crudelis** — ***crudalis** — cruel
  - **crudelitas** — ***crudalitas** — cruauté

grec HAIMA-

- héma-
  - (hémagogue, etc.)
- hémat-
  - (hématie, etc.)
- hémato-
  - (hématologie, etc.)
- hémo-
  - (hémoglobine, hémophilie, etc.)
- -émie (leucémie, etc.)
- **anaimia** — lat. scientifique **anaemia** — anémie
  - anémier
  - anémique
- **haimorrhagia** — latin **haemorrhagia** — hémorragie
- **haimorrhois, -idos** — latin **haemorrhoioda** — hémorroïde

Terreur ont été nommés (1793-1795) par leurs adversaires *buveurs de sang, hommes de sang, tigres altérés de sang* par un usage de rhétorique classique (ci-dessus). ◆ L'exploitation métaphorique de la qualité du sang pour symboliser celle du tempérament se développe alors : ***n'avoir pas de sang dans les veines*** «être sans énergie, lâche» (1798), ***avoir du sang de navet*** (1875), ***de poulet*** (xxe s.) s'opposent à ***avoir du sang dans les veines*** (attesté en 1835). ◇ ***Avoir qqch. dans le sang*** (1888) signifie «être intuitivement disposé à qqch.». ◇ Le dictionnaire de l'Académie (1835) relève ***coup de sang*** «hémorragie cérébrale», ***le sang a coulé (a été répandu)*** et ***faire couler le sang*** «être la cause d'une rixe sanglante», qui montrent l'enrichissement des emplois concrets. ◇ L'idée de «race» passe dans le domaine animal, avec *sang* «race de chevaux» (1835), ***de pur sang,*** *cheval pur-sang* (1842) et *demi-sang* (1870), *pur-sang* étant repris par l'argot pour «vin pur» (1867) et «prostituée de luxe» (1867), dans ce cas par jeu de mots sur *pouliche.* ◇ On trouve encore, pour des réactions psychologiques, ***le sang lui monte à la tête*** (1835) et, dans un registre plus populaire, ***se manger le sang*** «s'impatienter, s'inquiéter» (1842), ***faire tourner le sang à qqn*** «lui causer un vif émoi» (1847), ***se ronger les sangs*** «se contenir» (1875). ◇ ***Bon sang!*** (1880) est une interjection marquant la mauvaise humeur, la colère, etc., qui continue *par le sang de Dieu,* masquée par *le sang bleu* (→ palsambleu). ◇ ***Avoir du sang bleu*** «être de sang noble» (1817, Stendhal) est un emprunt tardif à l'espagnol *sangre azul,* expression attribuée à la noblesse castillane qui se targuait de ne pas s'être mésalliée avec les Maures ou les Juifs, et qui trouve sans doute son origine dans le fait que les veines des personnes de complexion délicate apparaissent nettement. ◇ Avec la valeur de «principe vital», *sang* est employé au xxe s. par une nouvelle métaphore dans ***un apport de sang frais*** «d'éléments nouveaux, jeunes» ou «de capitaux». Voir aussi le schéma page précédente.

▶ *Sang* a fourni quelques composés. ◆ **SANG-FROID** n. m., d'abord locution adverbiale (1395, *de froid sang ;* 1569, *de sang froid*) au sens de «sans emportement», est attesté comme nom en 1672. Le mot se dit pour «maîtrise de soi». ◆ **SANG-DE-DRAGON** (v. 1560) ou **SANG-DRAGON** n. m. (xiiie s., *sanc de dragon*), précédé par l'ancien provençal *sanc de draco* (v. 1220), désigne une résine d'un rouge foncé, autrefois employée comme astringent, aujourd'hui comme colorant, puis une couleur (1332, *sang-de-dragon*). *Sang-de-dragon* est aussi le nom (1611) d'une variété de patience, dont les feuilles donnent un suc rouge et qui étaient utilisées comme astringent. ◆ **SANG-MÊLÉ** n. inv. s'est employé pour «mélange de races» (1772) et désigne aujourd'hui une personne issue du croisement de races différentes (1798 ; cf. *métis*).

Les dérivés de *sang* sont sortis d'usage ; plusieurs mots sont issus ou ont été empruntés à des dérivés latins de *sanguinis.* ◆ **SANGLANT, ANTE** adj. est issu (1080) du latin *sanguilentus* «en sang», forme rare de *sanguinolentus* (voir ci-dessous *sanguinolent*). Le mot s'emploie principalement dans des contextes de violence, d'abord pour «couvert de sang, en sang» (1080), dans *plaie sanglante* (fin xiie s.) ; puis il s'applique à ce qui est couvert du sang qu'on a fait couler (v. 1155) et à la personne qui a fait couler le sang (1172-1174). ◇ Par figure, *sanglant* s'est utilisé jusqu'au xvie s. (v. 1395, n. m.) comme élément pour renforcer la valeur péjorative d'un adjectif ou d'un nom (v. 1450, *le sanglant pis* «ce qu'il y a de pis au monde»), et comme terme d'injure (xve s.) ; *bloody* a gardé cette valeur en anglais (cf. *sacré*). ◇ *Sanglant* qualifie ensuite ce qui a la couleur du sang (v. 1580) et ce qui s'accompagne d'effusion de sang (1580 ; 1672, *mort sanglante*), spécialement (1640) de ce qui s'accompagne de luttes meurtrières, en parlant d'un espace de temps *(un règne sanglant).* L'adjectif s'applique aussi à ce qui doit faire couler le sang, par exemple un ordre (1640), et signifie figurément «extrêmement blessant» (v. 1650). ◇ *Viande sanglante* (1694) a été supplanté par *viande saignante,* l'adjectif ayant pris une valeur de violence meurtrière.

De l'adjectif a été dérivé **SANGLANTER** v. tr. (v. 1200), dès vers 1180 au participe passé. ◆ De là vient le préfixé **ENSANGLANTER** v. tr. (v. 1150), d'abord au participe passé *ensanglentet* (1080). Le verbe signifie «couvrir, tacher de sang» (1215, au pronominal), puis (1640) «couvrir du sang qu'on fait couler» en parlant d'une guerre, d'un meurtre, et «marquer par la violence, la mort» (1643). ◇ Il s'emploie par figure (1690) au sens de «représenter des meurtres sur une scène de théâtre». ◇ Le verbe est littéraire et vieilli pour «colorer de rouge» (av. 1848, Chateaubriand, parlant du soleil couchant). ◆ **ENSANGLANTEMENT** n. m. signifie (v. 1190) «sang dont qqch. est couvert», puis (v. 1350) «action d'ensanglanter».

SANGUIN, INE adj. est un emprunt au dérivé latin classique *sanguineus* «sanglant, ensanglanté», «sanguinaire» et «couleur de sang», dont il reprend d'abord (1138) le premier sens. ◇ L'adjectif s'applique (1re moitié xiie s.) à ce qui est couleur de sang, d'où l'emploi disparu pour désigner une sorte d'étoffe rouge (v. 1200, n. m.) propre à l'ancien français. ◇ *Sanguin* se dit ensuite d'un tempérament où le sang prédomine (v. 1265), substantivé (1279) «homme sanguin», d'où *tempérament sanguin* (1694). Au xive s., *sanguin* s'applique à qqn qui a de bonnes couleurs (v. 1360). ◇ Il qualifie (v. 1380) ce qui a rapport au sang, à sa circulation dans l'organisme, avec des syntagmes qui témoignent de l'évolution de la physiologie après le xviie siècle : *vaisseau sanguin* (1754), *système sanguin* (1805, Cuvier), *groupe sanguin* (xxe s.). ◇ *Viande sanguine* (1485) «saignante» a disparu par répartition des emplois entre *sanglant, sanguin, saignant.* ◇ *Sanguin* s'applique ensuite à un jaspe vert marqueté de rouge (1701), puis à une orange dont la pulpe est tachée de rouge (attesté 1907), substantivement *une sanguine* (1892). ◆ **SANGUINE** n. f. s'est spécialisé pour désigner une variété d'hématite rouge (xiiie s., *pierre sanguine,* isolément ; puis 1562), puis un crayon fait de cette matière (1767) et par extension un dessin exécuté à la sanguine (1863). *Sanguine* se dit également (1842) d'une variété de poire d'Italie. *Orange sanguine* est plus récent (1910). ◆ De *sanguin* vient aussi **SANGUINELLE** n. f., désignation régionale du cornouiller sanguin *(sanguinea)*, arbuste à fleurs blanches et à baies noires (1767), qui a remplacé *sanguinon* (v. 1485). ➛ ① **SANGUINAIRE** adj., emprunt au dérivé latin classique *sanguinarius* «de sang» et au figuré «qui se plaît à répandre le sang», reprend d'abord le premier sens du latin (v. 1370, Chauliac), qui a disparu, puis l'acception figurée (1531). ◇ Par extension, l'adjectif s'applique à des sentiments, pour «qui cherche à tuer, à faire couler le sang» ((1580), et signifie «où le sang coule» (1756). ◇ *Sanguinaires* n. f. pl. s'est employé pour *carnassiers* en histoire naturelle. ➛ ② **SANGUINAIRE** n. f. a d'abord été, du XIIIe au XVIIIe s., le nom de plusieurs plantes astringentes (polygonum aviculaire, géranium sanguiné, etc.) : cette désignation vient du latin *sanguinaria herba* (Pline) ; l'*Encyclopédie* (1765) reprend *sanguinaria* pour désigner une herbacée vivace, commune dans l'Amérique septentrionale, et qui contient un latex couleur de sang ; on emploie dans ce sens *sanguinaire* (1829). **SANGUINOLENT, ENTE** adj. est emprunté (fin XIVe s.) au latin *sanguinolentus* «injecté de sang» (des yeux), «couvert de sang» ; il s'emploie d'abord en médecine, s'appliquant à ce qui est teinté de sang. ◇ Il a signifié «où il y a beaucoup de sang» puis qualifie (v. 1560) ce qui est d'une teinte rouge évoquant le sang, sens devenu péjoratif. *Sanguinolent* est sorti d'usage au sens (1575) de *sanguinaire*. *Pêche sanguinolente*, «variété d'une couleur rouge» (1755), a été supplanté par **SANGUINOLE** n. f. (1721 ; 1690, *sanguinolle*), le mot désignant également une variété de poire (1715).

◈ voir **CONSANGUIN, EXSANGUE, PALSAMBLEU, SAIGNER, SANGRIA, SANGSUE.**

SANGLE n. f., variante graphique (XIVe s.) de *cengle*, attesté dans *la Chanson de Roland* (1080), puis *sengle* au XIIe s., est issu du latin *cingula* «ceinture, ceinturon», «sangle» (aussi *cingulum*, *cingillum* et, dans les gloses, *cingella*) ; le mot dérive de *cingere* «ceindre», par extension «entourer, envelopper» et «écorcer» (→ ceindre).

♦ Le mot désigne une bande qui passe sous le ventre d'une bête de somme, pour assujettir un bât, une selle. ◇ Il s'est employé par analogie (v. 1130) pour «enceinte d'une ville». ◇ Depuis le XVIe s., *sangle* se dit par extension d'une bande de cuir, de tissu, etc., utilisée pour lier, ceindre (1532, Rabelais), pour suspendre l'épée, porter des fardeaux (1680), et spécialement désigne (1680) une bande de toile forte formant le fond d'un siège (1680, *lit de sangle*). ◇ Par analogie de forme, il s'est appliqué (1875) à une couleuvre et s'emploie en anatomie dans *sangle abdominale* (ou *sangle*) «ensemble des muscles abdominaux qui soutiennent les viscères» (1895). ◇ Comme terme d'alpinisme (1890), il désigne un palier peu incliné permettant de traverser une paroi (cf. *vire*).

▸ Le dérivé **SANGLER** v. tr., «serrer avec une ou des sangles» (XIIe s.), est rare au sens extensif de «serrer fortement comme avec une sangle» (v. 1265). En revanche, le passif *(être sanglé dans un uniforme)* est demeuré en usage. Le verbe est vieilli pour «frapper à coups de sangles» (v. 1460), d'où l'expression classique *sangler un coup* (1636), et sorti d'usage au figuré pour «maltraiter» (1612), «critiquer violemment (qqn)» (XVIIe s.). *Sangler*, par allusion à l'idée de coup, a signifié «coïter» (1680). ◇ Il se dit techniquement pour «garnir (un objet : siège, meuble) de sangles» (1690). ➛ **SANGLADE** n. f. «coup de sangle» (1546, Rabelais), sorti d'usage, est dérivé du verbe ou directement de *sangle*. ➛ **SANGLAGE** n. m. (mil. XXe s.), «action de sangler», est un terme technique. ➛ Le composé **CONTRE-SANGLE** n. f. (1268-1271 ; v. 1160, *contresengle*) désigne une courroie, fixée à l'arçon de la selle et servant à arrêter la boucle de la sangle. ➛ Le préfixé **DESSANGLER** v. tr. (1530 ; v. 1165, *descengler*), «détacher la sangle», a signifié «décrocher» (XIIIe s.) et s'emploie par extension pour «desserrer (ses vêtements)» (1870). ➛ **SANGLON** n. m., diminutif de *sangle* (1375, dans le Sud-Ouest), terme technique, désigne (v. 1500) une petite courroie de harnais ; il a servi à former **CONTRE-SANGLON** n. m. (1583-1590) qui a pris au XXe s. le sens d'«extrémité (d'une ceinture, etc.) qui se fixe à la boucle».

SANGLIER n. m. est obtenu (v. 1155, *senglier*) par changement de suffixe, de formes en *-er*, *sengler* (v. 1120), *sangler* (v. 1140, jusqu'au milieu du XVIe s.) ; *sanglier* est relevé vers 1300. Le mot est issu par évolution phonétique du latin médiéval *singularis (porcus)*, proprement «porc qui vit seul», du latin classique *singularis* «isolé, solitaire» (→ singulier) et de *porcus* (→ porc). On a aussi employé adjectivement *porcq saingler* (v. 1265), en ancien provençal *porc cenglar* (XIIIe s.), puis *porc senglier* (1380) et *porc sanglier* (v. 1501 ; encore à la fin du XVIIIe s.).

♦ *Sanglier*, qui a gardé le sens initial, désignant un mammifère sauvage, proche du porc, et important comme gibier *(chasse au sanglier)*, s'emploie par analogie pour désigner un poisson méditerranéen dont le museau ressemble à celui d'un porc (1558 ; puis *sanglier de mer*) ; *sanglier d'Amérique* se dit (1870) du pécari. Le mot s'emploie par métonymie pour désigner la chair de l'animal. L'importance du sanglier est grande dans le domaine concret (chasse) et symbolique ; en témoigne la richesse du vocabulaire qui s'y rattache, avec *laie*, qui a éliminé le féminin régulier *sanglière* n. f. (1606 ; noté comme inusité, en 1771, Trévoux), *marcassin*, etc. ◇ L'argot de Vidocq emploie le mot pour «prêtre» (1828).

SANGLOT n. m., qui apparaît sous la forme moderne dès le XIIe s. (v. 1175), s'est aussi employé sous les formes *souglout*, *seglout* (XIIIe s., en picard), *sanglout* (v. 1210), *senglout* (1549 ; encore en 1660) ; il est issu d'un latin populaire °*singluttus*, altération d'après *gluttus* gosier» ou *gluttire* «avaler» (→ déglutir) du latin classique *singultus* «sanglot», «hoquet», «gloussement de la poule», etc., mot de type expressif.

♦ Le mot se dit, comme en latin, d'une contraction spasmodique qui se produit dans une crise de larmes. Il s'est employé aussi pour «hoquet» en ancien et en moyen français (XIIIe s., *seglout*). Il a désigné, par analogie ou par reprise du sens latin «glouglou de liquide», le soulèvement des vagues (déb. XVIe s., *seglout* ; v. 1510, *singlot*). Ces valeurs ont disparu. ◇ Par extension, *sanglot* s'emploie (1835) pour parler de l'expression sincère de la douleur et, par figure, d'un bruit comparé à un sanglot (1859, Hugo); cet emploi poétique s'illustre avec les célèbres «sanglots longs Des violons De l'automne» (Verlaine).

▸ **SANGLOTER** v. intr. est issu (v. 1160) d'un latin populaire °*singluttare*, altération du latin classique *singultare;* comme pour *sanglot*, on relève plusieurs variantes anciennes, tels *sanglouter* (v. 1150), *sanglotir* (v. 1175), *sengloutter* (1530). ◇ Le verbe a d'abord signifié «avoir le hoquet» et se dit pour «pleurer avec des sanglots»; il est aussi transitif au XVIe s. dans *sangloter des larmes, des cris*, etc. L'emploi figuré (1759, Voltaire) est littéraire. ◆ Du verbe dérivent **SANGLOTEMENT** n. m., réfection attestée tardivement (1660, *sanglottement*) de *segloutement* (XIIIe s.), rare du XVIIe au XIXe s. (1853, Baudelaire) et littéraire, et **SANGLOTANT, ANTE** adj. (1886, Goncourt, *in* T.L.F.).

SINGULTUEUX, EUSE adj., dérivé savant du latin classique *singultus*, qualifie ce qui a rapport au sanglot (1785), spécialement en médecine, dans *respiration singultueuse* (1828).

SANGRIA n. f., d'abord francisé par altération en *sang-gris* (1723), reprend au XXe s. la forme de l'espagnol *sangría*, dérivé par analogie de couleur de *sangre* «sang», de même origine que *sang**. L'anglais *sangaree* (1736) est considéré par le dictionnaire d'Oxford comme un emprunt à l'espagnol *sangria*, attesté plus tard (1803; 1775 à la Nouvelle-Orléans). Le français *sang-gris* est actuellement la première forme attestée.

♦ Le mot désigne, comme en espagnol, une boisson faite de vin rouge sucré et d'oranges. On a dit en français *vin d'oranges*.

SANGSUE n. f. est issu (v. 1170; 1190, *sansue;* encore au début du XVIIe s.) du latin impérial *sanguisuga* «suce-sang», composé de *sanguis* (→ sang) et de *sugere* (→ sucer). On trouve aussi en moyen français *sansuce* (v. 1500), *sangsucce* (1568). Le latin classique *hirudo* n'a laissé que quelques traces dans les parlers méridionaux (ancien provençal *eruge*).

♦ Le mot désigne un annélide qui possède une ventouse à chaque extrémité; on utilisait autrefois les sangsues pour les saignées locales. ◇ Par figure, il se dit (XIIIe s., Rutebeuf) d'une personne qui s'enrichit aux dépens des autres, emploi vieilli, d'où l'argot ancien «femme qui ruine son amant» (1867). Le mot a été repris au XXe s. pour désigner une personne qui importune, «s'accroche», acception vieillie. ◇ Une analogie dans le vocabulaire technique correspond à «rigole d'assèchement» (1625).

SANHÉDRIN n. m., réfection savante (1663; *sanedrin*, 1605) de *senedrin* (1573), a été emprunté à l'hébreu et à l'araméen *sanhédrîn* «tribunal des Juifs» (*Matthieu*, V, 22), du grec *sunedrion* «assemblée», «collège judiciaire», composé de *sun* «ensemble» (→ syn-) et de *hedra* «siège» (→ cathédrale, chaise).

♦ Le mot a été employé (1573) comme nom d'un traité du Talmud. Il désigne en histoire (1605) une assemblée formée de membres de la noblesse sacerdotale juive et de docteurs pharisiens, tribunal religieux et civil pour toute la Palestine antique. Par figure, il s'est dit péjorativement (déb. XVIIIe s., Saint-Simon) d'un tribunal partial (à cause de la condamnation de Jésus); cet emploi a disparu au XIXe siècle.

SANIE n. f. a été emprunté au XIIIe s., en ancien picard sous la forme *sainnie*, sous la forme moderne avant 1478 chez Guy de Chauliac, au latin *sanies* «sang corrompu, pus qui s'écoule d'une blessure», dont l'origine est inconnue. On peut penser à la famille de *sanus* «sain», par une évolution analogue à celle de *purin*, apparenté à *épurer* et donc à *pur*.

♦ Ce mot de médecine ancienne est archaïque et littéraire aujourd'hui.

▸ **SANIEUX, EUSE** adj. est emprunté (1314, *sanieus*) au dérivé latin impérial *saniosus*. Ancien mot de médecine, l'adjectif est littéraire au figuré (déb. XXe s.) pour «purulent».

SANITAIRE → SANTÉ

SANS prép. est attesté vers 980, alors écrit *sen* et *sens* avec un *s* adverbial; on relève ensuite *senz* (v. 1050), *seinz* (1080), *sainz* (v. 1155) et enfin *sans* (v. 1200). Le mot est issu du latin *sine*, préposition suivie de l'ablatif; *sine* s'employait seul ou avec une négation (par ex. *non sine*) formant litote, et était souvent joint à *omnis* «tout» (→ omni-) et à *ullus* «un quelconque», dérivé de *unus* (→ un). *Sine* est apparenté à des formes du tokharien et de l'irlandais (*sain* «différent», adj.) qui permettent de reconstruire une forme originelle du latin, °*s-ni*. L'appartenance indoeuropéenne est attestée par le sanskrit *sanitúḥ* «séparément, en outre»; sans *s* initial, on relève le sanskrit *ánu* «de côté», le gotique *inu* et l'ancien haut allemand *ānu* «sans», le grec *aneu* «séparément, sans».

♦ Dans les premiers emplois, *sans*, placé devant un nom ou un pronom, marque l'absence, le manque (de qqn ou qqch.) ou indique l'exclusion (1080), d'où ***sans plus*** (v. 1250). La préposition forme de nombreuses locutions adjectives ou adverbiales à valeur négative (***sans égal, sans exception***, etc.). En ancien français, *sans ce que* était suivi du subjonctif (v. 1155); cette construction a cédé la place à *sans que* avec l'indicatif (fin XVIe s.; voir ci-dessous), équivalant à *sans le fait que*, courant à l'époque classique et sorti d'usage. ◇ Depuis le XIVe s., *sans* est également employé suivi d'un infinitif, pour écarter une circonstance; au XVIIe s., le sujet de l'infinitif et celui de la principale pouvaient être différents, construction qui ne subsiste que dans quelques exemples, tels ***sans mentir, cela va sans dire*** «sans que qqn (un autre) ne le dise». *Sans, sans que* peut être renforcé par un autre mot négatif, *aucun, jamais*, etc. (v. 1200, *sans point de*). ***Sans que*** (loc. conj.) suivi du subjonctif (1373) a remplacé *sans ce que* et s'emploie de façon identique à *sans* avec l'infinitif; c'est à partir de l'époque classique que l'on trouve *sans que* construit avec *ne*. ◇ On relève à partir du XVIe s. ***sans plus*** avec l'infinitif, «sans davantage» (1530), puis les constructions ***sans cela*** (1538), ***sans quoi,*** à valeur hypothétique, ***non sans*** «avec pas mal de», suivi d'un nom ou d'un infinitif (1549). ◇ *Sans* a pris dans l'usage familier une valeur adverbiale (1821), dans des tours qui s'expliquent parfois par une ellipse, comme ***les jours sans; être sans un*** «sans argent», par ellipse de *sou* (cf. *être sans le sou*), est attesté au début du XXe siècle (1910, chez Colette).

▶ Le mot, avec sa valeur générale, entre comme élément dans la construction de composés issus d'expressions où *sans* précède un substantif : *compagnons sans soutie* (XIVe s.) qui donnera *un sans souci; personne sans cœur,* etc.). Ces tournures servent à former des noms à partir du XVIIIe siècle.

◈ voir **ABRI, CŒUR, CULOTTE, DIEU, DOMICILE, FAUTE, FIL, GÊNE, GRADE, LOGIS, SOU, SOUCI.**

SANSONNET n. m. est le diminutif (v. 1480) du moyen français *sanson* (v. 1480), emploi plaisant du nom propre *Samson*. On a aussi dit *chansonnet* (1611), d'après *chanson*, dénomination encore relevée dans les dictionnaires du XIXe siècle. On a proposé un croisement avec *sassonet*, dérivé de *sasser* «cribler» (→ sas), qui permet de faire entrer *sansonnet* dans le paradigme des «oiseaux à taches» avec la grive, par exemple (P. Guiraud).

♦ *Sansonnet* est un autre nom de l'étourneau. Outre la petitesse de l'oiseau, un calembour est possible *(sans son nez ?)* pour expliquer la locution familière attestée au XIXe siècle : *ce n'est pas de la roupie de sansonnet* (→ ① roupie).

SANSCRIT, ITE ou **SANSKRIT, ITE** n. m. et adj. apparaît d'abord sous la forme *hanscrit* (1667); *sanscreat,* 1725, et *sanscrit* au XVIIIe s. (1756, chez Voltaire). Le mot est emprunté au sanskrit *samskr(i)ta* «parfait», c'est-à-dire «observant toutes les règles fixées par les grammaires», par opposition à *prākrita* «à l'état naturel, peu soigné», qui a donné *prakrit.*

♦ Le mot désigne la langue classique et sacrée de la civilisation brahmanique de l'Inde, appartenant au groupe dit indo-aryen des langues indoeuropéennes. Il s'emploie aussi comme adjectif (1803). La graphie *sanskrit* (1870, adj. et n.) l'emporte sur *sanscrit* dans l'usage didactique.

▶ Les dérivés sont didactiques. ➛ **SANSCRITISTE** (1830) ou **SANSKRITISTE** (1876) n. signifie «spécialiste du sanscrit». ➛ **SANSCRITISME** (1867, Burnouf; dès 1849 pour «caractère indoeuropéen »), graphie aujourd'hui vieillie, et **SANSKRITISME** n. m. (1876) désignent l'ensemble des disciplines se rapportant au sanscrit (cf. *indianisme*). ◈ voir aussi, page suivante, l'article encadré *le sanskrit et les prâkrits.*

SANTAL n. m. est emprunté, sous la forme *sandali* (v. 1240) ou *sandal* (1256), au latin médiéval *sandalum,* lui-même emprunt au grec tardif *sandalon,* altération de *santalon,* sur lequel a été refaite la forme *santal* (1550). *Santalon* est emprunté à l'arabe *sandal,* lui-même du sanskrit *čandana.* On relève en ancien français, à côté de la forme *sandal* encore usitée à l'époque classique, les variantes *sandle* (1298) et *sandre* (XIIIe s., isolément). L'apparition du mot en français correspond aux débuts de l'importation du bois de santal (1re moitié du XIIIe s.) de l'Orient vers Marseille. Le passage de *d* à *t* peut provenir de l'homonymie avec *sandale* et de l'influence de *sentir, senteur.*

♦ *Santal,* d'abord relevé au sens de «poudre médicinale fabriquée avec le bois du santal», s'emploie ensuite (1538, *sandal*) pour désigner ce bois odoriférant dont on extrait essence et poudres, aussi appelé *bois de santal,* puis l'arbre lui-même (1562). On relève *faux-santal* en 1752.

▶ Le dérivé **SANTALINE** n. f. (entre 1814 et 1820, Pelletier) est un terme technique désignant la matière colorante obtenue à partir du bois de santal rouge. ➛ **SANTALACÉES** n. f. pl., terme de botanique (1842; suffixe *-acées*), se dit de la famille de plantes comprenant le santal.

SANTÉ n. f. représente l'aboutissement (v. 1175) par l'intermédiaire de *santet* (v. 1050) de *sanitatem,* accusatif du latin *sanitas, -atis* «santé (du corps et de l'esprit)» et spécialement «raison, bon sens», «pureté, correction (en parlant du style, en rhétorique)»; *sanitas* est un dérivé de *sanus* (→ sain). Le mot latin avait été emprunté sous la forme *sanitad* (v. 980), devenu *saniteit* (v. 1190), forme relevée jusqu'au début du XVIe s., et *sanité* (XIIIe s.), encore attesté dans des dictionnaires au sens de «bon état de santé» au XIXe et même au XXe siècle.

♦ Le mot conserve le sens du latin, d'abord en parlant du bon état physiologique d'un être vivant, d'où ***(en) bonne santé*** (v. 1250), plus tard *grande santé* (1611), sorti d'usage, ***petite santé*** (1636) toujours usuel dans l'usage familier *(comment va cette petite santé ?),* ***santé de fer*** (déb. XVIIIe s., Saint-Simon), *santé insolente* (1835), etc. ◇ Par extension, le mot s'est employé (v. 1190, *santeit*) à propos du bon état d'un objet, encore relevé chez Malherbe. ◇ Il se dit aussi (v. 1200) de l'équilibre et de l'harmonie de la vie psychique, religieuse (*santé spirituelle,* 1590), intellectuelle (*santé de l'esprit,* 1890), morale (*santé morale,* 1812). Par extension du premier emploi (XVe s.), *santé* désigne le fonctionnement plus ou moins harmonieux de l'organisme (cf. *complexion*). ◇ La locution ***de santé*** «qui doit conserver la santé», relevée en 1835 *(chocolat de santé),* est désuète. À la fin du XIXe s., on relève la locution figurée *en avoir une santé* (1894) puis ***avoir de la santé*** «avoir beaucoup d'aplomb». ➛ Avec l'idée de bon état, il s'est dit au figuré (XVIe s.) de la bonne qualité d'un jugement, puis de l'état salubre de l'air (1600), d'une ville, d'un pays (1659). ➛ Au sens initial, le mot s'utilise en souhaitant à qqn une bonne santé, acte social désigné par les locutions ***boire à la santé de qqn*** (1595), *porter la santé de qqn* (1655) qui a disparu, et dans de nombreuses formules : ***à vos santés !*** (1628), ***bonne santé !*** (1631), ***à votre santé !*** (1622) d'où, elliptiquement, ***santé!*** (1781) et *à la vôtre!* (1875). Par extension (1629), *santé* se dit de cet acte lui-même plus tard appelé *toast.* ➛ Avec l'idée de «situation collective quant à la santé des personnes» (attesté mil. XVIIe s.), *santé* a désigné (1669) une maison où l'on mettait en quarantaine certains

LE SANSKRIT (ET LES PRÂKRITS)

Nom de la langue de culture de l'Inde classique. Le sanskrit est une forme de l'indo-aryen ancien, arrêtée dans son développement. Il se rattache au groupe indo-iranien de l'indoeuropéen (→ indoeuropéen). C'est la transposition indigène, signifiant «[langue] parfaite», c'est-à-dire pourvue de tous les achèvements formels, et par conséquent à la fois bien articulée et pure, avec une connotation spirituelle et morale. Le nom de la langue reflète l'idéologie qui a présidé à sa fixation et à son adoption par les élites cultivées; ce nom n'apparaît pas avant le *Rāmāyana*, la grande épopée indienne (environ 300 av. J.-C.). Auparavant, le «sanskrit» est une forme du védique tardif: c'est la langue du nord de l'Inde décrite par le grammairien Pāṇini (vᵉ s. ou au plus tard ivᵉ s. av. notre ère), qui codifie dans un traité une théorie de la langue, en reprenant les travaux de nombreux prédécesseurs. Cette grammaire se présente comme un formulaire exposant de façon très concise, au moyen de règles brèves, la formation de toutes les expressions correctes possibles dans la langue : c'est une sorte de grammaire générative, qui tient compte aussi de la variation linguistique. Tout en décrivant marginalement les faits védiques, relevant de la langue sacrée, Pāṇini décrit l'usage parlé, profane, de sa propre langue. De plus, il recourt à une analyse systématique des mots en morphèmes (racine, affixe, désinence); la rigueur de la présentation est unique dans toute l'Antiquité, et n'a été égalée que par la linguistique structurale moderne. Du point de vue indien, la précision et l'exhaustivité de cette grammaire ont contribué à l'établissement d'une norme; elle correspondait au souci de pureté formelle des brahmanes, et plus généralement des hommes «cultivés», des gens de bonne éducation et de conduite droite.

La langue est complètement normalisée, après les travaux des premiers commentateurs de Pāṇini (jusqu'au iiᵉ s. av. J.-C.) qui enregistrent certaines différences d'usage, allant dans le sens de la simplification. À partir de sa fixation, le sanskrit (dit «classique») n'évolue plus, et ne présente aucune variation dialectale; les quelques variations formelles correspondent à des différenciations de genres littéraires, à des registres ou des niveaux de la même langue. La tradition du sanskrit est assurée par l'enseignement grammatical et le prestige de grandes œuvres littéraires et religieuses.

Par opposition au sanskrit, la langue vernaculaire est appelée *prâkrit*, transposition d'un terme indigène signifiant «naturel, ordinaire, vulgaire»; mais les prâkrits nous sont connus, au stade moyen-indien, sous des formes littérarisées, déjà distanciées des parlers courants. En Inde, l'emploi concerté de toute langue entraîne un travail sur la forme, qui fait du matériau linguistique un objet d'art. Le sanskrit présente ce paradoxe d'être une langue figée qui n'est jamais sortie complètement de l'usage bien qu'il ait disparu en tant que langue native, spontanée et parlée, au cours des siècles précédant notre ère. Il y a toujours eu différents degrés dans la pratique du sanskrit : à côté d'un sanskrit littéraire maîtrisé par un nombre limité de spécialistes, un sanskrit discursif, mêlé de formes incorrectes, s'est maintenu comme langue seconde dans de larges couches de la société jusqu'à la conquête musulmane. Dans une certaine mesure, le sanskrit est écrit et parlé encore de nos jours, dans des cercles de savants (panṇdits), et il est compris dans des groupes assez importants de lettrés. Le sanskrit a connu un statut comparable à celui du latin en Europe, avec cette différence importante que les transpositions ont toujours été aisées avec les diverses langues vernaculaires, qui ont beaucoup emprunté au sanskrit, à différentes époques. Les langues modernes de l'Inde, à l'exception des langues dravidiennes, contiennent quantité de mots sanskrits. Dans l'histoire linguistique et scientifique indienne, le sanskrit est resté une référence et un modèle. Le sanskrit classique n'a guère d'intérêt pour la grammaire comparée, qui utilise les données du védique, complétées éventuellement par celles des prâkrits. Mais il est important pour la réflexion sur le rôle institutionnel et social de la langue, et sur la notion de norme, alors que la tradition grammaticale indigène appartient à l'histoire de la linguistique.

◈ voir INDOEUROPÉEN.

G.-J. Pinault

BIBLIOGRAPHIE

J. BLOCH, *Indo-Aryan from the Vedas to Modern Times*, Paris, Adrien Maisonneuve, 1965.

L. RENOU, *Histoire de la langue sanskrite*, Lyon-Paris, I. A. C., 1956; «Introduction générale» à J. Wackernagel et A. Debrunner, *Altindische Grammatik*, I, Göttingen, Vandenhoeck & Ruprecht, 1957 (nouvelle édition du texte paru en 1896).

malades, par exemple des pestiférés; on a dit aussi *lieu de santé* (1694), *maison de santé* (1721). *La Santé*, ancien hôpital de Paris, est devenu ensuite une prison (1888). *Maison de santé* «hôpital» (av. 1721) s'est dit (1812) d'un établissement privé où l'on reçoit des malades; l'expression, remplacée par *clinique* dans cette acception, étant conservée aujourd'hui par euphémisme pour «hôpital psychiatrique» (xxᵉ s.). *Bureau de santé* (1812), puis *la santé*, désigne dans un port le service de surveillance des maladies épidémiques; *service de santé* se dit de l'ensemble du personnel médical dans l'armée (1825), puis dans un port (1875), et autrefois (1835) des médecins attachés au service de la santé d'un souverain. *Officier de santé,* aujourd'hui archaïque pour «médecin sans doctorat» (de 1804 à 1892), est, en tant qu'expression, antérieur à 1680 (Richelet).

▸ SANITAIRE adj. et n., dérivé savant (1801) du latin *sanitas,* s'applique à ce qui est relatif à la santé publique et à l'hygiène, d'où ***cordon sanitaire*** (1829). L'adjectif s'emploie spécialement pour qualifier ce qui appartient au service de santé dans l'armée (*train sanitaire,* 1916), d'où *les sanitaires* n. m. pl. «les membres de ce service» et *une sanitaire* n. f. «une voiture sanitaire», emplois archaïques. ◆ Depuis le milieu du XXe s., l'adjectif s'emploie surtout en parlant des appareils et installations employés pour distribuer et évacuer l'eau dans les habitations, d'où *plomberie sanitaire* (1928), *installations* (v. 1930), *appareils* (v. 1940) *sanitaires,* puis *le sanitaire* n. m. et *les sanitaires* n. m. pl., euphémisme pour «W. C.». ◆ De cet emploi semble être dérivé SANISETTE n. f., nom déposé d'un modèle de W. C. publics (v. 1980), suffixe diminutif *-ette* et *s* de liaison.

① **SANTON** n. m. est un emprunt (1598 ; d'abord *sancton,* d'après le latin, 1530), à l'espagnol *santón,* de *santo* «saint», du latin *sanctus* (→ saint).

♦ Le mot a désigné, comme en espagnol, un ascète musulman qui se consacrait à la pratique et à l'enseignement de la religion et, par extension, dans certaines religions orientales, un moine mendiant. Le mot est archaïque dans cet emploi, comme pour «tombeau d'un santon» (XIXe s.) ; on emploie l'emprunt à l'arabe *marabout.*

② **SANTON** n. m. est emprunté (1896 chez Paul Arène) au provençal *santoun* «petit saint ; petit buste de saint», dérivé de *sant* (→ saint).

♦ C'est le nom donné aux figurines traditionnelles de terre cuite qui décorent la crèche de Noël en Provence. Répandu en français central, le mot fait toujours allusion à la Provence.

▸ Le dérivé SANTONNIER, IÈRE n. (1912, «marchand de santons») désigne l'artisan qui fabrique des santons.

SANTONINE n. f.représente une altération (1732) de *santonique* (1542), d'abord *centonique* (XIVe s.), emprunté au latin *santonica (herba),* proprement «herbe de Saintonge» ; *santonica* est le féminin d'un adjectif dérivé de *Santones* (n. m. pl.), nom d'un peuple gaulois aquitain qui habitait la région appelée pour cela *Saintonge.*

♦ *Santonine* est le nom d'une variété d'armoise. Le mot a désigné une graine propre à faire mourir les vers intestinaux ; il désigne par la suite (1830) le composé constituant le principe actif du semen-contra, utilisé comme purgatif et vermifuge.

▸ SANTOLINE n. f., variante (1566) de *santonine,* désigne un arbrisseau aromatique (dit aussi *petit cyprès*), à propriétés vermifuges.

SAOUL → SOÛL

SAPAJOU n. m. (1654), ainsi que ses variantes *sapageou* (1606), *sapagou* (1665) et *sapajon* (1743), est aussi représenté par *sapaiou,* introduit en 1614 par Claude d'Abeville, et emprunté au tupi, langue indigène du Brésil (spécialement de l'île Maranhão) où il séjourna.

♦ Le mot désigne un petit singe de l'Amérique centrale et du Sud, pourvu d'une longue queue préhensile. ◇ Par analogie, le mot se dit familièrement (1718) d'un homme petit et laid.

▸ SAJOU n. m. est une variante savante (1767, Buffon) de *sapajou.*

SAPÈQUE n. f., d'abord *sapocou* (1752), puis *sapech* (1839), *sapèque* (1841) est un emprunt au malais, formé de *sa* «un» et *pâku* «cent pièces d'étain percées enfilées sur une cordelette». Le mot était passé en portugais dès 1509 *(cepayca).*

♦ Le mot s'applique à une petite monnaie chinoise en cuivre.

① **SAPER** v. tr. est un emprunt francisé (1547, *sapper*) à l'italien *zappare* «piocher», dérivé de *zappa* «pioche» (cf. espagnol *zapa*), du latin médiéval *sappa* (attesté au VIIIe s.). Selon P. Guiraud, le latin tardif *sappa* et *saper* «creuser une tranchée» proviendraient d'un °*sappare* «produire de la sève», «faire couler la sève», doublet d'un °*sapare* qui aurait abouti en ancien français à *saver, saber,* de même sens, dérivé du latin classique *sapa* «vin cuit réduit aux deux tiers», qui a pris le sens de «sève» dans les langues romanes (→ sève). Le verbe provençal *sapa* signifie entre autres «fouler aux pieds», «presser» et «curer un fossé», la boue du fossé étant un liquide épais, ce qui relierait le verbe au latin classique *sapa.* Le bas latin *sappa* désignerait donc une pelle avec laquelle on soulève, on enlève la boue des fossés, d'où un hoyau. Mais cette hypothèse ingénieuse n'est pas étayée par des faits observés et le sémantisme du verbe la rend très douteuse.

♦ *Saper,* terme de génie militaire, signifie d'abord «détruire les fondements d'un édifice, d'un bastion, etc., en travaillant avec le pic et la pioche». Au XVIe s. (1552), il se dit figurément pour «détruire en attaquant les bases, les principes de qqch.». ◇ Par extension du premier sens, *saper* signifie (av. 1620, Saint-Amand) «user par la base», le sujet désignant les eaux.

▸ Le verbe a fourni plusieurs dérivés. ◆ ① SAPEMENT n. m. (v. 1536, Du Bellay) signifie «action de saper (un mur)». ◆ ① SAPEUR n. m. a désigné d'abord (1547) un soldat d'infanterie employé à saper (un mur, etc.), puis (1790) un soldat du génie. À partir de 1850, on représente couramment le sapeur portant une longue barbe carrée en éventail et fumant une bouffarde ; de là ***barbe de sapeur*** «grande barbe» (1875), l'emploi de *sapeur* pour «cigare presque entier» (1880), sorti d'usage, et ***fumer comme un sapeur*** «fumer beaucoup» (XXe s.), toujours usuel, peut-être par association avec les *sapeurs-pompiers** (→ ② pompe), c'est-à-dire avec le feu et la fumée. ◆ Le dérivé ① SAPE n. f. s'emploie d'abord (v. 1560) avec le sens général de «tranchée creusée sous un mur (un bâtiment, etc.) pour le renverser», d'où par métonymie «prison souterraine» (1564), sens sorti d'usage. ◇ Il désigne ensuite spécialement (v. 1620) une tranchée d'approche pour atteindre l'ennemi, lors d'un siège. Le mot, en parlant de l'Antiquité, désigne l'action de démolir des murailles, notamment avec des machines. ◇ Depuis le XVIIIe s. (Saint-Simon ; repris au XIXe s.), *sape* se dit par métaphore pour «destruction par la base, menée souterraine pour miner», emploi plus rare aujourd'hui que celui du verbe. Seul le syntagme ***travail, travaux de sape,*** vieilli au sens propre, est usuel au figuré ; on a dit *travailler à la sape* (1751, Prévost).

② **SAPE** n. f. est emprunté au latin médiéval *sappa* dont il reprend d'abord le sens de «hoyau» (1474, *sappe*), écrit *sape* au XVIIe s. (1636). Le mot désigne par la suite (1835) une petite faux de moissonneur, à manche recourbé perpendiculairement, usage aujourd'hui régional (parlers franco-provençaux). Par analogie de forme, *sape* se dit aussi (1904) d'une pelle utilisée par les mineurs. ◆ À l'emploi de *sape* en agriculture se rattache ② **SAPER** v. tr. ; attesté en ancien français (mil. XIIIe s.) au sens de «bêcher», ce verbe resté vivant dans les dialectes est repris au XIXe s. pour «couper (les blés) avec la sape» (1842). ◇ L'idée de geste tranchant (comme dans *faucher, couper*) est probablement à l'origine du sens figuré argotique de «condamner» (1867, *in* Larchey), le verbe étant attesté dialectalement pour «battre, punir», d'où «se voir infliger une peine pénale» (1926). On peut aussi y voir une métaphore de ① *saper*. ◆ Du sens de «couper à la sape» dérive ② **SAPEUR** n. m. (1845) «moissonneur qui se sert de la sape», ancien terme technique. ◆ L'emploi en argot a fourni ② **SAPEMENT** n. m. (1873) et ③ **SAPE** n. f. (1928) «condamnation».

② SAPER → ① SAPER

③ SAPER

③ **SAPER** v. tr., terme d'argot familier attesté au début du XXe s. (1919) au sens de «vêtir, habiller», est d'origine obscure ; un rapprochement métaphorique avec l'argot *saper* «condamner» (→ ② saper) met en œuvre le sémantisme de «charger» ; il n'est que vraisemblable.

♦ Le verbe est surtout usité au pronominal *(bien se saper)* ou au passif *(être bien sapé).*

▸ Le déverbal ④ **SAPE** n. (1926) désigne au masculin un costume, un complet d'homme, emploi qui semble vieilli, et au féminin des vêtements en général, souvent au pluriel sous l'influence de *fringues, frusques.* ◆ Les composés **DÉSAPER** v. tr. et pron. «(se) déshabiller», et **RESAPER** v. tr. et pron. «(se) rhabiller», sont employés familièrement. ◆ En français d'Afrique, ③ **SAPEUR** n. m. se dit d'un homme (en général jeune) qui consacre son argent et son intérêt à la mode.

SAPERLIPOPETTE → ① SACRER

SAPHIQUE

SAPHIQUE adj., d'abord écrit *saffique* (1373), puis par réfection savante *saphique* (1511 *saphicque*) et aussi *sapphique* (av. 1525) par retour au grec, est un emprunt au latin *sapphicus* «relatif à la poésie de Sapho», employé en métrique (*sapphicus versus, sapphicum metrum* «vers saphique, hendécasyllabe»). Le latin est lui-même un emprunt au grec *sapphikos,* dérivé de *Sapphô,* poétesse de Lesbos.

♦ Cet adjectif didactique s'emploie d'abord comme terme de prosodie ancienne (1373, *saffique*), en parlant d'un vers composé de trois trochées et de deux ïambes suivis d'une syllabe finale. ◇ De là *saphique* n. m. «vers saphique» (1576) et adj. *strophe saphique* (1762). ◇ À la fin du XVIIIe s. (1799, *amour saphique*), directement dérivé de *Sapho,* apparaît l'emploi de *saphique* pour «relatif à l'homosexualité féminine», par allusion aux mœurs attribuées à Sapho.

▸ **SAPHISME** n. m., dérivé savant de *Sapho* (av. 1842, Académie, *Complément*), désigne l'homosexualité féminine (cf. *lesbianisme*). Fourier employait *saphiennisme* (av. 1837).

SAPHIR

SAPHIR n. m. et adj. inv. est emprunté (v. 1130), d'abord écrit *saphire* (1125), au bas latin *sapphirus, sappirus* en latin impérial, lui-même au grec *sappheiros,* mot d'origine sémitique. Cf. hébreu *sappîr* «pierre bleue».

♦ Le mot, désignant une pierre précieuse de couleur bleue, variété de corindon, s'est employé par analogie au sens de «bouton qui affecte le visage» (1561, Paré), avec les variantes *saphis* (v. 1500) et *saphiz* (1548) ; cet emploi a disparu au XVIIe siècle. ◇ Comme terme poétique, il se dit (mil. XVIe s.) de tout ce qui a quelque analogie avec le minéral, par l'éclat ou la couleur. Qualifié, le mot désigne des minéraux de couleur bleue : *saphir d'eau* «dichroïte bleue» (1680), dit aussi *saphir occidental* (1791), *saphir du Brésil* «tourmaline bleue» (1835), *saphir électrique* «variété de tourmaline ou de topaze» (1842). ◇ *Saphir* désigne aussi (1907) une petite pointe de cette matière qui fait partie de la tête de lecture d'un électrophone ; cet emploi tend à disparaître avec la technique concernée, laissant la place au laser. ◇ ***De saphir*** s'emploie littérairement pour «bleu et lumineux» (1831, chez Hugo ; *bleu de saphir,* 1779). De là un emploi adjectif (1779, Buffon) et nominal (1800) pour «(de) belle couleur bleue».

▸ **SAPHIRIN, INE,** terme didactique, apparaît dans *pierre saphirine* (v. 1508) «variété de calcédoine bleue», puis *saphirine* n. f. qui désigne ensuite le silicate double d'alumine et de magnésie (avant 1838-1842, Académie, *Complément*), emprunt probable à l'allemand (mot créé par Giesecke v. 1820). L'adjectif qualifie (1845, *saphirin*) ce qui ressemble au saphir (variante *saphiréen, éenne*).

SAFRE n. m., sans doute directement repris au grec *sapheiros,* par le commerce passant par Marseille (emprunté par l'espagnol *zafre,* le portugais *safra*), a eu en ancien français le sens de «saphir» (v. 1170). ◇ Supplanté par *saphir,* le mot désigne par analogie l'oxyde bleu de cobalt servant à fabriquer le verre bleu ou l'émail bleu ; il est écrit *saphre* chez B. Palissy, *safre* au début du XVIIe s. (1611) et aussi *zafre* (1690).

SAPIDE

SAPIDE adj., attesté une fois au XVIe s. et repris au XVIIIe s. (1754), est un emprunt savant au latin impérial *sapidus* «qui a du goût, de la saveur», aussi employé au figuré pour «sage, vertueux». L'adjectif latin dérive du verbe classique *sapere* «avoir du goût, de la saveur» (en parlant des choses) et, plus souvent au figuré, «avoir du discernement, du jugement; être sage» (→ savoir).

♦ *Sapide* s'est d'abord appliqué à une terre fraîche, fertile, acception rare (attestation unique) et disparue. ◇ L'adjectif reprend ensuite (1754) le sens du latin, dans l'usage didactique ou littéraire.

▸ Le dérivé **SAPIDITÉ** n. f. «qualité de ce qui a une saveur» (1762) est lui aussi didactique. ◆ Le contraire **INSAPIDITÉ** n. f. (1845), qui ne s'est pas maintenu (→ insipidité), a aussi été employé (1865, Goncourt) au sens de «privation du sens du goût». **INSAPIDE** adj., de ① in-, est un équivalent didactique et rare de *insipide**.

◈ voir **SADE, INSIPIDE.**

SAPIENCE n. f. est un emprunt (v. 1120), d'abord sous la forme latine *sapientia* (v. 1090), au latin classique *sapientia* «intelligence, bon sens», «sagesse», employé pour traduire le grec *sophia* (→ sophisme). Le nom dérive de *sapiens, -entis* «intelligent, sage, raisonnable», participe présent adjectivé de *sapere* «avoir du goût (en parlant de choses)» (→ insipide, sapide) et, au figuré, «avoir du discernement; être sage» (→ savoir).

♦ D'abord terme de philosophie désignant les connaissances les plus générales, *sapience* se dit ensuite (v. 1120) pour «sagesse» et en religion pour «verbe, sagesse de Dieu». Noté comme «vieux» en 1718 par l'Académie, il est parfois repris comme archaïsme littéraire. ◇ En religion, *la Sapience* a désigné (1550) le livre de Salomon.

▸ **SAPIENTIAL, ALE, AUX** adj. et n. m. pl., terme de théologie emprunté au bas latin *sapientialis* «intellectuel», dérivé de *sapientia*, s'emploie dans *livres sapientiaux* (1374, *livres sapiencialz;* forme moderne, 1740) en parlant des livres de l'Ancien Testament qui contiennent des maximes morales (les Proverbes, le Cantique des Cantiques, etc.). ◆ **SAPIENS** adj., didactique, est repris (1735) dans ***homo sapiens*** pour qualifier l'homme en tant qu'espèce capable de pensée abstraite. ◆ Leroi-Gourhan a introduit (mil. XXe s.) avec la même valeur l'adjectif **SAPIEN, IENNE.**

◈ **SAPIN** n. m. est issu (v. 1165) du latin classique *sap(p)inus* désignant un arbre résineux, aussi *sappium* chez Pline; le mot est probablement composé de °*sap(p)us*, peut-être gaulois, et du latin classique *pinus* (→ pin). °*Sappus* a abouti à *sap* en ancien français (fin XIe s.) et en ancien provençal (v. 1181), forme qui se maintient jusqu'au XVIe s., prenant un sens technique (1773) dans le vocabulaire de la marine, et est encore attestée dans les dialectes, en argot jusqu'au XIXe siècle. P. Guiraud rattache *sap* à un verbe gallo-roman °*sappere* «produire de la sève», dont l'existence est supposée d'après le latin *sapa* «vin cuit réduit à l'état de sirop» (→ sève), le *sap(p)inus* étant un arbre producteur de sève.

♦ Le mot désigne couramment un arbre d'une famille de résineux à tronc droit et à feuilles persistantes; de là vient par métonymie un emploi adjectivé disparu pour «en bois de sapin» (v. 1120) et le sens usuel de «bois de sapin» (XIIIe s.; v. 1155, *sap*). Ce bois étant couramment utilisé en menuiserie, le mot s'est dit pour «poutre» (1458) et en argot (1628) pour «planche», encore au XIXe siècle. ◇ Par figure, ***sentir le sapin*** signifie (1694) «n'avoir plus longtemps à vivre», par allusion au cercueil fait de ce bois; de même on a dit *surtout de sapin* (1695), *redingote de sapin* (1881) pour «cercueil», d'où *un sapin* (1867). ◇ *Sapin* a aussi désigné (1723) un fiacre, ce bois entrant dans la fabrication de la voiture, puis (XXe s.) un taxi. ◇ En argot, il s'est dit pour «plancher» (1836) avec la locution argotique disparue *sapin des cornants* «plancher des vaches» (1829). ◇ *Sapin* s'emploie par extension (1875) pour d'autres résineux (épicéa, pin) dans l'usage courant (abusif en botanique). ◇ Enfin, au XXe s., l'expression ***sapin de Noël*** correspond à la coutume de l'arbre givré et orné décorant à Noël les intérieurs, en signe de fête.

▸ **SAPINE** n. f. «bois de sapins» (v. 1175), sens disparu, s'est employé pour «bateau de rivière (en bois de sapin)» (1295), encore au XIXe siècle. ◇ Le mot désigne régionalement (Bourgogne) un baquet en bois pour mettre le raisin (XVe s.), d'où le sens disparu de «caisse à bouteilles» (1611, Cotgrave). ◇ Il désigne aussi (1694) une solive en bois de sapin, servant en particulier aux échafaudages, puis en technique (1870) un appareil de levage aujourd'hui fait de pièces métalliques. ◆ **SAPINETTE** n. f. était le nom (1505) d'un crustacé qui s'attache aux rochers et aux bateaux. ◇ Ce mot a été reformé pour «bois de sapins» (1600, *sapinnette*). C'est aussi le nom (1765) d'un épicéa d'Amérique du Nord (dit *épinette* au Canada francophone) et d'une boisson faite à partir de bourgeons de cet arbre. ◇ Il désigne après *sapine* (ci-dessus) un bateau de rivière (1845), aussi dit *sapinière* n. f. (1678, en ce sens). ◆ **SAPINIÈRE** n. f. «plantation de sapins» (1632) s'est dit en argot (1867), d'après la valeur de *sapin* «cercueil», pour «fosse commune». ◆ **SAPINEAU** n. m. «jeune sapin» (1876) est rare.

SAPONAIRE n. f. est un emprunt (1562; *saponere*, XIVe s.) au latin médiéval des botanistes *saponaria*, dérivé du latin classique *sapo, saponis* qui a donné *savon**.

♦ Le mot a remplacé *erbe savoniere* (fin XIe s.), *herbe savonnière* (1538), encore chez Oudin (1640), ou *savonnière* n. f. (1616), encore dans Larousse en 1875. Il désigne une plante à fleurs roses et odorantes qui contient un glucoside dont la dissolution mousse comme du savon.

▸ **SAPONINE** n. f., dérivé savant du latin *sapo* (1832), désigne ce glucoside, qui fut d'abord extrait de la saponaire. ◆ **SAPONIFIER** v. tr. est dérivé savamment (1797) du radical du latin *sapo*, d'après les verbes en *-fier.* ◇ Ce verbe technique signifie «transformer (un corps gras) en savon». En chimie (XXe s.), il correspond à «transformer (un ester) en acide et alcool (sous l'action d'une base)». ◇ En dérivent **SAPONIFICATION** n. f., d'abord «art de faire le savon» (1792), puis terme technique (1797) et de chimie correspondant au verbe, **SAPONIFIABLE** adj. (1845), d'où **INSAPONIFIABLE** adj. (1867), et **SAPONIFIANT, ANTE** adj. (XXe s.). ➜ **SAPON-**, élément tiré du latin *sapo*, entre dans la composition de termes didactiques de chimie, comme **SAPONACÉ, ÉE** adj. (1793, Lavoisien), **SAPONITE** n. f. (1870), **SAPONOSIDE** n. f. (1972), de *-oside**, etc.

SAPRISTI → ① **SACRER**

SAPROPHYTE adj. et n. m. est un composé savant (1875) de *sapro-*, du grec *sapros* «putride», «moisi», mot d'origine inconnue, et de *-phyte*, du grec *phuton* «ce qui pousse», dérivé de *phuein* «faire naître, faire pousser» (→ phyto-, -phyte).

♦ Le mot se dit d'un organisme qui tire les substances nécessaires à sa vie des matières organiques en décomposition. ◇ Par extension, l'adjectif (attesté 1933) s'applique à un germe qui vit dans l'organisme sans être pathogène.

▶ En dérivent **SAPROPHYTIQUE** adj. (1896) et **SAPROPHYTISME** n. m. (1892). ➜ À partir de *sapro-* ont été composés des termes didactiques comme **SAPROPHAGE** adj. et n. m. (1827), de *-phage*, «qui se nourrit de matières putréfiées», ① **SAPROPÉLIQUE** adj. (1904) «qui vit dans la vase des étangs» (de la flore, de la faune), du grec *pêlos* «boue, fange», d'où **SAPROPEL** n. m. (créé par H. Potonié, av. 1908 [Revue des sciences]) «masse gélifiée de plancton», d'où ② **SAPROPÉLIQUE** adj. (1913) et **SAPROPÉLIEN, IENNE** adj. (1922).

SARABANDE n. f. est un emprunt (1606), aussi sous les formes *zarabanda* (1605, Le Loyer), *serabante* (1605, J. Bordier), à l'espagnol *zarabanda* (1539) désignant une danse vive et lascive accompagnée de castagnettes, puis un grand vacarme, mot lui-même emprunté par l'arabe au persan *sarband* «turban» de *sar* «tête» et *band* «lien». Cependant, ce mot ne semble pas concerner la danse et *dastband*, de *dast* «main», qui, lui, désigne une danse, ne convient pas formellement. On a supposé aussi une altération de l'espagnol *zarenda* «crible, van», par allusion au mouvement. Cette hypothèse rendrait compte du caractère de la danse andalouse, qui aurait été autochtone.

♦ Le mot, en passant d'Andalousie au reste de l'Europe, a perdu en musique sa valeur de «danse lascive, désordonnée et agitée» pour désigner une danse mondaine ou de cour. Cette danse à trois temps, lente (1636, Mersenne), voisine du menuet, en vogue aux XVIIe et XVIIIe s., correspondait à un air que le mot désigne aussi (1623). Il s'applique par extension à la partie d'une suite qui s'en inspire, dans la musique du XVIIIe s. (Bach, par exemple). ➜ Mais le sens initial semble avoir survécu, notamment en parlant de l'Espagne (Lesage), et le mot a été repris pour «jeux bruyants, vacarme» (av. 1778, Voltaire) et pour «danse joyeuse et collective» (fin XIXe s.), en particulier dans ***danser, faire la sarabande.*** ◇ Cette valeur, comme celles de «ribambelle de gens qui s'agitent» (XXe s.) et «succession rapide, sans ordre, d'éléments disparates», vient en partie de la forme du mot (cf. *farandole, ribambelle*).

▶ Du sens courant vient **SARABANDER** v. intr. (mil. XXe s.), familier.

SARBACANE n. f. est l'altération (1540), d'abord notée *salbaquane* (1526), sous l'influence de *canne*, de *sarbataine* (Genève 1524), *sarbatenne* (1525). Ce mot est un emprunt à l'espagnol *zebratana* (1476), devenu *cerbatana*, mot d'origine malaise (*sumpitan* ou *sempitan*), transmis par l'arabe *zarbaṭāna*.

♦ Le mot désigne, comme son étymon, un tube creux servant à lancer de petits projectiles, par la force du souffle. ◇ Par analogie de forme, il s'est dit d'un tuyau servant de porte-voix (XVIIe s.) et a désigné au figuré un intermédiaire (déb. XVIIIe s., Saint-Simon), sens rapidement disparu.

SARCASME n. m. a été emprunté (1552, Rabelais) au bas latin *sarcasmus*, lui-même pris au grec *sarkasmos* «rire amer», dérivé de *sarkazein* «ouvrir la bouche pour montrer les dents», «mordre la chair», et au figuré «déchirer par des sarcasmes». C'est un dérivé de *sarx, sarkos* «chair» (→ sarco-, sarcophage).

♦ Le mot, qui signifie «ironie mordante, raillerie acerbe», est employé spécialement comme terme de rhétorique (1690).

▶ **SARCASTIQUE** adj. dérive du nom (déb. XIXe s., Mme de Staël, B. Constant), d'après *enthousiasme/enthousiaste* et sous l'influence de *ironique* (*sarcasmatique* est dans Chamfort, 1794). L'adjectif s'applique à ce qui a le caractère acerbe du sarcasme puis se dit plus couramment (v. 1840; *in* Bescherelle, 1846) pour «moqueur et méchant». ◇ Il a fourni **SARCASTIQUEMENT** adv. (XXe s.).

SARCELLE n. f. (1564), d'abord *cercelle* (v. 1175), est issu d'un latin populaire °*cercedula*, altération du latin classique *querquedula*, lui-même emprunté au grec *kerkithalis* «sarcelle», mot d'origine expressive. Le changement de finale vient du nom d'autres oiseaux, comme *monedula* «choucas», *ficedula* «becfigue».

♦ C'est le nom d'un oiseau palmipède plus petit que le canard commun. On distingue en France la *sarcelle d'été* et la *sarcelle d'hiver*.

▶ Du mot dérive **SARCELLINE** n. f. (XXe s.) «petite sarcelle».

SARCLER v. tr. est issu (1271) du latin impérial *sarculare*, dérivé du latin classique *sarculum* «sarcloir», lui-même de *sarire* «sarcler», terme technique sans origine connue. Le latin populaire °*sarcellum*, altération de *sarculum*, avait abouti à *sarcel* n. m. «sarcloir» (v. 1190), mot disparu.

♦ Le verbe signifie «arracher (les mauvaises herbes) dans un terrain» et (v. 1283) «débarrasser (une culture) des mauvaises herbes», d'où *plantes sarclées* «qui nécessitent des sarclages» (1870). ◇ Le verbe s'est employé par extension (1280-1290) au sens de «nettoyer», emploi sorti d'usage comme le figuré «arracher, détruire» (par ex. des mensonges).

▶ Le verbe a des dérivés. ◆ **SARCLEUR, EUSE** n. (fin XIIIe s., n. m.); le féminin *charqueleresse* (1578), *sarcleresse* (1636) ne s'est pas maintenu. ◆ **SARCLOIR** n. m. (1413) signifie «instrument servant à sarcler». ◆ **SARCLAGE** n. m. (XIIIe s. selon T.L.F.; 1318, *sarkelage;* 1454, *saclage;* 1776, forme moderne) a remplacé **SARCLEMENT** n. m. (1350), encore relevé en 1700. ◆ **SARCLETTE** n. f. (1843), qui a remplacé **SARCLET** n. m. (v. 1380), désigne un «petit sarcloir». ◆ **SARCLURE** n. f. (1413) correspond à «action de sarcler», sens vieilli au profit de *sarclage,* puis (1694) à «ce qui est arraché par sarclage».

◈ voir ESSART.

SARCO-, premier élément tiré du grec *sarx, sarkos* «chair», mot d'étymologie douteuse malgré des rapprochements avec des mots du domaine indo-iranien, entre dans la composition de termes didactiques de formation française ou empruntés.

▶ **SARCOCÈLE** n. m. (1538), terme de médecine emprunté au grec *sarkokêlê,* signifie «tumeur charnue du testicule ou de l'épididyme», de *kêlê* «tumeur, hernie». ◆ **SARCOME** n. m. (v. 1560, Paré, *sarcoma*), francisé au XVIIe s. (1660), terme générique en médecine pour désigner les tumeurs malignes du tissu conjonctif, est emprunté au bas latin *sarcoma,* lui-même du grec *sarkôma,* dérivé de *sarkoûn* «changer en chair, remplir de chair». ◇ Il a pour dérivés **SARCOMATEUX, EUSE** adj. (1803) et **SARCOMATOSE** n. f. (1904). ◆ **SARCOPLASMA** n. m. (1897), de *plasma,* ou **SARCOSPLASME** (1904), terme de biologie, désigne le cytoplasme qui entoure les fibrilles des fibres musculaires.
Le mot le plus usuel, **SARCOPHAGE** n. m., attesté en 1496 (*sacrophague* [sic]) mais rare avant le XVIIe s., a été emprunté au latin impérial *sarcophagus* «tombeau», substantivation de *sarcophagus* adj. «qui consume les chairs», surtout employé dans *sarcophagus lapis* «pierre servant de cercueil». Le latin est un emprunt au grec *sarkophagos* «qui mange, qui consume la chair» (surtout en parlant d'une pierre calcaire, *lithos sarkophagos*), et a abouti à *cercueil**. Le mot désigne un cercueil de pierre; la pierre des tombeaux antiques, dans les croyances, détruisait les cadavres non incinérés, et *sarcophage* a désigné cette pierre (1636), parfois altéré en *sarcophange* (1611). ◇ Le nom reprend le sens du grec, signifiant «anthropophage» (1659, adj.), puis «qui ronge les chairs», en parlant d'un médicament (1752, adj.; 1762, n. m.), et «carnivore», d'un oiseau (1772). Ces emplois ont disparu mais le nom désigne encore en zoologie (1872) une mouche à viande.

◈ voir CERCUEIL, SARCASME.

SARDANAPALE n. m. représente (déb. XVIIe s., d'Aubigné) l'emploi comme nom commun de *Sardanapale* (latin *Sardanapalus*), roi légendaire d'Assyrie que mentionnent les Grecs, le présentant comme un tyran efféminé, possesseur d'immenses richesses et menant une vie de débauche; le mot a le sens de «débauché» en bas latin.

♦ Sorti d'usage, le mot désignait un homme fortuné qui mène une vie de débauche.

▶ L'adjectif dérivé **SARDANAPALESQUE** «digne de Sardanapale», vieilli et littéraire (mil. XIXe s.), a été précédé par *sardanapalique* (1512), emprunt au bas latin *sardanapalicus,* encore relevé en 1877.

SARDANE n. f., qui n'est attesté qu'au XXe s. (1929, Montherlant *in* T.L.F.), est un emprunt au catalan *sardana* (1552), variante probable de *cerdana* (espagnol et catalan), de *cerdà* «de la Cerdagne».

♦ Le mot désigne une danse traditionnelle de Catalogne et du Nord de l'Espagne, où les danseurs forment un cercle et exécutent des pas compliqués.

SARDE → SARDINE

SARDINE n. f., réfection (v. 1380) de *sordine* (mil. XIIe s.), a été précédé par l'ancien provençal *sardina* (v. 1080). Le mot est issu du latin *sardina* «sardine», littéralement «(poisson) de Sardaigne», dérivé de *sarda,* substantivation du féminin de *sardus* «de Sardaigne, Sarde», lui-même de *Sardinia* «la Sardaigne». L'italien et l'espagnol ont *sardina,* mais l'italien emploie aussi *sardella,* emprunté par l'allemand *Sardelle.*

♦ Le mot désigne un petit poisson comestible consommé frais ou en conserve. Il entre dans des expressions comme *sardines à l'huile* (1810). De là ***boîte de sardines,*** au figuré «lieu très encombré», et ***être serrés comme des sardines*** (qui a remplacé *comme des harengs en caque*). ◇ Par analogie d'aspect (allongé et argenté), il se dit familièrement (1817) d'un galon de caporal, de brigadier, de sous-officier. ◇ Au pluriel, il a désigné en argot ancien les doigts de la main (1878, *serrer les cinq sardines*). ◇ C'est aussi la désignation d'un piquet de tente (XXe s.), d'abord de forme fuselée évoquant une sardine.

▶ **SARDINIER** n. m. désigne (1765) un filet pour la pêche à la sardine, aussi **SARDINIÈRE** n. f. (1831), nommé en Provence *sardinal* n. m. (1769). **SARDINIER, IÈRE** adj. qualifie (1765) ce qui est relatif à la pêche à la sardine, à son industrie, d'où *chaloupe sardinière, bateau sardinier* (1765) ou *sardinier* n. m. (1904), *sardinière* n. f. (1904). Le nom se dit également (1870) d'une personne qui prépare les sardines, d'un pêcheur de sardines (v. 1890, n. m.). ◆ **SARDINERIE** n. f. (1870) désigne un atelier, une usine où l'on prépare les sardines avant de les mettre en conserve.
SARDE n. f., du latin *sarda,* désigne (XIIIe s.) une bonite à dos rayé, courante en Méditerranée.

◈ voir SARDOINE, SARDONIQUE.

SARDOINE n. f., altération (1re moitié XIIe s.) de *sardonie* (1080), est emprunté au latin *sardonyx,* lui-même pris au grec *sardonux,* composé de *sardion* «cornaline, sardoine», probablement «pierre des Sardes» (→ sardine), et de *onux* «ongle» (→ onyx).

♦ Le mot désigne une variété brunâtre de calcédoine.

▶ On trouve aussi dans ce sens *sarde* n. f. (1re moitié XIIe s.), issu du latin classique *sarda* «cornaline», et en ancien français *sardine* n. f. (XIIe s.; 1530, *serdinne*), du bas latin *sardinus (lapis),* dérivé de *sar-*

dius (lapis); cette forme, concurrencée par le nom du poisson a disparu après le XVIe siècle. ◆ **SARDONYX** n. f., en ancien français *sardonix* (1re moitié XIIe s.) puis *sardonyche* (1497), se dit (1836) d'une variété d'agate blanche et orangée.

SARDONIQUE adj., d'abord dans *ris sardonic* ou *sardonien* (v. 1560, Paré; *sardonien* peu avant dans du Bellay), puis *(ris) sardonique* (1660), reprend le latin *sardonicus risus*, calque du grec *sardonios* (ou *sardanios*) *gelôs* «rire malveillant». *Sardonios* était interprété comme «de Sardaigne» *(Sardô)*, le rire «sardonique» étant expliqué par les effets de la *sardonia (herba)* «(herbe) de Sardaigne» (cf. *sardonie*, ci-dessous). *Sardonien* a été formé sur *sardonius (sardonios)*; *sardonique* est emprunté au dérivé grec *sardonikos* ou construit d'après les adjectifs français en *-ique*.

♦ ***Rire sardonique*** se dit d'une grimace rappelant le rire, due à la contracture spasmodique des muscles de la face. Sous l'influence de *sarcastique*, l'adjectif s'applique à un rire (d'abord *ris sardonique*, av. 1754) qui donne à la bouche une expression de moquerie méchante (1762) puis à ce qui exprime une intention méchante (v. 1770).

▸ Le dérivé **SARDONIQUEMENT** adv. (1845) est rare.

SARDONIE n. f., terme didactique emprunté au latin *sardonia (herba)*, désigne (v. 1560, *sardonia*) en parlant de l'Antiquité une renoncule toxique dont l'ingestion provoque la contraction de muscles faciaux.

◈ voir SARDINE, SARDOINE.

SARGASSE n. f. (1663), d'abord sous la forme *sargasso* (1598), est une adaptation du portugais *sargaço* «ciste» puis, par analogie de forme, «algue de mer», peut-être par l'intermédiaire du néerlandais. Le mot vient d'un latin populaire °*salicaceus*, dérivé du latin classique *salix, salicis* «saule» (→ salicaire), les feuilles du ciste rappelant celles du saule. Les formes masculines en *o* (*sargaço*, 1694; *sargazo*, 1701) sont encore usitées à la fin du XVIIIe siècle.

♦ Le mot désigne, comme en portugais, une algue brune très répandue au nord-est des Antilles. Le syntagme *mer des Sargasses* désigne une zone de l'Atlantique où ces algues prolifèrent.

SARI n. m. reprend (1830, *sarrie*; 1843, *sari*; 1872, *sarri*) un mot hindi, désignant une longue étoffe drapée que portent les femmes dans l'Inde.

♦ Le mot conserve ce sens en français.

SARIGUE n. f. est emprunté une première fois au XVIe s. (1578, *sarigoy*, n. m.), repris chez Buffon (1763) à *sarigué*, mot tupi (langue indienne du Brésil) par l'intermédiaire du portugais.

♦ *Sarigue* est le nom d'un petit mammifère à queue longue et préhensile. On relève aux XVIIe et XVIIIe s. de nombreuses variantes : *zerigon* (1610), *cerigon* (1622), et avec la consonne *[k] carague, carigueya* (1658, jusqu'en 1763), *carigue* (1763, Buffon).

SARMENT n. m. est issu (v. 1119, Ph. de Taon) du latin *sarmentum* «rameau de la vigne», dérivé de *sarpere*, supin *sarptum*, «tailler la vigne». Ce verbe se rattache à une racine indoeuropéenne °*serp-* «instrument crochu», que l'on retrouve dans le grec *harpê* «faux, faucille» (→ arpion, harpagon), le sanskrit *sṛṇí* «faucille» (→ serpe).

♦ Le mot désigne en ancien français toute branche sèche (d'où *ne valoir un sarment* «ne rien valoir», au XIIIe s.), la spécialisation pour «rameau de vigne» étant ancienne (v. 1210), puis le cep lui-même (v. 1300). Il se dit par extension (1549) de la tige des plantes sarmenteuses. ◇ La locution figurée *se brider de sarment* «être ivre» (1545) a disparu, ainsi que *jus de sarment* «vin» (1644), qui équivalait à *jus de la treille*.

▸ **SARMENTER** v. tr. s'est employé (1603) au sens de «couper (des fleurs)»; il signifie aujourd'hui «ramasser les sarments, après la taille» (1836), sens attesté dès le XIIIe s. (1271) en ancien provençal *(sermentar)*. ◆ **ASSARMENTER** v. tr., «tailler (la vigne)» (1449), s'est aussi employé (fin XVe s.) au sens de *sarmenter*. ◆ **SARMENTEUX, EUSE** adj. dérive (1559) de *sarment* ou est emprunté au latin *sarmentosus* adj., appliqué à une plante dont la tige longue s'appuie sur des supports. ◇ *Sarmenteux* conserve ce sens et se dit d'une vigne qui produit beaucoup de sarments (1793).

SARONG n. m. est emprunté (1836) au malais, où il désigne un vêtement drapé.

SAROUAL ou **SÉROUAL** n. m. est emprunté sous plusieurs formes (*sérouâl*, 1887; *serouel*, *sarouel*, 1860; *saroual*, 1906) par le vocabulaire militaire à l'arabe *sirwāl*, désignant un pantalon large et flottant.

♦ Il conserve ce sens, en particulier en parlant de pantalons de femme, dans le vocabulaire de la mode.

SARRASIN, INE n. et adj. est issu (1080) du bas latin *Sarracenus*, singulier de *Sarraceni* n. m. pl., nom d'un peuple de l'Arabie, étendu par les Byzantins à tous les peuples soumis au calife. Le latin viendrait de l'arabe *šarqiyyīn*, pluriel de *šarqī* «oriental», mais cette hypothèse est controversée. Le mot a d'abord désigné une peuplade de l'Arabie, puis un ensemble de tribus arabes nomades (IIIe s.). En bas latin, chez les écrivains ecclésiastiques, il n'est appliqué qu'aux tribus de l'est de la Jordanie et du sud de la Palestine. C'est à partir de l'époque byzantine que le mot prend sa valeur définitive. Il se propage ensuite en Occident; il est employé pour «Arabe» et désigne tout ce qui vient de l'Orient (Machrek), parfois même des marchandises européennes fabriquées d'après les modèles orientaux. Au moyen âge, son emploi est fortement coloré par les relations de guerre des Croisades.

♦ *Sarrasin*, aussi sous la forme *sarradin* (v. 1175, Chrétien de Troyes) et avec des variantes suffixées *sarrazineis, sarrazinois*, qualifie et désigne en ancien français ce qui vient d'Orient et notamment tout païen, spécialement les musulmans d'Orient, d'Afrique ou d'Espagne. *Sarrasine* n. f. (fin XIe s., *sarazine*) s'est dit d'un vêtement ample de dessus, à la façon des Arabes. ◇ L'adjectif a eu le sens de «cruel», caractère prêté aux Sarrasins, ennemis pendant les Croisades (XIIIe s.), et de «trompeur» (1518). Il a signifié de manière plus neutre «d'origine ou d'imitation orientale» (1224), spécialement dans *lettres sarrasines* (1368), *lettres de sarrasin* (1380) «inscriptions imitées des décorations d'étoffes orientales». *Loi sarrasine* correspond à «paganisme» au XVe siècle. ◇ *Blé sarrasin* (1545), substantivé en **SARRASIN** n. m. (1551), désigne une céréale introduite au XVe s., originaire d'Asie centrale, aussi appelée *blé noir;* le nom vient de la couleur du grain, que l'on comparait au teint des Sarrasins; on relève en latin médiéval *frumentum sarracenorum* (1460). ◇ L'adjectif s'emploie aussi depuis le XIXe s. dans des domaines spéciaux, techniques : *tuile sarrasine* (1842) «tuile large» utilisée en Provence, que l'on fait remonter à l'occupation sarrasine, *voûte sarrasine* (1842) «ogivale» qui s'oppose à *plein cintre,* et au XIXe s. *art sarrasin* pour *art gothique* (noté «vieux», en 1842, Académie) viennent de ce qu'on attribuait à l'ogive une origine arabe, d'où aussi *art maure, mauresque* et parfois *arabe,* tandis que l'art roman était nommé *byzantin.* ➻ Dans l'argot des typographes (1867), **SARRASIN** n. m. a désigné un ouvrier qui brise une grève ou n'est pas syndiqué.

▸ **SARRASINE** adj. et n. f., attesté au milieu du XVIe s. (1551, *sarrazine; 1676, herse sarrasine;* 1814, *sarrasin* n. m.), terme d'archéologie, désigne une herse de château fort, qui en fermait l'accès; on pensait que les Arabes l'avaient inventée. ➻ **SARRASINER** v. intr. (1907) dans l'argot de l'imprimerie «briser une grève» a fourni **SARRASINAGE** n. m. (1907).

SARRAU n. m. est une altération qui semble tardive (1732) de *sarrot* (fin XIe s., Raschi; 1276, en picard), lui-même altération de *sarroc* (fin XIe s.), emprunté au moyen haut allemand *sarroc* qui désignait un vêtement militaire.

♦ Le mot se disait d'un vêtement de dessus, puis (av. 1549) d'un vêtement féminin, et au XVIIIe s. (1740) d'une ample blouse de travail en grosse toile, portée par-dessus les vêtements. ◇ Par extension, *sarrau* désigne une blouse d'écolier, boutonnée dans le dos (1857, *sarrau d'enfant,* Flaubert) et, par métonymie (1876), une toile de fil de lin, ordinairement bleue, employée à la confection des sarraus.

SARRIETTE n. f. représente le diminutif (1350) de l'ancien français *sarree* (XIIe s.), *sarreie, serrie* (v. 1290), *sarriee* (XIIIe s.), d'abord *sadree* (fin XIe s.), issu du latin *satureia.* L'ancien provençal *sadriega* (v. 1280), de même origine, a été emprunté en moyen français sous la forme *sadriege* (1528) puis *sadree* (O. de Serres, 1600), encore attestée en 1767. Les noms de plantes utilisés régionalement sont souvent altérés, ce qui explique la variété des formes. En français, on écrit aussi *sariette.*

♦ C'est le nom d'une plante herbacée aromatique dont une variété, la *sarriette des jardins* (1556) ou *de jardin* (1562), est cultivée; d'autres variétés sont appelées *sarriette de montagne* (1562), *d'été* (1667), *d'hiver* (1667).

SAS n. m., succédant (1380) aux formes *saaz* (v. 1200), *saas* (XIIIe s.) et aussi *saz,* est issu du latin médiéval *s(a)etacium* «tamis», dérivé du latin classique *saeta* ou *seta* «soie de porc, crin de cheval» (→ soie).

♦ Le mot désigne d'abord une pièce de crin, de soie, etc., montée sur un châssis et servant à tamiser notamment de la farine; de là viennent les locutions figurées *passer (qqch.) au gros sas* «l'examiner rapidement» (mil. XVe s.) et *faire tourner le sas* «prédire l'avenir en examinant le contenu d'un sas après l'avoir fait tourner» (mil. XVIe s.), sorties d'usage. ◇ *Sas,* avec l'idée de filtrage, se dit (XVIe s.) de la partie d'un canal comprise entre les deux portes d'une écluse, qui se remplit et se vide alternativement. ◇ Avec sa première valeur, le mot désigne spécialement un tamis pour le plâtre (mil. XVIe s.), une grosse claie qui sert à passer la terre pour l'épierrer (1690). ◇ La deuxième valeur aboutit au nom (1885, *sas à air, sas*) d'une pièce étanche entre deux milieux différents (air à des pressions différentes, etc.) et d'une ouverture pratiquée dans un oléoduc pour son nettoyage (1975).

▸ **SASSER** v. tr. (1362), d'abord *saacier* (v. 1193), signifie «passer au sas» et au figuré, dans la langue classique (1660), «examiner minutieusement» (voir ci-dessous *ressasser*). ◇ Le verbe entre ensuite (1876) dans le vocabulaire de la navigation fluviale. ➻ *Sasser* a fourni plusieurs dérivés techniques : **SASSEUR** n. m. (XVe s.; v. 1380, *saceur*), terme de meunerie qui désigne une personne puis une machine (1875, n. m. «crible mécanique»; 1881, *sasseur électrique*), **SASSEMENT** n. m., employé en meunerie (1611; v. 1400, *sacement*) et pour «éclusage» (1900), **SASSAGE** n. m. (1875), plus rare.

Le composé **RESSASSER** v. tr., d'abord *resasser* (1549, jusqu'en 1752) puis écrit avec deux *s* (1680), a signifié «repasser au sas (la farine, etc.)» puis par figure, à l'époque classique, «examiner minutieusement» (1690, *sasser et ressasser*). ◇ Par extension du premier sens, le verbe a signifié «agiter, secouer» (2e moitié XVIIe s.) et au sens figuré «faire des recherches contre qqn» (1694, jusqu'à fin XVIIIe s.), «examiner la conduite de qqn» (1718; encore relevé en 1878). Le sens initial se perd alors et le verbe se détache de son origine. ◇ Au sens métaphorique de «répéter (qqch.) sans cesse», seul usuel en français moderne, il est attesté depuis 1721. ➻ *Ressasser* a produit, avec sa valeur figurée, **RESSASSEUR, EUSE** n. et adj. (1764, Voltaire), rare, **RESSASSEMENT** n. m. (1777), assez courant, **RESSASSAGE** n. m. (1877) et **RESSASSANT, ANTE** adj. (mil. XXe s.) qui correspondent tous à la dernière acception du verbe.

SASHIMI n. m. est la transcription (XXe s.) d'un mot japonais formé de *sashi* «percer» et de *mi* «chair».

♦ Le mot désigne un plat, traditionnel et courant au Japon, constitué de poisson cru, découpé suivant diverses techniques (en lamelles, en petites barres, en dés, en vagues, etc.), accompagné de sauce de soja, de lamelles de gingembre confit au vinaigre et de radis, ainsi que de raifort japonais *(wasabi)*, l'ensemble étant présenté de manière à flatter l'œil.

SASSAFRAS n. m. (1612) est un emprunt (1590, *arbre de sassefras*) à l'espagnol *sasafras*, p.-ê. d'une forme mozarabe issue du latin *saxifraga* (→ saxifrage).

♦ Le mot désigne un arbre d'Amérique du Nord, dont l'écorce était employée en pharmacie.

SATAN n. m. est un emprunt (1165-1170), d'abord sous les formes *satanas* (v. 980) et *Sathan*, nom propre (mil. XIIe s.), au bas latin ecclésiastique *Satan* ou *Satanas* «Satan, le diable», lui-même au grec *Satan* ou *Satanas* (Nouveau Testament), d'origine hébraïque. L'hébreu *śāṭān*, «adversaire», désigne dans le livre de Job l'ange chargé de tenter le héros pour le mettre à l'épreuve. Le nom est devenu celui du prince des anges déchus, le démon et, par figure, d'une personnalité maléfique.

♦ C'est d'abord le nom du chef des anges rebelles (v. 980); le mot désigne plus largement (1165-1170) un diable quelconque, emploi rare aujourd'hui. *Satanas* s'est employé jusqu'au XVIIe siècle. Richelet (1680) le considère comme un mot burlesque (archaïque et stylistique). ◇ Plusieurs locutions sont sorties d'usage, comme *fils, enfant de Satan* «homme méchant» (1768), qui succède à *un satanas* (v. 1130), *un satan* (1175), ou encore *orgueil de Satan* «extrême» (1798). ◇ L'emploi de ***le grand Satan*** «ce qui incarne le mal absolu», par calque du persan (emprunt à l'arabe) et appliqué aux États-Unis par l'Iran intégriste, est journalistique (1987).

▸ **SATANIQUE** adj., dérivé du nom propre et emprunt au latin médiéval *satanicus* (XIIe s.), s'applique à ce qui fait penser à Satan (1475), est propre à Satan (1691) ou à ce qui est digne de Satan, inspiré par l'esprit du mal (apr. 1850). ◇ Il a plusieurs dérivés. ➜ **SATANISTE** n. (1577), «disciple de Satan», est rare. ➜ **SATANISER** v. (1832) «rendre satanique» a été récemment repris avec *diaboliser*. ➜ **SATANISME** n. m., didactique, signifie «culte de Satan» (1855, Baudelaire) et «esprit satanique» (1842, Mérimée). ➜ **SATANIQUEMENT** adv. (1868) est didactique et littéraire. ➜ **SATANÉ, ÉE** adj. s'applique familièrement (1792 dans la Mère Duchesne) à qqn dont la conduite est considérée comme abominable, puis par affaiblissement et à l'image de *sacré, damné* se dit (av. 1870) d'une chose désagréable, pénible, puis, par antiphrase, équivaut (av. 1876) à «très bon, remarquable».

SATELLITE n. m. et adj., écrit *satelite* vers 1265, B. Latini, (avec deux *l* vers 1355), est un emprunt au latin classique *satelles, satellitis* «garde du corps», «soldat», «serviteur», «auxiliaire, complice»; le mot est souvent employé au pluriel. D'origine obscure, *satelles* est peut-être un emprunt à l'étrusque.

♦ Le mot a désigné, du XIIIe au XVIIe s., un homme armé à la suite d'un chef, qui exécute ses ordres (v. 1265), péjorativement un homme aux gages d'un puissant (1492), puis (1580) un homme dépendant d'un autre et, par figure, ce qui accompagne qqch. (1660). ➜ *Satellite* prend au XVIIe s. (1665) le sens du latin scientifique des astronomes *satelles* (1611, Kepler, *De quattuor Jovis satellitibus erronibus* «Des quatre planètes satellites de Jupiter»), c'est-à-dire «corps céleste gravitant sur une orbite elliptique autour d'une planète». ◇ Par analogie, le mot s'emploie pour «élément périphérique ou secondaire» en anatomie (1814, adj. *veine satellite*; 1805 comme nom), en mécanique (1902) «élément d'un engrenage différentiel», en physique (v. 1960, *électron satellite*). Il désigne dans certains aéroports, notamment celui de Roissy près de Paris, un bâtiment annexe, relié par un couloir (1964) au bâtiment central. ◇ Par extension de la première acception, il s'applique (1941) à un État sous l'étroite dépendance d'un autre, sens diffusé à partir de 1945 à propos des pays socialistes d'Europe centrale et orientale par rapport à l'ancienne U. R. S. S. ➜ *Satellite artificiel* (v. 1950) ou *satellite*, par extension du sens astronomique, désigne un engin destiné à être lancé dans l'espace de manière à décrire une orbite autour de la Terre ou d'un autre corps céleste; cette dénomination s'applique surtout à des engins de taille réduite; les satellites artificiels conçus pour recevoir un équipage sont désignés par des termes spécifiques, comme *cabine, navette spatiale, station orbitale* (1961, *satellite habité*). Le développement des applications civiles et militaires de l'exploration de l'espace a fourni de nombreux syntagmes plus ou moins lexicalisés : *satellite-relais* (1962), *satellite-observatoire* (1965; *satellite d'observation*, 1961), *satellite de télécommunications* (1963), *satellite-ballon* (1968), *satellite-espion* (1969), etc.

▸ **SATELLISER** v. tr. s'emploie en astronautique (1957) et, par analogie, au sens de «rendre dépendant (un pays, etc.)» (1966). ◇ Le verbe a fourni les dérivés **SATELLISATION** n. f. (1961, au figuré 1958), d'où **DÉSATELLISATION** n. f., et **SATELLISABLE** adj. (1964), seulement en astronautique. ➜ **SATELLITAIRE** adj. (1975) est un terme technique.

SATI n. f. et n. m. invar. (1875, précédé par *suttie*, 1829 et *suttee*, 1839) est un emprunt au sanskrit (puis hindi) *çuddhi*, du radical signifiant «sage», par l'anglais.

♦ Le mot s'applique au fém. à la veuve qui s'immolait rituellement sur le bûcher funèbre de son mari, en Inde, et au masculin, au rite lui-même.

SATIÉTÉ n. f., réfection du XVIe s. (1588, Montaigne) de *sazieted* (v. 1120), *satietet* (XIIe s., isolément), est un emprunt au latin *satietas* «abondance», «suffisance», «satiété», dérivé de *satis*.

♦ Comme en latin, le mot désigne un état d'indifférence proche du dégoût lorsqu'un désir est pleinement satisfait; il ne s'emploie aujourd'hui, en parlant d'une personne rassasiée (v. 1530), que dans les expressions ***jusqu'à satiété*** (v. 1580), ***à satiété*** (1827), usitées aussi avec la première valeur (fin XIXe s., *répéter à satiété*).

SATIABLE adj. est emprunté (mil. XVe s.) au latin *satiabilis* et signifie, au concret puis à l'abstrait

(1486) «qui peut être satisfait». Il est beaucoup plus rare que l'antonyme *insatiable**.

◈ voir RASSASIER, SATIRE, SATISFAIRE, SATURER, SOÛL.

SATIN n. m. est emprunté (1351, *zatin;* 1387, *satin*), sans doute par l'intermédiaire de l'espagnol *aceituní* (avec l'article arabe), *setuní*, à l'arabe *Zaytūnī*, proprement «de la ville de Zăytun», c'est-à-dire Tsia-Toung (en Chine) où l'on fabriquait des étoffes de satin.

♦ Le mot désigne une étoffe de soie, moelleuse et lustrée sur l'endroit et sans trame apparente, puis (1690) toute étoffe moelleuse et lustrée, avec des syntagmes comme *satin grec* (1877) «dont la trame est en laine», *satin duchesse* (1887), etc. *Armure satin* ou *satin* (1751) se dit en tissage d'une des trois armures fondamentales. ◇ Au figuré, *peau de satin* s'est employé (1751, Crébillon) pour *satiné*. ◇ *Satin* désigne aussi, par analogie d'aspect et de toucher (1933), un bois utilisé en ébénisterie pour son aspect satiné, originaire de Sri Lanka (Ceylan).

▸ Le mot a fourni plusieurs dérivés. ◆ **SATINÉ, ÉE** adj. et n. m. (1603, sans indication de sens), attesté dans l'acception figurée, disparue, de «doux, aimable» (1689), s'applique (1690) à ce qui a la douceur ou les reflets du satin. ◇ Le *satiné* n. m. désigne (1706) ce qui est satiné, en a l'apparence. ◇ Le mot qualifie plusieurs essences de bois tropicaux qui fournissent des placages d'aspect satiné (1765, *bois satiné*), substantivé (1890). ◆ **SATINETTE** n. f., «étoffe de coton et de soie, ou de coton qui a l'aspect du satin» (1703), semble inusité avant la seconde moitié du XIXe s. (1877); **SATINET** n. m., de même sens (1842), a disparu. ◆ **SATINER** v. tr. est attesté depuis 1690, figurément au XIXe s. (1835, Balzac). ◇ **SATINEUR, EUSE** n. est un terme technique (1842), comme *satiner* dont il dérive. Ainsi que **SATINAGE** n. m. (1785), il apparaît d'abord en imprimerie, d'après *satiner le papier* (1785).

SATIRE n. f., réfection (1352-1356, Bersuire) de la forme altérée *satre* (v. 1290), est emprunté au latin impérial *satira*, variante du latin classique *satura* «macédoine de légumes» puis en littérature «pièce de genres mélangés» (cf. en français *salade, macédoine* et aussi *farce*), appliqué à certains textes d'Horace et de Juvénal au sens de «poème qui critique les vices». Le mot a été rattaché à *satur* «rassasié» (→ saturer), en parlant de nourritures, lié à *satis* «assez*».

♦ *Satire* se dit d'abord d'une danse parodique et, en littérature latine, d'une pièce dramatique de portée morale, où se mêlaient les vers, la musique et la danse; c'est ensuite (1486) le nom d'un poème en vers, en hexamètres chez les Latins, en alexandrins en France, où l'auteur attaque les ridicules de ses contemporains; les *Satires* de Perse sont une référence littéraire majeure à l'époque classique. Par extension, le mot désigne un écrit mêlé de prose et de vers (1594, *La Satyre ménippée* [Satire Ménippéel), puis plus couramment un écrit, un discours qui s'attaque à qqch. ou qqn en s'en moquant (av. 1613, M. Régnier), genre bien illustré au XVIIe s. (Boileau, Furetière, etc.). On trouve la variante *satyre* (1549), encore en 1740 (Académie), reprise du latin *satyrus* qui désignait aussi un drame satirique (→ satyre). Les deux formes sont aujourd'hui nettement distinctes. ◇ Le mot s'emploie dans *trait de satire* (av. 1696), *faire la satire de qqch., qqn* (1711) «critiquer».

▸ **SATIRIQUE** adj. s'applique à ce qui appartient à la satire (v. 1380), à une personne portée à la satire (1488); *un satirique* n. (1524) ne se dit plus qu'en littérature antique (depuis 1529). ◆ Le dérivé **SATIRIQUEMENT** adv. (1549) est rare. ◆ **SATIRISER** v. tr. (1544, Scève) est noté «peu usité» dès 1718; il l'est resté. ◆ **SATIRISTE** n. «auteur de satires» (1683, *saty-*), aujourd'hui didactique, s'est employé pour «mauvais plaisant» (1812). ◆ **SATIROGRAPHE** n. m., emprunt (1842, Académie) au latin *satirographus* «auteur de satires», lui-même du grec (→ graphe), ne s'est pas imposé.

SATISFAIRE v. tr. est un emprunt (1219), adapté d'après *faire**, au latin classique *satisfacere* v. intr. «s'acquitter de (une demande, un devoir)», «satisfaire (un créancier)», «faire des excuses (à qqn)», «donner une explication, une justification», puis «donner satisfaction en expiant». Ce verbe est composé de *satis* «assez*» et de *facere* «faire*». On relève en ancien français les formes *satifier* (1288), *satisfier* (XIVe s., attestée jusqu'en 1530), faites d'après les verbes en *-fier*.

♦ Ce verbe a eu des constructions variées en ancien et en moyen français, intransitives comme en latin, dans plusieurs acceptions. On relève d'abord *satisfaire qqch. à qqn* «payer», sorti d'usage comme *satisfaire en qqn du prix* (XIVe s.), de même que l'emploi intransitif (1538). ◇ La construction moderne *satisfaire à qqch.* «s'acquitter de ce qui est attendu ou exigé», «remplir une exigence», est attestée depuis le XIVe s., ainsi que *satisfaire qqn* «lui payer ce qui lui est dû», alors que *satisfaire à qqn* ne se dit plus (1559, *satisfaire à ses créanciers*). ◇ *Satisfaire* «accomplir une pénitence» (XVe s.) est sorti d'usage; avec cette idée de réparation, *satisfaire à qqn* (fin XVe s.) s'est employé jusqu'à l'époque classique pour «remplir son devoir envers qqn», *satisfaire à Dieu* (v. 1570) signifiant «donner à Dieu la réparation de l'offense que constitue le péché». De même, *satisfaire à qqch.* «expier» (1538), *satisfaire qqn de qqch.* «rémunérer un service» (1545) ne s'emploient plus. ◇ *Se satisfaire* «contenter le désir qu'on a de faire qqch.» est relevé depuis Montaigne (1580). ◇ Au XVIIe s., l'idée de réparation et surtout celle de contentement se développent parallèlement à celle de *satisfait*. Le verbe s'emploie à l'époque classique au sens de «réparer une offense», comme intransitif (1636) et comme transitif *(satisfaire qqn)*, d'où *se satisfaire* «se venger soi-même d'une offense» (1694) et «s'apaiser» (1638). *Satisfaire qqn* signifie aussi «être pour qqn ce qu'il demande» (1640), *se satisfaire* «se donner à soi-même une explication suffisante» (1640) et «trouver suffisant» (1642, *se satisfaire de qqch.*; 1650, ... *de qqn*). Avec un sujet nom de chose, *satisfaire*, transitif, signifie «correspondre aux exigences de (qqn)» et «plaire à l'esprit, aux sens» (1644) en parlant d'une sensation (musique, etc.), puis «répondre aux besoins de clarté de l'esprit» (1660), à propos d'une réponse, d'une hypothèse, etc. ; ces valeurs sont restées vivantes. ◇ Le verbe s'emploie également avec le sens de «contenter (un désir)» (1667), «répondre à (un besoin)» (1678), et *satisfaire qqn* «assouvir ses désirs» (1690) s'emploie notamment dans le domaine sexuel. Avec un sujet nom de chose, *satisfaire qqn* correspond à «répondre à son attente» (1718). *Satisfaire à qqch.* prend enfin au XIXe s. le sens de «remplir les conditions requises».

▶ **SATISFAIT, AITE** adj. et n. m. a signifié dans le vocabulaire religieux «pardonné, absous» (XVe s.). Il s'applique à qqn qui a ce qu'il attend (1580, *satisfait de*), d'où *être satisfait de soi-même* (1690), à une personne à laquelle on a donné satisfaction (1611), d'où *un air satisfait* (1761). Il qualifie aussi ce qui est assouvi, réalisé (1611), ce qui a reçu satisfaction (1713). ◇ L'emploi comme nom masculin est attesté au milieu du XIXe siècle. ◆ L'adjectif a fourni l'antonyme préfixé **INSATISFAIT, AITE** adj. (1510), inusité dans la langue classique, repris en 1794 puis en 1840, mais répandu seulement à la fin du XIXe (XXe s., n.). *Mal satisfait* «mécontent» (2e moitié XVIIe s.) est sorti d'usage. ◆ **SATISFAISANT, ANTE** adj., «qui est conforme à ce qu'on peut attendre» (av. 1662, Pascal), s'applique aussi à ce qui peut être accepté, sans plus (1876). ◇ De l'adjectif dérive **INSATISFAISANT, ANTE** adj. (1793).

SATISFACTION n. f. est emprunté (v. 1155) au latin *satisfactio* «excuse, justification, amende honorable», puis «réparation» et «action d'acquitter une dette», dérivé de *satisfactum*, supin de *satisfacere*. ◇ Ce nom désigne d'abord l'acte par lequel on obtient réparation d'une offense, surtout dans des locutions verbales comme ***donner, obtenir satisfaction.*** ◇ Dans le vocabulaire théologique (1260), le mot se dit de l'acte destiné à réparer envers Dieu l'offense du péché. ◇ Il s'est aussi employé (1280) pour l'acte par lequel on paie ce que l'on doit. ◇ *Satisfaction* dans l'usage courant (1611) désigne le plaisir qui résulte de l'accomplissement de ce que l'on désire, d'où le sens de «plaisir, occasion de plaisir» (fin XVIIe s., Mme de Sévigné). Le nom se dit ensuite (1836) de l'action de satisfaire un besoin, un désir et s'emploie dans ***donner satisfaction*** «contenter (qqn)» (1671). ◆ Le préfixé **INSATISFACTION** n. f., relevé chez François de Sales au début du XVIIe s. («mécontentement»), est repris en 1794 et ne se répand qu'au début du XXe siècle ; ces dates d'usage correspondent à celles d'*insatisfait* (ci-dessus). ◆ **NON-SATISFACTION** n. f., est relevé en 1866, **AUTOSATISFACTION** n. f. en 1963.

SATISFACTOIRE adj. est un emprunt (1495) au latin scolastique *satisfactorius* «propre à expier une faute», dérivé du supin de *satisfacere*. ◇ L'adjectif français conserve ce sens et s'est appliqué (1530) à ce qui satisfait, également comme terme de droit.

SATISFECIT n. m., mot latin repris au XIXe s. (1845), signifie littéralement «il a satisfait». C'est la 3e personne du singulier du parfait de *satisfacere*. ◇ Le nom désigne d'abord une attestation qu'un maître donnait à un élève dont il était content ; il s'emploie (1866) pour «approbation».

SATRAPE n. m. est un emprunt (v. 1265, B. Latini [interpolation du XIVe s., selon T.L.F.]) au latin *satrapes* «gouverneur de province, chez les Perses», emprunté au grec *satrapês*, lui-même du vieux perse *xšathrapa* «officier du roi», d'où en persan *šāh* (→ shah).

♦ Le mot conserve d'abord le sens de l'étymon, puis se dit (1389) d'un grand seigneur riche qui mène grand train et, au XIXe s. (1810), d'un homme puissant. Il est aujourd'hui didactique pour le sens historique, et littéraire au sens figuré pour «homme puissant et corrompu». ◇ Le titre entre dans la hiérarchie du collège de Pataphysique.

▶ Le dérivé **SATRAPIQUE** adj. s'emploie (1842) au propre et au figuré. ◆ **SATRAPIE** n. f., emprunt (1530) au latin *satrapia*, lui-même du grec *satrapeia*, dérivé de *satrapês*, est un terme didactique d'histoire.

SATURER v. tr. est un emprunt (v. 1300) au latin *saturare* «rassasier», «repaître» au propre et au figuré. Ce verbe dérive de l'adjectif *satur* «rassasié» (→ soûl) et au figuré «saturé», «riche, abondant», résultant de °*satu-ro-s*, dérivé à l'aide du suffixe *-ro* d'un thème °*satu-* ; la même racine a produit l'adverbe *satis* «assez*».

♦ Le verbe apparaît au sens de «rassasier, remplir» ; il est repris dans le vocabulaire scientifique (1762), signifiant «mélanger ou dissoudre une substance dans une solution jusqu'à ce qu'elle ne puisse plus en contenir». ◇ Il prend le sens figuré (1870) de «remplir (qqn de qqch.) jusqu'à l'en dégoûter» et signifie (depuis 1827) «rendre tel qu'un supplément de la chose ajoutée soit impossible». ◇ En emploi intransitif, il s'emploie familièrement pour «en avoir assez».

▶ **SATURANT, ANTE** adj. «qui peut saturer» (1765, n. m. ; adj. 1846) est didactique. ◆ **SATURÉ, ÉE** adj. est attesté au XVIIIe s. au figuré (v. 1770, Rousseau), spécialement dans ***être saturé de qqch.***, et concrètement (1772, *air saturé de vapeur*), en particulier dans le vocabulaire de la chimie (1753). Il s'applique au figuré (1835) à qqn qui est rassasié jusqu'au dégoût, puis s'emploie couramment au sens de «complètement rempli» (1870). C'est aussi au XXe s. un terme de mathématiques et de logique. ◆ L'antonyme **INSATURÉ, ÉE** adj. (1840) est didactique. ◆ **SATURABLE** adj. «qui peut être saturé» (1832) est sans doute antérieur. ◇ Le dérivé **SATURABILITÉ** n. f. est attesté en 1801 ; l'antonyme préfixé **INSATURABLE** adj. (1482, au figuré) est plus fréquent que *saturable*.

SATURATION n. f., emprunté au bas latin *saturatio* «rassasiement», dérivé de *saturatum*, supin de *saturare*, est d'abord relevé (1513) au figuré, puis en 1836, pour désigner l'état d'une personne qui n'accepte plus ce dont elle a été trop abreuvée (cf. *satiété*). ◇ Le mot est ensuite employé en sciences (1748) avec la valeur de «saturer», d'où ***point de saturation*** (1801), avec des emplois spéciaux en électricité *(courant de saturation)*, en logique (mil. XXe s.), en physique nucléaire, en statistique (1964), en informatique, etc. ◆ **SATURATEUR** n. m., emprunté au dérivé bas latin *saturator* «celui qui rassasie», de *saturatum* supin de *saturare*, désigne en sciences (1857) un appareil qui dissout un gaz dans un liquide jusqu'à saturation et, couramment (1910), un dispositif d'évaporation pour augmenter l'humidité de l'atmosphère. ◆ Le composé **SURSATURÉ, ÉE** adj. (1787, *sel sursaturé*) est attesté avant **SURSATURER** v. tr. (1812), didactique, qui a fourni **SURSATURATION** n. f. (1824); d'abord écrit *sursaturation* 1819.

◈ voir SATIÉTÉ, SOÛL.

SATURNE n. m. est un emprunt (1564) au latin *Saturnus* «Saturne», nom d'un dieu fils d'Uranus et père de Jupiter, dieu du temps et personnification du temps; le mot apparaît (Ier s. av. J.-C.) dans la série des noms de la semaine (*saturnus dies* «samedi»). C'est aussi en latin le nom d'une planète. Il correspond au *Khronos* grec.

♦ *Saturne* est le nom d'un dieu de Rome et désigne en alchimie (1564) le plomb, parce que ce métal était considéré comme un métal froid, comme Saturne en astrologie était la planète froide. À partir du XVIe s., Saturne est également le nom d'une des planètes du système solaire (fin XIIIe s., *Saturnus*, ancien provençal). ◇ Le mot s'est employé par latinisme pour personnifier le temps (1680, noté «poétique»). ◇ Comme nom propre, il est entré dans des expressions désignant un produit à base de plomb (1690, *sel de Saturne* «acétate de plomb cristallisé»).

▶ **SATURNIEN, IENNE** adj. est emprunté (v. 1380) au dérivé latin *Saturnius* «de Saturne». ◇ L'adjectif entre en français en astrologie et en astronomie, rare aujourd'hui dans cet emploi. ◇ Il s'applique ensuite (mil. XVIe s., Du Moulin, Ronsard) à une personne triste, mélancolique, opposé à *jovial* (de *Jupiter*), substantivé dans ce sens au début du XVIIe siècle. ◇ Le mot a eu le sens de «livide» (v. 1561). ◇ En parlant de l'Antiquité, il qualifie ce qui a rapport au dieu Saturne (1764, n. m., Voltaire). ◇ *Vers saturnien* (dans l'*Encyclopédie*, 1765) s'applique à un vers latin formé de trois ïambes et demi suivis de trois trochées, employé à l'origine dans des poèmes en l'honneur de Saturne. En chiromancie (1900), *ligne saturnienne* «qui part du poignet et se dirige vers la racine du médium» est un autre nom pour «ligne de chance». ◆ **SATURNALES** n. f. pl. a été emprunté (1355, *saturneles*; 1564, forme moderne) au latin classique *Saturnalia* «fêtes en l'honneur de Saturne», célébrées à partir du 17 décembre, jours de réjouissances et de liberté absolue, où les esclaves sont traités sur un pied d'égalité par les maîtres. C'est la substantivation du pluriel neutre de *Saturnalis* «de Saturne», dérivé de *Saturnus*. ◇ Le mot conserve le sens latin, employé en parlant de l'Antiquité puis, par figure et littéraire (1666, Guy Patin), signifie «temps de licence, de débauche ou de désordre», également usité au singulier. ◆ **SATURNIN, INE** adj. et n., emprunté (1636) au latin médiéval *saturninus* ou dérivé de *Saturne*, a signifié «sombre, mélancolique». Terme de médecine (1812), l'adjectif s'applique à une maladie provoquée par le plomb ou ses composés, d'où le sens (1876) de «personne atteinte de saturnisme». ◆ **SATURNISME** n. m., dérivé de *Saturne* (1877), désigne une intoxication par le plomb. ◆ **SATURNIE** n. f., emprunté (1842) au latin scientifique moderne *saturnia* (de *Saturnus*), est la désignation en zoologie d'un papillon nocturne roux, communément appelé *paon de nuit*.

SATYRE n. m., réfection étymologique (1549) de *satire* (v. 1372; XVe s. selon T.L.F.), doit être beaucoup plus ancien : *satirel* est relevé au XIIe s. (1165-1170). C'est un emprunt au latin *Satyrus*, nom des compagnons de Bacchus aux oreilles, à la queue et aux pieds de chèvre, appliqué ensuite à un génie rustique confondu avec le Faune. *Satyrus* a aussi désigné un drame satyrique (où jouaient des Satyres) [→ satire] et une espèce de singe. Le mot est emprunté au grec *Saturos*, nom d'un être mythique de la suite de Dionysos. C'est sans doute un emprunt, mais son origine est inconnue.

♦ *Satyre* est introduit pour désigner, en parlant de l'Antiquité, un demi-dieu rustique réputé pour sa lascivité, d'où son emploi figuré (1651, Scarron) pour «homme débauché» à l'époque classique, vieilli aujourd'hui. Employé au féminin, il a eu le sens (1738) de «pièce dont les principaux personnages étaient des satyres», en parlant du théâtre grec. ◇ Le mot reprend ensuite (1760) le sens latin de «grand singe anthropomorphe», sorti d'usage, et se dit d'un papillon diurne aux ailes brunes, noires et jaunes (1764). ◇ C'est aussi (1870) le nom d'un champignon dont la forme, à maturité, rappelle celle d'un phallus (aussi appelé *phallus impudique*, latin botanique *phallus impudicus*). ◇ Au XXe s., le mot désigne un homme obscène qui entreprend brutalement les femmes.

▶ Au sens d'«obsédé sexuel actif», *satyre* a pour dérivé **SATYRISME** n. m. (XXe s.), après *satyriasme* (1802). ◆ **SATYREAU** n. m. «petit satyre» (XVIe s.), littéraire, est la réfection de *satirel* (1165-1170), *satyrel* (XIIe s.). ◆ Le féminin de *satyre*, **SATYRESSE** n. f., est relevé en 1701 et il est demeuré rare.

SATYRIQUE adj. est emprunté au latin *satyricus* «qui concerne les satyres», du dérivé grec *saturikos* «semblable à un satyre», «qui est relatif au drame satyrique». ◇ L'adjectif s'applique d'abord (1555) à une danse, un mouvement qui consiste en postures indécentes, en parlant de l'Antiquité. ◇ *Satyrique* n. m. a désigné (1662) un genre de la poésie pastorale; le mot est noté «inusité» dans Littré; il était archaïque depuis le XVIIIe siècle. ◇ L'adjectif s'emploie dans *poème satyrique* (1701) «qui appartient à la satyre des Grecs»; il qualifie ensuite (1765) ce qui a rapport aux satyres, en parlant de la mythologie. *Jeux satyriques* désigne les farces jouées à Rome avant les grandes pièces, imitation des drames satyriques grecs; *drame satyrique* se dit (1870) d'une pièce bouffonne jouée après la trilogie tragique, chez les Grecs.

SATYRIASIS n. m. reprend (1538) un mot du bas latin médical (Ve-VIe s.) désignant l'exagération morbide des désirs sexuels chez l'homme, et lui-même emprunté au grec médical *saturiasis*, dérivé de *saturian* «être atteint de priapisme», de *saturos* «satyre». ◇ Le mot, didactique, conserve le sens de l'étymon et s'est dit pour «érection pathologique» (cf. *priapisme*). ◆ Il a fourni **SATYRIASIQUE** n. m. et adj. (1874).

SAUCE n. f., d'abord *sausse* (1165-1170), forme attestée jusqu'en 1740, *salse* (1172-1174) et *sauce* (v. 1240, *Roman de la Rose* et *Roman de Renart*), représente l'emploi substantivé de l'adjectif féminin *salse* «salée» (de l'eau) [1080], encore relevé au début du XVIIe s., puis *sause* (XIIe s.). L'adjectif est issu du latin populaire *salsa*, féminin de *salsus* «salé», participe passé passif de *sallere* «saler», lui-même dérivé de *sal* (→ sel).

♦ Le mot s'est d'abord employé par métaphore pour «eau de mer», sorti d'usage lorsque le sens culinaire (attesté 1266, mais antérieur) s'est affirmé, mais peut-être conservé dialectalement si l'on en juge par *saucer* «mouiller (par la pluie)». Il désigne parallèlement (1172-1174, *salse*) un assaisonnement liquide où entrent du sel et des ingrédients divers; la variété des éléments utilisés et leur plus ou moins grande liaison explique que de nombreux syntagmes viennent en préciser la nature; dès le XIVe s. on relève *sauce verte* isolément, puis *sauce vert* (fin XIVe s.) et *sause blanche* (1393); *sauce au pauvre homme* (1680), *à pauvre homme* (1718) se disait d'une sauce froide à base de ciboule et de sel; au XIXe s. sont attestés *sauce piquante* (1870), *sauce italienne, indienne* (1876), etc.; plusieurs dénominations où le mot est sous-entendu sont employées substantivement (→ béchamel, mayonnaise, vinaigrette, etc.) et adjectivement (→ marinière, etc.). Par ailleurs, le mot entre dans plusieurs locutions, avec sa valeur propre ou métaphoriquement pour «manière de traiter qqn, d'utiliser qqch.» : *metler* (mêler) *salse, mélanger la sauce* (1172-1174) «faire une machination coupable» a disparu avec ses nombreuses variantes, ainsi que *avoir amere sause* (v. 1300) «éprouver une déception»; *faire la sauce à qqn* (1440-1475) «le réprimander» s'est employé jusqu'au XIXe siècle; *gober la sauce* (1867) «être puni pour les autres» est familier et archaïque. *Donner ordre aux sauces* «aller dans la cuisine pour faire en sorte que le repas soit bien apprêté» (1566) se maintient jusqu'au XIXe siècle; *il n'est sauce que d'appétit* «quand on a faim, tout ce qu'on mange est bon» (1577) semble lui aussi sorti d'usage. Au XVIIe s., *sauce* désigne par figure, après un emploi ancien avec la valeur d'«accessoire» (v. 1165), ce qui est accessoire, accompagne, est opposé à l'essentiel, dans des locutions comme ***à toutes les sauces*** (1610) «à toutes sortes de services», aujourd'hui dans *mettre qqn à toutes les sauces; donner la saulse* «orner la fin d'un discours» (1640), disparue; ***mettre à telle sauce*** «présenter de telle façon» (1680, *être bon à certaines sauces,* Mme de Sévigné; 1680, *à quelle sauce peut-on mettre cela ?*), surtout aujourd'hui ***mettre à toutes les sauces; allonger la sauce, remettre la sauce,*** où *sauce* équivaut à «accompagnement inutile», sont relevées au XXe siècle. ◇ Par analogie, *sauce,* dans le vocabulaire technique, désigne une solution comprenant de l'eau salée, ajoutée au tabac pour en modifier le goût (1765), une solution d'or ou d'argent employée pour la dorure ou l'argenture (1803), un crayon très friable pour dessiner à l'estompe (1832), une bouillie dans laquelle on trempe les peaux (1875). ◇ Par figure le mot se dit pour «averse» (1881), d'où (1888) ***il va tomber de la sauce*** «il va pleuvoir». Ces emplois sont très postérieurs à ceux de *saucer* (ci-dessous). ◇ En argot, *sauce tomate* s'est dit pour «menstrues» (1889). ◇ *Sauce* est aussi utilisé dans *remettre la sauce* «les gaz» (1905) et pour «courant électrique» (1918), comme *jus**.

▸ Le dérivé **SAUCER** v. est d'abord relevé au sens figuré (v. 1200 «tromper»; XIIIe s., *sauser*) de «plonger (l'épée dans le sang)», disparu. ◇ Le verbe signifie ensuite «garnir de sauce» (XIVe s., *saucier;* 1538, *saucer*). Il s'est employé pour «humecter» (v. 1375, *saucer*), puis au sens de «tremper (du pain, etc.) dans la sauce» (1532, *saulser;* 1611, *saucer*), également sorti d'usage, mais encore employé pour «essuyer la sauce de (un plat) avec du pain», sens qui semble avoir été repris déb. XXe s.. De là une valeur extensive «tremper (qqch.) dans un liquide» (déb. XVIIe s.), qui ne survit qu'en technique. ◇ On relève ensuite, peut-être en relation avec le premier emploi de *sauce* «eau de mer», *se saucer dans la rivière* «y tomber» (1690) et aujourd'hui *être saucé* «être trempé (dans une averse)» (1725), *se faire saucer, saucer* «mouiller abondamment» (1800), emplois familiers, de même que l'impersonnel *il sauce, ça sauce,* synonyme familier de *pleuvoir,* qui paraît récent (mil. XXe s.). ◇ Par ailleurs, le verbe s'est employé au figuré pour «réprimander fortement» (1718), valeur sortie d'usage. ◇ *Saucer* signifie enfin (XXe s.) «essuyer en enlevant la sauce» (pour la manger). ◆ **SAUCÉE** n. f., familier pour «averse, forte pluie» (1864), ne s'emploie plus au sens figuré et familier de «volée de coups» (1896; cf. *trempe*). ◆ **SAUÇAGE** n. m. est un terme technique (1906) dans l'industrie du tabac.

SAUCIER n. m., d'abord *saussier* (1285), avec l'orthographe actuelle en 1723, désigne un cuisinier spécialisé dans la préparation des sauces, autrefois dans une grande maison (1285), aujourd'hui dans un restaurant (1845). Il s'est dit d'un vendeur de sauces (1394). ◇ Le mot, dans l'ancienne marine (1773), se disait d'une pièce évidée recevant le pied d'un étançon, peut-être par spécialisation de *saucier* «récipient» (ci-dessous). ◆ **SAUCIÈRE** n. f., d'abord écrit *saussiere* (1328), forme utilisée jusqu'au milieu du XVIIIe s. à côté de *saucière* (1379), désigne un récipient qui reçoit des sauces. On a eu aussi avec le même sens *sauser* n. m. (v. 1190) et *saucier* (1306; encore au XVIe s.).

SAUCISSE n. f. est issu (v. 1265) du latin populaire °*salsicia,* substantivation du féminin du bas latin *salsicius,* adjectif, lui-même dérivé de *salsus* «salé» (→ sauce). Le mot correspond donc à «une salée».

♦ *Saucisse* se dit d'une préparation de viande de porc assaisonnée et contenue dans un boyau. La locution figurée ***ne pas attacher ses chiens avec des saucisses*** «être avare» (1870) est sortie d'usage (mais encore connue) de même que *fabricant de saucisses* pour «Allemand» (1884), puis ***mangeur de saucisses,*** allusions à l'importance de la charcuterie dans la nourriture allemande. ◇ Par analogie de forme, le mot a désigné un rouleau rempli de toile, pour mettre le feu à une mine (1593), une fascine pour revêtir les embrasures des batteries (1611). ◇ Par une métaphore argotique claire, il désigne aussi le pénis (XVIIIe s.). ◇ Par analogie de forme, *saucisse* désigne (attesté en 1914) un ballon captif de forme allongée. Dans ***rouler une saucisse*** «donner un baiser prolongé», familier (1931), le mot est pris pour *langue.* ◇ Un sens d'abord argotique, «prostituée» (1880), devenu terme d'injure à l'adresse d'une femme, pourrait venir d'une métonymie sur l'acception de «pénis», mais aussi d'une métaphore (cf. *boudin*) sur la grosseur informe. ◇ Quant au terme d'injure, au sens d'«imbécile» (1901, adj. ; 1906 comme nom en franç. d'Algérie), il se rattache probablement au sens de «pénis». ◇ Un calembour sur *z'aussi (eux aussi...)* a produit *moi sauciss'* (1900).

▸ Le dérivé **SAUCISSIER, IÈRE** n., «personne qui fait et vend des saucisses» (1467 ; encore en 1826), est sorti d'usage, comme les variantes **SAUCISSEUR** n. m. (1475) et le féminin **SAULCICIERE** (Villon). ◆ **SAUCISSON** n. m. est un emprunt (1552, Rabelais, *saulcisson*) à l'italien *salsiccione* «grosse saucisse», augmentatif de *salsiccia* du latin populaire °*salsicia.* ◇ Le mot a d'abord eu, à l'époque classique, le sens de l'italien. Puis, il désigne une préparation de viandes hachées et assaisonnées, cuites ou séchées dans un boyau. Le saucisson s'oppose à la saucisse en partie parce qu'il est le plus souvent consommé froid *(saucisson sec).* Le mot donne lieu à des syntagmes désignant des variétés (*saucisson de Lyon, de montagne,* etc.) et il a de nombreux synonymes. Par analogie de forme, *saucisson* s'est dit d'une fusée d'artifice (1623, Sorel) et, comme *saucisse,* d'un fascinage de branchages en cylindres (1678), d'un rouleau empli de poudre (1736). ◇ Par une figure familière, ***saucisson à pattes*** «personne courte et grosse» (1877, A. Daudet), puis «cheval» ou «chien bas sur pattes», est archaïque (mais on dit encore *saucisse à pattes* pour un basset) ; *saucisson ficelé* «individu maladroit» (1888) a disparu, mais la locution ***être ficelé comme un saucisson*** «mal habillé» demeure usuelle.
Saucisson a pour dérivé **SAUCISSONNER** v., relevé chez Vallès (1885) comme verbe transitif signifiant «envelopper étroitement, attacher (comme un saucisson)». Il est attesté isolément au sens de «manger du saucisson» (1894), repris vers 1950 pour «manger froid, pique-niquer». ◇ Par figure il se dit pour «découper en tranches». ◇ En dérivent **SAUCISSONNADE** n. (mil. XXe s.) «réunion où l'on mange du saucisson, des mets froids», **SAUCISSONNEUR, EUSE** n. (v. 1952), **SAUCISSONNAGE** n. m. «fait de ficeler comme un saucisson» (1959), «fait de découper en tranches», au propre (1963) et au figuré (1971). ◆ **SAUCIFLARD** n. m. (1951), formé à l'aide du suffixe *-ard,* — avec un élément de liaison *fl-* suscité par *siffler* — est argotique puis familier pour «saucisson» ; on trouve par aphérèse *sifflard* n. m, dans le même sens.

◈ ✱ **SAUF, SAUVE** adj. succède (1155) à *salv* (v. 980), *salve* (1080, féminin) et est issu comme eux du latin classique *salvus* «entier, intact», d'où «en bonne santé, bien conservé» ; le mot a pris en latin ecclésiastique le sens moral de «sauvé du mal (par le Sauveur)». Le latin a par ailleurs créé *integer,* sans nuance religieuse, pour «entier, intact» (→ intègre). *Salvus* se rattache, comme *solidus* (→ solide, sou, souder), à une racine indoeuropéenne que l'on retrouve dans le grec *holos* (issu de °*sol-wos* ; → holo-), dans le gotique *alls. Salvus* a pour correspondant latin le substantif *salus* (→ salut).

♦ L'adjectif a d'abord signifié dans un contexte religieux «qui a le salut éternel» (v. 980, *salv ;* v. 1155, *sauf*), d'où *lei salve* «loi (religieuse) qui assure le salut» (1080). ◇ Le sens laïque semble un peu moins ancien ; il s'applique à ce qui n'a reçu aucune atteinte (1080) et à une personne qui a échappé à un grave péril (v. 1155, *sauf ;* XVIe s., au féminin *sauve*).
SAUF prép. s'est d'abord employé (v. 1155) pour «sans qu'il soit porté atteinte à», sens sorti d'usage ; avec cette valeur, *sauf* est entré dans des locutions, d'abord sous la forme variable *sauf, sauve,* dans *sauve la grace* (1373), *sauve votre grâce* (XVe s.), formule pour excuser des paroles trop hardies (encore attestée en 1690), puis ***sauf votre honneur*** (1538), ***sauf votre respect*** (1671), ***sauf le respect que je vous dois,*** employée encore régionalement. À partir du XVIe s., on trouve *sauf* avec un féminin. ◆ L'adjectif substantivé a eu en ancien français le sens de «sûreté» dans *mettre en sauf* (v. 1180), d'où *sauf* «lieu sûr» (1250), *sauve* n. f. «salut de l'âme» (v. 1285), acceptions disparues. ◇ *Sauf de* «exempt de» (1220) ne s'est pas maintenu. ◆ Suivie d'un nom, la préposition a pris au XIIIe s. (1247) le sens de «si l'on ne tient pas compte de», également accompagnée de *de* (fin XVe s.). La locution conjonctive ***sauf que*** (et indicatif) est attestée v. 1500 ; on employait aussi avec le même sens *sauf ce que* (1265 ; *sauf ço que,* v. 1155). ◇ *Sauf* «sans exclure l'éventualité de» (1549) s'emploie spécialement dans *sauf correction* (v. 1570), *sauf erreur de calcul* (1690), *sauf erreur* (1835). ***Sauf à*** (et infinitif) «sans s'interdire de» (1655) est littéraire. ***Sauf si*** locution conjonctive (1580, Montaigne) semble rare avant le XXe s. et signifie «excepté le cas où».

▸ Le dérivé **SAUVETÉ** n. f., qui vient de l'adjectif au féminin, a désigné le salut de l'âme (v. 1050, *salvetet ;* v. 1175, forme moderne), puis l'état d'une personne hors de danger (XIIe s.). Il s'est dit (1376, *salveté*) d'une juridiction médiévale jouissant d'une immunité. ◇ Le mot a été repris en apiculture (1899) dans *cellule de sauveté,* puis *reine de sauveté* «reine rapidement éduquée par les abeilles pour remplacer une reine morte».
SAUVEGARDE n. f. (mil. XIVe s.), d'abord *salve garde* (v. 1155), est composé du féminin de *sauf* et de *garde**. ◆ Le mot se dit d'abord de la protection et garantie (de la personne, des droits, etc.) accordée par une autorité ; de là vient *lettres de sauvegarde* «écrit par lequel la protection est accordée par une autorité» (1573), ensuite «lettre accordée à qqn pour l'exempter de loger des militaires» (1690), qui semble employé jusqu'au XIXe s. et a disparu. Le mot s'est dit aussi (1549) de la garde d'un prince et (déb. XVIIe s.) d'une troupe envoyée dans une propriété ennemie pour la préserver du pillage. ◇ *Sauvegarde* désigne aujourd'hui l'état de ce qui est protégé, gardé sauf et aussi (v. 1485) une personne ou une chose assurant une défense, une protection. ◆ Le mot, cette fois composé à partir de *sauver** et de *garder**, désigne en marine un cor-

dage, une chaîne qui lie un objet au navire, pour l'empêcher d'être emporté par la mer (1678), d'où *sauvegarde de gouvernail* (1702). Il se dit aussi (1842) de chacune des bandes de papier qui protègent les gardes d'un livre pendant le travail de reliure. Comme *sauvegarder,* le nom s'emploie en informatique (1972). ➛ Le dérivé **SAUVEGARDER** v. tr. (1788) s'applique à des réalités abstraites avant d'être employé en informatique pour «mettre à l'abri (les données enregistrées) d'un effacement».

SAUF-CONDUIT n. m., formé (v. 1160) de *conduit,* désigne un document délivré par une autorité et qui permet de circuler sans être arrêté. On trouve en ancien français *sauf alant et venant* n. m. (XIIIe s.).

◈ voir ① ET ② SALVE, SAUGE, SAUVER.

SAUGE n. f. est issu (1320), par l'intermédiaire de formes comme *salje* (fin XIe s.), *saulje* (XIIIe s.), du latin *salvia* «sauge», de *salvus* «bien portant, en bonne santé», à cause des propriétés médicinales de la plante (→ sauf).

♦ Le mot désigne comme en latin une plante aromatique, utilisée comme assaisonnement et comme antispasmodique, tonique, etc. Il s'est employé dans la locution figurée *n'y avoir ni sel ni sauge* «être insipide», en parlant d'un ouvrage (1549), et dans *ne sentir ni sel ni sauge* (1640), *n'avoir ni sel ni sauge* (1690) «être mal assaisonné». ◇ Il a désigné une nuance de gris, dans *gris de sauge* (1690).

▸ Le dérivé ① **SAUGÉ, ÉE** adj. «qui contient de la sauge» s'applique d'abord (1352) au vin; au XIVe s. comme nom masculin, il désigne une «boisson où l'on a infusé de la sauge». ➛ ② **SAUGÉ** ou **SAUGET** n. m., peut-être dérivé de *sauge,* désigne (1875) une variété de lilas.

SAUGRENU, UE adj. (1611), d'abord noté *sogrenu* (1578), représente l'altération d'après *grenu* de l'ancien adjectif *saugreneux* «piquant, salé», employé au figuré en parlant d'un conte ou d'un juron, seulement attesté chez Brantôme à la fin du XVIe siècle. Le mot peut être rapproché de *saugrenée* n. f. «assaisonnement d'un plat avec de l'eau et du sel» (v. 1534), «fricassée de fèves, de pois» (1552, Rabelais). Il est formé de *sau* (XIVe s.), forme dialectale de *sel** en position atone, et de *grenu,* dérivé de *grain**.

♦ L'adjectif s'applique à ce qui est bizarre et quelque peu ridicule, surtout à propos de paroles et d'écrits, plus rarement (1694) à des personnes et des comportements. L'influence formelle de *sot, sotte* est sensible (on dit familièrement *aussi sotte que grenue*).

▸ Le dérivé **SAUGRENUITÉ** n. f. (1840) est rare.

SAULE n. m. est issu (v. 1215) du francique °*salha* (cf. allemand *Salweide,* anglais *sallow*). Le mot a supplanté *sauz* (XIe s.), *saulx* (1420) encore relevé en 1671, issu du latin *salix* (→ salicaire). Le mot germanique et le mot latin reposent sur la même racine.

♦ *Saule* se dit d'un arbre qui croît dans les lieux humides. Qualifié, le mot désigne diverses variétés de saules, par exemple *saule pleureur* (1771).

▸ En dérivent : **SAULAIE** n. f. (1277), variante *soloié* (1328) qui a éliminé *sauçoi, sauçoie* (XIIIe s.), dérivé de *sauz.* ➛ **SAULET** n. m. (1791), régional, est le nom d'un moineau qui vit dans les saules. ➛ **SAULÉE** n. f. (1810) signifie «rangée de saules».

◈ voir SAUSSAIE.

SAUMÂTRE adj., d'abord *saumastre* (1298, Marco Polo), écrit *saumâtre* depuis 1718, est issu d'un latin populaire °*salmaster* «qui a un goût amer et salé comme l'eau de mer», lui-même du latin impérial *salmacidus* par changement de suffixe. Ce dernier est le croisement de *salgama* nom pluriel neutre «conserves (de fruits, de légumes)», sans étymologie sûre, mais peut-être apparenté à *sal* (→ sel), et de *acidus* «aigre» (→ acide). On relève aussi chez Marco Polo *salmace* (emprunté à *salmacidus*) «eau salée»; *eau somache* (1678), *saumache* (1694) se maintiennent jusqu'à la fin du XVIIIe siècle.

♦ L'adjectif conserve le sens du latin; il s'applique (en picard) à une personne rusée (1464). ◇ Le sens figuré (1774, Beaumarchais), qualifiant ce qui est désagréable, amer et pénible, est lui aussi courant. La locution familière ***la trouver saumâtre,*** attestée en 1915 doit être antérieure.

SAUMON n. m. (v. 1165, Chrétien de Troyes), d'abord *salmun* (v. 1138), est issu du latin *salmonem,* accusatif de *salmo, -onis.* Ce mot d'origine gauloise, attesté par des noms de lieux (*Salmona* «Salm», affluent de la Moselle), est aussi passé dans le domaine germanique (ancien haut allemand *salmo*). Plusieurs variantes sont attestées jusqu'au XVIe siècle : *samon* (1396), *psalmon* (1421) par fausse étymologie, *saulmon* (1530; encore en 1660, chez Oudin), etc.

♦ C'est le nom d'un grand poisson de mer à chair rose, qui remonte les rivières au moment du frai. Le mot est usuel du fait de la consommation du saumon, poisson estimé (d'où des syntagmes comme *saumon fumé, œufs de saumon,* etc.). ➛ Par analogie de forme, *saumon* se dit (v. 1452) d'une masse de métal (plomb, étain, fer) obtenue en fonderie et, spécialement (1690), d'une masse de fonte ou de plomb lestant un voilier. ➛ *Saumon,* adjectif invariable, qualifie (1830) ce qui est d'une couleur rosée rappelant la chair du poisson.

▸ **SAUMONEAU** n. m., diminutif de *saumon* (1611, avec deux *n*), d'abord sous la forme *saulmonneau* (1552, Rabelais), désigne un jeune saumon. ➛ **SAUMONÉ, ÉE** adj., postérieur à l'ancien provençal *salmonat* (1343), s'écrit *saulmonnée* (1564, adj. f.) et *saumoné* (1636) ou *saumonné* au XVIIe siècle. ◇ L'adjectif se dit de poissons qui ont la chair rose comme le saumon (1564, *truite saulmonnée*) et qualifie des objets d'une couleur rose légèrement orangée (1876).

À partir du latin *salmo, -onis* a été dérivé savamment **SALMONIDÉS** n. m. pl. (1829), qui désigne une famille de poissons dont le saumon est le type.

➜ **SALMONIFORMES** n. m. pl. (XXe s. ; du latin *salmo* et *-forme*) est aussi un terme de zoologie. ➜ **SALMONICULTURE** n. f., mot technique, est composé (1910) de *salmon*(idés) et de (pisci)*culture*, et se dit de l'élevage des salmonidés (notamment des truites). ◇ De là **SALMONICULTEUR, TRICE** n. semble antérieur (1907).

SAUMURE n. f. apparaît (1105) sous la forme *salmuire ;* on relève ensuite *saumuyre* (XIVe s.), *saumeure* (1394), resuffixé en *saumure* (1549, Estienne). La graphie latinisante *saulmeure* (1530) ne s'est pas imposée. Le mot est issu du latin médiéval *salimuria* (VIe s.), composé du latin classique *sal, salis* (→ sel) et de *muria* «saumure ; eau salée» (→ muriate) ; une forme °*salmuria* est attestée par le germanique et le vieil anglais *soelmeyrie*.

♦ *Saumure* désigne l'eau salée dans laquelle on conserve certains aliments (viandes, poissons, etc.), puis un liquide formé de sucs organiques et du sel dont on a imprégné des substances à conserver (v. 1560, Paré). À partir du XIXe s. le mot est employé par analogie, avec une valeur technique (1835), pour parler de l'eau de mer d'un marais salant qui, en partie évaporée, constitue une solution de sel concentrée. ◇ *Saumure* désigne aussi (1964) le liquide salé refroidisseur de certains appareils frigorifiques.

▸ *Saumure* a servi à former des dérivés techniques. ➜ **SAUMURÉ, ÉE** adj. (1575, «salé») s'applique (1611) à ce qui est conservé dans la saumure. ➜ **SAUMURAGE** n. m. désigne (1803) l'opération qui consiste à mettre (qqch.) dans la saumure ; l'emploi ancien de *saulmurages* au pluriel (1611), «débris de pierres servant aux fondations d'un bâtiment», n'est pas clair. ➜ **SAUMURER** v. tr. (1859) signifie «conserver dans de la saumure».

SAUNA n. m. ou f. est un mot finlandais relevé en 1930 (Garnier et Delamare) et répandu vers 1950 (1951, n. m. ; 1958-1961, n. f.). Une forme *seano* est attestée en 1839 (X. Marmier). La langue finnoise ne marque pas la distinction des genres ; en français, le mot s'emploie aux deux genres mais le masculin est plus courant.

♦ *Sauna* désigne un établissement où l'on prend des bains de vapeur, à la manière finlandaise, et par métonymie le bain de vapeur, obtenu à l'origine par projection d'eau sur une pierre volcanique brûlante, puis par des procédés analogues. ◇ Il se dit par extension d'un établissement de mise en forme physique comportant un sauna.

SAUNIER n. m. est l'aboutissement au XIIIe s. (féminin *sauniere*, v. 1250 ; *saunier*, 1260) des formes *salnier* n. m. (v. 1138), *salnere* n. f. issues d'un latin populaire °*salinarius* «relatif aux salines» (cf. italien *salinaro*, espagnol *salinero*), lui-même dérivé du latin classique *salinae* n. f. pl. «salines», dérivé de *sal, salis* (→ sel et ① saline).

♦ Le mot signifie d'abord (v. 1138) «marchand de sel», valeur dont procède le composé *faux-saunier* (1478, *faulx-saulnier*) qui désignait une personne se livrant à la contrebande du sel. Cette acception a disparu, sauf en histoire. ◇ *Saulnier* désigne (depuis le XIIIe s. et encore aujourd'hui *saunier*) un ouvrier qui travaille à la production de sel (dans ce sens, il continue le dérivé latin *salinator*) et une personne qui exploite un marais salant ou une saline (1611, *saonier, sannier ;* 1636, *saunier*). *Saunier*, aussi écrit *saulnier*, du XVe au XVIIe s., est usuel avant la Révolution, surtout au sens initial, du fait de la réglementation sévère du commerce du sel, soumis à la *gabelle**. Le mot est entré dans des locutions figurées aujourd'hui disparues : *il se fait payer comme un saunier* «il se fait payer comptant» (1690), *avoir léché le cul au saunier* «avoir toujours soif» (1752). ◇ *Saunier* a désigné aussi (1845) un bateau dans lequel on transporte le sel.

▸ **SAUNERIE** n. f., réfection (1321) de *sanerie* (1234), désigne un établissement où l'on fabrique le sel. ➜ **SAUNIÈRE** n. f., relevé une première fois au XIIIe pour «saloir» et repris au XVIe s. (1529), est le féminin de l'ancien français *saunier* «chaudière pour fabriquer le sel» (v. 1220) et en moyen français «récipient où l'on conserve le sel» (1611, *saulnier*). Attesté au XIIIe s. au sens de «saloir», *saunière* désigne ensuite (1529) le coffre où l'on conservait la provision de sel d'un foyer. ◇ Le mot demeure, dans le vocabulaire de la chasse, pour désigner (1834) un pain d'argile et de sel que l'on dépose dans un parc ou une forêt pour attirer le gros gibier. ➜ **SAUNER** v. intr., attesté en 1660, mais certainement antérieur d'après son dérivé *saunage*, est issu d'un latin populaire °*salinare* «produire du sel», dérivé de *salinae*. ◇ Sorti d'usage au sens d'«extraire le sel» (1660), le verbe reprend aussi (1680) le sens du latin. ➜ **SAUNAGE** n. m., terme technique (1497), désigne l'époque à laquelle on récolte le sel dans les marais salants. Il a signifié «action de faire le sel» (1499, *saumage*) et «trafic de sel» (1660 ; *faux saunage*, 1606, Sully) ; on dit aussi **SAUNAISON** n. f. (1870). ➜ Le composé **FAUX-SAUNAGE** n. f. (1606), formé d'après *faux-saunier*, se disait sous l'Ancien Régime de la contrebande du sel.

SAUPIQUET n. m. est dérivé (v. 1380) d'un verbe non attesté °*saupiquer*, proprement «piquer avec du sel» (cf. l'ancien provençal *salpicar*, v. 1220), composé de *sau*, forme atone de *sel**, et de *piquer**, avec suffixe *-et*.

♦ Terme de cuisine, *saupiquet* désigne une sauce piquante qui accompagne du gibier, du bœuf et par métonymie le plat lui-même. ◇ Le mot, qui a des variantes en moyen français (XVe s., *saulpicquet ;* 1490, *sopicquet*), s'est employé au figuré aux sens d'«homme subtil, éveillé» (v. 1460) et de «mauvais tour» (v. 1550) ; l'expression *gras en saupicquets* signifiait «grivois» (fin XVIe s., Brantôme). Tous ces emplois figurés sont sortis d'usage.

▸ Le dérivé **SAUPIQUETER** v. tr., «donner un goût piquant à (qqch.)» (1611), a lui aussi disparu.

SAUPOUDRER v. tr., relevé à la fin du XIVe s. (E. Deschamps), est composé de *sau* (XIVe s.), forme ancienne et dialectale de *sel**, et de *poudrer**.

♦ Le mot, lié à *sel*, a déjà une valeur plus large dans le premier emploi (fin XIVe s.) puisque l'on dit *sau-*

poudrer de sel, mais il intègre le concept de sel dans les emplois absolus : *saulpoudrer* (1538), *saupoudrer* (1558) «couvrir (qqch.) d'une légère couche de sel», sens déjà archaïque au XVIIe siècle : il est donné pour «inusité» par Bossuet. ◇ Cependant, l'emploi moderne est déjà attesté au XVIe s. (1580, Montaigne) ; il correspond à «couvrir (qqch.) avec une poudre, une substance pulvérisée (sucre, farine, etc.)». ◇ *Saupoudrer* a signifié, en agriculture (1690), «couvrir légèrement de fumier sec (les laitues, etc.)». ◇ Au XVIIIe s. (1747) apparaît le sens figuré d'«orner, agrémenter (un discours, une conversation) de qqch. (éloges, citations, etc.)». La quantité qui recouvre étant peu importante, *saupoudrer* s'emploie au XXe s. (av. 1960) pour «répartir (des crédits, des moyens) entre de très nombreux bénéficiaires».

▸ **SAUPOUDROIR** n. m. (1825), terme technique, désigne un ustensile de pâtisserie et de cuisine. ➻ **SAUPOUDRAGE** n. m., «action de saupoudrer» (1873), a remplacé **SAUPOUDRATION** n. f. (1842) et s'emploie aussi au figuré (1954). ➻ **SAUPOUDREUR, EUSE** adj. et n. (1900, n. m.) désigne la personne qui saupoudre, et *saupoudreuse* n. f. (dans les dictionnaires généraux, 1964) est un équivalent de *saupoudroir.*

SAUR adj. m., relevé au XIIIe s. sous la forme *sor,* puis au XVIe s. *soir* (1549) et la graphie actuelle en 1573, est selon Wartburg un mot emprunté au moyen néerlandais *soor* «séché, desséché». P. Guiraud propose un rapprochement, utile pour expliquer la forme moderne, avec une base latine *saur-* (doublet de *sor-*) que l'on retrouve dans le bas latin *saura* (→ saurien), *saurus* (nom d'un poisson), servant à désigner des animaux à couleur mêlée de brun.

♦ Le mot qualifie le hareng salé et fumé (XIIIe s., *hareng sor*) ; il s'est employé au figuré en moyen français (v. 1440-1475, *sore*) pour «dénué de, pauvre». ◇ *Hareng saur* est encore employé dans des locutions figurées, ***maigre, sec comme un hareng saur.***

▸ L'adjectif a fourni plusieurs dérivés. ➻ **SAURER** v. tr., d'abord relevé au participe passé (écrit *soré,* 1284) et à l'actif en 1350 (*saurer* 1606, Cotgrave), est un terme technique pour «faire sécher (notamment des poissons mis en saumure) à la fumée» (cf. *fumer*). ◇ Il a pour dérivé ① **SAURAGE** n. m. (1876), synonyme de *saurissage* (ci-dessous). ➻ Le dérivé **SAURIR** v. tr. (1318, *sorir ;* 1606, forme moderne) équivaut à *saurer* et signifie «faire sécher le hareng à la fumée» ; il s'est employé en moyen français (1380, *sorir*) pour «dessécher, griller (du pain)» et signifie (1876) «arroser de saumure». ◇ Le verbe a servi à former les termes techniques **SAURISSEUR, EUSE** n. (1606), **SAURISSAGE** n. m. (1741, *sorissage*), **SAURISSERIE** n. f. (1808) et **SAURIS** n. m. (1842), «saumure de harengs». ➻ **SAURET** adj., d'abord nom masculin (1360, *soret*) puis adjectif (1573, *hareng sauret*), est un équivalent sorti d'usage de «hareng saur». ➻ **SAURIN** n. m., terme technique (1680, *sorin*) autrefois employé pour «saurisseur», désigne (1839) un hareng laité nouvellement séché.

◈ voir **SAURE.**

SAURE adj., écrit *sor* et *saur* dans *La Chanson de Roland* (1080), représente le francique °*saur* «brun jaune (en parlant des feuilles)» qui, selon Bloch et Wartburg, est apparenté au moyen néerlandais *soor* «séché» (→ saur) et, selon P. Guiraud, à la racine latine *saur-* (→ saur ; saurien). *Saure* est passé en roman avec d'autres adjectifs désignant la couleur du pelage des chevaux. Il s'est par ailleurs répandu comme terme technique dans certaines langues romanes : ancien provençal *saur,* italien *saura* «alezan» ; italien, espagnol *soro* «qui n'a pas mué (d'un faucon)».

♦ L'adjectif s'est appliqué à un cheval dont la robe est d'un jaune tirant sur le brun. ◇ En fauconnerie, le mot, écrit ***sors*** (1765), qualifie encore aujourd'hui un faucon pris jeune, mais déjà à taille adulte, et s'oppose à *hagard* et à *niais.* On parle aussi de *plume saure.*

▸ Certains dérivés de *saure* ont disparu, comme **SOREL** adj. (1080) «roux, fauve» (jusqu'au XVe s.), **SORET** adj. (XIIe s.) «blond roux» puis (1373) «né de l'année (d'un oiseau)», etc. ➻ D'autres se sont maintenus, mais **SAURÉ, ÉE** adj. «jaune brun» (déb. XIIIe s., *soré ;* repris fin XIXe s., Huysmans) est rare. ➻ ② **SAURAGE** n. m. est un terme de fauconnerie, désignant d'abord le temps de mue du faucon (XIIIe s., *sorage*), puis la période pendant laquelle un oiseau est *sors* (1373, *sorage ;* 1690, *saurage*).

SAURIEN n. m. est un dérivé savant (1800, *sauriens* n. m. pl., Brongniart) du grec *saura, sauros* «lézard», emprunté en bas latin *saura,* sans origine connue. Le nom du lézard varie dans les langues indoeuropéennes, car cet animal était méprisé et peut-être frappé d'un tabou.

♦ Le mot désigne un sous-ordre des reptiles comprenant les lézards, les crocodiles, etc. Le mot est aussi employé (1836) comme adjectif.

▸ **SAUR-, SAURO-,** premier élément tiré du grec *saura, sauros,* sert à former des termes de zoologie. **SAUROPHIDIENS** n. m. (1845) est composé avec *ophidiens ;* **SAUROPSIDÉS** n. m. pl. (*-psides,* 1888) a remplacé *sauropsides* (1888) et vient du grec *ops, opsis* «vue, aspect» (→ optique) ; **SAUROPODES** n. m. pl. (1904) est formé avec *-pode*.*
-SAURE, élément tiré du grec *saura,* entre dans la composition de mots désignant des reptiles fossiles comme *brontosaure, dinosaure,* etc.

SAUSSAIE n. f., attesté en 1314 (*sauçoie, sauçaye*) est dérivé de l'ancien français *sans,* issu du latin *salix* (→ solicaire, saule) ou issu du dérivé latin *saliceta.*

♦ C'est une variante régionale de *saulaie* (→ saule), encore présente dans des noms de lieux.

SAUT n. m. est issu (v. 1155), par l'intermédiaire de *saltz* (1080), du latin *saltus* «saut, bond», de *saltum,* supin de *salire* «sauter, bondir» (→ saillir, sauter).

♦ Le mot désigne le mouvement par lequel une personne, un animal quitte le sol pour s'élever, se projeter. De l'idée de «mouvement» on passe à celle de «mouvement brusque» pour changer de position, de place, dans des emplois adverbiaux tous disparus : *les salz* «en toute hâte» (1080 ; v. 1180, *les saus*), *les saus menus* «par sauts pressés» (v. 1190), *de saut* «aussitôt» (v. 1360), *du premier saut* «dès le début» (v. 1360) et *de prime saut* (d'où vient *primesautier*), *tout d'un saut* «aussitôt» (1685) et «sans intermédiaire» (1694), *de plein saut* (1485, *de plain saut*) pour «tout à coup». *En saut* «en rut», attesté isolément au XIIIe, puis au XVe *(en sault)*, a été repris au XVIIIe siècle ; *saut* a désigné le moment où l'étalon couvre la jument (1765), aujourd'hui l'action de saillir (1835 ; cf. *saillie* et *sauter*). ◇ La locution ***faire le saut*** (v. 1210) signifie encore «prendre une décision hasardeuse», aussi sous la forme *franchir le saut* (1572) remplacée par *franchir le pas*. ◇ Les valeurs métonymiques apparaissent en moyen français : *saut à moulin* «chute d'eau qui fait aller le moulin» (1310), aussi *saut de moulin* (1409), est sorti d'usage, mais *saut* «rupture de pente (d'un cours d'eau)» (1605) se dit encore. À la même époque (XIVe s.) apparaît une locution où *saut* a la valeur de «déplacement rapide» : ***ne faire qu'un saut (de... à...)*** «aller d'un endroit à un autre très rapidement» (1547), valeur que l'on a aussi dans la locution disparue *en deux pas et un saut* «très rapidement» (1611), aujourd'hui dans ***faire un saut quelque part*** «y aller pour un instant» et aussi *y aller* ***d'un saut, en trois sauts.*** ◇ Le mot s'emploie également (XIVe s.) pour désigner un pas de danse. ***Saut périlleux*** «pendant lequel le corps du sauteur effectue un tour complet» (1502) et ***saut de carpe*** (1694), d'abord *saut de la carpe* (1611), «saut fait en se retournant latéralement» concernent aussi des mouvements réglés. La locution ***saut de mouton*** (1611) s'emploie en termes de manège, en parlant du cheval qui ramène les pattes sous le ventre et effectue un mouvement de côté. ◇ *Saut* a la valeur figurée de «chute» (1170), spécialement dans *faire le saut* «faire banqueroute» (1611) et aussi «perdre sa virginité» (1674), expressions disparues au cours du XVIIIe siècle. ◇ L'idée de pendaison s'est exprimée par *saut* (1585) puis au XVIIe s. par *faire le saut* (1640), *faire le saut en l'air* (1690), puis *faire le saut sur rien* (1718). Plus généralement *faire le (grand) saut* équivaut à «mourir». ◇ Les anciens emplois recourent à l'idée de destruction brutale qu'exprime le verbe *sauter*, ainsi que *faire un saut* «être détruit par une explosion» (v. 1650), *faire faire le saut* «détruire (qqch.)» (1668) ou spécialement «raser (une maison, etc.)» (1690), puis «faire perdre son emploi (à qqn)» (1835), valeurs disparues mais qu'a gardées le verbe *sauter**. ◇ Une autre extension plus paisible est ***au saut du lit*** (1588) «au lever, dès qu'on est sorti du lit» (ci-dessous *saut-de-lit*). ◇ ***N'aller que par sauts et par bonds*** s'emploie figurément avec les sens de «parler d'une façon décousue» (1674), «manquer de suite dans sa conduite» (1835). ◇ Parmi les emplois figurés, *saut* désigne un passage par degrés disjoints (1703, en musique), un mouvement interrompu, un changement brusque (v. 1710), spécialement en mathématiques une discontinuité en un point. Enfin, *saut* correspond abstraitement à «mouvement subit de l'imagination» (1872, Th. Gautier).

▶ Le composé **SAUT-DE-LOUP** n. m. (1740) désigne un large fossé qui défend l'accès à un lieu privé. ➜ **SAUT-DE-MOUTON** n. m., terme technique, d'abord au sens de «saute-mouton» (1822), se dit (1835) du passage d'une route ou d'une voie ferrée au-dessus d'une autre. ➜ **SAUT-DE-LIT** n. m. (1888 ; 1829, «descente de lit») a remplacé *saut-du-lit* (1877), «déshabillé que portent les femmes au saut du lit».

SURSAUT n. m. vient de la locution adverbiale *en sorsaut* «à l'improviste, d'une manière brusque» (v. 1160), de *sor* (→ sur), puis *en sursaut* (1549) ; il a eu le sens de «surprise» (1573) et désigne un mouvement brusque, une réaction physiologique subite (1550). ◇ Par figure, le mot s'emploie pour parler du regain subit (d'un état psychologique) conduisant à une réaction vive. En physique, *sursaut* se dit d'une brève émission d'un rayonnement. ➜ Le dérivé **SURSAUTER** v. intr., attesté au XVIe (1542), a été repris au XIXe s. (1842) puis est devenu usuel.

◈ voir aussi **ASSAUT, PRIMESAUT, RESSAUT, SALTARELLE, SOUBRESAUT.**

✳ **SAUTER** v. est issu (v. 1175) du latin classique *saltare* «danser (avec pantomime)» et «représenter par la danse», qui a pris en bas latin le sens de «sauter». Ce verbe est l'itératif-intensif de *salire* «sauter, bondir» (→ saillir).

♦ Le verbe français, qui se développe parallèlement à *saut**, a d'abord le sens de «quitter le sol pendant un instant, par un ensemble de mouvements», qui est celui de *salire* en latin classique. ◇ Au XVe s., il est employé pour «saillir (une femelle)» (1440-1475, *salter*), emploi où il a été remplacé par *saillir*, mais qui se prolonge par un usage récent, très familier, pour «posséder sexuellement». ◇ Le verbe signifie aussi (XVe s.) «monter, descendre vivement». ◇ La première valeur «faire un saut» se développe à partir du XVIe s., avec l'idée de «mouvement rapide» sans qu'il n'y ait à proprement parler de franchissement, en particulier dans des locutions comme ***sauter sur qqn*** (v. 1500) «l'attaquer», et, avec ou sans idée de franchissement, ***reculer pour mieux sauter*** (v. 1530, Marot) [→ reculer]. ◇ Le verbe signifie aussi (1527) par extension du premier sens «franchir un espace, un obstacle, en s'élançant en l'air», d'où *sauter un obstacle, un fossé* et au figuré *sauter le fossé* «prendre une décision hasardeuse» (1732 ; 1690, dans un autre sens) ou encore *sauter à pieds joints au-dessus de...* «ne pas tenir compte de...» (1767, Rousseau). Il reprend (1538) le sens latin de «danser», qui ne s'est pas maintenu, de même que celui de «changer brusquement de place» (1538) ; avec cette valeur, il signifie au figuré «passer vivement (d'une chose à l'autre)» en parlant d'un propos (1538), du regard, etc. *Sauter au col à qqn* (1538), puis *de qqn* (1549) «embrasser avec empressement» devient au XVIIe s. ***sauter au cou...*** (1666). ➜ Plusieurs sens figurés apparaissent à partir du XVIe siècle. *Sauter* signifie (1587) «voler en éclats», «exploser de soi-même», sens exploité par métaphore dans ***se faire sauter la cervelle*** (1680, *faire sauter...*). Ce sens est resté plus vivant que l'emploi correspondant de *saut**. ◇ *Faire sauter (qqch.)* est relevé en 1619 au sens figuré de «voler», qui est sorti d'usage, d'où en argot ancien *sauter* v. intr. «cacher le produit d'un vol» (1827). ◇ Dans l'abstrait, *sauter* s'emploie avec l'idée de passage rapide pour «ne pas lire, dans un texte» (1636, intr.), d'où (fin XVIIe s.) *sauter par-dessus un chapitre* et transitivement *sauter un passage.* ◇ Le factitif *faire sauter* s'est employé au figuré dans *faire sauter qqn* «le maltraiter, le tuer» (1640), *faire sauter l'argent* «le dépenser avec prodigalité» (1640) et *faire sauter un lieu* «le fermer» (1694), tous sortis d'usage; *faire sauter la tête de qqn* «le décapiter» (1694) comporte l'idée de déplacement brusque, que l'on a dans ***faire sauter un bouchon*** (1798) et dans *se faire sauter* «se saborder» (1740). ◇ ***Faire sauter,*** en termes de cuisine, signifie «faire revenir à feu vif» (1767), avec l'idée de mouvements vifs des aliments en train de cuire. Cet emploi succède au transitif *sauter qqch* (1612). ◇ ***Sauter aux yeux,*** d'abord «attirer l'attention» (1648) en parlant de qqch., signifie ensuite «être évident» (1680), à côté de *sauter aux yeux de qqn* (sujet nom de personne) «se jeter sur lui pour le battre» (1651) et *se sauter aux yeux* «se quereller» (1652), sortis d'usage, remplacés par *sauter sur* (par ex. *sauter sur le paletot*) et *se sauter dessus. Sauter aux nues* (1664) signifiait «être très surpris». ◇ *Sauter* «faire un ou plusieurs sauts» se dit aussi à la même époque (1672) en parlant des animaux. En termes de marine, le verbe a le sens (1678) de «changer brusquement de direction» en parlant du vent, alors en relation avec *saute.* ◇ *Faire sauter sa charge à qqn* «l'obliger à s'en défaire» (1690) a probablement inspiré *sauter* «perdre brusquement sa place» et *faire sauter qqn* «le renvoyer» (1798). ◇ C'est aussi à la fin du XVIIe s. que l'on trouve *sauter* «faire un saut acrobatique» (1690) et «s'élancer d'un lieu élevé vers le bas», dans *sauter les fenêtres* (1694) remplacé en français moderne par ***sauter par la fenêtre.*** ◇ Avec l'idée apparue au XVIe s. (ci-dessus) de «passer sans intermédiaire», *sauter* est employé en musique (1705, *sauter d'un ton à un autre*). ◇ Dans un emploi technique, *sauter* signifie (1772) «presser et fouler (les harengs) en caque». ◇ L'emploi figuré, en argot, de *sauter qqn* «l'arrêter par surprise» correspond plutôt au sémantisme de la surprise, comme dans *sauter sur qqn, lui sauter dessus* et à celui de la possession (sexuelle) (*sauter une femme,* 1922). *La sauter* «se passer de manger» (1914), d'où «avoir faim», recourt à l'idée de «franchir sans s'arrêter», donc «manquer». ◇ Par extension de l'idée d'exploser, le verbe s'emploie en parlant de fusibles, pour «fondre par un court-circuit» (1935) : *les plombs ont sauté.*

▶ *Sauter* a de nombreux dérivés. ◆ **SAUTERELLE** n. f., (XIVe s., d'abord *salterele* v. 1120), désigne un insecte orthoptère sauteur à grandes pattes postérieures puis couramment (1551) le criquet, emploi erroné en zoologie. Par analogie, le mot s'applique régionalement à la crevette grise (1551, *saulterelle*) dite aussi (1769) *sauterelle de mer.* ◇ Par analogie de forme, *sauterelle* désigne (1506) une fausse équerre, dont les branches mobiles sont comparées aux pattes d'une sauterelle et, par ailleurs (1711), un piège à oiseaux (qui saute). C'est aussi le nom (1870) d'un mécanisme d'attache à crochet vertical que l'on peut faire sauter rapidement. ◇ Par jeu sur *sauter* au sens sexuel — attesté plus tard —, le mot s'emploie (1791) pour «prostituée», d'où probablement la valeur familière (1842) de «femme maigre» (sentie comme une métaphore de l'insecte) et, péjorativement, de «fille, femme» (XXe s.). ◆ **SAUTEREAU** n. m., apparu (1165-1170, *sauterel*) avec le sens de «lutin sauteur», équivaut ensuite à *sauterelle* (XIIIe s., *sotereaux;* fin XIVe s., forme moderne); ces emplois ont disparu comme l'acception «enfant vif et agile» (1611), employée jusqu'à la fin du XVIIIe siècle. ◇ Le mot, en musique, désigne (1611) une languette mobile qui fait vibrer la corde dans un instrument à clavier et à cordes pincées puis, dans le vocabulaire des tapissiers (1733), une lame de bois à laquelle est attachée un bâton lisse (aussi *sautriau* n. m.).

SAUTEUR, EUSE n. et adj., d'abord attesté au féminin au sens disparu de «danseuse» (1380, *sauteresse*), est ensuite employé comme adjectif, appliqué à un cheval dressé pour le saut (1525), puis comme nom au même sens (1678). ◇ Le nom désigne d'abord une personne qui saute (1530; *sauteuse,* 1663), spécialement qui fait des sauts acrobatiques (1549). Il s'utilise ensuite pour parler d'un animal qui avance en sautant (1768; 1790, adj.). ◇ Il est sorti d'usage au figuré (1690, n. m.) pour «personnage inconsistant et brillant, qui saute d'un sujet à l'autre». *Sauteur* est repris au XIXe s. pour «homme prêt à changer d'opinion selon son intérêt» (1867). ◇ C'est l'idée de «changement» et aussi l'écho des emplois sexuels de *sauter* qui motivent le sens de «femme de mœurs légères» (1816), vieilli. ◇ Enfin, au sens premier du mot mais dans le contexte moderne des sports, le nom, aux deux genres mais moins fréquent au féminin, sauf dans des syntagmes *(sauteuse en hauteur),* se dit (1903) d'un athlète spécialiste des épreuves de saut. ◆ Dans le registre analogique où *sauter* s'emploie avec des sujets noms de chose, **SAUTEUSE** n. f. désigne (1875) une casserole dans laquelle on peut faire sauter des légumes, etc. ◇ Une *sauteuse* ou *scie sauteuse* (1933) est une scie à bois munie d'une lame animée d'un mouvement de va-et-vient.

SAUTELER v. intr., «palpiter, bondir» (v. 1200) en parlant du cœur, signifie ensuite «faire de petits sauts redoublés» (XIIIe s.); désuet en ce sens dès le XVIIe, le verbe est repris au XIXe s. (Hugo, Gautier) mais reste d'emploi littéraire, supplanté par *sautiller* (ci-dessous). ◇ Le verbe a aussi eu la même valeur que *sauter,* «changer brusquement de sujet» (1580).

SAUTOIR n. m., d'abord terme de blason (v. 1230), se dit d'une pièce honorable formée de la bande et de la barre, en forme de croix de Saint-André (X), d'où *en sautoir* en parlant d'un meuble de blason (v. 1360), puis en général (1690). ◇ *Sautoir* a désigné (1352-1353) une pièce du harnais pendant à la selle et servant d'étrier, pour monter vivement («sauter») à cheval. Il s'emploie (1430 et 1486 isolément; puis XIXe s.) au sens de «barrière en X, empêchant le passage des bestiaux, mais qu'un homme peut sauter». ◇ La locution ***en sautoir,*** d'abord «en forme de X» (ci-dessus), a signifié «en bandoulière» (1775, *porter en sautoir*), aujourd'hui «en collier sur la poitrine» (1798); de là viennent les emplois de *sautoir* pour «décoration» (1832), «pointe d'étoffe nouée sur la poitrine» (1829) et «chaîne de perles qui se porte sur la poitrine» (v. 1900). ◇ Parallèlement, le mot s'utilise en sports, pour désigner un cylindre servant aux sauts en gymnastique (1830, aussi *cheval sautoir*) et couramment (1912) un emplacement pour le saut.

Le XVIe siècle voit apparaître trois dérivés. ➜ **SAUTELLE** n. f., terme d'agriculture, est le nom d'une marcotte de vigne faite avec un sarment pour regarnir un vide (1551) ou le nom du sarment que l'on recourbe pour augmenter la production de grappes (1876). ➜ **SAUTILLER** v. intr. signifie «faire de petits sauts successifs» (1564 [1572, T.L.F.]) et au figuré «passer rapidement et sans liaison (d'un sujet à l'autre)» (1694). Il s'emploie par extension en parlant de choses (1893) pour «être agité de petits mouvements rapides et saccadés». ◇ *Sautiller*, qui est usuel et a remplacé dans une large mesure *sauteler*, a ses propres dérivés. **SAUTILLANT, ANTE** adj. s'emploie au propre (1668) et au figuré (1768); **SAUTILLEMENT** n. m. «action de sautiller» (1718), comme **SAUTILLAGE** n. m. (1735) moins employé, désigne aussi (1859) au figuré le passage rapide d'une idée à une autre. *Un* **SAUTILLÉ** n. m. est en musique (1885) un coup d'archet bref et rapide. ➜ **SAUTERIE** n. f. a été employé (fin XVIe s., d'Aubigné) dans un contexte dramatique pour parler du saut dans une rivière (la Saône) auquel on obligea les protestants. ◇ Le mot a été reformé au XIXe s. (1824) pour désigner une petite réunion dansante, employé aujourd'hui par plaisanterie. Il a disparu au sens (1845) de «petits sauts répétés». En argot policier, d'après *sauter* «arrêter», il signifie «arrestation».

La langue classique voit apparaître **SAUTANT, ANTE** adj., qui a signifié «représenté debout» en héraldique (1690) et a été remplacé par *sautillant* (ci-dessus), appliqué au style (1776). ◇ Repris au XXe s., il est employé dans *montre à chiffres sautants*, opposé aux montres à cadran et aiguilles, mais on dit plus couramment *à affichage numérique* (ou *digital*, anglicisme). ➜ **SAUTAGE** n. m., terme technique, s'emploie pour désigner l'action de faire sauter des poissons salés pour les presser (1730) ou de faire sauter des explosifs (1772). ➜ **SAUTE** n. f., terme de marine, désigne un brusque changement dans la direction du vent (1771, *saute-de-vent*). ◇ Il est devenu usuel dans cet emploi et surtout au figuré pour «brusque changement (de l'humeur)» (1868, Goncourt), couramment dans ***saute d'humeur.***

Au XIXe s. apparaît **SAUTÉ, ÉE** adj. qui se dit d'un aliment cuit à feu vif et en remuant (1803, *ragoût sauté*), puis est employé comme nom (1806, n. m.), notamment dans *sauté de veau* (1835); cf. ci-dessus *sauteuse*, sous *sauteur*.

Saute entre aussi dans la formation de composés, dont plusieurs ont disparu, par exemple **SAUTE-EN-BARQUE** n. m., qui a désigné (1538) une casaque boutonnée devant, à manches courtes, puis un manteau féminin, court et à manches (1870) porté au XIXe siècle. ➜ **SAUTE-RUISSEAU** n. m., d'abord «agent de spéculateur» (1791) puis «petit clerc de notaire qui fait les courses» (1832), s'emploie encore parfois pour «garçon de courses». ➜ **SAUTE-MOUTON** n. m. (1845), qui s'est employé au figuré au XVIIIe s. (1777), a remplacé *saut-de-mouton* (1822) et ne s'emploie que dans ***jouer à saute-mouton, jeu de saute-mouton*** «jeu où l'on saute par-dessus un autre joueur, courbé» (le «mouton»). ➜ **SAUTE-MINES** n. m. inv. est le nom technique (mil. XXe s.) d'un appareil destiné à faire exploser les mines. ➜ **SAUTE-AU-PAF** adj., est composé avec *paf*, mot d'argot désignant le sexe de l'homme, pour qualifier une femme sexuellement très active.

Outre *assaut* et *prime-saut*, un composé préfixé apparaît en moyen français : **TRESSAUTER** v. intr. (mil. XIVe s.), de *tres**, signifie «être secoué d'un mouvement violent, sous l'effet de la surprise, etc.» et s'emploie par extension en parlant de choses (XXe s.). ◇ En dérivent **TRESSAUTEMENT** n. m., attesté en 1569 mais rare avant 1857 (Goncourt), et **TRESSAUT** n. m., déverbal (mil. XIVe s.), également «mouvement brusque du corps», qui a signifié «action de franchir par un saut» (1611) et a eu des emplois techniques. Le mot est archaïque.

◈ voir SAUT; EXULTER, INSULTER, RESSAUT, RÉSULTER, SALTIMBANQUE, SALTATION.

SAUVAGE adj., d'abord *salvage* (déb. XIIe s.) puis *sauvage* (v. 1175), représente l'aboutissement du bas latin *salvaticus*, altération par assimilation vocalique du latin classique *silvaticus* «fait pour la forêt» et, en parlant des végétaux, «qui est à l'état de nature». Cet adjectif dérive de *silva* «forêt, bois», «parc, bosquet», au pluriel «arbres, plantes», qui a donné plusieurs mots romans au sens de «forêt». Synonyme du grec *hulê* (→ hylo-), *silva* en a repris en partie les sens, notamment ceux de «matériaux de construction», de «matière (d'un ouvrage, d'un poème, etc.)», d'où l'emploi du mot comme titre d'ouvrage au sens de «matériaux»; l'acception de «matière philosophique» qu'avait *hulê* est rendue en latin par *materia* (→ matière). *Silva* a abouti en français à *selve* (1080), éliminé par *forêt* et ne demeurant que dans des noms de lieux (→ selve, sylvestre, sylvicole).

♦ L'adjectif, qui s'écrit aussi en ancien français et jusqu'au XVIe s. *salvage, salvaige, saulvage*, s'applique d'abord à des animaux carnassiers qui vivent en liberté dans la nature (v. 1300, en parlant d'oiseaux). Parallèlement à cette idée d'état de nature, se développent à partir du XIIe s. des valeurs morales attachées à l'emploi du mot à propos des humains. *Sauvage* se dit (XIIe s.) d'ermites ou de brigands qui vivent solitaires, généralement dans les bois. Cependant, dès le XIIe s., l'idée initiale de forêt tend à s'oublier, comme en italien pour *forestiere* qui en est venu à signifier «étranger». *Salvage*, l'ancienne forme, est en effet attesté dans ce sens (1125), par une opposition sous-jacente entre la civilisation et la nature non défrichée *(silva)* représentant l'opposition entre la société où l'on vit et le monde extérieur. La *gent salvage* s'applique en particulier (v. 1131) aux Sarrasins, opposés aux chrétiens dans le contexte des Croisades. Le mot comporte aussi, en ancien français, l'idée d'étrangeté (cf. la parenté *étrange-étranger*) et *sauvage* s'applique à la fois aux humains considérés comme anormaux, extraordinaires (v. 1165) et, dans la culture elle-même, à ceux que l'on juge rudes, grossiers, qui sont comme proches d'un état de nature (1165-1170). ◇ Le sémantisme initial apparaît quand l'adjectif qualifie des lieux incultes, où la présence humaine ne se manifeste pas (v. 1150, Eneas) : le «désert» est par nature «sauvage»; au XVe s., un *lieu sauvage* peut aussi être un lieu inaccessible. ◇ À propos des humains, le mot a deux valeurs distinctes. La première, individuelle, apparaît en moyen français; elle qualifie des individus que l'on côtoie dans le groupe social, et sert à exclure ceux qui ne participent pas à l'affinement des mœurs propre à la courtoisie : on appelle ainsi *compagnon sauvage* (v. 1300) celui qui ignore les manières de l'amour courtois. Au XIIIe s. est apparu un sens qui restera vivant à l'époque classique : «de mauvaise humeur, grincheux» (cf. la métaphore de l'*ours*). Dès le XVIe s., le substantif s'emploie pour qualifier un mode de vie solitaire, asocial : *vivre au salvage* (1555), puis *en salvage*. ◆ Une deuxième valeur est collective et, pour employer un anachronisme, anthropologique. Dès la fin du XIIe s. (v. 1196), *sauvage* qualifie des êtres humains, des peuples considérés comme étrangers à toute civilisation. Le mot équivaut à peu près à *barbare*, à *primitif* (en français moderne), mais avec une connotation de violence naturelle, et qualifie aussi les coutumes, les caractéristiques des sociétés en question (1580). Cette acception se précise et se développe à la Renaissance, avec les contacts de l'Europe et des Indiens d'Amérique, avant les Africains. C'est aussi au XVIe s. que l'on commence à employer *sauvage* dans ce sens comme nom, le féminin étant d'abord *sauvagesse* (1632, ci-dessous), puis *une sauvage* (1762). Aux XVIIe et XVIIIe s., le nom et les expressions qu'il sert à former, comme ***le bon sauvage*** (1592), syntagme attesté dès le XVIe s., concept développé et diffusé au XVIIIe s. par Rousseau, témoignent du débat entre valeurs naturelles et valeurs sociales. À la même époque, *les sauvages*, en français, désigne normalement les Amérindiens, et cet usage se maintiendra au Canada jusqu'au XIXe siècle; il est aujourd'hui senti comme indûment péjoratif et il est proscrit. Le caractère de plus en plus dépréciatif de l'adjectif et du nom, s'agissant d'êtres humains, se marque par les applications courantes qui, aux XVIe et XVIIe s., vont de «qui aime à vivre seul, qui fuit les relations mondaines» à «qui se plaît à choquer», valeur aussi appliquée à l'expression (v. 1640), aux attitudes et aux actions (1660). Ces acceptions disparaissent au cours du XVIIIe siècle; au XIXe s., *un sauvage* est un être humain grandi sans contact avec la civilisation (1831) ou encore un individu cruel (1847), puis grossier, un béotien (1887). ◆ L'évolution est bien différente s'agissant des animaux et des plantes. *Sauvage* s'oppose alors, depuis le début du XIIIe s. (v. 1210), à *domestique* et qualifie en termes de chasse (fin XIIe s.) les bêtes qui ont le goût de gibier (cf. *sauvagine*). Ce sens est resté vivant, sans grande évolution et en général sans connotation péjorative. À propos de plantes et de productions animales, l'adjectif se rencontre isolément au XIIIe *(sarvage)* puis normalement au XVIe s. (depuis 1530) pour «qui pousse ou est produit sans intervention humaine» : *plante, chicorée* (1542), *miel* (1550) *sauvage*; on dit aussi (v. 1550) *un jardin sauvage* «inculte, à l'abandon». S'agissant de plantes et de produits, l'emploi de l'adjectif a reçu au XXe s. une connotation méliorative, en relation avec l'appréciation des produits naturels; de nombreux syntagmes en témoignent : *soie sauvage, miel sauvage, saumon sauvage* «non élevé». Complémentairement, les emplois péjoratifs pour «amer, âcre», à propos du goût d'un fruit (1694), d'une huile (1718), ont disparu. Le passage alternatif du mot par des valeurs positives et négatives est d'ailleurs attesté dès le XVIe siècle. Montaigne, en effet, écrivait (*Essais*, I, chap. 31, Pléiade p. 213), parlant des «cannibales» : «Ils sont sauvages, de mesme que nous appellons sauvages les fruicts que nature [...] a produicts : là où, à la vérité, ce sont ceux que nous avons alterez par nostre artifice [...] que nous devrions appeller plutost sauvages.»; ce passage manifeste la péjoration du mot. ◆ Au XXe s., *sauvage* a vieilli en ce qui concerne le domaine humain, anthropologique, remplacé par *primitif* (au XIXe s. surtout), lui-même devenu archaïque. ◇ Outre les valeurs nouvelles que l'on vient d'évoquer («naturel, sans artifice»), *sauvage* évoque l'intensité des sensations. Il a en outre pris le sens (v. 1965) de «qui surgit spontanément, sans organisation», dans ***grève sauvage*** ou ***affichage sauvage***, «illégal», le sémantisme central, qui oppose la notion de sauvagerie à celle de civilisation, d'organisation, étant respecté.

▶ *Sauvage* a de nombreux dérivés. ◆ **SAUVAGEMENT** adv. a signifié (v. 1180) «d'une manière extraordinaire». Il s'emploie couramment au sens de «avec brutalité, férocité» (v. 1300), mais est sorti d'usage pour «à la manière de ce qui n'est pas habité par l'homme» (v. 1360), «d'une manière solitaire» (1554), «avec un aspect inculte» (1574). ◆ **SAUVAGINE** n. f. (v. 1175), d'abord *salvagine* (v. 1119), a désigné l'ensemble des bêtes sauvages, puis une bête sauvage (v. 1138), une réserve de gibier (v. 1155, *salvecine*). Le mot s'est spécialisé à propos de l'ensemble des oiseaux d'eau qui sont chassés (v. 1240, *sauvegine*). Il a signifié aussi «odeur d'une bête sauvage» (1240). Par métonymie (1273, *sauvegine*), il désigne l'ensemble des peaux des animaux qui vivent à l'état sauvage en France, vendues sur le marché de la fourrure. ◇ *Sauvagine* a eu plusieurs sens directement rattachés à *sauvage*, désignant un caractère analogue à celui d'un animal sauvage (v. 1265), l'état sauvage des hommes (1284). ◇ Les dérivés **SAUVAGINEUR** n. m. (1914) et **SAUVAGINIER** n. m. (mil. XXe s.) sont des termes techniques de chasse. ◆ **SAUVAGIN, INE** adj. et n. m., d'abord «sauvage» en parlant d'animaux carnassiers (1416, *sauvaizin*; v. 1420, *sauvagin*), s'est appliqué au XVIe s. à ce qui est propre aux bêtes sauvages (apr. 1550). Le nom a désigné une chose rude, âpre (1583). Il demeure comme terme de vénerie, au sens de «goût propre à certains oiseaux d'eau» (1671, *le sauvagin*). ◆ **SAUVAGEON, ONNE** n. et

adj. désigne d'abord un arbre venu spontanément, sans culture (1396, sous la forme altérée *sauvargon;* 1559, *sauvageon*); en ce sens on a aussi employé *sauvechon* «pomme sauvage» (XIIIe s.) et *sauvageau* (1525). Le mot se spécialise ensuite en arboriculture (1595) pour «arbre non greffé, qui peut servir de sujet pour la greffe». Il s'applique (1793) à ce qui appartient à un sauvageon, mais cet emploi adjectif est rare. Par métaphore (1869), il se dit d'une personne fruste, non cultivée, aussi comme nom (attesté en 1883, Zola).
D'autres dérivés apparaissent en français classique. ➛ **SAUVAGESSE** n. f. a désigné (1632) une femme d'une civilisation considérée comme peu évoluée, en concurrence avec *femme sauvage.* L'emploi figuré pour parler d'une femme peu cultivée, sans éducation (1824, Balzac) est demeuré exceptionnel (aujourd'hui archaïsme littéraire). ➛ **SAUVAGERIE** n. f. désigne (1739, d'Argenson) le caractère, les habitudes d'une personne qui vit à l'écart de la société. Le mot s'est employé pour «lieu retiré» (1825). ◇ Il est sorti d'usage aux sens de «période de l'histoire où l'homme n'était pas civilisé» (v. 1825) et de «mœurs, condition des sauvages» (1807, Destutt), opposé à *civilisation.* ◇ *Sauvagerie,* proscrit en anthropologie, équivaut aujourd'hui en général à «barbarie, brutalité» (v. 1855) pour qualifier un comportement cruel et violent.
Le préfixé **ENSAUVAGER** v. tr., «rendre sauvage» en parlant de l'homme, des choses humaines, est rare et littéraire (v. 1792; 1866, Goncourt, au pronominal). Ce verbe reprend l'ancien français *ensauvagir* v. intr., «agir en sauvage» (fin XIe s., *ensalvagir*) et «devenir sauvage» (1270), et transitif pour «rendre sauvage» (1240), sorti d'usage avant l'époque classique.

SAUVEGARDER → SAUF, SAUVE

SAUVER

SAUVER v. tr. (v. 1180), par les formes *salvar* (842), *salver* (1050), est issu du bas latin *salvare* «rendre bien portant, guérir», «maintenir, conserver», «délivrer» et dans la langue ecclésiastique «procurer le salut éternel»; *salvare* est dérivé de *salvus* «bien portant, en bon état» (→ sauf).

♦ Le verbe a d'abord eu le sens général de «défendre (qqn), le secourir», qui ne s'est pas maintenu. Il est attesté vers 980 *(salvar)* avec son sens religieux, puis avec l'acception demeurée courante de «faire échapper (qqn, un groupe) à un danger» (v. 1050, *salver*); de là viennent l'emploi pour «tirer (qqn) d'un danger mortel» et la construction ***sauver la vie** à qqn* (1165-1170, *salver la vie*). Le verbe signifie par extension «empêcher que soit détruit (qqch.)», par exemple dans ***sauver l'honneur*** (v. 1208), et «conserver intact (qqch.)» (v. 1210). ◇ *Sauver* s'est employé (v. 1370) jusqu'au XIXe s. au sens de «faire excuser ou faire passer (qqch. de médiocre) par une présentation adroite». ◇ En moyen français et avec la valeur la plus courante, *sauver* s'emploie dans *il se sauve qui puet* (fin XIVe s.), puis ***sauve qui peut!*** (1419) «que celui qui le peut se sauve», substantivé en **SAUVE-QUI-PEUT** n. m. (1614, puis 1819) «fuite générale et désordonnée». ◇ *Sauver* s'est employé en droit au sens de «réfuter (les raisons de qqn)» (v. 1450), spécialement en parlant des attaques des témoins (1549). Dans l'usage général, il a signifié «excuser» (1440-1475), acception notée «rare» en 1694 et qui a disparu. ◇ *Sauver qqn de* (et infinitif) «préserver», autre emploi du moyen français, s'est conservé dans des usages régionaux. ◇ *Se sauver,* d'abord au sens religieux (v. 1200), est attesté au XVIe s. (1538) pour «échapper à un danger», «se tirer d'affaire», sens sortis d'usage, et pour «s'enfuir pour échapper à un danger» (v. 1280), qui est resté courant. *Se sauver* (1673) est familier avec la valeur de «s'en aller, prendre congé». Il se dit aussi (1795) d'un liquide qui bout et s'échappe. ◇ *Sauver qqch. à qqn* (1636) s'est employé jusqu'au XIXe s. au sens de «faire que qqn ne subisse pas (un mal)». ◇ Plusieurs expressions prennent le verbe au sens de «préserver» (cf. ci-dessus *sauver l'honneur*) : ***sauver les apparences*** «ne rien laisser paraître qui puisse scandaliser» (1621) reste vivante; *sauver les dehors* (1652) a disparu et ***sauver la face*** est récente (1914, Jaurès). *Sauver les meubles* correspond à «préserver ce qui peut l'être» (1918). Le verbe est chez Furetière (1690) dans plusieurs expressions alors nouvelles, comme *sauver la partie,* terme de jeu, *sauver une dissonance,* en musique. *Sauver un coup* «l'éviter» (1798) est sorti d'usage. *Sauver qqch.* «en empêcher la vente, la dispersion, etc.» est attesté à la fin du XIXe siècle.

▸ Le dérivé ancien **SAUVOIR** n. m., «bassin aménagé pour conserver les poissons» (1253), a été supplanté par *vivier** et a disparu.
SAUVETAGE n. m., formé (1773) d'après l'ancien français *sauveté* (→ sauf), a remplacé les dérivés directs du verbe *salvaige* (XVe s.), et *sauvage* (1591). Le mot désigne l'action de sauver un navire en détresse, ses passagers, etc. et plus généralement de sauver qqn d'une situation périlleuse (1801), de la noyade (1811). De là *échelle de sauvetage* (des pompiers) [1801], *bouée de sauvetage* (1811), *bateau de sauvetage* (1863), précédé par *bateau sauveteur,* etc., et en droit maritime *droit de sauvetage* «perçu sur les choses sauvées d'un naufrage» (1812), disparu. Le mot s'emploie aussi au figuré (v. 1920). ➛ Du radical dérivent **SAUVETEUR** n. m. (1816, selon Dauzat; puis 1836, *canot sauveteur,* «bateau de sauvetage»), «personne qui sauve qqn» (1860), et **SAUVETER** v. tr. (1870), terme de marine peu employé.
À LA SAUVETTE loc. adv. s'est d'abord employé en argot dans la locution *jouer à la sauvette* «jouer à se courir après» (1867, aussi ...*à la sauvinette*) et pour désigner (1898) la fuite du marchand sans patente, à l'arrivée de la police. Le mot reste usuel dans ***vendre à la sauvette*** (v. 1920), ***marchand à la sauvette*** et au figuré dans ***à la sauvette*** (v. 1920) «à la hâte et comme en se cachant».
SAUVEUR n. m. et adj. m. est l'aboutissement (v. 1380), par la forme *sauveor* (v. 1175), de *salveur* (1140), *salveor* (1170), forme évoluée de *salvedor* (*salvedur,* v. 1120), cas régime de *salvaire* (1050). Ces formes sont issues du bas latin *salvator* «celui qui sauve». Ce mot, employé en latin chrétien pour désigner Jésus-Christ, dérive de *salvatum,* supin

du bas latin *salvare.* ◆ *Sauveur* s'emploie d'abord en parlant de Jésus-Christ, celui qui a sauvé les hommes, d'où *la saint salvor* «la fête-Dieu» (1237), disparu, et au XVIe s. *le sauveur du monde* «Jésus-Christ» (1550). ◇ Le nom désigne aussi une personne qui sauve qqn (v. 1120, *salvedur*); en ce sens le féminin *sauveresse* (1165-1170) s'est employé jusqu'au XVIIe siècle. ◇ L'usage de *sauveur* comme adjectif remonte au XVIe s. (1555). Par extension, il s'est dit de ce qui rend la santé (1845) : *un médicament, un traitement sauveur.*

Le latin *salvator* a été emprunté sous la forme **SALVATEUR, TRICE** adj. «qui sauve», inusité au masculin (1485, n. m.), repris à la fin du XIXe s. au féminin *salvatrice,* notamment à propos de la Vierge Marie, et littéraire (1886, L. Bloy), le féminin de *sauveur* étant inexistant. ◆ **SALVATION** n. f. est emprunté (v. 1120, *salvaciun*) au bas latin ecclésiastique *salvatio* «action de sauver, salut», dérivé du supin de *salvare.* ◇ Le terme religieux désigne l'action de sauver l'âme; il a disparu dans son emploi général pour «action de sauver, de préserver» (1172-1174, *salvatiun;* XIIIe s., *salvation*). ◇ **SALVATIONS** n. f. pl. a désigné en droit (1340) jusqu'à la fin du XVIIIe s. les documents par lesquels on réfutait des objections (1549, *salvation de témoins*). Le mot est archaïque dans tous ses usages.

◈ voir SAUF, adj. ; ① et ② SALVE.

SAVANE n. f. est emprunté (1529) à l'espagnol *çavana, zabana* (XVIe-XVIIe s.), *sabana* (1701), lui-même pris au taïno (langue indienne disparue d'Haïti) *zavana, zabana.* On relève aussi en français la forme *savana* (1598) et la graphie *savanne* (1645, encore en 1851).

♦ Le mot désigne une vaste prairie des zones tropicales, pauvre en arbres. Au Canada, *savane* se dit (1683) d'un terrain marécageux.

▸ **SAVANISATION** n. f. (XXe s.), terme de géographie, se dit de la transformation en savane.

SAVANT, ANTE adj. et n. est l'ancien participe présent de *savoir*,* adjectivé (v. 1120). Le mot l'a emporté sur l'adjectif *sachant* «qui a beaucoup d'expérience, de la sagesse» (v. 1155), «habile, expérimenté» (v. 1210) et «savant» (v. 1450, *saichant*). Par ailleurs, l'ancien français a employé le nom *savance* «connaissance, fait de savoir» (XIIe s.), encore attesté en 1636. Le composé *nonsavant* «ignorant» (1210), d'abord *nunsavant* (XIIe s.), est utilisé jusqu'au XVIIe siècle; on relève aussi *insçavant* au XVe siècle.

♦ L'adjectif *savant* a d'abord signifié «qui a des connaissances étendues» et, de façon plus précise (v. 1155), «qui sait beaucoup, en matière d'érudition ou de science». Cet emploi l'a emporté et est réalisé par exemple dans ***femme savante*** (1672, Molière), ***société savante.*** Par extension, *savant* se dit (1538) d'une personne informée, au courant de qqch., d'où la locution figurée classique (1694) *je n'en suis pas plus savant* «je n'en sais pas plus (avec cela)». *Savant en qqch.* (déb. XVIIe s.) «qui est très habile, s'y connaît dans un art, une spécialité» a succédé à *savant à qqch.* (1549) qui a disparu. ◇ L'adjectif qualifie ensuite (1622) une chose faite avec art, avec habileté. ◆ **SAVANT** n. m. (1588, Montaigne : *un sçavant*) est sorti d'usage avec la première valeur de l'adjectif, «personne qui a de vastes connaissances». Dès le XVIIe s., par une spécialisation qui s'est répandue au XIXe s., le nom désigne une personne qui, par ses connaissances et ses recherches, contribue au progrès d'une science; en français contemporain, il s'applique normalement à des scientifiques du passé; il est encore employé dans le discours journalistique ou de la fiction pour parler de contemporains, mais il a vieilli par rapport à *scientifique, chercheur;* il emporte en général l'idée d'une grande notoriété. ◆ L'adjectif signifie aussi (1677) «où il y a de l'érudition», employé par extension dans *édition* savante. Mots savants* s'applique aux mots empruntés tardivement au latin ou au grec (ou formés d'éléments latins, grecs) et n'ayant pas suivi l'évolution phonétique des formes populaires; on dit aussi, avec une valeur voisine, *formation savante.* ◇ *Langue savante* désigne (1835) une langue qui n'est plus parlée *(langue morte)* et que l'on apprend par les livres (latin, grec, etc.). ◇ Par extension, *savant* s'applique (1767) à une chose qui, par sa difficulté, est inaccessible au profane. ◇ *Savant* «habile» est employé depuis le XIXe s. dans *animal savant* «dressé» (1845, *chien savant*), par exemple dans *puces savantes.*

▸ Le dérivé **SAVAMMENT** adv., d'abord «d'une manière érudite» (1553) avec la variante disparue *savantement* (1611), signifie ensuite «avec habileté» (1627, *sçavamment*) et «en connaissance de cause» (1690). Un emploi didactique en linguistique correspond à *mot savant, formation savante.* ◆ **SAVANTASSE** n. m. (1646), formé avec le suffixe péjoratif *-asse,* est sorti d'usage. Le mot, péjoratif pour «pédant qui joue les savants», a été aussi écrit *savantas* (v. 1650), adaptation du gascon *sabantas,* employé par d'Aubigné (déb. XVIIe s.), de l'ancien provençal *saben, sabent.* ◆ **SAVANTISSIME** adj. (1664) est ironique pour «très savant».

SAVARIN n. m., abréviation (1861) de *brillat-savarin* (1856), est tiré du nom de Brillat-Savarin, célèbre gastronome et écrivain français (1755-1826).

♦ Le mot désigne un gâteau en forme de couronne que l'on sert garni de crème et imbibé d'un sirop à la liqueur.

SAVATE n. f., noté *chavate* en picard à la fin du XIIe s., puis *çavate* (v. 1220) et *savate* au XIVe s., est d'origine obscure. Ses correspondants sont attestés en ancien provençal *(sabata),* en italien *(ciabatta),* en espagnol (*zapato* «soulier»; 978, *zapatones* dans un texte latin), en portugais *(çapato).* On a proposé de faire de toutes ces formes des adaptations de l'arabe *sabbāṭ* ou *ṣabbāṭ* «pantoufle», qui n'est attesté que dans les textes postclassiques mais est vivant dans tous les pays de langue arabe; le mot arabe serait lui-même d'origine orientale. P. Guiraud, partant des sens de l'ancien provençal *sabatas, sabata* «gros soulier» et «crapaud», propose plutôt de voir dans *savate* l'emploi métaphorique d'un dérivé de °*sapare* «produire de la sève» d'où «baver» (comme un crapaud); *savate* aurait donc selon lui la même origine que *sabot*.* ◆ Les différences phonétiques entre les variantes romanes, qui viennent selon Bloch et Wartburg des migrations du mot, sont liées pour P. Guiraud au fait que l'étymon avait deux formes °*sapare* et °*sappare*. La variante *s/z* à l'initiale se retrouve dans le nom du crapaud (pour le *s* espagnol *sapo*, portugais *sapo*); l'italien *cia-* et le picard *cha-* pourraient être d'origine onomatopéique (cf. le wallon *chapoter* «barboter», c'est-à-dire «faire *chap, chap*»).

♦ *Savate* désigne d'abord une vieille chaussure, une vieille pantoufle. Il s'emploie au figuré dans la locution familière ***traîner la savate*** «vivre misérablement» (1748; 1661, *traîner ses savates*). ◇ Par figure, le mot est employé familièrement (1656) en dérision à l'adresse d'une personne maladroite, par une métaphore courante (cf. *pied, pantoufle, sabot* et *ne pas valoir deux savates*, 1508). ◇ Il désigne ensuite (1828, *savatte*, Vidocq) une forme de combat où l'on porte des coups de pied à l'adversaire. ◇ Par référence à la forme d'une savate, il désigne (1842) un type de chaussure dont le quartier est rabattu. ◇ Enfin, par analogie d'usage, c'est un terme technique employé (1617) pour parler de la pièce de bois sur laquelle repose un navire au moment de son lancement, puis d'une semelle de bois placée sous un objet lourd (1871, Littré).

Le dérivé **SAVETIER** n. m. (1213, *çavetier*), «raccommodeur de souliers», est sorti d'usage remplacé par *cordonnier*, sauf pour parler du passé. ➛ **SAVATER** v. tr. «donner des coups de pied à (qqn)», «pratiquer la savate», d'abord écrit *sabater* (1898), est demeuré rare, sauf en argot.

SAVEUR n. f. (1256), d'abord *savor* (v. 1150), *savour* (v. 1190), est issu du latin *sapor* «goût, saveur caractéristique d'une chose», «odeur, parfum», «action de goûter» et, au pluriel, «choses de bon goût» et «les sens»; *sapor* s'est employé aussi au figuré, par exemple en parlant d'un homme sans personnalité *(homo sine sapore)*; c'est un dérivé de *sapere* «avoir du goût» (→ savoir).

♦ Le mot signifie d'abord (XIIe s.) «qualité perçue par le sens du goût» et figurément (v. 1150) «agrément, attrait». ◇ Il a désigné ensuite une sauce, un assaisonnement, c'est-à-dire ce qui donne du goût (XIIIe s.) et, par métonymie au pluriel, des légumes pour le potage (1239), acception encore attestée en 1667. ◇ Il reprend aussi le sens latin de «parfum, odeur» (v. 1240), disparu. Lié à *sapere* «savoir», *saveur* s'est employé en moyen français (1440-1475) au sens de «connaissance qu'on a de qqch.». ◇ Dans l'usage figuré, le nom désigne (v. 1820) ce qui flatte le goût, dans les arts, etc.

▸ **SAVOURER** v. tr. est dérivé de *saveur*, peut-être sur le modèle du bas latin *saporare* «rendre savoureux», au propre et au figuré. ◇ D'abord intransitif (v. 1225, *savorer*; le participe passé est attesté v. 1125, écrit *savuret*), le verbe signifie en ancien français «être agréable», sens disparu et «avoir de la saveur». ◇ Il s'emploie dès le XIIIe s. au sens figuré de «profiter lentement, de manière à prolonger le plaisir» et au sens propre, «apprécier (un mets, etc.) par le sens du goût» (v. 1260). Par antiphrase et littérairement (v. 1380), *savourer* s'emploie avec un complément désignant une chose déplaisante *(savourer son chagrin)*.

SAVOUREUX, EUSE adj. est l'aboutissement au XVIe s. (v. 1508, *sapvoureux*), par l'intermédiaire de formes comme *saveros* (v. 1190), *savoreux* (v. 1380), du bas latin *saporosus* (VIe s.), dérivé de *sapor*. ◇ L'adjectif qualifie ce qui a une saveur agréable (v. 1220) et s'applique par figure (v. 1190) à ce qui est délicat, agréable, en parlant d'une personne, d'un baiser, etc. ◇ Par extension, il se dit (1694) d'un plaisir dont on jouit. ➛ Le dérivé **SAVOUREUSEMENT** adv. est sorti d'usage pour «en savourant» (v. 1210 *saverousement*; 1337, forme moderne); il signifie «avec saveur».

◈ voir INSIPIDE, MAUSSADE, SADE, SAPIDE.

① **SAVOIR** v. tr., resuffixation (v. 1165) de la forme *saveir* (v. 980), est issu du latin populaire °*sapēre* (premier *e* long), altération du latin classique *sapĕre* (premier *e* bref), verbe intransitif aux sens d'«avoir du goût», «exhaler une odeur» et par ailleurs «sentir par le sens du goût», d'où par figure «avoir de l'intelligence, du jugement», «être sage»; transitivement le verbe signifie «se connaître en qqch.», «connaître», «comprendre». *Sapere* a un correspondant en germanique, avec le vieux saxon *afsebbian* «apercevoir, remarquer». ➛ Le latin classique *scire* «savoir» n'est pas représenté en français, sauf par le participe présent *sciens*, dans le dérivé *scientia* (→ science) et des composés (→ conscience, omniscient); mais à partir du XVe s., *savoir* a été erronément rattaché à *scire*, d'où les graphies *scavoir, sçavoir* à côté de *savoir*, encore au XVIIe siècle.

♦ *Savoir* a d'abord un sens général: «avoir la connaissance de (qqch.)»; il s'emploie aussi, suivi d'un infinitif, pour «avoir la possibilité de (faire qqch.), après un apprentissage» *(savoir marcher)* et, suivi d'un nom, pour «connaître (qqch.) pour en avoir été informé» *(savoir une nouvelle)*. Ensuite, le verbe signifie (v. 1050) «être en mesure de pratiquer (un art, etc.), grâce à des connaissances», puis «être capable de (faire qqch.) parce qu'on le veut, qu'on en a le pouvoir, etc.» (1080), alors construit avec un infinitif *(savoir attendre)*. *Deus le set* (v. 1050), ***Dieu sait si*** (fin XIVe s.), ***Dieu le sait*** (1530), ***Dieu sait*** (XVIIe s.) introduisent un fait qu'on présente comme connu de Dieu, garant du vrai. La formule *Que sais-je?* apparaît à la Renaissance, illustrée par Montaigne (1580). ◇ La construction *savoir qqn, qqch.* suivie d'un adjectif *(on le sait bon, mauvais...)* [XIe s.] marque que la qualité indiquée par l'adjectif est dans la chose, dans l'être. ◇ Avec un sens affaibli, le verbe s'emploie dans *ço est a savoir* «c'est-à-dire» (v. 1090), devenu ***à savoir*** (v. 1150), locution conjonctive de coordination, et par ellipse ***savoir*** (1658; fin XVe s., *sçavoir*); de là vient *assavoir* conj. (XVe s., hapax; puis 1534) sortie d'usage. ◇ Au XIIe s., le sens latin d'«avoir du goût», en relation avec *saveur*, est repris (v. 1165, en emploi transitif), spécialement dans des locutions: *mal saveir* «déplaire» (v. 1150), *savoir buen* «avoir du goût (en parlant du pain)» (v. 1175); il ne se maintient pas au-delà du XIVe siècle. ◇ Dès l'ancien français (fin XIIe s.), *savoir* prend le sens d'«avoir conscience de (qqch.), percevoir».

◇ *Faire savoir* (qqch. à qqn) «informer, communiquer» (v. 1165) a pour variante *faire assavoir* (1170-1175), d'où *faire à savoir* (1538) employé autrefois en chancellerie, de même que la formule *faisons savoir que* (1549). ◇ La construction *savoir de qqch.* «avoir des connaissances en qqch.» (XIIe s.) a disparu. *Savoir qqn, qqch.* «avoir connaissance de qqn, de qqch.» (déb. XIIIe s.) est devenu archaïque ou régional, *savoir* étant alors le plus souvent supplanté par *connaître*. Il en va de même pour *se savoir* (1580). ◇ En revanche, *se savoir* «être su» (1580, Montaigne) est toujours en usage. Au sens d'«être capable d'utiliser ou de trouver (qqch.)», le verbe est aujourd'hui d'emploi littéraire. ◇ *Ne sai qui* pour «une personne quelconque» (v. 1300) survit sous la forme ***je ne sais qui*** (1538), aussi ***un je ne sais qui*** (1666) «un individu quelconque», vieilli. ***Je ne sais quoi*** (1534), adjectif vieilli pour «indéfinissable» en parlant d'un sentiment, de qqch., qui succède à *ne sais quoi* (1440-1475), survit en tant qu'allusion littéraire à son emploi comme nom masculin (1546), surtout à l'époque classique,. ◇ *Savoir vivre* (1466) «être capable de se conduire dans le monde selon les règles en usage» a fourni *savoir-vivre* n. m. ➜ *Savoir* v. intr. «avoir des connaissances, de l'expérience» est attesté au début du XVIe siècle ; *savoir en qqch.* «avoir des connaissances en qqch.» (1549) a disparu. ◇ *Savoir qqch.* «avoir qqch. présent à l'esprit dans tous ses détails» a été remplacé dans cette nuance par son expansion idiomatique ***savoir par cœur***, employée transitivement au XVIIe s. (1662 ; 1669, ***savoir qqn par cœur***). ◇ Au XVIIe s., on relève plusieurs locutions, ***savoir son monde*** (1612) et ***savoir bien le monde*** (1671) «connaître bien ceux à qui on a affaire», ***je sais ce que je sais*** (1666) «je suis au courant, mais je n'en parlerai pas», *en savoir plus d'un* (1668 ; *plus d'une*, 1798) «se conduire habilement», sortie d'usage, ***faut savoir!*** (1690), formule exprimant l'admiration ; ***c'est à savoir***, elliptiquement ***à savoir, savoir*** (1694) est alors employé pour marquer le doute. ◇ La négation exprime soit l'ignorance, par exemple dans ***ne savoir ni a ni b*** (1672), archaïque, ***ne savoir rien de rien*** (1690), soit l'indécision, la déraison : ***ne pas savoir où se mettre, ne pas savoir ce qu'on fait*** (fin XVIIIe s.) ; ***est-ce que je sais ?*** (1781) exprime aussi l'ignorance comme ***n'en savoir rien*** (familier : *j'en sais rien*).

▸ **SAVOIR-** entre comme premier élément dans des composés dont le second est un infinitif. ➜ **SAVOIR-VIVRE** n. m. est formé au XVIe s. avec *vivre*, pour «art de bien diriger sa vie», puis (2e moitié du XVIIe s.) «bonnes manières». ◇ **SAVOIR-FAIRE** n. m. (1671) «habileté à réussir ce que l'on entreprend», est devenu un terme de droit commercial, par traduction de l'anglais *know how*. ➜ À partir de 1970, des composés sur ces modèles apparaissent, surtout dans le vocabulaire des médias, comme **SAVOIR-DIRE** n. m. (1970), **SAVOIR-ÊTRE** n. m. (1970), **SAVOIR-MANGER** n. m. (1973), etc. ◇ **SAVOIR-MOURIR** n. m. est une formation analogique sur *savoir-vivre* (1866).

Les seuls dérivés du verbe sont trois de ses formes, l'infinitif et les participes (→ savant). ② **SAVOIR** n. m. s'est employé pour désigner la connaissance, le fait de savoir (842, *savir*), puis aux sens de «sagesse, intelligence», «habileté» (*savier*, fin Xe s. ; *saveir*, 1080, et *savoir*, XIIe s.), d'où *grant saveir* «grande sagesse» (1080) et la locution disparue *dire savoir* «dire une chose sensée» (v. 1175). ◇ Le mot (v. 1155, *saveir* ; 1193-1197, *savoir*) désigne encore en français moderne un ensemble de connaissances acquises par l'étude, l'expérience, d'où ***grand savoir*** «connaissances très étendues» (1673) ; il a signifié spécialement «art magique» (v. 1210). Par métonymie, il se dit (XVIIe s.) pour «les savants, la science». ◇ Le mot s'emploie spécialement en histoire littéraire dans ***gai savoir*** «poétique des troubadours» (1842), adaptation de l'ancien provençal *gai saber* (XIVe s.). L'expression fait aussi allusion à Nietzsche (→ science). ➜ **SU, SUE** adj. et n. m. s'est d'abord employé dans des locutions : *tut a soüt* «d'une manière certaine» (v. 1120), *senz le seü de* «à l'insu de» (v. 1155), encore au XVIIe s. *(sans le su de)*, emplois disparus. ◇ L'adjectif s'applique (v. 1175, *seü* ; XVIe s., *su*) à ce qui est connu, notoire. ***Au su de (qqn)*** «à la connaissance de» (1440-1475, *au sçu de* ; 1671, *au su de*) est moins courant que ***au vu et au su de (qqn)*** [1549, *sceu*], qui continue *a la sue et a la veüe de* (v. 1283). ➜ Le préfixé **INSU, UE** adj. et n. m. (v. 1500, «inconnu») est repris au milieu du XXe s. comme terme didactique (→ insu [à l'insu de]).

◈ voir INSIPIDE, MAUSSADE, SABIR, SADE, SAGE, SAPIDE, SAPIENCE, SAVANT, SAVEUR, SAVOUREUX.

SAVON n. m. est issu (fin XIIe s.) du latin *saponem*, accusatif de *sapo* «savon» ; le nom latin est emprunté à un germanique °*saipôn* qui désignait probablement à l'origine une substance employée pour teindre les cheveux. *Sapo* est représenté dans les langues romanes par l'italien *sapone*, le portugais *sabão*, le roumain *săpun*, etc. Le savon était bien connu des Gaulois.

♦ Le mot a dès ses premières attestations son emploi moderne, «produit utilisé pour le dégraissage et le lavage» ; un qualificatif indique la composition, l'usage, etc. du savon dans *savon mol* (XIIIe s.), disparu, équivalant aujourd'hui à *savon noir* (1530) ; *savon blanc* (1530), *vert* (1667), *marbré* (1680) ne s'emploient plus, mais *savon de Marseille* (1723), *savon de toilette* (1835) restent usuels. ➜ Comme déverbal de *savonner* (ci-dessous), *savon* s'est employé (1634, Corneille) pour *savonnage* ; c'est avec cette valeur active qu'au XVIIIe s. le mot prend le sens figuré et familier (1788) de «sérieuse réprimande», issu de *savonner la tête*. ➜ Par analogie, *savon naturel* (1767) désigne en minéralogie l'argile smectique, *savon de montagne* (1828) le silicate d'aluminium qui se dépose dans certaines eaux thermales ; *savon des verriers* (1812) le bioxyde de manganèse employé pour décolorer le verre ; ces emplois ont vieilli. ◇ Le mot s'est employé en argot ancien pour «honoraires d'un avocat» (1830), l'avocat «blanchissant» son client. ◇ *Un savon* désigne (1823) un morceau moulé de savon.

▸ Le mot a plusieurs dérivés. ➜ **SAVONNIER, IÈRE** n. m. et adj., «fabricant de savon» (1292), s'est employé comme adjectif (1611). Il désigne aussi (1694) un arbre exotique dont l'écorce, la racine, contenant de la saponine, font mousser l'eau. ➜ **SAVONNERIE** n. f. signifie «lieu où l'on fait le savon» (1313) et «fabrication du savon» (1875). ➜ **SAVONNER** v. tr. «nettoyer avec du savon» (v. 1500) s'emploie au figuré dans la locution, vieillie, ***savonner la tête de qqn*** «le réprimander» (1669; cf. *laver la teste sans savon,* 1597) et aussi «rosser (qqn)» (1690), d'où *un savon* (ci-dessus). Par métaphore sur le caractère glissant du savon, *savonner la planche (à qqn)* signifie familièrement «préparer sa perte» (cf. *l'escalier savonné des concessions,* donné comme un cliché du discours politique par Alphonse Allais). ◇ Le verbe signifie spécialement (1690) «enduire de mousse de savon le menton (avant de se raser)». ◇ En dérive **SAVONNAGE** n. m. (1680; 1579, *savonnement,* même sens). ➜ Le diminutif **SAVONNETTE** n. f. «petit pain de savon» (1579) est rare avant le XVIIe s. (1640). Le mot s'est employé au figuré pour «charge qu'un roturier achète pour s'anoblir» (1701), d'où l'expression archaïque ***savonnette à vilain****. ◇ Il s'est dit du fruit du savonnier (1721), qu'on nommait *arbre à savonnettes* (1765). ◇ *Montre à savonnette* (1842), d'où *une savonnette* (1878), a désigné une montre dont le cadran est recouvert d'un couvercle bombé en métal, qui s'ouvre au moyen d'un ressort. ◇ Dans l'argot automobile, *savonnettes* n. f. pl. équivaut par allusion au glissement (1953) à «pneus lisses n'ayant plus d'adhérence». ➜ **SAVONNEUX, EUSE** adj. s'applique (v. 1700 [attesté 1740]) à ce qui rappelle le savon ou à ce qui en contient (1845). La métaphore de la ***pente savonneuse*** est attestée chez Léon Daudet, en 1915.

◈ voir SAPONAIRE.

SAVOYARD, ARDE adj. et n. a remplacé avec un autre suffixe (1566, n.) la forme *savoisien* (v. 1460), aussi *savoyen* (v. 1360; jusqu'au XVIIe s.), et est dérivé comme elles du nom propre *Savoie.*

♦ Qualifiant tout ce qui concerne la Savoie, le mot s'emploie spécialement à partir de la fin du XVIIIe s., en raison des tâches saisonnières que faisaient les Savoyards lorsqu'ils descendaient dans les vallées, pour désigner un garçon de courses (av. 1798), un ramoneur (1802). ◇ De ce dernier emploi sont venus, par analogie, le sens de «personne sale et mal élevée» (1803) et l'emploi du mot comme injure (XIXe s.), sortis d'usage. ◇ *Savoyard* s'est aussi dit (av. 1798) pour «biscuit de Savoie». ➜ Au XIXe s., **SAVOYARDE** n. f. désigne (1821) un grand bateau de la Saône et du Rhône destiné surtout au transport de la houille. ◇ Il s'est dit en argot pour «malle» (1837) par référence à la profession de coursier exercée par les Savoyards. Ce nom féminin est aussi attesté (1870) aux sens de «barque avec laquelle on transporte le fumier sur le canal de Lunel» et (1875) de «contrepoids suspendu à l'une des extrémités du rouleau sur lequel est monté le poil des velours frisés et des velours coupés», peut-être d'après la valeur de «personnage grossier».

SAXHORN → SAXOPHONE

SAXIFRAGE n. f. ou m. est emprunté (XIIIe s.) au bas latin *saxifraga (herba),* variante du neutre *saxifragum,* littéralement «qui brise les pierres»; ce mot est composé du latin classique *saxum* «pierre» et de l'élément *-fragus (-a, -um)* «qui brise», dérivé du verbe *frangere,* au supin *fractum,* «briser» (→ enfreindre, fraction).

♦ Cette plante herbacée, qui pousse dans les fissures des murs et des rochers, a été aussi nommée, par calque du latin, *rompierre* (XVe s., pour *romptpierre*), *percepierre* (1546), *cassepierre* (1669).

▸ Le mot a fourni le dérivé didactique **SAXIFRAGACÉES** n. f. pl. (1842), qui a remplacé *saxifragées* (1803).

◈ voir SALSIFIS, p.-ê. SASSAFRAS.

SAXON, ONNE n. et adj. représente un emprunt savant (1512, n.) au bas latin *Saxo, Saxonis* «habitant de la Saxe (région du nord de la Germanie)», plus courant au pluriel *Saxones* «les Saxons». On relève dans *La Chanson de Roland* (1080, n.) la forme *Saisne,* aboutissement du latin *Saxones* par évolution phonétique.

♦ Le mot désigne, plus souvent au pluriel, un membre ou les membres d'un des anciens peuples germaniques; en linguistique il s'emploie dans *vieux saxon* (1655) pour désigner l'état le plus archaïque du bas allemand et *bas saxon* pour l'ensemble des dialectes issus du vieux saxon et constituant le *plattdeutsch.* ◇ L'adjectif, qui n'est attesté qu'au XIXe s. (1870), s'est appliqué, avant 1939, à un groupe parlementaire français qui abandonnait ses alliés lors d'un vote important, par allusion à la bataille de Leipzig (1813) au cours de laquelle les Saxons trahirent Napoléon pour passer du côté des Alliés. ◇ *Saxon* ne s'emploie plus comme équivalent d'«allemand».

▸ Le composé **ANGLO-SAXON, ONNE** adj. et n., de *anglo-* (→ anglais), s'emploie d'abord (1664) en parlant de ce qui est relatif aux envahisseurs germaniques de la Grande-Bretagne au VIe siècle. L'*anglo-saxon* (1690) a désigné la langue anglaise et aujourd'hui, en linguistique, l'anglais ancien. ◇ À partir du XIXe s., l'adjectif s'applique (1863) à ce qui est relatif aux peuples de civilisation britannique et de langue anglaise.

SAXOPHONE n. m. est formé en français (1843) du nom des inventeurs de l'instrument, *Sax* (Charles-Joseph, 1791-1863, et son fils Adolphe, 1814-1894), Belges établis à Paris, et de *-phone*.*

♦ Le mot désigne un instrument de musique à vent en cuivre, à anche simple et à clefs inventé par A. Sax vers 1840. L'anglais a emprunté le mot rapidement (1851). ◇ La forme abrégée **SAX**, désignant autrefois (1846) un instrument de la famille des saxophones, est aujourd'hui employée pour *saxophone* dans les milieux du jazz (v. 1970, américanisme), moins courante en ce sens que **SAXO** n. m. (déb. XXe s.), aussi utilisé comme abréviation de **SAXOPHONISTE** n. (1938).

▸ **SAXHORN** n. m. (1846) est composé de l'allemand *Horn* «cor», issu du gotique *haurn* qui se rattache au latin *cornu* (→ cor). Le mot se dit d'un instrument à vent en cuivre, à embouchure et à pistons.

SAYNÈTE n. f., écrit *saïnette* (1764) puis *saynète* en 1823, est emprunté à l'espagnol *sainete,* en vénerie «morceau de graisse que l'on donne aux faucons quand ils reviennent», d'où «assaisonnement» puis «petite pièce bouffonne»; le mot espagnol est un diminutif de *saín* «graisse», issu du latin populaire °*saginem* «graisse» (→ saindoux).

♦ Terme d'histoire littéraire, *saynète* désigne une comédie bouffonne du théâtre espagnol, jouée pendant l'entracte d'une grande pièce. ◇ Le mot par confusion avec *scène* (pour °*scénette*) est devenu (1904) le nom d'une petite pièce comique en une seule scène, avec peu de personnages (cf. *sketch*).

SBIRE n. m. est un emprunt (1552, Rabelais) à l'italien *sbirro* «policier», forme altérée de *birro*, du bas latin *birrus* ou *burrus* «roux», lui-même emprunté au grec *purros* adj. «d'un rouge de feu», «roux», dérivé de *pur, puros* «feu» (→ pyro-). On a supposé que *birro, sbirro* venait du fait que le sbire était vêtu de rouge, mais cette couleur a une valeur symbolique négative qui a pu suffisamment motiver l'emploi (cf. en argot français, *la rousse* «la police»).

♦ Le mot a désigné un agent de police, en parlant de l'Italie, puis péjorativement (fin XVIIe s.) un policier, en France. La valeur négative attachée à la fonction explique que le mot ait désigné (1791) le forçat qui rivait la manille de pied de ses compagnons. Par extension, *sbire* équivaut à «homme de main» (attesté 1862, Hugo), sens annoncé dans Beaumarchais, 1795.

SCABIEUSE n. f. est emprunté (1314, après *scabiose* (XIIIe s.) au latin scientifique médiéval *scabiosa*, féminin substantivé du latin classique *scabiosus* «raboteux, rugueux», «galeux», dérivé de *scabies* «aspérité, rugosité», «gale (des arbres, des plantes)» et au figuré «démangeaison». Ce nom dérive de *scabere* «gratter, se gratter» (→ scabreux).

♦ La *scabieuse*, ainsi nommée parce qu'elle passait pour guérir de la gale, désigne une plante sauvage ou cultivée utilisée aussi en médecine pour ses vertus dépuratives. Employé comme adjectif invariable (1835), le mot se dit d'une couleur violette semblable à celle des fleurs de la scabieuse.

▸ **SCABIEUX, EUSE** adj., emprunté au latin *scabiosus*, a signifié (1389) «qui a la gale»; l'adjectif s'est employé en médecine (1545) pour qualifier ce qui est relatif à la gale.

SCABREUX, EUSE adj. est emprunté (1498-1501) au bas latin *scabrosus*, de même sens que le latin classique *scaber* «rude (au toucher)», «âpre, inégal», «couvert de crasse, malpropre» et au figuré «dur». C'est un dérivé de *scabere* «gratter, se gratter». Le verbe se rattache à une racine indoeuropéenne °*skebh-*, *skobh-* que l'on retrouve dans le gotique *skaban* «gratter», le grec *skaptein* «creuser», le latin *scobis* «raclure, copeau» ou le vieux russe *skoblĭ*, désignant sans doute un racloir. ◆ Le français avait repris *scaber* sous la forme *scabre* adj. «rude au toucher», en parlant d'une étoffe (1541) puis comme terme d'histoire naturelle (1798).

♦ L'adjectif a d'abord qualifié un chemin rude, raboteux, avec la variante *escabreux* au XVIe siècle. Il qualifie aussi (1501) ce qui est difficile, présente des dangers et au figuré (1549) un langage, un auteur désagréable, sens disparus. ◆ Par extension, il s'emploie (1718, Le Roux) pour qualifier ce qui est difficile à évoquer, spécialement ce qui choque la décence (1773), sens aujourd'hui le plus vivant.

◈ voir ÉGOÏNE, SCABIEUSE, SCAPHANDRE.

SCAFERLATI n. m., attesté en 1707 chez J. A. Helvetius au sens de «tabac turc» et repris en 1762, est d'origine incertaine. L'hypothèse selon laquelle ce serait le nom d'un ouvrier italien qui travaillait à la Ferme du tabac dans la première moitié du XVIIIe s. n'est pas fondée. P. Guiraud propose de rapprocher le mot du verbe italien *scarpellare* «couper (avec un scalpel)» (→ scalpel).

♦ Le mot désigne un tabac finement découpé, pour la pipe ou la cigarette.

① **SCALAIRE** n. f. et n. m. est un emprunt (1801) au latin *scalaris* «d'escalier», «de degrés», dérivé de *scala*, surtout employé au pluriel *scalae* et qui a donné *échelle**.

♦ Le nom féminin désigne un mollusque gastéropode, dont la coquille porte des côtes lisses, espacées comme les degrés d'une échelle. C'est aussi, au masculin, le nom d'un poisson d'aquarium, originaire du Brésil, au corps aplati et rayé de jaune et de noir (attesté XXe s.).

▸ **SCALARIFORME** adj., composé (1842) de *scalaris* et de *forme**, est un terme de sciences naturelles *(coquille scalariforme)* et de botanique *(vaisseaux scalariformes)*.

② **SCALAIRE** adj., didactique (1964), est employé dans *motif scalaire* «en forme de grecque et de ligne brisée», fréquent dans l'art précolombien.

◈ voir ③ SCALAIRE.

③ **SCALAIRE** adj. et n. m. est la francisation (1885) de l'anglais *scalar* «qui ressemble à une échelle», emprunt au latin *scalaris* «d'escalier» (→ ① scalaire), et employé comme terme de mathématiques depuis 1853. (Hamilton, puis Maxwell en physique, etc.).

♦ *Scalaire* se dit de toute grandeur suffisamment définie par un nombre, par opposition aux grandeurs vectorielles.

▸ **SCALANT, ANTE** adj., didactique (1978), dérivé savant du latin *scalare* «escalier» (→ échelle), se dit d'une courbe, d'une ligne dont les parties ont la même structure que le tout.

SCALÈNE adj. et n. est emprunté (1542) au bas latin *scalenus*, terme de géométrie, lui-même repris au grec *skalênos* «qui penche d'un côté; boiteux», d'où en mathématiques «impair», et terme de géométrie appliqué à un triangle aux côtés inégaux. *Skalênos* dérive de *skallein* «fouiller, piocher, sarcler», mot que l'on rattache, dans diverses langues indoeuropéennes, à des termes signifiant «fendre», comme le lituanien *skilù* ou le hittite *škalāi-*.

♦ Le mot conserve le sens du latin dans *triangle scalène*. Il se dit en anatomie de chacun des muscles de la partie antéro-latérale du cou, de forme triangulaire (v. 1560, Paré, *muscle scalène;* 1611, *scalènes* n. f. pl.).

SCALP n. m., attesté en 1769 chez Volney (d'après Mackenzie) puis en 1771, est un emprunt à l'anglais *scalp* «calotte crânienne» (1300, dialectal) désignant spécialement (1601) la chevelure d'un ennemi vaincu, détachée par incision de la peau du crâne, que les Indiens d'Amérique conservaient comme trophée. Le mot anglais se rattache à la famille du germanique °*skala,* variante °*skalja* «coquille» (→ calotte; écale).

♦ *Scalp* est introduit avec le sens de l'anglais en parlant des Indiens d'Amérique (aussi *scalpe,* 1870). ◇ L'emploi pour «action de scalper» (1826, Chateaubriand, écrit *scalpe*) traduit l'anglais *scalping,* substantivation du participe présent de *to scalp* «scalper» (attesté en 1750, en américain); on relève aussi *scalpement* (1870) et *scalpation* (1877) en ce sens. De cet emploi vient la locution ***danse du scalp*** (1845) qui traduit l'américain *scalping dance* (1755) et *scalp dance* (1791).

▸ **SCALPER** v. tr. correspond (1769) à l'anglais *to scalp* «arracher le cuir chevelu à un ennemi» (1693), dérivé de *scalp;* en dérive **SCALPEUR** n. m., «celui qui scalpe ses victimes» (1845). Le mot désigne aussi en technique un gros crible sélectionnant les morceaux à broyer par un concasseur.

SCALPEL n. m., écrit *scapel* (v. 1370, Chauliac), relevé ensuite en 1539 sous la forme actuelle (variante *scalpelle,* 1554), reste rare jusqu'au XVIIIe siècle. Il est emprunté au latin *scalpellum* «lancette», diminutif de *scalprum* «outil tranchant» (→ ② échoppe), dérivé de *scalpere* «gratter», «creuser» et spécialement «graver, tailler» (→ sculpter), verbe sans étymologie connue.

♦ Le mot désigne un instrument en forme de couteau à un ou deux tranchants et à manche plat, utilisé pour les dissections. Par métaphore, *scalpel* se dit (attesté 1835, Gautier) d'un instrument d'analyse psychologique.

SCANDALE n. m. est un emprunt (XIIe s.) au bas latin *scandalum* «pierre d'achoppement» et «ce qui fait tomber dans le mal»; le latin, pour traduire l'hébreu *mikšôl* «obstacle, ce qui fait trébucher», a repris le grec *skandalon* «piège» (*skandalê* désigne le trébuchet d'un piège où se trouve placé l'appât), pris au figuré sous l'influence d'emplois bibliques pour «occasion de scandale, de péché»; *skandalon* est apparenté au latin *scandere* (→ scander). *Scandalum* a par ailleurs abouti à *esclandre*.*

♦ D'abord terme de religion, *scandale* se dit d'une occasion de péché, sens qu'il a dans *pierre de scandale* (1530, par retour à l'étymologie). ◇ Par figure et avec une valeur affaiblie, le mot signifie «désordre, tumulte» (v. 1360, *escandale;* 1611, *scandale*). Au XVIe s. il se dit pour «affront» (1530), «acte qui provoque la réprobation publique», emplois qui demeurent à l'époque classique dans *être scandale à qqn* «offenser (qqn)» (1550) puis *être en scandale à* (1553). ◇ Le mot désigne aussi (1541) l'indignation, l'émotion que provoquent des actes, des propos de mauvais exemple. *Pierre de scandale* s'est employé dans ce sens laïc et se disait (déb. XVIIe s.) de tout ce qui fait obstacle à la réussite d'une affaire. Furetière rappelle que la pierre de scandale était dans l'Antiquité romaine une pierre élevée devant le Capitole, «sur laquelle on faisoit heurter par trois fois à cu nud» les banqueroutiers. ◇ Le mot s'emploie aussi depuis le XVIIe s. (1657) pour parler de l'effet démoralisant que provoquent des actes blâmables, d'où ***sans scandale*** (1666), ***faire scandale*** (1690); ***maison de scandale*** (1690) «lieu de prostitution» est archaïque. Par extension, le mot désigne (av. 1834) une grave affaire qui émeut l'opinion publique, notamment en finances.

▸ **SCANDALISER** v. tr. (1409), d'abord *escandalisier* (v. 1190), *scandalizer* (1295), a été emprunté au bas latin chrétien *scandalizare,* lui-même du grec ecclésiastique *skandalizein* (dérivé de *skandalon*). ◇ Le verbe français conserve d'abord les sens étymologiques, «inciter au péché» et «susciter par son mauvais exemple la réprobation», d'où *se scandaliser* (1440-1475) «se rendre coupable devant Dieu», sens disparu. Par extension, le verbe a signifié «divulguer (quand il s'agit du mal)» (v. 1380, *escandalisier*) puis «diffamer, déshonorer» (1409), encore à l'époque classique, et dans un emploi concret «faire mal (à qqn) physiquement» (1644, Scarron).

SCANDALEUX, EUSE adj. reprend le bas latin ecclésiastique *scandalosus* «abominable», dérivé de *scandalum.* ◇ Terme de religion (1361), couramment appliqué en général à ce qui provoque un scandale (attesté aussi en 1361), l'adjectif s'est dit (1596) d'une personne qui en met une autre en danger de péché. Il qualifie surtout (1690) ce qui est relatif aux scandales et, par extension, ce qui représente un abus, est inadmissible. ◆ Le dérivé **SCANDALEUSEMENT** adv. (v. 1470), «de manière scandaleuse», s'emploie familièrement pour «d'une manière extrême».

SCANDER v. tr. est un emprunt savant (1516) au latin *scandere* proprement «monter, gravir», puis, dans la langue des grammairiens (IVe s.), «scander (les vers)», par allusion aux mouvements du pied qu'on levait et baissait pour marquer la mesure. Le verbe se rattache à une racine indoeuropéenne signifiant «monter», que l'on retrouve dans *scala* (→ échelle) et dans le grec *skandalon* (→ scandale). En ancien français un verbe *escandir* (v. 1240) s'est employé au sens propre du verbe latin jusqu'au XVe siècle.

♦ *Scander,* avec la valeur grammaticale de son étymon, signifie d'abord «prononcer (un vers) en marquant fortement chacune des syllabes qui le composent» (1516) et «décomposer (un vers) en ses éléments métriques» (1573). ◇ Par extension (1766, Rousseau), le verbe s'applique à la phrase musicale *(scander un air)* et s'emploie en parlant d'un texte, d'un discours que l'on prononce en détachant les syllabes (1854). Au figuré (1893) il correspond à «marquer, souligner fortement».

▸ **SCANSION** n. f., terme didactique emprunté (v. 1750) au latin des grammairiens *scansio* «scansion», dérivé du supin de *scandere*, se dit de l'action ou de la manière de scander (un vers); on relève aussi **SCANDAISON** n. f., dérivé de *scander*, chez Marmontel à la fin du XVIIIe siècle. Le mot s'emploie en termes de pathologie (1933), après *parole scandée* (1904), et désigne un trouble de la prononciation qui consiste à forcer l'accent sur certaines syllabes.

◈ voir ASCENDANT, CONDESCENDRE, DESCENDRE, ÉCHANTILLON, ① SCANNER, TRANSCENDER.

SCANDINAVE adj. et n., attesté en 1756 chez Voltaire, est emprunté au latin *Scadinavia* ou *Scandinavia*, qui a pour origine un ancien germanique *skadinanja*. Ce mot pourrait dériver d'un mot archaïque signifiant «île».

♦ L'adjectif qualifie ce qui est relatif à la Scandinavie ou à ses habitants; le mot se dit (1870, adj. et n.) des langues du groupe germanique septentrional (danois, islandais, norvégien, suédois), dont la plus ancienne était le *norrois*.

▶ Le dérivé **SCANDINAVISME** n. m. (1856), suffixe *-isme*, désigne le système politique qui s'inspire, depuis la fin du XVIIIe s., de la communauté ethnique et linguistique (partielle) des pays scandinaves.

① **SCANNER** n. m. est l'emprunt (1964) d'un mot anglais dérivé de *to scan* «scruter, examiner minutieusement», de même origine que le français *scander**.

♦ *Scanner* est d'abord employé comme terme d'imprimerie, désignant un appareil de photogravure analysant et reproduisant des clichés typographiques d'après des documents en noir et blanc ou en couleurs; il désigne aussi (1975) un appareil utilisé en cartographie pour enregistrer une image, un document, etc. et convertir l'information originale sous une autre forme. ◇ Le mot est plus courant comme terme de médecine (1974) pour «appareil de radiographie en profondeur, traitant les résultats obtenus par une calculatrice électronique». **SCANNEUR** n. m. (1980, J. O.), adaptation de l'anglicisme, est la forme recommandée officiellement.

▶ Sur *scanner* a été dérivé le terme technique **SCANNAGE** n. m., «utilisation d'un scanner» (1980) [cf. *balayage*], pour remplacer l'anglicisme *scanning* n. m. (1973), emprunté à l'anglais *scanning* (1968), dérivé de *to scan*. ◆ À partir de *scanner* ont été composés les termes de médecine **SCANOGRAPHIE** ou *scannographie* n. f. (1972) et **SCANOGRAPHE** ou *scannographe* n. m. (1977), recommandé officiellement pour remplacer *scanning* et *scanner*. ◇ **SCANOGRAMME** (ou *scannogramme*) n. m. (1980), emprunté à l'anglais *scannogram*, désigne l'image obtenue grâce à un scanner, en technologie radar.

② **SCANNER** v., adaptation (1980) de l'anglais *to scan*, signifie «balayer à l'aide d'un scanner (en cartographie)» et, intransitivement, «utiliser un scanner».

SCAPHANDRE n. m. est composé savamment (1767) des mots grecs *skaphê*, désignant d'abord tout objet creusé, «vase», «canot», «barque», et *anêr, andros* «homme» (→ andro- ; -andre). Le premier élément vient du grec *skaptein* «creuser» apparenté au latin *scabere* «gratter» (→ scabreux). Le grec *skaphê* a été emprunté tardivement par le latin *scapha* «barque».

♦ *Scaphandre* apparaît avec les sens de «ceinture de sauvetage» (1767) et de «vêtement permettant de se soutenir sur l'eau» (1775), disparus. Le sens moderne, «appareil de plongée individuel», est attesté en 1796, et plus sûrement en 1858, la réalité désignée existant déjà au XVIIe siècle. L'expression *scaphandre autonome* (pourvu d'une bouteille d'air comprimé) apparaît en 1933 dans les dictionnaires. *Scaphandre spatial* se dit depuis 1961. ◆ Par analogie, le mot désigne par ailleurs (1828) un mollusque gastéropode qui vit sur les côtes de l'Atlantique et de la Méditerranée.

▶ Du sens général dérive **SCAPHANDRIER** n. m. (1805 au sens ancien de *scaphandre*, puis 1870; 1868, *scaphandreur*), «plongeur muni d'un scaphandre non autonome». ◆ L'emploi en zoologie a fourni **SCAPHANDRIDÉS** n. m. pl. (1904), de *-idé*, du grec *eidos* «forme, apparence», désignant la famille de mollusques comprenant le scaphandre.

SCAPH-, SCAPHI-, SCAPHO-, élément tiré du grec *skaphê*, entre dans la composition de quelques mots savants parmi lesquels : **SCAPHITE** n. m. (1839), terme de paléontologie, «mollusque à tentacule» et **SCAPHOPODES** n. m. pl. (av. 1892), de *-pode*, du grec *pous, podos* «pied», terme de zoologie. Comme second élément de composition, *-scaphe* apparaît dans quelques mots savants *(bathyscaphe, pyroscaphe)*.

Quelques mots de la famille sont empruntés directement au grec ou au latin. ◆ **SCAPHOÏDE** adj. (1538) reprend le grec tardif *skaphoeidês* «en forme de barque», de *eidos* «forme, apparence»; ce terme d'anatomie s'emploie notamment dans *os scaphoïde* (fin XVIe s., aussi n. m.). ◆ **SCAPHÉ** n. m. est emprunté (1818) au latin *scaphe* «cadran solaire concave», lui-même au grec *skaphê* «objet creusé». Ce terme d'Antiquité désigne un *gnomon** et un vase sacrificiel. ◆ **SCAPHIDIE** n. f. (1876), emprunt au grec tardif *skaphidion*, diminutif de *skaphis* «petit objet creusé et oblong», dénomme un insecte ovale, noir taché de rouge. ◆ **SCAPHÉPHORE** n. m. (1876), pris au grec *skaphêphoros*, de *-phoros* «qui porte» (dérivé de *pherein* «porter»), s'applique au porteur de vases sacrificiels, dans l'Antiquité grecque.

① **SCAPULAIRE** n. m. est la réfection (1380) de *capulaire* (1195), encore chez Ch. de Pisan (fin XIVe s.); on note aussi les variantes anciennes *chapulaire* (fin XIIe s.), *scapelaire* (1200), *scapellaire* encore en 1611. Le mot est un emprunt savant au latin médiéval *scapularis* «relatif à l'épaule» (variante *scapularium*), dérivé du latin classique *scapulae* n. f. pl. «épaules», peu représenté dans les langues romanes où il a été remplacé par *spatula* «épaule (d'animal)» (→ spatule).

♦ Le mot désigne d'abord un vêtement que portent sur leur robe des religieux de certains ordres, ainsi nommé parce qu'il recouvre les épaules à l'aide de deux larges bandes d'étoffe. ◇ Au XVIIe s., il se dit par analogie (1671) d'un objet de dévotion constitué de deux petits morceaux d'étoffe bénits, réunis par deux cordons et portés au cou; de là *médaille scapulaire* «tenant lieu de scapulaire» (1935). ◇ Par extension *scapulaire* désigne ensuite en chirurgie (1752) une large bande de toile passée sur les épaules pour retenir un bandage.

▶ ② **SCAPULAIRE** adj., dérivé savant (1721) du latin *scapulae* sur le modèle du nom, qualifie en anatomie ce qui appartient à l'épaule ou à l'omoplate (1721). L'adjectif est employé par extension en zoologie (1791, *plume scapulaire*). ◇ Il a servi de base aux composés **SOUS-SCAPULAIRE** n. m. (1690), «muscle qui est sous l'épaule» (1765, adj.), et **INTERSCAPULAIRE** adj. (1905), de *inter-**.

SCAPUL(O)-, élément tiré du latin *scapulae*, entre dans la composition de quelques mots savants: **SCAPULO-HUMÉRAL, ALE, AUX** adj. (1839), de *huméral*, est un terme d'anatomie. ◆ **SCAPULOMANCIE** n. f. (1975), de *-mancie**, est un mot didactique qui se dit d'un système de divination par l'interprétation des os brûlés, notamment des omoplates du daim, pratiqué en particulier dans la Chine et le Japon anciens.

SCARABÉE n. m. est un emprunt savant (1526) au latin classique *scarabaeus* «escarbot (sorte de scarabée)», lui-même altération du grec *karabos* «crabe», «langouste» et «scarabée», mot qui désigne aussi un bateau en grec byzantin (→ caravelle, gabare). Ce terme méditerranéen, probablement emprunté, a été repris en latin sous la forme *carabus*, qui signifie à la fois «crabe» et «barque en osier recouverte de peau». En latin populaire, il existe un doublet °*scarafaius* et dans les Gloses *scarfagius* (Xe s.). Le latin *scarabaeus* a abouti en ancien français à la forme *escharbot* (→ escarbot).

♦ Le mot désigne un insecte coléoptère dont le nom scientifique est *scarabaeus sacer*, le scarabée sacré des Égyptiens, symbole de l'immortalité. En zoologie, il s'applique par extension à tout insecte de la famille des scarabéidés (1803, *proscarabé*). ◇ Au XIXe s., on relève l'emploi spécial (1819) pour «empreinte ovale d'une pierre gravée», disparu, puis (1845) «pierre gravée, bijou portant l'empreinte du scarabée sacré». *Scarabée* s'est aussi employé (1870) en parlant d'une courbe rappelant la forme de l'insecte.

▶ Le mot a fourni, avec le suffixe *-idés*, **SCARABÉIDÉS** n. m. pl., terme de zoologie (1904) écrit d'abord *scarabéides* (1804, Latreille), qui a remplacé **SCARABÉOÏDE** (1832), aujourd'hui adjectif (XXe s.) qualifiant en archéologie un contour rappelant l'image du scarabée.

◈ voir CARABIN.

SCARAMOUCHE n. m., relevé chez Molière en 1665, reprend le nom propre donné à un personnage de la comédie italienne, de l'italien *Scaramuccio*, signifiant proprement «escarmouche*». Le mot fut d'abord le surnom attribué à l'acteur napolitain Fiorelli lorsqu'il vint à Paris, à l'époque de Louis XIII, et resta attaché au personnage qu'il interprétait.

♦ *Scaramouche* se dit d'un bouffon de la comédie italienne, tout habillé de noir. Par référence au caractère du personnage, le mot s'est employé littérairement et momentanément (1845) en parlant d'un homme vantard et poltron.

SCARIFIER v. tr. est emprunté (1500, *scarefier*) au bas latin médical *scarificare* «scarifier», adaptation sous l'influence de *sacrificare* «sacrifier» du latin impérial *scarifare*, emprunt au grec *skariphasthai* «inciser légèrement». Ce verbe dérive de *skariphos* «stylet», qui se rattache à une racine indoeuropéenne °*sker-* «gratter», «inciser», comme le latin *scribere* (→ écrire). L'allemand *schröpfen*, le portugais *sarrafar*, l'espagnol *sajar* viennent aussi du latin *scarificare*.

♦ *Scarifier* reprend la valeur médicale du verbe latin, c'est-à-dire «inciser superficiellement (la peau, les muqueuses) pour un écoulement de sang ou de sérosité». *Ventouses scarifiées* (v. 1560) se dit de ventouses appliquées sur des parties du corps préalablement scarifiées. ◇ Au XIXe s., le verbe passe dans le vocabulaire de l'agriculture, sous l'influence d'un sens étendu antérieurement de *scarification* (ci-dessous), et se dit pour «biner la terre au scarificateur» (depuis 1870), puis en arboriculture «procéder à la scarification de l'écorce» (1904; 1907, de la vigne). Comme *scarification*, il s'emploie en anthropologie.

▶ Le verbe a fourni **SCARIFICATEUR** n. m., d'abord en médecine (v. 1560), puis en agriculture (1842), désignant aussi (1964) un engin de chantier destiné à ameublir superficiellement un sol durci. ◆ **SCARIFIAGE** n. m. est un terme d'agriculture (1859).

SCARIFICATION n. f. est emprunté (1314) au dérivé latin impérial *scarificatio* «incision de l'écorce» et «léger labour», devenu à basse époque terme de médecine. ◇ Le mot français reprend d'abord l'emploi en médecine et se dit en arboriculture (1660, Oudin). Il désigne spécialement (XXe s.) une petite incision destinée à produire une cicatrice durable et visible, constituant un marquage rituel symbolique dans certains groupes ethniques.

SCARLATINE n. f. est un dérivé savant, d'abord comme adjectif (1741, *fièvre scarlatine*) puis comme nom féminin (1827), du latin médiéval *scarlatum* «écarlate», latinisation de l'ancien français *escarlate* (XIIe s.) [→ écarlate]. On a dit aussi *(fièvre) écarlatine* (1771), d'après *écarlate*. Une forme *escarlatin, ine* adj., signifiant «écarlate», est attestée à partir du XVIe s. (1562).

♦ Le mot désigne une maladie infectieuse, contagieuse et épidémique, caractérisée par une angine rouge et un exanthème cutané écarlate. L'emploi adjectivé, dans *fièvre scarlatine*, est sorti d'usage; le masculin est rare *(rhumatisme scarlatin)*.

▶ Du nom dérivent des termes de médecine. ◆ **SCARLATINIFORME** adj. (1852), de *-forme**, signifie «qui ressemble à la scarlatine». ◆ **SCARLATINEUX, EUSE** adj. (1904) correspond à «relatif à la scarlatine». ◆ **SCARLATINELLE** n. f. (1972) est le nom d'une fièvre éruptive de l'enfant, ressemblant à la scarlatine et non contagieuse.

SCAROLE n. f. succède (XIVe s.), avec sa variante *escarole*, à *scariole* (XIIIe s.), emprunté au toscan *scariola* issu d'un latin populaire °*escarolia*. Ce mot, qui signifie proprement «mangeable», est dérivé du latin classique *escarius* «qui sert aux repas», «bon à manger»; cet adjectif est lui-même dérivé de *esca* «nourriture» et dans la langue des pêcheurs «appât, amorce» (→ esche), dérivé de *edere* «manger» (→ comestible, obèse), verbe à flexion irrégulière concurrencé par *mandere* «mâcher», puis *manducare* qui a donné *manger*.

♦ *Scarole* désigne une sorte de chicorée consommée en salade.

SCATOLOGIE n. f. est un composé de formation savante au XIXe s. (attesté en 1868) de *scato-*, tiré du grec *skatos*, génitif de *skôr* «excréments» (→ scorie), mot d'origine indoeuropéenne, et de *-logie**.

♦ Le mot se dit de propos, d'écrits où il est question d'excréments et par extension d'un discours, de plaisanteries axés sur ce thème.

▸ En dérive **SCATOLOGIQUE** adj. (1863, Goncourt) «qui a rapport à la scatologie» *(plaisanterie scatologique)*, abrégé familièrement en *scato*, et «qui a rapport aux excréments» (aussi n. m.). ◆ **SCATOLOGUE** n. m. (1886, Bloy), de *-logue**, rare, se dit d'un écrivain qui verse dans la scatologie.
À partir de l'élément **SCATO-** a été composé **SCATOPHILE** adj. (1839), de *-phile**, «qui vit ou pousse sur les excréments», terme de sciences naturelles. ◆ **SCATOPHAGE** adj. est directement emprunté (1552) au grec *skatophagos*, composé de *skatos* et de *phagein*, infinitif aoriste second de *esthiein* «manger» (→ -phage). ◇ L'adjectif, didactique ou littéraire, signifie «qui se nourrit d'excréments». En emploi substantivé (1836), le mot désigne la mouche dite couramment *mouche à merde* et un poisson qui cherche les lieux de déversement des égouts pour se nourrir (1876). ◇ Le mot a servi à former **SCATOPHAGIE** n. f. (1904).

✱ **SCEAU** n. m. est l'aboutissement (1256, *scel*; fin XIIIe s., *seau*) de formes comme *seel* (1080) et jusqu'au XIVe s. *sael, saiel, seial, seax, seau*, etc.; le *c* (XVe s.), qui n'est pas étymologique, est destiné à distinguer le mot de *seau*. La forme *sceau* l'emporte et élimine toutes les autres à partir du XVe siècle. Toutes les formes sont issues du latin populaire °*sigellum*, altération du latin classique *sigillum*, proprement «figurine, statuette», d'où «empreinte d'un cachet» et «signe, marque», diminutif de *signum* «marque distinctive, empreinte», avec divers emplois spéciaux, parmi lesquels «cachet, sceau» (→ signe).

♦ Le mot est d'abord attesté (1080, *seel*) au sens d'«empreinte faite par un cachet sur de la cire, du plomb, etc.», puis (XIIe s.) «cachet sur lequel sont gravées en creux l'effigie, les armes, la devise (d'un souverain, d'un État, etc.) dont l'empreinte est apposée sur des actes pour les authentifier» (v. 1180). L'emploi figuré pour «ce qui confirme», surtout usité dans la langue poétique, est attesté depuis la fin du XIIe s. (*le seel de foi a frait* «il a rompu l'alliance avec Dieu»). ◇ Par extension, le mot s'applique ensuite au droit attaché à l'emploi de l'empreinte d'authentification (fin XIVe s., *seel*), d'où *droits de sceaux* (XVe s.) et au XVIIe s. «taxe du droit du sceau» (1690), depuis *droit de sceau*. *Sceau* désigne aussi (1530) une marque de fabrique indiquant l'origine. ◆ Parallèlement, au milieu du XVIe s., le mot apparaît en composition pour désigner des plantes dont une partie semble marquée d'une empreinte: ***sceau-de-Salomon*** n. m. (1549), dont le rhizome garde, à la chute de chaque tige, une cicatrice semblable à un sceau; ***sceau de Notre-Dame*** (1573), d'abord (1538) *seau Nostre Dame*. ◆ L'emploi figuré de *sceau* pour «signe manifeste de qqch.» (v. 1223) semble se répandre au XVIe s. (1553), et pour «ce qui rend inviolable» dans la locution *sous le sceau de confession* (1546, Rabelais; *...de la confession*, apr. 1650), puis couramment dans ***sous le sceau du secret*** «préservé par l'inviolabilité du secret» (1691). ◆ Au XVIIe s., au pluriel, *sceaux* désigne la fonction de chancelier (1636) et l'on dit dans ce sens *garde des sceaux*. ◆ Enfin, à l'époque classique, le mot sert de substantif verbal à *sceller* et signifie «action de sceller (une lettre, un acte, etc.)» et «temps, lieu où l'on scelle», d'où *officiers du sceau* «dont les fonctions ont rapport au sceau» (1690).

▸ Le composé **CONTRE-SCEAU** n. m., d'abord *contresaeel* (1256) puis *contre-scel* (1611; encore relevé en 1878, Académie), terme technique, désigne un petit sceau complémentaire, apposé au revers du grand.
SCELLER v. tr., réfection (1229, *seler*) de *seieler* (1080), *seeler* (v. 1131), représente l'aboutissement du latin populaire °*sigellare*, altération du bas latin *sigillare* «empreindre, marquer d'un signe, sceller», dérivé du classique *sigillum*. ◆ Le verbe signifie d'abord (1080) «appliquer un sceau sur (un acte) pour l'authentifier» (cf. *cacheter*). Au début du XIIe s. (v. 1119) apparaît le sens analogique, «fermer hermétiquement (une ouverture, un contenant)». ◇ Par extension, *sceller* se dit (v. 1130) pour «fixer (qqch.) dans un mur, de la pierre, etc. avec du plâtre, du ciment, etc.»; de là viennent les emplois techniques, par exemple *sceller une glace* (1765) et *sceller des pavés* (1870). De la première valeur procède l'usage spécial de *sceller* pour «apposer les scellés sur (un objet)» (1328). ◇ *Sceller (une promesse, une décision*, etc.) «la confirmer par un acte muni de sceaux» (v. 1360, *seeler*) est sorti d'usage, mais se perpétue dans l'emploi figuré au sens de «confirmer», d'abord dans les constructions (v. 1360) *seeler que* «certifier que», *sceller qqn de qqch.* «lui promettre que», etc., disparues.
Le verbe a plusieurs dérivés. ◆ **SCELLEUR** n. m. (v. 1260 *seeleres* (sujet); *seelleur*, XIVe s.), sorti d'usage pour désigner une personne qui appose un sceau, est un terme technique, de même que **SCELLAGE** n. m. (1425, *seellage*; 1765, forme moderne), «action de sceller (qqch.) avec un mortier». ◆ **SCELLÉ** n. m., d'abord synonyme de *sceau* «cachet» ou «empreinte» (1439), désigne en droit (1671,

apposer le scellé; puis 1804, *les scellés*) le cachet de cire apposé par l'autorité de justice sur la fermeture d'un meuble ou la porte d'un local. ◆ **SCELLEMENT** n. m. (1469, *sellement;* 1721, forme moderne) s'emploie en maçonnerie (1671) se dit par extension pour «fermeture hermétique» (1797) et par métonymie (1835) de la partie d'un objet scellé engagée dans la matière qui scelle.

Parmi les composés de *sceller,* deux sont encore en usage. ◆ **DESCELLER** v. tr. (1473), réfection de *dessaieler* (v. 1180), de ① dé-, signifie «défaire ce qui est fermé d'un sceau, d'un cachet» puis (1660) a une valeur technique; en dérive **DESCELLEMENT** n. m. (1768). ◆ **CONTRE-SCELLER** v. tr. (1307, *contresceller*), de *contre** d'après *contre-sceau* (ci-dessus), «marquer d'un contre-sceau», est vieilli.

◈ voir SIGILLAIRE.

SCÉLÉRAT, ATE adj. et n. est un emprunt savant (1536) au latin *sceleratus,* participe passé adjectivé d'emploi très fréquent du verbe *scelerare.* Ce verbe, d'usage seulement poétique, signifiait «souiller d'un crime» et *sceleratus* «souillé par un crime commis», d'où «criminel, impie, infâme» et «désastreux, funeste, fatal». Le verbe est dérivé de *scelus, -eris,* terme général d'origine probablement religieuse, qui a les sens de «mauvaise action, faute, crime» et, dans la langue familière, de «vaurien, criminel», aussi employé comme terme d'injure. Le mot n'a pas d'origine connue. La forme *scélérat,* sans doute empruntée sous l'influence de l'italien *scellerato* (de même origine), est surtout employée substantivement jusqu'au XVIIe siècle. Elle s'est substituée à l'adjectif *scéléré,* emprunt plus francisé (déb. XVe s.) qui sort de l'usage au début du XVIIe s. et qu'on relève plus tard (Huysmans, 1901) par archaïsme littéraire.

♦ D'abord adjectif (1536), le mot s'emploie au sens de «noir, atroce, infâme», en parlant d'une chose; c'est cette valeur littéraire que l'on a dans *Lois scélérates,* nom donné par l'extrême gauche aux lois d'exception votées en vue de la répression des menées anarchistes (1894-1895). ◇ *Scélérat,* substantivé, désigne (1589) un criminel. Ce sens a vieilli; l'adjectif correspondant (1600) fut à la mode dans la phraséologie de la Révolution et il est sorti d'usage. ◇ Par exagération et dans un emploi ironique (1684), comme *fripon, bandit,* le nom s'emploie pour parler d'une personne ou d'un enfant auxquels on reproche une peccadille *(petit scélérat!).*

▸ L'ensemble des valeurs du mot a aujourd'hui vieilli, de même que les dérivés. ◆ **SCÉLÉRATESSE** n. f., «manière d'être, d'agir d'un scélérat» (1560) et «action scélérate» (XVIIe s.), est très littéraire. ◆ **SCÉLÉRATEMENT** adv. (1836) est encore plus rare.

SCÉNARIO n. m. est emprunté (1764, Beaumarchais) à l'italien *scenario,* proprement «décor», puis «description de la mise en scène», dérivé de *scena* «scène», du latin classique *scaena, scena* (→ scène).

♦ Le mot désigne d'abord le canevas, le schéma d'une pièce; il s'est employé au XIXe s. au sens de «mise en scène» (1875) et reste jusqu'au XXe s. un terme technique de théâtre. ◇ L'emploi figuré pour «déroulement selon un plan préétabli» (av. 1850) ne s'est répandu qu'au XXe s., sous l'influence du sens devenu courant de *scénario* (1907, Méliès) qui désigne en cinéma la description rédigée de l'action d'un film.

▸ De cet emploi dérive **SCÉNARISTE** n. (1915), «auteur de scénarios de films».

SCÈNE n. f., relevé isolément au pluriel au XVe s. (Raoul de Presles) puis au singulier au XVIe s., (av. 1574), est un emprunt au latin classique *scaena, scena* «scène (d'un théâtre)», «théâtre» et par figure «scène publique, scène du monde», puis «comédie, intrigue» et à basse époque «partie d'un acte». Le mot latin est lui-même emprunté au grec *skênê* «endroit abrité», «tente», «tréteau» et terme technique de théâtre pour «scène». *Skênê* est peut-être apparenté à *skia* «ombre», d'origine indo-européenne.

♦ Le mot a d'abord désigné les représentations théâtrales de l'Antiquité. Il est réemprunté au milieu du XVIe s. mais ne se répand qu'à l'époque classique avec le développement de l'art dramatique, et entre alors dans diverses locutions et expressions. *Scène* s'emploie aussi (une fois au XVIe s. av. 1564; repris en 1637) au sens de «partie d'un acte d'un ouvrage dramatique» et, à la fin du XVIe s. (1596), désigne la partie du théâtre où se déroule le jeu des acteurs; avec cette acception, il entre dans la locution ***mettre (qqn, qqch.) sur la scène*** (1660), aujourd'hui ***mettre en scène*** (1765) «représenter par l'art dramatique» et, par extension (1678), «donner à (qqn, qqch.) une place dans un ouvrage littéraire, etc.». Cette expression changera de valeur à l'époque romantique (voir ci-dessous). ◇ Figurément, *scène* se dit (1668) d'un lieu où se passe qqch., et, dans le domaine théâtral (1669, Boileau), de l'action qui fait le sujet de la pièce; il désigne par ailleurs (1671) l'ensemble des décors du théâtre. Par métaphore, le mot fournit plusieurs expressions, aujourd'hui littéraires, *la scène française* (1675) «la littérature dramatique de la France», *la scène tragique* (1677) «la Tragédie, comme genre», *la scène* «l'art dramatique en général» (1762), *la scène comique* (1842), *la scène lyrique* (1845). ◇ La valeur de «partie d'un acte» (cf. *acte*), qui existait déjà en latin tardif, est devenue usuelle au XVIIe siècle : la scène change chaque fois qu'un personnage apparaît ou disparaît. ◇ Par analogie, le mot désigne d'abord familièrement (1676) un événement qui offre une unité, présente une action vive, un aspect émouvant, etc. (cf. *spectacle*). ◇ *Scène* se dit au figuré d'une explosion de colère, d'une dispute bruyante (1675); cette acception a fourni plus tard les locutions toujours très vivantes : ***faire une scène (à qqn)*** «le prendre violemment à partie» (1782) et ***scène de ménage*** (1875). ◇ C'est également par analogie qu'il se dit (1690) d'une composition représentée en peinture comprenant des personnages et suggérant une action (par ex. dans *scène de genre*); par métaphore, *scène* désigne un paysage auquel on prête la vie; cette acception, apparue en 1722 dans une traduction de l'anglais *scene* (du latin *scena*), est répandue par les préromantiques. ◇ Par ailleurs, *scène* avec le sens de «partie de théâtre» s'emploie dans des locutions, souvent avec une valeur figurée : ***monter sur la scène*** (1690) «accéder à un poste qui attire l'attention publique», ***paraître sur la scène*** (1694), ***occuper la scène*** (1835) ou ***être toujours en scène*** «avoir un comportement théâtral», ***la scène du monde*** «la société humaine dans son aspect de spectacle» (1829). ◇ *Mettre un ouvrage en scène,* qui existait pour «représenter au théâtre», prend (1835) une valeur plus technique, «transformer (un texte dramatique) en spectacle», à laquelle correspond l'expression ***mise en scène*** (1835). Ces expressions prennent des valeurs figurées, notamment ***se mettre en scène*** (av. 1850) «se mettre en évidence» et ***mise en scène*** «présentation fictive» (1875). ◆ Au XXe s., ***metteur en scène*** et *mise en scène* sont repris dans le vocabulaire du cinéma, concurrencés par *réalisateur* et *réalisation. Metteur en scène* n'a pas de féminin usuel. ◇ Par ailleurs, le mot entre dans le vocabulaire de la psychanalyse, dans ***scène primitive*** ou plus récemment ***scène originaire,*** pour traduire l'allemand *Urszene* employé par Freud (1897, dans un manuscrit; repris, en 1918, dans *L'Homme aux loups*) : ce syntagme désigne une scène de rapport sexuel entre les parents, observée ou supposée, puis fantasmée par l'enfant.

▸ *Scène* entre dans la formation de quelques composés. ◆ **AVANT-SCÈNE** n. f. (1570), de *avant*,* est d'abord employé pour désigner le proscenium (ci-dessous), partie avancée des théâtres antiques, puis, à la fin du XVIIIe s., la partie d'un théâtre moderne située entre la rampe et le rideau (1790), opposé à **ARRIÈRE-SCÈNE** n. f. (1769), de *arrière**. De l'emploi moderne vient *loge d'avant-scène* «placée sur le côté de l'avant-scène» (1835) puis *une avant-scène* (1863). Par analogie avec *balcon, avant-scène* se dit familièrement (1861) pour désigner les seins d'une femme. ◆ **SCÉNOLOGIE** n. f., terme didactique, est composé (mil. XXe s.) de *scèn(e)* et de *-logie** et se dit de l'étude et de la pratique de la mise en scène au théâtre.

SCÉNIQUE adj. est emprunté (v. 1375) au latin *scenicus (scaenicus)* adj. «de la scène, du théâtre», spécialement employé dans *senici* «jeux scéniques» et substantivé au sens d'«acteur, actrice»; le mot latin est emprunté au dérivé grec *skênikos.* ◆ *Scénique* est introduit comme terme d'histoire dans *jeux scéniques* «représentations dramatiques dans l'Antiquité». Le sens général de «relatif à la scène, au théâtre» apparaît au XVIe s. (v. 1579) d'après les emplois de *scène,* mais reste rare jusqu'au XVIIIe siècle. L'adjectif s'emploie ensuite dans *art scénique* (1840) et se dit (1868) de ce qui convient particulièrement à la scène, au théâtre *(situation scénique).* ◆ **SCÉNIQUEMENT** adv. «du point de vue théâtral» est relevé en 1877.

SCÉNOGRAPHIE n. f. est emprunté (1545) au latin *scenographia (scaenographia)* «coupe en perspective», terme d'architecture, lui-même du grec *skênographia* «description dramatique», «décor de peinture pour le théâtre», composé de *skênê* et de *-graphia,* de *graphein* (→ graphe). ◆ Ce mot didactique s'emploie d'abord comme terme d'architecture, désignant l'art de représenter en perspective des édifices, des sites, etc. (écrit aussi *schenographie,* v. 1600, chez O. de Serres) et (1676) la représentation en relief d'un édifice, d'un modèle. Il reprend au XVIIIe s. le sens propre du grec, «art de peindre les décorations scéniques» (1752, Trévoux). Au XXe s., *scénographie* entre dans le vocabulaire du théâtre pour parler de l'étude des aménagements matériels de la scène (1943), de la partie matérielle de la mise en scène et de sa théorie. ◆ Le mot a servi à former **SCÉNOGRAPHIQUE** adj. (1762), d'après le dérivé grec *skênographikos* «qui concerne un décor de peinture», et **SCÉNOGRAPHE** n. (1829), ces deux mots ayant pris au XXe s. les valeurs nouvelles de *scénographie.*

PROSCENIUM n. m., emprunt savant (1719) au latin *proscenium* «le devant de la scène», repris au grec *proskênion* de même sens, s'emploie comme terme d'histoire et se dit par extension pour «avant-scène»; on a dit *proscenio* (1627) par emprunt au mot italien correspondant.

◈ voir SCÉNARIO, SCENIC RAILWAY.

SCENIC RAILWAY n. m. reprend (1904) une locution anglaise (1901; aussi *scenic railroad*) «petit train d'agrément», composée de *scenic* «panoramique», dérivé de *scene* au sens de «paysage» (emprunt au latin *scena;* → scène), et de *railway* «chemin de fer» (→ rail).

♦ Cet anglicisme est un équivalent vieilli de *montagne russe,* que l'on nomme en Angleterre *switchback* (1887) ou *switchback railway* (1888) et aux États-Unis *roller coaster* (1903). Le *scenic railway* anglais est appelé *petit train* en français.

SCEPTIQUE n. et adj. est un emprunt savant (1546) au grec *skeptikos* «qui observe, réfléchit» et comme nom, «philosophe sceptique». Le mot est dérivé de *skeptesthai* «observer, considérer», les philosophes sceptiques faisant profession d'observer sans rien affirmer. Le verbe se rattache à une racine indoeuropéenne °*skep-, skop-* «regarder» (→ -scope, -scopie).

♦ D'abord terme de philosophie, *sceptique* désigne (1546, comme nom) un partisan de la doctrine de Pyrrhon et, comme adjectif, qualifie (1611) ce qui se rapporte à cette philosophie du doute. ◇ À la fin du XVIIe s. et sous l'influence du cartésianisme apparaît le sens étendu de «qui doute de tout ce qui n'est pas évident» (1694, comme adjectif), répandu au milieu du XVIIIe (aussi comme nom) et devenu courant à la fin du XIXe s. (1883, Renan) en parlant d'une personne incrédule ou méfiante quant à un problème, un résultat.

▸ Le dérivé **SCEPTICISME** n. m. suit un développement sémantique parallèle; d'abord terme de philosophie (1669), il désigne la doctrine des philosophes antiques dont le principe est de réserver leur jugement et spécialement (1715) la doctrine des pyrrhoniens. Le mot s'emploie par extension depuis le XVIIIe s., en parlant du refus d'admettre une chose sans examen critique (1746, Diderot) puis au sens courant de «tournure d'esprit incrédule, défiance à l'égard des valeurs reçues» (1779). ◆ **SCEPTIQUEMENT** adv. (1839, G. Sand), «d'une manière sceptique», est rare.

SCEPTRE n. m., graphie savante d'après le latin (*Chanson de Roland*, 1080), a remplacé les formes *ceptre* (v. 1120), *esceptre* (1165-1170), *cepdre* (v. 1180), *cepre* (v. 1200), *septre* (v. 1220; encore relevé en 1759). Le mot est emprunté au latin classique *sceptrum* ou *scaeptrum* «sceptre» au propre et au figuré, et avec des valeurs métaphoriques «trône», «royaume, royauté», «suprématie». Le latin reprend le grec *skêptron*, proprement «bâton (pour s'appuyer)» et «emblème du pouvoir royal», dérivé de *skêptesthai*, mot d'origine indoeuropéenne, à rapprocher de *koptein* «frapper».

♦ *Sceptre* s'emploie d'abord (1080) au sens propre de «bâton de commandement», un des insignes de la royauté. On relève depuis le moyen français (v. 1500, *ceptre;* 1553, *sceptre*) la valeur métaphorique de «pouvoir souverain, royauté» dont procèdent les locutions *depuis le sceptre jusqu'à la houlette* «depuis les fonctions des rois jusqu'à celles des bergers» (1690), *le sceptre et la houlette* (apr. 1650), *sceptre de fer* «autorité dure et despotique» (1691, Racine), *le sceptre et l'encensoir* «l'autorité monarchique et sacerdotale» (v. 1760), toutes devenues archaïques. Au XVIIe s., le mot s'est dit pour «signe de supériorité, prééminence dans un domaine quelconque» (av. 1662, Pascal). Seul le sens concret est d'usage normal en français contemporain.

◈ voir ÉCHEVEAU, ESCABEAU.

SCHAH, CHAH ou **SHAH** n. m. a eu diverses graphies, *siach* (1542), *sach* (1559), *chaa* (1615), *schach* (1626), *schah* (1653). Il s'agit d'un mot emprunté au persan *šāh* «roi», titre porté par les rois de Perse (cf. *satrape*); le titre de *šāhān šāh* signifie «roi des rois» en persan. Le mot persan avait été emprunté au XIIe s. sous la forme *échec**.

♦ *Schah* désigne le souverain de la Perse, puis de l'Iran moderne avant l'instauration de la république islamique, en 1979.

SCHÉMA n. m., relevé une première fois chez B. Aneau sous la forme *scheme* (1550), se retrouve au XVIIIe s. écrit *schème* (1765), puis par latinisation sous la forme *schéma* (1829); *schème* (ci-dessous) est repris de l'allemand. Le mot est emprunté au latin classique *schema* «attitude, manière d'être»; «figure (géométrique)» et «figure de rhétorique», lui-même emprunté au grec *skhêma* de mêmes sens, dérivé de *ekhein*, aoriste *skhein* «être dans un certain état» et aussi «avoir», qui se rattache à une racine indoeuropéenne °*segh-*.

♦ Le mot est d'abord employé en rhétorique (1550, *scheme;* 1829, *schème* et *schéma*) avec la même valeur que le latin et l'ancien provençal *scema* (v. 1350). Ce sens est sorti d'usage avant la fin du XIXe siècle. ◇ *Schème* reprend ensuite la seconde valeur du latin, «figure géométrique», encore relevée en 1845. Il s'est dit parallèlement de la représentation des planètes, chacune en son lieu, à un moment donné (1765). ◇ À partir du XIXe s., la forme *schéma* l'emporte et les sens s'étendent : le mot désigne (1858) une figure donnant une représentation simplifiée et fonctionnelle d'un objet, d'un mouvement, d'un processus, etc. En termes de droit canon, lié au sens rhétorique archaïque, il signifie «proposition rédigée en forme pour être soumise au concile» (1870). ◇ À la fin du XIXe s., *schéma* se dit surtout d'un tracé qui figure, par les proportions et les relations de certaines lignes, les lois de variations de certains phénomènes, en physique, en mécanique (av. 1893), puis en statistique, etc. ◇ À la fin du XIXe s. apparaît le sens de «description ou représentation mentale; structure du déroulement (d'un processus)» (cf. *canevas, esquisse*) dont procèdent les emplois en psychologie et en psychiatrie, par exemple dans *schéma corporel* «image mentale subjective que la conscience (d'un individu) forme de son propre corps». L'idée de «tracé figurant (qqch.) de façon simplifiée» a fourni (1935) le sens de «plan d'un ouvrage de l'esprit, d'une entreprise, etc., réduit à ses traits essentiels». Le mot passe dans le vocabulaire de la linguistique pour désigner (v. 1970) un système abstrait de la langue, opposé à la norme* et à l'usage*.

► ① **SCHÉMATIQUE** adj., relevé vers 1378 comme terme de rhétorique au sens de «simplifié» par opposition à *dramatique* et à *exégématique*, réapparaît au XVIIe s. dans *les schématiques* (v. 1648) pour désigner, en termes d'histoire religieuse, les hérétiques qui enseignent que le corps du Christ n'était qu'une apparence; cette acception peut venir d'un croisement avec le latin des Gloses *schismaticus* «schismatique» (VIIIe s.) et semble employée aux XVIIe et XVIIIe s. (1771, Trévoux). ◇ Les sens modernes de *schématique*, attestés au XIXe s., se développent d'après ceux de *schéma*, l'adjectif qualifiant (1838) ce qui constitue un schéma, appartient au schéma *(figure schématique)* et ce qui est réduit aux caractères essentiels (1911); il prend en outre (déb. XXe s.) le sens étendu de «trop simplifié, qui manque de détails, de nuances», d'emploi plus usuel que le substantif *schéma*. ➔ De l'adjectif dérive **SCHÉMATIQUEMENT** adv. (1871), lui aussi courant.

① **SCHÉMATISER** v. tr., dérivé savant de *schéma* sur le modèle du bas latin *schematizare*, du grec *skhêmatizein* «donner une figure, une forme» (dérivé de *skhêma*), signifie d'abord, en philosophie «considérer comme un schème» (1800), puis (déb. XXe s.) «mettre en schéma» et couramment «réduire à l'essentiel», «simplifier excessivement». ◇ En dérive **SCHÉMATISATION** n. f., «action de réduire à l'essentiel» (1898), plus didactique que le verbe. ➔ ① **SCHÉMATISME** n. m. est emprunté (1635) au bas latin *schematismus* «expression figurée», lui-même au grec *skhêmatismos* «action de façonner, de composer» et «style figuré» (dérivé de *skhêmatizein*). ◇ Le mot a d'abord désigné une planche de figures mathématiques (1635), sens noté «vieux» en 1765 *(Encyclopédie)*. Puis, il s'est dit en rhétorique (1812) d'une manière figurée de s'exprimer et en grammaire (1842) pour «différence de deux mots, quand elle consiste uniquement dans la position de l'accent», sens lui aussi disparu. ◇ La valeur moderne de «caractère schématique (de qqch.)», spécialement en parlant de ce qui est trop simplifié, est attestée en 1893.

SCHÈME n. m. représente un emploi spécialisé, au début du XIXe s., de *schéma* dans le vocabulaire de la philosophie; c'est la forme francisée de *schema*, fréquemment employé en latin et en allemand par Leibniz et Kant. Le mot signifie chez Kant (1800) «représentation qui est l'intermédiaire entre les phénomènes perçus par les sens et les catégories de l'entendement» (*schème transcendental;* cf. *concept*) et dans la philosophie de Leibniz (1842) «principe qui est essentiel à chaque monade et qui constitue le caractère propre de chacune d'elles». ◇ *Schème* désigne par ailleurs (1813) la structure ou le mouvement d'ensemble (d'un objet, d'un processus), valeur reprise en psychologie (1893) puis dans le domaine de l'art (XXe s.). ➛ L'emploi en philosophie a fourni ② **SCHÉMATISER** v. tr. (1800), «considérer les objets sous la forme d'une abstraction», ② **SCHÉMATISME** n. m. (1800), emprunt à l'allemand *Schematismus,* terme kantien, et ② **SCHÉMATIQUE** adj. (1842), «qui est relatif à un schème», sorti d'usage, l'adjectif homonyme (voir ci-dessus) étant plus courant.

◈ voir **CACHEXIE, ENTÉLÉCHIE, ÉPOQUE, ÉTIQUE, EUNUQUE.**

SCHERZO n. m. et adv. est un emprunt musical (1821) à l'italien *scherzo* «plaisanterie» puis «mouvement vif, plaisant, en musique», déverbal de *scherzare* «plaisanter», qui représente le longobard *skerzon,* de même sens.

♦ Le mot est introduit comme terme de musique, désignant un morceau d'un caractère vif et gai, au mouvement rapide, employé aussi comme adverbe *(jouer scherzo).*

▸ **SCHERZANDO** adv., mot italien signifiant proprement «en badinant, en plaisantant», gérondif de *scherzare,* est emprunté (1834) comme terme de musique pour indiquer un mouvement vif, gai et léger.

SCHIBBOLETH n. m. est un emprunt ancien (1564; *seboleth,* v. 1195) à un mot hébreu signifiant «épi»; dans un passage de l'Ancien Testament (*Juges,* XII, 6), il est raconté que les gens de Galaad démasquaient ceux d'Éphraïm, leurs adversaires en fuite, en leur demandant de répéter ce mot qu'ils déformaient en *sibbolet.* Ce détail de prononciation servait de signe dénonciateur.

♦ Par allusion à ce passage biblique, le mot, peu usité et littéraire, se dit d'une épreuve décisive qui fait juger de la capacité d'une personne.

SCHISME n. m. est la forme savante, par conformation au latin et au grec (1549), de *chisme* (1534), variante de *cisme* (1365-1370), puis *scisme* (v. 1381; encore au XVIIe s.). Il s'agit d'un emprunt savant (et, pour les formes anciennes, d'un semi-emprunt), par l'intermédiaire du bas latin ecclésiastique *schisma, -atos,* au grec *skhisma* «fente», «séparation», dérivé de *skhizein* «fendre» (→ schiste, schizo-), qui se rattache à une racine indoeuropéenne °*skeid-,* avec une variante expressive °*skheid-* qui se réalise dans le latin *scindere* (→ scinder).

♦ Au XIIe s., le mot apparaît avec le sens de «séparation, anarchie, désaccord», qui a disparu, et avec la valeur moderne (1172-1174, *cisme*) désignant alors la formation, dans une religion établie, d'une Église qui se sépare de l'Église reconnue, sans qu'il y ait dissidence complète sur les points essentiels du dogme et du culte. À partir du XIVe s. apparaissent des emplois spéciaux liés à l'histoire religieuse; le mot désigne (v. 1381, *scisme*) la période d'anarchie, dans l'Église catholique, pendant laquelle de 1378 à 1429 il y eut plusieurs papes, chacun se prétendant légitime; cette période est nommée par la suite *grand schisme d'Occident* (1694); on trouve ensuite *schisme des Grecs* (1690) «séparation de l'Église grecque et de l'Église romaine provoquée par Photius en 862», *schisme d'Orient* (1694) puis *schisme passif* (1701), nom donné par les protestants à leur séparation, ainsi que *schisme actif* (1765) «acte par lequel on se sépare volontairement de la communion d'une Église», tous deux sortis d'usage. ◇ Au XVIIIe s. (av. 1750, Saint-Simon), *schisme* se dit par extension, en parlant de la société civile, d'une division qui survient à l'intérieur d'un groupe organisé, d'une école, d'un parti, etc.

▸ **SCHISMATIQUE** adj. et n., employé en ancien et en moyen français sous différentes graphies (v. 1196, *cimatique;* XIIIe s., *scismatique;* 1294, *cismatique,* etc.), a été refait au XVe s. ou au XVIe s. (1549) d'après le latin *schismaticus* auquel il est emprunté. Le mot latin est pris au grec *skhismatikos* «relatif à la séparation, schismatique» (dérivé de *skhisma*). ◇ Le mot se dit de ce qui se sépare de la communion d'une religion, de ce qui forme schisme (v. 1196). Dans ce sens, il est substantivé (1549). Il s'est employé spécialement pour «protestant» (v. 1550, *scismatique;* 1562, forme moderne). ◇ *Schismatique* signifie par extension (XXe s.) «dissident, séparatiste».

◈ voir **ESQUILLE.**

SCHISTE n. m., qui apparaît une première fois sous les formes *scisth, sciste* (1555) et dans *pierre schiste, pierre sciste,* est repris en 1742, écrit *schiste* d'après le latin. Le mot est un emprunt savant au latin impérial *schistos,* proprement «séparé, divisé», spécialement dans *schistos lapis* «(pierre) schiste»; le latin reprend lui-même le grec *skhistos* «fendu», «qu'on peut fendre», adjectif verbal de *skhizein* «fendre» (→ schisme).

♦ Le mot désigne une roche sédimentaire ou métamorphique qui présente une structure feuilletée et peut être débitée aisément en lames. On relève *huile de schiste* «extraite du schiste», en 1875. ◇ En emploi technique (mil. XXe s.), *schiste* est la dénomination générique de toute substance stérile mêlée au charbon.

▸ *Schiste* a fourni des termes techniques et didactiques. ➛ **SCHISTEUX, EUSE** adj. (1765; 1758, altéré en *shiteux*) signifie «de la nature du schiste». ➛ Il a pour dérivé **SCHISTOSITÉ** n. f. (1868). ➛ **SCHISTOÏDE** adj. (1842), d'abord *schistoïdé* (1836), signifie «qui a l'apparence du schiste»; **SCHISTIFIER** v. tr. (XXe s.) et **SCHISTIFICATION** n. f. (1923), d'après *pétrification,* termes techniques, concernent la transformation en schiste. ➛ **SCHISTOSE** n. f. (mil. XXe s.), de *-ose,* est un terme de médecine.

SCHISTOSOME n. m. (1933), emploi substantivé d'un adjectif de sciences naturelles (1870) signifiant «dont l'abdomen est fendu», composé du grec *skhistos* et de *-some*, du grec *sôma* «corps», est un terme didactique de médecine désignant un ver parasite du système veineux, aussi nommé *bilharzie*. ◇ En dérive le terme de médecine **SCHISTOSOMIASE** n. f. (1933), moins courant que *bilharziose* n. f. (1906).

SCHIZO-, élément tiré du grec *skhizein* «fendre», «séparer, partager, diviser» (→ schisme; schiste), entre dans la composition de mots savants.

▶ En psychologie. **SCHIZOGRAPHIE** n. f. (mil. XXe s.), de *-graphie**, signifie «trouble de l'usage du langage écrit, caractérisé par la juxtaposition d'éléments normalement séparés». ◆ **SCHIZOPHASIE** n. f. (mil. XXe s.), de *-phasie**, est emprunté à un mot créé en allemand par Kraepelin et signifie «dissociation du langage, symptôme de la démence précoce et de la paraphrénie». ◆ En zoologie et en biologie. **SCHIZOGONIE** n. f. (1897), de *-gonie**, désigne le cycle de reproduction asexuée des sporozoaires et de certains protozoaires par division multiple de la cellule. ◆ **SCHIZOGAMIE** n. f. (1903), de *-gamie**, désigne la reproduction asexuée par division de l'organisme. ◆ **SCHIZOGENÈSE** n. f. (1903), de *-genèse*, vient par emprunt du latin scientifique *schizogenesis* (1866) et correspond à «variété de schizogamie de certaines annélides et turbellariés». ◇ Le mot est repris plus tard dans le vocabulaire de la psychiatrie (1972) pour «genèse schizophrénique». ◆ **SCHIZONTE** n. m. (1907), de *-onte**, désigne un stade dans la reproduction asexuée des protozoaires parasites.

En psychiatrie et en psychanalyse : ◆ **SCHIZOPHRÉNIE** n. f., relevé en 1917, est un emprunt à l'allemand *Schizophrenie*, mot créé par le psychiatre zurichois E. Bleuler en 1908 à partir du grec *skhizein* et *phrên, phrenos* «esprit» (→ frénésie, phréno-), sur le modèle de *schizopodes* n. m. pl. (1819), terme de zoologie sorti d'usage, emprunté au grec *skhizopous*. ◇ Bleuler choisit ce terme pour désigner un groupe de psychoses dont le symptôme fondamental est la «dissociation» (*Spaltung* en allemand) des fonctions psychiques. Le terme de «démence précoce», employé jusqu'alors dans un sens étendu par Kraepelin, ne convenait plus pour nommer les affections considérées. *Schizophrénie* se dit d'abord d'une psychose caractérisée par une désagrégation psychique, la perte du contact avec la réalité et divers troubles (endocriniens, sympathiques, métaboliques). Noté «peu usité dans la langue psychiatrique courante» en 1917, le mot s'impose cependant, parfois appliqué très largement à toutes les formes de psychose, et dans celui de la psychanalyse souvent complémentairement à *paranoïa*. ◆ *Schizophrénie* a servi à former des termes didactiques comme **SCHIZOPHRÉNIQUE** adj. (1913) «relatif à la schizophrénie», aussi substantivement (1921), puis remplacé par **SCHIZOPHRÈNE** n. et adj., créé (1913) comme adjectif et comme nom, abrégé familièrement en **SCHIZO** n. m. et adj. (v. 1960).

Plusieurs termes didactiques ont été créés sur la base *schizo[phrénie]*. ◆ **SCHIZOÏDE** adj. et n. est emprunté (1922, E. Minkowski) à l'allemand *Schizoid* (1921), formé par Kretschmer, et **SCHIZOÏDIE** n. f. (1922, E. Minkowski) à l'allemand *Schizoidie* (1921, Bleuler), à propos d'une constitution mentale introvertie, considérée comme propice au développement de la schizophrénie. De là **SCHIZOÏDIQUE** adj. (1923). ◆ **SCHIZOMANIE** n. f. (1924, H. Claude), de *schizo(phrénie)* et *-manie**, pour «schizophrénie peu évolutive», a vieilli. ◆ **SCHIZOTHYMIE** n. f., formé (1922) de *schizo-* et de *-thymie* «affectivité», désigne une tendance caractérielle à l'introversion et à l'autisme. ◆ **SCHIZONÉVROSE** n. f. (v. 1965), de *névrose**, désigne une forme de psychose intermédiaire entre la schizophrénie et la névrose. ◆ **SCHIZO-ANALYSE** n. f. (1972, Deleuze et Guattari), de [psych]*analyse**, désigne un processus psychique à visée thérapeutique.

SCHIZE n. f., dérivé régressif (1949) du grec *skhizein*, est un terme didactique signifiant «coupure, disjonction», appliqué aux domaines psychique (*la schize du sujet*) et sémiotique, où il se dit de la séparation d'éléments fonctionnellement liés.

◈ voir ESQUILLE.

SCHLAGUE n. f., attesté en 1815, est emprunté à l'allemand *Schlag* «coup», pris au sens particulier de «punition corporelle pratiquée dans l'armée allemande»; cet emploi est probablement passé en français dans la seconde moitié du XVIIIe s. par l'intermédiaire des soldats suisses, qui étaient en majorité dans les régiments français, plutôt qu'au début du XIXe s. par les Alliés (en 1814), si l'on en juge par le dérivé **SCHLAGUEUR** n. m. (v. 1795; v. 1780, *chelagueur*) «celui qui donne la schlague (dans l'armée)». L'allemand *Schlag* remonte au gotique *slahs* (n.), du verbe *slahan*, qui a fourni en anglais *to slay* «tuer», d'une base germanique °*slak-* «frapper».

♦ Le mot désigne un châtiment disciplinaire autrefois en usage dans les armées allemandes, qui consistait en coups de baguette appliqués sur le dos de soldats punis. Il se dit par figure (1876) d'une manière brutale de se faire obéir.

▶ Le dérivé **SCHLAGUER** v. tr. «donner la schlague», attesté en 1842 et probablement antérieur (cf. ci-dessus *schlagueur*), est sorti d'usage.

① **SCHLASS, ASSE** adj. (1916), écrit *slasse* en 1883 (*slaze* «homme ivre», 1873), est un emprunt déformé à l'allemand *schlaff* «fatigué, mou», de l'ancien haut allemand *slaf*, gotique *slepan*, d'une base germanique °*slapa-* (cf. le finnois *laappa* «fatigué») qui a abouti en anglais à *to sleep* «dormir» et a pour correspondant le vieux slave *slabŭ;* le rapprochement avec le latin *labī* «glisser» (→ lapsus) est hypothétique.

♦ Le mot, d'usage très familier, s'emploie pour qualifier qqn en état d'ivresse (cf. 1873, *slaze* n. m. «homme ivre»).

② **SCHLASS** n. m. est emprunté (1932) à l'anglais *slasher* «arme blanche», de *to slash* «entailler», «trancher», «balafrer» (XVIe s.); ce mot est lui-même emprunté à l'ancien français *esclachier* «briser en morceaux», variante de *éclater**, issu du francique °*klackjan* (moyen haut allemand *klecken*).

♦ *Schlass* «couteau» est argotique.

SCHLINGUER v., d'abord *schelinguer* (1846) et *schlinguer* en 1862 (Hugo), est d'origine discutée. D'après Bloch et Wartburg, il s'agirait d'un emprunt à l'allemand *schlingen* «avaler», tiré par antinomie ironique vers le sens de «puer de la bouche»; selon Esnault, l'emprunt serait à l'allemand *schlagen* «taper, fouetter» (→ schlague), l'argot allemand ayant la même métaphore qu'en français : la puanteur «frappe» violemment l'odorat (cf. *cogner, fouetter* «sentir mauvais»). Enfin P. Guiraud, qui admet ce sémantisme du coup, rapproche le mot de *élingue** «cordage, filin», d'où le sens de «fouetter (avec une élingue)».

♦ D'abord employé (1846) au sens spécial de «puer de la bouche», ce verbe très familier se dit en général pour «sentir mauvais» et, comme transitif, «répandre une très mauvaise odeur».

SCHLITTE n. f., attesté en 1860 mais certainement plus ancien d'après le dérivé *schlitteur* (ci-dessous), est un mot vosgien emprunté à l'allemand *Schlitten* «traîneau», apporté par les bûcherons alsaciens. Le mot allemand a été emprunté par l'italien *slitta*. *Schlitten*, en ancien haut allemand *slito, slido* n. m., *slita* n. f., vient du francique °*slido* (cf. anglais *to slide* «glisser»), d'une racine indoeuropéenne °*(s)leidh-, (s)lidh-*, représentée par l'ancien slave *slĕdŭ* «trace», le grec *olisthanein* «glisser».

♦ Ce terme régional désigne un traîneau utilisé dans les Vosges et la Forêt-Noire pour descendre dans les vallées le bois des montagnes.

▸ Le mot a fourni les dérivés **SCHLITTEUR** n. m. (1789), **SCHLITTAGE** n. m. (1870) et **SCHLITTER** v. tr. (attesté 1875, évidemment antérieur).

SCHNAPS n. m. est emprunté à la fin du XVIIIe s. à l'allemand *Schnaps* «eau-de-vie», dérivé de *schnappen* «happer, aspirer», en ancien haut allemand *snaben*. Ce verbe remonte à une base °*snap-* ou °*snak-* (cf. en anglais *to snap, to snatch* et *to snack*; → snack-bar). Le mot a peut-être été introduit par les mercenaires suisses au service de la France, comme *schlague**.

♦ D'abord employé au sens de «mauvaise eau-de-vie», *schnaps* désigne spécifiquement une eau-de-vie de pomme de terre ou de grain, notamment fabriquée en Allemagne, en Autriche, en Suisse, en Alsace. Régionalement, le mot s'emploie pour toute eau-de-vie forte.

◈ **SCHNOCK, SCHNOQUE** ou **CHNOQUE** adj. inv. et n., relevé en 1863 comme nom et 1872 comme adjectif, est d'origine incertaine; le rapport avec la chanson alsacienne *Hans im Schnokeloch* «Hans dans le coin *(Loch)* à moustiques *(Schnock)*» est hypothétique. Le mot a désigné péjorativement les Allemands, de 1900 à 1914.

♦ Il se dit familièrement pour «imbécile, un peu fou», surtout dans *(un) vieux schnock*. La forme *du schnock, duschnock* est employée comme appellatif injurieux (cf. *ducon*).

SCHOONER n. m. est un emprunt (1751, *scooner* dans une traduction) à un mot anglais d'abord écrit *scooner* et adapté en *schooner* (1721), peut-être sur le modèle de mots en *sch-* empruntés au néerlandais. L'origine en est incertaine : l'hypothèse d'une dérivation de *to scoon* «effleurer la surface de l'eau» n'est fondée que sur une anecdote relative à la création du mot en 1713 à Gloucester (sous la forme *scooner*). L'emprunt à un mot néerlandais est peu vraisemblable; il semble au contraire que l'anglais soit à l'origine des passages dans d'autres langues (néerlandais, allemand, danois, suédois et français).

♦ Aujourd'hui sorti d'usage, *schooner* a désigné un petit navire à deux mâts, autrefois utilisé pour la pêche et le commerce.

SCHUSS n. m. et adv. est emprunté (1932, n. m.) à l'allemand *Schussfahrt*, terme de ski signifiant littéralement «descente à pic»; ce mot est composé de *Schuss* «coup de feu» et «tir», de l'ancien norrois *skutr* (cf. norvégien *skut*), et de *Fahrt* «marche, parcours», dérivé de *fahren* «marcher, se déplacer», d'une racine indoeuropéenne °*per-*, °*por-*, représentée en grec par *peran* «se frayer un passage» (*poreuesthai* «voyager»), l'ancien slave *perǫ* «voler», le latin *per* (→ par, per-), etc.

♦ Le mot désigne, dans le vocabulaire du ski, une descente directe effectuée en suivant la plus grande pente.

SCIATIQUE adj. et n., d'abord *siatique* (1256) ensuite latinisé en *sciatique* (1372), est emprunté au bas latin *sciaticus*, altération du grec *iskhiadikos* «qui concerne la sciatique», dérivé de *iskhias, -ados* «relatif à la hanche», de *iskhion* «hanche» (→ ischion), mot d'origine inconnue.

♦ L'adjectif qualifie ce qui se rapporte au bassin, à l'os ischion; de là *dolour sciatique* (XIVe s.), puis en anatomie *échancrure, épine sciatique* (1870). ◆ Le nom féminin (v. 1560, Paré) s'emploie couramment pour désigner une affection du nerf sciatique.

▸ Le composé **SACRO-SCIATIQUE** adj. (1765; de *sacro-*; → sacrum) se dit des ligaments qui vont du sacrum à l'épine sciatique.

SCIE → SCIER

SCIENCE n. f. est emprunté (1080, *Chanson de Roland*) au latin classique *scientia* «connaissance», spécialement «connaissance scientifique», qui prend dès l'époque classique le sens du grec *epistêmê* «savoir théorique», aussi employé en philosophie (→ épistémologie). *Scientia* dérive de *sciens, scientis* «qui sait», «instruit», «habile» et substantivement «connaisseur», participe présent de *scire* «savoir», parfois employé à l'époque impériale pour «décider, décréter», par confusion avec *siscere*, inchoatif de *scire*. *Scire* a peut-être eu à l'origine le sens de «trancher» puis «décider»; il n'a pas de correspondant dans les autres langues indoeuropéennes.

♦ Le français reprend les deux valeurs générales du latin, «connaissance» au sens courant, prédominante à partir du XIIe s., et «savoir théorique», qui s'impose au XVIIIe siècle. ◆ *Science* désigne d'abord le savoir-faire que donnent des connaissances jointes à l'habileté puis (v. 1119, *la science*) les connaissances étendues que l'on a acquises sur un objet d'étude (cf. *savoir*). Le mot, avant le XIVe s., concerne la connaissance, notamment un savoir pratique (notion proche d'*art* «technique») au service de la religion. D'ailleurs, le mot s'emploie en religion (v. 1120) à propos de la connaissance profonde de Dieu et des créatures, d'où *l'esprit de science* «l'esprit de Dieu, en tant qu'il donne la science à l'homme» (1553), et aussi de la connaissance transcendante que Dieu a des êtres et des choses (v. 1165). Toujours en théologie, l'expression ***la science du bien et du mal*** (v. 1170) concerne la connaissance parfaite de ce qui est bon et mauvais, par référence à la Genèse (II, 9) et au mythe de l'Éden. *La science de qqch.* (1170, *l'escience...*) équivaut à «connaissance exacte et approfondie». Cet emploi, comme *la science de qqn* «ensemble de connaissances» (1250), d'abord dans *mettre sa science à qqch.* «s'appliquer à qqch. avec tous ses moyens intellectuels» (1225), est devenu archaïque. Avec cette valeur, le mot entrait dans la locution *par science* «en sachant de quoi il s'agit» (v. 1165), devenue *en science* (fin XIVe s.) puis ***avec science*** (1694), encore vivante. Par métonymie, *science* s'est aussi employé (v. 1225) pour «intelligence avisée, pleine de connaissances, capable de sagesse», d'où *faire science* «agir sagement» (1501), sorti d'usage. ◇ Au milieu du XIIe s. se construit, avec la valeur générale de «savoir, connaissances», l'opposition entre pratique et théorie. ◆ Depuis le XIIIe s., avec une valeur proche du sens moderne, *science* désigne (v. 1265) un ensemble de connaissances ayant un objet déterminé et une méthode propre et *les sciences* (XIIIe s.) l'ensemble des disciplines qui forment le savoir théorique. Cette valeur se précise au XIVe s. où apparaît le mot *scientifique* (ci-dessous) et des syntagmes comme *sciences mathématiques* (Oresme). Avec sa valeur plus générale, le mot s'emploie dans les locutions *avoir science aperte* [ouverte] *de...* «savoir de façon sûre» (1270), puis *de certaine science* (1291) devenu au XVIIe s. *de science* (v. 1650), et ***de science certaine*** (v. 1660), toujours en usage. ◇ De là l'emploi disparu de *science* pour «certitude» (apr. 1350). ◇ En philosophie, ***science acquise*** signifie «puissance intellectuelle de l'homme en tant que fondement du savoir dans le sujet» (v. 1375); on dit aussi absolument *science* (1413). Avec la valeur pragmatique de «technique connue», *science* s'est employé (1373) pour «art de la chasse» et, plus largement (XVe s.), «pratique nécessitant des connaissances». À la fin du XVe s., ***avoir la science infuse***, en théologie, correspond à «avoir la connaissance que donne Dieu par pure inspiration», par référence à la connaissance qu'Adam reçut de Dieu; l'expression a pris le sens courant de «savoir de façon innée» puis de «prétendre tout savoir» (1835). ◇ À la fin du XVIe s., on relève *la gaie science*, expression sortie d'usage pour désigner (1586) l'art poétique et les connaissances qu'il implique, par emprunt à l'ancien provençal *la gaya sciensa* (v. 1350), reprise au XIXe s. dans la traduction de Nietzsche, plutôt sous la forme *le Gai Savoir.* ◇ Le sens général ancien est appliqué dans des syntagmes comme *la science du monde, des affaires* (1672), *la science du cœur* (v. 1695) «la connaissance intuitive des sentiments humains»; ces emplois ont vieilli.

Concernant l'évolution des connaissances et le savoir réglé, l'emploi du même terme peut masquer des évolutions considérables. À la «science» médiévale servante de la foi, cumulative, rhétorique, fondée en révélation et en sources d'autorité (par ex. Aristote, surtout à partir du XIVe s.), succède la «science» de la Renaissance. À cette époque, deux types de savoir se disputent la prééminence : le droit, émanation de la pensée divine et réglage de la vie humaine, et les mathématiques, qui manifestent elles aussi l'ordre du monde. Les penseurs les plus modernes comprennent alors, avec Léonard de Vinci, que la science doit être fondée sur le raisonnement formel (mathématiques) et sur l'observation et l'expérience contrôlée. C'est aussi à cette époque que les effets de la science sont confrontés à une morale (*science sans conscience...*, Rabelais). ◇ Au XVIIe s., parallèlement aux valeurs courantes du mot, le concept de science, grâce à des pensées comme celles de Francis Bacon puis de Descartes, s'écarte de ceux de philosophie et de théologie, et l'idée de méthode prend toute son importance.

À partir du XVIe ou au début du XVIIe s., *science* s'est dit (1608, d'Urfé) de toute connaissance assez précise et entre dans des syntagmes qui en précisent la valeur, courante ou théorique : *les sciences libérales* «les arts libéraux» (déb. XVIIe s.), *les sciences spéculatives* «connaissances qui reposent sur le pur raisonnement» (1670), *les sciences naturelles* (1674). *Sciences humaines* désigne d'abord (1690) l'ensemble «langue, grammaire, poésie, rhétorique», opposé aux XVIIe et XVIIIe s. à *hautes sciences* (1718) «théologie, philosophie, mathématiques», ou bien s'oppose à *sciences divines* (XVIIIe-XIXe s.). *Sciences curieuses* «l'astrologie et l'alchimie» a disparu, et *sciences occultes* «relatives aux phénomènes irrationnels de l'existence psychique» est enregistré aussi en 1690. ◆ Depuis le début du XVIIIe s., *la science* se dit de la connaissance exacte, universelle et vérifiable exprimée par des lois; avec cette valeur, *scientifique* (ci-dessous) semble un peu antérieur. Le mot, de plus en plus employé avec cette valeur, conserve néanmoins dans des expressions le sens plus large de «connaissance précise», par exemple dans *science philosophique, divine* (1721) ou *sciences morales* (v. 1750). À la même époque, le mot désigne une branche de la connaissance dans *sciences économiques* (1760), *science politique* (1772). *Les sciences*, sans qualification (1765), s'emploie pour les sciences où le calcul et l'observation ont une grande part, c'est-à-dire les *sciences exactes* (1751) «les mathématiques et les sciences qui se fondent sur elles» et les *sciences expérimentales* (attesté 1787), *sciences d'observation* ou *sciences de la nature*. À partir de cette valeur apparaît l'opposition (1835) entre *les sciences* et *les lettres*. ◆ Au XIXe s. sont attestées plusieurs expressions qui témoignent d'une précision accrue dans la définition du concept : *sciences positives* «déductives ou susceptibles d'être contrôlées expérimentalement» (v. 1860), *sciences physiques* (1868), *science pure* opposé à *sciences appliquées* (1873). Au XXe s., *sciences humaines* prend un sens nouveau, proche de *sciences sociales* qui semble un calque de l'anglais, et correspond à «sciences dont l'objet est l'homme en société». ◇ Un autre calque de l'anglais produit les expressions récentes *sciences dures* (sciences exactes, déductives ou hypothético-déductives) et *sciences molles* (les sciences humaines lorsqu'elles ne recourent ni au calcul ni à l'expérience). ◇ Par métonymie (av. 1892), *la science* s'emploie pour «les savants». ◆ *Sciences* a désigné (1902) une section de l'enseignement (secondaire, supérieur) où l'on enseigne les sciences.

▶ **SCIENTIFIQUE** adj. et n. est emprunté au bas latin scolastique *scientificus*, dérivé de *scientia*, d'abord (1370, Oresme, adj.) dans *proposition scientifique* «qui exprime une loi objective». L'adjectif est repris au XVe s. avec une autre valeur, s'appliquant à une personne qui sait beaucoup de choses (1466) ; au XVIe s., on a aussi *scientif* en ce sens (encore relevé en 1701) ; de ce sens disparu procède (1484) le titre de *vénérable et scientifique personne*, qui était donné aux ecclésiastiques gradués. ◆ Le mot, repris au XVIIe s., prend alors sa valeur moderne. En rapport avec la recherche positive et par opposition à *philosophique, littéraire, moral*, etc., il se dit (1664, adj.) de ce qui est conforme aux exigences de la science, de ce qui a la rigueur que nécessitent les sciences. ◇ À l'époque classique, l'adjectif s'est employé comme en moyen français pour «plein d'érudition» (1669), en usage jusqu'au milieu du XVIIIe siècle. C'est vers la fin du XVIIe s. qu'il s'applique à ce qui est relatif aux connaissances propres à une branche de la science (1694). ◆ Au XVIIIe s., *le scientifique* (d'un art, d'un métier) signifie «ce qui y relève ou peut y relever de la science» (1771). ◇ L'adjectif qualifie (1772) une personne qui procède dans sa recherche selon les méthodes de la science. À partir du milieu du XIXe s., l'adjectif peut aussi qualifier une collectivité, une époque qui se consacre à la science. ◇ L'emploi substantivé, *un, une scientifique*, désigne une personne qui s'adonne à une science, aux sciences (1791 selon T.L.F. ; sûrement attesté et répandu fin XIXe s.) et par ailleurs une personne dont l'esprit est porté aux méthodes des sciences (1910), par opposition à *un, une littéraire*. Cette valeur va remplacer en partie *savant* et est en concurrence avec *chercheur*, d'après le syntagme *recherche scientifique*. ◇ De là le sens d'«étudiant qui se spécialise dans les études scientifiques» (d'abord dans l'argot scolaire), par opposition à *littéraire* et parfois à *mathématicien*.

Scientifique a fourni deux dérivés. ◆ **SCIENTIFIQUEMENT** adv., relevé une première fois au sens disparu de «sciemment» (1531), est repris au XVIIe s. avec la valeur moderne, «d'une manière conforme aux lois et aux méthodes de la science» (1694). ◆ **SCIENTIFISER** v. tr. a été précédé par *scientificiser* (1833). ◆ **SCIENTIFICITÉ** n. f., mot récent (av. 1968), se dit du caractère de ce qui est scientifique. ◆ Les composés sont didactiques : **ANTISCIENTIFIQUE** adj. (1828) [→ anti-], «contraire à l'esprit scientifique», **PRÉSCIENTIFIQUE** adj. (1907) [→ pré-] et **ASCIENTIFIQUE** adj. (1954) [→ ① a- privatif].

SCIENTISTE adj. et n., dérivé savant (1898, R. Rolland) de *science*, se dit d'un adepte du **SCIENTISME** n. m., mot dérivé (1911) du précédent, créé comme terme dépréciatif, désignant un mouvement d'après lequel la connaissance scientifique permet de résoudre tous les problèmes philosophiques. Cet emploi est en rapport avec *positivisme*. ◆ **SCIENTOLOGIE** n. f. est un calque (v. 1975) de l'anglais *scientology* (1971), désignant une philosophie religieuse appliquée qui prétend, par une étude de l'esprit dans ses relations à lui-même et à l'univers, rendre la personne humaine plus consciente ; la doctrine a été élaborée aux États-Unis par Ron Hubbard et s'est diffusée en Europe dans les années 1980. Le mot est un nom déposé.

SCIEMMENT adv. (1375 [ou v. 1465, selon T.L.F.]), qui succède à *essianment* (XIIIe s., *Roman de Renart*), *sciamment* (v. 1330), dérive, par suffixation en *-ment*, de l'ancien adjectif *sciiens* «érudit, instruit» (XIIIe s.), emprunté au latin *sciens, scientis* «sachant, en connaissance de cause» et «instruit, habile», participe présent de *scire* «savoir». En ancien provençal, les formes *scienters, escienters, ecientiers* continuaient l'adverbe latin *scienter* «avec du savoir», «sagement, judicieusement, adroitement», dérivé de *sciens*. ◆ L'adverbe conserve un des sens du latin *sciens*, signifiant «en connaissance de cause, en sachant parfaitement ce que l'on fait» ; il est étranger au champ sémantique de *science* au sens dominant du mot, mais correspond à la valeur ancienne de «savoir, connaissance».

SCIENCE-FICTION n. f. est emprunté (v. 1950) à l'anglo-américain *science fiction* (1927), composé de *fiction* «romans et nouvelles» (lui-même emprunté au français, au XVIe s., au sens de «création de l'imagination») et de *science* «scientifique», en fonction d'épithète. L'éditeur américain Hugo Gernsback avait créé une première forme *scientifiction* (1926 ; de *fiction* et *scientific*) pour désigner ce genre. Le mot désigne un genre narratif qui fait intervenir des événements, un univers imaginaires fondés sur des données scientifiques ou techniques contemporaines, en les situant le plus souvent dans le futur ; le français emploie alors aussi *anticipation*. *Science-fiction* est abrégé familièrement (v. 1970) en **S. F.** ou **SF.** n. f. ◇ Le mot s'emploie aussi par figure en parlant de ce que l'on considère comme scientifiquement impossible.

◈ voir CONSCIENCE, ESCIENT, OMNISCIENCE, PLÉBISCITE, PRESCIENCE.

① **SCIER** v. tr. est une réfection savante (XIVe s. [XVIe s. selon T.L.F.]) de formes en *s* (v. 1120, *seier*), issues du latin *secare*, au participe passé *sectus* (→ section), «couper, découper» (notamment en agriculture), «amputer, mutiler», «déchirer, écorcher» et «fendre, diviser, partager» (au propre et au figuré) ; ce verbe représenterait une forme élargie de la racine °*sek-* «couper» à valeur technique, propre à la civilisation du Nord-Ouest et inconnue à l'indo-iranien, à l'arménien et au grec. La forme *seier* (encore au XVIIe s.) et des variantes, telles que *soier, soiier* (1165) et aussi *seer* (1170), *saier* (1270), représentent un aboutissement régulier de *secare;* on relève à la fin du XIIe s. *sier,* caractéristique, par l'extension de la voyelle *i,* des formes accentuées sur le radical (cf. parallèlement, le substantif *sie*). Le *c* a été introduit d'abord dans le substantif *scieur* (XIIIe s.) pour le distinguer de *sieur,* mais n'est devenu régulier pour le verbe qu'à partir du XVIe s., le rapprochant ainsi de la forme latine.

♦ *Scier* reprend d'abord (v. 1120) une des valeurs techniques du verbe latin, «couper (le blé, l'herbe) avec une faucille», encore usitée régionalement. Peu après apparaît le sens courant de «couper (qqch.) avec une scie» (1165, *soiier;* v. 1280, *syer;* XIVe s., écrit *scier*). ◇ C'est à partir du XVIIIe s. que l'on relève les premiers emplois figurés : *scier qqn* se dit familièrement, par référence au mouvement monotone de la scie, pour «ennuyer, fatiguer par des répétitions» (1748), d'où l'expression ***scier le dos à*** (qqn) [1781], aujourd'hui vieillie. On relève chez Diderot (apr. 1750) *scier le boyau* «jouer mal du violon», disparu. ◇ Au début du XIXe s., *scier* a signifié, toujours par figure, «railler, persifler». ◇ Le verbe s'emploie intransitivement (1842) dans ***scier du bridon*** ou ***scier du filet,*** expressions appartenant au vocabulaire de l'équitation et signifiant «faire aller transversalement l'embouchure du mors». ◇ Par figure et familièrement, *scier* (la branche) se dit (1888) pour «détruire la situation de (qqn)» et couramment (mil. XXe s.) pour «étonner, surprendre», surtout aux temps composés et au passif *(j'étais scié).*

▶ **SCIEUR** n. m., réfection (1247) des formes en *s,* comme *soieres* vers 1120 au cas sujet, *sayeur* ou *soyeur,* au sens de «celui qui coupe les blés», encore régionalement, désigne aussi une personne dont le métier est de scier la pierre, le bois. L'expression *soyeur d'ais* «celui qui scie le bois en long pour faire des planches» (1294; 1378, *sayeur d'ais*) est devenue ***scieur de long*** (1466), précédée par *seieur de boys au lonc* et *saieur du lonc* (1369). ◇ Le mot s'est dit par figure (1808) pour «railleur, persifleur», emploi disparu.

SCIE n. f., déverbal de *scier* (d'abord *seier*), désigne (v. 1200, *sie;* 1538, *scie*) une lame d'acier dentelée servant à découper des matières dures (bois, pierre, etc.). La locution figurée *fait com dens de see* (1314) est devenue ***en dents de scie*** (attestée 1838). ◇ À partir du XVe s., de nombreux syntagmes sont liés au perfectionnement de l'outil et à ses applications : *sie à main* (1530) puis *scie à main* (1676), d'abord *soye à main* «petite scie emmanchée ou montée sur un châssis» (1407). À partir du XVIIe s., l'outil se spécialise dans différents domaines; *scie* désigne une lame sans dents, pour débiter la pierre (1676), et un instrument chirurgical (1690; 1835, *scie droite*); *scie à chantourner* (1765) désigne une scie dont la lame étroite permet de découper le bois suivant des courbures. Parmi les syntagmes issus du sens technique, apparaissent au XIXe siècle : *scie circulaire* (1835), *scie à ruban, scie mécanique, scie anglaise* (1870), etc. ◆ Par analogie de forme, *sie de mer* (1555; 1558, *scie*) désigne un poisson de mer dont le museau se prolonge en une lame plate garnie de dents acérées, ensuite nommé *poisson-scie.* Les premiers emplois figurés, liés au verbe *scier* «ennuyer», «ressasser», apparaissent au début du XIXe siècle; *scie* est familier pour «plaisanterie, formule que l'on répète à satiété, cocasse par sa répétition même» (1808), d'où l'emploi familier pour «rengaine»; la variante *scie d'atelier* (1862) ne s'est pas maintenue. Le mot se dit aussi familièrement d'une chose ennuyeuse (1808) puis d'une personne (1819), de là un emploi péjoratif pour «femme légitime» et l'expression *porter sa scie* «sortir avec sa femme» (1867), tous deux disparus. ◇ Au XXe s., *scie* désigne par analogie de forme (1933) un instrument de musique dont on fait vibrer la lame (aussi nommé *scie musicale*).

SCIURE n. f. (XVIe s.), d'abord *scieüre* (v. 1398), est la réfection de graphies en *s,* comme *soiure* (v. 1270, «fauchage de l'herbe»), *sayeure* (1480, «action de scier»), *seyeures* pl. (v. 1500; aussi *sieure*). ◇ Le mot désigne les déchets d'une matière sciée qui tombent en poussière (v. 1398) et, absolument, de la poussière de bois (v. 1500). ◆ **SCIAGE** n. m. (1611), d'abord *soiage* (1294) puis *siage* (1328) «opération qui consiste à scier», a eu aussi les sens de «métier de scieur» (1536, *siage*) et de «sciure» (1564). On relève *bois de ciage* (1493) puis *de sciage* (1636). ◇ Le mot a développé des emplois techniques au XXe siècle : *sciage du diamant* (1922), *sciage thermique* (1923). ◆ *Scie* a fourni le terme technique **SCIOTTE** n. f. (1765), réfection d'après *scie* de *ciot* (1560), «scie à main de tailleur de pierres» (n. f.) et «scie à bois» (n. m., Canada). ◆ **SCIERIE** n. f., réfection qui paraît assez récente (1801) de formes anciennes *soierie* (1421), *soioire* (1314, dialectal), désigne un lieu où l'on débite le bois, par extension la pierre, etc.; en ce sens on relève *moulin à scier* (1690). ◆ **SCIABLE** adj., peu usité et récent sous cette forme (1870), reprend *seable* (XVe s., hapax), *siable* (1636). ◆ **SCIANT, ANTE** adj., rare au sens propre, est vieilli au figuré comme équivalent d'«ennuyeux, importun» (1801). ◆ **SCIEUSE** n. f., technique, désigne (v. 1960) une machine à scier.

② **SCIER** v. intr., terme de marine relevé en 1559 dans *scier en arrière* (fin XVIe s., *scier*), représente peut-être un emploi métaphorique de ① scier ou bien, selon Bloch et Wartburg, se rattache à l'ancien français *seiller, siller,* dont procède *sillage* (→ sillon), mais l'influence de *scier,* même dans ce cas, est vraisemblable. ◆ Le verbe signifie «manier les avirons d'une embarcation pour arrêter la marche en avant ou pour reculer» *(scier bâbord, tribord).*

◈ voir **DISSÉQUER, INSECTE, INTERSECTION, PROSECTEUR, RÉSÉQUER, SÉCABLE** (et **SÉCATEUR**), **SECTEUR, SECTION, SEGMENT, SEIGLE, VIVISECTION.**

SCINDER v. tr. est un emprunt savant (1539; repris en 1791) au latin *scindere* «fendre», «déchirer» puis «arracher», d'où «diviser, séparer». Ce verbe a pour correspondant en grec le verbe *skhizein* «fendre»; l'un et l'autre se rattachent à une racine indoeuropéenne «fendre» (→ schisme, schizo-).

♦ L'emprunt, motivé par l'absence de correspondant verbal à *scission* (ci-dessous), est employé d'abord (1539) au sens de «retrancher», disparu. ◇ Il n'est repris qu'à la fin du XVIIIe s. (1791, Mirabeau) avec la valeur moderne de «couper, diviser», en parlant de choses abstraites, de groupes. *Se scinder,* pronominal, est attesté en 1823. ◇ Le verbe a eu un dérivé, **SCINDEMENT** n. m. «action de scinder» (1869), qui ne s'est pas maintenu.

▸ Deux mots ont été empruntés à des dérivés de *scissum,* supin de *scindere.* ◆ **SCISSION** n. f. (1486), emprunté au bas latin *scissio* «coupure, division», est d'abord employé au sens d'«action de scinder», disparu. Le mot est attesté avec sa valeur moderne en 1517 dans le domaine politique, de là ***faire scission*** (1835). ◇ Au XVIIIe s., *scission* s'est dit spécialement pour «schisme*» (1739) et pour «partage des opinions ou des voix dans les votes» (1762). ◇ Il se spécialise par ailleurs dans le domaine de la physique et de la biologie (1855). ◇ Du nom dérivent **SCISSIONNAIRE** adj. (1792, n. m.; 1799, adj.), terme d'histoire, **SCISSIONNISTE** n. et adj. (1926), équivalent didactique de *scissionnaire,* et **SCISSIONNISME** n. m. (1926), terme de politique, tous deux employés par Souvarine dans son ouvrage sur Staline. ◆ **SCISSURE** n. f. est emprunté (XIVe s.), d'abord sous la forme *cissure* (1314), au latin impérial *scissura* «coupure, division, séparation», «déchirure, égratignure» et à basse époque «division, scission». ◇ D'abord relevé avec les sens latins de «crevasse» et «égratigure», qui ont disparu, le mot est repris comme terme d'anatomie (v. 1560) et désigne un sillon sur certains os et divers organes. ◆ **SCISSILE** adj. est emprunté (1611; comme nom masculin, 1561) au bas latin *scissilis,* du supin de *scindere.* ◇ Il qualifie ce qui peut être fendu en lamelles.

◈ voir ABSCISSE, CISEAU, SCHISME, SCISSIPARE.

SCINTILLER v. intr. (XVIe s.), réfection savante de *sintiller* (1377, Oresme), est un emprunt au latin *scintillare* «avoir une lueur (scintillante)», «étinceler, briller», dérivé de *scintilla* «point brillant» (→ étincelle).

♦ Le verbe, peu usité jusqu'au XVIIe s., s'emploie d'abord en parlant des étoiles, des astres, signifiant «briller d'un éclat inégal», puis au XVIe s. (1538) «jeter un éclat par intervalles, étinceler» (par ex. d'un diamant). ◇ On relève depuis le XVIe s. (apr. 1550, Ronsard) le sens figuré, à propos du regard, des yeux, «refléter par son éclat ses sentiments» puis (fin XVIIIe s.), en parlant des choses de l'esprit, celui de «jeter de l'éclat par intervalles», tous deux assez littéraires.

▸ Le verbe a fourni **SCINTILLANT, ANTE** adj. et n., employé au propre (v. 1560, adj.) et au figuré (1775, en parlant du style, de la pensée). ◇ *Un scintillant* n. m. désigne (1949) un ornement de clinquant (pour les arbres de Noël, etc.). ◆ **SCINTILLEMENT** n. m. s'emploie en parlant des étoiles (1764), d'une pierre précieuse (1826) et s'étend (mil. XXe s.) au domaine technique de la télévision, du cinéma. **SCINTILLATION** n. f. est emprunté (1490) au latin impérial *scintillatio* «éblouissement». D'abord employé pour «éclair», sens disparu, il équivaut à *scintillement* en parlant d'un diamant (1538). ◇ Il désigne en particulier la lumière stellaire (1740) et plus récemment, comme terme de physique, la «lumière émise par une substance phosphorescente par ionisation» (mil. XXe s.). ◆ *Scintill(ation)* a fourni quelques composés scientifiques en physique : **SCINTILLOMÈTRE** n. m. (1858), de *-mètre,* désignant d'abord un appareil de mesure de la lumière stellaire (valeur disparue), puis un détecteur de radiations (mil. XXe s.), et **SCINTILLATEUR** n. m., «qui scintille» en emploi général (1918, Proust), puis en sciences, n. m., «appareil détecteur des particules électrisées», attesté en médecine au milieu du XXe siècle. ◆ **SCINTILLOGRAPHE** n. m., **SCINTILLOGRAPHIE** n. f., termes scientifiques (apr. 1960), ont pour équivalents contractés **SCINTIGRAPHE** n. m. et **SCINTIGRAPHIE** n. f., apparus à la même époque (1975, dans les dictionnaires généraux).

◈ voir STENCIL.

SCION n. m. est une graphie faussement étymologique ou analogique (XVIe s.) pour *cion* (déb. XIIIe s.), *syon* (fin XIVe s.), formes d'origine controversée. Selon Wartburg, ce mot propre à la France du Nord (cf. picard *chion*) est issu d'un francique °*kith* «rejeton» (cf. ancien haut allemand *kidi*) par suffixation en *-on* (diminutif), comme dans *rejeton.* Écartant en partie cette hypothèse, P. Guiraud rattache *cion* et *chion* à une base latine *ci-,* qu'il tire du latin classique *ciere* «mettre en mouvement», spécialement «pousser, évacuer»; ce verbe a été remplacé par *citare,* employé à l'époque impériale dans la langue rustique pour «produire, pousser» et à partir duquel on pourrait reconstruire un gallo-roman °*cionnare.* L'aire nordique du mot, indiscutable, incite P. Guiraud à l'hypothèse d'un croisement avec la racine germanique °*kīth-* évoquée par Wartburg.

♦ *Scion* désigne d'abord une jeune branche, une pousse de l'année et s'est employé par analogie (1360, *soyon*) pour chacun des morceaux d'une canne à pêche. ◇ Il s'est dit d'une baguette pour frapper qqn (apr. 1650) et en arboriculture, d'une pousse d'arbre plantée en terre (1688), d'un jeune arbre greffé en pied. ◇ *Scion* désigne aussi (1904) le brin très fin qui termine une canne à pêche.

SCISSILE, SCISSION, SCISSURE → SCINDER

SCISSIPARE adj. est un mot de formation savante composé (1855) de *scissi-,* élément tiré du latin *scissum,* supin de *scindere* (→ scinder), exprimant l'idée de division, de séparation, et de *-pare*.*

♦ Ce mot didactique qualifie les organismes qui se multiplient et se reproduisent en se divisant.

▸ Le dérivé **SCISSIPARITÉ** n. f. (1845) désigne la reproduction asexuée par division simple de l'organisme.

SCLÉR-, SCLÉRO- est un premier élément, tiré du grec *sklêros* «dur», que l'on a rapproché, sans certitude, de mots germaniques signifiant «mince, maigre» (cf. l'anglais *shallow*).

♦ Cet élément entre dans la composition de termes didactiques, en botanique et, le plus souvent liés à *sclérotique* (ci-dessous), en médecine et en anatomie, tels **SCLÉREUX, EUSE** adj. (1830), **SCLÉRECTOMIE** n. f. (1871), de *-ectomie**, ou encore **SCLÉRAL, ALE, AUX** adj. (1961). ◆ *Scléro-* sert aussi à former des termes techniques relatifs à la mesure de la dureté des corps solides, tels **SCLÉROMÈTRE** n. m. (1872), de *-mètre,* **SCLÉROGRAPHE** n. m. (mil. XXe s.), de *-graphe.*

▸ Quelques termes didactiques sont relativement répandus. ◆ **SCLÉROSE** n. f. est emprunté (1812) au grec tardif *sklêrôsis* «durcissement», dérivé de *sklêros.* Ce terme de médecine a d'abord désigné une tumeur dure des paupières (sens disparu). ◇ Il désigne (1842) l'induration pathologique d'un tissu, d'un organe, due à l'hypertrophie du tissu conjonctif entrant dans sa structure. ***Sclérose en plaques*** (1876) désigne une maladie très spécifique, affection grave du système nerveux central. ◇ Le mot s'emploie par extension et au figuré (1929, L. Daudet) pour «incapacité à évoluer et à s'adapter» en parlant d'une personne, d'un groupe, etc., avec une valeur voisine de *vieillissement.* ◇ Le dérivé **SCLÉROSER** v. tr. s'emploie d'abord (1867 au p.p. ; 1891) en médecine, en biologie ; *scléroser* ainsi que **SCLÉROSÉ, ÉE** adj. sont devenus usuels (1926 pour *sclérosé*) pour «se figer, ne plus évoluer» et «figé». ◇ Le verbe a fourni **SCLÉROSANT, ANTE** adj. (1896), didactique. ◆ *Sclérose* a servi de base aux composés *artériosclérose* (→ artère), *athérosclérose* (→ athérome) et *arthrosclérose* (→ arthr[o]-), termes de médecine.

SCLÉROTIQUE n. f. est emprunté (1314, *sclirotique*) au latin médiéval *sclerotica,* terme de médecine formé sur le grec *sklêrotês* «dureté», dérivé de *sklêros.* ◇ Le mot désigne, en anatomie, la membrane fibreuse qui entoure le globe oculaire, couramment appelé «blanc de l'œil». ◆ *Sclérotique* a fourni **SCLÉRITE** n. f. (1923 ; suffixe *-ite*), «inflammation de la sclérotique», ainsi que des composés savants désignant l'inflammation simultanée de la sclérotique et d'un autre organe, comme **SCLÉRO-CONJONCTIVITE** n. f. (1878).

SCOLAIRE adj. est un emprunt savant (1807) au bas latin *scholaris* «d'école», dérivé du latin classique *schola* (→ école).

♦ L'adjectif, qui s'est aussi écrit par latinisme *scholaire* (Académie, 1835-1878), qualifie ce qui est relatif ou propre aux écoles, et par extension à l'enseignement et aux élèves, par exemple dans *année scolaire* (1829), *obligation scolaire* (1882, lois J. Ferry concernant l'instruction obligatoire), *travail scolaire* (1900). ◇ Il s'emploie péjorativement (1847 dans Sainte-Beuve) pour qualifier ce qui évoque les exercices de l'école, l'enseignement livresque et donc ce qui manque d'originalité (cf. *primaire*).

▸ De l'adjectif dérive **SCOLARISER** v. tr. (1904), d'abord «pourvoir (un lieu, une communauté) d'établissements scolaires et d'enseignement régulier». Avec l'expansion de l'enseignement après 1945, le verbe prend le sens de «soumettre (qqn) à la scolarisation» et a servi à former **SCOLARISATION** n. f. (1947), **SCOLARISABLE** adj. (v. 1963). ◇ L'adjectif a aussi produit **SCOLAIREMENT** adv. (1933), surtout employé au sens péjoratif de *scolaire.*

Scolaire a également servi de base à quelques composés, surtout d'usage administratif : **INTERSCOLAIRE** adj. (1899), **POSTSCOLAIRE** adj. (1899) et son contraire **PRÉSCOLAIRE** adj. (1920). ◇ **PÉRISCOLAIRE** adj. et **PARASCOLAIRE** adj. (1967) correspondent à «complémentaire de l'institution scolaire». Le second est moins administratif et s'applique par exemple aux publications.

SCOLARITÉ n. f., emprunté (1383, *scholarite*) au latin médiéval *scholaritas* «étude», dérivé de *scholaris,* s'est d'abord dit de l'état d'étudiant dans une université et du privilège juridique qui en découlait, d'où *privilège, droit de scolarité* (1463) dans l'Université ancienne. ◇ Les sens modernes sont contemporains du développement de l'enseignement du second degré : «fait de suivre régulièrement les cours d'un établissement d'enseignement» (1861) et «temps d'études prescrit» (1871).

SCOLASTIQUE adj. et n. est emprunté, d'abord écrit *scholastique* (XIIIe s.), au latin impérial *scholasticus* «d'école» et comme nom masculin «déclamateur, rhéteur», «érudit», «avocat», «étudiant». Le mot est employé à l'époque médiévale pour désigner (v. 1040) le chef de l'école alors créée dans chaque église cathédrale. Il est emprunté au grec *skholastikos* «relatif à l'école», dérivé de *skholazein* «être le disciple ou le maître de», de *skholê* «loisir», puis «étude, école», emprunté par le latin *schola* (→ école). *Scholasticus* avait été emprunté en ancien français (XIIIe s.) sous la forme francisée *scolastre,* au sens du latin médiéval, et a abouti au français *écolâtre** (→ école).

♦ Le mot apparaît au XIIIe s. comme adjectif dans *histoire scholastique* «manuel scolaire d'histoire biblique» ; il est repris au milieu du XVe s. avec un sens plus général lié à la valeur de l'adjectif latin ; *scholastique* qualifie alors (1442) ce qui est propre à un professeur et aux écoles. C'est au XVe s. aussi que l'on commence à écrire *scolastique,* mais la forme *schol-* est encore usuelle au XVIIe siècle. On relève au XVIe s. d'autres emplois disparus : le nom masculin désignait (mil. XVIe s.) une personne qui se consacre entièrement à l'étude, d'où au pluriel *les scholastiques* (fin XVIIe s.) «savants», par opposition aux «honnêtes gens», et le chef d'une école ecclésiastique, l'écolâtre (1584). ◇ Au milieu du XVIe s. (1541) est attesté l'emploi du nom masculin pour «philosophe, théologien adepte de l'enseignement et des méthodes anciennes», sans valeur péjorative. Parallèlement, l'expression ***théologie scolastique*** «fondée sur l'argumentation rationnelle» (1625) est opposée à *théologie positive* (1636), puis abrégée en *scolastique* n. f. (1670). De même, *philosophie scolastique* (1717) est abrégé en *scolastique* n. f. au milieu du XVIIIe siècle. ◇ À la fin du XVIIe s., *scolastique* n. m. sert à désigner le titre honorifique dont on accompagnait le nom de certains personnages antiques, sens qui correspond à celui de *scholasticus* en bas latin (IVe-VIIe s.) ; le mot a aussi désigné (1709) un écrivain attaché à la bibliothèque vaticane, par référence à un usage du haut moyen âge. ◇ À partir du XVIIIe s. apparaissent des emplois péjoratifs de l'adjectif (1764) appliqué à ce qui a le caractère de la scolastique, à laquelle on reproche l'abus de la dialectique et de l'abstraction, le formalisme, etc. Un *scolastique* a désigné un esprit imprégné de scolastique (1846, Michelet) et *scolastique* n. f. se dit par extension (1875) de toute méthode philosophique, de toute doctrine reposant sur des procédés analogues à ceux de la scolastique médiévale.

▸ Le dérivé **SCOLASTIQUEMENT** adv. (1596, *scholastiquement*), «de façon scolaire» puis aujourd'hui «d'une manière scolastique» (1718), est didactique ou littéraire. ◆ **SCOLASTICAT** n. m. (1894, «état de scolastique»), terme de religion, désigne dans certains ordres religieux (1904) une maison où les novices vont achever leurs études.

① **SCOLIE** ou **SCHOLIE** n., écrit *scholie* en 1546 et *scolie* en 1680, est un emprunt savant au grec tardif *skholion* «explication, commentaire», dérivé de *skholê* «étude», emprunté par le latin *schola* (→ école).

♦ Ce mot didactique désigne une note philologique, historique, etc., écrite par un commentateur ancien et servant à expliquer un texte de l'Antiquité. ◇ Par extension (1691), il se dit en sciences au masculin d'une remarque à propos d'un théorème ou d'une proposition.

▸ Le dérivé **SCOLIASTE** n. m. (1552, Rabelais) ou *scholiaste* (1674) se dit d'un auteur de scolies dans l'Antiquité et d'un commentateur érudit.

② **SCOLIE** n. f. est emprunté (1732) au grec *skolion*, proprement «chanson tortueuse, qui va en zigzag», neutre de l'adjectif *skolios* «tortueux, oblique» (→ scoliose).

♦ Ce terme d'Antiquité grecque désigne une chanson de table, que les convives chantaient l'un après l'autre dans un ordre irrégulier, en se passant une branche de myrte.

SCOLIOSE n. f. est un emprunt savant (1820) au grec tardif *skoliôsis* «action de rendre oblique ou tortueux», dérivé de *skolioûn* «rendre courbe», lui-même de *skolios* «oblique, tortueux». Ce dernier vient de *skelos* «jambe» (→ second élément de *isocèle*), à rapprocher de termes indoeuropéens signifiant «de travers, tordu», comme le germanique °*skélah-*, et peut-être du latin *scelus* «crime» (→ scélérat) qui signifiait originellement «ce qui est de travers».

♦ Ce terme de médecine désigne une déviation de la colonne vertébrale dans le sens transversal.

▸ En dérive **SCOLIOTIQUE** adj. (1857) et n. (déb. XXe s.), «relatif à la scoliose, atteint de scoliose».

◈ voir ② SCOLIE.

SCOLOPENDRE n. f. est emprunté (1314, *scolopendrie*) au latin *scolopendrium* (ou *-ion*), lui-même pris au grec *skolopendrion*, terme emprunté à un substrat mal connu, qui désignait une espèce de fougère dont les feuilles évoquent la forme du *skolopendra* «insecte» et par analogie «animal marin»; le grec a alors été repris par le latin.

♦ *Scolopendre* conserve les sens de l'étymon; il est introduit en botanique puis repris au latin *scolopendra* (1552, Rabelais) pour désigner une sorte de serpent fabuleux (emploi disparu) et (1558) un petit animal (myriapode) au corps formé d'anneaux, couramment appelé *mille-pattes*. Seule cette dernière valeur est moderne.

SCOOP n. m. est un emprunt (1957) à l'anglais *scoop* signifiant proprement «pelle, cuiller» qui se rattache, par l'intermédiaire du suédois *skopa*, du moyen néerlandais *scho(e)pe*, au francique °*skôpa* qui a abouti à l'ancien français *escope* (→ écoper). Le verbe francique correspondant °*skappjan* a donné l'ancien français *eschavir* v. tr. «façonner qqch. en artiste» (v. 1190) et il est aussi à l'origine de l'anglais *shape* «forme». Le mot anglais reçoit aux États-Unis le sens de «fait d'enlever en grande quantité», se spécialisant (1874) dans le vocabulaire journalistique pour désigner une nouvelle importante donnée en primeur ou en exclusivité par une agence de presse.

♦ Cet anglicisme est introduit en ce sens en français et équivaut à *exclusivité** (→ exclure), recommandé officiellement pour le remplacer.

SCOOTER n. m., relevé en 1919 mais répandu à partir de 1945 avec l'emploi de ce véhicule, représente une forme abrégée de l'anglais *motor-scooter* (1919) «patinette à moteur». C'est un composé de *motor* en fonction d'épithète, de même origine que le français *moteur**, et de *scooter* «patinette, trottinette», dérivé de *to scoot* «démarrer à grande allure, filer» (d'abord *to scout*, sorti d'usage au XIXe s.), verbe d'origine inconnue dont la forme moderne pourrait venir des États-Unis.

♦ *Scooter* désigne un véhicule à moteur à deux roues de petit diamètre, caréné, à cadre ouvert où les pieds du conducteur, qui est assis sur une selle, reposent sur le bas du carénage. Développé en Italie, il en a reçu le synonyme *vespa* («guêpe»), nom de marque.

▸ Le mot a produit **SCOOTÉRISTE** n. (1951), calque de l'anglais *motor-scooterist*.

-SCOPE, -SCOPIE est un second élément, tiré du grec *skopos* «observateur», dérivé de *skopein* «observer, examiner» qui se rattache probablement à une racine indoeuropéenne °*skep-*, par métathèse de °*spek-* que représente par exemple le latin *specere* (→ spectacle).

♦ L'élément entre dans la composition de mots savants désignant des instruments d'observation *(-scope)*, tels que *microscope**, *horoscope**, etc., ou des techniques d'observation, l'acte même d'observer *(-scopie)*, par exemple *radioscopie**, *thermoscopie*, etc.

◈ voir ÉCUEIL, ÉPISCOPAT, ÉVÊQUE, SCEPTIQUE.

SCORBUT n. m. est la reprise (déb. XVIIe s., d'Aubigné) de *scuerbuyck* (1557), emprunt au néerlandais présenté comme mot étranger, puis emprunt au latin médiéval *scorbutus*, terme de médecine. *Scorbutus* a été formé sur la base d'un moyen néerlandais °*scōrbut*, d'où le néerlandais moderne *scheurbuik*, que l'on suppose d'après le moyen bas allemand *schorbuk* (1404; 1486, *scharbock*). Ce mot a peut-être été emprunté à l'ancien suédois *skörbjug*, lui-même issu de l'ancien norrois *skyr-bjugr* signifiant proprement «œdème *(bjugr)* dû à une consommation abusive de lait caillé *(skyr)*» : cet aliment, emporté en grande provision sur les navires, passait, chez les anciens Normands, pour être à l'origine de la formation d'œdèmes. Une autre hypothèse *(Oxford Dictionary)* fait venir le moyen néerlandais *schorbuk* du verbe *schoren* «briser, déchirer» et de *būk* «ventre» (le mot scandinave serait alors emprunté du néerlandais ou de son correspondant bas allemand). La différence entre le sens initial du composé scandinave et celui de *scorbutus* - *scorbut* relève de l'histoire de la médecine et des maladies.

♦ *Scorbut* désigne aujourd'hui une maladie par carence en vitamine C, caractérisée par divers troubles (fièvre, anémie, etc.).

▸ Le dérivé **SCORBUTIQUE** adj. et n. (1642), d'abord au sens de «bon contre le scorbut», qualifie ce qui est causé par le scorbut (1718). L'emploi substantivé *(un scorbutique)* est attesté en 1672. Le mot a servi de base au composé **ANTISCORBUTIQUE** (1671, adj.; 1701, n. m.). **SCORBUTIGÈNE** adj. (v. 1941), de *-gène**, se dit de ce qui provoque le scorbut.

SCORE n. m. est emprunté (1896) à l'anglais *score* (XVe s.) signifiant proprement «entaille», puis «vingt» (nombre marqué par une longue entaille sur un bâton), d'où les sens de «marque», «compte», «nombre de points» (1742). Il est emprunté à l'ancien norrois *skor* «entaille» et «vingt» (cf. suédois *skara*, danois *skaar*), qui se rattache à une base francique °*skor-*. L'anglais *score* est relevé comme terme de sports au XVIIIe s. (1742).

♦ C'est dans cet emploi qu'il passe en français, désignant le nombre de points obtenu par chaque adversaire au cours d'une partie. Repris par analogie dans le vocabulaire politique, le mot concerne le résultat chiffré obtenu par un candidat lors d'une élection (1964), puis le résultat d'un test, d'un sondage (1968) et, avec une valeur positive, une performance dans les domaines économique, technique, etc. (1969), notamment dans *un bon, un excellent score*.

SCORIE n. f., attesté une première fois à la fin du XIIIe s. (v. 1290) et repris au XVIe s. (1553), est emprunté au latin impérial *scoria*, lui-même du grec *skôria* «écume d'un métal, en particulier du fer», dérivé de *skôr, skatos* «excrément» (→ scatologie), qui s'apparente peut-être au latin *stercus* «excrément, fumier».

♦ D'abord employé au sens d'«alluvion» (v. 1290), disparu, *scorie* a été repris au XVIe s. pour désigner un résidu solide provenant de la fusion de minerais métalliques (qui monte comme une écume à la surface de métaux). ◇ Par analogie, *scories volcaniques* se dit (v. 1790) d'une matière volcanique légère, ressemblant au mâchefer, provenant du refroidissement superficiel des coulées de lave. Le mot s'emploie par figure, comme *déchet* (1790), au sens de «partie médiocre ou mauvaise».

▸ Du nom dérivent les termes techniques **SCORIFIER** v. tr. (1750) «réduire en scories», d'où **SCORIFICATION** n. f. (1747) et **SCORIFIANT, ANTE** adj. (1944), et **SCORIACÉ, ÉE** adj. (1775) «qui comporte des scories», didactique.

SCORPION n. m. (v. 1130), d'abord sous les formes *scorpiun, escorpiun* (1119), est emprunté au latin impérial *scorpio* «scorpion (animal venimeux)», nom d'un signe du zodiaque et d'un poisson de mer (en ces sens, aussi sous la forme *scorpios*) et par figure d'une sorte de machine de guerre, puis à basse époque «fouet armé de pointes de fer»; le latin est lui-même emprunté au grec *skorpios* de mêmes sens. On ignore l'origine de ce mot. À cause de l'habitat principal de l'animal, Frisk a supposé un emprunt à une langue du sud de la Méditerranée.

♦ Le mot apparaît (1119) avec les sens du latin, désignant un arachnide dont la queue se termine par un aiguillon crochu et venimeux *(escorpiun)* ainsi que le huitième signe du zodiaque (*Scorpiun;* 1273, *Scorpion*). ◇ À la fin du XIIe s., le mot reprend une autre acception du latin, désignant (1175) un fouet de guerre muni de lanières ou de chaînes à pointes de métal, puis (1270, *escorpion;* 1546, forme moderne) une machine de guerre servant à lancer de gros projectiles, aujourd'hui termes d'archéologie. ◇ Au XVIe s., *scorpion* s'est dit par figure pour «personne méchante» (1553); cette valeur figurée a disparu, mais des emplois métaphoriques du nom de l'animal sont toujours possibles. ◇ Par analogie avec l'insecte, le mot s'emploie pour désigner d'autres animaux, par exemple *scorpion de mer* (1611), nom usuel du *scorpène* (ou *rascasse*), *scorpion d'eau* (1690) «nèpe (insecte)», etc.

▸ Du nom dérive le terme de zoologie **SCORPIONIDÉS** n. m. pl. (1875; 1819, *scorpionides*).

SCORPÈNE n. f. est emprunté (1552, Rabelais) au latin impérial *scorpaena* qui désigne un poisson de mer d'espèce indéterminée (1445, ancien provençal *scorpena*), lui-même pris au grec *skorpaina* «scorpion de mer», dérivé de *skorpios*. ◇ En français, le terme désigne un poisson à tête forte et hérissée d'épines, aussi appelé *crapaud* ou *diable de mer*, et en Provence *rascasse*. ◆ En dérive **SCORPÉNIDÉS** n. m. pl. (mil. XXe s.).

SCORSONÈRE n. f., francisation (1651), comme *scorzonère* (1620) et *scorçonère* (1658), de *scorzonera* (1572) ou *scorsonera* (1615), est emprunté à l'italien *scorzonera*, dérivé de *scorzone* «serpent venimeux» dont on soignait la morsure par la scorsonère. *Scorzone* représente, avec l'*s* de *scorto* «court», le bas latin *curtio, -onis* «vipère» (attesté dans les Gloses), qui s'apparente peut-être au latin classique *curtus* «écourté, tronqué» (→ court), *curtio* étant proprement un «animal aux membres écourtés» et «un serpent de taille assez courte». D'autres font venir l'italien de l'espagnol *escorzo-*

nera, lui-même pris au catalan *escurçonera*, dérivé de *escurço*, formation parallèle à *scorzone*. On suppose parfois un latin populaire °*excurtio*, de *curtio*, comme intermédiaire.

♦ *Scorsonère* désigne une plante dont une variété à écorce noire, cultivée, est comestible, couramment nommée «salsifis noir».

SCOTCH → WHISKY

SCOTOME n. m. est emprunté (1839), par l'intermédiaire du latin médiéval *scotoma* «vertige, éblouissement», au grec tardif *skotôma* «vertige», dérivé du verbe *skotoun* «couvrir de ténèbres, aveugler par un éblouissement», lui-même de *skotos* «obscurité, ténèbres», vocable probablement indoeuropéen, que l'on rapproche de mots germaniques de sens voisin (anglais *shade*, *shadow* «ombre»). Le latin a été emprunté auparavant sous la forme *scotomie* n. f. «vertige apoplectique» (XVe-XVIe s.), reprise au XVIIIe s. et encore attestée en 1858.

♦ *Scotome*, terme de médecine, désigne un trouble de la vision se manifestant par une tache qui masque une partie du champ visuel et, par analogie (XXe s.), une lacune dans la perception de séquences sonores.

▸ À partir du grec *skotôma* a été formé savamment **SCOTOMISATION** n. f., terme dû à Laforgue et Pichon (1926), pour traduire l'allemand *Verleugnung*, «déni» chez Freud. Ce terme de psychanalyse se dit du rejet inconscient et sélectif, hors du champ de conscience, d'une perception, d'une réalité pénible pour le sujet. ◇ De là **SCOTOMISER** v. tr. (1930).

SCOUMOUNE ou **SCHKOUMOUNE** n. f., attesté en 1941 mais usité depuis 1930 au moins en français d'Algérie, est emprunté au corse *scomun* ou à l'italien *scomunica*, dérivé de *scomunicare*, du bas latin *excommunicare* (→ excommunier). On relève en ancien provençal *escomengar* et en provençal moderne *escoumenia* «maudire».

♦ Ce mot argotique s'est répandu en France à partir de 1950, par l'intermédiaire du milieu corse et marseillais. Il se dit pour «malchance», «mauvais sort».

SCOUT → BOY (BOY-SCOUT)

SCRABBLE n. m. est un emprunt (1962) à l'anglais *scrabble* «gribouillage», dérivé de *to scrabble* «gribouiller, griffonner», littéralement «griffer, gratter». Ce verbe est de la famille de *to scrape* «gratter», d'origine germanique (francique °*skrap-*). Le mot anglais a été choisi en 1947 comme nom de marque pour ce jeu d'origine américaine.

♦ *Scrabble* désigne un jeu qui consiste à remplir une grille préétablie, au moyen de sept jetons portant chacun une lettre, de façon à former des mots totalisant le plus grand nombre de points.

▸ Le dérivé **SCRABBLEUR, EUSE** n. est attesté en 1976.

SCRIBE n. m. attesté chez Jean de Meung (av. 1278) sous la forme simplifiée *cribe* (v. 1300), est un emprunt savant au latin classique *scriba* «copiste», «greffier», «secrétaire» et, à basse époque dans la langue ecclésiastique (au pluriel), «docteurs de la Loi chez les Juifs», traduction de l'hébreu *sōferîm* «docteurs de la Loi». *Scriba* est la forme nominale de *scribere* qui a donné *écrire** et a par ailleurs abouti, par le latin populaire *scribanem* (accusatif de *scriba*), à *écrivain**.

♦ Le mot a d'abord le sens du bas latin ecclésiastique et s'emploie comme terme d'Antiquité juive, puis (1375) il désigne la personne qui, dans l'Antiquité, écrivait les textes officiels, les actes publics, etc. ; *scribe* conserve cette valeur dans la civilisation médiévale. ◇ Le mot s'applique aussi (1461) à une personne employée à écrire à la main, à faire des copies, profession répandue jusqu'à l'invention de la sténographie, à la fin du XVIIIe siècle ; cependant *scribe* prend une connotation péjorative dès le XVIIe s. (Académie, 1694, «par raillerie») et il est usité pour «employé de bureau» (cf. *bureaucrate*, *gratte-papier*). L'emploi péjoratif pour «mauvais écrivain» (1823) est vieilli (cf. *scribouilleur*).

▸ **SCRIBOUILLER** v. intr. a été formé (attesté 1849) sur le radical de *scribe* d'après les verbes tels que *gribouiller*, *barbouiller* ; on a rattaché par plaisanterie ce verbe au nom d'Augustin Eugène *Scribe* (1791-1861), auteur dramatique prolifique. *Scribouiller* s'emploie familièrement pour «écrire mal, sans soin ni style» et «travailler aux écritures». ◆ Du verbe dérivent **SCRIBOUILLAGE** n. m. (1826), «mauvaise écriture ; mauvais style», **SCRIBOUILLEUR, EUSE** n. (fin XIXe s.), «mauvais écrivain» et «personne qui écrit beaucoup, aime à écrire», et **SCRIBOUILLARD, ARDE** n., apparu (1914) au sens de «soldat employé aux écritures» (n. m.) et employé couramment (1939) pour «fonctionnaire, commis aux écritures» ainsi que pour «mauvais écrivain, rédacteur...».

① **SCRIPT** n. m. est un emprunt (attesté 1951) à l'anglais *script* «écrit, type particulier de caractères typographiques» (1920), forme abrégée de *script-writing* («écriture») ou de *print-script* («imprimerie») ; le mot anglais, (1838 en typographie) est emprunté au latin *scriptum* «ligne», «écrit», participe passé neutre substantivé de *scribere* (→ écrire).

♦ Le mot désigne un type d'écriture à la main, simplifiée, qui se rapproche des caractères d'imprimerie (1951, *écriture script*). Dans le vocabulaire de l'imprimerie, **SCRIPTES** n. f. pl. se dit des caractères typographiques imitant l'écriture. ◇ Un homonyme du XVIIIe s. (1788), employé en finances, vient d'une contraction de l'anglais *subscription receipt* «reçu de prêt».

⟐ voir SCRIPTE.

② **SCRIPT** → SCRIPTE

SCRIPTE n. m. ou f. représente une francisation (1973) de l'anglicisme *script-girl* n. f. (1929), abrégé en *script* (1958). L'anglais *script-girl* (aussi employé en français par emprunt : 1929) est composé de *script* «texte» (→ ① script) et de *girl* «fille» (→ girl).

♦ Le mot désigne, comme en anglais, une personne chargée de la tenue des documents et de la continuité dans la réalisation d'un film, d'une émission de télévision.

▶ ② **SCRIPT** n. m. est emprunté (mil. XXe s.) à l'anglais *script* «scénario d'un film», dans le vocabulaire du cinéma et de la télévision.

SCRIPTEUR n. m. est emprunté (1352-1356, Bersuire) au latin *scriptor* «secrétaire», spécialisé au sens d'«écrivain, auteur» pour le distinguer de *scriba* (→ scribe) et dérivé de *scriptum*, supin de *scribere* «écrire*».

♦ D'abord employé avec la seconde valeur du latin, puis pour «scribe» (Rabelais), le mot continue à désigner, en termes de religion, un officier de la chancellerie pontificale, qui écrit des bulles (1690). ◇ Par reprise didactique au latin, il s'emploie en graphologie (1907) et en linguistique, opposé à *locuteur*, pour «celui qui écrit».

▶ Le composé **TÉLÉSCRIPTEUR** n. m., terme technique (1897; répandu plus tard) formé d'après *télé[graphe]*, désigne couramment un appareil de transmission électrique des dépêches.

SCRIPTURAIRE adj. est un dérivé savant (1701) du latin classique *scriptura* «écriture*», dérivé de *scribere* «écrire*», le latin *scripturarius* ne signifiant que «greffier».

♦ Le mot s'est d'abord employé comme substantif dans un sens disparu («secrétaire»); il reprend ensuite (v. 1850) la valeur du latin ecclésiastique, qualifiant ce qui est relatif à l'Écriture sainte. ◇ Qualifiant ce qui se rapporte à l'écriture (1872), il est didactique.

▶ **SCRIPTURAL, ALE, AUX** adj., relevé en ancien provençal vers 1350 au sens de «qui sert à écrire», est un dérivé savant de *scriptum* ou est emprunté au bas latin ecclésiastique *scripturalis* «relatif aux Écritures saintes» (v. 1834). *Monnaie scripturale* (1945), «qui permet d'effectuer des règlements par simple jeu d'écriture», est un terme d'économie.

SCROFULE n. f. apparaît au XIVe s. (v. 1363), après l'ancien provençal *escroulas* (v. 1280), *escrofila* (1304) [cf. *écrouelles*]. Le mot, aussi écrit *scrophule* (1495), est emprunté au bas latin *scrofulae* n. f. pl., terme de médecine (IVe s.), en latin populaire °*scrofellae*, calque du grec *khoiras, -ados* «objet en forme de dos de cochon», d'où «écueils à fleur d'eau» (la métaphore du troupeau de porcs pour désigner des rochers existe dans d'autres langues) et au pluriel *khoirades* «écrouelles» par analogie de forme. *Scrofulae* est le diminutif du latin classique *scrofa* «truie» puis en bas latin «vulve» (→ écrou, écrouelles).

♦ En médecine ancienne, le mot s'employait au pluriel pour «écrouelles» (ou «humeurs noires»). ◇ Il est spécialisé aujourd'hui pour désigner une lésion de la peau ou des ganglions lymphatiques, tendant à produire des fistules, caractéristique de la tuberculose ou de la syphilis.

▶ Le dérivé **SCROFULEUX, EUSE** adj. et n. (av. 1363; 1534, *scrophuleux*), «relatif aux écrouelles, à la scrofule», est substantivé au XVIe s. pour désigner une personne atteinte de cette maladie (1549). **SCROFULAIRE** n. f. est emprunté (XVe s.; v. 1240, *scrophulare*) au latin médiéval *scrophularia* (dérivé de *scrofulae*), nom d'une plante herbacée appelée «herbe aux écrouelles» (aussi nommée *scrofularia*) passant pour guérir cette affection. ◇ En dérive **SCROFULARIACÉES** n. f. pl. (1871; 1817, *scrofularinées*), terme de classification botanique.

SCROGNEUGNEU interj. est un mot expressif ainsi transcrit par Frison (*Les Aventures du colonel Ronchonnot*, 1884) pour *sacré nom de Dieu!* altéré par *grogne* (cf. *sacrégnongnieu*, 1884).

♦ Interjection de vieux soldat, devenue le nom d'un vieux militaire bougon, aussi adjectif (en usage jusqu'à 1950 environ).

① **SCRUPULE** n. m. est emprunté (1375) au latin *scrupulus* «petite pierre pointue» et par figure «sentiment d'inquiétude, embarras, souci» (d'où l'anglais *scruple*, à moins que celui-ci ne soit repris au français, l'allemand *Skrupel*), diminutif de *scrupus* «pierre pointue», d'origine obscure.

♦ Le mot s'emploie d'abord au sens d'«inquiétude morale quant à la conduite à tenir» ou «crainte de commettre, d'avoir commis une faute»; il entre dans les locutions ***scrupule de conscience*** (1405) et, sorties d'usage, *mettre hors de scrupule* «enlever les scrupules de», *mettre qqn en scrupule (de)* puis *faire scrupule à* (1541) «donner à qqn des scrupules» (1538). ◇ *Scrupule* se dit par extension pour «doute, incertitude touchant un point précis» (1549), notamment dans *faire scrupule (de)* «hésiter (à)», ***avoir scrupule (de)*** [1677] et ***se faire un scrupule de*** (av. 1695). Avec la première valeur du mot, *faire scrupule de (à qqch.)* s'est dit pour «ne pas vouloir, par délicatesse de conscience, faire qqch.» (1549). ◇ ***Sans scrupule,*** d'abord «sans aucun doute» (1600), a pris le sens (1734) de «sans inquiétude sur le plan moral». La notion de morale prédomine dans le sens de «grande exigence personnelle qui pousse à juger avec rigueur de sa propre conduite» (1611, *scropule*); elle a suscité des emplois étendus en parlant de la rigueur d'un artiste, d'un auteur dans la correction d'un ouvrage (1653), avec une valeur péjorative à la fin du XVIIe s., puis à propos d'une grande délicatesse de mœurs, de procédés (1762), et la locution *(être exact)* ***jusqu'au scrupule*** «jusqu'à la plus grande minutie». On relève à l'époque classique, avec l'idée d'inquiétude, *entrer en scrupule (sur qqch.)* [1636], *avoir du scrupule* «avoir une inquiétude de conscience» (fin XVIIe s., *être en scrupule*), emplois disparus, et par la suite ***se faire un scrupule de*** (1740; ***se faire scrupule de,*** 1762). ◇ *Scrupule* au sens de «vétille, petit détail» (1670, Molière) est sorti d'usage, de même que le sens concret antérieur de «petit caillou» (1585), latinisme. ◇ En psychologie on a appelé *maladie du scrupule* (1907) une forme de psychasthénie caractérisée par l'hésitation avant l'action, la manie de la vérification.

▶ **SCRUPULEUX, EUSE** adj. et n. est dérivé de *scrupule* (fin XIIIe s. [1382 selon T.L.F.]) sur le modèle du dérivé latin classique *scrupulosus* «rocailleux, âpre» et à l'époque impériale «minutieux, vétilleux, scrupuleux». ➛ L'évolution sémantique est parallèle à celle de *scrupule* : d'abord «qui est sujet à avoir des inquiétudes de conscience» (1587), aussi en parlant de choses (1541), et aussi «minutieux, exact» (1549), «fait avec un soin minutieux» (1685). La construction *être scrupuleux à* (suivie de l'infinitif) «être très attentif, s'attacher avec scrupule» (1680) est sortie d'usage. L'adjectif est substantivé (1762) pour «personne scrupuleuse». ◇ Il a fourni **SCRUPULEUSEMENT** adv., «avec un soin minutieux» (1375), employé aussi avec une valeur morale (1690). ➛ **SCRUPULOSITÉ** n. f., dérivé de *scrupule* (XVe s.) d'après le bas latin *scrupulositas,* rare, «exactitude minutieuse», «souci, inquiétude» (dérivé de *scrupulosus*) et repris en français moderne (1611, puis 1871, Littré), est littéraire ou didactique.

② **SCRUPULE** n. m., réfection (déb. XVIe s.) de *scrupel* (XIVe s.), est emprunté au latin classique *scrupulum* ou *scripulum* (aussi *scriptulum, scriptulus* par rapprochement avec *scribere* «écrire»), désignant en général la plus petite division d'une unité de mesure et, spécialement, la 24e partie de l'once et de l'heure ; le mot s'emploie aussi par figure pour «faible poids, petite quantité, petite fraction». *Scrupulum* représente une variante neutre de *scrupulus,* diminutif de *scrupus.* ➛ *Scrupule* est passé en français avec les acceptions techniques du mot latin ; deux sens ont été empruntés : «unité de poids égale à la 24e partie de l'once (équivalant à 24 grains)» (XIVe s.) et «la plus petite monnaie d'or, à Rome» (1538). Le mot s'est employé comme terme d'astronomie (v. 1450, *scripule*), puis pour désigner une mesure de surface romaine (v. 1550) et pour «très petite quantité» (av. 1654), acceptions archaïques.

SCRUTER v. tr., attesté en 1501, mais rare avant le milieu du XVIIIe s., est encore donné comme néologisme en 1788 (Féraud) ; l'ancien provençal *escrutar* est très antérieur (XIIIe s.). Le verbe est emprunté au latin *scrutari,* d'abord employé au sens de «fouiller (comme un chiffonnier)», puis plus largement «fouiller, explorer» et «rechercher» ; *scrutari* dérive de *scruta* n. pl. «hardes, chiffons, friperies», mot sans étymologie connue, équivalent du grec *grutê.*

♦ *Scruter* s'emploie au sens d'«examiner avec une grande attention, pour découvrir ce qui est caché», d'abord dans le domaine moral, puis (1862, chez Hugo) pour «examiner attentivement par la vue, fouiller du regard».

▸ **SCRUTATION** n. f., dérivé du verbe (XIVe s. ou 1495) ou emprunté au latin impérial *scrutatio* «recherche minutieuse», s'est employé dans ce sens ; rare à partir du XVIIe s., réapparu vers 1790, puis en 1859 (attestations isolées), il ne semble pas usité avant le milieu du XXe siècle. ◇ Il désigne, en informatique, l'opération du lecteur optique enregistrant un texte. ➛ **SCRUTEMENT** n. m. est rare (1888, A. Daudet) pour «action de scruter».

SCRUTATEUR, TRICE n. et adj. est emprunté (XIVe s., selon Wartburg ; 1495, T.L.F.) au latin impérial *scrutator* «celui qui fouille (qqn, un lieu)» et au figuré «celui qui scrute». Comme nom masculin, il a désigné dans la langue religieuse une personne qui examine les profondeurs de la conscience, sens sorti d'usage comme celui de «personne qui examine le secret de qqch.» (1552), vivant à l'époque classique. ◇ Au XVIIe s., par influence de *scrutin,* le mot substantivé désigne une personne appelée à participer au dépouillement d'un scrutin (1680) ; cette acception est restée vivante. ◇ L'adjectif, d'abord appliqué (1773) à une personne qui examine qqch. avec une grande perspicacité, s'emploie au sens de «qui scrute, qui examine attentivement» (1823, *un regard scrutateur*) ; il est alors littéraire. ◇ Le nom est repris dans le vocabulaire technique (1907) pour désigner un appareil permettant le contrôle de marche de certains procédés continus (par ex. en chimie).

◈ voir SCRUTIN.

SCRUTIN n. m., réfection (1465) de *crutine, crestine* (XIIIe s.), devenu *escrutine* (1326), *scrutine* (1413) puis *scrutin,* est emprunté au bas latin *scrutinium* «action de fouiller» qui se spécialisa dans le vocabulaire ecclésiastique pour désigner l'examen des opinions ; il dérive du latin classique *scrutari* qui a donné *scruter**.

♦ Le mot apparaît avec le sens d'«élection ou décision par vote secret» et s'emploie surtout dans des expressions. Ainsi *faire crestine* signifiait «procéder à une élection par vote secret» (v. 1260) et *par crutine* «par vote secret». Sous la forme moderne, ***voie de scrutin*** (1465) et ***par scrutin*** (1671) ont la même valeur. *Scrutin* ne se répand qu'au milieu du XVIIIe siècle. ➛ Parallèlement, à partir du verbe disparu *scrutiner* (1440-1475), d'abord *escrutiner* (v. 1240), emprunté au latin médiéval *scrutinare,* réfection de *scrutari, scrutin* se dit (1326) de l'examen de l'opinion des religieux que pratique un supérieur en vue de choisir le titulaire d'un office, d'où le sens laïque d'«examen, recherche attentive» (1380). Cette valeur est conservée à l'époque classique, avec *faire le scrutin de* «appliquer sa recherche à» (1638), spécialement «examiner l'opinion des religieux», et, comme terme d'histoire, avec *scrutin* «cérémonie où les catéchumènes étaient interrogés sur la foi» (1690), *le jour du scrutin* dans l'ancienne Église correspondant au mercredi saint (1690). ➛ Ces emplois ont disparu, *scrutin,* après la disparition de *scrutine* (av. XVIIe s.), développant à la fin du XVIIIe s. son acception électorale ; le mot désigne l'opération électorale elle-même, sens imposé par la Révolution, une modalité particulière des élections (1789), en particulier avec une qualification : *scrutin couvert,* aujourd'hui *scrutin secret* (1793), opposé à *scrutin découvert,* devenu plus tard *scrutin public* (1875) ; *scrutin de liste* (1789) et, avec la IIIe République, *scrutin d'arrondissement* (1885). Le mot entre également dans des expressions verbales comme *dépouiller le scrutin* (1789), *ouvrir, fermer le scrutin* (1835).

SCULPTER v. tr., apparu vers 1270 (*in* T.L.F.) et repris vers 1506, reste rare avant le XVIIIe s. (1718, Académie). Le verbe est une réfection de *sculper* à partir de *sculpteur* et *sculpture* ou est formé à partir de *sculptum,* supin du latin impérial *sculpere* «sculpter» et au figuré «graver (dans l'esprit)». Ce verbe est construit sur le modèle de verbes composés à partir du latin classique *scalpere* (→ scalpel), au supin *scalptum*, «gratter», «tailler, sculpter» dans la langue des graveurs et des statuaires, traduisant le grec *gluphein* «graver» (→ -glyphe). *Sculpere* (*sculpire* en bas latin), verbe sans étymologie connue, a été emprunté par le français sous la forme *esculpir* v. tr. «graver, inciser» (XVe s.), maintenue jusqu'au milieu du XVIIIe s. (1771, Trévoux).

♦ Le verbe signifie d'abord «graver, tailler dans la matière dure». Une variante *insculpter* (XVe s.) s'est employée jusqu'au XVIIIe siècle; elle était empruntée au latin classique *insculpere*. ◇ *Sculpter* prend son sens moderne au XVIIIe s.; il s'emploie aussi (1760, absolument) pour «faire une sculpture» et (apr. 1760) «façonner, produire (une œuvre d'art en trois dimensions) en taillant une matière dure», *sculpté* signifiant «orné de sculptures» (1812). ◇ Avec un nom de choses pour sujet [la pluie, les éléments...] (mil. XIXe s.), il se dit pour «façonner en formant des reliefs et des creux».

▸ Du verbe dérive le terme technique **SCULPTAGE** n. m. (1842), d'emploi rare.

SCULPTURE n. f. est emprunté (1380) au dérivé latin *sculptura* «travail de sculpture, gravure sur pierre». ◇ Il apparaît avec le sens d'«ouvrage taillé par le sculpteur» (en emploi non technique, *statue* est plus courant) et désigne par exemple (1380) l'ensemble des ornements qui décorent une partie d'un navire. La valeur moderne de *une sculpture* n'est attestée qu'en 1529. ◇ Au XVIe s., le mot s'emploie (1530, *scoulpture*; 1549, forme moderne) en parlant de l'art du sculpteur; il remplace en ce sens la forme *sculpeure* (1403), dérivée de *sculper*. ◇ L'art de la sculpture est évidemment représenté dans la culture médiévale avant l'attestation du mot. Ses produits étaient nommés par des termes comme *statue, image*, etc. Quant à l'activité même, dénommée à la Renaissance, elle relevait de la taille de la pierre, travail d'artisan à objectif religieux ou décoratif (ou les deux), avant de s'élever dans la conscience collective au statut d'art indépendant. La notion même, à partir des temps modernes, dépend des techniques; de la taille d'un bloc de pierre au ciseau — sens largement dominant à l'époque classique — on est passé au modelage de la glaise, aux processus de fonte et de moulage, eux-mêmes fort anciens mais qui ne relevaient pas de cette désignation, à l'exception des métaux moulés (bronze, etc.), puis au XXe s. à toutes les formes de «création esthétique dans l'espace», incluant l'assemblage d'éléments, le soudage, la compression, les structures mobiles, etc. Ces modifications affectent la valeur de tous les mots de la série; cependant, *sculpter* reste plus attaché aux techniques traditionnelles. ⟡ **SCULPTURAL, ALE, AUX** adj. qualifie d'abord (1765) ce qui est relatif à la sculpture puis (1869) ce qui évoque la sculpture. ◇ Ces emplois sont devenus archaïques et l'adjectif s'emploie (1854, E. About *in* T.L.F.) au sens de «qui décrit la beauté des formes en un style lui-même plastique».

SCULPTEUR n. m., emprunté (v. 1400) au bas latin *sculptor* «sculpteur», dérivé de *sculptum*, désigne un artiste qui taille des images dans la matière dure; en ce sens, le féminin *sculptrice* est employé, mais l'usage français préfère *femme sculpteur* (fin XVIIIe s.). ◇ Au XXe s., en emploi technique, le mot désigne un tailleur de pierre qualifié, qui taille les morceaux les plus difficiles et, surtout, un artiste créateur en toutes formes de sculpture.

◈ voir ② ÉCHOPPE, SCALPEL.

SCUTUM n. m. est emprunté (1765, *Encyclopédie*) au latin *scutum* signifiant «bouclier», au figuré «défense». On a rapproché le mot du sanskrit *skáuti* «il couvre» et, par ailleurs, de l'irlandais *sciath*, du vieux slave *štitŭ*, mots signifiant «bouclier», mais le problème de la première voyelle (*u* en latin) n'est pas résolu. *Scutum* a abouti par ailleurs en français à *écu** (1080, *escut*).

♦ Comme terme d'archéologie, le mot désigne le bouclier romain. ◇ En zoologie (1842), il désigne l'écusson des insectes.

▸ **SCUTIFORME** adj., composé (1538) de *scuti-* et de *forme**, est un terme didactique qualifiant ce qui a la forme d'un écu, d'un bouclier. ◇ On dit aussi **SCUTELLIFORME** adj. (1871) et parfois **SCUTELLOÏDE** (1876), de *-oïde*.

SCYTALE n. f. (1586), d'abord *scitale* n. m. (XVe s.), est un emprunt au latin *scytala (scytale)* «bâton sur lequel était enroulé un parchemin» et «serpent», lui-même emprunté au grec *skutalê*, proprement «bâton à gros bout», «branche». L'étymologie du mot est incertaine; un rapprochement possible avec un verbe lituanien signifiant «gratter, racler» ne permet pas d'établir une famille indoeuropéenne.

♦ Le mot, didactique et rare, est d'abord emprunté avec le sens du latin «serpent», qui sera repris en 1803 et employé jusqu'à la fin du XIXe siècle. ◇ Il est réemprunté au XVIe s. (1586) comme terme d'Antiquité grecque, désignant un bâton sur lequel les Spartiates enroulaient en spirale une bande de parchemin pour y écrire le texte d'une dépêche, puis par métonymie (1829) cette dépêche.

SCYTHE adj. et n. est un emprunt savant (1422, A. Chartier; nom, 1511) au latin *Scytha* ou *Scythes* «habitant de la Scythie, relatif à la Scythie», emprunt au grec *Skuthês*. Ce nom reposerait sur la racine sanskrite °*sku-* et signifierait «gardeurs (de troupeaux)». Les Scythes, qui vivaient dans une région située au nord du monde que connaissaient les anciens Grecs, furent représentés dès Hérodote comme des guerriers violents, coupeurs de têtes et grands buveurs, ne possédant d'autre savoir que leur habileté guerrière; c'est ainsi que le mot a pris en grec le sens d'«homme inculte, grossier, brutal».

♦ Le mot signifie «habitant de la Scythie» et aussi, comme dans l'Antiquité (déb. XVIIe s.), «individu grossier», acception sortie d'usage comme le dérivé **SCYTALISME** n. m., formé (1812) sur le modèle de *vandalisme*. ◇ Au XXe s., *le scythe* n. m. désigne une langue iranienne ancienne dont est issu l'ossète, parlé dans le Caucase.

▸ **SCYTHIQUE** adj. est emprunté (1576) au latin *scythicus* «relatif à la Scythie», lui-même pris au grec *skuthikos* (dérivé de *skuthês*). D'abord employé au sens de «barbare», qui correspond à celui de *scythe* et a disparu, l'adjectif reprend ensuite la valeur ethnique et historique (1839).

S.D.F. → DOMICILE

SE → SOI

SÉANCE, SÉANT → SEOIR

SEAU n. m. (XIIIe s.), qui a remplacé *seel* (XIIe s.), est un mot d'abord propre à la France du Nord, issu du latin populaire °*sitellus*, variante masculine du latin classique *sitella* «urne (de scrutin)», diminutif de *situla* (ou *situlus*) «seau» et «urne (de vote)», sans origine connue.

♦ Le mot désigne (XIIe s.) un récipient qui sert à transporter des liquides ou diverses matières. Par métonymie (1240, *sel*; XVIe s., *seau*), il s'applique au contenu d'un seau, d'où la locution figurée ***il pleut à (pleins) seaux*** «abondamment» (1690). *Seaux de ville* «seaux dont on se sert pour porter de l'eau dans les incendies» (1680) a laissé la place (1835) à *seaux à incendie*, lui-même sorti d'usage. *Seau de toilette, seau hygiénique*, caractéristiques du XIXe s., tendent à disparaître.

▶ **SEILLE** n. f., (v. 1180) issu par évolution phonétique du latin *situla*, s'emploie encore régionalement pour désigner un seau de bois à oreilles évidées pour y passer un cordage. Il désigne par extension (XIXe s.) un récipient en bois ou en toile, emploi technique. ➜ De ce nom dérivent **SEILLON** n. m., terme régional, d'abord au sens de «petit seau» (1355), disparu, repris à la fin du XIXe s. en emploi technique (viticulture); **SEILLOT** n. m. (1842) «petite seille» et **SEILLÉE** n. f., mot dialectal (Sologne), passé en français écrit au milieu du XXe s. comme terme de pisciculture, en moyen français (1367) «contenu d'un seau».

SÉBILE n. f., attesté en 1417, est un mot d'origine incertaine. Un rapprochement avec le persan *zibbīl* «panier d'osier destiné à renfermer des dattes», «corbeille, sac, besace» est très hypothétique, le mot français n'étant pas représenté dans l'aire méridionale. Il en va de même pour l'arabe *sabīl* «aumône». P. Guiraud émet des réserves, pour cette même raison, et suggère pour étymon un latin populaire °*cibilis*, variante de *cibalis* «qui a trait à la nourriture», dérivé du latin classique *cibus* «nourriture (de l'homme, des animaux)» (→ civière); *sébile* aurait désigné une auge recevant la nourriture des animaux, d'où son emploi figuré en parlant d'un mendiant; mais cette possibilité reste très hypothétique.

♦ *Sébile* désigne une petite coupe en bois utilisée par les mendiants pour recueillir les aumônes (longtemps constituées de nourriture). La locution ***tendre la sébile*** «demander l'aumône» (1886, Loti) a vieilli avec l'emploi de l'objet. ◇ Par extension, le mot s'emploie dans divers corps de métiers pour désigner un récipient en bois.

SÉBUM n. m. est un emprunt savant (1764) au latin *sebum* «suif*».

♦ C'est un terme technique pour désigner la sécrétion grasse produite par les glandes sébacées.

▶ **SÉBORRHÉE** n. f., composé (1855) de *séb[um]* et de *-rrhée*, du grec *rhein* «couler» (→ rhume), désigne l'augmentation de la sécrétion des glandes sébacées. ◇ Il a pour dérivé **SÉBORRHÉIQUE** adj. (1904).

SÉBACÉ, ÉE adj. est un emprunt savant (1734) au latin impérial *sebaceus* «de suif», dérivé de *sebum*. L'adjectif qualifie, en médecine, ce qui est de la nature du sébum, formé de sébum; il s'emploie par extension dans *glandes sébacées* (1757). ◇ Il entre dans le composé **PILO-SÉBACÉ, ÉE** adj. (1878; du latin *pilum* «poil»), terme d'anatomie.

✷ **SEC, SÈCHE** adj., adv. et n. est issu (v. 980) du latin *siccus* «dépourvu d'humidité», qui s'emploie avec de nombreuses acceptions dérivées ou figurées, par exemple en parlant de la complexion du corps, d'une personne qui ne boit pas, et avec les valeurs abstraites, «froid, indifférent» et «sans émotion» (du style). Cet adjectif est apparenté au grec *iskhnos* de même sens (*kh* expressif), à l'avestique *hikuš*, et se rattache à la racine du sanskrit *siñcáti* «il verse».

♦ En français, l'adjectif reprend les acceptions du latin avec des valeurs concrètes et abstraites; il s'emploie aussi comme nom masculin et comme adverbe. On passe de l'idée d'«absence d'humidité» à celle de «manque (de liquide, puis d'un élément quelconque)». *Sec* qualifie une plante desséchée et s'applique ensuite (v. 1112) à ce qui est dépourvu d'humidité, ne renferme pas d'eau, d'où l'emploi substantif pour «lieu sec», collectivement (v. 1112, *au sec*). *Le sec* n. m. désigne (1773) une terre sèche à marée basse. ◇ Au XIIIe s., le sens concret s'applique aussi à ce qui est séché par un traitement approprié (1273), d'où ***raisins secs*** et *le sec*, pour «fourrage sec» (1342), opposé à *le vert*. Au figuré, on disait *employer le sec et le vert* «tous les moyens» (1450). ◇ La peau, la langue dépourvue de son humidité naturelle est aussi dite *sèche* (1389, *bouche sèche*). ➜ ***À sec***, où *sec* est substantivé, correspond à «sans eau» en parlant d'une rivière (XIVe s.) et à «sans se mouiller» à propos d'un être vivant (1530). ***À pied sec***, où *sec* est adjectif, a le même sens (*a sec pé*, XIVe s.). À la fin du XVIe s., par figure, ***être à sec*** signifie «n'avoir plus d'argent»; de là viennent *réduire qqn à sec* (1658), aujourd'hui ***mettre qqn à sec*** (1690; dès 1531, *mettre qqn à sec d'argent*). *À sec* évoque en même temps l'emploi suivant. ◇ En termes de marine, ***à sec*** s'est dit pour «hors de l'eau» (1607), puis pour «sans voile hissée» (1611), remplacé par ***à sec de voiles*** (1871), ***à sec de toile***. *À sec* évoque aussi l'échouage — cf. *sur le sable** — et se prête à diverses métaphores, comme on vient de le voir. En outre, ***être à sec*** «n'avoir plus rien à dire» (1559) s'emploie moins que ***être, rester sec*** «être incapable de répondre (par ex. à un examen)», beaucoup plus récent (1866); *mettre qqn à sec* «le réduire au silence» (1678) est sorti d'usage, mais on peut y rattacher des emplois plus récents. ◇ *Sec* se dit aussi pour «sans pluie»: ***saison sèche*** (fin XIVe s.), d'où *le sec* n. m. (v. 1265), et ***il fait sec*** (XVIIe s.).

Sec se dit par analogie à partir du XIIe s. d'une personne qui a peu de graisse, d'où les locutions *être sec comme un pendu* (1690), disparue, ***sec comme un hareng*** (1845), ***un échalas,*** etc. et l'emploi comme nom masculin (1835, *un grand sec*). L'emploi figuré pour «sans argent» (1640, *être sec*), qui vient peut-être de ces comparaisons, est sorti d'usage (remplacé par *à sec,* ci-dessus). ◇ Depuis le milieu du XIIe s., l'adjectif s'emploie pour qualifier ce qui n'est pas accompagné du liquide (ou d'un autre élément) auquel il est généralement associé, dans *pierre sèche* «sans mortier» (1538, *mur de pierres sèches*). ***Toux sèche*** (1210) réalise une valeur voisine. ◇ L'adjectif s'applique (1156, *pays sec*) à ce qui est sans humidité atmosphérique, le nom désignant (v. 1265) l'état de ce qui est sec. ◇ Par figure (fin XIIe s.), ***vin sec*** s'oppose à *vin doux* avec l'idée de «non sucré»; cet emploi a entraîné celui de *demi-sec.* ➜ Par extension, *sec* signifie «non accompagné d'un autre élément», d'abord comme adverbe dans *payer sec* «comptant», puis dans *argent sec* «net de tout frais» (1260), d'où *rente sèche* (1610), sens disparu. *Pain tot sec* «sans autre aliment» (XIIIe s.) est devenu ***pain sec,*** spécialement à propos d'une punition au collège (1671). La même idée se retrouve dans ***coup sec*** «rapide et bref» (1703), et aussi «coup unique, décisif, par exemple au jeu de dés et dans l'expression familière — très courante au Québec — ***d'un coup sec*** «d'un seul coup». Cf. ci-dessous *en cinq sec*, etc. et ***bruit sec*** «sans résonance» (déb. XIXe s.). ➜ Dans le domaine abstrait avec l'idée d'absence, l'adjectif s'applique à une personne qui manque de sensibilité (v. 1226, ***cœur sec***) et à ce qui manque de grâce, de charme (v. 1265). ➜ Au figuré, ***tout sec,*** loc. adv., a signifié «aussitôt» (XVe s.) puis «uniquement, absolument» (1580). ◇ *Sec* s'emploie aussi comme adverbe pour «d'une façon brusque» (XVe s.), «avec netteté» (fin XVe s.), puis «rapidement», «brutalement» (1582, ***aller sec***). ◇ Au début du XVIe s., *sec* s'employait comme interjection pour «vivement!», emploi disparu sauf en alpinisme pour donner l'ordre de tendre la corde.

Toujours avec une valeur abstraite, *sec* se dit de paroles, de manières qui témoignent de brusquerie, d'une intention blessante (1580), par exemple dans *d'un ton sec,* d'où les locutions disparues *la donner sèche* «donner une mauvaise nouvelle sans précautions» (1661) et *tête sèche* «personne qui se met facilement en colère» (1694).

À partir du XVIIe s. se développent de nouvelles valeurs, surtout dans des locutions ou expressions. Ainsi, ***tissu sec*** (1636) signifie «à tissage bien marqué». ◇ L'adjectif s'emploie figurément en parlant d'un discours, d'une œuvre (1636), ensuite du style (1680) et de l'esprit (1690), sens qui existaient en latin et qui ont pu faire l'objet de réemprunts. Par allusion aux larmes absentes, ***d'un œil sec*** signifie «indifférent» (1670). ◇ Dans l'usage familier, *sec* a signifié au XVIIe s. «mort» (1676; 1690, *il y a longtemps qu'il est sec*). ◇ L'adjectif s'applique spécialement (1676) à une œuvre d'art dont les contours sont marqués durement et, techniquement (1690), à des métaux cassants. Dans ce même domaine artistique, mais avec le sens propre, *gravure à la* ***pointe sèche*** (1765) est concret et technique. ◇ *Sec* peut correspondre à «sans élément ajouté» (cf. ci-dessus *tout sec*). Dans *jouer en cinq secs* (1877) «jouer en une seule manche de cinq points (à l'écarté)», *sec* est substantivé; d'où l'emploi adverbial ***en cinq sec*** «rapidement» (1896). La locution adverbiale ***aussi sec*** «sans hésiter et sans tarder» (1904) est familière. ***L'avoir sec*** (1914-1918, argot de la guerre) «éprouver une déception», «être mécontent», familière, n'est pas clairement expliquée, mais recourt à l'idée de privation. ➜ La valeur initiale, «sans liquide», se réalise dans de nouveaux emplois spécialisés. Ainsi, ***nourrice sèche*** (1871) signifie «personne qui élève un enfant sans lui donner le sein». ◇ Si ***boire sec,*** où *sec* est adverbe, signifie depuis le XVIIe s. (1640) «boire sans eau», c'est-à-dire «boire beaucoup de vin et d'alcool», *sec* peut correspondre à «sans alcool» dans ***pays sec,*** désignant (1923) un pays qui interdit la consommation d'alcool, et ***régime sec*** (1933) «qui exclut toute boisson pendant les repas», par extension «régime sans alcool». ➜ Au sens extensif de «non accompagné d'un autre élément» (ci-dessus), *sec* qualifie une guitare sans amplificateur, un licenciement sans mesures sociales, un voyage en avion sans prestations hôtelières (mil. XXe s.).

▶ **SÉCHERESSE** n. f. désigne concrètement l'état de ce qui est dépourvu d'humidité (v. 1120, *secherece;* XIVe s., écrit avec deux *s*), en particulier en parlant de l'atmosphère (v. 1175). ◇ Le mot a eu le sens extensif de «privation de qqch.» (1195, *secherece*). ◇ En emploi absolu, il se dit pour «temps sec» (v. 1354). ◇ Avec une valeur abstraite, il désigne un comportement froid, brusque (v. 1650), l'aridité de l'esprit (1659) et le manque d'argent (1668); les deux derniers emplois ont disparu. ◇ Le substantif s'emploie (1667) pour une œuvre «sèche», qui manque d'ampleur, de douceur, et spécialement une œuvre littéraire qui manque d'agréments (1690). ◇ Le sens de «manque de sentiment» (1680) a vieilli, comme, en termes de religion, «manque de ferveur» (1690), en ce sens souvent employé au pluriel. ◇ Enfin, *sécheresse* est sorti d'usage pour «maigreur (d'une personne)» (1756). ➜ **SÈCHEMENT** adv. est d'abord attesté au figuré (XIIe s., *sekement*) pour «d'un ton sec, froid»; il a signifié «en un lieu sec» (1308), sens disparu, et s'emploie pour «avec un style sans agrément» (1636; 1690, en peinture). ➜ **SÉCHERON** n. m., attesté isolément au XIIIe s. pour «échalas usé», désigne régionalement (Est) un pré sec situé sur une pente (XVIe s.). ◇ Il est dialectal au sens de «personne maigre» (1871). ➜ ① **SÈCHE** n. f., féminin substantivé de l'adjectif, a d'abord eu le sens de «terre» (v. 1300, *saiche*). Le mot désigne un banc (de sable, etc.) à sec à marée basse (1515, *sesque;* 1619, *sèche*) et, en marine, des écueils qui affleurent (1730). Le mot s'est dit d'une poire séchée (1607, *seiche*). Il désigne aussi une vergue sans voile (1842), et une maladie des pins dans les Landes. ➜ Au sens d'«écueil», *sèche* a pour variante ① **SEICHE** n. f., mot régional (Genève) qui désigne les oscillations à la surface d'un lac (1730). ➜ **SÉ-**

COT, OTE adj. (av. 1850) et n. (1867), diminutif de *sec*, est familier pour «maigre».
② **SÈCHE** n. f., terme familier et vieilli (1874) pour «cigarette», est peut-être une substantivation du féminin de *sec* : la sèche, cigarette de manufacture, aurait été opposée à la cigarette roulée à la main, dont on collait le papier en l'humectant de salive. Cette étymologie est hypothétique.

SÉCHER v. (v. 1120), aussi *sechier* (XIIe s.), est issu du latin *siccare* tr. et intr. «rendre sec», «faire sécher», «vider complètement», «se sécher», dérivé de *siccus*. Le verbe signifie d'abord «assécher, tarir», puis «rendre sec» (v. 1150) et «faire dépérir, faire tomber (le vent)» (v. 1160). ◇ Il a aussi un emploi intransitif, «devenir sec» (v. 1155), en particulier en parlant de la végétation (v. 1175), d'où *sécher sur le pied* (1694), aujourd'hui ***sécher sur pied***, au figuré «ne pas trouver à se marier» (1718). ◇ *Sécher*, intransitif, signifie «s'assécher» (v. 1170). Au XVIe s., il s'emploie en parlant d'une partie du corps (1550), remplacé par *se dessécher*, et dans la locution *sécher sur ses pieds* «être plein d'inquiétude», qui a diverses formes à l'époque classique. ➜ Le transitif s'emploie aussi dès le XIIe s. pour «rendre sec par un procédé (des fruits, etc.)» (v. 1170). ◇ *Se sécher* est attesté au XVIe s. (1547; sens passif 1538). ◇ Dans un tout autre domaine, ***sécher ses larmes*** s'emploie (1640) au propre, et au figuré pour «dominer son émotion»; ***sécher les pleurs de qqn*** (1670) signifie «le consoler». ◇ ***Sécher un verre*** signifie familièrement «boire, vider» (1880). ➜ Le pronominal *se sécher* est attesté au XVIe s. (1538) pour «devenir sec». Avec un sujet nom de personne (1670), il signifie en particulier «sécher ses cheveux, son corps, ses vêtements». ➜ Le verbe est employé au XIXe s. (1866) en argot scolaire pour «mal noter (un candidat) de manière à recaler», sorti d'usage, puis «être embarrassé pour répondre» (1866), en relation avec *être sec* (ci-dessus) et avec ③ sèche (ci-dessous). ***Sécher un cours*** (1878) correspond à «ne pas y assister» et *sécher* a pris par extension le sens de «manquer l'assistance à (une réunion, etc.)». ◇ Le participe passé **SÉCHÉ, ÉE**, adjectivé dès l'ancien français (v. 1160), concerne surtout les valeurs concrètes du verbe. ➜ ③ **SÈCHE** n. f. est le déverbal de *sécher* au sens de «ne pas répondre» (ci-dessus) dans *piquer une sèche* (1880), qui correspondait à *être, rester sec* en ne répondant pas à une interrogation. Ce mot familier est sorti d'usage, mais le préfixé **ANTISÈCHE** n. f. (XXe s.), «information qui permet de ne pas rester sec dans une épreuve d'examen», mot d'argot scolaire, est toujours vivant.

Le verbe a lui-même plusieurs dérivés. ➜ **SÉCHERIE** n. f. est attesté isolément (XIIIe s., *secherye*) au sens de «sécheresse». Régionalement, il désigne un lieu où l'on fait sécher diverses matières (en parlant du poisson, 1333, Bretagne); cet emploi se généralise au XVIe siècle. Il a signifié (1591) «action de faire sécher le poisson». ◇ *Une sécherie* a désigné (1835) un lieu sec dans une forêt et (1933) une installation industrielle destinée au séchage. ➜ **SÉCHAGE** n. m. a désigné (1339, *saichaige*) un droit payé pour faire sécher qqch. dans le four du seigneur; il est repris en 1797 pour «action de faire sécher». ➜ **SÉCHOIR** n. m., attesté isolément au XVe s. *(sechor)*, désigne (1660) un lieu aménagé pour le séchage, puis un dispositif pour faire sécher (1701). Il se dit (1846) d'un appareil à faire sécher par évaporation, notamment (1904) les cheveux, et d'un dispositif composé de tringles pour faire sécher le linge (1902). ➜ **SÉCHEUR, EUSE** adj. et n., autrefois «personne qui fait sécher qqch.» (1611, *seicheur*), désigne au masculin un appareil de séchage (1871), spécialement un séchoir à tabac (1874) et un séchoir industriel (1904). ◇ Par ailleurs, **SÉCHEUSE** n. f. se dit notamment d'une machine pour sécher le linge (1876) et de la partie d'une couveuse où les poussins sont séchés après l'éclosion (1920). ➜ Le verbe a fourni plusieurs composés : **SÈCHE-CHEVEUX** n. m. inv. (1910), **SÈCHE-LINGE** n. m. (1936) et **SÈCHE-MAINS** n. m. inv. (XXe s.).

DESSÉCHER v. tr., formé avec *des-*, préfixe à valeur intensive (latin *de-*), est d'abord intransitif au sens de «devenir sec» en parlant d'un cours d'eau (v. 1170, *desechier; dessécher*, XVIe s.); on trouve dans ce sens en latin médiéval *dessicare* (VIIIe s.) et *dissicare* (IXe s.) d'où le verbe peut provenir. ◇ *Dessécher* est attesté ensuite au sens de «redevenir frais, perdre sa maigreur» (1215) : il s'agit clairement ici d'un composé en français et le préfixe *des-* a ici une valeur négative (latin *dis-*). Depuis le XIIIe s. *(desekier)*, il signifie «rendre maigre» puis, comme intransitif, «devenir maigre» (mil. XIVe s.). ◇ Il s'emploie ensuite au XIVe s., en parlant d'un arbre *(desicier)* et au sens de «rendre (plus) sec», spécialement en médecine (1559). ◇ *Dessécher* prend une valeur abstraite avec le sens de «rendre insensible» (1553), d'où *dessécher l'esprit, l'imagination* (1680). ➜ Le pronominal est attesté depuis le XVIe s. (1553, *se desecher*) et signifie au figuré «devenir maigre» (1672). Au sens abstrait, depuis le début du XVIIIe s., *se dessécher* se dit pour «désirer qqch. avec impatience au point de maigrir»; on dit encore *se dessécher d'ennui, de chagrin*, etc. Il signifie aussi (1829) «devenir insensible, sec». ➜ Du verbe dérive **DESSÉCHEMENT** n. m., employé avec une valeur concrète (1478; 1690, d'un étang) et au figuré (mil. XVIIIe s.), la graphie *dessèchement* est admise par l'Académie (1878). ◇ **DESSÉCHANT, ANTE** adj. s'utilise au propre (1555) et au figuré (XIXe s.).

ASSÉCHER v. tr. procède (déb. XIIe s.), d'après *sécher*, du latin *adsiccare* «sécher», préfixé de *siccare*. Il signifie «rendre sec (un terrain)» et «vider l'eau de (un réservoir, un récipient)». ◇ L'emploi intransitif, d'abord pour «rester à sec (d'un bateau)» (v. 1155), puis en marine pour «devenir sec» *(la mer assèche à marée basse)*, reste technique. ◇ Le pronominal *s'assécher* et le participe adjectivé **ASSÉCHÉ, ÉE** sont en revanche usuels, au propre et au figuré, comme variante de *se dessécher, desséché*. ◇ *Asséché* s'emploie figurément et familièrement pour «qui a très soif». ◇ Le dérivé **ASSÈCHEMENT** n. m. (1549) s'emploie au concret, d'abord en médecine, figurément.

◈ voir DESSICATIF, PÉTER (PÈTE-SEC), SICCATIF.

SÉCABLE

SÉCABLE adj. est un emprunt savant (1691) au bas latin *secabilis* «qui peut être coupé, divisé», dérivé de *secare* (→ scier). L'adjectif a repris en sciences le sens du latin. Il est demeuré rare.

► En dérive **SÉCABILITÉ** n. f. (mil. XXe s.).

Le contraire **INSÉCABLE** adj. est emprunté (1561) au latin *insecabilis* (de *in-* négatif), probablement antérieur au simple *secabilis*. ◇ L'adjectif, plus courant que *sécable*, a fourni **INSÉCABILITÉ** n. f. (1845).

SÉCANT, ANTE adj. est un emprunt savant (1542) au latin classique *secans*, *-antis*, participe présent de *secare*. Le mot s'est introduit comme terme de géométrie au sens de «qui coupe (une ligne, une surface)», d'où absolument *droite, courbe sécante*, opposé à *parallèle* et à *tangent*. ◇ L'adjectif a fourni les termes de mathématiques **SÉCANTE** n. f., par substantivation (1634), «droite sécante» et terme de trigonométrie (1680), et **SÉCANCE** n. f. (mil. XXe s.), «caractère d'une ligne sécante», mot très rare, notamment du fait de l'homonymie avec *séquence*.

SÉCATEUR n. m. est un dérivé savant (1827) du latin classique *secare*, formé d'après les nombreux mots savants en *-ateur*. Il désigne couramment un outil de jardinage servant à tailler les rameaux des plantes (1904, *sécateur à haies*) et par extension (1938) un instrument analogue utilisé pour découper les volailles. ◇ Le composé **SÉCATEUR-SERPE** n. m. (de *serpe*) est attesté en 1904.

SÉCESSION n. f., réfection étymologique (v. 1508) de *cecession* (1354, Bersuire), est un emprunt au latin *secessio* «action de se séparer, de s'éloigner», «séparation politique» et «retraite du peuple»; *secessio* est dérivé de *secessum*, supin de *secedere* «aller à part, s'écarter, s'éloigner», «se retirer» et au figuré «se séparer de qqn (opinion)»; le verbe est composé de *se-* marquant la séparation et de *cedere* «aller», «marcher», «s'en aller» (→ céder, cesser).

♦ Introduit au sens de «sédition», disparu en français classique, le mot est repris au début du XVIe s. (v. 1508), se disant de l'action par laquelle une partie de la population d'un État se sépare de l'ensemble de la collectivité *(faire sécession)* pour constituer un État indépendant ou se réunir à un autre. Par extension, le mot désigne en général (av. 1634) l'action de se séparer d'un groupe. ◇ Il s'emploie par réemprunt comme terme d'histoire romaine (1834) en parlant de la retraite de la plèbe sur le mont Sacré en 493 av. J.-C. ➛ Un emploi usuel du mot est dans *guerre de Sécession* (1866), calque de l'anglo-américain *War of Secession*, où *Secession* a la même origine que le français et désigne le conflit civil qui opposa le nord et le sud des États-Unis de 1861 à 1865.

▶ Du nom, et par emprunt de l'anglo-américain *secessionist* (1851), dérive **SÉCESSIONNISTE** adj. et n. (1861, adj.; 1866, n.), «qui fait sécession, lutte pour la sécession». ➛ **SÉCESSIONNISME** n. m. (1870) «doctrine qui prône la sécession» est obtenu par substitution de suffixe.

✳ **SECOND, SECONDE** adj. et n., écrit en ancien français *second* (v. 1155), *secunt* (1119), *secund* (v. 1138), avec une variante *segond, segont* (fin XIVe s.; 1220, en ancien provençal) demeurée courante jusqu'au XVIIIe s. et conforme à la prononciation, est emprunté au latin *secundus*, proprement «qui suit», ancien participe de *sequi* (→ suivre), avec une forme exceptionnelle en *-undus*. *Secundus* s'est d'abord dit du courant que descend la barque, du vent qui la pousse; s'opposant à *adversus*, il a signifié «qui va dans le même sens», d'où «favorable», puis «qui vient après, second», servant dès lors d'adjectif ordinal à *duo* (→ deux).

♦ C'est avec cette dernière valeur que *second* apparaît en français au début du XIIe s., d'abord adjectif (1119, *secunt*) pour «deuxième, qui suit immédiatement le premier» dans une succession, un ordre quelconque; aujourd'hui, il est généralement placé avant le nom et préféré à *deuxième*, dans un usage plus soutenu, lorsque deux objets seulement sont considérés ou que l'idée de rang n'est pas prépondérante. ◇ Puis est repris le sens figuré de «favorable, profitable» (v. 1180). À la même époque, l'adjectif s'emploie par extension en parlant de ce qui constitue une nouvelle forme d'une chose unique. ◇ Le nom est attesté au XIIe s. (*segonz*, v. 1260) aux sens de «cousin issu de germain» et de «second sujet de chanson»; comme le sens de «moitié» (1288, *secont*), ces acceptions ont disparu, mais la substantivation pour «second sujet de chanson» sera reprise en français moderne dans «second élément d'une charade» (***mon second***, 1842). ◇ Depuis la fin du XIVe s., *pain secont* s'est dit pour «pain bis» (cf. *pain secondaire**), emploi encore attesté au XIXe s. (1808, *pain second*). Une première locution est liée à l'idée de «nouveau, autre» : *n'avoir ni seconde ni première* (en parlant d'une femme) «être sans pareille» (fin XIVe s., E. Deschamps); suivront au XVIe s. d'autres locutions adjectives, aujourd'hui littéraires, marquant le caractère superlatif d'après un tour hérité du latin : *n'estre a nul second* (1559), *n'avoir point (jamais) de seconde* (1564) «être sans pareil», *sans second(e)*, archaïques, et, encore en usage, *à nul(le) autre second(e)* [XVIe s.] «unique, inégalable», c'est-à-dire tel(le) qu'il n'en existe pas de second(e), d'autre. Avec la première valeur du mot, *second*, substantif, désigne le cadet (de deux frères) [fin XVe s.]. *Noces secondes* (1559) est devenu ***secondes noces*** «deuxième mariage» (1680), surtout dans *(épouser) en secondes noces*. ➛ L'idée de «favorable», «qui aide» est reprise au XVe s. avec le nom (*segond;* 1580, forme moderne) pour désigner la personne qui accompagne un duelliste à titre de témoin, puis au XVIe s. un ami, un compagnon (1560) et la personne qui aide qqn dans une affaire (1587). ◇ De là aussi, en marine, *second* pour «vaisseau destiné à en soutenir un autre» (1675; 1680, *vaisseau second*). ◇ À la fin du XVIe s., on relève la locution adverbiale *au segond* «en second lieu», maintenant (1694) ***en second*** «en second rang». Avec l'idée de classement hiérarchique, l'adjectif s'emploie dans *capitaine en second* (1672), devenu (1765) *second capitaine*, puis par substantivation (1823) *le second* (en marine). ◇ Également en français classique, le substantif féminin désigne en musique (1671) un intervalle entre deux degrés. ◇ Par ailleurs, l'adjectif se dit de ce qui dérive d'une chose primitive (1690, *causes secondes*), toujours placé après le nom dans cet emploi. ◇ Dans le domaine de l'enseignement, on disait *second* n. m. (1690) pour «élève de la seconde classe»; *seconde* n. f. désigne (1718) la classe qui précède la rhétorique (c'est aujourd'hui la première) puis, par métonymie (1845), l'ensemble des élèves de cette classe. Le *second* n. m., pour «second étage d'une maison», est attesté en 1740. Au XIXe s., les emplois de l'adjectif s'enrichissent par des locutions comme ***seconde vue*** (1812), aussi *don de seconde vue* «vision intuitive, non physique», ***en second lieu*** «après, d'autre part» (1857), ***de seconde main*** «par un intermédiaire» (1871), qui a voulu dire (déb. XIXe s.) «sans originalité» et qui remplace *de la seconde main* (1723). En termes de vénerie, ***cerf à sa seconde tête*** désigne (1876) un cerf de trois ans. ◇ On retrouve la notion de classement hiérarchique et d'aide appliquée aux personnes (voir ci-dessous) dans l'emploi du nom : *le second* et *la seconde* (1885, Zola) désignant une couturière qui assiste la première, un vendeur qui vient après un chef de rayon. ◇ ***Seconde classe*** (1890) se dit à propos des véhicules de transport public (aussi *seconde* n. f.). *La seconde* «seconde vitesse d'une automobile» (1935), *seconde vitesse* étant attesté dès 1899, donne lieu à *être, passer en seconde.* ◇ Au milieu du XXe s., l'adjectif s'emploie en parlant de ce qui se manifeste simultanément, constitue un dédoublement, dans ***état second.***

▸ **SECONDEMENT** adv. «en second lieu» (1529) s'est d'abord écrit *segondement* (1284); il est resté vivant en concurrence avec *deuxièmement.* ◆ **SECONDER** v. tr., dérivé de *second* ou emprunté au latin *secundare* «favoriser, rendre heureux, seconder» (dérivé de *secundus*), apparaît au sens de «répéter, recommencer» (XIIIe s., *segonder; seconder,* XVIe s.), rapidement sorti d'usage, puis signifie, d'après *second* (1343, *segonder,* intr.), «venir après», sens en usage à l'époque classique ainsi que le transitif (apparu au XVe s.), aussi au sens d'«égaler (qqn) par l'imitation» (1559). Ces emplois ont eux aussi disparu, sauf par archaïsme, après le XVIIe siècle. ◇ Le sens moderne, «aider (qqn) en tant que second, dans un travail, etc.», est attesté en 1529 (aussi en ancien provençal *segondar*); le verbe s'emploie par extension (mil. XVIe s., Ronsard) pour «favoriser (les actions de qqn)». ◆ **SECUNDO** adv. est emprunté (1419) au latin *secundo* adv. «en second lieu», de l'ablatif de *secundus.* Il s'emploie en corrélation avec *primo* pour «secondement».
SECONDAIRE adj., emprunté au latin *secundarius* «secondaire, de seconde qualité», dérivé de *secundus,* apparaît sous la forme *secundaire* (1287) puis *secondaire,* d'après *second* (v. 1372), au sens de «qui vient au second rang». Avec cette valeur, on relève *pain secondaire* «pain bis» (1596), calque du latin *secundarius panis* «pain de ménage» (cf. ci-dessus *pain second*), et *planètes secondaires* «satellites» (1721); ces deux emplois ont disparu. ◇ Au XVIIIe s., avec une valeur causale, l'adjectif se dit de ce qui dérive ou dépend (de qqch.), d'abord en médecine dans *fièvre secondaire* «qui survient après une crise» (1743), qui ne se dit plus, puis dans *hémorragie secondaire* (1871), *accident secondaire,* etc. Depuis la fin du XVIIIe s., le mot s'emploie en parlant de ce qui constitue un second ordre dans le temps, spécialement opposé à *primaire**, dans *écoles secondaires, enseignement secondaire* (1845), d'où *le secondaire* n. m. (XXe s.). Avec cette même valeur, le mot s'emploie en géologie (1786, H. de Saussure) dans *période secondaire* (opposé aussi à *tertiaire*), d'où *le secondaire* (déb. XXe s.). L'adjectif se dit spécialement en chirurgie (1871) d'un temps opératoire postérieur à un autre. Avec l'idée causale, *secondaire* devient un terme didactique au XXe s. en psychologie, physique, grammaire, économie (*secteur secondaire;* aussi *le secondaire* n. m.), emplois où il s'oppose en général à *primaire, tertiaire.* ◆ L'adjectif a fourni **SECONDAIREMENT** adv. (1586; 1377, *secundairement*) et **SECONDARITÉ** n. f. (1945), terme de caractérologie.
SECONDE n. f. est emprunté (1636, Mersenne) au latin médiéval *secunda minuta,* pluriel neutre, proprement «parties *menues [minuta]* résultant de la *seconde* division de l'heure ou du degré», composé de *secundus* et de *minutus* «petit» (→ minute). ◆ *Seconde* est d'abord attesté au sens de «60e partie d'une minute», acception usuelle et dominante. Il s'emploie par ailleurs en géométrie et en astronomie (1671), désignant une unité égale au 1/60e d'une minute. Au XIXe s. apparaît le sens extensif de «temps très court» (1830), d'où par ellipse *une seconde!* «attendez un instant». De l'emploi comme unité de temps viennent la locution technique ***arrêt, départ à la seconde*** et, par métonymie, *seconde sautante* «aiguille des secondes». ◆ **PARSEC** n. m., composé (1923) de *par[allaxe]** et de *se-c[onde],* terme d'astronomie, désigne une unité de longueur valant 3,26 années de lumière.

SECONDAIRE, SECONDER → SECOND, SECONDE

SECOUER v. tr. est une réfection (1538; v. 1450 «rudoyer») de l'ancien français *secorre* (v. 1174), puis *secourre* (XVe; jusqu'au déb. XVIIe s.), homonyme d'un autre verbe (→ secourir); il est issu par évolution phonétique du latin *succutere* «secouer par dessous», composé de *sub* «sous*» et de *quatere* «secouer, agiter», «frapper (le sol)», «bousculer» et au figuré «ébranler, émouvoir» (→ casser); ce verbe, employé presque uniquement en poésie à l'époque impériale, a fourni des composés en *-cutere* (→ discuter, percuter); il est d'origine inconnue.

♦ *Secouer* signifie d'abord «remuer avec force dans un sens puis dans l'autre, à plusieurs reprises» puis, par extension, «se débarrasser (de qqch.) en se secouant» (XVe s., *secourre;* 1550, *secouer*). Par figure, *secourre* (1524) puis *secouer la poudre de ses pieds* (1553,) puis *la poussière* signifie «s'éloigner d'un lieu avec colère», emploi archaïque. La locution figurée ***secouer le joug*** «s'affranchir de la domination» (1538) précède *secouer qqch.* (de désagréable) [1671], *secouer les préjugés* (1683), *secouer le joug des passions* (1694). ◇ *Secouer le pelisson* [pelisse, manteau] *à qqn* (v. 1550) «le battre, le malmener» est devenu *secouer le paletot à qqn* et *secouer qqn* (1636), aussi employé pour «réprimander (qqn)» (1666), avec la variante expressive ***secouer les puces*** (1690), demeurée vivante. ◇ Le verbe s'emploie spécialement (1559) pour «mouvoir brusquement et par saccades (une partie de son corps)», notamment dans *secouer la tête* (1677, pour refuser). Par figure (1588) et surtout au passif aujourd'hui, il signifie «ébranler par une commotion physique ou morale». ◇ À la fin du XVIe et au XVIIe s., les locutions figurées *secouer une femme, secouer le pochet* ont eu le sens de «faire l'acte sexuel». Ce sémantisme, souvent occulté, est lié à celui du coup et il est important pour ce verbe. ◇ Avec l'idée de «faire mouvoir», la locution *secouer la bride à qqn* «l'exciter à un effort» (1690) a disparu, mais on emploie encore *secouer qqn* pour «le faire sortir de son inaction». Dans ce sens, le pronominal *se secouer* (1774), qui avait depuis la fin du XVIIe s. le sens de «se dégourdir, faire de l'exercice», correspond à «commencer à agir, sortir de la paresse ou de l'inaction». ◇ La locution figurée ***secouer le cocotier*** (XXe s.) signifie «obliger une personne âgée à céder sa place pour l'occuper»; cette locution vient de l'anthropologie pittoresque du XIXe s., des ethnies polynésiennes ayant été décrites comme éliminant les vieillards qui n'avaient plus la force de grimper aux troncs de cocotier.

▸ **SECOUSSE** n. f., féminin substantivé (v. 1460) de l'ancien participe passé du verbe *secorre, secos* (v. 1215), *secous* (XVe s.), désigne un mouvement brusque qui ébranle un corps. Le mot a signifié (1534) «élan, mouvement en avant» dans la langue classique, d'où la locution figurée *prendre une secousse* «mourir» (1725), sortie d'usage. L'idée de «mouvement violent» est réalisée dans les anciennes locutions *donner la secousse* «faire une offensive» (v. 1530), *donner une mauvaise secousse* «battre» (1549) et dans l'emploi figuré pour «atteinte portée à une institution» (1559). Les locutions adverbiales *à secousses* (av. 1580), *par secousse* (1690) «par à-coup» puis *par secousses* (déb. XVIIIe s.) sont courantes dans la langue classique, comme *à secousse* «tant bien que mal» (1667). ◇ En emploi concret, *secousse* se dit spécialement en parlant d'un tremblement de terre, etc. (1690, d'un volcan). ◇ Divers emplois abstraits, par exemple «choc psychologique» (1580), ont eu cours, parmi lesquels celui d'«agression, critique violente» (1659). Seule l'idée d'action vive est encore exprimée dans ***donner une secousse*** (1888), figuré et familier pour «travailler avec ardeur», plus courant en tournure négative (***ne pas en ficher une secousse,*** 1883). ◇ Une valeur sexuelle correspond au sémantisme de *secouer* (ci-dessus).

SECOUEMENT n. m., dérivé de la forme moderne du verbe (1538; 1528, *in* Bloch et Wartburg), est considéré comme peu usité par l'Académie en 1798. Il est d'usage littéraire. ◆ **SECOUÉE** n. f., d'abord dans l'expression disparue *secouée de bride* «saccade» (1598), est attesté à partir du XIXe s. comme terme régional pour «commotion brusque» (1835), «action de secouer, querelle» (fin XIXe s.), «brusque coup de vent» (1897), «correction» et «querelle vive» (1907). Le mot est archaïque. ◆ **SECOUEUR, EUSE** n., relevé au sens aujourd'hui rare de «personne qui secoue» (1611), est devenu un terme technique en fonderie (1782, n. m.; 1765, *secoueux*) et en agriculture (1904, n. m.). ◆ **SECOUAGE** n. m., «action de secouer», d'abord technique (1875, *secouage du tabac*), s'emploie quelquefois comme synonyme (1877) de *secouement.* ◆ Aucun de ces dérivés n'est usuel en français contemporain.

SECOURIR v. tr. représente la réfection d'après *courir* de l'ancien français *sucure* (1080), *secorre* (v. 1155), *secourre* (XIIIe s.), issu du latin *succurrere* «se trouver dessous dans sa course», «affronter», «se présenter à l'esprit», «courir au secours»; ce verbe est composé de *sub-* indiquant la position inférieure (→ sous) et de *currere,* au supin *cursum,* «courir*».

♦ En ancien français, *secorre, secourre* (homonyme d'un autre verbe; → secouer), refait en *scourir* (1410) puis *secourir* (fin XIVe s.), construit avec *à,* avait le sens général de «porter secours à qqn»; il a repris aussi le sens latin de «remédier à» (1466, *sequeure*). ◆ Verbe transitif, *secourir (qqn)* signifie «venir en aide à (une personne dans le besoin)» (1534, Rabelais), puis «aider (qqn qui a besoin d'un soutien moral)» (1559) et «venir au secours de (une personne en danger)» (1580). Tous ces emplois sont demeurés usuels.

▸ **SECOURABLE** adj. (1170), d'abord *socurable* (v. 1155), s'applique à une personne qui secourt volontiers les autres. ◇ Au sens de «qui peut être secourue» en parlant d'une place de guerre (1575), l'adjectif est sorti d'usage. ◆ **SECOUREUR, EUSE** adj. et n., réfection (fin XVe s.) de *sucureor* (1165-1170, n. m.), puis *secourrere* (XIVe s.) est rare au sens de «qui secourt» (cf. *sauveteur*). En histoire, il désigne (1842) un membre d'une secte protestante écossaise fondée en 1755. ◆ **SECOURISTE** n. et adj. a désigné (1750, n. m.) celui qui en guise de secours faisait subir des tourments aux convulsionnaires de Saint-Médard. ◇ Il se dit aujourd'hui du membre d'une société de secours (1835) et d'une personne qui applique des méthodes de sauvetage. ◆ Ces dernières sont appelées **SECOURISME** n. m. (1941), mot obtenu par changement de suffixe, formé une première fois (1759) au sens religieux de *secouriste.*

SECOURS n. m., réfection (fin XIIe s.) de *socors* (v. 1050), *secors* (v. 1175), issu du latin pop. *succursum,* du supin de *succurrere,* désigne d'abord une aide dans le danger, spécialement (XIIIe s.) une aide militaire, ou remédiant au besoin puis, par extension, ce qui est utile, ce qui aide dans une circonstance donnée (v. 1190), en parlant de la mémoire, de la grâce, etc. Dans le premier sens attesté, il entre dans des expressions comme *venir a secours* (XIIe s.), *demander du secours, premiers secours, crier, appeler au secours,* et dans l'exclamation ***au secours!*** (1690). ◇ Il a désigné (1425) une poche attachée à une robe, servant en cas de besoin. ◇ Au sens courant, il s'emploie en particulier dans la locution ***venir au secours de qqn*** (1538); *secours d'Espagne* «aide qui arrive quand elle n'est plus nécessaire» (1549) a disparu, comme *secours des Vénitiens, de Lombardie* (1611) qui avait la même valeur. Ces expressions sont construites sur le même modèle que *promesse de Gascon.* ◇ ***De secours*** «destiné à servir en cas de danger, de nécessité» (av. 1559) apparaît d'abord dans *porte de secours* «porte d'une citadelle qui donne dans la campagne, par laquelle on peut recevoir des secours ou s'enfuir», d'où en français actuel *porte, sortie de secours* à utiliser en cas d'urgence. *Église de secours* s'est dit (1690), d'après le latin médiéval *succursus* (XIIe s.), d'une église bâtie pour la décharge d'une paroisse. *De secours,* en français moderne, entre dans de nombreuses expressions comme *poste de secours* (1907), *roue de secours* (1935). ◇ Le mot s'emploie spécialement à propos d'une aide militaire («troupe», v. 1190), puis (1668) en parlant d'une aide matérielle, financière (1878, dans la législation sociale). ◇ Il désigne par métonymie (1671) l'ensemble des moyens destinés à secourir une personne en danger et l'ensemble des personnes qui secourent qqn.

◈ voir SUCCURSALE.

✷ ① **SECRET** n. m. est la réfection (XVIe s.) d'après le latin de *segrei* (v. 1138), *secroi* (v. 1150), *secré* (v. 1155), formes issues du latin *secretum* «lieu écarté», «pensée ou fait qui ne doit pas être révélé», «mystères (du culte)». Ce nom neutre est la substantivation de l'adjectif *secretus* «séparé, à part», «solitaire, isolé, reculé», «caché» et «rare». *Secretus* a abouti par la forme *segrei, segreie* (v. 1165) à l'adjectif *secret, ète* (1180), aussi *secré, ée* (v. 1190) et *segret* (1372), la forme *secret* s'imposant d'après le latin. ◇ L'adjectif latin vient du participe passé passif de *secernere* «séparer» et au figuré «mettre à part, rejeter», verbe composé du préfixe *se-* marquant la séparation et de *cernere,* au participe passé *cretus,* «trier, passer au crible», d'où «distinguer, discerner», par affaiblissement «voir», «choisir entre différentes solutions» et «décider» (→ concerner, décerner, discerner). *Cernere* se rattache à une racine de forme °*krei-* «séparer», que l'indoeuropéen oriental ne connaît pas, mais qui se trouve en grec, en italique, en celtique et en germanique.

♦ Venus par voies parallèles, l'adjectif et le nom ont eu des évolutions semblables, mais distinctes. *Secret,* substantif, a désigné dès l'origine un ensemble de connaissances réservées à quelques-uns (v. 1138), passant rapidement à l'idée d'un échange de connaissances réservées donnant lieu à conseil, à avis (*secré,* v. 1155), notamment dans le contexte du pouvoir politique (v. 1160-1170). Cette connotation relie le mot à *secrétaire* et à des emplois anciens de l'adjectif *secret.* ◇ Cependant, le nom s'emploie aussi plus généralement, s'agissant des éléments de la vie privée qui ne doivent pas être connus de tous. ***En secret*** (*en secroi,* v. 1150; *en segret,* au XVe s. [apr. 1450]) correspond à «sans témoins et sans rien ébruiter»; l'expression est renforcée dans ***en grand secret*** (1470), alors que *à secret* (XVe s.), *sous le (son) secret* (1616) ont disparu. Le passage du contexte politique à celui de la vie privée est net dans le *sceau du secret* (1316, *scel*) «sceau royal utilisé pour cacheter les plis secrets», qui a donné lieu à ***sous le sceau du secret*** (1681) «en confidence, en faisant promettre de ne rien révéler». ◇ Parfois, *secret* ne correspond à rien d'autre qu'à une communication restreinte, faite à voix basse. C'est le cas dans *le secret de la messe,* qui correspondait à *messe secrée* (v. 1280) «messe basse». ➡ Plusieurs valeurs se développent en moyen français. L'une d'elles correspond à plusieurs euphémismes. Ainsi, l'expression *les secrets* a servi à désigner les parties sexuelles (v. 1360) et *le secret* les besoins naturels (1421), *laisser un secret* s'employant plaisamment au XVIIe s. pour «faire un pet discret» (1640). ◇ Une autre valeur manifeste le passage de la notion d'information réservée à celle de procédé connu de quelques-uns (1270, *secré;* 1549, *secret*). Cette idée de «moyen lié à un savoir réservé» se développe en français classique, avec la nuance de «moyen ingénieux» (1643) et surtout de «moyen, procédé, méthode devant faire l'objet d'un enseignement» (mil. XVIIe s.), par exemple dans *les secrets d'un art* (*de l'art d'écrire,* 1685) et plus tard dans *secret de fabrication,* retrouvant d'ailleurs ensuite le sémantisme de l'information cachée ou à cacher *(secret industriel).* ➡ Depuis le XVIe s., l'idée de «contenu caché» (attesté 1549) s'intériorise et *secret* (souvent au pluriel) s'applique à la psychologie intime et non révélée : *secret* (ou *secrets*) *du cœur* (1560), *le secret de qqn,* d'où *avoir le secret de qqn* (1673) «avoir compris sa psychologie». ◇ Un emploi métonymique pour «discrétion absolue» (1667) a disparu après le XVIIe s., un autre pour «confidence» est devenu archaïque, sauf dans des expressions verbales du type *confier un secret.* Dans *n'avoir pas (point) de secret pour qqn* (enregistré par Furetière en 1690) ou dans *c'est mon secret* (1835), *secret* correspond en revanche à «ce qui n'est pas confié». ◇ *Le secret* peut aussi faire référence à la situation de ceux qui connaissent une information par ailleurs secrète. De là *être du secret* (1690), remplacé par *dans le secret* (1775), et *mettre qqn dans le secret* qui semble postérieur (attesté fin XIXe s.). ◇ L'information que l'on prétend cachée ou réservée ne l'étant pas toujours, *secret* entre dans des locutions dérisoires, telles *le secret de la comédie* (1694), c'est-à-dire «de la pièce de théâtre, que le public peut entendre», puis *un secret de comédie* (attestée au XIXe s. [1870]). Ces formules ne s'emploient plus, mais on dit encore *le* (ou *un*) *secret de polichinelle* (1808); Polichinelle, personnage grotesque de la commedia dell'arte, étant berné, ses secrets n'en sont plus. ◇ Par ailleurs, l'information cachée, hors du contexte de la vie privée, n'est pas politique, ce qui est le cas pour ***secret d'État,*** lequel s'est appliqué au XVIIe s. à un projet de coup d'État (1667) et est enregistré au sens général de «secret politique» en 1694 (dictionnaire de l'Académie), recevant au XIXe s. une valeur figurée, «secret important» (attestée 1875). ***Secret défense,*** «secret intéressant la défense du territoire», est devenu le type même du secret impénétrable, inviolable. *Secret* s'applique au devoir absolu de réserve dans certaines circonstances religieuses (*secret de la confession,* 1690) et professionnelles, pour les avocats, médecins, etc. (*secret professionnel,* attesté 1875).

Concrètement, *secret* désigne un mécanisme, d'abord une machinerie de théâtre cachée (1496), qui ne joue que dans des conditions connues d'une ou de quelques personnes (1690) et une cachette dans un meuble *(armoire, tiroir à secret),* en concurrence avec un emploi de l'adjectif *(tiroir secret).*

L'évolution de ② **SECRET, SECRÈTE** adj., depuis le XIIe s. (voir ci-dessus l'étymologie), est à peu près parallèle à celle du nom. L'adjectif qualifie d'abord un lieu retiré (1165-1170, *segrée*); de là *chambre secrète* (1380) puis *lieux secrets* (1534) pour «lieux d'aisances», acception qui correspond à un emploi du nom (ci-dessus). *Lieu secret* (v. 1462) a d'ailleurs eu par un autre euphémisme le sens de «parties sexuelles» (ci-dessus *les secrets*) et *maladie secrète* (1559) celui de «maladie vénérienne». ◇ Puis l'adjectif développe comme le nom la valeur de «qui n'est connu que de quelques personnes», qualifiant un moyen d'action (1355). Appliqué à un lieu, *secret* correspond depuis le XVIe s. (1529) à «qui est difficile à trouver». ◇ Il se dit aussi de personnes qui ne se confient pas (v. 1150, *secroie*). ◇ De même que le nom, l'adjectif s'applique à ce qui n'est pas divulgué en politique, en particulier dans ***conseil secret du roi*** (1611). ◇ Puis *secret* qualifie ce qui n'est pas visible ou compréhensible (1655), spécialement dans ***langage secret*** (1669), et ce qui appartient à un domaine réservé de connaissances ésotériques : ***sciences secrètes*** (1690) correspond à «connaissances occultes». Diverses applications à des domaines particuliers donnent lieu à des syntagmes; l'idée de discrétion pour des actes privés dans ***mémoires secrets*** (1754), celle d'action politique cachée dans ***fonds secrets*** (1871) et ***police secrète,*** d'où *la secrète* n. f. (1893).

▸ **SECRÈTEMENT** adv., «d'une manière secrète», est la réfection (1320), d'après *secret,* de formes anciennes : *secréement* (v. 1120), *segreement* (apr. 1225), la variante *segretement* (v. 1440) ayant elle aussi cédé devant *secrètement.* ◇ L'adverbe reprend les valeurs de l'adjectif. ➛ **SECRÈTE** n. f., d'abord «trésorerie du prince» (v. 1260), a désigné des objets concrets cachés : une calotte de fer (XVe s.), encore portée à l'époque classique sous le chapeau comme défense de tête, un jupon de dessous (1660). Dans le vocabulaire religieux, *secrète* désigne (1690) la partie de l'oraison dite à voix basse, correspondant à *secret de la messe* (ci-dessus).

③ **SECRET** n. m., terme technique attesté en 1875, mais antérieur, représente un emploi spécialisé de *secret* n. m. et désigne une solution de nitrate de mercure, utilisée pour la confection du feutre en chapellerie. ◇ En dérive **SECRÉTER** v. tr., «frotter avec le secret» (1776), d'où **SECRÉTAGE** n. m. (1790) et **SECRÉTEUR** n. m. (1806).

◈ voir SECRÉTAIRE, SÉCRÉTION.

SECRÉTAIRE n. est emprunté (v. 1180 [seulement v. 1330, selon T.L.F.]) à deux dérivés de *secretum,* supin de *secernere* «écarter» (→ secret) : *secretarium* n., en bas latin «lieu retiré, isolé», spécialisé pour «sacristie» et «salle d'audience» (IVe s.), et *secretarius* adj. «séparé, isolé», d'où *cella secretaria* «sacristie» (VIe s.). *Secretarius* est substantivé (Ve s.) au sens de «sacristain» puis par extension de «secrétaire à la cour»; en latin médiéval, le mot désigne celui qui participe à des conseils secrets (XIe s.) et a le sens de «scribe».

♦ Le mot, repris au latin religieux au sens spécial de «tabernacle» (v. 1180), a été concurrencé en moyen français, avec cette valeur de «lieu secret» par la forme populaire *segreier* n. m. «lieu retiré où l'on vit pour soi» (XIIIe s.) puis *segrier* «cabinet, retrait» (1566). ➛ *Secrétaire* prend au XIIIe s. la valeur de «confident, ami» (1265), seulement attesté au masculin avant le XVIe s. (v. 1550, au féminin); ce sens est encore vivant au XVIIe s. avec pour variante *segretaire* (XVIe s.). Il s'est employé comme adjectif (v. 1330) avec la même valeur. Comme nom, il désigne aussi (1584) une personne discrète sachant garder les secrets. Ces acceptions sont sorties d'usage. ➛ Depuis le XIVe s., le nom désigne (v. 1350) une personne attachée à une personne de haut rang, à une autorité, et qui rédigeait des lettres, des dépêches de caractère officiel; dans ce sens, le féminin apparaît vers la fin du XVIIIe siècle. Le mot est employé dans des expressions pour «agent gouvernemental» ou «ministre» : *secrétaire du roi* (1410). Dans ces fonctions, l'aspect d'écriture, de rédaction prenant de l'importance, le mot a désigné (1611) un officier attaché à un corps militaire pour les affaires administratives, puis un écrivain public (1636, n. m.), s'appliquant généralement depuis le XVIIe s. (1636) à une personne qui rédige certaines pièces, s'occupe de l'organisation d'une assemblée, etc., puis d'un service administratif, d'un organisme et, plus largement, à une personne qui écrit pour le compte de qqn (apr. 1650). ◇ *Secrétaire d'état,* d'abord (XVIe s., Pasquier) appliqué à un officier de la Couronne qui transmettait les dépêches du roi et expédiait les grâces, avait pour synonyme *secrétaire des commandements* (1547) et, un peu plus tard, *secrétaire du cabinet* (1611); ces fonctions sont des variétés de celle de *secrétaire du roi* (ci-dessus) et concernent toujours la transmission de messages du souverain et au souverain. ***Secrétaire d'État*** prend après la Révolution une valeur différente (1800) dans la Constitution de l'an VIII, titre aboli en 1814, une hiérarchie gouvernementale différente se mettant ensuite en place avec des ministres et des *sous-secrétaires d'État* (ci-dessous). ◇ En terminologie politique, *secrétaire d'État* peut aussi être un calque d'expressions en d'autres langues (par exemple de *Secretary of State,* employée en anglais des États-Unis). ◇ *Secrétaire* entre dans de nombreux syntagmes désignant des fonctions administratives, comme *secrétaire de ville* (1636), *secrétaire général* (1789), *secrétaire de mairie* (1803). *Secrétaire de rédaction* (déb. XXe s.) désigne la personne chargée de recevoir et de revoir les articles d'un journal et, en particulier, celle qui assiste un rédacteur en chef. ◇ *Secrétaire* est aussi le titre (1934) que portent les responsables de certains partis politiques et syndicats; dans certains régimes, le titre s'applique à des personnages éminents (le *secrétaire général* d'un parti unique, le *premier secrétaire* du Parti communiste français...) retrouvant la valeur hiérarchique du mot du XIVe au XVIIIe siècle. ◇ Enfin, le mot désigne dans l'usage courant, au XXe s. (1935, dans les dictionnaires), une personne capable d'assurer la rédaction du courrier, de répondre au téléphone, etc., pour le compte d'un patron; il est alors fréquemment employé au féminin, associé ou non à *dactylo(graphe).* Cet usage reflète une évolution dans les professions du secteur tertiaire et une spécialisation liée aux professions féminines. ◇ Le mot a vieilli dans l'emploi métonymique (1690) pour «manuel contenant des modèles de lettres». ◆ Au XVIIIe s., il prend par une autre métonymie, et peut-être par influence de l'italien, le sens de «bureau sur lequel on écrit et qui renferme des papiers» (1745).

▶ **SECRÉTAIRERIE** n. f. (1544), d'abord *secrétairie* (1407-1408), *secretererie* (1461), a désigné un office de secrétaire (au sens du moyen français) puis le bureau, le service de ces secrétaires (1568) et l'ensemble des employés du service. Au XIXe s. il désigne un poste de secrétaire d'Etat au Vatican. ◆ **SECRÉTARIAT** n. m. désigne (1538) l'emploi, la fonction du haut personnage appelé *secrétaire* (1611), d'où aujourd'hui *secrétaire d'État.* ◇ Il se dit aussi du lieu où travaillent les secrétaires d'une administration, d'une entreprise, etc., du temps de fonction d'un secrétaire (1680) et de l'ensemble des secrétaires d'un service (1893). ◇ Le mot s'emploie en particulier (1933) pour «métier de secrétaire» au sens moderne et «ensemble des secrétaires (d'une entreprise, d'un service, voire d'une personne)». ◇ **SECRÉTARIAT-GREFFE** n. m. (1965) est la nouvelle appellation du *greffe**. ◆ Le composé **SOUS-SECRÉTAIRE** n., autrefois (1640) «secrétaire en second», désigne (1816) un haut fonctionnaire membre d'un gouvernement, à qui revient une partie de la compétence d'un ministre, dans *sous-secrétaire d'État.* ◇ En dérive **SOUS-SECRÉTARIAT** n. m. (1834), notamment dans la désignation *sous-secrétariat d'État.*

SÉCRÉTION n. f. est emprunté (1495) au latin *secretio* «séparation», dérivé de *secretum*, supin de *secernere* «séparer» (→ secret), puis «rejeter».

♦ Le mot a d'abord conservé le sens étymologique de «séparation», sorti d'usage comme celui de «chose séparée d'une autre» (1611). ◆ Il a été repris en physiologie (1711) pour désigner le phénomène par lequel un tissu produit des substances qui sont évacuées puis, par métonymie (v. 1740), la substance ainsi produite.

▶ Plusieurs termes de physiologie sont des dérivés savants du radical de *sécrétion.* ◆ **SÉCRÉTOIRE** adj. (1710) «qui a rapport à la sécrétion», d'où (1904) *nerfs sécrétoires.* ◆ **SÉCRÉTER** v. tr., employé en physiologie (1798), puis par figure (1893) au sens de «laisser s'écouler lentement». ◆ **SÉCRÉTEUR, TRICE** adj., dérivé savant de *sécrétion*, est attesté au féminin (v. 1560) dans *faculté sécrétrice* «faculté de choisir entre ce qui est bon et ce qui est mauvais», expression encore relevée en 1611. ◇ Il est ensuite repris comme terme de physiologie (1753), alors dérivé du verbe *sécréter.* ◆ **SÉCRÉTINE** n. f. désigne (1902) une hormone qui excite la sécrétion du suc pancréatique.
Le composé préfixé **HYPERSÉCRÉTION** n. f. (1845) a éliminé *supersécrétion* (1834, Broussais) et s'oppose à **HYPOSÉCRÉTION** n. f. (1896).

SECTE n. f., réfection d'après le latin (v. 1316) de *siecte* (v. 1155), *sete* (déb. XIIIe s.), est emprunté au latin *secta* «manière de vivre», «ligne de conduite politique» et «école philosophique» puis «religieuse». Ce mot dérive de *sequi* «suivre*», au propre et au figuré (→ second, séquence).

♦ *Secte* a d'abord eu le sens de «doctrine religieuse ou philosophique», puis celui de «compagnie, suite» (v. 1200), encore relevé en 1611 et qui a disparu. De l'idée étymologique de «suite» viennent la locution *être d'une secte et d'un accord* «prendre la même décision» (v. 1340) et les emplois pour «troupe» (XVe s.), «corps de métier» (1477), tous disparus. ◆ Par influence probable du latin *sectio* (→ section) et du supin *sectum*, de *secare* «couper», *sete* (v. 1230), *secte* (1525) désigne un groupe constitué à l'écart d'une Église pour soutenir des opinions théologiques particulières, appliqué aux protestants (1525, *secte luthérienne*). Le mot se dit pour «coterie, chapelle», aujourd'hui avec une valeur péjorative; *faire secte* «se distinguer par des opinions singulières» (fin XVIe s.), sorti d'usage, relève aussi du sémantisme de la séparation. *Secte* reprend au XVIIe s. un sens latin qui correspond à *école* «groupe de personnes qui professent la même doctrine» (v. 1530), d'emploi littéraire aujourd'hui. Récemment, le mot, sous influence de l'anglais *sect*, désigne des organisations fermées, organisées, exerçant une influence psychologique forte sur leurs adeptes et se réclamant d'une pensée religieuse ou mystique étrangère aux grandes religions constituées.

▶ Le dérivé **SECTAIRE** n. et adj. a d'abord désigné (1566) le partisan passionné d'une doctrine, spécialement dans le domaine religieux où il s'est employé pour «protestant» (1566) avec la variante péjorative *sectard* (v. 1530), usage disparu au XVIIe siècle. ◇ Le mot est repris au XIXe s. (1825, Stendhal, comme nom; 1890, adj.; 1879, n.) pour parler d'une personne qui fait preuve d'intolérance et d'étroitesse d'esprit en politique, religion, philosophie. ◇ De cette acception dérive **SECTARISME** n. m. (fin XIXe s.).
SECTATEUR, TRICE n. est emprunté (1403, n. m.; 1752, n. f.) au latin *sectator* «celui qui accompagne», «disciple, tenant d'une doctrine», dérivé du supin de *sectari* «suivre partout, escorter» et «poursuivre un animal», fréquentatif de *sequi.* Le mot désignait une personne qui adhère à des croyances déjà formées; il est vieilli et péjoratif quand il s'agit d'une doctrine, d'une religion rejetée par le locuteur (notamment l'islam, à l'époque classique, dans *sectateur de Mahom* [Mahomet]). Il s'est dit pour «hérétique» (déb. XVIe s.) et «protestant» (1529), d'après l'emploi correspondant de *secte*, valeurs disparues au XVIIe siècle.

SECTEUR n. m. est emprunté (1542) au latin *sector* «celui qui coupe, tranche» et spécialement, dans des syntagmes, «assassin» et «faucheur», et par ailleurs «acheteur de biens confisqués (qui sont vendus par lots)». De cette valeur active, le mot est passé en bas latin à celle de «partie coupée», comme terme de géométrie. Ce nom est dérivé de *sectum*, supin de *secare* «couper», «diviser» (→ scier; section, segment). Par ailleurs, le mot latin a donné par évolution phonétique les formes *seytre* en ancien provençal (XVe s.), *soipteur* en Franche-Comté (1332) au sens de «faucheur».

♦ L'emprunt savant s'est fait au bas latin en géométrie (1564) pour «figure délimitée par deux rayons et une partie de la circonférence (d'un cercle)», et dans *secteur d'une sphère,* attesté un peu plus tôt (1542), «volume engendré par un secteur de cercle tournant autour d'un rayon», appelé aujourd'hui *secteur sphérique* (1835). Concrètement, le mot est employé pour désigner un instrument ou un appareil qui comporte une portion de cercle (1762, pour un instrument d'astronomie). ◇ Il désigne ensuite (1871) la portion d'une enceinte fortifiée sous les ordres d'un officier puis, par extension (1904), la partie d'un territoire qui constitue le terrain d'opérations d'une grande unité. Dans ce sens étendu, voisin de *zone,* il est passé de l'usage militaire à l'usage général; dès 1907, le mot désignait une subdivision d'un réseau de distribution d'électricité, d'où par métonymie (1933), le courant distribué. Son usage s'élargit encore après la Première Guerre mondiale, notamment avec *secteur postal* (1916). *Secteur* s'emploie ensuite avec le sens général de «division (d'un territoire)», «subdivision administrative d'une ville» (1933), spécialement dans le domaine économique (*secteur privé,* attesté en 1939), et au sens de «domaine, partie (d'un ensemble)». Dans l'usage familier, *secteur,* d'après un emploi d'argot militaire (1919, sans doute des *secteurs postaux*) équivaut à «zone, endroit, coin».

▸ Le latin *sector* a servi à former des dérivés savants. ➛ **SECTORIEL, ELLE** adj. (1960), d'après l'anglais *sectorial* (dérivé de *sector,* de même origine que le français), terme didactique de mathématiques, est devenu usuel en économie (attesté 1964, dans les dictionnaires). ➛ **SECTORISATION** n. f. (attesté en 1968) s'emploie en administration, en économie et semble antérieur à **SECTORISER** v. tr. (v. 1968). ➛ Le composé **SOUS-SECTEUR** n. m., relevé en 1963, appartient aux vocabulaires militaire et administratif. ➛ **BISSECTEUR, TRICE** adj., de ① *bis* (→ bi-), qualifie en géométrie ce qui divise en deux parties égales (1872); **BISSECTRICE** n. f. (1857) est plus courant (→ bissecter à section).

SECTION n. f. est un emprunt (1366) au latin *sectio* «action de couper» et «coupure», spécialement «vente à l'encan (par lots)» et «objets vendus», et en géométrie «division» (→ secteur). *Sectio* est dérivé de *sectum,* supin de *secare* «couper, diviser» (→ scier).

♦ Le nom est introduit avec le sens de «scission, dissension» avec un sémantisme qui influence le mot *secte,* d'origine différente; cet emploi a disparu. ◇ Il désigne aussi depuis le XIVe s. l'action de couper, de diviser et son résultat (v. 1380). C'est l'idée de «division», avec une valeur concrète ou abstraite, qui se maintient ensuite dans l'ensemble des emplois. En géométrie (1564), le mot désigne la production d'une figure par l'intersection de deux autres, par exemple dans *point de section* (1694), et la figure ainsi engendrée (1671), notamment dans *section conique* (1654, Pascal). Avec une valeur concrète, il s'est employé en médecine (1598) là où le français moderne utilise *dissection.* ◇ Le mot s'est aussi employé (1630) à propos de la division d'un bénéfice ecclésiastique en deux parties, mais les spécialisations de sens actif («action de couper, de séparer») sont moins fréquentes que celles de l'acception métonymique («ce qui est coupé, séparé»). Ainsi, *section* désigne une partie d'un texte, d'un ouvrage (1655) et aussi (1690) la représentation graphique d'un ensemble à trois dimensions, que l'on suppose coupé selon un plan vertical perpendiculaire à la longueur (cf. *coupe*). ◇ Avec la valeur de «partie, subdivision», le mot entre pendant la Révolution dans des expressions comme *section d'un tribunal* (1789), *section de commune* (1790) et il s'applique à une subdivision militaire (attesté 1798). Cet emploi est caractéristique du vocabulaire politique et administratif révolutionnaire (les *sections* des clubs, la *section* des Piques, etc.); de là vient l'acception analogue (1862) concernant les subdivisions d'organisations, partis et, au XXe s., syndicats. Dans l'armée de terre, *section* s'applique à la petite unité commandée par un lieutenant dit *chef de section* et qui fait partie d'une compagnie. ◇ Dans un contexte abstrait, *section* se dit (1815) d'une catégorie dans un classement, par exemple en biologie (1871). ◇ *Section rythmique* désigne concrètement (v. 1945) la partie d'une formation de jazz qui marque le temps (batterie, contrebasse, etc.). ◇ *Section* désigne aussi la partie d'une ligne d'autobus qui constitue une unité pour le calcul du prix, et la partie correspondante d'un trajet (attesté av. 1932, chez J. Romains).

▸ **SECTIONNAIRE** adj. et n., «relatif à une section électorale parisienne de l'époque révolutionnaire» (1793) et «membre d'une section de Paris» (1802), ne s'emploie plus qu'en histoire. ➛ **SECTIONNER** v. tr., relevé en 1796 dans un sens peu clair, signifie (1871) «diviser en sections (électorales)», remplaçant le terme révolutionnaire *sectionniser* (1793), et en chirurgie, puis plus généralement, «couper». ◇ En dérivent **SECTIONNEMENT** n. m. (1871) et dans le vocabulaire de l'électricité **SECTIONNEUR** n. m. (1924). ➛ **BISSECTION** n. f. est un terme de géométrie (1751); on a employé *bissecter* v. tr. (XIXe s.) en géométrie pour «partager en deux parties égales par une ligne», formé de ① *bis* (→ bi-) et à partir de *sectum* (→ bissecteur à secteur).

◈ voir SCIER, SECTEUR, SEGMENT.

SÉCULAIRE adj., réfection (1611) de *seculare* (fin XIIe s.), est un emprunt au latin impérial *saecularis* «séculaire», d'où *saeculares (ludi)* «jeux célébrés tous les cent ans», et «du siècle, profane» en bas latin ecclésiastique; le mot dérive de *saeculum* (→ siècle).

♦ L'adjectif a repris le sens de «profane, qui appartient au siècle» employé jusqu'au milieu du XIVe siècle. ◇ Il s'applique ensuite à ce qui a lieu tous les cent ans, dans des expressions didactiques traduites du latin : *jeux séculares* (1549), *poème séculaire* (1718), *année séculaire* (1718). ➛ Il qualifie aujourd'hui couramment (v. 1745) ce qui date d'un siècle, dure depuis un ou plusieurs siècles, notamment en astronomie (1796, Laplace) dans *variation, perturbations séculaires.*

▸ Le dérivé **SÉCULAIREMENT** adv. (1845) est rare. **SÉCULIER, IÈRE** adj. représente (déb. XIIIe s.) une transformation par changement de suffixe de l'ancien français *seculer* (v. 1190), emprunt au latin *saecularis.* ➛ *Seculer,* puis *séculier* (déb. XIIIe s.) s'applique à un homme qui n'a pas fait de vœux monastiques et vit dans le siècle, opposé à *régulier**. ◇ Il qualifie aussi tout ce qui appartient à la vie laïque (v. 1260), opposé à *ecclésiastique*, et il est substantivé (*seculer*, n. m.) pour «laïque» (v. 1269). Il s'emploie dans des expressions comme ***bras séculier*** (1546; fin XVe s., *bras seculler*) et ***bénéfice séculier*** (1690). ➜ Le dérivé **SÉCULIÈREMENT** adv. (v. 1350; v. 1190, *seculerment*) est du vocabulaire religieux et assez rare. ➜ **SÉCULARISER** v. tr., dérivé savant du latin *saecularis*, signifie «faire passer à l'état séculier» (1586), spécialement (1680) en parlant d'un bien, d'une fonction. ◇ Il a lui-même pour dérivé **SÉCULARISATION** n. f., «passage (d'un religieux) à la vie séculière» (1587), «passage (d'un bien ecclésiastique) dans le domaine de l'État» (1743), appliqué aux fonctions publiques (1875), et «autorisation pour un religieux de porter l'habit séculier» (XXe s.).

SÉCULARITÉ n. f. a été emprunté au latin médiéval *saecularitas* (dérivé de *saecularis*), d'abord au sens de «mondanité» (v. 1170). ◇ Ce mot didactique désigne l'état de prêtre séculier (1469) et la juridiction séculière de l'Église pour le temporel (1718).

SÉCURITÉ n. f., attesté à la fin du XIIe s. (1190) et repris vers 1480, reste peu employé avant le XVIIIe siècle; le mot est emprunté au latin *securitas* «absence de soucis», «tranquillité», «sûreté, sécurité», «garantie (par rapport à une dette)», dérivé de *securus* qui a abouti au français *sûr**.

♦ Le mot désigne d'abord l'état d'esprit confiant et tranquille d'une personne qui se croit à l'abri du danger, d'où ***en toute sécurité*** «en toute tranquillité» (1580). Au XVIIIe s., il s'applique à une situation exempte de dangers, qui détermine la confiance (1770). ➜ Repris fin XIXe s., (1889, *coefficient de sécurité*), *sécurité* désigne le fait de fonctionner, de s'effectuer sans difficulté et ***de sécurité*** qualifie un dispositif destiné à protéger les personnes et les biens (1925) et ce qui est utile en cas de danger. Il s'emploie dans plusieurs expressions, avec l'idée de «protection», comme *sécurité militaire* (1945). ◇ ***Sécurité sociale*** (1945), calque de l'anglais *social security* (1935), est abrégé familièrement en *sécu* n. f. (1960). L'expression désigne le système de protection sociale et l'organisation destinée à garantir les travailleurs contre certains risques liés à l'emploi, à la santé, à la maternité, etc.

▸ Le dérivé **SÉCURITAIRE** adj., attesté dès 1294 dans *cartre* [carte, charte] *securitaire* «lettre de sauf-conduit», avait disparu. ◇ Le mot a été reformé récemment, s'appliquant (1983) à ce qui tend à privilégier les problèmes de sécurité *(politique, mesure, installation... sécuritaire)*. ➜ **SÉCURISER** v. tr., en psychologie et couramment (1968), signifie «donner un sentiment de sécurité à (qqn)». ◇ Ce verbe a fourni **SÉCURISANT, ANTE** adj. (1959 chez Hervé Bazin, *in* T.L.F.), **SÉCURISATION** n. f. (1968) devenus rapidement usuels, au point de concurrencer *apaisant, apaisement* et des mots analogues. ◇ Le préfixé et contraire **INSÉCURITÉ** n. f. (1794) s'oppose à *sécurité*.

SÉDATIF, IVE adj. et n. m. est emprunté (1314) au latin médiéval *sedativus* «calmant», terme de médecine, dérivé de *sedatum*, supin du latin classique *sedare*, proprement «faire asseoir», d'où «calmer, apaiser». *Sedare* est le causatif de *sedere*, au supin *sessum*, «être assis» (→ seoir; sédentaire, sédiment).

♦ Ce terme de médecine conserve le sens du latin; il s'est employé dans *sel sédatif* «acide borique» (1751). *Eau sédative* «lotion ammoniacale camphrée» (1855) est encore en usage. ➜ Le substantif *un sédatif* n. m. (1495), «médicament qui calme la douleur ou l'excitation d'un organe», est usuel mais concurrencé par des mots plus récents (*tranquillisant*, etc.).

▸ **SÉDATION** n. f., terme didactique de médecine, est emprunté (1314) au latin *sedatio* «action d'apaiser, de calmer» (dérivé du supin *sedatum*); on a aussi écrit *cedation* (v. 1520). ◇ Qualifiant en moyen français l'apaisement d'une querelle (1397, *cedation;* XVe s., *sedation*), le mot est sorti d'usage en français moderne.

SÉDENTAIRE adj. et n. est un emprunt savant (1555; 1492, selon Bloch et Wartburg) au latin impérial *sedentarius* «à quoi on travaille assis» et «qui travaille assis», dérivé de *sedens, -entis* participe présent du latin classique *sedere* «être assis» (→ seoir; sédatif, sédiment).

♦ Le mot signifie d'abord «qui se passe, s'exerce dans un même lieu», en parlant de la vie, du travail, etc. (1555). Au début du XVIIe s., il reprend le sens latin de «qui demeure ordinairement assis», qualifiant par extension une personne qui ne quitte guère son domicile, qui sort ou voyage peu (1611); il est alors aussi substantivé. ◇ À la même époque est attesté le sens de «fixe, attaché à un lieu», en parlant d'un fonctionnaire, d'un parlement. On a parlé au XIXe s. de *troupes sédentaires* «qui ne changent pas de garnison» (1812), opposé à *mobiles*, d'où *un sédentaire* (1875) «soldat sédentaire». ◇ Aujourd'hui, le mot s'applique aussi à des populations dont l'habitat est fixe (déb. XXe s.), opposé à *nomade* (en parlant de groupes humains) et à *migrateur* (à propos d'animaux). ➜ L'adjectif s'est appliqué spécialement (1768) à une araignée qui se tient immobile sur sa toile; de là vient *Sédentaires* n. f. pl., nom ancien d'un genre d'aranéides (1828). *Sédentaires* n. m. pl. a désigné ensuite (1859) un ordre d'annélides vivant dans des tubes.

▸ *Sédentaire* a fourni **SÉDENTAIREMENT** adv. (1578), littéraire et rare. ➜ Les autres dérivés sont formés savamment sur le radical latin. ◇ **SÉDENTARITÉ** n. f. (1819) est littéraire en parlant d'une personne sédentaire et didactique appliqué au mode de vie d'une population. ◇ **SÉDENTARISER** v. tr. (1910) «rendre sédentaire», terme de géographie, s'est aussi employé (1930) pour «attacher à un lieu fixe (un employé)». ◇ Le verbe a pour dérivés **SÉDENTARISATION** n. f. (1934), «processus par lequel des populations nomades deviennent sédentaires», et **SÉDENTARISME** n. m. (1911), terme de géographie qui s'oppose à *nomadisme*.

SÉDIMENT n. m. est emprunté (v. 1560, Paré) au latin impérial *sedimentum* «tassement», élargissement de *sedimen* «dépôt», terme de médecine (Ve s.), dérivé de *sedere* «être assis», au figuré «être fixé» (→ seoir).

♦ Le mot est introduit comme terme de médecine, désignant d'abord (v. 1560) les parties solides que laisse déposer l'urine, avec une valeur plus générale ensuite (1611). ◆ Le mot est passé au XVIIIe s. dans le vocabulaire de la géologie, désignant (1779) un dépôt naturel formé par les eaux, le vent, etc. Cet emploi est un réemprunt au latin scientifique *sedimentum* ayant acquis ce sens vers la fin du XVIIe s., après les travaux fondamentaux de Sténon.

▶ Les dérivés et composés de *sédiment* sont pour la plupart des termes de géologie. ◆ **SÉDIMENTAIRE** adj. (1838) signifie «formé de sédiments» et qualifie une catégorie essentielle de terrains. ◆ **SÉDIMENTATION** n. f. s'emploie pour «fait de se déposer en sédiments» (1861) et aussi comme terme de médecine (1933, notamment dans *vitesse de sédimentation*). ◆ **SÉDIMENTER** v. tr., «former par sédimentation» (1922 au pronominal), dérive de *sédiment* ou de *sédimentation*. ◆ **SÉDIMENTOLOGIE** n. f. (mil. XXe s.), de *-logie**, d'après l'anglais *sedimentology* (1932), désigne la discipline géologique qui a pour objet l'étude de la sédimentation, d'où **SÉDIMENTOLOGUE** n.

SÉDITION n. f. est un emprunt savant (1213 *sedicion*) au latin *seditio* «action d'aller à part», «désunion, discorde», «soulèvement, révolte» (dans le vocabulaire de la politique ou militaire). Ce mot a été formé directement (il n'existe pas de verbe °*sedire*), peut-être d'après *secessio* (→ sécession), de *sed-*, préfixe marquant la séparation, et de *itio, -onis* «fait d'aller, marche», dérivé de *itum*, supin de *ire* «aller», qui a fourni le futur et le conditionnel de *aller** et entre dans de nombreux composés (→ errer); *itio* (comme *itus* «action de partir, de marcher») apparaît surtout en composition (*ambitio, reditio*, etc.).

♦ Le mot s'est introduit en français avec le sens d'«émeute populaire, révolte, soulèvement contre une puissance établie», qu'il a conservé. Il s'est aussi employé de manière plus large pour «tumulte» (1334, *sedicion*), «résistance» (fin XIVe s.), «querelle, discorde» (1440-1475) et à l'époque classique (v. 1640) en parlant du trouble des passions, avec le même sémantisme figuré que *révolter, révoltant* et *révolution*. Ces emplois sont archaïques et le sens initial est seul demeuré vivant, dans un usage littéraire.

▶ Les dérivés **SÉDITIONNAIRE** adj. (1533) et **SÉDITIONNER** v. tr. (1829) ont disparu.

SÉDITIEUX, EUSE adj. est emprunté (v. 1355) au latin *seditiosus* «factieux», «exposé aux troubles» (dérivé de *seditio*) et en garde le premier sens. L'emploi substantivé (1413) est littéraire et rare. ◇ En dérive **SÉDITIEUSEMENT** adv. (v. 1355), littéraire et rare.

SÉDUIRE v. tr. est une réfection d'après le latin (1440-1475) de l'ancien français *suduire* (v. 1120), puis *soduire* (1165-1170), *souduire* (XIIe s.), issu du latin *seducere*. Ce verbe latin signifiait «emmener à part, à l'écart», «séparer», «diviser (en parlant de lieux)», puis en latin ecclésiastique «corrompre, séduire». Il est composé de *se*, qui marque la séparation, l'éloignement, la privation (par un sens particulier du groupe du réfléchi *se;* → se, à soi), et de *ducere* «tirer à soi», d'où «conduire, mener» et, dans la langue familière, «tromper», qui a servi de base à de nombreux composés (→ conduire, induire, produire, traduire). *Ducere* est de la même famille que *dux, ducis* «chef» (→ duc; aqueduc). L'ancien français *suduire* était issu d'un autre composé de *ducere, subducere* (de *sub-;* → sous) «tirer de bas en haut» et «retirer, soustraire», «enlever à la dérobée» et, dans des expressions, «compter, calculer». *Subducere* a pris en latin populaire le sens de «séduire» à *seducere* (cf. italien *soddure* à côté de *sedurre*), et *suduire* signifie «séduire, corrompre, suborner».

♦ *Séduire* est sorti d'usage au sens initial de «détourner du vrai, faire tomber dans l'erreur». De même, l'emploi de *séduire de faire qqch.* «détourner (d'une bonne action)» (1460-1465) puis (1530) *séduire*, prolongé par la construction *séduire à faire qqch.* (1636), a disparu. ◇ Le verbe s'est aussi employé pour «mutiner» et, dans le domaine juridique (1465), pour «suborner, corrompre (des témoins)». ◇ De l'idée de «corrompre», on est passé à l'acception moderne «amener (une femme) à se donner» (1538), puis vers la fin du XVIIe s. au sens de «convaincre (qqn) en employant tous les moyens de plaire» (1698), sens aujourd'hui archaïque, le verbe n'ayant plus de connotation intellectuelle. *Séduire* ne correspond plus qu'à l'idée de «plaire», comme *séduction*. Cette valeur se développe au XVIIIe s., soutenue par les emplois de *séduisant, séducteur* et *séduction*.

▶ **SÉDUISANT, ANTE** adj., du participe présent, d'abord appliqué à des paroles propres à plaire et à tromper (1542), qualifie une personne qui peut séduire grâce à son charme (1712) ou ce qui attire fortement (1760).

SÉDUCTEUR, TRICE n. et adj., réfection savante (v. 1370) de *seduitor* (v. 1155), reprend le latin ecclésiastique *seductor*, dérivé de *seductum*, supin de *seducere*. ◇ Le mot a remplacé des formes de l'ancien verbe *soduire, souduire*, comme *sodeor* (déb. XIIIe s.), *sourduiseur* (v. 1330), puis du verbe moderne *séduire*, comme *seduiseor* (XIVe s.), *seduiseur* (1464), au féminin *seduiresse* (v. 1350). ◆ Le sens de «personne qui fait tomber en erreur», le seul au moyen âge, au masculin comme au féminin *seductrice* (1431), demeure jusqu'à l'époque classique, notamment dans *esprit séducteur* «démon» (1690); il est sorti d'usage ensuite. ◆ L'adjectif s'emploie aussi dans le domaine amoureux (1546), mais n'est usuel dans ce sens qu'au début du XVIIIe s. (1718). Le nom, à partir du XVIIe s., désigne un homme qui «séduit» une femme ou une fille, c'est-à-dire l'entraîne à des relations sexuelles hors mariage (1662, Molière, *Dom Juan*). Ensuite, l'évolution correspond à celle de *séduire*, et *séducteur* se rapproche des valeurs de *séduisant*.

SÉDUCTION n. f. est emprunté (1165-1170) au latin classique *seductio* «action de mettre à part», «séparation» et dans le vocabulaire ecclésiastique «corruption», dérivé de *seductum*. ◆ Le mot équivaut d'abord à «trahison», puis «tromperie par laquelle on fait tomber qqn en erreur» (1564, aussi *esprit de séduction* «démon»), sens vivant à l'époque classique. Il s'est dit de l'action d'exciter à la mutinerie (1461) ; ce sens a disparu plus tôt que le précédent. ➜ Désignant l'action d'entraîner par un charme irrésistible (1680), *séduction* prend au XVIIIe s. (1734, Voltaire) le sens de «moyen de séduire, de plaire». Le mot entre dans le vocabulaire de la psychanalyse au XXe s. *(scène de la séduction)*, d'après une théorie plus tard abandonnée par Freud.

SEGMENT n. m. est emprunté (1596) au latin *segmentum* «coupure, entaille, incision» et par figure «bande taillée, chamarrure», dérivé de *secare* «couper» (→ scier ; secteur, section).

♦ *Segment* est introduit en géométrie, désignant une portion de cercle comprise entre un arc et la corde qui le soutient, d'où ensuite *segment de sphère* (1691) et *segment sphérique* (1835), *segment de ligne droite* (1871) puis *segment de droite* (1893). La valeur de «portion» se conserve dans les emplois postérieurs. ◇ Le mot est littéraire au sens général (1756) de «partie d'un tout continu» et didactique en botanique (1765, *segments de feuilles*), en anatomie animale et humaine (1812 ; cf. *article* pour les insectes) et en parlant des annélides et des arthropodes (1904). Il entre dans d'autres domaines spécialisés au XXe s., par exemple en mécanique (1861, *segment de piston*). En linguistique, il correspond à «élément distinct» (v. 1960), comme dans certaines techniques d'analyse (statistique, etc.) en informatique, etc.

▸ *Segment* a produit plusieurs dérivés didactiques. ➜ **SEGMENTAIRE** adj. (1838-42, Acad.) signifie, «relatif à un segment». ➜ **SEGMENTER** v. tr. (attesté 1873) et **SEGMENTATION** n. f. (1855, au sens général), notamment en biologie (1884), ont pris une valeur plus générale. ➜ Le composé **BISEGMENTER** v. tr. (XIXe s.) a fourni **BISEGMENTATION** n. f. (XIXe s.). ➜ **SEGMENTAL, ALE, AUX** adj. (1893 en anatomie ; repris mil. XXe s.), d'après l'anglais *segmental*, a donné en linguistique **SUPRASEGMENTAL, ALE, AUX** adj. (v. 1960), qualifiant un trait réparti sur plusieurs segments d'énoncé (par exemple la négation dans «ça *n*'existe *pas*» ; en phonologie, la nasalité, etc.).

SÉGRÉGATION n. f., réfection (av. 1535) de *segregacion* (1374), est emprunté au bas latin *segregatio* «séparation», formé sur *segregatum*, supin du latin classique *segregare*, proprement «séparer du troupeau», puis «mettre à part, isoler, éloigner». Ce verbe est composé du préfixe *se-* marquant la séparation (→ séduire) et de *grex, gregis* désignant une réunion d'animaux ou d'individus de même espèce (→ grégaire, grège), à côté de *pecus* (→ pécule), mot désignant le troupeau en tant que bétail.

♦ Le sens premier, «action de séparer» en parlant d'une masse ou d'un groupe, est aujourd'hui didactique. En français contemporain le mot s'applique au domaine humain, désignant d'abord la pratique de l'isolement des habitations et des établissements des colonisateurs, dans les pays colonisés, puis *(ségrégation raciale)* la séparation organisée et réglementée de la population de couleur par rapport aux Blancs. De là vient l'emploi étendu du mot (XXe s. : 1930, Morand) à propos de la séparation de droit ou de fait de personnes, de groupes, en raison de leur race, puis (1953) de leur niveau d'instruction, de leur condition sociale, etc. Une idée voisine est exprimée par *apartheid*. ◇ *Ségrégation* est passé dans le vocabulaire technique et scientifique (1927), où il désigne la séparation des phases d'un alliage, en biologie et en géologie. Dans ces emplois modernes, il procède de l'anglais *segregation*, de *to segregate*, emprunt au latin *segregare*.

▸ De l'emploi de *ségrégation* en sciences a été dérivé savamment le nom féminin **SÉGRÉGABILITÉ** (mil. XXe s.), didactique. ➜ De l'emploi dans le domaine humain et social viennent **SÉGRÉGATIONNISME** n. m. (v. 1950), **SÉGRÉGATIONNISTE** adj. et n. (v. 1950), d'où **ANTISÉGRÉGATIONNISTE** adj. et n. (v. 1950), de ① *anti-*, à la manière d'*antiraciste*.

SÉGRÉGER v. tr., emprunté au latin *segregare*, s'est employé pour «séparer (un office d'un autre)» (1368, *segreger*), «une matière d'une autre» (1377), «une partie de la masse» (1482). Noté «peu usité» en 1771 (Trévoux), ce verbe est sorti d'usage. ➜ Avec la graphie **SÉGRÉGUER**, venue de la prononciation de *ségrégation*, il s'emploie encore très rarement pour «mettre à part». ◇ Le seul usage vivant correspond au sens moderne de *ségrégation* et vient de l'anglais *to segregate*. Le verbe signifie alors «séparer par la ségrégation» (1954). ◇ **SÉGRÉGUÉ, ÉE** adj. (v. 1955), «qui est l'objet d'une ségrégation», est emprunté à l'anglais *segregated*, participe passé de *to segregate*.

SÉGRÉGATIF, IVE adj., didactique, est dérivé de *ségréger* au sens (1572) de «qui produit une séparation», repris au XIXe s. (av. 1845). Il qualifie aujourd'hui ce qui favorise la ségrégation raciale. ◇ L'adverbe **SÉGRÉGATIVEMENT** (1772, chez Rousseau) a disparu.

Le composé **DÉSÉGRÉGATION** n. f., didactique (av. 1964), de ① *dé-*, se dit de la suppression de la ségrégation raciale ; en dérive **DÉSÉGRÉGATIONNER** v. tr. (av. 1972).

SÉGUEDILLE n. f. apparaît sous la forme *séguidille* en 1630, dans le *Guzman d'Alfarache* de Chapelain, et *séguedille* en 1687. Le mot est emprunté à l'espagnol *seguidilla*, nom d'une danse, diminutif de *seguida* «suite», dérivé de *seguir* «suivre», verbe issu de *sequere*, forme active et rare du latin *sequi* (→ suivre).

♦ Le mot désigne une danse espagnole de rythme rapide, accompagnée de guitare et castagnettes et, par extension, la musique et le chant qui accompagnent cette danse.

① **SEICHE** → SEC

② **SEICHE** n. f., réfection (v. 1270) de *seche* (XIIe s.), est issu du latin *sepia* «seiche» et «encre», lui-même emprunté au grec *sêpia*, dont l'étymologie reste obscure : on a rapproché le terme de *sêpesthai* «être pourri», à cause du liquide noir émis par l'animal, mais le rapport sémantique n'est pas clair. On retrouve le mot latin dans l'italien *seppia*, le catalan *cepia* ou *cipia,* l'ancien provençal *sepia* (1200), *sipia* (XIIe s.) et des mots français régionaux, tel *supion* «petit calmar». L'espagnol *jibia* et le portugais *siba* sont empruntés au mozarabe *xibia,* qui vient lui-même du latin.

♦ C'est le nom d'un mollusque céphalopode pourvu d'une glande sécrétant un liquide brun foncé. Sa coquille interne est nommée *os de seiche* (1606; cf. *os de sépia,* v. 1350, en ancien provençal).

▸ **SOUCHOT** n. m. est un dérivé dialectal de *seiche.* Le mot désigne le mollusque comestible aussi appelé *sépiole.*

◈ voir SÉPIA.

SÉIDE n. m. est attesté avec certitude en 1815, mais le mot aurait été employé en 1803 par Bernadotte, selon B. Constant, dans un texte que cite Chateaubriand. Le nom vient de *Séide,* francisation de l'arabe *Zăyd* (ibn *Ḥāriṯa*), nom d'un affranchi du prophète Mahomet, aveuglément soumis à ses ordres; ce personnage a été mis en scène par Voltaire dans la tragédie *Mahomet* (1741).

♦ *Séide* se dit d'un adepte fanatique d'une doctrine, entièrement dévoué aux volontés d'un chef; le mot a en général une connotation péjorative en parlant des personnes attachées à un chef politique (cf. *sbire*).

SEIGLE n. m. est emprunté (1286) à l'ancien provençal *segle* (XIIe s.) ou issu du latin impérial *secale* «seigle». On relève en ancien et en moyen français des formes très variées issues par évolution phonétique du latin: *soigle* (v. 1172, Chrétien de Troyes), *seicle* (déb. XIIIe s.), *sueigle* (1296, Berry) et, par réduction de la diphtongue, *segle* (v. 1225); dans *seigle,* cette diphtongue n'est plus marquée que graphiquement. Dans la France du Nord, les formes dominantes sont de type *soile* (v. 1180) en Picardie, Flandres, etc., *soille* (mil. XIIIe s.) puis *seille* (XVe s.) en Normandie, Anjou, Poitou. Pour les formes méridionales, on trouve *segel, seguel* (v. 1440), *segla* (XIIIe s., Dauphiné), en occitan *segal, segle,* d'où *segolar, segala* «terre à seigle». Le latin *secale,* mot sans doute emprunté, ne peut être rapproché de *secare* «couper» (→ scier), les langues romanes impliquant un *a* bref (cf. l'italien *segale,* le roumain *secara,* etc.).

♦ Le mot désigne une céréale et son grain. Il s'est employé pour «bière brassée avec du seigle» (1625) et, par métonymie, pour «champ de seigle» (1803; au pluriel, 1837, chez Hugo), sens attesté au XIVe s. dans les Flandres pour la forme ancienne *soille.* Cette métonymie est commune aux mots désignant les céréales (cf. *blé*).

SEIGNEUR n. m. est une suffixation nouvelle (XIIe s.) de *seignur, seignor* (*Chanson de Roland,* 1080), précédé par *senior* (v. 980), *seinor* (fin Xe s.). En ancien français, le mot appartient à la 3e déclinaison qui présente au singulier deux formes très différentes: *seigneur,* cas régime, est issu du latin classique *seniorem,* accusatif de *senior* (→ senior), le nominatif qui a abouti, à partir de la forme réduite °*seyor,* à *sire,* cas sujet en ancien français (→ sire; sieur). *Senior* représente le comparatif de *senex, senis* «vieux» et nom masculin «vieillard» (→ sénile); *senior* substantivé s'oppose à *junior* (alors que *vetus* → [vieux] s'oppose à *novus* [→ neuf]) et comporte dès le Ier s. une nuance de respect que la langue ecclésiastique développe. La base du latin se retrouve dans d'autres langues indoeuropéennes, par exemple l'irlandais *sen,* le védique *sánaḥ,* l'avestique *hanō.* Pour désigner des personnages de haut rang, *senior* s'est substitué à *dominus* «chef, souverain» en latin classique et s'est employé en latin ecclésiastique en parlant de Dieu.

♦ Dès ses premiers emplois (fin Xe s.), le mot signifie «souverain» en parlant à Dieu ou de Dieu, d'où *Notre Seigneur* désignant Jésus-Christ (v. 980) et Dieu (v. 1120) et ensuite *Seigneur Dieu* (XV;^e s. 1672, *le seigneur Notre Dieu*). Outre *Notre Seigneur,* encore en usage, l'expression ***le jour du Seigneur,*** d'abord «jugement dernier» (1550), s'emploie en français moderne (1870) pour désigner le dimanche, et l'exclamation *Seigneur!* (1680, Mme de Sévigné) équivaut à *mon Dieu!* ◇ Parallèlement, c'est la désignation d'une personne noble, d'un haut rang (fin Xe s.); de là vient l'emploi disparu pour «empereur» (v. 1240) et comme adjectif pour «puissant». En ancien français le mot est utilisé pour de nombreuses fonctions sociales qui impliquent au moyen âge un pouvoir: «mari» (v. 1050), valeur conservée dans l'emploi plaisant de ***mon seigneur et maître*** (1662), et «maître, patron» (v. 1050), «propriétaire» (XIIIe s.), avec les locutions *seigneur et maître* «propriétaire» (XIIIe s.) et *être mis à seigneur de (qqch.)* «en possession de» (1344). *Seigneur* est aussi un terme de civilité donné à des non-nobles (v. 1050), en usage à l'époque classique dans le style élevé, et le titre donné à divers personnages (membre d'États généraux, d'un Parlement, etc.). ◇ *Seigneur* s'emploie (1080), aujourd'hui comme terme d'histoire, pour désigner un homme de qui dépendent des terres et des personnes, dans le système des relations féodales (cf. *suzerain*). C'est aussi un titre honorifique, conservé jusqu'à la fin de l'Ancien Régime et employé notamment en parlant des grands personnages de l'Antiquité (1080), usage constant dans le théâtre classique. Par extension, il s'est dit à propos des saints (v. 1155) et des ecclésiastiques (v. 1175). ◇ Il désigne en général (v. 1175) une personne qui commande en maître, occupe une position dominante souvent par naissance (cf. *prince, roi*). *Grand seigneur* «personnage noble de haut rang» (1250), expression en usage jusqu'au XIXe s., subit un déplacement sémantique et s'emploie aussi pour «seigneur riche», avec la variante *gros seigneur* (1532), puis à propos de toute personne riche, en particulier dans ***faire le grand seigneur*** (1690; ***faire le seigneur,*** 1671), ***vivre en grand seigneur*** (1694). *Le grand seigneur* (1580), à l'époque classique, désigne en particulier l'empereur des Turcs (dit plus tard *le Grand Turc*). ◇ À la fin du XVIe s., le mot s'est employé aussi comme titre de dérision appliqué à un fanfaron, puis comme terme ironique pour «individu» (1617). La locution disparue *seigneur du parchemin* désignait une personne anoblie depuis peu (1718). ➝ *Seigneur* et ses dérivés, usuels et importants en ancien français et jusqu'à l'époque classique, sont aujourd'hui des mots historiques.

▶ Le dérivé **SEIGNEURIE** n. f. (fin XIIe s.), d'abord *seignorie* (v. 1130), a eu le sens large de «domination, autorité» et spécialement, dans le système féodal (1135), de «droits du seigneur». Il s'est employé par métonymie avec une valeur collective au sens (v. 1150) de «réunion des seigneurs, cour (d'un roi)», d'où au début du XVe s. «noblesse», encore au début du XVIIe s., et pour «luxe, train de seigneur» (v. 1150). ◇ Il signifie aussi en ancien français (1165-1170) «terre d'un seigneur» et (1264) «droits féodaux attachés à cette terre», emplois aujourd'hui historiques. ◇ Au début du XIIIe s., le mot prend diverses acceptions liées au statut social du seigneur, «premier rang», «haute qualité», «influence» et (v. 1275) «acte noble de seigneur». ◇ *Votre seigneurie* s'est utilisé (XIVe s.) à l'époque classique en écrivant à une personne digne de respect, puis par plaisanterie (1858) en s'adressant à une personne quelconque. *Sa seigneurie* (1625), d'abord employé en parlant à des personnes investies d'une certaine dignité, était le titre (1835) donné aux pairs de France sous la Restauration, comme *votre seigneurie*. ◆ **SEIGNEURIAGE** n. m., terme de féodalité (1421) au sens général de «droit du seigneur», est une réfection de *seignurage* «seigneur» et «terre seigneuriale» (fin XIe s.), puis *seignorage* «autorité du suzerain» (1165-1170). ◇ Le mot signifie en ancien français «puissance de Dieu» (1120) et au figuré «puissance (de faire qqch.)» (v. 1155), «considération, honneur» (v. 1165). En histoire, il s'emploie en particulier pour désigner le droit de battre monnaie. ◆ **SEIGNEURIAL** est d'abord nom masculin en 1372 (Oresme) pour «seigneur, maître», puis **SEIGNEURIAL, ALE, AUX** adj. (1408) correspond à «du seigneur». C'est une réfection de *seignourel* adj. (1174, en ce sens), antérieurement *seignuril* (1080). ◇ L'adjectif s'applique par extension à ce qui est digne d'un seigneur. En ancien français, il est synonyme de «distingué, gracieux» (1534; fin XIIe s., *seignori*).

MONSEIGNEUR n. m., formé du possessif *mon* et de *seigneur* (→ monsieur à sieur), est utilisé comme titre, en appellatif, dès ses premiers emplois: d'abord pour accompagner le nom d'un saint (v. 1155, *mon seigneur*) puis (XIIIe s.) le nom de personnes nobles, aujourd'hui seulement pour les princes des familles souveraines. Le pluriel *messeigneurs* est attesté vers 1350; *nosseigneurs*, rare après 1650. *Monseigneur* était en particulier l'appellation du Dauphin de Louis XIV; le mot a été pris au XVIIIe s. pour titre de membres du gouvernement, de l'armée, usage repris sous Napoléon Ier. ◇ Il s'est dit en parlant à un prêtre (1250) et s'est placé devant le nom d'animaux personnifiés (apr. 1250, *Roman de Renart*), emploi conservé dans la fable à l'époque classique, en concurrence avec *seigneur* (par exemple chez La Fontaine). ◇ On le trouve encore devant le nom de cardinaux ou de grands prélats (v. 1350) et, dans cet emploi, il s'emploie aussi comme désignation (non appellative), en concurrence avec l'italianisme *monsignor*. ◇ *Monseigneur*, comme *seigneur*, s'est employé (v. 1430) par extension comme titre de personnes qui ont un pouvoir: le père, le maître de la maison (par les serviteurs), le mari. ◆ Par une évolution obscure, le mot désigne (1723) un levier employé par les voleurs pour forcer les portes, moins courant que **PINCE MONSEIGNEUR** n. f. (1827). ◆ Le dérivé **MONSEIGNEURISER** v. tr., «appeler du titre de *monseigneur*» (1704), est sorti d'usage; il était employé par plaisanterie comme le pronominal *se monseigneuriser* (1692). ◆ **MONSIGNOR(E)** n. m. est un emprunt attesté au XVIIIe s. (1769, Voltaire) à l'italien *monsignore*, qui correspond au français *monseigneur*. ◇ Il désigne certains dignitaires de la cour papale, au Vatican.

◈ voir SENIOR, SIEUR, SIRE.

SEIN n. m. est issu (v. 1120) du latin *sinus*, proprement «pli concave ou en demi-cercle», d'où «courbure, pli» et spécialement «pli demi-circulaire que forme la toge lorsqu'elle est relevée sur l'épaule»; ce pli de toge ou de robe était celui dans lequel les femmes portaient leur enfant, d'où le sens figuré de «sein, poitrine». Une autre valeur figurée est «refuge, asile» et, dans des locutions, «intérieur de» (*in sinu urbis* «au cœur de la ville»); le mot a par ailleurs des emplois techniques: «enflure d'une voile», «baie ou crique en demi-cercle», etc.; il est sans étymologie connue (→ ①, ② sinus).

♦ *Sein* désigne d'abord l'espace entre la poitrine et le vêtement qui la couvre, sens disparu, et (v. 1150) la partie antérieure du thorax humain, acception courante à l'époque classique où *poitrine** était rare. ◇ Par réemprunt, *sein* s'emploie comme en latin pour «intérieur» (v. 1155, en parlant d'un pays), d'où ***sein de...*** «milieu de» (v. 1390; puis XVIIe s.) et «partie intérieure», par exemple dans ***le sein de la terre*** (fin XVIe s.). ◇ Par métaphore du sens initial, *le sein d'Abraham* désigne le refuge où étaient les âmes saintes avant la venue du Christ (XIIIe s.) et correspond (fin XVIe s.) à «paradis»; on a aussi en ce sens *sein de Dieu* (1845). ◆ Au XVIe s., *sein* reprend plusieurs valeurs du latin *sinus* par réemprunt sémantique: «golfe» (1535), «voile gonflée par le vent» (1564) et «partie de la voile qui se gonfle», donné comme du «vieil gaulois», c'est-à-dire de l'ancien français, en 1636. Par ailleurs, le mot désigne au figuré l'esprit, le cœur de l'être humain (1538). ◆ Depuis l'ancien français (v. 1200, *le sain*), *sein* désigne spécialement la poitrine de la femme acception normale au XVIe s., puis sortie d'usage, *sein* s'employant couramment (XVIe s.) pour chacune des mamelles de la femme. Cependant, le pluriel *(les seins)* et le singulier qui lui correspond *(un sein)* ne semblent usités qu'au XIXe s., les synonymes *(mamelles, tétons)* étant devenus soit archaïques, soit péjoratifs. Au XVIIe s., le mot s'était spécialisé pour désigner le sein féminin en tant qu'il sert à l'allaitement (1690), d'où ***prendre le sein*** «téter» (1771) et ***donner le sein*** (1802). Ces acceptions sont les plus vivantes en français moderne.

◈ voir COSINUS, INSINUER, SINUEUX, ① ET ② SINUS.

SEINE ou **SENNE** n. f. sont des formes relativement tardives: *seine* (1693), *senne* (1765), de *saïne* (fin XIIe s., hapax), puis *saime* (v. 1265), *sayne*

(1611). Toutes sont issues du latin *sagena* «filet de pêche», lui-même emprunt au grec *sagenê*, terme technique. ◇ Les formes d'ancien français sans *e* final, *sain* n. m. «lien» (v. 1180) et «filet» (v. 1265), encore attesté au début du XVIIe s. chez Malherbe *(sein)*, ont disparu en partie du fait de l'homonymie avec *sein*.

♦ Ce mot technique conserve le sens de l'étymon.

▶ Il a fourni **SEINER** v. tr. (1716; 1876, *senner*), «pêcher à la seine».

SEING n. m. est issu (1165-1170) du latin *signum* qui a donné *signe* et signifie «marque distinctive», «signal» (→ signe).

♦ *Seing* a d'abord des emplois spécialisés : «marque (signe) sur la peau, naevus» (1165-1170), «marque pour délimiter le bois où l'on chasse aux filets» (v. 1170, écrit *sain*) et «but, cible» (v. 1270). Il est attesté en ancien et en moyen français depuis la fin du XIIIe s. (1283) au sens général de «marque, signe», en particulier de «marque imprimée au moyen d'un instrument» (1283), et se dit par métonymie d'un instrument pour marquer les mesures (1296) et d'une signature (XIIIe s.). C'est cette dernière acception qui se maintient à l'époque classique : *seing* prend le sens juridique de «signature qui atteste l'authenticité d'un acte» (1373); en ce sens, il s'écrit aussi *sing* (1538); on a dit également *seng*, *seing manuel* (1395, *seng*). ◇ Le seul emploi qui subsiste en droit est *seing privé* (1660) «signature d'un acte non enregistré devant notaire» (voir sous-seing).

▶ **CONTRESEING** n. m. a d'abord désigné (1350) la marque distinctive d'un orfèvre; le mot se dit en droit (1564) d'une signature apposée à côté d'une autre, et qui la rend valable, puis (1384) de l'énonciation sur une lettre de la qualité de l'expéditeur, en vue d'obtenir la franchise postale. ◆ **BLANC-SEING** n. m. (1671), d'abord *blanc-signé* (→ signer) puis *blanc-sin* (1573), terme de droit, désigne un papier signé confié à qqn pour qu'il le remplisse à son gré. ◆ **SOUS-SEING** n. m., abréviation de *(acte) sous seing privé*, désigne (1773) un acte fait entre des particuliers sans intervention d'un officier ministériel.

◈ voir SIGNE.

SÉISME n. m. est une adaptation (1885, T.L.F.), aussi sous la forme *sisme* (1889), — peut-être d'après l'anglais — du grec *seismos* «tremblement de terre», dérivé de *seiein* «secouer, ébranler», mots encore vivants en grec moderne et que l'on rapproche de mots de langues iraniennes signifiant «terreur, danger». De *seismos* ont été aussi tirés les éléments **SÉISM-**, **SÉISMO-**, **SISM-**, **SISMO-** et des composés et dérivés attestés antérieurement (voir ci-dessous).

♦ La forme normale du nom est *sisme*, mais la transcription littérale a amené la prononciation en *sé- isme*, sur le modèle des mots en *-isme*. Pour les composés, l'existence de *séisme* et de formes en *seism-* dans les langues germaniques (anglais, allemand) font que l'on utilise aussi les formes en *séismo-*. En revanche, *sismisque* est plus fréquent que *séismique*. ◆ Le mot désigne l'ensemble des secousses de l'écorce terrestre qui constituent un tremblement de terre. ◇ Il s'emploie aussi au figuré pour «bouleversement» (1928, Colette).

▶ Le grec *seismos*, puis le français *séisme* ont fourni les composés **MICROSÉISME** n. m. (1903; av. 1877, *microsisme*), **MACROSÉISME** n. m. (1907) et le dérivé **SÉISMAL, ALE, AUX** (1824) ou **SISMAL, ALE, AUX** adj. (1871), «relatif aux séismes». **SISMIQUE** (1871) ou **SÉISMIQUE** adj. (1856) «relatif aux séismes», fréquent dans *secousse sismique*, s'emploie aussi dans *prospection sismique* (relevé en 1964) ou *sismique* n. f. (v. 1979). L'adjectif s'est imposé avant le nom; il en est de même pour l'anglais *seismic* (1858) avant *seism* (1883). ◇ Le mot a produit **SISMICITÉ** n. f. (1892). ◆ Plusieurs composés ont été formés, comme **SISMOGRAPHE** n. m. (1871; *séismo-*, 1858), dont dérive **SISMOGRAPHIE** n. f. (1902; *séismo-*, 1923); **SISMOLOGIE** n. f. (1881; *séismo-*, 1904), d'où **SISMOLOGIQUE** adj. (1881; *séismo-*, 1903) et **SISMOLOGUE** n. (1909). Ces composés apparaissent entre 1850 et 1860 en anglais, *sismographe* a été formé en italien (*sismgrafo*, Palmieri, v. 1850). ◇ **SISMOMÈTRE** n. m. (1888) et **SISMOMÉTRIE** n. f. (XXe s.) sont aussi en usage. Les préfixés **ANTISISMIQUE** adj. (1979) et **PARASISMIQUE** adj. concernent les mesures et dispositifs destinés à lutter contre les effets des séismes.

◈ voir SISTRE.

SEIZE adj. numér. et n. m. inv., réfection (v. 1250) de *seze* (v. 1155) et *seise* (v. 1220), est issu du latin *sedecim*, composé de *sex* «six*» et de *decem* «dix*».

♦ Dès les premiers emplois (v. 1155), ce numéral cardinal est aussi numéral ordinal (là où le français moderne emploi *seizième;* 1165-1170, *la lune seze* «arrivée à son seizième jour») et nom masculin. ◇ L'adjectif est employé en imprimerie *in-seize* (1623) qui a remplacé *en-seize* (1690), disparu. ◇ Comme substantif, il désigne ce qui porte le numéro seize (1871, «le seizième jour du mois»).

▶ *Seize* a fourni plusieurs dérivés. ◆ **SEIZIÈME** adj. et n., d'abord adjectif numéral ordinal, s'est écrit *sezime* (1138), *seziesme* (1380), *sezième* (1636), encore au milieu du XVIIIe s., et sous la forme moderne en 1665. ◇ Comme nom, il a désigné (1246) la seizième partie d'un ensemble, d'abord en parlant d'un impôt, puis au sens général (1606). ◇ Au féminin, c'est aussi un terme de musique (*une seizième*, 1705) et au piquet le nom d'une série de six cartes qui comptent seize points (1809). ◇ *Le seizième* pour «le seizième siècle» a fourni les dérivés didactiques **SEIZIÉMISME** n. m. (1942) et **SEIZIÉMISTE** adj. et n. (1922, n. m.; 1945, adj. *in* T.L.F.). ◆ **SEIZIÈMEMENT** adv. est attesté au XVIIe s. (1636, *sezièmement*).

SEIZAIN n. m. (1669), d'abord *sezain* «seizième» (v. 1200), est un terme d'histoire; il a désigné un poème de seize vers (1574), le quart d'une once et un droit sur le blé (1611), une ancienne monnaie valant le quart d'un écu (1640, *sesin*) et un drap de laine tissé à 1600 fils (1669). ◆ **SEIZAINE** n. f., d'abord «nombre de seize» (1605), est un terme technique (1752) désignant une petite corde.

SÉJOURNER v. intr. est la réfection (fin XIIe s.), probablement d'après *séjour*, de *sejurner* (fin XIe s.), *sujurner* (v. 1138), *sejorner* (av. 1150); ce verbe est issu du latin populaire °*subdiurnare*, composé de *sub-*, qui marque ici l'approximation (→ sous-), et du latin impérial *diurnus* «de jour», dont le neutre *diurnum* a abouti à *jour**. On relève en moyen français des formes refaites d'après le latin : *subjourner* (1477), *soubjourner* (1541).

♦ Le verbe signifie dès l'origine «rester assez longtemps dans un lieu», «s'installer (pour un moment)». ◇ Il s'est employé en ancien français (v. 1150) pour «se reposer (pendant un voyage)», «vivre en compagnie de (qqn)». De ces acceptions viennent *séjourner de* (suivi de l'infinitif) «cesser de» (v. 1165), *sans séjourner* «sans s'arrêter» (v. 1270) puis «immédiatement» (av. 1550), emplois disparus. ◇ Les emplois transitifs de *séjourner qqn* «l'héberger», c'est-à-dire le faire reposer (v. 1175), *sejourner des chevaux* (fin XIIe s.) et au figuré *se sejourner en qqch.* «s'arrêter sur qqch. pour y songer, s'y complaire» (v. 1175), encore à l'époque classique, ont eux aussi disparu. Il en va de même pour d'autres emplois transitifs en parlant d'un sentiment, d'une qualité, pour «laisser reposer» (1567) ou encore *séjourner un camp* «l'établir» (1569). ◇ Un dernier emploi intransitif, pour «rester à la même place» (1600) avec un sujet nom de chose, est encore en usage, mais c'est le sens initial qui demeure le plus usuel.

▸ **SÉJOUR** n. m., attesté sous cette forme vers 1200, a eu comme le verbe diverses formes en ancien français, d'abord *sujurn* (1080), *sujur* puis *sejur* (v. 1138), *sojour* (v. 1155). ◇ Le nom désigne (1080) le fait de séjourner, d'abord dans la locution verbale *prendre séjour*, qui équivaut au verbe (1080); on relève en ancien français avec le même sens *tenir séjour* (1138), *faire séjour* (v. 1150). ◇ *Séjour* s'est dit (av. 1138) pour «demeure», avec les locutions disparues *avoir sujur* (v. 1138), *a sejor* (v. 1175) «en repos» et «chez soi», *être a sejor* (XIIe s.), *être de sejour* (fin XVIe s.) «se reposer». ◇ L'emploi pour «repos, délassement» (v. 1155), en particulier dans la locution *estre en sujor* «être oisif» (v. 1165) puis «vivre en paix» (v. 1240), a lui aussi disparu. ◇ En revanche, l'idée de «repos» se maintient en moyen français, par exemple dans *cheval de sejour* «reposé» (apr. 1370), *homme de séjour* «frais, dispos» (déb. XVIe s.), et ne disparaît qu'en français classique. ◇ Parallèlement, de l'idée d'«installation durable» on passe aux sens de «temps où qqn séjourne» (v. 1175) et «pays où l'on habite», régional maintenant. ◇ En outre, le mot désigne en ancien et en moyen français un retard, un délai, dans des locutions comme *sans nul autre sejur* «immédiatement» (1165-1170), *estre a sejur* «s'attarder» (v. 1175), encore *sot de séjour* (v. 1460) «sot pour toujours, sot absolu». Ce sens était encore en usage à l'époque classique. ◇ *Séjour* désigne aussi (déb. XIIIe s.) par métonymie le lieu où qqn demeure pendant un certain temps, acception aujourd'hui littéraire, d'où viennent les expressions *séjour ténébreux* «enfer» (apr. 1650), opposé à *séjour des bienheureux* (1690), et au XVIIIe s. *petit séjour* «maison de campagne» (av. 1776), disparues. ◇ *Séjour* désigne par extension (1681) le temps pendant lequel qqch. reste en un endroit, acception vieillie. Le mot s'emploie aujourd'hui dans *salle de séjour* ou *séjour* (→ salle).

✱ **SEL** n. m. est issu (v. 1150) du latin *sal* «sel» puis «toute substance salée ou amère», au pluriel *(sales)* «grains de sel» et, en poésie, «mer», à l'imitation du grec *hals, halos* «sel» et (n. f.) «mer». Par figure, *sal* signifie aussi «esprit piquant», «finesse», «stimulant», et au pluriel «plaisanteries». Comme le grec *hals* (→ haliotide, halo-) ou le vieux slave *solĭ*, *sal* est à rapprocher d'une forme celtique (irlandais *salann*) et du gotique *salt* (allemand *Salz*). On relève en ancien français les variantes *sau, sal* et même *ser*.

♦ Le mot, avec sa variante ancienne *sal*, désigne une substance naturelle minérale, tirée de la mer ou de la terre, et d'un goût piquant (en termes modernes, le chlorure de sodium); son rôle pour l'assaisonnement et la conservation des aliments, essentiel au moyen âge, explique la variété des emplois et la diversité des dérivés. Les variétés sont appelées *sel gemme** (XIIe s., *sal gemme*), *sel blanc* «raffiné» (XIVe s., *sal*), *sel commun* (1549), *sel gris, sel marin* (1694). *Aller au sel* (1611) a signifié «acheter des vivres», ce qui montre l'importance de cette substance, notamment à l'époque de l'impôt sur le sel (gabelle) et des faux sauniers*. ◆ *Sel* s'emploie d'après la métaphore biblique comme symbole de force spirituelle (1534) et dans la désignation de ses disciples par le Christ : vous êtes ***le sel de la Terre*** (1534), expression employée plus tard au figuré : «élément vivant, actif, supérieur, parmi les humains».

Le mot est employé depuis le moyen français, par réemprunts, dans des expressions qui désignent des substances analogues, par exemple au XIVe s. *sal, sel ammoniac* «chlorure d'ammonium», *sel de nitre* (1314), plus tard désigné par le pluriel non qualifié du mot : *des sels, les sels* (1764, *sels anglais*), par exemple dans *respirer des sels*. Le mot a désigné (v. 1560) tout corps solide soluble dans l'eau ressemblant au sel, jusqu'à Lavoisier; l'ancienne chimie distinguait les *sels acides, alcalins* et *neutres* : c'est à cette acception large que se rattachent des syntagmes comme *sel de Saturne* «acétate de plomb», *sel d'enfer* «salpêtre» (1690), *sel de terre* «mercure» en alchimie (1721), *sel de Sedlitz* «sulfate de magnésium» (1770). De tels emplois, dans le vocabulaire commercial, continuent à vivre après la révolution conceptuelle et terminologique de la chimie moderne : on parle ainsi de *sel d'Epsom* (1812), de *sel de Vichy* «bicarbonate de sodium» (1907). ◇ Par ailleurs, les sels (dans ce sens large et ancien) à usage médicinal s'appellent absolument *des sels* (1792), cet emploi étant devenu archaïque au XXe s. ◇ C'est à la fin du XVIIIe s., avec Lavoisier et Guyton de Morveau (1787), que *sel* entre dans la nouvelle nomenclature chimique, le concept alors construit étant «composé dans lequel l'hydrogène d'un acide a été remplacé par un métal»; comme *acide* et *base*, *sel* fait partie des anciens mots de chimie et d'alchimie qui acquièrent alors une valeur nouvelle; le *sel* (défini comme du chlorure de sodium) faisant partie des *sels* dans ce sens chimique. ◆ L'emploi figuré du latin «esprit piquant» a fait l'objet d'un emprunt au XVIe s. et le mot se dit métaphoriquement de ce qui donne du piquant, de l'intérêt à un propos, à un écrit. On parle notamment de *sel attique* (depuis 1586).

▶ Les dérivés, composés et emprunts à des dérivés latins sont nombreux; ils sont formés sur *sal*. Certains, avec l'initiale *sau-* ou bien démotivés par rapport à la notion, sont traités à l'ordre alphabétique (ex. *salade, salaire, sauce, saucisse, saupoudrer*). Tous attestent l'importance du mot et de la notion au moyen âge et à l'époque classique.

SALER v. tr., dérivé de l'ancienne forme *sal* (v. 1155), signifie «assaisonner avec du sel» et «imprégner de sel, pour conserver» (v. 1180, *saler une viande, un poisson*), en technique (1723) *saler les cuirs*. ◇ Le verbe s'est employé par figure (XIIe s.) pour «battre (qqn)», d'où en argot ancien «adresser des reproches» (1862), et aujourd'hui «punir sévèrement» (attesté en 1933). ◇ Par une autre figure, *saler* a signifié (1589) «vendre trop cher», d'où *saler qqn* (1845) et *saler une note* (1867). ◆ Ce verbe a fourni plusieurs dérivés et composés. ◇ **SALÉ, ÉE** adj., tiré du participe passé, signifie d'abord «imprégné de sel» (v. 1160) et s'applique à ce qui contient naturellement du sel (1221, *eau salée*), à ce qui a un goût salé (1538). Le sens spécial «assaisonné de sel» ou «de trop de sel» (v. 1640) est resté usuel en cuisine. *Beurre salé* s'oppose à *beurre doux*. De *porc salé* vient *petit salé* n. m. (XVIe s. selon F.e.w.) «chair salée d'un jeune cochon», aujourd'hui «morceaux de poitrine moins salés». ◇ À la fin du XVIe s., l'adjectif a qualifié, par figure et d'après la valeur métaphorique de *sel*, ce qui a du piquant, au XVIIe s. une personne. Aujourd'hui, il se dit seulement pour «grivois» (depuis fin XVIIe s.). ◇ Au sens propre, le nom *(du salé)* a signifié «chair, poisson salé» (1636); seul le sens de «porc salé» (1636) s'est maintenu, sans éliminer *petit salé* (ci-dessus). ◇ Par figure, il se dit familièrement pour «exagéré» (1660, d'un prix; 1870, d'une condamnation). Au figuré, *petit salé* (1867) a signifié en argot «enfant né avant le mariage» et *salé* «nouveau-né» (1878). Ce sens vient p.-ê. de l'argot des typographes, où *salé* (1808) signifiait «acompte». ◆ **SALURE** n. f. (1247, *saleure;* repris 1559) désigne la proportion de sel contenue dans un corps et le caractère de ce qui est salé (XIIIe s., isolément; puis 1562). ◇ Le mot s'est dit pour désigner l'action de saler (v. 1380), par métonymie le poisson ou la viande salés (v. 1470) et enfin la saumure (1611). ◆ **SALAGE** n. m. a désigné (1281) un droit sur le transport du sel. Il se dit (1611) du fait de saler et de son résultat, spécialement aujourd'hui en photographie (1870), et en technique pour l'épandage de sel sur les chaussées (1907). ◇ Les emplois métonymiques pour «viande salée» (1611) et «quantité de sel employée pour saler la viande» (1690) ont disparu. ◆ **SALOIR** n. m. (1470 *salloir*) de *salouer* (1376) s'est appliqué à ce qui sert pour la salaison, puis a désigné un pot destiné aux salaisons (1489), synonyme de *saleur* et du féminin *saloire* (1363), sens sorti d'usage. ◇ Il désigne surtout le lieu où l'on fait les salaisons (1546), puis la table sur laquelle on disposait les viandes à saler (1600) et le coffre renfermant la provision de sel, puis au XVIIe s. une boîte à sel (1631). ◇ Par figure, *le grand saloir* s'est employé populairement (1640) pour «cimetière», emploi disparu (*saleur* ci-dessous). ◇ Le mot a vieilli avec la disparition de la chose. ◆ **SALAISON** n. f., attesté isolément au XVe s. *(salloison)*, désigne la viande ou le poisson salés (v. 1455). Le mot, repris au XVIIIe s. dans ce sens (1723), s'est dit de l'action de faire le sel (1611), d'un impôt sur le sel (1636) et de la saison où l'on prépare les salaisons (1690). ◆ **SALANT, ANTE** adj., terme technique, s'applique à ce qui produit du sel, spécialement dans *marais* salant* (1417, *marays sallans*). *Salant* n. m. désigne (1871) une étendue de terre proche de la mer où s'étendent des efflorescences de sel. ◆ **SALEUR, EUSE** n. s'est dit (v. 1560) pour celui qui embaumait les morts (*saloir* ci-dessus). Le mot désigne aujourd'hui qqn dont le métier est de saler (1561, la morue, le hareng; repris en 1721) et au déb. du XXe s. (1904 ; v. 1960, n. f.) un véhicule utilisé pour le salage des routes.

Le préfixé **DESSALER** v. tr., d'abord attesté au participe passé pour «qui n'est plus salé» (XIIIe s.), est relevé à l'actif en 1393, après l'ancien provençal *desalar* (1240). ◆ Par figure, **DESSALÉ, ÉE** adj. signifie «déniaisé, rusé» (1565; 1640, n.) et s'est appliqué (1602) à un discours qui manque d'esprit. ◆ Le verbe a fourni **DESSALEMENT** n. m. (1764), **DESSALAGE** n. m. (1877), noms d'action employés en technique, et **DESSALURE** n. f. (1906). ◆ **RESALER** v. tr. est attesté en 1314.

D'autres mots ont été dérivés de *sal*, forme ancienne de *sel*. **SALÈGRE** n. m., d'abord «sel qui s'attache au fond des poêles utilisés pour la fabrication artisanale du sel» (1660) puis «pâtée à base de graines écrasées et salées» (1791), est aujourd'hui un terme technique régional (1836), désignant une pierre imprégnée de sel que les animaux peuvent lécher à l'étable.

Sur *sel* ont été formés plus tard des composés : **PÈSE-SEL** n. m. est un terme technique (1838). ◇ **DEMI-SEL** adj. inv. s'applique à quelques produits légèrement salés, *porc au demi-sel* (1842), *beurre demi-sel, fromage demi-sel* ou *un demi-sel* n. m. (1929). ◇ **DEMI-SEL** n. m., argotique (1894), s'est dit d'un homme qui, vivant du proxénétisme, continue d'exercer un métier régulier; ce sens viendrait de (beurre) *demi-sel*, proprement «ni salé, ni pas salé», mais en même temps *salé* s'oppose à *dessalé* au figuré. Par extension (fin XIXe s.), le mot désigne un homme qui affecte d'être du milieu, mais n'est pas reconnu comme tel (opposé à *homme*).

D'autres mots qui sont sentis comme rattachés à *sel*, les dérivés français affectant la forme *sal*, sont empruntés à des dérivés du latin *sal*. ◆ **SALIÈRE** n. f., réfection (v. 1225) de *salere* (déb. XIIIe s.) en concurrence avec le masculin *saler* attesté isolément (XIIe s.), est issu du latin *salarius* «par où l'on transporte le sel», et nom masculin «marchand de salaisons», dérivé de *sal*. Le mot désigne un petit récipient pour mettre le sel sur la table. ◇ Par analogie de forme, la salière étant formée d'un ou de deux creux, le mot désigne une partie enfoncée audessus de l'œil du cheval (1600; d'une personne,

1823) et familièrement un enfoncement derrière la clavicule, chez une personne maigre (1611), d'où la locution ancienne *montrer ses salières* «se décolleter» (1862). ◆ **SALERON** n. m. est le dérivé diminutif (1406) de *salere,* ancienne forme de *salière.* Le mot désigne le creux de la salière.

① **SALINE** n. f. est issu du latin *salinae* «salines» employé aussi au figuré pour «ce qui fournit des remarques piquantes» D'abord employé pour «rive d'un fleuve salée par la marée» (v. 1210), puis pour «lieu où se fait le sel» (v. 1245), *saline* ne se dit plus pour «mine de sel gemme» (depuis 1596). Le mot désigne l'entreprise de production du sel, par exemple par évaporation de l'eau de mer (1870). ◇ Le dérivé **SALINIER, IÈRE** n. (v. 1460, *sallenier* en picard) signifie «producteur de sel», d'où *faux salinier* (1499), puis (1803) «ouvrier dans une saline», aussi adjectif (1874). ◇ L'ancien verbe intransitif *salineir* (1255), puis *saliner* v. intr. (1449) a signifié «faire du sel». ◇ Il en reste le dérivé **SALINAGE** n. m. (1407, «droit de faire du sel»), aujourd'hui terme technique (1765). ◇ ② **SALINE** n. f., dérivé de *sal, sel,* a désigné le fait d'être salé (1372), un poids de sel (1474), puis de la viande (1530) ou du poisson (1660) salés. ◆ ① **SALIN, INE** adj. qualifie (av. 1590, Paré) ce qui contient du sel (1636, *salain* «salant»). Le nom, *un salin,* s'est employé (1660) pour désigner un droit sur le sel et a eu divers sens techniques (1765, en verrerie); aujourd'hui, il équivaut (1870) à «marais salant». ◇ Il a pour dérivé **SALINITÉ** n. f. (1867), «teneur en sel», notamment appliqué à l'eau naturelle (mer, lacs salés).

Un autre mot, ② **SALIN** n. m., vient du latin *salinum* «salière»; il est attesté en ancien provençal au sens de «grenier à sel» (XIIIe s.) puis en moyen français (1454); il a désigné (1680) un baquet employé par les revendeuses de sel.

Plusieurs mots didactiques sont composés du latin *sal.* **SALIFÈRE** adj. (1788, *montagne salifère*). ◇ En chimie, **SALIFIER** v. tr. (1789, Lavoisier) a fourni **SALIFIABLE** adj. (1789) et **SALIFICATION** n. f. (1800). ◇ **SALICOLE** adj. (1866), **SALICULTURE** n. f. (1870), d'où **SALICULTEUR, TRICE** n. (mil. XXe s.), concernent la production de sel marin.

◈ voir SALADE, SALAIRE, SALAMI, SALICORNE, SALMIGONDIS, SALPÊTRE, SALPICON, SAUCE, SAUCISSE, SAUCISSON, SAUGRENU, SAUMÂTRE, SAUMURE, SAUNIER, SAUPIQUET, SAUPOUDRER.

SÉLECTION n. f. est d'abord un emprunt (1609) au latin *selectio* «choix, triage», dérivé de *selectum,* supin de *seligere* «choisir et mettre à part», composé de *se-,* qui marque la séparation (→ séduire), et de *legere* «ramasser, cueillir» (→ lire).

♦ Introduit au sens de «choix», le mot est très rare avant le XIXe siècle. ◇ Il est alors repris (1801) à l'anglais *selection,* attesté peu après le mot français (1656-1658), de même origine que lui, employé avec un sens plus spécialisé, désignant l'action de choisir méthodiquement, parmi des éléments de même nature, ceux qui conviennent le mieux selon certains critères. *Sélection* s'emploie en particulier (1857), toujours d'après l'anglais, comme terme d'élevage et d'agriculture, en parlant du choix d'animaux reproducteurs. ◇ Le français emprunte une nouvelle fois *sélection* (1864, Renouvier; 1866, traduction de *De l'origine des espèces par voie de sélection naturelle*) dans la théorie de Darwin (qui emploie *natural selection,* en 1857) sur l'évolution, selon laquelle l'élimination naturelle des individus les plus faibles permet à l'espèce, par transmission de caractères, de se perfectionner d'une génération à l'autre; le français employait *élection* en ce sens. ◇ C'est avec cette acception que le mot s'est répandu. Il désigne aussi, par métonymie du premier emploi (1887), l'ensemble des éléments choisis, spécialement (1908) en parlant de joueurs, d'athlètes pour une compétition *(une belle sélection; la sélection française...),* en général avec l'idée d'élimination des moins aptes. Il s'emploie dans divers domaines techniques, par exemple en radioélectricité (1933), et aussi à propos du choix des candidats à un métier (1933), du classement d'élèves.

▶ Après un emploi isolé de *sélecte* avant 1654 (Guez de Balzac) au sens de «choisi», par emprunt au latin *selectus,* participe passé de *seligere,* **SÉLECT, ECTE** adj. est ensuite repris (1831) à l'anglais *select* adj. (1565, en parlant de choses; 1602, de personnes, de la société), de même origine que le français. Longtemps invariable, *sélect* a été francisé et prend la marque du pluriel français, mais il est toujours senti comme un anglicisme, à la différence de *sélection.* ◆ Sorti d'usage pour qualifier une chose de première qualité, *sélect* est vieilli (1888) au sens de «choisi, distingué» en parlant de réunions mondaines ou de personnes. ◇ L'emploi substantif du mot (1893, J. Verne) n'a pas fait fortune.

SÉLECTIF, IVE adj. est dérivé (1871) du radical de *sélection* d'après l'anglais *selective* (1625), dérivé de *to select* (1560) «sélectionner», de *select.* ◇ Appliqué à ce qui constitue une sélection, puis à ce qui est destiné à opérer une sélection (1876), l'adjectif se dit (1931) d'un poste de radio qui opère bien la sélection entre des émissions de fréquences voisines puis (1964) de tout ce qui opère une sélection. ◇ En dérivent **SÉLECTIVEMENT** adv. (1871) et **SÉLECTIVITÉ** n. f. (1924), plus didactique. ◆ *Sélection* a servi à former deux verbes. **SÉLECTIONNER** v. tr. mentionné, mais écarté par la traductrice française de Darwin en 1866, signifie «choisir par sélection» (1885) et en emploi absolu «opérer une sélection» (1924); d'où **SÉLECTIONNÉ, ÉE** adj. (1912 en sports). ◇ **SÉLECTIONNEUR, EUSE** n. a disparu comme adjectif (1923) employé pour désigner l'agent d'une sélection professionnelle (1949), agricole (1952), sportive (1932), etc. ◆ **SÉLECTER** v. tr., d'abord à propos des cocons de soie (1878), est un terme technique, spécialement en informatique, où c'est un réemprunt au verbe anglais *to select.* ◆ **SÉLECTEUR, TRICE** adj. et n. m. qualifie (1902) ce qui opère ou permet d'opérer une sélection et, comme nom masculin (1905), désigne divers dispositifs techniques. En parlant d'une personne, il est synonyme (1945) de *sélectionneur.*

Au sens de «sélection naturelle», *sélection* a donné **SÉLECTIONNISME** n. m. et **SÉLECTIONNISTE** adj. et n., tous deux attestés en 1923 et employés aujourd'hui (v. 1975) au sens le plus récent de *sélec-*

tion, à propos de la tendance à pratiquer la sélection dans l'enseignement.

SÉLÉNO-, -SÉLÈNE sont des éléments tirés du grec *selênê* «Lune», adjectif substantivé (°*selas-na*) tiré de *selas* «lueur brillante»; la Lune, qui était considérée comme un astre dangereux, était désignée par un adjectif plutôt que par son nom propre (en grec *mênê,* d'emploi rare).

▸ Ces éléments entrent dans la composition de quelques mots savants comme **SÉLÉNOGRAPHIE** n. f. (1648), de *-graphie,* «étude descriptive de la Lune», **SÉLÉNOLOGIE** n. f. (v. 1969) «étude physico-chimique de la Lune».
Par ailleurs plusieurs mots, notamment en chimie, ont été formés à partir du grec *selênê* ou d'un de ses dérivés. ◆ ① **SÉLÉNITE** n. et adj. (1812) désignait comme le grec *selênitês* un habitant de la Lune, dont l'existence fut présumée à plusieurs reprises. L'adjectif s'applique (av. 1969) à ce qui est relatif à la Lune (cf. *lunaire*). ◆ **SÉLÉNIEN, IENNE** adj. et n. s'emploie (1842) avec les mêmes valeurs.
SÉLÉNIUM n. m. est dérivé (1817, Berzélius) de *selênê* pour désigner un métal rare, à cause de ses analogies avec le *tellure,* du latin *tellus* «Terre» (→ tellurique), comme la Lune a des rapports avec la Terre, dont elle est le satellite. ◆ En dérivent plusieurs termes de chimie, comme **SÉLÉNIURE** n. m. (1818, Berzélius), **SÉLÉNIEUX** adj. m. (1827), ② **SÉLÉNITE** n. m. (1842), un homonyme ayant désigné le gypse.

SELF, premier élément, entre dans la composition de mots empruntés à l'anglais. L'anglais *self* «soi-même» est d'origine germanique (gotique *silba*) comme le danois *selv* ou l'allemand *selbst.*

♦ Dans les emplois techniques, il a une valeur adverbiale signifiant «pour soi-même»; dans la plupart des autres emprunts il signifie «(de) soi-même», entrant dans une construction réfléchie avec un nom d'action, équivalant à l'élément *auto-**.

▸ **SELF-MADE-MAN** n. m. est un emprunt (1881; mentionné comme mot anglais en 1873) à l'anglo-américain (1832). Il signifie littéralement «homme *(man)* qui s'est fait *(made)* lui-même *(self)*». Il se dit d'un homme qui ne doit sa réussite et son ascension sociales qu'à ses propres moyens et à ses seuls efforts, souvent en contexte américain.

◈ voir CONTRÔLE, GOUVERNER (GOUVERNEMENT), DÉFENSE, INDUIRE (INDUCTION, INDUCTANCE), SERVICE.

◈ **SELLE** n. f., réfection (XIIIe s.) d'après le latin de *sele* (v. 1050), est issu du latin *sella* «siège», spécialement «siège des artisans qui travaillent assis», «siège des professeurs» et «chaise à porteurs», aussi «chaise percée» et, seulement en latin populaire, «selle de cheval». *Sella,* résultat de °*sed-la,* est un dérivé du verbe *sedere* qui a donné *seoir**.

♦ *Selle* conserve d'abord le sens général de *sella* «petit siège sans dossier», aujourd'hui disparu, et celui de «pièce de cuir incurvée, placée sur le dos d'un cheval, et qui sert de siège au cavalier» (1080, *sele*). Il a désigné comme en latin populaire (déb. XIIIe s.) une chaise percée, aussi avec un qualificatif : *selle aisée* (1316), *selle nécessaire* (1352), *selle percée* (1387) plus tard remplacé par *chaise.* ◇ C'est de cet emploi que viennent *les selles* «les excréments» (fin XIVe s., au singulier) et ***aller à la selle*** (XVe s.). Avec le sens ancien de «siège», le mot entre dans la locution *entre deux selles chiet* [choit] *le cul a terre* (XIIIe s.) aux nombreuses variantes, dont ***être assis entre deux selles*** «hésiter entre deux choses» (fin XVe s.) et ***rester entre deux selles*** (1935, Académie). Les expressions restées vivantes ne sont plus comprises et *selle* y est souvent remplacé par *chaise.* ◇ Apparaissent ensuite des emplois techniques disparus, *selle* désignant (1318) un escabeau de cordonnier puis (1534) une planche de blanchisseuse. ◆ Au sens de «selle de cheval», le mot s'est employé dans la locution figurée *selle à tous chevaux* (1594) et a donné lieu à diverses expressions : *selle de femme* (1660) «à un seul étrier» (*selle à femme,* 1565), ***cheval de selle*** (1690), opposée à *cheval de trait,* emploi conservé comme ***être bien en selle*** «bien affermi dans une position» (fin XVIIe s.), ***se remetre en selle*** (fin XVIIe s.) et ***remettre qqn en selle*** (1747). ◆ Au sens de «siège», les emplois techniques se développent dans plusieurs domaines : «escabeau surmonté d'un plateau tournant, sur lequel le sculpteur pose la matière à travailler» (1676), «caisse de calfat», sorti d'usage (1691), «banc de bois pour poncer les peaux» (1723), «banc sur lequel on dispose les carreaux avant de les poser» (1812). ◆ Par analogie de forme, *selle (turcique)* désigne (1679) en anatomie une excavation creusée dans la face supérieure de l'os sphénoïde (où est logée l'hypophyse). ◆ Le mot s'emploie par analogie en boucherie (1739) pour désigner la région de la croupe entre le gigot et la première côte chez le mouton, le chevreuil, etc. ◆ À la fin du XIXe s. et d'après la selle du cheval, le mot désigne le petit siège adapté à un cycle, à une bicyclette (1889) puis à une moto.

▸ Plusieurs dérivés sont usuels. ◆ **SELLER** v. tr., «munir (un cheval) d'une selle» (1090), a pour dérivé **SELLAGE** n. m. (1871). ◆ Les préfixés **DESSELLER** v. tr. (v. 1300; 1165-1170, *desseler* «renverser de la selle»), surtout «enlever la selle à (un cheval, un équidé)», et **RESELLER** v. tr. (1690) sont eux aussi restés en usage. ◆ **SELLIER** n. m. s'est dit (v. 1165, *selier*) de l'endroit, sur le dos du cheval, où l'on pose la selle. ◇ Il a été reformé pour désigner (1216) un fabricant et marchand d'ouvrages de sellerie, sens conservé et élargi d'après *sellerie.* ◇ *Sellier* désignait aussi avant la fin du XIXe s. le fabricant et réparateur de voitures à cheval.
Le diminutif **SELLETTE** n. f., isolément au XIIIe s. *(selete)* au sens de «petit siège sans dossier», repris en 1382 *(celette),* a été employé pour «béquille» (déb. XIIIe s., *selleite*) par analogie de forme. ◇ Le mot a désigné spécialement un petit siège bas sur lequel on faisait asseoir des accusés pour les interroger, d'où ***mettre qqn sur la sellette*** (1326) «l'interroger», par figure «l'interroger comme un accusé» (1690); cette expression a vieilli, à la différence de la locution familière et courante ***être sur la sellette*** «exposé à la critique» (fin XVIe s.) ou «aux questions». Par analogie de forme («siège») ou de fonction («ap-

pui»), le mot s'emploie comme terme technique pour désigner une pièce du harnais (1611), un établi du vannier (1774) et un support sur lequel le sculpteur pose une œuvre en cours (1876).

SELLERIE n. f., dérivé de *sellier*, se dit (1260, *selerie*) du métier de sellier, de ses ouvrages. Dérivé de *selle*, le mot désigne (1390; 1360, *cellerie*) un ensemble de harnais et (1701) le lieu où l'on range les harnachements. ◇ Par extension, *sellerie* s'emploie à propos de produits en cuir, de leur fabrication et de leur commerce.

ENSELLÉ, ÉE adj. vient du participe passé de l'ancien français *enseller* v. tr. «seller (un cheval)» (v. 1090, *enseler*). L'adjectif, d'usage technique, a le sens de «concave» dans *cheval ensellé* (1561) et en marine dans *navire ensellé* (1691). Il se dit aussi de la courbe des reins. ◇ En est dérivé **ENSELLURE** n. f., «courbure de la région lombaire» (1866), assez courant en anatomie humaine, et **ENSELLEMENT** n. m. (1907), appliqué en géologie à la forme d'un pli.

◈ voir BOUTER (BOUTE-SELLE).

SELON prép. (fin XIIe s.), d'abord *sulunc, solonc* (v. 1050) puis *selonc* (v. 1175), viendrait d'un latin populaire °*sublongum* «le long de», sens propre de la préposition, composé de *sub-* (→ sous) et de *longum* (→ long). *Long* s'est employé comme préposition au sens de «selon» en ancien français (v. 1175, *lonc*). On propose aussi de voir dans *selon* le résultat du croisement de *long** avec l'ancienne préposition *son* (1165-1170; aussi *som, sun, sonc*, etc.) qui signifiait «suivant», issue de *secund* (v. 1120), *segun* (v. 1155), spécialisation de *second**; *second* s'est maintenu comme préposition jusqu'au XVe s. (1486, *segond*) et régionalement, par exemple dans le Vendômois (1694, Ménage). Cette hypothèse, qui se serait faite à l'étape *seon*, seulement attesté au XIIIe s., rend mal compte de la forme *sulunc*.

♦ La préposition s'emploie d'abord, comme l'ancienne forme *son*, avec la valeur de «suivant, conformément à qqch. (pris pour règle, pour guide, pour modèle)». Elle forme avec un nom une sorte de locution adjective (v. 1370, *selon ses vœux*). ◇ Le sens étymologique «le long de» (v. 1170, *solonc*) est sorti d'usage de même que la locution *de selon* (XIIIe s.) «dans le sens de la longueur». ➔ ***Selon que***, locution conjonctive suivie de l'indicatif (v. 1280), signifie «dans la mesure où, dans la manière que». La préposition entre dans des phrases marquant l'alternative (1215), de même que la locution conjonctive ***selon que*** (avec indicatif) [1270, *selonc*] et ***c'est selon*** «cela dépend des circonstances» (1657), la forme elliptique *selon* (1669) ayant disparu. ◇ *Selon* sert également (v. 1370) à introduire un énoncé présenté comme une sorte de citation, spécialement avec le sens de «si l'on s'en tient à» (fin XVe s.). La préposition, suivie d'un nom de personnes ou d'un pronom personnel, indique que la pensée exprimée est une opinion parmi d'autres (1530); elle est utilisée spécialement dans le vocabulaire religieux (1550, *Évangile selon saint Matthieu*).

SELVE n. f. est un emprunt (1938), d'abord *selva* (1877), au portugais du Brésil *selva*, lui-même pris au latin *silva* «forêt, bois», sans origine connue. Le mot latin avait abouti à l'ancien français *selve* «forêt» (1080) et à l'ancien provençal *silva* (v. 1180), qui demeure aujourd'hui dans des noms de lieux.

♦ Ce terme de géographie désigne la forêt vierge des pays équatoriaux de l'Amazonie.

▸ Il a fourni **SELVATIQUE** adj. (1972), terme de géographie.

◈ voir SAUVAGE, SILVANER, SYLVESTRE, SYLVICOLE.

SEMAINE n. f., réfection (v. 1119) de *sameine* (v. 1050), est issu du latin ecclésiastique *septimana* «espace de sept jours» (fin IVe s.), féminin substantivé du latin classique *septimanus* «relatif au nombre sept», dérivé de *septem* «sept*». *Septimana* représente un calque du grec ecclésiastique *hebdomas* «le nombre sept» et «semaine», dérivé de *hebdomos* «septième», mot apparenté par sa racine au latin (→ hebdomadaire). Au XVIe s., par latinisme, on a écrit *sepmaine*.

♦ Le mot désigne d'abord la période de sept jours, allant du lundi au dimanche, qui règle le déroulement de la vie religieuse, ensuite professionnelle, sociale. Par extension (fin XIIe s.), le mot s'applique à une période de sept jours, quel que soit le jour initial. De nombreuses locutions apparaissent rapidement : *sor samaine* a signifié (1210) «un jour ouvrable, pendant la semaine (à l'exclusion du dimanche)», d'où *en sursemaine* (1279) et *sur la semaine* (1636). *Semaine peneuse* «de peine» s'est dit de la semaine qui précède le dimanche de Pâques, appelée *grande semaine* (1608) puis ***semaine sainte*** (1680). ◇ Dans le calendrier chrétien, on a dit *feste des semaines* pour «Pentecôte» (1564); on relève à la même date une extension, *semaine d'an*, devenue (1681) ***semaine d'années***, expression biblique pour l'intervalle de sept ans qui sépare deux années sabbatiques. *Male semaine* s'est dit par euphémisme pour «menstrues» (1611; 1640, *les males semaines*). ◇ L'expression familière *semaine des trois jeudis* (1640) «jamais» a été modifiée en ***semaine des quatre jeudis*** (1867), toujours en usage alors même que *jeudi* n'est plus jour férié à l'école. Une première métonymie (1552, *sepmaine*) concerne le salaire touché pour le travail d'une semaine. ◇ Dans la seconde partie du XVIIe s., le mot prend le sens de «fonction (exercée pendant une semaine)», d'abord dans des locutions comme *faire sa semaine* (1669), *être en semaine* (1691, dans les chapitres religieux), sorties d'usage, et ***(être) de semaine*** (1694). De là vient *semaine* «travail qu'un ouvrier a fait pendant une semaine» (1694). ◇ *Prêter* (et *prêt*) *à la petite semaine* «à très court terme et à taux très élevé» est attesté en 1740; de cette expression sortie d'usage vient la locution familière ***à la petite semaine*** (XXe s.). ◇ À la fin du XVIIIe s., *semaine* s'est dit d'une petite somme donnée à un enfant comme argent de poche pour la semaine (1798). ➔ Avec l'idée d'«ensemble des jours ouvrables», par opposition au dimanche et aux jours fériés, ***en semaine*** signifie «pendant la semaine» (1871). ◇ À la même époque, le mot désigne un bracelet, une bague composé de sept anneaux (aussi *semainier*, 1876). ➔ L'évolution du monde du travail et des règles qui le régissent amène à préciser l'emploi du mot dans son sens le plus courant, qui s'applique à cette période du point de vue des heures de travail; ainsi ***semaine anglaise*** (1911) a désigné une organisation, d'abord en usage en Angleterre, qui accorde aux travailleurs le repos du dimanche et celui du samedi (→ week-end). ◇ Par extension, *semaine* se dit (xxe s.) d'une période consacrée à des manifestations culturelles, sociales, commerciales, etc.

▸ Le dérivé **SEMAINIER, IÈRE** n. s'est dit d'abord (v. 1200, n. m.) d'une personne qui assure un service pendant une semaine, par exemple dans une communauté religieuse. ◇ Le mot s'est employé comme adjectif (1380, *semenier;* 1487, forme moderne) pour «hebdomadaire», encore en 1875. ◇ Avec la première valeur, le nom désigne (1726) chacun des deux comédiens chargés, pendant une semaine, des détails relatifs au répertoire à la Comédie-Française. ◆ Au XIXe s. apparaissent des emplois analogiques, *semainier* désignant (1828) un agenda de bureau divisé selon les jours de la semaine, puis une boîte à rasoir contenant sept lames (1872) et un petit meuble comprenant sept tiroirs (xxe s.). ◆ En termes de comptabilité, le mot s'emploie (1904) pour parler de l'état des salaires dus aux ouvriers pour une semaine de travail.

SÉMANTIQUE adj. et n. f. est attesté isolément en 1561, écrit *symentique,* et a été repris en 1875. C'est un emprunt au grec *sêmantikos* «qui signifie, indique, fait connaître», formé sur le verbe *sêmainen* «marquer d'un signe», «faire savoir, expliquer», lui-même dérivé de *sêma, sêmatos* «caractère distinctif», souvent rapproché, mais sans certitude, du sanskrit *dhyā-man* «la pensée».

♦ L'adjectif s'appliquait déjà, dans son attestation isolée au XVIe s., à ce qui concerne le sens des mots. On trouve ensuite en anglais *semantick philosophy* (1665), expression désignant chez J. Spencer la science des présages météorologiques. Le nom réapparaît en français au XIXe s. (1875, *Grand Dictionnaire universel* de P. Larousse) comme nom de l'ensemble des signaux, télégraphie, etc. employés par l'armée pour transmettre des informations (→ sémaphore). ◇ C'est Michel Bréal qui propose le terme dans «Les Lois intellectuelles du langage : fragment de sémantique» (1883, in *Annuaire pour l'enseignement des études grecques en France*) et le diffuse par son *Essai de sémantique* (1897) où il définit la sémantique comme «la science des significations», l'étude des «lois qui président à la transformation des sens, aux choix d'expressions nouvelles, à la naissance et à la mort des locutions» ; le terme, qui reste d'abord propre à Bréal, désigne ensuite plus largement l'étude méthodique du langage considéré du point de vue du sens. *Sémantique* a été parfois restreint (1923, Vendryès) à la valeur de «lexicologie historique». Le mot est devenu aussi le nom de diverses disciplines à caractère plus philosophique que linguistique *(sémantique philosophique, sémantique générale),* d'après l'anglais *semantics* (de même origine que le français), dans des traductions des travaux de Carnap ou Korzybski *(general semantics).* C'est par ailleurs un terme de logique par emprunt à l'anglais (Ch. Morris) pour l'étude générale des relations entre les signes et leurs référents (opposé à *syntaxe* [syntax]* et à *pragmatique*).* ◇ Comme adjectif (1897), *sémantique* correspond de manière plus vague à «de la signification, du sens» et s'oppose parfois à *formel, syntaxique.*

▸ Le mot a fourni plusieurs termes didactiques : **SÉMANTIQUEMENT** adv. (1919) et **SÉMANTISME** n. m. (1913) sont devenus usuels. ◆ En revanche, **SÉMANTÈME** n. m. (1921), qui désignait un élément du mot support de la signification (par opposition à *morphème**), a vieilli dans ce sens et désigne aujourd'hui (1964) l'ensemble des sèmes spécifiques d'une unité linguistique. ◆ **SÉMANTICIEN, IENNE** n. (1913) remplace **SÉMANTISTE** n. (1897).

D'autres termes didactiques sont formés à partir de dérivés du grec *sêma.* ◆ **SÉMIOTIQUE** n. f. est emprunté (v. 1560) au grec *sêmeiôtikê* «observation des symptômes» en médecine, substantivation au féminin de l'adjectif *sêmeiôtikos* «qui concerne l'observation» et «apte à noter», dérivé du verbe *sêmeioun* «marquer d'un signe» et (au moyen) «remarquer, noter», c'est-à-dire «envisager comme un signe», lui-même de *sêmeion* «signal», dérivé de *sêma.* ◆ Terme ancien de médecine, le mot s'écrit aussi *séméiotique* (v. 1555) et s'est employé comme adjectif (1839, *sémio-;* 1876, *séméio-*); dans cet emploi médical, il a été supplanté par *sémiologie* (ci-dessous). Locke (1690), dans son classement des connaissances rationnelles, oppose *Sêmeiôtikê* (la Logique) à la physique (connaissance de la nature) et à la pratique (la morale). L'emprunt grec désigne chez le philosophe anglais la science des signes, notamment des mots comme signe des idées. Ce concept sera nommé en français à la fin du XVIIIe s. *idéologie*,* et l'opposition faite par Locke sera reprise en anglais (1831, Smart) sous le nom de *sematology.* ◆ *Sémiotique* est repris en 1954 dans un article en français du linguiste danois Louis Hjelmslev où il signifie «système structuré de signes» et est employé également comme adjectif. ◇ Le mot prend ensuite (1966) le sens de «théorie générale des signes, des systèmes de signes et des processus signifiants» ; c'est alors une adaptation de l'anglais *semiotics* (1964, Margaret Mead, T. A. Sebeok), qui reprend *semiotic* (1914, Ch. S. Peirce). Sauf chez les théoriciens proches de Hjelmslev, qui opèrent une distinction entre *sémiotique* et *sémiologie* (ci-dessous), *sémiotique* possède alors une valeur épistémologique qui le relie aux concepts grec (les stoïciens) et lockien. L'emploi des deux mots relève souvent des théories : la tradition de Saussure préfère *sémiologie* et la tradition anglo-saxonne *sémiotique.* ◆ Le dérivé **SÉMÉIOTICIEN** n. m. a disparu en médecine (1765, art. *Signe, Encyclopédie*); **SÉMIOTICIEN, IENNE** n. a été introduit vers 1965.

SÉMIOLOGIE n. f. apparaît en 1752 (→ -logie) pour désigner la partie de la médecine qui étudie les symptômes des maladies, aussi écrit **SÉMÉIOLOGIE.** ◇ Le mot, employé en 1901 par Naville, a été repris en linguistique par F. de Saussure dans son célèbre *Cours* (1910) pour nommer la science étudiant les systèmes de signes (langues, codes, signalisations) et la science générale des signes (*sémiotique* ci-dessus). Il s'emploie spécialement en parlant des signes et des systèmes de signes intentionnels, d'où *sémiologie théâtrale, littéraire*, ou encore *sémiologie graphique* (1967, J. Bertin). ◆ Le dérivé **SÉMIOLOGIQUE** adj. s'emploie en médecine (1846; plus rarement *séméiotique*, 1836) et en linguistique (1916), d'où, dans ce cadre, **SÉMIOLOGUE** n. (v. 1950; attesté 1964, Barthes), distinct ou non de *sémioticien*.

SÉMIOGRAPHIE n. f. est une adaptation (1836) du grec *sêmeiographos* «qui écrit en signes autres que ceux de la graphie normale». ◇ Le mot s'est employé au sens de «méthode d'écriture abrégée», avec la variante *séméiographie* (1842); il a été remplacé par *sténographie*. Il désigne aujourd'hui (mil. xxe s.) la notation des informations cartographiques selon un système de signes convenus. ◇ En dérive **SÉMIOGRAPHIQUE** adj. (1875, au sens ancien).

SÉMASIOLOGIE n. f. a d'abord eu en français (1884) le sens disparu de «sémantique», repris à l'allemand *Semasiologie*. Introduit en 1825 par Karl Kristian Reisig, le mot désignait la science qui devait établir «les principes gouvernant le développement du sens», partie de la grammaire qui comportait par ailleurs l'étymologie et la syntaxe, c'est-à-dire la sémantique (ci-dessus). Le mot s'emploie aujourd'hui en parlant de l'étude des significations qui, partant du mot, du signe, s'oppose à l'*onomasiologie*.

SÈME n. m., tiré (1926, puis 1943, E. Buyssens) du grec *sêmeion* (dérivé de *sêma*) sur le modèle de *phonème, morphème*, désigne l'unité minimale de signification, selon les critères d'un type d'analyse (la nature d'unité minimale des éléments dégagés est périodiquement remise en question). Champollion avait employé le mot pour «unité de sens» (*in* T.L.F.).

SÉMÈME n. m. (1949) est emprunté en linguistique à l'anglais *sememe* (1926, Bloomfield), construit aussi sur *sêmeion*. ◆ **SÉMIQUE** adj. (1943, Buyssens, *acte sémique*, puis 1960) qualifie ce qui est relatif aux sèmes.

L'élément final **-SÉMIE**, du grec *-sêmia*, sert à former plusieurs composés. ◆ **POLYSÉMIE** n. f. a été créé par Bréal (1897), de *poly-* d'après le grec *polusêmos* «qui a de nombreuses significations», pour «caractère d'un signe unique (de même étymologie) qui a plusieurs significations, plusieurs signifiés», concept distinct de l'homonymie (qui concerne deux signes différents de même forme). La variante *polysémantisme* (Gilliéron, 1922) ne s'est pas imposée. ◇ *Polysémie*, de même que **POLYSÉMIQUE** adj. (1932), s'est diffusé dans l'usage didactique, avec les discussions lexicographiques sur la polysémie et l'homonymie, vers 1960. ◆ **MONOSÉMIE** n. f. (mil. xxe s.) et **MONOSÉMIQUE** adj., qui concernent le fait de n'avoir qu'une seule signification, ont probablement été formés sur *mono-* d'après *polysémie* et *polysémique*. ◆ Indépendamment des composés déjà formés, l'élément **SÉMIO-** est productif, par exemple dans **SÉMIOMÉTRIE** n. f. (1922), «mesure et traitement statistique des réactions d'un échantillon de personnes à des mots qui lui sont proposés».

⟐ voir **SÉMAPHORE**.

SÉMAPHORE

SÉMAPHORE n. m. a été composé savamment (1812) du grec *sêma* «signe» (→ sémantique) et de *-phore* (→ phosphore), du grec *phoros* «qui porte», lui-même du verbe *pherein* «porter».

♦ Le mot désigne un dispositif (mât muni de bras mobiles) établi sur le littoral, qui permet d'envoyer des télégrammes optiques, ou un dispositif analogue qui indique si une voie de chemin de fer est libre ou non (1888). Repris en informatique, *sémaphore* se dit par analogie (v. 1975) d'un type particulier de variable qu'on utilise pour synchroniser des travaux parallèles exécutés par un ordinateur.

✳ SEMBLER

✳ **SEMBLER** v. intr. est issu par évolution phonétique (1080, mais antérieur; cf. *semblant*) du bas latin *similare*, °*similiare* «être semblable», dérivé du latin classique *similis* «semblable, ressemblant, pareil» (→ similaire). Le mot, dont la forme originelle doit être °*semilis*, vient d'une base *semi-* qui se rattache à une racine indoeuropéenne °*sem-* «un», exprimant aussi l'identité. Cette racine est conservée en sanskrit (*sámah*), en gotique (*sama*), en vieux slave (*samŭ*; → samizdat, samovar) et peut-être en grec (*hêmi-*; → hémi-) pour désigner l'unité; elle a été remplacée en ce sens par *unus* en latin. Le latin tardif °*similiare* a abouti à l'ancien provençal *semelhar* «ressembler» (v. 1240).

♦ Le verbe a la valeur générale de «présenter telle apparence pour qqn» (1080) dans la construction *sembler à qqn* et celle de «paraître», suivi d'un attribut (1155); dès la fin du xie s. (v. 1090), *sembler raison* signifiait «sembler juste». Suivi d'un infinitif, le verbe correspond à «donner l'impression de» (1196). ◇ Il s'emploie impersonnellement dans diverses constructions : *me* (*te*, etc.) *semble*, suivi de l'infinitif (1080), «je (tu)... crois, je pense...» est devenu ***il me semble*** (1580), etc. ***Il me semble que*** est suivi de l'indicatif (v. 1260, d'abord sous la forme *il me sanle;* 1440-1475, forme moderne) ou du subjonctif (fin xve s.). Les constructions *il me semble à* (1538), *de* (1614) sont sorties d'usage; la construction elliptique ***ce me semble*** (v. 1250) est littéraire, remplacée par ***à ce qu'il me semble*** (1669) et ***à ce qui semble*** (1665). *Ce semble* (1665) est archaïque. ◇ Une deuxième construction est *sembler à qqn* «être apparemment pour qqn» (1080), d'où ***sembler bon (à qqn)*** [apr. 1370] et ***si bon me semble*** (1549). Enfin, l'impersonnel ***il semble que*** «les apparences donnent à penser» est attesté à partir de 1250 (avec le subjonctif).

▶ Le dérivé **SEMBLANCE** n. f. n'est plus employé que par archaïsme pour «apparence, forme extérieure» (1150) et «ressemblance» (v. 1119). Le mot a signifié aussi «manière d'être, conduite» (v. 1155), «image» (v. 1175), encore à l'époque classique, et par métonymie «signification (d'un rêve)» (xiiie s.), et «mine, visage» (xiiie s.). Il a vieilli dans tous ses emplois, éliminé par le mot de la même famille *ressemblance*, et on ne rencontre plus guère qu'***à la semblance de*** dans un usage littéraire.

SEMBLABLE adj. et n. s'applique (v. 1165, *senlable*) à des éléments qui se ressemblent entre eux, d'où

la notion d'identité :
SEMBLABLE

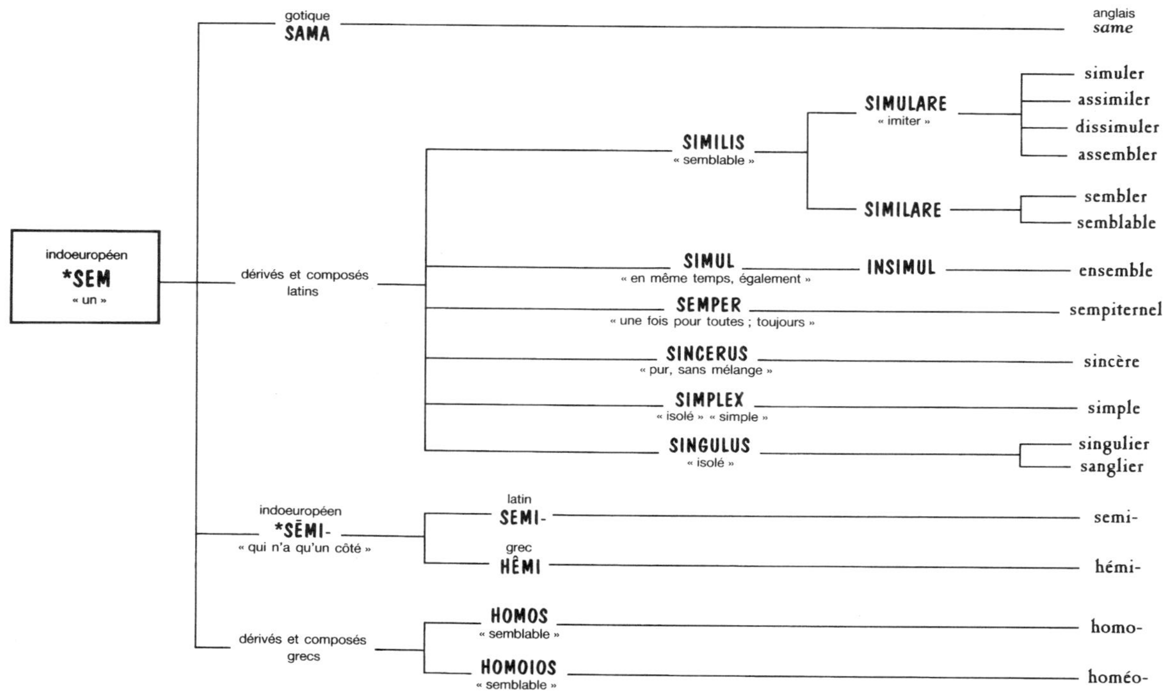

l'emploi substantif pour «chose semblable», d'abord dans la locution ***faire le semblable*** «la même chose» (v. 1370). L'adjectif se spécialise au XVIe s. en mathématiques (1484, Chuquet, de nombres; 1639 en géométrie). ◇ Il signifie «qui ressemble», avec la préposition *à* ou employé seul (1538). Il se dit de ce qui est de même nature qu'une autre chose, spécialement dans ***ne pas avoir son semblable*** (1538); *autres semblables* équivalait à «d'autres hommes (sans distinction)» (1538; 1694, *nos semblables*). L'adjectif s'emploie aussi (1669) avec une valeur affective pour «de cette nature, tel». ◇ Il a produit **SEMBLABLEMENT** adv. (1267 *semblanblement*).

La forme du participe présent est substantivée dès le Xe s. et **SEMBLANT** n. m. apparaît vers 980 pour «apparence, aspect» et comme adjectif (1080) pour «qui ressemble». *Son semblant* a signifié «son semblable» (v. 1155) jusqu'au XVe siècle. Avec l'idée d'«apparence», le mot s'emploie en ancien français de manière neutre ou positive avec un adjectif. Les emplois avec des connotations négatives sont restés vivants dans des locutions. ◇ Le nom équivaut (v. 1155, Wace) à «signe, indice», d'où ***faire semblant de*** «laisser paraître» (v. 1155, *id.*), *faire semblant de* et infinitif «avoir l'air de», encore chez Littré, *faire bel semblant* «faire bon accueil», *faire semblant d'amitié* «témoigner de l'amitié» et la construction ***faire semblant que,*** suivie de l'infinitif, «montrer que» (v. 1145). Toujours avec cette valeur, on trouve *semblant* «accueil favorable» (v. 1175), d'où *beau semblant* «signe de gentillesse» (XIIe s.). ◇ Parallèlement, ***ne faire semblant de rien*** signifie «prendre un air indifférent pour tromper», toujours en usage (*sans faire semblan de riens*, v. 1450), comme ***faire semblant de qqch.*** «feindre», «faire comme si». ◇ *Semblant* signifie aussi «manière d'être» (1244-1248) et «opinion» dans *à mon semblant* «à mon avis» (XIIIe s.), sorti d'usage. ◇ À partir du XVIe s., la valeur négative, liée à l'idée d'apparence, l'emporte : *beau semblant* signifiait «belle apparence trompeuse» (1538) et ***faux-semblant*** «ruse, hypocrisie, apparence trompeuse» (1538), toujours en usage et qui procède de l'expression *par faus semblant* (1176). À la fin du XVIe s., *semblant* prend sans qualificatif la valeur d'apparence visible et *sans faire semblant* a signifié «en cachette» (1599). ***Un semblant de*** se dit en parlant de qqch. qui n'a que l'apparence de... (1636); ce sens est resté vivant, mais le mot fonctionne surtout dans *faux-semblant* et *faire semblant,* toujours avec l'idée de «fausse apparence».

Le préfixé **RESSEMBLER** v. s'est employé transitivement du XIe (1080) au XVIIe s.; cet emploi archaïque survit encore dans les dialectes. Il avait le même sens que l'emploi moderne *ressembler à* (XVe s.) «avoir des traits communs avec», d'où *se ressembler* (XVIe s.). ◇ Le verbe a eu jusqu'au XVe s. la même valeur que *sembler* (fin XIe s., *resempler*), par exemple dans *se faire ressembler* «se donner un certain air» (v. 1175, *resanbler*) ou *il ressemble que* «il semble que» (v. 1175, *resemble*). Ces valeurs ont disparu en moyen français. Au sens dominant, le verbe signifie par extension «être digne de son auteur» en parlant d'un comportement, d'une œuvre (XVIIe s.), d'où les locutions ***cela lui ressemble*** «on le reconnaît à cela» (1678) et ***cela ne lui ressemble pas*** (1798) «cette action n'est pas conforme à ce que l'on pensait de cette personne». ◇ Un emploi spécial, d'après *ressemblance* (ci-dessous), concerne le rapport entre une représentation figurée (peinture, etc.) et son modèle (1690). ◇ *Se ressembler,* c'est spécialement «agir comme on l'a toujours fait» (1669) et «ne pas mettre assez de variété dans ses œuvres» (XVIIIe s.), emploi vieilli. ◇ Le verbe entre dans de nombreuses locutions dont certaines sont devenues proverbiales, telles ***qui se ressemble s'assemble*** (Furetière, 1690), ***les jours se suivent, mais ne se ressemblent pas. Ne ressembler à rien*** est employé en bonne part (1798) pour «avoir de l'originalité», mais plus souvent avec une valeur négative (1798), à propos de ce qui est de mauvais goût, informe. On a dit aussi *cela ressemble à tout* (1798).

➜ Le dérivé **RESSEMBLANCE** n. f. a le sens général de «conformité approximative entre les personnes ou les choses» (v. 1265; puis v. 1380) mais ne s'emploie couramment qu'à partir du XVIe s., en particulier pour les personnes, avec le sens de «portrait» (1580), d'abord dans *ressemblance faite sur le vif* (1538), *faite au vif* (1636), d'où «image de qqn dans un rêve» (fin XVIe s.) et «apparence» (1638); ces emplois métonymiques ont disparu. ◇ Dans les arts et les techniques de représentation, puis de reproduction, le nom se dit (1676) de la conformité entre l'objet représenté et son modèle. Il s'est employé en géométrie (1690) pour «similitude». ➜ **RESSEMBLANT, ANTE** adj., rare au sens (1503) de «semblable (à)», s'applique couramment (av. 1650) à ce qui a de la ressemblance avec son modèle.

DISSEMBLER v. tr., formé avec le préfixe *dis-*, d'emploi littéraire et rare, signifie «être différent de». C'est une réfection (1594) des formes anciennes *dessanler* (1209, intr.), *dessembler* (XIIIe s., hapax; puis v. 1390), qui correspondent à l'ancien provençal *dessemblar* (XIIIe s.), d'après *sembler* et *ressembler.* ➜ **DISSEMBLANCE** n. f., littéraire (1520), s'est substitué à *dessemblance* (1165-1170), traduisant le latin *dissimilitudo.* Il désigne ce qui diffère, un trait qui distingue. ➜ **DISSEMBLABLE** adj., réfection savante (v. 1330) d'après le latin *dissimilis,* de *dessemblable* (v. 1150), encore au XVe s., se construit au singulier avec *de,* aussi avec *à* à l'époque classique. Le mot s'emploie plus couramment au pluriel. ◇ L'adverbe **DISSEMBLABLEMENT** (1570), réfection de *dessembleblement* (XIVe s.), est rare.

◈ voir ASSEMBLER, ENSEMBLE, VRAISEMBLABLE.

SEMELLE n. f., attesté à la fin du XIIe s. *(semele)*, est d'origine incertaine. Bloch et Wartburg proposent d'y voir une altération de *lemelle,* employé dans ce sens vers 1200, et de considérer cette forme comme la variante picarde de *lamelle*,* du latin *lamella,* diminutif de *lamina* «lame*»; la première syllabe *le-* aurait été prise pour l'article défini *le,* féminin en picard, et remplacée par °*se,* du latin *ipsa,* féminin de *ipse* «en personne», «même*». *Ipse* a en effet concurrencé *ille* (→ le) dans la longue période où s'est élaboré l'article défini en français et s'est employé en particulier chez les auteurs du nord de la Gaule. On trouve un phénomène analogue dans le gascon *lighe* «saule» pour *salighe* (du latin *salix* «saule*»), par aphérèse de *sa-* pris pour l'article défini. Pour P. Guiraud, les formes anciennes et dialectales *sumelle, soumelle* supposent en gallo-roman un dérivé °*sub-lamella*, sur le modèle du latin *sublamina* «lame de dessous», *lamella* et *lamina* étant synonymes. ◆ *Semelle* s'est substitué à l'ancien français *sole* (fin XIe s.), qui est resté dans le vocabulaire technique (→ ① sole), du latin populaire °*solo*, altération du classique *solea* (→ seuil).

♦ *Semelle* se dit d'abord de la pièce constituant le dessous d'une chaussure. Par métonymie, le mot signifie (1611) «longueur d'un pied», d'abord en escrime, d'où *reculer (rompre) d'une semelle* «reculer de la longueur d'un pied» (1835); cette acception est encore en usage dans des locutions figurées comme ***ne pas reculer d'une semelle*** «montrer de la fermeté» (fin XVIe s.), ***ne pas bouger (avancer) d'une semelle*** (1840), ***ne pas quitter qqn d'une semelle*** (fin XIXe s.). La locution figurée *courir d'une semelle* (1630) «aller à pied d'un lieu à un autre» a disparu, comme ***battre la semelle*** (1627) dans le même sens; en revanche, cette dernière expression reste usuelle avec un nouveau sens, «frapper le sol de ses pieds pour les réchauffer» (1834). ◇ *Semelle* désigne aussi la partie d'une chaussette correspondant à la plante du pied (1636) et une pièce découpée (de feutre, etc.) qu'on met à l'intérieur d'une chaussure. ◇ Par analogie, le mot s'emploie en technique pour désigner une pièce plate qui sert d'appui ou de renfort (1690), puis dans divers domaines, dont l'électricité (1904, *semelle d'un électro-aimant*). ◇ Au XXe s., surtout dans ***c'est de la semelle,*** le mot se dit d'une viande très dure ou trop cuite. ◇ Par extension du premier sens, *semelle* désigne (1967) la partie médiane du dessous d'un ski.

▸ Le mot a servi à former les composés : **RESSEMELER** v. tr. (1617), réfection de *rasameler* (1423) «remettre des semelles neuves à (des souliers)», dont dérivent **RESSEMELAGE** n. m. (1782) et **RESSEMELEUR, EUSE** n. (1797, n. m.); ce dernier est rare, du fait de l'emploi normal de *cordonnier**. ◆ **DESSEMELER** v. tr. (1839) est un terme technique, surtout employé au participe passé.

✻ **SEMER** v. tr. est issu (v. 1118) du latin classique *seminare* «semer», employé aussi aux sens de «produire», «procréer» et au figuré en bas latin «répandre, propager». Ce verbe, rare à l'époque classique, dérive de *semen, -inis* «semence» et spécialement «semence de blé», d'où «blé». *Semen* vient de *serere* «semer» et «planter»; ce double sens correspond à une époque ancienne où l'on semait en enfonçant chaque graine dans la terre. Dans les langues romanes, les verbes procèdent de *seminare.* Le verbe originel, *serere,* se rattache à une racine indoeuropéenne °*sē-*, °*sə-* «semer», également représentée en vieux slave *(sějǫ),* en gotique *(saia)* et en celtique (sans forme verbale attestée); elle n'apparaît pas en indo-iranien.

♦ Le verbe signifie d'abord, comme en latin, «répandre en surface ou mettre en terre (des semences)», d'où par extension «ensemencer». ◇ Il s'emploie au figuré (XIIIe s.) au sens de «répandre (des difficultés, des embûches)». Par métaphore, *semer son venin* (XIIIe s., *sammer*) s'est dit pour «agir méchamment», sorti d'usage, et ***semer l'argent*** pour «être prodigue» (v. 1330). ◇ Par analogie du sens premier, *semer* s'emploie concrètement (XIIIe s.; par métaphore dès le XIIe s.) pour «répandre (de petits objets) en dispersant», puis au figuré (XVe s.) pour «faire courir (des bruits, des nouvelles)». ◇ Le verbe s'est employé dans de nombreuses locutions comme *semer en l'eau* «donner des conseils à qqn qui n'en profitera pas» (1572), *semer un grain d'orge pour attraper un pigeon* «donner peu en espérant avoir beaucoup» (1611), ***semer en terre ingrate*** «faire du bien à qqn qui n'en est pas reconnaissant» (1690). ◇ Avec la valeur figurée de «répandre», il se dit (1668) en parlant de réflexions, d'anecdotes, etc., dispersées dans un ouvrage, une conversation; *semer* (qqch.) *de* (qqch.) «parsemer» (1671) est aujourd'hui littéraire. ◆ *Semer* a eu en argot (1867) le sens de «jeter à terre», puis (1867) de «fausser compagnie à (qqn)»; il est employé aujourd'hui familièrement au sens de «se débarrasser de (qqn) en devançant», spécialement en sports (1904).

▸ Plusieurs dérivés sont usuels. **SEMÉ, ÉE** adj. s'emploie spécialement en vénerie, autrefois dans *tête semée,* à propos d'un cerf qui a tous ses andouillers (1552), puis dans *andouillers mal semés* «dont le nombre n'est pas égal de chaque côté», d'où *cerf mal semé* (1762), *tête mal semée.* ◇ Par ailleurs, l'adjectif s'applique en blason (1573) à un écu dont les pièces, en nombre indéterminé, sont répandues de telle sorte qu'elles se perdent sur les bords. ◆ **SEMEUR, EUSE** n. «personne qui sème du grain», d'abord *semeour* (v. 1180), *semere* (v. 1220), écrit *semeur* au XIVe s. (1377), est demeuré usuel jusqu'à la mécanisation de l'agriculture (cf. *le geste auguste du semeur,* chez Hugo). ◇ Le mot s'emploie aussi au figuré (déb. XIVe s.), par exemple dans *semeur de discorde* (XVe s.), *semeur de faux bruits* (1694). ◇ Ce mot est rare au féminin, sauf à propos du motif symbolique de *la Semeuse* (sur les timbres français du début du XXe s.). ◇ **SEMEUSE** n. f. (1875) désigne aussi une machine qui sert à semer.

SEMAISON n. f., d'abord *semoison* avec des variantes, signifiait «action de semer» (XIIe s.) et «temps des semailles» (1351, *senison*); il est sorti d'usage. ◇ Il s'est aussi employé pour désigner (1842) l'ensemencement naturel par dispersion des graines à maturité. ◆ **SEMAILLE** n. f., d'abord au pluriel (fin XIIe s., *semmailhes*) puis au singulier (1260) et au pluriel, est dérivé de *semer* ou issu du bas latin *seminalia,* pluriel neutre du latin classique *seminalis* (→ séminal). ◇ Le mot s'emploie rarement au singulier. Il désigne d'abord les grains semés, puis l'action de semer (v. 1270, *semenailles* en Poitou; 1549, *semailles*) et la saison où l'on ensemence les terres (1326). Ces valeurs sont restées courantes.

SEMOIR n. m. désigne d'abord (1328) un sac où le semeur place le grain. Le mot s'est dit d'un terrain où l'on sème des graines d'arbres (1486), parfois en apposition : *champ semoir* (1543). Il s'est employé au XVIe s. pour «race (d'animaux)» (1516), du sens de *seminare* «procréer». ◇ C'est depuis le XVIIIe s. le nom d'une machine qui sert à semer (1762), et par analogie à répandre l'engrais (1875).

SEMIS n. m. se dit (1742, Buffon) de l'action ou de la manière de semer, de l'opération qui consiste à ensemencer une terre, puis (1753) d'une plante provenant de graines et d'un terrain ensemencé. ◇ Au XIXe s., le mot désigne par analogie (1841, comme terme de mode) un ornement formé d'un motif de petite taille fréquemment répété. ◇ Il est rare au sens figuré (av. 1880) de «choses dispersées».

Le verbe a fourni plusieurs composés verbaux préfixés. ➜ **SURSEMER** v. tr. signifie d'abord (v. 1174, *sorseimer* v. intr.) «se couvrir de taches» en parlant de la peau, d'où sous la forme altérée *seursamer* «faire devenir lépreux» (1244-1248). ◇ Le verbe signifie ensuite (XIIIe s., *sorsemer*) «semer une terre déjà ensemencée» et s'est dit pour «jeter çà et là» (1530). ➜ **RESSEMER** v. tr. «semer une seconde fois» (1334) s'emploie aussi pour «ensemencer de nouveau» (attesté 1893). ◇ D'après *semis*, ce verbe a produit **RESSEMIS** n. m. (XXe s.). ➜ **PARSEMER** v. tr., d'abord (v. 1480) «répandre», se dit ensuite pour «répandre çà et là (des choses) sur qqch.» (XVIIIe s.). Le verbe a pris la valeur figurée (1777) d'«introduire çà et là (dans un discours, un texte)». Il est beaucoup plus courant que les deux précédents. ◇ Pour *clairsemer*, voir ce mot.

SEMENCE n. f. est emprunté (v. 1130) au bas latin *sementia*, pluriel neutre du latin classique *sementis*, pris pour un féminin singulier. *Sementis* «semailles, ensemencement», «époque des semailles», «semence, semis» et «blé en herbe» est dérivé de *semen*. *Sementis* a par ailleurs abouti à l'ancien provençal *semens* (1218). ➜ *Semence* se dit en français du sperme, le liquide séminal du mâle et par figure (v. 1120), dans la langue biblique, pour «postérité (d'un mâle)». ◇ Le mot désigne également tout ce qui se sème de la main de l'homme, spécialement les graines (v. 1160-1170). Il s'est dit (XIIIe s., isolément; puis 1380) de l'action de semer (→ ci-dessus semaille), encore au XVIIe s. d'où, comme en latin, «temps des semailles» (1611). Ce sens est encore vivant en français d'Afrique. Par analogie et métonymie («chose semée»), *semence de perles* désigne (1418) des perles de très petite dimension, puis (1803) de très petits diamants et par ailleurs des motifs ornementaux parsemés sur une étoffe (1421). Aux XVIe et XVIIe s., *semence* désigne par métaphore (1538) une cause dont les effets se manifestent à longue échéance (cf. *germe*). ◇ Avec l'idée de «petitesse», le mot est entré dans la locution *ce n'est que semence* «c'est une chose de peu d'importance» (1573), d'où *semence* «chose négligeable» (1611); ces emplois ont disparu. ◇ Par analogie (1803), *semences* désigne de petits clous à tête large employés en grand nombre par les tapissiers. ➜ Le dérivé **SEMENCEAU** n. m. (1842) est un terme technique. ➜ **ENSEMENCER** v. tr. (1519), réfection de *ensemencier* (1355), signifie «pourvoir de semences (un terrain)» et s'est employé pour «féconder» (v. 1550). Le verbe s'emploie aussi figurément (av. 1615) en parlant d'idées, de sentiments. ◇ Par analogie, *ensemencer une rivière* se dit pour «y mettre des alevins» (1864) et, en sciences (1873), *ensemencer un bouillon de culture* pour «y mettre des micro-organismes capables de se reproduire». ◇ Dérivé du verbe, **ENSEMENCEMENT** n. m. (1552; 1600, pour un étang) s'emploie aussi au figuré. ◇ Le composé **RÉENSEMENCER** v. tr. (1845), terme d'agriculture qui a fourni **RÉENSEMENCEMENT** n. m. (1845), s'est substitué à *rensemencer* v. tr. (1549), *rensemencement* (1836).

◈ voir CLAIRSEMER, DISSÉMINER, INSÉMINATION, INSÉRER, SAISON, SÉMILLANT, SÉMINAIRE, SÉMINAL.

SEMESTRE n. m., d'abord attesté comme adjectif (mil. XVIe s., Ronsard) puis comme nom (v. 1596), est un emprunt savant à l'adjectif du latin *semestris* «de six mois», «d'une durée de six mois», composé de *sex* (→ six) et de *mensis* (→ mois).

♦ L'adjectif, appliqué à ce qui reparaît tous les six mois (v. 1550), à ce qui a six mois d'exercice (1564) et à ce qui dure six mois (1584), s'est employé aux XVIe et XVIIe s. (encore au XVIIIe s., à propos d'un parlement). ➜ *Semestre* comme nom désigne une période de six mois consécutifs, spécialement la première ou la deuxième moitié d'une année (1680, *semestre d'hiver, d'été,* termes administratifs). ◇ Comme terme d'histoire, il s'est dit de la moitié d'une compagnie (Chambre des comptes, etc.) qui, sous l'Ancien Régime, siégeait six mois et, par ailleurs (1596), d'un emploi qui dure la moitié de l'année. ◇ Par métonymie, le mot a désigné un congé de six mois accordé à un militaire (1694, *servir son semestre*) et par métonymie (1771) le militaire en congé, emploi sorti d'usage. Il se dit aujourd'hui (depuis 1829) d'une rente, d'une pension, etc. qui se paie tous les six mois.

▶ Le dérivé **SEMESTRIEL, ELLE** adj. a repris (1829) les valeurs de l'ancien adjectif *semestre;* on relève auparavant *semestral* (1821). ➜ En dérivent (1873) **SEMESTRIALITÉ** n. f., didactique et rare, et **SEMESTRIELLEMENT** adv.

◈ voir TRIMESTRE.

SEMI-, premier élément, est employé dans la composition de mots techniques, scientifiques ou d'usage général; il reprend le latin *semi-* «demi, moitié», utilisé comme premier terme de composés. En latin, les mots ainsi formés appartiennent souvent à la langue littéraire, sur le modèle du grec *hêmi-* (→ hémi-). À *semi-* correspondent l'ancien haut allemand *sāmi-*, le sanskrit *sāmi;* ces éléments se rattachent à une base indoeuropéenne °*sēmi-* indiquant ce qui n'a qu'un côté; la racine °*sem-* de °*sēmi-*, qui exprime l'unité, se retrouve par exemple dans le latin *simplex* (→ simple), *simul, similis* (→ similaire; ensemble). ◇ *Semi-* est en concurrence avec *demi-*. ◇ *Une semi* se dit pour *semi-remorque* (→ remorque), *un semi* pour *camion semi-remorque*.

◈ voir aussi FINIR (SEMI-FINI), PERMÉABLE, PUBLIC.

SÉMILLANT, ANTE adj. est issu (1546) par changement de suffixe de l'ancien adjectif *semilleus* «rusé, astucieux» (v. 1270), «inquiet, capricieux, remuant» (XVe-XVIe s., *semilleux*), dérivé de l'ancien français *semille* n. f. «action valeureuse» (fin XIIe s.) ou «mauvaise» (1226). *Semille* a pour sens premier «progéniture, descendance de bonne ou mauvaise origine» (1170), considérée comme la production d'un certain personnage. Ce mot est un diminutif de l'ancien français *saimme* «origine», appliqué à une qualité morale, spirituelle (v. 1220). *Saimme* était issu du latin *semen* «semence» (→ semer). ◆ L'ancien français a aussi le verbe *semiller* «se donner beaucoup de peine (dans un but malicieux)», dérivé de *sémille*. *Sémiller* a été repris au XVIe s. au sens de «s'agiter, se donner du mouvement», d'après le sens de *sémillant* «vif et gai, qui déploie une grande vivacité d'esprit, de manières (en parlant d'une personne, de l'esprit, du style, etc.)», puis le verbe est sorti d'usage.

♦ L'adjectif, demeuré le seul témoin de cette famille de mots, a souvent une connotation plaisante ou ironique, notamment en parlant d'un comportement galant.

SÉMINAIRE n. m. est emprunté (1551) au latin classique *seminarium* «pépinière» et au figuré «source, origine, principe, cause», substantivation de l'adjectif *seminarius* «relatif aux semences», dérivé de *semen* (→ semer). Le mot en latin ecclésiastique (1545) désigne un établissement où l'on prépare des jeunes gens à l'état ecclésiastique.

♦ *Séminaire* reprend d'abord un sens du latin classique, «principe vital d'un phénomène», disparu. Il est repris dans le vocabulaire de l'éducation religieuse (2e moitié XVIe s.); de là, il s'est employé en parlant d'un milieu dans lequel on se forme à une profession (1570) puis, de façon plus restreinte, d'un lieu (1636). ◆ La valeur étymologique s'est conservée dans deux emplois. Le premier est adjectif, *séminaire* qualifiant (1534) ce qui contient la semence, par emprunt au latin. L'adjectif réapparaît au XVIIIe s., d'après un sens de *semen* «grain», dans *pierre séminaire* «qui paraît composée d'un amas de graines» (1765), mais cet emploi est sorti d'usage. ◇ Le nom a aussi le sens propre de «pépinière» (1599), encore relevé en 1700. Par analogie, il a été employé pour «endroit où l'on élève de jeunes animaux» (1600). Dans la langue classique, il désigne aussi abstraitement une cause (av. 1615), par reprise du latin. Tous ces emplois sont sortis d'usage. ◆ Seul l'emploi pour «établissement de formation» a survécu après le XVIIIe s., cette acception donnant lieu à des syntagmes comme *petit séminaire* (1681) puis *grand séminaire* (attesté 1876). Par métonymie, le mot désigne les élèves et les maîtres du séminaire (1718), le temps d'études (v. 1770) et les bâtiments d'un séminaire (XIXe s.). ◆ Au XIXe s., *séminaire* désigne (1845) divers établissements d'instruction publique en Allemagne, par emprunt à l'allemand *Seminar*, de même origine. Par un autre emprunt à l'allemand, *séminaire* se dit (1893) d'un groupe de travail dirigé par un professeur et consacré à un domaine particulier de connaissances. Par extension, il s'emploie pour une réunion de spécialistes, en concurrence avec *colloque, table ronde* etc., acception répandue vers 1950; cette valeur s'est répandue avec la pratique dans la vie professionnelle (*séminaire de vendeurs*, etc.).

▸ Le dérivé **SÉMINARISTE** n. m. et adj. est resté dans le vocabulaire ecclésiastique (1609) avec des connotations figurées assez péjoratives (naïveté, bigoterie). Il est rare comme adjectif (1829) et ne s'est guère répandu avec les valeurs modernes, non ecclésisatiques de *séminaire*.

SÉMINAL, ALE, AUX adj. est un emprunt (1372) au latin *seminalis* «destiné à être semé», spécialement employé au pluriel *(seminalia)* comme nom au sens de «terres ensemencées», «moissons», et signifiant aussi «prolifique»; le mot dérive de *semen* (→ semer).

♦ D'abord employé dans l'expression didactique disparue *vertu séminale* «qui se rapporte à la semence», l'adjectif s'applique (1555) à ce qui est relatif au sperme. ◇ Il a qualifié (1611) ce qui concerne les graines des plantes dans *lobes séminaux* «cotylédons» (1765), *feuilles séminales* (1835), valeurs archaïques. Il a aussi vieilli comme terme de philosophie, reprenant le premier emploi du mot, dans *raison séminale du monde* «union de l'intelligence et de l'âme» (1842), à propos du néo-platonisme, mais existe encore didactiquement.

SÉMIOLOGIE, SÉMIOTIQUE → SÉMANTIQUE

SÉMITE n. et adj. a été dérivé (1845), après *sémitique* (ci-dessous), de *Sem*, du latin *Sem*, nom d'un fils de Noé qui, selon la Bible (*Genèse*, X, 11), vécut six cents ans et dont la postérité, avec celle de ses frères Japhet et Cham, forma tous les peuples de la Terre.

♦ Le mot désigne une personne qui appartient à un groupe ethnique originaire d'Asie occidentale, dont les peuples parlent ou parlèrent des langues apparentées, dites *sémitiques* (ci-dessous). ◇ Abusivement, le nom s'applique (1884) aux Juifs seuls (1893, adj.), alors que le concept englobait les Arabes.

▸ **SÉMITIQUE** adj., dérivé savant de *Sem* (XVIe s.; aussi en allemand *semitisch*, fin XVIIIe s.), est vieilli dans son emploi général pour qualifier ce qui est relatif aux Sémites. Il est utilisé en linguistique pour qualifier (1813) et désigner comme nom masculin (1882) le groupe de langues comprenant l'arabe, l'hébreu, caractérisé par des structures communes. ◆ **SÉMITISME** n. m., terme didactique pour «caractère de ce qui est sémite» (1857, *sémiticisme* 1848), a été repris à la fin du XIXe s. par les théoriciens racistes. Le mot est archaïque. ◆ **SÉMITISANT, ANTE** adj. et n., «qui étudie les langues et les civilisations sémitiques» (1862, Sainte-Beuve), a remplacé *sémitiste* n. (1875).

De l'emploi péjoratif et raciste de *sémite* pour «juif» vient le composé **ANTISÉMITE** n. (attesté 1889) et adj. (1896), d'où **ANTISÉMITISME** n. m. (1886, Drumont), d'après l'allemand *Antisemitismus* (v. 1880), et **ANTISÉMITIQUE** adj. (1883, *L'Antisémitique*, nom d'un journal; puis 1887, Goncourt), qui a disparu. ◇ Tous ces mots ont été formés à la fin du XIXe s., quand se développa en France un mouvement raciste et xénophobe d'hostilité contre les juifs. Chez les propagandistes de l'époque, l'antisémitisme prétend combattre le «sémitisme» attribué aux juifs et supposé être nuisible à la civilisation dite «aryenne»; cette interprétation pseudohistorique n'est plus retenue, et les mots *antisémite, antisémitisme* ne concernent plus aujourd'hui que le racisme antijuif.

SEMONCE n. f., réfection (XIIIe s.) de *summunse* (v. 1050), *cemonse* (v. 1190), est le participe passé substantivé de *somondre* (v. 1050), puis *semondre* (v. 1175), verbe issu par évolution phonétique du latin populaire °*submonĕre* (premier *e* bref) «avertir secrètement», en latin classique *submonēre* (premier *e* long). Ce verbe latin est composé de *sub-*, marquant une action faite à la dérobée (→ sous), et de *monere* «faire songer à qqch.», «avertir, engager», «instruire» et «annoncer» (→ moniteur, montrer, prémonition), qui se rattache à une racine indoeuropéenne °*men-* «avoir une activité mentale» (→ mental). *Monere* avait abouti à l'ancien provençal *moinner* v. tr. «avertir de», «rappeler qqch.» (XIIIe s.) et à l'espagnol *muñir* «inviter».
Semondre v. tr. «exhorter (à faire qqch.)» et «prier avec insistance, inviter» (v. 1050) s'est maintenu jusqu'à l'époque classique; en 1694, l'Académie constate qu'il ne s'emploie qu'en parlant des noces, puis le donne pour vieilli en 1718. Il était encore d'usage régional au XIXe s. (chez G. Sand au sens d'«inviter à une noce»). Il a eu d'autres sens en ancien français : «inviter (qqn) à faire qqch.», «convoquer des vassaux» (1080), «sommer (qqn) de s'expliquer sur un fait» (v. 1155), «convoquer en justice» (v. 1200) puis «avertir en adressant une réprimande» (fin XVe s.), d'où à l'époque classique «réprimander» (1658). À partir du XVe s., il est concurrencé par *semoncer* (ci-dessous).

♦ *Semonce* apparaît avec le sens d'«invitation (à faire qqch.)», qui se maintient à l'époque classique, et a signifié spécialement (v. 1155) «appel du roi, ou du seigneur, à ses vassaux». ◇ Pour «invitation à une noce» (v. 1534), qui correspond à une valeur importante du verbe *semondre*, il est déjà noté «vieux» en 1680. *Semonce* s'applique ensuite à une chose dont on fait part, à une convocation en justice (v. 1190), puis au bannissement (1467). ◇ Il équivaut à partir du XVIe s. à «avertissement» et, de façon plus restreinte (mil. XVIIe s.), désigne un avertissement sous forme de reproches, sens resté vivant dans un registre soutenu. Par extension, il s'emploie spécialement en marine pour l'ordre donné à un navire de montrer ses couleurs (v. 1720), en particulier dans ***coup de semonce*** (1803), locution entrée dans l'usage courant au figuré pour «avertissement avec menace».

▶ En dérive **SEMONCER** v. tr., attesté isolément au XIIe s. *(semonser)*, repris vers 1400, alors en concurrence partielle avec *semondre*, pour «convoquer (des vassaux)», puis «convoquer en justice» (1244, *cemonser*), «à une cérémonie» (1542) encore à l'époque classique. ◇ Le verbe est vieilli au sens de «réprimander» (1798) et ne s'emploie plus qu'en marine (1842).

SEMOULE n. f. est l'altération (1650, Ménage) de *semole* (1583; encore chez Oudin, 1660), emprunt à l'italien *semola*, lui-même pris au bas latin *simola*, altération du latin impérial *simila* «fleur de farine», mot d'origine méditerranéenne. ◇ Ce mot de civilisation, également repris par l'ancien haut allemand *simila, semala*, d'où l'allemand *Semmel*, a donné l'espagnol *sémola*, le portugais *semea;* l'anglais *semolina* est emprunté à l'italien *semolina* (diminutif). Par ailleurs, plusieurs formes d'ancien français viennent de *simila : simle* n. m. (v. 1180, en Picardie), *simbre* (v. 1210), *semble* en Wallonie, etc., puis *symel* en Flandres au XVe s. et enfin, par croisement avec l'italien, *symole* (1505) pour *simole*. La prononciation avec *l* mouillé se maintient au XIXe s., c'est «la plus usuelle mais elle n'est pas fondée» selon Littré; elle explique la graphie *semouille*, par exemple chez Huysmans.

♦ Le mot désigne (1505, *symole*) des grains de céréales concassés et débarrassés de leur enveloppe, puis une fine farine importée d'Italie (1583, *semole*) et en général la farine de froment (1694). ◇ *Semoule blanche* «semoule de riz» (1845) a disparu; *sucre semoule* (mil. XXe s.) se dit par analogie d'un sucre en poudre. L'utilisation culinaire est concernée, par exemple dans *gâteau de semoule* et à propos du couscous* maghrébin.

▶ *Semoule* a fourni les dérivés techniques **SEMOULERIE** n. f. (1930) et **SEMOULIER, IÈRE** n. (mil. XXe s.).

SEMPITERNEL, ELLE adj. est emprunté (v. 1265) au latin médiéval *sempiternalis* «éternel» (VIe s.), dérivé du latin classique *sempiternus* «qui dure toujours», lui-même composé de *semper* «une fois pour toutes» et «toujours» et de *aeternus* (→ éternel). *Semper* se rattache à la racine indoeuropéenne °*sem-* «un», qui subsiste dans des dérivés et des composés latins (→ semi-, simple; ensemble); le mot latin avait abouti à l'adverbe français *semper, sempre* (v. 980), *sempres* (v. 1050) «toujours» et «tout de suite».

♦ L'adjectif conserve le sens du latin médiéval, encore au XVIIIe s. (1764, *la vie sempiternelle*), et s'est aussi employé pour «très âgé», notamment comme nom féminin pour «femme très âgée» (1552) dans le vocabulaire familier. Par plaisanterie, il s'applique (1798) à ce qui semble durer depuis toujours et, avec un possessif, équivaut (XXe s.) à «habituel».

▶ Le dérivé **SEMPITERNELLEMENT** adv. (1527) ne conserve que cette valeur ironique.
Par ailleurs, *sempiternus* avait été emprunté en moyen français, **SEMPITERNE** adj. signifiant «éternel» (1440-1475) et **SEMPITERNE** n. f. (1723), désignant une serge très solide, d'où *sempiternille* (1723), altéré d'après l'adjectif moderne en **SEMPITERNELLE** n. f. (1812) avec ce sens.

SÉNAT n. m. est emprunté (v. 1213) comme l'ancien provençal *cenat* (v. 1240) au latin *senatus*, littéralement «conseil des Anciens», désignant à la fois ce conseil, une de ses réunions et les places réservées aux sénateurs au théâtre. Le mot dérive de *senex* «vieux» et «vieillard», employé avec des noms d'objets ou d'animaux dans la poésie de l'époque impériale. Le comparatif de *senex* a abouti à *seigneur*, sieur*, sire** et quelques-uns de ses dérivés ont été repris en français (→ sénile).

♦ *Sénat* se substitue aux formes populaires *sened* (v. 1120), *sené* (v. 1155), issues par évolution phonétique de *senatus,* pour désigner le sénat de l'ancienne Rome. À partir du XVIIe s. (1636), le mot désigne plus généralement en histoire un corps politique dont le recrutement et le rôle ont varié selon les époques, des républiques de l'Antiquité au moyen âge, et il se dit par métonymie (1636) de l'édifice où siège un sénat. ◇ Par extension, il s'est employé pour «parlement» (1636), désignation qualifiée de «poétique» par l'Académie de 1694 à 1798. Il s'est aussi employé (apr. 1650) à propos d'une réunion de personnes quelconques, ceci jusqu'au XVIIIe siècle. ➛ L'application institutionnelle moderne en France date du Consulat (1799), où *sénat conservateur* ou *sénat* désigne l'assemblée chargée de veiller au respect de la constitution; l'institution (appelée alors *sénat impérial*) a été conservée sous le premier Empire et reprise par le second (1852-1870). ◇ À l'époque contemporaine (1875) dans les régimes à deux assemblées, *sénat* est le nom de celle qui est élue au suffrage indirect. Le sénat de la IVe République s'est appelé *Conseil de la République.* ◇ En parlant des États-Unis, le mot est emprunté à l'anglais *senate,* de même origine.

▶ **SÉNATEUR** n. m. est la francisation (v. 1165) de *senator* (v. 1150), emprunt au latin *senator* «membre d'un sénat (romain ou étranger)», dérivé de *senatus.* ➛ Le mot conserve le sens du latin à propos de Rome, et s'est employé en ancien français comme titre donné aux douze apôtres (v. 1204). ◇ Depuis la fin du XVIe s., il a désigné un magistrat, sens noté «familier» en 1680, puis archaïque. ◇ Il se dit aussi (1667) du membre d'un sénat autre que l'assemblée romaine. ◇ Par allusion à la réputation de gravité des sénateurs romains, il entre dans ***démarche et train de sénateur*** «allure et démarche lente, majestueuse», répandue par La Fontaine (1668). En histoire, c'est, par reprise au latin, le nom (1701) du magistrat à la tête de Rome. ◇ Sous le Consulat, l'Empire, puis avec les régimes parlementaires, l'emploi de *sénateur* correspond en France à celui de *sénat;* sous la IVe République, le titre était remplacé par *conseiller de la République.* ◇ Le féminin *sénatrice* s'est dit en histoire (av. 1703) de la femme d'un sénateur (en Pologne, à Venise, etc.; 1798, pour Rome); le mot reprend le bas latin *senatrix,* féminin de *senator;* la forme féminine de *sénateur, senatresse,* attestée isolément au XIIIe s., a disparu.

À partir du latin *senatorius,* dérivé de *senator,* ont été formés quelques mots. ➛ **SÉNATORIEN, IENNE** adj. est un terme rare d'histoire romaine (v. 1510; repris en 1690). ➛ **SÉNATORIAL, ALE, AUX** adj. (1518) signifie en histoire «propre au sénat romain», spécialement dans *ordre sénatorial* «classe où se recrutaient les sénateurs romains» (1728), opposé à *ordre équestre* et à *plèbe.* ◇ Aujourd'hui, le mot s'applique à ce qui est relatif au sénat, aux sénateurs (1694), d'où *délégués sénatoriaux* «qui élisent un sénateur» (1893). ➛ **SÉNATORERIE** n. f. (1803), «dotation accordée à un sénateur» sous le Consulat et le premier Empire, est un terme d'histoire.

SÉNATUS CONSULTE n. m. (1476), d'abord sous la forme *senat consult,* et francisé en *sénat conseille* (1352-1356), reprend le latin *senatus consultum* «décret du sénat», composé du génitif de *senatus* et de *consultum* «résolution», substantivation du participe passé passif de *consulere* «délibérer». ➛ Le mot conserve le sens latin en histoire romaine. Repris sous le Consulat (1799), il désigne une décision du *sénat conservateur* (ci-dessus).

◈ voir **SÉNILE.**

SÉNÉ

SÉNÉ n. m. est emprunté (XIIIe s.) au latin médiéval *sene,* qui reprend l'arabe *sanā',* nom d'un arbrisseau du Moyen-Orient dont les feuilles étaient utilisées en médecine pour leur vertu purgative.

♦ *Séné* désigne l'arbuste et le médicament qu'on en tire, puis est repris comme nom de diverses plantes du genre casse (1771, *séné bâtard;* 1665, *faux séné*). La locution proverbiale sur *la casse* et le séné* concerne les médicaments.

SÉNÉCHAL

SÉNÉCHAL n. m. est issu (fin XIe s., *seneschal;* v. 1265, *sénéchal*) d'un mot francique °*siniskalk,* attesté en bas latin sous la forme *siniscalcus* (d'où l'italien *siniscalco*). Le mot, signifiant proprement «serviteur le plus âgé», est formé de °*skalk* «domestique» et de °*sinista* «le plus âgé»; °*sinista* est à rapprocher du latin *seniores,* comparatif de *senex* «vieux, vieillard» (→ sénile; seigneur). ◈

♦ Ce titre désignait, à partir de l'époque mérovingienne, un officier chargé de la surintendance, puis (XIIe s.) un officier chef de la justice. ◇ Dans les provinces méridionales, le sénéchal exerçait sous l'Ancien Régime des fonctions analogues à celles du bailli (sens enregistré par Furetière, 1690).

▶ Le dérivé **SÉNÉCHAUSSÉE** n. f., réfection (1406) de *seneschaucie* (v. 1155), désigne d'abord la dignité de sénéchal, puis l'étendue de sa juridiction (v. 1208), le lieu où se tenait le tribunal du sénéchal (XIIIe s.) et enfin ce tribunal (1690). ◇ L'institution, sous l'Ancien Régime, était propre au sud de la France et correspondait au *bailliage* du Nord.

SÉNEÇON

SÉNEÇON n. m., réfection (XIIIe s.) de *senetion* (XIIe s.), est un emprunt au latin *senecio,* littéralement «petit vieillard», calque du grec *hêrigerôn,* littéralement «vieillard précoce», de *hêri* «de bonne heure, tôt» et *gerôn* «vieillard» (→ géronte). C'est le nom d'une plante ainsi nommée à cause des poils blancs dont elle est couverte au printemps. Le nom latin dérive de *senex* «vieux» et «vieillard» (→ seigneur, sénat, sénile).

♦ *Séneçon* conserve le sens du latin.

SÉNÉGALAIS, AISE

SÉNÉGALAIS, AISE adj. et n., attesté en 1765 dans l'*Encyclopédie* (article *Nègres*), dérive du nom propre *Sénégal,* nom africain d'un pays d'Afrique et d'un fleuve, peut-être du nom de ville *Sanghana* ou de l'arabe *as-sinīğal* «le navigable».

♦ Le mot qualifie ce qui est relatif au Sénégal et désigne un habitant de ce pays; l'adjectif s'est employé spécialement à l'époque de la colonisation française dans *tirailleurs sénégalais* (1904; aussi n. m.).

► Le dérivé **SÉNÉGALISME** n. m. (1973) se dit en linguistique d'un fait de langue propre au français parlé au Sénégal (africanisme sénégalais). ◆ **SÉNÉGALIEN, IENNE** adj., dérivé de *Sénégal* (1859), a qualifié une chaleur excessive, tropicale, et s'emploie en géographie, de même que **SÉNÉGAMBIEN, IENNE** adj. et n. (1843, Gautier) correspond à *Sénégambie*, nom formé à partir de *Sénégal* et de *Gambie* (nom du fleuve et du pays qui s'étend d'est en ouest à l'intérieur du Sénégal).

SENESTRE ou **SÉNESTRE** adj. est issu (1080) du latin *sinister* «gauche, qui est du côté gauche», d'où *sinistra* n. f. «main gauche», et par figure «maladroit», «malheureux, fâcheux»; dans la langue augurale, le mot signifie «qui vient à gauche», c'est-à-dire «favorable» si l'on interprétait le présage d'après le rite étrusco-romain, ou au contraire «funeste» d'après le rite grec (→ sinistre); c'est le second qui a prévalu.

♦ *Senestre*, introduit avec le sens propre du latin, était encore en usage au XVIIIe s., mais a été concurrencé puis éliminé par *gauche**, quand *droit* s'est substitué à *dextre*. ◇ Le mot s'est employé comme nom féminin pour désigner, comme en latin, la main gauche (v. 1190, *sinestre*; v. 1380, *senestre*). ◇ La locution adverbiale ***à sénestre*** «à gauche» (v. 1155) reste en usage en blason, l'héraldique conservant aussi l'emploi adjectif (1658, *sénestre* «tourné vers la gauche»), spécialement dans *le côté sénestre de l'écu* «le côté gauche pour l'écuyer qui est censé le porter». ◇ Par analogie, *coquille sénestre* (1872) désigne une coquille de mollusque qui s'enroule dans le sens inverse de celui des aiguilles d'une montre.

► Parmi les dérivés de *senestre*, l'adjectif **SÉNESTRÉ, ÉE** (1690), terme de blason, s'emploie encore. ◆ **SINISTRALITÉ** n. f., didactique, est dérivé savamment (XXe s.) du latin *sinister* pour désigner le fait d'être gaucher. ◆ L'élément **SÉNESTRO-**, dérivé du latin ou de *senestre*, sert à former plusieurs composés. ◇ **SÉNESTROCHÈRE** n. m. (1690), du grec *kheir* «main», désigne en blason la figure d'un bras gauche. ◇ **SENESTRORSUM** adj. inv. et adv., d'abord *sinistrorsum* (1875), adapte le latin *sinistrorsum*, d'après *senestre* (1904), pour «qui tourne de droite à gauche».

SÉNEVÉ → SINAPISME

SÉNILE adj., attesté au XVe s. puis en 1512, est emprunté au latin *senilis* «de vieillard», dérivé de *senex* «vieux» et «vieillard», dont le comparatif *senior* a donné *seigneur** (→ aussi sénat).

♦ L'adjectif s'applique à des comportements que l'on attribue aux vieillards, d'abord dans le domaine moral. Il est repris à la fin du XVIIIe s. comme terme de médecine pour parler d'un ensemble de processus propres à la vieillesse. ◇ Dans l'usage courant, il qualifie abusivement un vieillard qui n'a plus ses moyens intellectuels (mil. XIXe s., par ex. Hugo, 1862), mais les puristes considèrent *vieillard sénile* comme une tautologie.

► **SÉNILITÉ** n. f. (1832) est employé en médecine dans *sénilité précoce* et dans l'usage courant en relation avec *sénile*. ◆ **SÉNILEMENT** adv. (1874) est littéraire. ◆ **SÉNILISME** n. m. (1903) s'emploie en médecine.

Dans le vocabulaire de la physiologie, on relève aussi **SÉNESCENT, ENTE** adj., d'abord au sens général de «qui vieillit» (fin XVe s.), repris au XIXe s. en médecine, et **SÉNESCENCE** n. f. (1876). L'adjectif est un emprunt et le nom un dérivé savant du latin *senescens, -entis*, participe présent de *senescere* «vieillir» au propre et au figuré, dérivé de *senex*.

SENIOR n. et adj. est un emprunt (1884, *in* G. Petiot) à l'anglais *senior*, spécialisé comme terme de sports. Cet adjectif signifiait d'abord «qui se distingue par son comportement ou son âge» (XIe s.), «aîné» (XVe s.) et «(d'un rang) supérieur» (XVIe s.); il est emprunté au latin *senior* «plus âgé», comparatif de *senex* «vieux» (→ seigneur).

♦ *Senior* désigne la catégorie dans laquelle sont classés les concurrents plus âgés que les juniors*.

► **SÉNIORITÉ** n. f. représente une francisation (v. 1970) de l'anglais *seniority*, dérivé de *senior*. Ce terme d'ethnologie se dit de la prééminence et des garanties déterminées par l'ancienneté, dans une fonction ou une maison.

① **SENS** n. m., attesté dans *La Chanson de Roland* (1080), est issu du latin *sensus*, qui désigne en général l'action de sentir, de percevoir, d'où de nombreuses acceptions : «perception par les sens», «sentiment», dans le domaine intellectuel «manière de voir», «faculté de penser, de comprendre», «idée, pensée», et en rhétorique «phrase, période». Le mot est formé sur *sensum*, supin de *sentire* «percevoir (par les sens, l'intelligence)» (→ sentir). Dès l'ancien français, des confusions se sont faites entre ce latinisme et le germanisme ② *sens**.

♦ Le français *sens* a hérité de la polysémie de *sensus*, à laquelle s'est ajoutée l'influence du mot germanique qui a fourni ② sens «direction». Trois axes se dégagent dès le XIIe s., après que le mot se soit introduit en ancien français pour «faculté de juger», «sagesse» et «raison», par exemple dans *perdre le sens* «avoir l'esprit égaré» (1080). En ancien français, selon G. Matoré, six acceptions principales sont en usage : faculté de juger, sagesse, jugement pratique (bon sens), finesse d'esprit et ruse, connaissance technique (valeur proche d'*art*), et manière de voir. Deux autres valeurs sont «faculté de percevoir les impressions» (v. 1119) et, à la même époque, «contenu intellectuel auquel renvoie un signe». Les deux premiers axes correspondent à deux grands aspects de la vie psychique : raison et sensation. Le troisième met en rapport un type particulier d'objets perceptibles (les signes) et les contenus mentaux. Bien que l'unité profonde du mot puisse ainsi être dégagée, les trois «sens» du mot *sens* sont bien distincts dans la conscience langagière. Dans l'histoire, le premier, «raison», est lentement devenu archaïque, laissant cependant de nombreuses traces (notamment *bon sens, sens commun*); les deux autres restent vivants et actifs à travers huit siècles d'usage.

Le premier emploi, orienté sur l'idée de «raison», a rapidement pris trois aspects, l'un abstrait et théorique, l'autre pratique et actif (au XIIe s.), le troisième visant la volonté (au XIIIe s.). Les principaux usages de l'ancien français ont disparu. Ce sont par exemple «action, chose raisonnable» (v. 1120), «(bonne) manière de faire qqch.» (v. 1135) et «sentence, précepte» (1170). ◇ Par extension, *sens* a aussi désigné la connaissance, le savoir (v. 1175) et dans le domaine pratique l'habileté, l'adresse (v. 1180). *Être fors* [hors] *del sens* s'est dit (1165-1170) pour «avoir l'esprit égaré», expression remplacée par *hors du sens* (fin XIIe s.), correspond à *changer le sens* «devenir fou» (fin XIIIe s.), et *être au bout de son sens* en moyen français signifie «ne plus savoir quoi faire» (1538). ◆ ***Bon sens*** (v. 1167, *boen sens*) «faculté de juger raisonnablement», qui a eu pour équivalent *bon sens naturel* (1393), est resté usuel, remplaçant en partie des usages archaïques de *sens* et correspondant à *sensé*. ***Être en, dans*** (1651) ***son bon sens*** correspond à «jouir de toutes ses facultés intellectuelles». L'expression ***en dépit du bon sens*** (1664), qui remplace *en depit du droit sens* (mil. XVIIe s.), correspond d'abord à cette valeur, puis signifie «de manière désordonnée, absurde», équivalant à *n'importe* comment*, autre gallicisme. Au XVIIIe et surtout au XIXe s., *bon sens* s'applique à un jugement conforme aux critères dominants, avec une connotation de sens pratique bourgeois (cf. *juste milieu*) et de banalité, voire de grossièreté, par exemple dans ***gros bon sens*** (av. 1861). *Cela (ça) n'a pas de bon sens* est dans Balzac (1847). ◆ Depuis le XIIIe s. et jusqu'à l'époque classique, *sens* s'est employé pour «volonté». ◆ En outre, il a repris (v. 1285) la valeur latine d'«idée», d'où vient l'emploi pour «faculté de connaître intuitive» (1310), valeur que prolonge l'emploi que Descartes fait du mot, voisin de *raison*. Parmi les acceptions anciennes qui se sont conservées jusqu'au français classique, c'est avec celle de «jugement» que le mot entre dans plusieurs locutions employées du XVe au XVIIe siècle : *tirer au sens* «venir à l'essentiel», *en grand sens* «par mûre réflexion» (1440-1475). ◇ Au XVIe s., reprise de la locution latine *sensus communis*, apparaît ***sens commun*** (1534) qui confère au bon sens une dimension collective, d'où ***n'avoir pas de (le) sens commun*** (1625) équivalant à *ne pas être dans son bon sens*. *Sens commun* s'emploie aussi (v. 1560) en philosophie néo-scolastique pour désigner la faculté de l'âme par laquelle elle juge de toutes les espèces des objets perçus par les sens extérieurs. ◇ Au début du XVIIe s., on a dit *dent de sens* qui sera éliminé par *dent de sagesse*, cette valeur de *sens* ayant disparu, sauf dans *bon sens* et *sens commun*. ◆ Par reprise du latin *sensus*, *sens*, depuis le début du XIIe s. et jusqu'à la période classique, correspond à «avis, opinion», que celle-ci soit exprimée ou qu'elle corresponde à la manière de voir, de considérer un objet, à la manière de comprendre qqch. Cette valeur disparaît aux XVIIe et XVIIIe s., ne subsistant que par des locutions comme ***abonder*** (ou ***aller***) ***dans le sens de qqn*** (XVIe s.), ***à mon sens*** (1636), d'ailleurs plutôt comprises aujourd'hui comme relevant de la valeur sémantique («signification») ou même directionnelle (→ ② sens) du mot. *Entrer dans le sens de qqn, parler selon son sens* (1580) sont sorties d'usage avec cette valeur. Cependant, l'idée de jugement, qui lui est liée, s'est maintenue plus longtemps (voir ci-dessus).

La deuxième grande valeur de *sens*, apparue au début du XIIe s., concerne la faculté (notamment humaine) de percevoir les impressions faites par les objets et désigne chacun des systèmes récepteurs qui permet la perception et la sensation : vue, ouïe, odorat, goût, toucher, d'où ***les cinq sens*** (1175, aussi *sens dou cors* [du corps]) appelés *sens de nature* par Charron au XVIe siècle. ◇ À côté de cette acception psychophysiologique, en relation avec *sensation* et *sentir*, le mot, qui correspond à «faculté d'éprouver», en est venu au XVIIe s. à s'appliquer au plaisir tiré des impressions (1636), notamment dans le contexte chrétien avec *mortifier ses sens* (1680) ou au contraire *donner tout à ses sens* (1694) ; *sens* est alors lié aux valeurs prises par *sensuel** et *sensualité*. De là, au XVIIe s., des expressions comme *plaisir des sens* (1636). C'est avec cette valeur hédoniste qu'apparaît l'expression ***sixième sens*** au XVIIIe s. «sensations liées aux plaisirs de l'amour» ; cette acception a disparu et la locution s'applique aujourd'hui à la connaissance intuitive, au flair. ◇ À côté de ce type d'emplois *(un, les sens)*, le collectif *le sens* peut aussi prendre cette nuance. Ainsi, ***tomber sous le sens*** (av. 1662) ne s'applique pas au jugement rationnel, comme on pourrait s'y attendre, mais à la perception directe, sensible d'une évidence. ◇ Par extension, *sens* a pris la valeur psychologique plus générale d'«aptitude à percevoir une catégorie de valeurs», d'où ***sens moral*** (1765), un instant concurrencé par *sens intime* (1771) qui a disparu ; ***sens pratique*** (1871), ***sens esthétique*** (1893), emploi où deux acceptions, celle qui est décrite ici et celle de jugement (ci-dessus), s'entrecroisent.

La troisième classe d'emplois du mot ① *sens* concerne la relation entre un objet perceptible qui renvoie à une autre réalité que lui-même (un signe) et ce à quoi il renvoie. En ancien français cet emploi, proche de *senefiance (signifiance)*, est ambigu, évoquant à la fois plusieurs valeurs du latin *sensus* et du germanique *sinno* (→ ② sens). L'usage se dégage en moyen français et se précise au XVIIe s. avec des emplois comme *sens figuré** (1666), opposé à *sens propre**, ou *sens profond* (1694, Académie).

Au XIXe s., plusieurs expressions portent sur les erreurs concernant le sens des mots et des expressions ou des constructions dans les exercices de traduction, par exemple dans *faux sens* (1874) ; voir ci-dessous *non-sens* et *contresens*.

▸ **SENSÉ, ÉE** adj., d'abord dans *mal sensé* «absurde» (1567), disparu, est dérivé de ① *sens*, dans sa première valeur, d'après le bas latin *sensatus* et a remplacé l'ancien français *sené*, qui se rattache à ② *sens*, mot germanique (→ forcené). ◇ L'adjectif s'applique (1629) à une personne qui juge, raisonne selon les normes. Il s'est employé comme nom (1652). L'adjectif qualifie aussi des choses conformes à la raison (1680). ◆ L'adverbe **SENSÉMENT** (1636 ; 1531, *senseement*) est sorti d'usage, peut-être à cause de l'homonymie avec *censément*. ◆ **INSENSÉ, ÉE** adj. et n. est emprunté au latin ecclésiastique *insensatus* «qui n'est pas sensé», du bas latin *sensatus.* ◇ Il conserve cette valeur (1406), également comme nom (1538), et s'applique (v. 1480, *incensé*) à des choses contraires au bon sens. ◇ Il a signifié par hyperbole «incroyablement grand» (1647), valeur sortie d'usage. Au XIXe s., *insensé* se dit de ce qui dénote l'extravagance puis, sur le modèle de *fou,* est employé au XXe s. comme intensif (cf. *dément, dingue...*). ◇ L'adverbe dérivé, **INSENSÉMENT** (1671), est rare. ◇ **INSENSÉISME** n. m. (1875) a été à la mode à la fin du XIXe siècle.

Le composé préfixé **NON-SENS** n. m. inv., formé avec *non**, a signifié (v. 1210) «déraison, sottise». C'est alors la valeur de «jugement» qui est en cause. ➜ Le mot, disparu, a été repris au XVIIIe s. (av. 1778) avec l'acception de l'anglais *nonsense* pour désigner une proposition, un raisonnement dépourvu de sens, de signification; on en trouve un emploi isolé (1829) sous cette forme. Le mot anglais a peut-être été repris à l'ancien français (1614) ou est formé de *non* et de *sense,* de même origine que le français *sens; nonsense* s'est employé comme collectif pour «bêtises, sottises» (1638), d'où *a piece of nonsense* «une absurdité» (1643). ➜ En français, *non-sens* équivaut aussi à «absurdité» (1830, Balzac). ◇ Le mot anglais a été réintroduit en français au milieu du XXe s. pour parler de ce qui est paradoxal, absurde, en littérature puis dans les arts narratifs, et d'un texte qui a ce caractère; il est surtout usité à propos de la littérature de langue anglaise (Lewis Carroll, Ambrose Bierce, par ex.); avec cette valeur, on trouve aussi la graphie française *non-sens* (1961) et le dérivé, rare, **NON-SENSIQUE** adj. ou **NONSENSIQUE** (1966), d'après l'anglais *nonsensical.*

CONTRESENS n. m., formé avec *contre** et ① *sens* «signification», désigne (1560) une interprétation contraire à la signification véritable. La locution adverbiale ***à contresens*** «dans un sens contraire au sens normal» (1607) vient de ② *sens* «direction». ◇ *Contresens* s'emploie (v. 1680) à propos d'une chose opposée à la logique, à la raison et, à la fin du XVIIe s., d'une erreur de choix; il signifie encore «mauvaise interprétation» et s'emploie spécialement dans l'évaluation des fautes scolaires, dans les exercices de traduction (avec *faux sens* et *non-sens*).

◈ voir CONSENSUS, DISSENSION, SENSATION, SENSIBLE, SENSITIF, SENSORIEL, SENSUEL, SENTIR.

◈ ② **SENS** n. m. est issu (v. 1160) d'un germanique °*sinno* «direction» et abstraitement, par l'idée de bonne direction, «entendement, raison, intelligence», représenté par le gotique *sinþa,* l'ancien haut allemand *sindon* «voyager», et qui se rattache peut-être à la famille du latin *sensus* (→ ① sens). Le mot, d'abord écrit *sen,* a été influencé dans son orthographe par ① sens, proche sémantiquement pour certains emplois.

♦ *Sens* désigne (v. 1130) le côté d'un objet, relativement à sa direction, sa position dans l'espace, et (1165-1170) l'espace que parcourt un mobile, plus tard analysé en série ordonnée de points. ◇ Le mot a signifié aussi «avis, opinion», «adresse, habileté, ruse» (v. 1190), en concurrence avec ① sens issu du latin; ces valeurs subsistent dans *forcené**. ◇ La locution adverbiale *ce dessus dessous* (v. 1398), littéralement «ce (qui est) en dessus (étant) dessous», a été altérée, par rapprochement sémantique, en *sen dessus dessous* (déb. XVe s.), écrite *cen dessus dessous* (1539), *sans...* (1559) et enfin ***sens dessus dessous*** au XVIe s. (1559, Amyot), employée au propre et au figuré. De même, *ce devant derrière* loc. adv. (v. 1283) est devenu *cen devant derrière* (av. 1493) et ***sens devant derrière*** (1607) «dans une position telle que ce qui doit être devant se trouve derrière, et inversement» (aussi *sens davant et sens derrière,* 1534). ◇ *Sens* se dit aussi de la direction privilégiée d'une chose (1690; *le sens d'un tissu*). ◇ Dans l'ordre abstrait, le mot signifie (1876) «succession ordonnée et irréversible (des états d'une chose en devenir)» et «ordre (des éléments d'un processus)». ◇ Avec la valeur spatiale dominante, le mot s'applique en particulier à la circulation routière, par exemple dans des locutions comme ***sens unique*** (déb. XXe s.), ***sens interdit*** (1933), *voie à* ***double sens,*** etc.

◈ voir ASSÉNER, ① SENS (CONTRE-SENS), FORCENÉ.

SENSATION n. f., réfection graphique classique (1671) de *sensacion* (1370), est emprunté au bas latin *sensatio* «compréhension», formé sur *sensum,* supin du latin classique *sentire* (→ ① sens, sentir). Le mot semble rare avant la seconde moitié du XVIIe siècle.

♦ Il désigne d'abord l'impression produite par les objets sur les sens; au XVIIe s., on a employé *sentiment** avec cette valeur : *sensation* et *sentiment* sont quasi synonymes chez Bossuet et Malebranche. Puis *sensation* se dit (1754) d'une forte impression produite sur plusieurs personnes, notamment dans *faire une sensation* (1762), devenu ***faire sensation*** (1775). Le mot désigne aussi la faculté d'être sensible aux stimulations (av. 1778). ◇ Dans la langue courante, *sensation* se dit surtout (1784) d'un état psychologique à forte composante affective, distinct du sentiment par ses effets immédiats et son caractère physiologique plus marqué (cf. *émotion*). Au XIXe s., le mot prend une acception plus restreinte en psychophysiologie (1842), en relation avec *perception.* ◇ Le sens courant s'emploie avec une valeur étendue dans la locution adjective ***à sensation*** «destiné à faire sensation» (1869), lié au dérivé *sensationnel* (par ex. *la presse à sensation*).

▸ **SENSATIONNEL, ELLE** adj. et n. m. est dérivé de *sensation* d'après l'anglais *sensational,* dérivé de *sensation,* mot anglais de même origine que le français. ◇ *Sensationnel* signifie d'abord (1837) «relatif à une, aux sensations», acception disparue. ◇ Il s'applique couramment (1875) à ce qui produit une vive impression dans le public d'où, par extension, à ce qui est très remarquable (1924), familièrement **SENSASS** (1889), abréviation qui n'est plus à la mode. On dit aussi *le sensationnel* n. m. (1941). L'adjectif s'emploie familièrement comme intensif (1944), avec une valeur méliorative ou péjorative. ◇ En dérivent **SENSATIONNALISME** n. m. (1909) et **SENSATIONNALISTE** adj., attesté en 1965 et probablement antérieur.

Un autre dérivé de *sensation,* **SENSATIONNISTE** adj. (1868) et n. (1878), terme didactique, s'est appliqué à la philosophie de Condillac qui considère la sensation comme la source des connaissances. Compromis par l'évolution de *sensationnel,* il ne s'est pas imposé en face de *sensualisme* (→ sensuel), malgré l'ambiguïté de ce dernier. ◇ Il s'est employé en art (fin XIXe s., Goncourt) pour *impressionniste* qui l'a éliminé. ◇ **SENSATIONNISME** n. m. (1877) est aussi un terme de philosophie.

SENSIBLE adj. est emprunté (v. 1265) au latin *sensibilis* «qui tombe sous les sens, tangible», par exemple dans *sensibilis auditui* «appréciable à l'oreille». L'adjectif a pris en latin médiéval le sens actif de «qui peut sentir»; il est dérivé de *sentire* (→ ① sens, sentir).

♦ Apparu dans *âme sensible* opposé à *âme raisonnable,* opposition qui vaut pour ① *sens* et *raison,* l'adjectif s'applique aussi à un être vivant qui peut sentir (XIVe s.); par extension, il s'est employé pour «intelligent» (1365) et en droit (XIVe s.) pour qualifier une personne qui a la capacité juridique. À côté de ces emplois actifs, venus du latin médiéval et correspondant à la valeur rationnelle de *sensus* (→ ① sens), par exemple pour qualifier (XVe s.) une action raisonnable (cf. *sensé*), il a aussi emprunté l'emploi passif du latin classique s'appliquant à ce qui est perçu par les sens (v. 1370). Depuis le XVIe s., *sensible* se dit en particulier (1559) de ce qui peut facilement être perçu par les sens, d'où l'emploi pour «assez grand pour être perçu» (1559) et la valeur de «notable, appréciable». À l'époque classique, *sensible* s'est dit, avec sa valeur passive, de ce qui se fait douloureusement sentir dans les domaines physique (1634) et moral (1640); il a disparu dans cette acception. ◇ Le XVIe siècle voit aussi se développer une valeur passive concernant les personnes et l'adjectif qualifie (1559) une personne capable de sentiment et apte à ressentir profondément les impressions. Cet emploi, développé au XVIIe, est devenu typique des valeurs du XVIIIe s., époque où l'idéal de l'*homme sensible* remplace l'*honnête homme* du XVIIe siècle. La capacité de ressentir prenant des caractères actifs (cf. *passion*), *sensible* s'applique (déb. XVIIe s.) à une personne particulièrement capable d'éprouver des sentiments d'amour. ◇ *Sensible à* «qui se laisse toucher par» (1640) était en concurrence à l'époque classique avec *sensible sur* (1671); il a éliminé cette deuxième construction. ◇ La valeur passive de «qui peut être ressenti, perçu» se développe au XVIIe s. et l'adjectif prend à cette époque (1656) le sens particulier de «clair, évident». Les expressions *sensibles propres, communs* (1671), où l'adjectif est substantivé, s'emploient pour «réalités sensibles» à propos de la philosophie d'Aristote; elles désignent respectivement les qualités qui peuvent ou semblent pouvoir être perçues par un seul sens (par ex. le son) ou par plusieurs (la grandeur). ◇ L'adjectif s'applique aussi à ce qui est particulièrement susceptible d'éprouver la douleur (1677, *endroit sensible*), d'où *sensible à* «excitable par» (1690). *Idées sensibles* (1749) désigne dans la philosophie de Condillac et des sensualistes* les idées qui procèdent des sens. ◇ Le mot s'est spécialisé en musique (1752) dans *note sensible* ou *la sensible* n. f. ◇ Enfin, il s'utilise en parlant d'objets matériels, au sens de «capable de réaction, dans différents domaines» (seconde moitié du XVIIIe s. : v. 1790, Condorcet, *balance sensible;* 1876, en photographie, notamment dans *plaque* puis *surface sensible*).

► Le dérivé **SENSIBLEMENT** adv. a signifié «d'une manière sensée» (v. 1180) et «visiblement» (1314), emplois archaïques. ◇ Le mot signifie couramment (v. 1380) «d'une manière notable». ◇ Il s'est employé pour «vivement, cruellement», valeur disparue. Au XXe s., il se dit pour «approximativement» (1926). ➜ **SENSIBLERIE** n. f. désigne péjorativement (1782) une sensibilité outrée, déplacée. ➜ **SENSIBILISME** n. m., ancien terme didactique (1821, J. de Maistre), désignait en psychologie le système qui fait prévaloir la sensibilité.

Le préfixé **HYPERSENSIBLE** adj. (1907), de *hyper-,* s'applique à des personnes pour «très réceptif, qui a une sensibilité extrême» et à des choses (instruments, etc.) très sensibles, alors que **SUPRASENSIBLE** adj. (1850, Renan; comme nom masc., 1833) s'applique aux objets supposés inaccessibles aux sens.

SENSIBILISER v. tr., dérivé savant de *sensible* ou formé sur le radical latin, apparaît d'abord en philosophie pour «rendre perceptible» (1803, Maine de Biran), sens disparu comme l'emploi du verbe pour «douer, pénétrer de sensibilité» (1839). *Sensibiliser* s'emploie couramment au figuré (1865) pour «faire réagir (qqn) à», surtout au participe passé et au pronominal (XXe s.). À la fin du XIXe s., il prend le sens de «rendre irritable» (1876). ◇ En rapport avec la valeur technique de *sensible,* le verbe s'emploie en photographie (1859, Goncourt) pour «rendre sensible» et s'utilise spécialement en médecine (XXe s.) pour «rendre sensible (un être vivant) à un agent (physique, chimique, etc.)». ◇ Le verbe a produit **SENSIBILISABLE** adj. (1871) en photographie. ➜ Le contraire préfixé **DÉSENSIBILISER** v. tr. est employé en photographie (1898), en médecine (1926) et au figuré (XXe s.). ◇ En dérivent des termes didactiques : **DÉSENSIBILISATION** n. f. (1925), **DÉSENSIBILISANT** n. m. (1933) et **DÉSENSIBILISATEUR, TRICE** n. (XXe s.), et d'après *sensibilisation, -ateur* (ci-dessous).

Plusieurs mots de la série sont formés à partir du latin ou empruntés. ➜ **SENSIBILITÉ** n. f. est un emprunt (1314) au dérivé bas latin *sensibilitas* «sens, signification» et «sentiment, sensibilité». ◇ Il apparaît dans *sensibilité semblable* «exemple semblable», emploi disparu, l'idée de «signification» liée à un emploi de *sensus* et de ① *sens* ne s'étant pas maintenue. ◇ *Sensibilité* désigne aussi, dès les premiers emplois, la propriété qu'a un être vivant d'être excité par le milieu extérieur. Le mot est repris au XVIIe s. à propos de la faculté d'éprouver de la sympathie (av. 1662) et de la propriété de l'être humain d'éprouver des sentiments, des états affectifs, etc. (1671); il désigne spécialement le caractère d'une personne sensible à qqch. (1675). Il s'est dit spécialement (1680) de la reconnaissance éprouvée pour un bienfait reçu. ◇ Au XVIIIe s., le mot désigne la qualité de sentir et de transmettre les émotions, et devient typique des valeurs de l'époque comme *sensible* dans *l'homme sensible;* il s'emploie notamment à propos des artistes, des écrivains (1738), de la qualité d'une œuvre (av. 1872), plus tard à propos d'une époque, d'une génération (av. 1890). ◇ Attesté dès le XVIIe s., à propos du caractère de ce qui peut produire une sensation (1674), le mot entre ensuite dans le vocabulaire technique (1798), désignant l'aptitude à détecter les faibles variations d'une grandeur, puis l'aptitude à réagir à une action physique (1858 en photographie); il s'emploie dans différents domaines pour «aptitude à réagir» : en économie dans *sensibilité de la Bourse* (1877), au XXe s. en écologie, en acoustique, etc. ◇ Le composé **HYPERSENSIBILITÉ** n. f. (1896), formé avec *hyper-* et qui correspond à *hypersensible* (ci-dessus), est didactique. ➜ **SENSIBILISATION** n. f., dérivé savant de *sensibilis*, a d'abord signifié (1801) «action de rendre sensible la pensée», acception disparue. Désignant l'acte de sensibiliser ou son résultat, le mot s'emploie en particulier en photographie (1845), en médecine (1900), puis au figuré (1946). ➜ Sur son radical a été formé **SENSIBILISATEUR, TRICE** adj. et n. (1858), employé en chimie, en photographie (n. m.) et en biologie (1903, n. f.; *antisensibilisatrice* n. f. est attesté en 1905). ◇ Le composé **HYPERSENSIBILISATION** n. f. (attesté 1924) est didactique.

INSENSIBLE adj. est emprunté (1227) au latin impérial *insensibilis* «incompréhensible» puis «qui ne sent pas», formé de *in-* privatif (→ ① in-) et de *sensibilis*. Le mot s'applique (1314) à un être vivant qui n'éprouve pas les sensations habituelles, valeur développée au XVIIe et au XVIIIe s., par exemple dans *insensible au froid*, etc. (av. 1778), par une évolution parallèle à celle de *sensible* (ci-dessus). ◇ L'adjectif qualifie ensuite une personne qui n'a pas de sensibilité morale (1370; puis 1617). Toujours chez Oresme (1370), il se dit, au sens passif de *sensible*, d'une chose que l'on ne perçoit pas ou qui est à peine sensible; cette acception est reprise chez Montaigne et produit le sens de «graduel, progressif» (1588, *pente insensible*). ◇ Avec l'idée morale de «froideur», on relève *cœur insensible* (1578) et la spécialisation dans le domaine amoureux (1634), aujourd'hui littéraire. Avec cette nuance, *insensible* s'est employé comme nom (1635) masculin et surtout féminin (cf. *cruelle*) dans le langage galant, aux XVIIe et XVIIIe siècles. ◇ *Insensible à* s'utilise ensuite (1642) à propos d'une émotion, d'une influence, d'une œuvre. ➜ Le dérivé **INSENSIBLEMENT** adv. a d'abord signifié (1314) «sans manifester de sensibilité physique». Il s'emploie couramment (1571) pour «peu à peu» et est littéraire au sens de «sans que cela se remarque» (1580). ➜ **INSENSIBILITÉ** n. f., emprunt (1314) au bas latin *insensibilitas*, a remplacé le dérivé français *insensibleté*. ◇ Le mot désigne l'absence de sensibilité physique. ◇ Il s'est employé aussi (1415) pour «privation de raison» jusqu'au début du XVIIIe siècle. ◇ Il se dit de l'absence de sensibilité, dans le domaine moral (1588), en amour (1634), emploi devenu archaïque, ainsi qu'à propos des faits esthétiques ou intellectuels (av. 1662).

SENSITIF, IVE adj. est emprunté (v. 1265) au latin médiéval *sensitivus* «qui concerne la sensation», dérivé du latin classique *sensus* «action de percevoir, de sentir, de comprendre», formé sur *sensum*, supin de *sentire* (→ ① sens, sentir).

♦ L'adjectif a qualifié ce qui appartient à la sensibilité, aux sens et s'est appliqué à une personne douée de sensibilité; *âme sensitive* (v. 1265) désignait dans la philosophie scolastique le principe de la sensation chez l'homme et l'animal. ◇ L'adjectif entre ensuite dans le vocabulaire de la physiologie (1314) au sens de «qui transmet les sensations» *(nerfs sensitifs)*. ◇ Il s'applique aussi depuis le XVIe s. (1587) à une personne douée d'une sensibilité aiguë, dont la vie affective a une grande importance, mais reste exceptionnel dans cet emploi avant la fin du XIXe s. où il est repris par influence de l'anglais (1866, Amiel), avant d'être réemprunté à l'allemand en caractérologie (Kretschmer), d'où la substantivation *un (une) sensitif (ive)*.

▸ **SENSITIVE** n. f., abréviation (1665) de *herbe sensitive* (1639), est le nom d'une variété de mimosa dont les feuilles se rétractent quand on les touche. Par figure (1871), le nom désigne une personne très sensible, qui se replie facilement.

SENSORIEL, ELLE adj. est formé savamment (1839) à partir du bas latin *sensorium* «organe d'un sens», du latin classique *sensus* «action de percevoir» (→ ① sens); on a d'abord dit *sensorial* (1830). Le moyen français *sensoire* (1541), issu du latin, s'est employé avec le même sens.

♦ L'adjectif s'applique à ce qui concerne les modalités différentes de la sensation («organes des sens»), puis qualifie ce qui est relatif à la sensation sur le plan psychophysiologique (1904, *localisations sensorielles*). Dans l'usage général, *sensoriel* et *sensible* peuvent être synonymes.

▸ Le mot a fourni des dérivés et des composés didactiques comme **SENSORIALITÉ** n. f. (mil. XXe s.) et **SENSORIMOTEUR, TRICE** adj. (1879).

SENSORIUM n. m., emprunt au latin (1718), désignait la partie du cerveau qu'on pensait être le centre de toutes les sensations. Ce terme didactique se disait aussi (1762) de l'organe où l'on croyait que s'opérait la synthèse des impressions permettant la perception d'un objet unique; on a dit également *sensorium commune* (1801; du neutre du latin classique *communis* «commun*»). Ces valeurs correspondaient à des hypothèses psychophysiologiques mécanistes, prolongement de celles de Descartes. ◇ Le mot est aussi sorti d'usage au sens de «système nerveux central», «cerveau» (1852) en tant que centre des sensations.

SENSUEL, ELLE adj. est emprunté (v. 1370) au latin ecclésiastique *sensualis* «relatif aux sens», «doué de sensation», dérivé du latin classique *sensus* «action de percevoir, de sentir, de comprendre» (→ ① sens), lui-même de *sensum*, supin de *sentire* (→ sentir). La forme *sensual* est attestée isolément au XIVe siècle.

♦ L'adjectif s'applique à ce qui est propre à procurer le plaisir des sens, valeur demeurée usuelle. ◇ Il se dit aussi de ce qui émane des sens, des qualités sensibles (1541). ◇ Il qualifie ensuite (1636) une personne portée à rechercher tout ce qui flatte les sens (substantivé fin XVIIe s.) et notamment ce qui évoque un caractère voluptueux (1690).

▶ L'adverbe **SENSUELLEMENT** a signifié (XVe s., avec un seul *l*) «par le moyen des sens». ◇ Il s'emploie aujourd'hui (depuis 1548) avec la valeur moderne de *sensuel.*

SENSUALITÉ n. f., réfection graphique (v. 1265) de *sensualiteit* (v. 1190), est emprunté au latin ecclésiastique *sensualitas* «sensibilité», dérivé de *sensualis.* ◇ Le mot s'est dit de l'activité des sens (v. 1265), correspondant alors à *sensibilité.* ◇ La valeur moderne, attestée avant celle de *sensuel* (1486), concerne le tempérament d'une personne qui recherche les plaisirs des sens et, plus couramment, la recherche de ce qui est propre à satisfaire les sens, la sexualité (XVIIe s.). ◇ Dans le vocabulaire religieux, il s'est employé au singulier (1636) et au pluriel (1671) au sens de «plaisir(s) sensuel(s)» *(une, des sensualités)*; cet emploi a disparu.

SENSUALISME n. m., terme répandu par V. Cousin, a été dérivé savamment (attesté en 1803, Boiste) du latin *sensualis.* C'est le nom donné à la doctrine philosophique élaborée par Condillac, d'après laquelle l'ensemble des connaissances vient des sensations; on a dit aussi *sensationnisme* (→ sensation) pour éviter la confusion avec l'acception moderne de *sensuel,* notamment quand le mot a été repris comme terme de morale (1841) désignant la recherche des plaisirs des sens. ◇ Le dérivé **SENSUALISTE** n. (1801, Villers, traducteur de Kant) et adj. (1842) est aussi un terme d'histoire de la philosophie.

SENTE

SENTE n. f. représente l'aboutissement (v. 1155) du latin classique *semita* «petit chemin de traverse, sentier, trottoir, ruelle», dont l'origine n'est pas éclaircie.

♦ *Sente* conserve le sens latin de «petit chemin, sentier», aujourd'hui dans un usage régional ou très littéraire.

▶ **SENTIER** n. m., d'usage plus général et demeuré courant, est issu (v. 1150, sous cette forme) du latin populaire °*semitarius,* en latin médiéval *semtero* (908), devenu au XIIe s. *senterium* (1184). La forme représente la substantivation de l'adjectif du latin classique *semitarius* «de ruelle, qui se tient dans les ruelles», dérivé de *semita.* Le latin a abouti en ancien français aux variantes *senter* (1080), *sentir* (v. 1190), *semter* (1400), *sendier* (v. 1430), etc., et par ailleurs à l'ancien provençal *sendier* (v. 1135), à l'italien *sentiero,* au portugais *sendeiro.*

Le mot apparaît (1080) avec le sens de «chemin étroit, utilisé par les piétons, dans la campagne, les bois», valeur qui s'est conservée au cours des siècles. ◇ On relève dès le XIIe s. (v. 1190) l'emploi par figure pour «voie morale» avec l'idée d'étroitesse, et donc de difficulté; de là les locutions figurées *les sentiers des justes* «la bonne voie» (1672), *les sentiers peu battus* (1678) et, toujours en usage, ***les sentiers battus*** (1796) «les voies les plus banales», avec l'idée de lieu commun. ◇ ***Être sur le sentier de la guerre*** «prêt à partir en guerre» (1872), calque de l'anglais, est employé à propos des Indiens d'Amérique du Nord.

SENTENCE

SENTENCE n. f. est un emprunt (v. 1175 en droit religieux, puis 1283 en droit laïc) au latin *sententia* «façon de sentir, de penser», spécialisé dans la langue du droit pour «avis (donné au sénat), vote». Il s'emploie aussi en rhétorique au sens de «phrase, période» et en particulier de «trait qui termine la phrase», d'où «maxime»; dans la langue philosophique, il traduit le grec *doxa* «opinion» (→ doxa). *Sententia* dérive, par l'intermédiaire d'un substantif °*sentens* (non attesté), du verbe *sentire* «éprouver (un sentiment, une sensation)», «avoir un avis et l'exprimer» et, spécialement, «voter» (→ sentir).

♦ *Sentence* emprunte d'abord au latin le sens de «pensée, opinion exprimée d'une manière dogmatique», valeur devenue archaïque (cf. *maxime*), puis celui de «jugement», en particulier (v. 1190) «jugement de Dieu», acception disparue. De là vient le sens de «jugement rendu par les différents degrés de la juridiction ecclésiastique» (XIIIe s.) toujours vivant en droit canon, par exemple dans *sentence d'excommunication.* Le mot désigne aussi en droit (1283) un jugement rendu par des juges et spécialement un jugement qui prononce la peine capitale (1553; 1778, *sentence capitale*). Par extension, il se dit d'une décision, d'un jugement quelconque, favorable ou pas (v. 1470). ◇ Avec la valeur de «maxime», le mot s'emploie dans la locution ***ne parler que par sentences*** (1680) «affecter de parler gravement et par lieux communs».

▶ Le dérivé **SENTENCIER** v. est sorti d'usage aux sens d'«ordonner (qqch.) par jugement» (1310, comme transitif) et de «condamner (qqn) par une sentence» (1530). Il est didactique et rare en emploi intransitif pour «prononcer une sentence» (1318).

SENTENCIEUX, EUSE adj., attesté isolément au XIIIe et repris au début du XVIe s., est emprunté au latin *sententiosus* «riche d'idées, de pensées», dérivé de *sententia.* ◇ Sorti d'usage pour qualifier une personne qui s'exprime par maximes (XIIIe s.) ou un discours (1549, *sententieux*), l'adjectif se dit encore (v. 1670), avec une connotation péjorative ou ironique, pour qualifier un ton, un comportement, etc. d'une gravité affectée. ◇ En dérive **SENTENCIEUSEMENT** adv. (1599; 1546, *sententieusement*), d'emploi littéraire.

SENTIMENT, SENTIMENTAL → SENTIR

SENTINE

SENTINE n. f., réfection (XIIIe s.) de *sauntine* (1165-1170), est emprunté au latin *sentina* «endroit de la cale où s'amassent les eaux» et au figuré «rebut, lie»; aucun rapprochement n'a pu éclairer l'origine de ce mot.

♦ *Sentine* a désigné (1165-1170) une sorte de bateau plat. ◇ Au figuré il s'est employé (v. 1185), comme en latin, pour un milieu où règne le vice, emploi littéraire. ◇ Il est sorti d'usage pour «état d'abaissement» (v. 1190). ◇ Le mot a également repris (v. 1200, *santine*) le sens propre du latin. Avec la valeur initiale, il a désigné (1438) un bateau plat utilisé pour le transport du sel sur la Loire, acception encore relevée en 1771. ◇ Au sens de «lieu sale et humide» (1834), le mot est très littéraire.

SENTINELLE n. f., apparu au XVe s. chez Basselin, selon Littré, puis au XVIe s. : *centinelle*, 1540; 1546 (Rabelais), est emprunté à l'italien *(far la) sentinella* «faire le guet», dérivé de *sentire* «entendre», du latin classique *sentire* (→ sentir). Le mot est parfois masculin chez certains auteurs (1798, Académie).

♦ *Sentinelle* désigne une personne armée, généralement un homme, qui fait le guet (cf. *guetteur*), aujourd'hui qui a charge de protéger un lieu public, de surveiller un lieu occupé par l'armée (1690). Du premier emploi vient le sens de «guet, surveillance» (1553), qui ne survit que dans quelques expressions comme *faire la sentinelle* (1636), calque de l'italien, *faire sentinelle* (1668), *sentinelle perdue* «placée dans un poste avancé et dangereux» (1580), plus ou moins sorties d'usage. ◇ La locution ***en sentinelle*** (1580) signifie «en observation», d'où *mettre qqn en sentinelle* (1694). ◇ Par comparaison, le mot s'emploie trivialement pour «excrément humain (dressé ou isolé comme une sentinelle)», d'abord dans ***poser une sentinelle*** (1640), puis employé seul (1848), emploi vieilli. ◇ Avec l'idée de «surveillance», le mot s'est employé au figuré (1659) pour parler d'une personne qui veille à la conservation de certaines valeurs. Outre le sens initial, militaire, le mot ne s'emploie plus guère que dans *en sentinelle* et, par analogie (mil. XVIIIe s.), à propos d'une personne ou d'un animal qui veille.

✱ **SENTIR** v. est issu (fin XIe s.) du latin classique *sentire* «percevoir par les sens ou par l'intelligence», puis «être d'un certain avis» et, spécialement dans la langue juridique et politique, «décider, voter», généralement «se rendre compte», «avoir dans l'esprit, penser» et par ailleurs «être affecté par qqch.». Ce verbe, dont l'origine est obscure, est cependant rapproché de l'irlandais *sét* «chemin», du gotique *(ga)-sinþa* «compagnon de voyage» (ancien haut allemand *sindōn* «voyager»; allemand *sinnen* «méditer»; → ② sens).

♦ *Sentir*, verbe transitif, signifie «être informé par les sens ou la sensibilité (quant à un fait, une qualité, etc.)» (fin XIe s.) et «connaître ou reconnaître par l'intuition» (1080), *se sentir* (et adjectif) équivalant à «avoir conscience de son propre état». Le verbe s'emploie aussi absolument (v. 1175). Il a les valeurs spéciales (v. 1119) de «percevoir par l'odorat» (v. 1120), valeur demeurée très courante, mais aussi de «percevoir par le toucher» et même (v. 1180) «percevoir par le son», valeur disparue. ◇ Par extension, on a dit (XIIe s.) *sentir une femme* pour «la posséder». Toujours au XIIe s., *sentir*, dans le domaine affectif, se dit pour «être affecté agréablement par (qqch.)» et «recevoir une impression morale» (v. 1190). Au début du XIIIe s., *faire sentir (qqch.) à (qqn)* signifie «faire qu'il en prenne conscience» (1221). La plupart de ces emplois d'ancien français ont disparu, à l'exception de la connaissance intuitive et de la spécialisation pour l'odorat. Cette dernière correspond d'ailleurs à l'emploi du verbe avec un complément exprimant une qualité du sujet, avec le sens de «dégager l'odeur de» (1320). Cette valeur, en emploi transitif et absolu, se développera à partir du XVIe s. (voir ci-dessous).
Avec l'idée de «connaissance» correspondant à la première valeur de ① *sens*, *sentir* équivaut à «savoir (pour l'avoir appris)» (XIVe s.), sens disparu comme la locution *sentir qqch. à* (ou *de*) *qqn* «s'informer auprès de qqn», mais ***faire sentir*** «faire comprendre» (1440-1475) est restée vivante *(il lui a fait sentir sa force, qu'il était fort)*. ◇ *Se sentir de* pour «se considérer comme capable de» (fin XIVe s.) est aujourd'hui remplacé par le composé *se ressentir*, sauf en emploi négatif *(il ne se sent pas de...)* tandis que *sentir qqn* «tâter le terrain avant de commencer des pourparlers» (1440-1475) est sorti d'usage. ◇ Par figure, le verbe signifie «évoquer à l'esprit l'idée que, donner une impression de», avec des locutions comme *sentir le paysan* (1527), *cet ouvrage sent l'huile* «a coûté beaucoup de veilles» (1534), *sentir la chair*, en parlant de propos grivois (v. 1550), emplois disparus ou archaïques. *Sentir son bien* «être bien né, bien élevé» (1566) se maintient encore à la fin du XVIIIe siècle; les locutions métaphoriques du même type sont très nombreuses : on a encore par exemple au XVIIe s. *cela sent la vieille guerre* «cela n'est pas à la mode» (1611), disparue, *cela sent le gibet, la corde* (1667), *cela sent le corps de garde* (1686); la locution métaphorique ***sentir le terroir*** se dit d'un goût ou d'une personne, puis (1718) d'un ouvrage. Familièrement, *ça sent le sapin* (le cercueil) s'emploie pour «la mort semble proche». ◇ Au sens déjà ancien (fin XIIe s., ci-dessus) de «percevoir par l'odorat», *sentir* ajoute celui de «chercher à percevoir une odeur, humer» (1530). À la même époque, la valeur complémentaire de «dégager une odeur» (attestée mil. XIIIe s.) devient usuelle, notamment avec les expressions ***sentir bon, mauvais*** (1530;1640, intr.); *sentir mal* «mauvais» (1538) est considéré comme un gasconisme. *Sentir* s'emploie aussi absolument pour «sentir mauvais» (1640). Plusieurs expressions correspondent à l'idée de «mauvaise odeur» : *cela sent son épaule de mouton* (fin XVIe s.), *sentir le lapin* (1867). Par métaphore, ***sentir mauvais*** et ***ne pas sentir bon*** correspondent (1835) à «les choses vont mal tourner».

➜ Dans l'ordre abstrait, en relation avec ① *sens* et avec *sentiment*, le verbe signifie depuis le XVIe s. «prendre, ou avoir conscience de (qqch.) d'une façon plus ou moins nette» (v. 1550), d'où *sentir que* (fin XVIe s.) et *se sentir*, réfléchi indirect (1580), «sentir comme étant en soi ou à soi» *(se sentir le courage de)*. ◇ La valeur abstraite du verbe est parfois recouverte, en français moderne, par la métaphore de l'odorat, cet emploi de *sentir* étant plus courant. Le verbe est vieilli pour «avoir le goût de» en parlant d'un plat, d'une boisson (1636). ◇ À l'époque classique, la valeur intellectuelle, appréciative du verbe est renforcée par l'emploi pronominal et par le factitif; *se sentir* signifiait (v. 1650) «savoir de quoi on est capable», «être maître de soi»; il ne s'emploie aujourd'hui que sous la forme négative, par exemple dans *ne pas se sentir de joie* (1668) ou encore ***ne pas se sentir*** (1665), ***ne plus se sentir.*** *Faire* *sentir* (1669) signifie «faire ressentir (qqch.)», par exemple dans un texte, mais aussi avec une valeur générale (v. 1750), et *se faire sentir,* d'une chose, «devenir sensible» (1690). *Sentir qqch. pour qqn* «l'aimer» (1672) a été remplacé par *ressentir.* ◇ ***Sentir qqn de loin*** «deviner ses intentions» est relevé en 1670 (une expression équivalente est *voir venir*) et ***sentir qqch. de loin*** en 1690. ◇ Le verbe s'emploie dans l'ordre esthétique pour «apprécier» (1694, *sentir la musique*). La locution ***ne pas pouvoir sentir qqn*** «avoir de l'aversion pour lui» (1788) donne au verbe la valeur de «supporter», par spécialisation de «percevoir vivement», et est souvent interprétée comme «percevoir l'odeur de» au figuré, d'où *je ne peux pas le piffer* (de *pif* «nez»).

▶ **SENTIMENT** n. m. représente une réfection (1314) de l'ancien français *sentement* (v. 1190), dérivé de *sentir;* la plupart des emplois de *sentement* sont repris par *sentiment,* qui s'impose à partir du XVIe siècle. ◆ *Sentement,* puis *sentiment* désigne le fait de percevoir, de sentir; cette acception est archaïque, y compris dans la locution ***perdre le sentiment*** «s'évanouir» (1667), où *sentiment* correspond à *conscience.* ◇ En vénerie (1538, *sentement*), le mot désigne l'odorat des chiens de chasse et l'odeur qu'ils perçoivent. À la même époque, le mot se dit de l'état ou de la modification suscitée par une stimulation, sens repris par *sensation.* ◆ *Sentement* (XIIIe s.), *sentiment* (1559) avait pris le sens de «capacité d'apprécier un ordre de choses, une valeur morale, esthétique» (cf. les emplois correspondants de ① *sens*). Le mot a eu (v. 1210) le sens de «connaissance». ◇ Dès l'ancien français, le mot désigne (1279) un état qui relève de l'affectivité et, spécialement, une tendance affective stable et durable, d'où l'emploi également courant (XIIIe s.) à propos de l'inclination d'une personne pour une autre, qu'il s'agisse d'amour ou d'amitié. Dans ces emplois, *sentiment* remplace *sentement* à partir des XVe-XVIe siècles. Le mot a désigné l'action et la faculté de penser (v. 1390), d'où *bon sentement* pour *bon sens* (v. 1390; → ① sens), valeur qui ne s'est pas maintenue. ◇ *Sentement* (fin XIVe s.), puis *sentiment* (1580) se dit d'une opinion fondée sur une appréciation subjective et non sur un raisonnement logique; cet emploi fournit au XVIIe s. les locutions *au sentiment de* «selon l'avis de» (1659), *juger par le sentiment* (av. 1662) et *à sentiments ouverts* «sans rien dissimuler» (1667), toutes sorties d'usage, l'acception du mot étant encore en usage dans un registre soutenu et littéraire. ◇ Il désigne (fin XVe s.) la conscience plus ou moins claire que l'on a de qqch. puis (1580) la faculté de connaître plus ou moins immédiatement un objet abstrait, alors opposé à *raisonnement* et, seulement à partir de la Renaissance (av. 1549, *sentiment*), la conscience de soi, la connaissance de son existence; de là vient l'emploi classique en philosophie pour «intuition» (1674, Malebranche). ◇ C'est en moyen français que *sentiment* développe des acceptions liées à l'ordre affectif, «tendance affective» puis «rancune» (1376), remplacé plus tard par *ressentiment* et, à l'inverse, «dévouement, zèle» (1642), sorti d'usage. ◇ *Les sentiments,* en emploi absolu (av. 1678) s'oppose à *l'égoïsme, l'intérêt,* aujourd'hui dans l'usage familier et parfois ironiquement en locution, par exemple dans ***ça n'empêche pas les sentiments,*** compris au sens d'«affection». *Sentiment* a désigné aussi (fin XVIIe s.) la disposition à réagir de façon affective à qqch., acception sortie d'usage. ◇ Le mot s'emploie également (av. 1714) pour parler de l'expression des phénomènes affectifs, en particulier dans les arts; *le sentiment,* notion essentielle au XVIIIe s., comme *sensible** et *sensibilité,* équivaut (1735) à *la vie affective,* opposé à *l'action,* à *la raison;* ***les grands sentiments*** «les sentiments nobles, généreux» (1766) s'emploie parfois ironiquement pour «sentiments outrés». C'est l'époque où apparaît *sentimental* (ci-dessous). *Sentiment,* dans l'usage familier, correspond à «démonstrations sentimentales», notamment dans les locutions ***faire du sentiment*** (1845) et ***ne pas faire de sentiment*** (XXe s.) «être pratique et dur». ◇ Le mot a désigné concrètement (1843) un bijou formé d'un assemblage de tresses de cheveux (marques des sentiments). Cet emploi a disparu. ◇ *Sentiments* au pluriel (XXe s.) s'emploie avec une valeur affaiblie dans des formules épistolaires de politesse (*sentiments distingués, cordiaux, meilleurs sentiments,* etc.).

SENTIMENTAL, ALE, AUX adj. et n. apparaît en 1769 dans la traduction de *The Sentimental Journey* de Sterne; le traducteur, J.-P. Fresnais, note : «Le mot anglais *sentimental* n'a pu se rendre en français par aucune expression qui pût y répondre, et on l'a laissé subsister. Peut-être trouvera-t-on en lisant qu'il méritoit de passer dans notre langue.» En anglais, le mot était récent (1749), dérivé de *sentiment,* lui-même emprunt (XIVe s.) au français. ◆ L'adjectif, rapidement senti comme un dérivé français de *sentiment,* s'applique à ce qui concerne la vie affective, spécialement aux sentiments tendres, à l'amour; comme en anglais, il dénote d'abord une certaine élévation de sentiments, mais il prend rapidement une connotation péjorative, qualifiant (1781) ce qui exprime une affectivité un peu mièvre ou artificielle, qui ne manifeste pas une pensée solide (cf. *romanesque*). L'adjectif se dit ensuite (1797) de ce qui provient de causes subjectives et affectives, opposé à *réaliste,* et d'une personne qui donne de l'importance aux sentiments tendres et les manifeste volontiers (1798); en ce sens il s'oppose souvent à *sensuel.* ◇ Le mot est repris en caractérologie (1945, n.), opposé à *actif.* ◆ Le dérivé **SENTIMENTALISER** v. intr. (1801) et tr. (1845) est peu usité en français, alors que l'anglais *to sentimentalize* est courant comme verbe intransitif. ◆ **SENTIMENTALISME** n. m. (1801), péjoratif dans l'usage courant, s'emploie en philosophie (1842) comme nom de la morale du sentiment chez Rousseau, Schopenhauer, etc. ◆ **SENTIMENTALITÉ** n. f. désigne (1804) un caractère très ou trop sentimental. Le mot *(une, des sentimentalités)* désigne une attitude, un geste sentimental (1842); cet emploi est vieilli. ◇ Il désigne spécialement le caractère mièvre d'une œuvre (1876). ◆ L'adverbe **SENTIMENTALEMENT** (1827) est assez courant.

D'autres dérivés et composés du verbe *sentir* sont usuels ou l'ont été. ◆ Le participe présent **SENTANT, ANTE,** adjectivé, s'applique à un être qui a la faculté d'éprouver des sensations (XIVe s., isolément; repris en 1611). ◇ L'adjectif a signifié «plein de sentiments» (v. 1360) et «qui répand une odeur» (1538), encore en 1660. Il a vieilli dans tous ses emplois. ➜ **SENTEUR** n. f. apparaît (v. 1354, F.e.w.; seulement XVIe s. selon T.L.F.) comme terme de vénerie; il désigne généralement une odeur forte, désagréable (v. 1380) ou plus souvent agréable (1471, au pluriel); avec cette dernière valeur, il s'est employé dans la locution ***de senteur*** «très odorant» (1514, *pomme de senteur*). ***Pois de senteur*** désigne couramment (1791) la gesse odorante. ➜ **SENT-BON** n. m. est un équivalent familier de «parfum» (1530), employé en français moderne dans le langage enfantin. ➜ Le participe passé **SENTI, IE** adj. et n. m. s'est appliqué (1758) à un sentiment sincère, sérieux puis, dans le domaine des arts, à ce qui est exprimé avec vérité (1770, aussi *le senti* n. m.). ◇ ***Bien senti*** «exprimé avec vigueur» (1876) s'emploie par extension et familièrement en parlant d'un coup (XXe s.). ◇ Le nom, repris au XXe s. en philosophie, désigne ce qui est senti ou ressenti.

Le préfixé **RESSENTIR** v. tr. semble peu employé jusqu'au XVIe siècle. Comme pronominal (v. 1190, *soi resentir*) il signifiait «se sentir de nouveau» et comme transitif (XIIIe s.) «exhaler l'odeur de», isolément au XIVe s. «reprendre ses sens». Ces valeurs ont disparu. ➜ *Ressentir* signifie aujourd'hui «éprouver les conséquences d'un événement» (1557) qu'elles soient avantageuses (1564) ou pénibles (1669). *Se ressentir de* a signifié «se venger de (une injure, etc.)»; *ressentir qqch., qqn* s'est employé (1561) comme *ressentir à* (déb. XVIIe s.) pour «porter le caractère de (qqch., qqn)», jusqu'à la fin du XIXe siècle. ◇ Le verbe s'emploie aussi pour «sentir vivement (l'effet moral d'une cause extérieure)» (1580), d'où *ressentir un outrage, une injure* (1617). ◇ Le verbe a été utilisé à l'époque classique aux sens de «reconnaître, discerner (un sentiment, etc.)» (fin XVIe s.), sens assumé aujourd'hui par *sentir,* et de «se souvenir avec reconnaissance ou avec rancune» (cf. *ressentiment*) [1617, aussi pronominal]. ◇ Il signifie aussi (1636) «éprouver (une douleur physique)», puis (1644) «être sensible à (ce qui arrive à autrui)» et (1680) «être pleinement conscient de (un état subjectif)»; *se ressentir de* s'emploie (1690) au sens de «continuer à éprouver les effets d'une douleur morale ou physique». Au négatif et suivi d'un infinitif, *ne pas se ressentir de...*, qui remplace souvent *ne pas se sentir**, signifie «ne pas se sentir capable de, disposé à...» Au début du XXe s., *s'en ressentir pour* équivaut familièrement à «se sentir en bonnes dispositions pour» (1919). ➜ Le dérivé **RESSENTIMENT** n. m. (1558), réfection de *recentement* (v. 1300) puis *resentement* (1544), signifie d'abord «fait de se souvenir avec rancune, animosité», seul sens demeuré vivant. De la fin du XVIe au XVIIe s., il s'est dit, en relation avec le verbe, du fait d'éprouver une douleur (1574), une impression morale (1580). ◇ Puis il a eu le sens (1612) de «sentiment éprouvé en retour», encore à la fin du XVIIIe siècle; on a dit à l'époque classique *ressentiment* pour «souffrance morale». ◇ Aujourd'hui, ce substantif spécialisé pour «rancune» n'a plus de rapport sémantique avec le verbe dont il dérive.

◈ voir ASSENTIMENT, CONSENSUS, CONSENTIR, DISSENSION, PRESSENTIR, ① SENS, SENSATION, SENSIBLE, SENSITIF, SENSORIEL, SENSUEL, SENTENCE, SENTINELLE.

✱ **SEOIR** v. intr. est l'aboutissement (v. 1175), par *seir* (v. 1155), des formes *seder* (v. 980) puis *sedeir* (v. 1050), issues du latin *sedere,* au supin *sessum;* ce verbe indique la station assise par opposition à *stare* «être debout» (→ ester) et à *cubare* «être couché» (→ concubin, incuber). *Sedere* a pris de nombreux sens spéciaux dans la langue du droit et du rituel, se disant du magistrat qui siège et de l'augure qui prend les oracles. ◇ Il signifie aussi «demeurer, séjourner» et familièrement «rester inactif»; en parlant de choses, il a le sens de «rester stable, demeurer fixé». *Sedere* se rattache à une base indoeuropéenne conservée sous diverses formes, par exemple *hedra* «siège» en grec (dont le composé *kathedra* a donné *cathédrale**), *saditi* «établir» en vieux slave, d'où le russe *sadit'sja*) *satjan* «poser» en gotique (cf. l'anglais *to sit* «s'asseoir» [→ sit-in] et *to set* «poser» [→ offset, set], l'allemand *setzen,* etc.).

♦ *Seoir* apparaît avec le sens étymologique d'«être assis» (v. 980; aussi pronominal), déjà considéré comme vieux à l'époque classique, sauf à l'infinitif, à l'indicatif et à l'impératif présent, mais en général remplacé par *s'asseoir**. ◇ Ce verbe reprend ensuite au latin plusieurs acceptions: «être situé (quelque part)» (1160), «séjourner» (1175), sorties d'usage; «être convenable, bien aller» (v. 1175), littéraire aujourd'hui et rarissime, sauf à l'impersonnel (*il sied...).* ◇ L'idée de «demeurer» s'est réalisée dans *seoir devant* «faire le siège de» (v. 1210), celle de «convenir» dans l'emploi pour «avoir lieu à telle date» (XIIIe s.), sens propres à l'ancien et au moyen français. ◇ *Seoir* s'est employé pour «être assis dans une assemblée» (XIVe s.), encore à l'époque classique, remplacé ensuite par *siéger.*

▸ Si le verbe n'a plus beaucoup d'usages, certains de ses dérivés et composés sont restés usuels. ➜ **SÉANT, ANTE** adj. et n. m., participe présent de *seoir,* d'abord *sedant* (v. 1050), est écrit *seant* depuis *La Chanson de Roland* (1080) et signifie «assis», aussi dans la locution *en seant,* puis *en son seant* (v. 1130), devenue ***sur son séant*** (v. 1265), toujours en usage. L'adjectif s'est employé pour «décent, convenable» (v. 1180), sens aujourd'hui littéraire, de même que l'acception «qui convient à (qqch., qqn)» dans ***séant à*** (v. 1360) et l'impersonnel ***il est séant de*** (1538). ◇ L'adjectif a signifié en ancien et en moyen français «avenant» (XIIIe s.), «bien placé» (1220), «situé» (1278); ce sens a disparu. Mais le mot était encore vivant à l'époque classique appliqué à une personne qui siège dans une assemblée (depuis 1440-1475). ➜ Au sens de «qui va bien», *séant* a été remplacé par **SEYANT, ANTE** (1769 *séyant,* Restif), variante d'après les formes de l'imparfait du verbe. ➜ Substantivé, *séant* n. m. (1694) se dit familièrement pour «derrière». *Sur son séant* «assis» est d'emploi normal et moderne, parfois plaisant. ➜ L'adjectif **SIS, SISE,** du participe passé de *seoir,* signifie «situé» (1290) et ne s'emploie plus qu'en droit (depuis 1671); l'ancien provençal *siza* se disait (1350) de la position d'un vers.

De *séant* dérive **SÉANCE** n. f. (XIIIe s.) qui a d'abord signifié «aptitude, convenance» (1266, *en se seance*) et «situation (topographique)». De là, *à la séance de qqn* «selon sa convenance» (v. 1310), encore au XVIIe s. sous la forme *selon la séance (de qqn)* [v. 1650], disparu ensuite. ➜ Au XIVe s., *séance* prend le sens (1356) de «réunion des membres d'une assemblée, d'une compagnie», demeuré usuel en français contemporain. ◇ Le mot s'est employé à l'époque classique pour «fait d'être assis» (v. 1550), sorti d'usage au XVIIe s., et au sens de «droit de siéger dans une assemblée» (1580), d'où *avoir séance* «siéger, se réunir» (1594). Il s'est dit aussi de la place réservée à un magistrat (1602) et en général du siège où qqn s'asseoit (1606). ➜ Au sens moderne, *séance* désigne par extension (1636) la durée d'une réunion et aussi le temps que l'on passe à table ou dans une visite (1694), cet emploi étant sorti d'usage. Le mot s'emploie ensuite pour la durée déterminée consacrée à un travail, etc. (v. 1784), notamment de la pose chez un peintre (1800). ◇ ***Séance tenante*** «au cours de la séance» (1802) se dit au figuré comme locution adverbiale pour «sur-le-champ» (1835). ◇ *Séance* désigne aussi (av. 1880) le temps consacré à certains divertissements, spectacles. Cette valeur s'est diffusée avec le cinéma *(première, deuxième, dernière séance)*, au sens métonymique désignant le spectacle lui-même, puis au figuré et en emploi familier (mil. XXe s.) le spectacle donné par qqn qui se comporte d'une façon bizarre ou insupportable. ➜ **PRÉSÉANCE** n. f. a été formé (1580) d'après le latin *praesidere* «être assis en avant» et au figuré «veiller sur», «avoir la préséance» (→ présider). Ce nom désigne le droit de précéder qqn dans une cérémonie protocolaire et, par extension (1686), une prérogative due à l'âge, au rang, etc. Le verbe *preseoir*, de *pré-* et *seoir*, était attesté en ancien français.

Séant a fourni le composé **BIENSÉANT, ANTE** adj., d'emploi littéraire, d'abord écrit en deux mots et appliqué (1080) à qqn d'avenant, de bien fait, acception disparue. ***Bienséant à (qqn)*** «qui convient» (XIIIe s.) est archaïque et littéraire. L'adjectif prend un sens moral et social à partir de l'époque classique. ◇ Il a servi à former **BIENSÉANCE** n. f., qui désignait ce qui convient à qqn (1534) et s'employait dans la locution *être à la bienséance de qqn* (XVIe s.) «convenir». ◇ Le nom se dit (1559) aujourd'hui à propos de ce qu'il convient de dire ou faire selon les usages, dans une société donnée. Le sens de «qualité d'une œuvre qui répond aux critères du goût dominant» (1622) ne s'emploie plus qu'en parlant du XVIIe siècle. ➜ À *bienséant* s'oppose **MALSÉANT, ANTE** adj. (1665), «qui ne convient pas» puis «qui n'est pas bienséant», dont dérive **MALSÉANCE** n. f. (1573), à peu près sorti d'usage.

Des verbes composés à partir de *seoir*, restent *messeoir* et *surseoir*. ➜ **MESSEOIR** v. intr. (v. 1220), de *mes-* négatif, est employé en ancien français au sens concret d'«être mal placé, mal conformé» et au sens moral de «mal convenir». Il est inusité aujourd'hui sauf à la 3e personne du présent : *il messied* «il ne convient pas», très littéraire. ◇ Le dérivé **MESSÉANT, ANTE** adj., attesté peu avant le verbe (v. 1200) «qui ne convient pas», est archaïque. Il a été substantivé (1250). ◇ **MESSÉANCE** n. f. (v. 1270) s'est employé jusqu'au milieu du XVIIIe siècle.

SURSEOIR v. tr., réfection (XIVe s.) d'après *seoir* de formes comme *surseair* (v. 1090), est composé de *sur-* d'après le latin *supersedere* «être posé sur» et au figuré «se dispenser de», «s'abstenir de», lui-même de *sedere*. La forme *supercéder* (1611), précédée par *supercedir* en ancien provençal (1456), est empruntée au latin. ◇ *Surseoir* a signifié «s'abstenir de faire qqch.» (1571, pron.) puis «remettre à plus tard» (1255, *sourseoir*). On ne l'emploie plus que dans la construction *surseoir à* (1636; fin XVIe s., *surséer à*). ➜ Du participe passé vient **SURSIS** n. m., d'abord *sorsis* (XIIIe s., «échappé»; v. 1175 «envolé», en chasse), repris au sens de «délai, remise» (déb. XVIIe s., *sursoy;* forme moderne, XVIIe s., *in* Furetière) et par métonymie «période où une obligation est remise». Ce sens est conservé dans l'emploi moderne en droit pénal, concernant la suspension d'exécution d'une peine (peine de prison *avec sursis*, opposé à *ferme*). ◇ Le mot a pris une valeur administrative, notamment à propos de l'autorisation de surseoir à l'incorporation dans l'armée, le sursis étant remplacé en 1973 par le *report d'incorporation* (ci-dessous *sursitaire*). On trouve en ancien français (1098) *sursise* n. f. «manquement de qqn qui néglige ce qu'il devrait faire». ◇ *Sursis* a pour dérivé **SURSITAIRE** adj. et n. qui s'est appliqué (1915) à un homme affecté au service civil en temps de guerre, puis (1923) à la personne qui bénéficie d'un sursis, spécialement d'un sursis d'incorporation. ◇ Le participe présent de *surseoir* a donné **SURSÉANCE** n. f. (1372), «délai», employé dans la langue classique puis éliminé par *sursis*.

◈ voir ASSEOIR, SÉDATIF, SÉDENTAIRE, SÉDIMENT, SELLE, SIÈGE ; aussi DISSIDENT, INSIDIEUX, OBSÉDER, POSSÉDER, PRÉSIDER, RÉSIDER, SUBSIDE ainsi que NID et son groupe.

SÉPALE n. m. est la forme francisée du latin scientifique *sepalum* (1790), mot créé par le botaniste allemand Necker à partir du grec *skepê* «ce qui recouvre, couverture, protection», sans étymologie établie, croisé avec le latin botanique *petalum* «pétale». La forme normale eût été *skepalum*.

♦ *Sépale* désigne chaque foliole du calice d'une fleur.

▸ Le mot a fourni en botanique des dérivés et composés : **SÉPALOÏDE** adj. (1871), de *-oïde**, **SÉPALAIRE** adj. (1877) et des préfixés : **MONOSÉPALE** adj. (1790), de *mono-**, **GAMOSÉPALE** adj. (1840), de *gamo-*, du grec *gamos* «mariage, union» (→ gamète).

SÉPARER v. tr. est emprunté (1314) au latin *separare* «mettre à part», au propre et au figuré, composé de *se-* marquant la séparation (→ séduire) et de *parare* «préparer», «arranger» (→ ① et ② parer), lui-même intensif de *parere*. *Parere* signifie «procurer» et, par spécialisation, «faire naître» (cf. *parent, primipare*, etc.), «produire»; il se rattache à une racine indoeuropéenne °*per-* «procurer». *Separare* a abouti en français, par évolution phonétique, à *sevrer**.

♦ *Séparer* a d'abord le sens général de «faire cesser d'être ensemble (des personnes, des animaux)». Au pronominal, le verbe signifie (v. 1398) «se diviser en plusieurs éléments». ◇ Le transitif s'emploie par extension (1461) pour «désunir (ce qui formait un tout»)» et (fin XVe s.) «constituer une séparation, éloigner (d'une destination)» en parlant d'une distance. ◇ Le verbe prend au XVIe s. le sens de «diviser, partager» (1538), surtout dans *se séparer* (1690), et abstraitement celui de «distinguer, classer par une opération de l'esprit» (1549). ◇ *Séparer un combat* «le faire cesser en séparant les combattants» a disparu, remplacé par *séparer des combattants* (1559). ◇ Dans l'ordre abstrait, *séparer* se dit de notions, de qualités pour «distinguer de manière à ne pas confondre» (1629). ◇ *Séparer des personnes* peut correspondre à «rompre les liens entre elles» (1552), d'où *se séparer* (1636) «cesser de vivre l'un avec l'autre» et, en droit, ***séparer de corps, de biens*** (1680) surtout au passif. *Se séparer de qqn* (XXe s.), euphémisme pour «congédier qqn», s'est surtout dit à propos d'employés travaillant auprès de leur employeur, dans sa vie privée (domestiques, secrétaires). ➛ Avec un sujet désignant la cause, chose ou personne, le verbe signifie (1667) «former un obstacle entre deux personnes» ; avec cette valeur abstraite, *séparer* signifie aussi (1690) «constituer une différence (entre des personnes, des choses)». ➛ Dans le domaine concret, *séparer* a aussi le sens (1690) de «diviser (dans l'espace) par une séparation» et *se séparer* de «se disperser» (1690). ➛ Dans le vocabulaire religieux (1697), le verbe s'est spécialisé au sens de «prononcer une sentence d'interdiction», c'est-à-dire «séparer de l'Église».

▸ Le dérivé du participe passé, **SÉPARÉMENT** adv., d'abord écrit *separeement* (1370) et sous la forme moderne au XVIe s. (1538), s'emploie pour «en séparant» et «en étant séparé» au propre et surtout au figuré, abstraitement *(étudier deux cas séparément).*

Plusieurs mots de la même famille sont empruntés à des dérivés du verbe latin ou de son supin. ➛ **SÉPARATION** n. f., emprunté (1314) au latin *separatio*, désigne comme en latin le fait de séparer (des choses, des personnes), le fait de se séparer et son résultat. Le mot a signifié aussi (déb. XIVe s.) «brouille, fait d'être en lutte avec qqn» et (1552) «fait de cesser d'être ensemble». ◇ Il se spécialise dans le vocabulaire juridique (1636) dans ***séparation de corps, de biens,*** plus tard (1845) ***de dettes.*** ◇ Il désigne aussi concrètement ce qui sépare (cf. *cloison, mur*) et abstraitement l'action de séparer (v. 1700, *mur de séparation*). Au XVIIIe s., on relève une nouvelle valeur concrète en sciences, *séparation des métaux* (1718). ◇ Avec l'idée de «disjonction», le mot s'utilise en politique dans *séparation des pouvoirs* (1791), notion essentielle du parlementarisme, en droit privé *séparation des patrimoines* (1804), et *séparation des Églises et de l'État* (1830, Lamennais). ➛ **SÉPARABLE** adj., emprunt au dérivé latin *separabilis* (1390), a dû rapidement passer pour un dérivé français du verbe. Employé aussi au figuré, l'adjectif qualifie aussi ce qui peut être divisé en parties (1626). ◇ Le dérivé **SÉPARABILITÉ** n. f. (1700) est didactique. ➛ **INSÉPARABLE** adj. et n., du latin *inseparabilis* (→ ① in-), d'après *séparer* (*séparable* n'était pas encore attesté), équivalait (v. 1282) à «indissoluble» en parlant d'un mariage. ◇ Il s'applique aujourd'hui à ce que l'on ne peut séparer, dans l'ordre concret ou abstrait, spécialement à des éléments du langage (1607), à des personnes (1656), d'où l'emploi substantif (1680), surtout au pluriel *des inséparables* (1690). Spécialement, *inséparables* n. m. pl. ou f. pl. (av. 1867) se dit de perruches qui ne peuvent être élevées que par couples. ◇ Le dérivé **INSÉPARABLEMENT** adv. (XIVe s.) est assez rare. ◇ **INSÉPARABILITÉ** n. f. (fin XIVe s.), rare lui aussi, est un dérivé de l'adjectif ou est emprunté au bas latin *inseparabilitas*.

SÉPARATEUR, TRICE adj. et n. m., emprunt adapté au bas latin *separator*, s'applique à ce qui a la propriété de séparer (v. 1560, *faculté séparatrice*). Comme substantif, *séparateur* n. m. désigne (1859) un appareil destiné à séparer les composants d'un mélange, acception reprise dans divers domaines techniques au XXe s., en parlant d'une cloison isolante entre les plaques d'un accumulateur (1904), en physique dans *séparateur d'isotopes*, en informatique pour nommer le symbole d'un langage de programmation qui sert à délimiter des unités syntaxiques. ➛ **SÉPARATIF, IVE** adj., emprunt des grammairiens au bas latin *separativus* «disjonctif», dérivé de *separatio*, est introduit au début du XVIIe s., appliqué à ce qui opère une séparation chimique, en parlant du feu (1608). Il s'emploie aujourd'hui (1800) pour qualifier ce qui constitue une séparation. ➛ **SÉPARATISTE** n. et adj., employé (1650) en parlant d'une secte opposée à l'Église anglicane, reprenait l'anglais *separatist*, dérivé de *to separate*, de même origine que le verbe français. Le mot aussi a désigné (1666, n. m.) une personne qui se détache des choses mondaines. Repris en politique (1796 à propos des provinces allemandes), puis en religion, il s'est dit (1845) de qqn appartenant à une communauté dissidente. ◇ Il s'applique couramment (1845) à une personne favorable à une séparation, religieuse ou politique et désigne, d'abord à propos des États-Unis (1871), une personne qui demande ou fait une séparation politique par rapport à un État (cf. *autonomiste*). ◇ Le dérivé **SÉPARATISME** n. m. s'est employé à propos de l'Église anglicane (1721) et reste usuel avec une valeur politique (1793).

SÉPIA n. f. reprend le latin *sepia* comme nom scientifique de la seiche (1832 ; → ② seiche), d'abord adapté en *ceppia* (1665), *seppie* (1791). *Sépia* est par ailleurs emprunté (1804) à l'italien *seppia*.

♦ Le mot, comme son étymon italien, désigne le liquide brun ou noirâtre que répand la seiche, qu'on emploie pour le lavis puis, par métonymie (1838), un dessin fait à la sépia (alors d'un brun rougeâtre) ; on trouve parfois en ce sens au XIXe s. l'orthographe italienne.

▸ **SÉPIOLE** n. f., emprunt savant (1812) au latin *sepiola*, diminutif de *sepia*, désigne un mollusque aussi nommé *souchot* (→ ② seiche).

SEPT adj. numér. est la réfection graphique d'après l'étymologie (v. 1190) de *sep* (v. 980), *set* (v. 1050), formes issues par voie orale du latin *septem* «sept», qui a des correspondants exacts dans le grec *hepta* (→ hebdomadaire, hept-), le sanskrit *saptá*, l'avestique *hapta*, l'irlandais *secht*.

♦ *Sept* apparaît comme adjectif numéral cardinal, introduit dans des locutions avec une valeur symbolique, par exemple les *Sept Sages de Rome* (XIIe s.), *les sept sacrements, les Sept Merveilles du monde*, etc., puis employé en combinaison (1273) avec un autre numéral. Le mot est substantivé au XVIe s., d'abord pour désigner une carte de jeu marquée de sept points (1664), puis le nombre sept. À l'époque classique, *être dans son sept* signifiait «en être au 7e mois d'une grossesse» (1718) ou «au 7e jour d'une maladie» (1718). Le nom s'emploie au sens de «7e jour du mois» (1871). ◆ L'emploi ordinal au sens de «septième» n'est attesté que tard dans le XVIIIe siècle. ◇ La locution *numéro sept* (1867, *sept* n. m.) pour «crochet de chiffonnier» est sortie d'usage.

▶ Deux mots ont été formés directement sur *sept*. ◆ **SEPTIÈME** adj. et n. (1538), d'abord écrit *septiesme* (1487), est la réfection de *setime* (v. 1138), *septisme* (XIIIe s.), *setiesme* (v. 1207). Ces formes, dérivées de *set*, puis *sept* (ci-dessus), se sont substituées à l'ancien français *sedme* (v. 1050), *setme* (v. 1119), issu du latin *septimus* «septième», dérivé de *septem*. Cette forme ancienne, *setme*, était encore en usage au XVIIIe s. dans la langue administrative et est signalée par Ménage pour désigner régionalement (Anjou, Poitou) le service religieux célébré sept jours après un enterrement. ◇ Le mot moderne, suffixé en *-ième*, s'emploie d'abord (v. 1138) comme adjectif numéral ordinal de *sept*. Il sert à former les ordinaux correspondant aux ordinaux en *sept*. ◇ Le premier emploi substantivé (1472, *septiesme*) désigne un impôt (d'un septième) sur le sel; on trouve ensuite la valeur générale de «7e partie d'un tout», comme adjectif numéral (1672), puis comme nom (1694, *septiesme*). ◇ Le nom féminin, *une septième*, désigne en musique (1671) un intervalle de sept degrés. Il s'est employé en parlant d'une suite de sept cartes de la même couleur (1680). À la fin du XVIIe s., avec la valeur initiale d'ordinal, on relève la locution ***être dans son septième***, sous-entendu «mois de grossesse», en concurrence avec *dans son sept* (ci-dessus). Le nom s'emploie aussi à propos d'une personne occupant la septième place (attesté XIXe s.). ◇ *Septième* n. f. est ensuite (1812) le nom dans l'enseignement primaire de la septième classe, remplacé récemment par *cours moyen 2e année*. ◇ Quelques locutions formées avec l'adjectif ordinal au XIXe et au XXe s. sont usuelles, telle ***être au septième ciel**** (v. 1840). ***Le septième art*** «le cinéma» (1921) fait référence à un classement des arts en six. ◇ Le dérivé **SEPTIÈMEMENT** adv. (*septiesmement*, 1479; sous la forme actuelle, 1564) est usuel. ◆ **SEPTAIN** n. m. est le nom donné (v. 1500-1548) à un poème ou une strophe de sept vers. Le mot s'était employé au XVIe s. comme adjectif dans *fièvre septaine* «qui revient tous les sept jours». ◇ La forme *septen* (1309), réfection de *setain* (v. 1160), avait désigné une redevance sur le sel. *Septain* (1380), d'abord *septein* (1317) au sens ancien de «nombre de sept unités», sorti d'usage, avait désigné (1421) un paquet de sept serviettes destinées à la semaine (cf. *semainier*).

À partir de *sept* ont été formés plusieurs composés. ◆ **SEPT-ŒIL** n. m. inv. (1768), d'abord écrit *setueille* n. f. (v. 1220) (→ œil), désigne régionalement un poisson serpentiforme qui porte sur la tête sept marques semblables à des yeux. ◆ **SEPT-HUITIÈME** n. m. (XXe s.), de *huitième*, terme de mode, désigne un manteau un peu court (cf. *trois-quart*). ◆ **SEPT-MÂTS** n. m. (→ mât).

Plusieurs mots ont été formés en français à partir du latin *septem*. ◆ **SEPTILLION** n. m. (1520, *septilion*), d'après *quadrillon*, désigne un million de sextillions. ◆ **SEPTICOLORE** n. m. (1791, *septicolor*; 1875, *-ore*), d'après *tricolor(e)*, dénomme en zoologie un petit passereau à teintes très variées. ◆ **SEPTIDI** n. m. (1793, Fabre d'Églantine) a désigné le septième jour de la décade dans le calendrier révolutionnaire. ◆ **SEPTUOR** n. m. (1805), d'après *quatuor*, est un terme de musique désignant une composition musicale à sept parties, puis (1874) une formation de sept instrumentistes.

D'autres mots sont empruntés à des dérivés latins de *septem*. ◆ **SEPTANTE** adj. numér. card. est la réfection (v. 1240) d'après le latin de l'ancienne forme *setante* (v. 1120), issue d'un latin populaire °*septanta*, altération du latin classique *septuaginta* «soixante-dix». *Septante* reste en usage dans la partie est de la France allant de la Belgique à la Provence; il est normal et courant en Belgique et en Suisse romande, *soixante-dix* l'ayant remplacé en français central. ◇ *Les Septante* n. m. pl., didactique, désigne les 70 (ou 72) traducteurs du texte hébreu de l'Ancien Testament en grec; de là, par ellipse, *la Septante* n. f. «la version des Septante». ◇ Le dérivé **SEPTANTIÈME** adj. numér. ordinal (1538; 1530, *septantiesme*) «soixante-dixième» est en usage en Belgique et en Suisse romande. ◆ **SEPTUAGÉSIME** n. f., réfection (XIIIe s.) de *settuagisme* (v. 1190), est un emprunt au latin ecclésiastique *septuagesima (dies)* «soixante-dixième (jour)», féminin substantivé de l'adjectif latin classique *septuagesimus* «soixante-dixième», dérivé de *septuaginta*. Le mot désigne, dans la liturgie catholique, le dimanche qui précède de deux semaines le carême. ◆ **SEPTUAGÉNAIRE** adj. (v. 1380), didactique ou littéraire, emprunte au bas latin *septuagenarius* le sens d'«âgé de 70 ans ou plus», spécialisation du latin impérial «qui contient 70», mot dérivé de *septuageni* qui désigne la répartition («70 chacun»), lui-même de *septem* ou de *septuaginta*. ◆ **SEPTENNAL, ALE, AUX** adj., relevé une fois vers 1330 (texte de 1469 selon T.L.F.) et repris en 1722, est dérivé savamment avec le suffixe *-al* du bas latin *septennis* (ou *septuennis*) «âgé de 7 ans», composé de *septem* et de *-ennis*, issu de *annus* (→ an). Cet adjectif didactique signifie «qui dure sept ans, se renouvelle tous les sept ans». ◇ Il a fourni **SEPTENNALITÉ** n. f. (1823), rare, et **SEPTENNAT** n. m. (1873; 1823, d'après Bloch et Wartburg), formé sur le modèle de *décennat* pour désigner une durée de sept ans (en parlant d'une fonction, d'une magistrature) et spécialement (1873, pour Mac-Mahon) de la période pendant laquelle un président de la République, en France, est en fonction. ◆ **SEPTUPLE** adj. et n. m., «qui est répété sept fois, qui vaut sept fois», est emprunté au bas latin *septuplus* «septuple», substantivé en *septuplum*, d'abord comme adjectif (1458) puis comme nom (1484). ◇ Le dérivé **SEPTUPLER** v., didactique, est attesté une première fois en 1493 (v. tr.) et repris en 1771. Son participe passé substantivé (*des septuplés*, n. m. pl.) désigne sept enfants nés d'une seule grossesse. ◇ Le composé **SOUS-SEPTUPLE** adj. et n. m. (1876), de *sous**, est un terme de mathématiques. ➡ **SEPTÉNAIRE** adj. et n. m. est emprunté, à la fin du XVe s. (1495), au latin *septenarius* «composé de sept», spécialement employé au pluriel comme terme de métrique, dans *septenarius versus* et *septenarius numerus* «le nombre sept». ◇ L'adjectif s'est d'abord dit (XVe s.) de ce qui dure sept jours, puis sept ans (XVIIIe s., *parlement septénaire*) et d'un mandat de sept ans (*septennal* ci-dessus). Le nom a désigné (1694) chacune des périodes de sept ans selon laquelle on divisait la vie de l'homme ; il s'est employé en médecine (1855) au sens de «période de sept jours, dans la durée d'une maladie». Lorsqu'il n'est pas archaïque, le mot est très didactique. ➡ **SEPTEMVIR** n. m. est un emprunt (1636) au latin composé de *septem* et de *vir* «homme» (→ viril). Terme d'Antiquité romaine, il conserve les acceptions du latin, désignant chacun des sept magistrats, membres d'une commission chargée du partage des terres et chacun des sept prêtres qui présidaient aux festins sacrés. ➡ **SEPTIME** n. f. est un emprunt savant (1859) au latin *septimus* pour désigner en escrime l'une des lignes d'engagement. ➡ **SEPTIMO** adv., équivalent rare de *septièmement*, reprend (1842, Académie) le latin impérial *septimo* «pour la 7e fois», ablatif neutre adverbialisé de *septimus*.

◈ voir SEMAINE, SEPTEMBRE, SEPTENTRION.

SEPTEMBRE n. m. représente une réfection (1226), d'après le latin, et à côté de l'emprunt *september* (v. 1119, Ph. de Thaon), de l'ancienne forme *setembre* (v. 1155), usitée jusqu'au XIVe s. et issue du latin *september*, dérivé de *septem* (→ sept). *September* désignait le 7e mois de l'ancienne année romaine, commençant en mars.

♦ En français, le mot désigne le neuvième mois de l'année actuelle. ◇ L'expression *massacres de septembre* désigne la vague de crimes révolutionnaires commis entre le 2 et le 5 septembre 1792. Ce syntagme attesté chez Chateaubriand *(Mémoires d'outre-tombe)* a dû être employé très tôt.

▸ De là viennent **SEPTEMBRISER** v. tr. (1793) «exécuter sommairement et en masse», qui a fourni **SEPTEMBRISEUR** n. m. (1792) ou **SEPTEMBRISTE** n. m. (1792), sorti d'usage, et **SEPTEMBRISADES** n. f. pl. (1798) «massacres de septembre», avec le même suffixe que *noyade* (apparu à la même époque). ◇ Tous ces mots ne s'emploient que par allusion à 1792 ou à des événements analogues.
Le dérivé **SEPTEMBRAL, ALE, AUX** adj., d'abord dans *purée septembrale* (1534, Rabelais) «vin», est peu usité pour qualifier (1871) ce qui est propre au mois de septembre.

SEPTENTRION n. m., écrit *septentriun* (v. 1155) puis *-trion* (v. 1380), est emprunté au latin impérial *septentrio* (ou *septemtrio*), nom singulier formé sur le pluriel *septentriones* «les sept bœufs de labour», nom de la constellation appelée plus tard *l'Ourse* (Grande ou Petite Ourse) et par extension «vent du nord» et «contrées septentrionales, pôle Nord». Ce mot est composé de *septem* (→ sept) et de *trio, -onis* «bœuf de labour», terme rare et archaïque, peut-être apparenté à *terere* «frotter», «user» et «battre (le grain)» (→ détritus, trier, triturer). Le sens de *septentriones* n'étant plus compris, le singulier s'est substitué au pluriel pour désigner le nord.

♦ *Septentrion* a repris les valeurs du latin pour désigner le nord (v. 1155) et poétiquement la constellation (1380, pour la Petite Ourse ; 1636, pour la Grande Ourse), en concurrence avec *le Chariot*. Il s'est dit pour «vent du nord» (1530). Seul le premier sens est encore en usage, dans un registre archaïsant.

▸ **SEPTENTRIONAL, ALE, AUX** adj. est emprunté (déb. XIVe s.) au dérivé latin *septentrionalis*. Le mot, qui signifie «du nord, situé au nord», est rare jusqu'au XVIe s., puis didactique (mais non pas vieilli) comme adjectif correspondant à *nord*, en concurrence avec *nordique*.

SEPTIQUE adj. est un emprunt savant (1538 *medecine septique*) au latin impérial *septicus* «qui putréfie», lui-même emprunté au grec *sêptikos*, dérivé de *sêpein* «faire tomber en pourriture», d'où en général «décomposer les chairs» et au figuré «corrompre, gâter». L'origine de ce verbe est obscure ; on l'a rapproché du sanskrit *kyāku* «champignon» et du lituanien *šiúpti* «pourrir», sans pouvoir reconstituer un groupe de mots indoeuropéens.

♦ *Septique*, terme de médecine, s'est d'abord employé au XVIe s. avec la valeur du mot latin, au sens de «qui fait pourrir les chairs (en parlant d'un topique)». ◇ Repris au XIXe s., l'adjectif qualifie les effets de germes (1812) et ce qui produit la putréfaction (1845), emplois disparus. ◇ Depuis Pasteur (apr. 1870), le mot se dit de ce qui produit l'infection *(microbe septique)* puis de ce qui présente une infection d'origine microbienne (XXe s., *plaie septique*). Il est surtout courant dans *fosse septique* (1910), adaptation probable de l'anglais *septic tank* (1896), où l'adjectif *septic* vient du même mot latin.

▸ Le dérivé **SEPTICITÉ** n. f. (1824), didactique, se dit du caractère de ce qui est infectieux.
Sur la base *septique* ont été composés deux termes courants en médecine. ➡ **ANTISEPTIQUE** adj. (1763), de ① *anti-*, comme l'anglais *antiseptic* (1753) de même origine, rapidement substantivé (*un antiseptique ;* 1765), est passé dans l'usage courant. ◇ En dérivent **ANTISEPSIE** n. f. (1880), d'abord (1865) masculin, formé d'après le grec *sêpsis* «putréfaction, fermentation», et **ANTISEPTISER** v. tr. (1892), vieilli. ➡ **ASEPTIQUE** adj. (1871 ; de *a-* privatif) s'emploie aussi au figuré pour «exempt de toute corruption». ◇ De là **ASEPSIE** n. f. (v. 1880) et **ASEPTISER** v. tr. (1897 ; v. 1900, p. p.) dont procède **ASEPTISATION** n. f. (1907), tous usuels en médecine. ◇ **ASEPTIQUEMENT** adv. (1910) est plus rare.

SEPTICÉMIE n. f. est un composé savant (1847) du latin *septicus* et du grec *haima* «sang» (→ -émie), sur le modèle de *anémie**. Il désigne en médecine, puis couramment une maladie provoquée par le développement de germes pathogènes dans le sang; en dérive **SEPTICÉMIQUE** adj. (1857) et n., «malade atteint de septicémie».

SÉPULCRE n. m. (v. 1120), d'abord *sepulcra* (v. 980), est un emprunt au latin *sepulcrum* ou *sepulchrum* «tombe», «monument funéraire», dérivé de *sepelire* (→ ensevelir).

♦ Le mot ne s'emploie pour «tombeau», en dehors d'un style très littéraire, qu'en parlant du tombeau du Christ (v. 1150), appelé aussi ***saint-sépulcre*** (v. 1230), ou à propos des tombeaux des anciens (1680). ◇ Au figuré, il désigne (1642) un lieu abandonné où sont conservés des vestiges anciens; il est dans ce cas littéraire, comme au sens concret de «lieu sombre, humide».

▶ **SÉPULCRAL, ALE, AUX** adj. est emprunté (1487, *sepulchral*) au dérivé latin *sepulcralis* «propre à un sépulcre». ◇ Sorti d'usage au sens latin, il s'applique à ce qui évoque la tombe, la mort (1654), notamment dans *voix sépulcrale* (1718) «caverneuse».

◈ voir **SÉPULTURE**.

SÉPULTURE n. f. est emprunté (v. 1112) au latin *sepultura* «derniers devoirs (rendus à un mort)», «lieu où l'on dépose le corps d'un défunt», dérivé de *sepultum*, supin de *sepelire*, que l'on retrouve dans *ensevelir**.

♦ Le mot reprend le second sens du latin; il désigne aussi bien une simple fosse qu'une tombe, un tombeau, sens qu'il a eu en ancien français (v. 1155). Il désigne parallèlement (mil. XIIe s.) l'inhumation, surtout considérée dans les cérémonies qui l'accompagnent, en particulier dans ***les honneurs de la sépulture*** (1668), ***être privé de sépulture*** (1689), ***droit de sépulture*** (1694). Il s'est dit aussi (1292) des frais d'inhumation et, à l'époque classique (1651), s'est employé pour «mort, trépas». Ce dernier sens est un archaïsme poétique, les autres emplois étant d'usage soutenu.

◈ voir **SÉPULCRE**.

SÉQUELLE n. f., écrit *sequele* en 1369, avec deux *l* au XVe s., est emprunté au latin impérial *sequela* ou *sequella* «suite de gens» et au figuré «conséquence», dérivé de *sequi* (→ suivre).

♦ Le mot a d'abord désigné une suite de personnes, une escorte et, péjorativement (v. 1390), une suite de gens attachés aux intérêts de qqn, acception archaïque. ◇ Avec l'idée de conséquence qu'avait aussi le mot latin, il s'est employé aux sens de «résolution, délibération (d'un corps de métiers)» (1392) et de «dépendance» (1393); il a d'ailleurs eu au XVe s. le sens latin de «conséquence». Au XVe s., le sens initial se spécialise pour «nombreuse et mauvaise compagnie» (1463); employé par métonymie, *un séquelle* s'est dit (1440-1475) pour «compagnon». Au sens de «suite de choses fâcheuses ou de mots sans intérêt» (1690), *séquelle* est archaïque. ◇ Le seul sens vivant en français contemporain est emprunté à l'anglais *sequel* (1793), lui-même pris au latin médical *sequela*, et s'applique en médecine (1904), le plus souvent au pluriel, aux suites et aux complications d'une maladie; par extension, le mot signifie dans l'usage général «effet inévitable, mais isolé et passager (d'un événement grave)».

◈ voir **SÉQUENCE**.

SÉQUENCE n. f. est emprunté (v. 1170) au bas latin *sequentia* «suite», «succession», dérivé du latin classique *sequens, -entis* «suivant, qui suit», adjectivation du participe présent de *sequi* (→ suivre).

♦ Le mot désigne d'abord en liturgie, d'après le latin chrétien *sequentia*, un chant rythmé qui prolonge le verset de l'alléluia et une pièce de vers mesurés et rimés. Il conserve l'idée de succession aux sens de «série de coups» (v. 1210) et «suite, ordre, rang» (XVe s.) , emplois disparus. ◇ Le mot est repris au XVIe s. pour désigner (1583), à certains jeux de cartes, une série de cartes qui se suivent, de même couleur (au piquet) puis de couleur quelconque, en concurrence avec *suite*. Au XVIIIe s., *séquence* s'est dit de l'arrangement particulier que chaque fabricant donne à ses jeux de cartes. ◇ Au XXe s., le mot entre dans des vocabulaires spécialisés, devenant courant au cinéma (v. 1925) pour désigner une série de plans constituant un tout, d'où le composé **PLAN-SÉQUENCE** n. m. ◇ En linguistique, le mot s'applique à une série ordonnée de termes, en sciences (av. 1951) à une suite ordonnée d'opérations logiques. En astronomie, *séquence polaire internationale* (1953) désigne une série d'étoiles utilisée comme étalon. *Séquence* s'emploie aussi en informatique (XXe s.). Ces emplois récents sont tous influencés par l'anglais *sequence*, lui-même emprunté à l'ancien français.

▶ Le mot a fourni dans la seconde moitié du XXe s. des dérivés didactiques. ➜ **SÉQUENTIEL, ELLE** adj., attesté au milieu du XXe s. (v. 1957), s'applique à ce qui est relatif à une séquence, puis à ce qui est partagé en séquences, qui commande une suite ordonnée d'opérations, par exemple en informatique (v. 1964, opposé à *parallèle*); en dérive **SÉQUENTIELLEMENT** adv. (v. 1957). ➜ **SÉQUENCER** v. tr. (v. 1970), «mettre en séquence», formé d'après l'anglais *to sequence*, dérivé de *sequence*, a produit **SÉQUENÇAGE** n. m. et **SÉQUENCEMENT** n. m. (v. 1970). ➜ **SÉQUENCEUR** n. m. (1971) est une adaptation de l'anglais *sequencer* n. m. (1966; de *to sequence*). *Séquencer* et ses dérivés s'emploient notamment en biologie génétique.

◈ voir **SÉQUELLE**.

SÉQUESTRE n. m. est emprunté (1281) au latin *sequester* adj. «médiateur», surtout employé comme nom pour désigner un intermédiaire qui recevait de l'argent pour le distribuer afin d'acheter les juges, les électeurs, etc., ainsi que le dépositaire de biens contestés. En outre, *sequestrum* n. m. s'employait dans des expressions comme *sequestro dare* «remettre en dépôt». *Sequester* est dérivé de *secus*, préposition signifiant «le long de» et adverbe «autrement», «autrement qu'il ne faut». *Secus*, surtout fréquent en poésie à partir de Cicéron, existe en particulier comme second terme de composés

(→ extrinsèque, intrinsèque). Le mot se rattache à une racine indoeuropéenne °*sek*ʷ- «suivre, venir après» que l'on retrouve dans le latin *sequi* (→ suivre) et qui a fourni des formes adverbiales et prépositionnelles.

♦ Terme de droit, *séquestre* désigne en français le dépôt d'une chose contestée entre les mains d'un tiers en attendant le règlement de la contestation, d'où l'expression (1451) ***[bien] mis sous séquestre;*** le mot s'emploie aussi (1380) pour désigner le dépositaire en cas de séquestre, mais cette acception est rare. ◇ Utilisé comme adjectif, il s'est appliqué au figuré (1470) à ce qui est secret, caché, encore au XVIe s. dans *lieu séquestre* «retiré» (1528); puis cet emploi est sorti d'usage. ◇ Le nom, toujours en droit, se dit (1690) de l'état d'une personne séquestrée, autrefois dans la locution *mettre qqn en séquestre* «à l'écart de la société». ➜ C'est avec l'idée d'écart que *séquestre* est repris en pathologie (1810) pour désigner un petit fragment d'os détaché au cours d'un processus de nécrose osseuse. ◇ Le mot s'est employé au féminin (fin XIXe s.) pour désigner la cellule où l'on enfermait un puni dans un collège.

▸ **SÉQUESTRER** v. tr. (1443) est précédé par la forme **SÉQUESTRÉ, ÉE** adj. (v. 1260) du participe passé, signifiant «isolé» en parlant d'un lieu. Le verbe est emprunté au latin *sequestrare* «mettre en dépôt», «confier», «éloigner, séparer», dérivé de *sequestrum.* ◇ D'abord terme de droit, *séquestrer* signifie «mettre sous séquestre»; le verbe s'emploie ensuite couramment pour «enfermer et isoler (qqn)» (v. 1560), et *se séquestrer* (1567) pour «vivre volontairement à l'écart du monde»; cet emploi est archaïque comme celui de *sequestré, ée* adj. (1678) dans ce sens. ◇ *Séquestrer qqn de qqch.* s'est dit (1562) pour «priver, retirer» et *séquestrer qqch.* a eu le sens de «mettre à part, de côté» (fin XVIe s.). ◇ Le verbe est repris dans le code pénal (1810) au sens de «tenir illégalement et arbitrairement enfermé qqn»; ce sens est demeuré courant (par ex. *séquestrer un otage*). Par extension, il a signifié (XIXe s.) «mettre à l'écart (des animaux contagieux)».

SÉQUESTRATION n. f. est un emprunt juridique (1390) au dérivé bas latin *sequestratio* «dépôt chez une tierce personne (d'un objet contesté)» et «séparation». Il désigne d'abord en droit l'action de séquestrer des biens et la mise sous séquestre; il est rare dans ces emplois. ◇ Le sens le plus courant correspond à l'action qui consiste à séquestrer qqn (1810). Par extension (1869), il s'est employé à propos d'animaux contagieux. ◇ En médecine et d'après *séquestre,* il équivaut à «nécrose (d'un os)», emploi attesté tardivement dans les dictionnaires (1951). ◇ C'est aussi un terme de chimie, désignant le blocage d'un processus, d'une précipitation.

Le dérivé **SÉQUESTRANT, ANTE** adj. et n. m., terme de médecine (v. 1970), s'applique à ce qui produit une séquestration osseuse. Le mot désigne en chimie (1973) un agent qui bloque une réaction, en particulier une précipitation.

SEQUIN

SEQUIN n. m., attesté (1532), en concurrence avec plusieurs variantes : *essequin* (1400), *chequin, sechins, cequin* (1540), *sechin* (1570), est une adaptation de l'italien *zecchino,* mot vénitien emprunté à l'arabe *sikkī* «pièce de monnaie». Ce dernier est dérivé de *sikka* «coin à frapper la monnaie», «monnaie», lui-même emprunté par l'italien *zecca* «atelier monétaire», qui correspond à l'ancien provençal *seca* «hôtel de la monnaie» (XIVe s.).

♦ Le mot désigne une ancienne monnaie d'or de Venise, qui avait cours en Italie et dans le Levant; au XVIIe s., on relève aussi *zecchin* (1611), plus proche de l'italien. ◇ Par analogie, le mot se dit (fin XIXe s.) d'un petit disque de métal jaune ou blanc, cousu sur un vêtement pour servir d'ornement.

SÉQUOIA

SÉQUOIA n. m. est la reprise (1871) d'un mot du latin des botanistes (1847, Endlicher), formé à partir du nom d'un chef cherokee, *See-Quayah,* célèbre pour avoir inventé un syllabaire pour sa langue. L'anglais *sequoia* est attesté en 1866.

♦ Le mot désigne un conifère originaire de Californie, qui peut atteindre des dimensions gigantesques. Des variétés de cette espèce sont nommées *wellingtonia* (1867, du nom propre *Wellington*) et *washingtonia* (1874, de l'État de *Washington*).

SÉRAC

SÉRAC n. m. est repris (1796, H.-B. de Saussure) au savoyard et suisse romand *sérai* (1406), *sérat* (1572). Le mot, qui désigne un fromage blanc compact tiré du petit-lait provenant de la fabrication de certains fromages, est issu du latin populaire °*seraceum,* formé sur le latin classique *serum* «petit-lait» (→ sérum).

♦ Le mot conserve régionalement le sens de «fromage blanc» (1796, *sérac*); on a dit aussi *séré* n. m. (1528), autre forme franco-provençale de même origine. ◇ Par analogie de couleur et de forme, *sérac* désigne (1779) dans un glacier un bloc de glace qui se forme aux ruptures de pente; ce terme régional (Savoie) est devenu usuel chez les géographes puis chez les alpinistes et est entré dans l'usage général.

SÉRAIL

SÉRAIL n. m. est un emprunt (fin XIVe s.), également écrit *serrail,* à l'italien *serraglio* (cf. l'espagnol *serrallo* et le portugais *serralho*), lui-même emprunté par le turc au persan *sarāy* «palais, hôtel».

♦ Le mot désigne le palais du sultan, dans l'ancien Empire ottoman. Il est aussi écrit *sarail* au début du XVIIe s. par emprunt direct. Il s'est employé (v. 1570) pour désigner les femmes d'un harem et le harem lui-même (1580), sens sortis d'usage. ◇ Par métonymie du premier emploi (1875), il s'est dit de la cour d'un haut dignitaire de l'Empire ottoman. L'expression ***nourri dans le sérail,*** allusion au vers de Racine *Nourri dans le sérail [serrail], j'en connais les détours* (*Bajazet,* IV, 7), où le mot est dans son sens propre, désigne (1876) une personne ayant une longue expérience d'un milieu politique, professionnel. ◇ Le mot s'est employé pour «lieu de plaisir» (encore en 1878) et «ensemble des femmes d'un tel lieu, d'un maison close» (1871). Ces emplois ont disparu au début du XXe siècle.

◈ voir CARAVANE (CARAVANSÉRAIL).

SÉRAN

SÉRAN n. m., écrit *cerens* à la fin du XIe s., puis *serans* (v. 1265), *seran* et *séran* (XVIIIe s.), est d'origine incertaine. Ce terme de la technique du chanvre et du lin était répandu dans les parlers gallo-romans sous deux formes : *séré* (Wallonie et Est, Franche-Comté, Suisse romande) et *séran* (dans le reste de la France du Nord); ces deux formes proviendraient, selon Wartburg, d'un radical gaulois °*ker-* «cerf», d'où «peigne» par comparaison des pointes de l'instrument avec les bois du cerf (cf. le radical de *cerf* qui exprime également la protubérance). Pour P. Guiraud, il faut partir du verbe *serancer*, anciennement *chierencier, cerencier* (attesté seulement au XIIIe s.), qui représenterait un gallo-roman (latin populaire des Gaules) °*cerr-in(i)ciare* «effranger», dans lequel le redoublement du suffixe exprimerait le mouvement de peignage du chanvre; le verbe serait construit à partir du latin classique *cirrus* «mèche de cheveux», «frange», représenté par l'ancien provençal *ser* «paquet de lin non roui» et le français *ceron, seran* «poignée de chanvre».

♦ Ce terme technique désigne une carde servant à diviser la filasse de chanvre ou de lin; le mot se dit aussi (1871) d'un chanvre de seconde qualité. Il semble archaïque.

▸ **SÉRANCER** v. tr., réfection (1600, *serancer*) de formes anciennes (*chierenchier*, XIIIe s.), est soit dérivé du nom, soit (selon Guiraud) l'aboutissement du latin. Le verbe signifie «diviser (la filasse de chanvre, de lin)». ➝ Il a fourni **SÉRANCEUR** n. m. (1765), attesté longtemps après un féminin, *cherancheresse* (XVIe s.), **SÉRANÇAGE** n. m. (1790), qui a remplacé *sérancement* (1636), et **SÉRANÇOIR** n. m., forme moderne (1845) de *cheranchoir* (1597), nom d'un appareil qui tend à se substituer à *séran*.

SÉRAPHIN n. m. est emprunté (mil. XIIe s.) au latin de la Vulgate *seraphim* ou *seraphin*, forme qui est à la base d'emprunts dans les langues romanes. *Seraphim* est lui-même emprunté à l'hébreu biblique *śerafīm*, nom que la vision d'Isaïe (ch. 6) donne aux figures du Saint des saints du temple, les plus proches de la présence divine. Le mot vient du verbe *śāraf* «brûler», les séraphins étant de nature ignée. La forme *seraph* vers 1300 (forme restée en anglais) est un emprunt savant au latin médiéval *seraph*.

♦ Dans les religions hébraïque et chrétienne, *séraphin* désigne un ange de la première hiérarchie. Le mot s'est employé comme adjectif (fin XVe s.) et a désigné (1611) une sorte d'alambic, probablement par l'idée d'épurer, de raffiner par le feu.

▸ **SÉRAPHIQUE** adj. est un emprunt (v. 1460) au latin ecclésiastique *seraphicus*, dérivé de *seraphim*, attesté tardivement au moyen âge. Qualifiant ce qui est propre aux séraphins, l'adjectif s'emploie (1440-1475) dans ***ordre séraphique*** «l'ordre franciscain», par référence à l'extase où saint François d'Assise vit un séraphin crucifié. ◇ Il a eu aussi (1548) le sens de «brûlant, ardent». ◇ Par figure littéraire (déb. XIXe s.), il s'applique à ce qui évoque les anges, comme équivalent savant d'*angélique*.

SERDEAU → SERVIR

① **SEREIN, EINE** adj. est la réfection (1549) d'après le latin de *serain* (v. 1175; jusqu'au XVIe s.), mot issu d'un latin populaire °*seranus*, altération du latin classique *serenus* «pur, sans nuages» et au figuré «calme, paisible», d'où *serenum* n. «temps serein». *Serenus*, d'où viennent l'italien et l'espagnol *sereno*, est formé d'un ancien °*seres-no-s*, sans doute issu d'un thème °*ser-* désignant l'état clair et sec du ciel. Les rapports avec d'autres mots restent peu convaincants : si l'on rapproche *serenus* du grec *xêros* «sec» (→ élixir), la voyelle longue *(ê)* est inexpliquée; par ailleurs, l'ancien haut allemand *serawen* «sécher» est éloigné par le sens.

♦ L'adjectif français, aujourd'hui littéraire, signifie comme en latin «qui est à la fois pur et calme», en parlant du ciel, de l'air; il s'applique par figure (v. 1240, *serin*) à ce qui indique la maîtrise de soi, le calme. ◇ Au XVIe s., *serein* s'est employé comme nom masculin pour parler de la clarté du temps (1538) et d'un visage paisible (v. 1550). ◇ Avec une valeur abstraite, l'adjectif qualifie (av. 1550) ce qui est exempt d'agitation, puis s'emploie pour «moralement calme, apaisé» (av. 1648). Au XXe s., toujours avec l'idée de «calme», il s'utilise en parlant d'une situation sociale.

▸ Le dérivé **SEREINEMENT** adv. (1556 *serenement*) semble avoir disparu, puis avoir été repris au XXe s. Le composé **RASSÉRÉNER** v. tr., «rendre serein», d'abord relevé au pronominal (1544) puis à l'actif (av. 1559), s'est écrit aussi *resérener* (1564) jusqu'au milieu du XVIIe siècle. Les dictionnaires le donnent comme peu usité en 1706 et vieux en 1771. Il a été repris au figuré dans l'usage littéraire (depuis fin XVIe s.), surtout au passif et au pronominal; le participe passé est aussi adjectivé. ◇ Le dérivé **RASSÉRÉNEMENT** n. m. (attesté 1834) est rare.

SÉRÉNITÉ n. f. est un emprunt au dérivé latin *serenitas*, employé comme titre d'honneur en bas latin. ◇ Le mot désigne (v. 1190, *sereniteit*) le caractère d'une personne sereine, puis s'emploie en parlant du ciel, isolément vers 1390, à nouveau au XVIe s. (v. 1508); cet emploi est sorti d'usage. Il s'utilise avec une valeur large pour «absence de trouble» (1686). ◇ *Sérénité* a été employé (1471) comme titre d'honneur donné à certains princes, en particulier (1680) au doge de Venise, ceci jusqu'en 1798 (cf. ci-dessous *sérénissime*).

SÉRÉNISSIME adj., attesté isolément en 1336 et en 1441, et repris en 1607, est un emprunt à l'italien *serenissimo*, superlatif de *sereno*, du latin classique *serenus*. Comme en italien, l'adjectif est un titre honorifique donné à certains hauts personnages, comme le doge de Venise (ci-dessus *sérénité*). Il s'emploie aussi dans le titre d'*Altesse sérénissime*. Dans cet emploi, on relève en bas latin *serenissimus*, superlatif de *serenus*.

◈ voir ② SEREIN (SÉRÉNADE).

② **SEREIN** n. m,. réfection (1580) d'après l'adjectif de *serain* (v. 1138), *sierain* (v. 1175), est issu d'un latin populaire °*seranus*, dérivé de *serum* «heure tardive». Ce dernier est la substantivation du neutre de l'adjectif latin classique *serus* «tardif», qui a un correspondant, pour la forme, dans le vieil irlandais *sír* «long» et, pour le sens, dans le sanskrit *sāyám* «soir». De *serus* vient le bas latin *sera* n. f. «le soir», dont procèdent l'ancien provençal *sera* «soir»

(v. 1160) et l'italien *sera*. L'adverbe *sero* «tard», «trop tard» a abouti (v. 980) à *ser*, qui a donné *soir**.

♦ Le mot a d'abord désigné la tombée du jour, le soir puis (v. 1180) l'humidité qui tombe avec la nuit, acception aujourd'hui littéraire ou régionale. ◇ La locution ***prendre le serein*** qui signifiait «en éprouver les effets malfaisants» (1671) continue l'ancien provençal *pausar a la serena* «exposer à l'air frais de la nuit» (XIIIe s.); au XIXe s., la locution s'est quelquefois employée (1875) pour «prendre le frais»; elle est archaïque.

SÉRÉNADE n. f. est un emprunt (1555) à l'italien *serenata*, du latin classique *serenus* (voir ci-dessus ① serein); le mot italien a d'abord signifié «temps serein», «nuit sereine» (XIVe s.), par influence de *sera* «soir», puis «concert donné au début de la soirée» (XVe s.). ➜ *Sérénade* désigne comme en italien un concert donné le soir sous les fenêtres d'une personne que l'on voulait honorer ou divertir, surtout dans un contexte galant. Spécialisé en musique (1703), c'est le nom d'une pièce composée en principe pour être jouée en plein air et la nuit, et devenue un genre de composition libre à plusieurs mouvements. ◇ Par antiphrase, le mot se dit familièrement (1646) pour un concert de cris; cette valeur a été reprise (1898) pour un «concert» de reproches, de protestations.

SERF, SERVE n. et adj. (1080), réfection d'après le pluriel (du cas régime) *serfs* (fin Xe s.) de la forme *serv* (v. 980), est issu du latin *servus* «esclave», opposé à *liber* (→ libre); c'est un terme général à côté de *mancipium* «chose acquise», puis «esclave» (→ émanciper) et de *captivus* «prisonnier de guerre» (→ captif). Il se disait des hommes *(servus homo)* mais aussi des choses, des biens soumis à une servitude *(serva praedia)*. Il était aussi employé comme substantif, mais rarement au féminin, désignant alors la condition juridique, à côté de *ancilla* «servante» (→ ancillaire). ◇ On ignore d'où vient le mot, l'origine et l'évolution de l'esclavage antique restant peu connues. Il existe en avestique un équivalent phonétique exact de *servus*, dans l'adjectif *pasus haurvo* «qui garde le troupeau» et *viš-haurvo* «qui garde le village», mots employés pour désigner des chiens; *servus* se rattacherait, si l'on accepte ce rapprochement, à une racine indoeuropéenne °*swer-*, avec les variantes °*ser-* et °*wer-*, signifiant «faire attention, surveiller», mais on ignore comment aurait pu s'effectuer le passage du sens de «gardien» — conservé par le latin *servare* «garder, protéger», à celui d'«esclave»; par ailleurs, l'esclavage paraît avoir été une institution des peuples méditerranéens, non des Indoeuropéens venus d'Orient. Benveniste propose de voir dans *servus* un emprunt à l'étrusque, où l'on repère des noms de familles proches du mot; Vendryes a mis en relation le latin avec l'irlandais *serbh* «pillage» et le gallois *herw* «état d'un individu hors-la-loi».

♦ *Serf* apparaît comme nom au sens de «serviteur», valeur qu'il conserve ensuite dans des emplois spécialisés; avec cette acception, le féminin est relevé au XVe siècle. ◇ Le nom désigne ensuite une personne n'ayant pas de liberté personnelle complète, attachée à une terre (fin XIe s.; v. 1165, au féminin), également en emploi adjectif depuis la fin du XIIe siècle. Plus généralement, il a désigné une personne qui n'est pas de condition libre (v. 1170), aussi au féminin (v. 1500). ◇ Par une métaphore assimilant la relation entre le serf et le seigneur (possesseur de la terre) avec celle de l'homme par rapport à Dieu, *serf* a désigné des religieux et en particulier, avec une valeur proche du sens initial, un serviteur laïc dans un monastère (déb. XIIIe s.). Puis le mot a servi de nom pour un ordre religieux (1611), en particulier les *serfs de la Sainte Mère de Dieu* (attesté seulement en 1721), fondé à Marseille au XIIIe siècle. Le nom a eu la valeur de «fidèle, dévot» (XVe s.). ◇ Le mot s'est employé au figuré pour «entièrement soumis, asservi», par exemple dans *serf de péché* (v. 1190) «esclave du péché», *serf à un vice* (v. 1270) et *être serf à faire qqch.* (v. 1350). C'est avec cette valeur que l'on a *serf arbitre* (1561), par opposition à *libre arbitre*. ◇ Comme les emplois religieux, ces valeurs ont disparu; le mot n'est plus connu que par sa valeur historique, féodale.

▶ Les nombreux dérivés de *serf* ont disparu en même temps que l'institution; reste **SERVAGE** n. m., «condition de serf» (v. 1150) employé au figuré à la fin du XIIe s. pour «état de dépendance». Donné comme «vieux» en 1680, le mot est aujourd'hui littéraire. ◇ Par une autre figure, il a désigné la soumission totale de l'amant à sa maîtresse (v. 1185), sens considéré comme poétique au XVIIe s. (1694, Académie). ◇ En moyen français, il s'est dit (1404) du service auquel le serf était astreint et au figuré (v. 1501, *servaige*) pour «humiliation», «avilissement».

SERVILE adj. est emprunté au dérivé latin *servilis* «qui est propre aux esclaves». Le mot apparaît isolément sous une forme francisée (1303), dans *condition servel*, puis dans *œuvres serviles* «travail manuel et salarié», terme de religion (v. 1355), emploi correspondant à l'ancien provençal *obra servil* (v. 1350). ◇ L'adjectif s'applique ensuite (v. 1350) à ce qui est propre aux serfs, aux esclaves. ◇ En histoire, *guerres serviles* se dit (1549) des révoltes d'esclaves à la fin de la République romaine. ◇ L'adjectif s'emploie à l'époque classique (depuis 1580) pour parler de ce qui contraint, par exemple une obligation, sens sorti d'usage. Par extension, il a qualifié (1690) ce qui est propre à un domestique. ➜ Après avoir qualifié en moyen français une personne soumise ou moralement basse, il est repris au figuré (1718) dans l'ordre esthétique et intellectuel, s'appliquant à ce qui est étroitement soumis à un modèle, d'où (1738) *détail servile* «énumération trop scrupuleuse», sorti d'usage. ◇ En emploi didactique, *lettres serviles* désigne (1842) des lettres employées dans certaines langues sémitiques pour noter les modifications de racines qui caractérisent les modes, les genres, etc.

Le dérivé **SERVILEMENT** adv. signifie d'abord (v. 1370) «en qualité d'esclave», puis (1444) «en considérant les gens comme des esclaves» et aujourd'hui «d'une manière servile», au propre (1538) et surtout au figuré (av. 1654). ➜ **SERVILITÉ** n. f. «comportement servile» (1542) est rare avant le XVIIIe s. (1740); le mot s'emploie aussi au figuré (v. 1760); *une, des servilité(s)* est littéraire et rare

(1857) pour «actions serviles». ◆ **SERVILISME** n. m., mot du langage politique révolutionnaire (1794), est didactique et rare.

ASSERVIR v. tr. (v. 1200), formé de ① *a-*, *serf* et suffixe verbal, signifie d'abord «réduire en esclavage» et par extension (1209) «mettre dans une extrême dépendance (par rapport à qqn ou à qqch.)». ◇ De ces valeurs viennent l'emploi d'*asservi* pour «bas (moralement)» (v. 1225) et celui de *s'asservir* pour «se soumettre» (v. 1226, *s'asserver*), qui ont disparu. ◇ Au pronominal, le verbe a signifié (1373) «se faire domestique». ◇ Dans le domaine juridique, *asservir* correspond à «charger (un bien) d'une servitude» (1400). ◇ Avec un complément nom de chose, le verbe s'emploie aussi au sens de «contraindre, maîtriser» (1493, *asservir la nature*), littéraire comme l'usage figuré (v. 1553, *asservir ses passions*). ◇ *Asservir* est devenu au XIXe s. un terme technique pour «soumettre à une commande» (*asservissement* ci-dessous) [1875, *moteur asservi*]. ◆ Le dérivé **ASSERVISSEMENT** n. m., d'abord «dépendance, servitude» au propre et au figuré (1443, selon Bloch et Wartburg; puis 1570), désigne aussi (1611) l'action d'asservir. ◇ Il se dit en technique de l'état d'une grandeur physique qui impose ses variations à une autre grandeur sans être influencée par elle. ◆ **ASSERVISSANT, ANTE** adj. (1792) et **ASSERVISSEUR, EUSE** n. (1828), littéraires et rares au sens général du verbe, ont été repris en technique avec la valeur d'*asservissement*.

◈ voir CONCIERGE, SERGENT, SERVICE, SERVIR (et renvois sous cette entrée), SERVITUDE, SERVO-, SIRVENTE.

SERFOUIR v. tr. remplace (1800) la forme ancienne *sarfouir* (1549), elle-même altération de *seurfouir* (fin XIVe s.) ou *cerfoïr* (XIIIe s.). Le mot est issu d'un latin populaire °*circumfodire*, forme altérée du latin classique *circumfodere* «creuser autour», composé de *circum* «autour» (préposition et préfixe), de *circus* (→ cirque) et de *fodere* «creuser, labourer» (→ fouir).

♦ Le verbe au sens de «sarcler, biner» en agriculture est archaïque.

▸ Le dérivé **SERFOUETTE** n. f. (1553), variantes *cerfouette* (1534), *sarfouette* (1578), désigne un outil de jardinage et est toujours en usage. ◆ **SERFOUISSAGE** n. m. (1812) s'est substitué à *serfouage* (1597).

SERGE n. f. est la réfection (1360) de *sarge* (v. 1175), forme issue d'un latin populaire °*sarica*, altération du latin classique *serica* «étoffes, vêtements de soie», pluriel de *sericum* «soie», nom neutre, substantivation de l'adjectif *sericus* «de soie». Ce mot dérive de *Seres*, nom d'un peuple d'Extrême-Orient, probablement les Chinois, employé pour parler de produits originaires de Chine. *Sericus* est la transcription du grec *sêrikos*, dérivé de *Sêr*, souvent au pluriel *(Sêres)*, mot d'origine obscure; par dérivation inverse, le grec *sêr* signifie aussi «ver à soie».

♦ Le mot désigne en français une étoffe légère et croisée, ordinairement de laine, et, par métonymie, une couverture de lit (XIVe s.) et une tenture (v. 1400); c'est aussi le nom d'une étoffe de soie (1504, *sarge de soie*).

▸ Le diminutif **SERGETTE** n. f. (1605), auparavant *sargette* (1352), désignait une serge mince et légère; le mot se dit aujourd'hui (XXe s.) d'une serge de laine mêlée de soie, fabriquée en Flandre et en Picardie aux XVIIe et XVIIIe siècles. ◆ **SERGERIE** n. f., sorti d'usage, s'est dit d'un tissu de serge (1374, *sargerie*), de la fabrication et du commerce de ce tissu (1723). ◆ **SERGER** n. m. (1669) ou *sergier* (1690), auparavant *sargier* (1255), désignait un fabricant de serge. ◇ **SERGÉ, ÉE** adj. (1771) et n. m. (1820) qualifie et désigne une étoffe traitée comme la serge.

◈ voir SÉRICI-.

SERGENT n. m., réfection (déb. XIIIe s.) de *sergant, serjant* (v. 1050), forme courante en ancien français, est issu du latin juridique *servientem* (VIIIe s.), employé à propos d'un homme au service d'un seigneur; ce nom est la substantivation de l'accusatif de *serviens*, participe présent de *servire* (→ servir).

♦ *Sergent* désigne d'abord un serviteur employé par un seigneur avec un rang supérieur à celui du *valet** (XIIe s., féminin *sergante;* 1396, *sergente*); c'est avec cette valeur que le mot est surtout employé en ancien français; il se dit en particulier (fin XIe s.) d'un officier, délégué du seigneur, qui administre les domaines, d'un officier de justice chargé des saisies, des poursuites, etc. (v. 1155). Le plus souvent la fonction est précisée : *sergent d'armes* «officier qui accompagne le roi et sert dans les cérémonies» (1285), *sergent fieffé* «qui agit au nom du seigneur» (1295), *sergent des eaux, sergent champêtre*, etc. (mil. XIVe s.); ces acceptions, qui s'emploient aujourd'hui en histoire, se maintiennent à l'époque classique où l'on relève encore *sergent de querelle* «qui assiste aux duels» (1690). ◇ Parallèlement, dès le XIIe s., *sergent* a désigné un homme de troupe à pied qui sert d'aide; *serf sergent* se dit d'un serf attaché à la maison comme serviteur, d'où l'emploi de *sergent* pour «serf» (1380). Le mot se spécialise au XVIe s., après avoir désigné un homme de guerre subalterne, *sergent d'armes* s'appliquant à un officier de rang élevé. *Sergent* désigne un sous-officier dans une compagnie d'infanterie, sens qui s'est conservé également dans d'autres armes, alors que *sergent de bataille* (1534), s'appliquant à l'officier chargé de ranger les troupes en bataille, a disparu. ◇ Du XIIIe au XVIe s., le mot s'est appliqué à un serviteur de Dieu, *sergent de l'Église* s'étant dit (1530) pour «bedeau». ◇ Le mot s'emploie au XIXe s. dans ***sergent de ville*** (1829), remplacé par *gardien de la paix* (1870, à Paris), mais employé plus longtemps, absolument dans la langue familière, aussi altéré en **SERGOT** n. m. (1873; 1868, *sergo*), en argot *serge* (1878) *sergeot* et *serpied* (1884) par jeu de mots sur *serrer;* tous ces emplois sont archaïques.

▸ *Sergent* a servi à former deux composés, **SERGENT-CHEF** n. m. (1876), désignant le sous-officier supérieur au sergent, et **SERGENT-MAJOR** n. m., apparu au XVIe s. au sens de «sergent de bataille» (1574; 1575 *sergent-majeur*) et repris (1690) pour désigner un sous-officier de rang plus élevé que le sergent. *Plume sergent-major* ou *une sergent-major* n. f. (1903) désigne un type de plume d'abord utilisé dans l'administration militaire puis dans les écoles.

◈ voir SIRVENTE.

SÉRICI-, premier élément, est tiré du latin *sericus* «de soie», lui-même emprunté au grec *sêrikos* (→ serge).

▸ L'élément entre dans la composition de quelques mots didactiques, dans la technique de production de la soie naturelle par élevage des vers à soie. ◆ **SÉRICICOLE** adj. (1836) est formé d'après *agricole*, **SÉRICICULTURE** n. f. (1845) d'après *culture*, **SÉRICICULTEUR** n. m. (1858), d'après *agriculteur*. ◇ **SÉRICIGÈNE** adj., didactique (1871), signifie «qui produit de la soie». ◆ **SÉRICITE** n. f. (1878), terme de minéralogie, désigne un silicate naturel de la famille des micas, d'apparence soyeuse. ◆ **SÉRICIGRAPHIE** n. f. ou, plus courant, **SÉRIGRAPHIE** n. f. (1949), de *-graphie*, est le seul mot de ce groupe qui soit relativement répandu ; il désigne un procédé d'impression à l'aide d'un écran formé de mailles, à l'origine d'une trame de soie. Il est souvent mis en rapport avec *série*.

SÉRIE n. f. est un emprunt savant (1715) au latin *series* «entrelacs», «suite ininterrompue», «arrangement de choses qui se tiennent», et au figuré «lignée de descendants, descendance». Ce nom est dérivé de *serere* «tresser, entrelacer», «lier ensemble» et «engager», verbe que l'on rattache en latin à *sermo* (→ sermon) et à *sors* (→ sort) ; les rapprochements avec d'autres langues indoeuropéennes restent hypothétiques.

♦ *Série* s'emploie d'abord en mathématiques pour désigner une suite de nombres ou d'expressions mathématiques formée suivant une loi connue ; par extension (av. 1784, Diderot), le mot se dit d'une suite déterminée et limitée de choses de même nature qui forment un ensemble. C'est avec cette valeur qu'il est utilisé ensuite en zoologie (1798). ◇ De l'idée de «suite», on est passé en sports à celle de «petit groupe formant une subdivision d'un classement» (1859) pour désigner chaque groupe de joueurs sélectionnés pour des épreuves de qualification. *Série* désigne ensuite (1875) au billard une suite de points réussis d'affilée. Il s'est spécialisé pour «degré de classement» avant les épreuves dites *quarts de finale, demi-finales...* (1905). ◆ Il s'emploie dans le vocabulaire commercial (1893) dans *série de prix*, d'où ***prix de série***. ◇ ***Série noire*** «suite d'événements pénibles ou de catastrophes» (1895) vient de ce que ces événements isolés semblent obéir à une sorte de logique interne ; l'expression sera réutilisée comme titre d'une collection de romans policiers. ◇ ***En série*** signifie «grand nombre d'objets identiques» (1903) dans des expressions *(fabrication en série)*. *En série*, en électricité (1881, trad. angl.), se dit d'un montage de conducteurs bout à bout, opposé à *en parallèle*. ***Hors série*** «différent de ce qui est commun *(en série)*» signifie par extension (XXe s.) «de toute première qualité». ◇ *Série* s'emploie aussi comme terme de boxe pour «suite rapide de coups» (1921), en éducation physique pour «enchaînement de mouvements» (1922). ◇ En radio et en télévision, le mot s'emploie pour «suite d'émissions ayant le même propos». ◇ En musique, il désigne la suite de douze demi-tons de la gamme chromatique (*sériel* ci-dessous), utilisée comme unité dans la musique dodécaphonique (1947).

▸ **SÉRIER** v. tr. (1843, Proudhon), «disposer par séries», est d'abord attesté au participe passé (1815) ; il s'est spécialisé pour «classer par séries» *(sérier les questions)* ; en dérive **SÉRIATION** n. f. (1843). ◆ **SÉRIEL, ELLE** adj., terme didactique (1843, Proudhon, *loi sérielle*), est spécialement employé en musique (1947) dans *musique sérielle*, d'où **SÉRIALISME** n. m. (mil. XXe s.). L'adjectif a remplacé *sérial* (1835) qui succédait lui-même à *sériaire* (v. 1820). ◆ **SÉRIALISER** v. tr. (1966), utilisé en informatique (v. 1970), et **SÉRIALISATION** n. f. (1966) sont empruntés à l'anglais *to serialize* et *serialization*, de *serial* «de série, constitué par une série».

◈ voir ASSERTION, DISERT, DISSERTER, INSÉRER, SERMON.

SÉRIEUX, EUSE adj. et n. m. est emprunté (v. 1370) au latin médiéval *seriosus* (XIIIe s.), dérivé du latin classique *serius* «sérieux» en parlant de choses (*verba seria dictu* «paroles sérieuses»), d'où *serium* n., au pluriel *seria* «les choses sérieuses», opposé à *jocus* (→ jeu). Ce mot s'est ensuite appliqué à des personnes ; on le rapproche de termes qui, en ancien haut allemand et en lituanien, expriment la notion de poids, de lourdeur.

♦ L'adjectif conserve d'abord la valeur du latin classique, s'appliquant à des choses importantes, de grande conséquence. Il est repris au XVIe s. (1572) pour qualifier ce qui mérite réflexion puis, par exemple chez Montaigne, ce qui n'est pas fait ou dit pour l'amusement, ce qui ne peut prêter à rire. ◇ Il s'applique aussi (1588, Montaigne) à une personne qui prend en considération ce qui mérite de l'être, ou qui ne manifeste aucune gaieté. ◆ Remplaçant *sériosité* (fin XVIe s. ; emprunt au latin médiéval *seriositas*, dérivé de *seriosus*), la substantivation *sérieux* n. m. apparaît dans la locution *donner de son sérieux à qqch.* (1659), puis dans ***prendre qqch. au sérieux*** (1694), qui la remplace ; l'expression paraît ne s'appliquer aux personnes que beaucoup plus tard (1875). ◇ Employé seul, *le sérieux* désigne (1663) l'état de la personne qui ne rit, ne plaisante pas, d'où ***garder son sérieux*** (1717). *Le sérieux* s'applique aussi à la qualité d'une personne appliquée (1647) et d'une chose faite avec réflexion (1690). ◇ L'adjectif qualifie ce sur quoi (1690) ou qqn sur qui (1694) l'on peut compter. ◇ Il s'emploie spécialement (1690) en parlant d'une personne réservée dans son comportement amoureux, et se dit encore aujourd'hui pour «chaste, fidèle» à propos d'une femme et, surtout dans ***ne pas être sérieux***, d'un homme. ◇ En littérature, *sérieux* qualifie un genre, qui n'a pas l'élévation de la tragédie mais d'où le comique est exclu, dans *pièce sérieuse* (1664), puis *genre sérieux* (1757), défini par Diderot comme intermédiaire entre le tragique et le comique. ◇ Avec la valeur de «sûr», l'adjectif s'emploie dans *acheteur sérieux* «qui a les moyens de payer» (1871). ◇ La langue populaire emploie *sérieux* comme adverbe (av. 1880, Zola). ◆ *Un sérieux* se dit d'un grand verre à bière («double bock», 1907).

▸ **SÉRIEUSEMENT** adv. (v. 1380) s'emploie avec des valeurs analogues à celles de l'adjectif.

SERIN n. m., attesté en 1478, est d'origine incertaine ; il représente peut-être un masculin de l'ancien français *sereine* n. f. (→ sirène) [fin XIe s.], issu du bas latin *Sirena,* du grec *seirên,* qui est aussi le nom donné à une sorte de guêpe qui ne vit pas en essaim, ces deux acceptions étant reprises en latin. *Serin* a pu être emprunté à l'ancien provençal *serena* (XVe s.), nom d'un oiseau destructeur de guêpes, d'abord *cerena* (v. 1200), adaption par les Massaliotes du grec *seirên.* P. Guiraud note que le provençal moderne distingue *sereno, sireno* «sirène» et «guêpier (l'oiseau)» et *serin, seren* «serin», alors que *serena* est ancien. Selon lui, l'oiseau aurait pu être nommé d'après sa couleur et représenterait le latin classique *cerinus* «couleur de cire, jaune», dérivé de *cera* «cire*» ; la disparition de l'*n* final dans les dialectes occitans peut par ailleurs suggérer un emprunt au français.

♦ *Serin,* parfois écrit *serein* aux XVIIe et XVIIIe s. et aussi *cerin* (1611), est le nom donné à un petit passereau jaune élevé en cage et recherché pour son chant. ◇ *Jaune serin* (1800), *jaune queue de serin* (1809) et *serin* adj. inv. (1790) désigne un jaune clair et vif. Le mot a désigné en argot un garde national dont la tenue comportait des parements jaunes (1867 ; en usage sous Louis-Philippe) et par extension un gendarme (1867). ◆ Parce qu'il faut longtemps exercer l'oiseau pour qu'il chante, le mot a pris le sens de «niais, nigaud» (1821, adj. ; 1843, n. m.).

▸ Le dérivé **SERINER** v. tr. a d'abord signifié en emploi intransitif (1555) «chanter agréablement» en parlant d'un oiseau, sens disparu. ◇ Repris au début du XIXe s. en emploi transitif, le verbe signifie «apprendre à chanter à un oiseau» (1808) puis (1835) «jouer (un air) avec la serinette». ◇ De là vient le sens figuré de «répéter continuellement (qqch.) à qqn» (1831, E. Sue) ; par extension, *seriner qqn* (1846) signifie «l'importuner par une répétition fastidieuse» ; il a vieilli dans cet emploi. ◇ *Seriner,* d'après *serin* «niais», s'est dit aussi en argot (1896) pour «tromper (un mari)». ◆ **SERINE** n. f. est rare au propre, «femelle du serin» (1680), comme au figuré. ◆ **SERINETTE** n. f. a désigné (1739) un petit orgue mécanique actionné par une manivelle, avec lequel on apprenait un air aux serins. Dans cet emploi et au sens figuré de «personne qui répète qqch. mécaniquement» (1803, en parlant d'un chanteur), il est sorti d'usage.

SERINGA ou **SERINGAT** n. m. est emprunté au XVIIe s. (1600, *seringa ;* 1652, *seringat*) au latin des botanistes *syringa,* qui reprend le bas latin médical *syringa* «seringue» et «fistule», lui-même emprunté au grec *surinx* «flûte, roseau coupé et creusé» (→ seringue). La forme savante *syringa* est employée au XVIIIe s. (1715-1798).

♦ Le *seringa* a été ainsi nommé parce que le bois de cette plante aux fleurs blanches odorantes servait, une fois vidé de sa moelle, à faire des seringues, des flûtes.

SERINGUE n. f., réfection (XVIe s.) de *ceringe* (XIIIe s.), *siringe,* est emprunté au bas latin médical *syringa* «fistule» et «seringue», par extension «lavement, clystère» ; ce mot est lui-même emprunté au grec *suringa,* accusatif de *surinx* «flûte de berger», désignant par extension différents objets creux, par exemple l'étui d'une pique, et des lieux de forme analogue (galerie, couloir, etc.) ; *surinx* s'employait par ailleurs en médecine pour «trachée, bronches, fistule», etc. Ce mot est peut-être d'origine méditerranéenne ou orientale (cf. arménien *sring*).

♦ Le mot désigne d'abord (XIIIe s.) un instrument servant à donner des lavements (cf. *clystère*), acception disparue, puis au XVIe s. (1549) un instrument de jardinier servant à arroser ou projeter des insecticides. La locution familière ***chanter comme une seringue*** «chanter faux» (1808) ne s'explique pas clairement. ◇ Un sens figuré correspondant à «niais, imbécile» a servi de terme injurieux (1845). Le mot s'est aussi appliqué à une épouse acariâtre. ◇ Du premier emploi procède (1876) le sens moderne de «petite pompe, utilisée pour introduire des fluides dans l'organisme ou les en retirer». Par analogie, *seringue* se dit dans l'argot militaire pour «fusil» (1885), puis, dans l'argot du milieu pour «arme automatique».

▸ Le dérivé **SERINGUER** v. tr. signifie «injecter à l'aide d'une seringue» (1547) ; il s'emploie aussi en horticulture (1876). ◇ Il se dit, d'abord en argot (1927), pour «tirer, notamment avec une arme automatique». ◇ Il a pour dérivé **SERINGAGE** n. m. (1871), dont le sémantisme est analogue.

voir SERINGA, SYRINX.

SERMENT n. m. est l'aboutissement (1290) des formes *sagrament* (842, dans ce que l'on nommera plus tard les *Serments de Strasbourg*) puis *seirement, serement* (v. 1120), *sairement* (v. 1155), etc. Le mot est issu par voie orale du latin classique *sacramentum,* terme de droit signifiant «dépôt garantissant la bonne foi d'un plaideur et consacré au service des dieux en cas de perte du procès», d'où «serment (personnel et volontaire)» dans la langue militaire. Le terme s'opposait au *jusjurandum* désignant un serment collectif et imposé ; dans la langue ecclésiastique, *sacramentum* s'est dit ensuite de tout objet ou acte ayant un caractère sacré, ce qui a donné lieu à l'emprunt sous la forme *sacrement**. *Sacramentum* dérive de *sacrare* «consacrer (à une divinité)», lui-même de *sacer* (→ ① sacrer).

♦ *Serment* s'est introduit avec le sens de «promesse ou affirmation faite en invoquant Dieu, un être ou un objet sacré» ; on le rencontre à la fin du XIIIe s. (v. 1200, *sagramen*), en français et en ancien provençal, employé pour «juron, imprécation», sens encore en usage à l'époque classique, notamment pour «blasphème» (*vilain serment,* 1377). ◇ À partir du XIVe s., on relève le mot au sens laïc de «promesse» dans de nombreux syntagmes : *mettre à serment* «demander sur la foi du serment» (v. 1360 ; 1615, *mettre au serment*) est sorti d'usage ; ***prêter serment*** (1538) est d'abord juridique puis général, *déférer le serment à qqn* «lui imposer le serment» (1549) a disparu. Le mot a une valeur générale dans

faire (le) serment de «déclarer que» (1664). ◇ Au XVIIe s., le mot s'applique en général à une promesse ferme, une affirmation insistante (1670), d'où *serment d'amant* (1718), *serment de joueur* (1740; 1718, *serment des joueurs*) et par ironie ***serment d'ivrogne*** (1808), toujours usuel. Sont sortis d'usage *rendre à qqn son serment* «l'en délier» (1675), *être de serment* «s'entendre, se concerter» (1697). ◇ Avec l'idée d'engagement solennel prononcé en public, le mot s'est employé dans des expressions conservées en histoire : ***serment corporel*** (1704) se disait en parlant du serment de fidélité que le vassal non lige faisait en levant la main, ***serment civique*** (1790) a désigné le serment de fidélité, d'attachement et de soumission prêté par un citoyen à la première Constitution.

▸ Le composé **ASSERMENTER** v. tr. (→ ① a-) apparaît dans la seconde moitié du XIIe s. avec le sens de «faire prêter serment», déjà vieux au XVIIe siècle ; le verbe reste dans le vocabulaire du droit public, mais il est moins courant que le participe passé **ASSERMENTÉ, ÉE** adj. (1356), spécialement employé en parlant des prêtres qui, en 1790, avaient prêté le serment de fidélité à la constitution civile du clergé (1794). ◇ Dans cet emploi, on relève le contraire **INSERMENTÉ, ÉE** adj. et n. m. (1792, n. m.), composé de *in-* négatif et de l'ancien *sermenté* «qui a prêté serment». Ce dernier, d'abord sous la forme *sairemente* adj. (v. 1250), puis *sermenté* n. m. (1260), est tiré de l'ancien verbe *sermenter* «faire prêter serment» (v. 1200) et «prêter serment» (1386 ; encore en 1530). *Insermenté*, aujourd'hui terme d'histoire, a eu pour équivalents *non-sermenté, ée* (1791) et *insermentaire* (1792), mots révolutionnaires.

SERMON

SERMON n. m. est un emprunt très ancien (v. 980) au latin classique *sermo, -onis* «conversation, entretien» et, dans la langue littéraire, «discussion, dialogue», équivalent de *disputatio* (→ dispute) ; par extension, *sermo* prend le sens de «manière de s'exprimer», «langue, langage» et, dans la langue de l'Église, celui de «discours prononcé en chaire» ; ce mot était rattaché par les Anciens à *serere*, au supin *sertum*, «entrelacer, tresser» et, par figure, «enchaîner, unir» (→ série), interprété comme «enfilade de mots», d'où «discours».

♦ *Sermon* apparaît en français avec la valeur étymologique de «discours, propos» (du Christ sur la terre), qui ne s'est pas maintenue, non plus qu'une autre acception du latin, «langue» (v. 1130). On relève ensuite le sens du latin ecclésiastique, spécialisation durable depuis *La Chanson de Roland* (1080), et par extension (XIIe s.) l'emploi pour «discours moralisant, généralement long et ennuyeux» (v. 1131).

▸ Cette valeur apparaît également dans le dérivé **SERMONNER** v., réfection (v. 1180) de *sermuner* v. intr. (v. 1112), *sarmuner* (1120), d'abord «prêcher», acception sortie d'usage au XVIIe siècle. ◇ Le verbe s'emploie transitivement (v. 1165-1170) au sens de «faire des remontrances, adresser des conseils à qqn» devenu le seul emploi moderne. ◇ Son dérivé **SERMONNEUR** n. m. (fin XIIe s., *sarmoneor* ; v. 1250, *sarmoneur* ; forme moderne, déb. XVIe s.) a d'abord signifié «prédicateur». ◇ D'après le sens extensif de *sermonner*, il s'emploie, aussi au féminin, pour «personne qui sermonne, morigène» (v. 1220, selon *Larousse de la langue française* ; v. 1270, T.L.F.) comme nom et récemment comme adjectif (fin XIXe s.). ◆ **SERMONNAIRE** n. m., terme didactique dérivé de *sermon*, désigne un auteur de sermons (1584) et un recueil de sermons (v. 1587). ◇ Il est peu usité comme adjectif (1798).

SÉROPOSITIF → SÉRUM

SERPE

SERPE n. f. est la réfection (XIIIe s.) de *sarpe*, issu (déb. XIIIe s.) d'un latin populaire °*sarpa*, dérivé du latin classique *sarpere* «tailler la vigne», qui se rattache, comme le grec *harpê* «faux, faucille, crochet» (→ arpion, harpagon), à une racine indoeuropéenne °*serp-* «instrument crochu».

♦ Le mot désigne un outil formé d'une large lame en croissant, à manche court, destiné à élaguer. Il est utilisé chez Villon (v. 1460) pour «coupeur de bourse». ◇ Depuis l'époque classique, l'élagage étant une coupe grossière, il s'emploie dans la locution ***fait à la serpe*** (1694 ; 1690, *j'en ferais autant avec une serpe*), appliquée à un travail manuel ou à un ouvrage de l'esprit exécuté grossièrement. Par extension, la locution *fait avec une serpe* (1718) a signifié «mal bâti» en parlant d'une personne, aujourd'hui surtout en parlant d'un visage aux traits anguleux, sous les formes ***taillé à la serpe*** (1887, Zola) ou ***à coups de serpe*** (1935, Académie). ◆ Par analogie, *serpes* au pluriel a désigné (1680) un fer tranchant utilisé pour couper à l'abordage les câbles du navire ennemi (jusqu'en 1771).

▸ **SERPETTE** n. f. (1538), diminutif de *serpe*, remplace *sarpeste* (v. 1350) et *sarpette* (1549 ; jusqu'à fin XVIIe s.). ◆ **SERPILLON** n. m., autre diminutif (v. 1530 ; 1272, *sarpillon*), est aujourd'hui un mot régional.

◈ voir **SARMENT**.

SERPENT

SERPENT n. m. est issu (1080), comme l'ancien provençal *serpent* n. f. (1050), de *serpentem*, accusatif du latin classique *serpens, -entis* n. f. «serpent», «ver (du corps humain)» et nom d'une constellation (au masculin). C'est le participe présent substantivé de *serpere* «ramper, se glisser», au propre et au figuré. *Serpens*, d'abord *serpens bestia* «animal rampant», sans doute à cause d'interdictions de vocabulaire concernant cet animal, a remplacé *anguis*, mot plus ancien utilisé dans la langue religieuse (→ anguille) ; on relève aussi comme substituts *vipera* (→ vipère), *draco* (→ dragon). *Serpere*, comme le grec *herpein* «se traîner» (→ herpès) et le sanskrit *sárpati* «il rampe», se rattache à la racine indoeuropéenne °*serp-* qui provient probablement d'un élargissement de °*ser-* «aller, couler» (→ sérum).

♦ *Serpent*, parfois *sarpent* (v. 1160) en ancien français, désigne comme en latin un reptile au corps très allongé ; dans la langue courante, il se dit aussi des sauriens serpentiformes, comme l'orvet (v. 1130) appelé plus tard *serpent de verre* (1791), ou de poissons anguiformes, spécialement *marin serpent* (v. 1112) puis ***serpent de mer*** (1855), animal marin fabuleux de grande taille, employé au figuré à propos d'une information fausse ou sans intérêt qui revient périodiquement dans la presse. ◇ Par allusion aux caractères de ruse, de finesse, etc. attribués traditionnellement au serpent, symbole de l'esprit du mal dans la Bible, le mot s'emploie pour «personne méchante» (v. 1175, Renart), emploi vieilli. En revanche, les allusions bibliques aux relations entre le serpent tentateur et Ève (à partir de 1501) restent courantes. Avec une valeur analogue, la locution *le serpent est caché entre les belles fleurs* (1572), puis ***sous les fleurs*** «le danger est dissimulé sous des dehors séduisants» vient d'un vers de Virgile : *frigidus latet anguis in herba.* ◇ Le XVIIe siècle voit apparaître l'expression ***réchauffer (élever, nourrir) un serpent dans son sein*** «élever, aider un ingrat» (1662). Au sens propre, le nom est qualifié dans des noms d'espèces : *serpent cornu* (1611), aujourd'hui *à cornes* (1904) «vipère à cornes», *serpent à sonnettes* (1680) «crotale», *serpent à deux têtes* (1671) «amphisbène», *serpent à lunettes* (1763) «naja», etc. ◇ Dans le domaine des mythes, on peut citer *le serpent à plumes,* nom d'un dieu indien du Mexique, Quetzalcoatl. ➛ Par analogie, il se dit pour une chose longue et sinueuse (av. 1606) ; c'est spécialement le nom (1636) d'un ancien instrument à vent dont le tube était recourbé plusieurs fois et par métonymie (1718) le nom de l'instrumentiste. Dans le vocabulaire technique, le mot désigne (1908) un cordage fixé sous la nacelle d'un ballon. ◇ Par métaphore, il s'emploie en économie (1972) pour une marge de fluctuation des cours d'un ensemble de monnaies, spécialement dans *serpent monétaire européen,* abrégé en *S. [officiellement pour système] M. E.* (1978). ➛ *Serpent* avait repris au XVIIe s. (1691) le sens latin de «constellation de l'hémisphère boréal» qui n'est plus connu.

▸ Le dérivé **SERPENTEAU** n. m. (fin XVe s.), d'abord *serpentel* (1165-1170), désigne un jeune serpent. Le mot a pris par analogie (1629) le sens de «petite fusée volante à mouvements sinueux». Il s'est dit (1690) d'une boucle de cheveux longue et sinueuse puis (1701) d'un cercle de fer muni de petites grenades qu'on jetait sur une brèche. ➛ **SERPENTE** n. f., d'abord «serpent» (v. 1280) puis «femelle du serpent» (déb. XIVe s.), est aujourd'hui didactique (1680) et désigne un papier très fin utilisé pour faire des éventails et pour protéger les gravures des livres ; à l'origine, ce papier, nommé *papier (à la) serpente,* portait un serpent en filigrane.
SERPENTER v. intr. (v. 1370) signifie «aller ou être disposé suivant une ligne sinueuse» (v. 1650, pour des personnes). Au sens figuré (av. 1784), «s'introduire de manière insidieuse», il a disparu. ➛ Le verbe a fourni plusieurs dérivés. **SERPENTANT, ANTE** adj. est attesté au XVIe s. (1564) ; **SERPENTEMENT** n. m., «chemin tortueux» (1614), s'emploie ensuite en mathématiques (1754) pour «partie d'une courbe qui va en serpentant», aujourd'hui dans *point de serpentement* (1904). ◇ Comme substantif d'action (attesté depuis 1756), «action, fait de serpenter», il est rare. ➛ **SERPENTAGE** n. m. (v. 1970), terme technique pour «mouvement d'oscillation d'un avion», est un mot proposé pour traduire l'anglais *snaking,* dérivé de *to snake* «ramper», lui-même de *snake* «serpent».
Au XIXe s. apparaissent **SERPENTUEUX, EUSE** adj. (1836), équivalent de «sinueux», littéraire, et le composé **SERPENTIFORME** adj. (1824), de *-forme,* didactique.
Quelques mots sont empruntés à des dérivés du latin *serpens.* ➛ **SERPENTIN, INE** adj., emprunt au bas latin *serpentinus* «de serpent», s'applique (mil. XIIe s.) à ce qui a la forme d'un serpent qui rampe. Au sens de «relatif au serpent» (v. 1165), il a disparu. Par figure, il s'est dit pour «perfide, méchant» (v. 1225), d'où *langue serpentine* (v. 1500), devenu archaïque. ◇ L'adjectif qualifie aussi (1534) ce qui est marqué de taches et rappelle la peau du serpent. ◇ Enfin, *ligne serpentine* (1812) signifie «sinueuse». ➛ De l'adjectif vient **SERPENTINE** n. f., disparu comme mot générique pour «les serpents» (v. 1180), devenu au XIIIe s. le nom de roches d'aspect rubané, d'où **SERPENTINEUX, EUSE** adj., «formé de serpentine» (1801). ◇ Par analogie de forme (av. 1453), *serpentine* a désigné une bouche à feu. C'est aussi le nom (1871) d'une figure de manège en ligne sinueuse et d'un petit ornement en passementerie. ◇ Tous les emplois ont vieilli. ➛ ② **SERPENTIN** n. m. désigne (fin XVe s.) une bouche à feu à canon allongé (cf. *couleuvrine*), encore en usage au XVIIe siècle. Par analogie de forme, *alambic serpentin* se dit (1564) d'un tube en spirale utilisé dans les appareils de distillation. ◇ Aujourd'hui, le mot désigne couramment (1892) un petit ruban de papier coloré qui se déroule quand on le lance.
SERPENTAIRE n., emprunt au latin impérial *serpentaria,* nom d'un arum, en conserve la valeur (XIIIe s., n. f.) et nomme d'autres plantes (1723, *serpentaire de Virginie* «aristoloche»). ◇ Le mot est ensuite repris (1819, n. m.) au latin zoologique *(falco) serpentarius* (XVIIIe s.) pour désigner un oiseau rapace qui se nourrit de serpents.
SERPER v. tr. (1611) ou *sarper* (v. 1508) est emprunté à l'ancien italien *serpare, sarpare* (XIVe s.), dérivé de *serpe* «serpent», spécialisé en marine au sens de «partie de la proue où était placée l'ancre». *Serpe* vient d'un latin populaire °*serpem,* accusatif de °*serpes,* altération de *serpens.* ◇ Cet ancien terme de marine signifiait «lever (l'ancre)» ; le verbe était employé aussi absolument (1677).

◈ voir SERPOLET.

SERPILLIÈRE n. f., réfection (1403) de *sarpilliere* (v. 1180), est d'origine incertaine, le premier sens mal établi désignant une étoffe précieuse *(or et argent et rice sarpilliere).* Le mot est peut-être issu d'un latin populaire °*sirpicularia* désignant une étoffe faite avec un tissu analogue à du jonc (cf. espagnol *herpil* «sorte de sac grossier»), du latin classique *s(c)irpiculus* adj. «qui concerne le jonc» et n. «panier de jonc» ; ce mot dérive de *s(c)irpus* «jonc», d'origine inconnue (passé en français dans l'emprunt savant **SCIRPE** n. m. en botanique). Par ailleurs, les variantes dialectales en *ch- (charpillère)* suggèrent à P. Guiraud un rapprochement avec *charpiller* «réduire en charpie», qui a pu se croiser avec son synonyme *serpiller* «tailler à coups de serpe, grossièrement», mais ce verbe est attesté tard (1611).

♦ *Serpillière* désigne au moyen âge une étoffe de laine ou un manteau fait de cette étoffe (v. 1180). Par la suite, les différents emplois restent liés à l'idée d'étoffe grossière : le mot s'est dit d'une grosse toile que les marchands mettaient devant leur boutique pour la protéger du soleil (1244, *sarpilliere*), d'un linceul (1288, *sarp-*), encore au XVIIIe siècle. Il désigne ensuite une grosse toile servant à emballer les marchandises (1302, *sarpilliere ;* 1403, *serpilliere*), sens du latin médiéval *sarpilleria* (1233) que reprennent l'ancien provençal *serpeliera,* l'ancien catalan *sarpellera* (XIIIe s.) et d'où vient l'espagnol *harpillera.* Le mot a parfois désigné de belles étoffes (*rice sarpillere,* v. 1270). ◇ *Serpillière* a désigné ensuite (1345, *sarpillière*) un tablier de grosse étoffe, porté par certains corps de métiers et, dans la seconde moitié du XVIe s., une couverture de cheval. En argot, il s'est dit au XVIIe s. pour «robe de prêtre» (1628). ➜ Le mot n'est plus en usage que pour «pièce de toile épaisse servant à laver les carrelages, à éponger» (déb. XXe s. ; *charpillere,* Saône-et-Loire, fin XIXe s.) ; il est d'ailleurs concurrencé par des mots régionaux (comme *wassingue,* dans le nord de la France, en Belgique) et semble surtout parisien.

SERPOLET n. m. est emprunté au XVIe s. (av. 1525 ; *serpoulet* v. 1500) au provençal *serpolet,* diminutif de *serpol* (XIIIe s.), repris aussi en moyen français (1387) et issu du latin classique *serpullum* ou *serpillum, serpyllum.* Le mot latin est emprunté au grec *herpullos* «thym, serpolet», dérivé de *herpein* «ramper, glisser» (→ herpès), le serpolet étant une plante rampante. *Herpein* se rattache à une racine indoeuropéenne °*serp-*. Cette racine est sans doute un élargissement de °*ser-* «aller, couler» (→ sérum) et est aussi représentée par le sanskrit *sárpati* «il rampe, se glisse» et le latin *serpere* (→ serpent) ; une influence de *serpere* expliquerait le *s* de *serpullum.*

♦ Surtout régional, *serpolet* désigne une plante aromatique appelée aussi *thym* sauvage.*

① **SERRE** n. f. a repris en géographie (v. 1726) l'ancien français *serre* «scie» (fin XIe s.) puis «montagne» (v. 1190), qui s'est maintenu dans les dialectes du Centre, à côté de *serra* dans le Sud-Ouest et en Provence, de même sens (XIIe s., en ancien provençal). Ces deux mots sont issus du latin *serra* «scie» et «ordre de bataille en dents de scie», terme technique sans étymologie claire (→ serrer).

♦ *Serre* désigne une colline étroite et allongée.

► Le latin a abouti en espagnol à *sierra,* de même sens que l'ancien français *serre,* emprunté par le français. ➜ **SIERRA** n. f. (1669) désigne en français une chaîne de montagnes ou une montagne allongée, dans un pays de langue espagnole. ◇ En toponymie portugaise, on dit *serra.*

② **SERRE** → SERRER

✱ **SERRER** v. tr. est issu (fin XIe s. [mil. XIIe s. selon T.L.F.]) d'un latin populaire °*serrare,* altération du bas latin *serare* «fermer avec une barre», sans doute sous l'influence de *ferrum* «fer*» ou de *serra* «scie» (→ ① serre) à cause de la forme dentelée de certaines pièces de serrure ; le verbe dérive du latin classique *sera* désignant à l'origine une barre de bois qu'on glissait derrière la porte, puis un verrou ou un cadenas. Ce terme technique n'a pas d'étymologie claire.

♦ *Serrer* apparaît avec le sens de «presser (qqch.) de manière à ne pas laisser échapper», où l'idée de rapprochement est liée à celle de clôture. De là le sens de «maintenir énergiquement fermé (la main, etc.)». La valeur étymologique est reprise (v. 1155) par l'acception de «fermer (avec un verrou, etc.)», sortie d'usage et remplacée par *fermer, verrouiller,* régionalement *barrer.* De cet emploi vient au XVIe s. le sens de *serrer le passage à qqn* «le fermer, l'interdire» (1553), qui a disparu après le XVIIe siècle. ➜ Les principaux sens en usage en ancien français, outre les précédents, sont l'intransitif *serrer,* correspondant aujourd'hui à *être serré* employé du XIIIe (v. 1250) jusqu'au XVIIe s., en emploi transitif, la valeur physiologique pour «oppresser» (ci-dessous, à propos du cœur), le sens militaire pour «assiéger» (*serrer une place,* 1165-1170) qui utilise à la fois l'idée concrète de rapprochement et celle, abstraite, de contrainte. Cette idée concrète se réalise par l'emploi de *serrer* pour «joindre étroitement», «rapprocher autant qu'on le peut (des choses, des personnes)» (v. 1175), sens vivant, mais plus usuel au pronominal, au passif et dans le participe passé *serré* (ci-dessous). ➜ À partir du XIIIe s., le verbe correspond par extension à «enfermer (des personnes, des animaux) dans un lieu clos» (v. 1210), valeur sortie d'usage, et à «mettre à l'abri, remiser, garder dans un lieu sûr» (v. 1240), cet emploi étant concurrencé par *ranger* mais encore vivant régionalement. ◇ En moyen français, le sens initial *(serrer le poing)* se réalise dans des locutions marquant la violence, l'étranglement, l'étouffement : *serrer la vaine* [veine] *à qqn* «l'étrangler» (fin XIVe s.), *serrer le cou* (1738), *la gorge, le kiki* (1888, *le quiqui*). *Serrer le ventre à qqn* a signifié au figuré (fin XIVe s.) «lui couper les vivres», sorti d'usage ; l'expression a été reprise au XVIIe s. (1636) pour «constiper». ◇ Le sens d'«étouffer» s'est utilisé dans des imprécations du type *que la fièvre* (v. 1460), *la peste le serre,* usuelles en français classique. Ce sémantisme initial se retrouve, derrière les définitions fonctionnelles modernes, dans de très nombreuses locutions formées avec ce verbe.

L'idée de «rapprocher, mettre ensemble», croisée avec celles de «fermer» et de «ranger», a fait que *serrer,* avant *plier,* s'est appliqué aux bagages, d'où la locution figurée *serrer bagages* «s'esquiver» (v. 1500), «lever le camp» (1566-1568). ◇ L'idée de «rendre plus étroit», de «diminuer le volume» apparaît (1527) dans *serrer un nœud,* d'où plus tard, par figure, *serrer les nœuds de l'amitié* (1666) et en argot ancien (1867) *serrer le nœud* «se marier». ◇ Avec cette valeur et avec un sujet nom de personne, *se serrer* «se tapir» (1538) a disparu, mais le pronominal se maintient aux sens de «se rapprocher» (1549) et «se mettre tout contre (qqch., qqn)» (1553). ◇ *Serrer près* (1538), aujourd'hui ***serrer de près***

(qqn), signifie «poursuivre» et spécialement (v. 1660) ***serrer de près une femme*** «lui faire une cour pressante». *Serrer près (qqn)* a signifié aussi «le pousser en le gênant», sens où l'on emploie ensuite *serrer qqn.* ◆ S'agissant des organes et parties du corps, les emplois vont du geste matériel de pression aux emplois figurés évoquant l'angoisse. Ceux-ci, très anciens à propos du cœur, dont on dit qu'il *se serre* depuis le XIIe s. (v. 1150) à côté de *un sentiment,* etc. *serre le cœur* (v. 1270), sont mal attestés concrètement en ancien français. Ainsi ***serrer la main*** (***de,*** puis ***à qqn***), geste essentiel qui accompagne le salut et qui est un symbole très ancien de bonne intention (la main, étant libre, ne porte pas d'arme), n'est attesté qu'à la fin du XVIe siècle. ◇ De même, ***serrer les dents*** est évidemment antérieur à 1607 (où l'expression est attestée) puisque *desserrer les dents* existe dès l'ancien français (ci-dessous). ◇ D'autres expressions, comme *serrer les doigts à qqn* «contraindre à avouer» (1636), ont disparu.
Depuis le XVIIe s., le verbe s'emploie aussi avec le sens d'«aller plus près», «passer auprès de» (1648) surtout en marine, par exemple dans ***serrer le vent*** «naviguer au plus près du vent» (1678). ◇ *Serrer* «rendre étroit, entourer étroitement» (1653) donne lieu à des spécialisations. *Serrer* s'emploie spécialement en imprimerie (1688; sans doute antérieur, cf. *serrage*) dans *serrer la forme* «fixer solidement la composition dans la forme» et en marine (1691) dans *serrer les voiles* «les plier». Par figure, *serrer son style* s'est employé pour «écrire d'une manière plus concise» (1690). ◇ Concrètement, le verbe prend en technique le sens de «faire mouvoir (qqch.) de manière à rapprocher, à fixer» (1690, *serrer une vis*). Au figuré, ***serrer la vis*** a eu le sens (1867) de «presser un travail» puis d'«étrangler (qqn)» (1872); il ne s'emploie plus aujourd'hui qu'au figuré (1889) pour «exercer une contrainte rigoureuse». ◇ Avec la valeur de «tenir à l'étroit», *se serrer le ventre* (1808) a eu au figuré le sens de «se passer de manger»; on dit aujourd'hui ***se serrer la ceinture.*** ◇ En emploi familier, ***serrer les fesses*** (1812) exprime la contention de la peur. *Se serrer* s'emploie pour «comprimer sa taille» (1842), par figure «se priver», et *serrer* pour «appliquer étroitement (un vêtement) contre le corps» (XIXe s.). ◆ En emploi intransitif (1876), *serrer* signifie «se rapprocher de» *(serrer à (sur) sa droite).* ◆ En argot *serrer,* qui au sens de «ranger» a signifié «voler» (1830), se dit (1906) pour «dévaliser qqn en le serrant entre deux agresseurs». Il signifie aussi «arrêter, appréhender», c'est-à-dire «prendre».

▶ **SERRÉ, ÉE** adj. a le même sémantisme que le verbe. Le mot s'applique (v. 1112) à un ensemble dont les éléments sont très rapprochés ou (v. 1155) à des personnes, des choses placées près les unes des autres. ***Avoir le cœur serré,*** qui vaut d'abord pour «être sans pitié» (v. 1130), prend le sens moderne «être angoissé, dans la peine» vers 1165-1170. ◇ *Nuit serrée* a signifié «nuit noire» du XIIe au XVIIe siècle. ◇ Le mot qualifie (v. 1175) ce qui est comprimé, contracté et, aussi, dense; l'idée est réalisée dans *conseil serré* «restreint» (1492); l'adjectif s'est maintenu jusqu'au XIXe s. pour «étroit, qui occupe peu de place» (1538). ◇ Avec une valeur adverbiale, *serré* a signifié «fortement» (1559), d'où *mentir serré* (1690), disparu au cours du XVIIIe siècle. ◇ Il s'emploie pour «concis, précis» (1559), mais est disparu au sens de «secret» (fin XVIe s.). ***Jouer serré*** (où *serré* est adverbial) «avec prudence» (1606) se dit par figure pour «agir avec circonspection» (1784) et ***avoir un jeu serré*** s'emploie au propre (1718) et au figuré (1835). ◇ *Serré* «mis en lieu sûr, rangé» (1607) ne s'emploie plus que régionalement. ***Avoir le ventre serré*** «être constipé» (1765) donne lieu à ***être serré*** (1690) qui a disparu. ◇ L'adjectif a aussi disparu pour «assiégé (d'une ville)» (1681) et «peu communicatif». Au XVIIIe s., *fortune serrée* a indiqué une situation financière difficile. ◇ C'est l'idée de «contrainte» qui s'exprime avec le sens de «très sévère» (1798), en parlant d'une éducation, etc. ◇ *Être serré* signifie aussi «avoir peu d'argent et en être gêné, contraint» et l'adjectif s'emploie en parlant d'un vêtement (1809) ou d'une personne. ◇ Avec la valeur de «dense», il a été repris au XXe s. dans ***un café serré*** et, récemment, dans *montage serré* (1973), terme technique de cinéma.

② **SERRE** n. f., déverbal de *serrer,* a eu en ancien français des emplois aujourd'hui sortis d'usage : «fermeture» (mil. XIIe s.), «suite, ordre» (1165-1170), «prison, endroit clos» (v. 1175), d'où au XIIIe s. *mettre en serre* «emprisonner». ◇ Le mot a désigné des pièces qui serrent, par exemple la branche d'un mors de cheval (v. 1138). ◇ Comme nom d'action, il se dit de l'action de garder, puis de la garde elle-même (XIIIe s.), d'où *tenir en serre* «assujettir» (1302), encore relevé en 1669. ◆ Au XVIe s. apparaît la valeur logiquement première, «action de serrer, son résultat», seulement aujourd'hui dans des emplois techniques, par exemple (mil. XVIe s.) pour parler de chacun des pressurages successifs d'une substance. Au figuré, ce sens actif a donné (1680) la locution ***avoir la serre bonne*** «être avare» (c'est-à-dire attraper, garder et ranger, c'est-à-dire *serrer* l'argent) puis (1690) «avoir une forte poigne». Par métonymie, *les serres* désigne (1538) un élément de la membrure d'un navire. ◇ Tous les emplois précédents ont disparu ou ont vieilli. ◆ L'emploi le plus courant en français moderne, surtout au pluriel, concerne les griffes des oiseaux de proie (1549); *serre* a désigné ensuite une pince qui serre bien (1611), sens conservé en fonderie (1723). ◆ Avec l'idée de rangement et en emploi concret, il s'est dit d'un lieu où l'on conserve qqch. (1640, des fruits), d'où *serre à légumes* (1845), valeur remplacée par *resserre* (ci-dessous). ◇ Par extension, c'est le nom d'une construction vitrée où l'on met des plantes à l'abri (1660), et cet emploi est resté vivant avec des syntagmes comme *culture en serre, de serre,* ***serre chaude*** (1762), qui s'est employé par métaphore dans *c'est un fruit de serre chaude* (1835) ou *(éducation) en serre chaude* (1875) avec l'idée de protection excessive. ◇ *Serre* s'est aussi employé pour «réservoir à eau» (1874), aujourd'hui terme technique (mil. XXe s.) équivalent de «vivier». ◇ ***Effet de serre*** (v. 1960) désigne par analogie la rétention de l'énergie calorifique du soleil par absorption de l'atmosphère. ◆ De *serre* «protection pour faire pousser les plantes» viennent deux mots techniques. ◇ ① **ENSERRER** v. tr. (1718), «mettre en serre», est sorti d'usage. ◇ **SERRISTE** n., «spécialiste de la culture en serres», est récent (attesté v. 1973).

SERREMENT n. m. (1538), d'abord *sarrement* (v. 1500), désigne l'action de serrer. Il est rare, sauf dans la locution ***serrement de main,*** et disparu pour «action de mettre en réserve» (*serre* ci-dessus). ◇ Le mot désigne le fait d'être contracté, au figuré (1671, ***serrement de cœur***). ◇ Par métonymie (1812), il se dit d'un barrage qui s'oppose à l'invasion des eaux dans une mine. ➜ **SERRAGE** n. m. a désigné une opération d'imprimerie (1567, Plantin). Le mot a été reformé au XVIIe s. en marine (1643) pour désigner l'ensemble des pièces de membrure appelé *serres;* il s'agit alors d'un collectif, alors que *serrage* (1845) «opération qui consiste à serrer qqch. et son résultat», d'où «dispositif servant à serrer» (XXe s.), est un nom d'action formé avec un autre suffixe *-age*.

SERRE-, tiré du verbe *serrer,* est le premier élément de mots composés dont beaucoup ont disparu, par exemple *serre-croupière* (1532, dans un emploi érotique) ou *serre-brosse* n. m. (1690), terme de marine ancienne; restent **SERRE-FILS** n. m. inv. (1871), **SERRE-ÉCROU** n. m. (1904), **SERRE-TUBE** n. m. (1904). ◇ D'autres composés sont traités au radical; (→ file, joindre, livre, papier, tête).

Serrer a fourni plusieurs composés verbaux. ➜ ② **ENSERRER** v. tr. apparaît (v. 1120) avec le sens figuré d'«angoisser» qui a disparu. Le verbe a signifié «enfermer (qqn, qqch.)» (v. 1125), sorti d'usage (dès 1680), «faire prisonnier» (déb. XIIIe s.) et «enterrer» (v. 1501), valeurs toutes disparues. ◇ Il ne signifie plus qu'«entourer en serrant étroitement» (1549), aussi au figuré (1870). ➜ **DESSERRER** v. tr. a eu des acceptions très nombreuses, liées à l'idée générale d'ouvrir, de défaire. Il apparaît avec les sens d'«ouvrir (une porte)» (v. 1125), de «déchirer, rompre» (v. 1130) et aussi d'«écarter (un bateau du rivage)» (1165-1170), tous sortis d'usage. ◇ Il s'emploie depuis le XIIe s. (v. 1175) pour «relâcher ce qui est serré», sens toujours usuel, d'où au figuré «donner libre cours à (un sentiment)» (v. 1172-1174) et «libérer» (déb. XIIIe s.), valeurs disparues avant l'époque classique. ◇ Les métaphores de l'emploi concret usuel, comme ***desserrer les nœuds de l'amitié*** (1656), etc. sont littéraires alors que l'emploi concret, *desserrer un nœud* (1694, mais antérieur), est demeuré usuel. ◇ C'est au XIIIe s. qu'apparaît isolément ***desserrer les dents*** «ouvrir la bouche», puis *desserrer les dents à qqn* (XIVe s., hapax), emplois repris au milieu du XVIIe s., notamment au figuré, d'où ***ne pas desserrer les dents*** «rester muet» (1656). ◇ Le verbe avait eu le sens (1310) de «lancer (des coups, etc.)», encore à l'époque classique; de là *desserrer un coup de pied* (v. 1550), disparu. ◇ Avec l'idée d'ouvrir, le verbe s'emploie pour «s'épanouir» (fin XIVe s.) en parlant des fleurs et au figuré dans ***desserrer le cœur*** «soulager» (1527), encore vivant au pronominal (1863). ➜ Le dérivé **DESSERRE** n. f., apparu au sens de «vêtement qu'on quitte», a eu de nombreuses acceptions, en particulier «action de desserrer» (v. 1530). Il est sorti d'usage. ➜ **DESSERRAGE** n. m. (1794) est d'abord un terme d'imprimerie et prend une valeur générale au XIXe s. (1874). ➜ **DESSERREMENT** n. m. s'emploie au propre (déb. XXe s.) et au figuré en parlant des activités économiques (v. 1965; cf. *déconcentration*).

RESSERRER v. tr. développe ses acceptions avec le sens de «serrer de nouveau ou encore plus», *serrer* étant pris dans ses divers sens ou comme antonyme de *desserrer.* Il apparaît comme équivalent de «rengainer» (1197), sorti d'usage. Il signifie ensuite «rapprocher davantage (des parties disjointes)» (1287) puis s'est employé pour «fermer de nouveau» (v. 1462). ◇ Au sens général de «presser de nouveau, davantage», il s'emploie (1465) au pronominal pour «se rétrécir, se contracter». De là le sens de «diminuer le volume (d'une chose)» (1538). ◇ *Resserrer* a eu de nombreux sens du XVIe au XVIIIe s., vieillis ou littéraires aujourd'hui, par exemple «fermer» (1534), «assiéger» (1534), «enfermer (un prisonnier)» (1552), «cacher, retirer» (déb. XVIIe s.). À l'époque classique, il s'emploie aussi pour «constiper» (1534), d'où *se resserrer* (1740) [voir *resserré,* ci-dessous], et par figure en parlant du cœur, de l'âme (1660) ainsi que pour «abréger (un récit, etc.)» (1667), emploi aujourd'hui très littéraire. *Se resserrer* a vieilli pour «réduire ses dépenses» (fin XVIIe s.). Le sens concret «rendre plus serré (un lien)» est resté vivant avec des métaphores comme *resserrer les liens (de l'amitié)* [1718], littéraire. ➜ L'adjectif **RESSERRÉ, ÉE** s'applique (1538) à ce qui est enfermé en des limites étroites; *dépense resserrée* «peu élevée» (1559) ne s'emploie plus, ni *resserré* «avare» (déb. XVIIe s.). ◇ Le mot a le sens de «contracté», d'où spécialement *être resserré* «constipé» (1611). Il s'est appliqué à une personne qui a de la retenue (1611), qui communique peu (apr. 1652) ou, concrètement, qui est enfermée dans un lieu étroit (1697). Tous ces emplois ont été concurrencés par ceux de *serré.* ➜ **RESSERREMENT** n. m., d'abord «état de ce qui est resserré» (1550), désigne aussi l'action (1669). Il a signifié «constipation» et «action d'enfermer (qqch., qqn)» (1671). ◇ Il s'emploie encore, mais de manière très littéraire au figuré en parlant du cœur, de l'esprit (1671). ◇ Il a disparu pour parler d'une moins grande circulation de l'argent (1798). ◇ Au sens propre, notamment à propos d'un nœud, il n'est attesté qu'après 1850. ➜ **RESSERRE** n. f. apparaît en 1629, désignant en Normandie la paroi qui sépare le bûcher du four. Le mot se dit aujourd'hui (1835, Balzac) d'un endroit où l'on range certaines choses, puis (XXe s.) de marchandises stockées dans un marché de gros. Il a remplacé quelques emplois de *serre* (ci-dessus).

◈ voir SERRURE.

SERRURE n. f. (v. 1170), d'abord *seredure* (fin XIe s.), puis *serreüre* (v. 1165), est dérivé de *serrer* au sens de «fermer (par ex. avec un verrou)», courant en ancien français (→ serrer). On relève aussi dans les dialectes du Nord-Est (v. 1165) le déverbal *sarre* (de *sarrer, serrer*), encore attesté au XVIe siècle. La dérivation n'est plus sentie.

♦ *Serrure* désigne (fin XIe s.) un dispositif fixe qui permet de verrouiller une porte, un tiroir. À partir du XVIIe s., le mot prend des valeurs figurées : *remuer les serrures* (1611) s'est dit pour «se donner l'air d'être fort occupé», *brouiller une serrure* «en déranger le mécanisme» (1680) donne au figuré *avoir la serrure brouillée* «l'esprit dérangé» (1680, Mme de Sévigné) ; *vous avez la serrure et nous avons la clef* «vos précautions ne nous empêcheront pas d'obtenir ce que nous voulons» (1690). ◇ Dans le domaine érotique, et par allusion aux anciennes ceintures de chasteté, on a dit familièrement *mettre un cadenas à la serrure* «s'abstenir de faire l'amour» et *laisser la clef à la serrure* «avoir un enfant par surprise» (1888). ◇ ***Regarder par le trou de la serrure*** (XXe s.) évoque le fait de se montrer indiscret. ◇ *Serrure*, en technique, désigne (XXe s.) un dispositif de sécurité employé dans les chemins de fer.

▸ Le dérivé **SERRURIER** n. m. (v. 1260 ; 1237, *sareürier*) désigne couramment un ouvrier qui fait ou répare des serrures, fabrique des clés et, par extension (XXe s.), un entrepreneur ou un ouvrier qui fabrique ou pose certains ouvrages en fer. Le féminin *serruriere* est attesté v. 1330. ◆ **SERRURERIE** n. f. (1393 ; v. 1268, *serreürerie*) désigne couramment le métier de serrurier puis, altéré en *serreuzerie* au XVe s. et repris en 1694 *(serrurerie)*, un ouvrage fait par le serrurier et, par la suite, en technique, la confection de certains ouvrages en fer (1871, *grosse serrurerie ;* 1876, *serrurerie du bâtiment*).

SERTIR v. tr. apparaît (fin XIIe s.) sous la forme *sartir* (le participe passé adjectif *sarti* est relevé v. 1130), refaite en *sertir* (1636 ; XIVe s., selon Bloch et Wartburg). La première forme représente l'aboutissement d'un latin populaire °*sartire*, dérivé de *sartum*, supin du latin classique *sarcire*. *Sarcire*, terme technique, a eu probablement le sens de «recoudre» et plus généralement «réparer, raccommoder», au propre et au figuré. La racine de ce verbe n'a pas de correspondant exact dans d'autres langues. Le participe passé a été emprunté par l'espagnol et le portugais *sarta*, désignant une série de choses enfilées (collier, chapelet). Par ailleurs, le latin classique *sarcire* a été emprunté par l'ancien français *sarcir* «recoudre (une déchirure)» (XIIe s.) et l'ancien provençal *sarcir* (XIIIe s.) de même sens. Quant au nom d'agent *sartor* «tailleur», il n'a laissé que des noms propres *(Sartre)*.

♦ Le verbe s'est employé (fin XIIe s., *sartir*) au sens d'«attacher solidement» (plusieurs pièces, surtout de métal), encore en usage au XVIIe s. (1660). ◇ *Sertir* se spécialise au XVIIe s. en joaillerie, pour «enchâsser (une pierre) dans le chaton d'une bague, la monture d'un bijou» (1622, *sartir ;* 1642, *sertir*). ◇ Le verbe prend ensuite d'autres acceptions techniques ; sorti d'usage en serrurerie (1871), il se dit encore pour «assujettir, sans soudure, deux pièces métalliques» ou «par insertion d'un couvercle» (1871), spécialement dans *sertir une cartouche* (1904), puis en broderie et dans le travail du cuir (XXe s.).

▸ *Sertir* a fourni quelques dérivés techniques. ◆ **SERTISSURE** n. f. désigne (1328) la partie du chaton d'une bague qui maintient la pierre et (1701) la manière dont une pierre précieuse est sertie. ◆ **SERTE** n. f. (1765), «opération qui consiste à sertir une pierre précieuse», est un synonyme rare de **SERTISSAGE** n. m. (1871), usuel en joaillerie et qui a pris d'autres acceptions techniques au XXe s., par exemple en optique, en broderie. ◆ **SERTI** n. m., participe passé substantivé (1875) de *sertir*, désigne un ouvrage serti. ◆ **SERTISSEUR, EUSE** n., «ouvrier qui sertit (des pierres, des pièces métalliques)» (1837), désigne aussi un appareil qui sertit les cartouches de chasse (1902, *sertisseur* n. m. ; plus récemment *sertisseuse* n. f.) et un appareil pour sertir les boîtes de conserve, les œillets (1950). ◆ **SERTISSOIR** n. m. (XXe s.) équivaut à *sertisseur* dans le domaine de la fabrication des cartouches et désigne un outil de maroquinier.

Le composé **DESSERTIR** v. tr. est employé dès l'ancien français (v. 1180, *desartir*) au sens de «rompre l'assemblage des mailles (d'un haubert), mettre en pièces (un bouclier)». ◆ De *dessertir*, «enlever une pierre précieuse de sa monture» (1751), dérive **DESSERTISSAGE** n. m. (1870), également terme de joaillerie.

SÉRUM n. m., réfection (1538) de la forme diminutive *sérot* (1478), est emprunté au latin *serum* «petit-lait» puis «liquide séreux» en général ; ce mot de la langue rustique se rattache à une racine indoeuropéenne °*ser-* «couler», qui a donné en sanskrit *sarít* «cours d'eau» et qui, par un élargissement, serait à la base d'*herpès, serpent, serpolet*.

♦ *Sérum* s'est employé au sens étymologique de «petit-lait», sorti d'usage, aussi dans *serum du lait* (v. 1560 ; repris en 1812), ou *ser du lait* (1567), *ser de lait* (1611), *ser* étant une forme francisée conservée après le XVIIe s. dans des dialectes. ◆ Au XVIe s., *sérum* prend en physiologie le sens de «partie liquide du sang constituée par le plasma débarrassé de la fibrine» *(sérum sanguin)*. Le mot est repris au XIXe s. (1888) en médecine pour désigner une préparation à base de sérum d'animal immunisé qui, contenant un anticorps spécifique, est utilisée en injection à titre curatif ou préventif *(sérum thérapeutique)*. Une solution de chlorure de sodium injectée pour certains lavages est nommée *sérum physiologique, sérum artificiel* (1883) ou *sérum*. ◇ La locution ***sérum de vérité*** (mil. XXe s.) est un synonyme usuel de *penthotal*.

▸ Sur le radical de *sérum* a été formé le terme de médecine **SÉRIQUE** adj. (1924), «relatif au sérum». ◆ Le nom entre par ailleurs en composition dans la formation de termes de biochimie : **SÉRUM-ALBUMINE** n. f. (1903), de *albumine*, et **SÉRUM-GLOBULINE** n. f. (1903), de *globuline*.

SÉRO-, élément tiré de *sérum*, entre dans la composition de termes de médecine. ◆ **SÉRODIAGNOSTIC** n. m. (1896), de *diagnostic**, désigne le diagnostic de certaines maladies, fondé sur la recherche d'anticorps spécifiques dans le sérum du malade ; le mot s'est diffusé vers 1985, à la suite de la banalisation de *séropositif*. ◆ **SÉROPOSITIF, IVE** adj. et n. (déb. XXe s., adj.), de *positif**, signifie «qui présente une réaction positive lors d'un sérodiagnostic» ; le substantif, employé (v. 1985) à propos du diagnostic du *sida**, s'est largement répandu, comme l'adjectif, avec l'extension de cette maladie. Le mot est abrégé en ***séropo*** adj. et n. (1989). ◇ **SÉRONÉGATIF, IVE** adj. (déb. XXe s.) est parallèle. ➜ D'autres formations restent d'usage didactique : **SÉRO-SANGUIN, INE** adj. (1837), de *sanguin* (→ sang); **SÉROTHÉRAPIE** n. f. (1888), de *thérapie*, aussi sous la forme **SÉRUMTHÉRAPIE** en 1890 «soins à l'aide de sérum (thérapeutique)», a fourni **SÉROTHÉRAPIQUE** adj. (1891). ➜ **SÉROLOGIE** n. f. (déb. XXe s.), de *-logie*, a donné **SÉROLOGIQUE** adj. (1913) et **SÉROLOGISTE** n. (mil. XXe s.). ➜ **SÉROVACCINATION** n. f. (1923), de *vaccination*, concerne aussi le sérum thérapeutique.

SÉREUX, EUSE adj. a été dérivé (v. 1363, Chauliac) du radical de *serum*. ◇ L'adjectif s'est employé en physiologie pour qualifier ce qui a les caractères de la partie liquide des «humeurs» (v. 1363) et en pathologie pour qualifier ce qui est abondant en sérosités anormales (1540), d'où *maladies séreuses*, en médecine ancienne. ◇ *Séreux* s'est dit aussi (1835) pour «aqueux», en parlant du lait (ci-dessus *sérum*). ◇ Le mot prend sa valeur moderne au début du XIXe s., qualifiant ce qui est relatif à la sécrétion de liquides (par ex. de l'œil, de l'oreille interne), spécialement à propos des liquides qui facilitent le glissement de parties en contact : ainsi *membrane séreuse* (1806) et *la séreuse* (1825), *système séreux* «ensemble des membranes séreuses» (1835). ◇ Pour «relatif au sérum» (ci-dessus *sérique*), l'adjectif s'emploie dans *anémie séreuse* (1904). ➜ Le dérivé **SÉROSITÉ** n. f., «partie la plus aqueuse des humeurs animales» (1495, *cerosité*), prend sa valeur moderne au début du XIXe s., surtout au pluriel, et désigne des liquides organiques (1810) et, en pathologie (1835), le liquide des hydropisies, œdèmes, etc.

◈ voir SÉRAC.

◈ **SERVICE** n. m. (v. 1050, *servise*; v. 1155, *service*) est issu du latin classique *servitium* «condition d'esclave», «esclavage» et «classe des esclaves», puis «office» dans le latin ecclésiastique. Il est dérivé de *servus* «esclave» (→ serf).

♦ Mot du vocabulaire religieux (v. 1050) et féodal (1080), *service* désigne d'abord l'obligation de servir et l'activité qui en résulte, et notamment le culte rendu à Dieu, aussi nommé *service de Dieu* (v. 1207). Par extension, il se dit (v. 1175) de l'ensemble des pratiques destinées à honorer Dieu, spécialement de la messe et des prières pour un mort (v. 1175), d'où ***service du bout de l'an*** (1690), pour le premier anniversaire d'un décès, et au XIXe s. l'expression ***service funèbre*** (1876). ➜ Avec la même valeur d'obligation, *service* désigne (fin XIe s.) dans le système féodal les charges du vassal envers le supérieur, spécialement dans *service de l'ost* «de l'armée» (XIIIe s.) [→ hôte]. Au XIIe s., le mot s'emploie (v. 1185; *services*, 1270) en parlant de l'ensemble des devoirs envers une collectivité (voir ci-dessous *service public*). Ces deux valeurs se maintiennent au XVIe s., où *homme de service* désignait (1538) un homme qui servait dans l'armée, encore employé à l'époque classique, et où *service* désigne (1549) la fonction de ceux qui servent l'État et les activités militaires exercées pour le compte d'un pouvoir; on a dit ensuite pour ces activités ***service militaire*** (XVIIIe s., att. 1720, devenu institutionnel en 1798), appelé aujourd'hui en France ***service national*** (1971) ou *service* dans l'usage courant *(faire son service; pendant son service)*. ◇ ***Être de service*** «occupé par sa fonction» (1671) s'emploie en particulier à propos d'un militaire; ***être service*** ou ***service-service*** signifie (1901) familièrement «être très pointilleux». ➜ Parallèlement, *service* désigne une activité particulière que l'on doit accomplir auprès d'une personne, les obligations de la personne qui sert un maître (v. 1170), un employeur et, en général, ce que l'on fait pour qqn, d'abord dans la locution *rendre malvais service a qqn* «lui nuire» (1080), devenue en français moderne *rendre un mauvais service*, puis employé seul (v. 1155). On trouve aussi *offrir (un) service* (v. 1170), *faire un service à qqn* (1370) et *rendre service* (1610, H. d'Urfé) seul demeuré en usage. De là viennent les sens de «salaire, rémunération pour son service» (v. 1155) et (fin XIIe s.) «hommage rendu à la femme que l'on courtise», employé au pluriel dans la langue classique (1670). Le mot est entièrement sorti d'usage à propos de l'attachement que l'on porte à une femme (XIIIe s.).

Dès le XIIIe s., *service* se spécialise et désigne l'action, la manière de servir à table (déb. XIIIe s., ***faire le service***) et plus généralement la situation, la fonction de domestique (XIIIe s.). ◇ Par extension, *service* s'est employé (1175) pour désigner les plats qu'on apportait sur la table; de là ***premier, second service*** «première, seconde série de plats servis» (1552), repris au XXe s. pour «première, seconde série de repas servis à la fois» (1935), par exemple au wagon-restaurant. ◇ Le mot s'emploie ensuite (fin XVe s., *service de table;* 1508, *service*) pour l'ensemble de la vaisselle et du linge utilisés pour servir à table. Il se spécialise en vaisselle, argenterie *(service à café)*, vénerie. La locution figurée ***service trois pièces*** (v. 1930), argotique, équivaut à «parties génitales de l'homme». ➜ *Service* a eu le sens général (1508) d'«activité utile», demeurant dans des expressions avec la valeur d'«usage, fonctionnement» comme ***mettre en service*** (1883), ***être en service, hors de service*** (1893), usuelles à propos d'une machine, d'un dispositif automatique. La variante *hors service* est abrégée en *H. S.* au figuré «épuisé». ➜ Par ailleurs, *service* désigne (1580) les avantages que l'on tire de qqch. et s'emploie dans la locution ***rendre service à (qqn)*** «l'aider» (1610). ◇ Lié à la fonction de domestique, *service* s'emploie depuis le milieu du XVIIe s. pour désigner le travail de la personne qui sert, la manière dont elle le fait, le temps pendant lequel elle sert et aussi (1694) ce qu'un maître exige d'un serviteur. Avec cette valeur, on relève ensuite ***escalier de service*** (1842) et ***porte de service***, destinés aux employés de maison, aux fournisseurs. ◇ La locution ***à votre service*** (mil. XVIIe s.) s'est employée comme réponse à la question *comment allez-vous?* (cf. *serviteur*, dans un emploi analogue). ➜ C'est l'idée d'activité qui se réalise en sports au XVIIe s., le *service* étant l'action de mettre la balle en jeu à la paume (1669) et, spécialement, le jeu pendant lequel on sert (1690, «côté où est celui à qui l'on sert la balle»). La balle de service, à la paume, était annoncée par l'interjection *tenez !*, d'où *tennis**. ◇ *Service* a été repris au tennis

(1894), au ping-pong pour désigner le premier coup d'un échange.
Depuis le XIXe s., *service* désigne un organisme chargé d'une fonction administrative (av. 1835, Académie); l'expression ***service public*** «institutions administratives, mission d'intérêt général» (1835) a pris dans l'usage courant une acception plus large. Au sens d'«obligation envers la collectivité» (ci-dessus) *service public* avait désigné le fait de servir dans l'administration (1580). ◇ En économie, le mot se dit (1875) d'une activité qui représente une valeur économique sans correspondre à la production d'un bien matériel, surtout utilisé au pluriel : *les biens et les services, société de services. Service* désigne également (1876) une organisation chargée d'une branche d'activités dans un établissement public, en particulier dans l'armée (1888), par opposition aux unités combattantes. ◇ Le mot entre au XXe s. dans de très nombreux syntagmes comme ***services sociaux, service après-vente*** (av. 1969), abrégé couramment en *S. A. V.* ◇ Avec la valeur d'«action de servir qqch.», c'est au XIXe s. que *service* a pris le sens de «distribution (d'un journal)» (1867), employé spécialement dans ***service de presse*** (XXe s.) «envoi (d'un livre, d'un disque) aux journalistes», d'où par métonymie «exemplaire envoyé gratuitement», abrégé en *S. P. Service* signifie également «invitation à un spectacle» (1871 ; aussi ***billet de service***). ◇ En zoologie, le mot, en relation avec un sens spécialisé de *servir*, équivaut (1904) à «saillie (d'un étalon)».

▸ **SELF-SERVICE** n. m. est un emprunt (1949) à un mot anglo-américain composé (1934) de *self* (→ self-) et de *service*, lui-même repris à l'ancien français. Cet anglicisme, abrégé familièrement en *self* n. m. (1961), est parfois remplacé dans l'usage par l'adaptation française **LIBRE-SERVICE** n. m. (v. 1950), de *libre*.

◈ voir SERVIR.

SERVIETTE → SERVIR

SERVILE → SERF

◈ ✻ **SERVIR** v. est issu (880) du latin *servire* «être esclave», «vivre dans la servitude». Le verbe latin, qui a donné l'italien *servire*, l'espagnol *servir*, est aussi employé pour «frapper une terre d'une servitude» et, au figuré avec diverses acceptions, «être sous la dépendance de», «se mettre au service de», «être dévoué à» et, avec un sujet nom de chose, «être utile à». Il dérive de *servus* «esclave» (→ serf), qui avait antérieurement fourni *servare* «garder, protéger», maintenu dans la langue religieuse et senti comme séparé du nom.

♦ C'est avec la valeur du latin, «être soumis ou dévoué à (qqn)», que le verbe apparaît dans *servir diaule* (diable) «se vouer au diable» (880) et ***servir Dieu*** (fin Xe s.), aussi *servir a* [à] *Dieu* (v. 1050) «l'honorer», construction disparue en ce sens. ◇ Le verbe s'est employé intransitivement, en relation avec *service*, au sens de «dire la messe» (v. 1050), aujourd'hui remplacé par ***servir la messe.*** ◇ Il s'utilise dans un contexte non religieux (v. 1050), le sujet désignant un domestique, un subordonné, d'où l'emploi intransitif (v. 1165) pour «s'occuper des hôtes à table». Le pronominal *se servir*, dans ce contexte, paraît beaucoup plus tardif (1832). ◇ *Servir* a par extension (1080) le sens de «s'acquitter d'obligations envers (une personne ou une institution à qui on obéit)», spécialement dans la société féodale (*servir un suzerain*; *servir por armes* (XIIe s.) s'est dit en parlant de jeunes nobles qui n'étaient pas encore armés chevaliers. ◇ Par analogie, *servir à une dame* (v. 1165), puis ***servir une dame*** (v. 1175), c'était être son chevalier servant, fidèle et dévoué. ◇ Le verbe avait repris par ailleurs le sens latin de «subir la domination de (qqn), être esclave» (v. 1150, *servir à qqn;* v. 1550, intr.), sorti d'usage au XIXe siècle. ◇ Par figure, *servir à qqn d'un coup* (v. 1155) a signifié «le frapper», valeur maintenue dans *servir à qqn (du bâton)* [1204-1209]. ◇ *Servir qqn de qqch.* «lui présenter (un compliment), lui raconter (une histoire)» (v. 1155) a été remplacé par *servir qqch. à qqn* (1633).
Depuis la fin du XIIe s. le verbe, avec *a* [à] ou *de* et un infinitif pour complément, signifie «mettre à la disposition d'une personne» (v. 1175, *servir à déjeuner*), «être utile à, utilisé à» dans *servir de (faire) qqch.* (v. 1175). *Servir pour,* plus tardif (XIVe s., apr. 1360) et encore employé à l'époque classique, a été remplacé par *servir à* (1508). ◇ *Servir à qqn* équivaut aussi (v. 1165) à «être utile à (qqn)», en parlant d'une chose, d'où *faire servir à* «employer pour» (1658). ◇ *Servir à* signifie aussi (XIIIe s.; v. 1050 d'après T.L.F.) «apporter une aide à (qqn), hors de toute obligation»; *servir à (qqch.)* «donner ses soins à qqch.» (1213) est sorti d'usage (1300, *servir à l'amour*), remplacé par *servir qqch.* (1680). ◇ *Servir de peu* «être peu utile» (v. 1300) se maintient à l'époque classique, proche de la construction *(ne) servir de rien* «être inutile» (XIVe s.), toujours en usage mais plus littéraire que ***ne servir à rien***, très usuel dans *ça (ne) sert à rien, à quoi ça sert ?*, etc. ◇ *Servir de* «être utilisé en guise, être utile à titre de» (1440-1475), qui s'est imposé aux dépens de *servir en lieu de* (1538), s'emploie au figuré, par exemple dans *servir de couverture* «de prétexte» (1613). *De quoi sert-il de* suivi d'un infinitif (1538) «quel avantage a-t-on de» a pour équivalent moderne ***que sert de...*** (1553). ◆ Au XVIe s. apparaît *servir* «être soldat» (1538, intr.), spécialisation du sens ancien, féodal, toujours liée aux emplois correspondants de *service.* ◆ *Se servir de* «faire usage de» (1538) va devenir très usuel, alors que *servir à* (*une passion*, etc.) «se laisser aller à» (v. 1550) a disparu, remplacé par la construction transitive.
On retrouve le sémantisme de la mise à disposition au XVIIe s. dans des expressions comme *servir une semaine* «être de service pendant une semaine» (1636), ***pour vous servir*** (av. 1648), formule utilisée comme réponse affirmative. ◇ *Servir la balle* (av. 1650; 1669, intr.) «la mettre en jeu», malgré le caractère usuel de *service**, ne se dit plus, remplacé par l'intransitif (notamment au tennis). ◇ Dans le contexte du service de table, l'emploi figuré de *servir un plat de sa façon* (1655) «traiter mal» est sorti d'usage. ◇ Au passif, *être servi* équivaut (1694) à «pouvoir se mettre à table» et correspond à *servir qqn*, qui a vieilli, alors que ***le déjeuner***

est servi (1835) est le passif de ***servir le déjeuner,*** très vivant. ◇ Le complément accompagnant *servir* au sens d'«aider» peut désigner un sentiment, une idée (1667, *servir les passions de qqn*) et le sujet un nom de chose (1669, *le hasard l'a servi*). *Servir (qqn)* a signifié spécialement «être le second dans un duel» (v. 1675). Par ailleurs, le verbe s'emploie par euphémisme à propos d'un animal pour «couvrir (une femelle)». Dans le domaine commercial, ***servir un client*** correspond à «vendre ce que le client demande» (1768). ◇ Les emplois de *servir* dans les jeux et les sports sont moins courants que ceux de *service.* Ils sont attestés au jeu de dés (1718), aux cartes (1803), au tennis. ◇ En argot, le verbe a eu diverses acceptions figurées et ironiques au XIXe siècle : «assassiner», «voler» (1830), «arrêter (qqn)» (1837), «dénoncer» (1867). ◇ Par un euphémisme de même nature, ou par reprise de la valeur ancienne de *servir un coup à qqn* (voir ci-dessus), *servir,* en vénerie (1865), c'est «achever (une bête forcée), avant la curée». Voir aussi le schéma page suivante.

▶ Le participe présent a été adjectivé et substantivé de manière courante, tant au masculin qu'au féminin. ◆ **SERVANT** adj. m. et n. m. a désigné (v. 1140) celui qui se consacre au service de Dieu. Le *servant* était aussi un religieux convers chargé des travaux matériels dans un monastère (1213-1219), plus tard nommé ***frère servant*** (1659). Le mot s'applique aussi (v. 1150) à un domestique ou un écuyer, d'où spécialement (1339) *servant de l'écuelle, du vin,* etc. désignant diverses fonctions assurées par des officiers à la table du roi. Dans *gentilhomme servant* (1611), de même sens, le mot est adjectif. ◇ En relation avec le sens correspondant de *servir,* le mot s'est employé (1213-1239) pour «amoureux», dans la locution *servant d'amour* (1830), sortie d'usage, et dans ***chevalier servant*** «compagnon dévoué (d'une femme)» (v. 1840), allusion tardive au passé, toujours usuelle, et qui utilise l'expression *chevalier servant,* allusion à la féodalité, qui semble elle aussi très postérieure (1690) à la période de référence. ◇ S'appliquant aux choses, l'adjectif est propre à l'ancien français (XIIIe s. ; sorti d'usage en 1690, Furetière) ; il s'est employé dans des locutions : *homme de servent condition* «serf» (1461), *fief servant* «qui relève d'un autre fief» (1539), terme de droit féodal. ◇ Le français moderne a vu une évolution du nom en fonction des mœurs et du statut des domestiques ; par rapport au vocabulaire désignant les «gens de maison», le mot *servant,* à la différence de son homologue anglais, se situe dans d'autres domaines que *serviteur.* Il désigne par exemple (1812) celui qui sert le prêtre pendant la célébration de la messe (différent de *desservant*) et, dans le vocabulaire militaire (1835), un artilleur qui approvisionne une pièce. ◇ En sports (paume, puis tennis et ping-pong), et d'après les valeurs correspondantes de *servir* et *service,* le *servant* est le joueur qui met en jeu la balle de service (1894). ◇ Enfin, *servant,* en moyen français (depuis 1539), a désigné un objet de service, une petite étagère posée sur un buffet ; ce sens est sorti d'usage. ◆ Le féminin **SERVANTE** n. f. a désigné (v. 1330) une femme employée comme domestique ; le mot était encore en usage au XIXe siècle. *Servante-maîtresse* (1746) «servante qui a pris autorité dans la maison» est aujourd'hui un archaïsme littéraire. *Servante* a aussi désigné une femme qui sert Dieu fidèlement (1550), aujourd'hui dans des expressions comme ***servante de Dieu, de Jésus-Christ*** (av. 1704), *du Seigneur,* ou dans le nom de congrégations catholiques. ◇ La locution ***je suis votre (très humble) servante,*** le masculin étant alors *serviteur,* était à l'époque classique la formule de politesse des femmes pour prendre congé (1649) ou pour exprimer un refus (1663, *être servante à, de qqn*). ◇ À partir du XVIIIe s., *servante* a pris, comme *servant* au XVIe s. (ci-dessus), des acceptions techniques et désigne des choses : un petit meuble de salle à manger servant de desserte (1746), un support de hauteur réglable utilisé par un forgeron ou un menuisier (fin XVIIIe s.). *Lampe servante* ou *servante* (1879) a désigné une lampe de théâtre, employée pour les répétitions. Ces acceptions ont vieilli.

SERVIABLE adj., dérivé d'après *amiable* (v. 1130-1140), a été en concurrence avec *servisable* (v. 1155), *serviçable* (v. 1200), dérivé de *servise* (→ service) ; l'adjectif s'est d'abord appliqué à un animal qui peut être dressé pour qu'il «serve». ◇ Il qualifie aujourd'hui et depuis l'ancien français (v. 1210) une personne qui aime à rendre service. ◇ Il a eu diverses acceptions liées au sens de *servir* «être utile» : «qui fait bien son service» (v. 1175), «utile», en parlant d'une chose (1499-1508), et «soumis à une servitude». ◆ L'adjectif a fourni les dérivés **SERVIABLEMENT** adv. (v. 1200), rare, et **SERVIABILITÉ** n. f. (1859), auparavant *serviableté* (1530), relativement usuel. ◆ Le composé **INSERVIABLE** adj. (1875), de ① in-, est très littéraire comme son dérivé **INSERVIABILITÉ** n. f. (1920). ◆ **SERVABLE** adj. signifie d'abord «serviable» (XVe s.) puis «utilisable» (1600). Il a disparu, sauf quand il peut s'opposer à **INSERVABLE** adj. Ce dernier (1875), formé de ① in-, s'emploie à propos de ce qui n'est pas présentable au repas.

SERVEUR, EUSE n., aboutissement du bas latin *servitor* (*serviteur* ci-dessous), d'abord *serveor* (v. 1240), *serveour* (v. 1255), a eu le sens de «serviteur, valet» avec pour féminin *serveresse* (v. 1300). Il a aussi désigné un gardien (de troupeaux) [1275]. ◇ Le mot a disparu en moyen français et réapparaît au XVIIIe s., alors dérivé de *servir,* pour désigner (1739) celui qui sert la messe (ci-dessus *servant*) ; cette acception a elle aussi disparu. ◇ Le mot désigne en sports (1824, à la paume ; 1904, au tennis) la personne qui met la balle en jeu (*servant* ci-dessus). ◇ Le nom masculin se spécialise dans le vocabulaire technique, autrefois pour «aide-mineur qui déblaie le minerai, apporte les matériaux de boisage» (1871), aujourd'hui pour désigner un ouvrier qui alimente une machine (XXe s.). ◇ Repris d'un sens de *servir* (et de *service*), *serveur* désigne aussi et surtout un garçon de restaurant (av. 1885) avec pour féminin *serveuse* (v. 1920). ◇ Aux cartes, le *serveur* est la personne qui sert les cartes (XXe s.). ◇ Dans un réseau, un *serveur* est un ordinateur fournissant des services à d'autres ordinateurs. *Serveur* s'emploie aussi en apposition dans *centre*

La notion indoeuropéenne de « garde » : SERVIR

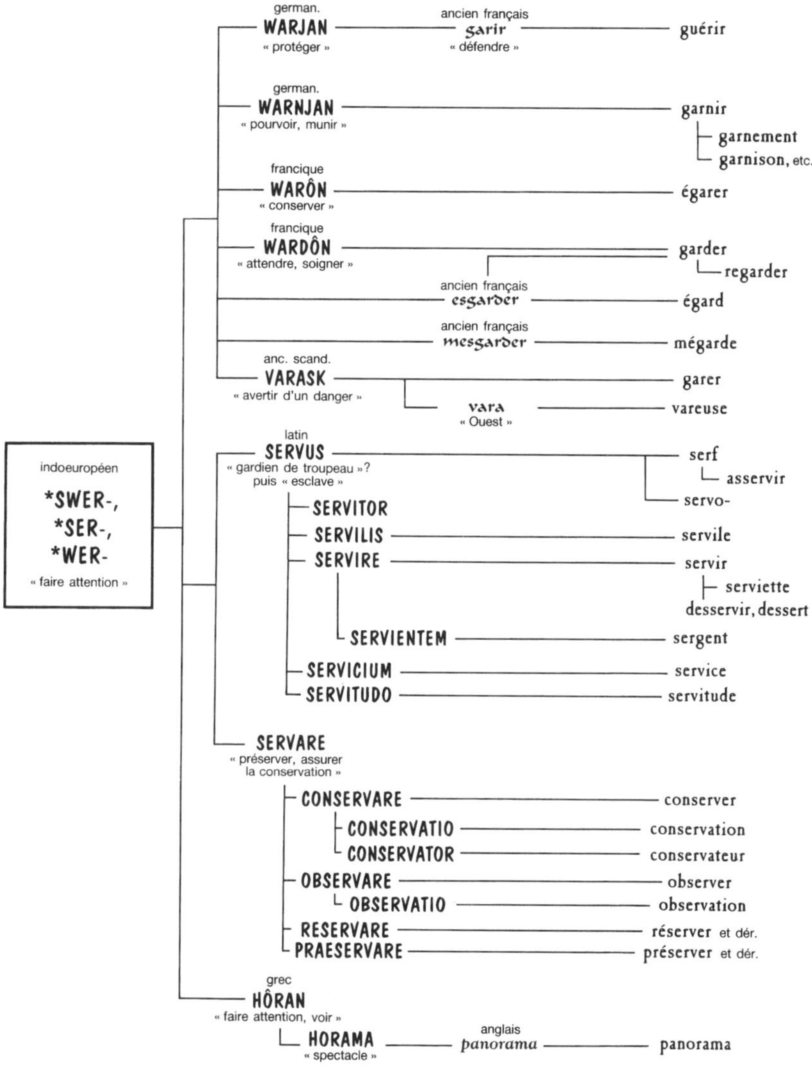

serveur (v. 1975). ◆ **SERVEUSE** n. f., nom d'objet, équivaut à «verseuse» (XXe s.).

SERVIETTE n. f. (1328) a remplacé *touaille* (v. 1155, *toaille*), qui, issu du francique °*twahlja*, est encore représenté par l'anglais *towel* (moyen anglais *towaille*). C'est un dérivé de *servir* qui n'est plus du tout perçu comme tel. ◇ *Serviette* désigne une pièce de linge dont on se sert à table ou pour la toilette (mil. XIXe s., *serviette de toilette*). Le mot s'est dit, du XVIe (1580) au XVIIIe s., de cette pièce de linge, pliée, utilisée comme bandage et par ailleurs (v. 1630) pour «couvert (à table)». ◇ Il s'est employé en argot (1789) au sens de ce qui sera nommé plus tard *papier hygiénique*. ◆ D'abord dans l'argot des avocats (1840), *serviette* désigne un sac, généralement pliant, servant à porter des papiers, des livres (cf. *portefeuille*); le mot s'est développé dans ce sens, à côté de *sac, cartable*, etc. ◆ Le composé **SERVIETTE-ÉPONGE** n. f., au sens premier de *serviette*, est attesté en 1890. ◆ **PORTE-SERVIETTES** n. m. (1868), «support pour les serviettes de toilette», est demeuré distinct de **PORTE-SERVIETTE** n. m. (attesté 1962) «pochette destinée à ranger une serviette de table».

SERDEAU n. m. représente (1440-1475) une variante de *sert-de-l'eau* (XIVe s.), composé de (il) *sert*, de *servir*, et d'*eau**. ◇ Ce terme d'histoire désigne l'officier de bouche qui recevait les plats desservis de la table royale, puis (1680; d'abord écrit *cerdeau*, 1644) le lieu où ces plats étaient déposés et (1798) l'endroit où on les revendait.

SERVITEUR n. m. (XIVe s.) s'est substitué avec un suffixe français à la forme *servitor*, empruntée (v. 1050) au bas latin *servitor* «serviteur (des dieux)», dérivé de *servitum*, supin de *servire*. ◇ Le mot a désigné (v. 1050) celui qui est dévoué à Dieu, à la religion, d'où, à l'époque classique, *serviteur de Dieu* «chrétien, fidèle», *grand serviteur de Dieu* «personne très pieuse» (1690). ◇ Il s'est dit (v. 1155, *servitur*) pour «domestique», avec les féminins *serviteresse* (1293), *serviteure* (v. 1380) et *serviteuse* (1485), en concurrence avec *servante* (ci-dessus) qui les élimine. Cet emploi est générique par rapport à *valet*, etc. et sera concurrencé par *domestique*. Enfin le mot a désigné (1723) un ouvrier loué à l'année. ◇ Il désigne aussi (v. 1225, *servitour*) la personne qui sert qqn ou une collectivité et envers lesquels elle a des obligations, d'où *serviteur de justice* «bourreau» (1501), *serviteur du roi, serviteur de l'État* (apr. 1650), ce dernier étant toujours en usage. ◇ Le mot s'est employé (v. 1430) jusqu'au milieu du XVIIIe s. comme équivalent de *chevalier servant* dans le vocabulaire galant; *être serviteur* «avoir du dévouement pour qqn» (1594) a subsisté jusqu'au XVIIIe siècle. *Serviteur* a également été utilisé dans des formules de politesse comme *votre très humble et très obéissant serviteur* (1564), à la fin d'une lettre. Employé oralement, *serviteur* est devenu au XVIIe s. une formule ironique (1640; 1666, *je suis votre serviteur*) ou de salut avant de quitter qqn, de partir (1658); dans ces emplois sociaux, où le féminin est toujours *servante*, le mot a été en usage aux XVIIe et XVIIIe, disparaissant au XIXe siècle. La locution *faire serviteur* «faire la révérence» (1680), donnée comme populaire en 1718, s'est maintenue jusqu'à la fin du XVIIIe siècle. L'expression ***votre serviteur*** «soi-même» (v. 1740), en s'adressant à qqn, est toujours en usage, avec une nuance archaïque ou plaisante.

① **DESSERVIR** v. tr., composé de *dés-* négatif (→ dé-) et de *servir*, signifie «débarrasser (une table) des plats qui ont été servis» en emploi absolu (1393) et dans *desservir la table* (1530), *le repas*; comme *servir*, il est également employé avec un complément désignant une personne (1440-1475). ◇ Lié à un autre emploi de *servir, desservir* a aussi le sens de «rendre un mauvais service à qqn» (fin XVe s.) comme l'ancien provençal *deservir* «manquer à son devoir» (v. 1120). Cette acception s'est développée quand ② desservir «mériter» a disparu (ci-dessous). De là viennent les emplois *desservir qqn de qqch.* «le dépouiller» (fin XVe s.) et *desservir qqn* «le maltraiter» (v. 1500), qui ont disparu en français classique. ◆ Le dérivé ① **DESSERTE** n. f. a désigné à la fois (1393) les plats qui ont été servis et ce que l'on mange à la fin d'un repas, d'où la locution *à la desserte* «à la fin» (1579), sortie d'usage. Il s'emploie ensuite à propos de l'action de desservir (1611). ◇ C'est enfin le nom (fin XIXe s.) d'une table ou d'un meuble où l'on met les plats qui ont été desservis ou qui sont prêts à être servis. ◆ **DESSERT** n. m., réfection (déb. XVIe s.) de *desert* (1466), d'abord employé au premier sens de *desserte* «plats déjà servis» (1466), a désigné (1539) le dernier service d'un repas, constitué de fromages, pâtisseries et confitures; aujourd'hui, il ne s'applique plus qu'à ce qui est servi après le fromage. Par métonymie (1690), il désigne le moment où l'on mange le dessert, mais il ne se dit plus de la corbeille qui contient les fruits du dessert (1723). ◇ Par figure, le mot signifie (1560; repris XIXe s.) «achèvement», «complément agréable».

② **DESSERVIR** v. tr. est issu (v. 1050) du latin *deservire* (*de* intensif) «servir avec zèle», «se consacrer à» et au figuré «être destiné à». ◇ En ancien français, le verbe conserve la valeur propre du latin dans *desservir Dieu* (v. 1050) et en emploi intransitif (v. 1155) pour «faire du service militaire», puis dans *desservir qqch. à qqn* «le payer de retour» (fin XIIe s.); ces acceptions ont disparu, comme le sens de «mériter» (1080), qui était encore en usage au XVIIe siècle. ◇ *Desservir* ne s'emploie plus aujourd'hui que dans le vocabulaire religieux, le complément désignant un lieu *(desservir une chapelle)*. ◇ Dans un tout autre contexte, le verbe s'utilise couramment avec un sujet désignant une voie de communication, un moyen de transport (1859). Par extension, il signifie (1890) «faire communiquer, donner dans», à propos d'une porte, d'une voie, et (XXe s.) «assurer un service de distribution (dans un lieu)». ◆ ② **DESSERTE** n. f. a signifié (v. 1150) «récompense ou punition» et (v. 1155) «action de mériter», «mérite», encore au milieu du XVIIe siècle. ◇ Le mot s'est dit (1680) de la fonction de desservant, sens noté «vieux» en 1870 et sorti d'usage. Il s'est spécialisé pour désigner (1838) le fait de desservir une localité, en parlant d'une voie ou d'un moyen de transport. ◆ **DESSERVANT** n. m. «ecclésiastique qui dessert une cure» (1322) est rare avant le XVIIIe s. (1752).

RESSERVIR v. a signifié (1165-1170) «être utile», en parlant de qqn, puis «rendre service en retour» (XIIIe s., tr.). Le verbe prend au XVIe s., le préfixe *re-* étant repris au sens itératif, la valeur générale de «servir de nouveau» (1549, intr. *reservir;* puis 1870), par exemple dans *ça pourra resservir*, le pronominal *se resservir de qqch., de qqn* étant attesté au début du XVIIIe siècle. ◇ Le verbe s'emploie avec un sujet nom de personne au sens de «replacer un plat sur la table» (1842). Comme intransitif, il signifie aussi «servir une nouvelle fois dans l'armée», vieilli (cf. le familier *rempiler*).

◈ voir CONCIERGE, CONSERVER, OBSERVER, PRÉSERVER, RÉSERVER, SERGENT, SERVICE, SERVITUDE, SERVO-.

SERVITUDE n. f. (v. 1270) a été en concurrence en ancien français avec *servitute* (v. 1180), mot emprunté au latin classique *servitus, -utis* «servitude, esclavage», dérivé de *servus* «esclave» (→ serf). *Servitude* est un emprunt au bas latin *servitudo*, variante du latin classique. Les deux formes sont en concurrence jusqu'au XVe s., où *servitude* l'emporte. Quant à *servitume* (v. 1170) «esclavage», construit d'après *coutume*, il n'a pas vécu.

♦ Le mot a d'abord désigné l'état d'esclavage, encore au XVIIe s., et dans la langue chrétienne (v. 1190, *servituit*) l'état d'un homme livré au péché. Par extension, il se dit (XIIIe s.) de l'état de dépendance totale d'un individu soumis à un maître et (v. 1270) de ce qui crée cet état de dépendance, emploi aujourd'hui littéraire. ◇ *Servitude* s'est aussi employé (v. 1283) pour «condition de serf» et *(une, des servitudes)* «redevances dues au seigneur». ◇ La valeur plus générale de «service, usage», qui correspond à celle de l'ancien provençal *servitut* (v. 1140), demeure en droit civil (1473), en parlant de la charge établie sur un immeuble pour l'utilité d'un autre immeuble, d'où *servitude de vue* (1690) et, en droit public (fin XVe s.), à propos des restrictions au droit de propriété immobilière (1936, *servitude aérienne*). ◇ *Servitude* est vieilli et littéraire pour désigner l'état d'une nation privée de l'indépendance nationale (1492) ou d'un peuple privé de sa liberté politique (fin XVIIe s.). ◇ À l'époque classique, le mot a signifié «servilité» (1559), «dévouement à l'égard de qqn» (XVIe s.), «complète soumission» (déb. XVIIe s.), en particulier dans le vocabulaire galant (cf. *service, servir*) et dans des formules de politesse comme *assurer qqn de sa complète servitude*. ◇ *Bâtiment de servitude* (1871) désigne en marine un bateau destiné au service des ports, des rades.

SERVO-, premier élément tiré du latin *servus* «esclave» (→ serf), entre dans la formation de mots techniques, marquant un asservissement mécanique : *servo-moteur, servo-freins*, etc. (voir au radical).

SÉSAME n. m. est emprunté (1570), après la variante *sisame* (v. 1500), au latin *sesamum, sisamum* «sésame (plante)», qui reprend lui-même le grec *sêsamon* désignant la plante et la graine. Pline affirme que cette plante vient des Indes; le mot grec, probablement emprunté à une langue d'Asie, appartient à un ensemble de formes orientales plus ou moins apparentées entre elles; c'est à certaines de ces formes qu'ont été empruntés l'ancien français *susseman* (mil. XIIIe s.), *suseman* (1298), *sosimain* (Marco Polo) ou *suscinan* et le moyen français *susamin, susimin* (XIVe s.). On a par ailleurs rapproché le grec *sêsamon* de formes sémitiques (par ex. l'akkadien *šamaššammu(m)* «plante à huile», l'araméen et l'hébreu *šumšûm*, l'arabe *simsim*) sans que le rapport ne soit clairement établi.

♦ *Sésame* désigne une plante oléagineuse originaire de l'Inde, d'où *graine, huile de sésame*. La formule magique ***Sésame, ouvre-toi*** (v. 1850), prononcée pour obtenir qqch., est une allusion au conte d'Ali-Baba où cette formule magique ouvre la caverne aux trésors, dans la traduction française des *Mille et Une Nuits*. De là l'emploi d'*un sésame* ou *un sésame ouvre-toi* n. m. «mot de passe»; mais il peut s'agir d'un autre mot.

▸ **SÉSAMOÏDE** adj., didactique, est emprunté (1552, n. m.; v. 1560, adj.) au grec *sêsamoeidês* «semblable au sésame (en parlant d'une plante) ou aux grains de sésame (en parlant d'un os)», composé de *sêsamon* et de *eidos* «forme, apparence» (→ -oïde). ◆ Le nom a désigné en botanique (1552) une espèce de réséda. L'adjectif s'emploie depuis A. Paré (v. 1560) en anatomie dans *os sésamoïdes* «petits os du carpe et du tarse» (aussi n. m. pl.) et qualifie (1842) ce qui est arrondi comme un grain de sésame. ◆ Le dérivé **SÉSAMOÏDIEN, IENNE** adj. (1871) est un synonyme rare de *sésamoïde* adj.

SESSION n. f., réfection (v. 1440) de *sessiun* (v. 1120), est emprunté au latin *sessio* «action de s'asseoir», «audience du préteur» et «pause, halte», dérivé de *sessum*, supin de *sedere* «être assis» (→ seoir).

♦ Le mot a signifié «fait d'être assis» (v. 1120, *sessiun*); il désigne (v. 1440 à Liège) la séance d'une assemblée qui délibère, par exemple la séance d'un concile (1680). ◇ Il s'est dit de la position de celui qui est assis (1559) et d'un bain de vapeur qu'on prend assis (v. 1560), sens encore relevé en 1858, mais probablement archaïque depuis longtemps. ◆ D'abord dans un texte à propos du Parlement anglais (1657), puis en droit français (1750; 1765, *session de Parlement*), il s'emploie pour «période pendant laquelle une assemblée délibérante est apte à tenir séance», se substituant à *séance;* l'anglais *session* (1553) qui a inspiré l'emploi est emprunté directement (XIVe s.) au latin *sessio* ou à l'ancien français. ◇ Par analogie, *session* désigne (XXe s.) la période de l'année pendant laquelle siège un jury d'examen.

SET n. m. est emprunté (1833) à un mot anglais aux acceptions variées qui en font, d'une part, le déverbal de *to set* «poser, placer» (→ offset), issu de l'anglo-saxon et moyen anglais *settan*, d'une base germanique °*satjan-* et, au-delà, de la même base que le latin *sedere* (→ seoir), et, d'autre part, un emprunt à l'ancien français *sette*, du latin *secta* «secte*» ou une variante de l'anglais *sect*, de même origine. De cette source latine viennent en anglais les sens de «groupe de personnes» (XIVe s.) puis de «collection, ensemble de choses» (XVIe s.); *set* est attesté au jeu de paume dès 1578, jeu nommé *tennis** en anglais (1928, *set ball* «balle de set»), et comme terme de cinéma en 1918.

♦ Le mot passe en français avec le sens, aujourd'hui disparu, sauf dans l'emprunt récent *jet-set*, de «cercle, milieu mondain» (1833; attesté chez P. Bourget [av. 1895]), puis comme terme de tennis, désignant (1893) une série de jeux *(gagner un set par 6 à 4)*. ◇ Au XXe s., il passe dans le vocabulaire du cinéma (1922), où il est assez rapidement remplacé par *plateau**. ◇ En revanche, *set* ou *set de table*, désignant (1933) une série de napperons assortis faisant office de nappe et couramment chacun des napperons, est resté en usage.

SETIER n. m. est issu (1267; v. 1170, *sestier*) du latin *sextarius* «sixième partie, un sixième» et spécialement «sixième partie du conge (mesure de capacité)»; il dérive de *sextus* «sixième», lui-même de *sex* (→ six).

♦ *Setier* a désigné du XIe au XVIIIe s. une mesure de capacité pour les grains, variant entre 150 et 300 litres et, de là (1335, *stier*; XVIe s., *setier*), une étendue de terre ensemencée fournissant un setier de blé. ◇ Un setier était aussi une mesure pour les liquides (fin XIe s., *sestier*), correspondant à huit pintes, surtout employée pour le vin (v. 1175, *sextier*), notamment dans **DEMI-SETIER** n. m. «un quart de litre» (1530, *demy-sestier*). Tous ces emplois ont disparu avec l'instauration du système métrique (1795) et l'Académie donne le mot comme «terme d'histoire» en 1835.

SEUIL n. m. représente la réfection (v. 1352), d'après des mots en *-euil*, de *suil* (v. 1160), *sueil*, *suel* (v. 1175) ou *soil* (v. 1210); les formes *seule* et *suil* sont encore relevées en 1611 et *sueil* s'emploie toujours au XVIe siècle. Le mot est issu par évolution phonétique du latin classique *solea* n. f. «sandale» (semelle placée sous la plante du pied), «entraves de bois», «garniture du sabot (d'un cheval)» et aussi «sole (poisson)» (→ ② sole); ce mot, qui en bas latin désigne le plancher, dérive de *solum* au sens de «base, fondement» en général, «fond», «plante des pieds», «surface de la terre» (→ sol) et «pays, contrée». *Solum* repose sur une racine indoeuropéenne indiquant un établissement humain, représentée par exemple par le russe *s'eló* «village» et le longobard *sala* «maison, construction».

♦ Depuis le XIIe s., le mot désigne en français l'entrée d'une maison, la partie du sol qui entoure la porte (v. 1160) et la dalle qui forme la partie inférieure de la baie d'une porte (v. 1175), d'où ***passer le seuil, rester sur le seuil*** (attestés 1893). ◇ Il s'est employé (v. 1210) pour «châssis (d'une fenêtre)». ◇ En technique, il se dit par extension de la pièce qui forme la partie inférieure d'une ouverture, d'une écluse (1392, *suez*), d'un pont-levis (1506) et aussi d'un linteau de porte (1549; → ① sole). ◇ Par métaphore, *seuil* signifie «début de qqch., limite marquant le passage à un autre état» (1552, Rabelais). Le mot est repris par analogie dans le vocabulaire technique et scientifique au XIXe s., désignant en physiologie (1865, *seuil de la connaissance*) le niveau d'intensité minimal d'un stimulus, au-dessous duquel une excitation n'est plus perçue. Dans plusieurs domaines (physique, biologie), *seuil* signifie (1924) «limite (inférieure)». ◇ À cause de l'exhaussement de la plupart des seuils, le mot s'emploie pour «élévation», à propos d'un fond marin (1907), glaciaire, etc.

SEUL, SEULE adj. et n., d'abord *sols* (v. 980) au cas sujet, puis *sol* (v. 1050) au cas régime et *seul* (v. 1175), est issu du latin *solus* «seul, unique», «isolé, délaissé», «solitaire», et «où il n'y a personne (d'un lieu)», mot d'origine inconnue.

♦ L'adjectif signifie d'abord (v. 980) «à l'exclusion de toute autre personne ou chose», «sans aide», d'où son emploi en ancien français comme constituant de la négation (1165-1170, *ne... sol*) et pour désigner (v. 1050) une personne qui est sans compagnie, séparée des autres, souvent renforcé dans ***tout seul*** (1080), au XVIIe s. aussi dans ***fin seul*** (1636), sorti d'usage. La locution ***seul à seul*** «en tête à tête» (1170, *sol a sol*) était considérée traditionnellement comme invariable; depuis le XVIIIe s., les auteurs accordent souvent chaque adjectif. ◇ Renforçant *un* avec une idée de restriction (v. 1050), par exemple dans ***une seule fois***, l'adjectif qualifie (1080) ce qui est unique, seul de son espèce, aujourd'hui construit avant le nom, mais parfois après jusqu'au XVIIe siècle. ◇ En ancien français, *seul* s'employait dans la locution verbale *estre seus de* «manquer de» (XIIe s.). L'adjectif a aussi qualifié un lieu vide (v. 1190), sens repris au latin. ◆ ***Un seul, une seule,*** apparus au XVIe s. (av. 1563), et ***pas un seul*** (1546) restent vivants. *N'avoir pas pour un seul...* suivi d'un nom (apr. 1650), pour «avoir plus d'un...», est sorti d'usage. ◇ *Seul* «sans considération du reste» (1580) marque que l'idée verbale ne s'applique qu'au mot auquel *seul* se rapporte; à l'époque classique on a aussi employé *lui seul* (av. 1678) avec cette valeur, qui correspond à celle de l'adverbe *seulement*. Dans la langue classique, l'adjectif s'applique par extension à une personne qui n'a pas ou qui a peu de relations avec les autres (1661), spécialement qui n'a pas les amitiés, les appuis habituels, d'où *(être) seul dans le monde* (1680), devenu ***seul au monde, seul sur la terre*** (av. 1776). *Tout seul*, locution ancienne (ci-dessus), entre au XVIIe s. dans la locution ***cela va tout seul*** (1679) «les choses se passent sans difficulté». ◇ Avec l'idée de «sans aide», il entre dans la locution ***gagner tout seul*** «sans avoir à lutter» (1880, en hippisme). ◇ En musique, *voix seule* (1835) concurrence *solo**.

▸ Le seul dérivé usuel de *seul* est **SEULEMENT** adv., «en excluant ce qui est mentionné, sans rien d'autre» (v. 1121). L'emploi pour «en étant seul», dans *être, laisser qqn quelque part seulement* «seul» (v. 1130), a disparu. ◇ ***Tant seulement,*** tour où l'adverbe est renforcé (v. 1175), se rencontre encore comme archaïsme en français moderne (Huysmans, 1887). L'adverbe modifiant un terme temporel (1546) signifie alors «pas avant (tel moment)»; il s'est employé pour encourager ou rassurer qqn à propos d'une action faite, d'une invitation à accepter (1560, *venez seulement*), aujourd'hui très vivant régionalement (Belgique, Suisse). ◇ Il est encore employé dans une phrase négative ou interrogative (1580, *ne... seulement pas* «ne... pas même»), mais le tour est maintenant considéré comme familier. En tête de proposition (déb. XVIe s.), *seulement* sert à introduire une restriction, soulignant l'existence d'une seule chose à ajouter. ***Si seulement*** (1561) signifie «si au moins». ➜ Le diminutif **SEULET, ETTE** adj. (v. 1228), réfection de *solet* (1165-1170) «tout seul», surtout usité au féminin, est archaïque. Il évoque la poésie ancienne (notamment un poème célèbre de Louise Labbé). ➜ **SEULABRE** adj. (1926), argotique, signifiait «seul» et a vieilli.

Le composé **ESSEULÉ, ÉE** adj. (v. 1225), «qui est seul, sans compagnie» (1553, *vie esseulée* «solitaire»), est donné comme familier en 1694 et peu usité en 1787. Il a été repris au XIXe s. et semble aujourd'hui assez littéraire. ➜ Son dérivé **ESSEULER** v. est rare (XIIIe s., pron. ; fin XVe s., tr.).

REM. *Isolé* et sa famille, apparentés à la famille de *île**, sont rattachés à *seul* par étymologie populaire.

◈ voir **DÉSOLER, SOLILOQUE, SOLIPSISME, SOLITAIRE, SOLO.**

SÈVE n. f. représente l'aboutissement (XIIIe s.) du latin classique *sapa*, attesté au sens de «vin cuit (jusqu'à réduction des deux tiers)» mais qui a sans doute signifié à l'origine «suc, sève», seule acception passée dans les langues romanes (italien *sapa*, ancien provençal *saba* [XIIe s.]). Le mot pourrait être apparenté au latin classique *sapor*, dérivé de *sapere* (→ savoir), «goût, saveur» et «odeur», employé à l'époque impériale au sens de «jus». L'ancien haut allemand *saf*, le vieil islandais *safi*, le vieil anglais *saep* correspondent au latin *sapa*.

♦ *Sève* désigne le liquide nutritif qui, montant des racines, circule dans les plantes. On relève ensuite (1549) *[arbre] en sa sève* «après la montée de la sève du printemps», puis *en sève* (1636) et *dans sa sève* (1690), aujourd'hui *en pleine sève*. Le mot s'est employé par analogie pour «jus de pommes» (v. 1260-1270) et «jus de viande» (XIVe s., apr. 1370). ◇ Au XVIe s. apparaît le sens technique, toujours en usage, de «qualité d'un vin qui a de l'arôme et du bouquet» (1538). O. de Serres (1600) emploie *sabe* avec la valeur étymologique de «vin doux cuit utilisé comme condiment» et *sape de coing* «jus de coing cuit»; ces formes sont empruntées aux parlers méridionaux. ➜ *Sève* se dit aussi par figure pour «vigueur» (1413), «principe vital» (1697, Bossuet) et pour «verve», en parlant des ouvrages de l'esprit (1835).

▸ **SÉVEUX, EUSE** adj. (XVIe s.), «qui a rapport à la sève», est rare.

SÉVÈRE adj., réfection (XVIe s.) de la forme *sever* (v. 1190), rare en ancien français, est emprunté au latin *severus* «grave, sérieux, austère» et «dur, rigoureux», employé en parlant de choses et de personnes (le mot a aussi servi de nom propre). *Severus*, dont la valeur initiale a peut-être été «inflexible», est d'origine inconnue.

♦ Le mot s'emploie d'abord (fin XIIe s.) pour qualifier une personne prompte à punir ou à blâmer, avec l'idée de justice rigoureuse *(juge sévère)*. Il s'applique (1499) à une loi, un châtiment, une morale (1674), une critique rigides, sans indulgence; avec cette valeur, en parlant de choses ou de personnes, l'adjectif a été substantivé à l'époque classique (*le sévère* [cf. *sévérité*] et *un sévère*). *Sévère* se dit ensuite par extension (1636) d'un comportement, d'une attitude dénotant l'absence d'indulgence, dans *être sévère à qqn* «rigoureux à l'égard de», puis *être sévère pour qqn* (1771). ◇ À l'époque classique, une *femme sévère* (1659) était celle qui ne permettait pas qu'on lui fasse la cour; avec cette valeur forte équivalant à *cruel*, l'adjectif était usité en parlant du destin, du sort (1672), encore au XIXe siècle. ◇ *Sévère* s'appliquait aussi à ce qui exige une vigilance sans relâche (1680) ou demande une exactitude rigoureuse (fin XVIIe s.). ◇ L'adjectif passe au XVIIIe s. dans le domaine esthétique, qualifiant (1765) le goût pour ce qui est simple et dépouillé; il garde aujourd'hui cette valeur d'«absence d'ornement ou de charme» en parlant d'un visage, d'une physionomie (1788), d'un style, d'un dessin (1798), d'une façon de s'habiller (1833, *tenue sévère*), etc. ◇ Avec le sens de «rigoureux, dur», l'adjectif s'est employé en parlant du froid (1810); cet emploi reprend celui de *severe tempeste* «terrible, redoutable» (XVIe s.); par la suite, *sévère* qualifie un climat (1871), peut-être déjà par emprunt à un sens de l'anglais *severe*. ◇ La locution familière ***en voilà une sévère*** «un fait surprenant et révoltant» est relevée en 1830 et *une sévère* n. f. «un événement inattendu» (1840) est sorti d'usage. ◇ La valeur de «très grave, pénible», apparue dans le contexte médical (1880), puis militaire (1914), notamment dans *(subir des) pertes sévères, sévère défaite*, est clairement empruntée à l'anglais *severe*, lui-même emprunté au français, même si elle continue des emplois antérieurs; elle s'est répandue par les communiqués diffusés pendant la guerre de 1914-1918, l'anglais *severe loss* [pertes] étant attesté depuis 1838. Cet emploi, critiqué comme anglicisme abusif, est néanmoins courant.

▸ Le dérivé **SÉVÈREMENT** adv. (1539) suit les principaux emplois de l'adjectif. ➜ **SÉVÉRITÉ** n. f., réfection (XVIe s.) de *severiteit* (v. 1190), est emprunté au dérivé latin *severitas* «austérité, gravité, sérieux», «rigueur, dureté» et «sévérité (dans le style, les jugements littéraires)». ➜ Le sémantisme du nom est parallèle à celui de l'adjectif. Il est d'abord attesté pour «rigidité, rigueur (de Dieu)». ◇ Repris au XVIe s., le mot s'applique à l'absence d'indulgence (1530), puis au rigorisme moral (1665) et au dépouillement, à la simplicité (1690). ◇ Le sens de «gravité, caractère dangereux» (1812), déjà ancien dans l'usage médical, est critiqué.

◈ voir **PERSÉVÉRER.**

SÉVIR v. intr. est emprunté (fin XIVe s.) au latin *saevire* «être en fureur, en rage», en parlant des animaux et de l'homme, d'où «user de rigueur»; le verbe s'emploie également en parlant des éléments naturels. Il dérive de l'adjectif *saevus* «furieux, cruel, impitoyable», qui semble avoir d'abord qualifié des animaux et dont le sens initial a peut-être été «à l'aspect (au visage) effroyable».

♦ *Sévir* reprend en français les valeurs du latin, signifiant d'abord «être tourmenté, en colère», sens sorti d'usage. Il se dit aussi (fin XVIe s.) pour «exercer une répression avec rigueur». À la même époque, il s'est employé pour «maltraiter, user de violence», en parlant d'un supérieur à l'égard d'un inférieur, sens qui disparaît au XIXe siècle. ◇ *Sévir*, souvent employé absolument (1748), s'applique par extension (1845) à un fléau qui exerce des ravages. Il se dit par plaisanterie (1900) d'une personne qui exerce une activité considérée comme pénible, inutile pour autrui.

▶ **SÉVICE** n. m., réfection (1499) de *cevise* (1273) d'après *sévir*, a été aussi employé comme féminin (depuis 1539) à l'époque classique; le mot est emprunté au latin *saevitia* «fureur, violence, cruauté», dérivé de *saevus*. ◇ *Sévice* désigne, en droit et couramment, de mauvais traitements corporels exercés sur une personne que l'on a sous son autorité, sa garde. Il s'emploie surtout au pluriel. Au figuré (XIXe s.), il est littéraire.

SEVRER v. tr. est issu (1080) du latin populaire °*seperare*, altération du latin classique *separare* (→ séparer).

♦ Le verbe a eu d'abord la valeur générale de «séparer», spécialement «trancher (une partie du corps humain)». *Se sevrer* s'est dit pour «se séparer», «s'éloigner» (1165-1170), sens qu'a aussi le verbe employé intransitivement (XIIIe s.), d'où *sevrer d'Église* «excommunier». On relève encore au XIVe s. *sevrer de (un lieu)* «s'en aller de» (apr. 1360). ◇ Le verbe prend la valeur de «priver (qqn de qqch.)» au XIIIe s., valeur qui va se spécialiser (ci-dessous). Au XVIIe s., le verbe a signifié (1636) «partager (une terre)» et «séparer (des combattants)» avec la valeur latine de «séparer». ➛ C'est une spécialisation du sens de «priver» qui va orienter l'emploi dominant du mot à partir du XIVe s., *sevrer de la mamele* «séparer un enfant de la mère qui l'allaite» puis *sevrer (un enfant)* [v. 1330], aussi *sevrer du let* [lait] (v. 1380), aboutissant à «faire cesser l'alimentation par le lait maternel». Au figuré, c'est l'idée de «privation de nourriture» qui s'impose, d'où l'emploi en arboriculture (1660) au sens de «séparer (une marcotte) quand elle a pris racine». Le verbe est repris par analogie au XXe s. dans le domaine médical (v. 1975) pour «supprimer l'accoutumance à l'alcool, la drogue... chez (qqn)».

▶ Le dérivé **SEVRAGE** n. m. (1741), «action de sevrer un nourrisson», a remplacé *sevrement* n. m., d'abord «séparation» (v. 1120, *seivrement*), puis «action de sevrer» au sens moderne (v. 1380, *sevrement du let*). ◇ *Sevrage* s'emploie aussi en arboriculture (1812) et en toxicologie (v. 1960; 1935 «privation de qqch.»).

SEX-, SEXA- sont des éléments tirés du latin *sex* «six», que l'on retrouve en composition dans *sexagenarius, sextilis*. → SIX.

SEXE n. m. est une réfection (v. 1265), d'après le latin, de *ses* (fin XIIe s.), forme évoluée, les deux étant empruntées au latin *sexus*, aussi employé en parlant des plantes. Ce mot d'origine discutée a été rapproché de *secare* «couper, diviser» (→ scier, section), le *sexus* étant le partage d'une espèce en mâles et en femelles. Le doublet *secus* est toujours accompagné des adjectifs *virile, muliebre* («sexe masculin, féminin»).

♦ *Sexe*, qui semble rare avant le XVIe s., désigne abstraitement (v. 1180) l'ensemble des caractères qui distinguent l'homme de la femme. Les dictionnaires modernes relèvent souvent le sens d'«organe sexuel (d'un être humain)» à une date très ancienne (v. 1190); mais cette valeur, que l'on trouve isolément au début du XIVe s. à propos d'un oiseau, n'est plus attestée dans les dictionnaires avant le XXe s.; la date ancienne correspond probablement à une confusion sémantique. Ce sens est clair en 1880, (Zola, *Nana*). ◇ Avec une valeur plus générale, le mot se dit (1380, *sexes*) de l'ensemble des caractères et fonctions qui distinguent le mâle de la femelle et, par analogie, s'emploie à propos des plantes (1562). Par métonymie (fin XIVe s.), *sexe* a signifié «espèce, génération», sens sorti d'usage, et par extension l'ensemble des hommes et des femmes. L'opposition fondée sur leurs caractères supposés a fourni plusieurs expressions : *souverain sexe* «les femmes» (1440-1475) a disparu, et ***beau sexe*** (1640) est archaïque mais bien connu, parfois employé ironiquement; *sexe volage* ne se dit plus; ***sexe faible*** (v. 1640) et ***sexe fort*** (1842) se disent encore, le second souvent ironiquement et remplaçant *sexe viril*, archaïque. *Le sexe* pour «les femmes» (1580) est complètement sorti d'usage. ◇ Par extension, le mot s'emploie (XVIIIe s.) en parlant du fait d'appartenir à la classe des hommes ou des femmes, mais son usage est limité à certains contextes à cause du sens moderne de «parties sexuelles», usuel depuis la fin du XIXe siècle. ◇ *Le sexe* équivaut aussi aujourd'hui (1889, P. Bourget) à «l'ensemble des questions sexuelles» (*sexualité*, ci-dessous), probablement d'après l'anglais *sex* qui avait pris cette valeur plus tôt. ◇ La locution ***le troisième sexe*** «les homosexuels» est relevée en 1847 chez Balzac; ***le deuxième sexe*** «les femmes» a été répandu par l'ouvrage de S. de Beauvoir portant ce titre (1948, dans la revue *Les Temps modernes*). ◇ En biologie, le concept se précise scientifiquement aux XIXe s. et XXe siècles, les syntagmes spécialisés de la génétique n'étant attestés qu'au milieu du XXe s. *(sexe chromosomique, gonadique...)*

▶ Les dérivés et composés de *sexe* n'apparaissent qu'au XXe siècle. ➛ **SEXOLOGIE** n. f., didactique (1933), de *-logie*, signifie «étude des phénomènes sexuels» et a fourni **SEXOLOGUE** n. (1946) et **SEXOLOGIQUE** adj. (1933). ➛ **SEXISME** n. m. a désigné (1948) ce qui se rattache à la dyade des types vivants. ◇ Le mot a été repris (1960), comme **SEXISTE** n. et adj. (1970), à l'anglo-américain *sexist* (1965) et *sexism* (1968) pour parler d'une attitude de discrimination à l'égard des femmes; les deux mots sont courants. ➛ On relève également les termes didactiques **SEXONOMIE** n. f. (1911), de *-nomie*, **SEXOPHOBE** adj. et n. (mil. XXe s.), **SEXOTHÉRAPIE** n. f. et **SEXOTHÉRAPEUTE** n. (v. 1970). ➛ **CACHE-SEXE** n. m. est attesté à la fin du XIXe siècle. ➛ **UNISEXE** adj. (v. 1960) qualifie un vêtement conçu pour les deux sexes.

SEXUEL, ELLE adj. est un emprunt assez tardif (1742) au bas latin *sexualis* «du sexe féminin», dérivé de *sexus*. ◇ Le mot s'applique d'abord en biologie à ce qui se rapporte au sexe, puis s'emploie (1890), pour *sexué* (ci-dessous), emploi qui a disparu. L'adjectif qualifie couramment ce qui concerne les différences et les comportements liés au sexe (1798) et ce qui se rapporte à la sexualité (1835). Le mot est à la mode avec des expressions comme *bombe sexuelle* (d'une femme), *symbole sexuel* (voir ci-dessous *sex symbol*), etc. ◇ *Sexuel* est repris (XXe s.) avec une valeur élargie en psychanalyse pour parler de ce qui est relatif aux pulsions, à l'activité de la libido. ◇ Le mot entre dans de nombreux composés préfixés (voir ci-dessous). ➜ Les composés formés à partir de *sexuel* et de ses dérivés appartiennent le plus souvent à la biologie et à la psychophysiologie ; le mouvement de formation est surtout important à la fin du XIXe siècle. La disparition relative de certains tabous sexuels et la vulgarisation de la psychanalyse, dans les années 1970, expliquent que plusieurs dérivés sont passés dans l'usage courant. ➜ **SEXUALISME** n. m. (1775) correspond d'abord à «état d'un être pourvu d'un sexe». Il désigne (1892) la sexualité considérée comme un principe, comme **SEXUALISTE** n. et adj. (1923; autre sens en 1905). ◇ **PANSEXUALISME** n. m. (1921), de *pan-*, didactique comme les deux précédents, signifie «interprétation par la sexualité», souvent employé en parlant des théories de Freud. ➜ **SEXUALITÉ** n. f. désigne (1838) en biologie le caractère de ce qui est sexué et l'ensemble des caractères propres à chaque sexe. ◇ Le mot a pris le sens courant de «vie sexuelle» (1884) et, en psychanalyse (1924), s'emploie au sens étendu de *sexuel*. ◇ Il a produit des composés didactiques souvent en relation avec les mots préfixés à partir de *sexuel* (voir plus loin) : **UNISEXUALITÉ** n. f. (1894), d'après *unisexué*, **INTERSEXUALITÉ** n. f. (1931) et **ASEXUALITÉ** n. f. (1970), formé sur *asexué*, qui remplace **ASEXUALISME** n. m. (1920). ➜ **SEXUELLEMENT** adv., terme de biologie (1896), s'emploie aussi couramment (XXe s.). ➜ **SEXUALISER** v. tr., terme didactique (1917) signifiant «donner des caractères sexuels à (un organisme)», a pris le sens relativement courant de «donner un caractère sexuel à (qqch.)» ; ce verbe a fourni **SEXUALISATION** n. f., relevé (1914) dans un texte technique sur la psychanalyse et répandu un peu plus tard (attesté 1932). ◇ Le composé **DÉSEXUALISER** v. tr. (1921) reste didactique, comme son dérivé **DÉSEXUALISATION** n. f. (1926). ◇ **DÉSEXUALISÉ, ÉE** adj. s'était déjà employé (v. 1780) au sens de «qui a changé de sexe».

SEXAGE n. m. «détermination du sexe (d'un animal, et spécialt d'un oiseau d'élevage)» (1962) et **SEXEUR** n. m. (1979) semblent antérieurs au verbe **SEXER** «déterminer le sexe de». La plupart des composés préfixés de *sexuel* ont produit des dérivés suffixés sur le modèle de *sexualité*. ➜ **UNISEXUEL, ELLE** adj. s'est employé pour «unisexué» (1794) et aussi pour «homosexuel» (1894). ➜ **BISEXUEL, ELLE** adj. (1826) a fourni **BISEXUALITÉ** n. f. (1894). ➜ **ASEXUEL, ELLE** adj. (1836), disparu au sens d'«asexué», est un terme de biologie. ➜ **HOMOSEXUEL, ELLE** n. et adj., peut-être formé d'après l'anglais *homosexual* (1869) ou l'allemand *homosexuell*, désigne (1891) une personne qui éprouve une appétence sexuelle plus ou moins exclusive pour les individus de son propre sexe. Le mot, aussi adjectif (1894), abrégé familièrement en ② **HOMO** n. et adj. pour «homosexuel masculin», est aujourd'hui plus souvent employé en parlant d'un homme. *Homosexuel* et *homosexuelle* (ce dernier à la différence de *lesbienne**) ont partiellement perdu leurs connotations péjoratives ; cette évolution tient à l'atténuation des interdits sur les relations sexuelles et au développement, après 1970, des mouvements homosexuels, masculins et féminins. Le vocabulaire familier, pour les emplois péjoratifs, dispose de termes surtout relatifs à l'homosexualité passive de l'homme (par ex. *enculé, folle, pédale, tante,* etc.), plus nombreux que pour l'homosexualité féminine *(gougnotte, gouine, gousse)*. Les homosexuels utilisent *gay* adj. et n. m. (→ gai), mot de l'argot anglo-américain. ➜ **HÉTÉROSEXUEL, ELLE** adj. (1894) et n. (1895), abrégé aujourd'hui en **HÉTÉRO** adj. et n. (av. 1964), s'est répandu après la diffusion d'*homosexuel*. ◇ Son dérivé **HÉTÉROSEXUALITÉ** n. f. (1894) reste didactique. ➜ **PSYCHOSEXUEL, ELLE** adj. (1895), «relatif à la sexualité en psychologie», **INTERSEXUEL, ELLE** adj. (1910), d'après l'anglais *intersexual* (1897), et **MONOSEXUEL, ELLE** adj. (v. 1950), qui a fourni **MONOSEXUALITÉ** n. f. (v. 1950), sont des termes didactiques. ➜ **TRANSSEXUEL, ELLE** adj. (attesté v. 1965) est formé d'après l'anglais *transsexual* et s'applique à une personne qui passe d'un sexe à l'autre ; ce mot d'abord didactique a été répandu par les médias sans pour autant devenir courant. ◇ Il a fourni **TRANSSEXUALITÉ** n. f. (v. 1960) qui désigne la situation d'une personne qui passe d'un sexe à l'autre, par modification de la sexualité somatique. ◇ **TRANSSEXUALISME** n. m. (1956), d'après l'anglais, désigne le sentiment délirant d'appartenir au sexe opposé.

SEXUÉ, ÉE adj., formé savamment (1873) sur le radical de *sexus*, est un terme de biologie ; l'adjectif a fourni plusieurs composés didactiques : **BISEXUÉ, ÉE** adj. (1845) a remplacé *bisexe* (1814) ; **UNISEXUÉ, ÉE** adj. s'emploie en botanique (1864) et en biologie (1890). ◇ **ASEXUÉ, ÉE** adj. (1866) s'est substitué à *asexe* (XVIIIe s.) et, devenu assez usuel, est aussi employé au figuré. ◇ **INSEXUÉ, ÉE** adj. (1886), rare en biologie, a vieilli au sens de «qui manque de sexualité» (1896) ; on a dit aussi *insexé, ée* (1805).

Plusieurs mots de la même famille ont été empruntés à l'anglais. ➜ **SEX APPEAL** n. m. (1929, *sexe appeal*), d'abord francisé en *appel du sexe* (1927), est emprunté à un composé anglais où *appeal* (→ appel) correspond à «attrait». ◇ Il désigne l'attrait, le charme d'une personne, en général une femme, qui excite le désir. Le mot a légèrement vieilli. ➜ **SEXY** adj. inv. reprend un mot anglo-américain, dérivé de *sex*, lui-même emprunt au français. Le mot est vieilli appliqué (1925) à une œuvre licencieuse ; il qualifie (1954) une personne, une chose qui excite le désir sexuel. ➜ **SEX-SHOP** n. m. désigne (v. 1970) une boutique spécialisée dans la vente d'objets, d'écrits, de films pornographiques.

Le mot, composé de *sex* et de *shop* «boutique», lui-même emprunté (XIIIe s.) au français *eschope* (→ ① échoppe), provient des pays scandinaves. ➡ **SEX-SYMBOL** n. m., emprunt à l'anglo-américain, désigne (1976) une vedette féminine remarquable par la symbolique sexuelle qu'elle induit.

SEXTANT n. m. est un emprunt savant (1553) au latin *sextans, -antis* «sixième partie d'une unité», dérivé de *sex* (→ six).

♦ Au XVIe s., le mot reprend la valeur du latin, désignant une mesure de longueur valant six pouces (1553) et un poids de deux onces (1556; aussi *sextans*, au XVIIIe s.). ◇ Parallèlement à ces emplois aujourd'hui disparus, le latin scientifique *sextans*, choisi par l'astronome danois Tycho Brahé (en 1598), fait l'objet d'un nouvel emprunt en français au XVIIe s. (1639, Mersenne) en astronomie et en marine. Il désigne un instrument composé d'un secteur circulaire (un sixième de cercle) articulé, qui permet de faire le point en mesurant l'angle d'un astre au-dessus de l'horizon. *Sextant* désigne ensuite (1721) un arc de soixante degrés.

▸ Le composé **RADIO-SEXTANT** n. m. (av. 1970), de *radio*, désigne un instrument de radio-navigation.

SEXTINE, SEXTUPLE → SIX

SEYANT, ANTE → SEOIR

SFUMATO n. m. est un emprunt (1758 Cochin, *in* Brunot) à l'italien, part. passé de *sfumare* «enfumer», préfixé de *fumare* (→ fumer).

♦ Le mot désigne en peinture l'effet produit par des contours estompés (sens qui apparaît en italien chez Vasari, et notamment à propos de Léonard de Vinci).

SHAKE-HAND n. m., relevé isolément (v. 1790) dans les *Mémoires* de Casanova, à nouveau chez Musset (v. 1840), représente la substantivation de la locution anglaise *to shake hands (with)* «serrer la main (à)» (1535), composée de *to shake* (→ shaker) «secouer» et «trembler» (d'un germanique °*shakan-*) et de *hand* «main», d'une forme germanique °*handuz*, de racine inconnue. La locution anglaise a donné par la suite les formes substantivées *shake-hands* (1811), peu usitée, et *handshake* (1873).

♦ Le mot ne s'utilise que dans un contexte anglo-saxon ou par plaisanterie au sens de «poignée de main». Il s'employait surtout à propos des manières anglaises ou américaines, dans des expressions conventionnelles (*un vigoureux shake-hand*, par exemple).

SHAKER n. m. reprend (1830) un mot anglais dérivé de *to shake* «secouer» (→ shake-hand), désignant proprement en anglais qqn ou qqch. qui secoue (1440), une personne qui tremble (1648) et spécialt le membre d'une secte (cf. *quaker*). ◇ À partir du XIXe s., c'est le nom donné à divers appareils servant à secouer qqch., d'abord aux États-Unis où *cocktail shaker* (1868) puis *shaker* (1889) désigne le récipient utilisé pour préparer des cocktails ou des boissons glacées.

♦ Le mot a désigné un membre de la secte des «trembleurs». ◇ Il a été repris (1895) à propos du récipient contenant les liquides mélangés et secoués pour faire un cocktail.

SHAMPOOING n. m. est un emprunt, relevé par Littré (1877), à un mot anglais signifiant proprement «action de masser» (1762), substantif verbal de *to shampoo* «masser» (1762) puis «faire un shampooing» (1860); par ailleurs, le déverbal *shampoo*, d'abord synonyme de *shampooing*, a seul conservé le sens de «produit utilisé pour le lavage de la chevelure», mais n'a pas été emprunté en français. Le verbe anglais *to shampoo* a été emprunté au hindi *chāmpnā* «masser, presser», sous la forme *chāmpū*.

♦ *Shampooing* désigne le lavage des cheveux au moyen d'une lotion et, par métonymie, le produit utilisé pour ce lavage. Par analogie, le mot s'emploie à propos des moquettes (voir *shampouineuse* ci-dessous).

▸ Sur le modèle de *to shampoo* a été dérivé **SHAMPOOINER** ou **SHAMPOUINER** v. tr., «faire un shampooing à» (1960; *shampouiné*, 1954); d'abord *shampooingner* (1894). On écrit aussi *champouiner*. Ce verbe a fourni **SHAMPOUINEUR, EUSE** n. (1955, *-pooingneur*) «personne qui s'occupe de faire les shampooings dans les salons de coiffure». ◇ **SHAMPOUINEUSE** n. f. (1964) désigne aussi un appareil servant à appliquer une mousse nettoyante sur les sols et les moquettes.

SHANTUNG n. m. est un emprunt (1907) au nom d'une province de Chine.

▸ Le mot, parfois écrit *chantoung*, désigne un tissu de soie.

SHÉRIFF n. m. est attesté une première fois (1547) sous la forme *cherray* dans la *Correspondance politique* d'O. de Selve, puis est écrit *chérif* (1601) et *shérif* (1680), variante toujours en usage. Le mot est emprunté à l'anglais *sheriff* (1034), de *shire-reeve* «premier magistrat, officier supérieur *(reeve)* du comté *(shire)*», issu de l'anglo-saxon *scīr-gerēfa*; *scīr* «comté» est issu de l'ancien haut allemand *scira* «charge officielle»; *gerēfa* «officier» représente °*ge-rōfja*, composé de *-rōf* «armée».

♦ *Shériff*, seulement employé en parlant des institutions anglo-saxonnes, désigne d'abord (1547, *cherray*) le magistrat de chaque comté qui, en Grande-Bretagne, est responsable de l'application de la loi. À partir du XIXe s. (1835, Tocqueville), *shériff* désigne l'officier du comté chargé, aux États-Unis, du maintien de l'ordre, de l'exécution des sentences, etc. Le rôle dans les westerns de cet officier, plutôt appelé *marshal* en anglo-américain, a répandu l'usage du mot en français.

SHERPA n. m. est un emprunt, par l'anglais *sherpa* (1847), au nom d'un peuple du Népal, emprunté au tibétain *shar-pa* «peuple de l'Est». Le mot est attesté en français dans *porteur sherpa* en 1933.

♦ *Sherpa*, répandu en français par l'expédition de M. Herzog à l'Annapurna, en 1950, désigne un porteur de haute montagne de l'ethnie Sherpa, dans l'Himalaya. ◇ En politique, il se dit (v. 1970) de la personne qui prépare une conférence «au sommet» pour le compte des hommes d'État.

SHERRY n. m. est un emprunt (1823) à l'anglais *sherry*, transcription de l'espagnol *Jerez* → Xérès.

SHILLING n. m.(1656) est apparu en français sous la forme *chelin* (1558) liée à la prononciation du mot anglais auquel il est emprunté, *shilling* (900). Ce dernier est d'origine discutée, peut-être issu de l'ancien haut allemand *scellan* «tinter», d'une racine germanique °*skel-* «résonner, sonner», ou provient d'une racine °*skil-* «diviser, séparer», appliqué à une monnaie. L'anglais a pour correspondants le néerlandais *schelling*, le danois et le suédois *skilling*. L'ancien français avait emprunté le mot au XIIIe s. sous la forme *eskollin*.

♦ *Le shilling* est l'ancienne unité monétaire anglaise valant 1/20e de la livre (12 pence), supprimée depuis l'adoption du système décimal. On a aussi écrit *schelling* (1762), *schilling* (1765, *Encyclopédie*), *shelling*.

♦ La même racine germanique a produit **SCHILLING** n. m., d'abord unité monétaire d'Allemagne, de Flandre, de Hollande (1680 en français) et aujourd'hui (depuis 1924, attesté 1930) unité monétaire de l'Autriche.

SHIMMY n. m. est un emprunt (1920) à l'anglo-américain *shimmy* (ou *shimmey*), altération du français *chemise**, attesté en ce sens en 1839. Le mot prend une autre valeur avec l'expression : *I'm just shaking my shimmy* «je ne fais que secouer ma chemise», appliqué (1919) à une danse, voisine du fox-trot, qui s'exécutait avec un tremblement des épaules.

♦ *Shimmy* passe en français avec ce sens, cette danse ayant été en vogue dans les années 1920-1930 en France. ◇ Le mot reprend ensuite à l'anglais, par analogie, le sens de «tremblement ou flottement des roues et du train avant (d'une automobile)» (1925).

SHINTO ou **SHINTOÏSME** n. m. apparaît (1765, *Encyclopédie*) sous la forme *sintoïsme* puis *shintoïsme* (1877); *shinto* (1904; après *shintos*, av. 1750) est la transcription d'un mot japonais signifiant proprement «voie des dieux» et repris au chinois *shin tao* (→ taoïsme). Les spécialistes écrivent *shintō*.

♦ Le mot désigne la religion première du Japon, ensemble de croyances animistes et chamanistes, qui honore une multitude de divinités. Il est difficile de marquer une séparation nette entre le shintō, religion nationale (officielle de 1868 à 1945), et le bouddhisme, importé au VIe s. qui a intégré les divinités et rites indigènes. Le shintō, qui n'établit pas de distinction tranchée entre le sacré et le profane, a servi de véhicule aux doctrines nationalistes et à l'exaltation du rôle de l'empereur.

► La forme *shintoïsme* a fourni le dérivé **SHINTOÏSTE** ou **SHINTO** n. et adj. (1887; *sintoïste*, 1842).

SHOAH n. f. est emprunté à l'hébreu *shoah* «anéantissement».

♦ *La Shoah* désigne le génocide perpétré contre les Juifs par le régime nazi, de 1939 à 1945. On écrit parfois (à tort) *shoa*. Syn. : *l'holocauste*.

SHOCKING interj. et adj. inv.,relevé chez Balzac (1842) qui l'emploie comme interjection, est un mot anglais signifiant «bouleversant, scandaleux», dérivé de *to shock* «choquer les convenances» (→ choquer).

♦ *Shocking* n'a pas conservé en français le sens fort du mot anglais et n'est en usage que comme interjection employée par des anglophones, équivalant à «c'est inconvenant!». L'adjectif s'est dit par plaisanterie (1866) pour «choquant», parfois substantivé (1860, Baudelaire).

SHOGOUN n. m. (1875; *djogoun*, 1830; *seogoun*, 1836) emprunte un mot japonais, lu par les deux caractères chinois *chiang* «conduire» et *chung* «armée», et signifiant «chef d'armée héréditaire». ◇ Les dérivés sont **SHOGOUNAL, AUX** adj. (1904 *in* Larousse) et **SHOGOUNAT** n. m. (1912, Élie Faure).

SHOOT n. m. est un emprunt (1897), d'abord avec la graphie correcte *shot* (1893), à l'anglais *shot* «coup, décharge», terme de sports depuis 1868; le mot dérive de *to shoot* «lancer, tirer», issu d'une base germanique °*skeutan-*, comme le danois *skyde*, le suédois *skjuta*, l'allemand *schiessen*.

♦ *Shoot* passe en français dans le vocabulaire du football pour désigner un tir au but ou un dégagement puissant; il tend aujourd'hui à être remplacé par *tir*. ◇ Le sens de «piqûre, injection d'un stupéfiant», est un réemprunt (v. 1960) à un emploi spécialisé de l'anglo-américain *shot* (1929).

► On retrouve ces deux valeurs dans **SHOOTER** v. tr. et intr., dérivé d'après le verbe anglais; il est d'abord terme de sports (1900, intr.), moins courant aujourd'hui que *tirer* (ou *dégager*). ◇ De l'argot de la drogue (v. 1968), surtout au pronominal *se shooter*, il passe à l'emploi familier pour «absorber (qqch. d'agréable)» (1981), par exemple dans *se shooter à la bière, aux chocolats*, etc. ➛ De l'emploi en sports dérive **SHOOTEUR, EUSE** n. (1906), précédé par *shooter* «membre d'une société de tir aux pigeons» (1874) et «chasseur» (1904). ➛ **SHOOTEUSE** n. f. (1972) désigne une seringue hypodermique.

SHOPPING n. m., cité en 1804 comme mot anglais, est emprunté au mil. du XIXe s. (*aller à shopping*, Mérimée 1843) et se répand déb. XXe s. (1913 Larbaud, par ex.). Le mot anglais (1764) est dérivé de *to shop*, de *shop* «boutique» → échoppe.

♦ Cet anglicisme, traduit en français du Canada par *magasinage*, s'emploie dans *faire du shopping*, et dans *shopping center* (1963; mot américain formé en 1951), dont l'équivalent français est *centre commercial*.

SHORT n. m. est emprunté (1910) à l'anglais *shorts* (1826), substantivation de *short* «court», issu, comme le nom anglais de la chemise *shirt* (→ tee-shirt), d'une base germanique °*skert-* «couper», élargissement de °*sker-*, de même sens (cf. ancien haut allemand *scurz*). Le mot anglais est parfois rattaché, par une forme °*ex-curtus*, au latin *curtus* (→ court).

♦ Le français a retenu le singulier *short* et le pluriel *(des shorts)* pour désigner, comme le pluriel anglais, une culotte courte utilisée pour le sport, les vacances. La graphie francisée *chorte*, chez des auteurs comme R. Queneau, M. Aymé, ne s'est pas imposée.

SHOW n. m., employé une première fois par Voltaire (1773), puis en 1848 comme mot anglais cité, est emprunté ensuite (fin XIXe s.) à l'anglais *show* (1300), attesté au sens de «spectacle, parade» en 1561; c'est le déverbal de *to show* «montrer, exposer», en moyen anglais *schewen* et en vieil anglais *sceawian* «voir, apercevoir», puis «faire voir, montrer»; ce verbe se rattache à une racine germanique °*skaw-*, que l'on rapproche du latin *cavere* «veiller à, sur» (→ cautèle, caution) et du grec *koein* «observer».

♦ Employé avec la valeur générale d'«exhibition» à la fin du XIXe s., le mot a suivi l'évolution des formes du spectacle aux XIXe et XXe s. et désigne aujourd'hui (1930) un spectacle de variétés centré sur une seule vedette ou exclusivement réservé à une vedette. ◇ Par analogie, *show* se dit (v. 1971) d'une apparition publique démonstrative, propagandiste.

▸ **ONE MAN SHOW** loc. subst. m. est emprunté (1955) à une expression anglaise composée de la locution adjective *one man* (1882) «d'un seul homme», «à un seul homme». ◇ La locution s'emploie en français avec les deux sens de *show*, en parlant d'une vedette masculine, d'un homme politique. L'équivalent féminin *one woman show* est rare (attesté en 1972). ➜ **SHOW-BUSINESS** n. m. (relevé en 1955) est emprunté à un composé anglo-américain (→ business). ◇ L'abréviation américaine **SHOW-BIZ**, empruntée (1954) est assez courante. L'homonymie avec *chaud* donne lieu à des à-peu-près.

SHRAPNEL ou **SHRAPNELL** n. m., attesté en 1860 (*shrapnel*, 1876, pour *shrapnell*), est emprunté à un mot anglais, substantivation du nom propre *Shrapnell*, général anglais (1761-1842) inventeur d'un obus ainsi dénommé. Le mot était apparu déjà en 1827 en parlant de l'artillerie anglaise. Littré signale que cette arme fut employée pour la première fois en 1795, durant le siège de Dunkerque.

♦ *Shrapnel* désigne un obus rempli de balles, qu'il projette en éclatant.

① **SI** conj. et n. m. inv. est issu (842) du latin *si* «toutes les fois que», «au cas où», qui introduit une phrase conditionnelle, la supposition étant considérée comme réelle (avec indicatif) ou comme irréelle ou éventuelle (avec subjonctif). La conjonction latine est en général placée en tête de phrase et peut être renforcée par un adverbe. La forme ancienne *sei* s'est réduite à *si* et, suivie de *-ce*, à *sic* (→ ② si), d'abord *seic*. Il n'existe pas de conjonctions conditionnelles communes à plusieurs langues indoeuropéennes. Pour Ernout et Meillet, *si* et *sic* étaient à l'origine le même mot, le sens ancien de *si* étant «en ce cas, ainsi» sans valeur subordonnante; mais *si* s'est aussi employé très tôt en latin avec les valeurs qu'il a conservées en français.

♦ La forme *se* (v. 1050), antérieurement *sed* (fin Xe s.), est la plus courante en ancien français; elle perd du terrain à partir du XVIe et est éliminée au XVIIe siècle; elle provient d'un latin populaire °*se* ou °*sed*, altération de *si*, d'après le latin classique *quid*, neutre de *quis*, pronom interrogatif. ➜ Dans une phrase à deux membres en corrélation, *si* hypothétique introduit dès l'origine une hypothèse simple (842), une hypothèse réalisée dans le passé (1080) ou exclue dans le présent (fin XIIe s.), ou bien a une valeur de potentiel, l'hypothèse pouvant être réalisée dans l'avenir (v. 1175). ◇ *Si* s'emploie comme nom masculin pour «hypothèse, supposition», dans *sans si* «sans condition» (XIIIe s.); le substantif est entré dans la locution ***avec un si*** (1718), puis ***avec des si on mettrait Paris dans une (en) bouteille*** (1787). ◇ Présentant une donnée, *si* peut être renforcé : ***même si*** (v. 1150), ***que si*** (fin XVIe s.), courant en français classique et devenu archaïque. ◇ Par ailleurs, *si* peut introduire, depuis le XIIe s., une opposition avec une valeur concessive (v. 1150), équivalente du tour latin *ut... ita...* et appelant souvent dans la proposition suivante un restrictif *(si... néanmoins...)* ou un adversatif *(si... au contraire...)*. Toujours sans valeur hypothétique, la conjonction introduit (1273) une proposition à valeur de complétive *(cela m'est égal si...)*. Elle entre dans des locutions figées comme ***si ce n'est*** (1530), hypothétique ou marquant une restriction (av. 1684, ***si ce n'est que*** «excepté»). ◇ *Ou si...* (fin XVIe s.), construction aujourd'hui littéraire, est employé pour introduire le second terme d'une interrogation directe double. ➜ À partir du XVIIe s., on passe de «étant admis pour vrai que» à «étant donné que» et *si* prend une valeur causale (1667), équivalent de *puisque*. ◇ Le mot est également utilisé (1678) en phrase exclamative, pour exprimer une suggestion, un souhait ou un regret *(Si j'avais su!)*. ◇ ***Si oui*** «si la réponse est affirmative» n'est pas relevé avant le XXe siècle.

▸ Le composé **SINON** conj. est usité avec les éléments disjoints (1080, *se nun;* déb. XIIe s., *si non*) jusqu'à la fin du XVe s. (Commynes). ➜ Le mot introduit une exception ou une restriction hypothétique avec la valeur d'*excepté, sauf.* ◇ La locution conjonctive *senon que* (fin XIVe s.), puis ***sinon que*** (déb. XVe s.), a vieilli. *Sinon que ne... rien* «si ce n'est» (1559) s'est employé à l'époque classique. ◇ *Sinon* introduit également une concession, une restriction en corrélation avec *au moins, du moins* (1580), ou non. ◇ En emploi absolu, la conjonction signifie (fin XVIe s.) «si la condition (la supposition) ne se réalise pas».

② **SI** adv. et n. m. inv. est issu (842) du latin *sic* adv., anciennement *seic* et signifiant «ainsi, de cette façon», «de même (que)», «tellement (que)», «sans plus». L'adverbe latin était répété dans les comparaisons et s'employait avec toute espèce de mots introduisant une comparaison; dans la langue familière, il correspondait parfois, comme *ita,* au «oui» du français (→ ① si).

♦ *Si* apparaît comme adverbe de comparaison (842) *[si... cum],* équivalant à *aussi; si... que* ne subsiste dans une proposition affirmative que dans quelques expressions, comme ***si peu que rien*** (1546), ***si peu que vous voudrez*** (1835). ◇ Le mot ne s'emploie plus pour affirmer une idée en opposition avec la proposition négative qui précède (fin IXe s.), souvent avec *avoir, être, faire* (*si a, si estes, si faz,* 1080; *si ferai,* fin XIIIe s.); *si ferai-je* est noté «bas» en 1694. Voir *ainsi.*
Comme adverbe d'affirmation, *si* s'utilise seul (v. 1490) ou renforcé (av. 1650, *que si*); la locution *que si que non* (1668) est sortie d'usage. *Si* a également en ancien français (fin IXe s.) le sens de *pourtant;* cet emploi était déjà vieux au XVIIe siècle; il a disparu, comme les formes renforcées *si bien* (apr. 1360), *si néanmoins* (1669), *si est-ce que,* etc.
Adverbe d'intensité signifiant «à ce point, à tel degré», *si* s'emploie devant un adjectif ou un adverbe (2e moitié Xe s.), en corrélation avec *que* (v. 1200) pour introduire une consécutive *(elle est si belle que...);* avec cette fonction, ***si bien que*** (1530) est toujours suivi de l'indicatif ou du conditionnel, formant une locution conjonctive qui équivaut à «de sorte que». *Si* (conjonction) «jusqu'à ce que» (v. 1190) et *si très* «tellement» (v. 1200) ne se sont pas maintenus; ***si tellement*** s'emploie encore plaisamment. ***Si...*** (adjectif) ***que,*** suivi du subjonctif (fin XIIe s.), introduit une concession. ➛ L'emploi substantivé *(un si)* correspond à «objection, difficulté» (1371), en particulier dans des locutions comme ***des si et des mais*** (1534), ***les si et les mais de qqn*** (v. 1670), ***les si et les car*** (1671).

◈ voir AINSI, AUSSI, SITÔT.

③ **SI** n. m. inv., attesté au début du XVIIe s., est formé des initiales de *Sancte Johannes* (*I* et *J* étant alors confondus) dans l'hymne de saint Jean-Baptiste, pour désigner la septième note de la gamme d'*ut* et le signe qui la représente (1871).

SIAL-, SIALO-, premier élément savant, est tiré du grec *sialon* «salive, bave», mot populaire de sonorité expressive, et entre dans la composition de termes médicaux.

▸ **SIALAGOGUE** adj. et n. m. (1741), de *-agogue,* correspond à «qui accroît la sécrétion de salive». ➛ **SIALADÉNITE** n. f. (1871), d'*adénite,* désigne l'inflammation des glandes salivaires. ➛ **SIALOGRAPHIE** n. f. (XXe s.), de *-graphie,* signifie «radiographie des canaux salivaires».

SIAMOIS, OISE adj. et n. apparaît comme nom féminin *(siamoise)* en 1686 puis est relevé en 1765, adjectif et nom; le mot est dérivé de *Siam,* nom du pays appelé *Thaïlande* depuis 1939.

♦ Le mot est d'abord employé pour désigner, aux XVIIe et XVIIIe s., une étoffe de soie et de coton, introduite en France par les ambassadeurs du roi de Siam envoyés auprès de Louis XIV. ◇ Il s'applique ensuite (1765) à ce qui est relatif au Siam. ➛ L'emploi spécial dans *frères siamois* (1839), *sœurs siamoises* (1872), pour désigner des jumeaux rattachés l'un à l'autre par deux parties homologues de leurs corps, vient des *frères siamois,* originaires du Siam, présentés en France en 1829. Au figuré, ***frères siamois*** équivaut à «amis inséparables». ◇ *Siamoise* n. f. désigne (1877) un canapé en S sur lequel les occupants se trouvent vis-à-vis. ➛ *Chat siamois* ou *siamois* n. m. (1930) succède à *chat de Siam* (1907) et désigne un chat d'une race importée du Siam à la fin du XIXe siècle.

SIBÉRIEN, IENNE adj. et n., relevé une première fois comme substantif (1610) puis adjectif (1740), dérive du nom propre *Sibérie* (d'étymologie énigmatique), région septentrionale de l'Asie.

♦ Employé comme nom d'un peuple dans sa première attestation, le mot s'applique à ce qui se rapporte à la Sibérie. ◇ Il qualifie notamment (1870, Goncourt) un froid très rigoureux, glacial (cf. *polaire*).

▸ Le composé **TRANSSIBÉRIEN, IENNE** adj. (1889), de *trans-,* s'emploie comme nom masculin pour désigner le chemin de fer reliant la Russie d'Europe au Pacifique et à la Chine.

SIBILANT, ANTE adj. est un emprunt savant (1819) au participe présent *sibilans,* du latin *sibilare* qui a donné *siffler*.*

♦ Terme médical, il qualifie ce qui produit un sifflement, spécialement dans *râle sibilant* qu'on entend dans la bronchite. En phonétique, l'adjectif s'applique aux fricatives caractérisées par une fréquence élevée.

▸ En dérive **SIBILANCE** n. f. (1871), rare. ➛ **SIBILATION** n. f., emprunt (v. 1510) au dérivé bas latin *sibilatio* «sifflement», a désigné l'action de souffler, en parlant du vent (v. 1510), et signifie au figuré (1530) «moquerie, dérision», d'après un sens du verbe latin. ◇ Dans l'usage didactique, il signifie (av. 1672) «action ou manière de siffler», «sifflement».

SIBYLLE n. f. est la réfection savante (mil. XVIe s.), d'après le latin, de *sibile* (1189), *sebile* (v. 1213), empruntés au latin *Sibylla* qui reprend lui-même le grec *Sibulla,* nom d'une prophétesse d'abord située en Asie Mineure puis, en Occident, à Cumes. Plus tard, les Sibylles se sont multipliées; en latin, le mot a désigné plusieurs prophétesses et s'est employé familièrement pour «devineresse». L'origine du mot grec est inconnue.

♦ D'abord employé en français comme terme d'Antiquité (cf. *Pythie*), *Sibylle* s'est dit par extension d'une femme qui lit dans les astres (XIIIe s., *sebile*), puis d'une devineresse (1546, Rabelais, *sibylle*). Au moyen âge, le mot était un prénom féminin usuel. Dans les chansons de geste, *Sebile, la roynne Sebille, la roine Seblie* (1283), *la royne Sibille* (1442) désigne un personnage mythique qui aurait prophétisé la venue du Messie. ◇ À partir du XVe s., *sibylle* s'emploie figurément avec une valeur péjorative, dans *vieille sebille* (1493), *vieille sybille* «vieille femme qui a des prétentions au savoir» et plus tard «vieille femme méchante» (1835). Par ailleurs, le mot, par référence au célibat des prophétesses de l'Antiquité, a désigné à l'époque classique une fille qui vieillit sans se marier (1694).

▶ Le dérivé **SIBYLLIQUE** adj., «qui se rapporte aux sibylles» (v. 1850), est didactique et rare. ➜ **SIBYLLIN, INE** adj., réfection (1564) de *sibillin* (v. 1355), est un emprunt au latin *sibyllinus*, dérivé de *sibylla*, notamment employé en parlant de recueils de livres déposés au Capitole, qui contenaient les prédictions versifiées de la Sibylle. ◇ L'adjectif est didactique comme terme d'Antiquité et usité dans quelques syntagmes (1718, *oracles, livres, vers sibyllins*). Il équivaut à *sibyllique*. Il est plus courant au figuré (1836) pour qualifier ce dont le sens est caché, symbolique comme celui des oracles.

SIC adv. (1771)e s. est le mot latin signifiant «ainsi» et qui a donné l'adv. ② si.

♦ Ajouté à une citation, *sic* sert à souligner l'exactitude textuelle et, du même coup, l'étrangeté ou l'anomalie du contenu. Il est parfois substantivé.

SICAIRE n. m. est emprunté (fin XIIIe s.) au latin *sicarius* «assassin», dérivé de *sica* désignant un poignard pointu à lame recourbée, puis la défense du sanglier. Ce poignard, arme nationale des Thraces, fut considéré à Rome comme l'attribut des brigands et des assassins; de là l'emploi spécial de *sicarius*, qui ne faisait pas référence à une arme spécifique. *Sica*, sans étymologie claire, a peut-être été emprunté à la langue thrace.

♦ *Sicaire* apparaît avec le sens de «tueur à gages»; il est d'emploi historique ou très littéraire aujourd'hui. Il a désigné un terroriste zélote de l'Antiquité hébraïque (1863, Renan).

SICCATIF, IVE adj. et n. m., relevé une première fois comme nom v. 1300, puis 1495 comme adjectif, écrit *seccitif*, repris en 1723 sous la forme actuelle, est emprunté au bas latin médical *siccativus* (aussi *siccatorius*), dérivé de *siccatum*, supin du latin classique *siccare* «rendre sec», «assécher, épuiser, vider complètement», lui-même dérivé de *siccus* (→ sec).

♦ Employé à la fin du XVe s. au sens de «desséchant», l'adjectif, repris au XVIIIe s., qualifie un produit qui active la dessiccation des couleurs en peinture (1723, *vernis siccatif;* 1802, *huile siccative*). ◇ Le mot est substantivé dans ce sens (*un siccatif*, 1812). Au XIXe s., l'adjectif passe dans le vocabulaire médical, qualifiant ce qui favorise la cicatrisation par son action desséchante (1855); il est aussi substantivé dans cette acception (1875).

▶ Deux termes techniques dérivent de *siccatif:* **SICCATIVITÉ** n. f. (1825) et **SICCATIVANT** n. m. (XXe s.).

SICCITÉ n. f. est un emprunt plus ancien (1425) au latin *siccitas*, dérivé de *siccus*. ◇ C'est un équivalent savant de *sécheresse*. ➜ Sur le supin du latin *siccare* a été dérivé savamment **SICCATEUR** n. m. (1923), terme technique d'agriculture désignant un assemblage de perches sur lequel on met le foin à sécher, dans certaines régions.

◈ voir DESSICCATIF.

SICILIEN, IENNE adj. et n. est emprunté (*sycillien*, n., déb. XIVe s.; 1550 adj.) au latin médiéval *Sicilianus*, dérivé du latin classique *Sicilia*, lui-même emprunt au grec *Sikelia* «Sicile», de *Sikeloi*, nom des habitants primitifs de l'île.

♦ Le mot qualifie ce qui se rapporte à la Sicile ou à ses habitants. ◇ Le nom masculin désigne le dialecte du groupe italien parlé en Sicile. ◇ *Le sicilien* se dit en géologie d'un étage du quaternaire marin.

▶ **SICILIENNE** n. f. s'emploie pour désigner une danse sicilienne (1705, Trévoux) et un air à danser, puis une forme dans les suites de danses en vogue au XVIIIe s. (attesté 1829). ◇ C'est par ailleurs le nom donné à une étoffe de soie (1874, Mallarmé).

SIDA n. m., attesté en 1982, est l'acronyme de *Syndrome Immuno-Déficitaire* (ou d'*Immuno-Déficience) Acquis(e)*, d'abord écrit *S. I. D. A.*, puis *SIDA*, *Sida* et enfin *sida*. L'anglais a parallèlement *AIDS*.

♦ Le mot désigne un syndrome, souvent mortel, dû à un virus (rétrovirus) et caractérisé par une chute brutale des défenses immunitaires. Ce terme médical a été largement diffusé par les médias, à cause de la gravité de la maladie, à la fois dans certains pays du Tiers Monde (Afrique notamment) et dans les pays les plus industrialisés. La maladie affecte particulièrement, par transmission sanguine, et par voie sexuelle, les personnes à multiples partenaires sexuels et celles qui sont exposées à des transfusions fréquentes, à des piqûres, etc. ◇ Le mot a des emplois figurés *(sida mental)*.

▶ Plusieurs dérivés sont attestés depuis 1985 : **SIDATIQUE** adj. et n., «du sida, atteint du sida», critiqué, en général remplacé par **SIDÉEN, ENNE** (v. 1988), et **SIDOLOGUE** n., «spécialiste du sida» (1985).

SIDE-CAR ou **SIDECAR** n. m. est un emprunt (1888, puis 1912) à l'anglais *side-car, sidecar* (1904), proprement «véhicule de côté», composé de *side* «côté», mot d'origine germanique, et de *car* «véhicule», emprunt au français dialectal *car*, variante de *char**.

♦ Employé isolément à propos d'un cabriolet irlandais à deux sièges accolés dos à dos (1888), le mot désigne aujourd'hui (depuis 1912) un habitacle caréné à une roue sur le côté d'une motocyclette, pour l'usage d'un passager; par extension (1922), *side-car* se dit de l'ensemble du véhicule, alors que l'anglais emploie dans ce cas *motorcycle and side-car;* aujourd'hui, ce véhicule est presque disparu. ➜ Le sens de «cocktail américain, composé d'un tiers de cointreau, un tiers de jus de citron, un tiers de cognac» (relevé en 1936) vient de l'anglo-américain (1928).

▶ Du premier sens dérive **SIDE-CARISTE** ou **SIDECARISTE** n. (1913) «pilote d'un side-car». ➜ **SIDE** n. m. est l'abréviation de *sidecar*.

SIDÉRAL, ALE, AUX adj. est emprunté (v. 1510, *sidereal;* 1520, *sidéral*) au latin *sideralis* «qui concerne les astres», dérivé de *sidus, -eris;* ce mot a d'abord le sens de «constellation», et s'oppose à *stella* «étoile isolée» (qui a donné le français *étoile**); puis *sidus* s'est dit d'un astre isolé; il s'emploie par figure pour désigner le ciel, la nuit, une saison et notamment l'hiver. Son origine est inconnue.

♦ L'adjectif est didactique et qualifie ce qui a rapport aux astres. Il est employé en particulier dans *année sidérale* (1751, *sydéréale* puis 1762), *révolution sidérale* (1805), *jour sidéral* (1835). ◇ Dans l'usage littéraire, il peut qualifier ce qui vient des astres (fin XVIIIe s.); ou ce qui est constitué par des astres et, plus rarement, ce qui ressemble à un astre, rayonne comme un astre (XVIe s., puis XIXe s., av. 1889, Barbey d'Aurevilly).

▸ Le composé **INTERSIDÉRAL, ALE, AUX** adj. (1880), formé avec *inter-*, didactique, signifie «qui est situé, compris entre les astres».

◈ voir SIDÉRÉ.

SIDÉRÉ, ÉE p. p. adj. est emprunté (1521) au participe passé *sideratus* du latin impérial *siderari* «subir l'action funeste des astres» et aussi «être frappé d'insolation»; le verbe dérive du latin classique *sidus, -eris* «constellation», employé en parlant de l'influence sur la destinée (→ sidéral).

♦ *Sidéré* apparaît en français avec le sens latin d'«influencé par les astres», employé jusqu'au XVIIIe s., puis sorti d'usage. La reprise du mot à la fin du XIXe s., d'abord à la forme verbale **SIDÉRER** v. tr. (1894), provient peut-être de l'emploi médical, lié à *sidération* (ci-dessous). Quoi qu'il en soit, le verbe, dans l'usage familier et au sens de «frapper de stupeur», est surtout employé au passif et au participe passé adjectif, *sidéré, ée* signifiant (1923) «stupéfait, abasourdi».

▸ **SIDÉRANT, ANTE** adj. a d'abord qualifié une planète qui exerce une influence sur la santé ou la vie d'une personne, d'après son horoscope (1858); le mot, en ce sens, est dérivé de *sidéral*, plutôt que du verbe. ◇ C'est en revanche de *sidérer* que procède directement l'adjectif en médecine, alors lié à *sidération* (ci-dessous) et au figuré (1885), où il équivaut à *stupéfiant* et correspond à l'emploi familier de *sidéré*.
SIDÉRATION n. f. est emprunté (1549, *syderation*) au latin impérial *sideratio* «action funeste des astres et notamment du soleil» et «insolation», aussi «position des astres (pour interpréter la destinée)», dérivé de *sideratum*, supin de *siderari*. ◆ Le mot apparaît dans une spécialisation du latin médical pour «nécrose, gangrène» et «maladie des arbres attribuée à l'influence des astres». Il s'emploie ensuite comme terme d'astrologie (1560), pour parler de l'influence subite d'un astre sur la vie ou la santé d'une personne. ◇ En médecine, il désigne depuis le XVIIIe s. (1759) l'anéantissement subit des forces vitales sous l'effet d'un choc émotionnel ou de la foudre. Cet emploi a pu motiver la reprise de *sidéré* et la création de *sidérer* vers la fin du XIXe siècle.

◈ voir CONSIDÉRER, DÉSIRER, SIDÉRAL.

SIDÉRURGIE n. f. est un dérivé savant (1812), sur le modèle de *métallurgie**, du grec *sidêrourgos* «celui qui travaille le fer, serrurier, forgeron», composé de *sidêros* «fer, objet de fer» et de *ergon* «action, ouvrage, travail». L'origine de *sidêros* est inconnue; le fer ne semble pas avoir été connu des premiers Indoeuropéens et il n'existe pas de racine unique pour désigner ce métal. Quant à *ergon*, il se rattache à la racine indoeuropéenne *°werg-* «agir» que l'on trouve, entre autres, dans le grec *energein* «agir» d'où *energeia* (→ énergie) et dans les langues germaniques.

♦ Le mot désigne couramment la métallurgie du fer, de la fonte, de l'acier et des alliages ferreux.

▸ Il a fourni les dérivés **SIDÉRURGIQUE** adj. (1871) «de la sidérurgie», usuel, **SIDÉRURGISTE** n. (1934), nom d'agent avec le même sémantisme que *métallurgiste* (ouvrier, entrepreneur) et le composé **ÉLECTROSIDÉRURGIE** n. f. (1907) de *électro-*, terme technique, dont procède **ÉLECTROSIDÉRURGIQUE** adj. (1911).
Sidérurgie a eu pour équivalent **SIDÉROTECHNIE** n. f. (1839) de *-technie*, formé sur la base **SIDÉRO-** tirée du grec *sidêros*, qui entre par ailleurs dans la composition de quelques termes scientifiques et techniques (botanique, médecine, chimie, astronomie).

SIDI n. m. est d'abord attesté dans une traduction de l'italien (v. 1540), puis dans des écrits concernant le Maroc, une première fois chez Temporal (*Description de l'Afrique*, 1556) puis écrit *Cidi* (1617) dans les *Voyages* de Mocquet. C'est un emprunt à l'arabe moderne *Sidi* (en arabe classique *Săyyĭdī*) «mon seigneur» qui équivaut au français *monsieur*, mot placé devant le nom de la personne à qui l'on s'adresse ou dont on parle. Le mot arabe a donné *Cid* en espagnol.

♦ Dans ses premières attestations, *sidi* est employé, avec la valeur de l'arabe, d'abord noble («seigneur»; cf. *Cid* en espagnol), puis honorable («monsieur»). Ces emplois, rares et exotiques — il s'agit d'un «mot de relation» — sont attestés chez les voyageurs, par exemple Nerval, *Voyage en Orient* (1847). ◇ Ils n'ont rien à voir avec la diffusion du mot au XXe s., réemprunt à l'arabe d'Algérie par l'armée et les colons français pour désigner les soldats ou les manœuvres nord-africains (attesté en 1928). Puis *sidi* est employé comme terme péjoratif et méprisant dans le vocabulaire raciste, *un sidi* désignant, surtout en France, un Algérien petit commerçant, vendeur de tapis, etc. Ces emplois péjoratifs sont sortis d'usage, *sidi* étant remplacé par d'autres termes encore plus injurieux et racistes, tels *bicot* ou *bougnoule*.

SIÈCLE n. m. est la réfection d'après le latin (v. 1050), avec la variante *secle* correspondant à l'ancien provençal *segle* (v. 1170), de la forme orale *seule* (fin IXe s.), issue du latin classique *saeculum* (variante *seculum*) «génération», «race», «durée d'une génération humaine» (environ 33 ans) puis «âge, époque», «espace de 100 ans» et au pluriel «long espace de temps», au figuré «mode de l'époque». En bas latin chrétien, *saeculum* désigne le monde, la vie du monde par traduction du grec *aiôn*, lui-même chargé du sens d'un mot hébreu *ōlām*, qui désigne une ère de l'histoire, en cours ou à venir. *Saeculum* ne peut être rapproché que du gallois *hoedl* «durée de la vie», ce qui ne permet pas de reconstituer une famille indoeuropéenne.

♦ Le mot apparaît en français avec le sens chrétien de «vie terrestre» opposé à *l'autre siècle* «la vie future» (XIIe s.), devenu *le siècle futur* (1685), locution sortie d'usage au XIXe siècle; de là vient aussi l'expression d'ancien français *siecle trespasser* «mourir» (v. 1155). ◇ Il désigne ensuite (1080) le temps présent, l'époque où l'on vit (1258), d'où le ***mal du siècle*** romantique (1833), emploi stylistique qui s'est conservé, mais en prenant la valeur de figuré par rapport à l'emploi dominant (ci-dessous), aujourd'hui dans le discours journalistique avec l'expression ***du siècle*** «exceptionnel, unique en son genre». ➛ Dans le vocabulaire religieux (fin XIe s.), il se dit aussi comme en latin de la vie du monde, avec une valeur changeante selon les époques, par opposition à la vie spirituelle, dont les valeurs sont présentées comme immuables et intemporelles; de là viennent les emplois d'ancien et moyen français opposant les chevaliers aux clercs (v. 1200) et désignant l'expérience du monde (v. 1372 et jusqu'à la fin du XVIe s.). Le mot s'est employé aussi en ancien et moyen français pour parler de l'ensemble des hommes (v. 1165, *siegle*) et a eu le sens de «peuple» (fin XIIe s.). ➛ Avec la valeur temporelle de «longue période» (1080, *les siecles*), *en secle* [sic] *de siecle* «éternellement» (v. 1220) est repris sous la forme ***dans les siècles des siècles*** (1672), ou ***jusqu'à la fin des siècles*** (1697) traduisant le latin ecclésiastique *per omnia saecula saeculorum*, formule liturgique à la fin des oraisons. ➛ Une autre valeur reprise au latin (mil. XIIIe s.; v. 1380 selon T.L.F.) est «durée de cent ans» et, spécialement, «période de cent ans dont le début ou la fin est déterminé par rapport à un moment arbitrairement défini, ou considérée comme une unité historique». Cette acception est aujourd'hui la plus courante. ***Le grand siècle*** s'applique au XVIIe s. français et notamment à la partie où s'affirme le pouvoir royal, culminant avec Louis XIV (1776), l'expression étant aussi employée par Michelet à propos du XVIIIe siècle. ***Le siècle des Lumières*** «le XVIIIe siècle» semble être une expression romantique (av. 1825). Par extension, *le siècle de* suivi d'un nom propre désigne une période dominée par une personnalité (1671) : par exemple dans *Le Siècle de Louis XIV*, ouvrage de Voltaire (1751). ◇ Par exagération, *siècle* s'emploie pour un espace de temps indéterminé qui paraît long (1530). Le mot désigne depuis la fin du XVIe s. une longue période de temps définie par des caractères saillants, par exemple ***un siècle d'or, d'argent*** (déb. XVIIe s.), en concurrence avec *âge**, ***un nouveau siècle*** (1775). On a dit *les siècles* pour l'«avenir» (1640), puis *les siècles à venir* (1674), *les siècles futurs* (1684) et, pour le passé lointain, *les siècles les plus éloignés* (1699). *Les siècles* équivaut aussi à «le temps» (1770). ◇ Enfin, *le siècle* s'applique absolument à celui où vit le locuteur, par exemple dans *le mal* du siècle*, relevé chez Sainte-Beuve en 1833.

◈ voir SÉCULAIRE, SÉCULIER.

✷ **SIÈGE** n. m. est issu par évolution phonétique (1080), aussi sous les formes *sege* (XIIe s.), *saige* (fin XIIe s.), d'un latin populaire **sedicum* ou **sedica* qui suppose un verbe *°sedicare*, formé avec suffixe à partir du latin classique *sedere* «être assis», verbe dont procède le français *seoir**. *Sedere* avait pour dérivé en latin classique *sedes*, qui a abouti à l'ancien français *sied* «lieu où l'on séjourne» (1080), *sié* «siège épiscopal» (v. 1130), encore relevé au XVIe siècle.

♦ *Siège* désigne dans les premiers textes un endroit où qqn, qqch. est établi, sens sorti d'usage, et aussi un lieu de résidence, conservé dans plusieurs emplois spéciaux. ◇ Le sens de «lieu où s'établit une armée autour d'une place forte pour l'investir» (1080; v. 1138, *sege*), n'existe plus aujourd'hui que dans des locutions, mais celui d'«opérations menées pour prendre une place» reste vivant. Par métonymie, *siège* s'est appliqué à une armée qui assiège (fin XIIe s., *saige*) et à une tranchée creusée devant une ville assiégée (1465). Une série de locutions verbales équivaut en ancien et moyen français à «assiéger*» : *estre a siege devant* (v. 1175), *poser son siege devant* (XVe s.), *mettre le siège devant* (1549); *faire siege de* (1391), enfin ***faire le siège de*** (1646), seule restée en usage. Plus tardive, la locution ***lever le siège*** (1502) s'emploie aussi au figuré (1754) pour «s'en aller». Au XIXe s., l'expression ***état de siège*** désigne (1811) l'état où se trouve une place de guerre lorsque l'autorité militaire tient tous les pouvoirs; elle s'applique ensuite (dep. 1835) à un régime spécial qui comporte la mise en application d'une législation exceptionnelle. ◇ Par ailleurs, dans le vocabulaire galant où les métaphores militaires sont nombreuses, *siège* s'est employé au sens (1580) de «poursuites auprès d'une femme pour obtenir ses faveurs», emploi attesté dès le XVe s. dans la locution *avoir (une femme) sans siège* (1462). ◇ La locution figurée et vieillie ***avoir son siège fait*** «avoir une opinion arrêtée», «persister dans une résolution» (1842), viendrait de la réponse *mon siège est fait* qu'avait faite l'abbé Vertot, historien connu et auteur en 1719 d'une histoire du siège de Rhodes par Soliman II, quand lui parvinrent des documents qu'il n'avait pas attendus. Mais cette explication anecdotique utilise peut-être un jeu de mots conscient de l'historien.

Dès l'ancien français, *siège* désigne également (v. 1170) un meuble disposé pour qu'on puisse s'y asseoir, sens générique auquel correspondent des mots spécifiques très courants, comme *chaise, fauteuil, tabouret*. De l'idée de «lieu (où l'on s'assied), partie (d'un siège)» [1260], procèdent plusieurs acceptions différentes; d'une part *siège* se dit (XIVe s.) de la partie du siège où l'on s'assied et, par extension, s'emploie depuis le XVIIe à propos du siège d'une voiture (1680, *siège de cocher*), au XVIIIe s. pour la planche où s'assied le potier (1723) et la vasque d'un cabinet d'aisance (fin XVIIe s.). ◇ De *siège de voiture*, le mot est devenu aujourd'hui l'équivalent de «place assise» dans un moyen de transport. ◇ D'autre part, environ un siècle après le sens concret, *siège* désigne en droit (1119) la place où le juge s'assied et beaucoup plus tard celle d'un député. En religion (v. 1307), il s'applique à la dignité d'évêque ou de pontife, symbolisée par le siège qu'occupe le prélat; on emploie encore aujourd'hui les expressions *saint-siège* (1669) [→ saint], *siège apostolique* (1688), *siège épiscopal* (1690). ◇ Par métonymie, le mot désigne la charge de juge (1340) puis en français moderne la fonction exercée par un membre d'une assemblée. ➜ Enfin le mot au sens de «partie du corps où l'on s'assied» s'est employé pour «anus» (XIIIe s., hapax, repris à partir de 1373) en parlant d'un oiseau, puis (1538) d'un être humain. Cet emploi a disparu, le mot désignant encore le derrière, le fessier (1538), aujourd'hui seulement dans *bain de siège* (1812) et *présentation du siège,* dans un accouchement (1835), d'où par ellipse *un siège* dans la langue médicale.

Du sens initial de «lieu», d'«établissement de résidence» procèdent en ancien français les emplois juridiques de *siège* pour désigner une taxe payée pour le stationnement dans un marché (1260) ou dans un port (1402). Par ailleurs, dès le XIIIe s., *siège* est utilisé avec une valeur abstraite à propos du lieu où se trouve la cause d'un phénomène (v. 1265); il signifie avec une spécialisation médicale qui semble tardive «partie de l'organisme où se manifeste un trouble» (1812). ◇ Par métonymie du lieu, *siège* désigne aussi (XIIIe s.) une séance tenue par une assemblée, acception qui correspond à l'ancien provençal *setge* (1252). Au XIVe s. le mot s'est employé (1342) pour «assemblée», d'abord attesté à propos du banquet qu'offrait la confrérie de Saint-Jacques aux pèlerins (1326). ◇ Aujourd'hui et depuis le XVe s. (v. 1460), *siège* désigne le lieu où se trouve la résidence d'un tribunal, d'où *estre en siège* «rendre la justice dans le tribunal», ensuite *être dans son siège* (1762), sorti d'usage. De là, une valeur métonymique «l'ensemble des juges» (1599). ◇ Par extension, *siège* s'applique à l'endroit où réside une autorité (1549), un évêché (1573), une assemblée (XVIIe s.), et s'emploie spécialement en droit commercial dans ***siège social*** (attesté 1936). Une valeur analogue dans le vocabulaire technique donne à *siège* la valeur d'«unité d'exploitation minière» (XXe s.). ➜ Une autre valeur ancienne et concrète de *siège* correspond (v. 1175) à la partie sur laquelle repose un bâtiment, acception sortie d'usage comme ses spécialisations : «fondement (d'un moulin)» [1340] ou *siège de gazon* «petite butte de gazon» (1690), et «partie du four où l'on plaçait les pots dans une verrerie» (1765). Cependant, la valeur de «fondement» se maintient dans le vocabulaire technique moderne, *siège* étant par exemple le nom de la partie d'une soupape en contact avec son appui.

▶ Le dérivé **SIÉGER** v. intr. s'est d'abord employé transitivement pour «assiéger» (1174); cette acception, réattestée à partir du XVIIe s. (1609), est jugée fautive dans Trévoux (1701), le verbe étant devenu surtout intransitif. ◇ À partir de l'époque classique, *siéger* signifie «occuper le siège pontifical ou épiscopal» (1611), puis «tenir séance», en parlant d'une assemblée, d'un tribunal. Il s'emploie avec un sujet nom de personne (1690) pour «occuper une place dans une assemblée ou un tribunal» et au début du XVIIIe s. (av. 1719) pour «être assis sur un siège que l'on considère comme un symbole de pouvoir ou lié à une fonction honorifique». ◇ En parlant d'une institution ou d'une entreprise, *siéger* a signifié (1812) «avoir son siège dans tel lieu». ◇ Il a par ailleurs (1798) le sens de «se trouver, se produire dans tel endroit», par exemple en médecine en parlant d'une douleur. Cet emploi est plus rare que celui du sens correspondant de *siège.*

ASSIÉGER v. tr. est la réfection (1174) d'après *siège* de l'ancien français *asseger* (1080), avec des variantes *(asijer, assegier...),* issu d'un latin populaire °*assedicare,* dérivé de °*sedicare* (voir ci-dessus, *siège*). Le latin classique avait *obsidere,* préfixé de *sedere.* L'italien *assediare* et l'espagnol *assediar* reprennent le latin médiéval *assediare,* calqué sur le français *asseger,* la circulation des formes s'expliquant facilement dans le cas des termes militaires. ◇ Le verbe signifie d'abord (1080) «faire le siège de (une place)». Prenant des valeurs figurées, il est employé au sens de «tourmenter», le sujet désignant des difficultés concrètes (fin XIIIe s., *asijer*) et, plus tard, des abstractions (1538). Il veut dire aussi «entourer (qqch.), tenir (qqn) enfermé» (XIVe s., *assegier;* 1568, *assieger*), en parlant des contraintes concrètes (1694, des flammes, de l'eau). ◇ Par analogie, *assiéger,* cette fois avec un nom de personne pour sujet, signifie (1580) «se presser autour de» et au figuré «importuner (qqn)» [1636], avec une variante synonymique (1655) *assiéger la porte de qqn.* ➜ Lié à d'autres emplois de *siège,* le verbe a signifié en ancien français, intransitivement, «s'asseoir» (v. 1150, *soi asejier*) et en emploi transitif «faire asseoir» (XIIIe s., *aseigier*). ◇ Au figuré, il s'est employé pour «disposer, établir» (1165-1170), d'où spécialement «assigner (de l'argent)» [1243, *asegier*]. ➜ Le dérivé **ASSIÉGEANT, ANTE** n. et adj., d'abord *les assiégeants* (1440-1475) désignant l'ensemble de ceux qui assiègent une place, s'est substitué à un dérivé des formes anciennes du verbe, avec le suffixe *-or, -eur : assijor* (déb. XIIIe s.), devenu *essoigeour* (v. 1290), *assegeur* (fin XIVe s.), *assiégeur* (1530), relevé jusqu'en 1660 et encore signalé par Littré (1877). ◇ *Assiégeant* est attesté comme adjectif depuis Furetière (1690). **ASSIÉGÉ, ÉE** n. et adj. désigne une personne assiégée (1564, à nouveau en 1680) et s'emploie surtout au pluriel, rarement avec une valeur collective (1835, n. m.), dans *l'assiégeant et l'assiégé.*

SIEN, SIENNE adj. poss., pron. poss. de la 3e pers. et n. représente (v. 1165) une réfection, d'après *mien*,* de *suo* (842), *soen* (1080), *suen* (XIe s.), formes issues du latin classique *suum,* accusatif de *suus, sua, suum* «son» et «leur». Le féminin *sienne,* de formation analogique, s'est substitué à l'ancien français *soue* (XIe s.) issu de *suam,* accusatif tonique de *sua,* avec les variantes *soie* (v. 1180) et *seie* (1214). *Suus* (→ son) se rattache à une racine indoeuropéenne °*swe-* qui marque l'appartenance d'un individu à un groupe social ou au contraire l'isolement; cette racine, élargie, se retrouve dans le grec *ethos* «coutume» (→ éthique) et *ethnos* (→ ethnique).

♦ Ce possessif signifiant «qui est à lui (à elle), se rapporte à lui (à elle)», est aujourd'hui littéraire en fonction d'épithète (fin XIIe s.). ◇ Le nom, au masculin singulier au sens de «son bien, sa propriété» (1130), ne s'emploie plus que dans la locution ***y mettre du sien*** (1696) «contribuer à, favoriser qqch.

par sa bonne volonté». Courant au masculin pluriel, *les siens* (v. 1240), il équivaut à «sa famille, ses amis, ses partisans», etc. La locution familière ***faire des siennes*** signifie (1558) «faire des folies, des sottises». Le pronom de la 3e personne indique un rapport de possession, de parenté; il est attesté en 1669 chez Boileau : à l'époque classique, on utilisait (fin XVIIe s.) *du sien* pour «de lui-même».

◈ voir SE, SOI, SUICIDE.

SIERRA → ① SERRE

SIESTE n. f. est emprunté (1660; aussi *siesta* 1691) à l'espagnol *siesta,* issu du latin classique *sexta (hora)* «la sixième heure», c'est-à-dire «le milieu de la journée», «midi», les Romains divisant la journée, du lever au coucher du soleil, en douze «heures» égales entre elles, mais inégales selon les saisons. *Sexta* est le féminin de *sextus,* dérivé de *sex* (→ six).

♦ *Sieste,* d'abord dans ***faire la sieste*** (1715, Lesage, sous la forme moderne), se dit du repos pris après le repas de midi, accompagné ou non de sommeil.

▸ Le dérivé **SIESTER** v. intr. (1872) «faire la sieste», est d'emploi courant en français d'Afrique.

◈ **SIEUR** n. m. représente (1292), avec la variante *sor* (1260, *mon sor*), l'ancien cas régime de *sire**, du lat. *seior(em),* lat. class. *senior* (→ seigneur, senior); on relève en ancien provençal les formes correspondantes *seior* (1187) et *siere* (v. 1250).

♦ Le mot s'employé au sens de «maître d'une terre» (→ seigneur), devenu archaïque à l'époque classique mais encore relevé en 1798. ◇ Puis il prend le sens plus large de «possesseur (de la maison, d'une femme)» [v. 1430]. Il a été aussi un titre honorifique pour un saint (1260, *sor*), un noble, un prélat (XVIe s.), et, plus modestement, un marchand (1679). ◇ Attesté au sens de «dupe» chez Villon (1457), il est encore utilisé péjorativement ou ironiquement (1644) devant un nom propre masculin *(le sieur Un tel).* *Sieur* demeure dans le style judiciaire (1694) comme qualificatif devant un nom d'homme, parallèlement à *dame* et *femme.*

▸ Le composé **MONSIEUR** n. m., d'abord *monsor* (1297), formé avec le possessif *mon*,* s'est soudé et est devenu indépendant grâce à l'évolution phonétique de *mon* en *me-* et de *sieur* où le *r* final n'est plus prononcé. Le mot a d'ailleurs été souvent altéré graphiquement, pour restituer l'usage oral, d'abord populaire, en *Moussieu* (1750), sorti d'usage, *Mosieu* (1751), *Mossieu* (1794), puis *M'sieu* (1815). Le pluriel *messieurs,* où le *r* se prononce jusqu'au XVIIIe s., s'est substitué à *messiours* (v. 1200), puis *monsieurs* (1549). La forme *monsieux* (1662), dans la bouche de paysans chez Molière, permettait la rime avec des mots en *-eux,* le *r* final se prononçant encore au XVIIe siècle. ◆ Dans ses premiers emplois, *monsieur* qui équivaut à *monseigneur* et à *messire,* est un titre d'honneur donné à un noble, à un prince, et aussi à des personnages d'une condition élevée non noble. L'usage du mot dans cet emploi noble s'étend et il a été utilisé pour un saint (XVe s.), un évêque, enfin pour un personnage de l'Antiquité (1512). *Un monsieur,* qui se disait autrefois (XVe s.) d'un noble ou d'une personne de condition élevée, désigne en français contemporain un homme de la bourgeoisie et, dans le langage enfantin, du fait de la civilité, un homme d'apparence bourgeoise (cf. ci-dessous). ◇ Avec une fonction distinctive, le mot s'est employé du XVe (1440-1475) au XVIIIe s. pour parler des princes de la famille royale, ce qui les opposait aux enfants naturels du roi, puis *Monsieur* désigna spécialement (1670) l'aîné des frères du roi, un emploi analogue existant pour *Madame.* ◇ Parallèlement, *monsieur* s'emploie depuis le XVIe s. (1532) comme titre donné au maître de maison par les domestiques ou par les personnes qui s'adressent à eux; le mot a aussi la valeur familière de «mari» (1588) [cf. *madame*]. Le pluriel *messieurs,* pris absolument, a désigné (1532) les membres du parlement et des autres cours souveraines. ◇ À l'époque classique, le mot s'est employé dans la noblesse pour se distinguer des roturiers (1543), mais en même temps il prend une valeur péjorative qui se développe au XVIIe s., par exemple dans la locution ***faire le monsieur*** «faire l'homme d'importance» (fin XVIe s.). *Monsieur* est alors abrégé par mépris en *mons* (1618), parfois écrit *monse* (1695), et s'emploie, par ironie ou par dérision, comme titre donné à un homme d'une condition peu élevée (1643). ◇ Dans diverses expressions, il a une valeur affective (rarement méliorative) : *un gros monsieur* (1654) désignait un homme qui a une situation importante, *mon (ce) petit monsieur* s'emploie (1669) pour s'adresser à qqn que l'on traite de haut, et *vilain, joli monsieur* se dit par antiphrase (1669) d'une personne méprisable. Par ailleurs, *monsieur,* conservant ses connotations positives, désigne (1684) un homme dont l'aspect et les manières annoncent quelque éducation. Au pluriel, *ces Messieurs, les Messieurs (de Port-Royal)* désignait (1666) les jansénistes de Port-Royal. Mais l'expression *ces messieurs* avait déjà au XVIIe s. la valeur actuelle, «les personnes dont on parle» (1678). C'est encore au XVIIe s. que le mot entre dans l'usage des relations commerciales (1673), comme titre donné à un client. ◇ Le double registre de *monsieur,* aux XVIIe et XVIIIe s., reflète la montée de la bourgeoisie (valeurs positives) et les résistances, à la fois aristocratiques et populaires, contre cette ascension (valeurs négatives). ◇ Au XVIIIe s., un nouvel emploi péjoratif (1752) correspond à «homme riche qui entretient une femme»; en outre, *monsieur* s'emploie accompagné d'un mot qui exprime une particularité, un ridicule (1775), d'où spécialement *Monsieur Veto, Madame Veto,* surnoms révolutionnaires de Louis XVI et de Marie-Antoinette (1791) qui ont aussi pour effet de ramener le roi et la reine au statut bourgeois, roturier. Pendant la Révolution, l'usage de *Monsieur* donne lieu à de nombreux débats et on lui substitue couramment *citoyen*.* À noter que *monsieur,* en emploi désignatif, correspond à *dame,* alors qu'en emploi appellatif, il a pour répondant *madame.* ◇ L'emploi spécial de *Monsieur* avec un nom de ville *(Monsieur de Paris, de Tours)* pour désigner le bourreau, qui apparaît tardivement en argot (1867), semble réactiver ironiquement les emplois d'Ancien Régime concernant les prélats. ➜ Depuis la Restauration, *monsieur* devient le terme d'adresse usuel pour un homme d'apparence bourgeoise; les distinctions sociales s'atténuant progressivement, son emploi se généralise vers le début du XXe s. avec la disparition de désignations et appellatifs condescendants (*l'homme, mon brave*, etc.), mais cet emploi généralisé est aujourd'hui concurrencé par les synonymes familiers de *homme (type, gars, mec)*, sauf en appellatif : là, *monsieur*, par exemple, tend à se substituer à *garçon!*, au café. ◇ Récemment, par calque de l'anglais, *Monsieur* s'emploie (1966) suivi d'un nom qui désigne l'activité, la compétence de la personne en cause, ou la charge qui lui est confiée. ◇ Enfin, *un monsieur* s'emploie de manière laudative au sens de «personnage remarquable».

SIFFLER v. est issu (1re moitié XIIe s.) du bas latin *sifilare* (IVe s.), variante du latin classique *sibilare* «siffler» et «siffler qqn» (→ sibilant), lui-même dérivé de *sibilus* «sifflets, huées», de formation expressive. La variante dialectale (Ouest) *sibler* et l'ancien provençal *siblar* continuent le latin classique, alors que les formes *subler* (Ouest) et *siular* (ancien provençal) supposent un latin populaire °*subilare*.

♦ Le verbe français conserve le sens du latin «produire un son aigu (avec les lèvres [1170], un instrument)». Par analogie, il s'emploie en parlant d'animaux en colère (1130), puis du bruit aigu de l'air (vent, 1306) et du cri de certains oiseaux (v. 1530). ◇ Par extension, il est utilisé transitivement (avec un sujet nom de personne) pour «appeler en sifflant», par exemple un chien (v. 1387), d'où la locution figurée et familière ***n'avoir qu'à siffler*** «n'avoir qu'à faire connaître sa volonté pour être obéi» (1694; 1680 sous la forme *il n'y a qu'à siffler et à remuer les doigts*). ◇ *Siffler* au sens de «railler» (XIIIe s.) procède peut-être de la variante régionale *chifler* (XIIe s.) «plaisanter», aussi *chufler* (XIIIe s.) qui correspond à l'ancien provençal *chuffar* (XIIIe s.); dans ce sens, *siffler* a été remplacé par *persifler**. Depuis le XVe s., le verbe signifie par figure «boire», intransitif au XVIIIe s. (1759, *chifler*), aujourd'hui en construction transitive (1718; 1640, *siffler la rôtie*), d'où par métonymie «dépenser en buvant» (déb. XXe s.). Cette acception se retrouve dans les dérivés *siffleur* et *sifflet*. ◇ Par extension, le verbe signifie au figuré (1549) «désapprouver bruyamment par des sifflements, des cris» une personne qui se produit en public et par extension une œuvre. On disait aussi *siffler sur, contre qqn*. Le verbe signifie par ailleurs (1547) «moduler (un air) en sifflant». Dans l'usage classique, *siffler un oiseau* s'est dit pour «lui apprendre un air en le lui sifflant» (1651) et, par figure, «endoctriner» (mil. XVIIe s.). Par analogie, *siffler* s'emploie (déb. XVIIe s.) à propos du vent, d'un courant d'air, etc. Le verbe, employé transitivement au sens de «dire d'une voix sifflante» (1718), est d'usage littéraire. ◇ Dans une série d'emplois, le verbe correspond à «produire le bruit d'un sifflet (en général, un signal)». De là, des syntagmes comme *la locomotive, le train siffle*. *Siffler au disque* «actionner le sifflet (pour demander l'ouverture de la voie)», s'est employé dans le vocabulaire des chemins de fer et a pris le sens figuré de «solliciter qqch.» (1879). *Siffler un commandement* dans la marine (1904) signifiait «le répéter au sifflet». ◇ En termes de sports, *siffler une faute* signifie «la signaler en sifflant» (1900).

▶ **SIFFLANT, ANTE** adj. et n. f. (1552), usuel dans *une voix sifflante*, s'applique spécialement en phonétique (1701) à une consonne dont l'émission est caractérisée par un bruit de sifflement; d'où *une sifflante* n. f. (1835) en phonétique. ➜ **SIFFLEMENT** n. m. (XIVe s.), écrit *ciflement* au XIIe s., (v. 1180), a eu pour variantes *schieulement* en ancien français (XIIe s.) et *siblement* au XVIe siècle. ◇ Le mot désigne l'action de siffler et le son émis, spécialement (v. 1560, *chifflement*) le bruit d'une respiration pénible. Il désigne au figuré, d'après le sens correspondant du verbe, l'action de siffler pour désapprouver (1672). Le mot s'emploie par analogie en physiologie (*sifflement d'oreille*, 1572) et pour parler d'un bruit parasite dans un récepteur radio (XXe s.). ➜ **SIFFLET** n. m., dérivé avec le suffixe diminutif *-et* du radical verbal, signifie «petit instrument avec lequel on siffle, on produit un sifflement» (v. 1225); il a pour variantes *chifflet* (XIIIe s.) et *sifflot* (XIIe s.). Par figure, le mot s'est dit pour «gosier (par où l'on respire)» (v. 1560), d'où ***couper le sifflet à qqn*** (fin XVIe s.), puis *serrer le sifflet* (1697) «l'étrangler, l'égorger», sorti d'usage; *couper le sifflet* correspond aujourd'hui à «faire taire» (1740). ◇ *Sifflet* a désigné aussi l'action de siffler (v. 1380), aujourd'hui dans ***coup de sifflet*** «action de siffler avec un sifflet» (1636), où *sifflet* n'est plus compris au sens actif, et «bruit qui en résulte» (1654). ◇ Au XVIe s., par dérivation du verbe au sens de «boire», *un sifflet* a désigné plaisamment un cabaret (Rémi Belleau). ◇ *Sifflet* est aussi le nom (1690) d'un petit appeau. ◇ Le mot désigne, d'après le sens correspondant du verbe (1287, T.L.F., puis XVIIe s.), la désapprobation exprimée par des sifflements et a par extension depuis Voltaire (av. 1778) le sens de «critique». ◇ Par analogie de forme avec l'ouverture d'un sifflet, la locution adverbiale ou adjective ***en sifflet*** signifie «en biseau» (1784), d'où aux avirons *attaquer en sifflet* «en plongeant l'aviron en biais» (1895). *Sifflet* pour «habit à queue», dont l'extrémité est en sifflet, est sorti d'usage avec la chose; cet emploi, attesté vers 1880, est typique de l'époque 1900, ainsi que la variante *sifflet d'ébène*. ◇ Enfin, du fait que les arbitres de sports signalent les fautes et imposent les interruptions de jeu au sifflet (cf. ci-dessus *siffler une faute*), vient l'expression ***tenir le sifflet*** «être arbitre», et le sens argotique de *sifflet* pour «arbitre». **SIFFLEUR, EUSE** adj. et n. m. signifie «qui siffle», d'abord à propos d'un oiseau (1537), d'où l'emploi pour désigner divers oiseaux (1555, «bouvreuil») et aujourd'hui une espèce de canard sauvage (1834). ◇ *Siffleur* s'emploie aussi en parlant d'une personne (1606, n. m.), spécialement de qqn qui manifeste son improbation (1685). ◇ Au XVIe s., d'après un sens de *siffler*, il a signifié «gros mangeur» (1537). ➜ **SIFFLOTER** v., «siffler négligemment en modulant un air» (1840; déjà en moyen français à propos du vent, 1586), a fourni **SIFFLOTEMENT** n. m. (1837) et **SIFFLOTIS** n. m. (1885). ➜ Deux autres dérivés, **SIFFLABLE** adj. (1758) et **SIFFLAGE** n. m. (1788), sont rares ou didactiques.

◈ voir PERSIFLER, SIBILANT.

SIGILLAIRE adj. et n. f. est, soit un dérivé savant (1456) du latin *sigillum* «petite image, statuette» et «sceau» (→ sceau), dérivé de *signum* (→ signe), soit un emprunt à un dérivé de *sigillum*, le bas latin *sigillarius* «fabricant de cachets».

♦ L'adjectif s'appliquait à ce qui est muni d'un sceau de justice (1456). Il qualifie (1871) ce qui est relatif aux sceaux *(histoire sigillaire)*. ◇ Le nom, qui s'est employé (1767) comme synonyme de *terre sigillée* (ci-dessous), est devenu un terme de paléontologie, emprunté au latin scientifique *sigillaria* (1822), nom d'un arbre fossile du carbonifère dont le tronc porte des empreintes en forme de sceau.

▸ Plusieurs termes didactiques sont empruntés à des dérivés de *sigillum*, dont est tiré l'élément **SIGILL(O)-**, qui entre dans la composition de quelques termes savants. ➛ Le composé **SIGILLOGRAPHIE** n. f. (1851; → -graphie) désigne l'étude scientifique des sceaux, en particulier ceux des chartes médiévales. En procèdent **SIGILLOGRAPHIQUE** adj. (1853) et **SIGILLOGRAPHE** n. (1907). ◇ **SIGILLÉ, ÉE** adj., francisation du latin *sigillatus* «orné de figures, de reliefs», «ciselé», apparaît (v. 1350) dans *terre sigillée* «terre ocreuse employée en médecine et vendue en pains marqués du sceau du souverain». L'adjectif s'applique aujourd'hui (1501) à ce qui est marqué d'un sceau. ◇ En archéologie, *céramique sigillée* (1935) ou *sigillée* n. f. désigne un vase en terre cuite décoré ou signé avec des poinçons ou des sceaux. ➛ **SIGILLAIRES** n. f. pl., terme d'histoire romaine, est un emprunt (1721) au latin impérial *sigillaria* «fêtes qui suivaient les Saturnales, et où des statuettes (nommées *sigillaria*) étaient offertes».

SIGISBÉE n. m. est une adaptation (1736) de l'italien *cicisbeo* «cavalier servant d'une femme», mot d'origine obscure. Il s'agit peut-être d'une formation expressive : le verbe *cicisbeare* «faire la cour à une femme» aurait d'abord signifié «chuchoter», ce que confirmerait l'existence de l'italien de Venise *cici* «bavardage des femmes» au XVIIIe siècle. Pour P. Guiraud, la première partie du verbe pourrait venir d'un latin populaire °*cicare*, doublet de *citare* (→ citer), fréquentatif de *cire*, signifiant entre autres «appeler à soi»; le second élément représenterait le latin classique *beare* «rendre heureux, obliger», d'où *beatus* (→ béat, béatifier).

♦ Le mot ne s'emploie aujourd'hui que de façon ironique.

SIGLE n. m., d'abord nom féminin (1712), puis au genre masculin (1759), est emprunté au bas latin juridique *sigla*, nom neutre pluriel signifiant «signes abréviatifs»; ce mot vient peut-être, par syncope, de *singula* (→ singulier), les abréviations étant auparavant appelées *singulae litterae* (Ier s. apr. J.-C.).

♦ Ce terme didactique a désigné une lettre initiale puis, seule acception vivante, une suite d'initiales servant de signe abréviatif et pouvant former un mot.

▸ Il a servi à former le dérivé **SIGLER** v. tr. (v. 1950) d'où **SIGLAISON** n. f. (attesté en 1964), «procédé de formation de mots nouveaux par sigles et acronymes».

SIGMA n. m., reprend (1562) un mot grec, nom d'une lettre de l'alphabet *(Σ, σ, ς)*, signifiant par analogie, à cause de la forme primitive du sigma «croissant de la lune», «hémicycle de l'orchestre d'un théâtre» et «ornement semi-circulaire (sur les boucliers ioniens)». Ce mot, contrairement aux noms des autres lettres grecques, n'est pas un emprunt sémitique; il est peut-être formé sur *sizein* «siffler».

♦ Le mot désigne la 18e lettre de l'alphabet grec, qui note la sifflante sourde [s].

▸ Il a fourni les dérivés **SIGMATISME** n. m. (1823) et **SIGMATIQUE** adj. (1871). ➛ **SIGMOÏDE** adj. et n. m., emprunt didactique (1566, *sigmœide*) au grec *sigmoidês* «demi-circulaire», composé de *sigma* et de *eidos* «forme, apparence» (→ -oïde), s'applique à ce qui a la forme d'un sigma majuscule. Il s'emploie en anatomie dans *valvule sygmoïde* [sic] (1690) et *côlon sigmoïde* substantivé en *sigmoïde* n. m. (XXe s.).

SIGNAL n. m., (v. 1220) s'écrit aussi *seignal* au XIIIe s. (v. 1265); le mot, qui correspond à l'ancien provençal *sennal* (1174), est un emprunt au bas latin *signale* «signe», neutre substantivé du bas latin *signalis* «qui sert de signe», dérivé du latin classique *signum* (→ signe).

♦ Le mot apparaît en français avec des sens particuliers : «quillon d'une épée», «sceau avec lequel on signe un acte» (v. 1260, *seignau*), et c'est aussi le nom d'une constellation (v. 1265). Il signifie aussi «ce dont un propriétaire marque un animal», «marque sur la peau» (v. 1298), «gros grain de chapelet» (1328), etc. Dans tous ces emplois, *signal* désigne des signes naturels ou conventionnels qui constituent ou donnent des informations; aujourd'hui dans l'usage courant, *signal* correspond à un signe de nature conventionnelle, même si, pour les théoriciens, le signal peut être formé par un signe naturel. ◇ Le mot désigne en particulier (1540) un signe convenu fait pour indiquer le moment d'agir, d'où la locution ***donner le signal*** (1798). Il s'est dit (1690) d'un moyen utilisé pour porter au loin une information; il désigne (1718) le fait par lequel un processus commence et qui constitue un signe, un symptôme de ce processus, aujourd'hui (XXe s.) surtout dans des emplois didactiques, par exemple en psychanalyse, *signal d'angoisse*. ◇ Avec la valeur de «signe conventionnel», il s'emploie pour «bouée flottante (qui marque la place de filets)» [1769], en marine dans *Code international de signaux* (1868), couramment pour ceux qui règlent la circulation (1875, dans les chemins de fer), puis dans les télécommunications (1933), en informatique (v. 1970). C'est un concept essentiel, à l'intérieur de la notion théorique large de signal, concernant tous les canaux de communication (*signaux visuels, acoustiques, olfactifs,* surtout en éthologie, *chimiques*...).

▶ **SIGNALÉ, ÉE** adj., «remarquable, notable» s'applique à une chose (1557) et à une personne (1578). ◇ Cet adjectif est la francisation, d'après *signe,* de l'italien *segnalato,* participe passé de *segnalare* «rendre illustre», dérivé de *segnale.* Il a vieilli, sauf dans l'expression ***un signalé service*** (→ insigne). ◆ De cet adjectif dérive au XVIe s. le verbe **SIGNALER** v. tr., d'abord *seignaler* (1572), qui signifie «faire remarquer (qqn, qqch.)». ◇ *Se signaler* (1587) correspond à *se distinguer* et, à l'époque classique, signifie «rendre célèbre» (1669). *Signaler un soldat* s'est dit (1680) pour «en faire par écrit la description (quand on l'enrôle)»; de là vient *signaler qqn* «donner son signalement» (1798). ◇ *Signaler qqch. à qqn* (1798) correspond à «faire connaître». ◇ Par ailleurs d'après *signal,* le verbe veut dire (1773) «annoncer par un signal», d'où ***rien à signaler*** (XXe s.), abrégé en *R. A. S.* ◇ *Signaler,* outre son participe passé ***signalé, ée*** adj. (1778) «annoncé par un signal», a fourni des dérivés liés à *signal.* ◆ **SIGNALEMENT** n. m. (1718) s'est spécialisé immédiatement au sens de «description physique (d'une personne) qu'on veut faire reconnaître», d'abord en termes d'administration, puis de police. ◆ **SIGNALÉTIQUE** adj. et n. f. (1832) correspond à la fois au sémantisme de *signalement (fiche signalétique),* s'employant aussi pour qualifier ce qui signale des références *(bulletin signalétique),* à celui de *signal* (didactique) et à celui de *signalisation.* ◆ **SIGNALEUR** n. m. désigne dans le vocabulaire militaire (1869) celui qui est chargé de la signalisation. ◆ **SIGNALISER** v. tr. est dérivé (1909) de *signal,* peut-être d'après l'anglais *to signalize.* Il signifie «aménager en ce qui concerne les signaux». ◆ Il a produit **SIGNALISATION** n. f. (1909) «ensemble des signaux des voies de communication» et «ensemble des signaux pour communiquer» (*in* Larousse, 1933). ◆ Un autre dérivé de *signaliser,* **SIGNALISATEUR, TRICE** adj. (1947) est rare.

✳ **SIGNE** n. m. (fin Xe s.; alors aussi *signa*) est un doublet de la forme populaire *seing**, auquel il s'est substitué dans la plupart des emplois. C'est un emprunt au latin classique *signum* qui avait le sens général de «marque distinctive, empreinte», prenant ensuite diverses acceptions; dans le vocabulaire militaire : «enseigne, étendard distinguant les divisions d'une armée» et, peut-être parce qu'on avait l'habitude de distinguer les enseignes ou les proues des bateaux de guerre par des figures brodées ou sculptées, «image peinte ou sculptée». Par ailleurs *signum* signifie «signal», «mot d'ordre», «présage, symptôme», «signe (du zodiaque)», toutes acceptions qui entrent dans le concept actuel de signe. Il signifiait en outre «constellation» et s'appliquait parfois à un sobriquet. ◇ *Signum* correspond au grec *sêma* (→ sémantique); on a rapproché le mot de *secare* «couper» (→ scier), *signum* étant alors à l'origine une marque faite par incision; on a proposé aussi de le rattacher à une racine indoeuropéenne *°sekw-* indiquant une déclaration publique, un récit fait devant un public; cette racine n'existe en latin que dans quelques formes verbales : *insequis* «tu racontes», *insece, inseque,* impératif, mais elle est bien attestée dans d'autres langues : cf. irlandais *insce* «discours», ancien haut allemand *sagen* «dire», slave *sočiti* «indiquer», grec *enepein* «parler, dire, raconter» (où *en-* ne fait pas partie de la racine).

♦ *Signe* désigne dès les premiers emplois un élément qui permet de conclure à l'existence d'une chose absente, d'où la locution sortie d'usage *en signe de* «pour attester (qqch.)» [XIVe s.] et les syntagmes ***mauvais signe*** (av. 1662), ***bon signe*** (XVIIIe s.), toujours usuels. ◇ Le mot s'emploie aussi (fin Xe s.) à propos de phénomènes naturels qu'on donne pour des présages, en particulier d'une manifestation de la puissance divine, la chose absente à laquelle renvoie le signe étant alors un événement futur. De là vient le sens de «miracle» (v. 1112); dans le vocabulaire biblique, l'expression ***les signes des temps*** désigne (1535) les miracles prédits par les prophètes annonçant que les temps ont changé. ◇ Par ailleurs, *signe* se dit comme en latin (v. 1119) de chacune des constellations du zodiaque, l'expression *signe du zodiaque* étant enregistrée par Furetière (1690); les expressions diffusées au XIXe s., *signe astrologique* (1842), *être (né) sous tel signe* (du zodiaque) [1876], d'où au figuré ***sous le signe de*** «dans une atmosphère de» (déb. XXe s.), relèvent de la même spécification. ◇ Aujourd'hui employée de manière plus vague, l'expression ***signe du temps*** (1862) puis ***signe des temps*** (1881) «ce qui caractérise l'époque où l'on vit», semble prendre source dans cet emploi. ◇ ***Signe de croix*** (v. 1155), calque du latin *signum crucis,* représente l'emblème des chrétiens, la croix représentée; de là l'emploi pour «geste qui évoque cet emblème», dans ***signe de la croix*** (1564), couramment *signe de croix* (1580). *Signe* s'est dit aussi (1172-1174) d'une enseigne de pèlerinage; ce sens spécial a disparu. ◇ Le mot prend en ancien français la valeur plus générale de «marque qui permet de distinguer une personne ou une chose»; en procède l'emploi pour «marque sur un acte» (1362; cf. *signature*) sorti d'usage et pour «marque naturelle sur la peau» (1690). ◇ *Signe* reprend le sens latin de «symptôme» (1314) et désigne (fin XIIIe s.) un mouvement conventionnel destiné à faire savoir qqch., à communiquer avec qqn. Cette acception a produit les locutions ***faire signe que*** (v. 1170) qui avait auparavant une autre valeur, «sembler faire qqch.» (v. 1270), ***faire signe de*** (1494), ***faire signe (à qqn).*** ◇ Depuis la Renaissance (v. 1550), le mot désigne un objet matériel simple (geste, figure...) qui, par convention ou par rapport naturel, est pris pour tenir lieu d'une réalité complexe; c'est alors un quasi-synonyme de *symbole;* avec cette valeur le mot s'emploie en particulier en parlant de l'écriture (1690), en musique (1767). Au XXe s., en linguistique (1910, F. de Saussure) et en sémiologie, définie par Saussure comme «science des signes» (→ sémiologie, sémiotique), le concept prend une valeur très large incluant le langage; il est analysé vers 1900 par le philosophe américain Ch. S. Peirce (anglais *sign,* de même origine) qui crée des composés, très récemment empruntés en français, comme *legisign, qualisign,* et oppose parmi les signes les *icones, indices* (pluriel d'*index*) et *symboles (symbols),* donnant à ces termes une précision nouvelle.

▸ *Signe* a pour dérivé diminutif **SIGNET** n. m. «petit sceau» (v. 1300) d'abord *sinet* (v. 1280), sens d'où viennent diverses acceptions disparues, par exemple celles de «poinçon des drapiers» (1348), «signature authentique» (1479), encore relevées à l'époque classique. ◇ Avec la valeur de «marque», *signet* désigne (1377, au pluriel) de petits rubans pour marquer les pages d'un missel, par extension (1718) ce qui sert à marquer un endroit d'un volume, sens aujourd'hui courant. ➛ Le composé **INTERSIGNE** n. m. (1835), d'*inter-**, désigne une relation mystérieuse apparaissant entre deux faits simultanés, dont l'un apparaît comme le signe de l'autre (cf. *L'Intersigne*, nouvelle de Villiers de l'Isle-Adam, 1867). Le moyen français *intersingne* «insigne, marque» (1477-1482) avait été emprunté au latin médiéval *intersignum*, forme latinisée d'après *signum* de l'ancien français *entreseing* (v. 1150), *entreseigne* «insigne du chevalier».

◈ voir SEING, SIGILLAIRE, SIGNAL, SIGNER, SIGNIFIER ; et ASSENER, ASSIGNER, CONSIGNER, DESIGN, DÉSIGNER, DESSEIN, DESSIN, ÉCARLATE, ENSEIGNE, ENSEIGNER, ① et ② INSIGNE, RENSEIGNER, RÉSIGNER, SCEAU, SCELLER, TOCSIN.

SIGNER v. tr. représente une réfection (XIVᵉ s. ; v. 1230, *signier*), d'après *signe**, de l'ancien français *seignier* (1080), issu comme *seing* l'est de *signum* du dérivé latin classique *signare* «marquer d'un signe» d'où «caractériser, distinguer», «graver (dans l'esprit)» et «marquer d'un sceau, d'un poinçon» et par extension «désigner, indiquer» et «remarquer, distinguer». *Signare* est le verbe qui correspond à *signum* (→ signe).

♦ Le verbe français apparaît (1080) avec le sens de «faire le signe de la croix sur (qqn)», toujours vivant au pronominal (v. 1175, *sei seignier* ; 1611, *se signer*) ; de là viennent plusieurs acceptions propres à l'ancien français, comme «s'émerveiller» (v. 1175), le signe de la croix étant une marque d'admiration, «affirmer en faisant le signe de la croix», c'est-à-dire «jurer» (v. 1180). ◇ Il reprend au latin (v. 1120, *seignier*) le sens de «marquer d'un signe», d'où divers sens techniques encore vivants : «poinçonner» une mesure (1265), une pièce d'argenterie (1363, *signer*), «marquer des bois de charpente» (1765), ou des acceptions étendues comme «sceller» (1331, *seignier*) et «marquer un livre d'un signet» (1490), sorties d'usage. En emploi figuré, *signer* a signifié (v. 1330) «marquer d'un signe qui fait reconnaître comme tel», sens usuel à l'époque classique. ◇ Le verbe s'est employé, du XIIᵉ au XVIIᵉ s., avec la valeur de «faire signe (à qqn)» (v. 1190, *sener*) et comme verbe intransitif pour «faire des signes». Ces emplois ont disparu en français classique. ➛ C'est le sens restreint de «revêtir de son nom pour confirmer (un écrit)» [1523], aussi intransitif (1538), qui se développe ensuite, avec des emplois figurés comme ***être prêt à signer qqch. de son sang*** (1606) ou ***signer sa condamnation*** (1690), et au propre dans *signer à (un contrat)* «comme témoin» (1668), ou encore *signer son nom* (1669). Ce sens, probablement induit par l'emploi antérieur de *signature* (ci-dessous), devient ensuite dominant, les emplois généraux et les autres spécialisations du verbe disparaissant de l'usage, à l'exception de *se signer*. ◇ Par extension, *signer* s'emploie aussi pour «approuver» (XVIIIᵉ s.) puis pour «attester qu'on est l'auteur d'une œuvre, en apposant sa signature» (1865 ; *signer un tableau*, 1871). Au XXᵉ s., il se dit aussi pour «dédicacer (un livre)».

▸ **SIGNATURE** n. f. est un emprunt (1430) au bas latin juridique *signatura*, dérivé de *signator* «signataire». *Signatura* désigne l'action d'apposer son nom pour authentifier un acte et par métonymie le nom d'une personne inscrit sous une forme particulière (cf. *seing*). ◇ Ce sens repris au latin a conféré au verbe *signer* (ci-dessus) son usage actuel. *Signature* désigne aussi par figure (apr. 1750) ce qui révèle la personnalité d'un artiste et, par extension, le nom ou la marque d'un auteur apposé sur une œuvre (attesté en 1876), d'où par métonymie l'auteur lui-même (XXᵉ siècle : *une signature illustre*, etc.). ◇ Le mot a cependant gardé des traces d'un emploi général au sens de «marque», plus particulièrement «signet» (1660) et «repère placé au début et à la fin d'un cahier à relier» (1669), d'où par métonymie «cahier à relier» *(un livre de vingt-cinq signatures)*. ➛ **SIGNATAIRE** n. a été formé (1789) sur le radical de *signature* dans son sens dominant, remplaçant *signateur* (1541) ; il a fourni **COSIGNATAIRE** n. (1876).

Le composé **CONTRESIGNER** v. tr., terme de droit (1415), est passé dans l'usage courant avec la valeur de «donner son aval». En dérive **CONTRESIGNATAIRE** n. (1818-1827), d'après *signataire*, mot rare. ➛ **SOUSSIGNÉ, ÉE** adj. et n. vient du participe passé du verbe **SOUSSIGNER** (1611), réfection de *soubsigner* (1274), donné comme inusité à partir de 1694 par l'Académie. ◇ *Soussigné*, d'abord *soubsigné* (1507), signifie «dont la signature est au-dessous» et s'emploie dans des formules du type *Je soussigné(e)*, X...

◈ voir ASSENER, ASSIGNER, CONSIGNER, DÉSIGNER, DESSINER, ENSEIGNER, RÉSIGNER.

SIGNIFIER v. tr., représente (v. 1190) la réfection, d'après le latin, de *signefier* (v. 1119), succédant lui-même à *senefier* (1080), forme plus populaire. Toutes ces formes sont issues ou empruntées du latin *significare* «indiquer (par signe)», «faire connaître, comprendre», «donner à entendre» ; ce verbe avait aussi le sens de «présager, annoncer» et «vouloir dire, avoir tel sens» ; il est composé de *signum* (→ signe) et de *facere* (→ faire).

♦ Le verbe français a d'abord le sens de «marquer, être le signe de» (1080) en parlant de choses ou de faits, et s'emploie (v. 1119) à propos d'un signe du langage, mot, expression, énoncé, en relation avec *sens, avec signification* (ci-dessous) et avec divers équivalents, dont le plus usuel en français moderne est *vouloir dire**. Depuis le XVIᵉ s. (1546, Rabelais), *signifier* correspond plus précisément à «avoir pour sens», à propos d'un mot, d'une phrase. Le complément du verbe exprime alors une synonymie et *signifier* se distingue de *désigner*, dont le complément renvoie à une chose extérieure au langage (concept ou objet du monde). Mais *signifier* avait en français classique cette valeur, et *signifier qqn* s'est employé (déb. XVIIᵉ s.) pour «désigner (qqn) par un nom», là où le français moderne emploie *nommer* et *désigner*. ◇ Les locutions ***cela ne signifie rien*** (1681) et ***qu'est-ce que cela signifie ?*** (1759) expriment le mécontentement. ◇ Le verbe se dit aussi, à partir du XIIe s., pour «faire connaître (qqch. à qqn) par des signes» (v. 1155) et spécialement pour «notifier par des paroles expresses» (1165-1170). De là viennent la valeur d'«assigner en justice» (1386), sortie d'usage, puis celle de «faire savoir légalement» (1636). ◇ *Signifier* avait repris dès l'ancien français les valeurs latines de «présager, pronostiquer» (v. 1175), d'où «supposer, imaginer» (1223); ces acceptions sont sorties d'usage comme «donner à entendre» (apr. 1360).

▶ Le dérivé **SIGNIFIANCE** n. f. (v. 1155) qui a remplacé *senefiance* (1080) dérivé de *senefier*, et *signefiance* (v. 1119), de *signefier*, s'est employé pour «signification», en particulier à propos d'un rêve (1080) et pour «indice, marque par laquelle on révèle qqch.» (1165-1170); de là viennent en ancien français plusieurs valeurs : «allégorie» (v. 1210), «symbole» (v. 1220), etc. ◆ Le mot, entièrement sorti d'usage, a été repris assez récemment dans le vocabulaire de la sémiologie et de la sémiotique (par exemple R. Barthes, 1973), désignant (probablement d'après l'anglais *significance*) le fait d'avoir du sens, opposé à *non signifiance*. ◆ **SIGNIFIÉ, ÉE** adj. et n. m. (fin XVIIe s.), tiré du participe passé du verbe, s'est employé dans *volonté signifiée*, par laquelle Dieu demande ce qu'il veut aux hommes. ◇ Le mot a été repris en linguistique comme adjectif et nom masculin (1910, F. de Saussure) pour désigner un aspect du signe correspondant aux effets de sa signifiance, effets considérés à part dans *sens* et *signification* mais, ici, indissolublement liés au *signifiant*. ◆ **SIGNIFIANT, ANTE** adj. et n. m. a désigné (1344) une personne qui fait connaître qqch. par des signes. L'adjectif s'est appliqué (1553) à ce qui marque ce qu'une personne veut dire. ◇ Repris en même temps que *signifié* (1910, F. de Saussure), le nom désigne l'aspect matériel du signe linguistique, suite de phonèmes («image acoustique») ou de lettres, auquel correspond un ou plusieurs signifiés. *Signifiant* et *signifié* s'emploient en linguistique et plus généralement en sémiologie, parfois abusivement pour *signe* (la sémiotique ignore ces concepts et ne connaît que *signe, signification, sens, référence*).

Le composé **INSIGNIFIANT, ANTE** adj. qualifie (1750) ce qui n'a pas d'importance, de portée. Dans cet emploi usuel, l'adjectif s'applique aux personnes, aux actions, aux paroles, etc. ◇ La valeur générale, pour «qui n'a pas de sens», est très rare, même en sémiologie (mil. XXe s.) pour qualifier ce qui ne constitue pas un signe et par opposition à *signifiance* (ci-dessus). ◇ *Insignifiant* équivaut souvent (dep. 1778) à «très faible» sur le plan quantitatif et s'applique aussi (1789) à une personne dont la personnalité est effacée. ◆ **INSIGNIFIANCE** n. f., littéraire et rare au sens général d'«absence de signification» (1785), peut s'opposer dans le vocabulaire didactique (mil. XXe s.) à *signifiance*, mais on dit plus souvent *non signifiance* pour éviter l'ambiguïté avec le sens courant. ◇ Ce dernier (1789), «caractère de ce qui a peu de portée», correspond à l'emploi courant d'*insignifiant*.

Quelques mots liés à *signifier* sont empruntés à des dérivés latins de *significatum*, supin du verbe latin. ◆ **SIGNIFICATION** n. f. (v. 1119), d'abord adapté en *signeficaciun*, est emprunté au latin *significatio* «action d'indiquer», «annonce, indication» et, spécialement, «marque d'approbation, manifestation favorable», et «sens d'un mot». ◇ Le mot s'emploie à propos de ce que signifie une chose, un fait (v. 1119), un signe et spécialement un mot ou une locution (v. 1283). Dans l'usage courant, *signification* équivaut à *sens*, mais les spécialistes lui accordent après Saussure la valeur de «rapport réciproque qui unit le signifiant et le signifié» et «effet sémantique (d'un signe) en situation, dans le discours», alors distinct de *sens* et opposé à *désignation*. ◇ L'acception de «témoignage, annonce» (v. 1155) se maintient encore au XVIe s., remplacée ensuite par les valeurs spéciales de *signe*. *Signification* est aussi un terme de droit (1347), par exemple dans *signification d'un jugement*; il se disait plus généralement à l'époque classique (dep. 1580) de l'action de faire connaître qqch. ◆ **SIGNIFICATIF, IVE** adj., emprunt (1495) au bas latin *significativus* «qui a la propriété de faire comprendre», «qui est le signe de», s'est appliqué à ce qui annonce qqch. (à propos d'un astre, d'une planète). ◇ L'adjectif s'est détaché de la valeur générale de *signification*, en qualifiant (v. 1560) ce qui exprime clairement qqch., d'où (1694) ce qui révèle ou est très caractéristique. Par extension (1870), il correspond aussi à «marquant, important», s'opposant alors à *insignifiant*. ◇ Le dérivé **SIGNIFICATIVEMENT** adv. (1819) est didactique mais assez courant. ◆ **SIGNIFICATEUR, TRICE** adj. et n. m., emprunt au bas latin *significator* «celui qui indique», utilisé dans le latin des astrologues au moyen âge, s'est employé au sens de «qui annonce telle qualité», en parlant d'une planète (1526); le nom désigne encore en astrologie, depuis le XVIIe s. (1690), une planète qui joue un rôle dans un thème de nativité.

SILENCE n. m. est un emprunt (1119) au latin classique *silentium* «absence de bruit, de paroles» et, au féminin, «repos, inaction, oisiveté», dérivé de *silere* «être silencieux», «taire», «se taire». À l'origine, le verbe était employé pour parler de l'absence de mouvement et de bruit; il s'utilisait autant à propos des choses que des personnes, plus couramment que *tacere* (→ taire). L'origine de *silere* reste obscure.

♦ Dans les premiers emplois, le mot conserve le sens propre du latin et désigne également (v. 1190) le fait de ne pas exprimer sa pensée, oralement ou par écrit. Comme en latin, *silence* est parfois aussi féminin depuis le début du XIIIe (v. 1210) jusqu'au milieu du XVIIe siècle. Les deux valeurs premières du mot apparaissent dans ***en silence*** (v. 1190) «sans faire de bruit, sans dire un mot» et «sans se plaindre», puis dans les locutions *être mis au silence* (1327) qui a eu cours dans le vocabulaire religieux des monastères, ***passer qqch. sous silence*** (1330, *soubz silance*) «ne pas en parler», ***imposer silence à qqn*** (XVe s.), ***réduire qqn au silence*** (1762), dans *silence!* (1718), *du silence!* (1835). ◇ *Silence* s'emploie depuis le moyen français de manière plus générale (v. 1350, *silenche;* 1380, *silence*) pour parler de l'absence de bruit, d'agitation, comme quasi-équivalent de *calme,* d'où les sens disparus de «lieu retiré» (fin XVIe s.), «secret, mystère» (1656), et l'usage figuré dans le domaine moral (fin XVIIe s.), par exemple dans *le silence des passions* (1788). ◇ Le mot désigne également (fin XIIe s., *scilence*) le fait de ne pas exprimer qqch., ne pas divulguer ce qui est secret, sens auquel se rattache la locution ***la loi du silence*** (XXe s.), qui interdit aux membres d'une association de malfaiteurs de renseigner la police, par exemple l'*omerta* sicilienne. ◇ À partir du XVIIe s., il se dit de l'absence de sons perçus (av. 1626). *Un silence* désigne un temps d'arrêt dans un discours (1672) et, par figure, l'interruption de relations épistolaires (1690), puis (XXe s.) téléphoniques. ◇ En musique *un silence* s'applique à l'absence ou à l'interruption du son, indiquée par des signes particuliers (1743, Rousseau) et, par métonymie, désigne chacun de ces signes (1767) (cf. *pause, soupir*). ◇ Par figure, *silence* désigne aussi le fait de ne pas mentionner qqch. dans un écrit, d'abord en parlant d'un texte de loi (1804), puis avec une valeur étendue (1871), en relation avec ***faire silence sur qqch.,*** qui correspond à *se taire.* ◇ La valeur d'«absence de son» s'applique au XXe s. au contexte technique *(silence radio)* et didactique, en physiologie ou en physique *(zone, cône de silence).* ***Silence radio,*** repris au figuré, s'applique à une absence de déclaration, de discours, de réaction verbale.

▸ **SILENCIEUX, EUSE** adj., formé d'après le dérivé bas latin *silentiosus* (Apulée), s'applique à un lieu où l'on entend peu de bruit (1524), à une personne qui ne parle guère (1611) ou s'abstient momentanément de parler (v. 1750). ◇ L'adjectif qualifie aussi ce qui se passe sans paroles (av. 1784, *un repas silencieux*), une chose qui fait peu de bruit (v. 1800), d'où une **SILENCIEUSE** n. f. (1877), «machine à coudre qui ne fait pas de bruit», emploi disparu, alors que **SILENCIEUX** n. m. désigne encore un dispositif servant à atténuer un bruit (1898), notamment celui d'une arme à feu (mil. XXe s.), d'un pot d'échappement. ◇ L'adverbe **SILENCIEUSEMENT** est usité au propre (1586) et au figuré (1854). ◆ **SILENCIAIRE** adj. et n. est emprunté (1567) au dérivé bas latin *silentiarius* «esclave qui fait observer le silence» et «huissier du palais impérial», sens emprunté en français au XVIIe s. (1611). ◇ Comme adjectif, le mot a signifié «qui reste silencieux». Il a été repris par L. Bloy, familier du vocabulaire religieux (fin XIXe s.), appliqué à ce qui réduit au silence. ◇ Le nom a désigné (1721) une personne qui parle peu et, spécialement (1819), un religieux tenu d'observer le silence. Le mot est archaïque ou didactique. ◆ **SILENCER** v. tr., attesté en 1874 (1888, *silencier*), est littéraire. ◆ **SILENCEUR** adj. m., dans *bloc silenceur* (v. 1970), est un terme technique qui traduit l'anglicisme **SILENT-BLOC** n. m. passé en français (1928) pour «petit bloc de caoutchouc qui permet d'absorber les bruits et les vibrations d'un moteur».

SILÈNE n. m. est tiré du nom propre *Silène* (1534, Rabelais), emprunt au latin *Silenus,* nom du demi-dieu communément représenté gonflé comme une outre, père nourricier de Bacchus. *Silenus* est lui-même emprunté au grec *Silênos,* nom du compagnon de Dionysos et des nymphes, d'origine inconnue.

♦ Le mot a désigné (1534; encore en 1660), par référence à la physionomie joviale du dieu, une petite boîte peinte de figures joyeuses et frivoles, que l'on trouvait chez les pharmaciens. ◇ Par analogie d'aspect, *silène* désigne (1765) une plante herbacée dont les fleurs présentent un calice gonflé, puis (1791) un papillon du genre des satyres.

SILEX n. m. est la reprise (1556) du mot latin *silex* désignant une sorte de lave, employée dans la construction des maisons. Le mot, qui signifie aussi «caillou» et est utilisé en poésie pour «roc, roche», n'a pas d'origine claire.

♦ En français, *silex* désigne une roche siliceuse et, par métonymie (déb. XXe s.), un objet en silex, en particulier un outil préhistorique.

◈ voir SILICE.

SILHOUETTE n. f. apparaît (1759) dans l'expression ***à la silhouette,*** venant du nom d'Étienne *de Silhouette,* homme politique (1709-1767) qui fut impopulaire et chansonné pour ses projets d'économie, lorsqu'il fut ministre des Finances (mars-novembre 1759). On a supposé sans preuve que l'expression évoquait le fait qu'Étienne de Silhouette avait l'habitude de tracer ce genre de profils.

♦ Dans sa première attestation, *à la silhouette* semble désigner des objets faits «à l'économie», d'une façon sommaire ou peut-être des ombres passagères, à l'image d'une politique changeante et inefficace. L'expression est employée chez Rousseau (1765, *profil à la silhouette*) au sens moderne pour un dessin au trait de profil exécuté en suivant l'ombre projetée par un visage; on disait aussi *portrait à la silhouette,* et *silhouette* (1788). Ce sens est devenu didactique. ◇ Par extension, le nom désigne couramment une forme qui se profile en noir sur fond clair (av. 1841, Chateaubriand), la ligne générale d'un corps humain figurée sommairement (av. 1850), puis tout dessin aux contours schématiques (1890), en particulier dans *silhouette de tir* (1904) dans le vocabulaire militaire.

▸ Le dérivé **SILHOUETTER** v. tr. (1857 chez Sainte-Beuve), d'abord relevé au pronominal (1865), a fourni **SILHOUETTAGE** n. m., terme technique de photographie (1905).

SILICE n. f. est emprunté (1787, Guyton de Morveau) au latin *siliceus* «de silex», dérivé de *silex, -icis* «caillou, silex», ou directement dérivé de cette base (→ silex).

♦ C'est le nom donné, en chimie et en minéralogie, à un corps dur, constituant très courant des minéraux naturels, plus tard identifié à l'oxyde d'un corps simple, qui sera appelé *silicium* (ci-dessous).

▸ *Silice* a produit plusieurs dérivés et composés didactiques. ◆ **SILICEUX, EUSE** adj. (1780) signifie «formé de silice» et, par extension, «riche en silice» (*terrain siliceux,* 1812). ◆ **SILICIUM** n. m. désigne un corps simple métalloïde, du groupe du carbone, découvert à partir de la silice qui en est l'oxyde, et nommé en 1809 par le chimiste suédois J. J. Berzelius (1779-1848). ◇ Le mot, attesté en 1816 en français, a servi de base pour former **SILICONE** n. f. qui désigne d'abord (1876; précédé par *silicon,* 1863) un composé résultant de l'action de l'acide chlorhydrique sur un sel *(siliciure)* de calcium. Employé au pluriel (1906), c'est le nom générique de dérivés du silicium à importants usages industriels *(huiles, résines de silicones).* ◇ En dérive **SILICONER** v. tr. (mil. XXe s.), «garnir de silicone», terme technique qui a fourni **SILICONAGE** n. m. et **SILICONÉ, ÉE** adj. (mil. XXe s.). ➜ **SILICIQUE** adj. (1818), dans *anhydride silicique,* ancienne désignation chimique (erronée) de la silice, et *acides siliciques* (notion hypothétique), a disparu. ➜ **SILICATE** n. m., dérivé savant de *silice,* désigne (1818) une combinaison de silice avec un oxyde métallique. ◇ Le mot a fourni plusieurs dérivés, en chimie : **SILICATÉ, ÉE** adj. (1842), **SILICATISER** v. tr. (1876), **SILICATATION** n. f. (1878), **SILICATAGE** n. m. (mil. XXe s.), **SILICATER** v. tr. *(id.).* ➜ **SILICIURE** n. m. (1824), «combinaison de silicium et d'un élément», a produit **SILICIURATION** n. f. (1877).

Parmi les composés, on relève en botanique **SILICICOLE** adj. (1871), de *-cole,* qui s'applique aux plantes poussant bien en terrain siliceux. ➜ **SILICOSE** n. f. (1945), de *-ose,* désigne une maladie provoquée par l'action de poussières de silice sur les poumons, maladie professionnelle grave des mineurs, des tailleurs de pierre. Il a pour dérivé **SILICOTIQUE** adj. (v. 1950).

L'élément **SILICICO-** ou **SILICO-**, tiré du radical de *silicium,* indique, dans des termes de chimie, la présence de silicium dans un composé (par exemple *silicocalcium* n. m., mil. XXe s.).

SILLAGE → SILLON

SILLET n. m. est emprunté (1642, Oudin) à l'italien *ciglietto,* proprement «petit cil», diminutif de *ciglio* «cil, sourcil», issu du latin *cilium* désignant la paupière (inférieure) et par extension les cils (attesté depuis Pline) [→ cil].

♦ *Sillet,* terme technique de musique, désigne comme en italien une petite pièce de bois collée sur le manche de certains instruments à cordes, juste au-dessus de la tête, pour empêcher que les cordes n'appuient sur la touche. ◇ Le mot désigne par extension (mil. XXe s.) l'ensemble des saillies longitudinales incrustées sur le manche d'un instrument à cordes pour marquer l'emplacement des notes.

SILLON n. m., attesté chez Villon (1462), a remplacé les formes *sellon* (XIIIe s.), *seillon* (v. 1200, avec l'idée de mesure pour le terrain), le dérivé *seillonet* étant relevé au XIIe s. (1165-1170); la graphie *seillon* est encore attestée au XVIe siècle. Le mot, d'origine incertaine, représente pour Bloch et Wartburg un dérivé de l'ancien français *silier* «labourer» (1322; cf. v. 1210, *seil* «sillon») puis (v. 1330) «marquer (la chair) de coups de fouet», issu d'un latin populaire °*seliare.* Ce dernier proviendrait d'un radical gaulois *selj-,* que l'on retrouve dans le rhéto-roman *saglia* «bande étroite au milieu d'un pré fauché, sur laquelle on étend l'herbe du pré entier». Cependant, P. Guiraud fait venir *sillon* d'un ancien verbe, attesté tardivement, *siller* (1583), *seiller* (1643), variantes de *seigler* (1542) signifiant en marine «faire un sillage» et issu d'un latin populaire °*seculare,* lui-même dérivé du latin classique *secare* qui a donné *scier*; le *seillon* ou *sillon* serait alors une raie, découpée dans la terre ou dans l'eau comme avec une scie. Cette explication — qui rejoint celle de Furetière, rapprochant *sillon* et *sion (scion)* — se heurte à des difficultés chronologiques.

♦ Le mot a désigné (1306, *sellon*) une bande de terre, une planche de labour, acception encore relevée au début du XVIIe siècle. Il s'applique aussi en ancien français (XIIIe s.) et jusqu'au XVIe s. à une unité de mesure. ◇ Le sens de «tranchée ouverte dans la terre par une charrue» semble apparaître au XVIe s. (1538, *seillon;* fin XVIe s., *sillon*). ◇ Les emplois du mot sont ensuite analogiques ou figurés. Il désigne une ligne creusée plus ou moins profondément sur une surface, d'abord en parlant des rides d'un visage (fin XVIe s.); dans le langage poétique, *sillon* correspond (1611) à «ligne, trace longitudinale». Par ailleurs, *les sillons* pour «la campagne, les champs» (1658), lui aussi d'usage poétique, est sorti d'usage. Le mot s'est en outre employé (1690) pour «sillage» (ci-dessous). ◇ Il s'est spécialisé pour désigner (1704) la dépression entre les deux seins. Il devient un terme spécialisé d'anatomie, signifiant «strie profonde» (1765), «rainure» *(sillons du cerveau),* employé ensuite en sciences naturelles *(sillon d'une coquille),* en embryologie (XXe s., *sillon primitif*). ◇ Au sens dominant de «trace de la charrue», des locutions apparaissent après 1750 : ***tracer son sillon*** (av. 1778), ***faire son sillon*** (1835), ***creuser son sillon*** (1875) signifient figurément «poursuivre sa tâche laborieusement, avec persévérance». ◇ Par analogie, *sillon* désigne une dépression étroite plus ou moins profonde (1871, *sillon des roues*) et, spécialement (1889), la trace produite à la surface d'un disque par l'enregistrement phonographique (d'où *microsillon*). ◇ *Le Sillon,* nom d'une revue que fondèrent P. Renaudin et M. Sangnier en 1894, organe du catholicisme libéral et social, fait référence à la métaphore du labour et de la trace; autour de cette revue se forma un mouvement appelé (déb. XXe s.) **SILLONNISME** n. m., d'où **SILLONNISTE** adj. et n. Ce mouvement fut condamné par Pie X en 1910.

▸ Le dérivé **SILLONNER** v. tr. remplace (fin XVIe s.) *seillonner, seilonner* (1538) au sens de «labourer en ouvrant des sillons», sorti d'usage. Le verbe s'est fixé sur un emploi analogique (v. 1570), «parcourir en tous sens», d'où spécialement en parlant d'un navire (1575) «traverser d'un bout à l'autre en laissant un sillage» puis «traverser», en parlant d'une voie (v. 1850). ◇ Par ailleurs, *sillonner* s'emploie avec un sujet qui désigne ce qui marque, forme des sillons (fin XVIe s., en parlant des rides; 1765, d'un éclair dans le ciel).

Le composé **MICROSILLON** n. m. (v. 1950), de *micro-*, terme technique pour le sillon très fin d'un disque 33 ou 45 tours longue durée, désigne couramment par métonymie le disque lui-même. Le mot s'emploie aussi en apposition *(disque microsillon)* mais tend à disparaître, avec l'élimination des anciens disques 78 tours, le microsillon étant pendant un temps le seul disque usuel, concurrencé puis éliminé (entre 1980 et 1990) par le «compact» (voir *disque*). ◆ **INTERSILLON** n. m. (v. 1950) de *inter-*, désigne en technique du son la partie située entre deux spires adjacentes d'un sillon.

SILLER v. a signifié en moyen français (1583) «tracer un sillage», puis est sorti d'usage. Il a été repris à la fin du XIXe s., au sens de «parcourir dans le sens de la longueur» (1887, Huysmans), mais ne s'est pas imposé. ◆ Le verbe avait servi à former **SILLAGE** n. m. (1574), d'abord *seillage* (XVe s., selon Bloch et Wartburg), qui désigne la trace que laisse un bâtiment derrière lui. Par extension, le mot signifie aussi (1679) «vitesse de marche (d'un navire)», la trace dépendant de cette vitesse. ◇ Il se dit par analogie (1803) d'une veine de prolongement, dans une mine de houille; c'est alors un terme technique. ◇ Par extension, il désigne la trace d'un passage quelconque (1830, *sillage des étoiles*), d'où la locution figurée et courante ***marcher, être dans le sillage de qqn*** «en suivant son exemple» (1904) et (XXe s.) *le sillage d'un parfum* «l'odeur parfumée laissée par une personne qui passe». En physique, *sillage* désigne la partie d'un fluide que laisse derrière lui un corps en mouvement (XXe s.).

SILO n. m. est emprunté (1685) à l'espagnol *silo* (1050), emprunté, par l'intermédiaire du latin didactique *sirus*, au grec *siros* «excavation souterraine où l'on conserve le grain» et «trappe», «cachot», mot technique sans étymologie connue.

♦ *Silo* s'est employé au sens de «cachot souterrain» qu'avaient le grec et l'espagnol (au XIIIe s.). Le mot, à peu près inusité, est repris au XIXe s. (1823), désignant une excavation où l'on conserve le grain, ce sens ayant été réalisé par l'ancien provençal *sil* au moyen âge (v. 1280). *Silo* a désigné (déb. XXe s.) une punition consistant, dans l'armée d'Afrique, à enfermer un condamné dans un silo. Le mot s'applique aussi à d'autres produits agricoles que les grains (1871) et se dit par extension d'un dispositif ayant cette fonction de stockage, mais consistant en un réservoir élevé (XXe s.). En revanche, la valeur d'excavation réapparaît à propos d'un site souterrain de lancement de missiles (v. 1970), tandis que l'analogie de fonction et la forme des silos à grains modernes, qui sont des tours élevées, produit d'autres sens figurés, «garage à étages» (1972) et au figuré et péjorativement (v. 1973) «immeuble à nombreux étages et à forte densité d'occupation».

▶ Le dérivé **SILOTAGE** n. m. (1923) est un synonyme d'*ensilage*. ◆ Le préfixé **ENSILER** v. tr. (1865, au participe passé) ou, rare, **ENSILOTER** v. tr. (v. 1890), terme technique signifiant «mettre en silo», a fourni **ENSILAGE** n. m. (1838; de *en*, et *silo*), qui désigne par métonymie le fourrage à demi séché stocké dans des silos, alors que *ensiloter* a pour dérivé **ENSILOTAGE** n. m. (1873) «mise en silo». ◇ *Ensiler* a en outre produit **ENSILEUSE** n. f. (XXe s.) et **ENSILEUR** n. m. (1875) «celui qui met dans les silos».

SILURE n. m. est emprunté (1558) au latin impérial *silurus*, lui-même pris au grec *silouros* désignant un poisson. La finale *-ouros* vient de *oura* «queue», mais le premier élément est obscur. On relève en moyen français la forme dialectale *saluth* (1560; 1611, *salus*) devenue *salut* (1791) et conservée en Suisse.

♦ *Silure* est le nom d'un poisson de grande taille qui vit sur les fonds vaseux des grands fleuves (Danube, Nil), des lacs et de certaines mers (mer Noire, Caspienne). ◇ En français d'Afrique, le mot s'emploie en parlant de différentes espèces de poissons à barbillons développés, alors équivalent de *poisson-chat*.

▶ Le dérivé **SILURIDÉS** n. m. pl. (1904), du grec *eidos* «forme, apparence» (→ -idés), terme de zoologie, est le nom de la famille de poissons dont le silure est le type. ◇ Le mot a eu pour équivalent **SILUROÏDES** n. m. pl. (1828), de *-oïde*, qui a disparu.

SILVANER n. m. est emprunté (1868) à un mot allemand d'Autriche, dérivé du latin classique *silva* «forêt» (→ selve, sylvi-; sauvage).

♦ *Silvaner*, écrit aussi *sylvaner*, désigne un cépage blanc cultivé en Allemagne, en Autriche, en Suisse et en Alsace; par métonymie, c'est le nom (1904) d'un vin blanc produit avec ce cépage, souvent, dans le contexte français, d'un *silvaner* d'Alsace.

SILVES → SYLVE

SIMAGRÉE n. f., attesté en 1285, est d'origine obscure. On a fait l'hypothèse, plus plaisante que vraisemblable, d'une substantivation de *si m'agrée* «ainsi cela m'agrée» (→ agréer), dont on ne trouve pas d'exemple très ancien, à l'exception du dernier vers du fabliau du *Povre Mercier : donne-moi boire, si t'agrée.* On a proposé par ailleurs une formation à partir de *sime a groe* «singe avec des griffes», qui serait apparue dans le Hainaut (cf. *simagraw* en wallon, *chimagrue* dans Molinet, fin XVe s.) et serait une ancienne dénomination du diable. P. Guiraud retient de ces deux hypothèses les formes *sime*, forme dialectale de *singe** (variantes *syme, chime*), et *agrée : sime* et *agrée* désignant un agrément, une approbation de singe (cf. *monnaie de singe*), et les *simagrées* des «singeries». Au XVIIe s. (la Piquetière, cité par Ménage), on le rapprochait de *simulacre*.

♦ *Simagrée*, le plus souvent employé au pluriel, se dit d'un comportement affecté, destiné à attirer l'attention ou à tromper. Il n'a guère changé de sens au cours des siècles.

SIMARRE n. f. est un emprunt (1610), d'abord écrit *cymarre* (1511), à l'italien *zimarra* (XIVe s., aussi *cimarra*), lui-même pris à l'espagnol *zamarra* qui l'a emprunté à l'arabe *sammūr*, mot désignant (1100) la zibeline ou sa fourrure. Le français a employé *chamarre* (1490) au sens moderne de *simarre*, par emprunt à l'espagnol *zamarra*, qui correspond à l'ancien provençal *samarra* (1330). On relève aussi les variantes *chimarre* (1627) et *cimarre* (1640), plus courante à l'époque classique (→ chamarré).

♦ Dans sa première attestation (1511), *simarre* désigne une sorte de pot, sémantisme déjà présent en ancien provençal (1425); on serait passé de l'idée de «vêtement» (qu'avait *chamarre*) à celle d'«habillement» d'une bouteille, d'un pot et, par métonymie, le mot aurait désigné le pot lui-même. ◆ Ce sens est sorti d'usage, et *simarre*, par retour à l'idée initiale ou par réemprunt, la référence à la fourrure n'étant pas exclue, a désigné (1610) une longue robe d'homme ou de femme, faite d'une riche étoffe; c'est aujourd'hui (depuis 1704) le nom d'une espèce de robe portée par les prélats ou les magistrats.

SIMIESQUE adj. est formé par dérivation savante (1843, Balzac) à partir du latin *simia* n. f. (→ singe).

♦ Le mot qualifie ce qui tient du singe ou qui l'évoque *(un visage simiesque)*.

▸ À partir de ce même radical a été créé le terme de zoologie **SIMIEN, ENNE** adj. (1842), d'abord concurrencé par *simian*, qui se dit de ce qui est relatif aux singes. Le substantif pluriel, *les Simiens*, désigne (1876) un sous-ordre de l'ordre des Primates, comprenant les singes proprement dits et l'homme.

SIMILAIRE adj. est dérivé (1539) du latin classique *similis* «semblable», «ressemblant», issu d'une forme ancienne °*semilis;* la forme ancienne du neutre, *simul (semul, semol)*, est demeurée comme adverbe au sens d'«en même temps, également» et a été renforcée à l'époque impériale en *insimul* (→ ensemble). °*Semilis* se rattache à une racine indoeuropéenne °*sem-* «un» servant aussi à exprimer l'identité et représentée par le gotique *sama*, le sanskrit *sámaḥ*, le vieux slave *samŭ*. Le latin n'a de correspondants exacts qu'en celtique (irlandais *samail* «ressemblance»). ◇ *Similis* avait abouti en ancien provençal à *semble* «semblable» (v. 1090), forme relevée isolément en ancien français (XIIIe s. et 1378).

♦ L'adjectif *similaire* est d'abord un mot médical, attesté en anatomie dans *parties similaires* (1539), désignant les parties fondamentales qui constituent des systèmes et se réunissent pour former des organes. Il s'est appliqué plus largement à des éléments de même nature, équivalant à *homogène* en anatomie (v. 1560, Paré, *partie similaire*), plus tard en physique (1721, *lumières similaires*); en mathématiques, il a eu le sens de «proportionnel» (1721, *rectangles similaires*). ◇ Depuis le début du XVIIe s. au moins (1611), *similaire* signifie couramment «qui est à peu près de même nature (qu'une autre chose)» mais cette acception reste rare avant le XIXe s., où le mot est repris en économie politique (1871) qualifiant des produits nationaux de même nature que ceux qui sont importés; il est alors substantivé *(les similaires)*.

▸ En dérivent **SIMILARITÉ** n. f. (1755), mot assez usuel, et **SIMILAIREMENT** adv. (1891, Goncourt), d'usage rare.

SIMILITUDE n. f. a été emprunté (v. 1220) au latin *similitudo* «ressemblance, analogie», «représentation, image ressemblante», «comparaison, rapprochement» et «monotonie», dérivé de *similis*. ◆ Le mot a d'abord signifié dans le vocabulaire religieux «rapport exact entre deux êtres», en parlant de Dieu et du Christ. Il s'est employé en rhétorique depuis le XIIIe s. (v. 1270) et encore à l'époque classique, au sens de «comparaison fondée sur l'existence de qualités communes à deux choses», d'où l'usage dans la langue biblique (1535) pour «parabole». ◇ Il désigne (1365) la relation qui unit deux choses exactement semblables (cf. *analogie*), spécialement en géométrie où il s'emploie pour parler de deux figures qui peuvent être rendues homothétiques (1765) et pour nommer la transformation qui permet de passer d'une figure à une autre semblable (1876). Avec la même valeur, le mot est repris en médecine homéopathique dans *loi de similitude*, selon laquelle de très faibles doses toxiques guérissent des symptômes semblables à ceux qui sont provoqués chez une personne par ces toxiques administrés à fortes doses, principe déjà énoncé dans l'Antiquité par Hippocrate.

SIMILI-, élément tiré de *similis*, marque qu'on a affaire à une chose semblable, souvent avec une valeur péjorative (cf. *pseudo-*). ◆ L'élément a été substantivé en **SIMILI** n. m. (attesté 1881, Huysmans) et équivaut à «imitation». Le mot désigne aussi un cliché obtenu par similigravure (→ gravure) et du coton similisé (mil. XXe s., n. m.). ◆ **SIMILISER** v. tr. (1935), d'abord au participe passé **SIMILISÉ, ÉE** (1909), signifie «traiter (des fibres de coton) pour leur donner un aspect soyeux»; l'opération est nommée **SIMILISAGE** n. m. (1935).

◈ voir ASSIMILER, DISSIMULER, ENSEMBLE, SEMBLER, SIMPLE, SIMULACRE, SIMULER, SIMULTANÉ.

SIMONIE n. f., réfection graphique (v. 1180) de *symonie* (1172-1174), est emprunté au latin ecclésiastique médiéval *simonia* (1082), tiré du nom propre *Simon*, porté par plusieurs personnages de l'Évangile et désignant ici *Simon le Magicien (Simon magus)* qui avait voulu acheter les apôtres Pierre et Paul pour recevoir d'eux le pouvoir de conférer le Saint-Esprit par l'imposition des mains (*Actes des Apôtres*, VIII, 9, 24). Le nom *Simon* vient du latin classique *Simo, -onis*, signifiant aussi «dauphin», et dérivé de *simus* «camus, au nez aplati». Il a été employé au moyen âge (1225-1250, *symon*) pour désigner un homme coupable de simonie. ◇ On relève aussi, au XVIIIe s., l'emploi de *petit simon* comme nom d'une bergeronnette de l'île Bourbon (aujourd'hui La Réunion; 1778, Buffon), puis *simon* pour «dauphin» (1842, Académie).

♦ C'est par référence à la démarche de Simon le Magicien que le mot se dit, dans un usage littéraire ou religieux, de la volonté réfléchie d'acheter ou de vendre à prix temporel une chose spirituelle, et de la pratique qui en résulte.

▸ **SIMONIAQUE** adj. et n. (1491), réfection de *symoniaque* (1372), est emprunté au dérivé latin chrétien *simoniacus*, qui avait produit dès le XIIe s. l'ancien provençal *simoniacx*, adjectif (v. 1140). ◇ Ce terme, didactique ou littéraire, signifie «coupable ou entaché de simonie».

SIMOUN n. m. est un emprunt, d'abord écrit *simoon* (1791), puis francisé d'après la prononciation anglaise en *simoun* (1819), à l'anglais *simoon, simoom* (1790), lui-même emprunté à l'arabe *samūm*, dérivé de *samma* «empoisonner». Le français avait *samun* (1777) par emprunt direct à l'arabe. Une *Description de l'Arabie* parue en 1773 mentionne ce vent, «vent empoisonné qu'on nomme *sâm, smûm, samiel* et *samêli* suivant les différentes prononciations des Arabes». On trouve aussi la graphie *semoun* (1822), souvent employée au XIXe siècle.

♦ Le mot désigne un vent violent, très chaud et sec, qui souffle sur les régions désertiques du Sahara, de l'Arabie (cf. *sirocco*).

SIMPLE adj. et n. m. est emprunté (v. 1125) au latin classique *simplex, -icis*, littéralement «plié une fois», qui signifie «formé d'un seul élément», «seul, isolé», «naturel, sans artifice», et dans le domaine moral «sans détours, ingénu, naïf». *Sim-*, premier élément de cet adjectif, se rattache à une racine indoeuropéenne °*sem-* désignant l'unité et exprimant l'identité (→ ensemble; singulier); le second élément (→ duplex) vient d'une racine °*plek-* qui a par ailleurs fourni en latin *plectere* (→ plier).

♦ L'adjectif s'applique d'abord à une personne sans titre particulier, qui est d'un rang social peu élevé (mil. XIIe s.), d'où au XVIIe s. *les simples*, n. m. pl., «la catégorie des hommes simples», sorti d'usage. ◇ Dans un contexte abstrait, l'adjectif qualifie aussi, dès les premiers textes, ce qui est ordinaire, ce qui est seul, à quoi rien ne vient s'ajouter et, de là (déb. XIIIe s.), ce qui suffit à lui seul. Avec ces valeurs, il s'est employé comme terme de droit canon dans *bénéfice à simple tonsure* «qui peut être possédé par un clerc qui n'a que la tonsure, non jointe aux ordres ecclésiastiques» (v. 1462), nommé aussi *bénéfice simple* (1680); par figure, on a dit *à simple tonsure* pour «pauvre» : *demoiselle à simple tonsure* (1548), «de peu de mérite» *avocat à simple tonsure* (1690), et aussi «léger, sans ornement» : *habit à simple tonsure* (1660). ◇ Depuis le XIIe s., l'adjectif s'emploie (v. 1165) pour parler d'une personne qui se laisse aisément duper, qui a peu de finesse, de culture, d'où *simple* (fin XIIe s., adj. et n.) et beaucoup plus tard ***simple d'esprit*** (1860, n.) «qui n'a pas une intelligence normalement développée», d'où en argot *simple*, n. m. (1888) «homme qu'on peut facilement voler, dupe»; cf. *cave*. Dans les emplois précédents, souvent associés à l'idée de basse situation sociale, l'adjectif a plutôt une valeur péjorative. ◇ Mais dès le XIIe s. (v. 1175), il s'applique aussi à une personne qui agit selon ses sentiments, sans arrière-pensée, ou (XIIe s.) qui ignore ou dédaigne le raffinement des mœurs et des usages; *un simple* «une personne simple» est attesté dans ce sens dès la fin du XIIe s.; il est sorti d'usage. Par extension, l'adjectif qualifie ce qui est sans recherche, sans prétention intellectuelle (v. 1190, à propos de la foi). ➜ En parlant de choses, *simple* se dit aussi de ce qui n'est pas double ou multiple (v. 1200), de ce qui est indécomposable, indivisible (déb. XIIIe s.); avec cette valeur il entre dans des emplois didactiques et courants : *nombre simple* (v. 1550), *mot simple* en grammaire (1564), *corps simple* en chimie (1585), concurrencé plus tard par *élément, médicament simple* «qui n'a qu'un seul principe actif» (1680), *tige, feuille simple* en botanique (1694), *idée simple* en philosophie (1714), en grammaire *mot simple* (1565), *temps simple (d'un verbe)* et *passé simple* (1904), opposé à *composé*, etc. ➜ *Simple* qualifie encore (déb. XIIIe s., repris XVIe s.) ce qui comporte peu d'ornements et constitue un ensemble harmonieux par son homogénéité, en particulier en parlant de la langue, du style (1669) et, par extension, ce qui comporte peu d'ingrédients *(cuisine simple)*.

➜ **SIMPLE** n. m., nom générique des plantes médicinales (XIIIe s., Bloch et Wartburg; 1660, au pluriel), est l'abréviation de *simple médecine*, calque du latin médiéval *simplex medicina* ou *medicamentum simplex*, opposé à *médecine composée;* le genre masculin vient de l'influence de *médicament; les simples* s'est employé pour «les drogues» (1559) et le mot est encore connu.

L'adjectif s'applique aussi (v. 1125) à ce qui, étant formé de peu d'éléments, est facile à utiliser, d'où *c'est simple, c'est tout simple* (av. 1770, *cela est tout simple*), ***c'est simple comme bonjour*** (1837). ***Pur et simple*** (1538) signifie «qui ne comporte aucune restriction, aucune condition». ◇ Par extension du sens scientifique «indécomposable» (ci-dessus), *simple* s'applique à ce qui est constitué d'un petit nombre de parties et peut être ramené à une forme unique, en particulier en mathématiques dans ***réduire à sa plus simple expression,*** par figure (1826) «diminuer en conservant les caractères essentiels».

Simple, n. m., a été repris en sports, désignant (1894) une partie de ping-pong, de tennis où l'on joue un contre un, opposé à *double;* il a été concurrencé par l'anglicisme *single*, mais paraît l'avoir emporté.

▸ *Simple* a fourni quelques dérivés. ➜ **SIMPLEMENT** adv. (v. 1125) a suivi l'évolution sémantique de l'adjectif, sauf en ce qui concerne les valeurs sociales. L'adverbe signifie «sans détour, sans déguisement» (v. 1160), «modestement, sans affectation», «sans complication» (v. 1175). Il s'emploie avec la valeur restrictive de «seulement» souvent dans ***tout simplement*** (v. 1200). ◇ Il a signifié «sottement» (v. 1360) jusqu'au XVIIIe s. en relation avec le sens de *simple* conservé dans *simple d'esprit*, et «médiocrement» (1636) à l'époque classique. ◇ Il s'emploie comme l'adjectif au sens de «sans ornement, sans recherche» (1538) et la locution ***purement et simplement*** (1552) équivaut à «sans condition ni réserve». ➜ **SIMPLESSE** n. f., réfection graphique (v. 1315) de *simplesce* (XIIe s.), signifie d'abord «droiture, honnêteté» et (fin XIIe s.) «maintien simple, modestie». ◇ Ces acceptions ont disparu, le mot s'appliquant dans l'usage littéraire (v. 1200, *semplece*) au caractère doux et ingénu, à la candeur naturelle d'une personne. Le nom a aussi signifié «niaiserie» (1260, *simplece*) et *une simplesse* «mot ou acte stupide» (1538). Il a été employé par Huysmans (fin

XIXe s.) à propos du caractère non complexe d'une chose pour *simplicité*. ◆ **SIMPLET, ETTE** adj. et n. s'applique (v. 1180) à une personne trop candide, un peu simple d'esprit; le nom est rare au féminin (1460). Cet adjectif qualifie aussi une chose d'une extrême simplicité (attesté XXe s.). ◆ ① **SIMPLISTE** est apparu comme nom masculin (1588), dérivé de *simple* «plante médicinale», pour désigner un spécialiste en simples, aussi nommé *simplicite* (1557) et *simpliciste* (1566); le mot n'est plus attesté après 1660. ◆ ② **SIMPLISTE** adj., nouveau dérivé de *simple*, apparaît au XIXe s. (1829, Fourier); il s'applique à ce qui ne considère qu'un aspect des choses, simplifie outre mesure; le mot est substantivé (1842). ◇ Le dérivé **SIMPLISME** n. m. (1822, Fourier, à propos d'un raisonnement) désigne une tendance à simplifier en négligeant les points importants. Par extension, il signifie «grande simplicité de moyens» (1861). ◆ **SIMPLEX** adj. inv. et n. m., formé de *simple* d'après *duplex*, etc., ou réemprunté au latin, se dit (XXe s.) d'un système qui permet la transmission de signaux non simultanés, spécialement en informatique (1975, n. m.). Il appartient à la série de *duplex, triplex*. ◆ **SIMPLEXE** n. m., terme de mathématiques (v. 1950), désigne un ensemble formé par les parties d'un ensemble.

SIMPLICITÉ n. f. est un emprunt (v. 1120) au dérivé latin *simplicitas* «substance simple» et, en parlant d'une personne, «ingénuité, droiture, franchise», «naïveté». Dans un contexte religieux, le mot a signifié «humilité» (v. 1120); il désigne depuis le XIIe s. l'honnêteté naturelle, la sincérité sans détour d'une personne, un comportement sans prétention ni affectation (v. 1190, à propos de la foi religieuse). ◇ En parlant d'une chose, *simplicité* se dit (v. 1300) du caractère de ce qui n'est pas décomposable ou composé. ◇ Le mot s'emploie aussi pour parler du caractère de bonté naïve d'une personne (1538), et péjorativement de la naïveté exagérée (1538), *une, des simplicités* se disant à l'époque classique pour «actes de naïveté» (1662). Il désigne aussi (1559) le caractère d'une personne qui a des goûts simples et, par extension, la qualité d'une chose sans éléments superflus (1579), à propos de la langue, en particulier dans le domaine esthétique (1669). ◇ *Simplicité* se dit enfin de ce qui est facile à comprendre (1670) ou à exécuter (1690). ◇ Les diverses acceptions sont liées à un type d'emplois de l'adjectif *simple*.

SIMPLIFIER v. tr. est un emprunt (1470) au latin médiéval *simplificare*, composé de *simplex* et de *facere* «faire*»; la forme plus francisée *simplefier* (1403) ne s'est pas imposée. Le verbe signifie «rendre moins complexe, moins difficile» (1403), spécialement en parlant d'un mécanisme (1484); il prend au XVIIIe s. le sens de «représenter sans retenir tous les éléments, pour donner plus de cohérence» (1783), d'où en emploi absolu (1833) «ne retenir que quelques éléments d'un ensemble complexe». Il est attesté au pronominal *se simplifier* «devenir plus simple» depuis le début du XVIIIe siècle. ◆ *Simplifier* a fourni **SIMPLIFICATION** n. f. (1470) rare avant le XIXe s. **SIMPLIFICATEUR, TRICE** n. (1852) et adj. (1875), usuels, le premier dans tous les sens du verbe, ainsi que **SIMPLIFIANT, ANTE** adj. (av. 1869) et **SIMPLIFIABLE** adj. (1844).

SIMULACRE n. m., réfection graphique (1588) de *simulachre* (v. 1170), est un emprunt au latin *simulacrum* «représentation figurée (de qqch.)» d'où «image, portrait, effigie, statue» et par figure «fantôme, ombre», «apparence». Le mot signifie spécialement dans la langue philosophique «image, simulacre des objets», par traduction du grec *eidôlon* (→ idole). *Simulacrum* dérive de *simulare* «rendre semblable», d'où «feindre» (→ simuler).

♦ Le français a repris les différentes valeurs du mot latin, d'abord «statue, représentation des divinités païennes» (v. 1170), en général «représentation d'une personne» (1454); ce sens est qualifié de «vieux» au XVIIIe s. et «ne se dit guère qu'au pluriel» d'après l'Académie (1798), mais il est encore employé au XIXe siècle. L'acception poétique par métaphore pour «vision, évocation au moyen d'images» (1674, La Fontaine) est archaïque. ◇ Le mot, littéraire, se dit d'une apparence sensible qui se donne pour une réalité (1552); avec une valeur plus concrète, il désigne ensuite (1753, Buffon) un objet qui en imite un autre et aussi (mil. XVIIIe s.) l'action par laquelle on feint d'exécuter qqch. ◇ Par extension, *simulacre* s'emploie en parlant de ce qui est exécuté sans conviction, pour faire semblant (av. 1869, Sainte-Beuve, *un simulacre d'action*).

SIMULER v. tr. est emprunté (v. 1330) au latin classique *simulare* «représenter exactement, copier, imiter» d'où «feindre, prendre l'apparence de», refait à basse époque en *similare* (→ sembler). Le verbe latin dérive de l'adjectif *similis* «semblable» (→ similaire); il a donné en ancien provençal *simular* (1360).

♦ *Simuler* est attesté d'abord isolément au sens de «donner l'apparence de» (v. 1330) puis il est employé (1375) pour «donner pour réel ce qui ne l'est pas (en imitant l'apparence de la chose à laquelle on veut faire croire)». ◇ L'adjectif **SIMULÉ, ÉE** (1375), tiré du participe passé, apparaît dans *peinture simulée* «représentant des objets», emploi disparu qui levait l'ambiguïté de *peinture* (couche de couleur et tableau). Cet adjectif semble plus usité que le verbe au moins jusqu'au XVIIIe siècle; il s'applique couramment à ce qui est feint, imité (av. 1553, Rabelais), et il entre dans le vocabulaire du droit au XVIIe s. (v. 1673), qualifiant ce que l'on feint pour dissimuler ses intentions *(contrat simulé)*. ◇ Le verbe possède aussi cette valeur juridique (1690), par exemple dans *simuler une vente, une donation* (1762). ◇ Puis *simuler* signifie «donner l'impression de» en parlant de choses (1819). Avec le sens initial, «imiter», le verbe s'emploie par extension (1876) sans l'idée de tromperie *(simuler un incendie)*. ◇ De là, spécialement, l'emploi technique (mil. XXe s.) pour «représenter artificiellement un fonctionnement réel» qui correspond à *simulation* (ci-dessous) et vient probablement de l'anglais *to simulate, simulated*, de même origine.

▸ Deux mots ont été empruntés à des dérivés de *simulatum*, supin de *simulare*. ◆ **SIMULATION** n. f. (fin XIIe s., *simulacion*; v. 1398, *simulation*) reprend le dérivé latin *simulatio* «feinte» et spécialement «folie simulée». Le sémantisme du nom est parallèle à celui du verbe; il est d'abord employé (v. 1220) avec une valeur générale pour «action de feindre», puis se spécialise en droit (1690) et dans le domaine de la psychiatrie et de la psychologie (1830), à propos d'une maladie, de troubles mentaux dont les symptômes sont feints. ◇ Depuis le milieu du XXe s., *simulation* s'emploie, très probablement par emprunt à l'anglais *simulation* (1947), avec l'idée de «reproduction artificielle» dans le domaine technique (mil. XXe s.; 1975, *chambre de simulation*) et didactique *(simulation de gestion)*, et en biologie pour désigner un comportement qui simule un comportement observé (v. 1965, Monod, *Le Hasard et la Nécessité*). ◇ Le préfixé **SURSIMULATION** n. f. (attesté en 1951, Piéron), de *sur-*, est un terme de psychiatrie désignant une exagération volontaire de troubles pathologiques par ailleurs réels. ➜ **SIMULATEUR, TRICE** n., emprunt au latin *simulator* «celui qui représente», «imitateur» et «personne qui simule», a d'abord repris au mot latin le sens de «contrefacteur» (1274), sorti d'usage, puis la valeur générale (1519) de «celui qui feint, imite (par exemple un sentiment)». Le mot se dit spécialement (1845) d'une personne qui simule une maladie, pour en tirer avantage. ◇ *Simulateur* n. m. désigne par ailleurs (1954) un appareil qui permet de représenter artificiellement un fonctionnement réel, en relation avec *simulation (simulateur de vol)*; c'est alors très vraisemblablement un emprunt à l'anglais *simulator* (1947).

◈ voir ASSIMILER, DISSIMULER, SIMULACRE, SIMULTANÉ.

SIMULTANÉ, ÉE adj., d'abord nom féminin (1701, *simultanée*), est un emprunt au latin médiéval *simultaneus* qui n'est attesté qu'au sens de «simulé»; ce mot a été formé d'après le latin classique *simultas* «rivalité, compétition» et «inimitié, haine», dérivé de *simul* adv. «en même temps, ensemble», neutre d'un adjectif archaïque *simul*, de la famille de *similis* «semblable» (→ similaire).

♦ Le premier emploi comme nom féminin, au sens de «compétition entre plusieurs concurrents» (1701, *Mémoires* de Trévoux), relève du latin *simultas*. ➜ Pour l'adjectif, c'est la valeur de *simul* qui l'emporte, *simultané* s'appliquant à ce qui se produit en même temps (1740, *simultanée;* 1788, *simultané, ée*). De là viennent des syntagmes comme *enseignement simultané* (1842) «donné à un collectif» (opposé à *individuel*), *contraste simultané de couleurs* «phénomène qui modifie le ton des couleurs quand elles sont placées dans le voisinage d'autres couleurs» (1863); ces emplois sont sortis d'usage. ◇ Par extension, le mot qualifie couramment depuis le XVIIIe s. (1757, Diderot) des événements distincts rapportés à un même moment du temps. ◇ *Traduction simultanée* (apr. 1950) «donnée en même temps que parle l'orateur» donne lieu à la substantivation : *la simultanée* n. f. ◇ ***En simultané*** loc. adj. et adv. s'emploie notamment dans *position en simultané* (1933) en parlant d'un bureau télégraphique. ◇ Au jeu d'échecs, *partie simultanée* ou *simultanée* n. f. se dit d'une partie jouée par un maître contre plusieurs adversaires, sur plusieurs échiquiers.

▸ L'adjectif a produit plusieurs dérivés. ➜ **SIMULTANÉITÉ** n. f. «existence simultanée de plusieurs choses» (1754) et «caractère de ce qui est simultané» (1876), est spécialement employé en grammaire et en informatique. ➜ **SIMULTANÉMENT** adv. (1788) signifie «au même instant; en même temps». ➜ **SIMULTANÉISME** n. m. désigne (v. 1908) une école poétique (représentée par Barzun, Divoire) concevant le lyrisme sous forme de chants simultanés. Le mot a été repris ou reformé (1949) pour un procédé de narration qui consiste à présenter sans transition des événements simultanés; avec cette valeur, il se dit au cinéma (1949) pour la présentation simultanée d'images en contact, représentant divers événements se produisant en même temps. ◇ Le nom a fourni **SIMULTANÉISTE** adj. et n. (v. 1917), terme d'histoire littéraire.

SINAPISME n. m. est un emprunt savant (v. 1560, Paré), par l'intermédiaire du bas latin médical *sinapismus*, au grec tardif *sinapismos*, dérivé de *sinapizein* «faire des applications de graines de moutarde». Le verbe grec dérive de *sinapi* «sénevé, moutarde», emprunt d'origine inconnue; on a évoqué le sanskrit *sarṣápa* «moutarde», ce qui en ferait un mot indoeuropéen, et un mot d'une langue du Mali, *sénawi*. Le grec *sinapi* a été emprunté par le latin classique *sinapi* (variantes *sinape, senapis, sinapis*) qui a abouti, par l'intermédiaire d'un latin populaire °*sinapatum*, à l'ancien français *seneve* (XIIe s.) et à l'ancien provençal *senebe* (v. 1160), l'accent de la 2e syllabe du latin ayant été tardivement déplacé sur la première, restituant d'ailleurs le ton du mot grec. Certaines formes romanes procèdent de la même évolution, par exemple l'italien *senape;* d'autres ont conservé l'accent sur le *a* de la 2e syllabe, ainsi l'espagnol *jenabe* et plusieurs formes dialectales italiennes.

♦ *Sinapisme* désigne en médecine un traitement externe révulsif qui consiste en l'application d'un cataplasme à base de farine de moutarde et, plus couramment, ce cataplasme.

▸ **SINAPISER** v. tr. a été formé (v. 1363, Chauliac), par emprunt au bas latin médical *sinapizare* «appliquer un sinapisme sur», à partir du grec *sinapizein*. Le verbe signifie en médecine «additionner (un médicament, un cataplasme) de farine de moutarde». ◇ Le participe passé adjectif **SINAPISÉ, ÉE** (1835) est plus courant. ➜ En dérive **SINAPISATION** n. f. (1478, *cinapisation*), rare puisqu'il n'est pas réattesté avant le XIXe s. sous la forme moderne (av. 1834).

L'ancien français *seneve* (ci-dessus) a d'une part abouti à *sanve* n. f. (XIVe s.), nom régional de la moutarde des champs, et d'autre part a fourni **SÉNEVÉ** n. m. (1256) «moutarde cultivée» et «graine de cette plante», équivalent de *sanve*.

SINCÈRE adj. est un emprunt savant (1441) au latin *sincerus* «pur, sans mélange», employé aussi avec une valeur morale. *Sincerus* aurait d'abord signifié «d'un seul jet, d'une seule venue»; il est formé d'un premier élément *sin-*, qui se rattache à la racine indoeuropéenne °*sem-* «un» (→ similaire; ensemble), et d'un second élément *-cerus*, apparenté à *crescere* «croître*», et qui provient d'une racine indoeuropéenne exprimant les idées de «semence» et de «croissance».

♦ En français, l'adjectif a seulement la valeur morale, et s'applique à ce qui est réellement pensé et senti. *Sincère* s'est dit au XVIe (1559) et encore au XVIIe s. d'une personne honnête, intègre, puis (1607) qualifie une personne qui fait connaître ce qu'elle pense. Dans les domaines littéraire et artistique, l'adjectif s'emploie pour ce qui exprime un contenu de conscience effectivement ressenti, acception attestée significativement chez J.J. Rousseau, 1763. ◇ À propos d'expression verbale, *sincère* correspond à «qui exprime les sentiments vrais» (1474). Cette valeur est fréquente dans le discours de la politesse (attesté 1797). ◇ L'adjectif, enfin, s'est spécialisé au sens de «non truqué, authentique» (1807) en parlant d'un acte juridique, d'une créance.

▸ Le dérivé **SINCÈREMENT** adv. a signifié «d'une manière pure, intègre» (1528). Employé comme équivalent de *franchement* depuis le XVIe s. (1534) et utilisé comme l'adjectif dans les formules de politesse, il s'emploie (1879) en tête de proposition pour appuyer une assertion. Les tournures du type ***sincèrement vôtre*** sont des emprunts à l'anglais.
Le préfixé **INSINCÈRE** adj. (1794), de ① *in-*, se dit comme *sincère* en parlant de personnes ou d'actions. Il est plus littéraire que son contraire.
SINCÉRITÉ n. f. est emprunté (v. 1280) au latin *sinceritas* «pureté, intégrité», également terme de morale, dérivé de *sincerus*. Introduit au sens moral de «pureté», sorti d'usage, ce mot désigne (1495) la qualité d'une personne sincère et s'emploie (av. 1622) en parlant d'une action, d'un sentiment, puis au XIXe s. pour «authenticité» (1842), notamment en art. ◆ Le contraire préfixé **INSINCÉRITÉ** n. f. (1785), de ① *in-*, est littéraire comme *insincère*, auquel il est lié.

SINÉCURE n. f. apparaît dans un ouvrage se rapportant à l'Angleterre (1715, *sinecura*, G. L. Lesage) puis sous la forme francisée (1784, en contexte anglais). Le mot est emprunté à l'anglais *sinecure* (1662), d'abord *sine cura*, adaptation de la locution latine *sine cura* «sans souci», de *cura* «soin», «souci» (→ cure), dans l'expression *beneficium sine cura* «bénéfice ecclésiastique sans travail»; le mot anglais s'est employé en parlant de charges ecclésiastiques puis (1676) au sens étendu de «charge ou emploi où l'on est rétribué sans avoir rien à faire».

♦ *Sinécure*, qui emprunte cette valeur, toujours en usage, au début du XIXe s., se dit par extension (1919) d'une chose insignifiante, sans importance. ◇ La locution ***ce n'est pas une sinécure*** «ce n'est pas une mince affaire» est plus ancienne (1826).

▸ **SINÉCURISTE** n. (1829), emprunt à l'anglais *sinecurist* (1817) «bénéficiaire d'une sinécure», est sorti d'usage comme **SINÉCURISME** n. m. (1845), pris à l'anglais *sinecurism* (1817).

SINE DIE loc. adv. est un emprunt (1890) à la locution latine *sine die* «sans (fixer) le jour», composée de *sine* «sans*» et de *die*, ablatif de *dies* «jour» (→ midi).

♦ La locution adverbiale s'emploie dans le vocabulaire administratif et juridique, seulement avec les verbes *ajourner, renvoyer*, et signifie «sans fixer de date».

SINE QUA NON → CONDITION

SINFONIA, SINFONIETTA → SYMPHONIE

SINGE n. m. est issu par évolution phonétique (1170) du latin classique *simius*, variante de *simia* «singe, guenon», au figuré «imitateur servile», employé comme terme d'injure. Le mot est peut-être à rapprocher de *simus* adj. «camus, au nez aplati», lui-même emprunté au grec *simos*, de même sens, et sans étymologie connue. C'est de *simia* que viennent l'ancien provençal *simia* (XIIIe s.), l'espagnol *jimia*, le portugais *simia*.

♦ Le mot désigne un mammifère primate, de l'ordre des simiens, relativement proche de l'homme dont il représente traditionnellement l'image déformée, ridicule et inquiétante. Dans son usage courant, il a toujours été employé pour nommer les simiens les plus connus. À certaines époques, il entre dans des emplois spéciaux : *grand singe* (XVIIe s.) a été opposé à *guenon* («petit singe») et à *sagouin* («jeune singe»), *singe sans queue* à *guenon* puis à *cercopithèque* (singe à queue). Qualifié, le mot peut désigner une espèce, par exemple dans *singe araignée* «atèle», *singe hurleur* «alouate», *singe laineux* «lagotriche», etc. ; *singe vert* (1540) se dit d'une espèce de cercopithèque. *Grand singe, singe anthropoïde*, s'applique aux gorilles, chimpanzés, orangs-outans. Le mot s'emploie spécialement aujourd'hui pour désigner le singe mâle, opposé à *guenon**, qui ne signifie «singe femelle» que depuis le XVIIe siècle. ◆ Le singe était, depuis l'Antiquité, un des animaux favoris des jongleurs ; on lui prêtait toute une série de caractéristiques qui expliquent l'abondance des emplois figurés, des locutions métaphoriques et des comparaisons, dont beaucoup ont disparu. Le singe était réputé laid et grimacier, donc drôle, rusé, hypocrite, adroit, lubrique, méchant, c'est-à-dire *malin*, ce mot ayant changé de sens, et il a représenté le démon ou ses émissaires. L'idée d'étrangeté exotique, qui sous-tend des emplois propres au XVIe siècle : «bête fantastique» (1542), «chose invraisemblable», a disparu. L'idée de «laideur», en revanche, demeure (1579, «personne laide»). ◆ Au figuré le mot s'est employé (v. 1350) pour «hypocrite», d'où, dans la littérature satirique (v. 1544), «prêtre, moine», mot repris en argot (1859) par une métaphore dans *singe à rabat*. Ces valeurs ont disparu, de même que la plupart des locutions anciennes. *Vin de singe* «qui rend gai» (1379) faisait allusion à l'effet du vin. La locution *avoir autant de qqch. comme un singe a de queue* (v. 1430) «n'avoir rien» a été retournée en *être fourni de qqch. comme un singe de queue* (1640) «bien fourni». *Toujours vieux synge est desplaisant* «les gentillesses des vieillards ne les rendent pas plus gracieux» se trouve chez Villon (v. 1460) et chez Rabelais (1546). ◇ *Singe* s'emploie ensuite en relation avec *singerie* (*singer* est postérieur) au sens de «personne qui contrefait, imitateur» (1538), souvent dans ***se faire, être le singe de qqn***; le mot a aussi dans ce sens un emploi adjectif (1660). Au XVIe s. apparaissent d'autres locutions comme *un singe est toujours singe* «on ne change pas ses mauvaises habitudes», sorti d'usage de même que *dire la patenôtre des singes* «grommeler» (1542); en revanche, ***payer en monnaie de singe*** (1552) «payer par de belles paroles, des promesses», comme les montreurs de singes qui s'acquittaient du péage en faisant faire des tours à leur animal, est toujours compris, et l'argot emploie encore ***monnaie de singe*** «paiement de dupe». *Œuvre de singe* «mauvais travail» et «acte impertinent» (1611) a disparu. ◇ Le mot désigne en outre au XVIIe s. un individu farceur (1636), en particulier dans ***faire le singe*** (cf. ci-dessous *singerie*). ***Laid comme un singe*** (1636) correspond à l'emploi figuré de *singe* (ci-dessus). ◇ ***Plus malin qu'un singe*** (1658), comme la variante ***malin comme un singe*** (1718), témoigne d'un contresens, par lequel *malin* «méchant (comme le diable)» a été compris comme «adroit et rusé». D'ailleurs, *méchant comme un singe* (1680), *malicieux* (1622) et *adroit comme un singe* ne s'emploient plus. On relève au XIXe s. les locutions ***on n'apprend pas à un vieux singe à faire la grimace*** (1829), devenue proverbiale, et ***des propos à faire rougir un singe*** (1888). ◆ Deux caractéristiques du singe aboutissent à deux valeurs concrètes : son adresse sur les tréteaux du montreur à «treuil horizontal monté sur deux chevalets» (1611, Cotgrave), et l'idée d'imitation à «instrument servant à copier des dessins» (1690), d'où au XXe s. dans l'argot de Polytechnique (1936) «dessin d'imitation».

Une série de valeurs assimile au singe un type humain. Dans l'argot du compagnonnage, la hiérarchie était figurée par des animaux : le *singe*, le plus fin et le plus adroit, y prime sur le *chien* (le compagnon), sur le *renard* (l'aspirant) et sur le *lapin* (l'apprenti). De là l'emploi de *singe* pour «patron» (XVIIIe s.), répandu et devenu péjoratif au XIXe s., l'emploi pour «procureur», peu avant la Révolution (1783), et en argot *le grand singe* pour «le chef du gouvernement» (1889), tous archaïques. C'est encore l'idée d'adresse qui s'exprime avec le sens de «compositeur typographe» (1795), sorti d'usage comme de «voyageur juché au milieu des paquets sur l'impériale d'une voiture» (1813), qu'il faudrait comparer à *lapin*. La même idée doit motiver divers emplois argotiques du XIXe siècle : «policier» (1841), «celui qui fait la paie tous les samedis» (1856), peut-être lié aussi au sens de «patron», et enfin «proxénète» (1896). ◆ Dans l'argot militaire ancien, *singe* s'est dit pour «viande» (1895) et spécialement pour «bœuf en conserve» (1916). Ce dernier emploi est encore connu.

▶ La plupart des dérivés sont liés aux sens figurés. ◆ **SINGESSE** n. f. est sorti d'usage; le mot s'est dit pour «femelle du singe» (v. 1170), au figuré pour «fille laide» (1887; 1831, adj.). ◇ En argot, il a signifié, d'après les valeurs correspondantes de *singe*, «prostituée» (1888), «patronne» (1896). ◆ **SINGERIE** n. f., attesté au XIVe s. (v. 1347) mais rare avant le XVIe s. (1550), se dit d'une imitation maladroite ou caricaturale, d'une bouffonnerie (XVe s.), d'une grimace, d'un geste malicieux (1531). ◇ Le mot a désigné plus précisément (v. 1350) l'imitation de l'homme par le singe; il signifie aussi «démonstration hypocrite» (1471). ◇ *Singerie* se dit collectivement (1719) d'une troupe de singes et (1869) d'une cage de singes. ◇ En art, le mot désigne (1752) un tableau ou une tapisserie représentant des singes en costume humain, souvent associés à un décor chinois, à des magots. ◆ **SINGEUR, EUSE** n. et adj. a désigné un marchand de singes (XVIe s.), ces animaux étant vendus aux montreurs qui les exhibaient, puis (1611) un bouffon et aussi un gardien de singes. ◇ Il s'est dit péjorativement pour «imitateur» (1775; 1812, adj. m.); le féminin *singeuse* (1875) remplace l'ancien *singeresse*, adjectif féminin (1580). ◆ **SINGER** v. tr. (1770) correspond à «imiter d'une manière caricaturale (une personne, un comportement) pour se moquer» et, par extension, «mimer». L'ancien français *singoier* v. tr., «tromper», avait cessé de s'employer.

◈ voir SIMIESQUE.

SINGLE n. m. est un emprunt (1891) à l'anglais, lui-même (XIVe s., *sengle*) pris à l'ancien français *sengle* adj. «chacun, l'un après l'autre» (v. 1120), «seul, isolé, unique» (v. 1165), issu du latin *singulus* (→ singulier).

♦ Cet anglicisme a été introduit dans le vocabulaire du tennis pour désigner une partie entre deux joueurs, et opposé au double; il a reculé devant *simple**. ◇ *Single* a été repris au sens de «compartiment individuel de wagon-lit» (1925) et comme terme de tourisme (1964, adj. et n. m.), appliqué à une chambre occupée par une seule personne; cet emploi est entré dans le vocabulaire international anglicisé du tourisme et correspond au français *individuel*, parfois usité dans ce contexte.

◈ voir SINGLETON.

SINGLETON n. m. est un emprunt (1767) à l'anglais *singleton*, mais ce dernier n'est attesté qu'en 1876 comme terme de cartes. La forme *single*, relevée avec la même valeur (1850), a probablement été employée dès le XVIIIe s., époque où le jeu de whist, d'origine anglaise, est introduit en France. L'anglais *singleton*, formé sur le modèle de *simpleton* (v. 1650) «nigaud, niais», à côté de *simple*, est un dérivé de *single* «seul» (→ single); l'élément *-ton* est issu du vieil anglais *tun* (anglais moderne *town*) «ville», rattaché à l'ancien haut allemand *zun* «haie», et au-delà, au celtique °*dun-* que l'on retrouve en toponymie (*Augustodunum* «Autun»).

♦ Cet anglicisme désigne, dans certains jeux de cartes, le whist (1767), le boston (1842), puis le bridge, une carte qui est seule de sa couleur, dans la main d'un joueur. ◆ Par réemprunt à l'anglais, le mot désigne aussi en mathématiques (av. 1967) un ensemble constitué d'un seul élément.

SINGULIER, IÈRE adj., représente (fin XIIIe s.) la réfection par changement de suffixe de *singuleir, singuler* (v. 1190), qui correspond à l'ancien provençal *singular* (v. 1140), emprunts au latin classique *singularis* «unique, isolé, solitaire», «qui se rapporte à un seul», d'où en grammaire «nombre singulier» *(singularis numerus)* et «unique en son genre, extraordinaire, rare». L'adjectif latin dérive de *singuli* «un par un», employé comme distributif («chacun un») et pour «chacun en particulier», lui-même pluriel de *singulus* «isolé». Le premier élément de *singulus* se rattache à une racine indoeuropéenne °*sem-* désignant l'unité et marquant l'identité (→ ensemble, similaire, simple, sincère); le second élément n'a pas d'origine claire.

♦ L'adjectif apparaît en grammaire (v. 1190, *singuler*) «qui concerne un seul individu», opposé à *pluriel.* Il s'applique aussi à ce qui n'appartient qu'à un seul (cf. *individuel*), acception qui ne devient usuelle qu'au XVIIe s. et dont relève la locution courante ***combat singulier*** «entre une personne et un seul adversaire» (1578; *bataille singulière* en 1512). ◇ Il s'est employé à l'époque classique au sens de «rare, excellent» (1538) et qualifie ce qui est différent des autres (1549), d'où par extension (1660) ce qui excite l'étonnement, est extraordinaire. Il s'emploie de façon positive ou négative, en parlant d'une personne ou d'une chose. ◇ En français classique (mil. XVIIe s.), *singulier* qualifie une personne qui affecte d'être différente des autres; avec une valeur affaiblie, il signifie «bizarre, excentrique» et, en parlant d'une chose, «inexplicable». ◇ C'est l'idée d'«unicité» qui est reprise en sciences dans *point singulier* «point qui présente des caractères propres à lui seul» (1754).

▸ Le dérivé **SINGULIÈREMENT** adv. s'est employé, encore à l'époque classique, aux sens de «séparément, uniquement» (v. 1190, *singuleirment*) et de «personnellement» (1317). Il signifie «en se distinguant (des autres), principalement» (XIVe s.) et avec une valeur affaiblie «beaucoup» (1580). ◇ Il a aussi la valeur plus forte «d'une manière étonnante, remarquable ou bizarre» (1680), mais est littéraire et un peu archaïque dans cet emploi.
Plusieurs mots de la famille sont formés à partir du latin ou empruntés. ➝ **SINGULARITÉ** n. f. (v. 1190, *singulariteit;* fin XIVe s., forme moderne) est emprunté au bas latin *singularitas* «le fait d'être unique» d'où «nombre singulier», «unité», dérivé de *singularis.* ◇ Le nom, qui désigne ce qui rend une chose ou une personne rare, exceptionnelle, s'emploie spécialement (fin XIIe s.) surtout dans la langue classique pour «excellence»; ce sens est sorti d'usage. ◇ Par opposition à *pluralité,* il signifie (v. 1200) «caractère d'une personne, d'une chose qui est unique», surtout dans des emplois didactiques, par exemple en linguistique pour «trait distinctif du singulier» (1904) reprenant une valeur ancienne du mot (1411). ◇ Il désigne aussi (1544) le caractère de ce qui est insolite, bizarre, spécialement pour parler de manières de penser, de parler plus ou moins étranges (av. 1650). ➝ **SINGULAIRE** adj., emprunt (1314) au latin *singularius* «isolé», «particulier», doublet populaire de *singularis* est introduit avec le sens de «particulier», sorti d'usage. Repris en logique (XXe s.), il s'applique à ce qui concerne une seule proposition, et s'oppose à *binaire, ternaire.* ➝ **SINGULARISER** v. tr., dérivé savant (1511) du latin *singularis,* a signifié «traiter (un chapitre) dans le détail». Il correspond à «distinguer des autres par qqch. de peu courant» (1555), aussi en emploi pronominal *se singulariser* (1670), aujourd'hui péjoratif (1718) et opposé à *se distinguer.* ◇ Le dérivé **SINGULARISATION** n. f. (XXe s.) est didactique. ➝ **SINGULATIF, IVE** adj., dérivé savant (1921) de *singulus,* est un terme didactique de linguistique, appliqué à un élément de langage qui caractérise un individu en l'opposant à un ensemble, à propos des langues slaves. ➝ **SINGULET** n. m., autre dérivé savant de *singulus* (1926) d'après des mots comme *octet,* désigne en physique un électron unique responsable de certaines liaisons chimiques, puis (1956) une raie spectrale qui reste unique avec les spectrographes de grand pouvoir séparateur.

◈ voir **SANGLIER.**

① **SINISTRE** adj. est une réfection d'après le latin (XIIIe s., attestation isolée; puis 1319) de l'ancien français *senestre* (1080) issu du latin *sinister* «gauche, du côté gauche», au figuré «maladroit», «malheureux, fâcheux»; dans la langue augurale, l'adjectif signifie «qui vient du côté gauche», c'est-à-dire «favorable» chez les Romains, «de mauvais présage» suivant le rite grec, c'est-à-dire la face tournée vers le nord avec l'est à sa droite, ou suivant le rite étrusco-romain, la face tournée vers le sud avec l'est à sa gauche; c'est ce dernier sens qui est le plus fréquent en latin. *Sinister* est sans doute un euphémisme, et aucun rapprochement avec d'autres langues n'est démontré.

♦ *Sinistre* a d'abord conservé le sens étymologique de «gauche» qu'avait *senestre,* encore employé au début du XVIIe s. (→ senestre). Depuis le XVe s., il s'applique (v. 1415) à ce qui fait craindre un malheur : en parlant des astres, *aspect sinistre* «présage de mauvais augure» (1718) est sorti d'usage avant le XIXe siècle; *ligne sinistre*, employé à propos d'une ligne de la main néfaste (1740), se disait encore au XIXe siècle. Au sens plus général de «malheureux, funeste» à propos d'un événement, d'un état (1559) et de «désagréable», à propos d'une odeur (1600), l'adjectif est propre à l'usage classique. ◇ Il s'applique aujourd'hui, et depuis le XVIIe s., à ce qui, par son aspect, semble menaçant ou simplement accablant (1675, d'un visage), employé à propos d'une personne ou d'une chose; chez Hugo, qui l'emploie fréquemment, l'adjectif équivaut à *sombre, terrible.* ◇ *Sinistre* qualifie aussi (1725) une personne inquiétante et une chose dangereuse, malfaisante (av. 1520) par elle-même et non en tant que signe. ◇ Avec un sens affaibli, il équivaut (XIXe s.) à «triste et ennuyeux» et, avant le nom, s'emploie couramment (1886, L. Bloy) comme intensif pour renforcer des mots comme *individu, imbécile, voyou,* etc.

▸ Le dérivé **SINISTREMENT** adv. a signifié «mal, de travers» (1403), «sous de fâcheux auspices» (1466), «d'une manière malveillante» (fin XVe s.) et «malheureusement» (1596), notamment au XVIIe siècle. Il est rare pour «d'une manière sinistre» (XIXe s.). ➝ **SINISTROSE** n. f. désigne en psychologie (1908) l'état mental de certains accidentés qui s'exagèrent leur infirmité. ◇ Par extension, dans le discours journalistique (XXe s.), il se dit d'une disposition à croire que les événements prendront une tournure

néfaste, souvent en relation avec *morosité* à propos d'un pessimisme collectif.
② **SINISTRE** n. m. est emprunté (1485, puis 1557) à l'italien *sinistro* «malheur, calamité, désastre» (1400), de même origine que ① *sinistre*. Le nom désigne un événément catastrophique naturel et, par métonymie, les dommages et pertes qui arrivent aux personnes et aux biens faisant l'objet d'un contrat d'assurance (1783), par extension, un drame, une catastrophe. ◆ **SINISTRÉ, ÉE** adj. s'applique (1870) à ce qui a subi un sinistre, et est substantivé (1875) en parlant des personnes *(les sinistrés)*.

SINO-, tiré du latin médiéval *Sinae*, d'origine grecque, nom d'une ville d'Extrême-Orient, est un élément qui entre dans la formation de quelques dérivés et composés didactiques relatifs à la Chine.

▶ **SINOLOGIE** n. f. (1814), de *-logie*, se dit de l'ensemble des études relatives à la Chine, d'où **SINOLOGIQUE** adj. (XIXe s.). ◆ **SINOLOGUE** n. (1814), de *-logue*, désigne une personne spécialiste de la Chine (langue, civilisation, histoire) et, spécialement, de la politique chinoise. ◆ **SINISER** v. tr. (attesté en 1942) signifie «répandre la civilisation chinoise dans (un pays)» et a fourni **SINISATION** n. f. (1942). ◆ **SINITÉ** n. f. (1957), avec le suffixe *-ité*, se dit de l'ensemble des caractères, des manières de penser propres à la civilisation chinoise.
SINOPHILE adj. et n. (mil. XXe s.), de *-phile*, s'applique à qqn qui aime, apprécie la Chine et a pour contraire **SINOPHOBE** adj. et n. (1973), de *-phobe*; de là viennent **SINOPHILIE** n. f. (1971) et **SINOPHOBIE** n. f. (1975).

SINON → ① SI

SINOPLE n. m. est emprunté (v. 1175; v. 1138, *sinopre*) au latin *sinopis, -idis* qui reprend le grec *sinôpis* «terre de Sinope» (terre rouge), dérivé de *Sinôpê* «Sinope», ville et port de Paphlagonie.

♦ Le mot apparaît au sens de «couleur rouge», en héraldique; à la suite d'une évolution mal expliquée, *sinople* en vient à désigner, toujours en termes de blason (XIVe s., *synoble* [v. 1260 selon *G. L. L. F.*]; XVe s., *sinople*) la couleur verte représentée en gravure par des lignes diagonales descendant de gauche à droite. Ce changement pourrait être dû à une substitution des deux couleurs dans un blason; par ailleurs, les textes des XIIe-XIIIe s. ne permettent pas de savoir quelle couleur désigne le mot. Le sens de «rouge» est repris au XVIIe s. dans *sinope* n. m. (1636), sorti d'usage, qui a désigné une craie rouge d'Asie Mineure employée dans la peinture antique.
Le mot, sous les formes *sinopre* (v. 1340) et *sinople* (1342), a désigné un pigment rouge. *Sinople* s'est employé (1667) comme nom d'une anémone rouge. ◇ Il s'est dit (1791) d'un minerai d'or dont la gangue était un type de quartz rouge et (1803) d'une variété de quartz, acceptions relevées jusqu'en 1875. ◇ Le mot n'est plus vivant qu'en blason, pour «couleur verte» (voir ci-dessus).

◈ **SINOQUE** ou **SINOC** adj. et n. (1926; 1929, *sinoc*) est d'origine incertaine. Il est peut-être emprunté, selon Esnault, à un dialectal (Savoie) *sinoc* n. m. (1902) désignant une bille à jouer; ce mot, d'origine obscure (peut-être en rapport avec *noc*, pour *con*, et avec *schnoc*), aurait été employé dans l'argot militaire comme synonyme de *bille* qui signifie métaphoriquement «tête» (1835) et «niais» (1947). La forme **CINOQUE** (1930) a pu être influencée par *ciboulot, cigare, citron* «tête».

♦ Ce terme familier, employé pour «fou, folle» ou «imbécile», est aujourd'hui vieilli.

SINUEUX, EUSE adj. est emprunté (1539) au latin classique *sinuosus* «courbé, recourbé», par figure «contourné, compliqué», dérivé de *sinus* «courbure, pli», «creux», «pli de la toge (et d'autres vêtements)» (→ sein), mot sans origine connue.

♦ Le mot est d'abord employé dans le vocabulaire médical pour «étroit, profond et tortueux» en parlant d'un ulcère; ce sens a disparu. Il qualifie ensuite (1552) ce qui présente une suite de courbes irrégulières dans des sens différents. *Sinueux* s'emploie aussi au figuré pour «tortueux» (attesté en 1898, A. France).

▶ Le dérivé **SINUEUSEMENT** adv. (av. 1892, Taine) est littéraire.
SINUOSITÉ n. f., dérivé savant de l'adjectif latin, désigne chacun des tours et détours que fait une chose sinueuse (1552), l'état de ce qui est sinueux (1611). ◇ Par figure (1832), le mot se dit littérairement d'un moyen indirect de faire ou d'éluder qqch.
① **SINUS** n. m. inv. est emprunté (XVIe s.) au latin *sinus* pour désigner en anatomie une cavité osseuse irrégulière (1539; *sinus du maxillaire*), couramment employé dans *inflammations des sinus* (de la face). Au XVIIIe s., *sinus* s'emploie en anatomie pour parler du renflement d'un segment de certains vaisseaux (1762); de là viennent *sinus du cœur* (1876), *sinus veineux* (1904), *sinus carotidien* (mil. XXe s.). ◆ *Sinus* a fourni deux dérivés. **SINUSITE** n. f. (1904), «inflammation des sinus de la face», est passé de l'usage médical à l'usage courant. **SINUSAL, ALE, AUX** adj. (1922) est un terme de médecine. ◆ Le composé **SINUSECTOMIE** n. f. (mil. XXe s.), de *-ectomie*, désigne en chirurgie la suppression du sinus frontal.
SINUER v. intr., dérivé (1891) de *sinu*[eux], signifie «décrire, suivre une ligne sinueuse». Son usage est littéraire. ◆ Un adjectif **SINUÉ, ÉE** (1776) s'appliquait en botanique à une plante ou une feuille découpée de manière sinueuse; il dérivait de *sinus* n. m. emprunt au latin, utilisé (1771) en botanique, pour désigner une échancrure profonde, séparant deux lobes dans les organes minces, également sorti d'usage.

◈ voir INSINUER, ② SINUS.

① **SINUS** → SINUEUX, EUSE

② **SINUS** n. m., attesté en 1544 (T.L.F.), est emprunté au latin médiéval *sinus*, terme de géométrie, choisi d'après le sens de «pli de la toge» qu'avait le latin classique *sinus* (→ sein, sinueux), pour traduire l'arabe *ǧayb (djayb)*. Ce dernier, qui signifiait à l'origine «ouverture (pectorale) d'un vêtement», était employé en géométrie au sens de «demi-corde (de l'arc double)», sens probablement emprunté au sanskrit *djîva* «corde», un certain nombre de notions mathématiques arabes provenant des savants indiens. L'équivalent latin du mot arabe résulterait donc d'une confusion. Le nom latin de la demi-corde, *semi inscripta*, était abrégé en *s. ins*, ce qui a pu surdéterminer *sinus*.

♦ *Sinus*, en géométrie, a d'abord signifié «ligne droite tirée d'une extrémité d'un arc perpendiculairement sur le rayon qui passe par l'autre extrémité»; ont également disparu les syntagmes *sinus verse* «partie du rayon comprise entre le sinus et l'arc» et *sinus total* «sinus de un quart de cercle» (1685). Le mot est repris, dans l'usage moderne, avec *sinus d'un angle* (1765, *Encyclopédie*) qui désigne la mesure de la projection, sur un axe directement perpendiculaire à l'un de ses côtés, d'un vecteur unitaire porté par son autre côté, et dans *fonction sinus*, «qui fait correspondre les sinus à la mesure de l'arc correspondant».

▸ Le dérivé **SINUSOÏDE** n. f. (1729), de *-oïde*, désigne une courbe représentative de la fonction sinus (ou cosinus); dans l'argot scolaire, ***faire des sinusoïdes*** se dit pour «faire des zigzags, des S» et le mot est passé dans l'usage familier. ◇ Ce nom a fourni **SINUSOÏDAL, ALE, AUX** adj. (1823) «du sinus».
Sinus a donné le composé **COSINUS** n. m. (1771), d'abord *co-sinus* (1754), de *co**-, «sinus du complément d'un angle».

SIONISME n. m. (attesté en 1897) est un mot international créé en allemand (*Zionismus*, 1886) par N. Birnbaum, à partir de *Sion*, nom d'une des montagnes de Jérusalem et, par extension, de la ville elle-même.

♦ Le mot désigne un mouvement religieux et politique visant à l'établissement puis à la consolidation d'un État juif, *la Nouvelle Sion*, en Palestine.

▸ En procèdent le composé **ANTISIONISME** n. m. (déb. XXe s.), de *anti-*, et **SIONISTE** adj. et n. (1898), d'où **ANTISIONISTE** adj. et n. (1902), qui concernent les partisans et les adversaires du sionisme, aujourd'hui ceux de l'État d'Israël et de sa politique, les deux mots en *anti-* devant rester distincts d'*antisémitisme* et d'*antisémite*.

SIOUX n. et adj. inv., représente une altération (1724) de *nadoweisiv* «petit serpent», appellation donnée par les Indiens Chippewa à leurs adversaires, qui se nommaient eux-mêmes *Dakotas*. On rencontre le féminin *siouse* chez Chateaubriand *(langue siouse)*; une variante *siou*, adjectif invariable, a disparu.

♦ *Sioux* désigne un membre d'une ethnie indienne de l'Amérique du Nord, aujourd'hui confinée dans les réserves du Dakota, de l'Iowa et du Montana. *Le sioux* n. m. désigne la langue de cette ethnie, appartenant à la famille dite Hoka-Siou. ◇ Le mot s'est introduit dans l'usage général en français, dans la locution ***ruses de Sioux***, allusion aux ruses de guerre particulièrement habiles de ces Indiens; en procède un emploi adjectif familier pour «astucieux» (v. 1975; ***c'est sioux !***, prononcé plaisamment *siouks*).

SIPHON n. m. est un emprunt (1546, d'abord *sifon* au sens de «trombe», v. 1370) au latin *sipho, siphonis* «pompe à incendie», «petit tube», «jet (d'un liquide)», lui-même emprunt au grec *siphôn* «tube creux (pour pomper un liquide)», «conduite d'eau» et «trombe d'eau», terme technique d'origine obscure. On relève antérieurement la forme *sifon* au sens de «trombe» (v. 1320), mot employé par les marins du Levant, emprunt à l'italien *sifone*, du latin *sipho*.

♦ *Siphon* apparaît au sens de «tuyau pour tirer du vin»; le mot désigne à partir du XVIIe s. (1639) un tube coudé employé pour transférer un liquide d'un niveau donné à un niveau inférieur, sens resté usuel. Par extension, il se dit couramment (1871) d'un tube recourbé en forme de S, placé à la sortie des appareils sanitaires, pour empêcher la remontée des mauvaises odeurs. ◇ *Siphon* se spécialise à la même époque (1862), désignant une bouteille remplie d'un gaz sous pression et munie d'un dispositif aspirateur, acception qui fut usuelle. En zoologie, il se dit des prolongements en longs tubes qui s'avancent hors de la coquille de certains lamellibranches. En médecine, il désigne (1876) un appareil utilisé pour le lavage de certaines cavités naturelles. Par analogie, *siphon* désigne aussi (mil. XXe s.) la partie d'un conduit naturel souterrain envahie par l'eau.

▸ Le nom a fourni quelques dérivés. ➝ **SIPHOÏDE** adj. (1845), de *-oïde*, terme technique, s'applique à ce qui a la forme d'un siphon. ➝ **SIPHONNER** v. tr. (1862), «transvaser à l'aide d'un siphon», a donné **SIPHONNEMENT** n. m. (1871) et **SIPHONNAGE** n. m. (1875, *siphonage*). ➝ Le participe passé de *siphonner*, employé adjectivement, a produit par métaphore le mot familier **SIPHONNÉ, ÉE** adj. (1937) «fou», proprement «dont le cerveau est vidé comme par un siphon». Le mot entre dans le paradigme à initiale *si-* de *sinoque, cinglé*, et la syllabe *-phon-* peut évoquer *fou*. ➝ **SIPHONNAL, ALE, AUX** adj., didactique, qualifie (1904) ce qui appartient à un siphon. ➝ **SIPHONALES** n. f. pl. (v. 1950) désigne en botanique un ordre d'algues vertes dont le thalle est constitué par une cavité renfermant le cytoplasme et de nombreux noyaux sans cloison, structure dite *siphonnée*. ➝ **SIPHONOPHORES** n. m. pl., formé (1841) de *siphon*, *-o-* de liaison et *-phore*, désigne en zoologie une classe de petites méduses vivant en colonies.

SIRE n. m. est issu (v. 980) d'un latin populaire °*seior*, altération du latin classique *senior*, proprement «plus vieux», comparatif de *senex* «vieux» (→ seigneur, sieur).

♦ *Sire*, comme *seigneur*, s'est employé très tôt (v. 980) dans le vocabulaire religieux au sens de «maître» en parlant de Dieu, d'où *notre sire* «Jésus-Christ» (1080) et *sire Dieu* (XIIe s.) encore employé au XVe siècle. Le mot s'utilise dès le XIe s. (v. 1050) comme titre donné à un souverain quand on s'adresse à lui (cf. *majesté*) et a eu le sens de «roi» (v. 1165, *sere*; v. 1184, *sire*); la formule *le sire notre roi* (XIVe s.) était encore en usage au XVIIe siècle. ◇ Dans la société féodale, *sire* était également le titre donné à un seigneur (v. 1050), au suzerain (1080), et par analogie attribué à un saint (XIIIe s.), à des clercs (v. 1200), à un prêtre (1460) et même, joint au nom propre (v. 1165), à des bourgeois pourvus de certains offices. Cet usage a été renforcé, puis concurrencé par celui de *monsieur*. *Sire des lois* a signifié «jurisconsulte» (fin XIIe s.; 1324, *sire de lois*) et jusqu'à la fin du XVIIIe s., *sire* est le titre pris par les juges et les consuls des marchands. En même temps, *sire* s'employait dans la littérature satirique comme terme de dérision (XIIe s.) et comme titre donné à des animaux représentants de types humains (fin XIIe s.), ensuite par plaisanterie (encore chez La Fontaine); ces usages correspondent d'assez près à ceux de *seigneur*, puis de *monsieur*. *Beau sire*, à l'origine titre donné à Dieu ou à des personnes que l'on veut honorer (v. 1050), équivaut plus tard, comme *sire*, à «dupe» (1455), et familièrement à «individu» (1644), jusqu'au XIXe siècle. Dans ces emplois péjoratifs, on relève aussi *étrange sire* «homme méprisable» chez Scarron (1644), *pauvre sire* «pauvre homme» (v. 1650) et la locution *faire le sire* «faire le monsieur» chez Furetière (1690). Tous ces emplois ont disparu. Seul ***triste sire***, d'ailleurs attesté tardivement (déb. XXe s.) par archaïsme, est d'usage courant aujourd'hui.

Avec la valeur de «seigneur, maître», *sire* s'est employé dans la sphère privée, désignant l'époux (v. 1050), le maître de la maison (1283), le grand-père (XIIIe s.) appelé aussi *grand sirre* (1548), le beau-père (1396), lui aussi *grand sire* (1387), et le père (1468). Le mot s'est utilisé pour «maître (de navires)» (1080) et «patron» (1180). ◇ C'est l'idée de «maîtrise» que l'on retrouve dans la locution ancienne *être sire* «être privilégié» (1170) et dans les emplois sortis d'usage du vocabulaire amoureux, avec *sire de s'amour* «maître de son amour» (1180-1220), *sire du cor* («cœur»), «maître de ses sentiments» (v. 1240) et «amant» (v. 1300), retourné par référence aux emplois péjoratifs dans *sire homs* (homme) «cocu» (XIVe s.). Furetière relève (1690) *sire* pour «homme capable, intelligent», acception retenue jusqu'en 1771 dans Trévoux.

▶ Le dérivé **SIRERIE** n. f. désignait en droit ancien (attesté 1694) le titre attaché à une terre dont le seigneur était dénommé *Sire*.

Le composé **MESSIRE** n. m. (v. 1170), d'abord *mi sir* (v. 1150), est formé avec *mes*, ancien cas sujet de *mon**. ◇ Le mot était une dénomination honorifique réservée aux seigneurs de la noblesse (v. 1150), puis comme *sire*, accompagnant le nom d'un saint (v. 1200), d'un ecclésiastique (1215), et un titre que prenaient les médecins, les avocats, etc. (XIVe s.). Dès le XIIe s., il était aussi donné comme titre plaisant à des animaux (apr. 1150). ◇ L'emploi péjoratif apparaît dans la locution *messire Jean* «homme ignorant» (1558), noté «vulgaire» dans Oudin (1640). Le mot s'est employé (av. 1650) dans le style burlesque pour *monsieur* et s'est dit (1660) de personnes que rien ne distinguait ou des hommes vieux.

MESSER n. m. est un emprunt du moyen français (1404) à l'italien *messere*, qui correspond à *messire*. Ce mot sorti d'usage était utilisé comme titre devant le nom d'un Italien ou désignait un membre de la noblesse italienne (1510, *missere*). ◇ Dans le style burlesque, il s'est employé (1546) pour des animaux ou des choses, par exemple dans *messer Gaster* «l'estomac» (1552, Rabelais). *Faire le messer* «faire le monsieur» (v. 1570) était péjoratif.

SIR n. m. est un emprunt (1779) à un mot anglais (XIIIe s., variante *ser, sur* et *sire*), lui-même pris au français *sire* à l'époque de la conquête normande et officialisé sous le règne des Plantagenêts. C'est alors un titre et un terme de respect (XIVe s.). ◇ En français, *sir* désigne un titre d'honneur chez les Anglais; il peut précéder le prénom employé seul ou le prénom et le nom du personnage, mais ne s'emploie pas devant le nom de famille seul. *Sir* s'emploie aussi comme appellatif (1876), analogue à «monsieur», mais avec une nuance de respect hiérarchique plus marquée que *monsieur* en français. Il sert de terme d'adresse aux subordonnés dans une hiérarchie (armée, police...).

◈ voir SEIGNEUR (et MONSEIGNEUR), SÉNAT, SÉNEÇON, SÉNILE, SENIOR, SIEUR (et MONSIEUR).

SIRÈNE n. f., réfection (1377) de *sereine* (fin XIe s.), est emprunté au bas latin *sirena*, du latin classique *siren*, lui-même emprunté au grec *seirên*. *Seirên* était, d'après la tradition homérique (*L'Odyssée*), le nom de divinités de la mer qui, à l'entrée du détroit de Sicile, attiraient par leurs chants les navigateurs et les entraînaient vers la mort; elles étaient alors représentées avec un corps d'oiseau et une tête de femme, et jamais avec un corps de poisson comme dans les mythes nordiques. Au figuré, le mot grec se disait d'une femme, de la Muse, de l'éloquence, etc.; il désignait aussi une guêpe solitaire. *Seirên* est d'origine obscure.

♦ Le mot, écrit *sereine, seraine* (XIIIe s.), encore *serayne* à la fin du XVIe s. peut-être par croisement avec l'adjectif *serein*, puis *serene* (v. 1550) et *syrene* (fin XVIe s.), ne s'est stabilisé qu'au XVIIIe siècle. Il désigne comme en latin la femme-oiseau fabuleuse de la mythologie grecque, mais aussi, d'après les mythes germaniques, un être mythique à tête et torse de femme et queue de poisson. ◇ Par figure, le mot se dit (1604) d'une femme douée d'un dangereux pouvoir de séduction et s'emploie dans la locution ***voix de sirène*** «voix, paroles auxquelles il est difficile de résister» (1727); de même, ***écouter le chant des sirènes*** signifie «se laisser séduire» (XXe s.). Dans la conscience linguistique, l'image mythique des Grecs a été plus ou moins effacée par la représentation marine, d'ailleurs soutenue par l'emploi en zoologie (*sereine*, chez d'Aubigné, v. 1600; *sirène*, 1671), en concurrence avec *femme marine*. L'emploi du mot en sciences naturelles pour désigner un amphibien (une salamandre des marais 1805, Cuvier) a entraîné la création de *sirénidés* (ci-dessous). ➜ Depuis le début du XIXe s., *sirène* désigne en physique un appareil destiné à produire un son de hauteur variable et permettant de mesurer la fréquence des sons (1819); Cagniard de la Tour nomma ainsi son appareil parce qu'il émettait des sons dans l'eau. ◇ *Sirène* s'emploie couramment pour un puissant appareil sonore destiné à produire un signal, utilisé d'abord sur les navires dans les ports (attesté en 1888) et, par la suite, pour divers signaux *(sirène d'alarme, d'usine)*.

▸ De cette valeur dérive **SIRÉNER** v. tr. (mil. XXe s.). De *sirène* au sens du XVIIe s., «animal marin pisciforme», vient **SIRÉNIENS** n. m. pl. (1811) «ordre de mammifères placentaires aquatiques au corps pisciforme» (lamantin, dugong). ◇ Ce nom est sans rapport autre que morphologique avec **SIRÉNIEN, IENNE** adj. «des sirènes» (1598, *chant sirénien*).
Un autre animal a été nommé *siren* en latin moderne par Linné, à qui Garden l'avait signalé pour ses émissions vocales agréables. De là, par l'anglais *siren, sirène* n. f. (1802) «salamandre des marais des États-Unis». ◇ C'est ce mot, par le latin moderne *sirenes* (1843) et *sirenidae* (1845), qui a fourni **SIRÉNIDÉS** n. m. pl. (1842), nom d'un ordre d'Amphibiens.

◈ voir SERIN.

SIROCCO n. m., attesté au XVIe sous sa forme actuelle (1595), est connu depuis le XIIIe s., écrit *siloc* (v. 1265), *scilocque* (1414), *siroc* (XVe s.), *siroch* (1515), enfin *siroco*. Les dernières formes sont empruntées à l'italien *scirocco*, lui-même pris à l'arabe *šārūq* «lever du soleil», de l'arabe classique *šārqi* «de l'est, oriental» (d'où l'arabe marocain noté *chergui*), dérivé de *šarq* «est»; *šārūq* serait à l'origine des formes romanes comme l'ancien provençal *exalot* (v. 1300), l'espagnol *jaloque*, le portugais *xaroque*. Une autre explication fait venir *sirocco* de *šlūq*, nom syrien, d'origine araméenne (*šelaq* «cuire»), d'un vent brûlant du sud.

♦ Le mot désigne un vent de sud-sud-est, chaud et sec, d'origine saharienne, qui souffle sur les régions méditerranéennes.

SIROP n. m. est emprunté (v. 1175) au latin médiéval *syrupus, sirupus*, adaptation de l'arabe *šarāb* «boisson» ou «potion», et qui se disait de divers sirops dans la médecine arabe. L'ancien provençal *issarop, lissarop* vient directement de l'arabe, avec agglutination de l'article.

♦ *Sirop* désigne (v. 1175) une solution de sucre dans de l'eau ou du jus de fruits, additionnée de substances aromatiques ou médicamenteuses. Le mot se dit par analogie de l'état liquide des confitures, avant qu'elles aient pris consistance en refroidissant (1627). Dans ces deux acceptions, on écrit aussi *syrop* au XVIIe s. (dep. 1611) et dans la première moitié du XVIIIe siècle. ◇ *Sirop* est employé par plaisanterie pour «eau» dans *sirop de l'aiguière* (1649) et aujourd'hui ***sirop de grenouille*** (1877). Il s'est dit aussi par métaphore pour «vin» (1728, dans le style burlesque), le vin étant considéré comme le meilleur médicament et d'après le sens pris par *siroter, siroper* au XVIIe s. (ci-dessous). De là vient la locution ***être dans le sirop,*** d'abord «être ivre», puis (v. 1930) «être dans un état d'inconscience», par attraction de *être dans le cirage*. ◇ Autrefois nom de la chaudière des sucreries dans laquelle on cuisait le suc des cannes (1727), *sirop* se dit à la même époque du jus de canne ou de betterave, d'où (1808) *sirop simple, sirop de sucre* désignant la base des sirops composés, des bonbons, etc. ◇ Par métaphore, *sirop* s'emploie familièrement (XXe s.) pour «situation embrouillée», sens tiré de la locution *être dans le sirop,* avec influence probable de *pastis*.

▸ **SIROPER** v., d'emploi rare, a signifié «traiter par des sirops» (1620) et «édulcorer avec du sirop» (1875). Le moyen français *siruper* (1495) avait ce même sens. ◇ Le verbe s'utilise aux sens de «prendre la consistance d'un sirop» (1890, intr.) et en cuisine (1938) pour «tremper (un entremets) dans un sirop». ◆ **SIROTER** v. signifie familièrement (1680, intr.) «boire (surtout du vin)» et (1704, tr.) «boire à petits coups en savourant». La forme régulière *siroper* (écrit *syroper*, 1690) a eu cette valeur. ◇ Le verbe a fourni **SIROTEUR, EUSE** n. (1680), familier.
SIRUPEUX, EUSE adj., dérivé savant (1752) du latin *sirupus*, s'applique à ce qui a la nature, la consistance d'un sirop. Au figuré (1884, Huysmans *in* T.L.F.), il qualifie péjorativement ce qui est doux et fade, sans caractère *(musique sirupeuse)*, avec une valeur voisine de *guimauve*.

◈ voir SORBET.

SIRVENTE ou **SERVENTOIS, SIRVENTÈS** n. m. est emprunté (v. 1155) sous la forme *serventeis* à l'ancien provençal *serventes* attesté au début du XIIIe s. mais antérieur : le dérivé *sirventesc* «ensemble de sirventes» est relevé vers 1160. L'ancien provençal dérive de *sirvent* (1150) «serviteur», issu du latin *servientem* qui a par ailleurs abouti à l'ancien français *sergent**. L'ancien provençal a aussi été emprunté par l'espagnol *serventesio* et l'italien *serventese*. La forme *serventois* qui existe en ancien provençal y est attestée vers 1200; la forme *syrvantes* apparaît au début du XVIIe s. (*y* notant un *i*) puis on trouve *sirvante* (1762) et *sirvente* (1835); *sirventès* est réemprunté au provençal au XXe siècle.

♦ Ce terme d'histoire littéraire désigne un poème moral ou satirique souvent inspiré de l'actualité politique, que chantait le troubadour; ce sens vient par métonymie d'un emploi spécialisé de *sirvent* qui désigne le serviteur chargé d'écrire de telles pièces, équivalant à *troubadour, jongleur*.

SIS, SISE → SEOIR

SISAL n. m., attesté en 1906, vient de *Sisal*, nom d'un port du Yutacan (Mexique) qui exporte cette fibre.

♦ C'est la désignation de divers genres d'agaves dont les feuilles servent à fabriquer une matière textile et, par extension, le nom de la fibre *(tapis en sisal)*.

SISMIQUE, SISMOGRAPHIE → SÉISME

SISTRE n. m. est emprunté (1527, Clément Marot) au latin *sistrum*, lui-même au grec *seistron*, dérivé de *seiein* «ébranler, agiter» (→ séisme).

♦ Le mot conserve le sens de l'étymon, désignant un ancien instrument de musique à percussion, formé d'un cadre courbe traversé de baguettes mobiles et sonores, d'abord en usage dans l'Égypte ancienne.

SITAR n. m. est la transcription (1844) d'un mot ourdou, *sitār.* Cet emprunt est très rare avant les années 1960, où il semble repris à l'anglais *sitar* (1845).

♦ Le mot désigne un instrument de musique, originaire du nord de l'Inde, à cordes pincées (le plus souvent sept) et à caisse de résonance hémisphérique. Emprunté comme terme de voyageur, il ne se répand que vers 1965, avec la diffusion de la musique indienne en Occident.

▸ Le français en a dérivé **SITARISTE** n. (v. 1950), homonyme de *cithariste.*

SITE n. m., attesté vers 1303, est issu du latin *situs* «position, situation», spécialement en parlant d'une ville, et «situation prolongée», d'où «état d'abandon, jachère», aussi «moisissure, rouille», «saleté corporelle» et au figuré «oisiveté». *Situs* dérive de *situm,* supin de *sinere* «placer, laisser» à l'origine et «permettre» à l'époque classique, verbe d'origine inconnue.

♦ *Site* s'est d'abord dit pour «place, emplacement». Il n'est réattesté qu'en 1347 *(cite),* puis en 1512 *(sit),* spécialisé depuis le XVIIe s. (1660, d'Aubigné, texte posthume; *site d'une place de guerre*) au sens de «configuration d'un lieu, du terrain où s'élève une ville, manière dont elle est située du point de vue de son utilisation par l'homme». ◆ Par ailleurs, le français de la Renaissance a emprunté à l'italien *sito* (du latin *situs*) le sens de «partie de pays considéré du point de vue du pittoresque, de l'esthétique», valeur employée depuis le XVIe s. (1580, Montaigne) pour parler de la disposition générale des éléments d'un paysage. On relève au XIXe s. *plan de site* à propos du plan d'un ouvrage dont on veut établir le profil (1871), ancien terme de fortification. ◇ Le mot entre au XXe s. dans le vocabulaire didactique : en topographie (1923), *angle de site* ou *site* désigne l'angle que forme, avec sa projection sur le plan horizontal, une ligne joignant un observateur à un point visé, d'où en artillerie (XXe s.) *ligne de site.* ◇ Au XXe s., le sens classique de «disposition esthétique d'un paysage» a été réactivé, par exemple dans *protection des sites, site classé.* Par ailleurs, *site archéologique* désigne tout lieu où s'effectuent des fouilles. *Site propre* (1965) «endroit réservé à la circulation des véhicules de transport en commun» est un terme administratif. ◇ Par calque de l'anglo-américain *site,* le mot s'applique aux adresses du réseau Internet où l'on peut obtenir des informations.

▸ Le mot a fourni quelques composés. ◆ **SITOMÈTRE** n. m. (1949, *sitemètre*) a désigné un appareil qui permettait, avant l'invention du radar, de déterminer l'angle de site et l'azimut d'un avion d'après son bruit; c'est aujourd'hui le nom d'un instrument employé pour déterminer le site d'un point. ◆ **SITOLOGIE** n. f. (v. 1973), de *-logie,* didactique, se dit de l'étude des sites et des moyens de les préserver. ◇ De là **SITOLOGUE** n. (1973).

◈ voir DÉSINENCE, IN SITU, SITUER.

SIT-IN n. m. inv. est emprunté (1967) à une expression américaine, signifiant littéralement «s'asseoir là», «prendre place, s'installer», du verbe *to sit* «s'asseoir, être assis» qui repose sur la même racine indoeuropéenne que *seoir**. *Sit-in,* en anglais, est la variante abrégée de *sit-in strike* qui équivaut à *grève sur le tas* (de *strike* «grève»), aussi *sit-down strike* (1936). Aux États-Unis, *sit-in* évoque en particulier à partir des années 1960 une forme de contestation face à la discrimination raciale.

♦ Introduit pour parler de manifestations de Noirs américains, cet anglicisme désigne une forme de contestation non violente consistant à s'asseoir par terre en groupes pour occuper des lieux publics.

SITÔT adv. est composé au XVe s. *(sitost)* de ② *si** et de *tôt**. *Si tost cum* (v. 1155), *si tost que* (1273), *si tost* aboutissent à *sitost* au XVe siècle. Le mot s'écrit *sitôt* depuis le XVIIe siècle.

♦ *Sitost* a signifié (1440-1475) «aussi rapidement, au bout d'un temps si bref», emploi sorti d'usage au XIXe siècle. Le mot reste instable, et *de sitôt* est par exemple en concurrence avec *de si tôt.* Son premier sens s'est conservé dans la locution conjonctive *sitôt que.* Celle-ci, apparue sous les formes disjointes *si tost que* (1273), puis *si tôt que* (1636) [→ aussitôt, tôt] est soudée en ***sitôt que*** (1647). Elle a remplacé *si tost come* (v. 1155). *Sitôt que* «immédiatement après que» est suivi de l'indicatif. ◇ ***De sitôt*** loc. adv. courante (1777) s'emploie dans des phrases négatives ***(pas de sitôt)*** au futur. ◇ *Sitôt* s'utilise enfin dans une proposition participiale (1869, A. Daudet), notamment dans ***sitôt dit, sitôt fait,*** et (fin XIXe s.) comme préposition devant un nom, pour «aussitôt». Le mot peut aussi précéder une préposition (***sitôt après,*** etc.; attesté 1933, Gide); ces emplois sont littéraires.

◈ voir AUSSI (AUSSITÔT).

SITTELLE n. f. représente (1778, Buffon) le diminutif du latin zoologique *sitta,* introduit par Linné et emprunté au grec *sittê* désignant un petit passereau grimpeur. Le mot grec est probablement de nature onomatopéique. On écrit aussi *sittèle.*

♦ *Sittelle* est le nom d'un passereau, aussi appelé *pic maçon,* qui grimpe avec agilité sur les troncs.

SITUER v. tr. est emprunté (déb. XIVe s. au p.p.) au latin médiéval *situare* «situer» (XIIIe s.), dérivé du latin classique *situs* «position, situation» (→ site). ◆ L'adjectif *sité* (1260), refait en *situé* (1313), est peut-être un emprunt direct au latin classique *situs* adj. «placé», avec le suffixe *-é.*

♦ *Situer* signifie «placer par la pensée en un lieu déterminé de l'espace» (v. 1470, A. Gréban, F.e.w.; seulement 1565, Calvin pour T.L.F.) et, spécialement, «mettre à une certaine place, dans une hiérarchie, un ensemble» et «mettre à un certain point de la durée (XVIIe s.)». ◇ Par extension, *situer* correspond à «disposer d'une certaine manière par rapport à un ensemble de repères» d'où «établir sur un terrain». Au XIXe s., *situer qqn* s'emploie (av. 1869) pour «le replacer dans son milieu». ◇ **SI-**

TUÉ, ÉE adj. (début XIVe s.) s'est employé par figure à l'époque classique (1666) dans *âme bien située* «pleine de sentiments élevés». ◇ *Se situer* a signifié (1677) «se donner une attitude (du corps)». Ce pronominal s'emploie aussi (1823) pour «se trouver» en parlant de choses, «se mettre en un certain lieu» à propos de personnes et, en particulier (mil. XXe s.), «préciser sa position intellectuelle par rapport à qqch. d'abstrait».

▸ Le dérivé **SITUABLE** adj. qualifie (1720) ce qu'on peut situer, opposé à **INSITUABLE** adj. (XXe s.).

SITUATION n. f. est un emprunt (1320) au dérivé latin médiéval *situatio,* dont il reprend le sens concret, «fait d'être placé dans un lieu», spécialement (1375) «position des étoiles», sorti d'usage. ◇ Le nom s'emploie couramment (1447) pour désigner l'emplacement d'une ville ou d'un édifice, d'où *plan de situation,* en architecture (XXe s.); il est sorti d'usage au sens de «position, attitude d'une personne» (1560), mais s'emploie encore à propos de la manière dont qqch. est situé ou orienté (1689). ◇ Le mot, en grammaire, s'est utilisé à l'époque classique (1647) à propos de l'arrangement des parties du discours. ✦ Au XVIIe s., *situation* prend aussi une valeur abstraite. Le mot a désigné la disposition morale d'une personne (1670), puis (av. 1678) l'ensemble des circonstances dans lesquelles une personne se trouve, des relations qui l'unissent à son milieu, avec des applications particulières (1762, *situation de fortune*). Cette acception est devenue très courante, et a entraîné des locutions comme ***être en situation de*** (suivie d'un infinitif) «être à même de» (1714) et ***être dans une situation intéressante*** «être enceinte» (1872). ◇ Par extension, *situation* se dit (XVIIe s.) de l'ensemble des circonstances dans lesquelles une collectivité se trouve. ◇ En littérature et au théâtre, *situation* désigne (1718) un passage caractérisé par une scène importante; de là *(vers, mot) de situation* (1764), *comique de situation* (1875) et ***être en situation*** «de manière à produire un effet sur le spectateur» (1835). ◇ En finances, le mot se dit (1770) d'un tableau qui présente un patrimoine à un moment donné, d'où (XXe s.) *situation de trésorerie.* ◇ Le mot prend au XIXe s. le sens de «rang, rôle, d'une personne dans la société» (av. 1850, *situation sociale*) et se dit spécialement (1873) pour «emploi» *(une situation),* le plus souvent en parlant d'un travail salarié non manuel, impliquant un rang assez élevé dans la hiérarchie. ◇ Le mot est entré dans le vocabulaire de la philosophie existentialiste pour «ensemble des relations concrètes qui, à un moment donné, unissent un sujet à son milieu», par exemple dans *(être en) situation* (v. 1928) et le titre des recueils d'essais sartriens, *Situations I, II,* etc. Avec cette valeur, il est employé en sociologie et en psychologie et dans la locution ***en situation*** (1964) «dans une situation aussi proche que possible de la réalité».

▸ Le dérivé **SITUATIONNISME** n. m. (1958) vient de l'emploi du mot dans des formules comme «*créer la situation* qui rend impossible tout retour en arrière», et désigne un mouvement gauchiste de contestation dont l'une des affirmations est que l'idéologie capitaliste se réalise en un spectacle auquel participe l'ensemble des institutions et des rôles sociaux; ces idées influencèrent le mouvement étudiant en 1968. ✦ En dérive **SITUATIONNISTE** adj. et n. (1958, *l'Internationale Situationniste,* revue), abrégé familièrement en **SITU** adj. et n. (1969) : *les situs.*

✳ SIX

✳ **SIX** adj. numéral et n. m., écrit *sis* (1080) en ancien français, puis *six* (XIIIe s.), est issu du latin classique *sex* «six», correspondant au grec *hex,* variante *hexa* (→ hexagone). Le type latin se retrouve dans plusieurs langues indoeuropéennes comme le gotique *saihs,* le sanskrit *ṣáṭ.* Le gallois *chwech* suppose une initiale °*sw-*, et d'autres langues une forme avec °*w-* (arménien *veç*) ou °*ks-* (vieux slave *šestŭ* «sixième»).

♦ L'adjectif numéral cardinal (1080) est immédiatement substantivé, le nom désignant (1080) le nombre six et, spécialement, une face de dé présentant six marques (XIIIe s., *sis*), une carte de jeu (1636) ou une face de domino (1792, *double-six*). C'est aussi le nom du chiffre notant ce nombre (1690; écrit 6, et VI en numérotation romaine). *Six* s'emploie spécialement pour désigner une chose (jour du mois, immeuble, etc.) ou une personne qui correspond au nombre ou au numéro six. La locution sortie d'usage *être dans son six* (1798) signifiait «dans son sixième mois de grossesse». ◇ Au XIXe s., *six* est aussi employé comme ordinal pour «sixième» (1871). ◇ Il entre dans la composition de *six-cylindres* n. f. (1914; masculin, 1906) «voiture dont le moteur possède six cylindres», de *six-chevaux,* etc. *Les six jours* (av. 1922) était le nom d'une épreuve cycliste sur piste où chaque équipe tournait pendant six jours, par relais de deux coureurs.

▸ Plusieurs mots sont directement dérivés de *six.* ✦ **SIXIÈME** adj. numéral ordinal et n. a eu diverses formes : *sesime* (v. 1155), *seixisme* (v. 1190), le mot étant refait en *sisieme* (v. 1213), écrit *siziesme* (1487) et *sixième* (v. 1393). L'adjectif qualifie (v. 1155) ce qui suit le cinquième. Le nom désigne chaque partie d'un tout divisé en six parties égales (1301, *sizemes;* 1606, *sixième*) et en moyen français la sixième partie des revenus due au seigneur (1325, *sysainme*). ◇ *La sixième* n. f. est le nom de la classe qui commence l'enseignement du second degré, autrefois (1666) la sixième classe à partir de la rhétorique; par métonymie, *la sixième* désigne l'ensemble des élèves (1871) de cette classe, ainsi que la salle où elle a lieu (1876). ◇ *Sixième* n. m. s'est dit d'une suite de six cartes de la même couleur, au piquet (1661). En musique, le mot signifie encore «intervalle de six tons» (dep. 1690). ◇ Le nom s'emploie (1558) pour une personne ou une chose au sixième rang; il est sorti d'usage pour désigner le sixième jour d'une période (1871). Par ellipse, *le sixième* (XXe s.) signifie «sixième étage». ◇ L'adjectif a fourni **SIXIÈMEMENT** adv. (XVe s.).

SIZAIN n. m. est attesté comme adjectif (v. 1180, *sisain*) équivalent de «sixième» et a été le nom d'une pièce d'un demi-sou (1299, *sisain;* 1370, *sizain;* 1611, *sixain*). Le nom, écrit *sizain* (1362) et au XVIIe s. *sixain* (1611),désigne un assemblage de six objets de même nature, spécialement (1560) un paquet de six jeux de cartes et un ensemble de six mille épingles. Il s'est dit aussi d'un impôt correspondant à la sixième partie d'une récolte (1482), et a été employé en général pour *sixième* n. (1606, *sixain*). ◇ *Sizain* est le nom (1607) d'une strophe de six vers construite sur deux ou trois rimes. Cette acception est encore en usage. ◇ Dans le vocabulaire technique, *sizain* désigne une barrique de cent dix litres (1871), unité qui pouvait correspondre au sixième d'un foudre. ➜ **SIZAINE** n. f., autrefois nom d'une redevance (1260, *sisaine*), s'est employé pour «demi-douzaine» (1377, *sisenne;* 1398, *sixaine*). ◇ Au sens de «réunion de six unités de même nature» (1560, *sixaine* «paquet de six jeux de cartes»), il ne se dit plus aujourd'hui que d'un groupe de six enfants d'une unité de scoutisme. ➜ **SIZETTE** n. f. désignait (1752) un jeu de cartes, qui se jouait à six avec un jeu de trente-six cartes.

Six entre dans la composition de quelques mots. ➜ **SIX-VINGTS** adj. numéral cardinal (XIVe s.; XIIIe s., *si vinz;* de *vingt**), encore employédans la langue classique, équivaut à *cent-vingt* dans le système vigésimal de numération (cf. *Les Quinze-Vingts*). ➜ **SIX-BLANCS** n. m. inv., de *blanc**, désigne (1656) une monnaie ancienne qui valait trente deniers; le mot est certainement antérieur, cette monnaie ayant été créée sous Henri II. ➜ **SIX-HUIT** n. m. inv., de *huit**, s'emploie en musique dans *mesure à six-huit* (1703) «mesure à deux temps dont la noire pointée est l'unité de temps» et, seul, pour un morceau ayant une telle mesure. ◇ La locution adverbiale ***à la six-quatre-deux*** (1867, Delvau) signifie familièrement «à la hâte», «sans soin»; elle vient peut-être d'une énumération dans un jeu de hasard ou est formée par allusion au tracé rapide des chiffres 6, 4 et 2 qui, superposés et enchaînés, forment un profil sommaire.

Plusieurs mots sont formés à partir de *sex* ou empruntés aux dérivés de ce mot latin. ➜ **SIXTE** n. f. est la substantivation (1312) de l'ancien adjectif *siste* «sixième» (1080), du latin classique *sextus* de même sens (et qui a donné l'italien *sesto*). *Siste,* nom masculin, a désigné (1264) une redevance d'un sixième et *sixte* la sixième partie des revenus (1347). ◇ *Sixte,* au féminin, se dit encore en musique (1611) d'un intervalle de six degrés. Il a désigné un jeu de cartes joué en six parties (1752); en escrime (1766), c'est le nom d'une des parades en ligne haute. ➜ **SEXTE** n. f., abréviation (XIVe s.) de *sexte hore* (v. 1250) «sixième heure», est emprunté au latin médiéval *sexta hora,* formé de *sexta,* féminin de *sextus,* et *hora* (→ heure). ◇ *Sexte* désignait la sixième heure du jour à partir du lever du soleil; il se dit spécialement dans la liturgie catholique (1433) de la partie de l'office qui se récite à la sixième heure de la computation juive, c'est-à-dire vers midi. Par ailleurs, le mot est employé en musique (1611) comme équivalent de *sixte.* En parlant de l'Antiquité romaine, *sexte* désigne (1765) la troisième des quatre parties du jour, commençant entre 11 h 30 et 12 h 30, à la fin de la sixième heure. ◇ Comme adjectif, *sexte* est attesté au XVIe s. dans *sexte essence* (1564). Cf. *quintessence.* ➜ **SEXTIL** adj. et n. m. est un emprunt du XIVe s. (ou 2e moitié du XIIIe s.) au latin des astrologues du moyen âge *sextilis;* en latin classique, le mot, dérivé de *sextus,* désignait le sixième mois de l'année romaine (août). ◇ L'adjectif se dit (1377) en astrologie de deux planètes écartées de soixante degrés, d'où *aspect sextil* (fin XVIe s.; 1582, *sextile*) ou *le sextil* n. m. (1607). ➜ **SEXTUPLE** adj. et n. m. est un emprunt (1450, selon Bloch et Wartburg; puis 1484) au bas latin *sextuplus,* dérivé de *sextus.* L'adjectif conserve le sens du latin, appliqué à ce qui vaut six fois une quantité donnée. Il est substantivé : *le, un sextuple* (1520). Il qualifie aussi (1846) ce qui est formé de six choses semblables. ◇ Son dérivé **SEXTUPLER** v. (1493, v. tr.; repris mil. XVIIIe s.) est rare. ➜ **SEXTO** adv. (1617) est lui aussi rare au sens de «sixièmement», dans une énumération commençant par *primo, secundo,* etc.

Des composés ont été formés en latin et en français. **SEXAGÉNAIRE** adj. et n. (1425), emprunt au latin *sexagenarius* (→ âge), qualifie et désigne les personnes ayant de soixante à soixante-neuf ans. ◇ **SEXAGÉSIME** n. f., emprunt (v. 1380) au latin ecclésiastique *sexagesimus (dies)* «soixantième jour» désigne le dimanche qui précède de deux semaines le premier dimanche du carême. ◇ **SEXAGÉSIMAL, AUX** adj., dérivé savant du latin *sexagesimus* «soixantième», signifie «relatif au nombre soixante». ➜ Le composé **SEXDIGITAIRE** adj., didactique (1762), du latin classique *digitus* «doigt*», s'applique à une personne qui possède six doigts à la main ou au pied; on dit aussi **SEXDIGITÉ, ÉE** adj. (1907) et, à propos de la main ou du pied, **SEXDIGITAL, ALE, AUX** adj. (1798). ◇ **SEXDIGITISME** n. m. (1762) désigne la conformation d'un individu ou d'un membre qui présente six doigts. ➜ **SEXTUOR** n. m. est formé (1775) à partir de *sex* sur le modèle de *quatuor,* pour désigner une composition musicale à six parties, puis (1838) un orchestre de chambre formé de six instruments. Le mot désigne rarement (depuis 1802) un groupe de six personnes. ◇ En jazz, on dit **SEXTETTE** n. m. (v. 1950), emprunt adapté de l'anglais *sextet.* ➜ **SEXTILE** adj. f., dérivé savant (1798) du latin *sextus,* est un terme d'histoire employé dans *année sextile* «année qui possède un sixième jour complémentaire, dans le calendrier républicain». ➜ **SEXTIDI** n. m. est composé (1798) de *sextus* et du latin classique *dies* «jour» (→ midi; jour) et désignait dans le calendrier républicain le sixième jour de la décade. ➜ **SEXENNAL, ALE, AUX** adj. est un dérivé savant (1836) du latin classique *sexennis* «de six ans» (de *annus* «an*»), d'après *biennal;* cet adjectif didactique qualifie ce qui a lieu tous les six ans ou qui dure six ans. Avec le même sens on relève antérieurement *sexanal* (1302), *sexannal* (1569). ➜ **SEXTILLION** n. m., formé de *sextus* et de la finale de *million,* s'est substitué (1765) à *sixlion* (1484) au sens sorti d'usage de «mille quintillions»; le mot vaut aujourd'hui (1948) pour «un million de quintillions» (10^{36}). ➜ **SEXTOLET** n. m., formé (1837) d'après *triolet,* désigne en musique un groupe de six notes égales qui s'exécutent dans le même temps que quatre notes de même valeur. ➜ **SEXTINE** n. f. est une variante (1549), d'après le latin *sextus,* de *sestine* (1548), emprunté à l'italien *sestina,* dérivé de *sesto* «sixième», de *sextus.* Le mot désigne en histoire littéraire un poème à forme fixe composé de six sizains et d'un tercet, avec six mêmes mots revenant à la rime dans un ordre différent pour chaque strophe ; cette forme, inventée par le troubadour Arnaut Daniel, fut célébrée par Dante et reprise par Pétrarque.

◈ voir **BISSEXTILE, SEMESTRE, SEIZE, SETIER, SEXTANT, SIESTE, SOIXANTE, SONNEZ.**

SKATE-BOARD n. m. est un emprunt (1977) à un mot anglo-américain, composé (v. 1960) de *skate* «patin» et *board* «planche»; le sport lui-même, inventé comme la planche en Californie, est nommé *skate-boarding.* L'anglais *skate* vient du néerlandais *schaats* (pluriel *schaatsen*), emprunt de *escace,* ancienne forme septentrionale du français *échasse**.

♦ Cet anglicisme, abrégé en *skate* n. m. (1977), désigne une planche montée sur roulettes et, par extension (1977), la pratique de ce type de patinage. Pour les deux acceptions, le français utilise *planche à roulettes.*

▸ **SKATEUR, EUSE** n. (v. 1979), francisation de l'anglais *skater* (1977), a été, comme *skate,* en vogue entre 1977 et 1981 ; le recul de ce sport, au profit du patin à roulettes que les États-Unis ont d'ailleurs remis à la mode, les a rendus plus rares, (avant une reprise en 1990-1991); *planche (à roulettes)* tend à remplacer l'anglicisme.

SKETCH n. m. a été emprunté (1879) à un mot anglais désignant une courte scène, généralement comique et rapide, parfois improvisée, au théâtre et au cirque (1861 en ce sens). L'anglais *sketch,* proprement «esquisse», est un emprunt (XVIIe s.) au néerlandais *schets,* lui-même à l'italien *schizzo,* d'où vient le français *esquisse**.

♦ Le mot, qui conserve le sens de l'anglais, est d'emploi plus large que *saynète** qui a vieilli. Il est usuel, notamment au cinéma *(film à sketches).*

SKI n. m., sous la forme *skie* et d'abord au féminin (1841), puis au masculin (1876), enfin écrit *ski* à la fin du XIXe s. (1891), est emprunté au norvégien *ski* (prononcé *chi*), peut-être par l'intermédiaire de l'anglais *(skie).* Le mot norvégien est issu de l'ancien norrois *skið* «billette de bois fendu», «chaussure, raquette pour la neige». Il peut être apparenté à la racine indoeuropéenne °*skid-* «briser, fendre», que l'on retrouve dans le grec *skhizein* (→ schizo-), le latin *scindere* (→ scission).

♦ Le mot, qui apparaît isolément dans une description de la Norvège, restera longtemps un terme exotique par rapport à *patin* (1727 dans ce sens) et à *patin à neige* (1801), pour désigner les lames de bois allongées servant à glisser sur la neige. Vers la fin du XIXe s., le mot se répand en Europe, d'abord en Suisse et en Autriche, avec les activités de montagne (cf. *alpinisme*). ◇ Après avoir été un terme de voyage cité comme mot scandinave, *ski,* relayé par l'anglais et l'allemand, se répand dans les années 1890, concurrençant puis éliminant *patin, patin norvégien, ski norvégien* (1893), ainsi que le dérivé *skier* n. m. (1896). À partir du début du XXe s., on distingue le *ski court* et le *ski long* (1907) et, selon les activités spécifiques liées aux deux contextes, scandinave (terrains assez plats) et alpin, *ski de course* (1905), *de fond* (1908), *de saut* (1908), puis *ski de piste* (1930), *de slalom* (1930). ◇ Dès 1892, *ski* désigne par métonymie l'activité sportive, d'où *ski-club* (1896), et avec des spécifications : *ski de montagne* (1910) s'opposant à *ski norvégien.* Puis sont dénommés le *ski de course* (1910), *de fond* (1930), opposé à *ski de descente* (id.), *de concours* et *ski de piste* (1937). *Ski nordique* (1935) est opposé à *ski alpin* «en pentes raides» (attesté plus tard, mais *skieur alpin* est attesté en 1896). Par analogie, ***ski nautique*** (1935) se dit d'un sport nautique qui rappelle l'aquaplane mais dans lequel on chausse deux longs patins.

▸ **SKIER** v. intr. «faire du ski» (1894) a fourni deux dérivés. ➛ **SKIEUR, EUSE** n. (1896) coexiste d'abord avec l'anglicisme *skier* n. m. «soldat chaussé de skis» (1905) et a éliminé *patineur** (encore *patineur en ski,* 1902). Le féminin *skieuse* (1908) atteste la diffusion du sport en pays francophone (Suisse et Alpes françaises). Le mot entre, comme *ski,* dans diverses dénominations : *skieur de montagne* (1929), *de descente* (1930), opposées à *skieur de fond* (1930); puis *skieur de vitesse* (1935), *de compétition* (1937), etc. ◇ *Skieur, -euse nautique* (1935) est rare. ➛ **SKIABLE** adj. s'applique (1896) à une neige ou une piste où l'on peut faire du ski ; d'où **SKIABILITÉ** n. f. (1934).

Les composés sont plus nombreux. ➛ **TÉLÉSKI** n. m. (1935) de *télé*[fériquel, se dit d'un remonte-pentes pour les skieurs, appelé familièrement *tire-fesses.* ➛ **APRÈS-SKI** n. m., de *après**, désigne la période de repos après avoir skié (1938) et spécialement (1936, dépôt de marque par Joseph Pichette), un bottillon que l'on chausse quand on ne skie pas, aux sports d'hiver, et par extension des chaussures fourrées. ➛ **MINISKI** n. m. (v. 1965), de *mini-**, désigne un ski très court. ➛ **PORTE-SKIS** n. m. inv. (1934), de *porte-*, tiré du verbe *porter**, est le nom d'un dispositif fixé au toit d'une voiture pour le transport des skis. ➛ **SKI-BOB** n. m. désigne (v. 1965) un véhicule léger, analogue à une bicyclette et monté sur skis. Le procédé avait été breveté aux États-Unis en 1892, mais le sport ne s'est développé que dans les années 1965 dans les Alpes suisses ; le mot, qui est aussi un néologisme en anglais, peut avoir été construit directement en français, à partir de la contraction de l'anglais *bob (sleigh)** ou à partir de *to bob* «se balancer» ; l'équivalent français est **VÉLOSKI** n. m. (1932), de *vélo* (→ à véloce). ➛ En sports nautiques, on relève **MONOSKI** n. m. (1968), qui désigne le ski nautique puis le ski de neige pratiqué sur un seul ski et ce ski. ➛ La plupart des attestations ci-dessus proviennent de M. Jacquemin et Ch. Tetet *(D. D. L.).*

SKIFF n. m. reprend (1851) un mot anglais (1575) apparenté au français *esquif**, puis désignant (1793) un bateau de compétition très long et très effilé, pour un seul rameur.

▸ Le mot conserve cette acception en français et désigne aussi la personne qui conduit ce genre de canot.

◈ voir **SKIPPER.**

SKINHEAD n. est emprunté (1983) à l'anglais *skinhead* (1953), composé de *skin* «peau» et *head* «tête».

♦ Le mot désigne, d'abord dans la société britannique, un jeune à crâne rasé, prônant l'agressivité et la violence, souvent xénophobe et raciste. Abrév. fam. *Un, une skin.*

SKIPPER n. m. est un emprunt (1773) à un mot anglais (cité comme tel en français, 1653), attesté en 1390 au sens de «commandant d'un navire marchand», emprunté au néerlandais *schipper,* dérivé de *schip* «bateau» (d'où l'anglais *ship*); *schip* vient d'un longobard °*skif,* qui a fourni l'italien *schifo,* emprunté en français sous la forme *esquif** (d'où l'anglais *skiff**).

♦ Le mot a le sens de l'anglais aux XVIIIe et XIXe siècles. Avec le développement de la navigation de plaisance, il désigne le barreur sur un voilier de régate (1937) puis le chef de bord d'un voilier de croisière (v. 1960).

SKUNKS ou **SCONSE** n. m. a été introduit sous la forme *scunck* (1764, Buffon) comme nom de la mouffette. La forme plurielle des catalogues de fourreurs, *skunks,* a été prise pour un singulier à la fin du XIXe siècle. Le mot est emprunté à l'anglais *skunk,* lui-même pris au XVIIe s. à l'algonquin *seganku,* désignant l'animal.

♦ Il désigne en français la fourrure de la mouffette.

SLALOM n. m. reprend (1908) un mot norvégien composé de *sla* «incliné» et de *låm* «trace dans la neige». Le mot est cité comme norvégien dès 1905, glosé par «marche en lacets».

♦ Ce mot désigne une façon de skier, puis (1930; aussi *course de slalom*) une épreuve de ski consistant en une descente sinueuse avec passage obligatoire entre plusieurs paires de piquets appelés *portes,* et cette discipline constituant une branche du ski sportif. *Slalom géant* est attesté en 1936, *slalom combiné* en 1951. Par analogie, il se dit (1941) d'un parcours sinueux en ski nautique et au figuré (mil. XXe siècle; *faire du slalom*) du fait d'avancer en faisant de nombreux détours entre des obstacles.

► Le dérivé **SLALOMER** v. intr. est employé au sens propre (attesté en 1939) et au figuré (1971). ➛ Il a servi à former **SLALOMEUR, EUSE** n. (1936), qui a éliminé la forme anglaise *slalomer* (1935).

SLANG n. m. est emprunté (1856) à un mot anglais (1765), correspondant approximativement au français *argot* et aussi employé pour «jargon de métier» (1802). Ce mot d'origine obscure a été rapproché du norvégien *sleng* «devise, formule», d'un germanique °*slengwan,* qui a par ailleurs donné en anglais *to sling* «lancer, jeter». P. Guiraud voit dans l'anglais *slang* un emprunt à l'ancien français *eslanguer* «arracher la langue», utilisé dans les dialectes au sens de «bavarder», «médire».

♦ *Slang* désigne l'argot anglais, notamment de Grande-Bretagne, des États-Unis, d'Australie et, en linguistique (XXe s.), un jargon de métier ou d'un groupe social, à propos des pays de langue anglaise.

SLASH n. m. est un emprunt des années 1980 à l'anglo-américain *slash* ou *slash mark,* d'abord «cassure», de *to slash,* emprunt à l'ancien français *esclachier* «briser, éclater».

► Cet anglicisme diffusé par l'informatique désigne un signe typographique de séparation par une barre oblique.

SLAVE adj. et n. est emprunté (1573), d'abord sous la forme *sclave* (XVIIe s.), au latin médiéval *sclavus* et *slavus,* qui a par ailleurs abouti à *esclave**.

♦ *Slave* se dit de peuples d'Europe centrale et orientale dont les langues sont apparentées. Les *langues slaves* (1827), d'où *le slave* n. m. (1876), forment un groupe de langues indoeuropéennes qui comprend le *vieux slave* ou slavon (ci-dessous), le bulgare, le polonais, le russe, l'ukrainien et le biélorussien, le serbo-croate, le slovène, le slovaque, le tchèque.

► Sur *slave* ont été formés quelques termes didactiques. ➛ **SLAVISTE** n. (1826), «spécialiste des langues et des civilisations slaves», a pour synonyme **SLAVISANT, ANTE** n. et adj. (1904), appliqué également à ce qui a certains caractères propres à la civilisation slave. ➛ On dit **SLAVISTIQUE** n. f. (1917) pour l'étude des langues slaves, d'après l'allemand *Slavistik.* ➛ **SLAVISER** v. tr. signifie (1890) «rendre slave». ➛ Le composé **SLAVOPHILE** n. et adj. s'est d'abord employé (1852) pour parler des Russes attachés aux valeurs traditionnelles et opposés à l'influence occidentale, dans la seconde moitié du XIXe et au début du XXe siècle. Le mot s'emploie aussi à propos d'une personne favorable à la civilisation slave. ◇ Il a pour dérivé **SLAVOPHILIE** n. f. (1919, J. Bainville).

SLAVON, ONNE adj. et n. s'est substitué (1759) à *esclavon* (1441) et à *slavonien* (1540); il est formé comme ce dernier à partir de *Slavonie,* anciennement *Esclavonie,* région située entre la Slovénie et la Vojvodine. *Slavonie* est dérivé de *slave**. Le mot qualifie ce qui est relatif à la Slavonie et à ses habitants. ➛ **SLAVON** n. m. désigne la langue liturgique des slaves orthodoxes, au moyen âge, dite aussi *vieux slave* ou *vieux bulgare.*

SLEEPING-CAR n. m. (1868), abrégé en *sleeping* (1884), est un mot anglais créé aux États-Unis (1839) où l'on employait aussi *sleeper* (1881) pour «wagon-lit». Le mot est composé de *sleeping,* de *to sleep* «dormir» (d'un francique °*sloepan-*; cf. allemand *schlafen*) et de *car* «voiture» (→ car), emprunt au normanno-picard *car,* variante de *char**.

♦ L'anglicisme *sleeping-car* est sorti d'usage au sens de «wagon-lit» (1868) ou de «place dans un wagon-lit» (fin XIXe s.). ◇ La forme abrégée **SLEEPING** évoque encore la vie luxueuse d'une clientèle internationale du début du siècle; *sleeping* avait été largement diffusé par un roman célèbre de M. Dekobra, *La Madone des sleepings* (1925).

① **SLIP** n. m. est un emprunt (1885), d'abord cité comme mot anglais (1861), à l'anglais *slip* «bande, morceau plus long que large», «cale de halage, de radoub» (1467), «laisse (de chien)» [1578], etc. Ce mot est le déverbal de *to slip* «glisser», d'un germanique °*sleipan-*, °*sleupan-*, que l'on retrouve dans le gotique *sliupan*, le vieil anglais *slidan* (anglais *to slide*), et dont on a rapproché le latin *lubricus* «glissant» (→ lubrifier, lubrique).

♦ Le mot a eu le sens de «laisse (de chien)». En marine, il désigne (1903) un plan incliné pour haler à sec les navires à réparer, ou pour les mettre à l'eau. Par extension, il se dit (XXe s.) d'un plan incliné pour hisser les baleines à bord d'un navire-usine.

▸ Cependant ② **SLIP** n. m. est emprunté (1913) à l'anglais *slip* (*bathing slips*, 1904, emploi disparu), mais pour un sens où l'anglais a *trunks* «caleçon», *knickers* «culotte (de femme)». ◇ Au sens de «vêtement qui se glisse», *slip* signifie parfois en anglais «jupon, combinaison» (1761), mais jamais «pantalon» ou «culotte». ◆ Ce faux anglicisme a été introduit pour désigner un caleçon utilisé dans la pratique du sport, assez proche de ce qui a été appelé *short*, autre anglicisme. ◇ Le mot se dit couramment aujourd'hui d'un caleçon sans jambes, échancré sur les cuisses et porté par les hommes et les femmes comme sous-vêtement ou culotte de bain.

SLOGAN n. m. est un emprunt (1842) à l'anglais *slogan*, lui-même du gaélique *sluagh-gairm* «cri de guerre», composé de *sluagh* «troupe» et de *gairm* «cri, appel»; ce nom d'origine expressive est apparenté à d'autres mots désignant des bruits, comme l'ancien haut allemand *kerran* «crier» et le latin familier *garrire* «babiller, bavarder» et *grundire* (→ gronder). D'abord employé pour «cri de guerre ou de bataille» des montagnards d'Écosse (1513), *slogan* désigne aussi en anglais (1704) la devise d'une personne ou d'un groupe. Le mot a pris aux États-Unis le sens de «formule de ralliement d'un parti» (1916) puis de «formule publicitaire» (1928).

♦ *Slogan* est relevé en français dans le dictionnaire de l'Académie (1842) au sens de «cri de guerre de clans écossais», sorti d'usage. ◆ Le mot est emprunté de nouveau (1930, P. Morand, à propos des États-Unis) pour désigner une formule frappante et concise, utilisée par la publicité (d'où *slogan publicitaire*, 1931) ou pour propager une opinion politique (1932, A. Maurois), une revendication, etc.

SLOOP n. m. est un emprunt (1752) à l'anglais *sloop* (1629), «bateau à un mât», puis «corvette de guerre» (1676), lui-même du néerlandais *sloep*, apparenté à *chaloupe** (variante *saloupe*) et à marie-*salope*. → *aussi* escale.

♦ *Sloop* a eu le sens (1752, Trévoux) de «corvette de guerre» et désigne aujourd'hui un petit bateau à voiles à un seul mât (depuis 1797); le mot s'est écrit *sloup* ou *sloupe* (1872, Littré).

SLOW n. m., représente (1925) la forme abrégée de l'anglais *slow-fox-trot*, elliptiquement *slow-fox*, forme aussi employée autrefois en français (1930), nom d'une danse lente à pas glissés; le mot est composé de *fox-trot** et de *slow* «lent», d'origine germanique et, au-delà, indoeuropéenne.

♦ *Slow* conserve le sens de l'anglais et désigne par métonymie la musique sur laquelle on exécute cette danse.

SMALA n. f. est emprunté (1847, Hugo), aussi sous la forme *smalah* (1842), à l'arabe d'Algérie *zmālah* «famille, maisonnée», en arabe classique *zamāla* «réunion de tentes autour de celle d'un chef»; le mot a été introduit en parlant de la prise de la Smala d'Abd-el-Kader (ʿAbd al Qādir).

♦ *Smala* conserve le sens de l'étymon, désignant la réunion de tentes qui abritait la famille et les équipages d'un chef arabe. ◇ Le mot se dit par analogie pour «famille nombreuse» (1861) souvent dans : ***... et toute la smala!*** Le sens (1907) de «suite nombreuse qui vit aux côtés de qqn» est familier et péjoratif.

SMALT n. m. est un emprunt (1570), d'abord sous la forme *semalte*, à l'italien *semalto* (1536), d'un francique °*smalt* qui a abouti en français à *émail**.

♦ Ce terme technique a conservé le sens de l'italien, désignant un colorant bleu, nommé couramment *bleu d'azur*, obtenu en fondant du minerai de cobalt avec du quartz et de la potasse.

▸ Il a fourni les dérivés **SMALTINE** n. f. (1845) et **SMALTE** n. m. (1876) «verre coloré en bleu utilisé en mosaïque».

SMART adj. inv. est emprunté (1898) à l'anglais *smart*, adjectif, proprement «piquant, vif, cuisant» (XIe s.), employé au XVIIIe s. comme terme de mode (1718) au sens de «chic, à la mode», répandu à la fin du XIXe siècle. *Smart* avait été antérieurement cité comme mot anglais (1851) et, en français du Canada, emprunté (1880) au sens de «malin, astucieux, avisé». Des étymologistes anglo-saxons le donnent pour apparenté au latin *mordere* «mordre*» (sanskrit *mord-*) mais ce rapprochement est contesté.

♦ Cet anglicisme familier, reprenant le sens de «chic, élégant», s'est introduit à la même époque que *sélect*, prenant la relève de *fashionable*, avec lequel il est en concurrence à la fin du XIXe siècle. On le rencontre parfois après 1920-1930, mais employé par plaisanterie (cf. R. Queneau, *Le Vol d'Icare*, 1968). Il est archaïque ou plaisant.

SMASH n. m. est emprunté (1894) à l'anglais *smash*, terme de tennis en 1892, déverbal de *to smash* «casser, fracasser, mettre en pièces» (XVIIIe s.), employé depuis 1882 en tennis. Ce verbe repose probablement sur une onomatopée; on en rapproche le norvégien dialectal *smaka* «écraser, broyer».

♦ Cet anglicisme désigne au tennis et par extension au ping-pong un coup violent qui aboutit à écraser la balle au sol pour la faire rebondir hors de portée de l'adversaire.

▸ **SMASHER** v. intr., repris à l'anglais (1912), d'abord transcrit *smacher* (1906), n'a pas été supplanté par l'équivalent français *écraser*. ◆ Il a pour dérivé **SMASHEUR, EUSE** n. (1933), d'emploi rare.

SMECTIQUE adj. est emprunté (1828) au grec *smêkhtikos* «qui a la propriété de nettoyer», «frotter», lui-même de *smên* «nettoyer», d'origine inconnue.

♦ L'adjectif se dit de ce qui a la propriété de dégraisser la laine *(argile smectique)*. ◇ Il a été repris (1924) en physique, appliqué à un caractère particulier de l'état d'un liquide, où les molécules ne peuvent se déplacer qu'à l'intérieur de couches parallèles d'espacement régulier *(état, phase smectique)*. Le mot est didactique ; il a été précédé par le nom *smectique* n. m. (1768), «terre à foulon», qui vient de la locution grecque *smêkhtis gê* «terre qui nettoie», composée de *gê* (→ géo-). On a dit aussi *smectia* n. m. (1694), *smectis* n. m. (1765) et l'ancien provençal *smectia* est attesté dès le XVIe s. (1560).

▸ **SMEGMA** n. m., également didactique, reprend le grec *smêgma* «substance pour nettoyer, onguent», dérivé de *smên*. ◇ Le mot s'est dit (1765) d'une composition utilisée dans l'Antiquité grecque pour se frotter la peau. ◇ Il désigne en médecine (1812) une matière blanchâtre, ressemblant au savon, qui résulte de la desquamation de cellules épithéliales des muqueuses et s'accumule dans le repli des organes génitaux externes de l'homme et de la femme.

S. M. I. C. n. m. est le sigle (1970) de *s*alaire *m*inimum *i*nterprofessionnel de *c*roissance, qui a remplacé **S. M. I. G.**, sigle (1964) de *s*alaire *m*inimum *i*nterprofessionnel garanti.

▸ Sur *S. M. I. C.* a été formé **SMICARD, ARDE** n. (1971), familier, pour «personne qui ne touche que le salaire minimum». ◆ **SMIGARD, ARDE** n. (1964), familier, s'est employé longtemps après le remplacement du S. M. I. G. par le S. M. I. C., et est encore usité au figuré pour «prolétaire mal payé».

SMOG n. m. est un mot anglais, introduit au début du XXe s. (1905) et répandu vers 1960 par l'écologie. C'est un mot-valise, formé de *smoke* «fumée» et *fog* «brouillard», créé lors d'un congrès d'hygiène publique pour désigner un brouillard épais formé de particules de suie et de gouttes d'eau, d'abord en parlant de Londres puis des régions industrielles et humides. *Smoke* appartient à une famille germanique (allemand *Schmauch*, néerlandais *smook*) que l'on a rapprochée du verbe lituanien *smaugti* «être asphyxié par la fumée» ; du grec *smugênai* «se consumer sous l'effet de la chaleur». *Fog* rappelle par sa forme divers mots dialectaux, sans que le rapport sémantique soit clair ; il pourrait être d'origine scandinave.

SMOKING n. m. représente une abréviation (1888), avec changement de sens, de l'anglais *smoking-jacket*, forme attestée chez P. Bourget (1889). Le mot anglais désigne une veste d'intérieur, proprement «pour fumer» ; il est composé de *smoking*, de *to smoke* «fumer» (→ smog), et de *jacket* «vêtement court, veste» (XVe s.), emprunté au français (→ jaquette). Là où le français emploie *smoking*, l'anglais dit *dinner-jacket* et l'américain *tuxedo* (1894), de *Tuxedo*, nom d'une tribu algonquine et nom de ville donné à un club sportif de l'État de New York, où cette tenue était exigée.

♦ Ce faux anglicisme désigne une veste de cérémonie à revers de soie, que les hommes portent dans les réceptions où l'habit n'est pas de rigueur et par extension, plus couramment, un costume composé de ce veston, d'un pantalon à galon de soie et d'un gilet. Le mot a été employé (1924 ; 1905 *smoking pour dames*) pour un ensemble féminin, formé d'une veste noire portée sur une jupe. Il tend à vieillir avec le recul des vêtements de soirée, mais le *smoking* et le *smoking blanc* demeurent des symboles de réussite sociale.

SNACK-BAR n. m. est l'emprunt (1933), couramment abrégé en *snack* (1958), d'un mot anglo-américain (1930), composé de *snack* «casse-croûte» (1757), antérieurement «bouchée, pâtée» (1402), dérivé de *to snack* «mordre, happer» (XIVe s.), verbe emprunté au néerlandais et probablement de formation expressive, et de *bar* (→ bar).

♦ Cet anglicisme désigne un café-restaurant où l'on sert rapidement des repas légers ; la forme tronquée **SNACK** est devenue plus courante ; avec ce sens, le français du Canada emploie *casse-croûte*. Le mot a reculé devant un autre anglicisme désignant une réalité différente, *fast-food*.

SNIFF interj. et n. m. est emprunté (1946) à l'anglais des États-Unis, de *to sniff* «renifler» et en argot «aspirer de la drogue en poudre par le nez» ; ce verbe est d'origine onomatopéique.

♦ Le mot a signifié en argot français «alcool grossier». ◇ L'interjection, qui exprime un bruit de reniflement, est empruntée au répertoire d'onomatopées des bandes dessinées d'origine anglo-saxonne. Il a été réemprunté (1977) dans l'argot de la drogue, désignant une prise de drogue (cocaïne, colle) par le nez, en aspirant.

▸ Il a fourni **SNIFFETTE** n. f. (1978), de même sens, et **SNIFFER** v. tr. (1978).

SNOB n. et adj. apparaît (1857) dans le titre *Le Livre des Snobs*, traduction d'une œuvre de Thackeray, *The Book of Snobs* (1848). L'anglais *snob*, d'origine obscure, signifie d'abord «cordonnier, apprenti-savetier» (1781) ; passé dans l'argot des étudiants de Cambridge, il désigne (1796) une personne ne faisant pas partie de l'université puis, par assimilation méprisante, une personne de classe moyenne ou de basse condition (1831) et par extension (1838) une personne vulgaire dans ses goûts et ses manières qui admire sans esprit critique ce qui est à la mode. C'est avec cette valeur que *snob* est largement diffusé par le livre de Thackeray publié d'abord dans la revue *Punch* (1846-1847). On a proposé après coup pour étymologie l'expression latine *s(ine) nob(ilitate)* «non noble», appliquée d'abord aux élèves non nobles de grandes écoles britanniques ; cette explication ne tient aucun compte de l'évolution du terme en anglais, mais une motivation pédante a posteriori est possible.

♦ Le mot est introduit en France pour désigner une personne prétentieuse et vulgaire, puis (1875) une personne qui cherche à être assimilée aux gens distingués de la haute société en étalant des manières, des goûts qu'elle lui emprunte sans discernement. Cette valeur a éliminé la précédente, et *snob* évoque la classe sociale élevée. L'adjectif, relevé (1888) au sens de «prétentieux», prend (1905) le sens du nom.

▶ **SNOBISME** n. m. est une francisation (1857) du dérivé anglais *snobbism* (1856), moins courant que *snobbishness* (1846). Ce mot, signifiant «comportement de snob», est d'usage courant.

Snob a produit en français plusieurs dérivés. ➜ **SNOBINETTE** n. f. (1917, Bourget) peut-être d'après *midinette*, est un équivalent vieilli, en parlant d'une femme, de **SNOBINARD, ARDE** adj. et n. (1955) «un peu snob», familier et péjoratif. ➜ **SNOBER** v. tr. semble avoir été lancé (1921) par Proust (ou dans son milieu) au sens de «traiter qqn de haut»; le verbe s'est répandu (v. 1960) au sens de «dédaigner», sans référence obligée au snobisme mondain. ➜ **SNOBARD, ARDE** n. (1946) «snob déplaisant» est familier et rare. ➜ P. Daninos a introduit le superlatif adverbial **SNOBISSIMO** (1964, titre d'un ouvrage).

SNOW-BOOT n. m. semble être une création française (1885), à partir des mots anglais *snow* «neige» et *boot* «botte» (XIVe s.). *Snow* se rattache à un type germanique directement apparenté à l'irlandais *snigid* et aux formes balto-slaves (russe *snjeg*); au-delà, il est lié à des formes sans *s* dont le latin *nix* (→ neiger, névé). *Boot* vient du français ① *botte** et a d'ailleurs été repris (1872, puis 1966) comme terme de mode pour des bottillons. Le composé n'existe pas en anglais et l'américain emploie *overshoe* (1851), composé de *shoe* «chaussure» et *over* «par-dessus».

♦ Ce mot a désigné jusque vers 1945-1950 une bottine de caoutchouc qui se porte par-dessus la chaussure pour la protéger des intempéries. On emploie plutôt aujourd'hui *caoutchouc*, et on trouve chez Proust *caoutchouc américain* (1921). Au Canada francophone, on nomme ce genre de chaussure *pardessus* ou, plus souvent, *claques*.

SOBRE adj. est emprunté (v. 1170) au latin *sobrius* «qui n'est pas ivre» et par suite «sobre, tempérant» et «qui est dans son bon sens», «modéré, réservé», composé de *se-* (ou *so-*) privatif (→ séduire) et de *ebrius* qui a donné *ivre**.

♦ L'adjectif est d'abord attesté au figuré, appliqué à une personne qui est mesurée, modérée dans un domaine (v. 1170, *sobre en paroles*), acception aujourd'hui littéraire. ◇ Au sens propre, il qualifie une personne qui mange et qui boit avec modération (v. 1180); il a signifié (v. 1320) «où l'on ne fait pas d'excès de table», en parlant d'un lieu, et «mesquin, chétif» (1440-1475). ◇ Il se dit spécialement d'une personne qui ne boit pas d'alcool (mil. XVIIe s.), le nom *un sobre* (mil. XVIIe s.) étant sorti d'usage, et qualifie un animal qui se contente de manger, de boire à longs intervalles (1753), d'où la locution familière ***sobre comme un chameau*** (déb. XXe s.). ◇ Par figure, *sobre* a signifié «qui exprime le refus, froid» (1440-1475) et s'applique encore (1559) à ce qui manifeste de la mesure, de la simplicité, notamment en littérature, en art.

▶ Le dérivé **SOBREMENT** adv. (v. 1190) s'emploie au propre et au figuré. **SOBRIÉTÉ** n. f. a été emprunté (v. 1180) au latin impérial *sobrietas* «tempérance dans l'usage du vin», «sobriété (en général)», dérivé de *sobrius*. ➜ Le mot désigne (v. 1180) le comportement d'une personne qui mange ou boit peu, spécialement et étymologiquement qui boit peu d'alcool (XIVe s.). Il s'emploie aussi en parlant d'animaux (attesté 1935) comme *sobre*. ◇ La locution adjective figurée *a* [à] *sobriété* «ni peu ni trop» (v. 1265) est sortie d'usage. ◇ *Sobriété* s'emploie encore au figuré comme l'adjectif (XVe s.), en particulier dans le domaine de l'art (1836).

◈ voir ÉBRIÉTÉ, IVRAIE, IVROGNE.

SOBRIQUET n. m., réfection (fin XVe s.) de *soubzbriquet* (mil. XIVe s.), *soubricquet* (XVe s.), est d'origine incertaine. Selon Bloch et Wartburg, le développement sémantique, à partir du premier sens attesté (XIVe s.), «coup sous le menton», suggère une évolution parallèle à celle du provençal *esqueissa* «rompre la mâchoire» et par suite «déchirer, écorner», au figuré «se moquer de qqn», spécialement «donner un sobriquet», d'où le substantif *escais* «sobriquet». P. Guiraud rappelle le sens de «propos railleur», lié par figure à celui de «coup sous le menton». Dans cette hypothèse, *sobriquet*, formé de *sous (soubz)* et de *briquet*, serait d'abord un geste de dérision, autrement dit un «briquet sous (le menton)», le geste consistant à frotter plusieurs fois de suite le dessous du menton avec l'index, comme si l'on «battait le briquet»; de ce geste de dérision, on serait passé à «parole de dérision» puis à «surnom».

♦ *Sobriquet* désigne (XVe s.) un surnom moqueur, par extension un surnom familier.

SOC n. m. est (v. 1155) un mot de la France septentrionale probablement issu d'un gaulois °*succos* ou °*soccos*, que l'on restitue d'après l'irlandais *socc* et le gallois *swch*. Le mot gaulois aurait été influencé par le latin *soccus* «chaussure» (→ socque). Pour P. Guiraud, l'étymon est plutôt le latin, qui aurait pris un sens technique agricole dans l'aire géographique où il a rencontré le substrat °*succos*.

♦ *Soc* désigne la lame métallique triangulaire de la charrue qui tranche horizontalement la terre que le coutre a entamé verticalement.

▶ Le mot a fourni des composés techniques en agriculture. ➜ **TRISOC** n. m. et adj. (1835), de *tri-*, **POLYSOC** n. m. et adj. (1845), de *poly-*, et **BISSOC** n. m. et adj. (1853), de *bi-*, plus récemment **QUADRISOC** n. m. et adj., de *quadri-*, désignent ou qualifient une charrue à deux, trois, plusieurs socs.

SOCIABLE, SOCIAL, SOCIALISME
→ SOCIÉTÉ

✳ **SOCIÉTÉ** n. f. est emprunté (v. 1165) au latin classique *societas* «association, réunion, communauté», spécialement «association commerciale ou industrielle, compagnie», «union politique, alliance». Le mot est dérivé de *socius* «compagnon», «associé (en particulier dans une affaire commerciale)» et «allié». *Socius,* comme le védique *sákhā* «compagnon», remonte probablement à un mot indoeuropéen désignant le compagnon de guerre.

♦ Le mot le plus ancien de la série de *socius* (*social* n'étant attesté qu'au XIVe s.) apparaît avec le sens de «communication, rapport entre des personnes qui ont qqch. en commun», avec une valeur analogue à l'ancien provençal *societad* (1103). Une forme populaire issue du latin par évolution phonétique, *soisté* ou *souastié,* est attestée dans les locutions *prendre soistié a* «faire sa compagnie de» (1180), *tenir soistié a* «tenir compagnie à» (v. 1200); elle ne s'est maintenue que dialectalement, dans des dérivés. ◇ De cette première acception, on est passé à l'idée d'union ou d'alliance (1356) puis, avec une valeur affective, *société* désigne le sentiment d'amitié et d'alliance éprouvé pour autrui et le lien qui en résulte (1560); ce sens est encore vivant à la fin du XVIIe siècle; en viennent des expressions comme *la société de qqn* «sa compagnie» (1580), *avoir société avec* «fréquenter» (1606), *entrer en société avec* «se lier à» (1654) qui sont sorties d'usage. *La société* prend au XVIIe s. (1649) le sens de «la compagnie des autres» et de «la vie sociale», emplois archaïques. Cette valeur fournit quelques locutions et expressions sorties d'usage, comme ***faire société*** «constituer une association» (1668), également «se réunir entre amis»; ***(ouvrage fait) en société avec qqn*** «en collaboration avec lui» (1835) et ***société conjugale*** «union des époux» (1835). ◇ À partir du début du XVIIe s., toujours avec une coloration affective, *société* se dit (1606) des relations qu'ont entre eux les habitants d'un même pays et des sentiments de sociabilité qui y sont liés, acception encore vivante dans les locutions ***en société, de société,*** *vivre en société* s'opposant à *vivre à l'état de nature.* ◇ Le mot avait en moyen français le sens de «groupement à la fois professionnel et religieux» (1467), mais cette acception ne se répand qu'à partir de l'époque classique. De ces acceptions viennent les valeurs modernes du mot. ➛ Dans le domaine commercial, *compagnie et société* (1615) puis *société* (1636) désigne en droit, puis couramment, une association de personnes (personne juridique) propriétaire d'un patrimoine et qui réalise des opérations commerciales à but lucratif; le mot se dit aussi (mil. XVIIe s.) de la durée de cette association. Il entre dans la formation de nombreux syntagmes précisant la nature juridique de l'association : *société anonyme, société en commandite* (1673), *société par participation* (1690), *société en nom collectif* (1765), *société civile* «qui a pour objet principal des opérations non commerciales» (1876), *société à responsabilité limitée* (1933), *société par actions* (1936). Avec une valeur plus étendue, on relève au XXe siècle en France : *Société de développement régional* (1955), *Société d'aménagement foncier et d'établissement rural,* abrégé en *S. A. F. E. R.* (1960). ➛ Parallèlement, avec la même idée de groupe institué pour un but précis, le mot désigne une compagnie ou une association religieuse, par exemple *la Société de Jésus* ou *la Société* «la congrégation des Jésuites» (v. 1660). Il se dit aussi d'une organisation fondée pour un travail commun ou une action commune, par exemple *société littéraire* (1740), *société de médecine* (1756), et un groupement politique organisé, pendant la Révolution (1790, aussi *Société populaire*). ◇ *Société secrète* désigne (1842) une association qui fonctionne en secret, souvent afin de poursuivre des menées subversives. ◇ En droit international, le mot équivaut à «association d'États», spécialement dans *Société des Nations* ou *S. D. N.* (1919), organisme remplacé en 1946 par *l'Organisation des Nations unies.*

Au XVIIe s. apparaissent aussi les emplois de *société* dans la vie mondaine. Le mot, qui a disparu au sens de «coterie» (1650), désigne durablement (1690) une compagnie de personnes qui s'assemblent pour converser, jouer; de là viennent *vers de société* «faits pour le plaisir d'une réunion privée» (1751), sorti d'usage, *talents de société* (1763) et ***jeux de société*** (1834), qui s'emploient encore. ◇ *La société* se dit absolument des personnes qui ont une vie mondaine, sociale (1756); avec cette valeur, le mot, difficile à employer seul, étant donné ses nombreuses acceptions, entre dans ***la haute société*** (1835), ***la bonne société*** (1871). ◇ Au sens concret de «groupe de personnes réunies» (1860), le mot ne s'emploie plus guère que par plaisanterie dans des termes d'adresse comme ***salut la société !***

De l'idée de sociabilité apparue au début du XVIIe s. se dégagent les sens de «groupe social humain limité dans le temps et dans l'espace» (1670), puis «ensemble des individus entre lesquels existent des rapports durables et organisés» (1694). Ces valeurs se précisent au XVIIIe s., en particulier chez Montesquieu et Rousseau en même temps que celles de *social,* et donnent lieu aux XIXe et XXe s. à une analyse qui aboutit à la constitution d'une science, la sociologie (cf. *social, sociologie* ci-dessous). Par analogie, *société* s'emploie pour parler d'un groupe structuré d'animaux (1753, Buffon).

► Le dérivé **SOCIÉTAIRE** adj. et n., mot prérévolutionnaire (1787), désigne un membre d'une société définie juridiquement; il s'est employé, sous la Révolution, en parlant d'un membre d'une société politique (1790), puis littéraire (1835). ◇ Le mot s'applique spécialement à une personne appartenant à une société d'acteurs (1792), notamment dans *sociétaire de la Comédie-Française* (1798). ◇ L'adjectif a qualifié ce qui est propre à une collectivité (1792), en particulier dans les théories de Fourier (déb. XIXe s.), en concurrence avec *social* (*école sociétaire* ou *sociale,* 1834). Il s'est appliqué aussi (1871) à des animaux vivant en groupes. ➛ *Sociétaire* a pour dérivé **SOCIÉTARIAT** n. m. (1871) «qualité de sociétaire». ➛ **SOCIÉTAL, AUX** adj. (1972), terme didactique, qualifie ce qui est relatif à la société, aux valeurs sociales.

Deux siècles environ après *société,* **SOCIAL, ALE, AUX** adj. est emprunté (1355) au latin *socialis* «qui concerne les alliés», «fait pour la société, sociable» et par ailleurs «nuptial, conjugal», dérivé de *socius* «compagnon, associé» (cf. ci-dessus *société*). *Sociale bellum,* «la guerre sociale», désignait la guerre que Rome soutint contre ses alliés italiens (91-88 av. J.-C.) qui réclamaient le droit de cité. C'est comme latinisme, au sens de «militairement allié», que le mot apparaît dans une traduction de Tite-Live. Cette valeur s'est conservée en histoire de l'Antiquité dans *guerre sociale* (1636). ➜ L'adjectif est réemprunté avec un autre sens dans *vie socielle* «vie civile, propre au citoyen» (1375), devenu *vie sociale* (1601), sorti d'usage dans ce sens. ◇ Il reprend au début du XVIe s. une autre valeur du latin, s'appliquant (v. 1506) à une personne agréable aux autres et qui est faite pour la vie en société (1530), sens conservés par *sociable* (ci-dessous). ➜ Puis *social* s'applique (1557) à ce qui est relatif à la société, à ce qui lui appartient ; d'où *vie sociale* «vie en société» (1683), emploi développé au XVIIIe siècle. L'adjectif s'emploie alors (v. 1740) en parlant de ce qui est propre à la vie humaine dans son aspect collectif, d'où *contrat, pacte, traité social* qui se disent (1761) d'une convention tacite qui règle l'organisation de la société humaine. Le concept et l'expression ***contrat social,*** diffusés par Rousseau, ont joué un rôle essentiel dans l'évolution des idées politiques avant et pendant la Révolution. ◇ L'adjectif signifie ensuite «qui étudie la société», par exemple dans *science sociale* (1801), puis *les sciences sociales* (1908) «étude des êtres sociaux» envisagées au point de vue des groupes structurés d'individus (personnes *[sciences humaines]* ou animaux). *Faits, phénomènes sociaux* (1830) désigne ceux qui résultent des relations entre les membres d'un groupe ou du tout que forme la société. ◇ L'adjectif se spécialise vers 1830, qualifiant ce qui est relatif aux rapports entre les classes de la société, alors opposé à *politique* et, d'autre part, à *économique.* Il s'emploie dans des expressions comme *question sociale* «relative aux rapports entre travailleurs et employeurs» (1834), *mouvement social, école sociale* (1834), nom de l'école phalanstérienne de Fourier ; *révolution sociale, république sociale* ou *la sociale* n. f. (1848) [cf. ci-dessous *socialiste*]. L'adjectif s'emploie notamment (1844) en parlant de la répartition des individus dans la société, du point de vue de la division du travail et de ses effets *(classe* sociale)* d'où, spécialement, *propriété sociale, travail social* attestés au XXe siècle. ➜ Depuis le XVIIIe s., en relation avec un emploi de *société,* l'adjectif se dit (1723) de ce qui concerne une société au sens juridique, d'où au XIXe s. *raison sociale* (1835), *capital social* (1840), *siège social.* ◇ *Social* s'applique ensuite (av. 1871) à ce qui est destiné à servir au bien de tous, spécialement en parlant d'institutions : *Sécurité sociale* (→ sécurité), *service social,* ou de personnes *(assistante sociale).* ➜ Depuis la fin du XIXe s., l'adjectif, en relation avec une valeur spéciale de *société,* qualifie en particulier ce qui est relatif aux relations de la société ou à la vie mondaine. ➜ *Le social* n. m. désigne (XXe s.) l'ensemble des questions sociales.

La plupart des dérivés et des composés du mot sont liés au sens politique. ➜ **SOCIALEMENT** adv. a signifié «en société» (v. 1300, *sociellement,* hapax) et «de manière amicale envers les autres» (1530, jusqu'au début du XVIIe s.). ◇ Repris au XVIIIe s., il s'emploie au sens de «relativement à la société» (1767) ou «à l'ordre social». Il correspond ensuite aux valeurs successives de l'adjectif. ➜ **SOCIALITÉ** n. f. est sorti d'usage au sens de «sociabilité» (1559). ◇ Il signifie «caractère propre à la société» (1785).

➜ **SOCIALISER** v. tr., didactique, signifie «rendre social» (1786) et «faire vivre en société» (1845). Le verbe veut dire «gérer ou diriger au nom de la société entière» (1842) et, surtout au participe passé, *socialisé,* «gagner qqn au socialisme» (1859). En emploi didactique, rare, il signifie «faire apparaître ou développer les rapports sociaux» (apr. 1950 ; *socialiser un enfant*). ◇ Il a fourni **SOCIALISATION** n. f. désignant (1831) l'action de former une société, emploi didactique, et relativement courant pour le fait de mettre sous un régime communautaire (1840). Le nom s'emploie aussi (apr. 1950) à propos de l'adaptation d'une personne à la vie de groupe.

Une autre série de dérivés de *social* est devenue très importante. ➜ **SOCIALISTE** adj. et n. est attesté, pendant la Révolution, pour désigner (1798) un adversaire de la Révolution, probablement un membre d'une «société» alliée aux royalistes. Au XVIIIe s., le latin moderne *socialistus* a désigné un juriste disciple de Grotius. ◇ Il est à nouveau dérivé (1830) comme nom du partisan d'une doctrine d'organisation sociale qui entend faire prévaloir le bien général sur les intérêts particuliers ; l'influence de l'italien *socialistà* (1765), de l'anglais *socialist* (1822) est tour à tour possible. L'adjectif se dit (1842) de ce qui est relatif à l'une de ces doctrines et à la personne qui l'adopte, en concurrence, notamment autour de Proudhon, avec *sociétaire.* Le mot désigne (1830) une personne qui appartient à un parti se réclamant du socialisme ; il se répand avec l'apparition de partis appelés *socialistes* et sa valeur précise dépend alors de l'histoire politique. ◇ Il est abrégé péjorativement en **SOCIALO** (1904) et **SOCIALEUX, EUSE** (1922) qui ont vieilli. Le composé **SOCIALO-COMMUNISTE,** adj. (1921) et nom (1934) a été appliqué par la droite à la coalition dite en 1997 *gauche plurielle.* ◇ L'adjectif qualifie (v. 1920) ce qui est relatif au régime marxiste considéré comme le préliminaire nécessaire au communisme (d'où *démocratie socialiste, république socialiste*). Cet emploi est en net recul surtout après la disparition de ces régimes et de l'*Union des républiques socialistes soviétiques* (1991), qui en fait un terme d'histoire. ➜ Le dérivé **SOCIALISTIQUE** adj., péjoratif et sorti d'usage (1851), signifie «qui se rattache au socialisme». ➜ **SOCIALISANT, ANTE** adj. et n., formé sur *socialiste,* se dit (1840) d'une personne qui est favorable aux doctrines socialistes sans les adopter totalement. L'adjectif qualifie ce qui met l'accent sur les réalités sociales (mil. XXe s.). ◇ Le contraire **ANTISOCIALISTE** adj. et n. (1859) est un terme de politique.

SOCIALISME n. m. (1831) se répand à partir de 1833, défini par P. Leroux pour désigner la doctrine socialiste et opposé à *libéralisme ;* on relève antérieurement l'italien *socialismo* (1803) et l'anglais *socialism* (1822, Owen). Dans le vocabulaire marxiste, le mot se dit spécialement de la phase de l'évolution sociale qui précède le communisme. *Le socialisme* désigne notamment en France (fin XIXe s.) les socialistes, et aujourd'hui les partis de gauche non communistes (cf. *travaillisme* et, ci-dessous, *social-démocrate*).

Parmi les dérivés préfixés de *social,* **INSOCIAL, ALE, AUX** adj., créé par Voltaire (1762) à propos du *Contrat social* de Rousseau, a signifié «contraire aux intérêts de la société»; il a disparu. ➜ **ANTISOCIAL, ALE, AUX** adj., «contraire au bien de la société, qui tend à la dissoudre» (1776), s'applique spécialement (1832) à ce qui va contre les intérêts des travailleurs. Il a qualifié ce qui est opposé aux habitudes de la bonne société et est didactique au sens de «qui transgresse les règles de la vie en société» (XXe s.). ➜ **ASOCIAL, ALE, AUX** adj. (1912) s'applique à une personne qui n'est pas adaptée à la vie en société, employé aussi comme nom (1927). Il est didactique à propos d'un acte, d'un comportement.

SOCIAL- entre dans la formation de quelques termes de politique : **SOCIAL-DÉMOCRATE** adj. et n. (1910), calque de l'allemand *Sozial-demokrat* (1893) et formé de *social* et *démocrate*, se dit des socialistes allemands hostiles au parti unique et au bolchevisme. ◇ **SOCIAL-DÉMOCRATIE** n. f. (1899), d'après *démocratie*, désigne le socialisme allemand et, dans le langage des révolutionnaires (v. 1960), le socialisme réformiste (→ chrétien [social-chrétien]). **SOCIAL-CHRÉTIEN, IENNE** adj. (1920; de *socialisme chrétien*, 1903) équivaut en Belgique à «social-démocrate chrétien». ➜ **SOCIALO-** entre dans la composition de quelques mots politiques, presque toujours polémiques, pour désigner le socialisme ou les socialistes, par exemple (déb. XXe s.) **SOCIALO-PATRIOTARD, ARDE** ou pour marquer un lien entre le socialisme et un autre parti, comme **SOCIALO-COMMUNISTE** adj. et n. (1972), mot employé par les adversaires des socialistes français, discrédités dans leur esprit par leur alliance électorale avec les communistes.

Une autre série issue du latin *socius* est représentée par **SOCIABLE** adj. et n. m. et ses dérivés. C'est un emprunt (1342 «uni, lié») au latin impérial *sociabilis* «qui peut être uni» et «sociable», dérivé du verbe latin classique *sociare* «faire partager, mettre en commun», «associer, mettre ensemble», lui-même de *socius* «compagnon». ◇ L'adjectif signifie d'abord «qui se joint aisément à autre chose», puis il s'applique (1540) à une personne capable de vivre en association permanente avec ses semblables, sens devenu didactique et rare à partir du XVIIIe siècle. ◇ Depuis le XVIIe s., *sociable* qualifie (v. 1630) qqn qui recherche la compagnie, le commerce de ses semblables et, par extension, ce qui témoigne de ce caractère (1636). ◇ *Sociable* n. m. (1889) a désigné un vélocipède à deux places situées côte à côte, remplacé vers 1890 par le tandem, et (1907) une voiture de luxe avec deux sièges se faisant vis-à-vis. ➜ Le dérivé **SOCIABLEMENT** adv. (1630) est d'emploi rare. ➜ **SOCIABILITÉ** n. f. désigne, dans un contexte didactique, l'aptitude à vivre en société (1665; repris mil. XVIIIe s.). Ce nom s'emploie couramment (mil. XVIIIe s.) pour parler du caractère d'une personne de commerce facile et (av. 1841) du caractère d'un groupe qui favorise les relations humaines, en particulier les relations intellectuelles ou mondaines. Cet emploi est littéraire. ➜ Le composé **INSOCIABLE** adj. a qualifié (1552), d'après le sens contemporain de *sociable*, ce qui ne peut se joindre à autre chose ; ce sens est noté «inusité» au milieu du XVIIIe siècle. Il s'applique à une personne avec qui on ne peut vivre agréablement, se substituant à *mal sociable* (1559), et s'est employé pour «asocial» (1720). ◇ L'adjectif a fourni **INSOCIABILITÉ** n. f. (1721), mot rare.

SOCIO- est un premier élément, tiré de *société, social*, qui entre dans la formation de composés didactiques. De très nombreuses formations sont apparues, liées à la prise en compte des influences de la société ou des conditions sociales sur les comportements, et par ailleurs à l'extension des objets de la sociologie. ◇ On retiendra, outre *sociologie* (ci-dessous), **SOCIOCRATIE** n. f., formé par A. Comte (v. 1840), de *-cratie*, et désignant dans son système le pouvoir exercé par le corps social entier, opposé à *démocratie, aristocratie*, etc. ➜ **SOCIOMÉTRIE** n. f., employé par G. Gurvitch (1946), est emprunté à l'anglais *sociometrics*, répandu par Moreno, pour désigner une méthode d'application de la mesure aux relations humaines. ◇ Le terme a fourni **SOCIOMÉTRIQUE** adj. (1946) et **SOCIOMÉTRISTE** n. (1947). ➜ **SOCIOGENÈSE** n. f. signifie (v. 1960) «genèse sur le plan sociologique» et s'emploie spécialement en psychiatrie pour désigner le rôle joué par l'environnement social d'un sujet dans la formation et le développement de ses troubles. ◇ En dérive **SOCIOGÉNÉTIQUE** adj. (1968). ➜ **SOCIATRIE** n. f. (1972), de *-iatrie*, signifie «psychothérapie du comportement social». ➜ **SOCIOLECTE** n. m. se dit en linguistique (1974), d'après *dialecte**, d'un usage langagier spécifique d'un groupe social ; on emploie aussi *dialecte social*.

Le plus important de ces composés est **SOCIOLOGIE** n. f., mot créé par Auguste Comte dans son *Cours de philosophie positive* (1839) comme équivalent de l'expression *physique sociale* qu'il employait auparavant. L'évolution du concept est considérable entre Comte et les créateurs de la science moderne portant ce nom (en France, Durkheim, puis Mauss). La *sociologie* est l'étude scientifique des faits sociaux humains, dans leur ensemble ou à un haut degré de généralité. ◇ Le mot est abrégé en **SOCIO** n. f. (1924), d'abord mot scolaire familier. ◇ Cette science se consacre aux sociétés globales, aux classes sociales, à des groupements particuliers, par exemple *nation, clan* ou *tribu*, étudiés par la **MACROSOCIOLOGIE** n. f. (XXe s.), et à l'étude des formes sociales et de leur évolution, à la typologie des groupes, objets de la **MICROSOCIOLOGIE** n. f. ◇ Par extension, *sociologie* désigne (1949) l'étude de toutes les formes de sociabilité et de sociétés. Le concept se distingue d'*anthropologie* et exclut en général l'étude des sociétés animales, qui relève de l'éthologie. ➜ *Sociologie* a suscité plusieurs dérivés. **SOCIOLOGIQUE** adj., «de la sociologie» (1839, Comte), s'applique par extension (apr. 1950) aux faits étudiés par la sociologie ; il est employé abusivement pour *social*. ◇ En vient **SOCIOLOGIQUEMENT** adv., didactique (1907). ◇ **SOCIOLOGUE** n., variante de *sociologiste*, désigne (1888) un ou une spécialiste de sociologie, puis un étudiant en sociologie. ◇ **SOCIOLOGISTE** adj. et n., anciennement employé pour «sociologue» (1839, Comte), s'applique comme adjectif (mil. XXe s.) à ce qui relève du sociologisme.

◇ **SOCIOLOGISME** n. m. désigne (1902, Durkheim) la théorie selon laquelle la sociologie suffit à rendre compte des faits sociaux, indépendamment par exemple de la psychologie; de là procède **SOCIOLOGISER** v. tr. (v. 1970) «faire du sociologisme», qui a fourni **SOCIOLOGISANT, ANTE** adj. (v. 1970) «influencé fortement par la sociologie».
Enfin, l'élément *socio-*, comme *psycho-*, se combine avec de nombreux éléments didactiques indépendants *(analyse, biologie, linguistique)* et sert à former des composés parfois assez usuels *(socioculturel, sociodrame)*.
SOCIUS n. m., emprunt (1899) à l'anglais (1895, Baldwin), lui-même pris au latin *socius* — ci-dessus — désigne l'individu, unité sociale, puis (XXe s.) l'élément social dans les comportements individuels.
◈ voir **ASSOCIER**.

SOCLE n. m. est emprunté (1636) à l'italien *zoccolo* (XIVe s.) «sabot» et «socle», issu de *socculus*, diminutif de *soccus* (→ socque).

♦ Le mot désigne la base sur laquelle repose une colonne, une statue, etc.; en ce sens, il s'est aussi écrit *zocle* (1690, jusqu'en 1829). *Socle* se spécialise comme terme technique aux sens (1871) de «lame de marbre reposant sur la base du chambranle», «bande de tôle sur le haut d'une grille en fer» et (XXe s.) «base en saillie (d'un meuble)». ◇ Le mot se dit (1908, Vidal de la Blache) pour «soubassement géologique» *(socle continental)*.

▸ Le dérivé **SOCLEUR** n. m., mot technique attesté en 1974, désigne un fabricant de socles.

SOCQUE n. f. reprend (1562), avec la variante *soc* (1680), l'ancien provençal *soc* «sabot» (v. 1200), issu, comme l'espagnol *zoco*, le portugais *soca*, le piémontais *soch*, du latin *soccus* «soulier léger porté surtout par les Grecs» et en particulier «soulier caractéristique de la comédie», par opposition à *cothurnus* «cothurne*». Le mot latin reprend le grec *sukkhis*, nom d'une chaussure basse sans quartier, qui est un emprunt oriental, rapproché de l'avestique *haxa-* «plante du pied».

♦ *Socque* s'est d'abord dit dans un sens extensif de la terre qui s'attache aux souliers quand on marche dans un terrain humide, acception relevée jusqu'en 1675. ◆ Le mot apparaît à nouveau (1690), d'abord sous la forme *soc* n. m. (1680), comme terme d'Antiquité avec les sens du latin pour désigner la chaussure basse des acteurs comiques et, par métonymie (déb. XVIIIe s., écrit *soc;* 1740, *socque*), comme symbole de la comédie, notamment dans *la socque et le cothurne**. ◇ Parallèlement, c'est le nom d'une chaussure à semelle de bois que portaient certains ordres religieux (1680, *soc;* 1690, *socque* n. f.); en ce sens, le mot s'est aussi employé au masculin (1694) jusqu'au XIXe siècle. Par extension, *socque* (1822, *socque articulée*), parfois altéré en *socle* (1829), désigne une chaussure en bois, en cuir, portée par-dessus la chaussure ordinaire pour se garantir de l'humidité (1834).

▸ Le dérivé ① **SOCQUETTE** n. f. (attesté XXe s.), «petite socque», est rare, à côté du dialectal **SOCQUET** n. m. «mauvaise chaussure».
◈ voir **SOCLE**.

① **SOCQUETTE** → **SOCQUE**

② **SOCQUETTE** n. f. est un nom déposé (v. 1930), formé en français d'après *chaussette* sur l'anglais *sock* «chaussure» et «chaussette», lui-même emprunté au latin *soccus* (→ socque).

♦ Le mot désigne une chaussette courte qui ne couvre qu'une partie du mollet; bien que nom de marque, il s'écrit couramment sans S majuscule.

SOCRATIQUE adj. et n. m. est un emprunt (1540) au latin *socraticus* «de Socrate», désignant comme nom un disciple de Socrate, et lui-même emprunté au grec *sôkratikos* adj. et n. m., tiré de *Sôkratês* «Socrate» (v. 470-399 av. J.-C.).

♦ Terme didactique, le mot s'applique (1540) à ce qui est propre à Socrate; par référence à ses mœurs homosexuelles, on a dit *amour socratique* pour «pédérastie» (1764, Voltaire). ◇ *Socratique* n. m. est tardif (attesté 1861) pour désigner un disciple de Socrate et on dit *petits socratiques* (1876) pour ses disciples posthumes.

▸ L'adjectif a servi à former **SOCRATIQUEMENT** adv. (av. 1672, La Mothe le Vayer) et *socratiser* v. tr., sorti d'usage comme euphémisme savant pour *sodomiser* (1750), encore attesté en argot au XIXe siècle. **SOCRATISER** v. intr., dérivé de *Socrate* (1734, Trévoux), signifie aussi «philosopher à la manière de Socrate». ◇ **PRÉSOCRATIQUE** adj. pour désigner les philosophes grecs antérieurs à Socrate, est devenu usuel au XXe s., et a été concurrencé par *anté-socratique*. L'intérêt pour ces philosophes remonte à Hegel, puis Nietzsche (on trouve le mot dans Camus, 1951).

① **SODA** n. m. représente (1837) une abréviation de *soda-water* (1814, n. f.; 1820, n. m.), emprunté à l'anglais; on relève une forme francisée d'après la prononciation, *sodavatre* (1846), qui ne s'est pas maintenue. Le mot anglais *soda-water* (1802), abrégé en *soda* (1842), signifiant proprement «eau de soude», est composé de *water* «eau» et de *soda* «soude» (1558), lui-même emprunt au latin médiéval *soda* (→ soude).

♦ Le mot désigne une eau gazéifiée; le français utilise plutôt *eau de Seltz* (1775, répandu vers 1830), sauf dans quelques contextes où *soda* désigne l'eau gazeuse accompagnant une boisson alcoolisée *(whisky soda)*.

② **SODA** → **SOUDE**

SODIUM n. m. est un emprunt (1808, Gay-Lussac et Thénard) à l'anglais; *sodium*, créé (1807) par le chimiste anglais H. Davy, est dérivé de l'anglais *soda* «soude» (1558), emprunt au latin médiéval *soda* (→ soude).

♦ Le mot désigne en chimie un corps simple, le plus abondant des métaux alcalins. Parmi les sels de sodium, le plus courant est le *chlorure de sodium*, communément nommé *sel marin* et *sel gemme* (→ sel). ◇ *Nuage de sodium* désigne (v. 1958) une masse de sodium lâchée en altitude, qui devient fluorescente et permet l'étude des vents en haute atmosphère par l'observation de ses transformations.

▸ Le dérivé **SODIQUE** adj. (1826, Berzelius) qualifie en chimie ce qui est relatif au sodium ou à la soude. ➛ **SODÉ, ÉE** adj. (1855) s'applique à ce qui contient de la soude ou du sodium.

SODOMIE n. f. est un emprunt (v. 1150, in *F. e. w.*) au latin religieux *sodomia* (VIe s.), dérivé de *Sodoma* «Sodome», ville de Palestine qui, selon la *Genèse* (XIII, XVIII, XIX), fut détruite, avec Gomorrhe, en raison de la luxure et de la corruption qui y régnait.

♦ Le nom désigne la pratique du coït anal, notamment dans l'homosexualité masculine; on trouve en ancien français *sodomerie* n. f. (v. 1380) et en moyen français *sodome* (XVe s.).

▸ Le dérivé **SODOMISER** v. est d'abord intransitif (1587) et rarement attesté entre 1612 et 1871; on le trouve cependant en emploi transitif chez Sade. ➛ **SODOMITE** n. m. et adj. est emprunté (v. 1160) au bas latin ecclésiastique *Sodomita* «habitant de Sodome» (IVe s.), dérivé de *Sodoma*. Le mot désigne celui qui se livre à la sodomie, spécialement un homosexuel passif ou actif; on a dit **SODOMISTE** n. m. (XIIIe s., isolément), dérivé de *sodomie*, relevé à nouveau en 1740 (Académie) et employé par Proust (n. m. et adj.) qui en faisait un dérivé régulier de *Sodome*. Verlaine, lors de son procès, aurait rectifié le terme en *-iste* employé par le juge («On dit *sodomite*, Monsieur», cité par Gide dans son *Journal*). Peu usité, l'adjectif s'applique (1520) à ce qui concerne la sodomie; les variantes **SODOMITIQUE** (1492) et **SODOMIQUE** (1557; repris v. 1860, Proudhon) sont sorties d'usage.

SŒUR n. f. est la graphie moderne (1549) du cas sujet *soer* (1080), puis *suer* (v. 1130) et *seur* (fin XIIIe s.), prononcé en deux syllabes, le cas régime étant *seror* (v. 1050), *sorur* (1080). Ces deux formes sont issues du latin classique *soror, sororis*, à l'accusatif *sororem*, mot qui désigne la sœur, la cousine, et est employé aussi pour marquer la ressemblance ou l'identité entre deux choses, par exemple les mains. En latin ecclésiastique, *soror* est le nom donné à une chrétienne par les chrétiens. Le mot appartient à une famille indoeuropéenne (°*swesor-*) dont la racine °*swe-*, °*se-* marque l'appartenance d'un individu à un groupe social (→ se; costume, coutume); on la retrouve dans le gotique *swistar* (cf. anglais *sister;* allemand *Schwester*), dans les langues slaves. Les formes du cas régime (*seror*, etc.) qui subsistent jusqu'au XIVe s. sont l'aboutissement de l'accusatif latin.

♦ Le mot désigne dès l'origine (v. 1050, *seror*) et comme en latin une personne du sexe féminin née de la même mère et du même père, ou seulement de l'un des deux. D'une façon plus précise, on dit en droit *sœur germaine* (1200) quand les parents sont les mêmes, *sœur utérine* (1455) pour les filles d'une même mère et *sœur consanguine* (XVIe s.) d'un même père; aucune de ces expressions n'est devenue usuelle; pour désigner la sœur consanguine et utérine, on emploie couramment *demi-sœur* n. f. (1424, *demie-seur*). *Sœur naturelle* (XVe s.) se dit de celle qui est née hors du mariage. *Sœurs jumelles* «nées d'un même accouchement» s'emploie dès la fin du XIIe s. sous la forme *serur gemeles* (cas régime). Parmi les syntagmes les plus usuels, au sens propre, figurent ceux qui précisent un rapport d'âge : *sœur aînée, sœur cadette,* et familièrement *grande sœur, petite sœur* (aussi appellatif affectueux). ◇ *Sœur de lait* (1538) se dit de celle qui a eu la même nourrice qu'un autre enfant. ◇ Dans la mythologie et poétiquement, on a dit *sœurs fatales* (1546), *sœurs filandières* (1624) pour «les Parques» et *les neuf sœurs* (1550), *les doctes sœurs* pour «les Muses» (en latin *novem sorores, doctae sorores*). ➛ Parallèlement, le mot reprend l'emploi latin extensif (1080, *soer*) : en appellatif, c'était le nom qu'on donnait à une femme pour laquelle on avait de l'affection; avec la même valeur, il est dit en ancien français en parlant d'une chose (1220, *suer*, d'une épée). ◇ Exprimant l'idée de parenté, de ressemblance, *sœur* désigne aussi, par figure (XIIIe s.), une chose désignée par un mot du genre féminin, liée à une autre qui lui ressemble. On a dit au XVIe s., par exemple, *les sœurs* pour «les fesses» (1596), d'où la locution (1661) *bouillon des deux sœurs* «lavement». Au XVIIe s., *les sœurs* désignent aussi les deux mains (1690). ◇ Dans cette acception, *sœur* s'emploie à propos de choses abstraites ou dans des composés du type *cellules-sœurs* (XXe s.), «provenant de la division d'une cellule dite *cellule-mère*», ou *sociétés-sœurs* «filiales d'une même maison mère». ◇ Cette idée de ressemblance se réalise aussi dans un emploi ancien comme appellatif adressé à une femme qui avait les mêmes défauts qu'une autre (1397); avec cette valeur, le mot s'emploie encore pour parler de femmes qui ont la même situation (1671, *sœurs d'infortune*); c'est aussi le nom que se donnent entre elles des femmes qui appartiennent à certaines associations, par exemple la franc-maçonnerie (1867) ou à des mouvements de revendication féministes (apr. 1968), ainsi que les membres féminins de certaines communautés ethniques (Africaines, Maghrébines), parallèlement à *frère*. On trouve aussi *ma sœur* en appellatif. Ces emplois continuent un usage du XVIe s. calquant le latin des anciens chrétiens. ➛ C'est du latin ecclésiastique que vient l'emploi (XIIIe s.) de *sœur* pour «religieuse», c'est-à-dire *sœur en Jésus-Christ* (1690), et l'usage ancien comme nom donné à une chrétienne (1533). L'emploi du mot peut être précisé : *sœur converse* «religieuse vouée aux travaux domestiques» (1669), autrefois *sœur laie* (1680) ou *sœur domestique* (1680); on relève ainsi dans le dictionnaire de Richelet (1680) *sœur de la Croix* «qui se consacre à l'enseignement», *sœur-écoute* «qui accompagne au parloir», *sœur tourière* «sœur portière d'un couvent», etc. *Sœur de la Charité*, «religieuse appartenant à un ordre charitable» (1680), s'est employé en argot (1837), désignant une voleuse qui quête à domicile sous prétexte de bonnes œuvres. C'est à propos des *sœurs de la Charité*, dites aussi *sœurs de charité*, et des *Petites sœurs des pauvres*, que l'expression populaire ***bonne sœur*** s'est répandue (XIXe s.) à propos de toute religieuse en habit. L'appellatif courant est alors *ma sœur*. ◇ C'est la même idée de filiation divine commune qui fait que *sœur* a été le titre (1694) donné par les rois de la chrétienté aux reines en leur écrivant. ◇ Dans la critique sacrée de l'Évangile, il a signifié (1765) «proche parente», par latinisme. ➜ Dans un tout autre contexte, celui de l'argot, *sœur* est repris (1861) pour «femme» et spécialement «maîtresse» (cf. *frangine*). Le mot entre dans plusieurs scies, comme ***et ta sœur?***, pour se débarrasser de qqn (1861), qui vient d'une phrase de refrain au café-concert. Il s'appliquait aussi aux prostituées (*nos sœurs du peuple*, 1867).

▶ **SŒURETTE** n. f. s'est employé (1458) pour «religieuse» et dans l'expression burlesque *les sœurettes du Parnasse* «les Muses» (1602). C'est aujourd'hui un terme d'affection envers une sœur, souvent plus jeune (1611).

BELLE-SŒUR n. f. est d'abord employé comme terme d'affection au sens de «chère sœur» (1160-1170, *belle sœur*; → beau). ◇ Depuis le XVe s. (1423), parallèlement à *beau-frère, belle-mère*, etc., le mot signifie «sœur du mari». On employait antérieurement *sororge* (1220), *serorge* (XIIIe s.), emprunté au latin médiéval *sororgia* (1098), altération de *sororia*, féminin du latin ecclésiastique *sororius* n. m. «beau-frère», substantivation de l'adjectif *sororius*. ➜ Les dérivés savants de *soror* ont été repris après 1968 avec les progrès des idées féministes. ➜ **SORORITÉ** n. f., qui a désigné (mil. XVIe s.) la qualité, la relation de sœur, était devenu très rare. ◇ Le mot a été repris (v. 1970) à propos du lien existant entre les femmes, considéré comme spécifique par rapport à la fraternité qui unit les hommes, en relation avec les emplois analogues de *sœur* (ci-dessus) et par influence de l'anglais *sisterhood* (1968 dans les milieux féministes). ◇ *Sororité* s'emploie spécialement, d'après l'anglais *sorority*, pour nommer un groupement de femmes, équivalent d'une *fraternité*. ➜ **SORORAL, ALE, AUX** adj. reste un terme de droit (1752) pour «relatif à une sœur»; on employait antérieurement *sororel* (1533), *sororiel* (1611) et *sororial, ale* (fin XVIIIe s., Bernardin de Saint-Pierre). L'adjectif s'est employé en parlant de l'harmonie qui règne entre deux femmes (fin XVIIIe s.); il se dit (v. 1970) de ce qui est relatif à la solidarité des femmes entre elles, à la *sororité*. ◇ Le dérivé **SORORALEMENT** adv. (1851), rare, a suivi la même évolution. ➜ **SORORAT** n. m., dérivé didactique de *soror* (mil. XXe s.), désigne la pratique du remariage d'un veuf avec la sœur de son épouse.

Le composé **CONSŒUR** n. f. (1770), d'abord *consuer* (1342), *conseur* (1396), est emprunté au latin médiéval *consoror* (1210); il a signifié «femme membre d'une confrérie» et (fin XVe s.) «religieuse, considérée en tant qu'appartenant au même ordre que d'autres». Le mot s'emploie comme féminin de *confrère* (1764). ◇ Il s'est utilisé par plaisanterie péjorativement en argot (1829, en parlant d'une autre prostituée). *Consœur* est devenu un terme de style soutenu, désignant une femme appartenant à une profession libérale, considérée par rapport aux autres membres de cette profession.

◈ voir COUSIN.

SOFA n. m. est emprunté (1519, *soffa;* 1560, *sopha;* 1690, *sofa*) à l'arabe *ṣŭffāh* «banquette», par l'intermédiaire du turc.

♦ Le mot a désigné (1560) une estrade élevée, couverte de tapis et de coussins, où le grand vizir recevait ses hôtes. Puis il s'est dit couramment (1657, *sopha;* 1727, *sofa*) d'un lit de repos à trois appuis servant aussi de siège.

SOFTWARE n. m. est emprunté (1966) à l'argot des ingénieurs américains, formé plaisamment sur le modèle de *hardware* «quincaillerie» (→ hardware), par opposition de *soft* «mou» à *hard* «dur». *Soft* est d'origine germanique (néerlandais *zacht*).

♦ Cet anglicisme, abrégé en *soft* n. m. (1971) et entré dans le vocabulaire international de l'informatique, désigne l'ensemble des moyens d'utilisation, des programmes, etc., d'un système informatique, par opposition aux éléments matériels. L'équivalent français *logiciel** (1972), largement répandu, a pratiquement éliminé *software*, mais *soft* et *hard* n. m. sont toujours en usage.

SOI, SE pron. pers. sont issus du latin classique *se* «se», accusatif du pronom réfléchi de la première personne de la forme atone, et de *se* comme forme tonique «soi». *Se* apparaît à la fin du IXe, *sei* au XIe (1050), puis *soi* au XIIe s. (v. 1160). Le pronom latin se rattache à une racine °*swe-, se-*, marquant l'appartenance d'un individu à un groupe social ou l'isolement (→ sœur; cousin, coutume, désuet, mâtin). Cette même racine se retrouve en grec dans *ethos* (→ éthique) et *ethnos* (→ ethnique). *Se* est parallèle à *me, te* et *soi* à *moi, toi*. ◈

♦ *Se* est le pronom personnel de la troisième personne du singulier et du pluriel pour les deux genres; il renvoie à un nom ou à un pronom personnel de la troisième personne, à un pronom indéfini ou relatif. Dès les premiers emplois, il s'utilise dans un verbe pronominal passif, forme des verbes essentiellement pronominaux et est complément d'objet direct, puis correspond à un nom précédé de *à* (1541). Il s'utilise également (XVe s.) dans un tour pronominal impersonnel. ➜ *Soi*, pronom personnel réfléchi de la troisième personne (1050, *sei*), est généralement en corrélation avec un sujet indéterminé ou général; il peut être renforcé par *même* (1050, *sei medisme*). Il peut représenter (1080, *sei;* XIIe s., *soi*) un sujet de personne déterminé, en particulier dans le cas où *lui* serait ambigu. ➜ *Soi* s'utilise fréquemment en fonction de complément : ***de soi*** (1172-1174, *de sei*) est sorti d'usage aux sens de «tout seul, de sa propre autorité» et (1541) pour «indépendamment des circonstances». ***Être à soi***, d'abord «être en liberté, à l'état sauvage» (v. 1375), s'est aussi employé au figuré (milieu XVIe s.) pour «avec le plein usage de sa raison» et, à l'époque classique, pour «être libre» (1659). ◇ ***En soi***, employé en philosophie pour désigner (1541) ce qui existe indépendamment du contenu de l'esprit (cf. *essence*), prend ensuite divers sens selon les systèmes philosophiques. Il donne le substantif **EN-SOI** n. m., (1943, Sartre) opposé à *pour-soi* (→ pour) en phénoménologie. ◇ *Soi* est employé (1580) dans *rentrer en soi* et *chez soi*. *Chez soi* est employé aussi comme nom masculin (1690). La locution ***un autre soi-même*** désigne (1640) un ami intime. ***Sur soi*** «sur sa personne» est attesté en 1666. ◇ En attribut, ***être soi*** (1762) correspond à «garder son propre caractère». ◆ *Le soi* «l'individu» (1751) a été repris en psychanalyse pour désigner chez Freud l'ensemble des pulsions inconscientes, traduisant l'allemand *Es*, opposé à *Ich* «je» *(le moi)*; dans ce sens, *le ça* s'est imposé.

▶ **SOI-DISANT** adj. inv. représente (v. 1435) un reste de la syntaxe du moyen français où *soi* pouvait être complément d'objet. Il s'applique à qqn qui prétend être telle ou telle chose; le participe présent *disant* s'accordait au XVIIe et encore au XVIIIe s. *(la soi-disante...)*. Par extension, le mot se dit (XVIIIe s. : v. 1735) d'une personne ou d'une chose qui n'est pas ce qu'elle semble être. Cet emploi est combattu par les puristes. ◇ *Soi-disant* s'utilise comme locution adverbiale (av. 1834) au sens de «prétendument» et (XXe s.) forme la locution conjonctive familière ***soi-disant que.***

◈ voir POUR (POUR-SOI), QUANT-À-SOI (art. QUANT), SIEN, SON, SUICIDE, et aussi la particule *se-* de séduire.

SOIE n. f. est l'aboutissement (v. 1175), par les formes *seide* (fin XIe s.), *seie* (XIIe s. : v. 1140), du latin populaire °*seta*, altération du latin classique *saeta*. Ce mot signifiait «crins, poil rude (d'un animal)», d'où «crinière», et spécialement «poil du porc, du sanglier» et «objet fabriqué avec ces poils», aussi «ligne de pêcheur», «brosse», et par ailleurs «feuille pointue des conifères». Le sens de «matière filée par le ver à soie» a dû apparaître en bas latin, concurrençant *sericus* qui désigne la matière textile (→ sérici-; serge). *Saeta* n'a pas d'étymologie claire.

♦ Le mot français apparaît avec le sens de «poil long et rude» en particulier du porc, employé ensuite en parlant du crin d'autres animaux, d'un âne (XIIIe s.), d'un cheval (1495) et plus tard d'un chien au poil long et doux (1680), l'emploi du mot au sens moderne rendant difficile son application à un poil rude, sauf en ce qui concerne le porc, emploi traditionnellement établi. ◇ Il désigne par métonymie (1559, *seie*) le crin du cheval utilisé pour faire des lignes à pêche (sens du latin *saeta*) ensuite fabriquées avec de la «soie» naturelle ou non (cf. ci-dessous). ◇ *Soie*, terme technique, désigne une brosse en soies de porc utilisée par les orfèvres (1680). ◇ En médecine vétérinaire, le mot s'applique à une maladie du porc qui affecte un des côtés du cou où se forme une houppe de soies; on a dit dans ce sens *les soyes* (1564), *la soie* (1611) et, par dérivation et pour lever les ambiguïtés, le *soyon* n. m. (1836) après le *sion* (1609). ◇ Par analogie, *soie* désigne en botanique (1812) un poil isolé, raide, au sommet d'un organe foliacé ou d'une graine et, en zoologie (1904), les poils situés autour des narines des oiseaux. ◆ Parallèlement à ces emplois, le sens aujourd'hui dominant, apparu au début du XIIe s., concerne la substance filiforme sécrétée par les larves de lépidoptères appelés *vers à soie* et l'étoffe faite avec cette substance; divers syntagmes précisent l'état de cette substance : *soie crue* «teinte, mais non décreusée» (1534), *soie plate* (1655), *soie écrue* (1690), *soie folle* «non torse, sans solidité» (1871), *soie torse* (1876). La locution ***soie artificielle*** s'opposait (1899) à ***soie naturelle*** pour désigner la rayonne*, jusqu'à l'interdiction de cette appellation en 1934. ◇ Les objets textiles et vêtements en soie *(bas de soie, chemise de soie)* sont nommés collectivement *la soie* (cf. ci-dessous les métaphores). ◇ Le mot s'emploie depuis le XVIIe s. par analogie : *soie d'Orient* (1690) puis *soie végétale* (1791) se dit des poils qui entourent les grains de certaines plantes et qu'on a essayé d'utiliser comme textile. *Soie* s'utilise aussi (1710) pour parler du filament sécrété par les glandes de l'araignée et de certains insectes; *soie de mer* (1812) ou *soie marine* est le nom du byssus soyeux produit par une espèce de moule. ◇ ***Papier de soie*** (1828) s'emploie pour un papier translucide très fin. ◇ Dans le vocabulaire technique, souvent au pluriel (1871), *soie* désigne la fibre du coton. ◆ Le mot, au sens de «matière textile produite par le ver à soie», entre dans quelques locutions figurées : *appliquer soie sur soie* a signifié «flatter» (1611, écrit *soye*); par métaphore littéraire, *des jours tissés* (1645) ou *filés* (1671) *de soie* équivalait à «des jours heureux». Par jeu de mots, *bas de soie* s'est dit chez les marins (1643) des fers enchaînant un condamné, puis (1690) d'une manière d'accompagner les pieds de cochon; on relève aussi par un autre jeu de mots *habillé de soie* pour «porc» (1690), sorti d'usage; pour la même raison, on nommait aussi cet animal *marquis*, à une époque où seule la noblesse avait des vêtements de soie. ◇ L'association *soie-richesse* a produit la locution familière ***péter dans la soie***, d'abord «porter du linge fin» (1878), puis «être riche» (1932). ◇ Par calembour sur *soie* «poil» et jeu sur l'homonyme *soi*, la locution ***tomber (sauter) sur la soie de qqn*** signifie (v. 1940) «tomber sur qqn», en général le locuteur lui-même; ***se faire la soie*** «s'enfuir» (attesté en 1956) vient d'un jeu de mots sur *filer (la soie)*.

▶ Deux dérivés sont usuels. **SOIERIE** n. f. (1424) «étoffe de soie», d'abord *sayerie* (1328) d'après une forme *saie, saye* de *soie*, puis *soyerie* (1379), est vieilli pour désigner (1694) un établissement industriel pour le tissage de la soie. ◇ *La soierie*, singulier collectif (1694), est le nom de l'industrie et du commerce de la soie; dans le vocabulaire technique (1845), *soierie* s'emploie pour la manière d'apprêter la soie. ◆ **SOYEUX, EUSE** adj. et n. m. (1380 dans *porc soieux*) succède à *seiet* (1080). L'adjectif s'est appliqué à un porc couvert de ses soies, puis a qualifié ce qui est de la nature de la soie (1488, *sayeux*; 1549, *soyeux*). Il signifie par extension (1690) «qui est doux et brillant comme de la soie», «qui a l'apparence de la soie» et s'applique (1761) à ce qui évoque une étoffe de soie. ◇ *Soyeux* a désigné un vendeur au rayon des soieries d'un magasin (1834). C'est aussi le nom, d'abord régional (Lyon), répandu à la fin du XIXe s. (1898, Daudet), d'un fabricant de soieries, d'un négociant en soieries. On disait auparavant *soytier* n. m. (1611). ◆ **SOYER, ÈRE** adj. «relatif à la soie» (1842, *industrie soyère*) est rare.

◈ voir SAS, SÉRICI-, SERGE.

SOIF n. f. représente (v. 1175) une altération en *-oi-*, sur le modèle de mots du type *nois* (cas sujet), *noif* (cas régime) «neige», de l'ancien français *seit* (v. 1050, *seiz* n. f. pl.), *seid* (v. 1112), *sei* (v. 1150), aboutissement du latin classique *sitim*, accusatif de *sitis* «soif» au propre et au figuré, mot isolé propre au latin, sans corrélats indoeuropéens.

♦ En français, le mot conserve le sens du latin, désignant (v. 1050, *seiz*) le désir de boire et la sensation qui l'accompagne, d'où ***avoir soif*** «éprouver cette sensation» (XIVe s.). Avec cette valeur, *soif* fait partie de nombreuses locutions : *on a beau mener le bœuf à l'eau s'il n'a soif* (XVe s.) «on ne peut obliger une personne entêtée à faire ce qu'elle n'a pas envie de faire», est sorti d'usage comme les variantes où l'âne remplace le bœuf (1690). *Par ma soif!*, employé comme juron (XVIe s.), a lui aussi disparu, comme *mourir de soif près d'une fontaine* «ne pas pouvoir jouir de qqch. qui se présente», thème fréquent de la poésie, aux XIVe-XVe siècles. ***Boire à sa soif*** (1665) s'oppose à ***mourir de soif*** (1230) qui a pour variante populaire ***crever de soif*** (1877). *C'est la faim et la soif* s'est dit (fin XVIIe s.) de deux époux qui n'ont pas de bien, et *quand l'un a soif, l'autre veut boire* (1871) s'employait à propos de deux personnes qui s'entendent très bien. ***Jusqu'à plus soif*** «beaucoup, à satiété» (1867) est familier, comme ***il fait soif*** «on a soif» (1865), croisement de *il fait chaud* et *on a soif*. ◇ *Soif* s'emploie par figure (1263, *soi;* XIVe s., *soif*) au sens de «désir passionné et impatient», d'où ***avoir soif de*** (1644) et le titre d'un roman d'A. France *Les dieux ont soif* (1912) pour «les dieux ont soif de sang, le monde est cruel». Le mot se dit par extension (1550) du manque d'eau (de la terre, de la végétation). ◇ Au sens initial, *soif* est souvent mis en rapport avec la consommation d'alcool, ***avoir toujours soif*** correspondant à «chercher à boire» et ***boit-sans-soif*** n. inv. désignant l'ivrogne.

▸ Parmi les nombreux dérivés de *soif*, **SOIFFER** v. tr. «boire (du vin, de l'alcool)», familier et sorti d'usage, a fourni **SOIFFARD, ARDE** adj. (1842) et n. (1859, au masculin; *une soiffarde*, 1875) et, vieilli, **SOIFFEUR, EUSE** adj. et n. (1830; 1875, au féminin), compris tous deux comme «qui a toujours soif».

Le composé **ASSOIFFER** v. tr. «donner soif» attesté au XIXe s., au figuré et au propre (1888, Verlaine), semble postérieur à la forme du participe passé **ASSOIFFÉ, ÉE** adj., (1607 selon Bloch et Wartburg) qui au figuré (1856 chez Baudelaire) qualifie une personne qui a un désir ardent *(assoiffé de...)*.

SOIGNER v. tr. est issu (v. 1165), d'abord sous la forme *soignier*, devenue au XIVe s. *soigner*, d'un latin médiéval *soniare* (VIIe s.) «prendre soin», «pourvoir aux besoins matériels de (qqn)», lui-même emprunté au verbe francique °*sunnjôn* «s'occuper de», dérivé de °*sunnja* qu'on restitue d'après l'ancien saxon *sunnea* «soin» (cf. *soin*, ci-dessous). L'italien *sogna* est emprunté au français.

♦ Le verbe français, qui semble plus tardif que l'expression *aveir* [avoir] *soign de...* et qui a plusieurs variantes en *songn-* en ancien français, apparaît au sens de «procurer, fournir (qqch. à qqn)» d'où «fréquenter (des marchés) pour se procurer des marchandises» (v. 1175), également sorti d'usage. ◇ *Soigner* signifie aussi «être préoccupé, veiller à» (v. 1300, *songnier*), acception sans doute plus ancienne (voir les dérivés), encore en usage à l'époque classique, et à laquelle correspond un emploi pronominal *soi sonnier* (v. 1300), d'où *se soigner* (1600). Dans cet emploi, les formes anciennes de *soigner* ont interféré avec celles de *songer**, influençant le sens de ce dernier. Le verbe, construit avec *de*, signifie ensuite «s'occuper avec attention de qqch., avoir soin de qqch.» dans *soigner de qqch., de qqn* (v. 1360), construction qui se maintient au XVIIe et au XVIIIe s., comme *soigner à* (1538), à côté de l'emploi transitif (1538) et pronominal (1559) qui se sont maintenus, *se soigner que* «veiller à ce que» (1600) étant sorti d'usage. ◇ Par extension, le verbe a eu le sens de «conseiller, avertir» (XVe s., *sogner*) et, au concret, «s'occuper de, tenir propre», en particulier dans *soigner les bêtes, soigner un enfant* (1718). ◆ Le sens se spécialise au XVIIe s., avec la valeur aujourd'hui courante de «s'occuper de rétablir la santé de (qqn)» [1636], avec un pronominal réfléchi usuel, *se soigner* (1829), d'où par extension «s'occuper de guérir (un mal)», attesté au XIXe s., et la locution familière ***il faut te faire soigner***, équivalant à «tu es fou» (XXe s.). ◇ *Soigner* équivaut ensuite à «apporter du soin à (ce qu'on fait)» [1771], spécialement dans l'argot du théâtre avec *soigner ses entrées* «se faire applaudir par la claque en entrant en scène» (1867), et dans le vocabulaire des sports où ***soigner sa forme*** veut dire «entretenir ses qualités physiques» (XXe s.). ◇ Par antiphrase, *soigner qqn* signifie «le battre» (1867), «le traiter avec rigueur» (1871), «le voler». On a signalé un emploi analogue en moyen français (v. 1307, in *G. L. L. F.*).

▸ **SOIGNANT, ANTE** adj. s'est employé en ancien français (v. 1150) comme nom féminin au sens de «concubine». Cet emploi, attesté plus anciennement que le verbe, peut correspondre à la locution *aveir soign de*, qui relève plutôt de la valeur de «s'occuper de, prendre soin» qu'à la première valeur attestée du verbe, «se procurer des marchandises». ◇ Le mot, abandonné en français classique et moderne, est à nouveau dérivé (1927) et appliqué à une personne qui donne des soins à un malade, en particulier dans **AIDE-SOIGNANT, ANTE** «qui assiste les infirmiers». ◆ **SOIGNEUX, EUSE** adj., réfection du XIVe s. (*soigneus*, v. 1385) de *songnous* (v. 1190), a signifié «soucieux, attentif», encore à l'époque classique. L'adjectif s'applique aussi (v. 1200, *sonious*) à une personne qui prend soin de qqch. ; avec cette valeur, *soigneux de*, suivi de l'infinitif (XIIIe s.), est archaïque, et *soigneux à* (1538) est sorti d'usage. L'adjectif qualifie depuis le XVIe s. (1552, *soingneux;* 1580, *soigneux*) ce qui est fait avec soin et se dit (1651) d'une personne qui soigne ce qu'elle fait, spécialement (1782) qui est propre et ordonnée. ◇ Le dérivé **SOIGNEUSEMENT** adv. (v. 1190, *soniousement*) «avec soin» a signifié dans la langue classique (1672) «exactement, fidèlement». ◆ **SOIGNÉ, ÉE** adj. et n. s'applique (1690) à ce qui est fait avec soin et se dit (1764) d'une personne qui prend soin d'elle-même. ◇ **SOIGNÉ** n. m., terme de beaux-arts au XIXe s., a signifié (1845) «exécution minutieuse» et a désigné par ailleurs (1867) une chose de qualité supérieure; l'adjectif se dit par ironie (1830) pour «fort», en parlant d'une chose désagréable. ◇ **SOIGNÉE** n. f., antiphrase familière pour «bonne correction» (1867) d'après l'emploi correspondant du verbe, est vieilli. ◆ **SOIGNEUR, EUSE** n. désigne une personne qui prend soin d'une opération technique (1875, n. f., en tissage). ◇ Le nom s'emploie couramment (1903) pour la personne chargée d'entretenir la forme d'un sportif, spécialement celle qui soigne un boxeur entre les reprises.

SOIN n. m. apparaît sous deux formes différentes en ancien français. *Soign* (1080), dans la locution *aveir soign de* «se soucier de, s'intéresser à», est issu d'un latin tardif *sonium*, lui-même emprunt au francique °*sun(n)i* «souci», «chagrin»; le mot s'écrit ensuite *soing* (v. 1155) et *soin* (XIIIe s.); cette forme correspond à l'ancien provençal *sonh* (XIIe s., *aver sonh de*...). ◇ L'autre forme, *songne*, apparaît (v. 1200) avec le même sens de «pensée qui occupe l'esprit», comme l'ancien provençal *sonha* (fin XIIe s.); cette forme vient d'un latin médiéval *sunnia*, d'un francique °*sunnja* «nécessité, besoin» et, avec ses variantes, s'est maintenue jusqu'au XIVe s., surtout dans le nord de la France. ◆ *Soin* s'est employé dans les locutions *n'avoir soin de* «ne pas avoir besoin de» (v. 1180), *estre en soin de* «être en peine de, se préoccuper de» (XVe s.). Il a à l'époque classique le sens de «souci, inquiétude» (XVe s.) d'où *avoir soin de qqn* au sens disparu de «s'inquiéter pour qqn» (1677). De nombreux emplois sont relevés dans le dictionnaire de Robert Estienne (1538). *Soin* y désigne notamment l'occupation, la charge qu'a une personne de veiller à qqch., valeur toujours vivante; R. Estienne enregistre aussi ***avoir soin de,*** suivi de l'infinitif, «s'occuper de» et ***avoir soin de (qqch., qqn),*** (v. 1480), ***prendre soin de*** (1536; aussi *prendre le soin de qqn*, 1564) «s'occuper du bien-être de qqn, du bon état de qqch.». Ces expressions sont restées usuelles, de même que le sens, lui aussi relevé dans R. Estienne, de «manière appliquée, scrupuleuse (de faire qqch.)». ◇ Le mot s'emploie spécialement dans *avoir (le) soin des malades* (1625), vieilli, puis dans ***donner des soins*** (1835), d'où *les soins* «les actes et pratiques par lesquels on conserve ou on rétablit la santé» (1538; *un soin* 1671). ◇ *Soins* était passé au XVIIe s. dans le vocabulaire de la galanterie, à propos d'actions censées être agréables à qqn, faites pour séduire, notamment dans des locutions comme *rendre des soins à (une dame)* «la voir avec assiduité, lui faire la cour» (1654), *donner des soins à qqn, petits soins* «attentions délicates, petits services de l'amour» (1657); ces emplois ont vieilli puis disparu au XIXe s.; il en reste ***être aux petits soins pour qqn*** «le choyer» (1798, *en être*...). ◇ À l'époque classique, d'après la valeur archaïque de «application d'esprit, souci», *soin* s'est dit pour «effort pour éviter ou pour obtenir qqch.» (1668) et équivalait à «soupçon, inquiétude» (1678). Au pluriel, *les soins* désigne plus généralement (1672) les actes par lesquels on s'occupe avec attention de qqn ou de qqch. (1718, *les soins du ménage*) et, spécialement (1690), des actions par lesquelles on donne à son corps une apparence nette et avenante; ces valeurs sont restées vivantes. ◇ ***Aux bons soins de,*** suivi d'un nom de personne, s'écrit sur une correspondance (XXe s.) confiée à qqn pour qu'il la fasse parvenir à son destinataire.

◈ voir BESOGNE, BESOIN.

SOIR n. m. représente l'aboutissement (v. 1160) de *ser* (v. 980), *seir* (1080), formes issues du latin classique *sero* adv. «tard, trop tard», de l'adjectif *serus* «tardif», «qui a de la durée». L'ancien provençal a deux formes, *ser* (v. 1135), issu de *sero*, et *sera* (v. 1160), emprunté au bas latin *sera* n. f. «le soir» (de *serus*), comme l'italien *sera*. Pour exprimer la même idée, l'espagnol et le portugais *tarde* «soir», le catalan *tarda* viennent du latin classique *tarde* adv. «lentement» et «tard», le latin classique *vesper* «le soir», *vespera* «le temps du soir» ayant abouti en français à *vêpres**. ◇ *Serus* a été rapproché du sanskrit *sāyám* «soir» et a un correspondant exact pour la forme dans le vieil irlandais *sir* «long» (irlandais *sia*).

♦ Le mot désigne depuis le Xe s. les moments qui précèdent et qui suivent le coucher du soleil, employé dès l'ancien français après un nom de jour, *hier, demain* (1080). La locution *a seyr et a matin* «sans cesse» (fin XIe s.) est devenue *a soir et a matin* (v. 1250), puis *le soir et le matin* (1480); de même sens aujourd'hui, ***du soir au matin*** (1668) et ***du matin au soir*** (1670) ont signifié à l'époque classique «très promptement». ◇ Par métonymie, *soir* s'est dit pour «l'Occident» (1341, *seir*). Par métaphore, *le soir* (1552) ou, plus courant, ***le soir de la vie*** (1635) signifie «la vieillesse». ◇ C'est alors qu'apparaissent les emplois du mot pour désigner une partie de la journée, la deuxième partie de l'après-midi (1690), valeur qui demeure dans ***journal du soir*** «qui paraît dans l'après-midi», d'autre part pour «nuit» et «fin de la journée, incluant une partie de la nuit, jusqu'au coucher» (1680), valeur où *soir* sera remplacé par *soirée*. ◇ *Soir* se dit spécialement des dernières heures du jour et des premières de la nuit (v. 1550). ◇ ***Un beau soir,*** comme *un beau jour*, équivaut à «un soir quelconque» (1784). ◇ ***Le Grand Soir*** (1892), employé à la fois au sens propre et par métaphore («fin d'une époque»), se dit pour «le jour de la révolution sociale»; cette locution a surtout été employée par les anarchistes et les socialistes utopistes; elle n'est rappelée qu'en histoire ou ironiquement. ◇ ***Être du soir*** (XXe s.) se dit pour «être en bonne (meilleure) condition physique et intellectuelle le soir», opposé à *être du matin*.

▶ **SOIRÉE** n. f. représente la réfection (1564), d'après *soir*, de l'ancien français *serée* (v. 1180), de *ser* (voir ci-dessus). ◇ Le mot apparaît avec le sens de «temps compris entre le déclin du jour et le moment où l'on s'endort», concurrencé par *soir* au XVIIe siècle. Il se dit d'une réunion mondaine après le repas du soir et, en moyen français et en français classique, d'une réunion passée en commun pour travailler et causer, remplacé par *veillée* (1380, *seerie*, sous l'influence de l'ancienne forme; 1764, *soirée*), d'où le sens disparu de «travaux de la veillée» (1611, *serée*) et l'emploi moderne dans ***soirée dansante*** (1829), ***costume, tenue de soirée*** (1885). ◇ Par extension, *une soirée* (1843) est une séance de spectacle qui se donne le soir, opposé à *matinée*. ◇ Le dérivé **SOIRISTE** n. a désigné (1888) un journaliste qui rendait compte des soirées mondaines.

Le composé **BONSOIR** n. m. et interj. (XVe s.), figement de *(je vous souhaite) le bon soir,* est une formule de salut et s'emploie dans la locution figurée ***dire bonsoir à la compagnie*** «mourir» (v. 1755 ; 1681 au propre). *Bonsoir!* marque qu'une affaire est finie (1842, ***tout est dit, bonsoir!***). En français actuel, *bonsoir* s'emploie pour saluer qqn le soir (en concurrence avec *bonjour*) et en le quittant (en concurrence avec *au revoir*).

◈ voir ② SEREIN.

SOIT conj. et adv. représente (v. 1170) la troisième personne du singulier du subjonctif du verbe *être**.

♦ *Soit... soit* marque l'alternative (v. 1175), de même que *soit que... soit que...* (1580), *soit... ou* (v. 1175) et *soit ou... ou* (1559), employés à l'époque classique. Adverbe d'affirmation (XIIIe s.), *soit* a une valeur concessive. ◇ Subjonctif lexicalisé du verbe *être,* il est employé pour présenter une supposition, une hypothèse (1835), notamment dans l'exposé d'un problème scientifique, ou pour introduire une explication de ce qui a été dit, pour apporter des précisions supplémentaires (XXe s.), équivalant dans ce cas à *c'est-à-dire, à savoir.*

SOIXANTE adj. numéral et n. m. inv. représente la réfection (v. 1380) d'après le latin de l'ancien français *seisante* (1080), puis *seissante* (v. 1130), *soissante* (v. 1228), issu du bas latin *sexanta,* contraction du latin classique *sexaginta,* dérivé de *sex* «six*». On relève une première réfection dès le XIIe s. (v. 1160, *seixante*).

♦ L'adjectif, comme en latin, signifie «six fois dix». Il est employé aussi comme nom (XIIe s.) et avec la valeur de «soixantième» (1871).

▸ Le dérivé **SOIXANTIÈME** adj. et n. (v. 1307) a été précédé par *sessantisme* (v. 1138) et *sexantisme* (v. 1200). Numéral ordinal de soixante, il s'emploie pour désigner la fraction d'un tout divisé en soixante (1694, n. m.) ou ce qui occupe la soixantième place (XXe s., n.). ◇ En procède l'adverbe **SOIXANTIÈMEMENT** (1636). ➜ **SOIXANTAINE** n. f. s'est substitué (1399) à *seisanteine* (v. 1138). Il désigne une collection de soixante choses ou personnes, *la soixantaine* s'employant (1779) pour l'«âge de soixante ans». ➜ **SOIXANTE-DIX** adj. et n. m., réfection (1550) de *seisente dis* (v. 1165) et témoin de l'ancien système vicésimal, s'est maintenu et a supplanté *septante,* qui ne l'a emporté qu'en français de Belgique et de Suisse. Il a pour dérivé **SOIXANTE-DIXIÈME** adj. et n. (1550). ➜ Avec une valeur spécialisée, **SOIXANTE-QUINZE** n. m. inv. (1904) vient de «canon de *soixante-quinze* millimètres» et désigne un canon de campagne qui fut essentiel du côté français, lors de la Première Guerre mondiale. ➜ **SOIXANTE-HUITARD, ARDE** adj. et n. (v. 1970) s'applique à ce qui concerne les événements de mai 1968 en France et est construit d'après *quarante-huitard.* De là **POST-SOIXANTE-HUITARD, ARDE** adj. et n. (1980).

SOJA n. m. est un emprunt (1828, après *soya,* 1732) au mandchou *soya,* la Mandchourie étant la grande région de culture du soja ; on relève aussi la forme *soui* et *soi* (1765), transcription approximative du japonais *shoyu.* Ce dernier rend le chinois *shi-yu,* de *shi* «haricots salés» et *yu* «huile».

♦ *Soui* a d'abord désigné la sauce japonaise appelée aujourd'hui *sauce de soja* et faite à base de haricots de soja salés et fermentés. Puis, sous la forme *soja,* le mot désigne (1874) cette plante d'origine chinoise, de la famille des légumineuses, semblable au haricot et cultivée pour ses graines. *Soja* est aussi le nom d'une plante analogue, originaire de l'Inde, utilisée dans la cuisine extrême-orientale, notamment sous la forme de pousses germées dites (XXe s.) *germes de soja.* ◇ Le mot s'est employé (1972) dans la locution familière ***western soja,*** formée d'après *western spaghetti,* pour désigner un film d'action et d'aventures tourné en Extrême-Orient et dont les personnages sont asiatiques.

① **SOL** n. m. est emprunté (1538), après les formes *suel* (XIVe s.), *soul* (XVe s.), au latin classique *solum ;* le mot apparaît plus tôt en ancien provençal (XIIe s., *sol*), en italien *(suolo),* en catalan *(sol),* en espagnol *(suelo). Solum* est un terme général qui désigne la partie plate et inférieure d'un tout : «fond (de la mer, d'un fossé)», «pavement», «plante du pied», «base, fondement», spécialement «sol d'un bâtiment» et «surface de la terre», «sol des champs» *(agri solum),* «biens fonds» *(res soli),* «pays, région». *Solum* repose sur une racine indoeuropéenne indiquant un établissement humain, représentée en slave par le russe *s'eló* «village» et en germanique par le longobard *sala* «maison, construction».

♦ *Sol* désigne la partie superficielle de la croûte terrestre, à l'état naturel ou aménagée. Sous la forme *suel* (1376), il s'est dit d'une aire à battre le blé (1195, en ancien provençal). ◇ D'un des emplois du latin, on tire le sens de «rez-de-chaussée» (XVIe s.), sorti d'usage. ◇ Le mot désigne ensuite un terrain considéré quant à sa nature et à ses qualités productives (1611) ; ce sens est ancien (XIIIe s.) en provençal. ◇ Avec l'idée de «base», *sol* désigne en héraldique le champ de l'écu qui porte les pièces honorables (1681). ◇ Ce n'est qu'au XVIIIe s. que le mot, écrit *sou* (1721), reprend le sens latin de «terre qui est au fond de l'eau» ; il désigne par ailleurs (1752) la surface d'un espace aménagé par l'homme. Depuis le début du XVIIe s. (attesté 1606), *sol* s'emploie pour désigner une surface de terre considérée comme un objet de propriété, spécialement (1793, *le sol natal*) pour «pays». ◇ Dans le vocabulaire militaire, le mot est repris dans les locutions adjectives ***sol-sol, sol-air*** (1954), qui se disent d'un engin, lancé à partir du sol contre un objectif terrestre ou aérien.

▸ **SOUS-SOL** n. m. désigne (1835) la partie inférieure du sol, en agriculture celle qui se trouve sous la terre arable ; dans un bâtiment (av. 1860), c'est la partie aménagée au-dessous du rez-de-chaussée et, par extension (XXe s.), un étage souterrain. ◇ Le mot a plusieurs dérivés techniques en agriculture : **SOUS-SOLEUSE** n. f. (1890) remplace *charrue sous-sol* (1860) et désigne une charrue qui remue profondément la terre arable. ◇ **SOUS-SOLAGE** n. m. est le nom (1902) du labour profond effectué avec cette charrue. ◇ **SOUS-SOLER** v. intr. (1890) est formé d'après *sous-soleuse.*

SOLIFLUXION ou **SOLIFLUCTION** n. f. est emprunté (av. 1923, *solifluction;* 1953, écrit avec *x*) à l'anglais *solifluction* (1906, Andersson), lui-même composé à partir des mots latins *solum* et *fluctio* «action de couler, écoulement», dérivé de *fluere* «couler» (→ fluide). La graphie *solifluction* est rare. ◇ Ce terme de géologie désigne un glissement du sol, par exemple, d'un sol argileux saturé d'eau sur un sous-sol imperméable. ◆ **SOLIFLUER** v. intr., formé d'après *soliflu(xion)* sur le modèle de verbes comme *influer* (v. 1950), est didactique et rare.

◈ voir ENTRESOL, SEUIL, SOLE.

② **SOL** n. m., correspond (v. 1220) à la première syllabe de *solve,* début du troisième vers de l'hymne latin de saint Jean Baptiste (→ fa).

♦ Le mot désigne le septième degré de l'échelle musicale, cinquième degré de la gamme d'ut, et (1690) le signe qui représente cette note.

◈ voir SOLFÈGE.

③ **SOL** → SOU

④ **SOL** → SOLUTION

SOLAIRE → SOLEIL

SOLANACÉES n. f. pl. est un dérivé savant (1874), par suffixation en *-acées,* du latin impérial *solanum* «morelle», substantivation de *solanus,* dérivé de *sol* «soleil*». La forme latine *solanum* a été employée en botanique au XVIe s. (1542). *Solanacées* s'est substitué à *solanées* n. f. pl. (1789; 1787, n. f. sing.), également dérivé de *solanum.*

♦ Ce terme de botanique désigne une famille de plantes dicotylédones des régions tempérées et surtout tropicales dont le fruit est une baie ou une capsule (aubergine, pomme de terre, tabac, tomate, etc.).

▸ **SOLANALES** n. f. pl., autre dérivé savant (XXe s.) de *solanum,* est le nom d'un ordre de plantes à fleurs qui comprend les solanacées et des familles voisines.

◈ **SOLDANELLE** n. f. est peut-être emprunté (XVe s.) au provençal (Languedoc), lui-même dérivé d'une forme °*soldana* non attestée, formée à partir de l'ancien provençal *soltz* (v. 1240) «quartiers de viande conservés dans un mélange de sel et de vinaigre». Ce mot est un emprunt à l'ancien français *solz* «végétaux conservés» (fin XIe s.), devenu *soult* (XIVe s.) puis *sou* (1552, Rabelais), lui-même emprunté à l'ancien haut allemand *sulza,* issu du francique °*sultja* «gelée» (cf. allemand *Sülze* «fromage de tête», *Sülzekotelett* «côtelette en gelée»). Cette étymologie germanique est discutée; on a aussi fait de *soldanelle* un dérivé à partir de l'italien *soldo* «sou», du latin classique *solidus* (→ solide, sou), à cause de la forme des feuilles; enfin, pour P. Guiraud, le mot reprend le latin médical *soldanae* (XVe s.), aussi *soldana* et *soldanella* (1533), à rapprocher de *soude,* nom d'une plante parente de la soldanelle (→ soude).

♦ *Soldanelle* est le nom régional d'un liseron des plages sablonneuses, appelé aussi *chou de mer, chou marin* et utilisé en médecine pour le sel qu'il contient. ◇ Le mot désigne aussi (1780) une plante vivace qui croît dans les prés et les rochers des régions montagneuses, et dont les fleurs violettes peuvent apparaître sous la neige.

SOLDAT n. m. est emprunté (1475) à l'italien *soldato,* proprement «celui qui est payé» (1327), aussi au XIVe s. sous la forme italienne : *soldatos pedestres* «fantassins». C'est le participe passé substantivé de *soldare* «payer une solde» (→ solder), lui-même du latin classique *solidare* «rendre solide, affermir, durcir» (→ souder), employé au figuré en bas latin. Ce verbe dérive de *solidus* (→ solide) qui, en bas latin, avait le sens de «monnaie» (→ sou). ◆ L'italien *soldato* est passé dans plusieurs langues, par exemple l'espagnol *soldado* (fin XVe s.) et l'allemand *Soldat* (1522). En français, *soldat* a remplacé *soudard** devenu péjoratif et l'ancien français *soldeier* (1080), *soldoier* (v. 1155), *soudier* (1165-1170), qui ont donné par emprunt l'anglais *soldier.* Ces formes, employées jusqu'au XVIe s., dérivent de l'ancien français *soldee* «paie que l'on donne aux soldats» (attesté v. 1130), d'où *gens de souldee* «soldats» (1497); *soldee* vient du latin médiéval *solidata* «solde, paie» (1056) comme l'espagnol, le portugais *soldada, solidata* étant dérivé du latin classique *solidus* (→ solde).

♦ *Soldat* désigne (1475), avec la variante *souldat* au XVIe s. (1532), un homme qui sert dans une armée, autrefois comme mercenaire ou engagé volontaire, aujourd'hui et depuis la Révolution, en France, en vertu d'une obligation civique ou professionnelle. Littérairement, le mot s'emploie spécialement à propos d'un homme qui a des qualités militaires (1560). ◇ Il désigne un militaire non gradé, sous la forme *soldat* (1560) ou *simple soldat* (1587); *soldat de marine* (1736) est sorti d'usage. *Soldats du piquet* s'est dit (1690) d'un détachement toujours prêt à l'action (cf. *commando*), *soldat-citoyen* (1789) d'un soldat de la milice organisée en 1789. ◇ Les connotations ont beaucoup varié : du XVe au XVIIIe s., il s'agit surtout du mercenaire, selon l'étymologie *(solde).* À la mauvaise réputation de ces soldats peut s'ajouter l'idée de bravoure. En 1789, avec le soldat patriote et citoyen, tout change et les valeurs positives l'emportent. Elles seront combattues par l'antimilitarisme. ◇ Le mot s'est employé comme adjectif au sens de «martial» (1548) d'où (1694) *avoir l'air soldat* et *(être) soldat* «brave» (1620), *n'être que soldat* «n'avoir que de la bravoure» (1798); avec la forme du féminin, *à la soldate* «à la façon des soldats» (1548) était encore employé au milieu du XVIIe siècle. ◇ Avec sa valeur générale, *soldat* entre dans quelques locutions, souvent avec une valeur péjorative; ***soldat de fortune*** «aventurier» (XVIe s.) a désigné au XVIIe s. un officier sorti du rang et ayant acquis un grade élevé (1636), *soldat de la courte épée* s'est employé pour «voleur» (1640). ***Fille à soldats*** s'est dit pour «prostituée» (1876). *Jouer au petit soldat* est récent pour «avoir un comportement naïvement martial». ◆ Par figure, *soldat* désigne (1604) une personne qui combat pour le triomphe ou la défense d'une idée, d'une croyance, d'où *soldats de Dieu, de la foi.* Cf. *militer, militant.* ◆ Par analogie, certains animaux ayant l'apparence d'un homme armé, *soldat* a été le nom (1645) d'un genre de crustacé comme en anglais *soulder [soldier]-crab* (1648), animal nommé ensuite *soldat-marin* (1768), *soldat de mer* (1845). ◇ En zoologie, on emploie *soldat* (1791) pour un individu, d'abord un *termite,* qui est chargé de défendre la communauté des agressions extérieures chez les animaux sociaux. ◆ ***Soldat de plomb*** (déb. XIXe s. ; 1830 dans Stendhal) est le nom d'une figurine d'abord en plomb représentant un soldat.

▶ **SOLDATESQUE** adj. et n. f., aujourd'hui péjoratif, s'est appliqué à ce qui a le caractère d'un soldat ; d'abord écrit *soldadesque* (1556) puis *soldatesque* (1580), le mot est sans doute une adaptation de l'espagnol *soldadesco,* lui-même emprunté à l'italien *soldatesco* (de *soldato*). ◇ *Soldadesque* a désigné une troupe de soldats (1557), de l'espagnol *soldadesca.* ◇ Il est remplacé au début du XVIIe s. par *soldatesque* (1611), employé ensuite pour «ensemble de soldats brutaux et indisciplinés» (1668) ; avec cette valeur péjorative, *la soldatesque* s'emploie pour «l'armée» (1797).

SOLDATE n. f. «femme soldat» (1617, d'Aubigné) désigne surtout aujourd'hui (XXe s.) un auxiliaire féminin de l'armée.

① **SOLDE** n. f. est emprunté (1413, *à la solde de*) à l'italien *soldo,* n. m., «paye, solde» (XIVe s.), du bas latin *sol(i)dus,* qui avait abouti en ancien français à *souz,* n. m. pl. (v. 1170), *sous* (fin XIIe s.) et *sout,* n. m. (1265), autres formes de *sou**.

♦ La locution ***être à la solde de qqn*** (1413) continue l'ancien français *a lor solz* (v. 1213) «au service de (qqn)» et a pris en français moderne le sens péjoratif (1816) de «défendre les intérêts de qqn pour de l'argent». L'expression ***avoir qqn à sa solde*** (1690) a la valeur complémentaire. ◇ Employé seul (1430, *soulde ;* 1465, *solde*), le mot désignait la somme régulièrement versée à des mercenaires, à une troupe par un prince, un État ; il a cette valeur dans la locution *gens de solde* «soldats» (1497), sortie d'usage ; on disait au figuré *être à la chasse des soldes* «chercher à se faire inviter» (1611). *Solde* a signifié par métonymie «temps de service de guerre» (1636), probablement d'après l'italien *soldo* «service militaire» (XVIe s.). ◇ Le mot s'est employé par extension (1730) pour un salaire payé à certains travailleurs (des pêcheurs) et désigne aujourd'hui la rémunération versée aux militaires (1833) et par extension à certains fonctionnaires civils assimilés.

▶ ① **SOLDER** v. tr. est sorti d'usage en français central. *Soulder* (1577) signifiait «payer par une solde» ; *soldé* s'est dit (1573) de troupes au service de qqn moyennant une solde et *solder,* pendant la Révolution (1789), «avoir (des troupes) à son service moyennant le paiement d'une solde» ; cette acception semble avoir été rare. Par extension, *solder* a signifié «payer (des mercenaires)» [1832] et, hors d'un contexte militaire, «avoir (qqn) à sa solde» (déb. XIXe s.), «payer ce qui est dû à (qqn)» [XIXe s.], spécialement quand il travaille comme salarié, valeur conservée en français d'Afrique où *être soldé* équivaut à «recevoir sa paie».

Le composé **DEMI-SOLDE** n., après *soldat à la demi-solde* (1720), désigne (1779, n. f.) la solde réduite d'un militaire en non-activité et, par métonymie (n. m. inv.), un militaire qui touche une demi-solde. ◇ Il s'est dit spécialement sous la Restauration (1815) d'un officier de l'Empire mis en disponibilité et cette valeur historique reste bien connue. Par analogie, le mot se dit d'une personne arbitrairement exclue d'un groupe (attesté en 1913, Péguy).

◈ voir SOLDAT, ② SOLDER, SOULTE.

② **SOLDE** → ② SOLDER

① **SOLDER** → ① SOLDE

② **SOLDER** v. tr. est emprunté (1675 ; *souder,* 1636) à l'italien *saldare* «arrêter un compte» (XIVe s.), proprement «joindre deux pièces de métal ensemble», qui dérive de *saldo* «chose solide», et, en finances, «différence entre le débit et le crédit d'un compte». Ce mot est issu d'un latin populaire °*salidus,* altération du latin classique *solidus* (→ solide) sous l'influence de *validus* «solide, vigoureux» ; le latin médiéval d'Italie *solidare rationem* signifiait «faire le paiement complet» (1262). La francisation en *solder* vient de l'attraction de ① *solde* et de l'influence de *souder* qui a aussi été employé en ce sens aux XVIIe et XVIIIe s. (dep. 1636).

♦ Le verbe signifie en comptabilité (1675) «clore (un compte) en faisant la balance» d'où par extension (1679) «acquitter (une dette, une facture) en payant ce qui reste dû», *solder qqn* signifiant «lui payer ce qu'on lui devait encore» (1835). ◇ *Se solder en... (par...)* s'emploie (1841) en parlant d'un bilan, pour «faire apparaître, à la clôture, un solde consistant en un débit ou un crédit» ; par figure (1866), le pronominal *se solder par* équivaut à «se traduire finalement par..., aboutir à...». ◆ Par ailleurs, *solder* a pris le sens courant (1842) de «vendre au rabais», d'après le sens de ② *solde* (ci-dessous) avec pour quasi-synonymes *brader, liquider.*

▶ Le dérivé **SOLDEUR, EUSE** n. désigne (1884) un commerçant, spécialement un libraire qui tient des soldes permanents (par exemple des articles invendus). Le mot s'est employé comme adjectif (1872), appliqué à une personne qui solde un compte.

② **SOLDE** n. m., réfection (1675) de *salde* (1598), puis *saulde* (1607), est emprunté à l'italien *saldo.* ◇ Le mot, d'abord féminin, est parfois confondu avec *soulte** au XVIIe siècle. Il désigne un paiement complet, d'où la locution ***pour solde de tout compte,*** aussi au figuré «pour terminer, à la fin». ◇ En comptabilité, *une solde* (1675) puis *un solde* n. m. (1788) désigne la différence qui apparaît, à la clôture d'un compte, entre le débit et le crédit ; en emploi absolu, *solde débiteur* signifie «ce qui reste à payer sur un compte» (1748 n. f. ; 1784 n. m.). ◇ Par analogie, *solde de marchandises,* puis *solde* se dit (mil. XIXe s.) de marchandises démodées ou défraîchies vendues au rabais. De là ***en solde*** (1871), toujours en usage, alors que l'emploi familier à propos d'une chose de valeur médiocre, de mauvaise qualité (1867) est sorti d'usage. ◇ Par extension, **SOLDES** n. m. pl. désigne (v. 1900) des marchandises vendues en solde. Ce type d'emploi a reculé devant de nouveaux termes publicitaires (*promotion, prix cassés*, etc.); le français québécois, par calque de l'anglais *sales*, emploie aussi *ventes*.

⟐ voir SOLDAT, ① SOLDE, SOULTE.

✳ ① **SOLE** n. f. est issu (v. 1213) avec une variante *suale* (XIIIe s.) du latin populaire °*sola*, altération du latin classique *solea*, sous l'influence de *solum* (→ ① sol). *Solea* a des acceptions variées : «sandale», «garniture de sabot (d'une bête de somme)», «entraves», «sole (poisson)», «pressoir» et à basse époque «plancher»; le mot a abouti à *seuil**.

♦ On retrouve la valeur du bas latin dans l'emploi technique de *sole* (v. 1213) pour désigner une pièce de bois posée à plat et servant d'appui dans une charpente. On relève en ancien français des variantes comme *seule* (fin XIIIe s.), *suele* (1353), *suale* surtout dans le Nord. Le mot désigne aussi deux pièces de bois en croix qui portent la cage d'un moulin à vent (XIIIe s., *suale;* 1690, *sole*); dans ce sens, on a dit au pluriel *les solles* (1765). C'est encore cette valeur de «plancher» que l'on retrouve dans des acceptions disparues, «fond d'un bateau plat» (1680) et, dans le vocabulaire militaire, «planche qui porte sur les deux essieux d'un affût de canon» (1731), emploi attesté jusqu'au milieu du XIXe siècle. ◇ Au XIXe s. (1842), *sole* désigne la partie d'un four qui reçoit les produits.

▸ Le dérivé **SOLIVE** n. f., senti aujourd'hui comme indépendant, ① *sole* étant rare et technique, désigne (v. 1180) chacune des pièces de charpente qui s'appuient sur les poutres et auxquelles on fixe le plancher et les lattes du plafond (en dessous). Une locution ancienne, *s'amuser à compter les solives*, signifiait «être oisif» (1694). *Solive* a été (1835) le nom d'une unité de mesure pour les bois équarris, de là *pied, pouce de solive* (1871), anciennes mesures de volume. ◆ Son dérivé **SOLIVEAU** n. m. (v. 1330; 1296, *soliviau*, dans l'Orléanais) désigne une petite solive. Au figuré, par allusion à la fable de La Fontaine, *Les grenouilles qui demandent un roi*, le mot s'emploie en parlant d'un homme faible, sans autorité (*roi soliveau*, 1812; employé seul, 1847). ◇ Par comparaison, il figure dans la locution ***être (rester) quelque part comme un soliveau*** «immobile, inactif». ◆ **SOLIVAGE** n. m., mot technique, désigne (1629) l'ensemble des solives d'un bâtiment.

SOLIN n. m., autre terme technique, est à peu près sorti d'usage. Il signifiait «soubassement d'une construction» (1348, *soulin*), puis a désigné un enduit de plâtre bouchant les intervalles des solives (1676), un bourrelet de plâtre disposé à la jointure du toit et du mur (1690) et une petite bande d'enduit en plâtre permettant de raccorder des surfaces disjointes.

② **SOLE** n. f., terme d'agriculture (1374), représente un emploi figuré de ① *sole* par un transfert de sens comparable à celui de *planche*. ◇ Le mot désigne chacune des parties d'une terre soumise alternativement à l'*assolement* (ci-dessous). On a aussi écrit *sol* (1690) jusqu'au milieu du XVIIIe siècle. ◆ ② *Sole* a fourni des composés en agriculture. ◆ ① **DESSOLER** v. tr. (1357; repris en 1690) de ① *dé-*, «changer l'ordre des cultures», et son dérivé **DESSOLEMENT** n. m. (1700) «action de dessoler (un champ)» sont à peu près sortis d'usage. ◆ **ASSOLER** v. tr. (1374) de ① *a-*, «partager les terres en surfaces régulières (ou *soles*) de sorte à y faire succéder les cultures dans un ordre déterminé», est devenu rare, à la différence du dérivé **ASSOLEMENT** n. m. (1798) «action d'assoler; cultures successives sur une même terre» et par extension «ordre de rotation des cultures».

On retrouve le latin populaire °*sola* dans ③ **SOLE** n. f., qui a repris par emprunt au latin classique *solea* «sandale» les sens de «semelle» (fin XIe s.), «plante du pied» (v. 1310), encore relevés en 1636. ◇ *Sole* a conservé le sens du moyen français (v. 1354) «partie cornée formant le dessous du sabot chez le cheval, le mulet, l'âne». ◆ Le composé technique ② **DESSOLER** v. tr. «ôter la sole du sabot de (un animal)» (v. 1200) a signifié en vénerie (v. 1580) «s'endommager le dessous du pied», en parlant d'un chien. ◇ Il a fourni **DESSOLURE** n. f. (1793; XIVe s., hapax, puis 1660 *dessoleure*), archaïque comme le verbe.

④ **SOLE** n. f. est emprunté (XIIIe s.) à l'ancien provençal *sola*, lui-même pris au latin populaire °*sola*, altération du latin classique *solea* (ci-dessus). ◇ *Sole* reprend un des sens du latin classique, désignant un poisson de mer plat, de forme ovale, très estimé pour sa chair. Ce mot est plus courant que tous ses homonymes et donne lieu à des syntagmes usuels (*sole de Douvres*, etc.; *filet de sole, sole meunière*...).

⟐ voir CONSOLE.

SOLÉCISME n. m., relevé une fois au XIIIe s. (v. 1265, *solœcisme*), puis au XIVe s. (v. 1370) et sous la forme moderne à la fin du XVe s. (1488), est un emprunt au latin classique *soloecismus* «solécisme» et à basse époque «faute, péché». Le mot latin reprend le grec *soloikismos*, tiré de *soloikos* «barbare, étranger», «qui parle de façon barbare», «qui fait des fautes en parlant», mot rattaché, dès l'Antiquité, au nom de la ville de Soles *(Soloi)* en Cilicie, dont les habitants passaient pour parler un grec incorrect, peut-être à la suite de leurs contacts avec les Barbares.

♦ *Solécisme* désigne en français un emploi syntaxique fautif de formes par ailleurs existantes, opposé par là à *barbarisme*. ◇ Par figure (1546, Rabelais, *solœcisme*, puis 1672), le mot s'est dit d'une faute de conduite ou de comportement, de manière littéraire.

▸ **SOLÉCISER** v. intr. (1552, *solœciser;* 1746, *soléciser*, Diderot) est formé savamment d'après le grec *soloikizein* «parler incorrectement», rattaché à *Soloi*. Ce verbe d'usage très littéraire signifie «faire des solécismes».

SOLEIL n. m. est issu (1080), d'abord sous la forme *solelz* (v. 980), d'un latin populaire °*soliculus*, dérivé du latin classique *sol, solis* «soleil», astre et divinité (écrit *Sol*), employé en poésie pour «jour, journée» et par figure aux sens de «plein jour», de «vie publique» et de «grand homme». *Sol* appartient à une famille de mots indoeuropéens désignant le soleil, affectant des formes diverses qui impliquent une racine avec alternance *l-n* dans la flexion; *sol* proviendrait d'une forme °*swōl-;* le grec *hêlios* (→ hélio-) d'un °*sawelios.* ◆ L'ancien provençal a deux mots : *solel* (v. 1180) de même origine que le français (prov. mod. *solelh*), et *sol* (v. 1180), du latin classique, comme l'italien *sole*, l'espagnol et le portugais *sol;* en ancien français, la forme *sol* (1119) est un latinisme ou est repris à l'ancien provençal; la forme *soloil* (v. 1175) provient d'un autre dérivé latin populaire °*soluculus.* La variante *souleil* (1314) est encore employée par d'Aubigné (déb. XVIIe s.).

♦ Le mot désigne l'astre qui donne la lumière et la chaleur à la Terre. Dans le vocabulaire didactique ancien (astronomie-astrologie), le *Soleil* est considéré comme une planète jusqu'à l'adoption du système copernicien au XVIIe s., et comme un astre fixe avant la fin du XVIIIe s. (travaux de Herschel et Lambert). Furetière définit le mot (1690) par : «astre comme centre d'un système planétaire». La connaissance scientifique du Soleil, du XVIIIe au XXe s., modifie profondément le concept (aujourd'hui «étoile jaune, de moyenne importance, appartenant à la galaxie dite "Voie lactée"») et instaure une phraséologie et un vocabulaire spécialisé (chronosphère, protubérances, taches...), dans le cadre de l'astronomie solaire. ◇ L'astre, en ancien français, est envisagé dans son apparence et ses effets sur la Terre : alternance du jour et de la nuit, chaleur, saisons, points cardinaux. ***Soleil levant*** s'emploie pour «est» (1080) et ***soleil couchant*** pour «ouest» (v. 1155); ***au soleil levant*** «au lever du soleil» (v. 1155) s'oppose à ***au soleil couchant*** (v. 1180, avec la forme *sol*). Le mot entre dans de nombreuses locutions : *partir le soleil,* où *partir* signifie «partager», s'est dit pour «placer des adversaires de sorte que le soleil n'incommode pas plus l'un que l'autre» (v. 1260), d'où à l'époque classique *partager le soleil entre les combattants* (1694), sorti d'usage. ◇ La locution ***sous le soleil*** (1550), d'abord *desous le solel* (v. 1360), s'emploie au sens de «sur la terre», spécialement dans la locution proverbiale ***rien de nouveau sous le soleil.*** ◇ *Entre deux solaux* (1391), devenu *entre deux soleils* (1660) «entre le lever et le coucher du soleil», s'est maintenu jusqu'au XIXe siècle. *Cadran au soleil* (1538) a été remplacé par *cadran solaire**. ◇ Par métaphore poétique, *soleil* «journée» (1639) et «année» (1678) se disent jusqu'au XIXe s. (Lamartine). *Soleil naissant,* «beauté éclatante», faisait partie du vocabulaire de la préciosité (1648), comme *soleil de la nuit* «feu» (av. 1650). La phrase ***le soleil luit (brille) pour tout le monde*** (attestée en 1798), «il est certains avantages dont tout le monde peut profiter», est un proverbe traduit du latin. ◆ Le mot désigne aussi à partir du XIIe s. la lumière du soleil, un temps ensoleillé (v. 1150), d'où ***faire soleil :*** *il fait soleil* (1647), *grand soleil* (1694), d'abord dans la région lyonnaise. Par extension, il se dit de ce qui est exposé à la lumière du soleil (v. 1220). ◇ De ces valeurs procèdent de nombreux emplois et des locutions : *soleil* s'applique à la lumière d'une pierre précieuse (1225-1250), et *pierre du soleil* «pierre précieuse» (1562) reprend le latin *solis gemma.* ◆ Une importante phraséologie reprend la valeur première du mot (astre) ou celle de «lumière du soleil». ***En plein soleil*** signifie comme en latin «publiquement» (v. 1530; 1785, *au soleil*). ◇ La locution ***coup de soleil,*** d'abord «insolation» (1582), semble avoir été reprise au début du XIXe s. pour désigner une légère brûlure provoquée par le soleil; employé avec quelques verbes, *coup de soleil* a par métaphore des acceptions familières; la locution a signifié «légère ivresse» (1845, et par ellipse *un soleil*), aussi dans *avoir son coup de soleil* «être ivre» (1808). ***Piquer un soleil*** (1844) signifie «rougir violemment» (cf. *piquer un fard*) et *recevoir un coup de soleil* a eu le sens (1878) de «tomber amoureux». ◇ Par figure, ***bien au soleil*** s'applique à une propriété immobilière (1611), surtout dans ***avoir des biens au soleil*** «être riche», l'exposition au soleil symbolisant la position sociale enviable, idée que l'on a également dans ***avoir une place au soleil*** (1803). *Se gratter le cul au soleil* (1611) s'est dit d'une personne oisive; *mettre (à qqn) le ventre au soleil* (XVIIe s.) s'est employé pour «tuer»; on trouve en argot moderne *les tripes au soleil,* dans ce sens. ◇ La locution proverbiale ***ôte-toi de mon soleil*** (XVIIIe s.) cite la réponse de Diogène à Alexandre qui lui offrait sa protection, et que l'on rappelle pour marquer l'importunité d'une présence. ◇ Les effets du soleil sur la peau, considérés comme désastreux jusqu'au milieu du XIXe s. (cf. *coup de soleil* ci-dessus) sont évoqués positivement dans ***prendre le soleil*** «s'y exposer» (1869) pour brunir ou dans un but thérapeutique, et dans ***bain de soleil,*** expression apparue dans la 2e moitié du XIXe s. pour «fait de se mettre en plein soleil» (par ex. Zola, 1873) et aussi pour «lieu, image inondée de lumière solaire» (1883, Huysmans). La locution s'est spécialisée en héliothérapie (v. 1860), puis dans le contexte de la plage avec l'idée de dénudation (1924, Morand). D'où par apposition *robe bain de soleil,* et *un bain de soleil.* L'anglais *sun bath* est attesté en 1875. ◇ ***Déjeuner de soleil,*** autrefois à propos d'une couleur qui s'abîme facilement (1871), se dit d'une chose éphémère (1904).

Parallèlement à ces emplois, *soleil* a eu de nombreuses acceptions métaphoriques, l'une d'elles renvoyant à une image (cercle entouré de rayons) évoquant l'astre. *Escu au soleil* (1485), *escu en or sol* (1490), qui correspond à l'ancien provençal *escu de soul de France* (1524), désignait un écu frappé sous Louis XI, Charles VIII et François Ier, où la représentation de la couronne de France était surmontée d'un petit soleil; on trouve ensuite *écu au soleil, écu sol* (1636) et, par confusion avec *sol* «sou», la forme *écu-sou* (1798, Académie). ◇ Cette image du soleil, cercle d'où partent des rayons divergents, apparaît spécialement dans l'emploi du mot pour «ostensoir» (1520), dans l'usage héraldique (1690) où le *soleil* est un disque (doré) entouré de rayons. ◇ Par figure, *soleil de feu* (1694), aujourd'hui *soleil* (1752), désigne une pièce d'artifice constituée d'un cercle monté sur pivot et garni de fusées qui le font tourner en lançant leurs feux; on a dit aussi *soleil brillant* (1767) et *soleil tournant* (1812). ◇ Par ailleurs, *soleil* a été la désignation d'un jet d'eau qui se distribue en rayons (1715; 1752, *soleil d'eau*). ◇ Par métaphore, on emploie ***papier soleil*** (1803), puis ***format soleil*** pour un papier qui porte une image du soleil en filigrane. ◇ La même image se trouve dans l'emploi du mot au sens (1882) de «tour complet autour d'un axe horizontal» spécialement en gymnastique ***(grand soleil)*** et dans ***faire un soleil*** (1895), à propos d'une automobile qui capote, puis d'une personne qui fait une chute spectaculaire.

Sur le plan métaphorique et allégorique, *soleil*, depuis le XVe s., est le symbole d'une puissance qui éclaire, répand son influence bienfaisante, avec une application aux religions (1557), et à la puissance royale dès le XVIe s., sens encore connu par la métaphore du ***Roi-Soleil*** «Louis XIV». De même, dans le langage biblique du XVIe s. et de l'époque classique, *soleil de justice* désigne Dieu, Jésus-Christ (1553) et *le divin soleil* la grâce de Dieu (1721). ◇ En outre, *soleil* a désigné à l'époque classique une personne remarquable (v. 1587) et une personne puissante dont on attend des faveurs (1678); le mot a cette valeur dans des locutions (1640) sorties d'usage, comme *soleil d'hiver* désignant une personne qui a peu de pouvoir et *soleil de mars* un pouvoir naissant; *adorer le soleil levant* signifiait «faire sa cour au pouvoir naissant» (fin XVIIe s.). ***L'empire du soleil levant*** désigne par ailleurs le Japon. La métaphore littéraire *soleil couchant*, qui se dit (1813) d'une personne dont le pouvoir est à son déclin, pourrait être antérieure à son attestation. ◇ ***Être près du soleil*** (1871) «être près du pouvoir», se rencontre encore. ➧ Dans d'autres emplois figurés, c'est la couleur ou la forme symbolique (cercle rayonnant) du soleil qui est retenue; dans le vocabulaire ancien de l'alchimie *soleil sophistique* (1530), *soleil* (1611), après le moyen français *sol* (1564), se disait pour «or»; cette acception remonte au XIIIe s. (1267) dans le latin des alchimistes *(sol)*. ◇ Plusieurs plantes et animaux ont été désignés par le mot; *soleil d'or* «carpe» (1554), *épouse du soleil* «souci» (1555) et *soleil de mer* (1611), *soleil* (1680) «astérie» sont sortis d'usage; mais on emploie encore *soleil* comme nom de l'hélianthe (1640; cf. le mot *tournesol*). *Sol* pour «raisin sec» (1723) est sorti d'usage.

▶ *Soleil* a fourni quelques dérivés. ➧ **SOLEILLEUX, EUSE** adj., qui a eu le sens de «solaire» (1582), est rare comme équivalent (1584) d'«ensoleillé». ➧ **SOLEILLÉE** n. f. «rayonnement du soleil par un temps couvert» (1866) est un mot régional, comme **SOLEILLADE** n. f., mot provençal (par emprunt) au sens de «lumière du soleil» (1888).

Le composé **ENSOLEILLER** v. tr. (1852) de *en-*, signifie «remplir de la lumière du soleil» et s'emploie (1894) au figuré pour «remplir de bonheur». ◇ En dérivent **ENSOLEILLÉ, ÉE** adj. employé au propre (1867) et au figuré (1870) et **ENSOLEILLEMENT** n. m. (1856) diffusé par son emploi en météorologie. ➧ On relève en ancien et en moyen français divers sens de **SOLEILLER**, verbe disparu, dont «briller, luire» (v. 1180, altéré en *soreller*), «exposer au soleil» (1414, *soriller*; 1596, *soleiller*) qui correspond à l'ancien provençal *solelhar* (1240). ◇ **SOLEILLÉ, ÉE** adj. «exposé au soleil» (1564), peu employé à l'époque classique, a été repris après la Révolution mais est sorti d'usage.

PARE-SOLEIL n. m. inv., du verbe *parer*, autrefois (1873) «chapeau pour se protéger du soleil», désigne (1914) un écran protégeant du soleil. ➧ Plusieurs mots ont été empruntés à des dérivés du latin classique *sol* ou formés à partir d'eux.

SOLAIRE adj. est emprunté au dérivé latin impérial *solaris* «du soleil, relatif au soleil», «tourné vers le soleil», par exemple dans *solaris herba* «tournesol», qui correspond au grec *heliotropion* ou *heliotropos* (→ héliotrope). En bas latin, *solaris* s'était substitué à *Solanus* «vent d'est», autre dérivé de *sol*; de cet emploi viennent diverses formes de l'ancien et du moyen français : *soleire* «midi» (v. 1120), *souleurre* «est» (1261), *sollerre* «vent du sud-est ou du sud» (v. 1300), écrit *solerre* (1549) et encore attesté en 1660. ➧ La forme moderne *solaire*, «relatif au soleil, du soleil», apparaît isolément en chronologie dans ***an solaire*** (XIIIe s.) repris au XVIe siècle. Au XVIIe s. ***année solaire*** (1671) succède à *an solaire*. ◇ L'adjectif réapparu en français moderne pour qualifier la lumière du soleil (fin XVe s.), puis dans *herbe solaire* (1607) «tournesol», s'est appliqué plus tard (1797) aux plantes dont les fleurs ne s'ouvrent qu'à la lumière du soleil. ◇ Il s'est appliqué par métaphore (fin XVIIe s.) à une personne radieuse et qualifie à la même époque ce qui utilise la lumière du soleil (1690, *quadran solaire*, 1718, *cadran*). ◇ *Solaire* n. f. a désigné (1765) jusqu'au milieu du XIXe s. la courbe supposée décrite par les rayons du soleil en traversant l'atmosphère. ◇ Avec les progrès de l'astronomie newtonienne, apparaît ***système solaire*** (1749) «ensemble des corps célestes formés par le Soleil et son champ de gravitation». *Solaire*, en relation avec l'évolution du concept de soleil, qualifie au XIXe s. ce qui fonctionne grâce à l'énergie que dégage le rayonnement du soleil (1882, *appareil solaire*). Les applications techniques de l'énergie solaire suscitent ***pile solaire*** (v. 1968), ***chauffage solaire*** (v. 1970) et *le solaire* n. m. «ensemble des techniques et procédés d'utilisation de l'énergie solaire» (v. 1978), faisant partie de ce qu'on appelle les *énergies nouvelles, renouvelables*. ◇ Par ailleurs, *solaire* s'applique (XXe s.) à ce qui protège du soleil, dans ***huile solaire*** (la marque *Ambre solaire* fut lancée en 1937). ➧ Un emploi figuré notable est *plexus solaire* (→ plexus). ➧ **ANTISOLAIRE** adj. (XXe s.) de ① *anti-*, qualifie ce qui protège des rayons solaires, spécialement dans le vocabulaire technique *(vitrage antisolaire)*. ➧ On emploie **LUNI-SOLAIRE** adj. en astronomie (1721); [→ lune].

SOLARISER v. tr., dérivé savant (1877, pron.) de *solaris*, a signifié «subir l'action du soleil», en parlant de photos. Toujours dans le domaine de la photographie, le verbe a pris (1949) le sens de «soumettre à l'insolation (la plaque sensible) pendant le développement», pour obtenir des effets spéciaux, d'où **SOLARISATION** n. f. (1949). ➧ À partir de *solaris* ont été composés les termes didactiques **SOLARIMÈTRE** n. m. (1933) de *-mètre*, «appareil pour mesurer le rayonnement solaire», et **SOLARIGRAPHE** n. m. (v. 1964) de *-graphe*, «solarimètre enregistreur».

SOLARIUM n. m. est un emprunt (1765) à un mot latin signifiant «cadran solaire», par extension «clepsydre», et «endroit exposé au soleil», spécialement «balcon, terrasse», substantivation de l'adjectif *solarius* «solaire». ◆ Au XVIIIe s., le mot est un terme d'Antiquité désignant une terrasse exposée au soleil, dans l'ancienne Rome. Par analogie, il se dit (1909) d'un établissement où l'on pratique l'héliothérapie et par extension (1941) d'un lieu où l'on prend des bains de soleil.

◈ voir **INSOLATION, PARASOL, SOLANACÉES, SOLIER, SOLSTICE,** ① **SOUCI.**

SOLEN n. m. est un emprunt (1694) au latin impérial *solen, -enis,* lui-même emprunté au grec *sôlên, sôlênos,* mot d'origine obscure signifiant «canal, tuyau», «tuile creuse», et employé pour désigner, par analogie de forme, un coquillage, le «couteau»; c'est avec ce sens que le mot est repris en latin.

♦ *Solen* désigne en zoologie un mollusque lamellibranche communément appelé *couteau**, à coquille droite allongée, qui vit enfoncé verticalement dans le sable.

▶ Quelques termes de zoologie ont été formés à partir de l'élément **SOLÉNO-**, tiré du grec *sôlên.* ◆ **SOLÉNODONTE** n. m. (1876) de *-odonte,* du grec *odous, odontos* «dent», a désigné un genre de champignons; c'est le nom donné (1876, *solénodon*) à un insectivore des Antilles, à cause de sa trompe. ◆ **SOLÉNOCONQUES** n. m. pl. (av. 1892), en latin scientifique *solenoconcha,* de *concha* «coquille», désigne un ordre unique de mollusques compris dans la classe des Scaphopodes. ◆ **SOLÉNOGLYPHE** adj. et n. m. (1902) de *-glyphe,* tiré du grec *gluphis* «entaille» et «encoche d'une flèche», dérivé de *gluphein* «tailler, graver» (→ hiéroglyphe), se dit de serpents dont la denture est constituée par des crochets creusés de fins canaux conducteurs de venin.

Soléno- a servi par ailleurs à former le terme technique **SOLÉNOÏDE** n. m. et adj. (1827), de *-oïde,* formé sur le modèle du grec *sôlênoeidês* «en forme de canal ou de tuyau»; c'est le nom d'une bobine cylindrique, inventée par Ampère en 1822, constituée de plusieurs couches de fil conducteur enroulé et traversé par un courant électrique qui crée sur son axe un champ magnétique. ◇ En dérive **SOLÉNOÏDAL, ALE, AUX** adj. (1888).

SOLENNEL, ELLE adj., réfection (1337) de *sollempnal* (1190), *sollempnel* (v. 1250), est dérivé, d'après des mots de religion comme *éternel, spirituel,* de l'ancien français *solene* (v. 1190) ou *sollenpne* (v. 1260), encore attesté au XVIe s. (1580, *solemne*). *Solene* était un emprunt au latin classique *sollemnis* (variante *sollennis, solennis*), *solempnis* en bas latin, adjectif de la langue religieuse appliqué à des cérémonies, à des rites célébrés à date fixe et avec faste. Le premier élément *sollus* «entier», d'origine osque, n'apparaît que dans des composés; il se rattache à une racine indoeuropéenne dont procèdent aussi en latin *salvus* (→ sauf), *solidus* (→ solide); le second élément était rattaché par les anciens à *annus* «an*» mais la forme *sollennis* est une fausse graphie étymologique due à l'influence de *perennis* (→ pérenne); cet élément final correspond peut-être à l'osque *amnúd* «ce qui a fait le tour» et *sollemnis* signifierait à l'origine «qui a lieu quand le circuit de l'année est entièrement écoulé»; il est aussi possible que *sollemnis* soit emprunté à une langue non indoeuropéenne, comme l'étrusque.

♦ L'adjectif, avec de nombreuses variantes en ancien et moyen français, est sorti d'usage ou littéraire lorsqu'il est appliqué à ce qui est célébré avec pompe, par des cérémonies (v. 1250, *sollempnel;* v. 1190, *solene*). Il qualifie depuis le moyen français (v. 1360, *solempne;* 1552, *solennel*) et jusqu'à nos jours, ce qui se fait avec apparat. *Solemnel* (1415) est refait sur le latin. Introduit dans le vocabulaire du droit, il se dit de ce qui est authentique, accompagné des formalités requises (1266, *sollempnel;* 1337, *solennel*), et plus généralement il s'emploie pour «manifeste, public», en parlant d'actes auxquels on donne une importance particulière (fin XIVe s., E. Deschamps). ◇ Au XVIIe s. (1680) et jusqu'au milieu du XVIIIe s. a eu cours une variante *solanel,* d'après la prononciation. ◇ *Solennel* a la même valeur de manifestation publique dans le vocabulaire religieux où ***vœu solennel*** se dit d'un vœu fait en face de l'Église avec des formalités qui lui donnent une importance particulière (1694); cet emploi se retrouve dans ***communion solennelle.*** ◇ *Solennel* n. m. s'est utilisé pour le classement des fêtes religieuses (1759, *grand, petit solennel, solennel mineur*). ◇ Par extension, l'adjectif a qualifié une maison somptueuse appartenant à un haut personnage (1364, *hostel solennel*), puis un personnage important (1394) et une chose (déb. XVe s.), spécialement dans *crime solennel* (déb. XVIIe s.); l'adjectif est archaïque dans ces emplois dès l'époque classique. ◇ Il se dit encore (XIVe s.) de ce qui a une gravité propre aux grandes occasions, d'où l'emploi péjoratif pour «emphatique» (1788) et, en parlant d'une personne, «guindé, un peu ridicule» (1871).

▶ L'adjectif a fourni **SOLENNELLEMENT** adv., réfection (1538) de *solempnellement* (v. 1223), la forme *sollemnement* (v. 1180) venant de *solemne.* On a écrit, par retour au latin, *solemnellement* (1613), graphie encore relevée dans le *Dictionnaire de l'Académie* en 1878. ◇ L'adverbe signifie «d'une manière solennelle» (v. 1180) puis «publiquement, dans les formes» (XIVe s.) et «gravement, cérémonieusement» (1833, Balzac).

SOLENNITÉ n. f. (v. 1120), d'abord *sollempnité* (v. 1112) est emprunté au dérivé latin impérial *sol(l)emnitas* «fête solennelle», «caractère de ce qui est solennel». ◆ Le mot a désigné une fête célébrée une fois par an (par l'étymologie de *soleannis* pour les Anciens), aujourd'hui une fête solennelle et, par extension, ce qui revêt un caractère analogue (XIIIe s.) et ce qui a un caractère de gravité et de faste (début XIXe s.). ◇ Par ailleurs et surtout au pluriel (fin XIIIe s.), le mot désigne en droit les formes d'un acte solennel.

SOLENNISER v. tr. est la réfection (v. 1360) de *sollempnizer* (1309), emprunt au bas latin ecclésiastique *solemnizare* ou *sollemnizare* «célébrer de façon solennelle, publiquement», dérivé du latin classique *sollemnis*. Le verbe, qui a gardé le sens de l'étymon jusqu'à l'époque classique, s'est aussi écrit *solemniser* (1640). Il a signifié en ancien français «annoncer solennellement» (1323) et a pris au XIXe s. (1828) le sens de «rendre solennel». En dérive **SOLENNISATION** n. f. (1396, *solemnisacion*), didactique; l'Académie donne (1694) à la fois la graphie moderne et la forme *solemnisation*.

◈ voir SOLLICITER, SOUCIER.

SOLEX n. m. est un nom de marque déposée (1916 [T.L.F.], puis 1946) probablement par allusion à *solus* «seul» (cycle pour une personne) et valorisation par *sol* «soleil», donné à un cyclomoteur de conception particulièrement simple (on peut évoquer la finale du latin *simplex*).

♦ Le mot, écrit avec la majuscule en tant que marque déposée, a été courant jusqu'en 1988, date à laquelle la fabrication de ces cyclomoteurs a cessé. *Un Solex* s'est dit aussi pour «carburateur d'automobile de la marque Solex», d'où la spécification de ***Vélosolex***, nom commercial du cycle (1946). Les deux formes sont encore en usage, à côté de *Mobylette*, autre nom de marque, pour un cyclomoteur léger.

SOLFATARE n. m. est la réfection (1751) de *solphaterie, solphatarie* (1578), pseudo-hellénisme (ou latinisme). C'est un emprunt à l'italien *solfatara*, tiré de *Solfatar*, nom d'un volcan éteint entre Pouzzoles et Naples, lui-même formé sur *solfo* «soufre», du latin classique *sulphur* ou *sulfur* (→ soufre). On relève aussi la forme italienne *solfatara* (1664).

♦ Le mot désigne un terrain volcanique qui dégage des émanations de vapeur et de gaz sulfureux chaud (cf. *soufrière*).

▸ En dérivent **SOLFATARIEN, IENNE** adj. ou **SOLFATARIQUE** (1889) «relatif aux solfatares», tous deux didactiques.

SOLFÈGE n. m. est la francisation (1790) de *solfeggi* (1767), introduit par Rousseau dans son *Dictionnaire de musique* et emprunté à l'italien *solfeggio*, dérivé du verbe *solfeggiare* correspondant au français *solfier*. Ce verbe dérive de *solfa* «gamme», mot composé des noms italiens de notes de musique, *sol* et *fa*, de même origine que les noms français (→ fa, sol). Au sens de «solfège», l'ancien provençal avait *solfa* (v. 1250) et l'ancien français *sofe* (XIIIe s.), devenu *solfe* (1611) «art de solfier»; ces formes sont empruntées au latin médiéval *solfa* «gamme», de même origine que l'italien.

♦ Le mot désigne l'étude des principes élémentaires de la musique et de sa notation et, par extension (1798), un manuel d'apprentissage comportant des exercices et des morceaux. Il se dit par métonymie d'exercices pour les chanteurs et par extension pour tous musiciens.

▸ **SOLFIER** v. dérive (v. 1220, en emploi absolu) du latin médiéval *solfa*. Ce terme de musique signifie transitivement (1532) «lire (de la musique) en chantant et en nommant les notes». Le verbe s'est employé dans des locutions figurées : *solefier* [sic] *son cas* «soutenir sa cause» (v. 1330) et *chanter sans solfier* «jeter des cris» (déb. XVIIIe s.).

SOLMISER v. intr., terme didactique (1829), de *sol* et *mi**, signifie «solfier dans le système des hexacordes», en musique ancienne; on disait *solmifier* v. intr. (1703). ◇ Le verbe a fourni **SOLMISATION** n. f. (1821).

SOLIDAIRE adj. est formé (1462 selon Bloch et Wartburg, puis 1584 mais certainement antérieur, cf. *solidairement*), à partir du latin juridique *in solido* proprement «pour le tout», d'où «solidairement», de *in* «vers, pour» et *solidum* «le solide» et «totalité d'une somme», substantivation du neutre de *solidus* «solide*».

♦ L'adjectif a signifié «complet, entier»; il s'emploie spécialement en droit (1611, *obligation solidaire;* repris en 1690) pour «commun à plusieurs personnes, de manière que chacune réponde du tout» et s'applique par extension, d'abord au pluriel (1718), puis au singulier (av. 1874) aux personnes liées par un acte solidaire. ◆ Dans l'usage courant, il se dit (av. 1747, Caylus) de personnes liées par une responsabilité et des intérêts communs, d'où au singulier ***être solidaire de (avec) qqn*** (1825) et ***se déclarer solidaire de qqn*** (XXe s.). ◇ Par extension, *solidaire* s'applique (1834) à des choses qui dépendent l'une de l'autre, fonctionnent ensemble dans un processus et, en mécanique (1861, Cournot), à des pièces liées dans un même mouvement.

▸ Le dérivé **SOLIDAIREMENT** adv. est un terme de droit (1462, puis 1561) qui traduit le latin *solidum;* on emploie aussi en droit la locution adverbiale *in solido* (1842), locution latine formée de l'ablatif de *solidum*. ◇ L'adverbe est sorti d'usage au sens d'«en exigeant le total d'un engagement solidaire» (1600) et de «solidement» (1611). ◇ Il s'emploie encore couramment pour «par une dépendance réciproque» (1764).

Plusieurs dérivés savants en *ar-* de *solidaire* sont en usage. ◆ **SOLIDARITÉ** n. f. a été en concurrence avec *solidité* (→ solide) comme terme de droit (1693) pour désigner l'état de créanciers solidaires; il désigne par extension (1804, *Code civil*) le caractère solidaire d'une obligation. Le nom s'emploie en parlant de choses (1789) au sens de «dépendance réciproque» et, couramment, de personnes (1795) pour «fait d'être solidaire et de s'entraider». Cette valeur révolutionnaire, théorisée au début du XXe s. (cf. *solidarisme*), est devenue dans le vocabulaire sociopolitique un substitut prudent à *égalité* sur le plan économique, d'où *impôt de solidarité*, etc. ◆ **SOLIDARISER** v. tr. s'emploie en droit pour «rendre solidaire» (1865; proposé en 1842, Richard de Radonvilliers) et avec une valeur générale en parlant de personnes (1869) et de choses (1850). Dans ces trois emplois, on trouve le pronominal *se solidariser* (dep. 1868). ◇ Le préfixé **DÉSOLIDARISER** (1879), surtout employé comme pronominal (début XXe s.) pour «cesser d'être solidaire», est relativement usuel. ◆ **SOLIDARISME** n. m. désigne (av. 1905) en philosophie une doctrine qui fonde la morale, la politique et l'économie sur la solidarité, d'où **SOLIDARISTE** adj. et n. (1904) également dérivé savant de *solidaire*.

SOLIDE adj. et n. m. est un emprunt (1314) au latin classique *solidus* «dense, massif, compact, consistant» et «entier, complet» en particulier dans la langue du droit et par figure «réel», «ferme, inébranlable» et «plein» en rhétorique; de l'idée de «fermeté» vient *solidum* n. m. en géométrie. Le mot se rattache à une racine indoeuropéenne exprimant la notion de «tout, entier», comme le grec *holos* «entier» (→ catholique, holocauste), le latin *salvus* (→ sauf). ◆ La forme *saude* «dur, compact» (v. 1265) est un italianisme de B. Latini, qu'on relève aussi chez Marco Polo (1298) dans *lait saude* «lait caillé».

♦ *Solide* apparaît en architecture (1314) au sens de «massif, plein», à propos d'une construction; à nouveau attesté à la fin du XVe s. (1487), l'adjectif semble rare jusqu'au XVIe siècle. Il s'applique alors à ce qui a de la consistance, garde une forme relativement constante (1531, *aliment solide*), et il est substantivé dans ce sens au XVIIe s. (*le solide*, 1646). Il a aussi une valeur abstraite, qualifiant ce qui est à la fois effectif et durable (1544), puis (1580) ce qui est plein, sérieux et important; enfin, ce qui est substantiel (1580). ◇ Au XVIIe s., plusieurs acceptions se développent; **SOLIDE** n. m. reprend en géométrie (1613) le sens du latin, désignant une figure à trois dimensions à volume mesurable. Ce substantif engendre un nouvel adjectif (1680), par exemple dans *angle solide* (1690), didactique. ◇ Plus couramment, l'adjectif s'applique (1636) à ce qui résiste à l'effort, garde sa rigidité, d'où par extension à ce qui ne s'altère pas (1790, *couleur solide*), s'use peu, garde sa position (1855). ◇ Il s'emploie pour «puissant, fort», en parlant d'une personne ou d'une partie du corps (1655), mais ce sens ne s'impose qu'au XIXe s. (1848, G. Sand), spécialement dans la locution ***avoir les reins* solides*** au propre et au figuré (fin XIXe s.). ◆ *Solide* se dit dans le domaine moral d'une personne, et d'un comportement équilibré, stable et sérieux (av. 1679, Retz) et le nom, *le solide, du solide* a désigné (1661) les avantages matériels, l'argent, c'est-à-dire ce qui apparaît stable socialement et donne une position. ◇ **SOLIDE** n. m., «corps solide», attesté au XVIIIe au pluriel (1752), est repris au XIXe siècle. ◇ Par figure, l'adjectif équivaut familièrement (1871) à «important, intense» (cf. *beau, bon*) avec l'idée de résistance; d'où ***(être) solide au poste*** (1808), «être robuste, résistant», au figuré «être inébranlable, persévérant».

▸ Le dérivé **SOLIDEMENT** adv. (1529) n'a qu'une partie des emplois correspondant à ceux de l'adjectif : «d'une manière solide, résistante», «effective et durable» ou encore «sérieuse et importante», puis «résistante». ◆ **SOLIDIFICATION** n. f., «action de rendre solide, de devenir solide» (1572), formation savante à partir de *solide*, est rare jusqu'à la fin du XVIIIe s. (1789, en physique et chimie), et senti aujourd'hui comme dérivé de *solidifier*, notamment dans ses emplois figurés. ◆ **SOLIDIFIER** v. tr. d'abord dans *se solidifier* «devenir solide» et *solidifié, ée* adj. (1783), est ensuite attesté comme verbe actif (1803); il s'emploie aussi au figuré (av. 1850). ◆ **SOLIDIEN, IENNE** adj., didactique (1861, *vibrations solidiennes*), signifie «relatif à l'état solide, aux corps solides», opposé à *liquide* et *gazeux*. ◆ **SOLIDUS** n. m. (attesté 1938), emprunt au latin *solidus*, terme technique, désigne une courbe qui donne la température de fusion commençante d'un mélange de titre variable.

SOLIDITÉ n. f. est emprunté (1314) comme l'ancien provençal *soliditat* (1350) au latin classique *soliditas* «qualité de ce qui est solide, massif», «dureté, fermeté» puis en latin juridique «totalité», dérivé de *solidus*. ◆ Le nom, dont les emplois sont parallèles à ceux de *solide*, est introduit au sens courant de «qualité de ce qui est solide» (cf. *force, résistance*), repris au XVIIe s. (1636). Le syntagme *solidité des cieux*, «firmament» (v. 1327), sorti d'usage, procède de ce sens de même que l'emploi à propos des êtres vivants (1530). ◇ *Solidité* désigne abstraitement la qualité de ce qui est bien pensé, sérieux (1530) et, à la fin du XVIIe s., signifie en droit «engagement solidaire» (1690) et «solidarité» (1694), sens relevé jusqu'en 1798, puis éliminé par *solidaire* et *solidarité*. ◇ En géométrie (1691), il s'est dit pour «espace limité par un solide», plus tard éliminé par *volume*. ◇ *Solidité* désigne également de manière abstraite (1768) la qualité de ce qui est effectif et durable.

SURSOLIDE n. m. (1637, Descartes) est formé sur *solide* n. m. pour traduire le latin moderne *sursolidum* pour *surde solidum* «solide de nature et de matière non énonçable», passé en anglais au XVIe siècle. ◇ Le mot, désignant un nombre à la cinquième puissance, s'est employé en géométrie.

◈ voir **CONSOLIDER**, ① **SOLDE**, ② **SOLDER**, **SOLIDAIRE**, **SOU**, **SOUDER**.

SOLIER n. m., réfection (v. 1170) de *soler* (v. 1130, *F. e. w.*), est issu du latin classique *solarium* «cadran solaire» et «terrasse, balcon (endroits exposés au soleil)», dérivé de *sol* (→ soleil).

♦ *Solier* désigne (v. 1130) une terrasse sur le toit d'une maison, un logement aménagé sous le toit, une soupente. Le mot, vivant jusqu'au milieu du XVIe s., s'est maintenu dans les dialectes, souvent au sens de «grenier, fenil». C'est aujourd'hui un terme d'archéologie.

SOLILOQUE n. m. est emprunté (v. 1600, F. de Sales) au bas latin *soliloquium* (IVe s., Saint-Augustin), composé du latin classique *solus* «seul*» et de *loqui* «parler» (→ locution).

♦ Le mot désigne le discours d'une personne qui est seule à parler ou semble ne parler que pour elle (v. 1600); il équivaut à *monologue* (1690).

▸ Il a fourni **SOLILOQUER** v. intr. (1883).

SOLIPSISME n. m. est composé savamment (1878) à partir de *solus* «seul, unique» (→ seul) et *ipse* «même, en personne» (→ ipse) avec le suffixe *-isme*. On relève au XVIIIe s. *solipse* n. m., formé de la même manière, dans *la Monarchie des Solipses*, c'est-à-dire des Jésuites, (1723, Huet). Le sens correspond alors à celui d'*égoïste*.

♦ Le mot se dit en philosophie d'un idéalisme limité, selon lequel il n'y aurait pour le sujet pensant d'autre réalité que lui-même. ◇ Par extension (apr. 1950), *solipsisme* s'emploie, littéraire, en parlant du caractère d'une personne, d'un univers de pensée entièrement centré sur soi.

▸ En dérive **SOLIPSISTE** adj. et n. (1913), terme didactique.

SOLISTE → **SOLO**

SOLITAIRE adj. et n. est emprunté (fin XIIe s.) au latin *solitarius* «isolé, solitaire», dérivé de *solus* (→ seul).

♦ Dès l'ancien français, l'adjectif s'applique à ce qui se passe dans l'isolement, est caractérisé par le fait d'être seul (fin XIIe s.; *vie solitaire*), à une personne qui vit seule et qui s'y complaît (XIIIe s.), à ce qui pousse à rechercher la solitude (XIIIe siècle; *humeur solitaire*), enfin à un lieu désert, retiré (1285). ◇ *Solitaire* n. m. désigne en particulier (fin XIIe s.) celui qui a choisi la vie monacale, spécialement au XVIIe s. les personnes qui se retirèrent à l'abbaye de Port-Royal (*les solitaires de Port-Royal*) puis certains ordres religieux (1701), et par ailleurs une personne qui a l'habitude de vivre seule (1680). ◇ En parlant de choses ou d'animaux inférieurs, l'adjectif s'applique à ce qui n'est pas accompagné d'éléments de son espèce, d'abord en architecture, avec *colonne solitaire* «isolée» (1710), puis dans la locution ***ver solitaire***, nom usuel du ténia (1759), substantivé en *le, un solitaire* (1771, et jusqu'au milieu du XIXe s.). ◇ *Solitaire* s'emploie en botanique à propos d'une fleur portée au sommet d'une hampe non ramifiée (1805), en zoologie (1839) d'un animal qui vit isolé, opposé à *social*. ◇ À propos d'objets non vivants, *solitaire* se dit en physique dans *électron solitaire* «qui n'a pas de symétrique à l'intérieur d'un atome». ◆ C'est avec la même valeur que **SOLITAIRE** n. m. prend diverses acceptions; le nom désigne (1752) un jeu qui se joue seul et, par métonymie, le matériel avec lequel on y joue; il a désigné (1765) une espèce de quadrille qu'on danse seul. C'est aussi (1798) le nom d'un diamant monté seul. S'agissant d'êtres vivants, il s'emploie (1764) à propos d'un oiseau de grande taille des îles Mascareignes que l'on extermina au XVIIIe s. et en vénerie (1834) d'un sanglier mâle âgé qui a quitté toute compagnie, le mot *sanglier*, qui signifie lui-même «solitaire», étant démotivé. *Un solitaire* se dit aussi d'autres animaux sociaux lorsqu'ils vivent isolés (*vieux solitaire*, d'un éléphant). ◇ De *navigateur* et *navigation solitaire* vient l'expression ***en solitaire***, d'une traversée.

▸ De l'adjectif procèdent **SOLITAIREMENT** adv. (v. 1190) et le terme de psychiatrie **SOLITARISME** n. m. (attesté en 1968).

SOLITUDE n. f. est un emprunt (1213) au latin *solitudo* «lieu désert», «vie isolée (de qqn)», «état d'abandon» et «absence, manque», dérivé de *solus*. ◆ Le nom désigne (1213) le caractère, l'atmosphère solitaire d'un lieu. Par extension, il se dit (v. 1265) d'un lieu désert, non fréquenté, spécialement (1508) d'une étendue inculte (cf. *désert*), valeurs devenues littéraires et archaïques, le sens de «lieu, habitation solitaire» (XVe s.) étant sorti d'usage. ◇ *Solitude* s'emploie en parlant de la situation d'une personne seule, de façon momentanée ou durable, qui vit seule (1393), emploi rare avant le XVIIe s. (1636), où le mot reprend un sens du latin, désignant (av. 1648) l'état d'abandon, d'isolement* où se sent l'homme vis-à-vis de la société, de Dieu. ◇ *Solitude de*, «manque de» en parlant de personnes (1669), est un latinisme sorti d'usage.

SOLIVE → ① **SOLE**

SOLLICITER v. tr. est emprunté (1332) au latin *sollicitare* «remuer, agiter fortement», «inquiéter, tourmenter», «exciter» et «attirer (l'attention)», dérivé de *sollicitus* «entièrement remué» et surtout, au figuré, «fortement troublé, inquiet». Le premier élément de cet adjectif est *sollus* «entier», d'origine osque (→ solennel), qui appartient à une famille indoeuropéenne dont procèdent aussi en latin *salvus* (→ sauf) et *solidus* (→ solide); le second, *citus*, est le participe passé passif de *ciere* «mettre en mouvement», «amener à soi» et «appeler, invoquer», éliminé à l'époque impériale par son fréquentatif *citare* (→ citer). *Sollicitare* a abouti en français par voie orale à *soucier**.

♦ Le premier emploi, *solliciter qqch. de qqn*, correspond d'abord à «demander avec insistance»; puis le verbe s'emploie avec la valeur affaiblie de «demander dans les formes»; de là vient le sens de «prier (qqn) en vue d'obtenir qqch.» (v. 1355), dans *solliciter qqn de faire qqch.* (1425) puis simplement *solliciter qqn* (1530). *Solliciter qqn de qqch.* pour «exiger de lui (un type de comportement, d'action)» [fin XVe s.] s'est employé à l'époque classique, par exemple dans *solliciter qqn de son déshonneur* «exiger de qqn des choses qui s'opposent à son devoir». ◇ Avec l'idée de *souci*, voire de soin, *solliciter* (un malade) [1350; 1332 en droit] s'employait encore à l'époque classique pour «prendre soin de», d'où le pronominal *se solliciter* (1771) «se soigner», et *solliciter un procès* «s'en occuper» (1549), encore relevé en 1878 (Académie). ◇ Depuis le XIVe s. (1356), le verbe s'emploie au sens latin, signifiant «inciter (qqn) de façon pressante, de manière à l'entraîner», d'emploi littéraire avec un sujet nom de personne; en même temps, il signifie (1356) «agir sur (qqch.) en éveillant, en stimulant» (*solliciter l'attention*). ◇ De l'idée d'inquiéter, on passe aux sens de «surveiller (par exemple un travail)» [1409] et «être sur ses gardes» (1499), sortis d'usage. ◇ Avec la valeur de «mettre en mouvement», le verbe a pris le sens d'«exercer une action, pour inciter à agir», le complément désignant une personne (1721) ou un animal (1842, *solliciter un cheval*). Le verbe signifie également «exercer une force sur (qqch.)» [1798], par influence probable de l'anglais. ◇ Avec la valeur de «faire appel à», *solliciter* s'emploie par figure au sens de «forcer l'interprétation de (un texte)» [1863, Renan], souvent au participe passé (*interprétation sollicitée*).

▸ Le dérivé **SOLLICITEUR, EUSE** n., d'abord écrit *soliciteur* (1347), puis avec deux *l* (1425), a désigné une personne qui sollicite (s'occupe de) un procès, une affaire, en visitant les juges (1549, *solliciteur de procès*); cette valeur demeure dans l'anglicisme *solicitor* n. m. (1864), emprunté au français par l'anglais au début du XVe s. et désignant un homme de loi britannique pouvant agir en tant qu'agent juridique. À cette valeur, disparue au XIXe s., se rattache l'emploi de *solliciteur* au sens de «personne qui s'occupe de qqch. d'une manière énergique», lui aussi sorti d'usage. ◇ *Solliciteur* adj. a signifié «qui a soin de, est empressé pour» (1444) et s'est appliqué à une personne inquiète (XVe s., *sollicitoux*). ➜ C'est au début du XVIe s. que le nom prend le sens moderne de «personne qui demande une faveur avec instance» (1527). ◇ Il a eu aussi le sens de «suborneur» (1636, encore au début du XVIIIe s.).

SOLLICITUDE n. f., emprunté (v. 1265) au dérivé latin *sollicitudo* «inquiétude, souci», désigne le soin avec lequel on s'applique à qqch. (v. 1265) et plus couramment les soins attentifs à l'égard d'une personne (v. 1370), seule valeur vivante en français actuel, le mot étant détaché du reste de la famille par ce sémantisme. Il s'est employé (XIVe s., *solicitude*) au sens de «souci, inquiétude», valeur considérée comme archaïque dès l'époque classique. ◇ *Les sollicitudes de ce monde* a signifié dans le vocabulaire religieux «soins des choses temporelles» (1553); on trouve encore au XVIIIe s. *sollicitudes du siècle* (1718).

SOLLICITATION n. f. est emprunté (1404, *solicitation;* écrit avec deux *l*, 1491) au dérivé latin *sollicitatio* «sollicitation, instigation» en latin classique, puis «souci» en bas latin. ➜ Le nom a signifié «instigation» (1404) puis «soin qu'on prend à la poursuite d'un procès» (1482, *solicitacion*), sens relevé jusqu'en 1878. ◇ Il désigne une prière instante (1490) et une démarche pressante pour obtenir qqch. (1664), valeur demeurée vivante. ◇ En relation avec la valeur physique du verbe, *sollicitation* se dit aussi (fin XIXe s.) d'une force qui s'exerce sur un corps et (XXe s.) de l'action psychologique ou physique exercée sur une personne *(techniques de sollicitation)*, par influence probable de l'anglais.

SOLO

SOLO n. m. est emprunté (1703, var. *soli*, 1740) à l'italien *solo*, terme de musique, proprement «seul», du latin *solus* (→ seul).

♦ Le mot désigne un morceau joué ou chanté par un seul, d'où *violon, piano,* etc. *solo* «musicien chargé des solos de violon, de piano, etc.» (1842). Au pluriel, il s'écrit *des solos* ou, comme en italien, *des soli* (1876). ➜ Par extension, *solo* s'est dit (1798) d'une voiture à une place, puis d'un coup fait seul, au boston (1875). Ces acceptions, comme ***faire solo*** «jouer seul contre les autres joueurs, au tarot» (1933), ont vieilli. ◇ En argot, *solo*, équivalant à *seul* (déb. XXe s.), succède au dérivé argotique de *seul*, *seulo* (1883). ➜ ***En solo*** loc. adj. ou adv., signifiant en musique (1877) «sans accompagnement», s'emploie aussi à propos d'une activité qui se pratique généralement en équipe, d'où *spectacle solo* ou *solo* «assuré par un seul artiste sur scène» (1973), qui est la recommandation officielle pour remplacer l'anglicisme *one man show* (→ show). ◇ Par analogie, on dit *camion solo* «sans sa remorque» (v. 1970).

▸ **SOLISTE** n., terme de musique (1836), dérive de *solo* ou est une adaptation de l'italien *solista*.

SOLSTICE

SOLSTICE n. m., francisation (v. 1280, J. de Meung) de la forme latinisée *solsticiun* (v. 1119), est emprunté au latin classique *solstitium* «solstice», littéralement «arrêt du soleil», mot composé de *sol, solis* «soleil*» et de *-stitium*, second élément entrant dans la composition de substantifs, tiré de *stare*, au supin *statum*, «être debout», «être immobile» (→ ester).

♦ Le mot désigne chacun des deux moments de l'année où le soleil est à son plus grand éloignement angulaire du plan de l'équateur, dans ***solstice d'hiver*** (21 ou 22 décembre) et ***solstice d'été*** (21 ou 22 juin), respectivement le plus court et le plus long des jours de l'année. ◇ En astronomie, *solstice* (1756) s'applique à chacun des points de l'écliptique correspondant aux deux époques où le soleil atteint son plus grand éloignement. Le mot est peu employé jusqu'au XVIe siècle. ◇ On trouve isolément le sens figuré de «point culminant, apogée» (*soltice*, fin XVIe s.; *solstice*, 1671), sorti d'usage.

▸ **SOLSTICIAL, ALE, AUX** adj. est emprunté (v. 1380) comme l'ancien provençal (v. 1350) au latin classique *solstitialis* «du solstice d'été», «de l'été», dérivé de *solstitium*. ◇ Il qualifie dans l'usage didactique ce qui est relatif aux solstices (1671, *points solsticiaux*).

SOLUBLE

SOLUBLE adj. est emprunté (fin XIIe s.) au bas latin *solubilis* «qui se dissout, se désagrège» et aussi «qui dissout, relâche», dérivé de *solvere*, au supin *solutum*, «délier, détacher» au propre, et au figuré «dissoudre, désagréger», «payer, acquitter» (→ solution).

♦ L'adjectif a d'abord qualifié dans le vocabulaire religieux une faute qui peut être effacée, en liaison avec l'ancien français *souldre* (→ absoudre) (v. 1170), et a signifié «périssable, qui peut être réduit à néant» (v. 1270). ◇ C'est aussi au XIIIe s. que *soluble* prend le sens concret de «qui peut se dissoudre dans un liquide» (1267) qui s'est conservé, notamment en pharmacie (1752), en chimie, puis dans l'usage général. On a dit aussi *dissoluble* adj. (XIIIe s., hapax, repris en 1636), d'après *dissoudre*. ◇ L'adjectif s'applique au figuré à ce qui se fond dans ce qui l'entoure (1874, Verlaine). ◇ Sous l'influence de *solution**, *soluble* se dit enfin d'une situation, d'un problème qui peut être résolu.

▸ *Soluble* a fourni deux dérivés didactiques. ➜ **SOLUBILITÉ** n. f. désigne (1753) la propriété de ce qui peut se dissoudre, spécialement en chimie. ➜ **SOLUBILISER** v. tr. (1877), «rendre soluble par un traitement approprié», a donné (mil. XXe s.) **SOLUBILISANT, ANTE** adj. et n. et **SOLUBILISATION** n. f., équivalent rare de *dissolution**.

INSOLUBLE adj. est la réfection (v. 1245) de *insoluble*, n. m. (v. 1220), emprunt avec traitement du *in-* (cf. *illégal*) au latin impérial *insolubilis* «dont on ne peut s'acquitter», puis «inconstestable», «qu'on ne peut détruire» et en bas latin «indissoluble». ➜ Le nom *(un insoluble)* a désigné (v. 1220) une question qu'on ne peut résoudre, valeur qu'a conservée l'adjectif (1549). ◇ *Insoluble* s'est dit (fin XVIe s.) à l'époque classique d'un lien qui ne peut être dénoué (cf. *indissoluble*) et s'est appliqué à ce qui est indiscutable (déb. XVIIe s.). ◇ Il qualifie concrètement, depuis le XVIIIe s., ce qui ne peut se dissoudre dans un liquide. ➜ Il a servi à former **INSOLUBILITÉ** n. f.

qui désigne (1627) le caractère de ce qu'on ne peut résoudre puis, en chimie (1765), celui d'une substance qu'on ne peut dissoudre, et **INSOLUBILISER** v. tr. (1872), terme de chimie qui a donné **INSOLUBILISATION** n. f. (1886).
Le composé **SOLUCAMPHRE** n. m. (XXe s.) de *camphre**, est un nom déposé qui désigne en pharmacie un dérivé du camphre, soluble dans l'eau et employé comme catatonique.

SOLUTION n. f. est un emprunt (1280, F.e.w.; déb. XIIIe s. selon T.L.F.), d'abord écrit *soluciun* (v. 1119) au latin classique *solutio* «dissolution, désagrégation», au figuré «dégagement, aisance» et aussi «paiement, acquittement» et «explication»; en latin ecclésiastique, *solutio* signifiait «absolution» (996-1006), «délivrance, salut». Ce nom dérive de *solutum*, supin de *solvere* «détacher, délier», spécialement «dételer» et en marine «lever l'ancre»; le verbe a pris des sens spéciaux : «payer, s'acquitter d'une dette» en droit, «s'acquitter d'un vœu»; du sens de «détacher» on est passé à ceux de «relâcher des liens», «désagréger, dissoudre» et «résoudre». *Solvere* est formé de *se*, particule marquant la séparation, l'éloignement (→ séduire), surtout employée comme préverbe (*se-* ou *so-*) et de *luere* «délier», d'où en droit «acquitter une dette», et «expier». Ce verbe d'emploi rare a été remplacé par *solvere* (→ absoudre, dissoudre, résoudre), sa base demeurant dans *luxe, luxer, luxure, luxuriant*. *Luere* a son correspondant exact en grec avec *luein* «délier» (→ analyse); la même famille indoeuropéenne est représentée aussi par le gotique *lun* «rançon», le grec *lutron*.

♦ Le mot apparaît pour désigner une explication puis le dénouement d'une difficulté (v. 1370) en parlant de situations concrètes, et le résultat d'un problème de mathématiques (*in* Furetière, 1690), en concurrence avec *résolution*, comme substantif verbal de *résoudre*. ◇ Le mot avait repris au début du XIIIe s. le sens latin de «paiement» (1208), en droit (XIVe s.) le paiement final d'une dette de jurisprudence. ◇ Il a eu le sens de «pardon, absolution (d'un péché)» [1259] d'après le latin ecclésiastique (cf. *absolution*). ◇ En chirurgie, d'après le latin médical, il s'est employé comme nom collectif des plaies et des fractures dans ***solution de continuité***, (1314) locution qui signifie aujourd'hui «séparation», puis en parlant de choses concrètes (1546) et abstraites (1680); en médecine, il désigne la séparation des tissus qui sont normalement continus. ◇ Avec l'idée de délier, *solution* s'est employé en droit pour «annulation (d'une loi)» [v. 1360] d'où, à l'époque classique, *solution de mariage* «divorce» (1549), sens sortis d'usage et continués par *dissolution*. ◇ Au XVIIe s. (1676), d'après un sens de *solvere*, *solution* désigne l'action de dissoudre (un solide) dans un liquide et le fait de se dissoudre; par métonymie, le mot se dit pour le mélange obtenu (1811), d'où, par exemple, *solution saturée* (XXe s.) et par analogie *solution solide* (1897). ◇ Il s'est employé au sens de «relâchement du ventre» (1793; XIVe s., dialectal dans le Nord), sens encore relevé en Belgique au XXe siècle. Il est aussi attesté pour «fin d'une maladie» (1793), et aujourd'hui avec la valeur de «terminaison, issue», en parlant d'une situation compliquée (1871). ***Solution finale***, en histoire (mil. XXe s.), traduit l'euphémisme allemand destiné à masquer le projet d'extermination des juifs par les nazis.

▶ **SOLUTIONNER** v. tr., «résoudre», attesté chez Babeuf (1795) est rare avant 1894. Ce verbe, condamné par les puristes, a dû sa diffusion au fait que *résoudre* est un verbe très irrégulier. ◇ Il a fourni **SOLUTIONNEMENT** n. m. (déb. XXe s.), équivalent critiqué de *résolution*. ◇ **SOLUTIONNISTE** adj. et n. (1872, *solutioniste*), rare, s'est dit d'une personne qui recherche systématiquement des solutions.
SOLUTÉ n. m., dérivé savant de *solutus* «dissous», succède (1836) à l'emprunt au latin *solutum* (1814); le mot désigne en pharmacie une préparation liquide formée par la dissolution d'une substance solide dans un liquide puis, en chimie, une substance dissoute dans un solvant (par exemple le chlorure de sodium dissous dans l'eau).
④ **SOL** n. m. (attesté 1933) reprend l'anglais *sol* (1869), tiré de *sol(ution)*. Le mot désigne en chimie une solution colloïdale. ➛ Le composé **AÉROSOL** n. m. (1928), de *aéro-*, désigne en médecine une suspension très fine de particules solides ou liquides dans un gaz; le mot s'applique couramment à la projection d'une préparation réduite en brouillard et désigne une bombe à aérosol *(un aérosol)*.
◈ voir **SOLVABLE, SOLVANT.**

SOLUTRÉEN, ENNE adj. et n. m. dérive (1868) de *Solutré*, nom d'un site préhistorique de Bourgogne (en Saône-et-Loire).

♦ Ce terme didactique qualifie et désigne une période du paléolithique récent, en France, et la culture qui y correspond.

▶ Le composé **SOLUTRÉO-MAGDALÉNIEN, IENNE** adj. (XXe s.) de *magdalénien**, qualifie ce qui est relatif aux époques et aux civilisations solutréenne et magdalénienne.

SOLVABLE adj. est un dérivé savant (av. 1325) du latin *solvere* au sens de «payer, acquitter» (→ solution).

♦ *Solvable* se dit en droit d'une personne qui a les moyens de payer ses créanciers; il est peu usité avant le XVIe s. en ce sens; on a dit aussi jusqu'à la fin du XVIe s. *solvent, ente* adj. (1376), emprunt au participe présent de *solvere*. C'est la seule valeur du mot qui soit restée en usage. ◇ *Solvable* s'est aussi appliqué à ce qui doit être payé, en parlant d'une rente, d'une dette (1356), acception disparue depuis le XVIIe siècle. L'adjectif a qualifié par extension (1485) une personne incapable de faire face à ses obligations, sens conservé jusqu'au XIXe s. et assumé aujourd'hui par *insolvable*.

▶ En dérive **SOLVABILITÉ** n. f. (1662) «possibilité de payer (ses dettes)».
➛ Le préfixé **INSOLVABLE** adj. a d'abord qualifié (1431) ce qui ne doit pas être payé; le sens moderne juridique, «qui ne peut payer ce qu'il doit», apparaît au début du XVIIe s. (1611). ◇ *Un insolvable* n. m. a désigné (1690) jusqu'au milieu du XIXe s. une personne qui n'a pas de quoi payer un créancier.

◇ L'adjectif s'est aussi appliqué plus généralement (av. 1654) à une personne qui ne peut pas faire ce qu'elle doit, acception relevée jusqu'en 1873. ➜ **INSOLVABILITÉ** n. f. se dit (1603) pour «état d'une personne insolvable».

SOLVANT n. m. est un dérivé savant (1888) du latin *solvere* au sens de «dissoudre» (→ solution).

♦ Ce terme technique et didactique (chimie, pharmacie) désigne une substance, généralement liquide, qui a la propriété de dissoudre d'autres substances (cf. *dissolvant*) et spécialement le constituant d'une solution dans laquelle a été dissous un soluté, généralement solide.

▸ **SOLVATATION** n. f. (1949) et **SOLVATISATION** n. f. (1933) ont été dérivés, le premier du radical de *solvant*, le second du verbe sorti d'usage *solvatiser* «combiner (un corps dissous) avec son solvant» (1933), lui-même dérivé savant du radical de *solvant*. Ce terme de chimie désigne une association moléculaire entre un soluté et son solvant. ➜ **SOLVATE** n. m. (1933) «corps obtenu par solvatation» est lui aussi tiré du radical de *solvant*.

◈ voir DISSOUDRE (DISSOLVANT).

SOMA n. m. est un emprunt savant (1892, trad. de Weissmann, créateur du terme en allemand) au grec *sôma, sômatos* «corps», mot d'origine inconnue.

♦ Il désigne en biologie l'ensemble des cellules non reproductives de l'organisme, par opposition au *germen** (→ germe). ◇ Le moyen français a eu l'hellénisme *somate* n. m., «corps, membre», attesté chez Rabelais (1546) et dans Cotgrave (1611).

▸ **SOMATION** n. f. (1921, Cuénot) «acquisition de caractères qui modifient le soma sans modifier le support biochimique du patrimoine génétique», dérive de *soma*.

Le grec *sôma* a servi à former le dérivé savant **SOMITE** n. m., terme d'embryologie (1891) et de zoologie (1904), emprunt probable à l'anglais *somite* (1869) ou à l'allemand *Somite*, de même origine.

SOMATIQUE adj. est emprunté (1620, avec un sens biologique non précisé) au grec *sômatikos* «du corps, corporel», dérivé de *sôma*. ◇ Sorti d'usage, reformé au XIXe s. (1855), le mot s'applique en médecine et en psychologie à ce qui concerne le corps, opposé à *psychique* (1904, *symptômes somatiques*). À partir de Weissmann (trad. 1892, comme pour *soma*), il qualifie ce qui est relatif au soma, opposé à *germinal* ou *germinatif;* cet emploi a disparu.

L'adjectif a produit des termes propres de psychanalyse et de psychologie, passés dans l'usage courant par la vulgarisation de ces sciences. ➜ **SOMATISER** v. tr. (mil. XXe s.) de *somatique*, d'après le grec *sômatizein* «revêtir d'un corps, incarner», signifie «rendre somatique (un trouble psychique)» et absolument «présenter des troubles physiques, somatiques, d'origine psychique». ◇ En dérive **SOMATISATION** n. f. (mil. XXe s.) qui désigne le fait de somatiser, de se somatiser (cf. angl. *somatization*, 1921). ➜ **PSYCHOSOMATIQUE** adj. et n. f. est composé (1904) d'après l'allemand *psychosomatisch*. L'adjectif qualifie ce qui est relatif à la fois à l'organisme et au psychisme ; didactique en parlant de ce qui se rapporte aux troubles organiques ou fonctionnels liés à des facteurs psychiques, il s'applique spécialement à ce qui concerne la médecine consacrée à ces troubles (*psychosomatique*, n. f.). Il s'emploie notamment (1952, Porot) dans *affections, manifestations, désordres psychosomatiques*, de nature organique et causés ou aggravés par des facteurs psychiques. ◇ **PSYCHOSOMATICIEN, IENNE** n. (1946) désigne un spécialiste de la médecine psychosomatique.

SOMATO-, élément tiré du grec *sôma, -atos*, entre dans la composition de termes de médecine et de biologie. ◇ On relève dès le XVIIIe s. le terme de médecine sorti d'usage **SOMATOLOGIE** n. f. (1762), de *-logie*, qui se disait de l'étude des parties solides de l'organisme. ◇ En médecine et en biologie, **SOMATOTROPE** adj. (1941) de *-trope*, signifie «qui agit sur le corps» *(hormones somatotropes)*, d'où **SOMATOTROPIQUE** adj. (1973). ➜ **SOMATOPSYCHIQUE** adj. (1946) de *-psychique*, qualifie en médecine ce qui concerne à la fois les caractères physiologiques de l'organisme et les particularités psychiques d'un individu, spécialement ce qui est relatif aux procédés physiques, chimiques, appliqués aux faits psychiques (inverse de l'opération dite *psychosomatique*). ➜ **SOMATOGÈNE** adj. (1961) de *-gène*, qualifie ce qui a son origine dans les tissus ou les organes et s'oppose à *psychogène*. ➜ **SOMATOSTATINE** n. f. (1972) du radical *-stat-*, du grec *statos* «stable», désigne une hormone peptidique du cerveau.

-SOME est un second élément tiré du grec *sôma*, par exemple dans *chromosome**.

◈ voir TRISOMIE.

① **SOMBRE** adj., relevé au XIVe s. dans le syntagme *sombre cop* [coup] (1374, dans le Nord), est probablement plus ancien : le composé *essombre* «obscurité, lieu obscur», formé du préfixe *es-* à valeur intensive (du latin classique *ex-*), est attesté dès le XIIe s. (av. 1179, T.L.F.). On dérive généralement *sombre* d'un verbe hypothétique °*sombrer* «faire de l'ombre», issu d'un bas latin *subumbrare* (v. 400), qui n'est attesté que deux fois et aurait disparu à époque prélittéraire ; de là viendraient aussi l'espagnol, le catalan et le portugais *sombrar* qui a fourni *sombra;* l'ancien provençal *solombrar* «mettre à l'ombre», comme l'ancien espagnol *solombra* «ombre», aurait subi l'influence de *sol* «soleil*» ou bien serait une contraction (avec altération consonantique) de *sotzombrar*, *sotz* venant du latin *subtus* «sous*». L'hypothèse d'un radical gaulois n'est pas corroborée. *Subumbrare* est composé de *sub-* (→ sub-) qui marque la position inférieure et de *umbrare* «faire de l'ombre», dérivé de *umbra;* (→ ombre). ◈

♦ *Sombre coup*, «meurtrissure» (XIVe s.), est relevé jusqu'en 1604, et encore signalé par Littré. ◇ Depuis le XVIe s., l'adjectif s'applique couramment (1530) à ce qui reçoit peu de lumière, est peu éclairé, d'où spécialement *un temps sombre* «couvert, pluvieux» (1530), et *il fait sombre*. Le mot a été substantivé au XVIe s. (1572) mais cet emploi n'a pas survécu (cf. *le noir, les ténèbres*). ◇ Par extension, l'adjectif qualifie ce qui est privé de lumière (mil. XVIe s.), en particulier en mythologie dans *les sombres bords, les sombres rivages* «les Enfers», et dans l'emploi figuré pour «qui frappe peu l'attention» (1603) sorti d'usage. ◇ Il se dit de ce qui donne peu de clarté (1636) et s'applique aussi (1694) à une teinte qui se rapproche du noir ou est mêlée de noir. ◇ L'adjectif s'emploie dans le vocabulaire des eaux et forêts, dans la locution ***coupe sombre*** (1863; → coupe). ◇ Il se dit par analogie d'une voix grave ou voilée (1855), spécialement en phonétique dans *voyelle sombre* (1933), opposé à *voyelle claire*. ◆ À l'idée d'obscurité sont liées les notions morales et psychologiques de tristesse et de menace et, dès le milieu du XVIe s., se développent des emplois métaphoriques ou figurés qui correspondent à ces notions. *Sombre* s'applique (1580) à ce qui évoque l'austérité, emploi disparu. ◇ Il qualifie (fin XVIe s.) une personne dont les pensées, les sentiments sont empreints de tristesse, d'abattement; par extension, il se dit (1548) de choses d'une tristesse tragique ou menaçante, équivalant alors à *sinistre, inquiétant;* ces emplois sont restés courants. L'adjectif s'emploie spécialement (av. 1778) à propos d'un projet nuisible qui se prépare en secret, dans l'ombre. ◇ Depuis le milieu du XIXe s., *sombre* est utilisé familièrement avant un nom (1869) comme intensif, pour renforcer un terme dépréciatif, comme *sinistre (un sombre idiot)*. ◇ C'est avec l'idée de menace que l'argot avait repris le mot, *la sombre* n. f. (1880) ayant désigné la préfecture de police.

▸ Le dérivé **SOMBREMENT** adv. signifie «d'une manière qui se fait peu remarquer» (1433), sens conservé jusqu'au début du XVIIe siècle. L'adverbe prend ensuite (fin XVIIe s.) sa valeur actuelle «d'une manière triste», l'emploi au sens concret étant rare. ◆ ① **SOMBRER** v. tr. a signifié «rendre sombre» (1611), valeur où il est remplacé par *assombrir* (ci-dessous). Il est rare et littéraire au sens de «rendre sourd», à propos de la voix (1840), sens pris par *assourdir* (→ sourd). ◆ **SOMBREUR** n. f., autre dérivé de *sombre,* mot littéraire et rare, désigne l'état de ce qui est peu éclairé (1823), et d'une chose tragique, sinistre (1881, d'une personne), le caractère de ce qui a une couleur sombre, foncée (1879).

ASSOMBRIR v. tr., formé de *a-*, *sombre* et suffixe verbal, attesté isolément au sens de «rendre obscur» (1597), est repris à la fin du XVIIIe siècle. ◇ Il s'emploie par analogie à propos des sonorités (XIXe s.) et aussi avec une valeur figurée (av. 1791), souvent au pronominal *s'assombrir* «devenir sombre, triste». ◆ Le dérivé **ASSOMBRISSEMENT** n. m. est d'abord relevé au figuré (1801) puis (1873) avec une valeur concrète. ◆ **ASSOMBRISSANT, ANTE** adj. s'applique concrètement à ce qui rend sombre (1927-1930), en parlant de la lumière et des sons, et est employé au figuré pour «attristant» (1937, Gide, *Journal*).

SOMBRERO n. m. (1615), d'abord francisé en *sombrère* (v. 1590), est un mot emprunté à l'espagnol où il est dérivé de *sombra* «ombre». ◇ Rare jusqu'au XIXe s. (1833, Th. Gautier), le mot désigne un chapeau à larges bords, porté surtout en Amérique latine.

① SOMBRER → SOMBRE

② SOMBRER

② SOMBRER v. intr. vient (1654), avec influence de *sombre* et par aphérèse, de l'ancien verbe *soussoubrer* «se renverser à la suite d'un coup de vent» (1614); la graphie *soussombrer* n'est attestée qu'au XIXe s. (1848, *Dictionnaire nautique* de Jal) mais est probablement plus ancienne. *Soussoubrer* est emprunté à l'espagnol *zozobrar* ou au portugais *sossobrar* «se renverser, chavirer», eux-mêmes du catalan *sotsobre* «sens dessus dessous». Cet adverbe est composé de *sots* «sous», issu du latin classique *subtus* (→ sous) et de *sobre* «au-dessus», du latin classique *supra* (→ sur).

◆ Le verbe, d'abord attesté dans *sombrer sous les voiles* (1654) et absolument dans *sombrer* (1687), signifie «s'enfoncer dans l'eau, faire naufrage» en parlant d'un navire. ◇ Il s'emploie par figure au sens de «disparaître, s'anéantir» (1830). *Sombrer à,* sorti d'usage, puis *sombrer dans* (fin XIXe s.), signifie «être entraîné sans pouvoir réagir dans ce qui anéantit» (1862, *sombrer dans le sommeil*) ou «être entraîné dans un état fatal, tragique» (1862, *sombrer dans la folie*); il s'emploie aussi absolument (1902, *sa raison a sombré*).

③ SOMBRER v. tr. est issu (1296; plus ancien, d'après le dérivé) d'un latin populaire °*somarare* «donner le premier labour à (une terre)», formé à partir d'un radical gaulois °*somaro-* «terre en repos», élargissement de °*samo-* «été»; on retrouve une base proche dans les langues germaniques avec l'ancien haut allemand *sumar* (cf. anglais *summer* et allemand *Sommer* «été»).

◆ Ce terme d'agriculture ancienne signifiait «être en jachère» en parlant d'une terre.

▸ Le dérivé ② **SOMBRE** n. f. «jachère» (1169) et «premier labour» (1260) ne s'est maintenu que dans les dialectes.

SOMITE → SOMA

SOMMAIRE adj., attesté au XIVe comme nom et au XVIe s. comme adjectif (1538), est sans doute antérieur : l'adverbe *sommairement* est relevé dès la fin du XIIIe s. (v. 1288); mais l'adjectif ne semble usuel qu'au XVIe siècle. Le nom (XIVe s.) est un emprunt au latin impérial *summarium* n. m. «abrégé», substantivation du neutre d'un adjectif inusité, dérivé de *summa* «somme» (→ ① somme).

◆ Le nom conserve le sens latin de «bref exposé, résumé». Il désigne aujourd'hui l'abrégé du contenu d'un ouvrage, plus détaillé que la table des matières. ◆ L'adjectif s'applique à ce qui est résumé brièvement (1539); en droit, il qualifie (1549) des causes, des affaires qui doivent être jugées promptement, avec peu de formalités, d'où ***jugement sommaire*** «rendu sur certaines contestations qui requièrent célérité» (1842), ***exécution sommaire*** «faite sans jugement préalable» (1871), et l'emploi plus général pour «expéditif» (1843). ◇ De l'idée d'«abrégé» on est passé à celle de «petitesse» avec l'adjectif qualifiant ce qui est réduit à l'état le plus simple, le plus succinct, (1615), par exemple dans la locution adverbiale *en sommaire* (1690), qui a disparu au XIXe siècle, puis comme adjectif pour «petit» (1708, ***une taille sommaire***).

▶ **SOMMAIREMENT** adv. signifie en droit «sans formalités» (v. 1288), en général «brièvement» (1397) et d'après le sens extensif de l'adjectif, «de façon élémentaire» (1886).

① SOMMATION → ① SOMME

② SOMMATION → ③ SOMMER

◈ ① **SOMME** n. f. est la réfection d'après les deux *m* du latin (XIIIe s.) de *sume* (v. 1155), *some* (1160-1170), issu par évolution phonétique du latin classique *summa*, abréviation de *summa linea* «la ligne d'en haut», les Romains comptant de bas en haut; le mot désigne le total formé par la réunion des éléments d'un compte et, par extension, une somme d'argent, une totalité, un ensemble; *summa* signifie aussi «la place la plus haute», «le point le plus élevé», par figure «la partie essentielle», «l'apogée», et s'emploie dans des locutions adverbiales: *ad summam* «au total» et «pour ne pas entrer dans les détails», *in summa* «au total» et en bas latin «enfin». *Summa* est la substantivation du féminin de *summus* «le plus haut, le plus élevé» au propre et au figuré, employé comme superlatif de *super* «sur; au-dessus» (→ super-) à côté de *supremus* (→ suprême).

♦ Le mot s'est employé en ancien français (v. 1155, *sume;* v. 1190, *some*) pour désigner la substance, l'essentiel d'une affaire, d'un écrit, d'où la locution *ce est la some* «voici l'essentiel» (1160-1170), «c'est sûr, en vérité» (v. 1175). ◇ Le sens de «vérité» (1247) est sorti d'usage comme l'emploi de *sommes,* n. f. pl., pour «Histoire sainte» (1316), la vérité par excellence à cette époque. ◇ La première valeur demeure dans le vocabulaire didactique, où *somme,* après avoir désigné un recueil qui contient la totalité des événements (v. 1245), s'emploie à propos d'une œuvre qui résume l'ensemble des connaissances relatives à une science, à un sujet (1479, in *G. L. L. F.*); ce sens est un réemprunt au latin : au XIIIe s., Thomas d'Aquin intitulait une de ses œuvres *Summa Theologiae.* ◇ Dès le XIIe s. apparaît la locution adverbiale ***en somme*** (v. 1160), calque du latin *in summa* (cf. italien *in somma*) signifiant «enfin, en résumé», puis «quant à l'essentiel» (1370); on a employé aussi *somme* adv. pour «enfin» (XVe s.), encore chez La Fontaine. ➡ En ancien français et dès les premiers textes, l'idée d'extrémité se réalise dans l'acception de «fin, achèvement» (v. 1155, *sume*), d'où «fin (de la terre)» [v. 1250, *some*], et dans la locution *mettre a some* «détruire complètement» (v. 1240); cette valeur, que le français moderne n'a pas conservée, apparaît aussi en ancien provençal dans *esser a soma* «aboutir» (v. 1200). ◇ Par ailleurs, *somme* a signifié au figuré, comme en latin, «le plus haut point» (v. 1240) [→ sommet], valeur qui correspond à l'ancien provençal *soma* (v. 1220), et qui paraît peu attestée. Ces deux valeurs ont disparu. ➡ À la fin du XIIe s., le mot reprend un autre sens du latin, désignant un total formé de quantités additionnées, acception réalisée par exemple dans *somme toute* (v. 1320), *toute somme* (1352), aujourd'hui *somme totale* «somme formée par l'addition de sommes partielles» (1538), puis *somme algébrique* (1637, *somme*), «qui porte sur des expressions algébriques», *somme géométrique* (1845, Saint-Venan) et au XXe s. *somme logique* (1947), *somme de contrôle* «effectuée à titre de vérification» en informatique (v. 1968). ◇ L'expression ***somme toute,*** devenue archaïque au sens propre, est demeurée, signifiant (1464) «en résumé, au total» et servant de présentateur en tête de phrase. ◇ De cette valeur vient également (1270) pour *somme* le sens de «certaine quantité (d'argent)», [v. 1380], d'où *somme d'argent* «quantité déterminée d'argent»; *haute somme* a désigné (1723) dans la marine une dépense faite pour l'avantage de l'équipage, sens encore relevé par Littré. *C'est une somme*, employé absolument, correspond à «beaucoup d'argent». ◇ Par extension, *somme* se dit comme en latin d'un ensemble de choses abstraites qui s'ajoutent (fin XIVe s.), d'une quantité considérée dans son ensemble. Avec une valeur concrète le mot s'est employé dans le vocabulaire technique, désignant une certaine quantité de verre (1676, *somme de verre*) ou de clous (1723); ces valeurs ont disparu.

▶ Le nom a fourni ① **SOMMER** v. tr. (v. 1225) qui veut dire «faire le total de (un compte ou des objets quelconques)», spécialement en mathématiques (1762); il a été éliminé par *additionner.* ◇ Il s'est employé avec un sujet nom de choses au sens de «monter à la somme de» (1314). ◇ Il a signifié aussi «payer» d'abord comme intransitif (1382) puis comme transitif (1493). ➡ De *sommer* dérive ① **SOMMATION** n. f. (v. 1450, *sommacion*), terme didactique qui désigne l'action d'ajouter, le fait de s'ajouter à qqch. (cf. *addition*). Écrit *sommation* depuis le début du XVIIe s. (1611), il s'emploie spécialement en mathématiques (1762), l'action d'effectuer la somme étant symbolisée par *Σ (sigma).* En physiologie, il se dit (v. 1900) de l'effet produit par l'addition de plusieurs stimulations de même espèce, et de l'accroissement des effets d'une stimulation durable. ➡ **SOMMABLE** adj., autre dérivé du verbe (1942, Valéry), signifiant «dont la somme peut être calculée», est didactique.

SOMMÉ, ÉE adj., réfection (v. 1375) de *sonmé,* est le participe passé adjectivé de l'ancien français *sommer* «achever, terminer» (1226), qui a donné par un sens nouveau le verbe ③ *sommer**. L'adjectif a signifié en fauconnerie (v. 1375) «achevé, parvenu à son entier développement» en parlant des pennes d'un faucon mué, acception encore relevée en 1875. ◇ De là *sommées* n. f. pl. (1765) «pennes d'un oiseau de fauconnerie qui ont atteint tout leur développement». ◇ *Sommé* s'applique aussi (v. 1390) en vénerie à un cerf qui a des trochures à la sommité de sa tête. Il rejoint alors le sémantisme du latin *summus* (→ sommet). De même, en termes de blason, *sommé* qualifie (v. 1375) un cerf dont la ramure est d'un émail particulier et se dit (1581) quand une pièce est en contact avec celle qui la surmonte. ➡ Enfin ② **SOMMER** v. tr., dérivé de *sommé* ou de l'ancien français *som* «sommet*», signifie (1636) en termes de blason «couronner, orner au sommet».

◈ voir CONSOMMER, ③ SOMMER, SOMMET.

② **SOMME** n. f., dans *bête de somme,* représente la réfection (1195) de *some* (v. 1140) et *sume* (déb. XIIe s.), issus du latin médiéval *sauma* (VIIe s.), variante tardive de *sagma* (IVe s.) «bât», «chargement suspendu au bât». Ce dernier est un emprunt au grec *sagma* «selle, bât», «entassement, amas» et, par ailleurs, «large manteau», «enveloppe d'un bouclier». Le latin *sauma* a aussi donné l'italien *soma* «charge».

♦ Le mot désigne depuis le XIIe s. la charge que peut porter un cheval, un mulet, acception relevée jusqu'en 1878 par l'Académie. ◇ Le seul emploi vivant en français moderne est la locution ***bête de somme*** (1596) «bête de charge qui porte les fardeaux», appelée en ancien français par métonymie *sonme* (v. 1210), puis *somme* (v. 1360). On a dit aussi *cheval de somme* (1660). ◇ *Bête de somme* désigne par figure (1756) une personne durement exploitée à des travaux pénibles; à l'époque classique on a employé avec la même idée *servir à sac et à somme* «être soumis à des corvées» (1611). ➛ L'importance du transport des marchandises par les animaux explique que le mot ait eu, au moyen âge, des acceptions diverses, ainsi que des dérivés, tous disparus. ◇ *Somme* avait repris le sens étymologique de «bât» (v. 1230). Le mot s'employait aussi au figuré (v. 1175, *some;* v. 1340, *somme*) pour «peine», valeur qu'on rencontre jusqu'au XVIe s. (Ronsard). *Somme* désignait aussi une mesure pour le sel ou les liquides (1195), correspondant à ce qui pouvait être porté par un animal de charge, et, par ailleurs, un coffre qui se mettait sur les bêtes de somme (1328, *summe;* 1352, *somme*), d'où à l'époque classique l'expression *poisson de somme* (mis dans une somme) «qu'on transporte dans des paniers, à dos de mulet» (1690).

▸ Le nom avait servi à former en ancien français un verbe *sumeier* «porter une charge (en parlant d'une bête de somme)» [1080, *La Chanson de Roland*], qui n'a pas vécu. ➛ Il a eu pour dérivé ① **SOMMIER** n. m., terme militaire pour «fourrier» (1387), désignant au début du XVIIe s. (1606) l'intendant d'une communauté, puis (1685) l'officier fournissant les bêtes de somme lors des déplacements de la Cour, le nom ancien de cet officier, *sommelier,* se spécialisant alors pour le transport des vins (→ sommelier).

◈ voir ② et ③ SOMMIER, SOMMELIER.

③ **SOMME** → SOMMEIL

SOMMEIL n. m. est la réfection (v. 1160) des formes *summeil* (v. 1138), *someil* (v. 1150), issues du bas latin *somniculus* «sommeil léger», «sommeil de courte durée», lui-même dérivé du latin classique *somnus* «sommeil» et par figure «inaction, oisiveté», signifiant en poésie «la nuit» et employé dans des locutions comme *longus, frigidus somnus* «le long, le froid sommeil (de la mort)»; personnifié, *Somnus* est le nom d'un dieu, fils de l'Érèbe et de la Nuit. *Somnus* repose, comme *sopor* (→ assoupir, assouvir, soporifique), sur une forme °*swop-no-*, nom indoeuropéen du sommeil, ainsi que le sanskrit *svápnaḥ* ou, pour les langues celtiques, l'irlandais *suan;* avec un autre vocalisme, on rapproche aussi le grec *hupnos* (→ hypno-) ou le vieux slave *sŭnŭ* (russe *son*). La racine indoeuropéenne °*swep-*, °*sup-* «dormir» n'a pas été conservée en latin, qui lui a substitué *dormire* (→ dormir).

♦ Le mot, dès les premiers emplois, désigne l'état d'une personne qui dort, et l'état physiologique caractérisé entre autres par la suspension de la vigilance. À partir du XVIe s., il entre dans des locutions, notamment des euphémismes littéraires pour désigner la mort : ***sommeil éternel*** (av. 1559), d'où *dormir d'un sommeil éternel* (1721), *sommeil de paix* (1672) et *sommeil de fer* (1690) étant sortis d'usage; au XIXe s. on relève ***dernier sommeil*** (déb. XIXe s.), littéraire, et *sommeil du trépas* (1876) devenu archaïque. ◇ D'autres locutions caractérisent la nature du sommeil : ***dormir d'un sommeil de plomb*** «très profondément» (1835) a remplacé *d'un sommeil de mort* (1764), *de fer* (v. 1800); ***dormir du sommeil du juste*** (1812), qui a le même sens, est toujours en usage, mais souvent ironique. *Sommeil veillant* a désigné (1802) l'insomnie. ◇ ***Maladie du sommeil*** se dit (1871) d'une maladie infectieuse due à un trypanosome porté par la mouche tsé-tsé. ◇ En physiologie, on a nommé au XXe s. les différents stades du sommeil, selon les tracés encéphalographiques, ***sommeil lent*** ou ***sommeil orthodoxe*** «caractérisé par des ondes lentes et synchronisées», opposé à ***sommeil rapide,*** dit ensuite ***sommeil paradoxal*** (1962, Jouvet) pour désigner la période qui correspond aux périodes de rêves caractérisées par l'irrégularité du rythme cardiaque, l'atonie musculaire, etc. ➛ Par extension, *sommeil* signifie «envie de dormir», aujourd'hui dans des locutions comme ***avoir sommeil, tomber de sommeil*** (1767). ◇ Dans un emploi littéraire, repris au latin, le mot personnifie l'état de sommeil (apr. 1650). ◇ Par figure, il équivaut à «retraite, repos» (1684), «état d'inactivité, d'inertie» (fin XVIIe s.), cette acception étant sortie d'usage en parlant de personnes, mais s'employant encore à propos de choses (1770) et, spécialement, de la nature (1798, *sommeil des plantes*); avec cette valeur, il donne lieu aux locutions *mettre* (déb. XXe s.) et *laisser* (1935) *une affaire en sommeil* «en suspens». ➛ Par extension, *sommeil* désigne le ralentissement des fonctions vitales chez certains êtres vivants, autrefois pendant les saisons sèches (1835, *sommeil d'été;* 1875, *sommeil estival*), aujourd'hui pendant les saisons froides dans *sommeil d'hiver* (1871) remplacé par *sommeil hivernal* (1875), *sommeil hiémal,* «hibernation».

▸ Le dérivé **SOMMEILLER** v. intr. est la réfection (v. 1285) de *sumeiller* (v. 1265), *someillier* (fin XIe s.). ➛ Le verbe a signifié au figuré «être abattu, déprimé». Il est sorti d'usage au sens de «dormir» (v. 1131), ayant été blâmé par Malherbe (1609), mais noté comme «poétique» par l'Académie, de 1798 jusqu'en 1935. ◇ Il s'emploie couramment au sens de «dormir d'un sommeil léger, pendant peu de temps» (v. 1320, *somoyller;* 1538, *sommeiller*), sens réalisé antérieurement en ancien provençal (v. 1100, *somelhar*). ◇ Par figure, il signifie dès l'ancien français (XIIe s.) «se laisser aller au relâchement, cesser d'être vigilant», puis «être dans un état d'inactivité, d'inertie» (1639) en parlant de la nature ou de l'esprit. Par extension, *sommeiller* s'applique à des sentiments, des pensées, au sens de «ne pas se manifester», par exemple dans la locution proverbiale ***tout homme a dans son cœur un cochon qui sommeille*** (1879, A. Préault). ◆ Ce verbe a fourni deux dérivés. **SOMMEILLANT, ANTE** adj., d'abord attesté comme nom, *le sommeillant* (XVe s.), équivalent de «sommeil», s'applique comme adjectif à une personne qui dort à moitié (fin XVIe s.), et a signifié «tranquille, en repos» (1618). Il qualifie des choses qui ne bougent pas, semblent dormir (1858) et ce qui existe à l'état latent (attesté 1884, Maupassant). ◆ **SOMMEILLEMENT** n. m. est littéraire et rare pour désigner le fait de sommeiller (1868, Goncourt); en ce sens, *somillement* est attesté en ancien français (v. 1190).

SOMMEILLEUX, EUSE adj. et n. est la réfection (v. 1265) de *soumilleus* (XIIe s.), *soumillous* (1160-1170), formes issues du latin archaïque *somniculosus* «endormi, engourdi», dérivé de *somnus*. ◆ L'adjectif, devenu très littéraire, s'applique (XIIe s.) à une personne qui sommeille, est engourdie de sommeil. Il a qualifié (fin XVe s.) ce qui a rapport au sommeil. ◇ Quasiment sorti d'usage, il a été repris au XXe s., désignant en particulier (1926, Gide) une personne atteinte de la maladie du sommeil. *Sommeil* a fourni quelques composés. ◆ **ENSOMMEILLÉ, ÉE** adj. de *en-*, avec suffixe verbal, a signifié «endormi» (1547) et, repris au XIXe s., s'applique (1870) à une personne qui n'est pas encore sortie du sommeil ou qui a besoin de dormir; au figuré, l'adjectif qualifie (XXe s.) une personne dont les facultés semblent assoupies. ◆ **ENSOMMEILLER** v. tr., attesté au XVIe s. au sens de «s'endormir» (1578, pron.), a été repris au XIXe siècle. ◇ Dans un usage littéraire, il signifie «donner sommeil à (qqn)» [fin XIXe s.], au figuré «mettre dans un état analogue au sommeil». ◇ Le dérivé **ENSOMMEILLEMENT** n. m. s'emploie (1872) au propre et au figuré.

DEMI-SOMMEIL n. m. désigne (1697) un état intermédiaire entre la veille et le sommeil.

Plusieurs mots de la série sont empruntés à des dérivés du latin classique *somnus* ou formés à partir de ce mot. ◆ ③ **SOMME** n. m. est une réfection (v. 1190) de *sumne* (v. 1112), puis *some* (v. 1175), issu du latin *somnus*. L'ancien français connaît aussi l'emprunt *somne* (v. 1165). Le mot, littéraire, conserve le sens étymologique de «sommeil» (v. 1165), désignant l'action de dormir considérée dans sa durée, généralement courte. Il entre dans les locutions d'ancien français *en prinsome* (XIIe s.), devenue *de prinsomme* (v. 1190) et *environ le premier somme* (1559) «au moment du premier sommeil, vers la première partie de la nuit», sorties d'usage. ◆ En revanche, ***faire un somme*** «dormir» (1690) et ***ne faire qu'un somme*** (1768), «dormir sans interruption toute la nuit» restent vivants. ◆ **SOMNO** n. m. représente (1812) le datif de *somnus* signifiant littéralement «pour le sommeil»; le mot s'est dit d'un petit meuble, créé sous l'Empire, formant table et armoire qu'on pose près d'un lit; par métonymie, il équivalait en argot (1888) à «chambre à coucher». ◆ **SOMNESCENCE** n. f., dérivé de *somnus* (av. 1922, Proust), est didactique et rare, employé pour «état de demi-sommeil».

SOMNIFÈRE adj. et n. m. est un emprunt (av. 1502) au latin *somnifer* «assoupissant, narcotique», de *ferre* «porter, apporter» (→ -fère). ◆ L'adjectif, qualifiant ce qui provoque le sommeil (av. 1502), est devenu rare. Seul le nom (1690) s'emploie couramment pour désigner un médicament destiné à faire dormir (on disait auparavant *dormitif*). ◇ Par figure, *somnifère* s'applique familièrement (1723, J.-B. Rousseau) à ce qui endort par ennui, comme *soporifique*.

SOMNOLENCE n. f. est la réfection (XVe s.) de *sompnolence* (v. 1387), les deux formes étant empruntées au bas latin *somnolentia*, dérivé de *somnolentus* (cf. ci-dessous). ◇ Le nom apparaît au figuré pour «manque d'activité, mollesse»; l'emploi au sens de «disposition habituelle à dormir» (XVe s.) est relevé jusqu'au XIXe siècle. ◇ Le mot désigne aussi (1530) un état intermédiaire entre la veille et le sommeil, et spécialement un assoupissement peu profond mais insurmontable. ◆ **SOMNOLENT, ENTE** adj. est emprunté (déb. XVe s.) au latin impérial *somnolentus* «assoupi»; comme l'ancien provençal *sompnolent* (XIVe s.). ◇ Ce mot, rare avant le XIXe s., s'applique à une personne en demi-sommeil; il est vieilli pour qualifier (1835) un état qui tient de la somnolence. Il signifie au figuré «sans activité, engourdi» (1845), spécialement en parlant d'un lieu (1887), et, par métonymie, «qui provoque le sommeil» (1838). ◇ *Somnolent* s'applique par figure (v. 1920) à ce qui ne s'exprime pas, qui reste latent, comme *en sommeil* (ci-dessus). ◆ En dérive **SOMNOLER** v. intr. (av. 1846, Töpffer), «dormir à demi», qui s'emploie aussi au figuré.

SOMNAMBULE n. et adj. a été composé savamment (1688 comme nom) à partir de *somnus* et du latin *ambulare* «aller et venir», «marcher» (→ aller) pour désigner une personne qui, pendant son sommeil, effectue par automatisme des actes coordonnés, en particulier la marche; il s'emploie plus tard (1812) comme adjectif. ◇ Par analogie, le mot se dit (1842) d'une personne dans un état de sommeil hypnotique, qui peut agir ou parler, et spécialement (1871) de qqn à qui on attribue la faculté de prédire l'avenir pendant ce sommeil. ◇ L'adjectif (1812) est littéraire pour qualifier ce qui concerne le somnambulisme, ce qui semble le fait d'un somnambule. ◆ Ce sens est aussi celui du dérivé **SOMNAMBULIQUE** adj. (1786) employé aussi par extension (1831) qui a fourni **SOMNAMBULIQUEMENT** adv. (v. 1900). ◆ **SOMNAMBULISME** n. m. désigne (1765) l'état d'automatisme inconscient du somnambule et s'emploie par analogie (1849, Proudhon) pour parler de l'état d'une personne qui agit dans une demi-inconscience. ◆ **SOMNAMBULER** v. intr., «agir en somnambule» (1926), d'emploi rare, a remplacé **SOMNAMBULISER** v. intr. (1786). ◆ **SOMNILOQUIE** n. f., terme didactique, est composé savamment (mil. XXe s.) d'après *somnambule*, de *somnus* et de *-loquie*, tiré du latin classique *loqui* «parler» (→ locution). Ce mot désigne le fait de parler pendant son sommeil.

⟐ voir ASSOMMER, INSOMNIE, SONGE.

SOMMELIER, IÈRE n. est issu (v. 1250, *sommellier*), par dissimilation, de l'ancien français *som-*

merier, lui-même dérivé de *somier* «bête de somme» (→ ② sommier); parallèlement, l'ancien provençal *saumaler* (XIIe s.) vient de *saumadier,* dérivé de *saumada* «charge» (1343); on relève par ailleurs l'ancien provençal *saumier* (v. 1190), de *sauma* «charge» (→ ② somme).

♦ En ancien français, *sommelier* désigne un conducteur de bêtes de somme et l'on relève *soumeliere* n. f. (1299) pour la femme de ce conducteur. ◇ Puis le mot se spécialise pour désigner l'officier chargé du transport des bagages dans les voyages de la Cour (1316) et par restriction (1316) la personne qui, dans une communauté, avait soin du linge, de la vaisselle, des provisions et de la cave. Au XVIIe s., le mot *sommier* (de ② *somme**) prenant ce sens, *sommelier* devient à la Cour (av. 1690) le nom de l'officier qui mettait le couvert et préparait le vin (alors que l'*échanson* les servait). Cette valeur, plus tardive que la fonction désignée, a éliminé les autres, et le mot s'applique aujourd'hui à la personne chargée des vins dans un restaurant (1812), fonction généralement confondue avec celle de caviste. ◇ En Suisse, le mot s'emploie au féminin (déb. XXe s.) pour «serveuse (de café, de restaurant)».

▶ **SOMMELLERIE** n. f., «fonction de sommelier» (1504, *somelerie*), correspond au sens de *sommelier* en moyen français et au XVIIe s. (écrit *somellerie,* 1690). Par métonymie, le mot désigne aussi le lieu où le sommelier range le vin (1534, *sommelerie*).

① et ② **SOMMER** → SOMME

③ **SOMMER** v. tr. est la spécialisation en droit (v. 1250) de l'ancien français *sommer* «achever, terminer» (v. 1175), «venir à bout de» (1247, *sommer de*), dérivé de *somme* «achèvement, fin» (v. 1155, *sume*). Bloch et Wartburg ont proposé d'en faire un emprunt à un latin médiéval *summare,* dérivé de *summa* (→ ① somme), qui aurait signifié «dire en résumé», mais ce verbe semble plus tardif que *sommer* en ancien français.

♦ *Sommer (qqn)* signifie donc depuis le XIIIe s. «le mettre en demeure, dans les formes établies, de faire une chose»; par extension, suivi de l'infinitif, le verbe correspond à «commander à qqn impérativement de» (v. 1330); il s'emploie toujours dans ce sens, mais est d'un usage soutenu. ◇ Il a eu le sens d'«informer (qqn)» (v. 1360, *sommer qqn de qqch.*) sorti d'usage, et l'on relève jusqu'au XIXe s. (1878) *sommer qqn de sa promesse* «le faire s'en souvenir et le presser de s'en acquitter», expression attestée au XVIe s. (1545). ◇ *Sommer une place,* «signifier à ceux qui la commandent de se rendre» (1606), est également sorti d'usage à la différence de *sommation.*

▶ Le verbe a servi à former ② **SOMMATION** n. f., terme de droit devenu courant (1330; *sommacion,* 1213) et qui a remplacé un autre dérivé *sommement* (v. 1283). Le mot désigne l'action de mettre en demeure, en particulier l'acte écrit qui contient cette mise en demeure (1694). Il s'est dit (1636) de l'appel adressé au gouverneur d'une place pour qu'il se rende et, en droit, à l'époque classique, d'une demande en garantie (1690). ◇ *Sommation respectueuse* désignait (1718) la sommation qu'un fils ou une fille majeurs faisaient à leurs parents pour leur demander de consentir à leur mariage. Le mot s'emploie spécialement (1789) pour chacun des appels donnés réglementairement aux participants d'un rassemblement illicite sur la voie publique, puis pour «injonction d'avoir à se rendre» précédant une action, l'acte de tirer. ◇ Il est littéraire au sens de «demande, invitation impérative» (attesté 1632).

SOMMET n. m. est la réfection (XIVe s.) de *sumet* (déb. XIIe s.), *somet* (v. 1150), diminutif de l'ancien français *som,* n. m., «point le plus élevé» (v. 1131) qui correspond à l'ancien provençal *som* (v. 1190), issu du latin classique *summum* «le sommet, le haut» et au figuré «le point le plus élevé, le plus parfait». Ce nom est la substantivation, au neutre, de l'adjectif *summus* «le plus haut, le plus élevé» (→ ① somme).

♦ Le moyen français *some,* adj., «suprême» (1re moitié du XIVe s.), est un emprunt à l'italien *sommo* (de *summus*); il est sorti d'usage comme l'adjectif *somme* au sens de «peu profond» (1585) en parlant d'une rivière, mot que l'on relève à l'époque classique dans *pays somme* (1690) «endroit où il y a peu d'eau»; à partir de ce sens, *somme,* employé comme substantif, était devenu un terme technique désignant (1773) un banc de sable, de gravier, devant un port, à l'embouchure d'un fleuve.
Sommet conserve le sens du latin, désignant l'endroit le plus élevé d'une chose verticale, en particulier, et ce dès les premiers emplois, le point culminant d'une montagne, d'où *les sommets* «la montagne» (av. 1869) et à l'époque classique la locution poétique *la montagne au double sommet* (1690) et *le double sommet* (1691) pour «le Parnasse». ◇ Avec sa valeur la plus générale, le mot s'emploie dans divers syntagmes comme *sommet d'une maison, sommet de la tête* (v. 1150), *sommet d'un mat* (v. 1155), *sommet d'une lance* (v. 1175); il entrait en ancien français dans la locution *tout en somet* «tout en haut» (v. 1180), dans la locution adverbiale *parasumeit* (v. 1170), *par ensomet* (1271) «en outre», et dans la locution prépositive *par ensomet* «par-dessus» (v. 1185). ➛ Au XIVe s., c'est le sens figuré du latin qui est repris, *sommet* désignant (1357) ce qui est le plus haut, le degré supérieur, dans des emplois analogues à ceux de mots comme *faîte, apogée, comble* (cf. ci-dessous *summum*). ➛ Au XVIIe s., *sommet* devient un terme de géométrie dans *sommet d'un angle* (attesté 1762), *sommet d'un triangle* «sommet de l'un de ses angles», spécialement «sommet de l'angle opposé au côté pris pour base» (1680), aussi *sommet d'une pyramide.* On relève ensuite dans le même domaine *sommet d'une courbe* (1691), *d'un polygone, d'un polyèdre* (1876). Au début du XVIIIe s., *sommet* s'emploie en botanique pour «anthère» (1711), plus généralement pour «extrémité supérieure d'un organe» (1765), et «partie supérieure d'une tige, d'une fleur» (1771). ➛ *Conférence (rencontre, réunion)...* ***au sommet*** (1958) se dit par métaphore d'une rencontre entre les dirigeants suprêmes de plusieurs pays; c'est un calque de l'anglais *summit confe-*

rence, composé de *summit* emprunté (XVe s.) au français *sommet* et de *conference* (XIVe s.), du français *conférence** ou du latin médiéval *conferentia*. ◇ *Sommet* désigne par ellipse (1964) la rencontre elle-même : *un sommet, le sommet de...*

▶ **SOMMITÉ** n. f. est emprunté (1270, aussi *summité*) au bas latin *summitas* «la partie la plus haute d'une chose», «sommet, point culminant», dérivé de *summus*. On relève isolément la forme francisée *sommetté* (XIIIe s.). Le mot reprend le sens général du latin, «partie la plus élevée de qqch.» (XIIIe s.), qui ne demeure que dans des emplois spécialisés : «extrémité (d'une tige, d'une plante)» [1555 ; XIVe s., *summité*], spécialement (v. 1560) «extrémité d'une tige fleurie à petites fleurs groupées». ◆ *Sommité* n'est plus en usage au sens figuré de «dignité, honneur» (v. 1380, *sonmité*) ni pour désigner le développement complet des pennes du faucon (1655) et la partie la plus élevée d'une montagne (1798), sens où il a été éliminé par *sommet*. ◆ Par figure, le mot se dit (1825) d'une personne qui s'est élevée au sommet des dignités, dans les arts ou les sciences ; ce sens est toujours vivant (parfois ironiquement). L'emploi abstrait au sens de «parties saillantes (d'un sujet)» [1835] a disparu. ◆ **SOMMITAL, ALE, AUX** adj. «qui est au sommet» (1951) est didactique.

SUMMUM n. m., emprunt tardif (1896) au latin s'emploie au figuré pour «apogée, comble», à propos d'une chose positive ou négative *(le summum de la bêtise)*.

① SOMMIER → ② SOMME

② SOMMIER n. m.

◈ ② **SOMMIER** n. m. est la réfection (v. 1190) de *sumer* (1080), puis *somier* (v. 1131), issu, comme l'ancien provençal *saumier* (XIIe s.), du bas latin *sagmarius* n. m. «bête de somme», substantivation de *sagmarius* adj. «qui porte un bât», dérivé du bas latin *sagma* «bât» (→ ② somme).

♦ *Sommier* est attesté au sens étymologique de «bête de somme» (1080) jusqu'au XVIIIe siècle. De là, *coffre à sommier* «coffre de voyage» (1334), lui aussi sorti d'usage (→ ② somme), préparant les emplois ultérieurs. ◇ À partir de la seconde moitié du XIVe s. se développent des emplois techniques variés, liés à l'idée de «support». Par une métaphore analogue à celle de *poutre** (d'abord «jument»), le mot désigne (1395), précédé par l'ancien provençal *somier* (1370), un élément de construction reposant sur des points d'appui et destiné à soutenir une charge, spécialement en architecture la pierre qui reçoit la retombée d'une voûte (1432) ou occupe chacune des extrémités d'une plate-bande (1676), ainsi que la partie supérieure d'un linteau (1871). *Sommier* se dit aussi d'une pièce de charpente servant de support dans le montage des cloches (1606), ce sens étant attesté dès le XVe s. (vers 1418) en ancien provençal. À partir du XVIIe s., le mot prend des valeurs techniques spécialisées, désignant le support de charpente des anciennes presses à bras (1627), celui qui reçoit les bascules d'un pont-levis (1676), le plancher d'un pont de bois (1755), le pivot d'un moulin (1765), etc. C'est ensuite le nom d'une traverse de fer qui reçoit les barreaux d'une grille (1871), de la traverse qui forme la partie inférieure d'un métier à tisser (1875) ; *sommier* désigne aussi (1606) un cerceau métallique qui maintient les douves, aux extrémités d'un tonneau et *sommiers* n. m. pl. s'est employé (1666) pour les landiers des chenets. La plupart de ces acceptions sont sorties d'usage en même temps que les techniques concernées. ◆ Avec la même valeur de «support», *sommier* est également un terme de facteur d'instruments de musique : autrefois «pièce de bois de l'orgue placée au-dessus du coffre à air de chaque clavier» (1549), aujourd'hui «coffres de bois dans lesquels les soufflets de l'orgue font entrer l'air» (1685). Il désigne aussi la pièce de bois dans laquelle entrent les fiches qui servent à tendre les cordes d'un clavecin (1765), puis d'un piano. ◆ Le sens le plus usuel aujourd'hui vient aussi de l'idée de «soutien». *Sommier* a désigné (1492) un matelas rempli de duvet servant de lit de camp (jusqu'au XVIIIe s.), puis un matelas de crin servant de paillasse (1677). Le mot s'emploie ensuite à propos d'un matelas à ressorts intérieurs, destiné à porter le matelas de laine, et nommé *sommier métallique* (v. 1820) ; le *sommier* repose en général aujourd'hui sur des pieds ou dans un cadre et *sommier métallique* se dit d'un sommier à toile métallique tendue ou à ressorts (1914). ◇ Par une figure analogue à celle de *paillasse, sommier de caserne* s'est dit en argot (1888) d'une prostituée qui fréquente les soldats ; ce sens a disparu.

③ SOMMIER n. m.

③ **SOMMIER** n. m. (1685) est parfois considéré comme représentant du latin *summarium* «abrégé» (→ sommaire). Selon Bloch et Wartburg, l'emploi par plaisanterie de ② *sommier** «matelas de soutien» aurait fourni l'adjectif *sommier* (v. 1515) qualifiant une personne connaissant les gros livres. Une dérivation de ① *somme* «addition» paraît plus naturelle, d'après le sens initial.

♦ Le mot désigne un gros registre où les commerçants inscrivent les sommes qu'ils reçoivent et, par extension, un dossier de documents financiers et comptables. ◇ Il se dit spécialement (av. 1885, Hugo, *sommiers judiciaires*) des registres spéciaux où les condamnations doivent être relevées, d'où familièrement *les sommiers* «le service des casiers judiciaires, de l'anthropométrie» (XXe s.).

SOMNAMBULE, SOMNIFÈRE, SOMNOLER → SOMMEIL

SOMPTUEUX, EUSE

SOMPTUEUX, EUSE adj., réfection (mil. XVe s.) du moyen français *sumptueux* (1342), est emprunté au latin classique *sumptuosus* «coûteux» et, d'une personne, «dépensier, prodigue, fastueux», dérivé de *sumptus* «charge», d'où «dépense, coût». Le nom dérive de *sumptum*, supin de *sumere* «prendre pour soi», d'où «se charger de, entreprendre, assumer», «prendre par choix ou par adoption», avec le sens particulier de «dépenser». *Sumere* est issu de °*sus-(e)mere* ; le premier élément *sus-* étant une forme de *sub* (→ sous, sub-) en composition ; le second *emere*, au supin *emptum*, signifiant à l'origine «prendre» puis spécialement «prendre contre de l'argent, acheter». *Sumere* a donné lieu à son tour à des composés, comme *assumere, consumere* empruntés par le français (→ assumer, consumer).

♦ L'adjectif reprend d'abord (1342) une des valeurs du latin, qualifiant ce qui a nécessité de grandes dépenses; encore en usage à l'époque classique, ce sens a disparu. Un autre sens du latin *somptuosus,* à propos d'une personne qui vit dans le luxe en faisant de grandes dépenses (1596), a lui aussi disparu, et le mot n'est conservé avec cette valeur que pour qualifier un train de vie. ◇ C'est la notion de beauté luxueuse, mise en relation avec celle de coût (élevé), qui demeure dans l'emploi moderne : *somptueux* s'applique à ce qui est luxueux, splendide, d'une beauté éclatante (1833).

▸ Le dérivé **SOMPTUEUSEMENT** adv. signifie (1380) «d'une manière somptueuse, avec un grand luxe».

SOMPTUOSITÉ n. f. est un emprunt (v. 1465; déb. XVe s., *sumptuosité*) au dérivé bas latin *sumptuositas* «faste, prodigalité». ➛ Le sémantisme du nom est analogue à celui de l'adjectif; *somptuosité* se dit d'abord de la beauté de ce qui est riche, somptueux, par exemple en parlant d'un décor, d'un ameublement. L'acception de «grande dépense dans le luxe» *(une, des somptuosités)* a disparu; l'emploi pour «chose somptueuse» (1846) est rare. ◇ *La somptuosité* signifie (1876) «beauté de ce qui évoque le luxe».

SOMPTUAIRE adj. est emprunté (1540) au latin classique *sumptuarius* «qui concerne la dépense», dérivé de *sumptus,* et spécialement employé dans l'expression *lex sumptuaria* «loi qui concerne les dépenses». ➛ C'est dans cette acception que le mot s'est introduit en français au XVIe siècle; aujourd'hui terme d'Antiquité romaine, il qualifie des mesures *(loi somptuaire)* qui réglaient les dépenses et, spécialement, restreignaient les dépenses de luxe. ◇ *Somptuaire* s'est ensuite employé (v. 1770, Rousseau) au sens plus général de «relatif aux dépenses», sorti d'usage. ◇ Par confusion avec *somptueux* et parce que les *lois somptuaires* s'appliquaient aux dépenses de luxe, l'adjectif s'emploie aujourd'hui pour «de luxe», par exemple dans *arts somptuaires* «non utilitaires» (1930) ou *dépenses somptuaires,* courant malgré les critiques des puristes contre cette extension.

① **SON, SA, SES** adj. poss. de la troisième pers. est issu (842) des formes latines *suum, suam, suos, suas,* employées en position atone, à l'accusatif, du latin classique *suus* «son, sien, leur» (→ sien).

♦ L'adjectif, se rapportant à une personne, marque la possession par une seule personne, sert à indiquer devant un nom de personne une relation familiale, des rapports de société; dès l'origine, il marque l'appartenance à un milieu, à une collectivité et divers rapports de dépendance, en particulier (1080) un rapport d'obligation personnelle. ◇ La forme *sa* s'est élidée en ancien français devant une voyelle *(s'amie)* ou un *h* muet, mais dès le XIIe s. on a employé dans ces cas la forme masculine *(son amie),* qui ne s'est imposée qu'à partir du XVe siècle. ◇ L'adjectif peut se rapporter (XIIe s.) à un indéfini, par exemple dans des locutions proverbiales comme *qui veut voyager loin ménage sa monture,* ou à *on,* à un sujet indéterminé, par exemple dans ***être content de son sort.*** ◇ Il précède un titre honorifique décerné à certaines personnes, notamment dans des expressions consacrées comme ***sa majesté*** «le roi», ***sa sainteté*** «le pape». ◇ Il renvoie aussi à une chose, concrète ou abstraite (1314) avec la valeur de «qui est propre ou relatif à la chose en question». ◇ Ce possessif marque une appropriation au sens large dans divers emplois stylistiques; se rapportant à une chose, il indique une connexité entre une chose donnée comme «possesseur» et l'être et la chose dont il précède le nom *(chaque chose en son temps).* ◇ Renvoyant à une personne, l'adjectif se substitue depuis le XVIe s. (1559) à l'article, après les verbes *sentir (sentir son pédant)* et *faire (faire son malin).* Il peut aussi indiquer (XVIIe s.) l'attachement, la sympathie ou, devant un nom propre, avoir une valeur ironique ou méprisante, par exemple dans *son Monsieur Trissotin me chagrine* (Molière). ◇ *Son* marque l'appartenance habituelle, la convenance, dans des expressions comme ***il a ses têtes*** «il y a des têtes qu'il aime (et non d'autres)». Depuis le XVIIe s., renvoyant à une chose, il a un sens objectif devant un substantif d'action ou un nom d'agent (1663) : *son action, son effet* (d'une cause).

◈ voir **SE, SIEN, SOI; SUICIDE;** et aussi **MON, TON.**

✵ ② **SON** n. m. représente la réfection (1160-1170), d'après le latin, de l'ancien français *suen* (v. 1120), issu du latin *sonus* «son, bruit», «accent (de la voix)», par figure «éclat du style» et «ton, caractère propre», qui a donné l'italien *suono,* l'espagnol *sueno,* le portugais *som. Sonus,* qui a pour correspondant le sanskrit *svanáḥ* «bruit», repose sur une racine indoeuropéenne dont la forme n'est pas claire.

♦ Le mot désigne toute sensation auditive créée (selon le concept acoustique moderne) par les perturbations d'un milieu matériel élastique, spécialement l'air, ainsi que le phénomène physique qui est à l'origine de cette sensation. Le mot s'est spécialisé au XIXe s. en psychophysiologie et en acoustique où l'on calcule la vitesse de propagation du son, d'où l'expression impropre mais courante ***vitesse du son,*** le niveau d'intensité ou de pression d'un son, etc. ◇ Dès l'ancien français, *son* s'emploie dans des cas plus particuliers que *bruit,* s'appliquant à la musique, à la voix ou à des choses heurtées, ou pour donner un caractère esthétique ou affectif à un bruit qu'on qualifie, par exemple dans *le son d'un écu* «le bruit de l'argent» (1673) emploi sorti d'usage. ◇ *Son* a désigné (v. 1200) l'air de musique accompagnant ou formant un chant, d'où le sens de «bruit rythmé» (XIVe s.), et en musique *son musical, sons harmoniques* (1701) et la locution ***au(x) son(s) de*** «en écoutant, en suivant la musique» (1673). ◇ Le mot désignait par métonymie le droit qu'avait le seigneur de faire sonner les cloches (1360) et, en vénerie, un grelot que portaient les faucons (XIVe s.). ◇ Il s'applique aussi à une émission de voix, simple ou articulée (1528) et en phonétique à un élément du langage parlé, *le son* équivalant à l'élément perceptible du langage oral, opposé à *sens*, à *signification*. ◇ En français contemporain, *son* désigne spécialement (1944) un signal sonore et l'intensité de ce signal, en particulier l'ensemble des procédés qui permettent d'enregistrer et de reproduire des sons musicaux *(ingénieur du son)*. En cinéma, en télévision, *son* désigne l'ensemble des enregistrements acoustiques, opposé à *image*, par exemple dans *bande son* (→ sonore). ◇ ***Spectacle son et lumière*** (v. 1955) désigne un spectacle nocturne où un monument est illuminé tandis que se fait entendre une évocation sonore, musicale de son histoire.

▸ Les dérivés et composés actuels formés directement sont des termes didactiques et techniques. ✦ **SONIQUE** adj., qualifiant en physique ce qui est relatif au son (1949), s'applique spécialement aux phénomènes qui se manifestent à des vitesses voisines de celle à laquelle le son se propage (1953, *mur sonique*) et à un engin qui peut se déplacer à des vitesses égales ou légèrement supérieures à celle du son. ✦ De l'adjectif procèdent **SUBSONIQUE** adj. (1949) de *sub-*, «inférieur à la vitesse de propagation du son» et «qui s'effectue à une vitesse subsonique», et **SUPERSONIQUE** adj. (v. 1945) qualifiant une fréquence qui se trouve au-dessus des fréquences audibles et, couramment, une vitesse supérieure à celle du son, par extension des phénomènes propres à ces vitesses, d'où *avion supersonique* ou un *supersonique* n. m. ◇ Sur le modèle de *supersonique* a été formé **HYPERSONIQUE** adj. (v. 1950), emprunt à l'anglais *hypersonic* (1946).

SONE n. f. ou m. se dit (1951, Piéron) d'une unité d'intensité psychophysiologique du son, **SONIE** n. f. (1964) désignant l'intensité d'un son appréciée par la sensation auditive qu'il détermine.

SONO-, élément tiré du latin *sonus*, entre dans la formation de **SONOMÈTRE** n. m., nom (1698, repris en 1746 [Nollet], puis 1793) d'un appareil à cordes vibrantes pour étudier les sons, qui désigne aujourd'hui (1888) pour le même usage un instrument de sensibilité proche de celle de l'oreille humaine (cf. *audiomètre*); en dérivent **SONOMÉTRIE** n. f. (1842) et **SONOMÉTRIQUE** adj. (1842). ✦ **SONOLUMINESCENCE** n. f. (mil. XXe s.) de *luminescence*, se dit d'une émission de lumière par un liquide contenant des gaz dissous, sous l'action de vibrations ultrasoniques. ✦ **SONOTHÈQUE** n. f., formé (v. 1960) d'après *bibliothèque, discothèque*, désigne une collection d'enregistrements de bruits, d'effets sonores, utilisables dans des films, des émissions radiophoniques. ✦ **SONAGRAMME** n. m. (1968) avec *-gramme**, désigne la représentation graphique des sons de la parole, enregistrés sur bande magnétique par un appareil nommé **SONAGRAPHE** n. m. (1968) de *-graphe**. Les vibrations sonores peuvent être reproduites sous forme de représentations graphiques : on emploie alors aussi, par analogie *sonogramme* et *sonographe* (v. 1972). De là **SONOGRAPHIE** n. f. (v. 1972), usité spécialement en médecine. ✦ **SONOCHIMIE** n. f. désigne (1981) l'utilisation des ultrasons en chimie.
Quelques composés de *son* (et de *sonore*) ont été formés en physique. ✦ **INFRASON** n. m. (attesté en 1925), formé avec *infra-*, désigne une vibration inaudible, de fréquence inférieure à 20-50 périodes par seconde; lui correspond **INFRASONORE** adj. (v. 1950) de *sonore* (ci-dessous). ✦ **ULTRASON** n. m. est le nom (1936) d'une vibration sonore de fréquence supérieure à 20 000 hertz, qui n'est pas perceptible par l'oreille humaine. ◇ **ULTRASONORE** adj., attesté antérieurement (1928), est formé d'après *sonore*. ◇ Sont dérivés de *ultrason* **ULTRASONIQUE** adj. (1955) et les composés **ULTRASONOTHÉRAPIE** n. f. (1953; → thérapie), **ULTRASONOGRAPHIE** n. f. (v. 1970) ou **ULTRASONOSCOPIE** n. f., termes de médecine.

SONORE adj. est un emprunt (av. 1559, Du Bellay) au latin impérial *sonorus* «retentissant», «sonore», dérivé de *sonor*, doublet poétique de *sonus*. ✦ L'adjectif s'applique à ce qui a un son éclatant et agréable, à ce qui résonne bien, d'abord à propos de la voix, d'un vers. Il s'est employé à propos de ce qui produit un son (fin XVIIe s.), de ce qui rend un son *(corps sonore)*. Par extension, il qualifie (1718) un lieu qui renvoie ou propage bien le son. ◇ Au XIXe s., *sonore* s'applique en physique (acoustique) à ce qui est relatif au son, de la nature du son, spécialement dans *vibrations sonores* (1831), *ondes sonores* (1845). ◇ Le mot se spécialise en phonétique, *consonne sonore* (1871; 1904, n. f.) désignant un élément de la parole qui, lors de son émission, est accompagné de vibrations laryngales, par opposition à *consonne sourde**. ◇ Par métaphore, *sonore* signifie (déb. XXe s.) «qui sonne bien mais est vide de sens» *(promesse sonore)*. Spécialisé en technique d'après *son*, il se dit de ce qui comporte l'enregistrement des sons et des bruits, d'abord dans *film sonore* (1929), opposé à *film muet* comme *film parlant**, film dont la *bande sonore* enregistre des voix, des dialogues. ✦ Le dérivé **SONOREMENT** adv. (1594) est rare. ✦ Un autre dérivé, **SONORISER** v. tr., s'est introduit en phonétique (1871) au sens de «rendre sonore (une consonne sourde)». ◇ Le verbe est repris au XXe s. pour «rendre sonore (ce qui était muet)», par exemple dans *sonoriser un film*, et «munir (un lieu) d'un matériel de diffusion du son». ◇ Il a servi à former **SONORISATION** n. f., terme de phonétique (1871), puis de technique, désignant les opérations par lesquelles on ajoute des éléments sonores à un spectacle visuel (1930, au cinéma) ainsi que l'action de sonoriser un lieu, et l'ensemble des appareils utilisés (1949). ◇ Dans ce sens, il est abrégé familièrement en **SONO** n. f. (av. 1967). ◇ De cette acception vient un autre dérivé du verbe, **SONORISTE** n. (1969) «spécialiste de la sonorisation».
Le préfixé **INSONORE** adj. (1801), formé avec ① *in-*, s'applique à ce qui ne produit pas de son et à ce qui transmet peu les sons (1864); le mot se dit spécialement (déb. XXe s.) d'un local où l'on entend peu les bruits. ✦ De cet emploi vient **INSONORISER** v. tr. (1948) «rendre (un lieu puis un appareil) moins sonore, moins bruyant», qui a fourni **INSONORISATION** n. f. (1948) et **INSONORISÉ, ÉE** adj. (v. 1950). ✦ De l'adjectif procède aussi **INSONORITÉ** n. f., formé (1845) d'après *sonorité*, qui désigne dans l'usage didactique le manque de sonorité, la qualité de ce qui transmet peu les sons (1869) et le caractère d'un local insonore (1873).

SONORITÉ n. f. a été emprunté (v. 1380) au bas latin *sonoritas* «qualité de ce qui est sonore», dérivé de *sonorus;* en français moderne, il fonctionne comme un dérivé de *sonore.* ◇ Le mot reprend le sens latin (v. 1380); il est littéraire à propos de la qualité des sons de la langue utilisés esthétiquement (1555). ◇ À partir du XVIIe s., il désigne (1672) la propriété qu'ont certains corps de conduire ou renforcer les sons, mais il demeure rare en ce sens avant la fin du XVIIIe siècle. Il s'emploie aussi (1835) à propos d'un lieu où les sons se transmettent plus ou moins bien, désignant par extension les sons ainsi transmis (1897, pluriel) et (XXe s.) la qualité acoustique (d'un local). ◇ *Sonorité,* en musique, désigne (1876) le caractère particulier d'un son, et *les sonorités* les inflexions d'une voix (1886) et les tonalités d'un son musical.

La série issue du latin *sonus* comprend notamment un verbe relativement démotivé, du fait de sa spécialisation. ◆ **SONNER** v. est la réfection (XIIIe s.) de *soner* (v. 980), *suner* (1080), issu du latin *sonare,* à la fois verbe intransitif «rendre un son, retentir, résonner», «renvoyer un son» et, en parlant de la prononciation, «avoir tel accent» et verbe transitif signifiant «émettre par des sons», «faire entendre», en poésie «vanter, célébrer» et «signifier» en parlant du langage oral. *Sonare* dérive de *sonus.* ◆ *Sonner* est attesté dès ses premiers emplois au sens de «prononcer (un mot)», d'où *ne sonner mot* «ne rien dire» (v. 980), *ne pas sonner mot de* «ne pas parler de» (1552), encore relevés en 1878 (Académie) ainsi que plusieurs acceptions dérivées : «parler» (v. 1190), «affirmer, insister sur» (XIVe s.). De cette valeur en général disparue, il reste l'emploi au sens de «proclamer, dire avec emphase» (XIIIe s.), dans *faire sonner (les mérites de qqn)* [1560], *faire sonner haut* (1671) aujourd'hui compris comme une métaphore du son d'un instrument. Avec cette même valeur, *sonner* s'est dit en ancien français pour «raconter dans un poème» (XIIIe s.), forme particulière de célébration. ◇ Le verbe, comme en latin, s'est employé à partir du XIIe s. (v. 1130) pour «signifier», proprement «faire entendre un sens», encore à l'époque classique puis archaïque et disparu. ◆ *Sonner* a pris très tôt le sens de «jouer (d'un instrument à vent»). Il est d'abord transitif (1080), puis absolu (XIIe s.), enfin transitif indirect (XVe s.; *sonner de,* s'agissant d'un instrument de musique en général). De cette valeur, disparue en français moderne, procèdent diverses acceptions spécialisées : le verbe s'emploie pour «tirer des sons (d'une cloche)» [v. 1150, tr.], d'où «vibrer, rendre un son» en parlant d'une cloche, d'une cymbale (1530, intr.), et par extension d'un timbre. Cette spécialisation, qui met le verbe en rapport sémantique avec l'idée de signal tiré d'un son métallique, donc avec *cloche, timbre,* se réalise dans le dérivé *sonnette* (ci-dessous). ◇ *Sonner* s'applique aussi à la production des sons d'instruments à vent, notamment des cuivres (cf. ci-dessous *sonnerie*), et s'est opposé en musique, d'après l'italien, à *toucher,* employé pour les instruments à clavier (d'où *sonate**, de l'italien, parallèle à *toccata*). Par extension, *sonner,* intransitif, s'emploie au sens de «se signaler par une sonnerie particulière» (v. 1155), d'où «arriver», en parlant d'une époque, d'un moment (v. 1640), valeur qui se réalise dans *l'heure sonne* (aussi *la pendule, l'horloge sonne*), au figuré ***sa dernière heure a sonné*** «l'heure de sa mort est arrivée». ◇ En emploi transitif, le verbe veut dire «annoncer (qqch.) par une sonnerie», par exemple dans *sonner la messe* (v. 1175) en religion, et *sonner les matines, les vêpres...* Par extension, il signifie «annoncer (l'heure, le temps) par une sonnerie» avec le nom de l'instrument pour sujet (XVIe s., *l'horloge sonne l'heure*). Divers signaux militaires s'effectuant par des sonneries de clairon, le sens ancien est réactivé dans *sonner la retraite* (XIIIe s.) au figuré «se retirer» (1640). Cette idée d'annonce est passée dans des locutions : ***il est midi, deux heures sonnées*** «passées» (1680), au figuré ***c'est midi sonné*** «il est trop tard», ***avoir cinquante ans (bien) sonnés*** «révolus» (attesté en 1935). ◇ *Sonner* transitif a pris au XVIe s. le sens étendu d'«appeler (qqn) par une sonnerie, une sonnette» pour le faire venir (1532) aussi en emploi intransitif (1673) pour «faire fonctionner une sonnerie», *sonner une sonnette* étant sorti d'usage. *Sonner qqn* est un synonyme d'«appeler» réservé aux inférieurs, d'où ***on ne vous a pas sonné, on t'a pas sonné*** «mêlez-vous, mêle-toi de vos, de tes affaires» (mil. XXe s.), familier. ◆ Le verbe veut dire par analogie du son d'un instrument ou d'un signal «produire un certain effet sur qqn» (XVe s., intr.), d'où avec un adverbe ***sonner bien, mal*** «produire une bonne, une mauvaise impression» (1528), ***sonner bien à l'oreille*** (1694). Au figuré *sonner mal* (1690) en parlant d'un acte, est sorti d'usage, mais ***sonner faux*** «donner une impression d'insincérité, de fausseté» (XXe s.) est vivant. ◇ C'est aussi par analogie que *sonner,* par le sémantisme du coup que permet la référence à la cloche, signifie familièrement «assommer, étourdir», en heurtant la tête contre qqch. de dur (1486), emploi répandu à la fin du XIXe s., d'où (1931) *être sonné;* de là viennent par extension les sens figurés de «mettre en mauvais état psychologique ou physique» (déb. XXe s.), avec un sujet nom de chose, «traiter brutalement, réprimander» (déb. XXe s.) et la locution ***se faire sonner (les cloches)*** qui reprend métaphoriquement la valeur concrète. ◇ Au XVIIe s., *sonner* se spécialise, *faire sonner* voulant dire «marquer nettement (une lettre) dans la prononciation» (1669), emploi qui succède au transitif (1670) *sonner* (suivi du nom d'un son du langage), sorti d'usage. ◇ Il signifie aussi «rendre un son sous l'effet d'un choc», aujourd'hui seulement intransitif, d'où ***sonner creux*** (1690), transitivement ***sonner le creux*** (XIXe s.), au figuré «résonner comme une chose vide» (av. 1872). D'après l'emploi figuré de *fêlé, sonner le fêlé* (1871), s'est dit pour «annoncer un déséquilibre mental» (XXe s.).

Du verbe procèdent plusieurs dérivés usuels. ◆ **SONNERIE** n. f. désigne l'effet acoustique de ce qui sonne et d'abord (v. 1210) celui des cloches, par extension un bruit retentissant (1270), acception sortie d'usage. Par métonymie, il désigne l'ensemble des cloches d'une église (1636). Le mot se dit aussi (1663) du mécanisme qui fait sonner une horloge, une pendule, etc.; *la grosse sonnerie* s'est employé (1680) pour les grosses cloches d'une église, opposé à *la petite sonnerie* (1680). *Sonnerie* est aussi le nom d'un appareil avertisseur, formé d'un timbre que fait vibrer un marteau (1871, *sonnerie électrique*), et le mot s'emploie pour le son produit par ce genre d'appareil (1880). Il se dit aussi d'une manière particulière de sonner les cloches, réglée par la liturgie (1893). ◇ De *sonner* au sens général de «jouer d'un instrument», spécialement «d'un instrument à vent», procède l'emploi de *sonnerie* pour le son d'un instrument (XIVe s.), d'une trompette (v. 1470) et plus précisément à propos d'un air de trompette (1825), de trompe de chasse (1875).

SONNETTE n. f., réfection (v. 1354) de *sonneste* (1234), *sonete* (v. 1250), se dit d'un petit instrument métallique qui sonne pour avertir. Par extension, le mot désigne un grelot (v. 1380) et en musique un instrument formé de plusieurs rangs de clochettes (XVIe s., av. 1527), un timbre, notamment un timbre électrique (1880). ***Coup de sonnette,*** signal de la présence d'un visiteur, s'emploie par analogie (déb. XXe s.) pour un coup donné à la bride d'un cheval par un cavalier. ◇ Le mot désigne aussi le bouton qui sert à déclencher le mécanisme *(appuyer sur la sonnette).* ◇ Par une métonymie inverse de celles de *sonnerie, sonnette* se dit aussi du son (1836) : *j'entends la sonnette.* ➛ *Sonnette* a pris par analogie de nombreuses acceptions. Le mot s'est dit, par allusion à la forme, pour «testicules» (1606) et, au son, pour «pièce de monnaie» (1773). *Serpent à sonnettes* est le nom courant (1680) du crotale qui produit un bruit de sonnerie sourde. ◇ En technique, le mot désigne (1676) par analogie de sa manœuvre avec une sonnerie de cloche, un engin formé d'un échafaudage élevé, qui sert à guider la masse mobile appelée *mouton,* par exemple pour enfoncer des pilotis. ◇ C'est aussi le nom d'un marteau qui permet de prendre au poinçon de graveur l'empreinte en creux sur la matrice (1800), d'un bout de fil fixé à la lisière d'un tissu pour signaler un défaut de tissage (1874), d'un ensemble formé par un treuil et d'un outil de forage qu'on emploie pour faire des sondages (XXe s.). ◇ *Sonnette* a aussi désigné (1867) un homme sans volonté, et, par analogie de forme avec le grelot, une boulette de boue séchée accrochée aux poils d'un animal (fin XIXe s., Zola).

① **SONNEUR, EUSE** n., rare au féminin, désigne (1260, *sonneur*) la personne qui sonne les cloches d'une église. Les locutions *boire comme un sonneur* «avec excès» (1835), et au XXe s. ***dormir comme un sonneur*** (que même les cloches ne réveillent pas) manifestent l'existence d'une image sociale assez négative du sonneur de cloches. De *sonner* «jouer d'un instrument à vent» vient le sens de «joueur d'instrument» (1491), régional (Bretagne), pour désigner le joueur de biniou ou de bombarde. ◇ *Sonneur* s'est dit (mil. XVIe s.) pour «poète», sens disparu. C'est enfin le nom d'une espèce de courlis (1770) et la désignation courante d'une espèce de crapaud (1904); cf. ci-dessous *sonnant.* ➛ D'après *sonnette,* ② **SONNEUR** n. m. est le nom (1723) de celui qui tirait les cordes de la sonnette à enfoncer les pilotis et (1955) de l'ouvrier mineur chargé de signaler par une sonnerie certaines manœuvres aux machinistes d'extraction.

SONNAILLE n. f., emprunté (v. 1300) à l'occitan ou au franco-provençal *sonalha* «son, bruit» (v. 1180), désigne une cloche ou une clochette attachée au cou d'un animal domestique, aussi appelée *clarine* et, par métonymie (1873, A. Daudet), le bruit des sonnailles. ◇ C'est le nom technique (XXe s.) de la pièce mécanique qui frappe la paroi d'une cloche ou d'une clochette. Le mot a fourni deux dérivés. ➛ ① **SONNAILLER** n. m., réfection (1573) de *sounailler* (1379), se dit d'un animal qui porte une sonnaille et marche en tête d'un troupeau. ➛ **SONNAILLERIE** n. f. (1611), «tintement de clochette», a été repris au XXe s. pour désigner un ensemble de sonnailles, de bruit de cloches.

SONNANT, ANTE adj., participe présent de *sonner,* d'abord écrit *sonant* (XIVe s.), graphie qui se maintient encore au XIXe s., puis *sonnant* (XVIIe s.), s'applique (v. 1380) à ce qui rend un son clair et distinct. Il est rare (1636) à propos d'une horloge dont le mécanisme déclenche une sonnerie, mais se dit encore couramment de l'heure qui est en train de sonner, employé après *à* et un compte d'heures *(à deux heures sonnant(es)),* en concurrence avec *tapant.* ◇ L'adjectif a signifié «qui résonne», par exemple dans *étain sonnant* «qui a gagné de la sonorité à être refondu plusieurs fois» (XVIIe s.); et dans *argent sonnant* «monnaie métallique de bon aloi», emploi conservé dans la locution ***espèces sonnantes et trébuchantes*** (1718). ➛ **SONNANTE** n. f. (1828) ou **SONNANT** n. m. (1842) a désigné une espèce de crapaud dont le coassement ressemble au son d'une cloche (cf. ci-dessus ① *sonneur*). ◇ *Lettre sonnante* (1842, aussi n. f.) s'est dit d'un phonème intermédiaire entre la voyelle et la consonne, nommé aujourd'hui *semi-voyelle* (→ voyelle). ◇ **SONANTE** n. f. est aujourd'hui en phonétique le nom (1910) d'une consonne présentant un faible obstacle au passage de l'air, opposé à *fricative* et à *occlusive.* ➛ Le composé **MALSONNANT, ANTE** adj. s'applique (1467) à ce qui est contraire à la bienséance, à la morale et a qualifié spécialement (1740) en théologie une proposition dont le sens s'accorde mal avec l'orthodoxie.

② **SONNAILLER** v. intr., diminutif de *sonner* (1762) avec le suffixe *-ailler,* signifie «sonner souvent»; il est rare.

◈ voir ASSONANCE, CONSONNE, DISSONER, RÉSONNER, SONAR, SONATE, SONNET, UNISSON.

③ **SON** n. m. est la réfection (1393) de l'ancien français *seon* (1193-1197) ou *saon;* on relève au XIIIe s. la forme latinisée *panis de seonno* (1243) «pain dans lequel on a laissé le son avec la farine». Le mot est d'origine discutée ; Bloch et Wartburg y voyaient un emprunt à l'anglo-saxon *seon* «rebut», participe passé du verbe *seon* «passer, filtrer». En ancien français, le verbe *seoner* ou *seonner* v. tr. (1193-1197) signifiait «rejeter comme étant de qualité insuffisante» et plus généralement «refuser, empêcher» (v. 1370). On relève aussi en ancien normand le terme juridique *saoner* v. tr. «récuser qqn qui a été proposé comme juge dans un procès pénal», en parlant de l'inculpé (1310), encore attesté en 1771 (Trévoux), comme les dérivés *saon* (1310) et *saonnement* (XVIe s.) «récusation de personnes proposées comme juges». ◆ Littré a proposé de rattacher *son* à *secundum*, substantivation du latin classique *secundus* adj. «qui suit, qui vient après», «second par rapport à qqch.», d'où «de qualité inférieure» (→ second). Cette hypothèse est maintenant suivie par le *F. e. w. (Corrigenda)*, mais critiquée à cause de formes romanes peu compatibles (ancien catalan *segon*, *sagon*, ancien provençal *segon*). ◇ P. Guiraud voit en *seon*, *saon*, un doublet de *seas*, *saas*, *sas* «crible», qui représente un latin populaire °*saeticius* «(instrument) fait de soies, de crins», dérivé de *saeta* (→ soie) et sur le modèle duquel aurait été construit °*saetonem*, °*saetonare* (cf. le provençal *sedo(n)* «tamis de crin»); l'hypothèse repose sur les acceptions juridiques des formes anciennes, souvent d'origine latine. La forme *son* caractérise la France septentrionale, à côté de *bren*, *bran** (emprunté par l'anglais) dans le Sud et l'Ouest, et à côté de mots d'origine germanique qui se rattachent à l'allemand *Grütze* «gruau», dans les parlers de l'Est.

♦ Le mot apparaît (1193-1197, *seon*) avec le sens de «ce qui est rejeté comme étant de qualité insuffisante». De là, on passe à la valeur concrète et moderne de «résidu de la mouture du blé et des céréales» (1393), précédé au XIIIe s. par le latin médiéval *seonno* (ci-dessus). *Son gras* (1611) signifiait «dans lequel il reste beaucoup de farine», *son sec* «dont on a tiré toute la farine» (aussi *son maigre*, 1690). Aujourd'hui, cette acception est surtout connue par l'utilisation diététique du son, dans *pain de son*, *biscotte au son*. ◇ Parmi les locutions figurées, *ventre de son*, *robe de velours* (1690) s'est dit d'une personne qui épargne sur sa nourriture pour mieux se vêtir (1798, *habit de velours*, *ventre de son*). Elle est sortie d'usage, alors que ***(c'est) moitié farine moitié son*** «un mélange, une chose indécise, équivoque» (1690) est encore connu. *Eau de son* (1718) est le nom d'une boisson à base de son, que l'on utilisait autrefois comme tisane émolliente. ◇ *Son* s'est dit par analogie (1611) de croûtes qui se forment sur la tête. Il désigne (1871) des taches de rousseur, aujourd'hui seulement dans la locution ***taches de son*** (1935). ◆ Le mot désigne aussi (1871) la sciure servant, par exemple, à bourrer des poupées *(poupées de son)*.

SONAR n. m. est un emprunt (1949) à l'anglais; c'est un acronyme formé à partir de *So*(und) *Na*(vigation) and *R*(anging), nom donné par les Américains, d'après *radar*, à un appareil mis au point par les Anglais à la veille de la Seconde Guerre mondiale; *sound* «son» et *navigation* sont empruntés au français; *ranging* dérive de *to range* «repérer».

♦ Ce terme technique désigne un équipement de détection et de communications sous-marines, analogue au radar*, basé sur la réflexion des ondes sonores; on a dit aussi *asdic* n. m. (1948), emprunt de l'acronyme anglais formé des initiales de *Allied Submarine Detection Investigation Committee*.

SONATE n. f. est emprunté (1695) à l'italien *sonata* «sonate», participe passé féminin substantivé de *sonare* «jouer d'un instrument», du latin classique *sonare*, qui a abouti au français *sonner**, lequel a eu cette valeur (→ ② son). *Sonata* se dit d'une pièce «sonnée», c'est-à-dire jouée sur des instruments à vent, et s'oppose à *cantata* «morceau de musique *chanté*» (de *cantare* «chanter*») et à *toccata* «morceau *touché* sur un clavier». En Italie, les pièces jouées sur des instruments *(canzoni da sonar)* sont au XVIe s. des adaptations instrumentales du style de la polyphonie vocale; en 1615 sont publiées, comme œuvre posthume, les *Canzoni e sonate* de Giovanni Gabrieli dont certaines, éloignées du style vocal, sont des ancêtres de la sonate. C'est aussi au début du XVIIe s. que des danses à la mode sont transcrites pour divers instruments et groupées selon un ordre pour former des *suites*; ces arrangements influencent toutes les formes de la musique instrumentale et il est difficile, jusqu'aux années 1660, de distinguer une sonate d'une suite. Ce n'est qu'à la fin du XVIIe s. que les deux formes se différencient, notamment chez Purcell (recueils de 1683 et 1697) et Corelli.

♦ En français, *sonate* désigne cette forme musicale venue d'Italie et répandue en Europe vers la fin du XVIIe s., pièce de musique instrumentale composée de plusieurs mouvements de caractères différents, exécutée par un nombre restreint d'instruments. C'est vers la fin du XVIIIe s., la structure de la sonate s'étant précisée chez Haydn, Mozart, plus tard Beethoven, que le mot désigne plus précisément une forme musicale caractéristique dite *forme sonate*, structure ternaire, à deux thèmes, réalisée par le premier mouvement de la composition appelée *sonate (allegro)*, et qui sert de cadre à l'essentiel de la musique instrumentale classique (symphonies, concertos, quatuors...). *Sonate* ne se dit aujourd'hui, sauf en histoire de la musique, que des pièces ayant cette structure et qui sont composées pour un *(sonate pour piano)*, deux *(sonate pour violon et piano*, etc.), trois *(sonate en trio)* instruments; au-delà, et même pour trois instruments *(trio)*, on emploie des mots spécifiques.

▶ **SONATINE** n. f. (1821), emprunté à l'italien *sonatina*, dérivé de *sonata*, désigne une petite sonate qui, en principe, ne présente pas de difficulté d'exécution.

SONDE n. f., attesté chez Chrétien de Troyes (v. 1175), est en général considéré comme un emprunt à l'ancien nordique *sund* «mer» et aussi «bras de mer, détroit» (cf. *le Sund*, au Danemark); ce mot, figurant comme premier élément de composition dans des termes comme *sundgyrd* «perche pour sonder», *sundrap* «corde pour sonder», *sundline* «ligne de sonde», a été mal interprété par les marins francophones qui ont attribué au seul élément *sund-* le sens des composés. Selon une autre hypothèse (Diez) fondée sur le postulat d'une apparition antérieure du verbe *sonder* (*sonde* est, pour le moment, attesté antérieurement, mais ne semble employé régulièrement qu'après le verbe, à partir de 1529), le mot serait rattaché à un latin médiéval *subundare* (IXe s.) «plonger, submerger», composé de *sub* «sous» (→ sub-) et de *unda* «onde, eau» (→ onde), qui aurait abouti à *sonder*, lui-même donnant un déverbal *sonde*. À l'encontre de cette hypothèse, on a noté que *sonde* appartient au départ au vocabulaire de la mer et est propre au nord de la France. Par ailleurs, cet emprunt peut être rapproché de celui de *bateau**, de l'ancien nordique (et ancien anglais) *bât*.

♦ Le mot, attesté au XIIe et repris au XVIe s. (1529), désigne un instrument, d'abord composé d'un plomb attaché à une ligne, qui sert à mesurer la profondeur de l'eau et à reconnaître la nature du fond. La locution ***coup de sonde,*** qui s'emploie concrètement, a pris figurément au XXe s. le sens de «rapide estimation d'opinion» (1935, *donner un coup de sonde*); cette valeur métaphorique de *sonde* est déjà attestée chez Chateaubriand (1802) et relève d'emplois antérieurs de *sonder*. ◇ Les syntagmes et expressions usuels apparaissent aux XVIe-XVIIe s. : *jeter, mouiller la sonde* (1529), *plomb de sonde* «sonde en plomb» (1530); *être à la sonde* «sur un fond accessible à la sonde» (1680; 1773, *être sur la sonde*) et *venir jusqu'à la sonde* «quitter le large et venir où le fond est accessible à la sonde» (1680). ◇ Le mot s'applique par métonymie à la profondeur de l'eau mesurée par la sonde, comme dans *les sondes* «profondeur déterminée à l'aide d'une sonde» (1694); on a dit aussi *être sur les sondes* «sur un fond insuffisant (où la sonde touche le fond)». ◇ Une autre métonymie correspond (1691) à ce que la sonde ramène du fond de l'eau, sens sorti d'usage. *Aller la sonde à la main* (1690), puis *aller à la sonde* (1691), ont été remplacés par ***naviguer à la sonde*** (1893). ➝ Depuis la fin du XVIe s., le mot désigne par analogie et par dérivation de *sonder* (ci-dessous) un instrument cylindrique destiné à explorer certains organes (1575), à évacuer le contenu de canaux naturels ou accidentels ou à y introduire une substance. De cet emploi médical viennent en argot ancien (1837) le sens de *sonde* pour «médecin». Au XXe s. *sonde* désigne aussi un instrument servant à l'alimentation artificielle. ◇ Toujours par analogie d'usage et de forme, le mot a désigné (1680) une tige de fer dont se servaient les douaniers pour explorer les voitures, les paniers, etc. puis (1723) un petit instrument qu'on enfonce dans certains produits alimentaires pour en reconnaître la qualité, le contenu *(sonde à fromage)* et (1752) un appareil servant aux forages, une tarière, un trépan. ◇ Avec l'idée d'«instrument de mesure», le mot a désigné une tige graduée servant à évaluer la quantité d'eau contenue à fond de cale (1694, *sonde de pompe*); cette valeur ne se développe qu'au XXe s. en sciences, *sonde* nommant différents appareils de mesure des profondeurs ou des altitudes : *sonde aérienne* (1907) puis ***ballon-sonde,*** *sonde à rayons X,* pour déceler les variations dans la structure superficielle d'un métal, *sonde électronique* (1968). ◇ On parle enfin de ***sonde spatiale*** (1966), probablement d'après l'emploi correspondant de *sonder,* à propos d'un engin spatial non habité, envoyé de la Terre vers une partie du système solaire avec des instruments et un système de transmission.

▸ Le composé **RADIOSONDE** n. f. (1942), probablement formé d'après *radiosondage* (ci-dessous), désigne un appareil émetteur placé dans un ballon-sonde et transmettant au sol des renseignements météorologiques.

Le dérivé **SONDER** v. tr. apparaît en 1382, deux siècles après *sonde,* mais est repris à la fin du XVe s. un peu avant le substantif. On a pu le considérer comme la source de la série, issue du latin (ci-dessus). Il signifie en marine «chercher à mesurer, au moyen d'une sonde (la profondeur de la mer, la nature d'un fond)» et développe dès le XVIe s. des emplois abstraits nés de l'idée d'«exploration», de «pénétration». Il signifie alors (1553) «examiner à fond (les paroles, les pensées) de qqn» et entre dans l'expression ***sonder les cœurs*** «mettre qqn à l'épreuve pour connaître ses sentiments» (1669, ***sonder les cœurs et les reins***). On a dit métaphoriquement *sonder le gué* pour «voir, avant de s'engager dans une affaire, s'il n'y a pas de risque; pressentir les dispositions des personnes» (1540), locution remplacée par ***sonder le terrain*** (1690), qui n'est attestée qu'au XVIIIe s. dans un emploi concret (1755). *Sonder (qqn, ses intentions)* [1559] signifie «essayer de découvrir (les intentions, l'état d'esprit de qqn)». ◇ À partir de la même époque, le verbe s'emploie concrètement par analogie (1556) pour «frapper sur (un objet) pour savoir ce qu'il contient, juger de son état». En relation avec l'emploi spécial de *sonde* (ci-dessus), le verbe s'emploie (1690) pour «examiner (qqch.) à l'aide d'une sonde pour en vérifier le contenu» *(sonder des bagages),* puis dans le vocabulaire militaire, avec le sens de «fouiller» (1824, *sonder un bois*) sorti d'usage. ➝ Après 1550, *sonder* passe dans le vocabulaire de la chirurgie (v. 1570, *sonder une plaie*), emploi d'où procède une acception spéciale de *sonde* (ci-dessus) et s'emploie par extension au sens d'«évacuer l'urine de la vessie à l'aide d'une sonde» (1694). ◇ Dans un emploi figuré étendu, le verbe s'est dit depuis l'époque classique pour «chercher à évaluer une valeur morale, spirituelle» (av. 1678, La Rochefoucauld). ➝ Au XXe s., le verbe s'emploie en parlant de l'exploration spatiale (1949, *sonder l'atmosphère*) et, probablement d'après l'emploi spécial de *sondage* (ci-dessous), pour «effectuer un sondage d'opinion sur (qqn)» (mil. XXe s.), d'où **SONDÉ, ÉE** adj. et n.

Les dérivés de *sonder* ont développé des valeurs concrètes et abstraites. ➝ **SONDEUR, EUSE** n. apparaît au XVIe s. avec le sens concret de «personne qui sonde (une matière)» [1572] et au figuré dans *sondeur des cœurs* (1599), en parlant de Dieu. Cette valeur métaphorique ne semble reprise qu'au XIXe s. en parlant d'une personne qui cherche à pénétrer les pensées de qqn (1875); elle est demeurée littéraire et rare. Le mot s'est employé par figure en argot pour «douanier» (1849) et comme adjectif pour «sournois, prudent» (1867), dans *père sondeur* «personne rusée dont personne ne se méfie» (1867) et pour désigner un juge d'instruction (1888). Ces valeurs ont disparu. ◇ Le sens technique d'«appareil de sondage» (plus complexe que la sonde) apparaît au XIXe s. (1871) en marine. ➝ De là viennent **SONDEUSE** n. f. (1964) «petite sonde pour les forages peu profonds» et le composé **ÉCHOSONDEUR** n. m. (mil. XXe s.) formé de *écho-* «appareil utilisant la propagation des ondes sonores dans l'eau et permettant en particulier d'établir des cartes sous-marines». ➝ D'après l'emploi correspondant de *sonder* et surtout de *sondage, sondeur* désigne aussi une personne qui fait des sondages d'opinion (1967). ➛ **SONDAGE** n. m. a remplacé (1769) *sondement* n. m. (1604; encore en 1700) pour désigner l'action de sonder (une profondeur, l'atmosphère). ◇ L'emploi abstrait pour «investigation discrète et rapide» (1838) trouve son terrain d'élection dans le domaine des enquêtes d'opinion, vers le milieu du XXe s. : *enquête par sondage* puis, couramment, *sondage d'opinion* et absolument *sondage* désignent une enquête visant à déterminer la répartition statistique des opinions sur une question ou une personnalité politique dans une population donnée, en recueillant des réponses individuelles.

Le préfixé **INSONDABLE** adj., d'abord avec un sens concret (1578), a pris une valeur figurée, «qu'on ne peut comprendre» (1801), puis se dit péjorativement pour «immense» (1855), par exemple dans *bêtise insondable*. Il est usuel. ➛ Il a produit **INSONDABILITÉ** n. f., au figuré (1846) et au propre, et **INSONDABLEMENT** adv. (attesté XXe s.). ➛ **INSONDÉ, ÉE** adj. (1794) est didactique ou littéraire.

Le composé **RADIOSONDAGE** n. m. (1932) de *radio*, désigne l'exploration (sondage) de l'atmosphère à l'aide des ondes radio (cf. ci-dessus *radiosonde*).

◈ **SONGE** n. m. représente une réfection (v. 1175) de *sunge* (v. 1155), *soinge* (XIIIe s.), issu du latin *somnium* «rêve», personnifié au pluriel et signifiant au figuré «chimère, extravagance». *Somnium* est un dérivé de *somnus* (→ sommeil).

♦ Le mot a repris en français (v. 1155) le sens propre du latin, qui est resté courant jusqu'au XIXe s., puis a été remplacé par *rêve** dans l'usage courant, sauf dans des emplois particuliers comme ***en songe*** «en rêvant» (1553), ***la clef des songes*** «système d'interprétation traditionnel des rêves» (1876), et comme terme de mythologie. Ainsi, on appelle *les songes* (fin XVIIe s.) les fils du Sommeil, divinités qui apportent aux hommes des images véridiques ou trompeuses. ◇ *Songe* désigne aussi (1204) ce qui n'a que l'apparence de la réalité, dans *c'est soinge* (XIIIe s., hapax) devenu *c'est un songe* (1651), ou encore *la vie, la gloire*, etc. *est un songe* «n'a pas plus de solidité qu'un songe» (1626). D'autres expressions sont sorties d'usage, comme *retourner en songe* «réduire à rien» (1440-1475), ou encore *un songe de qqch.* «une quantité infime» (1559), là où le français moderne emploie *soupçon*. ◇ L'association *songe-esprit* donne lieu en ancien français au sens de «pensée» (v. 1210), et la confusion paronymique entre *songe* et *soin* à celui de «préoccupation» (v. 1430; cf. *songer*, ci-dessous). ◇ Le mot désigne aussi (1559) une illusion qu'on se fait, une espérance vaine; cet emploi littéraire est encore usité, à la différence d'une acception classique (1636) pour «récit fabuleux, conte».

▸ **SONGER** v. tr. et tr. ind. est la réfection (v. 1175) de *sunjer* (1080), *soignier* (XIIIe s.), etc., *songnier*, aboutissements du latin *somniare* v. intr. «rêver» et v. tr. «voir (qqch.) en rêve» employé au propre et au figuré, et dont viennent aussi l'ancien provençal *somnejar* (v. 1165), l'italien *sognare*, l'espagnol *soñar*, le portugais *sonhar*. ➛ *Songer* s'est employé transitivement (1080, *sunjir que...*) et, dans *songer un songe* (1160-1170), emploi disparu. ◇ Absolument (v. 1150), il équivaut à l'actuel *rêver*, verbe qui l'a supplanté aux XVIIIe et XIXe s.; *songer de* «voir en rêve» (1530) s'emploie jusqu'au XIXe s. (Baudelaire), mais est lui aussi sorti d'usage. ◇ Par la liaison entre *songe* et *sommeil*, *repos*, le verbe, en emploi intransitif, a signifié en ancien français (v. 1175) «être oisif, ne rien faire», d'où par extension «tarder, hésiter» (v. 1360), «attendre» (fin XIVe s.). Cotgrave (1611) relève, en parlant d'une matière combustible, *songer* pour «brûler mal». ◇ Par extension de l'idée de rêve, *soignier* (XIIIe s., hapax) puis *songier* (1278), enfin *songer* (déb. XVe s.) a pris la valeur de «laisser errer sa pensée, s'abandonner à la rêverie» et a signifié au XVIIe s. (1611, intr.) «penser à des choses extravagantes», ce sémantisme interférant avec celui de *rêver**. ➛ L'activité du rêve étant liée à celle de l'esprit, *songer* a signifié à partir du XIIIe s., et sans l'idée de pensée errante, «penser, réfléchir», acception qui se développe d'autant qu'il y a un contact paronymique entre *songer*, souvent sous la forme *songnier*, et *soigner** «donner ses soins à». *Songer* correspond dès l'ancien français à «évoquer (qqch.) par l'imagination, par la mémoire ou par simple association d'idées» (v. 1230, *songer à*), et *faire songer à* équivaut à «faire penser à» (attesté au XIXe s.), *faire songer de* étant sorti d'usage. Parallèlement, *songnier a* (XIIIe s.) puis *songer à qqch.* (v. 1285) signifie «penser à (un problème qui préoccupe)»; cette valeur est sortie d'usage tant en emploi transitif (XVe s.) que dans la construction *songer sur* (1440-1475) et au pronominal (v. 1544, *se songer que* «s'aviser de»). Elle s'est réalisée aussi dans la locution sortie d'usage *songer creux*, d'abord (XVe s.) «s'enfoncer dans ses pensées» puis «avoir l'intention de faire du mal» (v. 1480), et «penser avec dissimulation» (1564); elle a signifié encore au XIXe s. «rêver à des choses chimériques» (1718), cette fois par influence de *songe* «rêverie» (d'où *songe-creux*, ci-dessous). Avec l'idée de malveillance, active du XVe au XVIIe s., *songer à malice* a signifié «avoir l'intention de nuire» (1659) puis «interpréter malignement ce qui est dit» (1690, *songer à la malice*), surtout en construction négative (on dit aujourd'hui *ne pas songer à mal*). ◇ La valeur affaiblie et générale de «penser, avoir présent à l'esprit» paraît présente dès le XIIIe s., mais *songer que* n'est attesté qu'au XVIIe s. (1674). Au XVIe s. le verbe peut correspondre à «ne pas oublier» (1538). Les valeurs de «penser», «considérer» se réalisent en français classique dans les locutions ***songez-y (bien)!*** (1667), vieilli, pour avertir ou menacer, ***vous n'y songez pas!*** «c'est impossible» (1668), ***à quoi songez-vous?*** (1694), ***y songez-vous?*** (1798). ➛ *Songer* a également le sens fort de «s'occuper de, s'intéresser à», construit surtout avec un infinitif (1538) ou avec *que* (1668); avec cette valeur, *songer de* suivi d'un infinitif (1661) est sorti d'usage. *Songer en qqn* «s'occuper de qqn» (v. 1430) a disparu, tout comme *songer à qqn* (1692) «s'occuper de satisfaire qqn», par exemple pour une affaire. Par extension, le verbe veut dire (1538) «envisager en tant que projet qui mérite attention et soin», construit transitivement à l'époque classique, aujourd'hui construit avec *à* suivi d'un nom ou d'un infinitif (1538). ➜ *Songer* s'est employé aux XVIIe et XVIIIe s. au sens de «concevoir» (1538, *songer une comédie*).

Le verbe a fourni quelques dérivés. ➜ **SONGEUR, EUSE** n. et adj. a désigné, encore à l'époque classique, une personne qui fait des rêves (1190, *songeor,* n.; *songiere,* adj.; v. 1380, *songeur*); plus encore que *songer* par *rêver,* il a été remplacé par *rêveur.* ◇ Le nom se dit aussi d'une personne qui se laisse aller à la rêverie, péjoratif dans les premiers emplois (fin XIIe s., adj.), noté burlesque dans Richelet (1680, n.) et rare aujourd'hui. ◇ L'adjectif s'applique encore couramment à une personne perdue dans une rêverie marquée de préoccupations (v. 1820), d'où *être, rester songeur* (1875) et qualifie ce qui trahit une préoccupation (av. 1850). ◇ Son dérivé **SONGEUSEMENT** adv. (XIVe s.) est littéraire et rare. ➜ **SONGEARD, ARDE** adj. (1465; v. 1450, *songeart*), sorti d'usage, a qualifié une personne distraite qui n'a pas le sens des réalités (1669, n.) et a signifié (1611) «pensif». ➜ **SONGERIE** n. f., mot littéraire, réfection (1491) de formes plus anciennes (cf. *songe, songer*), comme *sougnarie* (hapax, XIIIe s.), désigne le fait de laisser aller sa pensée, un moment de rêverie, la suite de pensées développée pendant cette rêverie. ➜ **SONGEMENT** n. m., sorti d'usage, a eu les mêmes sens (1495) et réapparaît chez A. Daudet (1898).

Le composé **RESONGER** v. tr. ind. a signifié (v. 1250, intr.) «faire de nouveaux songes». Il équivaut à «repenser» (1549; aussi intr.) et s'est dit (fin XVIe s.) pour «réfléchir».

SONGE-CREUX n. m. et adj. inv., introduit comme substantif (v. 1500) au sens de «personne qui s'enfonce dans ses pensées», a qualifié comme adjectif (1580), puis a désigné comme substantif une personne qui agite des projets irréalisables (v. 1648). C'est un archaïsme, mieux compris que l'emploi verbal *songer creux* (ci-dessus), complètement disparu, du fait de références classiques connues.

SONNER → ② SON

SONNET

SONNET n. m. est un emprunt (1537) à l'italien *sonnetto* (aujourd'hui *sonetto*), formé à partir de l'ancien provençal *sonet* «petite chanson» (fin XIIe s.), lui-même emprunté à l'ancien français *sonet* (v. 1165), dérivé de ② *son** «air de musique d'un chant» (attesté v. 1200).

♦ Le mot désigne un poème à forme fixe de quatorze vers en deux quatrains sur deux rimes et deux tercets. Cette forme, née au début du XIIIe s. à la cour de Frédéric II de Sicile, a été très vite théorisée en Italie (1332, Antonio da Tempo). Elle est en particulier retenue par Pétrarque à partir de 1327. Le sonnet apparaît en France chez Clément Marot, qui en dédie un à la duchesse de Ferrare (1536), et en même temps chez Mellin de Saint-Gelais et les poètes de l'École Lyonnaise. Il est également emprunté par la Castille et la Catalogne, le Portugal et l'Angleterre (1527), et se développe dans toute l'Europe.

▶ **SONNETTISTE** n., terme didactique (1878), désigne un poète qui compose surtout des sonnets.

SONNEZ

SONNEZ n. m. représente une altération (1666, Furetière), d'après la locution *sonnez, le diable est mort* que l'on prononçait à l'occasion d'un coup au trictrac, de l'ancien *sanes* n. m. pl. (1611). *Sanes* est la forme altérée de *senes, sennes* (1510), en ancien français *sines* n. f. pl. «coup de dés qui amène les deux six» (v. 1155), issu avec l'influence de *six,* du latin classique *senas,* accusatif au féminin pluriel de *seni* «chacun six», distributif de *sex* (→ six).

♦ Ce mot sorti d'usage désignait au tric-trac le coup gagnant qui amène les deux six.

SONORE, SONORITÉ → ② SON

SOPHIE

SOPHIE n. f. vient (1859) du prénom féminin *Sophie,* emprunté au grec *sophia* «habileté, savoir, sagesse», de *sophos* «sage, prudent» (→ sophisme).

♦ Le mot s'est employé, sans qu'on puisse expliquer le choix de ce prénom, dans la locution familière *faire sa Sophie* «faire preuve d'affectation»; (on a dit aussi *faire sa Julie*). *Sophie* en argot, par extension, a désigné une prostituée qui joue les prudes (1888). *Voir Sophie,* qui a signifié «avoir ses règles» (1888), est inexpliqué.

SOPHISME

SOPHISME n. m. est la réfection (v. 1236) de *soufisme* (1160-1170), *sofisme* (v. 1174), emprunt au latin *sophisma,* lui-même du grec *sophisma* «invention ingénieuse», «habileté», «argument, raisonnement faux». Le grec *sophisma* dérive de *sophizesthai* «agir» ou «parler habilement», de *sophos* «habile», «prudent», «sage», mot sans origine connue.

♦ *Sophisme* a désigné un discours trompeur (1160-1170) et a eu le sens (v. 1174) de «ruse, artifice». ◇ Le mot désigne (v. 1175) un argument, un raisonnement faux malgré une apparence de vérité, spécialement en logique. Il est resté vivant et relativement usuel.

▶ **SOPHISTE** n., réfection (1370) de *soffiste* (v. 1236), emprunté au latin classique *sophistes,* du grec *sophistês,* titre d'un dialogue de Platon, désigne (v. 1236, n. m.) un maître de philosophie de l'Antiquité grecque qui enseignait l'art de l'emporter sur son adversaire, de défendre n'importe quelle thèse par des raisonnements subtils. ◇ Le mot, qui a eu dès l'Antiquité à partir de Platon une nuance défavorable, se dit par extension dès le XIVe s. d'une personne qui use de raisonnements spécieux (v. 1380).

SOPHISTIQUE adj. et n. f., terme didactique, reprend (v. 1265, B. Latini) le latin impérial *sophisticus,* lui-même emprunt au grec *sophistikos* «propre aux sophistes», d'où «captieux», dérivé de *sophistês.* ➜ L'adjectif s'applique à ce qui est de la nature du sophisme (v. 1265) et se dit de l'art des sophistes grecs; il a été influencé sémantiquement par le moyen français *sophistice* n. f. (v. 1330) puis *sophistique* (XVe s.) «tromperie, subtilité de sophiste». Ce mot sorti d'usage était un emprunt au latin impérial *sophistice* n. pl. «art du sophisme», «chicane», du grec *sophistikê (tekhnê),* substantivation du féminin de *sophistikos.* ◇ De là, *sophistique* a signifié «qui n'est pas conforme à la réalité» (XIVe s.), «frelaté, falsifié» (déb. XVIIe s.). L'adjectif a qualifié ensuite

(1756) une personne qui use de sophismes. ◇ *La sophistique* désigne la partie de la logique aristotélicienne qui traite des sophismes (1842), l'emploi de sophismes dans l'argumentation (1847, Michelet) et, reprenant le sens du grec, le mouvement de pensée qui, dans la Grèce antique, était représenté par les sophistes (mil. XIXe s.). ◇ Le dérivé **SOPHISTIQUEMENT** adv. (v. 1265) est didactique et littéraire. ➜ **SOPHISTIQUER** v. est emprunté (v. 1370) au bas latin *sophisticari* «déployer une habileté trompeuse», dérivé de *sophisticus*. ◇ Le verbe a signifié «tromper (qqn)», sorti d'usage, et «altérer frauduleusement (une substance)», acception propre à la langue des alchimistes, qui passe au XVIIe s. dans l'usage commercial. Il a eu le sens de «dénaturer (une pensée, un argument) par excès de subtilité» (1579) et, comme intransitif (1596), a signifié «user de procédés sophistiqués». Par influence de *sophistiqué* (ci-dessous), le verbe s'emploie (mil. XXe s.) au sens de «rendre particulièrement raffiné». ➜ **SOPHISTIQUÉ, ÉE** adj. s'est appliqué à ce qui est falsifié, frelaté (1484) et qualifie ce qui est affecté, insincère (1588), en parlant de choses morales. ◇ L'adjectif a été repris au milieu du XXe s., par emprunt à l'anglais *sophisticated*, participe passé déjà ancien (début XVIIe s.) de *to sophisticate*, lui-même emprunté au bas latin. *Sophisticated* a pris en anglo-américain, outre des sens analogues à ceux du français, dans le domaine de la mise, du vêtement et celui de la technique, une valeur de recherche poussée. *Sophistiqué* est employé couramment (1952) à propos d'une personne qui se distingue dans son aspect physique et son vêtement par un style délibérément artificiel, opposé à *naturel* et à *simple*, alors que l'anglais l'oppose plutôt aux idées de banalité, de tradition. Il qualifie aussi (1968), comme en anglais, ce qui est techniquement complexe, les recherches et travaux où interviennent des techniques de pointe. Ces emplois, comme ceux de *sophistication* qui y correspondent, sont critiqués par les puristes. ➜ **SOPHISTICATION** n. f. se dit (v. 1340) du fait de subtiliser à l'excès; le mot, rare avant le XIXe s., a désigné (v. 1370) une imposture et l'action de frelater une substance, puis par métonymie une substance frelatée (1845). ◇ Par emprunt à l'anglais *sophistication*, il se dit du caractère artificiel d'une personne ou d'une chose (1964), puis de l'évolution (des techniques) dans le sens de la complexité (1968). ➜ **SOPHISTIQUEUR, EUSE** n. (v. 1488), mot didactique, désigne une personne qui abuse de raisonnements captieux, acception reprise au XVIIIe siècle. Le mot a désigné (1636) un falsificateur.

◈ voir PHILOSOPHIE.

SOPHORA ou **SOPHORE** n. m., d'abord sous la forme francisée *sophore* (1845), puis *sophora* (1876), reprend le latin scientifique moderne *sophora* (1737); ce mot, emprunté par Linné à l'arabe en conserve le sens.

♦ C'est le nom d'un arbre exotique de grande taille, originaire d'Extrême-Orient, qu'on utilise pour l'ornement des parcs.

SOPHROLOGIE n. f. est emprunté (1967) à un mot créé (1960) par le neuropsychiatre espagnol A. Caycedo; il est composé du grec *sôphrôn* «sensé, sage, tempérant», lui-même de *sôs* «sain, en bonne santé, intact» (mot d'origine indoeuropéenne), de *phrên* «diaphragme, cœur», «esprit» (→ phrén(o)-) et de *-logie**.

♦ Ce mot didactique désigne l'étude des effets psychosomatiques produits par diverses techniques qui tendent à créer des états particuliers de conscience.

► Le mot a fourni **SOPHROLOGIQUE** adj. (v. 1972) et **SOPHROLOGUE** n. (1978).

SOPORIFIQUE adj. et n. m. a été dérivé savamment (fin XVIe s.) du latin *sopor* par suffixation en *-fique*, du latin classique *-ficus* qui marque la cause (dérivé de *facere* «faire*»). *Sopor* signifie à l'époque classique «force qui endort, fait d'endormir» et «sommeil»; ce terme, surtout poétique, est plus expressif que *somnus* «sommeil*», dont il dérive; il est voisin de *torpor* «torpeur»; par suite *sopor* désigne une substance qui fait dormir, en particulier l'opium, et aussi, comme l'italien *sono* (de *somnus*), les tempes.

♦ En français, *soporifique* s'applique (fin XVIe s.) à ce qui provoque le sommeil, d'où *un soporifique* n. m. (1694), moins courant que *somnifère** (→ sommeil); on a dit aussi *soporifère* adj. (fin XVe s.; 1694, n. m.) et *soporaire* adj. (1556). ◇ Par figure, l'adjectif signifie familièrement «ennuyeux, endormant» (1731); il est parfois substantivé, aussi au figuré (1875).

► Le latin *sopor* avait été emprunté par le moyen français sous la forme *sopour* n. f. (1493) au sens de «léthargie»; il a été repris sous la forme *sopeur* n. f. (1803), puis **SOPOR** n. m. (1835) pour désigner en médecine un sommeil profond, un état voisin du coma. ➜ **SOPOREUX, EUSE** adj., dérivé savant (v. 1560) du latin *sopor*, est un ancien terme de médecine signifiant «caractérisé par une tendance à l'assoupissement profond» *(affection soporeuse)*. ➜ **SOPORATIF, IVE** adj., autre dérivé savant, vient (1478) de *soporatum*, supin du latin impérial *soporare* «endormir, engourdir», dérivé de *sopor*. Cet adjectif sorti d'usage avait le sens propre (1478) et figuré (1718) de *soporifique;* lui aussi a été substantivé, au propre (1694) comme au figuré (1690).

◈ voir ASSOUPIR, ASSOUVIR.

SOPRANO n. et adj. est un emprunt (1767, Rousseau, *Dictionnaire de Musique*) à un mot italien signifiant proprement «qui est au-dessus» (XIIIe s.), spécialisé comme terme de musique (v. 1600); ce mot est issu d'un latin populaire °*superanus*, du latin classique *super* «sur, au-dessus» (→ super-) ou de °*supranus*, dérivé de *supra* «au-dessus» (→ supra-). La forme °*superanus* a abouti au français *souverain**.

♦ *Soprano* désigne (1767, n. m.) la voix la plus élevée, auparavant appelée *dessus*, chez les femmes et les jeunes garçons (1835), autrefois chez les castrats*; on dit aussi *soprane* (ci-dessous). ◇ Par métonymie, *soprano* ou *soprane* se dit au masculin (1835) comme au féminin (1871) d'une personne qui a ce registre vocal. Par extension (XXe s.), le mot s'applique à un instrument dont la tessiture est la plus élevée (à l'exception du *sopranino*, ci-dessous) dans une famille (*saxophone soprano*, d'où *un soprano*).

▸ **SOPRANE** n. m. (1812) ou son dérivé **SOPRANISTE** n. m. (1842, G. Sand) se disent d'un chanteur adulte qui a conservé une voix de soprano, soit par castration, selon l'usage italien ancien (→ castrat), soit par une éducation de la voix. On emploie plus souvent aujourd'hui *haute-contre* et *contre-ténor*. ➝ Le dérivé **SOPRANISER** v. intr. (1910, E. Rostand), «chanter d'une voix de soprano», est rare. Deux autres termes ont été empruntés à l'italien. ➝ **MEZZO-SOPRANO** n. désigne (1824) une voix de femme intermédiaire entre le soprano et le contralto et, par métonymie, une chanteuse qui a cette voix (n. f.). On dit aussi *mezzo*. ➝ **SOPRANINO** n. m. (1885, Gevaert), diminutif de *soprano*, se dit d'un instrument (saxophone) dont le registre est encore plus élevé que celui du soprano (*saxophone sopranino*).

SORBE n. f. est la réfection, d'abord au masculin (1512), puis au féminin (1700), de *çourbe* (1256), emprunté à l'ancien provençal *sorba* (XIIIe s.), qui représente le pluriel, pris pour un féminin singulier, du latin *sorbum* «fruit du sorbier», mot d'origine inconnue. La forme *sourbe* est relevée en français au XVIIe s. (1659). On employait aussi auparavant *corme*, (d'un gaulois °*corma*) d'usage régional.

♦ *Sorbe* désigne le fruit du sorbier, qui se consomme blet. On relève *scorbe* (1568) au sens sorti d'usage de «confections aromatiques» et *sourbe* dans *sourbe rouge* (1678) «fruit du sorbier des oiseaux».

▸ **SORBIER** n. m., réfection (1544) de *çorbier* (1256) qui correspond à l'ancien provençal *sorbier* (XIIIe s.), est le nom d'un arbre à carpelles réduits et à fleurs en corymbes qui produit les fruits appelés *sorbes*; on distingue le *sorbier cultivé (cormier)* du *sorbier commun* ou *sorbier des oiseleurs*, arbre sauvage ou ornemental (1779) appelé aussi *sorbier des oiseaux* (1791). ◇ *Sorbier* désigne par métonymie le bois de l'arbre (1845), certainement antérieur; ce sens est attesté au XIIIe s. en ancien provençal. ➝ **SORBÉ, ÉE** adj. (1842) se dit, par analogie d'aspect avec la sorbe, de fruits et notamment du raisin lorsqu'ils sont couverts de taches par excès de maturité. ➝ **SORBÉ** n. m. a désigné (1875) une boisson fermentée faite à base de sorbes, nommée aussi *cormé*. ➝ **SORBIQUE** adj. s'emploie (1836), peut-être par emprunt à l'anglais *sorbic* (1815), dans *acide sorbique*, terme de chimie désignant un acide d'abord extrait des baies du sorbier. ➝ **SORBITE** n. f. (1872), sorti d'usage, a été remplacé par son dérivé **SORBITOL** n. m. (1949) qui désigne un polyalcool résultant de la réduction du glucose ou du fructose, employé en pharmacie comme édulcorant artificiel et comme stimulant de l'excrétion biliaire.

SORBET n. m. est emprunté (1544) à l'italien *sorbetto*, lui-même emprunté, par le turc *chorbet*, à l'arabe dialectal *šurbā* «boisson», arabe classique *šarāb* (→ sirop); l'espagnol a *sorbete*, le portugais *sorvete*.

♦ Le mot a désigné une boisson glacée fondante (1544) puis une préparation orientale à base de sucre et de citron (1690) et la boisson obtenue en battant cette préparation avec de l'eau (av. 1806). ➝ Depuis le XVIIIe s. (1782), le mot désigne spécialement une préparation glacée à l'eau (à la différence de la *glace* et du *parfait*) et aux fruits. Cette acception est la seule vivante pour *sorbet*, mais tel n'était pas le cas au XIXe s., comme en témoigne l'expression *sorbet glacé* (1871) qui serait au XXe s. pléonastique.

▸ Le dérivé **SORBETIÈRE** n. f. (1782) a remplacé *sarbotière* (1765), encore relevé en 1878; il désigne aujourd'hui un appareil dont les pales de brassage sont mues à l'électricité.

SORBONNE n. f., attesté comme nom commun au XVIe s. (1535), vient du nom du collège de théologie fondé au XIIIe s. par Robert de *Sorbon* (1201-1274).

♦ Le mot s'est d'abord employé (1535), dans le langage de l'école, pour désigner l'une des trois thèses de la licence en théologie, à la faculté de Paris, sens relevé jusqu'en 1701. ◇ Au XIXe s., le mot passe dans le vocabulaire technique, désignant, peut-être d'après l'image de la chaire, un fourneau où les menuisiers, les ébénistes, font chauffer la colle (1803); cette acception semble d'origine argotique. Il en va de même pour l'emploi métaphorique de *sorbonne* pour «tête, esprit» (1808), sorti d'usage. D'après l'acception technique ancienne, le mot a aussi désigné (1933) une sorte d'auvent permettant de donner de l'air à l'intérieur d'un atelier; il désigne aujourd'hui (v. 1970) une enceinte hermétique pour la manipulation des radioéléments.

▸ *Sorbonne* a produit plusieurs dérivés ironiques ou péjoratifs forgés par les adversaires de la Sorbonne à l'époque de la Réforme. ➝ **SORBONISTE** adj. et n. a désigné (1534, Rabelais) un diplômé de la Sorbonne. ➝ **SORBONNAGRE** n. m. est une formation plaisante employée également par Rabelais (1534, *sorbonagre*), qui en est peut-être l'auteur à partir de *Sorbon[ne]* et de *[on]agre* «âne», appliquée aux théologiens de l'ancienne faculté. Ce mot s'est employé familièrement pour désigner un universitaire de la Sorbonne. Plusieurs autres dérivés plaisants sont attestés : chez Rabelais encore, on relève **SORBONICOLE** (1532) de *-cole*, du latin *colere* «cultiver, honorer, habiter», **SORBONISANT**, puis à la fin du XIXe s., **SORBONNIOT** n. m. (1886, J. Vallès), équivalent sorti d'usage de **SORBONNARD, ARDE** n. et adj. (fin XIXe s.; aussi écrit *sorbonard*) «étudiant ou professeur de la Sorbonne», seule forme vivante au XXe siècle. ➝ **SORBONIQUE** adj. et n. f., d'abord nom masculin (1541) pour «théologien de la dogmatique catholique», s'est employé à partir de la fin du XVIe (1589; adj.) et jusqu'au XVIIIe s. à propos de ce qui est relatif à l'enseignement de la Sorbonne. *Sorbonique* n. f. (av. 1558) était le nom donné à la thèse soutenue en Sorbonne, qui constituait la troisième épreuve de la licence de théologie.

SORCIER, IÈRE n. et adj., d'abord attesté au féminin (v. 1160), puis au masculin (1283), est issu, après la forme latinisée *sorcerius* (VIIIe s., Gloses de Reichenau), d'un latin populaire °*sortiarius* «diseur de sorts», au féminin °*sortiaria* «sorcière», dérivé du latin classique *sors, sortis* «sort», «tirage au sort» et «oracle, prophétie» (→ sort). On relève en ancien français d'autres formes du féminin, *sorcelière* (XIIe s.), *sorceresse* (XIIIe s.).

♦ Le mot désigne une personne à qui est attribué un pouvoir surnaturel dû à un pacte avec le diable, aujourd'hui une personne qui pratique une magie de caractère primitif. ◇ L'adjectif qualifie au figuré (1555) ce qui enchante, agit comme un sorcier. *Sorcier,* n. m., désigne (1635) une personne (en général un homme), spécialement un artiste, qui captive par son adresse, son art ; ces emplois extensifs sont littéraires. ◇ Parallèlement, par référence à une représentation traditionnelle, le féminin *sorcière* se dit par figure (1579) d'une femme vieille, laide et méchante, par exemple dans l'expression ***vieille sorcière*** (1573) ; avec la même valeur, *vieux sorcier* (1718) ne s'est pas maintenu. ◇ C'est l'idée d'«adresse», d'«habileté dépassant la normale» qui est retenue dans des locutions comme *être sorcier comme une vache* (c'est-à-dire fort peu) «manquer de perspicacité» (1640), sorti d'usage ; ***il ne faut pas être (grand) sorcier*** (pour faire telle chose), «il ne faut pas être très intelligent» (1656) et, à propos de choses, ***cela n'est pas sorcier*** «ce n'est pas bien difficile (à deviner, à faire)» [1898, J. Renard]. ➛ *Sorcière* n. f. a été employé, par référence à l'aspect prêté aux sorcières, pour nommer divers animaux d'apparence irrégulière et menaçante : un coquillage (1757), la murène (1842), une espèce de mante (1863). *Sorcier* n. m. est une désignation régionale (attestée XXe s.) d'un bolet bleuissant. ◇ On nomme aussi ***rond de sorcières*** la disposition en cercles plus ou moins réguliers de certaines espèces de champignons. ➛ Le sens initial de *sorcière* a récemment donné de nouveaux emplois. La locution ***chasse aux sorcières*** (v. 1955), traduite de l'anglo-américain, faisait allusion aux femmes pourchassées et condamnées au bûcher comme sorcières dans l'Angleterre et l'Amérique puritaines du XVIIe s. ; appliquée à l'époque de la guerre de Corée pour désigner l'épuration organisée par le sénateur américain J. McCarthy à l'encontre des communistes ou réputés tels dans l'administration, les milieux du spectacle, etc., la locution désigne par extension la poursuite systématique par un gouvernement ou un parti de ses opposants. ◇ ***Miroir de sorcière*** (v. 1970) se dit d'un miroir convexe qui renvoie des images lointaines et très petites.

▸ Le dérivé **SORCELLERIE** n. f. s'est substitué (1549 ; *sorcelerie,* v. 1220), par dissimilation du second *r,* à °*sorcererie ;* on relève la forme *sorcerie* (v. 1130) jusqu'à la fin du XVIe siècle. Le mot a désigné (v. 1220) une croyance superstitieuse. ◇ Il se dit dès le XIIe s. (*sorcerie,* v. 1130 ; *sorcellerie,* 1549), des pratiques du sorcier. Il a suivi une évolution analogue à celle de *sorcier* et désigne (1669) des tours d'adresse qui semblent inexplicables et, plus généralement, un phénomène, une pratique incompréhensibles.

Le composé **ENSORCELER** v. tr., réfection (XIIIe s.) de *ensorcerer* (1188), signifie «soumettre (une personne, un animal) à l'action d'un sortilège». L'expression *il faut qu'on l'ait ensorcelé* s'est employée à propos d'une personne dont la conduite paraît inexplicable, ainsi que le participe adjectivé puis substantivé *ensorcelé, ée* (1854). ◇ Par figure, le verbe s'emploie (v. 1398) pour «captiver entièrement (qqn, l'esprit), comme par un sortilège», et spécialement (XVIe s.) «troubler (qqn) par une violente passion». ➛ Le verbe *ensorceler* a plusieurs dérivés. **ENSORCELEUR, EUSE** n. et adj. s'est employé pour «sorcier, enchanteur» (1538) ; la variante **ENSORCELERESSE** n. f., attestée isolément en moyen français (fin XIVe s.), correspond à l'ancien et moyen français *sorceresse* (cf. ci-dessus). L'adjectif s'applique par figure à une personne qui séduit (av. 1648) ; comme le nom (1868), il est d'emploi littéraire. ◇ **ENSORCELLEMENT** n. m. s'emploie (1393) au propre et au figuré ; le mot a désigné (1704) une maladie de langueur que les médecins ne savaient guérir. ➛ **ENSORCELANT, ANTE** adj. équivaut (1605) à «fascinant, envoûtant».

Le verbe préfixé **DÉSENSORCELER** v. tr. (1538), «faire cesser (qqn) d'être ensorcelé», s'est aussi écrit *désorceler* (1549) jusqu'au début du XVIIIe siècle. ◇ Le verbe s'emploie au figuré au sens de «soustraire (qqn) à une forte emprise», en parlant d'une passion violente (1596), et plus généralement d'une chose fâcheuse (av. 1654). ◇ Il a fourni **DÉSENSORCELLEMENT** n. m. (1636), d'emploi rare.

◈ voir SORT, SORTE, SORTILÈGE.

SORDIDE adj. est emprunté (v. 1363 ou XVe s., Chauliac) au latin *sordidus* «sale, malpropre» et par figure «bas, insignifiant, méprisable», «ignoble», en particulier «avare» ; l'adjectif latin dérive de *sordes* désignant concrètement la saleté et, au propre comme au figuré, la bassesse de condition ou d'âme ; *sordes* a aussi le sens de «vêtements de deuil», qu'on laissait volontairement négligés, d'où celui de «deuil». Ce mot, d'origine obscure est seulement rapproché du gotique *swart* «noir» (cf. allemand *schwarz*) qui peut aussi être mis en rapport avec le latin *suasum* «tache», qui reposerait sur °*swart-to-*.

♦ *Sordide,* reprenant les valeurs du latin, qualifie d'abord concrètement ce qui est d'une saleté repoussante ; il s'est spécialisé au XVIe s. en médecine, en parlant d'un ulcère qui cause une suppuration (1549), et d'une plaie qui a un mauvais aspect (v. 1560, Paré), sens sortis d'usage au XVIIIe siècle. ➛ On relève les premiers emplois figurés au XVIe s. (par exemple dans Ronsard) et au début du XVIIe s. (Malherbe), à propos de ce qui porte à un excès honteux, par exemple l'avarice, emploi calqué du latin, et en général pour qualifier ce qui est bassement intéressé, mesquin (1561, Ronsard), et aussi les gains obtenus par une âpreté excessive (1669, Boileau). ◇ L'adjectif s'applique par extension (1690) à une personne qui manifeste ces défauts, surtout l'avarice.

▸ **SORDIDEMENT** adv. signifie (1550) «d'une manière sordide, dans la plus grande avarice». ➛ **SORDIDITÉ** n. f. s'est employé pour «mesquinerie, ladrerie» (1573), emploi disparu au XVIIIe siècle. ◇ Il se dit au propre de l'état de ce qui est très sale (av. 1869, Lamartine) et désigne par métonymie une action, une chose répugnante moralement. Tous les emplois sont littéraires.

SORGHO n. m. est emprunté sous plusieurs formes (1542, *sorgue;* 1553, *sorgo;* 1765, *sorgho*) à l'italien *sorgo* (XVe s.), d'origine incertaine ; ce mot est peut-être issu de formes vénitiennes, comme *surico* (Xe s.) ou des variantes latinisées *suricum, soricum, surgus* (XIIe s., Padoue), représentant le latin classique *syriacus* (ou *syricus*) «de la Syrie, Syrien», dérivé de *Syria,* emprunt au grec *Suria.* Pour P. Guiraud, l'italien *sorgo* comme les formes médiévales représenteraient un latin populaire °*suricus* «plante droite et haute comme un piquet», à cause de l'aspect du sorgho, dérivé du latin classique *surus* «piquet, pieu».

♦ Le mot désigne une graminée originaire des régions tropicales, utilisée comme céréale. Par extension, en français d'Afrique, *sorgho sauvage* désigne une grande herbe annuelle de la savane.

SORGUE → SORNETTE

SORITE n. m. est emprunté (1558) au latin classique *sorites,* terme de rhétorique, lui-même emprunt au grec *sôreitês* (sous-entendu *logos*), proprement «argument du tas», substantivation de *sôreitês* «mis en monceau, formé par accumulation». Cet adjectif dérive de *sôros* «tas», mot d'origine obscure. Il existe deux types de sorite ; l'un repose sur une accumulation de prémisses (A est B, B est C, C est D ; donc A est D) ; l'autre est l'argument du tas : si l'on ôte un grain d'un tas de blé, il reste un tas de blé, etc., donc un seul grain, qui n'est pas un tas, en est pourtant un.

♦ *Sorite,* terme de logique, conserve le sens des mots latin et grec.

SORNETTE n. f. représente un diminutif (v. 1420) du moyen français *sorne* «attitude hautaine, morgue» (fin XIVe s.), «plaisanterie, moquerie» (1440-1475), qui a fourni le verbe *sorner* «se moquer de (qqn)» [1420, tr.], «badiner» (1464) encore relevé en 1611. *Sorne* serait emprunté à l'ancien provençal *sorn* adjectif, «sombre, obscur» (v. 1280), d'où vient le moyen français *sorne* «soir», attesté en argot dès 1486 et altéré en **SORGUE** n. f. (1628), toujours en usage dans la littérature argotique du XXe s., d'où *sorguer* v. intr. (fin XVIIIe s.), sorti d'usage. ➛ L'ancien provençal *sorn* est d'origine discutée. Pour le *F. e. w.,* il représente, à la suite d'une évolution sémantique peu claire, une altération de l'ancien provençal *sort, sourt,* issu du latin classique *surdus* (→ ① sourd), peut-être sous l'influence de *morn,* de même origine que *morne**. P. Guiraud part du fait que *sorn* a donné en français trois familles de sens : *sorne* n. f. pour «soir» et «scorie qui adhère aux parois de la fonte» (1752, *Encyclopédie*), acception répandue dans les parlers de l'Ouest et du Centre, et par ailleurs *sournois**, d'abord «qui a une humeur sombre» ; l'ensemble des sens pourrait alors être rattaché au latin classique *sordere* «être sale» et au figuré «être sans valeur», «être méprisable», d'où *sorne* «morgue», «moquerie», lui-même dérivé de *sordes* «saleté, crasse» ; *sordes* a aussi pour dérivé *sordidus* «malpropre» et «noirci» (→ sordide) qui explique *sorn* «sombre» et *sorne* «soir», les sornettes étant des «histoires de veillées», que l'on raconte à la *sorne.*

♦ *Sornette* a d'abord désigné (v. 1420) une devinette ou un autre jeu qu'on joue en société, en particulier aux veillées et, comme *sorne,* a signifié «raillerie» (v. 1460), d'où autrefois *donner les sornettes à qqn* «railler qqn» (1528). ➛ Surtout employé au pluriel, *sornette* se dit (1465, *sournete;* 1527, *sornette*) de propos vides de sens, frivoles (cf. *baliverne, billevesée*) ; le mot a vieilli.

◈ voir SOURNOIS.

SORORAL, SORORITÉ → SŒUR

SORT n. m. est issu (v. 980) de *sortem,* accusatif du latin classique *sors, sortis* n. f., désignant à l'origine une petite tablette de bois qui servait à répondre aux questions posées à des oracles, ou à procéder à des tirages au sort, par exemple dans le partage des magistratures ; de là viennent les acceptions «tirage au sort», «résultat du tirage», spécialement «oracle ou prophétie portés sur les tablettes parmi lesquelles un enfant effectuait le tirage après les avoir mêlées», d'où «charge attribuée par le sort» ; par extension, *sors* signifie «sort fixé à chacun, destinée» et «lot», puis «rang, sorte» et, dans la langue juridique, «capital» (opposé à *fenus* «intérêt de l'argent prêté») et «héritage», comme le grec *klêros* (→ clerc). *Sors* est peut-être issu de la même racine que le verbe *serere* «lier ensemble», «engager» (→ série).

♦ *Sort* a repris la plus grande partie des acceptions du latin ; le sort est d'abord une puissance extérieure à l'homme (cf. *destin*) et une manière de décider qqch. par le hasard, d'où l'emploi pour «tirage aléatoire» (cf. ci-dessous) [déb. XIIIe s.]. La locution *geter sort* «jeter les dés pour décider qqch.» (v. 1119), devenue *jeter du (par) sort* (1530), *au sort* (1549), s'est maintenue à l'époque classique puis a été remplacée par ***tirer au sort*** (1636), concurrencée un moment par *tirer le sort. Tirer au sort* signifie plus généralement «décider par le hasard» (1680). ***Tirage au sort*** s'est spécialisé au XVIIIe s. pour «mode de recrutement des armées dans lequel le sort décidait» (1752) ; le *tirage au sort* ou *le sort* (1845) est au XIXe s. un moment crucial pour les jeunes gens des classes populaires, seuls les riches pouvant échapper par un rachat à une longue conscription. ***Le sort en est jeté,*** «la décision est prise irrévocablement», locution attestée depuis Malherbe (1609), est la traduction du *Alea jacta est,* phrase prononcée par César décidant de franchir en armes le Rubicon, malgré la défense du Sénat (cf. *franchir le Rubicon*). ➛ Depuis *La Chanson de Roland* (1080) est attesté un autre sens de *sort,* auquel se rattache *sorcier**, le mot désignant un effet magique, le plus souvent néfaste, lié à une personne ou à une chose et qui résulte de certaines opérations de sorcellerie ; il s'emploie surtout dans ***jeter un sort à qqn*** «l'ensorceler*», dans ***il y a un sort*** «une mauvaise chance prévaut» (1680) et dans ***mauvais sort*** «fatalité qui s'acharne sur qqn» (1807).

➛ Au début du XIIIe s., *sort* reprend le sens latin de «prédiction, prophétie», sorti d'usage; par extension, le mot a désigné l'art de la divination (v. 1170), notamment la divination à l'aide de dés jetés (XIIe s.), dans *sort homérique* (1546), *virgilien* (1546, *virgilian*), «divination au moyen d'un passage pris au hasard dans Homère ou Virgile», *sort des apôtres* (1690), *sort des saints* (1721), au moyen des Actes des Apôtres, de l'Écriture sainte. Dans ce sens, on employait aussi le pluriel *les sorts* en français classique (1687). ➛ Depuis l'ancien français, le mot désigne aussi (v. 1120) ce qui doit arriver à qqn du fait du hasard, des circonstances ou d'une prédestination supposée; il équivaut alors à *destin, destinée*. Cette acception est courante au XVIIe s.; en ce sens, *sort* s'est employé aussi au féminin du XIIe (v. 1130), jusqu'au XVIe siècle. Il se dit en particulier (XIIIe s.; v. 1119, selon *G. L. L. F.*) de la situation qui est faite à une personne, à un groupe, spécialement sous le rapport des conditions matérielles, du bonheur (1647; 1546 selon *G. L. L. F.*). ◇ Le sort pouvant être favorable ou contraire (cf. *heur*), le mot a eu le sens de «chance» (XIVe s.) et, par métonymie de la valeur «mauvais sort», a signifié «poison» (1440-1475); il s'emploie aussi avec une valeur neutre, au sens de «hasard» (1611), aujourd'hui seulement dans ***le sort des armes*** «l'incertitude de la guerre» (1690). ◇ Par extension, *sort* désigne (1640) l'issue imposée par le hasard à la vie d'une personne, à la destination d'une chose; de là procèdent les locutions *faire un sort à qqn* «assurer son avenir» (1835), sortie d'usage, et ***faire un sort à qqch.*** «mettre en valeur» (1827), puis «en finir avec elle d'une manière radicale» (1896), par exemple «finir un plat, tout manger», «tout boire» (1895). ➛ Par ailleurs, *sort* s'est employé isolément au sens latin de «décision, suffrage» (v. 1190), «avis» (XVe s.) et, à l'époque classique, avec la valeur étymologique de «capital, fonds placé en rente» (1330), en particulier dans *sort principal* (1553) «biens reçus par héritage ou après avoir tiré au sort en vue d'un partage». Ces acceptions ont disparu.

◈ voir ASSORTIR, CONSORT, SORCIER, SORTE, SORTILÈGE, SORTIR.

SORTE n. f. est emprunté (1220) au latin classique *sors, sortis* «sort», «tirage au sort», d'où «sort fixé à chacun», «rang, condition» et «catégorie» (→ sort), qui a pris en bas latin le sens de «manière», «comportement propre à une espèce de gens». La variante *sourte* (v. 1500) est propre au moyen français.

♦ *Sorte* désigne d'abord un groupe de personnes, une compagnie homogène; avec ce sens, le mot apparaît dans plusieurs locutions du moyen français, parmi lesquelles au XVe s. (1440-1475) *deviser sorte avec sorte* «avec ses pareils», *mariage de sorte* «conforme au rang de qqn», *être de sorte à qqn* «aller de pair avec qqn», et au XVIe s. *être la sorte de qqn* (1526); cette acception ne s'est pas maintenue, non plus que celle de «condition, rang d'une personne» (v. 1450). ➛ *Sorte* a pris le sens de «manière de faire qqch.», dans des locutions; ***en sorte que,*** marquant la conséquence avec l'indicatif, est littéraire (XIIIe s.), ***de (telle) sorte que*** (1557) de même valeur, est demeuré courant; *en mauvaise sorte* «mal» (XVe s.) a disparu de même que *en une sorte* «d'une certaine façon» (1530), *en nulle sorte* «nullement» (1538); ***en aucune sorte*** (1538) est archaïque, mais encore compris, comme ***de bonne sorte*** (1526), alors que ***de la bonne sorte*** (1549) «comme il faut» et par ironie «avec énergie, sévèrement» (1690; 1740, *parler à qqn de la bonne sorte*) s'emploie encore. ***De la sorte*** loc. adv. «de cette manière» (1545), toujours usuel, s'est employé adjectivement pour qualifier une chose (*chose de la sorte* «telle» [1640], emploi encore vivant régionalement); *tout d'une sorte* «d'une seule façon» (1549) est sorti d'usage comme *en toute sorte* «de toute façon» (1636). ◇ ***En quelque sorte*** loc. adv. «d'une certaine manière» et par extension «pour ainsi dire» (1650), emplois toujours vivants, a signifié à l'époque classique «en quelque manière que ce soit». ***Faire en sorte que*** (1678; avec subjonctif), ***de*** (1685; avec infinitif) marque la finalité et se dit encore.

Depuis le XIVe s., (1327), le mot désigne ce qui permet de caractériser un objet parmi d'autres, et l'ensemble des objets ainsi caractérisés. Le mot a cette valeur usuelle dans ***toute sorte de*** marquant l'indétermination (av. 1885), vieilli aujourd'hui dans ***toutes sortes de*** indiquant la multiplicité; la locution *de la première sorte* s'appliquait à une personne de condition (v. 1534) puis à une chose excellente (1802; 1723, *de première sorte*). ***Une sorte de*** se dit d'une chose (1644) ou d'une personne (1835) qu'on ne peut exactement qualifier et qu'on rapproche d'une autre. ◇ À l'époque classique, *sortes* n. f. pl. (1636) s'est dit de livres dont les libraires avaient le privilège total ou partiel. ◇ Dans le vocabulaire de l'imprimerie, le mot désigne (1723) une certaine quantité du même caractère et en pharmacie (1765) l'état de certaines drogues non tirées ou de qualité médiocre; ces emplois techniques ont vieilli.

◈ voir ASSORTIR, SORCIER, SORT, SORTIR.

SORTILÈGE n. m. est un emprunt (v. 1213) au latin médiéval *sortilegium* «divination» et «sortilège», altération du latin classique *sortilegus* «prophétique» et, nom masculin, «devin», mot composé de *sors, sortis* (→ sort) et de *legere* «recueillir» (→ lire).

♦ Le mot désigne (v. 1213) un maléfice de sorcier et a pris le sens figuré (XXe s.) d'«action qui semble magique». ◇ En parlant de l'Antiquité, le nom a été employé (1765) avec sa valeur étymologique de «devin, celui qui tire les sorts».

✳ **SORTIR** v. est issu (v. 1145) du latin *sortiri* «tirer au sort», «recevoir par le sort», «échoir en héritage» et par extension «distribuer, choisir, obtenir». Le verbe dérive de *sors, sortis* (→ sort). L'évolution sémantique vers le sens d'«aller du dedans au dehors» a pu s'effectuer à partir du participe *sortitus* «qui a été désigné par le sort», d'où «qui échappe à» et «qui se manifeste au dehors» (cf. l'idée ultérieure de *tirer au sort*). L'idée de «choix» est commune à *sortes* (→ sorte) et en français à *assortir*. On a proposé de distinguer deux verbes *sortir*, le verbe de mouvement représentant l'aboutissement d'un latin populaire °*surctus* (cf. espagnol *surtir*), altération de *surrectus*, du latin classique *surgere* «jaillir», emprunté sous la forme *surgir**; mais cette hypothèse ne rend pas compte du *o* français. Rare comme verbe de mouvement avant le XVIe s., *sortir* a remplacé l'ancien verbe *eissir, issir* devenu archaïque au XVIIe s., et dont procède *issue**.

♦ *Sortir* reprend les sens du latin «décider (qqch.)» (v. 1145), «tirer au sort, jeter les dés» (v. 1155, comme intransitif) d'où *se sortir* «être tiré au sort» (v. 1355) et, par extension, comme transitif, «prédire (qqch.) par le sort» (v. 1155), qui s'est maintenu jusqu'à la fin du XVe s.; de ces acceptions viennent plusieurs emplois également sortis d'usage : *sortir de (faire qqch.)* a signifié «décider de», en parlant des dieux (v. 1150) et *sortir de* «obtenir connaissance de (qqch.) par le sort» (v. 1210). Par extension, *sortir à* a signifié en moyen français «parvenir par sa destinée» (v. 1450). ◇ Parallèlement, *sortir* avait aussi le sens latin de «choisir» (v. 1170, *sortir de* «faire son choix à propos de») et, en particulier, «désigner (un dignitaire ecclésiastique)» [1172-1174, tr.], et celui de «distribuer, réserver pour» (v. 1330), encore au XVIe s. avec *se sortir* «se donner en partage» (v. 1530). Cette valeur étymologique demeure lorsque *sortir* est employé pour «être tiré» en parlant d'un numéro (de loterie, etc.) que désigne le hasard (1664), d'où par analogie à propos d'un sujet d'examen (XXe s.), mais le verbe est alors senti comme rattaché au sens moderne «aller au dehors», par une spécialisation ou une extension. ➔ Le sens latin d'«obtenir» a été retenu en droit, probablement par réemprunt, dans *sortir juridiction* (1395) «subir le jugement», puis dans *sortir son effet* «produire son effet» (1439), en parlant d'une sentence. Avec cette valeur, le verbe a la conjugaison régulière des verbes en *-ir*, contrairement à *sortir*, verbe de mouvement.

L'idée de «mouvement» se réalise pour *ressortir* «rebondir», dès *La Chanson de Roland* (1080), et au XIIe s. dans *sortir de la mort* «y échapper» (v. 1150) qui correspond à l'idée latine de *sortitus* «désigné par le sort», d'où «épargné». Cette acception a disparu, de même que, dans un emploi pronominal, *se sortir* «paraître, se manifester» (1358), mais la figure est reprise au XVIe siècle. ◇ De cet emploi pronominal procèdent *sortir* pour «aller dehors», emploi répandu au XVIe s. (1530), construit avec *hors* (1538), *en évidence* (1559) ainsi que *sortir* «apparaître en se produisant à l'extérieur» (1501) en parlant d'une plante, d'une dent. Par extension, *sortir* correspond à «apparaître en totalité ou en partie hors (de qqch.)» [v. 1485], d'où *sortir de l'onde* (1690; *de l'eau*, XIXe s.) à propos d'un bateau qui apparaît à l'horizon. Cette acception se retrouve dans une locution familière ***les yeux lui sortent de la tête***, qui se disait autrefois pour marquer une grande vivacité (1740), aujourd'hui pour «avoir les yeux exorbités» (1876). ◇ Par figure, *sortir* veut dire «être livré au public» en parlant d'une marchandise (1874) et «commencer à être connu» (1926), de même que la métaphore ***sortir de l'ombre***. *Sortir*, pour «être nettement visible sur un fond» (1675), est moins courant que *ressortir* (cf. ci-dessous). ➔ D'autres emplois de nature abstraite et intellectuelle se rattachent à ce sens à partir de la fin du XVe s. : «ne pas se tenir à une chose fixée» dans *sortir d'un propos* (fin XVe s.), d'où *sortir de son sujet* (1690), *du sujet* (1718), *sortir de la question* (1718), emplois où le verbe équivaut à *s'écarter, s'éloigner*; avec la même valeur, des emplois métaphoriques supposent un sens concret (ci-dessous), par exemple *sortir des bornes, des limites du sujet*, mais d'autres emplois abstraits ont cours : *sortir des règles* (1636), *sortir de son devoir* (1694), *ne pas sortir de là* «persister» (1779). ◇ À la fin du XVe s. est aussi relevé *sortir de* «être issu, venir de», spécialement *sortir du ventre (d'une femme)*, «naître (de)» [1499], avec l'idée d'origine, réalisée ensuite dans l'emploi pour «être produit par» dans un contexte religieux à propos des œuvres divines (1560). Par extension, *sortir de* veut dire «avoir pour ascendance» (1640), par exemple dans la locution familière ***se croire sorti de la cuisse de Jupiter*** (→ cuisse), et «avoir été formé (quelque part)» (1701; 1782 *sortir des mains de qqn*). ***Sortir du rang*** (1893) s'emploie à propos d'un officier qui n'a pas suivi la formation, puis d'une personne qui n'a pas suivi la voie hiérarchique normale. ***D'où sortez-vous?*** se dit (1713) à une personne qu'on n'a pas vue depuis longtemps; par figure, la locution s'emploie familièrement en parlant de qqn dont l'ignorance est choquante (1792) et ***d'où sort-il?*** concerne l'ignorance ou le manque d'éducation. Ces emplois sont aujourd'hui plutôt rattachés au sens spatial dominant «aller au dehors».

Ce sens spatial concret d'«aller hors (d'un lieu), du dedans au dehors, à l'extérieur», semble exister depuis le XIIe s. (v. 1175), mais ne s'impose, par rapport à *issir* (→ issue) qu'au XVIe s., *sortie* étant attesté avec cette valeur en 1400. Il est devenu dominant et de nombreux emplois qui se rattachent à des valeurs antérieures sont aujourd'hui interprétés comme métaphoriques de cette acception (voir ci-dessus). La valeur générale de mouvement pourrait d'ailleurs remonter à l'ancien français, si l'on en juge par *ressortir* («rebondir», 1080). Verbe intransitif, *sortir de* signifie «quitter un lieu» (1530); avec cette valeur, les constructions transitives (1534, *sortir le pays*) et pronominales ne se sont pas maintenues; *sortir* signifie spécialement «aller dehors pour se battre» (1550). *Sortir au devant de qqn* (1538) a été remplacé par *aller au devant...* ◇ *Sortir* absolument correspond à «aller se promener, faire des visites» (1636) et *être sorti* «ne pas être chez soi» (1664). Dans cette acception qui correspond à un emploi de *sortie*, le verbe a des contenus variables selon les contextes (plaisirs mondains, activités extérieures, parfois par euphémisme). ◇ Le verbe entre dans plusieurs locutions proverbiales comme ***la faim fait sortir le loup du bois*** (XVIe s.) toujours en usage, ou encore *il ne peut sortir du sac que ce qui y est* (1606), qui se disait d'une personne sans éducation, locution disparue dont on connaît de nombreuses variantes (1611, *d'un sac à charbon, il ne peut sortir que de la poussière noire*). ◇ ***Si on le fait sortir par la porte, il rentre par la fenêtre*** (1690), s'emploie à propos d'un importun. ◇ *Sortir* s'emploie en particulier quand il s'agit de quitter un lieu où l'on est enfermé, par exemple dans *sortir de prison* (1553), *de captivité* (1694). ◇ De même, le verbe se dit d'un

objet en mouvement, d'un fluide (1550) ou d'une chose qui devrait se maintenir dans un lieu, un contenant, par exemple une rivière (1690, *sortir de son lit*) ; avec cette valeur, le verbe s'emploie par figure dans ***sortir de ses gonds*** (1559, *sortir hors des gonds*), qu'on rapprochera de *être hors de soi*. ***Sortir d'une boîte*** se dit au figuré en parlant d'une personne vêtue de neuf (1640), ensuite d'une personne prétentieuse (1863). ◇ Dans de nombreuses expressions, le sujet désigne abstraitement un contenu de conscience : *sortir de la mémoire* (1640), *de l'esprit* (1678), *de la tête* (1796) «ne plus y être». *Sortir du sujet* (ci-dessus) qui procède du sémantisme de l'origine est aussi interprété spatialement. ◇ *Sortir du son* (1669), *de la mesure* (1718) s'est employé en musique, *sortir de cadence* (1690) en danse. ◇ Par ailleurs, *sortir dans/sur* «avoir une issue» s'est dit (v. 1690) en parlant d'une pièce ; il a été remplacé par *donner* (sur)*. ◇ Parallèlement, avec plusieurs valeurs simultanées, spatiales mais aussi abstraites (ci-dessus), *sortir de (qqch.)* signifie «cesser d'être dans (un état), de faire (une chose)», d'abord dans *sortir hors de (l'enfance, l'hiver)* [1538], puis *sortir de* (1690) et dans *sortir de maladie* (1538), *sortir du collège* «avoir achevé ses études» (1694), *sortir de la vie* (1610) «mourir», condamné par Vaugelas, *sortir du monde* (1669). La valeur concrète spatiale est ranimée par une métaphore dans la locution familière *n'en sortir que les pieds devant* (1694) devenue ***sortir les pieds devant*** (1838). ◇ D'autres emplois classiques, *sortir (de colère, de chagrin)* «ne plus être (en colère, etc.)» [1666], *sortir d'erreur* «reconnaître ses erreurs» (1694) ont disparu. ◇ Le verbe s'emploie aussi en parlant d'une difficulté (1538), en particulier dans *en sortir, s'en sortir* (1788) «venir à bout d'une situation pénible ou d'un travail difficile». ◇ Dans un contexte social, *sortir* s'est employé à propos d'une activité, dans *sortir de page* «cesser d'être page» (1549), type de construction encore vivante à la fin du XVIIᵉ s. par exemple dans *sortir de fille* (1693) «se marier» ; cet emploi n'est plus possible qu'avec un complément désignant la situation qui se termine, par exemple *sortir de charge* (1636), *sortir de condition* (1680) «n'être plus employé quelque part», *sortir de sa sphère*, autrefois «quitter sa condition» (1694) puis au figuré «quitter le domaine que l'on connaît». ◇ *Sortir de* correspond aussi à «laisser, abandonner une occupation», par exemple dans *sortir de la messe* (1680), *sortir de dîner* (1718), *sortir de table* (1798) ; *sortir de* suivi de l'infinitif, (1718, *sortir d'entendre la messe*) est aujourd'hui familier et implique un passé récent. La locution familière ***sortir d'en prendre*** signifie «n'être pas prêt à refaire ce qui a été pénible» (1837). ◇ *Sortir d'avec qqn* «venir de lui parler» (XVIIIᵉ s.) n'est plus en usage. ◇ Lorsque le complément désigne un état psychologique, un sentiment, le verbe veut dire «abandonner (un comportement habituel ou naturel)», ainsi dans *sortir de son caractère* (1611), *sortir du respect* (1636), *sortir hors de son bon sens* (1690) ; *sortir de soi* «faire abnégation de sa propre personne» (fin XVIIᵉ s.) a pris le sens de «devenir autre» et spécialement «cesser de s'intéresser uniquement à soi». ◇ Par métaphore de l'œuf, ***sortir de sa coquille*** signifie «être encore tout jeune» (1694) et «quitter sa réserve, sa timidité» (XXᵉ s.). ◇ La locution familière ***il me sort par le cul*** (1867), ***par les yeux*** (XXᵉ s.), «il m'est insupportable», fait allusion à *je ne peux plus le sentir, le voir*. La première, plus vulgaire, correspond au sémantisme de «rejeter, expulser» ; cf. *chier*. ➔ À côté de ces emplois intransitifs, *sortir*, avec le sémantisme du mouvement vers l'extérieur, a développé une valeur transitive «mettre dehors». Le verbe s'emploie pour «accompagner au dehors (un être qui ne peut sortir seul)» [1596, d'un animal], d'où plus tard *sortir un malade* (1871) en concurrence avec l'intransitif dans *faire sortir qqn*. ◇ Avec un complément nom de chose, le verbe signifie «mettre (un objet) dehors» (1611), spécialement «mettre au grand air» (1835), par exemple une plante et par ailleurs «tirer (qqch.) d'un lieu» (1668), en particulier retirer des pions rentrés, pour les mettre sur la table de départ de son adversaire, autrefois au tric-trac (1752), aujourd'hui au jacquet (XXᵉ s.). De là vient le sens figuré d'«étaler, manifester avec ostentation (qqch.)» surtout au figuré, en parlant des connaissances (déb. XXᵉ s., *sortir sa science*). ◇ Concrètement, on dit en aviation *sortir le train d'atterrissage* et (1937) *sortir les roues*. ◇ En parlant d'une personne et figurément, il signifie «faire sortir (d'une situation, d'un état)» [v. 1630, *sortir qqn d'embarras*], aussi dans *sortir qqn de là*. ◇ En emploi concret pour «accompagner (qqn) dehors» (ci-dessus), *sortir* s'emploie familièrement pour «accompagner au spectacle, dans des visites», en prenant l'initiative de cette sortie (1788) et aussi au sens de «faire sortir, expulser (qqn)» [1888], d'où le slogan politique plaisant *sortez les sortants* (les députés sortants). Le verbe s'emploie en sports pour «éliminer». Attesté au début du XXᵉ s. (1903), *sortir qqch. à qqn* signifie «dire, lancer». ◇ *Sortir* (un objet fabriqué), c'est enfin le mettre dans le commerce (1938). Ces emplois correspondent en général à *faire sortir*, où le verbe est intransitif.
Si *le sortir*, substantivé (1540), est peu en usage, il s'emploie depuis le XVIᵉ s. dans la locution prépositive ***au sortir de...*** (1559) qui a la valeur spatiale et la valeur temporelle du verbe, dans un usage littéraire.

▸ Les dérivés sont usuels. ➔ **SORTABLE** adj. a signifié à l'époque classique «de nature à convenir» (1395, Bloch et Wartburg), d'après la valeur de *sortir* «choisir» ; en ce sens, on a aussi employé *sortissable* (XVᵉ s.). L'adjectif, sorti d'usage, a de nouveau été dérivé du verbe vers la fin du XIXᵉ s. (1894, L. Bloy) appliqué familièrement à ce que l'on peut montrer en public ou à une personne qui présente bien, surtout dans des tours négatifs *(il n'est pas sortable)*. ➔ Ces tours équivalent au préfixé **INSORTABLE** adj. (XXᵉ s.).

SORTIE n. f. (1400), tiré du participe passé du verbe, n'en a conservé que l'idée de mouvement. On relève isolément pour «action de sortir» la forme *essort* (XIIIᵉ s., puis 1431). ◇ *Sortie* désigne d'abord l'action de quitter un lieu, en particulier pour faire qqch., le moment où on le quitte (1636), d'où ***à la sortie*** avec une valeur temporelle (1636), puis spatiale (1690). Il a des emplois spéciaux : au théâtre pour l'action de quitter la scène, où l'on

parle aussi de ***fausse sortie*** (1835), en marine à propos de la navigation à courte distance d'un port (v. 1870), pour désigner le moment où l'on quitte un lieu de travail (1885), le moment de la semaine où on peut s'absenter (1883), ou, en sports, le mouvement par lequel un gymnaste achève son travail aux agrès. ◇ Avec cette valeur, outre les emplois concrets, comme ***sortie d'usine*** (1875) «mouvement des personnes qui sortent», *sortie* entre dans des locutions où il correspond à «fait de s'absenter» et où *sortir* n'est pas toujours en usage : ***jour de sortie*** (XXe s.) «moment de la semaine pendant lequel une personne contrainte à séjourner quelque part peut s'absenter». Correspondant à un emploi spécial du verbe, ***être de sortie,*** familier, «sortir pour se distraire», «être absent» et, à propos de choses, «faire défaut» (1925). ◇ Dans le vocabulaire militaire, une *sortie* (1570, *sortye*) se dit d'une attaque d'assiégés pour sortir de leurs positions forcées, d'où à l'époque classique *branle de sortie* «retraite précipitée» (1609). Par figure de ce sens militaire, *sortie* s'emploie pour «attaque verbale» (1672), spécialement pour «attaque critique» (1760). Par analogie, il s'emploie en sports (mil. XXe s.), par exemple au football. ➡ Depuis la fin du XVIe s., *sortie* désigne par métonymie l'endroit par lequel des personnes (1597), des choses (1690) sortent, en concurrence avec *issue**; dans ce sens, des syntagmes courants s'emploient (XXe s.) comme ***sortie de secours*** (attesté 1930) ou ***par ici la sortie !*** (au figuré «allez-vous-en !»). ◇ Il s'est dit spécialement en termes de fortifications (1793) pour «poterne» ; par extension, il désigne une voie de dégagement (XXe s.) et, en technique (XXe s.), la prise d'un appareil de reproduction sonore sur laquelle on peut brancher un autre appareil. ➡ En parlant de marchandises, avec la valeur active («action de sortir»), la *sortie* désigne le fait de sortir d'un pays (1626) d'où ***droit de sortie*** (1679). Au figuré, et avec un sujet nom de personne, *sortie* a signifié «fait de quitter la vie» (1635) ; lié à d'autres acceptions du verbe, il a le sens figuré de «moyen de se tirer d'embarras» (1636), archaïque, sauf dans les locutions ***(se) ménager une sortie*** (1835), ***une porte de sortie*** (1876). ◇ Il désigne aussi par métonymie un vêtement qui se porte en sortant d'un lieu (1843) ; de là *sortie du bal* (1859), remplacé (1871) par ***sortie de bal*** «vêtement chaud porté sur la robe de bal» et aussi ***sortie de bain*** (1904). ◇ Au XIXe et au XXe s., le mot s'emploie, en rapport avec des valeurs spéciales de *sortir*, en parlant d'une somme dépensée (1846) et, dans le vocabulaire technique (mil. XXe s.), du fonctionnement effectif d'un mécanisme, par rapport à la commande, acception spécialement utilisée en informatique (v. 1968). ◇ *Sortie* désigne aussi le fait pour un produit d'être livré au public (1927), par exemple *la sortie d'un livre, d'un disque.*
SORTANT, ANTE adj. et n., tiré du participe présent (fin XVIIe s.), s'est appliqué à ce qui ressort, se fait remarquer, en parlant d'un visage. Le nom désigne ensuite (1788) une personne qui sort d'un lieu, spécialement qui cesse de faire partie d'un corps constitué (1835, adj. et n. ; cf. ci-dessus le slogan poujadiste *sortez les sortants !*) et en sports un joueur qui se retire d'une partie (XXe s.). ◇ L'adjectif qualifie aussi un numéro tiré au sort (1835), avec le sens ancien et étymologique de *sortir.* ◇ **SORTANT** n. m. se dit (1918, Proust) en architecture d'un élément qui fait saillie, opposé à *rentrant.*

① **RESSORTIR** v., réfection (XIIe s.) de *resortir* (1080), de *re-* et *sortir,* est dès ses premiers emplois un verbe de mouvement, signifiant «rebondir» en parlant d'une arme avec laquelle on a frappé (cf. ci-dessous ③ *ressort*). Ceci pose un problème par rapport à *sortir,* qu'il s'agisse d'un ou de deux verbes distincts (voir ci-dessus), lequel ne semble prendre une valeur spatiale que beaucoup plus tard. *Ressortir* signifie aussi (v. 1112) «paraître avec plus de relief», d'où abstraitement (1564) «être rendu plus frappant par contraste avec d'autres choses», *faire ressortir* signifiant «mettre en relief» (1788). ◇ Dès le XIIe s., *ressortir* a le sens aujourd'hui courant (v. 1155) de «sortir (d'un lieu) après y être entré» et s'est employé au sens de «reculer» dans *arriere resortir* (v. 1155), par exemple dans un combat (déb. XIIIe s.), sens qui ne s'est pas maintenu. ◇ Par figure, le verbe a signifié «changer d'avis, se dédire» (1165-1170), «renoncer à» (1255) et au pronominal «cesser de» (1165-1170, *soi resortir de*). ◇ Avec l'idée de mouvement, l'ancien français avait d'autres acceptions : «repousser, renverser» (XIIIe s., tr.), «poursuivre» (XIIIe s., tr.), «tressaillir» (v. 1225, intr.) et, dans le domaine du sentiment, *resortir de joie* «bondir de joie», en parlant du cœur. ➡ Au XVIe s., *ressortir* prend le sens itératif de «sortir de nouveau, une deuxième fois» (1549), d'où «être proposé de nouveau au public». Le verbe s'est employé pour «aboutir à» (1559, aussi *ressortir à effet*), acception dont procède le sens de «se dégager de, résulter» (v. 1790), qui n'est plus en usage aujourd'hui qu'à la forme impersonnelle (1821, *il ressort que*). ◇ Au XVIIe s., *ressortir,* v. tr., a signifié «réexpédier (une marchandise)» [av. 1683, Colbert] ; puis, au XXe s., le préfixe marque la répétition de l'action dans divers emplois de *sortir,* transitif, «faire sortir une nouvelle fois (un livre, un film)» et «faire apparaître (qqch.) de nouveau», «répéter». ➡ Le dérivé **RESSORTANT, ANTE** adj., appliqué à ce qui fait saillie (1876), est rare. ➡ Le déverbal de *ressortir,* ① **RESSORT** n. m., est attesté au XIIe s. au sens d'«égout», proprement «ce qui permet de sortir» (cf. *sortie*), relevé encore dans le nord de la France en 1629. L'idée de «recul» (cf. ci-dessus *arriere resortir*) correspond en ancien français à l'emploi figuré pour «restriction» (1170), d'où «action de renoncer» (1255) et *sans ressort* correspondant à «sans restriction» (v. 1260). ◇ Par ailleurs le mot a eu les sens figurés de «recours» (v. 1155), «ressource, secours, remède» (1160-1170). Celui de «rebondissement, élan» (v. 1220) prépare la valeur métonymique lexicalisée dans ③ *ressort* (ci-dessous). De ces emplois, tous disparus, procèdent en effet les acceptions qui font distinguer deux homonymes en français moderne.
② **RESSORT** n. m., spécialisé dans le domaine juridique, désigne d'abord (v. 1210) le recours à une juridiction supérieure, la *justice de ressort* (1756, Voltaire) étant le tribunal auquel on pouvait en appeler contre une décision du tribunal féodal, et aujourd'hui (1875) un tribunal auquel on peut faire appel. Par extension, le mot désigne (1265) la limite de compétence d'un corps judiciaire, puis en géné-

ral le domaine où s'étend la compétence d'une juridiction (mil. XIVe s.) et par extension d'une personne quelconque, dans la locution courante ***(être) du ressort de*** (1694). ◇ *Ressort* se dit de la circonscription territoriale dans laquelle s'exerce la juridiction d'un tribunal (1353), mais ne s'est pas maintenu au sens de «juge, arbitre» (v. 1360). La locution ***(juger) en dernier ressort*** «sans appel» (1549), en droit, s'oppose à *(juger) en premier ressort* (1636), sorti d'usage; *en dernier ressort* signifie «finalement» (1667), selon la même évolution que *en dernière instance**. ➡ Par ailleurs, l'idée de secours s'était maintenue dans le vocabulaire général et *ressort* s'est dit pour «refuge, lieu de retraite» (v. 1360) encore chez d'Aubigné (déb. XVIIe s.) et «abri» (1460), «recoin» (v. 1560). ➡ De l'emploi juridique procède un autre verbe ② **RESSORTIR** v. tr. ind. (v. 1320, Bloch et Wartburg sans précision de sens, puis 1462) au sens de «recourir à une juridiction supérieure» qui a disparu. Le verbe signifie encore «être de la compétence d'une juridiction» (1474) mais ne s'est pas maintenu pour «comparaître en jugement» (1481). ◇ *Ressortir* a pris l'acception figurée de «se rapporter à (un domaine)», parfois construit avec *de* (1585), et plus souvent avec *à* (av. 1741). ➡ Le dérivé **RESSORTISSANT, ANTE** adj. s'applique à ce qui est du ressort d'un tribunal (fin XIVe s., puis 1694). ◇ Le mot est employé comme nom (déb. XXe s.), à propos d'une personne qui ressortit à une autorité, à un statut, emploi usuel dans un contexte administratif.

③ **RESSORT** n. m., avec l'idée de «rebondissement» qui correspond aux premiers emplois de *ressortir*, désigne (1260, *resort de sereüre*) une pièce, souvent métallique, faite de façon qu'elle se rétablit dans son premier état après avoir été comprimée, d'où ***à ressort*** «qui fonctionne au moyen d'un ressort». Cet emploi assez général s'est spécialisé, le mot désignant au XVIIe s. (1694) un mécanisme destiné à amortir les secousses (1694, pour une voiture), notamment un dispositif métallique en hélice (dit *ressort à boudin*, 1676) ou reposait sur les propriétés élastiques de lames de métal (*ressort à lames*, 1875). *Ressort de rappel* (1876) précise la nature du processus. Le mot s'est dit jusqu'à l'époque classique avec une valeur active d'un mouvement fait par contrecoup (1416). Il s'est employé plus longtemps au figuré pour désigner un moyen plus ou moins secret qui sert à faire réussir une intrigue (v. 1560, *resourd;* déb. XVIIe s., *ressort*); cette acception a vieilli. ◇ Par allusion aux ressorts d'une horloge ou d'un automate, mais toujours avec le sémantisme de l'action, le mot a pris (v. 1570) le sens de «cause agissante, force qui fait se mouvoir qqch.», vieilli en parlant des êtres vivants, comme l'emploi pour désigner ce qui stimule l'activité (1580) et le sens de «force, énergie» (1680), sauf dans l'usage littéraire et lorsque la métaphore du ressort concret est sentie, avec des verbes comme *tendre, détendre*. Cette valeur s'est réalisée dans plusieurs locutions : *n'aller que par ressorts* «n'avoir que des mouvements contraints» (1663), *ne se remuer* (1694) ou *n'agir que par ressort* (1718) «par des influences», *esprit à ressorts* «souple» (1765), sorties d'usage; ce type d'emploi s'est conservé dans ***donner du ressort (à)*** «plus de vigueur» (1762), ***avoir du ressort*** «de la force morale» et ***être sans ressort, manquer de ressort.*** ◇ ***Pièce à plusieurs ressorts*** a désigné (1611) au théâtre une pièce où plusieurs actions sont agencées. ◇ Le mot s'est dit aussi (1690) de la propriété de certains corps de reprendre leur position première, remplacé par *élasticité*;* ***faire ressort*** «agir par élasticité» (1647, trad. du lat. de Descartes) est compris aujourd'hui comme «agir à la manière d'un ressort».

◈ voir ASSORTIR, SORT, SORTE.

S. O. S. n. m. représente (1908; proposé en 1906) une suite de trois lettres aisément perceptibles de l'alphabet morse, codées par 3 points, 3 traits, 3 points; elles ont été interprétées (à tort) comme les initiales de l'anglais *save our souls* «sauvez nos âmes».

♦ *S. O. S.* désigne un signal de détresse émis en morse par radiotélégraphie ou signal lumineux. Par extension, il se dit d'un appel pour secourir d'urgence des personnes en danger; de là l'emploi figuré de ***lancer un S. O. S.*** (1964 dans les dictionnaires) et le sens de «demande pressante d'argent». ◇ *S .O. S.* suivi d'un substantif s'utilise (v. 1959) dans des expressions nommant des associations dont le but est de secourir (par exemple *S. O. S. Médecins*), d'apporter une aide morale *(S. O. S. Amitié)* ou de défendre les droits de l'homme *(S. O. S. Racisme).*

SOSIE n. m. apparaît dans le titre d'une comédie de Rotrou (1638, *les Sosies*) qui reprend, en le francisant, le nom d'un personnage d'une pièce de Plaute, *Sosia*, nom de l'esclave d'Amphitryon dont Mercure prend momentanément l'apparence; le mot latin est emprunté au grec *Sôsias* qui est aussi le nom des esclaves dans la nouvelle comédie. L'*Amphitryon* de Molière (1668) a popularisé ce personnage.

♦ Par allusion à l'esclave d'Amphitryon, *sosie* se dit d'une personne qui ressemble à s'y méprendre à une autre; le mot est d'abord employé par Voltaire (1738) à propos de l'auteur d'un livre qu'on lui attribue faussement. ➡ Il a pris le sens concret de «personne qui ressemble à qqn d'autre à s'y méprendre» (1792). ◇ Il s'est spécialisé en psychiatrie (XXe s.), l'*illusion des sosies* désignant un trouble mnésique dans lequel le sujet tient ceux qu'il connaît non pour eux-mêmes, mais pour leurs sosies.

SOT, SOTTE adj. et n., attesté au XIIe s. (v. 1155), est d'origine inconnue. La plus ancienne attestation en latin tardif se trouve dans une lettre adressée à Charlemagne par l'évêque d'Orléans, Theodulf (fin VIIIe s.), dans laquelle est introduit un jeu de mots sur *sottus* et *Scottus* (Scot Érigène). *Sot* a été rapproché d'une famille de mots signifiant «souche, tronc», ce qui convient pour le sens mais est peu convaincant pour la forme, les mots cités ayant un double *t* initial. *Sot* pourrait être un mot expressif; on trouve en effet dans d'autres langues romanes des mots équivalents avec un *z* initial (italien *zotico*, espagnol *zote*), ainsi que dans les langues slaves (slovène *šutek*). P. Guiraud propose de rapporter le mot au latin classique *sōpire* «endormir, engourdir» (→ assoupir), à partir d'une forme °*sŏpitus* où l'*o* long serait devenu bref.

♦ *Sot* se dit (v. 1155) d'une personne qui a peu de jugement, peu d'intelligence; il a eu le sens fort de «fou» (fin XIIe s.) employé à partir du XVe s. à propos de choses qui dénotent l'absence de jugement (v. 1450). *Sot* n. m. a désigné (XIVe s.) un acteur jouant dans les *soties* (ci-dessous), un personnage de bouffon; cette acception est propre à l'histoire littéraire, de même que *fou* (*prince des sots*, 1512). ◇ Le mot est aujourd'hui surtout régional et marqué d'affectation en français général. ◇ Il s'est dit de paroles ou d'actes impudiques (1538) [cf. ci-dessous *sottise*] et spécialement (1584) en parlant d'un cocu. ◇ À l'époque classique, *être sot de qqn* (1656) ou *après qqn* (1687) signifie «amoureux jusqu'à la bêtise» (cf. ci-dessous *assoter*). ◇ L'adjectif qualifie une chose ridicule (1559), d'où le proverbe ***il n'y a pas de sot métier.*** ◇ À l'époque classique, il s'est dit (1655) d'une personne dupée ou privée momentanément de jugement, du fait de la surprise, de l'embarras; *sot* a aussi qualifié une chose mauvaise (1690), surtout dans un contexte négatif: *ce n'est pas sot.* ◇ *Sot* substantivé s'emploie au XXe s. avec une valeur affaiblie, équivalent de *benêt, bêta,* surtout dans ***petit sot, grand sot,*** adressé à un enfant et lié à *sottise* (ci-dessous).

▸ **SOTTEMENT** adv. s'emploie (v. 1190) comme *bêtement, étourdiment.* Il est, comme *sot,* régional ou affecté. ➛ **SOSOT, SOSOTTE** adj. et n. (1891 au fém.) signifie «un peu sot».

SOTTISE n. f. désigne (XIIIe s., *sotise*) un manque d'intelligence et de jugement *(la sottise)* et (1538) une action ou une parole qui dénote ce défaut, puis le caractère stupide d'un acte, d'une chose. ◇ Le mot a été utilisé au XVIe s. (1516) pour «sotie» (ci-dessous). ◇ C'est l'idée d'«acte répréhensible» parce que marquant socialement l'absence de jugement, qui explique l'emploi euphémistique pour «acte amoureux» (XVIe s., isolément), dans *faire la sottise* (1660), puis ***faire des sottises*** et le sens de «parole ou acte qui choque la décence» (1690), sorti d'usage. ◇ La locution ***faire une (des) sottise(s)*** se dit spécialement (1672) en parlant d'un enfant pour «faire ce qui n'est pas bien», qu'il s'agisse d'une maladresse ou d'un acte de désobéissance. ◇ *Sottises* n. f. pl., «mots injurieux» (av. 1673), familier, est aujourd'hui régional; cet emploi continue ceux de *sot* et de *sottise* impliquant un manquement à la pudeur. ◇ Par affaiblissement du premier sens, le mot se dit (1671) d'une chose de peu d'importance, équivalent de *bêtise, babiole.* ➛ Le dérivé **SOTTISIER** n. m. a désigné une personne qui dit beaucoup de sottises (mil. XVIIe s.), sens relevé jusqu'en 1878. ◇ Le nom s'emploie comme *bêtisier,* pour un recueil d'anecdotes, de chansons libres (av. 1686), puis au XIXe s., de platitudes, de sottises relevées chez des auteurs connus.

SOTIE (v. 1190) ou **SOTTIE** n. f. (v. 1283), employé jusqu'au XVIIIe s. pour «sottise», s'est spécialisé comme terme d'histoire littéraire (1483), désignant une farce de caractère satirique représentant différents personnages d'un imaginaire *peuple sot,* allégorie de la société du temps; le mot apparaît avec cette valeur dans *le Jeu du prince des sots, Sottie, moralité et farce* de P. Gringoire (1512). ◇ Gide a repris le mot (1913, *sotie*) pour nommer un récit ironique, *les Caves du Vatican.*

ASSOTER v. tr. a signifié «tromper (qqn)» [1160-1170], acception encore relevée dans Littré. ◇ Il s'est dit aussi pour «devenir sot» (v. 1175, intr.) et pour «rendre sot» (v. 1175, v. tr.; v. 1190, *assoté*) et spécialement «rendre sot par excès d'amour» (XVe s.), surtout au passif *(être assoté)* et au pronominal (une fois au XIVe s., *s'asoter*), dans *s'assoter de qqn* «s'amouracher sottement» (1548). ◇ La variante *assotir* (v. 1190), attestée jusqu'au XVIe s. (1549), a été reprise par quelques auteurs au XIXe s. (Delacroix, Michelet...). ➛ Le composé **RASSOTER** v. tr. (fin XIIe s.), intensif de *assoter,* se rencontre encore quelquefois au participe passé *rassoté, ée,* adjectivé pour «rendu fou, abruti (par une idée fixe)».

Le composé **SOT-L'Y-LAISSE** n. m. inv. désigne familièrement (1798; *solilesses,* av. 1752 en français du Canada) un morceau délicat d'une volaille, assez peu apparent pour que «le sot l'y laisse». Il a remplacé *fol l'y laisse* (fin XIVe s., d'un morceau de cerf).

SOU n. m., représente la réfection (v. 1200) de *solt* (fin XIe s.), *sol* (v. 1175), formes issues du latin *solidus,* variante *soldus,* substantivation en bas latin de l'adjectif du latin classique *solidus* «massif» (→ solide), spécialisé pour désigner une pièce d'or massif. *Solidus, soldus* a fourni l'ancien provençal *sou* (1157), *sol* (1160), l'italien *soldo,* le catalan *sou,* le portugais *solda.*

♦ Dans les anciens systèmes monétaires et jusqu'à la fin de l'Ancien Régime, le mot, sous les formes *solt,* puis *sol* et *sou,* désigne une pièce valant le douzième de la livre, soit douze deniers, d'abord en or, puis en argent et divers métaux. La forme ③ *sol,* encore en usage au XVIIe, se maintient au XVIIIe s. (1798, *Académie*) dans quelques expressions, mais elle est considérée comme archaïque par Féraud (1788) en emploi absolu; on la relève encore par archaïsme littéraire au XIXe s. (Stendhal, 1831, et même Maupassant, 1885). Le mot était qualifié pour indiquer le lieu où la monnaie frappée, par exemple *sol parisis* pour le sou frappé à Paris (1350), *sol tournois* pour celui frappé à Tours (1547, *sol tournoys*). Ces deux syntagmes, encore relevés dans l'édition de 1798 du dictionnaire de l'Académie, sont aujourd'hui des termes d'histoire. ◇ Avec l'établissement du système décimal pendant la Révolution française, le mot est conservé, mais pour désigner une pièce de cinq centimes, valant le vingtième du franc; *petit sou* s'appliquait à cette pièce et *gros sou* (1845) à celle de dix centimes; on a dit *vingt sous* pour «un franc», *cent sous* pour «cinq francs» (1871) ceci encore après le changement de valeur monétaire de 1960. ➛ *Sou* s'est spécialisé en ancien français par métonymie au sens de «solde payée aux soldats» (v. 1170, *souz* n. m. pl.; 1265, *sout* n. m.) mais a été remplacé par *solde,* emprunté à l'italien (→ ① solde n. f.). ◇ On relève encore au XIXe s. un emploi métonymique analogue: *trente-sous,* n. m., était le sobriquet donné aux gardes nationaux mobilisés pendant la guerre de 1870-1871, qui recevaient une solde de ce montant (1883, A. Daudet). ◆ Le mot entre dans de nombreuses locutions dont certaines restent vivantes. Au XIIIe s. *un sol de la livre* désigne un profit d'un vingtième (1283), d'où à l'époque classique (1668) *sou pour livre;* par figure, *venir au sol la livre* signifiait «être payé à proportion de sa mise» (1549); *sou par livre* a désigné à l'époque classique une taxe sur divers objets, correspondant au vingtième de leur prix (1690). Cette idée du vingtième se retrouve dans ***le sou pour (par) livre*** (av. 1850), ***par franc*** (déb. XXe s.) désignant une remise d'un sou pour tout achat d'une livre, plus tard d'un franc, consentie par les fournisseurs aux gens de maison faisant des achats. ◆ Les locutions se multiplient au XVIIe s., époque où sont attestés plusieurs emplois du mot : *sou* désigne une pièce de monnaie quelconque (1690) et, à cause du peu de valeur du sou, le mot signifie «petite quantité» dans *un sou de (qqch.)* [1668]; il équivaut, dans des locutions négatives, à «pas d'argent du tout» par exemple dans ***être sans un sou*** (1681), d'où par ellipse *être sans un,* familier (XXe s.); cette dernière locution connaît des variantes : ***être sans le sou*** (1775), d'où un SANS-LE-SOU n. m. (1875), ***être sans un sou vaillant*** (1904), qui succède à ***n'avoir le sou*** (1561), ***pas un sou vaillant*** (1690), ***n'avoir pas un sou*** (1692), puis ***n'avoir ni sou ni maille,*** vieilli (*maille* «moitié d'un denier») ou ***pas le sou*** (1661), ***pas le premier sou*** (1694). ◇ Dans les emplois où le mot désigne une petite somme, il peut être précédé d'un nombre : ***n'avoir pas (pour) un sou*** ou ***pour deux sous de qqch.*** signifie (1876) «être totalement dépourvu (d'une qualité, d'un trait de caractère qui fait défaut)». ***Ne pas valoir un sou*** équivaut (XXe s.) à «n'avoir aucune valeur» et ***d'un sou, de quatre sous*** correspond à «sans valeur». ***Quatre sous*** correspond à «très peu d'argent» dans ***manger ses quatre sous*** «perdre le peu qu'on possédait» (1871), ***les quatre sous de qqn*** «le peu d'argent qu'il a» (1875); le titre français d'une pièce de B. Brecht, *Dreigroschen Oper* (l'Opéra de trois groschen), est *l'Opéra de quat'sous.* ◇ Familièrement, ***s'embêter à cent sous de l'heure,*** «s'ennuyer mortellement», signifie proprement «pour peu d'argent». ◇ Dans d'autres locutions, l'idée de «petite somme» est liée à celle d'accumulation : ***sou à sou*** (1709), ***sou sur sou*** (1836), ***sou après sou,*** après des verbes comme *économiser, amasser;* c'est du thème de l'économie que procède la locution proverbiale ***un sou est un sou*** «il ne faut pas gaspiller» (attesté XXe s.), faussement tautologique puisque *sou* y désigne d'abord la pièce de monnaie, puis la valeur qui lui est attribuée. Depuis la fin du XIXe s., le pluriel *sous* s'emploie familièrement pour «de l'argent» (av. 1880), dans ***avoir des sous*** «être riche» (1887), ***compter ses sous*** (1932), ***être près de ses sous*** «être très économe, avare»; ***des sous !*** «de l'argent !» s'utilise comme slogan par des manifestants qui exigent une augmentation. ◇ C'est aussi au XXe s. que ***gros sous,*** pluriel à valeur collective, désigne péjorativement l'argent, le profit, l'intérêt, par exemple dans ***une question de gros sous.*** ◆ La locution vieillie ***propre comme un sou*** (1794, Restif), ***comme un sou neuf*** (1893) fait allusion au brillant de la pièce qui vient d'être frappée; on dit aussi familièrement *nickel.* ◇ *Sou* «pièce de monnaie» est repris dans ***appareil à sous*** (1936), ***machine à sous*** (v. 1960) «appareil où l'on joue des pièces de monnaie» et «distributeur automatique (où l'on glisse une pièce de monnaie)».

◈ voir CONSOLIDER, CONSOUDE, SOLDAT, ① SOLDE, ② SOLDER, SOLIDAIRE, SOUDARD, SOUDER, SOUDOYER, SOULTE.

SOUAHÉLI, IE ou **SWAHILI** adj. et n. m. est emprunté (1875, Larousse *suaheli;* 1881, *swahili*) par l'intermédiaire de l'anglais, à l'arabe *sawāhil,* proprement «bords de la mer» (→ Sahel). On trouve les variantes *souahili* (1873), *swahéli* (1922); la forme *swahili* est utilisée par les spécialistes.

♦ Le mot désigne la langue bantoue, écrite depuis le XVIe s. en caractères arabes, puis latins, qui est parlée aux abords de la côte africaine de l'océan Indien (Kenya, Tanzanie, nord-est du Zaïre) sous une forme simplifiée et normalisée. Langue officielle de la Tanzanie, elle sert de langue véhiculaire à de nombreuses populations d'Afrique de l'Ouest.

SOUBASSEMENT → BAS

SOUBISE n. f., (1825) vient du nom de Charles de Rohan, prince de *Soubise* et maréchal de France (1715-1787).

♦ Le mot s'est employé au XIXe s. pour désigner et qualifier une sauce faite à base d'oignons, de beurre et de farine. ◇ *Soubise* se dit aussi (1904) d'un ornement au bas de la manche des officiers et sous-officiers de zouaves et de tirailleurs, composé de tresses dorées garnies de petits boutons.

SOUBRESAUT n. m. est la réfection (v. 1410) de *soubersault* (v. 1340-1370), emprunté avec métathèse soit au provençal *sobresaut,* attesté à l'époque moderne mais antérieur, soit à l'espagnol *sobresalto* (attesté v. 1600, mais antérieur); ces deux mots sont formés comme *sursaut,* de *sobre* «par-dessus, sur», du latin *super* (→ super-), et de *saut,* espagnol *salto,* du latin *saltus* (→ saut). On relève en moyen français les altérations *sombresault* (1530), *soublessault* et *soufplesaut* (1547).

♦ Le mot apparaît au milieu du XIVe s. avec le sens disparu de «saut dans lequel le corps fait un tour entier sur lui-même», appelé aujourd'hui *saut périlleux,* qu'a conservé l'anglais *sommersault* de même origine, d'où *faire faire le soubresaut* «culbuter» (av. 1650, Scarron); il a signifié aussi, aux XVe et XVIe s., «gambade, saut d'un acrobate». Depuis le XVIIe s. *soubresaut* désigne (1659, Duez) un saut brusque et imprévu, spécialement celui d'un cheval qui veut désarçonner son cavalier. De là, par analogie, l'emploi pour «à-coup, secousse imprimée par un véhicule»; le sens figuré de «contretemps, obstacle imprévu» (1690, Furetière; encore en 1771) est sorti d'usage. ◇ Appliqué au corps humain, *soubresaut* se dit (1621) d'un mouvement convulsif et violent, spécialement, en médecine, du tressaillement spasmodique des tendons; par figure, le mot s'emploie (1774) pour désigner un mouvement désordonné, intermittent *(les soubresauts de la conscience).* Le mot désigne dans le vocabulaire de la danse (1906) un saut vertical effectué avec le buste droit, les jambes serrées et les pointes tendues.

▶ Le dérivé **SOUBRESAUTER** v. intr. «faire des soubresauts», littéraire, est d'abord attesté en parlant d'un cheval (1833); il a signifié «procéder par mouvements brusques», en parlant d'un orateur (1845).

SOUBRETTE n. f. est emprunté (1630) au provençal *soubreto*, féminin de *soubret* «affecté, qui fait le précieux», lui-même dérivé de l'ancien provençal *sobrar* «vaincre» (XIIe s.), «surpasser, dépasser» (XIIIe s.), issu du latin *superare* «s'élever au-dessus», au figuré «avoir le dessus», «être en abondance», «être de reste». *Superare*, qui avait abouti à l'ancien français *sovrer* «surmonter» (attesté déb. XIVe s.), est dérivé de *super* (→ super-).

♦ *Soubrette*, dont le sens est dû à la valeur du diminutif *-ette*, la valeur étymologique de *soubr-* n'étant plus perçue dès le XVIIe s., désigne (1630) une femme de chambre délurée et, dans l'usage littéraire, une servante de comédie. Le mot a vieilli et ne s'emploie plus que par évocation du passé ou ironiquement (*une accorte soubrette*, etc.).

SOUBREVESTE → VESTE

SOUCHE n. f. est la réfection (v. 1220) de *çoche* (fin XIe s.) issu d'un gaulois *°tsŭkka*, correspondant à l'allemand *Stock* et à l'anglais *stock* (→ stock); on relève en picard et en normand la forme *chouque* et il existe des représentants de *°tsŭkka* en ancien provençal *(zoca)*, en italien *(soc, socca)*, en espagnol *(zoque)*. Diez avait rapproché *souche* du latin *soccus* «chaussure de bois» et «base, socle» (→ socque). Pour P. Guiraud, le mot représenterait un croisement du gaulois *°tsŭkka* et du latin *soccus*, ce qui expliquerait l'alternance des variantes en *o* et en *u* (normand *chuque*, berrichon *suche*).

♦ *Souche* désigne (fin XIe s.) la partie restante d'un tronc, avec les racines, quand un arbre a été coupé; le mot entre avec cette valeur dans des locutions comparatives : ***gésir*** (fin XIIe s.), ***rester*** (v. 1175), ***être*** (XIVe s.) ***comme une souche*** «inerte, immobile», ***dormir comme une souche*** «profondément» (XXe s.) et *une souche* s'emploie pour parler d'une personne lourde, stupide (av. 1648). ◇ Par extension, *souche* désigne cette partie du tronc lorsqu'elle est arrachée du sol (XIIIe s., sous la forme *couche*). Il se dit aussi du pied d'une plante en majeure partie dans le sol (1314), spécialement un cep de vigne (v. 1370), emploi qui correspond à l'ancien provençal *zoca* (1143).

Dès le XIIIe s., le mot prend une valeur figurée; il est employé pour «origine, source» (v. 1240) puis désigne spécialement (1376) la personne qui est à l'origine d'une suite de descendants. De là viennent ***faire souche*** «avoir des descendants» (1611), ***de bonne souche*** (1858), ***de vieille souche*** (attesté XXe s.), et ***de souche*** (notamment dans *Français de souche*), opposé à *naturalisé, immigré*. Avec cette valeur, le mot s'emploie en droit dans *partage par souches* (1871, *succession par souches*), opposé à *partage par têtes*. Cette acception fournit aussi l'emploi de *souche* «lignée» en biologie (v. 1960). ➡ Par analogie du premier emploi, le mot désigne la partie d'une chose qui en forme la base, d'abord en vénerie (v. 1354) puis dans *souche d'une cheminée* «partie maçonnée qui s'élève sur le toit» (v. 1680), *souche de clocher, de tourelle* avec diverses spécialisations techniques. ◇ *Souche* se disait aussi du plus long des deux morceaux de bois de la taille, sur lesquels les boulangers notaient au moyen d'encoches ce qu'ils fournissaient à crédit (1690). Par extension, le mot désigne (1808) la partie d'un document qui reste fixée à un registre, quand on en a détaché la partie à remettre à l'intéressé, d'où *carnet à souches*.

▶ Les dérivés et composés sont techniques ou archaïques. ➡ **SOUCHON** n. m. «petite souche» (1295) est sorti d'usage. ➡ **SOUCHETTE** n. f., d'abord «souche d'un jeune arbre» (1583), est le nom courant d'un champignon qui pousse en groupe au pied des arbres (1904). ➡ ① **SOUCHET** n. m. désigne (v. 1354) une plante herbacée originaire d'Afrique, qui pousse au bord de l'eau, ainsi nommée à cause de ses rhizomes; le *souchet à papier* fournissait le papyrus. ➡ ② **SOUCHET** n. m. (1438, isolément; puis 1760), d'origine incertaine, dérive peut-être de *souche*, à cause de la forme très élargie du bec de ce canard migrateur qu'on nomme aussi *canard bec large, canard cuiller*. ➡ **SOUCHETER** v. tr. veut dire «vérifier dans une coupe, d'après les souches, le nombre d'arbres coupés». Ce verbe, attesté en 1893, doit être très antérieur, à en juger par les dérivés. ◇ **SOUCHETEUR** n. m. (1638) est le nom d'agent qui correspond à **SOUCHETAGE** n. m. (1611, écrit *chonquetage* pour *chouquetage*), «contrôle exercé sur les ventes de bois des forêts royales», puis «action de soucheter» (1669) et «marquage des arbres à abattre» (1690).

DESSOUCHER v. tr. (1700), «débarrasser (un terrain) des souches qui restent», a fourni **DESSOUCHEMENT** n. m. (1795) ou **DESSOUCHAGE** n. m. (1905). ◇ **ESSOUCHER** v. tr. (1771), synonyme d'*essoucheter*, a pour dérivés **ESSOUCHEMENT** n. m. (1864) ou **ESSOUCHAGE** n. m. (1930). ➡ **ESSOUCHETER** v. tr. est formé sur *soucheter* (1700); il a disparu, remplacé par *essoucher*.

① **SOUCI** n. m., d'abord écrit *soucy* (v. 1530), *soulci* (1538) puis *souci* (1600, O. de Serres), est une altération, d'après ② souci, du nom féminin *soussie* n. f. (v. 1280), *solcie* (v. 1380), *solsie* (1464), issu du bas latin *solsequia*, proprement «qui suit le soleil». Ce mot est composé du latin classique *sol* «soleil*» et de *sequi* «suivre*». La variante *soucicle* (1334) est due à des influences analogiques. Cette évolution se traduit, encore au XVIIe s., par des variantes graphiques : *souci* est en concurrence avec *solsie, soulcie* (1547, conservé dans *moineau soulcie*, nom d'un petit passereau), etc.

♦ C'est le nom d'une plante commune à fleurs jaune vif ou orange (v. 1280, au féminin *soussie*) qui pousse dans les champs (l'expression *souci des champs* est plus récente : 1780) ou est cultivée *(souci des jardins)*; par extension, le mot désigne aussi la fleur de cette plante. *Souci d'eau* est le nom usuel du lysimaque (1550, *soulcy*) et du populage (1765). ➡ Par allusion à la couleur de la fleur, le mot a désigné un drap couleur de souci (1313, *soussie;* 1334, *soucicle*). ◇ En zoologie, le mot désigne (1780, Valmont de Bomare) un papillon de jour dont les ailes bardées de noir sont de couleur orangée. ➜ Le mot a désigné en général la couleur jaune (1636, *couleur de souci;* 1791 n. m.); *jaune comme souci* (1690), *comme un souci* (1835) a signifié «avoir le teint jaunâtre».

② **SOUCI** → SOUCIER

SOUCIER v. tr. et pron. est issu (v. 1270, aussi *soussier;* 1223, *susiant* au part. prés.) du latin populaire °*sollicĭtare* (second *i* long), altération du latin classique *sollicĭtare* (second *i* bref) «remuer totalement, agiter fortement», «troubler, inquiéter, tourmenter», «provoquer, soulever», «solliciter», verbe qui a été emprunté sous la forme *solliciter**.

♦ Ce verbe a d'abord signifié «causer de l'inquiétude à (qqn)» et *se soucier* «se tourmenter» (v. 1270, *se soussier de*), sens disparu, alors que dès le XIIIe s. *se soucier de* signifie déjà «prendre intérêt à (qqch., qqn)», le plus souvent, à partir du XVIe s., dans un contexte négatif ou restrictif : *ne pas se soucier de qqch.* (1538), *se soucier peu de qqch., ne pas se soucier de* signifie aussi «ne pas craindre de» (1549) et «n'avoir pas envie de» (1559). *Se soucier de (qqch., qqn)* est souvent suivi d'une comparaison qui se substitue à la négation, *s'en soucier autant que de cela* (1655), *comme de ses vieilles bottes* (1690), sortis d'usage, ***comme de l'an quarante*** (attesté 1791; cf. *an*), ***comme de sa première chemise*** (1875; cf. *chemise*), ***comme d'une guigne*** (déb. XXe s.), où *guigne* désigne une variété de cerise. ◇ *Se soucier de qqn* «l'aimer» (1672), l'amour étant une marque particulière d'intérêt, est sorti d'usage. ➜ Le transitif, au sens initial, s'est maintenu dans l'usage littéraire avec un sujet nom de chose *(cela me soucie).*

▸ Le préfixé **S'INSOUCIER** v. pron. (attesté en 1801), «ne se soucier de rien», ne s'est pas maintenu. ➜ En revanche, **INSOUCIANT, ANTE** adj. et n. se dit d'une personne qui ne se soucie de rien (1752). Substantivé, *insouciant, ante,* nom, a désigné pendant la Révolution un indifférent en matière politique (1792), aussi construit avec *de (être insouciant de qqch.,* 1835). L'adjectif s'applique à ce qui dénote cette disposition d'esprit (1834), à ce qui est caractérisé par l'absence de souci (1853). ◇ De l'adjectif procèdent **INSOUCIANCE** n. f. (1752), usuel, désignant une attitude générale et, plus rarement, le fait de ne pas se soucier de qqch. (1867, *insouciance de qqch.*), et **INSOUCIAMMENT** adv. (1842), littéraire. ➜ **SOUCIANCE** n. f., «inquiétude» (1788), ne s'est pas imposé.

② **SOUCI** n. m. (v. 1225) est la réfection (1530) de *soussi* (v. 1217), dérivé de *soussier, soucier.* ➜ Le mot désigne l'état de l'esprit absorbé par un objet et que cette préoccupation inquiète ou trouble. Jusqu'au XVIIe s., il a le sens spécial de «préoccupation amoureuse» (1300, *sousi*). Une autre spécialisation concerne l'inquiétude que causent les dangers, les difficultés (v. 1260), d'où les locutions *être en souci de qqch.* (v. 1260, *soussi*), *pour qqn* (XVe s.), *pour qqch.* (1560), sorties d'usage, et remplacées aujourd'hui par ***se faire du souci pour, à propos de...*** (XXe s.). ◇ En relation avec l'un des sens de *se soussier, soucier,* le nom (XIIIe s., *sousi*) se dit de l'attitude d'une personne qui recherche un résultat, dans *n'avoir souci de* (v. 1310), *avoir souci de* (v. 1550), *avoir en souci* «aimer», sortis d'usage. ◇ *Un, des soucis* désigne par métonymie (1549) ce qui est cause de souci, spécialement une personne qui occupe l'esprit (1573), sens caractéristique de l'usage classique, et une chose, en particulier dans l'expression ***mon beau souci,*** empruntée à un vers de Malherbe (déb. XVIIe s.). Dans cet emploi, *souci* peut reprendre la nuance d'intérêt actif (ci-dessus), avec ***c'est là le moindre de mes soucis*** (1694), ***le cadet de mes soucis*** (1798), ***le dernier de mes soucis.***

Le dérivé **SOUCIEUX, EUSE** adj. est la réfection (1530; *soussieus,* XIVe s.) de *souciex* (1280); le mot, blâmé par Malherbe, a été considéré comme archaïque au XVIIe s. et remis en usage plus tard. ◇ Il s'applique à une personne absorbée par les soucis (1280), par extension à ce qui dénote du souci (v. 1530). Au sens actif, il qualifiait une chose qui inquiète, trouble (XIVe s.). ◇ Pour qualifier une personne qui prend intérêt à qqch. (v. 1360), valeur qui correspond à *se soucier* et à *souci, soucieux* n'est plus en usage que dans *soucieux de...* (1580) et *soucieux que,* suivi du subjonctif (1870), «qui se préoccupe». ➜ L'adjectif a fourni **SOUCIEUSEMENT** adv. (av. 1850) et le préfixé **INSOUCIEUX, EUSE** adj. (1761), d'où **INSOUCIEUSEMENT** adv. (1842). ➜ Le composé **SANS-SOUCI** n. et adj. inv. s'est d'abord employé dans *Compagnons sens soutie* (XIIIe s., hapax), *Enfants sans-souci* (1611), expressions qui désignaient une troupe d'acteurs bouffons. Le mot est vieilli pour désigner une personne insouciante (1718), mais se rencontre encore comme adjectif (1875). *Un caractère sans-souci* (1870), *le sans-souci* (1839, Balzac) ne se disent plus. ➜ **INSOUCI** n. m., de ① in- (av. 1836), a désigné le fait de ne pas se préoccuper de qqch., puis l'absence de soucis (1867). Il est très peu usité.

◈ voir SOLENNEL.

SOUCOUPE → COUPE

SOUDAIN, AINE adj. et adv. est la réfection (v. 1210) de *sudein* (v. 1120), issu du bas latin *subitanus* (Ve s.), altération du latin impérial *subitaneus* «soudain, subit», dérivé du latin classique *subitus* «qui vient sans être vu» d'où «soudain, subit» (→ subit).

♦ Parallèlement à la forme héritée et orale, *sudein, soudain,* on relève au XIIe s. la forme savante, empruntée, *subitein, eine* (1155), ou *subitain, aine* (1160-1170), notamment dans le syntagme *mort subiteine* «mort subite» qui s'est maintenu dialectalement (Wallonie, Suisse). La variante semi-savante *soubdain* se rencontre au XVIe s. (1534). ➜ *Soudain* s'emploie d'abord comme adjectif pour qualifier ce qui arrive, intervient brusquement, provoquant une certaine surprise ; par extension, avec l'idée de rapidité, il a pris le sens de «vif, qui agit promptement» (v. 1360) avec l'expression *estre soudain à faire qqch.* «faire vite» (fin XVe s.); ce sens a disparu au cours du XVIIIe siècle. L'adjectif s'est aussi employé, par figure, pour qualifier une personne emportée, prompte à s'irriter (1380), sens encore attesté en 1700, puis sorti d'usage. ◆ L'emploi adverbial apparaît à la fin du XVe s., au sens de «sur-le-champ, aussitôt» (1487), courant à l'époque classique, ainsi que *tout soudain* (v. 1530), devenu archaïque, et la locution conjonctive *soudain que* «aussitôt que, dès que» (1538), sortie d'usage au début du XVIIIe s. (Trévoux, 1721 : «ne se dit plus»). ◇ La valeur moderne de l'adverbe, «tout à coup», apparaît au XVIe s. (1549). Une autre acception (1636), «rapidement, dans un court laps de temps», a disparu vers la fin du XVIIe s. (Académie, 1694 : «vieux»).

▸ *Soudain* a fourni deux dérivés. ◆ **SOUDAINEMENT** adv., forme refaite (fin XIVe s.) de *soubdainement* (v. 1190), «d'une manière rapide et imprévue» (v. 1130, *sodainement*), s'est employé pour «sur-le-champ, aussitôt» (fin XIVe s.) et «rapidement» (1541), valeur où il a été éliminé par la forme simple *soudain*. ◆ **SOUDAINETÉ** n. f., réfection (v. 1460) de *sodeineté* (XIIIe s.), se dit du caractère de ce qui est rapide et imprévu et s'est employé aussi pour «vivacité, promptitude» (1380) jusqu'au XIXe s., spécialement «promptitude à se mettre en colère» (v. 1400).

◈ voir SUBIR, SUBIT.

SOUDARD n. m., écrit *souldar* (v. 1352), puis *soudard* (fin XIVe s.), est la réfection de *soldeier* (1080) [→ ② soudoyer], devenu *soudoiier* (v. 1175) «soldat engagé pour une certaine solde». Le changement de suffixe provient sans doute d'une influence de l'italien *soldato* (→ soldat). Le mot dérive d'une forme ancienne de *solde** ou de *sout* (→ ① soudoyer). Diez pense que le mot a d'abord été employé en Picardie, dans le Dauphiné, des hommes d'armes de ces régions ayant antérieurement combattu en Italie. Le suffixe *-ard* à valeur péjorative s'employait au XIVe s. dans la formation de mots marquant l'indiscipline militaire (cf. *pillard*). On relève de nombreuses variantes parmi lesquelles *soudart* (déb. XVe s.), employée normalement au XVIIe s.; *souldrille* (v. 1589) représente un croisement avec *drille**.

♦ *Soudard* et les formes antérieures ont désigné jusqu'au XVIIe s. un soldat engagé pour une certaine solde, surtout un mercenaire, en relation avec *soudoyer*; le mot est encore employé par archaïsme dans un contexte historique. De ce sens viennent *soudard, arde* adj. «martial» (1597, *soldard*) et *à la soudarde* «à la façon des soldats» (1608). Ces emplois ont disparu. ◇ *Soudard*, remplacé par *soldat**, prend à la fin du XVIe s. une valeur péjorative et s'applique dès lors surtout à un homme de guerre brutal et grossier, un bravache (1587), puis par extension (1665) à un homme aux manières grossières. Cette acception est aujourd'hui littéraire.

◈ voir SOLDAT, ① SOLDE, SOU.

SOUDE n. f., réfection (1578) de *soulde* (1527) et *soudre* (1544), est emprunté au latin médiéval *soda* qui reprend l'italien *soda* (→ soda), lui-même emprunté à l'arabe *suwayd, suwwād* «soude», nom d'une plante utilisée en médecine pour combattre la migraine et dont les cendres produisent la soude, mot de la racine *s-w-d* «noir». Cette plante fut exportée en grandes quantités vers la Sicile; c'est par cette voie que le nom fut introduit dans toutes les langues européennes : italien, espagnol, portugais *soda;* anglais *soda,* allemand *Soda.*

♦ Le mot est introduit (1527, *soulde*) pour désigner la substance alcaline riche en carbonate de sodium, obtenue en brûlant certaines plantes marines; il désigne aussi la plante (1542, Gesner). C'est une de ces substances qui reçoit le nom de *sode* (1542) puis *soude* (1578). Le mot s'est conservé après que les chimistes eurent analysé la substance en carbonate de sodium, et l'eurent obtenue à partir du chlorure de sodium. On parle alors de *soude artificielle* (1806), puis de *soude du commerce* (1793) avant de désigner la cendre comme une *soude naturelle* (1874). ◇ Le concept est alors passé de «cendre de plante» à «carbonate de sodium». Le nom commercial de la substance est aussi *cristaux de soude* (1893), «soude en cristaux utilisée dans l'industrie et autrefois pour des usages ménagers». *Soude caustique* (1787, Guyton de Morveau) désigne l'hydroxyde de sodium.

▸ Le dérivé **SOUDIER, IÈRE** adj. et n. a désigné d'abord (1796, n. f.) une usine où l'on fabrique de la soude, puis comme adjectif (1871) qualifie ce qui est relatif à la soude. ◆ **SOUDIER** n. m. (1872) «fabricant de soude» désigne ensuite l'ouvrier employé dans une fabrique de soude (1877).

◈ voir SODA, SODIUM.

SOUDER v. tr., représente une réfection (1160-1170) de *solder* (fin XIe s.), issu du latin classique *solidare* «rendre solide, consolider», «durcir», employé au figuré en bas latin; ce verbe est un dérivé de *solidus* (→ solide) et a fourni *soldar* en espagnol, catalan et portugais, *saldare* en italien (XIIIe s., *soldare*). Parmi de nombreuses variantes, *saulder* (XIIe s.) est relevé jusqu'en 1660.

♦ Le verbe signifie «réunir par adhésion (deux parties organiques, les lèvres d'une plaie)», d'où *être soudé* (v. 1265, *sodé*). L'emploi intransitif, au sens de «se cicatriser» (1314), a été éliminé par *se souder* (1562), lui aussi sorti d'usage. Le verbe transitif a signifié par extension «boucher (un tonneau défectueux)» [fin XIe s.]. ◇ Il s'est spécialisé (v. 1130, *solder*) au sens de «joindre des pièces d'une matière solide, spécialement des pièces métalliques» par l'intermédiaire d'une composition fusible ou (1676) par fusion des parties en contact; ce sens est dominant en français moderne (cf. ci-dessous *soudure* et *soudage*). De là viennent la locution figurée *souder argent vif* «faire une chose impossible», sortie d'usage, et l'expression concrète *fer à souder* (1676), toujours usuelle. ◆ Par figure du sens général archaïque, *être saudé* (v. 1225), puis *sauder* (v. 1330), comme l'ancien italien *soldare* (XIIIe s.), correspondent à «attacher (être attaché) fortement»; *souder* veut dire «unir étroitement (des personnes ou des choses)» [v. 1268, *sauder*], surtout au participe passé et au pronominal. ◇ *Soudé* se dit dans la terminologie hippique en parlant des parties du corps d'un cheval, au sens de «réuni et proportionné, bien ou mal» (1871, *cheval bien soudé*).

▸ **SOUDURE** n. f. est la réfection (v. 1240) de *sodure* (XIIIe s.), auquel correspond la forme savante *soldedure* (fin XIe s.; cf. latin médiéval *solidatura argenti*, IXe s.). ◇ Le mot désigne l'alliage fusible servant à souder les métaux, d'où dans le vocabulaire technique *soudure grasse*, où domine l'étain, *soudure maigre*, au plomb (1845). ◇ Dès le XIIIe s., *soudure*, comme le verbe *souder* (ci-dessus), signifie par figure «union étroite entre deux personnes»; le nom s'emploie avec cette valeur à propos d'éléments abstraits (1689, *soudure des volontés*) et concrets. ◇ Le mot signifie aussi (1314, sous la forme *soudeure;* 1562, *soudure*) «jonction de deux parties», spécialement en botanique (1871, *soudure des pétales*). ◇ Par extension du sens initial d'«alliage», il a désigné le mortier (v. 1360) et un plâtre utilisé pour raccorder des enduits (1694). Par une autre extension métonymique, *soudure* désigne (av. 1502) une partie soudée et la manière dont les pièces sont soudées. ◇ Depuis le XVIIe s. (1636), et peut-être dès le moyen français (cf. *souder* et l'ancien provençal *sosdadura*, 1390), *soudure* a pris la valeur active d'«opération par laquelle on réunit deux corps solides», en concurrence avec *soudage*, mot beaucoup plus technique. Cette valeur pourrait être beaucoup plus ancienne; elle est d'ailleurs attestée dès le XIVe s. en occitan (voir ci-dessus). Dans le vocabulaire technique, le mode de soudage est précisé : *soudure autogène* «sans autre matière que les parties à souder» (1847), *soudure à l'arc* (1933), *au laser*, etc. ➛ Le mot est repris au figuré au XXe s., dans ***faire (assurer) la soudure*** (1941, à propos des récoltes), «assurer la continuité (d'un approvisionnement entre deux livraisons, du fonctionnement d'une entreprise avant une rentrée)», par extension (v. 1960) «assurer une transition».

Souder a fourni d'autres dérivés d'emploi technique. ➛ **SOUDEUR** n., «spécialiste de la soudure» (1313), s'emploie rarement au féminin, **SOUDEUSE** n. f. (1933) désignant une machine à souder. ➛ **SOUDAGE** n. m. se dit de l'action de souder et de son résultat (1459) et s'emploie au figuré (1875), littéraire; dans l'usage technique moderne, *soudure* désigne plutôt l'alliage et le procédé spécifique, *soudage* se réservant la valeur active plus large. ➛ **SOUDABLE** adj. (1840) a donné **SOUDABILITÉ** n. f. (1840). ➛ **SOUDANT** adj. et n. m. a qualifié ce qui se soude (1871) et s'emploie en métallurgie dans *blanc soudant* (1859), «blanc éclatant du fer, de l'acier, suffisamment chauffé pour être soudé», d'où *le soudant* n. m. (1933).

Deux verbes ont été formés à partir de *souder* par préfixation. ➛ **DESSOUDER** v. tr. est la réfection (1223) de *dessolder* (1165), attesté jusqu'à la fin du XVe s. au sens de «briser», aussi *dessauder* (fin XVe s.). ◇ Le verbe a signifié «perdre sa soudure» (1223, intr.), valeur prise par *se dessouder* (1690); transitivement, il correspond à «ôter la soudure de» (1538). ◇ Il s'est employé en agriculture (1765, *dessouder la terre*) au sens de «défricher la terre en soulevant une partie de la seconde couche», sens conservé par l'italien *dissodare* (XVe s.). ◇ Par métaphore, *dessouder* a pris en argot le sens de «tuer» (attesté 1935). ◇ Le dérivé **DESSOUDAGE** n. m. (1924), «action de dessouder», a remplacé *dessoudure* n. f. et *dessoudement* n. m. (1636). ➛ **RESSOUDER** v. tr., réfection (1397) de *resolder* (XIIIe s.), a succédé aux variantes *resouder* (1260) et *resodeir* (v. 1190); la forme moderne ne s'impose qu'au milieu du XVIIIe siècle. ◇ Le verbe s'emploie au propre (v. 1190; v. 1175, selon *G. L. L. F.*), par extension pour «joindre deux parties organiques», en chirurgie (1560) et aussi au figuré.

① **SOUDOYER** v. tr. est un dérivé (1440-1475, aussi *soldoyer*) de *soulde* (1430), variante de ① *solde**. L'ancien français *soudoier*, v. intr., «servir en qualité de mercenaire» (v. 1160), dérive, comme *souder*, v. tr., «payer» (v. 1155), de l'ancien français *sout*, n. m., «solde payée aux soldats» (1265, *sout*), emploi spécialisé de *solt* «sou*»; *sout* a été précédé par le pluriel *souz* (v. 1170).

♦ *Soudoyer* a signifié «payer une solde à (des soldats)», acception relevée jusqu'en 1788; en ce sens, le verbe a été remplacé par ① *solder*. ➛ *Soudoyer* a pris par extension une valeur péjorative (1732), «s'assurer le concours d'une personne à prix d'argent». La péjoration a dû être renforcée par celle de *soudard*.

② **SOUDOYER** n. m., représente une réfection (v. 1165, *soudoier*) de *soldeier* (1080), *soudeier* (v. 1150), *soldoier* (v. 1155), dérivé de *sout*, n. m., «solde payée aux soldats» (→ ① soudoyer); le *y* a été introduit tardivement par influence du verbe. La variante *soldoiour* (1135) a disparu. ◇ Le féminin *soudeiere* s'est employé aux sens de «servante» (1160-1170) puis de «prostituée» (v. 1210, *soldoiere*) comme l'ancien catalan *soldadera* (XIIIe s.); cf. *fille à soldats*.

♦ *Soudoyer*, «homme d'armes à la solde d'un chef», est un terme d'histoire.

◈ voir SOUDARD.

SOUE n. f. est une réfection tardive (1834) par ajout de *e*, le mot étant féminin, de *sou* (1632), lui-même de l'ancien français *seu* (XIIIe s.) qui, comme les formes archaïques *sot* (v. 1210), *sout* en Dauphiné (1560) et *sau* (1611), viennent d'un bas latin *sutis* (508, *sutem*, Loi Salique), lui-même du gaulois °*sū-tĕg* «étable à porcs». On a vu dans °*sū-tĕg* une composition à partir du latin classique *sus, suis* «sanglier, porc» avec un élément *-teg*, du latin classique *tegere* «couvrir, recouvrir», d'où «garantir, protéger» (→ toit, tuile). *Sus* est un mot d'origine indoeuropéenne en rapport avec le grec *hus* (→ hyène, jusquiame), l'avestique *hū*, le gotique *swein*, le sanskrit *sū-karah* qui, concurrencé par *porcus* (→ porc), n'est pas représenté dans les langues romanes. En revanche, il est usuel dans les langues germaniques (allemand moderne *Schwein*, anglais *swine*, etc.) [→ marsouin]. On a proposé par ailleurs de voir dans le mot gaulois un hybride, construit à partir de *sus* et d'un mot celtique *teg* «toit».

♦ *Soue*, mot technique ou régional, a conservé son sens étymologique, mais on dit plus couramment *étable à cochons*.

◈ voir SOUILLER.

✱ **SOUFFLER** v. représente la réfection (fin XIIe s.) de *sofler* (v. 1120), *sufler* (v. 1155), issu par évolution phonétique du latin classique *sufflare* «souffler» et au figuré «se gonfler (d'orgueil)», «gonfler», «souffler sur (le feu, qqn)». Ce verbe est composé de *sub-* marquant la position en dessous (→ sub-) et de *flare* v. intr. «souffler», «exhaler», «souffler dans un instrument», et «faire fondre (des métaux)», remplacé à l'époque impériale par la forme *flatare. Flare* n'a pas de correspondant exact; on en rapproche dans d'autres langues indoeuropéennes des mots expressifs comme l'ancien haut allemand *blāen* (allemand *blähen* «gonfler, enfler»), le vieil anglais *blāwan* (anglais *to blow*) ainsi que, à l'intérieur du latin, le groupe de *fluere* (→ fleuve).

♦ *Souffler* conserve le sens étymologique, signifiant «expulser de l'air, par la bouche ou par le nez, par une action volontaire»; de cette valeur découlent de multiples emplois en construction transitive ou intransitive, concrets et figurés. ➛ Par figure, le verbe signifie «se répandre, se manifester», d'abord en parlant de l'esprit de Dieu (v. 1120), spécialement dans l'expression biblique ***l'Esprit souffle où il veut*** «la volonté de Dieu est imprévisible» (1718); la métaphore associe le souffle à la parole et le verbe s'emploie aussi pour «dire, prononcer» dans *ne sofler mot* «se taire» (v. 1130), devenu *ne pas souffler le mot* (1652), enfin ***ne pas, ne plus souffler mot*** (1835). Par extension, il prend le sens de «dire à voix basse, en confidence», en particulier dans *souffler (qqch.) en l'oreille* (1538) puis ***souffler à l'oreille*** (1636) de qqn; on passe au sens de «dire discrètement qqch. pour aider» avec *souffler sa leçon à qqn* (1549), spécialement au théâtre *(souffler une réplique)*, d'où ***souffler un acteur*** (1622). Par l'idée de confidence, on aboutit à l'emploi pour «suggérer», avec un sujet nom de personne (1662) ou de chose (fin XVIIe s.); *ne pas oser souffler* «ne pas oser ouvrir la bouche (pour parler, pour se plaindre)» [1668] est sorti d'usage.
Dès le XIIe s. apparaissent d'autres acceptions. *Souffler* équivaut à «respirer avec peine» ou «en expirant fort, bruyamment» (v. 1155); de là *souffler sa peine* «respirer fort à cause de la douleur» (déb. XVIIe s.), sorti d'usage, et les comparaisons du type ***souffler comme un bœuf*** (1694), ***comme un phoque*** (1846) «avec grand bruit». ◇ *Souffler* signifie aussi «envoyer un courant d'air sur qqch.», par exemple le feu (v. 1155) pour l'activer, une chandelle (XIIIe s.) pour l'éteindre; ***souffler sur le feu*** s'emploie au figuré pour «exciter (une querelle)» [déb. XVIIIe s.]. Cette valeur se réalise également dans la locution figurée *souffler la plume* «boire» (v. 1450), d'où *souffler* (1699); dans cet emploi, le verbe a été remplacé par *siffler**. ◇ *Souffler sur qqn* s'est dit pour «ensorceler» (1553), par allusion aux pratiques du sorcier qui jetait un sort par le souffle vers une personne. ◇ Dans la Bible, *souffler contre, sur (qqch. ou qqn)* [1564] s'applique à la colère divine qui détruit, disperse. C'est probablement la locution figurée *souffler la châtaigne à qqn* (1560) qui a servi de modèle pour *souffler qqch. à qqn* (1655) «le lui enlever» par exemple au jeu de dames, où ***souffler le pion*** (1671) signifie «le prendre quand il n'a pas pris alors qu'il le pouvait»; de là le précepte ***souffler n'est pas jouer*** «le fait de souffler un pion ne constitue pas un coup» (1790) et la locution figurée *souffler le pion (à qqn)* [1690], équivalent métaphorique ancien de ***souffler une affaire*** (1694). ◇ On relève depuis le XVIIe s. des applications de *souffler* «exhaler», dans des contextes particuliers : *souffler la poussière* (1636), pour la faire partir, *souffler sur ses doigts* (1685), pour les réchauffer, *souffler sur son potage* (1690), pour le refroidir. Transitivement, l'emploi le plus usuel est ***souffler le chaud et le froid,*** au figuré (1580) «faire alterner la douceur et la menace». ➛ Le verbe signifie en technique «faire fonctionner un soufflet, une soufflerie» (v. 1265), aussi transitif, *souffler le charbon* ayant signifié «faire de l'alchimie». ➛ Il se dit aussi du vent, pour «produire un courant d'air» (1372, intr.) d'où l'emploi en construction impersonnelle (1779) ***ça souffle !,*** pour «il y a beaucoup de vent», et la locution figurée ***regarder de quel côté le vent souffle*** «observer la tendance des événements» (1876). *Souffler,* toujours en parlant du vent, s'emploie transitivement pour «déplacer, envoyer (un fluide)» [1559].
C'est une autre acception du latin qui est reprise au XIVe s. dans *souffler qqch.* «envoyer de l'air ou du gaz dans» (cf. *insuffler*), d'abord en parlant de la viande (1342), à laquelle l'air insufflé donne une belle apparence. ◇ Par analogie, *souffler un navire* (1680), en technique, signifie «en épaissir le bordage» (cf. *soufflage,* ci-dessous). Avec cette valeur, on relève : *souffler un animal* «insuffler de l'air sous la peau pour la détacher» (1694), *souffler un canon* «y brûler de la poudre pour le nettoyer» (1701), sorti d'usage, *souffler le verre* (1701), *souffler un ballon* «le gonfler de gaz» (1770, *souffler une vessie*). Avec le sens métonymique de «souffler l'air dans (un soufflet, une soufflerie)», on a dit *souffler l'orgue* (1694), «le mettre en marche».
À la fin du XVIIe s., le verbe entre dans le vocabulaire juridique, et *souffler un exploit* (1690) se dit de l'huissier qui fait paraître qu'il a donné cet exploit, quoiqu'il ne l'ait pas donné. ◇ *Souffler* a d'autres emplois spéciaux, comme «rejeter l'air par les évents», en parlant d'une baleine (XIXe s.), d'où ***elle souffle !,*** cri par lequel la vigie d'un baleinier signalait la présence d'un cétacé venu respirer à la surface. ◇ Enfin, le transitif correspond à «détruire par effet de souffle» (v. 1940), en parlant d'un explosif. ◇ Plusieurs valeurs figurées vivent en français contemporain; par la même image que *respirer, reprendre haleine* ou *souffle,* le verbe *souffler* signifie depuis le XVIIe s. (1688) «prendre du repos, s'interrompre pour se reposer». ◇ Par une autre image, le verbe étant cette fois transitif, *souffler qqn* signifie «le stupéfier» (1940), comme *couper le souffle**.

► Plusieurs dérivés sont usuels. ➛ **SOUFFLEMENT** n. m. est rare pour désigner l'action de souffler qqch. (XIIIe s.; v. 1120, *soflement*). En droit, d'après le sens de *souffler, soufflement d'exploit* s'est dit (1871) de la destruction volontaire d'une copie d'exploit. Enfin, le mot a pris (XXe s.) le sens de «bruit, mouvement d'air produit en soufflant», moins courant que *souffle.*

SOUFFLE n. m., réfection (v. 1220) de *sofle* (v. 1130), désigne le mouvement de l'air que produit une personne en expirant; par extension, il se dit (1553) du fait d'expirer, par métonymie de l'air rejeté en respirant, et par extension de la «respiration» (expiration et inspiration). De là une acception spéciale pour *le souffle* «la capacité à garder son souffle» (av. 1871). Avec ces valeurs, le mot figure dans plusieurs locutions : ***dernier souffle*** «dernier soupir» (1636), par hyperbole ***on pourrait le renverser d'un souffle*** (1690). ***Couper le souffle*** «interrompre la respiration régulière» signifie par figure «étonner vivement» (1885). Cf. ci-dessus *souffler.* ◇ Par métaphore, le souffle étant associé à la vie, le mot désigne (1562) la force de l'inspiration, l'énergie créatrice et (1658) l'influence immatérielle de la force qui anime, inspire ; de là son emploi en tant que signe de vie, dans ***le souffle de la vie*** (1690), ***n'avoir pas un souffle de vie*** (1718), *n'avoir plus que le souffle* «agoniser» (1835). ➡ À partir du début du XVIIe s., le mot a signifié «exhalaison» ; il désigne généralement le mouvement naturel de l'air (1604) et par extension l'air déplacé par une différence de pression (1636), spécialement employé au XIXe s. en parlant des effets d'une explosion, puis dans *effet de souffle (d'un explosif)* [1909]. ◇ Dans le vocabulaire médical, ***bruit de souffle*** (1832) puis *souffle* (1833) se dit d'un bruit anormal perçu à l'auscultation, et qui ressemble au bruit d'une colonne d'air dans un conduit, d'où par extension ***avoir un souffle au cœur*** «une lésion des orifices des valvules déterminant un souffle». *Bruit de souffle,* dans ce sens, remplaçait *bruit de soufflet* (ci-dessous). ◇ *Souffle* s'emploie (av. 1871) avec une valeur plus restreinte pour désigner une respiration régulière, la capacité à garder son souffle, surtout dans des locutions comme ***trouver son second souffle*** (1907) «reprendre une respiration aisée, après un moment d'essoufflement», au figuré ***second souffle*** «regain d'énergie», «reprise d'une activité» (1965), ou encore ***être à bout de souffle*** «haletant» (1887, Zola) et par extension «épuisé» (XXe s.), par métaphore «à court d'énergie» (XXe s.) ; ***avoir du souffle*** (1910), ***ne pas manquer de souffle*** «être hardi, effronté» (cf. *il ne manque pas d'air*) ; *avoir du souffle* se rattache aussi à l'idée d'inspiration soutenue, d'énergie créatrice (ci-dessus). ◇ Dans le vocabulaire technique, *souffle* désigne (1949) un bruit continu dans un appareil de reproduction acoustique.

SOUFFLET n. m. désigne (v. 1155) un instrument servant à souffler de l'air pour l'envoyer sur un foyer, dans une cheminée ; en ce sens, on relève en moyen français d'autres dérivés, comme *soufflour* (1371), *chouflier* (XIVe s.). ◇ Le mot s'est employé avec cette valeur dans des locutions figurées sorties d'usage comme *soufflet contre le vent* «personne qui perd son temps à des choses vaines» (v. 1300), *jouer des soufflets* «péter» (1640), et par métonymie en argot *soufflet* «cul» (1859) ; *servir comme un clou à soufflet* «être inutile» (1690) s'explique par la fonction strictement décorative des clous en cuivre sur le manche du soufflet. ◇ *Soufflet* pour «souffle» (v. 1170, *sofflet*) ne s'est pas maintenu, ni la locution figurée *ne pas valoir un soufflet* «ne rien valoir» (1690). ➡ À partir du XVe s., à cause du bruit produit par le coup, *soufflet* désigne (1459) un coup du plat ou du revers de la main appliqué sur la joue ; on a dit aussi *soufflace* (XIVe s.) et *souffle* (v. 1510, n. f.). Cet emploi est littéraire, le mot ayant été éliminé dans l'usage courant par *claque** et *gifle**. Par figure, le mot équivalait à «camouflet, affront» (1580), spécialement dans ***donner un soufflet à Ronsard*** employé à l'époque classique (1640) pour «faire une faute de grammaire» ; on a ensuite substitué (1798) *Vaugelas* à *Ronsard.* ➡ Par analogie, le mot désigne ce qui se replie comme un soufflet, une partie pliante entre deux parties rigides, destinée à donner du volume, de l'ampleur ; le premier emploi de ce type (1500) concerne une fenêtre ; *calèche à soufflet* se disait d'une voiture à capote pliante (1690), d'où *soufflet de voiture* (1700) ; on relève ensuite *valise à soufflet* (1871), *soufflet d'appareil photographique* (1895), *soufflet de train* (v. 1920) «passage articulé entre deux voitures». *Soufflet* désigne aussi une pièce qui élargit un vêtement pour lui donner de l'aisance (1833). Par une autre analogie de forme, le mot se dit en histoire de l'architecture, d'un élément dans les fenêtres de style flamboyant, de forme proche du trèfle à quatre-feuilles (attesté dans les dictionnaires en 1964). ◇ C'est par comparaison avec le bruit de l'instrument que *bruit de soufflet* s'est employé (1819, Laënnec) en médecine pour un bruit cardiaque, nommé aujourd'hui *(bruit de) souffle* (ci-dessus). ➡ *Soufflet* a servi à former quelques dérivés. ◇ **SOUFFLETIER** n. m., «ouvrier qui fabrique des soufflets, en particulier d'orgue» (1292), est un terme technique. ◇ **SOUFFLETER** v. tr. a signifié en vénerie «frapper» en parlant du faucon (XVIe s., av. 1525), puis «frapper d'un soufflet, gifler» (1546) et par extension «frapper vivement» (mil. XVIe s.), puis par figure «humilier, insulter» (1832, Hugo). Ces valeurs remplacées par *gifler* et des verbes abstraits sont archaïques. ◇ L'adjectif **SOUFFLETÉ, ÉE** (1580) «qui a reçu un soufflet» s'emploie aussi dans *papier soufflété* (XXe s.), autrefois *refflé* (1761), «papier à tenture dont le décor est produit par soufflage d'une poussière de laine». ◇ **SOUFFLETEUR, EUSE** n. «personne qui a donné un soufflet» (1611) est archaïque. ◇ **SOUFFLETTE** n. f. est attesté régionalement (1760, région de Liège) au sens de «soufflet de forge». Ce terme technique désigne aussi une bulle d'air entre la surface d'une céramique et le moule (1875), la boursouflure d'un papier (XXe s.), et un dispositif qui souffle un gaz ou débite un fluide sous pression (1933).

SOUFFLERIE n. f. a désigné l'action de souffler (XIIIe s., isolément), par exemple pour alimenter un foyer en air, et s'était spécialisé pour parler du travail de l'alchimiste (v. 1500). ◇ Il se dit aujourd'hui d'un ensemble de soufflets (1636), de dispositifs qui conduisent un fluide soufflé (1802) et surtout d'une installation qui permet d'étudier les mouvements d'un fluide autour d'un matériel soumis à de grandes vitesses (1933, *soufflerie aérodynamique*).

SOUFFLEUR, EUSE n. et adj. a désigné une personne qui souffle (1261) ou fait fonctionner une machine soufflante (1548). D'après une spécialisation de *souffler,* il a signifié aussi (XIVe s.) «alchimiste». ◇ De nos jours, c'est un terme technique (1871, n. m.) désignant l'ouvrier qui façonne le verre à chaud par soufflage. *Souffleur* n. m. a désigné un dauphin (1558), un cachalot (XVIIe s.) ou un cétacé en général (1690). ◇ Le nom s'est employé dans la locution figée *souffleur de boudin* «homme ventru» (1616) et au sens de «péteur» (1640). L'adjectif a qualifié une personne (1694) ou un cheval (1751) qui respire avec peine. ➡ C'est à un autre sens de *souffler* qu'est lié l'usage moderne du mot, s'appliquant à une personne qui pallie les défaillances de mémoire des acteurs, en leur soufflant leur rôle (1549) d'où le ***trou du souffleur*** (1800), dispositif aujourd'hui disparu mais encore évoqué. ◇ Rattaché à *souffler* «suggérer», *souffleur* a eu le sens de «conseiller, instigateur» (1549) puis celui de «délateur, espion» (1636) qui est sorti d'usage. ◇ Le mot a développé d'autres emplois techniques : *souffleur* «appareilleur dans le domaine du bâtiment» (1842), **SOUFFLEUSE** n. f. «machine pour le soufflage des poils» (1890), «appareil pour la manutention des grains» (XXe s.) et, au Canada, «chasse-neige à soufflerie» (mil. XXe s.).

SOUFFLANT, ANTE adj. et n. s'est appliqué (déb. XIIe s. *suflanz* «qui souffle»; v. 1280, *soflant*) à une personne qui respire avec difficulté. Au début du XIXe s., l'adjectif qualifie une machine qui sert à souffler (1807). ◇ Il signifie familièrement «qui coupe le souffle» (XXe s.); cf. *époustouflant*. ➡ **SOUFFLANT** n. m., en argot «fusil, pistolet» (1752) puis «revolver» (1901), est peut-être issu de *souffler* «brûler de la poudre dans un canon» (cf. aussi *soufflard*), mais relève plutôt, en général, de la métaphore. ◇ **SOUFFLANTE** n. f. est le nom (1931) d'un compresseur.

SOUFFLURE n. f. a désigné l'action de souffler, en parlant d'une personne (v. 1280, *suffleure*) ou du vent (XVIe s., *soufflure*). ➡ Le mot a été reformé en technique pour désigner une petite cavité contenant des gaz, qui se forme pendant la solidification d'un ouvrage de verre ou de métal (1701), et une boursouflure de l'enduit d'un mur (1890); il est rare et littéraire dans l'emploi figuré pour *boursouflure* (XXe s.; cf. ci-dessous).

SOUFFLÉ, ÉE adj. et n. m. s'applique (1342) à ce qui a subi l'effet d'un souffle, spécialement dans des emplois techniques : *papier soufflé* (1761), sorti d'usage, *poils soufflés* «traités par le soufflage» (1869) et le sens de «traité par l'air comprimé», à propos d'un produit pétrolier (mil. XXe s.). ◇ L'adjectif signifie aussi «gonflé, bouffi», en parlant de personnes (1767) et de choses (1770). ◇ En cuisine, il qualifie ce qui a gonflé à la cuisson, par exemple dans *omelette soufflée* (1798), *beignet soufflé* (1835), *pommes de terre soufflées* (1904). De cette acception vient *un soufflé* n. m. «entremets qui monte à la cuisson» (1808) et par métonymie «petite marmite pour la préparation des soufflés» (1907). *Sucre soufflé*, d'où *du soufflé* (1764), signifie «chauffé jusqu'à ce qu'il forme des bulles». ◇ Dans un contexte abstrait, *soufflé* s'applique au style prétentieux et creux (fin XIXe s.) et se dit des prix, d'une somme d'argent excessive (XXe s.), moins courant que *gonflé*. Par figure, *soufflé* signifie familièrement (1935) «abasourdi». ➡ **SOUFFLÉE** n. f. (v. 1550), «souffle, haleine», est sorti d'usage.

SOUFFLAGE n. m. signifie d'abord «action de souffler» (v. 1480, *soufflaige*), acception sortie d'usage. ◇ C'est devenu un terme technique désignant l'augmentation d'épaisseur du bordage d'un navire (1675) et, au sens premier de *souffler*, l'opération par laquelle on donne sa forme à un objet de verre (1723), ou encore celle qui sépare les poils légers (feutrables), en chapellerie. Il s'emploie notamment en métallurgie (1893, *soufflage de la fonte*). ◇ De là **SURSOUFFLAGE** n. m. (1893) «soufflage forcé».

SOUFFLARD n. m. «ce qui souffle» était le nom d'une pièce d'artillerie (fin XVe s.) et, en argot (1596), désignait le maréchal-ferrant qui actionnait le soufflet. ◇ En technique, c'est le nom (1875) de l'orifice par lequel un gaz naturel, par exemple le grisou, se dégage brusquement. En géologie, il se dit (1907) d'un dégagement brusque de vapeur d'eau dans une zone volcanique.

Souffler a servi à former deux préfixés. ➡ **ESSOUFFLER** v. tr., réfection de *essofler* (v. 1185), de *es-*, latin classique *ex-* (→ é-). D'abord employé au sens de «donner de l'air à», le verbe conserve celui de «mettre hors d'haleine» (XIIIe s., *essoufler*). Le pronominal *s'essouffler* signifie au figuré, comme *être à bout de souffle*, «perdre le souffle de l'inspiration» et «ne plus pouvoir suivre un rythme de croissance» (v. 1965). ◇ **ESSOUFFLÉ, ÉE** adj. (v. 1220, *essoflé*) signifie «hors d'haleine». ◇ Le dérivé **ESSOUFFLEMENT** n. m. (v. 1500, repris en 1772) s'emploie au propre et au figuré en parlant de choses.

BOURSOUFLÉ, ÉE adj., également formé sur *souffler*, est la réfection (XVe s.) de *borsoflé, ée* (1230), *borsouflé* (v. 1200, selon *G. L. L. F.*) et s'écrit aussi avec *-ff-*, d'après *souffle*; cette graphie n'a été admise par l'Académie qu'en 1975. ◇ L'adjectif est formé du radical onomatopéique *bou-* (variante *bod-*) exprimant le gonflement (cf. *boudin*). ◇ Il s'applique (v. 1230) à ce qui est gonflé, bouffi, d'où **BOURSOUFLÉ** n. m. «personne replète» (1669), relevé jusqu'en 1878. Par figure, il signifie péjorativement «plein (de)» [1546, *boursouflé de vanité*] et, en parlant du style (av. 1701), «emphatique et vide». ◇ Le dérivé **BOURSOUFLER** v. tr. signifie «rendre enflé» (1530); il s'emploie au pronominal (1658) et au figuré (av. 1822). ➡ **BOURSOUFLURE** n. f. désigne le gonflement que présente par endroits une surface unie (1552; 1547, *boussouflure*, en médecine) et par figure équivaut (1798) à *enflure* en parlant du style. ➡ **BOURSOUFLEMENT** n. m., attesté isolément en 1590 pour désigner l'état de ce qui est boursouflé, a été repris en chimie (1803) pour parler de l'augmentation du volume d'un corps sous l'effet de la chaleur. ◇ Le mot se dit par figure pour l'enflure du style, comme **BOURSOUFLAGE** n. m. (1765), usité aussi avec une valeur concrète.

◈ voir ENFLER, FLAGEOLET, FLATULENT, FLEURER, FLÛTE, GONFLER, INSUFFLER.

SOUFFRETEUX, EUSE adj. représente la réfection (v. 1270) de l'ancien français *suffraitus* (v. 1120), *sofreiteus, sofraitos* (1165), *soufreteus* (v. 1300); ces formes dérivent de l'ancien français *suffraite*, n. f. (1080), *sofraite* (1167) «privation, manque, misère, disette» qui est issu, comme l'ancien italien *soffrata*, d'un latin populaire °*suffracta* «choses retranchées». Ce dernier est la substantivation du féminin de °*suffractus*, participe passé passif de °*suffrangere*. Ce verbe est une altération du latin classique *suffringere* «rompre en bas», «briser par le bas», formé de *sub-* qui marque la position inférieure (→ sub-) et de *frangere* «briser» (→ fraction) qui se rattache à une racine indoeuropéenne °*bhreg-*, comme le germanique °*brekan* (cf. allemand *brechen*, anglais *to break*). °*Suffrangere* avait abouti en ancien français à *soufraindre*, v. intr., «manquer, faire défaut» (fin XIIe s.), en ancien catalan à *sofranyer*, etc. (en ancien provençal, v. 1180). La variante en *souffr-* marque l'influence de *souffrir*.

♦ Le mot, comme adjectif (1165), et comme nom (v. 1220) est d'abord appliqué à une personne qui est dans le besoin, notamment dans les locutions *être souffreteux de qqch.* «manquer de qqch.» (1165), *être souffreteux de*, suivi de l'infinitif, «être incapable de» (déb. XIVe s.) ; cette acception, synonyme de *besogneux* (de *besoin*), est encore relevée au XVIIIe siècle. ➡ Puis le mot, senti comme dérivé de *souffrir*, qualifie (1826) une personne qui éprouve momentanément une douleur, emploi sorti d'usage. ◇ *Souffreteux* se dit d'une personne de santé débile, souvent malade (1832), d'où *un air souffreteux* (1875). ◇ Il se dit par analogie d'une plante malingre, rabougrie (1843, Gautier).

▸ Le dérivé **SOUFFRETEUSEMENT** adv. (1636) avait été repris dans le *Journal* des Goncourt (1855), mais ne s'est pas imposé.

◈ voir SUFFRAGE.

SOUFFRIR v. est la réfection (v. 1112) de *susfrir*, *suffrir* (1080), issu d'un latin populaire °*sufferire*, altération par changement de conjugaison du latin classique *sufferre* «supporter» et «se soutenir, se maintenir», au figuré «endurer (la soif, une punition)». Ce verbe est composé de *sub-* marquant la position inférieure (→ sub-) et de *ferre* «porter, supporter» (→ -fère) qui a fourni une série de verbes préfixés (→ conférer, différer, offrir, préférer, etc.). *Ferre* se rattache, comme le grec *pherein* (cf. *-phore*) à une racine indoeuropéenne °*bher-* «porter», également représentée par le sanskrit *bhárāmi*, le gotique *baira*. ➡ °*Sufferire* a abouti à l'italien *soffrire*, à l'espagnol *sofrir*, au catalan *sofrir* ; par ailleurs, le latin classique *sufferre* avait donné en ancien catalan et en ancien provençal (mil. XIe s.) *soferre* «supporter, endurer», et en ancien français *soferre* (v. 1150) de même sens, qui se maintient, à côté de *suffrir*, *souffrir*, jusqu'au XVIe s. (1530, refait en *souffere*).

♦ Le verbe apparaît avec la valeur première de «supporter», au sens concret de «soutenir (une bataille)», encore vivant à l'époque classique (1694, *souffrir un assaut, un siège*), puis remplacé par *soutenir*. Par extension, on a dit *souffrir qqn* «résister à qqn (dans un combat)» [v. 1155] et *souffrir qqch.* (déb. XIIIe s.). ◇ *Souffrir* a eu en ancien français, comme en ancien provençal (*soffrir*, fin XIe s.), le sens étymologique de «porter, soulever» et «soutenir (un poids)», d'où *se souffrir* «se tenir debout» (1200) et «se soutenir mutuellement» (v. 1283). Cette valeur a été éliminée notamment par *porter*. ◇ Cependant, le sens de «supporter, endurer avec fermeté (ce qui est pénible moralement)» est plus ancien (1080 pour *susfrir* ; v. 1112, *souffrir*). En procèdent par extension plusieurs valeurs : «attendre» (v. 1130), en ancien français *se souffrir de* «se passer de» (1160-1170), *se souffrir* «patienter» (v. 1180, *soffrir*). Parallèlement, le verbe prend les sens de «subir (une chose douloureuse, désagréable)» [v. 1120] et de «tolérer, permettre» (v. 1131), qui se développent dans diverses constructions et locutions. ➡ *Souffrir qqn* «tolérer sa présence» ne s'est pas maintenu au-delà de l'époque classique, mais la tournure négative (1677) *ne pas souffrir*, également à propos de qqch. (1689), est toujours vivante et même familière (*je ne peux pas le souffrir*). ◇ *Souffrir le mâle* «en permettre l'approche», en parlant de la femelle (1690), s'est restreint à *souffrir l'étalon*, à propos d'une jument (1872). ◇ *Souffrir le droit* «se laisser juger» (v. 1190, *suffrir dreit*) n'existe qu'en ancien français. ◇ Cependant, plusieurs constructions de même sens sont encore employées à l'époque classique : *souffrir* accompagné d'une proposition infinitive pour «laisser» (v. 1175), *souffrir qqch. à qqn* (v. 1210) ou *à qqch.* (1642) «le lui accorder», «le laisser passer», *souffrir de qqn* «en supporter des choses désagréables» (1440-1475), *souffrir à qqn de*, suivi de l'infinitif, «lui permettre de» (av. 1550). *Souffrir que*, avec le subjonctif, «permettre que» (v. 1165, *sufrir*), qui représente le même sémantisme, est encore en usage dans le registre soutenu. ◇ Avec cette valeur, *souffrir* signifie «pouvoir recevoir, admettre» (1640), et entre dans la locution ***le papier souffre tout*** «tout est possible sur le papier» (1548). *Souffrir*, surtout négativement, veut dire spécialement «supporter sans inconvénient» en parlant d'une marchandise (1782). ◇ *Se souffrir*, qui avait à l'époque classique le sens d'«être toléré» (av. 1650, Descartes), signifie «se tolérer mutuellement» (1761), surtout au négatif.

Avec le sens attesté dès l'ancien français (v. 1120, cf. ci-dessus) de «subir (une chose douloureuse)», le verbe est aujourd'hui littéraire, y compris lorsqu'il est employé dans des locutions : *souffrir mort et passion* (v. 1283), *souffrir mort* (v. 1354), d'abord «endurer la mort», a pris par exagération la valeur de «supporter de vives contrariétés» (1694), comme ***souffrir mille morts*** (1690), d'où à l'époque classique *faire souffrir mille morts* «importuner» (1690). Une évolution analogue concerne ***souffrir le martyre*** «subir des tortures pour sa foi» (1656) puis «éprouver de grandes douleurs» (1666) et «être très impatienté» (1835). ◇ Avec une valeur affaiblie, le verbe signifie «éprouver un dommage» (1872, *souffrir des pertes*). ➡ *Souffrir* s'emploie très couramment en construction intransitive (v. 1480) avec le sens de «ressentir une douleur physique ou morale, avoir mal» ; il remplace alors l'ancien verbe *douloir* (→ dolent, douleur) ; cette valeur dominante donne aux autres emplois, issus d'acceptions plus anciennes, un statut archaïque ou stylistique marqué. *Souffrir de* peut être accompagné d'un nom qui désigne une région du corps (1740, *souffrir de la tête*), l'origine de la souffrance (av. 1747) ou une affection (1842). *Avoir cessé de souffrir* signifie par euphémisme «être mort» (1812). ◇ Par extension, *souffrir de* a pris le sens (1668) de «subir un dommage, un préjudice», en parlant d'une personne ou de choses; par exagération, le verbe se dit pour «avoir bien du mal, se donner beaucoup de peine» (1876).

▸ **SOUFFRANT, ANTE** adj., réfection (1190) de *suffrand* (v. 1120), *soffrant* (1160-1170), a signifié «patient, indulgent» et «dur à la peine, vaillant» (v. 1190, n. m.), d'où *aler sofrant* «résister» (1212). Ces deux acceptions, encore vivantes à l'époque classique, sont sorties d'usage. ◆ L'adjectif signifie aujourd'hui, depuis le XVIIe s., «qui éprouve de la douleur» (1690), surtout avec un nom collectif ou au pluriel : *partie souffrante* «partie du corps affectée» (1694), *l'Église souffrante* «les âmes du Purgatoire» (1718) appelées aussi *souffrants* n. m. pl. (mil. XVIIIe s.). ◇ L'adjectif s'applique par métonymie à ce qui exprime la souffrance (1808). ◇ Par extension, il qualifie couramment (XXe s.) une personne légèrement malade.

SOUFFRANCE n. f. (v. 1170), éliminant les variantes *sofrance* (v. 1180), *soffrance* (v. 1200), dérive de *souffrir* ou est issu du dérivé latin impérial *sufferentia* «action de supporter». Le mot apparaît avec le sens de «trêve», dans *en sofrance* (v. 1180) puis seul (v. 1200) et dans la locution *mettre en soffrance, en souffrance* (1213) «faire cesser» (v. 1200) et dans *souffrance de guerre* «trêve» (v. 1240). De cette valeur disparue, on passe au sens de «délai, répit» (v. 1283), spécialement pour désigner le délai que le seigneur accordait au vassal pour faire foi et hommage (1369), emploi relevé jusqu'au XVIIIe siècle. La locution ***en souffrance,*** attestée au XVe s. dans *être en souffrance* (v. 1467) est le seul témoin moderne de cette valeur du mot; *tenir qqn en souffrance* (1467) est sorti d'usage pour «en répit, ou avec un délai», mais on dit encore ***affaire en souffrance*** «en suspens» (1770) et *effets* (1904), *quittances,* puis (1930) *marchandises, lettre, colis en souffrance* «qui n'a pas été réclamé». ◆ Parallèlement, depuis la fin du XIIe s., *souffrance* a le sens de «patience, fait de supporter» dans *mettre en suffrance* (1184) «tolérer» et employé seul (v. 1200). Cette valeur se maintient jusqu'au XVIIe s. dans des locutions comme *par la souffrance de* «avec l'autorisation de» (1230), *demander la souffrance* «la permission» (1549). Désignant (v. 1360) l'action de tolérer ce qu'on pourrait empêcher, le mot entre dans quelques expressions juridiques comme ***jour de souffrance*** «baie qu'on peut ouvrir sur la propriété d'un voisin, à condition de la garnir d'une grille ou d'un châssis dormant» (1832) ou ***chemin de souffrance,*** où l'on accorde le passage. ◆ C'est au XIIe s. (v. 1175) et surtout en moyen français (v. 1462) que *souffrance* semble prendre le sens de «douleur, physique ou morale» et «état d'une personne qui souffre». Ce sens aujourd'hui dominant rend peu compréhensibles les autres emplois, parfois interprétés comme des métaphores de la douleur (le colis *en souffrance* pâtit d'être oublié, le jour *de souffrance* est triste et pénible, etc.). ◇ Le mot s'est dit par extension pour «manque, misère» (1573). ◇ *Une, des souffrances* (1175) est littéraire à propos de ce qui cause la souffrance (1834).

SOUFFROIR n. m. «lieu de souffrance» est dérivé de *souffrir;* il est littéraire et rare (1863, Goncourt).

Le composé **SOUFFRE-DOULEUR** n. m. (1607), écrit aussi *souffre-douleurs* (1653), désigne une personne qui doit supporter les tracasseries, les propos méchants de son entourage. Le sens moderne de *souffrir* «éprouver de la douleur» a modifié ses emplois. ◇ Le mot s'est employé familièrement pour une bête de somme (1690) et, par analogie, pour un objet dont on se sert constamment (1743), sens relevés jusqu'en 1878.

SOUFI, IE n. m. et adj., (1751) a d'abord été emprunté sous les formes *sophy* (1511), *sophi* (1654), *sofi* (1694), *sof* (XVIIe s.); c'est un emprunt à l'arabe *ṣūfī,* proprement «vêtu de laine», dérivé de *ṣūf* «laine». Les premiers soufis étaient des ascètes qui portaient un vêtement de laine. Le mot *sophi,* titre des rois de Perse, est sans rapport; il vient du nom du fondateur de la dynastie séfévide.

♦ *Soufi,* parfois écrit *sofi,* se dit d'un mystique de l'islam, adepte du soufisme.

▸ **SOUFISME** n. m. (1842), aussi écrit *çoufisme, sofisme* (1831), désigne une doctrine mystique qui s'est développée à l'intérieur de l'islam. ◆ **SOUFITE** adj., «qui est relatif au soufisme», s'est employé comme substantif (av. 1876, n. m.) pour désigner un écrivain qui expose les doctrines du soufisme; on emploie dans ce sens *soufi.*

SOUFRE n. m. est la réfection (av. 1250) de *sulfre* (v. 1120), *suffre* (v. 1138), issu du latin *sulfur* (ou *sulphur*), forme grécisée de *sulpur* «soufre», mot probablement d'origine dialectale, sans étymologie claire. La forme *soupre* des gloses juives (fin XIe s.) est l'aboutissement de *sulpur,* ainsi que l'ancien français *sopre* (XIIIe s.) et l'ancien provençal *solpre. Sulfur* a donné, parmi les langues romanes, l'italien *solfo, zolfo,* l'espagnol *azufre* (ancien espagnol *sufre*), le portugais *enxofre.*

♦ Le mot, avec des variantes en ancien et moyen français, *soffre* (v. 1160), *soulfre, soulphre* (1549; encore au XVIIe s.), et *souphre* (1622), désigne une substance connue de toute antiquité, un corps de couleur jaune qui exhale en brûlant une odeur suffocante; c'était, dans l'ancienne chimie, l'un des trois principes actifs, défini comme une «substance liquide et inflammable, qui monte en forme d'huile après l'esprit dans la distillation qui se tire de tous les corps» (Furetière, 1690); le soufre est reconnu comme un corps simple par Lavoisier (fin XVIIIe s.). ◆ Au XVIe s., le mot s'est employé, d'après la Bible, avec la valeur métaphorique de «foudre, élément destructeur qui se trouve dans la foudre» (1550). Il sert à former diverses dénominations en chimie : ainsi dans Furetière (1690), *soufre doré d'antimoine* «pentasulfure d'antimoine», médicament expectorant et émétique, *fleur de soufre* «soufre en poussière obtenu par distillation», *lait de soufre,* obtenu par l'action d'un acide sur une solution d'hyposulfite, *foie de soufre* «sulfure de potassium des pharmacopées». ◇ *Soufre végétal* (1768) désigne le soufre de lycopode. On a dit (1694) *chemise de soufre* pour désigner le vêtement donné aux condamnés au bûcher. ◆ Depuis le XVIIIe s., *soufre* désigne une couleur jaune clair (1742), et par métonymie *(un soufre)* le moulage d'une médaille, fait dans du soufre (1782). ➛ L'association mythique du soufre au démon se retrouve dans ***odeur de soufre,*** qui se dit par figure d'une odeur infernale, satanique (1826, Vigny), et ***sentir le soufre*** se dit d'écrits ou de propos peu orthodoxes, qui semblent inspirés par le diable.

▶ Le dérivé **SOUFRÉ, ÉE** adj. qualifiait ce qui renferme du soufre (1256, d'une eau); il se dit encore aujourd'hui de ce qui est enduit, imprégné de soufre (1690), spécialement dans *allumette soufrée* (1872), *mèche soufrée* (1876), et de ce qui est d'une couleur jaune soufre (1784). ➛ **SOUFRÉE** n. f. a désigné (1780) la phalène du sureau et **SOUFRÉ** n. m. est le nom usuel donné (av. 1850) à un papillon commun dont les ailes sont d'un jaune de soufre bordées de noir. ➛ **SOUFRIÈRE** n. f. (1495), aussi écrit *soulphriere* (1622), désigne le lieu où l'on extrait le soufre; en ce sens *souffrerie* n. f. (v. 1500) ne s'est pas maintenu. ◇ *Soufrière* s'est dit aussi (1836) de l'endroit où l'on met le soufre, dans les fabriques d'allumettes. ◇ Le mot, enfin, désigne parfois un volcan; cf. l'italianisme *solfatare.* ➛ **SOUFREUX, EUSE** adj. (1549; 1568, *souphreux*) ne s'applique plus à ce qui contient du soufre; l'adjectif est rare et littéraire pour qualifier (déb. XXe s.) ce qui est de couleur jaune soufre.

SOUFRER v. tr. signifie «imprégner, enduire de soufre» (1636), par exemple des allumettes, et s'est spécialisé dans des emplois techniques, au sens de «traiter au soufre (la laine, la soie, etc.)» [1680]. *Soufrer du vin* signifie en viticulture (1690) «le muter avec de l'anhydride sulfureux». *Soufrer la vigne* (1857) consiste à la traiter en répandant du soufre en poudre, pour la protéger contre certaines maladies. ➛ Du verbe *soufrer* dérivent: **SOUFROIR** n. m. (1723), nom de l'étuve où l'on blanchit la laine en la soufrant; **SOUFRAGE** n. m. «opération qui consiste à soufrer une étoffe» (1763), enduction de soufre (1810) et «traitement de plantes», en particulier de la vigne (1855); **SOUFREUR, EUSE** n. (1871) «ouvrier chargé de la préparation du soufre» et «personne qui soufre la vigne» et **SOUFREUSE** n. f. (1907) désignant l'appareil. ➛ Le préfixé **ENSOUFRER** v. tr. (v. 1260), de *en-*, «imprégner de soufre, de vapeurs de soufre», est sorti d'usage; au sens d'«enduire de soufre» (v. 1560), il a été remplacé par *soufrer.*

◈ voir **SOLFATARE, SULF-, SULFO-.**

SOUHAITER v. tr. est la réfection, sous la forme *soushaitier* (v. 1119) puis *souhaitier* chez Machaut, v. 1350) de *sohaidier* (v. 1175), *soushaidier,* mot d'origine discutée. Bloch et Wartburg y voient l'aboutissement d'un latin populaire °*subtushaitare,* composé du latin classique *subtus* «en dessous, par-dessous» (→ sous) et du francique °*haitan* «ordonner, promettre»; le verbe signifierait proprement «promettre sans trop s'engager». P. Guiraud reprend une autre hypothèse recourant à un latin populaire °*sub-adjutare,* formé sur le latin classique *adjutare* qui a donné le français *aider;* l'ancienne forme *aidier* ayant signifié jusqu'au XVIIe s. «faire des efforts pour parvenir à qqch.»; *souhaiter,* ce serait rester en dessous du niveau de l'effort, par un objet simplement pensé.

♦ *Souhaiter* signifie «désirer (pour soi ou pour autrui) la possession, l'usage de qqch., la réalisation d'un événement» (v. 1175). Le verbe est employé dans diverses constructions à partir du XVIIe s.: suivi de *de,* avec (1636) ou sans l'infinitif (1651), suivi de *que* et du subjonctif (1669) et dans *il est à souhaiter que...* (1834). ◇ *Souhaiter qqn* «désirer sa présence» (1553) a vieilli. ◇ *Souhaiter* entre dans des formules de vœu (1679), d'où *souhaiter le bonjour, le bonsoir, la bonne année* (1627), et les locutions ***je vous en souhaite*** (1752) «je prévois pour vous bien des désagréments», et par ironie ***je vous souhaite bien du plaisir*** (XXe s.), de même sens. ◇ Le participe passé *souhaité, ée* est adjectivé depuis le XVIe s. (1559).

▶ Le déverbal **SOUHAIT** n. m., forme refaite (XIIIe s.) de *sohait* (v. 1175), en concurrence en ancien français avec le féminin *souhaite* (fin XIIe s.), désigne le désir, exprimé ou non, d'obtenir qqch. Le mot s'emploie dans la locution adverbiale *à sohait* «comme on peut le désirer» (XIIe s.) puis ***à souhait,*** et a signifié «chance» au jeu de dés (XIIIe s.). ***À vos souhaits*** est une formule familière de politesse (1835) à l'adresse de qqn qui éternue. ➛ **SOUHAITABLE** adj. s'applique (déb. XVIe s.) à ce qui peut ou doit être souhaité et, à l'époque classique (v. 1640), s'est dit d'une personne dont on désire la compagnie. ➛ Le contraire **INSOUHAITABLE** adj., attesté chez Gide (1928), est littéraire et rare.

SOUILLER v. tr. est la réfection (XVe s.) de l'ancien français *suiller* (v. 1120), puis *souillier* (v. 1155), *soillier* (XIIIe s.); on relève avant ces formes *soilant* (fin XIe s.), participe présent adjectivé. *Suiller* serait un dérivé de *soil* n. m. (attesté 1160-1170) ou *seul* (fin XIe s.), *suoil* (1266), et au XVIe s. *souil* (1573); la forme féminine *soullye* (1413, en Champagne), devenue *souille* (1655), s'est imposée (ci-dessous). *Soil* est issu du latin classique *solium* «siège, trône», «cuve», puis «baignoire» et en bas latin, par analogie de forme, «sarcophage, cercueil» et «reliquaire». De «lieu empli d'eau (pour laver)», on serait passé pour *souille* et ses dérivés à l'idée de «dépression emplie d'eau ou de vase». Une autre hypothèse postule un gallo-roman °*suculare* qui dériverait du latin classique *sucula* «jeune truie», lui-même de *sus, suis* «sanglier», «porc» (→ soue); dans ce cas, *souille* (ci-dessous) serait le déverbal de *souiller.* Si l'on ne retient pas cette hypothèse, on doit noter que le latin classique *solium* est un dérivé de *sedere* «être assis, siéger» (→ seoir); le sémantisme serait alors à rapprocher de celui de *croupir,* qui vient de *croupe.* ◇ Les valeurs du verbe en ancien français permettraient de penser à deux étymons mêlés.

♦ *Souiller* v. tr., «salir», est d'abord attesté métaphoriquement aux sens d'«altérer (ce qui aurait dû être respecté)» [fin XIe s., *soilant*], «violer» en parlant d'un traité (v. 1120, *suiller*), puis plus généralement (v. 1176) «altérer, corrompre», et (XIIIe s.) «manquer à l'honneur», d'où *se souiller* «se rendre coupable de qqch. qui souille» (v. 1240, *soeillier*), dans les conceptions chrétiennes. ◇ L'acte sexuel étant considéré comme une souillure, *soi souiller* a signifié «avoir des relations sexuelles», sens attesté isolément au moyen âge (XIIIe s.) et repris au XVIIe s. *(se souiller avec qqn)*. Le verbe, en emploi général, entre dans des locutions métaphoriques d'usage littéraire, ***souiller ses mains de sang*** «être un meurtrier» (1636) et, avec la connotation d'impureté sexuelle, ***souiller le lit nuptial*** (1668), ***la couche nuptiale*** (1690) «commettre un adultère». ◇ Le verbe signifie concrètement depuis le XIIe s. (v. 1155, *souillier*) «salir (d'abord par une matière boueuse), gâter, couvrir (de boue, de sang)», de là *se souiller* (1690), spécialement «se salir d'excréments, de déjections». ◇ Du début du XIIIe au XVIe s., *se souiller* s'applique spécialement au sanglier qui se vautre dans la boue (v. 1220, *se souillier;* 1587, *souiller*, intr.). L'emploi du verbe au sens de «couvrir la truie» (1606), qui mêle cet usage et le sens péjoratif sexuel du verbe semble avoir disparu.

▶ Le dérivé **SOUILLON** n. désignait (v. 1425) une personne sale et (v. 1450) un valet de cuisine chargé des gros travaux. Il n'est plus employé qu'en parlant d'une femme (v. 1510, *souillon de cuisine;* puis *une souillon,* 1606). ◇ Par extension, *un souillon* s'emploie pour parler d'une personne malpropre (1538); là aussi, il tend à n'être usité qu'en parlant d'une femme; la forme *souillonne,* n. f. (1606), n'est en usage qu'au XVIIe siècle. ◇ *Souillon,* n. f., s'est employé en argot (1867) au sens de «prostituée, fille à soldats» par influence des sens métaphoriques du verbe. ◇ Une autre valeur du mot, en rapport avec d'autres dérivés du verbe, *souille, souillarde* (ci-dessus), est «instrument de gros nettoyage», spécialement «baquet» (1522), mot du nord de la France, et «torchon» (1530); elle est sortie d'usage. ◆ **SOUILLONNER** v. tr., «salir, souiller», est rare (XVIe s., hapax; puis 1662, Racine).

SOUILLURE n. f., réfection (1530) de *souilleüre* (1268), est rare pour désigner ce qui tache, une saleté (1295, *soueillure*). Le mot s'emploie au figuré pour parler de ce qui souille moralement (XIVe s., *soullieure*) et de ce qui détruit la pureté sacrée (1553, à propos de la religion juive).

SOUILLE n. f. est probablement l'aboutissement de plusieurs formes *(soil, sueil, souil...);* la première est relevée isolément en judéo-français (fin XIe s.) au sens latin de «fauteuil, trône». Certains en font le déverbal de *souiller,* si ce verbe était rattaché au latin *sus* «porc» (ci-dessus). ◆ Le mot a désigné dans un contexte religieux l'abîme de l'enfer, lieu impur par excellence (v. 1175, *soil*), et par ailleurs un baquet (1266, *soil*). En vénerie, il désigne d'après un sens spécialisé de *souiller* (v. 1354, *sueil, seul;* 1655, *souille*) ou par valeur étymologique, si l'on retient l'hypothèse où *souiller* se rattache au latin *sus,* le lieu bourbeux où le sanglier se vautre (cf. *soue,* et aussi *bauge*); en ce sens, on a écrit aussi *souil,* n. m. (1573). ◇ *Souille* s'est par ailleurs employé (v. 1450) avec la valeur figurée de *souillure.* Il est devenu par analogie un terme technique; le mot désigne (1538) l'enfoncement que forme dans la vase un navire échoué. Par extension, *souille* se dit (attesté 1933) de la trace laissée dans le sol par un projectile qui a ricoché avant d'éclater. Par analogie, c'est le nom d'un taillis formé de rejets de souche, de bois morts (XXe s.). ◇ De la valeur récente, «tranchée creusée sous l'eau, destinée à recevoir une canalisation» (v. 1960), viennent **ENSOUILLER** v. tr. (1968) d'où **ENSOUILLAGE** n. m. et **ENSOUILLEUSE** n. f. (1968). ◇ Un verbe **S'ENSOUILLER** avait été formé (1870) pour «s'échouer dans la vase, dans une souille» (ci-dessus).

SOUILLARD, ARDE n., dérivé de *souille* (1530), succède à *soilhart* (1350); le mot a signifié «laveur de vaisselle», et s'est employé par mépris comme terme d'injure (1356, *soillars*). Il a signifié aussi «mendiant» (XVe s., *souillart*), «menteur» (1464), puis (1530, n.) «personne malpropre, chargée de gros travaux». ◇ *Souillard* adj. a qualifié (1549), jusqu'à la fin du XVIIe s., un endroit boueux, et *souillarde* un lieu bourbeux (av. 1573), alors synonyme de *souille,* s'employant encore régionalement. ◇ *Souillarde* a eu plusieurs sens techniques, par exemple «pierre percée d'un trou pour l'écoulement d'eaux usées ou pluviales» (1842), aujourd'hui «trou percé dans cette dalle» (1872). ◆ Le dérivé de l'adjectif, **SOUILLARDE** n. f., a désigné une servante qui lave la vaisselle (1534) et une femme malpropre (1557). ◆ *Souillarde* signifie encore dans la France du sud, soit par reprise (1731) du sens ancien de «lieu bourbeux» ou par une nouvelle dérivation, l'arrière-cuisine où on lave la vaisselle, puis (1836) le baquet où se fait ce lavage (1834). Enfin, *souillarde* est le nom (1842), aujourd'hui vieilli, d'un grand baquet de lessive qui reçoit les soudes lessivées. ◆ **SOUILLARDURE** n. f., terme de pêche (1753; 1769, var. *souillardière*), est le nom d'un bourrelet fait de vieux morceaux de filets et renforçant la ralingue inférieure d'un filet.

SOUK n. m. est un emprunt (1835) à l'arabe *sūq* «marché»; on le rencontre au XVIIe s. (*zoco,* 1636), puis cité comme mot arabe (1836) [in T.L.F.] chez le Père Vansleb, écrit *Suk* (1677), puis dans des noms propres : le marché des esclaves au Caire (1800, *Souk es-Soultan*) et le nom d'une rue de Jérusalem, citée par Chateaubriand (1812).

♦ *Souk* désigne spécialement un marché couvert qui, dans les pays d'islam, réunit boutiques et ateliers dans un dédale de rues. ◇ Par figure et familièrement (1936 in T.L.F.), le mot se dit d'un lieu où règne le désordre, l'agitation, le bruit, suivant la même évolution que *bazar**. Dans un contexte abstrait, il équivaut à «désordre». Cette acception familière est très vivante en français contemporain.

▶ Le dérivé **SOUKIER** n. m. (attesté 1934), rare, désigne un marchand installé dans un souk.

SOUL adj. inv. et n. m. est un emprunt (1962, adj.) à un mot anglais signifiant «âme», d'origine germanique (gotique *saiwala;* cf. allemand *Seele*), peut-être à rattacher à la même racine que le grec *aiolos* «vif, rapide» et le sanskrit *āyu-* «force vitale». *Soul* a pris un sens particulier aux États-Unis, dans le milieu des Noirs américains, caractérisant une manière inspirée de jouer le blues ou le jazz, *soul man* signifiant «musicien qui joue avec toute sa sensibilité»; il s'emploie aussi pour qualifier ce qui est relatif à certains aspects de la vie des Noirs (*soul brother* «frère» [d'un Noir, parlant d'un autre Noir], *soul food* «cuisine traditionnelle des Noirs américains» [de *food* «nourriture»], etc.).

♦ Le mot est passé en français (1962) pour qualifier la musique des Noirs américains et par extension une atmosphère, un style. Le syntagme anglais *soul music* est employé comme nom féminin (1979). *Soul* s'applique comme en anglo-américain à ce qui est propre aux Noirs américains, par exemple dans *restaurant soul*. La diffusion du mot est limitée.

SOÛL, SOÛLE adj. et n. m. est une réfection de *saule* n. f. (fin XIe s.), *saul* (v. 1119), *saol* (v. 1175); l'accent circonflexe est introduit au XVe s. (in *F. e. w.*) et la graphie *soûl*, concurrente de *saoul* (XIIIe s.), est retenue par le dictionnaire de l'Académie en 1694; la forme *saoul* est aujourd'hui vieillie. Le mot est l'aboutissement du latin *satullus* «assez, un peu rassasié», diminutif de *satur* «rassasié (surtout de nourriture)», au figuré «chargé» en parlant de couleurs, «riche, abondant, fertile», spécialement en rhétorique où *satura*, pluriel neutre, signifie «matière féconde» (→ saturer). *Satur* se rattache, comme *satis* (→ assez), à une racine indoeuropéenne dont les représentants varient, en raison des éléments affectifs et expressifs liés à son sens, comme le gotique *saþs* «rassasié», le vieux slave *sytŭ*. Le latinisme *satur* adj. «rassasié» (1495) est resté isolé, et rapidement sorti d'usage.

♦ L'adjectif s'est appliqué (v. 1119) comme en latin à une personne qui a mangé et bu à satiété; cet emploi noté «familier» à partir de 1694 a disparu, éliminé par le sens plus restreint de *soûl* «ivre» (1534, Rabelais). Cette valeur usuelle rend difficile la compréhension des nombreux emplois où le mot signifie «rassasié de nourriture». ◆ *Soûl* s'emploie en effet dès le XIIe s. au figuré, dans *être soûl de (faire) qqch.* «saturé au point d'en être dégoûté» (v. 1175), d'où *être soûl de qqn* (XIIIe s.), dans les locutions *soûl d'ouvrer* [de travailler] «fainéant» (v. 1550), *saoûl d'honneur* «coquin» (1690), sorties d'usage. ◇ Au sens concret de «rassasié», ***soûl comme une grive*** s'est dit d'une personne qui a trop mangé (1486), par allusion à la grive qui a mangé des raisins dans les vignes, encore au milieu du XVIIIe s., et a pris le sens de «complètement ivre» (1690), suivant l'évolution de l'adjectif. *Soûl*, au sens moderne, peut être suivi d'un nom de peuple dans *soûl comme un Suisse* (av. 1660) par référence aux mercenaires suisses des armées royales. ***Soûl comme un Polonais*** (XXe s.) correspond à une réputation faite aux Slaves et à une légère xénophobie. On relève par ailleurs ***soûl comme une bourrique*** (paronymie avec *barrique* et influence possible de *bourré*). ***Soûl comme un âne*** (1886 dans Courteline) s'explique par jeu de mots sur *gris** «légèrement ivre» et influence de la locution précédente. ***Soûl comme un cochon, soûl comme une vache*** (1892, Allais), comme ***soûl à crever*** (1694), sorti d'usage, faisait encore allusion à la réplétion de nourriture. D'autres locutions, comme *à soul et à jeun* (v. 1240), «dans tous les cas», ou *donner son soûl à qqn* «le satisfaire» (1440-1475), *a cœur soûl* «de façon à combler les désirs» (fin XVe s.), *avoir des coups tout son soûl* (1636), *tout le soûl* (1646), ont disparu.

À côté de l'adjectif et après une occurrence isolée du nom féminin (fin XIe s.), pour «fait d'être rassasié», le mot s'est employé pour «satiété». Cet emploi demeure dans des emplois où *soûl* est précédé de *tout* et d'un possessif : ***manger, boire son soûl*** (v. 1155, *saul*), devenu ***tout son soûl*** (XVe s.), encore en usage.

▸ Les dérivés de *soûl* ont suivi son évolution sémantique. ◆ **SOÛLER** v. tr., réfection (1553), d'après *soûl*, de *savoler* (fin XIe s.), *saüler* (v. 1120), *saouler* (XIVe s.), a signifié «rassasier» (fin XIe s.). Cette acception est d'abord attestée au figuré dans *ne pouvoir se soûler de faire qqch.* (1170). ◇ L'idée d'«abondance» a donné lieu à des acceptions : «satisfaire (qqn de qqch.)» [1260], «assouvir (une passion)» [1440-1475], encore enregistrée au XVIIe s.; on a dit en agriculture *soûler une terre* pour «fumer» (1552). ◇ *Se soûler* a pris le sens de «boire à l'excès» (1640, *se saoûler*) et *souler* «enivrer» (1677) est courant, comme l'emploi avec un sujet nom de chose. ◇ L'idée de réplétion («en avoir assez») se retrouve dans l'emploi figuré pour «fatiguer, importuner (par un excès quelconque)» [mil. XVIe s.]; cf. *soûlant*. ◆ Le verbe a plusieurs dérivés. ◇ **SOÛLÉE** n. f., sorti d'usage, s'est employé comme synonyme de *soul*, nom masculin, dans *boire, manger, parler... sa soûlée* «abondamment» (v. 1165), *faire la soûlée* «se rassasier» (1605). Le mot a désigné familièrement (1690) un repas plantureux, bien arrosé. ◇ **SOÛLANT, ANTE** adj., d'abord «qui rassasie» en parlant de la nourriture (1690), acception disparue, signifie figurément «qui ennuie, fatigue» (1895). ◇ **SOÛLERIE** n. f. est un équivalent familier (1857) de *beuverie*, puis d'*ivresse*. ◆ Le verbe préfixé **DESSOÛLER** v. a voulu dire «donner le temps à l'estomac de digérer» (1557). D'après le sens pris par *soûl*, le verbe signifie «tirer (qqn) de l'ivresse» (1690), d'où *se dessoûler* (1845). ◇ L'intransitif, souvent dans un contexte négatif, correspond à «cesser d'être ivre» (1694).

SOÛLARD, ARDE n. et adj. s'est appliqué à une personne qui s'adonne aux plaisirs de la table, écrit *soullart* (v. 1433), *saoulard* (1547), puis *soûlard* (1803), sens sorti d'usage. ◇ En français moderne, le mot équivaut familièrement à *ivrogne* (1732; 1694, *saoulard*). ◆ **SOÛLAUD, AUDE** n., d'abord «qui mange et boit beaucoup et salement» (v. 1714; 1690, *saoulaud*), est un synonyme (1802, n. et adj.) de *soûlard*. ◇ Le mot s'écrit aussi *soûlot, otte* (attesté 1886) et a fourni *se soûlotter* v. pron. (1876, Huysmans).

SOÛLOGRAPHE n. et adj., familièrement «ivrogne invétéré», est une formation plaisante tirée de *soûl* (1816) à partir de *-graphe**, comme **SOÛLOGRAPHIE** n. f. (1835), de *-graphie**, d'où **SE SOÛLOGRAPHIER** v. pron. (1867), sorti d'usage.

SOULAGER v. est une réfection (1461), après d'autres formes en *sou-*, comme *soulagier* (XIIIe s.), de *solagier* (XIIe s.), lui-même de *suzlegier* (v. 1160), *suslegier* (1270); ce verbe représente le latin populaire °*subleviare*, altération d'après le bas latin *alleviare* «rendre léger» du latin classique *sublevare*, proprement «soulever, exhausser» et par figure «alléger, soulager», «affaiblir, atténuer». *Sublevare* est composé de *sub-* (→ sub-) marquant la position inférieure et de *levare* «alléger» d'où «soulager» et à l'époque impériale «soulever» (→ lever), dérivé de *levis* «léger» au propre et au figuré (→ léger). ◇ Le passage du *e* au *a* en ancien français est expliqué par l'influence de *solaz* «consolation» et *solacier, soulacier* «consoler» (→ soulas) ou par celle de l'ancien verbe *assouagier* qui avait aussi le sens de «soulager, apaiser».

♦ Le verbe s'est d'abord employé (v. 1160, *suzlegier*) en parlant d'un navire, pour «jeter à la mer une partie de sa charge lors d'une tempête», sens encore relevé en 1690 *(soulager un navire)*. Au début du XIIIe s., il a l'acception, également disparue, de «soutenir (qqn) physiquement». En parlant d'une personne, il se dit (XIIIe s.) pour «débarrasser (qqn) de son fardeau» et par figure «délivrer (qqn) de ses souffrances morales» (1270, *suslegier*). ◇ Ce sont les idées d'allégement et de secours moral qui se développent à partir du XVe s.; *solagier* (1440-1470) puis *soulager* s'emploient pour «alléger le travail, la peine, le mal de (qqn)» et (1461) «diminuer (pour qqn) le fardeau des impôts»; au figuré, *soulager* signifie «secourir, aider (une personne accablée par la misère)» (1538), et aussi «une personne qui souffre, est en peine» (1640). ◇ *Se soulager* (v. 1640) correspond à «décharger son cœur de ce qui l'oppresse», valeur reprise au XVIIIe s. dans une construction intransitive, en parlant d'une pensée. ◇ Avec une valeur concrète, *se soulager* prend (déb. XVIIe s.) le sens de «satisfaire un besoin naturel»; on emploie aussi *soulager son ventre, sa vessie*. ◇ Avec l'idée de «diminuer une charge matérielle», le verbe prend des valeurs techniques (1690) : *soulager (un plancher, une poutre)*, puis (1796) *soulager (un arbre)* «le couper en partie quand il a trop de bois». En termes de marine, *soulager (un navire, un mât, une voile)* est repris avec son sens de «diminuer l'effet de la poussée du vent en changeant l'orientation de la voilure ou la direction du cap» (1871), d'où *soulager* v. intr. «subir un moindre effort» *(l'arrière soulage)*. ◇ En argot, *soulager* a pris par métaphore les sens d'«assassiner» (1850), sorti d'usage, et de «voler», dans *soulager qqn de qqch.* (1867) puis *soulager qqch. à qqn* (1907). ◇ Dans le vocabulaire de la prostitution, le verbe s'emploie pour «amener à l'orgasme (un partenaire)» [v. 1850]; la relation entre *soulager (un homme) de son sperme/de son argent* se retrouve dans les emplois argotiques d'*écosser, écrémer, éponger*.

▸ **SOULAGEMENT** n. m., réfection (v. 1485) de *soubzlegement* (1384) puis *sollagement* (1580) qui signifiait «diminution des impôts», a été remplacé par *allégement**. ◇ Le mot se dit (fin XVe s.) de l'action ou de la manière de soulager une souffrance physique ou morale et de l'état d'une personne soulagée. ◆ **SOULAGEUR** n. m. a désigné celui qui soulage le peuple (1601). Ce sens est sorti d'usage et le mot reste rare avec la valeur générale de «celui qui soulage». Le féminin **SOULAGEUSE** s'est employé en argot pour «voleuse» (1888).

◈ voir SOULEVER.

◈ **SOULAS** n. m., forme refaite (v. 1200) de *solaz* (v. 1090), *solas* (v. 1175), est issu du latin classique *solacium* «soulagement, adoucissement» et à basse époque «compensation, indemnité», dérivé de *solari* «réconforter, dédommager», «consoler» et «adoucir, soulager», verbe supplanté par un composé qui a été emprunté en français (→ consoler). Son étymologie reste incertaine malgé certains rapprochements avec des mots grecs.

♦ *Soulas*, en ancien français, s'emploie au sens de «consolation, réconfort» (v. 1090); il s'est utilisé jusqu'au XVIIe s. dans le style burlesque au sens de «divertissement, plaisir» (v. 1175), dont procède l'emploi pour «joie d'amour» (v. 1200), et «commerce charnel» (XIVe s.). ◇ Par ailleurs, *soulas* s'est dit pour «compagnie, société» (fin XIe s.), sens disparu en moyen français. Il est attesté au XVIIe s., au sens d'«aide (aux pauvres, au pays)» (1636), peut-être par emprunt à l'occitan *solas, solatz* «personne qui aide» (XIIIe s.), d'abord «soulagement» (v. 1100), de même origine latine.

▸ **SOLACIER** v. tr. est un dérivé (v. 1175) de l'ancien français *solaz*. ◇ Ce verbe sorti d'usage a signifié en ancien français «distraire, amuser (qqn)» [v. 1175] jusqu'au XVIIe s., avec un pronominal *se solacier* «se divertir» (XIIIe s.), puis «consoler (qqn)» [v. 1315]. Il a été quelquefois repris par archaïsme littéraire, par exemple chez Rousseau et Chateaubriand.

SOULEVER v. tr. est une réfection (XIVe s.) de *soslevar* (v. 980), *sozlever* (XIe s.), *soslever* (v. 1130), *souslever* (XIIIe s.), formé de *sous-** et *lever**, d'après le latin classique *sublevare*, de *sub-* (→ sub-) marquant la position inférieure et *levare* «élever en l'air» (→ lever).

♦ *Soulever* signifie «lever au-dessus de son point d'appui un objet pesant ou une chose quelconque» (v. 980), spécialement «lever vers le haut une partie du corps» (1673). Par extension, le verbe s'emploie (v. 1050) au sens de «relever», à propos de ce qui gêne la vue ou dissimule quelque chose; de là vient au XIXe s. la locution figurée ***soulever le voile*** (1835), ***un coin de voile*** «laisser entrevoir ce qui était tenu secret». ◇ Par extension, il prend le sens (v. 1200) de «faire s'élever», spécialement «agiter les flots» en parlant du vent (1645), et en agriculture est employé dans *soulever la terre* «donner le premier labour», relevé à la fin du XVIIIe s. comme provincialisme (1796) et sans doute antérieur (XIIe s., ancien provençal *sollevar*). ◇ Au sens général, le verbe s'emploie aussi au pronominal (depuis le XIIe s.). ◆ Dès le XIIe s., *soulever* s'emploie au figuré avec un sujet nom de chose abstraite (v. 1175), signifiant «transporter (qqn), le faire sortir de lui-même»; on relève aussi *li cuers l'en soulève* «son cœur tressaille (de joie)» (XIIe s.) puis au XVIe s. *le cœur me soulève* «je suis dégoûté» au figuré (1559) et concrètement «j'ai envie de vomir» (v. 1560); avec ces acceptions, le verbe s'emploie transitivement au propre (1660, *soulever le cœur, l'estomac*) et au pronominal, aussi figurément puis avec l'idée d'écœurement (1654, *mon cœur se soulève*), d'abord «mon cœur est ému» (1659). La valeur figurée se développe à partir du XVIe siècle; *soulever* signifie «exciter à la révolte» (1559, aussi pron.), en relation avec *soulèvement*. *Soulever* veut dire ensuite «animer de sentiments hostiles» (1642), spécialement dans *soulever qqn contre soi* «s'attirer sa rancune» (1669), plus tard dans *soulever l'opinion* (attesté 1908). ◇ Toujours dans le domaine psychologique, *soulever* a pris les sens de «donner de l'orgueil» (1656), «donner de la considération, du renom» (fin XVIIe s.), disparus après l'époque classique, puis signifie «élever qqn du point de vue moral» (av. 1854), valeur devenue archaïque. ◆ Vers la fin du XVIIIe s., par une autre figure, *soulever* s'emploie familièrement au sens de «dérober, prendre (qqch., qqn)» [1790], d'où spécialement (XXe s.) celui de «séduire» *(soulever une femme)*; un emploi comparable, au sens de «séduire», existait en moyen français (1400). ◆ Le verbe signifie par ailleurs au figuré «faire naître» (1835, *soulever une question*) et «faire naître un sentiment vif» (av. 1848), «une réaction» (1862).

▶ **SOULÈVEMENT** n. m., écrit *sollevement* en ancien français (fin XIIe s.), a signifié «élévation (du cœur, des sentiments)». ◇ *Soulèvement* (1559) désigne par figure un mouvement de révolte contre un oppresseur, d'où spécialement *soulèvement armé* (attesté 1936). ◇ Le mot a aussi le sens général de «fait de soulever, d'être soulevé», d'abord dans *soulèvement d'estomac* «envie de vomir» (1588), sorti d'usage, et au propre au début du XVIIe s. (1611). ◇ À l'époque classique il a signifié «mouvement d'indignation» (1659) et *soulèvement de cœur* équivaut (1669) à «haut-le-cœur». ◇ *Soulèvement* s'emploie spécialement en géologie (1802) à propos d'un exhaussement de niveau, de caractère épirogénique ou tectonique; le mot est littéraire au sens figuré de «mouvement des sentiments qui emporte qqn» (1863). ◆ **SOULEVÉ** n. m., substantivation du participe passé (1933), désigne en haltérophilie un mouvement qui consiste à soulever le poids de terre.

◈ voir SOULAGER.

◈ **SOULIER** n. m. est une réfection (déb. XIIIe s.), par changement de suffixe, de l'ancien français *soller* (fin XIe s., variante *solder*) et *soler* (v. 1185), issu d'un latin populaire °*subtelare* «chaussure», lui-même altération d'un latin médiéval *subtalaris* «qui arrive à la cheville» (VIIe s.), en particulier dans *subtalares calcei* «brodequins». L'adjectif est dérivé du bas latin *subtel* «partie incurvée sous la plante des pieds» (Ve s., chez Priscien). *Subtel* est formé du latin classique *sub-* qui marque la position inférieure (→ sub-) et de *talus* «cheville, talon» (→ talon).

♦ Le mot désigne (fin XIe s.) une chaussure à semelle résistante, qui couvre complètement ou partiellement le pied, et dont la forme a varié au cours des siècles; il peut être accompagné d'un qualificatif ou d'un complément de nature descriptive, mais *souliers de bois* «sabots» (v. 1150), *souliers à l'apostolique* «sandales» (v. 1560), sont sortis d'usage. On parle encore aujourd'hui de *souliers plats* «sans talon» (1668), de *souliers vernis*. Dans l'usage courant, on emploie aujourd'hui plus souvent *chaussure*. ◆ À partir du XVIe s., *soulier* entre dans de nombreuses locutions figurées dont beaucoup sont sorties d'usage. *Se soucier de qqch. comme de ses vieux souliers* (XVIe s.) «s'en moquer», avec des variantes jusqu'au XIXe s., a été remplacé par d'autres comparaisons (par exemple avec *chemise**). *Beau soulier vient laide savate* «une belle femme devient vieille et laide» (av. 1589) a disparu au XVIIe siècle. *C'est là que le soulier me blesse* «c'est la chose qui me gêne» (1608) a des variantes jusqu'au XXe s. et s'est effacé devant *le bât blesse*. À l'époque classique ont été employées plusieurs locutions pittoresques : *tenir pied en soulier* «être très raisonnable» (1611), *n'avoir pas de souliers* «être dans la misère» (1669), *mettre son pied dans tous les souliers* «se mêler de tout» (déb. XVIIIe s.); *faiseur de vieux souliers* s'est dit d'une personne oisive, sans emploi (1798). *Être mal dans ses petits souliers*, «être malade», signifie ensuite «être mal à l'aise» (1808), et est devenu ***être dans ses petits souliers*** (1830). ◆ Par analogie de forme, *soulier de Notre-Dame* (1752) est le nom régional d'un genre d'orchidée appelée aussi *sabot de Vénus* (→ sabot).

▶ Le dérivé ancien de *soler*, **SOLERET** n. m., désignait (v. 1180) une partie de l'armure faite de lames métalliques articulées, qui protégeait le pied d'un homme d'armes; en ce sens on a dit aussi *soler (soulier) de fer* (XIVe s.).

SOULIGNER → LIGNE

SOULTE n. f. est une graphie archaïsante (1581) de l'ancien français *solte* (v. 1170), *soute* (v. 1250 «paiement»), féminin substantivé de *sout* «payé complètement» (1160-1170), participe passé adjectivé de l'ancien *soldre* (v. 1138), *soudre* (v. 1175) v. tr. «payer» (→ soldat, ① solde, sou). Ce verbe est issu du latin classique *solvere* «détacher, délier» qui a pris des sens spéciaux dans les langues techniques, par exemple en droit dans *rem solvere* «payer», *debitum solvere* «s'acquitter d'une dette»; du sens de «détacher», on est passé à celui de «dissoudre» et de «résoudre» (→ résoudre, solution).

Le verbe *soldre* a continué en ancien français les sens du latin et a signifié «résoudre» (v. 1170) jusqu'à la fin du XVIIe s. (1694, *soudre*) et «dissoudre» (1493), encore chez Descartes; *souldre un compte* «le clore» (1690) se dit encore au XVIIIe et *souldre* «absoudre» (1160-1170) s'est employé jusqu'au XVIe siècle.

♦ *Soulte* a eu d'abord le sens général de «paiement» et s'est spécialisé en droit pour désigner une somme d'argent qui, dans un partage, compense l'inégalité des lots. Ce sens est attesté pour la forme *solte* (1225), puis *soulte* (1581) avec la variante *soute* du XVIIe au XIXe siècle. Le mot a pris à l'époque classique (1690, *soute*) le sens de «solde d'un paiement», remplacé par *solde*.

◈ voir ② SOLDE, ② SOLDER.

SOUMETTRE v. tr. est la réfection (v. 1380) de *summetre* (v. 1120), *souzmetre* (XIIIe s.), formes issues du latin classique *submittere*, avec un changement de préfixe à l'époque gallo-romaine, *subtus* «sous» se substituant au préfixe classique *sub-* (→ sub-). *Submittere* a plusieurs sens généraux : «envoyer dessous» d'où «placer sous» et au figuré «mettre dans un état de dépendance»; «envoyer de bas en haut» d'où «faire surgir»; «élever»; «envoyer à la place de» et «envoyer secrètement», d'où «suborner». Ce verbe est un composé de *mittere* «envoyer» (→ mettre). ◈

♦ La forme *soubzmettre*, où *soubz* représente *subtus*, est attestée au début du XVe siècle. La graphie latinisée *submettre* (1373) est en concurrence avec *soumettre* jusqu'à la fin du XVIe s. ; *submis* n. m. «soumis» (v. 1550) est encore relevé en 1639. ◆ Le verbe signifie au XIIe s. «mettre (un peuple, un pays) dans un état de dépendance» et, construit avec *à*, «imposer à (qqch., qqn) son autorité». Le pronominal s'emploie avec *à* (v. 1155) et absolument (1160-1170) ; on trouve aussi *se soumettre de faire qqch.* (déb. XVIIe s.) à l'époque classique. ◇ *Soumettre* (qqn) *à* (qqch.) correspond à «mettre dans l'obligation d'obéir à une loi, d'accomplir un acte, une formalité» (v. 1190) ; le verbe s'emploie aussi en parlant de choses (av. 1662) par exemple *soumettre une activité à une réglementation.* ◆ *Soumettre* a eu d'autres valeurs en ancien français : «renverser (qqn)» [1197, *sosmetre*], *soumettre la main* «mettre la main sous qqch.» (1226) ; *soubmettre de* (une charge) «destituer» et *sousmettre de* (un crime) «accuser» (v. 1360) ; toutes sont sorties d'usage. ◆ Des emplois abstraits, intellectuels, apparaissent au XVIe siècle : *soumettre (qqch.) à qqn* «présenter, proposer à l'examen, au jugement» (1580), d'où *se soumettre au jugement* (1762), *soumettre une question, un problème... à qqn* (1761, Voltaire) et *soumettre (une question) à l'examen, la critique* (1798). Ces emplois sont étrangers à l'idée de subordination, réalisée dans *soumettre ses idées* (à celles d'autrui) «les subordonner» (av. 1650), sorti d'usage. ◇ Au XVIIIe s., en parlant d'une personne, *soumettre* prend le sens de «contrôler rigoureusement (son comportement intellectuel ou affectif)» [1748, *soumettre ses passions*]. ◆ Par ailleurs, le verbe prend à la fin du XVIe s. la valeur concrète «exposer (qqch., qqn) à une action» *(soumettre une substance à...).*

▸ **SOUMIS, ISE** adj. a signifié «contraint de se soumettre à» (v. 1190, *suzmis*) et s'est appliqué à une personne qui s'adonne à qqch. (1226). ◇ L'adjectif, sans complément indirect, qualifie une personne docile, obéissante (1652) et, par extension, ce qui dénote cette attitude (1669). ◇ La locution vieillie ***fille soumise*** (1828) désignait une prostituée, parce que les prostituées, en France, étaient jusqu'en 1946 «soumises» à un contrôle administratif et sanitaire et munies d'une carte. ◆ Le contraire préfixé **INSOUMIS, ISE** adj. et n. m. apparaît isolément au XVIe s. (1564), puis est repris au XVIIIe s. (1797). Il s'applique à une personne qui se dérobe à l'autorité ou à la discipline (1873, *élève insoumis*), et à un pays qui refuse de se soumettre. ◇ Le mot s'est spécialisé pour désigner un militaire qui ne se présente pas à son corps au jour prescrit (n. m., 1828 ; adj., 1832). ◇ Jusqu'en 1946, ***fille insoumise*** se disait parfois d'une prostituée (1841) qui ne se soumettait pas aux mesures de contrôle.

SOUMISSION n. f. est la réfection (1549), sous l'influence de *soumettre*, de *submission* (1312) et *soubmission* (1349) ; la forme *submission*, encore employée par Corneille, est empruntée au latin classique *submissio* «action d'abaisser», par exemple la voix, «simplicité (du style)» et «infériorité», dérivé de *submissum*, supin du verbe latin. ◆ Le mot désigne (1312) l'action de se ranger sous l'autorité de qqn et le fait d'en dépendre, puis la disposition à obéir (1636). ◇ Par métonymie, *soumissions* (1665), après *submissions* (fin XVIe s.), s'est employé pour «témoignages, déclarations de respect». ◇ Puis le mot se spécialise en droit ; il a désigné une obligation financière vis-à-vis de qqn (1349), puis un acte par lequel on déclare faire une acquisition et payer une certaine somme (1707), sens disparus, ensuite (1788) un acte écrit par lequel un concurrent à un marché par adjudication fait connaître ses conditions et s'engage à se soumettre aux clauses du cahier des charges (cf. ci-dessous *soumissionner*). ◇ On a dit aussi en droit *faire ses soumissions* (1690), *sa soumission* (1762) «déclarer au greffe qu'on accepte un jugement» ; le terme subsiste pour l'action de reconnaître une contravention dans le paiement de ses impôts (1936). ◇ Enfin, *soumission* a eu (1877) le sens de «condition de fille soumise». ◆ Le dérivé **SOUMISSIONNER** v. tr. a signifié «soumettre» (1629), «s'engager à acheter à un certain prix» (1795). C'est aujourd'hui un terme de droit administratif signifiant «faire une soumission», pour une entreprise (1798), comme **SOUMISSIONNAIRE** n. (1687, selon Bloch et Wartburg, puis 1784). ◆ Le préfixé **INSOUMISSION** n. f. désigne l'état d'une chose qui n'est pas soumise (1827), puis d'une personne (1867). Le mot se dit spécialement (1873) du délit accompli par un soldat insoumis.

SOUPAPE n. f. (1419 ; aussi *sourpape*, 1474) représente probablement un emploi figuré et plaisant de l'ancien français *sospape, souspape* «coup sous le menton (qui fait brusquement fermer la bouche)» [fin XIIe s.] et «coup de pied dans la mâchoire» (v. 1228). Ce mot est composé de *sous** et de la forme non attestée °*pape* n. f. «mâchoire inférieure», dérivé probable de l'ancien français *paper* «manger» (déb. XIIIe s.), issu du latin classique *pap(p)are*, lui-même de *pappa*, mot expressif du langage enfantin désignant la nourriture. *Pappa* appartient à un ensemble de formations expressives, de structure *p-p*, exprimant le mouvement des lèvres ; la même forme, en grec et dans d'autres langues, est le nom familier du père (→ papa).

♦ *Soupape* s'emploie à l'origine pour désigner une languette qui, dans un orgue, règle le passage de l'air ; plus largement, c'est en mécanique (1547) le nom d'un obturateur mobile, maintenu fermé par un ressort, par la pression d'un fluide, et qu'une pression en sens inverse peut ouvrir momentanément. Le mot entre avec ce sens dans des dénominations comme *soupape de sûreté* (1817), pour empêcher une pression excessive, *soupapes d'admission, d'échappement d'un moteur,* etc. ◇ Par analogie de fonction, *soupape électrique* (1883) désigne un dispositif qui, dans certaines conditions, ne laisse passer le courant que dans un sens (cf. *valve*) ; on parle aussi aujourd'hui de *soupape électronique, à gaz, à vide,* etc. ◇ Par figure, *soupape* s'emploie (1836) pour parler de ce qui permet à un excès de force psychique de s'échapper, d'un exutoire (notamment dans *soupape de sûreté*).

SOUPÇON n. m. est l'aboutissement (1564) des formes anciennes *soupeçon* (v. 1240), *suspeçon* (v. 1155), issues du latin impérial *suspectionem*, accusatif de *suspectio* n. f. «soupçon» puis «admiration». Il s'agit d'une forme refaite du latin classique *suspicio* (→ suspicion) à partir de *suspectum*, supin du latin classique *suspicere* «regarder de bas en haut», «élever ses regards (sa pensée) vers» d'où par figure «regarder avec admiration», et aussi «suspecter, soupçonner». Ce verbe est formé de *sub-* qui marque le mouvement de bas en haut (→ sub-) et de *specere* «regarder», «apercevoir», verbe archaïque et rare remplacé à l'époque classique par des composés. *Specere*, comme le mot racine *-spex* (→ auspice) et *species* (→ espèce), se rattache à une racine indoeuropéenne °*spek-* «observer», dont procèdent également l'ancien haut allemand *speha* «observation attentive» (→ épier), le sanskrit *páçyati* «regarder». ◇ Le latin *suspectio* a été emprunté (XIIIe s.) sous la forme *suspection* «action de tenir pour suspect», attestée jusqu'en 1660, dont dérivait *suspectionner* v. tr. (1348), disparu.

♦ Le mot désigne dès le XIIe s. une opinion défavorable que l'on a au sujet de la conduite, des intentions d'une personne, accompagnée d'une certaine crainte. À partir du XVIe s., les formes *soubçon* (1549, jusqu'en 1660) et *soupçon* l'emportent. Le mot est masculin ou féminin jusqu'au début du XVIIe siècle. À l'époque classique, la locution *ôter (qqn) de soupçon* signifiait «lui prouver que ses soupçons sont injustifiés» (1638). ◇ Par extension, le mot se dit (déb. XIIIe s.) du fait d'être l'objet de soupçons, d'où *tomber en soupçon* «être soupçonné» (1660), sorti d'usage et, aujourd'hui, ***être à l'abri (au-dessus) de tout soupçon*** «d'une honnêteté irréprochable», très employé. ◇ Par extension, *soupçon* désigne (fin XVIe s.) une conjecture fondée sur des éléments douteux, en particulier à l'époque classique dans la locution *entrer en soupçon que* (et subjonctif) «soupçonner» (v. 1673). ◇ Par métonymie, le nom se dit (1657) de l'apparence qui laisse supposer l'existence d'une chose; de là viennent ***un soupçon de*** «quelque peu de» (1671) et «très petite quantité» (1746), en parlant d'une chose matérielle.

► Le dérivé **SOUPÇONNER** v. tr., réfection (1564) de formes anciennes, comme *souspecener* (v. 1200), *souspechonner* (v. 1225), signifie «concevoir des soupçons au sujet de (qqn)», d'où «mettre en doute» (v. 1225). Le pronominal *se soupçonner de* «se douter de» (v. 1360) et l'intransitif «être inquiet» (XVe s.) sont sortis d'usage. ◇ Le verbe peut être construit avec *de* et un complément qui explicite la nature de ce qui est soupçonné (1669). ◇ Par extension, il signifie (XIIIe s.) «imaginer (une action blâmable) pour expliquer qqch. de désagréable» et «conjecturer l'existence de (qqch.) d'après certains indices», d'abord dans *soupçonner que* (v. 1265) puis *soupçonner qqch.* (fin XVIe s.). ➛ L'ancien français *sospecier* v. tr. de même sens (fin XIe s.) était issu d'un latin populaire °*suspectiare*, formé à partir de *suspectus*, de *suspicere* (→ suspect).

De *soupçonner* dérive **SOUPÇONNABLE** adj., réfection (1611) de *souspeconnable* (XIIIe s.), *soupeçonable* (XVe s.), qui s'applique à une personne ou à son comportement. ➛ De là le contraire préfixé **INSOUPÇONNABLE** adj. (1840), plus courant, pour «à l'abri des soupçons; qu'on ne peut raisonnablement soupçonner». ◇ L'ancien français *soupçonné*, n. m. «personne qu'on soupçonne» (1283, *souspeçonné*), a disparu. ➛ Le composé préfixé **INSOUPÇONNÉ, ÉE** adj. qualifie qqn qui n'est pas soupçonné (1840) et se dit de qqch. dont l'existence n'était pas imaginée (1865, Goncourt).

Un autre dérivé de *soupçon*, **SOUPÇONNEUX, EUSE** adj., réfection (1452) de *sospecenos* (1160-1170), *souspeçonneux* (v. 1380) s'applique à une personne portée à concevoir des soupçons et se dit (1842) d'un cheval peureux. ◇ L'adjectif s'est employé en ancien et moyen français au sens de «suspect» (XIIIe s.), par exemple dans la locution sortie d'usage ***avoir qqn soupçonneux*** «le soupçonner». Il qualifie ce qui marque le soupçon (1690). ➛ Son dérivé **SOUPÇONNEUSEMENT** adv. est d'emploi littéraire (1564; v. 1300, *suspessonneusement*).

◈ voir SUSPECT.

SOUPE n. f., forme refaite (v. 1195) de *soppe* (mil. XIIe s.), est issu du bas latin *suppa* (v. 500) qui a fourni l'italien *zuppa*, l'espagnol, le catalan et le portugais *sopa*. *Suppa* est d'origine discutée; pour Bloch et Wartburg, ce mot reprend le germanique °*suppa*, de la famille du gotique *supôn* «assaisonner» (cf. néerlandais *sopen* et anglais *to sop* «tremper»). P. Guiraud, sans rejeter un croisement avec le germanique, rattache *suppa* au latin classique *suppus* et *supinus* «tourné vers le haut», «couché sur le dos, étendu», de *suppare* et *supinare* «renverser sur le dos» (→ supin), la *soupe* étant d'abord une tranche de pain «couchée» dans la soupière. Cette hypothèse n'est pas corroborée.

♦ Le mot désigne d'abord (mil. XIIe s.) une tranche de pain que l'on arrosait de bouillon ou d'un autre liquide chaud, par exemple du vin : *soupe en vin* (1256), puis *soupe au vin* (1630), et *soupe au perroquet* (1690) à cause de la couleur, se sont longtemps employés régionalement; on relève chez Oudin (1640) *soupe à l'ivrogne*, sorti d'usage pour *soupe au vin;* par métonymie *soupe au vin* s'est employé pour nommer une couleur rouge (1679). ◇ *Soupe* a également désigné les herbes que l'on mettait dans le bouillon (fin XIIe s., *sope*). ◇ Avec cette valeur archaïque de «tranche de pain», *soupe* est élément de nombreuses locutions qui ont disparu; certaines se sont maintenues au figuré mais ne sont plus comprises, du fait de l'évolution ultérieure du mot (ci-dessous) : *ivre comme sope* «complètement ivre» (v. 1223), *ivre comme une soupe* (1611), ***faire d'autel pain*** («pain d'autel») ***soupe*** «rendre la pareille» (v. 1240), transformé en *faire de tel pain soupe* (1539), encore à la fin du XVIIe siècle. *Soupe dorée* a désigné une tranche de pain trempée successivement dans du lait et des œufs battus, puis frite et sucrée (1403); suivant les régions, ce dessert est nommé aujourd'hui *pain perdu, pain doré, pain des anges*. La même acception se retrouve dans *soupe anglaise*, calque de l'italien *zuppa anglese*, nom d'un gâteau. *Tailler des soupes* (v. 1260), *tailler la soupe* (1690) «couper des tranches de pain» est lui aussi sorti d'usage. ***Tremper la soupe***, «verser le bouillon sur les tranches de pain» (1664), a fourni la locution figurée courante ***être mouillé*** (1752), ***trempé*** (1798) ***comme une soupe*** «très mouillé»; par un autre jeu métaphorique, *tremper une soupe à* *qqn* a signifié familièrement «le rosser (au point de le rendre mou comme une soupe)» [1832] (cf. *une trempe*) et *tremper la soupe* s'est dit en argot (fin XIXe s.) de deux personnes qui ont des rapports homosexuels. Par analogie, on a dit *tailler la terre par soupes* «par petites tranches» (1680).

Dès le XIVe s. (v. 1310-1340), *soupe* désigne par métonymie le bouillon épaissi par des tranches de pain ou des aliments solides; jusqu'à la fin du XVIIe s., le mot est en concurrence avec *potage**, considéré comme plus noble. On précise souvent la nature du bouillon : *soupe au lait*, où le bouillon est remplacé par du lait, s'emploie au figuré dans *s'élever comme une soupe au lait* (1737), devenu ***s'emporter (monter...) comme une soupe au lait*** (1808) «se mettre facilement et rapidement en colère», par allusion au lait qui monte et déborde quand il est près de bouillir; de là ***une soupe au lait*** «personne irascible» (1867), aussi adjectivé (1919) : *il, elle est un peu soupe au lait.* ◇ La ***soupe économique*** (1800), soupe aux légumes secs, très nourrissante, qui servit à la nourriture des indigents, a été aussi nommée *soupe à la Rumford* (1876), du nom de Benjamin Thomson, comte de Rumford (1753-1814), philanthrope américain qui acheva sa vie en France et en introduisit l'usage; on dit ensuite ***soupe populaire*** (1913) pour les repas servis aux indigents, l'établissement où on les sert et l'institution qui les distribue; l'expression, probablement jugée humiliante, est sortie d'usage. Une institution nouvelle (1985), *les restaurants du cœur,* joue le même rôle. ◇ ***Soupe de maçon*** «épaisse» (1867), par comparaison avec le mortier, est vieilli, mais on dit toujours *la soupe* en ce sens. Le mot a aujourd'hui des connotations rurales et simples; il apparaît dans de nombreux syntagmes, traditionnels *(soupe aux choux, aux pois, aux légumes...)* ou non *(soupe chinoise).* ◇ Avec cette valeur, seule normale en français actuel, *soupe* s'est employé dans des locutions métaphoriques, comme *mettre le museau* (v. 1560), *tremper ses doigts* (1662) *dans la soupe de qqn* «se mêler de ses affaires». ◇ Le mot a pris la valeur figurée de «repas» (1660), de «nourriture» (1672, Molière : *Je vis de bonne soupe...*), jusqu'au XIXe s., par référence à la fréquence de la soupe dans la nourriture quotidienne jusqu'à une époque récente, ensuite par référence à une nourriture substantielle, rurale ou militaire; de cette valeur, qui mêle les deux sens du mot, l'ancien («tranche de pain trempée») et le nouveau, viennent *manger la soupe avec qqn* (1690, *de qqn*) «partager son repas», *bouder sa soupe* «manquer d'appétit», sortis d'usage et, par métonymie, l'emploi familier pour «heure du repas» (déb. XXe s.), par exemple dans ***à la soupe !,*** etc. *Soupe* désigne spécialement (1690) le repas servi dans certaines communautés (armée, prisons) et, par métonymie (1904), la sonnerie de clairon annonçant l'heure du repas. ◇ À partir du XIXe s., *soupe* entre dans diverses locutions figurées avec le sens dominant de «bouillon» : ***(venir) comme un cheveu sur la soupe*** (1808, *comme des cheveux*) «en désordre» puis «mal à propos». L'expression disparue *manger la soupe aux herbes* «faire l'amour en plein air» (1867) était fondée sur les valeurs érotiques de *manger, tremper la soupe* (ci-dessus) et de *herbe* que l'on retrouve dans d'autres euphémismes à thème végétal (cf. *voir la feuille à l'envers*). ***Marchand* de soupe*** (1867) «personne qui se conduit comme un commerçant sans scrupule», ***soupe à la grimace*** «mauvais accueil conjugal» (av. 1930) et ***gros plein de soupe*** «homme ventru» sont bien vivants. ◇ *Soupe* est également (XXe s.) le symbole de la nourriture en tant que moyen de subsistance, et équivaut par métonymie à «manière de gagner sa vie», comme *bifteck* ou *pain,* par exemple dans la locution familière ***par ici la bonne soupe !*** «les avantages matériels» ou dans ***cracher dans la soupe*** «mépriser ce dont on tire profit».

Le mot désigne par analogie du sens de «potage» des liquides ou des substances pâteuses; il s'emploie pour «pâtée» (av. 1850) et, en agriculture (1871), se dit d'un fourrage vert ou sec, imbibé d'eau, utilisé pour engraisser le bétail. ◇ C'est aussi le nom donné familièrement à une neige saturée d'eau, qui ne permet pas de skier (1926), et à une eau polluée, emplie d'impuretés (1926). ◇ En biologie, *soupe primitive, soupe biologique,* emprunt à l'anglais *soup* (1929, Haldane) dans *primitive soup,* désigne (v. 1980) l'eau des océans à l'ère primaire, qui contenait les éléments nécessaires à l'apparition de la vie. ◇ *Soupe primordiale,* de l'anglais *primordial soup* : en physique mélange de particules et d'anti-particules au moment théorique du big bang.

▶ Le dérivé ① **SOUPER** v. intr. est la forme refaite (v. 1200) de *soper* (v. 1130), dès la fin du Xe s. (v. 980) *sopet,* troisième personne du singulier, indicatif présent. ◇ Le verbe, qui procède de *soupe* «tranche de pain», a signifié «prendre le repas du soir» (1226, aussi *se souper*), remplacé en français central par *dîner**, mais toujours en usage régionalement, par exemple en français du Canada où on emploie *dîner* là où le français de France utilise *déjeuner.* ◇ En ancien français, *souper* signifie par extension «manger» (v. 1200), d'où le transitif *souper qqn* «l'inviter à partager son repas», sorti d'usage. ◇ *Souper par cœur* signifiait «ne rien avoir à manger le soir» (1690). ◇ Avec l'évolution des mœurs de table, *souper* prend le sens (1735) de «faire un souper» (cf. ci-dessous). ◇ ***Avoir soupé de qqch.*** signifie par figure et familièrement «en avoir assez» (1878) et *soupé !* s'est employé pour *assez !* (1883). ◇ Dès le moyen français, l'adjectif avait eu le sens de «rassasié» (XVe s.) et de «soûl» (v. 1530), la paronymie avec *soûl* ayant probablement joué.

② **SOUPER** n. m., substantivation du verbe (1155; v. 980, *sopar*), a suivi la même évolution; c'était au moyen âge et jusqu'à l'époque classique le repas du soir, sens conservé régionalement (par exemple Canada, Belgique, Suisse). On disait *petit souper* «souper entre intimes» (1539), opposé à *grand souper* «souper d'apparat» (1564). On a employé *soupée* n. f. (1479) et *soupé* n. m. (1630) jusqu'au XIXe s., par substantivation du participe passé. ◇ Par métonymie, le mot désigne les mets qui composent le souper (1558). ➜ Le mot se dit aujourd'hui en France, depuis la Restauration (v. 1830), du repas ou de la collation qu'on prend à une heure avancée de la nuit, *dîner** n. m. ayant remplacé en général *souper.*

SOUPEUR, EUSE n. est la réfection (1588, n. m.; 1696, n. f.) de *souperres*, dérivé du verbe (XIIIe s.), désignant autrefois le dîneur, aujourd'hui (XIXe s.) une personne qui participe à un souper. ◇ Le mot s'est spécialisé; *soupeuse* n. f. était le nom (1815) d'une femme galante qui entraînait les hommes, dans un restaurant, et se faisait offrir à souper; on dit aujourd'hui *entraîneuse**. ◇ *Soupeur* n. m. s'est dit en argot (v. 1920) d'un pervers sexuel qui pratique le cunnilinctus sur une partenaire encore mouillée du sperme d'un coït récent, ou qui consomme des morceaux de pain mouillés d'urine dans les urinoirs.

SOUPIER, IÈRE adj. et n., dérivé de *soupe*, s'applique familièrement et régionalement (1571, n. m.; 1690, n. f.) à une personne qui aime la soupe; il a vieilli, comme *soupier* n. m. qui désigne dans l'argot militaire (1916) un soldat chargé de préparer le repas. ➔ **SOUPIÈRE** n. f. est le nom d'un récipient dans lequel on sert la soupe (1729) et, par métonymie (1845), du contenu de ce récipient.

SOUPENTE

SOUPENTE n. f., réfection (1549) de *souspente* (1338), est tiré d'après *pente* de l'ancien verbe *soupendre* v. tr. (XIIIe s.), *sospendre* (1213-1239) «attacher en haut», autre forme de *suspendre**. On relève les variantes *surpente* (av. 1577), *supente* (1680), où *sur- (su-)* est une altération de *sous*. L'étymologie populaire, par *sous* et *pente*, a dû jouer très tôt.

♦ Le mot a d'abord désigné la partie en saillie d'une maison, *souspendre*, intransitif, étant attesté plus tard pour «être en saillie» (1611). ◇ *Soupente* s'emploie de façon plus restreinte (1660) pour parler d'un réduit aménagé dans la hauteur d'une pièce d'habitation, d'une écurie, donc «suspendu», pour servir de logement sommaire; par analogie de fonction, le mot s'utilise pour un réduit sous un escalier; on a dit en ce sens *soubzpendue* (1401), *souspendue* (1467) et, avec *sur-*, *surpendue* (1611). ◇ En technique, le mot, d'abord écrit *soubzpente* (1508), a désigné une barre ou une bande métallique qui soutient la hotte d'une cheminée; avec cette idée de «soutien», il a désigné un assemblage de courroies qui tenait un carrosse suspendu (av. 1577, *surpente*; 1690, *souspente*), la partie d'un moulin à eau qui tient en suspension un treuil (1676), un cordage enroulé autour d'un canon pour le soutenir quand on le place (1678); ces valeurs techniques ont vieilli; la fonction équivalente est nommée en français moderne *suspension*.

SOUPIRAIL → SOUPIRER

✳ SOUPIRER

SOUPIRER v. est l'altération (XIIe s.), d'après d'autres mots en *sou-*, de *suspirer* (v. 980), issu du latin *suspirare* «respirer profondément», «soupirer», au figuré «dire en soupirant» et «exhaler», composé de *sub-* marquant le mouvement de bas en haut (→ sub-), et de *spirare* «souffler», «respirer» et «bouillonner» au propre et au figuré. Ce verbe, qui a fourni de nombreux composés (→ aspirer, conspirer, respirer, etc.), n'a pas de correspondant exact hors du latin; on ne retrouve dans d'autres langues que des éléments correspondant à des onomatopées relatives au souffle.

♦ *Soupirer* conserve le sens latin de «pousser des soupirs» et signifie par figure «exprimer par ses paroles, et par extension, par ses attitudes, la peine, le regret, etc.» (v. 1190, intr.). Le verbe peut se construire avec *de* et un complément exprimant la cause (1687, *soupirer de regret*). ◇ L'emploi figuré pour «chanter sur le mode élégiaque» (1389, tr.; 1837, intr.) a vieilli, même dans l'usage soutenu et poétique. ◇ Le verbe s'est spécialisé au sens figuré de «pousser des soupirs amoureux» (v. 1240), aujourd'hui archaïque ou ironique, comme *soupirer pour (qqn)* «en être amoureux», attesté antérieurement (fin XIIe s.). Par extension, *soupirer après qqch.* «désirer ardemment une chose; éprouver un sentiment de regret de l'avoir perdue» (1538) a vieilli, les constructions *soupirer pour, à* (v. 1660), *vers qqch.* (1701), étant sorties d'usage. ◇ Par une autre figure, le verbe s'emploie (v. 1530) au sens de «faire entendre de doux sons», en parlant d'une personne et, par extension, d'une cause naturelle : vent (1552), etc. ◇ Au XVIe s., le verbe a signifié aussi «exhaler un parfum» (v. 1547) en parlant de la terre, d'une fleur, et «expirer, mourir» (1556).

▸ Le déverbal **SOUPIR** n. m. est, comme le verbe, une forme refaite (XIIIe s.), remplaçant *sospir* (v. 1130), *souspir, suspir* (v. 1155). ◇ Le mot désigne une inspiration ou une expiration plus ou moins bruyante marquant des états affectifs ou émotionnels; en ce sens, l'ancien français a aussi employé un autre dérivé, *soupirée* n. f. (1170). *Soupir* s'emploie spécialement dans ***dernier soupir***, en parlant d'un mourant (1538), d'où ***rendre le dernier soupir*** «mourir» (1671), ***recueillir le dernier soupir de qqn*** «assister à sa mort» (1690). ◇ *Soupir* a désigné (XIIe s.) l'expression du sentiment amoureux et des souffrances qu'il provoque, ou le comportement qui traduit ce sentiment; on a dit dans le vocabulaire galant *être l'objet des soupirs (de qqn)* pour «être la personne qu'il aime» (1762). ◇ Par extension, le mot s'emploie (1640) pour parler de l'expression poétique de la mélancolie, du regret; cet usage est poétique. ◇ Par analogie de bruit, il a eu le sens de «hoquet» (v. 1180), plus tard de «rot», spécialement à propos d'un ivrogne (1640, *soupir d'Allemand*; 1680, *soupir de Bacchus*) et, par euphémisme plaisant, celui de «pet» (1867, alors noté d'«usage bourgeois»). ➔ Au début du XVIIe s., *soupir* tire, d'une autre acception du verbe, le sens figuré de «souffle du vent», sorti d'usage comme *soupir de vent* «court espace de temps» (1627). Le mot a aussi désigné l'air qu'on respire (1636), jusqu'à la fin du XVIIIe siècle. ◇ Il s'est employé dans le contexte romantique (1820) au sens de «chant ou son plaintif, mélancolique». ◇ *Soupir*, spécialisé en musique, désigne un silence correspondant à une noire (1611), puis le signe qui marque le soupir; de là les composés et syntagmes *demi-soupir* (1611), *quart de soupir* (1704), *demi-quart de soupir* (1767) ou *huitième de soupir* (1875) et *seizième de soupir* (1767).

SOUPIRANT, ANTE adj. et n. m., tiré du participe présent de *soupirer*, s'appliquait comme adjectif à une personne qui pousse des soupirs (XIIIe s., *sospirant*), spécialement des soupirs amoureux. ◇ De là *soupirant* n. m. «amoureux» (v. 1221), qui ne s'emploie aujourd'hui que par plaisanterie. ➔ **SOUPI-**

REUR n. m. a signifié «celui qui a l'habitude de soupirer» (1576) et «soupirant» (v. 1650), acceptions notées «inusitées» à partir de 1771.

SOUPIRAIL n. m. (1538) a remplacé *souspirail* (v. 1380), *sospiral* (XIIIe s.), qui s'était substitué par changement de suffixe à *sospiriel* «trou dans la bonde d'un tonneau» (fin XIe s.). Le mot dérive de *soupirer* «exhaler», sur le modèle du latin *spiraculum* «soupirail, ouverture», dérivé de *spirare;* son rapport avec *soupirer, soupir* n'est plus senti. *Spiraculum* avait abouti à l'ancien provençal *espiralh* (XIVe s., au sens de *sospiriel*); les formes *spirail* (1544), *espiral* (1555), attestées en moyen français au sens de «soupirail», sont sans doute empruntées; *spiracle,* n. m. (XVIe s.), encore relevé en 1660, a lui aussi disparu. ◆ *Soupirail* désigne (XIIIe s.) une ouverture pratiquée dans le soubassement d'un rez-de-chaussée pour donner de l'air et du jour à une cave. Le mot s'est employé à propos d'une ouverture de cheminée (1389), d'une ouverture quelconque qui laisse échapper l'air (1564), d'une fissure naturelle dans l'écorce terrestre (1601) ou d'une ouverture pratiquée dans les meules de carbonisation (1871); ces spécialisations ont disparu. ◇ Il reste dans le vocabulaire technique, désignant une ouverture pratiquée dans une voûte (1636, d'un aqueduc).

SOUPLE adj., réfection (v. 1265) de *sople* (v. 1130), est issu du latin *supplex, supplicis* «qui se plie sur les genoux», puis «qui se prosterne» (→ supplice, supplier). L'adjectif, que l'on peut considérer comme un emprunt adapté, est sans doute formé à partir de *-plex* «qui se plie» (→ duplex), second élément de composés, qui se rattache à la même racine indoeuropéenne que *plectere* «entrelacer», dont l'intensif *plicare* a abouti en français à *plier**.

♦ *Souple* s'applique d'abord moralement à une personne docile, capable de s'adapter aux exigences de la situation; de cette valeur procèdent l'emploi pour «humble» (v. 1175) jusqu'au XVIe s., *souple* qualifiant aussi une aptitude à s'adapter (1580). Les locutions métaphoriques ***souple comme un gant*** (fin XVIe s.), ***avoir les reins souples, l'échine souple*** (1871), qui se disent presque toujours péjorativement d'une personne qui se prête à tout, utilisent le sens concret du mot. ◆ Depuis le XIIe s., l'adjectif s'emploie concrètement, d'abord pour qualifier (v. 1170, *suple*) un vent léger, une étoffe fine, légère, d'où *souple* n. m. «sorte d'étoffe légère» (1213), et une substance molle. Ces valeurs ont disparu. ◇ Par figure et par latinisme, à partir de la position du suppliant, *souple* s'est appliqué à une personne triste, abattue (v. 1200), d'où *temps souple* «temps couvert, triste» (v. 1354) disparu en français classique. ◆ C'est la valeur liée à la légèreté, à la flexibilité qui se développe à partir du XIVe s., au propre et au figuré. Le mot qualifie donc une ligne, une forme, un dessin qui donne une impression d'aisance gracieuse, de liberté (1342). ◇ Dès l'ancien français, il signifie, en parlant des membres, du corps (v. 1200), «qui se plie et se meut avec aisance»; cette valeur aujourd'hui usuelle semble précédée par l'emploi correspondant de *souplesse* (ci-dessous); elle s'applique ensuite aux mouvements qui dénotent cette aisance (1770). ◇ Par extension, *souple* qualifie (1549) une chose qu'on peut plier et replier facilement sans risquer de la détériorer. ◇ Par figure, il s'emploie à propos d'une règle, d'une organisation qui n'est pas systématique ni uniforme (déb. XXe s.).

▶ Le dérivé **SOUPLEMENT** adv. est la réfection (fin XIIe s.) de *supplement* (v. 1120) qui signifiait «humblement»; l'adverbe est d'abord attesté au figuré (fin XIIe s.), puis avec la valeur concrète de *souple* (1542).
◆ **SOUPLESSE** n. f., d'abord employé au pluriel (v. 1265, *souppleces*), a désigné une acrobatie, un tour de saltimbanque. L'emploi pour «qualité de ce qui est souple» n'est attesté que plus tard. ◇ Puis *souplesse* se dit (1530; 1508, *supplesse*) de l'agilité dans les mouvements, d'où *tour de souplesse* «exercice de gymnastique qui demande de l'agilité» (1530); l'expression a pris le sens figuré (1607) de «moyen subtil pour arriver à ses fins», acception prise aussi par *une souplesse* (fin XVIe s.). ◇ Le mot désigne aussi (1580) la faculté d'adaptation intellectuelle, l'habileté manifestée dans l'exercice d'un art. ◇ Avec la valeur concrète et moderne de *souple,* il désigne la propriété d'une chose souple (1611). Par figure, il s'emploie (1636) en parlant de l'aptitude qu'a une personne à s'adapter aux circonstances, ce qui correspond au sens le plus ancien de *souple* (ci-dessus), et aussi (1761) de ce qui donne une impression d'harmonie.
Le composé **ASSOUPLIR** v. tr. est la réfection (1273) d'*asoplir* (1216); on relève auparavant, avec une autre conjugaison, *assouploier* (v. 1150). ◇ En ancien français, le verbe a signifié «faiblir», en parlant du courage; il s'emploie abstraitement au sens de «devenir moins sévère, s'adoucir» (v. 1200, *s'asousplir*) et pour «intimider» (XIIIe s., tr.), «calmer (un animal)» [1379], valeurs qui ont disparu, mais se comprennent encore. ◇ À partir du XVIe s., *assouplir* se dit pour «rendre souple, flexible (qqch.)» [1564] et «ameublir (une terre)» [1570]. *S'assouplir* est attesté au XVIIIe s. (1778). ◇ Le verbe signifie, par référence au sens premier et psychologique de *souple,* «rendre plus maniable, plus doux (un caractère)» [fin XIIe s.]. ◆ **ASSOUPLISSANT, ANTE** adj. s'applique à ce qui est plus souple (1866) ou, par figure, plus malléable (1918); le nom désigne, d'abord en chimie (1929), un produit qui assouplit les fibres textiles, couramment, un produit qui rend le linge plus souple et, en technique (1959), un constituant qui rend plus malléable un enduit. ◆ **ASSOUPLISSEMENT** n. m., «action ou fait de s'assouplir», s'emploie (av. 1866) au propre et au figuré. ◆ **ASSOUPLISSEUR** n. m. (XXe s.) est en concurrence avec *assouplissant* (d'un textile). ◆ Un autre préfixé, **ENSOUPLIR** v. tr., a signifié (1660) «rendre meuble (une terre)», en concurrence avec *assouplir.*

SOUQUENILLE n. f. apparaît tardivement sous cette forme (1680); le mot a eu de très nombreuses variantes, parmi lesquelles : *souquanie, soganie* (XIIe s.), *sorquenie* (v. 1265) et, avec une autre initiale, *chiquenie* (1559), *chiquenille* (1622), *siquenille* (1668, Molière). Il représente plusieurs adaptations du moyen haut allemand *sukenîe* «sorte de jaquette», lui-même d'origine slave : on relève le polonais *suknia* et le tchèque *sukne* au sens de «robe, vêtement», le russe *sukno* «drap». Les variantes s'expliquent par le caractère oral de l'emprunt, le vocalisme allemand produisant en français un *i* ou un *ou;* la finale empruntée *-nie* a été refaite d'après des terminaisons en *-enille,* peut-être d'après *guenille.*

♦ *Souquenille* a d'abord désigné un vêtement long sans manches et très ajusté, porté par les femmes, puis un vêtement à l'usage des gens de basse condition (1534, *sequenie*), une tunique longue (1556) et, au début du XVIIIe s., un vêtement usé et malpropre (1715), ce sens péjoratif trahissant l'influence de *guenille.* Le mot est archaïque ou historique.

SOUQUER v. est emprunté (1687) au provençal *souca, soga* «tirer fortement», «serrer fortement un nœud», «raidir un amarrage» et au figuré «peiner». Ce verbe est d'origine incertaine. Il pourrait être, selon Bloch et Wartburg, dérivé de *soc**; P. Guiraud propose de le rattacher à l'ancien provençal *soga* «corde» (XIIIe s.), issu du latin médiéval *soca* (VIIe s.), qui a abouti à l'ancien français *soue* (1322), à l'italien *soga* (déb. XIVe s.), à l'espagnol et au portugais *soga.* L'hypothèse s'appuie sur l'existence dans les dialectes du Sud de termes de marine comme *souca* «serrer fortement un nœud», dans le Béarn.

♦ *Souquer* signifie en marine (1687) «tirer fortement sur (un cordage, qqch.)». Par extension, le verbe a pris les sens d'«attacher solidement (qqn)» [1850] et, par figure, de «punir sévèrement (qqn)» [1865], sortis d'usage. ◇ Dans l'usage courant et moderne, il signifie «ramer énergiquement en tirant sur les avirons» (1868) et par figure (XXe s.), familièrement, «travailler, s'évertuer». Le mot n'est usuel que dans les milieux concernés par ce type de navigation.

SOURCE n. f., réfection (v. 1354) de *sorse* (v. 1155) et *surse* (v. 1190), représente la substantivation du féminin de l'adjectif *sors, sours.* Cet ancien participe passé du verbe *sourdre** est issu d'un latin populaire °*sursum,* altération du latin classique *surrectus,* participe passé de *surgere* (→ sourdre). ◇ L'ancien français a parallèlement employé le masculin *un sors* (v. 1165), *un sourt* (v. 1175), jusqu'au milieu du XIVe siècle. Par ailleurs, la substantivation du participe présent de *surgere* avait abouti à deux autres formes : *surdon* et *sourjon* (1270-1275), d'où *surgeon**. Le latin classique *fons, fontis* «source, fontaine» avait abouti à *fon(t),* toujours en usage dans les dialectes du Sud (→ fontaine).

♦ *Source* désigne dès l'origine l'eau qui sort de terre et l'issue par laquelle elle se déverse à la surface du sol, spécialement (XVIIe s.) l'endroit où un cours d'eau prend naissance ; de là *sources,* n. f. pl., «ensemble de fontaines et de ruisseaux artificiels qui forment un labyrinthe d'eau» (1694). ◇ Le mot s'emploie dans des locutions comme ***eau de source*** (1690) et ***couler de source*** «venir d'une source», en parlant d'une eau vive (1694), au figuré «être produit d'une manière naturelle, aller de soi» (1688). Par analogie, *coulée en source* se dit en métallurgie (1904) d'une méthode de coulée qui consiste à faire arriver le métal fondu dans les moules par leur partie inférieure. *Source* s'est dit en parlant d'un liquide quelconque, d'un fluide (1690), mais cet usage est vieilli. ➜ Dès le XIIe s., le mot s'emploie par métaphore pour «origine». *Source* désigne alors (v. 1172) un événement qui produit un effet, la cause d'une opération intellectuelle puis une personne ou un sentiment d'où découlent des biens moraux (v. 1220, *sourse*), ce dernier emploi étant aujourd'hui littéraire. ◇ Les emplois figurés se développent au XVIe s., le mot s'employant (1538) pour «origine (d'une famille)», acception sortie d'usage, puis pour «texte, document original» (1657), «origine (d'une nouvelle)» [1667] ; il a cette valeur dans des locutions comme ***remonter à la source*** (1677), ***puiser à la source*** (1690), ***tenir (une nouvelle) de bonne source*** (1876), ***citer sa source, ses sources*** «ses références». *Source* désigne aussi le lieu d'origine, en parlant d'abstractions (av. 1648 ; ***la source de tous les maux***). ◇ Parallèlement *source,* comme *foyer**, désigne le lieu à partir duquel un phénomène matériel se propage (1633), par exemple dans *source de lumière* (1683), *source du vent* (1771), etc. ; de là, en sciences, *source de chaleur* (1690), *source sonore* (XXe s.), *source d'énergie, source radioactive,* et en électronique (v. 1965) le sens d'«origine des potentiels». ◇ ***Les sources de la vie*** a désigné les principaux organes nécessaires à la vie (1732, Voltaire) et spécialement les organes de la génération (1748, Montesquieu). ◇ Depuis le XIXe s., *source* désigne aussi (av. 1848) un élément constitutif d'une doctrine ou d'une personnalité ; c'est de cette valeur que procède en psychanalyse (XXe s.) *source de la pulsion* «origine interne spécifique d'une pulsion déterminée». ◇ Le mot s'est spécialisé en économie, d'abord (1690) à propos de l'origine de matières premières, de denrées, puis en général à propos de l'origine des biens matériels (v. 1850), de biens financiers, en droit fiscal (XXe s.) dans ***retenue à la source*** «perception de l'impôt avant la réception du revenu». ◇ Dans le processus de traduction, *langue source* se dit (v. 1970) de la langue que l'on traduit, opposé à *langue cible**; c'est alors un calque de l'anglais *source,* de mêmes sens et origine.

▶ Le dérivé **SOURCER** v. intr., «jaillir» (1564), a signifié aussi «prendre sa source» et par figure (1611) «commencer» ; il a parfois été repris au XXe siècle. ➜ **SOURCIER** n. m. s'est employé pour «source» (1585). ◇ Le mot est à nouveau formé au XVIIIe s. pour désigner (1781) une personne qui possède ou prétend posséder l'art de découvrir les sources cachées. ➜ **SOURCEUR, EUSE** n. désigne en commerce (1990) la personne qui explore les ressources aptes à satisfaire la clientèle. ➜ ① **SOURCILLER** v. intr. a signifié (1702) «jaillir à la surface du sol en formant une source» ; le dérivé ① **SOURCILLEMENT** n. m., «émergence», en parlant d'une eau de source (fin XIXe s., Goncourt), est rare.

Le préfixé **RESOURCE** n. f. «source» (XVIe s.), et au figuré (1611) «source nouvelle», est sorti d'usage, du fait de l'homonymie avec *ressource.* ➜ Le composé

RESSOURCEMENT n. m., formé d'après *ressource**, est attesté chez Péguy (déb. XXe s.) ; il s'emploie avec le sens figuré de «retour aux sources». ➜ **SE RESSOURCER** v. pron. «retrouver de nouvelles sources (morales, spirituelles, etc.)» [v. 1978] s'emploie le plus souvent dans des contextes marqués idéologiquement, politiques et religieux notamment.

◈ voir INSURGER, RESSOURCE, RÉSURGENCE, SOURDRE, SURGEON, SURGIR.

◈ **SOURCIL** n. m. est la réfection (XIIIe s.) de *sorcil, surcil* (v. 1155), issu du latin *supercilium* «sourcil», au figuré «partie saillante (en architecture, chez Vitruve), sommet» et «fierté, arrogance» ; ce mot est composé de *super* «au-dessus de» (→ super-) et de *cilium* «paupière» (→ cil), le rapport entre *sourcil* et *cil* étant encore perçu en français moderne. On relève en ancien français de très nombreuses formes, dont la variante *sorcille* n. f. (1150), devenue *sourcille* (1434), attestée jusqu'en 1611. Le latin a abouti à *sobrecil* en ancien wallon (v. 1200), *sobresill, sobrescil* en ancien provençal (XIIIe s.).

♦ Le mot désigne comme en latin l'ensemble des poils qui garnissent la saillie au-dessus de l'orbite, puis spécialement en anatomie (v. 1560) la partie de l'os iliaque qui borde la cavité cotyloïde, nommée plus tard *sourcil cotyloïdien* (1871), et cette saillie elle-même (1876). Il s'emploie dans des expressions figurées comme ***froncer les sourcils*** (1559) «prendre un air sévère, mécontent» ; *froncer le sourcil* (av. 1650) est sorti d'usage. ◇ Par analogie, *sorcil* (1240) puis *sourcil* a été usité jusqu'au XIXe s. pour parler du trait coloré longitudinal qui se remarque au-dessus de l'œil des oiseaux et a désigné (1680) l'ensemble des poils situés au-dessus des yeux du cheval. ◇ Le mot est parfois attesté en poésie au sens latin de «sommet (d'une montagne, d'un rocher)» [mil. XIIIe s.], emploi courant chez Ronsard et du Bellay, et il est encore chez La Fontaine pour «sommet d'arbre». Par figure, il a signifié à l'époque classique «air hautain, méprisant» (1559). ◇ La valeur de «sommet» s'est incarnée dans l'emploi technique en architecture, *sourcil* désignant comme en latin la partie supérieure (d'une porte) qui prend appui sur les pieds-droits (1691) et la partie supérieure des moulures d'une colonne (1676) ; ces valeurs ont disparu.

Le dérivé **SOURCILIER, IÈRE** adj. est une réfection de *surciller* n. m. (XIe s.) «arcade sourcilière», *surciliere* n. f. signifiant en moyen français (1379) «sourcil». ◇ L'adjectif se dit en anatomie (1586, *sourcilier*) de ce qui est relatif aux sourcils, d'où *arcade sourcilière* (1793), courant, alors que *muscle sourcilier* (1871) ou *sourcilier* n. m. (1803) ne s'emploie qu'en anatomie.

② **SOURCILLER** v. intr., réfection (1320) de *sorciller* (v. 1230), signifie «remuer les sourcils» et couramment «manifester son trouble, son mécontentement» (1594, *sourciller le front*, sorti d'usage). Le verbe s'emploie surtout négativement, en particulier dans ***ne pas sourciller*** «rester impassible» (1690), ***sans sourciller*** «sans se troubler» (1694). ◇ D'autres valeurs, comme *sourciller contre* «manquer de respect envers (qqn)» [1560], sont sorties d'usage. ◇ Le verbe a fourni ② **SOURCILLEMENT** n. m., d'emploi rare (XXe s.).

SOURCILLEUX, EUSE adj. est la réfection (1548), d'après *sourcil*, de *supercilieux* (1477) «revêche, rébarbatif», emprunt au latin impérial *superciliosus*, dérivé de *supercilium*. ◇ L'adjectif, littéraire, s'applique à une personne arrogante, orgueilleuse (1548) ou sévère (1560), ou à ce qui témoigne de ce caractère (1548). Au XVIe et au XVIIe s., il évoquait par latinisme le sens de *sourcil* «sommet d'une montagne» (ci-dessus).

Le composé **ENTRE-SOURCILS** n. m. pl., «espace entre les sourcils» (1839), d'abord *entre-sourcil* (1802), continue le moyen français *entresourcil* (v. 1350).

① **SOURD, SOURDE** adj. et n., réfection (XIIIe s.) de *surt, surz* (v. 1050), *sort* (1138), est issu du latin *surdus* «qui n'entend pas» et par figure «qui ne veut pas entendre, insensible», «qui n'est pas sonore», «assourdi» et «peu perceptible» en parlant d'une couleur, d'une odeur. Cet adjectif latin a fourni l'italien et l'espagnol *sordo*, le catalan *sort*, le portugais *surdo* ; sans étymologie claire, il a été rapproché de *susurrus* (→ susurrer), mais ce rattachement à une base indoeuropéenne exprimant le bourdonnement, le murmure (cf. sanskrit *svárati* «il émet un son») ne rend pas compte du sens. ◈

♦ *Sourd*, adjectif, s'applique (v. 1050) à une personne qui perçoit insuffisamment les sons ou ne les perçoit pas du tout ; l'adjectif est aussi substantivé (v. 1140, *les surz*). Adjectif et nom entrent dans des locutions : ***faire sourde oreille*** (XIIe s.), puis ***la sourde oreille*** (XIIIe s.) «ne pas vouloir entendre» ; *il n'est si mavais sours que chuis ch'oïr* («celui qui ouïr») *ne voeilt* (v. 1330), devenu ***il n'est pire sourd que celui qui ne veut pas entendre*** (1694 ; 1611, *il n'est point de pire sourd...*) «l'incompréhension vient souvent d'un refus de comprendre» ; ***faire le sourd*** (fin XIIIe s.) ; ***parler à un sourd*** «à une personne têtue qui ne veut rien entendre» (1538). ***Comme un sourd*** équivaut à «très fort, avec acharnement», le sourd ne pouvant percevoir le bruit d'un coup dans ***frapper (cogner...) comme un sourd*** (1593), ou le bruit de sa voix dans ***crier comme un sourd*** (1690) ; l'expression est souvent comprise comme un simple intensif, ainsi dans le vocabulaire sportif où ***foncer comme un sourd*** signifie «aller à toute vitesse». ◇ L'extrême surdité est marquée par des comparaisons : ***sourd comme un pot*** (1763) toujours usuel (qui fait allusion aux oreilles du pot), *sourd à n'entendre pas Dieu tonner* (1798), *sourd comme une bécasse* (1875), sortis d'usage. On dit familièrement ***tu es sourd ? vous êtes sourd ?*** à qqn qui ne semble pas avoir entendu ou compris ce qu'on vient de lui dire (1740, ***êtes-vous sourd ?***) et ***je ne suis pas sourd*** (XXe s.) «j'ai parfaitement compris». *Sourd* s'emploie comme en latin pour qualifier une personne qui fait comme si elle n'entendait pas, qui refuse d'entendre, dans la construction ***être, rester sourd à qqch.*** (déb. XIIIe s.).

Sourd s'applique à partir du XVIe s. à des choses, d'abord (v. 1520) à un lieu où le son est étouffé, spécialement aujourd'hui dans *chambre sourde*. ◇ L'adjectif qualifie par figure (v. 1534) ce qui est dissimulé, souterrain *(sourde machination)*. *Sourd*, nom, s'est employé, à partir de cette valeur, pour désigner une personne qui cache ses intentions (1611). ◇ L'adjectif signifie (1552) «qui est peu sonore, ne retentit pas», d'où par métonymie *lime sourde* «qui permet de limer sans bruit» (v. 1580), *pédale sourde d'un piano* (cf. *sourdine*, ci-dessous) et spécialement *consonne sourde* (1845), d'où (1921) *une sourde*, n. f., «dont l'articulation ne compte pas de vibrations des cordes vocales», opposé à *(consonne) sonore**. ◇ De cette valeur procèdent plusieurs emplois figurés sortis d'usage : «vague», en parlant d'une nouvelle (1559), «qui ne se fait pas remarquer», à propos d'une affection (1600) et au XVIIe s., «irrationnel», dans *nombre sourd* (1611). ◇ Par analogie, il s'emploie encore dans *lanterne sourde* «dont on peut cacher la lumière à volonté» (1611) et a qualifié une pierre précieuse sans éclat (1622). ◇ *Sourd* s'applique aussi à ce qui ne se manifeste pas nettement (v. 1520 d'un mal; *sourde rage*, 1601), à qqch. qui s'accomplit sans qu'on en ait clairement conscience (1748). ◇ L'adjectif qualifie enfin une couleur, un ton qui n'est pas vif (1678), une lumière (1813), et par analogie une odeur (XXe s.).

▶ Le dérivé **SOURDEMENT** adv., réfection (XIIIe s.) de *sordement* (v. 1190), signifie «avec un bruit sourd» et s'emploie au figuré (1577). ◆ **SOURDAUD, AUDE** n. a désigné une personne un peu sourde (1588; XIVe s., *sourdault*, adj.). Il a disparu. ◆ **SOURDINGUE** adj. et n., dérivé argotique et péjoratif, équivaut familièrement à *sourd*. ◆ **SOURDITÉ** n. f., dérivé savant de *sourd*, est didactique, désignant en phonétique le caractère d'un phonème sourd. Il reprend le moyen français *sourdeté* (1487), *sourdité* (1520) «surdité». ◆ Le composé **SOURD-MUET, SOURDE-MUETTE** n. et adj., apparu au XVIe s. (1564), a été remplacé à la fin du XVIIe s. par *sourd et muet*. Repris en 1791, il désigne une personne atteinte de surdité congénitale, qui entraîne la mutité.

Le composé **ASSOURDIR** v. tr. est attesté isolément au pronominal (v. 1120, *soi assurdir*) au sens de «ne pas écouter, se rendre sourd», sorti d'usage. ◇ Il signifie depuis l'ancien français (v. 1205, *assordir*) «causer une surdité passagère»; avec ce sens, on relève *assorder* (1211) par changement de conjugaison, et *ensourdir* (1556) avec un autre préfixe; *s'assourdir* «devenir sourd» (1636) signifie aujourd'hui «se rendre sourd momentanément» (XXe s.). ◇ Par figure, le verbe veut dire «étourdir, griser» (déb. XIIIe s., isolément; réattesté en 1849) et «fatiguer par trop de bavardages, de bruit» (v. 1590, isolément; repris en 1821). Il s'emploie pour «rendre (plus) sourd», dans des sens spéciaux de l'adjectif, en musique (1690, pron.; 1863, tr.) et au figuré en peinture (1762). ◆ Le dérivé **ASSOURDISSEMENT** n. m. désigne l'action d'assourdir qqn (1596, isolément; puis 1675), l'état d'une personne assourdie (1803). Il s'emploie spécialement en phonétique (1899). ◆ **ASSOURDISSANT, ANTE** adj. est attesté au début du XIXe s. (1811) au propre et au figuré.

SURDITÉ n. f. est emprunté (XIVe s. ou 1478 [Chauliac], attestation isolée; puis 1530) au latin *surditas* «surdité», dérivé de *surdus*. ◇ Le mot s'emploie au propre, puis au figuré (1651); il s'est substitué à *sourdité* (ci-dessus), *sourdesse* (fin XIVe s.) et *sourdise* n. f. (1606), formes relevées jusqu'en 1660. ◆ **SURDI-MUTITÉ** n. f., composé savant du latin *surdus* et de *mutité**, désigne l'état du sourd-muet (1830).

SOURDINE n. f. est emprunté (1568) à l'italien *sordina*, dérivé de *sordo* «sourd». Le mot a désigné dans le vocabulaire militaire une trompette dont le son est assourdi grâce à la pose d'un morceau de bois dans le pavillon, correspondant à la trompette bouchée moderne. ◇ La locution adverbiale sortie d'usage *à la sourdine* (1585), calque de l'italien *alla sordina*, signifiait «sans faire de bruit» et par figure «en secret». ◇ Par analogie, il s'est dit d'instruments à son assourdi, d'une épinette (1669), d'un luth ou d'un violon (1690). Par métonymie, *sourdine* désigne couramment le dispositif qu'on adapte à un instrument à vent (1611, à une trompette), à un instrument à cordes (1680, à un violon) pour en amortir le son, enfin (1875) la pédale du piano qui affaiblit le son. ◇ Après *à la sourdine* (ci-dessus) on dit ***en sourdine***, loc. adv., «en diminuant l'intensité du son» (1823), au figuré «de manière secrète» (1904) et «d'une manière atténuée» (XXe s.). La locution figurée ***mettre une sourdine à (qqch.)*** signifie «modérer, tempérer» (av. 1850); ***mettre la sourdine*** s'emploie familièrement pour «baisser le ton» (déb. XXe s.). ◇ Par analogie, *sourdine* a le sens technique de «pièce qui empêche le ressort d'une montre à répétition d'agir en frappant sur le timbre» (1743). ◇ Il désigne aussi un volet en bois matelassé à l'intérieur d'une baie, pour assourdir les bruits (1904). ◆ On emploie régionalement en ce sens un autre dérivé, **SOURDIÈRE** n. f. (1871), qui correspond à l'ancien provençal *sordiera* (XIVe s.). ◆ Le dérivé **SOURDINER** v. tr., terme technique (1933), signifiant «empêcher de vibrer (un support de ligne électrique)», a fourni **SOURDINAGE** n. m. (1933).

② **SOURD** n. m., réfection (1552) de *sort* (v. 1174), désigne la salamandre terrestre; on a longtemps cru que certains animaux étaient dépourvus d'organes auditifs et *sourd* a été aussi employé pour nommer l'orvet (mil. XVIe s.), une espèce d'aspic (1690), une sorte de lézard du Sénégal (1803). Ces acceptions, surtout régionales, ont vieilli. ◇ **SOURDE** n. f. demeure le nom d'une bécassine, dite aussi *bécassine sourde*.

◈ voir ABSURDE.

SOURDRE v. intr. est une réfection (déb. XIIIe s.) de *surdre* (1080), *sordre* (v. 1155), issu comme l'italien *sorgere* du latin classique *surgere*, transitif, «mettre debout, dresser» dans la langue archaïque, puis intransitif, signifiant «se lever, se mettre debout», «s'élever» au propre et au figuré, et dans la langue ecclésiastique «ressusciter», «s'insurger». *Surgere* (°*sub-rigere*) est composé de *sub-* qui marque le mouvement de bas en haut, et de *regere* «diriger (en droite ligne)» aux sens physique et moral, dont plusieurs composés ont été empruntés en français (→ corriger, diriger, ériger; rectitude, etc.). *Regere*, comme *rex* «roi» et *regula* «règle», se rattache à la racine indoeuropéenne °*reg-* indiquant un mouvement en ligne droite.

♦ Le verbe, littéraire dans tous ses emplois, ne subsiste qu'à l'infinitif et à la troisième personne de temps de l'indicatif, surtout présent et imparfait ; une grande partie de ses acceptions anciennes a été conservée par *surgir**, doublet savant. ◇ Le verbe a signifié (1080) «se présenter, apparaître» en parlant de personnes et, plus généralement, «s'élever, se soulever» (v. 1120), aussi transitif du XIVe au XVIe siècle. D'autres sens procédant de cette valeur sont sortis d'usage : «s'élever», en parlant du vent (v. 1155) et au figuré d'une rumeur (v. 1210), «se lever, voler», pour un oiseau (1354, intr.), et la locution *sourdre le cul* «se dépêcher» (v. 1380). ➞ Au XIIe s., il prend le sens de «se manifester progressivement», encore aux XVIIe-XIXe s. en parlant d'idées, de sentiments. ◇ *Sourdre* signifie en particulier «sortir de terre», en parlant de l'eau (v. 1138) [→ source] et, par analogie, s'emploie à propos des larmes, du sang (v. 1175) ; *sourdre (une source)* «la laisser jaillir» (déb. XIVe s.) ne s'est pas maintenu. ◇ Le verbe a eu le sens figuré (1160-1170) de «susciter, fomenter (une querelle, des troubles)» ; ce sens a disparu. On retrouve l'idée de manifestation soudaine dans les emplois figurés : *sourdre de* «être la conséquence de, provenir de» (v. 1462), *sourdre* «apparaître» en parlant d'un astre, d'un phénomène lumineux (1440-1475), d'un bruit (XXe s.) et «s'élever en sortant de terre, pousser» (1440-1475) à propos de plantes (→ surgeon).

◈ voir INSURGER, RESSOURCE, RÉSURGENCE, SOURCE, SURGEON, SURGIR.

◈ ① **SOURIRE** v. intr., réfection avec le préfixe *sous-* (v. 1175) de *sorrire* (déb. XIIe s.), *sozrire* (v. 1130), est issu d'un latin populaire °*subrīdĕre* (premier *e* bref), altération du latin classique *subrīdēre* (premier *e* long) «sourire» ; ce verbe est composé de *sub-* marquant l'atténuation (→ sub-) et de *ridere* (→ rire).

♦ Le verbe signifie «prendre une expression rieuse» d'où (XIIIe s.) *sourire à qqn* «lui témoigner par un sourire l'affection, la sympathie, ou des égards de politesse, de courtoisie» et l'emploi figuré au sens de «rayonner, être radieux», avec un sujet nom de chose (av. 1613), propre à l'usage littéraire. ◇ *Se sourire de (qqn, qqch.)* [v. 1175], «se moquer», correspond à un sens du latin *ridere* et a disparu. Cette valeur a été reprise dans *sourire* «se moquer» (1636), *sourire de qqn, de qqch.* (av. 1778) «être amusé par» ; de là *faire sourire* «prêter à la moquerie» (1843). ◇ Par analogie, le verbe a signifié «faire des rides», en parlant de l'eau (v. 1390). ◇ Par extension du sens dominant, il s'emploie (1683) en parlant du visage, de la bouche, des yeux. Avec un sujet nom de chose, *sourire à (qqn)* veut dire au figuré «lui être favorable» (1745).

► ② **SOURIRE** n. m., emploi substantivé du verbe (v. 1175), désigne l'action de sourire avec des valeurs extensives, notamment dans les locutions récentes ***avoir le sourire*** «montrer sa satisfaction» (1904) et ***garder le sourire*** «rester souriant en dépit d'une déception» (XXe s.). ◇ Le nom, concurrencé par *souris* (ci-dessous) au XVIe et au début du XVIIe s., l'a emporté ; il est d'emploi littéraire au figuré (1764, Voltaire : *le sourire de l'âme*). ➞ **SOURIANT, ANTE** adj. (XIIIe s., isolément) est rare avant le début du XIXe s. ; le mot s'applique à une personne, par extension à un comportement, un visage (1876) ; il se dit par figure de choses concrètes, naturelles (1831). ➞ ② **SOURIS** n. m. (1556, dans Ronsard), réfection de *soubriz* (v. 1480), *soubris* (1538), *sousris* (fin XVIe s.), est formé de *soubs, sous* et *ris**. ◇ Ce mot, synonyme archaïque de ② *sourire*, usuel au XVIe s., a été éliminé progressivement par *sourire* au cours du XVIIe siècle. ➞ **SOURIEUR, EUSE** adj., «qui sourit», est un synonyme rare de *souriant*, attesté dans le *Journal* des Goncourt (1874).

① **SOURIS** n. f., forme refaite (v. 1220) de *soriz* (1160-1170), *suriz* (v. 1180), est issu de °*soricem*, accusatif d'un latin populaire °*sorix*, altération du latin classique *sorex, soricis*, peut-être d'origine onomatopéique, mais que l'on peut rattacher au grec *hurax* et tenter de faire remonter à une racine indoeuropéenne °*swer-*, dont relèvent le sanskrit *svávati* «il émet un son», le latin *susurrus*. *Sorex* et *hurax* ont pu désigner de petits mammifères à cri aigu — telle la musaraigne — encore que *sorex* soit devenu le mot spécial pour désigner la souris, à côté de *mus, muris* qui, joint à différentes épithètes, servait à nommer divers animaux (→ musaraigne) ; *mus* a abouti à un type *murica* «souris» dans le Sud-Ouest ; ce mot d'origine indoeuropéenne a fourni le grec *mus*, l'allemand *Maus*, l'anglais *mouse*, le russe *myš'*. Le reste du domaine gallo-roman se partageait entre *souris* et *rat**, mot commun aux langues romanes et germaniques. En zoologie, *souris* et *rat* désignent aujourd'hui des genres différents. La forme *soriz, soris* (fin XIIe s.) est attestée jusqu'en 1715. ◈

♦ *Souris* est le nom d'un petit mammifère rongeur du genre *mus* et, spécialement, de la souris commune au pelage gris. Dès les premiers emplois, le mot entre dans des locutions figurées, parfois devenues proverbes, où les caractères de la souris (discrétion, petitesse) et l'antinomie *chat/souris* sont mis en jeu. *Soris qui n'a c'un trau* [trou] *poi* [peu] *dure* (fin XIIe s.) est devenu *souris qui n'a qu'un trou est bientôt prise* (1690) «quand on n'a qu'un seul expédient, on est vite à bout de ressources» ; cette locution est sortie d'usage comme *brûler les souris* «mettre le feu à une maison» (1446) ; l'adage *de grand dessein une souris* (répertorié en 1611) a pris la forme imagée répandue par La Fontaine ***la montagne accouche d'une souris*** «le résultat ne répond pas à l'attente» (1668). ***On entendrait trotter une souris*** (1640) signifie «le silence est complet» ; ***on le ferait cacher dans un trou de souris*** (1640), se dit d'une personne peureuse ou timide ; ***être éveillé comme une portée*** (ou ***potée***) ***de souris*** «très vif» (1640), à propos d'un enfant, est vieilli. *C'est le nid d'une souris dans l'oreille d'un chat* «c'est une chose impossible» (1690) ne s'est pas maintenu ; pour d'autres locutions qui mettent en scène le chat et la souris, cf. *chat**. ➞ Par extension, le mot qualifié désigne diverses variétés de souris ou d'autres mammifères : *souris blanche* (XVIe s.), élevée pour servir de sujet d'expériences, *souris d'Inde* (1538) s'est dit de l'ichneumon ; *souris terrestre* (1562) puis *souris* *d'eau* (1812), pour la musaraigne, a vieilli (1611); *souris d'Amérique* (1765) puis *souris des bois* (1871), *souris à miel* s'est dit pour diverses espèces de sarigues; *souris de montagne* (1768) «lemming»; *souris de terre* (1768) ou *des bois* (1845) «mulot»; *souris de montagne* ou *des bouleaux* «gerboise» ne s'emploient plus guère. ◇ Le mot entre dans le nom de diverses plantes ou animaux, à cause de leur forme ou de leur couleur: *oreille de souris* «myosotis» (1546), toujours vivant, *souris rose* (1836) «espèce d'agaric», *souris de mer* (1777) pour divers poissons osseux, dont la baudroie. ➡ Par analogie de forme avec le corps de la souris ou un de ses membres, le mot s'est employé comme le latin *mus*, et surtout son dérivé *musculus* (→ muscle), désignant la partie charnue du bras, de la main ou de la jambe (v. 1250, *soris*), l'espace de la main entre le pouce et l'index (1690), sens disparu au XIXe s.; *souris* est le nom encore usuel (1694) d'un muscle charnu à l'extrémité du gigot, contre l'os. ◇ *Souris* désignait aussi (v. 1550) un mécanisme qui maintenait baissé un pont-levis. ➡ D'autres métaphores portent sur le nom de l'animal. *Pas-de-souris* s'est dit (1691), dans une place fortifiée, de la largeur de terrasse qui, entre le fossé et le rempart, retenait la terre en cas d'éboulement, puis d'un escalier très étroit dans la gorge d'un ouvrage avancé; par extension, c'est aujourd'hui (XXe s.) la largeur réduite du giron d'une marche tournante. ◇ *Gris de souris* (1660), *souris* (1762) ou *gris souris* (XXe s.) est le nom du gris clair, du poil de la souris commune. ◇ Aux XVIIe et XVIIIe s., le mot a désigné (1689) un nœud de ruban qui ornait la coiffure des femmes et (1752) une fausse coiffe sans barbes. ◇ Il s'est employé pour la mèche qui permettait de mettre le feu à une mine (1765) et désigne (1933) un outil spécialisé pour calibrer les trous obtenus par alésage. ◇ En pyrotechnie (XXe s.), il équivaut à *serpenteau**, par allusion aux mouvements de la fusée. ➡ Par référence à la discrétion de la souris ou à son activité de rongeur qui cause des ravages, le mot s'emploie aussi en parlant de personnes. Au début du XVIIe s., *souris* s'est dit familièrement pour «avocat, procureur» (1611), c'est-à-dire «dévoreur de procès», et au XVIIIe s. pour la rumeur publique qui condamnait ou absolvait un accusé (1752). ◇ *Faire la souris* «voler adroitement dans les poches d'un homme» (1640) ne s'est pas maintenu, mais ***souris d'hôtel*** (1904) désigne encore une femme qui s'introduit dans les chambres d'hôtel pour y voler (cf. *rat d'hôtel*). *Souris de rempart* s'est dit d'une fille à soldats (1833) et *souris*, employé seul, d'une femme de petite vertu (1905). Aujourd'hui le mot équivaut plus largement à «jeune femme, jeune fille» (1938), sans péjoration. ➡ Par calque de l'anglo-américain *mouse*, le mot désigne en informatique un appareil mobile correspondant à chaque position sur l'écran et capable de donner des instructions.

▶ Le mot a plusieurs dérivés. ➡ **SOURICEAU** n. m., nom du petit d'une souris, est la réfection graphique (1559) de *sourisseau* (1373); on a employé avec le même sens de nombreux dérivés suffixés, *sourisete* (v. 1220), *souriette* (XIVe s.), *sourichon* (1553). ➡ **SOURICIÈRE** n. f. (1464), antérieurement *sourisiere* (1380), *sourissière* (1416), est le nom d'un piège à souris, comme *ratière*; les variantes *sourisoire* n. f. (1380) et *souricier* n. m. (1515) ont rapidement disparu. ◇ Le mot a désigné par analogie un ensemble de filets pour attraper le poisson (1772), un hôtel où la police pouvait arrêter des suspects (1789) et plus largement un lieu public mal famé surveillé par la police (1842). ◇ Ce fut le nom des caves de la Conciergerie (1794), puis des salles de la préfecture de police à Paris (1840), où l'on plaçait provisoirement les détenus; ces derniers emplois ont disparu, alors que *souricière* désigne encore (1791, *prendre en souricière*) un piège tendu à des malfaiteurs par la police et, par extension (1829, Balzac), un lieu où l'on se trouve coincé. ➡ **SOURICIER** s'est appliqué comme adjectif masculin à ce qui concerne les souris (1611) et, comme nom, désigne un animal qui attrape les souris (1611), comme *ratier*. Ce mot rare ne semble pas attesté entre le XVIIe s. et 1872. ➡ **SOURIQUOIS, OISE** adj., «relatif aux souris et aux rats», a été forgé plaisamment par La Fontaine (1668) d'après les noms des peuples en *-ois*; on le trouve au XVIIIe s. (Trévoux, 1721 à 1771; n. m.) comme nom d'un peuple indien.

CHAUVE-SOURIS n. f., réfection (XIIIe s.) de *chalve soriz* (fin XIe s.), *chalve suriz* (v. 1180), aussi *soris chauve* (fin XIIIe s.), est un calque du bas latin (VIIIe s., *calves sorices*), formé de *chauve**, l'animal ayant des poils ras sur la tête. En wallon, *chawe-sori*, *cauwe soris* (fin XIIIe s.) est probablement formé à partir d'un latin populaire °*cawa*, du francique °*kawa* «chouette*», et les deux types ont dû se rencontrer. La graphie *chauve-souri* (sans *s*) [1549] est relevée jusqu'en 1715. Le latin classique *vespertilio* s'est conservé en zoologie (→ vespertilion) et a fourni l'italien *pipistrello* (cf. *pipistrelle*). ➡ Le mot désigne un mammifère à ailes membraneuses et, par analogie, s'est dit d'une sorte d'écureuil à replis membraneux (1835). Par allusion à la forme de l'animal en vol, il a été employé à l'époque classique (1690) comme nom d'un déguisement qui consistait à s'attacher une jupe de femme au cou. ◇ *Chauve-souris de Cythère* (1741), puis *chauve-souris* (1800), s'est dit pour «prostituée». ◇ *Chauve-souris de mer*, comme *souris*, a désigné (1777) divers poissons, dont la baudroie. ◇ Par analogie, le mot s'est employé est en marine (1831) à propos de la ferrure la plus élevée d'un gouvernail, s'étendant en forme d'ailes le long de l'étambot.

② SOURIS → SOURIRE

SOURNOIS, OISE

SOURNOIS, OISE adj. représente très probablement un dérivé (1640) du provençal *sourne*, ancien provençal *sorn* «sombre, obscur» (v. 1280), d'où la forme *sornois* au XVIIe siècle. L'origine de *sorn* est discutée, le mot étant rattaché au latin *surdus* «sourd*» ou à *sordes* «saleté» (→ sornette).

♦ *Sournois* a d'abord désigné comme nom masculin (1640), une personne qui simule la niaiserie; le mot est aussi défini (1656, Oudin) «qui a l'humeur sombre et triste». L'adjectif qualifie un peu plus tard, semble-t-il, la personne qui dissimule ses sentiments, le plus souvent dans une intention malveillante (1680, *sornois*; 1668, *sournois* n. m.) et s'emploie par extension en parlant d'un animal (XIXe s.).

L'adjectif qualifie ce qui dénote une dissimulation (v. 1750), le caractère, la conduite d'une personne hypocrite (1862). ◇ Par figure, l'adjectif s'applique à des choses qui ne se déclarent pas franchement *(douleur sournoise)*; cette acception n'est attestée qu'au XXe s. (1927).

▶ **SOURNOISEMENT** adv. s'emploie au propre (fin XVIIe s.) et au figuré. ◆ **SOURNOISERIE** n. f., «caractère sournois» et «action sournoise» (1814, *in* Robert), a eu pour variante *sournoisie* (1836, Académie).

SOUS prép., réfection (v. 1180) de *sost* (v. 980), *soz, suz* (fin XIe s.), écrit aussi en ancien français *sos* et, avec un *b* étymologique, *soubz, soubs, sub,* est issu du latin classique *subtus,* adverbe, «en dessous, par-dessous», et préposition en latin impérial; rare dans les textes, ce dérivé de *sub* (→ sub-) a dû être courant dans la langue parlée; il est représenté dans toutes les langues romanes, par exemple l'italien *sotto,* le catalan *sots.*

♦ *Sous* a pour valeur générale de marquer la position «en bas» par rapport à ce qui est «en haut». La préposition s'emploie à propos d'une chose qui en surplombe une autre, sans contact avec elle (v. 980) ou dont la situation élevée permet de dominer une autre chose ou une personne (1160-1170). De là des expressions métaphoriques, du type ***être sous les armes*** (v. 1650), *sous le drapeau de* (1694) «au service de» et ***sous les drapeaux*** «en service» en parlant d'un soldat (1835), ou encore ***sous tel numéro*** (1690). ◇ *Sous* s'emploie dans des noms de lieu pour indiquer que le premier est en aval de l'autre (v. 1673). En termes de marine, ***être sous voiles*** (1678), ***naviguer sous tel pavillon*** (1868) utilise le même sémantisme. ◇ Parallèlement, *sous* introduit le nom d'une chose qui est en contact avec une autre et s'appuie sur elle (v. 1050), en particulier en parlant d'un milieu dont on considère la surface (1080, *sous terre*). De là viennent des emplois analogiques, comme ***être sous le verrou, sous les verrous**** (1829) «enfermé». ◇ Dans un contexte concret et spatial, *sous* introduit (v. 1560) l'idée de position sur la face inférieure de (qqch.), par exemple *avoir une ampoule sous le pied.* ◇ La préposition s'emploie aussi (XIIIe s.) à propos d'une chose qui en recouvre une autre, partiellement ou totalement, par exemple dans *sous enveloppe* (1690) et, familièrement (1611), dans *faire sous soi* «ne plus contrôler ses besoins naturels». ◇ Par extension, *sous* équivaut (XVe s.) à *derrière* (ce qui cache) dans un contexte abstrait ou concret dans *sous tel nom* (1559), *sous le masque,* au propre et (1871) au figuré. ◆ *Sous* marque par figure un rapport de subordination ou de dépendance, par exemple dans ***être sous les ordres de qqn*** (1363), servir sous qqn (1405). À l'époque classique, la préposition équivalait aussi à «en se laissant instruire par» (1651, *apprendre sous qqn*). Elle exprimait la cause (fin XVe s., *sous le poids de*), dans *sous l'espérance de* «en faisant espérer» (1642). Cette nuance sert à former des locutions prépositives, introduisant l'explication d'un fait, comme ***sous l'effet de, sous l'action de, sous l'influence de.*** ◇ De l'idée de dépendance, on passe, avec le nom d'un chef ou d'un régime politique, à une valeur temporelle, équivalant à «pendant le règne de» (1559, *sous François Ier*), «à l'époque de» (1690). ◇ En procédure, *sous* signifie «avant que ne soit écoulé (tel espace de temps)» [1773, *sous huitaine*] et dans l'usage courant indique une durée nécessaire (1788, *sous peu*).
Sous signifie «en considérant (par un aspect, un côté)», devant un nom de chose abstrait (fin XVIIIe s., *sous cet angle*) ou concret (1831); dans ce cas, la préposition conserve une valeur du latin *sub* (cf. *sub specie aeternitatis* «du point de vue de l'éternité»). Récemment, par influence de l'anglais *under, sous* s'emploie pour «en subissant l'effet de...» *(sous contrôle).* Cet emploi est très courant dans le contexte médical *(être sous antibiotiques, sous perfusion).* Cette préposition s'est imposée aussi en informatique, pour «en utilisant (un système d'exploitation)».

▶ **SOUS-** préf., entrant dans la formation de nombreux composés, est un emploi spécialisé de *sous* et a valeur de préposition *(sous-main)* ou d'adverbe *(sous-occupé).* Rares avant le XVIe s. (XVe s., par exemple *sous-maître, sous-pied*), les préfixés se développent surtout à partir du XIXe s. et forment aujourd'hui une série ouverte. La productivité de *sous* est plus forte encore que celle des éléments savants *hypo-, infra-* et *sub-* avec lesquels il est parfois en concurrence. Parfois même, le composé en *sous-* est plus courant que le simple *(sous-jacent).*
① **DESSOUS** prép. et adv. est une réfection (v. 1175) de *desoz* (v. 980), issu du bas latin *desubtus,* composé de *de* et *subtus.* ◆ Employée seule au sens de «sous» (v. 980), la préposition n'a aujourd'hui qu'une valeur concrète. ◇ Elle a eu en ancien français une partie des emplois de *sous,* signifiant «sous les murs de (une ville)» [v. 1150], marquant l'ordre de la dignité, par exemple dans *desous Diu* «après Dieu» (1167), la subordination dans *dessous qqn* «sous ses ordres» (v. 1175). ◇ La locution prépositive ***par-dessous*** «sous (qqch.)» [v. 1130, *par desoz*] s'emploie avec l'idée de passage (1690). Par figure, *jouer qqn par dessous la jambe* a signifié «déranger facilement tous ses projets» (1672), puis on a dit *jouer par dessous jambe* (1885) et enfin *traiter qqn* ***par-dessous la jambe*** «avec mépris». ***De dessous*** (1080, *de desuz*) est moins fréquent. ◆ Adverbe de lieu (1080, *desoz*), *dessous* signifie «dans ou sur la partie inférieure de». Le mot sert à former plusieurs locutions adverbiales. ***Par-dessous,*** qui correspondait en ancien français à «dessous» (v. 1130), «en bas» (v. 1175), signifie aujourd'hui «par la partie inférieure» (1546). ***Là-dessous*** se dit pour «sous cette chose» (v. 1250) et par figure «sous cela» (1677), «sous cette apparence» (1704). ***Ci-dessous,*** «sous ce qu'on vient d'écrire, plus bas» (1343), correspond au latinisme *infra.* ***En dessous*** «sur la face inférieure» est attesté dans la locution figurée ***avoir le regard en dessous*** «être hypocrite, sournois» (1746) et entre dans les locutions ***regarder en dessous, agir en dessous*** «sournoisement». Pour *sens dessus dessous* → sens. ◇ ***Au-dessous*** (*al desoz,* 1165) représente la première substantivation du mot.
② **DESSOUS** n. m., substantivation de ① dessous, désigne la partie inférieure de qqch., ce qui est plus bas (1393). Abstraitement, *trouver qqn à son des-*

sous a signifié (1410) «le trouver en état d'infériorité»; ***avoir le dessous*** (1640) est toujours usuel, mais *avoir du dessous* «succomber dans une contestation» (av. 1662) a disparu après l'époque classique. ◇ Le mot s'emploie comme nom donné à des choses cachées, dans ***le dessous du jeu*** (av. 1662), ***le dessous des cartes,*** au figuré «la face cachée des choses» (1662, Pascal), locutions attestées plus tard au sens propre (1718). ◇ Au théâtre, *les dessous* désigne (1835) les étages disposés sous la scène pour entreposer les accessoires; de cet emploi vient le figuré ***être dans le troisième dessous*** (1864), ***le trente-sixième dessous*** «être dans une très mauvaise situation». ◇ *Les dessous* a eu le sens technique de «broussailles» (1845) de par leur situation sous les arbres (cf. *sous-bois*). ◇ Le nom au pluriel désigne aujourd'hui des vêtements féminins portés sous les autres (1876, Zola). En peinture, *dessous* désigne la première couche de peinture d'une toile (1876). ◆ La locution adverbiale ***au-dessous*** apparaît dans *aller au-dessous* «être vaincu» (1160-1170); elle signifie «dans une position inférieure» (v. 1250), spécialement pour indiquer une infériorité nombrable (cf. *moins*). *Au-dessous de,* locution prépositive, signifie «en bas de» (1530), «plus bas que» (1690), au figuré dans ***être au-dessous de*** «indigne de» (1653) ou «incapable de» (1755), d'où ***être au-dessous de tout*** «n'être capable de rien» (XXe s.). ◆ Le nom entre dans la formation de quelques composés, tous invariables, désignant des objets qui se placent sous quelque chose, soit pour isoler, comme **DESSOUS-DE-PLAT** n. m. (1898), **DESSOUS-DE-BOUTEILLE** n. m. (déb. XXe s.) ou pour protéger : **DESSOUS-DE-BRAS** n. m. (1929). **DESSOUS-DE-TABLE** n. m. (XXe s.) désigne une somme d'argent donnée secrètement par un acheteur au vendeur.

◈ voir SOMBRER, ① SOMME, SOMMET, SOPRANO, SOUBRETTE, SOUTANE, SOUTE, SOUTIEN, SOUVENT, SOUVERAIN, SUB-, SUPER-, SUPERBE, SUPERCHERIE, SUPIN, SUPRA-, SUPRÊME, SUR, SUR-, SUS, SUS-, SUZERAIN. ◇ Les principaux composés de *sous* sont traités au radical → aliment (alimenter), barbe, bois, classe, continent, cortex (cortical), couche, développer, diacre, dominer (dominante), directeur, employer, emploi, ensemble, entendre, équiper, espèce, estimer, étage, évaluer, exploiter, famille, fifre (à fifrelin), genre, groupe, homme, jacent, lieutenant, location, louer, main, maître (maîtresse), marin, marque, ministre, multiple, occuper, œuvre, officier, ordre, payer, peuple (peupler), pied, préfet (préfecture), produire (produit), prolétaire (prolétariat), représenter, secrétaire, seing, signer, sol, tendre (v.), titre, traiter, ventre (ventrière), verre, vêtement.

SOUSCRIRE v. tr. est une réfection, avec le préfixe *sous-* (1539), de *subscrire* (1356), *soubzescrire* (v. 1450), *soubscrire* (1506). *Subscrire* est un emprunt savant, influencé par *écrire,* au latin classique *subscribere* «écrire au bas, mettre en inscription», par extension «écrire à la suite, ajouter», «signer un document», en droit «signer en second une accusation» et, en parlant des censeurs, «inscrire un blâme au-dessous du nom d'une personne», puis en bas latin «inscrire à la dérobée». Ce verbe est composé de *sub-* marquant la position inférieure (→ sub-) et de *scribere* «écrire*». Il a produit aussi l'ancien provençal *sotzecrivre* (v. 1100).

♦ *Souscrire* signifie d'abord «revêtir (un acte) de sa signature pour l'approuver». Il s'est employé à l'époque classique (v. 1545, *soubscrire*) au sens d'«écrire au bas, ajouter». ◇ Par figure, *souscrire à* correspond à «donner son adhésion, consentir» (1588). Le verbe a par extension le sens de «s'engager à payer, en signant» (1690); avec cette valeur, il s'emploie spécialement dans *souscrire à une publication* (1721) «prendre l'engagement d'acheter, moyennant un prix convenu, un ouvrage non encore publié ou publié partiellement, en versant une partie de la somme», puis *souscrire à une entreprise,* etc. «donner une somme d'argent» (1784) et *souscrire à un emprunt,* aussi *souscrire un emprunt* (1872).

▸ Le participe passé **SOUSCRIT, ITE** adj., sorti d'usage pour «écrit dessous» (1540, *soubzscript*), s'emploie encore comme terme de grammaire grecque ancienne dans *iota souscrit* «placé sous une voyelle longue» (1872). ◇ D'après le sens financier du verbe, il qualifie ce dont le financement est couvert par des souscriptions (1872), en parlant d'un emprunt, du capital d'une société, qui peut être *entièrement souscrit.*

SOUSCRIPTION n. f. est la réfection (1574), parallèle à celle de *souscrire,* de *subscription* (XIIIe s.), emprunt au latin classique *subscriptio* «inscription (au bas d'une statue)», «inscription à la suite» et, en droit, «action d'être accusateur en second», «indication du délit», dérivé de *subscriptum,* supin du verbe. ◇ Le mot désigne la signature qu'on met au-dessous d'un acte; il s'est employé dans *souscription d'une lettre* «signature, accompagnée des formules de civilité» (1665). ◇ Il désigne aussi l'action de donner une adhésion formelle à qqch. (fin XVIIe s.) et s'emploie spécialement en parlant d'un engagement de paiement pour une publication (1717) ou une entreprise (1718), d'où *(bulletin de) souscription* (1762), et de la somme versée par un souscripteur (1801). ◇ *Souscription* désigne aussi (XXe s.) la partie d'une ordonnance où le médecin précise la façon d'effectuer la préparation prescrite. ◆ **SOUSCRIPTEUR, TRICE** n. est un emprunt au dérivé latin *subscriptor* «accusateur en second», puis adjectif qualifiant celui qui souscrit à qqch. ◇ Le mot désigne (1679) une personne qui souscrit (une lettre de change, un emprunt), spécialement celle qui souscrit à une publication (1721) et plus généralement à une souscription (1762). Le féminin est attesté à la fin du XVIIIe siècle. On a dit aussi *souscriveur* (1675) et *souscrivant, ante* (v. 1730; 1751 au féminin), ce dernier encore relevé en 1875.

SOUS-FIFRE → FIFRELIN

SOUS-JACENT, ENTE → JACENT

SOUSTRAIRE v. tr., réfection (v. 1270) de *sustraire* (v. 1120), *sostraire* (1160-1170), est une adaptation d'après *sous** du latin classique *subtrahere* «tirer, enlever par dessous», au figuré «soustraire, retirer». Ce verbe est formé de *sub-* marquant le mouvement de bas en haut (→ sub-) et de *trahere* «tirer», «traîner», au propre et au figuré, qui a abouti en français à *traire**. Le verbe s'est aussi écrit, avec un *b* étymologique, *substraire* (fin XVe s.), et *soubtraire* (1538), ceci jusqu'au début du XVIIe siècle.

♦ *Soustraire (qqch.) à qqn* signifie dès l'origine «lui retirer qqch. de manière à l'en priver, souvent par la ruse ou la fraude», d'où par extension «priver de» (1226), sorti d'usage, et «faire disparaître par le vol», sens toujours vivant. ◇ *Se soustraire,* qui a signifié «se retirer» (1160-1170, en parlant du soleil), prend au début du XIIIe s. le sens de «s'affranchir, se libérer de» (v. 1207, *soi sotraire;* 1559, *se soustraire*). *Soustraire qqn de,* «faire échapper à (qqch. à quoi on est exposé)» [déb. XIIIe s.], est devenu *soustraire qqn à* (v. 1580), d'où le pronominal ***se soustraire à la vue, aux regards*** «s'en aller, disparaître» (1669). ◆ Le verbe s'est spécialisé en arithmétique au sens de «retrancher (un nombre d'un autre)» [XIIIe s.; v. 1119, selon *G. L. L. F.*] et, par restriction, «ôter une somme d'argent» (1773). L'emploi absolu, pour «effectuer une, des soustractions», apparaît au XVIe s. (1520). ◇ Avec la valeur de «retirer», *soustraire* a signifié «extraire (un passage d'un texte)» [fin XVIe s.].

▸ **SOUSTRACTION** n. f. représente la réfection (1484), d'après *sous,* de *subtraction* (v. 1155), *substraction* (v. 1370), emprunt au bas latin *subtractio* «action de se retirer», dérivé de *subtractum,* supin du verbe latin. ◇ Le mot a d'abord désigné l'action de retrancher une syllabe d'un mot (XIIIe s.) puis (1484) l'opération d'arithmétique qui consiste à retrancher. *Soustraction* s'est employé au sens général d'«action de soustraire» (v. 1370). ◇ En droit, c'est le nom d'un délit consistant à enlever une pièce d'un dossier (1636). ◆ **SOUSTRACTIF, IVE** adj., dérivé savamment de *soustraire* (1683), s'applique en minéralogie (1801) à un élément géométrique servant à mesurer la quantité des décroissements dans un cristal. ◇ Le mot se dit plus généralement de ce qui est relatif à la soustraction et de ce qui doit être soustrait.

SOUS-TRAIT n. m. est la réfection, d'après *sous* (1765, *soustrait*), de *soubztrait* (1369), antérieurement *soustré* (XIIIe s.), adaptation du latin médiéval *substratum* (Xe s.) «litière d'un animal», substantivation du participe neutre du latin classique *substernere* «étendre dessous» de *sub* et *sternere* «coucher à terre», d'une racine °*ster-* présente dans plusieurs langues indoeuropéennes. *Substratum,* repris au XVIIIe s. avec un autre sens, a fourni *substrat**.

♦ Ce mot sorti d'usage a eu le sens du latin médiéval «litière» et celui de gîte (1369), d'après un sens du verbe latin, «garnir à la base (pour protéger)». Il a désigné (1765) des fagots que l'on plaçait au fond d'un bateau pour que les marchandises ne soient pas mouillées et, en imprimerie (1803, *soutrait*), la planche inférieure de la presse du papetier. ◇ Écrit *sous-trait,* il a dénommé un lit de paille placé sous les gerbes de blé, dans une grange (1842).

SOUS-VERRE → VERRE

SOUTACHE n. f. est emprunté (1842) au hongrois *sujtás* «bordure, galon», qui est aussi à l'origine de l'espagnol *soutache,* du portugais *sotache.*

♦ Le mot désignait une tresse de galon qui s'attachait au shako des hussards, et une passementerie, ornement distinctif sur les uniformes (1878). Par extension, c'est le nom d'un petit galon qui orne certaines pièces de vêtement masculin ou féminin (1857).

▸ **SOUTACHER** v. tr., «orner de soutaches» (1849), est rare.

SOUTANE n. f. est une réfection (1558), d'après *sous,* de *sottane* (1550), emprunté à l'italien *sottana,* substantivation (XVIe s.) de l'adjectif *sottano* «de dessous», dérivé de *sotto* «dessous», issu du latin *subtus* (→ sous).

♦ *Soutane,* écrit aussi *soutanne,* a désigné un vêtement long, porté par les femmes sous le manteau, puis une sorte de jupe (1564; var. 1582, *sotane*). Le mot s'est spécialisé comme nom de la robe portée par les juges, les avocats, les médecins (1564), cela encore à la fin du XVIIIe s. (1798). ◆ Par ailleurs, il désigne l'habit long porté par les ecclésiastiques, boutonné de haut en bas sur le devant (1599, *sotane*), seul emploi moderne et courant du mot, bien que ce vêtement ecclésiastique soit largement abandonné aujourd'hui dans de nombreux pays. ◇ Par métonymie, *la soutane* s'est employé (1694) comme symbole de l'état ecclésiastique et (XIXe s.) pour désigner les prêtres; la locution figurée *sa soutane ne tient qu'à un bouton,* «il n'est pas vraiment engagé dans l'état ecclésiastique» (1690), est sortie d'usage.

▸ **SOUTANELLE** n. f. a désigné (1659) une petite soutane descendant jusqu'aux genoux; c'est aussi (1896, Verlaine) le nom donné à une redingote à collet et à revers portée par les prêtres de certains pays (Angleterre, Allemagne, Australie), avant qu'ils ne portent le costume dit de clergyman. ◆ **SOUTANIER** n. m. s'est employé péjorativement (1886, L. Bloy) pour «prêtre». ◆ Le diminutif **SOUTANETTE** n. f., «petite soutane» portée par les enfants de chœur, est rare. ◆ Le composé **ENSOUTANÉ, ÉE** adj. et n. m. s'applique familièrement à un prêtre vêtu d'une soutane (1610, *ensoultané*) et *un ensoutané* signifie péjorativement «prêtre» (1902). ◇ Le dérivé **ENSOUTANER** v. tr., «faire prendre la soutane à (qqn)» [1845], est péjoratif et rare.

SOUTE n. f. est emprunté (v. 1300) à l'ancien provençal *sota,* substantivation de *sota* «sous», préposition issue d'un latin populaire °*subta,* altération, d'après le latin classique *supra,* de *subtus* «sous» (→ sous).

♦ *Soute* désigne, comme son étymon provençal, l'espace situé dans les cales et l'entrepont d'un navire et servant de magasin, d'entrepôt. ◇ Le mot s'est employé par extension pour *sous-sol* (XVe s.) et, par figure, dans la locution *estre plus bas qu'en soubte* «être dans une situation désespérée» (fin XVe s.), sortie d'usage. ◇ Par extension (1939), c'est le nom de l'espace réservé au transport des marchandises dans un avion. Par métonymie (v. 1970), *les soutes* signifie «combustible liquide pour les navires».

▶ **SOUTIER** désigne en marine (1870 dans Jules Verne) le matelot chargé de l'arrimage des objets d'équipement et, spécialement, du service de la soute à charbon. ➡ **SOUTER** v. tr., terme technique, signifie «fournir en combustible un navire» ou «en recevoir»; en dérive **SOUTAGE** n. m. (mil. XXe s.). ➡ Le verbe préfixé **ENSOUTER** v. tr., tiré de *soute* (1922), est sorti d'usage.

✱ **SOUTENIR** v. tr. représente la réfection (déb. XIIIe s.) de *sostenir* (v. 880), *soustenir* (XIIe s.), formes issues d'un latin populaire °*sustenire*, altération du latin classique *sustinere* «tenir par-dessous, maintenir», «supporter», «arrêter, retenir» et au figuré «conserver en bon état», «entretenir, nourrir», «supporter, endurer», «prendre sur soi» et «suspendre, différer». Ce verbe est composé de *sub-* marquant la position inférieure (→ sub-) et de *tenere* (→ tenir).

♦ Le verbe a repris la plupart des acceptions du latin. Il est d'abord employé au sens figuré de «supporter (qqch. de fâcheux)», encore relevé au XIXe s. et sorti d'usage. Il a gardé le sens général de «maintenir dans une position d'équilibre», au propre et au figuré. Figurément, comme en latin, il se dit d'un aliment qui empêche de défaillir, en donnant des forces (v. 1050) et signifie «empêcher de disparaître, de fléchir, en apportant aide, réconfort», avec un complément désignant une chose abstraite (1080) ou une personne (v. 1190). Avec cette valeur, *soutenir qqn* s'utilise pour «aider à vivre, subsister» (v. 1170); *soutenir une affaire, une entreprise* est relevé à la fin du XVIIe s. (1690). Dans l'ordre abstrait, *soutenir qqn* signifie aussi «prendre son parti» (XIIIe s.) et *soutenir un État* «lui apporter son aide» (1646). ➡ Parallèlement, *soutenir* a le sens large concret et spatial de «maintenir (qqch.) en place»; de là procèdent dès les XIIe-XIIIe s. plusieurs acceptions: «empêcher (qqn) de tomber» (v. 1175), «porter» en parlant de l'eau (1235). Avec une valeur temporelle, il se dit pour «aider à se continuer, faire durer» (fin XIIIe s.), d'où «pousser jusqu'au bout» (XIIIe s., *soutenir un procès*) et à l'époque classique «tenir jusqu'au bout», par exemple dans *soutenir la gageure* (1671). ◇ *Soutenir* s'utilise par ailleurs au sens de «faire valoir en appuyant par des raisons» (XIIIe s.), *soutenir une cause, une doctrine* correspondant à «continuer à la défendre contre des opposants» (XIIIe s.) et *soutenir une opinion* à «invoquer des arguments à l'appui» (XIVe s.; 1538, *soutenir que*). Spécialement, *soutenir une thèse de doctorat* (1680) correspond à «en discuter avec un jury pour obtenir le titre de docteur» (cf. ci-dessous *soutenance*).

Depuis le XVIe s., l'idée de supporter se réalise avec le sens de «résister à (qqch. qui attaque)» [1538]; avec cette valeur, *soutenir une armée* (1553) est sorti d'usage, mais on dit encore *soutenir un assaut, une attaque*, et au figuré *soutenir le choc* «supporter qqch. de pénible» (1587). ◇ La valeur de «répondre à une exigence» se développe dans différents domaines; *soutenir* prend le sens de «se montrer digne de» dans *soutenir son honneur* (1549), *soutenir son rang, son nom* (1665), *sa réputation* (1669), emplois vieillis. ◇ On passe de cette valeur à celle de «continuer», temporelle dans *soutenir sa voix* «en prolonger le son» (1611), *soutenir la conversation* «la poursuivre, l'alimenter» (1663), toujours usuel. ◇ En danse, on a dit *soutenir le pas, un temps* «conserver la cadence» (1690) et aujourd'hui *soutenir une attitude*. ➡ Avec l'idée de «maintenir», *soutenir un cheval* a signifié «l'empêcher d'aller trop tôt sur le terrain» (1611), puis a pris le sens de «le conduire d'une manière égale» (1680). ◇ Une métaphore de la valeur concrète ancienne s'applique en musique où le verbe s'emploie pour «servir de base à (une partie, une mélodie)» [*la basse soutient le dessus*, 1690]. ◇ *Soutenir*, au figuré «donner davantage d'éclat à (qqch.)» [1644], s'emploie concrètement pour «mettre en valeur» (1812), par exemple *soutenir les tons clairs; se soutenir* v. pron. signifiant dans ce sens (1835) «conserver son éclat». ◇ *Se soutenir* signifie «se maintenir» au figuré (v. 1639, *se soutenir par les armes*) et se dit spécialement de l'intérêt d'un ouvrage littéraire (v. 1560), d'un discours (1671, *se soutenir bien*). Le pronominal s'emploie aussi pour «ne pas s'amollir», en parlant d'une étoffe; à propos d'une pièce de théâtre, il signifie «continuer à être représentée» (1798). Avec un sujet humain, il correspond à «se maintenir dans une position d'équilibre» (1647) et, comme réciproque, à «se prêter assistance» (av. 1662). ◇ *Ne pouvoir soutenir la vue (la présence) de qqn* (milieu XVIIe s.) s'emploie pour «ne pouvoir la supporter», *soutenir le feu* pour «résister à l'épreuve du feu». Le verbe s'emploie également dans le domaine financier (1835, *se soutenir*, d'une valeur; XXe s., transitif: *soutenir les cours*).

▶ Les dérivés de *soutenir* ont eu diverses acceptions liées aux valeurs du verbe; beaucoup ont disparu. ➡ **SOUTÈNEMENT** n. m., réfection (XVIe s.) de *sustenement* (v. 1119) puis *soustenement* (v. 1170), a d'abord signifié «secours, assistance» et s'est dit de Dieu, pour «celui qui secourt les hommes». Le nom a désigné aussi (v. 1170) le fait de se maintenir en vie et par métonymie (v. 1170) les vivres et le revenu. ◇ Il s'employait pour parler de ce qui soutient qqch., l'empêche de tomber (XIIIe s.), d'où le sens sorti d'usage (1265) de «fait de maintenir un immeuble en bon état». ◇ Cette valeur ne subsiste que pour nommer un étai qui résiste à une poussée (1694), aujourd'hui dans des expressions comme *mur de soutènement* (1721). ◇ **SOUTÈNEMENTS** n. m. pl. (1690) a désigné en droit jusqu'à la fin du XIXe s. les documents fournis pour justifier la sincérité d'un compte. ➡ **SOUTENANCE** n. f. a désigné jusqu'au XVIe s. la subsistance, les aliments (v. 1155, *soustenance*) et par métonymie le fait de se maintenir en vie (1270, *soutenance*). En ancien français, il se dit aussi pour «revenus» (XIIIe s.) et pour «appui moral» (XIIIe s.) et, dans le domaine concret, est synonyme de *soutènement*, pour le fait de maintenir en bon état un immeuble (1294) et l'action d'étayer (1456), ceci jusqu'au milieu du XVIIe siècle. ◇ D'après le sens pris beaucoup plus tôt par le verbe *soutenir*, *soutenance* s'emploie (1835) pour l'action de soutenir une thèse, un doctorat; c'est le seul vivant aujourd'hui.

SOUTENEUR n. m., réfection (v. 1340) de formes comme *sosteneor* (v. 1180), désignait celui qui aide, protège, défend; à ce sens général, devenu archaïque avant le XIXe s., correspondait la forme féminine *soustenerresse* (mil. XIVe s.). Ce rôle de défenseur étant souvent assuré par le soldat, le mot s'est employé pour «bretteur» (1713). ◇ C'est au XVIIIe s. que le mot s'est spécialisé (1740), désignant celui qui vit de la prostitution d'une ou plusieurs filles publiques, donnant l'apparence de les protéger, de les «soutenir»; cette acception s'est imposée au point que tous les autres sens ont disparu.

SOUTIEN n. m., déverbal, a eu le sens de «secours» (XIIIe s.) et désigne (mil. XIVe s.) l'action de soutenir qqn dans l'ordre moral, spirituel, financier ou, spécialement (fin XVIe s.), militaire. Le mot s'emploie concrètement à propos de ce qui maintient une chose dans telle ou telle position (1598). Rare avec la valeur active «action de maintenir» (1674), il a vieilli pour désigner l'action de soutenir les forces d'une personne (1636). C'est en blason le nom d'un ornement extérieur de l'écu, constitué par des objets inanimés placés de part et d'autre (1681). ◇ *Soutien* désigne aussi (1683) ce qui soutient une personne, par exemple un sentiment, une croyance, ainsi qu'une personne qui défend une cause, un groupe; le mot s'est spécialisé pour désigner qqn qui subvient aux besoins matériels d'une ou plusieurs personnes (1828), d'où la locution ***soutien de famille*** (1872). ◇ Il a pris (XXe s.), d'après *soutenir*, le sens de «secours financier» et s'emploie dans des expressions comme *soutien d'une monnaie, des prix.* ➡ **SOUTIENS** n. m. pl. désignait (1852) une pièce de lingerie féminine qui servait à soutenir certaines parties du corps. ➡ Le composé **SOUTIEN-GORGE** n. m. (1904) [→ gorge] désigne le sous-vêtement qui soutient la poitrine féminine. Il a succédé à *maintien-gorge*, terme proposé par la marque Cadelle en 1889, mais le nom du sous-vêtement qui s'est imposé aux États-Unis vers 1930 sous la dénomination empruntée au français de *brassiere*, puis *bra*, ne s'est répandu qu'entre 1930 et 1935. La locution familière ***menteur comme un soutien-gorge*** «très menteur» (attesté 1936, Céline) témoigne de misogynie. ➡ Le composé **SOUTIEN-PIEDS** n. m. pl. (1937), de *pied*, «appui pour les pieds», est rare.

SOUTENANT n. m., substantivation du participe présent du verbe, a désigné la personne qui se défend contre un assaillant (v. 1310) et plus largement qui aide (XIVe s.). ◇ Le mot a eu le sens concret de «point d'appui» (1611), par exemple d'une balance, d'où son usage en argot ancien pour «canne» (1837). Il s'est employé avec une valeur concrète pour qualifier un aliment qui sustente (1640). ◇ C'était le nom de la personne qui soutenait une thèse (1660); le mot n'a pas de féminin, les femmes n'ayant pas accès au doctorat à l'époque où il s'utilisait.

SOUTENABLE adj., attesté au XIIIe s. avec un sens peu clair (v. 1265, *sostenable*), a signifié «qui vit, se soutient» (v. 1390, *soustenable*). Cet adjectif s'applique (v. 1430) à une cause, une opinion qui peut se soutenir par des raisons valables. ◇ Dans la langue classique, il qualifie au figuré (1502, *soutenable*) ce qui peut être supporté, seulement aujourd'hui dans une tournure négative (XVIIe s.). ◇ Dans le contexte militaire, il s'est dit (1636) de ce qu'on peut défendre, ceci jusqu'au début du XIXe siècle. ➡ Le contraire, **INSOUTENABLE** adj., littéraire ou didactique, a le sens général de «qu'on ne peut soutenir», en parlant d'un effort, d'un sentiment (1440-1475, *insoustenable*), d'une opinion, d'une idée ou d'une lutte (1612, *concurrence insoutenable*). Il est sorti d'usage appliqué à une personne, un comportement (1762), remplacé par *insupportable* mais reste usuel à propos d'abstractions.

SOUTENU, UE adj. se dit en termes de blason (1581) d'une pièce qui en a une au-dessous d'elle. ◇ L'adjectif s'emploie (1680) en parlant d'un style qui se maintient à un niveau élevé dans la hiérarchie sociale des discours, opposé à *familier**. Il s'applique aussi à ce qui est constant, régulier (fin XVIIe s., *effort soutenu*). Il a le sens de «prononcé, accentué» dans *couleur soutenue* (av. 1872).

SOUTERRAIN, AINE adj. et n. m.,

d'abord *sousterrain* (fin XIIe s.) composé de *terrain*, est la réfection de *sozterrain* (v. 1130); la graphie *souterrain* (1599) ne s'impose qu'à partir du XVIIe s., et la forme *sousterrain* est encore relevée en 1721 (dictionnaire de Trévoux). Avec une autre suffixation (latin *-inus*), *susterrin* (v. 1175), *sousterin* (v. 1190) s'est maintenu jusqu'au XVe siècle. Le mot est donc formé de *sous* et de *terrain*, ou *terre* | suffixe, sur le modèle du latin *subterraneus* (*subterraneum*, n.), composé de *sub-* marquant la position inférieure (→ sub-) et de *terra* (→ terre).

♦ *Souterrain*, adj., s'applique (v. 1130) à ce qui est sous terre, le nom désignant (1160-1170, *sozterrain*) un passage souterrain, naturel ou artificiel. *Un souterrain* s'est dit aussi (1701) d'un local souterrain, naturel ou pratiqué par l'homme. ◇ Par figure, l'adjectif qualifie ce qui est caché, secret (1532, *soubterrain*) et, par extension, s'applique à ce qui, venant de l'intérieur de la terre, sort à sa surface (1685, d'une vapeur), à ce qui se trouve sous la surface du sol (1701, *étage souterrain*), à ce qui se développe sous terre (1872; *tige souterraine*) ou se fait sous terre (1874, *travaux souterrains*).

▶ Le dérivé **SOUTERRAINEMENT** adv., employé au figuré (fin XVIIe s.) et au propre (1836), est rare.

SOUTIRER v. tr.,

écrit *soustirer* (v. 1180), est reformé au début du XVIIIe s. (1721). Il est composé de *sous** et de *tirer**.

♦ Le verbe a signifié en ancien français «tirer un peu à soi (les rênes)». ◇ Il réapparaît au sens de «transvaser doucement (par exemple du vin) d'un récipient à un autre, de manière que les lies et dépôts restent dans le premier» (1723), acception demeurée usuelle. ◇ En sciences, il s'est employé par analogie (1764) pour «faire sortir (l'électricité) d'un nuage orageux». ➡ En raison de la valeur expressive du verbe, *soutirer qqch. à qqn* (1773) correspond à «obtenir de lui, sans violence mais par des moyens peu délicats (ce qu'il ne céderait pas spontanément)».

▶ Le dérivé **SOUTIRAGE** n. m., «action de soutirer (du vin)» [1721], désigne par métonymie le vin soutiré (1874). En géographie, le mot se dit par analogie du prélèvement qu'un cours d'eau souterrain opère sur une nappe supérieure (xxe s.). ➡ Les autres dérivés sont techniques : **SOUTIREUR, EUSE** n. (1880) désigne la personne qui effectue le soutirage des liquides, notamment du vin ; **SOUTIREUSE** n. f. (xxe s. : 1934) est le nom donné à la machine qui fait passer le liquide d'une cuve de garde dans un récipient de commercialisation (on a aussi dit *soutireur,* n. m. 1880).

SOÛTRA ou **SÛTRA** n. m., emprunt (1842) au sanskrit *sûtra,* est didactique.

♦ Le mot désigne un aphorisme très concis «inspiré par des soucis mnémoniques» (L. Renou), et un recueil de tels aphorismes (ex. *le Kâma soûtra, le Yoga soûtra*).

① **SOUVENIR** v. intr. et pron. est la réfection (xiiie s.) de l'ancien français *suvenir* (1080), *sovenir* (v. 1130), et est issu du latin classique *subvenire* «venir en aide», «remédier à», «survenir» et par figure en latin impérial «se présenter à l'esprit». Ce verbe, emprunté par ailleurs sous la forme *subvenir**, est composé de *sub-* marquant la position inférieure (→ sub-) et de *venire* (→ venir).

♦ *Souvenir,* v. intr., est d'emploi littéraire, seulement en phrase impersonnelle, au sens de «revenir à la mémoire» (1080, *me suvient de ;* xve s., *il me souvient de, que*) d'où la tournure poétique *qu'il m'en souvienne.* ◇ Le verbe s'est employé en ancien français au sens latin de «secourir» (1270-1275, *sovenir*), éliminé par l'emprunt *subvenir.* ◇ *Se souvenir de qqch., de qqn* (xive s.), formé sur le modèle de *se rappeler**, signifie «avoir de nouveau présent à l'esprit» ; ce pronominal a succédé à la forme intransitive *souvenir de qqch.* (xiiie s.). En emploi absolu (1876), *se souvenir* correspond à «avoir la faculté d'évoquer les faits passés». ◇ Le verbe a pris des valeurs particulières : *se souvenir de qqch.* s'emploie au sens de «garder qqch. à l'esprit pour en tenir compte» (av. 1549), avec une nuance affective pour exprimer la reconnaissance, l'intérêt ou l'affection (aussi *se souvenir de qqn,* 1677) ou au contraire la rancune (1636) ; dans ce cas, il s'est substitué à *souvenir à qqn de qqch.* (fin xve s.) et a donné lieu à des expressions : ***je m'en souviendrai !*** (1798) marque le ressentiment et, par forme de menace, ***il s'en souviendra !*** équivaut à *il s'en repentira !* ➡ On a employé par euphémisme plaisant *un* **SOUVENEZ-VOUS** n. m. (1640) pour «soufflet», puis pour «syphilis».

▶ ② **SOUVENIR** n. m., infinitif substantivé (fin xiiie s.), d'abord sous la forme *sovenir* (xiiie s.), désigne ce qui revient ou peut revenir à l'esprit des expériences passées, et le fait de se souvenir ; le mot s'emploie en particulier (av. 1648) au sens de «mémoire». Par métonymie, il désigne ce qui rappelle qqch. ou qqn (1690). ◇ De là spécialement *souvenirs* n. m. pl. «narration des souvenirs» (v. 1720), analogue à *mémoires,* et la locution ***en souvenir de*** «pour garder le souvenir de» (1823). ◇ Par extension, *souvenir* s'emploie pour désigner un objet qui rappelle la mémoire de qqn (1836), puis un bibelot qui rappelle un lieu, une région (xxe s.).

➡ En psychanalyse, **SOUVENIR-ÉCRAN** n. m. (xxe s.) désigne un souvenir ou un pseudo-souvenir d'enfance qui fait écran à un autre souvenir investi d'angoisse.

SOUVENANCE n. f., littéraire pour «souvenir lointain» (xiie s.), s'emploie dans ***à ma souvenance*** «autant que je m'en souvienne», expression récente (xxe s.), qui reprend le moyen français et français classique *de ma souvenance* (fin xve s.). ◇ Le mot a désigné une bague offerte en souvenir (1603), et *donner une souvenance* a signifié (1636) «donner un soufflet» ou «transmettre la syphilis» (cf. ① souvenir, ci-dessus). Ces emplois spéciaux ont disparu.

Le préfixé **SE RESSOUVENIR** v. pron. s'est employé dans une phrase impersonnelle, *me resovient de* (1160-1170) équivalant à *il me souvient de. Ressouvenir qqch. à qqn* «rappeler qqch. à qqn» s'est dit au xvie s. (1572) et à l'époque classique, d'où *ressouvenir qqn de qqch.* (1636). ◇ *Se ressouvenir de* «se souvenir d'une chose ancienne» (1580) est vieilli ou littéraire. Le verbe est sorti d'usage au sens de «prendre en considération» (1610). ◇ *Je m'en ressouviendrai, il s'en ressouviendra* (1798), familiers, ont vieilli. ➡ **RESSOUVENIR** n. m., d'emploi littéraire, désigne un souvenir lointain (1552) ; ce mot courant à l'époque classique, puis archaïque, a été repris par des écrivains de la fin du xixe siècle. Il a désigné le sentiment d'une douleur physique qui se renouvelle (1694), puis (1752) un petit papier que l'on épinglait sur la manche de son habit pour se souvenir de qqch. (cf. *pense-bête*). ➡ **RESSOUVENANCE** n. f., préfixé en *re-* de *souvenance,* signifie «rappel à la mémoire d'une chose oubliée» (1588). Critiqué par Vaugelas (1647), il est noté comme «vieilli» dans Furetière (1690). Le mot a été repris par des écrivains comme Flaubert, G. Sand, Baudelaire, Proust ; il reste très littéraire.

SOUVENT adv. est une réfection (xiiie s.) de *sovent* (v. 1050) et *suvent* (v. 1155), issus du latin impérial *subinde,* adverbe, «immédiatement après» et «de temps en temps», «souvent», formé de *sub-* qui indique la position inférieure (→ sub-) et de *inde,* adverbe, marquant le point de départ dans l'espace («de là») et dans le temps («à partir de là») ; *inde* a abouti par ailleurs à *en**.

♦ Cet adverbe signifie (v. 1050) «à plusieurs reprises», dans un espace de temps limité, d'où par extension «sans cesse» (v. 1283), ce dernier emploi étant sorti d'usage. *Souvent... souvent* s'est employé (v. 1155, *suvent*) pour *tantôt... tantôt.* ◇ L'adverbe équivaut (1538) à «en de nombreux cas» pour marquer un fait d'ordre général, *plus souvent* (v. 1190), devenu *le plus souvent,* signifiant «la plupart du temps» (1538). Dans un registre oral familier, ***le plus souvent*** (1808), devenu ***plus souvent*** (1821, écrit *pu souvent*), est une exclamation servant de dénégation ironique, au sens de «sûrement pas», «jamais» ; ***plus souvent que,*** loc. conj., marque très familièrement (1880) le refus d'envisager qqch.

▶ L'adverbe **SOUVENTES FOIS** (v. 1283), ou *souventefois* (xiie s.), s'est écrit *soventes feiz* (v. 1050), *soventes fois* (v. 1175) ; sorti d'usage, il a été repris comme équivalent archaïque ou ironique pour *souvent.*

① **SOUVERAIN, AINE** adj. et n., réfection (XIIe s.) de *suverain* (v. 1050), *soverain* (1160-1170), est issu d'un latin populaire °*superanus* «supérieur» et «souverain», dérivé du latin classique *super* «sur» (→ super-), d'où l'italien *soprano* (→ soprano) et l'ancien provençal *sobiran* (XIe s.), qu'on retrouve dans des noms de famille *(Soubiran)*.

♦ *Souverain*, comme *suprême, supérieur*, qualifie (v. 1050) ce qui dépasse tout par son excellence, d'où *souverain bien** (v. 1225, *souvrain*); l'adjectif s'employait encore à l'époque classique à propos de ce qui est au-dessus des autres dans son genre, de ce qui est extrême *(crainte souveraine)*. Il développe ces valeurs dans les domaines religieux et, surtout, profane, et a eu en ancien français le sens concret de «situé en haut» (v. 1165). ➜ *Souverain* s'applique d'abord à Dieu en tant qu'il détient l'autorité suprême (v. 1112, *suverain*), puis à une personne qui détient le pouvoir politique (1160-1170). De même, l'adjectif s'est d'abord employé dans le domaine religieux pour «surnaturel» (v. 1155), signifiant «relatif à Dieu, à son autorité suprême» (v. 1175). Dans la langue biblique, *Souverain*, n. m. (1550), correspond à l'*Altissimus* de la *Vulgate ;* plus tard, le *souverain des dieux* se dit pour «Jupiter» et *souverain des Enfers* pour «Pluton» (attesté 1876). Pour l'adjectif, *souverain de qqn* «qui a l'autorité sur qqn» (v. 1207) ne s'est pas maintenu, mais le mot signifie encore «qui, dans son domaine, n'est subordonné à personne» (1279; *le peuple souverain*) et s'applique à ce qui émane du pouvoir souverain (fin XIIIe s.). ◇ L'adjectif a signifié «d'un rang supérieur», en parlant d'un seigneur (1258) ou d'un prélat (1285). De cette valeur procèdent pour le nom, aux deux genres, une série d'acceptions sorties d'usage : «maître» (v. 1354), «chef d'une troupe» (v. 1380), «personne qui dirige un travail» (1391), «celui qui est à la tête d'un couvent» (1376) et pour *souveraine*, «celle qui dirige un hôpital» (1403), ces deux emplois ayant été éliminés par *supérieur*, eure*. ◇ Employé comme adjectif dans le domaine juridique, *souverain, aine* signifie «qui juge sans appel», dans *cour souveraine* (1461), *jugement souverain* (1549). Par extension, cet adjectif s'applique à ce qui est supérieur à tout par son efficacité (1538, *remède souverain*), d'où *souverain à* «très efficace pour» (1629). ◇ Aux XVIIe et XVIIIe s., l'adjectif s'est appliqué par figure à ce qui a de l'empire sur les passions (1640), qualifiant aujourd'hui encore ce qui a un très grand pouvoir (1676). ➜ **SOUVERAIN** n. m. désigne en droit la personne physique ou morale en qui réside la souveraineté (v. 1560), sens distinct de celui de «monarque» (ci-dessus), mais ne se répand en ce sens qu'à partir du XVIIIe s. par les ouvrages de Montesquieu, Rousseau ; *le souverain*, dans ce sens, ne s'est pas répandu, à la différence de l'adjectif *(peuple souverain)* et de *souveraineté*.

▸ **SOUVERAINEMENT** adv., réfection (v. 1212) de *souvrainement* (fin XIIe s.), signifie «au plus haut point», parfois péjorativement (1688), et (déb. XIIIe s.) «à un très haut degré de perfection». ◇ L'adverbe s'emploie ensuite pour «avec une autorité souveraine» (fin XIVe s.) et «avec une apparence de supériorité» (1862); il est plus rare dans cette acception. ➜ **SOUVERAINETÉ** n. f., réfection (1288) de *suvrainitet* (v. 1120), apparaît sous cette forme au figuré, signifiant «autorité, puissance suprême», en parlant de la raison, de la justice, puis par extension «autorité (sur qqn, qqch.)» [1288]. ◇ Le mot s'est employé en ancien français avec la valeur concrète de «sommet (d'une montagne, du ciel)» [XIIIe s.]. ◇ Il désigne depuis la fin du XIIIe s. la qualité de souverain, l'autorité suprême d'un souverain (v. 1283, *sovraineté*) et par métonymie, à l'époque classique, le territoire placé sous son autorité (1636). ◇ Il s'est employé aussi au sens de «caractère sans appel (d'une décision)» [1663]. ◇ À partir du XVIIIe s., il désigne le principe abstrait d'autorité, dans le corps politique (1762, Rousseau) et par extension le droit individuel à la décision politique. Par extension (XIXe s.), *souveraineté* s'applique au caractère (d'un État) qui n'est pas soumis à un autre.

② **SOUVERAIN** n. m. est l'adaptation (1834) de l'anglais *sovereign*, lui-même emprunté (1503) au français *souverain*. ◇ Le mot désigne une monnaie d'or anglaise de valeur égale à la livre sterling.

SOVIET n. m. est emprunté (1840) à un mot russe signifiant «conseil, assemblée», formé d'un élément *vjet (v'iet)* qui se rattache à une base indoeuropéenne °*weid-* «voir» (→ voir), et du préfixe *so-* marquant l'idée d'ensemble.

♦ Au XIXe s., le mot s'emploie pour «tribunal suprême» (1840), en parlant de la Russie, et pour «sénat» à propos de la Serbie (1843); ces emplois historiques sont rares. ➜ Reprenant le sens de «conseil ouvrier» qu'il a reçu en russe chez les promoteurs de la révolution bolchevik, il désigne depuis 1917, en parlant de l'ancienne U. R. S. S., un conseil de délégués ouvriers, soldats et paysans. *Soviet suprême* était le nom du parlement de l'U. R. S. S., formé du *Soviet de l'Union* et du *Soviet des nationalités*, chambres des représentants de la nation et des républiques fédérées. Ces acceptions sont aujourd'hui (1991) historiques. Par extension, *soviet* s'emploie (mil. XXe s.) au sens de «comité révolutionnaire» à propos d'autres pays que l'U. R. S. S.

▸ Le mot a fourni en français le dérivé **SOVIÉTIQUE** adj. et n. (av. 1920; 1918, selon Dauzat) «relatif aux conseils révolutionnaires» et par extension «aux bolcheviks», puis «à l'État qui groupe la Russie et plusieurs États d'Europe et d'Asie» dans *Union des Républiques Socialistes Soviétiques*, ou *Union Soviétique*, désignation disparue en décembre 1991. De là vient *soviétique* adj. et n. (1920) «[habitant] de cet État». ◇ **ANTISOVIÉTIQUE** adj. est attesté en 1923. ➜ De l'adjectif procèdent **SOVIÉTISME** n. m. (1920) «système soviétique de gouvernement», sorti d'usage assez rapidement, et **SOVIÉTISER** v. tr. (1921) «soumettre à l'autorité des soviets» et, par extension (XXe s.), «soumettre à l'autorité de l'U. R. S. S. ou d'un parti communiste», ainsi que le dérivé **SOVIÉTISATION** n. f. (1920). ➜ **SOVIÉTOLOGUE** n., composé avec *-logue*, désignait (1960-1991) un spécialiste de la politique de l'U. R. S. S.

SPACE OPERA n. m. (v. 1965) est une expression américaine formée des mots anglais *space* «espace» et *opera* «opéra», de même origine que les mots français, évoquant une mise en scène spectaculaire.

♦ Le mot désigne une œuvre de science-fiction caractérisée par une intrigue grandiose située dans l'espace sidéral ou galactique, de nombreux personnages et une narration couvrant un temps considérable.

SPACIEUX, EUSE adj. est une réfection suffixale (1379; seulement 1535, selon *F. e. w.*) de *spacios* (v. 1120; aussi *espacios*), emprunté au latin *spatiosus* «étendu, vaste» en parlant de l'espace et du temps, dérivé de *spatium* «étendue, espace» (→ espace).

♦ *Spacieux* signifie comme en latin «qui a une grande étendue, où l'on est au large», autrefois en parlant d'un espace libre, de la mer et surtout appliqué aujourd'hui à des espaces aménagés par l'homme *(chambre spacieuse)*. ◇ L'adjectif s'est employé (v. 1572) pour «grand», en parlant d'un arbre.

► Le dérivé **SPACIEUSEMENT** adv. (1549, selon *F. e. w.*), «d'une manière spacieuse», est rare.

SPADASSIN n. m., attesté au XVIe s. (1548), d'abord comme nom propre chez Rabelais (1532, *le Comte Spadassin*), est un emprunt (aussi *espadassin*) à l'italien *spadaccino*, n., littéralement «homme qui manie l'épée», terme péjoratif dérivé de *spada* «épée». *Spada*, d'abord *spata* en ancien italien, est issu, comme le français *épée**, l'espagnol, le portugais *espada*, du latin classique *spatha*, emprunt au grec *spathê*, désignant, entre autres acceptions techniques, une épée longue et plate (→ épaule, espadon, spatule).

♦ Le mot a eu le sens péjoratif de «bretteur habile, homme qui cherche les duels» (1548). ◇ Il désigne par extension (v. 1560, *spadazin;* fin XVIe s., *spadassin*) un assassin à gages, qui autrefois exerçait à l'arme blanche. Tous les emplois sont littéraires ou historiques. ◇ Comme adjectif, le mot *(spadassin, ine)*, qui témoigne de la vogue des italianismes (v. 1560), est sorti d'usage, sauf archaïsme délibéré.

SPAGHETTI n. m. est emprunté (1893 au singulier; 1923, pluriel) à un mot italien *spaghetto* (pluriel *spaghetti*), diminutif de *spago* «corde, ficelle», spécialisé pour désigner des pâtes alimentaires. *Spago* vient du bas latin *spacus* «corde, cordon» (Ve s.), qui pourrait avoir pour origine le grec *sphêkos* de même sens, dont on a une seule attestation, dérivé de *sphêx, sphêkos* (en dorien *sphax*) «guêpe», mot sans étymologie connue.

♦ Le mot désigne des pâtes alimentaires qui se présentent en baguettes fines et longues; dans cet emploi, le pluriel sans *s* (déb. XXe s.) n'est plus en usage. ◆ Il s'emploie par plaisanterie dans l'expression *western* spaghetti* (v. 1975) désignant un western tourné et produit en Italie.

SPAHI n. m. est un emprunt (1553), d'abord écrit *spaki* (1519), *spachi* (1538), au turc, lui-même pris au persan *sipāhī* «soldat», dérivé de *sipāh* «armée, camp». Le mot persan, passé en Inde, a été de là emprunté par le portugais *cipai, cipaio*, lequel via l'anglais, a été repris par le français *cipaye** (1758, *sepay;* 1791, *cipaye*) «soldat hindou au service des Anglais».

♦ Le mot apparaît isolément au XVIe s. dans le récit de voyage de d'Aramon, ambassadeur de France à Constantinople, au sens de «cavalier turc au service du sultan». ◇ Il semble oublié et est ensuite repris au XIXe s. (1842; 1831, selon Bloch et Wartburg) avec sa valeur moderne, désignant un soldat des corps de cavalerie maghrébins créés par l'armée française en Afrique du Nord en 1834; ces unités ont été dissoutes en 1962, mais la dénomination s'est conservée pour certains régiments motorisés de l'armée française.

SPALTE n. m. est emprunté (1756) à l'italien *spalto* «asphalte», issu du bas latin *asphaltus* «bitume», lui-même emprunté au grec *asphaltos* (→ asphalte).

♦ *Spalte* a désigné le bitume de Judée; il a été remplacé par *asphalte**. ◇ Le mot se dit aujourd'hui (1881) du mastic de fontainier qui était à l'origine fait de ce matériau.

SPARADRAP n. m. est la forme refaite, d'après *drap* (v. 1560), de *speradrapu* (1314, Mondeville), d'origine discutée. Certains y voient un emprunt à l'italien *sparadrappo* ou au latin médiéval *sparadrapum*, résultat du croisement entre le latin classique *spargere* «étendre» (→ épars) et le français *drap**. P. Guiraud préfère rattacher le mot à l'ancien français *esparer* «étendre», composé de *parer* «garnir, préparer» et du préfixe *es-* marquant l'idée d'«étendue», le *sparadrap* étant, selon lui, à l'origine un «drap esparé» sur lequel on a étendu un onguent.

♦ Le mot désigne aujourd'hui (mil. XIXe s.) un tissu adhésif utilisé pour maintenir en place de petits pansements.

SPARRING-PARTNER n. m. est un emprunt (1909) à un mot anglais composé (1908) de *sparring* «combat» (1686) et de *partner* «partenaire». *Sparring* dérive de *to spar* «combattre», qui reprend le moyen français *esparer* «mettre (l'adversaire) au sol», du germanique *sparre* «lutte, combat»; *partner* est emprunté à l'ancien français (→ partenaire).

♦ C'est le nom donné à un boxeur servant pendant l'entraînement d'adversaire à celui qui prépare un match.

SPART ou **SPARTE** n. m. est emprunté (1532, *sparte*) au latin classique *spartum* «jonc servant à faire des nattes», lui-même emprunté au grec *spartos*, désignation de la plante que les Grecs découvrirent en Espagne et rapportèrent en Orient, avant d'en diffuser le nom en Occident (cf. catalan *espart;* espagnol, portugais *esparto*). Le nom de cette plante, qui servait à tresser des cordes et des corbeilles, se rattache à *sparton* «corde, cordage», à rapprocher peut-être de mots grecs dont la racine signifierait «plier, entourer, envelopper», comme *speira* «repli, spirale» (→ spire). On relève en français les variantes *espart* et *épart* (1723) jusqu'au milieu du XIXe siècle.

♦ Le mot désigne plusieurs plantes graminées, utilisées notamment pour la fabrication de cordages, de nattes, de tissus, etc. et, spécialement, de l'alfa et du genêt d'Espagne employé en sparterie. Repris au XIXe s., sous la forme *spart* (1845), il a vieilli.

▶ Le mot a fourni plusieurs dérivés. ◆ **SPARTERIE** n. f. (1752) désigne la fabrication d'objets en sparte, un ouvrage fabriqué avec le sparte (1803) ou un textile végétal analogue et spécialement (XIXe s.) une natte tressée d'usage décoratif. ◆ **SPARTÉINE** n. f., terme de médecine, est emprunté (1863) à l'anglais *spartein* (1851), dérivé du latin moderne *spartium* (1694, «genêt d'Espagne») et désigne un alcaloïde d'abord extrait du genêt à balais et utilisé comme cardiotonique. ◆ **SPARTEX** n. m. (XXe s.), terme technique, est le nom donné, par analogie, à un canevas de jute qui imite la sparterie.

SPARTAKISTE n. et adj. est emprunté (1916) à l'allemand *Spartakist* «membre du groupe Spartacus», dérivé de *Spartakusbund* «groupe Spartacus», composé de *Bund* «lien», «union, alliance», de même origine que *bande* (→ bande), et de *Spartakus,* transcription allemande du latin *Spartacus,* nom du chef des esclaves romains révoltés en 71 av. J.-C.

♦ Ce terme d'histoire désigne un membre du mouvement socialiste et communiste allemand (1914-1919) animé par Karl Liebknecht et Rosa Luxemburg.

▶ En dérive **SPARTAKISME** n. m. (1916) «mouvement des spartakistes».

SPARTIATE n. et adj. est un emprunt (1580, Montaigne) au latin classique *Spartiatae (Spartiates)* «habitant de Sparte», qui reprend lui-même le grec *Spartiatês,* dérivé de *Spartê* «Sparte», (ou Lacédémone), ville du Péloponnèse, nom d'origine obscure. On a tenté un rapprochement avec *sparton* (→ spart), avec l'idée d'enclos, mais sans certitude.

♦ *Spartiate,* «habitant de Sparte» (1580), s'applique à ce qui est propre à la classe aristocratique de Sparte (1738). ◇ Par référence aux mœurs et aux coutumes des aristocrates de la république lacédémonienne, il se dit de ce qui est austère, évoque le courage stoïque des Spartiates (1830), par exemple dans la locution adverbiale ***à la spartiate*** (1784). Dans ce sens, il est parfois substantivé (1872, *in* Littré). ◇ Il qualifie en histoire (1876) ce qui est relatif à Sparte et à ses habitants.

▶ **SPARTIATE** n. f., emploi spécialisé du nom, désigne, surtout au pluriel (1947), une sandale faite de lanières de cuir croisées.

SPASME n. m. est la réfection, d'après le latin (v. 1300), de l'ancien français *espame* (1244), *espasme* (1256), emprunté au latin *spasmus* «convulsion», lui-même emprunt au grec *spasmos,* dérivé de *spân* «tirer, tirailler, disloquer» (→ pâmer), mot sans origine connue.

♦ Le mot a d'abord été employé au sens d'«évanouissement», encore relevé au XVIe s. et noté «vieux» chez Malherbe. ◇ *Spasme* désigne, à partir du XIVe s. (1314), la contraction brusque et involontaire de certains muscles, spécialement (1887, Zola) une réaction convulsive de l'orgasme. *Spasme de chien* (1690), «rire sardonique», a été remplacé par *spasme cynique* (1812).

▶ Les dérivés de *spasme* sont sortis d'usage ; quelques termes didactiques ont été formés sur son radical.
SPASMOGÈNE adj. (1897), de *-gène,* qualifie ce qui provoque le spasme. ◆ Il est opposé à **SPASMOLYTIQUE** adj. (mil. XXe s.), de *-lytique.* ◆ **SPASMOPHILIE** n. f. (1907), de *-philie,* se dit d'une tendance aux spasmes musculaires et viscéraux due à une hyperexcitabilité nerveuse et musculaire et a fourni **SPASMOPHILIQUE** adj. (v. 1950). ◆ Quelques termes de médecine indiquent la nature du spasme, par exemple **LARYNGOSPASME** n. m. (1892), de *laryngo-* (→ larynx), «contraction spasmodique du larynx» et **ANGIOSPASME** n. m. (1931), de *angio-,* «contraction spasmodique d'un vaisseau sanguin».
Le latin impérial *spasticus* «qui a des spasmes», qui reprend le dérivé grec *spastikos,* a été emprunté en français, d'abord sous la forme du composé *antispastic* adj. (1598), puis *antispastique* (1752) qualifiant un remède révulsif, puis sorti d'usage ; le simple **SPASTIQUE** adj. (1795) est un équivalent rare de *spasmodique* et a pour dérivé **SPATICITÉ** n. f. (v. 1970).
SPASMODIQUE adj. est emprunté (1721) à l'anglais *spasmodic* (1681), terme de médecine, lui-même emprunté au grec *spasmôdês* «convulsif», tiré de *spasmos.* L'adjectif qualifie ce qui est provoqué par le spasme (1721, *rire spasmodique*), ce qui est sujet aux spasmes *(estomac spasmodique).* Il s'emploie au figuré (XXe s.) au sens de «brusque et interrompu». ◇ En dérivent **SPASMODIQUEMENT** adv. (1835) et le terme de physiologie **SPASMODICITÉ** n. f. (1906) «disposition aux spasmes». ◆ Le composé **ANTISPASMODIQUE** adj. (1740), de ① *anti-,* s'applique à ce qui combat les spasmes. Il est substantivé depuis le XVIIIe s. (1752).

SPATH n. m., introduit dans l'*Encyclopédie* (1751) à l'article *calcite,* est un des nombreux emprunts à l'allemand dans le domaine de la minéralogie (cf. le composé *feldspath**).

♦ C'est le nom générique, vieilli dans le vocabulaire scientifique mais encore vivant dans l'usage courant, des minéraux à structure lamellaire. Le mot spécifié, s'emploie dans *spath d'Islande* (1791) dit aussi *cristal d'Islande, spath adamantin* «variété brune de corindon» (1791).

▶ Le dérivé **SPATHIQUE** adj. (1757) qualifie ce qui a l'aspect du spath.

SPATHE n. f., réfection savante (1555) de *espate* (1360), est un emprunt au latin *spatha* (tardivement *spata*) qui a divers sens spécialisés : «battoir», «spatule», «épée longue», «bractée du palmier». *Spatha,* qui a abouti au français *épée**, est lui-même emprunté au grec *spathê,* nom de divers objets longs et plats, «latte de bois», «épée longue et plate», «spatule», «omoplate» (→ épaule, spadassin, spatule).

♦ Le mot a repris plusieurs valeurs de l'étymon latin, désignant d'abord une cuiller à long manche, une spatule en fer servant à tourner les aliments pendant leur cuisson; cette valeur ne s'est pas conservée. ◇ En archéologie, le mot désigne (1555; aussi *spata,* 1655) une épée à large lame que portaient les Gaulois et les Germains. ◇ Par analogie, il a eu le sens de «scalpel» (1721, *spatha*) et désigne en botanique (1743) une grande bractée en forme de sac.

▸ *Spathe* a fourni des termes de botanique, tels **SPATHIFLORE** adj. (1842), qualifiant une plante dont les fleurs sont entourées d'une spathe, et **SPATHIFLORALES** n. f. pl. (XXe s.), ordre de monocotylédones spathiflores.

SPATIAL, ALE, AUX adj. est un dérivé savant (1889 chez Bergson) du latin *spatium* «étendue, espace», «durée», «temps, délai» (→ espace).

♦ L'adjectif qualifie ce qui est relatif à l'espace; il est employé spécialement en cristallographie (1949, *charge spatiale*). ◇ De didactique l'adjectif est devenu courant (apr. 1957) quand il s'est appliqué à l'espace interplanétaire ou interstellaire; avec le développement des techniques d'exploration, il entre dans de nombreux syntagmes : *vol spatial, navette spatiale, biologie spatiale,* etc. ◇ *Spatial,* à la mode vers 1960 (comme *atomique* l'était v. 1950) au sens de «magnifique, étonnant», ne s'est pas répandu.

▸ L'adjectif a fourni plusieurs termes didactiques. ➛ **SPATIALITÉ** n. f. (1906) désigne le caractère de ce qui est spatial. ➛ **SPATIALISER** v. tr. (1907) signifie «donner à (qqch.) un caractère spatial»; il s'est dit (1907) pour «projeter dans l'espace» et s'emploie aujourd'hui (v. 1970) pour «adapter (un engin, un appareillage) aux conditions de l'espace». ◇ En dérive **SPATIALISATION** n. f. (1940). ➛ **SPATIALEMENT** adv. (1916) signifie «relativement à l'espace». ➛ **SPATIONAUTE** n. (1962), formé d'après *aéronaute,* désigne un membre de l'équipage d'un engin spatial; il ne s'est pas imposé, non plus que **SPATIONEF** n. m. (1963), formé de *nef,* d'après *aéronef.* ➛ Sur le modèle d'*aéronautique* a été composé **SPATIONAUTIQUE** n. f. (v. 1973) «science de la navigation spatiale».
L'élément **SPATIO-**, tiré de *spatial,* est le premier terme de quelques composés didactiques, par exemple **SPATIO-TEMPOREL, ELLE, ELS** adj. (1904) «qui se rapporte à la fois à l'espace et au temps».

◈ voir **AÉROSPATIAL** (art. **AÉRER**).

SPATULE n. f. est la réfection savante (1464) de *espatule* (1377) encore relevé au XIXe s., emprunt au bas latin *spat(h)ula* «épaule (d'animal)», «spatule», «petite branche de palmier» et «borne». À l'époque médiévale, *spathula* désigne l'épaule de l'homme et celle du porc, d'où le sens métonymique de «droit seigneurial de prendre les épaules des porcs sauvages tués» (1088-1091); on relève aussi le sens d'«épée courte» (1194). *Spat(h)ula* est le diminutif du latin classique *spatha* «battoir», «spatule», «épée large et longue» (→ épée, spathe), lui-même emprunt au grec *spathê,* de même sens, que l'on rapproche des noms germaniques de la bêche (cf. l'allemand *Spaten*).

♦ Le mot désigne un instrument large et aplati à un bout, utilisé en chirurgie, puis en pharmacie, en peinture, également en maçonnerie (1876) et en cuisine. Il a eu le sens de «scalpel» (1519), disparu, et il a désigné (1752, *espatule*) un arbuste ébranché avec lequel on tournait le lait caillé. Par analogie, *spatule* est le nom donné (1664) à un oiseau échassier dont le long bec, élargi et aplati à son extrémité, rappelle une spatule. ➛ Le mot se dit par ailleurs de l'extrémité antérieure relevée d'un ski (1912) et de l'extrémité évasée d'un manche de cuiller, de fourchette (XXe s.). ◇ *En spatule* s'emploie au sens de «large et plat du bout» *(doigts en spatule).*

▸ Du nom dérive **SPATULÉ, ÉE** adj. (1778) «en spatule», didactique. ➛ Le composé didactique **SPATULIFORME** adj. (XXe s.), de *-forme,* qualifie ce qui est en forme de spatule.

SPEAKEASY n. m. est un emprunt (1930, P. Morand) à un mot américain composé (1889) de *to speak* «parler» (→ speaker) et de *easy* adv. «tranquillement, facilement», dérivé de *ease* «tranquillité, bien-être», emprunté à l'ancien français *aise.*

♦ *Speakeasy* désigne un local (cabaret, tripot clandestin) où l'on servait clandestinement des boissons alcoolisées pendant la prohibition aux États-Unis.

SPEAKER n. m. est un emprunt politique (1649) à un mot anglais attesté au début du XIVe s. (1303), signifiant «celui qui parle» d'où «orateur» et désignant spécialement (1400) le président de la Chambre des communes, en Angleterre. *Speaker* dérive de *to speak* «parler», qui a pour correspondants le néerlandais *spreken,* l'allemand *sprechen;* ces formes se rattachent à une base germanique *sprek-* «faire un bruit».

♦ *Speaker* est passé en français avec le sens de «président de la Chambre des communes», en Angleterre; repris au XIXe s., le mot désigne (1876) le président d'une législation coloniale, puis de la Chambre des représentants, aux États-Unis. Au XIXe s., *speaker* s'est employé au sens anglais d'«orateur» (1866), sorti d'usage. ◇ Il s'est spécialisé pour désigner (1904) une personne chargée d'annoncer au public des résultats sportifs, puis (1931) un présentateur d'émissions, de programmes, à la radio et à la télévision; pour ces deux dernières valeurs, le mot anglais correspondant n'est pas *speaker* mais *announcer* (1922, en ce sens) «annonceur». *Speaker* est tout à fait passé dans l'usage français, mais les puristes lui préfèrent *annonceur* (autre anglicisme) ou *présentateur.* ➛ Avec cette valeur, le français a dérivé **SPEAKERINE** n. f. (1941 «présentatrice d'un spectacle»; en radio dès 1934), faux anglicisme aussi critiqué que le masculin, notamment pour son suffixe emprunté à l'allemand.

▸ Le composé **TÉLÉSPEAKERINE** n. f. (v. 1970), de *télé,* a rapidement vieilli.

◈ voir **SPEECH**.

✱ **SPÉCIAL, ALE, AUX** adj. et n. représente la réfection (v. 1190) de *especiel* (v. 1130), *especial* (v. 1150), emprunt au latin impérial *specialis* «spécial, particulier», «propre à», opposé à *generalis* (→ général, adj.); cet adjectif dérive du latin classique *species* «vue», «aspect», «belle apparence» (→ spécieux) et, dans la langue philosophique, par traduction du grec *eidos* (→ -ide, idéo-), «ce par quoi se manifeste une notion» (→ espèce).

♦ L'adjectif s'applique d'abord, comme le latin *specialis,* à ce qui constitue une espèce, une sorte de choses, opposé à *général,* et qualifie (1160-1170) ce qui présente des caractères particuliers dans son genre. Avec cette valeur, il a qualifié jusqu'au XVIe s. une amitié étroite (1339), comme l'ancien provençal *especial* (XIIIe s.) «intime», une personne remarquable par sa sagesse (1359), une personne très dévouée (v. 1430) et une chose rare (1501). ◇ Il entre dans la locution *par especial* «en particulier» (1309), encore en usage au XVIIe s. (1619, *par special*). ◇ Cette idée de «singularité», de «particularité» est reprise au XIXe s. dans plusieurs domaines : *école spéciale* s'est dit de l'une des écoles où les jeunes gens achevaient leurs études (1812); on emploie toujours l'expression *mathématiques spéciales* (1872) pour désigner une classe de préparation aux grandes écoles, d'où familièrement *spéciale* n. f. (1872, n. f. pl.), abrégé en *spé* (souvent *maths spé*). *Armes spéciales,* autrefois (1876) nom de l'artillerie et du génie, est le nom donné aux armes nucléaires, chimiques et bactériologiques, par opposition à *armes classiques. Fonds spéciaux* se dit (1876) pour «fonds secrets». En droit, *cas spécial* désignait (1872) un crime déféré à la Chambre des pairs, sous Louis-Philippe. ➜ Au cours du XIXe s., par la multiplication des subdivisions du savoir et des pratiques, l'adjectif devient essentiel dans de nombreux domaines dont l'ampleur exige un découpage. Aussi, en linguistique et dans ce dictionnaire même, *spécial* qualifie un sens, un emploi plus restreint (en extension) et plus précis, par rapport à un sens, à un emploi antérieur plus général. ◇ Dans le vocabulaire familier, l'adjectif a pris au début du XXe s. (1904) le sens péjoratif de «bizarre, qui n'est pas accepté par tous», parfois mélioratif et presque admiratif. Il s'emploie par euphémisme dans *mœurs spéciales* «homosexuelles», c'est-à-dire déviantes par rapport à la norme sociale (XXe s.). ◇ *Un spécial* n. m. s'emploie en français du Québec pour désigner un article exceptionnel vendu à un prix spécial.

▸ **SPÉCIALEMENT** adv., réfection graphique (1297) de *spécialment* (v. 1120), s'oppose à *généralement* et a des emplois proches de *particulièrement. Pas spécialement* (attesté en 1922) équivaut familièrement à «pas tellement, assez peu». ➜ **SPÉCIALISER** v. tr. est attesté isolément au sens de «préciser» (v. 1535, intr.), disparu. Le verbe est aussi sorti d'usage pour «indiquer d'une manière spéciale» (1819; 1823, pron.). ◇ En français actuel, il signifie «donner un emploi déterminé et restreint à (qqn)» [1835] et s'emploie aussi pronominalement dans ce sens (1891). ◇ En dérivent **SPÉCIALISATION** n. f. (1825, A. Comte), «action de (se) spécialiser» et «ce qui est spécialisé», et **SPÉCIALISÉ, ÉE** adj. (av. 1931). Ces deux mots sont devenus courants avec le développement des savoirs et activités, sciences et techniques. Pour *ouvrier spécialisé,* → ouvrier.

SPÉCIALISTE n. et adj. désigne une personne qui a des connaissances particulières (1832, n. m.) et, notamment, qui s'est spécialisée dans une branche d'études (1842, comme nom et comme adjectif); de là vient l'emploi pour un médecin qui se consacre principalement au traitement de tel genre de maladies (1872), opposé à *généraliste.* ◇ Par figure, *spécialiste de* s'applique familièrement à une personne coutumière d'une chose (attesté 1920, n. et adj.). ➜ **SPÉCIALISME** n. m. signifie «caractère spécial» (1876) et «spécialisation» (1877); il est rare.

SPÉCIALITÉ n. f., réfection (1320) de *especialité* (v. 1250), est emprunté au dérivé bas latin *specialitas* «qualité distinctive». ◇ Le mot a d'abord désigné le caractère de ce qui n'est pas général, acception surtout vivante en droit jusqu'au XVIIIe siècle. Il s'est dit pour «amitié étroite» (v. 1270), jusqu'à l'époque classique, et en droit pour «cas particulier» (v. 1283) et «renonciation particulière à un bien, à un droit» (1461; 1379, *especiauté*). ◇ Il demeure comme terme juridique dans *spécialité hypothécaire* (1690), *spécialité budgétaire* (1835), etc. ◇ Dans le vocabulaire général, et parallèlement à *spécial* avec ses dérivés, le mot devient plus courant au XIXe s., désignant (1823 Las Cases, *in* T.L.F.) un ensemble de connaissances sur un objet d'étude limité et (1837) une activité déterminée, d'où *spécialité médicale* (1876). ◇ Par métonymie, *spécialité* se dit (1842) d'un produit originaire d'une région, répandu en ce sens vers 1930, et d'un plat dans lequel excelle un cuisinier (1875). ◇ On emploie aussi le mot en pharmacie pour parler d'un médicament qui est la spécialité d'un fabricant ou d'un inventeur (1875). ◇ Par figure et familièrement, *la spécialité de qqn* désigne un comportement personnel, souvent considéré comme déplaisant (1860).

SPÉCIATION n. f. est un emprunt (v. 1950) à l'anglais *speciation* (1906) «formation d'espèces, de types», terme de biologie, construit sur le latin classique *species. Spéciation* conserve le sens de l'anglais.

SPÉCIFIER v. tr. est la réfection d'abord sous la forme *specefier* (1290), refait en *spécifier* (XIVe s.) d'après le latin, de *especefier* (v. 1260; 1292, ancien provençal *especificar*), forme demi-savante proche de *espèce* et dont on relève jusqu'au XVIe s. les variantes *especifier* (1283), *espacifier* (1337), *exspecifier* (XVIe s.). Ce verbe est emprunté au bas latin *specificare* (IVe s.) «distinguer, séparer», composé du latin classique *species* au sens d'«espèce*» et de *facere* «faire*». ➜ Le mot signifie, dès le XIIIe s., «désigner ou caractériser (une chose) pour la distinguer des choses du même genre». Il s'est employé spécialement à l'époque classique (1653, La Rochefoucauld) aux sens de «décrire (qqn, qqch.) avec minutie» et, en science, de «définir comme espèce» (1690). *Se spécifier* a signifié «devenir spécifique» (1840). ➜ Le dérivé **SPÉCIFICATIF, IVE** adj. s'applique (1314) à ce qui sert à spécifier, en termes administratifs. Il s'est employé spécialement (1842) pour qualifier un mot qui restreint à une partie ce qui semblait concerner le tout. ➜ **SPÉCIFICATION** n. f. (1375), d'abord écrit *speciffication* (1341), est un emprunt au latin médiéval *specificatio* (1277), de *specificatum*, supin de *specificare*. ◇ Le nom est didactique pour désigner (1341) l'action de déterminer une chose. ◇ D'après le latin *species* «apparence», il a eu en moyen français les sens de «vision» (1375, isolément), «apparence extérieure» (1440-1475). ◇ Au XVIIe s., *spécification* entre dans le vocabulaire du droit, désignant (1685) la formation d'une chose nouvelle par le travail d'une personne sur la matière mobilière appartenant à une autre. Le mot désigne ensuite (1790) la description exacte d'un brevet d'invention et en logique (1904) la distinction des espèces d'un même genre. Par extension, il s'emploie (1949) pour parler de la détermination des caractères d'un produit, d'une installation, d'un matériel, et spécialement des caractéristiques établies par un cahier des charges.

SPÉCIFIQUE adj. est emprunté, isolément au XIIIe s. et repris en moyen français (v. 1380 ; 1516, in *F. e. w.*), au bas latin *specificus* (déb. VIe s.), dérivé de *specificare*. ◇ L'adjectif se dit (1503) de ce qui est propre à une espèce, à une sorte de chose et à elle seule, d'où *un spécifique* (1767), «caractère propre à une espèce», encore relevé en 1836. Il est d'usage courant pour qualifier ce qui est propre à une chose (1534) mais reste didactique, lié à l'idée d'«espèce», en science ; par exemple en physique avec *gravité spécifique* (1691), *pesanteur spécifique, chaleur spécifique* (1836), *poids spécifique* (1845) ; en médecine, avec *remède spécifique*, ou *un spécifique* n. m. (1694) «médicament propre à guérir une maladie particulière». L'adjectif s'applique notamment à ce qui est relatif à une espèce animale ou végétale (1770, Buffon). En grammaire, *nom spécifique* (1783) désigne un nom ajouté à un nom générique pour distinguer chaque espèce du genre. ◇ *Droits spécifiques* (1866) désigne les droits de douane perçus d'après la nature des produits importés. ➛ *Spécifique* s'est employé par extension à l'époque classique au sens de «précis, déterminé» (1655), sorti d'usage. L'idée d'«espèce déterminée» explique l'emploi vieilli en médecine de *maladie spécifique* (1862) pour *syphilis*, d'où *spécifique* n. m. «syphilitique» (1923), sorti d'usage. *Maladie spécifique* a pris une valeur plus générale, désignant une maladie dont l'étiologie est bien établie (1923), ainsi que dans *microbe, germe... spécifique* (1890) «pathogène pour une seule maladie». ➛ Le dérivé **SPÉCIFIQUEMENT** adv. «d'une manière spécifique» est attesté sous cette forme au XIVe (1366), puis au XVIe s. (1534). Le mot a plusieurs variantes en moyen français, sous l'influence de formes du verbe : *specificement* (1310), *specifiement ; especefieement* (1309), *especifiement* (1311), sont formés d'après *especefier, especifier*. ➛ **SPÉCIFICITÉ** n. f. a été dérivé tardivement (1832) de *spécifique ;* le mot s'emploie en médecine (1836) et avec une valeur générale (1842), mais dans l'usage didactique. ➛ *Spécifique* a pour contraire **ASPÉCIFIQUE** adj. (1963), de ② *a-*, et a fourni un autre composé, **INTERSPÉCIFIQUE** adj. (mil. XXe s.), de *inter-*, appliqué en biologie à ce qui concerne deux espèces différentes et leurs relations.

◈ voir SPÉCIEUX, SPÉCIMEN.

SPÉCIEUX, EUSE adj. est emprunté (v. 1370) au latin *speciosus* «de bel aspect, d'extérieur brillant» et «qui n'a qu'une apparence de vérité» ; cet adjectif latin dérive de *species* «vue, regard», «aspect, apparence» et avec une valeur laudative «belle apparence, beauté» ; s'opposant à *res* «la réalité», il signifie «faux-semblant, prétexte». Dans le vocabulaire de la philosophie, il sert à traduire le grec *eidos* au sens d'«espèce» (→ espèce, spécial).

♦ Le sens de *spécieux* le détache de la série de *spécial*, de même origine. L'adjectif est introduit avec le sens propre du latin, appliqué à ce qui a une belle apparence, à ce qui est attrayant, emploi disparu à l'époque classique. ◇ Le mot s'est aussi employé comme nom masculin (fin XVIIe s.). Au XVIIe et jusqu'à la fin du XVIIIe s. on a parlé d'*algèbre spécieuse*, plus tard d'*arithmétique spécieuse* (1762), à cause de la beauté mathématique du calcul des quantités représentées par des lettres (→ algèbre) ; l'adjectif s'opposait à *nombreuse* («des nombres»). ◇ *Spécieuse*, n. f., était le nom (v. 1668) d'une variété de tulipe pourpre. Par extension, *spécieux* a signifié «distingué, illustre» (déb. XVIIe s., Malherbe). ➛ Aujourd'hui, et depuis la fin du XVIe s. (d'Aubigné), l'adjectif se dit d'un argument, d'un prétexte (1641) qui ne présente qu'une apparence de vérité et donc destiné à tromper.

▸ **SPÉCIEUSEMENT** adv. est sorti d'usage au sens de «splendidement» (1569). Au XVIIe s., il a suivi l'emploi moderne de l'adjectif et signifie «en trompant avec les apparences de la vérité» (1690). ➛ **SPÉCIOSITÉ** n. f., dérivé savant de l'adjectif ou emprunté au dérivé bas latin *speciositas*, a signifié «beauté» (fin XVe s.) ; il est littéraire et rare pour désigner (1836) le caractère de ce qui est spécieux.

SPÉCIFIER, SPÉCIFIQUE → SPÉCIAL

SPÉCIMEN n. m. est emprunté (1662, puis 1823) à l'anglais *specimen* «modèle, échantillon» (1610), lui-même emprunt au latin *specimen* «preuve, indice, exemple», «modèle, type», dérivé de *specere* «regarder» (→ spectacle).

♦ *Spécimen* conserve d'abord le sens de l'anglais ; «individu qui donne une idée de l'espèce à laquelle il appartient». Il s'emploie spécialement (1876) à propos d'un exemplaire d'un livre, d'une revue (ou seulement une partie) offert gratuitement, et aussi d'un échantillon. Par péjoration, il s'emploie familièrement (v. 1950) pour parler d'un individu qui choque par son comportement, selon la même évolution que *type**.

SPECTACLE n. m. est un emprunt savant (v. 1200) au latin classique *spectaculum* «vue, aspect», spécialement «spectacle du cirque, du théâtre», d'où par métonymie «théâtre, amphithéâtre» et au pluriel *(spectacula)* «places au théâtre», enfin en latin impérial «choses admirables, merveilles». *Spectaculum* dérive de *spectare* «regarder», «observer, contempler», en particulier «regarder un spectacle» et au figuré «faire attention à», «avoir en vue», en parlant de lieux «avoir vue sur». Ce verbe est le fréquentatif de *specere* «regarder», «apercevoir», verbe archaïque passé en français par ses composés (→ inspecter) et un grand nombre de dérivés (→ aspect, dépit, épice, espèce) qui se rattache à une racine indoeuropéenne °*spek-* «observer». La variante *spicere* se retrouve dans *répit**. Cette racine existe en germanique (→ épier, espion). ◇ *Spectaculum,* d'où vient aussi l'allemand *Spektakel,* avait fourni au début du XIIe s. (v. 1130) *épitacle,* forme altérée par croisement avec le latin classique *epitaphium* «épitaphe*». On relève en outre en ancien français *expectacle* (v. 1250) et en moyen français *spectable* (1466), sous l'influence du latin classique *spectabilis* «visible, en vue», autre dérivé de *spectare.*

♦ *Spectacle* désigne un ensemble de choses qui attire le regard, est susceptible d'éveiller des émotions; avant la fin du XIIIe s., le mot reprend un autre sens du latin, «divertissement présenté au public»; cette acception, introduite à propos des mystères (v. 1280), ne se développe qu'à partir de la Renaissance. ➜ *Spectacle,* avec sa première valeur, se dit du fait de voir, de contempler (1355, *le spectacle de qqch.*) et entre dans la locution *estre a spectacle* «exposé à la vue» (1355), devenue à l'époque classique *être en spectacle* (1694) et ensuite sortie d'usage. En moyen français, le mot a désigné par métonymie une personne qui attire les regards, l'admiration de tous (1455) et un ensemble d'idées qu'observe l'esprit (1461); cet emploi avait disparu au XVIIe siècle. ◇ Depuis le début du XVIe s., le mot désignait aussi le lieu (théâtre, tréteaux) où se déroule un spectacle (v. 1508). ◇ Cette seconde valeur agit à partir de l'époque classique sur la première et l'idée d'«être à la vue d'un public» se réalise dans plusieurs expressions et locutions : *servir de spectacle* «être exposé à la risée publique» (v. 1592), est archaïque; ***se donner, s'offrir en spectacle*** «s'exposer aux regards, se faire remarquer» (1669), souvent avec une idée d'inconvenance ou d'excentricité, comme ***donner en spectacle*** «exposer à la vue de tous» (1690), sont restés vivants. ◇ Le mot s'emploie avec un sens technique jusqu'à la fin du XIXe s., *le spectacle* désignant la mise en scène, tout ce qui s'adresse à la vue (1675), acception qui subsiste dans la locution ***à grand spectacle*** (1797), appliqué au théâtre et au XXe s. au cinéma. ◇ En histoire, *spectacle,* n. m. pl., désigne les jeux du cirque et de l'amphithéâtre chez les Romains (v. 1370), sens repris aux auteurs latins. ◇ Au XXe s., *le spectacle* se dit de l'ensemble des activités du théâtre, du cinéma, du cirque, etc. et spécialement des variétés. Ce sens est aujourd'hui en concurrence avec l'américanisme *show-biz, show-business*,* et donne lieu à des métonymies, notamment pour «milieu des gens du spectacle», «activité économique du spectacle». Le mot a pris un sens particulier, désignant ce qui est organisé pour être montré comme un spectacle (1967, G. Debord, *La Société du spectacle,* titre); on parle aussi de l'*État-spectacle* (R.G. Schwartzenberg). D'innombrables activités (sport, etc.) étant organisées selon les lois du spectacle, le mot, dans le vocabulaire des canaux de diffusion (médias), par exemple dans *industries du spectacle,* englobe des contenus de plus en plus larges, correspondant à la notion américaine d'*entertainment* («distractions»).

▸ **SPECTACULAIRE** adj., dérivé savant et récent (1907) d'après le latin *spectaculum,* s'applique à ce qui concerne le spectacle. Il est alors didactique, l'usage courant qualifiant ce qui parle aux yeux et à l'imagination (1933) et par extension ce qui frappe l'imagination, équivalant à *impressionnant* (1937), et aussi employé comme nom.

SPECTATEUR, TRICE n. est un emprunt savant (v. 1375) au latin *spectator* «observateur», «témoin», «spectateur (au théâtre)» et «critique», dérivé de *spectatum,* supin de *spectare.* ◇ Le mot ne s'emploie qu'au masculin jusqu'au XVIe s. (n. f., 1579) pour désigner le témoin d'un événement, d'une action, en concurrence avec *regardant* n. m., mot qui disparaît dans ce sens au milieu du XVIIe siècle. ◇ *Spectateur* prend à la Renaissance (1553) le sens de «personne qui assiste à un spectacle», puis désigne en particulier la personne qui observe une action sans y participer (1637). ◇ *Spectateur* a aussi désigné, par extension (XVIIIe s.), la personne imaginaire prise comme référence quand on décrit un ensemble spatial; dans ce sens, il a été remplacé par *observateur.* ➜ Le composé **TÉLÉSPECTATEUR, TRICE** n. (1949), de *télé*(vision) est usuel.

SPECTRE n. m. est un emprunt (1524) au latin *spectrum* «simulacre» et «spectre», terme créé pour traduire le grec *eidôlon* (→ idole), de *eidos* «forme, apparence»; *spectrum* dérive de *specere* «regarder» (→ spectacle), mais son sens le détache de la série lexicale issue de ce verbe latin.

♦ Le mot désigne l'apparition plus ou moins effrayante d'un esprit ou d'un mort (1586). ◇ Reprenant le sens latin de «simulacre», *un spectre de* (qqch.) a signifié «une fausse idée de (qqch.)» [v. 1630]. Par analogie, *spectre* équivaut à «vision vague et effrayante» (1640) et s'employait pour désigner une personne très maigre dont l'aspect fait penser à un cadavre (1694). *Le spectre de,* par métaphore (1791 dans Sade), signifie «ce qui épouvante» (*le spectre de la guerre,* etc.). ➜ Par analogie d'aspect, *spectre* s'emploie pour nommer divers animaux : une coquille du genre cône (1736), un papillon de nuit du genre sphinx (1842), valeurs disparues; une chauve-souris (1803; *spectrum vespertilio,* chez Linné), un phasme (1876) et un tarsier, primate nocturne aux mouvements très lents (XXe s.).

Par ailleurs, *spectre* apparaît en optique (1720) dans une traduction de Newton, qui utilisait en anglais (1671) le latin *spectrum;* le mot désigne couramment les images (grec *eidolon*) juxtaposées, formant une suite ininterrompue de couleurs, et correspondant à la décomposition de la lumière blanche. En physique, il s'emploie pour désigner la décomposition d'un rayonnement complexe, suivant la longueur d'onde, la fréquence ou d'autres quantités, et se dit de la distribution qui résulte de cette décomposition; il entre avec cette valeur dans de nombreux syntagmes didactiques, par exemple *spectre d'absorption* (1875), *spectre magnétique* (1883), *spectre infrarouge, ultraviolet, spectre atomique.* Par extension, *spectre de masse* désigne un spectre qui reflète la distribution des masses dans les atomes ionisés (1949). ◇ Une valeur métaphorique, «domaine d'efficacité», est attestée en 1969, notamment dans le domaine médical *(antibiotique à large spectre)*.

▸ Le dérivé **SPECTRAL, ALE, AUX** adj. s'applique (av. 1856 Baudelaire) à ce qui a l'apparence d'un spectre, d'un revenant ; le mot est certainement antérieur (cf. *spectralement*). ◇ *Spectral* est également utilisé en physique, qualifiant ce qui s'effectue à l'aide de l'étude des spectres (1861, *analyse spectrale*, à propos de Bunsen et Kirchhoff), ce qui constitue un spectre *(bande spectrale)* et ce qui apparaît et est observé dans un spectre *(raie spectrale)*. ◆ **SPECTRALEMENT** adv. (1847) correspond au premier sens de l'adjectif. **SPECTRO-**, premier élément, entre dans la composition de mots savants, en physique, parmi lesquels : **SPECTROMÈTRE** n. m. (1863) de *-mètre*, «appareil d'étude des spectres» et **SPECTROMÉTRIE** n. f. (1872) de *-métrie*, «analyse spectrale» ; **SPECTROSCOPE** n. m. (1863) de *-scope*, «instrument qui disperse un rayonnement sous forme de spectre» et **SPECTROSCOPIE** n. f. (1864) de *-scopie*, «branche de la physique concernant l'analyse spectrale», branche essentielle de l'astrophysique. ◇ En dérivent **SPECTROSCOPIQUE** adj. (1864) et **SPECTROSCOPISTE** n. (1876). **SPECTROPHOTOMÈTRE** n. m. (1888), de *photomètre*, désigne un «appareil qui permet de comparer les intensités des radiations simples de deux sources». ◆ **SPECTROGRAPHE** n. m. (1902), emprunté à l'anglais *spectrograph* (av. 1884 Draper), est le nom d'un appareil permettant d'enregistrer un spectre, photographiquement ou par d'autres procédés. Il a fourni **SPECTROGRAMME** n. m. (XXe s.) de *-gramme*, «photographie ou dessin reproduisant un spectre» et **SPECTROGRAPHIE** n. f. (1934), d'où **SPECTROGRAPHIQUE** adj. (1934) qui ont succédé à **SPECTROPHOTOGRAPHIE** n. f. (1889) et **SPECTROPHOTOGRAPHIQUE** adj. (1893), lesquels ont disparu. D'autres composés, comme **SPECTROHÉLIOGRAPHE** n. m. (1906 ; emprunt probable à l'anglais), **SPECTROCOLORIMÈTRE** n. m. (1928) et leurs dérivés, enrichissent la série.

SPÉCULAIRE adj. et n. f. est un emprunt savant (1521) au latin impérial *specularis* «de miroir», chez Pline dans *specularis lapis* désignant une sorte de mica utilisée par les Anciens pour la fabrication de vitres. Cet adjectif dérive du latin classique *speculum* «miroir» (cf. ci-dessous *speculum*), au figuré «reproduction fidèle, image», lui-même dérivé de *specere* «regarder» (→ spectacle, spéculer).

♦ Terme didactique, *spéculaire* s'applique d'abord à un minéral qui réfléchit la lumière comme un miroir, dans *pierre spéculaire* (1556) ; par extension, *fer spéculaire* (1756) désigne en minéralogie une variété d'oligiste qui se présente en lames minces au vif éclat métallique. ◇ Plus généralement, l'adjectif a qualifié (v. 1570) ce qui est relatif au miroir, produit par un miroir ; de cette valeur procèdent *spéculaire*, n. f., «art de fabriquer des miroirs» (1664), *science spéculaire* (1620) et *spéculaire*, n. m., «lentille qui réfracte ou réfléchit la lumière» (1720, dans une traduction de Newton), tous sortis d'usage. ◇ L'adjectif est repris au XXe s. en graphologie dans *écriture spéculaire*, où les lettres et les mots se succèdent de droite à gauche (1904), dite aussi *écriture en miroir*, et en psychiatrie dans *hallucination spéculaire* où le sujet croit voir sa propre image (v. 1950). ◇ Cette plante ayant des corolles en forme de miroir, *spéculaire* est le nom donné à une campanule (1839) couramment appelée *miroir de Vénus ;* Linné avait nommé cette fleur *campanula speculum* (1791).

▸ **SPÉCULARITÉ** n. f., «caractère spéculaire» (XXe s.), est un dérivé savant, d'emploi didactique.

SPECULUM n. m. a été employé chez Chauliac (mil. XIVe ou XVIe s.) et jusqu'au XIXe s. comme mot latin suivi d'un autre mot latin qui le détermine (*speculum oris, oculi, ani*, littéralement «miroir de la bouche, de l'œil, de l'anus», etc.). Terme de médecine, *speculum* est le nom d'un instrument d'observation dont la surface intérieure forme miroir ; on dit *speculum anal, nasal*, etc. ◇ Il s'emploie surtout pour *speculum vaginal*, instrument employé fréquemment en obstétrique.

SPÉCULER v. est un emprunt savant (1345) au latin *speculari* «observer», «guetter, espionner» et verbe intransitif «être en observation», dérivé de *specula* «lieu d'observation, hauteur», lui-même de *specere* «regarder», verbe archaïque (→ spectacle, spéculaire). La variante *espéculer* s'est employée en moyen français (v. 1488, en philosophie).

♦ *Spéculer* apparaît en français avec le sens propre du latin, «observer (les phénomènes naturels)» et, spécialement «observer les astres» (1461) ; cette acception est sortie d'usage au XVIIIe s., de même que *spéculer qqn* «le regarder» (1530) et *spéculer qqch.* «tenir compte de (qqch.)» [1636]. ◆ Au milieu du XIVe s., le verbe entre dans le vocabulaire philosophique, avec le sens de «considérer philosophiquement en esprit, méditer» (v. 1350), aussi dans la construction *spéculer sur qqch.* (1405) ; *spéculer* a signifié (1690) «créer des théories», opposé à *mettre en pratique*. ◆ À la fin du XVIIIe s., le verbe entre, à la suite de *spéculation* (ci-dessous), dans le vocabulaire commercial, où, de l'idée de «réfléchir», on passe au sens de «faire des opérations financières ou commerciales, profiter des fluctuations naturelles du marché pour réaliser des bénéfices» (1792, Robespierre). Par extension, *spéculer sur (qqch.)* signifie (1835) «compter dessus pour réussir un projet, obtenir un profit» (cf. *jouer*).

▸ Plusieurs mots empruntés à des dérivés de *speculatum*, supin de *speculari*, ont suivi la même évolution que le verbe français. ◆ **SPÉCULATEUR, TRICE** n., emprunté au dérivé latin *speculator* «observateur, espion» et «observateur des phénomènes naturels», a signifié au masculin «sentinelle» (1355) et désigné celui qui observe les astres (1532), acception vivante à l'époque classique comme le sens général d'«observateur» (1549) dont procède l'emploi spécialisé pour «inspecteur» (1556), disparu. ◇ Puis le mot désigne (1607) une personne qui se livre à des considérations théoriques et le théoricien, opposé au praticien (1654).

◇ Le sens financier de «personne qui spécule» (1745, d'après *spéculation*) s'est substitué à tous les autres. ◇ Le mot latin, confondu avec le bas latin *spiculator* «bourreau», a eu ce sens en moyen français (1375, 1541).

SPÉCULATIF, IVE adj., emprunté (1268) au bas latin *speculativus* «spéculatif», terme de philosophie, s'applique à ce qui implique une réflexion théorique, par opposition à la pratique (1268, *œuvre spéculative*) et aussi (mil. XVIIIe s.) à la *spéculation* financière. Le sens initial se maintient à l'époque classique ; on relève avec cette valeur *médecin spéculatif* «théoricien» opposé à «praticien» (1374), sorti d'usage, et *esprit spéculatif* (v. 1591), «qui s'occupe de théorie», *pensée spéculative*. ◇ Dans cette acception, l'adjectif est substantivé (v. 1618). ◇ Par spécialisation, le nom a désigné celui qui réfléchit sur des matières politiques (1690), acception relevée jusqu'en 1878. ➜ **SPÉCULATIVE** n. f. (1370), emprunt au bas latin *speculativa*, s'appliquait aux connaissances théoriques. ➜ Le dérivé **SPÉCULATIVEMENT** adv. (v. 1622) est un équivalent vieilli de *théoriquement*.

SPÉCULATION n. f. est emprunté (XIIIe s.) au dérivé bas latin *speculatio* «espionnage», auquel les Pères de l'Église avaient donné la valeur philosophique de «contemplation». Le mot est introduit avec le sens philosophique de «recherche abstraite», puis signifie «théorie, pensée» (v. 1370) jusqu'à l'époque classique, *spéculations* n. f. pl. (v. 1591) désignant des considérations théoriques. Le mot s'emploie par péjoration pour «construction arbitraire de l'esprit». ◇ Parallèlement, *spéculation* a désigné l'action d'observer (v. 1350) et spécialement l'observation astronomique (1690), sens sorti d'usage. ◇ En finances, *spéculation* a pris au milieu du XVIIIe s., dans le contexte bancaire qui voit l'apparition des billets de banque, la valeur de «anticiper sur la hausse ou la baisse afin d'en tirer profit». Ce sens, qui correspond à celui de *spéculateur*, est repris par l'anglais (par exemple chez Adam Smith) et sera diffusé en français pendant la Révolution, époque où *spéculer* s'emploie aussi dans ce sens d'où, en droit, *spéculation illicite* (1936), qui s'accompagne de manœuvres destinées à fausser le jeu normal de l'offre et de la demande. Il se dit par figure de l'action de miser sur qqch. (1830). ◇ C'est aussi le nom d'un ancien jeu de cartes (1904) où les atouts sont vendus aux enchères.

SPEECH

SPEECH n. m. est un emprunt (1829) à l'anglais *speech* «langage, parole» qui a pris au XVIe s. le sens de «discours, allocution, développement oratoire». *Speech* (allemand *Sprache*), comme *to speak* «parler» (allemand *sprechen*), est un mot d'origine germanique, d'une base °*sprek-* «faire du bruit».

♦ Le mot désigne en français un petit discours, notamment en réponse à un toast, mais il a pris une valeur ironique et familière, inconnue de l'anglais, qui appartient au registre de *laïus, topo* et non à celui de *discours* ou *allocution*.

◈ voir SPEAKEASY, SPEAKER.

SPEED

SPEED n. m. est emprunté (1968) à un mot anglais d'origine germanique signifiant «vitesse, rapidité», employé dans l'argot anglo-américain, puis anglais de la drogue, pour désigner une amphétamine.

♦ Le mot conserve ce sens en français.

▶ Il a pour dérivé **SPEEDÉ, ÉE** adj. (1972) «sous l'effet d'une drogue», francisation de l'anglais *speedy* «qui se déplace, agit rapidement» puis en argot «qui est sous l'effet des amphétamines», sens retenu en français. ◇ Par extension, *speedé* s'applique familièrement (1977) à une personne excitée.

SPÉLÉOLOGIE

SPÉLÉOLOGIE n. f. est composé (1893) de l'élément *spéléo-*, tiré du grec *spêlaion* «caverne, cavité» (cf. latin *spelaeum*, même sens, du grec), mot d'origine inconnue, et de *-logie**. La variante *spéologie* (1892 Nussac) n'a pas vécu.

♦ Devenu courant vers 1950, lorsque cette activité scientifique a pris de l'importance sociale, entrant dans le monde de l'aventure et de l'exploit, le mot désigne l'exploration et l'étude scientifique des cavernes et des cavités du sous-sol.

▶ Il a été abrégé familièrement en ① **SPÉLÉO** n. f. (v. 1950) et a fourni les dérivés **SPÉLÉOLOGIQUE** adj. (1904 ; *spelœologic*, 1894) et **SPÉLÉOLOGUE** n. (1904) qui a remplacé *spéléologiste* (fin XIXe s.) et qui est abrégé familièrement en ② **SPÉLÉO** n., d'usage courant.

Le dérivé **SPÉLÉISTE** n. (v. 1960) de *spélé*(ologie) est le nom donné à un spéléologue qui s'occupe d'exploration sportive.

Quelques mots didactiques ont été formés à partir de l'élément **SPÉLÉO-**. ➜ **SPÉLÉOTOMIE** n. f., terme de chirurgie (v. 1950), de *-tomie*, désigne une intervention qui consiste à ouvrir une caverne tuberculeuse pour en accélérer la guérison. ➜ **SPÉLÉONAUTE** n. (1965) «spéléologue qui séjourne longtemps en milieu souterrain pour des expérimentations d'ordre scientifique», mot rare, est formé sur le modèle de *astronaute*.

Le latin *spelunca* «caverne, grotte», emprunt à l'accusatif du grec *spêlunx*, a été repris en ancien français sous la forme **SPELONQUE** n. f. (v. 1265) ; ce mot se maintient à l'époque classique au sens de «caverne», aussi écrit *spelunque* (fin XVe s.) et a signifié «refuge, retraite» (XVIIIe s.) ; il a disparu.

SPENCER

SPENCER n. m. est emprunté (1797) à l'anglais *spencer* (1796), désignant un vêtement masculin puis féminin (1803), du nom de lord John Charles *Spencer* (1758-1834) qui mit ce vêtement à la mode.

♦ *Spencer* a d'abord désigné en français une veste courte d'homme, sans basques que l'on mettait sous le manteau par grand froid, puis (1904) un dolman très ajusté que portaient les officiers de cavalerie. ◇ C'est aujourd'hui (1835) le nom d'une veste courte de femme.

SPERGULE

SPERGULE n. f. est un emprunt (1752), d'abord sous la forme latine *spergula* (1615), au latin médiéval *spergula*, lui-même de l'ancien provençal *esparc, espargula*, d'origine discutée. Ce mot viendrait du latin classique *asparagus* «asperge», «tige de plante ressemblant à l'asperge», du grec *asparagos* (→ asperge) ou du latin classique *spargere* «répandre, semer» (→ épars). *Spergula* a été francisé dans les dialectes en *espargoule, espargoute.*

♦ C'est le nom d'une plante herbacée, employée pour la nourriture des vaches laitières, dont une variété, la *spergule des champs,* est appelée *fourrage de disette.*

SPERME n. m. est une réfection (1362-1365) de *esperme* (XIIIe s.) [cf. ancien provençal *espermal*, emprunt au bas latin *sperma* «semence», lui-même du grec *sperma, spermatos,* dérivé de *speirein* «semer». Ce verbe se rattache, comme le latin classique *spargere* «répandre, parsemer» (→ épars), à une racine indoeuropéenne °*spher-*, °*sper-* «éparpiller», «semer», plus fréquente sous la forme °*se* (→ semer).

♦ *Sperme* désigne (XIIIe s.) le liquide visqueux, opalin, formé par les spermatozoïdes (ci-dessous) et par le produit des sécrétions des glandes séminales mâles ; le mot s'est employé dans la locution verbale *faire sperme* «éjaculer» (1362-1365), sortie d'usage. En alchimie, *sperme* désignait le principe reproducteur des individus dans les trois règnes, animal (cf. ci-dessus), végétal (pour *semence*) et minéral, d'où l'opposition (1721) *sperme mâle* «soufre» et *sperme femelle* «mercure». ◆ *Esperme* (XIIIe s.) puis *sperme de baleine* (1694), traduction du latin médiéval *spermaceti,* a désigné par analogie le blanc de baleine, substance huileuse extraite de la tête du cachalot ; on a dit ensuite **SPERMACÉTI** n. m. (1690 ; 1557 comme mot latin), composé de *sperma* et de *ceti,* génitif du latin classique *cetus,* lui-même du grec *kêtos,* qui désignait tout animal de grande taille vivant dans l'eau (→ cétacé).

▸ **SPERMATIQUE** adj. est emprunté (1314, *matière spermatique*) au bas latin médical *spermaticus* «séminal», lui-même pris au grec *spermatikos* «relatif à la semence», «fécond», dérivé de *sperma. Matière spermatique* s'est dit pour «sperme» (1314). L'adjectif a signifié en général «relatif au sperme» (1611) ; il a multiplié ses emplois après les découvertes de Leuwenbroek : *vers ; humeurs spermatiques* (1699, Audry ; traduction du latin) ; *animaux* (1746, Buffon), *animalcules spermatiques* (1774, traduction de Haller) → ci-dessous *spermatozoïde.* ◇ Il s'emploie en physiologie dans *artère spermatique, veines spermatiques* (1690), «artère, veines du testicule, de l'épididyme», *conduit spermatique* (ou *canal déférent*) «conduit qui s'étend jusqu'à la vésicule séminale où il verse le sperme».
Plusieurs composés didactiques ont été formés à partir du XVIIIe s. sur des éléments tirés du grec *sperma,* premier élément **SPERMATO-** (1721), **SPERMO-** (1823), «semence, graine», en botanique, ou «sperme» et deuxième élément **-SPERME, -SPERMIE** «graine». ◆ **SPERMATOLOGIE** n. f., «étude du sperme» (1741), sorti d'usage, avait fourni **SPERMATOLOGIQUE** adj. (1836), **SPERMATOLOGUE** n. ou **SPERMATOLOGISTE** n. (1842). ◆ De très nombreux termes savants ont été formés. ◇ **SPERMATORRHÉE** n. f. signifie «émission de sperme en dehors de l'activité sexuelle volontaire» (1826 ; de *-rrhée,* du grec *rhein* «couler»). ◇ **SPERMATOZOÏDE** n. m. a été formé en français pour remplacer l'expression *animal spermatique,* et désigner la «cellule reproductrice mâle, chez les animaux sexués». Le mot enregistré par Bescherelle (1846) remplace *spermatozoaire* et le latin moderne *spermatozoa,* employé dans les années 1830. Le mot est formé de *-zoïde,* du grec *zôoeidês* «semblable à un animal», composé de *zôon* «animal» (→ zoo) et *eidos* «forme». La génétique a diffusé ce mot. ◇ **SPERMATISME** n. m. (1865), «théorie biologique selon laquelle le sperme contiendrait tous les éléments essentiels de l'embryon», est un terme d'histoire des sciences ; on disait aussi *animalculisme* et on a nommé un partisan de cette théorie **SPERMATISTE** n. (1872) ou **SPERMISTE** n. (1904), dérivé de *sperme.* ◇ **SPERMATOGENÈSE** n. f., en biologie «ensemble des processus qui aboutissent à la formation des spermatozoïdes» (1878), est tiré de *-genèse* et a pour dérivé **SPERMATOGÉNÉTIQUE** adj. (1903). ◇ **SPERMATOPHYTES** n. f. pl. et **SPERMAPHYTES** n. f. pl. (XXe s.) de *-phytes**, désignent en botanique un embranchement de plantes à organes de reproduction apparents et développés ; il est synonyme de *phanérogames.* ◆ **SPERMICIDE** adj., terme de médecine relativement courant, et **SPERMATICIDE** adj. (v. 1950), se disent d'une substance qui, introduite dans le vagin, agit comme anticonceptionnel local en détruisant les spermatozoïdes. **SPERMOPHILE** n. m., emprunt (1823, Cuvier) au latin zoologique *spermophilus,* de *sperma* et *philein* (→ -phile) désigne un petit rongeur qui amasse des graines dans son terrier.

SPHÉNOÏDE n. m. et adj. est un emprunt savant (1562, adj.) au grec *sphênoeidês* «en forme de coin», composé de *sphên* «coin», mot d'origine obscure, et de *eidos* «forme, apparence» (→ idéo-, -ide).

♦ En anatomie, *os sphénoïde* ou *sphénoïde* n. m. (1690) désigne l'os qui constitue la partie antérieure et moyenne de la base du crâne.

▸ En dérivent **SPHÉNOÏDAL, ALE, AUX** adj. (1690) «relatif au sphénoïde» et **SPHÉNOÏDITE** n. f. (1923), de *-ite,* terme de médecine.

SPHÈRE n. f. est la réfection savante (1509) de *espere* (v. 1165), puis *spere* (1377), emprunt adapté du latin *sphaera* ou *spaera* «sphère, globe», «sphère céleste», puis «corps céleste» et en bas latin, «balle à jouer». Ce mot est lui-même pris au grec *sphaira,* désignant tout corps rond, balle, ballon, globe, mot employé aussi en géométrie, à rattacher sans doute à *spairein* «palpiter, tressaillir» ; l'aspirée de *sphaira* est expressive.

♦ Le mot désigne à l'origine chacune des régions sphériques sur lesquelles sont situés les différents astres et entre lesquels se partage l'espace céleste ; avec cette acception, il appartient à l'histoire des sciences depuis le XVIIIe s. et la diffusion du système copernicien. ◇ Comme en latin, il s'est dit pour «astre», en tant que corps brillant (1270). ◇ Dans le même contexte, *spère* (1477) puis *sphère,* comme l'ancien provençal *espera* (XIIIe s.), correspondait à «voûte céleste, firmament» sens encore relevé au XVIIIe siècle. *La sphère du soleil,* spécialisation du sens initial, désignait (1532) la partie la plus lumineuse du ciel. *Sphère* est le nom de machines astrales, «horloge astronomique» (1376), «mappemonde» (1379), sens disparus. ◇ Le mot se dit spécialement d'une représentation matérielle de la sphère céleste ou terrestre (1654; 1636, dans *sphère d'Archimède*) et *sphère céleste* est aujourd'hui un terme d'astronomie. De là, le mot a désigné (1680) la connaissance des principes de l'astronomie que l'on apprenait au moyen d'une sphère. *Sphère* est aussi sorti d'usage pour nommer l'espace dans lequel on concevait qu'une planète suivait son cours (1690). ➜ À partir du XIVe s., le mot désigne la surface courbe constituée par le lieu des points situés à une même distance d'un point donné et le solide ainsi délimité (XIVe s., *espere;* 1549, *sphère*), d'où le sens courant de «corps sphérique» (1611). À partir de l'époque classique, *la sphère de qqch.* s'emploie par figure du sens astronomique (1657) à propos des limites bornant l'influence de choses morales, puis au XVIIIe s. plus généralement du domaine, du milieu (1757), comme *cercle.* ◇ *Sphère d'activité* s'emploie en physique (1690) pour désigner la partie de l'espace où se manifeste un phénomène et, couramment, le domaine où s'exerce l'action d'une personne (1690). Du sens correspondant de *sphère* viennent plusieurs expressions et locutions comme ***sortir de sa sphère*** (1718), ***se tenir dans sa sphère*** (av. 1778), ***les hautes sphères*** «les milieux dirigeants» (1870) et ***sphère d'influence*** (XXe s.), où il est synonyme de *zone.* ➜ Par analogie de forme, *sphère* s'emploie en sports pour «ballon rond» (1913) et pour désigner chacune des deux boules de fonte d'une haltère (XXe s.).

▶ **SPHÉRIQUE** adj. est la réfection (1555), d'après le latin, de *spérique* (v. 1370), *esperique* (1452), emprunté au latin médiéval *spericus* (XIIe s.), du bas latin *sphaericus* «sphérique, circulaire», lui-même du grec *sphairikos.* ➜ L'adjectif s'applique en astronomie à ce qui est en forme de sphère (v. 1370) et, en géométrie (1688), à ce qui appartient à la sphère, par exemple dans *triangle sphérique* (1690), *polygone sphérique* (1872), *onglet sphérique* (1874). ◇ *Astronomie sphérique* (1765) a désigné jusqu'au milieu du XIXe s. l'observation de l'univers tel que l'œil l'aperçoit. ◇ On a aussi appelé *sphérique* n. m. (attesté 1923) un aérostat en forme de sphère. ➜ **SPHÉRICITÉ** n. f. (1671), dérivé savant, concerne le caractère sphérique d'un corps, en géométrie.

SPHÉROÏDE n. m. reprend (1556) le latin classique *sphaeroides,* emprunt au grec *sphairoeidês* «semblable à une sphère» (de *eidos* «forme»). Le mot désigne un solide ayant approximativement la forme d'une sphère. ➜ En dérivent **SPHÉROÏDAL, ALE, AUX** adj. (1740) «en forme de sphéroïde, propre à un sphéroïde», et **SPHÉROÏDIQUE** adj. (1806) de même sens, sorti d'usage. ➜ **SPHÉRULE** n. f. reprend (1807) le bas latin *sphaerula* «petite sphère» et en conserve le sens; le mot a désigné en botanique (1836) divers organes en forme de globes. ◇ En dérive **SPHÉRULEUX, EUSE** adj. (1904).

Surtout à partir du XIXe s., de nombreux termes didactiques, de formation française ou empruntés, sont composés avec pour second élément *sphère.* ➜ **PLANISPHÈRE** n. m., terme de géographie devenu courant, formé de *plani-,* tiré du latin *planus* (→ plan), désigne d'abord comme nom féminin (1555) une carte qui représente l'ensemble du globe terrestre en projection plane, d'où par extension en astronomie *un planisphère céleste* (1680). Le mot s'est employé pour «astrolabe» (1611) et comme nom d'une machine qui représente sur une surface plane le mouvement des corps célestes (1868). ➜ **BIOSPHÈRE** n. f., formé (1842) avec *bio-,* désigne d'abord l'atome globuleux qu'on supposait être à l'origine de tous les corps organisés. ◇ Le mot a été repris (1900) à l'allemand *Biosphäre* (1888) à propos de l'ensemble des organismes vivants qui vivent à la surface du globe terreste et, par extension, de l'ensemble formé par ces organismes et les milieux qu'ils occupent dans les couches géochimiques de la terre. ➜ ① **ASPHÈRE** n. m. ou f., terme de zoologie sorti d'usage, formé de ② *a-* (privatif), désignait (1845) un coléoptère dont le dernier article des tarses postérieurs n'est pas renflé en boule. ➜ **LITHOSPHÈRE** n. f., adaptation (1897) de l'allemand *Lithosphäre* (1833), du grec *lithos* «pierre» (→ lith-, litho-), désigne la partie solide de la sphère terrestre. ◇ Le dérivé **LITHOSPHÉRIQUE** adj. (XXe s.) est didactique. ➜ **STRATOSPHÈRE** n. f. (1898, Teisserenc de Bort), formé avec l'élément *strato-* (→ strate) a été créé en météorologie pour désigner la couche de l'atmosphère comprise entre la **TROPOSPHÈRE** (av. 1913) et la **MÉSOSPHÈRE** (v. 1960), c'est-à-dire entre 17 et 50 km d'altitude. ◇ En dérivent **STRATOSPHÉRIQUE** adj. (1931), adjectif qui fut usuel quand on explora par ballons cette couche atmosphérique (1933), et quelques composés en **STRATO-** (→ stratopause à strate). ➜ **ASTHÉNOSPHÈRE** n. f., «couche géologique de tension nulle sur laquelle se déplace la couche terrestre», a été formé par J. Barrel (1914) à partir du grec *astheneia* «manque de vigueur» (→ asthénie). ➜ **NOOSPHÈRE** n. f. est un terme de philosophie formé par Teilhard de Chardin (1947) pour désigner le monde de la pensée; il est composé de *noo-,* du grec *noos,* variante de *nous* «esprit».

② **ASPHÈRE** n. f., attesté chez G. Sand (1858), vient d'une coupure fautive de *la sphère* (comprise comme *l'asphère*) et a désigné en astrologie une figure représentant la sphère céleste.

De nombreux termes didactiques ont été également composés à partir de *sphér(o)-* (1803), surtout en botanique et en zoologie, pour nommer des organismes dont l'une des parties a une forme sphérique. En physique, **SPHÉROMÈTRE** n. m. (1776, Rozier), de *-mètre,* désigne un instrument servant à mesurer la courbure des surfaces sphériques.

◈ voir ATMOSPHÈRE, HÉMISPHÈRE.

SPHINCTER n. m. est un emprunt (1548) au bas latin *sphincter* lui-même pris au grec *sphinktêr* «lien, bandage», et nom du muscle de l'anus en médecine, dérivé de *sphingein* «serrer, enserrer», mot sans étymologie connue.

♦ Terme d'anatomie, le mot désigne un muscle annulaire qui ferme en se contractant un orifice naturel *(sphincter utérin)* et spécialement le sphincter anal.

▶ Le dérivé **SPHINCTÉRIEN, IENNE** adj., la variante *sphinctérieux* (1877) ayant disparu, et le composé **SPHINCTÉRALGIE** n. f. (1923) de *-algie,* sont didactiques.

◈ voir **SPHINX**.

SPHINX n. m. est un emprunt (av. 1553) au latin *sphinx, sphingis* «monstre égyptien à corps de lion et tête d'homme», et «monstre ailé à corps de lion et tête de femme, qui proposait des énigmes» dans le mythe grec (Thèbes), par extension «personne qui parle par énigmes», et par ailleurs «espèce de singe» ; on trouve en bas latin la forme *sphinga.* Ce mot est un emprunt au grec *sphinx, sphingos,* que l'étymologie populaire a rapproché de *sphingein* «enserrer, lier» (→ sphincter).

♦ En français comme en latin et en grec, le mot désigne d'une part le monstre qui, près de Thèbes, tuait les voyageurs incapables de résoudre l'énigme qu'il leur proposait et qui se jeta du haut d'un rocher quand Œdipe fournit la solution des énigmes qu'il lui avait proposées, et d'autre part, dans l'art égyptien, une statue de lion couché, à tête de lion ou parfois d'épervier, de bélier, représentant une divinité. Avec ces acceptions on emploie aussi, mais rarement, la forme féminine **SPHINGE** n. f. (1589). ◇ *Sphinx* (1552) et *sphinge* (1546) s'appliquent aussi à une statue stylisant les formes d'un sphinx antique, servant à décorer un parc, un palais. ◇ Le mot a repris l'emploi des naturalistes latins pour désigner une espèce de singe le cynocéphale babouin, (1562), sens disparu au XIXe s. (relevé jusqu'en 1875); on trouve parfois *sphinge* (1611) dans ce sens. *Sphinx* a aussi servi à nommer (1736, Réaumur) la chenille d'un papillon, à cause de son attitude comparée à celle du singe, l'avant du corps dressé ; c'est ensuite le nom du papillon lui-même (1762, E. L. Geoffroy) et de lépidoptères de la même famille. ◇ Par métaphore, *sphinx* désigne une personne ou une entité énigmatique (av. 1784) ou une personne habile à poser des énigmes (fin XVIIIe s.). La variante *sphynge* (1889), dans ce sens métaphorique, est une hypercorrection.

SPICILÈGE n. m. est emprunté (1678) au latin classique *spicilegium* «glanage», composé de *spica* «pointe» (→ spicule) d'où «épi» et «tête (d'autres plantes)» et de *legere* «ramasser, recueillir» (→ lire); la forme *spicum,* moins courante, a abouti en français à *épi**.

♦ Ce mot didactique, désignant un recueil d'actes ou de documents inédits, est employé par Bayle, à propos du *Spicilegium sive collectio...,* [spicilège ou collection...], titre d'un ouvrage d'érudition du bénédictin Luc d'Achery (1655) où le mot était pris dans un sens figuré. Le mot est repris (1875) pour titrer certains recueils d'observations, d'essais (par exemple M. Schwob, *Spicilège,* 1896).

SPICULE n. m. est un emprunt savant (1830) au latin *spiculum* «fer barbelé d'une flèche ou d'une lance», «pointe d'un dard» et par la suite «javelot, épieu» ; ce mot est le diminutif de *spicum,* variante de *spica* «pointe», d'où «épi» (→ spicilège), par extension «tête (d'autres plantes)» désignant aussi l'étoile de la constellation de la Vierge, nommée en français l'*Épi. Spicum* a abouti en français à *épi**.

♦ *Spicule* est d'abord (1830) un terme de botanique, sorti d'usage au sens d'«épillet». En zoologie, il désigne les petits bâtonnets calcaires ou siliceux constituant le squelette des éponges. Par extension, le mot se dit aussi du corpuscule siliceux, souvent en forme d'épine, des animaux inférieurs. ◇ Par analogie, *spicule* désigne (1905) un défaut du métal se manifestant par une granulation pointue et en astronomie (mil. XXe s.) un jet de matière dans la chromosphère solaire, ayant l'apparence de flammes qui disparaissent en quelques minutes, à la différence des protubérances.

SPIDER n. m. est un emprunt (1877) à un mot anglais signifiant proprement «araignée» qui, depuis la fin du XIXe s., désigne une voiture à hautes roues fines, comparée à un faucheux (attesté en 1879) ; le nom est formé sur le vieil anglais *spinnan* (anglais moderne *to spin*) au sens de «filer, tisser», issu du gotique *spinnan* (cf. néerlandais, allemand *spinnen*).

♦ *Spider* a repris le sens technique de l'anglais, désignant une voiture hippomobile décapotable à quatre roues, proche du phaéton. ◇ Par métonymie, le mot s'est dit (1901) de l'emplacement qui était aménagé à l'arrière des cabriolets automobiles, pouvant recevoir des bagages ou même des passagers. Le mot est archaïque ou historique.

◈ voir **SPIN**.

SPIN n. m. est un emprunt (1928) à un mot anglais signifiant proprement «tournoiement, rotation», introduit dans le vocabulaire de la physique atomique en 1926 (Uhlenbeck et Goudsmit); *spin* est le déverbal de *to spin* «filer», «tourner», qui se rattache au gotique *spinnan* (cf. néerlandais et allemand *spinnen*) et à des formes baltes et slaves. Cet anglicisme a été emprunté par la plupart des langues.

♦ Ce terme de physique nucléaire désigne le moment de la quantité de mouvement d'une particule élémentaire, notamment l'électron (1931, *spin de l'électron,* trad. de Dirac).

SPINAL, ALE, AUX adj. est un emprunt savant (1534, Rabelais) au bas latin *spinalis,* notamment *spinalis medulla* «moelle épinière» chez Macrobe (déb. Ve s.); *spinalis* dérive du latin classique *spina* «épine (d'arbuste)» d'où «pointe, piquant, arête» et spécialement «épine dorsale» (→ épine).

♦ L'adjectif apparaît chez Rabelais dans *mouelle spinale* (1534), plus tard écrit *moelle spinale* (1701), traduction de la locution latine, aussi sous la forme *spinale medulle* (1541), expressions qui seront remplacées par *moelle épinière.* L'adjectif qualifie ce qui est relatif ou appartient à la colonne vertébrale, à la moelle épinière, notamment dans *nerf spinal* (v. 1710) «nerf crânien moteur», *muscles, ganglions spinaux.*

▸ Le composé **CÉRÉBRO-SPINAL, ALE, AUX** adj. (1833), de *cérébro-* (→ cérébral), se dit de ce qui concerne à la fois le cerveau et la moelle épinière (1855, *méningite cérébro-spinale*).

Le latin *spina* a servi de base à quelques termes de médecine, dont **SPINALGIE** n. f. de *-algie*, «douleur ou sensibilité douloureuse des apophyses épineuses des vertèbres» (1933, dans les dictionnaires généraux).

SPINNAKER n. m. est un emprunt (attesté en 1878, mais probablement antérieur) à un mot anglais désignant une voile triangulaire légère et très creuse, de grande surface, utilisée pour donner aux voiliers de plaisance le maximum de vitesse. Ce mot est d'origine inconnue : on évoque généralement une formation libre à partir de *spinks*, altération d'abord phonétique de *Sphinx*, nom du premier voilier de plaisance à porter bien la toile.

♦ Gardant ce sens en français, le mot, parfois écrit *spinacker*, est abrégé couramment en *spi* n. m. (mil. XXe s.). D'abord technique, il s'est diffusé avec la vogue de la navigation de plaisance. Par métonymie, *toile de spi* désigne un tissu de nylon léger et solide servant à la confection de spinnakers, de sacs, d'anoraks, etc.

SPINOZISME n. m., relevé chez Bayle (1697, *spinozisme*) puis écrit *spinosisme* (av. 1778), vient du nom du philosophe hollandais *Spinoza* (1632-1677).

♦ Le mot désigne le système philosophique de Spinoza et, par extension (1834, *spinosisme*), tout système moniste ou panthéiste.

▸ En dérive **SPINOZISTE** n. et adj., d'abord substantif (1697) désignant un partisan du spinozisme ; l'adjectif est relevé au XIXe s. (1870).

SPIRE n. f. est un emprunt savant (1548) au latin *spira* «spirale» et «tore d'une colonne», «mouvement en spirale», «tresse», lui-même du grec *speira* «enroulement», «objet entortillé», «spirale», à rattacher, en grec, à une racine signifiant «entourer, plier», que l'on retrouve dans *sparton* (→ spart), *spuris* (→ sportule) et *spargana* «langes».

♦ *Spire* a d'abord été un terme d'architecture, signifiant «base d'une colonne, quand la figure de cette base va en serpentant» ; en géométrie, le mot désigne (1579) la portion d'une spirale qui fait une révolution complète autour d'un pôle. ◇ Il s'emploie à propos de l'enroulement d'une coquille (1765) et, couramment, désigne un tour d'enroulement, par confusion entre *spirale* et *hélice*. Cette acception ancienne (1579) s'est spécialisée en électricité, à propos d'un bobinage (1872).

▸ *Spire* a fourni **SPIRIFORME** adj. (1842), de *-forme*, «en forme de spirale ou d'hélice», didactique, et le terme de médecine **SPIRAMYCINE** n. f. (mil. XXe s.), de *-mycine*, nom d'un antibiotique. ✦ **SPIROÏDAL, ALE, AUX** adj., «en forme de spire, de spirale» (1868), dérive de *spiroïde* adj. (1842), auquel il s'est substitué, emprunt au grec *speiroeidês*, dérivé de *speira*.

SPIRAL, ALE, AUX adj. et n. est emprunté au latin scolastique *spiralis* «spirale», dérivé de *spira*. L'adjectif s'applique (1534) à ce qui a la forme d'une courbe plane tournant autour d'un pôle dont elle s'éloigne et ne s'emploie qu'en locutions ; *ressort spiral* (1680) ou *spiral* n. m. (1765) et aussi *spirale* n. f. (1718) désigne un ressort plat dont la lame décrit des spires autour d'un axe, d'où anciennement *montre spirale* (1680) «à ressort spiral». ◇ *Pompe spirale* (1875) ou *spirale* n. f. désigne une machine élévatoire d'eau dont le tube est enroulé en hélice autour d'un tronc de cône. ◇ En astronomie, *nébuleuse spirale* ou *spirale* n. f. (XXe s.) désigne un grand amas d'étoiles (galaxie) qui sont groupées en une condensation centrale et en bras spiraux ; ce terme lève l'ambiguïté de *nébuleuse* employé seul, qui a deux acceptions très différentes. ✦ **SPIRALE** n. f., substantivation de l'adjectif (1580, B. Palissy) antérieure à celles de la technique (ci-dessus), s'est substitué à *espiralle* (fin XVIe s.). ◇ Le mot désigne en géométrie une courbe plane qui décrit autour d'un point fixe des révolutions en s'en écartant de plus en plus, d'où ***en spirale***, locution adverbiale ou adjective (1796). ◇ Dans l'usage courant, *spirale* et *en spirale* concernent une courbe qui forme un enroulement dans l'espace (1802) ; on dit alors *hélice* en science. Par analogie, *spirale* est, en aviation, le nom d'un virage serré suivant une trajectoire hélicoïdale (1914). ◇ Le mot désigne aussi la représentation graphique ou symbolique d'un mouvement, d'une évolution ascendante (1972).

Du nom procèdent **SPIRALEMENT** adv. (1680), rare, **SPIRALÉ, ÉE** adj. (1808), **SPIRALER** v. intr. (1900) «prendre la forme d'une spirale», didactique, et en parlant d'un planeur (1939) «s'élever en décrivant des spirales». ✦ Le composé **SPIRALOÏDE** adj., «en forme de spirale» (1911), de *-oïde*, est didactique.

SPIRITE n. m. représente une francisation (1857) de l'anglais *spirit*, dans le terme américain *spirit-rapper* n. (1854) «esprit frappeur», de *spirit-rapping* (1852) «coups prétendument frappés par les esprits en rapport aux questions qu'on leur pose» (1853), «communication avec les esprits au moyen d'un code de coups secs» (1854). Ce mot est composé de *spirit* «esprit (des morts)» (1375), lui-même emprunté à la forme anglo-normande *spirit*, de *esperit* (→ esprit), et de *rapping*, forme substantivée de *to rap* «frapper (d'un coup sec)», verbe d'origine onomatopéique (→ rap). ✦ *Spirit-rapping* est le nom donné à l'expérience des sœurs Fox aux États-Unis, en 1847, qui prétendaient avoir communiqué avec un fantôme en utilisant un code de claquements de doigts.

♦ *Spirite* et *spiritisme* apparaissent avec la doctrine de la communication des vivants avec les esprits élaborée en France par H. L. Rivail, dit Allan Kardec, qui publia en 1857 *Le Livre des esprits*, suivi par la *Revue spirite* (1858), *L'Évangile selon le spiritisme* (1859). ✦ *Spirite* désigne (comme nom) et qualifie (comme adjectif) un adepte du spiritisme (ci-dessous) et s'applique à ce qui est relatif aux esprits des morts, à leur évocation. Le mot désigne spécialement (1858) une personne qui évoque les esprits par l'entremise d'un médium ; en ce sens, il s'est écrit *spirit* (1864) et a été concurrencé par *esprit frappeur*, traduction de l'anglais, et par *spiritualiste** (→ spirituel).

▶ Le dérivé **SPIRITISME** n. m. (1857, A. Kardec) est le nom de la science occulte fondée sur l'existence, les manifestations et l'enseignement des esprits. Ce mot est passé en anglais (1864, *spiritism*). ➜ Il a fourni **SPIRITISTE** adj. et n. (1861), signifiant «relatif au spiritisme» et synonyme rare de *spirite* «adepte du spiritisme».

SPIRITUAL, ALS n. m. est un emprunt (1922) à l'anglais *spiritual*, employé au sens de «religieux, sacré» (1832) et, en anglo-américain (1867), comme substantif pour «chant sacré, hymne religieux». Le mot circulait parmi les Noirs à propos des chants religieux de leur création ; ces chants populaires, perçus comme distincts du chant traditionnel américain, ont pris chez les Blancs le nom de *negro spiritual* (1867), de l'anglais *negro*, de même origine que *nègre**. *Spiritual* a été emprunté par l'anglais au français *spirituel**, du latin classique *spiritualis*, et latinisé par la suite.

♦ *Spiritual* ou *negro spiritual* (→ nègre) désigne un hymne religieux des Noirs d'Amérique, aussi nommé *gospel song* «chant de l'Évangile». ◇ La forme francisée, *un spirituel* (1935), n'est pas entrée dans l'usage.

SPIRITUEL, ELLE adj., réfection (v. 1265) de *spiritiel, espiritiel* (fin xᵉ s.), puis *spiritueil* (fin xiiᵉ s.), est emprunté au latin impérial *spiritualis* ou *spiritalis* «propre à la respiration» et en bas latin ecclésiastique «spirituel, immatériel», dérivé du latin classique *spiritus* «esprit». Le traitement phonétique du radical, analogue à celui de *spiritus* (→ esprit), explique l'alternance des formes en *esp-* et de *sperit-, spirit-*, celles-ci éliminant les premières, qui l'ont emporté pour le substantif *(esprit)*, ceci au cours du xviᵉ siècle. On relève jusqu'en 1545 la suffixation savante par *-al*, conservée par l'anglais (→ spiritual), à côté de *-el*.

♦ Jusqu'au xviᵉ s., l'adjectif ne s'emploie que dans le domaine religieux et théologique. Il qualifie ce qui appartient à la nature immatérielle de l'âme, opposé à *corporel*, et ce qui concerne l'âme en tant qu'émanation et reflet d'un principe supérieur. Ces deux valeurs se développent parallèlement. L'adjectif s'est appliqué à une personne qui vit selon l'âme et l'esprit (xiiᵉ s., *espiritel*), à un être vivant dépourvu de corps (v. 1130, *espirital*) et s'est employé en parlant de Dieu ou de la Vierge comme source de la vie de l'âme (v. 1155, *pere espirital* «Dieu»). L'adjectif prend aussi, dans la seconde moitié du xiiᵉ s., une valeur morale humaine et, opposé à *mondain*, qualifie ce qui est relatif à la conduite de l'âme, à la vie dévote (fin xiiᵉ s., *sperituel*), mais en même temps acquiert le sens péjoratif de «faussement dévot» ; il qualifie par ailleurs le milieu dans lequel vivent les anges (v. 1246, *air spirituel*). De ces emplois viennent plusieurs expressions : *vie spirituelle* «vie surnaturelle de l'âme en Dieu» (v. 1170), opposé à *mort spirituelle* «perte de la vie surnaturelle par le péché» (1375), *biens spirituels* «de la béatitude éternelle» (xiiᵉ s.). À l'époque classique, *père spirituel* signifie «directeur de conscience» et spécialement «confesseur» (1619), dit aussi *médecin spirituel* (xviiᵉ s.), expression sortie d'usage, et plus tard *directeur spirituel* (1875) ; *sens spirituel* désigne la signification du texte biblique à l'égard de l'homme (av. 1662), et *communion spirituelle* la prière par laquelle on s'unit par l'esprit à ceux qui communient matériellement (1694). *Concert spirituel* se dit (1728) d'un concert de musique religieuse et *bouquet spirituel* équivaut à «pensée pieuse» (1752). ◇ *Spirituel*, comme nom (1564), a désigné celui qui s'adonne à la vie mystique, spécialement les franciscains mystiques des xiiiᵉ et xivᵉ s. et les quiétistes au xviiᵉ s. ; cette acception est notée «rare» dès 1787 ; dans ce sens, le mot était adjectivé depuis 1607. ◇ L'adjectif s'applique aussi en philosophie, perdant progressivement ses valeurs religieuses, à ce qui est de nature immatérielle, en tant que catégorie ontologique (1564, aussi nom masculin), puis signifie (1635) «détaché des choses terrestres», opposé à *matériel, sensible*. ➜ Depuis le milieu du xiiiᵉ s., et par opposition à *temporel*, l'adjectif s'applique (1247, *espirituel*) à ce qui relève juridiquement du domaine ecclésiastique ; de là vient *prince spirituel* «haut dignitaire ecclésiastique, prélat» (fin xvᵉ s.), sorti d'usage. Le sens de «relatif à la religion comme institution ecclésiastique» donne lieu à une substantivation : *l'espirituel* (1512), *le spirituel* (1690). À partir du xviᵉ s. apparaissent des valeurs qui se rattachent, sans référence théologique, à la philosophie de la nature. L'adjectif s'est appliqué dans la chimie ancienne (1536) à ce qui concerne la production des esprits organiques (→ esprit). ◇ Dans le domaine philosophique et psychologique, le mot qualifie, depuis l'époque classique, ce qui est relatif à la faculté de penser (1549). De cette acception procèdent plusieurs expressions, par exemple *famille spirituelle* «groupe de personnes ayant une même façon de concevoir les choses», *père spirituel* (1680), *fils spirituel* (1875), *parenté spirituelle* (xxᵉ s.). ➜ Le mot se dit aussi (1573) d'une personne remarquable par ses qualités d'intelligence et, à partir du xviiᵉ s., cette valeur passe dans le langage courant : *spirituel* a qualifié dans le vocabulaire de la préciosité ce qui enrichit la vie de l'esprit (1659) et *une spirituelle* n. f., péjoratif (1662, Molière), équivalait à «bas-bleu». ➜ Parallèlement, d'après une valeur spéciale de *esprit*, l'adjectif s'applique (1636) à une personne qui a de la vivacité, de la finesse dans ses reparties, de l'à-propos dans sa conversation, puis à ce qui dénote cette vivacité, paroles, actions (mil. xviiᵉ s.) ou comportement (1688). Ce sens s'est répandu et est devenu l'un des principaux emplois du mot, en relation avec un sens spécialisé de *esprit*. ➜ Au xixᵉ s., les romantiques liés à l'illuminisme de Swedenborg réinvestissent le mot d'une valeur mystique ; dans ce cadre, *l'homme spirituel* a désigné l'homme initié aux vérités du monde invisible (1834) et *le monde spirituel* l'univers mystique des correspondances (1834) ; mais la parapsychologie, par une série d'anglicismes (→ spirite), acquerra une désignation propre dans la vulgarisation de ce domaine.

▶ **SPIRITUELLEMENT** adv., réfection (1541) de *espiritelment* (xiiᵉ s.), *spiritelment* (fin xiiᵉ s.), signifie «en esprit» (par opposition à *matériellement*), «par l'esprit, d'une manière non temporelle» (v. 1155) «selon la foi qui informe l'âme» (mil. xiiᵉ s.) et «au sens spirituel» (av. 1662), par opposition à *littéralement.* ◇ En droit, l'adverbe a signifié «relativement au domaine ecclésiastique» (1283). Il prend au XVIIe s. son sens courant, signifiant (1636) «avec un esprit fin et vif», par opposition à *platement, bêtement.*

SPIRITUALISÉ, ÉE adj. s'est employé (1521) au sens de «pur, comme une âme sans péché», acception sortie d'usage, d'où à l'époque classique (1638) la valeur de «porté à la dévotion». ➛ Le verbe **SPIRITUALISER** v., tiré de cet adjectif ou directement de *spirituel,* signifie (1588) «dégager des choses sensibles, de la matière»; *se spiritualiser* «se conformer à ce qu'il y a de religieux dans l'âme» (déb. XVIIe s.) et *spiritualiser (un texte)* «interpréter au sens mystique, spirituel» (1690), *spiritualiser qqn* signifiant, à la même époque, «le rendre dévot» (1694). ◇ Lié à la philosophie de la nature, le verbe a signifié (1601) «rendre conforme (qqch.) à la pensée rationnelle» et, à la fin du XVIIe s. (1690), «ouvrir l'esprit à (qqn)». En chimie ancienne, le verbe s'employait (1680) pour «extraire l'élément le plus subtil d'un corps» (cf. *distiller*). ◇ Il a fourni **SPIRITUALISATION** n. f., ancien terme de chimie (1672), désignant le fait de se dégager de la matière (1676) et au XIXe s. (1845) l'interprétation allégorique ou mystique d'un texte, emploi rare.

SPIRITUALISME n. m. a d'abord désigné (1694) une doctrine mystique proche du quiétisme; pris au sens d'«immatérialisme» au XVIIIe s. (Trévoux, 1771), le mot désigne depuis le XIXe s. (1831) une doctrine pour laquelle l'esprit constitue une réalité substantielle indépendante et supérieure, en ce sens opposé à *matérialisme.* ◇ Par emprunt à l'anglais, il s'est employé (1878) pour *spiritisme* (→ spirite) qui l'a éliminé dans ce sens. ➛ Le dérivé **SPIRITUALISTE** n. et adj. «partisan de l'immatérialisme» (1771) et au sens moderne «relatif au spiritualisme» (1842), est usuel en philosophie. Le mot s'est aussi appliqué à ce qui se rapporte au spiritisme, par emprunt à l'anglais *spiritualist* (1895), cette valeur ayant disparu.

SPIRITUALITÉ n. f., réfection (mil. XIVe s.) de *espiritalité* (v. 1250), *espiritualité* (v. 1283), est emprunté au dérivé bas latin *spiritualitas* «spiritualité, immatérialité». ◇ L'évolution du mot est liée à celle de *spirituel;* il désigne d'abord le caractère de ce qui est considéré dans son existence religieuse surnaturelle *(spiritualité de Dieu, de l'âme),* l'ensemble des doctrines et des techniques de la vie religieuse (v. 1283), puis abstraitement, à l'époque classique, le caractère de ce qui est spirituel (1666), acception qui ne se répand qu'au XIXe siècle. ◇ *Livre de spiritualité,* «destiné à la direction mystique des âmes» (1688), relève de ce même sens. Parallèlement, le mot s'est employé en droit religieux : *spiritualités* a désigné (1247) les biens ecclésiastiques et le domaine juridique ecclésiastique (1283), cette dernière valeur étant empruntée au latin juridique *spiritualitates,* usité de 1240 au XVIe siècle. ◇ Réemprunté en philosophie, *spiritualité* a signifié «caractère opposé à la matérialité» (1530, *espirituelleté*) et s'est employé jusqu'à la fin du XVIIIe s. au sens de «caractère ontologique de l'esprit», par opposition aux corps naturels. ◇ Attesté seulement au XXe s., mais plus ancien, le mot se dit de l'ensemble des principes qui règlent la vie spirituelle d'une personne ou d'un groupe (1935, Académie).

SPIRITUEUX, EUSE adj. et n. m. est un dérivé savant (Guy de Chauliac, déb. XVIe s.) du latin *spiritus* (→ esprit); comme *spiritus* chez Cicéron, *esprit* désignait au moyen âge le principe de la vie corporelle (mil. XIIe s.) et *esprits* les corpuscules subtils et mobiles, porteurs des sensations et des sentiments dans les organismes vivants (1377).

♦ *Spiritueux* s'est d'abord dit de ce qui participe à la subtilité des esprits vitaux, puis de ce qui contient un principe volatil et tonique (1611, *eau spiritueuse*). ◇ L'adjectif se spécialise au cours du XVIIe s.; s'appliquant (1672) à une boisson qui contient une importante proportion d'alcool, d'où **SPIRITUEUX** n. m. (1827) «liqueur forte en alcool», surtout employé dans le vocabulaire administratif et commercial. ➛ Par figure, l'adjectif a qualifié (XVIIIe s.) une personne vive, turbulente, emploi disparu.

SPLASH onomat. et n. m., écrit *splache* dans une traduction (1873), est un mot anglais signifiant «éclaboussement» et employé comme onomatopée. C'est le déverbal de *to splash* «éclabousser», formé par préfixation en *s-* (de l'ancien français *es-;* latin *ex-*) à valeur intensive et expressive sur le verbe *to plash* qui se rattache, comme l'allemand *platschen,* le suédois *plaska,* à une racine germanique °*plat* «frapper».

♦ *Splash,* aussi écrit *splach* et *splatch,* s'emploie comme onomatopée, notamment dans les bandes dessinées, pour exprimer le bruit d'une chute dans l'eau et, par extension, un choc quelconque — équivalent de *floc, plouf,* formes françaises traditionnelles. ◇ Le mot, substantivé, s'emploie au propre (1975) et au figuré pour «chute, échec», avec l'idée de «tomber à l'eau».

SPLEEN n. m. est emprunté (1737; 1748 au féminin) à l'anglais, après des apparitions isolées sous la forme *splene* (1655), et aussi écrit selon la prononciation *spline* (1760, Diderot). Le mot anglais signifie proprement «rate» (1300) et «siège des humeurs noires» (1390), d'où «mélancolie» (1664); il vient du latin *splen,* lui-même emprunt au grec *splên, splênos* «rate», organe important parce qu'on l'utilisait dans les sacrifices et dans la divination, et aussi parce qu'on lui attribuait un rôle dans certaines maladies; la rate était notamment considérée comme le siège des humeurs noires (cf. *atrabilaire*). L'importance de l'organe explique le tabou linguistique qui a conduit les diverses langues indoeuropéennes à introduire d'importantes variations sur son nom (sanskrit *plīhán,* latin *lien,* vieux slave *slězena*).

♦ Attesté en français au XVIIIe s. à propos des Anglais («le spline, ou les vapeurs anglaises» écrit Diderot), le mot se répand au XIXe s. dans le contexte romantique et post-romantique (Baudelaire); il a disparu de l'usage, sauf par évocation littéraire pour désigner une mélancolie sans cause apparente, caractérisée par le dégoût de toute chose.

▸ **SPLEENÉTIQUE** adj. et n. (1860, adj., Goncourt) est dérivé d'après *spleen;* la forme plus ancienne *splénétique* (1776, adj.) reprend l'anglais *splenetic* ou *spleenetick* «relatif à la rate», «qui souffre de la rate» (1544) et «qui souffre de mélancolie» (1398, n.; 1592, adj.), emprunt au latin impérial *spleneticus* «qui souffre de la rate». ◇ *Spleenétique* «relatif au spleen» est littéraire comme adjectif et sorti d'usage comme nom (1832, *splénetique*).

SPLÉNÉTIQUE adj. et n. s'est employé en moyen français pour «qui souffre de la rate» (v. 1500; 1429, «qui a la rate dure»); le mot est emprunté au latin *spleneticus,* l'anglais *splenetic* (fin XIVe s., comme nom) ayant pu jouer un rôle. ➛ **SPLÉNIQUE** adj., emprunté au latin *splenicus,* du grec *splênikos,* dérivé de *splên,* a signifié en médecine «celui qui souffre de la rate» (1555, n. m.); en anatomie, il s'applique à ce qui est relatif à la rate (1690).

SPLENDEUR n. f. est la réfection (v. 1460) de *splendur* (v. 1120), *splendor* (v. 1190; jusqu'au XIIIe s.), emprunté au latin *splendor* «éclat, brillant» et, par figure, «magnificence; considération, gloire», spécialement en parlant du style, de la langue. Ce mot dérive de *splendere* «briller, étinceler», au propre et au figuré, terme surtout poétique et noble, comme ses dérivés et composés. L'origine de ce verbe est obscure; un rapprochement avec le lituanien *splendžiu* «je brille» est mal établi, les autres formes de ce verbe *(spindžiu, spindéti)* «briller» ne comportant pas de *l.*

♦ L'ancien français connaît les formes populaires *esplendur* (v. 1190), *esplendor* (XIIIe s.) et *esplendeur* (1380), éliminées par les formes savantes sans *e-*. Le mot conserve les sens du latin et désigne, avec une valeur concrète, un grand éclat de lumière, spécialement un éclat d'une beauté rayonnante (v. 1460). ◇ À partir du XVIe s., on relève des emplois figurés, l'idée de «grand éclat» entraînant les sens de «gloire, honneur» (1552) et de «magnificence, pompe» (1636), en particulier dans la locution ***dans toute sa splendeur,*** parfois employée par ironie. ◇ *Splendeurs et misères,* introduit par Balzac dans un titre *(... des courtisanes)* au sens de «gloire, honneur», s'emploie littérairement pour «grandeur et faiblesse». ◇ *Une splendeur* se dit par métonymie (1836) pour «chose splendide». Le mot est du style soutenu, moins usuel que *splendide.*

▸ **SPLENDIDE** adj. est emprunté (1491) au latin classique *splendidus* «brillant, éclatant, resplendissant», dérivé de *splendere.* ◇ L'adjectif s'emploie, comme en latin, avec une valeur à la fois concrète et figurée, pour qualifier ce qui a de l'éclat, de la magnificence (1491); le sens propre, «qui brille d'un grand éclat lumineux» (fin XVIe s., d'Aubigné), n'est plus en usage. ◇ *Splendide,* comme *splendeur,* se dit (1834) de ce qui est d'une grande beauté, parfois employé par antiphrase, pour qualifier une erreur. ➛ Le dérivé **SPLENDIDEMENT** adv. (déb. XVIe s.) s'emploie avec les deux valeurs de l'adjectif.

◈ voir RESPLENDIR.

SPOLIER v. tr. est un emprunt du moyen français (v. 1460) au latin *spoliare* «dépouiller (d'un vêtement)», «déposséder (qqn)» [→ dépouiller].

♦ Le verbe, d'emploi didactique, signifie «dépouiller (qqn) par la fraude ou par abus de pouvoir».

▸ Deux autres mots didactiques ont été empruntés, également au XVe s., à des dérivés du supin du verbe latin. ➛ **SPOLIATION** n. f. (1425), emprunt au dérivé latin *spoliatio,* désigne l'action de spolier et son résultat; **SPOLIATEUR, TRICE** adj. et n. (1488), pris au latin *spoliator,* qualifie (comme adjectif) et désigne la personne qui en spolie d'autres. L'adjectif qualifie aussi les actions; il est didactique ou littéraire.

① **SPONDÉE** n. m. est un emprunt savant (v. 1378) au latin *spondeus,* lui-même pris au grec *spondeios* «pied de deux syllabes longues», utilisé à l'origine dans les chants de libation, substantivation de *spondeios* «relatif aux libations». Cet adjectif dérive de *spondê* «libation», de *spendein,* qui se rattache à la racine indoeuropéenne °*spend-* «faire une libation», comme le latin *spondere, sponsum* «prendre un engagement solennel» (→ épouser, sponsor, spontané) ou le hittite *šĭ(p)pand;* c'est un terme religieux et juridique très ancien, bien attesté dans les langues indoeuropéennes.

♦ Ce terme de métrique désigne en prosodie grecque et latine un pied de deux syllabes longues.

▸ **SPONDAÏQUE** adj. reprend (1580) le grec *spondeiakos* (qui avait donné le bas latin *spondicus*), spécialement dans *vers spondaïque* «hexamètre dont le cinquième pied est un spondée» (1872).

◈ voir ② SPONDÉE.

② **SPONDÉE** n. m. a été emprunté (av. 1904) au latin impérial *spondeum* «vase servant aux libations», lui-même emprunt au grec *spondeios;* → ① spondée.

♦ Le mot garde le sens de l'étymon, en parlant de l'Antiquité grecque, et désigne un air de flûte exécuté pendant les libations.

SPONDYLE n. m. est la réfection (1532), d'après le latin, de *spondille* (1314), qui correspond à l'ancien provençal *espondil* (XIVe s.), emprunt savant au latin *spondylus* «vertèbre» et «joint de l'huître», du grec *spondulos* «vertèbre cervicale» et, par métaphore, nom d'un coquillage. Le mot est sans étymologie établie.

♦ *Spondyle* était, en anatomie, le nom des vertèbres (1314); il a été aussi employé (1596) au sens de «tibia» et est relevé dans le dictionnaire de Boiste (1803 à 1829) au sens figuré de «personne décharnée», mal attesté. ◇ Ce terme didactique désigne aussi (1611) un mollusque lamellibranche des mers chaudes, dont la coquille est hérissée de pointes. ◇ Il s'est dit d'une ombellifère qui croît dans les lieux humides, alors écrit *spondile* (1690) ou *sphondylium* (1694) jusqu'en 1771, ainsi que d'un genre de phalène (1690). ◇ *Spondyle* est également le nom d'un coléoptère (1803) dont la larve creuse des galeries dans le bois mort.

▸ Sur *spondyle* ont été formés des termes didactiques de médecine, dont **SPONDYLITE** n. f. (1823), de *-ite,* «inflammation d'un ou de plusieurs corps vertébraux» et **SPONDYLOSE** n. f. (1907), de *-ose,* «affection rhumatismale de la colonne vertébrale».

SPONGIEUX, EUSE adj. est un emprunt savant (XIIIe s.), avec la variante *espongieux* (1505) jusqu'au milieu du XVIIe s., au latin *spongiosus* «spongieux», «poreux», dérivé de *spongia*, du grec *spongia* (→ éponge).

♦ L'adjectif s'applique à ce qui est de la nature de l'éponge, la rappelle par quelque caractère, spécialement à ce qui est de structure alvéolaire, notamment en anatomie, dans *os spongieux* (v. 1560), *tissu spongieux* (1793). ◇ Il se dit couramment (1690, *sol spongieux*) de ce qui retient les liquides comme une éponge.

▶ Le dérivé **SPONGIOSITÉ** n. f. (1314) est didactique et rare.

Quelques mots savants ont été formés à partir de *spongia* ou d'un de ses dérivés. ◆ **SPONGITE** n. f. (1644), du latin classique *spongitis*, désigne en minéralogie une sorte de pierre poreuse qui ressemble à l'éponge (1827). ◆ **SPONGIAIRES** n. f. pl. est en zoologie (1816) le nom scientifique des éponges. ◆ **SPONGILLE** n. f., «éponge d'eau douce» (1816), reprend le latin scientifique moderne *spongilla* (1815). ◆ **SPONGINE** n. f. (1872) désigne la substance organique constituant les fibres poreuses de certaines éponges. ◆ **SPONGICULTURE** n. f. (1907), de *culture**, désigne la culture de l'éponge en parcs.

SPONSOR n. m. est un emprunt (1954) à un mot anglais (XVIIe s.) signifiant «parrain», «répondant, caution», qui a pris aux États-Unis le sens de «bailleur de fonds» (1931), «commanditaire d'émissions de radio, de télévision». Le mot est emprunté au latin classique *sponsor* «répondant, caution» et en latin ecclésiastique «parrain d'un néophyte», dérivé de *sponsum*, supin de *spondere* «engager», «s'engager», dont le dérivé *sponsare* a abouti en français à *épouser**, et le composé *respondere* à *répondre** dont le participe présent *répondant* a un sens voisin. Une francisation en *sponseur* est attestée au XVIIe siècle (1655, Oudin).

♦ Employé d'abord dans le domaine des sports, cet anglicisme désigne une personne ou un organisme qui soutient financièrement une entreprise, un club sportif, équivalent du français *commanditaire* (→ commanditer) ou, avec d'autres connotations, de *mécène**.

▶ Le français a formé sur ce nom **SPONSORISER** v. tr. (av. 1980), aussi *sponsorer*, mot à la mode dans le vocabulaire de la publicité, à côté de *commanditer, financer, patronner, parrainer*. ◆ L'emprunt **SPONSORING** n. m. (1972) a surtout cours dans le monde du sport; mot anglais des États-Unis (1931), c'est le participe présent substantivé de *to sponsor* «répondre pour, cautionner» (1884). ◆ Il est concurrencé en français par **SPONSORISATION** n. f. (v. 1980), du verbe *sponsoriser*. Critiquée, cette série d'anglicismes est d'usage fréquent, mais *parrainage* semble concurrencer *sponsorisation*.

SPONTANÉ, ÉE adj., attesté au XVIe s. (1541), l'est indirectement dès le XIVe s. par *spontanément* qui en dérive (cf. ci-dessous). C'est la réfection de la forme plus populaire *spontainne* (1284, *de spontainne volantei*). Ces formes sont empruntées au bas latin *spontaneus* «spontané, volontaire», dérivé du latin classique *sponte*, ablatif de *spons, spontis* «volonté libre». Ce mot, seulement employé à l'ablatif, dérive de *spondere, sponsum* «engager, s'engager» (→ épouser).

♦ *Spontané* est introduit en physiologie, appliqué à des mouvements qui se font apparemment d'eux-mêmes, comme les battements du cœur, et à des états sans cause apparente (v. 1560, *lassitude spontanée*). En médecine, on a dit *évacuation spontanée*, «qui n'est pas provoquée par un remède» (1690), et *maladie spontanée* (1835), sortis d'usage. ◇ En biologie, *génération spontanée* (v. 1775) [→ génération], a correspondu à un concept important, détruit par la microbiologie pastorienne. On parle en botanique de *plantes spontanées* «qui croissent naturellement dans un pays sans y avoir été semées par l'homme» (1798). ◆ L'adjectif s'applique couramment, dès l'ancien français *spontainne* (1284) et au XVIIe s., sous la forme moderne, à ce que l'on fait sans y être incité ni contraint; par extension, *spontané* se dit couramment d'actions qui se font sans réflexion (v. 1850), d'une personne qui exprime aussitôt ce qu'elle ressent, sans arrière-pensée (1860). ◇ Par extension, l'adjectif qualifie (v. 1955) ce qui échappe aux règles établies, est incontrôlé, proche dans cet emploi de *sauvage**.

▶ Le dérivé **SPONTANÉMENT** adv., d'abord écrit *spontaneement* (1381), est attesté sous la forme moderne au XVIIe s. (1680). Son emploi correspond à l'emploi courant de l'adjectif. ◆ **SPONTANÉITÉ** n. f., «caractère de ce qui est spontané» (1695), est d'abord un terme didactique de physiologie, devenu d'emploi courant. ◆ **SPONTANISME** n. m. désigne en histoire des sciences la théorie de la génération spontanée (XXe s.); on a dit dans ce sens **SPONTÉPARISME** n. m. (1907), du latin classique *parere* «donner naissance», et **SPONTÉPARISTE** n. «partisan de cette théorie» (1872). ◆ **SPONTANÉISME** n. m. a été introduit (1968) dans le vocabulaire politique pour désigner la doctrine ou l'attitude de ceux qui, à l'extrême gauche, font confiance à la spontanéité des masses et refusent toute forme d'organisation préétablie. ◇ **SPONTANÉISTE** adj. (1934) et n. (1968), est spécialement employé dans *maoïste spontanéiste* (v. 1969), abrégé familièrement en *mao spontex*, jeu de mots sur le nom d'une marque d'éponges, allusion à la théorie selon laquelle le militant doit être imprégné des besoins des masses.

Le préfixé **SUBSPONTANÉ, ÉE** adj. (1877), de *sub-*, qualifie en botanique des plantes introduites par l'homme dans une région et qui s'y maintiennent sans culture, mais sans s'intégrer à la flore spontanée locale.

SPONTE SUA loc. adv., empruntée au latin classique, s'emploie en droit (1898) pour «de son propre mouvement, sans y être contraint» et, en sciences, «spontanément» (1899); la locution latine *sponte mea (tua, sua)* «spontanément», «par ses seules forces», est formée avec l'ablatif féminin singulier de l'adjectif possessif *meus, tuus, suus*.

SPORADIQUE adj. est emprunté savamment (déb. XVIIe s.) au grec *sporadikos* «dispersé, séparé», dérivé de *sporas, sporados* «épars», de *speirein* «semer, répandre» (→ spore) qui se rattache à une racine indoeuropéenne °*sp(h)er* «éparpiller, semer», comme le latin *spargere, sparsum* «répandre» «parsemer» (→ épars), l'ancien haut allemand *spriu* «balle de blé». Les îles Sporades, emprunt au grec *Sporades,* littéralement «les dispersées», tiennent leur nom du fait qu'elles sont «éparpillées» dans la mer Égée; les Grecs les opposaient aux *Cyclades,* disposées «en cercle» autour de Délos.

♦ L'adjectif se dit en médecine (déb. XVIIe s.) d'une maladie qui atteint les individus isolément, opposé à *épidémique.* ➛ Repris au XIXe s., il s'applique à ce qui apparaît dispersé, épars dans l'espace, en parlant d'espèces végétales ou animales (1831), en géologie (1872, *blocs sporadiques*) ou dans le temps, en astronomie (1848, *météores sporadiques*). ◇ Par extension, *sporadique* qualifie couramment (XXe s.) ce qui se produit de temps à autre, irrégulièrement, en particulier d'événements violents (révoltes, émeutes, soulèvements).

▸ L'adjectif a fourni **SPORADIQUEMENT** adv. (av. 1845, Bescherelle), didactique et courant, et **SPORADICITÉ** n. f., dérivé savant (1865), seulement didactique.

SPORE n. f. est un emprunt savant (1817) au grec *spora* «semence», «ensemencement», dérivé de *speirein* «semer», «répandre» (→ sperme, sporadique).

♦ Le mot a remplacé *granule** pour désigner le corpuscule qui assure, directement ou non, la reproduction de nombreuses espèces végétales (1817), notamment des champignons (en concurrence avec *sporule*) et de protistes (1907).

▸ À partir de *spore* ont été dérivés et composés de nombreux termes didactiques. ➛ **SPORANGE** n. m., terme de botanique (1817), du grec *angos* «vase, réceptacle», désigne l'organe qui renferme les spores, chez les cryptogames (fougères, champignons, etc.), et la partie externe de l'urne des mousses. ➛ **SPORULE** n. f., ancienne désignation des spores de champignon (1871), a fourni en biologie **SPORULER** v. intr. (1877) «se reproduire par spores» — d'où **SPORULATION** n. f. (1875) et **SPORULÉ, ÉE** adj., anciennement «pourvu de sporules» (1877), employé ensuite dans *bactéries sporulées* «qui forment des spores» (mil. XXe s.), d'où **SPORULÉES** n. f. pl. ➛ **SPORIFÈRE** adj. (1879), de *-fère,* «qui porte ou produit des spores», **SPOROGONE** n. f. (déb. XXe s.), de *-gone,* «appareil reproducteur des spores», sont didactiques en botanique. ➛ **SPOROTRICHE** n. m. (1904), réfection de *sporotrique* (1842), est un emprunt au latin botanique moderne *sporotrichum,* formé du grec *trix, trikhos* «poil, cheveu», est le nom d'une moisissure parasite, dont certaines espèces sont pathologiques pour l'homme. ◇ **SPOROTRICHOSE** n. f. (1903) désigne une mycose provoquée par les sporotriches. ➛ En zoologie, **SPOROZOAIRES** n. m. pl. (1890), du grec *zôon* «animal» (→ zoo), nomme la classe de protozoaires parasites des cellules ou des tissus chez l'homme et les animaux.

Spore est également second élément de mots composés didactiques, en botanique, comme **MACROSPORE** n. f., «spore femelle de certains cryptogames» (1842 «grande spore»), **MICROSPORE** n. f., «spore mâle» (1846).

◈ voir **DIASPORA**.

SPORT n. m. est un emprunt (1828) à l'anglais *sport* n. (XVe s.) «divertissement», puis au pluriel (XVIe s.), s'appliquant à des activités corporelles effectuées par plaisir, souvent dans un esprit de compétition. L'anglais vient d'une aphérèse de *disport* n. «passe-temps, récréation» et «jeu» (XIVe s.), lui-même emprunté à l'ancien français *desport* (XIIe s.), variante de *deport* «divertissement» (v. 1130); ce mot est le déverbal de l'ancien français *(se) desporter* «s'amuser, se divertir» (→ déporter).

♦ À l'origine, la notion de sport, en français, est surtout celle de *turf**, l'idée de pari paraissant liée. Le mot *sport* apparaît en effet dans le *Journal des haras* et se répand surtout après la publication du journal *Le Sport* (1853), fondé par E. Chapus et consacré aux courses de chevaux. *Sport* désigne ensuite toute activité physique exercée dans le sens du jeu, de la lutte et de l'effort, et dont la pratique suppose un entraînement et le respect de certaines règles. *Un sport* ou *les sports* avec un adjectif désigne une forme particulière de cette activité, par exemple dans *sports nautiques* (1866), plus tard dans *sports d'hiver* (1891), *sports équestres* (1933), etc. Par extension, il désigne une activité de plein air, ayant un caractère analogue, comme la chasse ou la pêche (1874) et se dit (XXe s.) de certains jeux d'adresse organisés sur le modèle d'un sport, comme le billard. ◇ Par métaphore, *sport* s'emploie pour une activité comparable (1879), sorti d'usage en emploi absolu, sauf par métaphore (cf. ci-dessous *c'est du sport*). Au sens propre, *sport* est passé des activités du turf et de la chasse aux nombreuses formes de compétitions et d'exercices codifiés, organisés à partir des années 1860, et surtout après 1890, d'abord en Angleterre puis sur le continent. Certains sports deviennent populaires (les *sports d'équipe* et le vélo, notamment) et leurs vocabulaires se développent et se diffusent. Au XXe s., le sport devient un domaine essentiel de l'information et du spectacle et prend de ce fait une importante économique considérable. On oppose le *sport professionnel,* sur ce plan, au *sport amateur.* ◇ Au XIXe s., les emplois figurés du mot font essentiellement référence au sens anglais de «jeu, distraction». Par analogie, *sport* adj. inv. se dit de vêtements pour la promenade, la campagne (1886), mais *vêtements sport* est concurrencé par *de sport* (1906), par opposition à *habillé* ou *de ville.* ◇ Par référence à l'esprit désintéressé et franc qui doit régner dans ces exercices, *être sport* signifie, par réemprunt à l'anglais, «être loyal», «faire preuve de *fair-play*» c'est-à-dire de *franc-jeu;* cette valeur a vieilli. ◇ Le mot entre dans les expressions figurées familières ***c'est du sport*** «c'est un exercice difficile» (1905), ***il va y avoir du sport,*** «de la bagarre» (1905), ***faire qqch. pour le sport,*** «sans y avoir d'intérêt personnel» (XXe s.). ◇ La locution adjectivée ***de sport*** se dit de ce qui est adapté à l'exercice d'un sport *(terrain de sport),* d'où par extension *voiture de sport,* «rapide et légère», opposé à *voiture de course* et *voiture de ville,* et par apposition *cabriolet sport.*

▶ **SPORTIF, IVE** adj. et n. s'applique à ce qui est relatif au sport, aux différents sports (1862); il a eu pour concurrent *sportique* (1865), qui a échoué, et se dit d'une personne qui pratique, aime le sport (1872), d'où *un sportif* (1897). ◇ L'adjectif se dit aussi de ce qui atteste la pratique du sport (1924) et de ce qui est conforme à l'esprit du sport (1906). L'adjectif, des années 1860 à nos jours, a suivi l'évolution sociale du nom. ◆ Il a fourni **SPORTIVEMENT** adv. (1893), **SPORTIVITÉ** n. f. (1898) et le composé **ANTISPORTIF, IVE** adj. (1891). ◆ Le dérivé **SPORTER** v. intr., «faire du sport» (1898), est assez vite sorti d'usage.

En même temps que *sport*, est introduit dans le vocabulaire hippique **SPORTSMAN** n. m. (1823), mot anglais signifiant «amateur de sport (hippique)» [1706, de *man* «homme»]; le mot, rare en français, a parfois été écrit *sportman* (1862, Hugo). Il est sorti d'usage pour désigner celui qui s'adonne au sport hippique ou s'y intéresse (1823); il a eu le sens de «chasseur» (1845), disparu vers la fin du XIXe s., et est vieilli pour désigner plus généralement un amateur de sports (1872), évoquant la période 1870-1930. Il a été éliminé par *sportif*, qui n'a pas la même connotation sociale distinguée, liée à l'anglomanie. ◆ Le féminin **SPORTSWOMAN** n. f. (1875, Mallarmé; 1863, *sportwoman*), repris de l'anglais (1754), de *woman* «femme», employé jusque vers 1930, a été éliminé par *une sportive*.

SPORTSWEAR adj. inv. et n. m. est emprunté à l'anglais (1927), aussi écrit *sportwear* aux États-Unis, mot composé de *wear* «vêtement, tenue», de *to wear* «porter». *Sportswear*, collectif désignant toute tenue de sport, est employé en français pour désigner un vêtement de sport réunissant les qualités de confort, de commodité et d'élégance. Cet anglicisme critiqué est surtout de l'usage du commerce.

SPORTULE n. f. est un emprunt savant (1404) au latin archaïque *sportula* «petit panier», en particulier, à l'époque impériale, nom du petit panier contenant un présent en nature ou en argent, donné par un patron à ses clients, d'où par métonymie le sens de «cadeau». Le mot dérive de *sporta* «corbeille, panier», emprunté au grec *spurida*, accusatif de *spuris*, sans doute par l'intermédiaire de l'étrusque. La racine du mot grec se retrouve dans *sparton* (→ spart) et *speira* (→ spire), ici avec l'idée de «tresser».

Sportula avait été emprunté en ancien français sous la forme *esporle* pour désigner la reconnaissance des devoirs à l'égard du seigneur.

♦ *Sportule* (1404), *esportule* (1433), désignait les épices que les clients donnaient aux juges. Repris au XVIe s. comme terme d'Antiquité romaine, le mot dénomme (1564) le don que les patrons romains accordaient à leurs clients. Par analogie, il s'est dit (1566) d'une aumône versée régulièrement. ◇ *Sportule* a désigné au XVIIe s. (1611-1660) un cabas à deux anses puis, en parlant de la Rome ancienne (1721), le panier qui contenait les dons.

SPOT n. m. et adj. est un mot emprunté (1889) à l'anglais *spot* n. (XIIe s.), «tache, éclaboussure, point, petite étendue d'espace», issu du germanique °*sput*, de *sputan* «cracher» (cf. anglais *to spit*), qui se rattache, comme le latin *spuere* «cracher» (→ spume) à une racine indoeuropéenne de formation expressive.

♦ *Spot*, en physique, désigne d'abord un point lumineux réfléchi sur le miroir de certains instruments de mesure, qui se déplace sur une échelle graduée; cet emploi se prolonge par le sens plus récent (1948) de «tache lumineuse produite par les électrons qui viennent frapper un écran fluorescent, dans un tube cathodique». ◆ Par emprunt à l'anglais des États-Unis, *spotlight*, de *light* «lumière», le mot prend d'autres acceptions dans l'usage courant; il désigne, d'abord au cinéma (1925, *spotlight*), un petit projecteur à faisceau lumineux étroit, utilisé pour éclairer un acteur, une partie de décor, et par extension un projecteur analogue servant de lampe d'intérieur. Il s'emploie aussi pour «bref message publicitaire» (1966; 1963 comme mot américain). ◇ L'adjectif, réemprunté (1975) à l'anglais *spot(market)*, s'applique dans le commerce du pétrole à une transaction ponctuelle.

SPOUTNIK n. m. est un emprunt (oct. 1957) au mot russe *spoutnik* «compagnon de route», d'où «satellite», formé de *put'* «chemin, route», du préfixe (d'abord préposition) *s* «avec» et de *-nik*, suffixe de nom masculin (→ refuznik).

♦ Le mot, désignant un satellite artificiel, est limité au contexte des premières expériences spatiales soviétiques (1957-1970).

SPRAT n. m. est un emprunt (1772) à l'anglais *sprat* (1597), en moyen anglais *sprot* (XIe s.), mot d'origine germanique non déterminée. La forme *sprot* était passée antérieurement en français (1723) ainsi que diverses variantes adaptées : *esprot* (1769), *éprot* (1870), *spret* (1775, d'après la prononciation) et *sprate* (1803) ont eu cours.

♦ Le mot désigne un poisson voisin du hareng, abondant dans les mers septentrionales et qui se mange surtout fumé. ◇ Le sens de «peau d'anguille dont on se sert comme appât» (1834, *sprot;* 1836, *sprat*), seul retenu par Littré, est sorti d'usage.

SPRAY n. m. est emprunté (1884) à un mot anglais signifiant «embruns» (1621), «gouttelettes» (1750) et utilisé comme terme de médecine, au sens de «pulvérisation» (1875), puis de «pulvérisateur» (1881). *Spray* se rattache probablement au moyen néerlandais *sprayen*, *spraeyen* d'où vient l'ancien verbe *to spray* «asperger» (cf. allemand *sprühen* «bruiner», «vaporiser»).

♦ Le mot désigne un jet de liquide projeté en fines gouttelettes par pulvérisation (1884) et, comme en anglais, le pulvérisateur et son contenu (1890); ces deux acceptions, d'abord techniques, se sont diffusées vers 1965 sous l'influence de l'industrie et de la publicité américaines. Ils s'emploient notamment en coiffure, en cosmétique.

SPRINT n. m. est emprunté (1895) à l'anglais *sprint* (1865, en ce sens), déverbal de *to sprint* (1871 comme terme de sports), mot d'origine scandinave (ancien norrois °*sprinta*).

♦ Le mot désigne un effort intense et bref d'accélération lors d'une course, spécialement à la fin, et la fin de la course elle-même ; de cette acception vient l'emploi de *sprint*, hors de toute compétition sportive, dans ***piquer un sprint*** «partir en courant» et ***au sprint*** «en accélérant fortement sur la fin (de l'effort)». ◇ Par métonymie, le mot désigne en athlétisme, en cyclisme et en natation une épreuve de vitesse sur une courte distance (1923) ; dans ce sens il a remplacé *sprinting* (1888), emprunt au participe présent du verbe anglais, rapidement disparu.

▶ ① **SPRINTER** v. intr., dérivé (1898) comme équivalent de *to sprint*, s'emploie d'abord en sports, puis familièrement. ◆ ② **SPRINTER** n. m., emprunt (1887) au dérivé anglais de *to sprint* (1871), en conserve le sens, désignant un coureur spécialiste des courses de vitesse, par opposition à *coureur de fond* et *de demi-fond*. Il a été francisé en *sprinteur, euse*.

SPUME n. f. est une réfection (1495, de Chauliac) de *espume* (v. 1300), emprunté comme l'ancien provençal *espuma* (1350) au latin archaïque *spuma* «écume, bave», mot dont un dérivé sans *s-*, *pumex*, a donné *ponce**. *Spuma* est rapproché du sanskrit *phénaḥ* «écume», de mots slaves et germaniques (anglais *foam*).

♦ Le mot s'est dit pour «écume» (v. 1300). En médecine (v. 1363), domaine où il est repris au XIXe s. (1872), il désigne une salive écumeuse formant de grosses bulles, apparaissant au cours de certains accès d'épilepsie.

▶ **SPUMEUX, EUSE** adj. (v. 1363), qui correspond à l'ancien provençal *spumos, spumoza* (XIVe s.) et est emprunté au dérivé latin *spumosus* «écumant» et «écumeux», s'applique à ce qui a l'aspect de l'écume, ou à ce qui contient de l'écume (1845). ◆ **SPUMOSITÉ** n. f. (v. 1363 ; semble inusité en français moderne av. 1752) est le dérivé savant de *spumosus* ou de *spumeux*. ◆ **SPUMESCENT, ENTE** adj., emprunté (1817) au latin *spumescens, -entis*, participe présent de *spumescere* «devenir écumeux», qualifie ce qui est semblable à de l'écume (cf. *écumeux*). ◇ De même que *spume*, ces trois mots sont didactiques et rares.

SQUALE n. m. est emprunté (1754) au latin *squalus* «requin, chien de mer» ; la longueur du *a* est inconnue et le mot pourrait être rapproché, si le *a* était long, de *squama* «écaille» (→ squame), le *squalus* pouvant être «l'écailleux, le rugueux». On relève par ailleurs, pour désigner un gros poisson, plusieurs mots germaniques, dont le vieux prussien *kalis* et le vieil islandais *hualr* ; le sanskrit a *chāla*, nom d'un poisson d'eau douce. Mais ces rapprochements ne suffisent pas à déterminer une série indoeuropéenne.

♦ Le mot, qui conserve le sens du latin, est le synonyme scientifique de *requin**. Il est relativement usuel, et a servi à former quelques termes didactiques.

▶ **SQUALIDÉS** n. m. pl. (1876), d'abord *squalides* (1842), est en zoologie le nom d'une famille de requins. ◆ **SQUALÈNE** n. m. (attesté 1949), terme de chimie et de biologie, désigne un hydrocarbure présent dans un grand nombre d'huiles végétales et animales, parce que cette substance se trouve dans le foie des requins. ◆ **SQUALOÏDES** n. m. pl. (v. 1950), de *-oïde*, désigne en zoologie des poissons sélaciens de forme allongée comme les squales.

◈ voir SQUAME.

SQUALIDE adj. est emprunté (v. 1500), aussi sous la forme *scalide*, au latin *squalidus* «rugueux», «hérissé» et «sale, malpropre», «inculte, aride» au propre et au figuré. Cet adjectif dérive de *squalere* «être couvert de croûtes, de plaques, d'où «être hérissé, âpre», «être malpropre» et au figuré «porter des vêtements sombres (de deuil)», verbe que les Romains rapprochaient de *squama* «écaille» (→ squame ; squale) ; le groupe °*sk*^{w}*a-* initial n'est pas attesté hors du latin.

♦ L'adjectif, très rare, a été repris au XIXe s. (1831) et signifie «dont la peau est rugueuse et grise».

▶ **SQUALIDITÉ** n. f., emprunt (1538, puis 1842) au dérivé bas latin *squaliditas* «négligence, désordre», aussi rare que l'adjectif, a le sens de «caractère rugueux», en parlant de la peau.

SQUAME n. f. est une réfection (déb. XIVe s.) de *esquame* (v. 1265) qui, comme l'ancien provençal *escama* (XIIIe s.), est issu du latin *squama* ou *squamma* «écaille» et «pellicule, paillette», à rapprocher sans certitude du latin *squalere* (→ squalide ; squale). Le mot a été aussi écrit *squamme* (1549), d'après le latin.

♦ Rare avant le XIXe s. (attesté 1809) et d'usage didactique ou littéraire ensuite, le mot désigne l'écaille de poisson. ◇ En moyen français, le nom est attesté isolément en médecine pour désigner une lamelle qui se détache de l'épiderme dans certaines dermatoses (XIVe s., *scame, escame*), acception qui réapparaît au XIXe s. (1812). ◇ Il a désigné la plaque de fer d'un haubert (1611, *scamme*). En botanique, il équivaut parfois à *écaille** (1809).

▶ **SQUAMIFORME** adj., didactique, composé (1478) de *forme*, signifie «en forme d'écaille» et se dit spécialement (1812) d'un cristal en forme de petite écaille.

SQUAMEUX, EUSE adj., réfection (1529) de *scamous* (1495), est emprunté en médecine au latin *squamosus* «couvert d'écailles». L'adjectif, signifiant «caractérisé par des squames» (1495), est aussi employé en anatomie dans *suture squameuse* (1611, *scameuse*). Il s'applique aussi à un épiderme d'apparence dure, qui semble couvert d'écailles (1779). ◆ **SQUAMULE** n. f. (1812 ; 1839, *squammule*) conserve en sciences naturelles le sens de «très petite écaille» du diminutif latin *squamula*. ◆ **SQUAMIFÈRE** adj., appliqué à ce qui est recouvert d'écailles, est emprunté (1836) au latin *squamifer*, de *ferre* «porter». Il s'est employé comme nom masculin pluriel (1823) pour désigner une classe de reptiles, pendant quelques décennies.

DESQUAMER v. (1836), emprunté au latin *desquamare*, et **DESQUAMATION** n. f., formé dès le XVIIIe s. (1732-1733) sur le radical du verbe latin, s'emploient en médecine à propos de la chute de la partie superficielle de l'épiderme sous forme de lamelles cornées.

SQUARE n. m., est cité comme mot anglais (1725) dans un texte sur Londres, employé isolément en 1792, 1804, 1816, et régulièrement après 1832, est un emprunt à l'anglais *square* n. (1300) «carré», spécialisé en urbanisme (1687), lui-même emprunté à l'ancien français *esquarre* «carré», variante de *équerre**.

♦ Le mot désigne, en parlant des pays anglo-saxons, une place publique carrée et en France (1836) un petit jardin public situé sur une place. Il est sorti d'usage au sens repris de l'anglais d'«espace carré entouré de maisons» (1844), qui correspond au français *place ;* on trouve dans ce sens *carré* en français du Canada (par exemple, à Montréal, le *carré Saint-Louis*).

① **SQUATTER** n. m. est emprunté (1835) à l'anglais des États-Unis *squatter* (1788), de l'anglais *to squat* «s'accroupir, s'asseoir sur ses talons» (XVe s., intr.). Ce verbe est emprunté (XIIIe s., tr.) à l'ancien français *esquater, esquatir* «évaser, aplatir», formé avec *ex-** et *quatir* (→ catir), lui-même d'un latin populaire °*coactire.* Ce dernier a été formé à partir de *coactus,* participe passé de *cogere* «mener ensemble, rassembler», «réduire, condenser», verbe dont le fréquentatif a donné *cogiter*,* de *co-* (→ co-) et *agere* «agir*».

♦ En français, *squatter* désigne d'abord un pionnier qui, aux États-Unis, allait s'établir sur des terres inoccupées sans titre légal de propriété, dans les régions de l'Ouest puis, en parlant de l'Australie (1854 ; ce sens est attesté en 1840 en anglais), un propriétaire de troupeaux de moutons occupant par droit de pâturage des terrains considérés — du point de vue des immigrés colons — comme sans propriétaires. En Australie comme aux États-Unis, il s'agissait souvent d'une expropriation (des Amérindiens, des Aborigènes ou même d'occupants antérieurs sans titres). Le phénomène est à la base des conflits propres à ces régimes. La variante francisée *squatteur* (fin XIXe s.) ne s'est pas imposée. ➛ Le mot, repris à l'anglais, se dit couramment (depuis 1948) d'une personne sans logement qui s'installe illégalement dans un local inoccupé.

▸ ② **SQUATTER** v. tr. (1969), francisation de l'anglais *to squat,* en reprend un des sens, «occuper illégalement (un immeuble inoccupé)» ; la variante **SQUATTÉRISER** v. intr. (1972) vient de *squatter,* n., avec le suffixe verbal *-iser.* Ce verbe a pour dérivé **SQUATTÉRISATION** n. f. (1974). ➛ **SQUAT** n. m. (v. 1975), emprunté au verbe anglais *to squat,* désigne cette occupation et l'immeuble lui-même ; le français a formé **SQUATTAGE** n. m. (1957).

SQUAW n. f., apparu une première fois dans une traduction, au XVIIe s. (1686), est repris par Chateaubriand (1797) qui introduit véritablement le mot en français. C'est un emprunt à l'anglais *squaw* «femme d'un Indien» ou «femme indienne» (1634), lui-même emprunté à un mot algonquin signifiant simplement «femme».

♦ *Squaw* désigne une femme indienne ou l'épouse d'un Indien de l'Amérique du Nord. Le mot, un moment écrit *squau* (1866), s'est diffusé en français vers 1866-1870 par les récits de l'Ouest américain.

① **SQUEEZER** n. m. est un emprunt (1859) à un mot anglais dérivé de *to squeeze* «presser» (XVIe s.), variante des formes anciennes *squise, squize,* intensif de *queise* (XVe s.), d'origine inconnue.

♦ En français, le mot désigne d'abord une presse, en métallurgie, sens sorti d'usage, puis (1876) un cylindre compresseur servant à l'essorage des étoffes sortant des bains de teinture.

▸ ② **SQUEEZER** v. tr. est soit une adaptation (XXe s.) de l'anglais *to squeeze,* spécialisé comme terme de bridge, ou a été formé d'après le substantif anglais *squeeze,* dérivé du verbe et signifiant «pression, action de serrer», lui aussi employé en bridge. ➛ Ce verbe signifie «obliger (l'adversaire) à supprimer sa garde dans les couleurs qui lui restent». ◇ Par figure, *squeezer* se dit familièrement pour «prendre l'avantage sur (qqn) en parvenant à bénéficier d'une supériorité quelconque».

SQUELETTE n. m., réfection (av. 1660), de *scelette* (1552) *sqelete* (av. 1585), est un emprunt au grec *skeletos* adj. «desséché», d'où substantivement «corps desséché, momie». *Skeletos* vient de *skellein* «sécher (qqch.)» et «se dessécher, se durcir, s'épuiser», d'origine obscure. Cependant, on a rapproché ce verbe de mots germaniques reposant sur une base °*skala ;* ainsi le suédois *skäll* «maigre (de la terre)», «mince, fade, aigre (du lait)», le bas allemand *schal* «desséché», «passé, fade», l'anglais *shallow* «peu profond».

♦ Le mot désigne l'ensemble des os et des cartilages qui constituent la charpente des vertébrés et cette charpente dépouillée de toutes les chairs qui la recouvraient, les ossements. On rencontre au XVIe s., outre *scelette,* autre transcription du grec, les variantes grécisées *sceletos, skeletos,* par exemple, chez Paré et Montaigne. Par ailleurs, le mot est souvent de genre féminin au XVIIe s. (1636, écrit *esquelete ;* v. 1650, *squelette*). ◇ Employé avec une valeur métaphorique, il désigne la personnification de la mort (1662, Bossuet), représentée par un squelette tenant une faux. ◇ Par exagération, *squelette* se dit (1669) d'une personne très maigre, cf. *N'avoir plus que la peau sur les os.* ➛ Le mot prend à la fin du XVIIe s. des sens étendus, désignant, comme *ossature,* la charpente d'un navire (1690), puis celle d'un édifice (XXe s.) ou d'un site naturel *(squelette d'une montagne),* en géologie (XXe s.). ◇ Il s'emploie par figure depuis le XIXe s. (av. 1880, Flaubert) en parlant notamment d'un élément de la nature. ➛ Au XVIIIe s., *squelette,* avec une valeur métaphorique, désigne un ouvrage dont le sujet est présenté de manière trop sèche et les grandes lignes, le canevas d'une œuvre, d'un ensemble abstrait (1727) ; cette acception a vieilli au XIXe siècle. ◇ Avec une valeur analogue, le mot est introduit dans le vocabulaire de la chimie (mil. XXe s.) pour désigner une structure constituée par les atomes de carbone liés entre eux, dans une molécule organique. ➛ Par ailleurs, *squelette* avec son sens concret s'applique en zoologie et par extension (XXe s.) aux invertébrés, au sens d'«ensemble des tissus plus durs servant d'armature ou de protection».

▸ *Squelette* a fourni plusieurs termes d'anatomie qui ne se sont pas maintenus. Deux restent en usage. ✦ **SQUELETTIQUE** adj., dérivé au début du XIXe s., appliqué à ce qui évoque l'image d'un squelette (1834, Balzac), en emploi concret («très maigre») et abstrait. Le mot est didactique pour qualifier (1872) en anatomie ce qui appartient au squelette. *Squelettique* signifie par figure et couramment (1933) «très réduit, peu nombreux» *(effectifs squelettiques).* ✦ **SQUELETTÉ, ÉE** adj. dérive (1970) de l'emploi étendu du nom, s'appliquant à ce qui est pourvu d'une armature, d'une structure. Il est didactique.

S. S. n. m., attesté en 1934, représente les initiales du mot allemand *Schutzstaffel* «échelon *(Staffel)* de protection *(Schutz)*», nom d'une organisation nazie créée en 1925.

♦ *S. S.* désigne un membre des formations de police militarisées de l'Allemagne nazie, devenues, sous le nom de *Waffen S. S.*, de véritables unités militaires. On relève le mot en emploi adjectif (mil. XXe s.), qualifiant ce qui se rapporte aux S. S. avec des connotations sinistres, dues aux crimes contre l'humanité commis par certaines de ces unités d'«élite». ◇ Après 1945, il a été repris dans des slogans politiques insultants, à l'adresse de forces policières *(C. R. S., S. S. !).*

STABAT ou **STABAT MATER** n. m. (1762, *stabat ;* 1842, *stabat mater*), représente le ou les premiers mots d'une prose latine chantée dans les églises pendant la semaine sainte : *Stabat mater dolorosa, Juxta crucem lacrimosa, Dum pendebat filius :* «elle se tenait, la mère pleine de douleur, pleurant près de la croix, où son fils pendait.» *Stabat* est la troisième personne du singulier de l'imparfait du latin classique *stare* «se tenir debout» (→ ester). *Mater* a donné *mère**.

♦ Le mot apparaît en français comme terme de musique (1762, Diderot, *le Stabat de Pergolèse*), désignant une œuvre composée sur les paroles de la prose du missel romain qui se chante le vendredi saint et le 15 septembre. En liturgie catholique, on le trouve dans le dictionnaire de Trévoux (1771, *stabat*) puis au XIXe s. (1842 ; *stabat mater*).

STABILE → STABLE

STABLE adj. est la réfection savante (fin XIIIe s.) de la forme orale *estable* (v. 1120) issue du latin *stabilis* «propre à la station verticale», «qui se tient ferme», et au figuré «ferme, inébranlable, durable» ; l'adjectif dérive de *stare* qui a abouti à l'ancien français *ester**.

♦ *Stable* reprend un sens figuré du latin (v. 1120), appliqué à ce qui n'est pas sujet à changer ou à disparaître et qualifie une personne dont les activités, les affections changent peu (cet emploi psychologique est repris au début du XVe s.). ◇ L'adjectif s'est employé (XIIIe s. ; repris fin XVIe s.) pour parler d'un édifice construit avec solidité, puis en général de ce qui est en position d'équilibre durable, d'où *équilibre stable* (1845). ◇ Le mot entre aussi dans le vocabulaire scientifique, s'appliquant en chimie (1801) à un corps qui ne peut être décomposé que difficilement, en technique dans *acier, alliage stable* (1872) «qui conserve longtemps ses propriétés». ◇ Avec cette idée de continuité, *stable* est employé couramment au XXe s. en économie *(monnaie stable)* et dans le domaine social *(situation stable).* ◇ En sciences, ses applications s'étendent, par exemple à *atome stable* ou *orbite stable* en physique, *proposition stable* en mathématiques, supposant une opposition avec un état *instable.*

▸ **STABILISER** v. tr. est un dérivé tardif (v. 1780) du latin *stabilis* et signifie «rendre durable, permanent» et (1845) «assurer la stabilité, l'équilibre de (qqch.)» dans un contexte abstrait ou concret. Il s'emploie spécialement (1933) à propos d'une monnaie, du cours des marchandises. En sciences, notamment en physique (1933, dans les dictionnaires généraux), il signifie «mettre dans un état stable». ✦ Le verbe a fourni plusieurs dérivés. ◇ **STABILISATION** n. f., «action, manière de stabiliser» (v. 1780), spécialement à propos de la monnaie (1926), désigne aussi (fin XIXe s.) l'action, la manière d'assurer la stabilité d'un véhicule, de consolider un sol, et s'emploie dans le vocabulaire scientifique. ✦ **STABILISATEUR, TRICE** adj. (1877) se dit de ce qui stabilise et s'applique comme nom masculin (1902) à des appareils et en chimie à des substances (1907). ✦ **STABILISANT, ANTE** adj. et n. m. (1914) qualifie ce qui rend stable et s'emploie comme nom masculin en chimie (attesté mil. XXe s.). ✦ **STABILISEUR** n. m. (v. 1960) désigne le dispositif qui assure la stabilité d'un dirigeable.

Le contraire **DÉSTABILISER** v. tr. (v. 1970) de ① dé-, «enlever sa stabilité à (un pays, une politique, etc.)» et «rendre (une situation) moins stable», est usuel dans l'usage politique et journalistique. ◇ En procèdent (v. 1970) **DÉSTABILISATEUR, TRICE** adj. et **DÉSTABILISATION** n. f.

Le composé **AUTOSTABLE** adj. est un terme technique (XXe s.), formé avec *auto-*, qui qualifie en aviation un élément qui tend à revenir à sa position d'équilibre quand il en a été écarté *(aile autostable).*

STABILITÉ n. f. est la réfection, qui semble antérieure à celle de *stable* (v. 1190), de *estabilité* (v. 1119), emprunté au dérivé latin *stabilitas*, «solidité, fermeté, fixité», au propre et au figuré. ◇ Ses emplois sont parallèles à ceux de *stable :* «constance» (v. 1119), «qualité d'une chose durable» (1406) ou «ferme» (1549). ◇ Le mot fait aussi partie du vocabulaire de la chimie (1818) et de la physique (1835), et désigne en cybernétique (1964) l'aptitude d'un élément quantifié à retrouver une valeur donnée lorsqu'il en est accidentellement écarté. ✦ Le composé **AUTOSTABILITÉ** n. f. (XXe s.) est un terme technique correspondant à *autostable* (ci-dessus).

STABILE n. m. est créé par Jean Arp en 1932, d'après *mobile** (M. Duchamp), aussi pour caractériser les œuvres de l'Américain Alexandre Calder. *Stabile* et *mobile* sont passés en anglais. Le mot désigne en art une construction sculpturale non articulée et immobile, en particulier en parlant des œuvres de Calder.

INSTABLE adj. est emprunté (v. 1223) au dérivé latin *instabilis* «chancelant», «mouvant», «changeant». ◇ Rare avant le XVIe s., il s'applique à ce qui est variable, changeant, d'abord dans un contexte abstrait puis en parlant des personnes (1528, *homme instable*) et des choses (1534). À propos des humains, il s'applique spécialement comme nom (1916, *un, une instable*) à un équilibre psychologique mouvant. ◇ Il qualifie à partir du XIXe s. en sciences ce qui est sujet à des modifications, par exemple dans *équilibre instable*, en chimie (1864). Il se dit aussi (XXe s.) d'une personne ou d'une chose qui n'est pas stable en un lieu. ➜ Le dérivé **INSTABLEMENT** adv. (v. 1380) est rare. ➜ **INSTABILITÉ** n. f., emprunt (1236) au dérivé latin *instabilitas*, a des emplois parallèles à ceux de l'adjectif, surtout dans un contexte psychologique ou en parlant d'une situation sujette à changer. En sciences, son emploi est plus rare.

◈ voir ÉTABLE, ÉTABLIR, STABULATION.

STABULATION n. f. est un emprunt savant (1833) au latin *stabulatio* «séjour dans l'étable», «demeure (d'hommes)», dérivé de *stabulatum*, supin de *stabulare* «garder dans une étable», «être à l'étable» et «habiter». Ce verbe vient de *stabulum* «endroit où l'on s'arrête», dérivé de *stare* (→ ester) qui a pris diverses acceptions, en particulier dans la langue rurale (→ étable).

♦ Terme technique, *stabulation* désigne le séjour des bestiaux en étable (1833) et, par extension, le séjour des poissons en vivier (1875), des huîtres dans un parc (1923). Il s'emploie (1923) pour parler du repos d'un malade à la chambre. Seul le premier emploi est relativement usuel.

STACCATO adv. et n. m. est un emprunt (1771, adv.) à un mot italien signifiant proprement «détaché», participe passé d'un verbe issu du latin populaire °*staccare* qui a par ailleurs abouti — avec préfixation — au français *attacher** et aussi par emprunt à *attaquer**. Le latin populaire représente une adaptation du francique °*stakôn* qui se rattache à la base germanique °*stak-* «pieu, piquet» (→ ② étai), peut-être apparentée à °*stick-* (→ étiquette).

♦ *Staccato* est emprunté comme terme de musique, d'abord en emploi adverbial signifiant «en détachant nettement les notes», puis comme nom masculin (1872) désignant un passage joué en suivant cette indication, opposé à *legato* «lié». Par analogie, *staccato* se dit parfois (mil. XXe s.) dans l'usage littéraire d'une succession de bruits brefs espacés à court intervalle.

STADE n. m. est la réfection (1530) de *estade* (v. 1265), *estat* (XIIIe s.), forme qui existe aussi en ancien provençal (XIVe s.), emprunté au latin *stadium* «mesure de longueur d'environ 185 m» et «carrière (pour la course) longue de cette distance»; le latin est lui-même emprunté au grec *stadion*, neutre substantivé de *stadios* adj. «droit, solide, ferme», de la famille de *stasis* (→ stase) et de *histanai*, forme à redoublement issue de °*sista-* «placer debout», «se tenir debout»; le verbe se rattache, comme le latin *stare*, à la racine indoeuropéenne °*sta-* «être debout» (→ ester). Le latin *stadium* a par ailleurs abouti en ancien français à la forme *estage* (XIIIe s.), relevée jusqu'au XVIe siècle.

♦ Le mot est introduit en français au XIIIe s. avec la première valeur du mot latin, au sens de «mesure de longueur de la Grèce ancienne» (v. 1265, *estade*; 1530, *stade*), employé au féminin dans Oresme (v. 1370, *une estade*) et plus tard par Molière (*une stade*, dans *Mélicerte*). ◇ Le mot emprunte au XVIe s. la seconde acception de l'étymon, devenue la principale, désignant (1509; une fois *estade* au XVIe s.) la piste, longue d'un stade, où se disputaient les courses et l'enceinte comprenant cette piste. C'est avec l'organisation moderne des sports athlétiques (→ olympique) que *stade* s'applique au monde moderne et se dit (1896) d'un terrain aménagé pour la pratique des sports, notamment l'athlétisme et les jeux de ballon, le plus souvent entouré de gradins, de tribunes. Les grands stades sont devenus d'immenses entreprises de spectacle. ◇ Par métonymie, *le stade* (XXe s.) désigne les sports pratiqués dans les stades, par exemple dans ***les dieux du stade*** «les grands athlètes», ***les jeux du stade.***
Au début du XIXe s., le mot est pris comme terme médical (1810) probablement d'après l'anglais *stadium* (1669), désignant chacune des périodes distinctes d'une maladie intermittente, puis par extension (1877), chacune des étapes distinctives d'une évolution. ◇ De là vient (1878) l'emploi courant de *stade* pour «degré», «niveau» dans un développement quelconque, dans *atteindre, passer, dépasser tel stade.* Le mot s'emploie notamment en psychanalyse, puis dans l'usage courant par la vulgarisation de ce domaine; cette notion dégagée par Freud met l'accent sur l'importance des périodes de l'évolution libidinale; Freud distingue ainsi les *stades prégénitaux (stade oral, anal, phallique)* du *stade génital;* Lacan y ajoute le *stade du miroir* (1936). Avec l'idée de «période distincte», le mot appartient aussi au vocabulaire de la géologie (XXe s., *stades de glaciation*).

▸ De cette valeur dérive **STADIAL, ALE, AUX** adj. (XXe s.), didactique, qualifiant ce qui est relatif aux stades d'une évolution. ➜ **STADIMÈTRE** n. m., attesté en 1900 a remplacé *stadiomètre* (1865); tous deux sont formés avec *mètre**. Ce terme technique désigne un dispositif optique (lunette et mire graduée) pour mesurer les distances. ◇ Il a fourni **STADIMÉTRIQUE** adj. (1902).

STADIA n. m. est un emprunt savant (1862) au féminin du grec *stadios* pour désigner un instrument de mesure des distances.
Au sens sportif, *stade* a produit dans les années 1990 le dérivé **STADIER**, n. m. (dont le fém. régulier est *stadière*) pour désigner les employés responsables du placement et de la sécurité du public, dans les stades (notamment pour les rencontres de football et de rugby).

① **STAFF** n. m. est un emprunt (1884, J. Adeline) à un mot allemand désignant un matériau inventé en 1876 et dérivé du verbe *staffieren* «garnir, étoffer, remplir», emprunt, par l'intermédiaire du néerlandais, à l'ancien français *estoffer* (→ étoffer).

♦ Le mot désigne une composition plastique de plâtre et de filasse, employée dans la décoration d'édifices provisoires, la construction de décors (cf. *stuc, aggloméré*).

▶ En dérive **STAFFER** v. tr. (1904) «construire en staff», qui a produit **STAFFEUR, EUSE** n. (1904) «plâtrier spécialiste du moulage et de la pose d'ouvrages en staff».

② **STAFF** n. m., parfois cité comme mot anglais (attesté 1895), est emprunté (1944) à un mot anglais qui a d'abord eu le sens de «bâton (de commandement)», puis signifie «état-major» (1781) et par extension (1837) «groupe assurant une fonction déterminée». Le mot anglais, d'origine germanique, a pour correspondant l'allemand *Stab*, de mêmes sens (ancien haut allemand *staben* «être raide»). Le rapport avec la base indoeuropéenne °*sta-* du latin *stare* (→ ester, station) n'est pas établi.

♦ *Staff* désigne un groupe de personnes assurant une fonction déterminée dans un service (1944) et spécialement une équipe de direction (v. 1972). Emprunté à l'anglais, *staff meeting* ou *staff* s'emploie spécialement en médecine (v. 1973) au sens de «réunion de service, dans un hôpital».

STAGE n. m. est un emprunt (av. 1631) au latin médiéval *stagium* «séjour» et spécialement en droit canon «fait de tenir résidence (en parlant de chanoines)», employé encore au début du XVIIe s., et en droit féodal «obligation pour un vassal de séjourner dans le château du suzerain pour le défendre»; le mot avait aussi le sens de «droit de gîte», «étape» et concrètement de «stalle». *Stagium* est une latinisation de l'ancien français *estage* «demeure», «séjour» (→ étage).

♦ *Stage* se disait en droit canonique de la résidence d'un nouveau chanoine avant qu'il puisse jouir de sa prébende. ◇ Le mot prend un sens plus étendu au XVIIIe s., désignant (1775) une période d'études pratiques imposée aux candidats à certaines professions libérales ou publiques d'où, par extension, une période de courte durée pendant laquelle une personne suit des cours de formation à une activité professionnelle (1907) ou même de loisir, de sport (1939). ◇ Par figure, et familièrement, *stage* s'emploie pour «séjour temporaire» (1876).

▶ **STAGIAIRE** adj. et n., attesté en 1692 (A. Baillet) pour «pratiquant (d'une doctrine)», s'applique à ce qui concerne un stage (1811). Comme nom (1815), le mot a remplacé *stagier* (1743), qui s'appliquait à un chanoine en stage. ◆ **STAGIARISATION** n. f., terme d'administration formé à partir de *stagiaire*, se dit (1974) de la nomination d'une personne au titre de stagiaire.

◈ voir ÉTAT, STAGE-COACH.

STAGE-COACH n. m. est un emprunt (1822) à un mot anglais (1658) cité en français dès 1672 et désignant une voiture de transport public. Il est composé de *stage* (XIIIe s.), de l'ancien français *estage* (→ étage) au sens d'«étape (routière)» [1603], et de *coach* (1556), du français *coche**. L'anglais a été abrégé en *stage* (1671) et en *coach* (1674); le français a connu l'abréviation *stage* (1823).

♦ *Stage-coach* s'est dit pour «diligence», seulement en parlant des pays anglo-saxons; il semble sorti d'usage, sauf dans le contexte des westerns.

STAGNER v. intr. est emprunté savamment (1787 ou 1788) au latin classique *stagnare* «être stagnant», «former une nappe stagnante», dérivé de *stagnum* «étang», mot d'origine obscure. Le verbe avait été emprunté en moyen français (av. 1350) sous la forme *staigner* «déborder en formant un étang». *Stagner* a probablement été reformé d'après *stagnant* (XVIe s.).

♦ Le verbe signifie «rester immobile sans couler» en parlant des fluides, et se dit par figure d'une foule, d'un groupe (v. 1920). ◇ Par métaphore, *stagner* a le sens, attesté en 1883, d'«être inerte, en rester au même point» en parlant de personnes et d'entités, et, dans le domaine économique ou financier (mil. XXe s.), correspond à «avoir une activité ralentie, ne pas se développer».

▶ **STAGNANT, ANTE** adj. apparaît (1546, Rabelais) avant le verbe, emprunté au participe présent *stagnans, -antis* du verbe latin. Cet adjectif se dit d'un fluide qui ne s'écoule pas. Il est sorti d'usage dans l'emploi médical (1762, *humeur stagnante*). ◇ Par figure, comme *stagner*, il s'applique (1773) à ce qui est peu actif, ne fait pas de progrès.

STAGNATION n. f., formé sur *stagnatum*, supin de *stagnare*, s'est d'abord employé en médecine (1741), sens disparu au XIXe siècle. Le mot s'emploie concrètement en parlant des fluides (1762) et au figuré (1764), emploi à la mode à la fin du XVIIIe, puis rare et repris au XXe s. avec l'extension du verbe *stagner*.

STAGFLATION n. f., terme d'économie (v. 1970), est un emprunt à l'anglais des États-Unis. *Stagflation*, mot-valise formé par le procédé de coupe syllabique, typiquement anglo-américain, de *stag*[nation] et [in]*flation*. ◇ Le mot désigne une situation économique caractérisée par la stagnation de l'activité et l'inflation des prix.

STAKHANOVISME n. m., attesté en français chez Gide (1936), est formé à partir du nom du mineur soviétique *Stakhanov* (1906-1977) dont on disait qu'il avait établi des records de production et qui, en 1935, fut donné en exemple aux autres travailleurs pour accroître le rendement.

♦ Le mot désigne une méthode d'augmentation du rendement du travail, en parlant de l'ex-U. R. S. S. (cf. *taylorisme*, aux États-Unis). Il s'est employé par analogie.

▶ Le dérivé **STAKHANOVISTE** n. et adj. se dit (1935) d'un travailleur qui applique cette méthode; par extension et familièrement, il désigne (v. 1975) une personne dont on juge qu'elle travaille trop.

STALACTITE n. f. est emprunté (1644 [Arveiller]) au latin moderne *stalagtites* (1609, de Boodt) remplaçant l'expression *stillatitius lapis*, due à Gesner (1565). Le mot est formé sur le grec *stalak-*

tos «qui coule goutte à goutte», adjectif verbal de *stalassein, stalazein* «couler goutte à goutte», qui est très probablement une dérivation expressive à partir de *stazein*, de même sens et sans étymologie établie.

♦ Terme didactique assez courant, *stalactite* désigne une concrétion calcaire qui se forme à la voûte d'une cavité souterraine par des infiltrations. Par analogie de forme, le mot se dit en architecture d'un motif décoratif pendant.

◈ voir STALAGMITE.

STALAGMITE n. f. est emprunté (1644 [Arveiller]) au latin moderne *stalagmitus*, qu'on trouve chez G. Fabricius et chez Gesner (av. 1565). Une variante francisée *salamite* (av. 1686) est restée isolée. Le mot est formé avec le radical du grec *stalagmos* «écoulement goutte à goutte», dérivé de *stalazein* (→ stalactite).

♦ Didactique et moins courant que *stalactite*, *stalagmite* désigne une concrétion de forme ascendante.

▸ Il a pour dérivé **STALAGMITIQUE** adj. (1845). Le terme de physique **STALAGMOMÈTRE** n. m., composé (1875) à partir du grec, d'abord, semble-t-il, en anglais (1864, *stalagmometer*), désigne un instrument qui sert à mesurer la tension superficielle d'un liquide par la détermination du nombre de gouttes qui s'écoulent d'un tube gradué. ◇ En dérive **STALAGMOMÉTRIE** n. f. (1929).

STALINIEN, IENNE adj. et n. a été formé (v. 1930; att. 1933) à partir du pseudonyme de I. V. Djougatchvili, dit *Staline* (1879-1953), homme d'État soviétique. *Staline* «homme d'acier» (de *stal'* «acier») est le nom de clandestinité qu'il avait choisi vers 1912.

♦ L'adjectif s'applique à ce qui est propre à Staline, à la politique dictatoriale et au culte de la personnalité qui prévalaient pendant la période où il dirigeait l'Union soviétique. *Stalinien*, substantivé, désigne un partisan de Staline et de sa politique (v. 1949) et, spécialement, après le XXe congrès du Parti communiste de l'U. R. S. S. (1956), une personne qui reste fidèle à l'esprit stalinien, un communiste autoritariste; en ce sens le mot est abrégé familièrement en **STAL** n.

▸ Le contraire, **ANTISTALINIEN, IENNE** n. et adj. (1937) de *anti-*, désigne une personne qui s'opposait à Staline et à son régime, ou qui combat une politique ou des méthodes proches de celles de Staline. **STALINISME** n. m. dérivé en *-isme* de *Staline* (1929), désigne la politique stalinienne d'autorité et de contrainte, les théories et les méthodes de Staline. ➛ **STALINISER** v. (v. 1950; *stalinisant* 1946), «rendre stalinien» et «faire une politique stalinienne», a produit, plus courant, **DÉSTALINISER** v. tr. (v. 1956), d'où vient **DÉSTALINISATION** n. f. (v. 1956) «opération de politique intérieure du parti communiste de l'U. R. S. S. qui rejette les méthodes propres à Staline»; par extension, le mot, qui est contemporain de la violente remise en cause de Staline menée en U. R. S. S. par N. Khrouchtchev (rapport au XXe Congrès, février 1956), s'emploie ensuite à propos d'autres partis communistes. ◇ *Stalinien* et *stalinisme*, laudatifs dans le discours des partis communistes avant 1956, étaient alors souvent opposés à *trotskisme* et *trotskiste;* après la *déstalinisation*, ces mots sont devenus de plus en plus péjoratifs, d'abord chez les anticommunistes, puis chez les socialistes de toutes tendances, enfin à l'intérieur de la plupart des partis communistes. ◇ De là vient l'usage de **STALINISTE** adj. et n., distinct de *stalinien*, pour «explicitement partisan des méthodes staliniennes».

STALLE n. f., d'abord nom masculin (1556) comme en ancien provençal (où le mot est attesté dès le XVe s., 1453), puis nom féminin au XVIIIe s. (1743), est emprunté au latin médiéval *stallum* «siège dans une église» (1173-1176), latinisation de l'ancien français *estal* «position» (1080), forme ancienne de *étal**. Le genre féminin, contraire à l'étymologie, est dû à la finale *-alle*.

♦ *Stalle* désigne chacun des sièges de bois, à dossier élevé, qui garnissent les deux côtés du chœur d'une église abbatiale et qui sont réservés aux membres du clergé. ◇ Par analogie, le mot a désigné dans un théâtre (1826) un siège séparé et numéroté, remplacé en ce sens par *fauteuil**. ◇ *Stalle* se dit par extension (1837) d'un compartiment cloisonné réservé à un cheval, dans une écurie, et a été préconisé comme nom du compartiment réservé à une voiture, dans un garage (1973, *Journal officiel*), pour remplacer l'anglicisme *box*.

◈ voir ① ÉTALON, INSTALLER.

① **STANCE** n. f. est la réfection (fin XVIe s.) de *stanse* (1550), emprunté à l'italien *stanza* «demeure, séjour», puis «repos» et par extension «suite de vers avec repos» (cf. les *Stanze per la Giostra* du Politien, publiées en 1494); le mot dérive de *stare* «demeurer», du latin *stare* «se tenir debout», «rester» (→ ester).

♦ *Stance* équivalait (1550) jusqu'au XIXe s. à *strophe**, terme d'histoire littéraire. ◇ C'est au pluriel (1660) un poème d'inspiration morale, religieuse ou élégiaque, composé d'un nombre variable de strophes du même type.

◈ voir ② STANCE.

② **STANCE** n. f. (fin XVIe s.), d'abord écrit *stanse* (1578) est un emprunt à l'italien *stanza* (→ ① stance) au sens spécial de «chambre».

♦ Le mot a eu le sens de «demeure» (1578) comme l'ancien provençal *istansia* «appartement» (1542) et, a signifié en marine (fin XVIe s.) «lieu de relâche, port». Il a disparu en français classique. ➛ Il est repris dans le vocabulaire des arts pour désigner une salle décorée de fresques (1905), en général remplacé par l'italianisme *stanza* (pluriel *stanze*), souvent à propos des *stanze* du Vatican décorées notamment par Raphaël.

① **STAND** n. m., attesté isolément en 1833, puis à partir de 1854, est emprunté à l'anglais *stand* (XIIIe s.), déverbal de *to stand* «se tenir debout», du germanique °*standan*, qui se rattache à la base indoeuropéenne °*sta-* «être debout» (→ estaminet), comme le latin *stare* (→ ester, station, etc.) et le grec *stasis* (→ stase), *statikos* (→ statique). Au XVIIe s., l'anglais prend les sens de «tribune» (1615), de «comptoir, emplacement», «support» (1664).

♦ Sorti d'usage au sens de «tribune des spectateurs de courses», *stand* désigne (1883) dans une exposition un emplacement réservé à un exposant ou à une catégorie de produits, et l'ensemble des installations et des produits exposés; ce sens, le plus courant, est relevé aussi en Suisse et en Belgique (1917). ◇ Par analogie, *stand de ravitaillement* (1939) ou *stand* s'emploie pour parler d'un emplacement réservé à un concurrent, dans une course automobile ou cycliste en circuit fermé. ◇ En technique, c'est le nom (1964) d'une tablette destinée à recevoir une machine de bureau et (XXe s.) d'un dispositif qui maintient vertical un instrument de musique dont on ne joue pas.

► ② **STAND** n. m. est emprunté (1877, *stand de tir;* 1884, *stand*) à l'allemand *Stand* «état, position», de même origine que ① stand (cf. allemand *stehen* «se tenir debout»). Au XVIe s., on relève en Suisse romande la forme *stan* (1542), puis *estant* (1657). *Stand* avait été emprunté en judéo-français sous la forme *estande* (1273) au sens de «stature, taille». ◇ Le mot désigne aujourd'hui un emplacement aménagé pour le tir à la cible.

◈ voir STANDING, STATHOUDER.

① **STANDARD** n. m. et adj. inv. est emprunté (1893) après quelques attestations isolées (1702, 1857, 1883, alors cité comme mot anglais) à l'anglais *standard* n. «étendard», «bannière» (1154), qui prend le sens d'«étalon de poids et mesure» (1429; 1622, adj.). Ce mot a été emprunté à l'ancien français *estandart* (1080; → étendard) par l'intermédiaire de l'anglo-normand *estaundart;* le mot signifiait «étalon de poids» en ancien français (XIIIe s.) et en anglo-latin *(standardus)*.

♦ En français, le mot s'est employé, cité comme mot anglais, pour désigner le titre légal de la monnaie ou des matières d'or et d'argent en Angleterre. ◇ Il désigne (1905) un type, une norme de fabrication, d'où un emploi adjectif (1905), spécialement dans la locution ***échange standard*** (1931) «remplacement d'une pièce usée par une autre du même type». Le nom désigne en particulier les caractéristiques définissant un système de télévision (v. 1950). ◇ ***Standard de vie*** (1931; cf. *coût standard de la vie,* 1927) s'est employé pour *niveau* de vie;* c'est un calque de l'anglais *standard of living* ou *standard of life* relevé en 1868 dans un journal français (l'anglais *standard* avait le sens de «degré de perfection, de réussite» depuis 1701). Par figure et péjorativement le mot signifie, seulement en français (1930), «conforme au modèle habituel, sans originalité» *(le modèle standard)*.

► *Standard* a fourni **STANDARDISER** v. tr. (1904) d'après l'anglais *to standardize* (1873). Le verbe signifie «soumettre (une production) à des normes de fabrication pour ramener à un petit nombre de types standard»; cet anglicisme équivaut à *normaliser**. Par analogie, il a pris le sens (1927) de «rendre conforme à un modèle social standard». ◇ Le dérivé **STANDARDISABLE** adj. est récent (1981). ➻ **STANDARDISATION** n. f. (1904), emprunt à l'anglais *standardization,* aujourd'hui senti comme dérivé de *standardiser,* désigne dans l'industrie l'élaboration de modèles standard fabriqués en série et s'emploie au figuré (1927). Il équivaut à *normalisation,* qui l'emporte dans l'usage spécialisé.

◈ voir ÉTENDRE, ② STANDARD.

② **STANDARD** n. m. est un emprunt (1897) à l'anglais *standard* «support, panneau» (→ ① standard) pour désigner ce que l'anglais nomme *switch-board* (1884).

♦ Le mot désigne un dispositif permettant, dans un réseau téléphonique peu important, de mettre en relation la ligne du demandeur avec celle du demandé et, dans une entreprise importante, un dispositif qui permet de brancher les postes intérieurs sur le réseau urbain ou de les mettre en communication entre eux.

► Le dérivé **STANDARDISTE** n. (1933), seulement français, est usuel comme nom de métier.

STANDING n. m. attesté en 1928 chez Pagnol, est emprunté à l'anglais *standing* «station, situation» (1382), employé ensuite dans le domaine social, dérivé de *to stand* «se tenir debout», «se tenir ferme» (→ ① stand).

♦ Le mot désigne comme en anglais la position économique et sociale élevée d'une personne, reconnue par l'opinion publique; cet anglicisme équivalant à *position** s'est substitué à *standard de vie* (→ ① standard). ◇ Le mot a pris en français, d'abord dans le vocabulaire publicitaire (v. 1958), le sens de «niveau élevé de confort, de qualité», en parlant de choses, et se dit spécialement (1939) d'une qualité d'aménagement qui classe une habitation dans une catégorie élevée *(immeuble de standing)*. Cet anglicisme critiqué équivaut à *classe*. Les prononciations courantes du mot ont été plaisamment transcrites par *standigne* (1965, Queneau) et *standingue* (on trouve aussi *standinge,* 1965, San-Antonio).

STANNEUX, EUSE adj. est dérivé savamment (1831) du latin impérial *stannum,* plus couramment *stagnum* «plomb d'œuvre», «plomb argentifié» et en bas latin «étain*», mot qui en est issu.

♦ Cet adjectif didactique se dit en chimie d'un composé d'étain bivalent.

► Plusieurs termes didactiques ou techniques ont été dérivés de *stannum* ou formés à partir de l'élément *stann-*. ➻ **STANNIFÈRE** adj. (1823), de *-fère,* signifie en minéralogie «qui contient de l'étain» et, en technique, «à base d'étain». ➻ **STANNIQUE** adj. s'applique à un acide oxygéné de l'étain (1789) et aux sels d'étain quadrivalent (1836). ➻ **STANNATE** n. m., en chimie (1836), désigne un sel d'un acide stannique. ➻ **STANNAGE** n. m., mot technique, se dit de la préparation d'une étoffe avant la teinture, par imprégnation d'une dissolution d'étain. ➻ **STANNOÏDE** adj. qualifie une substance qui a des propriétés proches de l'étain (1876), d'où **STANNOÏDES** n. m. pl. (1876) «l'étain, l'antimoine et l'osmium».

STAPHYL-, STAPHYLO- est un élément tiré du grec *staphulê* «grain, grappe de raisin» et «luette», mot d'origine inconnue. Il sert à former des termes de botanique et de médecine.

▶ **STAPHYLOCOQUE** n. m. est emprunté (1889) au latin scientifique moderne *staphylococcus* (1881, A. Ogston), du grec *kokkos* «graine, pépin» (→ coque). ◇ C'est le nom générique donné à des bactéries de forme ronde et réunies en grappes, agents de diverses infections qui portent le nom générique de **STAPHYLOCOCCIE** n. f. (1896).
STAPHYLIER n. m., dérivé de *staphulê*, désigne (1808) en botanique un arbuste rustique à fleurs dressées ou pendantes, qu'on appelle aussi *faux pistachier*, ses graines se consommant comme des pistaches. Le mot a remplacé *staphilée* n. f. (1732) et antérieurement **STAPHYLODENDRON** n. m. (1694), mot repris au grec par l'intermédiaire du latin (du grec *dendron* «arbre»).

STAR n. f., apparu isolément (1844) comme mot anglais dans un texte concernant le théâtre, puis repris au XXe s. (1919), est emprunté à l'anglais *star* «étoile», employé dans le vocabulaire du théâtre pour désigner une grande vedette (1824), une célébrité. *Star* vient du germanique °*sterron* (cf. allemand *Stern*), qui se rattache à une racine indoeuropéenne *ster-*, comme le grec *astêr* (→ astre), dont la variante °*stel-* a fourni le latin *stella* (→ étoile).

♦ *Star* désigne (1919) une vedette de cinéma très célèbre, comme équivalent de *étoile**. Utilisé à propos des acteurs, et surtout des actrices des années 30, le mot donne après 1950 l'image d'un objet de culte lié à la conception hollywoodienne du cinéma. ◇ Par extension, il s'emploie pour parler d'une personne très en vue (v. 1965). Dans ces deux acceptions, on dit parfois *star masculine* (v. 1978) lorsqu'il s'agit d'un homme.

▶ *Star* a connu une nouvelle vogue, surtout dans le composé **SUPERSTAR** n. f. (v. 1970), emprunté à l'américain, qui reprend les deux sens et est souvent employé en apposition (*Jésus-Christ superstar*, etc.). ◆ **STARLETTE** n. f. (1953), d'abord *starlet* (1922), est l'emprunt, avec francisation du suffixe, du diminutif anglais *starlet* «petite étoile» (1830), employé ensuite dans le vocabulaire du cinéma pour désigner une jeune actrice de cinéma qui rêve d'une carrière de star. ◆ **STARISER** v. tr. dérivé français de *star* (1967; 1922, isolément), familièrement «transformer en vedette», semble plus courant que **STARIFIER** v. tr. (1957). ◆ **STAR-SYSTEM** n. m., terme du vocabulaire du cinéma (1948) importé des États-Unis avec son sens, avait été traduit en français par *système des étoiles* (1919) qui ne s'est pas imposé. Le mot anglais, d'abord employé en astronomie (1873), était entré dans le langage du spectacle (1902) pour désigner l'organisation de la production et du commerce cinématographique fondée sur le culte de la vedette.
⟐ voir **STERLING**.

STAROSTE n. m. est emprunté (1606, repris 1701) au polonais, puis au russe *starosta* «aîné», «directeur», dérivé de *staryj* «vieux».

♦ Le mot désigne (1606) un noble de l'ancienne Pologne, qui avait en fief un domaine de la couronne et en percevait les revenus. *Staroste* est aussi le nom (1815) dans la Russie tsariste du chef d'un mir, responsable de la répartition de l'impôt. En histoire (XXe s.), le mot s'emploie pour désigner, à propos des anciens Slaves, le chef d'un village.

▶ Le dérivé **STAROSTIE** n. f. (1663, puis 1701) désigne en histoire le fief d'un staroste polonais.

STARTER n. m. est un emprunt (1861) à l'anglais *starter*, dans son emploi comme terme de sport (1818). *Starter* est le nom d'agent dérivé de *to start* «s'en aller, partir», «commencer, mettre en marche», d'origine germanique.

♦ Le mot apparaît en français dans le vocabulaire du turf, pour désigner la personne chargée de donner le départ d'une course de chevaux. Par extension, il s'emploie en sports, comme nom de l'officiel qui donne aux coureurs le signal de départ. ◆ Réemprunté (1931) à l'anglo-américain, *starter*, abréviation de *car-starter*, se dit d'un dispositif incorporé à un carburateur, destiné à faciliter le démarrage du moteur d'une automobile et, par une métonymie analogue à celle de *gâchette*, se dit de la commande de ce dispositif (cet emploi, le plus courant, est abusif). ◆ Par réemprunt à l'anglais, le mot désigne (apr. 1960) dans le vocabulaire technique un mélange d'aliments pour les jeunes animaux et qui les développe, les «fait partir». Il se dit aussi d'une culture mère faite pour préparer des levains microbiens.

▶ **STARTING-GATE** n. m. ou f. est un emprunt (1903) à l'anglais *starting gate* (1898), formé de *starting*, de *to start*, et de *gate* «barrière», d'origine germanique. ◇ Ce terme de turf désigne un appareil d'invention australienne, formé de rubans élastiques qui, tendus devant les chevaux, sont relevés d'un seul coup par le starter pour donner le signal de départ d'une course.

STASE n. f. est emprunté (1741) au grec *stasis* «action de se tenir», «immobilité», «action de poser», qui se rattache à une racine indoeuropéenne °*sta-* «être debout», comme le latin *stare* (→ ester, station) et ses composés.

♦ Terme de médecine, *stase* désigne un arrêt ou un ralentissement de la circulation ou de l'écoulement d'un liquide organique. ◇ Le mot a été repris (XXe s.) en psychanalyse dans *stase libidinale* et, en zoologie, pour désigner la forme prise par un arthropode entre ses différentes mues.

▶ Le dérivé **STASIQUE** adj. (v. 1950) est didactique.
⟐ voir **APOSTASIE, DIASTASE, EXTASE, HYPOSTASE, MÉTASTASE, PROSTASE.**

① **STATÈRE** n. m. est un emprunt (1560), d'abord féminin en moyen français (1376), au bas latin *stater*, lui-même pris au grec *statêr* «poids d'une livre ou d'une mine», «monnaie d'or (valant vingt drachmes)», «monnaie d'argent (valant quatre drachmes)». *Statêr* se rattache à la racine de *histanai* «placer debout, dresser» (→ stade, stase, statique).

♦ Le mot, aussi sous la forme *stater* (1611, puis 1765; disparu), désigne une monnaie d'argent de la Grèce antique de valeur variable (de deux à quatre drachmes) selon les époques (1376, n. f.), une monnaie d'or (de vingt à vingt-huit drachmes) [1611], et un poids de valeur variable, de huit à douze grammes (1904).

▶ ② **STATÈRE** n. f. est une réfection (1440-1475) de *estatere* (XIIIe s.), rarement attesté; le mot est emprunté au latin *statera* «balance», «trébuchet», au figuré «valeur d'une chose», emprunt au grec *statêr.* ◇ D'abord au sens de «trébuchet» (XIIIe s.), il désigne (1440-1475) une ancienne balance du type de la balance romaine.

STATHOUDER n. m. est emprunté (v. 1650) au néerlandais *stadhouder*, anciennement *stathouder* «gouverneur, lieutenant» (cf. allemand *Statthalter* «gouverneur»). Le mot, formé de façon analogue à *lieutenant**, est composé de deux mots d'origine germanique. *Stade* «lieu», «à la place de», vient d'un francique °*standan* «se tenir» (cf. anglais *to stand; allemand *stehen*, participe passé *gestanden*), de la base indoeuropéenne °*sta-* «être debout», comme le latin *stare* (→ ester, station). *Houder* «celui qui tient, qui gouverne» est d'origine germanique, le francique °*haldan-* «tenir» ayant fourni l'anglais *to hold*, l'allemand *halten*.

♦ Terme d'histoire, *stathouder* (aussi écrit *stadhouder*) désigne le titre porté par les gouverneurs de province, aux Pays-Bas espagnols, puis dans les Provinces-Unies, celui des chefs de l'exécutif, notamment les princes d'Orange-Nassau de la fin du XVIe s. à 1795.

▶ Le dérivé **STATHOUDÉRAT** n. m. (1701) signifie «titre, fonction de stathouder».

STATIF, IVE n. m. et adj. est emprunté (v. 1355) au latin *stativus* «qui reste en place», «stationnaire», dérivé de *statum*, supin de *stare* «rester debout» (→ ester). *Stativus* avait abouti en ancien français (v. 1165) à l'adjectif *estaïf*, attesté jusqu'au XIVe s. au sens de «qui reste, s'arrête quelque part», «qui se refuse à qqch.» et «paresseux».

♦ *Statif* s'est appliqué à un lieu où une armée demeure quelque temps (v. 1355, *tentes statives*) et a signifié «qui est debout» (1611), acception disparue. ◇ Le mot est repris au XIXe s. pour «relatif à la station» (1842), puis au début du XXe s. (1904) dans le vocabulaire technique pour désigner la partie métallique servant de support à un appareil optique. ◇ L'adjectif s'applique en linguistique (mil. XXe s.) à un verbe qui indique la durée d'un état, la permanence relative ou absolue dans le temps (cf. *duratif*).

STATION n. f. est un emprunt (v. 1170) au latin classique *statio* «position permanente», «lieu de séjour» spécialisé pour «mouillage, rade», «poste militaire» et par métonymie «hommes de garde, détachement»; le mot a désigné en bas latin le bureau d'un fonctionnaire dans les provinces, en latin chrétien une réunion des chrétiens priant debout, puis l'arrêt d'une procession, l'office célébré pendant cet arrêt, et aussi l'office célébré à tour de rôle dans les églises d'une ville et une messe célébrée par le pape. *Statio* dérive de *statum*, supin de *stare* «se tenir debout», «rester», «demeurer», qui a abouti au français *ester** et remonte à la base indoeuropéenne °*sta-* «être debout».

♦ *Station* a d'abord désigné en ancien français, aussi sous la forme *estacion*, le lieu où l'on se fixe, acception peu attestée en ancien français, reprise au début du XVIIe (1611) et didactique jusqu'au XIXe siècle. De cette valeur viennent en ancien français les emplois pour «endroit où l'on se place» (1191) et «boutique» (1340). ◆ Parallèlement, par emprunt au latin ecclésiastique, le mot désigne le fait de s'arrêter pendant un déplacement (v. 1190, *estacion;* XIIIe s., *station*) et, dans le vocabulaire liturgique, la visite de certaines églises où l'on fait des exercices de piété (v. 1190, *estacion;* 1552, *station*), en particulier pour y gagner des indulgences, par exemple dans *faire ses stations* (av. 1631), emploi classique. Ces deux valeurs, reprises au latin, de «halte» et de «lieu où l'on s'arrête», se développent surtout à partir du XVIIe siècle. ◆ En parlant de l'Antiquité, le mot désigne (v. 1213, *estacion;* v. 1355, *station*) un petit poste de garde des Romains. *Station d'un bain* se disait (XIVe s.) de la première salle chaude (le *caldarium* romain) d'un établissement de bains de vapeur. ◇ Le mot s'est employé pour «mouillage, rade» (v. 1500) puis se spécialise en marine pour désigner une étendue de mer où des bâtiments se tiennent (1773) et, par métonymie (1835), l'ensemble de ces bâtiments. ◆ Dans le vocabulaire liturgique, *station*, par emprunt à un autre sens du latin chrétien, s'est dit d'un office d'une solennité particulière célébré pendant les grandes fêtes religieuses (v. 1240). C'est encore aujourd'hui le nom d'un office présidé par le pape, dans diverses églises de Rome (1904). ◇ Le mot désigne par ailleurs aux XVIIe et XVIIIe s. un autel ou un emblème où l'on s'arrête, au cours d'une procession, pour prier (1636); il a eu le sens de «chaire que les prélats accordent à des prédicateurs» (v. 1650), relevé jusqu'en 1878, et de «jeûne du mercredi ou du vendredi» (v. 1700). ◇ Depuis le début du XIXe s., *station (d'un chemin de croix)* désigne les arrêts de Jésus pendant la montée au Calvaire (1810) et, par métonymie, chacune des quatorze images qui représentent ces stations, devant lesquelles les croyants récitent des prières (1875); cette acception est restée vivante. Le mot a en outre désigné l'ensemble des sermons prêchés par un même prédicateur, notamment pour l'Avent ou le Carême.

De l'idée de «halte» vient l'emploi littéraire (1636) pour «lieu où l'on s'arrête, que l'on visite». Au XVIIe s. apparaissent également des emplois scientifiques : *station* au sens d'«arrêt» désigne en astronomie (1671) l'arrêt apparent d'une planète. ◇ Le mot s'emploie aussi (1690) pour désigner l'endroit où l'on se place pour effectuer des observations, acception dont les applications se multiplieront plus tard (voir ci-dessous). ◇ Par ailleurs, toujours avec l'idée d'«arrêt», *station* se spécialise (1761), désignant un endroit aménagé pour l'arrêt de véhicules de transport public, en particulier dans *sta-*

tion (de chemin de fer) «gare» (1827), alors en concurrence avec *port sec,* vite abandonné puis supplanté par *gare. Station,* avec cette valeur, désigne aujourd'hui une gare de peu d'importance et, par ailleurs, entre dans des syntagmes comme *station de métro,* usuel (alors qu'après avoir employé *station* à propos des omnibus [mil. XIXe s.], on dit plutôt *arrêt d'autobus, de car*). ◆ Par spécialisation du sens initial, «lieu où qqn, qqch. se fixe», le mot a pris, aussi au début du XIXe s., une valeur en histoire naturelle où il désigne le lieu où une espèce végétale, animale est représentée (1812), et récemment (mil. XXe s.) un espace restreint présentant un ensemble de conditions d'existence, un biotope. Au XXe s., *station* s'emploie aussi en préhistoire, en parlant d'un lieu (ou *site*) où l'on retrouve les vestiges d'un séjour humain ou hominien. ◆ Une autre spécialisation aboutit au milieu du XIXe s. à l'expression ***station thermale*** «installation et séjour près d'une source thermale» (1860), puis «lieu où l'on prend les eaux» (1872). Par analogie, on parle de *station balnéaire* (1872), *climatérique* (1904), remplacé par *climatique* (1923). ◇ Au sens de «lieu où se place un observateur», attesté au XVIIe s. (ci-dessus), on rencontre après le milieu du XIXe s. des spécifications nombreuses : *station météorologique* (1877), *station spatiale,* etc. L'une d'elles, dans le contexte des télécommunications, est entrée dans l'usage courant pour «lieu d'où l'on émet et reçoit des signaux» : *station télégraphique, téléphonique* (1890), *radiophonique* (d'émissions) [1933], *station radar* (de réception) [v. 1965]. On parle couramment de *station de radio,* absolument *station,* moins fréquemment de *station de télévision* (cf. *chaîne*).

Depuis le début du XIXe s., *station* désigne le fait de se tenir debout (1800), aujourd'hui dans *station debout* (1830), et plus généralement le fait de se tenir de telle façon (av. 1893 ; *station droite*). Dans le vocabulaire didactique, le mot se dit (1872) de la disposition donnée à un instrument quand on veut l'utiliser à certaines observations.

▸ Le dérivé **STATIONNER** v. a signifié «placer (qqch.) quelque part» (1596, tr.). Il a le sens de «rester à la même place» (1606, répandu déb. XIXe s.), spécialement en parlant d'une voiture (1810), d'où au XXe s. un emploi transitif familier *stationner sa voiture,* en concurrence avec *garer.* ◇ En marine, le verbe signifie (1871) «tenir une station», en parlant d'un navire. ◆ Le dérivé **STATIONNEMENT** n. m. désigne l'action de stationner (1834) et le fait d'être à l'arrêt (1933) en parlant de troupes. ◇ Le mot équivaut à *parc de stationnement* au Canada, là où le français d'Europe utilise l'anglicisme *parking.* ◆ **STATIONNALE** adj. f. (1743) et n. f. (1834), terme de religion, désigne une église assignée pour la visite des stations.

Le mot a plusieurs composés. ◆ **SOUS-STATION** n. f. (1900), de *sous-*, correspond à «station secondaire d'un réseau de transport et de distribution de l'électricité». ◆ **STATION-SERVICE** n. f., calque (1932) de l'anglais *service station* (1922), est le nom d'un poste de distribution d'essence, auquel sont adjoints divers services pour l'entretien des automobiles ; (le français d'Afrique a forgé l'équivalent *essencerie*). ◇ Le mot a été repris dans le vocabulaire technique pour désigner (v. 1963) un ensemble d'installations destinées à fournir certains services, par exemple dans *station service de l'espace.* ◆ **STATION-WAGON** n. f. (1949), «voiture à grande capacité, dont la carrosserie est partiellement en bois», reprend un mot anglo-américain, formé de *station,* de même origine que le français, et de *wagon* «véhicule, voiture» (1799, «diligence»).

STATIONNAIRE adj. et n. m., rare jusqu'au XVIIIe s., réfection (v. 1350) de *stacionnaire* (v. 1270), est un emprunt au latin impérial *stationarius* «qui est de garde», et en bas latin «fixe», en astronomie et nom masculin «maître de poste». ◇ L'adjectif s'est employé pour «stagnant» en parlant de l'eau (v. 1270), sens disparu. Il s'applique à ce qui reste un certain temps à la même place, d'abord en astronomie (mil. XIIIe s., *planète stationnaire,* où il s'agit du mouvement apparent, comme dans l'extension au XXe s. aux satellites artificiels). ◇ L'adjectif qualifie couramment (fin XIIIe s.) ce qui demeure un certain temps dans le même état, d'où *maladie stationnaire,* autrefois «qui règne plus généralement que les autres pendant un certain temps» (1752), aujourd'hui «dont l'évolution est insensible» (1838). Cette valeur est reprise en sciences, spécialement en mathématiques et en physique nucléaire (XXe s.). ◆ Par figure, l'adjectif se dit (av. 1781) de ce qui ne progresse pas, en parlant des sciences, de l'industrie, d'une région, etc., d'où *un stationnaire* n. m., «ennemi du progrès» (1875), sorti d'usage. ◆ D'après le sens du latin impérial, le nom désigne (fin XVIIe s.), en parlant de l'Antiquité romaine, un soldat d'un poste de police. En termes de marine, un *stationnaire* est un navire désigné pour exercer une surveillance. ◆ Le dérivé didactique **STATIONNARITÉ** n. f. (1963) désigne l'état d'un phénomène stationnaire. ◆ Le composé **GÉOSTATIONNAIRE** adj., qualifie (v. 1966) un satellite qui reste stationnaire par rapport à un point de la surface terrestre, et son orbite.

STATIQUE n. f. et adj. est emprunté (1634), par l'intermédiaire du latin scientifique *statica* (fin XVIe s.), au grec *statikos* «propre à arrêter», «relatif à l'équilibre des corps», dérivé de *histanai* «placer debout», spécialement «placer dans une balance» et «se tenir debout», «immobiliser» ; ce verbe, forme à redoublement issue de °*sista,* se rattache à la base indoeuropéenne °*sta-* «être debout» bien attestée en grec (→ stade, stase, stoïcien, système) et en latin (→ ester, station).

♦ Le nom désigne (1634) la partie de la mécanique qui a pour objet l'équilibre des forces, opposé à *dynamique,* puis spécialement en chimie (1803) l'étude des conditions d'équilibre des réactions chimiques. L'emploi dans *statique sociale* (1839, A. Comte) est analogique de la physique ; c'est l'une des deux parties de la science nouvelle nommée par Comte *sociologie**. ◇ L'adjectif, emprunté directement au grec, s'est utilisé dans *chiffre statique* «chiffre arabe» (1721). ◇ Repris au XIXe s. dans le vocabulaire didactique, il s'applique (1852) à ce qui est dans un état d'équilibre, toujours par opposition à *dynamique* (1864), puis qualifie (1876) ce qui est relatif à l'équilibre des forces, ce qui est en équilibre, ainsi qu'une forme d'électricité. De là viennent divers emplois, comme *linguistique statique* (1916), remplacé plus tard par *linguistique synchronique*, *sens statique* «sens de l'équilibre», en médecine (1933), *analyse statique* (1964) et, substantivé au féminin, *la statique économique* en économie. ◇ Par figure, l'adjectif signifie «qui n'évolue pas, est dans un état d'équilibre» (1907) en parlant d'une personne ou d'une chose, spécialement dans *art statique*.

▶ *Statique* a fourni des dérivés didactiques. ◆ **STATIQUEMENT** adv. (1852) est assez usuel, alors que **STATISME** n. m. (1929) demeure un terme spécialisé. ◆ **HYDROSTATIQUE** n. f. et adj., composé avec *hydro-**, désigne (1691) la partie de la mécanique qui étudie l'équilibre et la pression des liquides (opposé à *hydrodynamique*) et s'applique (1802) à ce qui concerne cette étude ; le dérivé **HYDROSTATICIEN, IENNE** n. (1911, n. m.) est rare. ◆ **ASTROSTATIQUE** n. f. (1829) de *astro-*, désigne en astronomie l'étude de la statique des astres. ◆ **AUTOSTATIQUE** adj., de *auto-*, terme de médecine, s'applique (mil. XXe s.) à ce qui garde seul la position qu'on lui donne *(pince autostatique)*. ◆ **ANTISTATIQUE** adj. et n. m., de *anti-*, désigne en physique (1969) ce qui empêche ou limite le développement de l'électricité statique à la surface des matières plastiques.

STATISTIQUE n. f. et adj. est un emprunt (1771 selon *F. e. w.*) au latin moderne *statisticus* «relatif à l'État» (1672), formé à partir de l'italien *statistica* (1633), dérivé de *statista* «homme d'État», lui-même de *stato*, du latin classique *status* (→ état). L'italien *statista* (XVIe s.) avait été emprunté en français au XVIIe s. (v. 1660, *statiste*, n. m.). L'allemand *Statistik*, de même origine que le français, apparaît en 1752 ; en Angleterre, *Political arithmetic* fut employé au XVIIe s., avant *statistics* (1798).

♦ Le mot a d'abord désigné l'étude méthodique des faits sociaux qui définissent un État, par des procédés numériques : dénombrements, inventaires chiffrés, recensements, etc. ; ces études existaient bien avant la seconde partie du XVIIIe s., les inventaires et recensements étant consignés dans des ouvrages de titres variés, *La Dime royale* (Vauban), *Le Détail de la France* (1697, Boisguilbert) ou *Description de la France* (1722, Pigonal de la Force). Le passage de cette valeur au sens moderne, à l'époque où le mot devient aussi adjectif (1792), s'effectue d'abord en Angleterre pour *statistics* chez sir J. Sinclair (1798) ; *statistique* prend ensuite (1830) le sens d'«ensemble de techniques d'interprétation mathématique appliquées à des phénomènes», notamment les faits sociaux, pour lesquels une étude exhaustive de tous les facteurs est impossible, à cause de leur grand nombre ou de leur complexité. Le nom désigne ensuite (1862) l'objet des statistiques, un ensemble de données numériques concernant une même catégorie de faits. Quant à l'adjectif, il qualifie (XXe s.) ce qui concerne les grands nombres ou les phénomènes complexes, notamment en physique. ◇ Dans les deux acceptions, l'argot des écoles a créé l'abréviation familière *stat*. ◇ *Variable statistique* ou *statistique* n. f. (1968) désigne une variable aléatoire que l'on construit à partir d'un échantillon extrait au hasard d'une population.

▶ Le mot a servi à former quelques dérivés. ◆ **STATISTICIEN, IENNE** n. (1805) désigne un spécialiste qui élabore et construit des statistiques. ◆ **STATISTIQUER** v. intr. (1830, Balzac) s'est employé par plaisanterie, et ne s'est pas implanté. ◆ **STATISTIQUEMENT** adv. «par des méthodes statistiques» (1828) signifie aussi «en ce qui concerne les grands nombres» et, dans l'usage non technique, «dans l'ensemble» (v. 1980), alors opposé à *isolément, individuellement*.

STATUE n. f. est emprunté (v. 1170 ; *estatue*, v. 1120) au latin *statua* «statue», dérivé de *statuere* «établir, poser», «dresser, mettre debout» (→ statuer).

♦ *Statue* désigne, comme son étymon latin, une sculpture en ronde bosse représentant en entier un être vivant. On trouve en ancien français la forme plus évoluée *estatue* (v. 1220), vivante dans un usage populaire et fautif jusqu'au XXe siècle. On a opposé *statue grecque* «nue ou à peine drapée» à *statue romaine* «drapée, ou armée à la romaine» (1694). Le mot, antérieur à *sculpture*, demeure le plus usuel pour distinguer un produit de cet art, lorsqu'il est figuratif. De nombreux syntagmes, comme *statue équestre*, le spécifient. De nos jours, la distinction avec *buste*, et avec une sculpture animalière, n'est en général plus faite, et le terme a une valeur plus large qu'en français classique. ◇ Des locutions comparatives, comme ***droit comme une statue*** (1668), ***ne pas bouger plus qu'une statue*** (1779) peuvent encore s'employer. ◇ Le mot désigne par figure (XVe s.) une personne immobile, sans expression et on dit *la statue de...* (XXe s.) pour parler d'une personne qui semble représenter un sentiment, une abstraction *(la statue de la douleur)*. ◆ On relève au XXe s. **STATUE-MENHIR** n. f. en archéologie «menhir sculpté», **STATUE-COLONNE** n. f. «colonne sculptée représentant un personnage en pied, dans le premier art gothique», par exemple à Chartres, **STATUE-BLOC** ou **STATUE-CUBE** n. f. «statue représentant un dignitaire égyptien accroupi».

▶ Les dérivés sont rares. ◆ **STATUETTE** n. f. désigne une petite statue (1627). ◆ **STATUFIER** v. tr. signifie (1888) «représenter (qqn) par une statue», d'où au figuré «vouer une grande admiration à (qqn)» [mil. XXe s.]. Par figure, le verbe a pris le sens (1919) de «rendre aussi immobile qu'une statue», «pétrifier».

STATUAIRE n. et adj. est emprunté (1496) à un dérivé de *statua*, le latin *statuarius* «relatif aux statues» et nom masculin «sculpteur qui fait des statues». Le nom reprend le sens étymologique (1496) puis l'adjectif apparaît dans *art statuaire* (1552), substantivé dans **STATUAIRE** n. f. (1549) «art de faire des statues». ◇ L'adjectif s'applique ensuite à un matériau destiné à la sculpture (1690, *marbre statuaire*) et à ce qui porte une statue (1701, *colonne statuaire*).

STATUER v. tr. est emprunté (v. 1230) au latin *statuere* «établir, poser, mettre dans une position déterminée», «dresser, mettre debout», «décider, fixer, déterminer», dérivé de *status* «état», «position» (→ état). *Statuere* a fourni, avec changement de conjugaison, l'italien *statuire* et l'espagnol *estatuir;* l'ancien français *(estre) estué* «(être) fixé», en parlant d'une rétribution, vient (v. 1165) du participe passé passif *statutus.*

♦ Le verbe a signifié «ordonner, décider avec l'autorité que confère la loi»; on dit aujourd'hui *statuer sur qqch.* «prendre une décision à propos de qqch.» (XIIIe s.).

▸ **STATUT** n. m. est un emprunt (v. 1250) au bas latin *statutum* «règlement», «décret», neutre substantivé du latin classique *statutus.* ◇ Le mot, souvent au pluriel, a désigné le règlement d'une communauté religieuse et, au pluriel (1653), une suite d'articles qui définissent une société et règlent son fonctionnement. Il s'emploie en droit (1765) à propos de l'ensemble des lois qui concernent l'état et la capacité d'une personne *(statut personnel),* les biens individuels *(statut réel).* ◇ À propos de l'Angleterre, il s'applique (1872) à une loi issue d'un accord entre le Parlement et le souverain. ◇ Toujours en droit, *statut* désigne (1918) un ensemble de textes qui règlent la situation d'un groupe d'individus et, par extension, cette situation et sa forme juridique puis, couramment (v. 1950), une situation de fait, la position par rapport à la société (cf. *status,* ci-dessous). ➝ Le dérivé **STATUTAIRE** adj. (1582), juridique, a fourni **STATUTAIREMENT** adv. (1869) et **EXTRASTATUTAIRE** adj. (v. 1865).

STATUS n. m., mot latin repris (mil. XXe s.) dans le vocabulaire didactique, désigne en sociologie l'ensemble des positions occupées par un individu et des rôles attachés à ces positions.

◈ voir **STATUE; CONSTITUER, DESTITUER, INSTITUER, PROSTITUER, RESTITUER, SUBSTITUER.**

STATU QUO n. m. inv. représente (1757) une abréviation de la locution latine *in statu quo ante* «dans l'état où (les choses étaient) auparavant», utilisée en diplomatie; elle est formée de *in* «dans» (→ en), *statu,* ablatif de *status* «position, situation» (→ état), *quo,* ablatif du pronom relatif *qui* (→ qui) et *ante* «avant» (→ anté-).

♦ Le nom signifie «état actuel des choses». ◇ *Statu quo ante bellum* (1821), de *bellum* «guerre» (→ belliqueux), se dit de l'état de fait et de droit tel qu'il existait avant des hostilités.

STATURE n. f. est la réfection (av. 1493) de *estature* (v. 1155), emprunt au latin classique *statura* «stature», «taille», dérivé de *statum,* supin de *stare* «se tenir debout» (→ ester).

♦ Le mot désigne d'abord le corps humain considéré dans ses dimensions et sa position debout; *estature* a signifié par extension «maintien, attitude» (v. 1190) et par métonymie «portrait en pied» (v. 1460), sans doute par rapprochement avec *statua* (→ statue). ◇ Par figure, *stature* s'emploie (1687) au sens de «hauteur de caractère, valeur», comme *carrure, envergure.*

▸ Il a fourni deux termes didactiques, le dérivé **STATURAL, ALE, AUX** «relatif à la stature» (v. 1980) et le composé **STATURO-PONDÉRAL, ALE, AUX** adj. «relatif à la stature et au poids» (v. 1950), de *pondéral* (à *pondérer*).

STEAK → **BIFTECK**

STEAMER n. m. est emprunté (1829) à un mot anglais qui était récent (1825) signifiant «bateau à vapeur», dérivé de *steam* «vapeur», mot d'origine germanique.

♦ Cet anglicisme, employé au XIXe s. pour «navire à vapeur», était concurrencé par *bateau à vapeur* (1816) et *vapeur,* n. m., ainsi que par les termes spécifiques *navire, paquebot, vaisseau à vapeur.* Il est sorti d'usage avec la disparition progressive de la navigation à voile, la propulsion à vapeur disparaissant elle-même à partir des années 1920.

▸ **STEAMBOAT** n. m., anglicisme sorti d'usage, a été introduit en même temps (1829) que *steamer.* C'est la première dénomination anglaise (1785) des navires *(boats)* munis de moyens de propulsion à vapeur; au début de la navigation à vapeur, il a surtout été employé, d'abord aux États-Unis, pour les bâtiments munis de roues à aubes, qu'évoque particulièrement le mot en français actuel.

STÉAR-, STÉARO- sont des éléments tirés du grec *stear, steatos* «graisse, suif», mot d'origine indoeuropéenne à rapprocher de l'avestique *stā(y)-* «tas, masse», et du sanskrit *stiyāh* «eaux dormantes». Ils entrent dans la formation de termes didactiques ou techniques.

▸ **STÉARINE** n. f. (v. 1814) désigne en biochimie un ester de l'acide stéarique (ci-dessous) et du glycérol et, couramment, le corps solide, blanc, qu'on obtient par saponification des graisses naturelles. ◇ En dérivent **STÉARINERIE** n. f. «fabrique de stéarine» (1872) et **STÉARINIER** n. m. (1872). ➝ **STÉARIQUE** adj. employé en biochimie dans *acide stéarique* (1819) «acide gras saturé, surtout abondant dans le suif de bœuf et de mouton», était courant au XIXe s. dans *bougie stéarique,* fabriquée avec cet acide (av. 1850). ➝ **STÉARATE** n. m., terme de chimie (1823), signifie «sel ou ester de l'acide stéarique». ➝ **STÉAROL** n. m. nomme les médicaments dont l'excipient est une graisse (1842).

STÉAT-, STÉATO-, tirés du génitif *steatos,* figurent dans quelques mots savants. ➝ **STÉATITE** n. f. (1562 isolément, puis 1747), signifiant «silicate de magnésium compact», de constitution analogue à celle du talc, autrefois aussi nommé *pierre de lard.* ➝ **STÉATOPYGE** adj., de *-pyge,* du grec *pugê* «fesse» (→ callipyge), qualifie (1842) un animal possédant un amas de graisse de réserve à la base de la queue, puis (1865) une personne dont le tissu adipeux est très développé au niveau des fesses; il a servi à former **STÉATOPYGIE** n. f. (1872).

STEEPLE-CHASE n. m. est un emprunt (1828) à un mot anglais (1793) signifiant proprement «course au clocher», composé d'un premier élément *steeple* «clocher», issu du vieil anglais *stêap* «abrupt, élevé». Le second élément *chase* «chasse» est emprunté (XIIIe s.) à l'ancien français *chase,* variante de *chasse* (→ chasse), un *steeple-chase* étant à l'origine une course qui avait pour point d'arrivée un clocher.

♦ Emprunté en même temps que d'autres termes hippiques comme *turf**, *steeple-chase* désigne une course d'obstacles dans laquelle les chevaux doivent franchir des haies, des murs, des fossés. Au XIXe s. s'est répandu le sens figuré de «course d'obstacles» (1843, Balzac), qui ne s'est pas maintenu. ◆ La forme abrégée **STEEPLE** n. m., attestée au sens figuré de «but à atteindre» (1842) sorti d'usage, désigne couramment (1884), par extension de l'emploi en hippisme (1866), une course de fond sur un parcours de 3 000 m semé de divers obstacles disposés sur la piste. L'anglais emploie en ce sens *steeple-chase* (1864). ◇ La graphie *stiple* (J. Romains, 1932) a été proposée comme francisation orthographique du terme en 1971 ; elle n'est pas en usage.

STÈLE n. f. est un emprunt savant (1694) au latin *stela* «stèle», «colonne tumulaire», lui-même emprunt au grec *stêlê* «bloc de pierre dressé, stèle», apparenté à *stellein* «préparer», dont le sens originel était «dresser, disposer» (→ apôtre, épistolaire) ; *stêlê* a un correspondant exact dans le vieux saxon *stollo* «support, poteau».

♦ *Stèle* désigne un monument monolithe, formé d'une pierre plate, d'une colonne ou d'un cippe, qui porte des ornements sculptés, une inscription et spécialement (1872) une inscription funéraire. ◇ Par analogie de forme, le mot, en botanique (1904), se dit de la partie centrale de l'axe d'une plante comportant essentiellement du bois et du liber.

STELLAIRE n. f. et adj. est un emprunt (1778, adj., Bloch et Wartburg, sans indication de sens ; 1781, n. f., selon *F. e. w.*) au latin scientifique de la Renaissance *stellaria*, terme de botanique formé à partir du bas latin *stellaris* «d'étoile, d'astre», dérivé du latin classique *stella* (→ étoile).

♦ *Stellaire* n. f. est d'abord attesté, après *stellaria* (1695), pour désigner, à cause de ses fleurs en étoile, une plante dont une variété est le mouron des oiseaux. ◆ Le mot a repris le sens du bas latin et sert d'adjectif à *étoile* ; il qualifie (1812, mais cf. *interstellaire*) ce qui est en forme d'étoile, disposé en rayons et ce qui est relatif aux étoiles (1835), équivalent d'*astral*. On a dit *jour stellaire*, remplacé par *jour sidéral*.

▸ Le composé **INTERSTELLAIRE** adj. (1803) de *inter-*, terme d'astronomie, qualifie ce qui se situe ou se produit entre les étoiles.

STELLION n. m. est un emprunt savant (v. 1213, selon T.L.F.) au latin classique *stellio* ou *stelio* désignant un reptile analogue au caméléon et signifiant, au figuré, «fourbe». Le mot est dérivé de *stella* «étoile*» et l'animal est ainsi nommé parce qu'il change de couleur.

♦ *Stellion* est le nom d'un lézard gris, venimeux, des bords de la Méditerranée orientale. ◇ Le mot est attesté dans Cotgrave (1611) au sens latin d'«homme envieux».

▸ **STELLIONAT** n. m. est emprunté (1577) au dérivé *stellionatus*, terme juridique en bas latin désignant toute espèce de fraude. Repris en droit romain avec ce sens, le mot s'est spécialisé en droit (1680) pour nommer une fraude consistant à vendre ou hypothéquer un même bien à plusieurs personnes, ou à vendre un bien dont on n'est pas propriétaire. ◇ Il a pour dérivé **STELLIONATAIRE**, d'abord *stellionaire* (1655), n. et adj. (1845).

STENCIL n. m. est emprunté (1909) à un mot anglais représentant l'abréviation de *stencil-paper* (1875), composé de *paper* «papier» et de *stencil* (1707) «pochoir» ; ce mot dérive de *to stencil* «orner de couleurs vives ou d'un métal précieux», emprunté à l'ancien français *estenceler* (→ étinceler).

♦ *Stencil* désigne un papier paraffiné, perforé à la main ou à la machine à écrire, servant de pochoir ou de cliché pour la polycopie.

▸ Le dérivé **STENCILISTE** n. (1950), qui correspond à l'anglais *stenciler* (1832), terme technique, désigne la personne qui prépare les stencils.

◈ voir SCINTILLER.

STÉNOGRAPHIE ou **STÉNO** n. f. est emprunté, une première fois par Voltaire (1771) puis par Th. P. Bertin (1792) à l'anglais *stenography*, mot créé (1602) par l'inventeur John Willis, à partir des éléments grecs *stenos* «étroit, resserré», d'origine inconnue, et *-graphos* (→ -graphe, -graphie), de *graphein* «écrire». L'attestation de 1572, donnée par Dauzat, concerne *stéganographie*, n. f., «écriture en signes secrets». D'autres termes ont été employés, comme *tachygraphie** (attesté en 1681).

♦ Le mot est d'abord employé par Voltaire à propos d'une écriture codée (cf. *cryptographie*) ; il apparaît avec son sens moderne dans le titre du premier traité français de sténographie (1792, Bertin) présenté comme l'adaptation d'une méthode mise au point par l'Anglais Samuel Taylor dans un ouvrage paru en 1786. Le mot désigne une écriture abrégée et simplifiée, formée de signes conventionnels permettant de noter la parole au rythme de son énonciation. ◇ On utilise très couramment la forme abrégée ① **STÉNO** n. f. (XXe s.) qui vaut aussi pour *sténodactylographie* (ci-dessous). ◇ Le mot se dit par extension (1851, Goncourt) du compte rendu d'une séance, etc., obtenu par cette méthode. ◇ L'emploi pour «salle de travail des sténographes» (1898, Daudet) ne s'est pas maintenu.

▸ *Sténographie* a produit quelques dérivés. ◆ **STÉNOGRAPHE** n. (1792) désigne une personne qui pratique à titre professionnel la sténographie ; l'équivalent **STÉNOGRAPHISTE** n. m. (1812) ne s'est pas imposé ; l'abrégé ② **STÉNO** n. m. et f. est usuel. ◆ **STÉNOGRAPHIER** v. tr. (1792) signifie «noter par la sténographie». ◆ **STÉNOGRAPHIQUE** adj. (1775) qualifie ce qui est relatif à la sténographie et ce qui a été recueilli par la sténographie. ◇ L'adjectif a fourni **STÉNOGRAPHIQUEMENT** adv. (1834).
L'élément *sténo-*, tiré de *sténographe*, entre dans la composition de plusieurs mots. **STÉNODACTYLOGRAPHIE** n. f. (1907) désigne l'emploi combiné de

la sténographie et de la dactylographie, la forme courante est l'abréviation **STÉNODACTYLO** n. f. (1938) et plus usuel encore ① **STÉNO** n. f. *(prendre en sténo)*. ◆ **STÉNODACTYLOGRAPHE** (1907) ou très couramment **STÉNODACTYLO** n. (1911), de *dactylographe**, est rare au masculin. L'abréviation ② *sténo* est très courante *(une excellente sténo)*. ◆ *Sténodactylie* n. f. (1903) et *sténodactyle* n. m. «machine à sténographier», ont rapidement disparu.

STÉNOTYPE n. f. (1907, sans doute antérieur) de *-type**, terme technique, est le nom de l'appareil qui sert à sténographier mécaniquement. ◇ En dérivent, plus courants, **STÉNOTYPIE** n. f. «sténographie mécanique» (1864) et «métier de sténotypiste», **STÉNOTYPISTE** n. (1907) «personne qui sténographie au moyen d'un sténotype» et **STÉNOTYPER** v. tr. (1911) «sténographier à l'aide d'une sténotype».

STENTOR n. m., attesté une première fois au XVIe s. (1576), est emprunté à *Stentor* (latin *Stentor*, grec *Stentôr*), nom d'un personnage de l'*Iliade* qui passait pour avoir une voix aussi puissante que celle de cinquante hommes réunis.

♦ Le mot apparaît dans la locution *cris de Stentor* «grands cris» devenue ***voix de Stentor*** (1610), ***de stentor***, à propos d'une voix très forte, retentissante. Par extension, *un stentor* s'est dit d'un homme à la voix forte. ◆ Par analogie, le mot est emprunté en sciences naturelles pour désigner (1841), d'après le latin moderne *stentor* (1815), un protiste d'eau douce en forme de trompe, de porte-voix.

▸ Du sens étymologique dérive **STENTORIEN, IENNE** adj. (av. 1867, Baudelaire), adjectif littéraire qualifiant ce qui retentit comme une voix de stentor. ◇ On relève chez Balzac la variante *stentorique* (1837) et déjà chez Rabelais (1552) *voix stentorée* «voix de stentor».

STEPPE n. f. est emprunté comme nom masculin (1752, *step;* 1810, *steppe*), devenu féminin (1835), au russe *step'* n. f., avec influence de l'anglais *step*, emprunté au russe. On trouve *Step* en 1679 comme nom d'un «désert» de Sibérie.

♦ Le mot reste rare avant le XIXe s. et le genre féminin (1835) ne s'impose que lentement. *Steppe* désigne comme son étymon une grande plaine inculte, sans arbres, au climat sec, à la végétation pauvre et herbeuse; il s'emploie spécialement comme terme d'histoire et d'archéologie (XXe s.) dans *civilisation, art, peuple des steppes*, en parlant de l'époque protohistorique en Asie. ◇ Par extension, *steppe* se dit (av. 1850, Balzac) d'une plaine stérile, et de toute immensité uniforme, par exemple la mer (av. 1869, Sainte-Beuve), ce dernier emploi étant très littéraire (cf. *plaine*). ◇ Par métaphore littéraire, le mot équivaut (1929, Gide) à «période difficile à traverser», comme variante de *désert*.

▸ Le dérivé **STEPPIQUE** adj., didactique, qualifie (1909) ce qui vit, croît dans une steppe, et (1933) ce qui est propre à la steppe.

① **STEPPER** ou **STEPPEUR** n. m. est un emprunt (1842, *stepper;* 1859, *steppeur*) à l'anglais *stepper* (1835) dérivé de *to step* «marcher» puis «trotter», lui-même de *step* «pas», issu du germanique °*steppan*, °*stoeppan*, d'une forme °*stapjan* à laquelle se rattachent l'allemand *Stapfe*, peut-être le russe *stopa* «plante de pied».

♦ Ce nom désigne un cheval de trot à l'allure vive, qui lève haut et lance bien en avant ses membres antérieurs.

▸ ② **STEPPER** v. intr., emprunt francisé à l'anglais *to step*, apparaît au sens isolé de «faire un tour (à cheval)» [1850]; le verbe se dit ensuite (1867) comme en anglais (1856) pour «trotter vivement en levant haut les jambes de devant», en parlant d'un cheval.

STERCORAIRE n. et adj. est un emprunt savant (1721, n. m. puis 1768, adj. et n. m.) au latin *stercorarius* «qui concerne le fumier ou les excréments», dérivé de *stercus, stercoris* «excrément, fumier», aussi employé comme terme d'injure. Il n'a pu être établi de rapprochement clair avec ce mot, les désignations de l'ordure différant d'une langue indoeuropéenne à l'autre; on peut cependant mettre *stercus* en rapport avec le grec *skôr, skatos* «excrément» (→ scatologie).

♦ Le mot apparaît dans le dictionnaire de Trévoux (1721, comme nom masculin) par emprunt à un sens latin tardif, pour «membre d'une secte qui soutenait que l'eucharistie était digérée comme les autres aliments». ◇ Réemprunté avec la valeur générale du latin, comme terme de sciences naturelles, l'adjectif qualifie (1768) une plante qui croît et vit sur les excréments, le nom désignant un genre d'insectes qui se nourrissent d'excréments (1768) et un palmipède qui attaque les oiseaux de mer et les oblige à dégorger le poisson qu'ils viennent de saisir, afin de s'en emparer (1770, Buffon). ◇ L'adjectif a qualifié (1800, Boiste) ce qui concerne les excréments; dans cet emploi, il a été remplacé par *stercoral* (ci-dessous). Il est très littéraire comme adjectif au sens d'«ignoble, qui inspire un profond dégoût» (av. 1922, Proust), son emploi par Claudel pour qualifier le roman policier, selon lui «genre stercoraire», étant resté mémorable. ◇ Le mot en psychiatrie (XXe s.) désigne un pervers sexuel qui obtient une satisfaction érotique de la vue, de l'odeur ou du contact des matières fécales.

▸ **STERCORAL, ALE, AUX** adj. (1537) employé en médecine *(matières stercorales)* et **STERCORITE** n. f. (1872), de *-ite*, désignant en chimie le phosphate naturel d'ammonium et de sodium qu'on extrait des guanos, sont dérivés savamment du latin *stercus, -oris*.

STERCULIE n. f. (1812) ou **STERCULIER** n. m. (1829), dérivé savant du latin *stercus*, désigne une plante regroupant de nombreuses espèces d'arbres, qui pousse dans les régions chaudes du globe, ainsi nommée à cause de l'odeur excrémentielle dégagée par certaines de ses espèces. ◆ La forme *sterculie* a fourni **STERCULIACÉES** n. f. pl. (1817) de *-acée*, désignation de la famille de ces plantes.

STÈRE n. m. est emprunté à la fin du XVIIIe s. (1794), en vue d'un emploi spécialisé lors de l'adoption du système métrique, au grec *stereon* «volume cubique», neutre substantivé de *stereos* «dur, solide» (→ stéréo-), à rattacher à une racine indoeuropéenne °*ster-*, que l'on retrouve dans des mots germaniques.

♦ Le mot désigne une unité de mesure égale à un mètre cube, utilisée pour les bois équarris. C'est aussi le nom donné (1839) à un dispositif en bois d'un mètre de côté, qui sert à mesurer le bois.

▶ *Stère* a produit le terme technique **STÉRER** v. tr. (1872) «mesurer (du bois) au stère», d'où **STÉRAGE** n. m. (1872) «opération qui consiste à stérer» et «quantité, volume (de bois stéré)», et les composés didactiques, mesures de volume, **DÉCISTÈRE** n. m. (1795), de *déci-*, «dixième partie du stère» et **DÉCASTÈRE** n. m. (1839), de *déca-*, «dix stères».

STÉRÉO-, élément tiré du grec *stereos* «solide» (→ stère), entre dans la composition de termes didactiques, dont certains sont devenus courants.

▶ **STÉRÉOMÉTRIE** n. f. est emprunté au XVIe s. (1560) au latin scientifique *stereometria*, mot pris au grec, dérivé de *stereometrês* «qui mesure les corps solides», de *metrein* «mesurer» (→ mètre, -métrie). Le mot désigne la géométrie pratique qui a pour objet la mesure des solides naturels. ◇ En dérivent **STÉRÉOMÉTRIQUE** adj. (1812) et **STÉRÉOMÈTRE** n. m. sorti d'usage au sens d'«instrument de mesure des solides» (1836), puis nom d'un appareil de mesure des parallaxes longitudinales et transversales sous stéréoscope (voir ci-dessous).
➡ **STÉRÉOGRAPHIE** n. f. (1721), formé avec *-graphie* d'après le latin scientifique *stereographia*, est la représentation des solides par projection sur un plan. ◇ Le dérivé **STÉRÉOGRAPHIQUE** adj. (1765; 1613, d'après Littré) a fourni l'adverbe **STÉRÉOGRAPHIQUEMENT** (1836).
STÉRÉOTYPE adj. et n. m. (1796) de *-type*, est d'abord un terme de typographie, qualifiant ce qui est imprimé avec des planches stéréotypées (1797), adjectif sorti d'usage. ◇ Le mot s'est conservé comme nom masculin pour désigner (1803, Boiste) un cliché stéréotype; en ce sens on emploie aussi la forme abrégée ① **STÉRÉO** n. m. (mil. XXe s.) dont l'emploi est limité par l'homonymie (ci-dessous *stéréophonie*). ◇ L'idée de «représentation figée» est retenue pour désigner (XXe s.), comme *cliché* et assez couramment, une opinion toute faite, réduisant les singularités; le mot passe dans le vocabulaire didactique au sens d'«ensemble de constantes subsistant à travers les variations individuelles d'un objet» (v. 1950), spécialement en psychologie (1957) pour nommer une association stable entre un stimulus et une réaction, chez un groupe d'individus, en linguistique (v. 1968) pour désigner une association stable de mots formant une unité banalisée et en sémantique (emprunt à l'anglo-américain) à propos de la valeur dominante d'un signe linguistique, constituant une sorte de modèle social de signification. ➡ Les dérivés de *stéréotype* ont développé les emplois étendus du nom. ◇ **STÉRÉOTYPER** v. tr. a été remplacé comme terme technique de typographie (1797) par *clicher*; le verbe est assez rare au sens figuré de «figer, répéter exactement de la même façon» (1845) alors que **STÉRÉOTYPÉ, ÉE** adj. (1832), du participe passé, est usuel. Cet adjectif se dit aussi en médecine d'actes, de gestes habituels répétés involontairement (1899, en psychiatrie). *Stéréotyper* a par ailleurs fourni le terme technique ou didactique **STÉRÉOTYPAGE** n. m., autrefois employé (1803) pour *stéréotypie*. ➡ **STÉRÉOTYPIE** n. f., sorti d'usage en typographie (1797), remplacé par *clicherie*, s'emploie en psychologie et en médecine (1836, «image stéréotypée»; 1900, «tendance à conserver une attitude»); il est littéraire au sens de «caractère de ce qui est stéréotypé» (1931, Artaud). ◇ **STÉRÉOTYPIQUE** adj. s'emploie aussi en psychiatrie (1904).
STÉRÉOSCOPE n. m., emprunté (1841) à l'anglais *stereoscope* (1838), formé avec l'élément *-scope*, est la désignation d'un instrument d'optique qui restitue l'impression de la profondeur et du relief par l'observation de deux images prises simultanément par deux objectifs parallèles dont la distance est voisine de celle des yeux. ◇ En dérivent **STÉRÉOSCOPIQUE** adj. (1856) et **STÉRÉOSCOPIE** n. f. (1857).
STÉRÉOCHROMIE n. f. (1874), de *-chromie*, peut-être emprunt à l'allemand *Stereochromie*, désigne en technique un procédé de peinture murale, par fixation chimique des couleurs; d'où **STÉRÉOCHROMIQUE** adj. (1876).
STÉRÉOPHONIE n. f. (av. 1944), de *-phonie*, désigne couramment l'ensemble des procédés d'enregistrement, de reproduction et de diffusion permettant de donner l'impression du relief acoustique, opposé à *monophonie**. ◇ L'abréviation **STÉRÉO** n. f. (1959) est d'usage courant en ce sens. ◇ Le dérivé **STÉRÉOPHONIQUE** adj. (1940) «qui appartient à la stéréophonie» est moins courant que **STÉRÉO** adj. inv. (1957).
STÉRÉOVISION n. f. (1968), composé hybride formé avec *vision*, terme technique, désigne la vision en relief.
STÉRIQUE adj., dérivé savant de *stereos* en chimie, qualifie la configuration spatiale d'un composé, d'une molécule.

STÉRILE adj. est emprunté (1370) au latin *sterilis* «infécond» et «qui rend stérile»; le mot désignait auparavant un animal qui ne produit pas de petit, en parlant d'un mâle ou bien d'une femelle qui n'a pas encore eu ou n'a pas de petit; cette valeur, vieillie en latin, est demeurée dans des régions conservatrices du domaine gallo-roman, souvent sous une forme substantivée, par exemple dans le franco-provençal *esterla* «chèvre qui n'a pas encore porté» (XIVe s.). Un sens figuré, «qui ne rapporte rien», s'est développé en latin. *Sterilis* peut être rapproché de termes désignant d'abord l'animal femelle qui n'a pas de petit, comme le védique *starīh*, le grec *steira*, le moyen haut allemand *sterke* «génisse». Il se peut que le groupe de *sterilis* ait été originellement apparenté à celui du grec *stereos* «dur», «solide» (→ stère, stéréo).

♦ L'adjectif, introduit avec le sens propre du latin, qualifie une femme inapte à la génération, et aujourd'hui également un homme; on relève isolément (fin XVIIe s.) *une stérile*, n. f., «femme stérile».

Stérile s'applique par analogie à une fleur (1721), puis par métonymie à un mariage (1750, Voltaire). ◇ Depuis la fin du XVe s., l'adjectif s'emploie en parlant d'éléments naturels improductifs : arbre qui ne porte pas de fruits (1470), sol infertile (1490), et, au XIXe s., roche qui ne contient pas de minerai exploitable (1875, n. m. et 1876, adj.). ◇ Il s'appliquait par extension, au temps, dans *année stérile* «où la récolte est mauvaise» (1675), *temps, siècle stérile en grands hommes* (1694; déb. XVIIe s., *stérile d'hommes*), *saison, temps stérile en nouvelles* (1694), emplois archaïques. ➜ Les premiers emplois figurés de *stérile*, à la fin du XVIe s., qualifient un effort, une discussion inutile (1580, Montaigne), puis ce qui ne donne naissance à aucune création, à aucun résultat positif (1669, Boileau, à propos d'un auteur), de là *sujet stérile* (mil. XVIIe s.) «qui, de lui-même, fournit peu de matière à l'écrivain». ➜ L'adjectif s'applique spécialement en biologie puis, par la médecine, couramment, à ce qui est exempt de tout germe microbien (1891; *ballons stériles*, 1897), alors opposé à *pathogène (milieu stérile)*.

▶ **STÉRILISER** v. tr. est attesté isolément au XIVe s. (1377) en emploi transitif aux sens de «rendre impuissant» en parlant d'un homme et aussi comme intransitif «devenir impuissant»; il a disparu en ce sens. ◇ Le verbe est repris au XVIIIe s. au sens général de «rendre stérile, frapper de stérilité» (1797), conservé avec une valeur figurée (1801, en parlant du talent, d'un sujet, etc.), comme équivalent de *dessécher, appauvrir*. *Stériliser* s'emploie peu en parlant d'un sol (1824). Le verbe est assez rare pour «rendre stérile (qqn) définitivement» (1872) et s'emploie surtout pour «rendre provisoirement stérile», par exemple une femme, parfois à l'aide d'un *stérilet* (ci-dessous) et pour «pratiquer une stérilisation chirurgicale sur (qqn, un animal)» [mil. XXe s.]. ◇ L'emploi en biologie, passé dans l'usage courant, pour «rendre stérile, débarrasser des germes pathogènes», apparaît chez Pasteur et ses disciples (v. 1876). ◇ Par figure, *stériliser* a pris les sens (v. 1969) de «rendre qqch. inefficace», «laisser (un capital) improductif». ➜ **STÉRILISÉ, ÉE** adj. (1891), du participe passé, est usuel depuis l'utilisation des procédés de conservation par destruction des germes, en alimentation. ➜ **STÉRILISANT, ANTE** adj. et n. m., disparu au sens de «qui rend impuissant» (1495, *stérilizant*), a été repris au XIXe s. en emploi figuré (1859), puis au XXe s. en pharmacie au sens propre (av. 1973, n. m.). ➜ **STÉRILISATION** n. f. désigne l'action de stériliser et son résultat (1869). Le mot désigne l'opération qui consiste à détruire les germes (1880), spécialement pour la conservation de denrées alimentaires (1904). Son emploi pour «action de rendre stérile (un être humain)» semble plus récent (attesté 1929). ➜ **STÉRILISATEUR, TRICE** n. m. et adj. (1891) est le nom donné à un appareil servant à stériliser; l'adjectif s'emploie au figuré comme équivalent de *stérilisant*.

Stérile a servi à former d'autres dérivés. ➜ **STÉRILEMENT** adv., (1542), est d'emploi littéraire au figuré et rare au concret (on dit par exemple, *en milieu stérile*). ➜ **STÉRILET** n. m. désigne (av. 1960) un dispositif anticonceptionnel qui, introduit dans l'utérus, assure une stérilité permanente mais réversible. ➜ **STÉRILISTE** n., didactique, se dit (1973) d'un partisan de la stérilisation des humains pour combattre la surpopulation.

STÉRILITÉ n. f. est emprunté (1332), après un emploi isolé de *sterilitet* (v. 1050), au latin *sterilitas* «infécondité» et au figuré «impuissance, néant», dérivé de *sterilis*. ➜ Le mot s'emploie au propre pour «fait d'être stérile» en parlant d'un être vivant (v. 1050), d'un sol (1332), d'où par métonymie le sens ancien de «disette» (1456), encore relevé chez Furetière (1690). ◇ Au figuré, *stérilité* se dit d'abord (1553, Rabelais) d'un défaut de fécondité intellectuelle et par extension d'un écrivain (1690), désignant plus généralement ce qui n'aboutit à rien, est inefficace (1690). ◇ En biologie et médecine, pour «état stérile», il ne semble pas employé avant le XXe s. (1928).

STERLING adj. est un emprunt (1656) à un mot anglais employé dans *pound* [«livre»] *sterling* d'abord nom (1297) puis adjectif (v. 1444); c'est un emprunt au latin médiéval *sterlingus* «denier d'argent de l'Angleterre et de l'Écosse» (fin XIe s.). Ce mot se rattache lui-même probablement à l'ancien anglais *steorling* «monnaie d'argent marquée d'une étoile», composée de *steorra* «étoile», issu du germanique °*sterron* (→ star) et du suffixe germanique *-ling*. ◇ Le latin médiéval *sterlingus* avait par ailleurs abouti à l'ancien français *esterlin* n. m. (v. 1155) désignant une monnaie d'origine écossaise qui eut cours en Europe aux XIIe et XIIIe s., et aux variantes *estrelin, strelin*, relevées jusqu'au XVIe s., et *sterlin* (1576). ◇ Le sterling, introduit en Angleterre par les Normands au XIIIe s., disparut comme monnaie réelle au XVIe s.; il devint l'étalon monétaire de tout le Royaume-Uni mais le mot est alors seulement employé comme adjectif.

♦ En français le mot, adjectif invariable dans *livre sterling* (1656), désigne la monnaie de compte anglaise appelée aussi *sterlin*, n. m. (1576). ◇ L'emploi substantif concerne ensuite (1677) le penny d'argent des Normands au début du règne de Henri II. Le mot s'est conservé dans les milieux boursiers, avec sa valeur moderne, par ellipse de *livre* sterling* et pour désigner cette monnaie souvent collectivement. ◇ En tant qu'adjectif invariable, il se dit (1836) des valeurs et des monnaies évaluées en livres sterling *(zone sterling, balance sterling)*. ◇ Le mot s'est employé par figure et familièrement au sens de «remarquable, de première qualité» (1691), encore usuel au XIXe s. (Stendhal, Hugo).

STERNE n. m. ou f. est un emprunt (déb. XVIe s. au sens d'«étourneau»; semble réemprunté, 1800) au latin zoologique *sterna* (XVIe s., Turner et Gessner, repris par Linné), lui-même pris à l'anglais *stern*, mot saxon.

♦ Le mot désigne un palmipède marin au bec pointu, à la queue fourchue (d'où le nom populaire d'*hirondelle de mer*). Plutôt féminin au XIXe s., il semble passer au masculin à partir de Littré.

STERNUM n. m. est une latinisation (v. 1560, Paré) de l'hellénisme *sternon* (1555), emprunt au grec *sternon* «partie large et plate qui forme le devant de la poitrine» et «poitrine». Ce mot se rattache, comme le grec *stratêgos* (→ stratège) et le latin *sternere* «étendre», «coucher à terre» (→ consterner, strate) à une racine indoeuropéenne °*ster-* «étendre». La forme grecque *sternon* est encore relevée au XVIIIe s. (1771, Trévoux).

♦ Introduit dans le vocabulaire de l'anatomie, *sternum* désigne chez l'être humain l'os plat et allongé, situé au milieu de la face antérieure du thorax, et sur lequel s'articulent les côtes et les clavicules. Par extension, le mot s'emploie pour d'autres mammifères (1770, Buffon), et aussi pour les oiseaux. Il désigne par une analogie plus lointaine (1845) la région ventrale de chacun des anneaux thoraciques chez les insectes.

▸ Le dérivé **STERNAL, ALE, AUX** adj. (1812) est un terme d'anatomie et de zoologie, synonyme de *ventral*. ◂ Le composé **ASTERNAL, ALE, AUX** adj. (1814) de ② a-, didactique, s'emploie pour qualifier des côtes qui ne s'articulent pas avec le sternum.
STERNO-, premier élément tiré de *sternum*, entre dans la composition de quelques termes d'anatomie, par exemple **STERNO-CLÉIDO-MASTOÏDIEN, IENNE** adj. et n. m. (1740), tiré du grec *kleis, kleidos* «clavicule» et de *mastoïdien**, qui désigne un muscle qui s'insère d'une part sur le sternum et la clavicule, d'autre part sur l'apophyse mastoïde.

STERNUTATION n. f., réfection (1765, in *F. e. w.*) de *esternutacion, sternutacion* (1495; p.-ê. v. 1360), est un emprunt savant au latin impérial *sternutatio* «éternuement», formé sur le supin de *sternutare*, fréquentatif de *sternuere* dont un dérivé a donné *éternuer**.

♦ *Sternutation* se dit du fait d'éternuer, d'une suite d'éternuements.

▸ **STERNUTATOIRE** adj., dérivé du nom ou formé savamment sur le supin latin *sternutatum*, est d'abord un nom masculin (1429; XIIIe s. isolément, *esternuatore*) désignant un remède pour faire éternuer. ◇ L'adjectif (Furetière, 1690) qualifie en médecine ce qui provoque l'éternuement; il a supplanté en ce sens l'adjectif *sternutatif, ive* (1610).

STÉROÏDE, STÉROL → CHOLESTÉROL

STÉTHOSCOPE n. m. est un mot de formation savante composé par Laënnec, inventeur de l'instrument (1819), à partir du grec *stêthos* «poitrine», mot d'origine obscure, et de *-scope*, du grec *skopos*, de *skopein* «examiner, observer», sur le modèle de *téléscope, microscope*.

♦ Terme de médecine devenu d'usage courant, le mot désigne un instrument destiné à l'auscultation des bruits à travers les parois du corps.

▸ En dérive **STÉTHOSCOPIQUE** adj. (1872), didactique.
L'élément **STÉTHO-** est entré dans la composition du terme scientifique **STÉTHOMÈTRE** n. m. (1846) de *-mètre*, qui a désigné un instrument servant à mesurer les dimensions de la poitrine.

STEWARD n. m., emprunté une première fois sous la forme *estuard* (fin XIVe s.), puis *stuard* (1669) et repris au XIXe s. avec la graphie anglaise (1833), est un mot anglais signifiant «majordome, gardien d'une maison» (1450). Il est issu du vieil anglais *stigweard, stiweard*, probablement composé de *stigu* «cour de ferme» (d'où l'anglais *sty* «porcherie»), qui provient de l'ancien haut allemand *stia*, et de *weard* (anglais moderne *ward*) «gardien», de même origine germanique que le français *garder, garde**. Le mot désignait à l'origine la personne qui s'occupait des animaux domestiques, spécialement le porcher; l'emploi s'est ensuite étendu à la personne qui dirige la domesticité et s'occupe de la bonne marche d'une maison, intendant ou régisseur. Puis *steward* a pris des acceptions spécialisées; c'est le titre donné à d'anciens grands officiers, équivalent de *sénéchal* ou de *commissaire* et désignant les personnalités qui participaient à l'organisation d'un banquet, d'un bal, ou la personne qui s'occupe de la gestion d'un collège. *Steward* est à l'origine du nom propre écossais *Stuart*.

♦ C'est avec ces valeurs anciennes que le mot apparaît en français (XIVe s.; XVIIe s.), au sens d'«intendant, commissaire». ◇ Il réemprunte au XIXe s. le sens que l'anglais *steward* avait pris, désignant (1833) un maître d'hôtel ou un garçon de service à bord d'un paquebot (aussi écrit *stewart*); pour désigner cette fonction sur certains trains (1873, Verne), le mot est réservé à un contexte anglophone. ◇ Par extension, *steward* désigne couramment (v. 1950) un membre masculin du personnel de cabine d'un avion, chargé du service des passagers, comme l'*hôtesse* de l'air*. Le mot est abrégé en **STEW**, prononcé *stiou*, dans l'argot du métier.

▸ **STEWARDESS** n. f. est emprunté (1887) à l'anglais *stewardess* (1631), féminin de *steward* qui avait pris le sens de «steward féminin sur un paquebot» (1837). Le mot s'est employé pour désigner une femme occupant un emploi de steward sur un bateau (1887), puis sur un avion (v. 1950), mais a été remplacé dans cette acception par *hôtesse de l'air*.

STHÈNE n. m. est un emprunt savant (attesté 1923) au grec *sthenos* «force», terme archaïque et d'étymologie inconnue.

♦ Le mot désigne, en physique, l'unité de force du système M. T. S. (symbole : Sn).

▸ À partir de *sthène* ont été composés les termes didactiques **CENTISTHÈNE** n. m., **DÉCASTHÈNE** n. m., **DÉCISTHÈNE** n. m. et **HECTOSTHÈNE** n. m. (1922).

◈ voir STHÉNIE.

STHÉNIE n. f. est le dérivé savant (1839) du grec *sthenos* «force».

♦ Le mot a d'abord eu le sens de «puissance d'une fonction». Il désigne, en termes de physiologie, un état caractérisé par la pleine activité physiologique, opposé à *asthénie*.

▸ **STHÉNIQUE** adj., dérivé savant (1797) du grec *sthenos*, signifie en médecine «tonique, vigoureux» et qualifie une substance, un agent thérapeutique qui stimule.

◈ voir ASTHÉNIE, STHÈNE.

STICHOMYTHIE n. f. est formé savamment (1865) du grec *stikhos* «rangée», «ligne d'écriture», «vers» (→ hémistiche) et de *mutheisthai* «parler», dérivé de *muthos* «parole», «récit» (→ mythe).

♦ Ce terme de poétique désigne un poème, un dialogue de tragédie où les interlocuteurs se répondent vers pour vers.

① **STICK** n. m. est un emprunt (1846), attesté une première fois sous la forme *stic* (1795), à un mot anglais (1000) signifiant proprement «petite branche, bâton» et désignant par extension des objets ayant la forme d'un bâton, une canne (1620), notamment en sports et au jeu (1674). *Stick* appartient à la famille de *to stick* «piquer, enfoncer, planter» (cf. allemand *stecken*), issu d'un francique °*stikkan* (→ étiquette); ce dernier remonte sans doute à une base indoeuropéenne °*sti-*, comme le grec *stizein* «piquer» et le latin *stigare* de même sens (→ instigation).

♦ Introduit avec le sens technique disparu d'«outil en bois ou en fer employé dans une fonderie» (1795, *stic*), le mot, écrit à l'anglaise, devient à la mode au XIXe s., désignant (1846) une canne mince et souple et d'abord employé dans le langage mondain *(le stick du dandy)*; il a désigné ensuite, d'après un sens spécial de *stick* en anglais, une crosse de hockey (1894) et, récemment, le prolongement articulé de la barre d'un petit voilier (1966). ◇ Par ailleurs, comme mot anglais au début du XXe s. (1903, *shaving stick*), puis en publicité (v. 1957), *stick* désigne un produit cosmétique présenté sous forme de bâtonnet, acception qui se répand vers 1960 sous l'influence de la publicité.

▶ ② **STICK** n. m. représente un emploi métaphorique en anglais de ① stick. Cet anglicisme désigne (1956) une équipe de parachutistes qui sautent du même avion.

◈ voir SWEEPSTAKE.

STIGMATE n. m. est emprunté (1403) au latin impérial *stigmata*, pluriel de *stigma, -atis* «marque imprimée aux esclaves» et «marque d'infamie», qui désigne en latin ecclésiastique les marques des plaies de Jésus. Le latin a emprunté le mot au grec *stigma* «piqûre», «plaie ouverte», «ouverture» et «tatouage». Le mot est dérivé de *stizein* «piquer», qui se rattache à une racine indoeuropéenne °*sti-*, comme le latin *stigare* (→ instigateur) et le francique °*stikkan* (→ étiquette, ① stick).

♦ *Stigmate* apparaît au pluriel pour désigner les marques des cinq plaies faites sur le corps du Christ par la crucifixion, et par analogie, d'abord dans le langage des Franciscains, les cicatrices inexplicables disposées sur le corps comme les blessures du Christ, et que présentèrent quelques mystiques (attesté 1680). ◇ Par figure et au singulier, le mot se dit, d'abord sous des formes disparues (1495, *stigmac;* v. 1549, *estigmate*), d'une trace qui révèle un état considéré comme honteux. ◇ Par extension, il désigne (déb. XVIe s., *stigmat;* 1798, *stigmate*) une marque laissée sur la peau par une plaie ou une maladie, d'où en médecine le sens (1847) de «signe clinique permanent d'un état morbide peu apparent», sorti d'usage. *Stigmate* s'est employé en histoire à partir du XVIe s. pour désigner les marques imprimées au fer rouge sur les épaules de qqn, dans l'Antiquité et, sous l'Ancien Régime (1669), la marque imprimée au fer rouge sur le corps des condamnés; cet emploi est archaïque, même en histoire. ➜ *Stigmates* n. m. pl. s'est dit (1690) de points disposés selon des figures géométriques et servant à la divination. ➜ À la fin du XVIIe s., le mot entre dans le vocabulaire des sciences naturelles avec le sens grec d'«orifice». Il désigne en zoologie (1690) chacun des orifices de la région latérale du corps par où l'air pénètre dans les trachées, notamment en parlant des insectes; en botanique (1746) c'est le nom de la pièce florale formant l'orifice du pistil, et en histologie (1904) celui de l'orifice microscopique que font les cellules migratrices de l'organisme en perforant les cellules endothéliales quand elles sortent d'un capillaire.

▶ **STIGMATISÉ, ÉE** adj., appliqué au XVIe s. à une personne qui porte des cicatrices (1532), à une personne marquée moralement (1546), ne s'emploie plus aujourd'hui qu'en termes de religion (1752) à propos d'une personne qui a reçu les stigmates du Christ. Cette valeur est substantivée au XIXe s. *(un, une stigmatisé(e),* 1855). ➜ **STIGMATISER** v. tr. a signifié sous l'Ancien Régime (1611) «marquer au fer rouge (un condamné)» et signifie par figure (1611) «noter d'infamie, critiquer publiquement avec dureté», sens toujours vivant. ◇ Le verbe s'emploie en médecine (1904) pour «laisser des traces» en parlant d'une maladie. ◇ Il a fourni **STIGMATISATION** n. f. (1766), dans les divers sens du verbe.
Plusieurs mots scientifiques ont été formés à partir du grec. ➜ **STIGMATIQUE** adj., dérivé de *stigmate,* a qualifié en botanique (1803) ce qui est relatif au stigmate des végétaux. Par emprunt (attesté 1949 dans les dictionnaires) à l'anglais *stigmatic* (1896), dérivé savant du grec *stigma*, l'adjectif qualifie un système d'optique qui donne une image nette d'un point objet. ◇ Il a pour dérivé **STIGMATISME** n. m. (attesté 1949), emprunt à l'anglais *stigmatism* (1890) pour «caractère d'un système stigmatique». ◇ **STIGMATEUR** n. m. désigne (1974) un dispositif permettant d'obtenir le stigmatisme.
Le composé **ASTIGMATISME** n. m., qui s'emploie en ophtalmologie et couramment, est emprunté (1877) à l'anglais *astigmatism* (1817), du grec *a-* privatif. ◇ Le mot désigne le défaut de courbure des milieux réfringents de l'œil, et celui d'un instrument d'optique qui ne donne pas une image ponctuelle d'un point. En dérive **ASTIGMATE** adj. (1877) «atteint d'astigmatisme»; on dit plus rarement **ASTIGMATIQUE** adj. (1865), probablement emprunté à l'anglais *astigmatic* (1849). **ANASTIGMATISME** n. m. est un terme d'optique (1898), de *an-* privatif (→ ② *a*) pour «dépourvu d'astigmatisme» comme **ANASTIGMATIQUE** adj. (1898), **ANASTIGMAT** n. m. (1907; 1898, *anastigmate*). Ces trois mots ne s'emploient qu'à propos des systèmes optiques et non en ophtalmologie.

STILLER v. tr. est emprunté (XVe s. isolément, puis 1544) au latin *stillare* «tomber goutte à goutte», «faire couler goutte à goutte», dérivé de *stilla* «goutte», d'origine obscure.

♦ *Stiller,* «répandre goutte à goutte», s'est employé au XVIe siècle. Il a été repris à l'époque symboliste (Huysmans, 1880) comme mot littéraire.

▸ Quelques termes didactiques ont été formés à partir du latin *stillare.* ◆ **STILLATION** n. f., emprunt au dérivé bas latin *stillatio,* signifie «écoulement d'un liquide goutte à goutte» (1507). ◆ Deux mots ont été construits à partir du radical de *stillation;* **STILLIGOUTTE** n. m. (1889) désigne un compte-gouttes incorporé à un flacon; **STILLIRÉACTION** n. f. (1975) de *réaction**, se dit d'une analyse chimique qui permet d'identifier un corps en mettant en contact une goutte du produit étudié avec un réactif. ◇ **STILLATOIRE** adj., dérivé savant du supin *stillatum,* s'applique (1605) à ce qui tombe goutte à goutte.

◈ voir DISTILLER, INSTILLER.

STIMULER v. tr. est un emprunt (v. 1355) au latin *stimulare* «piquer de l'aiguillon»; au figuré «tourmenter, exciter», dérivé de *stimulus* «aiguillon», par figure «tourment» et «encouragement»; ce nom se rattache probablement à la racine indoeuropéenne °*sti-* comme le grec *stigma* (→ stigmate).

♦ Le verbe est introduit avec le sens figuré du latin «pousser (une personne) à faire qqch.»; il a eu le sens propre d'«aiguillonner (un bœuf)» [fin XVe s.], et s'est employé par extension pour «faire naître un sentiment» (v. 1355) et «provoquer, irriter» (1530). ◇ Il se spécialise au XVIe s. dans le vocabulaire médical (v. 1560), signifiant «augmenter l'activité d'une fonction organique», puis (1787) «augmenter l'énergie physique, les capacités intellectuelles de (qqn)». ◇ Repris au XXe s. en médecine, le verbe signifie alors «déclencher artificiellement (un mécanisme musculaire, nerveux, etc.) par un stimulus». Il s'emploie aussi pour «rendre plus actif (l'économie, etc.)» [v. 1970].

▸ **STIMULANT, ANTE** adj. et n. m., tiré du participe présent, a eu le sens de «poignant» en parlant d'une douleur (1752) et s'applique à ce qui accroît l'énergie intellectuelle ou physique, ou encore l'activité des fonctions organiques (1765, n. m.). ◇ Il s'emploie aussi au figuré (v. 1772), parfois substantivé dans ce sens (av. 1778). ◆ **STIMULINE** n. f. désigne (1904) une substance capable d'accroître l'activité d'un organe, d'un tissu.

STIMULATION n. f. est emprunté au dérivé latin *stimulatio* «action d'aiguillonner» et «stimulant». ◇ Il désigne (fin XIVe s.) l'action d'exciter qqn à faire qqch., spécialement l'excitation, la tentation de la chair (1485), valeur sortie d'usage. ◇ Relevé encore en 1675, le mot semble rare avant le XIXe s. où il est repris dans le vocabulaire médical (1833) pour «action d'exciter les facultés intellectuelles». Employé au XXe s. en relation avec *stimulus, stimulation* est également le nom technique (v. 1970), de l'opération par laquelle on empêche le colmatage d'une roche pétrolifère, pour stimuler le débit. ◆ **STIMULATEUR, TRICE** adj. et n. m., emprunt (1549) au dérivé bas latin *stimulator* «celui qui excite à faire qqch.», ou dérivé savant de *stimuler,* a d'abord le sens du latin. ◇ Repris au XIXe s., le mot s'applique à ce qui stimule (1803). ◇ *Stimulateur,* n. m., est en médecine le nom d'un appareil électrique, d'abord pour étudier les réflexes (1960), puis implanté dans l'organisme pour suppléer une commande nerveuse déficiente, notamment dans *stimulateur cardiaque* (1967 : *stimulateur électrique du cœur*), équivalent de l'anglo-américain *pacemaker.*

STIMULUS n. m. a été emprunté (1795) au latin pour désigner un agent capable de provoquer la réaction d'un système excitable. Le latin avait été emprunté antérieurement sous la forme francisée **STIMULE,** n. m. (1529), au sens général de «ce qui stimule», sorti d'usage. ◇ En botanique (1842), *stimule* est le nom du petit poil urticant de certaines feuilles de plantes, d'où vient **STIMULEUX, EUSE** adj. (1803). Le latin *stimulus* avait abouti en ancien français à *stomble* «aiguillon du bouvier» (attesté v. 1380).

STIPE n. m. est emprunté (1778) au latin classique *stipes* «tronc, souche», employé au figuré comme injure et, par extension au sens de «pieu, poteau», en bas latin «instrument de torture ou de supplice», d'où «pouvoir de faire pendre les criminels». Le mot se rattache à une racine indoeuropéenne indiquant le fait d'être raide, compact (→ stipendier). ◇ *Stipes* avait abouti en ancien français à *estive* «jambe» (v. 1120) et «flûte» (1160-1170).

♦ Terme de botanique, *stipe* désigne la tige ligneuse sans rameaux inférieurs des plantes monocotylédones arborescentes (par exemple le cocotier) et des fougères (1778) ainsi que le pied d'un champignon. ◇ En histoire de l'art et en religion, *stipe* se dit de la partie dressée de la croix de la Crucifixion, opposée à la *traverse* (dite aussi *patibulum* «gibet»; → patibulaire); on emploie également le mot latin *stipes.*

◈ voir CONSTIPER, ÉTEULE, STIPULE, STIPULER.

STIPENDIER v. tr. est emprunté (1443) au latin classique *stipendiari* «toucher une solde», dérivé de *stipendium* «impôt, tribut (en argent)» et «solde militaire», d'où «année de solde, campagne», au pluriel «service militaire» et par figure «obligations (de la vie)». *Stipendium,* au féminin *stipendia,* a pris en bas latin diverses acceptions, désignant par exemple un salaire non militaire, puis la prébende ecclésiastique (VIIe s.). Ce nom est analysable en °*stipi-pendium,* de *stips* «petite pièce de monnaie» au figuré «gain, profit» et de *pendere* «peser, payer» (→ pendre); *stips,* comme l'anglais *stiff* «raide», le lituanien *stimpù, stipti* «se raidir», se rattache à une racine indoeuropéenne indiquant le fait d'être raide, compact. ◇ *Stipendium* avait été emprunté sous les formes *stipende,* n. f., «gages, salaire» (XIIIe s.; 1400, ancien provençal *stipendi,* n. m.) et *stipendie,* n. f., en droit «prébende ecclésiastique» (1478).

♦ *Stipendier* a signifié «récompenser» (1443), acception qui semble disparaître au XVIe s., et «avoir à sa solde» (1479), en particulier des soldats mercenaires (1521, *estipendier*). ◆ Le verbe signifie aussi «payer pour une besogne méprisable» (1581) et «corrompre pour de l'argent» (1812). Cette péjoration est fréquente s'agissant de mercenaires (cf. *soudard*). ◇ Tous ses emplois vivants sont littéraires.

▸ **STIPENDIÉ, ÉE** adj. et n., qui continue le latin classique *stipendiatus*, s'applique à une personne achetée, corrompue (1460), spécialement pour lui faire commettre une mauvaise action (1794, n. m.). ➔ **STIPENDIAIRE** adj. est emprunté (XIVe s. ; *stipendier*, 1384) à un dérivé de *stipendium*, le latin classique *stipendiarius* «soumis à un tribut», «qui est à la solde», en latin médiéval «mercenaire». ◇ Le mot s'appliquait à une personne à la solde de qqn pour accomplir une action méprisable. Il est aussi substantif (1721).

STIPULE n. f. est emprunté savamment (1749) au latin *stipula*, variante °*stupula*, «tige des céréales», «chaume, paille», «tige des fèves» et par analogie de forme «chalumeau, pipeau», qui se rattache à une racine indoeuropéenne marquant le fait d'être raide, compact (cf. russe *stebel'* «tige [de plante]»). *Stipula* avait abouti en ancien français à *estoble* «chaume» (fin XIe s.) [→ éteule].

♦ Ce terme de botanique désigne chacun des deux organes foliacés insérés à la base du pétiole des feuilles, dans certaines espèces.

▸ *Stipule* a servi à former les mots didactiques **STIPULÉ, ÉE** adj. (1803), «muni de stipules» et **STIPULAIRE** adj. «de la stipule» (1812).

STIPULER v. tr. est un emprunt (1289), comme l'ancien provençal *estipular* «solliciter» (1292), au latin juridique *stipulare* «promettre», «s'engager à prêter» (IXe s.), du latin classique *stipulari* «se faire promettre solennellement» et «promettre». L'usage de rompre une paille en signe de promesse existant chez les Anciens, on a dérivé *stipulari* de *stipula* «paille» (→ stipule) ; on peut aussi gloser le verbe par «dresser, affermir» ; dans les deux cas, il se rattacherait à une base indoeuropéenne marquant le fait d'être raide, compact (→ stipe, stipendier).

♦ *Stipuler* a signifié en droit «contracter (une vente) par le type de contrat appelé *stipulation*» (1289) et «faire un contrat» (1489, intr.). Le verbe signifie en droit «énoncer comme condition dans un contrat», d'abord au participe passé *stipulé* (1325) et, par extension, «faire savoir expressément». L'emploi actif n'est attesté qu'au XVIIe s. (1680). L'emploi le plus vivant, comme pour *stipulation*, concerne les clauses d'un traité.

▸ Du verbe dérive **STIPULANT, ANTE** adj. «qui stipule» (1476), spécialement employé en droit romain (1904).

STIPULATION n. f. est emprunté (1231, Bloch et Wartburg sans référence ; 1266) au dérivé latin *stipulatio* «obligation verbale». ◇ Le mot désigne un contrat où l'on s'engage verbalement et solennellement et n'est plus employé qu'en droit romain à partir de la fin du XVIIe s. (1694). Il se dit aussi (1541) d'une clause qui entre dans un contrat et en général d'une précision donnée expressément.

STOCHASTIQUE adj. et n. f. est un emprunt savant (attesté 1953 dans les dictionnaires) au grec *stokhastikos* «qui vise bien», «habile à conjecturer», d'où *stokhastikê (tekhnê)*, féminin substantivé, «art de conjecturer». L'adjectif dérive (1949) de *stokhazesthai* «viser», «conjecturer», lui-même de *stokhos* «but» ; ce terme, dont le sens originel a dû être «pilier, poteau», a été rapproché de mots de même sens en germanique et en balto-slave (→ stock).

♦ L'adjectif s'applique à ce qui est partiellement produit par le hasard et à ce qui comporte la présence d'une variable aléatoire, en mathématiques *(variable stochastique)*, en statistique *(événement stochastique)*. ◇ *Stochastique*, n. f., est le nom de la branche des mathématiques appliquées au traitement des données statistiques par le calcul des probabilités.

STOCK n. m. est emprunté à l'anglais une première fois au milieu du XVIe s. (av. 1559, du Bellay, écrit *stoc*) ; repris au XVIIe s. (1611, *stoques* puis 1656, *stock*), il reste très rare jusqu'à la fin du XIXe siècle. L'anglais *stock* signifie à l'origine «souche» et développe plusieurs acceptions : «récipient creux» (XIVe s.), «fonds, capital» (XVe s.) et «quantité» (XVIIe s.). Il se rattache à un germanique °*stukkaz* «tronc» et «souche» d'origine incertaine (cf. allemand *Stück* «morceau, fragment»). De ce mot germanique procède le francique °*stok* «bâton» (cf. allemand *Stock*) qui a abouti au français *estoc**, *étau**. Il ne semble pas avoir de rapport étymologique avec *souche*, issu d'une forme gauloise.

♦ Le mot apparaît en français dans *prendre a stoc* et *faire stoques* «emprunter à intérêt», valeur qui ne s'est pas maintenue. On relève ensuite *stoques* au sens anglais, à propos d'un emprunt à gros intérêt d'une somme destinée à payer une dette à plus petit intérêt (1611). ◇ C'est un autre sens de l'anglais qui s'est implanté en français, *stock* désignant une quantité de marchandises en réserve dans un magasin, sur un marché (1656), puis l'ensemble des matières premières, des marchandises qui sont la propriété d'une entreprise à un moment donné (attesté 1926). Divers emplois *(en stock, rupture de stock...)* relèvent de la même valeur. ◇ Avec la même idée de «quantité en réserve», le mot entre au XVIIIe s. dans le vocabulaire boursier, au sens de «fonds existant en numéraire» (1756). Par extension, *stock* s'emploie familièrement au sens de «choses en réserve», et aussi abstraitement (1877, Ch. Cros) ; cet emploi est spécifique au français. ◇ Parmi les emplois spécialisés, le mot désigne l'ensemble des animaux marins que l'on peut pêcher en un lieu et, en biologie, par réemprunt à l'anglais *stock* «bétail» (1921), l'ensemble des animaux issus de la même souche par croisements consanguins *(stock chromosomique)*.

▸ *Stock* a servi à former divers termes de commerce. ➔ **STOCKISTE** n. m. désigne (1904) un commerçant ou un industriel qui détient en magasin le stock disponible d'un fabricant et, spécialement, un agent qui détient en dépôt les pièces détachées d'un constructeur ; c'est aussi le nom de l'employé chargé des stocks de tissu chez un fabricant. ➔ **STOCKER** v. tr. (1918), correspondant à l'anglais *to stock* (XVIIe s.), signifie «mettre en stock», en particulier à des fins de spéculation (1947, Camus). ➔ Le verbe a produit **STOCKAGE** n. m. (1918) «action de stocker», **STOCKEUR, EUSE** n. (1956) «grossiste qui stocke les marchandises qu'il revend au détail», équivalent de *stockiste,* rare. *Stockeur* désigne aussi couramment et péjorativement une personne qui stocke des marchandises, souvent pour spéculer. ◇ **STOCKABLE** adj. (1964) qualifie ce qui peut être stocké. ◇ Le préfixé **DÉSTOCKER** v. (1947) de ① *dé-*, signifie «faire diminuer les stocks par leur mise en vente»; en dérive **DÉSTOCKAGE** n. m. (v. 1966). Ces deux termes ont pris en commerce une valeur voisine de «soldes». ◇ **SURSTOCKER** v., d'où l'adj. *surstocké,* **SURSTOCK** n. m. et **SURSTOCKAGE** n. m. apparus v. 1970, sont usuels en commerce.

STOCK-EXCHANGE n. m. est un emprunt (1802 isolément, repris 1923) à l'anglais *stock-exchange* (1773), composé de *stock* «valeur, capital» et *exchange* «échange», emprunté (XIVe s.) par l'intermédiaire de l'anglo-normand *eschaunge* à l'ancien français *eschange* (→ échange). ◇ *Stock-exchange* signifie «bourse de valeurs dans un pays anglo-saxon».

STOCK-CAR n. m. est emprunté (1950) à un mot anglo-américain qui signifie proprement (1934) «voiture de série gardée en stock», composé de *stock* employé comme adjectif et de *car* «voiture» (emprunté au français *car, char**). *Stock-car* est devenu aux États-Unis l'appellation d'un wagon à bestiaux (1858), d'après *stock* avec la valeur collective de «bétail» et *car* «wagon». ➔ Cet anglicisme désigne en français une vieille voiture de série équipée pour résister aux heurts et aux carambolages, utilisée dans une course sur des pistes en circuit et surtout par métonymie (acception inconnue en anglais) la course elle-même (1961); l'anglais emploie en ce sens le composé *stock-car racing.*

◈ voir STOCKFISH.

STOCKFISH n. m. inv. s'est substitué (1606) à *stocvisch* (1387), peut-être sous l'influence de l'anglais *stockfish* ou de l'allemand *Stockfisch* de même origine. Le mot est emprunté au moyen néerlandais *stocvisch* (néerlandais moderne *stokvis*), littéralement «poisson de bâton», soit «séché sur des bâtons», soit «raide comme un bâton». Ce nom est formé de *visch* «poisson», d'une racine germanique °*fisk* (cf. anglais *fish;* allemand *Fisch*), et de *stoc* «bâton», du francique °*stok* (→ stock).

♦ Le mot, avec de nombreuses variantes du XIVe au XVIIIe s., telles *stokix* (1393), *stocfiz* (1538), *stocphis* (v. 1560), *kockfiche* (1680), *stockfisse* (1723), désigne de la morue séchée à l'air et, par extension, d'autres poissons salés et séchés (1636).

STOÏCIEN, IENNE adj. et n. est un dérivé savant (v. 1300) du latin *stoïcus,* n. m., emprunté par Cicéron au grec hellénistique *stôikos* «de l'École du Portique», dérivé de *stoa* «portique». Le *poikilê stoa* «portique du Pécile», portique orné de peintures, était, à Athènes, le lieu où enseignait le philosophe Zénon de Citium (IVe s.), fondateur de l'école. *Stoa* se rattache à la famille de *histanai* «placer debout, dresser» (→ stade, statique, système).

♦ L'adjectif signifie d'abord «qui suit la doctrine de Zénon» (v. 1300). On relève la forme isolée *stoïtorien,* n. m., «stoïcien» (1496), sous l'influence du moyen français *retorien* «rhétoricien». *Stoïcien,* substantivé, désigne (v. 1370) un philosophe disciple de Zénon, ou qui en professe la doctrine, notamment en morale. ◇ Au XVIIe s., le mot se dit de ce qui appartient au stoïcisme (1669, *doctrine stoïcienne*) et d'une personne stoïque à la fois comme adjectif (1680) et comme nom (1694).

▸ **STOÏQUE** est emprunté, d'abord comme nom (v. 1291, *stoyque,* puis 1372), au latin *stoïcus* et s'emploie d'abord avec le sens de *stoïcien* attesté jusqu'à la fin du XVIIIe siècle. L'adjectif (1550) a la même valeur. ◇ Au début du XVIIe s. (1603), le mot passe dans le vocabulaire psychologique moderne, désignant une personne qui manifeste une fermeté, une austérité dignes de celles des philosophes stoïciens, adjectivé un peu plus tard (1655). La locution *à la stoïque* «avec austérité» (1596) est sortie d'usage, comme l'emploi du nom au masculin pour désigner la philosophie de Zénon (v. 1750, *le stoïque*). ➔ Le dérivé **STOÏQUEMENT** adv. (1555) signifie «avec un grand courage». ➔ **STOÏCISME** n. m., terme de philosophie, désigne (1688, La Bruyère) la doctrine de Zénon selon laquelle le bonheur est dans la vertu et qui professe l'indifférence devant ce qui affecte la sensibilité, emploi correspondant à *stoïcien.* ◇ Couramment, le mot correspond (1718) au sens extensif de *stoïque.* On a employé aussi *stoïcité* n. f. (v. 1672) jusqu'au XVIIIe siècle.

STOLON n. m. est emprunté (1549) au latin *stolo, -onis* «rejeton, bouture», terme technique que l'on peut rapprocher de l'arménien *steln* «tige, tronc», des mots grecs *stelea* «manche d'une hache, d'un marteau», *stelekhos* «bouture» et *stelis* «plante parasite».

♦ Le sens initial et spécifique de «rejeton d'un noisetier» (1549), est sorti d'usage. ◇ Le mot a été repris (1808) pour désigner la tige provenant d'un bourgeon axillaire, qui croît couchée sur le sol et s'enracine en produisant de nouveaux individus *(stolons du fraisier).* Par analogie, *stolon* désigne en zoologie le long cordon (tube stomacal) qui porte les individus de colonies de petites méduses qui flottent en haute mer (1872).

▸ *Stolon* a produit les termes de botanique **STOLONIFÈRE** adj. (1803) de *-fère,* et **STOLONIAL, ALE, AUX** adj. (1933), «d'un stolon».

STOMA-, STOMATO- sont des éléments tirés du grec *stoma, stomatos* «bouche», «ouverture», «entrée», mot indoeuropéen à rapprocher, par exemple, de l'avestique *staman-* «gueule». Ils entrent à partir du XVIIIe s. (*stomatique,* antérieur, est un emprunt) dans la composition de termes de zoologie, et surtout de médecine.

▸ **STOMOXE** n. m. (1764), du grec *oxus* «aigu, pointu» (→ oxy-), est le nom d'une mouche munie d'une trompe rigide armée de stylets, qui peut en piquant transmettre le bacille du charbon. ➔ En médecine, **STOMATITE** n. f. (1830), de *-ite,* signifie «inflammation de la muqueuse buccale». ➔ **STOMATORRAGIE** n. f. (1843) de (hémo)*rragie,* se dit d'une hémorragie de la muqueuse buccale, d'où **STOMATORRAGIQUE** adj. (1876). ➜ **STOMATOSCOPE** n. m. (1845), de *-scope,* désigne un instrument permettant l'examen de la bouche. ➜ **STOMATOPLASTIE** n. f. (1849), de *-plastie,* s'applique en chirurgie à une intervention en vue de la réfection de la cavité buccale. ➜ **STOMATOLOGIE** n. f. (1859), de *-logie,* désigne la partie de la médecine qui traite des maladies de la bouche. ◇ En dérive **STOMATOLOGISTE** n. (1933), synonyme de **STOMATOLOGUE** n. (1863), de *-logue,* tous deux abrégés en **STOMATO** n. f. et n. m.

① **STOMATIQUE** adj. emprunte le grec *stomatikos,* probablement par le bas latin *stomaticus* (IVe s.), terme de médecine dérivé de *stoma.* ◇ L'adjectif a d'abord qualifié une personne malade de la bouche (XVe s. ; repris 1538) puis s'est appliqué (1636) à ce qui traite les affections de la cavité buccale *(médicament stomatique),* acception également disparue.

STOMATE n. m., dérivé de *stoma* avec une finale analogue à celle de *stigmate,* a d'abord désigné, au féminin, un mollusque (1803). ◇ Le mot désigne, en botanique (1817) l'ouverture naturelle sur l'épiderme des tissus végétaux ; en histologie (1904) c'est un synonyme de *stigmate**, désignant l'orifice microscopique que provoque l'écartement des cellules endothéliales par des cellules migratrices, dans les tissus animaux, d'où le dérivé ② **STOMATIQUE** adj. (1931).

◈ voir ESTOMAC, STOMACAL.

STOMACAL, ALE, AUX adj. est un dérivé savant (1425) du latin *stomachus* «œsophage», «estomac» et par figure «goût», «(bonne ou mauvaise) humeur» ; *stomachus* a abouti à *estomac**. C'est un emprunt au grec *stomakhos,* dérivé de *stoma* (→ stoma-).

♦ L'adjectif est sorti d'usage pour qualifier (1425) ce qui est salutaire à l'estomac, remplacé par *stomachique* (ci-dessous). ◇ Il est vieilli au sens général de «relatif à l'estomac» (v. 1560) : on emploie aujourd'hui en ce sens *gastrique**.

▸ **STOMACHIQUE** adj. est emprunté (1537) au bas latin médical *stomachicus* adj. «de l'estomac» et n., «remède pour l'estomac», emprunté au grec *stomakhikos* «de l'estomac, bon pour l'estomac», dérivé de *stomakhos.* ➜ L'emploi en anatomie pour qualifier ce qui est relatif à l'estomac (1537) est sorti d'usage, remplacé par *gastrique.* Le mot se dit ensuite (1694) de ce qui favorise la digestion gastrique *(remède stomachique),* d'où *un* **STOMACHIQUE** n. m. (1740) «médicament destiné à faciliter la digestion».

STOP interj. et n. m. est un emprunt (1792, interj.) à l'anglais *stop,* impératif de *to stop* «arrêter» (XIVe s.) et «s'arrêter» (XVIe s.). Ce verbe est issu, comme le néerlandais *stoppen,* d'un germanique °*stoppân* «arrêter» (→ ② stopper), auquel se rattache l'ancien haut allemand *stopfân* «rembourrer» (allemand *stopfen*), qui est à l'origine du français *étoffer**. On a longtemps considéré la famille germanique du mot anglais comme un emprunt au latin populaire °*stuppare* «boucher», du latin classique *stuppa,* lui-même emprunté au grec *stuppê* «filasse» (→ étoupe) ; même dans le cas contraire, le sémantisme de ces mots a influé sur celui du groupe germanique.

♦ L'interjection, d'époque révolutionnaire (1792), indique un commandement ou équivaut à un cri d'arrêt ; de là vient l'expression figurée ***stop à*** (qqch.) «il faut mettre un terme à (qqch.)» [1907]. ◇ *Stop* n. m. apparaît au milieu du XIXe s. (1855) ; peu usité au sens général d'«arrêt», il est sorti d'usage pour désigner la position d'arrêt d'un appareil (1888) et le diaphragme d'un appareil photographique (1890). ◇ Par réemprunt, le mot s'emploie pour marquer une séparation nette des phrases dans un message télégraphique (1923) ; l'anglais *stop* n. (1616) au sens de «fin de phrase, point», est lui-même une abréviation de *full stop* n. (1596). ◇ Comme terme de signalisation routière, *stop* désigne le panneau matérialisant le signal d'arrêt (1927) et, par extension, l'obligation de marquer l'arrêt à une intersection routière *(signal de stop, brûler un stop)* et l'intersection *(s'arrêter au stop).* Cet emploi comme terme de signalisation routière ne correspond pas à l'usage initial de l'anglais (*halt* «halte», antérieur à *stop sign* et *stop signal,* noté *stop,* en usage en Amérique du Nord) ; considéré comme un anglicisme au Québec, le mot est remplacé sur les panneaux par *arrêt,* les panneaux bilingues portant *arrêt/stop.* ➜ En français, *stop* désigne aussi (1935) le signal lumineux à l'arrière d'un véhicule, qui s'allume quand on actionne la commande du frein. ➜ Dans un emploi familier, **STOP** est l'abréviation (1953) du composé **AUTO-STOP** (1941), de *auto-* (→ automobile), d'où ① **STOPPEUR, EUSE** n. (1953), abréviation familière de *auto-stoppeur* (1950). Cette pratique, née aux États-Unis, porte en anglais le nom de *hitch-hiking* (1931). Par extension, le mot s'emploie en apposition pour tout moyen de transport accordé gratuitement (1968, *cargo-stop ;* 1969, *bateau-stop*).

▸ ① **STOPPER** v. est emprunté, avec une suffixation verbale française, à l'anglais *to stop,* d'abord comme terme de marine (1841, intr.) et signifie «s'arrêter» en parlant d'un navire, puis d'un véhicule. ◇ Le sens figuré (1847, tr.), «empêcher de se continuer», puis l'emploi pour «faire s'arrêter (un navire, une machine)» [1865] sont aujourd'hui les plus courants. ◇ Au figuré, le verbe s'emploie (1928) pour «s'interrompre au milieu d'une action, d'un geste». ➜ Il a fourni ① **STOPPAGE** n. m. (1888), aujourd'hui vieilli pour désigner le fait d'arrêter (un véhicule) et de s'arrêter. ➜ ② **STOPPEUR** n. m. est une francisation (1848) de *stopper* (1831), emprunt à l'anglais *stopper* n. (XVIIe s., en marine), dérivé de *to stop.* ◇ Ce terme technique désigne, comme l'anglais *stopper,* un appareil servant à arrêter les chaînes et câbles en mouvement sur un navire. ◇ En football, c'est le nom d'un joueur qui arrête l'attaquant (1940). ◇ En physique, le mot s'applique à un dispositif capable d'arrêter un rayonnement, d'absorber un faisceau de particules. ➜ Parmi les composés de *stop* empruntés à l'anglais, on retiendra ces deux termes critiqués. ◇ **STOP-AND-GO** n. m. inv. (1965, *stop-go*), expression anglaise formée de *and* «et» et *go* «aller», désigne en économie une politique conjoncturelle, alternant des mesures de freinage et de relance. ◇ **STOP-OVER** n. m. inv. (v. 1975), de *over* «par-dessus, au-dessus de», désigne une étape d'un vol aérien où le passager peut interrompre puis reprendre son trajet.

◈ voir ② STOPPER.

① STOPPER → STOP

② STOPPER

② STOPPER v. tr. est emprunté (1893) au néerlandais *stoppen* «boucher, bourrer» et «repriser», issu du germanique °*stoppôn* «arrêter», qui a peut-être signifié à l'origine «piquer» et dont procède l'ancien haut allemand *stopfan* (allemand *stopfen* «raccommoder»), qui a donné le français *étoffer*; stoppen* a par ailleurs été emprunté par l'anglais *to stop* (→ stop).

♦ *Stopper* signifie «réparer (une déchirure) en refaisant la trame et la chaîne». ◆ Avant *stopper*, plusieurs formes dialectales, d'abord dans les Flandres, attestent des emprunts antérieurs. *Restauper* «raccommoder à l'aiguille les trous d'une toile, etc.» (1730, dans les Flandres), *restouper, estoper* (1780, dans l'Ouest; encore en 1820) «raccommoder en reprisant».

▸ En dérivent ② **STOPPAGE** n. m. (1893) «réparation (d'un tissu) faite en stoppant» et ③ **STOPPEUR, EUSE** n. (1893) «personne qui stoppe les étoffes».

STORE

STORE n. m. est emprunté (1544; 1567, *estore*) à l'italien septentrional *stora*, issu du latin *storea* (ou *storia*) «natte (de jonc ou de corde)», probablement d'origine grecque.
On relève en ancien français la forme *stoire* (v. 1270) empruntée au vénitien *stiora*, et *estuie* (v. 1300, Marco Polo), empruntée au toscan *stuoia*, de même origine latine. Par ailleurs, le latin *storea, storia* a abouti au catalan *estora* (1249), à l'ancien provençal *estueyra* (XVe s.), à l'espagnol *estera* (XVe s.).

♦ *Store* a repris le sens latin de «natte» (1544), qui ne s'est pas maintenu; *une estore* (1567) a désigné spécialement une natte servant à couvrir un siège. ◇ Le mot, à partir du XVIIe s. (1664), est le nom d'un rideau qui s'enroule ou se replie à son extrémité devant une ouverture; Richelet en critique l'emploi (1680); il note que *store* «est un mot écorché de l'italien *stora* (...) et ne se dit pas ordinairement. On dit en sa place *paillasson* ou pour mieux dire et pour parler en termes de nattiers, on dit *une natte à fenêtre*». ◇ Par extension (1876), *store* désigne un grand rideau qui protège la devanture d'un magasin. ◇ En argot, ***baisser les stores*** s'est dit par figure pour «fermer les yeux» (1879).

▸ Le dérivé **STORISTE** n. (1972) désigne un fabricant ou un commerçant de stores et dispositifs analogues.

STOUT

STOUT n. m. est emprunté (1844) à un mot anglais d'origine argotique (1677), représentant une abréviation de *stout ale* ou *stout beer* «bière épaisse». L'adjectif *stout*, à l'origine «brave, fier», puis «fort, puissant», d'où «corpulent», s'applique en anglais, du XVIIe au XIXe s., aux boissons «qui ont du corps». Il est emprunté (XIVe s.), par l'intermédiaire de l'anglo-normand, à l'ancien français *estout* «intrépide, hardi», issu du germanique *stolt* (allemand *stolz* «fier»), qui se rattache peut-être au latin *stultus* «sot, fou», d'origine obscure (comme son équivalent *stolidus*).

♦ *Stout* est le nom d'une variété de bière brune, épaisse et fortement houblonnée. Céline (1944) l'emploie au féminin, probablement d'après le genre de *bière*.

STRABISME

STRABISME n. m. est un emprunt savant (1660), d'abord sous la forme latinisée *strabismus* (v. 1560, Paré), au grec *strabismos* «action de loucher», dérivé de *strabos* «tordu», «qui louche», qui se rattache à la famille de *strephein* (→ strophe).

♦ Le mot désigne le défaut de convergence des axes visuels, qui entraîne l'impossibilité de fixer un point avec les deux yeux.

▸ En dérive le terme didactique **STRABIQUE** adj. et n. (1845) qualifiant une personne atteinte de strabisme et ce qui est relatif au strabisme. ◆ Le composé **STRABOTOMIE** n. f. (1846), de *-tomie*, se dit en médecine de l'opération qui consiste à déplacer l'insertion d'un muscle oculaire, pour remédier au strabisme.

STRADIVARIUS

STRADIVARIUS n. m., relevé au XIXe s. chez Th. Gautier (1831), vient du nom d'une célèbre famille de luthiers et notamment d'Antonio *Stradivari*, dit *Stradivarius* (v. 1644-1737).

♦ Le mot désigne un violon, un alto ou un violoncelle fabriqué par ces luthiers de Crémone, et utilisé encore aujourd'hui par les grands interprètes.

STRANGULATION

STRANGULATION n. f. est un emprunt savant (1549) au latin impérial *strangulatio* «resserrement», «rétrécissement», formé sur *strangulatum*, supin de *strangulare*, qui a abouti au français *étrangler*; strangulation* a été introduit pour servir de nom d'action à ce verbe.

♦ Le mot est didactique ou littéraire pour parler du fait d'étrangler qqn (1611). ◇ En pathologie, il désigne le resserrement d'un conduit anatomique (1549, *strangulation de la matrice*; 1872, *strangulation utérine*).

▸ **STRANGULER** v. tr., emprunté (1801) au latin *strangulare*, est un équivalent rare, littéraire ou plaisant de *étrangler*. ◆ Le dérivé **STRANGULATEUR, TRICE** n. m. et adj. (1836; 1842, féminin), «personne qui étrangle», n'est plus en usage.

STRANGURIE

STRANGURIE n. f. est un emprunt savant (1314) au latin *stranguria* «rétention d'urine», lui-même emprunté au grec *strangouria*, mot formé de *stranx, strangos* «goutte», à rapprocher de termes indoeuropéens signifiant «étroit» (→ étrangler, étreindre, strette, strie), et de *ourein* «uriner» (→ -urie).

♦ *Strangurie* est un terme de médecine désignant une miction douloureuse, avec contractions de la vessie.

STRAPONTIN

STRAPONTIN n. m. est emprunté (1666; *extrapontin* en 1560) à l'italien *strapuntino*, variante préfixée de *trapuntino* «sorte de matelas», diminutif de *trapunto* ou *strapunto* qui signifie «matelas». Ce mot est issu du participe passé de l'ancien italien *trapungere* «piquer à l'aiguille» (italien moderne *trapuntare*, de même sens et «matelasser»), issu du bas latin *transpungere* «percer en piquant». Ce verbe latin, qui a abouti à l'ancien français *trépoindre* «piquer au travers» (d'où *trépointe*), est formé du latin classique *trans* «au-delà, par-delà» (→ trans-, très) et de *pungere, punctum* «piquer» (→ poindre).

♦ L'italien *strapuntino* a probablement voyagé, comme terme de matelot, de Gênes vers la Provence, d'où l'ancien provençal *strampontin* (1431), et de là en France où le mot apparaît avec plusieurs variantes : *extrapontin* (1560), *estrapontin* (1671), encore employé au XVIIIe s., *drapontin* (1690). On relève en ancien français, isolément, la forme *straponte* «matelas» (Marco Polo) empruntée à l'italien *strapunto* et chez Rabelais (1552) *transpontin*, adaptation de *trapuntino*. ◇ *Strapontin* a d'abord eu le sens de «hamac, lit suspendu» (v. 1570) qui est aussi celui de l'ancien provençal, encore attesté en 1851. ➛ De l'idée de «couche que l'on peut déplacer», on passe à celle de «siège d'appoint» au XVIIe siècle : *strapontin* (1666) ou *estrapontin* (1680) désigne un siège à abattant placé dans un véhicule puis, au XIXe s., dans une salle de spectacle (1872); c'était le nom d'un petit siège pliant appliqué à la tige d'une canne (1765). ◇ Par analogie, on a nommé *strapontin* (1892) le coussinet que les femmes attachaient par derrière, à la taille, et qui faisait bouffer la robe, équivalent de *tournure*, nommé familièrement *faux-cul*. ◇ Par figure (1893), le mot s'emploie en parlant de la place d'importance secondaire, souvent éphémère, occupée par une personne dans une assemblée, un organisme; il s'oppose alors, dans la hiérarchie métaphorique des sièges, à *fauteuil*.

STRASS n. m., d'abord sous la forme *stras* (1746) puis *strass* (1825), vient du patronyme *Stras*, nom du joaillier strasbourgeois qui mit à la mode ce genre de pierre.

♦ Le mot désigne le silicoborate de plomb artificiel imitant certaines pierres précieuses. ◇ Au figuré, il se dit (1872) de ce qui brille d'un éclat trompeur.

STRATAGÈME n. m. est l'altération (1503, au féminin; 1566, masc.) de la forme étymologique *strategeme* (1440), emprunt au latin *strategema, -atis* «ruse» et en particulier «ruse de guerre», lui-même emprunté au grec *stratêgêma* «manœuvre de guerre». Ce dernier vient de *stratêgein* «commander une armée»; ce verbe dérive de *stratêgos* «chef d'armée», auquel a été emprunté le français *stratège**. ◇ Le second *a* de la forme moderne provient d'une assimilation de la seconde voyelle au *a* de la syllabe initiale.

♦ *Stratagème* est introduit avec le sens étymologique et vieilli de «ruse de guerre» (mil. XVe s.; 1532, *stratagemate*). On relève en moyen français *strategemmate* (1372), de sens obscur, et au XVIe s. *strategemates* au pluriel chez Rabelais (1532), qui peut être une adaptation plaisante du titre de l'ouvrage de Frontin : *Stratagematica*, ou bien un pluriel grécisant de *stratageme*, employé par ironie. ➛ Le mot s'emploie couramment avec la valeur générale de «ruse habile, bien combinée» (1440, *strategème*). De style soutenu ou écrit, il a conservé ce sens où il est relativement courant.

STRATE n. f. est un emprunt savant (1805) au latin *stratum* «couverture de lit», «lit», «housse, selle» et «pavage», participe passé passif substantivé au neutre de *sternere* «étendre sur le sol», «recouvrir, joncher», employé dans *sternere viam* «étendre une route», d'où *strata (via)* «chemin pavé, grande route». *Sternere* se rattache à une racine indoeuropéenne °*ster-* «étendre» que l'on retrouve dans les mots grecs *stratos* «foule», «armée, troupe» d'où *stratêgos* (→ stratège) et *sternon* «devant de la poitrine» (→ sternum), par ailleurs dans le sanskrit *stṛtáḥ*, l'ancien haut allemand *stirna* «front».

♦ Le mot est emprunté par les géologues, au XVIIIe s. (*strata*, 1727), pour désigner chacune des couches de matériaux constituant un terrain, notamment un terrain sédimentaire. *Stratum* avait été repris en sciences au XVIIe s. : en chimie *strata super strata* (1692), locution devenue géologique au XVIIIe s., et en anatomie *stratum*, dans des locutions latines. *Strata* est employé en français au XVIIIe s. (1765, *Encyclopédie*). Cet emploi était préparé par celui de *stratification*, employé en géologie un siècle plus tôt, (ci-dessous) et semble contemporain de celui de *sedimentum* «sédiment». ◇ Par extension, avec le sens de «couche constitutive (d'un ensemble structuré)», le mot s'emploie (XXe s.) en biologie *(strates de cellules)*, en technique en parlant d'un objet ou d'un panneau stratifié, et au sens didactique de «classe de hauteur, dans la végétation, ou classe de profondeur, dans le substrat de la végétation». ◇ *Strate* s'emploie aussi par figure (1928) avec une valeur abstraite, pour «niveau, couche» *(strates de la société)*.

▸ **STRATIFICATION** n. f. emprunte d'abord (1578) le sens du latin médiéval *stratificatio* «ensemble de couches superposées servant à purifier les matières ou à les fondre», formé en alchimie sur *stratificatum*, supin de *stratificare*, verbe composé de *stratum* et de *facere* «faire*». ➛ *Stratification* prend son sens moderne en chimie (1620) et en géologie (1624) dès le XVIIe s., désignant la disposition des matériaux par strates, dans les terrains appelés plus tard *sédimentaires*, et le processus par lequel les matériaux se sont ainsi disposés. ◇ Le mot entre ensuite, comme *strate*, dans d'autres domaines techniques et scientifiques : en botanique (1805), où il désigne l'action de disposer des graines en couches séparées par de la terre ou du sable afin qu'elles conservent plus longtemps leur faculté germinative, puis en biologie (1865, à propos des cellules) et en métallurgie. ◇ Il a pris comme *strate* une valeur abstraite, «répartition en groupes, en couches, en niveaux», spécialement en statistique (av. 1892, Renan) et est utilisé par figure (1922, *stratification des souvenirs*). ➛ **STRATIFIER** v. tr. emprunte (1675) son sens au latin des alchimistes *stratificare* «disposer en couches (pour purifier ou pour fondre)». ◇ Le participe passé **STRATIFIÉ, ÉE** adj.

s'emploie en géologie (1779) et en biologie (1872). Au XXe s., s'appliquant à de nouvelles techniques, il se dit d'un matériau rigide et léger constitué par plusieurs couches d'une matière souple (fibre de verre, papier, toile) imprégnée de résigne artificielle (1953; 1963, n. m.). Il est didactique avec une valeur abstraite (attesté 1933, Artaud), notamment en psychologie sociale dans *échantillonnage stratifié* «constitué par une population divisée en strates».

À partir du radical de *strate* ont été composés des termes didactiques. ◆ **STRATIGRAPHIE** n. f. (av. 1850), de *-graphie*, désigne l'étude des couches sédimentaires qui se sont disposées à la surface de la Terre; aujourd'hui, dans le vocabulaire de la géologie, il s'agit de l'étude de la succession chronologique des roches de l'écorce terrestre et, au sens large, de la géologie historique. En sciences, *stratigraphie* désigne l'ensemble des couches de sédiments superposées en un lieu. ◇ En médecine (1964), c'est un équivalent de *tomographie*. ◇ Le dérivé **STRATIGRAPHIQUE** adj. (1860), terme de géologie, a fourni **STRATIGRAPHIQUEMENT** adv. (1872). ◆ **STRATIFORME** adj. (XXe s.) de *-forme*, mot didactique, se dit de ce qui forme des couches, des strates superposées.

STRATO-, élément tiré du latin *stratum* au sens de «chose étendue», entre dans la composition de quelques termes didactiques. ◆ **STRATO-CUMULUS** n. m. (1842), antérieurement *cumulo-stratus* (1830), de *cumulus**, désigne en météorologie un nuage de l'étage inférieur qui forme des bancs, parfois soudés en une nappe continue. ◆ **STRATO-VOLCAN** n. m. (1927), de *volcan*, dénomme un cône volcanique formé de couches accumulées de lave et de scories. ◆ **STRATO-NIMBUS** n. m. (mil. XXe s.), de *nimbus*, est un équivalent rare de *nimbostratus* (ci-dessous). ◆ Par ailleurs **STRATO-**, lié à *stratosphère* (→ sphère), est un élément de termes scientifiques avec l'idée de «très haute altitude», par exemple dans **STRATOPAUSE** n. f. (v. 1960) du grec *pausis* «cessation, fin», qui signifie «limite supérieure de la stratosphère».

STRATUM n. m., emprunt au XVIIIe s. au latin en anatomie et en médecine, avec le sens de «couche», s'emploie, spécialement en histologie, dans quelques locutions latines comme *stratum lucidum* «couche claire de l'épiderme», *stratum intermedium de la pulpe dentaire*, qui sécrète l'émail. ◆ **STRATUS** n. m. est un emprunt au mot latin signifiant proprement «étendu», participe passé passif du verbe *sternere*. ◇ Le mot apparaît (1830) dans le vocabulaire de la météorologie pour désigner un nuage qui présente l'aspect d'un voile continu, ou parfois d'une bande mince. ◆ Il a fourni les composés **CIRROSTRATUS** n. m. (1830) du latin *cirrus* «filament» (→ cirrus); **CUMULOSTRATUS** n. m. (1830), de *cumulus*, (à *cumuler*), équivalent didactique de *strato-cumulus*; **ALTOSTRATUS** n. m. (1891) du latin *altus* «haut» et **NIMBOSTRATUS** n. m. (1932) du latin *nimbus* «nuage».

◈ voir STRATOSPHÈRE (art. SPHÈRE).

STRATÈGE n. m. est un emprunt savant (1721) au grec *stratêgos* «chef d'armée, général», «stratège (à Athènes)», «chef militaire», formé de *stratos* «armée», «foule», «troupe» et de *agein* «conduire». *Stratos*, dont le sens originel est «armée installée, qui campe», se rattache à une racine indoeuropéenne °*ster-* «étendre», que l'on retrouve dans le latin *sternere, stratum* «étendre» (→ estrade, strate); *agein* vient d'une base indoeuropéenne °*ag-* «pousser devant soi (un troupeau)», comme le latin *agere, actum* «conduire» (→ agir). ◇ À l'époque impériale, le latin a emprunté au grec le substantif *strategus* «général d'armée» et par figure «président (d'un banquet)».

♦ *Stratège*, terme d'antiquité (1721, n. m.) aussi écrit *stratègue* au XVIIIe s. désigne chacun des dix magistrats élus qui, à Athènes, étaient chargés de toutes les questions militaires, en particulier de la conduite des opérations terrestres ou navales. ◇ Avec une valeur proche, le mot désigne en histoire le chef de l'administration d'un nonce dans l'Égypte hellénistique (1904) et le gouverneur d'un thème de l'Empire byzantin. ◆ Au XIXe s., *stratège* désigne par extension (1845) le général en chef d'une armée importante, qui conduit des opérations de grande envergure. Opposé à *tacticien**, il désigne un spécialiste en stratégie (voir ci-dessous *stratégie*); cette acception est répandue à partir de la Première Guerre mondiale; le mot s'emploie familièrement et par ironie avec cette valeur (1909, R. Rolland), surtout dans *stratèges en chambre*. ◇ *Stratège*, aussi au féminin, désigne par figure (déb. XXe s.) une personne qui organise des plans à longue échéance.

▸ **STRATÉGIE** n. f., emprunte d'abord (1562) au latin impérial *strategia*, du grec *stratêgia*, le sens de «gouvernement militaire d'une province», sorti d'usage. ◇ Réemprunté au début du XIXe s. au dérivé grec *stratêgia* «commandement d'une armée», «charge de stratège» et «aptitude à commander une armée», il désigne (1803, Bloch et Wartburg, puis 1812) l'art de faire évoluer une armée sur un théâtre d'opérations jusqu'au moment où elle entre en contact avec l'ennemi, puis, spécialement (1876), la partie de la science militaire qui concerne la conduite générale de la guerre et l'organisation de la défense d'un pays. Dans ces deux valeurs, le mot est opposé à *tactique**. ◇ Comme ce dernier, *stratégie* s'emploie par figure pour parler d'un ensemble d'actions coordonnées; d'abord par métaphore du sens militaire («pourquoi la paix n'aurait-elle pas sa stratégie?», E. de Girardin), ce sens ne s'est lexicalisé que plus tard par exemple dans *stratégie électorale* (*stratège*, en ce sens, se répand peu avant 1914); par extension, il s'est introduit dans le vocabulaire de l'économie (1973, *stratégie défensive*), de la publicité *(stratégie de communication)* et désigne généralement la manière d'organiser une action pour arriver à un résultat. ◆ Le dérivé **STRATÉGISTE** n. m. (1831, Bloch et Wartburg; 1835, Académie) est un équivalent vieilli de *stratège* au sens militaire. Il a aussi désigné (1845) une personne qui écrit sur la stratégie.

STRATÉGIQUE adj., dérivé de *stratégie* ou emprunté au dérivé grec *stratêgikos* «d'un général» et «habile à commander», s'applique (1819) à ce qui concerne la stratégie, opposé à *tactique*, adj., et couramment (1872) à ce qui est relatif à l'art de la guerre. ◇ En parlant de choses concrètes, il se dit (XXe s.) de ce qui présente un intérêt militaire, opposé par exemple à *politique, économique*. ◇ L'adjectif s'emploie par extension (mil. XXe s.) pour qualifier un esprit, une intelligence apte à pratiquer la stratégie et se dit par figure et couramment (v. 1970) de ce qui est d'une importance cruciale pour la réalisation d'un plan *(point stratégique)*. ◇ En dérive **STRATÉGIQUEMENT** adv. (1844).

STRATÉGICO-, élément tiré de *stratégique* dans son acception la plus récente, entre dans la composition de quelques adjectifs rares, tels **STRATÉGICO-ÉCONOMIQUE, STRATÉGICOPOLITIQUE** (1968), **STRATÉGICODIPLOMATIQUE** (1970), **STRATÉGICOCOMMERCIAL** (1973).

◈ voir STRATAGÈME.

STREPTOCOQUE n. m. est un composé savant (1887), d'abord sous la forme néolatine *streptococcus* (1883), de *strepto-*, du grec *streptos* «tourné, arrondi, que l'on peut courber», adjectif verbal de *strephein* «tourner» (→ strophe) et de *-coque*, du grec *kokkos* «grain» (→ coque, dans *staphylocoque*). Le latin moderne *streptococcus* a été formé par Billroth vers 1870.

♦ Ce terme didactique désigne une bactérie de forme arrondie, d'un genre comportant une trentaine d'espèces, dont plusieurs sont pathogènes.

▸ En dérive le terme de médecine **STREPTOCOCCIE** n. f. (1893), «infection causée par des streptocoques», qui a fourni **STREPTOCOCCIQUE** adj. (1903).

STREPTO-, élément tiré de *streptocoque*, entre dans la composition de quelques termes scientifiques. ➜ **STREPTOBACILLE** n. m. (fin XIXe s.), de *bacille*, désigne un bacille qui forme des colonies en chaînes. ➜ **STREPTOMYCINE** n. f. est un emprunt (1944) à l'anglais *streptomycin*, formé d'après *streptomyces (griseus)*, nom latin de la bactérie isolée et cultivée en 1943 par Waksman et Henrici, et d'après *streptothricin*; *-mycin* est un dérivé savant du grec *mukês, mukêtos* «champignon». ◇ Le mot désigne un antibiotique actif sur un grand nombre de bactéries, notamment celle de la tuberculose. ◇ **STREPTOMYCÈTE** n. m. (1971), de *mycète**, est le nom générique de bactéries d'aspect filamenteux.

STRESS n. m. est un emprunt (1950) à l'anglais *stress* (XIVe s.) qui a d'abord signifié «épreuve, affliction», puis couramment «pression, contrainte, surmenage», et «agression». *Stress* est issu par aphérèse de *distress* «affliction» (XIIIe s.). Ce dernier est emprunté à l'ancien français *destrece* (→ détresse) ou à l'ancien français *estrece* «étroitesse, oppression», dérivé de *estrecier, estressier*, verbe issu, par l'intermédiaire du latin populaire °*strectiare*, du latin classique *stringere*, supin *strictum* (→ étroit, strict), «serrer, resserrer» (→ étreindre).

♦ La notion de *stress*, proposée en anglais par l'endocrinologiste canadien Hans Selye en 1936, appartient d'abord au domaine de la biologie et de la psychologie. En français, le mot, comme son étymon, désigne la réponse de l'organisme aux facteurs d'agression physiologiques et psychologiques ainsi qu'aux émotions qui nécessitent une adaptation. ◇ Le mot s'emploie ensuite par extension et très couramment (v. 1960) en parlant de l'action brutale sur un organisme de tout agent capable de produire une tension, qu'il s'agisse d'un choc infectieux, chirurgical, ou des circonstances extérieures, d'un surmenage; dans cet emploi, il équivaut à *agression**.

▸ Le dérivé **STRESSER** v. tr. (v. 1960), «constituer une agression pour (un organisme)», est devenu courant au passif. L'emploi familier, pour «s'inquiéter, être angoissé, tendu», s'est répandu vers 1975. ➜ Le participe présent **STRESSANT, ANTE** adj. (1953) s'emploie couramment pour «qui détermine une agression». Alors que *stress* garde une connotation scientifique, les dérivés font figure d'anglicismes à la mode.

STRETTE n. f. est emprunté (1548) à l'italien *stretta* «étreinte, resserrement», employé spécialement en musique, féminin substantivé de *stretto* «étroit», issu du latin *strictus* (→ étroit, strict), participe passé passif de *stringere* «serrer» (→ étreindre).

♦ Le mot apparaît en français avec le sens d'«attaque par surprise» (1548), aussi sous les formes *estrette, estraicte* (1563), *straicte* (fin XVIe s.); il était sorti d'usage au milieu du XVIIe siècle. Il signifiait aussi «douleur vive, élancement causé par le rhumatisme» (1580, Montaigne), comme la variante francisée *estrette* (1599), sens noté «vieux» chez Oudin (1660). Il est employé par Brantôme (fin XVIe s.) en divers sens figurés repris à l'italien : «tour, malice», «détresse, difficulté» et «mésaventure, malheur»; on relève également l'italianisme *stretto* pour «détroit» (1549), encore attesté au XVIIe s. (1636, *streto*). Ces valeurs ont disparu. ➜ **STRETTO** est repris au XVIIIe s. à l'italien, comme terme de musique (1765); porté sur une partition, *stretto* indique que le mouvement doit devenir rapide. ◇ Au XIXe s. (attesté 1831) *strette*, désigne la partie d'une fugue qui précède la conclusion et dans laquelle le sujet et la réponse se poursuivent avec des entrées de plus en plus rapprochées; en ce sens on a employé la forme italienne *stretta* (1839).

STRICT, STRICTE adj. apparaît, selon le dictionnaire de Trévoux de 1752, au début du XVIIIe s. mais est sans doute antérieur, le dérivé *strictement* étant attesté beaucoup plus tôt (1503); c'est un emprunt savant au latin *strictus* «serré, étroit», «bref, concis (d'un style)» et «rigoureux, sévère»; *strictus*, qui a abouti à *étroit**, est le participe passé passif de *stringere* «serrer, resserrer» dont est issu *étreindre**.

♦ Dans la première moitié du XVIIIe s., *strict* est attesté au sens de «rigoureux, étroit» (*in* Trévoux, 1752) en parlant d'une règle, d'une obligation astreignante, qui laisse très peu de liberté d'action ou d'interprétation (v. 1762, *devoirs stricts*). Par extension, l'adjectif prend la valeur de «rigoureusement conforme aux règles, à un modèle» (av. 1830, B. Constant). ◇ Il s'applique ensuite dans le domaine moral (av. 1784) à une personne qui ne tolère aucun relâchement, aucun écart, pour elle-même aussi bien que pour les autres. ◇ Avec l'idée d'étroitesse, il se dit du sens primitif d'un mot, avant toute extension, opposé à *large*, d'abord (1853, Flaubert) dans ***au sens strict*** qui a pour équivalent l'adverbe **STRICTO SENSU** (1936, Capitant, en droit), formé de l'ablatif des mots latins *strictus* et *sensus* (→ sens). ◆ En parlant de choses, *strict* qualifie ce qui réduit à la plus petite valeur (1876), par exemple dans ***le strict nécessaire,*** et se dit de ce qui constitue le minimum permis ou exigible *(c'est son droit strict, le plus strict).* ◇ Avec l'idée de «sévérité, rigueur», l'adjectif qualifie spécialement (1866) ce qui est à la fois correct et dépourvu d'ornements, en parlant de la langue ou d'une tenue vestimentaire.

▸ Le dérivé **STRICTEMENT** adv., attesté au début du XVIe s. (1503), aussi écrit *estrictement* (fin XVIe s.), est rare avant le XVIIIe s. (1758) et s'emploie avec les valeurs de l'adjectif.

◈ voir DISTRICT, ÉTROIT, STRETTE.

STRIDENT, ENTE adj. est un emprunt savant (av. 1502), rare avant le XIXe s., au latin *stridens, -entis,* participe présent de *stridere* «produire un bruit aigu, sifflant», «grincer», d'origine onomatopéique. Le grec *trizein* a une valeur proche; on peut noter aussi *strinx, stringos* qui désigne un oiseau nocturne (→ stryge).

♦ *Strident* s'applique à ce qui émet un son aigu, vibrant, ou s'accompagne de tels sons; l'adjectif se dit couramment (1529) d'un bruit ou d'un cri, à la fois aigu et intense. ◇ Dans un emploi didactique, *strident* qualifie en phonétique (XXe s.) ce qui est caractérisé par un bruit d'intensité relativement élevée et, sur le plan articulatoire, par une obstruction supplémentaire *(consonnes stridentes),* opposé à *mat.* ◇ *Strident,* au figuré, a qualifié un appétit vif (XVIe s.); ce sens avait disparu au XVIIe siècle.

▸ Le dérivé **STRIDENCE** n. f., littéraire et rare, désigne un bruit strident (1814) et le caractère d'un son strident (1907). ◆ **STRIDER** v. intr., emprunt savant au latin *stridere,* est rare et littéraire pour «produire des sons stridents» (1834). ◆ D'autres termes, didactiques ou littéraires, ont été empruntés à des dérivés de *stridere.* **STRIDEUR** n. f., réfection (1521) de *strendor* (fin XIIe s.) après l'ancien provençal *estridor* (1213), a emprunté au latin *stridor* le sens de «son aigu, perçant, strident»; le mot est rare et très littéraire. ◆ **STRIDOR** n. m. désigne (1896) dans le vocabulaire médical un bruit strident lors de l'inspiration, parfois provoqué par une obstruction partielle du larynx ou de la trachée.

Quelques dérivés savants sont formés à partir du radical du latin *stridulus,* «qui rend un son aigu, strident, sifflant, grinçant», emprunté au XVIe s. en médecine sous la forme *stridule* adj. (1555), rapidement sortie d'usage. ◆ **STRIDULEUX, EUSE** adj., «un peu strident» (1778), ne s'emploie qu'en médecine. ◆ **STRIDULATION** n. f. (1817) désigne le bruit strident que produisent certains insectes; il s'emploie en médecine comme équivalent de *stridor* et au sens général de «bruit strident», littéraire. ◇ Il a produit **STRIDULATOIRE** adj. (1904), didactique. ◆ **STRIDULANT, ANTE** adj., d'abord terme de sciences naturelles (*les stridulants,* n. m. pl.), désignant des insectes du genre cigale (1839), se dit des bruits stridents émis notamment par des insectes (1842), et de ce qui produit des sons stridents (1926, Montherlant). Le mot, s'il n'est pas scientifique, est très littéraire. ◆ **STRIDULER** v., «produire une stridulation» (1845, intr.), est rare en emploi transitif (1879 au participe passé, chez Huysmans).

STRIE n. f. est emprunté (v. 1530) au latin *stria* «sillon», employé par Vitruve pour désigner les cannelures d'une colonne; ce terme technique reposerait sur une forme °*strigya* qui le rattache à *striga* «rangée, ligne, sillon», de même racine que *praestigiae* (→ prestige), *strigilis* (→ strigile) et que le verbe *stringere* «serrer» (→ étreindre).

♦ Le mot, introduit en sciences naturelles, s'applique à de petits sillons parallèles, séparés les uns des autres par des arêtes saillantes; il semble rare avant le milieu du XVIIIe s. (1742); il est à toutes époques plus fréquent au pluriel. ◇ *Strie* a repris (1771) le sens du latin en architecture, désignant les cannelures parallèles visibles sur une colonne ou un pilastre. ◇ Avec la même valeur, il développe d'autres acceptions techniques, désignant de petites lignes parallèles qui se détachent sur un fond (1779), par exemple celles qui marquent les limites de chaque segment musculaire *(stries d'Amici)* ou des petits vaisseaux visibles sur le globe de l'œil et, en médecine (1836, *stries sanguines*), les filets de sang dans les crachats, le pus, etc. Il a désigné aussi (1803) chacun des fils que l'on aperçoit sur le verre, dû à des imperfections lors de la fabrication. C'est aussi le nom en géologie (1872) de la rayure d'une roche, due à l'action glaciaire.

▸ **STRIER** v. tr., dérivé au XIXe s. (attesté chez Nerval), signifie «couvrir, marquer, orner de stries». Il est très postérieur à *strié* (ci-dessous) à partir duquel il est peut-être formé. ◆ Il a produit des termes didactiques. **STRIATION** n. f. (1872) «disposition par stries parallèles», «opération qui consiste à tracer des stries sur une surface», est spécialement employé en physique *(technique de striation)* et, par métonymie, désigne un ensemble de stries sur qqch. (1904). ◆ **STRIAGE** n. m. (1873) désigne l'action de strier. ◆ Un autre dérivé de *strie* est **STRIOLE** n. f., attesté en 1907 mais antérieur (1842, *striolé* adj.), «petite strie», didactique et rare. ◆ Le composé **STRIOSCOPIE** n. f. (1911), de *-scopie,* désigne en physique une méthode photographique permettant d'étudier les ondes de choc. ◇ En dérive **STRIOSCOPIQUE** adj. (1952).

STRIÉ, ÉE adj. est emprunté dès le XVIe s. (1534) au latin *striatus* «cannelé, strié», «ridé», employé en architecture et en botanique, participe passé passif de *striare* «faire des cannelures», dérivé de *stria.* ◆ L'adjectif, introduit avec la valeur du latin *striatus,* a pris, comme *strie,* des acceptions didactiques à partir du XVIIIe s. : en anatomie, on nomme *corps strié* (1751) la structure constituée par les trois amas de substance grise du cerveau et *muscles striés* (1889) ceux qui présentent des stries transversales outre les stries longitudinales (opposé à muscles *lisses*). L'adjectif s'emploie aussi en géologie *(roche striée)* et est entré dans l'usage général. ◆ **STRIURE** n. f., réfection (1755) de *strieure* (1567), est une francisation, d'après *strie* et *strié,* du latin *striatura,* dérivé de *stria,* dont il emprunte en architecture le sens de «cannelure (d'une colonne)» et par extension celui de «strie». Le mot désigne aussi (1872) la manière dont une chose est striée, la disposition par stries parallèles, et s'emploie même (XXe s.) pour *strie.*

STRIGE → STRYGE

STRIGILE n. m. est un emprunt savant (1544, Scève) au latin *strigilis* n. f. «étrille pour nettoyer la peau après le bain» et, par analogie, «instrument cannelé», «cannelure (de colonne)». *Strigilis,* qui par ailleurs a abouti au français *étrille**, est à rapprocher de *striga* «sillon, ligne» et de *stria* (→ strie), qui ont la même racine que *stringere* «serrer» (→ étreindre). Son radical, apparenté au vieux slave *strigo, stristi* «tondre» (russe *stritch'*) et au groupe germanique du vieil anglais *strican* «frotter», semble indoeuropéen.

♦ Ce terme d'antiquité désigne un racloir, généralement en métal, dont les Anciens se servaient pour nettoyer le corps de la sueur, de l'huile et de la poussière, après les exercices de la palestre ; inusité ensuite, il est repris au XVIIIe s., écrit *strigil* (v. 1720) puis *strigile* (1752) et plus tard employé au féminin (1867, Goncourt). ◆ Par analogie de forme, le mot s'est employé pour désigner une plante méliacée, à cause des dentures de ses anthères (1812 ; 1828, *strigilie,* n. f.) et un genre de coquillages bivalves (1842, *strigille ;* 1845, *strigile*). ◆ En archéologie, *strigile* est aussi le nom (1872, Littré) d'une cannelure en forme de S qui constitue un motif décoratif fréquent sur les sarcophages antiques.

▸ **STRIGILAIRE** n. m. est emprunté au bas latin *strigilarius* «fabricant de strigiles», de *strigilis,* ou dérive de *strigile.* ◆ Ce terme didactique et rare désigne (av. 1872, Gautier) l'esclave qui nettoyait les baigneurs à l'aide du strigile, dans les thermes romains.

① **STRIP** n. m. est un emprunt (1947) à l'anglo-américain *strip* (1923), abréviation de *comic strip* (1920), composé de *comic,* de même sens et de même origine que le français *comique**, et de *strip* «bande», apparenté au moyen bas allemand *strippe* «lanière, courroie» et, probablement, à l'anglais *stripe* «raie, rayure» attesté bien plus tard.

♦ Cet anglicisme désigne une bande dessinée disposée en une série horizontale de quelques images, et par extension toute bande dessinée. On rencontre aussi la forme *comic strip* (1967).

② **STRIP** → STRIP-TEASE

① **STRIPPER** n. m. est emprunté (1961) à un mot anglais dérivé de *to strip* «effeuiller», «dépouiller» (→ strip-tease).

♦ Le mot désigne une machine pour la cueillette du coton (1961). Par un autre emprunt, le mot désigne en chirurgie (1964) un instrument utilisé pour dénuder les veines, dans le traitement contre les varices ; en ce sens l'équivalent français recommandé officiellement est *tire-veine* n. m.

▸ ② **STRIPPER** v. tr. est un dérivé français (1964) de l'anglais *to strip,* signifiant «dépouiller (un liquide pétrolier) de ses fractions trop volatiles». ◆ **STRIPPING** n. m., emprunt direct à l'anglais *stripping* «action de dépouiller, d'ôter», s'emploie en chirurgie (1958) ; dans ce domaine, on recommande les équivalents *éveinage, phlébectomie, tringlage.* ◇ Dans l'industrie pétrolière (1964), *stripping* est le nom d'action du verbe ② stripper. ◇ En physique nucléaire, *stripping* (1968) tend à être remplacé par la forme francisée **STRIPAGE** n. m. (1969) «réaction nucléaire dans laquelle un nucléon est arraché d'un noyau, projeté et capté par le noyau cible».

STRIP-TEASE n. m., attesté une première fois au sens de «strip-teaseuse» (1937, Cocteau), emprunte un mot anglo-américain (1947) formé de l'anglais *to strip* (XIIIe s.) «déshabiller» et «dépouiller, dégarnir», issu d'un germanique °*straupjan* (cf. allemand *streifen* «enlever, ôter») et de *tease ;* ce second élément *tease* vient du verbe *to tease* «agacer, taquiner», d'une base germanique °*teis-.*

♦ Le mot emprunte à l'anglo-américain le sens de «spectacle de cabaret au cours duquel une ou plusieurs femmes se déshabillent progressivement, en musique» (1949) ; on dit aussi par abréviation ② **STRIP** n. m. (1955). ◇ De là, par métonymie, le sens d'«établissement où l'on propose ce genre de spectacle» (1958) et par métaphore celui de «déshabillage». Le déshabillage en musique aurait déjà été pratiqué à Paris, en 1895, dans un café-concert de la rue des Martyrs, par Moreno de Blansac ; aux États-Unis, ce type de spectacle est aussi connu sous le nom de *burlesque,* emprunt au français. ◇ *Strip-tease* se dit par figure (1956) d'aveux complaisants et d'un comportement exhibitionniste. ◇ On a proposé, pour cet anglicisme, des équivalents français tels qu'*effeuillage ;* Queneau a transcrit le mot de façon fantaisiste en *sliptize* (1959), par jeu de mots sur *slip,* et en *stripeutise* (1965).

▸ Sur *strip-tease* a été dérivé en français **STRIP-TEASEUSE** n. f. (1955 ; 1951, *strip-teaser*) pour désigner une femme qui exécute un numéro de *strip-tease.* L'équivalent *effeuilleuse* est demeuré rare. ◇ Le masculin **STRIP-TEASEUR** est rare (attesté 1981). ◇ L'équivalent anglo-américain est *stripper,* dérivé de *to strip.*

⟐ voir ① STRIPPER.

STROBO- est un élément tiré du grec *strobos* «rotation, tournoiement», peut-être variante de *strophos* «cordon, courroie», dérivé de *strephein* «tourner» (→ strophe).

▸ *Strobo-* entre dans la composition de mots savants. ◆ **STROBOSCOPE** n. m., attesté en 1866 mais peut-être plus ancien (cf. le dérivé *stroboscopique,* ci-dessous), l'anglais *stroboscope* étant d'ailleurs employé dès 1836, a d'abord désigné un appareil rotatif donnant l'illusion du mouvement par une suite d'images, l'un des ancêtres du cinéma. Le mot est entré dans le vocabulaire militaire au XXe s. (1933, dans les dictionnaires) au sens de «périscope mobile de certains chars lourds», d'emploi rare. ◇ Employé en physique et dans l'usage courant (1964, dans les dictionnaires), il désigne un instrument destiné à faire apparaître immobiles ou animés d'un mouvement lent des objets animés d'un mouvement périodique rapide. En médecine, *stroboscope* est le nom d'un appareil employé pour l'étude des crises convulsives des épileptiques.

Les dérivés sont des termes de physique. **STROBOSCOPIQUE** adj. apparaît dans *table stroboscopique* «stroboscope» (1845) qui semble calquer l'anglicisme *stroboscopical tables* (1836); il s'applique (1888) à ce qui est relatif à la stroboscopie, au stroboscope. ◇ **STROBOSCOPIE** n. f. (1888) désigne l'observation des objets en mouvement, spécialement, des objets animés d'un mouvement périodique rapide. ➜ **STROBORAMA** n. m. (mil. xxe s.), de *-orama*, terme didactique, est le nom d'un appareil stroboscopique extrêmement rapide. ➜ Le composé **STROBOPHOTOGRAPHIE** n. f. (1974), de *photographie*, désigne un procédé de filmage qui permet de régler le nombre de photos par seconde.

STROMA n. m. est un emprunt savant (1846) au bas latin *stroma, -atis* «couverture, tapis», lui-même pris au grec *strôma, -atos* «ce qu'on étend, couverture, tapis», dérivé de *strônnunai* «étendre». Ce verbe se rattache à une racine indoeuropéenne °*ster-* «étendre», que l'on retrouve dans le grec *stratos* (→ stratège) ou le latin *sternere* (→ concerner, strate).

♦ *Stroma* est introduit dans le vocabulaire de la biologie pour désigner (1846) le tissu qui constitue la charpente d'une structure anatomique, puis en botanique (1855) au sens de «mycélium massif des thallophytes». ◇ Le mot s'emploie également (xxe s.) à propos de la pellicule qui se forme à la surface d'un liquide en putréfaction.

▸ À partir du latin *stroma, -atis* ont été dérivés savamment : **STROMATÉE** n. m. (1876), nom donné en zoologie à un poisson osseux des mers chaudes ou tempérées de forme allongée et plate. ➜ **STROMATOLITE** n. f. ou m. (mil. xxe s.), suffixe *-lite* pour *-lithe*, désigne en sciences une concrétion calcaire fossile à feuillets concentriques.

STRONTIUM n. m., est emprunté (1816, Gay-Lussac) à un mot anglais créé au début du xixe s. par H. Davy (1808). Ce terme est dérivé sur le modèle du vocabulaire de la chimie (cf. *calcium, potassium*), de *strontia* «strontiane» (1802), ce dernier mot venant de *strontian* adj. (1789) lui-même issu du nom propre *Strontian*, village d'Écosse près duquel fut découvert le *strontium*.

♦ Le mot désigne en chimie un métal alcalino-terreux (symbole Sr) blanc argent, mou comme le plomb, dont certains isotopes radioactifs ont des applications en biologie et en médecine.

▸ En dérive le terme de chimie **STRONTIQUE** adj. (1872). ➜ **STRONTIANE** n. f., dérivé (1795) du nom propre *Strontian*, est sorti d'usage pour désigner le minerai et l'oxyde de strontium. Il désigne en chimie l'hydroxyde de strontium. ◇ Le dérivé **STRONTIANITE** n. f. (1795) est le nom du carbonate naturel de strontium.

STROPHE n. f. est emprunté (1550, au masculin, Ronsard) par l'intermédiaire du latin *stropha*, au grec *strophê* «tour», employé spécialement pour parler des évolutions du chœur lyrique sur la scène et de l'air chanté par le chœur, et par figure au sens de «ruse» (cf. *tour* en français); le mot dérive de *strephein* «tourner», verbe d'origine inconnue.

♦ *Strophe* est introduit en poésie d'abord au masculin, le féminin apparaissant au xviie s., pour désigner la première des trois parties qui se succédaient dans une pièce lyrique de l'Antiquité grecque, que le chœur chantait en évoluant de gauche à droite. ◇ Le mot s'applique ensuite à un ensemble formé par plusieurs vers, dont la cohésion est assurée par la disposition déterminée des mètres et des rimes (1669, n. f.); en ce sens, il s'est employé à propos de l'ode*, à côté de *stance* pour les autres genres poétiques. ◇ Par extension, *strophe* s'emploie parfois pour nommer une division d'une chanson (1671), moins courant que *couplet**. On relève isolément le mot au sens grec de «ruse» (1669).

▸ Le dérivé **STROPHIQUE** adj. (fin xixe s.) est didactique.

ANTISTROPHE n. f. est employé chez Rabelais (1532, au masculin) au sens disparu de «contrepèterie», puis en rhétorique où il prend le genre féminin (1611) pour désigner une figure par laquelle on opère la conversion de deux termes dépendants l'un de l'autre. En métrique ancienne, le mot désigne la seconde des deux parties d'une pièce lyrique et la démarche du chœur pendant l'antistrophe (avant l'épode); repris en rhétorique, il s'emploie (1863) pour la répétition d'un ou plusieurs mots à la fin de chaque membre d'une période.

◈ voir APOSTROPHE, CATASTROPHE, STRABISME, STREPTO-, STROBO-.

STRUCTURE n. f. est un emprunt (fin xive s. «construction», puis 1500) au latin *structura* «construction, maçonnerie», d'où «bâtiment» et «disposition (des os)», et en rhétorique «arrangement des mots dans la phrase pour produire un rythme». Ce nom est un dérivé de *struere, structum*, d'abord «lever» puis «disposer par couches, arranger» et spécialement «bâtir, construire», au figuré «tramer» et en rhétorique «disposer les mots avec ordre». *Struere* (→ construire) est peut-être à rattacher à la racine indoeuropéenne °*ster-* «étendre», à laquelle est liée le latin *sternere, stratum* «étendre» (→ strate; consterner).

♦ Le mot apparaît en français avec le sens concret de «construction, bâtiment» et abstraitement «manière dont un édifice est construit» (1500) puis, à l'époque classique, «fait de bâtir» (v. 1592); le second sens correspond au sens actuel élargi du mot, mais le contexte est alors limité à l'architecture. ◇ *Structure* reprend également un emploi étendu du latin lorsqu'il s'emploie pour parler de la manière dont sont disposés les éléments constitutifs d'un corps vivant (1554; av. 1502, selon *G. L. L. F.*). Parallèlement (v. 1560), il s'utilise, encore par latinisme, pour la façon dont sont disposées les parties d'une phrase ou d'un discours, puis pour le point de vue intellectuel, esthétique selon lequel une œuvre est composée. ◇ Avec une valeur plus générale, il désigne (1611) la manière dont est formé un ensemble naturel complexe et la disposition de ses parties. *Structure* développe ensuite dans différents domaines cette idée d'«organisation des éléments» et d'«ensemble organisé», en botanique (v. 1776, *structure végétale*) puis dans l'ensemble des sciences naturelles et physiques ; il est usité également à propos d'un ensemble concret, couramment (1856) pour ce qui donne à qqch. sa forme, dans des emplois proches de *squelette, ossature.* ➜ Après s'être appliqué aux sciences naturelles, en rapport avec le concept d'organisme, le mot entre au XIXe s. dans le vocabulaire des sciences sociales sous l'influence de l'anglais. À partir de l'époque romantique, il s'applique à la disposition des parties d'un ensemble abstrait, d'un système complexe, par exemple une société, un État, disposition considérée comme caractéristique de cet ensemble et comme durable (1826, Balzac, à propos de l'état social). L'opposition entre *structure* (rapproché de *système*) et *fonction* en découle. De cette acception vient au XXe s. l'idée d'organisation complexe envisagée dans ses éléments essentiels *(structure administrative)* et l'usage en économie, spécialement dans le vocabulaire marxiste pour parler de la réalité économique au plus tard dans les années 1930 (cf. *superstructure, infrastructure,* ci-dessous). ➜ De l'idée d'«organisation» on passe à celle de «relations entre les éléments d'un ensemble». *Structure* est attesté dans les *Cahiers* de Valéry (1905) pour désigner l'agencement interne des unités qui forment un système linguistique ; cette valeur se diffusera sous l'influence du *Cours* de Saussure, qui était ignoré avant 1930-1940. Le mot est défini ensuite (v. 1921) en philosophie comme un ensemble formé de phénomènes solidaires, tels que chacun d'eux tient ses caractères de sa relation avec les autres et du fait qu'il appartient à l'ensemble. Cette valeur influence les diverses acceptions du mot ; elle se développe en linguistique (apr. 1929) avec la diffusion des travaux de l'école de Prague (d'abord en phonologie : Troubetskoy (→ structuralisme) et Jakobson) puis des théories saussuriennes ; elle est reprise en mathématiques (1948), désignant un ensemble de notions qui, associées, permettent de définir et de classer des objets mathématiques. C'est son emploi en sociologie, emprunté à la linguistique par Lévi-Strauss (1949, *Les Structures élémentaires de la parenté*), et aussi en psychologie (Paul Guillaume en français et déjà Claparède, 1916), qui la fait se répandre dans l'ensemble des sciences humaines à partir des années 1960. ◇ Devenu un mot à la mode, *structure* s'emploie couramment pour «ensemble organisé d'éléments», notamment dans l'organisation administrative, celle des entreprises, par exemple dans *structure d'accueil* (v. 1966).

▶ Les termes didactiques qui procèdent de *structure* n'apparaissent qu'après 1850. ➜ **STRUCTURER** v. tr., lié au sens d'«organisation», signifie (av. 1868) «donner une structure à (qqch.)», d'abord en sculpture. Puis le verbe s'emploie pour «donner un plan, une organisation à (qqch.)», en particulier en urbanisme (XXe s.). ➜ Le verbe a fourni plusieurs dérivés et composés. ◇ **STRUCTURÉ, ÉE** adj. s'applique (av. 1868) à ce qui est organisé et à ce qui peut être défini par une structure en tant que système de relations (apr. 1950). ➜ À partir de 1960, avec la diffusion de *structure* apparaissent plusieurs dérivés du verbe : **STRUCTURATION** n. f. (1945), **STRUCTURABLE** adj. (1967), **STRUCTURANT, ANTE** adj. (1953). ➜ Le préfixé **DÉSTRUCTURER** v. tr., didactique (v. 1960 ; 1940 au p.p. *déstructuré*), s'emploie en particulier en psychologie et a fourni **DÉSTRUCTURATION** n. f. (v. 1960). ➜ **RESTRUCTURER** v. tr. (mil. XXe s.), usité dans un contexte concret ou abstrait, a produit **RESTRUCTURATION** n. f., devenu usuel en économie et dans les affaires.

STRUCTURAL, ALE, AUX adj., dérivé du nom, s'applique (1877) à ce qui se rapporte à une structure comme ensemble organisé. Il est en particulier employé en géographie (1908, *surface structurale*), en géologie, et dans *psychologie structurale* (1916, Claparède) «analyse des éléments d'un processus psychique», opposé à *psychologie fonctionnelle.* ◇ *Structural* prend les valeurs nouvelles de *structure* et se dit (1929) des disciplines qui étudient les structures en tant que «relations d'éléments», d'où *linguistique structurale* (1939), nom donné aux écoles qui se rattachent à l'enseignement de F. de Saussure, de l'école de Prague et d'un courant influent de la linguistique aux États-Unis. Le mot s'applique par extension à ce qui porte sur les structures (1945 ; 1958, *analyse structurale*). ➜ De l'adjectif viennent **STRUCTURALEMENT** adv. (1932, Troubetskoy), et surtout **STRUCTURALISME** n. m., d'abord en phonologie, par Troubetskoy et l'école de Prague (1932), emploi élargi dans les années 1940. Ce nom désigne une théorie descriptive des faits de langue, la langue y étant considérée comme un système doté d'une structure et dont tous les éléments sont interdépendants. En psychologie, il équivaut (1947) à *psychologie structurale.* ◇ Comme *structure,* le mot s'est répandu dans l'ensemble des sciences humaines, après 1960, désignant une théorie selon laquelle l'étude d'une catégorie de faits doit d'abord envisager les structures. *Structuralisme* en est venu à désigner couramment l'emploi de concepts rigoureux et le refus de l'intuition dans les sciences humaines. Après une vogue intense le structuralisme a été critiqué et mis en cause à partir des années 70. ◇ Le dérivé **STRUCTURALISTE** adj. et n. s'applique (1932, Troubetskoy) à ce qui relève du structuralisme et désigne (1951) un partisan du structuralisme. ➜ **STRUCTUREL, ELLE** adj. a été introduit en économie (1938), opposé à *conjoncturel* (v. 1960, *chômage structurel*) ; l'adjectif a été repris en linguistique et en sciences sociales dans des emplois proches de ceux de *structural.* ◇ Cet adjectif a fourni **STRUCTURELLEMENT** adv. (v. 1960) et **ASTRUCTUREL, ELLE** adj., didactique, «qui n'a pas de structure» (1967).

STRUCTUROLOGIE n. f., terme de géologie (1968), de *structure,* -*o*- de liaison et -*logie,* désigne l'ensemble de la structure des roches et de leurs déformations.

SUPERSTRUCTURE n. f., formé avec *super-**, est relevé dans Voltaire (1764) pour parler d'un élément inutile ajouté à un ouvrage de l'esprit, acception qui disparaît au XIXe siècle. ◇ Le mot désigne concrètement (1858) la partie d'une construction située au-dessus d'un certain niveau ou du sol, spécialement dans le domaine des ponts et chaussées (1877) et en marine (déb. XXe s.). ◇ Il est repris en philosophie dans le vocabulaire marxiste (1905 à propos d'art [T.L.F.]) par traduction de l'allemand *Überbau,* désignant le système d'institutions, d'idées, de croyances qui, correspondant à une forme déterminée de conscience sociale, dépend d'une structure matérielle, alors opposé à *infrastructure.* ◇ En ce sens on relève aussi **SUPRASTRUCTURE** n. f. (1970). ➜ **INFRASTRUCTURE** n. f., formé avec *infra-,* désigne d'abord dans le vocabulaire des chemins de fer (1875, Littré) l'ensemble des ouvrages qui concourent à l'établissement de la plate-forme. ◇ Par extension le mot s'emploie pour l'ensemble des installations au sol, en aviation (1931), et pour les parties inférieures d'une construction (1935). Par analogie, il désigne un ensemble d'équipements techniques ou économiques (mil. XXe s.). ◇ Comme pour *superstructure,* l'emploi abstrait vient du vocabulaire marxiste (1914, Jaurès) où le mot s'emploie à propos de l'organisation économique de la société, considérée comme le fondement de l'idéologie. ◇ Vieilli au sens figuré de «fondement, fondation» (1923), le mot désigne en philosophie (1933) une structure cachée ou non remarquée qui soutient qqch. de visible. ◇ Le dérivé **INFRASTRUCTUREL, ELLE** adj. (mil. XXe s.) est didactique. ➜ **MICROSTRUCTURE** n. f. (1877, en géologie ; 1955, en sciences humaines) et **MACROSTRUCTURE** n. f. (1955) correspondent à l'expansion du structuralisme, dans divers domaines du savoir.

STRYCHNINE n. f. est un dérivé savant, formé par Pelletier et Caventou (1818), du latin des botanistes *strychnus (strychnos)* «vomiquier», emprunté au grec *strukhnon,* nom de diverses plantes vénéneuses, la graine du vomiquier contenant de la strychnine. L'étymologie de *strukhnon* est obscure.

♦ Le mot désigne un alcaloïde qui se rencontre dans certaines espèces de strychnées (ci-dessous) ou qui est obtenu par synthèse.

▸ Il a servi à former **STRYCHNIQUE** adj., d'abord dans *acide strychnique* (1836) «qui existe dans la strychnine», sorti d'usage. L'adjectif se dit de ce qui est relatif à la strychnine (1903, *empoisonnement strychnique*). ➜ **STRYCHNISME** n. m. (1872), didactique, désigne une intoxication par la strychnine. ➜ **STRYCHNÉES** n. f. pl. ou **STRYCHNOS** n. m. pl., emprunt (1816) au grec *strukhnon,* est le nom botanique d'arbres ou de lianes des régions tropicales, dont plusieurs variétés contiennent des alcaloïdes toxiques.

STRYGE ou **STRIGE** n. f. est emprunté (1534 ; *strige,* 1586) au latin *strix, strigis* «vampire», «sorcière», emprunt au grec *strinx, stringos* «effraie, oiseau de nuit au cri strident», d'origine onomatopéique, comme le latin *stridere* (→ strident). ◇ L'accusatif grec *stringa* a fourni en latin une forme populaire *striga* «sorcière», qui a abouti à l'ancien français *estrie* (v. 1200) employé jusqu'en 1400, à l'italien *strega,* au portugais *estria.*

♦ *Stryge* désigne depuis le XVIe s. un vampire qui, d'après la légende, errait la nuit pour sucer le sang et dévorer la chair des hommes. ➜ Le mot s'est employé pour «chat-huant» (1611, n. m. ; 1660, *estrige,* n. f.), sens sorti d'usage. L'emploi masculin, erroné, trahit l'influence de *vampire.*

▸ **STRIX** n. m., emprunt au latin, s'est employé (1765) comme terme générique pour «rapace nocturne». ➜ **STRIGIDÉS** n. m. pl., dérivé savant (1839) du latin *strig(is)* par suffixation *-idés* (grec *eidos* «forme, apparence»), désigne en zoologie la famille d'oiseaux qui comprend la plupart des rapaces nocturnes.

STUC n. m. est la réfection (1546, Rabelais) de *estucq* (1524), puis *stucq* (1533), emprunt à l'italien *stucco* «mélange de plâtre et de mortier» (XIIIe s.). *Stucco* est issu d'un longobard °*stucchi* que l'on restitue d'après l'ancien haut allemand *stucki* «morceau», «croûte, enduit» (cf. allemand *Stück* «morceau»).

♦ Le mot désigne un enduit qui, à l'origine, était fait de marbre blanc pulvérisé, mêlé avec de la chaux et de la craie, et utilisé pour l'ornementation en architecture. De nos jours, il s'agit d'une composition de plâtre ou de poussière de marbre, gâchée avec une solution de colle forte formant un enduit qui, après polissage, imite le marbre (cf. *staff*). Par métonymie, le mot s'emploie pour parler d'une décoration en stuc.

▸ *Stuc* a servi à former des dérivés techniques. **STUQUÉ, ÉE** adj. (1842) qualifie ce qui est garni de stuc. ➜ **STUQUER** v. tr., qui apparaît plus tard (1893), signifie «enduire de stuc». ➜ **STUCAGE** n. m. (1898) se dit d'une application de stuc et son résultat. ➜ **STUCATINE** n. f. (1907) est le nom d'un revêtement qui donne à une matière l'apparence de la pierre à bâtir.
Deux termes techniques ont été empruntés à des dérivés de l'italien *stucco.* ➜ **STUCATEUR** n. m. est la francisation de *stuccatore,* dont il emprunte (1641, Poussin) le sens d'«ouvrier spécialisé dans le travail du stuc». Le mot désigne ensuite un ornemaniste spécialisé dans la mise en œuvre du stuc. ➜ **STUCATURE** n. f. (XXe s.), emprunt au dérivé italien *stuccatura,* est rare pour désigner un ornement en stuc, équivalent de *stucage.*

STUDIEUX, EUSE adj., réfection d'après le latin (1380) de *estudius* (v. 1120), *estudieus* (v. 1265), est emprunté pour servir d'adjectif à *étude* au latin *studiosus* «appliqué à, qui a du goût pour», «attaché, dévoué à (qqn)», «ami, admirateur» et spécialement «appliqué à l'étude». L'adjectif dérive de *studium* «application, ardeur», «dévouement, affection» et spécialement «application à l'étude» (→ étude).

♦ *Studieux* possède d'abord les valeurs générales du latin ; il est attesté en ancien français au sens de «zélé, appliqué à qqch.» (v. 1120) encore relevé en 1660, puis au XVIe s. dans la construction *studieux à, de* (et infinitif) «qui a du goût pour ; appliqué, attentif à (faire qqch.)» [1532], encore chez Hugo. ◇ À la Renaissance, *studieux* emprunte l'acception spécialisée de *studiosus* pour qualifier une personne qui aime l'étude et le travail intellectuel (1552), par extension (1723) ce qui est favorable ou consacré à l'étude *(retraite studieuse).* ◇ *Studieux* s'est employé comme nom masculin (1564, Rabelais) en parlant d'une personne qui aime l'étude ; cette acception en usage jusqu'au XVIIIᵉ s. est devenue archaïque.

▸ Le dérivé **STUDIEUSEMENT** adv. (1514), réfection de *studiousement* (v. 1190), s'emploie toujours au sens initial de «d'une manière appliquée et sérieuse» (1541) ; comme *studieux,* il s'applique notamment au travail intellectuel.

STUDIO n. m. est un emprunt (1830, dans une traduction de Lady Morgan) à l'anglais *studio* «atelier d'artiste» (1819), lui-même emprunté à l'italien *studio* «atelier de peintre, de sculpteur», du latin *studium* (→ étude). L'anglais *studio* s'est d'abord employé (1819-1820) à propos d'artistes italiens ou de l'Italie.

♦ C'est avec cette valeur que le mot est introduit en français (1830), notamment (1837) en parlant d'artistes anglais ; il est didactique, notamment en histoire de l'art dans ce sens initial d'«atelier d'artiste», mais s'est conservé pour désigner (1906) l'atelier d'un photographe d'art. ◇ Le français a eu, d'après le latin, le sens particulier de «cabinet de travail, d'étude» (1923), aujourd'hui tombé en désuétude. ◇ Depuis le début du XXᵉ s., *studio* s'emploie (v. 1908) pour «ensemble des locaux aménagés pour les prises de vue cinématographiques» et, par extension (1935), désigne un local aménagé pour les enregistrements destinés à la radiodiffusion ou à la télévision. Le sens de «salle de spectacle de petite dimension où l'on passe des films pour connaisseurs» (1927 ; 1949, *studios d'art et d'essai*) n'est attesté qu'en français. ◆ Parallèlement à cet emploi, *studio* a pris (1914) le sens devenu très courant de «pièce servant de salon, de salle à manger et de chambre à coucher» (1914), en concurrence avec l'anglicisme *living-room,* sens vieilli surtout par rapport à celui de «logement formé d'une seule pièce principale» (1928) qui a remplacé dans l'usage *garçonnière.* L'anglais emploie dans ce sens *studio apartment* (1903). ◇ Cette acception a produit le dérivé **STUDETTE** n. f. (1969) «petit studio», mot de publicité. ◇ Par extension de la valeur initiale d'«atelier de travail», *studio* se dit aussi (1955) d'une salle de travail, de répétition pour des danseurs, des chanteurs ou des acteurs.

▸ **STUDIOLO** n. m. emprunte (1964, dans les dictionnaires) en histoire de l'art un mot italien, diminutif de *studio,* pour désigner un petit cabinet de travail aveugle, souvent décoré, dans les palais italiens.

STÛPA n. m. est un emprunt (1863), aussi transcrit *stoupa* (1877), à un mot hindi, *stūpa,* emprunté au sanskrit *stûpa* «tas, monceau».

♦ Le mot désigne un monument reliquaire bouddhique, qui peut avoir une fonction commémorative ou marquer la sainteté d'un lieu. La forme initiale de ce monument, antérieur à la prédication du Bouddha (VIᵉ s. av. notre ère), est dérivée du tumulus funéraire ; c'est un hémisphère de maçonnerie pleine surmonté d'un belvédère et de disques empilés, posé sur un soubassement autour duquel est aménagé un déambulatoire.

STUPEUR n. f., francisation (1333) de *stupor* (XIVᵉ s.), est un emprunt au latin *stupor* «engourdissement, paralysie», en parlant du corps ou de l'esprit, dérivé de *stupere* «être frappé de stupeur». Ce verbe se rattache à une racine indoeuropéenne *°(s)teu-* «frapper», comme, en latin même, *tundere* (→ contusion), *stuprum* (→ stupre), comme le grec *tuptein* «frapper», *tupos* (→ type), le vieux slave *tŭpŭtŭ* «grand bruit», le sanskrit *tupati* «il heurte».

♦ Le mot désigne un état d'inertie et d'insensibilité lié à un engourdissement général, acception didactique ou littéraire aujourd'hui. ◇ Dès le XIVᵉ s. (1333), il s'emploie couramment pour parler d'un étonnement profond qui suspend toute réaction, acception qui ne devient dominante qu'au XVIIIᵉ siècle. *Stupeur* désigne aussi en pathologie la suspension apparente de toute activité physique et psychique (1762).

▸ Plusieurs mots ont été empruntés à des dérivés ou des composés de *stupere,* mais les deux premiers, *stupide* et *stupidité,* s'en sont détachés sémantiquement. ◆ **STUPIDE** adj. est un emprunt au latin *stupidus* «interdit, ahuri par une impression, une émotion très vive» et «sot, niais». ◆ L'adjectif français a signifié «engourdi, paralysé» (1377) jusqu'au début du XVIIᵉ siècle. Sur le plan psychologique, il s'applique (1552, Rabelais) à une personne atteinte d'une sorte d'inertie mentale, manifestant peu d'intelligence, puis à des propos ou à un comportement qui dénote l'ineptie (1654). ◇ Par extension, il se dit d'un événement qui semble n'avoir aucun sens (déb. XIXᵉ s., *accident stupide*) et qualifie une personne qui se comporte sottement dans une circonstance donnée (1876) ainsi que son comportement. ◇ *Stupide* est devenu un archaïsme littéraire lorsqu'il qualifie (1599) une personne paralysée par l'étonnement, par une forte émotion ; l'adjectif s'est aussi appliqué (1599) à une personne incapable d'une réaction spontanée, par sottise ou manque de sensibilité ; il est aussi substantivé dans ce sens (1651). ◇ Par métonymie, il a qualifié ce qui dénote l'apathie (1651, *stupide à* «insensible à»). ◆ **STUPIDITÉ** n. f., emprunté (1541) au dérivé latin *stupiditas,* a eu une évolution parallèle à celle de *stupeur.* Le mot a signifié à l'époque classique «engourdissement, paralysie de la sensibilité et de l'intelligence» (1541), sens repris en psychologie (1876) et sorti d'usage ainsi que «état d'une personne paralysée par l'émotion» (1580), acception déjà vieillie vers 1660. ◇ *Stupidité* s'emploie aujourd'hui à propos de la pesanteur d'esprit, de la bêtise (1587) et *une stupidité* d'une action, d'une parole stupide (1821). ◆ **STUPIDEMENT** adv. (1588) est l'adverbe de *stupide,* dans toutes ses acceptions. **STUPÉFIER** v. tr. est emprunté (1478, Chauliac) au latin *stupefieri* «être interdit, étonné», passif de *stupefacere* «étourdir», «paralyser», composé de *stu-*

pere et *facere* (→ faire); l'ancien provençal *stupefar*, «engourdir», est antérieur (XIVe s.). ◇ Le verbe, d'abord terme de médecine, est littéraire au sens d'«engourdir en inhibant les centres nerveux». Il signifie couramment (1732; 1694 au participe passé adjectivé) «remplir d'un étonnement extrême». À la différence de *stupide* et de *stupidité*, *stupéfier* reste lié par le sens à *stupeur*. ➜ Le dérivé **STUPÉFIANT, ANTE** adj. et n. m. s'applique (1588, puis 1606 et 1694) à des substances toxiques agissant sur le système nerveux comme narcotiques, employées en médecine pour le traitement de douleurs violentes; en ce sens on a dit aussi *stupefactif* (1380; dérivé de *stupefactus*) jusqu'au XIXe siècle. ◇ *Un stupéfiant*, n. m., désigne d'abord un anesthésique utilisé en obstétrique (1761), puis (1824) un toxique stupéfiant et, par extension (1863), une substance toxique, comme l'opium ou ses dérivés, qui agit comme euphorisant et dont l'usage abusif provoque un état de dépendance et d'accoutumance; dans cet emploi, le mot est moins courant que *drogue;* il est abrégé familièrement au pluriel en **STUPS** ou **STUP** (v. 1975), *les stups* désignant dans la police la brigade des stupéfiants. L'adjectif qualifie aussi, à partir du XIXe s., ce qui provoque un étonnement extrême (1842) et, par exagération, ce qui n'est pas commun, extraordinaire.

STUPÉFAIT, AITE adj., emprunt adapté du latin *stupefactus*, participe passé passif de *stupefacere*, se dit (1655) d'une personne étonnée, interdite au point de ne pouvoir agir ou réagir et, par extension (fin XVIIIe s.), d'une attitude qui dénote cet état. ➜ L'emploi de *stupéfait* pour *stupéfié* a abouti à la formation de **STUPÉFAIRE** v. tr. (1776), qui ne s'emploie qu'à la troisième personne du singulier du présent de l'indicatif et des temps composés. ➜ **STUPÉFACTION** n. f., formé sur *stupefactus*, désigne (v. 1363) un état d'engourdissement du corps, sens devenu archaïque. ◇ L'emploi pour «étonnement profond qui laisse sans réaction» apparaît en moyen français (1458, puis 1530), reste rare avant les dernières décennies du XVIIe s. (1690), puis est devenu usuel, comme substantif correspondant à *stupéfait*.

STUPRE n. m. est un emprunt savant (1372, puis 1507) au latin *stuprum* «déshonneur», «honte», puis spécialement «déshonneur résultant de la débauche ou du viol», «adultère» et «viol»; ce mot se rattache probablement à une racine indoeuropéenne °*(s)teu-* «frapper», comme le latin *stupere* «demeurer stupide» (→ stupeur), *studere* (→ étude), *tundere* (→ contusion).

♦ *Stupre* s'est dit pour «viol» (1372), sens repris au début du XVIe s. mais rarement attesté dans la langue classique avant le milieu du XVIIIe s. (1764, Voltaire). ◇ Le mot désigne aussi (1684) une débauche honteuse, humiliante; par plaisanterie, il s'emploie encore (XXe s.) avec une valeur très atténuée, comme *débauche*.

① **STYLE** n. m. est une réfection savante et d'ailleurs erronée (fin XIVe s.) de *stile* (XIVe s.), antérieurement *estile* (1280-1290); le *y* vient d'un rapprochement abusif avec le grec *stulos* «colonne» (→ stylite). Le mot est emprunté au latin classique *stilus*, qui désignait tout instrument composé d'une tige pointue et s'était spécialisé en technique : «tige de cadran solaire», «aiguille» en arboriculture; c'était en particulier le nom d'un poinçon de fer ou d'os, terminé par une lame plate et large, la pointe servant à écrire sur la cire des tablettes, et la surface plate à effacer. De là *stilus* devient en rhétorique synonyme de *scriptura* «écriture» (comme *plume* en français) et s'emploie avec diverses acceptions : «exercice écrit», «façon d'écrire», aussi en parlant de l'éloquence en latin impérial, puis «manière», «coutume, usage», et en latin ecclésiastique «langue». *Stilus* se rattache sans doute à *stimulus* (→ stimuler) et à la racine indoeuropéenne °*sti-* «piquer», comme les verbes *distinguere* (→ distinguer), *instinguere* (→ instinct), le grec *stizein* «piquer», *stigma* «piqûre» (→ stigmate) et le francique °*stikkan* (→ étiquette).

♦ *Style* a emprunté à la fois les valeurs dérivées du latin et les emplois concrets (cf. ② *style* ci-dessous); les graphies *stile* et *style* restent en concurrence encore à l'époque classique; jusqu'au XVIIIe s., on tenta sans succès de répartir les valeurs concrètes et abstraites selon les graphies. ➜ Le mot *style* est introduit au XIIIe s. sous la forme *estile* pour désigner une manière personnelle d'agir, jugée d'après des critères de valeur; cette acception courante à l'époque classique s'est employée dans des locutions : *ce n'est pas le style* «cela ne convient pas» (fin XIVe s.), *selon le style* «à la manière de» (v. 1165) sont sorties d'usage; restent ***changer de style*** «de manière d'agir, de parler» (v. 1640) et au XXe s. ***style de vie, de grand style, avoir du style.*** D'après cette valeur générale, le mot s'emploie en sports (1856) pour parler de la manière personnelle de pratiquer un sport et signifie «qualité de comportement» (av. 1893), mais ces emplois paraissent aujourd'hui marqués par le sens dominant de *style* (ci-dessous). ➜ *Style* est en usage à partir du XIVe s. pour désigner, par métonymie du nom de l'instrument (voir ci-dessous ② *style*), le tracé de l'écriture de qqn (1346, *style;* aussi *estille*, XIVe s.), acception concrète relevée jusqu'au XIXe s. (1878) et remplacée par *écriture, graphisme*. ◇ Le latin des rhétoriciens est aussi repris avec le sens de «manière individuelle de s'exprimer, de parler» qui ne se développe qu'à partir de la Renaissance (XIVe s.; puis 1532). Avant le XVIe s., le mot désignait déjà la manière de s'exprimer propre à un groupe, à une activité (v. 1398). ◇ Du sens latin de *stilus* «texte» viennent l'emploi pour «liste (d'objets) dressée par écrit» (v. 1385, *estille*) et celui de «manière de compter les jours de l'année et de fixer le début de l'année» (v. 1460); ces acceptions ont disparu, mais on dit encore ***ancien, vieux style*** et ***nouveau style*** (fin XVIe s.) pour désigner la manière de fixer le début de l'année avant *(calendrier julien)* et après *(calendrier grégorien)* la réforme de 1582. *Vieux style* renvoie par ailleurs à l'ère chrétienne (1805), par opposition à *nouveau style* (1802), désignant l'ère du calendrier révolutionnaire ouverte en 1792. Ces emplois historiques sont aujourd'hui sentis comme figurés du sens dominant (ci-dessous). ➜ *Style* entre dans le vocabulaire juridique au XVIe s., avec l'idée de «coutume», dans quelques locutions : *être de style* «conforme à la coutume» (1549), *suivant le style* «à la manière habituelle» (fin XVIe s.), ***c'est notre style*** «à notre habitude» (1636), aujourd'hui comprises avec une autre valeur. L'idée de «texte» (ci-dessus) a fourni d'autres locutions juridiques : *être de style* (1546), *du style* (1564) «relever de la seule formule», *n'être que du style* (1690); toutes ces expressions ont disparu et celles qui subsistent sont interprétées autrement : ***style du Palais, du Parlement*** se dit des formules selon lesquelles on dresse les actes juridiques, surtout de la manière de les rédiger (1662), rejoignant le sens littéraire du mot; ***clause de style*** «qui figure dans tous les actes d'une même espèce et n'ajoute rien aux conventions» (1765) s'emploie couramment au figuré pour parler d'une formule qui n'ajoute rien au contenu de la communication (1867).

Reprenant le sens rhétorique à propos des œuvres littéraires, la Renaissance donne au mot sa valeur aujourd'hui dominante. *Style* désigne alors (1548) une manière de composer, d'écrire, de discourir qui s'acquiert par l'étude, qui est définie par des procédés techniques et dépend du genre et du sujet. À l'époque classique, ces manières de s'exprimer sont hiérarchisées, d'où *haut style* «la façon la plus noble de s'exprimer en littérature» (1549), expression parfois péjorative au XVIIe siècle; *style bas, médiocre*, etc.; *style de fer* «pénible, peu harmonieux» (fin XVIe s., d'Aubigné) joue sur le double sens de *style* «instrument» et «manière d'écrire». ◇ À partir du XVIIe s., le mot désigne le travail de l'écriture qui vise à donner à un texte des qualités spécifiques (1636), puis (1688) la qualité d'une œuvre, consistant dans l'équilibre et la rigueur de la forme. Le mot s'emploie par analogie en parlant des arts plastiques (1699), de la musique (1721) puis de l'ensemble des arts de l'espace. Sans abandonner sa valeur rhétorique, la notion est peu à peu liée, au cours du XVIIIe s., à l'idée d'expression personnelle, ce que traduisent par exemple la formule de Buffon, *«le style, c'est l'homme même»*, ou encore le changement de sens de *n'avoir point de style :* à la fin du XVIIe s., elle signifie «ne pas savoir ordonner ses mots» selon une règle préétablie (1690), un siècle plus tard elle est définie «ne pas avoir de façon personnelle de s'exprimer» (1798). On relève plus tard ***avoir du style*** «écrire ou parler de façon agréable, harmonieuse, témoignant de l'authenticité de la pensée» (1845) en littérature, puis dans les autres arts (1867). ◇ La notion de style englobe à partir de l'époque romantique des caractères communs à un ensemble de créateurs ou d'œuvres, le mot désignant (1835) ce qui permet de rassembler les œuvres des écrivains d'une même époque ou d'un même pays, aussi en dehors du domaine littéraire, en art, etc. (d'où *de style, du style antique, moderne*, etc.). Ce n'est alors plus le genre ou le sujet qui définit le style mais l'aspect de l'énoncé, qui est le résultat d'un choix des moyens d'expression, déterminé par les intentions du sujet écrivant ou parlant; cette définition, assurée vers 1870, inclut les diverses conceptions du style et aboutit à étendre la notion au-delà du cadre littéraire : c'est celle qui correspond à *stylistique* (ci-dessous).

▸ Le mot a fourni des dérivés parfois liés à des valeurs de *style* sorties d'usage. ➔ **STYLÉ, ÉE** adj., réfection (XVIIe s.) de *stilé* (1382), s'applique à une personne habituée à se conduire selon les règles qui conviennent; de cette acception vieillie procèdent *stylé à, en, de* «habile à» (fin XIVe s.), sorti d'usage, et l'emploi au sens de «qui accomplit son service dans les formes» (1831), en parlant du personnel domestique, sens toujours vivant. ◇ L'adjectif a aussi qualifié (XVIe s.) ce qui est réglé par la coutume. ➔ **STYLER** v. tr. signifie (fin XVe s.) «faire la leçon à (qqn), endoctriner», surtout au participe passé aujourd'hui; de là viennent les autres acceptions. *Styler qqch.* s'est dit à l'époque classique (1606) pour «façonner (qqch.) selon un but»; *styler qqn à qqch.* «lui donner l'habitude de qqch.» (1630) est relevé jusqu'à la fin du XIXe s. et *styler un animal* signifiait «le dresser» (1690). *Styler qqn* (un domestique) s'emploie aujourd'hui (1876) pour «le rendre stylé». ➔ **STYLISER** v. tr., apparu au début du XVIIIe s. (1700-1715), signifie «éduquer (qqn)» (*styler* ci-dessus). ◇ Le verbe actuel est un nouveau dérivé (1898; 1900, *stylisé* p. p.) signifiant «représenter (un objet) en simplifiant les formes, en vue d'un effet décoratif» et «représenter avec une volonté de style». ◇ En dérive **STYLISATION** n. f. (1893).

STYLISTIQUE n. f. est un emprunt (1872) à l'allemand *Stilistik*, relevé chez Novalis (fin XVIIIe s.) au sens de «théorie du style» et dérivé de *Stil*, de même origine que le mot français. Ce mot didactique, qui apparaît avec la fin de l'enseignement de la rhétorique et le début d'une théorie de la littérature, ne s'emploie plus pour parler de la connaissance pratique des particularités de style propres à une langue; il désigne (1902) l'étude scientifique du style, de ses procédés et de ses effets, soit dans tous les usages de la langue (1904, Bally; 1908, Séchehaye), soit spécialement dans les œuvres littéraires. ◇ Parallèlement, le mot s'emploie comme adjectif, s'appliquant (1905) à ce qui est relatif au style ou à la stylistique, à ce qui appartient à l'expressivité dans le langage. À partir des années 1960, la stylistique, sans disparaître comme discipline, voit son rôle diminuer au profit de la poétique et de la sémiotique. ➔ Il a pour dérivé **STYLISTIQUEMENT** adv., **STYLISTICIEN, IENNE** n. (XXe s. : 1953, Jullian) et des composés didactiques, comme **PHONOSTYLISTIQUE** n. f. (v. 1970).

STYLISTE n. désigne un écrivain qui se soucie particulièrement de la forme (1836). ◇ Le mot s'emploie par extension, et d'après l'usage correspondant de *style*, à propos d'un sportif (1909) qui recherche la beauté des gestes. ◇ Repris comme terme de mode (mil. XXe s.), *styliste* désigne la personne qui est chargée d'adapter un style de vêtements à un marché. C'est par ailleurs le nom donné (1960) à un spécialiste de l'esthétique industrielle. ➔ **STYLISME** n. m., littéraire au sens (1845) de «souci exagéré de la forme», désigne (mil. XXe s.) l'activité, la profession des stylistes, aux deux sens récents du mot. Il est concurrencé par *design*.

Un homonyme ② **STYLE** n. m. reprend les valeurs concrètes du latin; il désigne (v. 1380, *stile;* 1532, *style*) l'instrument pour écrire employé dans l'Antiquité et, par analogie de forme, a pris des sens techniques : tige d'un cadran solaire (1561), instrument de chirurgie (1675; jusqu'au XIXe s.) [cf. *stylet*]. Il se dit aussi de la tige dont la pointe, imbibée d'encre, trace une courbe dans un appareil enregistreur (XXe s.). ◆ De ② *style* vient **SOUSTYLAIRE** adj., qui s'emploie dans *ligne soustylaire* «ligne droite perpendiculaire au style d'un cadran solaire» (1741), et **VACCINOSTYLE** n. m. (→ vaccine).

③ **STYLE** n. m. est un emprunt au grec *stulos* «colonne» (→ stylite) qu'on a longtemps cru être à l'origine de ① et ② *style*. ◆ Il s'est dit en botanique pour «pistil» (1690), aujourd'hui «partie allongée du pistil, entre l'ovaire et le ou les stigmates» (1708), en anatomie d'une protubérance osseuse (1812) puis (1842) de l'apophyse de l'os du rocher. ◇ En zoologie, il désigne une soie articulée sur les antennes des insectes diptères (1870) et l'organe de la copulation chez les araignées (1904). ◆ Par ailleurs, Chateaubriand a employé le mot par hellénisme pour «colonne». ◆ **ÉPISTYLE** n. m. est emprunté à la Renaissance (1546; 1545, *épistile*) au latin *epistylium*, lui-même du grec *epistulion* «architrave qui repose sur le chapiteau de la colonne», composé de *epi-* «sur» et de l'adjectif dérivé de *stulos*. ◆ **DISTYLE** adj. se dit en botanique (1839) des fleurs qui ont deux styles.

◈ voir STYLET, STYLOGRAPHE.

STYLET n. m. est un emprunt (1586, Bloch et Wartburg, *stilet;* puis 1611) à l'italien *stiletto* «poignard à lame mince et pointue», diminutif de *stilo* «poignard», emprunté au latin *stilus* qui désignait tout objet pointu (→ style).

♦ Le mot, qui conserve le sens de l'italien, a désigné spécialement au XVIIIe s. (1721, *estilet*) un petit poignard porté par les dames espagnoles. ◇ Dérivé de ② *style* et le remplaçant dans un de ses emplois, *stylet* est le nom (1759) d'un instrument de chirurgie en forme de pointe fine, destiné à explorer les canaux naturels ou accidentels. ◇ Le mot s'est aussi employé (1810) au sens de «poinçon à écrire». ◇ Il désigne en zoologie (1907) une pièce buccale pointue d'insectes piqueurs et suceurs.

STYLITE n. m., réfection (XVIIIe s.) de *stelite* (déb. XVIIe s.), puis *stilite* (1690), a été emprunté savamment au grec *stulitês* «qui se tient sur une colonne», dérivé de *stulos* «colonne» qui se rattache à la racine indoeuropéenne °*sta-* «être debout», comme *stasis* (→ stase), *sustêma* (→ système), le latin *stare* «se tenir debout» (→ ester).

♦ Ce terme didactique désigne un solitaire qui, dans les premiers siècles du christianisme, vivait au sommet d'une tour ou d'une colonne pour méditer dans l'immobilité absolue.

▸ Le grec *stulos* a par ailleurs servi à former des composés en **STYLO-**. ◆ **STYLOBATE** n. m. reprend (1545), par l'intermédiaire du latin *stylobata* ou *stylobates*, le grec *stulobatês* «base d'une colonne», de *stulos* et *bainen* «marcher», «monter». ◇ Le mot désigne en architecture un soubassement continu orné de moulures et portant une colonnade (1545) et, plus récemment (1872), une plinthe montant à mi-hauteur d'homme. ◆ **STYLOÏDE** adj. est emprunté (1650) au grec *stuloeidês* «qui ressemble à une colonne», composé de *stulos* et de *eidos* «forme, apparence» (→ -oïde). Terme d'anatomie, *styloïde* se dit de certaines apophyses allongées (1650), par exemple dans *apophyse styloïde du radius, du temporal* (1700). ◇ Le mot a fourni en médecine **STYLOÏDITE** n. f. (mil. XXe s.), de *-ite*, et l'élément *stylo-* est employé dans quelques composés en anatomie, par exemple **STYLOHYOÏDIEN, IENNE** adj. et n. m. (1752), **STYLOGLOSSE** adj. et n. m. (1872).

◈ voir PÉRISTYLE.

STYLOGRAPHE n. m. est emprunté (1902) à l'anglais *stylograph* (1882), lui-même composé à partir de *stylus*, pour le latin *stilus* (→ ① style), et de *-graph*, du grec *graphein* «écrire» (→ -graphe). Un brevet d'invention de 1848 mentionne une «plume dite stylographe». Cet emploi adjectif est formé sur les éléments grecs.

♦ Le mot, qui désigne un porte-plume à réservoir d'encre, a rapidement vieilli.

▸ **STYLO** n. m. (1912), abréviation de *stylographe*, l'a remplacé dans l'usage courant. L'objet étant concurrencé par d'autres instruments pour écrire, la fréquence du mot a diminué et on a désigné par *stylo* la pointe à bille dite *stylo à bille* ou *stylo-bille* n. m. (1948), dans lequel la plume est remplacée par une bille de métal; *stylo à encre* désigne le stylo traditionnel. ◆ **STYLOMINE** n. m. (1929), de *mine**, marque déposée devenue nom commun, est vieilli pour *porte-mine*. ◆ **STYLO-FEUTRE** n. m., «stylo dont la pointe est en feutre» (v. 1965), s'abrège en *feutre** (1968). ◆ **STYLOGRAPHIQUE** adj., dérivé de *stylographe*, «destiné au stylographe» (XXe s.), a vieilli comme *stylographe*. ◇ Cet adjectif s'est aussi employé comme dérivé (1904) de **STYLOGRAPHIE** n. f., qui désignait (1876) un procédé électrotypique de gravure; le nom est composé de *stylo-*, tiré de *stilus* «poinçon», et de *graphie**.

STYRAX n. m. est un emprunt au latin *styrax* (ou *storax*) «baume» (1611), mot pris comme désignation scientifique de certaines espèces d'aliboufiers (1636); le synonyme *storax* (XVIe s.; XIIIe s., *storiaux*) n'est plus en usage. *Styrax* est lui-même emprunté au grec *sturax* de même sens, terme dont l'origine est ignorée; d'après Hérodote, la résine du styrax venait de Phénicie, ce qui supposerait pour le mot une origine sémitique.

♦ Le mot désigne un baume extrait du styrax, du liquidambar (aliboufiers), utilisé en pharmacie, en parfumerie.

▸ Le dérivé **STYRACACÉES** n. f. pl. (1876; 1845, *styracées*) désigne une famille de plantes comprenant des arbres et des arbustes des régions chaudes.

STYRÈNE n. m. représente une contraction (1936) de *styrolène* n. m. (1867), dérivé de *styrol* n. m. (1876), lui-même dérivé savant de *styrax*. ◆ *Styrol* et *styrolène* ont été supplantés par *styrène*, répandu vers 1950, qui désigne un hydrocarbure benzénique entrant dans la composition de nombreuses matières plastiques. ◆ Le composé **POLYSTYRÈNE** n. m. (1936), de *poly-* dans *polymère*, se dit d'une matière plastique obtenue par polymérisation du styrène.

SU → SAVOIR

SUAIRE n. m. représente l'aboutissement (v. 1150) du latin classique *sudarium* «mouchoir» et, en bas latin ecclésiastique, «linge dont on couvrait la tête d'un mort, linceul», dérivé de *sudare* qui a donné *suer**.

♦ *Suaire* a désigné le linceul où l'on pensait que le Christ avait été enseveli, aujourd'hui nommé *Saint-Suaire* (1636); par métonymie, *saint suaire* désigne une représentation du suaire du Christ (1718). Le mot est littéraire au sens de «linceul» (v. 1175, *sueire*). ◇ Il a eu le sens latin de «linge pour essuyer la sueur du visage» (v. 1380), repris comme terme d'antiquité (1845). ◇ Par métaphore, il se dit de ce qui enveloppe comme un suaire, sens attesté dans la littérature du XIXe siècle.

SUAVE adj. (1540, in *F. e. w.*), d'abord *suaive* (1493), est la réfection de *soueve* (XVe s.), d'après le latin *suavis* qui avait abouti par voie populaire en ancien français à *souef* (v. 1050) et en ancien provençal à *suau* (v. 1050), adverbe et adjectif. *Suavis* signifie «doux, agréable», en parlant des sensations, des sentiments ou du caractère; il représente un ancien adjectif en *-u-*, apparenté au sanskrit *svādúh*, au grec *hêdus* (→ hédonisme); toutes ces formes remontent à une base indoeuropéenne signifiant «être agréable», représentée dans l'anglais *sweet* et l'allemand *süß*.

♦ En ancien français, l'adverbe *souef* marquait la douceur, la tendresse, *norrir souef (qqn)* signifiant «l'élever avec soin». Cet adverbe s'employait avec des verbes de mouvement (v. 1130) encore au XVIe siècle. L'adjectif *souef, suef* s'appliquait à ce qui est tranquille, calme (1080, *suef pas*), doux, agréable, qualifiant des sensations, le temps, le vent, une forme physique (1160-1170); il a signifié «débonnaire, humain» (v.1190, *sueyf*) et «paisible, sans souffrance» (XVe s., *sueve mort*, 1440-1475); le mot s'est aussi employé dans la langue biblique comme nom masculin pluriel (v. 1120) pour «les paisibles, les doux». La forme ancienne *souef* s'est maintenue jusqu'au XVIe siècle. ◆ *Suave* n'a conservé qu'une partie des emplois de l'ancienne forme. Il s'applique à ce qui a une douceur délicieuse, se dit du langage (1493, *suaive*), de ce qui charme les sens (1540, *suave*) et l'esprit (1611).

▸ Le dérivé **SUAVEMENT** adv. (1503) reprend une partie des sens du dérivé adverbial de *soef, soefment* (v. 1226), *souefment* (XVIe s.) puis *souevement* (1574, encore attesté au XVIIe s.). L'adverbe moderne correspond aux emplois de *suave*.

SUAVITÉ n. f., forme refaite (XIIIe s.) de *suaviteit* (v. 1190), est emprunté au latin *suavitas* «douceur, qualité agréable pour les sens et pour l'esprit». Le mot latin avait abouti à l'ancien français *süaté* «douceur» (v. 1120). ◆ D'abord terme de religion, le mot désigne la joie de l'âme quand Dieu la favorise (v. 1190). Plus généralement, il signifie «atmosphère paisible et douce» (v. 1440) et «qualité de ce qui est suave» (1512) en parlant de ce qui touche les sens, de l'harmonie dans le langage (v. 1650), dans les formes.

◈ voir DISSUADER, PERSUADER.

SUB- est un préfixe tiré du latin *sub*, préverbe et préposition signifiant «sous» et «au fond de», d'où les sens de «dessous», «au-dessous de», au physique et au moral, et aussi «dans le voisinage de», «à l'approche de», «à portée de» et «au moment de»; au figuré, *sub* marque l'idée d'infériorité, de dépendance. *Sub*, dont un dérivé a donné *sous**, présent dans de nombreux composés français (*soumettre, soupçonner*, etc.), se rattache à des formes indoeuropéennes sans *s* initial; l'opposition entre *sub-* et *super-* (→ super) est de date indoeuropéenne, mais n'est pas absolue; elle se retrouve en sanskrit (*-úpa* et *úpari*), en grec (*hypo-** et *hyper-**), en gotique (*-uf* et *ufar*; cf. l'anglais *over*). Plusieurs composés latins en *sub-* sont passés en français (voir à l'ordre alphabétique).

♦ En français, *sub-* exprime la position en dessous (cf. *hypo-*, *infra-* et *sous-*, issu de *subtus*), la dépendance, la proximité, l'approximation, la faible quantité ou la dissimulation. Servant à former des adjectifs et des noms, *sub-*, dans certaines formations récentes, est en concurrence avec *sous- subcontinent/sous-continent)*. Le plupart des composés sont formés sur une base empruntée au latin (*subaquatique*, etc.).

SUBALTERNE adj. et n. est un emprunt (1466) au bas latin *subalternus* (Ve s.), terme de logique, composé de *sub-* marquant la dépendance (→ sub-) et de *alternus* «qui se rapporte à l'un et à l'autre», dérivé de *alter* (→ autre).

♦ L'adjectif s'applique dès ses premiers emplois à une personne subordonnée à une autre, et spécialement qui occupe un rang inférieur (av. 1673, adj. et n.). De là vient l'emploi de *subalterne* à l'époque classique au sens de «médiocre, borné» en parlant de l'esprit (av. 1696), puis pour qualifier ce qui caractérise une position inférieure (1741) et ce qui dénote la mesquinerie (1819). ◇ Repris en logique, l'adjectif se dit (1819) de deux propositions opposées quand elles ne diffèrent que par la quantité, et spécialement de la proposition particulière par rapport à l'universelle, nommées **SUBALTERNÉE** n. f. et **SUBALTERNANTE** n. f.

▸ Le mot a fourni quelques termes didactiques. ◆ **SUBALTERNATION** n. f., employé au sens de «subordination» (1636) jusqu'à la fin du XVIIIe s., a été repris en logique (1876) pour «rapport de deux propositions subalternes». ◆ **SUBALTERNITÉ** n. f. (1675), «condition subalterne», est rare; on trouve aussi la forme *subalternéité* (1829). ◆ **SUBALTERNISER** v. tr. est didactique et vieilli pour «subordonner» (1831); on relève en moyen français la variante *subalterner* (1444, puis XVIe s.). ◇ Le dérivé **SUBALTERNISATION** n. f., sorti d'usage pour «action de faire dépendre une chose d'une autre» (1835), est rare pour désigner l'état d'une personne subordonnée à d'autres (av. 1865, Proudhon). ◆ **SUBALTERNAT** n. m., «état d'une personne subalterne», formé (XXe s.) sur le modèle de mots en *-at* désignant des fonctions envisagées dans leur durée (cf. *épiscopat*), est lui aussi littéraire et rare.

SUBCONSCIENT → CONSCIENCE

SUBDUCTION n. f. est un emprunt savant et récent (1951, Amstutz) au latin *subductio* «action de tirer (les navires sur le rivage)», «calcul, supputation» et au figuré «ravissement, extase». Ce nom est dérivé de *subductum*, supin de *subducere* «tirer de bas en haut» et «tirer de dessous», d'où «retirer», «emmener» et, employé avec *rationem*, «calculer, supputer». Ce verbe est composé de *sub-*, marquant le mouvement de bas (→ sub-) en haut et de *ducere* «conduire» (→ conduire), de la famille de *dux, ducis* «chef» (→ duc). ◇ *Subductio* avait été emprunté en ancien français (v. 1165), d'abord sous la forme *suduction*, au sens de «tromperie» (v. 1155), «action de séduire», plus tard éliminée par *séduction;* le mot s'est aussi employé au sens de «calcul, compte» (1596, *subduction*). *Subducere* avait abouti à *suduire* (v. 1120), *soduire* (1160-1170), *souduire* (XIIIe s.), concurrencé et éliminé par *séduire*.

♦ *Subduction*, terme de géologie, désigne la situation d'une plaque lithosphérique plongeant sous une autre après avoir été animée d'un mouvement relatif de sens opposé.

▸ Du radical du nom a été tiré **SUBDUCTÉ, ÉE** adj. (XXe s.).

SUBER n. m. est un emprunt savant (1765, *Encyclopédie*) au latin *suber* «liège», par métonymie «bouchon de liège», mot sans origine connue. *Suber* avait abouti à l'ancien provençal *sieure* (1374), *sure* (XIVe s.), à l'italien *sughero*, au catalan *suro*.

♦ En botanique, *suber* désigne la partie des tiges et des racines qui constitue le liège et aussi (1922) le chêne-liège. On a dit *subrier* n. m. (1611), dérivé savant du latin.

▸ Le mot a fourni des termes didactiques de botanique. ➝ **SUBÉREUX, EUSE** adj., «de la nature du liège» (1798); **SUBÉRINE** n. f., en chimie «matière imperméable du liège» (1821). ➝ **SUBÉRIFICATION** n. f., «transformation d'un tissu végétal en liège» (1877), est formé avec *-ification* (latin *facere* et *-atio*). ➝ **SUBÉRISER** v. tr., «imprégner de subérine» (XXe s.), a pour dérivé **SUBÉRISATION** n. f. (1925).

SUBIR v. tr. est un emprunt savant (1481) au latin *subire* signifiant «aller sous», d'où «s'approcher en montant» (cf. l'espagnol *subir* «monter»), «venir en remplacement» et, au figuré, «se présenter à l'esprit» et spécialement «se charger de, supporter»; ce verbe est composé de *sub-*, indiquant la position inférieure (→ sub-), et de *ire* «aller», qui a fourni (par *ire habeo* «j'irai») en français le futur et le conditionnel du verbe *aller*.

♦ *Subir* apparaît en droit dans la locution *subir jugement* «ressortir d'un certain tribunal». ◇ Le verbe qui, comme *supporter*, est tardif par rapport à *souffrir**, a été repris (1567, Bloch et Warburg; puis 1636) pour «être soumis à une action, à un pouvoir auquel on ne peut se soustraire», d'où *subir la question* (1718), *une épreuve* (1835). ◇ Par extension, il signifie «se soumettre volontairement à (qqch. de pénible)», d'où *subir un examen* (1690) et (1718) *subir le jugement de qqn* «se soumettre à son avis», sorti d'usage. ◇ *Subir qqn* équivaut à «endurer son autorité» (attesté 1840) et «supporter effectivement (une personne qui déplaît ou ennuie)». ◇ Avec un nom de chose pour sujet, *subir* signifie (1772) «être l'objet d'une action ou d'une modification».

◈ voir SOUDAIN, SUBIT.

SUBIT, ITE adj. est emprunté (v. 1155) au latin *subitus* «soudain, imprévu», d'où au neutre substantivé *subitum* «chose soudaine», surtout au pluriel *subita;* l'adjectif latin est le participe passé de *subire* au sens de «se présenter» (→ subir). ◇ *Subitus* avait abouti en ancien français à *sode* adj. f. (1160-1170, *mort sode* «mort subite») et au nom féminin *soude* signifiant «terreur subite, panique», mot du XIIe qui se maintient encore au XVIe s. au sens de «coup soudain» (1556).

♦ L'adjectif, aussi sous la forme *sobit* (v. 1190) en ancien français, s'applique à ce qui se produit, à ce qui intervient en très peu de temps, d'abord dans ***mort subite*** (v. 1155) puis avec une valeur générale (1538). ◇ Il s'est dit d'une personne vive, prompte à faire qqch. (1560). ◇ En français moderne, *subit* insiste plus sur la rapidité et *soudain** sur le caractère imprévu.

▸ Le dérivé **SUBITEMENT** adv. (v. 1190) est usuel, notamment dans *mourir subitement*.

SUBITO adv. reprend (1509) l'adverbe du latin, de l'ablatif de *subitus;* repris par l'ancien français *subit* (v. 1190) et l'ancien provençal *subte* (v. 1220), *sote* (XIIIe s.), il était sorti d'usage. ◇ *Subito*, équivalent de *subitement*, est souvent renforcé en *subito presto* (1932), de *presto*.

◈ voir SOUDAIN.

SUBJECTIF, IVE adj. est emprunté (v. 1350) au bas latin *subjectivus* «qui est placé ensuite» et «qui se rapporte au sujet», dérivé du latin classique *subjectus* «voisin, proche», «soumis, assujetti» et «exposé» (→ sujet).

♦ Terme de logique, *subjectif* signifie d'abord «relatif au sujet d'une proposition»; attesté à nouveau au XVe s. avec la variante *subgitif* (1420), puis au XVIe s., l'adjectif semble peu usité jusqu'au XVIIIe s. Avec cette valeur ancienne, il s'est employé en grammaire (1765) dans *voix subjective* «active» (1842) et *cas subjectif* «forme prise par le mot qui est sujet du verbe». ➝ Repris en philosophie (1801), *subjectif* s'applique à ce qui est propre à un ou plusieurs sujets déterminés, et non à tous les autres; le concept vient de la philosophie cartésienne, mais le mot est probablement emprunté de l'allemand *subjektiv* (fin XVIIIe s.), de même origine que le français, et a été répandu sous l'influence de Kant. Dans cette acception et dans les suivantes, il s'oppose à *objectif.* Par extension et couramment, *subjectif* qualifie (1804) ce qui appartient à la vie psychique ou dépend d'elle plutôt que de conditions extérieures; dans ce sens, il est aussi substantivé (1842, *le subjectif*). ◇ Il se dit aussi (mil. XIXe s.) d'une personne qui agit selon des critères personnels. ◇ L'adjectif est rare pour qualifier ce qui concerne le sujet pensant, l'être conscient (1860, Claude Bernard). ◇ Il s'emploie dans plusieurs contextes spéciaux; en médecine, appliqué à ce qui n'est perçu que par le malade seul (1923, *symptôme subjectif*), en droit dans *droits subjectifs* «pouvoirs appartenant aux individus en vue de la satisfaction de leurs intérêts propres» (1929) et en philosophie dans *méthode subjective* «introspective» (1947), spécialement avec le sens de «qui ne correspond pas à un objet extérieur, apparent».

▸ **SUBJECTIVEMENT** adv. apparaît isolément (1495; puis 1534) en médecine, signifiant «de soi-même, sans influence extérieure», acception sortie d'usage. ◇ Employé en philosophie depuis le début du XVIIe s. (1610), il passe comme l'adjectif à l'usage courant (1842). ◆ **SUBJECTIVITÉ** n. f. est attesté comme terme de philosophie (1801), aussi *subjectiveté* (1803), dans un texte sur Kant (cf. l'allemand *Subjektivität,* attesté 1805). Le mot désigne le caractère de ce qui appartient au sujet, et spécialement au sujet seul. Il se dit en particulier du domaine des réalités subjectives (XXe s.), de l'état de l'individu qui considère les choses d'une manière subjective et, en linguistique, des marques du sujet parlant dans son discours. ◆ **SUBJECTIVISME** n. m. désigne (1866, Amiel) l'attitude d'une personne qui ne tient compte que de ses sentiments et opinions et, en philosophie (1875), la doctrine qui ramène l'existence à celle du sujet ou de la pensée; en dérive **SUBJECTIVISTE** adj. et n. (XXe s.). ◆ **SUBJECTIVATION** n. f., dérivé de *subjectif* d'après *objectivation,* est littéraire (1937, A. Breton) ou didactique et désigne le fait de devenir subjectif. ◆ Le composé **INTERSUBJECTIF, IVE** adj., de *inter-,* apparaît (1931) dans la traduction des *Méditations cartésiennes* de Husserl; l'allemand *intersubjektiv,* appliqué à ce qui se produit entre deux sujets humains, est attesté à la fin du XIXe s. (1886) au sens de «ce qu'un individu trouve immédiatement dans sa conscience». ◇ *Intersubjectif* est didactique comme **INTERSUBJECTIVITÉ** n. f., formé (1931) pour traduire l'allemand *Intersubjektivität* introduit par Husserl.

SUBJONCTIF, IVE adj. et n. m. est emprunté, d'abord comme adjectif (XIVe s.; puis 1529), au bas latin grammatical *(modus) subjunctivus* «qui sert à lier», appliqué aux conjonctions qui introduisent une proposition subordonnée et aux voyelles qui peuvent suivre d'autres voyelles. Cet adjectif dérive de *subjunctum,* supin de *subjungere* «atteler», «attacher dessous», spécialement «subordonner, mettre sous la dépendance de» et «ajouter», composé de *sub-,* marquant la position inférieure (→ sub-), et de *jungere* au sens général de «lier, unir, assembler», qui a abouti en français à *joindre**.

♦ *Subjonctif* apparaît d'abord pour «placé après, dépendant», et dans *vocales subjonctives* (1529) «voyelles qui peuvent suivre d'autres voyelles», sorti d'usage; il est à nouveau employé au XVIe s. (1551, n. m.) avec un sens peu clair. ◇ À partir du XVIIe s., *subjonctif* ou *mode subjonctif* désigne (1660, A. Arnauld) un mode personnel du verbe, d'abord considéré comme propre à exprimer une relation de dépendance (au XVIIe s. on employait aussi en ce sens *optatif* et *conjonctif*); aujourd'hui ce mode est défini comme celui de la tension psychologique (volonté, sentiment) et de la subjectivité (doute, incertitude). L'adjectif s'est appliqué à ce qui exprime la subordination : *proposition subjonctive* (1765).

SUBJUGUER v. tr. est emprunté (apr. 1360) au bas latin *subjugare* «faire passer sous le joug» et au figuré «soumettre». Ce verbe est composé de *sub-,* indiquant la position inférieure (→ sub-), et de *jugare* «attacher ensemble», puis «unir», dérivé de *jugum* (→ joug).

♦ *Subjuguer* a d'abord le sens propre (apr. 1360) de «réduire par les armes à la soumission complète». Cette acception est archaïque comme le figuré (1752) «mettre (qqn) dans l'impossibilité de résister, par l'ascendant qu'on exerce sur lui». ◇ Le sens extensif (v. 1770) de «séduire complètement», où il est quasi synonyme de *charmer, ravir,* est demeuré vivant.

▸ Le verbe a fourni **SUBJUGUEUR** n. m., à l'époque classique «celui qui soumet par les armes» (1640), et **SUBJUGUANT, ANTE** adj., littéraire au sens psychologique (1855).

SUBJUGATION n. f. reprend (1530) le dérivé bas latin *subjugatio* «action de subjuguer», «soumission», dérivé du supin du verbe latin. ◇ Ce mot, d'usage littéraire, désigne le fait de subjuguer et l'état de la personne soumise et spécialement en occultisme l'état d'un médium possédé par un esprit malfaisant (1933).

SUBLIME adj. et n. m. est emprunté savamment (v. 1400) au latin classique *sublimis* «suspendu en l'air», «haut, élevé», au figuré «élevé, grand», spécialement en rhétorique; en latin médiéval, le mot passe dans le vocabulaire des alchimistes au sens d'«élevé par la chaleur à la décantation de ses parties volatiles». L'adjectif est formé de *sub-,* marquant le mouvement de bas en haut (→ sub-), et de *limis* ou *limus* adj. «oblique» en parlant de l'œil et du regard, mot sans étymologie claire.

♦ *Sublime,* emprunté isolément au latin médiéval comme terme d'alchimie (v. 1400), réapparaît (v. 1470) avec le sens figuré du latin, appliqué à ce qui est très haut dans la hiérarchie des valeurs morales ou esthétiques; dans cet emploi, substantivé au XVIIe s. (1680), il a pris depuis le XIXe s. un sens très fort; il est réservé au style soutenu. ◇ Il se dit ensuite d'une personne qui fait preuve d'une vertu ou d'un mérite exceptionnel, digne d'admiration (v. 1530), d'où ***être sublime en*** (1662). ◇ La langue littéraire de la Renaissance avait repris le sens propre du latin, «de grande taille, élevé» (1530, *sublim;* 1552, *sublime*) qui se maintient jusqu'au début du XVIIe siècle. ◇ Au XVIe s., l'adjectif, sous la forme *soubelin* (1536) puis au XVIIe s. *sublim* (1681), qualifie ce qui est plein de finesse d'esprit; cette acception a rapidement disparu. Le mot a signifié par ailleurs «extraordinaire», en parlant d'une chose (1566). Dans le vocabulaire de la préciosité, *le sublime* a désigné le cerveau (1659). ◇ À l'époque classique, *sublime* s'applique à ce qui est au premier rang

(1647), spécialement dans l'ordre social. Au XVIIe s., *le sublime* désigne (av. 1654) le style, le ton qui est propre aux sujets élevés (aussi *style sublime*), aujourd'hui comme terme d'histoire littéraire. ◇ *Sublime*, en médecine, a signifié par latinisme «élevé» (1707, n. m.), sens conservé dans *muscle sublime* «superficiel» (1812). ◇ Au XIXe s., l'adjectif s'applique par ironie à une sottise remarquable dans son genre ou à la personne qui en est l'auteur (av. 1880). Par exagération, il équivaut à «excellent» (XXe s.), par exemple en parlant de nourriture, de boissons.

▸ Le dérivé **SUBLIMEMENT** adv. (1564) est littéraire ou affecté.

Quelques mots ont été empruntés à des dérivés du latin *sublimis*. ◆ **SUBLIMITÉ** n. f. est emprunté avant l'adjectif (fin XIIe s. [T.L.F.]) au latin classique *sublimitas* «hauteur», «élévation», au propre et au figuré, pris comme titre honorifique en latin médiéval. ◇ Le mot est introduit en français pour désigner le caractère de ce qui est noble, élevé ; il a eu le sens concret de «hauteur» (XIVe s. ; aussi *sublimitat*) et a signifié «dignité suprême» (1452). *Une, des sublimités* (1829), «chose, action sublime», est littéraire. ◆ **SUBLIMER** v. tr. est un emprunt (v. 1300) au latin classique *sublimare* «élever» avec une valeur concrète, puis au figuré «exalter, glorifier», et employé comme *sublimis* dans le latin des alchimistes. ◇ Le verbe a signifié «exalter, célébrer» (v. 1300) jusqu'au milieu du XVIe s., d'où *se sublimer* «devenir plus élevé ou plus fin moralement» (XIVe s.), encore au XVIe siècle. En alchimie, de même que l'ancien provençal *sublimar* (1397), il s'est employé pour «opérer la sublimation de», sens repris en chimie (1680) pour «faire passer de l'état solide à l'état gazeux». Au XVIe s., outre un emploi concret pour «élever» par latinisme (1531, au pronominal), *sublimer* prend le sens d'«idéaliser (qqn, qqch.)» (1572), acception qui ne se répand qu'au XVIIe siècle. ◇ Avec une valeur proche il a été repris en psychanalyse [1911] (Freud emploie *sublimieren* en 1917) pour «transposer (les pulsions) sur un plan supérieur». ◆ **SUBLIMÉ, ÉE** adj. et n. m., d'abord adjectif en alchimie (1314), désigne comme nom un solide obtenu en sublimant une substance (v. 1460, en alchimie), d'où *sublimé corrosif* «bichlorure de mercure» (1680), *sublimé doux* «calomel» (1680). ◇ L'adjectif s'emploie aussi pour «idéalisé» (XXe s.) et avec une valeur précise en psychanalyse (XXe s.). ◆ **SUBLIMATION** n. f. est emprunté (v. 1274) au dérivé bas latin *sublimatio* «action d'élever moralement», repris par les alchimistes du moyen âge. Le mot s'est employé au sens étymologique jusqu'au XVIe et à nouveau à partir du XIXe siècle. ◇ En tant que terme d'alchimie (XVe s.), *sublimation* a été repris dans le vocabulaire de la chimie, désignant le mode de distillation de certains corps solides, qui consiste à les volatiliser en les chauffant pour les recueillir ensuite sur une paroi froide (1690), et plus généralement le passage direct de l'état solide à l'état gazeux (1904). ◇ *Sublimation* s'est réemployé au milieu du XIXe s. avec la valeur psychologique (1856, Hugo). ◇ Le mot est également un terme didactique de psychanalyse (1908) d'après *sublimer*, puis d'après l'allemand *Sublimierung* (Freud, 1917). ◆ **SUBLIMATOIRE** est emprunté, comme nom masculin (XVe s.) puis comme adjectif (1573), au latin des alchimistes *sublimatorius* et se disait du récipient qui servait à opérer la sublimation. ◇ L'adjectif a été repris en psychanalyse (XXe s.) d'après *sublimer* et *sublimation*.

SUBLIMINAL, SUBLIMINAIRE → **LIMINAIRE**

SUBMERGER v. tr. est la réfection d'après le latin (1393 ; XIVe s., *submergier*) de *soumargier* (fin XIIe s.), qui correspond à l'ancien provençal *somerger* (v. 1190), et est issu du latin *submergere* «engloutir» et au figuré «supprimer». Ce verbe est composé de *sub-* marquant la position inférieure (→ sub-) et de *mergere* «plonger, enfoncer», au figuré «précipiter dans», «rendre invisible», verbe qui se rattache à une base indoeuropéenne °*merg-* «plonger» (→ émerger, immerger).

♦ *Submerger* a été emprunté au pronominal (XIVe s., *soi submergier*) au sens de «plonger», en parlant d'un oiseau. ◆ Le verbe a signifié figurément (1393 ; fin XIIe s., *soumargier*) «envahir, recouvrir» ; il apparaît aussi au XIVe s. avec le sens propre de «recouvrir complètement» en parlant d'un liquide ou d'une cause naturelle (1544), d'où «engloutir» (1564). ◆ Abstraitement, *submerger qqn* correspond à «accaparer entièrement», en parlant des travaux (1557), des plaisirs et spécialement de la douleur, des sentiments pénibles (1680) ; par extension, le verbe signifie «emporter jusqu'à anéantir» (1829).

▸ **SUBMERSION** n. f., réfection (1314) de *somersion* (1160-1170), est un emprunt, d'abord adapté, au bas latin *submersio*, dérivé du supin *submersum* du verbe latin. ◇ Le mot désigne le fait d'être submergé et son résultat (1160-1170), spécialement en parlant d'un bateau (1314), puis d'une personne pour «noyade» (1845). ◇ En agriculture (1876), il désigne un type particulier d'irrigation de la vigne qui la protégeait contre le phylloxéra.

SUBMERSIBLE adj. est dérivé savamment (1798) du latin *submersum*, appliqué en botanique à une plante qui s'enfonce dans l'eau après la floraison ; il reprend alors le sens d'un dérivé ancien du latin, *submersable* (1512). ◇ L'adjectif qualifie ce qui peut être submergé (1845), spécialement dans *machine submersible* «capable de fonctionner dans l'eau» et *navire submersible* (1899) ou *submersible* n. m. (1904) pour désigner un sous-marin* à ballasts extérieurs. ◆ Le mot a fourni des termes didactiques, le dérivé **SUBMERSIBILITÉ** n. f. (1901) et le préfixé **INSUBMERSIBLE** adj. (1775), «qui ne peut être submergé», précédé par *insubmergible*. L'adjectif qualifie par extension ce qui ne peut être recouvert par l'eau *(digue insubmersible)*. ◇ Il a pour dérivé **INSUBMERSIBILITÉ** n. f. (1853).

SUBODORER v. tr. est une formation savante (1522 ; rare av. XVIIIe s.), du latin *sub-*, marquant la position inférieure, et de *odorare* ou *odorari* «flairer, sentir», «chercher en flairant, se mettre en quête de». Ce verbe est dérivé de *odor* (→ odeur). *Odorare* avait été emprunté en ancien français sous les formes *oderer* (v. 1120) et *odorer* (XIIIe s., jusqu'au XVIIe s.) [→ odeur] pour «flairer une odeur», «répandre une odeur».

♦ *Subodorer*, signifie surtout (depuis 1648) «se douter de (qqch.), pressentir» et s'emploie rarement au sens premier de «sentir une odeur de loin en flairant» (av. 1782, d'Alembert). D'abord très didactique, il est devenu usuel et même familier au XXe s., dans son sens psychologique.

SUBORDONNER v. tr. est la francisation, d'après *ordonner* (1496), du latin médiéval *subordinare* «mettre dans un état de dépendance par rapport à une personne de rang supérieur», composé du latin classique *sub-*, indiquant la position inférieure (→ sub-), et de *ordinare* «mettre en ordre», dérivé de *ordo, ordinis* (→ ordre). La forme *subordiner*, plus proche de l'étymon (1596, sans doute antérieure), est attestée indirectement par *subordinément* (1578).

♦ Le verbe, rare avant le XVIIIe s., conserve le sens du latin médiéval. À la fin du XVIIe s., il signifie par extension «établir un rapport de dépendance entre deux choses» (1690), spécialement en grammaire (1872) «mettre (une proposition) dans une relation de subordination par rapport à une autre». ◇ Par extension (av. 1893), il s'emploie pour «faire dépendre (une chose) de l'accomplissement d'une condition».

▸ **SUBORDONNÉMENT** adv., sorti d'usage, signifiait «selon un rapport de dépendance» (1677) et «en tant que subordonné» (déb. XVIIIe s.). ◇ Dérivé du participe passé de l'ancien *subordiner*, **SUBORDINÉMENT** adv. s'est employé à l'époque classique pour «en conséquence» (1578) puis «en étant subordonné à...» (1662). ◆ **SUBORDONNÉ, ÉE** adj. et n. s'applique (1690) à une personne ou à une chose dans un état de dépendance ; cette valeur a dû se diffuser pendant la Révolution ; substantivé (1736), il désigne une personne quand on la considère du point de vue de sa dépendance hiérarchique. ◇ En grammaire, *proposition subordonnée* désigne celle qui est dans une relation de dépendance syntaxique par rapport à une autre ; on dit aussi *une subordonnée* (1770). ◇ L'adjectif a fourni **INSUBORDONNÉ, ÉE** adj. et n. (1789), appliqué à une personne qui refuse l'autorité, la dépendance. ◆ **SUBORDONNANT, ANTE** adj. qualifie la proposition dont dépend une subordonnée (1863) et les mots grammaticaux qui établissent la relation entre les deux propositions. ◆ **SUBORDINATION** n. f. est emprunté (1610, Bloch et Wartburg ; puis 1616) au latin médiéval *subordinatio* «dépendance», «subordination», dérivé du supin de *subordinare*. ◇ Le mot désigne l'ordre établi entre des personnes ou des choses, qui fait que les unes dépendent des autres. Il s'emploie spécialement en grammaire (attesté 1872, Littré). ◇ En dérive **INSUBORDINATION** n. f. (1770), «défaut de subordination», «état d'une personne insubordonnée», spécialement (1858) en parlant d'un soldat qui refuse d'obéir.

SUBORNER v. tr. (1278), est un emprunt au latin *subornare* «équiper, pourvoir» au propre et au figuré, d'où spécialement «préparer en secret (qqn) en vue d'une mauvaise action» ; ce verbe est composé de *sub-*, marquant la position inférieure (→ sub-), et de *ornare* «équiper» (→ orner). Au latin correspond aussi l'ancien provençal *subornar* (XIVe s.).

♦ Le verbe signifie (1278) «détourner (qqn) du droit chemin, du devoir», acception vieillie, sauf en droit dans *suborner un témoin* «l'inciter à mentir par intérêt» (v. 1283). ◇ *Suborner* a signifié plus généralement «tromper» (1re moitié XIVe s.). ◆ Depuis le XVIe s. (v. 1530), il correspond à «séduire (une jeune fille, une femme)».

▸ **SUBORNEUR, EUSE** n., sorti d'usage au sens d'«homme qui trompe» (1488) ou «homme qui pousse qqn à mal agir» (1495), a pris au XVIe s. (1538) le sens moderne, «homme qui séduit (une jeune fille)». ◇ Il s'emploie aussi en droit pour «personne qui suborne un témoin» (1876) ; en ce sens on a dit *subornateur* n. m. (1566), emprunt au bas latin *subornator*. *Suborneur* a été adjectivé (1636) aux deux sens archaïques. ◆ **SUBORNATION** n. f., dérivé de *suborner* ou emprunté au latin médiéval *subornatio*, a désigné l'action de pousser une personne à agir contre son devoir (1310), sorti d'usage, puis s'est employé en droit (1349, *soubournation*) pour «action de suborner (un témoin)». ◇ C'est un mot littéraire pour désigner l'action de suborner une femme (1690).

SUBRÉCARGUE n. m., réemprunt ou réfection (1704) de *soubrescart* (1666), forme francisée, est emprunté à l'italien *soprocarrico* (XVIe s.) ou (malgré l'attestation tardive) à l'espagnol *sobrecargo*, littéralement «celui qui est en surcharge», dérivé de *sobrecargar* «surcharger». Oudin (1655) écrit *subrecart* et traduit *soprácarico* par *surcharge*. Ce verbe est composé de *sobre* «sur», du latin classique *supra* «au-dessus, par-dessus» (→ supra-), et de *cargar* «charger», du bas latin *carricare* «charrier», «charger», qui dérive du latin classique *carrus* (→ char), et a abouti en français à *charger**. Le provençal *subrecarga* est une formation parallèle.

♦ *Subrécargue* conserve le sens de l'étymon, désignant dans la marine un agent embarqué en supplément de l'équipage normal, qui représente les intérêts de l'armateur et veille à la gestion de la cargaison.

SUBREPTICE adj. est la réfection (1346 ; déb. XIVe s. selon T.L.F.) de *surreptice* (XIIIe s.), emprunté au latin impérial *subrepticius* «clandestin», en latin médiéval «faux, captieux», dérivé du latin classique *subreptum* (ou *surreptum*), supin de *subrepere* ou *surrepere* «se glisser sous» au propre et au figuré. Ce verbe est formé de *sub-*, marquant la position inférieure (→ sub-), et de *repere* «ramper» (→ reptile), et au figuré «cheminer lentement», qui a des correspondants dans des formes baltes, sans que l'on puisse reconstituer une famille indoeuropéenne.

♦ L'adjectif s'applique d'abord à ce qui a été obtenu par dissimulation d'un empêchement, d'abord en droit canon, puis plus généralement en parlant d'une façon illégale de procéder (v. 1570). Il s'est dit de tout ce qui se fait de façon illicite, par exemple de l'édition d'un livre (déb. XVIIIe s.). ◆ *Subreptice* qualifie dans l'usage général ce qui se fait par surprise, à l'insu de quelqu'un (1891, Huysmans).

▶ En dérive **SUBREPTICEMENT** adv., réfection (1347) de *surepticement* (1342), *suprectissement* (1355), puis *subreptissement* (1369) «d'une manière subreptice».

SUBREPTION n. f., forme refaite (1341) de *subrection* (1316), est emprunté au bas latin juridique *subreptio* «friponnerie, larcin», en latin médiéval «insinuation trompeuse, tromperie», dérivé de *subreptum*. ◇ Terme ancien de droit, le mot désignait le fait d'obtenir un privilège de façon illicite et par surprise; il ne s'emploie plus qu'en droit canon.

SUBROGER v. tr. est la réfection (1355) de *subroguer* (1332) qui, comme l'ancien provençal *sotzrogar* (1460), est emprunté au latin *subrogare* ou *surrogare* «faire choisir (qqn) à la place d'un autre», «élire en remplacement ou en plus» et «ajouter (qqch. à une loi)». Ce verbe est composé de *sub-*, indiquant la dépendance (→ sub-), et de *rogare*, d'abord «s'adresser à», puis «poser une question à» et «demander» (→ interroger), spécialement dans la langue juridique; *rogare* est apparenté à *regere* «diriger en droite ligne» (→ régir).

♦ Le verbe a signifié «mettre (une personne) à la place d'une autre», encore à l'époque classique. À côté de la forme moderne, *subroguer* s'est maintenu jusqu'en 1660 et *surroger* (1501) jusqu'à 1700. Il s'emploie spécialement en droit dans *subroger un rapporteur* «nommer un juge à la place d'un autre, comme rapporteur» (1690). Dans le vocabulaire juridique, le verbe signifie «substituer (une chose) à une autre pour lui équivaloir» (1501, *surroger;* 1600, *subroger*). ◇ Il a eu la valeur générale de «mettre (une chose) à la place d'une autre» (1678), sortie d'usage.

▶ Les dérivés du verbe sont aussi des termes de droit. ◆ **SUBROGÉ, ÉE** n. (1409) et adj. (1633) s'emploie dans *subrogé tuteur* (1690) «personne choisie par le conseil de famille pour représenter les intérêts du pupille et surveiller la gestion du tuteur». Dans *langages subrogés* «qui se réfèrent par un code de correspondances à une langue naturelle», c'est un emprunt (1979) à l'anglais *surrogate*. ◆ **SUBROGATOIRE** adj. signifie «qui subroge» (1842). ◆ **SUBROGATIF, IVE** adj. se dit (1872) de ce qui constitue une subrogation.

SUBROGATION n. f. est emprunté (1401) avec le sens du bas latin juridique *subrogatio* «substitution d'une personne à une autre dans une relation juridique», dérivé du supin de *subrogare*. ◆ **SUBROGATEUR** adj. m. et n. m., dérivé savant de *subrogatum*, supin de *subrogare*, a désigné (1765) un ancien créancier qui en subroge un autre; le mot s'emploie dans *acte subrogateur* «qui subroge un rapporteur ou un tuteur à un autre» (1803) et désigne un second rapporteur (1836).

◈ voir INTERROGER, ROGATOIRE.

SUBSÉQUENT, ENTE adj. est un emprunt savant (1370) au latin *subsequens, -entis*, participe présent de *subsequi* «suivre immédiatement», «accompagner» et par figure «se régler sur, imiter», composé de *sub-*, indiquant la proximité (→ sub-), et de *sequi* (→ suivre).

♦ L'adjectif se dit de ce qui vient après dans le temps, aujourd'hui seulement dans l'usage littéraire ou en droit. ◆ Repris en géographie (XXe s.), il s'applique à une rivière ou à une dépression qui suit le pied d'une pente.

▶ Le dérivé **SUBSÉQUENCE** n. f., «caractère de ce qui est subséquent», est un terme didactique (1834).

SUBSÉQUEMMENT adv. est formé (v. 1260) à partir du radical du bas latin *subsequenter* adv. «à la suite, en suivant», dérivé de *subsequens*. ◇ Le mot ne s'emploie qu'en droit ou pour parodier la langue juridique et administrative (style «gendarme»).

SUBSIDE n. m. est emprunté (1236 «soutien») au latin *subsidium* «ligne de réserve (dans l'ordre de bataille)», «troupes de réserve», d'où «soutien, secours» et, au figuré, «aide, appui, assistance» et aussi «lieu de refuge, abri». Ce nom est dérivé de *subsidere* «se baisser», «s'affaisser», «se calmer», «tomber au fond, faire un dépôt» d'une matière et à propos d'une personne «s'arrêter, séjourner», spécialement «être placé en réserve». Le verbe est composé de *sub-*, marquant la position inférieure (→ sub-), et de *sedere* «être assis, siéger» (→ seoir); il avait abouti en ancien français à *sousir* v. tr. «engloutir» (1160-1170).

♦ Sous la forme *succide* (v. 1220), issue par voie populaire de *subsidium* et remplacée ensuite par l'emprunt, le mot a eu le sens de «secours, soutien» et a désigné (1314) un impôt occasionnel, un secours d'argent accordé par des sujets à leur souverain, sens encore vivant au XVIIe siècle. ◆ Par extension, *subside* s'emploie (1694) pour parler d'une aide en argent accordée par un État à un autre en conséquence de traités; plus généralement, il désigne (1835, Balzac) une somme versée à un particulier ou à un groupement, à titre d'aide, de subvention. Le mot est surtout employé au pluriel.

◈ voir SUBSIDENCE, SUBSIDIAIRE.

SUBSIDENCE n. f. est emprunté (1557) au latin *subsidentia* «dépôt, sédiment», dérivé de *subsidere* «se baisser» et spécialement «tomber au fond, faire un dépôt» (→ subside).

♦ Ce terme didactique avait conservé le sens du latin, en médecine à propos de l'urine (1557), puis plus généralement s'est employé pour «sédiment» (1570). ◆ Il est repris en géologie (av. 1874), par emprunt à l'anglais *subsidence* de même origine (1802), pour désigner l'affaissement lent d'une partie de l'écorce terrestre sous le poids des sédiments, puis en météorologie pour parler de la descente d'une masse d'air (1949, *surface de subsidence*).

SUBSIDIAIRE adj. est emprunté (v. 1355) au latin classique *subsidiarius* adj. «qui forme la réserve», d'où *subsidiarii* n. m. pl. «troupes de réserve», employé en bas latin juridique; l'adjectif dérive de *subsidium* «réserve» (→ subside).

♦ *Subsidiaire* a été emprunté avec la valeur de «qui est en renfort, auxiliaire», en parlant de soldats à cheval, puis pour «donné à titre de subside» (1580). ◇ L'adjectif se dit aussi de ce qui vient en aide à qqch. de principal; en droit (1611), il s'applique à ce qui fortifie un moyen principal, en particulier dans *conclusions subsidiaires* «prises au cas où les conclusions principales ne seraient pas adjugées» (1611), *hypothèque subsidiaire* «qui n'a d'effet qu'au défaut de la principale» (1694), *caution subsidiaire* (1835). Par extension, il équivaut dans l'usage général à «accessoire» dans *question subsidiaire* «destinée à départager les gagnants d'un concours publicitaire» (av. 1960).

▶ Le dérivé **SUBSIDIAIREMENT** adv. (1536) est littéraire ou juridique. ◆ **SUBSIDIARITÉ** n. f. (1964), didactique et rare a trouvé une application (1991) dans la terminologie politique européenne. Le premier sens peut être emprunté à l'anglais *subsidiarity* (1936), le second à l'allemand, attesté en 1931 dans une Encyclique de Pie XI.

SUBSISTER v. intr. est un emprunt savant (1495) au latin classique *subsistere* «s'arrêter» au propre et au figuré, aussi «demeurer, séjourner», «résister, tenir bon», qui a pris en latin médiéval le sens de «rester en vie, vivre» et, en parlant de choses, «durer». Ce verbe est composé de *sub-* marquant la position inférieure (→ sub-) et de *sistere* «placer, poser, établir», «arrêter», «affermir, consolider», dérivé de *stare* (→ ester).

♦ *Subsister* apparaît avec le sens de «demeurer en vigueur», en parlant d'une coutume, d'une loi, et signifie plus généralement «continuer d'exister», en parlant de choses (1550). ◇ Le verbe a repris au XVIe s. les sens latins de «résister» (1538), «se maintenir en vie» (1541) en parlant de personnes. ◇ Ces acceptions ont disparu au bénéfice du sens moderne de «pourvoir à ses besoins», d'abord dans *subsister pour qqch.* (1654), aujourd'hui en emploi absolu ou construit avec *de* (1674), *grâce à*. ◇ Au XVIIe s., le verbe a pris le sens de «conserver sa position sociale, son rang» (1640), emploi vivant jusqu'au XIXe siècle. ◇ En théologie, le verbe s'emploie pour «exister par soi-même» (1679, de Dieu).

▶ **SUBSISTANCE** n. f. a eu le sens spécial (1471) d'«imposition jointe à la taille et affectée à l'entretien des troupes», puis la valeur générale de «fait de subsister» (1514), en parlant d'un édifice, d'où à l'époque classique «action de se maintenir en permanence», par exemple en parlant de l'Église (av. 1673). ◇ Au XVIIe s., le mot s'est aussi employé pour le fait d'être d'une certaine manière (1636), d'où la locution disparue *en bonne subsistance* «en bon état» (1648), et pour «résistance» (1616), emploi venu du verbe latin. ◆ Il désigne aussi la nourriture et l'entretien d'une personne (1642) et, depuis l'époque classique (1652), les ressources. **SUBSISTANCES** n. f. pl. s'est spécialisé (1730), désignant tout ce qui est nécessaire à la nourriture et à l'entretien d'une armée, acception vieillie sauf dans *service des subsistances* (1904). ◇ En économie, là aussi au pluriel, le mot désigne (1774, Quesnay) ce qui permet de vivre, en particulier les denrées. Par ailleurs, *mettre (un soldat) en subsistance* (1812) signifie «rattacher pour la nourriture et la solde à une autre unité que la sienne». ◆ L'ancienne graphie *subsistence* n. f., «forme» (v. 1380) en philosophie et «fait de subsister par soi-même» (1541, Calvin) en théologie, était emprunté au bas latin *subsistentia* «existence, être, substance» (VIe s.), en usage chez les auteurs chrétiens.

SUBSISTANT, ANTE adj. et n., emprunté (1375) au participe présent *subsistens* du verbe latin, signifiait «qui existe de manière durable». ◆ Sous l'influence de *subsister*, l'adjectif s'applique (1691) à ce qui existe encore après la disparition des autres éléments. ◇ Le nom masculin désigne (1872) un militaire mis en subsistance et, dans le vocabulaire administratif, aussi au féminin (mil. XXe s.), un assuré social qui reçoit des prestations d'une autre caisse que celle à laquelle il (elle) est affilié(e).

◈ voir SUBSTANCE.

SUBSTANCE n. f. est emprunté (v. 1120), de même que la variante *sustance*, analogue à l'ancien provençal *sustansa*, au latin impérial *substantia* «substance, être, essence», «existence, réalité d'une chose», puis en bas latin «aliments, nourriture», «biens, fortune». Ce nom dérive de *substare* «être dessous», «tenir bon», formé de *sub-* indiquant la position inférieure (→ sub-) et de *stare* «se tenir debout» (→ ester). Le mot latin correspond au grec *hupostasis*, de *hupo* (→ hypo-) et *stasis* (→ stase), et traduit deux de ses valeurs, «fondement [ce qui se tient dessous]» et «substance».

♦ *Substance* apparaît (v. 1120) avec les sens de «biens, ce que l'on possède» et en philosophie «être matériel, être vivant». En ancien français, la forme *sustance* est fréquente; elle disparaît au XVIIe siècle. La première acception s'est développée jusqu'au XVIIe s., et le mot s'est employé avec certains des sens de *subsistance* (→ subsister); désignant les vivres, la nourriture (1170, *sustance*), il est utilisé aussi à propos de ce qui nourrit l'esprit (1440-1475, *substance*) et d'une aide matérielle, d'un secours (XIIIe s.); au XVIe s., il s'est employé pour «maintien, conservation» (1526) et est attesté à l'époque classique au sens de «moyens de vivre, de se nourrir» (1670). Toutes ces acceptions ont disparu en français moderne. ◆ Parallèlement, depuis l'ancien français (fin XIIe s.), le mot signifie en philosophie «fait de vivre, existence», valeur disparue, et «matière dont un corps est formé, en vertu de laquelle il a des propriétés particulières» (XIIIe s., *sustance;* fin XVe s., *substance*); ainsi, *corporel sustance* «le corps» (XIIIe s.) s'oppose à *sustance* «être spirituel» employé seul (fin XIIe s.), valeur précisée au XVIIe s. dans *substance spirituelle*. La philosophie cartésienne oppose *substance étendue* à *substance qui pense.* ◇ Par le latin didactique, où *substantia* traduit l'*hypostasis* d'Aristote, *substance* désigne notamment ce qui existe par soi-même, indépendamment de tout accident (1270, *sustance;* 1532, *substance*). ◇ Avec l'idée de «partie essentielle», le nom s'emploie pour parler de ce qu'il y a d'essentiel dans un discours, une pensée (1284, *sustance;* 1306, *substance*), d'où la locution ***en substance*** «pour s'en tenir au fond» (1641; 1631, *en sustance*). ◇ Le mot a eu le sens de «qualité» (XIVe s., apr. 1360), par exemple en parlant d'une vertu, d'où en moyen français *che-*

valier de substance «noble» (1385), et a désigné ce qu'il y a de meilleur dans un être, de plus nourrissant en qqch. (1636). ◇ *Une substance,* depuis le XVe s., désigne une matière, un corps matériel caractérisé par des propriétés. ◇ Avec la valeur de «matière», il est repris en anatomie dans *substance grise* (des centres nerveux) [1824], en concurrence avec *matière grise,* et dans *substance blanche.* (1767).

▶ Le mot a fourni **INSUBSTANCE** n. f. «absence de substance» (av. 1841, Chateaubriand), antonyme très rare.

Plusieurs mots de la famille sont formés à partir du latin *substantia* ou empruntés à un de ses dérivés. ➜ **SUBSTANTIEL, ELLE** adj., réfection graphique (v. 1534) de *substanciel* (v. 1265), forme encore en usage au XVIIIe s., est emprunté au bas latin *substantialis* «réel, qui existe pour soi-même». ◇ L'adjectif s'applique d'abord à ce qui est essentiel, fondamental dans un écrit, une pensée, emploi encore vivant, mais littéraire. ◇ Il est repris au XVIe s. en philosophie et se dit (1541, Calvin) de ce qui appartient à l'essence, à la chose en soi. ◇ Dans l'usage général, il qualifie concrètement (1600) ce qui nourrit beaucoup et s'emploie par figure (av. 1673) en parlant de ce qui est riche par son contenu, et par extension de ce qui est important. *Substantiel* a qualifié (mil. XVIIIe s.) un extrait qui ne donne que l'essentiel. ➜ L'adjectif a fourni le dérivé **SUBSTANTIELLEMENT** adv., terme de philosophie (XIVe s.), rare au sens de «pour ne dire que l'essentiel» (1845) et employé (XXe s.) pour «abondamment». ➜ **INSUBSTANTIEL, ELLE** adj. se dit de ce qui manque de substance (1580; repris 1834) [→ aussi consubstantiel].

SUBSTANTIALITÉ n. f., d'abord écrit *substancialité* (1532; v. 1500, T.L.F.), est dérivé savamment de *substanciel (substantiel)* ou emprunté au bas latin *substantialitas* «caractère de ce qui est essentiel». ◇ Ce nom a désigné ce qui est nécessaire pour la subsistance (1532); repris en philosophie, il signifie «ce qui est essentiel à la substance» (1706), «nature substantielle» (1872), opposé à *phénomène.* Il correspond (1817) à «caractère de ce qui est substantiel». ➜ **SUBSTANTIALISER** v. tr. «considérer comme substance» est attesté (1845) après le dérivé **SUBSTANTIALISATION** n. f. (av. 1803) et doit avoir été employé dès le début du XIXe siècle. ➜ **SUBSTANTIALISME** n. m. désigne en philosophie (1864) la doctrine qui attribue une existence substantielle aux idées. ◇ Il a un dérivé **SUBSTANTIALISTE** adj. et n. (1874). ➜ **SUBSTANTIATION** n. f., rare (av. 1880), est en théologie synonyme de *transsubstantiation*.*

SUBSTANTIF, IVE n. m. et adj. est emprunté (XIVe s.) au bas latin *substantivus* «substantiel», employé en grammaire dans *verbum substantivum* (v. 500), dérivé du latin impérial *substantia* (ci-dessus, *substance*). ➜ L'adjectif se dit de ce qui appartient à la substance ou l'exprime; il s'est appliqué à ce qui forme la base de la vie religieuse, d'un sentiment entre deux personnes (XIVe s.), sens disparu. ◇ Parallèlement, il s'emploie dans *nom substantif* (XIVe s.), opposé dans la grammaire classique aux autres sortes de noms, spécialement à *nom adjectif* (→ nom); cette opposition entre *substance* et *accident* se retrouve dans l'emploi de *verbe substantif* (1550), désignation ancienne du verbe *être.* ➜ *Substantif* n. m. (XIVe s., emploi isolé; puis 1550) s'emploie dans la grammaire traditionnelle pour «nom substantif» appelé plus couramment *nom*.* ◇ Dans cet emploi, le mot est de nouveau adjectivé s'appliquant à ce qui a rapport au nom (1690). ◇ *Substantif* n. m. est par ailleurs attesté (1478) au sens sorti d'usage de «résumé qui ne donne que l'essentiel» (la *substance**). ➜ L'adjectif du moyen français, dérivé de *substance,* réapparaît au XIXe s. comme terme de chimie dans *colorant substantif* «qui peut être fixé directement sur les fibres textiles, sans intervention d'un mordant» (1845). ➜ Le dérivé **SUBSTANTIVER** v. tr., «transformer en substantif (un mot qui appartient à une autre classe)» (v. 1380), est plus courant au participe passé adjectivé, **SUBSTANTIVÉ, ÉE** (1549). ◇ Il a fourni **SUBSTANTIVATION** n. f. (1922). ◇ **SUBSTANTIVEMENT** adv. est un terme de grammaire (1606). ➜ **SUBSTANTIFIER** v. tr. (1610, repris XVIIIe s.), tiré de *substantia* et *-ifier,* signifie en philosophie «transformer en substance», par exemple une idée (cf. *matérialiser*); c'est aussi un synonyme vieilli (1647, Vaugelas) de *substantiver.* ◇ En dérive **SUBSTANTIFICATION** n. f. (XXe s. : 1943, Sartre), employé en philosophie et vieilli en grammaire, où il est remplacé par *substantivation.*

SUBSTANTIFIQUE adj., formé à partir de *substantia* sur le modèle d'adjectifs en *-fique,* s'emploie comme allusion littéraire dans ***la substantifique moelle*** «ce qu'il y a de plus riche en substance dans un écrit», qui reste attachée au célèbre passage de Rabelais (1534) qui en constitue la première attestation.

◈ voir CONSUBSTANTIEL, TRANSSUBSTANTIATION.

SUBSTITUER v. tr., réfection étymologique (1318) de *sustituer* (1270), est comme ce dernier un emprunt au latin *substituere* «mettre à la place», spécialement en droit «mettre sous»; ce verbe est composé de *sub-* indiquant la position inférieure (→ sub-) et de *statuere* «établir, poser, placer» (→ statuer).

♦ Le verbe français a repris les sens du latin, signifiant (1270) «mettre (une personne, une chose) à la place d'une autre, pour lui faire jouer le même rôle», valeur générale toujours vivante, et en droit (v. 1355) «appeler (qqn) à une succession après un autre héritier ou à son défaut». ◇ Par extension, le verbe correspond à (1680) «laisser (des biens) à qqn par héritage, pour qu'il en jouisse après le premier héritier». ◇ Il s'emploie alors aussi, dans son sens initial, au pronominal (fin XVIIe s.). ◇ Il est repris en chimie (1830) au sens de «remplacer, dans un composé (des atomes ou des radicaux) par d'autres atomes ou radicaux, sans changement de constitution», d'après l'emploi de *substitué* et *substitution.*

▶ Il a fourni quelques termes didactiques. ➜ **SUBSTITUÉ, ÉE** adj. et n. s'applique en droit à ce qui a fait l'objet d'une substitution (déb. XVIIIe s.) ou à la personne qui en bénéficie (1748, n.). C'est aussi un terme de chimie (1888, *dérivé substitué*). ➜ **SUBSTITUANT, ANTE** adj. et n. a désigné (1842) le remplaçant d'un soldat autorisé à ne pas servir en personne; il s'emploie comme terme d'histoire en parlant d'une pratique militaire du XVIIe siècle. ◇ C'est aujourd'hui surtout un terme de chimie (XXe s., adj. et n. *atome substituant*). ➜ **SUBSTITUABLE** adj., «qui peut être substitué» (1870), spécialement en linguistique où substitution et commutation sont deux opérations fréquentes, a donné **SUBSTITUABILITÉ** n. f. (XXe s.).

SUBSTITUT n. m., emprunt (1332) au latin classique *substitutus*, participe passé passif de *substituere*, désigne d'abord en droit un magistrat chargé de remplacer au parquet un autre magistrat, puis plus généralement une personne qui exerce les fonctions d'une autre en cas d'absence ou d'empêchement (1340, *substitute* n. f.; 1671, *substitut*). Dans cet emploi, où il équivaut à *remplaçant*, mot usuel, il s'est spécialisé *(substitut du procureur)*. ◇ *Substitut* s'emploie à partir du XIXe s. pour parler de ce qui remplace qqch., spécialement d'un signe qui joue le rôle d'un signifié absent (1819). ◇ Il désigne en métrique ancienne (1904) un pied (par ex. le dactyle) qui en remplace un autre (le spondée) en substituant dans le vers deux brèves à une longue, et en marine (1904) un pavillon mis conventionnellement pour un autre. ◇ En linguistique (1956, Benveniste), *substitut* désigne un élément, par exemple le pronom, qui en remplace ou en représente un autre.

SUBSTITUTION n. f., apparu isolément sous la forme *sustitution* (XIIIe s.), est à nouveau emprunté (1377) au bas latin *substitutio* «action de mettre à la place», en droit «action de remplacer un héritier», dérivé du supin de *substituere*. ◇ Emprunté comme terme juridique, le mot s'emploie couramment à partir du XVIe s. pour l'action de substituer et son résultat (1538), d'où *substitution d'enfant* (1798). Il est utilisé avec cette valeur dans de nombreux domaines; en médecine (1690) il nommait le remplacement d'un médicament par un succédané; cet emploi a disparu, mais *substitution* s'emploie encore en mathématiques (1717), en chimie (1872), en physiologie (mil. XIXe s., *génération par substitution*). Il désigne en musique un artifice d'harmonie (1866), aujourd'hui un procédé de doigté (1933). ◇ Il se disait (1872) de l'action de présenter un remplaçant, lors du tirage au sort pour le service militaire. ◇ Au XXe s., le mot est entré dans le vocabulaire de la métrique ancienne, de la psychanalyse, de l'économie et de la linguistique (*substitution* et *commutation*). ◇ Le dérivé **SUBSTITUTIONNAIRE** n. (1876) désignait une personne qui s'est substituée à une autre dans une entreprise commerciale. ➜ **SUBSTITUTIF, IVE** adj., dérivé savant de *substitut* ou emprunt au dérivé bas latin *substitutivus* «subordonné, conditionnel», s'applique à ce qui peut tenir lieu d'autre chose; il s'est dit d'un médicament qui substitue une affection moins grave à une autre (1837) et s'applique aujourd'hui (XXe s.) à un traitement qui supplée à une déficience organique ou fonctionnelle; c'est également un terme de psychanalyse. ◇ Il a fourni **SUBSTITUTIVITÉ** n. f. (mil. XXe s.), terme de chimie.

SUBSTRAT n. m. est tiré (1820) de *substratum* n. m. (1745), lui-même substantivation, au neutre, du participe passé du latin *substernere* «étendre dessous» (par ex. une litière), «garnir, recouvrir» et, au figuré, «subordonner, soumettre», «sacrifier misérablement» (cf. en français *faire litière de qqch.*). Le verbe est composé de *sub-* (→ sub-), marquant la position inférieure, et de *sternere* «étendre sur le sol», d'où *stratum* «lit» (→ estrade), «abattre (sur le sol)», «aplanir, niveler», spécialement dans *sternere viam* «faire une route unie». Ce verbe, passé en français sous ses formes composées (→ consterner, prosterner), se rattache à une racine indoeuropéenne °*ster-* «étendre», comme le grec *stratos* «foule, troupe» (→ stratège), le gotique *straujan* «étendre» (d'où l'allemand *streuen* «répandre», *Streu* «litière»).

♦ *Substratum* a désigné (1745) ce qui sert de base au fonctionnement des forces d'un être; cette forme, après la diffusion de *substrat* (fin XIXe s.), a vieilli. ◇ *Substrat* est apparu en linguistique (v. 1820) pour désigner un parler supplanté par un autre parler sur un territoire donné, dans des conditions telles que son influence est sensible dans le second. En philosophie, le mot s'emploie (1846), en concurrence avec *substratum* (1872), pour parler de ce sans quoi une réalité ne saurait subsister. Il a dans divers domaines le sens de «couche», par exemple en géologie (fin XIXe s.; 1892, *substratum*). *Substrat* au XXe s. est relativement courant en emplois abstrait et concret.

▸ D'après *substrat*, par substitution du préfixe *super-** à *sub-*, a été formé en linguistique **SUPERSTRAT** n. m. (1938), «ensemble de faits propres à une langue qui ont influencé une langue parlée ailleurs, les locuteurs de la première langue ayant adopté l'autre». Voir l'encadré *langues romanes*, 2.

◈ voir SOUS-TRAIT.

SUBSTRUCTION n. f. est un emprunt savant (1544) au latin *substructio* «construction en sous-sol, fondation», dérivé de *substructum*, supin de *substruere* «construire en sous-sol», «donner des fondations à». Ce verbe est composé de *sub-* indiquant la position inférieure (→ sub-) et de *struere* «déposer par couches, assembler», «ranger», «construire, bâtir» (→ structure; construire).

♦ Ce mot didactique apparaît en français avec une valeur figurée, au sens de «base, fondement». Repris en architecture (1802), il désigne des travaux de maçonnerie exécutés sous le niveau du sol et, par extension, une construction, édifice antique ou ruine, qui sert de base à une autre. ◇ En philosophie (XXe s.), le mot s'emploie par figure, de manière analogue à *infrastructure*, au sens de «déduction des principes d'un ensemble structuré, à partir d'éléments constituants de la structure».

SUBSUMER v. tr. est une francisation (1831, Tissot, trad. de Kant) du latin moderne *subsumere*, composé de *sub-* indiquant la position inférieure (→ sub-) et de *sumere* «prendre, se saisir de», spécialement «prendre comme prémisses, poser en principe». *Sumere* est lui-même un composé de *emere*, à l'origine «prendre» et en latin classique «prendre contre de l'argent, acheter», qui a fourni de nombreux composés, empruntés en français

(→ assumer, consumer, périmer). ◇ *Sumere* avait été emprunté par le français au XVIe s. sous la forme *sumer* «présumer» (v. 1550).

♦ Le verbe s'est introduit comme terme de philosophie kantienne, signifiant «appliquer à l'intuition sensible la catégorie de l'entendement qui en assure l'unité». En philosophie, il signifie plus généralement «penser (un objet individuel) appartenant à un ensemble» (1877).

▸ **SUBSOMPTION** n. f., terme didactique de philosophie, est un dérivé savant (1842, *subsumption*) de *subsumptum,* supin de *subsumere,* ou est formé d'après *sumptio,* de *sumere.* Il est plus rare que le verbe.

SUBTERFUGE n. m. est un emprunt (1316) au latin médiéval *subterfugium* (VIe s.) «moyen habile et détourné pour se tirer d'embarras», dérivé du latin classique *subterfugere* «fuir en cachette», «esquiver», composé de *subter* «sous, dessous», de *sub* «sous» (→ sub-), et de *fugere* qui a donné *fuir*.*

♦ *Subterfuge* conserve le sens de l'étymon, désignant par extension un procédé habile, plus ou moins recherché. Il est resté vivant, sans varier de sens, dans un style soutenu.

SUBTIL, ILE adj. est une réfection (v. 1330; fin XIIe s. d'après T.L.F.), d'après le latin, de *sutil* (v. 1112), *soutil* (1160-1170), *sotil* (1211), formes issues du latin classique *subtilis* «fin, mince» puis «ténu» au physique et au moral, qui a fourni l'italien *sottile* (qui s'emploie encore au sens concret «fin, peu épais»), le portugais *sotil.* Ce mot est très probablement à l'origine un terme de tisserand signifiant «(qui passe) sous les fils de la chaîne», de °*sub-tela,* composé de *sub-* (→ sub-) et de *tela* «chaîne de la toile», qui a donné *toile*.*

♦ L'adjectif s'applique à une personne adroite (v. 1112, *sutil*), encore à l'époque classique, puis qui a de la finesse, qui sent des différences que la plupart ne discernent pas (1160-1170, *soutil*) et, par métonymie, à ce qui dénote cette finesse (XIIIe s., *soutil,* d'un argument); cette valeur dérivée l'a emporté. ◇ Avec l'idée d'ingéniosité ou de ruse, *le soutil* (fin XIIIe s.) a désigné le diable (fin XVIe s., *le subtil*). ◇ De l'idée d'adresse on passe aux sens de «minutieux» en parlant d'un travail (1260) et de «qui a une grande habileté manuelle» (1352, *soutif;* fin XIVe s., *subtil*), d'où *voleur subtil* (1644). Ces emplois, de même que la variante *soutif, ive* (XIV-XVe s.) et que *tour subtil* «adroit» (fin XIVe s.), sont sortis d'usage. ◇ Avec une valeur concrète, l'adjectif s'est employé dans *livre soutive* «qui a juste le poids légal» (1312), opposé à *bonne livre,* et avec le sens de «mince» en parlant d'un vaisseau (XVe s.), acception relevée jusqu'en 1700; il signifiait aussi «pointu, aigu» (1530) à propos d'une lame et «léger» d'un tissu (XVIe s.); toutes ces acceptions ont disparu, comme l'emploi de *subtil* appliqué à des choses matérielles composées d'éléments ténus (1564), spécialement chez Descartes (av. 1650) dans *matière subtile,* pour désigner la matière ténue supposée autour de la Terre. ◇ Par extension, l'adjectif s'applique à ce qui s'insinue, pénètre facilement, à propos d'un poison (fin XVIe s.), emploi archaïque, puis d'une odeur, cette acception restant vivante. ◇ *Subtil* qualifie aussi un sens qui perçoit avec acuité (1636) et une personne douée de cette acuité, d'où *un subtil* «personne d'esprit subtil» (1654); cet emploi est rare et le féminin *une subtile* encore plus. ◇ L'adjectif qualifie au figuré ce qui est difficile à définir ou à préciser, par suite de son caractère délicat ou indiscernable (1580). Cette valeur est beaucoup plus ancienne en provençal (v. 1350, en poésie) et des emplois d'ancien français (fin XIIe s.) la préparent. ◇ L'adjectif a été repris en biologie dans *bacille subtil* (XXe s.), du latin scientifique *bacillus subtilis,* ainsi dénommé à cause de sa finesse, «bacille Gram négatif aux propriétés bactériostatiques et bactéricides à l'égard des autres espèces».

▸ Le dérivé **SUBTILEMENT** adv. (1360), d'abord *sutilment* (v. 1119), *subtilment* (fin XIIe s.), signifie «avec adresse, ingénieusement» et (1538) «avec finesse», sens demeurés vivants. ◇ Il est sorti d'usage avec sa valeur concrète (1532, *broyer subtilement;* 1690, *couler subtilement*). ◇ Il signifie également (av. 1654, Guez de Balzac) «d'une manière difficile à définir, à analyser». ◆ **SUBTILISER** v. tr., dérivé savant de *subtil,* a remplacé (v. 1380) l'ancien français *sotiller* v. tr. «préparer subtilement» (1211) et sa variante *soutillier* (XIIIe s.), dérivés des formes anciennes de *subtil, sutil, soutil* (ci-dessus). Une autre variante, *subtiller* «imaginer» (1284), «s'ingénier» (XIIIe s.), est attestée jusqu'au début du XVIIe siècle. ◇ Le verbe a signifié «se creuser l'esprit (pour trouver qqch.)», écrit *subtilisiier* [sic] (v. 1380, intr.) «se rendre compte avec précision de la valeur de qqch.» en parlant d'un ouvrage (v. 1380, *subtilisier*) et, sous sa forme moderne, «rendre fluide ou volatil» (v. 1480), acception relevée jusqu'à la fin du XVIIIe siècle. ◇ Le verbe, transitivement, prend le sens de «s'ingénier à trouver» (XVe s.), d'où «donner de la subtilité à (qqch.)» (1580) et, à l'époque classique, «exposer (un sujet) avec subtilité» (1636); ces emplois intellectuels et esthétiques restent vivants dans un usage littéraire. ◇ *Subtiliser* a signifié aussi à l'époque classique «transformer (qqch.) en matière subtile» (1541; 1682, pron.). ◆ À la fin du XVIIIe s., le verbe prend le sens de «dérober avec adresse» (1784), acception toujours en usage, et a signifié «tromper adroitement» (1798), sens vieilli dès le début du XIXe s. (1835). ◆ Le dérivé **SUBTILISATION** n. f. a signifié «raisonnement raffiné» (1566) et concrètement «action de rendre fluide ou volatil» (1694). Il désigne (XIXe s.) l'action de dérober adroitement. ◆ **SUBTILISEUR** n. m. est archaïque pour désigner une personne qui raffine à l'excès (1611) ou qui vole avec adresse (1873).

SUBTILITÉ n. f. est une réfection (XIIIe s., in *F. e. w.;* v. 1190, *subtiliteit*), d'après le latin, de *sotilitet* (v. 1119), qui correspond à *sotil* et vient du latin classique *subtilitas* «finesse, ténuité» et, au figuré, «pénétration, précision stricte», «simplicité du style», dérivé de *subtilis.* ◆ Le mot a suivi une évolution parallèle à celle de *subtil;* il désigne (v. 1119) l'aptitude d'une personne à penser ou à agir avec finesse et, par métonymie, une action, une pensée sage (v. 1190, *sutilletey*). Sa valeur concrète (XIIIe s.) a disparu. Il a pris le sens de «caractère de ce qui présente des finesses difficiles à saisir» (v. 1370) et par métonymie *(une, des subtilités)* «pensée, action subtile» (1538), souvent péjorativement. ◇ Il a signifié «ruse (dans les affaires)» (1440-1475) et s'est employé concrètement pour «tour d'adresse» (1680), «dextérité à agir» (1690), «capacité à bien voir, entendre» (1694), emplois classiques devenus archaïques en français moderne.

SUBVENIR v. tr. est la réfection savante, d'après le latin (1370), de *sovenir* v. tr. «secourir» (v. 1270), issu du latin classique *subvenire* «survenir» et au figuré «se présenter (à l'esprit)», «venir en aide» et «venir à la rescousse» en termes militaires. Ce verbe, qui a par ailleurs abouti à *souvenir**, est composé de *sub-*, indiquant la proximité (→ sub-), et de *venire* (→ venir).

♦ *Subvenir à qqn* «le secourir» (v. 1370) et *subvenir à qqch.* «y pourvoir» (v. 1485) ont cédé la place à ***subvenir aux besoins*** (***aux frais,*** etc.) ***de qqn*** «lui fournir ce qui lui est nécessaire» (fin XVIIe s.). ➛ *Subvenir de* «résulter de» (v. 1570) et *subvenir à* «servir à» (v. 1580) sont sortis d'usage.

▸ **SUBVENTION** n. f., réfection (fin XIIIe s.) de *subvencion* (1214), est emprunté au bas latin *subventio* «aide, secours» (VIe s.), dérivé de *subventum,* supin de *subvenire.* ➛ Le mot a désigné un subside exigé pour subvenir à une dépense exceptionnelle, impôt (1214) ou droit établi sur les marchandises (1690); il a eu le sens général de «secours, aide financière» (1553). Depuis le XVIIIe s., il désigne spécialement une aide que l'État ou une association accorde à une entreprise, un groupement, une personne (1776), sens aujourd'hui dominant. ➛ **SUBVENTIONNER** v. tr., «aider financièrement» (1832), est aussi courant que *subvention* et a fourni **SUBVENTIONNABLE** adj. (mil. XXe s.), terme administratif. ➛ **SUBVENTIONNAIRE** adj. et n., «qui accorde une subvention» (1836), rare, et **SUBVENTIONNEL, ELLE** adj., «qui constitue une subvention» (1842; après *subventionnal,* 1775), sont des termes de droit.

SUBVERTIR v. tr., réfection (1291, in *F. e. w.*) de *souvertir* (XIIIe s.), variante francisée, est emprunté au latin *subvertere* «mettre sens dessus dessous», au figuré «détruire, bouleverser», composé de *sub-,* marquant le mouvement de bas en haut (→ sub-), et de *vertere, versum* «tourner, faire tourner» (→ version), qui se rattache à un thème °*werte-* que l'on retrouve en sanskrit et en germanique.

♦ *Subvertir* a signifié «détruire (une ville)», acception disparue. ◇ Le verbe signifie «bouleverser, renverser» dans le domaine des idées (1291), emploi vivant mais didactique ou littéraire. ◇ Il a eu la valeur de «séduire, égarer (une personne)» (XVe s.) et, à l'époque classique, «renverser (un État)» (1549).

▸ Les dérivés **SUBVERTISSEMENT** n. m., «ruine, destruction (d'un État)» (XVIe s.) puis «désordre (dans les lois)» (1756), et **SUBVERTISSEUR** n. m., «celui qui renverse» (1611), employé au XVIIe s., sont sortis d'usage.

SUBVERSION n. f., réfection (v. 1460) de *sovercion* (v. 1190), est un emprunt au dérivé bas latin *subversio* «renversement, destruction» et a signifié «destruction (d'une ville)» et «rébellion» (1462). ◇ Il désigne l'action de bouleverser l'ordre établi (1440-1475), les idées et les valeurs reçues (1653), ce dernier sens étant resté vivant à côté de l'emploi politique du mot. ➛ **SUBVERSIF, IVE** adj., dérivé savant de *subversum,* remplace *subvertif* (1455) et s'applique (1780) à une personne ou à ce qui est propre à renverser ou troubler l'ordre établi, les valeurs reçues, spécialement dans ***guerre subversive*** (mil. XXe s.). L'adjectif a qualifié ce qui détruit un état de fait, sur le plan économique (1848, Proudhon). ➛ Il a fourni **SUBVERSIVEMENT** adv. (1877).

SUC n. m. est un emprunt savant (1488) au latin *sucus* «jus, sève (d'une plante)», employé comme symbole de la vigueur humaine, d'où «force, bonne santé», par ailleurs «goût, saveur» et, par extension, «caractère général de qqch.». Ce mot a fourni l'ancien provençal *suc* (XIIe s.), l'italien *sugo,* l'espagnol *jugo* et le portugais *sugo;* il n'a pas d'origine connue et, dans le domaine indoeuropéen, on ne peut le rapprocher que du slave *sokŭ* de même sens. Un rapport avec le radical de *sucer* n'est pas établi.

♦ *Suc* désigne le liquide contenu dans certaines substances organiques (végétales et animales), considéré autrefois comme leur partie la plus substantielle. Le mot s'applique en pharmacie (1735) au liquide susceptible d'être extrait des tissus animaux ou végétaux. ◇ Par extension, le mot désigne en physiologie le liquide organique que sécrètent certaines glandes (1694, *suc gastrique,* resté courant, *suc digestif*), puis en biologie (fin XIXe s.) le liquide cellulaire. ◇ Par métaphore, *suc* s'emploie à propos de ce qu'il y a de plus substantiel dans qqch., en particulier dans une production de l'esprit (fin XVIe s.), comme *quintessence.*

▸ **SUCCULENT, ENTE** adj. est un emprunt savant (1512) au latin impérial *succulentus,* variante de *suculentus* «plein de suc», dérivé de *sucus.* ◇ L'adjectif, emprunté au sens du latin, s'est appliqué par extension à une personne bien nourrie, bien en chair (v. 1560), sens sorti d'usage. Il a qualifié une viande ou un fruit qui contient beaucoup de suc (1690). De là vient son emploi en botanique pour parler des plantes grasses (1829), le mot substantivé au pluriel (1834) ayant désigné une famille de plantes grasses. ◇ Puis *succulent* s'applique (1734, Marivaux) à ce qui a une saveur délicieuse, seul sens vivant aujourd'hui, mais littéraire. ◇ Avec la valeur étymologique, il se dit par analogie en médecine d'un organe où la lymphe afflue anormalement (1898, *main succulente*).

SUCCULEMMENT adv. (1735, Marivaux) est littéraire et rare. ➛ **SUCCULENCE** n. f., lui aussi littéraire, désigne le caractère de ce qui est savoureux et nutritif (1769, Restif) et, par métonymie (1874, Goncourt), un mets succulent; le mot, qui s'emploie aussi au figuré (1897, L. Bloy), est rare dans tous ses emplois.

◈ voir ESSUYER.

SUCCÉDANÉ, ÉE adj. et n. m. est un emprunt savant (1690, *succédanée*) au latin impérial *succedaneus* «qui remplace», substantivé en bas latin pour «remplaçant, suppléant», dérivé de *succedere* «venir à la place de, remplacer» (→ succéder).

♦ L'adjectif s'est appliqué à ce qui peut remplacer qqch., spécialement en parlant d'un médicament (1835, n. m.); cette valeur est sortie d'usage. ◇ *Succédané* n. m. s'emploie couramment (1812) pour parler d'un produit qui peut en remplacer un autre, un moment concurrencé par le germanisme *ersatz*, et figurément à propos de choses abstraites (1876). *Succédané* n. m. s'est employé spécialement (1940-1945) pour un produit remplaçant le café. ➡ *Victime succédanée* (1829) ou *succédanée* n. f. (1836) a désigné en histoire antique une victime immolée à la place d'une autre.

SUCCÉDER v. tr. est emprunté isolément sous la forme *subceder* (1258; puis v. 1290), d'après une réfection en *sub-*, au latin classique *succedere* «aller, s'avancer sous qqch.» au propre et au figuré, «aller de bas en haut», spécialement «gravir, monter», aussi «aller près de, au pied de» et «venir à la place de, remplacer», «aboutir à tel résultat»; le verbe a pris en latin médiéval juridique les sens de «revenir à qqn» (IXe s.) et «appartenir à qqn» (fin Xe s.). Il est composé de *sub-*, qui indique le mouvement de bas en haut, la proximité, la position inférieure (→ sub-), et de *cedere* «marcher, s'avancer», «s'en aller, se retirer» (→ céder).

♦ Le verbe apparaît comme intransitif, puis construit avec *en* (*succéder en qqn*, v. 1355) au sens de «recueillir par succession le patrimoine de qqn»; depuis le moyen français (1403), il se construit avec *à* ou sans complément. ◇ Reprenant un autre sens du latin, il a signifié «parvenir à (une dignité, un titre) après qqn», d'abord comme transitif (v. 1375, *succéder le royaume*) puis construit avec *à* (1659, *succéder à la royauté*). De là vient la valeur temporelle aujourd'hui dominante de *succéder qqn* (1408), disparue, puis *succéder à qqn* (1530) «venir après qqn, de manière à prendre son emploi, sa dignité», par plaisanterie (1831) «être après lui l'amant d'une femme». ◇ *Succéder au crédit, à la faveur de qqn* (1668) «obtenir le même crédit» est sorti d'usage. ◇ Du XIVe (1377) jusqu'au XVIIe s., *succéder*, intransitif, correspond à «avancer, parvenir à un lieu», d'où à l'époque classique et par latinisme (1648, Pascal) «s'introduire dans..., sous...». On relève également *succéder l'un après l'autre* «se suivre» (1377), emploi analogue à celui de l'ancien provençal *succezir* (XIVe s.) et qui a pu contribuer au passage de l'idée d'avancée à celle de suite temporelle ordonnée; ce sens est conservé par *se succéder* (av. 1662). *Succéder à*, en parlant de choses «prendre la place de qqch.», est attesté (v. 1380) dans des gloses du verbe latin, à nouveau en 1534 puis en 1611; le verbe est passé progressivement du XIVe au XVIIe, voire au XIXe s., de ce sens fort à celui de «se produire, venir après». Cette valeur temporelle est aujourd'hui dominante. ➡ Par ailleurs, *succéder*, aux XVIe-XVIIe s., s'est employé avec les sens latins de «parvenir à un résultat» (1542, *succéder bien, mal*) et de «survenir, se produire» (1552), d'où «aboutir heureusement» (1639), valeur encore liée à *succès* et concurrencée par *réussir* dès la fin du XVIIe siècle : noté «vieilli» en 1740, ce sens se rencontre encore chez Balzac. *Succéder à (qqch.)* «réussir dans» (1682), *succéder à qqn, aux désirs de qqn* «avoir de bons résultats pour qqn» disparaissent au XIXe siècle.

▶ Plusieurs mots ont été empruntés à des dérivés de *successum*, supin de *succedere*. ➡ **SUCCESSION** n. f. est emprunté au latin classique *successio* «action de prendre la place», «héritage» et «issue», puis en latin médiéval «génération, descendance» et «les générations futures» (v. 1132). ◇ Le mot est introduit en français comme terme de droit (1200, Bloch et Wartburg), emploi devenu courant, désignant la transmission du patrimoine laissé par une personne décédée; de là découlent les sens de «patrimoine transmis» (1595), «manière dont se fait la transmission» (1690) et des expressions juridiques comme ***succession vacante*** (1690), ***ordre de succession*** (1748), ***frais de succession*** (déb. XXe s.). À partir du XVIe s., *succession* désigne (1559) le fait de succéder à qqn, d'obtenir sa charge et la transmission du pouvoir politique selon les règles. ➡ Au XIIIe s. (v. 1275, *par succession*), *succession* prend le sens de «série de personnes ou de choses rapprochées dans l'espace», d'où *par succession de temps* «pour une longue durée» (1440-1475), sorti d'usage. ◇ De cette idée de «série» et de celle de «substitution» on est passé à la valeur temporelle d'«ordre dans lequel se présentent les éléments», d'abord dans *la succession des signes* (1690) pour parler de l'ordre des signes du zodiaque, puis dans *succession des nombres, succession des cultures* (1875); par extension, *succession* s'est dit de l'état de ce qui présente des éléments successifs (1690).

SUCCESSEUR n. m., réfection (v. 1380; v. 1355, selon *G. L. L. F.*) de *successur* (1174), est un emprunt au latin classique *successor* dérivé du supin de *succedere*, «personne qui succède dans une fonction, remplaçant». ◇ Le mot désigne une personne qui succède à une autre, spécialement un roi (1174, *successur de reiaume*), et celui qui obtient une charge, un emploi (v. 1430). ◇ En droit, le mot s'applique à la personne appelée à recueillir une succession (1258, *suchesseur*; 1472, *successeur*); on relève en ce sens les formes féminines *successeresse* (1305), encore en usage au XVIe s., et *successore* (1539). ◇ Le mot, d'après le sens de «suite ordonnée» pris par *succession* (ci-dessus), a reçu en mathématiques une valeur précise en théorie des ensembles *(successeur d'un élément x d'un ensemble ordonné)*. ➡ **SUCCESSORAL, ALE, AUX** adj., «relatif à la succession» en droit (1819), a été dérivé savamment du nom.

SUCCESSIF, IVE adj., emprunté au dérivé bas latin *successivus* «qui succède», s'applique (1372, pl.; XVe s. selon T.L.F.) à des choses qui se succèdent, au sens étymologique puis temporel du verbe, acception qui ne se répand qu'à la fin du XVIIIe siècle. ◇ L'adjectif s'est employé à l'époque classique en droit, au sens de «transmissible par droit d'héritage» (1461) et dans *droits successifs* «héréditaires» (1461); cette valeur le relie à *succession*, mais elle est rare ou technique. ◇ *Successif* qualifie aussi (v. 1560) ce qui est formé d'une suite de termes entre lesquels il n'y a pas d'interruption, sens archaïque. En droit, ***délit successif*** correspond à «constitué par un acte qui dure ou se répète» (1872). ➜ L'adjectif a fourni **SUCCESSIVEMENT** adv. (1314), précédé par l'ancien provençal *successivamen* (1281), et **SUCCESSIVITÉ** n. f. (1872), didactique, tous deux limités au sens temporel.

SUCCESSIBLE adj., dérivé savant du latin *successum,* s'applique en droit à une personne apte à recueillir une succession (1771; 1804, n.); il s'emploie dans ***degré successif*** «qui donne droit à la succession» (1804, Code civil). ➜ En procède **SUCCESSIBILITÉ** n. f. «droit à la succession» (1792) et «manière dont a lieu la succession, ordre de succession» (1810).

◈ voir SUCCÉDANÉ, SUCCÈS.

SUCCENTURIÉ, ÉE adj. est un emprunt (1690, *muscle succenturier*) au latin scientifique *succenturiatus* «qui remplace», du p. p. de *succenturiare*, en bas latin «ajouter (des hommes) pour compléter une centurie». Ce verbe est composé de *sub-* et *centuriare*, de *centuria* (→ centurie, à *cent*).

♦ Cet adjectif d'anatomie a été repris sous sa forme moderne (1805) à propos du *ventricule succenturié* des oiseaux, renflement de leur œsophage.

SUCCÈS n. m. est un emprunt (1540) au latin *successus* «action de pénétrer dans un lieu», par métonymie «lieu où l'on pénètre, caverne», «approche, arrivée», «succession de temps», «réussite». *Successus* est dérivé de *successum,* supin de *succedere* (→ succéder).

♦ Le mot a d'abord signifié «succession de temps», jusqu'au XVIIe s., et a désigné (1546) ce qui arrive de bon ou de mauvais à la suite d'un fait, puis (1588) la manière dont une chose se passe. ◇ Le sémantisme se restreint ensuite, *succès* se bornant à désigner le résultat heureux d'une décision, d'une suite d'événements (1647, Pascal, mais antérieur; cf. *avec succès*), acception dont procèdent *le succès de qqn, d'une œuvre* «fait d'obtenir une audience favorable, nombreuse» (attesté 1669) et les expressions ***avoir du succès*** (av. 1778), ***avec succès*** (1631), puis ***succès d'estime*** (1835), ***à succès*** «qui a du succès» (déb. XXe s.). ◇ Par extension, le mot s'emploie à propos du fait de plaire, dans les relations amoureuses (1731), de plaire en société (1757) et à propos de bons résultats dans les études (1882), surtout au pluriel *(des succès)*. ◇ *Un succès* «une réussite» se dit d'abord dans le contexte militaire (1646), s'étendant à toutes sortes d'événements réussis et, au XXe s., par métonymie à ce qui réussit, pièce de théâtre, film ou livre *(un succès de librairie)*.

▸ *Succès* a fourni **INSUCCÈS** n. m. «manque de succès (de qqn ou de qqch.)» (1794), qui a peut-être été formé sous l'influence de l'anglais *unsuccess* (1586), de même que **NON-SUCCÈS** n. m., sorti d'usage (1782), qui semble provenir de l'anglais *non-success* (1665).

SUCCIN n. m. est un emprunt savant (1663, dans Trévoux) au latin *succinum,* variante de *sucinum* «ambre jaune». Ce mot, attesté à partir de Pline, est d'origine obscure et probablement emprunté; on évoque le lituanien *sâkas* «résine», seul point de comparaison indoeuropéen.

♦ Ce terme didactique a conservé le sens de l'étymon.

▸ Il a fourni plusieurs dérivés. ➜ **SUCCINIQUE** adj. «qui tient du succin» s'emploie en chimie dans *acide succinique* (1800), découvert dans les produits de distillation du succin et existant à l'état naturel dans certaines plantes. ◇ En dérive **SUCCINATE** n. m., terme de chimie (1800). ➜ **SUCCINÉE** n. f. est le nom (1828) d'un mollusque gastéropode dont une espèce commune est appelée *ambrée* ou *ambrette.* ➜ **SUCCINAMIDE** n. m. est un terme de chimie emprunté (1846) à l'allemand, où il est formé avec *amide.*

SUCCINCT, INCTE adj., attesté à la fin du XVe s. (1482) mais sans doute plus ancien (*succinctement* ci-dessous), est emprunté au latin classique *succinctus* «retroussé (d'un vêtement)», «court-vêtu» et par figure en latin impérial «bref, court». *Succinctus* est le participe passé adjectivé de *succingere* «attacher par dessous», «retrousser, relever», «ceindre» et «munir»; ce verbe est formé de *sub-* (→ sub-) et de *cingere* qui a abouti par évolution phonétique à *ceindre*.*

♦ L'adjectif qualifie d'abord ce qui est exprimé en peu de mots, puis s'applique (1668) à une personne, à un auteur; ce sens est archaïque. ◇ Depuis le XVIIe s. (attesté 1680), il se dit de ce qui est peu abondant.

▸ **SUCCINCTEMENT** adv., attesté isolément plus tôt que *succinct* (XIVe s.), est repris à la fin du XVe s. (1486) et correspond à tous les emplois de l'adjectif.

SUCCION → SUCER

SUCCOMBER v. intr. est emprunté (1376; p.-ê. 1356) au latin *succumbere* «tomber sous (qqn)», formé de *sub* (→ sub-) et d'une forme altérée de *cubare* «être couché» (→ couver, succube), reconstituée en °*cumbere.*

♦ Le verbe est d'abord juridique, et aussi métaphorique, pour «être vaincu» et, à propos d'une femme, «abandonner, céder à un homme» (1512). Il signifiait aussi «mourir» (XVe s., av. 1486). Tous ces emplois sont vieillis, mais encore vivants, à la différence du sens concret, repris par latinisme au XVIe s. (1549). *Succomber sous...* (mil. XVIIe s.) est littéraire. ◇ *Succomber à,* trans. indirect, est lui aussi passé de la valeur concrète «être écrasé par...» (mil. XVIIe s.; 1664 chez Molière) à l'abstrait (1680 chez Mme de Sévigné) pour «céder, ne pas résister».

SUCCUBE n. m. est un emprunt savant (1373) au latin impérial *succuba* n. f. «concubine», qui change de genre en bas latin, désignant alors un homosexuel passif. Le mot dérive de *succubare* «être couché sous», formé de *sub-*, marquant la position inférieure (→ sub-), et de *cubare* «être couché», «être au lit, dormir» (→ succomber), qui a abouti au français *couver*.*

♦ Terme propre à la religion chrétienne, opposé à *incube*, succube* désigne un démon prenant la forme d'une femme et venant la nuit s'unir à un homme. Le mot est parfois féminin, comme en latin (1976, Leiris).

▸ Le dérivé **SUCCUBAT** n. m., relevé chez Huysmans (1891), est rare.

SUCCULENT → suc

SUCCURSALE adj. et n. f. est dérivé (1675) du latin ecclésiastique médiéval *succursus* «secours, aide» (déb. XIe s.), «suppléance du service pendant la vacance de la charge du curé» (fin XIe s.); le mot dérive de *succursum*, supin du latin classique *succurrere* «porter secours» (→ secourir). La forme *succursalis* n'est pas attestée en latin médiéval.

♦ *Succursale* s'applique d'abord à une église qui s'ajoute à l'église paroissiale lorsque celle-ci ne suffit pas aux besoins de la paroisse (1675); l'adjectif est ensuite substantivé au féminin (1718). Puis il a qualifié plus généralement ce qui remplace qqch., dans l'usage didactique (1765, Buffon). ◇ *Succursale* n. f. est repris au début du XIXe s. (1813) pour désigner un établissement commercial qui dépend d'un siège central, sens devenu courant qui donne lieu à des expressions comme ***magasin à succursales multiples*** (XXe s.) et entraîne la formation de dérivés (ci-dessous). ◇ Le mot, repris aussi (1835) à propos d'un établissement religieux rattaché à un établissement central, désigne au figuré depuis le XVIIe s. (1675) un lieu qui dépend d'un autre, dans la même activité.

▸ **SUCCURSALISTE** adj. et n. m. a désigné un prêtre qui dessert une église succursale (1815), puis un imprimeur à qui appartient une succursale (1836), le responsable d'une annexe (1832). ◇ Repris comme terme de commerce, l'adjectif s'applique à une entreprise organisée selon les méthodes du succursalisme (ci-dessous), le nom désignant une entreprise commerciale formée d'une chaîne de magasins (1936) et le gérant d'une succursale (1913). ◆ **SUCCURSALISME** n. m. désigne (v. 1960) le mode d'organisation commerciale par magasins à succursales multiples.

SUCER v. tr. est la réfection (XIIIe s.) de *suchier* (v. 1119), *sucier* (v. 1120, *Psaume de Cambrai*), aboutissement d'un latin populaire °*suctiare* «sucer, aspirer», comme l'italien *succiare*, dérivé de *suctum*, supin du latin classique *sugere* «sucer». Ce verbe s'emploie concrètement et au figuré, par exemple dans *sugere cum lacte errorem* «sucer l'erreur avec le lait». Le mot, propre à l'indoeuropéen occidental, est apparenté au germanique *sucan*, d'où viennent le vieil anglais *súcan*, le vieil islandais *súga*, l'ancien haut allemand *sūgan* (allemand *saugen*). Logiquement, ce radical devrait être lié à celui de *sucus* (→ suc), mais cette hypothèse n'est pas assurée.

♦ *Sucer* conserve le sens de l'étymon «aspirer (un liquide) au moyen des lèvres». De cette acception procèdent plusieurs emplois spéciaux. *Sucer le sang* «s'en nourrir», qui se dit d'un insecte suceur (v. 1119, *suchier*), signifie au figuré «exploiter qqn» (1690); *sucer le lait* «téter au sein» (XIIIe s.) est sorti d'usage mais s'emploie au figuré comme en latin dans *sucer le lait de qqch.* (XIIe s.) «s'imprégner de ses éléments les plus substantiels», d'où par calque du latin ***sucer*** (*une opinion*, etc.) ***avec le lait*** (1549) «s'en imprégner dès l'enfance». La locution familière ***sucer un verre*** «le boire» représente une extension relativement tardive (v. 1714). ◇ Par extension, *sucer* signifie «faire sortir par succion (une substance nocive) d'une plaie» (1314) et «exercer une pression et une aspiration avec les lèvres, la langue» (XVe s.), d'où «faire fondre (qqch.) pour en tirer le liquide» (1834). ◇ Le verbe signifie aussi «exercer une succion sur (un corps que l'on porte à la bouche ou que l'on a dans la bouche)» (fin XIIe s.) et spécialement dans le vocabulaire érotique «caresser les zones érogènes, en particulier le sexe de (qqn) avec la bouche, la langue» (fin XVIIIe s., Sade, aussi *se sucer*, réciproque), le verbe correspondant aux substantifs savants *cunnilinctus* et *fellation*. ◇ ***Se sucer la pomme (la poire, le caillou)*** «s'embrasser longuement» (1866) est familier. ◇ Par figure, ***sucer la roue d'un coureur*** (1924) s'emploie en cyclisme au sens de «coller à sa roue arrière», par métaphore du sens d'«aspirer», cf. *suceur*, ci-dessous.

▸ Le verbe a fourni plusieurs dérivés. ◆ **SUCEMENT** n. m. «action de sucer» (1686), réfection de *succement* (1314), est rare. ◆ **SUCEUR, EUSE** n. et adj. a désigné (v. 1560, *succeur*) celui qui suce les plaies pour les guérir. ◇ L'adjectif s'applique à une personne qui suce (1764; 1707, *succeur*), sens réalisé avec substantivation dans des expressions : ***suceur de pouce***, au figuré ***suceur (-euse) de sang*** (1764), repris au propre (1876). Le mot s'emploie spécialement avec le sens érotique de *sucer* (1785, Sade). ◇ Au propre, il qualifie les insectes qui aspirent leur nourriture avec une trompe, d'où *les suceurs* n. m. pl. (1809). ◇ Dans le vocabulaire technique, *suceur* n. m. est le nom (XXe s.) de l'embout qui s'adapte à l'extrémité d'un aspirateur. *Suceuse* n. f. a désigné une sorte de drague (1906), aujourd'hui une machine (1948) qui sert à aspirer une matière pulvérulente. ◆ **SUÇOTER** v. tr., «sucer longuement» (1550, Ronsard), a fourni **SUÇOTEMENT** n. m. (attesté XXe s. : 1936). ◆ **SUÇON** n. m. s'emploie (1690) pour parler d'un baiser qui laisse une légère ecchymose et, par métonymie (1762), pour nommer la marque qui en résulte *(faire un suçon)*. Il s'est dit par analogie d'un coup de poing qui laisse un bleu (1754), emploi disparu. ◇ Le mot a aussi désigné (1781) une tétine, constituée d'un linge imbibé de sucre, et une sucette (1859), sens resté vivant en français du Canada. ◇ Par analogie de forme, *suçon* a désigné un pli large au milieu et finissant en pointe vers le bas (1833). ◆ **SUCET** n. m. (1695) est le nom régional d'un poisson, le rémora, dont la tête est munie d'un disque adhésif, puis (1752) d'une espèce de lamproie. ◆ **SUÇOIR** n. m. est d'abord (1765) le nom de la partie d'un coquillage qui pompe l'eau. En botanique, le mot s'applique (1815) à l'organe des plantes parasites qui s'implante dans les hôtes dont elles se nourrissent et, en zoologie (1823), à un organe qui sert à sucer (cf. *trompe*). ◆ **SUCÉE** n. f. et adj. f. s'est employé dans *c'est la troisième sucée* (1808), qui se disait d'un objet dont on s'est servi plusieurs fois, dont on a tiré toute la substance (*resucée* ci-dessous). Le mot a aussi signifié «ruine financière» (1846, Balzac). ◆ **SUCETTE** n. f., d'abord (1869) terme technique dans le raffinage du sucre, est le nom d'un appareil aspirateur pour le séchage des pains. Il désigne ensuite ce que l'on suce : employé familièrement pour «boisson alcoolisée» (1904), il désigne couramment (1930) une confiserie que l'on suce, munie d'un manche (on disait en ce sens *suçois*), et une tétine (1920). ◇ Dans un contexte érotique, il équivaut familièrement à *fellation* ou à *cunnilinctus* (*sucer* ci-dessus).

Le préfixé **RESUCER** v. tr. «sucer de nouveau» (1611) a fourni plusieurs dérivés dont **RESUCÉE** n. f., «chose usagée, d'occasion» (1867), «répétition (de qqch., d'un discours)» (1867), sens demeuré vivant.

SUCCION n. f. est emprunté (1314) au latin médiéval *suctio*, dérivé du latin impérial *suctus* «succion», de *suctum*, supin de *sugere*. ◇ Le mot désigne à l'origine l'action de sucer les plaies pour en ôter le venin (1314), valeur que l'on trouve au XVIe s. aussi pour *succeur* (ci-dessus). ◇ Le mot est repris en botanique (1704) pour parler de l'élévation des liquides végétaux et (mil. XVIIIe s.) pour l'action d'absorber un aliment par aspiration. ◇ En technique, il se dit d'instruments qui créent un vide relatif (attesté 1892). Il équivaut au figuré à «aspiration» (1856).

◈ voir SANGSUE.

SUCRE n. m. est emprunté, d'abord sous la forme *çucre* (v. 1175) puis *sucre* (fin XIIIe s.), à l'italien *zucchero*, lui-même emprunt à l'arabe *sukkar*, mot d'origine indienne, en sanskrit *çârkara*. Le sucre vient en effet de l'Inde, introduit en Grèce au Ier s. apr. J.-C., d'où le grec *sakkharon*, emprunté par le latin *saccharum*. Les Arabes cultivèrent la canne en Égypte, puis en Andalousie et en Sicile, qui exporte le produit en Italie : le mot pénètre dans les pays chrétiens avec la chose. De la Sicile vient l'italien *zucchero*, emprunté par l'allemand *(Zucker)* et par le français, et dont procèdent l'anglais *sugar* et le néerlandais *suiker*; l'Andalousie a fourni l'ancien catalan et le portugais *açucar*, l'espagnol *azúcar* qui conservent l'article du mot arabe (*as* [pour *al*] *sukkar*). Le sucre, denrée rare, a d'abord été employé en pharmacie; plus courant à partir de sa culture en Sicile, il est demeuré longtemps une denrée de luxe.

♦ *Sucre* désigne d'abord la substance de saveur douce, soluble dans l'eau, extraite d'un végétal, la canne, et la denrée qui la comporte (v. 1398). La variété des modes de présentation du sucre, son utilisation dans diverses préparations culinaires expliquent le grand nombre de syntagmes et d'expressions. ◇ On relève en ancien français ***sucre candi***, désignant un sucre formé de gros cristaux (XIIIe s.), et isolément *zucre ros* «roux» (XIVe s.), *sucre rouge* (1690). *Sucre* s'est employé (XVIe s.) pour «canne à sucre, suc de la canne». À l'époque classique, plusieurs syntagmes sont attestés : ***sucre en poudre*** (1607), *sucre royal* «raffiné deux fois», sorti d'usage (1680), «sucre raffiné» (1690), *sucre fin* (1701), ***sucre cristallisé*** (1765). ◇ Par ailleurs, le mot désigne un sucre parfumé avec lequel on fait certains bonbons, d'où ***sucre d'orge*** (1644), à l'origine cuit avec une décoction d'orge, le mot survivant à la disparition de cette recette. *Sucre de pomme* est plus récent (1842). ◇ Dans la fabrication des confitures, on disait *plein sucre* pour un poids égal de fruits et de sucre (1694) et *à demi-sucre* (1690), *mi-sucre* (1694), pour un poids de sucre réduit de moitié, expressions sorties d'usage, comme *vin de sucre* (v. 1298) «vin obtenu par sucrage de la deuxième cuvée». ◇ L'usage du sucre en pharmacie apparaît dans la locution figurée *apothicaire sans sucre* «qui manque du nécessaire» (1690) et dans *sucre tors* (1694), à propos d'une composition de sucre et de jus de réglisse, vendue en bâtons tortillés et employée contre le rhume aux XVIIe et XVIIIe siècles. ◇ *Sucre* désigne par analogie une substance qui ne provient pas de la canne, par exemple ***sucre d'érable*** (1765). C'est Olivier de Serres qui signala le premier la présence de sucre dans la betterave (*Traité d'agriculture*, 1605), mais la culture ne s'implanta en Europe qu'à la fin du XVIIIe siècle : de Vilmorin l'introduisit en France en 1775. *Sucre de betterave* (1800) correspond à la grande diffusion du produit, dès lors appelé *sucre*, la substance tirée de la canne, dite *canne à sucre*, étant nommée ***sucre de canne*** (1808) et non plus *sucre* seul, hors contexte (*sucre* désigne toujours le produit de la canne, en français des Antilles). ◇ Par ailleurs, en dehors de ses emplois en alimentation et en chimie, le mot désigne spécialement en français du Canada le sucre d'érable, sa récolte *(cabane à sucre)* et par métonymie, au pluriel, l'époque de cette récolte *(les sucres)*. ◇ Le mot équivaut, par métonymie *(un, des sucres)*, à «morceau de sucre» (1901); on dit familièrement **SUSUCRE** n. m. (attesté 1904). ➜ Dès le XVe s., *sucre* s'emploie par figure au sens de «douceur (des paroles, des manières)» (1440-1475), cette douceur, comme celle du miel, étant souvent considérée comme suspecte; de cet emploi viennent les locutions ***être tout sucre (et) tout miel*** (1661), aussi *être tout miel et tout sucre* (1690), et *morceau de sucre* «salve d'applaudissements à la sortie d'un acteur» (1867), sortie d'usage. ◇ Par un euphémisme populaire issu de *se sucrer de qqn* au figuré (ci-dessous), *sucre de vous* (1752) a signifié «vous m'ennuyez»; on relève aussi *aller se faire sucre* (pseudo-verbe) pour «aller se faire foutre». ◇ ***Casser du sucre sur le dos de qqn*** est familier (1868) pour «dire du mal de lui en son absence»; ici, à part le fait que l'on cassait les pains de sucre pour la vente au détail, l'allusion au sucre reste obscure : *sucrer*, «maltraiter» en argot, est postérieur (ci-dessous); on peut penser à un emploi par antiphrase de *sucre* «douceur». ◇ Le sucre, qui peut se briser et surtout fondre, symbolise la fragilité et le mot est employé au figuré dans ***être en sucre***, surtout à la forme négative (1873, Zola) et familièrement dans la locution *c'est pas du sucre* «c'est difficile» (1880), qui a reculé au profit de *c'est pas du gâteau, de la tarte*. ➜ À côté de son acception usuelle et commerciale, où il désigne le produit tiré de la canne, le mot prend dès 1600 une acception étendue, désignant toute matière analogue, de composition chimique spécifique, trouvée dans plusieurs produits naturels, d'où par exemple *sucre de lait* «lactose extrait du lait» (1765), *sucre de raisin* (1811), *sucre d'amidon* (1845). On parle parfois de *sucre de synthèse* pour désigner les substances élaborées par la chimie alimentaire pour sucrer les aliments. ◇ Depuis la première moitié du XIXe s. (1855 in Littré-Robin), *sucre* désigne en chimie une famille de corps qui recoivent des noms spécifiques en *-ose*. ◇ En physiologie, *sucre* se dit de la matière sucrée qui, chez les diabétiques, passe dans l'urine (1812, trad. de l'anglais); *sucre du foie* désigne (1872) le glucose dont le débit est régularisé par le foie.

▶ **SUCRER** v. tr., attesté à l'actif (XVe s., Bloch et Wartburg; puis XVIe s.), signifie «additionner de sucre» (XVe s.) ou (1876) «d'une matière sucrante» et, en construction absolue, «donner une saveur sucrée à qqch.» (1719). ◇ *Se sucrer* est familier pour «se servir du sucre» (1807, dans un recueil d'«expressions vicieuses»); il s'emploie aux sens de «devoir être sucré» (1876) et «devenir sucré» (1887). ◆ Par figure, *sucrer* signifiait «adoucir (des reproches)» (XVIe s.) et *se sucrer de qqn* «le prendre pour un imbécile». La valeur moderne de *se sucrer*, familière, est «faire de gros bénéfices au détriment des autres» (1908). ◇ *Sucrer qqn* «l'avantager (au jeu)» (1894) ne s'est pas maintenu, ni l'emploi pour «arrêter» et «maltraiter» (1901), équivalent inversé de *saler**. Par extension de ce dernier sens et familièrement, *sucrer* s'emploie pour «supprimer (un élément écrit, une partie d'un projet, etc.)» (1938). ◆ **SUCRÉ, ÉE** adj. et n., outre l'emploi propre antérieur au verbe (XIIIe s., *socré;* puis v. 1355, sous la forme altérée *chucré*), s'applique aussi par figure à une personne d'une douceur affectée, d'abord dans la locution ***faire la (sa) sucrée*** «se montrer aimable, délicat, avec affectation» (v. 1480) devenue *faire la sainte sucrée* (XVIIe s.), par contamination avec *faire la sainte nitouche* et dès lors appliquée seulement aux femmes. ◇ Au sens concret, *sucré* est substantivé au masculin pour «ce qui est sucré», désignant une des catégories essentielles du goût, et opposé à *salé*. ◇ **SUCRÉE** n. f. a d'abord désigné une variété de poire (1600; *sucrin*, ci-dessous). ◆ **SUCRAGE** n. m., terme technique (1801), désigne l'action de sucrer le moût de raisin avant la fermentation et plus généralement (1876) l'action de sucrer. ◆ **SUCRANT, ANTE** adj. se dit (1808) d'une substance qui sucre et de son action *(pouvoir sucrant)*.

Outre *sucrer* et ses dérivés, *sucre* a produit quelques mots. ◆ **SUCRIN** adj. et n. m. est le nom d'une variété de melon très sucré (1541, nom; 1544, adjectif); l'ancien provençal *suquerin* (1503) désignait une espèce de sucre d'orge. ◇ L'adjectif a signifié à l'époque classique «doux comme du sucre» (1611). ◇ Le nom a été repris pour désigner une variété de poire, appelée *sucrin noir* (1660), *sucrin* (1690), *sucrin vert* (1872). ◆ **SUCRIER, IÈRE** adj. et n. s'est employé pour «confiseur» (1555, n. m.), emploi disparu. ◇ Le mot désigne encore aujourd'hui un récipient où l'on met le sucre (1596), le féminin (1872) étant sorti d'usage. ◇ *Sucrier* s'emploie (1654) pour parler d'un fabricant de sucre et (1803) d'un ouvrier de l'industrie sucrière. ◇ L'adjectif s'applique à ce qui est relatif à la production de sucre (1824), au lieu où l'on produit du sucre (1872). Dans *betterave sucrière* (v. 1950), il correspond à «qui produit du sucre». ◆ **SUCRERIE** n. f. s'est dit au XVIe s. (v. 1587) de la culture de la canne à sucre. C'est le nom de l'usine où l'on fabrique le sucre (1654). ◇ Le mot est employé par analogie au Canada pour une fabrique de sucre d'érable (1780), que l'on nomme couramment *cabane à sucre*. ◇ Le plus souvent au pluriel, *sucrerie* désigne une friandise à base de sucre (1680); on a dit *sucrades* (XVe s.), *chucades* (déb. XVIe s.), *succades* (1536). ◆ Deux termes de biochimie ont été formés à partir de *sucre :* **SUCRATE** n. m. (1864), «composé d'un sucre avec un oxyde basique», et **SUCRASE** n. f. (1903), «diastase qui transforme le saccharose en sucre». ◆ **SUCRETTE** n. f. est le nom déposé (1967) d'une pastille édulcorante.

◈ voir SACCHARINE.

SUD n. m. et adj. inv. est une réfection (v. 1170) de *suth* (v. 1138), emprunt à l'anglo-saxon (ancien anglais *suth*, anglais moderne *south*), qui se rattache peut-être à une racine indoeuropéenne °*su-* «soleil», comme l'anglais *sun*, le latin *sol* (→ soleil), le *sud* étant le côté du soleil.

♦ *Sud* désigne le point cardinal opposé au nord; de là vient l'emploi (1596) pour «vent du sud». *Sud* adj. apparaît dans *latitude sud* (1721) et s'applique à ce qui se trouve dans la direction du sud ou qui en vient (1835). ◆ Le nom désigne également (v. 1138) l'ensemble des régions situées dans l'hémisphère sud; dans ce cas, le mot s'écrit avec une majuscule, comme aux sens de «région sud d'un pays» (1812), «habitants de cette région» (1876) par métonymie.

▶ *Sud* a fourni **SUDISTE** n. et adj. qui désigne, dans l'histoire des États-Unis (1872), un partisan de l'indépendance des États esclavagistes du Sud pendant la guerre de Sécession (1861-1865), opposé à *nordiste*. ◇ Le mot s'applique par ailleurs à ce qui se rapporte ou est partie de la région méridionale d'un pays (1936).

Plusieurs mots sont composés de *sud* et d'un ou deux éléments désignant un point cardinal. Seuls *sud-est* et *sud-ouest* sont d'usage courant. ◆ **SUD-EST** n. m. et adj. inv. est la réfection (1607) de *suth est* (v. 1155), de *est*, **SUD-OUEST** n. m. et adj. inv., celle de *zuutwest* (1421), de *ouest;* les graphies *su-est* (v. 1155), *suest* (1584), *syroest* (1483), par analogie avec *norouest* et *sur-ouest* (fin XVIe s.), ont disparu. Ces mots désignent respectivement le point de l'horizon situé à égale distance entre le sud et l'est, ou le sud et l'ouest, ainsi que la partie du monde (1483, *su-est*) ou d'un pays (1680 pour *sud-est;* 1718 *sud-ouest*) située dans la région du sud-est, ou du sud-ouest. Dans ce sens, il est aussi adjectif (1606 pour *sud-ouest*). ◇ Comme *sud* lui-même, ces deux composés sont employés pour nommer un vent qui souffle, soit du sud-est (1606; 1584, sous la forme orale *suest*), soit du sud-ouest (1606; 1584, *su-ouest*). ◇ En termes de marine on dit *sud-est* (1685) et *sud-ouest* (attestés XIXe s. dans les dictionnaires) pour l'aire du vent également distante du sud et de l'est, ou de l'ouest. ◇ La désignation des aires de vent, en marine et en météorologie, donne lieu à plusieurs surcomposés : d'une part, **SUD-SUD-EST** n. m. et adj., **SUD-SUD-OUEST** n. m. et adj. (tous deux attestés en 1690), d'autre part, **SUD-EST-QUART-EST** (1685, *quart d'est*), **SUD-EST-QUART-SUD** (1694, *quart de sud*), **SUD-OUEST-QUART-OUEST** (1736, *quart d'ouest*) et **SUD-OUEST-**

QUART-SUD (1685). ◆ Les marins prononcent *sud-est* et ses composés sans marquer le *d*, *sué* ou plus souvent *suet'*; cette prononciation est parfois écrite *suest* (1584; voir ci-dessus), *suet* (1701, *su-è*) et correspond à *suroit** pour *sud-ouest*.
SUD- signifiant «du sud» entre comme premier élément dans la composition de mots qui sont des calques de l'anglais; le second élément étant un adjectif tiré d'un nom de pays, selon l'ordre des mots de l'anglais, au lieu de l'ordre français ... *du sud*. C'est le cas de **SUD-AMÉRICAIN, AINE** adj. et n. (1865), anglais *South-American*, **SUD-AFRICAIN, AINE** adj. et n. (1890), anglais *South-African*, **SUD-CORÉEN, ENNE** adj. et n. (1950), anglais *South-Korean*.

◈ voir SUROÎT.

SUDATION, SUDORIPARE → SUER

SUÈDE n. m. vient (1840) de *Suède*, nom de pays, d'où ce cuir proviendrait. Le nom *Suède* viendrait peut-être de l'ancien norrois *Svearige*, de *svear* et *rige*, «empire, pays des Svear»; le nom de ce peuple est mentionné par Tacite en 100 *(Sueones)*.

♦ Le mot désigne (1840) une peau dont le côté chair est à l'extérieur, employé surtout en ganterie, emploi remplacé par *daim*, et par métonymie (1846) des gants fabriqués avec ce cuir, emploi archaïque; *suède* adj. a qualifié (1901) ce qui était couleur de suède. ◇ Le mot a été repris par anglicisme, en concurrence avec *daim*, l'anglais *suede* ayant conservé cette acception.

▸ Du nom dérivent **SUÉDÉ, ÉE** adj. et n. m. (1936) et **SUÉDINE** n. f. (1932), «peau imitant le suède».
SUÉDOIS, OISE adj. et n. procède de *Suède*, nom propre, adapté (fin XVIe s., n. et adj.) de l'anglais *Sweden* ou de l'allemand *Schweden* (*Sverige* en suédois). Le mot s'applique à ce qui se rapporte à la Suède, à ses habitants; *suédois* n. m. est le nom (1872) de la langue du groupe germanique septentrional parlée en Suède et dans le sud de la Finlande. ◇ *Gymnastique suédoise* (1892) ou *suédoise* n. f. est le nom d'une méthode, due au Suédois Ling (1776-1839), qui se répandit en France vers la fin du XIXe siècle. ◇ *Allumette suédoise* (1933) ou *suédoise* n. f. désigne une allumette de sûreté, fabriquée selon un procédé dû au Suédois Lundström.

◈ **SUER** v., attesté au début du XIIe s., représente, par l'intermédiaire de *suder* (v. 980), l'aboutissement du latin *sudare* «suer», par figure «se donner de la peine, se fatiguer», puis «exsuder». Ce verbe se rattache au même thème indoeuropéen que le sanskrit *svédaḥ*, le grec *hidrôs* «sueur» et le germanique °*swaitjan* «suer», dont procède le vieil anglais *swát* «sueur», d'où l'anglais *to sweat* (→ sweater).

♦ Le verbe apparaît avec le sens concret du latin (v. 980, *suder* intr.). Considéré aujourd'hui comme familier, il est souvent remplacé par *transpirer**. Dans cette acception première, il entre dans plusieurs locutions : *suer de hahan* (v. 1310), puis *suer d'ahan* «abondamment», à cause des efforts fournis, est sorti d'usage, comme *faire suer la vérole* «se faire suer pour guérir de la vérole» (XVIe s.), d'où vient l'emploi de *suer* pour «être soigné pour la vérole» (fin XVIe s.) attesté jusqu'à la fin du XVIIIe siècle; la variante par euphémisme *aller en Suède* (1655) est un jeu de mots sur *suette* (ci-dessous). *Suer à grosses gouttes* (1648) se dit encore. ◇ Le verbe s'emploie transitivement dès les premiers emplois (v. 980; v. 1460, *suer le sang*), d'où au début du XVIIIe s. *suer de l'encre, de l'huile* «avoir une sueur de couleur sombre» (1718) et par figure «éprouver une grande peur» (déb. XVIIIe s.), locutions sorties d'usage. ◆ Dès le XIIe s., le verbe est employé par figure, signifiant «être angoissé» (v. 1155), aujourd'hui dans *suer d'angoisse*, et à l'époque classique *faire suer qqn* «l'effrayer» (1688), qui ne serait plus compris (ci-dessous, *faire suer*). ◇ Par extension, en emploi transitif, sorti d'usage au sens concret (*suer les grosses gouttes*, 1685), le verbe s'emploie figurément dans *suer la peur* (v. 1283), puis *suer l'ennui* (1872), employé en parlant d'une chose ennuyeuse, le sens du verbe étant dans ces expressions «faire sortir, faire paraître».
Suer prend en moyen français le sens de «dégager de l'humidité» ou «s'en couvrir» (v. 1380, *suwer*, en wallon; puis 1549, *suer*). Par extension, il s'emploie en cuisine, *faire suer (qqch.)* signifiant «faire rendre de l'eau», et dans le vocabulaire technique (1765, *faire suer les feuilles de tabac*). ◇ Un emploi transitif à valeur factitive possède la même valeur dans *suer des marrons* (1690), en technique *suer le fer* (1783); ci-dessous *ressuer*. ◇ Par figure, *faire suer le bonhomme* (1615) se disait des soldats qui extorquaient de l'argent au paysan; une construction analogue est ***faire suer le burnous*** (1911) en parlant des colons du Maghreb qui exploitaient la main-d'œuvre indigène. ◇ *Faire suer l'argent* (1858) s'est employé jusqu'à la fin du XIXe s. pour «faire venir, sortir», équivalant à «extorquer». ◇ Cet emploi est tout différent du transitif *suer l'argent* (1838, Hugo) «le donner sous la contrainte», emploi populaire sorti d'usage où *suer* correspond à «faire sortir, produire». ◆ L'emploi figuré du latin est repris à partir du XVIe s. pour «travailler sans beaucoup de résultat», «se fatiguer» (1538, intr.), dont procède avec le même sens le transitif ***suer sang et eau*** (1585). ◇ Le travail étant souvent lié à l'effort et à l'ennui, le factitif *faire suer qqn* signifie «l'ennuyer» (1678) et *se faire suer* «s'ennuyer» (XXe s.). Le verbe est alors un euphémisme pour *chier*. ◇ D'autres emplois transitifs apparaissent dans le troisième tiers du XIXe siècle : *suer un cheval* «le faire galoper jusqu'à ce qu'il soit en sueur» (1872) et, très familier, ***en suer une*** (1888), par ellipse de *danse*, «faire une danse».

▸ Le verbe a fourni de nombreux dérivés. ◆ **SUANT, ANTE** adj. «qui sue» (v. 1155) s'est appliqué à ce qui a de l'humidité à sa surface (1660); il s'emploie spécialement dans des expressions techniques, *chaude suante* (1765), remplacée par *chaleur suante* (1872) «température proche de la température de fusion d'un métal». ◇ D'après *faire suer* au figuré, l'adjectif se dit familièrement pour «très ennuyeux» (XXe s.). ◆ **SUINT** n. m. dérive de *suer* avec le suffixe *-in* à valeur collective (latin *-imen*); il est d'abord attesté sous la forme *sun* (1302), puis *suint* (1309) et *suin*. ◇ Le mot désigne la matière sébacée que sécrète la peau du mouton et qui se mêle à la laine, d'où *laine avec le suin* (1538), aujourd'hui *laine en suint* (1723) «brute». ◇ Par analogie et référence aux valeurs techniques du verbe, *suint* est le nom technique donné à une scorie qui surnage sur le verre en fusion (1611, *suin;* 1872, *suint*). ➔ Le dérivé **SUINTER** v. a, dès les premiers exemples connus, une valeur plus générale que *suint;* comme intransitif, il signifie «laisser s'écouler lentement un liquide» (1553) et «s'écouler très lentement» (v. 1560). Mais il a signifié aussi «rendre du suint» (1636, d'un mouton). ◇ Employé transitivement au sens large (1845), il s'emploie par figure au sens de «laisser apparaître» (1849). ➔ De *suinter* procèdent **SUINTEMENT** n. m. (1635), spécialement employé en pétrographie (1783, *suintement du bitume,* puis 1931), et **SUINTANT, ANTE** adj. (1845). ➔ *Suint* a produit par ailleurs les termes techniques **SUINTINE** n. f. (1888), nom donné à la substance grasse extraite du suint, **DESSUINTER** v. tr. (1812) «débarrasser du suint», dont dérivent **DESSUINTAGE** n. m. (1803), concurrencé par **DESSUINTEMENT** n. m. (1870), et **DESSUINTEUSE** n. f. (1929).

Plusieurs dérivés apparaissent en moyen français. ➔ **SUERIE** n. f. est introduit avec une valeur figurée disparue, signifiant en argot ancien «assassinat» (v. 1460, Villon), qui suppose l'image de «faire suer (couler) le sang» et peut-être un jeu de mots sur *suer-tuer,* non attesté ; mais *suer* a dès l'ancien français la connotation d'angoisse. ◇ Le mot a signifié «suée» (1549), d'abord dans *maladie de suerie* «syphilis» (1529), et a désigné un local où l'on transpire (1636). ◇ *Suerie* a désigné en technique le nom (1765) du lieu où l'on faisait ressuer le tabac. ➔ **SUAGE** n. m. s'est employé pour «sueur» (v. 1480, *suaige*) et activement «action de suer» (1611), emplois archaïques. ◇ Il a désigné en marine le vent du sud (1599) à cause de son humidité, puis l'humidité qui sort des bois d'un navire neuf (1773). ◇ Dans le vocabulaire technique, il désigne l'humidité qui suinte, par exemple, du bois chauffé. ◇ En argot, par allusion au procédé utilisant la chaleur, il a désigné (1830) l'action de brûler, de «chauffer» les pieds d'une personne pour la rançonner. Le sens d'«assassinat», attesté en argot à la même époque (1830), semble correspondre à une autre valeur de *(faire) suer* (ci-dessus *suerie*). ➔ **SUÉE** n. f. est relevé isolément (v. 1500) au sens figuré d'«effort intense», repris vers 1800. ◇ Le mot désigne surtout une transpiration abondante provoquée par un effort, une émotion (v. 1550) et par métonymie une émotion forte (1694) et un effort intense. ◇ Il est vieilli au sens de «grande quantité» (1867), euphémisme familier pour *chiée,* de même que *faire suer* (ci-dessus) correspond à *faire chier. Suée,* d'après *faire suer* «ennuyer, fatiguer», a signifié «réprimande» (1867). ➔ **SUETTE** n. f. (v. 1560) ou *suette miliaire* est le nom d'une maladie fébrile contagieuse, caractérisée par une sudation abondante.

Le préfixé **RESSUER** v., attesté isolément au XIIIe puis au XVIe s. comme intransitif (1549, *resuer*), a été repris au XVIIe s. (1628, *resuer*) au sens rare de «suer de nouveau ou beaucoup». ◇ En technique, il s'emploie transitivement (1692) pour «faire se séparer (les éléments d'un métal brut) par fusion partielle». ◇ Par croisement avec les formes régionales anciennes de *ressuyer**, *ressuer* signifie (1762) «rendre son humidité». ➔ En dérive **RESSUAGE** n. m., terme de métallurgie qui a désigné le fourneau employé pour faire ressuer (1692) et le fait de ressuer (1762).

SUEUR n. f. est l'aboutissement (v. 1260) de *sudor* (v. 980), puis *suor* (v. 1155), formes issues de *sudorem,* accusatif du latin *sudor* «sueur», «humidité, suintement» et par figure «travail pénible, peine, fatigue», dérivé de *sudare.* ➔ Comme en latin, le mot désigne le produit de la sécrétion des glandes sudoripares, d'où ***en sueur*** loc. adj. et adv. (v. 1155, *en suor*) «qui sue abondamment». Il a dès l'ancien français des emplois spécifiques : *froide suour* (XIIIe s.) «sueur accompagnée d'une sensation de froid, dans certains états émotifs ou pathologiques», devenu ***sueur froide*** (1549) ; par extension, ***sueur de sang*** désigne (1658) le sang qui s'échappe par les pores dans certaines maladies. ◇ Au sens actif, *sueur,* comme *suage,* désigne le fait de suer (1549). Les deux sens correspondent à ceux de *transpiration.* ◇ Par ailleurs *sueur,* comme le verbe *suer,* est le symbole du travail et de l'effort (1226, *suour;* XIVe s., *sueur*) ; le mot entre avec cette valeur figurée dans quelques locutions : *à la sueur de son visage* (déb. XIVe s.), *de son corps* (déb. XVe s.), aujourd'hui *à la sueur de son front* (1762) évoquent le caractère pénible du travail ; par allusion explicite à la malédiction prononcée par Dieu dans la Bible, après la faute d'Adam, on emploie ***gagner son pain à la sueur de son front*** (1762). *À la sueur de sa bourse* (1460) «à ses dépens» correspond au sémantisme de *suer* l'argent (ci-dessus). *S'abreuver de la sueur de qqn* (1772), aujourd'hui ***s'engraisser de la sueur de qqn, de la sueur du peuple*** (XXe s.), signifie «profiter abusivement de son travail» (voir *faire suer le burnous,* ci-dessus). ◇ *Arroser qqch. de sa sueur* (1846) «y travailler avec effort» est archaïque. ➔ *Sueur* entre dans la formation de deux composés métaphoriques, familiers et péjoratifs, **PUE-LA-SUEUR** n. m. inv. (1926), de *puer**, désignant une personne qui travaille manuellement et **POMPE-LA-SUEUR** n. m. inv. un patron qui exploite les travailleurs (XXe s.).

Plusieurs mots didactiques sont dérivés ou formés de *sudor.* ➔ **SUDORIFIQUE** adj. et n. m., de *-fique,* du latin *-ficus,* de *facere* «faire*», qualifie (v. 1560) et désigne (1611, n. m.) un médicament qui provoque la sudation. ◇ Le dérivé **SUDORIFICATION** n. f. (1877) équivaut à *sudation* (ci-dessous). ➔ **SUDORIFÈRE** adj. reprend le bas latin *sudorifer,* de *ferre* «porter», au sens de «qui produit la sueur» (1732). L'adjectif s'applique en anatomie à ce qui conduit la sueur (1842). ➔ **SUDORIPARE** adj., terme d'anatomie (1855), de *-pare,* du latin *parare* «produire», signifie «qui sécrète la sueur» *(glandes sudoripares).* ➔ **SUDORAL, ALE, AUX** adj., dérivé savant de *sudor* (XVe s. ; semble repris au XIXe s. : 1836), qualifie ce qui est relatif à la sueur.

D'autres termes didactiques sont empruntés à des dérivés de *sudatum,* supin de *sudare.* ➔ **SUDATION** n. f. est emprunté (v. 1363) au latin *sudatio, -onis* «action de suer», «transpiration» et «étuve». ◇ Ce mot médical semble peu utilisé entre le XVIe et le début du XIXe s. (1812) ; il désigne une transpiration abondante, provoquée *(bain de sudation)* ou non, puis (XXe s.) la sueur sécrétée. ◇ Il s'emploie par analogie (XXe s.) en botanique. ➜ ① **SUDATOIRE** n. m. est emprunté (1558) au latin *sudatorium* «étuve», substantivation de *sudatorius* «sudorifique»; le mot a désigné en archéologie l'étuve des thermes romains, avant la reprise de **SUDATORIUM** n. m. (1842), qui avait été francisé sous la forme *sudatorie* n. f. (1605) «étuve de bain»; ce mot didactique est rare. ➜ ② **SUDATOIRE** adj. signifie en médecine «accompagné de sueur», d'abord dans *fièvre sudatoire* (1812), sorti d'usage.

TRANSSUDER v. est formé (1700, intr.) d'après *trans** et *sudare;* ce verbe didactique signifie «passer au travers des pores d'un corps en fines gouttelettes». ◇ Il est employé aussi transitivement (1779) au sens d'«émettre en laissant passer par les pores». ◇ L'emploi au figuré (av. 1880) pour «faire ou laisser passer à travers» est très littéraire. ➜ Il a fourni **TRANSSUDATION** n. f. (1714), didactique ou littéraire, dont on a tiré le terme de médecine **TRANSSUDAT** n. m. (1933), d'après *exsudat* (cf. *exsuder*).

◈ voir SUAIRE; EXSUDER.

◈ **SUFFIRE** v. tr. ind. représente une réfection (1170), aussi écrite *sufire* (v. 1155), de *soufire* (v. 1120), issu du latin *sufficere* «mettre sous» et spécialement «imprégner», «mettre à la disposition de», «mettre après» d'où «élire à la place de», «remplacer» et, en emploi intransitif, «être suffisant». Ce verbe est composé de *sub-*, indiquant la position inférieure et la proximité (→ sub-), et de *facere* «faire*».

♦ *Suffire à, pour* signifie dès l'origine «avoir juste la quantité, la qualité ou la force nécessaire pour (un certain but)», en parlant de choses, aussi construit avec un infinitif (1260). La forme *soufire* ou *souffire,* dominante en ancien français, cède la place à *suffire* à partir du XVIe (v. 1507), mais est encore relevée au XVIIe siècle. *Suffire* s'emploie aussi à la forme impersonnelle, suivi d'un nom introduit par *de* (fin XIVe s.; v. 1204, *souffist a qqn),* de *de* et d'un infinitif (fin XIVe s. [T.L.F. : 1405]) ou encore de *que* et du subjonctif (1370) ou, vieilli, de l'indicatif (1636). *Il suffit* «cela suffit» (XVe s., *il souffit;* forme moderne, 1530) est d'emploi courant, *vous (te) suffit* (1538) était en usage à l'époque classique et *suffit* (1672), vieilli, s'emploie encore exclamativement. ◇ Le verbe entre avec cette valeur dans une locution proverbiale, *il suffit au jour de sa misère* (1550), *son affliction* (1560), devenue ***à chaque jour suffit sa peine*** (1718). ◇ Par extension, *suffire à (qqn)* (v. 1150, *sofire;* v. 1450, *suffire)* s'emploie pour «être de nature à contenter (qqn), sans qu'il ait besoin d'autre chose». De là ***cela suffit!*** pour marquer qu'on est excédé (1694, aussi ***cela me suffit***), puis ***ça suffit!*** (XXe s.). ◇ Le pronominal *se suffire* «trouver par ses propres moyens de quoi satisfaire ses aspirations» morales (v. 1650) ou matérielles (fin XVIIe s.) existe aussi en emploi réciproque (1370). ◇ *Suffire à* signifie «être capable de fournir ce qui est nécessaire à (qqch.)», en parlant d'une personne (1538), et «être l'élément nécessaire pour obtenir un résultat», en parlant d'une chose (av. 1662).

▶ **SUFFISANT, ANTE** adj. (1185), d'abord écrit *sufisanz* (v. 1120), coexiste en ancien français avec plusieurs variantes correspondant aux formes anciennes de *suffire : sofisant* (v. 1160), *souffisant* (XIIIe s.) et s'est trouvé en concurrence avec un autre adjectif suffixé en *-able, sofisable* (1131), *suffisable* (1231). ➜ *Suffisant* a signifié «satisfait» (v. 1120), «rassasié» (1160); avec une valeur plus générale, il s'applique à ce qui est de nature à combler le besoin, l'attente (v. 1160, *sofisant;* fin XIVe s., *suffisant).* Par extension, *suffisant pour* (v. 1360), *suffisant à* (1538) signifie «de nature à entraîner comme conséquence». De cette valeur procèdent ***grâce suffisante,*** en théologie (1656, Pascal), «grâce qui suffit strictement à l'homme s'il y répond». ◇ L'idée de «ressources suffisantes» est réalisée par le substantif dans ***avoir son suffisant*** (1910), qui correspond à *son content.* ◇ En contexte abstrait, on note ***condition suffisante*** (1610) «qui peut entraîner à elle seule une conséquence», ***raison suffisante*** (1648, Mersenne; chez Leibniz, 1710), où *suffisant* correspond à «qui suffit pour expliquer des phénomènes». En métrique, ***rime suffisante*** (1765) se dit d'une rime qui repose seulement sur la voyelle tonique (par ex. *bal/mal).* ➜ Par ailleurs, l'idée de «juste qualité» donne lieu à d'autres acceptions. ➜ **SUFFISANT** n. m. s'est dit d'une personne qui a une importance sociale (1185), d'où *les suffisants* «les grands, les notables» (v. 1250, *souffisant),* encore à l'époque classique. ◇ Parallèlement, l'adjectif, qui a eu cette acception d'«important socialement» (v. 1250, *souffisant),* a qualifié une personne capable, compétente (v. 1360; 1270, *soffisant* et infinitif), d'où *un suffisant* n. m. (XIVe s.), courant à l'époque classique. ◇ De cette valeur on est passé à un emploi péjoratif, d'abord dans *faire du suffisant* «être arrogant», en parlant d'un animal (1584), emploi disparu, puis dans l'emploi de l'adjectif pour qualifier une personne qui a une trop haute idée d'elle-même (attesté 1602), substantivé un peu plus tard (1640), et ce qui dénote la présomption (1732). Cet emploi est resté vivant dans un registre soutenu. ➜ Le dérivé **SUFFISAMMENT** adv. (v. 1360) s'est substitué à *souffisamment* (1230). Il signifie «en quantité suffisante», d'où *suffisamment de* «assez de» (1765), «en due forme» (1270, *sofisemment)* et, d'après le sens pris par l'adjectif au XVIIe s. (ci-dessus), «avec arrogance» (1690), littéraire, et «avec compétence» (1609), sorti d'usage. ➜ Le préfixé **INSUFFISANT, ANTE** adj., de ① in-, s'applique à ce qui ne suffit pas (1323, Bloch et Wartburg) et s'emploie aussi en parlant d'une personne (1476). ◇ Il est sorti d'usage au sens de «qui n'a pas assez de considération» (v. 1452). ◇ Il a produit **INSUFFISAMMENT** adv., réfection (1611) de *insouffisamment* (1391). ➜ **AUTOSUFFISANT, ANTE** adj., de *auto-*, se dit (v. 1970) en économie d'un pays ou d'un groupe qui produit suffisamment pour satisfaire ses besoins.

SUFFISANCE n. f. a suivi une évolution parallèle à celle de l'adjectif. Le mot, d'abord sous les formes *souffisanche* (XIIe s.), *soffisance* (XIIIe s.), a signifié «satisfaction, contentement», d'après la valeur de *suffisant* aux XIIe-XIIIe siècles. *En suffisance* (1601) correspond à «en quantité suffisante». ◇ Il désigne à l'époque classique un caractère, un esprit qui a une trop haute idée de sa valeur (*suffisant* ci-dessus) [1588] et ce qui le traduit (XVIIIe s.). ◇ *Suffisance* signifie également «propriété de ce qui trouve en soi sa raison d'être» (XXe s.). ➜ **INSUFFISANCE** n. f., de ① in-, s'emploie à propos de personnes (1323, Bloch et Wartburg) et de choses (1718). *Une insuffisance* signifie aussi «lacune, déficience», spécialement en médecine (1855, *insuffisance valvulaire*) et en droit (1872, *insuffisance d'actif*). ➜ **AUTOSUFFISANCE** n. f. est un terme d'économie (v. 1970) lié à *autosuffisant* (ci-dessus) et voisin par le sens de *autarcie*.

SUFFIXE n. m. est un emprunt savant (1808) au latin *suffixus,* participe passé passif de *suffigere* «fixer par-dessous» et «attacher», composé de *sub-* marquant la position inférieure (→ sub-) et de *figere,* au participe passé *fixus* (→ fixe), «enfoncer, planter», «fixer» et au figuré «attacher», d'origine incertaine.

♦ Le mot désigne en grammaire un élément placé après un radical pour former un dérivé, à l'exclusion des désinences; il s'oppose à *préfixe.* ◇ En grammaire comparée, il s'applique au mode de formation des noms en sanskrit.

▶ Il a fourni des dérivés didactiques : **SUFFIXER** v. tr. (1877; 1876, au participe passé adjectivé), dont procèdent **SUFFIXATION** n. f. (1876) et **SUFFIXABLE** adj. (mil. XXe s.). ➜ **SUFFIXAL, ALE, AUX** adj. (fin XIXe s.) signifie «relatif aux suffixes, à la formation par suffixes», par exemple dans *dérivation suffixale* «à l'aide de suffixes». ➜ Le préfixé **RESUFFIXER** v. tr. (XXe s.) et son dérivé **RESUFFIXATION** n. f. s'emploient en linguistique pour «reformer en changeant le suffixe».

SUFFOQUER v. est un emprunt (v. 1270) au latin classique *suffocare* «serrer la gorge, étouffer», «étrangler», d'où l'italien *suffocare,* l'ancien provençal *suffocar* (1418). Ce verbe est composé de *sub-* indiquant la position inférieure (→ sub-) et de *fauces* n. f. pl. «gorge, gosier», d'origine incertaine, dont le singulier *faux* ne se rencontre qu'en latin impérial. Le latin *faux* avait abouti en ancien français à *faus* «terrier du lapin» et à l'ancien provençal *fos* «orifice d'où sort une source».

♦ *Suffoquer* a signifié «tuer en empêchant de respirer» (v. 1270), acception qui se maintient à l'époque classique et d'où viennent les sens d'«anéantir (les forces, l'esprit)» (XVe s.), «étouffer (le feu)» (1530) qui ont disparu. ◇ Par extension, le verbe s'emploie pour «empêcher (qqn) de respirer» (1370); ce sens est toujours vivant, surtout avec un sujet désignant une chose, une cause naturelle ou non, mais moins usuel que l'intransitif (1718), «cesser de pouvoir respirer»; *étouffer* a aussi ces deux valeurs. ◇ Par figure, *suffoquer,* transitif, a eu les sens d'«étouffer (la gloire)» (v. 1530) et de «causer à (qqn) un sentiment de gêne, de malaise» (1552), d'où *se laisser suffoquer par qqch.* «se causer une grande peine» (1680, Mme de Sévigné) et «étonner vivement, causer une émotion violente» (1672), toujours en usage mais moins courant que l'intransitif, dans *suffoquer de* (1750).

▶ Le dérivé **SUFFOCANT, ANTE** adj. s'applique à ce qui gêne ou empêche la respiration (v. 1390; déb. XVe s. selon T.L.F.), emploi qui semble rare avant la fin du XVIIe s. (*in* Furetière, 1690). Il qualifie une personne qui suffoque (1866) et est employé par extension à propos d'un lieu où l'on suffoque (1897); par figure, il se dit de ce qui cause l'étonnement indigné, la stupéfaction (1915).

SUFFOCATION n. f. est emprunté (v. 1380) au dérivé latin *suffocatio, -onis* «étouffement» et en conserve le sens, suivant l'évolution du verbe. ◇ Il s'emploie spécialement en médecine à l'époque classique à propos d'une grande difficulté à respirer causée par l'hystérie, d'où *suffocation de l'amarri* (la matrice) [1538], *suffocation de la matrice* (1600), traduction du latin *suffocatio muliebris,* puis *suffocation hystérique* (1690), puis au XIXe s. (1855) pour parler d'une asphyxie provoquée par un obstacle mécanique à l'intérieur des voies respiratoires.

SUFFRAGE n. m. est un emprunt savant (1289) au latin classique *suffragium* «tesson de poterie servant au vote», d'où «vote favorable» et «droit de vote», «jugement, opinion»; le mot prend en latin médiéval le sens de «soutien, aide» (VIe s.) et se spécialise dans le vocabulaire juridique et religieux, signifiant «province ecclésiastique», «intercession d'un saint auprès de Dieu» (XIe s.), «prière» (XIe s.), «prestation en nature» (XIe s.). *Suffragium* est dérivé de *suffragari* «voter pour, soutenir une candidature», au figuré «soutenir, appuyer, favoriser». Ce verbe d'origine discutée aurait signifié à l'origine «exprimer son opinion de manière convenue avec un tesson de poterie»; il est peut-être composé de *sub-* marquant le mouvement de bas en haut (→ sub-) et d'un nom °*frago* «morceau», de la même famille que *frangere* «briser», qui se rattache à une racine indoeuropéenne °*bhreg-* «briser» (→ enfreindre, fraction).

♦ Terme religieux attesté isolément au sens de «prière» (1289, *suffrage d'oroison*), *suffrage* a été réemprunté au pluriel (1374) pour désigner, dans la liturgie catholique, une prière d'intercession adressée aux saints, à l'office de laudes ou de vêpres. Il a repris à l'époque classique le sens plus général de «prière» (1616). ◇ Parallèlement, le mot apparaît dans des traductions du latin avec le sens général d'«aide» (1376, *soufrage;* 1477, *suffrage*), qui est influencé par le vocabulaire religieux, puis juridique : *suffrage des saints* s'est dit de l'aide apportée aux croyants (XVe s.); cette valeur est sortie d'usage, comme l'emploi en droit coutumier pour «prestation en nature» (1380) et spécialement «prestation qui s'ajoute au fermage principal» (v. 1480), encore relevé régionalement au XIXe s. dans la pratique des métayages. En procèdent les emplois de *menus suffrages* «choses de peu de valeur» (v. 1420,) que reprend La Fontaine, et de *vin de suffrage* «provenant du mélange du produit de diverses redevances en nature» (1798). L'expression *suffrage et bénéfice de droit* (1685) désignait à l'époque classique le fait que, dans une prétention émise par qqn, la loi est en sa faveur; tous ces emplois sont sortis d'usage au cours du XVIIIe siècle.

Par ailleurs, reprenant un sens du latin classique, *suffrage* désigne depuis le XIVe s. (1355) le vote par lequel on fait connaître son opinion favorable dans un choix, une désignation, spécialement dans le domaine politique ou juridique. ◇ Le mot acquiert de l'importance et une fréquence très accrue avec la Révolution, dans des expressions comme *suffrage universel* (1765 pour l'expression ; 1792 pour sa mise en œuvre) et plus tard dans *suffrage restreint* (1859), puis sous la IIIe République *suffrage direct, indirect* (1936). Comme *vote*, le mot a cette valeur générale et *(un, des suffrages)* celle d'«opinion individuelle exprimée par le vote» (*compter les suffrages*, etc.). ◇ Par extension, le mot s'emploie pour «approbation, avis favorable» (1548), cette acception étant restée vivante.

▶ **SUFFRAGANT, ANTE** adj. et n., influencé par le participe présent latin *suffragans*, est emprunté (v. 1180) à un dérivé de *suffragari*, le bas latin *suffraganeus*, appliqué à diverses catégories d'ecclésiastiques subordonnés. ◇ En droit canon, l'adjectif est substantivé à propos d'un évêque dépendant d'un métropolitain (v. 1180, n. m.), puis au XVIe s. d'un évêque qui remplit les fonctions de coadjuteur d'un autre évêque (1596), d'où un nouvel emploi adjectif dans les deux sens (1671 ; mil. XVIIIe s.). ◇ Le mot est repris au XIXe s., appliqué à un ministre protestant qui assiste un pasteur (1872). ◆ Sémantiquement influencé par *suffrage, suffragant* a désigné une personne qui appuie l'opinion de qqn (v. 1653, n. m.) et s'est employé pour parler de qqn qui a droit de suffrage dans une assemblée (1765), opposé à *candidat*.

SUFFRAGETTE n. f. est un emprunt (1907) à l'anglais *suffragette* (1906), dérivé de l'anglais *suffrage* «vote» (XVIe s.), de même origine que le français. ◇ Le mot désigne une femme qui, au début du XXe s. en Angleterre, militait pour le droit de vote féminin. Il a souvent des connotations péjoratives, dues aux résistances à cette évolution féministe.

SUGGÉRER v. tr., réfection (1403) de *suggerir* (v. 1380), est emprunté au latin *suggerere* «mettre sous», «fournir», «porter à la place, à la suite de», «suppléer» et en bas latin «signaler, faire savoir», «prier (qqn)». Ce verbe est composé de *sub-* marquant la position inférieure (→ sub-) et de *gerere* «porter sur soi» et au figuré «prendre sur soi», qui n'a pas de correspondant hors du latin (→ gérer). La prononciation moderne de *suggérer* date du XVIIe siècle.

♦ *Suggérer* signifie «faire naître dans l'esprit de qqn (une idée, la pensée d'un acte)» (mil. XVe s.), aussi avec un sujet nom de chose (1590), «présenter en tant que conseil» (v. 1380), acceptions restées vivantes, mais littéraires. À l'époque classique, le verbe signifie en outre «faire souvenir (qqn) de qqch.» (1636, *suggérer qqn*) et en droit *suggérer un testament* «le faire faire, par artifice ou insinuation, à l'avantage ou au désavantage de qqn» (1690). ◇ Au XVIe s., le verbe s'est aussi employé chez quelques écrivains au sens latin de «procurer, fournir» (1552). ◇ Par extension, *suggérer* a pris la valeur de «susciter l'idée ou l'image de (qqch.)», le sujet désignant ce qui suggère (déb. XIXe s.), d'où le sens d'«évoquer, susciter» (1866), et d'«évoquer par l'art» (XIXe s.) ; ce sens est devenu le plus usuel. ◇ Enfin, dans le vocabulaire de l'hypnotisme, le verbe signifie (XXe s.) «faire penser ou exécuter (qqch.) par suggestion», d'après *suggestion*.

▶ **SUGGESTION** n. f. est emprunté (1174) au dérivé latin *suggestio, -onis* «action d'ajouter» et «avis, inspiration». ◇ Le mot désigne l'action de suggérer, puis en droit à l'époque classique le défaut d'un acte qui a été suggéré (v. 1660), surtout à propos d'un testament (1680). ◇ *Une, des suggestions* s'emploie couramment par métonymie au sens de «chose, idée suggérée» (1694) et, par extension, «idée que l'on propose, en laissant la liberté de l'adopter ou de la rejeter» (XXe s.). ◇ *Suggestion* s'est spécialisé en psychologie (apr. 1850), désignant le fait d'inspirer à qqn un comportement, par le jeu de mécanismes psychophysiologiques où l'activité consciente du sujet n'intervient pas, d'où *suggestion (mentale)* «télépathie» (1884) et *suggestion hypnotique* (1888). ◆ Le dérivé **SUGGESTIONNER** v. tr. a signifié «influencer par suggestion» (1440-1475, isolément). Repris au XIXe s. (1838), il signifie aussi «faire penser ou agir par la suggestion» (1888 ; 1895, pron.). ◇ Il a fourni **SUGGESTIONNEUR, EUSE** n., didactique (1884), qui a remplacé *suggesteur* (v. 1630) et qui se dit d'une personne qui utilise la suggestion à des fins thérapeutiques, et **SUGGESTIONNABLE** adj. (1917). ◆ Le composé **AUTOSUGGESTION** n. f., didactique, «suggestion exercée sur soi-même, volontairement ou non» (1887, *auto-suggestion*), a produit **S'AUTOSUGGESTIONNER** v. pron. (1890).

◆ **SUGGESTIBLE** adj. «influençable par suggestion» (1888), dérivé savant de *suggestion*, a produit **SUGGESTIBILITÉ** n. f. (1887) ; ces deux mots sont didactiques.

SUGGESTIF, IVE adj. est la francisation (1857 ; après un emploi isolé fin XVIIIe s. dans le contexte érotique) de l'anglais *suggestive* «qui suggère» (XVIIe s.), dérivé de *to suggest*, formé à partir du supin du verbe latin. ◇ L'adjectif s'applique à ce qui a le pouvoir de suggérer des idées, des images, des sentiments. Il qualifie spécialement (fin XVIIIe s. ; repris 1889) ce qui suggère des idées érotiques, cette valeur, que n'ont pas normalement *suggérer* et *suggestion*, détachant par le sens l'adjectif du reste de la série. ◇ **SUGGESTIVITÉ** n. f. (1904) est didactique.

SUICIDE n. m. a été formé savamment (1734), d'après *homicide**, du latin *sui* «soi», génitif du pronom personnel réfléchi *se* (→ se) et de *-cide* (→ homicide, régicide), qui tend à devenir un suffixe au XVIIIe siècle.

♦ Le mot désigne (1734) l'action de causer volontairement sa propre mort et constitue un nom d'action pour le réfléchi *se tuer*. ◇ Il a signifié «personne qui se suicide, s'est suicidée» (1765, un suicide n. m. ; 1788, une suicide, n. f.), sens remplacé au début du XIXe s. par *suicidé, ée*, substantif. ◇ Le mot est rare et discuté jusqu'à la fin du XVIIIe s. et on lui préfère *homicide de soi-même* (Voltaire, *Du suicide ou de l'homicide de soi-même*, 1739). ◇ L'adjectif, appliqué à ce qui est relatif au suicide

(1752), ne s'est pas maintenu; au XXe s., il est remplacé par *suicidaire.* ◇ Par extension, *suicide* désigne le fait de risquer sa vie sans nécessité (1820) et, par figure (1790), l'action de se nuire. Le mot s'est employé (XIXe s.) au sens de «mort causée par la victime elle-même», seul enregistré dans Littré; il incluait alors l'accident mortel, par exemple dans *suicide par imprudence* (Valéry, 1926, *Rhumbs*).

▸ Le dérivé **SE SUICIDER** v. pron. (1795) a été considéré comme mal formé, l'élément *sui* équivalant à *se* (1842, Académie). On recommandait au XIXe s. *suicider,* intransitif. ◇ Il s'emploie au propre (1795) et au figuré (av. 1850). Par plaisanterie, *suicider qqn* signifie «le tuer» (1819; *suicidé* «assassiné», 1790), spécialement «le tuer en maquillant le crime en suicide» (1912). ◆ Du participe passé a été tiré **SUICIDÉ, ÉE** adj. qui a été substantivé (1795), remplaçant *suicide* dans ce sens (voir ci-dessus). ◆ **SUICIDANT, ANTE** adj. et n. s'est employé pour «qui tend au suicide» (1855, Goncourt). ◆ Le mot a été remplacé par **SUICIDAIRE** adj. et n. (1901), employé en parlant d'un comportement, d'une personne ou de choses. Il se dit aussi par figure de ce qui mène à l'échec (XXe s.), ce sens devenant de loin le plus usuel *(un comportement suicidaire).*

SUIE n. f. est probablement issu (v. 1112; v. 1130, *in* Wartburg) d'un gaulois °*sudia* «suie», attesté par le vieil irlandais *süide;* le mot est relevé sous diverses formes, comme *sieue* (v. 1270, Flandres); il a donné *sugo, suga* en ancien provençal, *seuche* (Est). Le latin *fuligo* a seulement été emprunté par ses dérivés (→ fuligineux) en français; il a donné l'italien *fuliggine,* l'espagnol *hollín.*

♦ *Suie,* couramment écrit *suye* (v. 1380) jusqu'au XVIIIe s., désigne la matière noire que la fumée dépose sur les surfaces des corps; le mot entre dans les locutions *amer comme de la suie* «très amer» (1690), en usage à l'époque classique, et ***noir comme de la suie*** «d'un noir très intense».

SUIF n. m. représente une réfection analogique (1260), d'après des formes à alternance comme *noix-noif* — de *nix, nivis* — «neige*», de *sui* (XIIe s.) à côté de *sieu* (v. 1170), *siu* (v. 1190), formes phonétiquement plus anciennes, issues du latin *sebum* «suif, graisse» (→ sébum).

♦ Le mot désigne la graisse des animaux herbivores, spécialement cette graisse fondue; dans le vocabulaire technique, *suif en branche* est le nom du suif tiré du corps d'un animal avant d'être fondu (1723). Par métonymie, *un suif* s'est dit au XIXe s. pour «chandelle de suif». ◇ À l'époque classique, *suif* s'est employé en médecine pour «cérumen» (1690). ◇ *Suif noir* désignait un mélange dont on enduisait la carène d'un navire pour la décaper (1694), d'où *donner du suif à un bâtiment* (1680). ◇ Par analogie, *suif* s'emploie dans des expressions comme *suif minéral* «variété de cire fossile» (1836), *suif végétal* «corps gras tiré de certains végétaux» (1845); *suif* s'était employé sans qualificatif dans ce sens (1721). ◇ Par extension et péjorativement, le mot désigne (av. 1867) la graisse humaine, notamment dans l'expression ***boule de suif*** «personne ronde et grasse» (titre d'une nouvelle de Maupassant). ◆ Par figure, *suif* équivalait familièrement à «réprimande» (1834), peut-être à cause de la proximité *suif-savon* (cf. *passer un savon à qqn*) ou par figure de l'emploi en marine, où *donner du suif* (ci-dessus) correspond à «frotter, gratter». Aujourd'hui, *suif* s'emploie très familièrement au sens (v. 1935) de «querelle» dans ***chercher du suif à qqn*** et de «scandale, bagarre» dans ***il va y avoir du suif.***

▸ Le dérivé **SUIFFEUX, EUSE** adj. et n., «de la nature du suif» (1842), s'applique péjorativement à une personne très grasse (1883). ◆ **SUIFFARD, ARDE** adj. et n., au figuré «riche» (1848, adj.; 1867, n.), emploi disparu, a été reformé au sens concret en boucherie (1888) pour désigner un animal trop gras. ◆ **SUIFFER** v. tr., «enduire de suif» (1636), a remplacé *siever* (1393), *sieuver* (1537), anciens dérivés de *sieu,* forme ancienne (ci-dessus). ◆ **ENSUIFFER** v. tr. (1757), composé parasynthétique, a le même sens.

SUI GENERIS loc. adj. reprend (1743) une locution latine signifiant «de son espèce», formée de *sui,* génitif singulier de *suus,* adjectif possessif (→ son), et de *generis,* génitif singulier de *genus* «origine», «espèce, genre» (→ genre).

♦ La locution s'applique à ce qui est propre à une espèce, à une chose et s'emploie surtout dans ***odeur sui generis*** «odeur particulière à (qqch.)», spécialement «mauvaise odeur».

SUINT, SUINTER → SUER

SUISSE adj. et n. est une adaptation (v. 1461) de l'allemand *Schweiz,* lequel vient du moyen haut allemand *Swis,* nom d'un des cantons suisses montagnards (aujourd'hui *Schwyz*) qui se lia par un pacte en 1291 avec les cantons d'Uri et d'Unterwald, à l'origine de la Confédération helvétique. Le nom du canton vient de celui du village de *Suittes* (972), d'origine inconnue.

♦ Le mot se dit de ce qui est relatif à la Suisse, à ses habitants (en concurrence avec *helvétique,* plus institutionnel) et désigne un habitant de la Suisse; le féminin **SUISSESSE** (av. 1778) tend à être remplacé par l'adjectif *(une dame suisse).* ◇ *Suisse* n. m., dans *suisse romand* (1619), *suisse alémanique,* auparavant noté *zwisse* «suisse allemand» (av. 1617), signifie «langue parlée en Suisse» (il ne se dit guère des dialectes italiens du Tessin ni du romanche, pourtant parlé exclusivement en Suisse). ◆ Les Suisses ont jusqu'à la fin de l'Ancien Régime servi dans des régiments de mercenaires réputés et portaient des uniformes colorés; de là viennent plusieurs acceptions pour le nom et pour l'adjectif *(garde suisse)* et des locutions. *Suisse* a désigné à l'époque classique (1635) le portier d'un hôtel particulier, dont l'uniforme rappelait celui de ces soldats mercenaires; par extension, c'est le nom (1792) d'un employé en uniforme chargé de la garde d'une église, de l'ordonnance des cérémonies et des processions. ◇ Par allusion aux rayures de l'uniforme, le mot a été employé pour désigner une variété de poire, dite *poire suisse* (1628), puis *bergamotte suisse* (1708) et *culotte suisse* (1895). ◇ Pour la même raison, *suisse* désigne (1632, au

SUISSE ROMANDE ET LANGUE FRANÇAISE

Créée à la fin du XIIIe s. en terre alémanique, la Confédération helvétique, à part Fribourg et le Jura, n'inclut de régions francophones qu'à partir de la Réforme : Lausanne est conquise en 1522, Calvin fonde la république de Genève en 1536. Cette ville, où l'on parlait un dialecte franco-provençal (savoyard), devient du XVIe au XVIIIe s. une capitale intellectuelle des protestants français. Le rôle de Genève dans la vie de la langue française est beaucoup plus important que celui de bien des villes de France : il suffit de songer à Rousseau, paradoxe de l'individualiste à la source d'un discours collectif remarquable, celui de la Révolution.

Aujourd'hui le plurilinguisme suisse est stable : les cantons de Vaud, Neuchâtel et Genève sont francophones ; s'y ajoute en 1978 le canton du Jura ; ceux de Berne, de Fribourg et du Valais sont bilingues. Au total, en 1980, 20 % des Suisses parlaient français, face à 73,50 % d'alémaniques (→ allemand), 4,5 % étaient italophones (Tessin) et moins de 1 % des locuteurs, dans les Grisons, conservaient l'usage d'une langue romane isolée, le rhéto-roman ou romanche (→ langues romanes).

La sociolinguistique de la Suisse comprend, du côté alémanique, un bilinguisme dialecte-allemand commun (avec une connaissance non négligeable de l'anglais et du français) et, dans les cantons romands, un français très proche de celui du domaine franco-provençal de France et qui est, dans l'usage cultivé, depuis longtemps normalisé et littéraire. Les particularismes phonétiques et syntactiques sont peu nombreux par rapport à l'ensemble franco-suisse de la zone franco-provençale et même par rapport à une norme fançaise (l'accent de phrase, remarquable quand il est entendu de Paris ou de Liège, est franco-provençal et peu éloigné de celui des régions voisines), le lexique manifestant plus d'originalités, comme il est de règle. Celles-ci sont renforcées par la multiplicité des variantes : le français régional de Suisse est une abstraction et chaque canton mérite une description particulière (celle de Pierrehumbert sur les régionalismes neuchâtelois est demeurée exemplaire).

Le fédéralisme suisse complique les terminologies institutionnelles, dont certains éléments varient de canton à canton, mais des caractéristiques communes les opposent à celles de France ou de Belgique. Le bilinguisme officiel de quelques cantons, la proximité avec les zones germanophones et italophones créent des situations particulières, sans parler du caractère international d'une ville francophone comme Genève. Mais l'absence de conflit ouvert sur le plan des langues et la remarquable stabilité des frontières linguistiques confèrent au français de Suisse, dans ses limites, une grande vitalité, renforcée par le recul des dialectes franco-provençaux.

A. Rey

ÉLÉMENTS BIBLIOGRAPHIQUES

P. KNECHT, «Le français en Suisse romande», in *Le Français hors de France* (A. Valdman), Paris, Champion, 1979.

C. MARTI-ROLLI, *La Liberté de la langue en droit suisse*, Zurich, Juris Druck, 1978.

J. PICOCHE, C. MARCHELLONIZIA, *Histoire de la langue française*, chap. II, Paris, Bordas, 1989.

R. SCHLÄPFER et coll., *La Suisse aux quatre langues*, Genève, Zoé, 1985 (trad. de *Die viersprachige Schweiz*, 1982).

Canada) un animal voisin de l'écureuil, rayé sur la longueur, qui vit en Amérique du Nord (*chipmunk* en anglais) et en Russie. Au XIXe s., le mot s'applique à une espèce de couleuvre (1845). *Boire comme un Suisse* (1640), *à la Suisse* (1660) «beaucoup (comme un soldat)» ne s'est pas maintenu, ni *faire Suisse* (1841) ou *boire avec son Suisse* (1828, Vidocq). On dit aujourd'hui ***boire en Suisse*** (1893) «seul», par allusion à la réputation de buveurs des soldats, capables de s'enivrer seuls, ou parce que dans les pays de tradition germanique chacun paie son verre, alors qu'en France la tradition de la tournée est de rigueur. ◇ *Suisse* (1872), ou plus couramment ***petit-suisse*** n. m. (v. 1910), désigne un petit fromage frais en forme de cylindre, d'abord fabriqué en Suisse.

▸ **SUISSISME** n. m. désigne familièrement (XXe s.) une tournure propre au français de Suisse, nommée surtout *helvétisme*.

SUITE n. f. est la réfection (XIIIe s.) de *siwte* (v. 1080), *siute*, issu, comme *sivre, suivre* l'est de *sequere*, d'un latin populaire °*sequita* «poursuite», substantivation du féminin de *sequitus*, variante du latin classique *secutus*, participe passé de *sequi* (→ suivre).

♦ Le mot, qui a connu une évolution parallèle à celle du verbe, s'est d'abord employé en droit féodal, remplacé aujourd'hui par *poursuite* (→ à suivre). Au sens d'«action de poursuivre» (XIVe s.), il survit comme terme de vénerie, signifiant «poursuite du gibier» (v. 1354, *sieute*). ◇ Il a également conservé cette valeur dans la locution ***droit de suite*** qui a pris divers sens, désignant le droit permettant au créancier hypothécaire de suivre l'immeuble hypothéqué dans les mains de tout détenteur (XVIe s.) et, en histoire de la féodalité, le droit qu'avait un seigneur de poursuivre un serf échappé, même hors de son domaine (enregistré par Furetière, 1690); la locution a été reprise à propos du droit d'un belligérant de poursuivre et saisir un navire sorti d'un port sous blocus (1904) et, par ailleurs, du droit par lequel un auteur peut prélever une certaine somme sur le produit de la vente publique de ses œuvres (1920). ◇ *Suite* s'est employé dans de nombreuses locutions sorties d'usage, comme *être à la suite* «être présent quelque part par sa profession» (1594) ou *argent n'a point de suite,* qui se disait d'un seigneur qui ne pouvait rien prétendre sur l'argent gagné par son vassal (1607). ➛ *Suite* a par ailleurs la valeur générale de «ce qui suit», équivalant en ancien français à «secte» (v. 1200), «classe sociale» (v. 1213), désignant aussi des personnes qui se déplacent avec une autre dont elles sont les subordonnées, une escorte (v. 1220), des domestiques qui accompagnent leur maître (1559; cf. *gens*); la locution *prendre suite de qqn* «se mettre en compagnie de» (1451) est sortie d'usage, comme *vin de suite* (1690), *carosse* [carrosse] *de suite* (1718), ***cheval de suite*** (XIXe s.) «destinés aux domestiques». Ces emplois sont voisins de certaines acceptions de *train,* aux mêmes époques. *Suite* s'emploie également à propos de ce qui vient normalement avec qqch., pour désigner les pièces d'une parure lorsqu'elles sont de la même étoffe et façon (1371) et le plat servi après les viandes (1440-1475), sens disparus; c'est aujourd'hui le nom des plats qu'on va servir immédiatement après *(apportez la suite)* [1951]. ◇ Le mot a aussi la valeur générale de «ce qui vient après une chose connue» (fin XVIe s.), d'où «continuation d'une œuvre écrite» (1690) et la locution ***la suite au prochain numéro*** (du journal), qui correspond à l'expression *à suivre.* ***Sans suite*** se dit (XXe s.) à propos d'articles de commerce dont l'approvisionnement ne continuera pas, avec une valeur qui correspond à *suivi.* ◇ Par extension, le mot désigne (1538) ce qui découle de qqch., souvent au pluriel. Il a cette valeur dans *suites de couches* «rétablissement progressif de la mère après un accouchement» (1770) et dans des expressions plus générales, toujours usuelles, où il figure au singulier : ***donner suite*** (à une demande) [1788], ***par suite*** «par une conséquence naturelle» (1721), ***par suite de*** «en conséquence de» (1835) et ***suite à*** «en réponse à», dans le style commercial *(suite à votre honorée du tant...).* ➛ *Suite* désigne aussi, concrètement, un ensemble de choses qui se suivent dans le temps (1538) ou de personnes qui se succèdent les unes aux autres (1643) et, abstraitement, le temps qui vient après ce dont il est question (av. 1678), par exemple ***dans la suite*** «après cela» (av. 1678), que remplace ***par la suite*** (1731). ◇ Le mot s'emploie par ailleurs pour parler de choses qui forment un tout, notamment en mathématiques (1727, *suite numérique*), en musique (v. 1717; cf. au XVIIIe s., les *Suites de Bach, de Haendel*), comme terme de librairie pour l'ensemble des gravures d'un ouvrage (1843) et en linguistique au sens de «succession, séquence d'éléments» (XXe s.). ➛ Par emprunt (1913) à l'anglais *suite,* lui-même attesté dans ce sens dès le XVIIIe s. (1716) et emprunté au français (XVIIe s.) après des emplois non lexicalisés où *suite* a une valeur plus générale (Montaigne), le mot désigne un appartement de plusieurs pièces en enfilade et un appartement ou une chambre avec dépendance, dans un hôtel.

Le mot est aussi le nom d'action du verbe *suivre* (fin XIVe s.) et s'emploie également pour parler de l'état de ce qui se suit dans un ordre intelligible (1580; 1538, dans une expression). Si les valeurs d'«action» et d'«état» restent assez virtuelles quand le mot est employé seul, il entre dans plusieurs locutions usuelles. ***De suite*** «en se suivant exactement» (1538) et «de façon ordonnée» (1640) est surtout usité avec un numéral *(deux de suite)* et dans ***et ainsi de suite.*** ***Tout de suite,*** sorti d'usage avec la valeur spatiale (1538), est employé couramment au sens de «sans délai» (1688); dans cet emploi, ***de suite,*** condamné par les puristes depuis le XVIIIe, est très vivant au XIXe s., y compris dans la langue littéraire, mais devient populaire au XXe siècle. ◇ *Suite* a désigné le fait de suivre le même projet, la même idée (1660), acception disparue, sauf dans des expressions comme ***esprit de suite*** (1718) ou ***avoir de la suite dans les idées.*** ◇ Par ailleurs, ***à la suite de*** «en suivant derrière» (1594) a pris une valeur temporelle (1667), «après», et causale. ◇ À la fin du XVIIe s., le mot prend le sens général de «situation de ce qui suit (qqn, qqch.)» (1690) et s'emploie plus tard dans la locution ***faire suite à*** (1877), dans le temps ou l'espace (→ ensuite).

▸ Le dérivé **SUITÉE** adj. f. se dit (1872) d'une jument suivie de son poulain, d'une laie suivie de ses marcassins; il a remplacé *syuyte* (1559), *suite* (1721) en ce sens. ➛ **SUITES** n. f. pl. désigne en vénerie (1611; *suytes,* 1561) les testicules du sanglier; le mot est lié à *suivre,* dialectalement «saillir» en parlant d'un taureau.

SUIVRE v. tr. représente le croisement (1273) de *sivre* (1080) et de *suire* (v. 1280), forme issue par métathèse de *siure* (*il siut,* v. 1175). Le verbe est d'abord apparu sous la forme *segre* (v. 980), qui correspond à l'ancien provençal *sequir, segre* (fin XIe s.). ◇ Ces formes sont issues par évolution phonétique du bas latin *sequere,* variante du latin classique *sequi* «suivre, accompagner qqn», qui a de nombreuses acceptions dérivées, «pratiquer après d'autres une doctrine», «chercher à atteindre», «venir après», «être la conséquence, le résultat», «obéir à une impulsion», «tomber en partage». Ce verbe se rattache à une racine indoeuropéenne *°sek^w-* «suivre», représentée dans l'irlandais *sechur* «je suis», le lituanien *sekù* «je suis», le védique *sáçcasi* «tu suis».

♦ Dès les premiers emplois, le verbe signifie «aller derrière (qqn qui marche)», «accompagner dans un déplacement». De l'idée de venir après découle, comme en latin et parfois par influence directe de cette langue, un grand nombre d'emplois, un mouvement étant ou non impliqué. ◇ On relève de très nombreuses variantes en ancien et en moyen français, comme *siouvre* (XIIe s.), *sievre* (v. 1170), *sieure* (XIVe s.) et par changement de conjugaison *siuwir* (fin XIIIe s.), *suivir* (1462).

Le verbe signifie d'abord «partir avec (une personne) pour partager son sort, pour vivre avec elle» (XIIe s.) et concrètement «arriver derrière (qqn, qqch.)» (XIIIe s.), sens dominant et durable, de même qu'«aller derrière (qqn) pour le surveiller» (fin XIVe s.). ◇ Par extension, il s'emploie dans *suivre (qqn, qqch.) du regard, des yeux* (1640). Au XXe s. au jeu de rugby, *suivre le ballon* signifie «progresser autour du ballon» (1906) et ***coup de pied à suivre*** le fait d'envoyer le ballon au-delà de la défense adverse (1932). ◆ À partir du XVe s., *suivre* s'emploie sans idée de mouvement, d'abord à la forme impersonnelle pour exprimer une conséquence logique dans un raisonnement (1440-1475), emploi littéraire; en ce sens, *suivre de* (1640) «être la conséquence de, découler» a été remplacé par *s'ensuivre** (de *insequere*). ◇ Par extension, le verbe signifie «être placé après, dans un ordre donné» (mil. XVIe s.); il est employé pour annoncer ce qui va venir (1703), d'où au XIXe s. des formules comme *lettre suit,* annonçant une lettre prochaine à un correspondant. ◇ Avec cette valeur temporelle, il a le sens de «se produire après» (1549) en parlant d'un événement et se dit d'une personne qui fait qqch. après une autre, et notamment (1664) qui meurt peu après qqn. L'emploi absolu (1678), par exemple dans *le jour qui suit,* correspond en général à «venir après, plus tard».

Parallèlement, *suivre* a repris une autre valeur du latin, «aller dans une direction, une voie» (XIIe s.); de là procèdent le sens de «chercher à atteindre» (v. 1155), repris par *poursuivre* (ci-dessous), l'emploi de *suivre les traces de qqn* (v. 1190) et des locutions figurées comme ***suivre le droit chemin*** (XIVe s.), ***suivre son cours,*** en parlant d'une chose qui se développe. ◇ Comme en latin, le verbe a aussi le sens abstrait de «penser ou agir selon (la conduite, les idées de qqn)» (v. 1119) et «obéir à (une impulsion)» (v. 1170). Ces valeurs se développant, *suivre* prend le sens de «se conformer à (un ordre, une recommandation)» (XIIe s.), qui a vieilli comme celui de «s'engager dans (un parti)» (1549); mais le verbe s'emploie encore pour «se conformer à (des coutumes)» (mil. XIIe s.), plus tard «à une mode» ou «à un modèle abstrait (conçu comme un chemin)» (v. 1210). ◆ Avec une valeur voisine, *suivre* a signifié «être assidu à qqch.» (XIIIe s.), spécialement «exercer (une activité)» (fin XIVe s.), emplois sortis d'usage; mais on emploie encore *suivre,* dans un contexte abstrait, pour «comprendre, saisir dans sa continuité (un exposé, un orateur)» (1284; puis 1690), «se tenir à (qqch.) avec persistance» (1549, *suivre son idée*). Cette idée de direction conservée se réalise dans divers emplois : «mener à bien» (1549), sens disparu; *suivre* a été remplacé par *poursuivre* au sens de «continuer à parler» (1580), mais cette valeur demeure dans *suivre un feuilleton* (dans un journal), d'où ***à suivre,*** mention courante indiquant que la lecture se continuera dans le prochain numéro, valeur appuyée par un emploi spécial de *suite.* ◇ En termes de jeu, par exemple au poker, *suivre* signifie «miser pour rester dans le jeu»; en outre, le vocabulaire commercial emploie *suivre un produit* «se réapprovisionner régulièrement» (1933), emploi qui correspond à *suivi* (ci-dessous). ◆ Par extension, on est passé de l'idée de déroulement et de participation à un événement qui se déroule à celle d'attention portée à ce qui se déroule. Depuis le XVIIe s., *suivre* s'emploie aux sens d'«observer attentivement (une action en cours)» (1678, *suivre de près*) et de «se tenir au courant de (une évolution)» (1685), valeurs dont procèdent *suivre un malade* (1872) et *suivre un élève* (1933) «le surveiller dans son évolution».

L'emploi pronominal n'apparaît qu'à la fin du XVIe siècle; *se suivre* veut dire «former un tout dont les éléments sont ordonnés» (1588). Au pluriel, avec une valeur concrète spatiale, il signifie «être placés les uns derrière les autres» (1648) et «aller les uns derrière les autres» (mil. XVIIe s.). ◇ Avec une valeur temporelle, le sens est analogue (av. 1662); d'où la locution proverbiale ***les jours se suivent mais*** (puis ***et***) ***ne se ressemblent pas*** (1694). ◇ *Se suivre* «garder la même ligne d'action» (1671) est sorti d'usage.

▸ **SUIVI, IE** adj. s'est appliqué à une personne qui a qqn à sa suite (1273). L'adjectif qualifie (1679) une chose dont les éléments s'enchaînent pour former un tout et ce qui se fait d'une manière continue, d'où l'emploi en métrique (1872, *vers suivis*), en commerce (1923, *article suivi* «régulièrement commercialisé»). L'adjectif qualifie aussi un cours, un spectacle fréquenté, qui attire beaucoup d'auditeurs (1708). ◇ *Le suivi* n. m. désigne (XXe s.) l'action de surveiller pendant une certaine période, pour contrôler. ◆ **SUIVEUR, EUSE** n. est la réfection (attesté en 1604 dans l'expression *suiveur de lopins,* c'est-à-dire «de bons morceaux» : «parasite») de *siwor* (v. 1190) «personne qui suit». Ce sens est sorti d'usage comme le féminin *suiveresse* (1478). ◇ Le mot s'emploie aujourd'hui pour parler d'une personne qui s'inspire d'autrui sans esprit critique (voir *suivisme,* ci-dessous), d'abord comme nom (1872) puis (fin XIXe s.) comme adjectif, rare. Il est sorti d'usage au sens figuré de «personne qui s'attache à la fortune de qqn» (1879). Il désigne aussi, concrètement, un homme qui suit les femmes dans la rue (1852, n. m.). ◇ Avec cette même valeur concrète, *suiveur* se dit d'une personne qui suit une course à titre officiel (1899), d'où (mil. XXe s.) *voiture suiveuse.* ◇ *Fiche suiveuse,* terme technique, désigne une étiquette portant une référence (v. 1960) et *suiveur* n. m., proposé pour remplacer l'anglicisme *tracker,* un dispositif qui permet de commander l'orientation d'un engin spatial. ◆ **SUIVISME** n. m. s'emploie (1927) pour parler du fait de suivre une ligne politique, un programme sans examen et a fourni **SUIVISTE** adj. et n. (1966), surtout utilisé en politique.

① **SUIVANT, ANTE** adj. et n., participe présent du verbe, est la réfection (1373) de *siwant* (v. 1200), *suiant* (déb. XIIIe s.). Le nom s'est dit pour «descendant» (v. 1200), à l'époque classique dans la locution *n'avoir ni enfants ni suivants* «ni enfants ni proches parents» (1690). ◇ L'adjectif s'applique (XIIIe s.) à une personne ou à une chose qui vient immédiatement après une autre dans un ordre, spécialement (1611) dans une file d'attente, d'où l'expression parfois ironique ***au suivant de ces messieurs.*** ◇ En vénerie, le nom (1324, *sigant*) désigne un petit qui suit encore sa mère. ◇ Le mot a signifié «personne qui escorte (qqn)» (v. 1360), acception dont procèdent à l'époque classique le sens de «disciple» (déb. XVIIe s.) et les expressions littéraires *suivant de Minerve* «homme de science» (v. 1650), *suivant d'Apollon* «poète» (v. 1650), *de Thémis* «homme de loi» (v. 1700), et au XIXe s. par plaisanterie *suivante de Vénus* «courtisane» (1872). ◇ Le mot s'est dit pour «domestique», homme ou femme (v. 1360, comme nom; adjectivé au XVIIe s. [1669]); ce sens a disparu, à la différence de *suivante* n. f., spécialisé (1663) pour désigner une dame de compagnie, aujourd'hui une soubrette confidente (v. 1700), au théâtre. ➜ ② **SUIVANT** prép., autrefois adverbe au sens de «tout de suite» (XIVe s., *suiant*), s'emploie dans la locution conjonctive ***suivant que*** «dans la mesure où» (1534). ◇ La préposition signifie «conformément à» (1538) et «d'après l'opinion de» (1661). ◇ Elle s'est employée concrètement pour «en suivant la direction de» (1589) et équivaut à «en fonction de» (1690). ◇ *C'est suivant* (1798) ne s'est pas maintenu, remplacé par *c'est selon.*

POURSUIVRE v. tr., réfection (v. 1250), d'après *suivre,* de *pursivre, porsivre* (XIIe s.), est issu du latin médiéval *prosequi* (VIe s.), variante *prosequire* (720-730), «poursuivre (une cause)» en droit, «exécuter» puis «donner suite à», «tenter, chercher à» (déb. XIIe s.). Ces emplois correspondent à ceux du latin classique *persequi,* devenu en bas latin °*persequere,* d'où l'ancien provençal *persegre* «observer, exécuter» (v. 1180). *Persequi* avait fourni en ancien français *parsivre* «persécuter» (v. 1120), «poursuivre» en droit (v. 1130) et «chercher à atteindre» (v. 1138). Comme *suivre, poursuivre* a eu de nombreuses graphies jusqu'au XVIe siècle. ➜ Le verbe signifie «suivre de près (qqn, un animal) pour l'atteindre» et, par extension (v. 1228), «tenter de rejoindre (une personne qui se dérobe)», spécialement «tenter d'obtenir les faveurs amoureuses de (qqn)» (1260-1272), d'où *poursuivre une femme* «la courtiser» (v. 1270), usuel jusqu'à l'époque classique. ◇ Par figure, *poursuivre* signifie (v. 1170) «persécuter», le sujet désignant un sentiment pénible, une image, et se dit du sort, de la destinée personnifiés (fin XIIIe s.); de là le sens de «harceler (qqn) pour en obtenir qqch.» (v. 1228) et *poursuivre qqn de...* «l'importuner par...» (1674). En droit, le verbe signifie «agir en justice contre (qqn)», le sujet désignant la partie civile ou le ministère public (1255) et spécialement «demander devant les tribunaux la répression de» (1255). ➜ Par ailleurs, *poursuivre* s'emploie au sens de «continuer (une action) sans relâche» (v. 1200), également en emploi absolu, équivalant à «persévérer» (v. 1274). Avec cette valeur, il s'emploie en particulier en parlant d'une œuvre (fin XVIe s.) ou d'un discours (1655) que l'on continue. La locution *poursuivre sa pointe* «persévérer dans son entreprise» (1579), qui vient de l'escrime, est sortie d'usage. ➜ **POURSUIVEUR** n. m., précédé par *perseveor* (fin XIIe s.) «persécuteur», aussi écrit isolément *porsuiverres* (XIVe s.), s'est employé en droit; ces emplois spéciaux deviennent exceptionnels. Le mot, reformé au XVIIIe s., reste rare pour désigner une personne qui poursuit (1788), remplacé par *poursuivant.* ➜ **POURSUIVANT, ANTE** n. a qualifié une chose qui est de la même qualité que ce qui a précédé (v. 1180), un cheval bien fait pour la poursuite (v. 1275) et s'est employé au sens de «second d'un héraut d'armes dans un tournoi» (1318-1320, n. m.). ◇ En droit, le nom désigne une personne qui exerce des poursuites judiciaires (1457); il s'est employé à l'époque classique à propos d'un homme qui cherche à épouser une femme (v. 1460), de qqn qui postule un emploi (1559) et l'adjectif a eu la valeur générale de «qui poursuit» (1580); tous ces emplois ont disparu ou sont archaïques. ◇ *Poursuivant* désigne de nos jours une personne qui en poursuit une autre (1690), sens rare avant le XIXe s., et spécialement dans une course (1919) un coureur qui, étant derrière un concurrent, cherche à le rattraper. ➜ **POURSUIVABLE** adj. (apr. 1460; 1482, *poursuivible*), «qu'on peut poursuivre», est rare.

POURSUITE n. f., dérivé de *poursuivre* d'après *suite* (v. 1283; 1247, écrit *poursieute*), désigne en droit l'acte juridique dirigé contre qqn qui a enfreint une loi. Le mot s'est employé (1371) dans ***droit de poursuite*** «droit qu'avait un seigneur de faire saisir les serfs de corps» et est devenu un terme de droit fiscal (1869). ◇ *Poursuite* désigne par ailleurs l'action de suivre (qqn, un animal) pour le rejoindre (v. 1360). ◇ Le mot s'est dit (v. 1360) pour «démarche pressante auprès d'une personne dont on veut obtenir qqch.», spécialement, à l'époque classique, «assiduité amoureuse auprès de qqn qui s'y dérobe» (mil. XVe s.; 1668, au pluriel); ce sens a disparu. ◇ Comme *suite,* le mot se dit aussi pour «action de continuer qqch.» (1530). Par extension, il désigne un jeu de billes où chaque joueur lance sa bille sur celle de l'adversaire (1875), une épreuve de cyclisme sur piste fermée (déb. XXe s.), appelée aussi ***course poursuite.*** ◇ C'est le nom d'une technique qui permet de suivre un engin aérien, spatial pendant son déplacement (1963, *radar de poursuite*); il a été proposé (v. 1970) pour traduire l'anglais *tracking* «détermination des positions d'un mobile». ➜ Le dérivé **POURSUITEUR** n. m. (1933) désigne un coureur cycliste spécialisé dans la poursuite.

RESSUIVRE v. tr. (fin XVIe s.), d'abord écrit *resuivre* (1564; 1422, en wallon), réfection de *resivre* (v. 1180), de *re-* et *sivre, suivre,* a signifié en ancien français «suivre à son tour» (v. 1180) et en wallon «poursuivre (en justice)» (1330, *resiere*; 1422, *resuivre*). ◇ À partir du XVIe s., il signifie aussi «suivre de nouveau» (1564) et «suivre (un chemin) en sens inverse» (fin XVIe s.), emplois rares. ◇ Une acception technique est «rénover (une construction, une toiture)».

◈ voir CONSÉCUTIF, CONSÉQUENCE, ENSUITE, (S')ENSUIVRE, EXÉCUTER, OBSÈQUES, OBSÉQUIEUX, PERSÉCUTER, SECOND, SECTE, SÉGUEDILLE, SÉQUELLE, SÉQUENCE, SÉQUESTRE, SET, ① SOUCI, SUBSÉQUENT, SUITE.

① **SUJET, ETTE** adj. et n. est la réfection (v. 1138) de *suget* (v. 1120), emprunt au latin *subjectus* «soumis», «assujetti», «exposé» et «voisin, proche», participe passé passif de *subjicere* «placer dessous», «amener à proximité de», «soumettre, subordonner». Le verbe est composé de *sub-* marquant la position inférieure (→ sub-) et de *jacere* «jeter» (→ gésir, jeter), qui se rattache à la même base indoeuropéenne que le grec *hienai* «lancer» (→ dièse). ◇ *Subjicere* est représenté en ancien français par *sugester* (1138) «maintenir dans la soumission» et par la forme évoluée *sougire* «soumettre, par la force des armes ou autrement» (déb. XIIIe s.), d'où l'adjectif *sougit* «soumis (à un maître)» en droit féodal (v. 1180) et sa variante *subgit* (v. 1200).

♦ Le mot s'est appliqué, jusqu'à l'époque classique, à une personne soumise à l'autorité d'une autre, spécialement à qqn qui est sous la dépendance d'une autorité souveraine (1393) dans le système féodal ; il s'emploie aussi comme nom en ce sens (v. 1138). ◇ Par extension, l'adjectif se dit d'un territoire qui a passé sous une domination (v. 1170). ◇ De là vient l'usage de *sujet* dans la poésie courtoise (v. 1240) et, plus tard, en droit au sens de «justiciable» (XVe s., *subgiet*) et de «vassal, tenancier» (XIIIe s.), encore usité au XVIIe siècle. ◇ Par extension, le mot s'applique à une personne soumise à une nécessité (XIVe s.) ; cette acception est vieillie, *sujet* qualifiant couramment depuis la même époque une personne exposée par sa constitution à faire, à subir qqch. (XIVe s., *sujet à*) et, par extension, une chose (1530). ◇ Il s'est dit (1485) de qqn soumis par la loi à une obligation, spécialement en droit où ce sens est encore vivant, par exemple dans la locution ***sujet à caution**** (1579). En revanche, l'emploi juridique (1690) pour «grevé de servitudes, au bénéfice du seigneur dominant» et celui d'*être (très, fort) sujet* (1690), «avoir beaucoup de souci dans une charge», sont sortis d'usage ; *tenir qqn sujet* «lui laisser très peu de liberté» s'est maintenu jusqu'au XIXe siècle. ◇ L'adjectif s'est dit aussi par figure (1559, *sujet à*) d'une personne qui recherche qqch. au point d'en être esclave. ➛ *Sujet à* s'applique à une chose susceptible de donner occasion à une activité (av. 1648, *sujet à discussion*) ; cet emploi est toujours vivant. ➛ Le nom s'est employé au XVIIIe s. pour «citoyen» (1762), mais cette acception politique ne s'est conservée qu'en parlant des citoyens d'un État dont le chef est héréditaire : au contraire de *citoyen**, *sujet* implique de nos jours la soumission à une autorité absolue, sauf lorsque le mot désigne, de manière purement administrative, le ressortissant d'un État (déb. XXe s.).

▶ **SUJÉTION** n. f., modification d'après *sujet* (XVe s.) de *subjectiun* (v. 1155), *sujection* (v. 1175) puis *subjection* (v. 1190), forme courante jusqu'au milieu du XVIIe s., est un emprunt au latin classique *subjectio, -onis* «action de mettre sous, devant, à la suite», et en latin ecclésiastique «soumission», dérivé du supin de *subjicere*. ➛ Le mot a un sémantisme voisin de celui de *soumission* et d'*assujettissement* ; il désigne la situation d'une personne soumise à une autorité contraignante ou souveraine et, plus rarement, l'état de sujet. ◇ Avec une valeur active, il s'est dit aussi de l'action de soumettre (v. 1165, *subjection* ; XVe s., *sujetion*). ◇ Par extension, il s'emploie en parlant de l'état d'une personne qui n'est pas libre d'agir (1175), d'où ***être en sujétion*** «en tutelle» et l'emploi figuré pour «assujettissement aux passions, à des idées», d'abord dans *tenir en subjection une passion* «en rester maître» (v. 1370). ◇ Un autre emploi correspond à «ensemble d'actions qui constituent une obligation pénible et l'état qui en résulte» (1580) ; cette acception est archaïque, comme celle d'«assiduité exigée auprès d'une personne ou requise par une charge» (av. 1654). ◇ En droit, *sujétion* désigne (1694) la servitude à laquelle une chose est soumise.

SUBJECTION n. f., réemprunt au latin (1600), a repris le sens du latin classique «action de mettre dessous», sorti d'usage. ◇ À nouveau emprunté au XVIIIe s., il désigne en rhétorique (1765) un procédé par lequel on interroge l'adversaire, et supposant sa réponse on la réfute.

◈ voir ASSUJETTIR.

② **SUJET** n. m., réfection (XVIe s.) de *subjet* (XIIIe s.), est emprunté au bas latin *subjectum* «sujet», terme de philosophie et de grammaire opposé à *objectum* (→ objet) ; ce mot est la substantivation du neutre du latin classique *subjectus* «soumis», «assujetti» (→ ① sujet).

♦ *Subjet* a eu le sens de «chose qui a une nature propre» (XIIIe s.) ; réemprunté en philosophie au XIVe s., il désigne une entité ou un être quelconque, soumis à la réflexion, considéré comme une substance support de qualités ou exerçant des actions, à laquelle s'attachent des accidents (v. 1370). Cette valeur se développe à partir du XVIe siècle. ➛ *Sujet* se dit aussi (1532, Marot) de ce qui, dans une œuvre littéraire, constitue le contenu de pensée sur lequel s'est exercé le talent créateur de l'auteur ; le mot désigne à partir du milieu du XVIe s. (1555 ; emploi relevé chez Montaigne, 1580) ce qui est soumis à la pensée, à l'esprit, en particulier ce dont il s'agit dans une conversation, dans un écrit et ce sur quoi s'applique la réflexion dans un travail scientifique ou une œuvre didactique. De là *le sujet d'une science* «la matière dont elle traite» (1636) et l'emploi à propos d'un thème à développer, d'un exercice proposé à des élèves (av. 1782), sens répandu en contexte scolaire avec une métonymie pour «feuille, imprimé sur lequel le thème de l'exercice figure» *(distribuer le sujet de l'examen)*. ◇ *Sujet* désigne également ce qui fournit matière, occasion à une action, à un sentiment (1555) ; le mot est littéraire dans cette acception, sauf dans des locutions comme ***avoir sujet de*** (et infinitif) [fin XVIe s.], ***au sujet de*** (1617) loc. prép., *sur le sujet de* à l'époque classique (1636), ***donner sujet de*** (et infinitif) [1626], ***sans sujet*** «sans raison» (1604) qui s'opposait au XVIIe s. à *avec sujet* (1672), laquelle a disparu, ou encore ***à quel sujet ?*** (1644), etc., toujours usuelle ; plusieurs autres, qui étaient en usage aux XVIIe et XVIIIe s., ont disparu, comme *pour ce sujet* «pour cela» (1655), *prendre sujet de* «occasion» (1657), *avec plus, moins de sujet* «de raison» (1658). ◇ Par analogie, le mot désigne aussi (1660) ce qui est représenté ou évoqué dans une œuvre plastique et l'œuvre elle-même, d'où par extension *le sujet* «la peinture figurative». La locution ***sujet de pendule*** désigne une figure ornant une pendule (1777). En musique, *le sujet* s'applique au thème ou au motif principal, en particulier dans la musique contrapuntique (1690), d'où **CONTRE-SUJET** n. m. (1845) qui se dit du second sujet d'une fugue.

Parallèlement, *sujet* désigne un être vivant dont les caractéristiques conviennent pour réaliser certaines expériences (mil. XVIe s.), plus généralement un être vivant soumis à l'observation (v. 1560), spécialement un cadavre utilisé pour l'étude de l'anatomie, et un être vivant que l'on soigne (1778). ◇ C'est le nom en arboriculture (1703) d'une plante qui subit une opération, spécialement une greffe. ➜ Par ailleurs, le mot désigne (fin XVIe s.) une personne considérée comme le motif, le support d'une action, d'un sentiment ; cette acception est courante aux XVIIe et XVIIIe s. dans plusieurs contextes : le mot désigne alors une femme aimée (déb. XVIIe s.), une personne digne d'intérêt (v. 1650), considérée par rapport à ce que l'on peut attendre d'elle (1660), spécialement du point de vue de ses aptitudes amoureuses (1737). ◇ Le mot, vieilli pour parler d'une personne considérée par rapport à ses qualités (1636), ne demeure que dans quelques expressions : ***bon sujet*** «qui se conduit bien» (1690) évoque aujourd'hui un élève brillant ; il a vieilli ; ***mauvais sujet*** s'est dit (1740) d'un débauché et s'emploie encore ironiquement (1815) à propos d'une personne (surtout jeune) dont la conduite est répréhensible. ◇ Appliqué à une personne, *sujet* s'est employé pour «danseur» (1754) et se dit encore de certains danseurs de ballet : dans la hiérarchie de l'Opéra, ***petits sujets*** et ***grands sujets*** (1909).

À la fin du XVIIe s., *sujet* se spécialise en grammaire, reprenant une acception du bas latin *subjectum* et désignant le mot considéré comme point de départ de l'énoncé (1680), à propos duquel on exprime qqch. dans une définition de type logique, ou qui régit le verbe, dans une définition formelle. ◇ En logique, le mot désigne l'être auquel est attribué le prédicat dans une proposition attributive (1690) ; de là, en grammaire, *sujet logique* (1842), aussi appelé *sujet réel*, et *sujet grammatical* (1842) ou *sujet apparent*, désignations abandonnées par la linguistique.

Le mot entre dans le vocabulaire philosophique au début du XIXe s. d'après l'allemand *Subjekt* (Kant), de même origine, désignant l'être pensant, considéré comme le siège de la connaissance, par opposition à *objet**. Cet emploi se trouve dans Maine de Biran, (v. 1824). Dans les sciences humaines, cette valeur tend à se substituer à la notion plus ancienne et presque antonymique de *sujet* en tant qu'être observable. *Sujet* implique d'abord en ce sens une conscience rationnelle, notion élargie par des éléments inconscients, en particulier depuis le développement de la théorie freudienne, notamment dans les écrits de Lacan. ◇ ***Sujet de droit*** «titulaire d'un droit» (XXe s.) conserve dans le vocabulaire juridique le sens de «personne», mais ***sujet parlant*** «locuteur d'une langue qui possède une compétence linguistique» (1916) a pris dans le vocabulaire psychanalytique une autre valeur.

◈ voir SUBJECTIF.

SULF-, SULFO- est un élément tiré du latin impérial *sulfur, sulfuris* (variante de *sulphur*), mot probablement dialectal sans étymologie connue, qui a abouti en français à *soufre**.

♦ Cet élément est d'abord représenté en français par un mot isolé, *sulfureux* (ci-dessous), qui prend son sens chimique moderne au XVIIIe s., puis par *sulfure (sulphure), sulfuré* et *sulfurique*. À la fin du XVIIIe s., il est introduit dans la nouvelle nomenclature chimique par Guyton de Morveau et Lavoisier (1787) pour classer, selon la suffixation ou le second élément de composition, les composés du soufre et les sels des acides dérivés de cet élément. Les anciens mots *sulfureux* et *sulfure* prennent alors place parmi une série importante de termes tous liés à *soufre**, lui-même redéfini en tant que corps simple.

▶ **SULFATE** n. m., terme de chimie, désigne (1787) un sel ou ester (anciennement éther) de l'acide sulfurique. Les sulfates s'employant dans divers domaines techniques, en particulier en agriculture comme engrais (par ex. *sulfate de potassium*) ou pour traiter certaines plantes *(sulfate de cuivre, de chaux)*, le mot est entré dans l'usage courant. Il a fourni plusieurs dérivés souvent liés aux applications techniques. ➜ **SULFATISATION** n. f. (1801, Fourcroy) désigne la transformation des sulfures métalliques en sulfate. ➜ **SULFATÉ, ÉE** adj. se dit (1802) de ce qui contient un sulfate ; repris comme dérivé de *sulfater*, l'adjectif s'applique couramment à ce qui a subi un sulfatage. ➜ **SULFATER** v. tr., d'abord attesté à propos de grains (1843), signifie (1872) «enduire de sulfate (un bois pour mieux le conserver)» et s'emploie en agriculture au sens de «répandre du sulfate sur», pour traiter la vigne (1904) ou les semences avec du sulfate de cuivre, ou «traiter le vin avec du sulfate de chaux» (déb. XXe s.) ; dans ce cas, on dit aussi *plâtrer**. ◇ De ce verbe procèdent **SULFATAGE** n. m. (1849), qui s'emploie spécialement à propos de la vigne (1904) ; **SULFATEUR, EUSE** n., autrefois (1858) «ouvrier qui fabrique le sulfate de quinine», aujourd'hui «personne qui procède au sulfatage de la vigne» (1886) ; **SULFATEUSE** n. f., «appareil pour pulvériser le sulfate de cuivre» (1921), qui se dit en argot par analogie (1945) pour «pistolet mitrailleur» ; **SULFATATION** n. f., terme de chimie (1935), désigne en technique (1956) la production de sulfate de plomb sur les plaques d'un accumulateur. ➜ Sur *sulfate* ont été composés en chimie : **BISULFATE** n. m. (1846), de *bi-*, surtout appelé *sulfate acide*, et **PERSULFATE** n. m. (1898).

SULFITE n. m. désigne (1787) un sel ou un ester de l'acide sulfureux ; les sulfites étant employés dans divers domaines techniques, par exemple en photographie, dans l'industrie textile, le mot est assez usuel, moins semble-t-il que *sulfate*. ➜ Ses dérivés sont didactiques. **SULFITER** v. tr. (1877) a fourni **SULFITAGE** n. m. (1904), **SULFITATION** n. f. (1920) et **SULFITEUR** n. m. (mil. XXe s.). ➜ Le préfixé **DÉSULFITER** v. tr. (1910), de *dé-* et *sulfite*, signifie «débarrasser (les moûts, les vins) d'une partie de l'anhydride sulfureux provenant du sulfitage». ◇ Le verbe a fourni **DÉSULFITAGE** n. m. (1904) et **DÉSULFITATION** n. f. ➜ Le composé **SULFITOMÈTRE** n. m. (1907), de *-mètre*, désigne un appareil qui sert à doser l'anhydride sulfureux pour le sulfitage ; on dit aussi **SULFIDOSEUR** n. m. (mil. XXe s.), de *doseur*. ➜ En chimie, ont été formés **BISULFITE** n. m. (1838), de *bi-*, aussi nommé *sulfite acide*, et **HYPOSULFITE** n. m. (1843), de *hypo-*.

SULFURE n. m. est formé (1787, Guyton de Morveau) à l'aide du suffixe *-ure* ou est dérivé savamment du latin *sulfur*. Écrit *sulphure*, le mot était déjà attesté en moyen français (fin XVe s.) au sens de «soufre». C'est, avec *sulfureux* et *sulfurique,* le seul mot de la série qui soit antérieur à la chimie moderne. ◆ *Sulfure* désigne, en chimie et dans l'usage général, un composé du soufre avec un autre corps (métal ou cation complexe) et, par ailleurs (1872), un sel de l'acide sulfhydrique. ◇ C'est aussi (XXe s. : attesté 1948) le nom d'un objet décoratif constitué d'une masse de cristal dans laquelle est inclus un camée ou un petit sujet émaillé. ◆ *Sulfure* a servi à former plusieurs dérivés en chimie et en technique. **SULFURIQUE** adj. est d'abord attesté comme dérivé savant du latin *sulfur* (1585) pour «qui contient du soufre». ◇ Le mot a été reformé dans *acide sulfurique* (1787, Guyton de Morveau) «acide corrosif de formule H_2SO_4,» appelé aussi *vitriol*.* ◇ Cet adjectif est élément de composition dans **HYDROSULFURIQUE** adj. (1816, Gay-Lussac), de *hydro-,* remplacé par **SULFHYDRIQUE** adj. (1834), de *sulf-* (ci-dessus) et *-hydrique,* dans *acide sulfhydrique* et **PYROSULFURIQUE** adj. (1878), de *pyro-*. ◆ **SULFURÉ, ÉE** adj., d'abord emprunté au latin impérial *sulfuratus,* a signifié «qui contient du soufre» et «enduit de soufre» (v. 1560). ◇ Reformé sur *sulfure* (1785, Guyton de Morveau), l'adjectif s'applique (1807) à ce qui est combiné avec le soufre ou est à l'état de sulfure et s'emploie spécialement dans *hydrogène sulfuré* (1812), synonyme d'*acide sulfhydrique* (1834), autrefois nommé *air puant* (1775). ◆ De l'adjectif dérive **SULFURER** v. tr. (1848), employé en agriculture (1904), d'où **SULFURAGE** n. m. (1884 en viticulture). ◇ **SULFURATION** n. f., en chimie (1821) «combinaison d'un corps avec le soufre», équivaut (1874) à *sulfurage* en viticulture et désigne aussi une émanation sulfureuse (XXe s.). ◇ **SULFURISER** v. tr., «traiter à l'acide sulfurique» (1877; puis 1907), a fourni **SULFURISATION** n. f. (1877) et **SULFURISÉ, ÉE** adj. (1907), spécialement employé dans ***papier sulfurisé*** (1907), qui se dit d'un papier traité à l'acide sulfurique, nommé aussi *papier parchemin* ou *parchemin végétal.* ◇ Lavoisier avait employé *sulfurisé* pour «combiné avec le soufre» (1789). ◆ **SULFURIMÈTRE** n. m. (mil. XXe s.), de *-mètre,* est le nom d'un instrument qui mesure la teneur en soufre d'un produit. ◆ Plusieurs termes de chimie sont formés par préfixation à partir de *sulfure.* **DÉSULFURER** v. tr. (1836), de *dé-*, a fourni **DÉSULFURATION** n. f. (1836). ◇ Les préfixés de la nomenclature chimique fournissent **BISULFURE** n. m. (1838), **POLYSULFURE** n. m. (1842), **PERSULFURE** n. m. (1845), d'où **PERSULFURIQUE** adj. (1888),

L'élément *sulf-, sulfo-* entre dans la composition d'autres termes de chimie ou de biologie (outre *sulfhydrique,* ci-dessus). ◆ **SULFAMIDE** n. m., autrefois employé pour désigner comme nom féminin (1839) le sulfate d'ammoniaque anhydre, est le nom générique devenu courant (v. 1935) de dérivés soufrés de noyaux aromatiques, utilisés en pharmacologie. ◇ Il a pour dérivé **SULFAMIQUE** adj., dans *acide sulfamique* (mil. XXe s.), et des composés en biologie, dont **SULFAMIDORÉSISTANCE** n. f. (v. 1950), de *résistance.* ◆ Sur arsenic, on a formé le composé **ARSÉNIOSULFURE** n. m. (1865), aussi nommé **SULFARSÉNIURE** n. m. (1876), de *sulf-* et *arséniure.*

SULFUREUX, EUSE adj. est tout d'abord un emprunt au latin impérial *sulfurosus,* écrit *sulphurosus* en latin moderne, dérivé de *sulfur.* Écrit *sulphureux* (v. 1270), *sulphurieux* (v. 1450) puis *sulfureux* (1549), l'adjectif s'applique couramment à ce qui contient de l'acide sulfhydrique *(source sulfureuse).* ◇ En chimie, *acide sulfureux* (1765) désigne un acide contenant du soufre, connu seulement en solution. L'adjectif s'applique à ce qui contient du soufre (1770) et par extension à ce qui a la couleur du soufre (1826); *anhydride* ou *gaz sulfureux* (1876) désigne un composé oxygéné du soufre aux applications techniques variées. ◇ Le soufre ayant été associé au diable, *sulfureux,* par reprise des valeurs figurées de ce mot *(sentir le soufre),* signifie «qui est en rapport avec l'enfer» (v. 1225; repris v. 1850), «qui évoque le mal, le péché, l'hérésie». Ce sens a connu un regain d'usage à partir des années 1980, avec une idée de mal, d'indécence, étrangère aux références religieuses. ◆ On relève en chimie les composés **HYPOSULFUREUX, EUSE** adj. (1817, Gay-Lussac), terme sorti d'usage, et **HYDROSULFUREUX** adj. m. (fin XIXe s.).

SULKY n. m., attesté une première fois comme mot anglais en 1790 et repris au XIXe s. (1860), est un emprunt à l'anglais *sulky* (1756), substantivation de *sulky* adj. «boudeur», parce que ce véhicule n'a qu'une seule place. *Sulky* représente peut-être une extension de l'ancien adjectif °*sulke* (XVIIe s.), d'une base °*sulk-* commune à l'ancien anglais *āsolcen, besolcen* «paresseux, indolent».

♦ Comme en anglais, le mot désigne en turf une voiture légère à deux roues, sans caisse, utilisée pour les courses de trot attelé.

SULPICIEN, IENNE adj. et n., relevé au XVIIIe s. (1721; dictionnaire de Trévoux, 1732), est dérivé de (saint) *Sulpice* (latin *Sulpicius*), nom d'un évêque de Bourges mort en 591, pris (1644) comme patron d'une congrégation de prêtres voués à l'instruction des jeunes ecclésiastiques, fondée par le père Olier.

♦ Le mot s'applique à ce qui concerne cette congrégation et en désigne un membre (1732). C'est aussi le nom donné à un élève, ou un ancien élève, du séminaire Saint-Sulpice (1872). ◆ Avec une toute autre étymologie, l'adjectif s'emploie péjorativement à partir de la fin du XIXe s. (1897, L. Bloy) pour qualifier ce qui est propre aux boutiques d'art religieux, symbole de mauvais goût petit-bourgeois, du quartier avoisinant l'église *Saint-Sulpice* à Paris; on dit aussi *saint-sulpicien.*

SULTAN n. m. s'est substitué par réemprunt au turc (1520) à l'ancien français *souldan* (1180-1220), *soldain* (v. 1200), puis *soudan* (XIIIe s.). Comme les formes anciennes de l'italien *soldano,* de l'espagnol *soldán,* du portugais *soldão,* celles de l'ancien français sont empruntées à l'époque des croisades à l'arabe *sulṭān* «pouvoir royal» et «souverain». La variante *soudan,* par vocalisation du *l,* reste en usage jusqu'au XVIIIe siècle; elle s'est conservée comme nom propre pour désigner un pays d'Afrique (le *Soudan*) autrefois soumis au sultan d'Égypte. ◇ La forme moderne *sultan* est venue de l'arabe par le turc, désignant des souverains ottomans ; on relève isolément à la fin du XIIIe s. une forme *soltan* dans le *Livre des Merveilles* de Marco Polo (1298). Le mot turc a par ailleurs été emprunté par l'italien *sultano*, l'espagnol *sultán*, le portugais *sultão* qui, comme en français, se sont substitués aux formes anciennes.

♦ Le mot emprunte le sens de l'arabe (1180-1220, *souldan*), encore au XVIIIe s. (1771, *soudan*), pour désigner le titre donné au souverain d'Égypte. ◇ Au XVIe s., *sultan* reprend au turc le sens moderne de «souverain de l'Empire ottoman» (1540). Par référence au pouvoir absolu des sultans et aux mœurs de l'Orient, le mot a désigné au XVIIIe et au début du XIXe s. (depuis 1775) un homme despotique habitué à être servi et, par allusion implicite au harem, un homme qui entretient plusieurs maîtresses à la fois (1775). ➛ Avec la mode des objets et des décors orientaux, *sultan* a servi à nommer une corbeille (à dentelles, à bijoux) garnie de soie (1802) et un petit sachet rempli d'herbes aromatiques que l'on mettait dans un coffre à linge (1789). Ces emplois ont disparu.

▸ **SULTANE** n. f., réfection (1542) de *souldane, soultane* (1541), désigne la femme d'un sultan turc dans *sultane favorite, sultane régnante* par exemple. ◇ Mis à la mode avec le goût des turqueries de la période romantique, le mot évoquait figurément la femme sensuelle et raffinée (cf. *la pâte des Sultanes*, dans *César Birotteau*) et a eu le sens de «maîtresse» (attesté 1875). ➛ À partir du XVIIe s., *sultane* est relevé avec des acceptions étendues et désigne ce qui vient (ou est présumé venir) du Moyen-Orient : *poule sultane* est le nom (1671, Cl. Perrault) d'un oiseau échassier au plumage pourpre. ◇ *Sultane* a désigné un vaisseau de guerre turc (v. 1628) et aussi (1688) une robe longue, faite d'une riche étoffe, ouverte devant, qui fut à la mode au XVIIe siècle. ◇ Parce qu'on peut s'y reposer à la manière des Orientaux, c'est le nom (1782) d'un canapé formé d'une banquette à deux dossiers latéraux (cf. *ottomane*). C'est aussi le nom d'une variété de poire.
Le dérivé **SULTANIN** a désigné (1560) une ancienne monnaie d'or qui avait cours en Turquie, en Égypte, en Tunisie et en Algérie. ➛ **SULTANAT** n. m. se dit de la dignité, du règne d'un sultan (1842) et d'un État placé sous l'autorité d'un sultan (cf. *émirat*).

SUMAC n. m. est un emprunt (fin XIIIe s. ; *somac*, 1256) à l'arabe *summāq*, nom d'une plante connue depuis l'Antiquité pour ses propriétés médicinales. Venant du Moyen-Orient, elle fut introduite en Sicile où elle fit l'objet d'une culture intensive, également en Sardaigne (italien *sommaco*) et en Espagne *(zumaque)*, où le mot est bien attesté dès le Xe siècle. ◇ La plante et le nom voyagent ensuite vers les autres contrées de l'Europe : ancien provençal *simac*, portugais *sumagre*, anglais *sumach*, allemand *Sumach*...

♦ Le mot désigne une plante de la famille des térébinthacées ; cet arbuste aux nombreuses variétés fournit une gomme résine utilisée en tannerie pour la fabrication de vernis et de laques.

SUMÉRIEN, IENNE adj. et n. est dérivé (1872, adj.) de *Sumer*, nom d'une région ancienne correspondant à la Basse-Mésopotamie ; le mot vient du babylonien *šumeru*.

♦ L'adjectif s'applique à ce qui est relatif au pays de Sumer, à son peuple. *Le sumérien* désigne la langue de ce peuple, qui n'est apparentée à aucune autre et représente la plus ancienne langue écrite connue.

SUMMUM → SOMMET

SUMO n. m. inv. est la transcription (v. 1980) d'un mot japonais signifiant «lutte» ; il est aussi écrit dans le vocabulaire didactique *sumō*.

♦ Le mot désigne un combat au corps à corps entre deux athlètes professionnels, d'un poids et d'une force exceptionnels, le but étant d'expulser l'adversaire de l'aire de combat et de lui faire toucher le sol avec une partie de son corps. Ce sport national japonais, très populaire, est aussi un spectacle où le rituel, lié au shintoïsme (→ shintô), est essentiel. Les lutteurs, nommés aussi *sumo* ou *sumotori* (transcription du japonais), entretiennent leurs poids, qui peut atteindre 180 à 200 kilos, par un régime alimentaire intense et suivent un entraînement durant 15 ans avant de pouvoir obtenir le titre de champion qui les voue à l'adulation du public.

SUNLIGHT n. m. emprunte (1881) un mot anglo-américain, terme de cinéma signifiant proprement «lumière du soleil» ; il est composé de *sun* «soleil», issu du germanique *sunnān*, apparenté au latin *sol, solis* (→ soleil), et de *light* «lumière», du germanique *°leuktom*, qui se rattache à une importante racine indoeuropéenne *°leuk-* «briller», représentée par le grec *leukos* «blanc», les mots latins *lux* et *lumen* (→ luire, lumière).

♦ *Sunlight* désigne une forte lampe à gaz, puis (1920) un projecteur puissant utilisé dans les studios cinématographiques.

SUNNA n. f. est un emprunt (1538 ; *zuna*, 1553) à l'arabe *sŭnnăh* «loi, règle traditionnelle».

♦ Terme didactique en français, *sunna* (variantes *souna, sounna*) désigne, dans la religion islamique, la tradition orthodoxe transmise par les quatre premiers califes successeurs du Prophète, tradition majoritaire et refusée par les chiites.

▸ Il a fourni les termes de religion **SUNNITE** adj. et n. (1729), «(musulman) qui se conforme à la sunna», et **SUNNISME** n. m. (XXe s.), «religion des sunnites». La forme *sonni* (1653) était empruntée au dérivé arabe *sunnī*.

① **SUPER** v. s'est substitué (1687) à *supper* (1420), *chupper* (1611), emprunt à l'ancien normand *super* (v. 1354), réfection de l'anglo-normand *supeir*

(v. 1130). Cette forme est elle-même issue de l'ancien norrois *supa* «boire, humer», auquel se rattache l'ancien anglais *sūpan*, d'où l'anglais *to sup* «boire, avaler à petites gorgées», l'ancien haut allemand *sûfan* (allemand *saufen*).

♦ D'abord attesté au sens de «sucer, absorber» (v. 1130, *supeir*), encore au début du XVIIe s. (1611, *chupper*), le verbe s'est spécialisé en marine (1687, intr.) pour «se boucher, s'obstruer». ◇ Régionalement (Normandie), *super* signifie encore «aspirer, gober» (1704, tr.).

▸ Le participe **SUPÉ, ÉE** adj. se dit (1836) d'un navire retenu et comme aspiré par la vase.

② **SUPER** → CARBURE (SUPERCARBURANT)

SUPER-, premier élément, représente le latin classique *super* adv. et prép. «sur», «au-dessus», «par-dessus» et par extension «au-delà», «par-delà» et «plus de». La langue familière l'employait pour *de* avec le sens d'«au sujet de», acception qui s'étend en latin impérial, *de* se spécialisant au sens de «de». *Super* a servi en latin de premier élément à de nombreux composés. Il a pour correspondants sans *s* initial le grec *huper* «sur» (→ hyper-), le germanique °*uberi* (cf. anglais *over*, allemand *über*) et il s'oppose à *sub* (→ sub-).

♦ En français, *super* entre dans la composition de nombreux mots empruntés au latin et marque la position supérieure. ➜ *Super* est aussi un préfixe de renforcement, marquant la supériorité ou le plus haut degré et servant à former des adjectifs et des noms composés; cette valeur figurée se trouve déjà en bas latin dans certains composés, comme *superadulta* «tout à fait nubile». ➜ Son emploi, concurrent de celui de *sur-*, de *hyper-*, est limité avant le XXe s. à des domaines spécialisés (1866, *papier supersensibilisé, ée* adj., en photographie). Il est employé massivement après 1914 avec le vocabulaire du cinéma américain et celui de l'aviation et se développe surtout après 1945, encore sous l'influence de l'anglais, dans le langage publicitaire et technique, puis dans la langue familière. ◇ *Super* s'emploie avec des noms de personnes (grade, fonction : *super-préfet*), avec des noms de choses abstraites au sens de «supérieur, extrême» (1929, *super-État*; on parlera après 1950 des *super-grands*, des *superpuissances*), ou concrètes avec une valeur intensive, signifiant «très grand, très organisé, etc.» (1972, *une super-cuisine*). ◇ Avec des adjectifs, il a le sens de «très», «entièrement» (1839, *supercivilisé*, De Custine), notamment dans des adjectifs d'évaluation positive (1930, *supermoderne*), surtout à partir de 1960. Dans la langue publicitaire, il équivaut à «qui a à l'extrême une propriété» (1981, *crème superhydratante*). ◇ Dans la langue parlée, *super-* s'emploie avec des adverbes *(superbien)*. ➜ Dans l'usage familier, d'abord chez les jeunes, il s'est détaché (1951; diffusé après 1968) pour servir d'adjectif *(il, elle est super, un film super)*.

◈ voir SUPERBE, SUPERCHERIE, SUPERCOQUENTIEUX, SUPÈRE, SUPERFÉTATION, SUPERFICIE, SUPERFLU, SUPÉRIEUR, SUPERLATIF, SUPERMAN, SUPERMARCHÉ, SUPERPOSER, SUPRA-, SUPRÊME, SUR, SUR-, SURÉROGATION, SURNUMÉRAIRE, ainsi que SOPRANO, SOUBRETTE, SOUVERAIN.

① **SUPERBE** adj., attesté d'abord comme nom (v. 1120) puis comme adjectif (fin XIIe s.), est emprunté au latin *superbus* «altier, hautain», d'où «orgueilleux» et, pris en bonne part, «magnifique, fier, imposant» dans la langue poétique et à l'époque impériale. Cet adjectif est formé de *super* «sur» (→ super-) et d'un élément *-bus* issu de *-°bhos* «qui pousse», peut-être apparenté à la racine °*bheu-* «croître» et que l'on retrouve dans le latin *probus* (→ probe); °*super-bhos* aurait signifié littéralement «qui croît au-dessus des autres».

♦ *Superbe* reprend au XIIe s. le sens latin d'«orgueilleux»; dans cette acception, l'adjectif est devenu archaïque ou littéraire, de même que les emplois qui apparaissent à partir du XVIe s. pour qualifier une action humaine (1559, Amyot), un air, une allure (1658, Bossuet) et aussi un animal, avec l'idée mêlée de «fierté» et de «majesté» (1677, Racine). *Un superbe* (1642, Corneille) s'est dit pour «personne qui a de la superbe» (ci-dessous). Appliqué concrètement dans la langue poétique à un élément de la nature qui s'élève au-dessus des autres (1690, Furetière, *un mont superbe*), il est sorti d'usage. ➜ *Superbe* emprunte au XVIe s. la valeur méliorative du latin, qualifiant ce qui est plein de magnificence et de somptuosité (1573, d'une maison); ce sens ne subsiste que dans un emploi littéraire. À partir du XVIIIe s., par affaiblissement, l'adjectif ne conserve que l'idée de beauté qu'il avait depuis le début du XVIIe s. (attesté en 1617), et devient d'usage courant en parlant d'une personne d'une prestance imposante (1762, d'une femme) ou d'une chose, d'un paysage d'une grande beauté et par extension d'un phénomène naturel (1775, *un temps, un soleil superbe*). Par extension, et sans coloration esthétique, *superbe* s'emploie aussi à partir du XIXe s. comme intensif, équivalant à «remarquable, excellent» (av. 1842, Stendhal).

▸ Le dérivé **SUPERBEMENT** adv., sorti d'usage au sens d'«orgueilleusement» (1538), conserve celui de «magnifiquement» (1546). ➜ ② **SUPERBE** n. f. est un emprunt savant (v. 1120), aussi en ancien français *superbie*, au latin classique *superbia* «orgueil, fierté, hauteur», «insolence» et avec une valeur méliorative «noble fierté», dérivé de l'adjectif *superbus*. *Superbia* a par ailleurs abouti en ancien espagnol à *sobervia* et à *soberbha* en ancien portugais. ➜ Le mot a en ancien français le sens latin d'«orgueil, arrogance» (v. 1120), surtout dans le style religieux à l'époque classique. *La superbe*, condamné par Vaugelas (1647), est tombé en désuétude jusqu'au XIXe siècle. Le mot a été repris dans un style littéraire, au sens d'«assurance orgueilleuse qui se manifeste par l'air, le maintien» (1849, Michelet).

SUPERCHERIE n. f. est emprunté sous une forme francisée (1566, «attaque par surprise») à l'italien *soperchieria* «excès, affront», dérivé de *soperchiare* «surabonder, prédominer», «tromper», lui-même dérivé de l'adjectif *soperchio* «excessif», «surabondant». Ce mot est issu d'un latin populaire

°*superculus* «excessif», dérivé du latin classique *super* «au-dessus» (→ super-).

♦ *Supercherie* est emprunté avec la valeur d'«attaque brusque», puis avec le sens italien de «mauvais tour, insulte» (1575) et le mot est à la mode à la Cour. On relève aussi chez Montaigne (1588) le sens d'«abus de force» et à la fin du XVIe s. (1599) celui de «superfluité, abondance excessive», en usage à l'époque classique. ➜ Par ailleurs, dès le XVIe s., se produit un glissement de sens propre au français, qui aboutit au sens moderne (attesté 1611) de «tromperie qui implique la substitution du faux à l'authentique»; cette valeur apparaît en espagnol à la même époque (1613, Cervantes, *supercheria*), sans que l'on puisse affirmer le sens dans lequel s'exerce l'influence (plus probablement du français vers l'espagnol); elle est restée vivante en français moderne.

SUPERCOQUENTIEUX, EUSE adj. représente une variante (1833) de *supercoquelicantieux, supercoquelicantiqué*, signifiant proprement «qui dépasse le coq en chantant», mot burlesque relevé chez Rabelais (av. 1553) et tiré du latin macaronique (XVe s.). Ce mot est formé du latin classique *super* «au-dessus» (→ super-), du français *coq** et du latin *cantus* «chant*».

♦ D'usage littéraire, l'adjectif s'est employé par plaisanterie pour «magnifique, mirifique». On relève aussi une forme *superlicoquentieux* (1623). La variante moderne, plaisante et archaïque, *superlificoquentieux* (1885), utilise l'élément initial *superl-* de *superlatif* et la séquence *-lific-* de *emberlificoté*.

SUPÈRE adj. est un emprunt savant (1529 isolément, puis 1770, Rousseau) au latin *superus* «qui est au-dessus, supérieur», opposé à *inferus* «qui se trouve par-dessous» (→ infère); *superus* dérive de *super* adv. et prép. «sur, au-dessus; par-dessus» (→ super-).

♦ L'adjectif qualifie en botanique l'ovaire d'une fleur qui s'attache au sommet du pédoncule floral au-dessus de la corolle.

SUPÉRETTE → **SUPERMARCHÉ**

SUPERFÉTATION n. f. est un emprunt savant (1534) au latin médiéval *superfetatio*, formé sur *superfetatum*, supin du latin impérial *superfetare* «concevoir de nouveau». Ce verbe est formé du latin classique *super* «en dessus, par-dessus» (→ super-) et du latin impérial *fetare* «faire des petits», «pondre», «féconder», dérivé du latin classique *fetus* «grossesse», «enfantement», «portée», «ponte» et par métonymie «petit (d'un animal)» (→ fœtus). ◇ On relève en moyen français le verbe *superfoeter* «concevoir un second fœtus» (1570), emprunté au verbe latin.

♦ *Superfétation* désigne en physiologie médicale la fécondation de deux ovules, s'opérant en deux coïts dans des périodes d'ovulation différentes. Au figuré, le mot s'emploie en parlant de ce qui s'ajoute inutilement à autre chose (fin XVIIe s., Bossuet, d'abord *supereffetation*, 1615), emploi didactique; il s'est dit spécialement d'une répétition inutile dans le langage (1819, Boiste).

▶ Sur le radical de *superfétation* a été dérivé **SUPERFÉTATOIRE** adj. (1901), qui s'emploie avec le sens figuré du nom dans un usage littéraire. ➜ **SUPERFÉTATIF, IVE** adj. (fin XIXe s., Huysmans) est rare.

SUPERFICIE n. f. est emprunté d'abord sous la forme *superfice* (v. 1200), au latin classique *superficies* «partie supérieure», «constructions sur la surface d'un sol dont on n'a que l'usufruit», en géométrie «surface» et en latin chrétien (saint Irénée) «apparence extérieure, superficielle»; ce mot est formé de *super-* «en-dessus, par-dessus» (→ super-) et de *facies* «forme extérieure» (→ faciès à face). *Superficies* a par ailleurs servi de modèle pour la formation du français *surface**.

♦ Le mot désigne d'abord au figuré, par le latin chrétien, ce qui se présente immédiatement à l'esprit, l'aspect superficiel, l'apparence morale (v. 1200, *superfice*; v. 1270 [F.e.w.], *superficie*), opposé à *fond*, acception disparue. Puis il désigne la partie externe visible de qqch. (1314, *superfecie*), sens toujours vivant. *Superficie* reprend en géométrie le sens latin de «surface (d'un corps) considérée dans son étendue et dans son caractère extérieur» (1484); il désigne aussi la partie supérieure d'une chose (1563). Par métonymie, *superficie* désigne en droit, par réemprunt au latin, tout ce qui est bâti ou planté sur un fonds (1690), d'où ***droit de superficie*** «droit de propriété qui ne porte que sur les édifices ou plantations, à l'exclusion du sous-sol» (1872). ◇ Par figure, le mot a désigné au XVIIe s. (1689, Sévigné) une connaissance imparfaite; il est sorti d'usage dans cette acception qui correspond au sens moderne de *superficiel* (ci-dessous).

▶ Deux mots ont été empruntés à des dérivés de *superficies*. ➜ **SUPERFICIEL, ELLE** adj., emprunt au bas latin *superficialis* «relatif aux surfaces» et au figuré «qui n'est pas profond», s'applique à ce qui est propre à la surface d'un corps (1314), à ce qui n'intéresse que cette surface (1636, *croûte superficielle*), d'où les emplois comme nom pour «surface d'une chose» (1564) et «mesure en unités de surface» (1690), sortis d'usage. ◇ Avec une valeur abstraite, qui correspond au sens figuré de *superficie, superficiel* se dit (1370) d'une connaissance, d'un sentiment sans profondeur, de ce qui n'est pas profond et, à propos d'une personne, d'un esprit qui ne va pas au fond des choses (1590), de ce qui n'est qu'apparent (1683). ➜ L'adjectif a fourni **SUPERFICIELLEMENT** adv. qui a signifié «au premier aspect» (XIIIe s., *superficiaument*); il s'emploie avec le sens propre de «légèrement» (1314, *superficialement*; v. 1560, *superficiellement*) et au figuré (1370, *superficialment*). L'adverbe a aussi signifié (1600) «en étendue». ➜ **SUPERFICIALITÉ** n. f. équivalait à «superficie» (1512) et ne s'emploie plus qu'au figuré pour «caractère superficiel, sans profondeur» (1731; rare avant le XIXe s.).

① **SUPERFICIAIRE** adj., qui reprend (1771) le latin impérial *superficiarius* «dont on n'a que l'usufruit», se dit d'un propriétaire qui détient un «droit de superficie» et s'emploie dans *propriété superficiaire* (av. 1865, Proudhon) «qui se limite à la surface du sol ou à des constructions élevées sur un terrain appartenant à autrui». ◆ Un homonyme ② **SUPERFICIAIRE** adj., dérivé de *superficie,* signifiait en moyen français «qui n'a que l'apparence» (1534, Rabelais), «qui est à la surface» (v. 1560).

SUPERFLU, UE adj. et n. m. est un emprunt savant (XIIIe s., isolément; puis 1314) au bas latin *superfluus* «débordant», «excessif; de reste», dérivé du latin impérial *superfluere* «déborder», «surabonder»; ce verbe est composé de *super* «au-dessus» (→ super-) et de *fluere* «couler, s'écouler» (→ fluer). L'ancien provençal a de même *sobreflu* (1250).

♦ Le mot désigne ce qui est en plus du nécessaire (XIIIe s., adj. et n. m.; puis XVIe s., en ce sens); de là vient *superflu en (qqch.)* «excellent en» (XVe s.), sorti d'usage. ◇ *Superflu,* à nouveau emprunté au XIVe s. (1370, Oresme), qualifie ce qui n'est pas indispensable, voire ce qui est inutile, et spécialement ce qui surcharge inutilement (1530), en parlant par exemple d'ornements, puis d'éléments naturels, d'où *poils superflus* (XXe s.) des aisselles, des jambes, que les femmes font disparaître. ◆ L'adjectif a eu le sens latin de «sans mesure, excessif», en parlant d'une personne (1530). ◇ Il s'est employé en musique à propos d'un intervalle qui a un demi-ton de trop (1702). *Rimes superflues* désigne en métrique (1872) des rimes qui embrassent, outre la rime consonante entière, une partie de la syllabe précédente.

▸ **SUPERFLUITÉ** n. f. est emprunté (v. 1180) au bas latin ecclésiastique *superfluitas* «surabondance», dérivé de *superfluus.* ◆ Le mot s'emploie d'abord au pluriel en médecine pour «humeurs surabondantes», sens vivant jusqu'au XVIe siècle. Plus généralement, il désigne ce qui est en excès par rapport à une norme; au singulier, il a signifié «faste dans l'habillement» (v. 1180), sens encore vivant à l'époque classique (1677), et aussi «sécrétion» (v. 1270), «inondation» (v. 1375), «excès de végétation» (1549), tous emplois sortis d'usage. ◆ *Superfluité,* littéraire, désigne (v. 1190, *superfluitet*) encore aujourd'hui une chose superflue et, dans l'usage didactique, le caractère de ce qui est surabondant (v. 1330).

SUPÉRIEUR, EURE adj. et n. est la réfection (1530) de *superior* (v. 1160), *supereor* (1195), emprunt savant au latin classique *superior* «plus au-dessus, le plus haut de», avec une valeur temporelle «antérieur, précédent», «supérieur» en parlant de rang, et par ailleurs «plus puissant, plus fort». *Superior* est le comparatif de *superus* «qui est au-dessus» (→ supère), dérivé de *super* adv. et prép. «sur, au-dessus, par-dessus» (→ super-).

♦ L'adjectif apparaît avec la valeur concrète et spatiale du latin, qualifiant notamment une partie du territoire qui se trouve plus rapprochée de la source d'une rivière qui la traverse (v. 1160, *superior*). Le mot se dit plus largement (1195, *supereor*) de ce qui est situé au-dessus (de qqch.), de la partie la plus haute (d'un objet). ◇ Avec cette valeur concrète, l'adjectif s'emploie depuis le XVIe s. en astronomie, dans *planète supérieure* «plus éloignée du Soleil que ne l'est la Terre» (1562) et dans l'expression courante *membres supérieurs* (1564). ◆ En emploi abstrait, *supérieur à* (1588) qualifie ce qui l'emporte sur qqch. par la qualité, la valeur, etc. et une personne qui a une plus grande valeur intellectuelle, morale, plus de talent. Avec cette acception, *supérieur* sans complément qualifie une personne remarquable par ses qualités (1694) ou son talent (1798); on parle aussi d'*esprit supérieur,* d'*intelligence supérieure,* etc. ◆ La construction *supérieur à* s'applique aussi à ce qui est plus grand (mil. XVIIe s. : av. 1679), à ce qui est quantitativement plus important (*température supérieure à...,* 1875). ◇ Dans une classification (1845), l'adjectif qualifie ce qui est à un niveau plus général, ce qui est plus avancé dans une évolution *(animaux supérieurs, végétaux supérieurs).* Avec tous ces emplois, il s'oppose à *inférieur.* ◆ Enfin, l'adjectif acquiert une valeur psychologique, d'après un sens de *supériorité* (ci-dessous), pour «qui témoigne d'un sentiment de supériorité» (1887, Zola).

Le premier emploi substantif est *superieux* (1482) puis *superieur* (v. 1510) «personne qui a autorité sur une autre (ou d'autres) par sa position hiérarchique». ◇ Cette valeur hiérarchique, sociale, administrative, militaire est partagée par l'adjectif *(les classes supérieures)* et s'est développée aux XIXe-XXe s. avec l'accroissement des institutions organisées (*officier supérieur, cadre supérieur,* etc.). ◇ Avec une valeur à la fois intellectuelle, pédagogique et sociale, l'institution scolaire française connaît depuis le XVIIe s. les *classes supérieures* (1690); au XIXe s. elle est répartie, selon l'âge des élèves et le niveau des études, en *primaire, secondaire* et *supérieur : enseignement supérieur,* d'où *le supérieur* (XXe s.) «l'université». À l'intérieur même de l'université, *études supérieures* recouvre les deuxième et troisième cycles.

Le substantif appliqué aux personnes, **SUPÉRIEUR, EURE** n., désigne à partir du XVIIe s. (1656, Corneille) la personne qui assure la direction d'une communauté religieuse ou d'un couvent (en apposition, *le père supérieur, la mère supérieure*). ◇ De là, dans le vocabulaire libertin du XVIIIe s., le sens analogique de *la supérieure* «femme qui tient une maison de prostitution» (v. 1750), sorti d'usage.

▸ Le dérivé **SUPÉRIEUREMENT** adv. signifie «d'une manière excellente», «parfaitement» (1604); il est familier pour «à l'extrême», «très» (1876). ◆ **SUPÉRIORISER** v. tr., dérivé savant du latin *superior,* a d'abord signifié «rendre supérieur» (1837, Balzac), sens littéraire. Repris en psychologie (v. 1965), il signifie «donner un sentiment de supériorité à (qqn)», opposé à *inférioriser**. ◇ En dérive, avec la même valeur psychologique, **SUPÉRIORISATION** n. f. (v. 1965).

SUPÉRIORITÉ n. f. est emprunté (1409) au latin médiéval *superioritas* «autorité suprême, suprématie», dérivé du latin classique *superior.* Cette forme savante s'est imposée devant *supérieurité* n. f., dérivé français au sens concret de «fait d'être situé plus haut» (1538), qui ne s'est pas maintenu. ◆ *Supériorité* désigne le fait d'être supérieur par ses qualités, en parlant d'une personne (v. 1450); par extension, il a signifié «avantage, privilège» (v. 1500) et «puissance» (fin XVIe s., Brantôme). ◇ Au XVIe s., le nom désigne une personne placée à un haut niveau dans la hiérarchie (1553), sens archaïque, comme l'emploi au XVIIe s. pour «dignité de supérieur dans un couvent, une communauté» (1690). ◇ Au XVIIIe s., *supériorité* s'emploie pour parler de la position avantageuse que donnent des moyens puissants (déb. XVIIIe s.), en particulier dans le domaine militaire, et de l'attitude d'une personne condescendante (1713, *air de supériorité*). Il désigne aussi le fait qu'une chose l'emporte sur une autre (fin XVIIIe s.). ◇ En grammaire, on parle de *comparatif de supériorité* (déb. XXe s.) et en psychologie de *sentiment, complexe* de supériorité*.

SUPERLATIF, IVE adj., réfection (v. 1215) de *supellatif* (v. 1170), est un emprunt au bas latin *superlativus*, terme de grammaire (IVe s.) et de rhétorique pour «hyperbolique, exagéré» (VIe-VIIe s.); en latin médiéval, le mot s'est aussi employé aux sens de «parfait, excellent», «supérieur, éminent» (XIIe s.). Le mot dérive du latin classique *superlatio* «exagération, hyperbole», employé en rhétorique et en grammaire et formé sur *superlatum*, supin de *superferre* «porter au-dessus», «dépasser, reculer, porter au-delà». Ce verbe est composé de *super* «au-dessus, par-dessus» (→ super-) et de *ferre* «porter» (→ -fère), dont le supin *latum* se rattache à la racine indoeuropéenne °*telə-* «supporter, soulever» (→ tolérer), alors que l'infinitif appartient à la racine °*bher-* «porter» (→ souffrir).

♦ Le mot emprunte au XIIe s. la valeur du latin médiéval, «excellent», seule en usage jusqu'au XVIe siècle; il s'applique à Dieu, «qui est au-dessus de tout» (v. 1170, *supellatif*), puis à ce qui a un caractère d'excellence (v. 1280), sens encore en usage au XIXe siècle. De là viennent aussi *superlatif de* (v. 1300) «le plus puissant de» jusqu'au XVIe s. et *superlatif de qqch., en qqch.* «qui possède au plus haut degré (telle qualité)» (v. 1320). L'adjectif ne s'est pas maintenu dans ces emplois, où il est l'intensif de *supérieur*, ni dans les acceptions figurées, plus tardives, de «fier, hautain» (1611), «éloquent» (1752). Le sens figuré et péjoratif «extrême, excessif, exagéré», qui vient de cette acception (XIXe s.), a lui aussi vieilli. ◇ Quant à l'usage substantif, ancien pour «maître absolu» (*suppelatif*, v. 1210; *superlatif*, v. 1320), il a disparu en moyen français. ◆ Comme terme de grammaire, repris au XVIe s. (1550) au bas latin, l'adjectif se dit de ce qui exprime le degré supérieur d'une qualité, défini absolument ou par rapport à un ensemble déterminé *(préfixes, suffixes superlatifs)*; *un superlatif* désigne le terme qui exprime le degré supérieur d'une qualité (mil. XIIIe s.) et, par extension (1652), un terme exagéré, hyperbolique *(abuser des superlatifs)*. ◇ Dans la terminologie grammaticale, sont distingués par la suite (1765) le *superlatif relatif* «qui exprime la qualité portée au plus haut degré, par rapport à d'autres personnes, d'autres choses» (par ex. *le plus important*), du *superlatif absolu*, sans référence à d'autres personnes ou choses *(très important)*. ◆ Le mot s'emploie aussi au figuré, avec une valeur proche du sens ancien (ci-dessus), dans la locution adverbiale ***au superlatif*** «extrêmement, au plus haut degré» (1694), *en un degré superlatif* (1694) ne s'étant pas maintenue. Il peut être suivi d'un complément *(le superlatif de [qqch.])* pour «le sommet, le maximum» (XIXe s.).

▶ Le dérivé **SUPERLATIVEMENT** adv., familier pour «extrêmement» (1549; v. 1510, *supellativement*), était encore employé au XIXe s. dans la conversation; il a disparu. ◇ Le mot est rare au sens grammatical d'«au superlatif» (XXe s.).

SUPERMAN n. m. est emprunté (1949, Boris Vian) à l'anglo-américain *Superman*, nom d'un personnage de bandes dessinées créé par Siegel et Schuster en 1938; ce mot est composé de *super-*, emprunté au latin classique «au-dessus, par-dessus» (→ super-), et de *man* «homme» (→ barman, mannequin). Il avait été créé en anglais (1903) pour traduire l'allemand *Übermensch*, employé par Nietzsche et rendu par le français *surhomme* (1901, Lichtenberger). Il conserve au pluriel la forme anglaise *supermen*.

♦ *Superman*, par allusion au héros de la bande dessinée, s'emploie pour «homme doué de capacités surhumaines» et par extension «homme qui domine tous ses semblables» (1949, B. Vian, *Charlie Parker, le superman du jazz*), souvent par ironie *(jouer les supermen)*.

▶ **SUPERWOMAN** (1981) est emprunté au mot anglo-américain correspondant, de *woman* «femme», nom d'une héroïne de bandes dessinées. Il fonctionne en français comme féminin (plus rare) de *superman*.

SUPERMARCHÉ n. m. est la francisation (v. 1960), par traduction littérale, de l'anglo-américain *supermarket* (1946), composé de *super-** et de *market*, emprunt au français *marché**.

♦ Le mot désigne un vaste magasin d'alimentation et de produits courants, où se pratique le libre-service. On a employé (1953) pendant quelques années la forme anglaise *supermarket*. *Supermarché* tend à être remplacé par *grande surface**; il est distingué de *hypermarché*. Par figure, le mot, un des symboles de la société de consommation, s'emploie (v. 1969) pour parler d'un lieu où l'on diffuse à grande échelle un bien quelconque.

SUPÉRETTE ou **SUPERETTE** n. f. est emprunté (1959) au mot anglo-américain *superette*, formé de *super*, dans *supermarket*, et du suffixe *-ette*, emprunté au français. ◆ *Supérette* désigne, dans le vocabulaire du commerce, un magasin d'alimentation en libre-service plus petit que le supermarché; le mot est moins courant que *supermarché* et *libre-service*.

SUPERNATURALISME, ISTE → SURNATUREL

SUPERPOSER v. tr. représente une adaptation (1762), d'après *poser**, du latin *superponere* «placer, mettre sur» et au figuré «mettre à la tête de», «préférer»; ce verbe est composé de *super* «au-dessus» (→ super-) et de *ponere* «poser» (→ pondre).

♦ *Superposer* veut dire «poser l'un sur l'autre», spécialement en géométrie, et aussi «mettre l'un au-dessus de l'autre» (1859). Le verbe s'emploie au figuré au sens de «mettre en plus» (1819). ◇ Le pronominal apparaît (1778) dans ce dernier sens, puis (1834) pour «se poser l'un sur l'autre». Le participe passé est adjectivé (1803).

▸ Il a fourni **SUPERPOSABLE** adj. (1868 en physique) et en botanique **SUPERPOSITIF, IVE** adj. (1839).

SUPERPOSITION n. f. est emprunté au dérivé bas latin *superpositio, -onis* «paroxysme», au moyen âge «superposition». Comme le verbe, *superposition* s'emploie au propre (1613), par exemple en géologie (1781) et au figuré (1860).

SUPERPUISSANCE → POUVOIR

SUPERSONIQUE → ② SON

SUPERSTAR → STAR

SUPERSTITION n. f. est un emprunt savant (1375) au latin *superstitio, -onis* opposé à *religio* «scrupule religieux» (→ religion), par figure «observation trop scrupuleuse», par métonymie «objet de crainte religieuse» et «culte religieux, vénération», d'où la valeur dominante de «pratiques superflues»; par ailleurs, les Anciens ont défini le mot étymologiquement comme une pratique religieuse ayant pour but d'obtenir des dieux une postérité. ◇ *Superstitio* dérive de *superstare* «se tenir au-dessus», «surmonter», «dominer»; à basse époque, le verbe a signifié «survivre», sous l'influence sémantique de son dérivé *superstes, -itis* «qui demeure au-dessus», d'où le sens devenu courant de «qui survit». *Superstare* est composé de *super* «au-dessus, par-dessus» (→ super-) et de *stare* «se tenir debout», «être immobile» (→ ester).

♦ Introduit au XIVe et répandu à partir du XVIe s., *superstition* désigne des croyances et des pratiques de nature irrationnelle vis-à-vis du sacré; en ce sens le mot peut s'appliquer à l'idolâtrie, à la magie, à l'occultisme, etc., opposé soit à la «vraie religion», soit à la raison critique, selon l'idéologie de l'époque. ◆ Depuis le XVIe s. (attesté 1573), *superstition* possède la valeur, plus courante, de «croyance au pouvoir (bénéfique ou maléfique) de certains actes, de certains signes» (1573), d'où «présage que l'on tire de certains accidents fortuits» (1690). En parlant de croyance religieuse, le mot s'emploie au sens étymologique d'«excès de scrupule» (1611), puis par extension à propos d'un excès d'exactitude, de soin, dicté par la superstition, qu'elle soit de nature religieuse ou profane (1694, *superstition des reliques, du nombre 13*). De là vient le sens plus large d'«attitude irrationnelle, magique» en quelque domaine que ce soit (1742, Voltaire). À la même époque, le mot désigne (XVIIIe s.) l'ensemble des traditions religieuses, des préjugés contraires à la raison, opposé à la philosophie, aux Lumières et rapproché du fanatisme.

▸ **SUPERSTITIEUX, EUSE** adj. et n. est emprunté (1375) au latin *superstitiosus* adj. «superstitieux», «prophétique», dérivé de *superstitio*. ◆ Le sémantisme du mot est analogue à celui de *superstition;* l'adjectif se dit d'une personne qui a de la superstition (1375), notamment qui voit des signes favorables ou néfastes dans certains faits, et de ce qui manifeste de la superstition (1377) en parlant d'une pratique, d'une action. ◇ Il est substantivé (1589) pour «personne superstitieuse». ◇ Par analogie, *superstitieux* s'est appliqué (1541) à un sentiment inspiré par un excès de scrupule ou de soin. ◆ L'adjectif a fourni **SUPERSTITIEUSEMENT** adv., d'usage littéraire, signifiant «d'une manière superstitieuse» (1516) et aussi «avec un scrupule excessif» (1611), sens disparu.

SUPERSTRAT → SUBSTRAT et *langues romanes*

SUPERVISER → VISER

SUPIN n. m. est emprunté au XIIIe s. (v. 1245) au bas latin des grammairiens *supinum* (IVe s.), désignant les formes en *-um* et en *-u* du verbe latin; c'est le neutre substantivé du latin classique *supinus* «penché en arrière», spécialement «couché sur le dos», «tourné en sens inverse, incliné (en parlant de lieux)» et par figure «paresseux, négligent». L'adjectif dérive de *sub* indiquant un mouvement de bas en haut (→ sous, sub-). *Supinus* est à rapprocher du grec *huptios* «renversé en arrière», dérivé de *hupo-* «sous» (→ hypo-), correspondant à *sub.* L'adjectif du latin classique avait été emprunté (mil. XIe s.) par l'ancien provençal *sopin* adj. «couché sur le dos» et en moyen français sous la forme *suppin* «adossé» (1466).

♦ Le mot désigne (XIIIe s.) dans la grammaire latine un temps primitif du verbe latin utilisé comme substantif verbal et formé d'une désinence en *-um* (pour un complément de verbes de mouvement) ou en *-u* (pour les compléments de certains adjectifs); le participe passé en *-us* est formé sur le radical du supin, ainsi que l'infinitif et le participe futur. De nombreux supins servent à former les dérivés nominaux des verbes.

◈ voir SUPINATEUR.

SUPINATEUR n. m. et adj. est un dérivé savant (1560, Paré) de *supinatum,* supin du latin impérial *supinare* «renverser sur le dos, en arrière», dérivé de *supinus* (→ supin).

♦ Ce mot d'anatomie désigne chacun des deux muscles de l'avant-bras qui permettent le mouvement de rotation, du dedans en dehors, de la main et de l'avant-bras *(muscles supinateurs),* puis, après la dénonciation de l'abus de langage que constitue l'expression *long supinateur* (P. Poirier, 1912), un seul de ces deux muscles, l'autre n'ayant pas la fonction décrite par l'étymologie.

▸ **SUPINATION** n. f. est emprunté (1635) au bas latin *supinatio* «fait d'être renversé sur le dos», formé sur le supin de *supinare.* ◆ Le mot a désigné en médecine la position (d'un malade) couchée sur le dos. En physiologie, il se dit du mouvement de rotation de la main et de l'avant-bras.

SUPPLANTER v. tr. est un emprunt (v. 1120) au latin classique *supplantare,* proprement «donner un croc-en-jambe», d'où «renverser»; en bas latin ecclésiastique, ce verbe sert à traduire un verbe hébreu signifiant «attraper, tromper», dans le passage de la Genèse (XXVII) où Ésaü dit: «Est-ce parce que l'on a appelé Jacob qu'il m'a supplanté deux fois?», Jacob venant de se faire bénir à sa place par leur père Isaac ; le texte hébreu introduit un jeu de mots entre le verbe (proprement «tenir par le talon») et le nom de *Jacob (ya'qōb)*, que l'on a rattaché à l'hébreu *'āqēb* «talon». ◇ En latin médiéval, le verbe a donc pris le sens de «prendre la place de (qqn)», «enlever, ravir» (v. 863). *Supplantare* est composé de *sub* (→ sous, sub-) et de *plantare* «enfoncer en terre avec le pied» (→ planter).

♦ En ancien et en moyen français, plusieurs formes sont francisées, formées avec plusieurs préfixes : *sosplanter, sousplanter, sorplanter* (XIIIe s.), *susplanter* (XIVe s.). Le verbe a eu le sens du latin classique «renverser, faire tomber» (v. 1120), encore relevé en 1611 ; il s'emploie aussi, du XIIe au XVIe s., dans des acceptions étendues également disparues : «reprendre» (v. 1200), «enlever frauduleusement, soustraire» (1re moitié XIIIe s., *sousplanter*), «soumettre, vaincre» (mil. XIIIe s., *sousplanter*), «arracher, supprimer, détruire» (1275), «dompter» (XIIIe s.). ◆ *Supplanter* est repris en moyen français au latin ecclésiastique au sens d'«évincer (qqn), faire perdre à (qqn) son crédit» (XIVe s., *susplanter* ; 1452, *supplanter*), probablement d'après *supplantateur* (ci-dessous). ◇ Par extension, il signifie (1585) «éliminer (qqch.) en remplaçant (dans l'esprit de qqn, dans la faveur d'un public)» et s'emploie au pronominal (1694) s'agissant de personnes. ◇ Le sens de «tromper» (1611) est sorti d'usage au XVIIIe siècle.

▸ **SUPPLANTATEUR, TRICE** adj. et n. est la réfection d'après le latin (1485) de *sousplanteor* (v. 1190, n. m.), *suplanteor* (mil. XIIIe s.), *suerplanteor* (1294), formes francisées du latin ecclésiastique *supplantator*. Ce dernier, dérivé de *supplantare*, fut créé par les traducteurs de la Bible pour gloser le nom de Jacob dans la Genèse (XXV) : «Après (la naissance d'Ésaü) sortit son frère, tenant dans sa main le talon d'Ésaü et on lui donna le nom de Jacob.» ◆ De là vient le premier emploi en ancien français au sens de «celui qui fait tomber qqn d'autre», relevé jusqu'au XIXe siècle. ◇ Parallèlement se développe l'acception dérivée de «personne qui évince qqn de la place qu'il occupe» (1243, *sousplanteor* ; 1563, *supplantateur*) ; il est rare. ◇ La variante *supplanteur* (v. 1630), dérivée de *supplanter*, est attestée du XVIIe au XIXe s. (1842).

SUPPLANTATION n. f. emprunte (XIIIe s., *sopplantation*) le latin biblique *supplantatio, -onis* au sens de «fourberie, fait de tromper». ◆ Le mot est reformé au XIXe s. (1800, *supplantation*), comme dérivé de *supplanter*, pour désigner l'action de supplanter et son résultat ; comme *supplantateur*, il est rare et didactique.

SUPPLÉER v. est la réfection (1305, F.e.w.) de l'ancien français *souploier* (v. 1200), emprunt francisé au latin classique *supplere* «compléter en ajoutant ce qui manque», «ajouter pour parfaire un tout», d'où «remplacer, jouer le rôle de». En latin médiéval, *supplere* s'emploie pour «achever, accomplir», «valider (un acte)» (v. 750), «satisfaire (qqn)» (v. 720) et «procurer la subsistance à (qqn)». Ce verbe est composé de *sub* marquant la position inférieure (→ sub-) et du verbe archaïque *plere* «emplir» qui ne subsiste qu'en composition et dans l'adjectif *plenus* (→ plein). *Supplere*, devenu °*supplire* en latin populaire, a fourni l'espagnol et l'ancien provençal (1350) *suplir*, le portugais *suprir*, l'italien *sopperire*.

♦ En ancien français, les premières formes empruntées semblent avoir subi l'attraction d'autres formes issues du latin *supplicare* (→ supplier) ; on relève du XIIIe au XVIe s. les variantes *souppleer* (1280), *suploier* (1314), *soupplier* (v. 1310), *soupplir* (1320), *supplier* (1380), *suplir* (XVe s.). La confusion résultant des formes homonymes *souploier* «suppléer» et «supplier» a conduit à la réfection de ces deux verbes, *suppléer* paraissant être dû à l'influence conjointe du latin *supplere*, du français *supplier* et de verbes comme *créer*. ◆ Les indécisions formelles se doublent jusqu'au XVIIe s. d'une évolution syntaxique, le latin *supplere* étant toujours transitif, et d'un glissement sémantique. *Souploier* est d'abord intransitif avec le sens matériel d'«abonder», «être fourni en abondance» (v. 1200), d'après le sens propre du latin. Cette acception ne s'est pas maintenue, le verbe réempruntant les valeurs dérivées du latin, en emploi transitif, par exemple *souploier (qqn) de* «fournir, procurer comme renfort (qqch.) à qqn» (1355), *suplir (qqch.) à* «fournir (qqn) de qqch.» (1584), *suppléer* «donner, accorder» (1650). ◆ Au début du XVIe s., le verbe est repris avec les valeurs du latin classique *supplere* «mettre (qqch.) à la place de (ce qui est insuffisant), ajouter (ce qui manque) à» (v. 1310, *soupplier*), emploi encore connu, mais littéraire. ◇ Il s'emploie spécialement comme terme de grammaire (1549, *supplier* ; 1606, *suppléer*) pour «ajouter à (une phrase, un texte) ce qui doit y combler une lacune». Au sens de «remplacer (ce qui manque)», «remédier à (un défaut, une insuffisance)», le verbe est d'abord transitif (1314, *souploier*) ; cette construction conforme au latin est condamnée par les grammairiens depuis le XVIIIe s., mais se maintient dans l'usage jusqu'à la fin du XIXe siècle. La construction transitive indirecte avec *à*, qui apparaît au XVe s. (1460, *souploier a* ; 1452, *(il) supplest a* «il remplace»), est réalisée au XVIe s. avec la forme moderne *suppléer* (1559) et se construit avec un sujet nom de chose au XVIIe s. (av. 1679).
Depuis le milieu du XVe s., un développement sémantique correspond pour *suppléer* à «occuper la place de (qqn), remplir sa fonction», qui semble résulter d'un latinisme de style *(supplere locum alicujus)*, d'où *suppléer le lieu de (qqn)* [1440-1475] ; on trouve ensuite *suppléer pour qqn* (1636), *suppléer au défaut de qqn* (1690) — tous emplois disparus — la construction transitive moderne *suppléer qqn* n'apparaissant qu'au XVIIIe s. (1788) ; avec cette valeur, le verbe s'emploie aussi avec un complément nom de chose (fin XVIIIe s.). Le pronominal *se suppléer* est attesté au XVIIIe s. (1758). Ces extensions trouvent une application en politique et en administration, avec les nouvelles institutions révolutionnaires (d'où les dérivés, ci-dessous). ◇ Avec un nom de chose pour sujet, *suppléer à* correspond à «avoir la même fonction, la même utilité que (qqch.)» (1672).

▸ Les développements de *suppléer* à la fin du XVIIIe s., notamment sous la Révolution, en politique, ont entraîné la formation de deux dérivés. ◆ Le participe présent **SUPPLÉANT, ANTE** adj. se dit d'une personne (1790) qui remplace qqn dans ses fonctions, en particulier (1835) d'une personne désignée à l'avance pour pallier l'éventuelle défaillance d'une autre *(suppléants du maire)*. L'adjectif qualifie couramment une personne remplaçante (1807). Il s'emploie enfin comme terme de grammaire, qualifiant un terme qui en remplace un autre *(verbe suppléant)*. ◆ **SUPPLÉANCE** n. f. désigne (1791, *Dictionnaire de la Constitution*) le fait de remplacer qqn et la fonction de remplaçant, spécialement le remplaçant temporaire d'un agent, prévu par la loi. ◇ Il se dit aussi du fait de suppléer qqch. (1845), mais est alors didactique et rare, et n'est plus en usage en grammaire.

D'autres mots sont pris à des dérivés latins. ◆ **SUPPLÉTIF, IVE** adj. et n. m. est emprunté (1539) au bas latin *suppletivus* «qui supplée», dérivé de *supplere*, ou dérivé savamment à partir du radical de *suppletum*, supin de *supplere*. ◇ L'adjectif apparaît dans la terminologie juridique pour qualifier (1539) ce qui complète, remplit le rôle de ce qui manque *(loi supplétive)*; il s'est utilisé dans le vocabulaire administratif de la Révolution (v. 1790), mais est sorti d'usage. En grammaire (1875), il se substitue à *suppléant*. ◇ Il prend une valeur spéciale au XXe s., qualifiant des forces militaires recrutées temporairement pour renforcer les forces régulières (attesté 1931, Mac Orlan); répandu en ce sens (v. 1955-1956) par la guerre d'Algérie, il est aussi substantivé (v. 1950). ◆ **SUPPLÉTOIRE** adj., dérivé savant (1790) du latin *suppletum* ou emprunté au latin médiéval (rare) *suppletorius*, est un terme de droit signifiant «qui est déféré pour suppléer les preuves insuffisantes» *(serment supplétoire)*.

SUPPLÉMENT n. m., réfection (XVe s.) de *supploiement* (1313) par la forme *suppleement* (v. 1370), est emprunté au latin classique *supplementum* «fait de compléter, complément», notamment «effectif ajouté des armées» et «renfort, secours». Il est dérivé de *supplere*. ◆ En moyen français, les variantes *souploiement* (1315), *suppliement* (1343), encore en 1530, témoignent de l'influence des formes anciennes de *suppléer*, longtemps confondu avec *supplier* (voir ci-dessus). ◆ Le mot s'emploie d'abord pour «fourniture» dans l'expression *faire plain suploiement de*. Il fonctionne aussi comme substantif d'action de *suppléer* dans *en suppleement de* «en exécution de» (1322) puis dans *suppliement* «moyen d'exécuter qqch.» (1343), qui correspond à la forme ancienne *supplier*; ces emplois ne se sont pas maintenus. Par ailleurs, apparaît à la même époque l'idée de surplus avec le sens de «ce qui est ajouté à une chose déjà complète» (1355, *suppliement*; forme moderne, XVe s.), qui correspond à l'ancien provençal *de suplement* déjà attesté au XIIIe s. (1289). Avec cette valeur toujours vivante, le mot a eu des emplois spéciaux qui, eux, ont disparu : «quantité d'une marchandise fournie en surplus» (*suplément*, XIVe s.) et, comme en latin, «renfort de troupes» (1355, *suploiement*), jusqu'au XVIe siècle. ◇ Avec l'idée de compensation, *supplément*, d'après le verbe *suppléer*, désigne ce qui remplace qqch., en joue le rôle, spécialement (1683) ce qui sert à remédier à un défaut; cette valeur a disparu. ◆ C'est l'idée de chose ajoutée qui l'emporte au XVIIe siècle : *supplément* désigne (1627) une partie ajoutée à un livre pour compléter ce qui y manquait, notamment dans le titre d'ouvrages littéraires (1772, Diderot, *Supplément au voyage de Bougainville*), et par extension les pages indépendantes ajoutées à un journal (1835) ou à un dictionnaire. ◇ Le mot désigne aussi ce qui est ajouté à qqch. en complément, pour rendre égal (1690; *supplément de partage, d'échange*). C'est le nom (1723) du surplus de droit de douane frappant les marchandises dans certaines conditions, et ce fut celui d'une gratification accordée par le roi aux officiers (1752). ◇ En sciences, le mot entre au XVIIIe s. dans le vocabulaire de la géométrie pour désigner ce qu'il faut ajouter à un angle pour égaler deux angles droits (1765, *supplément d'un arc*; 1792, *supplément d'un angle*). ◇ *Supplément* se dit en outre (1777) de la somme payée en plus pour obtenir un bien ou un service supérieur, notamment au théâtre (1835), dans un restaurant (1845, *supplément au menu*), dans les transports où *bureau des suppléments* désignait au XIXe s. (1835) un bureau où l'on échangeait les billets de chemin de fer. Dans ce domaine, le mot est usuel pour désigner un tarif augmenté *(train avec supplément)*. ◇ La locution ***en supplément*** «en plus, en sus», d'abord attestée (1872) en parlant de personnes embarquées en surnombre sur un bateau, s'est généralisée avec des acceptions particulières, notamment «en payant un supplément par rapport à un prix fixe». ◆ Le dérivé **SUPPLÉMENTAIRE** adj. est introduit sous la Révolution (1792) avec le sens général et courant de «qui constitue un supplément, qui s'ajoute à qqch.»; il se spécialise en droit dans *jurés supplémentaires* (1810), remplacé aujourd'hui par *supplétif* (ci-dessus) ou *auxiliaire**, et en géométrie (1845, *angle supplémentaire*; 1875, *trièdre supplémentaire*). ◇ Avec sa valeur générale, l'adjectif s'applique au travail, dans *heures supplémentaires* (déb. XXe s.), abrégé familièrement en *heures sup* «faites en plus de l'horaire normal et ordinairement payées à un tarif plus élevé», et dans les transports (mil. XXe s., *train supplémentaire*). ◇ En musique, *lignes supplémentaires* se dit des lignes qui continuent la portée en haut et en bas (1907). ◇ De l'adjectif procède **SUPPLÉMENTAIREMENT** adv. (1845), didactique au sens de «en formant un supplément», employé quelquefois par ironie pour «en plus, de plus» (1947, Aymé). ◆ **SUPPLÉMENTER** v. tr., autre dérivé de *supplément* proposé par R. de Radonvilliers dans sa liste de néologismes (1845) et attesté dans l'usage à la fin du XIXe s., est un terme administratif employé au sens de «charger d'un supplément à payer» et par extension dans *supplémenter un billet*. Il se dit aussi intransitivement pour «payer un supplément» (XXe s.), cet emploi étant considéré comme fautif.

SUPPLICE n. m. est emprunté (1475) au latin classique *supplicium* «action de ployer les genoux», d'où «supplication aux dieux», «offrande (faite à cette occasion)», «prière à des hommes», et par ailleurs «punition, peine, châtiment», en latin chrétien «punition des damnés». Le mot dérive de *supplex, supplicis* «qui se plie sur les genoux, se prosterne» et «qui supplie» (→ souple). Cet adjectif a d'abord désigné l'attitude physique du suppliant; il est formé de *sub* (→ sub-) et de *-plex, -plicis* «qui se plie», rattaché au verbe *plectere* (→ plier, ployer).

♦ Le mot s'emploie très tôt (1480) dans un contexte religieux, dans l'expression *eternelz supplices* «souffrances que subissent les damnés en enfer», devenue ***supplices éternels*** (1694), et il s'emploie au singulier (1686) pour «damnation». Avec cette valeur, *supplice* s'emploie plus tard à propos de l'Antiquité et en mythologie, désignant les souffrances infligées aux hommes par les dieux, en punition des fautes, par exemple dans *le supplice de Tantale :* Tantale, roi de Lydie, fut condamné par son père Zeus, pour avoir dérobé le nectar et l'ambroisie, à voir fuir sans cesse l'objet de ses désirs. ***Un supplice de Tantale*** désigne (1842) l'impossibilité d'atteindre, malgré sa proximité, l'objet de ses désirs; l'expression s'est imposée par un rapprochement entre *Tantale* et *tenter.* ➜ Reprenant un sens latin, *supplice* désigne (1552), peu après l'ancien provençal *supplici* (1520), une peine corporelle grave infligée à un condamné par la justice; dans la langue classique, le mot pouvait aussi se dire d'une peine légère. ◇ *Le supplice* (1569) ou ***le dernier supplice*** (1686) s'emploie spécialement pour «peine de mort», d'où *mener qqn au supplice* (1690). Par ailleurs, le mot s'emploie à propos des tortures infligées aux premiers chrétiens (1669). Le mot a désigné par métonymie l'instrument de la peine de mort, l'échafaud (1836). ◇ ***Supplice chinois*** «supplice très raffiné» (déb. XXe s.) fait référence aux tortures pratiquées dans l'ancienne Chine et s'emploie au figuré à propos de tourments cruels. ➜ Par extension (1606), *supplice* désigne une souffrance très vive, physique ou plus souvent morale, comme *torture* et, par exagération (1656), une vive contrariété. De là viennent l'emploi littéraire pour parler d'une personne qui est une cause de tourments (1651), sorti d'usage, ainsi que des locutions comme ***être au supplice*** «souffrir beaucoup» (1661), par figure «être dans une situation pénible» (1669), et au figuré (1835) ***mettre qqn au supplice*** «le mettre dans un grand embarras» (cf. l'évolution de *gêne**).

▶ Le dérivé **SUPPLICIER** v. tr. s'emploie par figure (1590 au p.p.) et au sens propre de «livrer (qqn) au supplice, mettre à mort par un supplice» (1610). ➜ Ce verbe a fourni **SUPPLICIÉ, ÉE** adj. puis n. (1669), **SUPPLICIANT, ANTE** adj. (1862), littéraire mais à la mode dans le style fin de siècle au figuré, «qui fait souffrir intensément», et **SUPPLICIATEUR, TRICE** n. et adj. (XXe s. : 1938, A. Artaud), «personne, chose qui inflige un supplice», rare et littéraire.

◈ voir SUPPLIER.

◈ **SUPPLIER** v. tr. est une réfection (v. 1180, selon *F. e. w.;* 1349, Machaut, selon T.L.F.) d'après le latin de *sopleier* (v. 1130), *soupleier,* issu du latin *supplicare,* proprement «plier sur les genoux», d'où «prier, supplier», «adresser des prières aux dieux»; ce verbe est composé de *sub* marquant la position inférieure (→ sub-) et de *plicare* «plier, replier», qui a abouti à *ployer** et a été emprunté sous la forme *plier**. Il est apparenté à *supplex* (→ souple). *Supplicare* a fourni l'ancien provençal *soplegar* (v. 1180) «s'incliner devant qqn», verbe fréquent dans la poésie des troubadours et repris par l'ancien catalan (1306).

♦ En ancien français, le verbe qui provient du latin *supplere* (aujourd'hui *suppléer**) a souvent pris la forme *supplier,* l'homonymie ne se réglant qu'au XVIe siècle. *Supplier* signifie dès l'origine «prier (qqn) en demandant qqch. comme une grâce, avec instance et soumission», d'où par exagération «demander avec instance (qqch.) à un supérieur». La construction *supplier qqch. à qqn* (1373) a disparu, le verbe n'ayant plus pour complément qu'un nom de personne, *supplier qqn de* (fin XVe s.), *que...* ◇ En ancien français, le verbe a signifié aussi «rendre hommage à (qqn) en signe de soumission et d'humilité» (1160-1170, *sopleier*), «s'incliner, se courber» (v. 1175, *soploier*), «faiblir, s'attendrir» (fin XIIe s., *souploer*). *Se supplier* a signifié (1231) «faiblir». ◇ *Supplier Dieu* signifie «l'invoquer avec humilité pour obtenir une grâce» (1678). ◇ Comme intensif de *demander, supplier* s'emploie par exagération pour «requérir avec insistance» *(je t'en supplie...),* souvent dans un contexte sentimental.

▶ **SUPPLIANT, ANTE** adj. et n. est une réfection (1377) de *sopleiant* (1160-1170) qui signifiait en ancien français «humble», d'où *faire souploiant qqn* «l'attendrir» (XIIIe s.), *un souploiant* désignant une personne qui s'incline en signe de soumission (1198). ◇ Le mot a désigné une personne qui fait une requête (1377, n. m.), en particulier un prétendant (XVe s.). ◇ Aujourd'hui l'adjectif s'applique à ce qui exprime la supplication (1538) et se dit d'une personne qui supplie (1596, comme nom; 1680, adj.).

SUPPLICATION n. f. est emprunté (v. 1160, Benoît de Sainte-Maure; puis v. 1260, *F. e. w.*) au dérivé latin classique *supplicatio, -onis* «prières publiques, actions de grâces rendues aux dieux». ◇ Lié au verbe, le mot désigne d'abord une prière faite avec insistance et soumission; il s'est employé pour «requête» (1549), notamment dans *lettre de supplication* (1535; 1340, en ancien dauphinois). ◇ Comme terme de religion, il signifiait «actions de grâces faites publiquement à Dieu» (1538). ➜ **SUPPLICATIONS** n. f. pl. désignait les remontrances que le Parlement pouvait adresser au roi (1762) et a repris le sens latin à propos de l'Antiquité romaine (1872).

SUPPLIQUE n. f., réfection (1578), d'après *réplique,* de *supplic* n. m. (1340), avec influence de l'italien *supplica,* est tiré directement de *supplicare.* ➜ Le mot désigne une demande par laquelle on sollicite une grâce, une faveur d'un supérieur (1340), emploi réservé aujourd'hui à un contexte historique, et dans le domaine religieux une pétition adressée au pape pour obtenir un privilège (1690). ◇ Par extension, *supplique* équivaut à «demande, prière» (1798), mais est vieilli par rapport à l'emploi correspondant de *supplier.*

◈ voir SOUPLE, SUPPLICE.

① **SUPPORTER** v. tr. est une réfection d'après le latin (1385) de *soporter* (v. 1190), emprunt francisé au latin classique *supportare* «apporter de bas en haut, transporter en remontant», «apporter, amener», en bas latin «tolérer, souffrir» et «aider, soutenir». Ce verbe est composé de *sub* indiquant le mouvement de bas en haut (→ sub-) et de *portare* «transporter» (→ porter).

♦ *Supporter* a eu du XIIe s. jusqu'à l'époque classique le sens d'«appuyer (qqn), prendre son parti» et spécialement «subvenir à ses dépenses» (1543). Cette idée de soutien réapparaît au XXe s. où, dans le domaine sportif, *supporter* veut dire «encourager, soutenir (une équipe ou un sportif)», mais ce sens vient de ② supporter n. m. (ci-dessous), d'après l'anglais *to support* «soutenir»; de même le verbe a la valeur générale de «soutenir, financer» en français québécois (d'après l'anglais) et en français d'Afrique (par métaphore ou par anglicisme). ◇ Avec une valeur figurée, *supporter* signifie «avoir comme charge, comme obligation (financière, morale)» (1416), par extension avec un sujet nom de chose (XXe s.). ◇ Il s'emploie avec une valeur concrète au sens de «soutenir (une chose pesante)», avec un sujet nom de chose (v. 1485), d'où «servir de support à qqch.» (1876). ➛ Le verbe a repris une autre valeur figurée du latin et signifie (déb. XIVe s.) «subir de la part d'autrui (un comportement, une action désagréable) sans réagir, sans se rebeller», aussi avec *que* suivi du subjonctif (1559), *de* et l'infinitif, et à l'époque classique en construction absolue (déb. XVIIe s., *supporter de qqn*), sortie d'usage. ◇ Avec le même sens mais une autre construction, *supporter qqn* signifie «tolérer sa présence, malgré la gêne, l'irritation, etc. qu'on éprouve» (1385), aussi au pronominal *se supporter* (1660). De là, «subir (une épreuve, une souffrance physique ou morale) sans faiblir, avec constance» (fin XIVe s.), «éprouver (un sentiment intense)» (v. 1671) et par ailleurs «subir sans dommages (une action physique)», en parlant d'une personne (fin XVIe s.) ou d'une chose (1690). ◇ Par extension, *supporter (qqch.)* correspond à «considérer comme acceptable» (1538), spécialement en parlant d'une nourriture, d'une boisson (1751). Par figure, le verbe s'emploie en parlant d'une chose qui peut soutenir un examen, résister à une épreuve (av. 1778, *supporter la critique*).

▶ **SUPPORTABLE** adj. se dit de ce que l'on peut subir sans faiblesse (1385; puis v. 1500); l'adjectif s'applique aussi à ce que l'on peut tolérer moralement (1588) [cf. *excusable*] et s'emploie en parlant d'une personne (1768), qualifiant ce qui est acceptable, passable (av. 1778, *acteur supportable*). ◇ Avec le sens ancien de *supporter*, le mot a signifié «secourable» (XVIe-déb. XVIIe s.). ➛ Le contraire préfixé **INSUPPORTABLE** adj., emprunté (1312) au bas latin *insupportabilis*, en conserve le sens, appliqué à une situation qu'on ne peut endurer et employé à propos d'une personne (1680). Il se dit notamment des enfants turbulents et difficiles. ◇ En dérivent **INSUPPORTABLEMENT** adv. (1441), **INSUPPORTABILITÉ** n. f. (fin XVe s.), rare, et **INSUPPORTER** v. tr. (1864, Goncourt) «être insupportable à (qqn)», d'abord considéré comme incorrect par les puristes mais devenu usuel. ◇ **INSUPPORTANT, ANTE** adj., «irritable» (1534), est devenu très rare. ◇ Flaubert emploie **INSUPPORTATION** n. f., «difficulté à supporter qqn» (1872).

SUPPORT n. m., déverbal de *supporter*, a eu plusieurs valeurs du XVe au XVIIe siècle : «secours, assistance» (1458), «action d'accepter avec patience» (v. 1692). Dans un autre sens du verbe, il a signifié «action d'aider, de soutenir qqn» (1538) et a désigné une personne ou une chose qui sert d'aide, d'appui (1538). ➛ Toutes ces valeurs ont été supplantées par l'emploi concret pour désigner (1606) un élément matériel qui soutient un objet et le maintient dans une position donnée. Le mot s'emploie spécialement en héraldique (1636) à propos de figures d'animaux stylisés qui soutiennent un écusson. Plus couramment, dans divers domaines techniques, il désigne ce sur quoi une chose repose (1680) ou ce qui soutient une pièce dans une position de travail (1694), en particulier un élément sur lequel reposent les rails de chemin de fer *(supports de rails)* et, en cuisine, l'élément sur lequel on dresse des plats (1938). ◇ Par ailleurs, *support* désigne un substrat matériel (1762), notamment dans les arts graphiques; de là viennent par extension *support (publicitaire)* «moyen matériel par lequel on diffuse un message» (v. 1964) et, en informatique, *support (d'une information)* «élément qui permet de recevoir, conserver et restituer une information, dans un système électronique» (v. 1968). ➛ Le mot entre dans le composé **SUPPORT-CHAUSSETTE** n. m. (XXe s.).

② **SUPPORTER** n. m. est emprunté (1846 en politique; repris en sport, 1907) à l'anglais *supporter* (XVe s.) «partisan», «soutien», dérivé de *to support,* lui-même repris (XIVe s.) au français. Le mot désigne un partisan (d'un sportif, d'une équipe) qui manifeste son appui; on a proposé de le franciser en *supporteur* ou de le remplacer par *partisan.* ◇ Il a influencé un emploi de *supporter* par anglicisme (ci-dessus).

SUPPOSER v. tr. est une francisation (v. 1120) d'après *poser* du latin classique *supponere* «mettre dessous», «mettre à la place», spécialement «substituer» en droit, et au figuré «soumettre», «subordonner»; en latin médiéval, le verbe prend le sens de «mettre en gage» et celui de «faire une hypothèse», d'après le bas latin des grammairiens *suppositivus,* dérivé du supin du verbe. Ce dernier traduit le grec *hupothetikos* «hypothétique». *Supponere* est formé de *sub* marquant la position inférieure (→ sub-) et de *ponere* «poser, placer» (→ pondre).

♦ *Supposer* s'est employé depuis le XIIe jusqu'au début du XVIIe s. au sens concret du latin classique «placer sous»; en ancien français, il signifie aussi «soumettre à une juridiction, à une loi» (1278). ◇ Le verbe a eu le sens de «poser comme un fait établi» (XIIIe s.), courant en français classique, mais éliminé par une autre acception : «admettre comme probable ou plausible, sans pouvoir affirmer de façon positive» (v. 1270), et «poser à titre d'hypothèse, n'impliquant aucun jugement mais servant de point de départ à un raisonnement, à une discussion», valeur où le verbe est d'abord suivi d'un attribut du complément (v. 1280, *supposer le problème résolu*), puis employé avec un complément non qualifié (déb. XIVe s.). Avec cette valeur, *supposer que* peut être suivi du subjonctif (v. 1280) ou de l'indicatif (1678), quand on veut faire apparaître l'hypothèse comme un principe. Avec un sujet désignant une chose, *supposer* signifie (1370) «comporter comme condition nécessaire». ◆ À la Renaissance (1520), le verbe reprend en droit un autre sens du latin classique, «donner faussement comme authentique». De là vient celui d'«attribuer (un enfant) à qqn dont il n'est pas né» (1552), et plus généralement le sens de «mettre (une chose) à la place d'une autre, par tromperie», d'où *supposer qqch. à qqn* «lui attribuer (qqch.) faussement» (1643) et *supposer qqch.* «donner comme prétexte» (1678). Ces valeurs, aujourd'hui disparues ou archaïques, ne subsistent que par le participe *supposé* et le dérivé *supposition* (ci-dessous) et en vénerie, le verbe signifiant (1678) «donner le change (à l'animal pourchassé) en lançant les chiens sur une autre voie».

▶ **SUPPOSÉ, ÉE** adj. est d'abord attesté dans les locutions *supposé que* «en admettant que» (v. 1330) et *ce supposé* «dans cette hypothèse» (fin XIVe s.), aujourd'hui ***cela supposé*** (1690). ◇ L'emploi dominant de l'adjectif est «qui est admis comme hypothèse» (1690). ◇ À l'époque classique, *supposé* qualifie ce qui a été substitué à qqn ou qqch. d'autre (1538), d'où (1656) *enfant supposé*, puis *testament supposé* (1872). ◇ *Supposé* se dit sans idée de tromperie (1685) de ce qui n'est pas le vrai, par exemple dans *nom supposé* «pseudonyme». ◆ **SUPPOSÉ** prép., «en supposant» (av. 1679), est sorti d'usage. ◆ **SUPPOSABLE** adj. (1440-1475) est rare, même au sens intellectuel du verbe.

PRÉSUPPOSER v. tr., formé avec *pré-** (v. 1370), signifie «supposer préalablement»; le verbe, didactique, est resté vivant, subissant l'influence du participe *présupposé*, plus courant. ◆ **PRÉSUPPOSÉ, ÉE** adj. et n. m. s'est employé à l'époque classique dans la locution *présupposé que* «en admettant que», remplacée par *supposé que*. ◇ Le mot a été repris au XXe s. au sens de «supposé d'avance» (v. 1960), devenant un substantif de valeur différente de *préjugé*. En linguistique, ce nom désigne (v. 1968) une information contenue dans un énoncé, en dehors du message proprement dit, et qui conditionne l'interprétation de celui-ci. Voir aussi *présupposition*, ci-dessous.

SUPPOSITION n. f. est emprunté (1291) au latin impérial *suppositio, -onis* «action de placer dessous», «substitution frauduleuse», en latin médiéval «hypothèse», dérivé de *suppositum*, supin du verbe latin. ◆ D'abord terme de droit, *supposition* a signifié «soumission», puis «conjecture de l'esprit qui suppose sans pouvoir affirmer» (XIIIe s.) et «hypothèse de l'esprit qui suppose sans juger» (v. 1370). Cet emploi, d'abord didactique, est devenu plus courant, voire familier et populaire, dans *une supposition...* (1872), *une supposition que...* (1825) «supposons que». ◆ *Supposition* a repris par ailleurs un sens du latin, désignant (1562), surtout à l'époque classique, l'action de substituer une personne ou une chose à une autre. Le mot s'emploie en droit (1636) pour parler de la production d'une pièce fausse donnée pour authentique et dans ***supposition de part*** (1640) ou ***supposition d'enfant*** «attribution à une femme d'un enfant dont elle n'est pas accouchée». ◇ Le mot s'est employé en musique (1680) au sens de «dissonance passagère»; à l'époque classique, il équivalait à «allégation fausse» (1690) et s'employait pour nommer l'attribution d'un ouvrage à un auteur auquel il n'appartient pas (v. 1700), d'où en droit ***supposition de nom*** «usurpation d'un nom» (1835). ◆ Le dérivé **SUPPOSITIF, IVE** adj., qui a signifié «hypothétique» (v. 1354), s'est employé dans *mode suppositif* «conditionnel», sorti d'usage, et s'est appliqué à ce qui est de la nature de la supposition (1829). ◆ **PRÉSUPPOSITION** n. f., de *pré-* et *supposition* et qui correspond à *présupposer* (ci-dessus), est littéraire au sens de «supposition préalable» (1306, puis 1570). Il a été repris en logique et en linguistique (v. 1968), comme *présupposé*.

◈ voir SUPPOSITOIRE, SUPPÔT.

SUPPOSITOIRE n. m. est un emprunt (XIIIe s.) au bas latin *suppositorium*, terme de médecine, substantivation du neutre de *suppositorius* «qui est dessous», dérivé du latin classique *suppositum*, supin de *supponere* «placer dessous» (→ supposer).

♦ Le mot désigne, comme l'étymon, une préparation solide en forme de cône que l'on introduit dans le rectum, pour administrer un médicament ou provoquer des évacuations. ◇ Il est abrégé familièrement en **SUPPO** n. m. (XXe s.). L'étymologie n'y est plus ressentie.

SUPPÔT n. m. est la graphie moderne (1611) de *suppost* (XIVe s.), lui-même se substituant à *suposta* (v. 1298). C'est un emprunt au latin *suppositus*, participe passé de *supponere* «placer dessous», d'où «soumettre, subordonner», «mettre à la place faussement» (→ supposer).

♦ Le mot s'est employé de la fin du XIIIe à la fin du XVe s. au sens de «vassal, sujet de qqn». ◇ Plus généralement, il désigne (v. 1380, *suppost*) un employé subalterne, sens vivant au XVIIe siècle. Le sens qui l'emporte est «personne qui en sert une autre et la seconde dans le mal» (fin XVIe s.); il correspond péjorativement à *partisan, adepte* (1611), surtout dans les locutions ***suppôt du diable*** (1611), ***suppôt de Satan*** (1662) «démon», par extension «personne méchante». *Suppôt de Bacchus* «ivrogne» (1668) était plus ironique que péjoratif. ◇ Par ailleurs, *suppôt* a désigné (XIVe s., *suppost*), encore à l'époque classique, ce qui sert de base à qqch., en philosophie (av. 1662) la substance avec ses accidents; dans cette acception sortie d'usage, le sens interfère avec celui de *support*, apparenté à *portare* et non à *ponere*.

SUPPRIMER v. tr. est emprunté (v. 1380, avec un sens obscur; puis 1460) au latin *supprimere* «faire enfoncer, couler à fond», «arrêter dans son mouvement», par exemple l'ennemi, «arrêter pour soi au passage, détourner». Ce verbe est composé de *sub* marquant la position inférieure (→ sub-) et de *premere* «presser» au propre et au figuré, qui entre dans la formation de nombreux verbes préfixés (→ comprimer, empreindre, exprimer, imprimer, opprimer, réprimer) et dont un dérivé intensif a donné *presser**. *Premere* comprend un radical indoeuropéen °*pr-* et un morphème °*-em-* à valeur durative.

♦ *Supprimer* est emprunté (1460) dans un sens du latin, «arrêter (l'ennemi)». Le verbe signifie aussi «rendre sans effet légal» (1481), puis «tenir (qqn) en sujétion» (1530) jusqu'au XVIIe s. (cf. *opprimer*). ◇ Cependant, c'est l'idée de faire disparaître qui se développe, d'abord exprimée par *suppression*, et qui l'emporte. *Supprimer* signifie «recéler, cacher» (1549), «faire cesser de paraître (un écrit), empêcher d'être connu (une nouvelle)» (1552), valeurs sorties d'usage, la seconde se maintenant en droit, où *supprimer* équivaut (1647) à «passer sous silence». Par extension, il s'emploie en médecine (v. 1560) pour «empêcher de se produire». L'emploi général et courant semble s'implanter dans la 2e moitié du XVIIe s. (attesté 1680). ◇ *Se supprimer* est attesté au XVIIe s. au sens de «se suicider» (av. 1660) mais est rare avant le XIXe siècle; *supprimer qqn*, «l'écarter (d'un emploi), le réduire à rien» (1680), a vieilli dans ce sens et correspond aujourd'hui à «faire disparaître (qqn) en le tuant» (1847). ◇ *Supprimer qqch.* s'emploie pour «faire disparaître (qqch.) en l'altérant, en le défaisant» (v. 1560, Paré, selon *G. L. L. F.*) et spécialement «faire cesser d'être dans un ensemble» (1690, *supprimer un mot*); en droit, *supprimer un acte* signifie «le dérober» (1690). ◇ Par exagération, *supprimer* veut dire (mil. XIXe s.) «réduire considérablement» *(supprimer les distances)*.

► Le dérivé **SUPPRIMABLE** adj. (1568), «qui mérite d'être mis hors de la société», s'applique à ce que l'on peut faire disparaître; même dans cette seconde acception, il est rare.

SUPPRESSION n. f. est emprunté (v. 1380, avec une valeur obscure; puis 1468) au latin *suppressio, -onis* «détournement», «étouffement» et «oppression», dérivé de *suppressum*, supin du verbe latin. ➜ Le mot, qui sert de substantif à *supprimer*, désigne (1468) l'action de mettre fin à qqch., sens repris dans *édit de suppression* (1872), expression employée en histoire à propos d'un édit supprimant un impôt ou une charge, sous l'Ancien Régime. Il a signifié «destitution (d'un fonctionnaire)» (1482), «fait de casser un officier» (v. 1600). ◇ *Suppression* s'est employé en droit à propos de l'action d'empêcher la diffusion d'une nouvelle (1468), d'où le sens de «fait d'empêcher de paraître (un écrit)» (1636), et dans *suppression de part (d'enfant)* consistant à faire disparaître la trace de son existence sur l'état civil (1690), puis *suppression d'état*, «par laquelle on rend impossible la preuve de l'état civil d'une personne» (1771). ➜ Suivant l'évolution du verbe, le nom désigne l'action de faire disparaître qqch. (v. 1560, en médecine), puis qqn (1810). D'où l'idée de «tuer» (1831 chez Michelet). ◇ Il s'emploie aussi (1651) à propos de l'action d'enlever qqch. d'un ensemble et de la partie retranchée. On parle de *suppression d'emplois* depuis le début du XIXe s. (1810). ◇ *Suppression*, qui ne s'est pas maintenu au sens latin de «larcin, escroquerie» (1549), a désigné le fait d'évincer qqn auprès d'une femme (1662).

SUPPRESSEUR adj. et n. m., mot didactique, est formé (mil. XXe s.) sur le radical de *suppression* et désigne ce qui supprime une réaction, spécialement une réaction immunitaire. ➜ **IMMUNOSUPPRESSEUR** n. m. (1967) équivaut à *immunodépresseur**.

SUPPRESSIF, IVE adj., autrefois appliqué à un remède qui empêche (le sang) de couler (1558), a été repris dans le vocabulaire politique sous la Révolution au sens de «qui supprime», par exemple la liberté. ➜ Il s'emploie seulement comme élément de composition dans **IMMUNOSUPPRESSIF, IVE** adj. (mil. XXe s.) [→ immunodépresseur à immunité].

SUPPURER

SUPPURER v. intr., réfection (v. 1560) d'après le latin de *soupurer* (v. 1270) et *sospirer* (1213), est emprunté au latin *suppurare* «engendrer un abcès»; ce verbe est formé de *sub*, qui indique la position inférieure (→ sub-), et de *pus, puris* «humeur» (→ pus), qui se rattache à une racine indoeuropéenne signifiant «pourrir», comme le latin *putere* «pourrir» (→ puer) et le grec *puon* ou *puos* «pus» (→ pyo-).

♦ *Suppurer* signifie «laisser écouler du pus».

► Il a fourni **SUPPURANT, ANTE** adj. (1800). ➜ Le dérivé savant **SUPPURATIF, IVE** adj., «qui provoque la suppuration» (XIVe ou XVIe s., Chauliac), s'est appliqué à une partie du corps sujette à la suppuration (v. 1560).

SUPPURATION n. f., «production et écoulement de pus» (XIVe : v. 1370 ou XVIe s., Chauliac), est un emprunt au latin *suppuratio* de même sens, dérivé du supin de *suppurare*. ➜ **SUPPURÉ, ÉE** adj., reprenant le participe passé *suppuratus* du verbe latin, a signifié (1549, Amyot) «qui a des abcès purulents»; l'adjectif s'applique (1845) à un abcès en cours de suppuration.

SUPPUTER

SUPPUTER v. intr. est un emprunt savant (1552) au latin classique *supputare* «évaluer» et en latin impérial «tailler, émonder», formé de *sub* marquant la position inférieure (→ sub-) et de *putare* au sens général de «purifier, nettoyer», spécialement «élaguer (un arbre)» et «épurer (un compte)», d'où «compter, estimer» et «penser, juger» (→ putatif); ces emplois ont été repris par les dérivés (→ amputer, compter). ◇ Il se peut que *putare* mêle deux racines distinctes, l'une signifiant «couper», l'autre «purifier, épurer», par exemple dans l'adjectif *putus* employé dans *purus putus* «pur et sans mélange», appliqué à l'argent.

♦ *Supputer* a d'abord l'un des sens du latin, «évaluer indirectement, par un calcul». Il a signifié «considérer sous tous ses aspects» (1570), acception figurée de *putare*. ◇ Par extension, le verbe se dit pour «déterminer une donnée relative à la chronologie» (1674) et «estimer la valeur de (qqch.)» (1690). Plus largement, il a pris au XXe s. le sens d'«apprécier empiriquement (une situation, la probabilité d'un événement)».

► **SUPPUTATION** n. f. reprend (1532) le latin médiéval *supputatio* «estimation, calcul», dérivé du supin de *supputare*. ➜ Ce nom signifie «estimation d'une quantité» (1532), spécialement «calculs chronologiques» et désigne (1804) une estimation généralement appliquée à l'avenir, une hypothèse.

SUPRA-

SUPRA- est un élément de formation, tiré du latin *supra* adv., signifiant «en haut, au-dessus», «précédemment», «en plus», et préposition aux sens de «sur, par-dessus», «au-delà» et «avant (dans le temps)». *Supra,* variante de *supera,* est l'ablatif féminin de *superus* (→ super-).

♦ En français, *supra-* entre dans la formation de termes didactiques, souvent écrits avec un trait d'union ; l'élément est parfois en concurrence avec *super-*.

▸ **SUPRA** adv. et prép. (1828) reprend le mot latin, signifiant «avant, au-dessus de» (prép.) et servant à renvoyer à un passage qui se trouve avant, dans un texte *(voir supra),* alors opposé à *infra.*

SUPRÉMATIE n. f. est emprunté (1651) à l'anglais *supremacy,* dérivé de *supreme,* lui-même emprunté au français *suprême**.

♦ Le mot conserve les sens de l'anglais ; il s'est employé (1651) pour parler de la primauté religieuse du souverain, dans l'Église anglicane, aujourd'hui comme terme d'histoire. ◇ Il désigne en matière politique et religieuse une situation dominante, et la supériorité d'une personne ou d'une chose sur les autres (1819, en politique) et couramment (depuis 1721) une supériorité active.

▸ **SUPRÉMATISME** n. m., emprunt au russe *suprematism* (1915), de *suprem,* mot d'emprunt de même origine que *suprême,* désigne la théorie artistique et le style pictural du peintre et écrivain russe Malevitch (1878-1935), théorie définie par un manifeste publié en 1915. ◆ **SUPRÉMATISTE** adj. et n. signifie «adepte du suprématisme» et s'est employé d'abord en parlant de Malevitch (1936, en anglais *suprematist*).

SUPRÊME adj. et n. m. est un emprunt (v. 1466) au latin *supremus* «le plus au-dessus», «le plus haut», «le plus élevé» au figuré, superlatif de *superus* «qui est au-dessus» (→ super-).

♦ L'adjectif s'applique à ce qui est au-dessus de tous dans son genre, à une personne qui occupe le rang le plus élevé dans une hiérarchie, d'où ***le pouvoir suprême*** «la souveraineté» (1669), ***l'Être suprême*** «Dieu» dans une optique théiste (av. 1704), qui donne lieu sous la Révolution à un culte théiste sous l'impulsion de Robespierre. ◇ ***La Cour suprême*** désigne en France «la Cour de cassation» (1838). L'adjectif qualifie aussi (1580), dans une hiérarchie de valeurs, ce qui est le plus élevé, par exemple dans la locution ***au suprême degré*** «au plus haut degré» (1666), aussi *au suprême* (1680), sorti d'usage. L'adjectif signifie aussi par exagération «très remarquable» (mil. XVIIIe s.) et s'est dit de personnes (1846). Employé d'abord avec cette valeur dans ***honneurs suprêmes*** «funérailles» (1642), il se dit de ce qui vient en dernier dans le temps, souvent avec une idée de solennité ou de tragique, en particulier en parlant des derniers moments de la vie (1732). ◇ Appliqué concrètement à ce qui est le plus haut dans l'espace (1854), il est d'usage littéraire.

SUPRÊME n. m., terme de cuisine, désigne (1836), souvent au pluriel, les parties les plus délicates d'une volaille, des filets de gibier ou de poisson, préparés avec un velouté à la crème, nommé *suprême* (1808) ou *sauce suprême,* d'abord *sauce au suprême* (1859).

▸ Le dérivé **SUPRÊMEMENT** adv., d'abord employé pour marquer le degré des attributs de Dieu (1542), signifie en général «au plus haut degré» (fin XVIIe s.) dans différents contextes.

SUR prép. est l'altération (v. 1050) de *sobre* (fin IXe s.), puis *sore* (v. 980), devenu *sour, sor* (v. 1050), par croisement avec *sus**; la forme *sur,* d'abord en concurrence avec les autres, ne devient courante qu'à partir du XVe siècle. *Sour, sor* représentaient l'aboutissement du latin *super* adv. «en dessus, par-dessus, de plus», et prép. «au-dessus de» impliquant ou non un mouvement, au propre et au figuré (→ super-). La plus ancienne forme, *sobre* (v. 980, variante *sobl*), puis *sore,* est issue du latin *supra* adv. «en haut, en outre», et prép. «au-dessus de, au-delà de» (→ supra-). De là viennent les emplois où *sur* marque la domination, introduit le nom d'une partie du corps sur laquelle on prend appui, et le sens d'«au-dessus», sans idée de contact.

♦ *Sur* développe parallèlement des emplois concrets et abstraits ; la préposition est dans des expressions et des locutions qui ont pris très tôt un sens figuré ; peu seront signalées dans le présent article. La préposition a été jusqu'au XVIIe s. en concurrence avec *sus** et *dessus**, qui se sont spécialisés comme adverbes. ◆ Elle marque d'abord l'idée générale de position élevée ou d'extériorité (v. 980) et, pour les personnes, de partie qui supporte, d'abord *sobr* (fin Xe s.) dans *sobr els pies* «debout (sur les pieds)». La préposition précède un nom désignant une chose qui en supporte une autre, également dans des emplois figurés (v. 1050). Avec cette valeur, *desur [de sur]* «à partir d'un lieu qui domine» (1645) est sorti d'usage. ◇ *Sur* introduit spécialement le nom de la partie du corps qui sert d'appui (1080 ; *dormir sur le dos*), dans de nombreuses locutions figurées, par exemple ***avoir (qqch., qqn) sur les bras*** (1690). ◇ Avec l'idée de mouvement, *sur* s'emploie pour marquer l'hostilité, avec la même valeur que *contre* (v. 980, *sobl'*), aujourd'hui encore avec un verbe de mouvement au sens de «vers», par exemple dans *curre sure a* «courir vers» (XIIe s.), ou de «derrière» (v. 1170, *clore l'us* [«l'huis»] *sur qqn*) et introduisant un nom qui désigne ce que l'on touche ou que l'on frappe (1080). ◇ Par extension, le complément peut désigner une chose dominée par une autre sans être en contact avec elle, avec la valeur d'«au-dessus de», valeur dont procèdent les emplois dans des noms de lieux (1080), par exemple pour «au bord (d'un cours d'eau)» (courant dans des noms de villes), et avec un nom désignant ce qui est atteint ou modifié par qqch. (XIIIe s.). ◇ *Sur* introduit aussi un nom complément avec des verbes exprimant l'idée de suppression, de prélèvement (v. 1155 ; *prélever sur qqch.*) et dans des locutions figurées comme ***prendre sur soi*** «savoir se dominer» (1674). Par extension de ce sens, la préposition permet de marquer une proportion (v. 1750, *un sur dix*). ◇ Par analogie, *sur* s'emploie lorsqu'aucun contact réel n'est impliqué, au propre (XIXe s., *se détacher sur un fond*) et au figuré (XXe s., *jeter le voile sur un scandale*). ◆ *Sur* introduit le nom d'un support (1538, *sur le papier*), d'où *lire sur le journal* (1690), en concur-

rence avec *dans*, seul employé lorsqu'il s'agit d'un livre, et aussi l'emploi figuré (fin XVIIe s.) dans des phrases comme *la douleur sur un visage*.
Dès *La Chanson de Roland* (1080), *sur* s'emploie dans des contextes abstraits, signifiant «au sujet de», avec une valeur très étendue à l'époque classique, aujourd'hui suivi d'un nom qui désigne ce qui suscite la réflexion (v. 1220), spécialement le sujet d'une occupation, par exemple *être sur un travail, mettre qqn sur un travail* (1718). *Sur* s'emploie aussi pour marquer la supériorité, avec une idée de domination (v. 1155, *régner sur*), le sujet pouvant être le nom de l'autorité (av. 1549). ◇ La préposition marquait l'excès quantitatif, équivalant à *plus que* (fin XVe s.) et *en plus de* (1636), emplois disparus. Son complément peut aussi désigner ce qui sert de fondement (v. 1167) ou implique l'idée d'une garantie morale (XIIe s., *sur l'honneur*) ou matérielle. De là procède encore à l'époque classique l'emploi pour «en considération de» (XIIIe s.), dans *sur espérance de* «dans l'espoir de» (1549). On trouve aussi en moyen français *sur peine de* (v. 1480), remplacé par *sous peine de* en français moderne, *sur peine de mort* (1559) et aussi *sur ce que* «parce que» (1580) et «dès que» (av. 1678); tous ces emplois ont disparu. ◆ *Sur* a également une valeur temporelle, marquant l'approximation (v. 1167), autrefois dans *être sur l'âge de* «être âgé environ de» (v. 1260); depuis le XIVe s., la préposition équivaut à «immédiatement après» (apr. 1360) et marque la répétition, disparue dans la plupart des cas avec ces valeurs; elle s'emploie encore dans ***sur le fait*** (1465) «au moment où l'acte est commis», en particulier dans *prendre* (un coupable) *sur le fait*, et ***sur ce*** «après cela» (v. 1550). ◇ Elle est utilisée pour introduire l'idée de conformité, de modèle (v. 1190), par exemple dans *régler son pas sur qqn* (XIIIe s.), et à l'époque classique dans *sur l'exemple de* «en se conformant à la conduite de» (1660). ◆ *Sur* entre enfin dans des locutions qui marquent un état, une situation représentant le terme d'un processus (1552), par exemple dans ***être sur ses gardes, sur le qui-vive.***

◈ voir SUR-.

SUR-, emploi spécialisé de la préposition *sur**, sous la forme *sour-*, *sor-* en ancien français, s'utilise avec la valeur spatiale d'«au-dessus» *(surhausser)* ou temporelle d'«après» *(surlendemain)*, parfois d'«avant» (*surveille*, vieux), c'est-à-dire dans tous les cas de «plus loin», ou pour marquer l'excès avec un verbe *(surabonder)*, un nom *(surproduction)* ou un adjectif *(suraigu)*.
Sur- s'employait dans l'ancienne nomenclature chimique pour indiquer que l'élément constitutif d'un corps était présent dans un composé dans sa quantité maximale; on utilise aujourd'hui le préfixe *per-* (*peroxyde*, autrefois *suroxyde*).

SUR, SURE adj. est issu (v. 1130) du francique °*sûr* «aigre, acide», comme l'allemand *sauer*, l'anglais *sour*, le russe *syroï* «humide, cru», *surovyï* «rude».

♦ L'adjectif s'applique à ce qui a un goût amer (v. 1130) ou légèrement acide (v. 1175), en particulier aux fruits insuffisamment mûrs (1600, O. de Serres) et s'emploie dans *eaux sures* «eaux dégraissées employées pour la teinture des tapisseries» (1679). ◇ Il a dès l'ancien français le même emploi figuré que *amer* (v. 1130), aujourd'hui archaïque.

▸ Le mot a fourni quelques dérivés. **SURELLE** n. f. est un nom régional (Ouest) de l'oseille (XIIe s., *surele;* XVIIe s., *surelle*), comme **SURETTE** n. f. (1872). ◆ **SURET, ETTE** adj. est attesté au figuré en parlant d'un baiser (v. 1280) et se dit au propre de ce qui est légèrement sur (XVe s.), par extension d'une odeur (fin XVIe s.) et par analogie de sons aigus (1888). ◆ **SURET** n. m. désigne régionalement (Normandie) un jeune pommier non greffé (1551). ◆ **SURIR** v., «devenir sur» (1872, intr.), attesté régionalement (Normandie) au début du XIXe s., est certainement très antérieur; le verbe signifie au figuré «rendre amer, aigrir» (1916). ◇ **SURI, IE** adj. (1872) s'emploie aussi au figuré (1884) et comme nom (XXe s., *odeur de suri*). ◆ ① **SURIN** n. m. est en viticulture un synonyme de *sauvignon*, cépage un peu amer (1701), et, régionalement, désigne un jeune pommier non greffé (apr. 1850).

◈ voir CHOUCROUTE.

SÛR, SÛRE adj. est l'aboutissement, sous la forme *sur* (XVe s.) puis avec l'accent circonflexe (XVIe s.), de *soür* (1080), *seür* (v. 1155), *segur* (1160-1170), formes issues du latin *securus* «exempt de soucis, tranquille, confiant» et «qui ne cause pas de soucis», en parlant de choses «exempt de danger». Cet adjectif est composé de *se*, particule archaïque marquant la privation (→ sans), et de *cura* «soin, souci» qui a abouti au français *cure**. *Securus* a fourni l'ancien provençal *segur* (mil. XIe s.), l'espagnol et le portugais *seguro*, l'ancien italien *segur*, l'italien moderne *sicuro*.

♦ L'adjectif s'est d'abord appliqué à une personne en sécurité, qui a reçu une garantie, en particulier dans la locution adverbiale *a seür* «en sécurité» et dans *faire seür* (v. 1200), *prendre seür* «donner, prendre une caution». ◇ *Seür* s'emploie aussi comme adverbe au sens de «sans danger» (1240). ◇ Il se dit (v. 1175) d'un lieu où l'on est à l'abri du danger, d'où ***lieu sûr*** (1549), expression qui a signifié «prison» (1647), acception disparue, et qui est encore usuelle dans *(mettre)* ***en lieu sûr*** (1549), et à l'époque classique *il ne fait pas sûr (en cet endroit)* «on n'y est pas en sûreté» (av. 1549). ◆ Parallèlement, *sûr* se dit depuis le XIIe s. (v. 1165) d'une personne qui envisage les choses avec une confiance tranquille, aujourd'hui construit avec *que* (v. 1175) ou *de* et l'infinitif (XVIIe s.), emploi archaïque, la valeur psychologique de *sûr* étant passée de la confiance à la certitude (voir ci-dessous). ◇ *Sûr* adv. «tranquillement» (fin XIVe s.) et «avec assurance» (1580) est sorti d'usage. ◇ L'adjectif possède cette valeur dans quelques locutions : ***être sûr de son fait*** «avoir la certitude du succès de son entreprise» (1661), puis ***être sûr de son coup*** (1718); on disait aussi *être sûr de son bâton*, familier (1808), et *être sûr de sa partie* (1694), en musique «chanter à livre ouvert sans faire de faute» (1694, également terme de jeu). ***Soyez sûr que*** s'emploie avec un temps futur (1708) pour affirmer et promettre.

➔ L'adjectif se dit aussi depuis le XIIe s. (v. 1180) de ce qui est considéré comme vrai, indubitable, sens demeuré très courant, avec des renforcements comme ***sûr et certain.*** Il s'employait en ancien français dans la locution adverbiale *de seür* «avec certitude» (v. 1175). Il s'applique aussi à l'avenir, qualifiant ce qui est inéluctable (fin XVe s.), d'où *sûr à* «garanti» (1673) à l'époque classique. ◇ Avec cette valeur, l'adjectif s'emploie plutôt aujourd'hui en tour impersonnel (1657, ***il est sûr que;*** puis ***ce qui est sûr...*** [1689], ***c'est sûr,*** qui s'applique aussi au passé) ou avec un substantif indéterminé; de là les locutions adverbiales ***pour sûr,*** régionale ou rurale (1665; repris XIXe s.), ***bien sûr*** (1782; 1887 pour introduire une concession), très courante, aussi adverbiale. ◇ *Sûr* adv. «sûrement» (déb. XXe s.) et ***sûr que*** loc. conj. (1904) sont très vivants dans l'usage familier. ◇ En parlant d'une personne, *sûr* signifie (v. 1190) «qui sait avec certitude», d'où ***être sûr de son fait*** «de ce que l'on dit, pense» (1694) et la locution familière ***sûr et certain;*** cette valeur de certitude, d'assurance a éliminé après le XVIIe s. l'idée de confiance avec laquelle elle coexistait, cette idée étant transférée du sujet à l'objet. En effet, déjà au XIIe s., une *personne sûre* est une personne en qui l'on peut avoir confiance; avec cette valeur, l'adjectif entre dans la locution *avoir les mains sûres* (v. 1550), *la main sûre* (1606) «être loyal», sortie d'usage; on dit aujourd'hui ***en mains sûres*** «entre les mains de qqn en qui l'on a confiance», d'abord (XVIIIe s.) *en de sûres mains.* ***Être sûr de qqn*** correspond à «avoir confiance en lui» (1694). ◇ Par extension, l'adjectif se dit d'un animal, d'abord du chien qui ne perd pas la trace du gibier (XVe s.). Il s'emploie aussi à propos d'une chose sur quoi l'on peut compter (v. 1530), d'où *le temps n'est pas sûr* (1718) et ***de source sûre*** (XXe s.) «certaine, indiscutable». ➔ Avec une valeur active, *sûr* s'applique à ce qui agit ou fonctionne avec exactitude (1549, ***avoir la main sûre;*** 1694, *cheval au pied sûr*), à la mémoire (1718), au jugement (1835), *avoir le coup d'œil sûr* signifiant «apprécier sans se tromper» (1821), «mesurer à la simple vue» (1835). ◇ *Sûr* s'applique aussi à ce qui produit les résultats escomptés, se disant par exemple d'un remède (2e moitié XVIIe s.), d'où à l'époque classique *jouer à jeu sûr* (1680) «être certain du succès», et la locution adverbiale encore usuelle ***à coup sûr*** (1686) «sans risque d'échec», par figure «infailliblement», en particulier dans *parier à coup sûr.*

▸ Le dérivé **SÛREMENT** adv. (XIVe s., sans l'accent, *surement; sûrement,* XVIe s.) est la réfection de *seürement* (v. 1169), *soürement* (1080) «sans courir de risque», sens sorti d'usage. ➔ L'adverbe est d'abord attesté sous les formes anciennes correspondant à celles de *sûr* (ci-dessus) et signifie «d'une manière efficace», «infailliblement» (v. 1169) et «d'une manière certaine, évidente», portant alors sur l'ensemble de l'énoncé, d'où familièrement et tardivement ***sûrement que*** (1890). ◇ *Sûrement* s'emploie en position détachée pour «certes, peut-être bien» (fin XIXe s.) et dans une réponse (XXe s.), de même que ***sûrement pas,*** en concurrence avec *certainement.*

SÛRETÉ n. f., attesté une fois fin XIVe s., puis au XVIe s., est la réfection de *seürté* (v. 1130), *seureté* (XVe s.), d'après le latin *securitas* (→ sécurité), dérive sous toutes ses formes de *seür,* puis *sur, sûr.* Le mot a d'abord désigné une garantie qui conditionne un marché et généralement une disposition que l'on prend pour éviter un danger (mil. XVIIe s.). De là viennent *faire la sûreté de qqn* «assurer sa sauvegarde» (1642), le sens de «mesure de précaution» (1662), emplois classiques sortis d'usage, et le proverbe archaïque ***deux sûretés valent mieux qu'une*** (1668). ◇ En droit, *sûreté* «garantie fournie pour l'exécution d'une obligation» (1685), d'où *sûreté réelle, personnelle* (XXe s.), est toujours en usage. ➔ Dès le XIIe s., le mot désigne l'état, la situation d'une personne qui n'est pas en danger; vieilli dans ce sens, il est remplacé par *sécurité*.* Le mot avait cette valeur dans la locution *a seürté* (v. 1175), ***en sûreté*** (1422) «en sécurité». En droit, *sûreté individuelle* «garantie contre les détentions arbitraires» (1936) a succédé à *sûreté de la personne* (1748). ◇ Par extension, le mot désigne la situation d'un groupe social à l'abri du danger (1561), *sûreté individuelle* étant une notion de droit moderne; la *sûreté,* avec la liberté et la propriété, fait partie des droits de l'homme définis par la Déclaration de 1793. Cet emploi a vieilli au cours du XIXe siècle. ◇ L'ensemble de ces valeurs se développe à partir du XVIIe siècle. *Sûreté,* «qualité d'une personne sur laquelle on peut compter» (1636), s'emploie encore à propos d'une aptitude physique (1636, *sûreté de main*), de ce qui ne risque pas d'échouer (1767), de la qualité d'un élément intellectuel ou affectif (1835, *sûreté de jugement, de goût*), emplois correspondant à ceux de *sûr.* ◇ Le mot s'est employé dans *lieu de sûreté* «où l'on est à l'abri» (1606), d'où *mettre qqn en lieu de sûreté* «dans un endroit d'où il ne peut s'échapper», spécialement «en prison» (1642), sorti d'usage. ◇ *Sûreté* s'est dit (1677) de la qualité de ce qui met à l'abri du danger; de là vient plus tard ***de sûreté*** «destiné à assurer une protection» (1835), dans des expressions comme *allumette, épingle, serrure de sûreté, soupape de sûreté* (1835), et la locution ***pour plus de sûreté*** (1846). ◇ Par métonymie, *une sûreté* équivaut à *dispositif de sûreté.* Cette notion s'applique aujourd'hui au domaine nucléaire (*sûreté nucléaire,* 1973, dans le nom d'une institution). ◇ *Place de sûreté* désignait (1659) une place de guerre retenue pour garantir l'exécution d'un traité; le terme n'est plus usité qu'en histoire. ◇ Dans le domaine relatif à la sécurité d'un groupe, *sûreté* (1867), *sûreté générale* (1876), *sûreté nationale* (1934) et absolument *la Sûreté* est, en France, le nom de la Direction du ministère de l'Intérieur chargée de la surveillance policière. En France, *Cour de sûreté de l'État* a désigné (1963) un tribunal d'exception aboli en 1981 qui jugeait les crimes et délits commis contre l'autorité de l'État.

◈ voir ASSURER, SÉCURITÉ.

SURANNÉ → AN

SURATE ou **SOURATE** n. f. est emprunté (1697, *surate* et *sourat*) à l'arabe *sūrat,* forme que prend devant un autre nom le mot *sūra* «verset du Coran», proprement «chapitre», qui avait été emprunté en français au XVIe s., écrit *sora* (1559), puis *sura, sure* (1721).

♦ *Surate* est le nom donné à chacun des chapitres du Coran et, par extension, au texte de chacun de ces chapitres.

SURBAISSÉ, SURBAISSER → BAISSER

SURCROÎT → CROÎTRE

SURDITÉ → SOURD

SUREAU n. m. est une modification par changement de suffixe (1530) de *suraut* (1360, en champenois), dérivé de l'ancien français *seür* (fin XIe s.), élargissement de *seu* (v. 1175), peut-être dû à l'influence de l'adjectif *sur*, les baies de la plante ayant un goût acide (cf. *surelle* «oseille», depuis le XIIe s.). Cette forme est issue par évolution phonétique du latin impérial *sabucus* «sureau», variante de *sambucus*, sans étymologie connue. ◇ La forme *seur* est encore relevée à l'époque classique (1690) et on trouve la graphie *sûr* en 1732. Par ailleurs, l'ancien français *seu* a eu des dérivés suffixés en *-yer, -eau*, comme *suyer* (1545), *suyau* (1625), *suseau* (1538), qui s'est maintenu dans des patois, de même que la forme simple *sur*. Par ailleurs, le latin *sambucus* a donné par emprunt *sambuz* (v. 1138), *sanbu* (v. 1240), tandis que l'ancien provençal avait *sanbuc* (v. 1250), l'italien *sambuco*, l'espagnol *saúco* → sambugue.

♦ Comme toutes ces formes et comme le mot latin lui-même, *sureau* désigne un arbre dont le bois très léger renferme un large canal médullaire, et dont la fleur odorante donne des fruits en grappes de boules rouges (1791, *sureau rouge*) ou noires *(sureau noir)*. Par métonymie, le mot désigne le bois de sureau, la tige *(un sureau)* dont le canal évidé sert à faire des sarbacanes, et les baies.

▸ **SURARD** adj. et n. m. dérive (1762, adj.) de la forme alors dialectale *seur, sûr* et désigne un vinaigre parfumé de fleurs de sureau. Il remplace les dérivés *seurat* (1611), *surat* (1872) et *suzat* (1564), puis *susat* (1611) qui continuait *suseau* (ci-dessus).

SURENCHÈRE et dérivés → CHER

SURÉROGATION n. f. s'est substitué (1610, Bloch et Wartburg; puis 1669) par changement de préfixe à *superérogation* (1374; relevé jusqu'au XVIIe s.), emprunté au bas latin *supererogatio* «action de donner en plus», dérivé du supin de *supererogare* «donner, dépenser en plus». Ce verbe est formé du latin classique *super* (→ super-) et de *erogare* «faire sortir pour distribuer, payer», lui-même composé du préfixe *ex-* qui indique le mouvement vers l'extérieur (→ ex-) et de *rogare* «solliciter, faire une requête», «interroger», dont plusieurs composés ont été empruntés en français (→ arroger, déroger, interroger, subroger). Le verbe *supererogare* était en usage dans les traductions latines de l'Évangile selon Luc : dans la parabole (X, 35), le bon Samaritain, après avoir laissé le blessé qu'il a recueilli chez un aubergiste, annonce à ce dernier qu'il lui réglera les dépenses supplémentaires causées par les soins à donner.

♦ Terme de dévotion à l'époque classique, le mot désigne ce que l'on fait au-delà de ce qui est dû ou obligé (1610) ou de ce qu'on a promis (1718).

▸ **SURÉROGATOIRE** adj. est la francisation avec le préfixe *sur-* (1638) du latin médiéval *supererogatorius* (dérivé du supin de *supererogare*) qui avait été emprunté sous la forme *superérogatoire* adj. (mil. XVIe s.). ◇ Cet adjectif s'applique à ce qui est fait en surérogation et, par extension (1793), signifie «supplémentaire»; comme *superfétatoire*, il est didactique.

SUREXPLOITER → EXPLOIT

SURF n. m. (1961), mot anglo-américain, abrégé de *surf-board* (cité en français, 1928), est formé de *surf* «ressac» et *board* «planche» et par ailleurs de *surf-riding*, de *to ride* «monter (un cheval)».

♦ Le mot désigne un jeu sportif consistant à se faire porter sur une planche à la crête d'une vague de ressac.

▸ Les dérivés **SURFER** v. intr. (1964) et **SURFEUR, EUSE** n. (1975, francisation de **SURFER** n. m., 1963) sont en usage.

SURFACE n. f. a été formé (v. 1378), de *sur** et de *face**, d'après le latin *superficies*, emprunté par ailleurs sous la forme *superficie**.

♦ Le mot reprend une partie des sens de *superficie*. Il désigne d'abord la partie extérieure (d'un corps) qui le limite en tous sens et spécialement (comme *face*) sa partie apparente, visible. ◇ De là, l'emploi pour «couche apparente et peu profonde» (1690), la surface désignant le sol par rapport au sous-sol et aussi l'étendue supérieure d'une nappe d'eau, d'où *à la surface* (1862), *en surface*. Par figure, ***faire surface*** signifie «se manifester de nouveau», à propos de choses; en parlant de personnes, *faire, refaire surface, revenir (remonter)* ***à la surface*** ont des valeurs figurées variées : «se réveiller après une perte de conscience», «apparaître après un temps d'absence». ➛ Le mot s'emploie au figuré pour «apparence» (1678), et désigne par extension (1690) la face extérieure d'un corps envisagée sous le rapport de sa mesure et il se spécialise en géométrie (1691, Ozanam) au sens de «figure à deux dimensions»; ces valeurs donnent lieu ensuite à des emplois qualifiés comme *surface plane, surface réglée* (1842), *surface topographique* (1872). ◇ Par extension, *surface* s'emploie (1798) pour toute étendue de quelque importance. ◇ Par une nouvelle spécialisation, il désigne en physique (1888) la limite entre deux milieux différents, d'où par exemple *surface d'onde, surface de force*. ➛ Enfin, le mot entre au XXe s. dans le composé **GRANDE SURFACE** n. f. (v. 1970), équivalent de *supermarché**. ➛ Dès le XVIIe s., *surface* a pris comme *superficie** une valeur figurée, «apparence extérieure (d'une chose, d'une personne)» (1671), la surface s'opposant au *fond*, aux *profondeurs*, par exemple dans ***de surface*** (1862), ***en surface***. ◇ Par une autre figure, le mot désigne (1851) une apparence de prospérité sous la forme de garanties matérielles ou morales, notamment dans *avoir de la surface, surface so-*

ciale, et se dit familièrement des ressources reconnues d'une personne.

▶ Le mot a produit au XXe s. des dérivés et des composés didactiques et techniques. ➜ **SURFACER** v. (attesté 1927), «polir (une surface)», a fourni **SURFAÇAGE** n. m. (1927) et **SURFACEUSE** n. f. (1933), d'usage technique. ➜ **SURFACIQUE** adj. (apr. 1950), «relatif à une surface» et «en surface», est didactique. ➜ **SURFACTIF, IVE** adj. et n. m. (apr. 1950), terme de chimie, et **SURFACTANT** n. m. (v. 1970), terme de biologie, sont des mots-valises formés tous deux, à partir de *tensio-actif*, de *surface* et *actif*, d'après l'anglais *surfactant* (1950) pour le second.

SURGEON n. m. est la réfection savante (1541) de formes anciennes comme *sourjon* (1270-1275), *sorgon, sourgon* (XIIIe s.), qui coexistent avec la variante *surdon* (1285) propre aux parlers du nord de la France, où le *g* latin aboutit à *d*. Ces formes, comme l'italien *sorgente* et plusieurs mots provençaux viennent du participe présent du verbe latin *surgere*, qui a donné *sourdre** et, par le participe passé *surrectus, source**.

♦ Le mot équivaut d'abord à «source», sens vivant jusqu'au XVIIe s., et aussi à «filet d'eau sortant de terre» (*sourjon d'eau*, v. 1390). ◇ L'emploi en arboriculture apparaît au XVIe siècle ; c'est une analogie (1549), la pousse nouvelle étant comparée à l'eau qui sourd de la terre. ◇ Au figuré, et par la même évolution que le verbe *sourdre**, *surgeon* s'est employé (1579) dans la langue classique pour «rejeton, descendant (d'une famille)».

▶ Le dérivé **SURGEONNER** v. tr. «bourgeonner» (XVIe s.) semble inusité avant la 2e moitié du XIXe s. (1872).

◈ voir RESSOURCE, RÉSURGENCE, SOURCE, SOURDRE, SURGIR.

① **SURGIR** v. intr. est la francisation (1808), après un exemple isolé (1573), l'emploi de *surgeant* «surgissant» au XVIe s. et un emprunt par l'ancien provençal (ci-dessous ② surgir), du latin classique *surgere*, verbe transitif, «mettre debout» et intransitif «se lever» en parlant de personnes ou de choses, en bas latin «ressusciter» et «s'insurger». Ce verbe, composé de *sub* indiquant le mouvement de bas en haut (→ sub-) et de *regere* «diriger, guider» (→ régir), a abouti par évolution phonétique à *sourdre**.

♦ On relève isolément le participe présent *surgeant* «s'élevant» chez Rabelais (1564), latinisme qui semble inusité. *Surgir* reprend certaines acceptions de *sourdre**, «apparaître brusquement, en s'élevant, en sortant» (1808), employé par extension pour un être vivant (1823), une construction qui s'élève, «sort de terre» (1875) et pour une chose abstraite (1831) ou encore des images qui se présentent à l'esprit (fin XIXe s.).

▶ Le verbe a fourni **SURGISSEMENT** n. m. (1863), d'usage soutenu ; on trouve aussi avec le même sens **SURGIE** n. f. (XXe s.), du participe passé. ➜ Le préfixé **RESURGIR** v. intr., «apparaître brusquement de nouveau», attesté au XVIIe (1611), et alors emprunté au préfixé latin *resurgire*, a été repris au XIXe siècle.

② **SURGIR** v. intr. est la réfection (1497) de *sourgir* (1424), emprunt à l'ancien provençal *sorgir* «mouiller l'ancre» (1377), lui-même du catalan *surgir* (1250) «apparaître (sur la mer)», issu comme l'espagnol et le portugais *surgir* du latin classique *surgere*. On relève isolément l'emploi de *sourdre*, issu en ancien français de *surgere*, en ce sens (1424) [→ sourdre].

➜ Ce terme de marine signifiait «aborder», dans *surgir au port* (1497), *dans le port* (v. 1550) et employé seul (1564). Par changement de préposition, la valeur du verbe passant d'«apparaître» à «sortir», *surgir du port* a signifié «quitter le port» (1603). Tous ces emplois ont disparu au XVIIe s., malgré la reprise littéraire de *surgir au port* (1820, Lamartine) au sens figuré d'«atteindre son but», compris comme une métaphore de ② surgir.

◈ voir (S')INSURGER, RÉSURGENCE, RÉSURRECTION, SURRECTION.

SURHOMME → HOMME

SURIMI n. m., emprunt (1983) à un mot japonais, désigne commercialement un succédané de crabe, de crustacé, fait d'une pâte extrudée à base de poisson.

① **SURIN** → SUR, adj.

② **SURIN** n. m. est emprunté (1827) au mot tzigane *churi* «couteau», sans doute par l'intermédiaire de l'argot italien et peut-être par croisement avec le moyen français *suerie* «assassinat» (→ suer), à condition que ce mot se soit conservé dans le milieu de la pègre jusqu'au début du XIXe siècle ; le doublet *chourin* (1837) est en concurrence avec *surin* jusque v. 1880.

♦ Mot d'argot vieilli, *surin* désigne un couteau servant d'arme.

▶ Il a fourni **SURINER** v. tr. (1827), *chourin* donnant *chouriner* «tuer à coups de couteau», sorti d'usage comme son dérivé **SURINEUR, EUSE** n. (1827, n. m.), aussi *chourineur* (1842) ; *chourineur*, popularisé par E. Sue dans *Les Mystères de Paris*, sans diffusion après 1860, a été repris dans la traduction française de *L'Opéra de quat'sous* de B. Brecht, avec la chanson de *Macky le Chourineur*. Le mot, comme *surin* et *suriner*, évoque les dangers des bas-fonds de Paris dans la seconde moitié du XIXe siècle.

SURJET, SURJETER → JETER

SURLENDEMAIN → DEMAIN

SURMENAGE, SURMENER → MENER

SURMONTER v., réfection (fin XIVe s.) de *surmunter* (v. 1119), *sormonter* (v. 1155), est formé du préfixe *sur-** (anciennement *sor-*) et de *monter** ; l'ancien provençal *sobremontar*, qui lui correspond, est antérieur (XIIIe s.).

♦ *Surmonter* a en ancien français des valeurs concrètes et abstraites dont beaucoup sont sorties d'usage, comme «vaincre (un ennemi)» (v. 1119), d'où à l'époque classique «mettre (un adversaire) à terre» (1695). Le complément désignant un obstacle, une difficulté, il signifie aussi (v. 1119) «laisser derrière soi (un obstacle) en venant à bout des difficultés», sens resté usuel, et au figuré «vaincre (une difficulté psychologique : peur, etc.)» (v. 1370). À l'époque classique, et avec un sujet nom de chose, *surmonter qqn* correspondait à «triompher des efforts de (qqn)» (1669) et «l'accabler» (1678); ces sens ont disparu. ◆ De *surmonter un obstacle* vient le pronominal *soi surmonter* (XIIe s.) puis *se surmonter* (1538), devenu archaïque au sens de «se dominer, se vaincre soi-même». ◇ Par ailleurs, *surmonter qqn* a signifié «l'emporter en qualité, en valeur» (v. 1155) et *surmonter,* intransitif, «être meilleur»; ces acceptions sont sorties d'usage, mais *surmonter une épreuve* (v. 1370) est toujours employé. ◆ *Surmonter* a voulu dire en ancien français «élever (qqn) en dignité» (v. 1165) et, dans le domaine psychologique, «rendre exubérant» (v. 1175), *se surmonter en orgueil* signifiant à la même époque «devenir trop orgueilleux». ◇ Le verbe a pris la valeur concrète de «passer par-dessus» en parlant de liquides, d'abord comme intransitif (1279), puis de «faire passer au-dessus», comme transitif (2e moitié XIVe s.). Par extension, il a signifié «franchir en passant par-dessus», avec un sujet nom de chose (1690) ou de personne (1753), et spécialement «s'étaler sur la surface d'un autre liquide» (1783); ces valeurs spatiales seraient encore comprises, mais sans le dynamisme qu'elles impliquaient, *surmonter* signifiant aujourd'hui «être placé au-dessus de» (mil. XVIIIe s.). ◆ Comme terme de jeux, *surmonter* (1933, intr.) équivaut à «jouer une carte supérieure à une autre qui était déjà supérieure à une précédente».

▶ **SURMONTÉ, ÉE** adj., tiré du participe passé, a signifié (v. 1185, *sormonté*) «glorifié» puis «qui se distingue dans un domaine» (déb. XIVe s.). L'adjectif, qui s'applique (v. 1370) encore aujourd'hui à un obstacle vaincu, qualifiait aussi à l'époque classique (1588) une personne vaincue dans un combat. ◇ En blason, il qualifie une pièce accompagnée d'une figure (1671, *surmonté de*), une pièce abaissée et ayant un chef en meuble (1690). ◇ *Surmonté (de)* qualifie un objet qui est en dessous d'un autre (1800).

◆ Le dérivé **SURMONTABLE** adj. a signifié «qui passe par-dessus tout» (1160-1170, *sormuntable*) et «par-dessus quoi on peut passer», au XVe s. isolément *(seurmontable)* puis au XVIe s. (1530, *surmontable*). L'adjectif a pris une valeur abstraite et se dit de ce qu'on peut dominer par des efforts de volonté. ◆ Il est beaucoup moins courant que son contraire préfixé **INSURMONTABLE** adj. (1561, Bloch et Wartburg; puis 1611), de ① in-, qui se dit surtout d'un obstacle moral, d'une difficulté, mais peut aussi s'employer au concret (rare). ◇ Les dérivés **INSURMONTABLEMENT** adv. (1840) et **INSURMONTABILITÉ** n. f., attesté au XXe s., sont rares.

SURMONTOIR n. m., formé d'après *présentoir,* désigne techniquement (1968) un élément publicitaire placé au-dessus d'un produit mis en vedette.

SURMULET, SURMULOT → MULE (MULET), MULOT

SURNAGER → NAGER

SURNATUREL, ELLE

SURNATUREL, ELLE adj. et n. m. remplace (1552) *supernaturel* (1375, Robert de Presles), attesté jusqu'en 1660 et repris, semble-t-il, par Huysmans (1904); le mot est composé de *sur-** et de *naturel**.

♦ L'adjectif qualifie ce qui ne relève pas des lois de la nature, d'où l'emploi pour «qui est contre nature» (fin XVIe s.), sorti d'usage. Il est substantivé dans sa première acception (1747). ◇ Par extension, il s'applique à ce qui semble inexplicable (1649), vieilli à côté d'*extraordinaire,* et qualifie en religion ce qui est révélé, produit par une condescendance gratuite de Dieu (av. 1662), d'où *vérité surnaturelle* (1694). ◇ À l'époque classique, *surnaturel* s'est dit (1672) d'une personne qui manque de simplicité (qui manque de naturel avec une affectation ajoutée), emploi disparu.

▶ **SURNATURELLEMENT** adv. (1554), qui a remplacé *supernaturellement* (1522), est rare. ◆ **SURNATURALISER** v. tr. (v. 1800) est littéraire et rare. ◆ **SURNATURALISME** n. m., didactique (1847, Proudhon), formé d'après *naturalisme**, désigne la croyance au surnaturel. ◇ En dérive **SURNATURALISTE** adj. et n. (1833). ◇ D'après *surnaturel* et *nature* a été formé **SURNATURE** n. f. (1865, Barbey), demeuré didactique.

Avec le préfixe *super-*, on a formé **SUPERNATURALISME** n. m. (1845) et **SUPERNATURALISTE** n. (1875) et, avec *supra-*, **SUPRANATURALISME** n. m. (1845), **SUPRANATURALISTE** n. (1872), sortis d'usage, **SUPRANATUREL, ELLE, ELS** adj. (av. 1867) s'employant encore pour «parapsychologique».

SURNUMÉRAIRE

SURNUMÉRAIRE adj. et n. a remplacé (1636) par changement de préfixe (*sur-** remplaçant *super-*) *supernuméraire* adj. (1564), emprunté au bas latin *supernumerarius* «en surnombre» (IVe-Ve s.). Cet adjectif est formé du latin classique *super-* qui marque le surplus (→ super-) et d'un dérivé de *numerus* «nombre*». *Supernuméraire* semble être sorti d'usage au XVIIIe siècle.

♦ L'adjectif s'applique (1636) à ce qui est en trop, en *surnombre;* il s'est employé par extension pour «superflu» (1750) et pour «accessoire» (1754). Au figuré, il a qualifié une personne qui se sent en trop quelque part (v. 1770), emploi disparu. ◇ Le nom désignait aussi une personne en surnombre dans une fonction (1718), emploi appliqué notamment aux militaires (dans ce sens, aussi adj., 1765), puis (1817) à un employé qui travaillait avec des appointements réduits jusqu'à ce qu'il soit titularisé, abrégé parfois familièrement en **SURNU** n. (déb. XXe s.); cette valeur a disparu en 1948 du vocabulaire administratif.

▶ **SURNUMÉRARIAT** n. m., autrefois «corps des soldats surnuméraires» (1791), a désigné dans le vocabulaire administratif la durée de la fonction de surnuméraire (1812) et cette fonction (1875).

SUROÎT

SUROÎT n. m. est l'altération orale (1701, *surouè*), écrite *suroît* au XIXe s. (1832) de *sud-ouest, sud**

étant prononcé *sur* d'après *nord* dans *noroît**, et *ouest** dans les deux cas sans les consonnes finales.

♦ Le mot a d'abord désigné le vent du sud-ouest (*siroest*, 1486; *suouest*, 1584; *surouest*, 1594; puis *suroest*, 1611; enfin *suroît*, 1835), et la direction sud-ouest (1701, *sur-ouè;* puis 1832, *suroît*). ◇ Dans la seconde moitié du XIXe s. (1869), *suroît* s'applique à un vêtement de marin imperméable (aux pluies de suroît), puis à un chapeau imperméable de marin dont le bord arrière descend sur la nuque (1884, Loti).

SURPASSER v. tr. est composé (1340) de *sur-** et de *passer**.

♦ Le verbe a d'abord signifié «passer par-dessus (qqch.), enfreindre» (1340); avec l'idée de «dépassement», il s'emploie pour «faire mieux que (qqn en qqch.)» (1530) et, en parlant d'une chose, «dépasser en importance, en nombre, en intensité», «excéder» (v. 1470). Le pronominal *se surpasser* apparaît au XVIe s. (1559). L'emploi concret, pour «dépasser en hauteur» (1509) a vieilli. ◇ Par extension, *surpasser qqn,* le sujet désignant une chose intellectuelle, veut dire «excéder ses forces, son intelligence» (1580), d'où *cela me surpasse* (1798), remplacé par *cela me dépasse**. ◇ *Surpasser les bords* s'est employé à l'époque classique (1690) là où le français moderne dit *déborder*. ◇ *Surpasser qqn,* «lui causer un étonnement extrême» (1798), est sorti d'usage.

▸ **SURPASSEMENT** n. m., surtout dans ***surpassement de soi*** (1931, Gide), est littéraire et rare par rapport à *dépassement**.
INSURPASSABLE adj. (1554) est attesté avant **SURPASSABLE** adj. (1846), rare.

SURPEUPLÉ → **PEUPLE**

SURPLIS n. m. est la réfection (v. 1175, *surpliz*), avec *sur-**, de *sorpeliz* (XIIe s.), lui-même francisation en *sor-*, ancienne forme de *sur-*, du latin médiéval *superpellicium* (XIe s.), composé du latin classique *super* «au-dessus de» (→ super-) et du bas latin *pellicius,* variante du latin classique *pelliceus* «de peau», dérivé de *pellis* «fourrure» (→ peau).

♦ Le mot désigne un vêtement de lin à manches larges que les prêtres portent sur la soutane. La locution *porter le surplis dans une paroisse* «faire partie du clergé de cette paroisse» (1694) est sortie d'usage.

SURPLOMBER, SURPLOMB → **PLOMB**

SURPLUS → **PLUS**

SURPRENDRE v. tr. est la réfection (fin XIIe s.) de *sorprendre* (v. 1130), graphie la plus courante jusqu'au XVIe siècle. Le verbe est composé de *sur-** (anciennement *sor*) et de *prendre**.

♦ Depuis le XIIe s., *surprendre* signifie «affecter, toucher (une personne qui n'y était pas préparée)», le sujet désignant un événement, un phénomène (v. 1130), et, le sujet désignant une personne, «prendre (qqn) au moment où il commet un délit» (v. 1130), puis par extension lorsqu'il transgresse des règles morales (1672). ◇ Cette idée de «prendre au dépourvu» se développe dans les emplois du verbe pour «se saisir de (qqn) par une attaque imprévue» (v. 1165) et aussi «envahir brusquement (qqn)», en parlant d'un sentiment (v. 1155), sorti d'usage. ◇ L'emploi pour «abuser (qqn) par des manœuvres inopinées» (v. 1190) ne demeure que dans la locution ***surprendre la bonne foi, la crédulité de qqn*** (1663). ◇ Le verbe s'emploie aussi pour «se présenter à l'improviste» (v. 1175) et spécialement «arriver inopinément chez (qqn)» (1707). ◇ Par extension, *surprendre une correspondance* a signifié «l'intercepter» (1538) et *surprendre une autorisation, une permission,* etc. «l'obtenir par des moyens détournés» (1650); ces valeurs ont disparu. ◇ Un peu plus tard, le verbe s'emploie pour «découvrir inopinément (1663) ou volontairement (1669) [ce qu'une personne cache]», d'où par extension «déceler, apercevoir» (1830), emplois toujours vivants mais assez littéraires, alors que la valeur correspondante avec un complément nom de personne, *surprendre qqn en galante compagnie,* etc. (1690), reste normale et courante. ◇ Le sujet désignant un événement, une chose ou une personne, *surprendre* signifie aussi «frapper l'esprit en se présentant sans être attendu, ou en étant autre que ce qu'on attendait» (1651), d'où à l'époque classique *surprendre qqn de qqch.* «lui en faire la surprise» (apr. 1650) et aujourd'hui *cela me surprendrait* (1748) marquant le doute ou l'incrédulité. ◇ Au pronominal, *se surprendre à (faire qqch.)* signifie «constater soudain qu'on fait ce que l'on ne pensait pas faire» (1688). ◇ Dans un contexte concret, *surprendre une viande* «la brûler avant qu'elle soit cuite à l'intérieur», en parlant d'un feu trop vif (1798), est sorti d'usage.

▸ **SURPRIS, ISE** adj., tiré du participe passé, d'abord *sorpris* (v. 1160), a signifié «envahi» et s'est employé dans *estre sorpris de* «être surpassé en» (v. 1210). ◇ L'adjectif se dit aujourd'hui d'une personne déconcertée (v. 1260, *sorpris;* XVIe s., *surpris*) ou étonnée (1668). À l'époque classique, il s'appliquait aussi à une personne pénétrée d'un sentiment (1606, *surprins de*) ou abusée (1653). ◇ *Surpris,* d'après le sens correspondant du verbe, s'est dit d'une chose obtenue par des moyens frauduleux (1671) ou dérobée furtivement (1708), sens archaïques, et de soldats attaqués inopinément (1687). L'adjectif qualifie aussi ce qui, devant rester caché, a été découvert (XIXe s.), emploi vieilli.
◇ **SURPRENANT, ANTE** adj., tiré au XVIIe s. (1644) du participe présent, s'applique à ce qui étonne par son caractère inattendu ou à ce qui est objectivement peu commun; il s'emploie également (1690) de façon hyperbolique, comme *étonnant*.
SURPRISE n. f., substantivation du participe passé féminin, est la réfection (1294) de *sorprise* (1160-1170), probablement dérivé de *prise,* terme de finance au moyen âge. ◆ Le mot a désigné au moyen âge un impôt extraordinaire. ◇ Au sens général «action de surprendre» correspond ***par surprise*** loc. adv. «à l'improviste» (1538) et, par métonymie, l'emploi demeuré courant pour désigner ce qui surprend, une chose inattendue (1549). Le mot dé-

signe indifféremment le fait de prendre ou d'être pris à l'improviste (1549), ainsi dans le titre *La Surprise de l'amour,* comédie de Marivaux. ◇ Le sens militaire de *surprendre* a son correspondant pour *surprise* (1559, Amyot). ◇ D'après le sens correspondant du verbe, le nom a signifié «tromperie, supercherie» (1564, *surprinse;* 1660, *surprise*), en particulier dans un procès (1549, au pluriel). ◇ À partir de la valeur générale, «action de surprendre», il a pris le sens, aujourd'hui le plus courant, d'«état d'une personne qui est surprise» (1649), «émotion que provoque qqch. d'inattendu» (1660), d'où la tournure ***à la (grande) surprise de qqn*** (1830). Avec ce contenu psychologique, *surprise* se dit de l'effet produit sur l'esprit par une vive émotion, un événement inattendu, etc. (1642). ◇ Par spécialisation, le mot désigne aussi (1782) un cadeau ou un plaisir fait à qqn pour le surprendre agréablement, d'où *faire une surprise à qqn* (1835), et par métonymie ce cadeau inattendu, spécialement un cornet de friandises qui contient un petit cadeau censé surprendre (1803 : *bonbon en surprise* et *une surprise*), en apposition dans *pochette surprise* (1842). ◇ *Boîte à surprise(s)* [1842] ou *surprise* (1847) désignait un coffret qui projette, quand on l'ouvre, un objet inattendu, une figure grotesque; cette acception a vieilli avec l'objet qu'elle désigne. ➜ *Surprise,* avec une valeur d'adjectif au sens de «soudain, inattendu», est employé (1966) comme second élément de noms composés, par exemple *cadeau-surprise, visite-surprise* (1968), *grève-surprise* (1969). ➜ Le composé **SURPRISE-PARTIE** ou **SURPRISE-PARTY** n. f. (1882, isolément; puis 1910) est emprunté à l'anglo-américain *surprise-party* (1858; d'abord terme militaire, pour «attaque surprise», 1841), composé de *surprise* (XVe s.) et de *party* (XIIIe s.), tous deux empruntés au français. ◇ Le mot a désigné une réunion de personnes qui s'invitaient, en principe à l'improviste, chez qqn en apportant les éléments du repas. Cet emploi était vivant jusqu'en 1940; l'occupation allemande supprimant la plupart des formes de vie mondaine, le mot a changé de valeur (v. 1942-1943), désignant une soirée dansante de jeunes gens, qui a lieu chez l'un d'entre eux, sens usuel après 1945; l'équivalent **SURBOUM** n. f. (1947), de *sur*prise-partie et *boum,* a été employé jusqu'aux années 1960, et **SURPATTE** n. f. (1959), par jeu de mots sur *patte**, était à la mode entre 1960 et 1970. Ces mots sont sortis d'usage après 1970. En revanche, ② **BOUM** n. f., pour «surprise-partie», s'est employé plus longtemps.

SURRÉALISME → RÉEL

SURRECTION n. f. est emprunté (v. 1119) au bas latin *surrectio, -onis* «action de lever» et «résurrection», dérivé de *surrectum,* supin du latin classique *surgere* «se lever, se mettre debout» (→ surgir).

♦ Le mot s'est employé au sens de «résurrection» et est attesté pour «action de se lever» (1507, *surrexion*). ◇ Il semble inusité avant la fin du XIXe s. où, réemprunté en géologie, il désigne (1886) le soulèvement en bloc d'une zone de l'écorce terrestre. Il s'emploie au figuré pour «apparition, émergence» (v. 1950) en relation avec ① surgir.

◈ voir INSURGER (INSURRECTION), RÉSURRECTION.

SURSAUTER → SAUT

SURSEOIR, SURSIS → SEOIR

① **SURTOUT** adv. est formé (1470) de *sur** et de *tout** et a remplacé des adverbes plus anciens comme *ensobretot* (fin Xe s.), *ensorquetot* (v. 1050), puis *ensurquetout* (XIVe s.) et *surketut* (v. 1240).

♦ Il est relevé isolément (1470) au sens de «en tout», puis s'emploie pour «par-dessus tout» (fin XVe s.), valeur devenue archaïque sauf pour renforcer un ordre ou un conseil (av. 1549). ◇ Le mot est usuel au sens de «plus particulièrement» (fin XVe s.), servant alors à isoler un élément par rapport à d'autres.

▸ ② **SURTOUT** n. m. est formé (1683) de *sur** et de *tout**. Le mot désignait un vêtement porté par-dessus les autres et s'est employé plus généralement à propos d'un objet qui enveloppe comme un vêtement (1690). ◇ C'est le nom d'une grande pièce de vaisselle (1690), décorative et placée sur une table. ◇ Le mot a pris en outre des valeurs techniques, s'appliquant à une petite charrette en forme de grande manne pour transporter les bagages (1694), puis au second moule recouvrant le moule d'une cloche (1753), au toit de paille conique placé sur une ruche (1793). Ces sens ont vieilli avec les techniques auxquelles ils se réfèrent.

SURVEILLER → VEILLE

SURVIVRE → ① VIVRE

SUS adv. est issu (v. 880) du latin *susum,* variante de *sursum* adv. «vers le haut», «en haut», composé de *su(b)s* (→ sous) et de *versum* adv. «dans la direction de» (① → vers).

♦ *Sus* a d'abord signifié «en haut, vers le haut (dans le ciel)»; *en sus* «en haut» (v. 980) est employé jusqu'au début du XVIIe s.; la locution *courir sus à qqn* (v. 1175, *corre sus a*) «l'attaquer» est sortie d'usage, comme l'emploi de *sus!* interj. (v. 1200) pour exhorter, encourager, souvent renforcée à l'époque classique en *sus donc!* (v. 1629), *or sus!* ◇ *Mettre un crime sus à qqn* «le lui imputer» (v. 1220), *mettre sus un impôt* «l'établir» (1478), *remettre sus* «redonner vie à qqn» (fin XIVe s.) s'employaient encore au XVIIe siècle. ◇ *Sus* employé seul a eu le sens de «debout» (1538). ➜ *Sus* est entré dans la formation de l'ancien adverbe *en sus* «en haut, au-dessus» (v. 980), (voir ci-dessus *ensus*). ***En sus de*** loc. prép. «loin de» (v. 1190), s'est conservée en droit pour «en plus de» (1798). ➜ *Sus* s'est utilisé comme préposition jusqu'au XVIIe s. au sens de «vers», avec une valeur spatiale (1080) puis temporelle (apr. 1360). La préposition, en concurrence avec *sur** qui l'a éliminée, a signifié aussi «malgré» (1440-1475) et «contre» devant un nom de personne (1630).

◈ voir DESSUS; SUS-, SUZERAIN.

SUS-, emploi spécialisé de *sus* adv. «au-dessus», est un préfixe entrant dans la formation de termes didactiques, notamment en anatomie, en musique et dans le vocabulaire juridique.

♦ Il indique qu'une chose est placée plus haut qu'une autre *(sus-caudal)* ou en recouvre une autre *(sus-alaire)*; en musique, il s'emploie pour parler d'un élément placé plus haut dans l'échelle tonique que celui que désigne le radical *(sus-dominante)*. ◇ Devant un participe passé adjectivé, il indique dans la langue juridique qu'il a déjà été question de la personne ou de la chose en cause *(susnommé)*.

SUSCEPTIBLE adj. est un emprunt (1372) au bas latin *susceptibilis* «capable de recevoir» (VIe s.), dérivé de *susceptum*, supin du latin classique *suscipere* «prendre, recevoir par-dessous», «soutenir» et «prendre sur soi», d'où «assumer», «supporter» et en bas latin «accueillir en hôte, héberger». Ce verbe est formé de *subs-* (*sus-* devant *c*), variante de *sub* «sous» (→ sub-), et de *capere* «prendre» (→ capter, chasser), qui se rattache à une racine indoeuropéenne °*kap-*.

♦ *Susceptible de*, suivi d'un nom, se dit d'une personne apte à éprouver des effets d'ordre affectif, moral (1372), et d'une chose qui peut acquérir des qualités nouvelles (1520), cet emploi étant devenu littéraire. ◇ Le mot, rare avant le XVIIe s., s'applique à l'époque classique à ce qui est apte à recevoir qqch. (déb. XVIIe s.). Suivi d'un infinitif, l'adjectif qualifie plus souvent une personne qui a une capacité latente (1750) ou une chose qui a une possibilité d'utilisation occasionnelle (XIXe s.), différent de *capable* qui implique une capacité permanente. ➛ *Susceptible* s'est spécialisé pour qualifier (1760) une personne particulièrement sensible dans son amour-propre, qui se froisse facilement; dans ce sens il est parfois substantivé (av. 1776). ◇ Le mot se dit aussi d'une partie du corps, d'une faculté sensorielle sensible (1772); il s'est employé pour «sensible» en parlant d'une disposition affective (1782, *délicatesse susceptible*). Suivi d'un infinitif passif ou à valeur passive, *susceptible de* équivaut à «qui peut, sujet à», en parlant d'une personne (1779) ou d'une chose (1810).

▸ Le dérivé **SUSCEPTIBILITÉ** n. f. a désigné (1752) une sensibilité particulièrement vive à certaines excitations et, spécialement (1845), l'exaltation de la sensibilité physique et morale observable dans certaines affections nerveuses. ◇ Le nom s'emploie aussi, d'après *susceptible*, pour parler du caractère d'une personne dont l'amour-propre est très sensible (1784), de sa manifestation (av. 1841) et de l'occasion où il se manifeste (1863); cet emploi est le plus usuel. ◇ En physique, *susceptibilité magnétique* (1888) désigne la propriété qu'a un corps de s'aimanter quand il est placé dans un champ magnétique.

SUSCITER v. tr. est un emprunt (v. 980) au latin classique *suscitare* «lever, soulever», «faire se dresser», d'où «bâtir» et «éveiller, exciter», puis en bas latin «ressusciter», «engendrer, produire». Ce verbe est composé de *subs*, variante de *sub* «sous» (→ sub-), et de *citare* «mettre en mouvement», «faire venir», «appeler, convoquer» (→ citer), fréquentatif de *ciere, citus*, qu'il a supplanté à l'époque impériale. *Ciere* se rattache à une racine indoeuropéenne représentée aussi par le sanskrit *cyávati* «il se met en mouvement» ou le grec *kinein* (→ cinéma, kinésie) «mouvoir».

♦ *Susciter* a eu du Xe au XVIe s. le sens du bas latin, «ressusciter (un mort)», le sujet désignant Dieu, et, comme intransitif, la valeur de «revenir à la vie» (v. 1190) qui se maintient en moyen français. Le verbe signifie «faire naître» (v. 1270, *susciter une lignée*), spécialement dans *susciter des enfants à son frère*, expression employée lorsqu'un homme épousait la veuve de son frère pour faire revivre le nom de ce dernier mort sans postérité (1550). ➛ Par extension du sens de «faire naître», *susciter* signifie couramment «produire en tant que cause déterminante» (1279), «faire naître (une idée, un sentiment)» (1440-1475) et «provoquer l'apparition de (qqch., qqn) pour aider ou contrecarrer» (1474), toutes valeurs restées en usage. Un sens spécial, «faire paraître (les hommes extraordinaires que Dieu inspire)» (1550), appartient au registre religieux.

▸ **SUSCITATION** n. f. reprend par emprunt (v. 1200) le dérivé bas latin *suscitatio* «action de ressusciter», dont il garde le sens en moyen français. ➛ On a aussi employé le dérivé français **SUSCITEMENT** n. m. (v. 1170) jusqu'au XVIIe siècle. *Suscitation* et *suscitement* ont signifié «instigation, suggestion» (1559; 1836, *suscitement*). Ils sont devenus archaïques et littéraires. ➛ **SUSCITATEUR, TRICE** n. et adj., emprunt (1554) au dérivé bas latin *suscitator* «celui qui ressuscite», signifie «personne qui suscite (qqch.)»; sorti d'usage vers le milieu du XVIIe, il est repris au XIXe s. (1872, Littré). ◇ En ce sens, on a dit *susciteur* (1440-1475, dérivé de *susciter*) encore au XVIIe siècle. *Suscitateur* est attesté au sens latin, en parlant du Christ (1581).

◈ voir **RESSUSCITER**.

SUSCRIPTION n. f. est emprunté (1215), avec francisation du préfixe *super-** en *sur-** et chute du *r*, au bas latin *superscriptio, -onis* «inscription», dérivé de *superscriptum*, supin du latin impérial *superscribere* «écrire par-dessus, surcharger», «mettre à titre d'inscription», «ajouter comme remarque». Ce verbe est composé du latin classique *super* «par-dessus» (→ super-) et de *scribere* (→ écrire). Le latin *superscriptio* a été directement emprunté en ancien français sous la forme *superscription* (v. 1250), encore relevée au XVIIe s. (1660) et en ancien provençal (1369, *sobrescrepsio*); on relève par ailleurs la variante *supscription* (v. 1430).

♦ *Suscription* s'est introduit au XIIIe s. avec le sens d'«adresse écrite sur le pli extérieur ou sur l'enveloppe d'une lettre»; il n'est repris avec cette valeur qu'au XVIe s. (1559) et noté dans Richelet (1680) «moins usuel que *adresse* ou *dessus*». Le mot s'est employé aux sens particuliers d'«inscription, titre, écriteau, étiquette» (v. 1250, *superscription*) et d'«inscription honorifique» (1474). *Suscription* désigne (1842) l'énoncé des noms, titres, qualités de la personne au nom de laquelle un acte diplomatique était rédigé. Dans le vocabulaire juridique, *acte de suscription* (1804) est le nom de l'acte par lequel le notaire constate par écrit, sur le papier ou l'enveloppe, qu'on lui a présenté un testament.

▸ **SUSCRIRE** v. tr., tiré du *suscr(iption)*, d'après *écrire*, apparaît (1549) avec le sens d'«écrire au-dessus de la ligne». ◇ Il ne s'est maintenu avec ce sens que dans le participe passé adjectivé **SUSCRIT, ITE**, notamment dans *lettre suscrite* «écrite au-dessus d'une autre». ◇ Le verbe s'emploie à partir du XIXe s. (av. 1841, Chateaubriand), pour «écrire le nom et l'adresse de (qqn) sur une enveloppe de lettre», peu courant à côté d'*adresser à*.

SUSHI n. m. est emprunté (mil. XXe s.) à un mot japonais désignant un mets traditionnel confectionné pour marquer une célébration ou offert en signe de bienvenue à des hôtes, et servi aussi dans les *sushiya*, restaurants de poisson cru. C'est une préparation à base de petites bouchées de riz froid, vinaigré et assaisonné, garni de concombre, de poissons crus, d'omelettes sucrées et d'algues nori.

♦ Le mot, qui n'était connu que des spécialistes et des voyageurs (dès 1893, en anglais), s'est introduit en français, comme *sashimi** et quelques autres termes culinaires, avec l'apparition de restaurants japonais en Europe (leur diffusion date des années 1970).

SUSPECT, ECTE adj. et n. est la réfection (v. 1360) de *suspet* (1311), emprunt au latin *suspectus* adj. «soupçonné» et «qui soupçonne», participe passé adjectivé de *suspicere* «regarder de bas en haut», «élever (ses regards, sa pensée) vers», au figuré «admirer», «suspecter»; ce verbe est composé de *sub, subs* «sous*» et de *specere* «regarder», verbe archaïque qui vit dans de nombreux composés (→ aspect, espèce, spectacle, etc.). Il se rattache à une racine indoeuropéenne °*spek-* «contempler, observer», que l'on retrouve dans le germanique °*spehan* «observer» (→ épier, espion). On relève isolément les adaptations *sospiz, suspiz* (XIIIe s.) et en ancien provençal *sospeit* (1200).

♦ L'adjectif s'applique à une personne soupçonnée, qui prête aux soupçons et (1311) à une chose qui inspire la défiance. Cette valeur se développe dans divers emplois; *suspect de (qqch.)* se dit d'une personne qui pourrait être coupable de qqch. (1636) ou d'une chose qui semble contenir un élément répréhensible (1694). ◇ L'adjectif qualifie par extension une chose dont la valeur, l'intérêt sont douteux (1669), spécialement un produit, une denrée qui ne présentent pas de garanties suffisantes d'hygiène (1694). ◇ Concernant les humains, il s'applique pendant la Terreur à une personne dont le pouvoir craint des actions contraires à ses intérêts (1792), spécialement dans *Loi des suspects*, votée par la Convention le 17 septembre 1793. Au XIXe s., le mot se dit d'une personne considérée par la police comme un coupable possible (v. 1850, adj.); il est fréquemment substantivé (XXe s.) dans ce sens.

▸ **SUSPECTER** v. tr. dérive (1515; puis 1726) de *suspect* ou est emprunté au dérivé latin *suspectare* «regarder en l'air» et «suspecter». ◇ Le verbe, plus péjoratif que *soupçonner** en ce qu'il marque une défiance ou un doute que le sujet tient pour légitime, signifie «tenir pour suspect (qqn)», souvent construit avec un second complément en *de* (1780), ou qqch. (1798), en particulier «mettre en doute l'existence d'un sentiment, d'une intention louable» (av. 1850).

⟐ voir **SOUPÇON, SUSPICION**.

SUSPENDRE v. tr. est emprunté (v. 1120) au latin classique *suspendere* «faire pendre», au propre et au figuré, «attacher par-dessous, tenir en l'air», «suspendre en offrande» et au figuré «tenir dans l'incertitude», «retenir», puis en bas latin ecclésiastique «tenir à l'écart, priver, interdire», sens qui se maintiennent dans le vocabulaire administratif du latin médiéval. Le verbe est composé de *sus*, variante de *sub* «sous*», et de *pendere* «laisser pendre» (→ pendre); il a fourni l'italien *sospendere*, le catalan *sospendre*.

♦ *Suspendre* apparaît avec une valeur spatiale, signifiant «faire tenir (une chose) de manière à ce qu'elle pende» (v. 1120), également en parlant de personnes (v. 1190); dans ce sens, le verbe est relevé à partir du XVIIIe s. au pronominal (1753). Parallèlement, il s'emploie avec une valeur temporelle, *sospendre* (v. 1160) puis *suspendre qqn* (v. 1460) signifiant «interrompre dans ses fonctions temporairement». Si la forme latinisante en *sus-* ne devient usuelle qu'à partir du XVe s., époque où le verbe est réemprunté, les variantes francisées *soupendre, sospendre* (déb. XIIIe s.) puis *souspendre* (XVIe s.) se maintiennent jusqu'au XVIIe siècle. ◇ Quant au sens, l'idée de suppression provisoire se développe en droit et dans le vocabulaire général; *suspendre* prend le sens de «remettre à plus tard» (1478, *suspendre un arrêt*), en particulier pour prendre le temps de réfléchir, de reconsidérer le cas (1636, *suspendre son jugement*). Le verbe signifie aussi «interrompre (une action, un processus)», le sujet désignant une personne (1314, *souspendre*) puis aussi une chose abstraite (1580), d'où *se suspendre* «cesser», en parlant d'une douleur ou d'une peine (av. 1648), et *suspendre qqch.* «arrêter les effets de (qqch.)» [1580], sens archaïques. *Suspendre ses pas* «s'arrêter» s'est employé par figure à l'époque classique pour «marcher avec précaution» (déb. XVIIe s.) et *suspendre les esprits* (1678) a signifié «retenir l'attention, passionner». ◇ Au XVIIe s., le verbe a aussi un emploi intransitif pour «être irrésolu, hésitant» (1654, intr., La Fontaine). ◇ À partir du XVIIIe s. la valeur d'«interrompre» reçoit des contenus spéciaux : *suspendre ses paiements* (1759) et, en droit, *suspendre une loi* (1872), *un journal* (1875), *suspendre le traitement de qqn* (déb. XXe s.), en sports *suspendre (un sportif titulaire d'une licence)* «lui interdire de participer à une épreuve officielle» (1886), le sujet désignant alors une autorité. ◆ La valeur spatiale, pour «faire pendre», est ancienne pour l'emploi concret (voir ci-dessus), avec des métaphores en français classique (1711 «laisser planer [une menace]»). Elle s'est développée au XIXe siècle : «faire tenir (qqch.) dans une position élevée» (déb. XIXe s., vieilli); par figure, *se suspendre aux lèvres de qqn* (1656) signifie «l'écouter avec une extrême attention» et *se suspendre à qqch.* (1861) «s'y tenir fermement». ◇ *Suspendre qqch. à qqch.* signifie «l'en faire dépendre» (déb. XXe s.).

▸ La double valeur, temporelle et spatiale, est conservée par les dérivés. ◆ **SUSPENDU, UE** adj.

se dit (v. 1190) de ce qui est soutenu de manière à pendre ou à ne pas reposer sur qqch. de ferme, d'où *voiture suspendue* (1617), et pour qualifier ce qui reste en équilibre dans l'air (v. 1640), également au figuré (1584, *menace suspendue*). ◇ Par extension, l'adjectif s'applique à ce qui tient ou se tient à une certaine hauteur, semblant être accroché, d'où l'emploi en botanique (1797), où il se dit d'une graine dont le sommet est dirigé vers la base de la loge qui la renferme, et en géographie dans *vallée suspendue* (1903). Dans cet exemple, comme dans *jardin suspendu* (1658), l'adjectif signifie simplement «surélevé», alors que dans *pont suspendu* (1805), il reprend sa valeur propre. ➜ Avec la valeur temporelle, *suspendu* s'applique à ce qui est momentanément interrompu (1314, *séance suspendue*). ◇ À l'époque classique, l'adjectif s'emploie à propos de personnes pour «irrésolu, hésitant» (1559) et «attentif» (1559), sens qui demeure dans ***être suspendu aux paroles*** (1687), ***aux lèvres de qqn*** (1804). ◇ L'adjectif se dit de ce qui est remis à une date ultérieure (1674). Il s'applique à une personne à qui l'on a interdit l'exercice de ses fonctions, à un droit dont l'exercice est interrompu.

SUSPENSION n. f., réfection (1481) de *suspensiun* (1174), *suspenciun* (v. 1160), est emprunté au dérivé latin *suspensio, -onis* «voûte» en latin classique, en bas latin «interruption (dans la prononciation)» (IVe s.), «action de se tirer vers le haut» (ve s.) et en latin médiéval «interruption des fonctions de qqn», «remise à plus tard (d'un jugement)» et «attente, incertitude» (1174). ➜ Le mot, en relation avec *suspendre,* désigne d'abord l'état d'une personne dans l'incertitude, acception qui ne s'est maintenue que dans un style très littéraire, et le fait de retirer momentanément ses fonctions à une personne; il s'emploie en droit et dans le vocabulaire général pour «action d'interrompre» (mil. XVIe s.) ou «remise à plus tard» (1542). De ces valeurs procèdent des emplois spéciaux, par exemple ***suspension d'armes*** (1615) qui a vieilli. Le mot s'emploie aussi pour désigner la durée d'une suspension (1665). ◇ En grammaire et en rhétorique, *suspension* nommait une figure de style qui consiste à tenir l'auditeur en suspens (1704); il est vieilli en grammaire pour «interruption brusque du sens» (1752), mais ***points de suspension*** (1752) «suite de points qui remplacent la suite attendue d'un énoncé interrompu» reste usuel. ◇ En musique (1765), *suspension* désigne un procédé qui consiste à continuer de faire entendre au-dessus de la basse des notes de l'accord précédent. ◇ *Suspension,* d'après *suspendre,* est repris dans le vocabulaire juridique, dans des expressions comme *suspension des paiements* (1761), *des poursuites* (1872) ou ***suspension d'audience.*** ➜ Ce n'est qu'au XVIIIe s. que la valeur spatiale du mot apparaît. Il a désigné (1718) un système maintenant le Saint-Sacrement dans une église et, en sciences, un système servant à maintenir en équilibre stable un objet suspendu (1744), d'abord dans *point de suspension* «point autour duquel un objet suspendu peut se mouvoir» (1639), «pièces suspendant un régulateur» en horlogerie (1765) et *suspension à la Cardan* (1872) ou *un cardan* (1867). ◇ Avec la même valeur, *suspension* désigne couramment un support suspendu au plafond, spécialement un appareil d'éclairage (1797, Chateaubriand). ◇ Une autre spécialisation usuelle concerne l'appui élastique d'un véhicule sur des roues, l'ensemble des pièces qui assurent cet appui (1907). Par ailleurs, *suspension* s'est employé pour «pendaison» (1812) et demeure vivant pour désigner le fait d'être suspendu, en sports (1830), en médecine (1835, *traitement des fractures par suspension*), spécialement en médecine vétérinaire (1872). ◇ En chimie, le mot désigne l'état de particules en équilibre dans un milieu (1845), surtout dans ***en suspension*** (1862). De cet emploi en chimie vient **SUSPENSOÏDE** adj. (1933, de *-oïde*), qui se dit d'une classe de colloïdes.

SUSPENS adj. m. et n. m. est emprunté (XVe s.; *souspens,* v. 1245) au latin classique *suspensus* «qui plane, qui flotte», au figuré «incertain, indécis» et en latin médiéval «relevé de ses fonctions». C'est le participe passé adjectivé de *suspendere.* ◇ L'adjectif a signifié «dont le fonctionnement est interrompu» (1314) et s'est employé à l'époque classique pour qualifier une personne indécise, dans l'incertitude (fin XVe s.). ◇ En droit canon (1660, adj. m.), il désigne un ecclésiastique suspendu de ses fonctions. ◇ **EN SUSPENS** loc. adv. apparaît au XVe s. et signifie «remis à plus tard» (1485), d'après la locution latine *in suspendo; tenir qqn en suspens* signifiait «lui accorder un délai pour un paiement» (1467); la locution signifie ensuite (1553) «dans l'incertitude, l'indécision» et plus couramment «en état d'inachèvement» (1636, d'une chose) prenant au XIXe s. le sens de «suspendu», au propre (1866) et au figuré (1869). ➜ *Suspens* n. m. désigne aussi l'état de ce qui est en suspens (apr. 1850) et une attente angoissée, le moment qui suscite ce sentiment (1886, Mallarmé), acceptions littéraires et rares, plus tard remplacées par ② suspense. ➜ ① **SUSPENSE** n. f. a signifié «interdiction» (1312) «intervalle, délai» (1440-1475), puis a disparu. ◇ Le mot est repris au XVIIIe s. comme terme de droit canon (1718), lié à *suspens,* adjectif.

SUSPENSOIR n. m., réfection (1707) de *suspensoire* (1314), est emprunté au latin médiéval *suspensorium* «muscle de soutien des testicules» et a d'abord ce sens, synonyme de *suspenseur.* Employé comme adjectif, le mot s'est dit (v. 1560) plus généralement en médecine d'un muscle qui soutient un organe; le nom a désigné (1611, n. f. pl.) des cordes utilisées par une personne alitée pour changer de place. ◇ *Suspensoir* est aujourd'hui le nom d'un bandage destiné à soutenir un organe, spécialement les testicules (1694, *suspensoire*). ◇ Le mot s'est aussi employé pour parler d'un dispositif qui maintient (qqch.) suspendu, spécialement en marine (v. 1790).

SUSPENSIF, IVE adj. reprend (v. 1355) le latin médiéval *suspensivus,* au sens de «qui laisse dans l'indécision», en grammaire à propos du style. ◇ L'adjectif se dit en droit (XVIe s.) à propos de ce qui constitue ou provoque la suspension, d'où sous la Révolution *veto suspensif* (1789). ◇ Il s'est employé en grammaire, appliqué à ce qui ne donne pas une signification complète à une phrase (1751, *le génitif,* *cas suspensif*) et dans *points suspensifs* «points de suspension» (1831), qui ne se dit plus.

SUSPENSEUR adj. m. et n. m., dérivé savant du supin *suspensum*, a signifié (v. 1560) «muscle de l'enveloppe du testicule», comme *suspensoir*. ◇ L'adjectif s'applique en anatomie (1765) à des éléments qui soutiennent un organe et en botanique (1904) à un ensemble de cellules allongées qui surmontent les cellules embryonnaires de l'état inférieur.

② **SUSPENSE** n. m. est repris (1903) à l'anglais *suspense*, lui-même emprunté (XVe s.) au français *suspens* ou à ① suspense, «intervalle, délai»; le mot anglais désigne très tôt un état d'incertitude, d'attente angoissée (1440) et un élément dramatique susceptible de provoquer cet état. ◇ Le mot, attesté isolément au début du XXe s., s'est répandu en français à partir des années 1950, à propos d'un passage de film, puis de récit, de nature à faire naître un sentiment d'attente angoissée et, par extension, du genre ainsi créé. Par extension (1956), *suspense* désigne couramment une situation dont on attend la suite avec impatience et angoisse.

SUSPENTE

SUSPENTE n. f. représente l'altération (1773), d'après *suspendre**, de *surpente* (1678), forme elle-même altérée de *soupente**.

♦ *Surpente* désignait un cordage soutenant une pièce de canon que l'on déplaçait. ◇ *Suspente*, terme de marine, est le nom d'un fort cordage qui entoure un mât et supporte une vergue par son milieu. Senti comme un dérivé de *suspendre*, le mot désigne la corde qui relie la nacelle d'un ballon au filet (1871), la voilure d'un parachute au harnais (1916) et l'organe qui lie les câbles porteurs d'un pont suspendu à la charpente du tablier (v. 1950). Il est souvent employé au pluriel.

SUSPICION

SUSPICION n. f., réfection (1370) des formes anciennes *suspecioun* (v. 1315), *suspiciun* (XIIe s., hapax), est emprunté au latin *suspicio, -onis* «soupçon», «conjecture» et «apparence», dérivé de *suspicari* «soupçonner», «conjecturer», lui-même de *suspicere* «suspecter» (→ suspect). *Suspicari* avait abouti par voie orale en ancien français à *suschier* (v. 1120), *souchier* (XIIe s.) «soupçonner», «supposer» et (v. 1175) «dresser le plan de (qqch.)».

♦ Le mot désigne une conjecture — cf. *soupçon* — et dès le XIIe s. une opinion défavorable concernant le comportement ou les opinions de qqn, et par extension le fait de tenir qqch. pour suspect (1788). ◇ Spécialisé en droit, il désigne le fait de supposer un délit à partir de quelques indices (1680). Il est employé dans ***suspicion légitime*** «crainte éprouvée par les parties à l'égard de l'impartialité des juges, qui les autorisent à renvoyer une affaire à un autre tribunal» (1790).

▸ **SUSPICIEUX, EUSE** adj., emprunt (1314, *suspicieus*) au latin *suspiciosus* «soupçonneux, suspect», ne semble pas avoir été employé entre la fin du XVe et le XXe s. où il a été repris. ◇ Il se dit de ce qui est plein de suspicion et a fourni **SUSPICIEUSEMENT** adv. (1942), littéraire.

SUSTENTER

SUSTENTER v. tr. est emprunté (v. 1112) au latin *sustentare* «soutenir, supporter» et par figure «maintenir en bon état», «alimenter, nourrir» et «prolonger, ajourner»; ce verbe est le fréquentatif de *sustinere*, qui a abouti à *soutenir**.

♦ *Sustenter* a eu le sens général de «soutenir, aider» du XIIe au XVIe siècle. Le verbe a repris du latin le sens de «soutenir les forces de (qqn) par la nourriture». Il est écrit en moyen français *substanter* (1382), d'après *substantia* «substance*», graphie relevée jusqu'au XIXe s. à côté de *sustenter* (1440-1475, dans ce sens); avec cette acception didactique et vieillie, le verbe s'emploie aussi avec un sujet nom de chose, au propre (1541) et au figuré (1690). ◇ En français moderne, *se sustenter* s'emploie par plaisanterie et familièrement pour «se nourrir» (depuis 1733). ◇ Le verbe a signifié concrètement «maintenir en servant de support ou d'appui» (déb. XVIe s.), sens sorti d'usage, mais il a été repris au XIXe s. (1852 au participe présent) et employé spécialement en aéronautique (1882) pour «maintenir en équilibre dans l'air (un aéronef plus lourd que l'air)». ◇ Par ailleurs, avec la même valeur figurée que *soutenir*, il a signifié «accorder des subsides à (une activité), pour lui permettre de se maintenir», emploi devenu rare au propre et au figuré.

▸ **SUSTENTATION** n. f. (1236, *sustentastion*; 1291, *substentacion*) reprend le latin impérial *sustentatio* «soutien, étai», «action de contenir, d'arrêter», dérivé du supin *sustentatum*. ◇ Le mot désigne le fait de se nourrir, emploi rare après le XVe, repris au milieu du XVIIIe s., puis sorti d'usage, sauf en médecine *(sustentation d'un malade)*. ◇ Le mot s'est employé aussi au sens de «soutien, aide» (1440-1475; 1420, *soustentation*), concurremment à *substantement* (v. 1460, d'après *substance*) et à *sustantement* (1544), dérivé de *sustenter*. ◇ Il est repris au XIXe s. dans le terme ***base de sustentation*** (1835), puis ***polygone de sustentation*** (XXe s.), figure obtenue en joignant les points d'appui les plus extérieurs d'un corps posé sur une surface; la projection du centre de gravité du corps doit se trouver à l'intérieur du polygone pour qu'il y ait équilibre stable. ◇ *Sustentation*, rare en emploi libre (1842) pour «fait de maintenir en équilibre», s'emploie spécialement en aéronautique, d'abord à propos des ballons (1853), puis des corps plus lourds que l'air.

SUSTENTATEUR, TRICE adj., réfection (1545, n. m.) de *substentateur* (1482), reprend le bas latin *sustentator, -trix* «celui, celle qui nourrit», qui avait déjà donné l'ancien provençal *sustentator* (1262). ◇ Le mot français a signifié «protecteur, défenseur» (1482, n. m.). ◇ Reformé au XIXe s. d'après *sustentation*, par changement de suffixe, il se dit en aéronautique de ce qui assure la sustentation (1889), d'où *plans sustentateurs* (d'un avion) [1909].

SUSURRER

SUSURRER v., attesté au XVIe s. (1539), disparu, puis repris à la fin du XVIIIe ou au début du XIXe s. (1801), est emprunté au latin *susurrare* «murmurer», «bourdonner» en parlant des abeilles, employé au figuré à propos d'une rumeur et en emploi transitif pour «fredonner, chuchoter». Ce verbe dérive de *susurrus* «murmure», «bourdonnement», «chuchotement», d'usage poétique à l'époque impériale. *Susurrus,* comme *murmur* (→ murmure), est un mot expressif; il se rattache comme *surdus* (→ sourd) à une famille indoeuropéenne à laquelle appartient le sanskrit *svárati* «il émet un son», qui a pour correspondant le latin *sonare* (→ ② son).

♦ *Susurrer* emprunte comme intransitif le sens latin de «chuchoter», puis semble inusité. Le verbe est repris, probablement à la fin du XVIIIe s. (cf. *susurration*), en parlant d'une personne (1801) ou d'une chose (1842); en construction transitive (1864, Gautier), il a souvent une valeur péjorative et est surtout employé dans des expressions comme *susurrer des mots doux, de mauvais conseils.*

▸ **SUSURRANT, ANTE** adj., tiré du participe présent (1805), qualifie notamment une voix. ◆ **SUSURREMENT** n. m., littéraire, désigne le bruit de ce qui susurre (1828) et l'action de susurrer (1877). **SUSURRATION** n. f. est un emprunt (v. 1316) au dérivé bas latin *susurratio* «murmure, chuchotement». ◇ Il n'a pas conservé le sens latin de «chuchotement» (v. 1530) ni celui de «calomnie» (XVIe s.). Le mot, d'usage littéraire, désigne le bruit produit par une chose ou un animal qui susurre (1559); comme le verbe, il ne semble pas attesté entre le milieu du XVIIe (1660, Oudin) et la fin du XVIIIe s. (1797, Chateaubriand).

SUTURE n. f. est emprunté (1540) au latin impérial *sutura* «couture» et dans la langue médicale «suture (du crâne)», dérivé de *sutum,* supin du latin classique *suere* «coudre», supplanté par le composé *consuere* (→ coudre).

♦ *Suture* est introduit au XVIe s. comme terme de chirurgie désignant la réunion, à l'aide de fils, de parties divisées, des lèvres d'une plaie, etc., d'où ***points de suture*** (1893). ◇ En anatomie (v. 1560, Paré), il a le sens latin d'«articulation dentelée de deux os», notamment des os du crâne. Le mot s'emploie aussi (1760) pour désigner la ligne de jonction entre des pièces libres ou soudées, chez des insectes, et, en botanique (1762), la ligne selon laquelle s'ouvre un fruit déhiscent. ◆ *Suture* prend à la même époque une valeur figurée, désignant le raccordement fait entre deux parties séparées par une coupure (1788), d'abord à propos d'une œuvre écrite. Cette valeur didactique a été reprise en psychanalyse par Lacan (v. 1960) pour rendre compte de la tentative d'abolition du «manque» qui est au sein de la structuration du sujet, et que le discours est chargé de cacher.

▸ Les dérivés de *suture* sont formés à partir du XIXe siècle. ◆ **SUTURAL, ALE, AUX** adj., sorti d'usage en botanique (1803), s'emploie en zoologie (1876) et en anatomie (1904). ◆ **SUTURÉ, ÉE** adj. signifie (1842) «qui présente une ou plusieurs sutures» en parlant d'un insecte, d'un fruit. En chirurgie, c'est le participe passé adjectivé de *suturer* (ci-dessous) «que l'on a suturé». ◆ **SUTURER** v. tr. s'emploie en chirurgie (1865) pour «réunir par une suture» et au figuré «refermer» (v. 1960) en psychanalyse.

SUZERAIN, AINE n. et adj., réfection (1476) de *susserain, souserain* (1312), est antérieur, son dérivé *suzeraineté* étant attesté au début du XIVe siècle; le mot dérive de *sus** adv., sur le modèle de *souverain.*

♦ Dans le système féodal, le mot qualifie comme adjectif un seigneur au-dessus de tous les autres dans un territoire donné et dont le pouvoir sur les inférieurs ou vassaux était reconnu par l'hommage. De là vient *fief suzerain* «dont d'autres fiefs sont servants» (1573), puis l'emploi substantivé (1611) devenu le plus courant, avec des emplois métaphoriques.

▸ Le dérivé **SUZERAINETÉ** n. f., réfection (1476) de *susereneté* (1306), désigne la qualité de suzerain et plus tard, en histoire, la circonscription dans laquelle s'exerçait le droit du suzerain (1845), puis le droit exercé (1875). ◇ Il se dit par analogie du droit d'un État sur un autre dont l'autonomie est incomplète (av. 1865). Par figure, il équivaut (mil. XIXe s.) à «souveraineté», dans un usage très littéraire.

SVASTIKA n. m. est un emprunt (1828; 1872, *swastika*) au sanskrit *svastika* «de bon augure», dérivé de *svasti* «salut», «bien-être», «fortune». Le mot est formé de *su-* «bien» et de *asti* «il est», de *as-* «être». *Su-* repose sur la même racine indoeuropéenne que le grec *eu* «bien» (→ euphémisme); *as-* contient la racine °*es-* du verbe être, en latin (→ être) et en grec (→ onto-). La variante francisée *sauvastika* a disparu.

♦ Le mot désigne un symbole sacré qui consiste en une croix à branches coudées, en usage en Inde de toute antiquité, répandu par le bouddhisme (Népal, etc.), présent dans la Grèce ancienne sous la figure de Prométhée, et répandu, comme motif décoratif, dans d'autres civilisations. ◇ La croix gammée* choisie par Hitler pour emblème du parti nazi est un svastika dont les branches sont coudées vers la droite, le symbole antique et oriental l'étant vers la gauche; le nom lui est appliqué après 1933.

SVELTE adj. est emprunté (1642, Poussin) à l'italien *svelto,* traduit dans les *Recherches* de Oudin (1655) par *adroit, habile, agile* (...) *deschargé de taille ou stature.* L'adjectif italien a été formé sur le participe passé de *svellere, svegliere* «arracher, enlever, dégager», qui représente un latin populaire °*exvellere,* réfection du latin classique *evellere* «arracher, enlever, déraciner». Ce verbe dérive, par préfixation en *ex-,* marquant le mouvement de l'intérieur vers l'extérieur (→ ex-), de *vellere* «arracher, tirer violemment», en particulier «tirer les poils, la laine, les plumes» (→ convulsion, révulsion), verbe qui se rattache à la racine indoeuropéenne °*wel-* «arracher».

♦ *Svelte* est emprunté comme terme de peinture et d'architecture pour qualifier ce qui produit une impression de légèreté, d'élégance, par sa forme élancée *(colonne svelte).* ◇ Le sens s'étend au XVIIe s. et le mot devient courant en parlant d'une personne au corps mince et souple (1668) ou d'un animal; il se dit aussi (1798) en parlant d'une chose.

▸ **SVELTESSE** n. f. est emprunté, une première fois au XVIIIe (1765) et repris au XIXe s. (1843, Gautier), à l'italien *sveltezza*, dérivé de *svelto*. ◇ Il désigne le caractère de ce qui est svelte, la finesse du corps.

S. V. P. n. m., sigle (1738) de *s'il vous plaît*, s'emploie dans l'usage écrit et dans la conversation. *S. V. P.* a été substantivé (XXe s., n. m.) comme nom d'un service téléphonique privé de renseignements et d'aide.

SWAHILI → SOUAHÉLI

SWEATER n. m. reprend (1902) un mot anglais (XVIe s.) désignant un vêtement de laine, et spécialement employé dans le vocabulaire du sport (1828, au pluriel). Il dérive de *to sweat* «(faire) suer, transpirer», issu d'un germanique °*swaitjan* «suer» (cf. le vieil anglais *swát* «sueur») qui se rattache, comme le latin *sudare* (→ suer), à une racine indoeuropéenne °*swoid-*.

♦ *Sweater* a désigné (1902) un maillot de laine utilisé par les sportifs pour l'exercice, l'entraînement, sens disparu. ◇ Par extension (1909), le mot se dit d'un vêtement de laine ou de coton, à manches longues, boutonné sur le devant.

▸ **SWEAT-SHIRT** ou **SWEATSHIRT** n. m. (1936), répandu vers 1946, est emprunté à l'anglo-américain *sweat shirt* (1934), d'abord «survêtement d'athlète», composé de *to sweat* «transpirer» et de *shirt* «chemise» (→ tee-shirt). ◇ Le mot désigne un pull-over de sport, d'abord fait en coton molletonné, puis en tissu éponge ou en matières synthétiques, avec une découpe en V, serré à la taille et aux poignets.

SWEEPSTAKE n. m., relevé comme mot anglais au XVIIIe s. (1776) et dans le contexte français au XIXe s. (1827, écrit *sweepstakes;* puis 1828), est un emprunt à l'anglais *sweepstake* (1495) «jeu où l'on rafle les enjeux», composé de *to sweep* «balayer», «rafler» en terme de jeux et de *stake* «pieu, piquet», puis «enjeu». Le premier élément, *sweep*, est issu du germanique °*swaip-*, d'où viennent l'ancien haut allemand *sweifan*, l'allemand *schweifen* «errer, vagabonder»; le second, *stake*, se rattache au germanique °*stak*, de °*stek-an-* «percer», que représente l'allemand *stechen* «piquer». Ce dernier, apparenté à l'anglais *to stick* «enfoncer, ficher» (→ stick), remonte à la même racine indoeuropéenne que le latin *stigare* (→ distinguer, instiguer).

♦ *Sweepstake*, emprunté comme terme de turf, ne se répand que dans les années 1930. Il désigne ensuite (v. 1934) une loterie par souscription entre les propriétaires des chevaux engagés dans une course. Par analogie, le mot se dit d'une loterie basée à la fois sur le tirage et sur le résultat d'une course.

① **SWING** n. m., relevé à la fin du XIXe s. en boxe (1895) et un peu plus tôt (1887) pour désigner le balancement du corps d'un rameur, est emprunté à un mot anglais signifiant «balancement, oscillation», spécialement employé comme terme de sports (boxe, golf), et déverbal de *to swing* «(se) balancer». Ce verbe est issu d'une base germanique °*swengan-* que l'on retrouve dans l'allemand *schwingen* «osciller, basculer».

♦ *Swing* désigne en boxe (1895) un coup de poing donné par un balancement, horizontal ou oblique, du bras fléchi ou allongé, puis au golf (1904) le mouvement de balancement du club pour frapper la balle. ◇ Par figure, le mot s'emploie au bridge, en parlant d'une manœuvre qui consiste à jouer d'une couleur épuisée chez le deuxième joueur et chez le partenaire.

▸ ② **SWING** n. m. est un emprunt (1933) à un autre emploi spécialisé du même mot anglais *swing*, dans le vocabulaire du jazz américain. Le mot, attesté en français avant la guerre, ne s'est répandu que vers 1940 chez les musiciens au sens de «qualité rythmique propre à la musique de jazz» *(avoir du swing, manquer de swing)*. ◇ Il prend par ailleurs la valeur d'un adjectif, employé familièrement pour qualifier une mode vestimentaire (1939, *jupe swing*) ou le comportement désinvolte, dynamique (1943) inspirés par une certaine image de l'Amérique et adoptés pendant la guerre, parfois en réaction à la morale officielle. En ce sens, *swing*, mot à la mode comme *zazou*, son quasi-synonyme dans les années 1941-1950, est vieilli et à peu près abandonné, de même que son emploi pour désigner une danse ou une manière de danser, sur une musique très rythmée inspirée du jazz américain, et également pour la musique de jazz à la mode en France dans les années 1945-1960. ◇ *Swing* reste vivant pour désigner en histoire du jazz un style caractérisé par la simplicité mélodique et rythmique, pratiqué aux États-Unis à partir des années 1930 et jusqu'au style *be-bop*. ◆ **SWINGUER** v. intr. dérive (1943, H. Panassié) de ② swing, d'après l'anglais *to swing*, terme de jazz américain. Le verbe signifie «jouer avec swing; avoir du swing», notamment dans l'expression *ça swingue*. ◇ Il est sorti d'usage au sens de «danser le swing» (1947; jusque vers 1960).

SYBARITE n. et adj. est emprunté (1re moitié XVIe s.; 1530, F.e.w.) au latin *Sybarita* «habitant de Sybaris», emprunt à l'adjectif grec *subaritês*, dérivé de *Subaris*, nom d'une colonie grecque du sud-est de l'Italie, dont les habitants passaient pour mener une vie de luxe et de mollesse.

♦ *Sybarite* désigne un habitant de Sybaris puis, par figure, une personne qui recherche les plaisirs de la vie dans une atmosphère de luxe et de raffinement (1560). Le mot est adjectivé, semble-t-il, beaucoup plus tard (1829).

▸ Il a servi à former **SYBARITIQUE** adj. (1553, Ronsard) «propre aux sybarites» et **SYBARITISME** n. m., qui s'est substitué (1827) à *sybarisme* (1801) «vie, goût de sybarite», parfois opposé à *ascétisme*.

SYCOMORE n. m. est la réfection graphique (1500) de *sicomore* (XVe s.), lui-même adaptation d'après le latin des formes anciennes, *sicamor* (v. 1130), *saigremor* (v. 1175), écrit aussi *saigremort* (v. 1180), plus tard *sacremor* (v. 1380), *sachamour* (1406), adaptations du latin tardif *sycomorus*, emprunté au grec *sukomoros* «figuier sauvage», lui-même composé de *sûkon* «figue» (→ figue, sycophante), emprunté à une langue méditerranéenne, et de *moron* (→ mûre).

♦ Le mot est passé en gallo-roman avec la valeur du grec, désignant dès l'origine une variété de figuier originaire d'Égypte, dont les feuilles rappellent celles du mûrier, aux fruits comestibles et dont le bois, très léger, est imputrescible. Les diverses formes graphiques, à l'époque médiévale, n'ont peut-être pas toujours désigné le même arbre *(ficus sycomorus)*; il s'agit souvent du prestigieux arbre biblique, sur lequel, par exemple, monta Zacharée pour voir le Christ (Luc 19, 4) et qui joue un rôle dans les légendes pieuses; certaines formes anciennes ont cependant pu se rapporter à un autre arbre européen. ◇ Depuis Olivier de Serres (fin XVIe s.), *sycomore* a le sens d'«érable», avec plus tard pour synonyme *faux platane* ou *érable sycomore;* on relève cette même transposition du nom du figuier égyptien à des arbres européens dans l'anglais *sycamore,* parallèle à l'ancien français *sicamore,* l'italien *sicomoro,* l'espagnol *sicómoro.* On a aussi nommé *sycomore faux* (1768) et *faux sycomore* (1791) un arbre de la famille des méliacées.

◈ voir SYCOPHANTE.

SYCOPHANTE n. m., réfection (1559) de *sichophant* (v. 1500), est emprunté au latin *sycophanta,* lui-même pris au grec *sukophantês* «dénonciateur des voleurs ou contrebandiers de figues», puis en général «délateur, dénonciateur». Le mot grec est composé de *sûkon* «figue» et d'un dérivé de *phainein* «faire voir, faire connaître» (→ fantôme). L'origine de *sukophantês* était déjà obscure dans l'Antiquité : d'après Gernet, le *sukophantês* a été d'abord «celui qui montre» *(phainein)* les figues, en les découvrant dans les vêtements du voleur.

♦ Le mot est d'abord un terme d'histoire avec la valeur étymologique du mot grec. Il reste d'emploi littéraire ou didactique au sens figuré de «fourbe, hypocrite» (1528).

SYLLABE n. f. est la réfection (1174) de *sillebe* (1160), emprunté au latin *syllaba,* lui-même emprunt, dès Plaute, au grec *sullabê,* proprement «ce qui est mis ou ce qui tient ensemble», d'où «assemblage de lettres formant un son», «groupement, combinaison». Ce mot dérive de *sullambanein* «rassembler, réunir», composé de *sun* «ensemble, avec» (→ syn-) et de *lambanein* «prendre, saisir» (→ dilemme). Le latin a fourni l'ancien provençal *sillaba* (v. 1170), l'allemand *Silbe* et l'anglais *syllable.*

♦ Le mot, avec les deux graphies *sillabe* et *syllabe,* celle-ci dominante à partir du XVIe s. (mais on rencontre encore *sillabe* au XIXe s.), conserve l'acception héritée des grammairiens grecs. Pour Aristote *(Poétique),* la *sullabê* était une unité phonétique fondamentale, conçue comme le groupement d'une consonne avec une voyelle ou formée par une voyelle, et n'ayant pas de signification (ce n'est donc pas ce que l'on appellera plus tard un morphème, une unité-signe). Cette conception traditionnelle a été discutée à l'époque moderne; la syllabe était également définie d'un point de vue métrique, puis (XIXe-XXe s.) acoustique, articulatoire et physiologique. ◇ *Syllabe* désigne aussi depuis l'ancien français (v. 1160) la séquence graphique correspondante, d'où l'emploi figuré pour «habileté à écrire, art d'écrire» (v. 1256), disparu en moyen français. ◇ Le mot s'emploie dans des expressions comme *syllabe longue, brève* (1671), considérée dans la durée de son émission, en métrique ancienne, usage repris par la phonétique moderne; d'autres expressions techniques apparaissent au XIXe s., par exemple *syllabe ouverte, fermée.* ◇ Dans des locutions comme ***ne pas prononcer (perdre, changer) une syllabe*** (1690), le nom équivaut à *parole, mot.* ➜ Par réemprunt au grec, *syllabe* a été employé à propos de la musique antique (1765) au sens de «consonante de la quarte».

▶ Le dérivé **SYLLABER** v. intr. a signifié (XIIIe s., *sillaber*) «assembler des lettres, écrire», aujourd'hui «prononcer en détachant les syllabes» (v. 1236); en ce sens, d'usage didactique, on a dit aussi *sillabifier* v. intr. (1464), encore au début du XVIIe s., calque du latin scolaire *syllabificare,* du latin classique *facere* «faire». ➜ Le dérivé **SYLLABATION** n. f., d'abord «lecture des mots faite en séparant les syllabes» (1840), désigne en linguistique (v. 1933) la répartition d'un système d'articulations en syllabes (voir *syllabisation,* ci-dessous).

SYLLABIQUE adj. dérive (1529) de *syllabe* ou reprend le bas latin grammatical *syllabicus* (IVe s.), emprunt au grec tardif *sullabikos,* et se dit de ce qui est relatif à la syllabe. ◇ L'adjectif s'est employé dans *écho syllabique* «qui fait entendre plusieurs syllabes ou mots» (1765); il entre dans plusieurs expressions didactiques : en musique *chant syllabique* «dans lequel chaque note répond à une syllabe» (1812), en linguistique *écriture syllabique* «où chaque syllabe est représentée par un seul signe» (1842), par exemple les *kana* du japonais, et en métrique *vers syllabique* «qui se mesure sur le nombre de syllabes» (1872). ◇ Le dérivé **SYLLABIQUEMENT** adv. (1812) est didactique.

D'autres dérivés sont formés en français sans modèle latin. ➜ **SYLLABAIRE** n. m., d'abord adjectif (1752) avec le même sens que *syllabique,* désignait (1765) un livre élémentaire de lecture où les mots sont décomposés en syllabes. C'est aussi en linguistique le nom d'un système d'écriture où chaque signe représente une syllabe (XXe s.) et celui de l'ensemble des caractères syllabiques d'un tel système *(les syllabaires japonais).* ➜ **SYLLABISER** v. intr. a signifié «diviser (un énoncé) en syllabes» (1752, tr.) et s'emploie pour «lire en détachant les syllabes», rare (1803) [ci-dessus *syllabe*]. ◇ Le dérivé **SYLLABISATION** n. f. (1743) s'employait avec l'acception moderne de *syllabation.* ➜ **SYLLABISME** n. m., terme didactique, a désigné un système d'écriture syllabique (1862) et, en métrique, se dit du système de versification fondé sur le vers syllabique (1923). ➜ Le composé **ASYLLABIE** n. f., «incapacité de former ou de lire des syllabes» (1928), de ② a-, s'emploie en médecine.

Plusieurs termes de grammaire et de versification sont empruntés à des composés du latin impérial ou du bas latin, eux-mêmes empruntés au grec, et liés à la constitution d'un vocabulaire technique. Dans certains cas, *-syllabe* est directement employé comme élément de composition, précédé d'un numéral grec indiquant le nombre de syllabes qui constituent un vers. ◆ **MONOSYLLABE** adj. et n. m. emprunte le latin *monosyllabus* (grec *monosullabos*) et se dit comme adjectif (XVe s., *monosillabe*) puis comme nom masculin (1521) d'un mot, d'un vers qui n'a qu'une syllabe. Le mot entre dans la locution ***répondre (parler) par monosyllabes*** (1558), d'où pour *monosyllabe* adj. le sens sorti d'usage de «laconique» (fin XVIIe s.). ◇ Le dérivé **MONOSYLLABIQUE** adj. signifie (1752) «composé de monosyllabes», en parlant d'un vers, d'une langue, et s'applique à un mot, un vers qui n'a qu'une syllabe (1835). ◇ **MONOSYLLABISME** n. m. s'emploie à propos du caractère d'un mot (1846) ou d'une langue (1868). ◆ On relève également : **POLYSYLLABE** adj. (1464) et n. m. (1550) qui caractérise un élément du langage ayant plusieurs syllabes (plus de deux). ◇ Il a fourni **POLYSYLLABIQUE** adj. (1550) et **POLYSYLLABISME** n. m. (1845). ◇ **DISSYLLABE** adj. (1529) et n. m. (v. 1530), d'où **DISSYLLABIQUE** adj. (1550) et n. m. valent tous deux pour «qui a deux syllabes». ◇ **TRIS(S)YLLABE** adj. et n. m. (1529), d'où **TRIS(S)YLLABIQUE** adj. (1550) pour «trois». ◇ Les composés correspondant à dix, douze et huit syllabes concernent la métrique poétique : **DÉCASYLLABE** adj. et n. m. (1551), d'où **DÉCASYLLABIQUE** adj. et n. m. (1762), **DODÉCASYLLABE** adj. et n. m. (1555); **OCTOSYLLABE** adj. et n. m. (1611), emprunt au latin *octosyllabus*, d'où **OCTOSYLLABIQUE** adj. (1907). ◇ Il en va de même pour **PENTASYLLABE** adj. et n. m., réfection (1838) de *pendesyllabe* (1611), emprunt au latin *pentasyllabus* «de cinq syllabes». ◇ **TÉTRASYLLABE** adj. et n. m. (1611), d'où **TÉTRASYLLABIQUE** adj. (1836), est en concurrence avec **QUADRISYLLABE** n. m. (1647) et **QUADRISYLLABIQUE** adj. (1847). ◇ **HEPTASYLLABE** adj. et n. m. (mil. XVIIIe s.), «de sept syllabes», est rare. ◆ **PARISYLLABIQUE** adj. (1812) ou, plus rare, **PARISYLLABE** s'applique en grammaire latine à une déclinaison, par extension à un mot dont le génitif et le nominatif ont le même nombre de syllabes au singulier.

◈ voir **PAIR (IMPARISYLLABIQUE), SYLLEPSE.**

SYLLABUS n. m. est un emprunt (1865) au bas latin ecclésiastique *syllabus* «sommaire, table», altération due à *syllaba* (→ syllabe), du latin classique *sillybus*, lui-même du grec *sillubos* «bande de parchemin portant le titre d'un livre ou le nom de son auteur» et «étiquette», de *sillubon* «chardon», sans doute parce que le parchemin en question évoquait la forme de cette plante. Ce terme est d'origine inconnue.

♦ Le mot désigne d'abord le document (le *Syllabus*) publié par Pie IX en 1864, qui contient des propositions condamnées par le pape et est présenté comme le résumé des «principales erreurs de notre temps». Plus généralement, le mot s'applique (1875) à une liste de propositions qui émanent de l'autorité ecclésiastique.

SYLLEPSE n. f. est un emprunt savant (1660) au bas latin des rhétoriciens *syllepsis*, qui reprend le grec *sullêpsis* «action de prendre ensemble», d'où «compréhension» et spécialement «accord grammatical selon le sens». *Sullêpsis* dérive de *sullambanein* «prendre ensemble, réunir» (→ syllabe).

♦ Le mot est introduit comme terme de grammaire, désignant le tour syntaxique qui consiste à «comprendre» des termes dans une même construction sans les «accorder» grammaticalement *(minuit sonnèrent)*. ◆ En rhétorique (1730, Dumarsais), c'est la figure par laquelle un mot est employé à la fois au sens propre et au sens figuré (on cite souvent aujourd'hui le vers de Hugo, «vêtu de probité candide et de lin blanc»).

▸ **SYLLEPTIQUE** adj. est un dérivé savant du nom ou un emprunt au grec *sullêptikos* «compréhensif, collectif», dérivé de *sullambanein*. ◇ Ce terme didactique qualifie ce qui est propre à la syllepse.

SYLLOGISME n. m., d'abord *sillogisme* (1370), écrit *sy-* d'après le grec au XVIe s. (1530), est la réfection d'après le latin de *silogime* (mil. XIIIe s.), auquel correspond l'ancien provençal *sillogisme* (1356); c'est un emprunt savant au latin *syllogismus*, lui-même pris au grec *sullogismos* «calcul, compte» et en logique «raisonnement», «conclusion déduite». Ce mot est composé de *sun* «ensemble, avec» (→ syn-) et de *logizesthai* «calculer», «penser», dérivé de *legein* «rassembler» et «dire» (→ logique), qui se rattache, comme le latin *legere* (→ lire), à une racine indoeuropéenne *°leg-* «cueillir», «choisir», «rassembler».

♦ Ce terme venu de la logique aristotélicienne désigne une suite de trois propositions telles que l'accord des deux premières *(prémisses)* exclut le refus de la troisième *(conclusion)*; chaque proposition est constituée par un sujet, un prédicat et une copule qui les lie : la conclusion est possible parce qu'un terme commun aux deux prémisses permet de relier leurs deux autres termes. ◇ Par extension, le mot s'est employé en moyen français pour «conclusion» (1440-1475, *silogime*). ◇ *Syllogisme* s'emploie péjorativement (av. 1850) à propos d'un raisonnement purement formel, étranger au réel, mais désigne aussi positivement (1883) tout raisonnement déductif rigoureux.

▸ Deux autres termes didactiques ont été empruntés au grec par l'intermédiaire du latin. ◆ **SYLLOGISER** v. intr. (mil. XIIIe s., *sillogiser*), écrit *syllogiser* au XVIe s., est emprunté au latin du Bas-Empire *syllogizare* «faire un syllogisme», emprunt au grec *sullogizesthai* «assembler par la pensée». ◇ Le verbe signifie d'abord «raisonner par syllogismes» (mil. XIIIe s.); didactique et rare à partir du XVIIIe s., il a signifié (1585) «faire un calcul mathématique ardu», spécialement (XVIe s.) «argumenter avec soi-même» et «transformer (qqch.) en syllogismes» (XVIe s., *sillogizer*), encore chez Th. Gautier. ◆ **SYLLOGISTIQUE** adj. et n. f. est emprunté (1551, adj.) au latin *syllogisticus*, emprunt au grec *sullogistikos* «qui concerne le raisonnement», dérivé de *sullogizesthai*. ◇ L'adjectif s'applique à ce qui concerne le syllogisme; le nom désigne la théorie du syllogisme (1851, Cournot).

SYLPHE n. m., réfection (1670) de *sylfe* (1605), est une francisation du latin *sylphus* «génie». L'origine de *sylphus* est obscure, peut-être gauloise ; attesté seulement dans quelques inscriptions, le mot latin est repris au XVIe s. au sens de «génie nain des airs et des bois» par Paracelse, lequel emploie aussi en ce sens *silvestres* (→ sylve). Le titre de Paracelse est en latin ; le texte en allemand ; le mot français est emprunté au latin.

♦ *Sylphe* désigne un génie de l'air, qui apparaît dans les mythologies gauloise, celte et germanique (cf. *elfe*).

▸ En dérive **SYLPHIDE** n. f., mot littéraire, nom d'un génie aérien féminin (1670, Montfaucon de Villars), caractérisé par sa grâce, d'où le sens étendu (1676, Sévigné) de «femme mince et gracieuse», «créature féminine de rêve», aujourd'hui archaïque, littéraire ou plaisant.

SYLVE n. f. est une réfection tardive (1671, au pluriel) de l'ancien français *selve* (1080), *silve* (XIIIe s.), issu du latin *silva* ou *sylva* «forêt, bois» et «parc, bosquet» ; il a pris aussi au grec *hulê* (→ hyl-), qui lui correspond, les sens de «matériaux de construction» et, plus généralement, de «matière (d'un ouvrage, d'un poème, etc.)», d'où le titre *Silvae*, ouvrage de Stace, signifiant proprement «Matériaux», francisé en *Sylves* (1638). *Silva*, dont l'étymologie n'est pas connue, est passé dans d'autres langues romanes avec le sens de «forêt» (italien, espagnol, catalan *selva*).

♦ En français, le sens de «forêt» (1080, *selve*) est devenu archaïque et ne se rencontre plus que dans l'usage poétique ; le mot a été supplanté dès l'ancien français par *bois** et *forêt**. ◇ Un emploi particulier de *silve* (apr. 1150) désigne l'ensemble des branches, la frondaison d'une forêt. ◇ **SILVES** ou **SYLVES** n. f. pl. (1671), au singulier *silve*, traduit le titre du recueil de Stace. ◇ Le mot, avec sa valeur étymologique, demeure comme terme de géographie, spécialement en parlant de la forêt équatoriale, alors par traduction du portugais *selva*, dans *sylve amazonienne*.

▸ Du latin *silva* a été dérivé savamment **SYLVIE** n. f. nom donné (1800) en botanique à une anémone des bois.

SYLVICOLE adj. (1509, *silvicole*), refait en *sylvicole* (1842), est emprunté au latin *silvicola* «qui habite les forêts», composé de *silva* et de *-cola*, suffixe indiquant l'habitant d'un certain lieu (cf. *agricola*) et tiré de *colere*, *cultus* «habiter», «cultiver» (→ cultiver). ◆ *Sylvicole* a signifié «qui vit dans les forêts» en parlant des plantes, des oiseaux. Le mot a été repris au XVIIe s. pour désigner des habitants des forêts tropicales (1616, n., à propos des Antilles). ◆ *Sylvicole*, au sens moderne de «relatif à la sylviculture» (1865), est composé de *sylvi-* et *-cole*, sur le modèle d'*agricole*.

SYLV-, SYLVI-, élément tiré de *silva*, entre dans la composition de termes didactiques. **SYLVICULTURE** n. f. (1835), dérivé de *culture** sur le modèle d'*agriculture*, signifie «exploitation rationnelle des arbres forestiers» et **SYLVICULTEUR** n. m. (1872), créé d'après *agriculteur*, «exploitant des forêts». À ces deux noms correspond l'adjectif *sylvicole* (ci-dessus).

SYLVESTRE adj. reprend (mil. XVIIIe s., comme nom) le latin *silvestris* (variante *sylvestris*) ou l'ancien et moyen français *silvestre* (v. 1265), emprunt au latin, sorti d'usage avant le français classique. *Silvestris* signifie «couvert de forêts», «qui vit dans les forêts» et «sauvage» (en parlant d'animaux, de plantes) et dérive de *silva ;* ce mot avait abouti en ancien français à *sevestre* (v. 1155, n. m.) «bois coupé dans la forêt». ◆ L'adjectif (v. 1265, *silvestre*) a conservé jusqu'au XVIe s. le sens latin de «sauvage, qui demeure dans les bois». Le mot semble se perdre au XVIIe et n'est repris qu'au XVIIIe s. au sens de «graine rouge qui sert à teindre en écarlate» (1752, n. f.), sorti d'usage. Il est repris comme adjectif en botanique pour qualifier ce qui pousse sans culture, à l'état sauvage (1803). Il reste en usage en parlant de ce qui croît dans les forêts (1836), notamment dans la locution courante ***pin sylvestre,*** nom d'une espèce au tronc orangé vers la cime. ◇ L'adjectif est très littéraire, à côté de *forestier**, pour qualifier (1860) ce qui est relatif aux forêts, au bois.

SYLVAIN, E n. m. et adj., réfection graphique du XVIIe s. (attesté 1690) de *silvain* (1488), est un emprunt au latin *Silvanus* (ou *Sylvanus*), nom du dieu des forêts et surnom donné à Mars ; le mot dérive de *silva*. Il désigne la divinité des forêts de la mythologie latine. L'adjectif (fin XVIe s.), dans un emploi inconnu du latin, qualifie ce qui pousse, vit dans les forêts (1596, *silvain*) ; avec cette valeur, il s'est appliqué au XVIIe s. à une personne qui vit dans les bois (apr. 1650, d'un enfant), substantivé au XIXe s. (av. 1848, Chateaubriand). L'ancien français *selvain* «qui habite dans les bois» était emprunté à l'italien *selvano*, de même origine que le français. ◇ *Sylvain* a été utilisé en zoologie pour nommer quelques espèces de papillons (1800), de coléoptères et d'oiseaux (1819).

◈ voir SAUVAGE, SELVE.

SYMBIOSE n. f. est un emprunt savant (1890), probablement par l'allemand ou l'anglais où il est attesté en 1877, au grec tardif *sumbiôsis* «vie en commun, camaraderie», dérivé de *sumbioûn* «vivre ensemble» ; ce verbe est composé de *sun* «ensemble, avec» (→ syn-) et de *bioûn* «vivre», dérivé de *bios* «vie» (→ bio-).

♦ Le mot désigne l'association durable et réciproquement profitable entre deux ou plusieurs organismes. ◇ Par figure, il s'emploie (1920) dans la locution ***en symbiose*** «en union étroite (avec qqn, un groupe)» et désigne par extension (v. 1969) l'union entre plusieurs choses, entre des personnes ou des collectivités.

▸ **SYMBIOTIQUE** adj. (1890) est emprunté au grec *sumbiôtikos* «qui concerne la vie en commun» et qualifie en biologie ce qui est relatif à la symbiose. ◆ **SYMBIOTE** adj. et n. m. (1904), emprunt au grec *sumbiôtês* «qui vit avec», signifie «qui vit en symbiose». ◆ **SYMBION** n. m. est emprunté (1973, dans les dictionnaires) à l'anglais *symbion*, dérivé savant du grec *sumbiôsis*, et désigne un organisme vivant en symbiose avec un autre ou avec d'autres.

SYMBOLE n. m. est emprunté (v. 1380) au latin chrétien *symbolum*, qui conserve les sens du latin classique *symbolus* «signe de reconnaissance», «pièce justificative d'identité», et signifie spécialement «tableau des principaux articles de la foi» et «part à payer», acception reprise du latin classique *symbola* n. f. Le latin reprend le grec *sumbolon,* désignant un signe de reconnaissance, à l'origine un objet coupé en deux dont deux hôtes conservaient chacun une moitié qu'ils transmettaient à leurs enfants; on rapprochait les deux parties pour faire la preuve que des relations d'hospitalité avaient été contractées. De cette valeur procèdent en grec différents sens: d'une part, «emblème», «signal», «signe de ralliement», d'autre part, «gage», «jeton de présence qu'on donnait au juge», «permis de séjour délivré aux étrangers», «convention, traité», etc., sens partagés par *sumbolê,* repris par le latin *symbola,* alors que *symbolus* conserve l'adjectif grec *sumbolos* «que l'on rencontre» et, comme nom, «signe, indice», «augure». *Sumbolon* dérive du verbe *sumballein* «jeter ensemble», «joindre, réunir», «mettre en contact», d'où diverses valeurs que l'on retrouve dans le nom. Ce verbe est composé de *sun* «avec, ensemble» (→ syn-) et de *ballein* «jeter», emprunté par le bas latin sous la forme *ballare* (→ bal). ➛ L'ancien provençal *sembel* (XIIe s., *far sembel*), *cembel* n. m. (1240) conservait le sens grec de «signe».

♦ *Symbole,* introduit (v. 1380) pour gloser *symbolum* en latin ecclésiastique, désigne d'abord, dans la religion catholique, une formule dans laquelle l'Église résume sa foi; le mot est surtout employé à partir du XVIe s., d'où *le symbole des apôtres* (1596) et absolument *le symbole* (1611) «le credo». Par extension, il désigne des discours analogues aux formulaires de foi et prend le sens de «sentence» (1611), valeurs laïques disparues. En théologie, *symbole* reprend à la Renaissance une valeur du grec, «signe extérieur d'un sacrement» (1541). ◇ La valeur concrète est réalisée dans le vocabulaire didactique où le mot désigne, en parlant de l'Antiquité, le signe constituant une marque de reconnaissance pour les initiés aux mystères (1690) et un jeton servant de signe monétaire (1798). D'autres sens du bas latin *symbola* (grec *sumbolê*) correspondent (1611) à «quote-part payée dans un repas commun» et à «collation». Ces acceptions ont disparu ou sont très didactiques. ➛ C'est au milieu du XVIe s. que *symbole* prend le sens aujourd'hui dominant de «fait naturel ou objet qui évoque, par sa forme ou sa nature, une association d'idées avec qqch. d'abstrait ou d'absent» (1552, Rabelais); de là vient l'emploi au sens de «figure (objet, animal, etc.) évoquant une divinité, une abstraction, un pays, etc.» (1671). Le mot s'emploie à propos d'une personne qui incarne de façon exemplaire qqch. (1678) et de ce qui, en vertu d'une convention arbitraire, correspond à une chose ou à une opération qu'il désigne (1674). Cette acception se développe à partir du XIXe s. dans différents domaines, en chimie (1803) où le symbole représente un corps simple (*O* pour «oxygène», *Pb* pour «plomb»), en numismatique (1876; cf. *type*) et au XXe s. en mathématiques (attesté 1926, chez Valéry), dans différents domaines techniques (1933, dans les dictionnaires), en publicité (XXe s., *symbole d'une marque*), en informatique (v. 1970, *symbole littéral*). ◇ Parallèlement, *symbole* désigne à partir du début du XIXe s. (1818) un élément ou un énoncé descriptif, narratif, susceptible d'une double interprétation (voir *symbolisme,* ci-dessous) et en rhétorique (1845) une sorte de métonymie. ◇ En linguistique, le symbole, en tant que signe conventionnel, est opposé par Saussure (v. 1910) au *signe* arbitraire. Cependant, l'usage du mot en sémiotique, venu de l'anglais *symbol* (v. 1900, Ch. S. Peirce), s'oppose à cet emploi: *symbole* désigne alors un signe établissant un rapport non causal (à la différence de l'*indice*) et non analogique (à la différence de l'*icone*). Cette double valeur, sans parler des emplois plus vagues en poétique, en littérature et dans l'usage commun, rend l'emploi du mot délicat dans un discours scientifique, notamment par rapport à *signe,* autre terme polysémique. ◇ On relève en argot au XIXe s. l'emploi au sens de «crédit» (1803) par jeu de mots sur *credo.* ◇ Par métaphore, l'argot a passé de *symbole* «chose compliquée» à «cerveau», d'où les sens de «tête» (1867) et «chapeau» (1888), sortis d'usage.

▸ **SYMBOLISME** n. m. désigne d'abord (1827), en philosophie, une méthode d'explication qui retrouve des symboles à la base des croyances et des idées, spécialement dans les événements de l'histoire, et par ailleurs (1831) la figuration par des symboles et la théorie des symboles (1842; cf. *symbolique*). Le mot avait été utilisé par Mersenne (1635) au sens d'«abstraction». ◇ Il est appliqué à la littérature, d'abord dans le *Manifeste du symbolisme* de Moréas (1886), pour désigner un mouvement littéraire qui, réagissant contre les Parnassiens et les naturalistes, visait à fonder l'art sur une vision symbolique et spirituelle du monde, traduite par des moyens d'expression nouveaux, par exemple la «sorcellerie évocatrice» de Rimbaud. Cet emploi du mot, passé en art (notamment en peinture), colore les autres emplois, sauf les usages didactiques pour «ensemble et fonctionnement des ensembles symboliques», acception normale en psychanalyse, en linguistique. ➛ En dérive **SYMBOLISTE** adj. et n., en littérature (1885, Moréas). ◇ Les adversaires du symbolisme employaient péjorativement **SYMBOLARD, ARDE** adj. et n. (1898, Daudet). ➛ Le composé **SYMBOLOGIE** n. f. (1803), de *-logie,* «étude des symboles, de la symbolique», est didactique et vieilli. ➛ **ASYMBOLIE** n. f. (1900), emprunt à l'allemand *Asymbolie* (1870), de *a-* privatif (→ ② a-), désigne en médecine la perte de la compréhension des signes.

SYMBOLIQUE adj. et n., qui apparaît (1552, Rabelais) dans *mot symbolique,* reprend le bas latin *symbolicus* «significatif», «allégorique», emprunt au grec *sumbolikos* «figuratif», «conventionnel», dérivé de *sumbolê.* ➛ L'adjectif qualifie ce qui constitue un symbole, a une valeur de symbole (1636) et utilise des symboles (1690); de là divers emplois spéciaux, tels *colonne symbolique* (1701) ou *écriture symbolique* «pictographique» (1755). ◇ À l'époque classique, le mot s'appliquait (1689) à ce qui se rapporte aux *symboles,* formulaires de la foi. ◇ *Symbolique* n. f. désigne en philosophie (fin XVIIe s., avec une majuscule) la logique de Leibniz qui comporte un calcul portant sur des symboles. De là, par réadjectivation, *logique symbolique* (1904). ◇ Par emprunt à l'allemand *Symbolik* (1835, traduction de *Symbolik und Mythologie*), le mot désigne aussi un système de symboles relatif à un peuple, une époque, etc., et l'étude de ces symboles, spécialement (1834) de ceux de la mythologie. ➜ L'adjectif s'applique, par affaiblissement de sens, à ce qui, tout en étant réel, n'a pas d'efficacité ou de valeur en soi en dehors de son rôle de symbole (1886 dans *geste symbolique*), spécialement dans ***franc symbolique de dommages et intérêts.*** ➜ Dans le vocabulaire didactique, *une symbolique* n. f. s'applique à la science des symboles (1825), par calque de l'allemand *Symbolik* (Creuzer, 1810), puis aux éléments symboliques (par ex. du rêve) et *le symbolique* n. m. désigne le domaine des symboles (1893), spécialement dans la théorie psychanalytique de Lacan (1953). ➜ Le dérivé **SYMBOLIQUEMENT** adv. a signifié «de manière énigmatique» (1561). L'adverbe disparaît après 1715. ◇ Il a été repris à la fin du XIXe s. pour «d'une manière symbolique» (1895, Huysmans).

SYMBOLISER v. tr. est un emprunt (v. 1400) au latin médiéval *symbolizare* «concorder», formé sur *symbolum*. ➜ Le verbe a repris le sens de l'étymon en alchimie, puis en médecine (v. 1400, *symboliser à* et *avec qqch.*; 1564 intransitif) et, à l'époque classique, dans l'usage général. ◇ *Symboliser* signifie «représenter, exprimer par un symbole» (1615 isolément, puis 1796 et 1820) et «être le symbole de qqch.» (1796). ➜ En dérive **SYMBOLISATION** n. f., «concordance, rapport» (1374), encore à l'époque classique, qui a signifié aussi «sympathie» et en métrique «action de faire rimer ensemble plusieurs vers de suite» (1845), sens disparus. ◇ Le mot désigne depuis le XIXe s. (1827) l'action de symboliser et le fait d'utiliser des symboles (1907, Claparède), par exemple en mathématiques ou en informatique.

SYMÉTRIE n. f. est emprunté (1529, *symmetrie*; forme actuelle 1545) au latin *symmetria*, terme d'architecture, lui-même emprunt au grec *summetria* «juste mesure, proportion, symétrie», dérivé de *summetros* «de même mesure que», «qui a de l'analogie avec»; cet adjectif est composé de *sun* «avec, ensemble» (→ syn-) et *metron* «mesure» (→ mètre). La graphie hésite jusqu'à la fin du XVIIIe s. entre *m* (XVIIIe s.) et les deux *m* étymologiques.

♦ *Symétrie* a désigné l'accord, la proportion des parties d'un bâtiment entre elles et avec l'ensemble, qui concourt à la beauté. Il a pris par extension (1636) le sens de «régularité et harmonie dans les parties d'un objet», spécialement à l'époque classique en parlant d'une œuvre d'art (1660), au XVIIIe s. en littérature (v. 1770) puis en musique (1847). ◇ Il se spécialise (1763, Diderot) pour désigner la distribution régulière de parties, d'objets semblables, de part et d'autre d'un axe, autour d'un centre; avec cette valeur, il devient un terme de sciences, en botanique (1866), en zoologie, surtout en géométrie (1872, *symétrie de deux figures*) et s'emploie au XXe s. dans le calcul des probabilités. ◇ Par figure, il équivaut à «similitude (de deux situations, phénomènes)» (1893, Durkheim).

► **SYMÉTRIQUE** adj. a suivi une évolution parallèle à celle du nom. D'abord employé en architecture pour «bien proportionné, harmonieux» (1529, *symmétrique*), l'adjectif qualifie (1765) deux choses semblables et opposées, l'une par rapport à l'autre, et une chose dont les deux moitiés sont semblables; il s'emploie en algèbre, en sciences naturelles (1845), en géométrie (1875) et au figuré, en parlant d'idées, d'arguments, etc., analogues et qui se répondent. Il est aussi substantivé (1876, en géométrie) pour «élément symétrique (d'un autre)». ➜ L'adjectif a servi à former **SYMÉTRIQUEMENT** adv. (1529), employé au propre et surtout au figuré. ◇ Le composé **ANTISYMÉTRIQUE** adj. (1947), de ① anti-, est un terme de mathématiques (*relation antisymétrique*). **AXISYMÉTRIQUE** adj. (1972), du latin *axis* «axe*», pour «en relation de symétrie axiale», est un mot technique. ➜ **SYMÉTRISER** v. a signifié «rendre symétrique» (1613, *symmétriser*) et comme intransitif «former une symétrie» (1762), sens sortis d'usage. ◇ Le verbe a été repris en mathématiques dans *symétriser un ensemble* (mil. XXe s.), d'où **SYMÉTRISATION** n. f. (mil. XXe s.) et **SYMÉTRISABLE** adj. (mil. XXe s.).

Le préfixé **ASYMÉTRIE** n. f. (1613), de ② a-, «absence de symétrie», s'emploie spécialement en biologie (1863), en géométrie, en technique et a fourni **ASYMÉTRIQUE** adj. (1825), d'où **ASYMÉTRIQUEMENT** adv. (1897). ➜ **DISSYMÉTRIE** n. f. (1861), d'abord écrit *dyssymétrie* (1845), de *dis-*, a le même sens que *asymétrie* mais s'emploie parfois dans d'autres contextes. ◇ Il en va de même pour son dérivé **DISSYMÉTRIQUE** adj. (1845) : on dit plutôt *visage dissymétrique* que *asymétrique*.

SYMPATHIE n. f. est emprunté (1409) au latin *sympathia* «accord, affinité naturelle», lui-même emprunt au grec *sumpatheia* «participation à la souffrance d'autrui», «communauté de sentiments ou d'impressions» et, dans le vocabulaire d'Épicure et des Stoïciens, «rapport de certaines choses entre elles, affinités». Le mot est dérivé de l'adjectif *sumpathês*, «qui prend part à la souffrance d'autrui», «qui éprouve de la compassion», composé de *sun* «avec, ensemble» (→ syn-) et de *pathos* «ce que l'on éprouve», en parlant des maladies ou des passions (→ -pathie, patho-).

♦ *Sympathie* a d'abord signifié, sans la notion étymologique de souffrance, «attirance pour qqch.; facilité à accepter qqch.». Il s'emploie à partir du XVIe s. pour désigner l'affinité morale entre deux ou plusieurs personnes (1534), acception vieillie, le sens usuel s'appliquant au sentiment chaleureux et spontané entre ces personnes. ◇ En même temps, le mot s'est utilisé pour parler de la correspondance qui existe entre les qualités de certains corps (1534), spécialement dans l'ancienne chimie, sens qui se développe à l'époque classique (cf. *affinité*). ◇ *Sympathie* s'est aussi employé pour nommer l'affinité d'animaux entre eux ou envers l'homme (1636), l'accord entre des couleurs (1651). *Poudre de sympathie* désignait (1643) un remède à la mode au XVIIe s., formé de vitriol calciné que l'on faisait agir sur du sang prélevé à un blessé pour arrêter l'hémorragie, et *sympathies* n. f. pl. se disait de remèdes agissant à distance (v. 1670) par une vertu occulte, aussi appelée *sympathie* (1685). ◇ En physiologie, le mot s'est appliqué (1690) à l'affinité entre divers organes, qui fait que lorsque l'un d'eux est affecté les autres le sont aussi. ◇ Le mot a pris le sens général de «rapport, convenance que certaines choses ont entre elles», par exemple certains sons et émotions (1771). ◇ *Encre de sympathie* (1798) est sorti d'usage, remplacé par *encre sympathique* (ci-dessous).

À partir du XIXe s. (1829), l'emploi du mot s'est restreint à la communauté des sentiments. À cette valeur usuelle s'est ajouté un emploi littéraire (fin XVIIe s.) par retour à la valeur étymologique du grec, déjà perdue en grec et en latin classiques, et qui correspond à «participation à la douleur d'autrui», «fait de ressentir ce qui touche autrui», surtout dans ***en, par sympathie,*** couramment dans des formules de politesse. ◇ Par extension, *sympathie* s'emploie au sens de «bonne disposition, bienveillance (envers qqn, qqch.)» (1829).

▸ Le dérivé **SYMPATHISER** v. intr., «être en affinité (avec qqn)» (1570), s'est employé par figure en parlant des qualités morales (1626) et, concrètement, de couleurs qui se font valoir (1684), de choses qui ont des affinités (1737). ◇ Le verbe est littéraire au sens de «participer par sympathie à (qqch.)» (av. 1850). ➡ Il a produit **SYMPATHISANT, ANTE** adj. et n., à l'époque classique, «qui a de la sympathie pour (qqn)» (1668 ; mil. XVIe s., *sympathizant*). Le mot se dit aujourd'hui d'une personne qui, sans adhérer à un parti, en adopte les vues (1872, *in* Robert), sens répandu au XXe s. et substantivé (1936).

SYMPATHIQUE adj. est la réfection (1614) de *sympathic* (v. 1590), ancien terme de médecine signifiant «relatif à l'affinité qui existe entre certains corps» ; le mot s'est dit de remèdes agissant à distance (v. 1590) dans *poudre sympathique,* en concurrence avec *de sympathie* (ci-dessus), *remède sympathique* (1690) ; cet emploi reste dans ***encre sympathique*** (1671), désignant une encre qui demeure incolore, donc invisible, tant qu'on ne la soumet pas à l'action d'un corps avec lequel elle est «en sympathie». ◇ L'adjectif s'est spécialisé en médecine, se disant (1721) de ce qui concerne l'affinité de certains organes du corps humain, sens sorti d'usage, mais d'où vient le terme *nerfs sympathiques,* servant à nommer, selon les connaissances physiologiques du XVIIIe s., les nerfs qui, étant affectés, font aussi souffrir d'autres parties du corps (1762), d'où *nerf grand sympathique* (1765), puis *le grand sympathique* (1812) ou *le sympathique* «système nerveux périphérique qui commande la vie organique et végétative». Ce concept essentiel de la physiologie entraîne le composé *parasympathique* (ci-dessous). ◇ *Maladie sympathique* «dont la cause réside dans un organe différent de celui qui paraît affecté» (1793), *affection sympathique* (1855) appartiennent à la médecine ancienne, mais on dit encore *réactions sympathiques, ophtalmie sympathique* (XXe s.). ➡ De *sympathique* au sens psychologique, «qui attire la sympathie des autres» (1850, Nerval), dérive le sens familier de «plaisant, agréable, ouvert», en parlant des personnes, puis des situations et des choses. ◇ Dans ce sens, l'aphérèse **SYMPA** adj. inv. (1906) a été très courante dans l'usage familier, avant de reculer au bénéfice d'autres adjectifs mélioratifs. *Sympathique* a fourni dès le XVIIe s. l'adverbe **SYMPATHIQUEMENT** (1653 ; rare av. 1800).

PARASYMPATHIQUE adj. a été formé autour de 1900 (attesté 1903), d'après *nerf, système sympathique* (ci-dessus), à l'aide du préfixe *para-* avec une valeur d'opposition et de proximité à la fois. ◇ Le mot qualifie la partie du système nerveux dit végétatif qui comprend deux centres nerveux, aux extrémités de l'axe cérébrospinal. ◇ Le mot est substantivé pour désigner ce système. ◇ Les composés **PARASYMPATHO** (ou **PARASYMPATHICO**)**MIMÉTIQUE** adj. (1941) et **PARASYMPATHO** (**SYMPATHICO**)**LYTIQUE** adj. qualifient des substances qui déterminent des effets semblables (mimétiques) à l'excitation du parasympathique et qui inhibent, détruisent l'activité parasympathique. ➡ D'autres composés existent en physiologie et médecine, tels **SYMPATHECTOMIE** n. f. (1900) ; **SYMPATHICOTONIE** n. f. (1916) ; **SYMPATHICOMIMÉTIQUE** adj. (1941).

◈ voir ANTIPATHIE.

SYMPHONIE n. f. est emprunté (v. 1155) au latin classique *symphonia* «concert, musique d'harmonie» et «accord», employé dès le Ier s. après J.-C. comme nom d'instruments de musique, valeur conservée en bas latin où le mot désigne un tambour, par exemple chez Isidore de Séville (VIe-VIIe s.). Par analogie de forme du tambour, c'est le nom d'une plante chez Pline. ◇ *Symphonia* emprunte et reprend le grec *sumphônia* «accord de voix ou de sons» et «accord (de sentiments)», qui a ensuite une valeur concrète, désignant des instruments, flûte de Pan, orgue ou cornemuse. Ce mot dérive de *sumphônos* «qui résonne ensemble», d'où «harmonieux», composé de *sun* «avec, ensemble» (→ syn-) et de *phônê* «son, voix» (→ phonétique). ➡ Le grec *sumphônia* a été adapté en ancien italien, sous la forme *sampogna* (déb. XIVe s., Dante) puis *zampogna,* pour désigner une variété de cornemuse, à côté de *sinfonia* «symphonie» ; cet instrument a été introduit en France avec son nom, francisé en *sampongne* n. f. (1611), refait en *sampogna* (1721) et *zampogne,* donné pour «cornemuse italienne» (1829). Sous diverses formes, le mot est passé dans les dialectes gallo-romans comme nom de divers instruments : cornemuse, guimbarde, vielle. ➡ Un grec tardif °*sifonia* a été emprunté, probablement par les Croisés et seulement en France, sous les formes *cifonie* n. f. «vielle à clavier» (v. 1160), *cyfanie* (v. 1180), *chifonie* (v. 1200), encore attestée à la fin du XIVe siècle.

♦ *Symphonie* conserve en ancien français la valeur du bas latin, désignant d'abord un instrument à cordes (v. 1155), parallèlement à l'ancien provençal *semfonia* (1195), une variété de vielle (1160-1170, *simphonie* ; v. 1175, *sinfonie*). Par analogie de forme avec l'instrument, *symphonie* s'est employé à propos du levier servant à bander l'arbalète (1416). ◇ Reprenant le terme *symphonia* chez Pline, les formes évoluées phonétiquement, *cephoine, cy-*

foine, sephoine (XIIIe s.) puis *simphoinnie* (XVe s.), s'appliquent à la plante dite *hellébore*. *Symphonie* a été repris au XIXe s. en sciences naturelles pour désigner un genre d'arbres de la famille des Clusiacées (1845), aussi sous la forme latine *symphonia* (1875; encore *in* Larousse, 1933). ◇ Toutes ces acceptions ont disparu de l'usage général.

Le mot est couramment utilisé en musique avec un des sens du latin classique, «ensemble concordant de voix et d'instruments» (XIIIe s., *simphonie;* puis v. 1370, *symphonie*), acception qui se maintient jusqu'au milieu du XVIIIe siècle; de là viennent les sens de «corps de chantres» (1636), «ensemble des instruments accompagnant les voix» (1670) et «orchestre» (1689), sortis d'usage au bénéfice de *chœur* et de *orchestre.* ◇ Par figure, *symphonie* s'emploie à propos d'un ensemble de choses qui concourent à un effet (1625, *la symphonie de la nature*). ◆ À la fin du XVIe et au début du XVIIe s., on passe (en latin) de la chanson accompagnée d'instruments aux compositions instrumentales sans voix humaine, en particulier avec G. Gabrieli (*Sacrae Symphoniae,* 1597 et 1615) et Schütz (1629, *Symphoniae Sacrae*); le mot *symphonie* suit cette évolution du latin international et des formes musicales et s'emploie pour «concert d'instruments de musique» (1660) et, à l'époque classique (1690), «ouverture d'opéra à l'italienne», s'appliquant à des suites, comme les *Symphonies pour les soupers du Roi* de Lalande, et à des pièces d'orchestre à plusieurs mouvements, comme la forme d'ouverture créée par Lully; on dit aujourd'hui *sinfonia* (ci-dessous). ◇ La symphonie en tant que composition musicale à plusieurs mouvements, construite sur le plan de la sonate (sens bien attesté en 1751), a été préparée par la mise en place d'une instrumentation propre à l'orchestre classique, avec les *Sinfonie* (italien *sinfonia,* de forme et de sens parallèles) et les *Concerti à quatre* de Vivaldi; elle a été rendue possible par l'institution du concert public, à l'église ou au théâtre, qui permettait un nombre important d'instrumentistes. La composition de l'orchestre se modifiant et s'enrichissant, la symphonie moderne prend naissance autour de 1800, notamment avec Beethoven et ses successeurs romantiques.

▶ Plusieurs dérivés liés à *symphonie,* «concert de voix», ont disparu, comme **SYMPHONIER** v. tr., «chanter» (fin XVe s.), et **SYMPHONIEUR** n. m., «celui qui chante dans un chœur» (v. 1500). ◆ **SYMPHONISTE** n. désigne d'abord un musicien qui joue dans une «symphonie» (1678) puis dans un orchestre symphonique (ci-dessous). Le mot a désigné à l'époque classique un musicien compositeur (1690); il se dit aujourd'hui d'un auteur de symphonies (1800).

SYMPHONIQUE adj., dérivé (XVIIe s. : av. 1674) de *symphonie* au sens musical du XVIIe s., s'applique à ce qui se rapporte à la symphonie au sens ancien (fin XVIIe s.), puis moderne (fin XVIIIe-déb. XIXe s.), notamment dans *musique symphonique,* opposée à *musique de chambre,* puis dans *orchestre symphonique* (attesté 1885, Saint-Saëns) appliqué à la symphonie de type beethovénien et romantique. ◇ En théorie musicale, l'adjectif s'est employé avec la valeur étymologique de *symphonie* au sens de «consonant» (1765). ◇ ***Poème symphonique*** (1872), calque de l'allemand *symphonische Dichtung* (1848, Liszt), désigne une composition musicale assez ample, écrite pour tout l'orchestre. ◇ Le dérivé **SYMPHONIQUEMENT** adv. (1886 chez Zola) est rare.

Par ailleurs, le français a repris à l'italien deux mots. **SINFONIA** n. f. (1885 en histoire de la musique; isolément au XVIIIe s. : 1772) s'emploie au sens du XVIIe s. et du XVIIIe s. de *symphonie* (ci-dessus). **SINFONIETTA** n. f., diminutif de *sinfonia,* désigne une symphonie brève ou écrite pour un orchestre réduit et semble avoir été introduit en français par Albert Roussel avec sa *Sinfonietta* (1934).

SYMPHYSE n. f. est un emprunt savant (v. 1560, Paré) au grec *sumphusis* «action de naître ou de croître ensemble» et «union, cohésion», dérivé de *sumphuein* «faire croître ensemble», «unir en un tout». Ce verbe est composé de *sun* «ensemble, avec» (→ syn-) et de *phuein* «(faire) naître», «(faire) croître», qui se rattache à une racine indoeuropéenne °*bhewe-*, °*bhū* «croître», représentée en latin (→ futur) et en grec (→ physique).

♦ *Symphyse,* mot du vocabulaire médical, désigne une articulation peu mobile, où les os sont reliés par un cartilage fibreux *(symphyse pubienne).* En tératologie, le mot a désigné (1793) la soudure de parties normalement distinctes. ◇ Il s'emploie aussi (1904) à propos de l'adhérence pathologique de deux feuillets d'une séreuse *(symphyse cardiaque).*

▶ Le mot a servi à former le dérivé **SYMPHYSAIRE** ou **SYMPHYSIEN, IENNE** adj. (XIXe s.), «d'une symphyse», et en chirurgie le composé **SYMPHYSÉOTOMIE** n. f. (1778), de *-tomie*,* «section de la symphyse pubienne».

SYMPOSIUM n. m. est un emprunt savant (1876), d'abord sous la forme francisée *symposie* n. f. (1813), au latin *symposium* «banquet», lui-même emprunté au grec *sumposion* «banquet», notamment dans le titre d'un dialogue de Platon, et signifiant «ensemble des convives d'un festin». Ce mot dérive de *sumpotês* «qui boit avec», composé de *sun* «ensemble, avec» (→ syn-) et de *potês* «qui boit», dérivé de *pinein* «boire». Ce dernier se rattache, comme le latin *bibere* (→ boire), à une racine °*pō-*, °*pi-* «boire», largement représentée dans les langues indoeuropéennes.

♦ Le mot est introduit comme terme d'Antiquité au sens grec de «banquet, festin» (1813, *symposie*). ◇ Le sens moderne de «congrès scientifique réunissant des spécialistes et traitant d'un sujet particulier» est repris à l'anglais *symposium,* lui-même emprunté au grec; attesté au sens étymologique dès le début du XVIIIe s. (1711), le mot anglais a pris très tôt le sens spécial de «colloque» (1784) par allusion au *Sumposion (Banquet)* de Platon. ◇ Baudelaire, dans une traduction d'Edgar Poe (1857), emploie le mot au sens de «réunion, fête». Cette valeur ne passe en français qu'au XXe s. et ne se répand qu'après 1945 (1955, P. Morand *in* T.L.F.). *Symposium* est critiqué par les puristes qui le considèrent comme un synonyme prétentieux de *congrès, colloque, séminaire.*

SYMPTÔME n. m., réfection (1538) de *sinthome* (1495; peut-être v. 1363), est emprunté au bas latin médical *symptoma,* lui-même emprunt au grec *sumptôma, -matos* «affaissement», «événement malheureux», «coïncidence» et spécialement «coïncidence de signes». Ce nom dérive du verbe *sumpiptein* «tomber ensemble», «survenir en même temps», «se rencontrer». Il est composé de *sun* «avec, ensemble» (→ syn-) et de *piptein* «tomber», «survenir», qui pourrait se rattacher à une racine indoeuropéenne °*pet-* «tomber», comme le latin classique *petere* «chercher à atteindre» (→ centripète, pétition).

♦ *Symptôme* conserve le sens du latin, désignant en médecine un phénomène lié à un état ou à une évolution morbide, qu'il permet de déceler; en ce sens, Rabelais emploie *symptomates* n. m. pl. (1552), tiré du pluriel du mot grec, emploi qui montre que celui de la forme *symptôme* n'était pas établi. La notion de «signe médical» rapproche le mot de la descendance du grec *semeion. Symptôme* s'emploie à l'époque classique à propos de tout accident désagréable apparaissant au cours d'une maladie (1648), et avec une valeur plus large dans ***tomber en symptômes*** «être stupéfait» (1656). ◇ Par figure, le mot désigne ce qui permet de prévoir ou ce qui manifeste un état, une évolution (v. 1600), sens demeuré vivant, et spécialement ce qui révèle une violente émotion (1764), sens archaïque. Le mot a été repris en psychiatrie et en psychanalyse.

▶ Le dérivé **SYMPTOMATIQUE** adj. signifie en médecine «qui constitue un symptôme» (1538). C'est la réfection de *simphomatique* (1478), *sinthomatique* (1503). ◇ Le sens de «qui concerne les symptômes» semble plus récent (attesté 1690, Furetière), d'où *médecine* (1836), *traitement symptomatique.* ◇ Par figure, l'adjectif signifie «révélateur» (av. 1841) dans un usage plus général. ➝ En dérive **SYMPTOMATIQUEMENT** adv. (1875).

SYMPTOMATOLOGIE n. f., «étude des symptômes des maladies», est formé à partir du grec *sumptôma* (1765) avec *-logie;* c'est un quasi-synonyme de *sémiologie* ou *séméiologie.* ◇ Il a fourni **SYMPTOMATOLOGIQUE** adj. (1829).

SYN- est un élément tiré du grec *sun* «ensemble, avec», à rapprocher du lituanien *sù,* du vieux slave *sŭ* «avec» et peut-être, à l'intérieur du grec, de *xuein* «frotter, toucher». Ce morphème entre dans la composition de termes didactiques, marquant l'idée de réunion dans l'espace ou le temps, de communauté et d'ensemble. Les variantes *sym-, syl-* apparaissent selon la consonne qui suit.

▶ *Syn-* fait partie de mots empruntés à des composés grecs, par exemple *synagogue** (voir ci-dessous à l'ordre alphabétique et ci-dessus pour *syl-* et *sym-*). Il sert par ailleurs à former, à partir du XIXe s., des mots didactiques composés à l'aide d'autres éléments tirés du grec. ➝ **SYNCARPE** n. m. (1809), de *-carpe,* du grec *karpos* «fruit», désigne en botanique un fruit composé de la coalescence de plusieurs fruits simples (par ex. la mûre). ➝ **SYNALGIE** n. f., terme de médecine (1890), de *-algie,* du grec *algos* «douleur», se dit de la douleur névralgique survenant au voisinage du siège d'une douleur violente. ➝ **SYNASE** n. f. (mil. XXe s.), de [dias]t]*ase**, est le nom donné en biochimie à l'enzyme favorisant la liaison entre deux carbones et participant à la synthèse des substances organiques.

SYNAGOGUE n. f. est la forme refaite (v. 1265), d'après le latin ou le grec, de *sinagoge* (1080), *synagoge* (v. 1120), emprunts au bas latin ecclésiastique *synagoga* «lieu de réunion de la communauté juive, maison de prière juive» et par extension, au moyen âge, «communauté des juifs». Cette acception était propre aux juifs de France et d'Italie, ceux de la péninsule Ibérique ne donnant à *sinoga, senoga, esnoga* que l'acception de «maison de prière». *Synagoga* est lui-même emprunté au grec *sunagôgê* «réunion», employé par les juifs de langue grecque pour désigner l'assemblée générale de la communauté juive, et la communauté elle-même. Le développement sémantique de *sunagôgê,* qui traduit l'hébreu *'ēdāh* «congrégation», est analogue à celui de *ekklêsia* (→ église), qui traduit *qāhāl, sunagôgê* étant très tôt réservé aux juifs, alors que *ekklêsia* était réservé aux chrétiens. *Sunagôgê* est dérivé de *sunagein* «conduire ensemble, rassembler», verbe composé de *sun* «ensemble, avec» (→ syn-) et de *agein* «mener, conduire» (→ agonie); il peut aussi être considéré comme composé de *agôgê* «action de conduire».

♦ Attesté dans *La Chanson de Roland* au sens assez vague de «temple païen» (1080, *sinagoge*), le mot est ensuite relevé au XIIe s. en français et en ancien provençal (v. 1140, *synagoga*) pour «assemblée religieuse des juifs sous l'ancienne loi»; de là, il prend le sens de «communauté des juifs» (1240, *senagoge;* XIVe s., *senegogue*) et par extension désigne la religion juive (XIVe s., *signagoge;* 1690, *synagogue*) par opposition au christianisme. La loi juive est symbolisée en pays chrétien par une figure, celle d'une femme aux yeux bandés, appuyée sur une lance qui se brise, thème de l'iconographie gothique, nommée à son tour *synagogue* (1536). ➝ Parallèlement apparaît (XIIIe s., *sinagod*) le sens de «lieu où les juifs s'assemblent pour l'exercice de leur religion» puis, au XVIe s., celui d'«édifice consacré au culte israélite» (1530, *sinagogue;* 1636, *synagogue*), seul vivant dans l'usage courant moderne. ➝ Par ailleurs, aux XVIe et XVIIe s., le mot s'est employé péjorativement par suite de l'exclusion des Juifs des communautés catholiques et protestantes et de l'hostilité à leur égard. *Synagogue* désigne ainsi chez les protestants le lieu de culte catholique, l'église (1559, Calvin); le mot est aussi attesté (1566) au sens de «société de gens ridicules qui décident à tort et à travers», encore relevé en 1798 par le dictionnaire de l'Académie. ◇ On trouve d'autres traces d'exclusion dans les anciens dialectes franco-provençaux où la religion juive est liée au diabolique, le mot étant employé pour «sabbat de sorciers», «bruit, vacarme», acceptions également relevées en Wallonie (1541, *sinagogue*), en Suisse (1586, *senegogaz*), le même sort ayant été réservé aux mots *sabbat** et *secte**. ➝ La locution *enterrer la synagogue* (1688, Sévigné), *enterrer la synagogue avec honneur* (1690) «finir honorablement (une liaison, une affaire)» représente l'usage figuré d'une locution latine employée par les Pères de l'Église : ils l'appliquaient aux premiers chrétiens qui continuèrent à pratiquer les cérémonies de l'ancienne loi, tant que le Temple subsista.

▸ Le dérivé **SYNAGOGAL, ALE, AUX** adj., didactique, qualifie (1855) ce qui se rapporte à la synagogue *(culte synagogal)*.

SYNALÈPHE n. f. est un emprunt savant (v. 1500) au bas latin grammatical *synaloephe* «élision», emprunt au grec *sunaloiphê* «fusion, union», dérivé de *sunaleiphein* «aider à oindre», d'où «rendre cohérent». Le verbe est composé de *sun* «ensemble, avec» (→ syn-) et de *aleiphein* «oindre, frotter», à rapprocher du grec *lipa* «grassement, de manière à être bien huilé», d'autres mots dans le groupe indoeuropéen et peut-être du latin *linere* «enduire» (d'où *liniment**).

♦ Ce terme de grammaire et de rhétorique désigne la fusion de plusieurs syllabes en une seule, par élision ou contraction (par exemple la prononciation de *duel* en une seule syllabe). Il est peu usité.

SYNAPSE n. f. est un emprunt savant et récent (1897), par l'intermédiaire de l'anglais *synapsis* (Sherrington, 1897), au grec *sunapsis* «action de joindre, liaison», dérivé de *sunaptein* «lier, nouer ensemble», verbe composé de *sun* «ensemble, avec» (→ syn-) et de *haptein* «ajuster, attacher», d'étymologie inconnue.

♦ *Synapse* désigne en anatomie du cerveau la région de contact entre deux neurones. ◇ En biologie, *synapsis* (1904) puis *synapse* (1924) s'applique au stade de la maturation des gamètes pendant lequel les chromosomes se réunissent au même point du noyau.

▸ Il a pour dérivé **SYNAPTIQUE** adj. (1904). Du même mot grec vient notamment **SYNAPSIS** n. f. (mil. XXe s.), terme de linguistique qui désigne une unité sémantique formée de plusieurs lexèmes liés par une préposition. ◆ **SYNAPSIDES** n. m. pl., mot créé en latin moderne par les zoologistes américains à partir de *sunapsis* et *-ides*, est le nom d'un groupe de reptiles possédant une paire de fosses temporales en position basse.

SYNARCHIE n. f. est un emprunt savant et tardif (1872) au grec *sunarkhia* «pouvoir commun ou partagé», «magistrature collective», composé de *sun* «ensemble, avec» (→ syn-) et de *-arkhia*, suffixe indiquant le mode de gouvernement (→ anarchie, monarchie). Ce suffixe vient de *arkhê*, à la fois «commencement» et «commandement», qui se rattache à la notion de «faire le premier pas» ou de «marcher le premier».

♦ Ce mot didactique désigne le gouvernement d'un État par plusieurs chefs (1872) et, par extension (XXe s., attesté v. 1940), l'autorité ou l'influence exercée par plusieurs personnes ou plusieurs groupements à la fois (cf. *oligarchie*).

▸ En dérive **SYNARCHIQUE** adj. (1872), «relatif à la synarchie».

SYNARQUE n. m., emprunt (mil. XXe s.) au grec *sunarkhos* «qui participe au pouvoir», composé de *sun* et de *arkhos*, désigne une personne qui exerce une synarchie ou une oligarchie ; il est didactique et rare.

SYNCHRONE adj. est emprunté (1743) au bas latin *synchronus* «contemporain», lui-même du grec tardif *sunkhronos*, composé de *sun* «avec» (→ syn-) et de *khronos* «temps» (→ chrono-).

♦ Cet adjectif didactique qualifie ce qui se produit dans le même temps qu'autre chose, en parlant d'un mouvement, d'une oscillation (1743), et s'emploie par extension dans *moteur synchrone* (1895). ◇ En emploi général, il correspond à «simultané» à propos de ce qui se produit parallèlement ou fonctionnellement.

▸ *Synchrone* a fourni plusieurs dérivés didactiques et usuels. ◆ **SYNCHRONIQUE** adj. s'applique à ce qui est synchrone (1742) puis à ce qui concerne une période donnée, par exemple dans *tableau synchronique* «qui présente des faits survenus à la même époque dans différents lieux (1835), ou différents domaines». ◇ En linguistique, *synchronique* se dit de ce qui se rapporte à une synchronie (ci-dessous), à l'aspect statique (v. 1910, F. de Saussure), alors opposé à *diachronique*. ◇ **SYNCHRONIQUEMENT** adv., didactique (1845), s'emploie aussi couramment pour «au même moment» (XXe s.). ◆ **SYNCHRONISER** v. tr. signifie d'abord «établir un rapport d'événements arrivés en même temps» (1845), acception disparue. ◇ Le verbe signifie aujourd'hui «rendre synchrones (des mouvements, des mécanismes, des phénomènes)» (1890), d'où un emploi en cinéma «mettre en concordance (l'émission du son et la projection de l'image)» (1911), d'abord attesté au participe passé (1909, *film synchronisé*), et d'autres emplois à propos des phénomènes périodiques, en électricité, en radio. Par extension, il signifie couramment «faire concorder» (XXe s.). ◇ Le dérivé **SYNCHRONISATION** n. f. (1881), utilisé au cinéma (1908), désigne par métonymie l'ensemble des spécialistes de la synchronisation, abrégé familièrement en ① **SYNCHRO** n. f. Il s'emploie aussi dans les autres sens de *synchroniser*. ◇ **SYNCHRONISEUR, EUSE** n., terme technique d'électricité, désigne un dispositif qui permet de coupler deux alternateurs au moment de leur synchronisme (1933, n. m.) puis (v. 1960) un dispositif de vitesses synchronisées sur une voiture, abrégé lui aussi en ② **SYNCHRO** n. m. ◇ **SYNCHRONISEUSE** n. f., «appareil qui synchronise l'image et le son d'un film» (1952), s'est substitué à **SYNCHRONISATEUR** n. m. (1921). ◇ Le composé **POSTSYNCHRONISER** v. tr., «ajouter le son et la parole après le tournage d'un film, notamment dans les films doublés» (1934), a fourni **POSTSYNCHRONISATION** n. f. (1934), quasi-synonyme de *doublage*. ◆ **SYNCHRONIE** n. f. a signifié «art de concilier, de comparer les dates de l'histoire» (1827), sens disparu. Il désigne en linguistique, depuis Saussure (v. 1910), l'ensemble des faits qui forment un système, considéré méthodologiquement comme échappant à des modifications évolutives, à un moment donné de l'évolution d'une langue et opposé à *diachronie*. ◇ Le mot s'emploie aussi à

propos d'une représentation d'événements simultanés (XXe s.).
Plusieurs termes didactiques ont été composés à partir de *synchrone*. ◆ **ASYNCHRONE** adj., de ② *a-*, s'applique (1895) à ce qui n'est pas synchrone *(moteur asynchrone)*. ◆ En physique **SYNCHROTRON** n. m. (1949), de [cyclo]*tron*, **SYNCHROPHASOTRON** n. m., de *phas*[e] et [cyclo]*tron*, et **SYNCHROCYCLOTRON** n. m. (v. 1950) désignent des accélérateurs de particules synchrones dérivés du cyclotron.
SYNCHRONISME n. m. est emprunté (1727) au grec *sunkhronismos* «existence, événement ou récit du même temps», dérivé de *sunkhronizein* «être contemporain», de *sunkhronos*. ◇ Le mot désigne la coïncidence de dates, l'identité d'époques (1752), la simultanéité de deux phénomènes (1762). Il s'emploie couramment (1872) pour parler du caractère de ce qui est synchrone ou synchronisé, spécialement dans le vocabulaire du cinéma (1899). ◆ Le composé **ASYNCHRONISME** n. m., de ② *a-*, «absence de synchronisme» (1904), correspond à *asynchrone* (ci-dessus).
DÉSYNCHRONISER v. tr. (att. mil. XXe s.) et **DÉSYNCHRONISATION** n. f. (1898) s'opposent à *synchroniser, -ation*.

SYNCLINAL, ALE, AUX adj. et n. m. est emprunté (1861 comme adj.; n. 1872) à l'anglais *synclinal* (1833, Lyell), terme de géologie dérivé savamment du grec *sunklinein* «incliner ensemble», verbe composé de *sun* «ensemble, avec» (→ syn-) et de *klinein* «incliner», qui se rattache, comme le latin *clinare*, à une racine indoeuropéenne °*klei-* «pencher» (→ clinique, incliner).

♦ *Synclinal* désigne en géologie et en géographie un pli qui présente une concavité (1872); il équivaut à *auge, gouttière*. ◇ L'adjectif se dit de ce qui appartient à un synclinal ou le constitue.

▶ Le composé **GÉOSYNCLINAL, ALE, AUX** n. m., emprunté (1875) à l'anglais *geosynclinal* (1833, adj.; 1873, n. m.), désigne une vaste dépression synclinale, caractérisée par une énorme épaisseur de sédiments.
Synclinal a pour contraire **ANTICLINAL, ALE, AUX** adj. et n., emprunté semble-t-il avant *synclinal* (1845) à l'anglais *anticlinal* (1833), lui-même dérivé antonymique d'après *synclinal*, ou comme en anglais formé savamment sur le grec *antiklinein* «faire pencher en sens contraire», de *anti-** et *klinein*. Le terme anglais, créé par Buckland et Conybeare, est employé par Lyell, qui l'impose. ◇ Le mot qualifie les couches géologiques présentant une convexité vers le haut. Le substantif correspond à «pli anticlinal».

SYNCOPE n. f., réfection graphique (XIVe s.) de *sincope* (1314), encore relevé au XVIIIe s. (1759, Richelet), est emprunté au bas latin *syncope* ou *syncopa* «défaillance, évanouissement» en médecine, et en grammaire «retranchement d'une syllabe à l'intérieur d'un mot»; ces deux valeurs sont elles-mêmes empruntées au grec *sunkopê*, dérivé de *sunkoptein* «briser, frapper», en grammaire «réduire par syncope» et au parfait passif «défaillir». Ce verbe est composé de *sun* «ensemble, avec» (→ syn-) et de *koptein* «frapper (à coups redoublés)» et «couper», mot d'origine indoeuropéenne appartenant au sémantisme du coup, à rapprocher du lituanien *kapiù* «tailler, abattre», du latin *capus* «chapon [poulet châtré, coupé]» (→ chapon) et peut-être, en grec, de *skaptein* «creuser».

♦ *Syncope* a conservé en français les deux valeurs de l'étymon. Le mot désigne en médecine (1314, *sincope*) un arrêt ou un ralentissement marqué des battements du cœur, accompagné de la suspension de la respiration et de la perte de conscience; il est d'abord en concurrence avec *sincopia* (1212), emprunté à l'accusatif latin, qui s'est maintenu jusqu'au XVIe s. (1581). ◇ L'emploi en grammaire apparaît au XIVe s. en moyen français (1380, *sincope*) et en ancien provençal (v. 1350, *sincopa*), pour nommer la suppression d'une syllabe, d'une lettre ou, plus tard, d'un phonème à l'intérieur d'un mot, acception sortie d'usage. ◇ *Syncope* se spécialise plus tard en musique (1631) au sens de «prolongation sur un temps fort d'un élément accentué d'un temps faible», valeur résultant probablement d'un réemprunt au latin médiéval, car elle apparaît dans des traités latins, aux XIVe et XVe s., sous les formes *sincopa* et *suncopatio*.

▶ Le dérivé **SYNCOPER** v. s'est employé en médecine (v. 1300, *sincoper*, intr.; 1385, *syncoper*) pour «provoquer une syncope», également sous la forme *sincopiser* (1314), *syncopiser* (v. 1560), employée jusqu'au XVIIe siècle. ◇ Le verbe a signifié, dans l'acception rhétorique de *syncope* mais avec une valeur plus générale, «écourter (les paroles de qqn, pour en changer le sens)» (1385), puis «diminuer, abréger» (fin XVe s., *sincoper* tr.) et aussi «interrompre, arrêter» (fin XVe s.), d'où *se syncoper* «s'interrompre» (v. 1500). Utilisé aussi en grammaire (1578, v. tr.), puis sorti d'usage, le verbe s'emploie en musique, signifiant «unir par syncope» (1690, tr.) et «former une syncope» (1737, intr.). ◇ Au figuré, il a eu la valeur familière de «surprendre vivement», comme le fait une nouvelle inattendue qui provoque une syncope (1872, tr.); cette acception a disparu. ◆ **SYNCOPÉ, ÉE** adj. a signifié «coupé, interrompu» (XIVe s., d'un soupir). En musique, il correspond à «qui réalise une syncope» (1690, *note syncopée*) puis, à cause de la fréquence des syncopes dans certains rythmes de musique de danse, notamment le jazz, à «fortement rythmé» (XXe s., *musique syncopée*). ◇ L'adjectif s'est aussi employé en grammaire, acception attestée beaucoup plus tard que *syncope* (1798, *mot syncopé*) et rare, ainsi qu'en poétique antique (*vers syncopé*, 1904). ◆ **SYNCOPAL, ALE, AUX** adj., terme de médecine, s'est appliqué (1495, *sincopal*) à ce qui provoque des syncopes, puis à ce qui est relatif à la syncope (1788).
◈ voir APOCOPE.

SYNCRÉTISME n. m. est emprunté (1611) au grec tardif *sunkrêtismos*, littéralement «union de Crétois», d'où «alliance de deux parties opposées contre un ennemi commun». Le mot est composé de *sun* «avec, ensemble» (→ syn-) et de *krêtizein* «agir en Crétois», «être fourbe», les Crétois ayant la réputation en Grèce ancienne d'être faux ; ce verbe est dérivé de *Krês, Krêtos* «Crétois».

♦ *Syncrétisme*, didactique, a eu à l'époque classique (1611) le sens de l'étymon ; l'idée de liaison entre adversaires le fait passer dans le vocabulaire religieux et philosophique, où il désigne une combinaison difficilement cohérente entre plusieurs doctrines religieuses (1687) ou philosophiques (1765) très différentes. Il s'emploie surtout en parlant des religions et des systèmes d'explication du monde dans l'Antiquité gréco-romaine et orientale, aux premiers siècles de notre ère. En histoire des religions (XXe s.), il désigne la tentative de certains théologiens du XVIIe s. pour concilier les diverses communions chrétiennes. ➜ Par extension, *syncrétisme* en vient à désigner (1848, *L'Avenir de la science*, Renan [publ. 1883]) l'appréhension globale, plus ou moins confuse d'un tout. Le terme a été repris par Claparède avec cette valeur en psychologie de l'enfant (déb. XXe s.), puis plus largement pour parler de la synthèse de plusieurs éléments culturels.

▸ Le mot a deux dérivés. ➜ **SYNCRÉTISTE** n. (v. 1703) et adj. (1875) concerne le syncrétisme religieux ou philosophique. ➜ **SYNCRÉTIQUE** adj. (1846), «du syncrétisme», est employé spécialement en linguistique (1933) dans *cas syncrétique* qui, outre sa fonction initiale, assume celle de cas disparus (par ex. le génitif grec). ◇ Il a pour adverbe **SYNCRÉTIQUEMENT** (1890).

SYNDÉRÈSE n. f., réfection (av. 1613) de *sinderese* (v. 1470), est emprunté au latin médiéval *synderesis*, terme de théologie, du grec *suntêrêsis* «conservation», «observation, surveillance», le passage du *t* au *d* étant dû à la prononciation byzantine. Le mot dérive de *suntêrein* «conserver soigneusement», «observer, surveiller», composé de *sun* «avec, ensemble» (→ syn-) et de *têrein* «surveiller, observer, faire attention à», dont l'origine est inconnue.

♦ Terme ancien de théologie désignant les principes innés de la conscience morale, *syndérèse* s'est employé dès le XVe s. pour «reproche de conscience, remords». Le mot est didactique et archaïque.

SYNDÈSE n. f. est un emprunt savant et tardif (1933, Marouzeau) au grec *sundesis* «union», «jonction», dérivé de *sundein* «lier ensemble», verbe composé de *sun* «ensemble» (→ syn-) et de *dein* «lier, attacher», mot d'origine indoeuropéenne, à rapprocher du sanskrit *dâman* «lien».

♦ Le mot nomme en rhétorique le procédé qui consiste à coordonner tous les éléments d'une énumération, opposé à *asyndète*. ➜ Il a été repris en biologie (mil. XXe s.) pour désigner l'appariement régulier de chromosomes homologues au moment de la synapse.

◈ voir ASYNDÈTE.

✱ **SYNDIC** n. m. est emprunté (1318 ; *syndique*, 1257) au bas latin *syndicus* (IVe s.) «avocat et représentant d'une ville», lui-même emprunt au grec *sundikos* «celui qui assiste qqn en justice» et, à Athènes, «membre d'une commission chargée de défendre les lois établies contre les innovations». Ce mot est composé de *sun* «avec, ensemble» (→ syn-) et de *dikê* «usage», «règle, droit» et «justice» (→ apodictique, déictique, ② police), qui se rattache à une racine indoeuropéenne *°deik-* «montrer», avec un caractère religieux ou juridique (cf. le latin *dicere* ; → dire). *Syndicus* a fourni l'italien *sindaco*, l'ancien catalan *cindichs*, le suisse alémanique *sindik* ; en ancien provençal, à côté de *sindic* (1413), on relève de nombreuses formes altérées, comme *sendegue* (XIVe s.), *sindique* (1418), *sendic* (1437).

♦ En français, *syndic* apparaît au XIIIe s. dans le vocabulaire juridique, désignant une personne chargée en vertu d'un mandat spécial de défendre les intérêts d'une communauté, spécialement au XVIe s. et à l'époque classique d'une communauté ecclésiastique. ◇ Jusqu'à l'époque classique, plusieurs graphies altérées ont eu cours pour les mots de la série *(sin-, scin-)*. ◇ Le mot s'était spécialisé dans le vocabulaire administratif, d'abord dans le nord de la France (1376, sous la forme altérée *soudic* ; 1461, *syndic*), puis à propos de Lyon (1418, *sindique*) et du sud de la France. Il désigne sous l'Ancien Régime un représentant chargé de défendre les intérêts des habitants auprès du seigneur suzerain ; ces syndics ont été remplacés en 1789 par les maires*. ◇ *Syndic* désignait aussi (1455, *cindit*) chacun des quatre hauts magistrats qui étaient à la tête de la République de Genève ; c'est encore le nom du premier magistrat élu d'une commune, dans les cantons de Vaud et de Fribourg. ◇ À Paris, c'est le titre d'un membre du conseil municipal, chargé des locaux réservés au conseil et de l'organisation des réceptions. ◇ À cause de l'importance de la fonction, *syndic* s'est dit pour «censeur» (1559) jusqu'au début du XVIIIe siècle. En droit, le mot a servi à désigner le président d'une assemblée de créanciers (1671) puis un représentant des créanciers d'un failli, dont il gère et liquide les biens (1765), d'où (1876) *syndic d'une faillite*. ◇ C'est aussi (1831) l'appellation d'un représentant de l'Inscription maritime dans un sous-quartier, appelé *syndic des gens de mer* (1875). ◇ Enfin, au XXe s., le mot s'applique au mandataire des copropriétaires d'un immeuble, qui assure sa gestion, établit les charges, leur répartition et leur recouvrement (on dit aussi *syndic d'immeuble*). ➜ Repris au grec, le mot a désigné en histoire antique (1765) un orateur athénien chargé de la défense d'une loi et le représentant d'une cité grecque devant le Sénat romain.

▸ Le dérivé **SYNDICAL, ALE, AUX** adj. s'est d'abord employé comme nom au sens de «procès-verbal» en franco-provençal (1352, *sindiqual*, Lyon). L'adjectif, repris au XVIe s., a qualifié ce qui est fait par la communauté, par opposition aux actions particulières (1561), *chambre syndicale* (écrit *scindicalle*, 1697) désignant le corps qui s'occupe des affaires d'un groupe professionnel. L'expression, qui ne s'emploie plus que pour parler d'un syndicat patronal, s'appliquait aussi au XIXe s. aux syndicats ouvriers. ◇ *Syndical* est devenu rare au sens de «relatif à un syndic, qui relève de ses fonctions» (1740). C'est aujourd'hui l'adjectif de *syndicat* (ci-dessous), s'appliquant presque exclusivement à ce qui concerne un syndicat de salariés (1798) ou au *syndicalisme* (ci-dessous). C'est avec cette valeur moderne de *syndicat* que l'adjectif a produit des dérivés dont le lien sémantique avec *syndic* n'est plus senti. ◆ **SYNDICALISTE** n. et adj. a désigné un partisan du système syndical (ouvrier) [1875] et qualifie ce qui est relatif aux syndicats (1923). Comme nom, il désigne une personne qui joue un rôle actif dans un syndicat, notamment un syndicat ouvrier. ◆ **SYNDICALISME** n. m. est le nom (1894) du mouvement de *syndicats,* au sens pris par le mot depuis 1839 (équivalent à l'anglais *union* dans *trade-union*), qui a pour but de grouper des travailleurs salariés en vue de défendre leurs intérêts. Par analogie de cet emploi, plutôt que par référence à *syndic* ou au sens ancien de *syndical,* on parle de *syndicalisme patronal* ou *agricole* (XXe s.). ◇ Le mot désigne également l'activité exercée dans un syndicat (1923) et l'ensemble des syndicats (XXe s.); → anarcho-syndicalisme. ◆ **SYNDICALISER** v. tr. (1926) s'est dit (1949) pour «recruter pour un syndicat» et a pris par extension les sens de «donner une conscience syndicale à (qqn)» (v. 1965) et «organiser en syndicat» (v. 1972, *se syndicaliser*). ◇ Le verbe a fourni **SYNDICALISATION** n. f. (1921) et **SYNDICALISABLE** adj. (1958). ◆ Le composé **INTERSYNDICAL, ALE, AUX** adj. et n. f. se dit de ce qui est commun à plusieurs syndicats, regroupe plusieurs organisations syndicales (1915); de là *l'intersyndicale* n. f. (1974).

SYNDICAT n. m., dérivé de *syndic,* a d'abord désigné la fonction de syndic (1477) et l'exercice, la durée de ces fonctions (1549). En ancien provençal, *sindegat* (XIVe s.) signifiait aussi «ensemble des syndics» (v. 1300). ◇ La locution verbale *faire syndicat* «s'associer pour la défense d'intérêts communs» (1514) est à l'origine de l'usage du mot à propos d'une association ayant pour objet la défense d'intérêts communs (1649, *scindicat*), acception juridique qui ne se développera qu'au XIXe siècle. ◇ Le mot est employé isolément pour «assemblée politique», dans un projet de constitution (v. 1793). Après avoir désigné une association pour la défense des intérêts corporatifs (1730), il prend le sens courant (1839, à la même époque que *syndicalisme*) d'«association de défense des intérêts professionnels de salariés», désignant de plus en plus souvent (2e moitié XIXe s.) un syndicat groupant uniquement des salariés et notamment des ouvriers. Ce sens devient dominant après 1871 et au XXe s., les autres valeurs requérant l'emploi d'expressions où *syndicat* est qualifié. Il entraîne des valeurs nouvelles pour *syndical* et ses dérivés (ci-dessus) et est en relation avec l'idée de socialisme. ◇ Au sens large, le mot entre dans plusieurs syntagmes où il n'est plus senti comme identique, comme *syndicat financier,* constitué pour placer des titres (1870), ***syndicat d'initiative*** «organisme destiné à développer le tourisme dans une localité» (1880), dans *syndicat de communes* en droit administratif. ◇ Par ailleurs, alors lié à un sens particulier de *syndic* (ci-dessus), *syndicat* désigne (1872) la subdivision d'un quartier de l'Inscription maritime. ◆ Repris en histoire (XXe s.), il s'applique au régime administratif des paroisses rurales représentées par des syndics. ◆ **SYNDICATAIRE** n. et adj. désigne un membre d'un syndicat financier, de copropriétaires (1868, n. et adj.).

SYNDIQUER v. tr. correspond d'abord à «demander compte de (qqch. à qqn)» (1546) et, à l'époque classique, «examiner d'un œil critique, censurer» (1589), d'où *scindiquer sur qqch.* (1622), acceptions qui se rapportent aux fonctions de contrôle du syndic et qui ont disparu au cours du XVIIe siècle. ◆ Le verbe prend au XVIIIe s. le sens moderne de «grouper (des personnes, une profession) en syndicat» (1768; 1783, pron.). D'abord appliqué aux associations d'intérêts professionnels, le verbe suit l'évolution de *syndicat* et ne se dit plus, vers la fin du XIXe s., que pour «adhérer à un syndicat de salariés». ◇ Il a fourni **SYNDIQUÉ, ÉE** adj. et n. (1886), «qui fait partie d'un syndicat ouvrier».

SYNDROME n. m. est emprunté (1537) au grec *sundromê* «action de réunir, réunion», composé de *sun* «ensemble» (→ syn-) et de *dromê* «course» (*-drome* dans *hippodrome,* etc.), dérivé de *dramein,* aoriste supplétif fonctionnant avec *trekhein* «courir». Ces mots constituent une importante famille indoeuropéenne que l'on retrouve dans le sanskrit *drávatí, drámati* «il court».

♦ *Syndrome,* apparu au XVIe s. en médecine, ne semble guère en usage avant le XIXe s. (1824), où il est repris pour désigner l'association de plusieurs symptômes qui constituent une entité clinique définissable. Le mot est plus didactique que *symptôme.*

▶ Il a pour dérivé **SYNDROMIQUE** adj. (1952), très didactique.

◈ voir **DROMADAIRE, PALINDROME.**

SYNECDOQUE n. f. représente la réfection (1671), à côté de *synecdoche* (1690, forme latine), de *synodoche* (XVe s.), emprunt au bas latin *synecdoche,* terme de rhétorique repris du grec *sunekdokhê* «compréhension simultanée de plusieurs choses». C'est un dérivé de *sunekdekhesthai* «se rendre maître en même temps», «comprendre à la fois», verbe composé de *sun* «avec, ensemble» (→ syn-) et de *ekdekhesthai* «recueillir dans son esprit», «saisir, comprendre», lui-même formé de *ek-* qui marque l'origine et de *dekhesthai* «recevoir», lequel se rattache à une importante racine indoeuropéenne exprimant l'idée de conformation, d'adaptation (→ daigner, décence, décorer, digne).

♦ Le mot désigne une figure de rhétorique où l'on fait «concevoir à l'esprit plus ou moins que le mot dont on se sert ne signifie dans le sens propre» (1730, Dumarsais, *Des Tropes*); elle consiste à prendre le tout pour la partie (ex. *porter un castor*), la partie pour le tout (ex. *un mat* pour *un navire*), la matière pour l'objet (ex. *le fer* pour *l'épée*), le contenant pour le contenu (ex. *boire un verre*), etc. Certaines synecdoques sont des métonymies.

SYNÉRÈSE n. f. est un emprunt savant (1540) au latin *syneresis* ou *synaeresis,* terme de phonétique, lui-même emprunté au grec *sunairesis* «action d'assembler», «récolte» et «resserrement, contraction», employé à propos des sons de la voix.

Ce mot dérive de *sunairein* «rassembler», «ramasser», composé de *sun* «avec, ensemble» (→ syn-) et de *hairein* «prendre, saisir» (→ hérésie), mot sans étymologie établie.

♦ Ce terme de phonétique désigne la prononciation de deux voyelles contiguës d'un même mot en une seule syllabe (ex. *violon*) ; il s'oppose à *diérèse**. ◆ Le mot a été repris en chimie (1933, dans les dictionnaires généraux) pour nommer l'agglomération spontanée de particules d'un gel, avec séparation éventuelle du liquide.

◈ voir **APHÉRÈSE**.

SYNERGIE n. f. est un emprunt savant (1778) au grec *sunergia* ou *sunergeia* «coopération, concours», dérivé de *sunergein* «travailler ensemble». Ce verbe est composé de *sun* «ensemble, avec» (→ syn-) et de *energein* «agir», de la même famille que *energeia*, emprunté par l'intermédiaire du bas latin (→ énergie).

♦ Le mot est introduit en physiologie pour désigner l'action coordonnée de plusieurs organes concourant à un effet unique, par exemple à l'exécution d'un mouvement *(synergie musculaire)*. ◇ Quittant le domaine scientifique, le mot s'emploie par extension pour parler de l'action coordonnée de plusieurs éléments (fin XIXe s.), par exemple à propos des relations humaines, de la vie sociale ; avec cette valeur, *synergie* est devenu un mot à la mode (v. 1960) dans le vocabulaire de la publicité, du journalisme et de l'économie.

▸ Le dérivé **SYNERGIQUE** adj. s'emploie en physiologie (1832), spécialement dans *muscles synergiques* (1904) «qui coordonnent leur action en vue d'exécuter simultanément un ou plusieurs mouvements». ◇ Comme le nom, *synergique* s'emploie aussi par extension (1903). ◇ De l'adjectif dérive **SYNERGIQUEMENT** adv. (1865), «de manière synergique». ◆ **SYNERGISME** n. m., introduit comme terme de théologie (XIXe s.) pour désigner une doctrine religieuse qui préconise la collaboration de l'homme avec Dieu, a été repris (mil. XXe s.) dans le vocabulaire scientifique. ◆ **SYNERGISTE** adj. et n. m. (1832 en théologie, repris XXe s.) est un terme de physiologie *(muscle synergiste)*.
Le préfixé **ASYNERGIE** n. f. (1843), de ② a-, désigne en médecine le manque de coordination des mouvements qui concourent à l'accomplissement d'un acte. ◆ En dérive **ASYNERGIQUE** adj. (1946), aussi employé comme substantif pour désigner un malade atteint d'asynergie.

SYNESTHÉSIE n. f. est un emprunt tardif, scientifique (1865) au grec *sunaisthêsis* «perception simultanée», dérivé de *sunaisthanesthai* «sentir avec», verbe composé de *sun* «ensemble, avec» et de *aisthanesthai* «percevoir par les sens» (→ esthète, esthétique).

♦ Le mot s'emploie en médecine et en psychologie pour désigner le phénomène par lequel une sensation objectivement perçue s'accompagne de sensations supplémentaires, dans une région du corps différente de celle qui a été excitée ou dans un domaine sensoriel différent.

▸ Il a pour dérivé **SYNESTHÉSIQUE** adj. (1872).

SYNODE n. m. est un emprunt (v. 1310 isolément), au féminin (1511) puis au masculin (1541), au bas latin *synodus* «collège de prêtres», emprunté au grec *sunodos* «réunion», «assemblée générale», puis spécialement «assemblée religieuse». Ce mot est composé de *sun* «avec, ensemble» (→ syn-) et de *hodos* «route, chemin, voyage», d'où au figuré «moyen» (→ odographie), mot d'origine indoeuropéenne (→ méthode, période). *Synodus* avait fourni par voie orale l'ancien français *sene* n. m. (v. 1175) ou *senne* (XIIIe s.), éliminé vers la fin du XVIe s. par l'emprunt *synode*.

♦ Le mot désigne une assemblée d'ecclésiastiques convoquée par l'évêque et, dans certaines Églises protestantes, une réunion de pasteurs (1592) ; dans la religion juive, *synode (israélite)* désigne (1872, in *F. e. w.*) un conseil de rabbins et de laïques délibérant sur des points de doctrine du judaïsme. ◇ Dans l'Église orthodoxe, on nomme *Saint-synode* le conseil suprême de l'Église russe, institué en 1721 par Pierre le Grand (l'expression française n'est attestée qu'en 1876). ◇ Par extension, *synode* s'est employé à l'époque classique pour «concile» (1671) et au sens d'«assemblée annuelle des maîtres et maîtresses d'école de Paris» (1680). ◇ Par réemprunt, et en parlant de l'Antiquité grecque, le mot a le sens étymologique de «réunion (commerciale, culturelle, etc.)» (1765).

▸ **SYNODAL, ALE, AUX** adj., «relatif à un synode», est un emprunt (1315) au bas latin ecclésiastique *synodalis*, dérivé de *synodus*. ◆ **SYNODIQUE** adj. est emprunté (1556, Bloch et Wartburg, sans indication de sens ; puis 1671) au bas latin *synodicus* «conforme aux décisions d'un synode» et, en astronomie, «qui arrive en même temps». En cosmographie, il s'emploie dans *mois synodique* (1671) «temps qui s'écoule entre deux lunes successives», *mouvement synodique* (1690), *révolution synodique (d'une planète)* [1812] «temps qui sépare deux conjonctions consécutives de cette planète avec le Soleil», *année synodique* (1872, pour la Terre). ◇ Il est repris dans le vocabulaire religieux, dans *lettres synodiques* (1721) ou *synodiques* n. f. pl. (XXe s.) «lettres écrites aux évêques absents, au nom du concile», comme nom masculin pour désigner l'ouvrage dans lequel on recueille les décisions d'un synode (1803) et comme adjectif au sens de «relatif à un synode» (1907), valeur où il est senti comme dérivé de *synode*.

SYNONYME adj. et n. m. est emprunté (XIIe s., *sinonimes* isolément ; puis v. 1380) au bas latin grammatical *synonymus* adj. et par substantivation *synonymum*. Ce dernier, nom neutre, reprend le grec *sunônumos* «de même nom que». Chez Aristote, la notion, en logique, concerne des noms dont le sens est lié *(sun)* par un genre commun, mais qui ont des sens différents (différences spécifiques : ainsi, *vert* et *rouge* par rapport à *couleur*). *Sunônumos* est composé de *sun* «avec, ensemble» (→ syn-) et de *onoma* «nom» (→ onomatopée) qui, avec l'arménien *anun*, se rattache à une racine bien représentée dans les langues indoeuropéennes, le plus souvent sous la forme °*nom-*, comme dans le latin *nomen* (→ nom) ou le sanskrit *nắma-*.

♦ Le mot apparaît isolément au pluriel dès le XIIe s. comme titre donné à une composition morale ; au XIVe s., il est d'abord adjectif (v. 1380) puis nom (av. 1553). La graphie *sinonime* (XIIe siècle ; puis v. 1380) est encore relevée par Richelet (1680) ; on trouve en moyen français les variantes *synonime* (1425) et *sinonyme* (1596). Il s'applique au XVIe s. à un mot qui a, avec un autre, une analogie de sens (genre commun) mais des acceptions différentes, valeur étymologique et aristotélicienne. À l'époque classique et surtout à partir du XVIIIe s., la notion, par refus de l'approximation et du cumul, évolue vers l'idée moderne de «mot de même sens qu'un autre, mais pouvant différer par un autre aspect : connotations, valeur expressive, etc.». ◇ Le mot s'est employé au pluriel pour désigner un ouvrage où l'on recueille et distingue des synonymes (1741). Par figure, ***être synonyme de*** signifie (XIXe s.) «évoquer une notion équivalente à».

▸ Les dérivés **SYNONIMER** v. tr. (1611) ou **SYNONYMISER** v. tr. (1845), «rendre synonyme», **SYNONYMISTE** n. (1786, n. m.), «spécialiste de l'étude des synonymes», ne se sont pas maintenus. ➔ **SYNONYMIQUE** adj., «relatif aux synonymes» (1801), s'est employé comme nom féminin (1845) pour parler de l'étude de la synonymie.

SYNONYMIE n. f. est emprunté (1582) au bas latin grammatical *synonymia*, du grec *sunônumia*, dérivé de *sunônumos*. Le mot désigne la relation entre des synonymes, avec les deux valeurs successives de ce terme, le fait linguistique que constitue l'existence de mots synonymes (1582 ; puis 1765). C'est aussi le nom d'une figure de rhétorique (1671) qui consiste à employer plusieurs mots ou expressions synonymes pour désigner une seule chose.

◈ voir ANTONYME.

SYNOPTIQUE adj. est emprunté (1610) au grec *sunoptikos* «qui embrasse d'un coup d'œil», composé de *sun* «ensemble» (→ syn-) et de *optikos*, dérivé de *oran* (futur *opsesthai*) «voir» (→ optique).

♦ L'adjectif s'applique à ce qui donne une vue générale d'un ensemble ; il est employé comme terme d'exégèse dans *Évangiles synoptiques* ou *les synoptiques* n. m. pl. (1852, E. Reuss) pour désigner, par opposition à l'Évangile selon saint Jean dont le plan est différent, les trois évangiles (de saint Matthieu, de saint Marc et de saint Luc), dont le récit est à peu près semblable, ce qui permet de comparer les relations qu'ils donnent d'un même événement ; ce sens est emprunté à l'allemand *synoptisch* (1809). Auparavant les exégètes employaient *harmonia* ou *concordia*.

▸ **SYNOPSIS** n. m. reprend (1834 au masc.) le grec *sunopsis* «vue d'ensemble», «coup d'œil général», «table des matières» (en bas latin *synopsis*), composé de *sun* «ensemble, avec» (→ syn-) et de *opsis* «action de voir» (→ optique). ◇ Le mot désigne une vue générale (d'une question, d'une science). ◇ Par emprunt à l'anglais *synopsis* de même origine mais plus ancien (1611) et spécialisé dans le spectacle et, aux États-Unis, au cinéma, le mot entre dans le vocabulaire du cinéma (1919, n. f., puis n. m.) pour désigner le récit très bref qui constitue un schéma de scénario.

SYNOPSE n. f. est la francisation (1872 ; 1843 par métaphore, Proudhon) de l'allemand *synopsis* (1776), emprunt au bas latin *synopsis* «plan, relevé», «inventaire», mot grec (voir ci-dessus). ◇ Dans l'exégèse biblique, le mot désigne un ouvrage qui présente les Évangiles de manière parallèle, en rapprochant les passages relatifs aux mêmes événements.

SYNOVIE n. f. reprend (1694) le latin scientifique de la Renaissance *synovia*, employé pour la première fois par Paracelse (av. 1550, aussi *sinovia*, *synophia*) et formé de *syn-** et d'un élément inexpliqué (on parle de formation «arbitraire»).

♦ *Synovie* désigne en physiologie un liquide d'aspect filant qui lubrifie les articulations mobiles. Le syntagme ***épanchement de synovie*** est l'emploi le plus usuel.

▸ Le dérivé **SYNOVIAL, ALE, AUX** adj., «qui contient la synovie» (1735), entre dans le syntagme *membrane synoviale* ou **SYNOVIALE** n. f. (1876) «membrane séreuse qui tapisse l'intérieur des cavités des articulations mobiles». *Synovie* a fourni également **SYNOVITE** n. f. (1833), formé à l'aide du suffixe *-ite*, et le composé **SYNOVECTOMIE** n. f. (1916), de *-ectomie*, «excision d'une membrane synoviale».

SYNTAGME n. m. est emprunté isolément (XIVe s., écrit *sintasme*) puis au XVIIe s. avec réfection étymologique (1644, *syntagme*), au grec *suntagma, -matos* «ensemble de choses rangées», d'où «corps de troupes», «organisation politique, constitution d'un État» et tardivement «corps d'ouvrage, traité, livre». Ce mot dérive de *suntassein* (ou *suntattein*) «ranger ensemble», «disposer en un tout», composé de *sun* «avec, ensemble» (→ syn-) et de *tassein* (ou *tattein*) «ranger» (→ tâche, taxinomie), mot d'étymologie inconnue.

♦ *Syntagme*, d'abord emprunté isolément avec le sens grec de «traité, ouvrage», a signifié «disposition, ordre» (1699), «traité méthodique» (1713), sens sortis d'usage. ◇ Il a été repris en histoire de l'Antiquité comme nom d'une subdivision de la phalange grecque (1842). ➔ Indépendamment de ces emplois, le mot a été réemprunté en linguistique (av. 1910, F. de Saussure) pour désigner toute suite de morphèmes ou de mots qui a un sens acceptable ; *syntagme* s'emploie spécialement dans les grammaires structurales en parlant de cette suite formant une unité dans l'organisation hiérarchisée de la phrase. En sémiotique, il désigne une suite signifiante de signes, linguistiques ou non.

▸ Le dérivé savant **SYNTAGMATIQUE** adj. se dit de ce qui est relatif au syntagme (av. 1910, F. de Saussure), par extension de ce qui concerne les successions dans l'énoncé, aussi comme nom féminin (v. 1910). ◇ Traduisant l'anglais *phrase*, qui signifie «syntagme», dans *phrase structure*, le mot se dit (v. 1960) en grammaire générative des rapports entre les éléments successifs de l'énoncé.

◇ *Syntagmatique* n. f. s'emploie également en sémiotique pour «suite d'éléments signifiants formant un signe complexe».

◈ voir **SYNTAXE.**

SYNTAXE n. f., réfection graphique d'après le latin (1640) de *sintaxe* (1572, Ramus), est emprunté au bas latin grammatical *syntaxis* «ordre, arrangement des mots», qui reprend le grec *suntaxis* «ordre, arrangement, disposition», d'où plusieurs sens qui conservent l'idée de mise en ordre, par exemple «ordre de bataille», «organisation d'un État», «composition d'un ouvrage» et, tardivement, «construction grammaticale». Ce nom dérive du verbe *suntassein* (ou *suntattein*) «ranger ensemble», «arranger» (→ syntagme).

♦ Les grammairiens latins utilisaient l'hellénisme *syntaxis* ou *constructio* (→ construction) pour la partie de la grammaire qui traitait de l'«arrangement des mots» mais aussi de l'emploi des mots, des cas et des modes, cet arrangement étant «réalisé par la construction d'une oraison parfaite» (Priscien, VIe s.). Cette conception se maintient au moyen âge et ne commence à être discutée qu'à partir de la Renaissance, en particulier parce que les grammairiens doivent résoudre des problèmes liés à l'enseignement du français à des étrangers. Meigret (1550, *Tretté de la grammere françoize*) n'emploie pas *syntaxis* mais «bâtiment ou construccion ou ordonance bone de parolles»; c'est Ramus qui introduit *syntaxe* pour désigner l'arrangement des mots, la construction des propositions ainsi que l'étude des règles qui les régissent. Par extension, le mot s'emploie pour «ouvrage qui traite de cette partie de la grammaire» (1718). ◇ Au XVIIIe s., la notion de syntaxe change de contenu, avec les travaux qui définissent les méthodes d'analyse des mots et des propositions (Dumarsais, Buffier), mais les rapports entre syntaxe et morphologie ne sont débattus qu'à partir de 1900 environ. ◇ *Syntaxe* désigne également au XVIIIe s. (1784, selon *G. L. L. F.*) les relations qui existent entre les unités linguistiques, considérées abstraitement, dans la langue, ou concrètement, dans le discours (1907, *la syntaxe d'un auteur*). Au XXe s., le mot s'emploie surtout en linguistique descriptive, la pédagogie des langues préférant nommer *grammaire* la syntaxe normative. ◆ Par extension, il s'emploie pour parler des relations entre des éléments signifiants autres que les signes d'une langue naturelle, organisés en séquence, d'abord dans *syntaxe des couleurs* (1883, Huysmans), puis à propos des images au cinéma (1929), des éléments d'un système figuratif, etc. ◆ En sémiotique, *syntaxe* désigne l'ensemble des rapports qu'entretiennent les signes entre eux, par adaptation de l'anglais *syntactics* chez Charles Morris, distingué de *semantics* et de *pragmatics* (cf. *sémantique, pragmatique*). Quelques spécialistes préfèrent la forme anglaise *syntactique*.

► Le dérivé **SYNTAXIQUE** adj., «relatif à la syntaxe» (1819), s'emploie dans *système syntaxique* (v. 1960) «système formel caractérisant un langage sans faire référence à la signification ni aux usages». Il a pour synonyme partiel *grammatical*. ◆ **MORPHOSYNTAXE** n. f., formé (v. 1960) d'après *morphologie**, désigne l'étude des procédés de formation de l'énoncé linguistique, aux niveaux morphologique et syntaxique; en dérive **MORPHOSYNTAXIQUE** adj. (v. 1960).

① **SYNTACTIQUE** adj., emprunt (1872) au grec tardif *suntaktikos* «qui met en ordre», dérivé de *suntassein*, est une variante de *syntaxique* et se dit spécialement (1933) de ce qui est relatif à la simple disposition matérielle des mots. Il s'emploie dans *doublets syntactiques* «formes différentes d'un mot selon le contexte», par exemple *vieux/vieil* (1904), et dans *phonétique syntactique* «déformations phonétiques qui affectent les mots au contact les uns des autres dans la phrase» (1933). ◇ Le dérivé **SYNTACTICIEN, IENNE** n., «spécialiste de la syntaxe» (1928), ne s'emploie pas en parlant de la syntaxe normative, où l'on dit *grammairien**. On a employé (rarement) *syntaxiste* (1912). ◇ ② **SYNTACTIQUE** n. f. désigne (1843, Cournot) la science des combinaisons logiques.

SYNTHÈSE n. f. est un emprunt savant (1541) au grec *sunthesis* «action de mettre ensemble» et spécialement en rhétorique et en grammaire «assemblage de parties», «composition», «arrangement (des mots, des phrases)» (cf. *syntaxe*), «traité, livre»; le mot signifie aussi «synthèse» par opposition à *analyse*. Le latin impérial *synthesis* avait un sémantisme plus restreint, ne désignant qu'une collection de plusieurs objets de nature analogue, la composition d'un médicament et un vêtement pour les repas. ◇ *Sunthesis* dérive de *suntithenai* «mettre ensemble, réunir», «composer (un ensemble)», en particulier «composer (un livre)», «juger, conclure d'un ensemble de faits», «arranger (une affaire)», «conclure (un traité)». Ce verbe est composé de *sun* «avec, ensemble» (→ syn-) et de *tithenai* «poser» (→ thèse), d'une base *-the-* qui se rattache à une racine indoeuropéenne °*dhē-* «placer», la consonne *dh-* étant représentée en latin par le *f* de *facere* «faire*».

♦ *Synthèse* reprend (1546) le sens grec et latin de «robe», à propos de l'Antiquité romaine, emploi rapidement disparu. ◆ La valeur moderne, après un emploi didactique opposé à *diérèse* (1576), apparaît au début du XVIIe s., le mot désignant alors en sciences (1607) la démarche de l'esprit qui va de propositions certaines à des propositions qui en sont la conséquence; le plus simple étant considéré au XVIIe s. comme le plus accessible par la connaissance : ainsi, dans le *Discours de la méthode* de Descartes, la démarche commence «par les objets les plus simples et les plus aisés à connaître, pour monter peu à peu, comme par degrés, jusques à la connaissance des plus composés» (Deuxième partie). En logique et en philosophie, le mot s'applique (1694) à une suite d'opérations mentales permettant d'aller des notions ou propositions simples aux composées, par opposition à *analyse**, qui désigne la démarche inverse. ◆ Au XVIIe s., *synthèse* possède aussi la valeur générale du grec, «réunion d'éléments en un tout»; en pharmacie, le mot a désigné, probablement par reprise du latin, la composition des remèdes (1694), en chirurgie l'opération par laquelle on réunit des fragments d'os fracturés (1607;

cf. *réduction*) et en grammaire une figure de rhétorique consistant à construire une phrase d'après le sens et non en suivant les règles de la syntaxe (1701); en ce sens la rhétorique médiévale employait déjà *synthesis*, passé aussi en ancien provençal (v. 1350, *synthezis*), en ancien catalan (v. 1400, *sinthezis*) et en espagnol (1492, *síntesis*). ◇ Avec la chimie moderne, le mot s'applique (1805, Lunier) à la préparation d'un composé à partir d'éléments ou corps simples, ou d'un composé de formule plus simple. *Synthèse* connaît depuis le XIXe s. un développement important dans le vocabulaire scientifique et technique, en psychologie, en photographie, en biologie (voir *biosynthèse, photosynthèse*, ci-dessous), en phonétique (*synthèse de la parole*). ◇ Des emplois récents sont liés aux développements de la musique électronique (cf. ci-dessous *synthétiseur*) et à ceux des images créées par ordinateur (cf. aussi *virtuel*). ➜ Par métonymie, le mot s'emploie aussi à propos de l'ensemble constitué par les éléments réunis, en philosophie (1832) et, dans l'usage général (1872), pour désigner un exposé d'ensemble. ◇ *Synthèse* se dit pour une proposition qui réalise l'accord d'une *thèse** et d'une *antithèse** en les faisant passer à un niveau supérieur (1876; emprunt à l'allemand).

▶ Le dérivé **SYNTHÉTISER** v. tr., formé dans la première partie du XIXe s., signifie «associer, réunir (des éléments abstraits) en une synthèse» et en chimie «produire, obtenir par synthèse» (attesté XXe s. : 1932). ➜ **SYNTHÉTISEUR** n. m. (v. 1960) est le nom d'un appareil permettant de transformer et de faire la synthèse d'éléments sonores à partir de leurs constituants (*synthétiseur de parole*). ◇ En technique électro-acoustique, le mot désigne (av. 1970) un instrument électronique synthétisant les sons musicaux, abrégé en **SYNTHÉ** n. m. (1976), et en télévision un dispositif permettant de faire apparaître deux images de sources différentes (v. 1970).

Quelques composés didactiques ont été formés au XXe siècle. ➜ **PHOTOSYNTHÈSE** n. f. (1902), de *photo-*, s'applique à la production de glucides par les plantes à partir du gaz carbonique de l'air; en dérive **PHOTOSYNTHÉTIQUE** adj. (déb. XXe s.). ➜ **BIOSYNTHÈSE** n. f., formé avec *bio-* (v. 1950), désigne en biologie la formation d'une substance organique dans un être vivant (*biosynthèse des protéines*) et a fourni **BIOSYNTHÉTIQUE** adj. (mil. XXe s.). ➜ **CHIMIOSYNTHÈSE** n. f., qui signifie en biochimie «synthèse de substances organiques (réalisée par des bactéries)», est un emprunt (v. 1950) à l'allemand (déb. XXe s.).

SYNTHÉTIQUE adj. reprend (1602) le grec *sunthetikos* «habile à arranger, à composer, à combiner» et «produit par une synthèse», dérivé de *sunthetos* «composé, formé de plusieurs parties», lui-même de *suntithenai*. ➜ L'adjectif s'applique à ce qui provient d'une synthèse ou à ce qui constitue une synthèse, d'abord en logique. Cet emploi est rare avant le XVIIIe siècle. Puis, en philosophie kantienne et par traduction de l'allemand, *jugement synthétique* se dit d'un jugement qui fait une synthèse du sujet et du prédicat, et ne peut être vrai que par rapport aux faits, s'opposant à *analytique*. Avec cette valeur, le mot s'emploie aussi en sciences, par exemple en mathématiques (*géométrie synthétique*). Il s'applique aussi à ce qui envisage la totalité d'un ensemble de phénomènes (XXe s., *théorie synthétique*). ◇ *Synthétique* se dit en chimie (1866) de ce qui concerne la synthèse chimique, spécialement (1931) d'un matériau qui n'est pas extrait d'une substance naturelle, mais est produit par synthèse; ce sens est passé dans l'usage général, par exemple dans *textile synthétique*, d'où *synthétique* n. m. (mil. XXe s.). ◇ L'adjectif qualifie aussi un esprit apte à la synthèse (1872). ◇ En linguistique, *langue synthétique* désigne une langue où une seule forme correspond à plusieurs éléments conceptuels et où les rapports grammaticaux sont marqués par des modifications internes (1877, Darmesteter), par emprunt à l'allemand *synthetisch* (Schlegel). ◇ En parlant de sons, l'adjectif signifie «produit par synthèse» : *musique synthétique* (voir ci-dessus *synthétiseur*). ◇ Le dérivé **SYNTHÉTIQUEMENT** adv. s'oppose (1725) à *analytiquement*. ➜ **SYNTHÉTISME** n. m., autrefois terme de chirurgie (1765), désignait l'ensemble des opérations nécessaires pour réduire une fracture. ◇ En philosophie (1846), puis en histoire de l'art, comme **SYNTHÉTISTE** adj. et n. (1889), c'est le nom du style pictural de Gauguin et de ses disciples, qui soumet la construction du tableau à un rythme d'ensemble, sans analyser la sensation lumineuse comme le faisaient les impressionnistes (fin XIXe s.). ➜ **SYNTHÉTICITÉ** n. f. (XXe s.), «caractère des expressions synthétiques», dans le positivisme logique, est didactique.

Le composé **POLYSYNTHÉTIQUE** adj. se dit en linguistique (1829) d'une langue agglutinante où les éléments exprimant les concepts et leurs rapports sont assemblés de sorte que la phrase entière se distingue difficilement du mot; en dérive **POLYSYNTHÉTISME** n. m. (1868). ➜ **PARASYNTHÉTIQUE** adj. et n. m. (1877, Darmesteter) reprend le grec *parasunthetos* «(mot) composé à l'aide d'un mot lui-même composé ou dérivé», de *para* «à côté de».

SYNTOL n. m. (v. 1970), de *synt*(hèse) et *-ol*, désigne un langage symbolique employé en documentation automatique.

SYNTONIE n. f. est un emprunt (1900) à l'anglais *syntony* (1892), dérivé savant du grec *suntonos*, de *sun-* (→ syn-) et *tonos* (→ ① ton).

♦ Le mot désigne en physique l'égalité des fréquences d'oscillations. ◇ Il est repris à l'allemand *Syntonie* (Bleuler, 1922) pour désigner l'état d'un sujet à personnalité harmonieuse (1922, Minkowski).

▶ **SYNTONE** adj., apparu en psychiatrie (1922), s'emploie aussi (v. 1960) à propos de circuits en syntonie. ◇ **SYNTONISATION** n. f. (1900) et **SYNTONISÉ, ÉE** adj. (1903), puis **SYNTONISER** v. tr. (1907) ne s'utilisent qu'en physique.

SYPHILIS n. f. reprend (1659) le latin de la Renaissance *syphilis* (1530) désignant le poème de Syphilus et la maladie. *Syphilus* est le nom d'un personnage d'un poème de Frascator de Vérone, tiré de *Sipylus*, nom du fils aîné de Niobé dans les *Métamorphoses* d'Ovide. Frascator a imaginé la légende d'un berger d'Amérique, *Syphilus*, qui entraîna le peuple de l'île d'Ophise à se révolter contre le dieu du soleil. Ce dernier, par punition, le frappa ainsi que son peuple d'une grave maladie vénérienne; la nymphe Ammerica *(sic)* leur donne un remède, tiré du gaïac, remède qui fut en effet utilisé au XVIe s. contre ce que l'on nommait *la grosse vérole*, avant la thérapeutique par le mercure qui apparaît au XVIIe siècle. La fiction vient du fait que la syphilis est d'origine américaine; apparue en Europe à la fin du XVe s., elle s'est répandue en particulier avec l'expédition de Charles VIII à Naples (fin XVe s.), d'où l'expression *mal de Naples*.

♦ *Syphilis*, «maladie vénérienne», a été longtemps employé pour désigner diverses affections transmises par contact sexuel, comme la blennorragie; le mot, rarement attesté, quelquefois écrit *siphilis* et employé aussi au masculin, ne se répand que dans les années 1860 et désigne la maladie vénérienne contagieuse provoquée par un tréponème. On disait usuellement *vérole** et, chaque peuple attribuant l'origine de la maladie à son voisin, les Français ont utilisé *mal de Naples*, les Italiens *il male francese*, les Allemands *die Franzosen*, expressions qui peuvent d'ailleurs correspondre à la diffusion effective du mal en Europe (Naples, Italie, France, puis Europe du Nord et du Centre).

► De nombreux termes médicaux ont été formés à partir de *syphilis*. ➤ **SYPHILITIQUE** adj. et n., «relatif à la syphilis» (1664) et «atteint de syphilis» (1841, comme adjectif; 1852, nom), n'est répandu qu'après 1850. ➤ **SYPHILISER** v. tr., «inoculer la syphilis à (qqn)» (1851), est employé aussi de façon non technique mais rarement, au sens de «rendre syphilitique» (1801 au p.p. adj.); en dérive **SYPHILISATION** n. f. (1851). ➤ **SYPHILOÏDE** adj. s'est appliqué à ce qui rappelle la syphilis (1855). ◇ Comme nom féminin, le mot désigne une éruption cutanée qui ressemble à celle de la syphilis (1916). ➤ **SYPHILIGRAPHE** n. (1843; *syphilo-*, 1855) et **SYPHILIGRAPHIE** n. f. (1842; *syphilo-*, 1836), concernant l'étude médicale de la *syphilis*, ont vieilli.
Le composé **ANTISYPHILITIQUE** adj. (1774), de *anti-*, s'applique à ce qui combat la syphilis.

SYRIAQUE adj. et n. m. reprend (1623) le latin *syriacus* «de Syrie, Syrien», dérivé de *Syria*, emprunté au grec *Suria* «Syrie», nom de pays à l'étymologie obscure. L'adjectif ethnique *Siriace* (1534) l'a précédé.

♦ Le mot désigne un des parlers du groupe araméen en usage à Édesse, ville de l'ancienne haute Mésopotamie. Ce parler est devenu une langue littéraire chrétienne, du XIIe au XIIIe siècle.

► **SYRIEN, IENNE** adj. et n., dérivé français de *Syrie* (XVIe s.), réfection de *Surien* (XIIe s.) qui correspondait au grec *Suria* (d'où *Sulian*, 1080) se dit de ce qui se rapporte à la Syrie et à ses habitants (adj. et n.). ◇ Il signifie aussi «relatif aux Églises chrétiennes dont le rite emploie la langue syriaque» (1700). ◇ Le nom, au masculin, désigne l'arabe parlé en Syrie (attesté 1924).

SYRINX n. f. est un emprunt (1752) au latin *syrinx, syringis* «roseau» et «flûte de Pan», lui-même emprunt au grec *surinx* désignant des objets longs et étroits, «flûte de berger», «étui», «galerie, couloir» et, chez les médecins, «trachée, veine». On a supposé au mot, mais sans certitude, une origine méditerranéenne ou orientale.

♦ Le mot désigne toute flûte de la Grèce ancienne et, spécialement, la flûte de Pan, aussi sous la forme *syringe* (1808); en ce sens il est parfois employé au masculin (1870, Rimbaud). ➤ Par analogie, *syrinx* est en zoologie (1904) le nom du larynx inférieur des oiseaux. ➤ Du pluriel latin vient la valeur archéologique de «tombe royale de l'Égypte pharaonique, consistant en une galerie creusée dans le roc» (1872), appelée auparavant **SYRINGES** n. f. pl. (1765).

◈ voir SERINGA, SERINGUE.

SYRTE n. f. est la réfection graphique (1535) de *cyrtes*, apparu dans une traduction du XIVe s. (v. 1320), publiée seulement en 1574, d'un texte de Guillaume de Tyr (v. 1190, en latin). Le mot reprend le latin classique *syrtis* «banc de sable, bas-fond», emprunté au grec *Surtis*, nom de deux bancs de sable très spacieux sur la côte de Libye. *Surtis* est dérivé de *surein* «traîner de force, charrier» (en parlant d'un cours d'eau), mot d'origine obscure.

♦ *Syrte* (1535), plus souvent employé au pluriel (1660), désignait un banc de sables mouvants. Le mot, didactique, s'emploie encore pour parler d'une région côtière sablonneuse. Il s'applique en géographie à deux golfes de Libye, *la Grande et la Petite Syrte* (*Syrtis major* et *minor*), et dans l'usage poétique (cf. J. Gracq, *Le Rivage des Syrtes*, 1951).

SYSTÈME n. m. est emprunté (1552) au bas latin *systema* (IVe s.) «assemblage», terme de musique employé au moyen âge pour désigner, d'après le grec, les théories cosmogoniques et théologiques. *Systema* reprend une acception du grec *sustêma* «assemblage, ensemble», dans la théorie cosmologique d'Aristote, et «corps de nations ayant les mêmes institutions, confédération», en politique; le mot désigne aussi, dans divers domaines, une combinaison, un groupement: «corps de soldats», «collège de prêtres ou de magistrats», «troupe d'animaux» et aussi «accord de quatre tons» en musique, «union de deux ou plusieurs vers». *Sustêma* vient du verbe *sunistanai* «placer ensemble, grouper, unir», composé de *sun* «avec, ensemble» (→ syn-) et de *histanai* «placer debout», forme à redoublement, de °*sista-*, qui se rattache à la racine indoeuropéenne °*stā-* «être debout», comme le latin *stare* (→ ester, station).

♦ *Système*, écrit aussi *sistème* jusqu'au début du XVIIIe s., est introduit au milieu du XVIe s. dans le vocabulaire scientifique pour désigner un ensemble de propositions, ordonnées pour constituer une doctrine cohérente du monde; cet emploi, qui ne présume pas de la vérité des propositions, se développe surtout à partir de la seconde moitié du XVIIe siècle. ◇ Le mot est aussi employé en musique depuis le XVIe s. (1578), d'après le bas latin, pour nommer deux ou plusieurs degrés entre une note et la suivante, en musique antique, puis, à l'époque classique, une suite de deux ou plusieurs intervalles qui font consonance (1690). ◆ *Système,* employé par Descartes en astronomie (1633), se répand dans le vocabulaire intellectuel à partir des années 1660, au sens de «doctrine à l'aide de laquelle on coordonne des connaissances relatives à une entité morale ou sociale», extension qui semble due à l'ouvrage de Cureau de La Chambre, *Le Système de l'âme* (1644); le mot s'applique ensuite à l'ensemble des connaissances et des moyens mis en œuvre dans les affaires (1675) et dans l'activité littéraire (fin XVIIe s.), puis plus généralement (1690) à un ensemble coordonné de pratiques par lesquelles on tend à obtenir un résultat. En même temps (1690, chez Furetière), *système* désigne en anatomie les faits mêmes qu'explique la théorie et se définit comme un ensemble de parties similaires qui concourent à une activité commune. Ces deux valeurs évoluent parallèlement. ◇ Au sens de «construction théorique», le mot connaît un emploi péjoratif (1721) pour parler de la tendance à parler ou à agir selon une interprétation du réel, en particulier dans ***par système*** «de parti pris» (av. 1778) et ***esprit de système*** (1751, d'Alembert) «attachement aux systèmes» et surtout «tendance à faire prévaloir l'intégration à un système sur la juste appréciation du réel». ◇ En économie, le mot s'emploie à propos des combinaisons de finance et de crédit construites par Law (v. 1720 : on a dit à ce propos *le Système* [1734], *l'Antisystème* étant attesté dès 1718) et en politique d'un ensemble de doctrines et d'institutions formant une théorie et une méthode pratique (1762, Rousseau). Cet emploi social est préparé par des contextes de sens général (1675, *le système de la Cour*). Avec ce sens, le mot entre dans de très nombreux syntagmes, souvent en alternance avec *régime (système politique). Le système* est défini aussi péjorativement (1832) comme l'armature d'une société (politique, économique, morale), considérée comme contraignante, valeur reprise par les adversaires de la IVe République pour qui *le système* représentait le régime parlementaire de type français (v. 1950-1958). ◇ Dans la langue scientifique, *système* s'emploie depuis le XVIIIe s. pour nommer la distribution d'un ensemble d'objets de connaissance selon un ordre basé sur un petit nombre de critères, qui en rend l'étude plus facile, d'abord en histoire naturelle (1753, Buffon), par exemple dans *système sexuel,* appliqué à la classification des plantes par Linné fondée sur les organes de reproduction (v. 1777). ◆ Dans le vocabulaire technique, le mot a désigné par réemprunt au grec la disposition d'une armée et des parties de la fortification (1765). ◆ Désignant les faits qu'explique une théorie (ci-dessus), *système* est passé de l'emploi en anatomie à la valeur plus générale d'«ensemble structuré d'éléments naturels de la même espèce ou de même fonction» (1706), emploi devenu fréquent dans le vocabulaire scientifique, technique, puis courant. Le mot s'emploie pour un ensemble structuré de choses abstraites (1765), spécialement un ensemble d'unités choisies pour exprimer les mesures de grandeurs physiques, dans *système décimal* (1792), *système métrique* (1795), puis au XXe s. dans *système C. G. S.* (1883; système choisi lors d'une conférence en 1881) et *système international d'unités* (abrégé en *SI*). ◇ Parmi les applications du mot en anatomie, l'une des plus usuelles est ***système nerveux*** (1808). De là vient l'emploi familier du mot pour «les nerfs» (1867), dans des locutions comme ***taper*** (1867), ***courir*** (XXe s.) ***sur le système*** «agacer vivement», ou *se faire sauter le système* «se tuer» (1888), sortie d'usage. ◇ En sciences, *système* est employé aussi en géologie (1872), en physique *(système de forces),* en astronomie (*système solaire; système planétaire,* 1778), en météorologie (XXe s., *système nuageux*), enfin en sciences humaines, par exemple en linguistique (déb. XXe s., *système grammatical*).

Par extension, *système* s'est appliqué à un fait ou à un objet dépendant d'un autre par sa fonction. Le mot a ainsi désigné un galon fabriqué avec la soie dont on garnit la chaîne d'un tissu (1765), puis (XXe s.) un dispositif de fixation *(cravate à système).* ◆ Le mot désigne couramment un appareil plus ou moins complexe ou un dispositif formé par une réunion d'éléments analogues (*systèmes optiques, électriques,* 1931, dans les dictionnaires généraux); de là procèdent les emplois dans le domaine militaire, dans *système d'arme* «formé par un projectile et tous les équipements nécessaires à sa mise en œuvre» (1933, *système d'artillerie*), puis en informatique (v. 1968, *système intégré de gestion*). ◇ Par ailleurs, *système* s'applique à une méthode définie d'avance, par exemple dans les jeux de hasard (cf. *martingale*) ou dans ***système D*** pour ***système débrouille*** (cf. *débrouillard*).

▸ Le mot n'a pas de dérivé français, à l'exception de **SYSTÉMIER** n. m. (mil. XXe s.) qui désigne, dans l'argot des joueurs, celui qui utilise un système dans les jeux de hasard.

Le composé **SOUS-SYSTÈME** n. m. (1877), de *sous-,* «système appartenant à un système plus important», est didactique.

SYSTÉMATIQUE adj. et n. est emprunté (1552, *sistematique*) au bas latin *systematicus,* lui-même pris au dérivé grec tardif *sustêmatikos* «qui forme un tout», «qui repose sur un ensemble de principes». Le mot qualifie en médecine les alternances du pouls. Il semble s'employer aussi, dès le milieu du XVIe s., avec une valeur générale pour «régi par les lois d'un ensemble complexe et cohérent» (1552) et dans *inesgalité systématique* (1584), expression de sens peu clair. ◇ Repris au XVIIIe s., il suit l'évolution de *système* et qualifie (1721) ce qui appartient, se rapporte à un système; en même temps, il s'emploie péjorativement (1721) à propos d'une opinion, d'une idée dictée par un système plutôt que par le respect du réel. ◇ *Systématique* s'applique aussi à une personne qui pense ou agit par système (av. 1747), substantivé peu après (1784), d'où son emploi pour «péremptoire et dogmatique» (1807). ◇ Qualifiant ce qui procède avec méthode pour un but déterminé en ordonnant les idées en système (1784), l'adjectif signifie par extension «cohérent et soutenu», souvent avec une valeur péjorative pour «qui ne cède devant aucun argument» (1893, *opposition systématique*). ◇ En sciences, il s'applique à ce qui dépend ou fait partie d'un système en tant qu'ensemble structuré, d'abord en médecine *(affections systématiques).* ◇ *La systématique* n. f. désigne (av. 1904) la science des classifications des formes vivantes (dite aussi *taxinomie*) et des espèces chimiques et, par ailleurs (XXe s.), un ensemble de vues et de méthodes relevant d'un système de pensée.

Le dérivé **SYSTÉMATISER** v. tr. signifie «réunir (plusieurs éléments) en un système cohérent» (1740) et péjorativement, en construction absolue, «juger de parti pris» (XXe s.). ◇ Le verbe s'est employé intransitivement au sens de «concevoir des doctrines abstraites» (1756). ➜ Il a fourni **SYSTÉMATISATION** n. f. (1824), didactique comme **SYSTÉMATISÉ, ÉE** adj., terme de médecine *(délire systématisé),* et **SYSTÉMATISEUR, EUSE** n., «personne qui réduit en système» (1877), rare. ➜ **SYSTÉMATIQUEMENT** adv. signifie «méthodiquement» (1752) et «par dessein préconçu» (1875). ➜ **SYSTÉMATICIEN, IENNE** n. désigne un spécialiste de la systématique (XXe s. : 1936, J. Rostand, Cuénot), équivalent de *taxinomiste.*

De *systématique* procèdent les termes didactiques **ANTISYSTÉMATIQUE** adj. (1739), de *anti-,* «opposé aux systèmes, à l'esprit de système» et **ASYSTÉMATIQUE** adj. (1957), de ② a-, «indépendant de tout système».

SYSTÉMIQUE adj. et n. f., didactique, est l'adaptation (v. 1970) de l'anglais *systemic,* dérivé de *system,* de même origine que le français. ◇ Le mot s'applique à ce qui se rapporte à un système dans son ensemble ou qui étudie les systèmes, d'où *systémique* n. f. ◇ En médecine, l'adjectif qualifie ce qui est relatif à la circulation sanguine générale. ➜ Du nom dérive **SYSTÉMICIEN, IENNE** n. et adj., «spécialiste de la systémique» (v. 1970).

SYSTOLE n. f., réfection graphique (1541) de *sistole* (v. 1370), est d'abord emprunté au bas latin grammatical *systole,* lui-même emprunt au grec *sustolê* «contraction», spécialement «abrègement d'une voyelle longue», puis à un autre sens du grec, «mouvement de contraction du cœur». *Sustolê* est dérivé du verbe *sustellein* «rassembler, restreindre», composé de *sun* «ensemble» (→ syn-) et de *stellein* «préparer, équiper, envoyer» (→ apôtre, épître), qui se rattache à une racine indoeuropéenne °*stel-* «envoyer».

♦ *Systole* désigne d'abord, en métrique ancienne, une licence prosodique par laquelle on abrégeait une syllabe longue par nature. ◇ La terminologie médicale a repris le mot grec pour nommer (1541) la contraction du cœur par laquelle le sang est chassé dans les artères, en opposition à *diastole.*

▸ En dérive **SYSTOLIQUE** adj., apparu en médecine à la Renaissance (1546, *systolicque*) et repris au XIXe s. sous sa forme moderne (1855). Le synonyme *systaltique* (1734), emprunt au grec *sustaltikos* «qui contracte», a disparu.

ASYSTOLIE n. f., terme de médecine formé de ② a-, de *systole* et de *-ie* (1855), désignait l'insuffisance cardio-vasculaire, aujourd'hui l'ensemble des phénomènes causés par cette affection. ◇ Il a pour dérivé **ASYSTOLIQUE** adj. (1889). ➜ **INTERSYSTOLE** n. f. désigne (1931) le temps qui s'écoule entre la fin de la systole des oreillettes et le début de celle des ventricules.

SYZYGIE n. f. est emprunté (1584) au bas latin *syzygia* «union», «assemblage», en métrique «réunion de plusieurs pieds», qui reprend le grec *suzugia* «union», «paire», dérivé de *suzugos* «uni sous le même joug» et «apparenté». Cet adjectif est composé de *sun* «avec, ensemble» (→ syn-) et de *zugon* «joug», auquel correspond le latin classique *jugum* (→ joug).

♦ *Syzygie* est le nom donné en astronomie à la position de la Lune, et par extension d'une planète, en conjonction ou en opposition avec le Soleil (nouvelle et pleine Lune). ➜ Par reprise du latin, le mot désigne en métrique grecque et latine (1872) un groupe de deux pieds. ➜ Encore repris en zoologie (1878), il désigne chez les crinoïdes une articulation perpendiculaire à la direction des bras.

◈ voir ZEUGMA, ZYGOMA.

T

TA, TA, TA onomatopée, est attestée par écrit chez Caylus (v. 1730) pour exprimer le bruit d'une conversation vide (là où l'on dit en français moderne *bla, bla, bla*). Depuis le XIXe s. (1847, Balzac) il sert à exprimer le doute ironique, «allons donc!». Un croisement avec *taratata* (→ tarare) est vraisemblable.

① **TABAC** n. m., d'abord sous la forme *tabacco* (1555), puis 1590 ensuite simplifié et francisé en *tabac* (1599), est emprunté à l'espagnol *tabaco*, lui-même déformation mal expliquée de *tsibatl*, mot de la langue des Indiens Arouaks d'Haïti où il désigne soit un ensemble de feuilles, soit l'action de fumer, soit surtout le tuyau de roseau dont ces Indiens se servaient pour aspirer la fumée. Cette hypothèse est préférable à celle qui fait de *tabaco* la transcription du nom de l'île de *Tobago* découverte plusieurs années après le début des expéditions espagnoles, mais ceci explique peut-être la déformation du mot indien *tsibatl* en *tabago*, assez éloigné. ◇ La plante a été introduite en France par André Thevet, qui en ramena plusieurs plants du Brésil et les cultiva en Angoumois, mais l'histoire a surtout retenu le nom de Jean Nicot, ambassadeur de François II auprès du roi du Portugal, qui chercha à introduire le tabac à la Cour de France.

♦ *Tabac*, d'abord cité comme mot caraïbe («pipe»), puis espagnol, est acclimaté en français peu avant 1600. Désignant la plante, il a subi quelque temps la concurrence des dénominations *herbe à Nicot* et *nicotiane*, avant que le nom de *Nicot* ne soit définitivement associé à celui de l'alcaloïde de la plante (→ nicotine). Par ailleurs, *tabac* a éliminé au XVIIe s. *pétun**. ◇ Par métonymie, le mot désigne le produit fait de feuilles de cette plante, séchées et préparées pour priser, chiquer et fumer (1629). ◆ Par une autre métonymie, *un tabac* (1665), en concurrence avec *bureau à tabac* (1769), *de tabac* (1794), est devenu usuel, pour désigner le débit de tabac et *les tabacs* (déb. XIXe s.) le service d'exploitation industrielle des tabacs. ◆ Le mot s'emploie en référence à la couleur (1733, *couleur tabac; des tissus tabac*) et au parfum du tabac, et entre dans la locution figurée d'usage familier ***c'est le même tabac*** (1871).

▸ *Tabac* a produit quelques dérivés dont **TABATIER, IÈRE** n. (1872), «ouvrier d'une fabrique de tabac», antérieurement attesté par le féminin *tabatière* (v. 1720) à propos de la fille d'un marchand de tabac. Ce mot est sorti d'usage. ◆ Un homonyme **TABATIÈRE** n. f. (1666), réfection de *tabaquière* (1650) dérivé plus régulier, sert à désigner la blague à tabac. Par analogie avec la forme de celle-ci, *tabatière* désigne une lucarne de comble (1859; *fenêtre en tabatière*, 1836). ◆ Les autres dérivés de *tabac* sont ultérieurs: **TABACOMANIE** n. f. (1907), **TABACULTEUR, TRICE** n. (1973), mots didactiques, et **ANTI-TABAC** adj. inv. (v. 1960), usuel depuis la campagne médicale dénonçant les méfaits du tabac.

◈ voir TABAGIE.

② **TABAC** → TABASSER

TABAGIE n. f. est emprunté (1603) à l'algonquin *tabaguia* «festin».

♦ Le mot est passé en français à propos d'un festin algonquin mais très tôt, sous l'influence de ① *tabac*, lui-même emprunté par l'espagnol à une autre langue indienne, il a modifié son sens en «lieu public où l'on va fumer» (1657). Par extension, il désigne l'action de fumer continuellement (1718). ◇ Concrètement, il a désigné une petite cassette où l'on mettait tout ce qui est nécessaire pour fumer (1712). On s'en sert également en parlant d'un endroit plein de fumée et d'odeur de tabac (1845). ◇ En français du Canada, le mot désigne ce que l'on nomme en France *bureau de tabac*.

▸ Il a produit **TABAGIQUE** adj. (1859), «qui a rapport au tabac», remplaçant *tabachique* (1846), de *tabac* et **TABAGISME** n. m. (1896, Charcot), «intoxication due au tabac».

TABASSER v. tr., attesté par écrit av. 1912 (Villatte), très antérieur dans les dialectes, est issu d'un radical *tabb-* exprimant l'idée de «frapper» dont on observe les dérivés dès le moyen français : *tabut* «bruit, tumulte» (v. 1400), d'où *tabuster* «battre, frapper» (1410), et depuis le XIIIe s. dans de nombreux dialectes, surtout franco-provençaux et occitans, tel *tabastar* (Limousin) «frapper, secouer», d'où *tabastel* «crécelle» (1355) [→ tarabuster].

▸ Cette série s'est croisée avec *tabac*, pris au sens de «coup sur le nez», pour donner ② TABAC n. m. (1802), terme argotique répandu après 1850, «volée de coups», surtout dans la locution ***passer à tabac*** (1879) après *repasser du tabac* (1833). ◇ ***Coup de tabac*** (1864) «gros temps» et la locution ***faire un tabac*** (v. 1950), qui vient d'*avoir le gros tabac* (1901) dans l'argot du théâtre (peut-être par allusion aux coups frappés en applaudissant), correspondent au même sémantisme.
Tabasser a aussi produit TABASSAGE n. m. (1937) et TABASSÉE n. f. (v. 1950). ◆ Son radical a servi à former un terme technique de pêche : TABASSE n. f. (XXe s.), «pêche consistant à frapper l'eau ou les herbes pour rabattre le poisson».

TABELLION n. m. est un emprunt (v. 1265) au latin impérial *tabellio* «notaire» (IIIe s.), dérivé du latin classique *tabella* «tablette à écrire», lui-même diminutif de *tabula* (→ table).

♦ Le mot a désigné un officier public qui faisait office de notaire dans les juridictions subalternes, puis (av. 1615, Pasquier) un officier chargé de la garde des actes publics. ◇ *Tabellion* semble peu usité dès la fin du XVIIIe siècle ; littéraire aujourd'hui, il s'emploie péjorativement et par plaisanterie (1842) pour «notaire». Ses dérivés ont disparu.

TABERNACLE n. m. est emprunté (v. 1120) au latin *tabernaculum* «tente», utilisé dans la langue des augures et passé dans celle de l'Église chrétienne. Le mot est le diminutif de *taberna* qui a dû désigner une habitation en général mais apparaît spécialisé au sens de «boutique» et spécialement de «cabaret» (→ taverne).

♦ Le mot est passé en français comme terme religieux pour désigner la tente des Juifs de l'Antiquité, dans le syntagme *fête des tabernacles* (1170) «solennité des Hébreux célébrée sous des tentes», en mémoire du campement dans le désert. *Tabernacle* désigne en particulier la tente où était enfermée l'Arche d'alliance avant la construction du Temple (v. 1170). ◇ Dans le contexte de l'Église catholique, il désigne la petite armoire placée au milieu de l'autel et qui contient le ciboire (v. 1155). De là le sens figuré de «lieu sacré» (v. 1160). ◇ Le mot a désigné en marine l'exhaussement à l'arrière d'une galère où se tenait le capitaine (v. 1673) et se dit en technique (1842, Académie) de l'espace libre maçonné autour d'un robinet souterrain. ◇ Au Québec, le mot, parfois déformé en *tabarnac'* ou suffixé en *tabarnouche*, sert de juron («sacre») familier et courant (comme *hostie, ciboire*, etc.).

TABIS n. m., nom d'une étoffe précieuse, est la réduction (fin XIVe s.) de l'ancien français *atabis* (Christine de Pisan), qui a connu les variantes *zatabis* (1380), *acabit* (XVe s.) et *escabis* (1416). L'*atabis* a été compris comme *le tabis*. Le mot est emprunté, par l'intermédiaire du latin médiéval *attabi* (1295), à l'arabe *'attābī* «étoffe de soie», mot tiré du nom d'un quartier de Bagdad où elle était fabriquée (*'Attābiyya*). L'italien a emprunté *tabì*, l'espagnol *tabí*.

♦ Le mot, à la mode avec le tissu du XIVe au XVIIIe s., a vieilli.

TABLATURE n. f. serait une forme contractée (1569), sous l'influence de *table**, de *tabulature* (1569), lui-même emprunté au latin médiéval *tabulatura*, de *tabula* (→ table). Selon Wartburg, *tabulature* représenterait une forme latinisée de l'italien *intavolatura* (XVe s.), refait en *tabulatura* au XVIIIe siècle.

♦ Le mot désigne la figuration graphique d'une pièce de musique à l'aide de signes conventionnels (1529) puis une représentation graphique de l'instrument (1768, Rousseau). Il entre dans la locution figurée ***donner de la tablature à qqn*** «de l'embarras, du mal» (déb. XVIIe s., d'Aubigné), par dérivation du sens ancien «leçon, enseignement» (fin XVIe s.).

✳ **TABLE** n. f. est issu (v. 1050) du latin *tabula* «planche», spécialement employé pour désigner une planche à écrire (en concurrence avec *tabellae*, plus usuel, «tablettes à écrire»), un tableau d'affichage des lois, des listes d'électeurs ou des proclamations publiques. *Tabula*, qui désigne aussi le testament, la tablette votive, se disait d'une table à jeu, d'un banc fait de planches et, par analogie de forme, d'un carré de vigne ou de terrain. Le mot, sans étymologie sûre (probablement un emprunt) a fourni l'italien *tavola*. Le latin *mensa* «table» ne s'est conservé en français qu'en charpenterie (*moise*), mais est représenté par l'espagnol *mesa* et le roumain *masă*.

♦ *Table* (v. 1150), également *taule, tauble*, formes plus évoluées en ancien français, désigne dès les premières attestations l'objet formé d'une surface plane et sur lequel on peut poser des objets, notamment les mets. Il s'est d'abord dit des planches (latin *tabulae*) dressées sur des tréteaux pour recevoir les plats, *mettre les tables* se disant même lorsqu'on posait des nappes sur l'herbe. ◇ Le mot entre dans de nombreux syntagmes, dont *table ronde* (1279 ; *la rounde Table*, 1150) «assemblée de chevaliers» et «sorte de tournoi», employé spécialement à propos des compagnons du roi Arthur (*Artus*) dans le cycle breton. ◇ Le mot désigne en particulier la table où l'on prend un repas (1549), entrant dans plusieurs locutions aujourd'hui sorties d'usage, comme *tenir table* (1382), ou encore usuelles : ***tenir table ouverte***, 1606 ; ***table d'hôte***, 1627 ; ***à table*** (en exclamation *à table !*), ***sortir*** (1610), ***se lever*** (1624) ***de table***, quelquefois métaphoriques ou figurées (1845, ***se mettre à table*** «avouer»). L'accent est parfois mis (depuis le XIIIe s.) sur la nourriture prise à table (*la table est bonne*) ou sur ceux qui prennent leur repas (attesté 1732) (voir *tablée*, ci-dessous). ◇ Le mot désigne plus généralement une surface plane sur pieds servant à des usages très divers pour le jeu (1080), le repassage, les séances de spiritisme (*table tournante*, 1854). ◇ D'après l'anglais *round table (conference)*, il entre dans la locution figurée moderne ***table ronde*** (1955) «réunion sans hiérarchie ni préséance». ◇ Par extension, *table* désigne un objet de mobilier qui s'apparente à la table proprement dite par la présence d'un support plat, généralement dans des syntagmes comme *table de nuit* (1717, selon Voltaire), *table de bureau* (1763), *table à ouvrage* (1824), *table de chevet* (1913). ◇ Le sens dominant est depuis le XIIe s. celui de «surface plane, à hauteur d'homme assis» (1160), spécialement dans l'emploi en contexte religieux (1485, *table d'autel*) ou simplement (XIVe s.) «surface plane», par exemple à propos d'une planche (1431). Ce sens a donné lieu à nombre d'emplois techniques spéciaux, en architecture, en musique (1611, *table d'harmonie*), en anatomie osseuse (XIVe s.), en géologie. ◇ Depuis l'emploi ancien du pluriel *tables* au sens du latin *tabellae* «tablettes pour écrire», le mot a aussi le sens de «surface plane sur laquelle on peut graver, écrire» (v. 1170). La locution figurée ***table rase*** (1314) calque le latin *tabula rasa* et d'autres locutions le latin ecclésiastique ou scolastique *(Tables de la Loi, loi des Douze Tables)*. ◇ Après avoir servi à désigner un registre (1335), *table* concerne toute présentation méthodique d'un ensemble de données (1531), alors souvent suivi d'un complément de détermination précisant la nature de ce qui est classé (1549; 1690, *table des matières*). Le mot s'emploie notamment en mathématiques, dans *table de multiplication* (1723), *de logarithmes* (1690) et aussi *tables de Pythagore* (1723; *table pythagorique*, 1690).

▶ Les emplois variés de *table* expliquent qu'on en ait dérivé de nombreux mots avec des sens divers, usuels ou techniques. ◆ Le sens courant de *table* «table à manger» vit seulement dans **TABLÉE** n. f. (1280), «convives à une table», et dans **(S')ATTABLER** v. tr. et pron. (1690), «s'asseoir à une table de jeu» puis «devant la table du repas», dont le dérivé **ATTABLEMENT** n. m. (1905, Huysmans) est peu usité. ◆ Quant à **TABLER** v. intr. (1290), il a évolué du sens de «se mettre à table» et «être à table» (XVIe s.), qui sera repris par *s'attabler*, vers les sens actuels au jeu de trictrac (1690) et pour «estimer, compter (sur)» (1690). ◆ Le diminutif de *table*, **TABLETTE** n. f. (v. 1175 [v. 1225, T.L.F.]), correspond à plusieurs sens de *table* : la valeur de «petite surface plate pour recevoir une image, une inscription» (v. 1280) a vieilli sauf comme terme d'Antiquité (1538) et dans le pluriel **TABLETTES** (1530), notamment dans la locution ***écrire, noter sur ses tablettes*** (*en ses tablettes*, 1466). Le mot désigne aussi une petite planche horizontale (v. 1278), notamment dans le langage des architectes et des métiers de la construction. ◇ Il sert à désigner depuis le XVIe s. (1560) un produit solide présenté sous forme aplatie, d'abord en parlant d'un médicament puis (1690) de différents produits, comestibles ou non (1876, *tablettes de combustible*). ◆ Lui-même a produit **TABLETTIÈRE** n. f. (1873), ancien nom désignant l'employée de vente à la criée qui tenait les tablettes de vente.

Deux noms issus de *table* ont eu une fortune particulière : *tableau* et *tablier*. ◆ **TABLEAU** n. m. (1285; également *tabliau, tablel*, 1280) est issu d'une forme diminutive de *table*. Le mot désigne dès ses premiers emplois un panneau (de bois, de métal) servant de cible, et portant des inscriptions, des images, puis la toile tendue sur châssis servant de support à la peinture (1355, *tablel*), d'où le sens usuel «œuvre picturale» donnant lieu à des locutions figurées, dont ***il y a une ombre au tableau*** (1667), ***vieux tableau*** (1889) «vieille femme ridicule fardée à l'excès». ◇ Depuis le XVIIIe s., par analogie avec le tableau pictural, il est employé au théâtre à propos d'un moment d'arrêt d'une scène présentant une unité visuelle *(faire tableau)*. Cet emploi a été précédé par l'emploi figuré au sens de «spectacle évoquant une représentation picturale» (XVIe s.), ***tableau vivant*** (1838) «spectacle présentant un ensemble de personnages immobiles». ◇ Le mot s'emploie aussi pour «évocation, description imagée» (1612) par un transfert de l'image au langage (cf. *peindre, peinture*). Ce type d'emploi est considéré par la critique moderne comme typique de la théorie de la connaissance au XVIIe s., l'«espace du tableau», étant complémentaire de l'analyse par le langage. De la valeur théâtrale du mot vient l'emploi de *tableau* pour la subdivision d'un acte correspondant à un changement de décor (1842). ◆ Depuis le milieu du XIVe s., de nombreux sens concrets procèdent de l'idée de «panneau plat»; *tableau* désigne notamment un panneau d'affichage (1351) et s'emploie pour le panneau où écrivent les écoliers (fin XIVe s.), plus tard dans ***tableau noir*** (1835) «panneau sur lequel on écrit à la craie en classe», l'expression reculant devant *tableau* lorsque le tableau de classe cesse d'être noir, et aujourd'hui dans *tableau magnétique*, etc. ◇ Techniquement, il se dit de l'encadrement d'une baie de fenêtre ou de porte (1560), de la partie plane de la poupe d'un navire en bois (1701), de l'emplacement réunissant plusieurs objets ou appareils (1890) comme dans ***tableau de bord*** (1914; 1905, *tableau*). ◇ Une acception archaïque, «surface où l'on mise à certains jeux» (XVIIIe s.), survit dans la locution figurée ***jouer sur les deux tableaux.*** ◇ Par métonymie, *tableau* s'applique à ce qui est inscrit sur un panneau d'affichage, que ce soit une liste de personnes (1549, ***tableau d'honneur***) ou une liste de données (v. 1790). ***Tableau de chasse*** se rapproche de ces emplois. ◆ Le mot a produit des dérivés plus ou moins techniques : le diminutif **TABLEAUTIN** n. m. (1823), **TABLEAUTIER** n. m. (1876), «ouvrier typographe chargé des tableaux», et **TABLEAUTER** v. intr. (1974), «composer des tableaux» en imprimerie. ◇ **TABLEAUMANE** n. m. (1847, Balzac) et **TABLEAUMANIE** n. f. (1822), composés hybrides se rapportant à la passion de la peinture, sont deux témoins de la vogue du goût artiste au XIXe siècle.

Le second dérivé usuel de *table*, **TABLIER** n. m., a désigné en ancien français, avec ses nombreuses variantes, diverses personnes en relation par leur métier aux planches, tables, bureaux (menuisier, pensionnaire, banquier, usurier). ◇ La même forme, avec une autre valeur du suffixe, s'appliquait à la surface plane sur laquelle se jouent certains jeux (1155, échecs) [*tabletier* ci-dessous]. Il garde l'idée de base (exprimée par *table* et *tableau*) dans des acceptions techniques, en architecture

(1762) puis en parlant de la plate-forme constituant le plancher d'un pont (1793, à propos d'un pont-levis; 1838, en emploi général), du support sur lequel repose une ruche (1812). ◇ Cependant, les valeurs les plus usuelles correspondent à l'idée d'une pièce d'étoffe, de cuir, de métal assurant un rôle de protection. Ainsi *tablier* a désigné en ancien français la nappe servant à protéger la table (v. 1175). Le sens aujourd'hui usuel de «vêtement de protection garantissant le devant du corps» apparaît au XVIe s. (1530). ◇ Par extension, *tablier* se dit (XVIIIe s.) d'une pièce remplissant la même fonction pour un objet, spécialement dans le domaine technique (1876), par exemple la pièce séparant le compartiment moteur de l'intérieur de la carrosserie d'une voiture (1933).

Table a aussi produit **TABLETIER** n. m. (1260), terme technique appliqué au fabricant et vendeur d'échiquiers, damiers et objets similaires, autrefois appelés *tables* ou *tabliers*. ◇ En est issu le nom de métiers correspondant, **TABLETTERIE** n. f. (1380, *tableterie*), qui se dit aussi par métonymie des articles fabriqués (1694).

Table entre dans **ENTABLEMENT** n. m. (v. 1130) qui a d'abord eu le sens de «plancher», en rapport avec *table* «planche», avant de devenir un terme d'architecture (XVIe s.) pour désigner la saillie au sommet des murs d'un bâtiment qui supporte la charpente et la toiture. ◇ Par extension, le mot désigne la partie saillante d'une porte, d'une fenêtre, d'un meuble (1870) et une saillie naturelle. ➜ Le verbe **ENTABLER** v. tr., créé au sens ancien de «faire un plancher» (v. 1170), a été repris à partir de 1838 au sens technique d'«ajuster deux pièces à demi-épaisseur». ◇ Son dérivé **ENTABLURE** n. f. (v. 1160, *entableüre*) a suivi la même évolution vers le sens moderne d'«endroit où se réunissent deux pièces de bois entablées» (1870).

◈ voir RETABLE, ① TÔLE, ② TÔLE (TAULE) et aussi TABELLION, TABLATURE, TABLOÏD, TABULAIRE, TAVELÉ.

TABLOÏD ou **TABLOÏDE** n. m. est l'emprunt (1893) de l'anglais *tabloid* «comprimé pharmaceutique», marque déposée le 14 mars 1884 par la firme Burroughs, Wellcome & Co. Le nom était dérivé de *tablet*, lui-même emprunté au XVe s. au français *tablete*, forme ancienne de *tablette* (→ table). Par analogie, *tabloïd* sert à désigner un quotidien de demi-format (1926).

♦ En français, le sens de «comprimé» est rare. ◇ L'acception «quotidien de demi-format» (1955), en apposition dans *format tabloïd*, est restée d'usage technique.

TABOU n. m. et adj., francisation graphique (1822) de *taboo* (1715), est emprunté à l'anglais *taboo* n. et adj., également écrit *tabu*, *tapu*, *tambu* et *tabou* et attesté dans le *Voyage* de Cook (1777). Ce mot est emprunté au polynésien *tabu* (à Tonga) et surtout *tapu* adjectif, qualifiant ce qui est interdit, sacré, et nom, désignant ce que les profanes ne peuvent toucher sans commettre un sacrilège.

♦ Le mot a pénétré en français par la traduction du *Voyage* de Cook (1785) et par le *Voyage de La Pérouse* (publié en 1797). Il est rare avant la fin du XIXe s. où il est encore peu connu (il est glosé par J. Verne, *Les Enfants du capitaine Grant*). Passé dans la terminologie des sociologues, comme nom et comme adjectif (1842), il s'applique aux sociétés polynésiennes, puis par extension aux sociétés totémiques dans lesquelles existe un système analogue. Cette extension a été critiquée par É. Durkheim (*Formes élémentaires de la vie religieuse*, 1912) qui a proposé d'employer *interdits* et *interdictions*; cependant, comme il le sentait lui-même, *tabou*, plus pittoresque, s'est implanté, sa diffusion étant appuyée par le célèbre titre de Freud, *Totem und Tabu* (1912). ◇ Au XXe s., le mot s'est répandu au sens général de «ce sur quoi on fait silence par crainte, pudeur» (1908) dans toutes les sociétés. Par ironie, il est employé comme adjectif en parlant d'une personne, d'une chose qui fait l'objet d'un respect exagéré, quasi sacré (1903).

▸ **TABOUER** v. tr. est l'adaptation (1811, trad. A. Humboldt), une première fois sous la forme *taboer* (1780), de l'anglais *to taboo* (1777, Cook) «déclarer tabou», lui-même dérivé de *taboo*. ➜ Le participe passé **TABOUÉ, ÉE** a été adjectivé (1867) pour qualifier ce qui a été rendu tabou. ◇ La variante **TABOUISER** (1953) a produit **TABOUISATION** n. f. (1953) et les antonymes **DÉTABOUISER** v. tr. et **DÉTABOUISATION** n. f., tous rares et récents.

TABOULÉ n. m., qui ne se répand que dans les années 1970, reprend par emprunt un mot arabe *tabūla* signifiant «relevé avec des condiments».

♦ Le mot désigne une préparation propre aux cuisines libanaise et syrienne, à base de persil, de menthe, d'oignon, de laitue, etc. de semoule de blé crue et assaisonnée d'huile d'olive et de jus de citron. L'emploi en France met l'accent sur la semoule, ce qui n'est pas le cas en français du Liban.

TABOURET → TAMBOUR

TABULAIRE adj. est emprunté (1355) au latin *tabularius* «caissier», dérivé de *tabula* (→ table).

♦ Le mot, d'abord substantif, a désigné un caissier de la Rome antique. Il a été repris comme adjectif (v. 1493) pour «inscrit sur un tableau», sens et forme étant sortis d'usage. ◇ Reformé au début du XIXe s. (1819) en sciences comme dérivé savant du latin *tabula*, l'adjectif qualifie ce qui est disposé en tables ou en tableaux, puis devient dans l'usage didactique l'équivalent de «en forme de table» (1829) et en géographie «de plateau».

▸ **TABULATEUR** n. m. est dérivé savamment (1908) du latin *tabula* pour désigner le dispositif d'une machine de bureau permettant d'aligner les signes de façon à former des tables, des tableaux. ➜ **TABULATRICE** n. f. est un autre dérivé savant (1921) de *tabula*, désignant une machine utilisant des cartes perforées. Il se dit aussi d'une imprimante fonctionnant ligne par ligne. ➜ **TABULER** v., formé (1943) sur *tabula* d'après les précédents, est, selon sa construction, le verbe correspondant à *tabulateur* (intransitivement) ou à *tabulatrice* (transitivement). ◇ Il a produit **TABULATION** n. f. (1933), «utilisation du tabulateur d'une machine de bureau».

TAC n. m. et interj. est un mot d'origine onomatopéique, d'abord relevé dans *tac-tac* (1560) et *tic-tac* (→ tic); l'élément *takk-*, exprimant un bruit sec, a produit, avec ses variantes *tikk-*, *tokk-*, plusieurs mots en français (→ ② taquet, toc).

♦ Le mot, redoublé en *tac-tac* depuis le XVIe s. pour exprimer le bruit du marteau d'une porte (1560), d'un couteau contre un verre (1690), d'un moulin (1875), était en concurrence avec *tic-tac*. Avec une valeur temporelle, «rapidement, immédiatement», il est entré dans la locution usuelle ***répondre du tac au tac*** (1897) qui vient du langage de l'escrime (1873, *riposter du tac au tac;* 1859, *riposter du tact au tact* [sic]).

▶ *Tac* a aussi donné **TACOT** n. m. (1803) désignant au XIXe s. l'outil qui met en mouvement la navette d'un métier à tisser, puis (1872) le battoir des laveuses. ◇ Le mot a pris au début du siècle ou à la fin du XIXe s. son sens actuel, «véhicule (automobile) d'un type ancien ou d'un fonctionnement défectueux» (1905) et «petit train local» (1917, emploi commenté par Proust), ceci par un glissement de sens habituel, de «mécanisme bruyant» à «mauvais véhicule» (cf. *guimbarde*, par ex.).

◈ voir **TAQUER.**

◈ **TACHE** n. f. succède (v. 1160) à *taje, take* (fin XIe s.) et *teche* (1080); il est issu d'un latin populaire °*tacca* «tache, signe», qui proviendrait du gotique *taikns*, représenté par l'allemand *Zeichen* «signe». La forme *teche* s'explique par un latin populaire °*tecca* où le *-ai-* gotique était passé à *-e-;* l'italien a conservé l'alternance du *a* et du *e* avec *tacca* «tache» et *tecca* «défaut», alors que l'ancien provençal et le catalan *taca* proviennent du type °*tacca*. P. Guiraud fait de *tache* le déverbal de *tacher* qui représenterait un latin populaire °*tacticare*, construit sur le supin *(tactum)* du classique *tangere* «toucher» (→ tangente), la tache étant une marque du doigt; la variante *teche* proviendrait selon lui d'une confusion à l'époque romane entre *tactum* et *tectum* «couvert».

♦ Le mot s'introduit (fin XIe s.) avec une valeur concrète, désignant une salissure, et apparaît dans *La Chanson de Roland* (1080) dans l'emploi neutre de «marque distinctive», s'appliquant à une qualité bonne ou mauvaise. Cette acception demeure jusqu'au XIVe s., époque où la valeur négative semble l'emporter. ◇ Dès le XIIe s., *tache* s'emploie pour «défaut» (v. 1138), plus tard à propos d'une action honteuse qui atteint l'honneur ou la réputation (1559), de ce qui dépare une œuvre (1561; puis 1798) et d'une chose impure contraire à la religion (1560); de là *Agneau sans tache* «Jésus-Christ» (1553) et *la tache originelle* «le péché originel» (1835). ◆ Parallèlement, *tache* développe des valeurs concrètes, désignant une altération à la surface de quelque chose, d'abord une marque sur la peau (XIIe s.), d'où *tache de vin* «nœvus» (1694), *tache de rousseur, tache de son*, ensuite une taie sur l'œil (1530). ◇ *Tache* désigne aussi (fin XIVe s.), sans idée de salissure, une marque colorée naturelle sur le pelage ou les plumes des animaux. Le mot s'emploie en astronomie (1671, *taches du soleil*), puis à propos de la partie terne d'un diamant (1764, Voltaire) et en parlant des végétaux (1876), d'abord en embryologie (1855, *tache germinative*). ◇ En peinture, le mot s'est d'abord employé péjorativement pour «tache de couleur qui rompt l'harmonie du tableau» (1755) et dans la locution ***faire tache*** «rompre une harmonie» (fin XVIIIe s.), usitée ensuite au figuré (1830); puis c'est l'idée de contraste qui prévaut, liée à un nouvel emploi de *tache* (1865), «élément coloré qui apparaît sur un fond uniforme»; avec l'impressionnisme s'introduit l'idée de juxtaposition de touches d'une seule couleur (ci-dessous *tachisme*). ◇ ***Tache d'huile*** s'est employé pour désigner une déchirure à un habit (1718) et un mauvais tour joué à quelqu'un (1867); on ne l'emploie aujourd'hui que dans ***faire tache d'huile*** «se répandre de proche en proche» (1872).

▶ **TACHER** v. tr., dérivé de *tache* ou issu d'un latin populaire °*tacticare* (ci-dessus), apparaît sous la forme *tajer* (fin XIe s.) au sens de «tacheter», puis au participe passé adjectivé *tachié* (v. 1175), et en moyen français *taché, ée* (v. 1450) «souillé, sale». Le sens moderne est attesté chez Chrétien (v. 1280). *Se tacher* est attesté en 1812. ◇ L'infinitif n'est attesté qu'au XVIe s. (1530) et s'est employé avec une valeur morale (fin XVIe s.), remplacé alors par *entacher* (ci-dessous). ◇ *Taché*, d'abord *takié* (1311), attesté anormalement tard sous sa forme actuelle (1791), s'applique à un animal qui porte naturellement des taches. ◆ **TACHANT, ANTE** adj., du participe présent, se dit de ce qui tache (1845, d'une plante) et de ce qui est salissant. ◆ **TACHETÉ, ÉE** adj. succède par substitution de finale (1538) à *tacelé* (v. 1120), *tachelé* (XIIe s.) «qui présente de petites taches». ◇ **TACHETER** v. tr. apparaît au XVIe s. (1538) et reste peu employé, comme son dérivé **TACHETURE** n. f. (1611).

TACHISME n. m., introduit à propos de la peinture figurative (1897) et moins usité que *pointillisme*, s'emploie plus souvent aujourd'hui en parlant d'une école de peinture abstraite procédant par taches de couleur. ◆ **TACHISTE** adj. (1882), terme de peinture, est aussi substantivé (1888).

Tache a produit deux dérivés préfixés. ◆ **ENTACHER** v. tr. s'introduit avec une valeur morale, écrit *entechier* (XIIIe s.), de *teche*, puis *entachier* (1380), enfin *entacher* (1538); il est aujourd'hui plus courant au passif et au participe passé. Il s'est employé au XVIe s. au sens concret (1530). ◇ **ENTACHÉ, ÉE** adj. est plus ancien, sous la forme *antechié* (v. 1175). Il est attesté comme *tache* avec une valeur neutre, «pourvu de telle qualité bonne ou mauvaise», mais en même temps appliqué à ce qui est souillé moralement et construit avec *de* (v. 1190, *entachié de*). L'adjectif s'est spécialisé au XIXe s. en droit : *acte entaché de nullité* (1835), comme *vicié*. ◆ ② **DÉTACHER** v. tr. (1539), d'abord *detachier* (v. 1501), n'a qu'une valeur concrète, «débarrasser d'une tache». ◇ Il a fourni **DÉTACHEUR, EUSE** n. (1680, au masculin; 1845, nom féminin), d'abord dans le style burlesque et alors en concurrence avec *dégraisseur*. Le mot a été repris (n. m.) pour désigner un produit, en concurrence avec *détachant*. ◇ ② **DÉTACHAGE** n. m. (1870) et **DÉTACHANT, ANTE** adj. et n. m. (1876) s'emploient surtout dans le contexte du nettoyage des vêtements, ainsi que **DÉTACHABLE** adj. (att. 1961).

◈ voir **ENTICHÉ**; peut-être **TAG**.

TÂCHE n. f. est la francisation (1180, *tasche*) du latin médiéval *taxa* «prestation rurale», qui a donné *tasca* en ancien provençal (XIIe s.); *taxa* dérive du latin classique *taxare* (→ taux, taxer).

♦ *Tâche* désigne tout d'abord le travail déterminé que l'on a l'obligation de faire, avec une notion de «rétribution», spécialement dans ***à la tâche*** (1606) que précède *en tasche* (XIVe s.), à propos des personnes payées selon l'ouvrage exécuté. ◇ Cette notion s'efface dans l'emploi figuré de la locution ***prendre à tâche de*** (1640) «prendre à cœur». Par extension, le mot se dit aussi d'un devoir moral (1782).

▸ Le dérivé **TÂCHER** v. (mil. XIVe s., *se taschier*) exprime l'idée de «faire des efforts pour»; il s'est construit avec la préposition *à* (*tascher a qqch*, v. 1470), évincée par *de* (fin XVe s.), et aussi directement avec *que* (1549). Il comporte quelquefois la nuance de «faire des efforts pénibles en s'appliquant à un ouvrage auquel on n'est pas propre» (depuis le XVIIIe s., Voltaire). Son emploi à la seconde personne de l'impératif (attesté 1730) fonctionne comme une expression atténuée de l'ordre (*tâchez de...*).

De *tâche* est aussi dérivé **TÂCHERON** n. m. (1508), qui prolonge le plus ancien *tascheeur* (v. 1278) «ouvrier agricole à la tâche». Ce sens est rare avant la fin du XIXe s., cependant que le mot désigne aussi un sous-entrepreneur du bâtiment à qui un entrepreneur cède sa tâche (1832). ◇ *Tâcheron* est passé dans l'usage courant en parlant d'une personne travaillant avec application, quelquefois avec la nuance péjorative (1904) de «personne effectuant des besognes de commande, sans grande intelligence».

TACHY- ou **TACHÉO-** est l'élément formant tiré du grec *takhus* «rapide» (à propos d'êtres humains, d'animaux, des pieds, de la pensée, de l'action), utilisé dès le grec comme premier terme de nombreux composés et d'étymologie inconnue.

▸ Le premier composé formé en français, **TACHÉOGRAPHIE** n. f. (1681), puis **TACHYGRAPHIE** (1721), désignant l'écriture au moyen de laquelle on écrit aussi vite que l'orateur parle, est sorti d'usage avec le procédé, de même que ses dérivés **TACHYGRAPHE** n. m. (1765, également *tachéographe*, *tachigraphe*) et **TACHYGRAPHIQUE** adj. (1765), remplacés par *sténographie* et ses dérivés. Le mot *tachygraphe* a été reformé pour désigner un appareil reproduisant rapidement des dessins (1882), puis un enregistreur de vitesse (av. 1933). ◆ **TACHÉOGRAPHE** n. m. a été repris (1903) pour désigner un appareil de visée inventé en 1898 et utilisé dans la levée des cartes et plans, tandis que *tachygraphe* n. m. prenait son sens moderne, «appareil enregistrant la vitesse» (1923). ◆ **TACHÉOMÈTRE** n. m. désigne en géodésie un instrument permettant de relever rapidement un plan nivelé (1875), entraînant la formation de **TACHÉOMÉTRIE** n. f. (1858).

TACHYCARDIE n. f., terme de médecine (1871, trad. de Virchow), est la transcription du latin moderne *tachycardia* «accélération du rythme des battements du cœur». ◇ Quand l'accélération se double d'une irrégularité des battements, on parle de **TACHYARYTHMIE** n. f. (1912), de *tachy-* et *arythmie* (→ rythme). ◆ Quelques autres termes savants (médecine, biologie) ont vu le jour à la fin du XIXe et au XXe s., l'élément étant toujours productif.

TACITE adj. est emprunté (1466) au latin *tacitus* «dont on ne parle pas», d'où «qui n'est pas formellement exprimé» et «qui ne parle pas», d'où «silencieux, calme», dérivé de *tacere* (→ taire).

♦ En français, l'adjectif exprime l'idée de «qui ne parle pas, silencieux», sens littéraire et archaïque. ◇ Sa valeur courante, «non exprimé, sous-entendu» (1495), existait depuis 1286 en ancien gascon et depuis 1352 en ancien provençal. Elle donne lieu à certains emplois juridiques (*reconduction tacite*, XVIe s.).

▸ Son dérivé **TACITEMENT** adv., «sans être formellement exprimé» (1474), a signifié aussi «en cachette, à voix basse» (1495).

TACITURNE adj. est emprunté (v. 1485) au latin *taciturnus* «silencieux», «qui ne parle pas», dérivé de *tacere* (→ taire) probablement sous l'influence de *nocturnus* (→ nocturne), la nuit et le silence étant souvent invoqués ensemble.

♦ Dans ses premières attestations, *taciturne* qualifie un endroit où il n'y a pas de bruit et ce qui a le caractère du silence nocturne (1829). Cependant, de nos jours, il est rare que cet adjectif qualifie un lieu, cet emploi métaphorique étant très littéraire (1857, Fromentin parlant de *clôtures taciturnes*). ◇ Il a fonctionné un temps comme synonyme de *tacite** au sens de «non formellement exprimé» (1519), avant de prendre son sens actuel «qui parle peu (par humeur, tempérament)» (1530), seule valeur du mot qui soit usuelle, et «qui ne se traduit pas en paroles» (1680), d'un sentiment.

▸ Le dérivé **TACITURNEMENT** adv. (1512), «en silence» puis (1857) «de manière taciturne», est rare. Le nom correspondant, **TACITURNITÉ** n. f. (1375), est emprunté au dérivé latin *taciturnitas, -atis*. ◇ En moyen français, il s'est dit du silence qu'on garde, de la discrétion (1531; disparu dès le début du XVIIe s.) et, au XVIIe s., de la paresse à écrire (1638). ◇ Son sens moderne, «tempérament d'une personne taciturne» (1549), relève d'un registre plus soutenu que l'adjectif.

① **TACON** n. m., d'abord *tacones* (1036, à Arras; *tacun*, XIIe s.), est issu du francique °*takko* «dentelure, feston».

♦ Le mot, sous diverses formes, s'est dit en ancien français de pièces de cuir pour réparer des souliers et aussi (XIIIe-déb. XVIe s.) du talon. Il désigne régionalement (depuis le XVe s.) une pièce de tissu servant à réparer les vêtements; il correspond alors à *petas* (cf. *rapetasser*) en occitan du Nord (Auvergne, etc.) et a donné en ancien et en moyen français *rataconner, retaconner*. ◇ Le moyen français *tacon*, au sens de «languette», se serait spécialisé en technique (1690), alors écrit aussi *taquon*, pour désigner une garniture placée sous les caractères typographiques pour les exhausser, idée possible de «talon». C'est du moins l'hypothèse de Wartburg car, dans ce sens, le mot est spontanément rattaché au verbe *taquer** et pourrait aussi relever de la racine onomatopéique *tak-* (→ tac).

▶ Le dérivé **TACONNER** ou **TAQUONNER** v. tr. (v. 1225, en picard) signifiait «raccommoder (des chaussures) avec des tacons». Il signifie en typographie «exhausser à l'aide du tacon».

② **TACON** n. m. est un emprunt (1555) au bas latin *tacco, taco* de même sens (VIe s.), probablement d'origine gauloise.

♦ Le mot désigne un jeune saumon qui n'a pas encore effectué la descente de rivière pour rejoindre la mer.

TACOT → TAC

TACT n. m. est emprunté (v. 1354, puis v. 1570, Paré) au latin *tactus* «action de toucher, attouchement», au figuré «influence», dérivé du supin *(tactum)* de *tangere* «toucher» (→ tangente, tangible).

♦ *Tact* a d'abord désigné le sens du toucher, aujourd'hui réservé au nom *toucher,* sauf pour désigner spécialement ce sens quand il permet d'apprécier les divers stimuli mécaniques s'exerçant sur la peau et les muqueuses. ◆ Le mot a pris son sens figuré moderne de «délicatesse, doigté» (1757 par métaph. ; repris XIXe s.). Il avait désigné la faculté de juger rapidement sur de faibles indices (1769), notamment en ce qui concerne les usages du monde, les convenances.

▶ **TACTILE** adj. a été emprunté (1541) au dérivé latin *tactilis* «qui se rapporte au toucher», au sens second de «perçu par le toucher». Ce sens «vieillit» (selon l'Académie, 1935), à la différence de celui de «qui concerne la sensibilité, les sensations du toucher» (1762). N'étant employé que concrètement, il n'est plus lié à *tact,* lequel est surtout figuré. Il est spécialisé en zoologie (*poils tactiles,* 1901).

TACTIQUE n. f., est emprunté (1320, pour «tacticien» ; mil. XVIIe s. comme n. f.) au grec *taktikê* (sous-entendu *tekhnê*) «art de ranger, de disposer, ou de faire manœuvrer des troupes», substantivation de l'adjectif *taktikos* «qui concerne l'arrangement, la disposition». Le mot est dérivé de *tassein* (*tattein* en attique) «placer, ordonner», spécialement employé en art militaire, mot sans étymologie établie.

♦ *Tactique* s'est introduit en français avec le sens spécialisé en art militaire de son étymon grec, de nos jours entendu de façon plus large comme l'art de combiner les moyens militaires au service d'un combat. Il est passé dans l'usage courant (1788) en parlant de l'ensemble des moyens mis en œuvre pour parvenir à une fin, s'opposant à *stratégie,* qui désigne la façon de mener un conflit dans son ensemble. ◆ L'adjectif *tactique* (v. 1850) est soit un emploi adjectif du nom, soit un réemprunt au grec *taktikos* «relatif à l'art de placer, d'arranger (spécialement une armée)». Le mot, d'abord employé dans le domaine militaire, signifie à la fois «relatif au combat» et «utilisable au combat» (1860) ; il est passé dans l'usage courant au XXe s. et a acquis récemment un sens militaire technique dans *armes tactiques* «à moyenne portée».

▶ *Tactique* n. f. a produit **TACTICIEN, IENNE** n. (1758), dit d'abord d'un militaire. ◇ L'adjectif a pour dérivé **TACTIQUEMENT** adv. (1903, Foch). ◆ La physique contemporaine a emprunté **ISOTACTIQUE** adj. à l'italien *isotattico* (1955, G. Natta), de *iso-** et du grec *taktikos ;* elle lui oppose **ATACTIQUE** adj. (av. 1968).

◈ voir SYNTAGME, SYNTAXE, TÂCHE, TAUX, TAXE, TAXI-.

TADJIK adj. et n. m. est emprunté (1772, *tadgic*) à la langue même qui se désigne par ce mot, l'emprunt ayant pu transiter par le russe. *Tājik* signifie en persan «ce qui n'est ni arabe ni turc».

♦ Le mot qualifie et désigne une population répartie en Iran, en Afghanistan et dans le Tadjikistan, et, par ailleurs (n. m.), la langue iranienne de ce peuple.

TADORNE n. m., d'abord attesté au féminin (1465), aussi *tadourne* (Rabelais), masculin depuis le XVIIe s. (attesté 1660), est d'origine incertaine, peut-être (selon Wartburg) résultat d'une métathèse sur un dérivé du latin *tardus* (une forme *tardone* est attestée, mais tardive, 1721). Le latin zoologique *tadorna* (*anas tadorna,* Linné) est moderne. ◈

♦ Le mot désigne un canard migrateur de grande taille.

TAFFETAS n. m. est emprunté (1314, *tafuta*) à l'italien *taffetà,* qui est lui-même emprunté par le turc au persan *tāfta* «tissé, tressé».

♦ Le mot désigne un tissu de soie à armature unie. On a appelé *taffetas d'Angleterre* (1696) ou *taffetas gommé* (1795) un tissu (originellement du taffetas) enduit d'une substance agglutinative que l'on applique sur les plaies, les coupures.

▶ Le mot a donné de rares dérivés dont subsistent **TAFFETATIER, IÈRE** n. (1611) «fabricant de taffetas» et **TAFFETALINE** n. f. «étoffe de taffetas» (1875, Larousse), mots techniques.

TAFIA → RATAFIA

TAG n. m. est emprunté dans les années 1980 (1981) à l'anglo-américain *tag* «label, étiquette décrivant sommairement un objet (paquet, bagage) et permettant de l'identifier» (1835) et «signature, graphisme sur un badge». Ce sens a pris les proportions d'un véritable phénomène culturel dans les ghettos noirs de New York au cours des années 1970 : une nouvelle génération de graffiteurs (appelés *writers* «écriveurs»), armée de feutres indélébiles et de bombes aérosols, s'est mis à maculer les métros et les rues de *tags,* pseudonymes ou sigles d'appartenance à une bande, souvent suivis du numéro du «block» où habite le graffiteur. *Tag* est un mot anglais attesté peu après 1400 et d'origine obscure : on y a vu l'altération d'une forme primitive *dag* sous l'influence de *tack* «attache, pointe» (lui-même emprunté à une forme dialectale °*taque*, du français *tache** «marque distinctive»). En anglais, *tag*, «petite pièce pendant à un vêtement, pendentif ornemental» et «pointe de métal terminant un ouvrage de dentelle, une lanière», a développé, outre de nombreuses acceptions concrètes, plusieurs sens relatifs à l'expression verbale (XVIIIe s.); il désigne ce que l'on appose à un écrit, citation brève, pointe martelant une maxime, refrain ou ornement final d'une chanson, d'un poème.

♦ Le mot est attesté en français en 1981 (*Libération* du 28 octobre) dans un article consacré aux graffiti new-yorkais, le traitant comme un xénisme dont l'équivalent serait «étiquette-signature». Il se répand véritablement à la fin des années 1980, lorsque la pratique du tag est assimilée (conjointement à une expression musicale indissociable, le rap) par les graffiteurs français des banlieues et des grandes agglomérations.

▸ Se développant à partir de 1985, le phénomène tag a suscité son vocabulaire avec **TAGUER** v. et **TAGUEUR** n., qui concurrencent les formes *tagger* v. et *tagger* n. (ou *tager*, *tagger-barbouilleur*) adaptées de l'anglo-américain (1988-1989). ◇ L'américanisme **TAGGING** n. m. (1990) désigne la pratique du tag.

TAGLIATELLES n. f. pl. est un emprunt (mil. XXe s.) à l'italien *tagliatelle* n. f. pl. «pâtes alimentaires coupées en rubans plats assez larges»; ce mot est le diminutif de *tagliati* «tranches», pluriel substantivé du participe passé de *tagliare* «découper», de même origine que *tailler** (cf. *taillade*). Le français avait auparavant emprunté *tagliati* (1876) et *tagliatelli* (1875), singulier de *tagliatelle*, termes rares pour désigner ce genre de pâtes.

♦ Le mot entre dans une série de désignations des pâtes alimentaires empruntées à l'italien à diverses époques, tels *cannellonis*, *macaronis*, *spaghettis*.

TAÏAUT interj., attesté chez Molière (1661), s'est substitué au moyen français *taho* (v. 1300) issu du radical expressif *ta-*, cri pour stimuler les bestiaux.

♦ Le mot, aussi écrit *tayaut*, désigne le cri du veneur pour signaler une bête dans la chasse à courre.

TAIE n. f. est issu (1316), par les formes *teie* (déb. XIIe s.) puis *toie* (XIIIe s.), du latin *theca*, lui-même emprunté au grec *thêkê* «boîte, cassette, étui, fourreau» (→ -thèque). Celui-ci est certainement issu de la racine de *tithenai* «poser, placer» (→ thèse); il est identique (au genre près) au sanskrit *dhākā-*, mais il peut s'agir de créations indépendantes.

♦ En français, le mot désigne l'enveloppe de tissu qui recouvre un oreiller. ◆ Il est passé dès le XIVe s. dans le langage de l'anatomie (v. 1320, *toie*) pour désigner une tache opaque de la cornée, puis (XVIe s.) diverses enveloppes anatomiques.

TAÏGA n. f. est la reprise (1905) d'un mot russe, lui-même emprunté à une langue turque de Sibérie. L'anglais a *taiga* en 1888.

♦ Le mot désigne une forêt de conifères en parlant de l'Asie et de l'Amérique septentrionale; d'abord employé en géographie, il est devenu relativement courant.

TAILLADE n. f. est un italianisme (XVe s.), emprunté à *tagliata* d'après *tailler*, le substantif italien étant dérivé du verbe *tagliare*, du bas latin *taliare* (→ tailler).

♦ Le mot a désigné au XVe s. une épée pour frapper de taille (et non pas d'estoc), puis (1532, Rabelais) un coup porté en frappant de taille, un coup qui entaille et, de là, une coupure dans les chairs. ◆ Un autre sens (fin XVIe s.) concerne l'ouverture allongée de certains vêtements laissant voir la doublure ou une étoffe de dessous (cf. *crevé*). ◆ Le mot a pris régionalement la valeur de «morceau taillé, tranche» (attestée XXe s.).

▸ Le dérivé **TAILLADER** v. tr. (1538) se dit d'abord pour «faire une entaille dans la peau de (qqn)» puis (1690) «dans une chose», souvent avec une valeur d'intensif par rapport à *tailler*. Au figuré (1760), il se disait pour «couper dans (un texte)», «censurer».

✻ **TAILLER** v. tr. est issu (Xe s., *talier*) du bas latin *taliare* dont le sens premier a dû être «élaguer» (en arboriculture) et, de là, «couper» en général. C'est un mot attesté à basse époque (VIe s.), après le composé *intertaliare* «élaguer» (IVe s.), mais bien vivant dans les langues romanes; il se rattache probablement au latin classique *talea (talia)* «rejeton, bouture», «piquet, pointe», terme technique sans doute emprunté (les rapprochements sur la base d'une racine présumée °*tal-* sont à écarter).

♦ En français, le mot signifie d'abord «couper, trancher avec une lame», sens sorti d'usage dans plusieurs de ses emplois anciens : «couper des morceaux (par exemple de viande)», «frapper avec le tranchant de l'épée» (fin XIIIe s.). Ce dernier emploi est cependant à l'origine de la locution ***tailler en pièces*** (1559, au figuré, dans un contexte militaire). Les emplois spéciaux du verbe en art «sculpter», en chirurgie (1562) sont également sortis d'usage. ◇ *Tailler* est resté courant avec l'idée de «travailler (une matière, un objet) au moyen d'un instrument pour lui donner une certaine forme en retranchant ce qui est inutile» (1050), notion réalisée en confection pour «couper (un vêtement)» [v. 1150], d'où *tailleur* (ci-dessous) et la locution figurée *tailler des bavettes* (1690), puis ***tailler une bavette*** (1842) «bavarder». Cette acception s'est aussi spécialisée en sculpture (fin XIIe s.) et, renouant avec le sens étymologique, en arboriculture (1283). ◇ Par extension, cette idée a donné lieu au sens figuré de «prendre pour soi», à la forme pronominale *se tailler qqch.* (1841), d'où ***se tailler un franc succès*** (1949). ◆ Certains sens anciens ont totalement disparu, ainsi le sens figuré d'«établir, fixer, instituer» (1220) ou le sens spécialisé au jeu de cartes, «jouer seul contre tous» (1690). ◆ Cependant, l'ancien emploi en navigation survit en français moderne dans *se tailler* au sens familier de «s'en aller rapidement» (attesté mil. XXe s., après *tailler* intrans., 1928) et dans *tailler la route* (attesté 1946).

▸ **TAILLÉ, ÉE**, le participe passé, est adjectivé avec les sens correspondant au verbe; il est employé spécialement avec un adverbe ou un complément pour indiquer une particularité de complexion (1175, *être bien taillé*, d'une personne). En outre, *taillé à* (1180), de nos jours remplacé par *taillé pour* (XIVe s.), exprime l'aptitude. ◆ **TAILLANT**, le participe présent, est substantivé au masculin (1288) pour désigner ce que l'usage moderne appelle *tranchant* (d'une lame). ◇ Il a probablement désigné en ancien français le tailleur. ◇ Il est vivant en technique pour «extrémité active d'une mèche perforatrice» (1765). ◆ De *taillant* est dérivé le nom de métier **TAILLANDIER, IÈRE** n. (1213), «artisan qui fabrique des outils tranchants», sur lequel on a fait **TAILLANDERIE** n. f. (1422; 1409, *telenderie*), qui a d'abord désigné des morceaux d'étoffe ainsi que le métier de tailleur (ce qui montre que *taillant* était en ancien français le synonyme de *tailleur*). Il signifie ensuite «métier de taillandier» (1430) et désigne par métonymie les articles fabriqués (1581). ◆ Le nom correspondant à *tailler* est moins **TAILLAGE** n. m. (1445; 1255, *tallage*), surtout employé avec le sens technique de «découpage de la terre à briques en tranches minces» (1904), que le déverbal *taille*.

Le déverbal **TAILLE** n. f. (v. 1140) signifie dès les premiers textes «évaluation», puis «impôt», soit d'après l'usage des collecteurs de marquer sur une petite «taille» de bois (voir ci-dessous) ou par des entailles sur le bois ce que les contribuables avaient donné, soit par une métaphore de *tailler* «enlever», soit enfin avec le sens figuré de «répartition». Mais dès le XIIe s. (1175), le mot, dérivé sémantiquement normal du verbe, désigne l'opération consistant à tailler concrètement et la manière de le faire, spécialement en construction (*pierre de taille*, fin XIIIe s.), en gravure et en arboriculture (1562). ◇ Par métonymie, *taille* se dit de la forme donnée en taillant (la pierre, l'arbre) et par extension du rameau coupé qui commence à repousser. Il désigne spécialement le travail du sculpteur (1260), entrant dans ① **BASSE-TAILLE** n. f. au sens de «bas-relief» (1528), sorti d'usage, et le travail du graveur, principalement au burin, et produisant les composés **TAILLE-DOUCE** n. f. (XVIe s.), peut-être emprunté à l'italien, cette technique ayant été mise au point à Florence au XVe s., désigne un procédé de gravure sur support métallique moins dur que l'acier (cuivre, puis zinc). **CONTRE-TAILLE** n. f. (1754), ces mots désignant aussi par métonymie les estampes ainsi tirées (XVIIe s.). ◇ L'idée d'«incision» est également réalisée en chirurgie à propos de la césarienne (XIVe s.), puis d'une opération de la vessie (1636). ◇ *Taille* se dit par métonymie d'une galerie creusée dans une mine (1765). ◆ Des métonymies beaucoup plus anciennes donnent au mot la valeur de «qui sert à tailler», réalisée dans le sens de «tranchant de l'épée» (XIIIe s.), par exemple dans *d'estoc et de taille* (→ estoc), et en commerce (1175) pour chacune des deux parties d'une latte de bois fendue longitudinalement sur laquelle le marchand marquait par des incisions la quantité de marchandise vendue, appelée *contretaille*, ou celle qui lui restait. Cette acception est peut-être en relation avec le premier sens attesté, «impôt» (ci-dessus). ◆ *Taille* s'est employé dans la fabrication des monnaies (v. 1250) et aux XIVe et XVe s. en versification aux sens de «coupe», «distribution (des rimes)». ◇ C'est probablement par analogie que le mot est passé en musique pour désigner (déb. XVIe s.) un registre vocal, plus tard nommé *ténor** par emprunt à l'italien, puis par métonymie (1636) le chanteur qui a ce registre; le mot a également désigné (1680) un instrument de musique. ◇ Dans ce sens, il a fourni les composés ② **BASSE-TAILLE** n. f. (1640), équivalent ancien de *baryton**, et **HAUTE-TAILLE** n. f. (1688), qui désignait une voix proche de celle du haute-contre. ◆ Au XVIe s., *taille* a développé un sens figuré apparu vers 1200 («stature»), senti comme distinct des autres emplois et séparé du verbe; c'est, par l'idée de «dimension déterminée par une coupe», le sens de «hauteur du corps» (1538), précédé en ancien français par celui de «forme du corps humain» (1200) [cf. *découpe*]. ◇ Il entre en ce sens dans les locutions figurées usuelles ***être de taille à*** (1666), ***de la taille de*** (1830). Il s'applique aussi à la dimension du corps d'un animal (1540), à celle d'un objet quelconque (1677) en prenant généralement en compte ses dimensions. En parlant du corps humain même, *taille* se dit spécialement de la dimension des vêtements. ◇ Employé au XVIIe s. à propos des formes du buste (1656), *taille* a reçu le sens restreint de «partie plus ou moins resserrée du tronc entre les côtes et les hanches» (XVIIIe s.), avec des locutions comme ***tour de taille, taille de guêpe*** «taille très fine» (1840), désignant par métonymie la partie du vêtement couvrant la taille (1872), d'où la locution vieillie *sortir en taille* (1877) «sortir sans manteau».

Taille, à l'intérieur du groupe de *tailler*, a produit ses propres dérivés. ◆ **TAILLABLE** adj. (v. 1283; écrit *taillaule* 1238) est un terme de droit féodal, encore utilisé dans l'expression figurée et littéraire ***taillable et corvéable à merci***. ◆ **TAILLON** n. m. (1552, Rabelais) fut créé pour désigner un supplément à la taille, institué par Henri II en 1549. ◆ Quant à **TAILLERIE** n. f. (v. 1278), anciennement «métier de tailleur» et alors dérivé de *tailler* «couper (un vêtement)», il a son sens actuel, «atelier de taille de pierres», depuis le XIXe s. (1867). ◆ À ces mots s'ajoutent les quelques composés faits sur *taille* : **MORTAILLE** n. f. (XIIIe s.), terme de féodalité, **MORTAILLABLE** adj. (1346) et **ENTRETAILLE** n. f. (XIIIe s.), qui a perdu son sens de «coupure, ouverture» pour prendre celui de «taille légère entre des tailles plus profondes» (1755), d'usage technique.

Tailler a produit d'autres noms limités à des sens concrets : **TAILLOIR** n. m. (v. 1130, *tailleours*; puis 1175, *tailleoir*) désigne un instrument pour tailler et spécialement un plat pour découper la viande. ◇ En architecture, avec la valeur de «partie taillée», il se dit de la partie supérieure d'un chapiteau (1537).

Plus détaché du verbe, **TAILLIS** n. m. désigne (1215) un ensemble de végétaux taillés, puis relativement peu élevés, dans une forêt.

De *tailler* vient aussi le nom d'agent **TAILLEUR** n. m. (XIIIe s.; v. 1170 «sculpteur»), antérieurement *taillurs* (XIIe s.) et *tailleor* (1180), qui désigne à la fois l'ouvrier qui taille (la pierre, les pierres précieuses, les arbres) et la personne qui confectionne des vêtements sur mesure (v. 1180). Ce dernier sens étant devenu le plus usuel, on emploie plutôt pour la première valeur l'expression *tailleur de pierres* (v. 1170). La locution ***en tailleur*** (attestée dans Courteline 1888) est une allusion à la façon dont les tailleurs d'autrefois s'asseyaient pour travailler. Attestée au XXe s., elle continue *assis comme les tailleurs* (1654). On a dit *s'asseoir en couturier*, 1606. *Costume tailleur* (1895), par ellipse *tailleur*, se dit d'un costume de femme composé d'une jaquette et d'une jupe (ou pantalon) de même tissu (1904). ◇ Le féminin **TAILLEUSE** n. f. d'abord «femme d'un tailleur» (1622) a signifié (1731) «ouvrière couturière», sert à désigner la machine qui taille des engrenages (1931).

Quelques noms composés sont formés sur *tailler*, comme **TAILLE-BUISSONS** n. m. (1457, *taillebusson*) «cisaille», **TAILLE-RACINES** n. m. (1875), **TAILLE-LÉGUMES** n. m. (1876), **TAILLE-ONGLES** n.m. (déb. XXe s.). ➜ **TAILLE-MER** n. m. inv. (1642), d'abord *taille-mar* (1622), calque du provençal *talhamar* (cf. l'italien *tagliamare*), a désigné la pièce extrême de l'étrave d'un navire. ➜ Le plus usuel de ces composés est probablement **TAILLE-CRAYON** n. m. (1828; → craie) qui désigne, surtout en français d'Europe, un petit instrument comportant une cavité conique munie d'une lame, où l'on peut affûter la mine d'un crayon. En français du Canada, l'objet est plus important, fixé à une table, et comporte une manivelle; il assume la même fonction.

Tailler a quelques dérivés verbaux préfixés, certains ayant suivi une évolution qui les en a détachés. ➜ De sens plus restreint, **RETAILLER** v. tr. (1160) exprime l'idée de «tailler de nouveau»; son déverbal **RETAILLE** n. f. (1180) est d'usage technique au sens de «partie enlevée à une chose façonnée». ➜ **S'ENTRETAILLER** v. pron. (XIVe s.) et son dérivé **ENTRETAILLURE** n. f. (1436) sont des termes d'hippologie relatifs à un cheval qui se blesse les jambes en marchant.

Deux verbes préfixés ont acquis une grande autonomie par rapport à *tailler*.

DÉTAILLER v. tr. est préfixé (v. 1170, *detaller*) à l'aide de *dé-* (→ de). Le verbe a en ancien français le sens d'«écheveler», c'est-à-dire «séparer les mèches de cheveux comme en les taillant» et, plus généralement et jusqu'au XVIIe s., de «mettre en pièces (qqn, qqch.)» (v. 1175); il signifie ensuite «enlever en coupant» (XIIIe s.) et «déchirer» (XIVe s.); l'idée de séparation se réalise plus tard dans *détailler un domaine* «le diviser» (v. 1600). ➜ Ces emplois ont disparu, le verbe se spécialisant au sens de «vendre (une marchandise) par petites quantités» (1260), qui vient de *vendre a detail* (voir *détail*, ci-dessous) et ne s'impose qu'à partir du XVIe siècle. La première valeur est encore sensible dans l'emploi pour «couper en morceaux et vendre par parties» (1378), d'abord en boucherie. ◇ Lié ensuite aux valeurs abstraites de *détail*, le verbe signifie «exposer (qqch.) avec toutes ses particularités» (1690) et «analyser dans tous les détails» (1767, Diderot). ➜ **DÉTAIL** n. m. apparaît (fin XIIe s.) dans la locution *vendre a detail* «par petites quantités», devenue *en détail* (XIVe s.) jusqu'au XIXe s., puis ***au détail*** (fin XIXe s.). ◇ Le mot s'est aussi employé dans *faire grand destal* «mettre en pièces» (v. 1210), mais c'est la première valeur qui se développe à partir du XVIe s., donnant au mot sa complète autonomie par rapport à *tailler*. *Détail* s'emploie seul pour l'action de vendre (ou d'acheter) en petites quantités (1596); de là *le détail*, appliqué (1690) à l'armée, au service chargé des approvisionnements, du matériel, etc., et l'expression *commerce de détail* (1864), opposée à *de gros*. ◇ ***En détail*** loc. adv. signifie «par parties successives» (v. 1580) et «dans toutes ses particularités» (1671), opposé à *en général*. Cette acception est contemporaine du sens (1670) de «petite partie d'un ensemble» *(un, des détails)* et de l'emploi de *le détail* comme nom d'action (mil. XVIIe s.), «action de considérer un ensemble dans ses éléments ou un événement dans ses circonstances». C'est à cette valeur que se rattache la locution ***ne pas faire le (de) détail***, alors que *faire le détail de* «diviser en morceaux» (1596) a disparu. ◇ En qualifiant de *détail de l'histoire* l'extermination des Juifs et leur assassinat dans les chambres à gaz des camps nazis, un chef de parti d'extrême-droite a donné au mot *détail* une valeur négationniste. ➜ Le dérivé **DÉTAILLANT, ANTE** n., du participe présent, désigne (1791) un marchand au détail, d'abord nommé *marchand détaillant* (1649; repris XIXe s.). Il a supplanté *détailleur* (1260), relevé jusqu'au XIXe s., *marchand détaillier* (1372), *détaillier* n. m. (1690) et *marchand détailliste* (1753), puis *un détailliste* (1792), qui ont tous disparu.

ENTAILLER v. tr., préfixé (v. 1120) de *tailler*, s'est d'abord employé avec les sens de «sculpter, graver en creux», jusqu'au XVIIe s., et «tailler (une pierre, une pierre précieuse)» (v. 1190), sens conservés par *tailler*. Le verbe est passé de ces emplois techniques à une valeur générale, «couper en faisant une entaille» (1380), toujours usuelle. ◇ Il a signifié «se frapper à coups d'épée» (apr. 1360), précédé dans cet emploi par l'ancien provençal *entalhar* (XIIIe s.); cette acception survivait au XIXe s. en argot (1840) pour «tuer avec une arme tranchante». *Entailler* s'emploie aujourd'hui pour «faire une incision dans les chairs», d'abord dans *s'entailler le doigt* (1864). ➜ Le dérivé **ENTAILLE** n. f. a désigné en ancien français (v. 1130) l'ouverture d'une fenêtre, la fenêtre elle-même et un ouvrage de sculpture, puis la rognure d'une étoffe (1228), tous sens disparus dès le français classique. ◇ Le mot désigne à partir du XVIIe s. (1676) la coupure qui enlève une partie d'un matériau et laisse une marque et, avant le verbe (1798), une incision dans les chairs. ◇ Il a également des emplois techniques (1757). ➜ **ENTAILLURE** n. f. a signifié «sculpture» (v. 1120). Il est vieilli et rare pour «entaille» (1538) ou «incision dans les chairs» (1605). ➜ **ENTAILLOIR** n. m. (1755) est un terme technique comme **ENTAILLAGE** n. m. (1836), qui désignait en moyen français (déb. XVe s.) un ensemble de pièces découpées et fixées sur une étoffe.

◈ voir INTAILLE, TAGLIATELLES, TAILLADE.

TAIN n. m. est une altération (v. 1200) de *étain** sous l'influence de *teint*.

♦ Le mot a d'abord été synonyme de *étain*, avant de s'en détacher pour désigner l'amalgame métallique, dans lequel entre de l'étain, qu'on appliquait derrière une glace (1694 ; 1680, écrit *teint*). En technique, *tain* désigne le bain d'étain dans lequel on plonge un métal pour l'étamer (1872, Littré).

TAIRE v. pron. et tr. est la réfection (980) d'après des formes comme *fais-faire* de l'ancien verbe *taisir*, attesté seulement depuis 1145 et encore employé au XVe s., avec la variante *taisier* (v. 1210). *Taisir* représente l'aboutissement du latin classique *tacere* «ne pas dire, garder le silence». Celui-ci a eu un correspondant exact en germanique dans le gotique *ahan* «se taire», l'ancien haut allemand *dagen*. Les mots indoeuropéens signifiant «se taire» ont généralement une faible extension et résultent de développements de sens récents. F. de Saussure a cependant rapproché de *tacere* le grec *ptêssein* «se blottir» et l'arménien *t'ak'ẹim* «je me cache». *Tacere* est représenté dans les parlers méridionaux (v. 1170, *taizar*), mais on y relève aussi d'autres formes : elles proviennent d'un latin populaire °*quetiare*, altération de °*quietare*, dérivé du latin classique *quietus* (→ coi, quiet), proprement «rester en repos» ; l'ancien provençal a *quezar*. Dans le sud-ouest de la France on trouve d'autres formes, issues d'un latin populaire °*callare*, altération du classique *calare* (→ caler), et qui correspond à l'espagnol *callar* et au portugais *calar*.

♦ Le verbe est d'abord employé au sens de «garder le silence, s'abstenir de parler», réservé ensuite à la forme pronominale *se taire*. Celle-ci, après s'être employée en ancien français au sens général de «s'abstenir de (faire qqch.)», s'est limitée au domaine de la parole (1230). Elle exprime spécialement le fait de ne pas divulguer un secret, en ancien français avec un complément introduit par *de* (1080), de nos jours absolument (1549) ou avec un complément introduit par *sur* (1699). ◇ Au XVIIe s., apparaît le sens figuré de «ne pas se faire sentir (en parlant de sentiments)» (Corneille). ➛ En construction transitive (v. 1160), *taire* signifie «ne pas exprimer, cacher (qqch.)» ; il a aussi le sens figuré de «ne pas laisser paraître (des sentiments)» (1683). Il entre dans des locutions populaires du type ***taire sa gueule*** (1744), continuant *taire sa bouche* (v. 1225), et équivalant à *se taire*. ➛ La tournure factitive *faire taire* est aussi usuelle au sens propre de «réduire (qqn) au silence» (1538) qu'au sens figuré de «faire cesser» (1675).

▸ Aucun des anciens dérivés de *taire* : *taisant* adj., *le taire* n. m., *taisance* n. f., ne s'est maintenu. ➛ **TAISEUX, EUSE** adj. (XIIe s. ; seulement XIVe s. selon T. L. F.) est employé en Belgique pour qualifier une personne taciturne. ➛ Aucun des dérivés de l'ancien français *taisir* : *taisi*, *taisible* adj., *taisiblement* adv., n'est resté en usage et le verbe est aujourd'hui isolé.

◈ voir RÉTICENCE, TACITE, TACITURNE.

TAISSON n. m., nom régional (Midi) du blaireau, est issu (1170) du latin tardif *taxo, taxonis*, seulement attesté dans les gloses (le mot latin usuel étant *meles*). *Taxo* est un emprunt latinisé à un mot germanique attesté par l'ancien haut allemand *Dahs* (allemand *Dachs*) (→ teckel).

▸ Un dérivé **TAISSONNIÈRE** n. f., «territoire du blaireau» (1242), semble à peu près sorti d'usage.

◈ voir TANIÈRE.

TALA → MESSE

TALC n. m. est emprunté (1518, *tac*, 1553 *talk*) à l'arabe *ṭalq*, nom d'un silicate naturel de magnésium. Le mot arabe a été emprunté par l'espagnol *talco* (1492), l'italien *talco* (1544), le portugais *talco*, le catalan *talc*.

♦ En français, la graphie première *talc* a supplanté les variantes *tac* (XVIe s.) et *talque* (1662).

▸ Le mot a produit quelques dérivés, **TALQUEUX, EUSE** adj. (1732 ; 1727 écrit *talceux*) et **TALCAIRE** adj. (1845), puis **TALQUER** v. tr. (1903) et son dérivé **TALQUAGE** n. m. (v. 1950). ➛ Il entre dans le composé **TALCOMÈTRE** n. m., fait avec l'élément *-mètre** (1964), nom d'un appareil mesurant la proportion de talc ajoutée (frauduleusement) à une farine.

① **TALENT** n. m. est emprunté (1170) comme terme d'Antiquité au latin *talentum* désignant un poids et une somme d'argent de Grèce. Le mot latin est emprunté au grec *talanton* «plateau de balance», d'où par métonymie «poids indéterminé, somme pesée en or ou en argent», mot qui se rattache à une racine indoeuropéenne °*telə-* «porter, supporter» (au propre et au figuré), largement représentée dans les langues indoeuropéennes de l'Occident (germanique, grec, latin *tollere* ; → tollé), mais très peu en Orient. Le latin *talentum*, employé dans une parabole évangélique (dite *des talents*, Matthieu, XXV, 14 sq.), est la source des emplois figurés qui ont produit ② *talent**.

♦ Le mot conserve la valeur étymologique, en parlant de la Grèce antique. ◇ Le sens de «monnaie» est attesté au XVIe siècle.

② **TALENT** n. m., réfection (1050) de *talant* (980), est le même mot que ① *talent**, par la parabole évangélique, où *talentum* prend des valeurs métaphoriques. Dans cette parabole, des trois serviteurs à qui leur maître a confié des talents (→ ① talent), deux font fructifier le leur tandis que le troisième enfouit le sien en terre, et le mot vaut symboliquement pour «état d'âme» et «aptitude».

♦ En ancien français et jusqu'au XVIe s., après avoir eu le sens d'«humeur, état d'esprit», *talent* a signifié «désir, volonté» (1050), entrant dans plusieurs locutions, *avoir en talent* «désirer» (1080), *faire son talent de* «agir à son gré», *dire son talent* «donner son avis», et produisant une série de dérivés sortis d'usage. ➛ Le sens moderne, «don, aptitude» apparaît dans le latin scolastique *talentum* (*illa litteralis scientae talenta*, chez Abélard, 1079-1142). En français, ce sens de *talent*, attesté au XIVe s., n'a pris de l'extension qu'après la Réforme : l'un des premiers emplois du mot en ce sens dans *employer son talent* se rapporte au protestant Duplessis-Mornay. Il est donc probable que l'espagnol et l'italien ont tiré du français l'emploi métaphorique de leur *talento*. ◇ Par rapport à l'emploi classique, «disposition naturelle ou acquise pour réussir en qqch.», l'usage moderne met l'accent sur l'idée d'aptitude particulière dans une activité appréciée par le groupe social (1624); en emploi absolu, *le talent* se dit d'une aptitude remarquable dans le domaine intellectuel ou artistique. ◇ Par métonymie, le mot sert à désigner la personne qui a un talent particulier (1734), la qualité ou l'ensemble des qualités d'une œuvre dénotant le talent de son auteur (1865).

▸ Son dérivé **TALENTUEUX, EUSE** adj. (1876) a remplacé la forme légèrement antérieure *talenteux* (1857). ◇ Il a produit **TALENTUEUSEMENT** adv. (attesté mil. XXe s.). ◇ L'antonyme **MÉTALENT** n. m. (1743), «absence de talent», reprend l'ancien français *maltalent, mautalent* pour la forme, mais ce dernier signifiait «mauvaise volonté», d'après le sens ancien de *talent*. ◇ *Métalent* ne s'est pas imposé; le dictionnaire de Trévoux le donne déjà pour inusité en 1771.

TALER → TALOCHE

TALION n. m. est emprunté (v. 1395) au latin *talio, -onis*, terme juridique attesté depuis la loi des XII Tables (mil. Ve s.), rare et technique. On a rapproché *talio* des mots celtiques de forme *tal-* (avec *a* bref), tels que le vieil irlandais *tale* «paie», le gallois *talu* «payer». Si cette étymologie vaut, le *a* long du latin serait dû à un rapprochement avec *talis* (→ tel) par étymologie populaire, le talion consistant à punir l'offense d'une peine qui lui est identique.

♦ En français, le mot, employé au propre et au figuré, reste littéraire ou didactique (historique) pour parler d'un châtiment légal par lequel on fait subir à un coupable le traitement même qu'il a infligé à sa victime. On dit aussi *loi du talion*, notamment à propos des Hébreux.

TALISMAN n. m. est emprunté (1592), avec métathèse et influence du grec, à l'arabe moderne *tilsam*. Ce dernier est emprunté au grec de basse époque *telesma* avec son sens de «rite religieux», l'autre étant «impôt, contribution». Il est dérivé de *telein* «accomplir, achever», qui s'est dit spécialement de l'action de s'acquitter de l'impôt et, en religion, de l'accomplissement d'une cérémonie d'initiation. Celui-ci est issu de *telos* «achèvement, accomplissement», d'où «but, sommet» (→ téléo- et le second élément de philatélie). Les formes romanes (espagnol *talismán*, italien *talismano*) s'expliquent par le duel arabe *ṭilasmān*.

♦ Le mot désigne en français un objet auquel on attribue des vertus magiques de protection, de pouvoir. ◇ Le sens de «docteur de la Loi, prêtre musulman» (1546) remonte, par l'intermédiaire du turc, au persan *dānišmand* «savant», qui désignait spécialement les religieux musulmans. ◇ À partir de 1713, *talisman* désigne aussi, par figure de la première acception, ce qui a un effet souverain, merveilleux et notamment un pouvoir symbolique.

▸ **TALISMANIQUE** adj. (1592), d'usage didactique, qualifie ce qui figure sur les talismans et ce qui a le pouvoir d'un talisman.

TALKIE-WALKIE n. m. est l'emprunt (1949) de l'anglo-américain *talkie-walkie* (1939) provenant du pidgin des Antilles *telkee-(talkee)* «bavardage», de *to talk* «parler», mot apparenté à *tale* «récit, discours» et à *to tell* «faire savoir», d'origine germanique, et de *walk* «promenade», de *to walk* «marcher», lui aussi d'origine germanique (cf. *walkman*). La seule forme usuelle en anglais est *walkie-talkie*. Le mot désigne un appareil de transmission portatif (téléphone sans fil) utilisé pour la première fois pendant la Seconde Guerre mondiale.

♦ En français comme en anglais, ce terme militaire a pénétré dans l'usage courant. La forme *walkie-talkie* (1956, avec majuscules) est rare en français.

TALLE n. f. est un emprunt (1488) au latin *thallus*, désignant chez Virgile une branche de myrte et en agriculture la tige d'une branche garnie de ses feuilles, lui-même emprunté au grec *thallos* «jeune pousse, jeune branche». Ce terme est dérivé de *thallein* «pousser, être florissant», qui a des correspondants en albanais (*dal* «pousser») et en arménien (*dalar* «vert, frais»).

♦ Le mot est attesté isolément au sens de «pousse, bourgeon», puis désigne (1611) une tige adventice qu'on enlève et (1810) l'ensemble de ces tiges et, spécialement (1771), une branche qui pousse au pied d'un arbre.

▸ Comme le nom, le dérivé **TALLER** v. intr. (1549; aussi *thaller*, 1596) est demeuré un terme d'agriculture qui a fourni **TALLEMENT** n. m. (1835), encore moins usité que **TALLAGE** n. m. (1860).
THALLE n. m. est un emprunt (1827) au grec *thallos* pour désigner en botanique l'ensemble de l'appareil végétatif des plantes qui n'ont pas de cellules différenciées. Ces dernières sont dites **THALLOPHYTES** n. f. pl. (1884, adj.; 1888, n. m.), terme taxinomique formé avec *-phyte* et désignant un ordre de plantes sans cellules différenciées (algues, bactéries, champignons, etc.).

TALMUD n. m. est un emprunt (1690), d'abord altéré en *talemus* (1254), puis écrit *thalmud* (1321), à un mot hébreu signifiant «étude, doctrine».

♦ Le mot désigne le recueil des enseignements des rabbins depuis le début de l'ère chrétienne jusqu'au VIIe siècle. Ces enseignements ont été conservés dans deux ensembles nommés *Talmud de Jérusalem* et *Talmud de Babylone*.

▸ Les dérivés, didactiques, sont attestés dès le XVIe s., mais isolément. ➝ **TALMUDISTE** n. désigne (1532) un compilateur du *Talmud* (n. m.) et (1611) un érudit spécialiste du Talmud. ➝ **TALMUDIQUE** adj., attesté chez Rabelais (1546) et aussi repris au XVIIIe s. (1721), s'applique à ce qui concerne le Talmud. ◇ Villiers de l'Isle-Adam emploie (1888) **TALMUDIQUEMENT** adv., mais le mot est très rare.

① **TALOCHE** n. f. (depuis 1606), d'abord *talloce* (v. 1460) puis *talloche* (fin XVe s.), est dérivé avec le suffixe populaire *-oche* (altéré initialement en *-oce*) du verbe **TALER** v. tr. (1417), antérieurement écrit *tauler* «broyer» (v. 1330), qui exprime l'action de meurtrir (des fruits), de fouler et, au figuré, d'importuner qqn. Ce verbe, usité aujourd'hui dans les parlers de l'Est (y compris avec l'acception «donner une taloche» en lorrain), est plus rare dans l'Ouest et peu usité en français central. Son participe passé **TALÉ, ÉE** adj. (dans *fruit talé*) est plus vivant ; il correspond à un verbe *taller* (1636). ◇ On rapproche *taler* de l'ancien provençal *talar* «endommager, détruire» et de l'espagnol *talar* «couper ras les arbres, détruire». Ces différents mots sont classiquement considérés comme empruntés à un germanique °*tâlôn*, supposé d'après l'ancien haut allemand *zâlôn* «piller». P. Guiraud, refusant cette étymologie, propose de voir en *taler* le représentant d'un roman °*talare*, qui serait dérivé de *talus* (→ talon) de la même manière que l'on a tiré *calcare* de *calcem*, l'accusatif de *calx* «talon» (→ chausse).

♦ En français, le mot a d'abord désigné un coup, puis une gifle (1658, Scarron). Il n'a pas gardé les acceptions de «coup de férule sur les doigts» (1611) et au figuré «coup du sort» (1669). ◇ Il est considéré comme populaire au XIXe s. (1821) puis comme familier.

▸ On en a tiré ① **TALOCHER** v. tr. (1546), d'abord employé par Rabelais dans la locution *talocher ses amours* «faire l'amour», puis au sens de «donner un coup de férule sur les doigts» (1611). ◇ Le sens moderne de «donner des coups avec les mains», «gifler» n'est attesté qu'à partir de 1808.

② **TALOCHE** n. f. dérive (v. 1320) du radical de l'ancien français *talevaz* (v. 1155), *talevas* (v. 1165) «bouclier de bois», issu d'un latin populaire °*talapacium* «bouclier», d'origine gauloise.

♦ Le mot a désigné un bouclier, sens encore attesté au XVIe siècle. ◇ Il réapparaît en français central au XIXe s. avec un sens technique, «outil de plâtrier, de maçon formé d'une planche munie d'une poignée, sur laquelle on dépose le plâtre, le mortier» (1842), puis désigne (1907) une petite pelle pour lisser les meules de champignons de couche.

▸ Il a produit ② **TALOCHER** v. tr. (1907), d'où **TALOCHAGE** n. m. (XXe s.).

TALON n. m. (v. 1175), d'abord *talun* (v. 1155), est issu d'un latin populaire °*talonem*, accusatif de °*talo, -onis*, altération du latin classique *talus, tali*. Celui-ci désigne d'abord l'osselet du paturon de certains animaux, utilisé pour le jeu des osselets, et chez l'homme l'astragale, petit os se trouvant sous le tibia, puis la cheville et la partie arrière du pied, concurrençant en ce sens le mot classique *calx* (→ groupe de chausse). C'est un mot d'origine incertaine que l'on a rapproché de l'irlandais *sal* et du gallois *sawdl* «talon» (le linguiste Pedersen proposant de partir d'un °*statla* pour ces mots celtiques).

♦ *Talon* désigne dès les premiers textes la partie postérieure du pied ; il entre dans des locutions comme ***être sur les talons de (qqn)*** (XVIe s.) «le suivre de près», ***tourner les talons*** (*torner le talon*, (v. 1200) «se retourner pour fuir, partir», ***talon d'Achille*** «partie faible», par allusion mythologique (XVIIIe s.), ***avoir l'estomac dans les talons*** «avoir une faim intense» (1864). ◇ Par métonymie, il sert à désigner la partie d'une chaussure, d'un bas, d'une chaussette qui recouvre le talon (1530), en particulier la pièce rigide qui exhausse le derrière d'une chaussure (1798), d'où *talons plats* et *talons hauts*, ces derniers caractérisant au XXe s. les chaussures de femmes (on parle aussi de *talons aiguilles*). Par métonymie, on appelait ***talon rouge*** (1793) un noble élégant aux belles manières, d'après les souliers à talons rouges (dits *talons rouges*, 1758) qu'il portait. ➛ Depuis le XVIIe s., le mot a développé un certain nombre de sens concrets, souvent techniques, fondés sur une analogie de situation avec le talon : «extrémité postérieure de la quille (d'un navire)» (1643 ; 1573 «partie basse d'un gouvernail»), «partie inférieure de la lame (d'un couteau)» (1680), d'une épée (1621), «extrémité de la crosse (d'un fusil)» (1752), «saillie au bas du godet (d'une pipe)» (1798). ➛ L'accent étant mis sur la notion de «reste» que constitue quelquefois le bout d'une chose, le mot désigne un croûton de pain (1694), et aussi ce qui reste d'un jeu de cartes après la première distribution (1645). Un sens analogique plus courant concerne la partie d'une feuille de carnet qui demeure fixée à la souche (1831, dictionnaire de l'Académie), par exemple dans *le talon d'un chèque*.

▸ Son dérivé **TALONNER** v. tr. (1461), précédé par *taluner* en anglo-normand «frapper un coup» (1190), a d'abord exprimé l'idée de «renverser du pied». ◇ Il signifie à la fois «presser (un cheval)» (1538), au figuré «poursuivre sans relâche» (1588), «suivre (qqn) de très près» (1573). ◇ Ultérieurement, il a pris le sens instransitif de «heurter le fond par le talon de la quille» en parlant d'un navire (1773). ◇ L'idée de «frapper du talon» est réalisée en sports, en particulier au rugby (1903) par une nouvelle dérivation sur *talon*. ➛ *Talonner* a lui-même produit **TALONNEMENT** n. m. (1559), qui se réserve le sens d'«action de talonner un cheval» et le sens figuré qui en procède. ◇ **TALONNAGE** n. m. (1783 en marine) se réserve les autres sens exprimés par le verbe. ➛ Quant à **TALONNEUR** n. m. (1924), il se dit seulement du joueur de rugby chargé de talonner. ➛ Les autres dérivés de *talon* sont tous des noms. ◇ **TALONNIER** n. m. (1372), anciennement «talon de chaussure», est reformé (1680) pour désigner l'ouvrier qui fait les talons de chaussures (1680). ◇ Le féminin **TALONNIÈRE** n. f. (1510), employé dès les premières attestations au sens limité d'«aile que Mercure porte à chaque talon», a pris quelques sens techniques au XIXe s. (marine, 1836 ; arts, 1875). ➛ **TALONNADE** n. f. (av. 1525), «coup de talon donné à un cheval», sert à désigner un coup de talon en général, un bruit de talon (fin XIXe s.) et, en sports, un coup de pied donné en arrière au football (1905). ➛ Le diminutif **TALONNETTE** n. f. (1824) a perdu son sens de «morceau de tricot renforçant le talon d'un bas» pour désigner la lame qui renforce le talon de la chaussure (1892) et, par extension, un ruban résistant cousu à l'extrémité intérieure des jambes d'un pantalon (1933, dans un dictionnaire Larousse).

◈ voir SOULIER, TASSEAU.

TALUS n. m., modification graphique (1573) de *talu* (1156), puis *tallut* (1467) et *talut* (1549), est issu du latin *talutium*, attesté chez Pline parlant des Mines d'Espagne au sens d'«inclinaison qui révèle la présence d'une mine d'or à peu de profondeur». Le mot, qui n'est pas italique, serait rattaché à un gaulois °*talutium* (forme latinisée) «forte inclinaison de terrain», lui-même de °*talo* «front», postulé par l'irlandais *taul*, le breton *tâl*, et qui survit dans d'autres dérivés ou composés, comme le provençal moderne *tauvero* «lisière d'un champ» et le dauphinois *talapan* «auvent». P. Guiraud, s'appuyant sur la forme primitive *talu*, dénie la parenté avec le mot latin attesté *talutium* et propose une forme adjective °*talutus* de *talus* «talon» (→ talon), le *talus* étant proprement pour lui «une chose pourvue d'un talon».

♦ Le mot a d'abord désigné un étançon avant de se dire d'un terrain en pente formant le bord d'un fossé, d'une inclinaison donnée à la surface verticale d'un terrain, d'une construction (1467). ◇ Par analogie, se sont développés ultérieurement des sens techniques en filature (1875, Larousse) et en imprimerie où, après avoir désigné le relief d'un caractère (1907), *talus* désigne différents types d'espaces de la surface d'un caractère (avec un complément de détermination : *talus de tête, de pied, d'approche*).

► Le mot a pour dérivé le verbe **TALUTER** v. tr. (1690) «donner de la pente à», «dresser en talus», qu'ont précédé les formes anciennes *taluer* (de *talu*) (1534), puis *talusser* (1600) et *taluser* (1611). ◇ *Taluter* a lui-même donné **TALUTAGE** n. m. (1845) et **TALUTEUR** n. m. (1964), termes techniques.

TALWEG → THALWEG

TAMAHEK → TARGUI

TAMANOIR n. m. est emprunté (1756, Brisson) à *tamanoa*, mot de la langue des Indiens Caraïbes de Guyane pour désigner une espèce de fourmilier d'Amérique du Sud. Une autre espèce est appelée en tupi *tamandua*, mot qui a donné le français **TAMANDUA** n. m. (1640; antérieurement *tamendoa*, 1603), par l'intermédiaire du portugais.

TAMARIN n. m. est la simplification (XVe s.) de *tamarandi* (1298) et *tamarinde* (XIIIe s.), adaptation du latin médical médiéval *tamarindus*, lui-même emprunté à l'arabe *tamr hindī*, proprement «datte de l'Inde».

♦ Le mot désigne d'abord la gousse et la pulpe du fruit d'un grand arbre exotique aux propriétés laxatives connues par la médecine médiévale, puis l'arbre lui-même. ◇ Le mot sert aussi de dénomination (1876) à l'arbre qu'on appelle *tamaris**, mot de même origine.

► On en a tiré **TAMARINIER** n. m. (1733), réfection de *tamarindier* (1604), nom spécifique de l'arbre, et **TAMAR** n. m. (1904, Larousse), nom spécifique de la pulpe, et en pharmacopée d'un laxatif à base de tamarin.

TAMARIS n. m. est emprunté (XIIIe s.) également sous la forme *thamarisque* (1213) au bas latin *tamariscus*, forme douteuse pour *tamarix* «arbrisseau à petites feuilles en écailles». Cet arbre étant originaire d'Orient, il s'agit probablement d'un mot étranger : peut-être du nom propre *Tamarici*, peuple de l'Hispania Tarraconensis sur le fleuve *Tamaris*, ou encore de l'arabe *tamr* «dattes» comme dans *tamarin**.

♦ Le mot désigne un arbrisseau parfois appelé par confusion *tamarin*. On écrit et on dit parfois *tamarix*.

TAMBOUILLE n. f., attesté depuis la seconde moitié du XIXe s., est d'origine incertaine, peut-être l'abréviation de *pot-en-bouille*, comme semblent l'indiquer les formes *potbouille, potembouille* (d'où *tambouille*) relevées dans l'Anjou, avec la même signification de «ragoût grossier». Une autre hypothèse (Esnault) y voit l'altération de l'ancien mot *tampone* «bombance» (1756) et «ordinaire, alimentation du soldat» (1861), lequel serait emprunté à l'italien *tampone* «bombance»; mais la première hypothèse est plus vraisemblable.

♦ Le mot est populaire pour désigner un ragoût grossier. Il est employé familièrement dans l'expression ***faire la tambouille*** «faire la cuisine» (1919) et prend de là une partie des valeurs du mot *cuisine* (comme nom d'action et du résultat).

TAMBOUR n. m. est une variante nasalisée (v. 1300) de *tabour* (1080), forme encore relevée dans les dictionnaires en 1636 et encore vivante dans quelques patois. Avant le XIVe s., l'instrument désigné est utilisé par les Maures. On peut rattacher le mot au persan *ṭabīr* mais on ne sait pas par quelle voie il a pénétré en France : en effet, la forme sans nasale n'est pas attestée en Espagne et la forme nasalisée domine partout : espagnol *tambor*, au XVIe s. *atamor*, portugais *atambor*, catalan et ancien provençal *tambor*, italien *tamburo*. On suppose que la nasale apparaît déjà en arabe, peut-être sous l'influence du mot *aṭ-ṭunbūr*, nom d'un instrument à cordes sans rapport avec le tambour.

♦ Le mot désigne un instrument de musique à percussion et, par métonymie, la personne qui joue du tambour (1588). Le sens concret, avec des syntagmes courants comme *baguettes, roulement de tambour*, évoque surtout, dans la langue classique et moderne, la musique militaire, associé à *trompette* ou seul. C'est un symbole de l'armée et de la guerre, *les batteries de tambour* étant les signes des divers moments de la vie militaire et du combat. Le mot entre dans deux locutions figurées courantes : ***sans tambour ni trompette*** (1650), modification de la variante antérieure *sans trompette et sans tambour* (1612) «discrètement», et, familièrement, ***raisonner comme un tambour*** (1872) par jeu de mots avec *résonner*. ◇ Au XXe s., le mot élargit son concept et s'applique en musicologie à tout instrument à percussion analogue, notamment à ce que l'on nommait *tam-tam*. Ce sens est courant en français d'Afrique (*tambour d'aisselle*, etc.). ➜ À partir du XVIIe s., il a développé un certain nombre de sens fondés sur une analogie (d'aspect, de forme, de fonction) avec l'instrument. En musique, il est employé avec un complément de détermination pour d'autres espèces d'instruments (1619, *tambour de basque,* après *tambour de Biscaye,* 1587). ◇ À partir du XVIIe s., il s'applique au boîtier de ressort d'une montre (1630) et dans un autre domaine à la petite entrée à double porte servant à isoler un édifice de l'air extérieur (1630), notamment dans *porte à tambour.* ◇ Plusieurs acceptions techniques sont apparues au XVIIIe siècle : «pierre du noyau d'un escalier», «assise cylindrique d'un fût de colonne» (1691). ◇ En zoologie, *tambour* désigne par analogie sonore un poisson capable d'émettre une sorte de ronflement (1732); le mot sert aussi de nom pour une variété de pigeon au roucoulement puissant (1793). ◇ Mais la plupart des valeurs analogiques concernent la forme cylindrique, par exemple «soubassement d'une coupole» (1742). Plusieurs sens techniques sont consignés dans *L'Encyclopédie* (1765), tels ceux de «métier à broder» (1757) et «cylindre d'un treuil» (1751). Le mot est repris aux XIXe et XXe s. pour des cylindres de machine et des pièces de mécanisme cylindriques. Il désigne aussi, toujours par analogie de forme, un engin de pêche en filet ou fil de fer (1868), la boîte d'un baromètre anéroïde (1893), la pièce solidaire de la roue dans laquelle frottent les segments (1892). Il s'emploie en médecine, en photographie et, plus récemment, en informatique où il désigne une mémoire d'ordinateur de forme cylindrique (1959, *tambour magnétique*).

▸ Le dérivé de l'ancienne forme *tabour,* **TABOURET** n. m., est démotivé par la forme et le sens; ses significations correspondent aux métaphores sur la forme du tambour (ci-dessus). Il a commencé par désigner une pelote à épingles (1422) avant de prendre son sens actuel (v. 1525) de «siège rond sans dossier pour une personne». À l'époque classique, l'expression *droit de tabouret* (1649) désigne le privilège de certaines grandes dames d'être assises sur un tabouret pendant le souper du roi. ◇ Par changement de fonction, il désigne également un petit support où poser les pieds quand on est assis (1785).

TAMBOURIN n. m. (v. 1460), qui a remplacé la forme ancienne *tabourin* (1449), est en revanche bien perçu comme dérivé de *tambour.* Il désigne un tambour haut et étroit et se dit aussi, improprement mais couramment, du tambour de basque qui est peu épais. ◇ Par métonymie, il s'applique à un air de danse au son du tambour (1740), puis à une ancienne danse populaire et à une danse de scène à la mode au XVIIIe siècle. ◇ Deux acceptions techniques sont fondées sur une analogie de forme, «perle cylindrique» (1872) et «gros cylindre utilisé dans l'industrie de la soie» (1876). ◆ Son dérivé **TAMBOURINER** v. (1648), anciennement *tabouriner* (XVe s.; 1528 selon T. L. F.), a supplanté le verbe tiré de *tabour (tambour), tabourer* (fin XIIe s.). ◇ *Tambouriner* a signifié «jouer du tambour, du tambourin», avant de prendre l'acception particulière de «faire un bruit de roulement de tambour avec ses doigts contre un objet dur» (1654). ◇ En emploi transitif, il a signifié «publier au son du tambour» (1793); il est sorti d'usage avec cette pratique sauf au figuré. Puis il se dit pour «rythmer sur une surface dure» (v. 1830), «jouer (un air) sur un tambour» (fin XIXe s.). ◇ On a tiré du verbe les dérivés **TAMBOURINEUR, EUSE** n. (1519; 1514, *tabourineur*), **TAMBOURINAGE** n. m. (1558, *tabourinage*), employé à la fois pour le fait de tambouriner sur un instrument de musique et sur un objet dur (1842), **TAMBOURINEMENT** n. m. (1870, *tabourinement* une fois en 1636), qui désigne plus spécifiquement le bruit produit, et **TAMBOURINADE** n. f. (1890), plus rarement employé pour le bruit du tambourin.
◆ *Tambour* entre en composition dans **TAMBOUR-MAJOR** n. m. (1651), nom donné dans l'armée au sergent-major qui commande les tambours et les clairons d'un régiment. ◆ **TAMBOURINAIRE** n. m. est emprunté (1777) au provençal *tambourináire* «joueur de tambour» et «petit poisson qui ressemble au scare», mot dérivé de *tambouriná* «jouer du tambour», lui-même de l'ancien provençal *tambor.* ◇ L'emprunt français a désigné le poisson. ◇ Il a été repris au XIXe s. par F. Mistral au sens de «joueur de tambour» (1867) dans un contexte provençal et, par extension (XXe s.), il se dit d'un tambour de ville.

TAMIS n. m., attesté d'abord dans *pain a tamis* «pain de farine tamisée» (1140), est d'origine incertaine. On a proposé un latin populaire °*tamisium,* d'un mot gaulois °*tamesion,* mais les langues celtiques n'offrant aucun mot auquel on puisse rattacher celui-ci, cette origine reste très hypothétique. P. Guiraud préfère rapprocher *tamis* de *tamise* «étoffe de laine» (Littré) et de l'ancien verbe *tamiser* «discuter minutieusement» (c'est-à-dire «filtrer, comme par l'étamine»), assimilant le tamis et l'étamine. *Tamis* se rattacherait alors au latin *stamen* «chaîne de tissage» par une forme °*estamis* dans laquelle *-is* est un suffixe collectif. L'existence bien attestée de nombreuses variantes réduites de *étamine** : *tamine, tamène* (wallon), *taimine* (Bresse, Jura), du fait d'une agglutination de *es-* avec l'article défini pluriel *les,* appuie cette thèse.

♦ Le mot, qui apparaît vers la fin du XIIe s. (1197), désigne des cribles remplissant divers usages. Il entre dans la locution *passer par le tamis* (1718) puis ***passer au tamis.*** ◇ Au XXe s., *tamis* a pris un sens technique, dans le contexte des chemins de fer, «oscillations latérales dans un train».

▸ **TAMISER** v., dénominatif (1165) de *tamis,* «faire passer par le tamis», a développé le sens figuré de «laisser passer», en particulier en parlant de la lumière (au p.p. 1756, Nollet) surtout au participe passé adjectivé **TAMISÉ, ÉE,** et celui de «soumettre à une analyse critique et fine» (1832 dans Balzac). ◇ Le verbe a donné les dérivés habituels : **TAMISEUR, EUSE** n. (1360, *tamisseur*), nom d'ouvrier et d'objet (1907, au féminin pour une machine), **TAMISAGE** n. m. (1356), sorti d'usage et seulement repris au XIXe s. (1827), **TAMISAT** n. m. (XXe s.), sur le suffixe scientifique *-at* (de *filtrat,* etc.), «produit d'un tamisage», et **TAMISANT, ANTE** adj. (XXe s.). ◆ *Tamis* a aussi produit **TAMISIER** n. (1755), antérieurement *tamissier* (1422), pour désigner le fabricant, le commerçant spécialisé dans la fabrication des tamis, appelée **TAMISERIE** n. f. (1872).

TAMPON n. m. est la nasalisation (1388) de *tapon**, issu d'un francique °*tappo,* postulé par l'allemand *Zapfen* «bonde, soupape», le verbe correspondant, °*tappôn,* ayant produit ② *taper**. Les correspondants romans, catalan et espagnol *tapar,* italien *tappare,* doivent procéder du mot gotique de même origine.

♦ Le mot désigne d'abord un morceau de bois ou de métal servant à boucher une ouverture, sens qui a donné un grand nombre d'extensions, comme «pièce servant à presser la poudre quand on charge une arme à feu» (1440), aujourd'hui disparue, puis «cheville de bois qu'on met entre les solives des planchers pour soutenir la maçonnerie» (1676) et aussi, en musique, «partie de la flûte à bec qui bouche une portion de son ouverture» (1680) et «pièce servant à boucher par en haut un tuyau d'orgue» (1690). ◇ L'accent étant mis sur une autre fonction, le tampon pour boucher étant souvent fait de tissu (cf. le passage inverse pour *bouchon*), le mot commence à désigner une petite masse compacte servant à étendre un liquide (1676, Félibien, *tampon de graveur*). ◇ Plusieurs sens postérieurs procèdent de ces deux acceptions : du tampon pour boucher on passe à une plaque métallique servant à boucher les voies d'eau (XVIIIe s.), au couvercle qui ferme un puisard (1842), et à la petite masse d'ouate servant à étancher le sang, à étendre un liquide (1810). ◇ Au XIXe s. apparaît une extension analogique du second sens pour désigner un dispositif recevant et amortissant les chocs : *tampon* désigne (1856) le plateau métallique vertical remplissant ce rôle entre les voitures d'un train, puis il s'est étendu à ce qui remplit le même rôle, objet concret ou chose abstraite (1878), spécialement en politique dans ***État tampon*** (av. 1906) et ***zone tampon*** (1951). La même idée est réalisée en physiologie où *tampon* désigne une substance assurant la stabilité et l'équilibre acide-base du sang (1945) et en informatique à propos de la zone de mémoire d'un ordinateur collectant temporairement des données. ◇ Le sens de «timbre en caoutchouc» (1908 dans G. Leroux) a produit celui de «marque d'un cachet» *(le tampon de la poste).* ◇ Un autre sens fondé sur l'analogie de forme, «casquette d'ordonnance militaire» (1904) d'où en argot militaire «ordonnance», a vieilli ; le théâtre comique avait célébré *le tampon du capistan* «l'ordonnance du capitaine».

▸ Le dérivé **TAMPONNER** v. tr., attesté isolément au XVe, a été repris au XVIe s. (1547). Son sens premier, «enfoncer un tampon dans (un objet)», a disparu et celui de «boucher avec un tampon» (1547) est archaïque. À l'exception du sens technique «enfoncer des chevilles dans (un mur, une solive)» (1676), les acceptions modernes apparaissent à partir de la fin du XVIIIe s.. ◇ *Tamponner* se dit alors pour «étendre (un liquide) au moyen d'un tampon» (1797) et «nettoyer avec un liquide» (1845). ◇ Un autre sens du substantif fournit «heurter avec des tampons» (1872) et par extension «heurter violemment», d'abord en parlant du matériel de chemins de fer puis (vieilli) de véhicules, avec un pronominal *se tamponner* ; d'où le sens familier de «battre, rosser» (1867) qui a disparu. ◇ En revanche, le verbe a développé le même sens figuré que le nom, «amortir les contacts brutaux». ◇ Les sens de «mettre un tampon sur» (1964) et, en chimie, «ajouter une solution tampon à (un liquide)» (1962) sont les derniers apparus. ➝ Les dérivés sont assez nombreux. ◇ **TAMPONNEMENT** n. m. (1734) est employé spécialement en médecine (1771) et pour le fait de heurter avec les tampons, de là plus couramment «rencontre brutale entre deux trains» (1907). ➝ **TAMPONNAGE** n. m. (1864) en est partiellement le concurrent, moins usuel. ➝ **TAMPONNEUR, EUSE** adj. (1893) s'emploie couramment dans *autos tamponneuses* (v. 1945), désignant une attraction de fête foraine. ➝ **TAMPONNOIR** n. m. (1904), nom d'un outil, est technique.

Le composé **COLIN-TAMPON** n. m. ne s'emploie plus aujourd'hui que dans la locution vieillie *se soucier de qqch., se moquer de qqch. ou de qqn comme de colin-tampon* «ne faire aucun cas de» (1695). À l'origine, *Colin-Tampon* est le surnom donné aux soldats suisses (1578) et le nom d'une batterie de tambour des soldats suisses (fin XVIe s.). Le nom propre *Colin,* variante de *Colas, Nicolas,* est pris dès le début du XVIe s. avec une valeur péjorative (v. 1505, «niais, endormi»). ➝ **CACHE-TAMPON** n. m., de *cacher,* est le nom d'un jeu d'enfants (1835) où l'on cache un petit objet, un tampon de tissu.

TAM-TAM n. m. est un mot de formation onomatopéïque emprunté (1769) au créole français de l'océan Indien ; Bernardin de Saint-Pierre l'emploie en 1775. L'anglais a la variante *tomtom* qui désigne un tambour indien, un gong.

♦ Le mot est passé en français pour désigner un tambour indien, puis une plaque circulaire de métal originaire de Chine, suspendue verticalement et que l'on frappe avec un maillet (1791), acception qui sera assumée plus tard par *gong.* ➝ Le sens dominant est cependant celui de «tambour africain», emploi en recul, la musicologie désignant les instruments à percussion spécifiques, y compris en Afrique, avec le mot *tambour** qualifié. ◇ Par extension, *tam-tam* désigne un bruit assourdissant (1878), au figuré une publicité tapageuse (1841), un scandale autour d'une affaire (1896) et, d'après son premier sens, le roulement prolongé du tambour (1933), en particulier, dès 1923 dans un contexte africain, l'appel aux armes *(tam-tam de guerre).*

TAN n. m. (XIIIe s.), d'origine incertaine, est probablement issu d'un gaulois °*tann-* «chêne», dont l'existence est supposée par le breton *tann,* le cornique *gals-tannen* «chêne ou yeuse», l'ancien irlandais *teine* ou *tinn ;* °*tann-* doit avoir désigné une autre variété d'arbre que le gaulois °*cassanus,* mot qui a donné *chêne**. L'utilisation du chêne pour la préparation du cuir est en tout cas très ancienne. Cependant, P. Guiraud propose de rapprocher aussi *tan* du latin *thannus,* variante de *thamnus,* lui-même emprunté au grec *thamnos* désignant un buisson, un tronc d'arbre et un arbrisseau quelconque. *Tan* dériverait donc du nom de quelque arbuste particulier producteur de tanin (→ tanaisie).

♦ *Tan* désigne surtout l'écorce de chêne utilisée pour la préparation du cuir. Le mot est technique et assez rare.

▸ Plus que ce mot, certains dérivés ayant trait à ce traitement sont passés dans l'usage courant. ◆ **TANNER** v. tr. (1260; dès 1195, *tenner*) est le seul qui remonte à l'ancien français. Il est employé dès ses premières attestations au sens figuré de «fatiguer». Donné comme «vieux» par Furetière (1690), le verbe a été repris au XIXe s. (1839, Flaubert) dans l'usage familier. ◇ Le sens premier, technique, «préparer les peaux avec le tan», est attesté un peu plus tard en ancien français (1260) et donne également lieu à un emploi figuré dans la locution familière ***tanner le cuir à qqn*** (1833) «le rosser». ◇ En relation avec son participe passé adjectivé **TANNÉ, ÉE** (v. 1220) employé au sens de «de la couleur brun clair du tan» (1380), de nos jours uniquement en parlant de la peau, le verbe signifie «teindre en couleur tannée» (1577), et «rendre brûlé» (v. 1200; cf. *bronzer*). ◆ Le verbe a produit à son tour une série de dérivés relatifs au traitement du cuir. ◇ **TANNERIE** n. f. (1216), «action de tanner», remplacé par *tannage*, désigne par métonymie l'atelier ou l'usine. ◇ **TANNEUR, EUSE** n. (v. 1226) désigne aussi bien l'ouvrier que l'industriel. ◇ **TANNAGE** n. m. (1370), «action de tanner», est rare au figuré pour «action de lasser». ◇ **TANNÉE** n. f., devenu rare au sens technique en tannage (1680), s'est spécialisé au sens figuré de *tanner;* il est assez courant pour «fait de rosser, de tanner le cuir». ◇ **TANNANT, ANTE** adj. est usuel pour «qui lasse», notamment en québécois où il est attesté depuis 1743, alors que le sens propre, technique, n'est enregistré en France qu'un peu plus tard (1762). ◆ Les autres dérivés de *tan* ont été formés à la fin du XVIIIe-début du XIXe siècle; en dehors de **TANIN** (1797) ou **TANNIN** (1812) n. m., nom de la substance renfermée par le tan et aussi (1904) par les rafles et pépins de raisin, substance qui caractérise le goût de certains vins, ces dérivés appartiennent tous au vocabulaire technique: ce sont **TANNIQUE** adj. (1848), **TANISER** ou **TANNISER** v. tr. (1877), d'où **TANISAGE** ou **TANNISAGE** n. m. (1877), et enfin le terme de chimie **TANNASE** n. f. (1823).

TANAGRA n. m. ou f. vient (av. 1872) du nom d'un bourg de Béotie (Grèce) connu pour sa production de statuettes.

♦ Le mot désigne un genre de statuettes en terre cuite caractérisé par sa simplicité, dont la production fut importante entre le VIe et le IVe s. avant J.-C. Par allusion à la grâce de ces statuettes, *tanagra* s'est employé (1888), surtout en appellatif, à propos d'une jeune femme gracieuse.

▸ Le dérivé **TANAGRÉEN, ÉENNE** adj. (1896) est didactique.

TANAISIE n. f., nom d'une plante, est l'aboutissement (1530) de la forme ancienne *tanezie* (XIIe s.), puis *tanoisie* (1314), issue d'un latin populaire °*tanacita*, d'origine inconnue. Selon P. Guiraud, il est plutôt issu d'un °*tanacetum*, mot savant qui serait composé de *thannus* (→ tan) et de *acetum* «acide» (→ aceto-), proprement «acide du tan». *Tanaisie* désignerait la plante contenant cette substance.

♦ Le mot désigne une plante des talus à fleurs jaunes, herbacée vivace dont les sommités fleuries sont utilisées en herboristerie et comme assaisonnement.

TANCER v. tr. est une variante graphique (XIIe s.) de l'ancien verbe *tencier, tencer* (1080), en picard *tenchier*, issu d'un latin populaire °*tentiare*. Celui-ci est dérivé du latin classique *tentum*, supin de *tendere* «faire effort» (→ ② tendre), d'où «combattre, lutter»; par suite, °*tentiare* a pris le sens de «quereller» puis de «réprimander». Certains considèrent °*tentiare* comme issu du latin *tentare* «s'efforcer, attaquer», fréquentatif de *tendere*. Le mot est seulement gallo-roman, l'ancien provençal *tensar* correspondant au latin populaire °*tentio*, comme l'ancien français *tenson** «querelle».

♦ *Tancer*, d'usage littéraire, est plus courant dans le syntagme *vertement tancer* ou *tancer vertement*. Il n'a pas de dérivés.

◈ voir TENSON.

TANCHE n. f. (1230), variante de *tence* (1280), *tance*, est issu du bas latin *tinca* (IVe s., Ausone) désignant un poisson et usité comme nom propre dans l'Italie du Nord. Ce mot, sans étymologie sûre, est peut-être d'origine celtique, gauloise.

♦ Le mot désigne un poisson de rivière à chair délicate, à peau noire et gluante.

TANDEM n. m. est un emprunt (1816) à l'anglais *tandem* (1785), lui-même repris à l'adverbe latin *tandem* «exactement à ce moment», spécialisé au sens d'«enfin, en fin de compte», employé dans les interrogations pressantes pour les renforcer avec le sens d'«exactement, donc», et dérivé de *tam* «autant» (→ tandis). L'anglais *tandem* a été pris, dans l'argot étudiant, comme équivalent de la locution *at length* «à la longue» et appliqué à un attelage long, interminable. D'abord appliqué à un cabriolet à deux chevaux attelés en flèche, le mot anglais se dit aussi d'une bicyclette à deux sièges (*bicycle tandem*, 1884), abréviation de *tandem bicycle, tandem tricycle* (attestés un peu plus tard, respectivement 1899 et 1900).

♦ Le mot est passé en français au sens de «cabriolet», puis de «bicyclette à deux sièges» (1884). Le premier sens a donné lieu aux locutions ***attelage en tandem*** (1904; *chevaux en tandem* dès 1833) «en flèche» et, par analogie, ***en tandem*** «dans le prolongement l'un de l'autre» pour le montage de cylindres (1887). ◇ Le sens figuré d'«association de deux personnes», familier, n'est que français (1904) et s'est répandu vers le milieu du siècle, s'étendant à deux éléments complémentaires.

▸ *Tandem* a produit **TANDÉMISTE** n. (1886, *Le Sport vélocipédique*) «personne qui roule en tandem» (l'anglais a *tandemist*, 1885), sorti d'usage.

◈ voir TANSAD.

TANDIS adv. est la lexicalisation (fin XIIe s.) de l'expression *tans dis* (v. 1160), issue du latin *tamdiu* «aussi longtemps», analysée en ses deux éléments, *tam* «autant» et *diu* «longtemps». *Tamdiu* était souvent employé en corrélation avec *quamdiu*, *quoad, diu, donec* «tandis que» et avec *quam* «aussi longtemps que» (→ tel).

♦ *Tandis,* adverbe signifiant «pendant ce temps», est sorti d'usage au XVIIe siècle; il était condamné à l'époque classique par Vaugelas. Ses emplois en locutions adverbiales, par exemple *ce tandis* «en attendant, sur ces entrefaites», *en tandis* «pendant ce temps», sont propres au moyen français. ◇ L'usage moderne l'emploie seulement dans la locution conjonctive ***tandis que,*** d'ailleurs très ancienne (v. 1160, *tant dis que*), d'abord avec le sens du latin «aussi longtemps que», aujourd'hui archaïque (encore employé par Chateaubriand), puis avec une nuance ancienne de simultanéité (XIIIe s.) et une nuance accessoire d'opposition dans la simultanéité qui apparaît au début du XVIIe s. (1623).

TANDOUR n. m., attesté isolément en 1717 *(tendour)* puis en 1823, est l'emprunt d'un mot turc (écrit en turc contemporain *tandir*) et hindi, lequel est l'altération de l'arabe *tannūr* «four à pain» (lui-même de l'araméen *tannūrā* «four») qui avait donné au français *athanor* n. m. (v. 1610), nom d'un fourneau d'alchimiste permettant de faire plusieurs opérations à la fois.

♦ Le mot a servi à désigner une table chauffée par un brasier, en Turquie, mais il ne se dit plus que du four à pain utilisé en Inde et en cuisine indienne pour les préparations de viandes accommodées de sauce épicée.

▸ **TANDOURI** adj. et n. est l'emprunt d'un mot hindi dérivé de *tandour* pour qualifier une viande accommodée avec une sauce épicée et cuite au four tandour, et la sauce elle-même. La graphie *tandoori,* plus fréquente sur les menus des restaurants indiens, rend l'anglais *tandoori* (1961; 1958, *tanduri*) qui correspond à *tandoor* (graphie anglaise de *tandur, tandour*). Le mot ne s'est quelque peu répandu en Europe francophone qu'avec la vogue des restaurants indo-pakistanais, venue d'Angleterre.

TANGENTE n. f. est emprunté (1626) au latin *tangens, -entis,* participe présent de *tangere* «toucher» (sens concret et abstrait), «toucher à», qui était employé dans de nombreuses acceptions figurées, dont une familière analogue à celle de *taper* «emprunter», en français moderne. *Tangere* est rapproché pour le sens du groupe germanique du gotique *tekan* «toucher» (cf. anglais *to take*) mais le *t* germanique (qui suppose un ancien *d*) ne concorde pas avec le latin. Si les deux groupes sont apparentés, la consonne initiale étant inexpliquée, on supposerait un ancien thème °*teg, təg-;* comme l'indoeuropéen n'admet pas de racines commençant et finissant par une sonore simple, le °*deg-* sur lequel reposent les formes germaniques n'est pas originel. *Tangere* n'est pas passé en français comme dans d'autres langues romanes; il a été supplanté par le dérivé de l'onomatopée °*tok-* (→ toucher).

♦ *Tangente* terme de géométrie, est passé dans l'usage familier avec la locution ***prendre la tangente*** (1867), réfection de la locution plus ancienne *s'échapper par la tangente* (1798), qui vient de la géométrie (Voltaire). Dans l'argot de l'École polytechnique, *la tangente* désigne l'épée de polytechnicien, parce qu'elle se porte tangente à la bande du pantalon (1867), et aussi l'appariteur (1878), le surveillant d'un examen écrit (1907).

▸ L'adjectif correspondant **TANGENT, ENTE,** repris au participe latin, est employé en géométrie (1683); il a développé le sens figuré de «qui approche d'une chose» (1878, *tangent à*), d'où, souvent, «qui se fait de justesse».

Tangente a produit les termes de géométrie **SOUS-TANGENTE** n. f. (1690) et **COTANGENTE** n. f. (1721). ➛ Il a aussi produit les dérivés **TANGENCE** n. f. (1815) «état de tangente» et **TANGENTIEL, ELLE** adj. (attesté 1806), ce dernier produisant **TANGENTIELLEMENT** adv. (fin XVIIIe s., Laplace) et **TANGENTIALITÉ** n. f. (1951). ➛ Sur l'adjectif a été formé récemment **TANGENTER** v. tr. «longer, être près de» (1883 dans Loti).

◈ voir ATTEINDRE, CONTACT, CONTAGION, CONTIGU, CONTINGENT, ENTAMER, ENTIER, INTÉGRAL, TANGIBLE, TÂTER.

TANGIBLE adj. est emprunté (fin XIVe s.) au bas latin *tangibilis* «qui peut être touché, palpable» (synonyme de *tactilis;* → tactile à tact), dérivé de *tangere* «toucher» (→ tangente).

♦ *Tangible* s'applique à ce qui tombe sous le sens du tact, en emploi littéraire ou didactique. ◇ Il est plus courant pour qualifier une chose abstraite dont la réalité est évidente (1502).

▸ Il a d'abord produit l'antonyme **INTANGIBLE** adj. (v. 1455), qui se dit spécialement d'une loi, d'un principe qui doit rester intact (1899); il a fourni **INTANGIBILITÉ** n. f. (1840). ➛ Au XIXe s. sont apparus les dérivés de *tangible,* **TANGIBILITÉ** n. f. (1800) et **TANGIBLEMENT** adv. (1876).

TANGO n. m. et adj. inv. est emprunté (1864) à l'espagnol d'Argentine *tango,* nom d'une danse populaire, probablement emprunté à l'espagnol *tango,* nom d'une danse gitane *(tango gitano, flamenco),* d'ailleurs entièrement différente de l'actuel tango. Le mot serait passé d'Espagne en Argentine et au portugais du Brésil, et la danse aurait inspiré la *habanera* («de la Havane») à Cuba. Le tango argentin (du Rio de la Plata), danse et musique développée à Buenos Aires, est passé en 1910 aux États-Unis et en Europe dès 1912. L'origine du mot espagnol est douteuse; on a pensé à une source africaine transmise en Andalousie par les Arabes au XVe siècle; il s'agirait d'un rituel africain, le *shango,* un mot de langue ibo *tamgu* «danser» étant aussi évoqué (Webster).

♦ Le mot est introduit comme terme exotique, puis au début du XXe s. (1912, Bloch et Wartburg) devient le nom d'une danse de salon, plus tard de la musique de cette danse. ➛ *Tango* se dit aussi (1914) d'une couleur (orange vif) mise à la mode lors de la vogue du tango et, par métonymie, d'un demi de bière additionné de sirop de grenadine (mil. XXe s.). Dans ce sens, le mot, attesté dès 1913 en anglais, est le croisement de *tangerine* «mandarine», dérivé de *Tanger, Tangier* «Tanger», et du nom de la danse.

TANGUER v. intr., mot de marine qui apparaît au XVIIe s. (1643), est d'origine incertaine. Il est probablement dérivé de l'ancien français *tangre* «partie du couteau qui s'emboîte dans le manche» (XIIIe s.), qui représenterait l'ancien norrois *tangi* de même sens. P. Guiraud préfère rapprocher les verbes *tangre* et *tanguer* de l'ancien français *tangonner* «piquer de l'aiguillon», qui serait lié au latin *tangere* «toucher» et «piquer» au figuré (→ tangente), le navire qui tangue «piquant du nez».

♦ Le verbe s'applique à un navire qui se balance par un mouvement alternatif et longitudinal (par opposition à *rouler*) et, par analogie, s'emploie à propos d'une personne (1872) et de divers moyens de transport (XXe s.).

▸ Le dérivé **TANGAGE** n. m. (1643) est d'emploi courant, comme son complémentaire *roulis*, mais **TANGUEUR, EUSE** adj. et n. est un ancien terme de marine (1812), peut-être reprise de *tanqueur, tangueur* (1611), pour désigner un portefaix qui charge ou décharge un navire.

TANIÈRE n. f. (1538), d'abord écrit *tasniere* (v. 1190), est issu par évolution phonétique du latin populaire °*taxonaria* (attesté en 902 comme nom de lieu en Mayenne : *Taxinarie*), dérivé du latin tardif *taxo* «blaireau» (→ taisson). Les formes anciennes *taisnière* (XIIIe s.), *tesnière* (v. 1213), *tasnière* montrent, selon Bloch et Wartburg, que le mot ne doit pas être rapproché de l'italien et de l'ancien provençal *tana* «tanière», issus probablement par suppression de suffixe d'un latin populaire °*subtanus* «qui se trouve au-dessous».

♦ Le mot, qui signifie donc proprement «retraite du blaireau», s'est aussitôt appliqué à toutes sortes de bêtes sauvages. ◇ Par extension, il a pris le sens figuré de «logis dans lequel on se cache» (XVe s.) et, l'accent étant mis sur un autre caractère du gîte animal, d'une habitation élémentaire (fin XVIIe s., La Bruyère).

TANK n. m. est emprunté (1857) à l'anglais *tank* «citerne, réservoir» (1690), lui-même emprunté (v. 1616), pour désigner les réservoirs d'irrigation de l'Inde, à un mot indien (gujerati *tankh,* marathi *tanken*) peut-être issu du sanskrit *tadaga* «étang, lac».

♦ Le mot est passé de l'anglais en français au sens de «vaste réservoir de stockage» (*tanques* 1617, rare avant le XIXe s.), mais ce sens a mis longtemps à se répandre. ➛ L'acception de «véhicule blindé à chenilles» (1916) est un autre emprunt à l'anglais *tank.* Le mot, peut-être par analogie d'aspect mais surtout pour assurer le secret, avait été choisi pour désigner les premiers chars de combat étudiés en Angleterre en décembre 1915 et en 1916. Attesté dans le *Figaro* le 22 septembre 1916, le *tank* de la Première Guerre mondiale est devenu en français *char d'assaut* sous l'influence du général Estienne. Le *Journal Officiel* n° 262 donne *char* comme équivalent obligatoire de *tank* (*arrêté ministériel* du 12 août 1976), mais le déclin de *tank* dans son sens militaire devant *char* était un fait acquis. ◇ Au milieu du XXe s., le mot s'est répandu au sens anglais de «citerne» dans l'industrie pétrolière, dans la marine et dans l'aviation. Un arrêté ministériel du 12 août 1976 recommande de le remplacer par *réservoir.*

▸ *Tank* a produit **TANKISTE** n. m. et **TANKEUR** n. m., tous deux dans l'argot des poilus (1919) pour désigner le soldat d'une unité de tanks. *Tankeur* a disparu au profit de *tankiste,* répandu en 1940-1941 à propos des unités allemandes de blindés.

ANTITANK adj. invar. en genre, est attesté au début du XXe s..

TANKER n. m. a été emprunté (1933) à l'anglais *tanker* (1900), également *tanker-ship,* dérivé de *tank.* ➛ Le mot désigne un bateau-citerne transportant des produits pétroliers; il est toujours en usage, malgré les recommandations officielles pour *navire-citerne* et *pétrolier* (*J. O.* du 19 janvier 1973). ➛ Le composé **SUPERTANKER** n. m., emprunté (1964) à l'anglais, a pour équivalent francisé *superpétrolier.*

TANNER → TAN

TANSAD n. m. est l'emprunt (1920 *Tan Sad*) d'une marque anglaise, *Tan Sad,* formée de *tandem* et *saddle* «selle».

♦ Le mot désigne le siège à deux places d'une moto. Sa graphie actuelle est *tansad* (dep. 1947).

TANT adv. et nominal est issu (seconde moitié du Xe s., *tan*) du latin *tantum* «relativement à cette grandeur, à cette quantité», employé également en corrélation avec *quantum,* avec *ut* consécutif, et au sens de «seulement» (y compris avec une idée temporelle). *Tantum* était substantivé avec les sens correspondants de «cette grandeur, autant». Quant à sa syntaxe, il s'emploie en corrélation avec *quantum,* introduisant avec *quod* une relative consécutive, avec *ut* une conjonctive consécutive, et il est employé dans plusieurs locutions. *Tantum* est le neutre pris adverbialement de l'adjectif *tantus,* démonstratif de quantité, de grandeur, dont la forme archaïque était °*tam-to-s,* et qui contient (comme *talis, tum*) la racine indoeuropéenne du démonstratif (→ tel).

♦ L'histoire du français *tant* est celle d'une grande extension de son champ d'emplois (seul ou en corrélation) et d'une grande productivité en locutions usuelles. En tant qu'adverbe de quantité, marquant l'intensité, *tant* est fréquemment employé avec une subordonnée consécutive introduite par *que* (1250, avec inversion du sujet, dans des phrases du type *tant vient... que...*); la locution ***tant et si bien que*** (1666) étant marquée comme «littéraire». ➛ Sans *que, tant* se construit encore directement avec un verbe (1080) mais son emploi avec un adjectif (fin Xe s.) ou un adverbe (concurrencé par *si, tellement*) est archaïque. ◇ Il est employé également avec un complément de détermination introduit par *de,* quelquefois redoublé dans la locution ***tant et tant de*** (1585). La même valeur d'intensif est réalisée par les locutions ***tant soit peu*** et ***tant s'en faut*** (1538). ◇ Un autre type d'emploi fait de *tant* un nominal exprimant une quantité non exprimée mais supposée définie, déterminée; *tant* est alors employé seul (v. 1370) ou précédé d'un article indéfini dans un emploi disparu : *un tant* «une commission» (1882), d'un article défini pour exprimer la date *(le tant du mois)* et en locution dans ***tant et plus*** (1530). ◆ De très nombreux emplois, attestés à partir du XIIIe s., réalisent une comparaison, une confrontation de deux termes. *Tant* y est redoublé en *tant... tant, tant que..., tant que...* (déb. XIIIe s.) et employé en relation avec *que,* notamment dans plusieurs locutions comme *tous tant que* (1640, *tous tant que nous sommes*), ***en tant que*** (déb. XVIIe s.), calque de la locution latine *in tantum quantum. Tant... que* a remplacé l'ancien français *tant... comme* (encore au XVIe s.); ***tant bien que mal*** est récent (1872). Le second membre de la comparaison est implicite dans les locutions usuelles ***tant mieux*** (XVIe s.) et ***tant pis*** (XVIe s.). ***Tant qu'à faire*** (1847), variante de la locution plus développée *tant qu'à faire les choses* (1827), représente l'équivalent courant de *tant qu'à faire que de* «puisqu'il faut faire...». ◆ Enfin, *tant* a une valeur temporelle dans *tant que...* (v. 1180) «aussi longtemps que», rémanence d'un type d'emploi de *tant* qui s'est restreint par rapport à l'ancien et au moyen français.

▶ *Tant* a produit deux diminutifs exprimant l'idée d'une «petite quantité». ◆ **TANTET** n. m. (v. 1213) a vieilli, même dans la locution ***un tantet*** (v. 1350) équivalant à «un peu» et aujourd'hui régionale. ◆ **TANTINET** n. m. (v. 1450, *ung tantinot*) s'est mieux maintenu, notamment dans la locution ***un tantinet*** (1485), employée plaisamment (l'ancienne langue avait d'autres diminutifs : *tantin, tantelet,* sortis d'usage). ◆ De *tant* est aussi dérivé **TANTIÈME** adj. et n. m. (1562, *tantiesme;* une première fois au XVe s.), qui a vieilli comme adjectif au sens de «qui représente une fraction non précisée d'une grandeur» mais a développé comme nom la spécialisation de «pourcentage d'un tout» (1824).

◈ voir TANTÔT, AUTANT, POURTANT.

TANTALE n. m. est emprunté (1623) au latin *Tantalus,* lui-même pris au grec *Tantalos,* nom dans la mythologie grecque d'un fils de Zeus. La mythologie fournit plusieurs variantes de son aventure : il aurait été puni pour avoir dévoilé aux humains les secrets de l'Olympe ou pour avoir dérobé le nectar et l'ambroisie ; il fut placé sous un rocher toujours sur le point de tomber et de l'écraser ou plongé dans l'eau jusqu'au cou sans pouvoir étancher sa soif.

♦ Par allusion à ces châtiments, le mot a désigné (XVIIe s.) une personne qui a des désirs irréalisables et au XVIIIe s. (av. 1750) un avare fortuné qui se prive de tout. Ces emplois ont disparu, mais on emploie toujours *supplice de Tantale* (1842). ◆ Par ailleurs *tantale* reprend le latin zoologique pour désigner (1754) un oiseau échassier d'Amérique centrale. ◆ Enfin, *tantale* est en chimie (1802) l'emprunt du nom donné en 1802 par Ekeberg à un élément (métal) parce qu'on ne peut le dissoudre dans aucun acide.

De ce dernier emploi viennent en chimie **TANTALIDE** n. m. (1805) et **TANTALIQUE** adj. (1832).

Le premier usage du mot avait fourni **TANTALISER** v. tr. (fin XVIIIe s., Mirabeau), littéraire et rare.

TANTE n. f. est l'altération (v. 1160 ; v. 1200 selon T. L. F.), d'après une forme enfantine supposée (voir ci-dessous *tata*), de l'ancien français *ante* (v. 1160, mais antérieur ; voir ci-dessous *antine*), encore attesté au XVIe s. dans le composé *belante* (1512, *belle ante*), qui a laissé des traces en Suisse romande et en poitevin, et que l'on retrouve dans l'anglais *aunt. Ante* remonte par évolution phonétique au latin classique *amita* «sœur du père, tante paternelle» et se rapproche, avec une consonne intérieure, de *amma* «maman» ; ce mot familier et enfantin, non attesté directement, est postulé d'après les représentants romans et les gloses d'Isidore de Séville.

♦ *Tante,* comme terme de parenté, entre dans *grand-tante* (ci-dessous) et *tante à la mode de Bretagne.* Au XIXe s. se sont développés ses sens figurés et familiers : *ma tante* (1823) désigne le mont-de-piété, le prêteur sur gages, par allusion ironique à ceux qui déguisent l'origine d'un emprunt en prétextant recourir à leur famille ; *oncle* est attesté au XVIIe s. en ce sens (1642) en Belgique. ◇ Par métaphore, *tante* désigne aussi, avec une connotation insultante, un homosexuel passif (1834, Raspail) : on parlait alors de *mômes, cousines* et *tantes* selon les âges. Cet emploi est dans Balzac, où un personnage explique ce mot d'argot («c'est le troisième sexe, milord», *Splendeurs et Misères des courtisanes*).

▶ Le terme de parenté a produit les appellations enfantines **TANTINE** n. f. (fin XIXe s. : 1898 A. Daudet), qui reprend l'ancien français *antine* (1133) dérivé de *ante* (ci-dessus), et **TATA** n. f. (1782), ce dernier en concurrence avec *tatan* (1793 ; encore chez Stendhal, *Correspondance,* 1800). *Tata* a comporté en outre des acceptions péjoratives de «femme qui se mêle de tout», «femme d'âge mûr corpulente». Il s'emploie familièrement par substitution pour *tante* en parlant d'un homosexuel (1881), mais représente alors l'initiale redoublée de *tapette**. ◇ Ce sens de *tante* a lui-même donné lieu à **TANTOUZE** ou **TANTOUSE** n. f. (1899), mot aux connotations injurieuses.

Le composé **GRAND-TANTE** n. f. (1538), analogue à *grand-père, grand-mère,* désigne la mère d'une tante ou d'un oncle.

TANTÔT adv. et n. est formé (v. 1155, *tantost,* in *F. e. w.;* v. 1130, selon *G. L. L. F.;* 1119 écrit *tant tost* dans *tant tost cum*), de *tant** et de *tôt**, qui ne sont plus analysés dans le composé.

♦ Le mot signifie d'abord «aussitôt», encore au XVIe s. et aujourd'hui dans des usages régionaux. Il a pris par extension le sens de «prochainement, dans un avenir proche», usuel jusqu'au XVIIe s., et d'«il y a peu de temps» (XIIe s.), sens restés courants en Belgique, au Québec *(j'irai tantôt, j'y suis allé tantôt).* ◇ L'usage moderne du français de France l'emploie pour «dans la même journée» (1580) et spécialement «dans l'après-midi» (1636), emploi connoté comme populaire. ◇ Il est répété dans *tantôt... tantôt* (1507, *tantost*) «à tel moment... à un autre moment». ◆ L'emploi substantivé de *tantôt* (1872, dans la locution ***sur le tantôt***) est propre à un usage familier ou régional.

TANTRA n. m. est un emprunt (1829, Rémusat) à un mot sanskrit désignant proprement la trame ou la chaîne d'un tissu et, par figure, ce qui se déroule en s'enchaînant, une expansion.

♦ Ce mot didactique désigne un livre sacré indien qui, prenant souvent la forme du dialogue, inclut une cosmologie, l'exposé de pratiques rituelles et de méthodes de dépassement de soi (yoga), et renferme aussi des principes relatifs à la conduite personnelle et sociale.

▸ *Tantra* a produit deux dérivés, **TANTRIQUE** adj. (1904) et **TANTRISME** n. m. (1904), qui désigne une forme de l'hindouisme inspirée des tantras.

TAO n. m. (1735), représente la transcription d'un mot chinois signifiant «voie, raison» (→ shintoïsme).

♦ Le mot, parfois transcrit *dao*, désigne dans la philosophie chinoise le principe du mouvement qui régit tous les processus de l'univers et est formé de deux principes complémentaires (→ yang, yin). Il est resté très didactique en français, alors que les dérivés sont plus connus.

▸ **TAOÏSME** (1886) ou **TAÔISME** n. m., auparavant *taossisme* (1845; de *taosse*, 1827, forme disparue), s'est un peu répandu avec la vogue, après 1970, des philosophies orientales. Nom d'une doctrine religieuse chinoise fondée au VIe s. avant J.-C. par Lao Tzu (ou Lao Tseu), le taoïsme enseigne en particulier la solidarité totale entre la nature et l'homme (l'homme étant une image du macrocosme); les fondements de la doctrine sont exposés dans le Tao-tö-king, le «Livre du Tao», antérieur au IIIe s. et attribué à Lao Tzu. ➛ **TAOÏSTE** (1616) ou **TAÔISTE** n. et adj. est le premier mot de la série qui semble avoir été importé.

TAON n. m. est issu (v. 1175) du bas latin *tabonem*, accusatif de *tabo, -onis*, altération par substitution de suffixe du latin classique *tabanus*, attesté depuis Varron. La forme du mot, qui désigne un insecte piqueur s'attaquant aux bestiaux, se retrouve dans des noms propres étrusques avec les deux finales en *-anus* et en *-o, -onis*.

▸ Le dérivé **TAONNÉ, ÉE** adj., «piqué par les taons» (av. 1850, Balzac), est peu employé.

✳ ① **TAPER** v. est probablement une formation onomatopéique (v. 1175) à partir d'un radical °*tapp-* exprimant le bruit d'un coup sourd et bref. On a aussi évoqué un croisement avec un verbe *taper* «boucher» (→ ② taper), donc une parenté avec la famille du francique °*tappôn*, °*tappo* (→ tampon, tapon).

♦ Dans sa première attestation, le verbe s'applique au faucon qui saisit en vol un oiseau; cette valeur semble proche de celle de *voler** en ancien français; elle est relativement aberrante par rapport au sémantisme général et dominant qui apparaît au début du XIIIe s., «tapoter» v. 1200, «donner un coup à (qqn)» (v. 1220) et en général «frapper», que ce soit comme transitif (entre 1300 et 1350) ou comme intransitif (au XIVe s. aussi). ◇ Dès cette époque, le verbe est employé au figuré, le sujet désignant le soleil qui peut incommoder (XIVe s.), le vin qui monte à la tête (fin XIVe s.). À partir du XVIe s., l'emploi intransitif donne lieu à la locution ***taper des pieds*** (1538), puis ***taper du pied*** (1689), cet acte exprimant au figuré l'impatience et la colère. D'autres locutions métaphoriques (transitives et intransitives) apparaissent au XIXe s., comme ***taper sur le ventre de qqn*** (1872) «avoir des relations très familières avec lui», au figuré ***taper dans l'œil à qqn*** (1859) «séduire», ***taper sur les nerfs*** (1868), ***se taper le derrière par terre*** (1880) «se réjouir bruyamment». ➛ *Taper* se spécialise avec l'idée de frapper, battre, rosser dans *taper sur qqn* (d'où *se faire taper dessus*, familier), le transitif, au sens propre, étant réservé à l'usage familier (XIXe s.) puis spécifiquement enfantin *(elle m'a tapé !)*. ◇ Mais au figuré, *taper qqn* signifie «lui demander de l'argent» (1866), sens d'où procède l'argot normalien ② *tapir**, alors que *taper sur* correspond à «médire» (1907). ◇ *Taper* peut correspondre à «frapper de la main, du poing» (par ex. dans la locution ***taper dans le tas***, 1867) ou plus rarement à «atteindre par un coup à distance» (par ex. dans la locution ***taper dans le mille***, 1881). ◇ D'après le sémantisme sexuel du coup, *taper*, surtout au pronominal, exprime l'idée de relation sexuelle. C'est probablement cette métaphore sous-jacente (non encore attestée) qui rend compte de l'emploi de *se taper* avec un complément pour «boire, manger» (1776), *taper qqch.* ayant aussi signifié «se servir abondamment de» (1836), sorti d'usage. ◇ *Se taper* correspond au XXe s. (attesté en 1905) à *se faire, se farcir*, etc. avec pour complément le nom d'une action pénible *(se taper une corvée, la vaisselle)*. ◇ En argot, le verbe a parfois une valeur explicitement sexuelle, après l'emploi de *taper une femme* (1789, Nerciat), évoquant notamment la sodomie. *S'en taper*, comme *s'en foutre*, exprime familièrement l'indifférence méprisante.

Dans un tout autre contexte, le verbe s'applique au fait de frapper les touches d'un clavier de machine à écrire (*taper à la machine* intransitif, et absolu *savoir taper*) et de produire (un texte) avec la machine à écrire (1917), en concurrence avec *dactylographier*. Cet emploi, avec le remplacement progressif des machines à écrire par des claviers de micro-ordinateurs, est concurrencé par *saisir*.

▸ Certains dérivés du verbe conservent la valeur dominante de «donner un coup» au propre et au figuré; c'est le cas de *tapoter, tape, tapement, tapée, tapeur, tape-cul, tape-à-l'œil*. D'autres exploitent des valeurs de sens spécial et sont de ce fait sentis comme détachés de la série : *retaper* et ses dérivés, *tapage, tapin* illustrent cette situation. *Tapette* participe des deux cas.

Le plus ancien dérivé est **TAPOTER** v. (v. 1270), «donner de petits coups répétés», en emploi intransitif et transitif (v. 1570). Il s'est spécialement employé pour «jouer d'un instrument à touches avec négligence ou maladroitement» (1867), acception vieillie. ➛ Ce verbe a servi à former les noms d'action **TAPOTAGE** n. m. (1855) et **TAPOTEMENT** n. m. (1859). ◇ **TAPOTEUR, EUSE** n. (av. 1868) a une forme féminine **TAPOTEUSE** désignant une machine qui égalise la pâte à chocolat dans les moules par secousses. ◇ **TAPOTIS** n. m. (1919), analogue à *clapotis,* exprime un bruit fait en tapotant.

Le déverbal ① **TAPE** n. f. (1360) sert à désigner un coup donné avec le plat de la main; le sens figuré qui correspond à «échec» (1760, dans *avoir sa tape;* 1894, au théâtre) a vieilli. ➛ Le participe passé adjectivé **TAPÉ, ÉE** a en ancien français la valeur de «un peu fou» qui correspond au sémantisme du coup : celui qui est fou a reçu un coup (sur la tête). Depuis la fin du XVIIe s., il s'est dit de fruits aplatis et séchés au four (pommes, poires) [1694] et de cheveux crêpés (XVIIIe s.). ◇ De nos jours, il est courant avec les sens familiers de «réussi» (1742, *bien tapé*), spécialement dans l'argot des peintres «fait avec liberté et hardiesse» (1817), et, comme en ancien français, «un peu fou» (829) puis «vieilli, marqué par l'âge» (1949).

TAPEMENT n. m. (1569) sert de nom d'action à *taper* et désigne, par métonymie, le bruit d'un choc (1823). Il est passé dans le langage des graveurs pour désigner l'action d'étendre également le vernis sur la planche à graver (1802), peut-être par influence de *tapon, tampon,* et avec le sens de «tamponner».

① **TAPETTE** n. f. est employé avec sa valeur diminutive de *petite tape* depuis le XVIIIe siècle. Au XIXe s., c'est devenu le nom d'un jeu de billes (1845). D'après la valeur sexuelle de *taper* (ci-dessus), c'est aussi le nom familier d'un homosexuel passif (1859), l'initiale commune avec *tante, tata* ayant pu renforcer cet emploi. ◇ Le mot sert également de désignation familière pour la langue, organe de la parole (1867). ◇ D'après sa fonction, il désigne aussi concrètement une raquette d'osier pour battre les tapis, tuer les mouches (1929).

TAPAGE n. m. (1695) s'est spécialisé pour exprimer un bruit violent et confus, quelquefois, au figuré et dans un style archaïsant, un éclat. Par ces valeurs, le mot s'est détaché du verbe. Le sens de «contraste violent de couleurs» (1764, Voltaire) relève d'un style littéraire. ◇ Plus étroitement lié au verbe, le sens de «fait d'emprunter de l'argent» (1878) est familier. ◇ Au sens de «bruit intense» (ci-dessus), *tapage* s'emploie en droit, notamment dans ***tapage nocturne*** (1834, Balzac). ➛ *Tapage* a lui-même pour dérivé **TAPAGEUR, EUSE** n. (1743) et adj. (v. 1770), plus courant que le nom pour qualifier ce qui fait du scandale (1771) et ce qui se fait remarquer par des contrastes de couleurs. ➛ Un autre dérivé, **TAPAGER** v. intr. (1828), est rare.

TAPIN n. m. a été formé anciennement en picard (v. 1270) avec un sens métaphorique, par rapport à *taper* et peut-être déverbal de *tapiner* (ci-dessous), de «tache venant aux jambes lorsqu'on s'est chauffé de trop près». Ce dérivé a été repris ou reformé sur *taper* au XVIIIe s. pour désigner celui qui bat du tambour (v. 1760), sens sorti d'usage, comme d'autres apparus à la même époque. ◇ La locution argotique ***faire le tapin*** (1837), à rapprocher de *faire la retape* (ci-dessous, sous *retaper*), peut-être d'après l'idée de «racolage bruyant», a produit le seul sens vivant, «activité de la prostituée», puis par métonymie «prostituée» et, par extension, «travail» en général (1926); le mot est alors détaché du verbe *taper.* ➛ Son dérivé ① **TAPINER** v. intr. a suivi la même évolution. Il est d'abord relevé en ancien picard (v. 1270) au sens de «faire venir des taches à qqn», disparu. ◇ Au sens de «battre du tambour», c'est peut-être un dérivé direct de *taper,* l'ancien français *tapin* pouvant être son déverbal. ➛ Un autre verbe dérivé de *tapin,* ② **TAPINER** v. intr., apparaît en argot moderne (1920). Il a produit **TAPINEUSE** n. f. (XIXe s.), «prostituée». ➛ Il semble distinct de ③ **TAPINER** v. tr. (1908), verbe familier et vieilli exprimant l'idée de posséder sexuellement, d'après *taper* de même sens, peut-être croisé avec *pine**.

TAPÉE n. f. est attesté depuis le XVIIIe s. (1729) pour «grande quantité» dans l'usage familier, par l'idée de *tapée de coups.* ◇ Il est passé dans la terminologie technique (1872) pour désigner les morceaux de planche que l'on colle sur un meuble pour y faire des moulures.

TAPEUR, EUSE n., dérivé attendu de *taper* (1856 comme adjectif), signifie au figuré «personne qui emprunte de l'argent»; plus rarement, il désigne concrètement celui qui frappe (1876). ➛ L'usage du participe présent de *taper,* **TAPANT, ANTE** adj., est attesté depuis 1900, employé avec un nom d'heure, pour «à l'instant où sonne (telle ou telle heure)» et dans *soleil tapant* «qui tape».

TAPE-CUL n. m., composé avec la forme verbale *tape-* (1453) et d'abord écrit *tapecul,* désigne alors le pont-levis fermant l'entrée d'une barrière. ◇ Plusieurs sens concrets sont apparus ensuite : en marine «voile établie à l'arrière d'une embarcation» (1678), puis «bascule à contre-poids fermant l'entrée d'une barrière» (1694) [reprise de la valeur initiale] et, le cul étant celui d'un être humain, «voiture à cheval mal suspendue» (1798), «balançoire» (1845) et en équitation «monte sans étriers» (1888).

TAPE-À-L'ŒIL adj. et n. m. inv. est relevé pour la première fois en 1867 pour «homme ayant une marque sur l'œil», sens aujourd'hui sorti d'usage comme «chien blanc ayant du poil noir sur les yeux» et, par métonymie, «carré d'étoffe que l'on met devant un œil malade». De nos jours (et depuis le milieu du XIXe s. : 1867 dans Flaubert), le mot qualifie et désigne ce qui est de couleur voyante, attire l'attention.

TAPUSCRIT n. m. apparaît vers 1970, composé irrégulier du radical de *taper* et de (man)*uscrit;* il désigne dans l'usage technique un texte dactylographié, opposé à *épreuves* en imprimerie, et jouant le même rôle qu'un manuscrit.

Le préfixé **RETAPER** v. tr. est lui aussi attesté une première fois au XVIe s. à la forme pronominale *se retaper* pour «se cacher, se renfoncer de nouveau quelque part». ◇ Puis le verbe correspond à «remettre dans sa forme en donnant des tapes», d'abord à propos de la coiffure et d'un chapeau dont on retrousse les bords (1752). De là vient l'idée de «remettre à neuf» (1835). Au pronominal, *se retaper* signifie «retrouver la santé» (1871). ◇ *Retaper* se dit aussi, dans l'argot des écoles, du fait de refuser qqn à un examen (1888), sorti d'usage. ◇ Dans l'usage enfantin, il correspond à «redonner des coups» (1907). ➛ Son participe passé **RETAPÉ, ÉE**, est adjectivé (1782), d'abord pour «élégant» puis avec les sens modernes de «rénové» et «rétabli (de la santé)» (1881). ➜ Le sens argotique ancien de «rencontrer» (1800, *retaper qqn*) est réalisé par le déverbal **RETAPE** n. f., d'abord employé dans l'expression ***faire la retape*** (1795) qui se dit encore d'une prostituée qui se promène sur la voie publique pour y trouver des clients. ➜ Un autre dérivé du verbe, **RETAPAGE** n. m., s'est dit du fait de répéter une chanson de manière fastidieuse (1861). ➜ **RETAPEUSE** n. f., mot d'argot, a désigné une prostituée (1867); il est sorti d'usage, à la différence de *retape* et de *tapineuse* (ci-dessus).

◈ voir ② TAPIR, TOPER.

② **TAPER** v. tr., attesté tardivement (1611, Cotgrave) en français, correspond à l'ancien provençal *tapar* (XIVe s.) et au latin médiéval *tapare* (1331). Le mot provient, comme l'italien *tappare*, le catalan, l'espagnol, le portugais *tapar*, d'un francique *°tappôn* «boucher», correspondant à *°tappo* (→ tampon, tapon). Il fait partie des mots germaniques implantés dans le sud de la France (occitan) et répandus plus tard dans le français du Nord.

♦ Le mot, qui signifie «boucher, obturer», vit surtout dans les parlers régionaux avec des nuances voisines de «couvrir», «comprimer», «tasser». Le français central lui donne au XVIIIe s. un sens technique, «mettre un bouchon de bois ou de liège à un canon, à un écubier» (1752) en marine; il interfère alors avec ① *taper* par l'idée d'«appliquer par un coup».

▸ Deux dérivés techniques sont homonymes des dérivés de ① *taper*: le diminutif ② **TAPETTE** n. f. (1562), en tonnellerie, désigne la palette qui sert à enfoncer les bouchons; le déverbal ② **TAPE** n. f. (1743), représenté dès le XIVe s. en ancien provençal (1380), sert à désigner un dispositif qui ferme le fond d'une cuve en brasserie, et en marine un bouchon ou une plaque servant à boucher les écubiers (1752). Il désigne aussi diverses sortes de bouchons ou «tapons» (1812 en gravure).

◈ voir (SE) TAPIR, TAPON.

TAPIN → ① TAPER

TAPINOIS (EN) → TAPIR (SE)

TAPIOCA n. m., relevé une première fois en 1651 sous la forme *tapiocha* puis au XVIIIe s. (1783, S. Mercier) sous la forme actuelle, est emprunté au portugais *tapioca*, lui-même pris au tupi et guarani (langues indiennes du Brésil) *tapioca, tipioca*, de *tipi* «résidu» et *ok-* «presser», désignant la fécule de racine de manioc, lavée et séchée.

♦ D'abord mot exotique de voyageurs, *tapioca* est devenu usuel quand le tapioca, consommé en potage, est devenu habituel entre 1920 et 1940.

① **TAPIR** n. m. est emprunté AU XVIe s. sous diverses formes plus complexes (la première connue est *tapihire* en 1558) au tupi *tapira*, nom d'un gros mammifère ongulé au nez en trompe.

♦ Le mot est transmis en français dans un récit de voyage de Thevet. La forme a varié en *tapyyre* (1614), *tapiyre* (1614), avec des variantes longues provenant d'autres formes indiennes : *tapirousou* (1575), *taperoussou* (1615) ou *tapireté, tapyire-eté* (1694), avant de se stabiliser en *tapir* (1741). Avant cette date, il s'agit d'un mot de voyageurs, rare; ensuite, l'animal est décrit par les zoologistes et son nom devient relativement connu.

◈ voir ② TAPIR.

② **TAPIR** n. m. est un calembour (fin XIXe s.) entre ① *tapir* et le verbe *taper* au sens d'«emprunter» (→ ① taper).

♦ En argot de l'École normale supérieure, il désigne l'élève qui prend des leçons particulières, et auquel le Normalien «tape» de l'argent; la métaphore est plaisante, le tapir étant un animal apprivoisable et comestible.

TAPIR (SE) v. pron. est issu (v. 1155) du francique *°tappjan* «fermer» et «enfermer», postulé par l'ancien scandinave *teppa* de même sens, et appartenant à la même racine que *°tappo* (→ tampon, tapon) et *°tappôn* (→ ② taper). P. Guiraud, contestant l'étymologie francique, rattache le mot à ① *taper* par la métaphore qu'il estime «fondamentale», menant de *cacher* «écraser» à *se cacher* «se dissimuler», mais l'histoire du mot montre que l'idée de «boucher» est présente dès le moyen français.

♦ Le verbe pronominal signifie dès le XIIe s. «se cacher», impliquant l'idée de «se ramasser sur soi-même», spécialement en parlant d'un animal (v. 1265). ◇ L'emploi intransitif (1155) et l'emploi transitif de *tapir*, vivants en moyen français, ont disparu. ◇ L'acception de «boucher, obturer, tamponner» (1314) et, avec une nuance voisine, celle de «presser, comprimer» (1603), elles aussi sorties d'usage, témoignent en faveur de l'étymologie francique. Depuis le XVIe s. (1559), le mot réalise aussi l'idée de «se cacher» dans des emplois figurés ou abstraits.

▸ Son participe passé **TAPI, IE**, est adjectivé, d'abord sous l'ancienne forme *tappy* (XVe s.), pour qualifier une personne ramassée sur elle-même, puis à l'abri. Dans plusieurs parlers (en particulier en Suisse), l'adjectif signifie «serré, compact», «couvert d'une couche protectrice», valeur qui réactive la racine germanique. ➜ Par l'intermédiaire d'un ancien adjectif *tapin* (v. 1200), adverbialement dans *a tapin* (v. 1170), fait sur le participe *tapi, tapir* a produit **TAPINOIS, OISE** adj. «déguisé» (fin XIIe s.), employé dans la locution adverbiale ***en tapinois*** (v. 1470) «en se cachant, à la dérobée» qui a évincé les anciennes locutions équivalentes *en tapinette, en tapinage* (v. 1120, en anglo-normand), *en tapinement, a tapinement* (1148) et l'adverbe *tapineusement* (1390). ◇ L'adjectif *tapinois*, qui qualifiait ce qui est clandestin (1580) et s'employait comme nom pour une personne sournoise (1636), est sorti d'usage après le XVIIe s., mais *en tapinois* est resté en usage.

TAPIS n. m. (v. 1160), d'abord *tapid* (fin XIe s., Raschi) et *tapiz* (v. 1130), est emprunté à l'époque des croisades au grec tardif *tapêtion* «petite couverture», diminutif de *tapês, tapêtos* «couverture, tissu à étendre au sol», emprunt oriental d'origine obscure : on a supposé depuis longtemps un emprunt à l'iranien et certains évoquent une origine en Asie Mineure. Le mot grec a été adapté en latin sous plusieurs formes ; *tapete* a été repris par l'espagnol *tapete, tapetum* a fourni l'italien *tappeto*. Le mot a largement circulé en Occident avec la chose ; ainsi, son passage en français a été suivi d'emprunts par l'ancien anglais *tapis*, plus tard éliminé par *carpet*, et par l'allemand *Teppich*, toujours vivant.

♦ Pendant longtemps, *tapis* a été employé au sens large de «pièce de tissu servant à l'ameublement, à la décoration», qu'elle soit étendue sur une table, une estrade, dans une alcôve ou pendue comme tapisserie. Le sens moderne, restreint, «ouvrage de tissu étendu sur le sol» qui correspond à l'usage dominant en Occident, est relativement récent (2e moitié XVIIIe s.). ◇ La langue conserve de nombreuses traces du sens ancien ; *tapis* (av. 1615), puis ***tapis vert***, désigne la pièce de drap, généralement vert, qui recouvre une table de jeu, sens d'où viennent diverses locutions comme ***le tapis brûle*** (1690), et s'emploie au billard (1694, *tapis du billard*) ; *tapis* (1765) ou *tapis vert* se dit aussi de la table autour de laquelle des personnes délibèrent. De nos jours, *tapis vert* évoque les jeux de hasard. ◇ Diverses locutions figurées font allusion au tapis du bureau (ce dernier mot ayant cessé de désigner le tissu recouvrant une table ; → bureau) : *être sur le tapis* (fin XVIe s.), *mettre (qqch., qqn) sur le tapis* (fin XVIe s.) ; employé par métonymie pour «assemblée de personnes», *tapis* est entré dans *amuser le tapis* «divertir la société» (1619). ◇ La valeur moderne a donné lieu à *tapis magique*, ***tapis volant*** (1835) qui évoquent les légendes arabes. ◇ Par extension du sens moderne, le mot s'applique à un revêtement souple de sol (1901), et se dit spécialement dans un contexte sportif (1903, en lutte, puis en boxe) et dans la locution ***envoyer au tapis***. ◇ *Tapis* entre dans le syntagme lexicalisé ***tapis roulant*** (av. 1949, Larousse) pour désigner un dispositif servant au transport de personnes et de marchandises. ➝ Le mot a développé quelques emplois métaphoriques, «surface plane» (fin XVIe s.) évoquant un tissu posé, d'où *tapis vert* (1688) ou *tapis de gazon* (1694). ◇ Par allusion aux dessins d'un tapis (au sens général ancien), il est employé en anatomie pour désigner une portion de la choroïde (1690). ◇ L'expression métaphorique ***tapis de bombes*** (v. 1964) est un calque de l'anglais en usage dans la langue militaire.

▸ De l'ancien sens de *tapis*, «revêtement mural», est dérivé **TAPISSERIE** n. f. (1347, Bloch et Wartburg) «grand ouvrage fait au métier ou manuellement, destiné à former des panneaux verticaux» ; on distingue les *tapisseries de haute* et *de basse lice**. ◇ Par extension, le mot désigne aussi un ouvrage d'aiguille au canevas (1690), proprement appelé *broderie* (d'où *tapisserie de Bayeux*, s'agissant d'une broderie), et en langue classique toute matière textile (puis matières analogues) propre à recouvrir les murs (1549), sens restreint de nos jours à une tenture d'ameublement. ◇ Le mot désigne également (1462) l'art du tapissier. ◇ Il a donné lieu à l'époque classique à la locution *être derrière la tapisserie* «être dans le secret» (fin XVIIe s.) et aux locutions usuelles ***l'envers de la tapisserie*** «ce qui est caché par les apparences» et ***faire tapisserie*** «rester assis et inoccupé, le long du mur, de la tapisserie» (1806, au bal). ➝ C'est encore *tapis*, pris avec le sens de «tissu d'ameublement», qui a produit **TAPISSIER, IÈRE** n. et adj. (écrit *tapicier*, 1220 ; graphie moderne attestée au XVe s.), d'abord écrit *tapicier* (1226), «personne qui fabrique, vend des tissus utilisés en décoration et en ameublement» et «personne qui tapisse une pièce», «qui vend les tissus utilisés dans la fabrication de certains meubles». ➝ Le féminin **TAPISSIÈRE** n. f. sert spécialement (seul 1752 ; ou dans *abeille tapissière*, 1812) à désigner une espèce d'abeille qui tapisse son nid de coquelicots. ◇ *Tapissière* a désigné aussi une voiture hippomobile utilisée par les tapissiers pour le transport des meubles (1834) et, par extension, un grand omnibus (1831 dans Balzac).

TAPISSER v. tr. (fin XVe s. ; sous la forme *tapycier* v. 1410) est dérivé de *tapis* au sens de «revêtement mural». Il signifie «garnir d'un revêtement mural», d'abord tapis et tapisseries, puis toute surface décorative, papiers peints, etc. ◇ Suivant l'évolution de *tapis*, il a eu les sens de «garnir le sol de tapis» (1632) et d'«exécuter (un motif) en tapisserie» (v. 1570). Ces acceptions ont disparu, comme le sens intransitif de «faire de la tapisserie» (1611).

TAPIS-BROSSE n. m., quasi synonyme de *paillasson*, est attesté en 1929 (Paul Morand).

Tapis est le premier terme du composé **TAPIS-FRANC** n. m. (1798), mot qui désignait un cabaret mal famé où les malfaiteurs partageaient leur butin, fait sur *tapis* au sens métonymique de «café borgne» avec l'adjectif *franc**.

TAPON n. m. représente (1382) le francique °*tappo* «cheville, bonde», attesté par l'ancien haut allemand *zaphon*, le moyen néerlandais *tappe*. °*Tappo* a pour correspondant le verbe francique °*tappôn* (→ ② taper). *Tapon* a pour variante nasalisée *tampon**.

♦ Le mot a eu de nombreux sens concrets, aujourd'hui disparus, techniques ou régionaux, souvent éliminés par *tampon**. Il a servi à désigner le cylindre de bois que l'on enfonce dans l'âme du canon (1382), une bonde, un bouchon (XVIe s.) et, par analogie d'aspect, une matière chiffonnée formant une boule compacte (1690, *en tapon*), sens encore vivant régionalement, à côté de *tampon*. ◇ Plus techniquement, il désigne encore le morceau de toile servant à boucher un trou dans une voile (1842). ◇ Il a servi à désigner, d'après *taponner* (ci-dessous), une manière de disposer les cheveux dans la coiffure (1867, Littré), à propos d'une mode au XVIIe siècle.

▸ Son dérivé **TAPONNER** v. tr. (1671, Mme de Sévigné) s'est employé aussi à la forme pronominale, *se taponner*, avec l'idée d'«arranger les cheveux en tapons». Il est sorti d'usage, de même que le nom d'action correspondant **TAPONNAGE** n. m. (XVIIe s.).

① **TAQUE** n. f., d'abord attesté dans l'est de la France (1568), est emprunté au bas allemand *tak* «plaque de fonte».

♦ Le mot, employé dialectalement dans les parlers de l'Est et du Nord, est entré en français central au XVIIIe s. comme terme technique : il désigne chacune des plaques de fonte qui forment les parois des fours de raffinerie (1757) et la plaque du contre-cœur d'une cheminée (1782), ce dernier sens étant relevé dès les premiers textes dans l'Est. Il est archaïque dans tous ses emplois.

TAQUER v. tr., d'abord *tacquier* (fin XIVe s.), est selon Wartburg d'origine onomatopéique (→ tac), de même que *toquer*, mais peut avoir été influencé par un dérivé fréquentatif du latin *tangere* «toucher», selon Guiraud un latin populaire °*tacticare* (→ tache).

♦ Le verbe signifie en moyen français «presser, appuyer contre qqch.». Rattaché à *tacon*, *taquon* et probablement aussi à ① *taquet*, il s'est spécialisé (1723) en typographie au sens de «mettre les caractères de niveau». Mais ce sens peut être indépendant du verbe moyen français.

▸ Le déverbal ② **TAQUE** n. f. (1752) a désigné divers instruments. ◆ Le dérivé **TAQUOIR** n. m. (1723) se dit de l'outil pour taquer. ◆ **TAQUAGE** n. m. (1878) correspond à «opération qui consiste à taquer».

① **TAQUET** n. m. est une modification (1573) de *taquès* (1384 en marine) et *tacquiet* (1459, dans le domaine picard), de l'ancien normand *estaque* par suppression de la syllabe *es-* prise pour un préfixe. *Estaque* correspondait à l'ancien français *estache* (1080) désignant à la fois une attache, un pieu, un poteau, une pièce de bois, mais aussi un but, une cible, la barre d'un tribunal, une amarre et un droit d'amarrage, par ailleurs au figuré le soutien. *Estaque* représente le francique °*stakka* «poteau» (l'ancien français a aussi des formes *stache*, *stake*). Le verbe *estachier* «attacher à un poteau» (XIIe s.) dérive de *estache* «poteau» et a fourni ensuite *estache* «lien»; par changement de suffixe, il est devenu *atachier* (→ attacher).

♦ *Taquet*, rare en français moderne avant le XIXe s., sert dans divers usages techniques à désigner une pièce de bois que l'on fixe quelque part, notamment le morceau de bois qui tourne auprès d'un axe pour maintenir une porte fermée (1459). Il est passé dans le langage de la marine (1643), du tissage (fin XIXe s.), des chemins de fer et au XXe s. de la typographie (1910); il s'emploie plus couramment pour le coin de bois servant à caler un meuble (1812). À partir du XVIIe s., des interférences avec ② *taquet* se manifestent.

◈ voir ATTACHER, ATTAQUER, ÉTAI.

② **TAQUET** n. m. est construit (1611) sur le radical onomatopéique *takk-* exprimant un bruit sec (→ tac). Le mot a pu se confondre dans certains cas avec ① *taquet*.

♦ D'abord au sens disparu de «claquet de moulin», *taquet* désignait en fauconnerie (1622) la planche sur laquelle on frappe pour rappeler l'oiseau et s'est employé dans *nourrir au taquet* (1622) «élever (un oiseau de proie) en liberté».

TAQUIN, INE adj. et n., mot à l'histoire complexe, serait emprunté, sous une forme ancienne *taquehan*, *taquehein* (1244, dans le nord de la France), à un mot du moyen néerlandais non attesté (°*takehan*) qui a pu être composé du verbe *taken* «saisir, prendre» (correspondant à l'anglais *to take*) et d'une forme *Han* équivalant au français *Jean*, le moyen néerlandais *an* étant une forme réduite de *Johannes*. La combinaison serait une sorte d'exclamation incitative «Saisis, Jean!». Mais l'apparition de *tacain* dans le sud de la France pourrait suggérer une autre origine pour la forme moderne.

♦ Le mot, d'abord relevé dans des textes de la France septentrionale comme nom, sous les formes *taquehan*, *taquehein* (Douai), *taskehan* (1281, Douai) puis *caquehan* à Paris (1330), désigne alors une conspiration, une émeute, surtout de la part des ouvriers contre leurs maîtres ou contre l'autorité communale. En moyen français, répandu dans toute la France, le mot, dont le *h* a progressivement cessé de se prononcer, s'est modifié par contraction en *tacain* (1411, Tarn), puis *taquin* (1442) tandis qu'il est passé d'un sens collectif à un sens individuel à valeur insultante : «bandit» (1411). Par affaiblissement, il en est venu à désigner un homme emporté, violent (1442), un filou, un traître (v. 1600, D'Aubigné) ainsi qu'un avare, aussi comme adjectif (1538), seuls sens observés avant le XVIIe s., le dernier correspondant à la valeur du verbe *taquiner*. ◇ Par affaiblissement, *taquin* s'est appliqué à un querelleur, une personne obstinée comme nom et comme adjectif (1762), sens devenu archaïque. La valeur aujourd'hui courante, «qui prend un vif plaisir à agacer, à impatienter», n'est attestée qu'à la fin du XVIIIe s. (av. 1799, Marmontel) comme nom et comme adjectif (1855 dans George Sand), fréquemment appliquée aux enfants. Il correspond à l'évolution du verbe *taquiner* «chicaner pour des vétilles» (voir ci-dessous) et on peut le considérer comme son dérivé.

▸ Les dérivés, qui correspondent à la forme moderne apparue au XVe s., ont connu une évolution sémantique analogue. En moyen français **TAQUINADE** n. f. (1455) est un terme de jeux équivalant à «escroquerie», **TAQUINEMENT** adv., apparu au XVIe s. (1559, Amyot), est demeuré très rare. ◆ **TAQUINERIE** n. f. (1553) a d'abord désigné une avarice sordide (sens encore répertorié par l'Académie en 1798) et une trahison (fin XVIe s.), puis le caractère d'une personne querelleuse (1762), avant de prendre la valeur moderne de «caractère de ce qui s'amuse à harceler légèrement» (1835) et par métonymie «action par laquelle on taquine qqn» *(une, des taquineries)*. ◆ **TAQUINER** v. a commencé par s'employer intransitivement (1660) pour «être avare, lésiner». Puis il s'utilise aussi comme transitif pour «chicaner, ennuyer pour des vétilles» (1785), aujourd'hui «s'amuser à contrarier qqn» (1798), dans la construction pronominale *se taquiner* (1823) et *se taquiner de* «se fâcher de...», chez Balzac. ◇ De nos jours, par extension du sens de «contrarier» apparu à la fin du XVIIIe s. avant le sens correspondant de *taquin*, il signifie «harceler légèrement» et, en parlant d'une incommodité physique comme la toux, «inquiéter légèrement» (1864). Il entre dans la locution plaisante et désuète ***taquiner la muse*** (1907, Larousse) «faire des vers». ◆ **TAQUINAGE** n. m. (1838 dans Balzac), «action de taquiner», en a été tiré avec les sens modernes correspondants. Il est rare.

TARABISCOTER v. tr. semble dérivé (1866, selon Dauzat; puis 1893) de l'adjectif *tarabiscoté, ée* (1848, Gautier, *boiseries tarabiscotées*), tiré de **TARABISCOT** n. m. (1808). Ce mot de menuiserie désignait une petite cavité entre deux moulures et, par métonymie, reste le nom du rabot utilisé pour creuser cette cavité. Il est d'origine incertaine : on a invoqué un croisement entre *taraud** et *arabesque** (Dauzat) ou bien (P. Guiraud) un croisement entre *tarer* «percer», d'un radical onomatopéique *tar-* (→ tarabuster, tarare), et un verbe hypothétique °*biscoter*, dérivé du provençal *bisco* «biseau».

♦ Alors que *tarabiscot* est limité à un usage purement technique, *tarabiscoté* et *tarabiscoter* sont passés dans la langue courante. L'adjectif a une valeur expressive, non technique, et le verbe a pris (1860) le sens abstrait de «raffiner précieusement», à connotation péjorative.

▸ Il a fourni **TARABISCOTAGE** n. m. (1894).

TARABUSTER v. tr., attesté à partir du milieu du XVIe s., doit exister dès le XIVe s. comme le montrent ses dérivés *tarrabustis* «désordre, querelle» (av. 1370) et *tarrabus* «bruit, querelle» (XVe s.). C'est un mot populaire résultant du croisement de deux radicaux onomatopéiques : *tar-*, que l'on a dans ① et ② *tarare**, et *tabb-*, dans le moyen français *tabust* «bruit» (1457; 1400, *tabut*) et son dérivé *tabuster* «battre, frapper» (1410) → tabasser. On peut le rattacher au provençal *tarabustar* ou *talabustar*, issu du croisement de *tabustar* «faire du bruit» (XIVe-XVe s.), dérivé de *tabust* (XIIIe s.), et *rabasta* «querelle, bruit» (→ rabâcher, peut-être tarabiscoter).

♦ *Tarabuster* a d'abord été employé intransitivement avec l'idée de «faire du bruit». Il a très vite un emploi transitif au sens d'«importuner qqn» (XVIe s., probablement; attesté en 1611), mais il a perdu la possibilité qu'il avait au XVIIe s. (Molière) de se construire avec un complément abstrait (l'attention, l'esprit).

◈ voir TABASSER.

TARAMA n. m. ou f. est l'emprunt (attesté v. 1970; certainement antérieur) du grec moderne *taramás* «œufs de poisson salés».

♦ Le mot désigne une spécialité culinaire grecque, une pâte onctueuse à base d'œufs de cabillaud pilés avec de l'huile et de la mie de pain ou de la chair de pomme de terre.

① **TARARE** interj. est une formation onomatopéique (1616, *tarare pompon*), sur un radical *tar-*, probablement d'abord apparue dans un refrain de chanson.

♦ Cette interjection marquant le dédain, encore employée à la fin du XVIIIe s. (Beaumarchais), a disparu, remplacée par une formation de même type, *taratata*.

▸ **TARATATA** interj. (1861 dans H. Monnier; «bruit de clairon», 1860) reprend *tariatare*, attesté dès la fin du XVe s. (1493) puis éliminé par *tarare*, et s'emploie encore. Un croisement avec *ta, ta, ta* est probable.

② **TARARE** n. m. est probablement formé (1785) lui aussi à partir du radical expressif *tar-* pour désigner, à cause de son bruit, un appareil servant à nettoyer le blé en grains. P. Guiraud propose cependant d'y voir une variante de *tarière**, le nom de l'appareil venant alors d'une de ses particularités techniques. ◆ Le dérivé **TARARER** v. tr. (1876) est un terme technique vieilli.

◈ voir TARABUSTER, TARIN.

TARASQUE n. f. est emprunté (1655; écrit *la Tharasque*, 1614) au provençal *tarasca* (1369), nom d'une bête chimérique invoquée pour faire peur aux enfants dans quelques villes du Midi, d'abord Tarascon, et dont on promenait la représentation en procession. Le mot est dérivé du nom de cette ville, dont les plus anciennes attestations sont *Tarascou* (IIe s.) et *Tarascone* (IVe s.) et qui remonte soit à un préindoeuropéen *tar-* «pierre, rocher» avec un double suffixe *-asc* et *-onem*, soit au nom des Tarusques qui fondèrent cette ville, apparenté à celui des *Étrusques*.

♦ Le mot est passé en français avec le sens du provençal. Il sert à désigner une sorte de monstre sculpté, de gargouille (1832) et se dit quelquefois, au figuré, d'un danger plus ou moins fictif.

TARAUD n. m., réfection (1676) de *tarault* (1538; 1595, écrit *taraut*), est une altération par substitution de suffixe de °*tareau*, variante de *tarel* (1216), *tarele* (1260), forme dissimilée de *tarere* (→ tarière), encore en usage en Picardie.

♦ *Taraud* désigne un outil de métal formé d'une mèche dont le pas est interrompu par des rainures longitudinales. Il est beaucoup plus rare que son dérivé verbal *tarauder*.

▸ **TARAUDER** v. tr. (1676), qui apparaît au sens technique de «creuser en spirale (du bois) pour y pratiquer un pas de vis», a développé des sens figurés : «donner des coups» (1725), aujourd'hui vieilli, et «tourmenter» (1881) d'abord familier. ◆ En sont dérivés **TARAUDAGE** n. m. (1842) et **TARAUDEUR, EUSE** adj. et n. (1787, n. m.) «ouvrier qui taille des filets en creux», dont le féminin *taraudeuse* sert spécialement à désigner une machine-outil (1877), et employé comme adjectif (déb. XXe s.) avec le sens figuré de «qui transperce, tourmente» (XXe s.). ◇ **TARAUDANT, ANTE** adj., tiré du participe présent, ne semble pas attesté avant le XXe siècle.

TARBOUCHE n. m. est un emprunt (1836), d'abord sous la forme *tarpos* (1673, Galland, alors pris au turc) et *tarpous*, à l'arabe *tarbuš*, lui-même pris au turc *tarpos*.

♦ Le mot désigne un bonnet en drap rouge entouré d'un tissu clair, voisin du *fez*.

TARD adv. (v. 1360), auparavant *tart* (v. 1050), est issu du latin *tarde* adv. «lentement» et «tardivement», de *tardus* «lent», adjectif sans étymologie connue, mais dont la structure rappelle celle du grec *bradus* «lent» et «tardif».

♦ La valeur dominante de l'adverbe est d'abord (1080) «à la fin d'une période, d'une partie déterminée du temps», spécialement «à la fin de la journée» (v. 1155, *tart*), par la suite «à une heure avancée de la matinée» (1636); d'où la construction ancienne *a tard* (v. 1200; 1135, *a tart*) «en retard» et la locution ***il (est) se fait tard*** (1636), toujours en usage. ◆ À partir du XIVe s. (v. 1360), *tard* développe un autre sens, «après le moment habituel, après un temps considéré comme long», réalisé notamment dans quelques locutions : ***tôt ou tard*** (1530; mil. XIIe s., *u tost u tart* [ou tôt ou tard]), ***trop tard, au plus tard*** (1636; 1538, *pour le plus tard*), ***plus tard*** (v. 1658), ***pas plus tard que...*** (1717). ◇ La locution ***sur le tard*** (1376), autrefois «à une heure avancée de la journée», a de nos jours le sens de «dans l'âge mûr» (1559).

▶ Le mot a servi à former le diminutif **TARDILLON** n. m. (1842), appliqué anciennement à un animal né tardivement et encore employé régionalement pour désigner un enfant né longtemps après ses frères et sœurs (attesté 1907).

De *tard*, employé dans l'ancienne locution *à tart* (XIIe s.), est issu le composé **ATTARDER** v. tr. (XVe s.); celui-ci est surtout employé à la forme pronominale, devenue usuelle, son emploi transitif subissant la concurrence de *retarder**. ◆ *Attarder* n'a pas de dérivés vivants sinon son participe passé adjectivé **ATTARDÉ, ÉE.** ◇ Le substantif d'action **ATTARDEMENT** n. m. (1324), repris au sens de «fait de s'attarder» (1895, Daudet), est quasiment inusité.

TARDER v. est emprunté (1119, intrans.) au latin *tardare* «ralentir, faire prendre du retard» (tr.) et «être en retard» (intr.), dérivé de *tardus. Tarder* a concurrencé et supplanté la forme populaire *targer* (1080) ou *targier* (v. 1155), courante en ancien français et encore relevée au XVIIe s., et qui était issue du latin populaire °*tardicare,* altération de *tardare.* L'ancien provençal *tarzar* (XIIIe s.) ainsi que des formes dialectales (Dauphiné) remontent à une autre forme populaire °*tardiare.* ◇ *Tarder,* avec le sens transitif de «retarder, différer» (v. 1155), encore vivant au XVIIe s., a décliné au profit de *retarder**, de même le sens «être lent à venir» (v. 1175) a été concurrencé par *s'attarder**. L'usage actuel l'emploie intransitivement avec un nom de personnes pour sujet, au sens d'«être lent à, mettre longtemps avant de commencer» (v. 1175, *soi tarder de*), et spécialement dans la construction ***sans (plus) tarder*** (1545). ◇ Son emploi avec un nom de choses pour sujet (fin XIIe s.) au sens d'«être attendu impatiemment» a vieilli, sauf dans la locution impersonnelle ***il (me) tarde de*** (1549; v. 1175, ... *que*), employée par la langue classique avec un *ne* explétif. ◆ Aucun des anciens dérivés du mot, **TARDANCE** n. f., **TARDERIE** n. f., **TARDATION** n. f., ne s'est maintenu, le nom correspondant à *tarder* étant *retard,* déverbal de *retarder**.

TARDIF, IVE adj. est issu (v. 1120) du latin populaire °*tardivus,* attesté par l'italien *tardivo,* le catalan *tardiv,* l'espagnol *tardío,* et dérivé du latin classique *tardus* «lent, qui tarde», au figuré «lent d'esprit, lourd». ◆ *Tardif* a longtemps conservé les sens du latin, au propre (notamment construit avec *à,* XIIIe s.) et au figuré (1380; v. 1541, en parlant de l'esprit); ces emplois sont encore vivants dans l'usage classique au XVIIe siècle. ◇ L'usage moderne emploie *tardif* pour qualifier une chose qui apparaît à la fin d'une époque (1560) et, par opposition à *précoce,* un végétal, un animal qui se forme plus lentement que la moyenne (1538). ◆ En sont issus **TARDIVEMENT** adv. (v. 1320), forme moderne qui remplace *tardiement* (v. 1200), et **TARDIVETÉ** n. f. (v. 1200, «lenteur d'esprit») ou **TARDIVITÉ** n. f. (1440-1475), anciennement *tardiveteit* (v. 1190), mot rare encore usité comme terme de jardinage.

TARDIGRADE adj. et n. est un emprunt (1615) au latin *tardigradus,* «qui marche lentement». ◇ Le mot, en zoologie, s'est appliqué à des arachnidés (1764, Ch. Bonnet), puis à des mammifères édentés (1795, Geoffroy Saint-Hilaire et Cuvier).

◈ voir OUTARDE, VENIR (tard venu).

TARE

TARE n. f. est emprunté (1311), par l'intermédiaire de l'ancien provençal *tara* (seulement attesté en 1375) ou de l'italien, à l'arabe *tarḥa* «poids des emballages», substantif verbal de *ṭaraḥa* «enlever, ôter». Le mot qui appartient au même domaine que *magasin,* autre emprunt commercial à l'arabe par le provençal, est passé en catalan, en espagnol et en portugais sous la forme *tara* (XVe s.), ainsi qu'en italien (XVe s., *tara*).

♦ *Tare* a dû désigner initialement un contenant qui, une fois pesé, permettait de connaître le poids de la marchandise contenue, d'où l'acception la plus ancienne en commerce de «déchet dans le poids ou la qualité d'une marchandise». ◇ Par extension le mot a, d'une part, le sens général de «défectuosité» (v. 1460), d'où l'acception figurée «défaut, vice, dommage» attestée dès le XVe s., et d'autre part, à partir du XVIIIe s., le sens spécialisé en commerce et en métrologie de «poids de l'emballage ou du récipient d'une marchandise (qu'il faut déduire pour obtenir le poids net)» (1723). ◇ Le sens figuré de «défaut» a entraîné dès le moyen français l'acception «défectuosité physique plus ou moins grave» (1403) et son extension courante et familière.

▶ De *tare* est tiré l'adjectif **TARÉ, ÉE** (v. 1500, selon Bloch et Wartburg; puis 1534, dans Rabelais), qualifiant d'abord une chose altérée par un défaut (*fruit taré;* 1611, à propos d'un objet plein de trous, mangé par les vers) et, au figuré, une personne affectée de défauts, de vices (1559). ◇ L'emploi moderne et familier (v. 1950), qui réactualise ce sens, s'est développé de manière difficilement explicable; il peut venir d'une nouvelle dérivation en *-é* à partir de *tare* «grave défaut (psychique)». ◆ Le dénominatif **TARER** v. tr., d'abord attesté (1623) au sens figuré de «corrompre, altérer», s'emploie aussi comme terme de commerce (1723); il est rare au sens propre d'«atténuer, corrompre» (1798). ◇ On en a tiré **TARAGE** n. m. (1845), mot technique désignant l'opération consistant à peser un emballage ou un récipient avant de le remplir pour en déduire le poids.

◈ voir TAROT.

TARENTULE

TARENTULE n. f. est emprunté une première fois au XIIIe s. (v. 1298, *Livre de Marco Polo,* écrit *tarantule*) puis au XVIe s. (1568), également sous les formes *tarentole* (1532; encore en 1740, dans le dictionnaire de l'Académie) et *tarentelle* (1553). Il est pris à l'italien *tarantola,* dérivé de *Taranto* «Tarente», nom d'une ville des Pouilles en Italie du Sud, parce que cette grosse araignée y est commune. *Tarentule* a évincé la forme antérieure *tarente* (v. 1130), propre à l'ancien et au moyen français, qui désignait en outre une musique du sud de l'Italie (1378); voir ci-dessous *tarentelle.*

♦ La piqûre de l'araignée passant pour causer des troubles nerveux, le mot est entré dans les locutions ***être mordu de la tarentule*** (av. 1778, Voltaire), ***être piqué de la tarentule*** (1788) «être excité».

► Ce trouble nerveux a reçu le nom de **TARENTISME** n. m. (1741), mot formé sur *Tarente,* qui a pour équivalent **TARENTULISME** n. m. (1845), dérivé de *tarentule.*

TARENTELLE n. f., nom d'une danse très rapide du sud de l'Italie, est l'emprunt (1787) de l'italien *tarentella,* autre nom de la tarentule, qui a servi à désigner la danse, peut-être comparée à l'agitation provoquée par le tarentisme ou autre dérivation de *Taranto.* Par métonymie, *tarentelle* sert à désigner (1842) l'air sur lequel on exécute la danse, sens attesté anciennement pour *tarente* (ci-dessus).

TARGE n. f. représente (1080, *La Chanson de Roland*) un francique °*targa,* que postulent l'ancien haut allemand *zarga* (allemand *Zarge*), l'ancien anglais *targe* (anglais *target*) et l'ancien scandinave *targa,* désignant une sorte de bouclier. Le mot est également passé en ancien provençal sous la forme *targa,* emprunté par l'italien *targa* dont la forme a influencé la graphie *targue* en moyen français (1530) [→ (se) targuer].

♦ Le mot désigne un bouclier carré en usage au moyen âge. Par extension, il se disait en ancien français du cuir recouvrant le bouclier (v. 1175). ◇ En moyen français, il désigne une monnaie des ducs de Bourgogne portant au revers l'image d'un bouclier (1451) et un ornement en forme de targe (1536). ◇ De là, en horticulture, l'acception d'«ornement de parterre en forme de croissant fait de traits de buis» (1636). Le mot est archaïque et, dans son sens premier, historique.

► Son diminutif **TARGETTE** n. f. est plus usuel, non pas au sens d'«ornement» (1301, n. m., d'après Bloch et Wartburg) ou de «petit bouclier» (1304), sortis d'usage, mais avec le sens pris par analogie de forme, «petit verrou» (1550), aujourd'hui complètement démotivé. ◇ Le pluriel est employé en argot pour «chaussures, bottines» (1918), peut-être d'après le sens technique de «morceau de cuir *(targe)* couvrant la main» (1723). ➜ De *targe* est aussi dérivé **TARGEUR** n. m. (1812), nom régional d'un poisson osseux et plat d'après la forme de son dos.

voir (SE) TARGUER.

TARGUER (SE) v. pron. est la modification (v. 1440) de l'ancien français *soi targer* (v. 1210), dérivé de *targe** avec le sens de «se protéger, se couvrir d'un bouclier».

♦ L'évolution sémantique a été la suivante : à partir du sens propre «se couvrir d'une targe» (v. 1210, sous la forme *targer*) puis «se couvrir d'un objet quelconque» (XIVe s.), le verbe a développé les sens figurés de «se mettre sous le couvert de qqn, de son autorité» (v. 1360) et par extension, à l'époque où l'on passe de *targer* à *targuer,* de «s'armer (contre la médisance, les coups du sort)» (v. 1560), «s'excuser en avançant une raison» (1631). ➜ Le sens moderne (1603) qui correspond à «se prévaloir, tirer avantage avec ostentation» est une spécialisation probablement empruntée, par l'intermédiaire d'auteurs comme d'Aubigné, à l'ancien provençal *(se) targa,* qui avait pris la valeur de «faire parade», «se donner de l'importance». Ce verbe appartient à l'usage littéraire ou soutenu.

TARGUI, IE n. et adj. sing. est un emprunt (1857, Fromentin) à l'arabe maghrébin *Targi,* lui-même emprunté au berbère.

♦ Le mot désigne une personne appartenant aux populations nomades du Sahara, de langue berbère. Il est d'usage didactique, à la différence du pluriel.

► **TOUAREG** n. m. pl. (attesté 1864) est d'emploi courant, y compris abusivement au singulier pour *targui;* c'est un emprunt au pluriel *Tawarig,* d'abord adapté en *Touariks* (1839), alors glosé «nègres de Barbarie». Le *touareg* n. m. désigne par ailleurs (1873, Renan) l'ensemble des parlers berbères des Touareg, nommé aussi **TAMAHEK** n. m. et adj. (1907) ou **TAMACHEK** (1876), d'un mot targui, dont l'usage est réservé aux linguistes.

TARIÈRE n. f. représente une réfection (1212) de *tariedre,* attesté dans les gloses juives (déb. XIe s.), lui-même variante de *taredre, tarrere;* ces formes sont issues par évolution phonétique du bas latin *taratrum* «foret, vrille», relevé chez Isidore de Séville (VIIe s.) et d'origine gauloise (cf. le correspondant irlandais *tarathar*). *Taratrum* est par ailleurs passé en portugais *(trado),* en espagnol *(taladro),* en ancien provençal *(taraire),* à côté des formes moins nombreuses issues d'un latin tardif *terebellum,* comme l'italien *trivello,* l'ancien provençal *taravel. Terebellum* est l'altération du latin classique *terebra* «foret, vrille». ◇ Le passage de *tar (r)ere* à *tarière* peut être dû à l'influence de l'ancien verbe *tarier* (XIIe s.) «provoquer, exciter», issu de l'élément onomatopéique *tar-* (→ tarabuster). P. Guiraud fait dériver cette famille (aussi *tarot**) d'un dialectal *tarer* «percer», issu d'un gaulois °*tarare,* de même sens. Le changement de genre est enregistré à partir du XIVe s., mais le mot est encore masculin dans la plupart des parlers gallo-romans. Une variante de *tarière* a par ailleurs donné, par changement de suffixe, le mot *tarault* (→ taraud).

♦ *Tarière* désigne d'abord une grande vrille utilisée pour percer des trous dans le bois, puis l'instrument servant à faire des forages dans le sol (1752). ◇ Par analogie de forme et de fonction, le mot désigne le prolongement de l'abdomen des femelles de certains insectes servant à creuser des trous pour leurs œufs (1817, Cuvier).

TARIF n. m. est la réfection, d'après les noms masculins en *-if* (1641), de l'ancienne forme féminine *tariffe* (1572, d'après Bloch et Wartburg), *tarife* (1604) elle-même empruntée, par l'intermédiaire de l'italien *tariffa* (XVIe s.), à l'arabe *ta'rīfa* «notification», lors du commerce avec le Levant. Le mot arabe est passé aussi en catalan (XVIe s.), en espagnol et en portugais (XVIIe s.) sous la forme *tarifa.*

♦ Le mot désigne le tableau indicateur des prix de marchandises, des travaux à exécuter, des frais et droits à acquitter (par ex. dans *tarif des douanes*). Il a en particulier le sens de «prix (d'une marchandise ou d'un travail déterminé)». ◇ Par figure, il a développé dès le XVIIe s. le sens familier d'«évaluation» (1605), notamment à propos des peines et punitions, par exemple dans une armée (mil. XVIIIe s.).

▶ Il a produit le dénominatif **TARIFER** v. tr. (1723), fréquent au participe passé adjectivé **TARIFÉ, ÉE** et dont est tiré le nom d'action **TARIFICATION** n. f. (1832). ➜ Il a servi à former **TARIFAIRE** adj. (1919) qui qualifie ce qui est relatif à un tarif.

① **TARIN** n. m. (v. 1350), aussi écrit *tairin* au XIVe s. (v. 1330), est d'origine incertaine, peut-être formé d'après le radical onomatopéique *tar-* évoquant un bruit (→ tarabuster, ① tarare). P. Guiraud, partant des caractéristiques de l'oiseau, vif et bruyant, rattache le mot à l'ancien français *tarier* v. tr. «provoquer, exciter» (XIIe s.), lui-même formé sur *tar-*.

♦ Le mot désigne un petit passereau d'Europe.

▶ L'homonyme ② **TARIN** n. m., d'abord argotique (1904) puis familier pour «nez», reste d'origine inconnue ; l'hypothèse d'un rapport avec le nom de l'oiseau, à cause de la forme du bec, est peu convaincante, ① *tarin* étant un mot rare.

TARIR v. est emprunté (v. 1175) au francique °*þarrjan* «sécher», postulé par l'ancien haut allemand *tharrjan* de même sens et qui a donné aussi l'ancien provençal *tarir.*

♦ Le verbe est d'abord employé intransitivement au sens de «cesser de couler», à propos d'un cours d'eau. Dès le XIIIe s., l'expression figurée *la douleur tarit* signifie «s'arrête, cesse». Le premier emploi transitif dans *tarir un mal* (XIVe s.) réalise lui aussi la valeur figurée de «faire cesser». ◇ Toutefois, la construction intransitive ne se répand qu'au XVIe s., au sens propre *(la rivière, la source a tari)*, parallèlement à celui du pronominal *se tarir* (v. 1559). ◇ La langue classique impose l'usage de *tarir* à propos des larmes, relevé en 1571, puis en emploi transitif, au propre et au figuré pour «faire cesser la douleur» (1645). ◇ Puis le mot est attesté pour «épuiser» (1694) et *se tarir* pour «s'épuiser» (1690) ; la locution ***ne pas tarir sur qqch.*** est enregistrée par l'Académie en 1694, ***ne pas tarir de*** (avec *éloge,* etc.) étant très postérieure (1890, Zola). ◇ Le XXe siècle a vu apparaître un emploi spécialisé du sens concret, transitif, en zootechnique pour «faire cesser les sécrétions laitières d'une femelle de mammifère».

▶ **TARISSABLE** adj., d'abord *terrissable* (v. 1536) puis sous la forme actuelle (1718), est resté rare, à la différence de son antonyme préfixé **INTARISSABLE** adj. (XVIe s.), de sens propre et surtout figuré en parlant des paroles et d'une personne qui s'exprime *(être intarissable sur...).* ◇ **INTARISSABLEMENT** adv., dérivé (1834) de *tarissable,* est littéraire. ➜ **TARISSEMENT** n. m. (1585) a développé au XIXe s. son sens figuré (v. 1850) et au XXe s. un emploi spécialisé en zootechnie correspondant à celui du verbe. ➜ Les deux participes ont été adjectivés, **TARI, IE** (1694) puis **TARISSANT, ANTE** (v. 1770), ce dernier rare au propre comme au figuré (1842).

TARMACADAM → MACADAM

TAROT n. m. est emprunté au XVIe s., écrit *tarau* (1534, Rabelais) et resuffixé au début du XVIIe s. (1604), à l'italien *tarocco,* généralement employé au pluriel *tarrochi.* Le mot est d'origine obscure : il est probablement dérivé de *tara* «déduction», correspondant de même origine arabe que le français *tare**, parce que dans ce jeu le joueur doit, dans certaines circonstances, mettre de côté une carte.

♦ Surtout employé au pluriel, *tarots* désigne des cartes plus longues que les cartes à jouer, portant des figures différentes (arcanes majeurs et mineurs, honneurs ou figures) et servant à la divination (cartomancie). *Tarot* désigne aussi (1604) l'usage de ces cartes, leur symbolique. L'un des jeux les plus connus en France se nomme *tarot de Marseille.*

▶ Il a produit **TAROTÉ, ÉE** adj. (1642) qui qualifie toute carte dont le dos est orné de compartiments en grisaille comme celui des tarots. ➜ Celui qui fabrique les tarots a reçu le nom de **TAROTIER** n. m. (1594), aujourd'hui surtout vivant pour l'ouvrier qui conduit la machine à imprimer le dos des cartes à jouer.

TARSE n. m. et adj., réfection (1478) de *talse* (v. 1363), aussi écrit *tarsen* (1538), est emprunté au grec *tarsos,* proprement «claie ou plateau d'osier pour faire sécher (le fromage)», «lit de roseaux utilisé dans la construction» et «racines emmêlées formant un lacis». Par analogie, le mot grec désignait diverses surfaces planes : la plante du pied, le plat de la main (tardivement), la pelle d'une rame, le plat de l'aile étendue. C'est un terme technique ancien tiré du radical du verbe *tersesthai* «sécher, dessécher, faire égoutter», qui a des correspondants dans le sanskrit *tṛ́ṣyati* «avoir soif» et le latin *torrere* «sécher» (→ torréfier, torride), cette notion de «sécher» étant à l'origine de tous les emplois. Cependant, *tersesthai* étant sorti de l'usage courant, *tarsos* s'est détaché de la notion de «sec» et, désignant un objet plat, a pu servir dans divers vocabulaires techniques.

♦ Le français l'a emprunté comme terme d'anatomie en parlant d'une lame de tissu conjonctif de la paupière, puis (1575, Paré) de la partie postérieure des os du pied, du talon. ◇ Par analogie, il se dit en zoologie de la partie terminale de la patte des insectes (1762) et du troisième article du pied d'un oiseau (1812). ◇ Il est adjectivé pour qualifier, en anatomie, le cartilage de la paupière (1845).

▶ *Tarse* a produit quelques dérivés qui appartiennent au vocabulaire de la zoologie, de l'anatomie ou de la médecine. ➜ **TARSIER** n. m. (1765, Buffon) désigne un petit mammifère lémurien de Malaisie. ➜ **TARSIENS** n. m. pl. signifie «sous-ordre des primates» (1792) en zoologie. ➔ Plusieurs dérivés de *tarse* «os du pied» ont été formés en médecine, tels **TARSIEN, IENNE** adj. (1800), **TARSALGIE** n. f. (1872), de *-algie*, «douleur du tarse», **TARSITE** n. f. (xxe s.) et les termes de chirurgie, formés sur *-ectomie* et *-plastie*, **TARSECTOMIE** n. f. (1890) et **TARSOPLASTIE** n. f. (v. 1950). ➔ Par préfixation, ont été formés les termes d'anatomie **MÉTATARSE** n. m. (1586), d'où **MÉTATARSIEN, IENNE** adj. (1747) et n. m. (1845).

TARTAN n. m. est emprunté (1792) à l'anglais *tartan* (v. 1500) d'origine incertaine : il est peut-être à rapprocher du moyen anglais *tartarin* qui désignait primitivement un drap de Tartarie et qui est emprunté à l'ancien français *tartarin* de même sens, variante de *tartare*. Une seconde hypothèse y voit l'emprunt de l'ancien et moyen français *tertaine*, variante de *tiretaine* n. f. (1247), nom d'une étoffe grossière en laine ou en laine, coton et lin. *Tiretaine* est lui-même dérivé de l'ancien français *tiret* (v. 1138), dérivé de *tire* «étoffe de soie» (attesté v. 1160) remontant au bas latin *tyrius* «étoffe de Tyr», spécialisation et substantivation de l'adjectif ethnique *tyrius* «de Tyr», repris au grec *Turios*.

♦ *Tartan* a été emprunté pour désigner une étoffe de laine cardée, tissée en rayures de couleurs se croisant à angle droit, très employée en Écosse où chaque clan* se caractérisait par un tartan différent (P. N. Chantreau, *Voyage dans les trois royaumes d'Angleterre, d'Écosse et d'Irlande*). ◇ Par métonymie, le mot sert à désigner un vêtement, un châle de tartan (1812) et le dessin de cette étoffe à carreaux, particulier à chaque clan (1850). ◇ Par analogie, il est employé en parlant d'une étoffe de coton dont le motif rappelle le tartan écossais (1842), alors moins courant que *écossais* n. m.

TARTANE n. f., attesté en 1632, est un mot propre à la Méditerranée : l'italien a *tartana*, le provençal *tartano*, l'espagnol, le portugais et le catalan *tartana*. C'est probablement un emploi métaphorique de l'ancien provençal *tartana* (xiiie s.) «buse (oiseau de proie)» (provençal moderne *tartano*), plusieurs noms d'oiseaux servant à désigner des bateaux (cf. *hirondelle*). *Tartana* est probablement formé, comme le portugais *tartaranhão* (et d'autres noms d'oiseaux apparentés), sur le radical onomatopéique *tar-* que l'on trouve en français dans quelques mots (→ tarabuster, tarière, ① tarin). Les variations de consonnes, par exemple entre *tartarassa* et *tardarasso* (Bouches-du-Rhône, Var), également constatées dans les autres langues, sont caractéristiques des formations onomatopéiques.

♦ *Tartane* désigne un petit navire de la Méditerranée portant un grand mât, autrefois utilisé pour le cabotage. Il désigne également un filet de pêche.

TARTARE adj. et n. m. est un emprunt, d'abord écrit *tartaire* (xiiie s.) et refait en *tartare* (xive s.), au latin médiéval *Tartarum*, lui-même pris à l'arabe *Tatar* ; ce mot d'origine turco-mongole est relevé dès le ixe s. dans les annales chinoises (*Thata*) pour désigner des tribus de Mongols et de Turcs, puis des tribus d'Asie centrale.

♦ Le mot s'applique aux Tartares, nom des populations vivant en Asie centrale et connues d'abord en Occident par les invasions de Gengis Khân ; on employait aussi en ce sens (1756) la variante **TATAR, ARE** adj. et n. qui désigne aujourd'hui (n. m.) une langue turque parlée en Russie centrale. ◇ *Tartare* n. m. s'employait aussi en ancien français (v. 1280, *tartaire*) comme nom d'une étoffe en soie ; il a désigné au xviiie s. un valet militaire (1743), puis un courrier officiel turc (1828). ◇ Le mot s'emploie aujourd'hui en France dans *sauce tartare* (d'où *une tartare*, 1841), autrefois *sauce à la tartare* (1825), sorte de mayonnaise fortement assaisonnée, et couramment dans ***steak tartare*** ou *tartare* n. m. (xxe s.) «morceau de bœuf cru, haché et assaisonné» (appelé en Belgique *filet américain*), par allusion à la coutume alléguée des cavaliers tartares ou mongols de consommer de la viande crue.

✳ **TARTE** n. f. (xiiie s. : v. 1220), d'abord sous la forme *tarta* (1163, Picardie), souvent *tartre* en ancien français, est d'origine incertaine. On s'accorde souvent pour y voir une variante de *tourte**, sous l'influence du latin médiéval *tartarum* (→ tartre), la croûte d'une *tarte* ayant pu être comparée au dépôt formé par le *tartre* ; on retrouve le latin *tartarum* dans l'italien *tartara* «tarte aux amandes» (xiiie s.). P. Guiraud accepte le rapport de *tarte* à *tartre*, mais pense que l'analogie s'est faite sur la garniture de crème et non sur la croûte attachée : comme le tartre, «lie de vin», dont elle a la consistance, elle est déposée dans le fond du récipient (de la pâte, dans ce cas). La paronymie avec *tourte** (latin *torta*, que Ménage pensait être l'étymon de *tarte*) a dû influencer ce sens.

♦ *Tarte*, désignant couramment au sens concret une pâtisserie sucrée (garnie de fruits, de crème, etc.), entre dans l'expression figurée ***tarte à la crème*** «argument rebattu» (attesté seulement en 1870), qui a pour origine une scène de *L'École des femmes* de Molière, où il s'agit de l'expression et non de la chose ; cependant, parce qu'elle a évoqué depuis le projectile de batailles burlesques, cette locution n'est plus comprise par beaucoup. ◇ *Tarte* a aussi le sens figuré et familier de «gifle» (1895), anciennement assumé par son dérivé **TARTÉE** n. f. (1590) et précédé par la locution classique (xviie-xviiie s.) ***tarte en pommes*** (à peu près pour ***tarte aux pommes***), désignant plaisamment un coup donné du plat de la main, avec l'idée de «faire manger» qui explique ce sémantisme. ◇ D'abord en argot (1821, «faux»), puis dans la langue familière, le mot est adjectivé pour qualifier ce qui est sot et ridicule (v. 1900) avec pour dérivé péjoratif *tartouse* (1917). ◇ Enfin, il entre dans l'expression ***c'est de la tarte*** (v. 1950), qui fonctionne comme variante sémantique de *c'est du gâteau* «c'est facile», surtout en emploi négatif ***ce n'est pas de la tarte*** «c'est difficile», aussi «c'est désagréable».

▸ **TARTELETTE** n. f., formé sur *tarte* avec le suffixe diminutif *-elette*, est attesté depuis 1346. ◇ De la *tarte à la crème*, employée comme projectile dans des scènes burlesques (voir ci-dessus), vient le composé **ENTARTER** v. tr., créé ou répandu dans les années 1980 à l'occasion d'une plaisanterie

consistant à plaquer une tarte à la crème sur le visage d'une personnalité, de préférence devant les caméras de la télévision. On emploie aussi **ENTARTAGE** n. f.
Tarte a aussi donné **TARTINE** n. f. (v. 1500), mot qui semble inusité à l'époque classique : Cotgrave donne *tartinage* comme synonyme de *tartelage* n. m., ancien dérivé collectif de *tarte,* mais non *tartine,* absent des dictionnaires des XVIIe et XVIIIe siècles. *Tartine* réapparaît beaucoup plus tard (déb. XIXe s.) au sens de «tranche de pain recouverte d'un aliment (beurre, confiture...)», alors détaché de son étymologie. La première attestation de *tartine* (Molinet) est d'ailleurs métaphorique et ambiguë («Garnis nous de fausses tartines De trahyson...»). Le mot, dans l'usage dialectal, semble désigner aussi ce qui garnit le pain («motte de beurre», *in* Wartburg) et le passage de sens qui mène de *tarte* «pâtisserie» et «garniture de pâtisserie» (ci-dessus) à *tartine* est obscur. Le sens actuel, «tranche de pain garnie d'une couche de substance molle (beurre, confiture, etc.)», n'est établi qu'au début du XIXe siècle, après des attestations isolées (1596 ; 1600). ◇ Par métonymie, le mot, qui désigne une tranche de pain à tartiner, a développé le sens figuré de «long article de journal, grand discours» (1823), d'abord dans l'argot des comédiens et des journalistes, ainsi que, par analogie de forme, le sens argotique de «chaussure» (1829) (→ tatane). ➜ De *tartine* est dérivé **TARTINER** v., employé intransitivement par Barbey (1839), Balzac (1845) au sens figuré d'«écrire un long article», l'emploi transitif au sens propre n'étant attesté que plus tard (1884, Verlaine, par métaphore ; déb. XXe s., concrètement). ◇ *Tartiner* a produit **TARTINEUR, EUSE** n. (1846), appliqué au XIXe s. à un journaliste.
Le verbe péjoratif **TARTOUILLER** v. tr. (1851) a été formé sur *tarte* ou sur *tartine,* au sens figuré dans l'argot des peintres, avec *-touiller* (→ touiller) au sens de «peindre mal en pleine pâte». ◇ Ce verbe a pour dérivés vieillis **TARTOUILLADE** n. f. (1851) et **TARTOUILLEUR** n. m. (1851).
Tarte lui-même entre dans la formation de deux composés péjoratifs : **TARTEMPION** n. propre et n. m. (1879 ; 1834, *Tartampion,* nom d'un charcutier [Enckell]), nom burlesque formé avec *pion**, et **TARTIGNOLLE** adj. (1925), formé avec le suffixe *-gnolle,* probablement lyonnais, et signifiant «laid», surtout aujourd'hui «bête et ridicule», synonyme expressif de *tarte,* adjectif péjoratif.

TARTRE n. m. (1560), attesté aussi sous les formes *tartharum* (XIIIe s., isolément), *tartaire* (XIVe s.) et *tartare* (XVIe s.), est issu du bas latin *tartarum* «dépôt se formant dans les récipients contenant du vin», en grec tardif *tartaron,* attesté dès le IVe s. par son dérivé *tartaralis* adj., d'origine obscure. On a proposé d'y voir un croisement entre *Tartarus* «grand gouffre sous la terre, enfer» et l'arabe *durdī* «sédiment, dépôt».

♦ Le mot désigne (depuis la fin du XIVe s.) le dépôt du vin, puis aussi le dépôt de matières organiques se formant à la base des dents (1765, *Encyclopédie*). Une troisième valeur concerne la croûte calcaire qui se forme à l'intérieur des chaudières (1907), des bouilloires. ◇ *Tartre* a désigné (1600) en alchimie plusieurs substances salines, dénommées ensuite *tartre émétique* (1718), *tartre stibié* (1752).

▸ Il a produit un adjectif d'usage courant, **TARTREUX, EUSE** (1775) «qui présente un dépôt de tartre», antérieurement *tartareux* (1620). ➜ En chimie, certains dérivés ont acquis une valeur précise, comme **TARTRIQUE** adj. (1823 ; après *tartarique,* 1787), dans *acide tartrique,* et **TARTRATE** n. m. (1795), «sel ou ester de cet acide». ➜ Le mot fournit le premier élément de **TARTRIFUGE** n. m. (1871), terme technique formé avec *-fuge**. ➜ Il entre dans les verbes **DÉTARTRER** v. tr. (1870), «débarrasser du tartre», et **ENTARTRER** v. tr. (1909), surtout *s'entartrer* et *entartré, ée,* d'usage technique et courant. Ces verbes s'appliquent aux trois acceptions de *tartre* (du vin, des dents, de l'eau). ◇ Le dérivé **DÉTARTRAGE** n. m. (1870) s'emploie plus couramment à propos des dents, alors qu'**ENTARTRAGE** n. m. (1909) concerne plutôt les réservoirs, chaudières, etc.

◈ voir TARTE.

TARTUFE ou **TARTUFFE** n. m. est l'emploi comme nom commun (1665) de *Tartuffe,* nom du personnage éponyme de la célèbre comédie de Molière (1664), devenu rapidement le symbole de l'hypocrisie et de la dévotion affectée. Molière a pris ce nom à la Comédie italienne, où un personnage avait le surnom de *Tartufo,* proprement «truffe» (XVe s.). *Une tartuffe* était déjà employé en 1609 comme terme injurieux, mais de sens obscur.

♦ Dès l'ancien français le sémantisme de la tromperie est attesté dans la série *trufe : truferie* «tromperie» (v. 1175), *trufer* «tromper» (v. 1223) et *trufeur* «trompeur» (XIIIe s.) ; cette série se maintient jusqu'au XVIe s. (→ truffe).

▸ *Tartuffe* a produit quelques dérivés : si **TARTUFIER** v. tr., introduit par Molière dans sa comédie («marier à Tartuffe») et employé par Mme de Sévigné, est sorti d'usage, **TARTUFERIE** (ou **TARTUFFERIE**) n. f. (1669, année du *Tartuffe,* puis 1743) est resté courant.

TAS n. m. est en général considéré comme un emprunt (v. 1130) au francique °*tas,* postulé par le moyen néerlandais *tas* «amas», et qui a aussi donné l'ancien provençal *tas.* Pour P. Guiraud, il est préférable de le considérer, en s'appuyant sur la première attestation du mot où il est employé comme nom d'action, comme un dérivé du verbe *tasser,* lui-même représentant le latin *taxare* «toucher plusieurs fois et fortement» (→ taxer).
Outre la locution *ferir a tas* «frapper fort (en tassant)», en usage depuis 1160 jusqu'au XIVe siècle, le mot *tas* possède à partir du XIIe s. les sens devenus courants : «ensemble confus de (personnes)» (1155), acception dont la valeur péjorative semble bien postérieure (1694), et «amas de choses» (v. 1175) aujourd'hui plus courant, *un tas de gens* ayant pris la valeur abstraite de «beaucoup». Dès le XIIe s., le mot réalise d'ailleurs cette idée de «grand nombre» dans la locution *a tas* (1172-1174), sortie d'usage depuis. ◇ Dès l'ancien français, *tas* a développé l'acception technique de «petit parallélépipède de mé-

tal servant d'enclume» (v. 1260), utilisée dans plusieurs métiers dont celui des monnayeurs (1349), puis disparue. ◇ La locution ***un tas de*** exprimant, on l'a vu, avec une nuance familière ou péjorative, l'idée de «grand nombre», est employée depuis le XVe siècle; ses extensions stylistiquement les plus marquées apparaissent ultérieurement: ***tas de*** comme injure à partir de 1818 et ***des tas de*** «beaucoup» vers 1880. ◇ À la Renaissance, le mot est passé dans le langage de l'architecture dans l'expression ***tas de charge*** (1567) «assise de pierre horizontale placée sur une colonne et qui supporte un arc». ◇ *Tas* sert aussi à désigner (1690) une bâtisse en construction, un chantier à pied d'œuvre, la locution ***sur le tas*** qualifiant des pierres que l'on taille sur le lieu où on les emploie (1565). Cette locution, aussi en fonction adverbiale, a fait fortune en argot dans le contexte de la prostitution ou du vol (1872), puis s'est appliquée à tout travail (1923, *être sur le tas* «au travail»), développant l'idée accessoire de «sur le terrain» ***(apprendre sur le tas)*** et s'employant spécialement à propos d'une grève avec occupation des locaux (attesté dans les dictionnaires en 1949). ◇ L'emploi de *tas* pour une personne grosse et sans énergie est familier et péjoratif (1888).

▸ Avant la fin du XIIe s., *tas* a servi à former **ENTASSER** v. tr. (v. 1165-1179), «jeter sur un tas» et «réunir en un endroit (des personnes serrées)», puis «mettre en tas» (XIIe s.); *s'entasser* correspond à «se réunir en trop grand nombre dans un petit espace» (v. 1190). ◇ Pour le verbe actif, le sens d'«accumuler en quantité» est postérieur (1530; seulement 1845, à la forme pronominale). ◇ La locution ***entasser sou par sou*** (1835) a succédé à *entasser écu par écu* (1798) avec la valeur spéciale et courante «accumuler (de l'argent)». ➔ Le participe passé adjectivé **ENTASSÉ, ÉE** (XIIIe s.) a perdu l'essentiel des nombreuses valeurs qu'il avait développées et ne s'emploie plus que pour «réunis en grand nombre et serrés». ➔ Le dérivé **ENTASSEMENT** n. m. est aussi attesté au XIIIe s. pour désigner l'action d'entasser des animaux, des gens en un lieu trop petit. À partir du XVIe s., il a développé la valeur d'«action de mettre en tas» (1538), puis «accumulation d'objets (concrets ou abstraits)» (1660).

TASSER v. tr. (v.1190; seulement mil. XIIIe s. selon T. L. F.), autre dérivé de *tas*, s'il n'est pas comme le pense P. Guiraud à l'origine de *tas* et issu du latin *taxare* (voir ci-dessus), a eu le sens de «rassembler (des gens)», puis aussi de «mettre (des choses) en tas» (1308; par la forme latinisée *tassare*, XIIIe s.) et «rassembler (des choses)» (v. 1420), acceptions conservées par *entasser*. Si l'hypothèse de P. Guiraud est correcte, le verbe aurait eu la valeur de «faire effort pour agir sur, pousser sur (en frappant, etc.)». ◇ Les sens spécifiques de «presser» (v. 1560) et «réduire le volume par la pression» (1762) sont devenus usuels, également en parlant de personnes (v. 1850; 1885, *se tasser*). L'emploi spécial en maçonnerie pour une construction qui s'affaisse est technique (1765); elle n'existe plus qu'à la forme pronominale (1832). *Se tasser*, avec un sujet nom de personne, a pris le sens de «se voûter», par exemple avec l'âge (1884). ◇ Au XXe s., *se tasser* a pris par figure le sens de «s'arranger, s'apaiser» en parlant d'une situation agitée, d'une affaire (1900). ◇ *Tasser* s'est spécialisé en sports (1902) pour «serrer irrégulièrement (un coureur) contre le bord de la piste». ➔ Les différents sens du verbe sont assumés par le participe passé adjectivé **TASSÉ, ÉE**, qui qualifie d'abord un édifice (1694), puis un objet pressé (1798), en particulier la terre (1835), et s'emploie familièrement dans l'expression ***bien tassé*** «bien servi» (1903), notamment à propos d'une consommation alcoolique (par la figure d'une quantité plus grande dans un même récipient, par tassement). ➔ Le dérivé **TASSEUR, EUSE** n. (XIIIe s., *tasseour*), employé autrefois dialectalement au masculin pour l'homme qui entassait les gerbes de la dîme, a été reformé pour désigner un instrument servant à tasser la terre (1875). ➔ **TASSEMENT** n. m. (v. 1370), apparu avec le sens de «palissade», sorti d'usage, est devenu (1801) le nom d'action correspondant aux sens modernes de *tasser* et de *se tasser*, surtout dans la langue technique. ➔ **TASSAGE** n. m., apparu dialectalement (1422, *tassaige*) comme nom d'une corvée, a été reformé au XIXe s. (attesté 1890), puis comme terme de sports (1906) correspondant à *tasser* (ci-dessus).

TASSE n. f. est emprunté (1180) à l'arabe *ṭasa* d'où viennent aussi l'ancien provençal *tassa*, l'italien et le portugais *tazza* et l'espagnol *taza*. Le mot est introduit à la faveur de l'importation de poteries orientales, notamment en provenance de Tyr.

♦ *Tasse*, rare avant le XIVe s., désignait au moyen âge une coupe à boire, le plus souvent en argent ou en vermeil, où l'on dégustait le vin ou les alcools; la forme moderne de la tasse et son changement d'usage apparaissent au XVIIIe s. avec l'emploi de la porcelaine. Le mot a développé l'acception métonymique de «contenu de la tasse» (1547). ◇ Il est passé dans l'argot au sens d'«urinoir», probablement par extension du sens populaire de «pot de chambre» (1925, Esnault), d'où la locution ***prendre une tasse*** «aller uriner»; cet emploi est archaïque. ◇ Dans l'usage familier, il a la valeur de «mer», déjà à la fin du XVIIIe s. (1794) dans la locution *boire à la grande tasse* «manquer se noyer» qui a disparu au profit de la variante moderne ***boire la tasse*** (1913).

▸ Le dérivé **TASSÉE** n. f. «contenu d'une tasse» (v. 1400) n'est plus guère employé, même dans la locution familière figurée ***quelle tassée!*** «quelle quantité!» (1923), laquelle a vieilli. ➔ Il en va de même pour le diminutif **TASSETTE** n. f. (1532). ➔ Les composés **SOUS-TASSE** n. f. (XVIIe s.), qui s'emploie notamment en Belgique là où le français de France dit *soucoupe*, et **DEMI-TASSE** n. f. (1845) sont en revanche usuels.

TASSEAU n. m. est une variante (1340) de *taiseaul* (1409), *tassiaul* (1410), eux-mêmes variantes de *tassel* (1155) «plaque maintenant les agrafes d'un manteau», mot issu du latin populaire °*tassellus*. Celui-ci représente une altération du latin classique *taxillus* «petit dé à jouer» puis, à basse époque, «petit morceau de bois», par croisement avec *tessella* «dé à jouer, cube», diminutif de *tessera* «dé à jouer». *Taxillus* est le diminutif de *talus* «osselet», «astragale» puis «cheville» (→ talon); *talus* a été emprunté au XVIe s. sous la forme *tale* «osselet (pour jouer)» (1546, Rabelais).

♦ *Tasseau*, d'abord «planche, madrier» (1409), désigne spécialement (1676) une pièce de bois servant d'élément de soutien, en charpenterie et en menuiserie. En lutherie, il désigne la forme sur laquelle les luthiers collent les éclisses dont se compose le corps des instruments à cordes (violons, etc.) [1690]; en construction, les morceaux de pierre, de brique, etc., maçonnés avec d'autres pour sceller au sol une perche d'échafaudage. ◇ Par ailleurs, il s'applique (1676) à une petite enclume portative, alors synonyme de *tas**; à partir du XVIIIe s. il a pris d'autres acceptions techniques (vannerie, chaudronnerie, imprimerie), désignant notamment l'établi portant une empreinte au fond de laquelle la tôle à emboutir est repoussée (1765, *Encyclopédie*).

▸ Ses dérivés ne se sont pas maintenus, mais reste le composé technique **CONTRE-TASSEAU** n. m. (1803) «bois qui supporte le chevalet».

TATA → TANTE

TATAMI n. m., relevé en 1904, représente la transcription d'un mot japonais, peut-être par l'anglais où *tatami* est déjà attesté en 1614.

♦ Le mot français reprend les sens de l'étymon et désigne une natte épaisse en paille de riz fixée au sol dans les intérieurs traditionnels japonais; par ailleurs unité de surface, en particulier des locaux où l'on pratique des sports de combat (judo, karaté, etc.), *tatami* est surtout employé avec cette valeur, la première qui ait été introduite en français, dans le contexte du judo.

TATANE n. f., mot populaire (1916), est considéré comme une déformation de *tartine* au sens populaire de «chaussure» (1829) ou de *titine* (1840), aphérèse de *bottine* avec redoublement.

♦ Synonyme populaire de *chaussure*, usuel entre 1920 et 1950.

TÂTER v. tr. est issu (v. 1130, *taster;* v. 1120 comme intransitif) d'un latin populaire °*taxicare*, fréquentatif du latin classique *taxare* «toucher fortement», lui-même intensif de *tangere* «toucher» (→ tangente). Il ne semble pas nécessaire de postuler un latin populaire °*tastare*, croisement de *gustare* (→ goûter) et de *tangere*, en s'appuyant sur le sens de «goûter», fréquent en ancien français; en effet, le passage sémantique de la notion de «toucher» à «toucher avec le palais, goûter» est assez naturel.

♦ Le verbe, d'abord intransitif, signifie «éprouver par le toucher», d'où *taster durement* «malmener» (XIIe s.), puis *taster* «battre» (fin XIVe s.) et *en tâter* «se battre» (1643), emploi relevé jusqu'à la fin du XIXe siècle. ◇ Parallèlement, comme transitif, il signifie «toucher délicatement», en particulier pour explorer, reconnaître (1174-1178). Cette valeur usuelle s'est largement développée. *Tâter* a signifié par exemple «explorer (un pays, etc.)» (1155) mais la valeur concrète ne s'est maintenue que dans quelques emplois, comme ***tâter le pouls*** en médecine (v. 1155, *taste al puls*) ou *tâter le vent* en marine (1872, Littré). ◇ Les emplois métaphoriques sont plus nombreux : *tâter qqn* (XIIIe s.) ou *tâter le pouls de qqn* (fin XVIe s.) «essayer de connaître ses intentions», *tâter l'ennemi* (1718) «éprouver ses forces par une attaque». *Tâter le pavé* «marcher avec hésitation» (1680, d'un cheval; 1694, d'une personne) s'est employé au figuré mais a été remplacé par ***tâter le terrain***, d'abord attesté au figuré (1690, Mme de Sévigné) puis au propre. *Tâter un problème* «l'étudier pour savoir quoi en tirer» a disparu, mais ***se tâter*** «s'interroger longuement» (1690) est resté courant. ◇ Parmi les premiers emplois du verbe, *tâter de qqch.* a signifié «jouir de» (v. 1130) et s'est longtemps employé pour «goûter à qqch.» (mil. XIIe s.), sens assumé aussi par le transitif direct, en particulier dans *tâter le vin* (1373) «le goûter»; voir ci-dessous *taste-vin*, encore vivant. ◇ Le verbe a pris le sens plus large de «faire l'expérience de (qqch.)», en emploi absolu (XIIIe s.) et dans *taster de* (XVe s.), qui ne subsiste que dans quelques emplois *(tâter d'un métier);* cette valeur se maintient dans *y tâter* (1923), familier au sens de «bien connaître une activité» (1923); cf. *il y va, il s'y connaît.*

▸ L'ancien sens de «goûter» a laissé des traces dans **TÂTE** n. f. (1314, *taste*), conservé dans un sens technique (1877), devenu lui aussi archaïque. ➝ En revanche, le composé **TASTE-VIN** (1517; d'abord 1450, «ivrogne») ou **TÂTE-VIN** n. m. (1660), «récipient plat en métal pour goûter le vin», est resté en usage, notamment par le nom des *Chevaliers du Taste-vin.* ➝ **TÂTEUR** n. m. (1372, *tasteur*), «personne qui goûte», signifie aussi «personne qui touche doucement» et a pris (mil. XXe s.) un sens technique : «organe de contrôle d'une décolleteuse, d'une planteuse». ➝ Les autres dérivés de *tâter* réalisent l'idée de «toucher attentivement», quelquefois prise abstraitement. ➝ Le nom d'action **TÂTEMENT** n. m. (1530) est sorti d'usage. ➝ En revanche, **À TÂTONS** loc. adv. (v. 1175, *a tastons*), «en se dirigeant à l'aveugle» puis «en hésitant» (1580), est très vivant. ➝ Cette expression a elle-même donné un dérivé, **TÂTONNER** v. «se diriger sans voir, en tâtant autour se soi» (v. 1460, *tastonner;* v. 1130, *tastuner* au sens ancien de «toucher») et au figuré «hésiter» (1640). ◇ Ce verbe a servi à former **TÂTONNEMENT** n. m. (fin XIVe s.), usuel pour «action de tâtonner», ainsi que **TÂTONNANT, ANTE** adj. (1846), «qui tâtonne». ◇ **TÂTONNEUR, EUSE** n. est rare au figuré (1656) comme au propre (1762).
Une spécialisation de l'emploi abstrait de l'idée de «toucher» est réalisée dans un autre dérivé de *tâter*, **TATILLON, ONNE** adj. et nom propre (1695) puis n. (1743) «méticuleux», qui a entraîné **TATILLONNER** v. intr. (1740), d'où les dérivés **TATILLONNAGE** n. m. (1740) et **TATILLONNERIE** n. f. (1958, Montherlant), plus rare. Ce verbe et ses dérivés sont relativement détachés de *tâter*, leur sémantisme correspondant seulement à «méticuleux, précautionneux», avec une idée de mesquinerie.
Un composé itératif en *re-*, **RETÂTER** v. tr., est attesté depuis le XIIIe siècle.

TATOU n. m., nom d'un mammifère d'Amérique du Sud, est emprunté (1553) au tupi (langue indienne du Brésil) *tatu*. Une variante *tatoü* est relevée en 1667.

♦ Le mot désigne un mammifère édenté, au corps recouvert d'une carapace écailleuse.

TATOUER v. tr. est emprunté (1772) à l'anglais *to tattoo* (1769, Cook), dénominatif tiré de *tattoo* (1769, *id.*), également *tat(t)aow, tattow*, mots empruntés au polynésien *tatau* (*ta-tu* dans les Marquises).

♦ Le mot est attesté pour la première fois en français dans une traduction par Fréville du *Journal d'un voyage autour du monde* de Cook, Banks et Schneider; jusque là, on employait dans ce sens le verbe *piquer*. On rencontre également *tatouer* en 1778 chez J. B. A. Suard, lui aussi traducteur de James Cook. Il signifie «marquer (le corps) d'inscriptions ou de dessins indélébiles», aussi employé au pronominal *se tatouer* (1778; puis 1823), et «exécuter (un dessin) par tatouage» (1891). ◇ La pratique très ancienne du tatouage a eu diverses fonctions selon les sociétés : forme de parure, marque du sexe, protection contre les mauvais esprits, etc. En Europe, où elle revient au XIXᵉ s., elle a surtout pour rôle de marquer l'appartenance à un groupe plus ou moins fermé (compagnonnage, milieu fermé des marins, marginaux divers).

▸ *Tatouer* a produit les dérivés **TATOUAGE** n. m. (1778, traduction du capitaine Cook), pour l'action de tatouer et son résultat, et **TATOUEUR, EUSE** n. (1798), «personne pratiquant l'art du tatouage».

TAUDIS n. m. est dérivé (v. 1309) de l'ancien verbe *se tauder* «se mettre à l'abri», seulement attesté en France au XVᵉ s. (on a dit aussi *se taudir*, 1460) mais présent dès la fin du XIIᵉ s. en anglo-normand sous les formes *telder* (v. 1185), *teolder* (v. 1190). Celles-ci, de même que l'anglo-normand *tialz* (1185) employé à propos d'une tente que l'on dressait sur le navire au repos, remontent à l'ancien norrois *tjald* «tente dressée sur un navire», auquel correspond le moyen néerlandais *telde*.

♦ *Taudis* a d'abord été un terme de fortification désignant un abri, un retranchement fait de pierres de taille. ◇ Par extension, il a désigné l'abri des travailleurs qui faisaient les travaux d'approche d'un siège (1435, *taudeis*) et un toit de boucliers pour se protéger, analogue à la «tortue» antique (1607). ➜ Il a pris son sens moderne, passant dans l'usage courant pour désigner un abri précaire, un bouge (1545) puis un petit logement misérable (1611); par exagération, il est employé pour un logement mal tenu (1690), par exemple dans *c'est un vrai taudis* (1694). ◇ D'autres sens, vivants du XVIᵉ au XVIIIᵉ s. et non péjoratifs, sont sortis d'usage : *taudis* se disait alors d'un berceau de jardin fait en voûte (v. 1590), d'un buffet, d'un dressoir (1559), d'un toit en auvent (1554) ou de la voûte d'une maison (1596), d'une petite boutique d'orfèvre et de tailleur (1611), d'un petit grenier dans le faux comble d'une mansarde (1694). À partir du XVIIIᵉ et surtout au XIXᵉ s., ces sens neutres ayant disparu, le mot n'est plus que péjoratif.

▸ Son dérivé **TAUDION** n. m. (1718) a disparu comme désignation d'un appartement misérable et dans son acception argotique de «gîte» (1800). ➜ Le mot technique et régional **TAUDE** n. f. (1825) ou **TAUD** n. m. (1829), repris de l'anglo-normand *tialz*, se dit d'un abri goudronné servant de tente au-dessus des barques quand il pleut.

TAULE → **TÔLE**

① **TAUPE** n. f. est issu (mil. XIIIᵉ s.) du latin *talpa*, attesté depuis Varron, mot de genre masculin (cf. le catalan *talp*, l'espagnol *topo*) devenu féminin sous l'influence des mots féminins en *-a*, et sans étymologie connue, cas fréquent pour les noms de petits animaux. Wartburg le suppose emprunté à une langue prélatine où il serait dérivé d'un °*tala* «terre»; le type *darbon*, franco-provençal et provençal, remonterait au même radical. ◇ En revanche, le gascon avait conservé *bufo*, d'origine dialectale en latin, et le nord-est et l'est de la France employaient *fouant* (dès le moyen âge), participe présent de *fouir**.

♦ *Taupe* est aussi employé par métonymie pour la fourrure de l'animal (attesté 1935, Académie). ◇ Il a développé quelques sens analogiques à partir de la fin du XVIIIᵉ s., désignant en zoologie un ver creusant des galeries, *taupe de mer* (1765) et *taupe* (1779) s'appliquant à un squale. ◇ La mauvaise vue de l'animal a suscité l'expression ***myope comme une taupe***, et ses habitudes souterraines *le royaume des taupes* «la terre» (1579, dans *aller visiter le royaume des taupes* «mourir»), expression usuelle en français classique, puis archaïque. ◇ Le même sémantisme engendre de nouveaux sens : un soldat du génie en argot militaire (1886), un espion infiltré (v. 1950), sens assez courant, et concrètement un engin du génie civil creusant des tunnels (1973). ➜ Par référence à la couleur gris-brun de l'animal, le mot sert d'adjectif de couleur (1909, *gris taupe*). ➜ Par le sémantisme de l'activité souterraine, *taupe* a eu le sens figuré de «personne sournoise» (1798), sorti d'usage. ◇ Une autre valeur péjorative, plus difficile à expliquer, est celle de «femme de mauvaise vie» (1808), aujourd'hui quelquefois de «femme désagréable» (notamment ***une vieille taupe***, 1719, rare av. 1907).

▸ *Taupe* a fourni le premier élément de **TAUPE-GRILLON** n. f. (1700), adaptation du latin scientifique *grillotalpa* «grillon vivant sous terre». ➜ Il a donné lieu à plusieurs dérivés. ◇ Le plus ancien est **TAUPINIÈRE** n. f. (mil. XIVᵉ s., isolément; puis 1596), «monticule de terre formé par les rejets de la taupe» et «galeries creusées par la taupe». ➜ **TAUPINÉE** n. f., formé par changement de suffixe (1671, La Fontaine), tend à disparaître. ➜ Un autre nom ancien pour la taupinière, **TAUPIÈRE** n. f. (1332), a disparu dans cette acception mais s'est maintenu avec le sens technique de «piège à taupe» (1600). ➜ **TAUPIER** n. m., autre mot technique désignant l'ouvrier chargé de détruire les taupes, est attesté depuis 1611 sous la forme *taupeltier*, refaite en *taupier* (1690). ➜ Du nom de l'animal est également issu l'adjectif **TAUPÉ, ÉE** (1877), substantivé au masculin pour désigner un chapeau de feutre taupé. ◆ **TAUPIN** n. m., «mineur qui sape les murs d'une ville» (XVe s.), a servi à former **FRANC-TAUPIN** n. m. (1521), nom donné par plaisanterie aux francs-archers. ◇ *Taupin* a désigné un soldat poseur de mines (1886; cf. le sens de *taupe* au XIXe s.). ◇ Il a évolué par ailleurs vers le sens d'«élève se préparant à Polytechnique (d'où sortent les officiers du Génie)» (1841), avant de se dire de tout élève de mathématiques spéciales. ◆ Par dérivation régressive, en est issu ② **TAUPE** n. f. (1888), «ensemble des taupins» et (1932) «classe de mathématiques spéciales», d'où **HYPO-TAUPE** n. f. (XXe s.) désignant la classe de mathématiques supérieures qui prépare à la taupe.

TAUREAU n. m. (1549) et ses variantes antérieures *toriau* (1275), *toreau* (XIVe s.) et *thorreau* (1487) sont des resuffixations de l'ancien français *torel* (v. 1145) «jeune taureau» puis, sans valeur diminutive, «mâle de la vache». Celui-ci est dérivé de l'ancien français *tor* «mâle de la vache» (v. 1090) qui est issu du latin *taurus* de même sens, d'où viennent aussi l'italien et l'espagnol *toro*. *Taurus* est à rapprocher du grec *tauros*, du lituanien *tauras* «buffle, aurochs», du vieux slave *turŭ* et de l'irlandais *tarb*, du gaulois *Tarvos* «dieu à l'aspect de taureau». La forme *tor*, trop brève et risquant d'être confondue avec d'autres mots, ne survit que dialectalement dans le Nord-Est ou le Sud-Est qui emploie aussi *braou*, dérivé de *brau* «rude, farouche» (→ brave).

♦ *Taureau* «mâle de la vache non castré» (v. 1175, *torel*), par opposition à *bœuf*, est spécialement employé dans le contexte des *combats de taureaux* (syntagme attesté depuis 1680) et des *courses de taureaux* (1735, Lesage), calque probable de l'espagnol *corrida de toros* (voir *tauromachie*, ci-dessous). ◆ Comme *taurus* en latin, *taureau* désigne une constellation zodiacale (1487) et s'emploie en astrologie. ◆ Les valeurs sexuelles du mot sont restées actives. *Taureau* s'est dit par comparaison d'un homme très viril (1640) et on disait (1611) *mener la génisse au taureau* «faire déflorer une vierge». Ces emplois ont disparu, mais *taureau* s'emploie toujours dans quelques expressions avec l'idée de force, comme *cou de taureau* (1798). La locution figurée ***prendre le taureau par les cornes*** «attaquer de front la difficulté» (1863) a succédé à *attaquer le taureau par les cornes* (1798).

▶ *Taureau*, lorsqu'il a pris la valeur moderne, «animal adulte», a produit son diminutif **TAURILLON** n. m. (XIVe s.), d'abord *torillon* (v. 1300), «jeune taureau». ◆ Il a aussi donné **TAURELIÈRE** adj. (1584) et n. f. (1611) qui se dit d'une vache souvent en rut mais qui reste stérile. ◆ **TAURIN, INE** adj. (1515; repris 1913) «relatif au taureau», a été formé sur *taureau* d'après le modèle de *bovin**. C'est devenu l'adjectif normal de *taureau* dans le contexte tauromachique (1926). ◆ **TAURIDES** n. f. pl., «groupe d'étoiles filantes semblant venir de la constellation du Taureau», est attesté depuis 1877 et a été dérivé du latin *Taurus*. ◆ **TAURE** n. f. est un emprunt au latin *taura* (féminin de *taurus*) et désigne (XVIe s.) en termes d'élevage une génisse.

Quelques composés ont été formés savamment au cours du XIXe s. avec *tauro-* comme premier élément (représentant le grec *tauros*). ◆ **TAUROMACHIE** n. f. (1830, Mérimée) et **TAUROMACHIQUE** adj. (1830), qui concernent la course de taureaux, sont relativement courants. La tauromachie, apparue en Espagne dès le moyen âge, avait longtemps été pratiquée par des chevaliers, comme entraînement du combat à cheval. Abandonnée par eux, elle est devenue au XVIIIe et au XIXe s. un spectacle populaire, d'abord souvent burlesque. Très pratiquée dans son pays d'origine, la corrida est devenue un objet d'intérêt pour les étrangers à l'époque romantique, parfois par évocation de la symbolique antique; d'où la mode du *toréador* transmise par Mérimée, puis par Bizet *(Carmen)*. La codification de la *corrida*, au début du XXe s., en fait une réalité culturelle importante, relevant du spectacle et du rite; un intérêt littéraire, puis populaire dans les régions de France proches de l'Espagne (Nîmes, notamment) a entraîné une riche terminologie, entièrement empruntée au castillan. ◆ **TAUROCÉPHALE** adj. (1836), de *-céphale*, «à tête de taureau», est un terme d'archéologie.

◈ voir **TORÉADOR**.

TAUTOLOGIE n. f. est emprunté (1521, *tautologia*) au bas latin *tautologia*, terme de rhétorique, lui-même emprunté au grec *tautologia* «redite, proposition identique», de *tauto* «le même» et *-logia* (→ -logie). Le premier élément *tauto* est la contraction de *to auto* «la même chose», neutre de *ho autos*, formé de *ho*, article, et de *autos* «même» (→ auto-).

♦ *Tautologie* est employé comme terme de rhétorique (souvent avec une valeur péjorative) et (1835, Auguste Comte) de logique. Le mot désigne une proposition complexe qui ne peut être que vraie, c'est-à-dire une proposition dont le prédicat ne dit rien de plus que le sujet. ◇ Plus couramment, il se dit d'une répétition inutile.

▶ Il a produit **TAUTOLOGIQUE** adj. (1721).

TAUX n. m. (1320), antérieurement écrit *taus* (v. 1283) et *tax* (XIVe s.), est le déverbal de l'ancien *tauxer* (1247), variante de *taxer** présentant un *au* mal expliqué (→ taxer). *Taus, taux* s'expliquerait comme une graphie de *tax* sur le modèle de mots comme *chevax, chevaux* (→ cheval). Wartburg a rejeté l'hypothèse qui fait de *taux* le dérivé de *tail* «impôt», masculin correspondant à *taille**, comme on relève *bail, baux* : en effet, *tail* n'était employé qu'au singulier et *taux* ne se trouve que rarement au pluriel.

♦ Dans ses premiers emplois et jusqu'au XVIIe s., *taux* désigne un prix fixé, en particulier par des institutions, par l'État : il se dit à propos d'une amende, d'un impôt (1454), de certaines denrées alimentaires (1549), de frais de justice (1690). Ce sens a été réactivé au XXe s. *(taux horaire)*. ◇ Dans cette acception, le mot s'est employé par figure pour «valeur attribuée à des actes» (1609), sens disparu au XIXe siècle. Furetière (1690) enregistre le sens de «montant de l'intérêt produit par une certaine somme». ◇ L'idée de proportion se développe ensuite, *taux* s'employant en parlant des monnaies (1831, Balzac) puis, à partir du XXe s., dans divers domaines, en sciences (1935), en démographie *(taux de mortalité)*, en technique, etc.

▸ Il entre dans **SURTAUX** n. m. (1517), «taux excessif» ou «taux supplémentaire».

TAVELÉ, ÉE adj. est dérivé (1276) de *tavelle* (1302, ci-dessous), mot issu du latin *tabella* «planchette», «tablette de jeu, à écrire», «petite table», diminutif de *tabula* (→ table). Cependant il se peut que l'adjectif, attesté bien avant le nom, ait été directement tiré de *tabella*, une surface *tavelée* étant proprement marquée de taches, à la manière d'une table de jeu.

♦ Par démotivation, *tavelé* n'a conservé que le sens de «marqué de petites taches», surtout en parlant de la peau, comme *tavelure*.

▸ En dérive **TAVELER** v. tr. «marquer de taches» (1611), d'abord attesté comme intransitif (1556). ➛ Ce verbe a fourni **TAVELURE** n. f. appliqué à la peau (1546) et, spécialement (1588), à une maladie des feuilles et des fruits de certains arbres; en ce sens on dit aussi **TAVELAGE** n. m. (1872).

TAVELLE n. f. désigne d'abord (1302) une passementerie étroite mise sur les coutures des habits en guise de passepoil, sens encore relevé au XVIIIe siècle; le mot s'applique aussi à la traverse d'une claie (1416), à une petite tringle de bois utilisée sur certains métiers à tisser la soie (1723). Il reste en usage dans ce domaine technique au sens de «dévidoir pour la soie» (1434). ◇ Il a pour dérivés **TAVELLER** v. tr. (1876) et **TAVELLAGE** n. m. (1872).

◈ **TAVERNE** n. f. est issu (v. 1175) du latin *taberna* «échoppe, cabane», «estrade» et «boutique, magasin», spécialement «auberge, hôtellerie», sens qu'il a conservé dans les langues romanes, avec l'ancien provençal et l'italien *taverna*, l'espagnol et le portugais *taberna*. C'est un mot sans étymologie connue, peut-être d'origine étrusque.

♦ *Taverne* est l'une de ces désignations de lieux publics où l'on mange et où l'on boit en payant, qui ont à peu près disparu sous la concurrence de *café* et de *restaurant*. ◇ Il désigne spécialement une auberge en Angleterre ou aux États-Unis (Chateaubriand, 1825), traduisant alors l'anglais *tavern*; dans le sens canadien de «débit de bière réservé aux hommes», c'est aussi un calque de l'anglais. ➛ Dans la marine ancienne, *taverne* désignait la soute où l'on conservait et vendait à l'équipage le vin et les vivres (1672).

▸ **TAVERNIER, IÈRE** n. et adj. est dérivé de *taverne* ou remonte (*tavrenier*, v. 1200) au dérivé latin *tabernarius* adj. «de boutique», au figuré «grossier» et, comme nom, «boutiquier». ◇ Le nom désigne la personne qui tient une taverne; c'est aujourd'hui un terme d'évocation historique. Le mot s'est aussi employé à propos d'un homme (1564) ou d'une femme (1611) qui court les tavernes. ◇ Comme ce dernier emploi, l'adjectif (1582), qualifiant ce qui est relatif à la taverne, est sorti d'usage, à la différence de *taverne* et de *tavernier*, nom.

◈ voir TABERNACLE.

TAXER v. tr., réfection (v. 1283) de *tauxer* (1247) et *tausser* (v. 1283), est emprunté au latin classique *taxare* «imposer, évaluer, estimer», lui-même emprunté au grec *tassein* (→ taxi-, taxo-). Les anciennes formes *tauxer* et *tausser*, dominantes jusqu'au XVIe s., présentent un *au* mal expliqué, le verbe pouvant difficilement être pris pour le déverbal de *taux**. P. Guiraud propose de rattacher *tausser* à un latin populaire °*talitiare* et, par là, à *tailler**.

♦ Le mot a d'abord eu les sens de «régler les frais de justice, les amendes» (1247) et de «fixer, estimer la valeur de (qqch.)», sortis d'usage. ◇ Il a pris ensuite d'autres valeurs, «faire payer une taxe à (qqn)» (1471) et «mettre un impôt sur (qqch.)» (1690), qui sont restées vivantes. ◇ Son sens figuré «blâmer, accuser» (1538) est emprunté au latin *taxare* «frapper, blâmer», fréquentatif de *tangere* «toucher» (→ tangente), plus ou moins confondu en latin avec son homonyme *taxare* d'origine grecque. Ce sens d'«accuser» a cessé d'être employé en construction directe, mais reste vivant dans la construction indirecte *taxer (qqn, qqch.) de* (déb. XVIIe s.). Pour cet emploi, on passe de l'idée de «blâmer» à la valeur neutre de «qualifier» (1830).

♦ *Taxer* a pris dans les années 1980, dans l'usage des jeunes, le sens de «prendre en exigeant», analogue à *taper* avec une autre construction. De là **TAXEUR, EUSE** n.

▸ *Taxer* a donné quelques dérivés. ➛ **TAXABLE** adj. (1482), «qui peut être taxé, imposé», est assez usuel. ➛ **TAXATIF, IVE** adj., attesté au XVIe s. (1585) pour «relatif à une taxe», prend au XIXe s. le sens de «qui peut être taxé». ➛ **TAXATEUR, TRICE** adj. et n. (1703) a évincé l'ancien *taxeur* (1549). ➛ *Taxer* n'a pas produit de nom d'action, **TAXEMENT** n. m. (1312) n'étant qu'un terme de féodalité. ➛ Ce rôle est réservé à **TAXATION** n. f. (1295; v. 1283, écrit *tauxacion*), emprunté au latin *taxatio, -onis* «estimation, appréciation» et plus tardivement en droit «clause», mot fait sur le supin *(taxum)* de *taxare*. ◇ *Taxation* a d'abord eu le sens de «détermination du montant de l'impôt» avant de prendre ses valeurs modernes, «fait de soumettre à une taxe» (1542) puis «fixation à une somme déterminée» (1876). ◇ Son pluriel *taxations*, relevé vers 1360 au sens d'«impôt», a désigné par métonymie (1680) les avantages pécuniaires dont jouissaient certains employés de l'Administration, emploi disparu (voir ci-dessous *détaxation*).

TAXE n. f. est emprunté (1405; 1378, selon Bloch et Wartburg) au latin médiéval *taxa* qui a donné *tâche**, nom dérivé de *taxare*. ➛ Le mot désigne le prix officiellement fixé de certaines denrées et de certains services (attesté 1405) puis la part d'imposition qui revient à chacun (1461). Il est employé avec une acception stricte dans les domaines des finances et de la fiscalité. ➛ En sont tirés par préfixation (à moins qu'il ne s'agisse de déverbaux de *détaxer* et *surtaxer*, ci-dessous) **SURTAXE** n. f. (1770), «taxe supplémentaire» et (1800) «taxe excessive et illégale», et **DÉTAXE** n. f., «remboursement d'une

taxe indûment perçue à l'occasion de l'affranchissement d'une lettre, etc.» (1864) et «procédé d'aménagement des tarifs d'impôts indirects» (1961, Larousse).
Par ailleurs, le verbe *taxer* a deux dérivés préfixés. ◆ **SURTAXER** v. tr. (1559) correspond à «taxer excessivement» et (1875) à «frapper d'une surtaxe». Il a pour dérivé **SURTAXATION** n. f. (attesté 1966). ◆ **DÉTAXER** v. tr. (1845) signifie «libérer d'une taxe (une personne, un produit)». ◇ De là **DÉTAXATION** n. f. «action de détaxer» et «suppression, abaissement d'une taxe» (attesté 1960).

◈ voir TAXI-, TAXO-.

TAXI-, TAXO- est l'élément formant tiré du grec *taxis* «arrangement, ordre», spécialement «ordre de bataille» et «fixation d'une imposition». *Taxis* est le nom d'action de *tassein* «placer» (attique *tattein*), mot sans étymologie connue qui exprime l'idée de placer où il convient, selon une organisation, et dont les dérivés occupent une place importante dans les vocabulaires administratif et militaire, notamment avec l'idée fréquente d'ordre, de prescription.

▶ L'élément est productif depuis le XIXe s. dans la formation de termes didactiques : il a servi à former **TAXINOMIE** n. f. avec l'élément *-nomie* (→ autonomie) ; la variante *taxonomie* (1813, Candolle) correspond à l'anglais *taxonomy*, les deux mots désignant la science des lois de la classification. ◇ *Taxinomie* a produit **TAXINOMIQUE** adj. (1842 ; *taxonomique* chez A. Comte, 1836) et **TAXINOMISTE** n. (1897), dont la variante *taxonomiste* (1876) est un anglicisme. ◆ On a formé **TAXOLOGIE** n. f. (1817) avec le sens voisin de «science des classifications» ; celui-ci, s'imposant aux dépens de la variante *taxilogie* (1872), a entraîné **TAXOLOGIQUE** adj. (1842) et **TAXOLOGUE** n. (1842) ou **TAXOLOGISTE** (1842).

TAXIDERMIE n. f. est composé (1806) de *taxi-* et de *dermie* (→ derme) pour dénommer l'art de disposer la peau des animaux morts pour les conserver avec l'apparence de la vie. ◆ En sont dérivés **TAXIDERMIQUE** adj. (1845) et **TAXIDERMISTE** n. (1818), d'usage didactique pour *empailleur**.

◈ voir TAXIMÈTRE et aussi ATAXIE, SYNTAGME, SYNTAXE, TÂCHE, TACTIQUE, TAUX, TAXER.

TAXIMÈTRE n. m. est composé (1905) de l'élément *taxi-**, tiré du grec *taxis* au sens de «taxe» et choisi pour sa ressemblance avec *taxe* (→ taxer), et de *-mètre** qui sert à former des noms d'instruments de mesure. L'inventeur français avait d'abord choisi le nom de *taxamètre* (1901), adaptation de l'allemand *Taxameter* (1890) ; sur l'intervention de Th. Reinach, il l'a corrigé en *taximètre*.

♦ Le mot désigne d'abord un compteur horokilométrique déterminant la somme à payer pour un déplacement en voiture de place. ◇ Par métonymie, *taximètre* a servi (1907) à désigner la voiture équipée d'un tel compteur, avant d'être évincé par l'abréviation *taxi* (ci-dessous). ◇ Le mot est passé plus tard (attesté 1928) dans le vocabulaire technique pour désigner un instrument de mesure des angles, utilisé en marine et dans l'aviation.

▶ L'abréviation **TAXI** n. m. (1907), concurrencée un instant par *taxauto* (1906, Larousse mensuel), s'est rapidement imposée dans l'usage courant, surtout avec le développement des voitures de place automobiles, et avec le célèbre épisode des *taxis de la Marne* en 1914. Le syntagme *chauffeur de taxi* est usuel, et *un taxi* prend ce sens av. 1922. ◇ *Taxi* a servi à former des équivalents familiers : **TAXOCHE** n. m. (v. 1950), suffixé en *-oche* (cf. *téloche*, etc.), **TAC** n. m. *(id.)*, et quelques composés : **TAXI-AUTO** n. m. (1923), **TAXI-BROUSSE** n. m. en Afrique (1962), **RADIO-TAXI** n. m. (v. 1950), **AVION-TAXI** n. m. (v. 1925), **VÉLO-TAXI** n. m., qui fut à la mode en période de restrictions d'essence, notamment de 1941 à 1944. ◇ Par métonymie, *taxi* désigne le chauffeur de taxi (1932, Céline), parfois appelé familièrement **TAXITE** n. f. (1977) lorsque c'est une femme, ainsi que le métier de chauffeur de taxi *(faire le taxi)*. ◇ Il a servi de désignation familière pour une voiture automobile quelconque (1906) et aussi un avion (notamment pendant la guerre de 1914-1918). Il entre comme premier élément dans le faux anglicisme **TAXIMAN** n. m., utilisé en français d'Afrique pour désigner un chauffeur de taxi urbain (formé avec l'anglais *man* «homme»).

TAXI-GIRL n. f. a un sémantisme tout différent. C'est un emprunt (1931) à l'anglo-américain *taxi girl*, de *taxi* et *girl* «fille», pour désigner une jeune femme qui loue ses services comme partenaire de danse dans un cabaret ; ce mot s'est répandu dans les années 1960.

TAXIPHONE n. m. (1933, marque déposée) est composé de *taxi-* pour *taximètre* et de *-phone**, dans *téléphone*. Il désigne un téléphone public automatique, à pièces ou à carte.

TAYLORISME n. m. est emprunté (1918) à l'anglo-américain *taylorism*, nom formé sur celui de l'ingénieur américain Frederick Winslow *Taylor* (1856-1915), créateur d'un système d'organisation scientifique du travail qui se caractérise par l'utilisation maximale de l'outillage, la suppression de tout geste inutile dans le mouvement humain et la préparation du travail pour aboutir à un rendement maximal. Le dictionnaire *Webster* enregistre aussi l'appellation *Taylor System* (d'où *système Taylor* en français) et signale le nom le plus courant : *scientific management* «organisation scientifique du travail».

♦ Le mot conserve en français le sens de l'anglais.

▶ **TAYLORISER** v. tr. «appliquer le taylorisme» est l'adaptation (v. 1920) de l'anglo-américain *to taylorize*. Il a vieilli comme son dérivé **TAYLORISATION** n. f. (v. 1920) mais moins que **TAYLORISTE** adj. et n. (XXe s.), autre emprunt.

TCHADOR n. m. est un emprunt au persan (sous la forme *chadir* 1819, puis *tchader* 1852) rare av. le XXe s., répandu en 1978.

♦ Le mot désigne le grand voile noire que portent traditionnellement les Musulmanes chiites. Diffusé après la révolution islamiste d'Iran (1979), il est devenu synonyme de *voile islamique*.

TCHATCHE n. f. est un emprunt (1959) à un verbe espagnol onomatopéique, *chacharear* «bavarder».

♦ Le mot désigne d'abord la disposition à parler beaucoup, le bagou, puis (années 1980) la parole populaire des «cités», des banlieues. ◇ Il a pour dérivé **TCHATCHER** v. intr. (1983).

TCHAO → CIAO

TE → TOI

TÉ n. m. représente (1704), d'abord écrit *T* (1690), l'emploi substantivé du nom de la lettre *t*.

♦ Le mot désigne un objet ayant la forme d'un T, spécialement un bandage (1752), appelé pour plus de clarté *bandage en té* (XIXe s.), une sorte de règle double, une gaine de tuyauterie (1836) et un genre de ferrure (1872).

◈ voir TEE-SHIRT.

TEAM n. m. est emprunté (1879) à l'anglais *team*, mot d'origine germanique peut-être apparenté au latin *ducere* (→ conduire), dont le sens propre est «attelage» et qui a pris le sens d'«équipe» (XVIe s.).

♦ Le mot est passé en français avec ce dernier sens, limité au domaine du sport et, de nos jours, supplanté par *équipe*.

TECHNIQUE adj. et n. est emprunté (1684) au latin *technicus*, nom, «maître d'un art, spécialiste», lui-même emprunté au grec *tekhnikos* «propre à une activité réglée», «industrieux, habile» (quelquefois «artificiel»), de *tekhnê* «savoir-faire dans un métier», «habileté à faire» (en bonne et en mauvaise part), «métier, technique» et, dans un sens plus général, «manière de faire, moyen». Ce mot, auquel correspond *ars* (→ art) en latin, est opposé chez Platon à la fois à *phusis* «nature» (→ physique) et à *epistêmê* «savoir» (→ épistémologie). Il exprime originellement la notion de «construire, fabriquer» et se rattache à une racine indoeuropéenne qui a fourni le sanskrit *takṣati* «construire», *takṣan-* «charpentier», le latin *texere* (→ tisser), avec une évolution sémantique différente, et le grec *tektôn* «charpentier» (→ tectonique). En raison de la divergence des formes, *tekhnê* s'est affranchi de tout lien avec *tektôn* et s'est prêté à des emplois plus généraux.

♦ *Technique* s'est d'abord employé dans le syntagme calqué du latin (Quintilien) *grammairien technique* (1684) «qui enseigne les principes de la grammaire». *Vers techniques* (1721) signifiait «vers faits pour aider la mémoire en y rappelant en peu de mots beaucoup de faits, de principes». ◇ Ce n'est qu'à partir de 1750 (*Manuel lexique* de l'abbé Prévost, adaptation du dictionnaire anglais de Dyche) que l'adjectif a pris son sens moderne : «qui appartient à un domaine spécialisé de la connaissance ou de l'activité». L'adjectif dans cet emploi général a d'abord qualifié le langage et ce que l'on appellera plus tard la terminologie (ou *technologie*) sous l'influence des adjectifs anglais *technic* et *technical*, attestés dans ce sens dès le XVIIe siècle. ◇ Il s'emploie depuis le XVIIIe s. à propos d'ouvrages, de textes, ainsi que pour qualifier ce qui, en art, relève du savoir-faire. Dans cet emploi, où il s'oppose à «esthétique», il est substantivé au masculin (1744, Diderot). ◇ C'est au XIXe s. que se développent les valeurs actuelles (voir ci-dessous *la technique* et *technicité*) et au XXe s. les spécialisations, pour qualifier l'activité appliquée à l'industrie, à la production d'objets, par rapport aux domaines abstraits et théoriques (cf. *sciences*) qui sous-tendent ces pratiques. Le mot est également appliqué au domaine de l'éducation (*enseignement technique*, 1883; *collège technique*, 1941). ➛ Il est aussi substantivé au féminin (1842), *la technique* n. f. correspondant à l'ensemble des procédés empiriques employés dans la production d'une œuvre, l'obtention d'un résultat, en général ou en particulier *(une, des techniques)*. Par extension, ce nom désigne couramment une manière précise de procéder, en quelque domaine que ce soit. Le substantif, dans certains emplois, est concurrencé depuis les années 1960-1970 par l'anglicisme *technologie* (ci-dessous).

▸ Le mot a produit un certain nombre de dérivés à partir de la fin du XVIIIe siècle. ➛ Le premier est **TECHNIQUEMENT** adv. (1790) qui suit le développement de l'adjectif et est devenu usuel au XIXe siècle. ➛ Il est suivi de **TECHNICIEN, IENNE** n. (1836), d'abord employé au sens de «personne qui a écrit sur les préceptes des arts» avant de prendre sa valeur moderne (déb. XXe s.) de «spécialiste d'une technique» et, plus fréquemment (1923, Larousse), de «travailleur manuel qui maîtrise une technique» (distingué de *ingénieur*). ➛ **TECHNICIEN, IENNE** adj. est beaucoup plus récent (v. 1930) au sens de «relatif à la technique, qui la fait prévaloir». ➛ *Technique* a aussi donné **TECHNICITÉ** n. f. (1823), «caractère de ce qui est technique» avec les valeurs successives de l'adjectif, puis collectivement «connaissances et pratiques techniques d'un groupe» (v. 1970). ➛ Dans la seconde moitié du XXe s. ont été formés **TECHNICISER** v. tr., «rendre technique», d'où **TECHNICISATION** n. f., et **TECHNISER** v. tr., plus rare, d'où **TECHNISATION** n. f., tous enregistrés depuis 1964 dans les dictionnaires, les deux derniers faisant double emploi avec les précédents. ◇ Apparaissent un peu plus récemment **TECHNICISME** n. m. (v. 1970) et **TECHNICISTE** adj. (v. 1970).

TECHNICO- sert à former des composés tels **TECHNICO-COMMERCIAL, ALE, AUX** adj. et n. (mil. XXe s.), **TECHNICO-ÉCONOMIQUE, -FINANCIER, -SCIENTIFIQUE...**

Sous la forme du premier élément *techno-* (ci-dessous *technocratie, technologie*), de l'élément final *-technie, -technique* et de l'élément *technico-* tiré de *technique*, le groupe possède une grande vitalité.

TECHNOCRATIE n. f. est un emprunt (1933) à l'anglo-américain *technocracy*, mot créé en 1919 par l'Américain V. H. Smyth avec les éléments *techno-* et *-cracy* (→ -cratie). Le système de prise en main de la société par les techniciens fut présenté en 1931-1933 au public américain par un mouvement «technocratique», constitué à New York autour d'Howard Scott, personnalité charismatique qui se prévalait d'une expérience technique universelle.

S'inspirant de Thorstein B. Veblen, Scott affirmait que la révolution technique allait rendre caducs les concepts économiques, annonçait l'effondrement du «système de marché» et son remplacement par une bienfaisante «technocracy». Le mouvement, d'abord accueilli favorablement par une Amérique marquée par sa récente crise économique, se développa à l'automne 1932 mais son activité cessa quelques mois plus tard. ◇ Le mot, en français, est passé dans le langage courant pour désigner, souvent avec une connotation péjorative, un système politique dans lequel les techniciens ont un pouvoir prédominant. ◆ Il a produit un certain nombre de dérivés : **TECHNOCRATE** n. (une fois v. 1920; repris 1933, répandu 1957, «personne, décideur qui se détermine en fonction de facteurs techniques»), **TECHNOCRATIQUE** adj. (1933, S. Weil), **TECHNOCRATISER** v. tr. (v. 1965) et le terme politique **TECHNOCRATISME** n. m. (1968), «système favorable à la technocratie». ◇ Ces mots, qui connotent pour la technique matérielle un pouvoir social déterminant, sont le plus souvent péjoratifs.

TECHNOLOGIE n. f. est emprunté (1656) au grec tardif *tekhnologia* «traité ou dissertation sur un art, exposé des règles d'un art», dérivé de *tekhnologos* «qui traite des règles d'un art», de *tekhnê* et *logos* (→ -logie). ◆ Le mot s'est d'abord employé avec le sens du grec; puis il a désigné (1803, Boiste) ce que l'on appelle aujourd'hui la terminologie technique, ce qui correspond aux premiers emplois de l'adjectif *technique*. P. Larousse le définit encore (1875) comme la science des «arts» (techniques) en général, le sens moderne et plus restreint d'«étude et science des techniques et des objets techniques» étant attesté, au début du XIXe s. (1803), mais étant longtemps demeuré rare. ◇ De nos jours, le mot, comme ses dérivés, tend à être employé par anglicisme *(technology)* pour désigner une technique de pointe, moderne et complexe, sinon toute technique moderne, avec une connotation méliorative, publicitaire ou politique. ◆ *Technologie* a produit **TECHNOLOGIQUE** adj. (1795), «qui a rapport à l'étude des sciences et des techniques» et aujourd'hui par anglicisme «technique», dont a été tiré **TECHNOLOGIQUEMENT** adv. (XXe s.). ◇ Un autre dérivé, **TECHNOLOGISTE** n. (1839, titre d'un journal) ne s'est employé que pour «spécialiste de la science des techniques». ◇ Il a été éliminé par **TECHNOLOGUE** n. (1872, dans Littré), «spécialiste de la technologie». Ces dérivés encore vivants vers 1960-1970 ont suivi *technologie* dans son usage extensif et abusif et sont devenus des synonymes prétentieux (ou politiques, publicitaires) de *technique, techniquement* et *technicien*.

PHILOTECHNIQUE adj. est formé (1795) à partir du grec *philotekhnia* «goût des arts», de *philos* «ami». Le mot, employé dans *société philotechnique*, est né à une époque d'enthousiasme pour la vulgarisation des sciences et des techniques. Il est sorti d'usage en dehors de cette appellation, aujourd'hui historique.

POLYTECHNIQUE adj. et n. f., composé de *poly-**, apparaît (1795) dans *École polytechnique* et est substantivé au XXe s. (*Polytechnique* n. f.). Cette école a d'abord été nommée *École centrale des travaux publics* (1794). Elle avait été créée par le Directoire pour former les ingénieurs de certains corps de l'État et des officiers de certaines armes. Devenue école militaire en 1804, elle est couramment nommée *l'X* (→ X). Le mot, alors didactique, signifie également (1845, adj.) «qui concerne plusieurs techniques, plusieurs sciences». Parmi les argots des grandes écoles, celui de Polytechnique a fourni de nombreux mots passés dans l'usage. ◆ Il a produit **POLYTECHNICIEN, IENNE** n. et adj., aujourd'hui seulement lié à l'École polytechnique mais qui s'est appliqué (1842) à une personne maîtrisant plusieurs techniques. *Polytechnicien* désigne aussi l'ancien élève de l'École, type social valorisé et important dans la société française.

D'autres composés en *techno-*, comme **TECHNOPOLE** n. m. (1983), **TECHNOSTRUCTURE** n. f. (emprunt probable à l'anglais, attesté en 1967 dans Galbraith) sont entrés dans l'usage didactique.

TECHNO adj. et n. f. (v. 1990) est soit tiré du radical de *technique* ou de l'élément *techno-*, soit emprunté à l'anglo-américain (de même origine). ◇ *Musique techno* ou *la techno* désigne un type de musique électronique à rythme marqué et constant, formé de cellules mélodiques élémentaires (→ aussi rave).

TECK n. m. est emprunté sous la forme *teca* (1614; 1685, *teka*), par l'intermédiaire du portugais *teca*, au tamoul *tēkku*. Ce bois était déjà importé en Asie Mineure vers le début de l'ère chrétienne. La forme *teka* a été remplacée au XVIIIe s. par *théca* (1752), *theca* (1765, *Encyclopédie*), *tick* (1758). L'une d'elles, la forme *teck* (1772), s'est imposée aux dépens d'adaptations contemporaines et postérieures : *tecque* (1773), *tek* (1782), *teak* (1803), graphie dominante en anglais, *teik, teick* (1823).

♦ Le mot désigne un arbre des zones tropicales qui fournit un bois très dur.

▶ Le dérivé **TECKERAIE** n. f., qui semble récent, désigne une plantation de tecks, en parlant de l'Afrique.

TECKEL n. m. est emprunté (1898) à l'allemand *Teckel*, variante de *Dackel* «basset», lui-même de *Dachshund*, de même sens, proprement «chien pour chasser le blaireau»; ce mot est composé de *Hund* «chien», du gotique *hunds* (cf. l'anglais *hound*) de la même famille indoeuropéenne que *canis* (→ chien), et de *Dachs* «blaireau», issu d'un mot germanique qui avait donné par le bas latin *taxo* (Ve s.) l'ancien nom du blaireau en français, *taisson**.

♦ Le mot, parfois écrit *tekel* (1923), désigne un basset à pattes très courtes.

TECTONIQUE n. f. et adj. est emprunté comme nom féminin (1894) à l'allemand *Tektonik* (1875, Suess) tiré de *Geotektonik* (1850), où *tektonik* est emprunté par métaphore au grec *tektonikê (tekhnê)* «art du charpentier», substantivation de l'adjectif *tektonikos* «propre au charpentier», lui-même dérivé de *tektôn* «charpentier» (→ technique).

♦ Ce mot didactique désigne la partie de la géologie qui traite de la structure des massifs de l'écorce terrestre, et cette structure, en particulier aujourd'hui dans *tectonique des plaques*, théorie qui a intégré celle de la dérive des continents de Waegener.

▸ De *tectonique* est dérivé **TECTONICIEN, IENNE** n. (1905), «géologue spécialiste en tectonique».

TE DEUM n. m. inv. est la reprise (XVe s., Bloch et Wartburg; mil. XIVe s. «chanterons Te Deum Laudamus») des premiers mots d'un cantique, *Te Deum laudamus*... «(nous) te louons, Dieu...», attribué à Nicétas, évêque dace du IVe siècle; *te* (→ toi) est l'accusatif du pronom latin *tu* (→ tu) et *Deum* celui de *Deus* (→ dieu).

♦ Dans la liturgie catholique, le *Te Deum* est un chant d'action de grâces et le mot désigne aussi (XVIIe s. : 1674 dans Mme de Sévigné) la cérémonie qui l'accompagne, une composition musicale écrite à cette occasion; c'est à partir de cette époque que des musiciens français et italiens (Lully, Charpentier, Campra, etc.) composèrent des cantates sous le titre de *Te Deum* et sur les paroles latines.

TEE-SHIRT n. m. est un emprunt (1950) à l'anglo-américain *tee-shirt* (1948) ou *T-shirt* (1920) qui a d'abord désigné un sous-vêtement pour homme, porté par les joueurs de base-ball. Le mot se compose de l'anglais *T* ou *tee*, notation de la prononciation de la lettre *T* (→ té), et de *shirt* «chemise» (d'une racine germanique °*skert-* «couper»; → short, sweat-shirt).

♦ Le mot désigne d'abord un sous-vêtement de coton à manches courtes en forme de T, puis un maillot à manches courtes de même forme, en coton, souvent orné d'une inscription.

TÉGUMENT n. m. est emprunté une première fois au XIIIe s. (1294) au latin *tegumentum* «ce qui couvre, enveloppe», dérivé de *tegere* «couvrir, recouvrir» (→ protéger, toit).

♦ Le mot, inusité avant le XVIe s., avait pénétré en français avec le sens général du latin, avant de se restreindre au sens anatomique de «tissu avec ses appendices couvrant le corps des animaux» (1539). ◇ Par extension, il est également employé en botanique en parlant de l'enveloppe protectrice de la graine (1805).

▸ Avec ses sens didactiques, il a produit **TÉGUMENTAIRE** adj. (1835) qui entre lui-même dans **SOUS-TÉGUMENTAIRE** adj. (1897).

TEIGNE n. f. est issu (v. 1120), également sous la forme *taigne* (1265) en ancien français, du latin *tinae*, mot sans étymologie établie qui désigne toute espèce de vers ou de mites (ver des arbres, des fruits, chenille, larve, pou, vermine), et en particulier la teigne; *tinae* a probablement pris, à une époque tardive, le sens de «maladie du cuir chevelu» représenté dans plusieurs langues romanes (italien *tigna*, espagnol *tiña*, portugais *tinha*, etc.).

♦ Le mot désigne d'abord l'insecte, puis (fin XIIe s., *taigne*; XVe s., *teigne*) l'affection du cuir chevelu, reconnue par la médecine moderne comme une dermatose parasitaire. Par figure, *teigne* s'est employé dans la locution *cela tient comme une teigne* (1640); cette comparaison ayant disparu, le mot subsiste pour parler d'une personne méchante (av. 1850), métaphore analogue à celle qui porte sur d'autres noms de maladies *(peste, gale)*, et dans la locution ***mauvais comme une teigne*** (*laids comme des teignes*, Balzac, 1839). Cf. *teigneux*.

▸ Son dérivé **TEIGNEUX, EUSE** adj. et n. (XVe s.), antérieurement *teignous* (déb. XIIIe s.), *tigneus* (fin XIIe s.), *tingneus* (v. 1250), est employé en médecine. Depuis le XVIIe s., le mot désigne (1690) et qualifie une personne hargneuse, mauvaise.

◈ voir TIGNASSE.

TEILLE et dérivés. → TILLEUL.

TEINDRE v. tr. est issu (1080) du latin classique *tingere* «plonger dans un liquide, tremper», d'où en latin chrétien «baptiser», spécialisé pour «imprégner d'une substance colorante (liquide à l'origine)», d'où au figuré «imprégner». *Tingere* est rapproché du grec *tengein* «mouiller, humecter», techniquement «teindre, colorer», ainsi peut-être que d'un mot germanique isolé, l'ancien haut allemand *dunkōn* «plonger», sans qu'une série indoeuropéenne claire puisse être constituée.

♦ *Teindre* a dans *La Chanson de Roland* le sens de «colorer», généralement dans l'ancienne langue avec la nuance «faire changer (qqn) de couleur» (au propre et au figuré), et spécialement «faire pâlir» (v. 1155, jusqu'au XVe s.). ◇ Dès le XIIe s. (v. 1160), il signifie proprement «imprégner d'une substance colorante». ◇ Le sens figuré, «donner la marque de, imprégner», est en usage depuis la fin du XVIe s. (d'Aubigné).

▸ Son participe passé, **TEINT, TEINTE** (1080, «blême»), est substantivé comme nom masculin au sens de «couleur, teinture» (v. 1150), sorti d'usage après l'époque classique. Le sens qui en procède, «manière de teindre» (1611), n'est plus guère employé que dans les appellations commerciales (1671) ***grand teint, bon teint***, cette dernière ayant pris le sens figuré d'«authentique quant à sa valeur» (1876). ◇ La spécialisation pour «coloris du visage» (v. 1460) s'est imposée comme le sens courant du mot, se référant à une coloration naturelle ou artificielle *(fond de teint)*. ◆ **TEINTE** n. f., participe passé féminin de *teindre*, a été substantivé (v. 1265) avec le sens général de «couleur, nuance d'une couleur», repris au XVIIIe siècle. D'une manière générale, le mot semble avoir été peu usité avant la seconde moitié du XVIIe s., époque où il a été repris par l'intermédiaire de son correspondant italien *tinta*, comme terme de peinture (attesté 1651, 1675). Dans la seconde moitié du XVIIIe s. (1761, Rousseau) il a développé le sens figuré «apparence plus ou moins marquée». ◇ Le composé **DEMI-TEINTE** n. f., terme de peinture (1651) créé comme traduction de l'italien *mezza tinta*, a lui aussi pris le sens figuré courant de «nuance, modération» (1790). ◇ *Teinte* a produit le mot d'usage technique **TEINTIER** n. m. (v. 1965) dans un sens voisin de *nuancier*. ◆ **TEINTER** v. tr., d'abord emprunté (1410) au sens de «teindre» au latin médiéval *tinctare,* fait sur le supin de *tingere,* a été repris au XVIIIe s., alors dérivé de *teinte.* Ce verbe est employé au sens de «couvrir d'une teinte légère» (1835; 1752, dans *papier teinté*), d'où par extension «colorer légèrement» (1re moitié XIXe s.) et l'emploi figuré (1868, Mallarmé). ◇ Le participe présent **TEINTANT, ANTE** est employé depuis peu comme adjectif (1967).

Teindre a produit l'antonyme préfixé **DÉTEINDRE** v. (1220, *desteindre*), peut-être d'après un latin populaire °*distingere,* de *dis-* (→ dé-) et *tingere.* ◇ Le verbe signifie proprement «faire perdre sa teinture à (qqch.)», en construction transitive. Il est surtout courant au sens intransitif correspondant à «perdre sa teinture» (1636) puis, à peu près démotivé, pour «perdre sa teinte première». ◇ Quelquefois employé avec la préposition *sur,* il a développé au XIXe s. le sens figuré d'«avoir de l'influence sur» (1845). ◇ Le participe passé féminin de *déteindre,* **DÉTEINTE,** est substantivé au sens d'«action de teindre» (1867 n. f.) dans le langage technique. ◆ *Teindre* a aussi servi à former le composé de sens itératif **RETEINDRE** v. tr. (v. 1260), assez rare.

TEINTURE n. f. (1260), d'abord *tainture* (1209), est issu du latin *tinctura,* nom formé sur le supin *tinctum* de *tingere.* ◇ En français, le mot a d'abord eu le sens général de «couleur», sorti d'usage mais encore vivant en langue classique en parlant d'une couleur laissée sur un corps, une surface (av. 1225 et jusqu'au XVIIIe s.). Depuis le XIIIe s. (1260), *teinture* désigne l'acte, l'art de teindre et par métonymie le résultat de cette action, puis la substance colorante servant à l'opération (1404). ◇ En pharmacie, le mot s'applique à une préparation additionnée d'une ou plusieurs substances médicamenteuses (1516), le syntagme ***teinture d'iode*** étant fréquent jusqu'au relatif abandon de cette substance pour désinfecter les plaies. ◇ *Teinture* est attesté depuis le XVe s. (1490), pour désigner la préparation destinée à donner aux cheveux une nuance artificielle; il ne semble pas repris en ce sens avant le début du XXe s., et l'on dit plutôt *coloration* (alors que *teindre* et *se teindre* sont usuels dans le contexte). ◇ Le sens figuré «apparence superficielle» (1640) a vieilli sauf dans quelques emplois connotés négativement *(une [vague] teinture de...);* celui de «marque laissée par le passé» (1588) est entièrement sorti d'usage. ◆ De *teinture* sont dérivés **TEINTURIER, IÈRE** n. (1244, *tainturier* n. m.), aujourd'hui courant avec le sens de «personne dont le métier est l'entretien des vêtements» (1853), et **TEINTURERIE** n. f. (1260, *tainturerie*), qui a suivi le même développement bien que l'activité désignée concerne plutôt le nettoyage, sémantisme réalisé en français du Canada par *nettoyeur,* plus logique pour cette activité.

Le latin *tinctorius,* dérivé du supin de *tingere,* a fourni par dérivation savante **TINCTORIAL, ALE, AUX** adj. (1796), qui sert d'adjectif didactique à *teinture.*

◈ voir AQUATINTE.

TEL, TELLE adj. pron. et nominal est issu, d'abord sous la forme *tiel* (fin Xe s.), du latin classique *talis,* démonstratif de qualité employé avec les mêmes valeurs que le français *tel,* spécialement en corrélation avec *qualis* (→ quel). Comme d'autres formations *(tum, tam), talis* contient la racine *t* du démonstratif indoeuropéen servant à renvoyer à qqch. de plus connu (grec *to,* gotique *þata,* vieux slave *to,* sanskrit *tát*).

♦ En ancien français, *tel* était employé comme adjectif et parfois substantivé («une telle chose», selon le contexte; 1213). Adjectif en fonction d'épithète, il était parfois placé après le nom, ce qui n'est plus le cas habituel en français moderne. Il s'employait généralement seul avant un nom, usage conservé dans les proverbes *(tel père, tel fils)* et le style sentencieux, ainsi que dans quelques tournures figées, tandis que l'usage de l'article indéfini *un tel...,* attesté de bonne heure, s'est généralisé. *Tel* se combinait avec d'autres pronoms (*altel* ou *autel,* jusqu'en moyen français; *altre tel* ou *autretel* encore au XVIe s., chez Rabelais et Montaigne). ◇ ***Tel quel*** (1226, *tieus quieus*) a d'abord le sens d'«ainsi que, tel que»; celui-ci, par l'intermédiaire de l'ancien emploi de *teus et queus* (1240) «bons et mauvais», a eu une valeur qualitative : «aussi bon que mauvais, médiocre» (1460), se chargeant d'une valeur péjorative de «peu satisfaisant, de peu», encore usuelle en langue classique (avec *tel que tel*). ◇ *Tel quel* s'est employé pour «sans changement»; l'usage moderne a rétabli une valeur plus neutre, «les choses étant ainsi», illustrée par un titre de Valéry et une célèbre revue littéraire. ◇ ***Tel que*** suivi du subjonctif était autrefois équivalent du tour concessif moderne *quel que, quelque que...* (v. 1560), avant de reculer (Trévoux le dit vieux en 1701) au profit de ce dernier. ◇ L'usage de *tel,* pronom désignant une personne et tenant lieu de nom propre, est attesté dès le XIe s. suivi d'un relatif (1080), donnant lieu à ***un tel*** (1604; *un tel de ses gens,* v. 1456), quelquefois en un mot et avec une majuscule.

▸ *Tel* a produit **TELLEMENT** adv. (v. 1250, *telement*), employé seul d'abord avec les sens anciens «dans ces conditions-là» et «d'une manière semblable», puis pour «à un degré aussi élevé» (1798). ◇ Son emploi en corrélation avec *quellement* (de *quel**) [1370], correspondant à «tant bien que mal», «en quelque manière que ce soit» (1546) et «d'une manière semblable» (1798), a disparu au cours du XIXe siècle. ◇ *Tellement que* «si bien que, de telle sorte que», attesté depuis le milieu du XIIIe s., est toujours en usage. ◇ *Tellement* introduit avec *que* une proposition concessive; la langue familière moderne l'emploie volontiers au sens de «très, beaucoup» dans des phrases négatives ou interrogatives *(il n'est pas tellement beau; il n'y en a pas tellement)* et autrefois affirmatives au sens de «oui, certainement» (1787).

① **TÉLÉ-** est un élément formant tiré du grec *têle* «loin, au loin», employé à l'initiale de nombreux composés, à rattacher peut-être, sur la foi de la forme béotienne *pêlui,* à l'adverbe de temps de valeur symétrique *palai* «depuis longtemps, jadis» (→ paléo-).

♦ *Télé-* a servi et sert encore à former de nombreux mots d'abord didactiques où il signifie «au loin, à distance»; sa vitalité est contemporaine de l'expansion des techniques de transmission à distance.

▶ Parmi les formations anciennes, nombreux sont les termes archaïques qui relèvent de l'histoire des sciences et des techniques. D'autres termes sont restés en usage, certains entrant dans l'usage général. ◆ **TÉLÉMÉCANIQUE** n. f., mot probablement dû à Branly (1904), désigne la transmission à distance d'énergie, de mouvement par télégraphie sans fil. Le mot ne s'est pas imposé. ◆ **TÉLÉPHOTOGRAPHIE** n. f. (1890) a désigné d'abord la transmission à distance des images photographiques, puis (1907) la photographie des objets éloignés par procédé optique. ◆ **TÉLÉTYPE** n. m. est emprunté (1905), après *télé-typographe* (1903), à l'anglais *teletypewriter,* de *typewriter* «machine à écrire». ◇ Ce nom déposé en 1925 désigne un téléimprimeur. Après la Seconde Guerre mondiale sont apparus ① **TÉLÉCOMMANDE** n. f. (1945) (1939) au sens de «commande à distance», le mot a été reformé plus tard avec l'élément tiré de *télévision** et **TÉLÉCOMMANDER** v. tr. (1945); **TÉLÉGUIDER** v. tr. (1947), de *guider,* surtout fréquent au participe passé adjectivé, et **TÉLÉGUIDAGE** n. m. (1948), de *guidage.* ◆ Les créations observées dans la seconde moitié du xxe s. relèvent surtout du langage de l'informatique et des communications*. ◇ **TÉLÉCOPIE** n. f. (1960) désigne un procédé de télégraphie analogique capable de transmettre l'analyse de la surface d'un document. Le mot usuel pour désigner ce procédé est l'anglicisme *fax* (→ fac-similé). ◇ De là **TÉLÉCOPIER** v. tr. (1973) et **TÉLÉCOPIEUR** n. m. (1972), appelé aussi *fax.* ◆ Ne pas confondre cet élément avec ② *télé-,* tiré de *télévision**.

◈ voir COMMUNIQUER (TÉLÉCOMMUNICATION), INFORMER (TÉLÉINFORMATIQUE), OBJECTIF (TÉLÉOBJECTIF), SCRIPTEUR (TÉLÉSCRIPTEUR), TÉLÉGRAPHE, TÉLÉPATHIE, TÉLÉPHÉRAGE, TÉLÉPHONE, TÉLESCOPE, TÉLÉVISION, TÉLEX.

② TÉLÉ- → TÉLÉVISION

③ TÉLÉ- → TÉLÉPHÉRAGE

TÉLÉGRAPHE n. m. est formé (1792) de ① *télé-* et de *-graphe.*

♦ C'est le nom donné par par Miot de Mélito (1792) à un appareil transmettant des signaux pouvant être transcrits graphiquement par un système de bras articulés mobiles. Cet appareil a été inventé par les frères Chappe qui l'avaient nommé *tachygraphe* «(appareil d') écriture rapide». Dans ce sens, le mot évoque une gesticulation vue de loin, d'où la locution *faire le télégraphe* (1872) «gesticuler». ◇ Depuis l'invention par Morse d'un appareil nommé *télégraphe électrique* (1830), *télégraphe de Morse* (1860), l'ancien télégraphe de Chappe est souvent dénommé *télégraphe aérien.* Le télégraphe électrique se développant, le mot entre dans divers syntagmes (*poteaux, fils du télégraphe; télégraphe sous-marin; télégraphe imprimeur* [1856]) avant de décliner du fait de la concurrence du *téléphone** et de la *radiotélégraphie* (*télégraphie* ci-dessous). ◇ Dans le langage administratif, le mot entrait dans l'appellation *les Postes, Télégraphes et Téléphones* (abrégée en P. T. T.).

▶ Le premier dérivé est **TÉLÉGRAPHIQUE** adj. (1796; 1679 [signifiant alors «pour dessiner à distance»]), qui s'emploie spécialement pour «expédié par télégraphe» (1800) et au figuré dans *vitesse télégraphique* «digne du télégraphe» (1833, Balzac). Ces emplois correspondent au télégraphe optique. Après 1850 et le télégraphe électrique apparaissent de nouveaux emplois : *ligne, réseau, fil, poteau télégraphique* et, pour le sens extensif, *message, mandat télégraphique,* encore en usage et associés à *télégramme.* ◇ Dans l'emploi analogique de *langage, style télégraphique* (1868) «abrégé, lapidaire», le mot est devenu l'adjectif de *télégramme.* ◇ Il a pour dérivé **TÉLÉGRAPHIQUEMENT** adv. (1818), qui a suivi l'évolution de l'adjectif. ◆ **TÉLÉGRAPHIE** n. f. (1798), «science des télégraphes (aériens)», s'est appliqué vers 1839 à la transmission des messages par télégraphe électrique, puis entre dans l'expression ***télégraphie sans fil*** (1885, *télégraphier sans fil*), laquelle a donné plus tard, lorsque le procédé appelé aussi *radiotélégraphie* (→ radio-) a été appliqué, le sigle **T. S. F.** n. f. (1908). D'abord du langage technique, *T. S. F.,* désignant comme *radiotélégraphie* la transmission de messages en morse, s'est répandu dans l'usage général dans les années 1920 quand la radiotélégraphie est devenue radiodiffusion et a transmis à de nombreux récepteurs, appelés par métonymie *T. S. F.* ou *postes de T. S. F.,* un programme sonore en clair (voix, musique). Puis l'appellation *T. S. F.* a été concurrencée par *radio,* devenant désuète après 1940-1945 et disparaissant ensuite, sauf par allusion au passé. ◆ **TÉLÉGRAPHISTE** n. (1801) s'est appliqué à l'opérateur du télégraphe optique, puis (mil. xixe s.) du télégraphe électrique, et au radiotélégraphiste. Par extension (1900), il se dit de l'employé des postes qui délivre les télégrammes et messages urgents. ◆ **TÉLÉGRAPHIER** v. tr. est dérivé (1842) de *télégraphe,* lorsque ce dernier désigne le système de Morse pour «transmettre par le télégraphe». Faute d'un verbe correspondant à *télégramme* (ci-dessous), *télégraphier* s'emploie aussi et surtout (1863) pour «envoyer (un texte) par télégramme», d'où l'emploi du participe passé adjectivé dans *message télégraphié.* ◆ **TÉLÉGRAMME** n. m., de *télé(graphe)* et *-gramme* (1859), équivaut à «message télégraphique» et correspond au télégraphe électrique. Le mot s'est appliqué plus tard aux messages transmis par radiotélégraphie (aussi *radiotélégramme;* → radio) et même par téléphone; il se dit par métonymie de la dépêche *(télégramme de presse),* de la feuille sur laquelle le texte est écrit et, par ailleurs, de l'information contenue dans le message. ◇ Plusieurs dérivés de *télégraphe* (ci-dessus *télégraphier, télégraphiste*) ont dû à leur rattachement sémantique avec *télégramme* un usage prolongé, par rapport à *télégraphe* lui-même.

TÉLÉMATIQUE n. f. et adj. est formé (1977) de ① *télé* et *informatique.* ◇ Le mot désigne l'ensemble des techniques et des services qui combinent l'informatique et les télécommunications.

TÉLÉO-, TÉLO- est tiré du grec *telos* «achèvement, terme», d'où «fin» et particulièrement «but»; le mot désigne aussi la plénitude de puissance, c'est-à-dire l'autorité, la juridiction souveraine. Par extension, il désigne ce qui doit être accompli, dans le domaine administratif (un impôt, une taxe, un paiement) et dans le domaine religieux (un rite). Avec l'idée de «chose complète en soi», il a pris le sens spécial d'«unité militaire, troupe». Il est peut-être à rapprocher de *tellein* «accomplir, se lever (en parlant du Soleil, d'un astre)».

▸ En français, l'élément entre dans la formation de quelques termes didactiques, en philosophie, en zoologie et paléontologie. ◆ **TÉLÉOLOGIE** n. f. (1765, *Encyclopédie*) et son dérivé **TÉLÉOLOGIQUE** adj. (1812) désignent en philosophie l'étude de la finalité, de même que **TÉLÉONOMIE** n. f. (1970) et **TÉLÉONOMIQUE** adj. (1970), plus récents et spécialement employés en biologie.

TÉLÉOSAURE n. m. (1830) a été créé en latin scientifique (*teleosaurus*, Geoffroy Saint-Hilaire) pour désigner un reptile (→ -saure) de l'ère secondaire. Le mot est archaïque. ◆ **TÉLÉOSTÉENS** n. m. pl. (1873; 1845, *téléostiens*), du latin scientifique *teleostei* (du grec *osteon* «os»), désigne un ordre de poissons dont le squelette est complet.

Ne pas confondre avec ① *télé-**.

◈ voir PHILATÉLIE, TALISMAN.

TÉLÉPATHIE n. f. est emprunté (1891) à l'anglais *telepathy*, mot créé par Myers (1882) à partir de *tele-*, qui correspond au français ① *télé-** «loin» (grec *têle*), et de *-pathy*, du grec *pathos* (→ patho-).

♦ Le mot équivaut à *transmission de pensée*, désignant un sentiment de communication à distance, par la pensée, entre deux personnes.

▸ Il a produit **TÉLÉPATHIQUE** adj. (1882), aussi usuel que *télépathie*, et **TÉLÉPATHE** n. et adj. (1913), emprunt probable à l'adjectif anglais *telepath* (1907), d'usage rare.

TÉLÉPHÉRAGE n. m. est emprunté (1884) à l'anglais *telpherage* (1883), composé du grec *têle* (→ ① télé-) et de *pherein* «porter» (→ -phore). On relève la variante *telphérage* (1887), plus proche de l'anglais, et *téléférage* (1933, Larousse).

♦ Le mot, didactique et rare, désigne un moyen de transport par benne, cabine, etc. suspendue à un câble aérien.

▸ Le dérivé **TÉLÉPHÉRER** v. tr. (déb. XXe s.) est sorti d'usage. ◇ En revanche, **TÉLÉPHÉRIQUE** n. m. (1923, adj.), écrit plus souvent **TÉLÉFÉRIQUE** adj. et n. m. (1920), formé par changement de suffixe, est courant surtout appliqué au transport de personnes en montagne. ◇ Il est peu usité dans son premier emploi comme adjectif et est technique comme nom du câble de transport (1924). ◆ À partir de *télé(phérique)* ont été composés quelques termes où *télé-* devient un élément distinct, ③ **TÉLÉ-**, comme **TÉLÉBENNE** n. f. (v. 1920), **TÉLÉCABINE** n. f. (v. 1950), certains plus courants à cause du développement des sports d'hiver, comme **TÉLÉSIÈGE** n. m. (v. 1940) et **TÉLÉSKI** n. m. (1936).

TÉLÉPHONE n. m. est une création, dans plusieurs langues, au moyen des éléments grecs *têle* «loin» (→ télé-) et *phônê* «son, voix» (→ -phone, -phonie, phono-). C'est d'abord un mot français (1809), créé sur le modèle de *télégraphe** et employé pendant peu de temps pour désigner un appareil permettant de correspondre à distance par la voix. C'est ensuite un germanisme (1866) appliqué à l'appareil magnétique conçu en décembre 1861 par l'Allemand P. Reiss et appelé par lui en allemand *Telefon*. ◇ Enfin le mot est repris (1876) à l'anglais *telephone*, nom donné à l'appareil inventé par l'Américain Alexander Graham Bell (1847-1922) et exposé à Philadelphie en 1876.

♦ Depuis 1876, le mot désigne l'appareil d'Edison transmettant les sons à distance grâce à une membrane vibrante (*microphone*), un circuit électrique et un récepteur. Dès 1876, le mot s'applique aussi au dispositif concret, d'abord constitué par un microphone et un interrupteur sur un boîtier fixe et par des écouteurs, puis par un «combiné» microphone-récepteur reposant sur un support auquel il est relié par un fil, une sonnerie signalant les appels. Les modifications matérielles du dispositif n'ont pas affecté l'emploi du mot. La diffusion massive, à partir de 1990, des *téléphones cellulaires*, ou *téléphones portables*, celle, un peu antérieure, des *cartes de téléphone* ont même stimulé cet emploi. ◇ Par métonymie, *le téléphone* désigne l'ensemble des procédés et dispositifs reliant par ce type d'appareils un grand nombre de personnes et le réseau lui-même (*téléphone manuel, automatique, interurbain, régional, international, transatlantique...*). ◇ Il se dit aussi pour le moyen de communication, quelle qu'en soit la matérialisation, et pour l'action de téléphoner. Avec cette valeur, ***coup de téléphone*** (1906) est une des expressions les plus courantes. ◇ Le mot a vieilli pour désigner l'organisation qui assure les liaisons téléphoniques (anciennement *les Postes, Télégraphes et Téléphones* ou P. T. T.), remplacée par *Télécommunications* (→ communiquer), abrégé en *Télécoms*. ◇ Il est employé au figuré dans les expressions *téléphone arabe* (1962), *kabyle* ou, en Afrique noire, *téléphone de brousse* (attesté 1967), à propos d'une transmission rapide de nouvelles par des relais de messagers ou d'informateurs (cf. *radio trottoir* pour un sémantisme analogue). ◇ ***Téléphone rouge*** (1971) désigne une ligne téléphonique spéciale permettant des échanges d'informations, par exemple entre chefs d'État.

▸ **TÉLÉPHONIQUE** adj., dérivé (1835) au sens premier de *téléphone*, a été recréé après 1876 pour le sens moderne. L'adjectif entre dans de nombreux syntagmes (*appareil, appel, poste, standard... téléphonique*). ◇ L'adjectif a pour dérivé **TÉLÉPHONIQUEMENT** adv. (1883). ◆ *Téléphone* a aussi produit **TÉLÉPHONISTE** n. (1880) et le terme technique **TÉLÉPHONIE** n. f. qui désigne d'abord un système de signaux sonores musicaux puis (1836; cf. *télégraphe musical* 1828) la «parole à distance», avant de s'appliquer à la technique moderne (1890). ◆ **TÉLÉPHONER** v. (1883), «communiquer, transmettre par téléphone», se construit directement et indirectement (*téléphoner à qqn*), ainsi qu'absolument. ◇ Le verbe, avec le sens figuré de «faire prévoir (un coup, une attaque) par une préparation trop visible» (1937), est l'adaptation de l'emploi analogue de *télégraphier* (1909, en sports) d'après l'anglais *to telegraph.* ◇ Du verbe sont dérivés **TÉLÉPHONAGE** n. m. (1912) et **TÉLÉPHONEUR, EUSE** n. (v. 1950), tous deux peu usités. ◇ Le composé **CACHE-TÉLÉPHONE** n. m. (de *cache*) apparaît vers 1950; il est peu usité.

TÉLESCOPE n. m. est emprunté (1614) à l'italien *telescopio,* employé par Galilée, ou au latin moderne *telescopium* (1611, dans un imprimé publié à Rome), formé savamment à partir des éléments grecs *têle* «loin» (→ ① télé-) et *skopein* «examiner» (→ scopie). C'est à Galilée que revient la fabrication de la première grande lunette astronomique en 1609, mais un lunetier de Middlebourg (Hollande) aurait fabriqué des «télescopes» vers 1590.

♦ Le mot a d'abord désigné (1614, J. Tarde à propos de la lunette de Galilée) un instrument d'optique pour observer les objets éloignés, spécialement les astres (cf. *lunette*). Il se réfère depuis le XVIIIe s. (1720) à un instrument d'optique distinct de la lunette et utilisant plusieurs miroirs réflecteurs qui réduisent la distance matérielle entre l'objectif et l'oculaire, d'où en particulier *télescope électronique* (mil. XXe s.).

▸ De *télescope* est dérivé ① **TÉLESCOPIQUE** adj. (1666) qui qualifie l'opération faite à l'aide du télescope et, par extension, un objet invisible à l'œil nu sans l'aide du télescope (1812). Par analogie, cet adjectif qualifie les yeux des poissons abyssaux (av. 1903).

TÉLESCOPER v. tr. est un emprunt moderne (1873) au mot anglais d'origine américaine *to telescope* v. intr. (1867) et tr. (1872), dérivé de l'anglais *telescope* (1648), de même origine que le mot français, au sens ancien de «lunette astronomique». ◇ Le verbe est d'abord employé en français intransitivement pour «rentrer l'un dans l'autre dans une collision comme les différentes parties d'une lunette-télescope», aujourd'hui au pronominal *se télescoper* (av. 1903). ◇ Il s'emploie transitivement pour «emboutir» (1893, d'abord d'un accident ferroviaire) et le pronominal a développé un sens figuré, «heurter violemment» (1933) et «se heurter violemment» (1926), propre au français. ➛ *Télescoper* a produit **TÉLESCOPAGE** n. m. (av. 1896), «fait de se télescoper, de se heurter», et **TÉLESCOPEUR, EUSE** adj. et n. (1912), rare. ➛ ② **TÉLESCOPIQUE** adj., au sens de «dont les éléments s'emboîtent les uns dans les autres» (apr. 1850), est aussi un anglicisme, par emprunt à l'anglais *telescopic* (1846) de même sens, dérivé de *telescope.*

◈ voir, créés sur le même modèle, GYROSCOPE, MICROSCOPE, PÉRISCOPE, SPECTRE (SPECTROSCOPE), STÉRÉO (STÉRÉOSCOPE), STÉTHOSCOPE.

TÉLÉVISION n. f. est formé (1900) de ① *télé-** et de *vision**; l'anglais (1907; *televista,* 1904) et l'allemand ont des formations analogues (1909).

♦ Le mot s'est d'abord employé au sens général de «transmission de l'image à distance»; on relève auparavant le composé *télé-optique* (1892). Il a désigné ensuite par spécialisation l'ensemble des procédés et des techniques permettant la transmission d'images après transformation en ondes hertziennes, terme purement scientifique et rare (1913), puis technique (v. 1925-1930) avec les premiers essais concrets de transmission d'images et enfin courant après 1945, l'invention étant appliquée. Par métonymie (mil. XXe s.), le mot désigne l'ensemble des activités et des services relatifs à l'élaboration et à la diffusion de programmes par ces techniques. Une autre métonymie concerne (comme pour *téléphone, radio,* etc.) le poste récepteur de télévision, en concurrence avec *téléviseur* et *télé.* ➛ L'importance prise par le mot, ses dérivés et composés et par le vocabulaire qui gravite autour de lui reflète celle du phénomène désigné. Ce dernier est d'abord technique. Dès avant la désignation, un procédé applicable avait été décrit par Constantin Senlecq en 1877. Mais ce n'est qu'en 1929 qu'un programme de transmission d'images mouvantes fut tenté en Grande-Bretagne; puis l'iconoscope est mis au point en 1936 (le mot *iconoscope* est attesté plus tard en français dans ce sens → icône): c'est à la fin de cette année 1936 que studios et émetteurs de télévision apparaissent en Grande-Bretagne et aux États-Unis. Déjà, des ouvrages techniques portant sur la télévision ont paru en français (deux titres en 1933). Interrompus par la guerre, les progrès et les adaptations techniques aboutissent vers 1945-1950 à une extraordinaire expansion du procédé; la couleur apparaît en 1953 aux États-Unis (en Europe en 1966 avec les systèmes très améliorés P. A. L. et SECAM). Entretemps la télévision est devenue l'un des faits sociaux majeurs du monde contemporain: les programmes et leur organisation, les implications économiques, notamment par la publicité, la mesure du comportement du public (Audimat), l'impact psychosocial et politique sont désormais l'objet d'un flux intarissable de commentaires et d'analyses où une terminologie nouvelle, parfois issue de la radio, est mise en œuvre.

▸ Le dérivé **TÉLÉVISEUR** n. m. (1930; 1929 pour «émetteur de télévision»; 1929 dans *transmetteur téléviseur*) est concurrencé par les abréviations familières **TÉLÉ** n. f. (v. 1952) et, avec un suffixe argotique, **TÉLOCHE** n. f. (v. 1968), qui vaut aussi pour *télévision. Télé,* dans ce sens, est concurrencée par les anglicismes **TÉVÉ** et **T. V.** (respectivement v. 1960 et 1959). ➛ *Télévision* a aussi donné **TÉLÉVISUEL, ELLE** adj. (1930), avec l'adjectif *visuel* correspondant à *vision,* et **TÉLÉVISER** v. tr. (1929), moins courant que son participe passé **TÉLÉVISÉ, ÉE** adj. (1929), très usuel *(journal télévisé, émission télévisée...).*

Réduit à l'élément ② **TÉLÉ-** porteur du sens «de télévision, par télévision», *télévision* manifeste une grande créativité lexicale (supérieure à celle de l'élément ① *télé-**). ◇ L'une des premières créations est **TÉLÉCINÉMATOGRAPHIE** n. f. (1935); ont suivi *téléspectateur, trice* (→ spectateur), **TÉLÉCRAN** n. m. (1956), disparu. ◇ Dans les années 1960 sont apparus **TÉLÉDIFFUSER** v. tr. (v. 1960) et **TÉLÉDIFFUSION** n. f. (1960; 1958, isolément), **TÉLÉDISTRIBUTION** n. f. (v. 1960), appliqué à la télévision par câble, **TÉLÉASTE** n. (1963), formé d'après *cinéaste* et peu usité, **TÉLÉENSEIGNEMENT** n. m. (v. 1960), **TÉLÉGÉNIQUE** adj.

(1961), formé sur *photogénique,* **TÉLÉFILM** n. m. (v. 1965) et **TÉLÉTHÈQUE** n. f. (1967), sur le principe de *bibliothèque, cinémathèque, discothèque,* etc., assez rare. ◇ Ultérieurement, on emploie **TÉLÉSPEAKERINE** n. f. (v. 1970), **TÉLÉCONFÉRENCE** n. f. (1982) et quelques formations journalistiques moins courantes. ◇ **TÉLÉTHON** n. m.

② **TÉLÉCOMMANDE** n. f. s'est spécialisé pour la commmande appliquée à un appareil électronique (téléviseur, chaîne, acoustique...). La télécommande permet de *zapper.*

TÉLEX n. m. inv. est un emprunt (1946, *J. O.*) à l'anglo-américain *telex,* nom de la marque d'un téléimprimeur (1958), formé sur *tel(egraph)* «télégraphe» et *ex(change)* (→ échange).

♦ Le mot s'est répandu en français dans les années 1960.

▶ Il a produit **TÉLEXISTE** n. (1958) et **TÉLEXER** v. tr. (apr. 1960), verbe courant.

TELLURE n. m. est un emprunt (1800) au latin scientifique moderne *tellurium,* mot formé en 1798 par le chimiste allemand M. H. Klaproth, d'après *uranium*,* à partir du latin classique *tellus, -uris* «terre» (→ tellurien).

♦ Le mot désigne un métalloïde découvert en 1782 par Müller de Reichenstein dans les mines d'or de Transylvanie.

▶ Plusieurs termes de chimie ont été formés sur *tellure* dans la première moitié du XIXe siècle. ➜ ① **TELLURIQUE** adj. (1823) dans *acide* et *anhydride tellurique,* **TELLURATE** n. m. (1836) «sel ou ester de l'acide tellurique», **TELLURURE** n. m. (1826) «sel ou combinaison du tellure», **TELLUREUX, EUSE** adj. (1835, Berzelius) et le composé **TELLURHYDRIQUE** adj. (1842), fait avec *-hydrique* (→ hydro-).

TELLURIEN, IENNE adj. est un dérivé savant, avec le suffixe *-ien* (1823), du latin *tellus, -uris* «terre». Celui-ci, synonyme poétique de *terra* (→ terre), était employé en parlant de la Terre personnifiée et divinisée, unie à Jupiter. C'est peut-être un ancien neutre, mais le *u* long ne s'explique pas et c'est le seul exemple de cette flexion en latin. Sans ce *u* énigmatique, on penserait à la racine indoeuropéenne °*telo-* représentée par le sanskrit *talam* «plaine», le vieil anglais *tel* «planche, bordage», le slave *tĭlo* «sol».

♦ L'adjectif signifie «de la terre, qui provient de la terre», dans l'usage didactique (géologie, géographie, électricité). ◇ En médecine, on appelait le paludisme *fièvre tellurique* (1904), parce que l'on pensait que le germe de cette affection était contenu dans la terre.

▶ ② **TELLURIQUE** adj., variante suffixée en *-ique* (1839), signifie «relatif à la terre, à la géologie», mais souffre de l'homonymie avec ① *tellurique.* ➜ **TELLURISME** n. m. a été formé savamment (1845, Bescherelle) sur le latin *tellus, -uris* avec le suffixe *-isme* pour désigner l'influence de la terre sur les êtres vivants.

◈ voir TELLURE.

TÉMÉRAIRE adj. est emprunté (1361, Oresme) au latin *temerarius* «accidentel, qui arrive par hasard», d'où «irréfléchi, inconsidéré». C'est un dérivé de l'adverbe *temere* «au hasard, à l'aventure», «à la légère», qui signifiait originellement «dans les ténèbres». Cet adverbe est l'ablatif instrumental d'un nom °*temus, -eris* «obscurité» (→ ténèbre).

♦ L'adjectif est appliqué dès le moyen français à une chose qui dénote une hardiesse imprudente (v. 1465), spécialement à une idée (XVe s.), à un jugement (v. 1650) et, en théologie, à une proposition trop hardie pour l'orthodoxie (1690). ◇ En français moderne, *téméraire* qualifie et désigne comme nom (1636) une personne d'une hardiesse inconsidérée.

▶ En est dérivé **TÉMÉRAIREMENT** adv., «avec une hardiesse imprudente» (v. 1488) et «au hasard, à la légère» (1541, Calvin).

TÉMÉRITÉ n. f. (1380) est emprunté au latin *temeritas, -atis* «hasard aveugle, absence de calcul», «caractère irréfléchi», spécialement en philosophie «partie irraisonnée du psychisme», par opposition à la partie raisonnable. Comme *temerarius,* c'est un dérivé de l'adverbe *temere.* ◇ Le mot désigne l'audace inconsidérée, la hardiesse; il n'est plus guère employé par métonymie pour «acte ou parole téméraire» (1624), ni pour désigner un effet risqué en art. ◇ Il est quelquefois usité sans valeur péjorative, pour «grande audace» (La Rochefoucauld).

TÉMOIN n. m. est issu, sous les formes *tesmoign* (v. 1150), *tesmoin* (v. 1175), du latin *testimonium* «attestation juridique» et en général «preuve», dérivé de *testis* «personne qui peut certifier une chose» (→ testament, tester). *Testis* vient, par l'intermédiaire d'une forme °*terstis,* de °*tristis* qui a dû signifier «qui se tient en tiers», le règlement ancien de la justice ayant connu un troisième intervenant comme soutien de chacune des parties (cf. en français l'emploi de *tiers**); °*tristis* procède de la même racine que *tres* (→ trois) et a pour correspondant exact l'osque *trstus* «témoins».

♦ Le mot français a cumulé les sens de *testimonium* et de *testis.* L'acception «ce qui sert de preuve», qu'a conservée *témoignage* (ci-dessous), s'est longtemps maintenue en droit dans la locution *tesmoign de* (v. 1150), devenue *en témoin de quoi* (1417), sortie d'usage au XIXe siècle. En revanche, la construction ancienne (v. 1175) *témoin...* «à preuve», placée en tête de phrase, est restée vivante ainsi que les locutions ***prendre à témoin*** (1530), précédée par *traire* [«tirer»] *à témoin* (XIIIe s.), et ***appeler à témoin*** (1538), que le locuteur moderne n'analyse plus correctement. ◇ Avant la fin du XIIe s., *témoin* désigne aussi (v. 1175) une personne qui certifie une chose vue ou entendue, sens qui donne lieu à plusieurs expressions comme *faux témoin* (v. 1283, *faus tesmoins*), *témoin muet* (1690). *Témoin* se dit spécialement ((v. 1283) de la personne qui certifie les identités, les déclarations lorsqu'un acte est dressé.

TÉMOIN

Du témoignage à la protestation

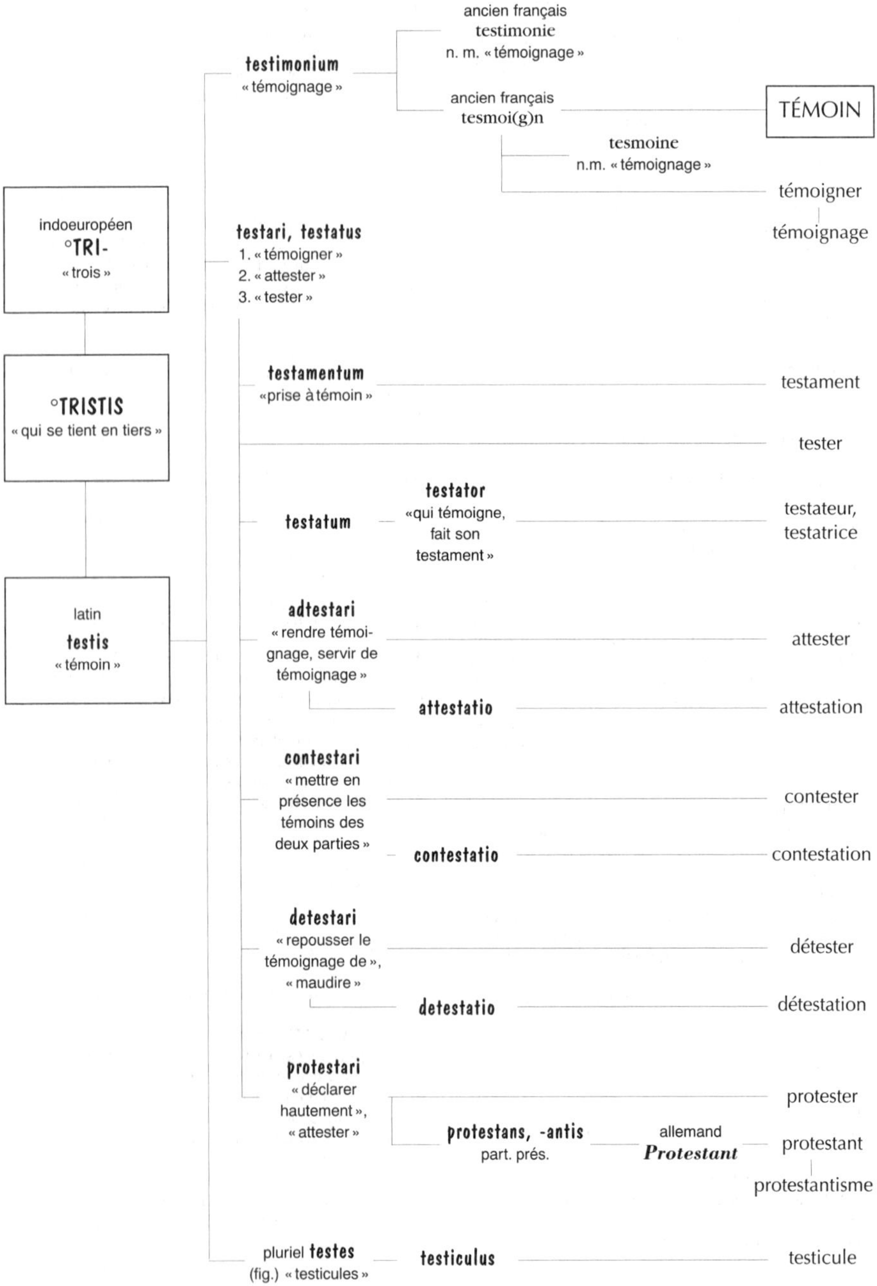

Depuis le XVIe s. (1543, Marot), l'emploi du mot s'est étendu à une personne simplement spectatrice d'un événement. Son emploi à propos de celui qui accompagne le protagoniste d'un duel est plus tardif (déb. XIXe s.). ◆ *Témoins,* au pluriel, a désigné (fin XIIIe s.) les testicules, probablement sous l'influence d'un mot latin de même origine, *testis,* au pluriel *testes* «testicules*». ◆ C'est la spécialisation d'une valeur étendue qui se développe à partir du XIIIe siècle; le mot désigne ce qui, par sa présence, permet de constater ou vérifier quelque chose (un signe, un indice) : un échantillon de marchandises (1260), emploi disparu. *Témoin* s'emploie encore à propos des débris enfouis sous les bornes d'une propriété (1690, au pluriel), d'une élévation de terre laissée intacte au cours d'une excavation (1676) ou par suite de l'érosion (en apposition, *butte témoin*). ◇ Le mot a cette valeur en reliure (1690), en gravure, en sylviculture (1812), en marine (1872). ◇ En sports (1924), il s'est spécialisé pour «bâton qu'un relayeur doit passer à l'équipier suivant». ◇ En sciences, il se dit d'un élément servant de repère ou de comparaison dans une expérience (1884, *chien témoin,* dans des expériences sur la rage).

▶ **TÉMOIGNER** v., d'abord *tesmoignier* (v. 1135), dérivé de l'ancienne forme *tesmoing* de *témoin,* signifie dès les premiers textes «porter témoignage, déclarer», puis, en parlant d'une chose, «indiquer, faire connaître» (v. 1174), d'où «être le signe, l'indice» (1580, Montaigne). ◇ Le verbe s'est spécialisé en droit dès le XIIIe s. (1247). Avec la même valeur, «révéler ce qu'on connaît», il est usuel jusqu'aux XVIIe et XVIIIe siècles. Il correspond à «certifier, déclarer», dans *témoigner que* et *témoigner de* (et infinitif), attestés au XVIe siècle. ◇ Par extension, avec un sujet nom de personne, *témoigner,* à la même époque (v. 1590), correspond à «donner les marques d'un sentiment, d'un trait de caractère».

◆ Le dérivé **TÉMOIGNAGE** n. m. a eu pour concurrents en ancien français des dérivés de *tesmoin,* comme *tesmoine* (1138), et des emprunts au latin *testimonium,* comme *testimonie* n. m. (déb. XIIe s.). Il désigne l'action de témoigner et la déposition d'un témoin. Par extension, il s'emploie dès l'ancien français à propos de la preuve manifeste de quelque chose (1209) et à partir du XVIe s. par métaphore dans *témoignage des sens* (1538).

TESTIMONIAL, ALE, AUX adj. est emprunté (1274) au latin impérial *testimonialis* «qui atteste, qui rend témoignage», dérivé de *testimonium.* ◇ L'adjectif a vieilli pour qualifier ce qui sert de témoignage, d'attestation, et il n'est plus usité comme nom féminin pluriel *(les testimoniales)* au sens de «lettres qui rendent témoignage de qqn» (1670; fin XVIe s., au singulier), dans le langage ecclésiastique. ◇ Mais on parle encore, en droit, de *preuve testimoniale* «qui repose sur des témoignages» (1690). ◆ Le dérivé **TESTIMONIALEMENT** adv. (1836), «par témoin, par témoignage», est très rare.

◈ voir ATTESTER, CONTESTER, DÉTESTER, PROTESTER, TESTAMENT, ② TESTER, TESTICULE.

◈ ① **TEMPE** n. f. est la réfection (1530) de l'ancien français *temple* (1080), considéré comme la seule forme correcte jusqu'au XVIIe siècle. *Temple* est issu du latin populaire °*tempula,* altération par changement de terminaison du latin classique *tempora,* pluriel du neutre *tempus, -oris* «tempe» (depuis Virgile). É. Benveniste, comparant le grec *krotaphos* de même sens qui appartient à une racine signifiant «battre», a proposé de rattacher *tempus* à la racine indoeuropéenne °*(s)temb(h)-* «heurter, écraser en frappant». On a aussi supposé que *tempus* était le même mot que *tempus* (→ temps) spécialisé au sens de «temps du battement des artères».

♦ *Tempe,* attesté dès les premiers textes avec son sens actuel «région latérale de la tête, entre le niveau de l'œil et du bout de l'oreille et la naissance des cheveux», a aussi eu en ancien et en moyen français les sens de «joue» (déb. XIIIe s.), «cheveux des tempes» (au pluriel) et par extension «cerveau» (fin XIVe s.).

▶ ① **TEMPORAL, ALE, AUX** adj. et n. (1520), d'abord *timporal* (v. 1363, Chauliac), est emprunté au bas latin *temporalis,* dérivé du latin classique *tempus, -oris,* pour servir d'adjectif en anatomie à *tempe.* ◇ Le mot est substantivé au masculin *(le temporal)* pour *os temporal* (fin XVIe s.) et au féminin en *temporale* (v. 1859) pour *artère temporale.*

② **TEMPE** → TEMPLE

TEMPÉRAMENT n. m. est emprunté (1478) au latin classique *temperamentum* «combinaison proportionnée des éléments d'un tout, juste proportion», également employé à l'époque impériale pour *temperatio* au sens d'«action de tempérer»; le mot est dérivé de *temperare* «mélanger, mêler» et «se modérer» (→ tempérer).

♦ *Tempérament,* apparu au XVe s. (1470), devient usuel aux XVIe et XVIIe s. au sens de «type d'organisme considéré dans les caractères de son fonctionnement», dans le cadre de la théorie des humeurs qui régit le discours médical jusqu'au XVIIIe s., persiste parfois au XIXe s. et a laissé des traces dans la phraséologie moderne. ◇ Par extension, *tempérament* désigne l'ensemble des caractères qui déterminent le comportement humain (1649). Depuis le XVIIIe s. (att. 1734) — notamment dans les récits érotiques, tel *le Portier des Chartreux,* 1741, puis dans Nerciat, Sade... — il s'applique spécialement à l'appétit sexuel, la locution ***avoir du tempérament*** signifiant «être porté sur l'amour physique» (1762), puis aussi «avoir une forte personnalité» (XIXe s.). ◆ D'autres sens, plus proches du latin et en relation avec le verbe *tempérer,* apparaissent au XVIe s. avant d'être éclipsés par celui de «caractère» : le mot a eu le sens de «modération» (1522), qui correspond à l'ancien et moyen français *atemprement,* dérivé de *atemprer* «modérer» issu du latin *attemperare;* il s'est employé pour désigner l'équilibre d'un mélange, sa composition (1636) et, dans le domaine moral, une modification qui tempère, adoucit (1657), un arrangement, un moyen terme (1632). ◇ Cette notion d'adoucissement reste vivante dans deux emplois spéciaux du mot, en musique (comme *tempéré*) en parlant de l'organisation de l'échelle des sons, d'abord comprise comme un adoucissement des dissonances

(1690), et aussi en commerce dans l'expression ***vente à tempérament*** (1867) «adoucie par l'échelonnement des paiements»; ce dernier emploi, usuel, est aujourd'hui isolé par rapport aux autres valeurs du mot.

▸ Le dérivé **TEMPÉRAMENTAL, ALE, AUX** adj. (1845, Bescherelle), «qui a trait au tempérament d'un individu», est d'usage didactique.

TEMPÉRATURE n. f. est emprunté (1538) au latin *temperatura*, dérivé de *temperare* (→ tempérer), avec ses deux sens de «constitution bien dosée d'un corps» et «degré de chaleur ou de froid».

♦ Les premiers sens attestés en français, «constitution physique (d'un corps)» (1538) et «composition, constitution, en général» (Rabelais), sont sortis d'usage après le XVIIe s., partiellement au profit de *tempérament**. ◆ Le sens de «degré de chaleur de l'atmosphère» (1547) s'est imposé et spécialement celui de «degré de chaleur dans un lieu, dans un organisme» (1789), par exemple dans ***avoir de la température*** (attesté seulement en 1920) qui équivaut à «avoir de la fièvre». ◇ *Température* se dit par métaphore (1777) de l'état d'esprit, de la disposition d'une personne, d'une situation, par exemple dans la locution ***prendre la température de*** (1926), métaphore de la médecine. ◇ Avec ses valeurs modernes, le mot est démotivé par rapport au verbe *tempérer* et à *tempérament*. Il sert à former des expressions scientifiques et techniques, comme *température absolue* (1819), *critique* (1877), *très basse, très haute température (U. H. T.)*.

◈ voir U. H. T.

TEMPÉRER v. tr. est emprunté (1540; 1119, au p.p. isolément) au latin *temperare* «disposer convenablement (les éléments d'un tout), combiner dans de justes proportions», également «régler, organiser», «modérer et intransitivement «garder la mesure, être modéré». L'étymologie de *temperare* n'est pas éclaircie; un rapprochement avec *tempus* (→ temps) est sémantiquement délicat, sauf à voir en *tempus* une «coupure (du temps)» et dans *temperare* une valeur proche du français *couper*, par exemple dans *couper le vin*. Ce verbe a par ailleurs abouti, par évolution phonétique, au français *tremper**.

Tempérer s'emploie d'abord dans le domaine moral et, à partir du XVIe s., pour «modérer un excès thermique ou climatique». ◇ L'usage ancien l'employait aussi pour «modérer la force de (un fluide) par mélange» (XVIe s., Rabelais) et lui a conservé jusqu'au XVIIe s. le sens de «mélanger, doser», qui vient du latin. ◇ Depuis le XVIIe s., *se tempérer* correspond au figuré à «se modérer», avec une valeur réfléchie (1662) et réciproque (1690).

▸ Le participe passé **TEMPÉRÉ, ÉE** est adjectivé (1119, puis 1380, repris au XVIe s.) au sens de «doux, modéré». À la différence du verbe, l'usage moderne l'emploie surtout à propos d'un climat (1538) et, par métonymie, de la zone dans laquelle règne ce climat (1636). ◇ Il est passé dans le vocabulaire de la musique (1742, *système tempéré*) pour désigner une gamme dans laquelle la note bémolisée et la note diésée consécutives sont remplacées par un ton intermédiaire (→ tempérament); ainsi l'une des œuvres majeures de J. S. Bach se nomme en français *Le Clavier* (ou *Le Clavecin*) *bien tempéré*.

TEMPÉRANCE n. f. est un emprunt (v. 1230) au latin *temperantia* «modération, mesure, retenue», fait sur le participe présent *temperans* de *temperare*. ◇ En français, le mot, avec le sens de «vertu qui modère les passions et les désirs sensuels», est rare avant le XVIe s. ◇ Le mot s'emploie plus couramment à propos de la modération dans le boire et le manger (1611). ◆ **TEMPÉRANT, ANTE** adj. a été emprunté (1553) au latin *temperans* «retenu, modéré», participe présent de *temperare*, pour servir d'adjectif à *tempérance*. ◇ Il a été substantivé pour désigner une personne sobre (1694), emploi archaïque, et au masculin en médecine à propos d'un produit ayant des propriétés calmantes (1752), sens disparu.

Des antonymes en *in-* ont été empruntés au latin. ◆ **INTEMPÉRÉ, ÉE** adj. est un emprunt du XVIe s. (1534) au latin *intemperatus* «non mélangé» et «immodéré», formé sur le participe passé de *temperare*. ◇ L'adjectif a qualifié un temps humide, froid (→ intempérie) et s'est appliqué (1545) à l'homme avec l'idée de dérèglement; il est considéré comme vieilli dès le XVIIIe s. (1740, Académie). ◆ **INTEMPÉRANT, ANTE** adj. représente un emprunt savant (1552) au latin *intemperans, -antis* «qui n'a pas de mesure, de retenue», «incontinent, dissolu», formé de *in-* (→ ① in-) et de *temperans*, participe présent de *temperare*. ◇ L'adjectif est d'abord attesté au sens latin de «déréglé dans ses passions» (1552), d'où *esprit intempérant* (av. 1703, Saint-Évremond), emplois sortis d'usage. ◇ Le mot se spécialise en conservant l'idée de «manque de mesure»; il s'applique à une personne qui abuse des plaisirs de la table et, en particulier, de la boisson, aussi substantivé au masculin dans ce sens (Pascal), ensuite à la personne qui s'abandonne aux plaisirs de la chair (1690, Bossuet). ◆ **INTEMPÉRANCE** n. f., emprunté (1370-1372, Oresme) au dérivé latin *intemperantia* «excès», «licence, indiscipline» et «intempérie (de l'air)», s'est employé d'abord pour «manque de tempérance, de modération». ◇ Il prend ses acceptions modernes à partir du XVIe siècle : «excès des plaisirs de la chair» (1550), «excès de table» (1553) et spécialement «liberté excessive dans l'expression» (1650, Vaugelas, *intempérance de langue;* 1703, Saint-Évremond, *intempérance de plume*), cette dernière valeur étant devenue archaïque.

◈ voir INTEMPÉRIE, OBTEMPÉRER, TEMPÉRAMENT, TEMPÉRATURE, TREMPER.

TEMPÊTE n. f. est issu (v. 938, *tempeste*) d'un latin populaire °*tempesta* «temps», spécialement «mauvais temps», féminin substantivé de l'adjectif classique *tempestus* «qui vient à temps», dérivé de *tempus* (→ temps). Un autre dérivé latin de *tempus* a produit une valeur similaire en ancien provençal *(temporali)* et en français classique (→ temporel). °*Tempesta* a aussi fourni le catalan et l'italien *tempesta*. ◇ L'adjectif *tempestus* a par ailleurs produit un substantif *tempestas* «laps de temps, moment», puis «temps» et «température», spécialisé au sens de «mauvais temps, orage» et au figuré «trouble, malheur, calamité»; l'accusatif *tempestatem* a abouti à l'ancien français *tempesté* n. m. «tempête, orage» (1119) et à l'ancien provençal *tempestat,* qui a été éliminé par l'homonyme venant de °*tempesta.*

♦ *Tempête* signifie d'abord concrètement «ouragan, orage très violent» et s'emploie spécialement en parlant de ce temps sur la mer. ◇ Dès le XIIe s., le mot a donné lieu à des emplois figurés; le sens de «folie, mélancolie» (v. 1175) est sorti d'usage, celui de «tourment, trouble de l'âme» (v. 1206) survit en tant que métaphore du sens concret, notamment dans des expressions comme *s'assurer un port dans la tempête* (1669), *doubler le cap des tempêtes* «sortir d'une crise» (1872) et «sortir de l'âge des passions» (1875) ou *Une tempête sous un crâne* (titre d'un chapitre des *Misérables* de V. Hugo). ◇ Par ailleurs, on relève au début du XIIIe s. l'emploi de *tempête* pour «bruit, vacarme» (v. 1205), courant en ancien français dans la construction *mener grant tempeste,* valeur présente en français moderne dans *une tempête de...* et sentie comme métaphorique. ◇ L'idée de bruit et celle de trouble se trouvent associées dans le sens de «bagarre, émeute» (fin XIVe s.), surtout par la suite (1647, Corneille) dans un contexte politique et lui aussi archaïque, sauf par reprise métaphorique.

▸ **TEMPÊTER** v. intr. se dit d'abord (v. 1150) de la mer. L'usage ancien employait le verbe transitivement au sens de «mettre sens dessus dessous», au concret (v. 1165, du vent, de l'orage) et au figuré (v. 1200), ainsi qu'à la forme impersonnelle *il tempête* «il y a un violent orage» (1400), comme *il pleut, il vente.* ◇ L'usage moderne emploie surtout l'intransitif au figuré, avec un nom de personnes pour sujet au sens de «manifester à grand bruit sa colère» (v. 1175). ◆ Le verbe a produit **TEMPÊTEUR, EUSE** n., d'abord *tempesteur* (1360) «personne qui fait du bruit». Le mot se dit d'une personne qui s'emporte souvent (1872), mais il demeure rare.

TEMPÉTUEUX, EUSE adj. est emprunté (v. 1300, *tempestuose*) au bas latin *tempestuosus* «orageux» au figuré, dérivé du latin classique *tempestas.* ◇ Le mot a évincé l'ancien adjectif *tempestous* (fin XIIe s.), *tempesteus* (XIVe s.), puis *tempêteux* (1671), dérivé français de *tempeste, tempête.* ◇ Il a progressivement perdu ses sens originels, «agité par la tempête» et «qui a le caractère de la tempête» (XVIe s.), déjà qualifiés de «vieillis» dans les dictionnaires du XVIIIe siècle. ◇ Il se dit par figure de ce qui est plein d'agitation (1544) et d'un comportement querelleur (XVIIIe s.). ◆ En est dérivé **TEMPÉTUEUSEMENT** adv., «rapidement et violemment» (XVe s.), d'emploi rare.

① **TEMPLE** n. m. est un emprunt ancien (1080) au latin *templum,* terme de la langue augurale désignant l'espace carré délimité par l'augure dans le ciel et sur la terre, à l'intérieur duquel il recueille et interprète les présages (cf. *droit* et *règle,* mots qui véhiculent étymologiquement une idée proche). Par extension, *templum* s'est dit du ciel tout entier (au pluriel *templa caeli*), des régions infernales, des plaines de la mer, ainsi que d'un lieu, d'un édifice consacré aux dieux. D'après Festus, le mot est employé en technique pour désigner une solive placée sur les chevrons, peut-être en référence aux lignes transversales tracées par l'augure dans le *templum* ou à la figure tracée par les poutres qui s'entrecroisent, déterminant une espèce de *templum.* Le mot latin est rapproché de façon approximative du grec *temenos* «enclos sacré» et donc de la racine contenue dans *temnein* «couper» (→ tome, -tomie).

♦ En français, le mot est d'abord un terme d'Antiquité judaïque qui se réfère au «temple» par excellence, à l'édifice construit par Salomon à Jérusalem sur ordre de Jahvé, détruit par les Chaldéens, rebâti au VIe s. avant J.-C. et agrandi par Hérode avant d'être anéanti lors de la prise de Jérusalem. ◇ Le sens général d'«édifice consacré au culte catholique» (v. 1155) est sorti d'usage ou littéraire et archaïque (1643, Corneille), de même que les sens métonymiques correspondants («les fidèles», etc.). Ce sens a été éliminé dans l'usage courant par *église, temple* désignant dès lors (à partir de la 2e moitié du XIIe s.) soit en général tout édifice du culte (v. 1170), dans quelque religion que ce soit, soit un tel édifice dans l'antiquité occidentale, Égypte, Grèce, Rome... (1558, en référence au lieu de pratique des augures), soit enfin, après la Réforme (1535), l'édifice du culte protestant, alors opposé à *église.* Le mot a eu pendant la Révolution (1793) divers emplois liés au culte de la Raison et de l'humanité (on a aussi appliqué l'expression *temple de l'humanité* aux hospices). ◇ Quelques sens figurés sont réalisés dans des syntagmes déterminés *(temple du goût),* certains d'usage érotique comme *le temple de Cypris* (1627), *le temple d'amour* ou *de l'Amour* «le sexe féminin» (1785, Sade), *temple de Vénus* qui s'est employé auparavant pour «maison close» fin XVIIe s.). ◇ L'appellation *ordre du Temple* v. 1174) et absolument *le Temple* (v. 1190) désigne l'ordre fondé à Jérusalem en 1119 lors des premières croisades dans une maison voisine du lieu où se dressait le temple de Salomon et d'abord nommé *Pauvres Chevaliers du Christ.* Par extension, le nom fut donné à un ancien monastère fortifié de cet ordre à Paris et, par suite, au quartier où il se trouvait.

▸ De *temple* dérive **TEMPLIER** n. m. (v. 1220), d'abord *tramplier* (1205), qui désigne un chevalier de l'ordre du Temple, supprimé en 1312 par Clément V, après des procès commencés en 1307 sur l'ordre de Philippe IV le Bel. Il a fourni la locution *boire comme un templier* (1532), devenue archaïque. ◇ Par extension, *templier* a désigné un membre d'une secte mystique prétendant tirer son origine de l'ancien ordre des Templiers (1812, Boiste).

Par ailleurs, d'après un sens latin, «solive», ② **TEMPLE** n. m. a désigné (1281) une règle servant à tendre l'étoffe sur un métier. Le mot s'est employé jusqu'au XIXe s., remplacé ensuite par d'autres formes (ci-dessous). ◆ Il a pour diminutif **TEMPLET** n. m. (1765; 1680, dans un autre sens).

② **TEMPE** n. f. (1765) s'emploie dans le sens de ② *temple.* Par la suite, *tempe* s'emploie aussi en boucherie (1812), comme nom d'une pièce de bois qui servait à maintenir ouvert le ventre d'un animal.

◈ voir CONTEMPLER.

TEMPO n. m. est un emprunt (1765) à l'italien *tempo,* proprement «temps», spécialisé en musique dans des expressions comme *tempo di gavotta, tempo di minuetto,* relevées dans l'*Encyclopédie; tempo* est de même origine que *temps**.

♦ Le mot désigne de façon relative la notation des mouvements d'un morceau de musique; il est alors qualifié *(tempo moderato); a tempo* (1842) indique que l'exécutant doit revenir au tempo normal. ◇ *Tempo* s'emploie au XXe s., notamment en jazz, pour «vitesse d'exécution» (1934) et, par figure (1922), se dit du rythme qu'imprime un auteur à une action et, en psychologie, du rythme propre à un individu dans ses activités.

TEMPORAIRE adj. est emprunté (1562) au latin *temporarius* «approprié aux circonstances, dépendant des circonstances» et «qui dure un temps limité», dérivé de *tempus, -oris* (→ temps).

♦ *Temporaire* s'est d'abord appliqué aux phénomènes atmosphériques; au sens de «qui dure un temps limité» (1589). Le mot est rare avant le XVIIIe siècle. Il prend alors le sens théologique de «chancelant» en parlant de la foi (1752), substantivé pour désigner la personne qui n'a qu'une foi chancelante (1752). Ce sens est sorti d'usage. ◆ L'adjectif ne correspond plus qu'à l'acception «qui n'exerce ses activités que pour un temps» (1791), d'abord dans le domaine administratif, le mot prenant ensuite une valeur très générale analogue à celle de *momentané, provisoire,* s'opposant à *définitif, durable...* ◇ Il s'est appliqué (1865) à ce qui concerne la durée, par exemple en musique.

► En est dérivé **TEMPORAIREMENT** adv. (1792), assez usuel.

① **TEMPORAL** → ① TEMPE

TEMPOREL, ELLE adj. est emprunté (v. 1190), peu après *temporal* n. m. (v. 1150), au latin classique *temporalis* «qui ne dure qu'un temps» et «qui désigne le temps» (en grammaire), puis en latin ecclésiastique opposé à *eternalis;* il est substantivé à l'époque gallo-romaine pour «époque» *(tempus)* et «tempête» *(tempestas); temporalis* dérive de *tempus* (→ temps).

♦ Le mot qualifie ce qui ne dure qu'un temps, ce qui est périssable (v. 1190), d'abord sous la forme *temporal* (v. 1160), et, par extension dans le langage religieux, ce qui est du domaine séculier (opposé à *ecclésiastique*) [1283]. L'adjectif est attesté peu après un substantif pris au latin, *temporel,* signifiant «époque» du XIIe (v. 1150) au XVIe siècle. Il était aussi substantivé, d'abord avec le sens particulier de «revenu qu'un ecclésiastique tire de ses fonctions» (1330), sorti d'usage ou historique, puis pour désigner l'autorité civile qui s'exerce sur les biens et les personnes (v. 1660). ◇ Il assume, avec une valeur de neutre, le sens général de «ce qui est de cette terre» (1665) par opposition à l'emploi substantivé de *spirituel.* Le nom s'est employé pour «tempête» (1690), précédé par *temporal* (déb. XVIIe s.) qui correspond au premier sens de l'ancien provençal (v. 1000). ◇ L'adjectif a eu au XVIIe s. la valeur de «temporaire» (1636); il s'est spécialisé en grammaire (1798) pour qualifier une forme qui marque le temps. ◇ Il a été employé en philosophie au XXe s. en relation avec *temporalité* (1927, Jankélévitch). ◆ ② **TEMPORAL** n. m. a été repris comme terme liturgique (attesté XXe s.) pour désigner la partie du missel ou du bréviaire qui comprend les offices pour chaque temps de l'année.

► Le dérivé de *temporel,* **TEMPORELLEMENT** adv., est attesté depuis le XIIe s. (1190, *temporelment*) avec le sens de «du monde» par opposition à *éternellement.* ◇ Depuis la seconde moitié du XIIIe s. (v. 1283, *temporeusement*), il est employé par opposition à *spirituellement.* Son emploi didactique au sens de «relativement au temps» (en philosophie) semble récent (XXe s.). ◆ À *temporel* s'opposent les préfixés **ATEMPOREL, ELLE** adj. (1933), didactique, «hors du temps, qui ne relève pas du temps», et **INTEMPOREL, ELLE** adj. (1878), plus courant mais souvent d'usage littéraire, substantivé au sens de «ce qui est hors du temps» (1884, n. m.). ◇ L'adjectif a fourni le dérivé **INTEMPORALITÉ** n. f. (1933, Malègue, in *T. L. F.*), formé d'après *temporalité* (ci-dessous) et d'usage didactique.

TEMPORALITÉ n. f. (v. 1265; 1190, *temporaliteiz*) est emprunté au latin *temporalitas, -atis* (Tertullien) «durée limitée», dérivé de *temporalis.* ◇ Le mot s'est d'abord employé par opposition à *éternité;* en droit religieux, il a désigné le pouvoir temporel (v. 1283) et le domaine temporel (d'un évêché, d'un chapitre) [1335]. ◇ L'usage moderne l'emploie comme terme de grammaire et de philosophie (1943, Sartre) au sens de «caractère de ce qui est dans le temps» (peut-être inspiré par *intemporalité,* ci-dessus).

TEMPORISER v. intr. est emprunté (1413) au latin médiéval *temporizare* «passer le temps», dérivé du latin classique *tempus, -oris* (→ temps).

♦ En moyen français, le verbe a d'abord eu les sens de «durer, demeurer (d'une institution, d'une personne)» et «patienter» (XVe s.). ◇ Son acception actuelle, «différer d'agir par calcul», est attestée depuis la fin du XVe s.. Le sens transitif de «différer (qqch.)» (1460) ne s'est pas maintenu.

► Les anciens dérivés du mot ont été supplantés par des dérivés de formation savante attestés depuis le XVIIIe siècle. L'ancien nom d'action **TEMPORISEMENT** n. m. (1440-1475; jusqu'au XIXe s.) s'est effacé devant **TEMPORISATION** n. f. (v. 1780), «fait de différer d'agir». Le nom d'agent **TEMPORISEUR** adj. et n. m. (v. 1570), vieilli, a été remplacé par **TEMPORISATEUR, TRICE** n. (1788) et adj. (1842) qui correspond à *temporiser* au sens de «différer d'agir». ◇ Le nom sert spécialement à désigner un appareil commandant le changement d'opération d'un dispositif électrique en temps voulu (v. 1950).

TEMPS n. m. est emprunté à la fin du Xe s. au latin *tempus, -oris* «temps, fraction de la durée», distinct de *aevum* (→ âge), qui indique plutôt le temps dans sa continuité. C'est pourquoi on emploie fréquemment en latin le pluriel *tempora* «portions de temps, époques» et des expressions comme *tempus diei* «moment du jour», *anni tempora* «saisons», *pri-*

mum tempus (→ printemps). *Tempus* désigne également le moment, l'époque, en particulier le moment favorable, l'occasion (au pluriel *tempora* «les circonstances»). Dans la langue poétique et rhétorique, il se dit spécialement du temps métrique, de la mesure, et en grammaire du temps d'un verbe (d'après le grec *khronos*; → chrono-). De genre inanimé, le mot n'est ni personnifié, ni divinisé (le dieu du temps étant *Saturnus*, équivalent latin du dieu grec *Khronos*, et qui a d'autres attributions). *Tempus* figure dans de nombreuses locutions adverbiales, notamment *tempori* (ou *tempore*) «à temps», *ad tempus* «au moment voulu», *ex tempore* «sur-le-champ». Son étymologie reste obscure, et le rapprochement proposé avec *temperare* (→ tempérer) n'est pas sûr.

♦ En français, les formes héritées *tens* (v. 1050), *tems* sont les plus courantes au moyen âge et l'on écrit encore *tems* jusqu'aux XVIIe-XVIIIe siècles. Le mot cumule les valeurs des mots latins *tempus* et *aevus*, soit les notions de «fraction de durée» et de «durée continue». Dès les premiers textes, en effet, il désigne l'ensemble de la durée considérée d'une manière générale et la succession des parties de la durée envisagée par rapport aux événements, aux occupations de la vie. ◇ Considéré dans une succession, *temps* désigne depuis le XIIIe s. un point situé par notre expérience d'un avant et d'un après, sens réalisé dans de nombreuses locutions (comme ***en temps et lieu***) et, en français moderne, par plusieurs emplois didactiques faisant de ce point l'objet d'un calcul (1755, *temps vrai*; 1872, *temps solaire*; 1872, *temps sidéral*). ◇ *Temps* désigne aussi dès l'ancien français la suite des événements dans l'histoire, l'époque à laquelle on vit (XIIIe s.) et absolument l'époque dont on parle. Déterminé par un possessif, il se réfère particulièrement à la jeunesse (1465); qualifié par un adjectif ou un complément, il désigne un certain âge de la vie, en particulier l'ensemble des moments heureux ou malheureux (v. 1225; 1549, *le bon temps*; syntagme repris en français moderne à propos d'un passé meilleur, *c'était le bon temps !*). ◇ Certains emplois déterminés réalisent l'idée de «moment de faire (qqch.)» (v. 1170) comme dans les locutions *tens est de* (1080), devenue *il est temps que* (v. 1275), ***il est temps de*** (1382), ***prendre le temps de*** (1608), ***prendre son temps*** (1670; *prendre le temps*, fin XVIe s.). ◇ L'emploi du pluriel ***les temps*** (1535) met l'accent sur l'indétermination et appartient spécialement au langage biblique (1535), par exemple dans *avant les temps* «avant la création» (1694), ou historique. ◇ À partir du XVIe s., *le temps*, absolument, concerne la notion même d'écoulement de la durée, spécialement sous la forme personnifiée d'une représentation mythologique (1573), comme une entité et, en philosophie, comme catégorie, grandeur, milieu de l'expérience humaine en tant que concept fondamental, comme l'espace, la matière, etc.; cet emploi se dégage clairement au XVIIe siècle. *Temps* est également considéré du point de vue des occupations humaines dans un grand nombre de locutions usuelles : ***perdre son temps*** «faire des choses vaines» (XIIe s.), ***avoir le temps*** «disposer d'assez de temps» (1535), ***gagner du temps*** (1690; XVe s., *gagner temps*). ◇ Dans le langage didactique, le temps est conçu comme une grandeur mesurable (1573), objet de la chronométrie. ◇ Précédé de l'article indéfini *un*, le mot n'indique parfois qu'un espace limité de cette durée (v. 1360, Froissart), par exemple dans *cela ne dure qu'un temps* (1718). ◇ Précédé de l'article défini *le* (1659), ou encore suivi d'un infinitif introduit par *de* (1535), le mot prend la valeur de «moment fixé» *(il est temps de, c'est le temps de, le temps est venu de)*. C'est avec cette nuance qu'on emploie la locution *à contretemps* (ci-dessous). Parallèlement à d'innombrables locutions, ce sens a donné lieu à plusieurs emplois spécialisés réalisant l'idée d'une division de la durée : il s'emploie en musique (1677) à propos de chaque division égale de la mesure (→ mesure, tempo), en danse classique (1690), en gymnastique et en escrime (1677), en mécanique (1886) à propos des phases dont l'ensemble constitue le cycle de fonctionnement d'un moteur *(cycle, moteur à quatre, à deux temps)*, en sports (1860), en métrique (1933) et en informatique (v. 1960, *temps réel, temps partagé*, etc.). ➛ L'usage du mot en grammaire (XVe s.) correspond à l'un des rares emplois techniques se rapportant à la notion considérée dans la chronologie; il caractérise les formes du verbe et s'articule avec *mode, voix* et *aspect*.

Parallèlement à cet ensemble d'emplois, *temps* désigne dès le XIIe s. (v. 1130, *tens*) l'état de l'atmosphère à un moment donné et, suivi d'un adjectif *(beau, mauvais)*, il s'est employé en ancien français pour «saison» (XIIe s.), d'où le sens de «saison propre à certains travaux» (1393). Dans ce sens, il s'agit en français moderne d'un véritable homonyme, parfois précisé par un syntagme *(le temps qu'il fait, le temps météorologique...)*. ◇ Non qualifié, le mot a eu le sens de «tempête, orage» du XIIIe (v. 1250) jusqu'à la fin du XVIIe siècle. Il reste un témoin de cet emploi dans des expressions comme ***gros temps*** (1680), où *temps* est d'ailleurs analysé aujourd'hui comme «mauvais temps». ◇ Le mot a aussi désigné l'état du ciel (v. 1220), aujourd'hui seulement avec un adjectif (1684, *temps bas*). ◇ Il s'emploie dans quelques locutions comme ***parler de la pluie et du beau temps*** «parler de choses insignifiantes» (fin XVIIe s.) et dans ***couleur de (du) temps*** «bleu clair» (v. 1700).

▸ *Temps* n'a pas produit de dérivés (*temporaire**, *temporel**, *temporiser** empruntés au latin, occupant la place), mais il fournit le premier ou le second élément de quelques composés. ➛ Le plus ancien est **QUATRE-TEMPS** n. m. pl. (1537), précédé par le pluriel *quatretamps* (v. 1340) et encore antérieurement par *quator tempre* (XIIIe s.) pour désigner les (trois) jours de jeûne ordonnés par l'Église au début de chacune des quatre saisons de l'année. ➛ **PASSE-TEMPS** n. m. a d'abord été employé au sens de «joie, plaisir» (1413) avant de recevoir son sens actuel (1538). ➛ **CONTRETEMPS** n. m. (1559), qui s'est d'abord dit de l'interruption de la cadence d'un cheval, a développé des sens spécialisés en musique (1611), en danse (1690) et en escrime (1655). Il a un sens figuré usuel, «accident inopiné qui dérange les dispositions prises» (1654). ◇ **À CONTRETEMPS** loc. adv. (1627) signifie «au mauvais moment, mal à propos». ◆ **GARDE-TEMPS** n. m. (1872, Littré) est le nom donné à un instrument de précision utilisé en astronomie pour marquer l'heure. ◆ **MI-TEMPS** n. f. est attesté depuis 1900 pour «chacune des deux parties d'un match» et signifie aussi (1907) «moment de repos entre les deux parties». ◆ Il a servi de modèle à **TIERS TEMPS** n. m. qui désigne chacune des trois parties d'un match de hockey sur glace.

◈ voir CONTEMPORAIN, ENTRE-TEMPS, INTEMPESTIF, LONGTEMPS, PRINTEMPS, TEMPÊTE, TEMPO, TEMPORAIRE, TEMPOREL, TEMPORISER.

TENABLE → TENIR

TENACE adj. est emprunté (1501) au latin *tenax, -acis,* dérivé de *tenere* (→ tenir), «qui tient fortement», selon le contexte «adhérent» (choses), «parcimonieux», «ferme (pour la mémoire)», «obstiné, opiniâtre».

♦ Le mot français présente d'abord la même diversité sémantique que le latin; cependant l'acception concernant la mémoire (1501) et le sens d'«avare» (déjà noté «vieux» en 1660) sont sortis d'usage, de même que le sens concret «adhérent, visqueux» (1560). ◇ *Tenace* qualifie une personne attachée fermement à ses opinions (1530), l'attitude d'une telle personne (1748), un mal difficile à extirper (1580, Montaigne). L'adjectif s'applique également, sur un plan concret, à un objet dont les parties tiennent fortement ensemble (1745), à un végétal qui s'accroche (1800) et, par analogie, à une odeur persistante (XXe s.); mais ces emplois sont aujourd'hui littéraires ou didactiques, le sens moral étant seul usuel. ◇ Il s'est employé à propos d'une personne dont on ne peut se défaire (1700) et comme terme de jeu, aux cartes (1694; 1876, n. f. *une tenace*); ces valeurs ont disparu.

▸ De *tenace* est issu **TENACEMENT** adv. (1557).
Le nom correspondant, **TÉNACITÉ** n. f., est emprunté avant l'adjectif (1370) au dérivé latin *tenacitas.* ◇ Le mot a servi jusqu'au XIXe s. de synonyme à *avarice* avant de développer le sens d'«attachement opiniâtre (à une idée)» (1488). Puis, comme l'adjectif apparu entre-temps, *ténacité* désigne le caractère persistant d'une chose (1516). Comme pour l'adjectif, le sens concret (1611), avec l'idée accessoire de «solidité» (1765), est didactique.

◈ **TENAILLE** n. f. est issu par évolution phonétique (v. 1130, au pluriel) d'un latin populaire °*tenacula,* pluriel neutre, devenu féminin singulier, de *tenaculum* «lien, attache», dérivé à suffixe diminutif de *tenere* (→ tenir). Le mot latin, qui désignait les tenailles, *forceps,* a fait l'objet d'un emprunt médical ultérieur (→ forceps).

♦ Le mot désigne un outil de métal formé de deux pièces assemblées en croix d'où, dès les premiers textes, l'emploi majoritaire du pluriel. Par extension, il est employé en chirurgie pour désigner une sorte de pince (1752). Il entre dans *tenailles à vis* (1660, au singulier) désignant l'étau à main des serruriers, et dans *tenaille à rails* (1904) une pince servant à soulever les rails de chemin de fer. Le mot s'est appliqué à un ancien instrument de torture (1550). ◇ Au figuré, il s'est dit de ce qui étreint (désagréablement) [1554]. ◇ Entre autres emplois particuliers fondés sur une analogie d'aspect avec les tenailles, le mot désigne un type d'ouvrage de fortification (1592).

▸ **TENAILLON** n. m., diminutif, a désigné la pince (d'un scorpion) [1567], puis une petite tenaille de fortification (1708). ◆ **TENAILLER** v. tr. (1549), à partir du sens concret «supplicier avec des tenailles» sorti d'usage, a pris celui de «faire souffrir, physiquement ou moralement» (1573). ◇ Son participe passé **TENAILLÉ, ÉE** est adjectivé, notamment comme terme de fortification (fin XVIe s.) et surtout dans le domaine psychique au figuré *(tenaillé par le remords).* ◆ Les autres dérivés du verbe, **TENAILLEMENT** n. m. (1611) et **TENAILLANT, ANTE** adj., du participe présent (1890, Maupassant), correspondent au sens moral et appartiennent au style littéraire.

TENANCIER, IÈRE n. est dérivé (1461) de l'ancien français *tenance* «tenure, propriété» (1220), terme de féodalité sorti d'usage sous la concurrence de *tenure** et dérivé de *tenir*. Tenance,* d'après d'autres emplois de *tenir,* a eu dès le XIIe s. d'autres sens en ancien français, par exemple (v. 1160) «otage» et «rapports amicaux».

♦ *Tenancier* désigne d'abord la personne qui tient les terres en roture, dépendantes d'un fief et à qui il est dû des cens ou autres droits. En dehors de cette acception liée aux institutions féodales, le mot désigne le fermier d'une petite métairie dépendant d'une plus grosse ferme (fin XVIe s.). ◇ Il se dit aussi (1893) d'une personne qui gère un établissement soumis à une réglementation, une surveillance des pouvoirs publics, d'abord à propos d'une maison close, puis notamment pour «patron de café, d'hôtel» (v. 1922), soit dans le langage administratif, soit couramment avec une valeur péjorative.

TENDANCE → ② TENDRE

TENDER n. m. est un emprunt (1837) à l'anglais *tender* (XVe s.), spécialisé comme terme de chemins de fer en 1825, dérivé de *to tend* (XIVe s.) «servir (qqn)» puis «assurer un service (auprès de qqn)», de *to attend,* lui-même repris au français *attendre**.

♦ *Tender* apparaît en France d'abord cité comme mot anglais à diverses reprises (1831; 1834) et, avant d'être adopté par l'usage, il est souvent accompagné d'une définition. Pour désigner un wagon auxiliaire qui contient le combustible et l'eau nécessaires à une locomotive à vapeur, le français avait eu d'autres termes (1825, *fourgon de tête;* 1829, *chariot de suite,* etc.), employés par ailleurs pour d'autres réalités. *Tender* est devenu désuet avec l'abandon de la traction à vapeur. ◇ Le mot a aussi désigné (1847) un petit bateau de servitude, sens qui était ancien en anglais (1675).

TENDON n. m. est dérivé (1536) de ② *tendre*,* mais n'est plus rattaché fonctionnellement à ce verbe.

♦ Le mot avait été créé antérieurement (XIVe s.) pour désigner la bugrane, plante dont la racine arrêtait la charrue. ✦ Le sens anatomique est une création indépendante, à l'époque où le mot *nerf*, jusque-là seule dénomination des muscles et des ligaments, commençait à être employé avec son sens actuel. L'influence de *tendre* (dont le participe présent *tendant* avait été substantivé au même sens, vers 1390, et dont le participe passé *tendu* qualifie le substantif *nerf*, dès le XIe s. ; → ② tendre) s'est probablement conjuguée avec celle du grec *tenôn, -ontos* «muscle allongé», en particulier «muscle de l'arrière du cou chez l'homme et l'animal», dérivé de *teinein* «tendre», verbe correspondant au latin *tendere*. En ancien provençal, *tendon* «tendon d'Achille» (1213) remonte peut-être au mot grec modifié d'après *tendre*. ✦ *Tendon* s'est dit par analogie (1542) pour «vrille de la vigne». Il entre dans quelques syntagmes qualifiés et déterminés (*tendon d'Achille*, 1765). Il désigne spécialement la partie postérieure de la jambe du cheval où se trouve la saillie des tendons des muscles (1680). Il est aussi employé pour désigner la partie tendineuse de la viande de boucherie.

▶ **TENDINEUX, EUSE** adj. a été formé (v. 1560) sur le radical de la forme latinisée *tendo, -inis* avec le suffixe *-eux*. Son radical a servi à former **TENDINITE** n. f. (1909), terme de physiologie, pour une inflammation du tendon, synonyme plus courant de **TÉNOSITE** n. f. (XXe s.), fait sur le nom grec.

① **TENDRE** adj., également *tenre* en ancien français, est issu (v. 1050) du latin *tener* employé avec les mêmes sens (physiques, moraux) que le français et qualifiant souvent le jeune âge. Aucune autre langue n'a une forme correspondante (il faut écarter tout rapport avec le grec *terên* de même sens ou avec le sabin °*terenus* «mou»); généralement, le mot est rapproché de la famille importante de *tenere* (→ tenir), *tenuis* (→ ténu) et *tendere* (→ ② tendre).

♦ *Tendre* exprime d'abord l'idée de «jeune, plein de fraîcheur», qui n'est plus réalisée que dans le syntagme *âge* tendre* (1579). Par opposition à *dur*, il se dit de ce qui n'offre pas de résistance, se laisse facilement entamer (v. 1200), surtout à propos de certains aliments (1636, *pain tendre*), notamment la viande, et aussi substantivé (1553, *le tendre*). Par extension, il s'est appliqué à une personne douillette, délicate (v. 1155), puis (XIVe s.) qui ressent vivement une action physique, et à une partie du corps, *un cheval à la bouche tendre* (1564) étant un cheval sensible au mors. ✦ Sur un plan moral, l'adjectif qualifie la personne qui est facilement blessée (1080) et spécialement qui est accessible à la tentation (***tendre à***, 1559), sens disparu. ◇ Par une restriction au domaine de l'affectif, il qualifie surtout une personne sensible aux sentiments altruistes (amitié, compassion, amour) [XIVe s.], d'où par euphémisme la locution familière ***n'être pas tendre*** (v. 1750) et l'emploi substantivé *c'est (ce n'est pas) un, une tendre* (XXe s.). ◇ L'adjectif est spécialement employé dans le domaine des sentiments amoureux (d'un être, d'une chose). La langue classique l'a employé comme nom masculin (1649) avec le sens d'«amour, tendresse, affection», valeur disparue mais restée célèbre par la ***carte du tendre*** de Mlle de Scudéry (v. 1656), qui désignait *le pays du Tendre*. Dans la langue des précieux, le mot avait le sens métonymique de «sentiment tendre», par exemple dans *avoir un (furieux) tendre pour qqn* (1659). ✦ Depuis le XVIIIe s., *tendre* qualifie une lumière, un coloris doux (1745). ◇ Les sens anciens de «douillet, délicat», «susceptible», encore vivants au XVIIe s., sont sortis d'usage.

▶ **TENDREMENT** adv. (1050; également *tenrement*, v. 1200) a d'abord été employé pour «amèrement, avec angoisse» avant de prendre ses valeurs actuelles (v. 1170, «avec amour») correspondant à celles de l'adjectif. ✦ Le diminutif **TENDRET, ETTE** adj. (XIIIe s., également *tenret*) n'est plus employé, de même que **TENDRELET, ETTE** adj. (1535) et les adverbes dérivés. ✦ *Tendre* a produit trois noms de qualité dont un au moins, **TENDREUR** n. f. (XIIIe s. ; 1080, *tendrur, tendror*), est presque totalement sorti d'usage. ✦ Le second, **TENDRETÉ** n. f. (XIIe s., également *tanreté*), d'abord dans le domaine des sentiments, s'est progressivement restreint au sens concret de «caractère d'une matière tendre, molle» (1375). Condamné par Vaugelas mais recommandé au contraire par Furetière (1690), enregistré par l'Académie au XVIIIe s., il n'a pas vraiment réussi à s'implanter dans l'usage, sauf en parlant de la *viande tendre*, emploi où *tendresse* est exclu. ✦ Le troisième, **TENDRESSE** n. f. d'abord (v. 1240) pour «tendreté», après avoir exprimé l'idée d'enfance (1319), puis le caractère de ce qui se laisse facilement entamer (1375), a connu au XVIIe s. sa spécialisation moderne au domaine des sentiments (av. 1648, Voiture). Il s'emploie en particulier au pluriel *tendresses* pour désigner les témoignages d'affection (1666) et s'est dit pour «fille galante» (1882).

Tendre, dont le dérivé verbal *tendrir* (v. 1174) a disparu avant l'époque classique, a produit le verbe préfixé **ATTENDRIR** v. tr. (fin XIIe s.), employé à la fois au sens concret d'«amollir» (un aliment, v. 1260; une matière, 1538, aussi *s'attendrir*) et au sens moral. Dans ce contexte, il s'est employé comme intransitif (fin XIIe s.), remplacé en français moderne par le pronominal *s'attendrir*, puis comme transitif (1559) pour «rendre plus sensible, faire éprouver une émotion tendre». Il s'emploie également au pronominal *s'attendrir* (1611) et au participe adjectivé *attendri, ie*. ✦ Il a donné lieu à **ATTENDRISSEMENT** n. m., d'abord au sens concret (1561, selon Wartburg; puis 1574), qui ne s'emploie plus qu'au sens moral (1671), comme **ATTENDRISSANT, ANTE** adj. (1717), les deux mots étant courants dans ce sens. ✦ **ATTENDRISSEUR** n. m. (1960) désigne un appareil pour attendrir la viande. ✦ On emploie quelquefois **RATTENDRIR** v. tr. (1611) pour exprimer l'idée de «faire redevenir mou, souple»; le sens moral, antérieur, d'abord attesté comme pronominal (v. 1360), ne s'est pas maintenu.

◈ voir TENDRON.

✳ ② **TENDRE** v. est issu (v. 980) du latin classique *tendere* «rendre droit, déployer», en particulier au sens érotique «être en érection» (dans les Priapées), employé au figuré avec plusieurs sens dont «diriger vers» et, intransitivement, «avoir tendance à, viser à». Il est spécialement employé dans la langue militaire avec le sens de «faire effort» et concrètement de «dresser une tente». Le mot latin se rattache à une racine indoeuropéenne °*ten-* «étirer, tendre», représentée en sanskrit, grec, germanique, lituanien, slave et en latin même (→ tenir, ténu).

♦ *Tendre* s'emploie d'abord pour «exercer une traction sur (un objet) pour (le) rendre rigide» et «allonger (un membre), avancer (une partie du corps)», valeurs générales qui donnent lieu à de nombreux emplois spéciaux, au propre et au figuré. Le verbe signifie notamment «déployer (une toile, etc.) de manière à rendre rigide» (1080, d'une tente) puis «disposer en étendant», «appliquer (une tapisserie, etc.)» (1387), aussi en emploi absolu (fin XIIIe s.). En ancien français, *tendre* intransitif correspondait à «être tendu» (1278) et se disait par exemple d'une tapisserie. ◇ Le transitif s'employait en moyen français (XVe s.) à propos de la décoration de la façade des maisons à l'occasion d'une fête; au sens d'«étendre (du linge)» (1530), le verbe est aussi sorti d'usage. ◇ Avec l'idée de «disposer», *tendre* s'emploie comme terme de chasse (v. 1160), d'où la locution figurée ***tendre un piège à qqn*** (1643, Corneille), après *tendre des filets* (1461); on disait aussi dans ce sens (1440-1475) *tendre sur qqn.* ◇ Par métaphore, on a dit *se tendre* pour «déployer ses efforts» (1424). On emploie aujourd'hui *tendre son esprit* «faire effort» (1767), précédé par *avoir l'esprit tendu* (1664) et, à partir du XIXe s., *tendre* s'applique à une situation, à des rapports humains (1872), emploi plus courant au pronominal *se tendre* et au participe passé *tendu* (ci-dessous).

Dès le XIIIe s., d'autres emplois figurés liés au corps apparaissent; *tendre,* intransitif, «être en érection» (sens du latin) reste isolé (XIIIe s.), remplacé par *bander.* ◇ Comme transitif, le verbe s'emploie dans ***tendre l'oreille*** (v. 1225), ***tendre la main*** (XIIIe s., *mein tendre à*), d'abord «mettre la main sur qqch.», puis «se reconnaître vaincu» (1373), enfin «se réconcilier avec (qqn)» (v. 1860), sens encore en usage, alors que ***tendre la main*** pour «faire l'aumône» (1636) est devenu archaïque.

Alors que *tendre,* intransitif, a disparu, *tendre à* s'est maintenu. *Tendre à* signifie «aller vers sa fin» (v. 1160, en parlant de qqn qui va mourir) et avec une valeur concrète (v. 1225) «aller vers (un lieu)»; ces emplois ont disparu avant l'époque classique, alors que la valeur psychologique, «aspirer à» (v. 1190), est toujours vivante. ◇ *Tendre à* ou *vers (qqch.)* s'emploie (fin XIIe s.) après *tendre de* (1080, sorti d'usage) pour «avoir pour but», avec une idée d'effort, spécialement en parlant d'un discours, d'un argument, etc. (1538). ◇ Plus tard en sciences *tendre à* (1759), puis *tendre vers,* équivaut à «être de plus en plus voisin de (une valeur limite)».

▶ **TENDU, UE** adj., participe passé adjectivé de *tendre* (XIe-XIIe s., *nerfs tendus;* cf. *tendon*), exprime d'abord un sens physique, «rendu droit par traction», avant de développer des sens figurés en relation avec ceux de *tension* :* il qualifie ce qui indique l'effort (1580), spécialement un style (1784), puis à partir du XIXe s. une situation critique (1849) et une relation humaine difficile (1876), menaçant de se rompre. Un des derniers sens apparus correspond en phonologie à «qui entraîne une déformation plus grande de l'appareil vocal» (1933).

Tendre a produit un certain nombre de dérivés qui s'ajoutent aux emprunts faits au latin et aux formations savantes (→ tenseur, tension, tente), mais qui, pour la plupart, se limitent à un sens technique ou spécialisé. Ainsi, le nom d'action **TENDAGE** n. m., apparu dans le Nord pour «action de tendre les draps» (1285), a été reformé au XIXe s. pour désigner l'action de tendre une corde, un fil. ◆ **TENDEUR, EUSE** n., également attesté dans le Nord, désigne une personne qui tend qqch. (1250, «tapissier») et s'est employé comme terme de chasse (v. 1280; 1765, «braconnier»). Il est rare (1858) au sens érotique (cf. *bandeur*). ◇ Le mot sert aussi à désigner un dispositif qui maintient une chose tendue (1876). ◆ **TENDANT, ANTE** adj., du participe présent, d'abord employé au sens ancien passif, «allongé» (XIIIe s.), a depuis le XVe s. le sens de «qui tend à», généralement assumé par le participe présent lui-même. ◆ **TENDIÈRES** n. f. pl. (1609, au singulier) désigne les pièces horizontales d'un échafaudage fixe. ◇ **TENDOIR** n. m. (1765) désigne une pièce du métier à tisser et (1829) un étendoir à linge. ◇ **TENDERIE** n. f. (XIVe s., *tendrie*) signifiait «action de tendre»; c'est aussi un terme de chasse, «fait de tendre les filets» (1446).

Le seul dérivé de *tendre* qui ait de l'importance dans l'usage général est **TENDANCE** n. f., attesté (fin XIIIe s.) avec le sens isolé d'«inclination amoureuse», et depuis le dernier tiers du XIVe s. pour «force tendant vers une fin». Le mot semble avoir été à peu près inusité jusqu'au XVIIIe s., où il a été repris dans la langue scientifique, en physique, au sens de «force par laquelle un corps tend à se mouvoir dans un certain sens» (1727), aujourd'hui disparu. ◇ À partir du XVIIIe s., *tendance* désigne aussi couramment (1748) ce qui porte une personne à agir, à se comporter (d'où ***avoir tendance,*** 1876), sens cependant rare avant le XIXe siècle. ◇ Depuis la fin du XVIIIe s., il se dit de l'orientation (idéologique, artistique) d'un groupe de personnes. Au XIXe s., il s'impose pour «évolution de ce qui est dirigé vers un but» (1810, Mme de Staël) et entre dans le langage de la psychologie, où il désigne le principe dynamique considéré comme la cause de l'orientation des activités humaines (1896). ◆ De *tendance* sont dérivés, dans la langue moderne, deux adjectifs : **TENDANCIEL, ELLE** (1874), d'usage didactique, et dans la langue courante **TENDANCIEUX, EUSE,** «qui manifeste des préjugés, qui n'est pas neutre ni objectif» (1904), dont est tiré **TENDANCIEUSEMENT** adv. (1918, Proust).

Le groupe de *tendre* s'est élargi de quelques préfixés avec **RETENDRE** v. tr. (fin XIIe s.), **SURTENDRE** v. tr. (av. 1889, Villiers). **SOUS-TENDRE** v. tr. traduction (1856) de l'anglais *to subtend* (1570 en géométrie) signifie «joindre (ou constituer) les extrêmités d'un arc»; ce verbe est virtuel depuis le XVIIe s. où l'on parle de *soustendente,* en géométrie. Il est employé au sens figuré de «servir de fondement à» depuis le début du XXe s. (1907, Bergson), emploi courant au participe passé *sous-tendu.*

◇ voir ATTENDRE, DÉTENDRE, ENTENDRE, ÉTENDRE, PRÉTENDRE, STANDARD, TENDER, TENDON, TENSION, TENSON, ① TENTE, TENTURE, ① TOISE.

TENDRON n. m. est une réfection (fin XIVe s.) par changement de suffixe de *tendrun* (v. 1213), *tenrun* (fin XIe s.), formes issues d'un latin populaire °*tenerumen*, dérivé du classique *tener* (→ ① tendre), auquel remonte aussi l'italien *tenerume* «cartilage».

♦ En ancien français, le mot désigne surtout un cartilage en général, d'où par spécialisation le sens actuel de «cartilage tendre à l'extrémité de la poitrine de certains animaux» (1680) et l'emploi en boucherie (1740) pour un morceau de bœuf, de veau constituant la paroi inférieure du thorax. ◇ Le mot, par influence directe de *tendre* adj., désigne aussi la partie tendre d'une plante, le bourgeon, le rejeton (v. 1245). ➝ Il se dit, par analogie, d'une très jeune fille (v. 1200), familièrement et par plaisanterie depuis le XVIIe s. (1680, Richelet). Il s'est aussi employé au XVIIe s. à propos d'un très jeune homme délicat (1611).

TÉNÈBRE n. f. est emprunté (1080, au pluriel) au latin *tenebrae* n. f. pl. «obscurité», mot sans singulier avant Apulée. Celui-ci repose sur une forme °*temə-s-rā* (sanskrit *tàmisrāh*) et contient une racine dissyllabique indoeuropéenne qui a des représentants dans le sanskrit *támaḥ* «ténèbres», le lituanien *témsta* «l'obscurité vient», le letton *timsa*, *tumsa* «obscurité», l'ancien haut allemand *dinstar* «sombre». Le passage de *m* à *n* fait difficulté.

♦ Dès les premiers textes, *ténèbres* est plus fréquent au pluriel; il désigne l'obscurité profonde et spécialement (v. 1120), dans le langage biblique, le néant, la mort, l'absence de Grâce divine, l'enfer (av. 1250), notamment dans les expresssions comme *œuvre de ténèbres* (1553), *prince des ténèbres* «le démon» (1690). Il désigne spécifiquement l'office de nuit du jeudi et du vendredi saints pendant lesquels on éteint les lumières (1270), l'expression *leçon de ténèbres* s'appliquant aux leçons et à une composition musicale sur des textes de cet office (XVIIe s.). ◇ *Ténèbres* s'est employé en médecine (1735), encore au XIXe s., pour un obscurcissement de la vue. ◇ C'est encore le pluriel qui exprime le sens figuré d'«erreur, ignorance, incertitude» (1580, Montaigne). ➝ Le singulier *la ténèbre* (v. 1450), employé en parlant de l'obscurité, semble disparaître à l'époque classique avant d'être repris littérairement (Huysmans, 1887; *à ténèbre,* 1859) par archaïsme, également au figuré (1891) à propos de l'ignorance cachant la vérité.

► Il ne reste des dérivés que **ENTÉNÉBRER** v. tr. (fin XIIIe s.), d'usage littéraire, dont le dérivé **ENTÉNÈBREMENT** n. m. est relevé pour la première fois chez Huysmans (1880). ➝ Deux termes didactiques récents, **TÉNÉBRESCENCE** n. f. et **TÉNÉBRESCENT, ENTE** adj. (attestés 1964, Larousse), formés sur le modèle de *luminescence, luminescent,* concernent la disparition de la luminescence sous l'action de certaines excitations physiques.

TÉNÉBREUX, EUSE adj. et n. (XIIIe s.), antérieurement *tenebrus* (1080), est emprunté au dérivé latin *tenebrosus.* ➝ Le mot au sens propre «où règne l'obscurité» est du style poétique (selon l'Académie, 1718). Comme *ténèbre,* il est employé au figuré pour qualifier ce qui est obscur, perfide (fin XVIIe s.), pour «incertain, caché» en parlant d'une production de l'esprit (1580), et dans le vocabulaire religieux dans *séjour ténébreux* «enfer» (v. 1550), *ange ténébreux* «démon» (v. 1730), emplois disparus. ◇ Depuis le début du XVIIIe s. (1718), l'adjectif qualifie une personne mélancolique, cet usage ayant été précédé par l'emploi substantivé du mot dans le syntagme *le Beau Ténébreux* (1555), surnom donné à Amadis de Gaule qui, repoussé par celle qu'il aimait, se retira dans un ermitage; l'expression est attestée (v. 1680) à propos d'un beau garçon mélancolique. ➝ De *ténébreux* est issu **TÉNÉBREUSEMENT** adv. (v. 1512) qui, sorti d'usage au sens propre de «sans lumière», est rare avec le sens figuré de «perfidement» (v. 1700, Saint-Simon).

① **TENEUR** n. f. est emprunté (XIIe s., *tenur*) au latin *tenor,* nom dérivé de *tenere* (→ tenir), «cours non interrompu, marche continue» (au propre et au figuré) dans la langue classique, spécialisé à basse époque (VIe s.) au sens juridique de «disposition, contenu d'une loi».

♦ En français, le mot a été employé au sens de «continuité, suite» jusqu'au XVIIe s. (encore chez Descartes). ➝ Par réemprunt au latin juridique, il a pris son sens de «contenu exact (d'un écrit officiel ou important)» (1257). ➝ Par spécialisation du premier emploi, il est devenu un terme de musique, désignant la voix aujourd'hui appelée *de ténor** (1373), puis le chanteur qui a cette voix; concurrencé par d'autres termes, comme *taille* (→ tailler) et *ténor,* cet emploi disparaît au XVIIe siècle. *Teneur* désigne ensuite (1767) une mélodie suivie, utilisée comme base en composition dans la polyphonie médiévale. ➝ Un sens concret scientifique, «quantité de matière rapportée à une masse ou à un volume d'autres matières», est enregistré le dernier (1866) et s'est développé au XXe siècle.

► Avec ce dernier sens, il a produit le nom d'instrument **TENEURMÈTRE** n. m. (1973, *J. O.*), formé de manière hybride avec *-mètre**.

◇ voir TÉNOR.

② **TENEUR** → TENIR

TÉNIA n. m. (1764), francisation graphique de *taenia* (v. 1560), antérieurement sous la forme *tynia* (XVe s.), est emprunté au latin *taenia,* lui-même transcription du grec *tainia,* proprement «bandelette» avec les sens secondaires de «bandeau pour la tête», «ceinture pour soutenir le sein», «bandage», «banderole» et, parmi plusieurs sens analogiques, «ver solitaire». Ce mot est rapproché de *teinein* «tendre» (→ tendon).

♦ *Ténia,* aussi écrit *taenia,* signifie «ver solitaire».

► Il a servi à former le terme de médecine **TÉNIFUGE** adj. (1833), avec l'élément *-fuge**, substantivé au masculin par ellipse de *médicament.*

✳ **TENIR** v., réfection (XIe s.) de *tener* (980), est issu d'un latin populaire °*tenire,* peut-être forme altérée du latin classique *tenere* qui appartient à la même racine indoeuropéenne *°ten-* que *tendere* (→ ② tendre) dont il est distinct sémantiquement. Le verbe, employé transitivement, signifie «avoir (qqch.) en main» et en emploi absolu «durer, persister, se maintenir», avec des acceptions spéciales dans la langue militaire («se maintenir dans une position») et nautique («se maintenir dans une direction»). Du sens de base, «avoir en main», dérivent de nombreuses autres valeurs : «occuper» (spatialement et au figuré), «posséder», «garder immobile, arrêter, maintenir», «captiver» et «arrêter, retarder». Par l'intermédiaire de l'idée de «garder en esprit», le verbe signifie à la fois «se souvenir» *(memoria tenere)* et «comprendre, savoir» *(mente tenere)*. Il est représenté dans les langues romanes (italien *tenere*, espagnol *tener*).

♦ La riche polysémie du latin s'est transmise au verbe français à travers ses emplois transitifs, intransitifs et pronominaux, ceci dès l'ancien français et pour l'essentiel avant le XIIIe siècle. *Tenir*, transitif, signifie d'abord «occuper (un territoire), le posséder», d'où au XVIe s. *tenir la mer* (1549) avec la même valeur aujourd'hui disparue (l'expression ayant pris un autre sens), l'idée de violence liée à l'occupation n'apparaissant qu'au XVIIe s. (1669). ◇ L'idée de possession donne lieu à un emploi dans le vocabulaire féodal, «avoir un fief qui relève de qqn» (1130) [d'où le dérivé *tenure*, ci-dessous], et aussi à *ne rien tenir de qqn* «ne pas en dépendre» (XIIIe s.) d'où vient, au passif et au figuré, ***être tenu à qqch.*** «obligé» (v. 1283), toujours usuel en français moderne, par exemple dans l'expression proverbiale *à l'impossible nul n'est tenu* (1690). ◇ Par extension, cette notion de dépendance aboutit plus tard à une autre acception : *tenir de qqn, de qqch.* en vient à signifier «avoir ses qualités ou ses défauts» (1636) et «lui ressembler» (fin XVe s.). ◇ Toute une série d'emplois se développent à partir du XIe s., différenciés par une préposition ou un complément figé : *tenir (qqn, qqch.) pour...* «croire tel, estimer» (v. 1050), plus tard *tenir que* «estimer, penser» (v. 1330), qui reste vivant. ◇ *Tenir qqn chez soi* «loger» (v. 1050) ne s'est pas maintenu, non plus que *se tenir a* «demeurer à» (v. 1175). ◇ C'est aussi depuis le XIe s. que *tenir* suivi d'un adjectif signifie (v. 1050) «maintenir (qqch., qqn) dans un certain état» *(tenir éveillé)*. ➜ Déjà dans *La Chanson de Roland*, le verbe a le sens concret du latin, «avoir (qqch.) en main» (1080) et figure très tôt dans des emplois que les préfixés *maintenir** et *retenir** ont parfois seuls conservés; *tenir* s'emploie pour «s'accrocher à (qqch.) pour ne pas tomber» (v. 1175) et «empêcher (qqn) de tomber (1080) ou de s'en aller» (v. 1190). ◇ Parallèlement *tenir qqn* équivaut à «l'occuper en lui parlant» (v. 1175), valeur encore vivante dans la locution familière et figurée ***tenir la jambe à qqn***, qui correspond à *retenir*. ◇ *Tenir qqch. de qqn* «l'avoir appris ou obtenu de lui» n'apparaît qu'en moyen français (fin XVe s., Commynes), comme *faire tenir qqch. à qqn* «le lui remettre» (1549), aujourd'hui un peu archaïque. ◇ L'impératif ***tiens! tenez!***, en emploi absolu, a le sens de «prends! prenez! (ce que je tiens)» (1080) [→ tennis]; ironiquement, il s'adresse à qqn que l'on frappe (1667) ou que l'on attaque. Au figuré, il a valeur d'interjection (1200) pour appeler l'attention ou manifester un sentiment, évidence (1793), surprise ou étonnement (1832), *tiens* étant alors souvent répété *(tiens tiens tiens!)*. ◇ La valeur concrète du verbe, «garder dans sa main», se réalise aussi dans des locutions où l'impératif est substantivé, comme *assez vaut miex un tien que quatre tu l'auras* (v. 1170) devenue, après plusieurs variantes (v. 1185, *mieux vaut un tien que deux auras*), ***un tiens vaut mieux que deux tu l'auras*** (in Furetière, 1690); elle se manifeste aussi dans l'emploi pronominal *se tenir à qqch.* «s'y arrêter» (XIIe s.), d'où vient l'expression usuelle ***savoir à quoi s'en tenir*** (XVe s.; v. 1174, *a coi soi tenir*) «savoir ce que l'on doit penser de qqch.», et dans de nombreuses locutions figurées, comme ***tenir les rênes*** «gouverner, dominer» (XIIIe s.), ***tenir la plume*** (1690) ou ***se tenir les côtes*** ***(de rire)*** [1763; 1690, *se tenir les côtés*]. ◇ Le verbe s'est spécialisé avec un complément nom de personne (XIIe s.) au sens de «tenir par la main (la personne qui reçoit le baptême)», aujourd'hui, avec l'idée de «porter dans ses bras (un jeune enfant)», sous la forme *tenir (un enfant) sur les fonts (baptismaux)* «en être le parrain ou la marraine» (v. 1460). ➜ Dans l'abstrait, le verbe équivaut (1080) à «observer, suivre (une règle, etc.)», sens qu'il gardera jusqu'au XVIIe s. et qui subsiste dans *tenir sa parole* (v. 1155), *tenir un pari* (1798) qui succède à *tenir* employé absolument pour «parier» (av. 1550). *Tenir son ordre* (v. 1226) «se conformer aux règles de sa situation sociale» a été remplacé par *tenir son rang* avec une autre nuance (ci-dessous); ***tenir rigueur*** *à qqn* (1549, *tenir la rigueur*) «le traiter rigoureusement» s'est affaibli en «lui en vouloir de qqch.» (1786). ➜ La valeur concrète du verbe, «suivre», apparaît au XIIe s. avec *tenir a* et *tenir en* «se rendre (quelque part)» et «se diriger vers» (v. 1138); ces emplois sont propres à l'ancien français. ◇ Par figure, *tenir près qqn* (1165) signifiait «soumettre à une discipline sévère», encore à l'époque classique. ◇ Quant au transitif, la valeur spatiale du verbe se retrouve dans ***tenir la mer*** (1680) et sa valeur psychologique de surveillance dans ***tenir qqn de près*** (1694). ◇ Dans un emploi érotique, *tenir une femme* a signifié (v. 1213) «posséder» (cf. *prendre*). ➜ *Tenir à*, avec un sujet nom de chose, s'emploie (1210) pour marquer un rapport d'effet à cause *(une chose tient à une autre)*, valeur reprise plus tard en construction impersonnelle et dans la locution ***qu'à cela ne tienne*** (1693), précédée par *à cela ne tienne* (1611).

Depuis la fin du XIIe s., *tenir à* signifie (v. 1180) «être attaché, maintenu à» en parlant d'une chose, d'où par analogie «être contigu» (v. 1175) et *tenir*, intransitif, «être difficile à arracher» (1553), aujourd'hui modalisé *(bien, mal tenir)*. Cette acception donne lieu à des locutions figurées : ***ne tenir qu'à un fil*** (v. 1650), ***ne tenir à rien*** (1694) et à *il n'est (amitié, etc.)* ***qui tienne*** (1668), *il n'y a pas de (raison, etc.) qui tienne* (1694), etc. ◇ *Se tenir à qqn* «se ranger dans son parti» (XIIe s., *soi tenir*) ne s'est pas maintenu et a été remplacé par *tenir pour* (XVe s.), surtout vivant à propos d'une opinion, alors construit avec un adjectif *(tenir pour vrai, certain, assuré...)*.

Tenir à qqn, à qqch. signifie depuis le XVIe s. (1580) «y être attaché».
Tenir, intransitif, équivaut dès le XIIe s. à «subsister sans changement», puis s'emploie en particulier (fin XVIIe s.) à propos d'une couleur qui ne déteint pas et du temps qui ne change pas (1694), acception vieillie. ◆ Le verbe reprend par ailleurs le sens latin de «résister» (v. 1080), qui donne lieu à des emplois repris par *retenir**, comme *se tenir de faire qqch.* (v. 1160) ou *tenir sa colère* (v. 1175); d'autres sont restés vivants, comme ***tenir bon,*** au propre (v. 1460) et au figuré (1640), ou, avec un sémantisme analogue mais une syntaxe différente (transitif), ***tenir le coup*** (1548, *tenir coup*), précédé par l'emploi concret de *tenir le coup de* (v. 1080). ◇ Suivi d'un adverbe ou d'un adjectif *(se tenir tranquille), se tenir,* avec un sujet nom de personne, équivaut à «se comporter, avec telle attitude» (v. 1155), également dans des locutions, comme ***se tenir bien (mal)*** [1667], qui s'emploient au propre et au figuré (voir ci-dessous *tenue*).
Une autre construction ancienne, où *tenir* correspond à «continuer, ne pas arrêter (une activité)», se réalise dans *tenir plait* «délibérer» (v. 1155), *tenir un discours* (v. 1175), *tenir une séance* (v. 1190), d'où *se tenir* «avoir lieu, délibérer» en parlant d'une assemblée (1559). ◇ *Tenir* s'emploie aussi (v. 1130) pour «être situé, avoir une place dans un ensemble», d'où «habiter, demeurer» (XIIIe s.), sens relevé jusqu'au XIXe siècle. Cette valeur reste vivante en emploi abstrait, dans des syntagmes comme *tenir son rang* (v. 1175, *un rang*) et par métaphore dans ***tenir le bon bout*** (1640), modification d'une autre construction, *se tenir sur le bon bout* (1611). ◇ Par extension, le verbe signifie «occuper (un espace)» (v. 1215), «être susceptible de contenir» (v. 1130), acception dont procèdent *tenir l'eau* «être étanche» (1674), en parlant d'un récipient, et, à propos d'une personne, *tenir le vin* «boire beaucoup sans être ivre» (1697, ... *du vin*). ◇ L'idée de «demeurer» a produit de nombreuses expressions où *tenir* est aujourd'hui remplacé par *garder,* comme *tenir le lit* (1671). *Tenir le lieu de qqn* «occuper la place de qqn» (1370) est devenu ***tenir lieu de*** avec ce sens (1534) et s'emploie encore aujourd'hui pour «équivaloir à» (1599).

Dès le XIIe s., le participe présent **TENANT, ANTE** est adjectivé (v. 1160) et employé en ancien et en moyen français avec des sens sortis d'usage («stable», «solide», v. 1165). Il s'emploie aujourd'hui pour «qui se continue de manière suivie» (1828, dans *séance tenante*) et «qui n'est pas séparé, qui tient» (XXe s., en parlant d'un col). ◆ Parallèlement, le nom **TENANT** n. m. (v. 1138) a perdu divers sens anciens : «avare» (v. 1190), «remplaçant» (1326), et désigne, d'après différents sens du verbe, une personne qui «tient» qqch. ou qqn, dans quelques domaines spéciaux : celle qui dépend d'une autre (v. 1138), le tenancier de terres en roture (v. 1198) [voir *tenure,* ci-dessous], l'assiégé, l'amant en titre (1615), le combattant dans un tournoi (1610), toutes valeurs devenues historiques ou archaïques. ◇ Le mot désigne de nos jours, en sports, l'athlète qui détient un titre (1889), surtout dans l'expression *le tenant du titre.* ◇ Il sert aussi à désigner, au figuré, la personne qui soutient qqch. contre tous (av. 1685). ◇ Depuis le XIIe s., *tenant* désigne également ce qui n'est pas séparé, dans quelques locutions : ***d'un tenant*** (v. 1130, valeur temporelle «en une seule période de temps, de manière continue» ; 1538, valeur spatiale), puis ***d'un seul tenant*** (1878). ◇ Dans le langage juridique, son pluriel *les tenants* se dit des terres qui bornent une propriété (1611), d'abord dans la locution ***tenants et aboutissants*** (1508) passée dans l'usage au figuré (1625), et en blason des figures qui soutiennent l'écu (1636). ◆ Quant au participe passé **TENU, UE,** il est substantivé au féminin **TENUE** n. f. (v. 1165), d'abord terme de féodalité, là où l'on dit plus souvent *tenure.* Le disparate des sens de ce substantif procède de la polysémie de *tenir : tenue* a désigné ce que l'on tient (1373) et exprimé la continuité, la suite (XVIe s.), sens qui a vieilli sauf dans la locution ***d'une tenue*** (1636) ; il désigne spécialement, en musique, la continuation d'un même son sur une touche (1680), comme synonyme de *note tenue,* en manège la qualité d'un cheval capable de soutenir un effort prolongé (1885), en finances la fermeté d'une valeur boursière (1872). ◇ Depuis le début du XVIIe s., il fournit le nom d'action correspondant à *tenir séance (tenue de séance),* d'usage didactique ; au XIXe s., celui de tenir une maison, un ménage, la gestion (1835). ◇ Il exprime aussi le fait et la manière de tenir en place, de se tenir, spécialement en équitation (XVIe s.) et en marine (1680), et, en relation avec les sens pronominaux du verbe, le fait, la manière de se tenir (1835), en particulier la façon d'être habillé (1798), valeur devenue usuelle surtout pour les habits d'uniforme. Ce dernier sens a donné lieu aux expressions usuelles ***grande tenue*** (1798) «uniforme de parade», par opposition à ***petite tenue*** «uniforme de service» (1835), ***tenue de rigueur*** (1835), vieillie, et ***tenue de soirée, tenue de ville*** (1933). Par extension, *la tenue (avoir de la tenue)* est employé au sens figuré de «dignité dans la conduite» (1872) et spécialement de «correction dans le style» (1907).
TENURE n. f., réfection (1274) de *teneüre* (v. 1138), est un terme de féodalité désignant la condition sous laquelle une personne *(le tenant)* tient un fief, la possession en fait d'une chose immobilière (XIIe s.), d'où la dépendance, la mouvance d'un fief féodal (1636). Il se dit aussi techniquement d'un trou dans un bloc d'ardoise pour introduire le coin (1768). ◆ **TÈNEMENT** n. m. (v. 1155), qui désigne en ancien français la terre qu'on tient comme fief, est employé régionalement pour désigner une réunion de propriétés contiguës (1872 ; 1690, *tout d'un tènement*). ◆ ② **TENEUR** n. m. (d'abord *teneor* «possesseur», v. 1175 comme terme de féodalité) s'est employé pour désigner la personne qui tient un établissement (1545), en concurrence avec *tenancier** qui l'a éliminé. Il se dit de celle qui tient un registre (1680) et s'emploie dans le vocabulaire technique de l'imprimerie : *teneur de copie* (1843). ◆ *Tenir* a produit deux autres noms de sens technique. **TENON** n. m. (1379 ; d'abord *tenoun,* v. 1280) a lui-même donné **TENONNER** v. tr. (1872), d'où **TENONNAGE** n. m. (XXe s.) et **TENONNEUSE** n. f. (1904), nom d'un outil. ◆ **TENETTE** n. f. (1680), an-

cien terme de chirurgie, désignait la pince servant à saisir des calculs dans la vessie.
Un dérivé plus courant est **TENABLE** adj. (XIIᵉ s.), qui a servi en ancien français d'adjectif verbal à *tenir* avec les sens de «que l'on peut tenir, garder», «stable», «que l'on doit respecter (parole, etc.)» (v. 1160), «constant (du cœur)» (v. 1270), tous sortis d'usage. ◇ Il est resté vivant en emploi négatif pour qualifier ce que l'on peut défendre militairement (apr. 1360) et le lieu où l'on peut se tenir, demeurer (1640). ➝ L'antonyme préfixé **INTENABLE** adj. (1627), qui correspond à *(ce n'est) pas tenable,* est également employé pour qualifier une personne remuante (XXᵉ s.) et notamment un enfant.
ATTENANT, ANTE adj. est le participe présent adjectivé (1395; *atenans,* v. 1365) de l'ancien verbe *attenir,* issu du latin populaire °*attenire,* du latin classique *attinere* «toucher à, dépendre de». Sa formation est parallèle à celle du verbe simple *tenir* (voir ci-dessus; de °*tenire,* latin classique *tenere*). *Attenir à* «être attenant» s'employait encore au XIXᵉ siècle. ➝ *Attenant* qualifie ce qui touche à qqch., en est tout proche et s'emploie notamment à propos de constructions; il se construit avec *à* ou s'emploie absolument. ➝ **ATTENANCES** n. f. pl., dérivé de *attenir* (1611), désigne une dépendance contiguë, aussi au figuré abstrait (encore chez Sainte-Beuve, in *T. L. F.*), et au XVIIIᵉ s. des relations étroites. En ancien français, *atenance* (v. 1165) s'est dit d'une pensée, d'un sentiment qui dépend de qqch.

◈ voir ABSTENIR (S'), ABSTINENCE, APPARTENIR, TENACE, TENAILLES, TENANCIER, ① TENEUR, TÉNOR, ainsi que les composés CONTENIR, CONTENT, CONTINENT, CONTINUER, DÉTENIR, ENTRETENIR, MAINTENIR, OBTENIR, PERTINENT, RETENIR, SOUTENIR et aussi LIEUTENANT, TENNIS.

TENNIS n. m. est emprunté (1824) à l'anglais *tennis,* d'abord nom donné au jeu de paume, emprunté au XIVᵉ s., sous la forme *tenetz* acclimatée en *tennes, teneys, tenys, tenise* puis *tennis,* au français *tenez,* impératif de *tenir**, exclamation du serveur dans ce jeu; cependant cette forme n'est pas attestée en français, mais indirectement en latin médiéval et en italien. Le mot anglais a servi à former *field tennis* «longue paume» (XVIIIᵉ s.) avec *field* «champ» et *lawn tennis* (1874) avec *lawn* «pelouse», nom du sport codifié dont *tennis* devint bientôt l'abréviation.

♦ Selon toute vraisemblance, le mot a d'abord désigné en français une variante de la longue paume, et le dictionnaire de Landais (1836) le donne comme peu connu. C'est le succès rapide du *lawn tennis* (1877) répandu hors d'Angleterre, en France à partir des années 1870, qui l'a fait adopter pour désigner ce sport joué avec des raquettes sur un terrain de dimensions déterminées muni d'un filet. Le vocabulaire de ce sport (*court, set, smash,* etc.) est aussi passé de l'anglais en français. Il est cependant malaisé de savoir si les Français formèrent eux-mêmes l'abréviation ou l'adoptèrent de l'anglais. ◇ On leur doit à coup sûr l'emploi de *un tennis* pour «terrain de tennis» (1891), l'anglais employant *tennis court* et par abréviation *court.* ◇ *Tennis de table* «ping-pong» apparaît en 1901, d'après l'anglais *table tennis.* ➝ Les autres extensions de sens dans le domaine vestimentaire, «flanelle à rayures fines» (1890) et au pluriel «sandales, chaussures de tennis» (1894), sont inconnues en anglais.
Enfin, le français est seul responsable des dérivés du mot, qu'ils soient inusités comme **TENNISSER** v. intr. (1904) et **TENNISSEUR** n. (1920), qui ont disparu, ou qu'ils soient, comme **TENNISTIQUE** adj. (1922), rares. ➝ Le faux anglicisme **TENNISMAN** n. m. (1903) est à peu près sorti d'usage. Il est formé de deux éléments empruntés indépendamment à l'anglais, *tennis* et *man* «homme», détaché d'emprunts véritables *(barman, policeman, sportsman)* et utilisé comme un quasi-suffixe. Outre-Manche, son équivalent est *tennisplayer* (XVᵉ s.) et, récemment aux États-Unis, *tennist.* On lui connaît un équivalent féminin également fictif en anglais, **TENNISWOMAN** n. f. (attesté 1927), formé avec *woman* «femme» et sorti d'usage après 1950.

TENON → TENIR

TÉNOR n. m. est emprunté (1444) à l'italien *tenore* «forme, manière», spécialisé en musique aux sens de «concert», «harmonie», puis «voix considérée comme la plus harmonieuse (voix de ténor)». *Tenore* est lui-même emprunté au latin classique *tenor,* dérivé de *tenere* (→ tenir), qui a donné ① *teneur**. En latin médiéval, le mot était employé pour désigner un accent syllabique, un fragment mélodique de plain-chant exécuté en récitatif, ou encore la note correspondant à la dominante d'un mode grégorien chanté en notes longues et servant de thème au déchant et à l'organum. *Tenor* se disait aussi de la mélodie suivie servant de base dans la composition des œuvres polyphoniques.

♦ Le mot, introduit dans une traduction de l'italien, apparaît après ① *teneur** en musique et semble peu employé jusqu'à l'époque classique, concurrencé alors par *taille** (→ tailler) et *dessus**; il est donné comme «vieux» par Richelet (1680). Il est repris au XVIIIᵉ s., désignant une voix d'homme comprise entre le premier ut de l'alto et le sol du violon, puis par métonymie la personne qui a ce type de voix (1798) et, par extension, toute partie instrumentale ou vocale se déroulant à la hauteur de ce type de voix. De là vient l'emploi en apposition avec le nom de certains instruments *(saxophone ténor).* ◇ Le mot est passé dans l'usage général avec une valeur figurée, désignant (1869) une personne très en vue dans son domaine, souvent avec un complément de détermination *(les ténors du journalisme, de la politique...).*

▸ En est issu **TÉNORISER** v. intr., d'abord (1769) au sens figuré ancien de «proclamer avec éclat», de nos jours terme de musique. ◇ Le verbe a pour dérivés **TÉNORISATION** n. f. et **TÉNORISANT, ANTE** adj. (1872).
Le même radical latin se retrouve dans **TÉNORINO** n. m. (1879), emprunt à un mot italien diminutif de *tenore* pour un ténor très léger. ➝ Par ailleurs, le français a emprunté **TENORA** n. f. (déb. XXᵉ s.) au catalan (du latin *tenor*), désignation d'une sorte de clarinette. ➝ **CONTRE-TÉNOR** n. m.

est une adaptation récente (v. 1960) de l'anglais *counter tenor*. Le mot, équivalent de *haute-contre**, mais plutôt utilisé à propos des chanteurs anglais, a été introduit avec le renouveau de ce type de voix, d'abord en Angleterre autour d'Alfred Deller qui reprit le répertoire élisabéthain et baroque. On employait en français dès le XVe s. *contre teneur* (1473; → ① teneur) et, à l'époque classique, *haute taille* (→ tailler).

TENSION n. f. est emprunté (1490) au bas latin *tensio, tensionis* «fait, manière de tendre», spécialement «contraction des nerfs», dérivé du supin *(tensum)* de *tendere* (→ ② tendre).

♦ Le mot a été introduit par les médecins pour désigner l'état d'un organe, d'un tissu tendu, d'où la sensation de raideur qui se manifeste dans certaines parties du corps (1520). Il s'emploie ensuite pour «état d'un tissu distendu, qui a augmenté de volume». ◇ Par extension, le mot est passé dans l'usage général pour désigner l'état d'une chose souple tendue (1680), exprimant plus rarement le sens actif, correspondant au verbe, «fait de tendre». ◇ Il a développé plusieurs sens spéciaux en physique où il désigne aussi bien la force qui agit de manière à séparer les éléments d'un corps (avec des applications en mécanique) que la pression (1821, *tension de vapeur*). C'est de ce sens, et non pas de l'ancien sens physiologique, que procède l'emploi médical moderne pour «pression du sang» (1859, *tension artérielle*). ◇ *Tension* est aussi employé en électricité (1862) d'après l'italien *tensione ellettrica*, expression de Volta (1802) pour désigner une différence de potentiel, entrant dans *haute tension* (1897) et *basse tension*. ◆ L'usage du mot dans le domaine abstrait remonte à la fin du XVIe s. (d'Aubigné) dans le domaine psychologique, à propos d'un effort soutenu, d'une opposition contre quelque chose, d'une querelle; de là viennent les emplois courants à propos des relations internationales (1904) et sociales (1963, *tension raciale*) et l'expression *tension nerveuse*. Toujours par métaphore, *tension* désigne depuis le XVIIe s. un effort intellectuel soutenu (1690, *tension d'esprit*).

▸ Le mot n'a pas produit d'autre dérivé que le verbe technique moderne **TENSIONNER** v. tr., attesté vers 1950 mais certainement antérieur: le dérivé **TENSIONNAGE** n. m. étant enregistré dans le dictionnaire Larousse de 1933. *Tensionner* signifie «donner la tension correcte à». ◆ En revanche, en médecine, il entre dans la formation de **HYPOTENSION** n. f. (1895) et **HYPERTENSION** n. f. (1895), puis de **SOUS-TENSION** n. f. (1949) et **SURTENSION** n. f. (1902), spécialisés un peu plus tard en électricité où l'on trouve aussi **BITENSION** n. f. (v. 1970).

Sous la forme de l'élément savant *tensio-* (du latin *tensio*), *tension* a servi à former quelques termes d'usage didactique dans le vocabulaire des sciences: **TENSIO-ACTIF, IVE** adj. (v. 1950), d'où **TENSIO-ACTIVITÉ** n. f. (v. 1950), **TENSIOMÈTRE** n. m. (1949) et **TENSIOMÉTRIE** n. f. (1964, Larousse).

TENSEUR n. m. et adj. est dérivé savamment avec le suffixe *-eur* (1830) du latin classique *tensum*, supin de *tendere* (→ ② tendre). ◇ Le mot est employé comme terme d'anatomie pour qualifier et désigner le muscle qui produit une tension. Il est également employé en mécanique (1877) dans un sens synonyme de *tendeur**, et en mathématiques (1900) d'après l'anglais *tensor* (1853). ◆ En est issu **TENSORIEL, IELLE** adj. (1948), employé en physique dans la théorie de l'élasticité et en mathématiques.

TENSON n. f., d'abord écrit *tenzon* (fin XIe s.), puis *tenson* (v. 1138), est issu d'un latin populaire *°tentio*, dérivé du classique *tentum*, un des supins de *tendere* (→ ② tendre).

♦ Le mot est employé jusqu'au XVIe s. au sens de «dispute, querelle», d'où les valeurs dérivées «tapage» (v. 1210, *tençon*), «discussion» (1362), elles aussi disparues. ◇ Il se spécialise en français (v. 1450), d'après l'ancien provençal (mil. XIIIe s., après 1250), pour désigner un genre poétique dialogué où les interlocuteurs s'opposent sur un sujet donné, genre particulièrement illustré par les troubadours. *Tenson* reste un terme d'histoire littéraire.

◈ voir TANCER.

TENTACULE n. m. est l'adaptation (1767) du latin moderne *tentaculum*, lui-même dérivé savant du latin classique *tentare, temptare* «tâter, toucher» (→ tenter).

♦ Le mot désigne un organe souple qui sert à la préhension et au tact chez certains animaux.

▸ Il a servi à former **TENTACULAIRE** adj. (1822), antérieurement attesté comme nom d'un ver de l'intestin, du foie (1797). Ce dernier, en dehors de son sens propre en zoologie, a développé le sens figuré «qui se développe dans toutes les directions» (1893), d'abord dans *Villes tentaculaires*, titre d'un recueil poétique de Verhaeren. ◇ Il a produit **TENTACULAIREMENT** adv. (XXe s.), d'usage plus littéraire. ◆ Les composés **TENTACULIFORME** adj. (1842), de *forme*, et **TENTACULIFÈRE** adj. et n. (av. 1848, Bibron, n. m. pl.), de *-fère**, sont des termes didactiques vieillis.

TENTATIVE → TENTER

① **TENTE** n. f. est emprunté (v. 1130) à l'ancien occitan *tenda* (XIIe s.), issu d'un latin médiéval *tenda* représenté dans les langues romanes par l'italien *tenda*, l'espagnol *tienda*, le roumain *tinda*. Le mot latin est formé à partir de *tensum*, un des supins du verbe *tendere* (→ ② tendre).

♦ Le mot désigne un abri fait d'une toile tendue sur des supports et servant de couvert, d'abord dans le domaine militaire, plus tardivement en parlant des peuples nomades et, de nos jours, des campeurs. ◇ Il s'est dit, du XIVe s. (1371) jusqu'au XVIIIe s., d'un ensemble de tapisseries qui ornaient une pièce et lui donnaient l'apparence d'une tente. ◇ Le mot sert également à désigner, en marine, la toile tendue au-dessus du pont (1622). ◇ Par analogie, on appelle *tente à oxygène* (XXe s.) l'abri étanche où l'on place la tête du patient et où l'on établit une circulation d'oxygène.

▸ Il entre dans les composés **TENTE-ABRI** n. f. (v. 1840), **TENTE-CARAVANE** n. f. (v. 1950), désignant des abris de toile.

② **TENTE** → TENTER

TENTER v. tr. est emprunté (v. 1120, *tempter*) au latin classique *temptare* «toucher, tâter», d'où «faire l'épreuve ou l'essai, essayer de» et «attaquer, assaillir». Le mot latin, quelquefois noté *tentare* probablement d'après la prononciation populaire, est sans étymologie connue ; cependant, il a été confondu avec *tentare* «agiter, inquiéter», fréquentatif de *tendere* (→ ② tendre), au point que la distinction entre ce qui appartient proprement à l'un ou à l'autre verbe est difficile.

♦ En français, le verbe est d'abord employé dans l'expression *tenter Dieu* «l'éprouver, lui demander des effets de sa toute-puissance», valeur aujourd'hui archaïque ou littéraire, et par extension «se mettre dans une situation périlleuse» (1656). Avec la même idée, on dit plus souvent ***tenter le diable*** ◆ Dès le XIIe s. (1125), le mot est employé, toujours dans un contexte chrétien, avec le sens de «mettre à l'épreuve la résistance de qqn au péché», le sujet désignant Dieu, et plus tard une chose : «constituer une tentation» (v. 1370). Cette valeur l'emporte dans *tentateur* et *tentation*. ◇ Depuis le XIIIe s., *tenter* est courant avec son sens laïc de «donner envie» (v. 1275), spécialement dans la construction de sens passif *se laisser tenter à qqch.* (XVIIe s.), disparu, puis *par qqch.* ◆ Le verbe signifie également «essayer, expérimenter» (v. 1250), absolument ou avec un complément, d'où *tenter la fortune* (1559) puis *tenter fortune* (1740), et *tenter la chance, sa chance*. La construction *tenter de* et infinitif (1670) n'était pas encore généralisée en langue classique, à côté de l'ancienne construction sans préposition. Ce sémantisme de l'essai domine dans *tentative*. ◇ Le sens très ancien de «sonder (une plaie)» (v. 1180, *tanter*) [voir ci-dessous ② *tente*] est sorti d'usage au XVIe siècle. ◇ Celui de «s'engager dans (un lieu, une route)» (1673) a lui aussi disparu.

▸ *Tenter* n'a plus aujourd'hui d'autre dérivé que **TENTANT, ANTE** adj., son participe présent autrefois substantivé pour désigner celui qui induit en tentation (1464) et utilisé de nos jours comme adjectif au sens de «qui cause une envie, un désir» (v. 1530) et par extension «qui semble agréable». ◆ ② **TENTE** n. f., dérivé de *tenter* «sonder», a désigné (v. 1175) un faisceau de charpie avec lequel on sondait une plaie. ◆ Le préfixe itératif *re-* a servi à former **RETENTER** v. tr. (1549) «tenter de nouveau», précédé au XIIIe s. (1226) par l'adjectif *retenté (retempté)* au sens ancien de «qui éprouve sans cesse des tentations».

TENTATION n. f. est emprunté (v. 1280), d'abord sous la forme *temptacion* (v. 1120), au latin *temptatio* dérivé de *temptare*, signifiant «attaque de maladie» et «essai, expérience», spécialisé en latin ecclésiastique dans son sens religieux. ◇ Dans un contexte chrétien, le mot désigne le mouvement intérieur portant l'homme au mal. Par extension, il se dit de ce qui incite à une action en éveillant le désir (1637). ◇ Il a été employé (comme en latin) au sens d'«essai» (v. 1450) jusqu'au XVIIe s., en concurrence avec *tentative* (ci-dessous). ◆ **TENTATEUR, TRICE** n. et adj. est emprunté, sous la forme *temptateur* (1495), au dérivé latin *temptator* qui désignait en latin classique le séducteur avant de prendre en latin ecclésiastique le sens de «démon». ◇ *Tentateur* a supplanté la forme ancienne dérivée du verbe *temptere* (XIIIe s. ; puis *tenteur*, XVIe s.) ; il désigne le démon et plus généralement (1636) celui qui induit en tentation.

TENTATIVE n. f. est emprunté (1546) au latin scolastique *tentativa* «épreuve universitaire» chez Thomas d'Aquin, dérivé de *tentatum*, supin de *tentare*. ◆ *Tentative*, après avoir désigné une épreuve sanctionnant des études de théologie, est employé pour «fait de tenter qqch., essai» (1636), lié cette fois à *tenter* dans son emploi pour «essayer». Il désigne spécialement en droit l'effort fait en vue de commettre une infraction (1810), d'où *tentative de vol, de meurtre*.

◈ voir ATTENTER, INTENTER, OSTENTATOIRE, SUSTENTER, TENTACULE.

TENTURE n. f. est dérivé (1538), sous l'influence de ① *tente**, de ② *tendre**, ce rapport sémantique originel n'étant plus perçu. On relève aussi en moyen français la forme *tendure* (1573), dérivé normal du verbe.

♦ Le mot désigne l'ensemble des éléments destinés à décorer les murs d'une salle, en particulier (1589) une pièce de tissu (cuir, papier) servant d'élément de décoration, fixée ou non au mur. ◇ *Tenture* a aussi été employé dans la langue classique avec la valeur d'un nom d'action (action de tendre, d'étirer) [1596] et pour désigner le fait de tapisser une pièce (1690). Ces emplois ont disparu au XIXe siècle.

▸ Il a produit **TENTURER** v. tr. (fin XIXe s., au participe passé), «décorer d'une tenture, tapisser», rare.

TÉNU, UE adj. est emprunté (1515) au latin *tenuis* «mince, délié», d'où «subtil, délicat» au physique et au moral, «chétif, faible» et par suite «humble, de faible condition». Le mot contient la même racine indoeuropéenne que *tendere* (→ ② tendre), l'idée réalisée étant originellement celle d'un corps élastique bien tendu, et donc aminci et moins résistant. *Ténu* a éliminé l'ancienne forme populaire issue du latin par évolution phonétique, *tenve* (fin XIe s.), encore admise par l'Académie en 1694 et plus longtemps dans les dialectes.

♦ Le mot signifie «très mince». Il s'est appliqué à des aliments faciles à digérer (1565, au féminin), à des vapeurs (1688), voire à des liquides peu denses et, en phonétique, aux consonnes explosives sourdes (1837 ; 1680 en grammaire grecque) que l'on entend à peine. ◇ Il a eu au XVIIe s., comme *ténuité*, des emplois dans la langue scientifique, qui ont disparu. ◇ Son sens abstrait, «subtil, qui tient à une nuance», est attesté à partir du XIXe s. (1836).

▸ Son unique dérivé est **TÉNUEMENT** adv. (1872), antérieurement attesté sous les formes *tenüemant, tenüement* (1611) et d'usage très rare.

TÉNUITÉ n. f. est emprunté (1377) au dérivé latin *tenuitas*. Il a évincé l'ancienne forme populaire *tenvreté* (1281) puis *tenveté* (1538) et ses doublets (*tenevece*, v. 1190 ; *tenveure*, 1530). ◆ Le mot signifie «caractère de ce qui est mince». Son sens scientifique, «caractère d'un corps aux éléments peu condensés» (1690), est sorti d'usage.

◈ voir ATTÉNUER, EXTÉNUER.

TÉORBE → THÉORBE

TÉPIDE, TÉPIDARIUM → TIÈDE

TER → TROIS

TEQUILA n. m. ou f. est emprunté (v. 1950) à l'espagnol *tequila*, nom masculin, de *Tequila*, nom du district du Mexique où est fabriqué cet alcool d'agave, nommé en espagnol *agave tequilana*.

♦ Le mot est connu en français dans la mesure où cet alcool est devenu, après la vodka et quelques autres, une denrée internationale.

TÉRATO- est l'élément formant tiré du grec *teras, teratos* «signe envoyé par les dieux», d'où souvent «signe du ciel, étoile» et aussi «prodige, monstre». Le sémantisme correspond partiellement à celui de *pelôr* «être prodigieux, monstre», à ceci près que *teras* désigne aussi les signes du ciel et qu'il s'est davantage implanté dans l'usage commun par ses dérivés. C'est un ancien nom en *-as* pour lequel deux étymologies sont proposées : son emploi pour parler des signes du ciel que sont les étoiles a conduit à le rapprocher du sanskrit *tāraḥ* «étoiles»; toutefois, ce sens étant secondaire pour *teras*, Chantraine préfère l'hypothèse qui le rapproche de *pelôr* (et *telôr*), «prodige, monstre», issu d'une forme indoeuropéenne *°kʷer-or*, en admettant une substitution de *-as* à *-ôr*. Les rapprochements supposés en indoeuropéen sont très douteux.

♦ *Térato-* entre dans la formation de mots savants d'usage didactique et, au XIXe et au XXe s., de termes de biologie et de médecine.

▸ **TÉRATOLOGIE** n. f., formé avec *-logie** (1752; conceptualisé au début du XIXe s., [par ex. chez Geoffroy Saint-Hilaire, 1830]), désigne proprement la science des monstres. ◇ Il a produit **TÉRATOLOGIQUE** adj. (1832), qui s'emploie aussi au figuré pour «monstrueux», et **TÉRATOLOGUE** (1841) ou **TÉRATOLOGISTE** (1872) n. ◆ En biologie, on a formé **TÉRATOGENÈSE** n. f. (1897), d'où **TÉRATOGÉNÉTIQUE** adj. (1897), **TÉRATOGÈNE** adj. (1904) et **TÉRATOGÉNIE** n. f. (1842, Mozin) qui semble abandonné. ◇ **TÉRATOPAGE** n. m. (1916, Garnier-Delamare), avec *-page*, du grec *pageis*, participe aoriste de *pêgnunai* «fixer», désigne un monstre formé de deux individus accolés et partiellement soudés.

TERCET n. m. est, sous sa forme actuelle (1658), la réfection de la forme plus ancienne *tiercet* (v. 1500, adj.), encore chez Molière dans *Les Femmes savantes* (1672, *tierset*). Celle-ci, influencée par *tiers**, est néanmoins un emprunt à l'italien *terzetto* «strophe de trois vers», dérivé de *terzo* «troisième, tiers», du latin classique *tertius* (→ tiers).

♦ *Tercet* garde le sens de l'italien.

▸ Le français a aussi repris **TERZA RIMA** n. f. «troisième rime» (1844, Gautier) à l'italien. Le mot s'est dit d'un type de poème formé de tercets dont le premier et le troisième riment ensemble, tandis que le second fournit les rimes extrêmes du tercet suivant. La *terza rima*, pratiquée en Italie par Dante puis par Pétrarque, a été introduite en France à la fin du XVe s. par J. Lemaire de Belges et reprise au XIXe s. (Gautier, Banville, etc.).

TÉRÉBINTHE n. m. (fin XIIIe s.), antérieurement attesté dans le syntagme *val de Terebinte* (1170 pour désigner la vallée où David tua Goliath), est emprunté au latin impérial *terebinthus*, n. f., lui-même emprunté au grec *terebinthos*, doublet de *terminthos* «arbre résineux», employé pour désigner une tumeur qui ressemble au fruit de cet arbre. C'est un terme du substrat italique, d'étymologie inconnue.

♦ Le mot est le nom d'un pistachier résineux.

▸ Il a produit le terme botanique **TÉRÉBINTHACÉES** n. f. pl. (1803), nom de la famille de plantes. **TÉRÉBENTHINE** n. f. est la réfection étymologique (XIVe s., *terebentine*) du plus ancien *terbentine* (v. 1130), emprunt semi-savant au latin *terebinthina* (sous-entendu *resina*), «résine de térébinthe», calque du grec *terebinthinê*, féminin substantivé de l'adjectif *terebinthinos*, de *terebinthos*. ◆ Le mot, d'usage technique et courant, a produit en chimie **TÉRÉBENTHÈNE** n. m. (1855) et deux termes techniques, **TÉRÉBENTHINÉ, ÉE** adj. (1824; 1433 isolément) et **TÉRÉBENTHINAGE** n. m. (XXe s.; *in* Larousse, 1933). ◇ Son radical a servi à former **TÉRÉBIQUE** adj. (1875), qualifiant un acide résultant de l'oxydation de l'essence de térébenthine.

TÉRÉBRANT, ANTE adj. et n. m. pl. est un dérivé (1823) de *térébrer*, verbe emprunté (1482, isolément) au latin classique *terebrare* «percer avec la tarière, avec le trépan», par extension «percer, trouer», employé au figuré avec le sens de «frayer sa voie, s'insinuer». Celui-ci est dérivé de *terebra* «tarière», de *terere* «frotter» (→ trier), verbe que l'on rapproche du grec *teirein* «user», et dont un composé a donné *détritus**.

♦ Le mot est d'abord employé en zoologie, *les térébrants* (1823) désignant un groupe d'hyménoptères dont les femelles sont dotées d'une tarière. L'adjectif qualifie (1845) un animal qui perce des trous. ◇ L'adjectif s'applique aussi à ce qui pénètre profondément dans les tissus (1835). À partir de la fin du XIXe s., il a le sens figuré de «déchirant, très vif» dans le style littéraire (1887, Huysmans).

▸ **TÉRÉBRATION** n. f. est emprunté en médecine (1540) au latin classique *terebratio*, nom formé sur le supin de *terebrare*. Le mot, synonyme de «perforation», s'emploie également en arboriculture (1732). ◆ **TÉRÉBRER** v. tr., emprunté isolément (1482) au sens de «percer», est à nouveau attesté au XIXe s. (1842, Académie) au sens de «perforer (avec une tarière)». Il est littéraire et rare en emploi métaphorique pour «provoquer une douleur très vive» (fin XIXe s., Huysmans).

TERGIVERSER v. intr. est emprunté (1532, Rabelais, sans doute antérieur; cf. *tergiverseur*) au latin classique *tergiversari,* proprement «tourner le dos» d'où au figuré «user de détours pour éviter». Ce verbe est issu, par l'expression *terga vertere* «tourner le dos», de *tergum* «dos» et *versari* «se tourner souvent», passif de *versare* qui est lui-même le fréquentatif de *vertere* «tourner» (→ vertèbre) et qui a donné *verser**. *Tergiversari* est l'un des rares mots passés en français dans lequel *tergum* «peau du dos» et «dos» soit représenté ; ce mot d'étymologie inconnue a été supplanté par *dorsum,* mot populaire de sens plus concret (→ dos).

♦ *Tergiverser* «user de détours» signifie aussi par extension «hésiter longuement» (1866).

▸ Son dérivé **TERGIVERSEUR** n. m. dont l'attestation (1495) semble montrer l'antériorité du verbe, est sorti d'usage. ◇ Le participe présent adjectivé **TERGIVERSANT, ANTE** (1834), «hésitant», est rare.

TERGIVERSATION n. f., emprunt (v. 1300, puis 1541) au dérivé latin *tergiversatio* «lenteur calculée, détour», est surtout employé au pluriel.

① **TERME** n. m. est issu (v. 1050) du latin classique *terminus* «borne», personnifié et divinisé dans *Terminus* «le dieu Terme» qui garantit tout ce qui borne un espace, également employé au sens figuré de «limite, borne, fin» (souvent joint à *finis*) et de «fin de démêlés». C'est un mot italique représenté en osque et en ombrien ; le correspondant grec *terma,* «limite», «fin», a une valeur technique moins précise que celle de *terminus* dans la langue de propriétaires ruraux qu'est le latin. L'opposition entre le neutre *termen* et *terminus* existe aussi en grec *(terma-termôn)* mais de façon moins sensible ; *terminus* désigne la même notion que *termen,* avec une valeur religieuse. *Terminus* a aussi fourni l'ancien provençal *terme,* mais l'italien *termine* «borne» procède de *terminem,* du neutre *termen, -inis.*

♦ *Terme* a d'abord le sens de «date à venir» v. 1050), et «moment (passé ou non)» (mil. XIIe s.), à côté de «délai après lequel doit intervenir une décision» (1080) encore à l'époque classique, et de «limite fixée, échéance» (v. 1150). Ce sens se développe et est courant dans des locutions anciennes (*à terme* XIIIe s., *à court terme,* v. 1220) et récentes comme ***mettre un terme à*** (1878), ***au terme de*** (déb. XXe s.). ◆ Le mot a désigné (v. 1155) l'espace de temps pendant lequel dure une activité, sens qui s'est maintenu dans quelques locutions apparues en français moderne comme ***à court terme*** (1804), ***à long terme*** (1872), ***à terme*** (XXe s.). ◆ Depuis l'ancien français (v. 1155), *terme* se dit de la date limite à laquelle une obligation est retardée, en particulier à propos du paiement des baux (1421), et par métonymie de la somme due à l'échéance (1421) ; il s'emploie aussi en parlant de la fin d'un délai, dans les ventes en Bourse, d'où des locutions comme ***vente à terme*** (1720), plus largement ***marché à terme*** (1784), ***opération à terme*** (1855). ◆ La valeur de «limite temporelle» donne lieu à l'emploi du mot à propos de l'accouchement d'une femme (v. 1145), par exemple dans *accoucher avant terme* (1465), et d'une femelle d'animal (1668, La Fontaine), et à l'emploi figuré, littéraire, pour «la mort» (fin XIIIe s.), par ex. dans *parvenir, toucher à son terme* déb. XVIIIe s.). ◇ Par ailleurs, *termes,* au pluriel, s'est dit (1440-1475) généralement de l'état auquel qqn ou qqch. est arrivé ; ce sens, encore relevé au XIXe s., est contemporain de l'emploi à propos de la nature des relations avec qqn (1468) et a fourni les locutions *entrer en termes* «en négociation» (1440-1475), *être en termes de* (1594) «être en voie d'accommodement», en parlant d'une affaire, puis ***être en bons termes*** (1636), avec ce sens, enfin ***être en bons (mauvais) termes*** (1623) *[avec qqn].*

La valeur spatiale du latin est passée en français mais s'y est moins bien maintenue que les emplois temporels. *Terme* a désigné, depuis le XIIIe s. (v. 1250 *F. e. w.*) [le XIVe s. selon T. L. F.] et jusqu'au XVIIe s., la limite d'un espace à parcourir et, au pluriel, un territoire (déb. XIIIe s.) et une frontière (v. 1273). C'est ce sens qui est le mieux représenté, dans le contexte spatial ; depuis le moyen français, le mot désigne (v. 1380) une borne qui marque une limite (d'un champ, d'une frontière, etc.), aujourd'hui en parlant de l'Antiquité romaine (1532), et la statue du dieu Terminus, représenté sans bras ni jambes chez les Romains (1562 ; 1694, *dieu Terme*). Par extension, à partir du XVIe s., *terme* désignait une statue (d'homme ou de femme) sans bras ni jambes dont la partie inférieure est terminée en gaine, statue qui servait d'entablement (1571) ou d'ornement dans les jardins (1580), d'où *terme marin* (1694), terminé par deux queues de poisson, *terme double* (1872), etc., et la locution *ne bouger non plus qu'un terme* (1678, La Fontaine) ou *être planté là comme un terme* (1718) ; tous ces emplois ont disparu.

◇ voir ATERMOYER, DÉTERMINER, EXTERMINER, ② TERME, ① ET ③ TERMINAL, TERMINUS, TERTRE.

② **TERME** n. m. est emprunté (v. 1360) au latin médiéval *terminus,* spécialisation du latin classique *terminus* (→ ① terme) avec l'idée de «ce qui délimite, définit un sens» ; Thomas d'Aquin (apr. 1250) l'employait pour *dictio, locutio.*

♦ Le mot désigne l'expression d'une idée par le langage et, au pluriel, de l'ensemble de mots et d'expressions choisis pour communiquer un contenu de pensée. En ce sens il fournit quelques locutions ; *mettre en termes* «affirmer, dire» (fin XIVe s.) a disparu au XVIIe s. ; on trouve *en autres termes* (devenu au XVIIe s. *en d'autres termes*) chez Oresme (XIVe s.). L'époque classique fournit *ne pas ménager ses termes* «parler durement» (1689), *mesurer ses termes* (1694), *terme* étant aujourd'hui remplacé par *mot.* ◇ Dès le XIVe s. (1373), *terme* désigne en fait un nom correspondant à une notion dans un ensemble structuré *(terme scientifique),* mais il s'agit alors d'un simple contexte spécial pour «mot». *Aux termes des loix* (1611) a précédé ***aux termes de la loi*** (mil. XVIIIe s.). ◇ À partir de la fin du XVIe s., il est employé en logique pour «élément d'un rapport, d'une comparaison» ; c'est de cet emploi que vient ***moyen terme*** (1762 Rousseau). Dans le vocabulaire des mathématiques, *terme* désigne un élément simple en relation avec d'autres (1657, Pascal).

▸ **TERMINOLOGIE** n. f. est formé savamment (1801, Mercier, av. 1764, isolément) à partir du latin *terminus* et de l'élément *-logie** ; son correspondant allemand *Terminologie* est attesté depuis la fin du

XVIIIe s. (G. G. Schütz). Le mot, dans l'emploi péjoratif, défini par Mercier, «abus de termes savants et peu compréhensibles pour le profane, jargon», est sorti d'usage. ➜ Le sens moderne et neutre, «ensemble des termes appartenant à un domaine d'activités, de connaissances», s'est répandu au milieu du XIXe s., peut-être d'après l'anglais *terminology* (1837) ou l'allemand *Terminologie* (ci- dessus). Par restriction, le mot désigne l'ensemble de termes particuliers à un auteur, à un groupe (1846). ◇ Déjà défini par Bescherelle en 1845 comme «la science des termes techniques ou des idées qu'ils représentent» (cf. *technologie*), il a développé au milieu du XXe s. (en anglais *terminology*, 1933; en allemand et en russe, v. 1930) la valeur active d'«étude des systèmes de notions et de leurs désignations par des termes». ➜ Avec son sens moderne, il a produit les dérivés **TERMINOLOGIQUE** adj. (1799) et **TERMINOLOGUE** n. (v. 1960, d'abord au Québec). ➜ Au moyen du suffixe *-graphie* (d'après *lexicographie*), on a formé la série **TERMINOGRAPHIE** n. f. (1976; en russe, 1971) et **TERMINOGRAPHE** n. (1975, E. Natanson), réservée à la terminologie appliquée, descriptive, par une opposition comparable à celle de *lexicologie-lexicographie;* les deux mots sont plus rares que *terminologie-terminologue* qui assument le plus souvent cette valeur.

TERMINAISON → TERMINER

① **TERMINAL, ALE, AUX** adj. est emprunté, pour servir d'adjectif au verbe *terminer** (1530, isolément), au bas latin *terminalis* «relatif aux limites, aux frontières» et «qui conclut, final», dérivé du latin classique *terminus* (→ ① terme).

♦ Le mot a d'abord eu le sens de «qui peut se terminer, qui n'est pas éternel» en parlant d'une peine, réservé depuis à *terminable** (→ terminer). Il a été repris au XVIIIe s. au sens de «qui termine une chose, en occupe ou en forme l'extrémité» dans le langage didactique de la description botanique (1763), puis avec la valeur générale de «qui forme le dernier élément» (1902) et une valeur temporelle *(phase terminale)*. Le mot est spécialement employé dans le syntagme *classe terminale* (1957) et elliptiquement *la, une terminale* (1968) pour désigner en France la classe où l'on prépare le baccalauréat.

③ **TERMINAL** n. m. est un emprunt (v. 1950) à l'anglais *terminal* adj. et n. signifiant proprement «extrême, dernier», de même origine que l'adjectif français ① *terminal**. Le mot a d'abord été pris comme variante de l'anglais *terminus* (→ terminus) aux États-Unis (1888) dans le domaine des chemins de fer, puis employé en aviation dans l'expression *city terminal*, enfin en informatique (1973, in *A Dictionary of New English*).

♦ Le mot s'est d'abord implanté en français dans le vocabulaire de l'industrie du pétrole pour désigner les installations servant au stockage du pétrole et au déchargement des pétroliers. Il sert aussi à désigner le lieu équipé pour la réception des conteneurs et leur expédition (v. 1970). ◇ Il a été réemprunté en informatique (v. 1960) et figure du fait de son apparence française parmi les termes recommandés au *Journal officiel* (18 janvier 1973, 12 janvier 1974) pour désigner l'organe d'entrée et de sortie relié à un ordinateur par une transmission de données (spécialement l'organe de sortie, écran ou imprimante). ◇ Depuis 1971, par réemprunt, il est aussi employé couramment pour désigner le point de départ ou d'arrivée des passagers d'un aéroport, concurrencé par *aérogare*.

② **TERMINALE** adj. f. est un emprunt au latin *terminalis* (→ ① terme). ♦ L'adjectif ne s'emploie que dans ***loi terminale*** (1842) en histoire romaine *(lex terminalis)*.

TERMINER v. tr. est emprunté (v. 1155) au latin classique *terminare* «borner, limiter» (au propre et au figuré) et «clore, finir», dérivé de *terminus* (→ ① terme).

♦ Le verbe a d'abord signifié «destiner (qqch.), réserver (qqch.) à qqn» et, très tôt, est lié à l'idée de fin, avec en ancien français le sens d'«arriver à guérison» (fin XIIe s.), «aboutir» (v. 1270, intr.), plus tard (XIVe s.) et jusqu'au XVIIe s. «mourir». *Terminer* s'est aussi employé comme transitif pour «décider» (v. 1175), «fixer» c'est-à-dire «arrêter un terme», et en particulier, avec une valeur juridique, «fixer un terme» (1re moitié du XIIIe s.), «vendre à terme» (1266), emplois mieux représentés par le verbe disparu *aterminer* (v. 1130) qui reprenait les valeurs du bas latin *adterminare*, devenu terme de droit en latin médiéval (1re moitié XIe s.). ➜ *Terminer* a pris au XIIIe s. le sens de «mettre un terme à (ce qui était en cours)» (v. 1245; *terminer un travail*), cette valeur temporelle, aujourd'hui essentielle, se développant à partir du XIVe s., le verbe signifiant alors «aboutir» (v. 1485), «mener à terme (ce qui était en cours)» (1559) et seulement à l'époque classique «faire cesser (qqch.)». Le verbe signifie ensuite «former le dernier élément de (qqch.)» (1610), en parlant d'une chose, «passer la dernière partie d'un temps» (1726) et «achever avec soin» (1745). ◇ Avec les mêmes valeurs, le pronominal ne semble s'employer que vers la fin du XVIe s., époque où Montaigne emploie *se terminer à* pour «aboutir à» (1580). Les constructions et les sens courants aujourd'hui sont relevés au XVIIe s. : «se prolonger jusqu'à» (1610), «prendre fin» (1690); *se terminer par* avec une valeur temporelle n'est attesté qu'au XVIIIe s. (1764). ◇ La valeur spatiale du verbe, comme pour *terme* (→ ① terme), s'est peu développée en français, et tardivement; avec un sujet nom de chose, *terminer* signifie «former l'extrémité de qqch.» (v. 1650; d'abord *se terminer* «avoir telle terminaison», 1636), et «constituer le dernier élément d'un ensemble ordonné» (1671), mais il est sorti d'usage pour «arrêter en formant la limite» (v. 1650); *se terminer en* est aussi attesté au XVIIe s. (1654).

► Le participe passé **TERMINÉ, ÉE** est adjectivé (fin XIIIe s.) d'abord au sens de «guéri» puis de «fixé, déterminé» (v. 1370), avant de prendre le sens moderne, «achevé» (1729). ➜ Parmi les quelques dérivés de *terminer* encore en usage, **TERMINEUR** n. m. (v. 1278, *termineour*) a perdu ses anciens sens. Il servait à désigner la personne qui, accordant un délai à son débiteur, lui faisait payer plus cher, et

(v. 1380) un arpenteur. ◇ Il a été recréé (v. 1950) avec des sens techniques en horlogerie et en télécommunications, ne s'employant plus dans un sens général. ➛ **TERMINABLE** adj. (v. 1270), qui signifiait à l'origine «qui finit, a une fin», a été repris (1876) au sens de «qui peut être achevé», qui ne s'est pas maintenu. ➛ L'antonyme préfixé **INTERMINABLE** adj. est emprunté (1370) au bas latin *interminabilis*, de *in-* et *terminabilis* «qu'on peut limiter», dérivé également tardif de *terminare*. Cet adjectif est devenu rare pour qualifier ce qui n'a pas de limite, de terme ; mais il se dit couramment, l'accent étant mis sur la durée, de ce qui ne semble pas avoir de fin, spécialement de ce qui, étant trop long, ennuie. ◇ Il a pour dérivé, avec cette dernière valeur, **INTERMINABLEMENT** adv. (1839).
Le sens général, «action de terminer», n'est réalisé par aucun des noms issus de *terminer*. ➛ **TERMINAGE** n. m. n'est en usage qu'au sens technique d'«assemblage des éléments d'une montre» (v. 1950). ➛ **TERMINAISON** n. f. est un emprunt francisé en *-aison* (XIVe s. ; v. 1175, isolément, «détermination»), au latin classique *terminatio* «délimitation», «clausule» et terme de grammaire en bas latin. ◇ Le mot s'est employé en ancien français pour «mort» (v. 1160) ; il est rare au sens général d'«action de terminer» (1370 ; d'abord *termination*, 1272) et, par métonymie, de «ce qui termine». Il est surtout en usage en grammaire pour «fin d'un mot» (XIVe s.). ➛ **TERMINATEUR** adj. et n. m., emprunté (1555) au bas latin *terminator* (du supin de *terminare*), est d'abord un substantif et signifie «celui qui délimite». ◇ Il est rare comme adjectif au sens général, repris au XVIIIe s., de «qui termine» (av. 1784, Diderot). En astronomie où il a été employé comme adjectif (1765), il est aujourd'hui substantivé (1884, n. m.) pour désigner la zone limite de la lumière solaire à la surface de la Lune. ◇ La forme latine, réempruntée à l'anglo-américain à l'occasion d'un film (*Terminator*, 1990) a eu un certain effet sur l'usage spontané en français, avec la valeur d'«achever l'ennemi ; exterminer».

◈ voir DÉTERMINER, EXTERMINER.

TERMINOLOGIE → ② TERME

TERMINUS n. m. est un emprunt (1840) à l'anglais *terminus*, attesté depuis le XVIe s. (1571) au sens de «borne, limite» et spécialisé comme terme de chemins de fer (depuis 1836). Le mot anglais est emprunté au latin *terminus* (→ ① terme).

♦ Le mot est d'abord attesté en français comme un terme anglais avant d'être acclimaté (1841) pour «dernière station d'un trajet», dans les transports terrestres. ◇ L'interjection *terminus !* (1948) est spécifiquement française (en anglais : *Last stop!*), souvent assortie de l'injonction : *tout le monde descend*.

TERMITE n. m. est emprunté (1795, Cuvier) à l'anglais *termite* n. (1781), pris au bas latin *termes, -itis*, altération du latin classique *tarmes, tarmitis* (Plaute). Ce dernier est probablement emprunté, comme d'autres mots latins en *-es* (*satelles, miles*, etc.).

♦ Le mot, attesté dans le *Tableau élémentaire de l'histoire des animaux* de Cuvier, ne s'est répandu en français courant que vers le dernier tiers du XIXe siècle. Il désigne un insecte à quatre ailes, de grande taille, qui vit en colonies nombreuses et ronge le bois. ◇ Il était en concurrence avec *termès* (1786), directement emprunté au latin et relevé jusqu'à la fin du XIXe siècle. ◇ Le sens figuré, dans *travail de termite* (1872) «de sape», par allusion aux destructions causées par l'insecte, est propre au français.

▸ De *termite* est dérivé **TERMITIÈRE** n. f. (1830) sur le modèle de *fourmilière** (l'anglais a *termitary*, 1826). ➛ *Termite* entre dans la formation des termes didactiques : **TERMITOPHILE** adj. et n. (1897), qualifiant un organisme parasite ou commensal des termites, **TERMITOXÉNIE** n. f. (1904) du grec *xenos* «hôte» (→ xéno-) désignant les relations entre les termites et leurs hôtes et **TERMITOPHAGE** adj. (1907), de *-phage*.

TERNAIRE adj. est emprunté (apr. 1250) au latin classique *ternarius* «qui contient le nombre trois», de *terni* «chaque fois trois» (→ ① terne).

♦ *Ternaire* correspond à «composé de trois éléments» *(nombre ternaire)* dans plusieurs emplois didactiques, au XVIIe s. en musique et poésie (1636) puis à la fin du XVIIIe s. en chimie (1783), ensuite en cristallographie (1845). Il a été repris en mathématiques au XXe s. *(forme ternaire)*. ◇ Il est substantivé au masculin (1484), après l'ancien provençal *ternari* (v. 1300), pour désigner un groupe de trois éléments.

① **TERNE** n. m. représente par emprunt (v. 1155) le latin classique *ternas* accusatif féminin pluriel du distributif *terni* «chacun trois, chaque fois trois, par trois», dérivé de *ter* «trois fois», de *tres* (→ trois).

♦ Ce terme de jeu désigne un coup où chaque dé amène un trois, aux dés, au trictrac. Anciennement, il s'est dit à la loterie (1780) pour un groupe de trois numéros devant sortir ensemble au même tirage pour gagner (cf. *tiercé* en français contemporain), prenant ensuite le sens figuré de «chance extraordinaire» (v. 1820), lui aussi sorti d'usage. ➛ Le mot a pris, dans un tout autre domaine, le sens technique d'«ensemble de trois câbles de transport d'un courant triphasé» (1903 comme n. f. in *Revue Générale des Sciences*, puis masculin).

② **TERNE** → TERNIR

TERNIR v. tr. est probablement d'origine germanique ; c'est un emprunt à un francique °*tarnjan* postulé par l'ancien haut allemand *tarnjan* «obscurcir, cacher», prolongé par le moyen haut allemand *ternen* et correspondant à l'anglo-saxon *dyrnan*.

♦ L'ancien français connaît d'abord le participe passé *terni* (v. 1175) et le pronominal (fin XIIIe s.) *[soi ternir]*. *Se ternir* prend au XVIe s. (1538) la valeur de «perdre de son éclat». ◇ Le verbe a développé ses autres emplois et nuances aux XVIe et XVIIe s.. L'emploi intransitif encore vivant au XVIIe s. au sens figuré (1603, «perdre sa réputation»), a disparu au profit de la forme pronominale, d'ailleurs plus ancienne. *Ternir* a commencé à s'employer transitivement au XIVe s. (1358), prenant au mil. du XVe s. l'idée figurée de «rendre moins pur, moins honorable». ◇ Il est attesté au XVIIe s. avec le sens concret «ôter ou diminuer l'éclat de (qqch.)» (déb. XVIIe s., Malherbe). Il s'est employé par figure pour «obscurcir la réputation», au pronominal *se ternir* (1611) et à l'actif (1636).

▶ Le participe passé **TERNI, IE** a été adjectivé, d'abord sous la forme *tarni* (v. 1310), la forme moderne remontant au XVIe s.; après le sens de «sans couleur» et celui de «décrépit, au teint gris» (v. 1460), il a pris ses acceptions actuelles, au propre (1549) et au figuré (1636). ➡ Le dérivé ② **TERNE** adj. apparaît avec le sens de «sombre» (1480), puis au XVIe s. (1533) avec son sens propre, les nuances figurées «peu éclatant» en parlant d'un style, d'une pensée, et «sans éclat» pour une peinture étant enregistrées à partir de 1783. Il est également employé pour qualifier une vie morne, ennuyeuse (1832) et en parlant de personnes (1821). ➡ Les autres dérivés de *ternir*, **TERNISSURE** n. f. (1546), **TERNISSEMENT** n. m. (v. 1560), sont rares. ➡ **TERNISSEUR** n. m. (1564) est sorti d'usage. ◇ Ces trois mots attestent la vitalité de ce groupe au XVIe siècle.

TERRAIN n. m. est issu (v. 1155) du latin *terrenum*, neutre substantivé de l'adjectif *terrenus* «formé de terre», «qui a rapport à la terre», de *terra* (→ terre). La forme française *terrain*, attestée dès les premiers textes, est due à une substitution de suffixe, alors que l'italien et l'espagnol ont *terreno*, l'ancien provençal *terren;* au XVIIe s., on a tenté (Vaugelas, Richelet, l'Académie) de restituer l'orthographe étymologique *terrein* que Littré préférait, mais en vain.

♦ *Terrain* signifie d'abord «terre ferme», opposé au rivage de la mer, et «lieu où se déroule un combat», d'où *prendre, gagner du terrain* (1646) et *aller sur le terrain*; pour un duel (1846). Il signifie en général «étendue de terre considérée comme propre à un usage». L'ancien et le moyen français ont employé le mot comme adjectif avec des valeurs reprises plus tard par *terrestre* (→ terre); *terrain* s'est employé en opposition à *céleste* (XIIIe s.), à *spirituel* (1440-1475), puis aussi à *aquatique* (mil. XVIe s.). Au XVIe s., il a désigné par métonymie une levée de terre (1549, *terrin*). ◇ Depuis le XVIIe s., il développe le sens particulier de «surface de terre considérée par rapport à sa nature, à sa composition» (1669). ◇ Le mot désigne également l'état de la piste de manège (1678), d'où la locution ***tâter le terrain***, qui s'est employée en parlant d'un cheval (1690) et rapidement au figuré (1691). ◇ *Terrain* a pris à la même époque, par métonymie, le sens d'«emplacement aménagé pour servir de piste, de lieu d'exercice», en manège (1680), sens développé au XXe s. dans d'autres domaines, le sport (1901), l'aviation (*terrain d'atterrissage*, 1918). ➡ Par ailleurs, était apparu au XVIIe s. le sens figuré de «circonstances, conditions (d'une activité, d'une discussion)» (1671) qui permet la diffusion de locutions métaphoriques venues du sens militaire, comme ***connaître (bien) le terrain*** (1680), ***reconnaître le terrain*** (1718), ***être sur son terrain*** «dans le domaine qu'on connaît bien» (1798). ◇ Au XIXe s., où apparaissent les expressions concrètes ***terrain vague*** (1811) et ***accident de terrain*** (1835), le mot passe dans le langage des géologues (1835). ◇ À la fin du XIXe s., par métaphore, il prend une valeur médicale, «état (d'un organisme) quant à sa résistance» (1893, Zola).

▶ Le mot n'a laissé aucun dérivé, l'ancien adjectif *terrenal* (XIIIe s.) ayant été éliminé par *terrestre**.

TERRASSE n. f. est un dérivé de *terre** par adjonction du suffixe *-ace* (*terrace*, v. 1160), puis *-asse*, d'abord sous la forme *tierrasse* (v. 1190), la forme moderne apparaissant à la fin du XIIIe s. (1295).

♦ Le mot désigne d'abord la terre à foulon, le torchis et, lié à *terre*, ce qui compose le sol, en particulier la boue (1438); cette acception disparue a laissé des traces dans le vocabulaire technique, où *terrasse* désigne la surface d'un bloc de marbre (1694) ou d'une pierre précieuse (1752) qui ne peut être polie. ◇ Par ailleurs, par métonymie, *terrasse* s'est dit pour «pot de terre» (1543), autrefois spécialisé en technique (1680). ➡ Dès le XIIIe s. (v. 1260), *terrasse* a désigné aussi la plate-forme d'une fortification (une «levée de terre»); puis le mot se dit (1295) de la couverture plate d'un toit, aujourd'hui appelée aussi *toit en terrasse*, et d'un socle plat qui porte une statue (1380). Il désigne plus tard en blason la représentation schématique d'une terrasse (1765). ◇ À partir de la Renaissance, il s'emploie (1549) à propos d'une levée de terre devant un édifice, dans un jardin; dans ce sens, le mot, qui n'est dès lors plus senti comme un dérivé de *terre*, a été emprunté par l'allemand *Terrasse*. ◇ Par extension (av. 1577, Belleau) et après l'ancien provençal *terrassa* (XIIIe s.; de *terra*), sans qu'on puisse parler d'emprunt, il désigne aussi en architecture une plate-forme aménagée à l'un des étages d'une maison mais qui ne fait pas saillie, différente en cela du *balcon**. Cette acception est devenue usuelle. ◇ Par analogie *terrasse* s'est dit (1621) du premier plan d'un paysage et a développé des emplois spécialisés (XXe s.) en géographie et en alpinisme. Dans l'usage courant le mot désigne aussi à l'époque où se développent les cafés modernes (1883 chez Villiers de l'Isle-Adam), la partie en plein air d'un établissement public de ce genre, café ou restaurant. ➡ Enfin, comme déverbal de *terrasser*, le substantif s'est employé (1835) en technique pour l'ensemble des travaux de terrassement.

▶ Le mot a produit quelques dérivés d'usage technique. ➡ ① **TERRASSER** v. tr., «soutenir par une masse de terre» (1556), s'emploie en particulier en fortifications, d'abord dans *se terrasser* (1706), sorti d'usage. Le verbe est d'usage régional pour «couvrir (la neige) de terre ou de cendres, pour la faire fondre» (1778), auparavant «couvrir de terre pour amender un sol» (1583). L'emploi pour «mettre un hourdis» (1587) a disparu, mais *terrasser* s'est maintenu au sens de «dresser les terres pour faire un pavage» (1850). ◇ Il signifie aussi «remuer la terre» (XIXe s.), surtout dans l'usage technique (1904, intr.).

Dans tous ses emplois, il est limité par l'homonymie avec ② *terrasser*, de *terre*. ◆ *Terrasser* a produit **TERRASSEMENT** n. m. (1543) «action de renforcer des fortifications» et «levée de terre» (1547), sens archaïques, puis «opération par laquelle on creuse, on transporte la terre» (1834) et, par métonymie, «terre, matériaux déplacés» (1823), ces deux acceptions étant usuelles. ◆ **TERRASSIER** n. m. et adj. (1611; 1580, *tarracier*) est lui aussi plus courant que le verbe. ◆ **TERRASSÉ, ÉE** adj. (1681) est un terme d'héraldique qui se disait d'un écu dont la pointe était couverte d'herbes et désigne (1690) un arbre représenté poussant sur un massif de terre. ◆ **TERRASSEUX, EUSE** adj. (1694) est un mot technique ancien qui qualifiait ce qui présente des veines terreuses (d'une pierre). ◆ **TERRASSON** n. m. (1872), diminutif, désigne une petite terrasse et, en architecture, le versant d'un comble à la Mansart (v. 1950). ◆ Un autre terme d'architecture a été formé avec *terrasse* : **CONTRE-TERRASSE** n. f. (1694).

② **TERRASSER** → TERRE

◈ ✱ **TERRE** n. f. (v. 1050), antérieurement *terra* (v. 980), est issu par voie populaire (orale) du latin classique *terra* qui possède les principaux sens du français : «élément» (opposé à *mare*, → mer), «milieu où vit l'humanité», «lieu où l'on habite, pays, région» (d'où le pluriel *terrae*). C'est un mot ancien, quoique non attesté en dehors de l'italo-celtique (irlandais et gallois *tir* «pays»), dérivé d'une forme reconstruite °*tĕr-es-*. Le nom indoeuropéen ancien de la terre survit dans le latin *humus* (→ humus). À côté de *terra*, le latin emploie en poésie *tellus* (→ tellurien). Le fait que la terre ait reçu des noms nouveaux n'est pas spécial au latin : le fait est attesté aussi en grec *(gaia, gê)* et en arménien.

♦ Dès les premiers textes, le mot est pris avec le sens de «monde où vit l'humanité» ; par métonymie, il désigne à partir du XIIe s. (v. 1120) les hommes, l'humanité elle-même et signifiait «beaucoup de monde» (1636, Corneille). Il s'emploie dans quelques locutions, comme ***remuer ciel et terre*** (1655), ***les biens de la terre*** «temporels» (1670), ***être sur terre*** (1835). ◆ Par retour à l'hypothèse grecque de la sphéricité de la Terre, il désigne depuis le XVIe s. la planète où vit l'humanité en tant que sphère et, depuis Copernic (1543), en tant qu'astre faisant partie du système solaire et animée d'un double mouvement de révolution (*la Terre* est alors un quasi nom propre, en rapport avec les noms des autres planètes solaires). ◆ Dès les tout premiers emplois, le mot sert également à désigner le sol sur lequel nous marchons, sur lequel sont construites les habitations et qui nourrit les végétaux, d'où, spécialement, le sol considéré sous l'angle de la culture (1080). Plus abstrait que *sol*, *terre* entre dans des expressions figées, déjà courantes en ancien français pour la plupart, comme ***à terre*** (1080) ou ***par terre*** (v. 1175; *mettre par terre* «détruire») «au sol, au niveau du sol», souvent avec l'idée de «faire tomber», ou encore ***sous terre*** (v. 1200). ◇ Le mot comporte aussi des valeurs moins abstraites, désignant notamment le sol où l'on place les morts dans des locutions comme ***mettre en terre*** (v. 1050), ***porter en terre*** (XVe s.). ◇ Avec la valeur générale de «sol», la locution ***terre à terre*** «à ras du sol» (1636) s'est dit des chevaux (1611) qui évoluent par petits sauts, puis a pris une fonction d'adjectif avec le sens figuré de «prosaïque» (1691), qualifiant pensées, paroles et actions ou attitudes, et quelquefois substantivé (1845). ◇ Dès le XIe s. (v. 1050), le mot a son acception géographique latine d'«étendue d'un pays» avec quelques locutions comme ***Terre Sainte*** (v. 1208) et ***Terre Promise.*** Il désigne aussi une étendue bornée considérée comme objet de possession (v. 1050), d'où *fonds de terre* (1252); il s'emploie au singulier et au pluriel, ce pluriel s'appliquant aussi au sens géographique (1636), par exemple dans *les terres habitées.* ◇ Le mot désigne aussi la partie solide du globe, par opposition à la mer (v. 1050), la locution ***terre ferme*** ayant d'abord le sens de «continent» (1298) par opposition à *île*, et dans divers emplois figés : ***par terre et par mer, armée de terre*** (1671), etc. Dans ce sens, on emploie en géographie *terres émergées.*
Un peu plus tard, *terre* est attesté avec un autre sens du latin : «matière, substance extraite du sol» (v. 1210) avec lequel il est employé dans les domaines scientifique, philosophique et technique. C'est ainsi qu'il désigne (1562) un des quatre éléments de la science ancienne (cf. *élément*) et que, en chimie ancienne, il s'applique à ce qui reste de plus «terrestre» d'un corps dont on a tiré les sels, les esprits et les huiles (1680). ◇ Le mot a survécu au bouleversement terminologique de la chimie, avec Lavoisier, et désigne encore certains oxydes (XIXe s.), puis, de nos jours, dans ***terres rares*** (v. 1900), des oxydes métalliques rares et les métaux correspondants. ◇ Dans le domaine de la technique, il dénomme par exemple certaines matières pulvérulentes dans lesquelles entre l'argile (XIIIe s.), d'où le dérivé ancien *terrin*, et *terrine**. L'emploi le plus usuel dans ce sens est ***terre cuite*** (1536), employé aussi avec le sens métonymique d'«objet en terre cuite» (1767) parfois concurrencé par l'italianisme *terra cotta.* ◇ Le nom est qualifié dans divers emplois techniques plus ou moins courants, comme *terre forte, terre grasse* (1538), ***terre de bruyère*** (1835), ***terre de Sienne*** (1845), etc.

▶ Le mot a produit de nombreux dérivés et composés (ceux qui sont «démotivés», détachés, comme *terrasse, terrine, atterrer, parterre,* sont traités à part. ◆ **TERRIEN, IENNE** adj. et n. s'applique d'abord (1138) à ce qui existe sur terre, concerne la terre, puis à une personne qui habite la Terre (v. 1210), plus couramment *un terrien, une terrienne* (1429). Cette valeur semble rare après le XVIe s. et est reprise au XXe s. quand il s'agit d'opposer les habitants de la planète Terre à des êtres vivants supposés d'autres astres. ◇ Par extension, il s'oppose à *céleste* (déb. XVe s.) et à *marin* comme adjectif (1564) et, dans le second cas, comme nom (1867), alors opposé à *marin.* ◇ *Un terrien* a désigné par ailleurs un propriétaire terrien (v. 1220), aujourd'hui seulement comme adjectif (mais depuis le XIIe s., v. 1160). ◆ **TERRAGE** n. m. (1225), ancien terme de féodalité, désigne le droit d'un seigneur de percevoir une partie des produits de sa terre. Le mot survit avec des valeurs techniques (1732, en agriculture). ➜ **TERRÉE** n. f., formé avec le suffixe collectif *-ée* au XIIIe s. au sens de «terre, sol», a vieilli tant avec le sens de «talus, bord d'un fossé» (v. 1360) qu'avec la valeur technique de «boue employée comme engrais» (1561). Il continue d'être employé avec un autre sens technique, «surface de terre exhaussée par les déblais produits par les fouilles effectuées autour» (1842). ➜ **TERRIER** n. m., d'abord «territoire» (v. 1150), a servi aussi (v. 1210) à désigner un rempart, une levée de terre le long d'un fossé, et a eu en moyen français le sens de «tertre» (fin XVIe s.) et la valeur spécialisée de «terre enrichie de fumier» (déb. XIIIe s.), sens où il a été remplacé par *terreau* (ci-dessous). ◇ *Terrier* s'est spécialisé comme terme de droit pour désigner un droit perçu sur les produits de la terre (1225), jusqu'à la fin du XVIIIe s., et un registre contenant l'état des droits attachés à une terre, domaine ou propriété (1241, *tierier*), souvent en apposition à *papier, livre, registre.* ◇ Le seul sens usuel en français moderne est celui de «trou, galerie creusée dans la terre par certains animaux» apparu au XIVe s. (1375). ◇ Par l'intermédiaire de ***chien terrier*** (1375), le mot désigne aussi (1690) une race de chiens utilisée pour la chasse des animaux à terrier (→ fox-terrier). ➜ Le même suffixe a aussi servi à former un féminin **TERRIÈRE** n. f. «galerie» (v. 1375) et (1403) «lieu d'où on retire de la terre», sorti d'usage. ➜ **TERRER** v. tr., dénominatif de *terre,* a signifié au moyen âge «faire une terrasse de terre battue» (v. 1190), puis «habiter en haut d'un édifice» (XIVe s.), «entourer d'un rempart» (XVe s.), «jeter par terre» (cf. ② *terrasser*) et «mettre (un mort) en terre», supplanté dans ce cas par *enterrer.* ◇ L'usage moderne l'emploie avec les sens techniques de «couvrir de terre (pour amender)» (1292), «enduire (une étoffe) de terre à foulon» (1752), etc. ◇ Le seul emploi courant aujourd'hui est le pronominal *se terrer,* «se mettre à l'abri», en parlant d'un animal (1671), puis dans le domaine militaire (1694), enfin avec une valeur générale (1764). ◇ *Terrer* a servi à former **TERREMENT** n. m. (1845) «fait d'exhausser une zone de terres chargées par les eaux» qui reprend la forme du moyen français *terrement* (1436), éliminé par *territoire.* ➜ **TERREAU** n. m., créé avec le sens de «fonds de terre» (v. 1200), encore au XVIe s., puis de «fossé» (1409), a été reformé (1611) pour désigner une terre mêlée de fumier utilisée par les jardiniers, auparavant nommée *terrier* (ci-dessus), puis (1765) la terre qui se trouve dans les bois et résulte de la décomposition des végétaux. ◇ Il a lui-même produit **TERREAUTER** v. tr. (1796; 1732, *terroter*), terme d'horticulture dont est tiré **TERREAUTAGE** n. m. (1863). ➜ **TERRIR** v. intr. (fin XVIe s.) est un ancien terme de marine qui, avec le sens d'«arriver près de la terre», a été remplacé par le composé *atterrir**, sauf au sens spécial de «sortir de l'eau pour pondre» en parlant de la tortue qui va au rivage (1677). ➜ Ultérieurement, *terre* a donné **TERRAILLE** n. f. (1723), terme technique disparu désignant une poterie fine jaunâtre ou grise. ➜ **TERRADE** n. f. (1842) est un ancien terme d'agriculture pour une sorte d'engrais. ➜ **TERRI** (1885) ou **TERRIL** n. m. (1923), mot du Nord-Est, désigne un grand tas de déblais au voisinage d'une mine. ➜ Le mot régional **TERREFORT** n. m. est employé dans le Sud-Ouest pour un sol argileux (attesté par écrit au XXe s.).

L'antonyme de *terrer,* **DÉTERRER** v. tr. est d'abord attesté sous la forme *desterrer* au sens d'«exhumer un corps» (v. 1160), puis de «sortir de terre (ce qui y était caché)» (v. 1285). ◇ Une autre valeur, «dépouiller (qqn) de sa terre, de ses possessions» (v. 1310), est encore attestée dans le style burlesque à l'époque classique. Au figuré, il s'est dit pour «découvrir (une personne qui se cachait)» (XVIe s.). ◇ *Déterrer* n'est plus senti comme le contraire de *terrer,* mais de *enterrer* (ci-dessous). ➜ Il a lui-même donné les dérivés **DÉTERREUR** n. (1650), au figuré, exceptionnellement au propre pour désigner celui qui déterrait les cadavres pour les revendre aux chirurgiens (1825), **DÉTERREMENT** n. m. (1596), concurrencé par **DÉTERRAGE** n. m. (1874), **DÉTERRATION** n. f. (1845) étant sorti d'usage. **DÉTERRÉ, ÉE** adj., d'abord «cadavre qu'on a sorti de terre» (1682, n.), s'emploie par figure dans *un air, une mine de déterré.*

② **TERRASSER** v. tr., avec son sens de «battre, vaincre» (1552, Rabelais), est dérivé de *terre* dans l'expression *jeter à terre.* Il est employé à la fois avec la valeur physique de «jeter à terre» et avec le sens moral d'«abattre (l'orgueil, qqn)» (1575) et, jusqu'au XIXe s., «réduire (qqn) au silence» (1685) (cf. l'homonyme ① *terrasser,* dérivé de *terrasse*).

TERRESTRE adj. est issu (1050) du latin classique *terrestris,* dérivé de *terra,* «relatif au globe», par opposition à *caelestis* «céleste» et «relatif à la terre ferme, qui vit sur la terre». Le mot latin a été employé par les auteurs chrétiens opposé à «éternel, spirituel», substantivé au pluriel dans l'expression *terrestribus inhaerere* «rester attaché aux choses de la terre». ◇ *Terrestre* signifie dès les premiers textes «qui vit, a lieu, se passe sur notre terre», spécialement dans ***paradis terrestre*** (1119), dit par métaphore d'un pays où l'on trouve tout en abondance (XIIIe s.). ◇ L'emploi de l'adjectif au sens de «grossier, épais» (1546) est sorti d'usage avant le XIXe siècle. Depuis 1580, il est employé avec la nuance restrictive de «qui intéresse ce monde, est temporel», opposé à *éternel.* ➜ Il qualifie de manière concrète et générale ce qui appartient à la partie solide du globe par opposition à *aérien* et *aquatique* (fin XVIe s.), ce qui concerne la planète Terre (v. 1600) d'où ***globe terrestre*** (1616), sans jamais interférer avec *terreux* et *terrien,* dont les emplois sont distincts. ➜ Aucun de ses dérivés ne s'est maintenu, pas même *terrestrement* adv. employé par Balzac (av. 1850). ◇ De ses composés, après les anciens *surterrestre* (1584) et *sousterrestre* (fin XVIe s.), créations isolées du moyen français, sont apparus **SUPRATERRESTRE** (1889-1891) et **EXTRATERRESTRE** adj. et n. (1884), tous deux relevés chez Huysmans, le second étant devenu courant dans les années 1970, dans le contexte de l'imaginaire scientifique, pour remplacer des termes spéciaux devenus désuets, comme *martiens.*

Le composé **TERRE-PLEIN** n. m. est l'adaptation en *terre-plain* (1556) puis *terre-plein* (1564), altéré en *terrapin* (1567), de l'italien *terrapieno,* proprement «rempli de terre», de *terra* «terre» et *pieno* «plein» de même origine que les correspondants français *terre** et *plein**. La fausse étymologie «terre plane», à l'origine de *terre-plain* (XVIe-XVIIe s.), a modifié le sens du mot en français. Du sens initial «amas de terres rapportées formant une surface unie», le mot a désigné en fortifications la partie horizontale d'un rempart, d'une batterie (1567). Par extension, il s'applique à tout espace horizontal soutenu par une maçonnerie (1779, H. B. de Saussure), spécialement entre les piles d'un pont, et se dit par analogie d'un sol naturel plat, comparé à une levée de terre.

TERREUX, EUSE adj., réfection (XIIIe s.) d'après *terre* de *terrous* (v. 1160), *tierreux* (v. 1180), est issu du bas latin *terrosus*, adjectif dérivé de *terra*. ◆ Le mot s'est d'abord employé dans *faire terrous* «jeter à terre». Il a qualifié (1265) ce qui appartient à la terre, est de la nature de la terre en tant qu'élément. ◇ Il est resté usuel pour «mêlé, souillé de terre» (v. 1165), entrant dans l'expression figurée *avoir le cul terreux* qui se disait autrefois d'un homme riche en terre (1640) ou d'une fille à marier d'une famille terrienne (1680), *cul terreux* étant aussi substantivé pour «paysan» (1904; → cul). ◇ *Terreux* qualifie également (1690) une couleur, un teint sans éclat ni fraîcheur.

TERRAQUÉ, ÉE adj. (1798), d'abord dans *globe terraqué* (1747, Voltaire), est sans doute emprunté à l'anglais *terraqueous* (1658), formé du latin *terra* et de l'anglais *aqueous*, du latin *aquosus* (→ aqueux), qui désigne ce qui est composé de terre et d'eau, en parlant de notre monde. ◇ Le mot, d'emploi très littéraire, a donné son titre à un recueil de poèmes de Guillevic (*Terraqué*, 1942).

Alors que *déterrer* (ci-dessus) semble provenir de *terrer*, un autre verbe préfixé vient directement de *terre*. **ENTERRER** v. tr., formé avec *en-*, signifie (1080) «ensevelir (qqn)» et, par extension (v. 1150), «mettre (qqch.) dans la terre». *S'enterrer* «mourir» (1592) ne s'est pas maintenu. ◇ Le verbe actif a développé à partir du XVIIe s. des emplois élargis et figurés. Il signifie «faire oublier (qqn, qqch.)» (1611), puis «cacher (un sentiment, etc.)» (1660), «renoncer à (ses espérances)» (1682) et «obliger (qqn) à rester dans un lieu ennuyeux» (1680), d'abord et surtout au pronominal, *s'enterrer tout vif* (1668), *s'enterrer* (1676). Cette valeur est restée vivante surtout dans *enterrer un projet*. Au sens concret de «recouvrir d'un amoncellement de terre», il n'est courant qu'au passif et au participe passé (1690, *batterie enterrée*). ◇ Au sens premier, il entre dans quelques locutions comme ***il nous enterrera tous*** (1718) «nous mourrons avant lui», ***il enterre ses malades*** (1864), à propos d'un médecin médiocre. ◇ *Enterrer* s'est aussi employé en ancien français pour «emplir de terre» (v. 1210). ◆ Le dérivé **ENTERREMENT** n. m. «action d'enterrer (un mort)» (v. 1160) désigne par métonymie les cérémonies qui accompagnent une inhumation et le cortège funèbre (1636). Devenu courant dans ce sens, il est employé au figuré (1864) dans *figure (gueule) d'enterrement* «triste». ◇ Sorti d'usage au sens général, «action de mettre en terre» (1538), il a pris comme le verbe une valeur figurée, «abandon de (qqch.)» (1896), qui rejoint la locution figurée au sens d'«inhumation», ***enterrement de première classe*** «fait d'enterrer définitivement, explicitement un projet». ◆ **ENTERRAGE** n. m., qui signifiait «enterrement» en ancien français (XIIIe s.), est reformé indépendamment comme terme technique de fonderie au XVIIIe s. (1765).

① **ATTERRER** v. intr. s'est employé en marine (1153) pour «approcher de la terre» puis en aéronautique (1864). Il a été remplacé dans les deux cas par ② *atterrir* (ci-dessous). ◆ Son dérivé **ATTERRAGE** n. m. (fin XVe s.) reste en usage pour désigner une zone de mer située à proximité d'un port. ◆ L'homonyme ② **ATTERRER** v. tr., à l'origine «renverser par terre» (1160) avec une valeur voisine de *terrasser*, s'emploie par figure pour «accabler» (1590), mais surtout au passif et dans un registre soutenu. ◇ **ATTERRANT, ANTE** adj. (fin XVIIe s.), du participe présent, est vivant, mais lui aussi d'usage soutenu. ◇ Le dérivé **ATTERREMENT** n. m. (XIVe s.) est sorti d'usage au propre et rare au figuré.

① **ATTERRIR** v. tr., autre composé verbal de *a-* et *terre* (1513), d'abord attesté au pronominal (1344), s'est employé jusqu'au XIXe s. au sens de «remplir de terre». Il est sorti d'usage, concurrencé à partir du XVIIe s. par un homonyme. ◆ ② **ATTERRIR** v. intr. «toucher terre» s'est d'abord employé en marine (1686; 1611, *s'atterrir*), puis par analogie en aérostation «prendre contact avec le sol» (fin XVIIIe s.) et aujourd'hui en aviation. Par extension il est souvent employé pour «toucher le sol d'un autre astre que la Terre», par exemple pour *alunir* (→ lune). ◇ Par figure et familièrement, il signifie «arriver finalement (quelque part)» (v. 1950) et, dès le début du XXe s., «tomber» (1918). ◆ Le premier verbe a fourni ① **ATTERRISSEMENT** n. m. «amas de terre laissé par un cours d'eau» (1332, *aterrissement*) qui reste en droit. ◆ Le second a pour dérivé ② **ATTERRISSEMENT** n. m. (1696, en marine), qui a été éliminé par **ATTERRISSAGE** n. m.; ce mot s'emploie en marine (1835) et très couramment (1904) en parlant d'un engin volant, surtout d'un avion, notamment dans *train d'atterrissage* (1912). Dans cet emploi, *atterrissage* s'oppose à *décollage* (→ coller). ◆ Un autre dérivé de ② *atterrir*, **ATTERRISSEUR** n. m. et adj. (1928), a désigné le dispositif permettant à un avion d'atterrir, mais a échoué à remplacer *train d'atterrissage*.

◈ voir FOX-TERRIER, PARTERRE, SOUTERRAIN, TERRAIN, TERRASSE, TERRE-NEUVE, TERRINE, TERRITOIRE, TERROIR.

TERRE-NEUVE n. m. inv. représente l'ellipse (1837) de *chien de Terre-Neuve*, du nom de l'île située à l'embouchure du Saint-Laurent d'où ce gros chien est originaire. L'anglais a une dénomination équivalante, *newfoundland dog* (1824), du nom anglais de Terre-Neuve (*New Foundland*, où *found*, de *to find*, vaut pour «trouvée, découverte»).

♦ Le mot désigne un gros chien à tête large, à longs poils. ◇ Par allusion au projet d'employer des terre-neuve pour repêcher des personnes tombées dans la Seine, il s'emploie au figuré (1881) et souvent ironiquement à propos d'une personne toujours prête à aider les autres (cf. *saint-bernard*, autre chien).

▸ Du nom de l'île, on a par ailleurs dérivé **TERRE-NEUVAS** n. m. et adj. inv. pour désigner (1904) un navire qui pêche à Terre-Neuve et, dès le XVIIe s., un marin spécialisé dans cette pêche (1609). Le mot a en partie remplacé les dérivés plus anciens *terre-neuvier* (1612; 1610, *terreneufuier*) et *terre-neuvien* (1612); l'un et l'autre (1857 et 1872) ont aussi désigné le chien terre-neuve. ◆ **TERRE-NEUVIEN, IENNE** adj. (1670) et n. (1832) signifie «de Terre-Neuve», nom d'une province du Canada.

TERREUR n. f. est emprunté (v. 1356) comme l'ancien provençal *terror* (XIIIe s.) au latin classique *terror* «effroi, épouvante» et, par métonymie, «objet inspirant de l'effroi». Celui-ci est, comme *terribilis* (→ terrible), dérivé de *terrere* «effrayer, épouvanter», d'où «mettre en fuite (en apeurant)» et «détourner par crainte»; *terrere* n'est pas passé en roman; il appartient à la racine qui se retrouve dans *tremere* (→ trembler). *Terrere* a été emprunté isolément sous la forme *terrir* (XIIIe s.; XVIe s., Scève) pour «effrayer».

♦ *Terreur* est, comme le mot latin, employé pour le sentiment de peur intense, d'où ***terreur panique*** (1625), et pour l'objet qui l'inspire (1587). Ce dernier sens est notamment réalisé dans les désignations périphrastiques *la terreur des coupables* (1718) pour un juge sévère, et *la terreur des ennemis*, à propos d'un grand capitaine (1587). Cette acception se retrouve dans l'usage argotique et sans complément de destination, à propos d'un bandit dangereux (1749) : *c'est une terreur* et *la terreur de...*. ◇ Depuis 1748 (Montesquieu), le mot désigne les principes du gouvernement d'un régime despotique et, à partir de 1789, l'ensemble de moyens de coercition politique maintenant des opposants dans un état de crainte; spécialement, *la Terreur* est le nom donné au régime instauré en France entre septembre 1793 et juillet 1794, pendant lequel des mesures d'exception furent en vigueur (emploi attesté en 1793).

▸ Les quelques dérivés de *terreur* datent de cette période révolutionnaire. ◆ **TERRORISME** n. m. est attesté depuis 1794 au sens de «régime de terreur politique», parallèlement à **TERRORISTE** n. et adj. (1794) qui désigne le partisan, l'agent d'un régime de terreur. ◇ Par extension, les deux mots s'appliquent aujourd'hui à l'emploi systématique de mesures violentes dans un but politique (1876, répandu à partir de 1918) et, très couramment, à des actes de violence exécutés pour créer un climat d'insécurité. Ils s'emploient par métaphore, par exemple dans le syntagme *terrorisme intellectuel* (v. 1950). ◇ Dès 1795, en pleine réaction thermidorienne, sont apparus **ANTITERRORISTE** adj. et **ANTITERRORISME** n. m. Celui-ci est distinct sémantiquement de **CONTRE-TERRORISME** n. m. (v. 1960) caractérisé par l'utilisation de moyens analogues à ceux des terroristes pour lutter contre eux et auquel correspond **CONTRE-TERRORISTE** n. et adj. Dans ce contexte de la violence politique exercée, non plus dans le cadre d'un gouvernement (comme c'était le cas en 1793) mais de forces politiques non reconnues, ces mots s'appliquent au contexte national et international, en relation avec les valeurs nouvelles de mots comme *otage, attentat*.

TERRORISER v. tr. (1796) a évincé la forme légèrement plus ancienne *terrorifier* v. tr. (1793) avec son sens politique de «frapper, dominer par les moyens de la terreur». ◇ Le verbe est aujourd'hui inusité en politique, le sens général de «terrifier, faire peur» (1876) étant devenu usuel. ◆ L'adjectif **TERRORISANT, ANTE** n'est attesté qu'au XXe siècle.

◈ voir TERRIBLE, TERRIFIER.

TERRIBLE adj. est emprunté (v. 1130) au latin classique *terribilis* «effrayant, épouvantable», employé en latin chrétien avec la nuance de «vénérable, respectable». C'est un dérivé de *terrere* «effrayer» (→ terreur).

♦ Emprunté par la langue littéraire avec le sens fort du latin, *terrible* est sémantiquement très affaibli depuis la fin du XVIe s. : l'adjectif a eu le sens de «très grand» (1580) qui a disparu et signifie «qui produit un effet mauvais, pénible» (1587). ◇ Au XVIIe s., il gardait en poésie, comme nom, une valeur forte et qualifiait des thèmes tragiques propres à inspirer la terreur (1669, La Fontaine). Il qualifiait aussi, depuis la fin du XVIe siècle, une chose très importante, remarquable dans son genre, excessive ou étrange (1588), constituant une sorte de superlatif de valeur incertaine. Cet usage était très en vogue dans le langage des précieux. Moins usuel dans ce sens, affaibli aux XVIIIe et XIXe s., *terrible* a été repris récemment comme intensif, remplaçant partiellement *sensationnel, formidable*, etc., notamment dans l'emploi négatif *(c'est) pas terrible* «c'est médiocre, quelconque», parfois ambigu par rapport au sens initial «qui inspire la crainte», lui-même très affaibli (*pas terrible* signifie aussi «pas très grave, pas dangereux»). ◇ Toujours avec une valeur affaiblie, l'adjectif s'applique (1672) à une personne fatigante et, spécialement (1841), à un enfant turbulent, désagréable. ◇ L'emploi fait du mot, au sens initial, est encore possible, mais rare. Il est encore normal pour le substantif dans *Ivan le Terrible*, traduction approximative du russe *grosnyi* «redoutable».

▸ En est issu **TERRIBLEMENT** adv. (fin XIVe s.) qui signifie «de manière à inspirer de la terreur», puis «extrêmement, avec intensité» (1375), mis à la mode par les précieuses et passé dans le langage moderne familier à la suite de l'adjectif.

◈ voir TERREUR, TERRIFIER.

TERRIEN → TERRE

TERRIER → TERRE

TERRIFIER v. tr., emprunté passagèrement au XVIe s. sous la forme du participe présent *terrifiant* (1558), a été repris pendant la Révolution (1794) au latin classique *terrificare* «frapper d'épouvante», de *terrificus*, «effrayant», lui-même formé de *terrere* «effrayer» (→ terreur), et de l'élément *-ficus* «qui fait», de *facere* (→ faire), transformé en *-fier* en français.

♦ *Terrifier* a donc été réemprunté sous la Terreur (1794) en concurrence avec *terrorifier* et *terroriser*, dérivés de *terreur**, et produisant alors le dérivé employé par plaisanterie *terrifieur* n. «terroriste» (1795) qui n'a pas vécu. Le verbe garde la valeur forte de *terreur,* que *terrible* a en grande partie perdue.

▸ **TERRIFIANT, ANTE** adj., du participe présent, n'a été repris qu'au XIXe s. (1842). ➜ **TERRIFICATION** n. f., emprunté (1510) au latin *terrificatio, -onis,* de *terrificare,* a eu une certaine vitalité sous la Terreur, de même que **TERRIFICATEUR, TRICE** adj. (1795, Babeuf), dérivé savamment du verbe latin. Tous deux sont sortis d'usage. ➜ Quant à **TERRIFIQUE** adj., emprunté (1507) au latin *terrificus,* il a disparu après 1600, puis est de nouveau attesté vers 1830, et ensuite chez les Goncourt (1863), probablement avec influence de l'anglais *terrific,* mais il reste littéraire ou plaisant, au sens fort de *terrible,* à moins d'être senti comme un pur anglicisme.

TERRINE n. f. est le féminin (1549; 1412, *therine*) du moyen français *terrin* (XIVe s.), fréquent dans le nord de la France avec le sens de «pot, marmite de terre» (XIVe s., *tierin*) et conservé comme terme technique de poterie à l'époque classique (1680, *terrein*). Ce nom est la substantivation de l'ancien adjectif *terrin* «de terre», issu d'un latin populaire °*terrinus,* dérivé de *terra* (→ terre), mot seulement gallo-roman.

♦ *Terrine* sert à désigner un récipient de terre et, par extension, de métal (1752), de forme arrondie pour divers usages, puis par métonymie son contenu (1684). ◇ L'utilisation de cet objet en cuisine (1412), d'où *pâté en terrine* (1815), est à l'origine de plusieurs valeurs métonymiques, «ragoût» (1771), puis «pâté». ➜ Par analogie avec la forme d'une terrine, le mot désigne la tête dans l'usage populaire (1842), retrouvant ainsi la métaphore originelle du mot *tête* «pot».

▸ Son unique dérivé, **TERRINÉE** n. f. (1588) «contenu d'une terrine», a été éliminé par *terrine,* employé au sens métonymique.

TERRITOIRE n. m. est emprunté (1278, *terretoire*), avec adaptation du suffixe, au latin classique *territorium* «étendue sur laquelle vit un groupe humain» et, en latin chrétien, «pays, paysage», dérivé de *terra* (→ terre) et dont une forme altérée a donné *terroir**.

♦ Le mot, avec ses variantes, *terretoire, terratoire* (1311), *teritore* (1392), *territoire* (1380), est rare avant le XVIIe s. et se répand au XVIIIe s. (Montesquieu, Rousseau). Il désigne d'abord une étendue de terrain sur laquelle est établie une collectivité, spécialement qui relève d'une juridiction (1680), de l'autorité d'un État (1756). Il s'est dit (1690) du droit pour un évêque d'exercer les fonctions épiscopales et, à l'époque classique (1661), équivalait à *terroir.* ◇ Aujourd'hui, il est employé en éthologie (XXe s.) à propos de l'espace qu'un animal se délimite et dont il interdit l'accès à certains animaux — en particulier ceux de sa propre espèce —, sens employé par analogie en parlant des humains. Par métaphore, il correspond aussi à *domaine,* en parlant de ce qu'une personne considère comme sien (1852), également en sciences, en philosophie (1878).

▸ **TERRITORIAL, ALE, AUX** adj. est un emprunt relativement tardif (1748, Montesquieu) au dérivé bas latin *territorialis* «qui concerne un territoire, du territoire». ◇ En plus de ce sens général, le mot a développé au XIXe s. un emploi juridique (v. 1850) et la valeur spéciale de «qui concerne la défense du territoire national» (1872). Ce dernier est contemporain de la création en 1872 de troupes sédentaires consacrées à la défense intérieure du pays, dont les soldats reçurent le nom de *territoriaux* (1877). ◇ L'adjectif s'emploie, comme *territoire,* en éthologie (XXe s.) et en épistémologie («d'un domaine du savoir»). ◇ Il est sorti d'usage au sens de «rural, agricole» dans lequel l'employait Balzac (1830). ➜ L'adjectif a produit quelques dérivés. ➜ **TERRITORIALEMENT** adv. (1872) est rare. ◇ **TERRITORIALITÉ** n. f. (1852), terme juridique et terme d'éthologie, désigne la relation d'un animal avec son territoire (XXe s.). ◇ De ce dernier nom vient le préfixé juridique **EXTERRITORIALITÉ** n. f. (1859) qui désigne l'immunité exemptant certaines personnes de la juridiction de l'État dans lequel elles se trouvent. ◇ Récemment, on a formé sur *territorial* le terme d'éthologie **TERRITORIALISME** n. m. (v. 1973) et une série préfixée, **DÉTERRITORIALISER** v. tr., **DÉTERRITORIALISATION** n. f. (Deleuze), d'usage métaphorique en philosophie.

TERROIR n. m., réfection (1229) de formes anciennes déviantes, *tioroer* (1198), *tieroir* (1212), est issu d'un latin populaire °*terratorium,* d'où *terrador* en ancien provençal (XIIe s.), altération gallo-romaine de *territorium* qui a donné par voie d'emprunt *territoire**.

♦ Le mot a d'abord eu le sens de «pays, espace de terre», encore répertorié par l'Académie en 1740 et réservé depuis à *territoire.* Depuis la fin du XIIIe s. (1283), il désigne par spécialisation la terre considérée du point de vue de ses aptitudes agricoles, plus spécialement le sol apte à la culture d'un vin. C'est à propos d'un vin qu'il entre dans les expressions ***goût de terroir*** (1549), ***sentir son terroir*** (1596), ***sentir le terroir*** (1669); celle-ci s'applique par métaphore à un homme qui a les qualités et les défauts que l'on attribue aux gens de son pays (1561). ◇ Le mot s'emploie seul avec cette valeur (1862, Fromentin) et désigne une région rurale considérée comme la cause des caractères régionaux de ses habitants *(accent du terroir, poètes du terroir).*

TERRORISER, TERRORISME → TERREUR

① **TERTIAIRE** n. et adj., terme de religion, est la réfection graphique (1812) de la forme *terciaire* (1690), emprunt au latin médiéval de l'Église *tertiarius* «membre d'un tiers* ordre religieux, c'est-à-dire d'une congrégation laïque affiliée à un ordre», et spécialisation du latin classique *tertiarius* (→ ② tertiaire), de *tertius* (→ tiers).

♦ Le mot désigne et qualifie le membre d'un tiers ordre.

② **TERTIAIRE** adj. et n. est emprunté comme terme de géologie (1779, H. B. de Saussure) au latin classique *tertiarius* «d'un tiers» (→ ① tertiaire), dérivé de *tertius* (→ tiers). *Tertiaire* est formé sur le modèle de *primaire**, *secondaire**.

♦ Le mot, introduit dans l'expression *montagnes tertiaires,* qualifie des terrains, des roches formés dans une ère succédant à celles qu'on venait d'appeler *primaire* et *secondaire,* puis cette époque. Son sens a été précisé en géologie par Brongniart (1807) et il a été ensuite substantivé (1882, *le tertiaire*) pour *époque, ère tertiaire.* ◆ Puis le mot est entré dans le langage médical pour qualifier dans une maladie, ce qui apparaît en troisième lieu, comme troisième phase d'une évolution (1910). ◆ Au XXe s., en économie, il correspond à l'emploi de *tertiary* par les économistes anglo-saxons (A. B. Fischer, C. Clark, etc.) pour définir le secteur d'activité des services, de la gestion, de l'organisation (v. 1950), par opposition à *primaire* (agriculture) et à *secondaire* (industrie, artisanat); il est aussi substantivé, notamment pour désigner (1959) une personne qui a une activité tertiaire *(un, une tertiaire).*

► C'est à ce dernier sens que se rattache le dérivé **TERTIARISATION** n. f. (v. 1970) et sa variante *tertiairisation.*

◈ voir ① TERTIAIRE, TERTIO.

TERTIO adv. est emprunté (1419) au latin classique *tertio* «pour la troisième fois, en troisième lieu» et «trois fois», emploi adverbial de l'ablatif de *tertius* «troisième» (→ tercet).

♦ Le mot, qui est resté vivant, s'emploie au sens de «troisièmement», seulement dans une énumération, en corrélation avec *primo, secundo.*

TERTRE n. m. est issu (1080) d'un latin populaire °*termitem,* accusatif de °*termes* «monticule», altération par substitution de suffixe (probablement d'après *limes, limitis* «borne» qui a aussi eu le sens de «monticule», → limite) de *terminem.* Ce dernier est l'accusatif de *termen, -inis* «borne», forme neutre, à côté du masculin *terminus* (→ ① terme). ◇ La forme °*terminem* a donné par une autre évolution phonétique l'ancien français du Nord-Est *terne* (attesté chez Froissart), encore usité en wallon sous la forme *tierne,* ainsi que l'ancien provençal *terme.*

♦ *Tertre* désigne une petite éminence isolée, spécialement cette éminence recouvrant une sépulture (1649, Scarron); seul l'emploi général pour «monticule de terre» est usuel. ◇ Des emplois de l'ancien et du moyen français, comme «territoire délimité» (1246) et «planche, tablette ou rayon» (1340), sont sortis d'usage.

TESSITURE n. f. est emprunté comme terme de musique (1901) à l'italien *tessitura,* proprement «texture», spécialisé en musique à propos d'une voix, également «complexion, tempérament», de *tessere* «tisser», de même origine que le français *tisser**. La métaphore est la même que pour *texte**.

♦ *Tessiture* désigne l'étendue des sons qu'une voix ou un instrument peut émettre sans difficulté; c'est à cette notion, exprimée aussi par *registre,* que se rattachent les termes caractérisant les voix : *soprano, alto, contralto, ténor, baryton, basse.*

TESSON → ① TEST

① **TEST** ou **TÊT** n. m. est issu (v. 1120) du latin classique *testum* «couvercle de pot en terre» et «vase de terre», variante neutre, comme *testu,* de *testa* (→ tête). La forme *têt* apparaît au XVIIe s. (1671).

♦ Le mot a désigné en français un débris de vaisselle, sens encore répertorié en 1759, avant d'être supplanté par son dérivé *tesson.* Il s'est maintenu dans des emplois techniques avec le sens de «pot en terre» (XIIIe s.), spécialement «pot en terre dans lequel on fait l'opération de la coupellation» (1762) et dans *têt à gaz* (1904) «petite capsule de terre sur laquelle on pose l'éprouvette pour recueillir un gaz dans la cuve à eau». ◆ Par spécialisation d'un ancien sens, «crâne» (v. 1165; → tête), le mot s'emploie en vénerie pour désigner le crâne du cerf (XIIIe s., *test;* 1763, *têt*), la forme *test* étant encore relevée chez Gautier au sens de «crâne», par archaïsme littéraire.

► De l'ancien pluriel *tez, tes* est dérivé **TESSON** n. m. (1283) avec son sens demeuré usuel de «débris de vaisselle, de bouteille cassée», souvent dans *tesson de bouteille.*

◈ voir ② TEST, TESTACÉ.

② **TEST** n. m. est l'emprunt (1893, Höfler) de l'anglais *test,* abréviation pour *mental test* «épreuve psychologique», employé pour la première fois aux États-Unis en 1890 par James McKeen Cattell. C'est une spécialisation en psychologie de ce mot anglais, lui-même emprunté au XIVe s. comme terme d'alchimie à l'ancien français *test* (→ ① test) «pot servant à l'essai de l'or» et passé au sens d'«épreuve, mise à l'essai» au XVIe siècle.

♦ Le mot est employé en français (1893) par le fondateur de la psychométrie, A. Binet. L'idée a longtemps été sujette à caution en France. Antérieurement, le français avait repris le mot *test* dans le terme technique *test-objet* (1844) «préparation microscopique servant à évaluer le pouvoir d'un microscope». ◇ Du vocabulaire de la psychologie, *test* est passé dans celui des médecins (1923) et il est devenu de nos jours un terme d'usage général avec le sens d'«expérience, fait-témoin» (1939), aussi en apposition (1967). ◇ Par réemprunt à l'anglo-américain, il est employé spécialement (1964) pour désigner un essai de production effectué au cours d'un forage pétrolier, au moyen de l'appareil appelé *tester* (n. m.).

► ① **TESTER** v. tr. est l'adaptation (1926) de l'anglais *to test* «soumettre à une épreuve psychologique», de *test.* ◇ Le mot s'est répandu en français sous l'influence des techniques américaines. Comme le nom correspondant, il est passé dans l'usage général, spécialement au sens d'«éprouver, essayer (qqch.)» (1956). ◆ Il a produit les dérivés **TESTABLE** adj. (1868, Larousse) et **TESTEUR, EUSE** n. (1952) «personne qui fait passer des tests» et «appareil servant à contrôler certains phénomènes» (1966, n. m.).

TESTACÉ, ÉE adj. et n. m. pl. est emprunté (1562) au latin *testaceus* «de terre cuite, de brique», «de couleur de brique», spécialement employé par Pline au sens de «qui a une coquille, une écaille». C'est un dérivé de *testa* «terre cuite», «coquille» (→ ① test, tête).

♦ Le mot a d'abord été employé isolément pour qualifier une poire ayant la couleur de l'argile, puis repris en zoologie comme nom d'un animal recouvert d'une coquille (1578 au féminin puis 1765 au masculin), aujourd'hui comme adjectif (1690, *testacée*, puis 1784).

▶ **TESTACELLE** n. f. (1801) est emprunté au latin scientifique moderne *testacella*, diminutif de *testa*, «genre de mollusque possédant une petite coquille».

TESTAMENT n. m. est emprunté (1120) au latin *testamentum*, dérivé de *testari* (→ ② tester) qui signifie proprement «prise à témoin», le testament étant d'abord une déclaration orale faite aux *comitia calata* (comices calates) avec l'assemblée du peuple pour témoin et, plus tard, un acte exigeant le concours de témoins. En latin ecclésiastique, le mot a été employé à contresens (par Tertullien le premier) pour traduire le grec *diathêkê* qui a été employé par la version des Septante pour rendre l'hébreu *b*[e]*rît* «alliance», de manière à souligner l'aspect unilatéral et gracieux de cette relation entre un partenaire supérieur (éventuellement Dieu) et un partenaire inférieur bénéficiant de celle-ci. Les autres versions grecques de la Bible ont eu recours au grec *sunthêkê* qui souligne le caractère bilatéral du «traité» en posant la réciprocité des engagements. D'après l'Évangile selon Matthieu 26, 28, le nom d'alliance/testament a été donné à l'économie de salut instaurée par la venue du Christ et cette «alliance» a été qualifiée de «nouvelle» (I, Corinthiens 11, 25 citant Jérémie 31, 31). L'application de ce terme au canon des écrits chrétiens, «nouveau testament» étant opposé à l'«ancien testament» des Juifs, apparaît chez les Pères du IIIe s. (Clément d'Alexandrie, Origène).

♦ Le mot est passé en français pour rendre ce concept religieux d'alliance, propre au style biblique, et désigner le témoignage d'alliance donné par l'Eucharistie (sens vivant encore au XVIe s.). Par métonymie, *Testament*, avec majuscule, désigne les deux parties de l'Écriture sainte : *Ancien Testament* (v. 1514), qui a remplacé *Vieux Testament* (v. 1265), et *Nouveau Testament* (v. 1175). ◆ Le sens juridique courant de *testament*, «acte authentique par lequel on déclare ses dernières volontés», est attesté au début du XIIe s. (v. 1175), plus tôt à Cambrai sous la forme régionale *tintaument* (1133). ◇ Par euphémisme, le mot faisait allusion à la mort, par exemple dans la locution ***faites votre testament*** «préparez-vous à mourir» (v. 1725) ou dans ***il peut faire son testament*** «il va bientôt mourir» (1876, Larousse). ◇ *Testament* désigne, au figuré, la dernière œuvre de qqn en tant que suprême expression de sa pensée, de son art (1762), en particulier d'un homme politique (1688, *testament politique*).

▶ Aucun dérivé de *testament* ne survit jusqu'à l'époque moderne, **TESTAMENTER** v. (v. 1240) étant quasiment inusité.
L'adjectif correspondant, **TESTAMENTAIRE** (1435), d'abord *testamentari* (1310), est emprunté au dérivé latin *testamentarius*, de *testamentum*. Son usage dépasse la terminologie juridique, notamment dans *dispositions testamentaires* et *exécuteur testamentaire* (1680).

◈ voir ② TESTER.

① TESTER → ② TEST

② TESTER v. tr. est emprunté (v. 1290) au latin classique *testari* «déposer comme témoin, témoigner», «prendre à témoin» et «faire son testament», de *testis* «témoin» (→ témoin).

♦ Ces deux sens, conservés par la langue juridique médiévale, sont passés en français mais le premier, d'abord relevé dans un emploi littéraire figuré (v. 1290), s'est mal implanté et les juristes ont constitué autour de *testament** un groupe lexical dans lequel le préfixé *attester** remplissait la fonction du verbe factitif. Le sens de «disposer de ses biens par testament» (1406) est le seul à avoir perduré dans la langue juridique, absolument et dans la construction *tester de* (1581), relevée jusqu'à la fin du XVIIIe siècle. ◇ On a dit aussi *testater* (1377) par influence de *testateur* (ci-dessous), ceci jusqu'au XVIIe siècle.

▶ **TESTATEUR, TRICE** n. est un emprunt juridique (XIIIe s.) au latin *testator* «celui qui rend témoignage», «celui qui fait un testament», de *testatum*, supin de *testari*. ◇ Il désigne l'auteur d'un testament, et non plus, comme en moyen français, l'exécuteur testamentaire (1337). ◇ Son féminin *testatrice* (1680) a supplanté l'ancienne forme *testateresse* (XIVe s.), *testatresse* (1400), analogue à *demanderesse*.

◈ voir ATTESTER, CONTESTER, DÉTESTER, INTESTAT, PROTESTER, TESTAMENT.

TESTICULE n. m. est emprunté (1304) au latin *testiculus* (pluriel *testiculi*), terme de médecine dérivé (diminutif) de *testis*, presque toujours au pluriel *testes*, de même sens. C'est une spécialisation de sens, par métaphore, de *testis* (→ témoin) avec lequel Plaute l'emploie souvent par équivoque.

♦ Introduit en français par les anatomistes, *testicule*, surtout au pluriel, (1575, «ovaires»), est resté jusqu'à nos jours un terme technique (médecine, anatomie, botanique) mais a surtout le sens de «bourses» avec de nombreux synonymes familiers (*couilles*, etc.); il a éliminé l'ancien français *tesmoings* (XIIIe s.). ◇ Désignant d'abord toute glande génitale, il s'est spécialisé au XVIIIe s. au sens de «glande mâle». ◇ Il a eu quelques acceptions métaphoriques savantes, désignant la paire inférieure des tubercules quadrijumeaux du cerveau (1690-1771), également désignés par *testes*, et diverses coquilles univalves (1712-1876). Ces emplois ont disparu.

▶ En est dérivé **TESTICULAIRE** adj. (1812).

TESTIMONIAL → TÉMOIN

TESTON n. m., nom d'une ancienne monnaie d'argent, est emprunté (1514; 1499 pour une monnaie du duché de Lorraine) à l'italien *testone*, dérivé de *testa* (correspondant au français *tête**), parce que cette monnaie portait une tête de souverain. L'emprunt à l'italien vient du fait que François Ier fit fabriquer les premiers testons à Milan.

♦ Le teston eut cours avec des valeurs différentes depuis le règne de François Ier jusque sous Louis XIII. Le mot s'est employé à l'époque classique (1680) pour «argent» et entrait dans de nombreuses locutions de nos jours disparues, comme *ne pas valoir un teston* «ne rien valoir» (1690); cf. *sou*.

TÉTANOS n. m. est emprunté (1555; 1541, *tetanus*) au grec *tetanos* «tension convulsive d'un muscle, d'un membre». C'est la substantivation de *tetanos* «étendu, allongé» et par suite «rigide», dérivé (avec redoublement) de *teinein* «tendre» (→ ① ton), qui appartient à la même racine indoeuropéenne que le latin *tendere* (→ ② tendre).

♦ Le mot est passé en français avec son sens médical; il désigne une maladie bacillaire où une toxine agit sur le système nerveux en produisant contractures et convulsions.

▸ Il a produit quelques dérivés en médecine et en physiologie : **TÉTANIQUE** adj. «relatif au tétanos» est attesté le premier (1554), notamment dans *contraction tétanique*. ◇ Il a servi à former **ANTITÉTANIQUE** adj. (1836) et **TÉTANIQUEMENT** adv. (XXe s.). ◆ Au XIXe s. sont apparus **TÉTANIE** n. f. (1852, Corvisart) «syndrome tétanique», le composé **TÉTANIFORME** adj. (1846, Bescherelle) avec *-forme**, qualifiant un phénomène semblable à la tétanie ou au tétanos et **TÉTANISER** v. tr. (1862), ce dernier ayant donné **TÉTANISATION** n. f. (1872). Ces deux mots concernent le fait de produire le tétanos, et au figuré de paralyser, de figer douloureusement.

✱ **TÊTE** n. f. est issu (1050, *teste*) du latin *testa* «coquille» et «carapace (de tortue)» d'où «récipient en argile cuite ou en terre de potier», «tuile» et «tesson de tuile ou de poterie» (→ ① test). À basse époque, *testa* a pris par plaisanterie le sens de «crâne» puis de «boîte crânienne, tête», par un transfert de sens qui utilise l'analogie de forme et que l'on retrouve avec le grec *konkhos*, le germanique *kopf*, issu du latin *cuppa* (→ coupe) et en français même, avec une série de mots désignant originellement des récipients *(bouilloire, calebasse, cafetière...)*, à côté de ceux qui dénomment des fruits ronds (*fraise, poire*, etc.). ◇ L'hypothèse anecdotique selon laquelle le passage de «pot» à «crâne» refléterait l'habitude des Barbares de boire dans des crânes est de pure fantaisie. ◇ Le mot, qui n'a pas de correspondant net dans les langues indoeuropéennes, a supplanté progressivement les représentants du latin classique *caput* (→ chef); il s'est implanté en France d'abord dans le Nord et l'Est; l'espagnol contemporain n'a conservé qu'un dérivé de *caput*, *cabeza*, du dérivé latin populaire °*capitium*. D'autre part, *testa* a été conservé, avec sa valeur originelle dans plusieurs parlers romans, par exemple l'ancien provençal *testa* «écaille» (v. 1300), «coquille de noix» (XIVe s.).

♦ Le mot est passé en français avec le sens de «partie supérieure du corps humain», longtemps en concurrence avec *chef*, mais l'acception étymologique de «pot» (v. 1200) est elle aussi représentée en ancien français. En parlant de l'être humain, *teste*, puis *tête* désigne spécialement le visage quant à ses expressions (dep. 1080, plus nettement au XIIIe s.) et, dans le domaine psychologique, la tête considérée comme siège de la pensée (1080), des idées, du jugement et des états psychologiques, d'où ***perdre la tête*** (*teste*, v. 1160), ***teste fole*** (mil. XIIIe s.), ou de la volonté (d'où ***faire à sa tête*** [*teste*, 1461], et aussi du souvenir (***avoir en tête***, 1376). ◇ On ne compte pas les syntagmes lexicalisés, expressions et locutions (surtout à partir du XVIe s.) dans lesquels *tête* entre avec ces différentes valeurs, concrètes et abstraites : par exemple ***monter** en la tête* (XIIIe s.) puis ***à la tête**, mal en la tête* (mil. XIVe s.) puis ***mal à la tête*** et ***mal de tête*** (1597), ***avoir sa tête à soi*** (1773), ***toute sa tête, ne savoir où donner de la tête*** (1586) «où porter son attention». ***Faire qqch., calculer de tête*** «mentalement» apparaît au XVIIIe s. Ces expressions mettent en œuvre les différents aspects du signifié, souvent mêlés, comme dans la locution adverbiale ***tête à tête*** (av. 1250, puis 1549), (se rencontrer, se voir *tête à tête*), remplacée ensuite par ***en tête à tête*** (XVIIIe s.) et qui évoque le visage, mais aussi une situation intime : cf. ci-dessous le composé *un tête-à-tête*. ◇ Une métaphore sur le sens de «personne» et «pensée» a créé ***laver la tête** de qqn* «réprimander» (fin XVe s., Commynes). ◇ Par métonymie, le mot désigne la personne elle-même, considérée dans un ensemble (v. 1275; v. 1283, *par teste*), puis, qualitativement, en emploi qualifié (***mauvaise tête***, 1538; ***forte tête***, 1690) «esprit qui raisonne bien», puis «frondeur» (1904) ou déterminé (***tête de bois, tête à claques***, fin XIXe s., etc.). ◇ Par une autre métonymie, il a désigné une monnaie (XVe s.), puis le côté de l'effigie (1690), remplacé aujourd'hui par *face*; il désigne spécialement la représentation artistique de la tête (1645, Poussin) et la mesure de cette partie du corps (1671). L'expression ***tête de Turc***, retenue par l'usage à propos d'un être en butte aux railleries de qqn, vient de la foire : on y appelait ainsi (1866) une sorte de dynamomètre sur laquelle on frappait une tête coiffée d'un turban. ◇ Utilisant le sens de «visage», *tête* se dit d'une personne grimée et parée pour se divertir (1888), notamment dans *dîner de têtes* «dîner travesti». ◇ Le langage du sport met l'accent sur le coup donné au ballon avec la tête (1905), par exemple dans *faire une tête*. ◇ Dès le XIe s., *tête* s'applique aussi aux animaux, spécialement aux bois des bêtes fauves (v. 1180 : cerfs). À partir du XVIe s., il a servi à former nombre de désignations d'animaux.

Par ailleurs, la situation de la tête en haut ou à l'avant du corps a suscité de nouveaux emplois où *tête* est souvent opposé à *queue*. Ainsi, la locution ***faire tête à queue***, employée d'abord à propos d'un cheval (1855), a donné **TÊTE-À-QUEUE** n. m. (1902) pour «volte-face (d'un véhicule)». ◇ Cette idée de situation supérieure, parfois mêlée à l'analogie de forme, se retrouve dans l'emploi de *tête* pour «extrémité arrondie (de certains végétaux)» (1260), par exemple dans *tête d'ail, tête d'un arbre* (1590), etc. ◇ En ne gardant que l'idée d'antériorité spatiale, *tête* désigne l'extrémité antérieure d'un objet (XVe s. *teste de clou*), orienté ou en mouvement (1559), par exemple dans les locutions ***en tête*** (1580), ***de tête, à la tête de...*** (*à la teste d'une trouppe*, 1580 Montaigne) [cf. ci-dessous un autre sens]. De là aussi ***tête de liste*** (1885), ***tête de série*** en sports (1905) et ***tête d'affiche*** (att. 1941). ◇ Cette valeur s'applique notamment, depuis le milieu du XIXe s., aux véhicules longs et aux lignes de communication : ***tête de ligne*** (1869), ***voitures de tête***, etc. Des locutions techniques, comme ***tête chercheuse*** (d'une fusée) [1954] ou ***tête de lecture*** (d'un appareil de reproduction sonore), relèvent aussi de la notion d'extrémité. ◇ Abstraitement, le mot s'applique aussi au premier élément d'une série (*tête de vin*, 1740; avant *tête de cuvée*) et à la première d'une série d'opérations, notamment à propos des ***produits de tête*** (ou *de queue*) d'une distillation (1892) ou du ***tirage de tête*** d'un livre. ◇ Une autre métaphore, où la situation supérieure et le rôle psychique du cerveau se mêlent, aboutit au sens abstrait de «position supérieure et dirigeante» (cf. *chef*), notamment dans ***à la tête de...*** (1580), et à celui de «personne qui dirige» (1636, Corneille).

▸ *Tête* a produit un certain nombre de dérivés et (surtout) de composés. ➜ **TÊTIÈRE** n. f., d'abord *testière* (v. 1175), désignait une pièce d'armure couvrant la tête d'un guerrier, de son cheval (XIIIe s.) ainsi qu'une coiffe d'enfant (1680). ◇ De nos jours, le mot désigne la partie supérieure de la bride d'un cheval (XIIIe s. isolément, puis 1530) et une garniture de siège, à l'endroit où l'on appuie la tête (déb. XXe s.). Il est également employé en technique pour désigner une pièce disposée à la «tête» d'un objet ou d'un appareil (en marine, 1771; en typographie, 1769). ➜ L'adjectif **TÊTU, UE** (1237, *testu*) a d'abord qualifié concrètement une personne ayant une grosse tête (cf. ci-dessous *têtard*), ceci jusqu'au XVIIe s., avant de prendre le sens figuré courant d'«obstiné» (1284), où il est aussi substantivé (1659). Dans cet emploi courant, le mot est à peu près démotivé (cf. pour la même évolution, *crâneur*, de *crâne*). ◇ *Têtu* est également employé comme nom pour désigner un genre de marteau (1384), sens avec lequel il a donné lieu au verbe technique **TÊTUER** v. tr. (1876). ➜ **TÊTARD** a d'abord été adjectif (1303, *testard*) au sens d'«obstiné», où il a été éliminé par *têtu* (ci-dessus), puis pour «qui a une grosse tête» (XVe s.); cet adjectif a disparu. ◇ La valeur concrète a été seule retenue pour les substantivations, *un têtard* se disant d'abord (1560) d'un poisson à grosse tête, sens archaïque depuis que le mot s'applique aux larves de batraciens (1611). ◇ L'idée de «grosse tête» appliquée aux objets (1421, «poutre»), puis aux arbres (1751, «arbre écimé», aussi en apposition), n'a produit que des acceptions techniques. ➜ Revenant à la notion initiale de «grosse tête humaine», *têtard* s'applique en argot puis familièrement à un enfant (fin XIXe s.). ◇ En argot il désigne aussi une personne dupée (1924, ***être fait têtard***), produisant **TÉTARER** v. tr. (XXe s.) «duper». ➜ En dehors de quelques autres dérivés sortis d'usage comme **TESTONNER** v. tr. «coiffer» (1515), *tête* n'a guère donné encore que **TÉTOIR** n. m. (1755), terme technique ayant trait aux têtes d'épingles, **TÊTEAU** n. m. (1777), terme d'arboriculture. ◇ L'argotique **TÉTÈRE** n. f., désignation du visage (1896), est peut-être issu du croisement de *tête* avec *pomme de terre*.

Tête a produit des noms composés désignant des objets ayant un rapport avec la tête humaine, tels **APPUI-TÊTE** n. m. (1853), **SERRE-TÊTE** n. m. (1573), *casse-tête* (→ casser), ou procédant d'un sens analogique de *tête* comme c'est le cas pour *en-tête* (ci-dessous). ➜ Plusieurs composés correspondent à des dénominations imagées, comme **TÊTE-DE-NÈGRE** n. m., nom de couleur (1818), employé aussi comme adjectif invariable (1874) et désignation d'un bolet (1907, n. f.), **TÊTE-DE-MOINEAU** n. m., nom usuel d'une centaurée (1793) puis d'une forme d'anthracite moulée (1877). ➜ **TÊTE-À-TÊTE** n. m. (1670) est la substantivation de la locution ***tête à tête*** (ci-dessus) et s'applique à la situation de deux personnes qui se trouvent seules ensemble. ◇ Ce même composé sert à désigner un petit canapé à deux places (1780), un service à thé (1890) ou café pour deux. ➜ **EN-TÊTE** n. m. utilise le sens figuré de *tête* avec *en-* et désigne une inscription en haut d'une feuille de papier (1838), puis une vignette. En informatique, il désigne la portion initiale d'un message. ➜ **TÊTE-BÊCHE** loc. adv. est l'altération moderne (1820) de la locution plus ancienne *à tête beschevet* (av.1577; 1534, *teste a teste beschevel*), renforcement de *bêchever*, formé avec l'ancien *bes-*, du latin *bis* «deux fois» (→ bis) et *chevet**; l'expression n'étant plus comprise, elle a été altérée. ◇ Elle signifie «en position inverse» en parlant de deux personnes ou de deux choses orientées et parallèles.

S'il n'existe pas de verbe dérivé de *tête*, deux dérivés verbaux préfixés sont en usage. ➜ **ÉTÊTER** v. tr. (XIIIe s.) «couper la tête à» se dit essentiellement à propos d'un poisson, d'un arbre (1552), d'une épingle ou d'un clou (1690). ◇ Ce verbe a pour dérivés **ÉTÊTEUR** n. m., surtout usité dans le domaine de la pêche, à propos de l'ablation de la tête des poissons pêchés (1740) et **ÉTÊTEMENT** n. m. (1611, *estestement*), opération d'arboriculture.

L'autre composé verbal, **ENTÊTER** v. tr. (v. 1175, *entester*), a d'abord signifié «frapper à la tête» et «mettre sur la tête», emplois aujourd'hui disparus. ◇ Il a développé les sens figurés de «porter à la tête» en parlant d'un vin (1275) et de «(s')enivrer avec du vin» (XIIIe s.), sortis d'usage mais qui sont à l'origine du sens moderne, «incommoder (en agissant sur la tête)», le sujet désignant les vapeurs du vin, une odeur, etc. (XIVe s.), sens auquel correspond l'adjectif plus courant **ENTÊTANT, ANTE** (1860), employé dans les mêmes contextes. ◇ L'autre sens figuré de *entêter*, à l'origine «emplir la tête», est courant sous la forme pronominale *s'entêter* «s'obstiner» et remonte également au XIIIe siècle. ◇ D'autres acceptions, comme «affermir (qqn) dans un dessein» (XIVe-XVe s.), «prévenir en faveur de (qqn)» (1611) et, à la forme pronominale, «tirer vanité de» (XVIe s.) puis «s'engouer de» (XVIIe s.), fréquentes dans la langue classique, sont sorties d'usage. ◆ Le nom d'action correspondant, **ENTÊTEMENT** n. m. (1562), a suivi le même développement, ne conservant que deux valeurs principales du verbe : «étourdissement dû aux vapeurs de l'alcool» (1562) et «obstination excessive» (1798). ◆ Enfin, *entêter* fonctionne comme l'antonyme de *étêter* au sens technique de «mettre des têtes à (des épingles)» (1755, *Encyclopédie*), d'où un sens spécial de *entêtement* (1907) et le dérivé **ENTÊTEUR** n. m. (1765), sorti d'usage avec la disparition du métier qu'il désigne.

TÉTIGUÉ interj., juron de paysan dans le théâtre classique (attesté en 1666, Molière), est l'altération euphémistique, populaire et rurale, de *tête* Dieu*, d'après la locution ancienne ***jurer la teste Dieu*** «jurer par la tête de Dieu». On relève également les formes *par la teste-bleu* (1659), *tête-bleu* (1660), et les composés altérant *dieu* en *gué, guenne,* etc. : *testiguenne* (1668), *tastigué* (1678), *testiguienne* (1721), *tetigoine* (1721), déjà archaïques et ruraux dans l'usage classique et qui ont dû disparaître complètement au début du XIXe siècle.

◈ voir ① ET ② TEST, TESTACÉ, TESTON.

TÉTER, TÉTINE, TÉTON → TETTE

TÉTRA- est le premier élément de mots composés savants, soit empruntés directement au grec, soit formés sur le modèle de composés grecs dans lesquels *tetra-* représente une contraction de *tessares* «quatre» (*tettares* en attique). Celui-ci repose sur une racine indoeuropéenne *°kʷetwr-* que l'on retrouve aisément dans le latin *quattuor* (→ quatre).

▶ **TÉTRAGONE** adj. et n. f. est emprunté (1370) au bas latin *tetragonus* «qui a quatre côtés», lui-même emprunt au grec *tetragônos,* de *gônia* «angle» (→ -gone). ◇ Apparu comme nom masculin pour «tétraède», le mot s'est employé en astronomie (1546, puis 1765). Il s'applique (1596) à une figure qui a quatre angles mais est vieilli en ce sens. ◇ D'abord sous la forme latine *tetragonia* dans l'*Encyclopédie* (1765, n. m.), *tétragone* désigne en botanique (1808), à cause de la forme de ses graines, une plante originaire de la Nouvelle-Zélande nommée aussi *épinard d'été.*

TÉTRAÈDRE n. m. a remplacé (1690) *tetraedron* (1542), emprunt savant au grec *tetraedron,* «figure à quatre faces», de *hedra* «base» (→ cathédrale), pour désigner un polyèdre à quatre faces triangulaires (→ dièdre, trièdre). ◇ Le mot, aussi adjectivé (1826), a produit des dérivés didactiques, comme **TÉTRAÉDRIQUE** adj. (1842). ◆ **TÉTRAMÈTRE** n. m. est emprunté (v. 1559, puis 1701) au bas latin grammatical *tetrametrus* «composé de quatre pieds doubles», lui-même emprunt au grec *tetrametros,* de *metros* «mesure» (→ mètre). Il reste comme terme de métrique ancienne.

TÉTRARQUE n. m. (v. 1624), antérieurement *tetrarche* (1213), est emprunté par l'intermédiaire du latin *tetrarches* au grec *tetrarkhês* (→ archi-), dont il reprend les sens : d'abord «gouverneur d'une partie d'une province divisée en quatre», puis (1842) «chef d'une subdivision de la phalange grecque». ◇ En sont issus **TÉTRARCHIE** n. f. (1450) et **TÉTRARCHAT** n. m. (1750).

TÉTRALOGIE n. f. est emprunté (1752) au grec *tetralogia,* en parlant de l'ensemble des quatre pièces que les premiers poètes grecs présentaient aux concours dramatiques des Dionysies. ◇ Par extension, le mot est appliqué (attesté en 1861, Baudelaire) à la série des quatre opéras de Wagner qui composent *L'Anneau des Niebelungen,* puis à tout ensemble de quatre œuvres présentant une unité. ◇ Il est repris en médecine (apr. 1950) dans *tétralogie de Fallot,* nom de la maladie («maladie bleue») qui comporte quatre malformations associées et fut décrite par Fallot en 1888.

TÉTRAGRAMME n. m., au XVIe s. comme adj. (1549, dans *nom tétragramme* «formé de quatre lettres») succède comme nom (1834) à *tetragrammaton* (1765), formé à partir du grec *tetragrammos* «formé de quatre lettres», de *gramma* «caractère d'écriture» (→ -gramme). Ce terme de religion désigne l'association des quatre lettres hébraïques figurant le nom de Jéhovah, qui ne doit pas être écrit ou prononcé. ◆ **TÉTRAMÈRE** adj. et n. m. est emprunté (1839) au grec *tetramerês* «formé de quatre parties», de *meros* «partie» (→ -mère). L'adjectif s'emploie en botanique puis (1904) en zoologie ; le nom est un terme de chimie. ◆ **TÉTRAPHONIE** n. f., formé (v. 1970) de *-phonie*,* désigne une technique de reproduction des sons qui fait appel à quatre canaux. Moins courant que *quadriphonie* (→ quadri-), il a produit **TÉTRAPHONIQUE** adj. (v. 1972).

◈ voir VALENCE (TÉTRAVALENCE, TÉTRAVALENT).

TÉTRAS n. m. est emprunté, sous la forme savante *tetrax* dans le dictionnaire de Trévoux (1752) puis francisé en *tétras* par Buffon (1770), au bas latin *tetrax* «coq de bruyère», calque du grec *tetrax,* de même sens. On a rapproché de *tetrax* divers noms d'oiseaux dans les langues indoeuropéennes, mais la parenté entre ces termes n'est pas certaine. Un équivalent grec *tetraôn* a été emprunté par le latin à l'époque classique, sous la forme *tetrao.*

♦ Le mot désigne un oiseau de grande taille qui vit dans les forêts et les régions montagneuses.

TETTE n. f. est probablement issu (v. 1200) d'un germanique occidental *°titta* «sein de femme», dont le radical *°tit-* a peut-être eu le sens de «pointe». À ce radical se rattachent l'allemand *Zitze* «téton, mamelon», le néerlandais *tet* et l'anglais *teat* de même sens. Le germanique est par ailleurs largement représenté dans les langues romanes, l'italien *tetta,* l'espagnol *teta,* l'ancien provençal *teta.* On peut supposer, d'après un latin tardif *dida* «sein, mamelle» et «nourrice», que *°titta* a été introduit à l'époque du Bas Empire par les nourrices, venues nombreuses des pays germaniques. *Dida* est entré en concurrence avec le latin classique *puppa,* lui-même passé dans l'italien *poppa,* l'ancien provençal *popa* et l'ancien français (→ poupard). D'autres parlers recourent aux dérivés de *mamma,* correspondant au français *mamelle.* L'étymologiste espagnol Corominas conclut, non à un emprunt, mais à l'existence de formes expressives du langage enfantin imitant un bruit de succion, tant dans les langues romanes qu'en celtique, en grec *(tithos)* et dans les langues germaniques. Il renvoie à un même type de formations expressives dans les langues non indoeuropéennes.

♦ En français, le mot a désigné longtemps le sein d'une femme (encore au XVIIe s.), spécialement le bout du sein (1660); même au sens de «bout de la mamelle des animaux» (v. 1360), il est sorti d'usage.

▶ *Tette* a produit plusieurs dérivés courants. ◆ **TÉTINE** n. f. (v. 1165) est d'abord le nom du sein, sens qu'il a perdu puis retrouvé dans l'usage familier avec une connotation péjorative. Le mot désigne encore couramment la mamelle de certains mammifères (1393). ◇ Par analogie d'aspect, il s'est dit (1694) de la dépression provoquée dans une cuirasse par une balle de fusil qui ne la traverse pas, sens disparu. ◇ On relève dès le XVIe s. (Paré) le sens de «tire-lait», puis des emplois évoquant un bout de sein artificiel (1834, *biberon en tétine incorruptible,* chez Gautier; 1867 à propos d'un type de biberon); de là vient l'emploi aujourd'hui courant (1867) de *tétine* pour désigner l'embouchure de caoutchouc d'un biberon. ◆ **TÉTER** v. tr. (1190) signifie, pour un jeune animal ou un enfant, «boire le lait de la mère en suçant le mamelon», et a développé ensuite des acceptions figurées au sens de «sucer», le complément désignant des objets fonctionnant comme substituts du sein maternel (1835; *téter son pouce, un cigare...*). ◇ Au jeu de boules, il se dit d'une boule qui touche au but (XXe s.). ◇ Le sens familier de «boire» (1863), en emploi transitif et absolu, est à peu près sorti d'usage. ◇ Le verbe a produit les dérivés **TÉTÉE** n. f. (1611, *tettée*) «action de téter» et «repas du nourrisson», et **TÉTEUR, EUSE** n. (1615), ce dernier également employé au figuré (1929), puis le nom technique **TÉTERELLE** n. f. (1851). ◆ **TÉTON** n. m. est, comme *tétine* et *tette* dans leurs premières attestations, une désignation du sein de la femme (1480), et aussi du mamelon. Il s'est dit également (1658, Scarron) du sein de l'homme. ◇ Il a pris, comme *tétine,* des acceptions analogiques dans le vocabulaire technique (1876). ◇ Les quelques dérivés de *téton,* familiers, sont peu usités. **TÉTONNIÈRE** n. f., autrefois «morceau de dentelle placé sous le corsage pour cacher les seins» (1701), se dit familièrement (1771) d'une femme qui a une forte poitrine; on a employé dans ce sens ① **TÉTONNEUSE** adj. f. (1850). ◇ **TÉTONNER** v. intr. signifie «prendre de la poitrine» (XXe s.). ◇ ② **TÉTONNEUSE** n. f. est un dérivé technique récent de *téton,* et désigne un appareil muni de tétons pour superposer exactement des documents. ◇ **TÉTÉ** n. m., mot du langage enfantin pour «sein» (1901, Colette) est resuffixé en *-é.*

TEUTON, ONNE adj. et n., attesté au XVIIe s. (1654), est emprunté au latin classique *Teutonus,* singulier de *Teutoni* (ou *Teutones*), nom d'un peuple de la Germanie du Nord, envahisseur de la Gaule et vaincu par Marius près d'Aix-en-Provence (Aquae Sextiae) vers 102 avant J.-C.

♦ L'adjectif, didactique pour qualifier (XVIIe s.) ce qui est relatif aux anciens Teutons, est péjoratif (1842, n.; 1884, adj.) pour «Allemand». ◇ *Le teuton* a désigné (1734) la langue germanique médiévale, aujourd'hui nommée *ancien haut allemand.*

▶ *Teuton* a produit deux termes désuets : **TEUTONISME** n. m. (v. 1660) «caractère teuton», remplacé en linguistique par *germanisme,* et **TEUTOMANE** adj. et n. (1835, Heine) «partisan du nationalisme allemand», mot d'histoire du XIXe siècle.

TEUTONIQUE adj., emprunté comme nom masculin (1489) au dérivé latin *teutonicus,* au sens de «Teuton», s'emploie spécialement, en histoire, dans *ordre, chevalier teutonique,* à propos de l'ordre de chevalerie fondé pendant le siège d'Acre (1191) par des chevaliers venant de Brême et de Lübeck. L'ordre a été sécularisé en 1525 et a disparu sous sa forme initiale, les chevaliers s'étant convertis à la Réforme.

TEXTE n. m. est emprunté (v. 1155), après une altération en *tiste* (v. 1112), au latin *textus,* proprement «tissu, enlacement», spécialement «enchaînement d'un récit», d'où à l'époque impériale «teneur (du discours), récit». *Textus* s'est ensuite spécialisé dans l'exégèse pour désigner le libellé authentique de la parole divine et, au IXe s., a désigné matériellement l'Évangile. *Textus,* littéralement «ce qui est tramé, tissé», est la substantivation du participe passé passif de *texere* «tramer, entrelacer», également appliqué au domaine de la pensée (→ tisser).

♦ *Texte* apparaît d'abord dans le vocabulaire religieux, désignant le volume qui contient les Évangiles; ce sens se maintient longtemps et on a appelé *texte* (1704, Trévoux) le livre d'évangiles porté par le diacre aux grandes messes et donné à baiser à l'officiant. ◇ La seconde valeur du latin ecclésiastique est reprise au XIIIe s. : le mot se dit alors (v. 1220, *teuste*) du passage authentique d'un livre saint, opposé à *glose.* ◇ À la même époque apparaît l'emploi pour «énoncé écrit», en tant qu'ensemble des signes qui constituent un écrit, valeur liée au latin *textus.* En même temps, la notion d'authenticité, liée à l'origine, se réalise dans diverses acceptions, par exemple dans la locution disparue *nomer par plain tiexte* «citer exactement un auteur» (XIIIe s.) qui suggère une autre valeur, celle d'«extrait cité». En droit, le mot désigne (v. 1275) les termes authentiques et notés par écrit d'une loi, d'un acte. En religion, il s'emploie (v. 1245) pour un passage de l'Écriture sainte retenu par un prédicateur, cité au début du sermon, puis sujet de son développement. À cette acception se rattachent des emplois vivants du XVIIe au XIXe s. : «thème qui constitue le sujet d'un discours» (1690), d'abord dans *revenir à son texte* (1668) et «sujet d'un entretien» (1762), d'où *prendre texte de* pour «prendre prétexte» (1830), chez Stendhal. Ces emplois ont disparu, mais l'idée subsiste dans le contexte scolaire où *texte* se dit (déb. XXe s.) d'un sujet de travail proposé à des élèves, employé notamment dans *cahier de textes* (déb. XXe s.) et dans *texte libre.* ◆ Un autre développement aboutit au XVIIe s. au sens de «passage, extrait d'un livre que l'on cite» (1636). Le mot commence alors à s'employer en parlant d'une œuvre littéraire, d'abord à l'école à propos du fragment d'une œuvre considérée comme caractéristique d'un auteur, avec *livre à textes* (1690), puis *choix de textes, textes choisis* et, par ailleurs, avec *explication de texte.* ◇ L'emploi pour «œuvre littéraire» ne semble s'établir qu'au XIXe s., en même temps qu'une valeur extensive assimilant un objet culturel interprétable à un texte, d'abord à propos de la musique (chez Balzac). ◆ C'est aussi au XIXe s. que l'idée d'authenticité s'applique au travail d'établissement des textes anciens, en particulier ceux du moyen âge (1872, Littré, *restituer un texte*) : ces emplois sont liés à ceux de *critique* (*critique biblique*, etc.) et de *philologie*. ◇ Le texte étant assimilé à l'écrit, le mot avait déjà désigné en imprimerie les caractères employés : *petit texte* et *gros texte* (1556). ◇ Il se dit encore des paroles d'une chanson (1705), en concurrence avec *paroles*, plus courant, et opposé à *musique*. ◇ Au XXe s., les emplois se sont étendus, mais dans l'emploi quotidien le mot reste lié à l'écrit ou à l'imprimé. *Texte* est peu utilisé en linguistique en France, sinon par emprunt récent à l'allemand dans *linguistique du texte* (*Textlinguistik*) ou *grammaire de texte*, mais il représente un des concepts importants de la sémiotique des langues naturelles, s'appliquant d'ailleurs aussi aux langages formels.

▸ **TEXTUEL, ELLE** adj. a été emprunté, d'abord sous la forme *textuale* (v. 1444), au latin médiéval tardif *textualis*, de *textus*. ◇ Le mot est apparu chez les juristes dans le syntagme *sentence textuale* «prise dans sa forme et son sens littéraux» ; il s'est dit, comme nom (v. 1540) et comme adjectif (v. 1571), de la personne qui sait citer à propos les textes juridiques et qui les connaît bien. ◇ Il est didactique pour qualifier ce qui est dans le texte authentique (1611) et s'est répandu dans l'usage courant au sens de «conforme au texte» (1812). ◇ Il s'emploie familièrement (parfois exclamatif : *textuel !*) pour «exactement cité» (1844), à propos d'une déclaration bizarre, scandaleuse... ◆ Le dérivé **TEXTUELLEMENT** adv. «de manière conforme au texte authentique» (1491) et «en citant exactement» (1811) est abrégé familièrement en **TEXTO** (v. 1950) avec cette dernière valeur.

TEXTUAIRE n. m., nom ancien d'un livre (juridique ou biblique) contenant le texte seul, sans commentaire, est un emprunt (1636) au latin médiéval tardif *textuarius*, de *textus*.

Le premier composé de *texte* apparaît à la fin du XIXe s. : **HORS-TEXTE** n. m. (1907), d'abord dans *planches hors texte* (1882), désigne un document intercalé dans un livre, hors pagination. ◆ Par ailleurs, le développement de la sémiotique, en particulier avec l'école d'A. J. Greimas, et de la critique littéraire, a conduit autour des années 1960 à la formation de termes didactiques à partir de *texte* : **INTERTEXTE** n. m., **PARATEXTE** n. m., **PARATEXTUEL, ELLE** adj., **TEXTOLOGIE** n. f., et de *textuel* : **INTERTEXTUEL, ELLE** adj., **INTERTEXTUALITÉ** n. f. (1968, Kristeva). ◇ **GÉNOTEXTE** n. m. (1968, Kristeva) et **PHÉNOTEXTE** n. m. (*id.*) sont des adaptations du russe (Shaumjan).

HYPERTEXTE n. m., calque (1965) de l'anglo-américain *hypertext*, désigne un système et un procédé permettant de relier automatiquement des éléments d'un texte (mots, séquences, icônes...) à d'autres textes ou fichiers, en informatique. En français, le mot s'est répandu à la fin des années1980.

◈ voir CONTEXTE, ① PRÉTEXTE, ② PRÉTEXTE.

TEXTILE adj. et n. est un emprunt tardif (1752, Trévoux) au latin classique *textilis* «tissé» et «tressé, entrelacé», dérivé du supin (*textum*) de *texere* (→ tisser).

♦ *Textile* est d'abord employé comme adjectif pour «qui peut être divisé en fils propres à faire un tissu». ◇ À partir du XIXe s., il qualifie ce qui se rapporte à la fabrication des tissus (1864, Littré) ; on le rencontre surtout dans des syntagmes comme *fibre, matière textile*, et *machine textile, industrie textile*. ◇ Comme substantif, il désigne la substance propre à faire un tissu (1872) d'où (1912) *textiles artificiels*, ainsi que l'industrie textile elle-même : *le textile* (1929).

TEXTURE n. f. est une réfection savante (v. 1380), de *tisture* (v. 1268), issu du latin *textura* «tissu», de *texere* qui a donné *tisser* (→ tessiture, tisser).

♦ Le mot se dit d'abord de la trame (v. 1268), puis de l'action de tisser, sens encore enregistré comme «peu usité» dans le dictionnaire de l'Académie en 1762, mais depuis longtemps archaïque. ◇ Il s'applique à la fin du XVe s. (1478) à la disposition des «fibres» formant un «tissu» organique, puis à toute disposition matérielle évoquant un entrelacement (mil. XVIIIe s.), notamment en technique et en sciences (pédologie, métallographie, etc.). Dans ces emplois, il concurrence *contexture*, mais se trouve limité par le succès de *structure*. ◇ *Texture*, qui se dit aussi (1540) de l'agencement des parties d'un texte, d'un discours, évoque aujourd'hui une métaphore du tissage.

▸ Quelques dérivés ont été formés au XXe siècle. ◆ **TEXTURER** v. tr. et **TEXTURISER** v. tr. (v. 1950) sont d'usage strictement technique. ◇ Le premier a pour dérivé **TEXTURANT** n. m. (v. 1970), employé dans l'industrie alimentaire. ◆ Dans le vocabulaire de l'art, **TEXTUROLOGIE** n. f., mot créé (v. 1970) par Jean Dubuffet, désigne une peinture évoquant une texture matérielle.

◈ voir CONTEXTE (CONTEXTURE).

TÉZIGUE → TOI

THALAMUS n. m. est un emprunt (1855) au latin scientifique moderne *thalamus*, (*thalami nervorum opticorum*) «couches des nerfs optiques», repris au latin classique *thalamus*, lui-même du grec *thalamos* «chambre», «couche nuptiale», «lit» (→ épithalame). *Thalamus* avait abouti à *talme* (n. m.) «chambre nuptiale» (fin XIe s.) mais semble n'avoir été usité au moyen âge que dans la littérature juive.

♦ Le mot s'est spécialisé en botanique (1855) et en anatomie (1877) où il désigne deux noyaux de substance grise entourant le troisième ventricule du cerveau.

▸ Il a produit **THALAMIQUE** adj. (1905).

HYPOTHALAMUS n. m., attesté dans les dictionnaires en 1933, a succédé à *région sous-thalamique*

(1929). Le mot est attesté en anglais dès 1896. ◇ Il désigne une région du cerveau (diencéphale) située sous le thalamus, et qui est le siège des centres du système neuro-végétatif. Le dérivé **HYPOTHALAMIQUE** adj. semble récent (mil. XXe s.).

THALASS-, THALASSO-, élément formant, est tiré du grec *thalassa* «mer», terme le plus usuel et le plus général à côté des mots *hals* «élément salé», *pontos* «route» (cf. le *Pont-Euxin*) et *pelagos* «vaste étendue» (→ pélagien). Le grec a créé pour désigner la mer des mots qui lui sont propres, et aucun d'entre eux ne contient la racine indoeuropéenne que l'on a dans le latin *mare* (→ mer). L'étymologie de *thalassa*, malgré de nombreuses hypothèses, demeure obscure. Le mot grec a été emprunté en français au XVIe s. sous la forme *thalasse* (n. f.) «mer» (Rabelais).

▸ *Thalass-*, *thalasso-* entre dans la formation de quelques mots savants dont le plus ancien semble être **THALASSOCRATIE** n. f. (1730, Fontenelle) «puissance antique fondée sur la suprématie maritime», formé avec le suffixe *-cratie* ou directement emprunté au grec *thalassokratia* «empire de la mer», de *kratos* «force». ◆ Le plus courant est **THALASSOTHÉRAPIE** n. f. (1865, La Bonnardière) «usage thérapeutique des bains de mer», formé avec l'élément *-thérapie**, et diffusé dans l'usage courant depuis 1960 pour un traitement plus complexe mais nécessitant l'eau de mer; en dérive **THALASSOTHÉRAPEUTE** n. (v. 1950). ◆ On note encore les termes de sciences naturelles **THALASSICOLE** adj. (1904) «qui vit en mer» (→ -cole) et **THALASSOTOQUE** adj. (1927, Roule) formé avec le grec *tokos* «frai», et qualifiant un poisson qui se reproduit en mer, ainsi que le terme de médecine **THALASSÉMIE** n. f. (1959), de *-émie*, dont est tiré **THALASSÉMIQUE** adj. et n. (v. 1970).

THALLE, THALLOPHYTES → TALLE

THALWEG ou **TALWEG** n. m., d'abord sous la forme en *th-* (XVIIe s.), puis *talweg* (1812), graphie la plus courante aujourd'hui, est emprunté à l'allemand *Thalweg* ou *Talweg*, proprement «chemin de la vallée». Le premier élément en est *T(h)al* «vallée» (ancien haut allemand et gotique *dal* «vallée, cavité, fosse») qui a des correspondants en néerlandais *(dal)*, anglo-saxon (*dael, dell* «vallée, golfe, abîme») et anglais *(dale, dell)*, et se rattache à une racine indoeuropéenne °*dho-*. Le second est *Weg* «chemin», mot issu du gotique *wigs* et ayant des correspondants dans les langues germaniques (anglais *way*), du groupe de *wiegen* «bercer, balancer», apparenté selon Kluge à celui de *wackeln* «faire balancer, agiter», du moyen haut allemand *wackeln*.

♦ Le mot a été introduit en géographie pour désigner la ligne de plus grande pente d'une vallée, suivant laquelle se dirigent les eaux. ◇ Il s'emploie par analogie en météorologie, à propos d'une zone dépressionnaire allongée entre deux anticyclones.

THANATO- est un premier élément, tiré du substantif grec *thanatos* «mort» (parfois personnifiée), et qui entre dans la formation de quelques termes didactiques. Le sens de «mort», si l'on en croit le rapprochement avec un verbe sanskrit signifiant «s'éteindre, devenir sombre», résulterait d'un euphémisme.

▸ **THANATOLOGIE** n. f. (1872, Littré), de *-logie*, «étude des différents aspects de la mort», a servi à former **THANATOLOGUE** n. (v. 1950). ◆ **THANATOPHOBIE** n. f. (1872), de *-phobie*, est un terme rare de psychiatrie. ◆ Plus récemment introduit, **THANATOPRAXIE** n. f. (v. 1972), de *-praxie* (du grec *praxis* «exécution»; → pratique), désigne la technique d'embaumement des cadavres. ◇ Le mot a entraîné la formation de **THANATOPRACTEUR, TRICE** n. (v. 1979), sur le modèle de *chiropracteur*. ◆ **THANATOS** n. m., emprunt au grec, est employé en psychanalyse par emprunt à l'allemand (XXe s. : Federn en allemand; 1935 en anglais) pour désigner l'ensemble des pulsions de mort; il est le plus souvent sans déterminant et avec une majuscule. Le terme est associé et opposé à *Éros* (→ érotique), la pulsion de vie, par référence au mythe antique, marquant le caractère radical de l'opposition. Bien que le terme ait été employé par Freud dans la conversation, selon plusieurs témoignages, il ne figure pas dans les écrits freudiens.

THAUMATURGE adj. et n. m. est emprunté (1610) au grec *thaumatourgos* «qui fait des tours d'adresse», spécialement en grec chrétien «faiseur de miracles». Ce mot est formé de *ergon* «action» (→ ② erg) et, pour le premier élément, de *thauma* «objet d'étonnement ou d'admiration», «merveille», en particulier (au pluriel) «tours de force, d'adresse», rapproché de *thea* «action de regarder» et par métonymie «spectacle» (→ théâtre).

♦ En français, le mot est littéraire ou didactique pour qualifier et désigner une personne qui fait des miracles.

▸ Il a produit **THAUMATURGIQUE** adj. (1623) et, probablement par emprunt au grec *thaumatourgia*, **THAUMATURGIE** n. f. (1831), plus rares.

THÉ n. m., (1648), aussi écrit *tay* (1652), est emprunté au malais *teh, te* ou à un mot *t'e* de dialectes chinois méridionaux (Formose) par le néerlandais (v. 1610), dans des textes en latin moderne. La plante est en effet originaire d'Asie et la botanique et la médecine chinoises en font remonter l'usage au IIIe millénaire avant l'ère chrétienne sous le règne de l'empereur mythique Shennong. Décrite sous divers noms chinois, elle était appréciée comme soulageant les fatigues, fortifiant la volonté et ranimant la vue. Au Ve ou au IVe s., elle se répandit dans la vallée du Yangzi et dans le sud de la Chine et commença à être représentée par l'idéogramme actuel transcrit *cha*, sans doute dérivé du caractère classique transcrit *tu*. En Occident, le mot est mentionné plusieurs fois (851 en arabe par le commerçant Sulayman) avant que la plante ne soit importée en Europe par la Dutch East Company (fondée en 1602) en 1606. Plusieurs langues ont emprunté leur nom du thé au chinois classique *cha*, comme le portugais (*cha*, 1559), le russe *(tchaï)*, le turc et le persan. La pluralité des voies commerciales explique qu'on ne puisse trancher entre l'étymon chinois dialectal et le malais.

♦ Le mot sert à désigner la plante et, par métonymie, ses feuilles récoltées et séchées (1664), ainsi que la boisson que l'on prépare avec elles (1657). Selon le degré de séchage, on parle de *thé vert* (1704) ou, simplement, de *thé* (alors que le chinois distingue ce qu'on nomme en français *thé vert, thé noir, thé rouge*). ◇ Par extension, au fur et à mesure que l'usage du thé comme boisson se développe en France, et surtout en Angleterre *(tea)*, après son usage thérapeutique, *thé* se dit de cette boisson servie lors d'une collation et désigne la collation elle-même (1751) et, en particulier, une réunion où l'on sert le thé, des gâteaux (1779) d'où *thé dansant* (déb. XXe s.) et *salon de thé.* Ces emplois doivent beaucoup à l'anglais *tea*, le sens de «collation au milieu de l'après-midi» étant directement emprunté à l'anglais *(five o'clock) tea.* L'emploi du mot pour désigner un service à thé (1844) est sorti d'usage. ➔ Sans autre précision, le mot désigne le thé noir, préparé avec des feuilles torréfiées ; on emploie sinon le syntagme *thé vert.* C'est le cas dans *thé de Chine, de Ceylan,* les variétés étant nommées d'après la provenance. *Thé au lait, thé citron, thé à la menthe* caractérisent des façons de servir le thé, ainsi que *thé glacé,* calque probable de l'anglais *iced tea.* ◇ Il arrive que *thé* s'emploie pour *thé vert,* dans le contexte japonais (la *cérémonie du thé*). ➔ Par analogie, le mot désigne (v. 1750) une plante à infusion, alors qualifié par un complément en *de* ou un adjectif, et surtout l'infusion qu'on en fait ; *thé de tilleul,* etc. est aujourd'hui un régionalisme : les mots neutres sont *tisane* et *infusion* (l'anglais *tea* a conservé cet emploi). ➔ En apposition, *rose thé* se dit d'une rose de la couleur du thé infusé.

▶ Le dérivé le plus ancien et le plus usuel est **THÉIÈRE** n. f. (1698) concurrencé par *thehère* (1704), *thétière* (1715) qui n'a pas vécu. ◇ Le mot, parallèle à *cafetière,* désigne le récipient spécifique dans lequel on fait infuser le thé. ➔ **THÉIFORME** adj. s'est employé (1732) pour «qui ressemble au thé», valeur didactique et archaïque, et a été reformé en botanique à propos d'une ressemblance avec l'arbre à thé. ➔ **THÉINE** n. f. (1842) a désigné l'alcaloïde du thé et du café (appelé aujourd'hui *caféine*). ➔ ② **THÉISME** n. m. (1871) s'applique aux accidents dus à une consommation excessive de thé (du fait de l'alcaloïde). ➔ ① **THÉIER, IÈRE** adj. est rare pour «relatif au thé, en tant que denrée» (1872). ➔ ② **THÉIER** n. m., d'abord *theyer* (1779), est formé sur le modèle de *caféier* et désigne l'arbre à thé.
Le composé **PASSE-THÉ** n. m. (v. 1900) désigne une petite passoire pour le thé.

THÉÂTRE n. m. est emprunté (mil. XIIe s.) au latin classique *theatrum* «lieu de représentation», par métonymie «public» et par figure «scène», lui-même emprunté au grec *theatron.* Ce mot est dérivé de *thea* «action de regarder», «vue, spectacle, contemplation», que l'on rapproche à l'intérieur de la langue grecque de *thauma* «merveille» (→ thaumaturge).

♦ Le mot a été emprunté au latin pour désigner un endroit où se déroule, devant des spectateurs, un combat singulier puis, comme terme d'antiquité romaine (1213), l'amphithéâtre où se donnaient les spectacles publics à Rome. ◇ C'est avec le développement des spectacles profanes, à côté des *mistères* chrétiens, qu'il commence à être appliqué au lieu, à la salle où ont lieu les représentations (1370) et, en même temps (fin XIVe s.), au bâtiment où viennent les spectateurs. ◇ Une autre métonymie concernait ce qui est joué sur la scène (fin XIVe s.), emploi disparu ainsi que quelques locutions plus tardives comme *ouvrir le théâtre* (1690) «commencer une représentation» et, pour un acteur, «entrer le premier en scène» (1718). ◇ L'usage du mot pour désigner une estrade dressée, destinée à une cérémonie publique (1549), est lié à l'habitude ancienne de donner des représentations en plein air, sur des tréteaux ; au XVIIe s., ce sens était encore vivant, le mot désignant aussi les gradins où étaient placés ceux qui assistaient à une cérémonie (1600), encore au XIXe siècle. ◇ La naissance de la tragédie moderne, au XVIe s. en France, puis le développement de l'activité théâtrale, surtout à l'âge classique, conduisent à une prolifération des emplois. Le mot désigne depuis lors les œuvres dramatiques d'un auteur et celles d'une époque ou d'une nation (1561 ; *le théâtre français, anglais*) et la poésie dramatique elle-même (1573). Par métonymie, il recouvre (1636) la représentation et aussi (1616) l'ensemble des acteurs. Si ce dernier emploi a disparu, *un théâtre* se dit de nos jours pour l'entreprise qui donne des spectacles, avec son personnel, etc. (depuis 1693). ◇ Le spectacle théâtral est théorisé au XVIIe s. et le mot désigne alors (1657, d'Aubignac) l'art de composer des ouvrages dramatiques et l'art de l'acteur, puis le genre lui-même, incluant tous les aspects du spectacle théâtral (interprétation, mise en scène) ou seulement, comme au XVIe s., le texte mis en œuvre par ce spectacle *(le théâtre de Racine).* Dans de nombreux emplois et s'agissant de ce type de spectacle, *théâtre* est concurrencé par *scène* et par les mots désignant des types : *comédie* (autrefois synonyme), *tragédie, drame, vaudeville,* etc. ➔ De nombreuses expressions et locutions correspondant à ce sens général apparaissent, par exemple ***pièce de théâtre*** (av. 1650), d'où absolument *pièce,* ou encore *costume de théâtre* (1694), *écrire pour le théâtre* (1680). Depuis le XVIIIe s. ***coup de théâtre*** désigne un événement brusque, imprévisible, à la scène (1743), puis dans la vie (1762). ◇ Le mot a aussi désigné le décor de la scène (1694, *changement de théâtre*), sens disparu au XIXe siècle. ◇ Avec la coutume de placer des spectateurs sur la scène, il s'est dit (1671) des bancs disposés pour les recevoir. ◇ Il est entré ensuite dans de nombreux syntagmes figés, en particulier au XXe s. pour caractériser un aspect du théâtre, par exemple *théâtre de (la) foire,* en histoire du théâtre (XVIIIe-XIXe s.), *théâtre de boulevard**, *théâtre pur* (1927, *théâtre-théâtre*), *théâtre populaire, théâtre total* (1966), etc.
Par analogie avec l'amphithéâtre antique ou avec la scène, le mot s'emploie dans *théâtre d'eau* (1671), sorti d'usage et ***théâtre de verdure,*** autrefois *théâtre de fleurs* (1715) «gradins destinés à recevoir des plantes fleuries». Il désignait en architecture (v. 1691) un ensemble harmonieux de bâtiments.

◇ *Théâtre anatomique* s'est employé (1691) jusqu'au XIXᵉ s. *(théâtre d'anatomie)* pour le lieu destiné aux dissections. ◇ Par une analogie plus lointaine, *théâtre* a désigné en marine le gaillard d'avant (1690) et, par ailleurs, des constructions rappelant la forme de l'estrade ancienne, par exemple dans le domaine de la pêche (1772); ces emplois ont disparu.

L'idée de jeu a donné lieu à une acception figurée (1660), «attitude artificielle», *théâtre* s'opposant alors au naturel de la vie, seulement conservée dans *de théâtre* (fin XVIIᵉ s.) et reprise par *théâtral* (ci-dessous). ◇ Une autre valeur figurée, plus ancienne, «lieu où se produit qqch.» (v. 1360), s'est mieux implantée, fournissant dans le vocabulaire militaire *théâtre de la guerre* (1662), aujourd'hui *théâtre des opérations* (1913), puis d'après l'anglais *theater*, simplement *théâtre* (v. 1980). ◇ Le mot équivalait d'ailleurs en français classique à «lieu, situation politique où se produit qqch.» (1676).

▸ *Théâtre* a donné le dérivé moderne **THÉÂTREUX, EUSE** adj. et n. (1888), péjoratif comme n. f. (1896) à propos d'une comédienne sans talent, autrefois d'une actrice demi-mondaine (1898), et désignant familièrement (1901) une personne qui fait du théâtre. ◆ Il a servi à former **THÉÂTROPHONE** n. m. (1881) sur le modèle des noms en *-phone* (→ téléphone), nom d'un ancien appareil transmettant à domicile les éléments sonores d'un spectacle théâtral, et **THÉÂTROTHÉRAPIE** n. f. (v. 1950) «psychothérapie à base d'improvisation théâtrale».

THÉÂTRAL, ALE, AUX adj., emprunté (1520) au dérivé latin *theatralis* «relatif au théâtre» et «faux», a évincé *théâtrique* (adj.), lui-même emprunté (1482) au latin *theatricus*, en usage jusqu'au XVIIᵉ siècle. ◇ L'adjectif s'applique à ce qui concerne le théâtre et, comme le mot latin, à ce qui a le caractère outré de la scène (1690), aussi substantivé dans cet emploi (1941, *le théâtral*). ◆ Il a produit **THÉÂTRALEMENT** adv. (1764, Voltaire), employé au figuré, et, au XXᵉ s., **THÉÂTRALISER** v. tr. (1927) d'où **THÉÂTRALISATION** n. f. (1964), ainsi que **THÉÂTRALISME** n. m. (une fois en 1845; chez Valéry, 1915) et **THÉÂTRALITÉ** n. f. (1842). ◆ **ANTITHÉÂTRAL, ALE, AUX** adj. (v. 1750) qualifie ce qui s'oppose au spectacle théâtral et ce qui n'en possède aucun caractère.

◈ voir AMPHITHÉÂTRE.

THÉBAÏDE

THÉBAÏDE n. f. est un dérivé savant (1674, Mme de Sévigné) du latin *Thébaïs, -idis*, nom d'une contrée de l'ancienne Égypte, voisine de Thèbes (latin *Thebae*, grec *Thêbai*), où se retirèrent les ascètes chrétiens aux premiers temps du christianisme.

♦ Le mot, d'usage littéraire, signifie «lieu désert et solitaire» dans la littérature classique, puis, après sa reprise (1803), dans un style très recherché.

① THÉISME

① THÉISME n. m. est l'adaptation (1745) de l'anglais *theism*, formé sur le grec *theos* «dieu» (→ théo-) avec le suffixe *-ism* correspondant au français *-isme*.

♦ Le mot, distinct de *déisme**, est considéré comme son synonyme dans des emplois non techniques.

▸ **THÉISTE** n. et adj., appliqué à la personne qui professe le théisme, est l'adaptation (1705) de l'anglais *theist* (fin XVIIᵉ s.), fait sur le grec *theos* avec le suffixe *-ist*.

② THÉISME → THÉ

THÈME

THÈME n. m., réfection savante (v. 1425) de *tesme* (v. 1240), graphie encore relevée dans plusieurs dictionnaires du XVIᵉ s., est emprunté au latin de la rhétorique *thema*, lui-même emprunté à l'époque impériale au grec *thema*. Ce dernier est dérivé du verbe *tithenai* «poser», qui est à la base d'un certain nombre de mots repris en français (→ thèse) et signifie proprement «ce que l'on pose»; de là, il s'est appliqué à une somme d'argent déposée, à une offrande, à la racine d'un mot, à la position des astres lors de la naissance, enfin au sujet d'un développement oratoire. Par métonymie, il désigne également l'objet dans lequel on dépose, empiétant sur le domaine de *thêkê* (→ taie, -thèque dans bibliothèque).

♦ Le mot a été emprunté dans le sens scolastique de «sujet traité, proposition que l'on pose pour la développer» (v. 1240), emploi considéré comme pédantesque au XVIIᵉ siècle. Il reçoit aux XIXᵉ et XXᵉ s. une spécialisation technique en musique où il désigne un motif mélodique, harmonique et rythmique, sur lequel un développement est basé (1814, puis 1821; *théma* 1807). Plus récemment en tactique militaire où on appelle *thème de manœuvre* un problème tactique (1935), et en critique littéraire. ◇ Parallèlement, dès le XIVᵉ s., *thème* (d'où l'anglais *theme*) est repris dans le vocabulaire religieux (1372, *thieume*), désignant en concurrence avec *texte** un passage biblique cité au début d'un sermon qui en fait le commentaire. Il a désigné, selon la même évolution que *texte**, une composition d'écolier sur un sujet donné (1580). C'est à ce sens disparu que se rattachent le sens de «trame d'un exposé» (1837), sorti d'usage, et la locution usuelle ***fort en thème*** (1852), interprétée aujourd'hui à tort d'après le sens restreint et scolaire de *thème* «traduction de la langue maternelle dans une langue étrangère» (1718); le mot recouvrait auparavant (1690) toute traduction, y compris la version*. ◇ La diffusion rapide du mot est attestée par les valeurs qu'il a prises dans le style administratif et juridique, avec des altérations régionales pour «manière de parler», «caprice», «idée fixe» (d'après P. Zumthor). ◇ Les grammairiens classiques s'en servent pour désigner la première personne du présent de l'indicatif d'un verbe grec (1655). Ultérieurement, la grammaire l'emploie pour le radical d'un verbe (1765), aujourd'hui seulement dans le cas de langues de flexion pour désigner la racine (1842). ◇ Au XVIIᵉ s., les faiseurs d'horoscopes réempruntent le mot aux astrologues grecs et latins pour «figure de la position des astres au moment de la naissance de qqn» (1690, *thème céleste*); on dit dans ce sens *thème astral*. ◆ Les historiens de l'antiquité l'ont repris au sens de «circonscription administrative de l'Empire byzantin» (1726, Fontenelle) au grec *thema* qui, depuis le VIIᵉ s., désignait à Byzance un corps d'armée et la région qu'il régissait.

▸ **THÉMATIQUE** adj. est emprunté (1572) au dérivé grec *thematikos*, avec le sens ancien de «relatif à un sujet que l'on développe dans un discours». Il ne développe ses sens modernes qu'à partir du XIXe s. : en musique (1836), en phonétique (1872, *voyelle thématique*), puis en critique littéraire (1927) et plus récemment en linguistique. ◇ Il est substantivé (1936, *la thématique*, n. f.) à propos d'un ensemble organisé de thèmes, spécialement dans une œuvre littéraire, cinématographique. ◇ *Thématique* a produit les dérivés didactiques **ATHÉMATIQUE** adj. (1888), **THÉMATISER** v. tr. (1935) et **THÉMATICIEN, IENNE** n. (v. 1970). ◇ **THÉMATISME** n. m. (attesté v. 1950) est un terme de philosophie, comme le préfixé **ATHÉMATISME** n. m. (fin XIXe s.).

◈ voir **ANATHÈME**.

THÉO-, élément formant, est tiré du grec *theos* «dieu» (par opposition à «homme», notamment au pluriel). Au singulier et au pluriel, *theos* et *theoi* désignent la divinité, sans qu'il soit possible de reconnaître une notion monothéiste. *Theos* est d'origine inconnue, un rapprochement avec le latin *deus* (→ dieu) et le sanskrit *devá-* étant impossible. On admet en général la chute d'un sigma et on évoque des composés en *thes-*, *theskelos* «extraordinaire», *thesphatos* «annoncé par les dieux, prédit». Une hypothèse rapproche des formes à *ē* long en arménien et en latin *feriae* (→ férié) et *festus* (→ fête). C. Gallavotti évoque la racine °*dhe-* du grec *tithenai* «poser, placer, mettre» (→ thèse) et suggère que le dieu serait originellement une stèle de pierre que l'on dresse. L'ensemble reste très incertain.

⧫ *Théo-* entre dans la formation de divers termes théologiques et de quelques termes scientifiques. La plupart des composés sont des emprunts, faits à partir du XVIe s., à des formations grecques ; → aussi théologie.

▸ **THÉOGONIE** n. f. est emprunté (1556, dans une traduction d'Hérodote) au grec *theogonia* «naissance ou origine des dieux» et «généalogie des dieux», de *theogonos* «né d'un dieu, divin», lequel est composé de *theos* et *-gonia* «origine», qui se rattache à la même racine indoeuropéenne que le latin *gens* (→ gens), *genus* (→ genre). ◇ Le mot se dit d'un récit expliquant, dans une religion polythéiste, la naissance des dieux et leur généalogie et, par métonymie, désigne l'ensemble des divinités dont le culte forme le système religieux d'un peuple (1764). ➛ On en a tiré l'adjectif didactique **THÉOGONIQUE** (1839).

THÉOCRATIE n. f. est emprunté (1679) au grec chrétien *theokratia* (Ier s.), littéralement «gouvernement de Dieu», de *theos* «dieu» et *-kratia* (→ -crate, -cratie). ◇ Le mot s'applique à un gouvernement dont l'autorité, censée émaner de Dieu, est exercée par une caste sacerdotale ; il s'est quelquefois employé avec une intention polémique (pendant la Révolution) à propos d'un régime dans lequel les prêtres jouent un rôle politique important. ➛ Il a pour dérivés **THÉOCRATIQUE** adj. (1701), **THÉOCRATE** n. m. (1775).

THÉOSOPHE n. est emprunté (1704) au latin médiéval *theosophus* (XIe s.), lui-même pris au grec *theosophos* «qui connaît les choses divines», de *theos* et *sophos* «habile, instruit, sage» (→ philosophe, sophisme). ◇ Le mot désigne l'adepte d'une philosophie ésotérique fondée sur la contemplation de l'univers et l'illumination intérieure ; il s'applique (1810) aux penseurs des XVIIe et XVIIIe s. qu'on a nommés *illuminés* et, par un autre emprunt, à ceux qui pratiquaient l'art de la divination, dans l'antiquité (1842). ➛ L'emploi, à la Renaissance, de **THÉOSOPHISTE** n. m. (1582) comme synonyme péjoratif de *théologien*, est indépendant de *théosophe* et vient d'un jeu de mots avec *sophiste**.

➛ **THÉOSOPHIE** n. f. est emprunté (1710) au latin médiéval ou au grec *theosophia* «sagesse de dieu», de *sophia* (→ philosophie). Le mot apparaît chez plusieurs Pères de l'Église grecs et latins comme synonyme de «théologie», *sophia* désignant à la fois une connaissance, une doctrine et une sagesse. Depuis le début du christianisme jusqu'à la Renaissance, son emploi s'est parfois écarté de celui de *theologia*, suggérant plus ou moins l'existence d'une connaissance de type gnostique. Les contours du concept restent flous jusqu'au XVIIe s. où il se précise, peut-être sous l'influence de l'Arbatel, livre de magie blanche (v. 1550-1560) et surtout de la diffusion de l'œuvre de J. Boehme. La théosophie s'élabore et se répand en Allemagne, à l'époque de l'apogée de la littérature baroque et de la naissance du mouvement des Rose-Croix (1610-1620). Il s'accompagne alors d'un mot à la mode dans les milieux rosicruciens et paracelsiens, *pansophia*, d'où *pansophie* n. f. (avec *pan-* «tout», → pan) qu'il finit par absorber. Au XVIIIe s., mot et concept entrent dans le vocabulaire philosophique et se répandent largement, notamment à travers l'œuvre du pasteur Jacob Brucker (*Historia critica philosophiae*, 1741, Leipzig). ◇ Le mot, absent de presque tous les dictionnaires français du XVIIIe s. (en dehors d'une courte mention dans Trévoux), fait l'objet d'un long article de Diderot (1765, *Encyclopédie*) très inspiré de Brucker. Le terme sera un moment dévoyé quand Mme Blavatsky fondera la *Société théosophique* (1785) qui n'a avec la théosophie traditionnelle que des rapports lointains. Un emprunt postérieur au latin en fera momentanément un terme d'antiquité (1823). ➛ **THÉOSOPHIQUE** adj. (1784) et **THÉOSOPHISME** n. m. (v. 1750) ont suivi cette évolution. Ce dernier a en outre le sens de «système de ceux qui admettent que nous voyons, sentons et pensons en Dieu» (1810), repris à l'allemand *Theosophismus*, créé par Kant.

THÉODICÉE n. f., apparu en 1710 dans le titre de l'ouvrage de Leibniz, *Essais de théodicée sur la bonté de Dieu, la liberté de l'homme et l'origine du mal*, a été créé par ce philosophe, à partir de *théo-* et du grec *dikê* «règle, droit, justice» (→ syndic). ◇ Le mot désigne la justification de la bonté divine par la réfutation des arguments tirés de l'existence du mal. Il a été employé au XIXe s. à propos de l'une des quatre parties de la philosophie enseignée dans les lycées qui traitait de l'existence et des attributs de Dieu (1834).

◈ voir **APOTHÉOSE, ATHÉE, ENTHOUSIASME, PANTHÉISME, POLYTHÉISME,** ① **THÉISME, THÉOLOGIE.**

THÉODOLITE n. m., d'abord nom d'un instrument d'arpentage (1704) est emprunté au latin scientifique *theodolitus*, nom donné en 1571 par son inventeur, Digges à cet instrument; l'anglais *theodolite* est attesté en 1607. L'étymologie en est obscure; on a proposé divers radicaux grecs — le moins gratuit étant *dêlos*, «visible» — et aussi une déformation de *alhidada* → alidade. Pour une raison inconnue, l'initiale est devenue *theo-*, et l'on ne voit pas d'explication autre que formelle à un rapport avec le grec *theos* «dieu».

♦ Le mot désigne un instrument de visée muni d'une lunette, servant à mesurer les angles horizontaux et verticaux, à lever des plans géodésiques et, en astronomie, à déterminer la hauteur apparente et l'azimut d'un corps céleste.

THÉOLOGIE n. f. est emprunté (1261) au latin classique *theologia*, repris par Varron au grec *theologia* «recherche sur la divinité», «doctrine des choses divines»; le mot dérive de *theologos* «de la nature divine», «qui traite de Dieu», composé de *theos* (→ théo-), et de *logos* (→ -logie). En bas latin ecclésiastique, *theologia* désignait la lecture commentée des textes sacrés *(lectio divina)*; le mot prend chez Abélard (1123, *Theologia christiana*) une valeur plus large, désignant l'étude des questions religieuses (connaissance de Dieu et de ses attributs) fondée sur les textes sacrés.

♦ C'est avec ce sens que *théologie* s'introduit en français. Le mot s'est employé avec une valeur beaucoup plus large qui ne s'est pas maintenue, équivalent partiel de «mythologie, cosmogonie» (1375); il ne s'applique à une religion autre que le christianisme qu'à partir du XVIIe s. (v. 1660), reprenant sa valeur étymologique. À partir du XVIe s., avec le renouvellement des études théologiques, il entre dans *théologie naturelle* (1551) désignant la partie de la philosophie qui traite de la théologie en se fondant sur la raison, puis *théologie positive* (1636), qui repose sur l'Écriture et les Pères de l'Église, *théologie morale* (1690), etc., jusqu'à *théologie de la parole* au XXe siècle. ◇ Depuis le moyen français (XIVe s.), le mot désigne les études de théologie, qui avaient une importance majeure dans la formation intellectuelle au moyen âge et jusqu'au XVIIIe siècle. Il s'emploie aussi pour une doctrine théologique particulière *(la théologie de saint Augustin)* puis à propos d'une étude théologique portant sur un point particulier de doctrine.

▸ Les dérivés sont formés au XIVe s., en même temps qu'est introduit *théologie*. ◆ **THÉOLOGIEN, IENNE** n., «spécialiste de théologie» (1280; 1508 au féminin), désigne par extension un étudiant en théologie (attesté 1743; certainement antérieur). Le mot s'est employé en moyen français comme adjectif (1380), remplacé par *théologique* (ci-dessous). ◇ Il a coexisté avec un emprunt au latin médiéval *theologus* : *théologe* (v. 1350) puis *théologue* (1480); ce dernier s'est spécialisé à la fin du XVe s. comme terme d'antiquité (1495) au sens large du latin, relevé jusqu'au XIXe siècle. ◆ **THÉOLOGAL, ALE, AUX** adj. ne s'emploie (1375) que dans ***vertu(s) théologale(s)***; il a eu aussi (XVe s.) le sens de *théologique*, jusqu'au XVIIe siècle. ◆ Substantivé, le mot désignait (1671) le chanoine du chapitre d'une cathédrale qui enseignait la théologie, *la théologale* (n. f.) se disant (1680) de la prébende, puis de la dignité (1694) d'un *théologal*. ◆ **THÉOLOGISER** v. intr. «faire des spéculations théologiques» (1380) est sorti d'usage.
Le français a emprunté **THÉOLOGIQUE** adj. «relatif à la théologie» (1375) au bas latin *theologicus* (IVe s.), lui-même repris au grec *theologikos*, dérivé de *theologos*. ◆ L'adjectif, qui appartient au vocabulaire religieux, a pris un sens particulier dans la philosophie d'Auguste Comte; l'*état théologique* y désigne (1830) l'époque la plus primitive (sous la forme du fétichisme, auquel succèdent polythéisme et monothéisme) du développement de l'esprit humain, dans laquelle les phénomènes naturels sont interprétés comme dépendant de forces surnaturelles. ◆ L'adjectif a produit **THÉOLOGIQUEMENT** adv. (1574).

THÉORBE ou **TÉORBE** n. m. est emprunté (1640, *teorbe;* fin XVIe s., *tuorbe*) à l'italien *tiorba*, d'origine inconnue; l'instrument qu'il désigne aurait été inventé vers 1575 par un musicien florentin du nom de Bardello. L'adaptation du mot en français sous sa forme actuelle ne s'est pas faite immédiatement : on a d'abord écrit *tuorbe*, forme conforme à l'italien, préférée au XVIIe s., puis *téorbe* (XVIIe s.) et en outre *tiorbe* (XVIIe s.) et *torbe* (XVIIIe s.). La graphie en *th-*, dominante aussi en anglais (1605, *theorbo*), est probablement due à une hypercorrection d'après les mots en *théo-* issus du grec.

♦ Le mot désigne un luth à deux manches, qui accompagnait des monodies chantées ou assurait le continuo, et a disparu au milieu du XVIIIe siècle.

THÉORÈME n. m. est un emprunt (1539) au latin impérial *theorema* «proposition», spécialement «proposition démontrable», lui-même repris au grec *theôrêma* «ce qu'on peut contempler», d'où «objet d'étude», «principe», «proposition démontrable». Le nom est dérivé de *theôrein* «observer», «examiner» (→ ① théorie).

♦ En français, le mot s'emploie pour «proposition soumise à démonstration» en logique, puis (1585) en mathématiques, par opposition à *postulat, axiome* ou *définition*, et parfois en sciences humaines (1767).

▸ **THÉORÉMATIQUE** adj. est un emprunt savant (1901) au dérivé grec *theôrêmatikos* «qui s'accorde avec ce qu'on a observé», «qui procède par théorèmes». L'adjectif est surtout employé dans *sciences théorématiques*, énonçant des lois, par opposition à *sciences historiques* et *normatives*.

① **THÉORIE** n. f. est emprunté (v. 1380) au bas latin *theoria* «recherche spéculative», lui-même repris au grec *theôria* «groupe d'envoyés à un spectacle religieux, à la consultation d'un oracle», «ambassade» puis, à partir de Platon, «contemplation, considération». Le mot est dérivé de *theôros* «spectateur», mais d'abord et surtout «consultant d'un oracle» et «assistant à une fête religieuse». *Theôros* a de nombreux dérivés en grec, axés sur les notions d'oracle, de spectacle religieux, mais aussi de contemplation, de vision abstraite, de spéculation (*theôrein*, en grec moderne, signifie encore «considérer»). L'origine par composition de *thea* «spectacle» (→ théâtre) et *oros* «qui observe» pose un problème géographique (*thea* est seulement attique) et sémantique, la notion religieuse d'oracle étant première, et non celle de spectacle. Pour l'élément *thea* dans *thearos, theôros,* on a pu évoquer l'influence de *theos* «dieu» (→ théo-). Ainsi, pour H. Roller, *theo-ôros* correspond à «qui observe *[ôros]* la volonté de Dieu». Quoi qu'il en soit, *theôria* a pris l'acception de «contemplation, méditation» à partir de Platon, et celle de «spéculation abstraite» opposée à la pratique en grec hellénistique, valeur passée en latin.

♦ Le mot désigne en moyen français la vie contemplative et la science spéculative. Il devient un terme de philosophie à partir du XVIe s. (par ex. chez Cholières, 1587, où le concept a déjà une valeur scientifique), et reprend le premier emploi de *théorique* (ci-dessous), «connaissance purement rationnelle», opposé à *pratique*. ◇ Au début du XVIIe s., il se dit de ce que l'on enseigne à propos de quelque chose (1610), se spécialisant dans le domaine militaire pour les principes de la manœuvre (1636), mais surtout en sciences (1625, *la théorie des planètes*); dans ce cadre, il désigne une construction intellectuelle méthodique et organisée, de caractère hypothétique pour certaines de ses parties. C'est au XVIIIe s. qu'il prend le sens de «système de concepts abstraits, organisé, appliqué à un domaine» (1765), parfois utilisé de façon péjorative, surtout au pluriel (1825). L'opposition entre la théorie «grise» (Goethe) et la pratique, la réalité vivante, est un thème banal au XIXe s. et au XXe siècle.

▸ *Théorie* a fourni **THÉORISTE** n. m. (1530), encore relevé à la fin du XVIIIe s. puis abandonné et remplacé par *théoricien* (ci-dessous). ◆ **THÉORISER** v. «présenter une théorie» (1829, intr.) et «mettre en théorie» (1904) est en revanche bien vivant. ◇ Il a pour dérivé **THÉORISATION** n. f. (1891).

THÉORIQUE adj. est un emprunt d'abord comme nom féminin (1256, *la théorique*) au bas latin *theoricus* «spéculatif», lui-même emprunté au dérivé grec *theôrikos* qualifiant d'abord les spectacles religieux et les ambassades religieuses, avant de suivre le substantif *theôria* dans son évolution. ◆ D'abord substantif opposé à *pratique*, le mot a désigné (1372) l'ensemble des connaissances qui concernent un domaine, valeurs reprises par *théorie*. ◆ Quant à l'adjectif (v. 1380), il s'applique à ce qui concerne la connaissance spéculative. Il qualifie couramment (1859) ce qui n'a pas de rapport vérifiable avec la réalité et s'oppose alors à *expérimental* ou à *vécu*, souvent avec une valeur péjorative comme *théorie*. ◆ Il a fourni **THÉORIQUEMENT** adv. (1557), qui n'est devenu courant qu'au XXe s., surtout opposé à *en réalité*. ◆ Un autre dérivé de l'adjectif est **THÉORICIEN, IENNE** n. (1550). Ce dernier, noté «inusité» par Féraud (1788), a été repris à la fin du XVIIIe s. avec une valeur politique, remplacé par *idéologue**. Au XIXe s., il est devenu usuel pour «personne qui élabore une théorie» ou «qui étudie une question du point de vue théorique».

◈ voir ② THÉORIE.

② **THÉORIE** n. f. est emprunté à la fin du XVIIIe s. (1788) au grec *theôria* «procession sacrée», proprement «groupe d'envoyés à un spectacle religieux, à la consultation d'un oracle», dérivé de *theôros* (→ ① théorie).

♦ Le mot est un terme d'antiquité, désignant une députation des villes de Grèce envoyée à une fête solennelle (les hellénistes emploient *théore* n. m. pour rendre *theôros*). ◇ Par analogie, il se dit dans l'usage littéraire (1859) de personnes qui avancent les unes derrière les autres.

-THÈQUE est un second élément, tiré du grec *thêkê* «boîte, coffre», «réceptacle», de *tithenai* «poser», verbe qui se rattache à une racine indoeuropéenne °*dhe-* «placer» (→ thème, thèse); le latin *theca*, emprunté au grec, a abouti au français *taie**.

♦ *-thèque* entre dans la formation de mots empruntés, comme *bibliothèque** ou *pinacothèque**, ou de créations françaises récentes, comme *médiathèque* (→ média), *vidéothèque* (→ vidéo), etc.

▸ L'élément a été substantivé en ① **THÈQUE** n. f. (1972), d'après *bibliothèque, discothèque*, etc., pour désigner le service qui réunit et classe les documents dans une station de radio ou de télévision, une entreprise.

② **THÈQUE** n. f. a été emprunté au grec au XIXe s. (1834, Boiste), désignant en botanique le réceptacle qui contient les spores de divers champignons.

THÉRAPEUTIQUE adj. et n. f. est un emprunt savant (av. 1478, Chauliac) au grec *therapeutikos* «qui prend soin de» et «relatif aux soins qu'on prend», aussi substantivé en *therapeutikê* (n. f.) désignant l'art de prendre soin de qqn. Il est dérivé de *therapeuein* «prendre soin de», «servir (dieu)» puis «prendre soin d'un malade», et d'abord «être le serviteur, l'écuyer (d'un guerrier)», lui-même de *therapôn* «écuyer» (chez Homère), «serviteur». Ce dernier est d'origine obscure; on a tenté un rapprochement avec *therapnê* au sens de «demeure».

♦ Le mot est introduit pour désigner la partie de la médecine qui étudie puis qui applique les moyens de soigner les maladies; cette valeur ne s'établit qu'à partir du XVIIe siècle. *Thérapeutique* s'emploie ensuite pour l'ensemble des moyens de traitement convenant à un cas particulier (1848, Balzac), alors synonyme de *thérapie** (ci-dessous). ◇ L'adjectif, attesté vers 1500, ne devient usuel qu'au XIXe s. (1865, Claude Bernard).

▸ ① **THÉRAPEUTE** n. m., terme d'antiquité (1704, Trévoux), est un emprunt au grec *therapeutês* au sens originel de «serviteur, adorateur» du grec pour désigner des ascètes juifs qui vivaient près d'Alexandrie. ◆ ② **THÉRAPEUTE** n. est réemprunté tardivement (1877, Littré-Robin) au grec *therapeutês* spécialisé en médecine, sous l'influence de *thérapeutique* et des mots en *-thérapie**. ◇ Dès ses premiers emplois, pour «personne qui soigne les malades», il semble spécialisé dans un contexte psychologique et est aujourd'hui utilisé par ellipse (v. 1950) pour son composé **PSYCHOTHÉRAPEUTE** (→ psycho-). ◆ **THÉRAPIE** n. f. est attesté isolément (1669) dans *Monsieur de Pourceaugnac* de Molière ; c'est un emprunt au grec *therapeia* «soin», dérivé de *therapeuein*, dans le discours hellénisant des médecins. Le mot n'est repris qu'au XIXe s. (1824), synonyme de *thérapeutique**. Il est surtout usité en psychiatrie *(thérapie de comportement)* et en psychanalyse, par emprunt à l'anglais *therapy* ou à l'allemand *Therapie*, de même origine. ◇ Il a fourni **THÉRAPIQUE** adj. (1968), didactique et rare. ◆ **-THÉRAPIE** est le second élément de mots de médecine, le premier élément désignant souvent l'agent thérapeutique, comme dans *radiumthérapie*. L'un des plus significatifs est **TRITHÉRAPIE** n. f. (1995), thérapie contre le sida utilisant l'association de trois éléments.

THERM-, THERMO- est un premier élément tiré du grec *thermos* «chaud», qui se rattache à une racine indoeuropéenne largement représentée, par exemple dans le sanskrit *garmáḥ* «chaleur», le latin *formus* «chaud» et sans doute *furnus* (→ four).

▶ Cet élément entre dans la formation de nombreux composés scientifiques et techniques, dont quelques-uns sont devenus courants. ◆ **THERMOMÈTRE** n. m., de *-mètre** (1624, Van Elten), désigne un instrument permettant de repérer les températures. Il est très courant dans deux applications, «instrument pour mesurer la chaleur interne du corps» (en relation avec la notion de fièvre) et «instrument déterminant la température de l'atmosphère» (1839). Le mot se dit au figuré (1694, Regnard) d'un indice qui permet d'évaluer quelque chose. ◆ Il a produit **THERMOMÉTRIQUE** adj. (1754) et **THERMOMÉTRIE** n. f. (1842), didactiques. Au XVIIe s. apparaît **THERMOSCOPE** n. m., formé avec l'élément *-scope*, d'abord au sens de «thermomètre» (1690), qui s'est spécialisé en physique (1806), comme nom d'un appareil indiquant une variation de température mais ne la mesurant pas. À la différence de *thermomètre*, il est demeuré didactique. ◆ En dérive **THERMOSCOPIQUE** adj. (1831). ◆ **THERMOGRAPHE** n. m. (1866) «thermomètre enregistreur» correspond à **THERMOGRAPHIE** n. f. (1843) d'où **THERMOGRAPHIQUE** adj. (1896). ◆ Les autres composés apparaissent au XIXe et au XXe siècle. ◆ **THERMOGÈNE** adj. (1823) a qualifié ce qui produit de la chaleur. Il est archaïque, sauf dans *ouate thermogène* désignant un rubéfiant préparé avec du poivre et de l'alcool. ◇ **THERMOGENÈSE** n. f. (1890) se dit de la production de chaleur par les organismes animaux. Il a pour dérivé **THERMOGÉNÉTIQUE** adj. (1904). ◆ **THERMOÉLECTRIQUE** adj. (1823, écrit *thermo-électrique*) qualifie l'énergie électrique produite par conversion d'énergie thermique, notamment dans *effet thermoélectrique* et signifie «qui fonctionne par thermoélectricité» *(pile thermoélectrique)*. ◇ De là **THERMOÉLECTRICITÉ** n. f. (1842), appliqué en général aux phénomènes où les énergies thermique et électrique sont en cause. ◆ **THERMOMAGNÉTIQUE** adj. (1842, *Académie*) «qui concerne le magnétisme lié à la température» et **THERMOMAGNÉTISME** n. m. *(id.)* sont moins courants que les composés en *-électrique, -électricité*. ◆ **THERMOSIPHON** n. m. (1856, Joigneaux, comme nom propre 1845) désigne un appareil de chauffage à circulation d'eau chaude. ◆ **THERMODYNAMIQUE** n. f. et adj. est un emprunt (1862) à l'anglais *thermodynamics* (v. 1850 ; l'adjectif *thermo-dynamic* est employé par W. Thomson [lord Kelvin] en 1849, par Rankine en 1851). Le nom désigne l'étude des relations entre énergie thermique et énergie mécanique, les trois *lois de la thermodynamique* correspondant au principe de conservation de l'énergie et au concept d'entropie («dégradation de l'énergie»), à l'origine de la théorie cinétique des gaz. La thermodynamique, conçue au sens large, a une longue histoire, mais l'apparition du mot coïncide avec les travaux synthétisant le domaine, notamment ceux de Clausius sur une «mecanische Wärme Theorie» (1850), de W. Thomson et d'autres, peu après les travaux sur la chaleur de Benjamin Thompson, de Joseph Fourier (*Théorie analytique de la chaleur*, 1822), de Sadi Carnot (*Réflexions sur la puissance motrice du feu*, 1824). La thermodynamique s'est ensuite développée sur trois terrains : physique, chimique (*thermochimie*, ci-dessous) et technique. ◇ Le mot s'emploie aussi comme adjectif : *système, équation thermodynamique* (1892). ◇ Il a pour dérivés **THERMODYNAMICIEN, IENNE** n. (mil. XXe s.) qui a remplacé *thermodynamiste*, n. (1907), **THERMODYNAMIQUEMENT** adv. (mil. XXe s.).

Le développement de la thermodynamique et des techniques qui lui sont associées, l'étude des phénomènes thermiques en biologie ont suscité dans le dernier tiers du XIXe s. et au XXe s. de très nombreux composés. ◆ **THERMOCHIMIE** n. f. (1840) a désigné la thermodynamique chimique. ◇ De là **THERMOCHIMIQUE** adj. (1840). ◆ **THERMOMÉCANIQUE** adj. (1872), «relatif à la mécanique de la chaleur», s'emploie aussi en technique *(traitement thermomécanique)*. ◆ **THERMODIFFUSION** n. f. (1874) correspond à *diffusion thermique*. ◆ **THERMORÉGULATEUR** n. m. désigne un appareil (1862 ; 1874, Benoît) et qualifie comme adjectif ce qui concerne la régulation thermique des mammifères. ◇ **THERMORÉGULATION** n. f. (1904) lui correspond. ◆ **THERMOCAUTÈRE** n. m. (1875, Paquelin) désigne un instrument chirurgical. ◇ Il a pour dérivé **THERMOCAUTÉRISER** v. tr. (1929 chez Gide). ◆ **THERMOTROPISME** n. m. se dit (v. 1900) des tropismes liés à la chaleur. ◆ **THERMOPHILE** adj. et **THERMOPHOBE** adj. (1904) se sont appliqués aux organismes qui recherchent ou fuient la chaleur et le second à la phobie humaine de la chaleur. ◆ **THERMOCOUPLE** n. m. est un abrègement technique (1905) de *couple thermoélectrique ;* cette forme est peut-être empruntée (anglais *thermocouple*, 1890). ◆ **THERMOLABILE** adj. qualifie en biologie (1905) ce qui se modifie ou perd ses propriétés sous l'effet de la chaleur. ◇ Il a pour contraire **THERMOSTABLE** adj. (1914 ; d'abord *thermostabile*, 1904), qui s'applique aussi (1946) à un système de freinage. ◆ **THERMOLUMINESCENCE** n. f. désigne (1897) la luminescence thermique. ◇ L'adjectif correspondant est **THERMOLUMINESCENT, ENTE** (1905).

Les composés attestés ensuite sont très nombreux. Certains sont importants en science et en technique. ➛ **THERMOIONIQUE** adj. (1933 dans les dictionnaires généraux), de *ionique,* se dit de l'émission de particules électriquement chargées (ions) par un matériau conducteur porté à haute température. ➛ Plusieurs composés, certainement plus anciens sont enregistrés dans les dictionnaires français en 1949-1950. **THERMODURCISSABLE** adj. se dit des matières plastiques qu'un réchauffement prolongé peut rendre non plastique. ◇ Il s'oppose à **THERMOPLASTIQUE** adj., formé d'après l'anglais *thermoplastic* adj. (1833), les deux mots s'employant aussi comme noms. ◇ **THERMOÉLECTRONIQUE** adj. qualifie l'émission d'électrons par une cathode sous l'effet de la chaleur. ➛ **THERMONUCLÉAIRE** adj. (1950 dans la presse française) semble avoir été introduit d'après l'anglais *thermonuclear* (1938) qui succède à l'expression *thermal nuclear* (1937, Gamow). D'abord mot de physique, il est passé dans l'usage général avec le projet, puis la réalité des *bombes thermonucléaires.* La première acception concerne la fusion de noyaux d'isotopes légers qui se déclenchent et s'accélèrent aux températures très élevées (dizaines de millions de degrés). La seconde qualifie ce qui utilise ou produit l'énergie produite par ce processus *(arme, bombe thermonucléaire)* et par métonymie les conflits où ces armes seraient utilisées. ➛ **THERMO-ANALYSE** n. f. (mil. XXe s.) désigne une branche de la physique qui analyse les effets sur la matière des variations de température. Le composé remplace l'expression *analyse thermique.* ◇ De là **THERMO-ANALYTIQUE** adj. ➛ **THERMOBALANCE** n. f. (mil. XXe s.) désigne un instrument mesurant les variations de poids d'une substance en fonction de la température. ➛ **THERMOCLINE** n. f. (1967 dans les dictionnaires généraux), où *-cline* représente le grec *klinein* «incliner», désigne la différence de température entre deux zones d'eaux marines contiguës (plus chaudes en surface, plus froides des fonds). ➛ En météorologie, **THERMOCONVECTION** n. f. (mil. XXe s.) concerne les mouvements verticaux déterminés par les gradients thermiques de l'air. ➛ **THERMOÉLASTIQUE** adj. qualifie en physique (mil. XXe s.) un système dans lequel on n'introduit que des échanges de travail et de chaleur, et en général ce qui concerne la compressibilité et la dilatation des corps en fonction de la température. ◇ De là **THERMOÉLASTICITÉ** n. f. ➛ **THERMORÉSISTANT, ANTE** adj. (1956) s'emploie en technique à propos de matières plastiques, et en biologie. ➛ **THERMOCOLLAGE** n. m. (1968) s'emploie en technique, ainsi que **THERMOFORMAGE** n. m. et **THERMOFORMÉ, ÉE** adj. qui concernent les matériaux dont la forme définitive est obtenue par chauffage. Ces deux mots apparaissent dans les années 1970.

Par ailleurs, le grec *thermos* est aussi à l'origine des seconds éléments **-THERME, -THERMIE, -THERMIQUE,** qui entrent dans la composition de termes didactiques comme **GÉOTHERMIE** n. f. (1867) et **GÉOTHERMIQUE** adj. (1860) qui ont trait à la chaleur de la Terre (→ géo-). Cf. ci-dessous *géothermal,* à *thermes.*

D'autres mots ont été formés à partir du grec *thermos* depuis le XIXe siècle. ➛ **THERMIQUE** adj., dérivé savant de *thermos* (1847, Humboldt), s'applique en physique à ce qui est relatif à la chaleur, spécialement à ce qui produit de l'énergie mécanique par transformation de l'énergie thermique (1872, *machine thermique*). Il est passé dans l'usage courant, surtout dans quelques syntagmes *(centrale thermique).* ➛ Cet adjectif a servi à former plusieurs dérivés didactiques : **THERMICIEN, IENNE** n. (v. 1950), **THERMICITÉ** n. f. «rendement thermique» (v. 1950), **THERMIQUEMENT** adv. (XXe s.) et **THERMISÉ, ÉE** adj. (1962), d'où **THERMISATION** n. f. *(id.).* ➛ **THERMIE** n. f. (1920) était le nom de l'unité de quantité de chaleur dans le système M. T. S. ➛ **THERMOS** n. m. ou f., abréviation (1914 ; 1907 selon B. Quemada) d'un nom de marque américain (1908, *Thermos Bottle*), désigne un récipient isolant qui maintient quelques heures la température du liquide qu'il contient.

◈ voir THERMES, THERMIDOR.

THERMES n. m. pl. est emprunté (v. 1200, *termes*) au latin classique *thermae* (n. f. pl.) «bains d'eau chaude», lui-même au grec *ta therma,* féminin pluriel, substantivation de *thermos* «chaud» (→ therm-).

◆ Le mot désigne un établissement public de bains chauds, en parlant de l'Antiquité ; la graphie étymologique *thermes* n'apparaît qu'au XVIe siècle. Depuis le moyen français (v. 1398, *termes*), il s'applique aussi à l'époque moderne, désignant tous bains publics, et équivalant depuis le XIXe s. à «établissement thermal».

▶ Le dérivé **THERMAL, ALE, AUX** adj. s'applique à des eaux minérales chaudes (1625 ; repris en 1735) et au XIXe s. (1823, *établissement thermal*) au lieu où l'on utilise les eaux médicinales, qu'elles soient chaudes ou non. ➛ Au XIXe s. est formé **THERMALITÉ** n. f. (1832), aujourd'hui inusité. ➛ **THERMALISME** n. m. avait été proposé en 1845 (R. de Radonvilliers) ; il a été repris (1904), d'abord à propos de la science des eaux thermales, puis de l'exploitation des stations (1933 dans les dictionnaires). ➛ **GÉOTHERMAL, ALE, AUX** adj. (1901) s'emploie pour «qui est à une température élevée due à la chaleur des couches profondes de la Terre».

THERMIDOR n. m. a été composé (1793, Fabre d'Églantine) à partir du grec *thermê* «chaleur», de *thermos* (→ therm-) et de *dôron* «don», qui correspond au latin *donum* (→ don).

◆ Le mot désigne le 11e mois du calendrier républicain (du 19 juillet au 18 août) caractérisé par la chaleur. Il s'emploie en apposition, *style thermidor* (1842) désignant un style à la mode après la chute de Robespierre (9 thermidor an II) et caractérisé par le retour à l'antique. ◇ En apposition, le mot entre dans *homard thermidor* (1894), recette due à un restaurateur qui l'avait baptisée à l'occasion de la première d'une pièce de Victorien Sardou, *Thermidor.*

▶ **THERMIDORIEN, IENNE** adj. et n. qualifie et désigne (1794) les députés coalisés qui mirent fin au pouvoir de Robespierre et s'applique à cette période caractérisée par le rejet de la dictature terroriste, une réaction sociale bourgeoise (dite *réaction thermidorienne*) et l'évolution des mœurs. ◇ Par analogie il s'est employé pour parler d'un modéré en politique (XXᵉ s. : 1930 chez P. Morand), alors opposé à *jacobin*, venu aussi de la phraséologie de la Révolution française, mais qui est plus vivant.

THÉSAURISER v. est emprunté (v. 1350) au bas latin *thesaurizare* «amasser (des trésors)», plus généralement «amasser», dérivé du latin classique *thesaurus* «trésor», au propre et au figuré ; ce mot, lui-même emprunté au grec *thesauros*, a abouti au français *trésor**.

♦ Le verbe, introduit au sens propre (aussi *thésaurier*, fin XIVᵉ s.), a pris au XIXᵉ s. (1822, Balzac) la valeur figurée «accumuler (des richesses spirituelles, morales)», sortie d'usage comme transitif et qui s'est aussi employé comme intransitif (1690). ◇ Il s'emploie encore au sens propre, surtout comme terme d'économie ; dans ce sens, *trésoriser* v. tr. (1637), dérivé de *trésor*, a rapidement disparu.

▶ Le dérivé **THÉSAURISATION** n. f. (1719) s'est spécialisé en économie (v. 1790) ; **THÉSAURISEUR, EUSE** n. (1571, puis 1764) est didactique, comme son équivalent plus ancien **THÉSAURISATEUR, TRICE** (1588).

THÉSAURUS n. m. est emprunté au latin *thesaurus*, d'abord comme nom latin dans des titres de dictionnaires (depuis 1523, Robert Estienne). Il est alors en concurrence avec *trésor**, employé avec cette valeur depuis le XIIIᵉ siècle. ◇ Le mot est passé dans plusieurs langues européennes, notamment en anglais, où *thesaurus*, pour «riche collection de données» (1840) est appliqué à un ouvrage lexicographique où les mots et les locutions sont rangés par ordre logique ou conceptuel, par référence au dictionnaire de Roget appelé *Thesaurus of English Words and Phrases classified [...]* (1852). Ce sens, courant en anglais, semble n'être passé en français que vers 1960, ce type d'ouvrages étant rare en France. ◇ Repris à propos de recueils de philologie et d'archéologie (1904), le mot a fait de nouveau l'objet d'un emprunt (1962) à l'anglais (attesté dans ce sens en 1956) pour «répertoire de termes (mots-clés) normalisés pour l'analyse de contenu et le classement de documents», par exemple dans *thesaurus* (ou *thésaurus*) *documentaire*. Le mot s'emploie en informatique.

THÈSE n. f. est emprunté (1579) au latin de la rhétorique *thesis* «sujet, proposition, thème», également employé en bas latin avec d'autres acceptions, en musique («temps faible de la mesure») et en droit. Il s'agit d'un emprunt au grec *thesis* «action de placer, de poser, d'arranger» et, au figuré, «action d'établir, d'instituer», employé en philosophie à propos de l'action d'établir un principe, et d'une proposition en général. Le même mot sert à désigner l'action de déposer, d'abaisser, et spécialement un dépôt d'argent ; il se dit de la position géographique d'une ville, d'un pays. *Thesis* est dérivé du verbe *tithenai* «poser», lequel se rattache à la racine indoeuropéenne °*dhe-* «placer» représentée en latin dans *facere* (→ faire) et en grec même dans plusieurs autres mots (→ thème, taie, -thèque).

♦ *Thèse* a été emprunté par la langue savante au sens de «proposition qu'on avance, qu'on soutient». Il est passé (1602, Peiresc) dans le langage de l'Université, désignant (1680) la série de propositions qu'un candidat à certains grades (bachelier, docteur, etc.) s'engageait à soutenir publiquement. Par métonymie, on a nommé *thèse* une grande feuille de papier de satin servant à imprimer les propositions (1643, Naudé), puis la discussion du mémoire (1680) et le mémoire lui-même (1718). ◇ Le sens actuel du mot, dans l'institution universitaire française, date du XIXᵉ s., avec diverses précisions au XXᵉ s. (*thèse d'État, thèse de troisième cycle*, etc.) qui apparaissent et disparaissent au gré des réformes. L'exposé public des travaux présentés est appelé *soutenance* de thèse*. ◇ Le mot est passé dans le vocabulaire de la philosophie (1904), spécialement à propos de la pensée de Kant, de la tradition interprétative de Hegel par Fichte (*thèse, antithèse, synthèse*), et en phénoménologie.

▶ Il n'a donné comme dérivé que le récent et familier **THÉSARD, ARDE** n. (v. 1950) «personne qui prépare une thèse». ◆ **THÉTIQUE** adj. est un emprunt didactique (1912) au latin *theticus* lui-même repris au grec *thetikos ;* c'est l'adjectif correspondant à *thèse* en philosophie, spécialement en phénoménologie (1943, Sartre) où il est emprunté à l'allemand. ◆ **THÉSIS** n. f., terme didactique repris au bas latin *thesis*, a été employé en musique (1634, Mersenne) et reste un terme de prosodie grecque et latine (1872).

◈ voir ANTITHÈSE, HYPOTHÈSE, SYNTHÈSE.

THOMAS n. m. est peut-être l'emploi comme nom commun (1836 ; *passer la jambe à Thomas*, 1830) du nom propre *Thomas*, d'après la phrase de l'Évangile : «*Vide Thomas, vide pedes, vide manus*» (*Jean*, XX, 27). On suppose que *vide* «vois» a été lu par calembour *videz, vider*. P. Guiraud propose l'influence combinée du dialectal *tumer, tomer* «renverser, déborder», d'où dans l'est de la France (Metz) *tomā* «facile à renverser, à verser».

♦ Ce mot populaire a désigné, comme *jules*, un vase de nuit et par extension un baquet où urinaient les soldats (1879, Zola). Il s'est employé jusqu'au début du XXᵉ siècle.

THON n. m. est emprunté (1393, écrit *ton* [antérieur, voir *thonine*]) à l'ancien provençal *ton* désignant un poisson de grande taille, et lui-même issu du latin *thunnus, thynnus*, lequel est emprunté au grec *thunnos* de même sens. C'est un mot probablement méditerranéen que les Grecs rapprochaient, par étymologie populaire, de *thuein, thunein* «bondir, s'élancer» sans rapport avec *thuein* «sacrifier» que l'on retrouve dans *thuriféraire*. C'est à tort que l'on a évoqué l'hébreu *tannîn* «monstre marin».

♦ Le mot désigne un poisson acanthoptérygien de grande taille des eaux tempérées, recherché pour sa chair, et sa chair *(du thon)* [1690].

▸ *Thon* a produit quelques dérivés. ◆ **THONINE** n. f. (fin XIe s., *tonine*) est employé régionalement pour désigner un petit thon de la Méditerranée. ◆ Les autres dérivés vivants, **THONAIRE** n. m. (1801; 1681, *thonnaire*, 1680, *tonare*) et **THONIER** n. m. et adj. (fin XIXe s.) sont des termes techniques ayant trait à la pêche.

THORAX n. m. est la réfection (1478) de *thorace* n. f. (1314), emprunté au latin *thorax*, lui-même au grec *thôrax, thôrakos* «cuirasse», mot ensuite utilisé par les médecins pour désigner le torse. *Thôrax*, qui conserve ces deux sens en grec moderne, n'a pas d'étymologie connue.

♦ Le mot est passé en français comme terme d'anatomie, devenu courant pour désigner la partie supérieure du tronc. ◇ Par analogie, il désigne en zoologie la partie antérieure du tronc chez les vertébrés et la partie du corps des insectes portant les organes locomoteurs (1805, Cuvier).

▸ En est issu **THORACIQUE** adj. (1660), réfection de la forme *thorachique* (1575, Paré). ◆ *Thorax* entre dans la formation de termes de zoologie comme second élément *(mésothorax, céphalothorax, métathorax, prothorax)* et de termes de chirurgie en tant que premier élément *thorac-, thoraco- :* **THORACOPLASTIE** n. f. (1890), de *-plastie*, «opération chirurgicale par ablation d'une partie des côtes», abrégé en **THORACO** n. f. ; **THORACOTOMIE** n. f. (1890), de *-tomie*.

◈ voir PNEUMO-

THRÈNE n. m. est emprunté (1503; XIVe s., *trene*) au bas latin *threnus* «chant funèbre, complainte», lui-même emprunté au grec *thrênos* «lamentation sur un mort, chant funèbre» et par extension «chant de deuil», dérivé de *threisthai* «pousser de grands cris, se lamenter» (en parlant de femmes). Ce terme repose sur une base exprimant l'idée de «murmure», spécialisée pour le chant funèbre.

♦ Le mot, peu attesté avant le XIXe s., est employé comme terme d'antiquité grecque et dans le langage biblique à propos des lamentations de Jérémie. Par extension il s'emploie, dans un usage littéraire, au sens de «complainte funèbre».

THRILLER n. m. est l'emprunt (1927) du mot anglais *thriller* n. (1889) «roman, pièce, film à suspens», dérivé de *to thrill* «faire frissonner, donner des émotions fortes» (XVIe s.) et, intransitivement, «frissonner, tressaillir» (XVIIIe s.). Ce verbe, qui signifie proprement «percer» (au propre et au figuré), est la variante avec métathèse du type dialectal *þirl*, du vieil anglais *þyrlian*, lequel vient de *þyr(e)l* «perforation, trou, ouverture». Ce dernier, par l'intermédiaire de formes reconstituées, se rattache à une racine indoeuropéenne représentée en germanique (ancien haut allemand *durh* «à travers», allemand *durch*), mais aussi, sous la forme °*tr-*, dans le latin *trans* (→ trans-).

♦ *Thriller* est passé en français à propos d'un récit, d'un roman anglais ou américain d'épouvante. Il s'est répandu vers 1950 sous l'influence de la critique cinématographique à propos de récits et films américains, policiers ou fantastiques, procurant des sensations fortes (1947).

THUNE n. f. (1628) est d'origine obscure. L'hypothèse la plus répandue, mais qui n'a pas de fondement, y voit le souvenir du roi de *Thunes (Tunis)*, un des noms du roi des gueux. P. Guiraud, pour lequel le nom du roi des gueux réalise lui-même un jeu de mots avec *tune* «aumône», prend en considération les homonymes dialectaux *tuner* «boire abondamment» (franco-provençal) et *tuno* «tanière», «trou de renard, de serpent, etc.» (franco-provençal et provençal). L'origine la plus probable, selon lui, est °*tutina*, dérivé gallo-roman hypothétique de *tutari* «protéger» et «se protéger (d'un danger, de la faim)». Cette dernière acception, fréquente en latin, pourrait être à l'origine de l'acception «aumône» qui consistait essentiellement en du pain. Le mot serait alors à rattacher à la famille de *tuer*, tutelle*, tuteur**.

♦ *Thune*, écrit aussi *tune*, s'est d'abord employé en argot pour «argent reçu en aumône», puis a désigné par métonymie une pièce de monnaie (1800, *tune, tunne*), spécialement l'ancienne pièce d'argent de cinq francs (1829 en argot) en usage jusque vers 1920, et une somme de cinq francs (fin XIXe s.); ces derniers emplois ont vieilli. ◇ Le mot reste dans l'usage très familier (v. 1960, *Mets deux thunes dans l'bastringue*, titre de chanson) pour désigner une pièce de monnaie et, dans le vocabulaire des jeunes, pour «argent» (attesté 1954, Colette; *de la thune*), le mot devenant aussi courant que *fric* ou *blé* dans cet emploi collectif.

THURIFÉRAIRE n. m. est emprunté (1690) au latin médiéval ecclésiastique *thuriferarius*, dérivé du latin classique *turifer, thurifer* «qui produit de l'encens» et «qui offre de l'encens aux faux dieux» d'où «idolâtre». C'est un composé de *thus* ou *tus* «encens», emprunt au grec *thuos* «offrande» et «parfum», de *thuein* «offrir un sacrifice (que l'on brûle)» (→ thuya, thym). Le second élément vient de *ferre* «porter» (→ -fère).

♦ Le mot a d'abord désigné comme en latin le clerc qui, dans les cérémonies de l'Église, a la fonction de porter l'encensoir et la navette, évinçant *turife* (1679) et *thurifère* (1694), empruntés au latin *thurifer*. ◇ *Thuriféraire* a pris le sens figuré de «flagorneur, encenseur» (1801) dans un usage littéraire.

▸ Ni **THURIFIER** v. tr. (v.1380) ni **THURIFICATION** n. f. (v. 1380), empruntés au bas latin *thurificare* et *thurificatio*, ne sont usités.

THUYA n. m. est emprunté (1553) au grec *thuia* désignant un arbre odoriférant dont le bois était très estimé des Romains. Le mot est peut-être à rattacher à *thuos* «offrande (que l'on brûle)» et «parfum, aromate», de *thuein* «sacrifier» (→ thuriféraire, thym).

♦ Le mot sert à désigner le végétal et, par métonymie (mil. XIXe s.), son bois, apprécié en ébénisterie.

THYM n. m., d'abord *tym* (XIIIe s.), puis *thym* (1538) par conformation étymologique, est emprunté au latin *thymum*, lui-même transcription du grec *thumon*. Celui-ci désignait une sorte de sariette ; le mot appartient probablement à la famille de *thuos*, à la fois «offrande (que l'on brûle, qui produit de la fumée)» et «parfum, aromate» (→ thuya), et de *thuein*, important mot du vocabulaire religieux signifiant «offrir un sacrifice (que l'on brûle)», puis «sacrifier» en général (→ thuriféraire, typhus). Le *thumon*, si l'on suit les deux sens de *thuos*, est donc à la fois la plante odoriférante et, selon Détienne, «l'espèce arbustive la plus apte à produire de la fumée» (*Les Jardins d'Adonis*). *Thuein* et *thuos* se rattachent à une racine indoeuropéenne °*dhu-* «faire brûler, fumer», peut-être représentée en latin dans *fumus* (→ fumée) et *februarius* (→ février).

♦ *Thym* est le nom d'une plante aromatique, sous-arbrisseau abondant dans les garrigues et les maquis des régions méditerranéennes.

► De *thym* est dérivé le terme de chimie **THYMOL** n. m. (1857) ; l'ancien provençal connaissait *tymol* (n. m.) «huile de thym» (mil. XIIIe s.). ◆ ① **THYMINE** n. f. (1877) est le nom d'une substance dérivée de la pyrimidine et présente dans les acides désoxyribonucléiques.

◈ voir THYMUS.

THYMIE n. f. est formé (v. 1945) à partir du grec *-thumia*, second élément tiré de *thumos* «cœur comme siège des sentiments, ardeur, affectivité, colère». Le rapport de ce *thumos* avec la famille de *thumian* «faire fumer», de *thuein* «avoir une odeur» (→ thym, thymus), n'a rien de sûr. D'après Chantraine, *thumos* appartiendrait plutôt à la famille d'un autre verbe *thuein* «s'élancer avec fureur».

♦ Le mot, didactique, s'emploie notamment en psychiatrie au sens de «disposition affective de base, humeur».

► *Thymie* a plusieurs composés : *cyclothymie** (→ cyclo-), **HYPERTHYMIE** n. f. (XXe s.), et **HYPOTHYMIE** n. f. (XXe s.) désignant l'état développé (vers l'excitation gaie ou triste) ou faible, inhibé, du tonus affectif. Ces mots ont probablement induit l'emploi isolé de *thymie*.

THYMUS n. m. est un emprunt de la Renaissance (1541) au grec *thumos* «excroissance charnue», issu de *thumon* (→ thym), dérivé de *thuein* «avoir une odeur».

♦ Ce terme d'anatomie désigne une glande située à la partie inférieure du cou, qui disparaît à peu près à l'état adulte. Chez certains animaux, cet organe est comestible (le thymus de veau est appelé *ris**).

► *Thymus* a produit les dérivés didactiques ① **THYMIQUE** adj. (1611) «qui appartient au thymus» en médecine et ② **THYMINE** n. f. (v. 1960) en biochimie.

THYROÏDE adj. et n. f. est un emprunt fait en anatomie (1560, Paré) au grec *thuroeidês*, «semblable à une porte, à une fenêtre», mot compris par erreur (à la suite d'une faute de copie dans Oribase) pour «semblable à un bouclier», par confusion avec *thurēoeidês*. *Thuroēidês* est formé de *thura* «porte», «entrée» qui se rattache à la racine indoeuropéenne °*dhur-* représentée également dans le latin *forum* (→ forum), *foris* «porte» (→ hors), et de *eidos* «aspect extérieur» d'où «forme, aspect» (→ -ide, -oïde).

♦ Le dictionnaire de Trévoux, puis Littré, ont vainement proposé de rétablir l'orthographe étymologique *thyréoïde*. Le mot apparaît dans *cartilage thyroïde* «cartilage du larynx», puis dans *corps thyroïde* (1721), enfin dans *glande thyroïde* (1752), d'où le substantif **THYROÏDE** n. f. (1876).

► Le mot a produit quelques termes d'anatomie, de médecine et de chirurgie à partir du XVIIIe siècle. ◆ **THYROÏDIEN, IENNE** adj. «qui appartient, est relatif à la thyroïde» (1765, *Encyclopédie*) a entraîné la création de l'antonyme **ANTITHYROÏDIEN, IENNE** adj. (1904). ◆ **THYROÏDITE** n. f. (1846) et **THYROÏDISME** n. m. (1894) désignent deux maladies liées à la thyroïde. ◆ *Thyroïde* fournit le premier élément du terme de chirurgie **THYROÏDECTOMIE** n. f. (1890) dont est tiré **THYROÏDECTOMISER** v. tr. (1903), et des termes de biochimie **THYROXINE** n. f. (1933), emprunt probable à l'anglais (1915) avec le radical de *oxyde** et *-ine*, et **THYRONINE** n. f. (v. 1950), de (am)*ine*. **HYPERTHYROÏDIE** n. f. (1904) et **HYPOTHYROÏDIE** n. f. décrivent une activité excessive ou au contraire insuffisante, de la thyroïde.

THYRSE n. m. est emprunté (v. 1500) au latin classique *thyrsus*, lui-même emprunt au grec *thursos*, nom du bâton des Bacchantes entouré de lierre et de pampre, avec une pomme de pin au sommet. C'est en grec un mot d'emprunt qui semble avoir un correspondant dans le hittite *tuwarsa* «sarment». ◇ *Thyrsus*, devenu *tirsus* en bas latin, avait abouti par évolution phonétique à l'ancien français *trus* (v. 1160), *tros* (v. 1175) «tronçon, éclat», mot dont certains dérivés se maintenaient à l'époque classique.

♦ Emprunté comme terme d'antiquité, *thyrse*, par un nouvel emprunt de la botanique au latin *thyrsus* «tige», a pris le sens spécialisé «inflorescence pyramidale en grappe composée» (1742).

◈ voir TORSE.

TIAN n. m., attesté en 1940 en français central, et dès 1803 sous la forme *tion* dans une acception technique en fonderie, est l'emprunt d'un mot occitan déjà attesté en ancien provençal (1391) pour désigner une écuelle, un bassin de poterie, un plat de terre. Celui-ci est issu du grec *têganon*, variante de *tagênon* (forme étymologique) «poêle à frire», mot technique sans étymologie connue.

♦ Le français l'emploie pour désigner un récipient provençal de terre cuite et, par métonymie, le plat (pâté de légumes) cuit dans un tian.

TIARE n. f. (1382), d'abord sous la forme latine *tiara* (1374) dans un contexte français, est emprunté au latin classique *tiara* «coiffure des Orientaux», spécialisé dans l'usage liturgique, lui-même emprunté au grec *tiara* «coiffure des Perses, sorte de turban en forme de cône», emprunt oriental d'origine inconnue.

♦ Le mot, emprunté comme terme d'Église, se dit de la mitre à trois couronnes que porte le pape dans les cérémonies solennelles, et ensuite par métonymie de la dignité papale (1680), d'où ***porter la tiare*** «être pape» (1718). ◇ Le mot a servi à désigner (XIVe s., *tiaire*) la couronne impériale, puis (1511) la coiffe de certains dignitaires dans l'Orient antique. ➛ Par comparaison avec la forme de cette coiffure, il a été utilisé en zoologie pour diverses espèces de mollusques (1736) et en botanique (1812 pour le diminutif *tiarelle*), ce qui occasionna quelques formations éphémères *(tiaridie, tiaris, tiarocène, tiarode).*

TIBIA n. m. est emprunté comme terme d'anatomie (1541) au latin classique *tibia* «flûte» et, à l'époque impériale, «os antérieur de la jambe» d'où «jambe»; *tibia,* sans étymologie connue, a abouti par évolution phonétique à *tige**.

♦ Le mot, en dehors de son sens anatomique précis, sert couramment à désigner la partie antérieure de la jambe (1834). ◇ Il a été repris en zoologie pour désigner la troisième articulation des pattes des insectes (1805, Cuvier), la cinquième division de chaque membre chez les araignées (1907).

▸ L'adjectif correspondant, **TIBIAL, ALE, AUX**, est emprunté (1690) au dérivé latin *tibialis* «de flûte», «propre à faire des flûtes», substantivé à basse époque au neutre *tibiale* pour désigner une bande enveloppant la jambe. ➛ *Tibia,* sous la forme de l'élément *tibio-*, entre dans la composition de plusieurs mots d'anatomie comme **TIBIO-TARSIEN, IENNE** adj. (1845), **TIBIO-PÉRONIER, IÈRE** adj. (1933).

TIC n. m. (1668), d'abord *ticq* (1611), est une formation onomatopéique sur une base à structure consonantique *t-k* suggérant (comme d'autres structures : *tr-k, t-p, t-t*) l'idée d'un coup et d'autres idées secondaires (instrument servant à frapper, chose sur laquelle on frappe, mouvement brusque ou saccadé) (→ tac).

♦ *Tic* est d'abord un terme de médecine vétérinaire désignant, chez le cheval, la contraction de certains muscles accompagnant une déglutition ou régurgitation spasmodique. ◇ Il a développé rapidement le sens courant de «bref geste automatique répété involontairement» chez l'être humain (1654), s'étendant à un geste ou à une attitude que la répétition rend plus ou moins ridicule (1736) et a pris par figure celui de «manie» (1738, Piron).

▸ Son dérivé **TIQUER** v. intr. (1664), d'abord employé en médecine vétérinaire, est appliqué ultérieurement aux personnes avec le sens de «manifester par une contraction du visage son mécontentement, sa surprise» (1888), au figuré «être arrêté par une difficulté, être heurté par qqn, par une proposition» (*tiquer sur...,* 1909). ➛ **TIQUEUR, EUSE** adj. (1664), qualifie un cheval puis (1803) une personne ayant des tics (substantivé, 1876). **TICAGE** n. m. (1867) signifie «état d'un cheval qui a des tics».

TIC-TAC interj. et n. m. inv., attesté depuis 1552 (fin XVe s., onomat.), a la même origine onomatopéique que *tic.* ➛ Le mot exprime le bruit que fait un mouvement réglé (celui d'une horloge, d'un moulin). Il s'est imposé devant *tic et tac* (1690) et *tic et toc* (1690). ➛ On en a tiré **TICTAQUER** v. intr. (1881, Huysmans) «faire tic-tac (de l'horloge)».

TICKET n. m. est la francisation par la prononciation (1835; isolément 1765; une première fois *tiket,* 1727), de l'anglais *ticket* (XVIe s.) «étiquette», spécialement «billet donnant un droit d'entrée» (1673), lui-même emprunté à l'ancien français *estiquet* «petit écriteau» (→ étiquette).

♦ Le mot est attesté en français dans le *Journal des Débats* du 27 juillet 1835 au sens de «rectangle de carton donnant droit à l'entrée dans un lieu»; il se répand dans la seconde moitié du siècle, Littré le trouvant «plusieurs fois rapporté dans le *Journal officiel* du 20 octobre 1877, à propos du mode de perception des droits d'entrée de l'exposition de 1878». ◇ Pendant la guerre de 1914-1918, le mot a pris le sens spécial de «coupon de rationnement» (1915), acception reprise de 1941 à 1945. ◇ Il entre en français administratif (de France) dans ***ticket modérateur*** (1936) pour la quote-part de frais laissée à la charge du malade à la Sécurité sociale. ➛ Il a développé deux acceptions très familières purement françaises, servant, par rapprochement avec *billet,* de synonyme à *billet de mille francs* (1931) et entrant dans la locution ***avoir un (le) ticket avec qqn*** «lui plaire manifestement» (1950), par métaphore du droit d'entrée. ➛ Un réemprunt à l'anglo-américain *ticket* est à l'origine du sens de «fiche ou liste électorale d'un parti aux États-Unis» (1901).

TIÈDE adj. est l'une des formes (v. 1380), à côté de *tieve* (1172-1174), *teve* (v. 1190), *teide* (v. 1230), etc., issues par évolution phonétique, du latin *tepidus* «modérément chaud» et au figuré «refroidi». Cet adjectif est dérivé de *tepere,* dont le sens ancien, «être chaud», est sorti d'usage sous la concurrence d'autres verbes dont *calere* (→ chaleur) et qui a pris la nuance «être modérément chaud» (au physique et au moral). *Tepere* en est arrivé à s'opposer à *calere* et à désigner une température modérée dans un sens compatible avec *frigere* (→ réfrigérer) tandis que son dérivé *tepescere* pouvait avoir la double valeur de «tiédir» par passage du froid au chaud ou du chaud au froid. Le mot se rattache à une racine indoeuropéenne °*tep-* «chaleur» représentée dans le vieux slave *toplŭ* «chaud», l'irlandais *té* «chaud», les mots sanskrits *tápati,* qui concerne une chaleur allant jusqu'à l'incandescence, et *tápaḥ* «chaleur» et «ascétisme».

♦ Le mot est passé en français appliqué à ce qui est entre le chaud et le froid (1172-1174) et, au figuré, à une personne qui manque d'ardeur ou de ferveur (v. 1190), ensuite substantivé (1656; *un, une tiède*), emploi rare. ➛ Dans l'emploi figuré, «doux et agréable, comme une légère chaleur» en parlant d'un sentiment, d'une sensation, l'adjectif n'est clairement attesté que vers 1830.

▸ **TIÈDEMENT** adv. (XIIIe s., également sous les formes *tevement, tievement*), est demeuré rare. ➛ **TIÉDEUR** n. f. (1538), précédé par les anciennes formes *tevor* (fin XIIe s.), *tevour* (v. 1190), s'emploie au propre et au figuré dès les premiers textes; le figuré semble repris au milieu du XVIIe siècle. Il est usuel. ➛ **TIÉDIR** v. «devenir tiède» au propre (v. 1380), rare au figuré (mil. XVIIe s., Scarron), transitivement «rendre tiède» (1575), a produit **TIÉDISSEMENT** n. m. (1845, R. de Radonvilliers, puis

XXe s.) et **TIÉDISSANT, ANTE** par adjectivation de son participe présent (XXe s.). ➜ Le dernier apparu des dérivés de *tiède* est l'adjectif **TIÉDASSE** (XXe s. : 1941 *in* T.L.F.), formé avec le suffixe péjoratif *-asse.* ➜ *Tiédir* est concurrencé par le préfixé **ATTIÉDIR** v. (v. 1320, *atiedir*), auparavant *atevir* (v. 1190), dans tous ses emplois (transitif et intransitif, propre et figuré) et *tiédissement* par le dérivé **ATTIÉDISSEMENT** n. m. (1596).

Le groupe ainsi constitué autour de *tiède* s'est imposé aux dépens de la forme empruntée **TÉPIDE** adj. (1552) et de ses dérivés **TÉPIDEMENT** adv. (1596), **TÉPIDITÉ** n. f. (1375), sortis d'usage ou archaïsmes littéraires. ➜ Le terme d'archéologie antique **TÉPIDARIUM** n. m. est emprunté au latin *tepidarium* pour désigner la partie des thermes réservée aux bains tièdes (1765), en relation avec *caldarium* et *frigidarium* (→ frigidaire).

◈ **TIEN, TIENNE** adj. et pron. poss. de la 2e pers. du sing. est issu (XIIIe s.) par évolution phonétique, d'abord sous la forme féminine *tua* (Xe s.), puis *tons* (v. 1050), *tuen* (XIe s.), du latin *tuum,* accusatif de *tuus,* adjectif et pronom possessif dérivé de *tu* (→ tu).

♦ Les emplois du mot sont analogues à ceux de *mien** et *sien**. L'adjectif est d'usage littéraire comme épithète *(un tien ami)* ou comme attribut, en particulier dans le langage amoureux. ◇ Il est substantivé, d'abord au pluriel (apr. 1360 ; v. 1170, *li tuen*), *les tiens* équivalant à «tes parents, tes proches, tes partisans, etc.». *Des tiennes* s'emploie familièrement (1784) pour «des sottises» dans *faire des tiennes. Le tien* «ton bien» (1690), encore relevé par Littré, ne s'emploie plus ; le nom au singulier dans ***y mettre du tien*** (1876) est en revanche demeuré vivant. ◇ Le pronom apparaît au milieu du XVIe s. et peut être employé seul, par exemple dans ***à la tienne*** «à ta santé», familièrement *à la tienne Étienne* (1863).

◈ **TIERS, TIERCE** adj. et n. m., d'abord attesté sous les formes *terce* (v. 980) au féminin, *terz* (fin XIe s.), *tierce* (1119 «troisième heure»), puis *tierz,* au masculin (v. 1160), enfin *tiers* (XIIIe s.), est issu du latin *tertius* «troisième», de *ter* (→ trois).

♦ L'adjectif, remplacé par *troisième,* est sorti d'usage après le XVIIe s., tout en se maintenant dans un certain nombre de locutions figées (***tierce personne,*** 1585, en religion ***tiers ordre*** (1326 *tierce ordeur*) dont certaines sont à l'origine de noms composés : c'est ainsi qu'on parle encore de ***Tiers État*** (v. 1375) avec un sens ancien de *État**, de là, ***le Tiers*** (1675), et aussi le *tiers parti* (fin XVIe s.). En vénerie, un sanglier de trois ans est appelé **TIERS-AN** n. m. (1803) par abréviation de *sanglier en tiers an* (v. 1375). ◇ L'expression *fièvre tierce* (1342) s'est employée jusqu'au XIXe siècle. ➜ Au XVIIIe s., le mot a servi à former quelques expressions du langage juridique dont *tiers opposant* (1752), *tiers arbitre* (1765). ◇ Au XXe s., alors que la vitalité du mot semblait éteinte, est apparu un nouveau composé, *tiers monde* n. m., formé par référence à *Tiers État* (→ monde). ◇ L'expression *tiers temps* a cours en pédagogie (1967).

➤ Le féminin **TIERCE** a été substantivé (1119) comme terme d'antiquité et de liturgie catholique (v. 1121), servant à mesurer une troisième division temporelle. Le moyen âge l'a employé pour désigner un droit seigneurial d'un tiers (1255). L'emploi en musique (1372), d'où *tierce majeure* et *tierce mineure* (1633) est resté vivant et le mot a pris au XVIIe s. des acceptions spécialisées en escrime pour la troisième garde (1653), aux jeux de cartes à propos d'une suite de trois cartes dans la même couleur (1677), en imprimerie (1680) pour la troisième épreuve. ◇ Le mot désigne aussi la soixantième partie de la seconde (1680). ➜ Depuis le XVIIe s., il désigne également la religieuse qui en accompagnait une autre au parloir (1680).

Le masculin a été substantivé en **TIERS** n. m., d'abord «coup de dés où la somme des points est de 3» (v. 1155). ◇ Parallèlement, *le tiers* (1172-1174) se dit de la troisième partie (fraction) d'un tout, spécialement entendue dans le domaine budgétaire (1797, *tiers consolidé*) et fiscal (1950 ; *tiers provisionnel,* 1959). ◇ En droit, il désigne la troisième personne (déb. XIIe s.), outre deux personnes en cause (dans un contrat, un procès), puis en général une personne étrangère (1246), d'où ***être en tiers*** (1676). L'expression *le tiers et le quart* (1399) correspondait à «n'importe qui». De là *se railler du tiers et du quart* (1643, Saint-Amand), devenu *se ficher du tiers comme du quart.*

De *tiers* sont dérivés deux termes techniques, **TIERCELIN** n. m. (1375) autrefois «étoffe faite de trois fils», et **TIERCERON** n. m. (v. 1248 «tonneau» ; 1282, *tercheron*) en architecture gothique, «nervure unissant l'extrémité des liernes aux angles de la voûte» (1493). ➜ **TIERCER** v. tr. (v. 1283, *tiercier,* en droit ; *terchier,* 1257 en agriculture) n'est plus employé qu'au sens de «donner un troisième labour» en agriculture. ◇ Ce verbe, qui a eu plusieurs valeurs en ancien et moyen français, puis des sens techniques, a servi à former le nom d'action **TIERCEMENT** n. m. (1382) employé comme terme d'agriculture (1872) et le nom technique moderne **TIERÇAGE** (1433). ➜ Un substantif tiré de son participe passé, **TIERCÉ, ÉE** adj. (1283) autrefois en droit, a pris divers sens notamment aux courses où *pari tiercé* (1954) est substantivé (n. m., *le, un tiercé*) en parlant d'un pari sur trois chevaux. *Tiercé* se dit aussi d'une série de trois éléments (cf. *trio, triade*). ◇ La création d'un dérivé **TIERCÉISTE** n. et adj. (v. 1960) témoigne de la popularité de ce pari concurrencé aujourd'hui par le *quarté,* le *quinté,* etc.

TIERCELET n. m., terme de fauconnerie (1373) d'abord attesté sous la forme *tercelet* (v. 1265), est le diminutif de l'ancien français *terçuel* (v. 1175) «mâle de l'épervier et d'autres oiseaux de proie», issu d'un dérivé latin populaire °*tertiolus,* ce mâle étant plus petit d'un tiers que la femelle. ➜ Synonyme de *terçuel, tiercelet* s'est employé au XVIe s. dans un style familier, pour désigner un personnage insignifiant, qui n'est pas la moitié de ce qu'il prétend être (1546).

◈ voir **TERCET, TERTIAIRE.**

TIF ou **TIFFE** n. m., attesté au XIXe s., écrit *tif* (1885) ou *tiffe* (1884), est considéré par Wartburg ◈

comme dérivé de l'ancien français *tifer* «parer, orner» (v. 1170), relevé au XVIIIe s. au sens de «coiffer» (1789). Ce verbe est issu de l'alémanique °*tipfon*, et a fourni *attifer**. Il avait donné en ancien français *tiffeure* «coiffure» et «parure» (v. 1180). L'écart chronologique rend sceptique quant à cette origine. Un mot dialectal, tel le dauphinois *tifo* «paille» a été évoqué.

♦ Le mot s'emploie familièrement pour «cheveu», le plus souvent au pluriel.

▶ **COUPE-TIFS** n. m. s'est dit familièrement pour «coiffeur».

TIGE n. f. est issu (1080) du latin classique *tibia* «flûte» et «os de la jambe» (→ tibia) qui avait pris en latin populaire le sens analogique de «partie allongée des plantes qui porte les feuilles». Le mot latin n'est représenté, outre le français, que par le sarde *tíviu*.

♦ Le mot se dit de la partie droite et centrale (tronc) d'un arbre, aussi bien que d'autres plantes (v. 1375), l'usage courant moderne opposant ce dernier emploi à *tronc*, qui l'a emporté pour les arbres. Cependant on a dit *de tige* (1703) et on emploie toujours la locution ***haute tige*** (1732) ou *arbre de haute tige* pour un arbre dont on laisse le tronc s'élever, à côté de *arbre à basse tige* (1767) et *demi-tige* (1732, n. f.). ➛ À partir du XVIe s., *tige* a développé quelques sens figurés; le mot désigne en généalogie la personne dont sont issues les branches d'une famille (1559), d'où ***faire tige*** (fin XVIIe s.). Le sens d'«origine» (fin XVIe s.; 1560, n. m.) est sorti d'usage. Cf. *branche*. ◇ Il désigne concrètement la partie allongée de diverses choses (1382; *tige d'une clef*, 1676), en particulier la partie de la botte qui recouvre le haut de la jambe (1660), la partie d'une colonne comprise entre la base et le chapiteau (1567), l'axe d'une plume d'oiseau au-dessus du tuyau (1680). ➛ Ultérieurement, apparaissent quelques sens argotique (1905, «agent de police») et familier «cigarette» (1905), et la locution ***les vieilles tiges*** pour désigner les premiers pilotes d'avions (1920), d'après le nom donné familièrement au levier de commande, appelé aussi *manche à balai*.

▶ **TIGETTE** n. f., diminutif de *tige* (1549), est spécialement employé en architecture en parlant de la tige du chapiteau corinthien (1676). ➛ **TIGERON** n. m. (1765) désigne une petite tige située dans l'axe d'une roue. ➛ Au XIXe s., a été formé **TIGELLE** n. f. par suffixation diminutive (1815) comme terme de botanique, d'où est tiré **TIGELLÉ, ÉE** adj. (1817) «pourvu d'une tige visible», également employé en héraldique dans la description d'une plante.

TIGNASSE n. f. (1680) est, comme le montre l'ancienne forme *teignasse* (1690), un dérivé de *teigne**.

♦ Le mot tire probablement ses sens d'une comparaison plaisante avec la chevelure d'un teigneux : il a désigné une mauvaise perruque en même temps qu'il a reçu le sens actuel de «chevelure mal coupée, ébouriffée». La forme *teignasse* (1690) s'est maintenue au XIXe s. avec le sens de «coiffe enduite pour soigner les teigneux» (1808), relevée jusqu'au milieu du XXe s. parallèlement à la forme moderne, le lien étymologique y étant encore présent.

▶ On a aussi employé **TIGNON** n. m. (v. 1490), autre dérivé de *teigne*, pour désigner une plaque de teigne, puis (1500) un chignon et, spécialement, les cheveux gras, mal peignés d'une femme (1690, également *teignon*); le mot est en usage jusqu'à la fin du XVIIIe s.; il disparaît ensuite.

TIGRE n. m. est emprunté (v. 1130) au latin *tigris* (n. m. et f.), lui-même emprunté au grec *tigris*, mot oriental, d'origine arménienne selon Varron et mède d'après certains. On pense à l'iranien et on a évoqué l'avestique *tigri-* «flèche», en rapport avec la célérité de l'animal.

♦ Le mot, aussi écrit *tingre* du XIIIe s. (v. 1225) au XVIe s., désigne un grand mammifère, félin puissant et dangereux à robe striée. L'animal reste peu connu des Européens, à la différence du lion, jusqu'à la fin du XVIe s.; d'où la rareté du mot et l'hésitation sur son genre, qui reproduit la situation du mot latin auquel il est emprunté. Le féminin *une tigre, la tigre*, apparu au XIIIe s. (1230), coexiste en ancien français avec le masculin. ◇ Le mot s'étend (1716) à d'autres espèces de félins sauvages, le tigre proprement dit étant aussi nommé *tigre royal* (1723). À la même époque, le mot, pour désigner ces félins, entre dans quelques syntagmes aujourd'hui sortis d'usage : *tigre barbet* «guépard» (1765, *Encyclopédie*), *tigre noir* ou *tigre d'Amérique* «jaguar» (1765), *tigre rouge* «puma» (1765) et *tigre-chat* «serval, ocelot» (1828). La hyène, qui n'est pas un félin, a même été appelée *tigre-loup* (1862). ◇ La relative ancienneté de la locution ***jaloux comme un tigre*** (1546) renvoie au sens restreint et primordial de *tigre*. ◇ L'emploi de *tigre* pour désigner une personne impitoyable (1640) a vieilli. Le mot s'est employé sous la Restauration (1830, Balzac) à propos d'un groom; c'est alors un anglicisme (anglais *tiger*, 1807), l'appellation étant probablement due à une livrée rayée. En argot de métier, il désigne une danseuse du corps de ballet au-dessus du *rat* dans la hiérarchie de l'opéra (1867). ◇ Par analogie d'aspect, *tigre* s'est appliqué à un petit insecte aux élytres tachés de brun, parasite des pommiers et poiriers (1680); on dit de nos jours *tigre du poirier* (1904). ◇ Le nom est adjectivé pour qualifier la robe d'un cheval rayée et mouchetée (1690). ◇ Enfin, il a désigné des coquillages rayés (1765).

▶ Le féminin **TIGRESSE** n. f. (1564) a remplacé l'ancien emploi de *tigre* au féminin, attesté du XIIIe à la fin du XVIe siècle. ◇ Le sens figuré de «femme cruelle en amour» est ancien (v. 1585) mais le mot désigne de nos jours une femme agressive et jalouse. ➛ Le dérivé **TIGRÉ, ÉE** adj. (1718) a relayé l'emploi adjectif de *tigre* au sens général de «moucheté ou strié», spécialement en parlant d'une robe de cheval; il est pris au sens restrictif de *strié* à propos de la robe d'un chat (XIXe s.). ➛ **TIGRER** v. tr. est postérieur (1757); il signifie «marquer de taches ou de rayures». ➛ **TIGRURE** n. f. (1884, Huysmans) se dit d'un ensemble de taches colorées mouchetant une surface. ➛ Au XXe s., a été créé **TIGRON** ou **TIGLON** n. m. (v. 1937), croisement de *tigre* et de

*lion** pour désigner l'hybride d'une lionne et d'un tigre.
TIGRIDIE n. f., terme de botanique (1823), du latin moderne *tigridia* (1805), a été composé savamment du grec *tigris* et de *eidos* «forme» (→ -ide, -oïde) pour dénommer une plante aux sépales mouchetés de jaune et rouge.

TILBURY n. m. est emprunté (1819) à l'anglais *tilbury*, nom d'un cabriolet léger à deux places, généralement découvert, tiré (1814) du nom du carrossier qui l'inventa, *Tilbury*.

♦ Le mot est apparu en français au sens de l'étymon, sous la forme *tilburi*, la forme anglaise *tilbury* étant rétablie dès 1820. Il a disparu, sauf en histoire, avec la réalité qu'il désigne.

TILDE n. m. est un emprunt (1839) au mot espagnol *tilde*, nom féminin, avec changement de genre.

♦ Il désigne un signe typographique en forme de *s* couché qui se met sur un *n* pour indiquer la mouillure. En phonétique et dans les textes anciens imprimés (XVIe-XVIIe s.) le *tilde* note la nasalisation : *ã* = *an*.

TILLAC n. m. est probablement emprunté (1369) à l'ancien scandinave *þilja* «plancher, planche au fond d'un bateau», qui a des correspondants dans l'ancien haut allemand *dil*, *thil* «planche, revêtement en planches» et *dilla* «planche, plancher, pont de navire» (allemand *Diele* «planche») et dans le vieil anglais *thill* «plancher», *thel*, *thell* «plancher de navire» (anglais *thill* «brancard»). Le sens premier serait celui de «couverture, revêtement» d'où, par métonymie, «pont de navire», «plancher» et «planche» (dont un plancher est fait). Kluge compare aussi le lituanien *tile* «planche de bateau» et le latin *tellus* «sol» (→ tellure, tellurique). Cependant, le tillac n'est pas au fond, mais au-dessus, et P. Guiraud, récusant cette étymologie germanique, propose de rattacher le mot à *tille*, du latin *tegulum* «toiture», dérivé de *tegere* «couvrir» (→ toit).

♦ Ce terme de marine désigne, sur un bateau ancien, le pont supérieur ; il est parfois employé (1895) pour «plancher (d'une embarcation)».

TILLEUL n. m. est la réfection (XVe s.) de *tilluel* (1178), issu d'un latin populaire °*tiliolus*, diminutif de °*tilius*, masculin issu du latin classique *tilia* «tilleul» (depuis Virgile) et «seconde écorce de l'orme», mot sans étymologie connue. °*Tilius* avait abouti à *til* (fin XIe s.) et *teil* (XIIe s.) ; cf. ci-dessous.

♦ *Tilleul*, nom d'un grand arbre à feuilles alternes à fleurs blanches ou jaunâtres très odorantes, est employé par métonymie pour désigner la fleur et ses stipules séchées pour faire des infusions (attesté 1855, mais antérieur). Le mot désigne aussi cette infusion (1829). ◇ Il est employé en parlant d'une nuance de vert clair, comme nom (fin XIXe s.), le plus souvent en apposition à *vert*, et (1909) comme adjectif, ceci dès l'ancien français sous la forme *teil* (v. 1165, *cheval teil*).

▸ **TILIACÉES** n. f. pl. est formé savamment en botanique (1798, Joly), du latin *tilia* (→ tilleul) et du suffixe *-acées*.
Teil n. m. s'est maintenu pour désigner le tilleul jusqu'au XIXe s., à côté de *til* (jusqu'au XVIIIe s.) et de formes issues de *tilia*, *tile* (XIIe s.), *tille* (v. 1200). Le mot s'est spécialisé, désignant l'écorce de la tige du chanvre, écrit *teil*, *til* (v. 1150), **TILLE** et enfin **TEILLE** n. f. (v. 1375), les deux dernières formes restant en usage. ◇ Plusieurs acceptions ont disparu : «peau entre l'écorce et le bois du tilleul» (v. 1200, *tille*), «corde faite avec l'écorce du tilleul» (XIIIe s., *tille* ; 1636, *teille*), «planche de tilleul» (1202). ➜ *Tille* et *teille* ont produit **TILLER** v. tr. (v. 1460 ; 1311, *tillier*) et **TEILLER** (v. 1450 ; déb. XIVe s., *teillier*), verbes relatifs au traitement du chanvre, comme leurs dérivés **TEILLEUR, EUSE** n. (1680, aussi *tilleur*) et **TEILLAGE** n. m. (1803 ; 1836, *tillage*). ◇ D'autres dérivés ont disparu avec le déclin de l'utilisation du chanvre.

TILT, d'abord interjection (1964), puis n. m. (1965) est emprunté à l'anglo-américain, de *to tilt* «basculer».

♦ Le mot désigne le signal d'interruption de jeu, au billard électrique, aux flippers. Au figuré, *tilt !* suggère l'inspiration soudaine, ce qui frappe l'attention ; d'où ***faire tilt*** «frapper l'esprit, devenir brusquement clair».

TIMBALE n. f. est l'altération (milieu XIIIe s.) d'après *cymbale*, de *tamballe* «tambourin» attesté plus tard (1471), encore employé au XVIe s. (1530) dans *tamballe d'Espagne*. *Tamballe* est emprunté à l'ancien occitan *tambala*, lui-même emprunté à l'arabe *ṭabl* «tambour», devenu en arabe d'Espagne *ṭabál*, d'où le français *atabal* (fin XVIe s.) ; l'arabe est également passé en portugais *(atabal)*, catalan *(tabal)* et italien *(taballo)*. Le français a eu une forme *atabal* (1595, d'Aubigné), *attabale* (1611), proche de la forme espagnole.

♦ Le mot désigne un instrument à percussion, un tambour composé d'un demi-globe de métal sur lequel est tendue une peau. Cet instrument n'est plus guère employé dans la musique militaire où il figurait dans la cavalerie (il figure encore dans l'orchestre de la garde républicaine), et est aujourd'hui réservé à l'orchestre classique. ➜ Par analogie d'aspect, le mot sert aussi (1727) à désigner un gobelet de métal cylindrique sans pied. Ce sens donne lieu à la locution figurée ***décrocher la timbale*** (1877) qui fait allusion à la timbale accrochée à un mât de cocagne. ◇ Vers le milieu du XVIIIe s., *timbale* désigne aussi un moule de forme circulaire en cuisine (1749) et, par une métonymie courante, une préparation culinaire cuite dans ce moule.

▸ Le mot, au sens premier de «tambour», a produit **TIMBALIER** n. m. (1667) par lequel on désigne celui qui bat les timbales dans la cavalerie, spécialement le musicien aux timbales dans un orchestre (1671).

TIMBRE n. m. est emprunté (mil. XIIe s.) au grec byzantin *timbanon* sous les formes successives supposées °*timbene*, °*timbne* puis altéré en *timbre*. *Timbanon*, pour *tumbanon*, est lui-même l'altération du grec classique *tumpanon* «tambourin», techniquement «roue à eau» et «caisse dans une machine». Les Anciens tiraient le terme de *tuptein* «frapper», mais il s'agit vraisemblablement d'une étymologie populaire ; selon une hypothèse plus plausible, le *tumpanon* étant associé aux cultes orgiaques de Cybèle et de Dionysos, le mot serait d'origine sémitique (araméen *tuppā*, hébreu *tôp*, surtout au pluriel *tuppîm*, etc.). *Tumpanon* a été emprunté par le latin *tympanum*, d'où viennent la forme héritée disparue *tympe* (v. 1155) et l'emprunt *tympan**.

♦ *Timbre* s'est progressivement éloigné de son sens d'emprunt, «tambour de basque», propre à l'ancien français ; il s'appliquait à la cloche immobile que l'on frappait avec un marteau (1374), qui est à l'origine du sens métaphorique de «tête» (v. 1450). De cette valeur procède la locution ***avoir le timbre fêlé*** (1606). ◇ De nos jours, le mot au sens concret désigne une calotte de métal qui, frappée par un petit marteau ou un vibreur, sert de sonnette (1858). Par métonymie, il désigne la qualité de sonorité d'un timbre (1762 ; 1740, «son d'un timbre») et, plus généralement, d'un instrument donné, valeur importante en musique. Il est employé aussi en phonétique (1926 ; *timbre d'une voyelle*). ➜ *Timbre* a eu un autre développement sémantique fondé sur une analogie de forme avec le tambour ou la cloche nommés *timbre* au moyen âge. Il a désigné un panache au-dessus d'un casque (1351) et le casque à panache lui-même (XVIe s.), puis la partie arrondie du casque (1872) ; par ailleurs, il se disait d'un bassin, d'une auge (1530) et, à la fin du XIXe s., d'une petite glacière (1890). ➜ Employé spécialement en héraldique (1352) à propos d'un casque ou d'un autre ornement placé au-dessus de l'écu, il a pris le sens particulier de «marque imprimée sur le papier que l'État rend obligatoire pour la validité de certains actes» (1680), d'où plus tard un emploi à propos du bureau où l'on vend le papier ainsi marqué (1803), qui a disparu. ◇ De là, *timbre* se dit de la marque qu'une administration, une entreprise appose sur un document pour en certifier l'origine, et de l'instrument qui sert à imprimer cette marque (fin XIXe s.). ◇ Dans le domaine postal, le *timbre* était un cachet indiquant le bureau d'origine d'une lettre et certifiant le paiement de son port (1798). De nos jours, les informations délivrées par le timbre ayant changé, on parle plutôt de *cachet*, *timbre* s'appliquant surtout à une petite vignette ayant valeur d'affranchissement, procédé inventé en Angleterre en 1840 et désigné par le mot *stamp*. Ce sens est attesté en français depuis 1848, date du décret-loi (24 août) autorisant la mise en vente de ces vignettes, qui eut lieu à partir du 1er janvier 1849. *Collection, collectionneur de timbres* a suscité le composé savant *philatélie**. ◇ Par analogie, le mot sert aussi à désigner une vignette fiscale (1878) [généralement nommée *timbre fiscal* pour éviter les confusions] ainsi que la vignette attestant un paiement de cotisation. ◇ *Timbre* entre dans quelques noms composés désignant des timbres particuliers, de ***timbre-poste*** (1863), moins usuel que *timbre* dans cet emploi, à *timbre-amende*, *timbre-quittance* (1888) et *contre-timbre*.

▸ Le dérivé **TIMBRER** v. (v. 1175) a suivi le même développement sémantique que le nom, d'abord employé intransitivement pour «jouer du tambour». Comme terme de blason (v. 1340), il signifie dès le XVIIe s. «marquer d'un timbre» un papier (1680), puis une lettre (1762), plus tard «apposer un timbre-poste», par exemple dans *timbrer une lettre*, alors synonyme d'*affranchir* et (1876) «coller une vignette (fiscale)». ➜ Il a produit le nom d'agent **TIMBREUR, EUSE** (1680) et le nom d'action **TIMBRAGE** n. m. qui apparaît en blason (1575) et au sens moderne sous la Révolution (1792). ➜ **TIMBRÉ, ÉE** adj., lié à *timbre* «cloche» et «tête», signifie (v. 1560) «un peu fou» (cf. *sonné*), mais on a dit à l'époque classique *une tête bien, mal timbrée* «bien, mal équilibrée» (1640). ◇ L'adjectif s'emploie aussi pour qualifier une voix par rapport à son timbre, à sa qualité sonore (1836). ◇ Par ailleurs, lié au verbe, il se dit en héraldique (v. 1562) et s'emploie dans *papier timbré* (1675).

TIMIDE adj. est emprunté (1528) au latin *timidus* «qui craint, circonspect», dérivé de *timere* «craindre, avoir peur», mot sans étymologie claire. On remarquera que les mots indoeuropéens de même sens sont différents et n'ont qu'une aire peu étendue : le grec a le groupe de *deos* «crainte», l'arménien *erknčim*, l'irlandais *-águr* «je crains», le vieil islandais *agan* «craindre», etc. Le latin *terrere* (→ terreur, terrible, terrifier) est venu secondairement.

♦ *Timide* apparaît d'abord comme un mot d'emprunt lettré dans son sens latin originel «qui a peur». La généralisation de son emploi entraîne, après le milieu du XVIIe s., un affaiblissement sémantique progressif en «craintif, plein d'appréhension» (1660) et «qui manque d'assurance, de hardiesse» (1654) puis «discret dans les relations sociales» (1670), seules valeurs vivantes aujourd'hui. *Timide* qualifie aussi ce qui témoigne chez qqn d'un manque d'assurance (1628).

▸ Les dérivés suivent la même évolution : **TIMIDEMENT** adv. (1542, *timidéement*), d'abord «avec crainte», correspond à «avec un manque d'assurance» (1549) et à «avec prudence» (1562).

INTIMIDER v. tr. (1515), d'abord créé comme terme juridique («menacer gravement»), est passé très rapidement dans l'usage courant pour «effrayer» (1546) puis par affaiblissement (1662) «donner de l'appréhension» et enfin «faire perdre son assurance à qqn». ➜ L'idée étymologique de crainte reste présente dans les dérivés **INTIMIDANT, ANTE** adj. (1580), appliqué depuis le XIXe s. (1867) à ce qui fait perdre l'assurance, à ce qui impressionne, et **INTIMIDABLE** adj. (1845). ➜ Cette idée de crainte est encore plus sensible dans **INTIMIDATION** n. f. (1552), créé comme terme de droit, puis employé plus largement (1803), notamment à propos d'un État, d'un régime politique qui a recours à la menace (1836), ainsi que dans **INTIMIDATEUR, TRICE** adj. (av. 1836), d'usage rare.

TIMIDITÉ n. f., nom de qualité correspondant, est emprunté (v. 1400) au dérivé latin *timiditas*. ➜ Introduit dans l'usage soutenu au sens fort de «crainte, appréhension», il connaît le même développement sémantique que *timide* à partir du XVIIe s. (1654).

◈ voir TIMORÉ.

TIMON n. m. est issu (v. 1150) du bas latin *timo, -onis*, attesté depuis environ 500 (entre autres chez Grégoire de Tours), lequel est une altération du latin classique *temo, -onis* «flèche d'un char, d'une charrue» d'où par métonymie «chariot», appliqué en particulier au chariot de la Grande Ourse. Ce terme technique du vocabulaire de la carrosserie pourrait provenir du gaulois; il n'a pas d'autres correspondants indoeuropéens que le germanique (vieil islandais *pisl;* vieux prussien *teansis*). Ces formes se rattachent au groupe indoeuropéen de °*ten-* «tendre» (→ tendre).

♦ Le mot a gardé en français le sens du latin; en outre il s'est employé en marine (1265), encore à l'époque classique, pour désigner la barre du gouvernail et, par extension, le gouvernail lui-même (voir ci-dessous *timonier*). Par métaphore (v. 1240 «pouvoir»), il équivaut comme *gouvernail, barre* à «pouvoir politique» (1623, *le timon de l'État*), emploi archaïque.

▸ Son unique dérivé **TIMONIER** (déb. XIIIe s.), antérieurement *tomonier* n. m. (v. 1185), est un terme de marine désignant celui qui tient la barre de gouvernail, employé métaphoriquement au sens de «guide, conducteur» (d'où la traduction d'une expression chinoise concernant Mao Ze-dong par *le Grand Timonier*). ◇ C'est aussi le nom donné à chacun des chevaux attelés de part et d'autre du timon (1636). ➛ *Timonier* a produit **TIMONERIE** n. f. (1791) «fonction de timonier» qui, par extension, sert à désigner collectivement l'ensemble des matelots affectés à ce service (1859) ainsi que la partie du navire qui abrite les appareils de navigation (1831). ◇ À la fin du XIXe s. (1887), le mot est passé dans le langage de l'automobile pour l'ensemble des organes de transmission commandant la direction et s'emploie également pour d'autres véhicules (avion, train).

TIMORÉ, ÉE adj. est emprunté (1578) au bas latin chrétien *timoratus* «qui craint Dieu» (IVe s.), dérivé du latin classique *timor* «crainte», spécialement «crainte de Dieu» (IVe s., saint Augustin), du verbe *timere* «craindre» (→ timide).

♦ Le mot a été introduit en français avec le sens religieux de «pieux, qui craint Dieu», déjà considéré comme vieux en 1660. ◇ Son sens s'est laïcisé avec une valeur psychologique proche de celle de *craintif, pusillanime,* comme mot littéraire pour qualifier une personne qui craint de mal agir (1611); il s'applique plus couramment à la personne qui craint les risques et les responsabilités (1690), substantivé en ce sens (1876).

▸ Le nom de qualité qu'on en a tiré, **TIMORITÉ** n. f. (1899, Daudet), ne s'est pas implanté.

TINCTORIAL → TEINDRE

TINETTE n. f. est le dérivé diminutif (XIIIe s.) du vieux mot technique *tine* n. f. (v. 1200), nom d'un récipient servant au transport de la vendange, du lait, de l'eau, et d'un baquet de bois employé dans la fabrication de la poudre et du salpêtre (1538). Celui-ci, sorti d'usage, est issu du latin *tina* «bouteille à vin».

♦ Alors que *tine* et son dérivé *tinée* n. f. (XVIe s.) «contenu d'une tine» ont disparu, *tinette,* proprement «petite cuve» (encore régionalement), s'est employé au sens technique de «tonnelet pour transporter le beurre fondu» (1639) et pour «beurrier» (1751). De nos jours, il désigne un récipient servant à transporter les matières fécales (1832) ou un cabinet d'aisances sommaire (1865). Ce sens a lui-même vieilli.

TINTER v. est issu (1080) du bas latin *tinnitare* «gazouiller» et à la forme pronominale «se vanter», fréquentatif du latin classique *tinnire* «rendre un son clair», au figuré «payer en espèces sonnantes» et «bavarder, chanter». Il s'agit d'un verbe expressif que l'on peut rapprocher du vieux slave *tǫtĭněti* «faire du bruit» et du serbe *tûtjna* «murmure», sans pouvoir construire une série indoeuropéenne claire.

♦ Le mot est d'abord employé dans la locution négative ancienne *ne tinter mot* «ne pas dire un mot», et s'emploie jusqu'en moyen français comme verbe de parole au sens de «dire» (v. 1310) et, dans *tinter contre qqn,* pour «protester» (1412). Ces emplois se rattachent à certaines valeurs du latin. ➛ Le sens moderne de «rendre un son clair en étant frappé», en parlant d'une cloche, date du XIIe siècle. Il a pour pendant l'emploi transitif au sens de «faire sonner (une cloche)» (1496), d'où «annoncer (un office, etc.) en sonnant les cloches» (1680). ◇ Depuis le milieu du XVIe s., *tinter* se dit en particulier des oreilles qui donnent la sensation d'un tintement de cloche, sens réalisé au figuré dans la locution ***les oreilles ont dû vous (lui) tinter*** (1677) «vous avez dû être inquiet quant au succès de l'affaire», puis «on a parlé de vous en votre absence».

▸ *Tinter* a produit le nom d'action **TINTEMENT** n. m. (1490) «succession de bruits légers», aussi employé à propos de l'oreille (1501) puis avec les sens de «bruit d'une cloche», et «action de faire tinter» (1636). ➛ Son participe présent **TINTANT, ANTE** a été adjectivé (1538).

Avec un élément dialectal *-ouin* à la finale, *tinter* a donné **TINTOUIN** n. m. (1507), d'abord «pensée obsédante (comparable à un bourdonnement)», puis «bourdonnement d'oreilles» (1560). L'usage moderne emploie le mot à propos de l'embarras que donne une affaire (1507); il a désigné un bruit fatigant (v. 1850). ➛ Le dérivé **TINTOUINER** v. (XVIe s.) est sorti d'usage.

TINTAMARRE n. m. est dérivé (v. 1490) de *tinter* au moyen d'une forme finale obscure. ◇ Le mot a d'abord été employé à propos du bruit que l'on fait en frappant sur qqch. et, spécialement, a désigné une chasse aux ramiers qui se fait au milieu de la nuit en étourdissant les oiseaux par le bruit produit de tambours et de poêles. ◇ Le sens moderne plus général, «grand bruit accompagné de confusion et

de désordre», est attesté depuis Rabelais (1546). Depuis le XVIe s., le mot est aussi employé au sens figuré de «protestation» (1565).
En sont dérivés **TINTAMARRER** v. intr. (v. 1550, Jodelle), d'usage rare, et **TINTAMARRESQUE** adj. au sens de «facétieux» (1856) dans le *Journal* des Goncourt, dérivé du nom de la publication satirique *Le Tintamarre* (1840), puis familier et rare pour «assourdissant» (attesté 1936).

◈ voir RETENTIR, TINTIN, TINTINNABULER.

TINTIN n. m. est une formation expressive (v. 1200) imitant un bruit d'objets qui tintent (→ tinter).

♦ Le mot a servi à exprimer un bruit de cloches, de verres qui s'entrechoquent (1680) et un bourdonnement d'oreilles (XVIe s.). ◇ En moyen français, *tintin* a désigné (1312) un jeu où le perdant payait un gage (en pièces qui tintent), d'où la locution ***faire tintin*** «payer en espèces sonnantes», d'abord en francoprovençal (1503). ◇ Par une évolution obscure, peut-être parce que *tintin* évoque la sonnette tirée sans succès par un quémandeur, cette locution familière signifie aujourd'hui (v. 1930) «être frustré de qqch.» et l'interjection *tintin !* s'emploie pour «rien du tout» (1938).

TINTINNABULER v. intr. est dérivé tardivement (1839) du latin *tintinnabulum* «espèce de crécelle en métal, grelot, clochette», dérivé expressif de *tintinnire, tintinnare,* variantes expressives de *tinnire* «rendre un son clair» (→ tinter).

♦ Le nom latin avait été emprunté en moyen français (fin XVe s.) sous les formes *tintinable* et *tintinnabule* «sonnette». Ces formes ont disparu et ce n'est qu'au XIXe s. qu'apparaît le verbe d'emploi littéraire *tintinnabuler* «produire le son d'un grelot, d'une clochette».

▸ Les dérivés **TINTINNABULANT, ANTE** adj. (1867, Gautier) et **TINTINNABULEMENT** n. m. (XXe s. : 1912) sont rares et littéraires.

TINTOUIN → TINTER

TIPI ou **TEPEE** n. m. est un emprunt (1890, francisé en *tipi,* 1928) à l'anglo-américain *tepee* (1835), lui-même pris à la langue amérindienne des Sioux de l'Ouest et des Dakota.

♦ Ce mot désigne un abri conique de peaux cousues (correspondant au *wigwam* algonkin).

TIQUE n. f. est emprunté (1464) au moyen anglais *tyke, teke,* puis aussi *ticke* (XVIe s.), qui doit avoir eu la forme °*ticca* ou °*tica* en ancien anglais. Il a des correspondants, avec des variations vocaliques, en moyen néerlandais *(teke, teecke),* en ancien haut allemand (*zecho;* allemand *Zecke*). On évoque aussi l'arménien *tiz* «punaise» et l'irlandais *dega* «cerf-volant, lucane» sans pouvoir constituer une famille indoeuropéenne claire. Le mot anglais aurait été apporté en France par les troupes anglaises durant la guerre de Cent Ans.

♦ *Tique* désigne un acarien de petite taille, parasite des humains et des animaux (notamment du chien).

TIQUER → TIC

TIRADE → TIRER

TIRE-D'AILE (À) loc. adv., attesté chez Rabelais (1532) sans le trait d'union qui, lui, date du XVIIe s., est formé de *aile** et de **TIRE** n. f. «action de voler» (v. 1354). Ce dernier ne semble pas être un déverbal féminin de *tirer,* bien qu'il ait subi l'influence de ce verbe dès le XVIe s., mais une spécialisation de **TIRE** n. f. (v. 1200), d'abord *teire* (fin XIe s.), *tiere* (v. 1130) «rangée, file (de gens)». Le substantif *tire* est issu d'un francique °*teri* et entrait dans plusieurs locutions en ancien et moyen français : *à tire* (v. 1160), *de tire* (1408) «l'un après l'autre», «sans interruption».

♦ *Tire* s'est longtemps employé dans le vocabulaire des eaux et forêts où l'on appelait *coupe faite à tire et à aire* une coupe faite en une seule fois, en coupant tout le bois (1501). Ce mot survit en héraldique où, sous l'influence de *tirer un trait,* il désigne une rangée horizontale du vair (1690). ◆ *À tire-d'aile* signifie «avec des battements d'aile ininterrompus» (1564), donc «en volant vite (d'un oiseau)» et figurément (1532) «très vite».

◈ voir ATTIRAIL.

TIRELIRE n. f., attesté dès le XIIIe s. (v. 1223), est probablement le même mot que le refrain de chanson *tire-lire* en usage au moyen âge (XIIIe s.) et de formation onomatopéique : à la même époque, on rencontre *tirelirer,* «faire entendre ce son, cette chanson», appliqué spécialement au chant de l'alouette (v. 1550). *Tirelire* a pu désigner par plaisanterie un pot percé d'une fente où l'on gardait des pièces de monnaie, sans doute à cause du bruit qu'elles faisaient en y tombant. P. Guiraud a proposé de rapprocher *tirelire* de *turelure** qui serait passé du sens de «cornemuse» à celui de «petit sac, poche», mais cette explication ne s'impose pas.

♦ Le mot, qui désigne un récipient percé d'une fente où l'on peut conserver des pièces de monnaie et qui évoque des économies modestes ou enfantines, est entré dans une locution comparative assez courante, ***bouche (fendue) en tirelire*** «largement fendue» (1863). ◇ Il a eu quelques extensions métaphoriques, parfois d'usage populaire, «sexe de la femme» (1864), «coffre-fort», ou familier, «estomac» et aussi «tête» (attesté dès le XVIIe s., v. 1625). Cf. *pot.*
Par ailleurs **TIRE-LIRE** n. m. inv. (v. 1550) ou **TIRELIS** (fin XIXe s.) désigne le chant de l'alouette (cf. ci-dessus *tirelirer*).

✻ **TIRER** v., attesté en 1080 et un peu auparavant en ancien provençal (v. 1050, *tirar*), est l'un des cas les plus obscurs de l'étymologie : il a donné lieu à de nombreuses hypothèses dont aucune n'est satisfaisante. Le mot est commun à toutes les langues romanes, sauf le roumain et le dalmate, et il doit y être ancien car il apparaît dans toutes les grandes œuvres littéraires nationales (le *Cid* en espagnol, Dante en toscan, Peire Vidal en occitan, etc.). L'hypothèse proposé par Wartburg est celle d'une réduction de l'ancien verbe *martirier* (attesté v. 1155) ◈

issu d'un latin °*martyrare* «tourmenter, martyriser», d'où «étirer» parce que l'une des tortures les plus fréquemment infligées était la dislocation des membres (→ martyr). L'ancien français *martirier* aurait pu être perçu comme formé de l'ancien adverbe *mar* «malheureusement» (du latin *mala hora* «à la mauvaise heure») et d'un verbe déduit de sa forme au participe présent, confondue avec *tiranz*, nom habituel du bourreau au moyen âge, du latin *tyrannus* (→ tyran). On en aurait postulé un infinitif °*tirier* et on aurait détaché un simple *tirier* d'où *tirer*. Mais cette hypothèse ne vaut que pour le français. Corominas insiste sur le caractère exceptionnel de cette étymologie qui se heurte à plusieurs problèmes : le verbe attesté en latin médiéval est *martyrizare* (→ martyriser) ou, plus rarement, *martyriare* dont procède l'ancien français *martyrier*; en outre, la forme simple n'est pas °*tirier*, mais *tirer*, et ceci dès les premiers textes; d'autre part, d'un point de vue phonétique, le latin *martyrium* qui a donné des formes comme *martre*, aurait difficilement pu produire une vaste série où le *-i-* se serait conservé. Toujours selon Corominas, il faudrait plutôt partir du représentant dans les langues romanes du latin *tyrannus* (→ tyran), adjectif exprimant les idées de dureté et de cruauté que l'on aurait pris pour un participe présent à partir duquel on aurait fait un verbe signifiant «torturer» d'où «tirer (d'abord les membres que l'on écartèle)». Cette hypothèse, comme celle de Diez qui évoquait le gotique *tairan*, est rejetée par Wartburg, mais ceci n'exclut pas une origine germanique (°*teri*). ◇ À partir du XIIe s., on ne peut exclure un rapport avec l'ancien français *tire* «rangée, file», d'origine germanique (→ tire-d'aile [à]) au moins pour les valeurs spatiales du verbe (*tirer un trait*, etc.). L'hypothèse germanique a d'ailleurs été reprise, et l'on évoque aussi, aujourd'hui une source néerlandaise, par un terme de filature ancien, «étirer». La paronymie consonantique de *traire*, confondu sémantiquement pendant un temps, a dû jouer pour implanter le verbe *tirer*.

♦ *Tirer*, dont le développement a été riche en extensions, a progressivement pris la place de *traire* qui signifiait en général «tirer»; la latinisation en *tirare* n'apparaît que rarement et très tardivement en latin médiéval; elle a pu être sentie par les scribes comme correspondant à *trahere* (→ traire). ➛ Dans *La Chanson de Roland* (1080), *tirer* est employé au sens général de «faire sortir (qqch.) de son contenant», souvent avec une idée d'effort; cette acception se développe surtout à partir du moyen français. Le verbe s'emploie spécialement dans ***tirer l'épée*** «se battre» (1459; v. 1365, *tirer* «faire sortir [l'épée du fourreau]») et *tirer les armes* «faire de l'escrime» (XVIe s.); *tirer (qqn) de*, «faire cesser d'être (dans un lieu désagréable ou une situation difficile)», était apparu plus tôt (fin XIIIe s.). Cette construction a donné lieu aux emplois pronominaux *se tirer* (*d'un mauvais pas*, etc.) (fin XVe s.), *s'en tirer* (1642) et *se tirer de là* (1798). ◇ À partir du XIVe s., *tirer (qqch.) de* signifie «obtenir», en utilisant une matière première (v. 1370) ou, à l'époque classique, une source : *tirer* a en effet signifié «importer (une marchandise)» (1678); avec la même construction et le même sémantisme «amener à soi», le verbe se dit (XVe s.) pour «obtenir (de l'argent) de qqn», d'où *tirer du profit de* (1559), aujourd'hui surtout *tirer profit*, et la spécialisation *tirer une lettre de change* [sur qqn] (1636), d'où par ellipse *tirer sur qqn* (XXe s.). Par ailleurs *tirer qqch.* signifie «dérober» (XVIe s.) puis «voler à la tire» (déb. XIXe s.). ◇ Le verbe s'emploie avec la valeur analogue d'«obtenir» dans *tirer (des paroles) de qqn* (1538), d'où familièrement *il n'y a rien à en tirer*, et dans un contexte abstrait «dégager d'un ensemble (un élément)» (1587, *tirer la quintessence de*), «déduire d'un ensemble» (1636, *tirer une conséquence*) et «faire venir de» (1691, *tirer son nom de*); en mathématiques, *tirer la racine carrée* (1690) a été remplacé par *extraire*. ➛ Une autre extension de *tirer*, «faire sortir», concerne les liquides; le verbe signifie «extraire (du vin) d'un tonneau» (1459), d'où le proverbe ***quand le vin est tiré il faut le boire*** (1696). *Tirer* s'emploie aussi pour «puiser de l'eau» (1530). Il est employé spécialement dans *tirer le lait* «têter» (1552), mais est sorti d'usage pour «traire» (1530), sauf régionalement et dans *tirer le pis* (v. 1550); c'est alors le verbe *traire*, qui signifiait en général «tirer», qui l'a remplacé. ◇ *Tirer* figure dans des locutions figurées avec cette valeur d'extraction : ***tirer des larmes à qqn*** (1665) et ***tirer qqch. au clair***, venu de *tirer (un liquide)* «l'extraire par distillation» (1562). ➛ Avec une valeur concrète le verbe se dit aussi pour «enlever (un vêtement)», spécialement dans ***tirer son chapeau***, pour saluer (1580, *tirer son bonnet*) ou rendre hommage. ◇ Dans des expressions, il signifie «choisir (dans un jeu de hasard)» : *tirer hors [un numéro]* (1538), puis *tirer [une loterie]* (1680); à ces emplois se rattachent ***tirer au sort*** (1559), *tirer l'horoscope* (1690), ***tirer les cartes*** (1798), pour dire l'avenir, et par ailleurs *tirer le gâteau des Rois* (av. 1794), puis ***tirer les Rois***, de *tirer (la fève)* du gâteau de l'Épiphanie.

Une autre acception, relevée dans *La Chanson de Roland*, est «exercer un effort sur (qqch.) pour l'enlever». ***Tirer les cheveux*** signifie d'abord «les arracher» (1080), puis seulement «tenter de le faire» (1740). ◇ Le verbe a aussi pris le sens de «faire aller dans une direction», «amener vers soi» (v. 1150), le mouvement impliquant souvent l'effort. Il s'emploie très tôt dans *tirer les rênes*, *tirer une courroie* (XIIe s.) et *tirer as* [aux] *avirons* «ramer» (v. 1160), puis *tirer l'aviron* (v. 1530) et absolument *tirer* (1855, en sport). ◇ Les extensions sont peu nombreuses en ancien et moyen français; *tirer* est attesté isolément (XIIIe s.) au sens de «torturer», en étendant le supplicié sur un tréteau — sens exploité pour l'hypothèse étymologique de Wartburg, voir ci-dessus —, sens repris au XVIIe s. (1606 *tirer* [un condamné] *à quatre chevaux*) et sorti d'usage. ◇ Avec un sujet abstrait *tirer (qqn)* signifie «pousser (qqn) à agir» (v. 1250) et *tirer (qqn) à soi* s'est dit pour «attirer, entraîner» (XVe s.). ➛ *Tirer* «souffler» en parlant du vent (v. 1559; 1530, *tirer son haleine* «respirer») ne s'est maintenu que régionalement (en Belgique, *ça tire*, pour un courant d'air), mais le verbe s'emploie encore intransitivement, avec une valeur proche, pour «avoir une bonne circulation d'air» en parlant d'un poêle (av. 1850) et *tirer sur* équivaut à «aspirer» (déb. XXe s.). ➛ *Tirer* a signifié «être tendu» (1534, intr., à propos du ventre), en particulier à propos de la corde d'un arc (1690). Cette valeur n'est représentée aujourd'hui qu'en parlant de la peau qui subit une tension (1872). ◇ *Tirer* «attirer à soi» fait partie de plusieurs locutions figurées : *tirer la couverte de son côté* (1611), devenue ***tirer la couverture à soi*** (1798), ***se faire tirer l'oreille*** «se faire prier» (1611). ◇ ***Tirer au flanc*** «chercher à échapper à un travail» (1881-1883) ou ***tirer au cul*** viennent d'expressions utilisées à propos du cheval attelé qui, refusant d'avancer, se dérobe de côté ou recule dans les brancards. ◇ Par métaphore, *tirer a fin* (XVe s.) puis ***tirer à sa fin*** (1669) signifie «approcher de la mort», plus couramment «toucher à sa fin», d'où familièrement *ça se tire!* «c'est bientôt fini». ◇ Le pronominal réfléchi *se tirer* a pris en argot (1883), puis dans l'usage familier la valeur de «s'enfuir, partir». *Tirer* s'est employé en ancien français pour «être las», de qqn (v. 1165) ou de qqch. de désagréable (v. 1285), sens peut-être à rattacher à l'idée d'effort ou repris à *traire* «endurer des souffrances» (v. 1120). *Tirer* se trouve en effet dès le XIIe s. dans des emplois qu'avait *traire,* comme «aller, s'acheminer vers», intransitif (v. 1170), avec un complément (v. 1210, *tirer la voie*) ou au pronominal *se tirer* «aller quelque part» (v. 1298), puis «s'en aller» (v. 1430). *Se tirer* s'emploie familièrement depuis la fin du XIXe s. pour «s'enfuir», valeur proche de *se tirer arrière* (1690), expression de la langue classique. ◇ *Tirer* est passé dans le domaine temporel et se dit familièrement pour «subir (une peine de prison)» (v. 1830). ◆ C'est encore la proximité de *tirer-traire* qui explique l'emploi de *tirer après qqn* «ressembler à (qqn)» (fin XVe s.) : *traire* existe en ce sens dès *La Chanson de Roland* (1080). Cette acception ne s'est pas maintenue, mais l'idée de ressemblance subsiste dans *tirer sur (le bleu),* etc. (1538) «avoir (une couleur) qui s'approche de». ◆ Enfin *tirer* «tracer (une ligne)» (1529) succède lui aussi à *traire* (v. 1160) — avec le quasi pléonasme de *tirer un trait** — et donne lieu à diverses locutions, au propre (1680, *tirer un mur au cordeau*) ou au figuré (1867, *tirer un plan*). ◇ Parallèlement l'idée de tracer en dessinant, en écrivant donne lieu à *tirer qqn* «faire son portrait» (1538), puis «le photographier» (1842), très familier et devenu archaïque. *Tirer copie* «recopier» (1694) a disparu, mais le verbe est bien vivant en imprimerie (1669, *tirer un ouvrage*), où il a donné ***bon à tirer*** n. m. (1835) et le dérivé *tirage* (ci-dessous). *Tirer une épreuve* (1845, *tirer des copies*), une photo, relève de cet emploi.

Un autre sens de *traire,* «lancer une arme de trait» (1080), est repris par *tirer,* plus tardivement (1422) qu'en ancien provençal (v. 1280, *tirar*); le verbe s'emploie aujourd'hui pour un projectile lancé par un arc, une arbalète *(tirer une flèche, tirer à l'arc)* et surtout par une arme à feu. Dans ce contexte, il est transitif (XVe s., *tirer le canon*) et aussi intransitif (v. 1485), avec *à (tirer au fusil).* Comme transitif, avec métonymie de l'objet, il s'emploie pour «tirer un coup de feu contre (un animal, une personne)» (XVe s.). Le déverbal *tir* (ci-dessous) correspond surtout à cet emploi. ◇ Par analogie, le verbe est devenu un terme de jeu de boules (1680), plus récemment de football (1932), de basket, etc. ◇ Il entre dans ce sens dans quelques locutions figurées : ***tirer à boulets rouges sur qqn*** (1798) «attaquer vivement» (on a dit *tirer à cartouches,* 1696). ◇ La locution familière ***tirer un (son) coup*** «avoir un rapport sexuel» (v. 1830) repose sur *coup,* «choc» et «accomplissement» et s'est substituée à *faire son coup* (XVIe s.); par emprunt de construction mais beaucoup plus familier on relève ensuite ***tirer sa crampe*** (1878), où *crampe* (1747 dans *crampe d'amour,* équivaut à «érection».

▸ Le nombre et l'importance des dérivés de *tirer* est à la mesure de la richesse sémantique du verbe; leurs emplois se sont, pour beaucoup d'entre eux, restreints. Surtout à partir du XVIIe s., de nombreux composés en *tire-* apparaissent. ◆ Le plus ancien dérivé conservé est le déverbal masculin **TIR** n. m. (XIIIe s.), d'abord attesté dans l'expression *voler à tir* (cf. *tire,* ci-dessous). ◇ Le mot sert de nom d'action (1660) pour le sens de *tirer :* «lancer une arme de trait, un projectile». Ses extensions de sens en procèdent par métonymie : *tir* désigne la direction selon laquelle une arme à feu lance ses projectiles (1690), la série des projectiles envoyés considérée dans ses effets, la manière dont une arme envoie ses projectiles et l'emplacement aménagé pour s'exercer à tirer à la cible (1826). ◇ Par analogie, *tir* est passé au XXe s. en technique pour désigner des opérations de triage (chemins de fer), dans le domaine du jeu, spécialement aux boules (1906) et au football (1921) où il remplace l'anglicisme *shoot.* ◇ Il a servi à former le nom de deux jeux : *tir à la corde* (1901) et, plus courant, ***tir au pigeon*** (1933, dans les dictionnaires).

TIREUR, EUSE n. (1447) a remplacé *tireor* (v. 1220) «celui qui tire derrière soi», puis *tirour* «ouvrier qui hale un bateau» (XIVe s.). Il sert de nom d'agent pour plusieurs acceptions du verbe. Il est peu employé à propos de la personne qui étire qqch., sinon dans *tireur d'or, d'argent* (1485). ◇ *Tireur* s'applique à la personne qui utilise une arme à feu (1447), sens usuel et qui a donné *franc*-tireur* et diverses expressions comme *tireur d'élite,* et à l'escrimeur (qui tire les armes) [1580]. ◇ Dans d'autres sens du verbe, il s'applique à la personne qui tire une lettre de change (1663), à celle qui tire les cartes (1812), ou encore qui vole à la tire (1821; 1611, *tireur de laine*). Dans ces emplois (sauf *tireuse de cartes*) le féminin est rare. *Tireur* se dit familièrement d'un joueur de boules chargé de tirer (1906), d'un joueur de football qui tire au but (1932). ◇ Dans certains cas, c'est l'expression verbale tout entière qui est substantivée, par exemple dans *tireur au flanc* (1904). ◆ Un premier déverbal féminin **TIRE** n. f. a été formé (v. 1210) avec le sens de «peine, ennui» puis (v. 1354) «action de voler (pour un oiseau)», sens disparus comme celui de «traction» (1611). ◇ Il reste vivant dans la locution ***vol à la tire*** (1832), parfois *la tire* (1836), et *voleur à la tire* (1817); cet emploi continue *jouer à la tire* «commettre des malversations» (v. 1508). ◇ D'une autre valeur de *tirer* vient *tire* «sirop d'érable» (1810), en usage au Canada. ◇ *Tire* s'est aussi employé pour «route» (1836, en argot) et est aujourd'hui un équivalent familier de «voiture automobile» (v. 1930).

TIROIR n. m., autrefois «étendage, étirage de draps» (1340), a été précédé par *tireour* (XIIIe s.), *tiroere* (v. 1354) désignant un membre «tiré» d'une bête et que l'on donnait au faucon pour le calmer. ◇ Le mot a désigné un lien, une chaîne reliant les fermoirs d'une reliure (1380), la pièce où l'on donnait la question (1450, *tirouere*) puis aussi le lieu où l'on s'exerçait au tir (1636). ➡ Le sens moderne de «casier de rangement (que l'on tire pour l'ouvrir)» est attesté à partir du XVIe s., noté *tirouer* (1530) puis *tyroir* (1583) et *tiroir*. ◇ Dans la langue technique, le mot désigne un cylindre de machine à fuser les étoffes (1723) puis un dispositif distribuant la vapeur dans une machine à vapeur (1854). ◇ À partir du sens dominant, il a développé quelques sens particuliers : au figuré dans *œuvre à tiroirs* «à récits emboîtés» (1752), au sens concret «arme dont la culasse glisse transversalement au canon» (1812). Il désigne aussi un tour de prestidigitation (1933), et, au pluriel *tiroirs*, une figure de danse (1964). ➡ Il entre dans le composé **TIROIR-CAISSE** n. m. (1889) «caisse où l'argent est enfermé dans un tiroir mû par un mécanisme».

TIRANT n. m., d'abord dans *en un tirant* «tout de suite» (XIIIe s.), est la substantivation de *tirant, ante* adj. «qui tire sur les rênes» (v. 1155, d'un cheval), encore à l'époque classique pour «avare» (1690), sens ancien pour *tiran* en ancien provençal (XIIIe s.). Le substantif désigne une pièce de charpente qui empêche l'écartement (1335), ensuite d'autres dispositifs de même fonction. ◇ *Tirant* se dit aussi de ce qui sert à tirer (1573) : «cordons d'une bourse» (1573), «languettes servant à chausser des bottes» (1660 ; 1567, «chausses», en argot). ◇ Enfin, ***tirant d'eau*** désigne en marine la quantité d'eau que «tire» un navire (1677). ➡ L'adjectif provenant du participe passé, **TIRÉ, ÉE**, est postérieur (1534) pour «tendu, étiré», spécialement dans la locution figurée ***tiré par les cheveux*** «imaginé de manière invraisemblable» (1669), et employé avec divers sens correspondant à ceux du verbe. ◇ **TIRÉ** n. m. s'est spécialisé au sens de «chasse au fusil» (1770) et pour désigner une personne devant effectuer un paiement à l'échéance (1872) ; il entre dans le composé ***tiré à part*** n. m. (fin XIXe s.), au sens de *tirer* en édition.

TIRAGE n. m. (1455) est un substantif d'action de *tirer*, dans plusieurs acceptions du verbe. Employé en moyen français (1466) dans l'acception juridique ancienne de «fermage d'un droit de halage», il désigne en général le fait de tirer (1455) et, par métonymie, son résultat, avec des extensions techniques depuis la fin du XVIIIe siècle. Employé anciennement pour «fait de tirer des pierres d'une carrière» (XVe s.), il a pris au XVIIe s. d'autres valeurs. La plus usuelle aujourd'hui est «fait d'imprimer, de reproduire par impression» (1680) et «reproduction par gravure» (1680). Ce sens a produit par métonymie l'acception «ensemble des exemplaires tirés en une fois» (1837). ◇ Au XVIIIe s., apparaît ***tirage (au sort)*** «désignation par le sort» (1752). Le mot se dit aussi en photographie (1853) puis au cinéma (XXe s.), en relation avec les emplois spéciaux de *tirer*.

TIRADE n. f. a été considéré comme un emprunt à l'italien *tirata* «action de tirer», substantivation du participe passé féminin de *tirare*. Il semble plutôt dérivé (XVe s.) de *tirer** avec le suffixe *-ade*, employé dès le XVe siècle. ➡ Le mot a désigné en vénerie l'action de s'éloigner, puis s'est dit (v. 1550) de l'action de tirer avec un arc. Il prend le sens de «mouvement par lequel on tire» (1611), seulement conservé en sports (1903). ◇ Il s'employait aussi dans *tout d'une tirade* «d'un seul trait» (v. 1550), expression relevée jusqu'au XIXe s., et désigne par métaphore, dès le début du XVIIe s. (1610), le développement continu d'une idée, emploi souvent péjoratif aujourd'hui. ◇ Il se dit (av. 1654) d'une longue suite ininterrompue et spécialement, au théâtre (1672), d'une suite de phrases débitée sans interruption, sens le plus courant aujourd'hui, où l'origine du verbe *tirer* n'est plus guère sentie.

TIRAILLER v. tr. (1542) a été formé à l'aide du suffixe *-ailler* avec une valeur itérative : «tirer à plusieurs reprises en plusieurs directions». Le verbe a pris des valeurs figurées, «entraîner dans des directions opposées» (1675), «solliciter avec insistance» (1718). ◇ Sous l'influence d'un autre sens de *tirer*, il s'applique au fait de tirer souvent, irrégulièrement avec une arme à feu (apr. 1650). ➡ *Tirailler* a servi à former plusieurs dérivés. **TIRAILLEMENT** n. m., nom d'action (XVIe s.), désigne spécialement une sensation de tension douloureuse (1721), un déchirement moral (1762). ➡ **TIRAILLEUR** n. m., autrefois (1578) «celui qui tiraille qqch.», s'est spécialisé dans le domaine militaire, désignant un soldat détaché pour tirailler, c'est-à-dire tirer à volonté (1740), sens dont procède la locution ***en tirailleurs*** (1823) employée aussi (déb. XXe s.) par métaphore. Le mot est devenu (1841) le nom de troupes d'infanterie hors de France, au XIXe s. *(tirailleurs algériens, marocains, tunisiens, sénégalais)*. ➡ **TIRAILLERIE** n. f. (1757) «feu de tirailleur», sens disparu, n'est employé de nos jours que comme synonyme de *tiraillement* au figuré (1803). ➡ Le déverbal technique **TIRAILLE** n. f. (1836) sert à désigner le balancier de certaines pompes. ➡ **TIRAILLAGE** n. m. (1937) est en concurrence avec *tiraillement* en parlant d'un tir effectué en divers sens, irrégulièrement.

Plusieurs autres dérivés apparaissent encore au XVIe siècle. ➡ **TIRERIE** n. f., d'abord écrit *tirrie* (1544) puis *tirerie* (1658), s'est employé pour «tiraillage» et a désigné (1842) un atelier où l'on étirait le fil de fer. C'est aujourd'hui un terme technique relatif à l'étirage des métaux précieux. ➡ **TIRET** n. m. (1554), d'abord «petit trait» puis employé comme terme de ponctuation pour «trait d'union» (1611), désigne (1842) un trait qui indique un changement d'interlocuteur, etc. ◇ Il a pour dérivé l'adjectif **TIRETÉ, ÉE** (v. 1970) formé sur le modèle *point-pointillé**. ➡ **TIRÉE** n. f., substantivation (1573) du participe passé féminin de *tirer*, a d'abord désigné une ligne qu'on tire ; il est entré dans la locution *tout d'une tirée* «sans interruption» (1596), sortie d'usage (cf. *d'une traite*). ◇ Terme technique dans plusieurs domaines (1765, en miroiterie) pour «chose tirée ou étirée», il est aussi employé avec des acceptions familières, pour «longue distance pénible» (1927) et «grosse quantité». ➡ **TIRETTE** n. f. (1589) a perdu son sens ancien de «tiroir» au profit de *tiroir,* puis a désigné un morceau de cuir (1777), sens également sorti d'usage. ◇ À partir du XIXe s. (1812, pour une cheminée), il se dit de diverses petites pièces (cordons, en concurrence avec *tirant,* leviers, pièces métalliques), puis couramment d'une tablette mobile qu'on adapte à certains meubles pour les prolonger (1923).

Tirer a aussi produit **TIRAUDE** n. f., terme technique (1872), et **TIREUSE** n. f., désignant (1921) un appareil qui effectue le tirage des films positifs, ainsi que (av. 1945) l'appareil remplissant les bouteilles automatiquement en prenant le liquide dans le fût. Le mot s'était employé (1671) à propos d'une femme qui tire le vin du tonneau.

La productivité de l'élément verbal *tire-* comme premier élément d'adjectifs et de noms composés a connu une grande expansion à partir du XVIIe s., époque où l'on rencontre déjà par exemple **TIRE-LAINE** n. m. (v. 1600) «voleur» (cf. *à la tire*), **TIRE-FEU** n. m. (1611), **TIRE-CLOU** n. m. (1676), **TIRE-BOUTON** n. m. (1679), **TIRE-BOTTE** n. m. (1690), **TIRE-LIGNE** n. m. (1679), ensuite **TIRE-POINT** n. m. (1803), **TIRE-JOINT** n. m. (1876), etc. (voir les substantifs). ➔ **TIRE-BOUCHON** n. m. (1718), plus courant, désigne un instrument à mèche en hélice pour retirer le bouchon d'une bouteille bouchée. Le mot a eu des extensions par analogie de forme dans *en tire-bouchon* (1784), passant notamment dans les vocabulaires de la coiffure pour «boucle enroulée comme une mèche de tire-bouchon» (1805), de l'aviation (1911) en concurrence avec *vrille,* etc. ◇ Cette analogie de forme a suscité **TIRE-BOUCHONNER** v. (1819) de sens transitif (1819) et intransitif (1881), employé au figuré pour *se tordre, se tortiller* (de rire), dont on a dérivé **TIRE-BOUCHONNEMENT** n. m. (1879) et **TIRE-BOUCHONNANT, ANTE** adj. (1907), au figuré «tordant (de rire)». ➔ Le composé populaire **TIRE-JUS** n. m. (v. 1805) désigne le mouchoir. ➔ *Tire-* reste productif aujourd'hui comme le prouvent les attestations récentes de **TIRE-FESSES** n. m. (1960) «remonte-pente pour les skieurs», et **TIRE-BRAS** adj. (1970).

Le préfixé **DÉTIRER** v. tr. «tirer pour étendre» (mil. XIIe s.) a un sens voisin de *étirer*,* et s'emploie au pronominal (1808) pour «étendre ses membres (en se réveillant, pour se délasser)». ➔ Il a pour dérivés **DÉTIREUSE** n. f. en tissage (1890) et **DÉTIRÉ** n. m. (1935) en chorégraphie.

◈ voir **ATTIRER, ÉTIRER, RETIRER, SOUTIRER,** et aussi **LARIGOT (À TIRE-LARIGOT), FLANC (TIRE-AU-FLANC).**

TISANE n. f. (1393), antérieurement *tisene, tisaine* (XIIIe s.), est emprunté au bas latin *tisana,* altération du latin classique *ptisana.* Ce dernier est emprunté au grec *ptisanê* «orge mondé» d'où «infusion d'orge», dérivé de *ptissein* «piler», «monder de l'orge ou du grain», «broyer, concasser», mot qui a des correspondants dans le sanskrit *pi-ná-ṣṭi* «écraser» et les mots latins *pinsere* (→ piser) «battre», «broyer» et *pistor* «celui qui pile le grain dans un mortier», d'où «boulanger, pâtissier» (→ pistou).

♦ Le mot a été emprunté avec un sens étymologique, «décoction d'orge mondé», avant de prendre son sens actuel plus général (1690). Il entre dans le syntagme *tisane de Champagne* (1806) qui désigne un champagne léger et sucré. ➔ Son sens familier, «volée de coups» (1830), vient d'une métaphore, la tisane étant souvent purgative, ou correspond à l'attraction de *tiser* «donner des coups» (1907), lui-même dérivé du radical de *tison, tisonnier* (→ attiser).

▸ De *tisane* sont dérivés **TISANERIE** n. f. (1829), ancien nom pour la partie de l'hôpital où l'on faisait les tisanes, **TISANIÈRE** n. f. (v. 1800) «faiseuse de tisanes», repris vers 1967 dans la langue publicitaire et **TISANER** v. tr. (attesté v. 1850) «soigner avec des tisanes» et familièrement (XXe s.) d'après le sens familier de *tisane* «donner une correction à (qqn)».

TISON n. m. est issu (v. 1180) du latin *titionem,* accusatif de *titio, -onis* «brandon», mot populaire (Lactance) attesté depuis Varron.

♦ Le mot a désigné jusqu'au XVIe s. une pièce de bois (sans doute du bois à brûler), en même temps qu'il gardait le sens latin de «brandon», toujours en usage. Il s'emploie au pluriel pour le feu de l'âtre (v. 1460), autrefois dans des locutions comme *demeurer aux tisons* (1556). ***Noël au balcon,*** opposé proverbialement à ***Pâques aux tisons,*** est encore connu. ◇ Par figure il s'est dit (fin XIIIe s.) de ce qui fait naître une passion, sens encore représenté dans quelques locutions littéraires, ***tison d'enfer*** (1526) et ***tison de discorde*** (1798 ; 1673, *tison de la discorde*) remplacée par *brandon de discorde.*

▸ Le dérivé **TISONNIER** n. m. signifie d'abord «marchand de petit bois» (1313) et «foyer» (v. 1380), avant de s'appliquer (1417, *tisenier*) à l'instrument de métal servant à remuer les tisons et le feu. ➔ **TISONNER** v., d'abord (1214) au figuré, «exciter», sorti d'usage (cf. *attiser*), s'est employé pour «remuer les tisons inutilement» (1564). ◇ Le sens moderne neutre, «remuer les tisons pour attiser le feu», date du XIIIe s. (v. 1250), mais l'emploi absolu du verbe avec cette valeur ne semble apparaître qu'après 1850. ➔ *Tisonner* a lui-même donné quelques dérivés. Son participe passé adjectivé **TISONNÉ, ÉE** sert à qualifier, en hippologie, la robe d'un cheval semée de taches noires (1578). ➔ **TISONNEMENT** n. m. (1880, Huysmans) se rapporte à l'action de tisonner le feu, alors que **TISONNEUR** n. m., autrefois «marchand de petit bois» (1312) et «personne qui aime à tisonner» (1690), s'applique à l'ouvrier qui surveille le four de verrerie. ➔ Au XXe s., *tison* est entré en apposition dans **ALLUMETTE-TISON** n. f. (1923) désignant une allumette que le vent ne peut éteindre.

◈ voir **ATTISER.**

TISSER v. tr. est la réfection (1361) de l'ancien verbe *tistre* (v. 1130, encore employé au XVIIIe s.) ou *titre* (v. 1260), etc., par changement de conjugaison en raison de la complication des formes de ce verbe, dont il reste le participe passé *tissu* (ci-dessous). Le verbe *titre,* par les stades successifs °*tieistre* puis *tistre* ou *tître,* est issu du latin *texere* «fabriquer un tissu», «tramer, entrelacer», qui se disait non seulement de la toile, mais de tout ouvrage dont les matériaux s'entrecroisent (→ texture) et s'appliquait également aux choses de l'esprit (→ texte). Le mot latin, auquel remontent aussi l'italien *tessere*, l'espagnol *tejer*, est d'origine incertaine : on ne pourrait le rapprocher de la racine indoeuropéenne signifiant «travailler avec la hache, charpenter» (grec *tektôn*, → tectonique ; vieux slave *tesla* «hache») qu'à condition de poser le sens initial très vague de «produire par une technique», ce à quoi rien n'autorise. On a aussi voulu poser une racine de sens général °*twek-s*, sans qu'il soit possible de rien préciser.

♦ *Tisser* conserve le sens concret du latin *(tisser la laine)*, d'où l'emploi pour «produire un tissu» (1530) et la locution ***métier à tisser*** qui semble tardive (1874). ◇ Ce n'est que depuis le XIXe s. que le verbe est attesté en parlant d'un animal (av. 1870), notamment d'une araignée, et (av. 1872) au sens métaphorique de «constituer, élaborer (des mensonges, etc.)». ◇ Dès le XVe s., on relève avec une autre conjugaison (*tissir*, 1483) le sens figuré, «élaborer une œuvre», repris par *tisser*.

▶ *Tisser* a produit quelques dérivés relatifs au travail de la toile. ◆ **TISSEUR, EUSE** n. (1567) est la réfection de l'ancien *tissur* (1170), également *tieseur* et *tixeur* (XVe s.) ; le mot désigne un ouvrier qui fait de la toile et a supplanté *tissier* (v. 1175) qui occupe une place importante dans l'onomastique (cf. les noms propres *Teyssier*, *Tixier* et *Teyssèdre* fait sur l'ancien provençal *teissedor*) ; *tixier* est toujours en usage au XVIIIe siècle. ◆ Quant à **TISSERAND, ANDE** n. (1239, *tisseranz*, pluriel ; v. 1360, *tisserand*), aussi *tisserent* (XIIIe s.) et *toisserrans* (1224), il s'est maintenu à côté de *tisseur* mais s'est spécialisé pour «artisan en tissage». ◆ **TISSURE** n. f. (1501), d'abord *tisseüre* (fin XIIIe s.), autrefois «manière dont un textile est tissé», se dit au figuré (1538) de l'agencement d'une œuvre ; il a subi la très forte concurrence de l'emprunt *texture**. ◆ Le nom d'action **TISSAGE** n. m. (1262) semble avoir été rare avant le début du XIXe s. (1812) pour devenir nom d'action usuel du verbe.

Tisser a aussi servi à former le nom du **TISSERIN** n. m. (1817, Cuvier), nom d'un oiseau exotique qui construit de remarquables nids tissés. On l'a aussi appelé au XIXe s. *tisserand* (1829).

À ces dérivés s'ajoutent les verbes préfixés **DÉTISSER** v. tr. (1573), réfection de *destistre* (1216), et **RETISSER** v. tr. (1611), réfection de *retixtre* (1548).

TISSU, UE adj. est l'adjectivation (1165-1170), puis la substantivation au masculin (1175), de l'ancien verbe *tistre*, refait en *tisser* (ci-dessus). ◆ Comme adjectif (v. 1160), *tissu* a été supplanté par *tissé*, participe passé de *tisser*, mais continue de fournir à celui-ci un doublet stylistique, employé avec un sens propre comme archaïsme littéraire et avec un sens figuré (v. 1440-1475) dans quelques expressions. ◆ **TISSU** n. m. a d'abord désigné (v. 1175) un ruban formant le corps et la partie résistante d'une ceinture ou d'une jarretière, ainsi qu'un bandeau. ◇ Il s'est employé pour «robe» au XVe s. (1462) avant de prendre le sens général actuel d'«objet tissé» (1549), d'où «manière dont les fils sont croisés» (1770). *Tissu-éponge* (1877) désigne un tissu présentant des boucles sur chaque face et qui a un pouvoir d'absorption. ◇ Au XVIIe s., le mot prend des valeurs figurées, désignant un enchevêtrement de choses (1621), souvent avec une connotation péjorative, et la suite des parties d'un discours (1621), acception sortie d'usage. ◆ C'est au XVIIIe s. que le mot passe dans le vocabulaire de la biologie (1751, *Encyclopédie*), employé dans des syntagmes qualifiés (*tissu cellulaire*, Tarin, d'après la physiologie de Haller, 1744 ; *tissu muqueux*, Bordeu, 1767), à propos de l'ensemble des cellules ayant une même morphologie et des potentialités identiques. ◇ Au XXe s., il est passé dans le langage de la sociologie (v. 1965, *tissu social*), réalisant l'idée d'un ensemble homogène d'éléments de même fonction. ◆ Une extension technique moderne, où *tissu* a une valeur étendue (comme dans *tissu de, en papier*) aboutit à l'expression contradictoire : *tissus non tissés*. ◆ Outre son emploi dans quelques noms composés désignant des tissus, comme **TISSU-ÉPONGE** n. m. (1877), ou des compositions qui en ont l'aspect (*tissu-feutre*, v. 1950), *tissu* a servi à former **TISSUTIER** n. m. (1403), d'où **TISSUTERIE** n. f. (1679), relatifs à la confection de tissus légers en passementerie. ◆ À partir de son sens spécialisé en biologie, ont été formés **TISSULAIRE** adj. (1842) et le composé **TISSUTHÉRAPIE** n. f. (1953) en chirurgie.

◈ voir ① et ② **PRÉTEXTE, SUBTIL, TEXTE, TEXTILE, TEXTURE, TOILE.**

TITAN n. m. est l'emprunt, d'abord comme nom propre (XIVe s., Bloch et Wartburg, puis 1588), du latin *Titan*, lui-même emprunté au grec *Titan*, nom générique porté dans la mythologie par six des enfants mâles d'Ouranos et de Gaïa. Le mot est sans étymologie connue ; Hésiode rapprochait le terme de *titainontas* «tirant, arrachant» (participe présent de *titainein* «tendre»), que les scholies interprétaient au sens de «tirant vengeance» : les Titans seraient donc «les Vengeurs», mais c'est sans doute là une étymologie populaire. D'autres hypothèses ont été émises ; parmi celles-ci, la plus intéressante est, d'après Chantraine, celle de Nehring qui pense que Titan serait un dieu solaire et que le mythe des Titans viendraient avec leur nom d'Asie Mineure.

♦ D'abord terme de mythologie, *titan* est employé comme nom commun chez Hugo avec le sens figuré «personne d'une immense importance», en parlant de Michel-Ange, puis au sens propre de «géant», en parlant d'une personne (1842) ou d'une chose (1876), et aussi adjectivement (av. 1874, Michelet). Le mot entre dans l'expression ***travail de titan*** (1842), allusion à l'épisode raconté par Hésiode au cours duquel les Titans cherchèrent à escalader le ciel avec l'aide des Géants, en entassant le mont Ossa sur le mont Pélion. ◆ Par analogie, le mot désigne en zoologie un grand coléoptère (1904 ; après *titane*, 1876) et un engin de levage et de manutention très puissant (1904).

▶ ① **TITANIQUE** adj. (1552, Rabelais) «digne des Titans, gigantesque», emprunt au dérivé grec *titanikos*, a été remplacé par **TITANESQUE** adj. (1613, repris 1842, Nerval), de *Titan*, qui a sur le précédent l'avantage de pouvoir être employé au figuré (1878) sans allusion mythologique. ◇ L'anglais *titanic*, qui correspond à ① *titanique* a fourni le nom d'un gigantesque paquebot, demeuré célèbre par son naufrage. ◆ **TITANISME** n. m. (déb. XVIIIe s., Saint-

Simon) est rare. ➜ **TITANOMACHIE** n. f. (1836), nom savant fait avec l'élément *-machie** ou emprunté au latin *titanomachia* (grec *titanomakhia*), désigne le combat des Titans contre les dieux et, par extension, un combat de géants (1890).

TITANE n. m. est la francisation (1800) du latin scientifique *titanium* (1798), formé par le chimiste allemand Klaproth sur le grec *titanos* «chaux, plâtre», mot probablement emprunté dont l'étymologie reste obscure.

♦ Le mot désigne un élément chimique de couleur blanche, avec des syntagmes (*oxyde de titane*, etc.) et les dérivés habituels. Le titane, métal rare, est important par ses applications industrielles.

▸ En dérivent des termes de chimie ou de technique, parmi lequels ② **TITANIQUE** adj. (1836), **TITANATE** n. m. (1836), nom des sels, **TITANIFÈRE** adj. (1842), de *-fère*, **TITANEUX, EUSE** adj. (1876).

TITI n. m. est un mot populaire (1830) de formation enfantine, fait par redoublement de la syllabe *ti*, peut-être tirée de *petit** ou d'un élément *tit-* de mots expressifs. L'emploi de *titi* pour appeler la volaille vient aussi de *petit (petit, petit...)*, mais le substantif *titi*, «alouette» (1842), est une onomatopée du cri.

♦ *Titi* s'est dit d'abord d'un jeune ouvrier caractérisé par son habit et (1859) d'une sorte de déguisement de carnaval imitant cet habit. ◇ Le mot ne s'emploie plus aujourd'hui que pour désigner un gamin déluré (attesté 1867), notamment dans *titi parisien*.

TITILLER v. tr. (v. 1390), une première fois *tetiller* (v. 1175), est emprunté au latin *titillare* «chatouiller» et, au figuré, «caresser, charmer». Le sens pris par son dérivé *titillus*, «bout de sein», incite à rapprocher le groupe de *titillare* de *titta* «bout de sein» et de *titina* (→ tétine, à tette) qu'attestent les langues romanes. Il s'agirait alors d'une formation expressive.

♦ *Titiller* a d'abord été employé intransitivement au sens de «démanger». ◇ Son usage transitif moderne pour «chatouiller légèrement» est attesté depuis Ambroise Paré (1560), mais demeure rare avant la fin du XVIIIe s. (1798); il s'emploie ensuite au figuré (apr. 1850).

▸ Son participe présent **TITILLANT, ANTE** est employé comme adjectif (1798), autrefois au sens «qui éprouve une démangeaison», aujourd'hui littéraire pour qualifier ce qui chatouille légèrement (1812). **TITILLATION** n. f., le nom correspondant, est emprunté (1495) au dérivé latin *titillatio*. ◇ Le mot est lui aussi rare avant le XVIIIe s. (1721) au sens de «chatouillement léger»; il est également employé au figuré (1834, Balzac).

✳ **TITRE** n. m., modification phonétique (v. 1225) de l'ancienne forme *title* (v. 1165), encore en usage au XVIIe s. et conservée en anglais, est emprunté au latin *titulus* désignant à l'origine une affiche ou un écriteau porté au bout d'un bâton dans les triomphes et sur lequel étaient inscrits en gros caractères le nombre des prisonniers, les noms des villes prises. *Titulus* s'est appliqué aussi à l'écriteau indiquant qu'une maison était à louer et à celui qui, dans les enterrements, relatait la vie du défunt. Par suite, l'accent étant mis sur le texte plus que sur le support, le mot a désigné une épitaphe, une inscription, l'intitulé d'un ouvrage, la désignation honorifique donnée à qqn d'où le renom, la gloire et, dans la latinité impériale, un prétexte. *Titulus* paraît être un mot à redoublement (comme *populus* → peuple), peut-être d'origine étrusque.

♦ Le mot est emprunté à propos d'une inscription sur un tombeau, puis par métonymie d'un monument commémoratif (v. 1310), ceci jusqu'au XVIe siècle. Il désigne par la suite une inscription sur un drapeau (XIIIe s., *titele*), l'écriteau mis sur la croix du Christ (1372), puis une inscription sur une monnaie (1553). ➜ Ces acceptions sont sorties d'usage alors que celle de «désignation de la matière (d'un ouvrage, d'un chapitre)» (v. 1200) s'est imposée. Ce sens a donné lieu à l'emploi pour «chapitre» (v. 1225) jusqu'au XVIIIe s., puis «page de livre qui porte le titre» (1802), et à des expressions techniques en imprimerie, comme *titre courant* (1802) ou *faux titre* (1835). ➜ D'autres acceptions apparaissent vers la fin du XIIIe s.; *titre* désigne en technique un petit trait au-dessus d'un mot écrit en abrégé (1250-1280) et en droit ce qui établit un droit, notamment un droit de possession (1283-1295). ◇ Le mot désigne par métonymie un écrit qui constate un acte juridique (1468); au XIXe s. (1853) *titre* s'applique à un certificat représentatif d'une valeur de Bourse (***titre au porteur***, 1872). ◇ Il entre dans la locution ***en titre*** (1690), postposée à certains noms (1835, *professeur en titre*). ◇ Le sens de «cause, raison» (1325) qu'a eu *titre* en ancien français est sorti d'usage après le XVIe s., de même que celui de «prétexte» (1440-1475), mais l'idée voisine de «droit sur lequel on se fonde pour faire qqch.» est restée, surtout dans les locutions ***à juste titre*** (1340), ou *à bon titre* (v. 1350), sortie d'usage, ***à titre de*** (1643), qui a replacé *au titre de* (v. 1360), ***à quel titre*** (1667), ***à titre gratuit*** (1812). ➜ Se détachant du sens de «célébrité» (1213) repris au latin, le mot a pris celui de «désignation honorifique d'un nom indiquant un rang, une dignité» (XIIIe s.), valeur qu'il a gardée (*titres de noblesse*, etc.). ◇ Par extension, il s'est dit (XIVe s.) pour «état, situation» et s'applique (1539) à la qualification que l'on donne aux personnes pour exprimer certaines relations (par exemple *le titre de père*). ➜ Enfin, avec l'idée concrète de proportion, il exprime la proportion d'or ou d'argent contenue dans un alliage (1543) et s'emploie techniquement en chimie (1872) et en filature (1841).

▸ Le dérivé **TITRER** v. tr., attesté isolément (fin XIIIe s.) sous la forme *titler* «donner un titre à (un ouvrage)», puis avec le même sens sous sa forme actuelle (1603), est surtout employé à partir du XIXe siècle. ◇ En relation avec d'autres sens de *titre*, ce verbe signifie «conférer un titre de noblesse à (qqn)» (v. 1589), d'abord attesté au pronominal *se tiltrer* (v. 1450) et, à partir du XIXe s., «déterminer la proportion de» (1872). ◇ Le participe passé **TITRÉ, ÉE** est adjectivé (1688) à propos d'une personne qui porte un titre nobiliaire, puis au sens chimique de *titre* et *titrer* (1872). ◆ Le verbe a produit les dérivés techniques modernes **TITRAGE** n. m. (1841) «fait de titrer, de mettre un titre», aussi au cinéma (1925), **TITREUR** n. m. (xxe s. : 1921 en cinéma), **TITREUSE** n. f. employé en cinéma (1936), **TITRABLE** adj. (xxe s.). ◆ Du sens chimique de «proportion», viennent **TITRATEUR** n. m. (1974), **TITRIMÉTRIE** n. f. (xxe s.) et **TITRIMÉTRIQUE** adj. (1905). ◆ De *titre* est aussi dérivé un ancien terme de religion, **TITRIER** n. m. (1731, au sens ancien de «falsificateur de titres»), puis (xxe s.) «typographe qui compose les titres».

Titre entre dans la formation de trois composés au sens de «titre de chapitre» et en cinéma. ◆ **BANC-TITRE** n. m. (→ banc), **SOUS-TITRE** n. m. (1837, Balzac) «titre secondaire (d'un livre)» et (1912, d'après l'anglais *subtitle*) «traduction des paroles d'un film étranger». ◇ De ce composé dérive le verbe **SOUS-TITRER** (1923), d'où **SOUS-TITRAGE** n. m. (1923 à propos d'intertitres). ◆ On parle d'**INTERTITRE** n. m. (1955) dans le cas d'une traduction intercalée entre deux images et de **SURTITRE** n. m. en typographie, journalisme (mil. xxe s.).

Le préfixé **ATTITRER** v. tr., d'abord «attribuer comme titre (à un livre)» (v. 1530, *attiltrer*), remplacé par *titrer*, et «donner la préférence à (qqn) pour ce qui concerne sa profession» (1762), ne s'emploie plus qu'en vénerie *(attitrer les chiens)*. ◆ **ATTITRÉ, ÉE** adj. est plus ancien (v. 1170, *atitelé*); il qualifie une personne chargée d'une fonction et s'emploie couramment (1787) pour «habituel» *(fournisseur attitré)*.

◈ voir INTITULER, TITULAIRE.

TITUBER v. intr. est emprunté (1466) au latin *titubare*, «chanceler, broncher», «hésiter», de sens physique (spécialement «bégayer») et moral, mot expressif à redoublement.

♦ Le français a emprunté le mot avec le seul sens physique de «vaciller sur ses jambes».

▶ Il a pour dérivé **TITUBANT, ANTE** adj., à partir de Montaigne (1580) qui l'emploie aussi avec le sens figuré d'«incertain», et récemment **TITUBEMENT** n. m. (1899). ◆ L'emprunt antérieur **TITUBATION** n. f. (1377) représente le dérivé latin *titubatio*.

TITULAIRE n. et adj. est dérivé savamment (1516), avec le suffixe *-aire*, du latin *titulus* (→ titre).

♦ Le mot a d'abord été employé comme nom pour désigner puis, comme adjectif (1529), pour qualifier la personne qui a certains droits sur une chose. ◇ Au xvie s., *titulaire* est spécialisé comme terme de religion : un *évêque titulaire* (v. 1550) porte le titre d'un diocèse disparu et est sans juridiction; l'adjectif qualifie ce qui consiste uniquement en un titre (1561, Calvin) et s'applique à une personne revêtue d'un titre (1636; *abbé titulaire*), ou à celui qui a le droit de porter un titre religieux sans avoir de pouvoir juridictionnel (1694). ◇ À partir du xviie s., le mot désigne aussi une personne qui a une fonction en vertu d'un titre (1680), couramment dans *titulaire de...* Par ailleurs, l'adjectif s'applique (v. 1850) à un saint qui donne son nom à une église. ◆ Ancien terme de grammaire (1550), l'adjectif qualifiait aussi (1580) ce qui forme le titre d'un livre.

▶ Le mot a produit ses dérivés au xixe siècle. ◆ **TITULATURE** n. f. (1834), didactique, désigne l'ensemble des titres d'une personne, **TITULARIAT** n. m. (1841) est employé en droit et dans l'Administration, **TITULARISER** v. tr. (1876) est beaucoup plus courant, aussi au participe passé adjectivé et substantivé, ainsi que son dérivé, **TITULARISATION** n. f. (1876). ◆ **TITULAIREMENT** adv. (1883) est didactique et rare.

TOAST n. m. apparaît au xviiie s. (un exemple de 1734 concerne l'Angleterre), sous diverses formes, *toste* (1745, jusqu'au xixe s.), aussi au féminin (1789, Marat), *toast* (1750) par emprunt à l'anglais *toast*, qui avait pris récemment cette valeur : «fait de boire à la santé de qqn». Le mot anglais signifie d'abord (xive s.) «pain grillé»; il est emprunté à l'ancien français *tostee* n. f., de *toster* «griller, rôtir». Selon les étymologistes anglais, on aurait comparé la personne à la santé de laquelle on buvait (sens attesté en 1700) au pain grillé épicé qu'on trempait dans la boisson. D'après J. Demy, il s'agirait plutôt d'une confusion entre *toast* «pain grillé» et un emprunt au persan *dostkām*, de *dost* «ami» et *kām* «amour», mot qui aurait été «repris, avec la coutume, à la cour du Grand Mogol» (*in* L. Deroy, *L'Emprunt*, p. 63). Pour l'origine de *tostee* «griller», → torrent, tôt.

♦ Le mot désigne donc en français le fait de lever son verre à la santé de qqn et (xxe s.) l'allocution prononcée à cette occasion. ◆ Par réemprunts, d'abord isolés au xviiie s. (1769, *thoast;* 1777, *toste*), puis au début du xixe s. (1826), le mot est employé (fin xixe s.) pour «tranche de pain de mie grillé», cette acception étant concurrencée par *rôtie* en français du Canada.

▶ **TOASTER** v. intr. (1745, *toster*) s'est employé pour «porter un toast». ◇ **TOASTÉ, ÉE** adj. a été reformé au xxe s. (1957 écrit *tosté*) pour «grillé, transformé en toast».

◈ voir TORRÉFIER, TORRENT, TORRIDE, TÔT.

TOBOGGAN n. m. est emprunté (1691, *tabaganne*, repris 1882; forme moderne 1890, Coubertin) à l'anglais *toboggan* (xixe s.) «traîneau utilisé pour le transport sur la neige», attesté sous diverses variantes entre 1830 et 1870. Le mot anglais est emprunté à plusieurs mots indiens du Canada tous apparentés (algonquin *otaban*, cri *otabanak*, micmac *tobâkun*, abnaki *udãbãgan*, etc.). Au Canada même, ces mots sont passés en français sous la forme *tabagane, tabaganne* (1691, Le Clercq), puis en anglais sous la forme *toboggan* (aussi *tabagan, tabogan, tarbogan*, etc., v. 1820). Au Canada français, on a aussi traduit le mot par *traîne sauvage* (1704) et *luge*.

♦ Le français a repris la forme anglo-canadienne pour parler du traîneau, et, surtout, de la piste sur laquelle on fait des descentes avec ce traîneau (1890), appelée en anglais du Canada (1884) et des États-Unis (1886) *toboggan slide* ou *toboggan*. ◇ Le mot s'emploie aussi (1900, isolément, *tobbogan*, puis 1913) pour le sport pratiqué à l'aide du toboggan; on a employé un moment *tobogganing* n. m. (1890), emprunt au dérivé anglais *tobogganing*

(1846 au Canada, 1855 en américain). ◇ Par analogie de forme, il désigne (1890) une rampe inclinée sur laquelle on se laisse glisser — notamment comme jeu d'enfants — et, dans le vocabulaire technique, (1927), un appareil de manutention avec glissière, un viaduc démontable à forte pente (1967, *Toboggan*, marque déposée). Avec ce dernier sens, *toboggan* a un équivalent français : *autopont*.

TOC ou **TOC-TOC** interj. et n. m. est un mot attesté depuis le moyen français (1496), de formation expressive et qui appartient à une série de bases onomatopéiques à structure consonantique *t-k* (variantes : *tr-k, t-p, t-t*) suggérant l'idée de coup.

♦ À côté de *tic** et *tac**, *toc* exprime l'idée d'un petit coup et d'un bruit frappé à la porte, répété en *toc-toc* (1697, Perrault, très antérieur oralement). ◇ Comme interjection, *toc!* s'emploie pour appuyer ou souligner une réponse «frappante» (1903), souvent sous la forme *et toc!* ◇ Il a développé quelques sens techniques, désignant autrefois la sonnerie d'une montre à répétition sans timbre (1834), puis l'organe d'un tour qui maintient en place la pièce que l'on tourne (1904) et la touche du poisson à la pêche. ◇ Il est adjectivé, souvent redoublé en ***toc-toc***, au sens familier d'«un peu fou» (1880) [→ toquél, selon la métaphore courante de *frappé, sonné*.

▸ **TOC** n. m. et adj., avec la valeur de «camelote», est issu (1835, adj.) de l'onomatopée, l'idée de tricherie, de ruse étant souvent exprimée dans les dialectes par des mots signifiant à l'origine «donner de petits coups» (*toc et tac*, dans l'est de la France, signifie «ruse»). ◆ Le mot a d'abord été appliqué à un métal non noble (1835, cuivre doré imitant l'or), un mauvais bijou, avant de se dire par extension de tout objet faux et prétendu ancien, sans authenticité (1836). ◇ *Toc* est attesté dès 1835 comme adjectif avec le sens argotique puis familier de «malin», puis «faux, mauvais» (1849) et, semble-t-il, le sens opposé, de «chic» (1856). De ce sens argotique ancien procède l'idée de «toupet, culot» (1928), réalisée par le nom dans les locutions sorties d'usage *manquer de toc, avoir le toc de...*

TOCANTE n. f. (1820) ou **TOQUANTE** (1725), familier pour «montre», dérive de *toc* ou de *toquer**. ◆ À l'aide du suffixe péjoratif *-ard*, *toc* a servi à former **TOCARD, ARDE** adj. (1855), «ridicule, faux, laid», d'usage familier; on relève aussi les formes *tocquard* (1926), *toquard*, à ne pas confondre avec le nom homonyme, qui appartient à la même famille. ◆ **TOCARD** ou **TOQUARD** n. m., terme de turf désignant un mauvais cheval (1884), est issu de la substantivation, soit de l'adjectif ci-dessus, soit d'un adjectif *toquart, toquard* attesté régionalement (Ouest) avec les sens de «qui a une grosse tête» (cf. *têtard*) et «qui porte à la tête, capiteux» et, en parlant d'un animal, «qui frappe avec la tête» (du bélier), avec l'idée du bruit de choc. Une première dérivation de *toc* avait donné (1855) le sens de «laid», à propos d'une personne. ◇ De toutes façons, *toquard* est aujourd'hui senti comme rattaché à l'adjectif *toc* «sans valeur». Le mot, par extension, se dit d'un mauvais sportif (1904) et, couramment, d'une personne incapable (1925).

TOCCATA n. f. est emprunté (1703) à l'italien *toccata*, terme de musique, participe passé substantivé de *toccare* «toucher», de même origine que le verbe français. L'italien oppose *toccare* et *sonare* d'où *toccata* et *sonata* (→ sonate).

♦ Le mot désigne, en français comme en italien, une pièce instrumentale souvent brillante, sans structure précise. À côté de la *sonate** (pièce à «sonner») et de la *cantate** (pièce à «chanter»), la *toccata* est d'abord une pièce à jouer sur un instrument à clavier («touché»).

TOCSIN n. m., réfection graphique (1611) de *touquesain* (1379), puis *toquesain* (XVIe s.), est emprunté à l'ancien provençal *tocasenh* (1369) de même sens, formé de *toca*, dérivé de *tocar* «sonner (les cloches)» (XIVe s.), de même étymologie que le français *toucher**, et de *senh* «cloche» issu du latin *signum* (→ signe) qui avait pris à basse époque le sens de «cloche» (VIe s., Grégoire de Tours), conservé en ancien français par *seing**. On relève aussi à l'époque classique la graphie *tocseing* (1690).

♦ Le mot désigne le tintement d'une cloche servant à donner l'alarme et est devenu, par métonymie, le nom de cette cloche (1611). La locution ***sonner le tocsin*** (v. 1570, *toxin*) «donner l'alarme» a pris la valeur figurée (1688, Bossuet) de «manifester des inquiétudes pour alerter qqn, exciter l'opinion, etc.», sens qui a disparu.

TOGE n. f. est l'altération (1546, Rabelais) de *togue* (1213, encore en 1660), emprunt au latin *toga*. Le mot, dérivé de *tegere* «couvrir» (→ toit), a désigné originellement une couverture, puis un vêtement, indifféremment d'homme ou de femme, avant de se spécialiser pour le vêtement du citoyen romain, symbole du civisme et de la nationalité romaine (par opposition à *pallium* qui caractérise les Grecs, → pallier). Il s'est également spécialisé à propos du vêtement des hautes classes, s'opposant alors à *tunica* (→ tunique).

♦ Le mot a été emprunté par les lettrés comme terme d'antiquité romaine. Il s'est étendu à l'habit long de cérémonie porté dans certaines professions (1802).

TOHU-BOHU n. m. est la transcription, d'abord en *toroul boroul* (XIIIe s.), de la locution hébraïque *tohû webohû*, employée dans la *Genèse* (I, 2) pour désigner le chaos avant la création du monde. Le français a eu aussi *tobu vabohu* (XVIe s.) puis *Tohu* et *Bohu* comme nom de deux îles dans le *Quart Livre* de Rabelais (1552) et enfin *tohu-bohu*, relevé pour la première fois dans la traduction de Voltaire (1764) de la phrase de la Genèse : «*La terre était tohu-bohu.*»

♦ Le mot est passé en français pour désigner un désordre qui rappelle le chaos primitif, tandis qu'une tradition savante conservait le sens propre biblique (av. 1598). ◇ Par extension, il est appliqué à un état de grande confusion (1819) et, l'accent étant mis sur le bruit, un tumulte bruyant (1862).

TOI, TE pron. pers. et nominal, aboutissement (v. 1170) de *tei* (XIe-XIIe s.), et *te* Xe s.), est issu du latin *te* (à l'origine du pronom atone *te*), accusatif de *tu* (→ tu).

♦ *Toi* est d'abord employé en fonction de complément (XIe s.), d'attribut (v. 1265) et de sujet (XIIe s.), spécialement comme appellatif (1677), familièrement *bonjour, toi!* (1757). À partir du XVIe s., on relève des constructions renforcées caractéristiques des pronoms personnels, notamment **TOI-MÊME** (1580), *toi seul* (1662), *toi tu* (1668). ◇ En emploi substantif (apr. 1250, *un autre toi*), *le toi* est beaucoup moins courant que *le moi**. ◇ *Te* s'emploie dans les mêmes conditions que *me, se* (→ moi, soi), s'élidant devant une voyelle ou un *h* muet et utilisé avec un verbe à la forme pronominale (v. 1530).

▶ **TÉZIGUE** pron. pers. 2e personne, équivalent argotique de *toi*, est formé, comme *mézigue, sézigue* (→ se, soi), de l'adjectif possessif *tes* (→ ② ton) et de *zigue* (→ zig).

TOILE n. f., d'abord *teile* (1140), puis *toile* (XIIe s.), également *telle, tele, teille* en ancien français, est issu du latin *tela* «toile d'araignée», par métonymie «chaîne de la toile et du métier de tisserand», employé aussi au sens figuré de «trame, complot». *Tela* est dérivé, par une forme °*texla*, du verbe *texere* (→ tisser).

♦ Le mot désigne un tissu réalisé avec l'armure la plus simple (dite *toile* ou *unie*), ce tissu étant à l'origine composé de fils de lin ou de chanvre, puis au XVe s. de soie, d'or ou d'argent (déb. XVIe s.), de coton (1522). ◆ Il a servi à baptiser un genre littéraire médiéval, la *chanson de toile* (v. 1228), que les femmes chantaient en tissant. ◆ *Toile* désigne en particulier une pièce de ce tissu, apprêtée pour un usage utilitaire (1230, *toile cirée*), ou décoratif (1770, *toile imprimée*). Par figure, il entre dans l'expression ***toile de Pénélope*** «entreprise interminable» (1615), par allusion à l'Odyssée où Pénélope défait la toile qu'elle tisse le jour, pour faire attendre ses prétendants. ◇ *Toile* a développé plusieurs emplois spéciaux, désignant la pièce de toile préparée pour servir de support à une œuvre picturale (1604) et par métonymie l'œuvre elle-même (1646), un rideau de théâtre (1699), sens sorti d'usage, puis le décor de théâtre (XIXe s.), d'où ***toile de fond,*** employé au propre et au figuré (1935). ◇ *Toile* s'est employé comme terme de chasse (1530), comme terme militaire avec le sens d'«ensemble de tentes» (1798), d'où, avec le sens général du mot, l'expression moderne *village de toile* désignant un camping (1964). ◇ Il se dit encore en marine (1307) à propos de la surface des voiles. ◇ Il désigne familièrement l'écran de cinéma, avec la locution ***se faire une toile*** «aller voir un film». ◇ Le sens spécial qu'il a en sports, où ***faire une toile*** c'est «commettre une maladresse» (1939), n'est pas expliqué. ◆ Depuis le XIIIe s., le mot sert à désigner, comme en latin, le réseau de fils d'une araignée, absolument ou dans *toile d'araignée*, et s'emploie au sens figuré de «piège» (1601). ◇ Toujours avec l'idée de réseau de fils, *toile* a été repris en botanique (1904) en parlant d'une maladie consistant en la formation de filaments. ◇ En télématique, *toile* sert parfois d'équivalent français à l'anglicisme *web*, servant à désigner le réseau Internet.

▶ Le mot a produit un certain nombre de dérivés se rapportant à la fabrication et au travail de la toile (spécialement en tissage, dentelle, reliure). ◆ **TOILERIE** n. f. est la réfection (1636) de *taillerie* (1352). ◆ Au XVIe s., est apparu **TOILÉ, ÉE** adj. (1582) «tissé de fil, de chanvre», sorti d'usage; **TOILÉ** n. m. «fond de dentelle» (1680) et «dentelle d'un point très serré» (1765) est demeuré technique. ◆ **TOILIER, IÈRE** n. et adj., réfection (1280) de *tellier* (fin XIIe s.), a désigné un marchand ou fabricant de toiles; il a été repris (1845) comme adjectif pour «de la toile». ◆ Quelques dérivés plus récents sont d'usage technique : **TOILAGE** n. m. (1836), d'abord terme de dentellerie, s'emploie surtout pour «reliure toilée». ◆ **TOILER** v. tr. (XXe s.) lui correspond. ◆ **TOILEUSE** n. f. «piqueuse à la machine sur toile» (1955) et **TOILISTE** n. (1974), qui correspond à *entoiler* dans la confection des vêtements, sont des noms de métier.

Le composé verbal **ENTOILER** v. tr. (fin XIIe s.) correspond à «fixer sur toile» et (1611) à «garnir de toile», notamment une brochure, un livre; de là *livre entoilé.* Une spécialisation (1718) concerne le fait de fixer une image, une carte géographique sur un support de toile. ◇ De là **ENTOILAGE** n. m. (1755), avec des sens techniques en aviation (1901), en reliure. ◆ Le préfixé **RENTOILER** v. tr. (1449) signifie «remplacer la toile (d'un objet)» et (1793) «fixer sur une toile neuve, un nouveau support (une peinture, etc.)»; d'où **RENTOILAGE** n. m. (1752; 1771 in *T. L. F.*) et **RENTOILEUR, EUSE** n. (1856). ◆ Le composé **ENTRETOILE** n. f. (1660) désigne une dentelle cousue entre deux bandes de toiles.

Parmi ces dérivés, il en est un qui a suivi un développement sémantique particulier aboutissant à sa démotivation. **TOILETTE** n. f. (XVIe s.), réfection de *tellette* (1352), est en effet le diminutif de *toile*, employé (du XIVe au XVIe s.) avec le sens propre de «petite toile». L'idée de «fine toile» reste vivante dans certaines acceptions techniques du mot, par exemple en boucherie : «crépine enveloppant certains morceaux» (1555). ◆ La valeur aujourd'hui dominante du mot apparaît au XVIe s. lorsque *toilette* a servi à désigner la toile que l'on étendait sur une table afin d'y mettre les ustensiles servant à la parure (1599). Cette évolution est analogue à celle de *bureau*, dérivé de *bure*. Par métonymie, le mot a désigné ces ustensiles eux-mêmes (1657), puis le meuble garni des ustensiles (1690) et abstraitement l'action consistant à se préparer pour paraître en public (1679). À l'époque classique le mot désignait le moment pendant lequel les grandes dames recevaient en s'habillant (1690). Avec la même idée, on trouve plus tard l'expression *toilette des condamnés*, préparation corporelle à laquelle on soumettait le condamné à mort (1829). *Toilette* se dit aussi du fait de parer, d'apprêter un objet (av. 1841, Chateaubriand). ◇ De nouveaux emplois métonymiques mettent l'accent sur l'habillement (1776) et sur les soins de propreté du corps (1842; *serviette de toilette,* 1819), sens qui se développe aux XIXe s. avec l'hygiène. ◇ La locution ***cabinet de toilette*** (1740) se rattache au sens actif général, puis au dernier mentionné. ◇ L'emploi du pluriel ***les toilettes,*** pour désigner par euphémisme un cabinet d'aisances, date du XXe siècle. ◇ À la fin du XIXe s., *toilette* prend le sens (1881) de «préparation (d'un manuscrit)». ◆ Le dérivé **TOILETTER** v. tr., attesté chez Balzac (1831) en emploi pronominal en parlant d'un chat, se dit surtout de la toilette d'un animal d'appartement, celle-ci prenant le nom spécifique de **TOILETTAGE** n. m. (1936), et la personne qui l'effectue le nom de **TOILETTEUR, EUSE** n. (v. 1950).

① **TOISE** n. f. est issu (v. 1140) du latin médiéval *teisa, toisa,* variantes de *tensa,* qui est la substantivation du participe passé féminin de *tendere* (→ tendre), au sens d'«étendue».

♦ Le mot désigne une mesure de longueur valant six pieds, abandonnée à l'adoption du système métrique (7 avril 1795). Un grand nombre de syntagmes déterminés de sens spécial, et quelques locutions figurées comme ***mesurer à sa toise*** «juger d'après soi» (1787), ont vécu plus longtemps que le sens propre, aujourd'hui historique, parfois par confusion avec ② *toise.*

▸ En revanche, le dérivé **TOISER**v. tr., réfection (1260) de *teser* (XIIe s.), s'il a disparu au sens propre de «mesurer à la toise» et s'il est vieilli au figuré pour «apprécier qqch. à sa mesure» (1721), reste usuel au sens de «regarder avec dédain» (1782). ◇ Son participe passé **TOISÉ, ÉE** est d'abord adjectivé au sens de «mesuré à la toise». ◇ Sa substantivation au masculin au sens de «mesurage à la toise, évaluation des travaux» (1644) s'utilise encore techniquement. ◆ De *toiser* est tiré le déverbal ② **TOISE** n. f. (1876) «tige graduée pour mesurer la taille de qqn (d'abord de soldats)», **TOISEMENT** n. m. (1636), rare au sens figuré de *toiser;* **TOISEUR** n. m. «celui qui mesure à la toise» (1549), sorti d'usage, a été repris comme dérivé du sens figuré de *toiser,* «celui qui regarde de haut» (XXe s.).

◈ voir ENTRETOISE.

TOISON n. f. (v. 1160), d'abord *tuisun* (v. 1112), est issu du latin de la Vulgate *tonsio, -onis* «tonte» et «fauchage», de *tondere* (→ tondre).

♦ Le mot est passé en français au sens de «pelage laineux des ovidés»; il est employé spécialement dans la locution ***toison d'or*** (v. 1140), par allusion mythologique (dans la légende des Argonautes). L'expression a été reprise (v. 1450) pour désigner un ordre de chevalerie institué en 1429 par Philippe le Bon, duc de Bourgogne, et dont l'insigne était un mouton d'or, la locution servant aussi à désigner cet insigne (1434). ◇ Par analogie, le mot s'emploie depuis le moyen français à propos des poils d'un animal (fin XIVe s., E. Deschamps), puis (av. 1425) des poils pubiens et d'une chevelure épaisse, abondante (1867).

▸ Son dérivé **TOISONNER** v. tr. (av. 1590, au participe passé *toisonné,* chez Du Bartas), «couvrir d'une toison», est littéraire et rare.

TOIT n. m. (fin XIIe s.), antérieurement *teit* (v. 1155), est issu du latin *tectum* «toit» d'où, par une métonymie courante, «maison», dans plusieurs locutions usuelles. *Tectum,* littéralement «ce qui est couvert», est la substantivation, au neutre, du participe passé passif *(tectus)* de *tegere* «couvrir» et au figuré «abriter, protéger». *Tegere* appartient à une racine indoeuropéenne °*(s)teg-* à laquelle se rattachent également *toga* (→ toge), *tegula* (→ tuile) et le grec *stegein* «couvrir». *Tegere* n'est pas passé directement en français à la différence de plusieurs de ses composés (→ protéger, détecter).

♦ Dès les premiers textes, le mot est employé avec les deux valeurs de l'étymon, «couverture» et «édifice». Avec l'idée d'abri, *toit* se dit d'abord d'une étable (v. 1155), aujourd'hui encore d'une porcherie (v. 1549), d'une cabane (fin XIIe s.) et par élargissement d'une maison (XIVe s.), sens resté vivant mais senti comme une métonymie du sens le plus courant. ◆ Ce dernier concerne la surface supérieure d'une maison (v. 1175), entrant dans la locution figurée ***crier, publier, prêcher (qqch.) sur les toits*** (av. 1549), emprunt au langage biblique et allusion à l'usage des Orientaux qui conversent d'une maison à l'autre sur les terrasses. ◇ *Toit* a une valeur générale (*toit en terrasse, toit en pente,* etc.) et, selon les contextes, des valeurs concrètes, supposant des formes et des matières variées (*toit de chaume, d'ardoises, de tuiles,* etc.). *Loger sous un toit* (1836) appartient au même sémantisme. ◇ Par extension, le mot sert à désigner la paroi supérieure d'une chose construite (1680), en particulier d'une galerie de mines (1762), d'un véhicule (1843; 1931, *toit ouvrant*). ◇ Il est employé spécialement comme terme d'alpinisme (1954) pour désigner la partie horizontale d'un surplomb. ***Le toit du monde,*** d'abord (1887) par figure pour exprimer l'idée d'altitude, désigne en géographie la région du Pamir, le Tibet, la plus haute de la planète.

▸ Le seul dérivé encore vivant de *toit* est **TOITURE** n. f. (1594), d'abord synonyme de *toit,* puis spécialisé au sens d'«ensemble constitué par la couverture d'un bâtiment et son armature» (1788). ◇ Celui-ci a donné un verbe rare, **TOITURER** v. tr. (fin XIXe s., Huysmans), employé techniquement à propos d'un véhicule. ◆ Le composé **AVANT-TOIT** (1397) «saillie d'un toit» est technique.

◈ voir DÉTECTER, PROTÉGER, TÉGUMENT, TOGE, TUILE.

① **TÔLE** n. f. (1642), d'abord écrit *taule* dans le syntagme *fer en taule* (XVIe s.), est, selon Bloch et Wartburg, une forme dialectale de *table** (gascon *taulo,* wallon et parlers de l'Est *tôle*) à moins qu'il ne soit, comme le pense P. Guiraud, une forme réduite du picard et du wallon *estaule,* variante dialectale de *étable**. Cet étymon semble devoir être évoqué pour ② *tôle* (ci-dessous).

♦ Le mot au sens de «feuille de fer obtenue par laminage» entre dans quelques syntagmes qualifiés précisant une caractéristique (par exemple *tôle ondulée*). ◇ Il désigne dans l'argot familier des skieurs la neige durcie (1917).

▸ Il a produit quelques dérivés, la plupart ayant trait au travail de la tôle. ◆ **TÔLERIE** n. f., relevé en 1771 avec un sens obscur, a été repris (1836) pour l'atelier où l'on travaille la tôle; il s'emploie aussi collectivement pour désigner les articles en tôle (1872). ◆ **TÔLIER** n. m. (1836) désigne la personne qui fabrique, travaille ou vend la tôle. ◆ **TÔLAGE** n. m. (1933) demeure d'usage technique. ◆ **TÔLÉ, ÉE** adj. est utilisé à la fois au sens propre «recouvert de tôle» (1718) et pour qualifier la neige durcie (1924).

② **TÔLE** (1800) ou **TAULE** n. f. (1856) semble être une variante graphique de *tolle* (1837), probablement issu de ① *tôle* par une évolution sémantique mal expliquée, mais compréhensible si l'on évoque des valeurs dialectales comme l'ancien provençal *taulat* «porcherie» (v. 1200) et les variantes de *étable*. ◇ Le mot, d'abord en argot puis familièrement, se dit pour «maison, logement» (1800), «chambre» (1837) et spécialement «prison» (1880). *Taule*, «maison de prostitution» (1894), est resté argotique. ◆ Le mot a produit **TAULARD, ARDE** n. «prisonnier» (1915 dans l'armée); on relève antérieurement (1765) *tolard* «lit de forçat sur une galère», dérivé de *tôle* «plaque, table». ◆ **TAULIER, IÈRE** n. «propriétaire d'hôtel» (1889) «patron, patronne d'une maison de prostitution» (1920) et d'un café (1889) est passé dans l'usage familier. On écrit plus rarement *tôlier*. ◆ **ENTÔLER** v. tr., qui a signifié «introduire en fraude» (1829) et «entrer dans une maison pour la cambrioler» (1837), est resté vivant pour «voler (un client)» (1903) en parlant d'une prostituée, mais a vieilli au sens général de «voler». ◇ En dérivent **ENTÔLEUR, EUSE** n. (1901) et **ENTÔLAGE** n. m. (1903). Un autre dérivé *entôlement* se trouve chez Céline.

TOLÉRER v. tr. est emprunté (1393) au latin *tolerare* «porter, supporter» (un poids, d'un fardeau physique ou moral), dérivé de la même racine que *tollere* (→ tollé) qui, à l'origine, signifiait aussi «porter, supporter», avec une valeur plus concrète.

♦ Le verbe est passé en français avec le sens du latin «supporter en souffrant (une peine)» . Ce sens est sorti d'usage, l'idée de «patience» s'étant substituée à celle de «souffrance», et le mot a pris les valeurs de «supporter avec indulgence (ce que l'on n'approuve pas chez qqn)» (1469), «supporter (qqn que l'on n'approuve pas)» (1695) et «supporter patiemment ce que l'on trouve injuste, désagréable» (1690). ◇ À l'époque classique, *tolérer* a aussi développé, d'après la valeur prise au XVIe s. par *tolérance* (voir ci-dessous), un sens spécial plus actif : «faire preuve d'ouverture en matière religieuse» (v. 1640); avec cette nuance, on relevait déjà à la fin du XVe s. «donner son approbation à (une monnaie)». ◇ Au XVIe s., le verbe s'emploie au sens de «résister à une épreuve physique» (1520), sens étendu beaucoup plus tard à un organisme (1857).

▸ Son participe présent, **TOLÉRANT, ANTE**, est adjectivé (fin XVe s.) avec le sens de «qui supporte courageusement les épreuves», sorti d'usage. ◇ L'adjectif a suivi la même évolution que le verbe par l'intermédiaire d'une spécialisation religieuse (1689, comme nom; 1691, Bossuet, comme adjectif), d'abord appliqué aux protestants, et mieux enraciné que le verbe au sens actif de «qui respecte la liberté d'autrui (religieuse, idéologique, etc.)». En revanche, l'emploi pour «indulgent envers ce que l'on n'approuve pas» (1782) n'est pas courant. ◆ Ses dérivés **INTOLÉRANT, ANTE** adj. (1701, comme nom; 1762, adj.), **TOLÉRANTISME** n. m. (1713) et **INTOLÉRANTISME** n. (1752), sont nés dans le contexte du débat religieux en France, au XVIIe et au XVIIIe siècle.

Le nom correspondant, **TOLÉRANCE** n. f., est emprunté (v. 1365) au latin *tolerantia*, formé sur le participe présent *(tolerans)* de *tolerare*. ◆ Le mot n'apparaît qu'une fois au XIVe s. pour «action de supporter patiemment des maux», repris en 1561 et attesté jusqu'en 1700. ◇ Au XVIe s., il s'emploie en parlant de religion (1567, *Mémoires* de Condé) et entre dans l'expression *édit de tolérance* (1562), désignant l'édit qui accordait aux protestants le libre exercice de leur culte. La notion est passée d'une valeur assez négative en religion (chez les orthodoxes, tel Bossuet) à un contenu positif chez les philosophes des Lumières (Voltaire : *Traité de la tolérance*, 1763), d'où *esprit de tolérance* dans Rousseau (1764). ◇ Le sens général correspondant à *tolérer* se développe plus tard (1681) et, à partir du XIXe s., le mot s'emploie en physiologie (1834). ◇ Dans ***maison de tolérance*** (1840), il signifie «non interdit par la loi» mais l'expression s'appliquant, jusqu'en 1946, aux maisons de prostitution, le sens de *tolérance* n'y est plus analysé, ce qui a permis à Claudel une boutade : «La tolérance ? il y a des maisons pour ça !» ◇ Au XXe s., *tolérance* a été repris par la sociologie avec un sens dérivé de la médecine, «aptitude d'un individu à supporter la modification du milieu». ◆ L'antonyme préfixé **INTOLÉRANCE** n. f. (1611) a perdu le sens premier de «manque d'endurance» pour être employé comme terme de religion (XVIIe s., Bossuet) et s'opposer à *tolérance* dans l'usage courant (1766, Diderot) avant de se spécialiser également en médecine pour «fait de ne pas être supporté (par l'organisme)» (1852).

TOLÉRABLE adj. est emprunté (1314) au dérivé latin *tolerabilis*. Il s'applique d'abord aux choses douloureuses ou désagréables, et prend dès le XIVe s. (v. 1364) ses sens modernes, «que l'on peut supporter» ou «accepter moralement». ◆ L'antonyme **INTOLÉRABLE** adj., emprunté dès le XIIIe s. (1295) au latin *intolerabilis*, de *in-* et *tolerabilis*, s'est affaibli et équivaut à «insupportable» (1546). ◆ Les deux adjectifs ont donné les adverbes **TOLÉRABLEMENT** (1538) et **INTOLÉRABLEMENT** (v. 1510). ◆ *Intolérable* a fourni le dérivé sorti d'usage **INTOLÉRABILITÉ** n. f. (1380).

TOLLÉ n. m. est la réfection d'après le latin (1477), de l'ancien français *tolez*, impératif (2e pers. pl.) de l'ancien français *toldre* (1080) «enlever, ôter, ravir», également *tolir, toller* par changement de conjugaison. *Toldre* vit encore au XVIe s. et se rencontre par exemple chez le dramaturge Hardy. Ce verbe est issu du latin *tollere* qui se rattache à la racine indoeuropéenne °*tel-*, °*tol-*, °*tla-* «supporter», «soulever», laquelle a aussi des représentants en grec (→ atlante, atlantique, atlas). Le verbe latin n'a pas conservé son sens originel de «porter», déjà exprimé par *ferre* (→ -fère), *gerere* (→ gérer) et *portare* (→ porter), mais il a pris ceux de «soulever, élever», «emporter» et ensuite «enlever, détruire», demeurant dans les langues romanes avec la valeur d'«emporter». Ses nombreux composés ont donné lieu à des emprunts par le français

(→ ablation, collation, délation, dilater, oblat, prélat, relation, tolérer, translation). ◇ La modification de la forme de l'impératif *tolez* en *tollé* s'est faite sous l'influence du latin *tolle,* cri par lequel les Juifs, dans le texte de la Vulgate, demandent à Pilate de crucifier le Christ (*Jean,* XIX, 15).

♦ De l'ancien français *tolez,* exprimant un cri de protestation, on est passé à l'expression *crier tollé après qqn* (1573), puis *sur qqn* (1672) ; le nom se lexicalise plus tard, au XVIIe s. (1690). Il est propre au style littéraire, avec le sens de «clameur de protestation» et, par extension, de «mouvement collectif d'indignation» (XIXe s.), souvent dans *un tollé général.*

TOMAHAWK n. m. est l'emprunt (1769 ; 1707, *tomahauk*) du mot anglais *tomahawk* (1612, *tomahack*), lui-même emprunté à l'algonquin *tämähäken* (graphie du dictionnaire d'Oxford), de *tämäham* «il coupe». Le mot est représenté dans plusieurs langues indiennes (abenaki, micmac, etc.).

♦ Le mot apparaît au début du XVIIIe s. dans une *Histoire de la Virginie* (1707) mais ne s'est diffusé qu'au XIXe s., surtout par les romans d'aventures mettant en scène des Indiens «Peaux-Rouges». Il désigne un casse-tête utilisé par les Indiens d'Amérique du Nord. On rencontre aussi la forme fautive *tomawak* (1904).

TOMATE n. f. est emprunté (1598) à l'espagnol *tomatá* (1532), lui-même emprunté à l'aztèque *tomatl.* Avant que le mot ne soit repris et répandu au XVIIIe s. sous les formes *tamati* (1718), cité comme mot étranger *tomata* (1743), puis *tomate* (1765), le français avait employé au XVIe s. *pomme d'amour* (1549), *pomme d'or* (cf. l'italien *pomodoro*) et au XVIIe s. *pomate* (1672, *salade de pomates*) isolément.

♦ Le mot désigne une plante herbacée, annuelle *(Solanacées),* originaire d'Amérique du Sud, et en particulier son fruit comestible. Il entre dans le syntagme *sauce tomate* (1872) et dans la locution comparative ***être rouge comme une tomate*** (1904), d'usage courant. Il s'emploie comme adjectif de couleur (1861), aussi en apposition *(rouge tomate),* et désigne familièrement (attesté 1938) une boisson alcoolisée, mélange d'apéritif anisé et de grenadine.

▸ Il a produit le terme d'agriculture **TOMATIER, IÈRE** adj. et n. (1966), et **TOMATEUX, EUSE** adj. (mil. XXe s.), familier. ➛ **POMATE** n. f. (1978) est un mot-valise composé de l'initiale de *pomme de terre* et de la finale de *tomate.* Cette dénomination d'un hybride de pomme de terre et de tomate est lente à se diffuser, tout comme l'espèce désignée.

TOMBE n. f. est issu (v. 1130) du latin ecclésiastique *tumba* (IVe s., Prudence), lui-même emprunté au grec *tumbos* «tumulus funéraire» d'où «tombe» et «chambre funéraire». Le mot, qui désigne d'abord le monticule placé sur la tombe, semble apparenté au latin *tumulus* «monticule» (→ tumulus), à *tumere* «gonfler» (→ tumeur), à l'ancien haut allemand *dumo* (allemand *Daumen* «pouce»). *Tumbos,* par son suffixe, ne répond pas à un type indoeuropéen : il est cependant possible que, comme le moyen irlandais *tomm* «petite colline» et le gallois *tom* «monticule», il soit issu d'un radical indoeuropéen °*tu-bh-* qui exprime une idée d'excroissance, de gonflement, et que l'on retrouve dans le latin *tuber* (→ tubercule) ainsi qu'en germanique (→ tom-pouce).

♦ Le mot est passé en français avec le sens de «lieu où l'on ensevelit un mort» ; par métonymie, il désigne en particulier la pierre tombale (1311). ◇ Son emploi figuré comme symbole de la mort est attesté au milieu du XVIIe s. ; en procède les expressions ***être au bord de la tombe*** (1646), ***avoir un pied dans la tombe*** «être près de mourir» (1555), ***suivre qqn dans la tombe*** (1643) «mourir peu après». Il entre également dans l'expression figurée ***être muet comme une tombe*** (1801).

▸ Deux mots dérivés de *tombe* sont formés à l'aide d'un suffixe diminutif. ➛ Le premier attesté est **TOMBEAU** n. m. (XIIIe s.), antérieurement *tombel* n. m. (v. 1130), qui désigne un monument funéraire. À la même époque que *tombe,* il a développé la valeur de symbole de la mort, d'abord dans des expressions comme ***jusqu'au tombeau*** «jusqu'à la mort» (1573). ◇ Par extension, le mot s'applique à une composition artistique (musicale, poétique) en l'honneur d'un artiste disparu (attesté peu avant 1650, courant au XVIIe s. et au XVIIIe s. et repris au XXe s. par Ravel, à propos de Couperin). ◇ Il s'emploie au sens métaphorique de «lieu sombre, d'aspect funèbre» (déb. XIXe s.). ◇ La locution figurée ***à tombeau ouvert*** «à une vitesse dangereuse» est attestée depuis 1798. ➛ L'autre diminutif de *tombe* est **TOMBELLE** n. f. (1625), d'usage didactique en archéologie pour désigner une petite butte funéraire. ➛ L'adjectif correspondant à *tombe,* **TOMBAL, ALE, AUX,** est relativement tardif (1786) et partage avec le nom une acception figurée (1876), d'usage littéraire. ◇ Par ellipse de *(pierre) tombale,* il a donné naissance à **TOMBALE** n. f. (XXe s.), mot technique.

◈ voir CATACOMBE, OUTRE-TOMBE, TUMEUR, TUMULUS.

TOMBER v. (XIIe s.), aussi *tumber* (v. 1155) en ancien français, a été formé à partir d'un radical °*tumb-* exprimant une chute ou un saut brusque. On considère ce radical comme provenant d'une onomatopée, probablement utilisée par les jongleurs, et qui aurait voyagé d'un pays à l'autre, comme l'attestent le roumain *tumba* «culbute», l'italien *tombolare* «faire la culbute» (→ tombola), l'espagnol *tumbar,* le portugais *tombar* (s'il ne s'agit pas d'emprunts). En français, *tumber* a subi l'influence de l'ancien verbe *tumer* (XIIe s.), «gambader, faire des culbutes d'acrobate», et «choir» (XIIe s.), «renverser» (XIIIe s.), verbe emprunté au francique °*tûmôn,* postulé par l'ancien haut allemand *tumôn* «tournoyer» (cf. l'allemand *taumeln* «chanceler»). Le rapprochement des deux verbes en ancien français est confirmé par l'existence d'un dérivé *tumbeor* «danseur, sauteur» (XIIe s.), à côté de *tumeour* (XIIe s.). *Tumer* a disparu du français central avant le XVIe s. au profit de *tomber* qui s'est lui-même imposé aux dépens de *choir.* Les formes *tumber* et *tomber* coexistent dans l'usage jusqu'au XVIe s., où certains auteurs, comme Rabelais et Ronsard, emploient plutôt la forme en *u*.

♦ Le verbe signifie d'abord «faire une chute», «être abattu (en cessant d'être en équilibre)», en parlant d'une personne ou d'un bâtiment. ◇ L'emploi transitif (v. 1213) pour «faire tomber, abattre», vivant jusqu'au XVIe s., est blâmé au XVIIe s. comme gasconisme et n'est repris qu'au XIXe s. (ci-dessous). ◇ *Tomber* se dit aussi en ancien français pour «faire la culbute, des tours acrobatiques» (v. 1160, intr.), sens conforme au verbe *tumer* (ci-dessus), et relevé jusqu'au XVIe siècle. ◇ Dans son emploi intransitif, le verbe ne connaît pas d'extensions avant la fin du XVe s., époque où il prend le sens d'«être entraîné vers le bas (en vertu de son propre poids)», valeur qui se développe ensuite et devient essentielle (elle était assumée par le verbe *choir**). Le verbe s'est dit à propos d'un cours d'eau qui en rejoint un autre (1538); il est supplanté dans cet emploi par *jeter* mais s'emploie toujours, par analogie, à propos d'une rue qui en rejoint une autre (1740). ◇ *Tomber* s'utilise aussi normalement pour les précipitations atmosphériques (v. 1495, de la pluie; 1694, dans *il tombe de l'eau*). ◇ Par extension, il se dit de ce qui n'est plus retenu (1564, d'un fruit), ou de ce qui s'étend vers le bas librement, sans pour autant choir, par exemple d'un vêtement (1690) et, par métaphore, des cheveux (1671). ◇ De cette valeur vient aussi ***laisser tomber (qqch.)*** «laisser échapper» (1534), employé par figure (1872, *laisser tomber sa voix*), et surtout familièrement *laisser tomber qqch.* (1689) ou *qqn* (1679), qui correspond à «ne plus s'en occuper», «ne plus s'y intéresser». ◇ *Tomber* signifie également «arriver du haut», en parlant de la lumière, *la nuit tombe* (1690) ou *le jour tombe* (1740) étant équivalents, puis du brouillard (1694), des paroles (1694), etc. ◇ ***Tomber des nues*** (des nuages), avec un sujet nom de personne, a signifié «se trouver sans protection (dans une société)» (1690), sens disparu, puis (1872) «être ahuri, paraître sortir d'une rêverie» (cf. *être dans les nuages.*) ◇ Par une autre extension, *tomber* équivaut à «s'incliner» en parlant des épaules (1715), d'un navire, en marine (1732), d'un toit, etc. ➜ L'idée de chute se développe également, à partir du XVIe s., d'abord en emploi figuré dans *tomber en ruine* (1531) et au propre (v. 1550). ◇ La chute implique parfois le passage à un état dangereux (1538), qui se produit de façon soudaine; cette valeur se réalise dans de nombreux contextes : ***tomber en embuscade*** (1538), ***tomber entre les mains de qqn*** (v. 1485; 1690, ... *aux mains*), ***tomber malade*** (1546) qui succède à *tomber dans une maladie* (v. 1500), abstraitement *tomber en faute* (1538), sorti d'usage, et, sans idée de danger, ***tomber d'accord*** (1640). ◇ À partir du XVIIe s. *tomber* avec un sujet nom de personne s'emploie pour «déchoir» (1662), physiquement ou moralement, d'où ***tomber en enfance*** (1694), concurrencé par *retomber*. ◇ Par ailleurs, *tomber sur qqn* s'emploie pour «s'abattre», en parlant d'une charge morale ou matérielle (1549) ou de toute chose désagréable (1564). ◇ La notion de soudaineté entraîne d'autres emplois liés à l'idée d'improviste ou de hasard, le verbe étant souvent construit avec *sur* ou *sous*, parfois avec *de* : au figuré ***tomber du ciel*** (1638). ◇ ***Tomber sur (qqn, qqch.)***, d'abord «l'atteindre par hasard» (v. 1485), signifie «rencontrer à l'improviste» (v. 1500); d'où familièrement ***tomber sur un os, un bec***, etc. «rencontrer un obstacle». Le verbe s'emploie aussi avec une valeur temporelle pour «arriver» (1671, *tomber tel jour*) et à propos d'une personne qui arrive dans un lieu d'une façon inattendue (1680), d'abord dans ***tomber bien (mal)***, ou à propos de qqch. (1685), souvent en impersonnel *(ça tombe bien, à pic...)*. ◇ Enfin *tomber sur qqn* signifie aussi «l'attaquer physiquement» (1679) et par figure «le critiquer violemment» (1694). La locution figurée ***tomber sous le sens*** correspond à «être sensible, perceptible» (v. 1650) puis «être évident». ◇ *Tomber*, par métaphore «être arrêté» (1821), familier, est d'abord apparu en argot. *Tomber* «paraître», en parlant d'un journal est plus récent. ➜ À partir du XVIe s. *tomber* s'emploie aussi absolument pour «mourir» (1564), sens archaïque, sauf contexte militaire, à côté de ***tomber raide*** (1580, ... *roide*), ou ***tomber raide mort***, également usité au figuré. L'idée de disparition ou d'échec se développe dans des usages extensifs ou figurés; le verbe s'applique à une place-forte qui est prise (1640), d'une difficulté qui cesse d'être (1679), d'un livre (1669) ou d'une pièce de théâtre (1694) qui échouent, notamment dans ***tomber à plat*** (1738), métaphore de la chute humaine; il se dit aussi d'une personne qui perd sa célébrité (1775), sa situation, puis d'un gouvernant qui perd son pouvoir (1836) ou d'un ministère renversé (v. 1890). ◇ Le verbe exprime aussi la perte de force, en parlant d'êtres humains (1676, ***tomber de fatigue***), et aussi à propos du vent (1680), de la fièvre et de la passion (1691), d'une conversation (1694), etc. ➜ La manière concrète de tomber est spécifiée avant le XVIe s.; ***tomber de son haut*** (1477), ***de haut*** (1564), aussi attesté au figuré (1643), avant ***tomber sur ses pieds*** (1656) «se rétablir» ou ***tomber à la renverse*** (fin XVe s.), pris aussi au figuré (1687). ◇ Le verbe permet en particulier de noter métaphoriquement une attitude qui exprime un sentiment, par exemple dans ***les bras m'en tombent*** (1669) ou avec pour sujet le nom de la personne, ***tomber dans les bras de qqn*** (1751).

Le verbe transitif s'est employé familièrement avec un sujet de personne dans *tomber de l'eau* «uriner» chez Montaigne (1580); cet usage est encore relevé au XVIIe s. mais disparaît des dictionnaires avant le XIXe s. (1821). ◇ Le verbe, avec le sens de «faire tomber», entre dans le vocabulaire de la lutte *(tomber son adversaire)*, d'où viennent les emplois figurés pour «vaincre» (1860), en sports *tomber un record* (1933), et familièrement «séduire». Plus récemment on relève ***tomber la veste*** «l'enlever» (1929).

▸ *Tomber* a produit relativement peu de dérivés. ➜ **TOMBER** n. m., infinitif substantivé au sens de «chute» (déb. XVIe s.) s'emploie au XIXe s. dans *le tomber du jour* (1821) et *le tomber de la nuit* (1840). ➜ **TOMBEUR, EUSE** n., d'abord *tumbeor* (v. 1130), désigne à l'origine un danseur, un acrobate, en relation avec l'emploi transitif de *tomber, tumer*. ➜ Il semble peu attesté et est reformé au XIXe s. pour désigner un mauvais acteur (1840), puis un lutteur

(1845). ◇ Il a développé sous l'influence du verbe le sens familier d'«homme à femmes» (1878), dans ***tombeur de femmes*** ou absolument ***c'est un tombeur*** (1884), réactualisant la métaphore ancienne de *l'abatteur de quilles* (→ abattre).
TOMBEREAU n. m. (XVe s.) existe dès la fin du XIIe s. sous la graphie *tumberaus* pour désigner une ancienne machine de guerre destinée à faire s'effondrer un objectif. ◇ Ce sens est sorti d'usage en moyen français, de même que *tumberel* «dés» (v. 1280) [qu'on tombe, qu'on culbute], et le sens de «grand filet pour prendre les perdrix» (v. 1375). ◇ *Tumbereau* est attesté dans les dictionnaires du XVIIe s. au sens de «danseur de corde» (1637) qui procède de l'ancien sens de *tomber* «sauter, danser», et on relève en ancien français *tunberresse* pour «danseuse» (v. 1330). ◇ Le mot, concurrencé par *benne* et vieilli, désigne depuis le XIIIe s. *(tumberel)* une voiture de charge susceptible d'être déchargée en basculant à l'arrière (*tombereau,* 1406), le rapport avec le verbe *tomber* s'affaiblissant avec le temps ; par métonymie, il désigne le contenu de cette voiture (1377). *Tombereau* s'est dit (mil. XVe s.) de la charrette qui transportait les condamnés à mort. ◇ Au XIXe s., il prend le sens figuré de «grosse quantité» (1857) et passe récemment dans le vocabulaire des travaux publics pour un engin de terrassement se déversant par basculement (v. 1970).
Les deux participes ont été adjectivés. ➜ **TOMBÉ, ÉE** adj. et n. m. s'est employé (déb. XIIIe s., *tumbes*) pour «chute». Le mot semble rare jusqu'au XVIIe s. où il s'applique (v. 1650) à une personne qui a perdu sa puissance, d'où *auteur tombé* «oublié» et *femme tombée* «dans une situation de misère» (XIXe s.), sortis d'usage ; il s'emploie aussi au propre (1683). ◇ *Tombé* n. m. (1765) ou *pas tombé* désigne un pas de danse ; le nom est également un terme de lutte (1905). ➜ **TOMBÉE** n. f., substantivation du féminin (1477), a remplacé *tumerie, tumée* (1230), dérivé de l'ancien français *tumer* (voir en début d'article). Le mot est resté rare jusqu'à la fin du XVIIIe s., où apparaît *tombée du jour* (1782, S. Mercier). Le mot a aussi un emploi technique (XXe s., *tombée de tissu*). ➜ **TOMBANT, ANTE** adj., tiré du participe présent, s'applique (1556) à ce qui tombe et s'est employé dans la locution adverbiale *tombant levant* «tant bien que mal (1611)», sortie d'usage au XVIIIe siècle. ◇ L'adjectif se dit aussi de ce qui perd de sa force (1642), d'où *le jour tombant* (1741) et *à la nuit tombante* (1778). ◇ Il qualifie plus couramment ce qui va vers le bas, n'étant pas maintenu (1753) ou naturellement (1808, du calice d'une fleur). ◇ Substantivé, le mot est littéraire à propos d'un filet d'eau qui coule (1895, *un tombant*) ou technique (1925, *donner du tombant à une tenture*).
RETOMBER v. (1538), d'abord *retumber* (1510), proprement «tomber une seconde fois, faire une seconde chute», a développé un certain nombre de sens correspondant à ceux de *tomber. Retomber dans* (1559) signifie «tomber de nouveau dans une situation dangereuse». *Retomber (dans un lieu)* s'est employé pour «se trouver de nouveau quelque part» (1690). ➜ Le verbe a produit un certain nombre de dérivés. ◇ **RETOMBÉE** n. f., substantivation, d'abord sous la forme *retumbée* (1518), du participe passé féminin, désigne le mouvement de ce qui retombe et, par métonymie, l'ensemble des choses qui retombent, spécialement les substances radioactives qui retombent après une explosion atomique (v. 1963). D'où le sens figuré, généralement au pluriel, de «conséquences» (v. 1967). ◇ Les autres noms dérivés de *retomber* sont rares ou techniques. ◇ **RETOMBE** n. f. (1846) se dit en architecture d'un élément qui retombe. ◇ **RETOMBEMENT** n. m. (av. 1848) signifie «fait de retomber». ◇ **RETOMBÉ** n. m. (1845) est un terme de chorégraphie. ➜ **RETOMBANT, ANTE,** le participe présent, est adjectivé (1847).

◈ voir TOMBOLA.

TOMBOLA n. f. est emprunté (1835) à l'italien *tombola,* attesté en 1805, au sens de «jeu de loterie». Ce mot signifiant à l'origine «culbute» est le déverbal de *tombolare* «faire la culbute», issu du même radical onomatopéique *tumb-* que le français *tomber**. Le mot italien a été introduit en France au début du XIXe s. par les soldats italiens.

♦ *Tombola* désigne une loterie de société où chaque gagnant reçoit un lot en nature.

TOME n. m. est emprunté (v. 1540, Marot) au latin *tomus,* lui-même emprunté au grec *tomos,* proprement «morceau, partie coupée, portion» (→ -tomie), employé particulièrement à propos d'un morceau de papyrus ou de parchemin, d'où le sens de «volume, fascicule», appliqué spécialement à un fascicule fait de feuillets, par opposition au *volumen* roulé (→ volume). Le sens primitif subsiste en espagnol et en italien.

♦ Le mot a été emprunté comme terme d'imprimerie au sens de «volume, livre relié». Ce sens général avait vieilli au XVIIIe s. (il est qualifié de «rare» par l'Académie en 1740). ◇ *Tome* désigne surtout l'un des volumes d'un ouvrage qui en comporte plusieurs (1549). ◇ Son emploi métaphorique au sens général de «partie» (1675) est sorti d'usage, de même que la locution figurée *être le second tome de qqn* (1788) «lui ressembler comme un double».

▸ Le dérivé **TOMER** v. tr., d'abord attesté au sens de «multiplier les tomes de» (1801), sens disparu, signifie «diviser un ouvrage par tomes» (1829), «marquer du chiffre qui indique le tome» (1836) et reste d'emploi technique. ➜ En revanche, son dérivé **TOMAISON** n. f. (1829), employé en imprimerie pour «division (d'un ouvrage) par tomes» et «indication du tome auquel appartient chaque feuille» (1835), est plus usuel.

◈ voir ANATOMIE, ATOME, DICHOTOMIE, LATOMIE.

TOMME n. f. est la forme francisée (1581, d'après Bloch et Wartburg) de *toma,* mot dialectal attesté en ancien provençal (v. 1200) au sens de «fromage frais» et en ancien dauphinois pour désigner un petit fromage. L'origine de ce mot est obscure ; on peut supposer une forme °*tōma* (cf. les correspondants calabrais et sicilien *tuma*) d'origine prélatine, ou °*tuma,* laquelle se rattacherait au latin *tumere* «gonfler» (→ tumeur). ◇ On trouve aussi la graphie *tome.* ◈

♦ *Tomme* s'emploie pour désigner le caillé fermenté servant, par exemple, à préparer le cantal (1823). C'est le nom courant depuis le XVIIIe s. (1784) de divers fromages fabriqués en Savoie, dans le Dauphiné et en Provence.

◈ voir TOMMETTE.

TOMETTE n. f. est un mot d'origine régionale (1821), issu du savoyard *tometa* «petit fromage mou» (cf. le dauphinois *tumeto*), également employé par analogie de forme pour désigner une brique servant au carrelage. *Tometa* (et *tumeto*) dérivent de *toma*, forme régionale de *tomme**.

♦ Le mot désigne une brique de carrelage dans les maisons du Dauphiné et de Provence. Son usage s'est répandu au XXe siècle avec la vogue d'un style provençal, et le mot est aujourd'hui connu dans toute la France.

▸ De *tommette* est dérivé **TOMETTIER** n. m. [plus courant que *tommettier*] (XXe s.), «fabricant de tommettes».

TOMO-, -TOME, -TOMIE sont les éléments formants savants tirés du grec *-tomos* «coupé» et «qui coupe» et de *-tomia* «ablation, section, incision». Ceux-ci sont issus du radical de *temnein* «couper, fendre, trancher», employé pour exprimer l'idée d'abattre des arbres (d'où «ravager un territoire»), dans le vocabulaire du sacrifice, et dans celui de la médecine, à propos d'une incision, etc. *Temnein* appartient à une racine indoeuropéenne °*tem-* «couper» qui a des représentants en irlandais dans le présent athématique *tamnaid* «il coupe», en baltique et en slave, ainsi que dans le latin *templum* (→ temple).

♦ *Tomo-*, *-tome* et *-tomie*, auxquels s'ajoute *-ectomie* du grec *ektemnein* «retrancher en coupant», entrent dans la construction de termes de chirurgie (→ anatomie).

◈ voir ANATOMIE, ATOME, DICHOTOMIE, LATOMIE, et TOME.

TOM-POUCE n. m. est la traduction (1845) de l'anglais *Tom Thumb*, de *Tom*, forme abrégée de *Thomas*, et de *thumb* «pouce». Ce dernier est issu d'un germanique occidental °*þmon* qui se rattache à la racine indoeuropéenne °*tu-bh-* «gonfler» (→ tombe, tumeur, tumulus). *Tom Thumb*, proprement «Thomas le Poucet», est le nom de personnages nains de contes anglais. Au XIXe s., Barnum choisit ce pseudonyme pour Charles Stratton, nain célèbre qu'il exhiba dans le monde entier dans les années 1845-1850.

♦ Le mot a été emprunté avec le sens familier de «nain». ◇ Par analogie, il se dit d'un petit parapluie à manche court (1924), d'une variété de dahlia nain et d'un très petit dictionnaire.

✳ ① **TON** n. m. est emprunté (fin XIe s. ; v. 1180 selon T. L. F.) au latin *tonus* pris dans quelques acceptions spécialisées : «son d'un instrument» en musique et «accent syllabique» en métrique ; un autre sens, «tension», donnant par un emprunt postérieur (à l'anglais) le français *tonus* (ci-dessous). Le latin *tonus* est emprunté au grec *tonos*, mot du groupe de *teinein* «tendre» qui appartient à une racine indoeuropéenne de même sens °*ten-*, laquelle a de nombreux représentants en latin (→ tenir). *Tonos* en grec est à la fois employé concrètement pour désigner des ligaments tendus ou pouvant se tendre, une corde, et abstraitement l'action de tendre et la tension ; de là, diverses acceptions spécialisées en physiologie, musique et métrique. Ces dernières, reprises par le latin, sont passées en français.

♦ Le mot apparaît comme terme de musique, désignant la hauteur du son d'un instrument ; quelques sens étendus ne se sont pas maintenus : «air d'une chanson» (fin XIIe s.), «bruit (de voix)» (XIIe s.) et en général «son» (v. 1380). ◆ Parallèlement, dès le XIIe s., le mot désigne dans l'usage courant la hauteur de la voix et, par extension, sa qualité sonore (timbre) ou son intensité, d'où la locution *a* [à] *haut ton* «à haute voix» (déb. XIIIe s.) et le sens de «manière de parler» (v. 1200), en tant qu'expression d'un état psychologique. ◆ À la Renaissance, alors que la musique se dégage du système du plain-chant médiéval fondé sur les modes*, *ton* se spécialise ; il désigne (1549) une échelle de sons d'une hauteur déterminée, signalée par le nom de sa *tonique* (ci-dessous) : par exemple le *ton de la majeur, de la mineur* (cf. *tonalité*, ci-dessous). D'autre part, il se dit (1578) de l'intervalle fondamental qui constitue un degré dans cette échelle de sons. ◇ De la première valeur vient la locution ***donner le ton*** «faire entendre la note qui indique la tonalité d'un morceau» (1608), qui succède à *bailler le ton* (1549), employée ensuite au figuré (1718) d'après une valeur extensive de *ton* «manière de se comporter dans un groupe social» (1678). ◇ De là viennent l'expression figurée ***le bon ton*** «les manières convenues (dans un milieu donné)» (1751), aujourd'hui archaïque ou stylistique, et la locution restée courante ***de bon ton*** (1823). ◇ Au XVIIe s., *ton* a pris aussi le sens étendu de «manière de s'exprimer par écrit»(1688), spécialement à propos du style qui caractérise une œuvre littéraire (1658, Pascal). L'acception générale de «manière de parler» a engendré quelques locutions, comme ***le prendre sur tel ou tel ton*** (1667, Molière), d'abord *le prendre d'un ton trop haut* (1651, Scarron) ou encore ***changer de ton*** (1668). *Prendre le haut ton* «parler avec fierté» (1798) est sorti d'usage. ◆ Parallèlement au développement des acceptions musicales, le mot se spécialise aussi en phonétique (1550), désignant l'accent de hauteur placé sur la syllabe d'un mot (dit *accent tonique*). On appelle aujourd'hui en linguistique *langues à ton* celles où la hauteur d'une syllabe constitue un trait pertinent (le chinois, de nombreuses langues africaines, mais aussi le suédois). ◆ L'emploi de *ton* dans le domaine visuel apparaît au XVIIe s. ; c'est d'abord un terme de peinture signifiant «degré de force et d'éclat des teintes» (1669 ; 1680, *ton de couleur*), emploi attesté en latin pour *tonus* chez Pline, mais provenant en français plutôt de l'influence des acceptions en musique que d'un latinisme ; il est passé dans l'usage courant au milieu du XVIIIe s., notamment avec le sens de «teinte, nuance» et celui d'«effet dominant des couleurs» (1762). ◆ Au XVIIIe s., un nouvel emprunt au grec *tonos* a donné à *ton* des sens physiologiques : «élasticité des tissus organiques» (1771), d'où au figuré «énergie», mais ceux-ci sont sortis d'usage sous la concurrence des mots spécifiques *tonus, tonicité* (ci-dessous) et *tension,* qui appartiennent à la même famille étymologique.

▶ *Ton* a fourni un dérivé tardif **TONAL, ALE, ALS** adj., attesté en 1828 en musique ; il qualifie spécialement le système selon lequel l'harmonie et la mélodie se sont réglées par l'obligation de respecter un ton principal. ◆ Cet adjectif a produit **TONALEMENT** adv. (1872), sorti d'usage, et, plus tôt, **TONALITÉ** n. f. (1821), qui a développé ses divers sens (musical, pictural, courant) dès le milieu du XIXe siècle. ◆ En dérivent aussi par préfixation les termes de musique **ATONAL, ALE, ALS** adj. (1914) et **POLYTONAL, ALE, ALS** adj. (1924), d'où **ATONALITÉ** n. f. et **POLYTONALITÉ** n. f., rendus nécessaires par le développement des systèmes musicaux renonçant aux échelles tonales traditionnelles. Celles-ci, fixées de manière précise par l'œuvre de J. S. Bach, ont été progressivement mises en question à l'époque postromantique, dès avant la construction du système *atonal* des douze sons (dodécaphonisme) au début du XXe s. (Schœnberg, puis Webern). ◆ *Ton* a aussi produit deux dérivés en phonétique, **TONÉTIQUE** n. f. (v. 1950) et **TONÈME** n. m. (1972), ainsi qu'un terme de physiologie définissant le caractère d'une sensation auditive, **TONIE** n. f. (v. 1950).

Les composés verbaux de *ton* sont bien antérieurs. ◆ Dès la fin du XIIe s., ① **ENTONNER** v. tr. est d'abord employé en musique pour «commencer à chanter (un air)» (v. 1190), puis couramment (XVIe s.), et par figure dans l'expression littéraire, *entonner la louange de qqn* (1657), déjà au XVIe s. chez Baïf sous la forme *entonner l'honneur de qqn* «le célébrer». ◆ **DÉTONNER** v. intr., en musique «sortir du ton» (1611), est passé dans l'usage courant au sens figuré de «ne pas être en harmonie avec (un ensemble)» (1740).

TONIQUE adj. et n., d'abord écrit *tonicque* (1538), est emprunté au grec *tonikos* «qui concerne la tension», «qui tend ou peut tendre», adjectif spécialisé en musique et en métrique au sens de «qui concerne le ton, l'intonation» et substantivé dans ces domaines *(to tonikon)* pour désigner le ton entier, l'intonation. *Tonikos* est dérivé de *tonos.* ◆ Le mot, avec son orthographe actuelle (1618), a été introduit par les médecins pour qualifier ce qui présente une tension élastique, à propos des muscles. La médecine moderne lui donne le sens de «relatif au tonus des muscles» (cf. *tonus* ci-dessous) et l'emploie pour qualifier une contraction musculaire anormale qui raidit les muscles (1694). ◇ Depuis le XVIIIe s. (1762) le mot qualifie ce qui excite, fortifie les forces de l'organisme, au propre et (1832) au figuré. ◇ Cependant, ***eau tonique*** (v. 1965) est un calque de l'anglais *tonic water* «boisson tonique au quinquina», souvent employé par emprunt en français. ◆ L'emploi spécialisé de l'adjectif en musique, dans le syntagme *note tonique* (1722) a vieilli, mais non la substantivation ***la tonique*** n. f. (1762) pour désigner la note fondamentale dont la hauteur caractérise la tonalité d'un morceau ; le mot est alors senti comme dérivé de *ton* (en musique). ◇ La linguistique a repris l'adjectif pour qualifier la voyelle ou la syllabe qui porte le ton (1842, *accent tonique*), la voyelle ou syllabe précédente étant nommée **PROTONIQUE** adj. et n. f., formé avec *pro-* (1876). ◆ *Tonique* a produit **TONICITÉ** n. f. (1803), employé en physiologie pour désigner la manifestation de l'élasticité des tissus vivants et au sens étendu de «caractère stimulant» (1861). ◆ Son radical a servi à former le terme de médecine **TONISME** n. f. (1836), qui semble archaïque, à la différence du verbe **TONIFIER** v. tr. (1837) «rendre plus élastique» et «avoir un effet tonique», d'où viennent **TONIFIANT, ANTE** adj. et n. m. (v. 1860) et **TONIFICATION** n. f. (v. 1870). *Tonifier* et *tonifiant* sont assez usuels. ◆ *Tonique* entre dans quelques composés appartenant au domaine de la médecine, comme **CARDIOTONIQUE** adj. (v. 1920), qui concerne la tonicité musculaire du cœur, **CONTRE-TONIQUE** adj. (XXe s.), **ÉLECTROTONIQUE** adj. (av. 1890), ainsi que dans **TONICARDIAQUE** adj. et n. m. (1905, *toni-cardiaque*) dont il fournit le premier élément.

TONUS n. m. est emprunté (1865) par l'intermédiaire de l'anglais au latin *tonus.* ◇ Le mot a été introduit en français comme terme de physiologie (en rapport avec *tonique* et *tonicité*) pour désigner un état de légère tension des muscles au repos. ◇ Il s'est répandu dans l'usage courant (1916) avec le sens de «dynamisme», prenant parallèlement dans l'argot des étudiants le sens spécialisé de «réunion bruyante des internes des hôpitaux» (1935). ◆ Il entre dans le terme de physiologie **ÉLECTROTONUS** n. m. (1890).

◈ voir **ATONE, BARYTON, HYPOTHÉNUSE, INTONATION, MONOTONE, TÉTANOS, TUNER.**

② **TON, TA, TES** adj. poss. sont issus respectivement : pour *ton* (fin Xe s.) du latin °*tum,* pour *ta* (fin Xe s.) du latin °*tam,* et pour *tes* (1080 ; fin Xe s., *tas* et *tos*) du latin °*tos,* trois formes populaires. °*Tum,* °*tam* et °*tos* sont les formes atones et contractées du latin classique *tuum, tuam, tuos,* accusatifs masculin, féminin singulier et pluriel de *tuus.*

En ancien français, le féminin *ta* s'élidait en *t'* (comme *ma* en *m'*) (→ mamie) avant d'être remplacé par l'emploi du masculin *ton* dès la fin du XIIe s. *(ton amie).* Le mot *tante** témoigne de cette élision (*t'ante,* pour *ta ante*).

◈ voir **TIEN.**

TONDRE v. tr. est issu (v. 1130) du bas latin *tondĕre* (*ĕ* bref), altération du latin classique *tondēre* (*ē* long) aux sens de «couper à ras (la laine, le poil)», «tailler, émonder (l'herbe, les branches)» et, familièrement, «dépouiller». *Tondere* pourrait avoir été fait sur une forme en °*-de/o-* d'une racine indoeuropéenne signifiant «couper» (grec *tendein* «ronger», moyen irlandais *ro-s-teind* «il découpe»).

♦ Le verbe est passé en français avec le sens de «raser», le complément désignant soit les cheveux, soit la personne. Il signifiait spécialement «faire (qqn) moine» (v. 1165), sens disparu mais dont la valeur est présente dans *tonsure**. ◇ Depuis le XIIe s., *tondre* signifie «couper le poil ou la laine (d'un animal)» (v. 1170) et, dès cette époque, il a le sens figuré de «dépouiller» (v. 1160; v. 1450, «piller»), présent dans la locution métaphorique plus récente (attesté 1611) ***se laisser tondre la laine sur le dos*** «supporter avec patience les exactions». Par extension, avec l'idée d'égaliser, il signifie dès le XIIe s. «couper à ras» (v. 1175, *tondre le drap*), «faucher de près (le gazon)» (v. 1180). Ultérieurement, il a pris ceux de «brouter» (v. 1600), le sujet désignant un animal, et «élaguer» (1636). ◇ Une valeur technique, «enlever une faible épaisseur au parement de la pierre» (1842), est métaphorique quant au complément.

▶ Les dérivés du verbe se répartissent en deux groupes morphologiques. D'un côté, à la suite de l'ancien participe passé, plusieurs mots ont été formés sur le radical *tont-;* de l'autre, des formes en *tond-* apparaissent dès le XIIIe siècle. ◆ **TONTURE** n. f. (XIIIe s.), archaïque ou très technique, a probablement été gêné par *tonsure**. ◆ **TONTE** n. f. (1387) «action de tondre» est toujours usuel. ◆ **TONTISSE** adj. (1690) et n. f. (1759) a remplacé l'ancienne forme *tondiche* (1290) ou *tondice* (déb. XVe s.) pour qualifier ce qui provient de la tonture du drap. ◆ Les mots formés sur le radical *tond-* présentent plusieurs cas de chevauchement avec les précédents : c'est le cas pour *tondure* n. f. (1380), synonyme ancien de *tonture.* ◇ **TONDAISON** n. f. (déb. XIVe s.; v. 1160, *tondison*) et **TONDAILLE** n. f. (1500) ont été à peu près éliminés par *tonte.* ◆ **TONDEUR, EUSE** n. «personne qui tond les animaux» (1380; le sens est antérieur sous la forme *tuntetier,* v. 1170), *tondeur* s'applique également à l'«ouvrier qui tond le drap» (1229). Il s'est dit aussi d'un barbier (1549). ◇ De là vient le premier emploi de **TONDEUSE** n. f. (1611) «épouse du barbier», reformé au XIXe s. pour désigner une machine à tondre les draps (1832) puis, couramment, pour tondre l'herbe (1876, *tondeuse à gazon*). ◆ **TONDAGE** n. m. (1303; 1368, *tontage*), mot technique, se dit à propos des draps et de certains animaux, notamment des chevaux (1845).

◈ voir TOISON, TONSURE.

TONIQUE → ① TON

TONITRUANT, ANTE

TONITRUANT, ANTE adj. est un emprunt tardif (1866) au latin *tonitruans,* participe présent de *tonitruare* «tonner», lequel est le dérivé rare et tardif de *tonitrus* (→ tonnerre).

♦ Le mot signifie «qui fait un bruit de tonnerre», en parlant d'une voix ou d'une personne.

▶ **TONITRUER** v. intr. (1869), emprunté au verbe latin ou dérivé de l'adjectif, et son dérivé **TONITRUEMENT** n. m. (1888), sont plutôt littéraires, ainsi que **TONITRUANCE** n. f. (1906), rare.

✱ TONNE

◈ ✱ **TONNE** n. f. est issu (v. 1283) du latin médiéval *tunna* (VIIIe s., chez Alcuin) «grand tonneau», aussi attesté sous la forme *tonna. Tunna* a été emprunté à un mot gaulois dont on voit généralement un représentant dans l'ancien irlandais *tonn* «peau»; ce sens initial aurait fourni les valeurs hypothétiques de «vase, outre» (pour contenir le vin), d'où «tonneau». Le français *tonne* et le catalan *tona* (XIIe s.) ont seuls hérités du latin *tunna.* Les autres langues, romanes et germaniques, représentent des emprunts, soit directs (ancien haut allemand *tunna;* allemand *Tonne*), soit obtenus par l'intermédiaire du français (italien *tonna;* espagnol *tonel*).

♦ Le mot est introduit en français pour désigner un gros récipient fait de douves assemblées par des cerceaux, d'où par métonymie le contenu de ce récipient (1690). Ce sens, concurrencé par le dérivé *tonneau* (ci-dessous), a vieilli. ◇ Par analogie de forme, *tonne* a développé divers sens techniques, «coquille arrondie» (1676), «bouée en bois ou en fer» (1690), et est passé dans le vocabulaire de l'histoire de l'armure où il est attesté tardivement (1904). ◆ Par l'idée de «grande contenance», il a pris dans le système métrique la valeur usuelle d'«unité de masse valant mille kilogrammes» (1842), développant un emploi spécial en marine (1846), domaine où *tonne* désignait depuis longtemps une unité de capacité (1681). À partir du XIXe s., il est employé par exagération à propos d'une énorme quantité de choses (1812). Il désigne aussi diverses unités : celle de calcul du prix dans le transport des marchandises (1833, *tonne kilométrique*), et plus tard (XXe s.) du poids des véhicules (aussi substantivement : *un 7 tonnes* pour «camion de 7 tonnes»). ◇ C'est aussi, en parlant de fusées, une unité de poussée égale à 1 000 kg. ◆ Dans ce dernier domaine, on emploie surtout le composé **KILOTONNE** n. f. (1957).

▶ Le mot a produit deux noms formés par suffixation diminutive. ◆ **TONNEAU** n. m. (1380), antérieurement *tonel* (v. 1138) et *tonnel* (v. 1190), désigne du XIIe s. à nos jours un grand récipient cylindrique en bois destiné aux liquides et en particulier au vin, d'où les connotations de certains emplois figurés. Les synonymes partiels *tonne, fût, foudre* sont plus techniques. ◇ Il entre dans la locution figurée ***du même tonneau*** (1552, *d'un autre tonneau*) qui signifie péjorativement «du même genre» et dans ***le tonneau des Danaïdes*** (1765), allusion à la mythologie où les Danaïdes sont condamnées à tenter d'emplir un récipient sans fond. ◇ Le mot a désigné (déb. XVIIIe s.) le demi-tonneau formant abri dans lequel se tenait un marchand en plein air ou un écrivain public. D'autres emplois, tels ceux de «coffre percé de trous servant à un jeu» (1835) et de «voiture à cheval découverte» (1888), s'expliquent par analogie de forme. ◇ En référence au mouvement du tonneau qui roule, le mot désigne aussi un mouvement d'acrobatie aérienne (1917). Par extension, il en est venu à désigner le même type de mouvement pour un véhicule qui roule latéralement sur lui-même après s'être renversé (1932) et, en natation, un type de virage (1961). ◆ Après avoir partagé avec *tonne* le sens de «mesure de mille kilogrammes» (XVIe s.), il s'en est différencié, se spécialisant pour désigner en marine une unité internationale de volume (XIXe s.). ◆ *Tonneau* a produit son propre diminutif **TONNELET** n. m. (v. 1250), emprunté par analogie dans le vocabulaire du costume (1388), et par ailleurs **TONNELIER** n. m. (1255) d'où **TONNELLERIE** n. f. (1295), nom de l'artisan et du métier concernant non seulement les tonneaux, mais tous les récipients en bois (baquets, etc.). ➡ **TONNELAGE** n. m., autrefois «droit payé au seigneur pour la mise en tonneaux du vin» (1334), se dit depuis le XVIIIe s. de la fabrication des tonneaux (1730) et s'emploie comme terme de commerce.

TONNELLE n. f., diminutif de genre féminin dérivé de *tonne*, a perdu son sens ancien de «tonneau» (2e moitié du XIVe s.) pour désigner, par analogie de forme (cf. *berceau*) et dès le moyen français (1339), une construction légère à sommet arrondi sur laquelle on fait pousser des plantes, puis cet ensemble garni de plantes et les plantes elles-mêmes. ◇ Il a pris d'autres sens spécialisés en chasse où il désigne une sorte de filet (v. 1387) et en archéologie pour la partie de l'armure du cheval qui recouvrait la croupe (1899). ◇ Le dérivé **TONNELER** v. tr. (1564), autrefois «chasser à la tonnelle» (1564), est archaïque et régional au sens figuré de «prendre (qqn) au piège» (fin XVIe s., Brantôme). ◇ *Tonnelle*, emprunté par l'anglais, a été réemprunté par le français sous la forme *tunnel**.

De même, le dérivé direct de *tonne* désignant un droit sur les fûts (tonnes) de vin, ① **TONNAGE** n. m. (1300) est passé en anglais et a fourni au français par emprunt le terme de marine ② **TONNAGE** n. m. (1477) qui désigne un droit payé par un navire d'après sa capacité. Comme cette capacité est évaluée en tonnes ou en tonneaux, *tonnage*, perçu comme un dérivé de *tonne*, désigne (1755) la capacité de transport d'un navire évaluée par son volume intérieur mesuré en tonneaux. ◇ Depuis le XIXe s. (1872), le mot est employé en termes de statistiques ; il est alors dérivé de *tonne*.

Tonne a aussi produit le composé préfixé ② **ENTONNER** v. tr., d'abord attesté au sens de «verser (un liquide) dans un tonneau» (v. 1215), d'emploi technique aujourd'hui. Le verbe a par ailleurs développé des sens figurés devenus archaïques : *s'entonner* pour «s'engouffrer», en parlant du vent (fin XIIIe s.) et, avec un complément désignant de la nourriture ou une boisson, «ingurgiter» (XIXe s.) ; il reste en usage au sens de «boire (du vin)». ➡ Le verbe a lui-même produit un dérivé très courant, **ENTONNOIR** n. m. (XIIIe s.), auparavant *entonedoir* (fin XIe s.), désignant l'instrument qui sert à verser un liquide dans un récipient de petite ouverture. ◇ Par analogie, le mot désigne divers objets, instruments et choses naturelles en forme de cône renversé : par exemple, familièrement, le gosier (1552, Rabelais), alors avec influence directe du verbe *entonner*, puis une excavation provoquée par l'explosion d'un obus (1752), une sorte de champignon (1835), une partie d'un four à chaux (1842), etc. ➡ *Entonner* a fourni par ailleurs les termes techniques **ENTONNAGE** n. m. «action de mettre en tonneau» (1606) et ses équivalents **ENTONNEMENT** n. m. (1540) et **ENTONNAISON** n. f. (1864) rares.

◈ voir TUNNEL.

◈ **TONNER** v. intr. est issu (v. 1120) du latin *tonare* «faire éclater le tonnerre», le sujet étant d'abord *Jupiter*, puis impersonnellement «éclater», le sujet désignant le tonnerre. *Tonare* se construit aussi avec un nom de personne pour sujet, au sens d'«exprimer violemment sa colère». Le groupe de ce mot, bien que l'expression de cette notion varie d'une langue à l'autre, a des correspondants dans le védique *tányati* «il tonne», le persan *tundar* «tonnerre», le vieil anglais *thunor* «tonnerre» (anglais *thunder*). Des formes relevées en védique (*stanihi* «résonne»), en grec (*stenein* «gémir»), en lituanien (*stenù, stenéti* «gémir») ainsi qu'en russe (*stonú, stonát'*) font penser qu'il y a eu contact (ou identité initiale) des racines indoeuropéennes °*stenə*- et °*tenə*-. On ne peut que signaler cette coïncidence, sans en déterminer la nature.

♦ Le mot est d'abord employé au sens initial du latin, à la forme impersonnelle et en construction absolue avec *Dieu* ou *le ciel* pour sujet. Par analogie, il signifie «faire éclater un bruit semblable à celui du tonnerre» (v. 1150). ◇ Son emploi avec un nom de personne pour sujet est plus tardif, d'abord dans une construction transitive rare (v. 1550) et, couramment, en construction intransitive (1678, La Fontaine).

▸ Son participe présent **TONNANT, ANTE** est adjectivé (v. 1155, *tonant*) avec les mêmes valeurs. Il a qualifié en chimie (1903) un mélange d'hydrogène et d'oxygène, mais a vieilli dans cet emploi.

TONNERRE n. m. (1553), d'abord sous les formes *tuneire* (1080), *toneire* (v. 1150) et *tonoire* (XIIIe s. jusqu'au début du XVIIe s.), est issu du latin *tonitrus* de même sens (→ tonitruant). Celui-ci est dérivé de *tonare* mais, comme il n'y a pas de suffixe *-tru* en latin, ne peut s'expliquer que par la contamination d'une forme °*tonitu-* (masculin) et d'un °*tonə-tro-* (neutre). Dans les langues romanes, le nom s'est moins bien répandu que le verbe et l'on a généralement tiré un substantivé du verbe : italien *tuono*, espagnol *trueno*, ancien provençal *tron, trou* (cf. l'expression *troun de l'aïre*, encore en concurrence avec *toneire*). ➡ *Tonnerre* désigne le bruit de la foudre et quelquefois, par métonymie, la foudre elle-même (1440-1475). Il est passé dans le vocabulaire du théâtre pour désigner le dispositif chargé d'imiter le bruit du tonnerre (1743). Par analogie, il se dit depuis le XIIe s. d'un bruit assourdissant (v. 1160). Il a produit la locution figurée ***coup de tonnerre*** (1623), à propos d'un événement imprévu, et ***de tonnerre*** (1873), dont la variante ***du tonnerre*** appartient à l'usage familier, avec la valeur d'un superlatif exprimant l'admiration. Le langage des sports emploie *le tonnerre* avec une valeur voisine (1927). ◇ L'emploi du mot en interjection (1790) exprime la violence et la menace, notamment en juron (*tonnerre de Dieu !, mille tonnerres !*). ◇ Une métonymie technique a donné au mot (1752) le sens de «partie du canon (d'une arme à feu) où se place la charge». ➡ Les dérivés du mot créés en moyen français ne s'étant pas maintenus, le mot n'a qu'un préfixé, **PARATONNERRE** n. m., attesté pour la première fois en 1773 dans une lettre adressée à B. Franklin par son traducteur, et qui est formé de *para-** «contre» et de *tonnerre*, sur le modèle de *parasol, paravent*. ◇ Le mot a été créé par B. Franklin, inventeur de ce dispositif de protection contre la foudre. Il s'est employé au figuré dès 1798 *(servir de para-tonnerre)*.

◈ voir DÉTONER, ÉTONNER, TONITRUANT.

TONSURE n. f. est emprunté (1246) au latin *tonsura*, de *tondere* (→ tondre), qui signifie proprement «action de tondre», «action de couper les cheveux», et qui a eu en outre le sens de «taille des arbres», «branches coupées».

♦ Ces derniers sens de *tonsura* correspondent à des emplois attestés de *tonsure* en moyen français et aux acceptions employées régionalement (Centre, Poitou) : «branches provenant d'un arbre étêté», «fauchaison» (1468). ◇ En ancien français, la tonsure est un signe de cléricature (1246) et, plus largement le mot s'applique à l'action de raser la tête (1380), valeur sortie d'usage à l'époque classique ; il s'est spécialisé dans le contexte religieux où il désigne (1541) la cérémonie par laquelle l'évêque confère le premier degré de la cléricature à un homme en lui coupant une mèche de cheveux au sommet de la tête. Cette acception est certainement antérieure, comme l'indiquent l'expression (v. 1456) *bénéfice à simple tonsure* (→ simple) et l'emploi métonymique pour «petit cercle rasé au sommet de la tête des ecclésiastiques» (1398). Par allusion à cette marque, *tonsure* se dit familièrement (1877, Goncourt) d'une calvitie au sommet du crâne.

▶ Le dérivé **TONSURER** v. tr. (fin XIVe s.), «donner la tonsure à (un ecclésiastique)», s'est employé au sens général de «raser la barbe, les cheveux» (1611). ◆ Le participe passé **TONSURÉ, ÉE** est adjectivé (v. 1450) et substantivé (1680) à propos d'un ecclésiastique portant la tonsure.

TONTE → TONDRE

TONTINE n. f. est tiré par suffixation (1653) de Laurenzo *Tonti*, nom d'un Napolitain qui inventa ce genre d'opération.

♦ Le mot, relevé pour la première fois dans un édit de Louis XIV pour la création de la tontine royale, désigne une association dans laquelle chaque membre verse une certaine somme pour constituer une rente viagère réversible à sa mort sur la tête des survivants et, par métonymie (XIXe s.), la rente elle-même. ◇ Par analogie de procédé, *tontine* a été le nom d'un jeu de cartes (1737) et de la corbeille dans laquelle les joueurs déposaient les enjeux (1876). ◇ Le mot est usuel en français d'Afrique où il désigne une association financière collective.

▶ Le dérivé **TONTINIER, IÈRE** n. et adj. (1727), désignant la personne qui a mis de l'argent dans une tontine, est lui aussi courant en français d'Afrique.

TONTON n. m. est l'altération (1712) de *oncle**, d'après *tante**, une forme virtuelle *toncle* étant abrégée et l'initiale redoublée.

♦ Le mot est relevé pour la première fois dans la correspondance de Fénelon ; il peut être beaucoup plus ancien à l'oral. ◇ Il s'emploie aussi (v. 1970) dans la locution ***tonton macoute*** à propos d'un membre d'une police parallèle haïtienne qui s'est illustrée par ses exactions ; la désignation vient du nom créole haïtien de l'ogre dont on menace les enfants («l'ogre au grand sac») : *tonton* signifiant «oncle», puis «vieillard» et *macoute* étant un emprunt à un mot caraïbe, *djacoute* «grand sac».

TONUS → ① TON

① **TOP** n. m. a été formé récemment (1859) sur le radical onomatopéique *top-* (→ toper).

♦ Le mot désigne le signal sonore que l'on donne pour déterminer ou enregistrer le début ou la fin d'une opération. La locution ***prendre le top*** signifie «prendre une comparaison entre un chronomètre à régler et une pendule réglée» (1907). ◇ Le mot s'applique aussi (v. 1970) au signal indiquant le début d'un enregistrement, d'où la locution ***donner le top*** «le signal de départ» (v. 1971).

② **TOP-** est devenu par réemprunt à l'anglais *top* «sommet», un élément de composés — le second étant souvent un mot anglais et une sorte d'intensif fonctionnant parfois même avant un nom français *(top niveau)*.

♦ Parmi ces composés «franglais», dont la mode s'empare, on peut signaler **TOP-MODEL** n. m. «mannequin célèbre», **TOP-SECRET** adj. (1953) «ultra-secret». ◇ **TOP-WEIGHT** n. m. avait fait l'objet d'un emprunt antérieur en turf (1854) au composé anglais, «poids maximum porté par un cheval dans une course».
TOP NIVEAU n. m. ou **TOP** n. m. semble avoir été mis à la mode dans les années 1970, de l'anglais *top* et du français *niveau*, pour «le niveau supérieur».

TOPAZE n. m. est emprunté (1080) au latin *topazus*, lui-même emprunté au grec *topazos*, également *topazion* et *topazon*, nom d'une pierre d'un brun-jaune et peut-être aussi de la chrysolite, de couleur jaune verdâtre. Le mot grec serait, d'après Pline, un emprunt oriental, pris à une langue africaine ou chamito-sémitique (celle des «Troglodytes»), d'après le nom d'une île de la mer Rouge.

♦ Le mot désigne d'abord une gemme utilisée en bijouterie, avant d'être défini précisément en minéralogie (fin XVIIIe s.). ◇ Il s'emploie aussi à propos d'une nuance de jaune (1843).

▶ De *topaze* est dérivé **TOPAZOLITE** n. f. (1829) en minéralogie (→ lithe).

① **TOPER** v. est issu (v. 1165 ; seulement v. 1370 *[Roman de Thèbes]* selon T. L. F.), comme l'espagnol et le catalan *topar*, d'un radical onomatopéique *top-* exprimant le bruit de deux objets qui se heurtent, de deux personnes qui se frappent dans la main, avec une influence d'un mot préroman *taupe* (voir ci-dessous).

♦ Le verbe, introduit au sens de «placer en jetant, appliquer à», est rare en ancien et en moyen français. ◇ On relève à l'époque classique les formes *tauper* (1616, *tauper à qqch.* «y consentir») et *tôper* (v. 1650) ; elles viennent de *taupe* «grosse patte, patte d'ours» (XVIIe s.), auparavant *tarpe* (1360), mot du Sud-Est d'origine préromane (cf. aussi le frioulan *talpa* «patte») qui a donné l'ancien argot *tauper* «battre» (1867). ◇ *Toper* a été repris au XVIIe s. (1645) comme intransitif au sens d'«accepter l'enjeu de son adversaire» au jeu, et en général «consentir» (1679); un croisement entre *toper, tauper* et l'hispanisme *tope!* (ci-dessous) est vraisemblable. ◇ Par reprise du sens propre et attraction de *taper**, *toper* a pris le sens de «frapper dans la main en signe d'accord» (1808), d'où *topez là!* et *tope là!* (av. 1839), confondus avec *tope!*

▸ **TOPE!** interj. est emprunté comme terme de jeu (1629, *toppe;* 1616, *taupe;* cf. *jouer à tope et masse,* 1609) à l'espagnol *topo,* première personne du présent de *topar* (ci-dessus). ◆ Le mot, en passant en français, s'est confondu avec l'impératif de *toper**. Il est employé comme interjection pour exprimer qu'on accepte un défi ou un pari, d'abord un défi à boire. Il a désigné un jeu de dés et, aux XVIIe et XVIIIe s., a été employé dans l'expression *topetingue* (1620), *tope et tingue* (1645), pour dire qu'on accepte un enjeu, adaptation littérale de la locution espagnole *topo y tengo* «je tope et je tiens», en usage au XVIIe et au début du XVIIIe s., où l'expression a signifié «volontiers» (1704, *taupe et tinc*).

② **TOPER** v. tr., en golf, est emprunté à l'anglais *to top,* de *top* «sommet».

♦ Le verbe, attesté en 1934, signifie «frapper (la balle) sur son sommet».

TOPETTE n. f. est emprunté (1785; 1745, *taupette*) à un mot dialectal méridional qui, avec des intermédiaires non attestés, est issu d'un francique *°toppin* «pot», comme son équivalent *topin, toupin**.

♦ Le mot a désigné une bouteille longue et étroite et, par métonymie (1881), son contenu.

TOPINAMBOUR n. m. est une transformation (1658) par changement de la finale (cf. *tambour*) de *toupinambaulx* (1617), d'abord *toupinambaux* (dans un récit de voyage au XVIe s.), du nom d'une tribu indienne du Brésil, les *Tupinambás* dans sa propre langue, le *tupi,* qui forme avec le guarani une importante famille linguistique. Ce nom de tribu est attesté en français au XVIe s. (1578, Jean de Léry) écrit *Tououpinambaoults* (sans doute pour transcrire les voyelles diphtonguées de l'emprunt oral), puis *Toupinamboult* (1598) et *topinambou* (1660). Il est conservé à l'époque classique au sens de «sauvage du Brésil» (1578) et s'est employé (1658) péjorativement pour «personne grossière, inculte», acception qui disparaît au XIXe siècle.

♦ *Topinambour,* l'étymologie étant oubliée, désigne depuis le début du XVIIe s. (1617) une plante à tubercules comestibles, l'hélianthe tubéreux, et ces tubercules. La plante est originaire d'Amérique du Nord (Canada, Maine) et le nom qu'on lui a donné provient, soit d'une fausse localisation de son origine, soit d'une coïncidence entre la date de son introduction en France et de celle d'un groupe d'Indiens du Brésil figurant aux fêtes données à Rouen pour l'entrée du roi Henri II. Cultivé en Europe, le topinambour fait partie des végétaux comestibles importés d'Amérique; il fut un moment appelé *poire de terre* (XVIIIe s.), mais n'a pas pris l'importance de la pomme de terre.

TOPIQUE n. et adj. est emprunté (v. 1370) au latin didactique *topicus* «local», employé également comme nom sous les formes *topice* et *topica* par imitation du grec. Le mot latin est lui-même emprunté au grec *topikos,* adjectif dérivé de *topos* «lieu» (→ topo-); avec le double sens de «relatif à un lieu» et «installé en un lieu», il est employé spécialement en médecine en parlant d'un remède qu'on applique sur l'endroit malade, et en rhétorique à propos des lieux communs (au pluriel *ta topika,* titre d'un célèbre ouvrage d'Aristote traduit en latin par Cicéron).

♦ Le mot a été emprunté par la langue de la logique et de la rhétorique aristotéliciennes : au pluriel, il a d'abord désigné la partie de la logique d'Aristote relative aux lieux communs. ◇ En histoire de la philosophie, la *topique* n. f. désigne la théorie des catégories qui permettent de classer les lieux communs (1642) et un *topique* n. m. ou *lieu topique* (1765) s'emploie pour «lieu commun». ◆ Au XVIe s., apparaît le sens médical du mot grec, comme adjectif (1538, *remède topique*) et comme nom masculin (1512, pl. «remèdes»; 1611, sing.). ◇ Le sens général mais didactique de «relatif au lieu» est attesté depuis la fin du XVIIe s., d'abord appliqué à une divinité qui règne sur un lieu (1697) puis (1865) pour qualifier ce qui se rapporte au sujet dont on parle. ◆ Au XXe s., *topique* n. f. se spécialise en psychanalyse freudienne (1940) au sens de «conception des lieux psychiques» (selon l'élaboration de deux topiques freudiennes successives, en 1900 et en 1923). ◇ Ensuite (attesté 1972), le masculin traduit l'anglais *topic* (de même origine), employé en linguistique au sens de «sujet du discours».

▸ C'est à ce dernier sens que se rapporte **TOPICALISER** v. tr. (v. 1950), emprunté à l'anglais *to topicalize* (de *topic*) «prendre un élément de la phrase pour en faire un thème», d'où **TOPICALISATION** n. f. (v. 1970).

TOPO- est l'élément tiré du grec *topos* «région, lieu», «emplacement, partie du corps» (notamment par euphémisme «sexe de la femme») et tardivement «emplacement funéraire», surtout en parlant de la tombe d'un martyr. D'autre part, le mot a désigné un lieu commun, un développement en rhétorique, le thème d'un discours (→ topique); il s'est enfin employé au sens figuré pour «occasion», dans une expression équivalente au français *donner lieu à...* Son origine est inconnue.

▸ Les mots formés avec l'élément *topo-* datent du XIXe ou du XXe siècle. ◆ **TOPOLOGIE** n. f. (1876) apparaît aux sens d'«étude des lieux communs» comme terme de rhétorique religieuse et de «connaissance des lieux», avant de prendre sous l'influence de l'anglais *topology* (1883) son sens spécialisé en mathématiques (déb. XXe s.). Le terme désigne une branche importante des mathématiques, consacrée à l'étude des transformations continues et des propriétés invariantes dans ces transformations; par une métonymie habituelle, il s'applique à l'objet de cette étude. *Topologie* a remplacé les anciennes désignations *géométrie de situation* et *analysis situs,* l'objet s'étant élargi. ◇ Il a produit les termes didactiques **TOPOLOGIQUE** adj. (1845), employé en mathématiques (XXe s.) et en psychologie (1954), et **TOPOLOGUE** n. ou **TOPOLOGISTE** n. (XXe s.), seulement en mathématiques. ➜ **TOPONYMIE** n. f. est un terme de linguistique formé au XIXe s. (attesté 1869) avec l'élément *-onymie* pour désigner le système formé par les noms d'une région et la partie de la linguistique qui l'étudie; on dit aussi **TOPONOMASTIQUE** n. f. (1876). ◇ En sont dérivés **TOPONYME** n. m. (1876) «nom propre de lieu», **TOPONYMIQUE** adj. (1853) et **TOPONYMISTE** n. (1939).

TOPOGRAPHIE n. f. est emprunté (v. 1489, écrit *topografie*) au grec *topographia*, de *topo-* et *-graphia* (→ graphie), «description d'un lieu, d'un pays». ◇ Le mot, devenu relativement usuel, désigne la description ou la carte détaillée d'un lieu, et, dans la rhétorique traditionnelle, la figure consistant en la description détaillée d'un lieu (1765). Le sens cartographique précis et technique de «représentation de la configuration des terrains» (1845) est devenu le plus courant. ◇ **TOPO** n. m., abréviation familière (1855, n. f.) de *topographie*, a disparu. *Un topo* a été repris pour «plan, croquis» (1859) et en argot de l'École polytechnique pour «communication que l'on fait circuler dans les salles d'étude» (1888). Il se dit couramment d'un exposé, d'un discours (1866), notamment dans la locution ***c'est toujours le même topo.*** ➜ **TOPOGRAPHE** n., emprunté (1580, Montaigne) au grec *topographos*, désigne la personne qui s'adonne à la topographie. ◇ Le mot a lui aussi été abrégé familièrement en *topo* n. m. (1861). *Topographe* désignait autrefois dans l'armée un officier d'état-major, également appelé *topard* (1888). ➜ **TOPOGRAPHIQUE** adj. est emprunté, également au XVIe s. (1567), au dérivé grec *topographikos* «relatif à la description d'un lieu». ◇ Il a produit **TOPOGRAPHIQUEMENT** adv. (1836). ➜ **TOPOMÉTRIE** n. f., formé avec *-métrie* (→ -mètre) [v. 1900], désigne une partie de la topographie.

◈ voir ISOTOPE, TOPIQUE, UTOPIE.

TOQUARD → TOCARD (à TOC)

◈ **TOQUE** n. f. (1549), d'abord écrit *tocque* (1454), est d'origine incertaine. Pour Bloch et Wartburg, il représente l'espagnol *toca*, lui-même d'origine obscure; Dauzat le donne comme emprunté à l'italien *tocca* «étoffe de soie, gaze, crêpe» qui viendrait lui-même d'un mot longobard* (langue germanique d'Italie du Nord) *toh* (cf. allemand *Tuch* «linge»); pour P. Guiraud, le mot, désignant une coiffure ronde sans bords, pourrait se rattacher (comme le provençal *toco* «souche») à *toquer* au sens de «frapper» (→ toucher).

♦ Le mot a désigné un genre de coiffe de forme ronde en usage aux XVe et XVIe s.; il se dit de nos jours d'une coiffure de formes diverses caractéristique de certains métiers (1690), en particulier de la coiffe haute et sans bords des magistrats (1857), de celle portée par les cuisiniers, les pâtissiers et, par ailleurs, d'une coiffure féminine (1872).

De la toque des cuisiniers vient l'emploi pour «signe de distinction dans la classification des restaurants», d'où ② **TOQUÉE, ÉE** adj. «qui a reçu la distinction d'une «toque» dans un guide gastronomique.

▸ Son diminutif **TOQUET** n. m. (1596), antérieurement écrit *toguet* (v. 1480), est un terme de modes.

◈ voir TOQUER.

TOQUER

TOQUER v. est formé (v. 1460) sur un radical onomatopéique *tokk-* évoquant un choc brusque (→ toc).

♦ Le verbe apparaît au sens de «frapper (qqch.)» et a eu des valeurs variées, liées à l'idée de choc; il s'est employé dans la locution *qui toque l'un toque l'autre* «qui offense l'un offense l'autre» (1654, Scarron). ◇ Le verbe subsiste dans l'usage familier, comme intransitif, au sens de «heurter légèrement avec un bruit sec» (1536).

▸ *Toquer* a produit des dérivés relevant du sens de «frapper». ➜ Les noms d'action **TOQUE** n. f. (1599), **TOQUEMENT** n. m. (1599) ont disparu. ➜ Des dérivés dialectaux sont liés à l'idée de folie ou de sottise (*tocagne, toqua, toquelet,* etc.), selon une métaphore habituelle (cf. *piqué, sonné, timbré,* etc.). ➜ Reste ① **TOQUÉ, ÉE** adj., du participe passé (v. 1685), familier pour «un peu fou» (1829) et aussi substantivé (1857). *Toqué de* «épris de» (1830) procède de *se toquer.* ➜ **SE TOQUER** v. pron., familier, signifie «s'enticher de (qqn, qqch.)» (1642), alors qu'au sens de «se mettre brusquement une idée en tête» (1853), il procède de *toqué* (ci-dessus). On peut aussi évoquer *toque** selon le même procédé que dans *se coiffer de, s'embéguiner de.* ➜ *Se toquer* a produit le nom familier **TOQUADE** n. f. (1850) «engouement, foucade», spécialement «caprice amoureux sans durée» (1864), quelquefois écrit *tocade* (1855). ◇ Il a eu un dérivé argotique **TOQUADEUSE** n. f. qui s'est dit (1867) d'une femme légère.

◈ voir (→ selon une hypothèse, TOQUE).

TORAH

TORAH n. f. (1624), écrit aussi *thora* (1840) et *thorâh* (1817), a remplacé *tore, thore* v. 1240) et *thorath* (1295); le mot est emprunté à l'hébreu biblique *tōrāh* signifiant «doctrine, enseignement, loi» et dérivant du verbe *yārōh* «jeter, lancer», spécialisé pour «enseigner, instruire». Dans le judaïsme, la torah se situe au centre de la Révélation; elle consiste dans la réunion de prescriptions rituelles et légales et de récits d'événements fondamentaux. Elle constitue la première partie du canon (le Pentateuque) mise sous l'autorité de Moïse.

♦ Le mot, aussi écrit *thora,* désigne le Pentateuque et, par métonymie, le rouleau de parchemin sur lequel on a copié à la main ce texte en se conformant aux prescriptions rituelles.

✳ TORCHE

✳ **TORCHE** n. f. (1174), également écrit *torke, torce, torge* en ancien français, est issu d'un latin populaire °*torca*, altération de *torqua* attesté chez Varron, et lui-même variante du latin classique *torques* ou *torquis,* proprement «torsade», d'où «collier, bracelet» (→ ② torque), mot dérivé du verbe *torquere* (→ tordre). La forme dialectale *torque* (nord-est de la France, XVe s.), l'espagnol *tuerca* «écrou» et l'ancien provençal *torcar* «torcher» sont de même origine. ◇ Des mots dérivés de *tordre* ont ◈

désigné la torche : *torse* en ancien français, *torta* en ancien provençal.

♦ Le mot est passé en français avec l'idée de «faisceau de choses tordues», désignant une conglomération d'insectes et surtout un bouchon de paille (1174), un faisceau d'osier (1355) ou de chanvre (1477), etc. Cette idée s'est maintenue dans plusieurs acceptions techniques : «paquet de fils de fer roulés en cercle» (1467, *torque*), «linge roulé que les femmes mettent sur la tête pour porter un fardeau» (1549), «petite natte de paille» pour protéger les pierres de taille (1680), «brin d'osier roulé qui constitue le tour des objets en vannerie» (1680) ou encore «oignons liés autour d'un bâton» (1723). ◇ Avec le même sémantisme, on dit *en torche* à propos d'un parachute qui se met en torsade au lieu de se déployer. ➜ Le sens aujourd'hui dominant «flambeau fait d'une corde tordue enduite de résine ou d'un bâton de bois résineux» (1285 ; v. 1220, *torke*) est une spécialisation du précédent qui a transféré le noyau de sens de «torsion» à «flamme» ; par métonymie, *torche* s'est employé pour «résine de pin» (1611) jusqu'au XIXe siècle. ◇ Par analogie de fonction, on parle de *torche électrique* (1919) pour désigner une lampe de poche de forme cylindrique. Par extension, le mot s'emploie (v. 1960) pour la flamme qui sort d'une torchère, dans l'industrie du pétrole.

▸ *Torche* a produit deux noms d'objets. ➜ Le diminutif **TORCHETTE** n. f. (1332), d'abord «collerette», a pris avec le sens technique de «faisceau de paille» (1526), sens disparu, puis s'est employé à propos d'une petite torche (1531) ou d'un petit torchon (1842). ➜ **TORCHÈRE** n. f. (1653) a désigné au XVIIe s. un grand chandelier recevant de gros flambeaux de cire. ◇ De nos jours, le mot désigne un candélabre monumental (1802) et, techniquement (XXe s.), une tuyauterie en hauteur pour brûler les hydrocarbures. ◇ De ce sens procède celui de «flamme de gaz naturel, de pétrole».

① **TORCHER** v. tr., dénominatif (v. 1150, *torchier*) de *torche*, a d'abord eu la valeur d'«essuyer en frottant avec un bouchon de paille». Il reste de cette acception de nombreux emplois régionaux pour «essuyer» (1857, *torcher un plat*) et surtout, en français central, la spécialisation pour «essuyer les excréments de (qqn, une partie du corps)» (fin XIIe s., *torchier son cul*), suivi par le pronominal *se torcher* (1534). Cette acception, d'où vient l'emploi de *se torcher le derrière de* (1640), *le cul de* (1867), *s'en torcher* pour «se moquer, ne pas se soucier de», a donné une valeur populaire, voire vulgaire aux autres sens. ➜ Le verbe signifie en effet aussi «construire un mur en torchis» (après 1250), c'est-à-dire plus sommairement qu'en pierres, d'où, au figuré, «bâcler (un ouvrage)» (1798) puis aussi «exécuter vite» (1875). ➜ Un figuré ancien (1214) du sens initial correspond à une métaphore courante, pour «battre». ◇ Le participe passé adjectivé **TORCHÉ, ÉE**, est employé avec les sens correspondants, mais se dit également, en bonne part, d'un ouvrage bien enlevé (1767, *bien torché*). ➜ *Torcher* entre sous la forme conjuguée *torche-* dans le mot familier **TORCHE-CUL** n. m. inv. (1489) «linge ou papier essuyant les excréments», sens rendu célèbre par Rabelais, et au figuré (1694) «écrit méprisable» avec influence possible de *torchon*. ➜ De *torcher* sont tirés trois noms. **TORCHIS** n. m. (1303 ; 1255, *torcheïs*) désigne un bouchon de paille roulé dans la terre et un procédé de construction sommaire avec de la paille et de la terre. ◇ Le mot s'est dit aussi d'un tortillon pour porter les fardeaux. ➜ **TORCHÉE** n. f. (1735), mot familier venant de *torcher* au sens ancien de «battre», existe antérieurement sous les formes *torche* et *torchon* (v. 1450).

Le plus important des trois dérivés est **TORCHON** n. m. (v. 1174) qui a perdu son sens premier de «coup (que l'on donne), sauf dans la locution ***coup de torchon*** (1836) «bagarre» et «élimination qui laisse place nette». Le sens de «bouchon de paille, de foin» (fin XIIe s.) est resté dans quelques acceptions très spécialisées (1680). ◇ Le sens aujourd'hui courant du mot est attesté vers 1330, mais ce n'est pas de lui que procède la locution ***le torchon brûle*** (1798) qui n'est plus comprise malgré sa vitalité, et vient d'un emploi de *torchon*, alors rapporté à *torche*, pour «flambeau» (apr. 1360). ◇ *Torchon* s'est employé pour «linge, habits sales» (1690), d'où les sens, de nos jours disparus, de «souillon» (1718), et au XIXe s. de «prostituée» (1873, Zola). ◇ Par une équivalence synonymique avec *bouchon*, le mot a pris le sens de «café» (XXe s.). ◇ Enfin, *torchon*, senti comme lié à *torcher* «bâcler», désigne familièrement (1920) un imprimé médiocre ou vil. ➜ De *torchon* est issu **TORCHONNER** v., autrefois «battre (qqn)» (v. 1450), «essuyer (avec un bouchon de paille)» (1564). ◇ Il est surtout employé au sens familier figuré (1872) de «bâcler» et intransitivement (1904 ; 1852, tr., «essuyer avec un torchon») ; au sens de «faire des travaux de nettoyage», il est prolongé par **TORCHONNEMENT** n. m.

Un autre verbe ② **TORCHER** est usuel en français d'Afrique ; c'est le dérivé de *torche* (électrique), correspondant à «éclairer (qqn, qqch.)» avec une torche ou une lampe électrique. Ce type d'emploi est rendu impossible en français central à cause de la fréquence des sens familiers de *torcher* (ci-dessus), sauf en terminologie où, lié au sens technique de *torche*, le verbe signifie (v. 1950) «brûler (des gaz) dans une torchère».

① **TORQUE** n. f. représente (1250) une variante dialectale de *torche* et désigne dans ses divers emplois une chose souple en torsade. Introduit au sens de «ballot (de drap)», aujourd'hui disparu, il subsiste dans le vocabulaire technique pour un rouleau de fil de fer (1419) et comme terme de blason (1690) à propos du bourrelet d'étoffe tordue, qui figure le cimier sur un heaume. ◇ Il a désigné le tabac à chiquer en rouleau (1893) et une chevelure féminine roulée en couronne (fin XIXe s.). ◇ C'est encore, en Provence, le nom (1876) d'un pain en forme de couronne.

◈ voir ② TORQUE.

TORDRE v. tr. (v. 1180), d'abord *tuerdre* (v. 1130), *tortre* (v. 1119, p. prés.), remonte, comme l'italien *torcere* et l'espagnol *torcer*, à un latin populaire °*torcere*, altération du latin classique *torquere*. Celui-ci signifie «tourner, faire tourner», en particulier «faire subir une torsion aux membres» d'où «torturer, tourmenter» au physique comme au moral et, dans la langue militaire, «faire tourner une arme avant de la lancer, brandir». Ce mot dont l'étymologie n'est pas claire se rattache peut-être au grec *trepein* «tourner».

♦ *Tordre* a gardé le sens de «soumettre (qqch.) à une torsion», mais plusieurs emplois, repris au latin ou extensifs, n'existent qu'en ancien français (v. 1200, «tourmenter») ou ne se maintiennent que jusqu'à l'époque classique : «presser (les matières dont on fait l'huile)» (XIVe s.), «tourner» (XIIIe s.) et *se tordre* «s'égarer» (fin XIIIe s.). *Tordre qqn* «l'obliger à parler», attesté chez La Bruyère et relevé dans les dictionnaires jusqu'au XIXe s., semble poursuivre l'emploi ancien au sens de «tourmenter». ◇ Dès le XIIe s., le verbe s'emploie à propos d'un membre, d'abord par figure pour exprimer un sentiment (v. 1130, *tuerdre ses poinz ;* 1530, ***se tordre les mains***), puis au propre et concrètement (XIIIe s.) et dans la locution ***tordre le cou à qqn*** «le tuer» (XIIIe s.). ◇ *Tordre qqch.* s'emploie à partir du XVIIe s. dans le vocabulaire technique à propos de la fabrication du fil ou de la corde (1690). ◇ Par extension, le verbe exprime une idée de déformation, en parlant d'une partie du visage (1532) puis par figure prend la valeur de «détourner de son sens (un texte)» (av. 1564), d'où à l'époque classique *tordre le nez à un texte, à un auteur* (1611). ➙ *Se tordre* équivaut à «se plier, se courber dans tous les sens» (av. 1778), utilisé ensuite pour le corps plié sous l'effet d'une douleur ou d'une émotion, en particulier dans ***se tordre de rire***, par ellipse *se tordre* (1847) ; cf. *tordant.* ◇ L'emploi transitif pour «courber (qqch.) en déformant» remonte au XVIe s. (1532, *tordre la gueule,* Rabelais).

▸ **TORDU, UE**, le participe passé moderne du mot (→ tors), est adjectivé (1690) et appliqué à une chose ou à une personne (1841), familièrement au figuré, par exemple en parlant de l'esprit (XXe s.) ou dans ***faire un coup tordu.*** ➙ **TORDANT, ANTE**, le participe présent de *tordre,* est lui aussi adjectivé (1896) seulement avec le sens familier de «très drôle», de *se tordre (de rire).*

Tordre, dont le nom d'action *torsion** est emprunté au latin, a produit le nom d'objet concret **TORDOIR** n. m. (1254) qui a quelques acceptions techniques, le nom d'agent **TORDEUR, EUSE** n. (1465, *tordeor* «fabricant d'huile»), surtout d'usage technique et dont le féminin *tordeuse* désigne une machine (1872), ainsi que **TORDAGE** n. m., autrefois «fabrication de l'huile» (1333), employé à propos de la torsion des fibres textiles (1723). ➙ D'après l'usage fréquent du verbe *tordre* avec le nom d'une partie du corps, on a formé les noms composés **TORD-NEZ** n. m. (1837) en médecine vétérinaire et le mot familier **TORD-BOYAUX** n. m. inv. (1857) «alcool fort». ◇ Un composé plus ancien est **TORCOL** n. m. (1564), ou, rare, *torcou* (1555), désignant un oiseau à cou flexible (→ torticolis), employé par Rabelais pour «hypocrite» (1534, *torcoulx*).

DÉTORDRE v. tr., attesté (1080) avant *tordre,* a d'abord été formé avec un préfixe intensif, signifiant «tourner de travers (les mains, etc.)» puis «tourmenter» (1188) ; il survit à l'époque classique aux sens de «fouler (un membre)» (1549) et «détourner de son sens (un texte)» (1690). ➙ Seul le verbe préfixé avec *dé-* négatif subsiste ; il s'est dit pour «déployer (un drapeau)» (v. 1150, *destordre*). Il n'existe plus que comme contraire de *tordre* avec une valeur concrète (1640 ; auparavant *soi deteurtre,* v. 1354).

◈ voir CONTORSION, DISTORDRE, ENTORSE, ENTORTILLER, EXTORQUER, RETORDRE, RÉTORQUER, TORCHE, ② TORQUE, TORS, TORSION, TORT, TORTICOLIS, TORTILLER, TORTIONNAIRE, TORTUEUX, TORTURE, TORVE, TOURMENT, TOURTE, ② TOURTEAU, TREUIL, TROUSSER.

TORE n. m. est emprunté (1545, *thore ;* v. 1530, *thorus*) au latin *torus,* mot sans étymologie claire (peut-être emprunté), dont le sens le plus ancien est «brin ou cordon de câble», conservé dans la langue rustique. Le mot a été appliqué plus généralement à une corde puis à des objets qui, par leur forme, rappellent les renflements que font les brins d'un câble tressé : *torus* désigne en architecture la moulure bombée qui constitue un des membres de la spirale d'une colonne, la saillie d'un muscle sous la peau, celle des veines (d'où le sens de «muscles» dans la poésie impériale), un matelas, un coussin (primitivement bordé d'herbes tressées) et, de là, dans la langue poétique de l'Empire, un lit funèbre ou un lit nuptial.

♦ *Tore* a été emprunté en architecture. ◇ Depuis le XIXe s., il est aussi employé en botanique (1832, «réceptacle de fruits») et en géométrie (1837) pour désigner une surface de révolution (dite *anneau* dans l'usage courant). ◇ C'est aussi le nom (mil. XXe s.) d'un anneau magnétique utilisé dans certaines mémoires d'ordinateur.

▸ Il a pour dérivé **TORIQUE** adj. (1888), très didactique.

① **TORON** n. m. est un dérivé savant (1677) du latin *torus.* Le mot, d'usage technique, désigne la réunion de fils de caret tordus servant à faire des cordages. ◇ Son dérivé **TORONNER** v. tr. (1889) procède du premier sens ; on en a tiré **TORONNEUSE** n. f. (1949), nom de machine.

Un homonyme ② **TORON** n. m. (1835), «gros tore» en architecture, est emprunté à l'italien *torone,* dérivé de *toro* «tore», de même origine que le français.

TORÉADOR n. m. est un emprunt (1659) à l'espagnol *toreador,* ancien terme de tauromachie remplacé par *torero,* dérivé de *torear* «combattre le taureau dans l'arène», de *toro* «taureau», de même origine que le français *taureau**. La graphie francisée *tauréador* (1721) se rencontre jusqu'au milieu du XIXe siècle.

♦ Introduit dans des relations de voyage, le mot est passé dans l'usage courant au XIXe s. où il a dû sa vogue au livret de l'opéra de Bizet, *Carmen* (signé par Meilhac et Halévy). Il a été supplanté par *torero* et par *matador.*

▸ **TORIL** n. m. reprend (1765) le dérivé espagnol *toril* pour nommer l'enceinte où l'on enferme les taureaux avant la corrida.

TORERO n. m. est emprunté (1785 ; 1782, *torrero*) à l'espagnol *torero,* terme de tauromachie désignant l'homme qui affronte le taureau, dérivé de *toro ;* il a supplanté *toréador.* ➙ **TORÉER** v., adaptation (1926) du verbe espagnol (ci-dessus), a remplacé le français *tauricider* (1652, Scarron). ◇ Enfin, conformément aux tendances hispanisantes du vocabulaire moderne de la corrida, les spécialistes emploient pour *taureau* la forme espagnole *toro*.

TORGNOLE n. f. (1761) est une variante graphique de *torniole, tourniole* (v. 1225) «mouvement circulaire, détour», dérivé dérivé du verbe *torniier, tornoiier,* variante (v. 1180) de *tournoyer** restée dans les dialectes. Pour expliquer l'originalité graphique de *torgnole,* P. Guiraud invoque l'attraction de *trogne*, trognon*;* mais le passage oral de *torniole* à *torgnole* est naturel et insensible.

♦ Le mot désigne familièrement une forte gifle faisant «tourner la tête» de celui qui la reçoit et, par extension et influence de *tournée,* une série de coups.

▸ Le dérivé **TORGNOLER** v. tr. (1876), «donner une torgnole à (qqn)», s'est moins bien maintenu. ⟡ **TOURNIOLE** n. f., mot familier pour «panaris» (1812; 1829, *torgniole*), a été formé parce que le panaris fait le tour de l'ongle.

TORNADE n. f. est emprunté (1655) à l'espagnol *tornado* «tourmente» et «ouragan», qui semble être le participe passé substantivé de *tornar,* de même origine que *tourner**. Mais il pourrait s'agir de la forme altérée, sous l'influence de *tornar,* de *tronada,* dérivé de *tronar,* verbe représentant le latin *tonare* (→ tonner) et altéré d'après le *tr-* de *tronido* «tonnerre», représentant (lui aussi avec métathèse) le latin *tonitrus* d'où est issu *tonnerre.* L'espagnol ayant fourni à l'anglais la forme *tornado,* également employée en français (1663, n. m.) à côté de *ternado, turnado* (1673), le mot anglais a interféré au XIXe s. avec l'emprunt espagnol initial.

♦ Le mot, très rare avant le XIXe s. où l'on trouve aussi *tournade* (1873), s'est fixé sous la forme *tornade* (1842). Devenu alors usuel, il désigne un violent cyclone et s'emploie aussi par figure, comme *cyclone, ouragan.*

TORPÉDO n. f., nom d'une ancienne automobile décapotable, est un emprunt (1910) à l'anglais *torpedo* «poisson qui produit un engourdissement par une décharge électrique» (XVIe s.), puis «torpille», sens déjà emprunté par le français (1820), et sorti d'usage, puis «voiture fuselée, en forme de torpille». Le mot est emprunté à l'espagnol, lui-même pris au latin *torpedo* (→ torpille).

♦ Le français *torpédo* évoque les «années folles» et ne s'emploie plus guère après 1950.

TORPEUR n. f. est emprunté (1470) au latin *torpor* n. m. «engourdissement» (physique, moral), lui-même dérivé de *torpere* «être engourdi». Le verbe latin a été rapproché du vieux slave (serbe) *u-trŭpeti,* du russe *térpnut'* «se raidir» et du lituanien *tiȓpti* «se raidir, perdre connaissance, s'engourdir», sans qu'on puisse reconstituer une base indoeuropéenne claire.

♦ Le mot, introduit avec le sens moral, est rare avant le XVIIIe s. où il reprend le sens physique (1770, Buffon); par métonymie d'objet, il est aussi employé (1770) pour parler du ralentissement de l'activité d'une foule, d'une ville, d'un lieu. Il ne se répand dans l'usage courant qu'au XIXe siècle.

▸ **TORPIDE** adj. est emprunté (1531) au dérivé latin *torpidus,* «engourdi» et «stagnant». ◇ D'abord attesté au sens du latin, spécialement pour «froid, engourdi», le mot a vieilli et disparu. Il a été repris dans l'usage littéraire (1823) pour «dans un état de torpeur», «de la torpeur», puis (1876) pour «accablant». En médecine, il caractérise un mal qui ne s'atténue ni ne s'aggrave.

◈ voir **TORPÉDO, TORPILLE.**

TORPILLE n. f., formé avec la finale *-ille* (1549), précédé par *torpile* (1538) et *torpin* (1547), est emprunté au provençal *torpio,* issu par changement de suffixe du provençal *torpin* qui représente le latin *torpedo, torpedinis* «engourdissement», dérivé de *torpere* (→ torpeur). *Torpedo* en latin désigne par métonymie et spécialisation un poisson qui engourdit par une décharge électrique, sens conservé par l'emprunt anglais *torpedo* (→ torpédo).

♦ Le mot désigne comme en latin un poisson voisin des raies dont la décharge électrique peut engourdir l'homme. ◇ À partir du XIXe s. c'est le nom d'un engin de guerre; il représente alors la traduction (1812) de l'anglais *torpedo,* qui avait pris par analogie le sens de «charge d'explosifs utilisée sous l'eau» (XIXe s.) et «engin automobile explosif envoyé d'un navire» (XIXe s.). Le français a utilisé la forme *torpille* pour désigner l'engin de guerre automobile (1878), développant deux valeurs sémantiques : celle d'engin explosif et celle de mobile de forme fuselée, que l'on retrouve dans l'emprunt *torpédo**. ◇ Dans l'argot du XIXe s., le mot s'est dit d'une prostituée; dès 1838 chez Balzac, *la Torpille* est le surnom d'Esther Gobseck. C'est alors une métaphore du nom du poisson.

▸ Le mot a produit ses dérivés à la fin du XIXe siècle. ⟡ **TORPILLEUR** n. m. (1872) désigne l'artilleur (autrefois le marin) chargé de lancer les torpilles et un bâtiment capable de porter et lancer les torpilles (1876, *bateau-torpilleur,* traduction de l'anglais *torpedo-boat,* 1864). ◇ On a formé sur ce mot **CONTRE-TORPILLEUR** n. m. (1890) pour désigner le petit navire de guerre chargé de donner la chasse aux torpilleurs. ⟡ Quant à **TORPILLER** v. tr. (1872, au participe passé), il a vieilli au sens de «garnir de torpilles fixes, de mines», au profit de *miner;* il signifie «attaquer aux torpilles» (1904) et, au figuré, «attaquer sournoisement» (1897, Valéry). ◇ Il a lui-même donné **TORPILLAGE** n. m. (1915), au propre et au figuré (1930; *le torpillage d'un projet*).

① **TORQUE** → **TORCHE**

② **TORQUE** n. m. est emprunté (v. 1210) au latin *torques,* proprement «torsade», d'où «collier, bracelet métallique» (→ torche), de *torquere* (→ tordre).

♦ Le mot désigne en archéologie un collier de métal *(torque gaulois);* il semble peu employé après le XVIe et est repris au XIXe siècle.

TORRÉFIER v. tr. est emprunté (v. 1520) au latin *torrefacere,* composé de *torrere* «faire sécher» et surtout «brûler, griller» (→ toast, torrent, tôt), et de *facere* (→ faire).

♦ Le verbe a été emprunté avec le sens de «soumettre à une chaleur intense (des graines), de façon à produire un début de carbonisation». Il a développé au XIXe s. le sens figuré «brûler, dessécher», d'emploi littéraire.

▸ Il a pour dérivé le nom technique **TORRÉFIEUR, EUSE** n. (v. 1950). ➜ **TORRÉFACTION** n. f., nom d'action correspondant, est emprunté (1576) au latin scientifique médiéval *torrefactio,* fait sur le supin *(torrefactum)* de *torrefacere.* Il a d'abord eu le sens de «grillage d'un minerai», avant de prendre à la fin du XVIIIe s. (1797) le sens moderne «action de torréfier (le café, le cacao, etc)». ➜ **TORRÉFACTEUR** n. m. (1856) désigne d'abord un appareil, puis le commerçant qui torréfie son café, alors avec un féminin *torréfactrice.*

TORRENT n. m. est un emprunt ancien (v. 1120 au fig.) au latin *torrens,* participe présent de *torrere* «faire sécher, dessécher», plus souvent employé avec le sens dérivé de «dessécher au feu, consumer» (au physique et au moral) [→ torréfier]. Celui-ci se rattache à une racine indoeuropéenne °*ters-* qui signifie «sécher» et, exprimant souvent la notion de «soif» pour laquelle le latin a recours à *sitis* (→ soif), a donné par exemple l'anglais *thirst;* on l'a aussi rapproché de *terra* (→ terre). ◇ *Torrens* est adjectivé en latin au sens absolu de «brûlant» et de «desséché»; d'où le latinisme *torrent* adj. «torride» au XVIe s. (1540). L'adjectif latin a été substantivé pour désigner un cours d'eau maigre ou irrégulier, enclin à se dessécher, avec un sens voisin de celui du mot arabe *oued.* Il est vraisemblable que, se répandant hors du domaine méditerranéen, et notamment en Gaule, le mot latin a continué à désigner un cours d'eau irrégulier, mais, au moins en montagne, rapide, violent et jamais asséché.

♦ Le mot a été emprunté avec le sens figuré de «grande abondance» *(un torrent, des torrents de)* et désigne ensuite (1273) comme en latin un cours d'eau rapide et impétueux. Il est rare avant le XVe s. et prend aux XVIe et XVIIe s. d'autres valeurs figurées aujourd'hui disparues : «conquérant que rien n'arrête» (1579), «mouvement irrésistible» (1580) et «force des choses, de la mode, etc.» (1643), mais la comparaison et la métaphore sont toujours possibles. Il s'emploie par analogie pour désigner un écoulement rapide, brutal (1607). La locution usuelle ***pleuvoir à torrents*** a remplacé *pleuvoir par torrents, à torrents* et *par torrents* étant attestés en 1653.

▸ Le mot a produit tardivement ses dérivés, trois adjectifs. ➜ **TORRENTIEL, ELLE** (1832), employé en géographie et couramment au sens de «qui coule à flots» (1844), également au figuré, est le seul usuel. ◇ Son dérivé **TORRENTIELLEMENT** adv. (1843, Balzac) est plus littéraire. ➜ **TORRENTUEUX, EUSE** adj., presque contemporain de *torrentiel* (1823), est d'usage littéraire, au propre comme au figuré (1835). ➜ Quant à **TORRENTICOLE,** de *-cole**, c'est un terme didactique (XXe s.).

◈ voir **TOAST, TORRÉFIER, TORRIDE, TÔT, TOURON.**

TORRIDE adj. est emprunté (1495) au latin *torridus* «desséché, aride», «maigre (personnes)», «brûlé» et, activement, «brûlant», dérivé du verbe *torrere* (→ torrent).

♦ *Torride* en français est uniquement associé à une extrême chaleur en parlant du climat (1532, Rabelais, *zone torride*), de l'atmosphère (1556, *air torride*) ou de la température (1872, *chaleur torride;* 1832, *soleil torride*). ◇ Par influence de l'anglais, l'adjectif s'emploie (depuis les années 1970 ou 1980) au figuré à propos de la sexualité, de l'érotisme.

TORS, TORSE ou **TORTE** adj. est l'adjectivation (fin XIIe s., *tors*) de l'ancien participe passé de *tordre**, issu d'un latin °*torsus,* participe passé non attesté de *torquere* (→ tordre); la forme régulière *tortus* a abouti à *torte* (v. 1119), d'où le masculin *tort,* adj. (v. 1210). Le T.L.F. n'atteste que le substantif au XIIe s. et fait apparaître l'adjectif au milieu du XIIIe s. Le féminin *torse* apparaît en moyen français.

♦ L'adjectif s'applique d'abord à ce qui présente des courbes anormales, à côté de *tordu,* spécialement en parlant des parties du corps; c'est seulement avec cette valeur que l'on rencontre *jambe torte* aujourd'hui, archaïque par rapport à *jambe torse.* ◇ *Tort* s'est employé à propos d'un chemin (v. 1119), d'où en ancien français *de tort* «en faisant des détours» (1213). ◇ Il a pris, aussi en ancien français, une valeur morale (fin XIIe s., «louche»). ◇ Par extension, il s'applique à une matière souple qui est tordue (XIIIe s.), en particulier au bois (1559, *tors boys*); *sucre tors* a désigné un mélange de sucre et de réglisse en bâtons tortillés, remède contre le rhume (1694). ◇ Le mot s'est spécialisé en architecture (1671) dans *colonne torse,* à fût contourné en spirale, cet emploi étant resté vivant.

▸ L'usage de *tors* est limité aujourd'hui mais il avait produit, ainsi que *tort, torte,* de nombreux dérivés souvent d'emploi technique. ➜ Lui-même est substantivé en **TORS** n. m. (v. 1180) aux sens de «torsade» puis de «flambeau» (1283), sortis d'usage. ◇ Il entre au XVIIIe s. dans le vocabulaire du textile (1723, *tors sans filé,* d'une soie ouvrée) et désigne (1753) la torsion donnée aux brins afin de former un fil, une corde. Ce nom désigne aussi un gros cordon de soie utilisé en tapisserie (1845). ➜ Le féminin de l'adjectif a fourni ① **TORSE** n. f. (v. 1380, *torce*), équivalent alors de *torsade;* le mot a eu de nombreux emplois, désignant en particulier un bâton pour porter les cierges (1440) et l'action de tordre (1611).

Le verbe **TORSER** v. tr., d'abord «tordre (les cheveux)» (v. 1280), est d'usage technique, comme son dérivé **TORSIN** n. m. (1872, *torcin*), antérieurement «flambeau» (XIVe s.). ➜ **TORSEUR** n. m. (1901) est un terme de mathématiques désignant l'ensemble formé par un «glisseur» (vecteur glissant : couple formé par une droite affine et son vecteur directeur) et un couple dont le moment a la même direction.

Torser a fourni un autre nom, beaucoup plus courant, **TORSADE** n. f., d'abord attesté avec un sens obscur (1496) et repris (1818) avec son sens actuel «fils, cordons tordus en spirale». Le mot est employé en particulier en parlant d'une coiffure féminine (1830) et, en architecture (1910), d'un modèle ornemental. *En torsade* (1830) signifie «en hélice». ➜ On en a tiré **TORSADER** v. tr. (1845, Richard de Radonvilliers, puis 1872) «mettre en torsade», d'où le nom d'action **TORSADAGE** n. m. (XXe s.).

Des dérivés de *tort, torte,* beaucoup ont disparu, mais il reste **TORTU, UE** adj. qui a qualifié ce qui est de travers (v. 1230), d'où le sens de «contrefait» (1507); vieilli ou littéraire, il s'applique par exemple au bois (1640, de la vigne). Au figuré, après s'être dit d'un argument subtil (1541), il s'emploie pour ce qui manque de justesse (1664, *esprit tortu*).

◈ voir TORT, TORTUEUX.

① **TORSE** → TORS

② **TORSE** n. m. est emprunté (1676, Félibien) à l'italien *torso* (XVe s., Luigi Pulci) «buste», terme d'anatomie et depuis Michel-Ange (v. 1518) terme d'art. C'est une spécialisation plaisante de *torso* (XIIIe s.), terme d'agriculture désignant le trognon de chou, puis celui d'un fruit (XVIe s.) et ce qui reste attaché au col du poulet une fois qu'il est dépecé (1660). Le mot italien est issu du latin tardif *tursus,* glosé au moyen du grec *kaulos* «tige, tige de chou», et forme parlée du mot classique *thyrsus* qui a donné *thyrse**. ◇ *Torso* a également été emprunté par l'espagnol *torso* et l'anglais *torse* (v. 1622), puis *torso* (v. 1797). ◇ Le mot latin a aussi donné le français *trou (de chou),* au moyen âge *tros* «trognon, tronçon», aujourd'hui dialectal ou archaïque du fait de la rencontre homonymique avec *trou.*

♦ Le mot a été emprunté comme terme d'art, à propos d'une représentation du tronc humain sans tête ni membres; il est employé par la suite en sculpture (1807) puis pour le tronc d'une statue entière (1827). ◇ *Torse* désigne aussi couramment (1831, E. Sue) le tronc humain, le buste, notamment eu égard à la musculature, à l'apparence de force *(bomber le torse).*

TORSION n. f. est emprunté (XIIIe s., aussi *torcion*) au bas latin *torsio* ou *tortio* «coliques», dérivé de *torquere* (→ tordre).

♦ Du XIIIe au XVIe s., le mot a servi à désigner les coliques et les contractions de l'utérus. En moyen français, il a aussi la valeur figurée de «vexation, extorsion» (XVe s., *torcion*). ➜ L'usage moderne l'emploie pour exprimer l'action de tordre (1314), d'abord en médecine (→ entorse), puis en parlant d'une partie du corps (1461) et de toute espèce d'objet solide. ◇ Le mot a pris quelques acceptions spéciales en arboriculture (1784, *branche de torsion*), en textile et surtout en physique (1680), où *balance de torsion* est attesté dans les dictionnaires en 1834 (Boiste).

▶ Il n'a produit que le préfixé **INTORSION** n. f., terme d'histoire naturelle désignant un enroulement du dehors en dedans (1803), employé au XVIe s. pour «violence» (1524).

◈ voir CONTORSION, DISTORSION (art. DISTORDRE), EXTORSION (art. EXTORQUER), RÉTORSION (art. RÉTORQUER).

TORT n. m. est issu (v. 980) du latin populaire *tortum,* neutre substantivé de *tortus,* participe passé de *torquere* (→ tordre), proprement «ce qui est tordu», d'où «action contraire au droit» par opposition à *directum* (→ direct). L'emploi du même mot dans les langues romanes (italien *torto,* espagnol *tuerto,* ancien provençal *tort*) prouve que ce développement remonte bien à l'époque latine; le latin médiéval en donne des preuves avec *tortum facere* (864).

♦ Le mot, d'abord attesté dans l'expression *à tort,* désigne (1080) un acte qu'on ne devrait pas faire, le fait de se tromper, d'être en contradiction avec la vérité, le bon droit, notamment dans ce qu'on dit. Ce sémantisme, où *tort* est opposé à *raison**, se réalise en particulier dans des locutions nominales : ***avoir tort*** (v. 980), ***avoir tort de*** et infinitif (1580), ***(mettre qqn) dans son tort*** (1671), ***donner tort à*** (1783) qui a succédé à *donner le tort* (1601). Il entre aussi dans des locutions adverbiales : ***à tort*** (980), *à tort ou à droit* (*ne a droit ne a tort,* 1080) remplacé aujourd'hui par ***à tort ou à raison*** (1770), et ***à tort et à travers*** (1316) qui succède à *en tors et en travers* (v. 1165). ➜ Par ailleurs, *tort* désigne aussi (XIIe s.) un dommage matériel ou moral causé indûment, d'où ***faire tort*** (v. 1190), et ***faire du tort (à qqn)*** [1610]. ◇ L'emploi pour «situation difficile» (v. 1200) est sorti d'usage à l'époque classique. ◇ *Avoir tort* a donné lieu à la locution proverbiale ***les absents ont toujours tort*** (1718), formulation adoucie du proverbe médiéval *le mort a tort* (1283).

TORTICOLIS n. m. (1606), après *torticollis* (1535) et *torty colly* (1542, Rabelais), est généralement considéré (probablement à tort) comme une altération du pluriel de l'italien *torticollo, torticolli* désignant proprement un oiseau au col flexible, le torcol, le sens de «torsion du cou» n'étant signalé qu'au XIXe siècle. Il est plus probable que le mot, écrit *torty colly,* soit une création plaisante de Rabelais (ou de son temps) — aussi *torticulant, torcoulx* — d'après un latin fictif *tortum collum* «cou tordu» (→ col, tort). Le nom d'oiseau *torcol,* de *tordre,* paraît trop récent (mil. XVIe s.) pour avoir servi de modèle.

♦ Le mot, avant de désigner une torsion douloureuse du cou (1562), s'est employé comme adjectif, appliqué à une personne qui a le cou de travers; le fait d'avoir le cou de travers était au XVIe s. (Rabelais, *Pantagruel,* XXX) l'expression symbolique de l'hypocrisie, d'où l'emploi relevé jusqu'au XIXe s. pour «faux dévot» (1535, n. m. pl.).

TORTILLER v., variante graphique (1419) de *tourtillier* (fin XIVe s.), auparavant *tortoillier* (v. 1200; mais antérieur, voir ci-dessous *détortiller*), est soit issu d'un hypothétique latin populaire *°tortiliare,* dérivé de *tortus* «tordu», soit plus probablement (l'existence de *°tortiliare* n'étant soutenue par aucune forme romane), issu par réduction de *entortiller**. Son rattachement étymologique à *tordre** est encore perçu.

♦ Le verbe, transitif, signifie «tordre à plusieurs reprises (une chose souple)» puis «tourner de côté et d'autre (une partie du corps)» (déb. XVIIe s.), d'où par figure *tortiller sa pensée.* Ce dernier sens est réalisé également dans l'emploi intransitif, au propre (1640, *tortiller des fesses*) et au figuré (1669), notamment dans la locution familière ***il n'y a pas à tortiller*** (1756), et dans l'emploi pronominal du verbe (1812, au propre; XXe s., au figuré). ◆ Le sens familier «manger complètement et rapidement qqch.» (déb. XIXe s.), d'où par extension «faire rapidement», «vaincre rapidement», correspond à un emploi analogue mais plus rare de *tordre*.

▶ Les dérivés de *tortiller* sont nombreux, eu égard au champ sémantique couvert par le mot; ce sont surtout des noms. ◆ **TORTILLON** n. m. (1402) désigne en général une chose tortillée et, spécialement, un petit fuseau de papier enroulé en spirale pour estomper (1877). Il s'est dit aussi pour «support circulaire natté» ou linge roulé posé sur la tête pour porter des fardeaux. ◇ *Tortillon* «petit gâteau sec en forme de cercle» représente sans doute (1872) une altération de *tourtillon* (v. 1600), dérivé de *tourte** (en ancien français *tortignolle;* dialectalement *tortollion,* XVIIIe s.), etc. ◆ Il a servi à former un verbe **TORTILLONNER** v. tr. (XVIe s., mais un dérivé est relevé au XVe s.), surtout employé avec le sens figuré de «présenter avec des détours» (1677, Mme de Sévigné). ◆ Autre nom concret, **TORTILLÈRE** n. f. a désigné (1437) une sorte de cordage et est vieilli pour nommer une allée étroite et tortueuse (1798), comme **TORTILLE** n. f. (1835). ◆ Le dernier nom concret, **TORTILLARD** n. m. (fin XIXe s.), a commencé à se dire d'une petite voie de chemins de fer faisant de nombreux détours, puis s'est appliqué au train; c'est la substantivation de l'adjectif plus ancien *tortillard, arde* (1681), qui était employé en héraldique et qui qualifie familièrement une voie qui fait des lacets. ◆ *Tortiller* a donné aussi un terme d'architecture, **TORTILLIS** n. m. (1694), antérieurement dit d'un bonbon *tortillé* (1647). ◆ **TORTILLEMENT** n. m. désigne l'action de tortiller (1547) ou de se tortiller (1567) mais est vieilli au figuré (1700). ◆ **TORTILLAGE** n. m. s'est employé au figuré (1677) et est rare au sens concret (1812). ◆ **TORTILLEUR** n. m. (XXe s.), précédé par *tortilleuse* au figuré (1677, Mme de Sévigné), a eu un sens technique dans le travail du rotin. ◇ Il a été repris (1976, *Journal officiel*) pour désigner un type de véhicule.

Un antonyme à *tortiller* a été créé par préfixation, **DÉTORTILLER** v. tr. (v. 1190, *destortoiller*), en concurrence en français moderne avec *désentortiller.*

◈ voir **ENTORTILLER.**

TORTIONNAIRE adj. et n., réfection (av. 1534) de *torcionnaire* (1412), est emprunté au latin médiéval *tortionarius,* latinisation de l'ancien français *torceunier* «qui exerce des exactions» (v. 1120), *torcenier* «violent, injuste» (v. 1200), dérivé savant du latin *tortio* «torture», dérivé de *torquere* (→ tordre).

♦ *Tortionnaire* a évincé *torcenier* à partir du XVe s. en lui reprenant le sens d'«injuste, qui fait tort, cruel»; cette acception a disparu. ◇ Le mot, rare en emploi adjectif (1845), désigne (1832) une personne qui torture qqn pour lui arracher des aveux ou par sadisme, et en histoire le bourreau qui torturait les condamnés.

▶ De *tortionnaire* ont été dérivés **TORTIONNAIREMENT** adv. (1376, *torsionnairement*), rare, et **TORTIONNER** v. tr. (1583), archaïque et évincé par *torturer**.

TORTORER v. tr. est emprunté (1866) au provençal *tourtoura* «tordre» (XIIIe s., *tortoirar*).

♦ Il s'emploie très familièrement au sens de «manger», selon la même figure que pour *tortiller**.

▶ Le déverbal **TORTORE** n. f. (1878) désigne l'action de manger et ce qu'on mange.

TORTUE n. f. représente une altération (v. 1190), sous l'influence de *tortu, tordu,* de l'ancien provençal *tartuga* qu'on relève lui-même sous la forme *tortuga.* Ce mot provient par dissimilation de *tartar-,* du bas latin *tartaruca,* féminin substantivé de *tartarucus* «qui appartient au Tartare», c'est-à-dire au monde des ténèbres, à l'enfer. Ce mot est à l'origine de la plupart des formes romanes (espagnol, italien et portugais *tartaruga*). *Tartarucus* est un emprunt au grec *Tartaroukos,* dérivé de *Tartaros* «Tartare», mot d'origine inconnue. Pour les chrétiens, l'adjectif s'appliquait aux messagers de l'Enfer, sens passé en latin dès saint Paul. Dans les représentations du christianisme, la tortue (symbole des ténèbres) apparaît combattue par le coq (figure de lumière); l'opposition entre les deux animaux existe avec cette valeur dès l'Inde védique, dans le culte de Mitra, et ensuite en Perse. Le passage qui conduit à *tartaruca* «tortue» a pu se produire à partir d'expressions comme °*bestia tartaruca* «animal du Tartare» ou même °*testudo tartaruca, testudo* étant le nom classique de la tortue. Ce mot, dérivé de *testa* «coquille» (→ tête), a aussi désigné en latin classique, par analogie de forme, le toit que les soldats romains faisaient en s'abritant sous leurs boucliers; s'il reste avec son premier sens en italien *(testuggine)* et en sarde, il a abouti en ancien français à *testue* (1213) avec son sens technique, repris plus tard par *tortue.* Le grec *khelônê* «tortue» survit dans l'emprunt savant *chélonien* n. m. (XIXe s.).

♦ *Tortue* est le nom d'un reptile amphibie à quatre pattes courtes, au corps protégé par une carapace (d'où les valeurs figurées). Il entre dans des syntagmes *(tortue marine, géante...)* et dans la locution ***marcher comme une tortue*** (1648) en vertu de la lenteur proverbiale de la tortue. ◇ Par analogie, le mot désigne, d'après le sens du latin *testudo,* une machine de guerre couverte qui servait au siège d'une ville (1575) et s'emploie en histoire romaine (1606); en marine, il s'est dit (1680) d'un navire à pont bombé et demeure vivant comme nom d'un abri protégeant l'homme de barre. ◇ Il a eu divers emplois techniques sortis d'usage, par exemple en imprimerie : «forme plate où l'on place les caractères» (1858). ◇ Il est entré dans le vocabulaire de l'éthologie (XXe s.), notamment en parlant de certains oiseaux qui se groupent pour «faire la tortue» et ainsi se protéger.

TORTUEUX, EUSE adj. est emprunté (v. 1200, *tortüous*) au latin *tortuosus* «sinueux» (propre et figuré), spécialement employé en médecine à propos de l'écoulement difficile de l'urine. Le mot est dérivé de *tortus* (→ tort), participe passé de *torquere* (→ tordre).

♦ Le mot, emprunté au sens figuré de «subtil, compliqué», est encore senti comme rattaché à *tordre, tors*. Il est pris ensuite au sens concret (1314), puis est appliqué par figure à des choses (v. 1550, *un moyen tortueux*) et à une personne qui manque de franchise et à son comportement (1685, Bossuet); cette acception est aujourd'hui plus courante que le sens concret, très littéraire.

▸ L'adjectif a produit **TORTUEUSEMENT** adv. (v. 1370), surtout figuré. ◆ **TORTUOSITÉ** n. f. (1314) est sans doute emprunté directement au dérivé bas latin *tortuositas*; il est rare tant avec son sens propre qu'avec le sens figuré de «rouerie, détours astucieux» (Saint-Simon), malgré la relative fréquence de *tortueux* dans ce sens.

TORTURE n. f. est issu (v. 1190) du bas latin *tortura* «action de tordre» et «souffrance» (IVe s.), dérivé de *torquere* (→ tordre), celui-ci ayant déjà donné *tortio* (→ tortionnaire) en ce sens.

♦ Le mot n'a pas gardé l'ancien sens descriptif de «contorsion, distorsion, action d'être tordu» (v. 1210), non plus que le sens figuré moral d'«injustice, tort» (v. 1190). ◆ Spécialisé dans le domaine pénal, il a désigné une peine grave, une punition corporelle pouvant entraîner la mort (1459) et, de là, a pris son sens moderne (1580) de «souffrance physique intense infligée pour arracher des aveux», sens aujourd'hui dominant. ◇ Il s'emploie aussi au figuré dans des locutions comme ***mettre qqn*** (1627), ***mettre son esprit à la torture.*** ◇ Par métonymie, l'accent passant de l'acte de violence exercé à sa conséquence, il se dit (1631) de souffrances (physiques, morales) intolérables. Attesté en ancien français, ce sens ne semble réapparaître, après d'autres valeurs, qu'au milieu du XVIIe siècle. ◇ Par un retour au sens étymologique («torsion»), *torture* s'est employé pour l'action de fausser le sens d'un texte (1676, Mme de Sévigné); cet emploi est encore possible, mais il serait compris comme une métaphore du sens dominant.

▸ Son dérivé **TORTURER** v. tr. (1480) signifie «soumettre à la question», «faire subir la torture» (1831), et, par extension, «faire souffrir (qqn)»; il s'emploie également au moral (1803), aussi au pronominal (1797, «chercher avec effort»). ◇ Il a pris et conservé, à la différence du nom, le sens figuré de «tordre en manipulant» (v. 1560), spécialement «altérer le sens (d'un texte)» (1798). ◆ De *torturer* sont dérivés **TORTURANT, ANTE** adj., du participe présent, attesté en 1480 et repris à partir du XIXe s. (1845), ainsi que **TORTUREUR, EUSE** n. (1830; 1480, adj.), celui-ci rare et concurrencé par *tortionnaire**.

TORVE adj. est emprunté (av. 1526, Jean Marot) au latin classique *torvus* «qui regarde de travers, farouche», d'abord appliqué aux yeux, ensuite au visage, au corps ou au caractère puis à toute espèce d'objet. C'est un mot sans correspondant exact pour lequel M. Burger suppose une relation à *torquere* (→ tordre), mot qui lui est souvent associé. ◇ *Torvus* avait produit en ancien français un adjectif *torvain* (v. 1175).

♦ Emprunté avec le sens de «louche», comme qualificatif de l'œil, *torve* a été repris en ce sens à partir du XIXe s. (1842, Académie); il s'est aussi employé pour «fâché, mécontent» (1540). ◇ Par extension, il est quelquefois employé dans un style littéraire au sens d'«oblique, de travers» (1873, A. Daudet).

TORY n. m. est l'emprunt (1704) à l'anglais *tory* (1681, comme nom) signifiant à l'origine «brigand (irlandais)» (1646). Le mot est emprunté à l'irlandais *toraidhe* «poursuivant», et en particulier «rebelle faisant la guérilla aux troupes anglaises», de *toir* «poursuivre». Ce sont les Whigs qui ont donné à leurs adversaires le nom péjoratif de *tory* ou «brigand papiste». Le mot est ensuite passé dans le vocabulaire politique comme dénomination officielle de l'un des deux grands partis politiques de la Grande-Bretagne. Après l'adoption de la première loi de réforme électorale en 1832, l'épithète *conservative* «conservateur» (1830 en ce sens, du français *conservateur*) s'est progressivement substituée à celle de *tory*. Celle-ci ne s'emploie plus en Angleterre que par les adversaires du parti conservateur, par dénigrement, ou encore par allusion historique.

♦ Le mot est introduit en France plus tard que *whig* pour désigner les adversaires de l'exclusion du trône d'Angleterre votée contre le catholique duc d'York en 1680, et surtout en politique pour «membre du parti conservateur (fondé en 1689) et soutenant l'autorité monarchique». Il est aussi employé comme adjectif (1835) avec ce sens.

▸ Le français a aussi emprunté **TORYSME** n. m. (1727; d'abord *torisme*, 1717) «doctrine, attitude politique des tories» à l'anglais *toryism* (ou *torism*) n. (1682), de *tory*. ◇ Le mot n'est plus employé que comme terme d'histoire.

TÔT adv., d'abord *tost* (v. 880), forme qui se maintient jusqu'au XVIIe s. (1636, *tôt*), est issu d'un latin populaire °*tostum*, neutre pris adverbialement de *tostus*, participe passé de *torrere* «dessécher, griller» (→ torrent, torride; toast). Le développement sémantique de l'idée temporelle de rapidité (cf. *torrent*) s'expliquerait par une métaphore analogue à celle qu'offrent en français les emplois figurés de *brûler, griller (une étape, une station)*.

♦ Cette étymologie paraît appuyée par le sens premier du mot en français, «vite, promptement», encore vivant au XVIIe s. par exemple dans la locution *plus tost que plus tard* «au plus vite» (v. 1350) et, de nos jours, dans la locution ***avoir tôt fait de.*** ◆ De l'idée de «vitesse», on est passé au sens de «bientôt» (v. 1180), littéraire, et à celui d'«en avance par rapport à un moment fixé» (v. 1180), courant aujourd'hui. Le sémantisme est réalisé notamment dans plusieurs locutions usuelles, ***tôt ou tard*** (1176), ***au plus tôt*** (1549), ***le plus tôt sera le mieux*** (1636), ***ne... pas plus tôt... que*** (fin XVIIe s.); certaines d'entre elles donnant lieu, par soudure de leurs éléments, à de nouveaux adverbes (→ aussitôt, bientôt, plutôt, sitôt, tantôt). ◇ La locution ***tôt-fait*** est substantivée au masculin (1872) pour un gâteau simple et rapide à faire (*tôt* étant pris avec son sens étymologique de «rapide»).

TOTAL, ALE, AUX adj. et n. est emprunté (1370) au latin médiéval *totalis* (XIIe s.; l'adverbe *totaliter* est attesté dès le IVe s.), dérivé du latin classique *totus* (→ tout).

♦ Le mot, depuis Oresme, qualifie ce qui est complet, à quoi il ne manque rien et, surtout après un nom précédé par l'article défini, ce qui est pris dans son entier (1398). ◇ Il est substantivé (1559, n. m.) pour désigner un assemblage de plusieurs choses considéré comme un tout, sens disparu, et aujourd'hui une somme obtenue par addition (1723). ◇ Il entre dans la locution ***au total*** (1788) qui se prête à l'emploi figuré pour «somme toute» (1805); dans un usage très familier, il est employé seul en tête de proposition avec le sens de «conclusion, résultat» (1832). ◇ *Totale* n. f. s'emploie familièrement (XXe s., *une totale*) pour l'ablation de l'utérus et pour «le grand jeu» *(il nous a fait la totale).*

▸ Le plus ancien de ses dérivés est **TOTALEMENT** adv. (1361, Oresme) «d'une manière complète, totale» et, par affaiblissement, «absolument». ⟡ **TOTALITÉ** n. f. (1375) désigne la réunion des éléments d'un ensemble, sens qui a éclipsé celui de «caractère total» aujourd'hui sorti d'usage mais dont procède la locution ***en totalité*** (1578, *en toutallité*) «sans rien excepter». ⟡ Le radical de *totalité* a servi à former, au XXe s., l'adjectif **TOTALITAIRE** (1927) qui s'est répandu à la fin des années 1930 pour qualifier les régimes et mouvements autoritaires nés au cours de la décennie précédente (d'abord le fascisme italien); il est employé dans un style didactique au sens de «qui englobe, prétend englober la totalité des éléments d'un ensemble». ◇ À son tour, *totalitaire* a produit l'antonyme **ANTITOTALITAIRE** adj. (v. 1930-1940) et le dérivé **TOTALITARISME** n. m. (1936, J. Maritain), passé dans l'usage courant depuis 1945, et souvent pris comme synonyme d'«autoritarisme». ⟡ *Total* a aussi produit le verbe **TOTALISER** v. tr. (1802) «additionner» et «atteindre un total», sur lequel sont formés **TOTALISATION** n. f. (1818), **TOTALISATEUR, TRICE** adj. (1869) ou **TOTALISEUR** adj. dont le masculin est substantivé pour désigner un appareil totalisant les mises de chaque course hippique (1870), et **TOTALISANT, ANTE** adj. (1946).

⟐ voir TOTON.

TOTEM n. m. est emprunté (1833), d'abord sous la forme *totam* (1794) à l'anglais *totem* (1776) ou *totam* (1791, Long), lui-même emprunté à une langue indienne d'Amérique du Nord de la famille Algonquin, l'ojibwa *ototeman,* dans lequel *otem,* possessif, vient du morphème grammatical *ote.* Le mot, pour les Ojibwas, précise à la fois une relation collective (parenté entre germains, plus généralement clan ou groupe exogame) et individuelle. La forme *aoutem* relevée en Acadie en 1609 ne s'est pas répandue en France.

♦ Le mot désigne l'animal pris comme l'ancêtre et le protecteur d'un clan, lui donnant son nom, instituant la parenté et faisant l'objet de tabous. Par métonymie, il désigne la représentation de l'animal choisi pour totem (1833). Le mot, analysé chez les sociologues depuis Durkheim (1896-1897) et les psychanalystes (le fameux *Totem et Tabou* de Freud), est passé (1917) dans l'usage familier avec le sens de «porte-bonheur, fétiche».

▸ **TOTÉMISME** n. m. est l'adaptation (1833) de l'anglais *totemism* (1870) ou *totamism* (1791, Long). ◇ Il a produit les dérivés **TOTÉMISTE** adj. et n. (1907, Larousse) et **TOTÉMISTIQUE** adj. (l'anglais a de même *totemist* et *totemistic,* 1881). ⟡ **TOTÉMIQUE** adj. est emprunté (1896), pour servir d'adjectif à *totem,* à l'anglais *totemic,* terme créé aux États-Unis par Schoolcraft en 1846, attesté chez Lubbock en 1865. ◇ Emprunté au sens de «propre au totem», *totémique* qualifie ce qui a les caractères du totem (1904) et, en particulier, le mât portant les emblèmes du totem (1939).

① **TOTO,** appellatif et prénom, a symbolisé (1837) le jeune homme, puis (1875) l'enfant, le jeune élève. ◇ Le mot vient sans doute de *Totor,* de *Victor,* plutôt que d'une onomatopée dialectale signifiant «lourdaud, nigaud».

♦ Cet appellatif entre dans de nombreuses «histoires drôles» (remis à la mode v. 1990) et dans l'exclamation familière *vas-y Toto!*

② **TOTO** n. m. est la modification (p.-ê. d'après ① *toto*), de *toutou* (écrit *tous-tous,* 1655), mot champenois (Dauzat) répandu par l'argot des soldats de 1914-1918 et attesté oralement à la fin du XIXe s. (en 1889).

♦ Synonyme familier de pou, parfois étendu à d'autres parasites de l'homme. Il a vieilli.

TOTON n. m. est la francisation (1653) d'après la prononciation nasalisée de la dernière syllabe (→ dicton) de *totum* (1606). Celui-ci est emprunté au latin *totum,* neutre substantivé de l'adjectif *totus* «tout entier» (→ tout).

♦ L'emploi du mot pour désigner une espèce de dé traversé par une cheville vient de ce que sur les quatre faces de cet objet étaient inscrites les lettres A, D, R, T, initiales des mots latins ou français : *A* pour *accipe* «reçois (un jeton)», *D* pour *da* «donne (un jeton)», *R* pour *rien* (rien à donner ni à recevoir) et *T* pour *totum* «tout», soit tout l'enjeu à prendre. ◇ Par extension (1904), *toton* désigne une petite toupie que l'on fait tourner en prenant sa tige supérieure entre le pouce et l'index. On relève (1835) la graphie *tonton* par assimilation.

TOUAREG → TARGUI

TOUBIB n. m., écrit *tabibe* dans une relation de voyage, en 1617, réapparaît au XIXe siècle sous diverses graphies : *tébib* (1849), *tbeb* (1858), *tebeb* (1860), *tobib* (1863), puis *toubib* (1870); c'est un emprunt de l'arabe maghrébin *ṭbīb,* en arabe classique *ṭabīb* «médecin, savant habile, versé dans la connaissance d'une chose».

♦ Le mot est passé en français au milieu du XIXe s. dans le contexte de l'armée coloniale d'Algérie, à propos d'un médecin militaire. Il s'est répandu dans l'usage familier avec le sens de «médecin» (apr. 1914).

TOUCAN n. m. est emprunté (1557) au tupi (langue du Brésil) *tucana* (guarani *tuca*) qui signifie peut-être littéralement «bec osseux». Le mot est passé en portugais sous la forme *tucano* (1587), en italien, en anglais, en allemand et en espagnol. Ce dernier, *tulcan* (1740) puis *tucan* (1884), est trop récent pour avoir pu servir d'intermédiaire entre le tupi et le français; *toucan* est probablement un cas d'emprunt direct d'une langue indienne.

♦ *Toucan* désigne un oiseau grimpeur à très gros bec, vivant en Amérique du Sud.

TOUCHER v. tr. dir. et indir. (XIIe s.), d'abord *tuchier* (1080), également *tochier* (v. 1155) et *touchier* en ancien français, est probablement issu d'un latin populaire °*toccare,* formation onomatopéique (→ toc) conservée dans toutes les langues romanes au détriment du mot latin classique *tangere* (→ noli me tangere). Un sens très proche de la valeur étymologique correspond au roumain *toca* «annoncer l'angélus avec une claquette», à l'espagnol *tocar* «sonner les cloches» (→ tocsin). P. Guiraud propose plutôt de voir dans *toucher* le dérivé d'un verbe roman °*tudicare,* doublet de *tuditare,* de *tundere* «frapper, battre à coups redoublés» (→ contusion).

♦ Les valeurs principales de *toucher* sont acquises dès les premiers emplois; dans *La Chanson de Roland* (1080), le verbe transitif signifie «entrer en contact avec (une personne ou qqch.)», par l'intermédiaire d'un objet ou avec la main, plus tard avec une autre partie du corps (v. 1121); le contact peut impliquer l'agressivité : *toucher (qqn, qqch.)* signifie (v. 1125) encore à l'époque classique «s'attaquer à». ◇ Le verbe s'emploie également au sens de «porter la main sur qqch.» (v. 1155), pour prendre, palper, etc., sans que le contact soit violent; d'où autrefois *toucher la main à qqn,* en signe d'amitié (1456) ou d'accord (v. 1530). Le contact a un rôle particulier dans la conception traditionnelle du roi thaumaturge : *toucher* signifie «guérir (en posant la main sur le corps)» (1560). ◇ La relation à l'objet touché peut viser à une intervention (1636, *toucher à qqch.*), spécialement dans *ne pas toucher à la nourriture* «ne pas manger» (1564). ◇ *Toucher* connaît, toujours avec l'idée de mouvement, plusieurs extensions. Il s'emploie à propos d'un instrument de musique (v. 1200, *toucher d'un instrument*), transitivement et dans la locution figurée ***toucher la corde sensible*** (1774; au XVIe s., *toucher une mauvaise corde,* [1579]). ◇ Il prend très tôt une valeur érotique, «caresser» (1280) et «avoir des rapports sexuels» (v. 1145), mais le pronominal *se toucher* «se masturber» est plus récent (1655). ◇ Le sens de «frapper (qqn)», relevé isolément à la fin du XVe s., réapparaît au XVIIe s. (1611, *toucher sur qqn*) mais n'est bien établi qu'au XIXe s.; le verbe s'emploie à partir du XVIe s. avec un sujet de chose pour «entrer en contact avec (qqch.)» (1529, en parlant d'un navire), puis «heurter violemment» (v. 1698) et pour «atteindre avec un projectile» (1547), d'où l'exclamation *touché!* (opposé à *raté!*). ◇ D'autres emplois concrets sont plus récents, au billard (1740, *toucher la bille*), d'où au figuré ***toucher sa bille*** (v. 1970) «bien connaître un domaine, réussir», en escrime (XIXe s.). ◇ Le contact peut aussi être opéré par l'intermédiaire de la parole; *toucher* a signifié «mentionner brièvement» (v. 1138) et «dire» (v. 1290), puis «effleurer un sujet» (fin XVe s.), emploi vieilli sauf dans la locution ***toucher un (deux...) mot (s) de qqch. (à qqn)*** (fin XIIIe s.); il a pris une valeur plus générale, «s'occuper, se mêler de (qqch.)» (1283), et s'emploie couramment depuis le XIXe s. pour «joindre (qqn)», par une lettre ou un coup de téléphone. À l'époque classique il se disait pour «exprimer par l'écriture ou la peinture» (1608). ◇ Par ailleurs le contact s'opère avec l'argent, *toucher* signifiant «recevoir (une somme d'argent, qqch.)» (1311, puis 1578). ◆ Un autre emploi est connu depuis le XIIe siècle, «parvenir jusqu'à (un point)» (v. 1176), aujourd'hui littéraire au propre, par exemple dans *toucher au port* (v. 1150, d'un bateau), *toucher au but* (1530), et au figuré (1547); il est aussi littéraire à propos d'un point situé dans le temps, au propre (1635) et au figuré dans ***toucher à sa fin*** (1673).

Enfin le verbe signifie aussi dans les premiers textes «être contigu à» (v. 1150), comme transitif, *toucher qqch.*, aussi comme transitif indirect dans *toucher à qqch.* (v. 1175), enfin au pronominal *se toucher* (1690). Par extension, *toucher à* équivaut à partir du XVIIe s. à «être très proche de» (1668). Mais dès l'ancien français *toucher à* s'emploie avec une valeur abstraite, «avoir un rapport avec (qqch.)» (1267), d'où ensuite les sens «avoir pour objet» (1538) et «être très voisin de» (1739; *cela touche au délire*). ◇ Parallèlement, la contiguïté concerne une personne (fin XIIIe s.); *toucher* signifie en particulier «avoir un lien de parenté avec (qqn)» (1567), aujourd'hui dans ***toucher de près (de loin)*** (1751), d'abord au pronominal *se toucher* (1640).

▶ Le déverbal **TOUCHE** n. f., dès l'ancien français (v. 1160), désigne un objet servant à toucher, d'abord un bâtonnet crochu pour lever les jonchets *(toche)* puis, sorti d'usage, une gaule pour faire avancer les animaux (1380). ◇ De nos jours, le mot sert essentiellement à désigner les leviers d'un clavier (1636, d'un clavecin) et, dans les instruments à cordes, la pièce collée sur le manche et où s'appuient les doigts (1640; fin XVe s., *touce*); au XIXe s., il s'est étendu aux éléments d'un clavier de machine (1858). ◆ Le nom s'est dit du résultat de l'action, signifiant «fait d'être atteint par une maladie» (v. 1250). Il désigne l'essai de l'or et de l'argent (1260), par figure ce qui sert à faire apprécier la qualité de qqch. (1285), essai pratiqué avec la *touche* (v. 1313), emploi métonymique, puis la *pierre de touche* (1562), expression aussi prise au figuré (1549). ◇ *Touche* a désigné l'action de frapper (1280), d'où le sens de «coup (de poing, de couteau)» (v. 1310), sorti d'usage. ◇ Le mot s'emploie dans divers domaines avec une valeur concrète ou non : en musique «note d'un clavier» (v. 1310), en escrime (1555), en peinture (1627) et par comparaison en littérature (1690), plus tard au billard (1845) et à la pêche (déb. XXe s.) pour «action de toucher», «coup par lequel on touche». ◇ Il désigne en particulier la manière de toucher pour améliorer qqch. (1690). ➜ Sans doute par le biais des ateliers de peintres, le mot se dit familièrement (1872) de l'aspect d'ensemble que présente une personne ou une chose *(avoir une drôle de touche).* ◇ ***Faire une touche*** «rencontrer une personne qui répond à une invite galante» (1925) est peut-être lié à une valeur ancienne de *touche,* «émotion» (fin XVIIe s.) et, en tout cas, à des emplois vivants de *toucher* (ci-dessus). ➜ Depuis la fin du XIXe s. (1889), le mot est employé dans les jeux de ballon pour désigner la partie du terrain à l'extérieur des limites latérales du champ de jeu : ce sens est un emprunt à l'anglais *touch,* d'abord employé à propos du joueur qui fait toucher le sol au ballon au-delà des lignes (d'où *mettre en touche*). Une locution au départ technique, ***dégager, botter en touche,*** a été reprise au figuré pour «se dégager habilement en déplaçant l'objet du débat». ➜ Le diminutif **TOUCHETTE** n. f., autrefois «pierre de touche» (v. 1504), désigne (1844) chaque petite pièce incrustée dans le manche d'un instrument à cordes et, familièrement, un choc sans gravité entre deux automobiles (v. 1970). ➜ **TOUCHER** n. m., emploi substantivé du verbe (1226, *toukier*), désigne le sens du tact puis l'action (v. 1150) et la manière (1636) de toucher, enfin la qualité d'un corps au toucher (1762). Le mot s'est spécialisé en musique (1690) et en médecine (1872, *toucher vaginal*). ➜ **TOUCHAU** n. m. (1721 ; 1399, *toucheau* «or essayé avec la touche») est un terme technique au sens de «pierre de touche», restreint dans le travail du métal en bijouterie. ◇ Le nom d'agent **TOUCHEUR, EUSE** n. (1611) a désigné une personne conduisant les bestiaux en les aiguillonnant. Le mot a un sens technique en imprimerie (1836).

Toucher a aussi donné des adjectifs avec **TOUCHABLE** adj. (déb. XIVe s.) et son antonyme **INTOUCHABLE** adj. (1569), qui s'emploie spécialement comme nom pour désigner une personne qu'on ne peut toucher sans se souiller, notamment des hors-castes ou parias des Indes (1923). ➜ Le participe présent adjectivé **TOUCHANT, ANTE,** d'abord appliqué à des choses contiguës (1611), qualifie ce qui fait une forte impression (1639), puis ce qui séduit avant de se restreindre à «attendrissant» (1660 ; 1679, *le touchant*). ◇ *Touchant* prép., au sens de «au sujet de» (v. 1250), a vieilli.

Quelques composés ont été formés entre le XIXe et le XXe s. avec l'élément verbal *touche* comme premier élément : **TOUCHE-À-TOUT** n. m. (1836) «personne, notamment enfant qui touche à tout», **TOUCHE-PIPI** n. m. (XXe s.) d'usage très familier pour «attouchements sexuels» et ***à touche-touche*** loc. adv. (1920) «en se touchant, en se suivant de très près», familier.

Le préfixé **ATTOUCHER** v. tr. s'est employé du XIIe jusqu'au XIXe s. au sens d'«être près de (qqch.)» (1121, *atuchier a*). ◇ Il a aussi signifié (1536) «être uni à (qqn) par la parenté», acception sortie d'usage dès la fin du XVIIe siècle. ◇ Rare au sens général de «toucher (qqn) légèrement» (1121), il s'emploie encore avec une valeur érotique (v. 1170). ➜ Son dérivé **ATTOUCHEMENT** n. m. est vieilli pour «action de toucher» (apr. 1170) dans l'emploi général, spécialisé pour parler d'une caresse, notamment sexuelle (XIIIe s.), d'où par euphémisme le sens de «masturbation» (1845), en médecine, etc. ➜ **ATTOUCHEUR, EUSE** adj., attesté chez les Goncourt (1869), est rare, appliqué à ce qui effleure. ◇ **ATTOUCHEUSE** n. f. s'est employé (apr. 1850) pour «prostituée».

◈ voir RETOUCHER, SAINTE-NITOUCHE, TOCCATA, TOCSIN.

TOUER v. tr. est issu (XIIIe s.) du francique °*togôn* «tirer», reconstitué d'après l'ancien norrois *toga,* l'ancien haut allemand *zogôn,* le moyen haut allemand *zogen* et représenté par l'anglais *to tow,* l'allemand *tauen.* Ⓖ

♦ Dès ses premières attestations (à Oléron), le verbe est spécialisé comme terme de marine au sens de «remorquer (un navire)», d'abord au moyen d'un bateau à rames, aujourd'hui à l'aide d'une chaîne mouillée au fond de l'eau (1872). ◇ *Touer* signifie aussi «faire avancer (un navire)» en tirant, au moyen du cabestan, un câble amarré à un point fixe (fin XVIe s.), aussi au pronominal *se touer* (1680).

▶ Le mot a donné plusieurs dérivés techniques ayant trait à cette opération. **TOUAGE** n. m. est d'abord relevé sous la forme *thouage* (XIIIe s. à Oléron) ; en tant que nom d'action, il a suivi l'évolution du verbe et eu le sens de «prix payé par un bateau toué» (XVIe s.). ◇ Ce mot a été repris au Canada *(zone de touage)* comme équivalent de l'anglais *tow away zone,* pour «zone où les voitures stationnées illégalement sont remorquées à la fourrière». On recommande dans ce sens *zone de remorquage.* ➜ Le déverbal **TOUE** n. f. (fin XIVe s.) a désigné un bateau plat à une voile servant de bac, le câble servant à touer (1465) et aussi l'action de touer (1680) ; il s'est dit également d'une barque à fond plat faisant la navette entre la terre et un navire au mouillage (1845). ➜ **TOUÉE** n. f. désigne (1415) le câble servant à touer, la longueur de chaîne filée en mouillant (1798) et la longueur de remorque servant au halage (1876). ➜ **TOUEUR, EUSE** n. et adj. (1639) a d'abord signifié «ancre de touée», et a cessé de s'employer adjectivement (1771). Le mot sert aujourd'hui à désigner le remorqueur qui avance par touage (1855).

TOUFFE n. f. (XIIIe s.), d'abord *tofe* (v. 1180) d'origine germanique, est pris à un mot de même famille que l'allemand *Zopf,* le francique °*top* (→ toupet). Il a probablement été emprunté à un dialecte allemand où la transformation de *p* en *pf* a fait des progrès plus sensibles et plus rapides que celle de *t* en *z.* C'est le cas pour l'ancien alémanique °*topf* qui a pu fournir le mot au français par l'intermédiaire des parlers de l'Est. À titre hypothétique, on a évoqué un croisement avec une variante du bas latin *tufa* «huppe». Ⓖ

♦ Le mot a d'abord été employé avec le sens de «gros flocon de neige», sorti d'usage. ◇ Isolément au XIIIe s. et repris au XVIe s. (1564), il désigne un petit bosquet d'arbres serrés, emploi aujourd'hui senti comme métaphore littéraire *(touffe d'arbres).* ◇ De nos jours, il s'applique surtout à un assemblage naturel de plantes (herbes, fleurs) rapprochées par la base (1393). Par analogie, il se dit d'un ensemble de poils, de brins rassemblés à la base (1539).

▶ En a été dérivé l'adjectif **TOUFFU, UE** (1549), précédé par *tuffu* (1438, sens obscur), qualifiant ce qui est en touffe épaisse, ce qui est formé d'éléments rapprochés (1560, *cheveux touffus*) et, par extension, un endroit garni de touffes d'arbres (1678). ◇ Il a développé au XIXe s. la valeur figurée d'«encombré, chargé à l'excès» (1843). ◆ L'autre dérivé de *touffe,* **TOUFFER** v. intr. «se mettre en touffe» (1823), est à peu près inusité.

TOUFFEUR → ÉTOUFFER

TOUILLER

TOUILLER v. tr., dont la forme actuelle (1421) a été précédée par *tooillier* (v. 1175), est issu du latin *tudiculare* «piler, broyer, triturer». Celui-ci est dérivé de *tudicula,* «machine pour broyer les olives» et «écumoire, cuillère à peau», lequel est dérivé par suffixation diminutive de *tudes* «marteau», lui-même de *tundere* (→ contusion).

♦ Ce mot usité dans les parlers septentrionaux a été usuel en français jusqu'au XVIIe s. aux sens de «traîner (qqn) dans la boue» (v. 1180), «salir» (v. 1390, *toillier*). ◇ Il s'emploie toujours familièrement pour «mélanger» (1335), spécialement «remuer» (une pâte, etc.), et en termes de jeu (1599, *touiller les cartes*). ◇ Il s'est spécialisé dans le vocabulaire technique au sens de «brasser (pour épurer)» (1842).

▶ Les nombreux dérivés, liés à l'idée de «mêler» ou de «salir», ont presque tous disparu, comme le déverbal **TOUILLE** n. f., d'abord «action de jeter dans la boue» (v. 1200, *touelle*), qui a désigné (1877) un instrument pour touiller. ◆ Le nom d'action **TOUILLAGE** n. m., familier, est attesté fin XVIIIe s. (1793). ◆ *Touiller* a aussi servi à former des composés comme *tartouiller* (→ tarte) et *ratatouille**.

TOUJOURS → JOUR

TOUNDRA

TOUNDRA n. f. est emprunté (1830) au russe *túndra* ou *toundra* «partie sud de l'Arctique», «étendue sans arbres au climat rude, à la surface gelée en permanence et avec peu de végétation», attesté pour la première fois en 1631. Le mot russe est lui-même emprunté, comme nom de lieu, au finnois *tunturi* «exhaussement, crête», d'où «montagne nue» puis «étendue sans végétation». Il s'agit donc d'une racine finno-ougrienne.

♦ *Toundra* est passé en français avec la valeur du mot russe.

TOUPET

TOUPET n. m. est dérivé (v. 1138) de l'ancien français *top* (v. 1130), *toup* (v. 1180-XVe s.) «touffe de cheveux au sommet du crâne». Ce mot, conservé régionalement (Cantal, *tup* «sommet»), est issu d'un francique °*top* «bout, pointe» auquel est apparenté l'anglais *top* «houppe de cheveux au haut du crâne», «huppe, crête», «sommet, pointe» (→ toupie).

♦ Un sens de l'ancien français, «sommet (d'une tour)», réalisé par la variante *tupé* (v. 1138), est resté sans lendemain. Une autre valeur «touffe de cheveux au sommet de la tête» (v. 1138, *toupet*) devient rapidement le sens dominant, éliminant progressivement le doublet *toupe* n. f., autre dérivé de *top, toup.* ◇ Par analogie, le mot désigne la touffe de crins située à la partie antérieure de la crinière du cheval (XIIIe s.) et une petite touffe de poils, de crin, de laine (1456). Il se répand dans les dialectes pour dénommer des touffes de végétaux, des grappes de fruits. ◇ Le sens dominant a donné en français classique une spécialisation en coiffure, *faux toupet* (XVIIIe s.), désignant de faux cheveux ramenés sur le front, emploi réemprunté par l'anglais *toupee* (XVIIIe s.); après l'abandon de cette mode, l'expression s'emploie au XIXe s. avec la valeur péjorative «ridicule, vieillot» et correspond à la terminologie critique des romantiques à l'égard du passé (comme *trumeau* et quelques autres). ◆ Le sens figuré d'usage familier «audace, aplomb» (1808) s'explique par la même métaphore que *front* dans *avoir le front de...;* il est probablement surdéterminé par des locutions familières employées aux XVIIIe et XIXe s. pour caractériser un tempérament batailleur et frondeur : dès le XVIIIe s., Saint-Simon écrit *le toupet lui monte* et *le toupet s'échauffe* «il est en colère» (av. 1755); on appelait *parties de toupet* (1789) les rixes où l'on se prend aux cheveux et, par le même développement que *tête/entêter, se foutre dans le toupet* (1867), correspond familièrement à «se mettre en tête, s'entêter».

▶ **TOUPILLON** n. m. (1414) est le seul dérivé encore attesté de *toupet :* «petit toupet». Il s'est dit par analogie des branches inutiles et confuses d'un oranger (1703), d'un bouquet de branches mal disposées sur un arbre (1842), des poils de la tête du veau (1844) et du bouquet de crins qui termine la queue des bœufs (1876). Il n'est plus guère en usage.

◈ voir TOUFFE, TOUPIE.

TOUPIE

TOUPIE n. f., d'abord *topoie* (1202), altéré en *tourpoie* (1312), *tourpie* (v. 1360), puis *toupie* (1530), paraît être l'altération par changement de suffixe de la forme anglo-normande correspondante *topet* (v. 1138) qui désignait un jouet en poire avec une pointe, que l'on lance avec une ficelle enroulée pour le faire tourner rapidement sur lui-même. *Topet* est le diminutif de l'anglo-normand *top* «toupie», lui-même pris à l'anglais *top* (v. 1060 en ce sens), proprement «pointe, sommet», et qui se rattache comme l'ancien français *toupe* (→ toupet) au francique °*top* «pointe». Le passage de *topet* à *topoie, toupie* s'explique mal; on a fait l'hypothèse d'un verbe °*topoier,* dérivé de *topet,* qui a eu pour variante *topier* (XIIIe s.), d'où *topie, toupie.*

♦ *Toupie* a gardé le sens de l'étymon, la toupie étant distincte du toton, puis il a pris une valeur plus large, avec le vieillisement de *toton.* Il entre dans plusieurs syntagmes déterminés (tel *toupie d'Allemagne,* 1835) et dans la locution figurée ***ronfler comme une toupie*** «très fort» (1839). ◇ Par métaphore, il a développé le sens dépréciatif de «femme légère« («tournant en toutes mains») [1706] qui a disparu, mais qui annonçait l'emploi figuré de *toupie* pour «femme sotte, désagréable et ridicule» (1896); plusieurs termes insultants ayant suivi cette voie, de l'injure sexuelle à une péjoration générale (par exemple *chameau*). ◇ Par une autre métaphore, *toupie* se dit d'une personne faible, sans volonté, notamment dans la locution ***tourner comme une toupie*** (1876). ◇ Par analogie de forme et de mouvement, le mot a pris quelques sens techniques, désignant un outil qui permet d'exécuter des moulures (1876) et la machine sur laquelle cet outil est monté (1904), un pied de meuble tourné et évasé, une lampe à pétrole piriforme, valeur devenue archaïque.

▸ L'ancien dénominatif **TOUPIER** v. intr. (1288) «tournoyer, aller et venir», également «faire tourner comme une toupie» (XIIIe s.) et «s'agiter sur place», a disparu. ➝ **TOUPILLER** v. (1547), formé avec le suffixe *-iller*, après *toupier* (1288), signifiait «tourner comme une toupie», aujourd'hui archaïque et régional, et par extension «aller çà et là» (1740). ◇ Ce verbe a développé un sens technique (déb. XXe s.) en relation avec *toupie* «organe de machine-outil». ➝ C'est en ce sens qu'il a donné lieu à **TOUPILLEUR** n. m. (1876) «ouvrier du bois travaillant à la toupie» et **TOUPILLEUSE** n. f. (1960), nom de machine.

TOUPIN n. m., attesté au XXe s. en français central, est emprunté au provençal *toupin* (1452), variante *topin* (XIVe s.), auparavant *topi* (v. 1220) et présent avec des formes variées dans diverses régions : toutes sont issues comme *topette** d'un francique °*toppin* «pot».

♦ Le mot désigne régionalement un pot de terre, comme **TOUPINE** n. f. (XXe s.), de l'ancien provençal *topina*. Par analogie de forme, c'est aussi le nom d'un fromage à pâte cuite de Haute-Savoie.

① **TOUR** n. f. (XIIe s.), antérieurement *tur* (1080), est issu du latin *turris* de même sens, également employé à propos d'une maison élevée. Celui-ci est généralement regardé comme un emprunt au grec de même sens *tursis*, lequel est considéré comme un emprunt à une langue indoeuropéenne. Il se pourrait aussi que le mot latin vienne d'Asie Mineure par les Étrusques, dont le nom *Tyrrheni* (en latin), *Turrênoi* (en grec), a été rapproché de *turris*.

♦ Le mot désigne un bâtiment construit en hauteur, d'abord destiné à la protection militaire, seul emploi jusqu'au XVIe s. où il commence à se dire de toute construction élevée (1580) notamment dans l'expression adaptée de la Bible, ***tour de Babel*** (1580) ; il s'emploie ensuite à propos d'un clocher à sommet plat (1636) et d'un phare (1690), emploi disparu. ◇ À partir du XVIIIe s., *tour* a pris des valeurs spécialisées en technique (1765), qui se développent surtout au XXe s. : *tour de contrôle* en aviation (v. 1949), *tour de forage* en exploitation pétrolière (v. 1960), etc. Il désigne aussi un bâtiment de grande hauteur à usage d'habitation ou de bureaux et tend à remplacer *gratte-ciel* et l'anglicisme *building*. ➝ Par ailleurs *tour*, en archéologie aujourd'hui, est le nom d'une machine de guerre (1538 ; 1636, *tour mobile*). ◇ Le mot a remplacé (1611) *roc* pour nommer aux échecs la pièce qui a la forme d'une tour crénelée. ◇ Par comparaison, il se dit (1669) d'une personne très robuste. ◇ L'expression figurée usuelle ***tour d'ivoire*** (1830) est due à Sainte-Beuve (d'après celle des Litanies, *turris eburnea*) qui l'appliqua à Vigny dont il regrettait la retraite précoce et hautaine ; on disait auparavant *tour* (v. 1200), dans ce sens.

▸ **TOURELLE** n. f. (1530), antérieurement écrit *tourele* (v. 1175) et *turelle* (1373), désigne proprement une petite tour : les variantes *tornele* (v. 1165), peut-être influencé par *torn* (→ ② tour), *tournelle* (v. 1320) jusqu'au XVIIe s. par attraction de *tourner**, subsistent dans la toponymie. ◇ Par extension, *tourelle* est employé à propos d'un abri blindé protégeant une pièce d'artillerie (1872). ◇ Il a développé quelques sens techniques, désignant par exemple les parties saillantes qui ornent un buffet d'orgue (1680), employé aussi au cinéma et pour le dispositif porte-outil d'une machine-outil (XXe s.). ➝ On a tiré de *tourelle* l'adjectif rare **TOURELÉ, ÉE** (1562) «qui a des tourelles», en héraldique.

◈ voir TURNE.

② **TOUR** n. m., d'abord *torn* (fin XIe s.) devenu *tor* puis *tour* (v. 1175), est issu du latin *tornus* «trépan, instrument de tourneur», lui-même emprunté au grec *tornos*, mot technique de même sens, désignant aussi une forme arrondie, une courbure et un mouvement circulaire. *Tornos* est apparenté à *teirein* «user, faire souffrir» qui se rattache à une racine indoeuropéenne °*ter-*, «user en frottant», qui a de nombreux représentants en grec, en latin (→ trier) ainsi qu'en celtique (→ taraud, tarière) et en germanique (→ drille).

♦ Le mot a d'abord désigné un treuil, en particulier celui d'un puits, sens encore en usage au XVIIIe s., et par spécialisation la pièce qui permettait de bander une arbalète (v. 1175), un rouet (1369) et un dévidoir (v. 1600). ◇ Dès la fin du XIIe s., *tour* est le nom d'un dispositif qui permet de façonner le bois, l'ivoire, etc., emploi d'où vient la locution figurée *fait a tour* (v. 1406), aujourd'hui ***fait au tour*** «très bien fait» (1671) ; cf. *bien tourné*. ◇ Suivant l'évolution des techniques, *tour* désigne des dispositifs (1723, *tour de potier*) puis des machines, enfin des machines-outils. ◇ À partir du XVIe s. et d'abord dans les monastères, le mot s'applique à une armoire ronde et tournant sur pivot, posée dans l'épaisseur d'une muraille et servant à faire passer diverses choses d'un côté à l'autre (1549) ; par métonymie, on appelle *le tour* la chambre d'un couvent où se trouvait ce dispositif (1701). *Tour* a désigné en particulier l'armoire tournante à l'entrée des hospices dans laquelle on déposait les enfants abandonnés (1842). ◇ Par métonymie, le nom s'applique à la grande table épaisse sur laquelle les pâtissiers tournent la pâte (1680).

▸ Quelques dérivés sont d'usage technique. ➝ Le diminutif **TOURET** n. m. (1240), aussi *toret* (v. 1150) en ancien français, a eu de nombreuses acceptions liées aux emplois de *tour*. Il s'est dit de dispositifs en forme d'anneau (v. 1240, en fauconnerie) ou de divers types de treuils (v. 1150), sens disparu. ◇ Il s'emploie depuis l'ancien français pour désigner un rouet à filer (1260), plusieurs sortes de dévidoirs (XIIIe s. isolément, *tornet* ; puis 1701) et, plus généralement ensuite, une petite roue qui, fixée sur un tour, est mue par une plus grande (1690) ; ces valeurs existent encore. ◇ Par ailleurs c'est le nom d'un petit tour à l'usage des graveurs en pierres fines (1676) et d'une petite machine-outil (XXe s.). ◆ Un autre diminutif **TOURILLON** n. m. (1474), antérieurement *toreillon* (fin XIIe s.) puis *torillon* (XIIIe s.), après divers emplois (fin XIIe s., «gros anneau»), désigne un gros pivot de porte (1400) et l'axe autour duquel pivote un canon (1611). ◇ Il a donné récemment le verbe technique **TOURILLONNER** v. intr. (XXe s.), d'où **TOURILLONNEUSE** n. f. (XXe s.). ◆ ① **TOURIER, IÈRE** adj. et n., d'abord «huissier» (1487, *tourrier*, n. m.), réapparaît au féminin (1564) pour désigner autrefois une laïque qui faisait passer au tour les choses apportées au couvent. ◇ Il s'applique aujourd'hui à la religieuse chargée des relations avec l'extérieur (1611), mais on dit plus couramment *sœur tourière* (1680). ◇ *Tourier* n. m. ou *frère tourier* ne s'emploie maintenant que pour «portier d'une communauté religieuse» (1743). ◇ Un autre dérivé de *tour* procède de son sens spécialisé en pâtisserie : c'est **TOURER** v. tr. (1765) qui se rapporte au travail de la pâte feuilletée et auquel correspond le nom d'agent ② **TOURIER** n. m. (1876).

◈ voir TOURNER.

③ **TOUR** → TOURNER

① **TOURBE** n. f. est emprunté (1200) au francique *°turba* «touffe d'herbe», reconstitué d'après l'ancien norrois *torfa* et le moyen néerlandais *torf, turf* (cf. allemand *Torf* et anglais *turf*; → turf).

♦ Le mot, passé en français pour désigner la matière combustible spongieuse et légère qui résulte de la décomposition de certains végétaux, n'a pas eu d'extension de sens.

► Il a produit quelques dérivés dont le plus ancien est **TOURBER** v. intr., mot technique exprimant l'action d'extraire la tourbe (1248) qui constitue un humus riche en carbone. ◇ **TOURBÉ, ÉE** adj. se dit (XXe s.) d'un whisky qui a pris le goût de la tourbe servant à chauffer les alambics. ◇ Du verbe ont été tirés **TOURBAGE** n. m. (XVe s.) et **TOURBEUR, EUSE** n., nom d'agent (1923), limité à un usage régional. ◆ Le français central emploie avec le même sens **TOURBIER, IÈRE** n. et adj. (XIIIe s.), repris (1832) pour désigner aussi le propriétaire d'une tourbière et employé depuis la même date comme adjectif. ◆ **TOURBIÈRE** n. f., «gisement de tourbe», est attesté dès le XIIIe s. mais ne semble régulièrement usité qu'à partir du XVIIIe s. (1765, *Encyclopédie*); il a évincé son synonyme **TOURBERIE** n. f. (1260), abandonné après le milieu du XVIe s., repris en 1765. ◆ **TOURBEUX, EUSE** adj. (1752) qualifie un sol contenant de la tourbe et ce qui est de la nature de la tourbe (1816).

② **TOURBE** n. f. est la réfection (1283) de *torbe* (v. 1050), issu du latin *turba* «trouble, agitation, désordre», qui s'employait à propos d'une foule, à la différence de *rixa* (→ rixe) qui ne s'appliquait qu'à un très petit nombre de personnes. Le mot a pris le sens de «foule en mouvement et en désordre, cohue», «foule nombreuse et mêlée», généralement avec une valeur péjorative. Il était également employé dans la langue familière au sens de «querelle, dispute». Le grec a un mot comparable, *turbê* «confusion, tumulte» : on a envisagé l'hypothèse d'un emprunt du latin au grec, plus plausible que celle d'une parenté originelle, en l'absence d'autres mots indoeuropéens apparentés.

♦ *Tourbe* s'est employé pour «foule» jusqu'à la fin du XVIe s. où il a pris (1580) le sens de «ramassis de gens méprisables», probablement sous l'influence de son homonyme ① *tourbe*. ◇ C'était aussi à l'époque classique un terme de droit (1549, «assemblée de dix témoins»), parallèlement au latinisme *turbe* n. f. (1680) qui s'est maintenu plus longtemps dans l'expression *enquête par turbe* «faite en prenant le témoignage des habitants»; *turbe* avait été introduit en moyen français, signifiant «grande quantité de» (v. 1370) puis «troupe de soldats» (1465).

◈ voir PERTURBER, TOURBILLON, TROUBLER, TURBINE, TURBULENT.

TOURBILLON n. m. a remplacé (XIIIe s.) la forme plus ancienne *torbeillon* (v. 1120, encore v. 1380) qui dérive de l'ancien français *torbeil* (fin XIe s.). Ce mot est issu d'un latin populaire *°turbiculum*, formé sur le latin classique *turbo*, désignant toute espèce d'objet animé d'un mouvement rapide et circulaire : cyclone, trombe, aussi sabot, toupie et, par suite, fuseau, cône; le mot désigne aussi le mouvement lui-même : révolution d'un astre, tournoiement d'une arme, marche sinueuse d'un reptile et, au figuré, vertige de l'âme. *Turbo* est dérivé de *turba* qui a donné en français ② *tourbe**.

♦ Le mot désigne d'abord une masse d'air qui tournoie rapidement; il est employé plus tard à propos de la poussière, de la fumée (1558), puis de l'eau (1611). Au XVIIe s., le mot a développé le sens figuré de «mouvement entraînant, irrésistible» (v. 1660) et, parallèlement, chez Descartes, le sens scientifique de «système matériel animé d'un mouvement de rotation» (1647, Descartes, *Principes philosophiques*), notion abandonnée à partir des travaux de Newton.

► Le mot a produit **TOURBILLONNER** v. (1529, au sens ancien de «faire grand vent»), essentiellement employé intransitivement, au propre (1583) et au figuré (1775), l'usage de la construction transitive étant propre à la langue classique (1680) pour «agiter vivement». ◇ Le verbe a donné l'adjectif **TOURBILLONNANT, ANTE**, tiré du participe présent (1772), et le nom d'action **TOURBILLONNEMENT** n. m. (1767). ◆ Au XIXe s., *tourbillon* a servi à former l'adjectif **TOURBILLONNAIRE** (1842) «qui constitue un tourbillon», terme didactique distinct par le sens de *tourbillonnant*.

◈ voir TURBINE.

TOURISTE n. est emprunté (1803) à l'anglais *tourist*, qui venait d'être formé (1800) par dérivation sur le mot anglais *tour*, pris au sens de «voyage circulaire», lui-même emprunt (XIVe s.) au français *tour*, déverbal de *tourner**.

♦ En français, le mot s'applique d'abord aux voyageurs anglais ou dans un contexte anglais (1816, au voyage d'un Français en Angleterre pendant les années 1810 et 1811). Il semble s'être répandu à partir de la publication du livre de Stendhal, *Mé-*

moires d'un touriste (1838), et surtout lorsque les voyages d'agrément sont devenus habituels pour les Français, ce qu'atteste l'apparition du mot *tourisme* (ci-dessous). À partir du milieu du XIXe s. le mot évolue parallèlement à *tourisme*, se répandant notamment au XXe s. lorsque les voyages d'agrément deviennent un véritable phénomène de société. Il prend souvent des connotations plus ou moins péjoratives, par rapport à *voyageur* (idée de groupe passif, etc.).

▶ **TOURISME** n. m. est un emprunt (1841) à l'anglais *tourism* (1811) adopté pour correspondre à *touriste*. Le mot anglais est plus rare que *touring* ou *sightseeing* pour «fait de voyager pour son plaisir», et que *tourist industry* ou *tourism trade* pour «industrie touristique». Il est le plus souvent péjoratif, à la différence de l'emprunt français. ◆ *Tourisme* a été emprunté avec son sens anglais, «fait de voyager par plaisir», et se dit par extension de l'ensemble des activités liées à ce phénomène (1930, *l'industrie du tourisme*). La valeur du mot se déplace au cours du XIXe s. et surtout au XXe s., notamment après 1950, avec l'apparition du *tourisme de masse;* il prend alors une importance économique et même politique accrue (création d'un *commissariat au tourisme,* en France). Il entre dans le syntagme *de tourisme* (v. 1950), employé dans des expressions françaises spécifiques *(avion, voiture de tourisme)*. ◆ À *tourisme* et *touriste* s'ajoute le dérivé de ce dernier, **TOURISTIQUE** adj. «relatif aux touristes, au tourisme», l'anglais *touristic,* rare et péjoratif, étant postérieur (1848). ◇ L'adjectif, attesté chez Töpffer (1830), ne se répand que vers la fin du XIXe s. (1894); il qualifie ce qui est relatif au tourisme, ce qui concerne les déplacements touristiques et (mil. XXe s.) ce qui attire les touristes. ◆ Quelques mots ont été formés à l'aide du premier élément **TOURISTICO-** représentant *touristique (touristico-culturel, -géographique, -sentimental...).*

TOURLOUROU n. m., ancien nom populaire du soldat, du fantassin (1830), existait antérieurement sous les formes *turlureau* (XVIe s.) et *turelourou* (1640, dans un refrain) comme terme d'amitié de valeur imprécise. Il est formé sur le radical onomatopéique *lur-* que l'on a dans *luron**, *turlure** et, sous la forme *urlu, turlututu**. P. Guiraud précise qu'il représenterait une forme dialectale et populaire de °*tourloureur* (comme on dit *filou* pour *fileur*), d'après le verbe expressif (onomatopéique) *turelurer* «jouer de la flûte». Le développement sémantique de *tourlourou* se comprendrait, toujours selon P. Guiraud, par métaphore, le fusil du fantassin étant appelé *clarinette* en argot (1807); ce serait pour la même raison que le fantassin a été appelé au XIXe s. *troubade,* apocope de *troubadour.*

♦ Le tourlourou, type social du simple soldat en période de paix, souvent associé à la bonne d'enfants, est surtout évoqué à la fin du XIXe et au début du XXe siècle. Le mot est ensuite archaïque. ◆ *Tourlourou* est signalé (dès 1654) comme nom d'un crabe terrestre des Antilles. L'origine de cette acception est inconnue; il pourrait s'agir de l'adaptation d'une forme indigène des Caraïbes, sans rapport avec l'onomatopée qui est à l'origine du nom du soldat.

◈ voir TURELURE, TURLUPIN, TURLUTUTU.

TOURMENT n. m., altération (fin XIIe s.) de *torment* (fin Xe s.), est issu du latin classique *tormentum,* employé concrètement pour désigner une machine de guerre reposant sur la détente de cordes enroulées autour d'un cylindre, et aussi un treuil, une machine à refouler l'eau, un cordage et, au pluriel *tormenta,* des liens. C'est un des sens concrets, «instrument de torture», qui a produit le sens figuré de «souffrance(s)» au singulier et au pluriel. *Tormentum* est lui-même dérivé de *torquere* «tordre» et «torturer» (→ tordre, torture). Une évolution comparable a produit le sens dominant de *travail**.

♦ Le mot est passé en français avec le sens de «torture, supplice», encore au début du XVIIe s.; mais il a aussi désigné comme en latin l'instrument du supplice (v. 1130) et, par latinisme au XIIIe s. (av. 1274), une machine de guerre, avant de se restreindre aux valeurs modernes. ◇ Il se dit d'une grande peine morale (v. 1150), spécialement dans un contexte amoureux (XIIIe s.) et, par métonymie, d'une personne qui cause de graves soucis (v. 1200); ces acceptions sont toujours vivantes. ◇ En revanche, *tourment* ne s'emploie plus en parlant de douleurs physiques (1541), et les autres sens attestés en ancien et moyen français, «orage, tempête» (1080), «ruine, destruction» (1265), sont tous sortis d'usage avant la fin du XVIe siècle.

▶ **TOURMENTER** v. tr. (v. 1380), antérieurement *turmenter* (v. 1120), couvrait anciennement un champ sémantique plus large qu'aujourd'hui. Dans ses premiers emplois le verbe exprime l'idée d'affliger de souffrances «morales» (v. 1120) ou physiques (v. 1130), usage littéraire et moins courant que *se tourmenter* «se faire des soucis» (v. 1175) et que le sens de «faire souffrir» en parlant d'une maladie (1499). ◇ Avec une valeur concrète, le verbe s'est employé pour «agiter violemment (un bateau, etc.)» en parlant de la tempête, du vent (v. 1175); l'emploi intransitif, «souffler très fort» à propos du vent (v. 1360), a disparu. L'emploi transitif pour «torturer» (v. 1175) a lui aussi disparu ou serait senti comme archaïque et stylistique. ◇ D'autres extensions apparaissent à partir du XVIe s.; *se tourmenter,* qui a disparu avec la valeur concrète «s'agiter» (1559), a vieilli pour «se donner du mal pour obtenir qqch.» (1670). Par affaiblissement, *tourmenter* équivaut à «harceler, agiter» en parlant d'un besoin (apr. 1650). Par ailleurs *tourmenter (un vin)* se disait pour «altérer» (v. 1600) et, dans le vocabulaire de la peinture, *tourmenter une toile* «l'altérer en la reprenant trop» (1676), ou de la menuiserie, *se tourmenter* «gauchir» (1670), reprenant la valeur concrète du verbe. L'emploi pour «interpréter (un texte) de façon tendancieuse» (1748), analogue à celui de *torturer,* est très littéraire.
Le participe passé **TOURMENTÉ, ÉE** est lui aussi courant, adjectivé (1273) en parlant d'une personne en proie aux soucis, d'une chose soumise à une violente agitation (comme la mer, 1559) ou plus tard d'un sol irrégulier (1779). À partir de la seconde

moitié du XVIIIe s., il s'applique également à ce qui sent trop la recherche ou l'effort, manque de simplicité (1762), puis à ce qui porte les traces du souci, visage ou expression (XIXe s.) et, par figure (1904), à une période agitée. ➜ Le participe présent **TOURMENTANT, ANTE** adj. (1538) s'est en revanche moins bien maintenu, de même que le dérivé **TOURMENTEUR, EUSE** n. et adj. (fin XIIe s., *tormenteor*), ancien nom du bourreau quelquefois employé dans un style littéraire pour désigner (1555) et, comme adjectif (av. 1763), qualifier ce qui tourmente.

◈ voir TOURMENTE.

TOURMENTE n. f. (XIIIe s.), antérieurement *turmente* (v. 1112) et *tormente* (v. 1175), est issu du latin populaire °*tormenta*, pluriel neutre de *tormentum* (→ tourment) pris comme féminin singulier.

♦ Le mot, avec son sens propre de «tempête violente et soudaine», a vieilli pour se cantonner au style littéraire ; il s'est employé en ancien français pour «supplice, vive douleur physique» (XIIe s.) et au sens général de «souci, peine morale» (v. 1250), mais il s'est détaché de *tourmenter* dans la conscience linguistique. ◇ *Tourmente* est plus vivant avec le sens figuré de «troubles violents, profonds» qui date de la Révolution (1794) et «agitation, tumulte» (v. 1850).

▸ Il a produit un nom concret, **TOURMENTIN** n. m. (1678), employé en marine à propos d'un perroquet de beaupré puis, de nos jours, d'un petit foc utilisé par gros temps et, par ailleurs (1765), comme nom du pétrel. ➜ Un autre dérivé **TOURMENTEUX, EUSE** adj. (1636) «frappé par la tourmente», réfection du plus ancien *tormentos* «qui agite l'esprit» (1227), est rare et d'usage littéraire.

TOURNEBOULER v. tr., mot d'abord populaire, est une altération (1566) de l'ancien français *tourneboeler* «bouleverser» (XIIIe s.), dérivé de *tourneboele* (v. 1175), *tournebouele* (v. 1265) «culbute», lui-même composé de l'impératif de *tourner** et de *boele*, féminin fréquent en ancien français de *boel* qui signifie «boyau» (→ boyau). Le mot n'est plus compris aujourd'hui au sens étymologique du fait de l'influence de *boule**, responsable de la forme moderne.

♦ Le verbe signifie «faire perdre la tête à (qqn)», sens repris au XIXe s. par les Goncourt ; il s'est employé pour «s'agiter, se démener» à partir du XVIe siècle.

▸ On relève **TOURNEBOULAGE** n. m. «trouble d'esprit» chez A. Daudet (1889).

✱ **TOURNER** v. (XIIe s.), d'abord *torner* (v. 980), est issu du latin classique *tornare*, attesté depuis Cicéron et dérivé de *tornus* (→ tour), proprement «façonner au tour» d'où «arrondir», au figuré «tortiller» et «mettre en forme» (*male tornati* peut qualifier des vers «mal tournés»). Le mot, panroman, a supplanté les verbes classiques *vertere* (→ version) et *torquere* (→ tordre).

♦ *Tourner* apparaît avec le sens concret de «déplacer (qqch.) par un mouvement circulaire» et, comme intransitif (fin Xe s.), «changer de position, de direction» ; au pronominal *se tourner vers qqn* signifie «s'adresser à lui» ; ces valeurs générales donnent lieu à plusieurs extensions. Dès l'ancien français, les emplois intransitifs, transitifs et pronominaux se répartissent en de nombreux sens et valeurs, sans oppositions nettes entre ces fonctions. ◇ *Faire tourner (qqn, qqch.) de* (v. 1050), comme le pronominal *soi tourner* (v. 1155), ont été remplacés en ce sens par *se détourner*. ◇ Depuis *La Chanson de Roland* (1080), le verbe s'emploie par figure dans ***tourner le dos*** «partir», expression relevée plus tard avec une valeur concrète (XIIIe s.) et à nouveau au figuré à la fin du XVIIe s. (1694, *tourner le dos à un lieu*), ensuite avec un sujet abstrait (1718). Le sens de «partir» est assumé par ***tourner les talons*** (v. 1220), l'expression ***tourner casaque*** s'appliquant plutôt à l'idée de «se retourner», au figuré «changer d'opinion». ◇ Plusieurs emplois concrets ont pris une valeur figurée, comme *tourner ses yeux vers* (1580), *tourner ses pas vers* (1767), etc. Depuis le XIIe s. (v. 1190), le verbe s'applique au changement de direction du vent, et ***le vent tourne*** a pris (1653) le sens figuré de «les circonstances changent». ➜ Avec une valeur générale, «mettre (qqch.) dans une position inverse», *tourner* est attesté au XIIe siècle avec la valeur de «traduire un texte» (1165) était sortie d'usage à la fin du XVIIe siècle. Ces emplois donnent à *tourner* la valeur de «diriger», réalisée dans un contexte abstrait par *tourner ses pensées vers* (1580) ou *se tourner vers* «s'adresser à». ◇ L'idée de changement s'applique à d'autres contextes ; le verbe s'emploie intransitivement pour un aliment qui devient aigre (fin XIe s.). Il exprime aussi un changement positif, *tourner* (1636) étant utilisé pour un fruit qui commence à mûrir. *Se tourner* a aussi signifié à la fois «s'aigrir» (1393) et «commencer à mûrir» (1616). ◇ *Tourner qqch.* «présenter (qqch.) d'une façon qui en change la nature» (1162) reste jusqu'à l'époque classique à côté de *tourner en* (fin XIIe s.), spécialement dans *tourner qqch. en bien (en mal)* [1440-1475], ***tourner en ridicule*** «ridiculiser» (1658), auparavant *tourner a fable* (v. 1175). ◇ *Tourner qqn* «le faire changer de parti» (XIIIe s.) puis «le circonvenir» (1596) a été remplacé par *retourner** mais l'emploi intransitif pour «changer ses opinions» (1878) demeure vivant. ◇ *Tourner*, intransitif, a donné lieu à ***tourner court*** «tourner, se déplacer en cercle ou se retourner dans un petit espace» (1611) d'où «se terminer trop vite ou très vite» (1798, d'une maladie). ➜ Une autre valeur apparaît dès les premiers textes, «remuer (qqch.) par un mouvement circulaire» (fin XIe s.), d'abord en cuisine *(tourner une pâte)*. ➜ Le verbe signifie aussi «faire mouvoir (qqch.) autour d'un axe» (v. 1170) et se spécialise au sens de «travailler au tour» (v. 1260), sens originel du latin, d'où l'emploi figuré «arranger (ses paroles, ses pensées) d'une certaine façon» (v. 1550, *tourner un compliment*) ; *tourner un jugement* «faire un jugement sur», apparu beaucoup plus tôt (1080), ne s'est pas maintenu. À ces emplois correspondent celui du participe passé dans ***bien, mal tourné***. ◇ Dans un autre emploi, *tourner*, intransitif, correspond à «pivoter sur soi-même» avec des valeurs figurées : *le cerveau tourne* «on est étourdi» (v. 1420) est devenu *la tête (me, lui*, etc.)

tourne (1606), d'où *(faire) tourner la tête à qqn* «le perturber» (apr. 1650), en particulier dans le domaine amoureux (1740). ◆ *Tourner* a signifié «parcourir en tous sens» (v. 1360), sens encore usuel à l'époque classique, et spécialisé aujourd'hui à propos d'une troupe de théâtre, d'un représentant de commerce, etc. ◇ Par figure il a pris en moyen français une valeur abstraite, «étudier (qqch.) sous tous ses aspects» (1440-1475). Depuis la même époque il s'est dit pour «aller çà et là», notamment dans *tourner autour de qqn, de qqch.*, valeur passée dans des locutions comme ***tourner autour du pot*** (1538), ***tourner autour de qqn*** (fin XVIIe s.) et ***tourner autour de la question*** (1835); avec une autre construction, l'indécision est aussi marquée dans *ne savoir de quel côté se tourner* (1671; 1538, *... où se tourner*). ◆ Par extension, *tourner*, en emploi transitif, équivaut à «faire le tour de» (v. 1360), spécialement pour éviter un obstacle, valeur qui demeure au figuré (1845), notamment dans *tourner la loi* (1864), mais aussi dans le domaine de la chasse (1770) et plus généralement avec l'acception «prendre à revers (qqn)» (1872). ◆ Toujours avec l'idée de mouvement circulaire, *tourner* est passé dans le vocabulaire du cinéma, par allusion à la manivelle des premières caméras; *tourner un film* s'emploie en parlant d'un acteur (1909) ou pour «faire un film» (1917). L'intransitif peut s'appliquer au réalisateur, à l'acteur, aux techniciens (1907). ◇ L'idée de mouvement régulier explique l'emploi du verbe à propos d'un moteur et, au figuré, le sens de «prospérer» *(une affaire qui tourne)*.

▶ Parmi les très nombreux dérivés de *tourner*, son déverbal ③ **TOUR** n. m. (XIIe s.), d'abord *tor* (1080), a suivi partiellement le développement sémantique du verbe. ◇ D'abord employé au sens de «volte-face», il exprime l'idée d'un mouvement sur soi-même à propos d'un objet (v. 1175) ou du corps humain (v. 1200). ◇ Il a produit plusieurs locutions du type ***tour de*** + nom, souvent avec le nom d'une partie du corps comme dans ***tour de bras,*** *à tour de bras* (1510) signifiant «avec une grande dépense physique», ***tour de main*** (1440-1475, *au tour d'une main*) «habileté manuelle» [cf. ci-dessous *tourne-main*], ***tour de rein*** «douleur du dos» (1640; déjà au XVIe s. pour une avarie dans un bateau). ◇ *Prendre son tour vers* a signifié (v. 1155) «se diriger vers» et *tour* équivaut à «promenade, voyage», «circonférence d'un lieu» (v. 1200), d'où ***faire un tour*** (1226) et ***faire le tour de*** «parcourir» (fin XVIe s.) puis «s'étendre autour de», au figuré à partir du XIXe siècle. Depuis la fin du XVIIe s. (1690), il désigne le circuit accompli par un voyageur, d'où, après un passage par l'anglais *tour* et ses dérivés, la série de *touriste*, tourisme. Faire son tour de France* s'est employé (1798) à propos des compagnons du devoir; aujourd'hui, *Tour de France* désigne une course cycliste annuelle disputée depuis 1903; d'autres courses analogues sont appelées *tour (d'Italie,* etc.). Vers la même époque, le mot est passé dans le vocabulaire des sports pour désigner en général un circuit (1904). ◆ Dès l'ancien français, *tour* désigne une action qui suppose de l'adresse, de la ruse, etc. (v. 1175), spécialement cette action commise au détriment de qqn, d'où *jouer un vilain tour* (v. 1275), *un mauvais tour* (fin XIIIe s.). ◇ Par ailleurs le mot se dit d'un exercice difficile à exécuter et montré en spectacle (v. 1310), d'où à l'époque classique *tour de main* «de bateleur» (1690). ◇ En même temps *tour* s'est employé pour parler d'une manière d'agir quelconque (v. 1226), puis d'un acte condamnable (XIIIe s.) et d'un bon procédé (1530); ces acceptions étaient encore très vivantes à l'époque classique où *tour* s'emploie aussi pour une façon originale de présenter sa pensée (apr. 1650) (d'où aujourd'hui *tour de phrase* [1669] ou *tour*) et pour la manière dont on use du langage (1659); dans ces emplois, comme au sens de «manière dont se présente une affaire» (apr. 1650), *tour* est en général remplacé par *tournure.* ◆ Enfin, *tour* a eu dès le XIIe s. (1175) le sens temporel de «fois» (cf. l'italien *volta* «volte, tour» pour une image analogue) procédant de la transposition de l'idée de «mouvement tournant» à celle de «mouvement successif qui donne à chaque chose un temps pour agir». Ce sens a disparu, comme celui de «rang successif» (v. 1450), mais a fourni quelques locutions vivantes: ***tour à tour*** (v. 1456), ***à son tour*** (1611), ***à tour de rôle*** (1611) qui vient du langage de la procédure où le «tour du rôle» était la suite des causes à entendre que l'on fournissait aux juges avant l'audience (1493, *a tour de roulle*); *tour de faveur* est plus récent (1835). *Tour* lui-même entre dans le composé usuel **DEMI-TOUR** n. m., d'abord à propos d'un objet (1536) puis d'une personne (1606) [→ autour, entour, pourtour].

Tourner a produit plusieurs autres noms: l'idée d'action de tourner, assumée en général par le mot *tour*, a nécessité la création de noms spécifiques pour rendre certaines acceptions du verbe. ◆ Faute d'une telle spécification, **TOURNEMENT** n. m. (1355; v. 1180, «combat», → tournoi) s'est mal maintenu. ◆ **TOURNAGE** n. m. (1501, *tournaige*) s'est spécialisé en marine (1773), puis pour l'action de façonner au tour (1842) et surtout l'action de tourner un film (1918).

TOURNE n. f., d'abord «dédommagement» (déb. XIIIe s., *tornes*, pl.) a désigné jusqu'au XVIIIe s. ce qui est dû (1450; XIIIe s., *torne de bataille* «gage dans un duel judiciaire»). Le mot s'emploie avec des valeurs techniques, au sens de *retourne* en imprimerie (1690, au jeu de cartes), en céramique (1830) et pour l'action de s'altérer à propos d'un aliment (1878, du vin).

TOURNÉE n. f., d'abord «fuite, retraite» (v. 1225), seulement en ancien français, et «houe pour défoncer la terre» (v. 1225), emploi vivant jusqu'au XIXe siècle, s'est employé longtemps pour «échange» (XIIIe s.) et au sens général de «voyage» (1226; 1596, «petite promenade»). Il s'est spécialisé à propos d'un déplacement professionnel (1680, d'un fonctionnaire) ou de celui d'une compagnie théâtrale (1863). *Par tournées* «à tour de rôle» (1538) ne s'emploie plus mais le mot désigne familièrement et très couramment (1828) un ensemble de consommations qu'on paie à tour de rôle. ◇ Enfin, *tournée* a aussi des valeurs techniques, par exemple à la pêche (1765).

TOURNANT, ANTE adj., autrefois employé au figuré en ancien français pour «agile, changeant»

(v. 1175) et jusqu'au XVIIIe s. «capricieux» (XIIIe s.), s'applique concrètement à ce qui pivote sur soi-même (1385), en particulier à un meuble (1573). ◇ Il qualifie aussi ce qui prend à revers (1876, *mouvement tournant*) et ce qui présente des courbes (1876). L'adjectif a été substantivé au masculin et au féminin. ➜ **TOURNANT** n. m., autrefois «système qui fait tourner deux meules» (1385) et «endroit où un corps présente une courbure» (v. 1260), s'est aussi employé (1279) pour nommer l'endroit où une voie tourne, sens spatial aujourd'hui dominant, en concurrence avec *virage*. ◇ Le mot a désigné au figuré un moyen détourné pour réussir (1798) et a pris au XIXe s. une valeur temporelle, «moment où qqch. devient autre» (1837), spécialement «changement radical» (1904).

TOURNIS n. m. provient (1812; *tournie* 1803) de l'ancien adjectif *tourniche* (XIIIe s., féminin) «qui a le vertige», auparavant *torneïs* (v. 1130), *tornediz* (fin XIe s.) «pliant, mobile». Le mot désigne une maladie du bétail qui se manifeste par le tournoiement de la bête atteinte, mais est employé familièrement pour «vertige». ➜ Le même adjectif a produit le nom féminin **TOURNISSE** n. f. (1765) avec un sens technique spécialisé en charpenterie.

Il n'existe qu'un nom d'agent pour tous les sens du verbe *tourner*, **TOURNEUR, EUSE** n. (1234), d'abord «ouvrier qui travaille au tour»; il a été recréé plusieurs fois au fur et à mesure des besoins, surtout comme nom masculin (1913 «opérateur de cinéma», sens disparu; 1933 «organisateur de tournées»); la dernière acception en date (1973) concerne la finance. ◇ **TOURNEUSE** n. f. désigne (1836) une ouvrière qui dévide la soie. ◇ *Tourneur, euse*, adjectif, s'applique (1835, *derviche tourneur*) à ce qui tourne sur soi.

Tourner a aussi produit quelques dérivés verbaux par changement de suffixe. ➜ **TOURNASSER** v. (v. 1550), réservé à un usage régional ou technique (1756), a produit **TOURNASSIN** n. m. (1765, *tournasin*). ➜ **TOURNILLER** v. (av. 1650, «tortiller») et **TOURNIQUER** v. (1866 «valser»; 1920 en français régional), créé d'après *tourniquet**, ont la même valeur «se déplacer (tourner) de manière irrégulière, aller et venir sans règle». ◇ *Tourniquer* est lui-même à l'origine du diminutif familier **TOURNICOTER** v. intr. (XXe s.). ➜ **TOURNAILLER** v. intr. a signifié «tergiverser» (1595), aujourd'hui «aller et venir dans un espace restreint» (1743, au Québec, puis 1785 en France).

Enfin, des noms composés concrets utilisent la forme conjuguée *tourne* comme premier élément. La locution **EN UN TOURNEMAIN** (1583), de *tourner* et de *main* avec le sémantisme de *tour* (ci-dessus) *de main*, signifie «en un instant».

TOURNEBROCHE n. m. (1581), réfection de *tourne-brocque* (1461), désigne celui qui tourne une broche puis (1663) un mécanisme faisant tourner une broche à faire rôtir, une rôtissoire. *Tournebroche* a désigné (1678) le chien qu'on faisait avancer dans une roue à cet effet. ➜ **TOURNEBRIDE** n. m., d'abord «volte-face» (1611), s'est dit (1798) d'un relais de poste (où les chevaux s'arrêtaient et repartaient dans l'autre sens), puis d'une auberge, d'une hôtellerie de campagne (1872). ➜ **TOURNEVIS** n. m. (1671) désigne un outil formé d'un manche et d'une tige aplatie ou en croix à son extrémité libre, destiné à tourner les têtes de vis, à visser et à dévisser. ➜ **TOURNE-DISQUE** n. m. désignait (1936, et jusque vers 1970-1975), l'appareil électrique formé d'un plateau tournant et d'un dispositif de lecture pour disques à enregistrement sous forme de sillons. Le mot a vieilli, puis tend à disparaître avec le disque laser. ➜ Avec un autre sémantisme, **TOURNEPIERRE** n. m. est un calque (1780, Buffon) de l'anglais *turnstone* pour désigner un oiseau échassier qui retourne avec son bec les pierres sous lesquelles se trouvent de petits animaux dont il se nourrit. ➜ **TOURNEDOS** n. m. s'est dit du fait de tourner le dos (1594), d'un poltron qui «tourne le dos pour fuir» (1611). ◇ Le sens moderne, enregistré par Littré (1864), est expliqué par ce lexicographe par le fait que le plat n'était pas présenté sur la table à l'origine mais circulait derrière les convives, hypothèse très douteuse.

BISTOURNER v. tr., réfection de *bestourner* (1175), est formé du préfixe péjoratif *bes-* «mal» et de *tourner*. Il a été repris en technique (1718, pour un objet), notamment au sens de «châtrer (un mâle) par torsion du canal spermatique» (1680; 1676 au p.p.). ◇ Le participe **BISTOURNÉ, ÉE** adj. (XIIe s.) signifie au figuré «compliqué»; cf. tordu, tortillé.

CHANTOURNER v. tr. est composé de ② *chant* et *tourner*; après s'être employé comme intransitif (1611) pour «sinuer comme un ruisseau», il s'est spécialisé (av. 1694) en menuiserie, par «tailler, évider selon un profil donné». ◇ Le dérivé **CHANTOURNEMENT** n. m. («mouvement sinueux», 1611) lui correspond (sens attesté en 1803).

◈ voir CONTOURNER, DÉTOURNER, ENTOURER (art. ENTOUR), RETOURNER, RISTOURNE, TOURNADE, TOURNEBOULER, TOURNESOL, TOURNIQUET, TOURNOYER, TOURNURE, TURNEP.

TOURNESOL n. m. est la forme moderne (1611), après *tornesol* (1606), de l'ancien *tornissol* (1393), déjà relevé en 1291 (T.L.F. : 1360) sous la forme *tournesot* au sens de «matière colorante». Le mot est emprunté à l'italien *tornasole* ou à l'espagnol *tornasol*, littéralement «qui se tourne vers le soleil», composés formés avec les représentants dans chacune de ces langues du latin *tornare* (→ tourner) et *sol* (→ soleil), soit parce que cette fleur se tourne vers le soleil, soit parce que son image ressemble à celle du soleil (elle «tourne» à «soleil»). Le mot grec de même sens *hêliotropion* a été emprunté par le français *héliotrope** par l'intermédiaire du latin.

♦ *Tournesol* a d'abord nommé le fruit avant de désigner la plante (1501, *tornissol*). Le mot est concurrencé dans la langue savante par *héliotrope* et *hélianthe* mais a éliminé la formation française analogue *tourne-soleil* (XVIe s.) qui fut usuelle dans la plupart des parlers français; on dit aussi *soleil**. ➜ *Tournesol* sert à désigner (1291, *tournesot*, puis fin XVIe s.) le colorant bleu que l'on tire d'un arbuste, le croton, spécialement en chimie (1765, *teinture de tournesol*; 1872, *papier de tournesol*).

TOURNIQUET n. m. (1575) est probablement (Wartburg) un dérivé de *tourner**, avec le suffixe *-et* usuel pour les noms d'outils et un élément *-iq-* à valeur diminutive. On y a vu un emploi métaphorique du moyen français *tourniquet* «cotte d'armes», auparavant *turniquet* ou *turniquel* «vêtement de dessus»; altéré sous l'influence de *tourner**, ce mot dérive de l'ancien français *tunicle*, emprunté au latin *tunicula*, diminutif de *tunica* (→ tunique). L'hypothèse est peu convaincante pour des raisons sémantiques, *tourniquet* n'ayant aucun rapport connu avec l'habillement.

♦ Le mot a d'abord servi à désigner une poutre armée de pointes de fer qui servait autrefois à fermer une ouverture. Rejoignant le sémantisme de *tourner*, il s'est dit pour «manivelle» (1611) et a désigné un appareil formé d'une croix tournant autour d'un axe pour laisser le passage (1669). Il s'emploie ensuite en chirurgie (1752), en marine (1836), en physique, en technique d'arrosage (1845). ◇ Il a également développé le sens figuré argotique de «conseil de guerre» (1888, *passer au tourniquet*). ◇ Enfin, depuis Sartre (1943, *L'Être et le Néant*), il s'emploie avec une valeur abstraite pour «mouvement par lequel un contenu de pensée se retourne et se nie».

TOURNOI → TOURNOYER

TOURNOIS adj. inv. est dérivé (fin XIIe s., n. m.) de *Tours* parce que cette monnaie était frappée dans cette ville. On a de même appelé *tournisien* une monnaie frappée à *Tournai* au XIIIe siècle.

♦ *Tournois* a également été substantivé pour désigner une petite monnaie valant un denier, jusqu'au XVIIIe siècle. Par la suite, le mot s'est employé (1538, aussi *sol* [sou] *tournois*) pour une monnaie royale frappée sur le modèle de celle de Tours, entrant dans la locution *n'avoir pas vaillant un tournois* (1538), sortie d'usage à la fin du XVIIIe siècle.

TOURNOYER v. intr. (1200, *tornoier*), réfection suffixale de *torneier, turneer* (déb. XIIe s.), est dérivé de *tourner**.

♦ Le verbe s'introduit avec les sens toujours vivants de «décrire des courbes sans s'éloigner» et «tourner sur soi-même dans un mouvement rapide». Il a signifié «faire un détour», concrètement (v. 1180), d'où par figure «biaiser» à l'époque classique (1606). L'emploi pour «errer sans but» (v. 1298) a vieilli au début du XIXe s., époque où Chateaubriand l'emploie encore. ➔ Par ailleurs, *tournoyer* s'est spécialisé dès le XIIe s. au sens de «combattre en champ clos» (v. 1165) qui disparaît au cours du XVIe s., en même temps que les valeurs liées au monde chevaleresque.

▶ **TOURNOYANT, ANTE** adj., réfection (XIVe s.) de *tourniant* (XIIe s.), participe présent du verbe, est d'abord appliqué à une personne saisie de vertige, seulement aujourd'hui à ce qui provoque le vertige (déb. XXe s.). ◇ Il a qualifié le vent qui tourbillonne (fin XIIe s.) et se dit plus largement de ce qui tournoie (1538). ➔ **TOURNOYANT** n. m. a désigné (av. 1559) un combattant dans un tournoi; on employait auparavant *tournoieor* (v. 1175), devenu *tournoieur* (XVe s.) et *tournoyeur* chez Voltaire. ➔ **TOURNOIEMENT** n. m., réfection (XIIe s.) de *torneiement* (v. 1130) «combat» en général et «tournoi» (v. 1155) jusqu'au XVIe s., désigne (v. 1230) l'action de tournoyer. ◇ Le mot a eu par extension divers emplois, signifiant notamment «vertige» (1549), encore au XIXe s., et «sinuosité» à l'époque classique (1549). Il se dit au figuré pour «mouvement entraînant (des événements, etc.)» (1671).

L'idée de «combat» n'est restée vivante que dans le dérivé (déverbal) **TOURNOI** n. m. (XIIIe s.), antérieurement *tornoi* (v. 1175), *tornei* (v. 1130). Le mot a eu le sens général de «combat», puis s'est restreint (v. 1165, *turnei*) pour désigner un combat opposant plusieurs chevaliers en champ clos. D'origine ancienne, le tournoi, pourvu à l'origine d'une valeur sacrée (jugement de Dieu), serait apparu au XIe s. pour se répandre au XIIe et au XIIIe s.; ce fut d'abord un combat sanglant opposant des bandes adverses (y compris des vilains), peu à peu ritualisé et réservé aux seuls chevaliers, qui utilisaient des armes courtoises. Le tournoi était devenu un sport mondain à la fin du moyen âge, alors réduit à une succession de joutes singulières, strictement réglées comme un ballet; le carrousel lui succéda. ◇ *Tournoi*, qui a aussi signifié «action de tournoyer» (v. 1298), a pris le sens figuré de «lutte d'émulation» (fin XVIe s., «joute oratoire»). ◇ Le mot s'est aujourd'hui répandu dans le langage des jeux et sports pour désigner un concours à séries d'épreuves ou de manches.

◈ voir TORGNOLE.

TOURNURE n. f. (1328), d'abord *tournëure* (v. 1265), est issu du bas latin de la Vulgate *tornatura* (du supin de *tornare*, → tourner) «technique du tourneur», également vivant en latin médiéval.

♦ Le mot, lié à *tourner*, a d'abord signifié «détour» et a eu divers emplois pour exprimer un mouvement circulaire (1328, «roue qui fait tourner une meule»). ◇ Il désigne à partir du XVe s. l'action de façonner au tour et son résultat (1472) et cette acception technique, aujourd'hui disparue, s'est développée dans deux directions. Dans divers domaines *tournure* conserve un lien étroit avec l'idée de forme donnée par le tour : «forme donnée au fer à cheval» (1757), «lamelle d'un légume ou d'un fruit que l'on tourne» en cuisine (1767) ou «déchet métallique détaché au tour» (1832). ◇ Le mot désigne aussi (1828) un bouffant qui donnait de l'arrondi à une robe. ➔ Une autre évolution détache le mot du vocabulaire technique; *tournure* désigne une manière de s'exprimer, d'agencer les mots dans une phrase (1509), d'où le sens plus restreint, «groupe de mots dont la construction est déterminée» (1856). ◇ Parallèlement, le mot désigne l'aspect extérieur d'une personne, sa façon de se présenter; l'acception a vieilli et *tournure* «manières distinguées» (1832) ne s'emploie plus : on dit plutôt *allure*. ◇ *Tournure* a en effet pris d'autres valeurs, désignant la manière de présenter les choses (1690) et l'aspect (la «forme») que prend une situation (1773), d'où viennent le sens d'«apparence, aspect (d'une chose)» (1734) et la locution ***prendre tournure*** (1774, *prendre une mauvaise tournure*), toujours usitée par ailleurs dans un contexte concret. Enfin, par extension, on parle de ***tournure d'esprit*** (1701).

TOURON n. m. est un emprunt (1715), d'abord écrit *torron* (1595), mais alors donné comme mot espagnol, à l'espagnol *turrón*. Le mot, comme le catalan *torró*, le portugais *torrão*, vient des verbes (espagnol *turrar*) signifiant «dessécher, griller» et remontant au latin *torrere* «sécher, griller» (→ toast, torréfier, torrent, torride, tôt).

♦ *Touron*, rare en français, désigne une confiserie espagnole aux amandes et au miel voisine du nougat. On emploie plutôt aujourd'hui, sauf régionalement, le réemprunt *turrón*, forme espagnole.

TOURTE n. f. est issu (XIIIe s.) du bas latin de la Vulgate *torta* «sorte de pain rond» (dans l'expression *torta panis*), auquel remontent aussi l'italien et l'espagnol *torta*. *Torta* est lui-même la substantivation de *torta*, participe passé féminin de *torquere* (→ tordre).

♦ *Tourte* a pénétré en français avec le sens du latin, seulement conservé régionalement; ses emplois ultérieurs témoignent d'influences réciproques avec *tarte**. *Tourte* est passé de la boulangerie à la pâtisserie, et se dit couramment (v. 1393) d'une pâtisserie ronde fourrée de viande ou de poisson et d'une tarte couverte fourrée aux fruits ou à la confiture (1680). ◇ Par analogie de forme, il s'emploie (1704) pour la plaque d'argile qui supporte le creuset du verrier et en métallurgie. ◇ Le mot désigne aussi un gâteau de marc de noix, de matières oléagineuses qui sert d'aliment aux animaux (1723), concurrençant alors son dérivé *tourteau*. ◇ Par figure et comme *tarte* (1879, Huysmans), il signifie familièrement «idiot, imbécile».

▸ ① **TOURTEAU** n. m. succède (XIIIe s.) à *tortel* (fin XIe s.). Le mot a d'abord désigné (comme *tourte*) une sorte de pain bis de forme ronde. Régionalement, il désigne une pâtisserie ronde. De nos jours, en français central, il ne se dit plus que d'un résidu de graines, de fruits oléagineux une fois qu'on en a retiré l'huile (XIIIe s., *tourtiau*; XVIe s., *tourteau*). ◇ Par analogie de forme, le mot a développé dès l'ancien français (v. 1230) un sens spécial en héraldique, «figure circulaire en émail», d'où *tourteau-besant* (1690). ◂ La forme ancienne *tortel* a donné le dérivé **TOURTELET** n. m. (1437; v. 1170, *turtelet*) à valeur diminutive (suffixe *-elet*), qui ne se dit plus à propos d'un gâteau rond mais reste au sens de «pâtisserie en feuille mince» (1803). ◂ **TOURTIÈRE** n. f. désigne (1573) un ustensile de cuisine pour faire les tourtes et par métonymie la pâtisserie, surtout en français du Canada (1836 au Québec, «tourte à base de porc»).

② **TOURTEAU** n. m. est formé (1611) par suffixation sur l'ancien français *tort* (→ tors), participe passé de *tordre*, par allusion à la démarche du crabe. Le mot a existé sous les formes isolées *tourtel* (XVe s.) «vertige», *torteau* (1419) «mal au ventre».

♦ *Tourteau* est le nom d'un gros crabe appelé régionalement (Bretagne) *dormeur*.

TOURTERELLE n. f., d'abord *turtrele* (v. 1050), *turterele* (v. 1200) et *torterele* (v. 1265), écrit *tourterelle* au XIVe s. (v. 1380), est issu d'un latin populaire °*turturella*, altération du classique *turturilla* employé par Sénèque au sens figuré de «homme efféminé». C'est un dérivé de *turtur*, mot imitatif à redoublement (comme *murmur*, *susurrus*, *gurgulio*, et autres noms de bruits) désignant un oiseau qui roucoule. Le simple *turtur* est bien représenté dans les langues romanes : l'italien a *tortola*, *tortora* à côté de *tortorella*, l'espagnol a *tórtola*, l'ancien provençal *tortre* et *tortora*, l'ancien français *turtre* (v. 1120) puis *tourtre* (XIVe s.), attesté en poésie jusqu'au XVIIIe siècle.

♦ Le mot désigne une espèce d'oiseau voisine du pigeon. ◇ Il sert d'appellatif affectueux (cf. *colombe*). ◇ Comme *pigeon*, il a fourni un nom de couleur, employé en apposition dans *gris tourterelle* (1845) et absolument (1819). ◇ Sa sonorité et son genre féminin l'ont prédisposé à des figures affectives, plus encore que *pigeon**, qui a pris des valeurs familières et péjoratives que ne connaît pas *tourterelle*.

▸ Il a pour dérivé **TOURTEREAU** n. m. (1694), attesté une première fois sous la forme *turtrel* (1170) au sens de «mâle de la tourterelle». ◇ Le mot sert à désigner une jeune tourterelle (1694) mais il est surtout employé avec le sens figuré de «jeune amoureux» (1776), le plus souvent au pluriel pour un couple.

TOUSSAINT n. f. est une réfection graphique (fin XVIIe s.) de *Toussains* (v. 1180), abréviation de *feste Toz Sainz* (v. 1131) «fête de tous les saints» (→ saint, tout). L'emploi de *la* devant *Toussaint* vient d'expressions comme *la (feste) Saint-Jean*, *la (feste) Saint-Michel* et du fait que dans *la tous sainz*, le pronom déterminatif *la* (normal au XIIe s.) a été pris pour un article quand cette valeur de *le*, *la* a disparu.

♦ Cette fête catholique en l'honneur de tous les saints est célébrée le 1er novembre et l'usage s'est répandu de fêter le même jour tous les morts, alors que la fête des Morts a lieu le 2 novembre. Ainsi, *Toussaint* évoque surtout aujourd'hui la célébration des morts. ◇ Au figuré, *un temps de Toussaint* (1917) se dit d'un temps triste et froid.

TOUT adj. fém. **TOUTE**, plur. **TOUS**, **TOUTES**, pron., adv. et n. m., plur. **TOUTS**, est issu par évolution phonétique (XIIe s.), d'abord *tuit* au cas sujet et *toz* au cas régime (fin IXe s.), du bas latin *tottus* à géminée *(tt)* expressive, altération du latin classique *totus* qui a donné l'espagnol et le portugais *todo*. *Totus* s'employait en considérant les objets dans leur extension avec le sens de «tout entier, intégral» (substantivé au neutre *totum* «le tout», mais il a souvent repris le sens de *omnis* (→ omni-) «chaque, tout». Le mot n'a pas d'étymologie claire (de même que le groupe de *omnis*). J. Wackernagel propose de considérer *totus* comme un traitement dialectal, à rapprocher de termes désignant la cité, la nation : il fonde son hypothèse sur l'étude de termes qui, en indo-iranien, ont subi la même évolution sémantique.

♦ La majorité des emplois de *tout* (*toute*, etc.) est attestée avant la fin du XIIIe s., si l'on excepte l'emploi de l'adjectif devant un nom temporel pour indiquer

une périodicité (XIVe s.) et des emplois lexicalisés ou ayant donné lieu à des locutions (surtout aux XVIe et XVIIe s.). L'emploi (XVe s.) de *tout* pronom pour désigner des personnes (on dit aujourd'hui *tout le monde*) est sorti d'usage. ***Le tout*** signifie encore aujourd'hui «toutes les choses en question» (fin XVe s.) et «ce qui est essentiel» (v. 1550). L'expression ***le tout pour le tout*** (1690 ; 1694, ***risquer le tout pour le tout***) est l'emploi figuré d'une locution d'abord employée dans le langage du jeu. ◇ Les expressions usuelles ***tout à fait*** (1200 ; récemment mise à la mode comme forme remplaçant *oui*), puis ***après tout*** (XVIe s.), ***du tout au tout*** (1694), ***c'est tout dire*** (1665), ***ce n'est pas tout de*** (1668), d'où *ce n'est pas le tout* (1735), et familièrement ***c'est pas tout ça*** (1824), et aussi ***comme tout*** (1668), ***pas (point) du tout*** (Descartes) se sont maintenues. ◇ D'autres locutions, moins nombreuses, ne sont attestées qu'au XXe s., comme ***avoir tout de*** (1923), ***en tout et pour tout*** (1935), de même que ***le tout ou rien*** (1975).
Tout, suivi d'un nom de ville, sert à former des noms désignant un groupe d'habitants ou de résidents de cette ville, considéré comme significatif ou dominant. La plus notable de ces formations est **TOUT-PARIS** n. m. (1852), qui correspond à une spécialisation de l'adjectif *parisien.* ◇ *Le tout-* (suivi d'un nom ou d'un adj. substantivé) s'emploie pour «intégral» (*le tout-nucléaire, le tout-électrique,* etc.).

▸ Un seul dérivé demeure, le synonyme argotique **TOUTIM** n. m. (1596, *toutime*) surtout dans *et (tout) le toutim* «et (tout) le reste». ◆ *Tout* a produit plusieurs composés allant des adjectifs (*tout compris,* v. 1950) aux noms (*tout-à-l'égout,* 1886, → égout ; *tout-en-un,* XXe s.) et aux locutions adverbiales (*à tout va,* XXe s., d'une expression *tout va* employée dans les casinos). ◇ Deux composés, *toute-puissance* (→ pouvoir) et *toutefois* (→ fois) sont usuels.
TUTTI n. m. inv., mot de musique (1705), est un emprunt à l'italien *tutti* «tous». ◇ Il signifie «tous les instruments doivent jouer» et désigne par métonymie un morceau, un passage à exécuter par l'orchestre entier. ◆ **TUTTI FRUTTI** loc. adj. et n. m. inv. est emprunté (1899) à l'italien *tutti frutti* «tous les fruits», employé à propos d'un dessert, d'une glace où autre «tous les parfums de fruits». ◆ **TUTTI QUANTI** est l'emprunt (1605) de l'expression italienne *tutti quanti* «tous tant qu'ils sont», et s'emploie à la fin d'une énumération de noms de personnes, avec une valeur souvent péjorative.

◈ voir ATOUT, ITOU, PARTOUT, ① et ② SURTOUT ; et TOTAL, TOTON.

TOUTE-PUISSANCE, TOUT-PUISSANT → POUVOIR (PUISSANCE, PUISSANT)

TOUT-VENANT → VENIR

TOUTOU n. m. apparaît au XVIIe s. (1640), présent chez Cyrano de Bergerac et Scarron ; c'est un mot de formation enfantine dont la nature n'est pas expliquée (le qualifier d'onomatopée n'apporte guère d'information).

♦ Le mot désigne un chien (spécialement un bon chien), dans l'usage enfantin ou le langage affectif. ◇ Il a été employé (1776) pour désigner le favori de qqn, avec un complément introduit par *de.* Le mot s'emploie aussi pour parler d'une personne trop docile (av. 1778), en particulier dans des locutions comparatives du type *obéir, filer comme un toutou.* Il a donné lieu à la locution ***peau de toutou,*** qui correspond sur le mode ironique à *peau de vache,* avec un sémantisme péjoratif de «peu de valeur».

TOUX n. f., variante graphique (1414) de *tous* (1258), auparavant *tos* (fin XIe s.), est issu du latin *tussis,* mot sans correspondant dans le domaine indoeuropéen. On peut néanmoins le rapprocher, avec une géminée expressive *-ss-,* des mots baltes (letton) *tust* et *tusnat* «respirer bruyamment». ◈

♦ Le mot désigne une expiration forcée, due par exemple à une irritation des muqueuses.

▸ **TOUSSER** v. intr. (fin XIIe s.) a remplacé, par changement de conjugaison, *toussir* (fin XIIe s. ; v. 1175, *tossir*), issu du dérivé latin *tussire* qui a donné l'italien *tossire. Toussir* s'emploie encore à l'époque classique. ◇ Le verbe signifie «avoir un accès de toux» et (1669) «simuler la toux pour avertir qqn». Par analogie, il s'emploie (1934) en parlant d'un moteur qui a des ratés. ◆ Il a produit plusieurs dérivés : **TOUSSERIE** n. f. (1404), vieux mot désignant une toux fatigante, **TOUSSEUR, EUSE** n. et adj. (1427), **TOUSSANT, ANTE** adj. (1660, comme nom masculin), encore en usage, mais rares. ◆ **TOUSSAILLER** v. intr. (1821) «tousser faiblement et souvent» est moins courant que **TOUSSOTER** v. intr. (1606, rare av. le XIXe s.). ◇ Ce dernier a donné **TOUSSOTEMENT** n. m. (1845).

◈ voir TUSSILAGE.

TOXIQUE n. m. et adj., réfection savante (1213) de formes altérées *toxiche* (v. 1155) et *toscique* (v. 1165), est emprunté au latin *toxicum* «poison à l'usage des flèches», dit de tout poison en général et en particulier du laudanum. Le mot latin est emprunté au grec *toxikon* (sous-entendu *pharmakon*) «(poison) dont on imprègne une flèche», substantivation au neutre de l'adjectif *toxikos* qualifiant les flèches, dérivé de *toxon* «arc». Il est vraisemblable que *toxon* (qui, dès Homère, concurrence *bios,* le vieux nom indoeuropéen) soit un emprunt à l'iranien, peut-être aux Scythes, les Iraniens et les Scythes étant réputés pour leur pratique de l'arc. On peut évoquer les anthroponymes scythes *Toxaris, Taxakis* et le persan littéraire *takhš* «arc».

♦ Le mot, emprunté au sens général de «poison», est rare avant le XVIe siècle. Quant à son emploi adjectivé au sens de «vénéneux» (1584), il est peu attesté avant 1845, puis devient usuel.

▸ Les dérivés et composés du mot sont postérieurs à 1800. ◆ **TOXICOLOGIE** n. f. (1803) «étude des substances toxiques», nom d'une branche importante de la pharmacologie, a pour dérivés **TOXICOLOGIQUE** adj. (1832) et **TOXICOLOGUE** n. (1842). **TOXICOMANE** adj. et n. (1913) désigne toute personne qui use régulièrement de stupéfiants, de drogues (abrév. fam. **TOXICO** n., att. 1936) ; **TOXICOMANIE** n. f. (fin XIXe s.) semble un peu antérieur à *toxicomane.* ◇ Cette série est formée avec l'élément **TOXICO-** pris au latin *toxicum.*

Cet élément est très productif dans la seconde moitié du XIXe et au XXe siècle. ➡ **TOXICITÉ** n. f., nom didactique exprimant le caractère toxique d'une substance, est attesté depuis 1865; il a servi à produire l'antonyme **ATOXICITÉ** n. f. (XXe s.) qui répond à l'adjectif **ATOXIQUE** (1838). ➡ Par le même procédé de préfixation, *toxique* a produit **ANATOXIQUE** adj. (av. 1923) «qui a cessé d'être toxique», **ANTITOXIQUE** (1853) et **SYNTOXIQUE** (1973) «qui permet à l'organisme de s'accommoder à un toxique».
Par substitution de suffixe, *toxique* a servi à faire **TOXINE** n. f. (1894), nom qui fut d'abord donné par Brieger en 1887 à des ptomaïnes toxiques, la **TÉTANOTOXINE** et la **THYPHOTOXINE**, et à la suite duquel on a créé de très nombreux mots composés d'usage didactique. ➡ Sur *toxine* est formé **ANTITOXINE** n. f. (1892) «substance qui neutralise l'effet d'une toxine», et **ANATOXINE** n. f. (1923) «vaccin antitoxique, fait de toxines bactériennes rendues inoffensives». ➡ On a eu recours à *toxo-* (pour *toxique*) et à l'élément *-oïde* pour créer **TOXOÏDE** adj. (1904), dit d'un corps dérivé d'une toxine mais dénué de toxicité.

◈ voir INTOXIQUER.

TRABOULER v. intr., mot franco-provençal de Lyon, semble issu du lat. populaire °*trabulare*, du lat. *transambulare*, de *trans-* «à travers» (→ trans-) et *ambulare* «aller, se promener» (→ ambul).

♦ Le verbe, enregistré en 1894 dans le *Littré de la Grand' Côte*, signifie «ménager un passage entre les maisons (en parlant du chemin, de l'allée)». Le mot doit être ancien oralement.

▸ Le déverbal **TRABOULE** n. f., plus courant aujourd'hui que le verbe, désigne l'allée, le passage qui traboule. Il n'est pas attesté dans les dictionnaires et glossaires lyonnais de la fin du XIXe et du début du XXe siècle et a dû se diffuser un peu plus tard.

① **TRAC** n. m. (1441) est un mot d'origine discutée. Pour Wartburg, il serait issu d'un radical onomatopéique °*trakk-* d'où viendrait *traquer**. Selon P. Guiraud, il viendrait de *traquer;* selon d'autres, il remonterait à un latin °*tracticus*, dérivé de °*tracticare* (qui a lui-même donné *traquer**).

♦ Le mot a désigné les bagages qui suivent une armée et la piste, la trace d'un animal (v. 1470), le bruit fait par des gens qui marchent (1534), puis (1694) l'allure d'un cheval. Dans un premier temps, il a donné la locution *tout d'un trac* «tout d'une traite» (1483), disparue, puis la locution encore vivante ***tout à trac*** (1549, reprise 1888) qui transpose l'idée initiale de brusquerie, de rapidité sur le plan du langage.

② **TRAC** n. m., d'abord écrit *traque* (1830), est d'origine douteuse : c'est soit une formation expressive, soit un développement métaphorique de *trac* «fait d'être secoué»; un rapport avec *tracas*, *tracasser** est possible.

♦ Le mot est familier au sens général de «peur»; il se dit couramment (1833) à propos du genre de peur que l'on ressent avant d'affronter le public, de subir une épreuve.

▸ Le mot a produit le verbe *traquer* «craindre», sorti d'usage, mais dont dérive ① **TRAQUEUR, EUSE** n. (1837) et adj. (1878). ➡ Le diminutif **TRAQUETTE** n. f. s'employait très familièrement (1890) pour «peur», surtout au pluriel ***(avoir les traquettes)***.

TRACASSER v. tr. est dérivé (av. 1450) de *traquer** par changement de suffixe.

♦ D'abord synonyme de *traquer*, il s'en est détaché très vite, l'accent étant déplacé de l'idée de but à celle de mouvement. *Tracasser* a signifié «parcourir, passer par (une forêt, un endroit)» (v. 1475) et comme intransitif «aller, courir çà et là» (v. 1485). De là, il a développé la valeur de «s'agiter, se remuer sans résultat pour de petites choses» (1536), vivante en langue classique et sortie d'usage au XIXe s.; il s'est dit d'un bateau agité par la mer (1845), acception liée aussi à l'idée de mouvement. ◇ Le sens de «donner du souci (à qqn)» existe depuis Montaigne (1580), également à la forme pronominale *se tracasser* (1670, réciproque; 1759, réfléchi). C'est aujourd'hui le seul emploi usuel. ◇ *Tracasser sa vie* (1690), «se donner du mal pour subvenir à ses besoins», est propre à l'époque classique.

▸ Le dérivé le plus courant de *tracasser* est son déverbal **TRACAS** n. m. (1588, Montaigne), d'abord écrit *traquas* (v. 1500) et signifiant «souci, embarras» surtout d'ordre matériel. Le mot a désigné jusqu'au XIXe s. l'agitation qu'on se donne pour des choses sans importance (1611), le métier que fait qqn (1668, «populaire» selon l'Académie en 1694) et, à l'époque classique, la manière d'agir d'un intrigant (1680). ◇ Le singulier a autrefois eu un sens technique lié à celui d'agitation : «ouverture dans un plancher pour le passage vertical des matériaux» (1765). ➡ *Tracasser* a produit d'autres dérivés aux XVIe et XVIIe s., **TRACASSERIE** n. f. (1580, Montaigne), toujours vivant pour «action de tracasser; fait de tracasser qqn», **TRACASSEUR, EUSE** adj. et n. (1611), sorti d'usage et remplacé par **TRACASSIER, IÈRE** adj. et n. (1680), puis l'adjectif **TRACASSANT, ANTE** (1872) tiré du participe présent. ◇ Le mot familier **TRACASSIN** n. m. (v. 1903) «léger tracas, inquiétude» a connu une certaine vogue à la suite d'un discours du général de Gaulle, mais sa vitalité semble éteinte.

TRACER v., d'abord *tracier* (v. 1120), est issu d'un latin populaire °*tractiare*, dérivé du classique *tractus* (→ trait), du supin de *trahere* «tirer», «traîner» (→ traire) et qui a dû signifier «suivre à la trace» ou «faire une trace», si l'on se fonde sur les premiers sens attestés en français.

♦ En ancien et en moyen français, *tracer* a donc eu le sens de «traquer, suivre à la trace», sens continué au XVIe s. (1538, «chercher») et qui survit en particulier dans le langage de la chasse. ◇ Il a été employé comme transitif et comme intransitif (XIIIe s.) pour «courir», «parcourir (une région)» «marcher, voyager», valeur encore vivante ou reprise des dialectes avec l'emploi familier de *tracer* pour «aller vite» (1893). ◇ Par transposition de l'idée de trace dans le domaine de la représentation graphique, il a signifié «faire une trace pour raturer, effacer» (1439). ➜ Le passage à l'usage moderne, où l'accent est mis sur l'idée de trait, de ligne, a eu lieu au XVIe s. où *tracer (un papier)* signifie «écrire sur» (av. 1563), d'où *tracer qqch.* (1669) «écrire» et en particulier par analogie «représenter par l'écriture ou la parole» (1552). ◇ Parallèlement, *tracer (un chemin)* s'emploie pour «indiquer ou ouvrir (un chemin)» en faisant une trace (1552), d'où au figuré «donner l'exemple» (v. 1580), «prescrire» (1563) et les emplois abstraits *tracer qqch. dans l'esprit* (fin XVIe s.), *tracer à qqn sa conduite* (1669). ◇ Au début du XVIIe s., *tracer* signifie par extension «marquer, représenter au moyen de lignes» (1625), spécialement «marquer (le contour de qqch.)», d'abord en broderie, sens qui se développe dans le vocabulaire technique à partir du XIXe s. dans divers domaines (1876, «indiquer sur place la forme d'un objet à travailler»). ◇ *Tracer* se dit aussi par figure pour «ébaucher, esquisser» (1606, *tracer un discours*), aujourd'hui par exemple dans *tracer les grandes lignes de qqch.* ➜ L'idée de ligne a donné lieu à des emplois intransitifs spécialisés : *tracer* s'utilise à propos de racines qui s'étendent horizontalement (1694) ou d'animaux qui creusent des galeries peu profondes (1810).

▸ **TRACE** n. f. a des emplois variés liés au verbe. Il désigne d'abord (v. 1120) une suite d'empreintes laissées par le passage d'un homme ou d'un animal, ensuite d'une chose (1690, *trace d'une voiture*), et chacune de ces marques prise isolément (v. 1198). Par extension il se dit de la marque laissée par ce qui agit sur qqch. (v. 1250, «égratignure»). ◇ *Trace* prend très tôt des valeurs figurées ou analogiques; il s'est employé pour «manière d'agir» (v. 1190) puis «exemple à suivre» (v. 1530), d'où aujourd'hui *suivre les traces de qqn* (1636) et *marcher sur ses traces* (1658). Il désigne aussi l'impression qui reste de qqch. (XIIIe s.), ce qui subsiste du passé (1538), en particulier dans la mémoire (1679); de là l'emploi pour «petite quantité» (1847). ◇ Par un autre développement, *trace* s'est dit pour une broderie sur un vêtement (1509), une file de personnes (1515), sens disparus. Le mot s'emploie avec sa valeur moderne en géométrie (1799), en botanique (1876), en ski (1939, *faire la trace*). ➜ **TRACÉ, ÉE** adj., du participe passé (XVIe s.), se dit d'un sentier, puis aussi d'un trait, etc. Depuis le XXe s., il qualifie techniquement les parties repérées et découpées dans un glissement minier. ◇ Il est substantivé, **TRACÉ** n. m. (1792) succédant au féminin *tracée* (1762 dans ce sens) pour désigner l'ensemble des lignes constituant le plan d'un ouvrage, d'abord dans le domaine des fortifications puis (1845) dans les travaux publics. Il désigne également la ligne suivie par un objet dans la nature (1798) et les linéaments d'un dessin au trait. ◇ Le féminin **TRACÉE** n. f. (v. 1330, «chose tracée»), d'usage plus limité à cause de la concurrence de *trace*, se rencontre, mais rarement, avec le sens de «traînée» (fin XIXe s.). *Tracer* a produit deux noms d'action. ➜ Le plus ancien, **TRACEMENT** n. m. (1476, *trachement*, peut-être «action de biffer», puis 1636) est relativement rare par rapport à **TRAÇAGE** n. m. qui n'est attesté que depuis 1873. ➜ **TRACEUR, EUSE** n. correspond à «personne ou chose qui trace»; il a d'abord eu le sens de «chasseur» (1558) en relation avec le sens initial de *tracer*, puis s'est dit de la personne chargée d'exécuter le tracé d'un dessin (1582) et s'est spécialisé dans des acceptions techniques et scientifiques. Le mot est adjectivé (XXe s.) avec le sens de «qui laisse une trace», qualifiant un type de projectile (balle) dont la trajectoire est visible (par une trace). ➜ **TRAÇANT, ANTE** adj., du participe présent, d'abord «qui sait suivre une piste» (v. 1330), est un terme de botanique qualifiant une sorte de racine (1694) et a le même emploi que *traceur* dans *balle traçante* (1937). ➜ Deux noms d'objets techniques, **TRAÇOIR** n. m. (1676) et **TRACERET** n. m. (1676) ou **TRACELET** (1803), désignent un outil (en particulier de charpentier) servant à faire des tracés.

Le dérivé préfixé **RETRACER** v. tr. a signifié «aller en quête de qqch.» (XVe s.) et «biffer» (déb. XVIe s.); il s'emploie au sens de «tracer de nouveau» concrètement (1680) et au figuré aujourd'hui (1672) au sens de «raconter pour faire revivre» mais à l'époque classique aussi pour «rappeler (à la mémoire)» (1656) et, à la forme pronominale, «se rappeler».

TRACHÉE n. f. est emprunté (v. 1370; v. 1240, *trachie*) au bas latin *trachia*, terme d'anatomie repris au grec *trakheia (artêria)*, proprement «(conduit respiratoire) raboteux», en raison de ses anneaux. L'expression est formée de *trakhus* «rugueux, raboteux, rocailleux» et de *artêria* (→ artère), le grec employant aussi simplement *artêria* en ce sens.

♦ Terme d'anatomie devenu courant, *trachée* s'emploie par analogie à propos des organes respiratoires des insectes (1734), par emprunt au latin scientifique *trachia* (v. 1680, Malpighi), et en botanique (1748) pour les vaisseaux servant aux plantes à respirer.

▸ **TRACHÉE-ARTÈRE** n. f., emprunté directement au grec (1503) et précédé par *trachie arterie* (v. 1240), ne s'est pas imposé en anatomie où l'on dit la *trachée;* on relève au XVIIe s. diverses tentatives de réduction du mot comme *trachiartère* (1611) et *trache artère* (1694). ➜ Tous les dérivés et composés de *trachée* sont didactiques; les premiers apparaissent au XVIIIe s. : **TRACHÉAL, ALE, AUX** adj. (1765) et **TRACHÉOTOMIE** n. f. (1772) fait avec l'élément *-tomie** et employé en chirurgie, qui a lui-même produit **TRACHÉOTOMISER** v. tr. (1835). ➜ **TRACHÉITE** n. f. (1823) et **TRACHÉO-BRONCHITE** n. f. (1855) désignent des inflammations de la trachée. ➜ **TRACHÉIDE** n. f. (1905), emprunt à l'allemand (1863), est un terme de botanique et **TRACHÉEN, ENNE** adj. (1805) de zoologie.

TRACHÉLIEN, IENNE adj., terme d'anatomie, est dérivé savamment (1810) du grec *trakhêlos* «cou, nuque» et aussi «col de la vessie, d'un vase». C'est une création du grec, probablement expressive et familière, à rapprocher de *trekhein* «courir» (d'abord «courir en rond») avec le sens de «partie du corps qui tourne» : le nom du cou est d'ailleurs rattaché à la notion de «tourner» dans plusieurs langues (vieux slave *vratu* à côté de *vratiti* «tourner»).

♦ *Trachélien* qualifie ce qui appartient à la partie postérieure du cou.

◈ voir TRACHÉE.

TRACT n. m. est emprunté (1832) à l'anglais *tract* n. (XVe s.), employé depuis 1806 pour «opuscule, brochure sur une question politique, religieuse». Ce mot est la forme abrégée du latin *tractatus* (→ traité, à traiter) qui avait aussi donné à l'anglais *tractate* «traité» (1474), remplacé par *treatise*.

♦ Le mot, passé en français à propos d'un opuscule en général polémique, sens disparu, désigne (1840) une petite feuille de propagande politique, distribuée ou affichée puis tout feuillet donné au public (publicité, propagande).

TRACTATION n. f. est emprunté (1455) au latin *tractatio* «action de manier, maniement» et, au figuré, «emploi, mise en œuvre, procédé», de *tractare* (→ traiter).

♦ Le premier texte dans lequel apparaît ce mot l'emploie pour «manière d'agir» puis il signifie (v. 1475) «négociation» et «ouvrage où l'on traite d'une matière»; ces emplois repris du latin sont sortis d'usage, tout comme l'emploi en rhétorique, propre à l'époque classique, pour «manière de traiter un sujet (dans un écrit)» (1584) où *tractation* correspond à *traitement*. ➜ Dans l'usage moderne (probablement 2e moitié XIXe s.), le mot est presque toujours au pluriel et péjoratif; il désigne une négociation de caractère officieux ou occulte avec manœuvres et marchandages; Littré en 1874 n'enregistre encore que la valeur neutre «action de traiter une affaire».

TRACTEUR, TRICE n. m. et adj. est un dérivé savant (1836) du latin *tractum*, supin de *trahere* (→ traire), au moyen du suffixe *-eur*.

♦ Le mot est apparu pour désigner un instrument de chirurgie servant à tirer le fœtus dans les accouchements laborieux; ce sens est sorti d'usage au bénéfice de *forceps*. ➜ Le mot s'applique ensuite à un véhicule automobile qui tire un ou plusieurs véhicules (1872, d'une locomotive à vapeur), en particulier et couramment des instruments agricoles. ◇ Dans l'usage didactique, *tracteur* se dit de tout mécanisme qui produit une traction (1877). ◇ Le mot désigne aussi (1971) le dispositif d'une imprimante qui règle la position du papier. ◇ *Tracteur, trice* adj. s'applique (v. 1950) à ce qui est capable de tracter.

▸ Le mot a produit **TRACTÉ, ÉE** adj. (1943), terme militaire qualifiant ce qui est traîné par un tracteur, un engin à moteur *(canon tracté)*. ◇ De ce dernier on a tiré le verbe correspondant **TRACTER** v. tr. (1956), d'emploi plus général, qui a lui-même donné l'adjectif **TRACTABLE** (v. 1965). ➜ Autre dérivé de *tracteur*, **TRACTORISTE** n. (1964) signifie «conducteur de tracteur». ➜ Enfin, le mot est préfixé dans des composés techniques comme **MOTOTRACTEUR** n. m. (XXe s.).

De *tractum* ont été dérivés deux termes didactiques. ➜ **TRACTRICE** n. f. (1711) est un terme de géométrie; on dit aussi **TRACTOIRE** n. f. (1765), adaptation du dérivé latin *tractorius* «qui sert à tirer» et d'abord employé avec ce sens (1547, adj.). ➜ **TRACTIF, IVE** adj. qualifie ce qui exerce une traction (1842; 1834, autre sens).

TRACTO-, élément tiré de *tracteur* ou du latin *tractum*, entre dans des noms techniques d'instruments, tels **TRACTOGRUE** n. f., **TRACTOPELLE** n. f. (1973-74).

◈ voir TRACTION.

TRACTION n. f. est un emprunt didactique (1503) au bas latin *tractio, -onis* «action de tirer», qui signifie en grammaire «action de dériver un mot», dérivé du supin *(tractum)* de *trahere* (→ traire).

♦ Le mot a été pris avec un sens technique «action d'une force qui tire un corps», d'où seulement à partir du XIXe s. des emplois scientifiques (1876) et, plus couramment, un emploi général pour désigner l'action de tirer (1890, *traction mécanique*). Le mot désigne en particulier un mouvement de gymnastique consistant à élever son corps en tirant sur les bras (1909; *faire des tractions*). ◇ À peu près à la même époque que *tracteur**, dans le domaine ferroviaire, *traction* désigne le service chargé des transports et du matériel qui y est utilisé (1876). Ensuite, dans le domaine de l'automobile, ***traction avant*** (1934) se dit de l'impulsion donnée aux roues par le moteur, puis désigne par métonymie la voiture équipée avec ce dispositif (1949), avant que le procédé ne soit généralisé; on dit par abrègement *une traction*.

▸ Le mot a produit un dérivé dans le domaine des chemins de fer: **TRACTIONNAIRE** n. m. (1961), «membre du service de la traction», mot didactique.

◈ voir TRACTEUR. -REM. Les mots français qui se terminent par -TRACTION *(distraction, attraction...)* sont empruntés à des composés latins et correspondent à des verbes en -TRAIRE.

TRADITION n. f. est emprunté (1268) au latin *traditio*, dérivé du supin *(traditum)* de *tradere*, de *trans* (→ trans-) et *dare* «donner» (→ date) «faire passer à un autre, remettre». *Traditio* désigne proprement l'action de remettre, donc la livraison, la remise de qqch. et, au figuré, la transmission, l'enseignement; il s'applique aussi à l'héritage transmis oralement, puis par écrit.

♦ Le mot a été emprunté avec son sens propre, «action par laquelle on remet une chose à qqn», sorti d'usage sauf dans l'acception spécialisée «action de remettre les insignes d'une charge, d'une fonction» (1694) et dans l'acception juridique de «remise d'une chose mobilière» (→ aussi extradition). ◇ Il s'est employé à l'époque classique pour «enseignement qu'on transmet» (1611). ◇ Dans l'usage moderne, qui met l'accent sur la transmission non matérielle, *tradition* désigne la transmission de doctrines religieuses, de coutumes (1488) ou de récits vrais ou faux (1624), par exemple par la voie orale, puis des récits relatifs au passé et transmis de génération en génération (av. 1654). Il se dit aussi (v. 1541) de ce que l'on connaît par la tradition. ◇ Ensuite, il s'emploie spécialement dans le domaine de la connaissance, des arts, des mœurs, pour l'ensemble des manières de faire et d'agir qui constitue un héritage du passé (1624) ; cet emploi, soutenu par *traditionnel* (ci-dessous), est le plus vivant en français contemporain, par exemple dans *arts et traditions populaires,* correspondant à *folklore.* Il est en général mélioratif, d'où des emplois nombreux dans la publicité, à partir des années 1960.

▶ Le dérivé **TRADITIONNAIRE** adj. et n. (1696) «celui qui interprète la Bible selon la tradition talmudique» est didactique. ➜ L'adjectif courant **TRADITIONNEL, ELLE** (1722 ; 1700, *traditional*) «fondé sur la tradition» est employé spécialement pour qualifier un objet concret d'emploi ancien (1848), une pratique, un événement qui survient régulièrement. ◇ *Traditionnel* a lui-même donné, outre **TRADITIONNELLEMENT** adv. (1780), les mots **TRADITIONALISTE** adj. et n. (1849) et **TRADITIONALISME** n. m. (1851) relatifs à l'attachement aux notions traditionnelles et notamment, en théologie, à la doctrine selon laquelle l'homme ne peut rien connaître que par une révélation primitive et par la tradition de l'Église. ➜ *Traditionaliste* désigne en français d'Afrique la personne qui se consacre à la tradition orale ; on emploie plutôt en ce sens **TRADITION-(N)ISTE** adj. et n. (1891) pour distinguer cette activité, par exemple celle du griot-conteur, des connotations conservatrices du mot *traditionaliste.*

① **TRADUIRE** v. tr. est emprunté (1480) avec francisation au latin *traducere* «conduire au-delà, faire passer, traverser», au propre et au figuré, d'où «faire passer d'une langue dans une autre» (voir ci-dessous). *Traducere* est formé de *trans* (→ trans-), et de *ducere* «conduire», d'origine indoeuropéenne dont les composés ont fourni d'importants verbes français (*conduire, déduire, réduire,* etc.).

♦ Le verbe est d'abord relevé dans l'expression *traduire en cause et en procès* «porter devant la justice», avant de prendre pour complément la personne que l'on cite en justice, construit avec *devant* (1668, La Fontaine) ou *en* (1734, *traduire qqn en justice*). *Traduire* s'est aussi employé jusqu'au XIXe s. au sens de «transférer d'un lieu à un autre» (1622).

▶ Aucun mot de la même famille latine ne s'y rapporte plus : **TRADUCTION** n. f. emprunté à divers moments au latin *traductio* avec les sens «fait de livrer» (XIIIe s.), «fait de recevoir un grand personnage» (1511), et dit du «fait de traduire en justice» (1794) a rejoint ② *traduire* (voir ci-dessous).

② **TRADUIRE** v. tr., «faire passer d'une langue dans une autre», est emprunté (1520) pour le sens à l'italien *tradurre* ou directement au latin *traducere* (voir ci-dessus). *Traduire* a tendu à se limiter au sens de «transposer dans une autre langue», d'où *traduire un auteur* (1559), aux dépens des acceptions plus générales : «montrer sous un certain aspect» (1561), «incarner par des personnages» (1677), reprises au latin par la langue lettrée. ◇ Par extension, le verbe a pris le sens abstrait d'«exprimer, interpréter» (1654), par exemple dans *traduire la pensée,* répandu au XIXe s. dans le domaine artistique, psychologique, puis dans le langage didactique. ➜ *Traduire* a fourni le préfixé **RETRADUIRE** v. tr. (1695) qui signifie spécialement «traduire un texte qui est lui-même une traduction» (1733, Voltaire) ; en dérive **RETRADUCTION** n. f. (1935), d'après *traduction.* ➜ Du radical *traduis-* de *traduire* sont dérivés les adjectifs **TRADUISIBLE** (1725) «qui peut être traduit», précédé par **INTRADUISIBLE** (1687), ce qui souligne la prise de conscience des difficultés de la traduction.

Le développement sémantique du verbe correspond à celui de **TRADUCTION** n. f. qui se spécialise (1543) au sens de «passage dans une autre langue». Par métonymie, le nom s'applique au texte transposé dans une autre langue (1540) et a développé, en relation avec le verbe, le sens figuré d'«expression, transposition» (1716) et il a pris un sens particulier en génétique (1970). ◇ Au sens propre, on parle aujourd'hui de *traduction assistée par ordinateur* (T. A. O.) et de *traduction automatique,* expression plus ancienne mais prématurée. ➜ Par changement de suffixe, il a servi à former les mots didactiques **TRADUCTIBLE** adj. (1790), équivalent didactique de *traduisible,* précédé par **INTRADUCTIBLE** adj. (1771) et qui a produit **TRADUCTIBILITÉ** n. f. (v. 1950).

TRADUCTEUR, TRICE n., d'abord emprunté isolément au latin *traductor* sous la forme *traduitor* «guide» (XVe s.), a fourni par la suite (1540) un nom d'agent à ② *traduire.* ◇ Par le même développement figuré que le verbe et le nom d'action, *traducteur* désigne la personne qui exprime autrement une réalité (1860) et, techniquement, un dispositif transformant un courant électrique en impulsions lumineuses et inversement (1860, n. m.). ◇ Au sens propre, *traducteur* est devenu le nom d'une profession, distincte de celle d'interprète* car elle ne concerne que l'écrit. ◇ Son féminin **TRADUCTRICE** n. f. désigne spécialement un petit dictionnaire bilingue électronique (v. 1970).

Le moyen français *translater* «traduire» et *translation* «traduction», remplacés par *traduire* et *traduction,* se sont conservés avec d'autres sens (→ translater) ; ils ont été empruntés au français par l'anglais *(to translate, translation).*

TRAFIC n. m. (1559), d'abord adapté en *traffitz* (1339), également *trafique* n. f. aux XVe-XVIe s., est emprunté à l'italien *traffico* (1323), déverbal de *trafficare* (XIVe s.), lui-même d'origine incertaine. L'hypothèse de P. Guiraud qui, s'appuyant sur les premiers emplois du mot liés aux idées de «tromperie» et de «dénaturation», remonte à une forme secondaire du latin *transfingere* «transformer», ne peut rendre compte de l'italien *traffico,* ni de l'espagnol *trafago,* accentués sur la première syllabe. Par ailleurs, Battisti et Alessio signalent une forme napolitaine *trafĕca(rë)* «transférer, transvaser du vin de baril dans des fiasques», emprunt au catalan *trafegar* qui suppose un latin °*transfaecare,* fait, sur le principe de *defaecare* et *infaecare* (Tertullien), de *trans* (→ trans) et de *foex, foecis* «dépôt, lie» (passé dans le français *fèce**).

♦ En moyen français, comme le note P. Guiraud, *trafic* est souvent accompagné d'un mot exprimant l'idée négative de «fausseté»; cependant jusqu'au XVIIe s., il désigne le commerce en général et s'emploie au XVIe s. et à l'époque classique (1552) avec une valeur figurée correspondante, «domaine où s'exerce une activité». Parallèlement, *trafic* désigne le fait de monnayer un bien moral (1541), emploi auquel correspond la locution d'abord juridique ***trafic d'influence.*** Le mot s'emploie ensuite (sans épithète dépréciative) pour parler d'un commerce plus ou moins immoral et illicite (1656). ➛ Le sens de «mouvement général des trains» (v. 1850), étendu (déb. XXe s.) aux bateaux, aux avions et aux véhicules automobiles, est un anglicisme : il vient de l'anglais *traffic,* lui-même repris au moyen français sous les formes *trafiykke* (XVIe s.), *traffick* (XVIIe s.) et enfin *traffic* (XVIIIe s.), et qui s'est appliqué au mouvement des véhicules (1825) avant de se dire des chemins de fer (1850). ◇ Le mot se dit aussi en français (1909) à propos de la circulation de nombreux véhicules.

▸ **TRAFIQUER** v. tr. est emprunté (mil. XVe s.) à l'italien *trafficare* (ci-dessus). ➛ En relation avec *trafic,* il s'est employé comme intransitif à l'époque classique au sens de «faire du commerce avec un pays lointain» et a signifié «entretenir une correspondance, des relations avec qqn» (1461), aujourd'hui péjoratif pour «avoir des relations condamnables (avec qqn)» (1579, *trafiquer avec*). Il est devenu péjoratif dans tous ses emplois, *trafiquer de* signifiant «faire trafic de qqch., en réalisant des profits illicites» (1581), puis plus récemment *trafiquer,* transitif (v. 1900) «manipuler (une chose) afin de tromper sur la marchandise» (v. 1900), emploi qui réactualise la notion très ancienne de «dénaturation» et qui est assez courant au passif et participe passé *(des denrées trafiquées).* ◇ Le verbe s'emploie aussi familièrement pour «faire, fabriquer» (1885), également au pronominal *se trafiquer* (1844).
Le verbe a d'abord donné deux noms d'agent. Dès le XVe s., **TRAFIQUEUR, EUSE** n., «commerçant», «personne qui fait un trafic», aujourd'hui rare sous la concurrence du participe présent substantivé **TRAFIQUANT, ANTE** n. (1585, puis fin XVIIe s.), d'abord «commerçant», qui a pris son sens péjoratif au début du XIXe siècle. ➛ De *trafiquer,* on a tiré le verbe suffixé **TRAFICOTER** v. intr. (1933), «mener un petit jeu malhonnête», étendu à «mener des activités occultes dans son coin». ◇ Celui-ci a donné à son tour un nom d'agent, **TRAFICOTEUR, EUSE** n. (v. 1950) et un nom d'action, **TRAFICOTAGE** n. m. (v. 1960), tous deux familiers.

TRAGÉDIE n. f. est emprunté (v. 1300) au latin *tragoedia,* lui-même pris au grec *tragǫdia,* désignant un genre littéraire né à Athènes et qui s'est développé de la seconde moitié du VIe s. jusqu'au milieu du Ve s. par l'adjonction d'un acteur, de deux, puis de trois, à un chœur d'abord seul, évolution qui a eu lieu au théâtre de Dionysos. Par extension, le mot grec s'est dit quelquefois d'un style pompeux. Il est dérivé de *tragǫdos* «membre d'un chœur tragique» et «acteur de tragédie» (plus rarement «auteur de tragédies») dans lequel on reconnaît les mots *tragos* «bouc», nom d'agent tiré de *tragein* «croquer» et *-ǫdia,* de *ǫdê* «chant» (→ ode), mais dont le sens reste controversé. On l'a interprété comme celui qui chante et danse pour obtenir le prix du concours, qui aurait été un bouc, ou à cause du sacrifice d'un bouc : l'helléniste F. Robert part d'une analogie de destination entre le sacrifice du bouc de Délos et le sacrifice mis en scène dans la tragédie, tous deux chargés comme le *pharmakos* (→ pharmacie) de libérer la cité d'une souillure.

♦ Le mot s'est introduit en français avec le sens de «conversation, discours sur des sujets déplorables», emprunt scolaire au latin médiéval qui ne désignait plus qu'un style narratif grave et noble. ◇ Le sens antique, faisant référence au grec par le latin, apparaît en même temps (v. 1300) dans des traductions. Il se répand à la Renaissance où les théoriciens appliquent le mot à un genre moderne en formation (1549), d'abord proche de la tragédie antique ou de ses adaptations italiennes et se modifiant à l'époque classique. À partir du XVIIe s., *tragédie* s'emploie (1636) à propos du genre dramatique noble et comportant des événements tristes et sanglants, déplorables, et de la façon qu'a un auteur de traiter ce genre (1690). Au XVIIIe s. avec l'évolution du théâtre, la terminologie hésite pour dénommer le *drame* bourgeois* et Beaumarchais utilise *tragédie bourgeoise* (1757), *tragédie héroïque, tragédie domestique* (1767), dénominations qui ne resteront pas. ◇ *La tragédie* s'emploie ensuite pour parler des règles particulières à l'interprétation d'une tragédie (fin XIXe s.). ➛ Le sens figuré, «événement ou ensemble d'événements funestes», proche de l'emploi en moyen français, est déjà attesté en latin classique et repris au XVIe s. (1552). ◇ En français moderne, les valeurs figurées sont des métaphores du théâtre, par exemple *jouer la tragédie* «feindre des comportements propres à exciter la pitié» (1876).

▸ Le mot a produit plusieurs noms d'agents, comme *tragecdique* n. m. (isolément au XVIe s.), substantivation d'un adjectif (v. 1380) que reprirent les Goncourt (1862, «qui aime le théâtre»). ➛ **TRAGÉDIEN, IENNE** n. (1380 ; 1372, *tragedian*), d'abord appliqué à un acteur du théâtre tragique antique et étendu ensuite (1741) à un acteur moderne de tragédies, a eu du mal à s'implanter : il a été critiqué au XVIIIe s. et on lui préférait *comédien.* ➛ **TRAGÉDISTE** n. (v. 1750) a été aussi lancé au XVIIIe s. avec ce sens et, sans succès, pour désigner un auteur de tragédies (1775).
TRAGIQUE adj. est emprunté (1414) au latin *tragicus,* terme littéraire pris au grec *tragikos,* adjectif correspondant à *tragǫdia* (ci-dessus). ➛ Le mot a été emprunté avec sa valeur antique «qui appartient à la tragédie grecque», sens repris à la Renaissance (1546, Rabelais). La valeur de l'adjectif se modifia au fur et à mesure de l'évolution du genre en France et s'étendit, sous l'influence de l'usage latin, à l'auteur (1685) et à l'acteur (1803) des tragédies *(auteur, acteur tragique).* ◇ *Un tragique* n. m. se dit (1485) d'un auteur de tragédies et *le tragique* est un terme de littérature pour désigner le genre tra-

gique (1623). Avec la *tragédie bourgeoise* du XVIIIe s. (remplacée par *drame* bourgeois*), on a nommé le genre *tragique bourgeois* (1765). ◇ L'emploi figuré (1569) imité du latin s'est répandu après le XVIe s., éliminant *tragédieux* (1553, de *tragédie*); il a donné lieu, parallèlement à *tragédie*, à une substantivation à propos d'un événement qui présente un caractère terrible (av. 1679) et ce qui est terrible dans une situation *(le tragique de la situation)*. Cet emploi a servi à former les locutions usuelles ***prendre au tragique*** (1747) et ***tourner au tragique*** (1798). ➜ Son dérivé **TRAGIQUEMENT** adv., surtout employé au figuré (1558), est rare avec son sens en littérature (1549).

TRAGI-COMÉDIE n. f. est emprunté (1527) au latin *tragi(co)comoedia*, hybride de *tragedia* et de *comoedia* (→ comédie) «pièce de théâtre où se mêlent les éléments tragiques et les éléments comiques». ➜ Le mot s'est répandu au début de l'époque classique, au moment où le théâtre met à l'honneur un genre de pièce tenant à la fois de la tragédie par le sujet et les personnages et de la comédie par les incidents et le dénouement (1628); on a dit aussi *tragicque comédie* (1546). Il a développé un sens figuré analogue à ceux de *tragique* et *comique* (av. 1614). ➜ Le composé **TRAGI-COMIQUE** adj., d'après *comédie/comique* (1610), terme de littérature, est couramment employé au figuré (1708).

TRAHIR v. tr., d'abord écrit *traïr [trair]* (1080), déjà attesté au Xe s. par la seconde personne du présent de l'indicatif *trades* «tu trahis» (v. 980), est issu d'un latin populaire °*tradire*, altération du classique *tradere* composé de *trans* (→ trans-), et *dare* «donner» (→ date). *Tradere* signifie proprement «livrer, transmettre»; il a développé plusieurs sens dont procèdent, par deux types d'évolutions divergentes, les valeurs opposées de «confier» et de «livrer, abandonner»; c'est la francisation d'après *traïr* du latin *traditor* qui a donné *traître**.

♦ Le mot est passé en français avec le sens de «manquer à la foi donnée à qqn», d'où par extension dès le XIIe s.: «abandonner (la personne aimée) pour une autre» (v. 1130), «ne pas seconder», en parlant d'une chose (v. 1175) et «agir contre (un idéal, etc.) auquel on était fidèle» (fin XIIe s.). Le *-h-* de la forme actuelle (attesté au XVe s.) ne répond qu'à la nécessité de séparer le *-a-* du *-i-*. ◇ Au cours du XVIe s. le verbe prend d'autres acceptions par extension: «ne pas respecter (un pacte)» (v. 1550), «abandonner en passant à l'ennemi» (1559); il emprunte au latin le sens de «livrer (un secret)» (1580) et par ailleurs, avec un sujet nom de chose, signifie «être ce qui permet de révéler le secret de qqn» (1580). ◇ À partir du XVIIe s. le verbe, fréquent dans la tragédie (Corneille, Racine), signifie «ne pas prendre parti pour (la cause de qqn)» (1636) et, à l'époque classique seulement, «ne pas être reconnaissant» (1640), valeur à laquelle correspond la locution ***trahir la confiance de qqn*** (1671). ◇ *Trahir* s'emploie également pour «être l'indice de (ce qui était dissimulé)» (1690) et plus tard pour «laisser voir (ce qu'on voulait cacher)» (1836). Par extension le verbe a pris plus récemment (XXe s.) le sens de «donner une idée fausse (de qqn ou qqch.)». ◇ La forme pronominale *se trahir* n'apparaît qu'au XVIIe s., au sens d'«agir contre ses propres intérêts» (1650), qui a disparu. *Se trahir* signifie ensuite «laisser découvrir qqch. malgré soi» (1672) et «se manifester» (av. 1750).

▶ De l'ancienne forme du verbe est dérivé *traïsun* (1080) refait en **TRAHISON** n. f. (1538; *trahyson*, XVe s.), «action de trahir», partiellement synonyme de *traîtrise*. *Haute trahison* (1677, Bloch et Wartburg) est emprunté à l'anglais *high treason* (*treason* étant repris au français) et a signifié «lèse-majesté»; l'expression s'emploie aujourd'hui (1810, Code pénal) pour un crime d'intelligence avec l'ennemi. ◇ *Trahison* s'applique aussi (1673) à l'infidélité en amour. Il s'emploie au figuré (1642) pour l'action de dénaturer une pensée en la présentant.

◈ voir **TRAÎTRE**.

TRAIN, TRAÎNEAU → TRAÎNER

✳ **TRAÎNER** v. est la réduction (XIVe s.) de *traïner* [écrit *trainer*] (v. 1131), issu d'un latin populaire °*traginare*, dérivé d'un type assez rare °*tragere*, forme altérée de *trahere* «tirer», qui a donné *traire**.

♦ Dans les premiers textes, le verbe s'emploie à propos de déplacements dans l'espace; il signifie «forcer (qqn) à aller quelque part» et «tirer (qqn) après soi», d'où plus tard «se faire accompagner par qqn» (1690) puis «tirer (qqch.)» (v. 1155). Il s'emploie aussi intransitivement au sens de «pendre à terre» (déb. XIIe s.) en parlant d'un objet. ➜ Par extension *traîner* développe l'idée de difficulté à se déplacer, d'abord au pronominal *se traîner* «avancer avec peine» (XIIe s.), d'où ensuite «suivre difficilement un groupe» (v. 1550) et «aller quelque part à contre-cœur» (déb. XVIIIe s.). ◇ À partir du XVIe s. apparaissent avec cette valeur des locutions où le verbe est à l'actif: *traîner ses pieds* (1552), devenue ***traîner les pieds, traîner la jambe*** (1690) ou ***la patte, traîner sa chaîne,*** au propre (apr. 1550) et au figuré, puis au XIXe s. ***se traîner aux pieds de qqn,*** également au figuré. ◇ Par figure *traîner* signifie «supporter (qqch.) dont on ne peut se débarrasser» (1440-1475), en particulier une façon de vivre pénible (mil. XVIe s.). ◇ Par une autre figure, le verbe s'est employé (fin XVe s.) pour «entraîner», en parlant de choses, et pour «séduire», notamment dans *traîner les cœurs* (après soi) [1667]. ➜ Une autre valeur différente apparaît à la fin du XVIe s. à propos des personnes, «aller sans but», avec une idée d'activités douteuses, déréglées, et à propos des choses, pour «être laissé à l'abandon, en désordre». De là l'emploi pour «pendre en désordre» (1694) et l'usage abstrait pour «se trouver partout» (1727) à propos d'idées. ◇ Dès le XVe s. *traîner* s'emploie avec une valeur temporelle, signifiant «durer trop longtemps» (1440-1475), spécialement à propos de la voix (1549, tr.; 1861, intr.). En parlant de personnes, il équivaut à «s'attarder, perdre du temps» (1580), d'où «prolonger volontairement (qqch.)» (1636), dans *traîner qqch. en longueur, traîner qqn* «lui faire attendre l'issue de qqch.» (1680); ces emplois transitifs ont disparu, remplacés par l'intransitif dans ***faire traîner*** *(les choses en longueur), laisser traîner*, etc. Le verbe se dit aussi d'une personne qui se laisse distancer (1718), puis de quelque chose qui se dissipe difficilement : brouillard, nuages, etc. (apr. 1850). La même valeur s'exprime au pronominal *se traîner* «s'étirer en longueur», par exemple d'une conversation (1807), et «se passer lentement et péniblement» (déb. XIXe s.).

▶ **TRAÎNANT, ANTE** adj., du participe présent, qualifie un objet qui traîne au sol (v. 1160) puis s'applique à une voix languissante et monotone (1580) et à une œuvre qui s'étire en longueur (1640), emploi tombé en désuétude.

Au XIIe s., le verbe a produit les déverbaux *train* et *traîne*, le premier ayant un développement sémantique très riche étendu sur plusieurs siècles. ◆ **TRAIN** n. m. a d'abord désigné (v. 1160) un ensemble de choses, et dans les chansons de geste, de cadavres dont la terre est jonchée, valeur propre à l'ancien français. ◇ Ses autres sens anciens «convoi de bêtes voyageant ensemble» (v. 1190), «file de bêtes de somme voyageant ensemble avec le personnel de service» (v. 1240) et «ensemble de domestiques, de chevaux, de voitures accompagnant une personne» (v. 1225) ne sont plus employés, mais ils amorcent plusieurs sens modernes en mettant l'accent sur l'idée de file, de suite en mouvement. Ainsi, *train* se dit aujourd'hui d'une suite de choses tirées ou entraînée à propos de divers véhicules (1660, de bateaux) et en technique d'un ensemble de choses semblables fonctionnant en même temps (1836), tel un *train de laminoir*. Le mot est employé dans le domaine militaire (déb. XIXe s.), autrefois en emploi déterminé *(le train des équipages* cf. ci-dessus *tringlot)*, en parlant des attelages conduisant les munitions, les approvisionnements. ◇ Dès le XVIIe s., il s'employait au figuré à propos d'une série de pensées (XVIIe s.), aujourd'hui d'actes de caractère officiel (v. 1960), par exemple *un train de mesures*. ◆ Une extension concrète de l'idée de «suite, convoi» a connu une fortune particulière, donnant le sens de «locomotive et ensemble des wagons de chemins de fer» (1829), puis par métonymie celui de «voyageurs d'un train» (déb. XXe s.). Ce sens a engendré un certain nombre de syntagmes et quelques locutions; il colore en français actuel l'ensemble des emplois, souvent sentis comme métaphoriques *(prendre, manquer... le train)*. Le syntagme *train à grande vitesse* est abrégé en France en *T. G. V.* ◆ Par un autre développement, l'accent est mis sur l'allure, le mouvement, d'abord d'une bête de somme ou de trait (XVe s.) puis également d'une personne (1580), emploi aujourd'hui marqué comme littéraire en dehors de certaines locutions : *aller son train*, ***train de sénateur*** (1668), ***du train où vont les choses*** (1761, *du train dont les choses vont*). ◇ Ultérieurement, *train* pour «allure» est employé dans le langage des sports à propos d'une course de chevaux (1855), d'une course cycliste (1885) et d'autres courses. ◆ Par attraction de l'ancienne valeur de *train*, «suite d'une maison, domesticité» et aussi «dépenses» (fin XVe s.), le mot a désigné l'ensemble des moyens matériels (fin XVe s.), notamment dans l'expression ***train de vie*** (1879) autrefois au sens de «manière de vivre» (1588). Cette valeur survit dans ***mener grand train*** (1872). ◆ D'après certains emplois attestés dès le XVe s. avec la préposition *en*, il est entré dans la locution adverbiale ***en train*** «en action, en mouvement, en cours d'exécution» (v. 1480) et dans la locution prépositionnelle *en train de* (1668) «disposé à», qui n'est plus guère réalisé qu'en phrases négatives. L'emploi moderne de *en train de* n'exprime plus l'imminence de l'exécution d'une action (1567) mais l'aspect duratif (1731, Marivaux). ◆ Une autre acception, liée à l'idée de mouvement, déplacement de nombreuses personnes, est «agitation», d'où «tapage» (1768), qui survit dans ***mener un train d'enfer***, passée aujourd'hui au sens de «très vive allure». ◆ Enfin, *train* est pris concrètement dans un certain nombre d'emplois pour désigner la partie d'un objet qui traîne : il s'applique à la partie d'un véhicule qui porte le corps d'une voiture (1467), d'où au XXe s. le ***train d'atterrissage*** d'un avion (1912); il se dit aussi de la partie de devant, et surtout de derrière, d'un animal de trait et par extension de tout quadrupède (XVIe s.). ◇ Ce sens fournit les composés **AVANT-TRAIN** n. m. (1704; 1628, *avantrein*) et **ARRIÈRE-TRAIN** n. m. (1827), dénomination familière du derrière humain. ◇ Quant à l'expression ***mise en train***, à l'origine employée en imprimerie, elle vient d'un ancien sens de *train* «partie d'une presse d'imprimerie sur laquelle on posait la forme» (1680). ◆ La duplication de *train* en **TRAIN-TRAIN** n. m. (fin XVIIIe s.) est une corruption de la locution plus ancienne *trantran** par attraction phonétique et sémantique de *train* «allure».

Le déverbal féminin **TRAÎNE** n. f., d'abord *traïne* (1172-1174), *trahine* (v. 1180), a été employé dans la locution *a traîne* pour qualifier une chose répandue sur une surface, et a eu les sens de «retard» (1172-1174) et de «prison» (v. 1180) en ancien français. ◇ Le mot est resté jusqu'au XIXe s. d'usage rare et technique, avec différents sens concrets (1466,«poutre»; 1457, «traîneau») et il a développé en marine le sens de «filet qu'on traîne derrière un navire» (1553). ◇ C'est au XIXe s. que l'on a commencé à dire *la traîne* pour le bas d'un vêtement qui traîne (1843) et, régionalement, pour un chemin creux (1832). ◇ La locution ***à la traîne***, appliquée à un bateau remorqué par un autre (1718) et à un type de pêche (1876), est passée dans l'usage courant avec le sens figuré de «en désordre, à l'abandon» (v. 1900) et dans l'usage familier pour «en arrière d'un groupe de personnes» (1931). ◇ ***Ciel de traîne*** s'emploie en marine et en météorologie, à propos d'une fin de perturbation.

TRAÎNEAU n. m., dont la forme actuelle (1549) a été précédée par *trainneaul* (fin XIVe s.) et *traneau* (1227), désigne d'abord (comme *traîne*) un véhicule à patins utilisé pour le transport des marchandises et (fin XVIe s.) une voiture à patins, valeur spécialisée à propos d'un véhicule se déplaçant sur la neige. ◇ Le nom désigne aussi un grand filet de chasse ou de pêche que l'on tire (v. 1270) et anciennement, en agriculture, un cadre de bois traîné sur des terres labourées pour les aplanir (fin XIIIe s.).

D'autres dérivés restent en relation plus étroite avec le verbe. ◆ **TRAÎNÉE** n. f. a d'abord été employé comme terme de vénerie (v. 1354) en parlant d'une trace faite avec des morceaux de bête morte pour attirer le loup dans un piège. Il a pris par généralisation le sens de «trace laissée par une substance répandue sur le sol» (1493, *traînée de poudre*), aussi au figuré. ◇ Il s'applique par extension à ce qui s'étale sur une certaine longueur (1602), en particulier à la trace d'un corps en mouvement (1701). Il désigne en termes de pêche une longue ligne de fond (1872). ◇ Le sens figuré et familier de «groupe de personnes, suite» (1423), quasi-synonyme de *train* dans ses emplois anciens, est presque éteint de nos jours. ◇ L'accent se déplaçant sur l'action de traîner, le mot désigne le mouvement de ce qui traîne (1887) et s'emploie en technique (1949), opposé à *poussée*. ◆ Un sens métaphorique familier, lié à une acception du verbe *traîner* pour «aller sans but», spécialisée pour «femme de mauvaise vie» (v. 1488), s'est répandu à partir du XVIIIe s. (Rousseau). ◆ **TRAÎNEMENT** n. m., autrefois au figuré «effort» (1295), et au propre «action de traîner un condamné dans une ville» (1501), puis «action de se traîner» (1538), désigne le bruit fait par qqch. qui traîne (v. 1550). Le mot est rare pour «action de traîner». ◆ **TRAÎNERIE** n. f., créé avec les sens anciens de «maladie de langueur» (1555) et «pêche à la traîne» (1560), s'est à peine mieux conservé avec la valeur générale, «fait de traîner» (v. 1600). ◆ L'autre nom d'action, **TRAÎNAGE** n. m., d'abord écrit *traisnage* (1531) «action de traîner un fardeau», est vivant avec des sens très limités, souvent techniques. ◆ Le nom d'agent **TRAÎNEUR, EUSE** n., lui-même attesté depuis le XVIIe s., a été précédé par l'ancienne forme de féminin *traîneresse* (v. 1330) appliquée à celle qui traînait un condamné par les rues. ◇ *Traîneur d'épée* (1639 ; v. 1600, *traineux*) a disparu mais ***traîneur de sabre***, familier pour «soudard» (déb. XIXe s.), s'est maintenu. Le nom désigne une personne qui traîne quelque chose. Il équivaut au figuré à «traînard» (1689, Mme de Sévigné) et familièrement se dit (1873) de la personne qui traîne (qqn) quelque part. ◆ **TRAÎNASSER** v. (1563), précédé par *trainacer* (1480, dans une locution figurée), sert de doublet péjoratif à *traîner*. Il s'emploie transitivement avec les sens de «tirer mollement par terre» (XVIe s.) et de «faire tarder» (1749) et intransitivement pour «errer» (1845), «lambiner» (av. 1850). ◇ On en a tiré un nom d'action péjoratif, **TRAÎNASSERIE** n. f. (1611 ; 1552, *trainacerie*). ◆ À l'époque classique, le dérivé **TRAÎNIER** adj. (1607) signifie «qui se traîne» ; il a été substantivé (fin XIXe s.), aussi sous la forme **TRAÎNIÉ, ÉE** à propos de qqn qui traîne dans des lieux mal fréquentés, qui sort la nuit, mais n'est resté vivant que régionalement. ◆ **TRAÎNARD, ARDE** adj. et n. (1611) qualifiait autrefois une personne rampant à terre et s'applique à ce qui traîne en longueur. Le nom, employé au XVIIe s. pour «valétudinaire» (1660), désigne une personne qui est lente ou qui reste en arrière (1819). ◆ **TRAÎNAILLER** v., terme voisin de *traînasser*, est attesté depuis le XIXe s. (1839).

Un certain nombre de noms composés imagés avec **TRAÎNE-** comme premier élément ont été formés à partir du XVIIe s. ; **TRAÎNE-MALHEUR** n. inv. (1664) a été remplacé par **TRAÎNE-MISÈRE** n. inv. (1893) «miséreux». Au XVIIIe s. les créations sont des noms régionaux d'oiseaux : **TRAÎNE-BUISSON** n. m. et **TRAÎNE-CHARRUE** n. m., tous deux chez Buffon (1778). Au XXe s., outre **TRAÎNE-BÛCHES** n. m. inv. (1923), nom donné à une larve aquatique par les pêcheurs, ont été formés au XXe s. **TRAÎNE-LA-PATTE** n. et adj. d'abord figuré (1892 «vagabond» et «paresseux») désigne concrètement une personne qui traîne les pieds, avance lentement, **TRAÎNE-SAVATES** n. inv., **TRAÎNE-PATINS** n. inv. et **TRAÎNE-SEMELLES** n. inv., désignations familières attestées vers le milieu du XXe s., qui réunissent deux valeurs de *traîner*, une concrète «aller lentement, péniblement», l'autre abstraite comme dans *traîne-misère*.

Enfin, un dérivé de *train*, dans *train des équipages*, est **TRINGLOT** n. m. (1863), aussi écrit *tringlos*, *trin-* pour *train-* provenant d'un sens argotique de *tringle*, «fusil». ◆ Le mot a désigné jusque vers 1945, mais surtout de 1863 à 1918, un soldat du train des équipages.

◈ voir ENTRAIN, ENTRAÎNER et TRAINING.

TRAINING n. m. est emprunté (1854) à l'anglais *training* «entraînement» spécialement «entraînement d'un cheval» (1558), substantif verbal de *to train* «dresser, entraîner», lequel est emprunté au XVe s. au français *traîner**.

♦ Le mot est passé en français pour désigner le dressage d'un cheval et, par extension, l'entraînement d'un sportif (1872). ◇ Il est passé en psychologie (v. 1950) à propos d'une méthode de relaxation par autosuggestion, dite *training autogène*, appellation critiquée par les puristes. ◆ Par métonymie, et par abréviation de l'anglais *training suit*, il sert à désigner un vêtement d'entraînement sportif (v. 1950), et un survêtement à capuche (v. 1970). ◇ Son pluriel est employé (v. 1970) pour désigner des chaussures d'entraînement en toile, anglicisme plus rare que *baskets*.

TRAIN-TRAIN → TRAN-TRAN

TRAIRE v. tr. est issu (1050) par évolution phonétique d'un latin populaire °*tragere*, réfection sur le modèle de *agere* (→ agir), avec lequel il avait des rapports de sens, du latin classique *trahere* (supin *tractum*). Ce verbe signifiait proprement «tirer, traîner» et était employé avec de nombreux sens figurés comme «entraîner», «attirer», «solliciter», «extraire», «rassembler», «contracter». L'étymologie de *trahere* est obscure, et la forme même du verbe est surprenante parce que l'indoeuropéen ne semble pas avoir de racine commençant par une occlusive sourde et finissant par une consonne aspirée *(tr-h)*. On a cependant rapproché le vieil anglais *dragan* «tirer» (→ draguer) et peut-être le grec *trekhein* «courir».

♦ La polysémie du latin se retrouve en ancien français, où *traire* (et de nombreux dérivés disparus) recouvrait une grande part des emplois qu'a aujourd'hui *tirer**. Le verbe a signifié «arracher (qqch.)», «tirer» (1050), en particulier «faire sortir (d'un contenant)» (1080) ; par ailleurs il s'est dit pour «se diriger quelque part» (1050), «lancer (une arme de trait)» (1080 ; → trait), «ressembler à» (1080 ; → portrait), «endurer des souffrances» (v. 1120), «tracer (une ligne)» (v. 1160; → tirer, trait) et «soutirer (du vin, etc.)» (v. 1190). Chacune de ces acceptions a donné lieu à de très nombreux emplois extensifs ou figurés. ◇ Une partie seulement des valeurs de *traire* s'est maintenue jusqu'au XVIe s. et le verbe s'est progressivement restreint au sens de «tirer le lait d'une femelle d'un animal» qui existait par spécialisation depuis le XIIe s. (v. 1120) par exemple *traire une vache,* attesté beaucoup plus tard en emploi absolu (1810). Il a aussi été en ce sens concurrencé par *tirer** (encore usité régionalement : *tirer les vaches*) et a remplacé lui-même l'ancien français *moudre,* issu du latin classique *mulgere* et devenu homonyme de *moudre** issu de *molere.* ◇ Par métaphore *traire* s'est employé à l'époque classique (1668, Molière) au sens de «soutirer (de l'argent à qqn)».

▸ Le sens moderne est réalisé dans deux dérivés. ◆ **TRAYEUR, EUSE** n. (v. 1400), «personne qui trait les vaches», spécialement au féminin **TRAYEUSE** «machine effectuant la traite» (1923). ◆ **TRAYON** n. m. (1583), réfection de *traion* (1551), anciennement *treon* (XIIIe s.), signifie «tétine du pis de la vache, correspondant à une glande mammaire».
Mais le participe passé féminin substantivé **TRAITE** n. f., apparu dès le XIIe s. (v. 1119, avec un sens peu clair), a conservé une partie de l'ancien éventail de sens du verbe et correspond en partie à *tirer.* La rémanence de tous ces sens, en dehors d'«opération par laquelle on trait les femelles des mammifères» (1538), a fait rattacher le mot à *traiter*.* Ainsi le substantif, après avoir désigné le transport de marchandises d'un lieu à un autre (1375), se spécialise pour parler des échanges, sur les côtes d'Afrique, de marchandises contre de l'ivoire, de la gomme, etc. (1680) et donne lieu à *traite des nègres* (1690), «commerce des esclaves noirs», phénomène nommé ainsi au XVIIe s. et qui remonte à l'Antiquité. La traite fut considérée comme un délit depuis le congrès de Vienne de 1815 et ne cessa qu'au XXe siècle. Par analogie, *traite* est entré dans l'expression *traite des blancs* (1827) «esclavage des Européens par les Barbaresques», se disant également au XIXe s. des engagements militaires forcés et des contrats de travail abusifs (1830); seule l'expression parallèle ***traite des blanches*** «commerce de femmes en vue de la prostitution» (1846) a survécu. ◆ Si le sens du moyen français «droit levé sur les marchandises transportées» (v. 1350) a disparu, de même que celui d'«action de retirer de l'argent d'une lettre de change» (1675), le mot continue d'être employé en finances pour désigner une lettre de change (1723). ◆ En relation avec l'ancien sens de *traire* «marcher, se rendre quelque part», le mot a pris le sens de «trajet effectué en une fois» (1440-1475), archaïque sauf dans les locutions courantes ***d'une traite*** (1394), aussi prise avec une valeur temporelle comme *tout d'une traite* (1527), archaïque, et ***d'une seule traite.***

◈ voir PORTRAIT; RETRAIT, TRACER, TRAÎNER, TRAIT, TRAITER; ABSTRAIRE, ATTRAIT, DISTRAIRE, EXTRAIRE, SOUSTRAIRE; -TRACTEUR, TRACTION.

◈ **TRAIT** n. m. est issu (fin XIe s.) du latin *tractus,* nom d'action correspondant à *trahere* «tirer» (→ traire), désignant l'action de tirer et, par métonymie, la traînée, le tracé (par exemple d'un stylet), et employé au sens figuré de «mouvement lent», «étendue de temps», «lenteur».

♦ Le mot se dit d'abord de l'action de boire en une seule fois et de la quantité de boisson ainsi bue, valeur courante dans plusieurs locutions comme ***boire à grands traits*** (v. 1185; v. 1130, *à grand trait*) et ***à longs traits*** (1546). ◇ En emploi temporel, *a trait* a signifié «lentement, posément» (v. 1175) et *trait* désignait une durée occupée entièrement par une action; ce sens demeure dans ***d'un trait*** (1681), d'abord *d'un même trait* (1530), et à l'époque classique dans *prendre long trait* (1559) puis *prendre trait* (1690) «durer». En musique on conserve *trait* pour désigner (1835) un passage formé d'une suite de notes rapides; dans l'ancienne liturgie *le trait* était un psaume réduit chanté à la messe (1374).
Une autre valeur du latin, «action, fait de tirer», qui correspond aujourd'hui à *traite** et surtout à *traction*,* ne subsiste qu'en parlant des animaux dans ***de trait*** (1549, *cheval de trait*) ou dans des emplois extensifs spécialisés; par métonymie le mot désigne une lanière servant à tirer (XIIIe s.), spécialement en vénerie (1373) et, par ailleurs (1260), l'espace parcouru en traînant un filet. ◇ *Trait* a eu le sens général de «corde» (1376) et s'employait par exemple dans *trait de corde* (1566) «coup par lequel on tire la corde au supplice de l'estrapade». ◆ *Trait* désigne également (XIIIe s.) comme le latin *tractus* une ligne tracée, mais cet emploi ne se développe qu'à partir du XVIe s.; on relève plus tôt l'acception spécialisée «tracé préparatoire (d'une construction)» (XIVe s., *tret*) : elle est isolée et ne sera reprise qu'au XVIIe s. (1676), donnant lieu ensuite à l'expression technique *art du trait* (1802). *Trait de scie* désigne une marque pour guider la scie (1508, «coupe faite à la scie», puis 1694); ensuite, lié à *tirer*,* — notamment dans ***tirer un trait,*** d'où *tirer un trait sur qqch.,* au figuré «considérer comme annulé» —, *trait* se dit d'une ligne dessinée (1538), sens qui produit *dessin au trait* (apr. 1750), aujourd'hui opposé au dessin en couleurs, et plusieurs locutions comme ***trait pour trait*** «reproduit fidèlement» (1670) et ***à grands traits*** «reproduit de manière sommaire», au propre et au figuré (1788). La langue classique employait la locution *écrire d'un trait de plume* «rapidement» (apr. 1650) dont reste ***d'un trait de plume*** «brutalement» (1690). *Les traits* a aussi désigné (1666) une manière personnelle d'écrire. ◇ Par une autre extension, *trait* désigne au pluriel à partir du XVIe s. les lignes caractéristiques du visage (1573), d'abord au singulier (1559, *le trait du visage* «le contour»). ◆ *Trait* s'est dit également (v. 1130) d'une action correspondant à l'un des emplois du verbe *tirer,* puis (v. 1280) d'un acte marquant une intention favorable ou nuisible, d'où les locutions sorties d'usage *jouer un trait à qqn* «un mauvais tour» (1587) et *faire des traits à qqn* «lui être infidèle» (av. 1850). ◇ Il désigne aujourd'hui une manière d'agir qui constitue la marque d'un caractère, d'une qualité (1640), d'où ***trait de caractère*** (1735), et plus généralement un élément caractéristique qui permet de reconnaître une chose ou une personne. ◇ En ancien français le mot avait le

sens de «coup» en termes de jeu (v. 1170), toujours vivant à l'époque classique ; au figuré *donner le premier trait* s'employait pour «commencer, engager une affaire» (1655) ; cette valeur s'est restreinte, *trait* désignant (1690) l'avantage de jouer le premier, aux échecs et aux dames.
Enfin *trait* s'emploie en ancien français comme déverbal de *traire** «lancer (une arme)» ; il se dit de l'arme lancée avec l'arc, la main (v. 1130), de la portée d'un projectile (v. 1130) et de l'action de le lancer (déb. XIIIe s.) ; il est archaïque dans tous ces emplois, dont ne subsiste que la locution ***comme un trait*** (1668) ; on a dit *vite comme un trait d'arbalète* (1640). ◇ Cependant l'idée de coup porté reste dans des emplois métaphoriques ; *trait,* déterminé, désigne une parole ou un acte malveillant (1651), aussi employé seul à l'époque classique (fin XVIe s.). À partir du XVIIe s. il se spécialise également pour désigner une expression heureuse, brillante (1658). ◇ Par ailleurs il se dit de tout ce qui frappe vivement, par exemple dans *trait de lumière* (1647), *trait de génie.* ➡ ***Avoir trait à*** «se rapporter à» (1579) vient aussi de *traire** au sens de «ressembler à» (1080).

▶ Le mot, dont les dérivés ont disparu, entre dans le composé **TRAIT D'UNION** n. m., «signe écrit qui sert de liaison» (1754), qui se dit au figuré d'une chose, d'un être servant d'intermédiaire (1770).

✳ **TRAITER** v., d'abord *traitier* (v. 1120), est issu du latin *tractare,* dérivé de *tractum,* supin de *trahere* (→ traire), employé dans la langue poétique au sens de «traîner violemment, mener difficilement» et dans le langage courant au sens de «toucher souvent» d'où «manier, caresser», avec de nombreux sens figurés : «prendre soin de», «s'occuper de», «se comporter avec qqn de telle ou telle manière», «examiner, développer une question, un sujet».

♦ Dans son premier emploi, *traiter* équivaut (v. 1196) à «régler (qqch.) en discutant avec qqn» [cf. ci-dessous ② *traité*]. Le verbe prend ensuite le sens de «négocier un accord» (fin XVIe s. ; XIIIe s., en droit), en relation avec *traité,* en particulier dans le domaine commercial (apr. 1650) qui donne lieu au XVIIIe s. à *traiter des nègres* (1723), sorti d'usage (→ traite). ◇ Employé dans *traiter sa vie* «se conduire», le verbe a eu le sens de «conduire», propre à l'ancien français. ◇ Dès la fin du XIIe s., il signifie «en user avec qqn de telle ou telle façon» (1172-1174), d'abord en construction indirecte puis en construction directe (v. 1190) ; de là en ancien français *traiter qqn* pour «blâmer» (v. 1286) et au XVIe s. «montrer de l'amitié à (qqn)» (1559), acceptions opposées qui ont disparu. ◇ Par extension, *traiter* (qqn, un animal) *de,* puis *en...* (1644), signifie «donner un rôle (à celui qui est traité)», d'où ensuite *traiter comme* dans *traiter comme un chien* (1718 ; fin XVIe s., *traiter comme chien*) «maltraiter». ◇ À partir du XVIIe s. (1660, Pascal), *traiter qqn de* signifie également «donner un qualificatif à (qqch., qqn)», dans l'usage classique avec un nom qui pouvait être mélioratif, seulement avec un nom péjoratif de nos jours. ◇ Par spécialisation du sens médiéval (ci-dessus), *traiter qqn* s'emploie pour «recevoir à sa table», comme invité (1538) ou comme client (1640). ➡ Une autre valeur du latin apparaît très tôt, le verbe signifiant «agir sur qqch.» ; il s'emploie d'abord comme transitif indirect (avec *de*) au sens de «soumettre (qqch.) à l'esprit pour l'étudier» (v. 1165), puis comme transitif direct *traiter une question* (1203) et beaucoup plus tard pour «être relatif à» en parlant d'un ouvrage, etc. (1656), dans le domaine artistique «mettre en œuvre (de telle ou telle manière)» (1676). ◇ La même idée d'action se retrouve dans le domaine médical avec *traiter une maladie* (XIIIe s.) puis par extension *traiter un malade* (1636), et enfin dans un emploi technique, en sylviculture (1836). ◇ Une acception ancienne, «manipuler, palper» (1213), encore attestée au XVIIe s., donne lieu à *traiter* «soumettre (qqch.) à un traitement pour le transformer» (1765) dans plusieurs domaines spécialisés. ➡ *Traiter,* bien implanté dans l'usage, a empêché le type emprunté *tracter* (en usage du XIVe au XVIe s.) de s'établir aux côtés de *tractation**. Voir aussi les schémas pages suivantes.

▶ Le nom dérivé **TRAITEMENT** n. m. (1255) a d'ailleurs cédé à *tractation* son premier sens de «négociation, délibération», et à *traité* le sens métonymique «accord résultant de la négociation». ◇ Lui-même réalise, dans de nombreux emplois en relation avec ceux du verbe, l'idée de «manière de traiter» dans les relations humaines (1510), à l'époque classique à propos de la manière dont une femme accueille l'amour qu'on lui déclare (1666) et des honneurs dus au rang (av. 1679) ; il reste très courant dans ***mauvais traitement*** (1690) qui correspond à *maltraiter.* ◇ Par métonymie, il a pris le sens de «rémunération (d'un fonctionnaire)» (1533), demeuré courant. ◇ Il s'emploie aussi en médecine (1636), en technique (1765) et, par analogie, à propos des techniques modernes de la documentation (v. 1960, *traitement de l'information*), d'où **TÉLÉTRAITEMENT** n. m. (1968) en informatique. ◇ Il se dit aussi pour «étude, analyse d'un sujet» (1538 ; une fois dans un sens voisin au XVe s.). ➡ On a recours à *traite* (de *traire**) pour la substantivation d'autres sens de *traiter.*
Le nom d'agent **TRAITEUR** n. m. (XIVe s.), antérieurement *traicteur* «ambassadeur» (1275), est une réfection de *traitor* «guide» (v. 1170). Il s'est dit aux XVIIe et XVIIIe s. de la personne qui donne à manger pour de l'argent (1628), équivalent du moderne *restaurateur,* puis, au XIXe s., s'est spécialisé en parlant du tenancier d'un petit restaurant, d'une gargote. ◇ Le sens actuel de «personne préparant des repas, des plats à emporter» remonte au XVIIIe s. (1758). ➡ Le mot s'est aussi employé avec le sens, correspondant à *traite,* de «négociant en esclaves» (1752).

TRAITANT n. m., du participe présent, désignait sous l'Ancien Régime (1628) un financier, souvent un fermier* général, qui se chargeait du recouvrement des impositions à certaines conditions fixées par un *traité.* Les traitants avaient une fort mauvaise réputation et on fait l'objet de nombreuses attaques et critiques. ◇ De nos jours, le mot n'est employé que comme adjectif en parlant d'un médecin *(médecin traitant)* qui suit et traite ses malades (1872) et d'une chose qui traite (à divers sens du mot).

Traiter a donné le composé verbal **SOUS-TRAITER** v. tr. (1673) qui a d'abord eu le sens de «prendre une sous-ferme d'un fermier général» (cf. ci-dessus *traitant*) avant de se fixer dans son sens actuel, en économie (1835). ◆ Du participe présent vient **SOUS-TRAITANT** n. m., d'abord avec le sens de «sous-fermier» (1656); il a accompagné l'évolution du verbe (1835), produisant à son tour **SOUS-TRAITANCE** n. f. (1959).

PRÉTRAITER v. tr. et **PRÉTRAITÉ, ÉE** adj., s'appliquent à un premier traitement avant préparation définitive, par exemple à propos d'aliments (*riz prétraité,* 1967), de textiles.

① **TRAITÉ** n. m. (1530), d'abord *traicté* (1370), *traitié* (v. 1165), est l'adaptation, sous l'influence de *traiter**, du latin *tractatus,* participe passé de *tractare* (ci-dessus) pris au sens figuré d'«action de traiter un sujet, développement» remplacé par *traitement.* ◇ Le seul sens vivant du mot est, par métonymie, «discussion, ouvrage traitant un sujet». ◆ L'homonyme ② **TRAITÉ** n. m. (v. 1360) est le participe passé substantivé de *traiter,* d'abord écrit *traitiet* (1300) et *traictié* (1332). ◇ Il est employé au sens juridique de «convention de particuliers entre eux ou avec l'Administration», aujourd'hui sorti d'usage, le mot s'étant spécialisé en droit international, valeur apparue au XIVe s. (v. 1360). ◇ D'autres sens, mettant l'accent sur l'idée de «négociation» (1389), de «conjuration» (1477) et de «manière d'agir» (XVe s.), sont sortis d'usage.

TRAITABLE adj. est emprunté (v. 1170, Bloch et Wartburg, puis XIIIe s.) avec francisation d'après *traiter**, au latin *tractabilis* «maniable, malléable», de *tractare.* Le mot s'est imposé aux dépens de la forme *tractable* (v. 1460), usuelle au XVIe siècle. ◇ Il qualifie une personne encline à s'accommoder avec d'autres, de caractère facile, aujourd'hui en usage littéraire. Il n'a pas conservé ses autres sens «gracieux de corps» (XVIe s.) et «malléable, ductile (du métal)» (v. 1270), encore vivant au XVIIIe siècle. ◇ Il s'est appliqué à l'époque classique à ce qui plaît, est agréable (v. 1360). ◇ Il ne qualifie plus que rarement (depuis 1559) un sujet qu'on peut développer. ◆ L'antonyme préfixé **INTRAITABLE** adj. est emprunté (1537) au latin *intractabilis,* de *in-* et *tractabilis,* sous l'influence du verbe *traiter; intractable* est relevé isolément (XVe s.). ◇ L'adjectif s'applique à une personne d'un commerce difficile, et plus couramment (1674) à qui l'on ne peut faire entendre raison. Il est resté d'usage plus courant que *traitable;* comme lui, en revanche, il a perdu les sens de «non maniable (d'une chose)» (av. 1525), «incurable» (1560) et il est rare pour qualifier un sujet qu'on ne peut traiter (1787).

Le préfixé ② **RETRAITER** v. tr., réfection (1636) de *retraicter* (1549), s'est employé à propos d'un sujet à reprendre, d'un texte à réviser; il s'est spécialisé aujourd'hui (v. 1970) dans le domaine technique, comme son dérivé **RETRAITEMENT** n. m. (1636) qui a suivi la même évolution (v. 1970, *retraitement du combustible nucléaire*).

MALTRAITER v. tr. (apr. 1550), d'abord *maltraicter* (v. 1520), «traiter durement», seulement aujourd'hui à propos d'une personne dont on parle, s'emploie aussi couramment pour «traiter avec violence» (1617). ◇ Il a signifié à l'époque classique «mal nourrir (qqn)» (1636), d'où *être maltraité* «faire mauvaise chère» (1665), et dans le style précieux «traiter mal (une personne amoureuse)» (1665). ◆ **MALTRAITANCE** n. f. (1987) s'applique aux mauvais traitements infligés à des enfants. On parle aussi de *parents maltraitants,* bien que l'adj. **MALTRAITANT, ANTE** demeure exceptionnel.

TRAÎTRE, TRAÎTRESSE

TRAÎTRE, TRAÎTRESSE adj. et n. est la francisation, d'abord au cas régime *tradetur* (v. 980), devenu par évolution phonétique *traïtur* (1080), puis au cas sujet *traïtre [traitre]* (1080, encore au XVIe s.), du latin *traditor,* proprement «celui qui transmet, enseigne», spécialement «celui qui trahit», mot dérivé du supin *(traditum)* de *tradere* (→ trahir). Le cas sujet l'a emporté sur le cas régime (du latin *traditorem*) parce que le mot était plus fréquemment employé comme appellatif, et donc au cas sujet.

♦ Le mot désigne une personne qui trahit, qualifie ce qui marque la traîtrise (XIIe s.) ou une personne capable de trahir (v. 1360). La graphie *traître* est attestée au XVIe s. (1530); le féminin apparaît à la fin du XIIe s. (v. 1175). Par affaiblissement de sens, *traître* et *traîtresse* ont pris dans l'usage classique le sens de «personne infidèle en amour» (1652, Corneille) et se sont appliqués à toute personne à qui on en veut, comme terme d'injure (1642). Alors que ces emplois sont aujourd'hui littéraires ou plaisants, l'adjectif a pris dès le XVIe s. des valeurs dérivées, appliqué à ce qui prend à l'improviste, en parlant de l'amour (v. 1550), emploi classique, avec une valeur générale aujourd'hui (1665), puis qualifiant ce qui est capable de nuire sans qu'on s'y attende (1552). Le mot entre dans l'expression usuelle ***en traître*** «par trahison» (1636, Corneille) et «insidieusement» (1701, de l'amour), ainsi que dans la locution familière ***ne pas dire un traître mot*** (1798) qui se comprend mieux sous son ancienne variante *ne dire pas le traître mot* (celui qui trahit). ◇ Au sens fort, le mot a vieilli, sauf dans des emplois stylistiques et par allusion au théâtre, par exemple dans *traître de mélodrame* (1847).

▶ Par l'intermédiaire d'un ancien adjectif **TRAÎTREUX, EUSE** (XIIIe s.), encore employé plaisamment, *traître* a donné l'adverbe **TRAÎTREUSEMENT** (v. 1280) qui a remplacé *traîtrement* adv. tiré directement de *traître,* en usage du XIIe (v. 1180) au XVIIe s. (Malherbe). En dépit de la condamnation de Vaugelas, *traîtreusement* est resté vivant, mais littéraire ou plaisant. ◆ **TRAÎTRISE** n. f., relativement moderne (1810), a comblé le manque laissé par l'ancien français *traitraille* n. f. (1225), et a pris place à côté de *trahison* (de *trahir*).

TRAJECTOIRE

TRAJECTOIRE n. f. est, avec son sens actuel, dérivé savamment avec le suffixe *-oire* (1727) du latin *trajectus* (→ trajet). L'ancien mot *trajectoire,* relevé en 1611 avec le sens de «queue d'entonnoir», était directement repris au bas latin *trajectorium* n. m., dérivé de *trajectus.*

♦ *Trajectoire* a été créé en géométrie avec le sens de «courbe coupant sous un angle donné toutes les courbes données par une même équation», puis

(Suite page 3886)

TRAITER : traire, trait, traité

- latin **TRAHERE** « tirer »
  - **tractum**
    - **tractare** « traîner violemment », « s'occuper de », « caresser »
      - **tractibilis** « maniable » — traitable XIIe s.
        - **intractibilis** « difficile à manier » — intraitable XVIIe s.
      - traiter « manipuler » XIIIe s. — traiter « soumettre quelque chose à un traitement pour le transformer » XVIIIe s. — retraiter, retraitement XXe s.
        - traitement XVIIIe s. — télétraitement XXe s.
      - traitier « conduire » XIIe s. — traitor « guide » XIIe s. — traicteur « ambassadeur » XIIIe s.
      - traitier « en user avec quelqu'un » XIIe s.
        - traitement « manière de traiter » XVIe s. — « rémunération d'un fonctionnaire » XVIe s.
        - traiter comme (un) chien « maltraiter » XVIe s. — traiter de « donner un qualificatif à » XVIIe s.
        - maltraicter « traiter durement » XVIe s. — maltraiter « traiter avec violence » XVIIe s.
        - traiter quelqu'un « recevoir à sa table » XVIe s. — maltraiter « mal nourrir » XVIIe s.
          - traiteur « personne qui donne à manger pour de l'argent » XVIIe s. — traiteur « personne qui prépare des repas à emporter » XIXe s.

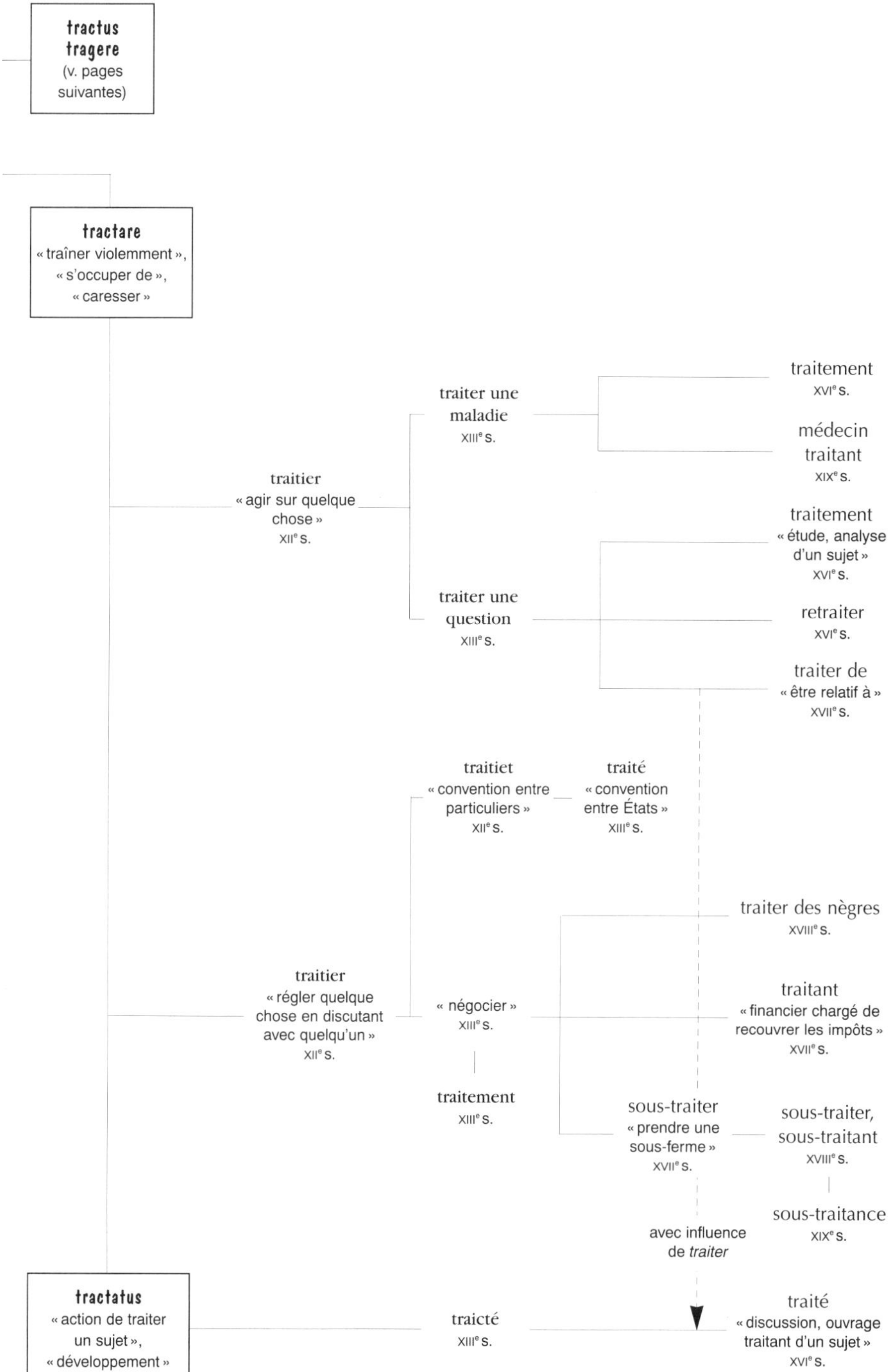
tractus
tragere
(v. pages suivantes)
tractare
« traîner violemment », « s'occuper de », « caresser »
traitier
« agir sur quelque chose »
XIIe s.
traiter une maladie
XIIIe s.
traitement
XVIe s.
médecin traitant
XIXe s.
traiter une question
XIIIe s.
traitement
« étude, analyse d'un sujet »
XVIe s.
retraiter
XVIe s.
traiter de
« être relatif à »
XVIIe s.
traitiet
« convention entre particuliers »
XIIe s.
traité
« convention entre États »
XIIIe s.
traitier
« régler quelque chose en discutant avec quelqu'un »
XIIe s.
« négocier »
XIIIe s.
traitement
XIIIe s.
traiter des nègres
XVIIIe s.
traitant
« financier chargé de recouvrer les impôts »
XVIIe s.
sous-traiter
« prendre une sous-ferme »
XVIIe s.
sous-traiter, sous-traitant
XVIIIe s.
sous-traitance
XIXe s.
avec influence de *traiter*
tractatus
« action de traiter un sujet », « développement »
traicté
XIIIe s.
traité
« discussion, ouvrage traitant d'un sujet »
XVIe s.

TRAITER

(suite)

latin **TRAHERE** « tirer »

- **tractus** « action de tirer », « tracé », « lenteur »
  - trait « durée occupée entièrement par une action » XIIe s.
    - d'un trait XVIe s.
  - « action de boire en une seule fois » XIe s.
    - à grands traits XIIe s.
      - à longs traits XVIe s.
  - « action, fait de tirer » XIe s.
    - (cheval) de trait XVIe s.
  - « ligne tracée » XIVe s.
    - trait XVIe s.
      - trait d'union XVIIe s.
    - traits « lignes caractéristiques du visage » XVIe s.

latin populaire
°tragere
« tirer », « traîner »,
« faire venir »

- **traire** « tirer » XIe s.
  - traire « tirer le lait » XIVe s. — trayeur XIVe s. — trayeuse XXe s.
  - treon XIVe s. — trayon XVIe s.
  - traite XVIe s.
  - traite « action de retirer de l'argent d'une lettre de change » XVIIe s. — traite « lettre de change » XIXe s.
- « faire venir quelqu'un, quelque chose quelque part » XIe s. — traite « transport de marchandises » XIVe s. — traite des nègres XVIIe s. — traite des blanches XIXe s.
- « marcher », « se rendre quelque part » XIe s. — traite « trajet effectué en une seule fois » XVe s.
- « lancer une arme » XIIe s.
  - trait « arme lancée avec l'arc » XIIe s. — trait « parole ou acte malveillant » XVIIe s. — trait « expression heureuse » XVIIe s.
- « ressembler à » XIe s. — avoir trait à « se rapporter à » XVIe s.

(1746) se dit de la ligne décrite par le centre de gravité d'un corps en mouvement», en mécanique, géométrie, physique, et, en balistique (1870), de la ligne décrite par un projectile. ◇ Le sens métaphorique courant de «chemin parcouru» (abstraitement), par exemple «carrière sociale», est attesté au XIXe s. (1862, Hugo).

▸ L'élément formant **TRAJECTO-**, du latin *trajectus*, a servi à former **TRAJECTOGRAPHIE** n. f. (1963) et de là **TRAJECTOGRAPHIQUE** adj. (apr. 1963), termes d'astronautique relatifs à l'étude des trajectoires des fusées et engins spatiaux.

TRAJET n. m. (1580), d'abord *traject* (1553) d'après le latin, est emprunté à l'italien *tragetto*, *tragitto* «traversée» (XIIIe s.), également «sentier», sens attesté du XIVe au XVIIe siècle. Ce nom est dérivé de *tragettare*, «jeter, faire traverser» d'où «traverser», qui représente le bas latin *trajectare* «traverser» et «transpercer», auquel remonte aussi l'ancien français *tregeter*. *Trajectare* est le fréquentatif de *trajicere* «lancer au-delà», de *trans* (→ trans-) et *jacere* «jeter» (→ jeter).

♦ Le mot a été emprunté pour «espace à parcourir d'un point à un autre», toujours usuel, et activement, «action de traverser l'espace qui sépare deux lieux» (1580, Montaigne). ◇ La langue classique l'a aussi employé aux sens de «passage d'une rivière, d'un bras de mer» (1611) et «espace séparant les deux bords d'une rivière» (1636), sortis d'usage. ◇ Depuis le XIXe s. *trajet* est employé en médecine avec une valeur spéciale «parcours d'une production normale ou pathologique» (1826, *trajet fistuleux*) et en anatomie pour «espace linéaire qu'occupe un nerf, un organe» (1805).

▸ Aucun de ses dérivés ne s'est maintenu et on n'emploie plus **TRAJETER** v. tr. (1627), antérieurement écrit *trajecter* (1558, intr.), d'abord «passer d'un bord à l'autre d'une rivière» et «faire traverser un fleuve à qqn, transporter» (1611).

TRALALA n. m. est tiré d'une onomatopée servant de refrain (1710, *tera tera la la ta tou*), comme *tra dé ri dé ra*, et employée comme interjection pour exprimer l'incrédulité, l'indifférence puis comme mot qui, servant de refrain, remplace les paroles d'une chanson (1790).

♦ *Tralala* est substantivé pour désigner familièrement (1860) des apprêts trop compliqués dans le vêtement ou (1869) un cérémonial trop affecté, souvent qualifié par *grand*. ◇ L'interjection exprime l'incrédulité, l'ironie, etc. (1884, Maupassant).

TRAM → TRAMWAY

TRAMAIL ou **TRÉMAIL** n. m., formes attestées respectivement au XIIe s. (1197) et au XVe s., sont issues du bas latin *tremaculum (Loi salique)*, formé de *tri-* «trois» (→ tri-), et de *macula* (→ maille). C'est un mot propre au français, qui a été emprunté par les langues voisines (italien *tramaglio*, espagnol *trasmallo*, etc.).

♦ Le mot désigne un filet de pêche à trois rets (celui du milieu étant plus étroit que les autres) et se dit par extension d'un filet d'oiseleur à trois rangs de mailles (1663). ◇ Il a eu le sens général de «piège» aux XVIIe et XVIIIe siècles.

TRAME n. f. est la réfection (1549) d'après *tramer** de *traime* (XIIe s.) et *treme* (v. 1150), employé jusqu'au XVIIIe s. par les tisserands, issus du latin *trama*. Celui-ci est un mot technique attesté depuis Varron qui désigne les fils de la chaîne quand, séparés par les lices, ils livrent passage à la navette puis, par extension, la chaîne d'un tissu ou la trame. Il est issu de *trans* «à travers» (→ trans-).

♦ Le mot est passé en français pour désigner l'ensemble des fils passés entre les fils de la chaîne pour faire un tissu. De là, il a développé des sens figurés comme «vie» (1636; 1552, *trame de la vie*) à l'époque classique ou «intrigue élaborée pour nuire» (déb. XVIIe s.), très littéraire; mais il désigne toujours (1821) ce qui constitue la structure régulière d'une chose organisée, selon la même métaphore que *canevas*. ◇ Il a pris par analogie des sens techniques : «structure (d'un réseau)» (1764) en anatomie, en géologie, et «fin quadrillage sur verre interposé entre l'original et la couche sensible», en photogravure (1904).

▸ Avec son sens premier, il a produit les noms techniques concrets **PASSE-TRAME** n. m. et **CASSE-TRAME** n. m. (1890), ce dernier pour un dispositif inventé en 1844 qui permet d'arrêter automatiquement le métier à tisser, lorsque le fil de trame fait défaut ou se rompt accidentellement.

◈ voir TRAMER.

TRAMER v. tr. est issu (XIIIe s.) d'un latin populaire °*tramare*, dérivé de *trama* (→ trame). La forme première s'est imposée, entraînant la réfection de *traime*, *treme* en *trame**, tandis que les formes notées au XVIIe s., *traimer* (1611) comme *tremer* (1680), sont sorties d'usage.

♦ Le verbe signifie «former un tissu en croisant les fils de trame et les fils de chaîne», mais cette valeur technique est à peu près sortie de l'usage courant, séparant le verbe du nom. ◇ *Tramer* a développé un sens figuré, «former une intrigue secrète, élaborer par des manœuvres secrètes», probablement antérieur à l'attestation qu'on en a (1596). Cette idée est également réalisée à la forme pronominale *se tramer* (1792). ◇ Une nouvelle valeur technique est apparue en photogravure, d'après l'emploi de *trame;* elle est surtout vivante dans **TRAMÉ, ÉE** adj., qui s'emploie dans les autres sens du verbe (1306, en tissage), mais s'est spécialisé dans cette technique (1898), d'où *le tramé*, n. m.

▸ *Tramer* a produit deux noms. ⬩ **TRAMEUR, EUSE** n. a remplacé (1313) *tremeur* «tisserand», devenu un terme de tissage (spécialisé au XVIIIe s.) et de photogravure, le féminin **TRAMEUSE** n. f. désignant spécialement une machine de filature (1836); il se disait autrefois de celui qui ourdit un complot (1588). ⬩ **TRAMAGE** n. m. (1876, en tissage) est aussi d'usage technique, aujourd'hui aussi en photogravure.

TRAMONTANE n. f., attesté sous sa forme actuelle depuis la fin du XIIIe s. (1298, *Livre de Marco*

Polo), est emprunté à l'italien *transmontana* (sous-entendu *stella*) «étoile polaire» (étoile au-delà des monts), d'où «nord» puis «vent du nord», du latin de même sens *transmontanus,* de *trans-* (→ trans-), et *montanus,* de *mons* (→ mont). Les Alpes marquent le Nord pour les Latins. *Tresmontaine* (v. 1209), encore au XVe s., était directement emprunté au latin.

♦ Le mot a été emprunté avec le sens d'«étoile polaire» sorti d'usage, d'où proviennent à l'époque classique le sens de «guide» (1557) et la locution figurée *perdre la tramontane* «être désorienté» (1636). ◆ Il désigne aujourd'hui un vent du nord (sur la côte méditerranéenne) ou du nord-ouest (en bas Languedoc) [1556], par ellipse de *vent de la transmontane* (de l'étoile polaire) (av. 1350).

TRAMPOLINE n. m. est un emprunt (1961, *Encyclopédie des Sports*) à l'italien *trampolino* (1843), qui lui-même a sans doute été repris du français *tremplin** (lui-même emprunté à un mot italien). *Trampoline* a peut-être été introduit par l'intermédiaire de l'anglo-américain, ce dispositif ayant eu un grand succès aux États-Unis, notamment en Californie.

♦ *Trampoline* désigne un dispositif élastique sur lequel on peut faire des rebonds.

TRAMWAY n. m. est emprunté (1818) à l'anglais *tramway,* variante de *tramroad,* d'abord appliqué à une voie ferrée à rails plats dans les mines, puis par métonymie (1825) à une voiture sur rails et employé à propos d'un chemin de fer urbain pour les transports en commun (1860). Le mot anglais est composé de *tram* «brancard» (1500), puis «chariot à charbon dans une mine» (1516), ensuite «rail plat» (1826), du moyen bas allemand et moyen néerlandais *trame* «bille de bois». *Way* signifie «voie, chemin» et se rattache à la même racine indoeuropéenne que le français *voie**.

♦ Le mot est d'abord passé en français avec le sens technique de «voie ferrée dans une mine», sorti d'usage. ◇ Le sens moderne, attesté dès 1860, ne s'est répandu qu'après 1873, date de l'installation des premières lignes de tramways à Paris et à Lille. Le mot, en français, ne désigne guère la voie, mais la voiture qui circule sur ce type de rails : l'anglais emploie dans ce sens *tramcar* (1873), *tram* (1879), *tramway car* (1862) alors que l'anglo-américain dit *streetcar* n. (1862) (de *street* «rue») ou bien a des noms spécifiques (*cable car* à San Francisco par exemple). *Tramway* semble avoir reculé à partir du début du XXe s., sous la concurrence de *train.* Devenu un mot historique, marquant une époque des transports urbains en France, ou une référence à d'autres systèmes de transport, le tramway étant utilisé dans de grandes villes (en Europe, notamment), le mot commence à être réemployé (v. 1985-1990) avec de nouveaux systèmes de transports urbains qui remettent en honneur le rail; cf. aussi *trolleybus.*

▸ L'abréviation **TRAM** n. m. (1877) est empruntée à l'abréviation anglaise *tram* (1850), d'usage britannique. Le mot était plus fréquent que *tramway* mais, la chose étant en voie de disparition en France, il n'avait plus une grande fréquence. ◆ Il a produit **TRAMINOT** n. m. (1930), mot-valise fait sur le modèle de *cheminot** pour «employé d'une entreprise de transports urbains par tramways», nom parfois conservé (par ex. à Marseille) quand le matériel a été remplacé (trolleybus, autobus, métro).

TRANCHER v. tr. et intr., réfection (v. 1380) de *tranchier* (v. 1175), *trencher* (1080), est probablement issu d'un latin populaire °*trinicare* (peut-être par un intermédiaire °*ternicare,* selon P. Guiraud), proprement «couper en trois», dérivé de *trini* «au nombre de trois» (→ trinité). Le passage de *trin-* à *tren-* puis *tran-* s'explique par l'influence de *tres* (→ trois).

♦ Le verbe est introduit avec le sens resté courant de «couper en deux (qqch.) en séparant», d'où *trancher la tête* (déb. XIIe s.), et l'emploi figuré *trancher la vie,* etc. (v. 1170), aujourd'hui littéraire. Concrètement, le verbe correspond aussi (1373) à «découper en tranches». ◇ En ancien et moyen français, *trancher,* qui était d'un usage plus général, a des valeurs extensives et figurées. Il a signifié «découper la viande» à la table du roi, d'un prince, etc. (v. 1170; cf. *tranchant,* ci-dessous), «confectionner (une robe) en taillant une étoffe» (v. 1270), plus tard remplacé par *couper, tailler* et, encore au XVIIe s., en termes militaires, «faire une entaille dans un mur» pour le miner (XIIIe s.). Dans le même contexte, il s'est dit pour «ouvrir des tranchées» (1559). ◇ L'époque classique l'employait encore par figure au sens de «franchir (une montagne, etc.)» (v. 1310) et, par une autre métaphore, *trancher* a signifié «empêcher l'accès (d'un chemin)» (v. 1460). ◇ Par ailleurs l'idée de séparation a abouti à un emploi figuré vivant à l'époque classique, *trancher de* «se donner des airs de» (1440-1475). ◇ L'idée d'interruption donne lieu aux sens figurés modernes; le verbe signifie «résoudre en terminant (une question, une affaire)» (1565, intr.), ensuite en emploi transitif (1680), d'où à l'époque classique *trancher court (un discours)* «le terminer en peu de mots» (1576) puis *trancher un discours* et *trancher le mot* «dire nettement» (1567) littéraire aujourd'hui. On emploie encore ***trancher net*** (1640), ***trancher sur (de) qqch.*** (1701), littéraires, alors que *trancher* «rompre un entretien» (1662) est sorti d'usage. Cet emploi a produit *tranchons là!* (1872), littéraire aujourd'hui (cf. *brisons là!*). ◇ ***Trancher dans le vif*** n'apparaît qu'au XIXe s., d'abord au figuré (1835), ensuite avec une valeur concrète en chirurgie (1872). ◇ L'idée de la coupure, de la différence entraîne l'emploi pour «former un vif contraste», en parlant de couleurs (1690), valeur appliquée ensuite aux idées, aux sentiments, etc. (1723). ◆ Enfin, sous l'influence de son dérivé *tranchée,* le verbe a pris le sens d'«avoir des coliques» (1690), emploi sorti d'usage.

▸ **TRANCHANT, ANTE** adj. et n. m. qualifie (1080) un objet dur et effilé; il est substantivé pour «instrument tranchant» (v. 1130), resté dans le vocabulaire technique et y désignant un outil d'apiculteur (1872) et de tanneur (1907). ◇ Par métonymie le nom se dit (v. 1112) du côté destiné à couper d'un instrument, d'où plus tard ***à deux tranchants,*** au propre (1672) et au figuré (1756), puis ***à double tranchant,*** et l'emploi analogique dans *le tranchant de la main* (1789). ◇ L'adjectif s'est employé par figure au sens de «poignant» (v. 1180), valeur disparue. En revanche, un autre emploi figuré de l'ancien français s'est maintenu pour qualifier un ton abrupt (déb. XIIIe s., *ton trencant*). De là *le tranchant* n. m. (1538) et son application à une personne (1768). Mais l'emploi de *tranchant* pour «arrogant» (v. 1220) est sorti d'usage. Il a qualifié une personne chargée de couper les viandes (1530), notamment dans *écuyer tranchant,* et a eu le sens de «qui tranche avec netteté sur» (1667), passé à **TRANCHÉ, ÉE** adj. (1765; v. 1175, *trenchié* avec le sens concret ancien de «en pente»).

Le féminin du participe passé **TRANCHÉE** n. f. a été substantivé dès le XIIe s. (v. 1130, *tranchiee*) pour désigner une excavation dans le sol, sens qui s'est maintenu à la différence du sens figuré ancien de «décision». Par extension, le mot a pris le sens de «fossé allongé, creusé en temps de guerre» (1530), mode de fortifications devenu très courant avec la guerre de 1914-1918, au sens de «dispositif allongé creusé près des lignes ennemies» (1915) avec des expressions comme *guerre de tranchées; les tranchées* symbolisaient la guerre, le front. ➛ Le sens de «colique aiguë» est réalisé uniquement au pluriel (1538). ➛ D'autres valeurs ont disparu hors de l'usage technique, comme «entaille dans un mur» (1699) et «chemin dans une forêt» (1872).

Le déverbal **TRANCHE** n. f. (1213), réfection de *trenche* (v. 1175), a désigné en ancien français l'action de décider. Il s'employait concrètement au sens de «partie d'un tout» (1213), d'où le sens demeuré courant «partie coupée, mince (d'une chose comestible)» (1288). ◇ D'autres acceptions ont suivi : «partie d'un livre où le papier a été coupé» (1455), «tour (d'une pièce de monnaie)» (1690), d'où au figuré ***doré sur tranche*** «très riche» (1809); le mot désigne en boucherie une partie de la viande du bœuf (1680), et par ailleurs la partie de la terre soulevée par la charrue (1845). ◇ Parallèlement, conservant l'idée d'instrument coupant (cf. ci-dessus *tranchant*), *tranche* a désigné une sorte de couteau (1364), aujourd'hui une houe (XVe s.), un outil pour couper une barre métallique (1676), etc. ◇ Les emplois abstraits anciens, comme *a trenche* «en ligne, en file» (XIIIe s.) ont disparu, mais à partir du XVIIIe s., *tranche* est employé pour désigner une série de chiffres consécutifs (1771), la partie séparée (dans le temps) d'une opération de longue haleine (1871) d'où *tranche horaire* et, au figuré, *une tranche de* «une quantité de» (apr. 1850, *une tranche de vie*). ➛ *Tranche* a aussi produit un diminutif **TRANCHETTE** n. f., attesté au XXe siècle.

D'autres dérivés de *trancher* sont moins courants. ➛ Le nom d'action **TRANCHEMENT** n. m. (XIIIe s.) est sorti d'usage. ➛ Le verbe a produit des noms concrets d'outils servant à trancher, comme **TRANCHOIR** n. m. «instrument tranchant» (déb. XIIIe s.), mais aussi «support sur lequel on tranche» (1206), **TRANCHET** n. m. (1288), instrument servant dans plusieurs métiers, **TRANCHEUR** n. m. (v. 1207, *trancheor,* «sapeur») et son féminin **TRANCHEUSE** n. f., nom de machine à trancher le bois (1933). ➛ Le nom d'action **TRANCHAGE** n. m. (1863), «action de trancher», est surtout employé techniquement à propos du débitage du bois et du découpage des métaux.

Trancher, sous la forme de l'élément verbal *tranche-*, entre dans quelques composés techniques *(tranchefil, tranchefile, tranche-gazon, tranche-lard).* ➛ Seul **TRANCHE-MONTAGNE** n. m. (1389, nom propre; av. 1573, comme nom commun), dénomination imagée et littéraire d'un fanfaron, aujourd'hui archaïque, appartient à un autre registre. *Trancher une montagne* s'employait en moyen français pour «la franchir», mais le mot est ici métaphorique et évoque le coup d'épée démesuré.

◈ voir RETRANCHER, TRENCH-COAT.

TRANQUILLE adj. est un emprunt (v. 1460) au latin classique *tranquillus* «calme, paisible», surtout employé en parlant de la mer et, par extension, de l'état d'âme d'une personne. La valeur initiale de l'adjectif a peut-être été celle de transparence, conduisant à l'idée de sérénité. D'origine obscure, *tranquillus* a été rapproché de *quies* «repos, calme», dont le dérivé *quietus* a été lui-même emprunté en français (→ quiet).

♦ L'adjectif signifie d'abord «où se manifestent un équilibre et un ordre que rien ne vient perturber», s'appliquant aussi à ce qu'aucun mouvement de révolte, aucune menace ne trouble. Dans ses emplois extensifs, apparus à partir du XVIIe s., il qualifie un être vivant qui n'éprouve pas le besoin d'être agité d'un mouvement et ne gêne pas la quiétude d'autrui (1667), ainsi qu'une personne qui éprouve un sentiment de sécurité (1669), d'où des locutions comme ***laisser (qqn) tranquille*** (v. 1770), ***tranquille comme Baptiste*** (1808) par allusion à un type comique de niais très calme, et l'emploi pour ce qui témoigne d'un état paisible (1808, *un air tranquille*). ◇ L'adjectif se dit également de ce qui se passe sans heurt (1580, *une vie tranquille*) et en parlant de mouvements (1671, *un pas tranquille*). ◇ Par métonymie, *baume tranquille* (1684) s'applique à une décoction qu'on utilisait pour apaiser des douleurs; l'adjectif y a la valeur active de «qui rend tranquille». ◇ *Tranquille* qualifie (1872) une personne qui est sûre de ce qu'elle avance; enfin, familièrement, il s'emploie comme adverbe (aussi *tranquille pépère*) ainsi que sa variante *tranquillos* (XXe s.).

▸ **TRANQUILLISER** v. tr. «calmer (qqn)» est attesté (1420) avant l'adjectif; il en dérive ou est formé directement sur le latin. On a dit aussi *tranquiller* (1420) jusqu'au milieu du XVIIe siècle. ◇ Le verbe semble peu utilisé jusqu'à la seconde moitié du XVIIe s. où on le donne comme néologisme. Le pronominal *se tranquilliser* s'est employé en parlant du sang (1677), puis avec une valeur physique (1718, Académie) et signifie aujourd'hui «cesser d'être inquiet» (1798, Académie). ➛ Le dérivé **TRANQUILLISANT, ANTE** adj. (1788) et n. m. (XXe s.) s'est spécialisé, comme *calmant,* dans le domaine médical. ➛ **TRANQUILLISATION** n. f. (v. 1950), «fait de tranquilliser», est rare. ➛ Un autre dérivé de *tranquille,* **TRANQUILLEMENT** adv. (1541), est en revanche très courant pour «d'une manière calme», en particulier (XVIIe s.) «sans émotion» et aussi «sans se déconcerter, sans trop de difficultés».

TRANQUILLITÉ n. f. est emprunté (v. 1190) au dérivé latin classique *tranquillitas* «calme (de la mer)», employé aussi au figuré. ◇ Il est introduit avec une valeur politique, à propos de la paix dans une société, dans les rapports humains. Il désigne ensuite l'état de ce qui est sans mouvement gênant (1440-1475) et s'emploie par figure dans le domaine des sentiments (av. 1564).

TRANS-, préfixe, est emprunté au latin *trans,* préverbe et préposition signifiant «au-delà, par-delà de». En composition, à côté du sens de «au-delà», il a aussi la valeur de «de part en part» et marque le changement total dans *transformare* (→ transformer, et aussi transfigurer). Il se prononçait *tras,* dont le *-s-* s'amuissait devant une sonore (→ traduire); mais à côté de ces graphies phonétiques, on trouve aussi les graphies étymologiques, qui ont été rétablies d'après les formes où le *-s-* non sonorisé s'était maintenu (ainsi *tra(n)sportare,* → transporter). Le latin *trans-*, passé dans les langues romanes (→ très), a un correspondant ombrien *traf, tra.* La plupart des langues indoeuropéennes n'ont pas de formes verbales appartenant à ce groupe, parce que c'est la racine de *terere,* différente par le sens («user en frottant»), qui a fourni des formes verbales. Cependant, il pourrait s'agir de la même racine dont le sens se serait différencié, ainsi *terebra* (→ térébrant) a un sens proche de *trans.*

♦ *Trans-* a en français les sens «au-delà de», «à travers» et marque le passage, le changement. En dehors des nombreux composés (voir à l'ordre alphabétique et aussi aux radicaux, *bord* pour *transborder,* etc.), il a donné naissance à des adjectifs faits sur des dérivés de noms géographiques, tels *transdanubien* (1775), *transjuran* (1752), *transafricain, aine* (1892), *transasiatique* (1901), s'adjoignant dans certains cas un nom géographique sans suffixe adjectival (*transméditerranée,* → transatlantique).

TRANSACTION n. f. est emprunté (1281) au bas latin *transactio, -onis* «action d'achever, de finir» et terme juridique dérivé de *transactum,* supin du classique *transigere* (→ transiger).

♦ Le mot désigne l'acte par lequel on transige, par lequel on prévient ou on termine une contestation grâce à des concessions réciproques, et a eu le sens concret de «transfert (d'un bien)» (1298). ◇ Il s'est ensuite répandu en économie pour désigner un contrat entre un acheteur et un vendeur (1826) et dans l'usage courant pour «accommodement, arrangement» (1810), souvent avec une connotation morale péjorative.

▶ Son dérivé **TRANSACTIONNEL, ELLE** adj. (1823), outre son sens juridique de «qui a rapport à une transaction», traduit l'anglais *transactional* (dans *transactional analysis,* 1960, de *transaction,* «relations interindividuelles», de même origine que le français *transaction*) avec l'expression *analyse transactionnelle,* analyse des rapports humains utilisant des concepts psychanalytiques et psychosociologiques. ◇ Le langage juridique emploie le dérivé **TRANSACTIONNELLEMENT** adv. (1873).

TRANSATLANTIQUE adj. et n. est composé (1818) de *trans-**, et *atlantique**.

♦ Il qualifie un paquebot effectuant la traversée de l'Atlantique. Le mot est substantivé au masculin en ce sens (1870) et entre dans l'appellation *Compagnie générale des paquebots transatlantiques* (1846) devenue *Compagnie générale des transatlantiques,* et abrégée familièrement en *Transat.* ◇ Par métonymie, il sert à désigner une chaise longue utilisée à l'origine sur les ponts de paquebots (1933), alors abrégé en **TRANSAT** n. m. (1936). ◇ On a dit aussi *course transatlantique* (1960), d'où *la transat* n. f. (1964). La forme *transat* tend à s'imposer couramment avec tous les sens du nom, sauf au sens originel de «navire transatlantique» pour lequel *transat* (1912; 1901, *transatl'*) est archaïque.

TRANSCENDER v. tr. représente par emprunt (1310), d'abord sous la forme *transcendre* (v. 1250), le latin *transcendere,* de *trans* (→ trans-), et *scandere* (→ scander). Celui-ci signifie proprement «monter en passant au-delà», d'où «franchir, dépasser», «escalader» et il est employé au figuré avec les sens de «passer à autre chose», «enfreindre», fonctionnant alors comme synonyme de *transgredi* (→ transgresser).

♦ Le mot a fait l'objet de plusieurs emprunts isolés dans la langue littéraire et scolaire du moyen français, sous les formes *transcendre* «surpasser» et *transcender* (1310) pour «transgresser», puis «dépasser» (v. 1372) et «monter sur (qqch.)» (1493). Il est relevé au sens de «surpasser» (v. 1370) qui se maintient jusqu'au XVIe siècle. ◇ Le verbe réapparaît sous l'influence de *transcendant,* alors écrit *transcender* dans la langue philosophique au sens de «dépasser absolument, être sans pareil ni analogue» (1903, Bergson), aussi en emploi pronominal *se transcender* (1936).

▶ **TRANSCENDANT, ANTE** adj. a été emprunté (1405, *transcendent*) comme terme de philosophie au participe présent latin *transcendens,* employé par les scolastiques. ◇ Il qualifie ce qui dépasse l'ordre naturel (physique) ou ordinaire (d'abord en théologie), et s'est appliqué en scolastique (1520) aux termes d'une signification si universelle qu'ils dépassent toutes les catégories. Il n'a pas subi l'éclipse du verbe, passant dès le XVIIe s. dans le langage des lettrés au sens de «qui excelle dans son genre» (1601) et au XVIIIe s. dans celui des mathématiques (1704, Leibniz) pour «non algébrique *(nombre transcendant)*». L'emploi du mot en philosophie s'est vu influencer au XIXe s. par l'idéalisme kantien (1801) et au XXe s. par la phénoménologie (1943, Sartre); cf. ci-dessous *transcendantal.* ◇ Familièrement, l'adjectif est un intensif pour «extraordinaire, très remarquable». ➙ Le nom **TRANSCENDANCE** n. f. en a été dérivé (1605) comme terme de philosophie, attesté isolément et repris au XIXe s.; en relation avec l'adjectif, il a pris le sens courant, aujourd'hui vieilli, de «supériorité, qualité éminente» (1735).

TRANSCENDANTAL, ALE, AUX adj., emprunté comme terme de philosophie (1503) au latin scolastique *transcendentalis*, est mal distingué sémantiquement de *transcendant* dans ses diverses acceptions, en dehors de son emploi spécialisé chez Kant (1801). ➛ Il a produit **TRANSCENDANTALISME** n. m. (1801) et **TRANSCENDANTALEMENT** adv. (1872).

TRANSCRIRE v. tr. est emprunté par les juristes médiévaux (1234) au latin *transcribere*, de *trans-* (→ trans-), et *scribere* (→ écrire) avec francisation d'après *écrire**. Cet emprunt a été entraîné par l'existence antérieure de *transcrit* n. m. «copie d'un acte», très vivant jusqu'au XVe s., et lui-même emprunté au latin médiéval de même sens *transcriptum*, substantivation du participe passé passif neutre de *transcribere*.

♦ *Transcrire*, d'abord mot juridique avec le sens de «copier un acte», s'est répandu dans l'usage courant au XVIe s., au propre (1530) comme au figuré (v. 1570), pour «reproduire (par l'écriture) ce qui a été vu, senti, etc.». Il a signifié «plagier (une œuvre littéraire)» (1690), sens courant jusqu'au XIXe siècle. Il passe ensuite dans les usages spécialisés du commerce (1690), de la musique (1776) pour «opérer la transcription d'une œuvre musicale», puis, d'après *transcription*, de la linguistique (fin XIXe s.) et de la biologie moléculaire (v. 1964).

▸ **TRANSCRIPTION** n. f., emprunté par les juristes (1338) au dérivé latin *transcriptio, -onis*, a suivi la même évolution que le verbe, avec, dès le XVIe s., un emploi spécialisé (1558) pour «opération par laquelle on fait passer (un texte) d'un code graphique dans un autre». C'est aussi un terme de musique (1828) qui, par ailleurs, désigne couramment (v. 1950) la reproduction de ce qui a été dit, observé, etc. ◇ Il est employé en génétique (1964) par emprunt à l'anglais *transcription*, de même origine que le mot français, par exemple dans l'expression *transcription génétique*. De là, d'abord en anglais, *transcriptase* (ci-dessous). ➛ **TRANSCRIPTEUR, TRICE** n. et adj. a été formé savamment (1538) sur le supin latin *transcriptum* pour désigner une personne qui transcrit un texte. Il est d'usage plus didactique et technique que *transcription*.

TRANSCRIPTASE n. f. est emprunté (v. 1970) à l'anglais *transcriptase*, mot créé (1963) par les prix Nobel Temin et Baltimore. *Transcriptase inverse* (v. 1975) est le calque de l'anglais *reverse transcriptase*, pour désigner l'enzyme qui «transcrit» le message de l'A. D. N. et fait la synthèse de l'A. R. N. correspondant.

L'usage de formes parallèles en *re-* est attesté dans le cas de **RETRANSCRIRE** v. tr. (1741) et de **RETRANSCRIPTION** n. f. (XXe s.).

TRANSE → TRANSIR

TRANSEPT n. m. est emprunté (1823) à l'anglais *transept* (XVIe s., Laland qui emploie aussi fréquemment la forme latine), adaptation du latin moderne *transeptum*, littéralement «enclos qui est au-delà (de la nef)». Celui-ci est formé des éléments latins *trans* (→ trans-), et *septum*, variante de *saeptum*, supin de *saepire* «enclore», lui-même de *saepes* «haie, enceinte, clôture». *Saepes* n'a pu être rapproché que du grec *haimos* «buisson, broussailles» et de *haimasia* «clôture».

♦ En français, le mot a remplacé *croix, croisée* (Hugo, Michelet), puis désigne chaque élément *(bras)* du transept *(le transept nord, sud)* et s'emploie dans l'expression *croisée du transept*. ◇ La variante *transsept* a été employée vers 1830.

TRANSFÉRER v. tr. est emprunté (1355) au latin *transferre*, de *trans* (→ trans-), et *ferre* «porter» (→ -fère). Celui-ci, souvent employé dans la Vulgate aux formes composées du passif *(translatus est)*, fut remplacé dans le sens le plus général du mot par l'ancien français *translater*, d'abord attesté comme participe passé dans des traductions bibliques (*translaté* «transporté en un autre lieu», 1115). Cet emprunt fut lui-même favorisé par l'existence du latin médiéval *translatare* «rédiger, traduire» (IXe-XIIe s.) formé sur le supin *(translatum)* de *transferre* (→ translater).

♦ *Transférer*, «faire passer d'un lieu dans un autre», est resté rare dans la langue courante mais a reçu au XVe s. une spécification juridique, «transmettre la propriété (d'un bien, d'un droit) d'une personne à une autre» (1462), plus récemment employée comme terme de commerce (1904). ◇ Le sens de «traduire dans une autre langue» (1636) est un latinisme isolé. ◇ Depuis la fin du XIXe s. (1896), le verbe est employé dans le domaine abstrait (des sentiments).

▸ En sont dérivés **TRANSFÉRABLE** adj. (1596, repris 1819) et **TRANSFÈREMENT** n. m. (1704), affaibli par la concurrence de *transfert*.

TRANSFERT n. m., comme *crédit*, est un latinisme de comptable, emprunté (1715) au latin *transfert*, «il transfère», troisième personne du présent de l'indicatif de *transferre*, mot employé dans les registres commerciaux. ➛ D'abord terme de droit commercial, le mot sert à partir du XIXe s. de déverbal à *transférer*, désignant couramment un déplacement d'un endroit à un autre (1874), d'où *transfert de capitaux* (v. 1929), *de fonds*. ◇ Il s'est spécialisé dans les langages de la médecine (1890), de la psychologie (1896), par traduction de l'anglais *transference of feeling*, auparavant (1879) en psychophysiologie. ◇ En psychanalyse (1914), il sert à traduire l'allemand *Übertragung* (Freud, 1905). ◇ Il s'emploie aussi en photographie et dans les arts graphiques en technique industrielle (1949) et dans le domaine sportif (1936, *transfert d'un joueur*). ➛ Le mot entre dans **PAPIER-TRANSFERT** n. m. (1933) en photographie.

◈ voir TRANSISTOR.

TRANSFIGURER v. tr. est emprunté (v. 1150) au latin *transfigurare* «métamorphoser, changer, transformer», employé aussi dans la Vulgate, et formé de *trans* (→ trans-), et *figurare*, de *figura* «forme» (→ figure).

♦ Le français a emprunté le verbe au pronominal, *se transfigurer*, dans son emploi évangélique, en parlant du Christ, pour «prendre miraculeusement un éclat glorieux», comme il arriva sur le mont Thabor. La prédominance de la voix passive (1550) est due à la traduction littérale des textes religieux *(transfiguratus est)*. ◇ *Transfigurer*, autrefois employé au sens neutre de «donner une nouvelle apparence» (v. 1160), aussi au pronominal *se transfigurer* (XIIIe s.), a pris la valeur méliorative de «transformer en améliorant» par influence du terme biblique (1541, aussi pronominal), en particulier «transformer en donnant au visage un éclat inhabituel» (XIXe s.).

▶ **TRANSFIGURATION** n. f., emprunté (1231) au dérivé latin *transfiguratio, -onis*, désigne le changement glorieux survenu chez le Christ et, par métonymie, la fête liturgique célébrée le 6 août (1680), puis une représentation picturale de la Transfiguration du Christ (1835). ◇ En relation avec le verbe, il a pris le sens mélioratif de «changement soudain en qqch. de mieux» (1802). ◇ Le mot s'est aussi employé (1552) à l'époque classique au sens de «métamorphose». ◆ **TRANSFIGURATEUR, TRICE**, adj. et n. (1839, chez Hugo) est d'emploi littéraire ou didactique.

TRANSFIXION

TRANSFIXION n. f. est dérivé savamment (1859) du latin *transfixum*, supin de *transfigere* «transpercer», de *trans-* (→ trans-), et *figere* «piquer, percer» (→ figer).

♦ Le mot désigne en chirurgie un procédé d'amputation qui consiste à traverser d'un coup la partie que l'on veut amputer et à couper les chairs du dedans vers le dehors.

TRANSFORMER

TRANSFORMER v. tr., réfection savante (v. 1300) de la forme plus francisée *tresformer* (du XIIe au XIVe s.), est emprunté au latin *transformare* «changer une chose en une autre», de *trans* (→ trans-), et *formare* «donner une forme», de *forma* (→ forme).

♦ Le verbe a gardé en français le sens latin, aussi au pronominal *se transformer* (mil. XIVe s.). Il s'applique à une modification complète, concrète ou abstraite (v. 1370). Il a pris des emplois spéciaux en mathématiques (1755) et au rugby où *transformer un essai* (1900) correspond à «envoyer au pied le ballon posé à terre au-dessus d'une barre entre deux poteaux», pour marquer le point, après un essai réussi.

▶ Il a produit quelques dérivés dont plusieurs d'usage technique ou scientifique; le plus ancien est **TRANSFORMABLE** adj. (1555), peu attesté avant le XIXe s. (av. 1870) puis usuel. ◆ **TRANSFORMÉE** n. f., du participe passé, qui désigne en géométrie la figure engendrée par la déformation d'une autre, est attesté depuis 1765 *(Encyclopédie)*. ◆ **TRANSFORMATEUR, TRICE** adj., mot créé (1575) avec le sens de «celui qui transforme», a été repris comme adjectif (1823), puis comme nom en électricité (1842). Dans ce sens, il est couramment abrégé en **TRANSFO** n. m. ◆ **TRANSFORMISME** n. m. (1867, Broca) est le nom donné à la théorie de l'évolution par transformations successives, concept englobant le lamarckisme et le darwinisme, s'opposant aux anciennes théories fixistes, et dont on a tiré **TRANSFORMISTE** n. et adj. à la même époque (1867).

TRANSFORMATION n. f. «action de transformer ou de se transformer» est emprunté (1375) au latin *transformatio, -onis*, dérivé tardivement (saint Augustin) de *transformare*. ◇ Le mot, aussi employé au figuré (1665), a développé plusieurs acceptions spécialisées en mathématiques (1755), en logique (1872), en chimie (1690). ◇ Il correspond au rugby à «action de transformer (un essai)» (1925). ◇ Sous l'influence de l'anglais *transformation* (chez Z. Harris), le mot a pris en linguistique un sens technique, en relation avec les théories de Harris et de Chomsky, pour ce dernier, «opération permettant de passer d'une structure profonde à la structure superficielle d'un énoncé». ◆ **TRANSFORMATIONNEL, ELLE** adj. est emprunté (v. 1960) à l'anglais *transformational*, employé par Chomsky dans *transformational grammar*, en relation avec *generative* (→ génératif).

TRANSFUGE

TRANSFUGE n. est emprunté, une première fois en 1355 (Bersuire) et de nouveau à partir de 1611, au latin *transfuga* n. m. «déserteur», de *transfugere* «passer à l'ennemi, déserter», lui-même composé de *trans* (→ trans-), et *fugere* (→ fuir).

♦ Emprunté avec le sens militaire du latin, le mot est appliqué par extension à une personne qui abandonne son parti ou sa cause, pour se rallier à ses adversaires (1699) et, par affaiblissement, qui abandonne une situation, un milieu pour un autre (1735).

▶ Les emprunts adaptés, en moyen français, de *transfuir* (1440-1475) et de *transfuite* (1581), ce dernier ayant donné les adjectifs *transfuitif* (v. 1280), refait en *transfugitif* (XVIe s.) et le composé *transfuyard* (1611), ne se sont pas longtemps maintenus.

TRANSFUSION

TRANSFUSION n. f. est emprunté (1307) au latin *transfusio, -onis* «action de transvaser», au figuré «apport de peuplades» et «transfert de dettes». C'est le dérivé du supin *(transfusum)* de *transfundere* «transvaser» et, au figuré, «reporter sur, déverser sur», de *trans* (→ trans-), et *fundere* (→ fondre) «répandre, verser».

♦ Le mot a d'abord été employé avec le sens abstrait de «changement, innovation», sorti d'usage, avant de désigner l'action de faire passer ses sentiments, ses idées, etc. à qqn (1374). ◇ L'usage concret pour «action de transvaser un liquide (autre que le sang)» (1561), par retour à l'étymologie, ne s'est pas maintenu. ◆ Au siècle suivant, le mot s'est spécialisé en médecine à propos du prélèvement de sang introduit dans un autre organisme (1667) mais n'a guère été employé, la transfusion (alors pratiquée souvent avec du sang animal) ayant été interdite en 1668 par une sentence du Châtelet et abandonnée. C'est au XIXe s. qu'un médecin genevois, Roussel, pratique à nouveau cette opération avec du sang humain (sens attesté v. 1865). ◇ Le sens figuré moderne, «assimilation» (1760), n'est pas usuel.

▶ Le dérivé **TRANSFUSIONNEL, ELLE, ELS** adj. est récent (mil. XXe s.). ◆ **TRANSFUSER** v. tr. (1668), formé sur l'ancien adjectif *transfus* «transfusé» (fin XVIe s.), emprunt au participe passé latin, et son dérivé **TRANSFUSEUR** n. m. (1667), alors au sens de «partisan de la transfusion», datent de l'époque où la transfusion a commencé d'être pratiquée. L'interdiction de celle-ci a fait que ces mots ne se sont répandus qu'au XIXe s. au sens médical. S'y ajoute **TRANSFUSÉ, ÉE** adj. et n. (1882) «personne qui reçoit ou a reçu du sang par transfusion»; le mot s'oppose à *donneur.* ◇ Le féminin **TRANSFUSEUSE** n. f. est employé (v. 1950) pour un appareil servant à la transfusion du sang. ◇ **ANTITRANSFUSEUR** n. m., dans l'*Encyclopédie* (1765), correspond à «hostile à la transfusion».

TRANSGRESSION n. f. est emprunté (1174) au latin *transgressio, -onis,* nom d'action tiré du supin *(transgressum)* de *transgredi,* «passer de l'autre côté, traverser», «dépasser» puis «enfreindre», de *trans* (→ trans-), et *gradi* «marcher», qui ne s'est conservé que dans des composés (→ grade).

♦ Le mot a été emprunté avec la valeur générale d'«action de transgresser» (une loi, un interdit), puis a eu un sens moral correspondant au latin chrétien, d'où l'emploi pour «faute, péché» (1230) jusqu'à la fin du XVIe siècle. ◇ Il est attesté avec la valeur rhétorique de «digression» (1611), sortie d'usage. ◇ *Transgression* est passé dans le langage de la géologie à propos de l'envahissement par la mer d'une région qui subit un affaissement (1903), emploi qui réactive le sens étymologique du latin.

▸ **TRANSGRESSEUR** n. m. est emprunté (XIIIe s.) au bas latin *transgressor,* fait sur le supin de *transgredi.* Le mot apparaît chez les traducteurs de la Bible avec la valeur de «personne qui viole la loi divine», puis se répand dans l'usage littéraire à propos de celle qui viole une loi (v. 1370).
Le verbe **TRANSGRESSER** (v. 1385) a été formé d'après *transgression* à partir du latin ecclésiastique *transgressa lex.* Le latin *transgredi* a été emprunté isolément à plusieurs reprises, sous les formes *transgredir* (XVe s.) et *transgreder* (1488). ◇ Verbe juridique signifiant «violer une loi», *transgresser* est passé au XVIe s. dans la langue des traducteurs de Suétone (1520) et de la Bible (1525). ◇ L'idée physique de «franchir (une borne, etc.)» (1572) est un latinisme isolé du XVIe siècle. ◇ Au XXe s., le verbe intransitif a développé le sens correspondant à l'emploi spécialisé de *transgression* en géologie (1907). ◆ Son radical a servi à former un adjectif qui a remplacé *transgresseur* (XVIIIe s.), **TRANSGRESSIF, IVE** (1842), d'abord «qui passe outre», aussi employé (1866) comme terme de géologie.

TRANSHUMER v. est un emprunt francisé (1818; dès 1803, indirectement par *transhumant*) à l'espagnol *trashumar* «aller paître dans la montagne» et «mener paître», de *tras* «au-delà» (correspondant au français *trans-**), et de *humar,* du latin classique *humus* «terre» (→ humus).

♦ Le verbe garde en français les sens de l'espagnol, en emploi transitif (1818) et intransitif (1868).

▸ Les dérivés **TRANSHUMANT, ANTE** adj. (1791) et **TRANSHUMANCE** n. f. (1818) qui remplace *transhumation* (1804) sont plus courants que le verbe.

TRANSIGER v. intr. est emprunté (1342) au latin *transigere,* composé de *trans* (→ trans-), et *agere* «conduire, mener» (→ agir), verbe employé poétiquement avec le sens de «passer à travers, enfoncer» et surtout avec le sens figuré de «mener à bonne fin (une affaire), arranger, conclure».

♦ Le verbe a été introduit par les juristes au sens de «faire des concessions réciproques pour régler un différend». ◇ Il s'est répandu dans l'usage général avec le sens de «se prêter à des concessions» (fin XVIIe s.), surtout au figuré «céder ou faire des concessions, en invoquant des raisons peu solides» (1780), souvent *transiger avec* (1812) et *transiger, ne pas transiger sur qqch.* (1876).

▸ Le dérivé **TRANSIGIBLE** adj. (1829) est d'usage juridique.
INTRANSIGEANT, ANTE adj. a fait l'objet d'un emprunt autonome (1875) à l'espagnol *intransigente,* qui désignait les républicains fédéralistes hostiles à la république unitaire; le mot est fait sur *transigente,* participe présent de *transigir* (emprunt au latin *transigere*). ◇ Par attraction sémantique de *transiger,* il a pris en français (1875) le sens de «qui ne fait aucune concession» (comme adjectif et comme nom). ◆ Le nom correspondant **INTRANSIGEANCE** n. f., d'abord *intransigence* (1874), a été emprunté à l'espagnol *intransigencia,* de *intransigente.*

◈ voir TRANSACTION.

TRANSIR v. est emprunté (v. 1130) au latin *transire,* de *trans* (→ trans-), et *ire* «aller» (→ venir), proprement «aller au-delà», employé avec de nombreux sens propres et figurés et spécialisé chez les auteurs chrétiens pour «mourir» (Ve s.) par une figure identique à celle de *trépasser.*

♦ Le verbe est apparu avec le sens de «mourir», en usage jusqu'au XVIe siècle. À partir du sens moral «être stupéfié» (v. 1340-1370), il a pris sa valeur moderne «pénétrer, saisir» en parlant d'un sentiment violent (1580, *transir de la peur*), d'usage littéraire, comme l'emploi pour «pénétrer en engourdissant», en parlant du froid, etc. (XIVe s., apr. 1350). ◇ En construction intransitive, à propos d'un sentiment (1588) ou du froid (1660; 1636, *transir de froid*), le verbe est archaïque.

▸ **TRANSI, IE** adj. (XIIIe s.) a d'abord le sens de «mort» *(transi de vie),* puis se dit en particulier par figure dans le syntagme figé *amoureux transi* (v. 1445). ◇ Il est plus fréquent de nos jours que le verbe, dont l'usage est limité au présent de l'indicatif, aux temps composés et à l'infinitif. ◆ Deux dérivés du verbe sont encore vivants. **TRANSISSEMENT** n. m. est peu employé, au propre (1607) comme au figuré (1340-1370); il est parfois repris dans un usage littéraire (R. Barthes).
Le déverbal **TRANSE** n. f. (v. 1150) a désigné l'agonie et le trépas, encore au XVIIe siècle. Le sens moderne de «crainte très grande» apparaît en moyen français (v. 1360) d'où la locution disparue *être mis en transe* «frissonner» (XVe s.). Avec cette valeur, *transe* ne s'emploie aujourd'hui qu'au pluriel. ◇ L'emploi du mot pour désigner l'état d'une personne en état de sommeil magnétique ou hypno-

tique (1891, Huysmans; 1862, *trance*) est un emprunt à l'anglais *trance*, qui remonte à l'ancien français *transe* : *transe* s'employait déjà au moyen âge avec le sens de «songe, extase» (1245), en particulier dans le domaine amoureux.

◈ voir TRANSIT, TRANSITIF, TRANSITION, TRANSITOIRE.

TRANSISTOR n. m. est emprunté (1952) à l'anglais *transistor*, mot créé en 1947-1948. La découverte du transistor a eu lieu le 23 décembre 1947 lors d'une expérience conduite dans les laboratoires de la Bell Telephone aux États-Unis, par John Bardeen, Walter Brattain et William Shockley qui se virent décerner le prix Nobel de physique en 1956. Le phénomène observé fut identifié sous le nom de *transfer resistor* «résistance de transfert». C'est un autre chercheur des laboratoires Bell, John Pierce, qui proposa le terme *transistor* (enregistré en 1966 dans le dictionnaire américain *Webster's Third*), contraction de *trans(fer) (res)istor*. Le radio-récepteur à transistors (appelé *transistor, transistor radio* et *transistor set*), l'une des applications les plus spectaculaires de la découverte, a été inventé en 1954 à Indianapolis par la firme américaine Regency Radio.

♦ Le mot est passé en français comme terme scientifique avant de se répandre (v. 1960) avec le sens de «radio-récepteur à transistors». ◇ La forme francisée *transisteur* était recommandée par plusieurs membres de l'Académie des sciences, mais le Comité d'étude des termes techniques français s'est prononcé en faveur de l'emprunt (1963). La vogue du mot a été très grande.

▶ **TRANSISTORISER** v. tr. est l'adaptation (v. 1960) de l'anglais *to transistorize* «équiper de transistors». Ce verbe technique a été rejeté par l'Académie des sciences sur rapport du Comité consultatif du langage scientifique (12 février 1962), mais on rencontre *transistorisé, transistoriser* et un dérivé **TRANSISTORISATION** n. f. (1962) dans la publicité et l'usage technique.

TRANSIT n. m. est un emprunt, comme terme de commerce (1663, Colbert), à l'italien *transito* «transport de marchandises en franchise», lui-même représentant le latin *transitus* «action de franchir, passage» (au propre et au figuré), substantivation du participe passé de *transire* (→ transir).

♦ L'emprunt du mot en français est inséparable de la politique économique menée par Colbert en faveur de la libre circulation des marchandises. ◇ Par extension, *transit* est appliqué (1822, Balzac) au passage de marchandises indépendamment de leur situation douanière et, par analogie, à la situation de voyageurs en escale. ◇ Par comparaison, on appelle (déb. XXe s.) *cité de transit* un lieu d'hébergement provisoire pour des réfugiés ou des immigrés. ◇ Parallèlement, le mot s'emploie (1922) au sens concret en physiologie *(transit intestinal)* et en physique. Il a aussi une spécialisation en astrologie.

▶ Le dérivé **TRANSITAIRE** adj. (1838) est substantivé pour désigner un commerçant qui s'occupe des questions de transit (1842), et appartient au vocabulaire juridique. ◆ **TRANSITER** v. tr. et intr. (1832, Balzac), mot de droit commercial, appliqué à des voyageurs en transit (XXe s.), est entré dans l'usage général.

TRANSITIF, IVE adj. est emprunté (v. 1265) au latin *transitivus* employé par les grammairiens latins à propos d'un verbe qui fait passer l'action du sujet sur son complément direct. Le mot vient de *transire* «passer» (→ transir).

♦ *Transitif* a d'abord été emprunté au sens général de «passager, changeant», sorti d'usage à la fin du XVe s., puis a été repris par les grammairiens (1550, Meigret, *Traité de la grammaire française*) au sens latin, appliqué aussi (1625) à ce qui est propre à un verbe transitif. Le mot, donné comme terme de grammaire hébraïque par l'*Encyclopédie*, est très rare avant le XIXe s. ; on disait plutôt *verbe actif*. ◇ Depuis le début du XVIIIe s., il est employé en philosophie à propos de ce qui agit sur autre chose que l'agent *(cause transitive)*, puis en logique. ◇ Il a qualifié en géologie un terrain formant une transition avec un terrain de formation plus récente (1845), valeur sortie d'usage.

▶ Les dérivés sont aujourd'hui liés au sens grammatical de *transitif*. ◆ **TRANSITIVEMENT** adv., attesté au XVIe s. avec le sens temporel, «pour la postérité» (1522) et «rapidement» (1588), a été recréé avec la valeur de «d'une manière transitive» (1872). ◆ **TRANSITIVITÉ** n. f. est postérieur (1879).

INTRANSITIF, IVE adj. et n. m. est un emprunt du XVIIe s. au latin des grammairiens *intransitivus (lverbum] intransitivum)* chez Priscien, repris au XIIIe s. par Pierre Hélie dans ses commentaires du grammairien latin, composé de *in-* (→ ① in-), et du bas latin *transitivus*. ◇ Depuis la *Grammaire* de Port-Royal (1664), qui emploie aussi *verba intransitiva*, le mot qualifie un verbe qui exprime une action limitée au sujet et ne passant sur aucun objet. L'adjectif s'emploie par analogie en logique et en mathématiques, en parlant d'une opération ou d'une relation dans laquelle les termes ne sont pas liés entre eux. ◆ *Intransitif* a produit **INTRANSITIVEMENT** adv. (1678, en philosophie) et **INTRANSITIVITÉ** n. f. (mil. XXe s.), également employé en logique et en mathématiques.

TRANSITION n. f. est emprunté (1521) au latin *transitio, -onis*, nom d'action correspondant à *transire* (→ transir) : «action de passer, passage», au figuré «passage dans un autre ordre social» et «contagion», «défection (passage à l'ennemi)» et «conjugaison» en grammaire.

♦ On relève avant le XVIe s. des emprunts isolés : *transision* «agonie» (XIIIe s.), *transicion* «action de passer de l'autre côté» (fin XIVe s.) et *transsision* «moment passager» (XVe s.). ◆ Le mot, par un nouvel emprunt au latin des rhétoriciens, signifie à partir du XVIe s. «manière de passer de l'expression d'une idée à une autre, de lier les parties d'un discours» (1521, Fabri). Il s'emploie par analogie en musique (1765, aujourd'hui avec un autre sens), puis en peinture et par ailleurs en astrologie (1752), en physique. ◇ Il est littéraire pour désigner en général le passage d'un état à un autre (1797) et se dit couramment d'un passage graduel (1874), d'abord en géologie (1779). Par métonymie, il sert à désigner ce qui constitue un état intermédiaire (1835).

▸ Son dérivé **TRANSITIONNEL, ELLE, ELS** adj. (1852) est didactique pour «transitoire»; introduit sous l'influence de l'anglais *transitional* utilisé par le psychanalyste anglais Winnicott, il est employé dans l'expression *objet transitionnel* à propos d'un objet partiel (au sens psychanalytique) assurant le passage de l'enfant d'un «objet» à l'autre.
TRANSITOIRE adj. est emprunté (v. 1170) au dérivé latin *transitorius* «qui sert de passage» et, à basse époque, au sens temporel de «bref, passager» chez les auteurs chrétiens (saint Augustin). ◇ Le français a repris le sens temporel (autrefois assumé par *transitif**). Le mot sert d'adjectif à *transition* pour «qui forme transition» (1798), beaucoup plus courant que *transitionnel*. ◆ Son dérivé **TRANSITOIREMENT** adv. (1530), repris à la fin du XVIIIe s. (1794), n'est pas usuel.

TRANSLATER v. tr. est un emprunt (v. 1120) au bas latin *translatare* «transporter en un autre endroit», au figuré «aliéner», «transcrire» et «traduire», fait sur le supin *(translatum)* de *transferre* (→ transférer).

♦ *Translater*, d'abord «transporter dans un autre lieu» puis «traduire» (v. 1140) jusqu'au XVIIIe s., est concurrencé par *transférer* et éliminé par *traduire*, mais il a été repris en informatique (v. 1960).

▸ **TRANSLATION** n. f., emprunté au latin *translatio, -onis* pour servir de substantif verbal à *translater*, a été emprunté (fin XIIe s.) au sens de «traduction» et a lui aussi été concurrencé à partir du XVIe s., puis éliminé par *traduction* (alors que l'anglais, qui a conservé *translation* et *to translate*, a perdu *traduction*). Il désigne le fait de transporter selon des formalités, en particulier des reliques (v. 1200) ou une juridiction (1474) et s'est employé avec le sens de *transfert* (v. 1380). ◇ Il continue de s'employer dans le langage juridique pour le transfert d'un droit (1363), d'un titre (1541) et correspond à «action de déplacer les restes d'un mort» (1691). ◇ Il conserve en outre des emplois spécialisés, en mécanique (1754, *mouvement de translation*), et en géométrie (fin XIXe s.), en linguistique (1959) et en informatique (v. 1960-1965), ces deux emplois étant des emprunts à l'anglais des États-Unis.
TRANSLATEUR n. m., emprunté (fin XIIe s.) au dérivé latin *translator* employé à basse époque au sens de «traducteur» et «copiste», est passé en français au sens de «traducteur». Il est qualifié de «vieux et burlesque» par Richelet en 1680 et ne s'emploie plus au XVIIIe s. qu'avec la nuance péjorative de «mauvais traducteur». ◇ De nos jours, il a pris un sens technique, «appareil intermédiaire entre deux postes télégraphiques éloignés» (1904).

TRANSLITTÉRATION n. f. est une formation savante (1874), du latin *trans* (→ trans-), *littera* «lettre», d'après des mots comme *transcription*.

♦ Le mot désigne une transcription, lettre pour lettre, d'un alphabet (ou syllabaire) dans un autre.

▸ **TRANSLITTÉRER** v. tr. (v. 1950) en est un dérivé régressif.

TRANSLUCIDE adj. est emprunté (1556) au latin *translucidus* «qui brille au travers», «transparent, diaphane», de *trans* (→ trans-), et *lucidus* (→ lucide).

♦ Le mot, rare avant 1802, est d'abord d'usage didactique, comme *lucide* et *pellucide*, mais s'est répandu dans le langage soutenu avec une valeur distincte de *transparent*, selon l'étymologie : un corps translucide laisse passer la lumière mais ne laisse pas reconnaître («paraître») nettement les formes.

▸ Son dérivé **TRANSLUCIDITÉ** n. f. (1565) est resté d'usage didactique et technique. ◆ Le vocabulaire de la météorologie a emprunté au latin **TRANSLUCIDUS** n. m. (v. 1950) qui désigne un nuage en banc assez translucide pour laisser apparaître la position du Soleil ou de la Lune.

TRANSMETTRE v. tr. est la réfection (XIIe s.), d'après le latin, de *trametre* (Xe s.), issu du latin classique *transmittere* «envoyer de l'autre côté, faire passer au-delà, remettre», de *trans* (→ trans-), et *mittere* (→ mettre). Le mot latin s'est conservé de l'Italie centrale aux Alpes et à la Catalogne.

♦ Le verbe est passé en français avec le sens d'«envoyer», qui était celui du latin *mittere* et qui a disparu après l'ancien français. L'idée dominante du verbe est devenue celle d'un déplacement provoqué vers qqn et il a dès le XIe s. le sens de «faire parvenir (qqch. à qqn)» (v. 1050), plus tard au pronominal *se transmettre* (1553). ◇ Peu à peu, il a retrouvé la valeur du préfixe latin *trans-* sous l'influence de la langue savante latinisante, qui a recréé *transmettre* (v. 1170), généralisé au XVe siècle. Le verbe a signifié dès le XIIe s. «céder (un droit, un bien) à qqn», spécialement «faire passer à ses descendants un bien matériel» (1549) ou moral (1615), sens toujours usuel. ◇ Depuis le XVIIe s. (av. 1650, Descartes), le mot est employé couramment pour «faire parvenir (un élément physique) d'un lieu à un autre» en parlant d'une chose, d'où des emplois spécialisés (biologie) ou courants dans les domaines du téléphone, de la radio et de la télévision.

▸ Le verbe a pour dérivé **TRANSMETTEUR** n. m. et adj. (v. 1450), d'abord «celui qui envoie (une délégation)» ; il est reformé au XIXe s. dans le domaine de la télégraphie (1860).
Avec le préfixe *re-*, l'ancien français avait *retrametre* au sens d'«envoyer en retour» (v. 980). Ce verbe ayant disparu, **RETRANSMETTRE** v. tr. est un nouveau verbe (1932) qui apparaît à propos des télécommunications pour «transmettre un signal, transmis (de nouveau, plus loin, etc.)». ◇ De là, **RETRANSMETTEUR** n. m. et adj. (1932). Ces deux termes techniques sont passés dans l'usage courant, surtout le verbe, à propos d'émissions radiophoniques, télévisées, puis de toute information.
Le substantif verbal correspondant à *transmettre* est **TRANSMISSION** n. f. (1515; 1398, sans contexte), directement repris au latin *transmissio* fait sur le supin de *transmittere*. ◆ Introduit en français comme terme de médecine en parlant de la circulation des humeurs, le mot s'est répandu dans l'usage pour désigner généralement l'action de

transmettre et le résultat de cette action (v. 1590). ◇ À partir du XVIIIe s., il a développé des emplois didactiques et scientifiques, en physique (1765, dans un sens disparu), en biologie (1793), en mécanique (1872), avec l'expression ***courroie de transmission*** (1876), au figuré «organe qui transmet une consigne, un ordre». ◇ La spécialisation concernant les signaux électriques, télégraphiques (1869) transmis à distance est devenue la plus importante, le mot s'appliquant dans l'armée au service chargé des communications (*les transmissions;* 1933 dans les dictionnaires), puis à l'ensemble des télécommunications et à l'informatique. ◇ Depuis le début du XIXe s. (1807), il se dit pour le passage par contagion d'une maladie d'un individu à un autre. ◇ Par métonymie, il désigne concrètement ce qui transmet, spécialement en parlant d'un organe mécanique (1861) et, abstraitement, au pluriel, de l'ensemble des moyens destinés à transmettre les informations. ◆ Avec le préfixe *re-*, on a formé sur *transmission*, **RETRANSMISSION** n. f. «diffusion d'une émission dans un autre lieu» (1949), terme technique qui, comme *retransmettre*, est entré dans l'usage courant.

TRANSMISSIBLE adj. a été formé savamment (1583) par les juristes sur le supin latin *transmissum* avec le suffixe *-ible*. L'adjectif a pris le sens général de «qui peut être transmis» (1690), mais reste d'un usage didactique (biologie, médecine) ou abstrait. ◆ Il a servi à former **TRANSMISSIBILITÉ** n. f. (1789) et les antonymes **INTRANSMISSIBLE** adj. (1801) et **INTRANSMISSIBILITÉ** n. f. (1877), surtout employés en droit.

TRANSMIGRATION n. f. est emprunté (v. 1190) au latin *transmigratio, -onis* «émigration, exil, captivité», employé spécialement par les auteurs chrétiens avec les sens de «mort, trépas» et «translation d'un corps saint». Ce nom latin est formé sur le supin *(transmigratum)* de *transmigrare*, de *trans* (→ trans-), et *migrare* (→ migrer), «passer d'un lieu à un autre», «changer d'habitation» et transitivement «déporter».

♦ Le mot, signifiant «déplacement d'un peuple qui passe de son pays dans un autre», a subi la double concurrence de *migration** et *émigration**. Le sens physique de «déplacement d'un lieu à un autre» (1580) a disparu. ◇ L'usage moderne l'emploie essentiellement avec la valeur religieuse de «métempsycose, passage d'une âme d'un corps dans un autre» (1493), en particulier à propos de la religion hindouiste.

▸ **TRANSMIGRER** v. intr., emprunté (1538) au verbe latin avec le sens de «passer d'un lieu d'un pays dans un autre», a suivi la même évolution vers le sens religieux (1769).

TRANSMUTATION n. f. est emprunté (v. 1160) au latin *transmutatio, -onis* «transposition (de lettres)», fait sur le supin *(transmutatum)* de *transmutare* «transférer, faire changer de place», «transporter ailleurs», de *trans* (→ trans-), et *mutare* (→ muer, muter).

♦ Le mot est emprunté avec le sens de «changement d'une substance en une autre», spécialement en alchimie. ◇ Il s'est employé (v. 1283) au sens d'«échange d'une chose contre une autre», repris à l'époque classique puis sorti d'usage. Par la suite, il a développé par métaphore le sens de «changement de nature» (1803, après l'emploi correspondant de *transmuter*), demeuré littéraire. ◇ Il est passé dans le domaine de la physique atomique (1909), sens aujourd'hui usuel.

▸ **TRANSMUER** v. tr. a été emprunté (v. 1270) au latin *transmutare* avec francisation d'après *muer**. L'ancien français avait francisé le latin en *tresmuer* v. tr. «changer de visage» (XIIIe s.). ◆ Comme le nom, il a le sens large de «transformer, changer» (v. 1270), spécialement (1591) dans le contexte alchimique de la transmutation des métaux. Cette acception ne survit qu'au figuré, la transformation impliquant un état supérieur (1790). Le verbe a perdu ses autres acceptions, «échanger contre» (v. 1370) et «transporter» (v. 1360). ◆ La forme **TRANSMUTER** a été rétablie au XVIe s. (1521), et reprise au XIXe s. (1834, Balzac) sous l'influence probable de *transmutation* sans pour autant éliminer *transmuer* (→ muer/muter). ◆ *Transmuer* a produit **TRANSMUABLE** adj. (v. 1300), doublé par **TRANSMUTABLE** adj. (1808). ◆ **TRANSMUTABILITÉ** n. f. est probablement un dérivé savant (1721) du verbe latin. ◆ **TRANSMUTATEUR, TRICE** n. et adj., d'abord (1768) en alchimie, ne s'emploie qu'au figuré. ◆ **TRANSMUTANT, ANTE** adj. (1949) est un terme de physique atomique.

TRANSPARENT, ENTE adj. et n. m. est la réfection (v. 1370, Oresme) d'après la forme latine *trans* du plus ancien *tresparent* (XIIIe s.), emprunté au latin médiéval *transparens, -entis*, composé de *trans* «à travers» (→ trans-), et *parere* «apparaître» (→ paraître).

♦ Le mot s'applique à ce qui laisse passer la lumière et paraître nettement les objets placés derrière; il s'emploie couramment ensuite pour «translucide» (1643), les deux mots étant toujours distincts en terminologie. ◇ Il a développé le sens figuré de «qui ne cache rien», dans le domaine psychologique (v. 1747) et qualifie des propos, un comportement qui sont aisément déchiffrables (1763). ◇ Substantivé au masculin (XVIe s. isolément, puis 1611) pour une plaque de verre, il désigne un panneau décoratif très fin éclairé par derrière (1762); il s'applique aussi à un motif décoratif sculpté à jour, en architecture et en sculpture (notamment dans le style baroque espagnol), et à une feuille de papier réglée servant à écrire droit par transparence (1718), une sorte de diapositive (XXe s.). ◇ Il a également servi, dans l'histoire de l'habillement, à désigner un élément transparent (1676, Mme de Sévigné), une pièce de tissu opaque doublant un vêtement transparent (1849).

▸ Son dérivé **TRANSPARENCE** n. f. (v. 1380) a suivi la même évolution, également au figuré (1763).
Sous l'influence de l'adjectif, a été formé sur *paraître** un composé **TRANSPARAÎTRE** v. intr., réfection (1640) de *transparoir* (1573), à peu près inusité avant le XIXe s. où il sert de variante spécialisée

à *paraître* pour «apparaître à travers qqch.»; il signifie au figuré (1848) «se manifester malgré un obstacle», là où l'on employait fréquemment *transpirer.*

TRANSPERCER → PERCER

TRANSPIRER v. est emprunté (1503) au latin médiéval *transpirare,* fait sur *spirare* (→ spirituel) avec *trans* (→ trans-) sur le modèle des composés *exspirare* (→ expirer), et *aspirare* (→ aspirer).

♦ À côté du sens courant, «suer», attesté dès les premiers textes, le verbe s'utilise en botanique à propos de végétaux (1762). ◇ Il a été employé à la fois à propos de l'entrée de l'air par les pores (1690) et, médicalement, de l'excrétion des humeurs (v. 1550) selon l'ancienne conception de la transpiration. ◇ Il a pris le sens figuré de «paraître au jour, finir par être connu» (1738; 1718 à la forme impersonnelle *il transpire*), par exemple dans *rien n'a transpiré du secret,* emploi plus tard concurrencé par *transparaître.* ◇ Cette valeur a donné une spécialisation technique sortie d'usage «apparaître à travers les fils (pour la trame du taffetas)» (1765). L'emploi de la construction transitive est sorti d'usage avec le sens concret (1685) et est littéraire au sens figuré (1863).

▸ Le mot a donné les adjectifs **TRANSPIRABLE** (XVIe s.) d'usage didactique et **TRANSPIRANT, ANTE** (1932, Céline), variante noble de *suant.*
TRANSPIRATION n. f., le nom correspondant, est emprunté en même temps que le verbe (1503) au dérivé latin médiéval *transpiratio, -onis.* ◆ Le mot a suivi la même évolution que *transpirer;* terme didactique, il ne s'est répandu dans l'usage courant qu'au XVIIIe s. (vers 1770). Par métonymie, il sert à désigner le liquide provenant de la sécrétion (1680), mais on dit couramment *sueur* et, par analogie, il est repris en botanique pour désigner l'évacuation de l'eau excédentaire des plantes à l'état de vapeur (1735). La conception moderne de la transpiration en fait une modalité des échanges respiratoires.

TRANSPLANTER v. tr. est emprunté (1528; une fois v. 1120, sous la forme *transplanter*) au bas latin *transplantare* (dans la Vulgate), de *trans-* (→ trans-), et *plantare* (→ planter).

♦ Emprunté comme terme de jardinage, *transplanter* a pris le sens métaphorique de «transporter dans un autre milieu, un autre pays» (1585); il s'applique aussi aux personnes (1657), sens également réalisé par la forme pronominale *se transplanter* (1690). ◇ Le verbe a pris beaucoup plus tard, sous l'influence probable de *transplantation,* une valeur biologique (1898) analogue à celle de *greffe,* lui aussi d'origine horticole. ◇ Le participe passé **TRANSPLANTÉ, ÉE** est adjectivé et substantivé en contexte médical (1967) et d'abord en parlant des populations (1898).

▸ Le déverbal **TRANSPLANT** n. m. attesté isolément au XVIe s. pour «action de transplanter», a été repris au XIXe s. en biologie avec le sens d'«organe, tissu transplanté» (1898).

TRANSPLANTATION n. f., apparu à la même époque que *transplant* (1556), a suivi l'évolution du verbe, développant le sens figuré de «déplacement d'hommes, d'animaux» (1680, Mme de Sévigné) et une spécialisation médicale (1898). ◇ Il a supplanté **TRANPLANTEMENT** n. m. (1600). ◆ Au début du XVIIe s. sont dérivés **TRANSPLANTABLE** adj. et **TRANSPLANTEUR, EUSE** n. m. et adj. (1606), rare. ◆ Le dernier attesté des dérivés de *transplanter* est **TRANSPLANTOIR** n. m. (1796), qui désigne un outil de jardinage.

◈ voir PLANTER.

TRANSPORTER v. tr. est emprunté (v. 1180) au latin *transportare,* littéralement «porter en un autre endroit», de *trans* (→ trans-), et *portare* (→ porter).

♦ Le verbe est introduit avec le sens de «déplacer d'un lieu à un autre» une personne ou une chose, d'où *se transporter* (1280), et il est très tôt employé (1291) à propos du déplacement d'un droit d'une personne à une autre. ◇ Par figure, il signifie «agiter (qqn) par un sentiment violent» (v. 1290); dans cet emploi, littéraire aujourd'hui, *transporter* s'applique plutôt à un sentiment de joie, de satisfaction, etc. (mil. XVIIe s.), avec un complément; mais *se transporter* «se mettre hors de soi» (1574) est sorti d'usage. ◆ À partir de la Renaissance, la première valeur se développe; le verbe s'emploie figurément pour un déplacement par l'imagination (1532), plus couramment aujourd'hui *se transporter* (dans un lieu, etc., en esprit) [1538]; il se dit aussi (1541) à propos du passage de qqch. dans un autre contexte *(transporter un roman à la scène),* en concurrence avec *porter.* ◇ *Transporter* s'utilise aussi (1564) en droit en parlant du transfert d'une juridiction, d'un pouvoir. ◇ Dans un contexte concret, il signifie «faire partir (qqn) pour l'établir ailleurs» (1564), en particulier autrefois «déporter» une personne ou un groupe (cf. *transportation* ci-dessous), puis «condamner à la peine de la transportation» (1748). ◇ À partir du XVIIIe s., le sujet désigne le moyen de transport (1729) et le verbe prend une valeur plus générale, «faire passer d'un point à un autre» (1742), le complément désignant un objet concret, une force, etc. ◇ Le verbe s'emploie également en comptabilité (1723) dans le cas du transfert d'une somme d'un compte à un autre; cf. *transférer.*

▸ Le déverbal **TRANSPORT** n. m. s'emploie d'abord (1312) avec le sens juridique abstrait de «cession d'un droit». Il désigne couramment le fait de porter qqch. ou qqn pour parvenir à une autre destination (1538), notamment par des moyens spécifiques (1690), d'où l'emploi pour les véhicules qui servent à transporter (1787, à propos d'un navire pour le transport de troupes), d'où aussi le syntagme usuel *moyen de transport* (1813). ◇ Plus récemment, *les transports* se dit à propos de l'ensemble des moyens employés pour transporter les marchandises, les personnes (1923, *transports en commun*). ◇ Le mot est aussi employé en droit pour le fait de se déplacer sur les lieux pour instruire une affaire (1668), le *transport* se disant autrefois d'une perquisition domiciliaire (1692). ◇ En relation avec *transporter,* il a eu le sens de «déportation» (1610). ◇ À l'époque classique, en relation avec *transporter*, il exprime au figuré l'idée de «vive émotion» (1604); aujourd'hui, il s'emploie surtout avec un complément (1647, *transport de joie*). ◇ *Transport* (1668) ou *transport au cerveau* (1671) s'est dit aussi d'une congestion cérébrale, considérée par l'ancienne médecine comme un déplacement des humeurs.

TRANSPORTEUR, EUSE n. et adj., attesté une première fois en 1380, a été repris au XVIe s. pour désigner la personne qui transporte, et plus précisément la personne dont le rôle est de transporter qqch. ou qqn, alors en relation avec *transport* (1869). ◇ Au XXe s., le mot désigne également un dispositif transportant des marchandises (1906), aussi adjectif (1904). Il est passé dans le domaine scientifique à propos d'un élément capable de faire passer, de transmettre (des atomes, des molécules) d'une structure chimique à une autre *(transporteur d'hydrogène)* [1953].

TRANSPORTÉ, ÉE adj., du participe passé, s'emploie au figuré (1541) et au propre (1690). ➜ **TRANSPORTÉ** n. m., terme d'histoire, désigne un condamné à la transportation (1872). ➜ *Transporter* a produit deux adjectifs. ◇ **TRANSPORTABLE** (1556) a produit le préfixé **INTRANSPORTABLE** (1773), souvent aujourd'hui «qu'on ne peut transporter sans mettre sa vie en danger» (d'un malade). ◇ **TRANSPORTANT, ANTE**, participe présent adjectivé de sens figuré (1671, Mme de Sévigné), est sorti d'usage.

TRANSPORTATION n. f., directement emprunté (1519) au dérivé latin *transportatio* «émigration», est peu attesté avant le XVIIIe s. (1776), où il a le sens de «déportation d'un peuple», puis celui de «transport d'un condamné dans une colonie» (1790); celui-ci est aujourd'hui un terme d'histoire, cette institution distincte de la déportation ayant disparu.

◈ voir **PORTER**.

TRANSPOSER v. tr. (v. 1250) a remplacé l'ancien français *tresposer* (v. 1250), tous deux empruntés au latin *transponere* «transporter» et «transposer» de *trans* (→ trans-), et *ponere* (→ poser) et francisé d'après *poser**. *Transposer* est attesté isolément v. 1190 au sens de «traduire».

♦ Le mot est archaïque avec son sens littéral de «faire passer ailleurs» qui s'appliquait au XVIIIe s. (1718) au transfert d'une somme d'argent et, au jeu, d'une carte sur une autre. À partir du XVIIe s., le verbe s'emploie pour «placer (des éléments) en intervertissant leur ordre» (1606) et signifie spécialement en musique «faire passer (une forme) dans un autre ton sans l'altérer» (1684). Sous l'influence de cette valeur, il a pris le sens métaphorique de «faire changer de forme ou de contenu en changeant de domaine» (1853).

▸ **TRANSPOSÉ, ÉE** adj. a signifié «inversé» (1300) et «changé» (v. 1370). Il est repris au XVIIIe s. en musique (1762) et, plus récemment, en mathématiques *(matrice transposée)*, aussi comme nom féminin *(une transposée)*. ➜ **TRANSPOSITION** n. f., attesté isolément pour «traduction» (v. 1270), signifie (1488) «changement de place» et spécialement «interversion» (1588), et s'est employé en grammaire pour «inversion» (1647). Avec sa première valeur générale, il s'est spécialisé en imprimerie (1690), en mathématiques (1835) et en médecine (1845), employé pour *métathèse* en linguistique (XXe s.). Par ailleurs, il désigne (1690) l'action de modifier qqch. pour le faire passer dans un autre domaine, spécialement en musique (1694). ➜ **TRANSPOSITIF, IVE** adj. (1747, abbé Girard) est un ancien terme de linguistique, qualifiant une langue à construction libre, où les termes de la phrase peuvent être transposés, inversés. ➜ **TRANSPOSITEUR, TRICE** n., d'abord adjectif (1761), est très rare pour désigner une personne qui transpose (1835) et s'emploie essentiellement à propos d'un dispositif adapté à un instrument de musique (1834). ➜ **TRANSPOSABLE** adj. (1823), «qui peut être transposé», a produit le préfixé **INTRANSPOSABLE** adj. (1886).

TRANSSUBSTANTIATION n. f., réfection (1495) de *transustanciacion* (1374), est emprunté au latin ecclésiastique *transsubstantiatio*, composé du latin classique *trans-* «au-dessus» (→ très), et de *substantiatio, -onis*.

♦ Dans les religions catholique et orthodoxe, le mot désigne le changement de toute la substance du pain et du vin en toute la substance du corps et du sang du Christ. Par figure, il signifie (1611) «changement complet d'une substance en une autre».

▸ Le dérivé **TRANSSUBSTANTIER** v. tr., réfection (1495) de *transsubstentier* (XIVe s.), est un terme de religion qui s'emploie parfois au figuré (1575; aussi XXe s., *transsubstantifier* chez Valéry), dans un usage didactique.

TRANSSUDER → **SUER**

TRANSVASER v. tr. a été formé directement en français (1564) de *trans-**, et *vase** avec le suffixe verbal.

♦ Signifiant proprement «faire passer (un liquide) d'un récipient dans un autre», ce verbe usuel a développé l'acception figurée de «transférer (des personnes)» (1823; 1770, des abeilles), de nos jours vieillie.

▸ Il a produit les dérivés **TRANSVASEMENT** n. m. (1611), ce dernier ayant supplanté *transvasation* n. f. (1570), **TRANSVASEUR** n. m. (1836), rare, et **TRANSVASAGE** n. m. (XXe s.), nom technique spécifique pour le soutirage du vin.

TRANSVERSAL, ALE, AUX adj. et n. f. est emprunté (1370) au latin médiéval *transversalis*, dérivé du latin classique *transversus* (→ travers). L'ancien provençal possède le mot correspondant dès le XIIIe s. (*via transversala* «chemin de traverse»).

♦ *Transversal* a été emprunté au sens de «disposé en travers», employé ensuite (1534; en anatomie *(muscle transversal)*; *transversal* n. m. ne s'est pas maintenu en ce sens. ◇ L'adjectif est passé dans l'usage courant (1611), notamment à propos d'une voie (1796), d'où *une transversale* n. f. (1914). ◇ Le substantif féminin a par ailleurs signifié «suture du crâne» (1752); il désigne une barre, une ligne transversale (1812), spécialement en sports la barre reliant les poteaux des buts aux jeux de ballon (1900) et s'emploie en géométrie (1806).

▸ La date de la première attestation de son dérivé **TRANSVERSALEMENT** adv. (1490) donne à penser que l'adjectif était employé avant le XVIe siècle. **TRANSVERSE** adj. est un emprunt (fin XIVe s.) au latin *transversus,* qui équivaut pour le sens à *transversal,* notamment en anatomie (1534) par ex. dans *côlon transverse.*

TRANTRAN ou **TRAN-TRAN** n. m. est issu (1611), par redoublement à des fins expressives, de *tran* (1561), onomatopée répétée plusieurs fois dans les cris des chasseurs et les signaux donnés par le cor.

♦ *Trantran* n'a pas gardé son sens premier, «son du cor», ni son sens figuré de «petits secrets d'une affaire» (1616). Il est passé dans le langage familier avec le sens de «routine que l'on suit dans certaines affaires» (1680) mais est devenu littéraire, concurrencé par la forme **TRAIN-TRAIN** n. m. (1835), influencée par *train** et plus courante.

TRAPÈZE n. m. est emprunté (1542) au bas latin *trapezium* «figure de géométrie quadrangulaire» et par analogie «espèce de borne». Lui-même est emprunté au grec *trapezion,* qui signifie proprement «petite table», en particulier «table de changeur», employé depuis Aristote comme nom de la figure géométrique (en grec moderne, «banque»). Le mot est dérivé de *trapeza* «table» (parfois «table servie», «repas», «plate-forme», «comptoir d'un changeur»; cf. la métaphore du banc pour *banque*). *Trapeza,* proprement «objet à quatre pieds», est un composé avec, au premier terme, une forme tirée du nom de nombre *tettares* «quatre» (→ tétra-) et, au second terme, le nom du pied *pous, podos* (→ -pode, podo-) avec vocalisme *e* et suffixe.

♦ Le mot a été emprunté comme terme de géométrie pour «quadrilatère à deux côtés parallèles» incluant le rectangle, et dans l'usage courant «parallèles et inégaux (grand et petit côté)». ◇ Par analogie de forme, il désigne un des muscles de l'omoplate (v. 1560) ou *muscle trapèze* (1611) et un os (1751; aussi *os trapèze*). ◇ Il s'emploie aussi pour un appareil de gymnastique (1830) formé d'une barre suspendue par deux cordes divergentes, d'où *trapèze volant* (1904), attraction de cirque. ◇ Il désigne aussi un dispositif équipant un bateau de plaisance (1958).

▸ Il entre dans quelques mots composés d'usage didactique. ◆ **TRAPÉZOÏDAL, ALE, AUX** adj. (1779) a été formé sur **TRAPÉZOÏDE** adj. et n. m. «en forme de trapèze» et comme nom «trapèze dont deux côtés se croisent». Le mot est emprunté comme nom (1652) au grec *trapezoeidês* (→ -oïde). ◆ **TRAPÉZIFORME** adj. (1803) et **TRAPÉZOÈDRE** n. m. (1818) sont rares. ◆ Avec son sens d'«appareil d'acrobatie», il a produit **TRAPÉZISTE** n. (1879), usuel.

① **TRAPPE** n. f. est issu (v. 1175) d'un francique °*trappa* «piège», qui est représenté par le vieil anglais *treppe* (anglais *trap*), le moyen néerlandais *trappe,* de même sens. Dans le domaine roman, on relève *trappa* dans la Loi salique; l'espagnol a *trampa,* l'ancien provençal *trapa* et l'italien a *trappola,* diminutif d'un simple disparu.

♦ Le mot désigne donc un piège, surtout pour prendre les oiseaux mais aussi des personnes ou des animaux sauvages, constitué alors d'un trou recouvert de branchages ou d'une bascule. Par extension, *trappe* a pris rapidement le sens figuré de «piège, ruse» (v. 1175), relevé jusqu'au XIXe s. mais sorti d'usage, de même que le sens voisin de «piège où s'enferrent des ennemis» (1590). ◆ *Trappe* est devenu un terme de charpenterie désignant un panneau fermant une ouverture dans le plancher (1260) et cette ouverture même (1552). Il se spécialise ensuite pour désigner le châssis d'une fenêtre à coulisse (1694), puis au théâtre la partie mobile d'un plancher de scène servant à faire disparaître les acteurs (1842). Par analogie, il désigne en technique (1755) la plaque d'ouverture d'un fourneau, puis (1872) une plaque de tôle devant une cheminée.

▸ Le dérivé **TRAPPON** n. m., autrefois «planche» (1432), vivant dans les parlers régionaux avec de nombreux sens, est un terme technique désignant une trappe placée à fleur de terre servant à fermer les caves où l'on entre par la rue (1593, Lyon; puis 1839). ◆ **TRAPPILLON** n. m. (1772) désigne dans un théâtre l'ouverture pratiquée sur scène pour laisser passage aux décors qui montent de dessous (1876) et, par ailleurs (1872), ce qui maintient une trappe fermée.

TRAPPEUR n. m. est un emprunt avec adaptation en *-eur* (1827) à l'anglais *trapper* n. (1768), dit du chasseur d'Amérique du Nord qui fait commerce de fourrures et se sert ordinairement de trappes. Celui-ci vient de *trap* n. «piège, trappe», de même origine que le français. ◆ Un dérivé **TRAPPER** v. intr. (1876, Larousse) «chasser comme le font les trappeurs» a été fait à l'imitation de l'anglais *to trap,* mais n'a pas vécu. ◇ Le moyen français avait employé *trapper* v. tr. (1530) «prendre (un animal, qqn) par ruse», dérivé de *trappe.*

voir ATTRAPER, CHAUSSE-TRAP(P)E.

② **TRAPPE** n. f., nom d'un ordre religieux, est tiré (1671), par abréviation, de *Notre-Dame-de-la-Trappe,* nom donné à un monastère fondé en 1140 entre Mortagne et L'Aigle — alors Laigle — (Orne) par des moines de la congrégation de Savigny, entrée dès 1147 dans l'ordre cistercien en s'affiliant à Clairvaux. Le monastère avait d'abord reçu le nom de *Maison-Dieu* mais le nom de *Trappe* prévalut bientôt. Les *trappes* étaient les marches qu'il fallait descendre pour aller pêcher le poisson à l'étang, et le mot est à rattacher à une forme dialectale *(trappe)* correspondant à l'allemand *Treppe* «escalier». La racine semble la même que celle de ① *trappe** et repose sur une onomatopée évoquant le trépignement.

♦ *Trappe* désigne d'abord l'abbaye mère de l'ordre (*la Trappe* ou *la Grande Trappe*), puis avec majuscule l'ordre cistercien (1691) et un monastère de l'ordre (avec ou sans majuscule) [1832].

▸ **TRAPPISTE** n. m., dérivé (1796) de *trappe*, est le nom donné à un moine cistercien de la règle de la Trappe telle qu'elle fut réformée au XVIIe s. par Rancé (1626-1700), nommé abbé régulier de la Trappe par privilège du roi en 1663. Les bouleversements révolutionnaires qui avaient supprimé tous les monastères, puis la restauration de l'ordre par Lestrange au XIXe s., furent suivis en 1892 par la fusion des trois congrégations issues de la Trappe en l'ordre des Cisterciens réformés (ou de la stricte observance). Depuis, *Trappe* et *trappiste*, maintenus dans le langage courant, ont disparu de la terminologie officielle (l'ordre se réclamant plutôt des pères de Cîteaux du XIIe s. que des idées des réformateurs Rancé et Lestrange). ◇ *Trappiste* n. f. est le nom (marque déposée) d'une bière fabriquée par des moines trappistes en Belgique. ➜ *Trappiste* a produit le dérivé, **TRAPPISTINE** n. f., relevé pour la première fois dans la *Vie de Rancé* de Chateaubriand (1844) pour désigner une religieuse suivant la règle réformée de Rancé (ordre fondé en 1827). ➜ Le mot désigne aussi (1866) une liqueur fabriquée par les trappistes.

TRAPU, UE adj. est un dérivé (1555) de l'ancien adjectif *trape, trappe* (XIVe s.) «court et grossier», encore usuel au XVIe s., lui-même d'origine obscure, peut-être d'un hypothétique °*trape*, altération de *tarpe* «grosse patte, grosse main».

♦ L'adjectif est toujours usuel appliqué à une personne de petite taille mais large, par extension à des animaux (1690) et à des choses (1831); il est passé dans l'argot scolaire pour qualifier un élève qui a de grandes connaissances (1886) ou un problème ardu (1890).

TRAQUENARD n. m. est emprunté (1534, Rabelais) au gascon ou au languedocien *tracanart* «amble rompu d'un cheval» et, par métonymie, «cheval qui va de ce pas», de *tracan* «marche», lui-même dérivé de *traca* qui appartient à la même racine que *traquer** au sens de «balancer».

♦ Le mot a pénétré en français avec le sens du gascon, fournissant une dénomination du diable dans la locution classique *traquenard Saint-Michel* (1640). ◇ Par analogie avec le mouvement de l'amble, le mot est passé dans le langage de la vénerie pour désigner un piège contre les animaux nuisibles (1680) et s'est répandu dans l'usage courant au sens figuré de «piège, embûche» (1622), sens bien vivant en français contemporain.

TRAQUER v. tr. est généralement considéré comme dérivé (v. 1460) de l'ancien français *trac* (parfois *tract*) «piste des bêtes» (XVe s.) d'où, à la même époque, «trace» (→ trac, dans *tout à trac*). On a aussi proposé d'y voir un emprunt au néerlandais *treck* «action de tirer, trait» mais le sens ne satisfait pas et, d'autre part, le mot est déjà signalé au XVe s. dans le sud de la France : si le mot était d'origine néerlandaise, la forme méridionale devrait évidemment être attestée après celle du français central. P. Guiraud y voit le représentant d'un roman °*tracticare* ou la réfection sur *trac* (de °*tracticus*) d'une forme antérieure, dérivée du latin *trahere* «tirer» d'où «tirer de côté et d'autre, balancer» (→ traire).

♦ Le mot est apparu en français avec le sens de «s'emparer de qqn», sorti d'usage, puis a signifié «chasser devant soi (un troupeau)» (av. 1577). ◇ C'est chez Saint-Simon (déb. XVIIIe s.) qu'il est relevé pour la première fois au sens moderne de «poursuivre (qqn) sans lui laisser d'issue», se spécialisant dans le domaine de la chasse où il signifie «fouiller (un bois) pour en faire sortir le gibier» et «poursuivre (le gibier) en l'encerclant» (1726).

▸ Le verbe a produit quelques dérivés, certains se détachant de son groupe en suivant une autre évolution sémantique (→ tracasser, détraquer), le rapport à *traquer* restant parfois sensible (→ ① et ② traquet). ➜ Le déverbal **TRAQUE** n. f. (1798) et le nom d'agent ② **TRAQUEUR, EUSE** n. (1798) se rapportent tous deux à l'activité de la chasse et ont quelquefois un sens figuré. *Traque*, selon la mode récente des déverbaux, a été repris (attesté 1945) au figuré au sens de «poursuite, chasse à l'homme».

◈ voir TRAQUENARD.

① **TRAQUET** n. m., en usage depuis le XVe s. (1458), est généralement rattaché à la racine onomatopéique *trak-* (→ ① trac); en mettant l'accent sur la notion de «mouvement» plus que sur celle de «bruit», on peut y voir un dérivé de *traquer** au sens de «balancer», mais l'idée de bruit semble aussi ancienne que la forme.

♦ Ce mot technique désigne la pièce d'un moulin dont le mouvement fait tomber le blé sous la meule; on a dit *traquet de moulin* pour une personne bavarde (1718). ➜ Il désigne un oiseau passereau (1552) à cause de son bruit et est relevé au sens de «crécelle» (v. 1485), sorti d'usage.

▸ ② **TRAQUET** n. m., terme de chasse désignant un piège tendu aux bêtes puantes (1694), est soit dérivé de *traquer** «chasser», soit formé sur l'onomatopée *trak-* (→ ① trac) à cause du bruit que fait le piège en se refermant; dans ce cas, ce serait le même mot que ① *traquet*. ◇ Le mot entre dans une locution figurée *donner dans le traquet* (1694) «dans le piège», sortie d'usage.

① **TRAQUEUR** → ② TRAC

② **TRAQUEUR** → TRAQUER

TRAUMATIQUE adj. est un emprunt de la Renaissance (1549) au bas latin *traumaticus* «efficace contre les blessures», lui-même emprunté au grec tardif *traumatikos* «qui concerne les blessures, bon pour les blessures». Celui-ci est dérivé de *trauma* (*trôma* en ionien) «blessure» et au figuré «dommage», «désastre, déroute», dérivé du verbe *titrôskein* «blesser» et «endommager», qui appartient à la racine indoeuropéenne °*ter-* «user en frottant, trouer», également bien représentée en latin (→ trier), et en grec même dans *tornos* (→ ② tour), *trêma* (→ tréma), *trupanon* (→ trépan).

♦ Le mot a été emprunté par les médecins du XVIe s. avec le sens du latin, sorti d'usage de même que celui de «vulnéraire» (1752). Cet adjectif didactique s'applique aujourd'hui à ce qui est relatif aux blessures (1806), spécialement dans *choc traumatique* (1877). Au XXe s., l'adjectif s'est spécialisé en psychanalyse sous l'influence de *trauma* (1900, *névrose traumatique*). ◆ **TRAUMA** n. m., emprunté (1876) au grec *trauma* comme terme de médecine, est employé en psychanalyse (1913) en parlant d'un choc modifiant la personnalité.

▸ Le mot a produit plusieurs dérivés. ◆ **TRAUMATISME** n. m. (1855), formé d'après le grec *traumatismos*, s'est répandu dans l'usage courant au XXe s. par l'intermédiaire de la psychologie (1900) et de la psychanalyse, mais il reste usuel en physiologie (*traumatisme crânien*, 1926). ◆ **TRAUMATISER** v. tr., créé d'après le verbe grec *traumatizein* au sens de «provoquer un traumatisme» (1896), est passé (v. 1950) dans le langage psychologique, psychanalytique et courant. ◆ Les mêmes valeurs sont réalisées par ses participes adjectivés **TRAUMATISÉ, ÉE** (1896) et **TRAUMATISANT, ANTE** (1910) qui sont devenus usuels. ◆ En revanche, la série **TRAUMATOLOGIE** n. f. (1834, A.-M. Ampère), **TRAUMATOLOGIQUE** adj. (1842), **TRAUMATOLOGISTE** (v. 1968) ou **TRAUMATOLOGUE** n. (1965) est réservée à l'usage didactique.

◈ **TRAVAILLER** v. est issu (1080) d'un latin populaire °*tripaliare*, littéralement «tourmenter, torturer avec le 'trepalium'», du bas latin *trepalium*, nom d'un instrument de torture (→ ci-dessous ② travail). P. Guiraud invoque un croisement entre *trepalium*, qui désignait aussi un appareil à ferrer les bœufs, et le roman °*trabiculare* de *trabicula* «petite poutre», diminutif de *trabs* «poutre» (→ travée); *trabicula* a pu désigner le chevalet de la question et °*trabiculare* signifier «torturer» et «travailler», c'est-à-dire supporter une charge comme le chevalet.

♦ En ancien français, et toujours dans l'usage classique, *travailler* signifie «faire souffrir» physiquement ou moralement, intransitivement «souffrir» (XIIe s.) et *se travailler* «se tourmenter» (XIIIe s.). Il s'est appliqué spécialement à un condamné que l'on torture (v. 1155), à une femme dans les douleurs de l'enfantement (v. 1165; cf. ci-dessous ① travail), à une personne à l'agonie (v. 1190); tous ces emplois ont disparu. ◇ Par ailleurs le verbe a signifié «molester (qqn)» (1249), puis «endommager (qqch.)» (XVe s.) et encore «battre (qqn)» (XVIIe s.; 1636, *travailler sur qqn*) à l'époque classique, d'où *travailler les côtes à qqn* (1793, *travailler les côtelettes*) qui pourrait encore se dire, et en boxe *travailler (l'adversaire) au corps* (XXe s.). ◇ Le verbe s'est aussi employé pour «agiter (l'eau d'un fleuve, etc.)» (v. 1270), d'où l'intransitif *travailler* «être agité» (v. 1709), encore représenté avec une valeur abstraite, familièrement dans *travailler du chapeau*, aujourd'hui compris au sens moderne. ◇ L'idée étymologique s'est conservée de façon très affaiblie avec la valeur de «tracasser, inquiéter» (fin XIVe s.), d'où *travailler l'esprit de qqn* (déb. XVIIe s.), *travailler qqn* (XIXe s.) et l'emploi familier *ça le travaille*. ◆ Cependant, dès l'ancien français, plusieurs emplois impliquent l'idée de transformation acquise par l'effort; *se travailler* «faire de grands efforts» (v. 1155), avec une valeur concrète et abstraite, se maintient jusqu'au XIXe s., précédant *travailler à* «exercer une activité qui demande un effort» (v. 1200); *travailler un cheval* «le soumettre à certains exercices» (1373) est encore en usage au XIXe siècle. ◇ Cependant, en moyen français, l'idée de transformation efficace l'emporte sur celle de fatigue ou de peine. Le verbe se répand aux sens de «exercer une activité régulière pour assurer sa subsistance» (1534), d'où *faire travailler* «embaucher» (1581). À partir du XVIIIe s., le verbe peut avoir pour sujet le nom d'une force productive ou d'une entreprise en fonctionnement (1723). ◇ Au XVIe s., il a aussi le sens de «rendre plus utilisable», d'abord à propos d'un ouvrage de l'esprit (1559, *travailler le style*). *Travailler à qqch.* signifie (fin XVIe s.) «participer à son exécution». Le verbe, employé absolument, s'est dit en argot pour «voler» (1623), puis «assassiner» (1800) et «se prostituer» (1867), spécialisations de l'idée de travail professionnel dans un contexte d'illégalité. ◇ Par extension, *travailler pour (contre) qqn* prend le sens de «le servir (le desservir)» (1651). ◇ Puis le verbe s'emploie dans des domaines variés : *travailler le fer* (1680), *travailler la pâte* en cuisine (1732). Par métaphore, il signifie «exciter à la révolte» (1798, *travailler le peuple*). ◇ C'est au XVIIe s. qu'apparaît *faire travailler son argent* (1675). ◇ Par figure, il signifie «fermenter» en parlant par exemple d'un vin (1690) et «subir une force, se déformer» (1690, d'un bois), d'où «s'altérer avec le temps» (1812). ◇ Au XIXe s., il signifie «effectuer un exercice» (1859), «fonctionner» en parlant d'une machine (1872). *Se travailler*, passif, se dit pour «pouvoir être façonné» (XIXe s.).

▸ Les participes de *travailler* ont fourni **TRAVAILLÉ, ÉE** adj., archaïque au sens de «fatigué» (1080) puis «tourmenté» (fin XIVe s.), employé au sens moderne à partir du XVIe s. (1559). ◇ Au XXe s. (1975), il est employé spécialement pour qualifier le temps pendant lequel on exerce un emploi salarié. ◆ Quant à **TRAVAILLANT, ANTE** adj., son emploi est limité au sens technique de «qui travaille (d'un organe mécanique)» (1373).

Le déverbal ① **TRAVAIL, TRAVAUX** n. m. (v. 1130) présente le même type de développement sémantique que le verbe : jusqu'à l'époque classique, il exprime couramment les idées de tourment (v. 1140), de peine (v. 1130) et de fatigue. Il se dit spécialement des douleurs de l'enfantement dans la locution *travail d'enfant* (v. 1130), autrefois aussi *travail* (v. 1462) et aujourd'hui dans quelques expressions en médecine comme *salle de travail* et *femme en travail*. ◆ Après avoir concerné des efforts, la peine prise à l'exercice d'un métier (artisans, mil. XIIIe s.), le mot s'applique à cette activité en tant que source de revenus (comme *labor*) [2e moitié XIIIe s.]. Malgré la métonymie pour «résultat du travail» (1362), ce n'est guère qu'au XVe s. que le mot devient un synonyme neutre pour «activité productive». L'idée d'«activité quotidienne permettant de subsister», avec ses implications sociales, apparaît nettement en 1600. Le mot s'applique aussi à l'activité utile à l'homme que l'on impose aux animaux (1668). Par métonymie, *travail* désigne la façon dont l'activité est accomplie (1676). ➡ Le pluriel *travaux* s'est spécialisé à l'époque classique (1611) pour parler d'entreprises difficiles et périlleuses qui apportent la gloire ; il développe des emplois concrets spéciaux, dans le langage militaire pour «opérations par lesquelles on établit les fortifications» (1669), et en général pour «suite d'entreprises exigeant une activité physique et la mise en œuvre de moyens techniques» (1751). Ce pluriel entre dans les syntagmes ***travaux forcés*** (1795 ; 1768, *travail forcé*) désignant en droit pénal la sanction qui succède aux galères, et ***travaux publics,*** autrefois (1727) «peine correctionnelle», puis spécialisé pour «constructions, travaux de voirie...». ◇ Les activités de couture et analogues sont appelées *travaux d'aiguille* et *travaux de dames.* ➡ À la même époque, le singulier commence à s'appliquer à l'activité d'une machine, au fonctionnement d'un organe (1790) et à l'action d'une cause naturelle aboutissant à une transformation (1783), développant l'emploi abstrait (av. 1850, *le travail du temps*) dont procède la valeur du mot en psychanalyse (XXe s., *travail du rêve, travail du deuil,* traduction de Freud). ◇ Au XIXe s., le mot désigne l'activité humaine organisée à l'intérieur du groupe social et exercée régulièrement (1803). ◇ Par métonymie, *le travail* est appliqué à l'ensemble des travailleurs (1877) et spécialement aux travailleurs salariés des secteurs agricole et industriel, alors opposé à *capital* (pour «ensemble des capitalistes»). ➡ L'acception spéciale du mot en physique remonte elle aussi au XIXe s. (1829, Coriolis), par exemple dans *travail moteur* (1829). ◇ Le composé **SANS-TRAVAIL** n. invar. (1894), qui a pour synonyme *sans-emploi,* demeure rare pour «chômeur». ➡ *Travail* a produit un dérivé propre, **TRAVAILLISTE** adj. et n., une première fois (1907) au sens de «socialiste russe» puis (1920) pour traduire l'anglais *Labour (Party).* ◇ Il a lui-même donné **TRAVAILLISME** n. m. (1925), doctrine et action du Labour Party britannique et des partis analogues.

TRAVAILLEUR, EUSE n. et adj. (XIIIe s.) a suivi la même évolution. Le mot part du sens ancien, au masculin, de «celui qui fait souffrir» (spécialement «bourreau») et «celui qui veut du mal à», pour prendre la valeur moderne de «personne qui travaille» (1552), se disant de toute personne faisant un travail utile, qu'il soit physique ou intellectuel (1606), spécialement d'une personne exerçant une activité professionnelle (1761). ◇ En ce sens, lorsqu'il n'est pas qualifié, le mot désigne spécialement, surtout au masculin pluriel, le salarié, et plus spécialement l'ouvrier de l'industrie. ➡ L'adjectif apparaît au XVIIe s. pour «qui travaille» (1629), puis au sens psychologique «qui aime le travail» (l'ancien français avait *travailleux* «pénible, fatigant» qui ne s'est pas maintenu). ◇ Il qualifie également ce qui est caractérisé par le travail et qui se rapporte aux travailleurs. ➡ Le féminin **TRAVAILLEUSE** n. f. «femme qui travaille, en général manuellement» a désigné un petit meuble pour les travaux de dames (1830, Balzac).

Le dernier dérivé attesté de *travailler* est son diminutif **TRAVAILLOTER** v. intr. (1865), familier.

② **TRAVAIL** n. m., avec son sens technique de «machine où l'on assujettit les bœufs, les chevaux difficiles pour les ferrer», est issu (v. 1200), par la même évolution qui aboutit à *travailler,* du bas latin *trepalium,* attesté en 582 dans les actes du concile d'Auxerre. C'est la variante de *tripalium,* composé de *tri* «trois» (→ tri-) et de *palus* (→ pal, pieu), littéralement «machine faite de trois pieux». Le mot n'existe qu'en français et l'on attendrait normalement la forme °*trevail :* la forme actuelle en est l'altération, probablement d'après les dérivés de *tref* «poutre» (→ travée).

◈ voir TRAVELLER'S CHECK, TRAVELLING.

TRAVÉE n. f. est dérivé (1356) de l'ancien français *trev* (fin XIe s.), *tref* (v. 1160) puis *trave* «poutre», lequel remonte par voie populaire au latin *trabs, trabis* «poutre», qui a plusieurs sens figurés : «arbre de futaie» et «toit», «massue», «javelot». On a rapproché de ce mot, malgré un sens assez différent, l'osque *triíbúm* «maison» et, par ailleurs, l'irlandais *treb* «demeure», le lituanien *trobà* «construction, maison» et sans doute aussi le vieil islandais *thorp* «petit enclos».

♦ Dès les premiers emplois, *travée* désigne l'espace entre deux poutres garni par un certain nombre de solives d'où, plus tard (1835), la portion de voûte comprise entre deux points d'appui. *Travée* se dit aussi de la partie d'un pont (1676, Félibien) ou d'un édifice comprise entre deux supports (fin XVIIe s.). ◇ Par extension, il a désigné, dans une église, la galerie supérieure au-desssus des arcades de la nef (1835), appelée de nos jours *tribune.* ◇ Le mot s'emploie pour désigner l'ensemble des rayons d'une bibliothèque compris entre deux montants (1935), l'espace laissé vide entre deux rangées de sièges (1901).

▸ Quelques termes techniques en ont été dérivés, comme **TRAVURE** n. f. (1448), **TRAVON** n. m. (1561) et, plus récemment, **TRAVELAGE** n. m. (1894). ➡ **TRAVE** n. f., «assemblage de deux pièces de bois» en charpenterie (1904), reprend le provençal *travo,* dérivé de l'ancien provençal *trau.*

◈ voir ARCHITRAVE, ENTRAVER.

TRAVELLER'S CHECK n. m. est un emprunt (1925 au plur.) à l'américain *traveler's* (anglais *traveller's*) *check* (1891), de *traveller* «voyageur», dérivé de *to travel* «voyager», qui a été emprunté au français *travailler** avec un de ses anciens sens, et de l'américain *check* qui a donné le français *chèque** (anglais *cheque*).

♦ Au Canada francophone, on a d'abord traduit le terme par *chèque de voyageur;* en France, c'est le terme *chèque de voyage* qui concurrence cet anglicisme inutile mais bien implanté.

TRAVELLING n. m. est une forme abrégée (inconnue en anglais) empruntée (1921) à l'anglais *travelling shot* «prise de vue en mouvement», terme de cinéma formé de *to travel* «voyager» et ici «se déplacer» (emprunt de *travailler**) et de *shot* «prise de vues», de la famille de *to shoot* «tirer» (→ shoot).

♦ *Travelling* désigne le mouvement d'une caméra placée sur un chariot mobile et, par extension, l'appareil lui-même (1951), d'abord nommé *travelling-caméra* (1927). Le mot s'est imposé malgré les équivalents proposés (*balade, baladage* pour l'opération, *baladeur, baladeuse* pour l'appareil). ◇ Par extension, on a formé *travelling optique* (1952) en concurrence avec un autre anglicisme, *zoom*. ◇ La graphie francisée *travelingue* (Marcel Aymé, *Travelingue*, 1941), correspondant à une prononciation populaire, n'a pas été retenue par l'usage.

TRAVELO → TRAVESTIR

TRAVERS n. m., réfection graphique (v. 1150) de *traver* (1080), est issu du latin *transversus* «oblique, transversal», employé dans plusieurs locutions adverbiales *(in transversum, de transverso)* et au figuré opposé à *directus* (→ direct). *Transversus* est le participe passé adjectivé de *transvertere* «tourner vers, changer» et «détourner», de *trans* (→ trans), et *vertere* «tourner» (→ version). À la différence du français, qui a repris le mot latin dans ses emplois substantivés au neutre, l'espagnol *travieso*, l'italien *traverso* s'emploient également comme adjectifs.

♦ Dès les premiers textes, *travers* est surtout fréquent dans des locutions adverbiales et prépositives ***en travers*** (1080, *traver*), ***à travers*** (v. 1155), ***de travers*** (v. 1150) pris au sens concret dans ***avaler de travers*** (1850) et ***au travers de*** (v. 1210). Celles-ci ont parfois changé de forme comme les formules associant *travers* et *tort* dans la péjoration : *de tort et de travers, de tort en travers, en tort et en travers* (XIIIe s.), devenu ***à tort et à travers*** (→ tort). ◇ Certaines ont aussi changé de sens, *en travers* perdant le sens de «directement» pour «transversalement» (v. 1155) et «de part en part» (v. 1213) et *de travers* s'étant chargé de valeurs psychologiques négatives (***regarder qqn de travers*** «avec hostilité ou méfiance», v. 1280; ***répondre de travers*** «mal», v. 1440; ***prendre tout de travers***, 1585). *À travers* s'est différencié de *de travers*, dont il était d'abord synonyme, prenant le sens de «par un mouvement transversal» (1458). *À travers* et *au travers* ont des domaines d'emploi identiques, le second étant plus courant au XVIIe s. et recommandé par Vaugelas. ***Passer au travers***, «échapper», s'est spécialisé, d'abord en argot de police (1897), pour «échapper aux recherches». ◇ L'emploi de *travers* comme nom est attesté (fin XIIe s.) avec le sens de «chemin de traverse» qui, comme plusieurs autres sens techniques anciens, est passé au féminin *traverse* (ci-dessous). *Travers* n'a gardé en emploi concret qu'un sens, «étendue transversale» (v. 1389), vieilli sauf dans l'expression *par le travers*, et des emplois techniques variés, par exemple en marine (1704, «flanc d'un navire»), en boucherie (1877), notamment dans *travers de porc*, et en équitation. ➡ Le mot est surtout usuel avec le sens figuré (1637) de «défaut, imperfection (d'une personne)».

▶ *Travers* a produit deux noms issus de la substantivation de l'ancien adjectif *traversain* «transversal, oblique». ➡ Le masculin **TRAVERSIN** n. m. (fin XIIe s.) a signifié «trajet, distance, chemin de traverse». Il a été repris (1368) au sens de «long coussin cylindrique placé en travers de la tête du lit», toujours usuel. ◇ Employé en moyen français comme synonyme de *traverse* (1396), *traversin* a conservé quelques sens techniques, «traverse renforçant le fond d'un tonneau» (1546) et «fléau de balance» (1671). ➡ Le féminin **TRAVERSINE**, d'abord adjectif dans *rue traversine* «transversale» (1690), est un substantif technique dans divers domaines (1752, en marine). ◇ *Traversaine* s'employait en ancien français (v. 1280) pour «traversière» (d'une flûte).

TRAVERSE n. f. est issu (v. 1130) d'un latin populaire °*traversa*, féminin substantivé de *traversus*. Dans les premiers textes, le mot est employé dans la locution adverbiale *à la traverse*, équivalent ancien de *en travers* avec son sens spatial, dont la valeur figurée, «en faisant opposition» (1549), est très littéraire, comme la locution prépositive *à la traverse de* (1659), alors que l'emploi pour «sans réfléchir, d'une façon imprévue» (1611) est sorti d'usage. ◇ *Traverse* s'est employé pour «vent d'ouest» (déb. XIVe s.); la même idée d'une «direction transversale» (cf. *travers*) est aussi réalisée dans l'ancienne locution adjective *de traverse*, maintenue dans la locution moderne ***chemin de traverse*** (1532) et dans l'emploi de *une traverse* au sens de «passage». ➡ Concrètement, le mot désigne depuis le XIVe s. (1387) une pièce de bois mise en travers de certains ouvrages pour les assembler, sur une porte, des grilles (1680) et, dans un ouvrage de fortification (1552), une levée de terre servant de protection. L'emploi le plus courant concerne la pièce posée en travers d'une voie ferrée et qui maintient l'écartement des rails (1845). ➡ L'idée première d'opposition est réalisée dans un emploi figuré pour «difficulté, obstacle» (1440-1475) que l'on rencontre encore dans un style recherché. ➡ **DE TRAVIOLE** loc. adv. est un équivalent familier (1866) de *de travers, en traviole* de *en travers. Traviole* a d'abord été employé pour «traverse» (1836, n. f.). Céline emploie le mot comme adjectif pour «tordu».

◈ voir TRANSVERSAL, TRAVERSER.

TRAVERSER v. tr. est issu en très ancien français (v. 980) d'un latin populaire °*traversare*, altération du latin classique *transversare*, d'abord chez Virgile au sens rare de «remuer en travers» puis, à basse époque, de «parcourir d'un bord à l'autre». Ce verbe est dérivé de *transversus* (→ travers).

♦ Le mot signifie d'abord «passer à travers (un corps, un milieu)» d'où, par une extension ultérieure, «se frayer un passage à travers (une assemblée)» (1580). Depuis le XIe s., il est aussi employé aux sens de «passer de l'autre côté de» (1080, *traverser un pont*), puis de «passer d'un bord à l'autre» (v. 1155). Il s'emploie non seulement à propos d'une personne mais aussi d'une chose mobile (1583) et avec un sujet nom de chose signifie «s'étendre d'un bout à l'autre d'un espace» (fin XVIe s.). ◇ *Traverser* exprime aussi l'idée de mettre en travers, d'abord (v. 1155) en parlant d'un cheval; on dit aussi *se traverser* (1680); le verbe s'emploie également avec cette valeur en marine à propos de l'ancre ou d'une voile (1694) et il a eu le sens général de «être en travers» (1687), sorti d'usage. ◇ Parallèlement, il est utilisé au figuré depuis l'ancien français au sens de «contredire» (v. 1190), puis «empêcher d'agir» (1440-1475) et «tourmenter, troubler» (1621) : toutes ces acceptions sont sorties d'usage. ◇ Enfin un glissement s'est opéré du plan spatial au plan temporel et au domaine psychologique : *traverser* signifie «passer par l'esprit» (fin XVIe s.), surtout avec un pronom complément *(une idée m'a traversé)*, puis «pénétrer au plus profond de (qqn)» (1669).

▸ Le participe présent **TRAVERSANT, ANTE** est adjectivé (1382) avec le sens de «qui traverse», sorti d'usage au XVIIe s. sous la concurrence de *transversal**. Il en va de même pour les emplois substantivés *(un traversant)* en géométrie (1637, Descartes) et pour «fléau d'une balance» (1803). ◇ L'adjectif qualifie dans l'usage littéraire ce qui transperce (déb. XXe s.). ◆ Le participe passé, **TRAVERSÉ, ÉE**, lui aussi adjectivé au sens de «transperçant» (fin XVIe s.) et pour qualifier un cheval large du poitrail (1611), a été employé pour «trempé (par la pluie)» (1718, *traversé de pluie*). ◆ **TRAVERSÉE** n. f. (1678) désigne l'action de traverser la mer et par métonymie un trajet qui se fait par mer. Par extension, il se dit de l'action de traverser un espace quelconque (av. 1841), au figuré dans la locution ***traversée du désert*** (v. 1969), avec des valeurs particulières en alpinisme et en ski (1886). Il entre dans la locution technique ***traversée de voie*** (1876) «lieu où se croisent deux lignes de chemins de fer». ◆ **TRAVERSAGE** n. m., d'abord «droit payé pour traverser une rivière» (1507, *traverssaige*), est reformé au XVIIIe s. avec un sens technique disparu (1723). C'est aujourd'hui un terme de brasserie (v. 1950). ◆ ① **TRAVERSIER, IÈRE** adj. et n., emprunt au latin *traversarius*, variante du classique *transversarius* (dérivé de *tranversus*), s'est d'abord employé pour «traversin» (v. 1180). L'adjectif ne reste aujourd'hui que dans quelques expressions, notamment *flûte traversière* (1694), tenue en travers, par opposition à la flûte à bec et nommée auparavant *flûte traversaine* (v. 1280) puis *traverse* (1589). ◆ Un homonyme, ② **TRAVERSIER, IÈRE** adj. et n. m., dérive de *traverser ;* il s'emploie notamment en marine, par exemple dans *barque traversière* (1718 ; 1607, *nef traversière*). ◇ **TRAVERSIER** n. m. (1880) désigne couramment au Canada francophone un bâtiment servant à la traversée des véhicules d'une rive à l'autre d'un fleuve, d'un bras de mer ou d'un lac. Synonyme de *bac*, le mot remplacerait avantageusement l'anglicisme *ferry (boat)* en français.

TRAVERSIN → TRAVERS

TRAVERTIN

TRAVERTIN n. m. est emprunté (1765), d'abord écrit *trevertin* (1611), à l'italien *travertino* (XVIe s.), altération de l'italien *tivertino* de même sens, issu du latin *tiburtinus*, de *Tibur* (aujourd'hui *Tivoli*), nom d'une ville voisine de Rome, sur l'Aniene (autrefois *Anio*), à cause de la provenance de cette pierre.

♦ Le mot désigne un type de roche calcaire utilisée en construction.

▸ De *travertin* est issu l'adjectif didactique **TRAVERTINEUX, EUSE** (1888).

TRAVESTIR

TRAVESTIR v. tr. est emprunté (1580, Montaigne, *se travestir*), d'abord sous la forme en *trans-* (1543, *transvesti*), à l'italien du XVIe s. *travestire* (Machiavel), proprement «changer de vêtements afin de n'être pas reconnu», également employé au figuré, de *tra-*, du latin *trans* (→ trans-) exprimant la transformation, et *vestire*, du latin *vestire* (→ vêtir).

♦ Le mot a été emprunté au pronominal *se travestir* «se déguiser (pour une fête, etc.)», au XVIIe s. en emploi transitif avec ce sens (1669). ◇ *Travestir* prend au XVIIe s. (1623), en particulier chez Scarron un sens figuré conservé seulement par le participe adjectif *travesti* (ci-dessous). Le sens figuré «transformer en dénaturant» (1690) est plutôt obtenu en français par figure que réemprunté.

▸ **TRAVESTI, IE** adj., du participe passé, s'emploie au propre (1580 ; 1543 sous la forme *transvesti*) et s'applique aussi à une fête, à un bal, etc. (1859). Il se dit spécialement en histoire littéraire d'une œuvre transposée en vers burlesques aux XVIIe (*Le Virgile travesti* de Scarron) et XVIIIe s.. ◇ **TRAVESTI** n. m., du participe passé, désigne un rôle d'homme joué par une femme (1831), un déguisement (1884), puis un homosexuel habillé et apprêté comme une femme (1913), sens repris par la forme **TRAVELO** n. m. (v. 1970) formé sur l'initiale *trav-* avec le suffixe populaire *-lo* (cf. *dirlo* pour *directeur*). ◆ Le nom didactique **TRAVESTISME** n. m., employé en psychiatrie pour désigner l'attitude d'un inverti s'habillant en femme, s'emploie aussi depuis le milieu du XXe s., après une première attestation en 1845, formé sur *travesti* d'après l'allemand. ◇ On dit aussi **TRANSVESTISME** n. m. (v. 1950), emprunté à l'anglais *transvestism* (1928), lui-même repris à l'allemand *Transvestismus*.
Travestir a donné **TRAVESTISSEMENT** n. m., au propre (1692, La Bruyère) et au figuré (1651 en littérature), et **TRAVESTISSEUR, EUSE** adj. et n. (1760), littéraire. Le premier s'est spécialisé en psychiatrie (1902 à propos de Freud).

TRÉBUCHER

TRÉBUCHER v. intr. est une réfection graphique (fin XIIe s.) de *trebuchier*, composé (fin Xe s.) du préfixe *tres-*, du latin *trans* (→ trans-), signifiant «au-delà», indiquant aussi un mouvement, et de l'ancien français *buc* «tronc (du corps)» (1080) avec un suffixe verbal. *Buc* est emprunté au francique °*bûk* «ventre» dont la racine se retrouve dans l'ancien scandinave *bûkr* «corps» et l'allemand *Bauch* «ventre». La forme *tré-* au lieu de *tres-* s'explique peut-être par la forme *tra-* que l'on rencontre dès le VIe s. en latin pour *trans-*. D'un point de vue sémantique, on peut rapprocher l'italien *tracollare* «laisser aller la tête en avant, chanceler», de *collo* «cou». L'italien *traboccare* (dû à un croisement avec *bocca* «bouche») et l'espagnol *trabucar* viennent du gallo-roman.

♦ L'ancien français employait le verbe transitivement au sens de «faire tomber, renverser» (dès les premiers textes) et à la forme pronominale *se trebuchier* «se faire tomber mutuellement» (fin XIIe s.). ◇ L'intransitif remonte au début du XIIe s. (v. 1119) avec le sens de «tomber», sorti d'usage à l'époque classique. *Trébucher* est employé au figuré pour «hésiter» (1572), et au propre pour «faire un faux pas» (1538), notamment construit avec *sur, contre.* Par une autre figure il signifie «faire un écart de conduite» (1572, répandu au XIXe s.). ◇ Parallèlement, le verbe était entré dans le vocabulaire technique aux sens disparus de «modifier le poids (d'une monnaie)» (1329) et de «faire pencher d'un côté» en parlant d'une balance (1611). Il s'emploie aujourd'hui pour «peser (des pièces) au trébuchet» (1636).

▸ Le plus ancien dérivé, **TRÉBUCHEMENT** n. m. (v. 1120), a signifié «chute, renversement» et par métonymie «précipice» (v. 1190). Suivant l'évolution du verbe, il a pris une valeur figurée (v. 1265) et désigne l'action de faire un faux pas (1539), mais il est rare. ➻ **TRÉBUCHET** n. m., nom concret (v. 1175), sert à désigner un traquenard pour les animaux et spécialement un piège en forme de cage, muni d'un dispositif de fermeture que l'animal déclenche avec ses pattes (v. 1375). ◇ D'autres sens, «machine de guerre pour abattre les murailles» (v. 1200), «chute» (1414) et «revers de fortune» (1515), ont disparu de l'usage. ◇ En relation avec le sens technique du verbe, le mot désignait une petite balance pour peser les monnaies (1326), aujourd'hui une balance de précision. ➻ Le participe présent de *trébucher,* **TRÉBUCHANT, ANTE,** attesté une fois au XIIe s. (v. 1120) au sens de «qui tombe», sert d'adjectif depuis le XVIe s. pour qualifier la personne qui fait un faux pas (1538) et autrefois une monnaie ayant le poids requis (v. 1550), sens dont il reste la locution plaisante ***espèces sonnantes et trébuchantes.*** ◇ L'adjectif qualifie aussi une voix hésitante (1920).

TRÉFILERIE n. f. est dérivé (v. 1268) de l'ancien français *trefilier* «ouvrier qui étire le métal en le faisant passer par des trous pour obtenir des fils de la grosseur requise», mot formé de *tré-, tres-* «à travers» (du latin *trans,* → trans-) et de *fil*, filière*.*

♦ *Tréfilerie* sert à désigner l'opération de l'ouvrier et surtout, par métonymie (1803), l'atelier où elle a lieu, ainsi qu'une machine à tréfiler.

▸ Le mot a servi à former **TRÉFILER** v. tr. (1800), terme technique d'où vient **TRÉFILEUR** n. m. (1797) qui a comblé le vide laissé par l'ancien *tréfilier,* puis le nom d'action **TRÉFILAGE** n. m. (1858) qui remplace *tréfilerie* dans son premier sens, le nom de machine **TRÉFILEUSE** n. f. et le nom d'instrument **TRÉFILOIR** n. m. (attestés mil. XXe s.).

TRÈFLE n. m. (1530), écrit antérieurement *tresfle* (1314) et *treffle* (1450) jusqu'au XVIIIe s., est emprunté au grec de Marseille *triphullon,* substantivation de l'adjectif *triphullos* «à trois feuilles», de *tri-* (→ tri-) et *phullon* «feuille» (dans *phylloxéra*, chlorophylle*).* Le catalan, l'espagnol *trebol,* le portugais *trevo,* le provençal *treoule* remontent au mot grec, tandis que l'italien *trifoglio* et l'ancien provençal *trefueill* (v. 1210) continuent le latin *trifolium,* calqué morphologiquement sur le grec avec *folium* (→ feuille).

♦ Le mot a été emprunté comme nom de plante, servant aussi en emploi qualifié à désigner des variétés comme *trèfle des prés* (1564), *trèfle rampant* (1779), etc., ou d'autres plantes à trois folioles (1762, *trèfle d'eau* «ményanthe»). ◇ Par métonymie, il désigne particulièrement la feuille, ***trèfle à quatre feuilles*** s'appliquant (v. 1450) à la feuille comportant anormalement quatre folioles, d'où la locution ancienne *chercher le trèfle à quatre feuilles* (XVIIe s., Cyrano) «rechercher l'impossible». ◇ Par extension, le mot désigne un motif ou une forme rappelant le trèfle, spécialement aux cartes (1552, Rabelais), en architecture (1694), un motif décoratif et au XXe s. un croisement d'autoroutes dont les accès évoquent les trois feuilles d'un trèfle (v. 1950). ◇ Le mot a développé le sens de «pièce à trois parties», désignant l'épaulette des musiciens et des gendarmes (1831). ◇ Le sens familier, d'abord argotique, qui correspond à «argent» (1864), s'explique à partir du sens argotique déjà existant de *blé.* ◇ Le mot s'est dit aussi (1725) pour «tabac» (cf. *herbe*) jusqu'aux années 1920.

▸ **TRÉFLÉ, ÉE** adj. «en forme de trèfle» (1629), d'usage didactique, s'emploie en architecture, en blason (1644) et en numismatique. ➻ **TRÉFLIÈRE** n. f., d'abord «tabatière» (1725), l'a emporté (1872) sur la forme masculine *tréflier* (1832) pour désigner un champ semé de trèfle. ➻ On a formé **TRÉFLAGE** n. m. (1933) sur l'ancien *tréfler* v. tr. (1694) pour désigner un défaut consistant en une surimpression des légendes sur une monnaie, en numismatique.

◈ voir **TRIOLET.**

TRÉFONDS → FONDS (à FOND).

TREILLE n. f. est issu par évolution phonétique (fin XIe s.) du latin impérial *trichila* «berceau de ceps de vigne», «tonnelle», «pavillon», mot considéré comme un emprunt.

♦ Le mot est passé en français avec le sens de «berceau de ceps de vigne», puis se dit par métonymie d'une vigne élevée contre un support (v. 1179). Il s'est employé pour «grillage (destiné à protéger des regards)» (fin XIIe-déb. XIIIe s.), sens repris par *treillis* (ci-dessous). ◇ Par analogie de forme, il désigne chaque maille du tulle (1877), avec influence possible de *treillis.*

▸ ① **TREILLIS** n. m., d'abord sous la forme *treilleiz* (1283), désigne un entrecroisement de lattes, puis de fils métalliques formant claire-voie, à partir du XVIIe s. en concurrence avec *treillage.* Le mot a diverses spécialisations qui lui sont propres, en blason (1581), puis pour désigner un châssis quadrillé servant à copier un tableau (1690) et les croisillons de métal formant l'armature d'un vitrail (1690), enfin en construction métallique (1904, *pont en treillis*). ◇ En mathématiques, le mot s'emploie en théorie des ensembles (1952), désignant un ensemble dont les éléments sont définis par une certaine relation d'ordre. ➻ De *treillis* dérive le verbe technique **TREILLISSER** v. tr. (1497 ; v. 1350, *treillissé*). ➻ *Treille* a aussi donné **TREILLAGE** n. m. (1571), nom d'un assemblage de lattes, d'échalas disposés ou croisés en divers sens et, par spécialisation, d'un tel assemblage utilisé comme clôture à claire-voie (1611). Par extension, le mot désigne un ouvrage de fils métalliques entrelacés à mailles fines servant à divers usages. ◇ De *treillage* ont été tirés le verbe **TREILLAGER** v. tr. (1767) et le nom d'agent **TREILLAGEUR** n. m. (1767), plus tard concurrencé par **TREILLAGISTE** n. m. (1877). ⟡ *Treille* a ensuite donné **TREILLON** n. m. (1870) et **TREILLARD** n. m. (1904), mots employés régionalement à propos d'une treille basse sur lattis.

① **TREILLIS** → TREILLE

② **TREILLIS** n. m. est l'altération (XIVe s., *treilliz*) de *treslis* (XIVe s.), sous l'influence de la série de *treille*, l'homonyme ① *treillis* désignant aussi un entrelacs; *tresliz* est la forme substantivée de l'ancien adjectif *tresli* (v. 1130) qualifiant un tissu fait de mailles entrelacées. Cet adjectif était issu d'un latin populaire °*trilicius*, dérivé du classique *trilix* «à triple fil, triplement tissé», formé de *tri-*, pour *tres* (→ trois), et de *licium* (→ lice).

♦ Le mot désigne d'abord un tissu à triple fil, puis une toile de chanvre grossière servant à faire des sacs, des vêtements de travail (XIVe s.). *Treillis* a pris au début du XXe s. le sens de «vêtement militaire d'exercice ou de combat». ◇ Il s'est dit aussi d'un canevas (XVe s.) et d'une toile gommée et lissée employée pour les doublures (1468, *trillis*).

TREIZE adj. num. et n. m. (v. 1165, aussi *treze*), est issu du latin *tredecim*, proprement «trois plus dix», de *tres* (→ trois), et *decem* (→ dix).

♦ Comme les autres noms de nombre, *treize* est employé comme adjectif numéral cardinal, comme ordinal et comme nom. Comme numéral cardinal, *treize* entre dans l'expression *treize à la douzaine* (v. 1670) «en donnant treize unités pour une douzaine», d'où en commerce, *le treize douze* «pratique par laquelle on livre treize exemplaires d'un livre en en facturant douze». ◇ D'autres expressions font allusion au fait que le nombre est censé porter malheur (*être treize à table*, 1690). ◇ En sports, *jeu à treize* (1934) désigne le rugby joué à treize équipiers.

▸ En sont tirés l'adjectif ordinal **TREIZIÈME**, d'abord écrit *treszime* (v. 1138) puis *treziesme* (1366), dont dérive **TREIZIÈMEMENT** adv. (1636, *trezièmement*). ⟡ **TREIZAIN** n. m. (1276, *trezain*) est le nom d'une monnaie qui avait cours au moyen âge. ⟡ **TREIZISTE** adj. (1935) qualifie le rugby à treize joueurs et, substantivé, désigne (v. 1960) le joueur.

TREKKING n. m. est emprunté (répandu v. 1975; une fois en 1936, Claudel, «exode») à l'anglais *trekking* (1850), gérondif substantivé de *to trek* (1850) «avancer, acheminer», lui-même emprunté au néerlandais *trekken*, lequel correspond au moyen bas allemand *trekken*. Le mot anglais a d'abord été employé en Afrique du Sud à propos d'une migration historique (*le Grand Trek*) des colons boers; il a adapté l'afrikaans.

♦ Il apparaît en français une première fois en 1936 comme mot anglais chez Claudel, avant d'être repris et de se répandre pour désigner un circuit en moyenne montagne avec guides et porteurs pour visiter une région autrement inaccessible (probablement d'abord au Népal).

TRÉMA n. m. (1762; 1680, adj.), d'abord *points trematz* (1600), est emprunté au grec *trêma, trêmatos*, proprement «trou, orifice, ouverture», dit spécialement des points sur le dé. Ce nom est dérivé d'un verbe *titran* «trouer, percer» qui se rattache à la racine indoeuropéenne °*ter-* «user en frottant», dont plusieurs représentants (latins, grecs, germaniques, celtiques) sont passés en français (→ ② tour, trépan, trier).

♦ Le mot a été emprunté par les imprimeurs de la Renaissance avec le sens figuré, «signe de deux points que l'on place sur une voyelle», d'où dans Richelet (1680) *e, i, u trêma* et au XVIIIe s. *un tréma*. D'usage technique jusqu'à la fin du XVIIIe s. le mot est devenu usuel. Il a été réemprunté à l'époque où se constituait la terminologie des sciences naturelles (XIXe s.) avec le sens étymologique de «trou», et, avec divers suffixes savants, est entré dans un certain nombre de composés scientifiques.

▸ **TRÉMATODES** n. m. pl. (1817), emprunt au grec *trêmatôdês* «troué», de *trêma*, désigne en zoologie une classe de vers parasites, caractérisés par les petits trous ou pores de leur peau.

TREMBLER v. intr. est issu (v. 1120) d'un latin populaire °*tremulare*, de *tremulus* (cf. ① tremble, ci-dessous) que sa plus grande expressivité a fait préférer au latin classique *tremere* «trembler» et «redouter». Ce verbe latin, dont une altération a donné *craindre**, appartient à une racine indoeuropéenne °*ter-* indiquant expressivement un mouvement répété ou un piétinement. Cette racine existe en latin dans *terror* (→ terreur) et est surtout représentée sous les formes élargies °*tres-* et °*trem-* (grec *tremein*), où l'élément *em-* indique le procès qui dure.

♦ En français, le mot est employé avec son sens physique, «être agité de petites contractions involontaires» en parlant d'un corps humain ou animal, ensuite de la voix (v. 1180). Par analogie, il se dit à propos de choses et signifie en particulier «être remué plus ou moins violemment» (v. 1120), par exemple par un séisme; il s'emploie plus tard (1767) en parlant d'une lumière qui varie d'intensité. ◇ Comme le verbe latin, il signifie au figuré, «éprouver une violente émotion» sous l'effet de la peur (v. 1120), notamment dans la construction *faire trembler qqn* (1382) et dans la formule de menace archaïque *tremblez!* ◇ Il se construit avec *de* (1549) et *que* (1694), aussi avec *à* à l'époque classique. ◇ La locution comparative usuelle ***trembler comme une feuille*** (attestée 1935) continue l'ancienne locution *trembler comme la feuille* (1649), auparavant *trembler comme la feuille en l'arbre* (XVe s.).

▸ Le participe présent de *trembler*, **TREMBLANT, ANTE**, est adjectivé au propre (v. 1174), en parlant de la voix, puis avec une valeur générale (XIIIe s.) et au figuré (1553); il se dit d'un son, de la lumière. ◇ Il est passé dans le langage de la médecine vétérinaire : au féminin substantivé *la tremblante* désigne (1836) une maladie des ovins. Le masculin a été substantivé en musique, pour désigner un mécanisme d'orgue (1669). ➝ Le dérivé **TREMBLEMENT** n. m. a d'abord (XIIe s.) le sens figuré de «peur». Le sens physique, d'abord réalisé dans la locution *tremblement de la terre* (1370) devenue ***tremblement de terre*** (1530), s'est généralisé à propos des choses (v. 1375) et des personnes (1538). ◇ Le mot a développé ensuite des emplois particuliers, en parlant d'un son (1637), de la lumière (XVIIIe s.). Il a dans l'usage familier la valeur de «grande quantité» dans la locution ***(et) tout le tremblement*** (1827). ◇ *Tremblement* a évincé tous les autres noms d'action créés en ancien et moyen français *(tremble, tremblage, tremblaison, tremblure).* ➝ **TREMBLEUR, EUSE** n. et adj., d'abord attesté une fois au XVe s., a été repris au XVIIe s. comme nom (1690), avec le sens figuré de «personne trop craintive» (1690), plus courant comme adjectif (v. 1770). Le mot est aussi synonyme rare de *tremblant* (1788). ➝ **TREMBLEUR** n. m. désigne un dispositif animé d'une vibration (1861) et une sonnerie où un bras vibre au passage du courant (1867, Littré). ◇ Par ailleurs, il s'est employé au pluriel *(les trembleurs)* pour traduire l'anglicisme *quaker* (1657). ➝ ① **TREMBLE** n. m., déverbal de *trembler*, est un nom régional (1560) du poisson appelé *torpille**; on dit aussi *tremblant* (1771), *tremblard* (1904).

Une autre série s'est développée à partir du diminutif de *trembler* qu'est **TREMBLOTER** v. intr. (1553) au sens physique de «trembler légèrement», avec les dérivés **TREMBLOTEMENT** n. m. (1553), l'adjectif tiré de son participe présent **TREMBLOTANT, ANTE** (1553) ainsi que **TREMBLOTIS** n. m. (v. 1550), à peu près abandonné. ➝ Le déverbal familier **TREMBLOTE** n. f. désigne (1888) en général un tremblement (de froid, etc.). ➝ **TREMBLOTEUR, EUSE** adj. et n. (1931) est moins usuel.

② **TREMBLE** n. m., nom d'arbre, est issu (v. 1138) du bas latin *tremulus* de même sens, proprement «le tremblant», substantivation de l'adjectif *tremulus* «tremblant, agité», de *tremere* «trembler» (ci-dessus). ◇ Le mot s'est maintenu en français central comme nom d'un arbre dont les feuilles tremblent facilement au vent. ➝ En est dérivé **TREMBLAIE** n. f. (1294, *trembloie*), d'usage régional.

TRÉMULER v. est un dérivé savant (1801) du latin classique *tremulus* «agité, tremblant» (cf. ① tremble, ci-dessus). Le verbe était apparu isolément au XVe s., dérivé de l'emprunt disparu *tremule* adj. «tremblant» (v. 1500). ◇ *Trémuler*, synonyme très littéraire de *trembler*, est employé transitivement au sens d'«agiter d'un mouvement semblable au tremblement» (1876). ➝ Le dérivé **TRÉMULANT, ANTE** adj., du participe présent (av. 1848), est aussi rare que le verbe ; le moyen français a eu un adjectif *trémulant* (déb. XVIe s.) dérivé de *tremule*. ➝ Le nom correspondant à *trémuler*, **TRÉMULATION** n. f. (1873), a été dérivé comme terme de médecine pour un tremblement rapide aux secousses peu accusées. ➝ On relève chez Huysmans la forme **TRÉMULEMENT** n. m. (1884) restée exceptionnelle.

◈ voir **TRÉMOLO, TRÉPIDATION.**

TRÉMIE

TRÉMIE n. f., forme moderne (v. 1412) de l'ancien français *tremuie* (fin XIe s.), est issu du latin *trimodia*, variante de *trimodium* «vase contenant trois muids ou trois boisseaux», de *tri-* «trois» en composition (→ tri-), et *modius* (→ muid).

♦ Le mot est passé en français comme terme de meunerie pour désigner un dispositif en forme de pyramide renversée où l'on met le grain qui doit subir un traitement. Il a pris par analogie de forme de nombreux sens dans les vocabulaires techniques, désignant par exemple une mangeoire pour la volaille (1680), la mâcle de cristallisation du sel marin (1875), le morceau de flanelle utilisé comme filtre à mercure par les miroitiers (1872). ◇ Il s'applique en sciences naturelles (1764) à l'entonnoir creusé par le fourmilion. ◇ Par ailleurs, il désigne l'espace vide réservé dans un plancher pour recevoir l'âtre d'une cheminée, un escalier, etc. (1437).

▸ Son dérivé **TRÉMION** n. m. (1680) a désigné une pièce soutenant la trémie d'un moulin et un support de hotte de cheminée (1694). Il est sorti d'usage.

TRÉMIÈRE

TRÉMIÈRE adj. f., dans *rose trémière* (1581), également *rose de trémière* (1690), est l'altération de *rose d'outremer* (1500) [→ outremer] par diphtongaison de la finale et mauvaise coupe. On relève aussi *trémière* n. f. (1800).

♦ Le mot désigne une variété de guimauve, plante à haute tige, très décorative.

TRÉMOLO

TRÉMOLO n. m. est emprunté (1830 ; 1705, cité comme mot italien) à l'italien *tremolo* «tremblement dans la voix», substantivation de l'adjectif *tremolo* «tremblant», représentant le latin *tremulus*, qui a donné *tremble* (→ trembler) et a été emprunté, en moyen français, sous la forme *tremule* adj. (v. 1500) «tremblant (de la lumière)».

♦ Emprunté comme terme musical pour désigner le tremblement produit par les instruments à archet quand on multiplie les vibrations sur une note, le mot est passé dans l'usage courant au sens de «tremblement artificiel dans la voix» (1872, d'un orateur). Au figuré, il désigne (1866) péjorativement l'expression outrée des sentiments.

TRÉMOUSSER

TRÉMOUSSER v. est formé (1532, *se trémousser*, Rabelais) du préfixe *tré-* (du latin *trans-*, → trans-, très-), de *mousse** «écume» et de la terminaison verbale *-er* : l'allemand présente la formation comparable *überschäumen*, qui se dit d'une personne animée d'une vitalité exceptionnelle.

♦ Le verbe s'est employé, intransitivement, aux sens de «frémir» (1549) et «trembler, s'agiter sans repos» (v. 1550, encore au XVIIIe s.) et dans la langue classique en construction transitive pour «secouer» (1611). ◇ L'usage moderne ne connaît que la forme pronominale *se trémousser* (1532) au sens propre de «frétiller, se tortiller». Un sens figuré et familier de ce pronominal, «faire de nombreuses démarches pour une affaire» (av. 1672), est aujourd'hui vieilli.

▶ Le dérivé **TRÉMOUSSEMENT** n. m. (1573) s'applique aussi familièrement par péjoration à une danse agitée.

TREMPER v. est l'altération (déb. XIIIe s.), par métathèse du *r*, de l'ancien verbe *temprer* (fin XIe s.), lui-même issu du latin *temperare* «disposer convenablement, combiner», «organiser, régler», «modérer», qui a donné *tempérer** par emprunt.

♦ Dès les premiers textes, le verbe a le sens de «plonger dans un liquide» (fin XIe s.), plus tard en construction intransitive (XIIIe s.), puis il signifie «imbiber (qqch.) d'un liquide» (1213) : *tremper la soupe* (1547) se disait pour «verser le bouillon sur les tranches de pain [les soupes]». De là la généralisation en argot ancien de *tremper* pour «manger» (1867). Par extension, il signifie, en emploi intransitif (XIIIe s.), «être dans un liquide» en parlant d'un corps et le pronominal s'emploie (1637) pour «se mouiller». ◇ Le mot a hérité du latin le sens de «modérer par un mélange», sorti d'usage sauf dans la locution *tremper son vin* (fin XIIIe s.) «le couper d'eau», conservée par confusion entre «tempérer» (sens étymologique) et «mouiller d'eau». ◇ Dès le XIIe s., il a pris une acception technique, «plonger (un métal) dans un bain froid pour le durcir», dont procède l'emploi figuré «douer (qqn) de fortes qualités morales» (av. 1613). ◇ Par figure, *tremper en* (fin XVIe s.), *tremper dans* (1640), signifie «être impliqué dans», généralement péjoratif, d'où vient la locution littéraire ***tremper dans le sang*** (1677). ◇ Plus récemment (1876), le verbe a pris un autre sens technique, «enduire de colle (les parties d'un livre à coller)». ➛ *Tremper* «battre» (1867), sorti d'usage, correspond à une métaphore de lavage ou d'opération technique (cf. *laver* la tête, *passer* un savon et ci-dessous *trempe*).

▶ Le verbe a produit quelques dérivés dont plusieurs d'usage technique. ➛ **TREMPÉ, ÉE** adj. qualifie d'abord (XIIe s., *tenpré*) un acier durci par un bain d'eau froide, d'où le sens figuré moral d'«endurci, rendu fort et résistant» (av. 1613), par exemple dans *un caractère bien trempé*. ◇ Il a qualifié ce qui n'est ni trop chaud ni trop froid (v. 1150) et ce qui est modéré, sage (v. 1172). ◇ Par la suite, *trempé* a le sens général d'«imbibé» (1559), de «très mouillé» notamment par la pluie (1669) et se dit (1688) de ce qui a été plongé dans un liquide. On ne le dit plus d'un vin coupé d'eau (1673). ➛ Le déverbal **TREMPE** n. f., altération par métathèse (1559) de *tempre* (v. 1180), désigne l'opération consistant à tremper un acier, ensuite par métonymie (v. 1570) la qualité qu'il acquiert par ce traitement. ◇ *Trempe* s'emploie au figuré à propos de l'état d'esprit, de la manière d'être d'une personne (v. 1180), littéraire aujourd'hui. Le mot désigne plus couramment la fermeté de caractère, la force d'âme (v. 1460), surtout dans *de la (ma)*, etc. *trempe* (1675). ◇ Il est repris à partir du XVIIIe s. dans le vocabulaire technique, désignant l'acte de tremper, en brasserie (1751), en pelleterie (1803), en imprimerie (1803), etc., récemment à propos du processus de raffinage du pétrole (v. 1975). ◇ Il a aussi le sens familier de «volée de coups» (1834), d'après le sémantisme de lavage (*laver* la tête, passer un *savon*, etc.). ➛ **TREMPIS** n. m. (1350), «action de faire tremper (qqch.) dans un liquide», est limité dans l'usage moderne à des valeurs techniques désignant la solution dans laquelle on fait tremper du métal que l'on veut décaper (1611) ou l'eau dans laquelle on dessale du poisson (1690). ➛ **TREMPOIR** n. m. (v. 1360), d'abord *temproyr* (comme *temprer, tempre*, ci-dessus), s'est dit d'un vase, d'une coupe (1338), puis s'est restreint à l'acception technique de «cuve pour faire tremper une substance» (1611, en tannerie). ➛ **TREMPEUR** n. m. désigne (1611) l'ouvrier qui trempe l'acier. ➛ **TREMPETTE** n. f., «morceau de pain que l'on trempe dans un aliment liquide» (1611), remplacé par *mouillette*, s'est conservé au sens de «bain rapide» (1888) dans la locution ***faire trempette*** «prendre un bain hâtif, patauger dans l'eau» (1904), seul emploi usuel aujourd'hui. ➛ **TREMPÉE** n. f. a eu le sens technique (1723) de «façon donnée à une chose en la trempant», aujourd'hui disparu, et est vieilli pour «volée de coups» (1836). ➛ **TREMPAGE** n. m. (1836), **TREMPÉ** n. m. (1911), «fait de tremper dans une préparation, pour apprêter, etc.» ont trait à des opérations techniques et **TREMPABILITÉ** n. f. (1964) se dit de la propriété qu'a un alliage de pouvoir être trempé.

Tremper a quelques préfixés verbaux. ➛ **ATTREMPER** v. tr. a signifié «modérer» (v. 1050), «mélanger» (v. 1175), etc. Il a eu (v. 1180) jusqu'au XVIIIe s. le sens de «tremper (un acier)» (cf. *tremper*) et se dit spécialement de l'action de chauffer (un four, etc.) et de porter à un très haut degré de chaleur (1751). ➛ **RETREMPER** v. tr. signifie d'abord (v. 1175, *retanprer*) «durcir (un métal) par une nouvelle trempe» et, comme *tremper*, s'emploie au figuré (1823). Il a le sens général de «tremper de nouveau» (v. 1250). ➛ ② **DÉTREMPER** v. tr. «faire perdre la trempe à l'acier» est d'abord attesté au participe adjectif (1440-1475, *espée destrempée*) ; il s'emploie aussi au figuré pour «affaiblir (le caractère)» (1559). ◇ En dérive ② **DÉTREMPE** n. f., terme technique (v. 1500).

voir ① DÉTREMPER, INTEMPÉRIE, OBTEMPÉRER, TEMPÉRATURE, TEMPÉRER.

TREMPLIN n. m. est emprunté (1680) à l'italien *trempellino* «tremplin» (1585), dérivé de *trempellare* «remuer, branler». Ce verbe est formé sur le radical germanique °*tramp-*, qui est représenté par l'allemand *trampeln* «piétiner, trépigner», l'anglais *to trample* «fouler aux pieds» et dans le domaine roman par l'italien *trampoli* «échasses», l'ancien provençal *trampol* «bruit d'une troupe en marche» (v. 1300).

♦ Le mot désigne une planche élastique sur laquelle on s'élance, spécialement pour plonger dans l'eau, puis pour le saut en ski (1905). Employé par métaphore dans l'expression ancienne *être sur le tremplin* «dans une situation dangereuse» (1829), il a développé le sens figuré de «tour de force, hardiesse» (1872), disparu, et celui de «moyen qui lance qqn, une entreprise» (1853).

◈ voir **TRAMPOLINE**.

TRENCH-COAT ou **TRENCH** n. m. est un emprunt (v. 1920) à l'anglais *trench coat* n. formé (attesté 1921) de *trench* «tranchée», déverbal de *to trench* «faire des sillons, retrancher», lui-même emprunté à l'ancien français *trenchier, trencher* (moderne *trancher**), et de *coat* «manteau», lui-même emprunté au français *cotte**. Le trench-coat, «manteau de tranchée», était en effet porté par les officiers anglais dans les tranchées pendant la guerre de 1914-1918.

♦ Le mot est passé en français sous la forme complète avant d'être abrégé en *trench* (1954). Il a vieilli avec le sens d'«imperméable» mais reste vivant dans le jargon de la mode pour un type particulier d'imperméable, d'apparence britannique.

◈ **TRENTE** adj. num. et n. m. est l'aboutissement phonétique (v. 1050), après *trenta* (v. 980), d'un latin populaire °*trinta*, contraction du latin classique *triginta* «trois fois dix», dérivé de *tres* (→ trois), mot panroman sauf en roumain.

♦ Depuis le XIXe s., l'adjectif cardinal est aussi employé comme ordinal (1872). Il est en composition dans *trente-six* utilisé familièrement pour indiquer un nombre indéterminé (1306) et avec une valeur d'intensif, d'où ***voir trente-six chandelles**** (1828), ***tous les trente-six du mois*** (1831), etc. ◇ Il est substantivé (1463) pour désigner le nombre trente et entre dans des noms de jeux de cartes : *trente-et-un* (1464), *trente-et-quarante* (1648), ainsi que dans la locution figurée ***se mettre sur son trente et un*** «s'habiller du mieux qu'on peut, s'endimancher» (1833); on relève aussi les variantes anciennes *se mettre sur son trente-six* (attesté 1867), *être sur son trente-deux* (1834), ces variantes infirmant les hypothèses recourant à des explications anecdotiques; c'est peut-être une allusion portant sur le jour excédant le compte des jours d'un mois «normal» (de trente jours).

▸ Le plus ancien dérivé est **TRENTIÈME** adj. num. et ord., sous la forme *trentiesme* (1462), réfection de *trentisme* (v. 1119), également employé comme nom (1723, n. m.) et dont est tiré **TRENTIÈMEMENT** adv. (1636). ➛ **TRENTAINE** n. f. (v. 1155), «nombre de trente ou environ», est spécialement employé pour «âge d'environ trente ans» (v. 1710) et par les historiens en parlant d'un élément d'une compagnie militaire au XVe s. (1904); il a produit **TRENTENIER** n. m. (1265) qui s'est maintenu comme terme d'histoire avec le sens correspondant de «commandant d'une trentaine». ➛ **TRENTAIN** n. m., après avoir désigné une mesure de capacité (1398), a développé quelques sens spécialisés, désignant une série de trente messes dites pour un défunt (1472) et autrefois un drap de luxe dont la chaîne était faite de trente centaines de fils (1676). ◇ *Avoir trentain* «avoir trente points» s'employait au jeu de paume (1550). ➛ Quant à **TRENTENAIRE** adj., formé (1495) sur le modèle de *centenaire*, il est limité à quelques emplois didactiques (en droit) et, comme adj. et n., signifie «qui a entre trente et quarante ans».

TRÉPAN n. m. est emprunté en médecine (XIIIe s.) au latin médiéval *trepanum*, lui-même emprunté au grec *trupanon* «instrument pour percer» «tarière», spécialement «instrument de chirurgie» et, par analogie, «tige enfoncée dans un cylindre creux». Le mot, dérivé de *trupan* «trouer, percer», appartient à un groupe important, qui a des représentants en grec (→ ② tour), en latin (→ trier), en germanique (→ drille) et en celtique (→ taraud, tarière), et qui se rattache à la racine indoeuropéenne °*ter-* «user en frottant». ◇ Avant d'apparaître en français, le mot latin a été emprunté en ancien provençal par le traducteur du médecin arabe Albucasis sous les formes *tribo* (XIVe s.), *trempano* (v. 1300), puis *trepano* (v. 1300).

♦ Répandu en français au sens médical latin, *trépan* désigne par métonymie (ou par dérivation du verbe *trépaner*) l'opération pratiquée à l'aide du trépan (1680). ◇ Il s'est généralisé à partir du XVIe s. comme terme technique, désignant un type de vilebrequin pour percer la pierre (1611; 1562, *trapan*), peut-être sous l'influence de l'italien *trepano*. ◇ Par la suite, il a pris quelques acceptions spécialisées. Il se disait autrefois (1765) d'une sorte de foret qui permettait de percer une voûte de mine pour assurer l'aération. *Trépan* (1876), spécialement *trépan de sonde* (1872), désigne aujourd'hui un outil employé dans un sondage ou un forage, notamment dans l'industrie pétrolière.

▸ Son dérivé **TRÉPANER** v. tr. (v. 1370) ne s'emploie plus qu'en chirurgie, autrefois aussi dans le domaine des mines (1765). ➛ Dérivé soit du verbe, soit de *trépan*, **TRÉPANATION** n. f. (v. 1490) est uniquement un terme de médecine pour «opération pratiquée au trépan», notamment «perforation de la boîte crânienne pour une intervention chirurgicale», ce type d'opération étant pratiqué depuis la préhistoire. ➛ **TRÉPAN-BENNE** n. m. (1973) désigne en technique un outil de forage constitué par une benne tubulaire.

TRÉPASSER v. intr., d'abord *trespasser* (1080), est formé de *tres-*, du latin *trans* (→ trans-, très,) et de *passer**, par une formation analogue à celle de *transir**.

♦ En ancien et en moyen français, le verbe recouvrait un champ sémantique complexe comparable à celui de *passer*. Comme intransitif, il a signifié «traverser un endroit» et «s'écouler» en parlant du temps (fin XIe s.) jusqu'au début du XVIIe siècle. Comme transitif, il exprimait l'idée de «dépasser qqn en marchant» (1080), «traverser, franchir (qqch.)» (fin XIe s.) et, au figuré, «trangresser (un ordre)» (v. 1120), «passer sous silence» (XIIIe s.) jusqu'à l'époque classique. ◇ L'usage moderne n'a retenu que le sens de «mourir» apparu dès le XIIe s. (v. 1155), aussi dans les locutions *trépasser de ce siècle* et *trépasser en l'autre monde*, archaïques, puis euphémisme pour *mourir*, courant à l'époque classique, de nos jours employé comme un archaïsme plaisant.

▸ Son déverbal **TRÉPAS** n. m., d'abord écrit *trespas* (v. 1130), a connu la même restriction de sens : d'abord employé pour désigner un passage, dans tous les sens de ce mot, il a désigné aussi bien un détroit (v. 1207), un droit de passage, de transit (1373), que, sur le plan temporel, un espace de temps (v. 1160), une chose passagère (XIIIe s.) et, abstraitement, la transgression d'un ordre (XIIIe s.). ◇ Il a seulement gardé le sens de «mort» (v. 1500), notamment dans la locution ***passer de vie à trépas*** (1403, *aller...*) devenue (XIXe-XXe s.) un archaïsme plaisant. ◇ Il reste un vestige de l'idée ancienne de «passage» dans le terme d'archéologie *trépas* n. m. (1340, *trespas*) qui désigne un coulant de ceinture dans le costume jusqu'au XVIIe siècle. ➜ **TRÉPASSEMENT** n. m. (v. 1155, *trespassement*) est rare après l'époque classique. ➜ **TRÉPASSÉ, ÉE** adj., du participe passé (v. 1145, *trespassé*), d'abord «vieux», a été substantivé; **TRÉPASSÉ, ÉE** n. (XIIIe s.) «mort», vieilli même dans un contexte religieux (1690, *la fête des Trépassés*), survit dans des désignations spécifiques (*la baie des Trépassés*, en Bretagne).

TRÉPIDATION n. f. est emprunté (1290) au latin *trepidatio* «agitation, désordre, trouble», au propre et au figuré, et spécialement «tremblement nerveux». C'est le substantif verbal fait sur le supin *(trepidatum)* de *trepidare* «s'agiter, se démener», «trembler», dérivé de *trepidus* «agité, inquiet» et «qui trépigne» (→ intrépide). Cette famille de mots latins exprime une agitation inquiète et fébrile; elle se rattache à une racine indoeuropéenne °*trep-* indiquant un mouvement pressé, tel qu'un piétinement (grec *trapein* «fouler le raisin», sanskrit *tr̥práh* «inquiet, qui se hâte»), peut-être parent de la racine représentée dans *tremere* (→ trembler) et *terror* (→ terreur), avec une nuance de sens différente.

♦ Le mot a été emprunté avec le sens général de «peur, frayeur, tremblement», sorti d'usage. Il désigne un tremblement pathologique du corps (1690) et, plus généralement, l'ébranlement de ce qui subit de petites secousses rapides (1788, du sol); seul l'emploi pour le tremblement saccadé d'un moteur (1893) est usuel. ◇ Par figure, *trépidation* se dit (1839) d'une agitation incessante.

▸ Le français a aussi emprunté au latin *trepidare* (ci-dessus) le verbe **TRÉPIDER** v. intr. (1495) avec le sens de «s'agiter», sorti d'usage au profit du sens moderne, «être agité par de petites secousses rapides» (1801). Il s'emploie aussi au figuré (1874). ➜ Le participe présent **TRÉPIDANT, ANTE** est adjectivé avec les sens correspondants, au propre (1876) et au figuré (1890).
L'emprunt **TRÉPIDE** adj. (1531) «tremblant», «effrayé» (1540), représentant le latin *trepidus*, n'est attesté qu'au XVIe s. à la différence de *intrépide**.

◈ voir INTRÉPIDE.

TRÉPIED n. m., d'abord *trepiez*, pl. (v. 1150), est issu du latin *tripedem*, accusatif de *tripes* «à trois pieds», substantivé pour un vase à trois pieds, de *tri-* «trois» (→ tri-), et *pes, pedis* (→ pied).

♦ Le mot est passé en français pour désigner un ustensile de cuisine à trois pieds, et plus généralement un support à trois pieds (1305); il a pris le sens spécial de «meuble à trois pieds», servant de support à un vase (1353). ◇ À la Renaissance, il est passé dans le langage savant comme terme d'antiquité grecque pour le siège à trois pieds sur lequel la Pythie rendait l'oracle d'Apollon (1559). Le sens du nom latin, «vase à trois pieds», a été repris par les archéologues (1636).

TRÉPIGNER v. est attesté au XVe s. (1461) mais antérieur, son dérivé *trepignis* se trouvant déjà au XIVe s. (1352-1356); il est dérivé de l'ancien français *treper, triper* (v. 1155) «frapper du pied en signe de joie ou d'impatience, sauter, danser». *Treper* (emprunté par l'anglais *to trip*) est issu d'un francique °*trippôn* «sauter», postulé par le suédois *trippa* «trépigner», et qui a donné l'ancien provençal *trepar* «trépigner, sauter, danser», l'ancien italien *trepare* et l'espagnol *trepar* «grimper». Les formes avec *i* viennent d'une influence des langues germaniques.

♦ *Trépigner* a d'abord été employé avec le sens d'«avancer d'un pas mal assuré», sorti d'usage. Il prend au XVIe s. la valeur de «battre des pieds contre terre à plusieurs reprises d'un mouvement rapide sur place» (1534, Rabelais) et, encore au XVIIe s., «danser sur place» (1538). ◇ Par figure, *trépigner de* a signifié «avoir très envie de» (v. 1580), aujourd'hui suivi d'un nom de sentiment (av. 1577) pour «témoigner (de la joie, de l'impatience, de la colère, etc.)». ◇ Par extension il s'emploie (1680) à propos d'un cheval qui piaffe d'un mouvement rapide. ◇ Parallèlement le verbe est employé transitivement comme terme de jardinage (1576), «fouler (la terre)» jusqu'au XIXe s., rare avec la valeur générale de «piétiner violemment» (1690).

▸ Le participe présent **TRÉPIGNANT, ANTE** est adjectivé pour qualifier une personne qui trépigne (1588, Montaigne). ➜ **TRÉPIGNEMENT** n. m. (1580), réfection de *trépinement* (1547), est le seul dérivé usuel. ➜ **TRÉPIGNÉE** n. f., plus tardif (1867), mot populaire pour «volée de coups», est sorti d'usage comme **TRÉPIGNEUR, EUSE** n. (1867). ➜ Le féminin **TRÉPIGNEUSE** n. f. est un terme technique pour désigner un manège à plan incliné et tablier roulant (1907).

◈ voir TRIP, TRIPOT.

TRÉPONÈME n. m. (1909), d'abord *treponema* (1905), mot latin moderne, est composé du grec *trepein* «tourner» (→ trophée), et de *nêma* «fil», dérivé de *nein* «filer», à rapprocher du latin *nere* de même sens et peut-être du grec *neuron* (→ nerf).

♦ Le mot désigne un genre de micro-organisme mobile qui comprend plusieurs espèces pathogènes, par exemple le *tréponème pâle* responsable de la syphilis.

TRÈS adv. continue par voie orale (1050) le latin *trans*, devenu *tras* signifiant «au-delà de, à travers» (→ trans-), préposition de sens local mais qui, employé comme préverbe, pouvait correspondre à «de part en part, complètement», donnant lieu à un emploi comme adverbe intensif en latin populaire. En français, *très* (également écrit *tre* au XIIe s.) a fonctionné jusqu'au XIVe-XVe s. comme une préposition, avec le sens spatial de «derrière» (1050), bien conservé en occitan et en hispano-roman, et appliqué au rapport de temps : il a pris le sens de «après», d'où les nuances voisines de «dès, depuis» (v. 1170), ainsi que divers emplois en combinaison dans des locutions prépositionnelles.

♦ *Très* est placé avant un adjectif, un adverbe, puis une expression employée adjectivement (XIIIe s.), un nom, un participe employé comme adjectif. Son emploi (1715, Lesage) devant un participe passé gardant sa valeur verbale de passif, autorisé par l'usage et les meilleurs auteurs («Gênes était... très menacée par les Piémontais», Voltaire), est réprouvé dès le XVIIIe siècle. On considère qu'il est peu correct d'employer *très* dans le tour pronominal *(je m'en suis très occupé)* et franchement incorrect de l'employer à l'actif («ils ont très irrité le malheureux homme», Leconte de Lisle) : on dit *beaucoup* et dès l'ancien français *moult.* ◇ Il est à noter que jusqu'au XVIe s., *très* s'employait aussi devant un superlatif *(très plus)* et servait à renforcer *tout,* d'où un composé *trestout. Très* s'emploie dans des locutions verbales d'état avec *avoir* ou *faire* (v. 1225) et, de manière absolue, en guise de réponse (mil. XVe s.) *[tu es content? Très.]* ➛ *Très* a servi en outre à former des verbes composés où il marque une idée de mouvement au-delà, de déplacement *(trébucher, trépasser)* ou simplement d'excès *(tressaillir, tressauter)* : on peut d'ailleurs l'analyser dans certains cas comme un adverbe d'intensité (cf. l'ancien français *trespenser* «être extrêmement soucieux»).

TRÉSAILLÉ → TRESSAILLIR

TRÉSOR n. m. est emprunté (v. 1050), avec altération de *té-* en *tré-,* au latin *thesaurus,* emprunté au grec *thêsauros* «dépôt, magasin où on enferme provisions et objets précieux, trésor» (→ thesaurus). On ignore l'origine du mot et les hypothèses proposées ne sont pas satisfaisantes. La tentation d'y voir un nom composé avec *thes-,* comme forme de *tithenai* «placer», se heurte au fait qu'il n'existe aucun exemple de ce type de composés. Le second terme *(-auros)* n'est pas plus clair ; ce serait selon certains un des noms de l'eau et *thêsauros* aurait désigné originellement une citerne, ou bien le nom du vent *(aura),* et il s'agirait alors d'un grenier construit en plein air pour les provisions ; les deux hypothèses sont jugées fragiles par Chantraine. ◇ L'apparition du *r* dans la première syllabe du mot français n'est pas élucidée. Le caractère emprunté des formes romanes résulte du sens plus que de la forme, sauf pour l'italien *tesoro* au lieu de *tisoro,* si le mot était populaire.

♦ Les deux valeurs principales du mot sont bien représentées dès le début du XIIe s. : «ensemble de choses précieuses réunies pour être conservées (v. 1112) et «endroit où on les garde» (1135). L'idée s'applique aux richesses d'une seigneurie, incluant titres et archives (v. 1175) et à celles d'une église. *Trésor* s'applique plus tard (1334) à l'ensemble des archives. ◇ Dès le XIIe s., il acquiert la valeur générale de «ce qui est considéré comme précieux ou très utile» (v. 1130) et se dit en particulier d'une personne chère. De cet emploi vient en français moderne l'usage du mot comme terme d'affection, dans *mon trésor* (1821) ou *trésor!* ◇ Une autre valeur figurée «ensemble de connaissances précieuses» fait entrer le mot, comme le latin *thesaurus,* dans des titres d'ouvrages, encyclopédies et dictionnaires (depuis le *Livre dou Tresor* de Brunet Latin, 1265). ◇ Depuis la fin du XIIIe s., écrit avec une majuscule, *le Trésor* s'applique à l'ensemble des ressources financières d'un prince, d'un souverain, puis d'un État, les deux notions restant longtemps confondues. ***Trésor public*** (1748) s'applique aux moyens financiers de l'État, et la locution ***trésor de guerre***, au figuré, (v. 1980) aux ressources plus ou moins cachées servant de réserve à une entreprise. ◇ Employé en général au pluriel, *les trésors* (1534) désigne une grande masse monétaire avec des emplois métaphoriques de type *les trésors de Cérès* «les moissons» (1667). Le mot reçoit une définition juridique à l'époque classique (1690) et, en même temps, s'emploie par figure (1541, *un, des trésors de*) pour parler d'une accumulation de choses belles ou utiles.

▸ **TRÉSORIER, IÈRE** n. (v. 1170), d'abord *tresorer* (1080), a été dérivé de *trésor* d'après le dérivé bas latin *thesaurarius,* pour désigner spécialement la personne chargée de l'administration des finances d'un prince, plus tard d'une organisation publique ou privée, et en particulier le fonctionnaire du Trésor, d'où *trésorier-payeur général* (1865). ◇ Il est aussi employé pour celui qui a la charge du trésor d'une église (v. 1170) et, dans l'armée, pour l'officier chargé de la comptabilité d'un corps de troupe (XVe s., n. m.). ➛ **TRÉSORERIE** n. f. a été formé (fin XIIIe s.) sur *trésorier* après *tresorie* v. 1200), directement dérivé de *trésor* et disparu. Le mot a eu (XVIIe s.) le sens concret de «lieu où l'on garde un trésor» et de «charge du trésorier d'une église», sorti d'usage. ◇ Il s'est limité au sens d'«administration du Trésor de l'État» (fin XIIIe s.), désignant par la suite la charge (1611) et la fonction de trésorier, l'état et la gestion des fonds (1803). Terme d'histoire, il a désigné (1798) le ministère des Finances d'Angleterre.

◈ voir THÉSAURUS.

TRESSAILLIR v. intr. est formé en français (1080) de *tres-,* du latin *trans-* (→ trans-, très), et de *saillir**.

♦ Le mot a eu des emplois beaucoup plus étendus que de nos jours ; il s'est employé transitivement avec le sens propre de «franchir en sautant» (1080) jusqu'à la fin du XVIe s. et avait diverses valeurs figurées comme «laisser de côté, passer sous silence» (v. 1120), «surmonter» (v. 1175), «transgresser» (v. 1190). ➛ L'usage moderne l'a restreint à un emploi intransitif au sens de «frémir, sursauter (sous l'effet d'une émotion)» (v. 1138), alors qu'il avait en ancien et moyen français le sens plus général de «rebondir» (v. 1155), «sauter sur ses pieds» (fin XIIe s.), etc. ; par extension, il s'emploie à propos d'une chose pour «éprouver un ébranlement» (v. 1860). ◇ La valeur technique de «se fendiller (d'une céramique)» est due à une confusion avec **TRÉSAILLÉ, ÉE** adj. (1923 ; 1803, *tressaillé*) ou **TRÉSALLÉ** (1893), terme technique, tiré du participe passé de *se trézaller* «se fendiller» (1767) ; ce sens représente un emploi spécialisé de *tresaler* «aller au-delà» (1080), de *tres-* et *aller**.

▸ Le participe présent de *tressaillir* **TRESSAILLANT, ANTE** est employé comme adjectif (v. 1270). ➜ *Tressaillir* a aussi donné un nom d'action, **TRESSAILLEMENT** n. m. (1561), assez courant.

TRESSAUTER → SAUTER

TRESSE n. f. (1212), d'abord écrit *trece* (fin XIe s.), est d'origine discutée. L'hypothèse de F. Diez, qui en fait le représentant d'un latin populaire °*trichea*, emprunté à l'adverbe grec *trikha* «en trois parties», n'est plus retenue. Celle de Gamillscheg, qui proposait de partir d'un francique °*thrêhja*, postulé par des mots germaniques (comme l'allemand *drechseln* «tourner») et apparenté au latin *torquere* (→ tordre), se heurte à la rareté de cette racine dans les langues germaniques. Corominas propose, avec beaucoup de réserves, de partir du verbe *tresser* (italien *(in)trecciare*, espagnol *trenzar*), attesté de bonne heure, et de voir dans ce dernier le représentant du latin *tertiare* de *tertius* (→ tiers), «répéter trois fois», qui aurait pris le sens de «multiplier par trois». Phonétiquement, le passage de *ter-* à *tr-* n'est pas plus surprenant que celui qui a eu lieu pour *formaticum* (→ fromage) et *turbulare* (→ troubler). Cette hypothèse est reprise par P. Guiraud mais récusée par Wartburg. Celui-ci, de même qu'Alessio, part d'une forme du latin populaire °*trichia*, altération du grec tardif *trikhia* «corde, câble» (Ier s.), dérivé de *thrix, trikhos* «poil, cheveu» (→ trichine) et qui signifierait proprement «corde de cheveux tressés», passé en gallo-roman par Marseille.

♦ Le mot est d'abord attesté avec le sens de «corde de lin non filé», sorti d'usage. Le sens moderne et courant de «natte de cheveux» est attesté à partir du XIIe s. (1155). Par extension, le mot a eu le sens général de «lien, corde» (1316, *treche*) jusqu'au XVIIIe s.; il se dit d'un cordon plat fait de fils entrelacés (1561), en particulier d'un galon employé comme garniture (1848). Il a développé des acceptions spécialisées en marine, où il désigne un cordage de fils de caret ou de bitord (1691), et en architecture pour un motif ornemental (1852).

▸ Le verbe correspondant **TRESSER** v. tr., dont la forme actuelle assez tardive (1611) a été précédée par *trecier* (fin XIe s.), *treser* (v. 1213), est, selon l'hypothèse adoptée pour l'étymologie de *tresse*, considéré comme son dérivé ou comme le représentant du latin *tertiare*. ◇ Il exprime l'idée d'assembler en tresses et, par extension, celle de faire un objet en tressant (1806). Il s'emploie dans la locution figurée ***tresser des couronnes à qqn*** «le louer» (av. 1833). ➜ Il a produit quelques dérivés. **TRESSOIR** n. m. (v. 1208, *trecëoir*) est antérieurement attesté (fin XIe s.) sous la forme *trecedoir* «tresse de lin non filé», puis *treceor* (v. 1160) «ornement de tête formé d'un galon enrichi d'orfèvrerie et de pierres précieuses». De nos jours, le mot ne désigne plus qu'un instrument utilisé pour faire des tresses de cheveux (1721). ➜ **TRESSEUR, EUSE** n. a été formé pour désigner l'ouvrier exécutant des travaux de tressage (1680; 1303, *tresseresse*), et **TRESSAGE** n. m. (1856) pour l'action de tresser. ➜ Par préfixation, on a formé l'antonyme **DÉTRESSER** v. tr. (fin XIIe s., *destrecier*) et l'itératif **RETRESSER** v. tr. (1688; 1680, *retrécer*).

TRÉTEAU n. m., d'abord *trestel* (av. 1150), puis *tresteaus* (XIIIe s.) et au singulier *tresteau* (v. 1460), *tréteau* à la fin du XVIe s. (1599), est issu d'un latin populaire °*tra(n)stellum*, altération du bas latin *transtillum* «petite poutre, petite traverse», diminutif de *transtrum*. Ce dernier signifie «poutre ou planche horizontale au-dessus du vide entre deux murs»; au pluriel il désigne les bancs transversaux des rameurs. C'est un terme technique de formation énigmatique en *-strum* (cf. *monstrum*), formé à partir de *trans* (→ trans-). ◇ *Transtrum* est représenté par l'italien *trasto* «partie du milieu d'un bateau où s'asseyent les passagers», l'espagnol *trasto* «meuble, accessoire» et l'ancien français *trastres* (1170, au pluriel) «tréteaux», puis *traste* (1480) «poutre». À la place de *tréteau*, on attendrait °*trateau :* la forme *tréteau* présente probablement une substitution de préfixe sous l'influence des mots en *tres-* (→ tressaillir, tressauter).

♦ Le mot a d'abord désigné un récipient sur pied (av. 1150), et (v. 1200) une pièce de bois sur quatre pieds soutenant une table, un échafaud, une estrade. Par métonymie, son pluriel désigne l'ensemble ainsi formé et se dit spécialement pour le théâtre de foire (1669); cet emploi a vieilli sauf dans la locution figurée ***monter sur les tréteaux*** «se faire comédien», qui a eu une valeur péjorative (1718, *avoir monté sur les tréteaux* «avoir été saltimbanque»). ◇ Le mot a aussi désigné un instrument de torture employé pour infliger la question (1611); cf. *travail*. ◇ L'argot du turf l'emploie au figuré pour un mauvais cheval (1893).

TREUIL n. m., modification (XIVe s.) de *troil* (1282), *truil* (XIIIe s.), est issu du latin *torculum* désignant le pressoir et, par métonymie, l'endroit où se trouve le pressoir. C'est un dérivé de *torquere* (→ tordre).

♦ Le mot est passé en français avec le sens de «pressoir à raisins», conservé par de nombreux parlers, également en italien *(torchio)* et en ancien provençal *(trolh, truelh)*. ◇ Le sens moderne, «appareil de levage et de chargement par enroulement d'un câble sur un cylindre», est attesté depuis le XIVe s. (1376) et vient d'un type de pressoir à corde s'enroulant sur un cylindre.

▸ Le dérivé **TREUILLER** v. tr. a été créé une première fois sous la forme *troiller* au sens ancien de «pressurer, dévider» (1256). Il est récent (1964, dans les dictionnaires) et représente une nouvelle dérivation avec le sens moderne, «manipuler ou tirer à l'aide d'un treuil», d'usage technique de même que son dérivé **TREUILLAGE** n. m. (v. 1950, dans l'armée); ces mots ont pour composés ***hélitreuiller*** et ***hélitreuillage*** → hélicoptère).

◈ voir ① TROUILLE.

TRÊVE n. f., d'abord *trive* (v. 1138), puis *trieue* (XIIe s.) et *treve* (v. 1210), est issu du francique °*treuwa*, proprement «sécurité», auquel se rattachent l'allemand *Treue* «fidélité», *treu* «fidèle» et l'anglais *true* «vrai» (→ truisme). Le francique est représenté dans l'ancien provençal *treva ;* l'italien et l'espagnol *tregua* remontent au gotique *triggwa* «convention», de même origine. La racine de ces mots a été identifiée à celle du grec *droos* «solide». (→ dryade).

♦ Dès les premiers textes, le mot est employé en parlant d'un armistice militaire. Il a pris secondairement le sens figuré de «relâche, arrêt d'une action» (1424), en particulier d'une action pénible (1621), entrant dans les locutions ***faire trêve de*** (1580) et ***n'avoir ni paix ni trêve*** (XVIIe s.), celle-ci prolongeant l'ancienne locution *n'avoir ne respeit ne trues* (v. 1200), *n'avoir ne paiz ne truive* (v. 1220), et ***sans trêve*** «sans arrêt» (1770). ◇ On appelait ***trêve marchande*** (1694) la trêve durant laquelle le commerce est permis entre des États en guerre, ***trêve de Dieu*** (1732) l'institution par laquelle l'Église suspendait les guerres entre seigneurs féodaux pour un certain temps ; ***trêve des confiseurs*** est courant dans le domaine politique (v. 1874), à propos de la période entre Noël et les fêtes du Nouvel An.

▸ Les dérivés de *trêve,* les verbes *trever* (v. 1220) et *atriver* (v. 1170), ne se sont pas maintenus.

TRI-, élément formant, est tiré, selon les mots formés, du grec ou du latin *tri-* «trois», préfixe représentant les noms de nombre grec *treis* et latin *tres* (→ trois). Ces derniers sont des formes d'un mot indoeuropéen de même sens, nom à flexion et à féminin (conservé en irlandais sous la forme *teoir*). Parmi plusieurs hypothèses avancées sur son étymologie, on peut citer celle d'Émile Benveniste qui rattache le terme à la racine *°ter-*, représentée dans le grec *teirein* «user en frottant» (→ ② tour, trépan), et *terma* «borne» (équivalent du latin *termen* qui a donné ① *terme**) : le sens serait «dépasse deux».

♦ L'élément est très productif dans le langage didactique, surtout au XIXe et au XXe s., avec la création de la terminologie scientifique (par exemple en chimie où il signifie «trois atomes, molécules ou éléments»). Il sert également à construire des composés libres *(trilatéral, triquotidien),* quelquefois à partir d'un composé en *bi-* «deux» préexistant. Dans des mots plus usuels formés en latin, *tri-* est abondamment représenté.

◈ voir TRIADE, TRIANGLE, TRIAS, TRICEPS, TRICOLORE, TRICORNE, TRIDENT, TRIENNAL, TRIGONE, TRILOGIE, TRIMESTRE, TRINITÉ, TRINÔME, TRIO, TRIOLET, TRIPHTONGUE, TRIPLER, TRIPLICATA, TRIPTYQUE, TRISSER, ② TRITON, TRIUMVIR ; TER- et TRÈFLE.

TRIADE n. f. est un mot de la Renaissance, emprunté (1562, Ronsard) au bas latin *trias, triadis* «nombre de trois» et, chez les auteurs chrétiens, «la sainte Trinité», pris au grec *trias, triados* de même sens, de *treis* «trois» (→ tri-).

♦ Le mot a été introduit en français pour désigner un groupe de trois (personnes, unités), avec des valeurs spécialisées en physiologie, en médecine. En histoire de la littérature, il désigne l'ensemble strophe-antistrophe-épode dans l'ode pindarique (1904).

▸ Il a servi à former **TRIADIQUE** adj., d'abord attesté à propos de l'Église grecque pour un hymne dont chaque strophe finit par une louange à la Trinité (1721), puis avec son sens moderne «relatif à une triade» (1842).

◈ voir TRIAS.

TRIANGLE n. m. est emprunté (v. 1270) au latin *triangulus* «qui a trois angles», substantivé au neutre pour désigner une figure à trois angles, de *tri-* «trois» en composition (→ tri-) et *angulus* (→ angle). L'adjectif latin a été emprunté isolément sous la forme *triangule* (XVe s.).

♦ Du langage de la géométrie où il est courant et donne lieu à de nombreux syntagmes (*triangle rectangle, isocèle,* etc.), le mot est passé dans des vocabulaires spécialisés pour désigner des objets en forme de triangle, aujourd'hui par exemple en musique où il désigne un petit instrument métallique à percussion (1803), en franc-maçonnerie (1872), en marine (1701), etc. ◇ Par figure (1834, Balzac), il se dit d'une relation entre trois objets ou trois personnes (spécialement en psychanalyse et en psychologie).

▸ L'adjectif correspondant **TRIANGULAIRE** est emprunté (1370) au dérivé bas latin *triangularis.* On relève isolément des dérivés français (*trianglier,* v. 1350 ; *triangle,* 1564) et l'emploi adjectivé de *triangle* (1380), encore au XVIIe siècle. ➔ Terme de géométrie également employé pour décrire un objet en forme de triangle, il a pris le sens figuré de «qui met en jeu trois éléments» (1926) en relation avec l'emploi figuré du nom, spécialement en politique, en psychologie, en économie, en psychanalyse. ◇ Il a lui-même donné **TRIANGULAIREMENT** adv. (1803). ➔ **TRIANGULATION** n. f. est un emprunt savant (1818) au dérivé bas latin *triangulatio.* Le mot s'emploie en parlant de l'opération matérielle de mesure par une suite de triangles. ➔ Il a produit **TRIANGULER** v. tr. (1829 ; 1803, p.p.), forme antérieurement attestée comme dérivé de l'ancien adjectif *triangule,* avec le sens de «donner la forme d'un triangle» (1490). Le verbe est employé dans le langage scientifique (géodésie) de même que ses dérivés **TRIANGULATEUR, TRICE** n. (1876), nom donné au géomètre faisant des opérations de triangulation.

◈ voir TRIGONE.

TRIAS n. m. est emprunté (1845) à l'allemand *Trias* (1834), emploi spécialisé du bas latin *trias, triadis* (→ triade) pour désigner en géologie un terrain du secondaire ancien (avant le jurassique) dont les dépôts contiennent trois parties (grès, calcaire coquillier, marnes). Le mot, apparu d'abord en allemand, semble avoir été emprunté par l'anglais (1841), puis par le français.

♦ *Trias* a gardé le sens du mot allemand.

▸ Il a produit **TRIASIQUE** adj. «qui appartient au trias» (1845).

TRIBADE n. f. est emprunté (1566) au latin *tribas, -adis* «femme homosexuelle», lui-même au grec hellénistique *tribas, -ados,* de *tribein* «frotter», au sens érotique «avoir commerce avec qqn», qui se rattache à la racine indoeuropéenne °*ter-* «user en frottant» (→ diatribe, ② tour).

♦ Le mot, qui conserve le sens du latin, est aujourd'hui un archaïsme littéraire.

▸ Son dérivé **TRIBADISME** n. m. (1849) est à peu près sorti d'usage; *tribadie* n. f. (1840, Proudhon) et *tribaderie* n. f., attesté dans le *Journal* des Goncourt (1863), sont inusités.

TRIBORD n. m. (1545), d'abord *destrebort* (1484), a été emprunté au moyen néerlandais *stierboord* en même temps que *bâbord** auquel il s'oppose. *Stierboord* est composé de *stier* «gouvernail», issu d'un francique °*steora* (ancien haut allemand *stiura,* allemand *Steuer*) et de *boord* «bord d'un vaisseau» (→ bord). Le francique °*steora* avait par ailleurs abouti à l'ancien français *estiere* «gouvernail» (apr. 1150), concurrencé par l'emprunt au moyen néerlandais. Les embarcations des tribus germaniques étaient gouvernées avec des rames latérales et le côté où elles étaient placées était nommé «bord de gouvernail» *(tribord),* l'autre «bord de dos» parce que le pilote lui tournait le dos (→ bâbord). La place du gouvernail avait changé à l'époque où les dénominations sont passées dans le vocabulaire maritime du français, mais les anciens noms sont restés.

♦ *Tribord* désigne le côté droit d'un navire quand on regarde vers l'avant. On relève aussi au XVe s. une forme isolée *treboit* (apr. 1450); les variantes *estribord* (1573) et *stribord* (1678) sont encore en usage après 1750, mais ont disparu au XIXe siècle. ◇ Le mot est également employé adjectivement, par opposition à *bâbord.*

▸ On en a dérivé **TRIBORDAIS** n. m. (1704), terme de marine désignant un matelot faisant partie de la bordée de tribord.

① **TRIBOULET** n. m. est tiré (1585) de *Triboulet,* surnom de *Fleurial,* bouffon de Louis XII et de François Ier, dérivé de l'ancien français *tribol* (1165), *tribouil* (fin XIIIe s.) «trouble, agitation» et «intrigue, machination». Ce mot, vieilli au XVIIIe s. mais encore employé par Chateaubriand, dérive de l'ancien verbe *triboler* (XIIe s.) puis *tribouler* (v. 1220) «tourmenter, vexer» et «être tourmenté», qui représente le latin *tribulare* (→ tribulation) et se maintient jusqu'au XVIIIe siècle.

♦ Le mot, sorti d'usage, a surtout été employé aux XVIIe et XVIIIe s. pour désigner un personnage grotesque, employé dans la locution *servir de triboulet* «faire rire» (1680) et maintenu en argot au XIXe siècle. La mémoire du bouffon est conservée en littérature dans le *Tiers Livre* de Rabelais et, surtout, dans *Le Roi s'amuse,* drame de V. Hugo (1837), qui en fait son héros, repris par Verdi *(Rigoletto).*

▸ Un autre mot, ② **TRIBOULET,** n. m. (1611) est un emprunt à l'ancien provençal *tribolet* (1498), dérivé d'un verbe lui-même emprunté à l'ancien français *triboler.* ◇ Il désigne un outil d'orfèvre, formé d'une tige tronconique pour arrondir (par rotation) les anneaux, les bagues.

TRIBU n. f. est emprunté (v. 1355) au latin *tribus,* nom d'une division du peuple romain correspondant à la *phulê* grecque, et mot utilisé par la Vulgate en parlant des lignages patriarcaux. Son étymologie est inconnue : l'hypothèse selon laquelle il contiendrait °*tri-* «trois» (→ tri-) parce qu'il y aurait eu à l'origine trois tribus n'est pas fondée historiquement.

♦ *Tribu* a été emprunté comme terme d'histoire antique, emploi répandu à la Renaissance et qui a donné lieu, par une extension plaisante, au sens de «subdivision des nations dans l'université de Paris» (1680), sorti d'usage à la fin du XVIIIe siècle. ◇ Son emploi pour désigner chaque groupe ethnique issu des douze fils de Jacob (1478), d'abord (1450) dans *les douze tribus* «le peuple hébreu», est relativement tardif en français, à la différence de l'ancien provençal (déb. XIIIe s.); il était jusque-là assumé par *lignée.* ◇ Par figure le mot s'emploie, souvent ironiquement, pour «famille nombreuse» (1671), «groupe nombreux» (1680); il désigne plus largement un groupe d'intérêts (fin XVIIe s.) mais est vieilli au sens (1770) de «groupe (d'animaux, de plantes)». ◆ Le sens plus général et courant de «groupe social fondé sur une parenté ethnique, réelle ou supposée», en parlant de peuples à organisation dite «primitive», se dégage au XVIIIe s. (1734) et est précisé par les sociologues au milieu du XIXe siècle. Au XXe s., ce sens ethnologique a reculé devant des termes plus récents, comme *ethnie.* ◆ Le mot passe également dans la terminologie des sciences naturelles (1836), désignant une subdivision de la sous-famille.

▸ Ce sont les sociologues qui ont introduit **TRIBAL, ALE, AUX** (1872), peut-être emprunté à l'anglais *tribal* (1632), et **TRIBALISME** n. m. (mil. XXe s.) «organisation sociale par tribus», emprunt probable à l'anglais *tribalism* (1816). *Tribal* a servi à former **INTERTRIBAL, ALE, AUX** adj. (1964).

◈ voir **ATTRIBUER, ATTRIBUT, CONTRIBUER, DISTRIBUER, RÉTRIBUER, TRIBUN, TRIBUNAL, TRIBUNE, TRIBUT.**

TRIBULATION n. f. est emprunté (v. 1120, *tribulatiun*) au latin impérial ecclésiastique *tribulatio* «tourment, détresse», dérivé du supin *(tribulatum)* de *tribulare,* proprement «battre avec une herse» pour séparer le grain de la balle. Ce terme d'agriculture est passé dans la langue ecclésiastique avec une valeur morale, «éprouver un tourment» (surtout au passif); il est dérivé de *tribulum* «herse à battre le blé», lui-même dérivé en *tri-* de *terere* «frotter, user en frottant», spécialement «battre le grain» (→ térébrant), qui se rattache à la racine indoeuropéenne °*ter-* de même sens (→ détritus, ② tour, tourner, trier). ◇ *Tribulare* avait été emprunté en ancien français (XIIe s.) sous les formes *tribuler* et *triboler* «tourmenter, vexer» (→ ① triboulet) et avait par ailleurs donné *tribler* «broyer, piler» (XIIe s.) et «tourmenter» (v. 1120).

♦ *Tribulation* est apparu avec un sens religieux, «adversités voulues par Dieu»; il s'est laïcisé très tôt (1155) pour désigner une épreuve physique ou morale, sens vivant à l'époque classique et sorti d'usage. Par extension, avec un affaiblissement de sens, il est passé dans le langage courant pour désigner (1770) des aventures plus ou moins désagréables. Depuis l'extinction du verbe *tribouler* et de la plupart de ses dérivés (→ triboulet), c'est le seul représentant du groupe latin, sauf peut-être *trimballer**.

TRIBUN n. m. est emprunté (1213) au latin *tribunus,* nom dérivé de *tribus* (→ tribu), et donné primitivement au chef d'une des trois tribus de Rome; sous la République, il désigna divers fonctionnaires (tribuns du trésor, tribuns des soldats, tribuns de la plèbe).

♦ Le mot a été emprunté comme terme d'histoire antique, spécialement dans *tribun de la plèbe* (v. 1355) et *tribun du peuple* (1559) «tribun chargé de défendre les intérêts des plébéiens»; il a développé à partir de là le sens figuré et péjoratif de «factieux, agitateur» (1649), sorti d'usage. ◇ Attesté dans des écrits théoriques au début de la Révolution française (1789), *tribun* est employé dans la constitution de l'an VIII (1800), jusqu'en 1807, pour désigner un magistrat représentant la souveraineté populaire dans l'assemblée nommée *tribunat* (ci-dessous). ➜ Par extension, et sous l'influence de *tribune**, il se dit de celui qui met son activité, son éloquence au service d'une cause politique (1817), d'abord dans l'emploi révolutionnaire de ***tribun du peuple*** (1788).

▶ **TRIBUNAT** n. m. a été emprunté (ap. 1250) au latin dérivé *tribunatus* «dignité de tribun (de la plèbe, des soldats)», de *tribunus.* Introduit en français comme terme d'antiquité romaine, *tribunat* est le nom de l'Assemblée proposée par Sieyès pour servir de «tribune de proposition»; ce sens procède donc aussi de *tribune** (1800). Institué par la constitution de l'An VIII, le Tribunat fut supprimé en 1807.

L'adjectif **TRIBUNITIEN, IENNE** a été créé (v. 1355) sur le radical du dérivé latin *tribunitius* (variante du classique *tribunicius*). ➜ Terme d'antiquité rare avant le XVIIIe s., il a suivi l'évolution de *tribun* et qualifie aussi ce qui est propre au tribun, à l'orateur populaire (1842). Ce mot est didactique ou littéraire.

TRIBUNAL n. m. est emprunté (v. 1140) au dérivé latin *tribunal,* nom donné à l'estrade en demi-cercle où siégeaient les magistrats, dit également au théâtre, de la loge du préteur; le mot servait aussi à désigner un monument funèbre, et une digue, une chaussée.

Tribunal a d'abord été emprunté comme adjectif pour qualifier l'endroit où s'assied un juge. Comme nom, il a désigné le siège lui-même (XIIIe s.). ◇ Par métonymie ou par un nouvel emprunt au latin, il a pris son sens moderne, «endroit où siègent les juges» (v. 1480). Le mot désigne aussi (1670) la juridiction d'un ou plusieurs magistrats et (1621) le corps des magistrats affectés à une juridiction particulière. Le développement de l'organisation judiciaire a entraîné ensuite la formation de nombreuses expressions, plusieurs apparaissant pendant la Révolution; par exemple *tribunal de district* (répandu 1789), *tribunal criminel* (1790), *tribunal de cassation* (1790), *tribunal de commerce* (1790), puis *tribunal correctionnel* (1876), *tribunal militaire* (1876), *tribunal pour enfants* (1912), etc. Dans la phraséologie de la Révolution, le *tribunal révolutionnaire* (1793) désignait un tribunal d'exception. ◇ Le mot a pris par figure dans le langage dévot le sens de «justice (de Dieu)» (1642), d'où *le tribunal de Dieu* (1677) et autrefois *le tribunal de la pénitence* (1621) «la confession», puis celui plus large de «jugement moral» (1718, *tribunal de la conscience*). ◇ Par analogie avec le demi-cercle que forme l'endroit où siègent les magistrats (cf. *tribune*), *tribunal* désigne en architecture la partie postérieure des basiliques en forme d'hémicycle (1835).

◈ voir TRIBUNE.

TRIBUNE n. f., attesté isolément au XIIIe s. (v. 1231) et au XVe s. (1409, *trebune*), est emprunté au latin médiéval *tribuna,* lui-même issu par dérivation régressive du latin classique *tribunal* (→ tribunal, à tribun). La même forme est ensuite reprise (1606) à l'italien *tribuna,* lui-même emprunté au latin médiéval.

♦ Le mot désigne d'abord, dans une église, la galerie, réservée à certaines personnes, sens repris au XVIIe s. (1636). Il s'emploie ensuite, sous l'influence de l'italien, à propos de la galerie où sont placés des musiciens (1688) ou le buffet d'orgue (1690; 1835, *tribune d'orgue*); en ce sens on trouve aussi par métathèse *turbine* (1635). Le mot s'est dit au XVIIe s. pour la scène d'un théâtre (1636). ◇ *Tribune* s'emploie parallèlement pour désigner un endroit élevé dans un lieu d'assemblée ou une salle de spectacle (1636), endroit réservé à quelques privilégiés. Par extension, et remplaçant alors *stand,* il s'emploie pour l'emplacement en gradins, généralement couvert, d'où le public suit une course de chevaux, un match, etc. (attesté 1872), et désigne par métonymie le public (1847, *les tribunes*). ➜ Sous l'influence de *tribun*, tribune* désigne à partir du XVIIe s. (1606) le lieu élevé d'où les orateurs grecs et romains haranguaient le peuple; le mot passe dans le vocabulaire politique avec la Révolution française (1789), d'où *éloquence de la tribune* (1835). *Tribune* s'était employé pour la chaire du prédicateur (fin XVIIe s.), surtout dans *tribune sacrée* (1798). ◇ Par figure, *tribune* désigne (1787) le lieu où l'on s'exprime par le discours ou l'écriture et spécialement, au XIXe s., tout débat politique (1829). En journalisme, *tribune libre* désigne une rubrique ouverte à des auteurs extérieurs au journal.

TRIBUT n. m., réfection (1463) de *trebu* (av. 1350), est emprunté au latin classique *tributum* qui désignait une taxe, un impôt, une contribution et quelquefois, au figuré, un présent. C'est le neutre substantivé de l'adjectif *tributus* «qui concerne les tribus», de *tribuere,* proprement «répartir entre les tribus *(tribus)*» d'où «répartir, partager» (→ attribuer, rétribuer). ◇ Le français *tribut* a supplanté l'ancienne forme populaire *treüd* (1080), *treü* (1125), issu du mot latin par voie orale et encore relevée au XVIIe siècle. De même, en ancien provençal, la forme empruntée *tribut* (v. 1140) s'est trouvée en concurrence avec la forme populaire *traüt.*

♦ Le mot a eu le sens général de «taxe, impôt» et s'est spécialisé dès le XVe siècle. Il désigne une contribution payée à un seigneur féodal, à un État, etc. (1485), aujourd'hui en histoire, et en particulier une contribution forcée qui constitue un signe de soumission (1485). ◇ Par figure il se dit (1662) de ce que l'on est obligé d'accorder ou de supporter, d'où des expressions littéraires comme ***payer le tribut à la mort*** (v. 1660), ***à la Nature*** (1668) «mourir», qui continuent l'ancien français *payer le treü...* (XIIIe s.). ◇ *Tribut* s'est employé à l'époque classique au sens de «rétribution, salaire» (1669) et, par figure, pour «hommage amoureux» (1654), par une métaphore déjà connue au XVe s..

▶ L'adjectif correspondant, **TRIBUTAIRE**, est emprunté avant *tribut* (v. 1130) au dérivé latin *tributarius* «qui concerne le tribut», spécialement employé pour qualifier une lettre qui apporte la contribution due. Le mot a été introduit comme terme de féodalité au sens de «qui paie tribut à un seigneur, un souverain». Ce sens n'a plus cours qu'en histoire et le sens figuré de «qui rend un tribut, un hommage» (1573) est lui aussi sorti d'usage. ◇ *Tributaire* qualifie aujourd'hui une personne ou une chose qui dépend de qqn, de qqch. (1741). ◇ Un emploi métaphorique a donné lieu au sens didactique d'«affluent (d'un fleuve)», comme adjectif (1771) puis comme nom masculin (1872).

TRICARD → TRIQUE

TRICEPS n. m. est un emprunt (1560) au latin *triceps* adj., proprement «qui a trois têtes», d'où au figuré «triple», de *tri-* (→ tri-), et *caput* «tête» (→ chef).

♦ Le mot désigne en anatomie un muscle formé à l'une de ses extrémités de trois portions distinctes qui s'insèrent à des points osseux différents.

◈ voir BICEPS.

TRICHER v. (v. 1265), d'abord *trichier* (v. 1155) et *trechier* (v. 1174), est issu d'un latin populaire °*triccare*. Celui-ci serait une variante, avec un redoublement expressif de la consonne, du latin classique *tricari* «chercher des embarras à, chicaner». C'est le dérivé de *tricae* n. f. pl., mot de la langue familière attesté depuis Plaute et désignant des vétilles, des riens et, par une spécialisation négative, des ennuis, des embarras. *Tricae,* dont nous ne connaissons que des sens figurés, était rapproché par les Anciens du grec *trikhes,* pl., de *thrix* «poil, cheveu» (→ trichine) ou de *Trica,* nom d'une petite ville d'Apulie. En fait, le mot n'a pas d'étymologie connue ; on suppose seulement, d'après l'emploi de *extricare* (→ inextricable) chez Columelle, qu'il appartenait d'abord à la langue rustique où il devait désigner des mauvaises herbes. Dans le passage au français, le maintien du *i* bref (normalement fermé en *e* dans *trechier*) s'explique par l'influence de *tricari,* les deux mots ayant longtemps été associés.

♦ *Tricher,* intransitif, signifie «enfreindre des règles en feignant de les respecter», aussi en emploi transitif (v. 1165 *trichier*) jusqu'au XIXe s. (*tricher qqn* «le tromper»), ce dernier disparu. ◇ Il se dit spécialement dans le contexte du jeu (1680, comme transitif) et s'emploie plus généralement au sens de «se conduire avec mauvaise foi de façon à trahir». ◇ Sans jugement moral, il signifie «dissimuler une imperfection dans un ouvrage matériel» (1835), précédé par l'emploi transitif disparu (1762).

▶ Le dérivé **TRICHERIE** n. f. (v. 1120), employé pour «fraude» et jusqu'à l'époque classique pour «mensonge», a suivi l'évolution du verbe, spécialement au jeu (1690), prenant aussi des valeurs figurées. ◇ Son synonyme **TRICHAGE** n. m., attesté chez Céline (1932), est resté très rare. ◆ Le déverbal **TRICHE** n. f. (v. 1165), «tromperie» puis «tromperie au jeu» (1660), a perdu du terrain au profit de *tricherie,* pour se restreindre au langage familier et enfantin, notamment dans *c'est de la triche!* ◆ **TRICHEUR, EUSE** n. et adj. a eu le sens général de «trompeur» (v. 1120, *tricheür*) qui a disparu. Puis il désigne la personne qui triche au jeu (1690) et se conduit avec mauvaise foi. ◇ Dans les années 1960, après le film de Marcel Carné *Les Tricheurs,* il a servi à désigner une certaine jeunesse bourgeoise au comportement cynique et sans lucidité.

◈ voir INTRIGUER, TRICK.

TRICHINE n. f. est emprunté (1845) au latin scientifique moderne *trichina,* formé sur le grec *trikhinos* «de poils», dérivé de *thrix, trikhos* «cheveu, poil», mot sans étymologie connue (→ tresse, tricher).

♦ Le terme désigne en sciences naturelles un ver filiforme parasite.

▶ Il a produit quelques dérivés : les adjectifs **TRICHINÉ, ÉE** (1864) «parasité par la trichine», **TRICHINAL, ALE, AUX** (1872) et **TRICHINEUX, EUSE** (1872) «relatif à la trichine» et le nom de maladie **TRICHINOSE** n. f. (1864), formé d'après l'allemand *Trichiniasis.*

TRICK n. m. est emprunté une première fois en 1773, puis au XIXe s. (1814), à l'anglais *trick* employé comme terme de jeu (1599) pour désigner la levée qui assure le point (au whist). Le mot avec son sens premier, «ruse, stratagème», était emprunté (XVe s.) à l'ancien français *trique* — sans rapport avec *trique,* «bâton» —, variante dialectale (normanno-picarde) de *triche,* déverbal de *trikier, trichier* (forme moderne *tricher**).

♦ Le mot est passé en français comme terme de whist aussi sous la forme *tri* (1844). Il a vieilli avec le jeu et est passé dans le vocabulaire du bridge pour désigner la septième levée (1923).

TRICOLORE adj. est un emprunt (1695, *tricolor*) au bas latin *tricolor* «de trois couleurs», de *tri-* «trois» (→ tri-), et *color* (→ couleur).

♦ Le mot, appliqué à ce qui est de trois couleurs, reste rare jusqu'à la fin du XVIIIe s., où il commence à s'écrire aussi *tricolore* (1789), forme qui éliminera *tricolor.* C'est en effet à ce moment (1789) qu'il est employé pour qualifier le drapeau français bleu, blanc, rouge alors créé et, par extension, un drapeau analogue. Il est substantivé en ce sens au XIXe s. (1823) et *les tricolores* se dit spécialement en style journalistique sportif (1953) pour désigner l'équipe française et ses joueurs. ◇ L'emploi général, rendu difficile par la référence au drapeau, reste vivant dans certains contextes *(une chatte tricolore).*

▸ On en a détaché un nom d'usage didactique qui a gardé la graphie latine **TRICOLOR** n. m. (1718); il désigne une variété d'amarante ou d'œillet (1752) à trois couleurs et, dans le vocabulaire technique, une peau de chat de trois couleurs (1723).

TRICORNE adj. et n. m. est un emprunt moderne (1832) au latin classique *tricornis* «qui a trois cornes», de *tri-* «trois» en composition (→ tri-), et *cornu* (→ corne).

♦ Le mot, qui a vieilli comme adjectif (1834), sert à désigner un chapeau porté entre 1675 et 1789 dans le costume militaire et civil. Ce couvre-chef dérivait du chapeau à bords relevés porté sous Henri IV dont on avait fini, sous la Régence et sous le règne de Louis XV, par façonner les bords en forme de triangle. Le mot, devenu historique, est resté vivant, alors que la coiffure qu'il désigne a disparu de la mode bien avant le bicorne.

TRICOTER v. est dérivé (1356) d'un mot disparu au XIXe s., *triquot* (1413) puis *tricot* (1640), employé familièrement au sens de «gourdin» et dérivé de *trique** (le déverbal *tricot*, ci-dessous, est un autre mot).

♦ Le verbe s'est d'abord employé au sens de «battre (qqn) à coups de bâton» (XVe s.), emploi qui semble avoir disparu, puis avoir été repris à la fin du XVIIIe s. et ne demeure que dans la locution familière et vieillie *tricoter les côtes à qqn*. Il signifie aussi «courir, sauter, danser» (v. 1450, intr.), spécialement ensuite en parlant d'un cheval (1671) «remuer vivement les jambes sans avancer beaucoup», puis à propos d'une personne (av. 1741), en particulier d'un coureur cycliste, «pédaler à vive allure avec un petit développement»; cette valeur a fourni les locutions familières ***tricoter des jambes*** (1819) ou ***des pincettes*** (1888) «s'enfuir». ◆ Par métaphore, *tricoter* prend au XVIe s. son sens courant (fin XVIe s., tr.; 1611, intr.) «faire à la main avec des aiguilles, ou à la machine, un tissu à mailles»; tous les autres emplois sont compris aujourd'hui comme une métaphore du mouvement des aiguilles.

▸ Les dérivés de *tricoter* «battre» ont disparu, comme *tricotée* n. f. «volée de coups de bâton» (1877). ◆ **TRICOTETS** n. m. pl., de *tricoter* «danser», désigne (1637) en histoire une danse ancienne rapide et gaie; on a aussi employé le singulier (1680, *un tricotet*). ◆ **TRICOT** n. m., déverbal, autrefois «aiguille à tricoter» (1660), désigne encore aujourd'hui un tissu confectionné avec des aiguilles (1666), d'où *fait au tricot* (1681), l'ouvrage que l'on tricote (1743) puis l'action de tricoter (1803) et un objet tricoté (1847). ◆ **TRICOTAGE** n. m., attesté en emploi métaphorique pour «commerce amoureux» (av. 1573), disparu, désigne l'action de tricoter (1680) et, familièrement (av. 1870), celle d'agiter les jambes. ◆ **TRICOTEUR, EUSE** n., d'abord au féminin, écrit *triquoteuse* (1585; 1611, *tricoteur*), est devenu un terme d'histoire: *les Tricoteuses* (1794) étaient les femmes qui assistaient en tricotant aux séances des assemblées pendant la Révolution; de là vient *une tricoteuse* «une femme aux opinions révolutionnaires» (1921), péjoratif et vieilli. ◇ **TRICOTEUR** n. m. s'est spécialisé au sens de «métier à tricoter» (1808). ◇ **TRICOTEUSE** n. f. «machine à tricoter» (1845) a désigné (1857) une table à ouvrage avec des rebords (qui empêchent la pelote de tomber).

TRICTRAC n. m. (XVe s.) est formé sur une base onomatopéique *trakk-* (→ trac) évoquant un bruit.

♦ Le mot, d'abord apparu comme adjectif dans *pas trictrac* «pas sonore et régulier», s'est employé adverbialement dans *aller son train tricquetrac* «régulièrement» (fin XVe s.), puis au figuré comme nom pour «train (des choses)» (1585) et avec une valeur concrète à propos d'un bruit de chocs successifs, par exemple celui de dés jetés (av. 1615). ◆ Depuis le XVIe s., *trictrac* désigne par métonymie (1534) un jeu analogue au jacquet où l'on utilise des dés et des pions, à la même époque le damier sur lequel on joue (1553), puis (fin XVIIe s.) une partie de ce jeu (*faire un trictrac*). ◆ Retrouvant sa valeur d'onomatopée, *trictrac*, par allusion au bruit fait par l'oiseau, a été le nom usuel d'une sorte de grive (1776) et d'un passereau (1834).

TRIDENT n. m. est emprunté (XIIIe s.) au latin *tridens* «harpon», «trident (des rétiaires, de Neptune)», substantivation de *tridens* adj. «qui a trois dents», de *tri-* (→ tri-), et *dens* (→ dent). Cet emprunt a supplanté la forme issue par voie orale *traiant* (v. 1270), *trahant* (1329), puis *tren* (1605) «fourche pour prendre les poissons», devenue *triand*, attestée régionalement au XIXe s. au sens de «fourche à trois dents».

♦ Emprunté pour désigner l'instrument de Neptune, *trident* est rare en ancien français, puis réemprunté au XVIe s. (1564). ◇ Le mot est attesté comme adjectif pour qualifier tout instrument à trois dents (1585); il se dit d'une fourche (1611) ou d'une bêche (1812) à trois dents mais cet emploi est archaïque. ◇ Par comparaison et allusion à Neptune, le mot désigne un instrument de pêche (1735). ◇ Il est passé dans le langage des mathématiques, d'abord pour une courbe dite aussi *parabole de Descartes* (1765, *Encyclopédie*) puis pour une cubique ayant un point double à l'infini (1904).

▸ En dérive **TRIDENTÉ, ÉE** adj. (1803), terme de sciences naturelles.

TRIÈDRE adj. et n. m. est composé (1793) de *tri-**, et de l'élément *-èdre*, tiré du grec *hedra* «siège», «base», sur le modèle de *tétraèdre* (→ tétra-).

♦ Terme didactique, *trièdre* s'applique à ce qui a trois faces planes et est substantivé (1876, *un trièdre*).

TRIENNAL, ALE, AUX adj. est emprunté (1352) au bas latin *triennalis* «de trois ans, qui dure trois ans», formé du classique *tri-* «trois» en composition (→ tri-), et *annus* (→ an).

♦ Le mot qualifie ce qui a lieu tous les trois ans, d'où des emplois spécialisés comme *assolement triennal* (1872). ◇ Depuis le XVIe s., il s'applique aussi (1549) à ce qui dure trois ans, en parlant d'une charge, d'un plan, etc., et spécialement à une personne élue pour trois ans (1594).

▸ **TRIENNAT** n. m., «période de trois ans» (1752) et «exercice d'une charge triennale» (1767), est formé sur le modèle d'autres noms didactiques en *-at* *(épiscopat)* et a remplacé *triennal* n. m. (1671).

TRIER v. tr. représente probablement (v. 1160) l'aboutissement du bas latin *tritare* «broyer» (VIe s.), dérivé du supin *(tritum)* du latin classique *terere* «frotter», au figuré «user», qui se rattache à une racine indoeuropéenne °*ter-* «user en frottant», bien représentée en grec (→ ② tour, traumatisme, tréma, trépan, tribade). Toutefois, P. Guiraud récuse cette étymologie et voit dans *trier* le représentant de *tricari* «chercher noise» (→ tricher) par le sens figuré «écarter, refuser».

♦ Dans ses premiers emplois, *trier* signifie «disperser», sens sorti d'usage, et «séparer un ensemble (selon un critère)», acceptions qui se comprendraient à partir de «broyer», parce que l'on broie le grain pour en séparer les parties inutilisables, d'où la locution figurée ***trier sur le volet*** (1580). Par extension, le verbe exprime le fait de séparer à l'intérieur d'un ensemble hétérogène des choses de même nature (1256) avec l'idée de séparer le bon du mauvais, réalisée aussi par *tri* (ci-dessous). ◇ C'est seulement au XIXe s. (1816) qu'il se dit de manière neutre pour «répartir (des choses) en plusieurs groupes sans rien éliminer». ◇ Le verbe a eu jusqu'au XIVe s. les sens figurés de «tirer comme conclusion», «juger» (*trier le droit, une cause,* v. 1260) et *trier une résolution* est encore employé par d'Aubigné (fin XVIe s.) au sens de «se décider pour». Il a eu également le sens particulier de «sevrer un enfant (en le séparant de sa mère)» (av. 1614). Toutes ces acceptions ont disparu.

▸ Il a produit ses dérivés en moyen français. ➛ Le plus ancien est le déverbal **TRI** n. m., d'abord attesté (1344) pour «élite», «sélection, supériorité», sens sorti d'usage. Le mot semble avoir été reformé au XVIIIe s. pour désigner l'action de trier (1764) et s'emploie également (1895, *le tri du courrier*) pour «répartition», d'où *centre de tri* et l'usage du mot en informatique (d'abord en mécanographie). ➛ Le féminin de *tri,* **TRIE** n. f. (XVe s.), a eu aussi le sens d'«élite», et l'a perdu comme celui de «choix» (av. 1589). ◇ Il désigne l'action de trier des poissons destinés à la vente (1776), rare en emploi général (1887). ➛ **TRIAGE** n. m. a d'abord été le nom (1343) de la partie d'une forêt communale attribuée au seigneur. ◇ Le mot subsiste comme terme technique pour désigner la subdivision d'une forêt (1583) et l'on emploie aussi en ce sens la variante dialectale **TRIÈGE** n. m. (1875). ◇ À côté de cette valeur spécialisée, *triage* désigne le fait de trier et son résultat (1370), notamment dans divers domaines techniques, de la fabrication du papier (1763) aux chemins de fer (1894, *gare de triage*). ◇ Il s'est dit par métonymie (1693) d'un groupe de personnes choisies pour leur appartenance à la bonne société. ➛ **TRIABLE** adj., attesté isolément (XIVe s.) au sens de «qui mérite d'être choisi», s'applique à ce qui peut être trié (déb. XVIIe s.). ➛ **TRIEUR, EUSE** n., «personne qui trie» (v. 1550, des fruits), désigne spécialement un ouvrier chargé d'un tri (1762). ◇ **TRIEUR** n. m. se dit en particulier (1857) d'un appareil, précédé par l'emploi adjectif (1616, *van trieur*) et **TRIEUSE** n. f. est le nom de diverses machines servant à trier (1845, pour la laine).

TRIFORIUM n. m. est emprunté (1831) à l'anglais *triforium,* terme d'architecture (1703), lui-même pris au latin médiéval *triforium.* Ce mot est une latinisation de l'ancien français *trifoire* «ciselure, ouvrage ciselé» (v. 1150), dérivé de *tresforer* «transpercer»; le verbe représente le latin classique *transforare,* formé de *trans-* (→ trans-) et de *forare* (→ forer).

♦ *Triforium* désigne dans une église l'ensemble des ouvertures par lesquelles la galerie ménagée au-dessus des bas-côtés s'ouvre sur l'intérieur, et la galerie elle-même (début XXe s.).

TRIFOUILLER → FOUILLER

TRIGONE n. m. est emprunté (1377) au grec *trigônos* «qui a trois angles», de *tri-* (→ tri-), et *gônia* «angle» (→ -gone), substantivé surtout au neutre *trigônon* pour désigner une figure géométrique et tout objet en forme de triangle. Le latin *trigonus* adj., *trigonum* n., repris au grec, a pu servir d'intermédiaire. On relève à la fin du XIIe s. un premier emprunt, *trigon* n. m. «drapeau en forme de triangle» (v. 1180).

♦ *Trigone* apparaît comme terme de géométrie. Supplanté par *triangle,* il est employé en astronomie et en astrologie à propos de l'aspect de deux planètes séparées par un angle de 120° (1690). Il est repris au XIXe s. en anatomie en parlant d'espaces triangulaires (1814). ◇ Il a par ailleurs désigné (1765) en archéologie une sorte de harpe triangulaire employée dans l'Antiquité; on disait aussi *trigonon* (1765). ◇ Son emploi comme adjectif (1534), concurrencé par *triangulaire,* est rare.

▸ **TRIGONAL, ALE, AUX** adj. (1549), «relatif au trigone», ne s'emploie qu'en géométrie; il est rare. **TRIGONOMÉTRIE** n. f. est emprunté en mathématiques (1613) au latin scientifique *trigonometria,* mot créé en 1595 par le mathématicien allemand Bartholomaeus Pitiscus. Le mot est formé du grec *trigônon* (ci-dessus), et de l'élément *-metria* «mesure» (→ -métrie). La terminologie mathématique des autres langues européennes a adopté ce terme. ➛ Il désigne proprement la méthode de calcul relative aux éléments des triangles au moyen des fonctions circulaires et plus couramment, par extension, l'étude des fonctions circulaires et de leurs propriétés. Dans l'enseignement, il est abrégé familièrement en **TRIGO** n. f. ➛ Il a produit **TRIGONOMÉTRIQUE** adj. (1718), qui a lui-même donné **TRIGONOMÉTRIQUEMENT** adv. (1762).

TRILLE n. m. est emprunté (1753, Rousseau) à l'italien *trillo* (XVe s.) qui désigne les vibrations d'un corps sonore et, par spécialisation, un battement rapide sur deux notes contiguës en musique (1618). Le mot italien est probablement d'origine onomatopéique; Battisti et Alessio rappellent l'existence en latin de *tritillare,* chez Varron, au sens de «babiller». Les dialectes italiens ont des formes apparentées exprimant des idées de tremblement, de trépidation. *Trillo* est passé en anglais (*trillo,* v. 1651) et en allemand (*Triller,* 1678).

♦ Le mot a été emprunté en français avec son sens musical ; par analogie, il s'applique au chant des oiseaux, à un son analogue (apr. 1850).

▸ Il a produit **TRILLER** v., transitivement «orner (une pièce de musique) de trilles» (1836), plus souvent en construction intransitive «faire un trille» (déb. XXe s.).

TRILOGIE n. f. est emprunté (1765) au grec tardif *trilogia,* formé de *tri-* (→ tri-), et *-logia* (→ -logie), et signifiant «ensemble de trois tragédies» (cf. *tétralogie*).

♦ Le mot, introduit comme terme de littérature grecque (dans l'*Encyclopédie*), désigne par extension un groupe de trois pièces de théâtre dont les sujets se font suite (1810) et une suite de trois œuvres ou une œuvre divisée en trois parties (1842), par exemple *La Divine Comédie* de Dante. ◇ En dehors du domaine de la littérature, il désigne un ensemble de trois choses qui vont ensemble (1856) et en médecine *(trilogie de Fallot)* une association de trois anomalies congénitales.

▸ Son dérivé **TRILOGIQUE** adj. (1843) est rare et didactique.

TRIMARAN → CATAMARAN

TRIMBALLER v. tr. est l'altération (1790, *trimbaler*) d'après *brimbaler** de *tribaler* (1532, Rabelais), mot expressif d'origine incertaine : on peut y voir la forme altérée, sous l'influence de *baller* (→ bal), de l'ancien verbe *triboler, tribouler* «agiter, tourmenter» qui aurait pris le sens figuré de «s'agiter, carillonner». *Tribouler* est emprunté au latin ecclésiastique *tribulare* (→ triboulet, tribulation). *Tribaler* a également été altéré en *trinqueballer* (1534, Rabelais), aboutissant à la formation d'un autre composé expressif, *brinquebaler* (1853), d'après *triqueballe* (XVe s.). Ce dernier, de sens incertain, désignait peut-être un instrument de torture et aujourd'hui un fardier (1777) ; son origine est obscure. P. Guiraud analyse *trimballer* comme un composé tautologique de *baller* «sauter», «danser» avec un premier élément qui pourrait être *triper* ou *triquer* «sauter» dans *tribaler, triqueballe,* et *bringuer* (→ ② bringue) «sauter» dans *bringueballer* et *brimballer ;* enfin *trinquer** «frapper» dans *trinqueballer* et *trimballer.* Toute la série aurait cette structure, chère à l'auteur, où deux verbes, parfois à l'impératif, s'additionnent en renforçant leur sens.

♦ Le mot appartient au langage familier et signifie (1790) «mener partout avec soi (qqn qui reste passif) avec effort, sans plaisir» et par extension «porter (qqch.) avec soi» (1830) ; il est aussi employé avec un nom abstrait (av. 1867, Baudelaire). La locution figurée et familière ***qu'est-ce qu'il trimballe !*** (1937) illustre le sémantisme de la «charge de bêtise» (cf. *il en a une couche,* etc.). ◇ Le verbe est souvent écrit *trimbaler.*

▸ On en a tiré le nom d'action **TRIMBALLAGE** n. m. (1836), en concurrence avec **TRIMBALLEMENT** n. m. (1865 ; Rabelais employait *triballement*), et le nom d'agent **TRIMBALLEUR, EUSE** n. (1904), beaucoup plus rare.

TRIMER v. intr., mot d'origine incertaine (1619), représente peut-être une variante de *trumer* «courir» (fin XIVe s.), de la même famille que *trumel* «mollet» (fin XIIe s.), devenu *trumeau**.

♦ Le verbe, d'usage populaire, a signifié «marcher sans but ou avec effort», emploi relevé jusqu'au XIXe siècle. ◇ Par un glissement où seule l'idée d'effort est conservée, il s'emploie familièrement à partir du XVIIIe s. au sens de «travailler dur à une besogne pénible» (v. 1730).

▸ **TRIMARD** n. m. (1628) ou, archaïque, *trimar* (v. 1566), mot d'argot qui précède *trimer,* en est probablement dérivé. Il signifie d'abord «route, chemin» *(le trimar) ;* il désigne aussi un travailleur qui se déplace pour trouver du travail (1892), d'où les sens de «vagabond» (fin XIXe s.) et de «vie de vagabondage» (v. 1900), ce dernier encore en usage. Le mot s'est employé dans diverses locutions argotiques comme ***faire le trimard*** «se prostituer» (1860), selon la même métaphore que *faire le trottoir.* ◆ En dérive **TRIMARDER** v. «vagabonder» (1628) et «se prostituer» (1883), à peu près sorti d'usage comme **TRIMARDEUR, EUSE** n. «voleur de grand chemin» (1712), puis «chemineau» (1896).

TRIMESTRE n. m. est emprunté, d'abord comme adjectif (1564), au latin classique *trimestris* «de trois mois, qui dure trois mois, qui a trois mois», substantivé au neutre pluriel *trimestria* pour désigner les graines qui mûrissent trois mois après l'ensemencement, de *tri-* (→ tri-), et *mensis* (→ mois).

♦ Le mot s'est d'abord employé à propos du blé parallèlement à *trémois* n. m., autre emprunt qualifiant le blé semé en mars, qui représente le latin *trimensis.* Par extension, *trimestre* adj. a servi à qualifier une charge de trois mois (1596) et une compagnie dont les officiers sont répartis en colonnes qui servent trois mois chacune (1765). ◆ L'usage moderne n'emploie le mot que comme substantif pour «période de trois mois» (1718), spécialement pour une division de l'année scolaire (1832, Balzac). ◇ Par métonymie, il désigne une somme payée ou reçue chaque trimestre (1825).

▸ *Trimestre* a produit **TRIMESTRIEL, ELLE** adj. (1831), légèrement précédé par *trimestrial,* sorti d'usage (1817, en parlant d'une plante), d'où **TRIMESTRIELLEMENT** adv. (1868 ; 1845, R. de Radonvilliers).
D'après *trimestre* et *semestre* ont été formés **BIMESTRE** n. m. (1831) sur le latin *bimestris* «durée de deux mois», d'où **BIMESTRIEL, ELLE, ELS** adj. (1899), concurrencé par *bimensuel,* et **QUADRIMESTRE** n. m. (1875), devenu courant au XXe s. en comptabilité, d'où **QUADRIMESTRIEL, ELLE, ELS** adj. (1960).

◈ voir SEMESTRE.

TRINGLE n. f. est l'altération (1459) de l'ancien français *tingle* (1328), mot technique de sens variés désignant une baguette équarrie longue et droite servant à remplir un vide entre deux planches, puis (1401) une goupille retenant la monture des manches de couteaux et, ultérieurement, un merrain pour étancher l'eau qui rentrerait dans un bateau (1765, *Encyclopédie*). *Tingle* est emprunté au moyen néerlandais *tingel, tengel,* terme de marine pour une pièce de bois joignant les coupons d'un train de flottement.

♦ *Tringle* a d'abord désigné, comme *tingle,* une baguette équarrie. ◇ En architecture, il désigne une moulure plate à la partie inférieure du triglyphe d'un chapiteau dorique (1547). ◇ Au XVIIe s., il a pris le sens aujourd'hui courant de «baguette métallique ronde servant de support» (1611, pour un rideau). ◇ Avec le sens de «tige», il a pris diverses valeurs spécialisées dès le XVIIe s. (1680), par exemple pour la marque au cordeau faite sur une pièce de bois ou un tissu (1832). Une spécialisation en argot militaire, pour «fusil», serait à l'origine de l'orthographe de *tringlot,* dérivé de *train** (des équipages). ◇ Les sens argotiques datent de la fin du XIXe s. : après *la tringle* «non, rien» (1867), *se mettre la tringle* correspond à «se priver» (1905; *travailler pour tringle* «pour rien», 1892). ◇ *Avoir la tringle* (fin XIXe s.) signifie très familièrement «être en érection», d'après le sémantisme de l'objet long et raide, et peut-être avec influence de *trique**.

▸ Le dérivé **TRINGLER** v. tr. est la réfection (1676) de l'ancien *tingler* (1328) «garnir de lattes de bois couvrant les joints entre les planches»; le verbe signifie «tracer une ligne droite avec un cordeau enduit de craie». ◇ Il s'emploie très familièrement, d'après *tringle* «érection», pour «posséder charnellement» (XXe s.). ➛ Le diminutif de *tringle,* **TRINGLETTE** n. f. (1676), auparavant *tinglette* «goupille qui retient la monture d'un manche de couteau» (1351), sert à désigner la pièce de verre qui entre dans un panneau de vitres et un outil de vitrier. ◇ D'après le verbe et *tringle,* il a développé l'acception argotique de «coït».

TRINGLOT → TRAIN (art. TRAÎNER)

TRINITÉ n. f., depuis le XIIe s. (1172-1174), antérieurement *Trinitad* (980) puis *Trinitet* (v. 1050), est emprunté au latin impérial ecclésiastique *trinitas* (Tertullien), de *trini* «triple», «au nombre de trois» (pluriel), dérivé de *tres* (→ trois).

♦ Le mot est introduit en français avec sa valeur religieuse de «réunion en un seul Dieu du Père, du Fils et du Saint-Esprit», cette union constituant un des dogmes et mystères de la doctrine chrétienne; en ce sens, il s'écrit avec une majuscule. Par métonymie, il désigne une fête en l'honneur de ce mystère (déb. XIIIe s.), puis (v. 1263) un ordre religieux consacré à la Trinité. Il s'applique aussi (1796) en dehors de la religion chrétienne à une divinité triple ou à un groupe de trois dieux. ◇ Il s'emploie familièrement dans la locution ***à Pâques ou à la Trinité*** «à une époque incertaine» (1845), tirée de la chanson de *Malbrough.* ➛ *Trinité* est passé très tôt dans le vocabulaire général pour désigner un groupe de trois éléments liés (1377), emploi devenu archaïque ou stylistique. ➛ C'est aussi l'un des noms de la pensée (1690), d'abord *herbe de la Trinité* (1546).

▸ On en a dérivé **TRINITAIRE** n. et adj. (1541), employé dans la religion chrétienne pour désigner une personne qui croit à la Trinité, puis le membre d'une secte dont l'opinion sur la Trinité n'est pas orthodoxe (1690) et un religieux d'un des deux ordres fondés sous l'invocation de la Trinité (1690). ➛ *Trinitaire* «membre d'une secte» a produit l'antonyme préfixé **ANTITRINITAIRE** n. (1694).

TRINÔME → BINÔME

TRINQUER v. intr. a fait l'objet, entre le XIIe et le XVIe s., d'emprunts successifs aux représentants de plusieurs langues germaniques, dérivés du même mot °*drenkan* signifiant «boire». Dès le XIIe s., on relève chez Benoît de Sainte-Maure, qui a écrit pour Henri II d'Angleterre, la forme *drinker,* empruntée au moyen anglais *drinken* (anglais moderne *to drink*). La forme moderne *trinquer,* employée par Rabelais (1546, prologue du *Tiers Livre*), est empruntée à l'allemand *trinken;* on trouve aussi au XVIe s. *drinquer* d'après le néerlandais *drinken.* L'italien *trincare* (XVe s.) représente l'allemand *trinken.*

♦ Le mot est passé en français au sens étymologique de «boire», sorti d'usage, avec la nuance de «boire avec excès». Le sens moderne, qui correspond à une manière de boire en société en choquant les verres, est attesté au XVIIe s. (1690). ◇ Par extension métaphorique, l'accent étant mis sur l'idée de «choc», le verbe a pris le sens de «se choquer, se heurter» en parlant de choses, de véhicules (1880), emplois archaïques, puis (1876) familièrement celui de «subir des désagréments, des pertes», en parlant de personnes, et de «subir un dommage» (XXe s.) à propos de choses.

▸ Son dérivé **TRINQUEUR, EUSE** n. (v. 1550, Rabelais) pour «personne aimant boire», est sorti d'usage. ➛ **TRINQUÉE** n. f. (1885), «action de trinquer», est à peu près inusité (on emploie d'autres mots et expressions, cf. *santé, toast*).

◈ voir DRINK.

TRIO n. m. est l'emprunt (1582) du mot italien *trio,* formé comme terme de musique d'après *duo** avec l'élément *tri-** pour désigner une pièce de musique à trois instruments et, par métonymie, une formation de trois musiciens (XVIIe s.).

♦ Le mot a été emprunté au figuré *(jouer en trio),* puis au propre (1610) pour désigner une formation de trois musiciens, alors sur le même plan que *quatuor.* Il s'est étendu à une composition musicale pour un trio *(les trios de Beethoven).* ◇ Dès la fin du XVIe s. (1585), il est employé dans l'usage courant à propos d'un groupe de trois personnes. ◇ L'acception musicale a reçu à l'époque romantique une valeur spéciale, désignant la seconde partie d'un menuet dans le troisième mouvement d'une sonate (1829), ainsi que la seconde partie de nombreuses compositions de danse. ➛ Le passage de *triolet** à sa valeur musicale (1839) en fait un quasi-dérivé de *trio.* ➛ En turf, *trio* désigne une forme de pari sur trois chevaux (différent du tiercé). Cf. *triplé.*

TRIOLET n. m. est issu (1488), par l'intermédiaire des parlers franco-provençaux, du grec *triphullon* (→ trèfle), substantivation au neutre de l'adjectif *triphullos* «à trois feuilles».

♦ Le sens propre de «trèfle rampant» est attesté relativement tard en français (1545). C'est pourtant lui qui rend compte du sens métaphorique (1488) de «couplet de huit vers où le premier est repris après le troisième et le second après le sixième», lequel provient d'une comparaison avec la forme tripartie de la feuille de trèfle. La locution comparative du moyen français *à la manière de triolet* (v. 1500), qualifiant un bouclier composé de trois parties, est sortie d'usage. ◆ Au XIXe s., sous l'influence de *trio, triolet* désigne en musique un groupe de trois notes d'égale valeur qui se jouent dans le temps de deux (1829).

TRIOMPHE n. m., variante graphique (XVe s.) de *triumphe* (v. 1165), est emprunté au latin classique *triumphus* qui désignait originellement l'entrée solennelle d'un général victorieux à Rome et, par métonymie, sa victoire. Le mot latin, anciennement écrit et prononcé *triumpus* (avant d'être modifié par les lettrés de Rome), est probablement emprunté par l'intermédiaire de l'étrusque au grec *thriambos*, nom de l'hymne chanté en l'honneur des fêtes de Bacchus. Ce mot possède la même finale que les termes grecs *dithurambos* et *iambos* (→ dithyrambe, iambe), mais on ignore son étymologie. La forme *triumphe* est encore courante au XVIe siècle.

♦ Le mot a pénétré en français au sens de «succès, réussite» (v. 1165), puis pour désigner (v. 1174) une victoire militaire éclatante; cette valeur est sortie d'usage, *triomphe* se disant aujourd'hui d'une victoire à l'issue d'une rivalité (1527) et de l'avènement de ce qui était en lutte avec autre chose (av. 1564), puis d'une action, d'une représentation qui déchaîne l'enthousiasme (1663), d'où *le triomphe de qqn* (1798). ◇ Il a également repris son sens au latin comme terme d'antiquité (v. 1240) d'où, à l'époque classique, *mener qqn en triomphe* «lui faire suivre comme vaincu le char triomphal» (1559) et, aujourd'hui, ***arc de triomphe*** (1671). À l'imitation de la cérémonie romaine, il s'est dit d'un cortège allant au-devant du prince lors de son entrée dans une ville (1435) et, concrètement, d'un objet porté par des personnes qui défilent (1518), de la décoration établie sur le trajet d'un cortège (1539); ces acceptions ont décliné avec l'abandon de ces cortèges; mais il en reste le sens de «manifestation éclatante, glorieuse» (v. 1265) et la locution ***en triomphe*** (1553), notamment dans ***porter qqn en triomphe*** (v. 1790). Par métonymie, le mot désigne la joie rayonnante que donne une victoire (v. 1462). ◇ *Triomphe* a donné lieu à quelques acceptions analogiques concrètes, désignant autrefois au féminin un jeu de cartes (v. 1482), puis un atout aux cartes (1611) et entrant dans le nom d'une variété d'œillet (1715, *triomphe de Lille*) et de fruits (1872). ◇ Il s'est dit sous la Restauration (1821) d'une fête en l'honneur de l'élève de Saint-Cyr le plus adroit au tir de mortier et depuis 1887 de la fête de la promotion des saint-cyriens qui termine une première année d'études.

▸ Les mots importants de la série sont des emprunts aux dérivés latins. ◆ **TRIOMPHER** v., réfection (1538) de *triumpher* (v. 1265), est emprunté au dérivé latin *triumphare* de sens propre et figuré, transitif et intransitif. *Triompher de (qqn)* signifie «vaincre avec éclat», aussi en emploi absolu (1553), puis par extension (fin XVIe s.) «venir à bout de (qqch.)». ◇ Le verbe s'emploie avec un sujet nom de chose pour «s'imposer» (fin XVIe s., comme transitif, sorti d'usage). ◇ Il s'emploie absolument pour «célébrer une victoire par un triomphe», en antiquité romaine (1538), et au figuré pour «éprouver et manifester un sentiment de victoire» (1550). ◆ Le participe présent **TRIOMPHANT, ANTE** est adjectivé (v. 1460, *triumphant*) pour qualifier une personne victorieuse à la guerre, surtout par une victoire éclatante (1538). La valeur figurée de «qui exprime une joie éclatante» (1694), est aujourd'hui la plus usuelle, alors que le sens figuré «splendide, superbe, somptueux» (XVe s.) est littéraire.

TRIOMPHAL, ALE, AUX adj., variante du XVe s. de *triumphal* (déb. XIVe s.), *trionfal* (v. 1165), est emprunté au dérivé latin *triumphalis* appliqué aux attributs du vainqueur et à celui-ci. ◆ Le mot qualifie un monument élevé en l'honneur d'un triomphateur (v. 1165, *arc trionfal*) puis s'applique (v. 1355) à ce qui est relatif au triomphe, dans un contexte antique et (apr. 1435) moderne. ◇ L'adjectif se dit aussi de ce qui est marqué par la solennité (fin XVe s.), de ce qui est fait à l'occasion d'un triomphe (v. 1350); à partir du XIXe s. il qualifie ce qui suscite l'enthousiasme (1831) puis ce qui constitue une grande réussite (1904). ◆ De l'adjectif dérive **TRIOMPHALEMENT** adv. (v. 1510, *triumphallement*) «avec les honneurs du triomphe», qui a développé le sens figuré de «avec un air triomphant» (1876). ◆ **TRIOMPHALISME** n. m. (v. 1960) et **TRIOMPHALISTE** n. et adj. (v. 1960), autres dérivés de *triomphal*, s'appliquent à une attitude de satisfaction excessive, en politique.

TRIOMPHATEUR, TRICE n. et adj. est un emprunt (v. 1370) au latin *triumphator* (au féminin, *triumphatrix*), dérivé du supin de *triumphare*. ◇ Le mot désigne la personne qui a remporté une victoire militaire, plus généralement un succès éclatant (1776), d'où *air triomphateur* (1806) en concurrence avec *air triomphant*. ◇ *Triomphateur* n. m. est employé spécialement en antiquité romaine depuis le XVIIe s. (attesté 1690).

TRIP n. m. est emprunté (1966) à l'argot anglo-américain *trip* «état particulier de rêve résultant de l'absorption d'hallucinogènes» (1960, *Dictionary of American Slang*). Celui-ci est une acception particulière, en usage chez les toxicomanes, de l'anglais *trip* «voyage» (XVIIe s.), dérivé (XVe s.) de *to trip* (XIVe s.) «marcher légèrement», lequel est emprunté à l'ancien français *trip(p)er, treper* «frapper du pied, sauter», lui-même d'origine germanique (→ trépigner, tripot).

♦ Le mot est passé en français familier avec son sens américain, développant par extension le sens de «voyage mental» et, dans un registre familier, «aventure intérieure de qqn», «souhait profond, envie» (v. 1975), par exemple dans la locution ***c'est (pas) mon trip*** et, parallèlement, «genre, style» *(le trip musique techno).*

▶ Il a produit **TRIPER** v. (v. 1970), d'usage familier.

TRIPATOUILLER v. tr. est une variante populaire (v. 1888) de *tripoter* (→ tripot), probablement par croisement avec *patouiller,* dérivé de *patte**; cette hypothèse est appuyée par l'existence d'une forme *tripatrouiller* (1890) qui témoigne d'un croisement avec *patrouiller**, variante de *patouiller.*

♦ Le mot est d'abord relevé dans l'argot du théâtre (E. Bergerat) où il désigne l'action consistant à remanier sans scrupule un texte original. ◇ Par extension, il est employé avec une valeur concrète (1920) équivalant à *tripoter,* puis à propos de comptes, d'écritures, d'opérations financières.

▶ Les dérivés **TRIPATOUILLAGE** n. m. (1888), **TRIPATOUILLEUR, EUSE** n. (1894) et **TRIPATOUILLABLE** adj. (1888) témoignent du succès du mot à la fin du XIXe siècle. Ils sont restés dans l'usage familier. ◇ **TRIPATOUILLÉE** n. f. (1834) a signifié familièrement «grande quantité»; → tripotée.

TRIPE n. f., d'abord attesté au pluriel (1260), est un mot d'origine incertaine, attesté en latin médiéval de France sous la forme *tripae* pl. (1re moitié XIIe s.), et implanté dans la plupart des autres langues romanes : italien *trippa* (XVe s.), espagnol, catalan, provençal, portugais *tripa.* L'hypothèse d'un étymon arabe *tarb* «pli de l'intestin» est à écarter, pour des raisons phonétiques (*tarb* a donné en bas latin *zirbus,* mot qui a concurrencé le latin classique *omentum* «épiploon», «entrailles») et aussi socio-linguistiques, *tarb,* terme technique d'anatomie, pouvant difficilement avoir donné un vocable populaire comme *tripe.* ◇ Une autre hypothèse, selon laquelle *tripe* procéderait d'un membre de la famille germanique du moyen néerlandais *stripje,* d'où viennent l'anglais *stripe,* le bas allemand *stripe,* le danois *stribe* «bande, rayure», fait de *tripe* un emploi figuré de *tripe* «étoffe à poils de laine» (1317); elle repose sur l'existence d'un breton *stripen* «tripe» et d'un bas latin *stripa* attesté dans plusieurs glossaires latin-allemand. Cependant, elle se heurte à la date tardive de ces glossaires, à peine antérieurs à la Renaissance, et à la difficulté d'expliquer la disparition du *s-* en français. ◇ On a aussi proposé de voir en *tripe* le dérivé du verbe *étriper* (ci-dessous), qui pourrait être plus ancien que les attestations connues, et serait une altération du latin *exstirpare* (→ extirper) passé du langage médical à l'usage populaire. Enfin, Wartburg propose de remonter à un mot expressif °*trippa* créé dans le latin du Bas-Empire.

♦ Le mot désigne d'abord les boyaux d'un animal, spécialement lorsqu'ils sont préparés pour être consommés (v. 1280), divers syntagmes précisant la recette (*tripes à la mode de Caen,* par exemple). ◇ Il se dit familièrement des boyaux humains (1534, Rabelais), en particulier dans des locutions comme ***rendre tripes et boyaux*** «vomir» (1640) et s'emploie au figuré pour «entrailles» (1534) comme siège des sentiments (cf. *viscéral*), par exemple dans des locutions comme ***prendre aux tripes*** (1934), ***avoir la tripe républicaine*** (XXe s.). ◇ Il a quelques sens analogiques (aspect, consistance), par exemple dans *œufs à la tripe* (1701) ou *en tripes* (1876) et se dit encore techniquement au singulier de l'intérieur d'un cigare (1867).

▶ La plupart des dérivés ont trait à la consommation des tripes. ➛ **TRIPIER, IÈRE** n. «marchand(e) de tripes» (XIIIe s.), sens usuel étendu à «commerçant qui vend des abats» (distinct du boucher, parfois associé à *volailler*), s'est employé pour «personne grasse» (1611). ➛ **TRIPERIE** n. f. d'abord attesté comme nom d'une rue de Paris où l'on vendait des abats (v. 1300, *rue de la Triperie*) désigne depuis la fin du XIVe s. (v. 1393) la boutique du tripier et (1873) son commerce. ➛ **TRIPAILLE** n. m. (1458) désigne familièrement le ventre de l'homme, puis des entrailles d'animaux (déb. XVIe s.), et une préparation à base de tripes (1609). ➛ Le diminutif de *tripe,* **TRIPETTE** n. f. (v. 1460), n'a pas gardé son sens propre, «petite tripe», mais s'est fixé au sens figuré, «chose sans valeur» (1743), dans *ça ne vaut pas tripette* «ça ne vaut rien». ➛ **TRIPOUS** ou **TRIPOUX** n. m. pl., terme régional culinaire, est relevé antérieurement au sens de «boudin» (1655). Ce mot régionalement ancien est connu et employé en français central (1909) pour désigner une préparation de tripes propre à l'Auvergne et aux régions voisines. Le pluriel en *x* est analogique et hypercorrect (d'après la série célèbre : *caillou, chou, genou...*). ➛ Le dérivé le plus récent est **TRIPIÈRE** n. f., nom régional pour un récipient où l'on prépare les tripes (XXe s.).
Quant au préfixé **ÉTRIPER** v. tr. (1690), d'abord écrit *estriper* (1534), il est employé familièrement à propos d'un homme (1534), cf. *éventrer,* souvent avec le sens affaibli de «mettre à mal, battre violemment» (1704), puis en parlant d'un animal (1578). ◇ Par analogie, il a signifié «tailler maladroitement (un arbre)» (1767).

TRIPHASÉ → PHASE

TRIPLE adj. est la réfection d'après le latin, par emprunt (XIVe s., n. m.; v. 1380, adj.), de *trible* (v. 1265), lui-même modification de l'ancien français *treble* (v. 1175) issu régulièrement par voie orale du latin *triplus.* Ce dernier est la variante de *triplex* «qui se présente par trois, à trois», de *tri-* (→ tri-), et *-plex* pour *plicare* (→ plier). L'ancienne forme *treble* a été conservée par l'anglais *treble* qui l'a empruntée au XVIe siècle.

♦ Le mot est passé en français avec le sens du latin, et a développé en moyen français le sens de «trois fois plus grand» (v. 1380; v. 1310, *treble*), lequel a donné lieu à un emploi substantivé *(un, le triple).* Ce nom s'est employé en musique pour un morceau à trois voix (XIVe s.; XIIIe s., *treble*), sens disparu, puis à propos d'une quantité trois fois plus importante (1611). ◇ Avec sa première acception, l'adjectif s'emploie ensuite en musique (1740, *triple croche*) puis dans divers domaines spécialisés, par exemple en chimie (v. 1950, *triple point*). ◇ Parallèlement, il a pris le sens de «grand» (1772), notamment devant des termes dépréciatifs (*triple idiot*, etc.) et dans la locution ***au triple galop*** (1843). ◇ Il s'applique aussi à ce qui est répété trois fois, spécialement en médecine (1876) et en biologie (alors postposé). ◇ *Triple* n. m. est entré dans la locution usuelle ***en triple*** (1872, Littré).

▸ En moyen français, *triple* a servi à former **TRIPLER** v. «multiplier par trois», à la fois transitif (1304) et intransitif (1690), dont on a tiré le nom d'action ① **TRIPLEMENT** n. m. (1515), et l'adverbe ② **TRIPLEMENT** (v. 1380). ◆ **TRIPLURE** n. f., dérivé du verbe (1636, *tripleure*) au sens d'«action de tripler», a été reformé au XXe s. (v. 1960) comme terme de couture sur le modèle de *doublure*.
Les autres dérivés restés en français sont plus récents et se rattachent à des sens particuliers ou spécialisés. ◆ Ainsi, le diminutif **TRIPLET** n. m., d'abord terme du jeu de dés sorti d'usage (1872), est employé au pluriel à propos de trois enfants nés d'une même grossesse (cf. ci-dessous *triplés*), tandis que le singulier désigne une combinaison de trois choses, en architecture (1888), en optique (1891), plus récemment (v. 1960) en mathématiques et en biochimie. ◆ Le féminin correspondant **TRIPLETTE** n. f. (1889) s'est d'abord dit d'un cycle à trois sièges puis, de nos jours, d'une équipe de trois joueurs (1901, au football). ◆ **TRIPLÉ** n. m., du participe passé de *tripler* (1916), appartient lui aussi au langage du sport, désignant le triple succès d'un sportif et, en turf, la combinaison de trois chevaux gagnants. Cet emploi a vieilli au profit de *trio*. ◇ *Triplé, ée* n., généralement au pluriel *triplés, ées*, désigne les trois enfants nés d'une même grossesse (v. 1950), plus courant que *triplet* (ci-dessus). ◆ Au XXe s. est apparu **TRIPLEX** n. m. (1912), marque déposée d'un type de verre (d'après *duplex*) et par ailleurs nom d'un procédé d'élaboration d'aciers en métallurgie (v. 1960). ◆ Quelques composés scientifiques ont été formés, en biologie, **TRIPLOÏDE** adj. (1931 ; 1824, n. m. avec un autre sens), **TRIPLOÏDIE** n. f. (1936), et **TRIPLOBLASTIQUE** adj. (1961) formé en zoologie avec l'élément *-blasto-*.
TRIPLICATA n. m. «troisième copie d'un acte», est un emprunt tardif (1752, Voltaire) au latin *triplicata*, participe passé féminin de *triplicare* (dérivé de *triplex*), d'après *duplicata** existant antérieurement.

TRIPOLI n. m. est l'emploi comme nom commun (1508) de *Tripoli*, nom de la ville de Syrie d'où cette matière provenait. *Tripoli* vient lui-même du grec *tripolis* «composé de trois villes», de *tri-* (→ tri-), et *polis* «ville» (→ police), substantivé comme nom propre en géographie à propos d'un État formé par la réunion de trois villes (en Laconie, en Arcadie) et, spécialement, pour la réunion de Tyr, Sidon et Arados en Phénicie (aujourd'hui *Tripoli*).

♦ Le mot désigne une roche siliceuse et, couramment, la matière pulvérulente que l'on en tire et qui sert à polir le verre et les métaux.

▸ Il a produit **TRIPOLIR** v. tr. (1650), «polir avec du tripoli», mot technique fait sous l'influence de *polir**. ◆ On a aussi formé **TRIPOLISSER** v. tr. (1800), de même sens, sous l'influence de *lisser**.

TRIPOT n. m. est généralement considéré comme le dérivé (v. 1160) de l'ancien *treper* (v. 1155) ou *triper* (v. 1185), «frapper du pied, sauter», issu du francique °*trippôn* «sauter, sautiller» (→ trépigner). Cette étymologie est contestée par P. Guiraud, qui rattache le mot au dialectal *pote* «patte» (d'un °*pauta* selon Wartburg) et voit dans *tri-* un préfixe à valeur intensive (du latin *tres-*). Selon lui, il y a synonymie entre *tripoter* et *tripatouiller** et *tripoter* signifierait proprement «jouer à la paume» (*pote* étant synonyme de *paume de la main*), spécialement «manipuler (les cartes, etc.)» ; *tripot* serait son déverbal.

♦ *Tripot* a désigné en ancien français à la fois l'acte amoureux et une intrigue, une ruse, une manigance (v. 1180) ; on relève encore au XVIe s. l'expression *tripot amoureux* (1548), mais le mot a alors perdu la valeur active d'«action de tripoter». ◇ *Tripot* a longtemps désigné l'enclos aménagé pour le jeu de paume (v. 1460), entrant à l'époque classique dans les locutions figurées *ne bien jouer que dans son tripot* «n'être à l'aise que dans son domaine» (1670), *battre sur son tripot* «sur son propre terrain» (1690), et *tirer un homme de son tripot* «du lieu où il a l'avantage» (1690), toutes sorties d'usage avec la pratique du jeu de paume. ◆ L'usage moderne remonte au XVIIIe s. ; il concerne une maison de jeu (1726, Lesage) et, par extension, un lieu où s'assemblent des gens peu recommandables (av. 1784), où l'on se querelle (1757). Toujours péjoratif, il a notamment été appliqué à une troupe de comédiens (XVIIIe s.). ◇ Par ironie, l'argot l'a employé pour «poste de police» (1849).

▸ Selon qu'on adopte l'hypothèse étymologique généralement reconnue ou celle de P. Guiraud, on verra en **TRIPOTER** v. le dérivé de *tripot* ou sa souche. L'attestation de son dérivé *tripotage* (1482) semble indiquer qu'il remonte lui-même au XVe siècle. Il a eu le sens de «manigancer (une affaire)», aujourd'hui seulement comme intransitif (1845) ; il a signifié «jouer à la paume» (1546) [cf. ci-dessus *tripot*] et «mélanger, remuer des choses plus ou moins propres» (1611), encore régionalement, et «embrouiller (une affaire)» (1694). ◇ L'usage moderne l'emploie avec l'idée de «manipuler», à la fois en parlant de fonds, d'argent que l'on fait valoir de façon plus ou moins honnête (1774, Beaumarchais) et concrètement manier sans nécessité (1847), sans précaution (1867) et, familièrement, toucher (qqn) indiscrètement (1787), remplaçant alors *patiner* et concurrençant *peloter*. ◆ Le plus ancien dérivé du verbe, **TRIPOTAGE** n. m., a servi à désigner une intrigue (1482). Il a eu à l'époque classique des valeurs concrètes, «mélange d'aliments» (1515), en particulier «mélange peu ragoûtant» (1644), plus généralement «assemblage disparate» (1609) et, par figure, a désigné de petits arrangements, notamment domestiques (1643). ◇ De nos jours, il sert de nom d'action à *tripoter*, à la fois au sens concret d'«action de manier avec insistance» (1871) et, réactivant le sens premier, au sens abstrait de «combinaison louche» (1834). ◆ **TRIPOTEUR, EUSE** n. (1582) a suivi le même développement, perdant le sens de «personne brouillant les choses» et désignant une personne qui manie l'argent sans scrupules (1802), aussi synonyme de *peloteur*. ◆ **TRIPOTÉE** n. f. (1843) est le mot le plus familier du groupe, qui désigne une volée de coups, au figuré une défaite (1880), et une grande quantité (1867). ➛ **TRIPOTAILLER** v. tr. (1875) a une valeur péjorative, au propre comme au figuré (1886).

TRIPTYQUE n. m. est un emprunt savant (1838) au grec *triptukhos* adj. «formé d'une peau repliée trois fois», «triple», composé de *treis* «trois» (→ tri-), et de *ptukhê* «pli», «chose pliée» (→ diptyque).

♦ Le mot désigne un ouvrage de peinture composé d'un panneau central et de deux volets qui peuvent se rabattre sur le panneau. ◇ Par analogie, il s'emploie en droit commercial (1930) pour un document en trois feuillets et par figure se dit d'une œuvre littéraire en trois récits (1936 ; cf. *trilogie*).

TRIQUE n. f., relevé pour la première fois dans *jouer aux triques* (1385), est un mot dialectal du Nord-Est. C'est une variante d'*estricque* (1429, Saint-Omer), nom d'un bâton que l'on passait sur une mesure pour en faire tomber le grain en excès et d'un instrument servant à aiguiser une faux (1444). Ce nom est dérivé d'un verbe *estriquier* «passer la main sur qqch.» (XIIIe s.) puis «ôter les aspérités (d'un drap)» (1275), dont le sens correspondant, «passer l'estrique», est attesté (v. 1490). Il est lui-même emprunté au moyen néerlandais *striken* «passer un objet sur un autre» et «passer le bâton sur la mesure», ou issu du francique °*strîkan* (→ étriquer).

♦ L'expression *jouer aux triques* s'appliquait à un jeu mal connu, qui se jouait probablement au moyen de bâtons. Le mot désigne depuis le XVIIe s. un gros bâton, un gourdin (1690), spécialement pour frapper, et entre dans la locution ***sec comme un coup de trique*** (1896) ; il s'emploie ensuite à propos d'une correction à coups de trique (v. 1820) et, par figure (1929), désigne l'exercice brutal de l'autorité. Au XIXe s., il est passé en argot pour désigner par figure la surveillance policière (1878), sens aujourd'hui éteint. En revanche l'argot a conservé *trique* «interdiction de séjour» (1885), mal expliqué (cf. 1843, *canne*, même sens) et *trique* «pénis», en particulier dans la locution ***avoir la trique*** (1901) qui se dit d'un homme en érection (cf. *tringle*) ; en ce sens le mot est attesté tardivement mais on relève dès le XVIe s. *trique madame* (1543), puis *trique* (1845) pour désigner une plante, l'orpin blanc, dont la feuille, par sa forme, évoque un petit phallus.

▶ Son diminutif **TRIQUET** n. m. (1676), précédé par un féminin **TRIQUETTE** «crécelle» (1596) qui a disparu, désigne un chevalet dont les couvreurs se servent pour échafauder. ◇ Tant qu'on a pratiqué le jeu de paume, *triquet* s'est dit aussi d'un battoir étroit (1680). Il a pris un autre sens technique, «échelle double» (1872). ➛ **TRIQUER** v., autrefois «trier les triques» (1690), est reformé au XIXe s. (1842), familier et vieilli pour «battre à coups de triques» (l'argot employait aussi l'expression ***foutre une trique*** de même sens, 1896) et argotique pour «être en érection» (attesté 1902 ; cf. *tringler*). ➛ L'argot a fourni par ailleurs **TRICARD, ARDE** n. «interdit de séjour» (1896).

◈ voir TRICOTER.

TRIRÈME n. f. est emprunté (v. 1355) au latin *triremis* «vaisseau à trois rangs de rames superposées», féminin substantivé de *triremis*, proprement «qui a trois rangs de rames», de *tri-* (→ tri-), et *remus* «rame» (→ rémige).

♦ Ce terme d'antiquité n'est attesté que deux fois (une attestation v. 1550) avant le XVIIIe s. (1721).

TRISOMIE n. f. semble emprunté à l'anglais *trisomy* (1930), lui-même dérivé de *trisome* (1921) «chromosome représenté trois fois (au lieu de deux : *disome*), mot formé de *tri-* et de [chromo]*some* (→ chromosome).

♦ Le mot, d'abord très didactique, est connu du fait que la *trisomie 21* (affectant la 21e paire chromosomique) est responsable du mongolisme.

▶ **TRISOMIQUE** adj. correspond à l'anglais *trisomic* (1921). Il est substantivé (v. 1960) pour «mongolien».

① **TRISSER** v. tr., apparu au XIXe s. (1853, Gautier), est formé sur *tri-** d'après *bisser* (→ ① bis).

♦ Il signifie «faire reprendre trois fois de suite un morceau au concert ou une réplique dans un spectacle», d'où par extension *trisser un acteur* et «répéter une troisième fois (un morceau, etc.) à la demande du public», le sujet désignant l'exécutant (1897, Rostand).

② **TRISSER** v. intr. est un mot d'origine incertaine (1905), précédé par la variante dialectale *trincer*. Il représente peut-être une adaptation de l'allemand *stritzen*, variante régionale de *spritzen* «bondir». ◈

♦ Il s'emploie familièrement pour «se sauver», plus couramment au pronominal *se trisser* (1916).

TRISTE adj. est la réfection par emprunt (v. 1130) de la forme héritée *trist* (fin Xe s.), issue du latin classique *tristis*, devenu *tristus* en bas latin sous l'influence de *maestus* «abattu», auquel il est souvent associé ou de *laetus* «joyeux», auquel il s'oppose. *Tristis* qualifie une personne affligée, ou sombre et sévère, renfrognée ; il se dit aussi du visage, de la parole, des objets inanimés, et spécialement, dans la langue augurale, d'entrailles à l'aspect sinistre, d'où le sens de «funeste». Cependant, dans la langue courante, son emploi est psychologique, comme en français. C'est un mot sans étymologie connue, dont la structure rappelle celle d'un nom à redoublement tel que *grex, gregis* «troupeau» (→ grégaire) et celle de l'arménien *trtum* «triste». Le mot est panroman ; le maintien de l'*-s-* en français s'explique par une influence savante.

♦ Le mot qualifie d'abord une personne chagrinée et un événement funeste, malheureux, acception dominante. *Triste* s'est dit aussi (v. 1160) d'une personne ou d'une chose dont le caractère est sévère et rigoureux, sens vivant à l'époque classique, comme celui d'«inquiétant», en parlant d'une chose (1642), disparu ensuite. Les développements sémantiques ont été tardifs et de peu d'importance : au sens fondamental s'ajoute dans la littérature courtoise une nuance de mélancolie, de chagrin ;

l'adjectif qualifie l'expression du visage, le comportement (1213), d'où *le chevallier à (de) la Triste Figure* (enregistré par Furetière, [1690], surnom de Don Quichotte. *Triste* s'applique aussi (v. 1380) à une personne qui, par nature, ne rit pas, est mélancolique. ◇ L'emploi à propos d'une chose concerne ce qui est propre à inspirer la mélancolie (1636), qui afflige et est difficile à supporter (1636, *être dans un triste état*), en particulier le temps ou une couleur (1690), mais aussi, dès le XIIe s. (v. 1150), un repas où l'on fait mauvaise chère, où l'on ne se réjouit pas (1690). À l'époque classique, *triste* s'est appliqué à une personne qui inspire la pitié (1677). ◇ Le mot a subi alors une extension psychologique, qualifiant une pensée, des paroles inspirées par le chagrin (1628). Plusieurs locutions formées avec *triste* remontent aussi au XVIIe s., par exemple ***faire triste mine*** (1694, 1690 avec article), ***avoir le vin triste*** (1694). ◇ Une péjoration marquée çà et là dans les langues romanes (en Andalousie, *triste* veut dire «mesquin») apparaît en français dans l'acception morale «médiocre, méprisable» (1671) qui interfère avec celle d'«affligeant» (ci-dessus), cf. *misérable*, marquée par l'antéposition devant le nom, d'où *triste individu* (1802) et *triste sire* (1904).

► Le plus ancien dérivé est **TRISTEMENT** adv. (v. 1175) qui suit l'évolution de l'adjectif. ◆ **TRISTESSE** n. f. (v. 1165) désigne un état d'affliction dû à un événement fâcheux, puis (v. 1370) la cause de cet état et la période où l'on s'y trouve. ◇ Le mot s'emploie à partir du XVIIe s. pour parler de ce qui caractérise cet état (1690). À l'époque classique, il s'est dit de ce qui est grave, sévère (av. 1696). Son emploi pour «caractère qui rend mélancolique (d'un paysage, d'un objet)» est contemporain (1782) de la sensibilité préromantique.

L'ancien *tristrer* (v. 1225), *trister*, verbe de sens réfléchi (v. 1330) et actif, est sorti d'usage au XVIe s. au bénéfice du composé préfixé **ATTRISTER** v., de sens actif (1356, repris v. 1475) et pronominal (1564), qui a produit **ATTRISTANT, ANTE** adj. (XVIe s.). ◇ **CONTRISTER** v. tr. représente un emprunt (v. 1120) au latin *contristare* «rendre triste, assombrir», au propre et au figuré, formé de *cum* (→ con-), et de *tristis*. Ce verbe, employé pour «rendre profondément triste, affliger» et, à la forme pronominale, «être affligé» (v. 1170), a reculé dans l'usage courant au profit de *attrister*. Il conservait sa valeur forte en théologie, où *contrister le Saint-Esprit* correspondait à «retomber dans le péché après avoir reçu les grâces du Saint-Esprit» (1845). Ses dérivés ne se sont pas maintenus au-delà du XVIe siècle. ◇ *Contrit, contrition*, d'origine différente, sont souvent rapprochés de *contrister* par étymologie populaire. ◆ Ultérieurement, on a formé deux adjectifs diminutifs **TRISTOUILLET, ETTE** (1942, Queneau) et **TRISTOUNET, ETTE** (1950), ce dernier, emprunté à un dérivé occitan, étant devenu usuel en emploi familier.

① **TRITON** n. m. est emprunté (1512) au latin classique *Triton*, nom d'une divinité marine, fils de Neptune qui favorisa les Argonautes en Libye. Le mot latin désigne aussi une espèce de poisson (Pline). C'est un emprunt au grec *Tritôn*, terme de mythologie, également employé au pluriel pour désigner des êtres appartenant au cortège de Poséidon, appliqué aussi à un fleuve de Libye. Il est apparenté au nom de la mère de Triton, *Amphitritê*, mais l'origine de ces deux noms est inconnue.

♦ Le mot a été emprunté à la Renaissance pour désigner l'être mythologique, objet de représentations, notamment en sculpture, sur les fontaines monumentales. *Triton* est repris au XVIIIe s. en zoologie (1754) avec des emplois disparus, puis en sciences naturelles où il désigne un genre de mollusque à très grande coquille (1800), en référence à la conque qui est l'attribut du dieu, et un batracien aquatique (1828).

► Le dérivé **TRITONIEN, IENNE** adj., terme de mythologie isolé au XVIe s., est reformé au XIXe s. en géologie (1842). ◆ **TRITONIDÉS** n. m. pl. (1907) désigne la famille de mollusques à laquelle appartient le triton.

② **TRITON** n. m. est emprunté (1629), d'abord sous la forme *trite* (1615), au latin médiéval *tritonum* de même sens, lui-même au grec *tritonon*, de *tri-* (→ tri), et *tonos* (→ ton).

♦ Le mot est un terme de musique désignant un intervalle de trois tons et synonyme de *quarte augmentée*.

TRITURER v. tr. est emprunté (1519) au bas latin *triturare* «battre (le blé)», du latin classique *tritura* «action de frotter», spécialisé pour le battage du blé. Le mot est issu du supin *(tritum)* de *terere* «frotter, user» qui se rattache à une racine indoeuropéenne *°ter-* «user en frottant», représentée notamment dans *trier*, détritus*, détriment*, contrit** et dans des mots d'origines grecque, germanique, celtique.

♦ *Triturer* est passé en français avec le sens du latin, «battre le blé», sorti d'usage vers la fin du XVIIIe s. ; il correspond à «broyer, piler» (1611), en particulier en pharmacie et en physiologie. Au XIXe s., le verbe prend une valeur extensive, proche de «malaxer, pétrir» (1800), puis signifie «manier brutalement et maladroitement» (fin XIXe s. ; cf. *tripoter*). ◇ Il entre au XXe s. dans la locution figurée et familière ***se triturer les méninges, la cervelle*** et s'emploie aussi pour «manipuler (l'opinion)».

► En sont issus **TRITURABLE** adj. (1581), **TRITURANT, ANTE**, participe présent adjectivé (1805), et le nom technique **TRITUREUSE** n. f. (1973) désignant une machine.

Le nom d'action correspondant, **TRITURATION** n. f., est emprunté (XIIIe s.) au bas latin *trituratio* «battage (du blé)», fait sur le supin de *triturare*. ◇ Apparu avec le sens général d'«action de broyer», rare (on possède une seconde attestation v. 1390) avant la fin du XVIe s. (1599), il s'est employé dans le langage des alchimistes où *trituration philosophale* désignait un mode de calcination (1721). ◇ À la fin du XIXe s., le mot a désigné le traitement d'une affaire. ◇ Au XXe s., outre le sens qui correspond au verbe («action de triturer»), le mot a des spécialisations techniques en pharmacie (1933) et en papeterie, pour la mise en pâte des vieux pa-

piers (v. 1960). ◆ Son radical a servi à former **TRITURATEUR** n. m. (1782), nom technique d'un instrument servant à la trituration, autrefois employé aussi pour désigner l'ouvrier teinturier qui broyait la garance pour en extraire la couleur (1876).
Quant à **TRITURE** n. f., emprunt (1610) au latin *tritura* pour «action de triturer», il est sorti d'usage, également pour désigner l'habitude de traiter les affaires (v. 1790).

TRIUMVIR n. m. est emprunté (1507, pl. latin *triumvires*) au latin classique *triumvir*, nom donné au membre d'une commission de trois personnes. Il est tiré du génitif pluriel *trium virum* «de trois hommes», de *tres* (→ trois), et *vir* «homme» (→ viril); le mot, accompagné d'un complément de détermination, désigne différents triumvirs créés pour des missions particulières, spécialement ceux qui devaient organiser le gouvernement.

♦ Le mot, emprunté comme terme d'antiquité romaine, s'est appliqué notamment à chacun des chefs de gouvernement associé à deux autres (1545) sous la République romaine (Crassus, Pompée et César pour le premier triumvirat). ◇ Par analogie, il a été appliqué (1872) à Robespierre, Couthon et Saint-Just qui gouvernèrent sous la Révolution, d'avril à juillet 1794.

▶ **TRIUMVIRAT** n. m. est emprunté (1556) au dérivé latin *triumviratus*, nom de la commission de triumvirs. ◇ Le mot désigne la fonction de triumvir, sa durée et (1573) l'ensemble de trois triumvirs. Par analogie, il se dit de trois personnes exerçant ensemble une grande influence (1615). ◆ L'adjectif **TRIUMVIRAL, ALE, AUX** a été emprunté (1579) au dérivé latin *triumviralis* «qui appartient aux triumvirs»; il est didactique et plus rare que *triumvir* et *triumvirat*.

TRIVIAL, ALE, AUX adj. est un emprunt (1545) au latin *trivialis*, adjectif tiré de *trivium*, de *tri-* (→ tri-), et *via* (→ voie), qualifiant proprement un carrefour à trois voies et par extension un lieu public et fréquenté, d'où la notion de «qui traîne dans les rues» en locutions, l'idée dominante passant de «triple» à «vulgaire, grossier».

♦ L'adjectif s'est d'abord appliqué à ce qui est simple, sans distinction. ◇ Depuis le milieu du XVIe s. (1549) et jusque vers la fin du XVIIe s. (encore chez La Bruyère), *trivial* qualifiait ce qui est familier, connu de tout le monde, sans nuance dépréciative. Cette nuance apparaît dans l'usage classique qui a d'abord appliqué le mot à des pensées banales, rebattues (1629), à une expression banale, peu distinguée (1672) ; cet emploi relève aujourd'hui d'un style littéraire. ◇ L'époque classique a aussi employé l'adjectif pour qualifier une personne visible à toute heure (av. 1696). ◆ *Trivial* a pris couramment le sens plus péjoratif de «grossier, inconvenant» (1828). ◆ C'est aussi au XIXe s. que l'usage didactique a repris (1845) au latin le sens propre, «qui préside à un carrefour», comme terme d'antiquité romaine, bientôt étendu à la description des représentations situées aux carrefours. ◇ Enfin, la langue des mathématiques puis des activités influencées par elles (de la linguistique à l'informatique) a introduit le sens de «banal, évident» (v. 1950), par emprunt à l'anglais *trivial*, lequel est emprunté (XVIe s.) au latin *trivialis* avec le sens de «familier de tous» et a pris le sens dépréciatif de «futile, insignifiant» (1593) par une évolution différente de celle du français. Cette valeur de l'anglais *trivial* a fait l'objet d'un emprunt en sciences *(solution triviale d'un problème)*, emploi fâcheux en français du fait de son ambiguïté. Un jeu de société d'origine américaine se nomme *Trivial Pursuit*, «passe-temps banal», où *pursuit* est interprété par «poursuite», en français.

▶ Les dérivés de *trivial* ont suivi la même évolution. ◆ **TRIVIALEMENT** adv. (1596) signifie d'abord «d'une manière banale», puis «grossière, vulgaire» (2e moitié du XIXe s.). ◆ **TRIVIALITÉ** n. f. (1611) «chose banale» et par abstraction «caractère banal» (1669), seulement dans l'usage littéraire, a son sens moderne et dépréciatif en même temps que l'adjectif (1876). ◆ **TRIVIALISER** v. tr., plus tardif (1872, Littré), a été créé avec son sens moderne; il est peu employé.

TROCARD → TROIS (② TROIS-QUARTS)

TROC → TROQUER

TROCHÉE n. m. est un emprunt de la Renaissance (1551) au latin classique *trochaeus* «pied formé de deux syllabes, une longue et une brève»; ce mot est repris au grec *trokhaios*, substantivation du masculin de *trokhaios* adj. «propre à la course», dérivé de *trokhos* «roue», rattaché à *trekhein* «courir», et qui a un correspondant exact dans l'irlandais *droch* «roue».

♦ *Trochée* est un terme de métrique ancienne, désignant un pied de deux syllabes, une longue et une brève (le spondée a deux syllabes longues).

▶ **TROCHAÏQUE** adj., emprunt (1548) au latin *trochaicus*, lui-même pris au dérivé grec *trokhaikos*, se dit d'un rythme, d'un vers dont le pied fondamental est le trochée.

TROÈNE n. m. est l'altération (1545), par l'intermédiaire des formes *troine* (v. 1265, adj.), *tronne* (1374), *troesne* (1538), d'une forme dialectale *trouille, troy* (Metz). Ce mot est issu du francique °*trugil*, représenté par l'ancien haut allemand *hart-trugil* (allemand *Hartriegel*) et désignant un arbuste à drupes noires. Le passage du *-l-* des formes dialectales au *-n-* de l'ancien français a pu se faire sous l'influence d'autres noms d'arbres comme *frêne, chêne*.

♦ Le mot a gardé son sens d'emprunt et désigne un arbuste décoratif à feuilles quasi persistantes.

TROGLODYTE n. m. est emprunté (1546, Rabelais; auparavant une fois au XIIe s. comme nom de peuple) au latin classique *Troglodyta* (généralement au pl. *Troglodytae*). Le mot latin est emprunté au grec *Trôglodutês*, généralement au pluriel *Trôglodutai* ou *Trôgodutai*, nom d'un peuple d'Éthiopie vivant dans des grottes. Il est difficile de dire s'il s'agit d'un composé grec d'après le mode de logement de cette peuplade ou si c'est l'adaptation d'un nom indigène, et de savoir quelle est sa forme originelle. Le mot est dérivé de *trôglê* «trou», en particulier «trou de souris, de serpent», dont le radical indique à l'origine ce qui est fait en rongeant : il vient en effet du verbe *trôgein*, employé avec des préverbes pour exprimer l'idée de ronger, de croquer en parlant d'animaux herbivores, d'humains qui mangent des fruits, des légumes, et tardivement employé au sens de «manger» *(Nouveau Testament)*. On suppose que *trôgein* (→ truite) repose sur une racine indoeuropéenne °*trog-* («celui qui mâche»). Le second élément de *trôglodutês* représente le verbe *dunein* «s'enfoncer».

♦ Le mot, également écrit *troglodite* jusqu'au XIXe s., semble avoir été repris au XVIIIe s. (par ex. dans les *Lettres persanes* de Montesquieu, 1721); il désigne l'habitant d'une demeure creusée dans le roc. Par analogie, il se dit d'une personne vivant et travaillant sous terre, comme le mineur (1752). ➛ En zoologie, par emprunt au grec, il désigne (1778, Buffon) un oiseau de très petite taille de la famille des passereaux.

▸ Les dérivés **TROGLODYTIQUE** adj. (1842, Académie) et **TROGLODYTISME** n. m. (1875), «habitat des troglodytes», «fait de vivre dans des abris creusés dans la roche», sont d'usage didactique.

① **TROGNE** n. f. (1403, pl.) est probablement issu d'un gaulois °*trūgna* «groin, museau», représenté en gallo-roman et en celtique (gallois *trwyn* «nez»). L'étymologie proposée pour *trognon** suppose que le mot était déjà en usage au XIVe s. Cependant, P. Guiraud postule une dérivation régressive de *estronner, estrogneer* (→ trognon) remontant donc au latin. Le caractère populaire du mot explique, selon Bloch et Wartburg, son apparition tardive dans les textes; quelle que soit son origine, l'influence sémantique de *trognon* est probable.

♦ *Trogne* est employé au figuré chez Christine de Pisan pour désigner des choses sans valeur»; il a servi de désignation familière du visage (1485) avant de se fixer au sens plus précis de «visage grotesque ou plaisant», en particulier «visage rubicond signalant le goût de la bonne chère» (1611, une première fois au XVe s.).

▸ Aucun de ses dérivés n'est resté vivant.

② **TROGNE** → **TROGNON**

TROGNON n. m., modification (1660) de *trongnon* (1393), est dérivé de l'ancien verbe *estroigner* «élaguer» (1377), altération, d'après ① *trogne**, de *estronner* (1326), le moignon de l'arbre étêté étant comparé à une tête humaine. *Estronner* est lui-même une forme refaite d'après *tronc**, prononcé sans la consonne finale, de *estronchier* «retrancher» (1276); ce verbe dérive, par préfixation en *es-*, de l'ancien français *tronchier* (v. 1280) qui est issu du latin *truncare* (→ tronquer). P. Guiraud, s'appuyant sur des emplois dialectaux, postule que *estronner, estrogner* pourraient représenter un roman °*extortionare*, dérivé de *tortionare* «tordre, torturer», de la famille de *torquere* (→ tordre).

♦ Dès les premiers textes, *trognon* désigne ce qui reste d'un fruit ou d'un légume quand on en a enlevé la partie comestible; le langage familier en a fait un appellatif affectueux et plaisant pour un petit enfant (1610) et l'emploie adjectivement *(qu'il est trognon!)* avec la même métaphore que *chou*. ◇ Il entre dans la locution figurée et familière (1892) ***jusqu'au trognon*** «complètement» (cf. *jusqu'à l'os*).

▸ **TROGNONNER** v. intr., familièrement «prendre une forme de trognon», est attesté chez Hugo (1838). ➛ Ses autres dérivés, ② **TROGNE** n. f. (1842) «arbre étêté» et **TROGNARD** n. m. «souche» (XXe s.), sont d'usage technique.

TROÏKA n. f. est emprunté (1841) au russe *troïka* qui désigne un attelage de trois chevaux, un costume trois-pièces et le trois aux cartes. Le mot est dérivé de *tr'i* «trois», qui se rattache au nom de nombre indoeuropéen auquel appartiennent également les noms latin et grec (→ tri-, trois).

♦ Le mot, importé en français par les voyageurs, est relevé chez A. Dumas dans le syntagme *attelé de troïka*, puis absolument comme nom masculin dans une traduction de Gogol (1845). Depuis 1856, il s'emploie au féminin. ◇ Par analogie, il s'est dit d'un ensemble de trois dirigeants politiques, d'après le russe, d'abord à propos de Staline, Zinoviev et Kamenev en 1922, en opposition à Trotski; puis à propos d'une direction à trois (dep. 1928).

TROIS adj. num. est l'aboutissement (v. 1175) de l'évolution phonétique du latin *tres* qui a d'abord donné *treis* (v. 980). *Tres* se rattache à un radical indoeuropéen à flexion exprimant le chiffre trois, la forme *tres* reposant sur un nominatif °*trey-es* qui se retrouve dans le sanskrit *trayah*, le grec *treis* et le vieux slave *trije* (pour les traitements de l'ordinal → tiers, du collectif → trinité, du préfixe en composition → tri-).

♦ Comme tous les noms de nombres, *trois* est employé comme cardinal (fin Xe s.), servant par extension à indiquer une très faible quantité. Comme ordinal (1689, noté «familier») il équivaut à «troisième» (ci-dessous). Il est substantivé avec le sens général de «nombre trois» (1673) donnant lieu à quelques emplois particuliers, par exemple au jeu pour désigner (1571) une carte marquée de trois signes, le troisième jour du mois (1672) ou en sports pour une figure de patinage (1906).

▸ **TROISIÈME** adj. num. et n. (1536) a remplacé l'ancienne forme *troisiesme* (1487), auparavant *troisime* (XIIe s.). ◇ Le mot est employé comme nom (1636), notamment pour désigner une classe d'enseignement (1694, *la troisième*), un troisième étage (*un troisième*, 1789 Restif). ◇ Il a lui-même produit **TROISIÈMEMENT** adv. (1584). ◇ Le dérivé populaire **TROISIO** adv., d'abord *troiso* (1844) a été concurrencé par *troisièmo* (1894); il correspond à *deuzio*. ➛ *Trois* entre dans un certain nombre de noms composés masculins. ◇ ① **TROIS-QUARTS** n. m. et adj. inv. (1690) désigne dans le vocabulaire de la chasse un levraut mâle presque adulte. Depuis le XIXe s., il se dit en musique d'un type de violon un peu plus petit qu'un instrument standard (1872, Littré), puis, au rugby, de chaque joueur formant la ligne déployée derrière les deux demis et devant l'arrière (1889). ◇ Le mot est employé dans l'habillement à la fois comme adjectif (1909) en parlant de manches, et comme nom (v. 1950) pour un manteau un peu plus court qu'un manteau ordinaire. ➜ Le mot est distinct d'un autre composé, ② **TROIS-QUARTS** n. m. inv., créé à la même époque (1694, Th. Corneille) pour désigner en chirurgie un instrument servant à faire des ponctions, aussi nommé par altération **TROCART** n. m., d'abord écrit *troquard* (1694), puis une lime de section triangulaire (1835). ➜ **TROIS ÉTOILES** loc. nom. et adj. (ou **TROIS-ÉTOILES**) est relevé pour la première fois chez Th. Corneille pour désigner une personne dont on veut respecter l'anonymat, *étoile* ayant le sens d'«astérisque»; le mot s'emploie aujourd'hui (v. 1950) pour un hôtel classé dans une catégorie élevée (dépassée par *quatre étoiles**). ➜ Le XVIIIe s. a donné les termes musicaux **TROIS-DEUX** n. m. inv. (1765), **TROIS-QUATRE** n. m. inv. (1765) et ① **TROIS-HUIT** n. m. inv. (1768, Rousseau) désignant des mesures. ➜ Le terme de marine **TROIS-MÂTS** n. m. inv. (1824) succède à *navire à trois mâts*. ➜ **TROIS PONTS** n. m. inv. (1843) «navire à trois ponts» a vieilli. ◇ *Trois-ponts* s'est employé dans l'argot de la fin du XIXe s. pour une haute casquette portée par les hommes du milieu. ➜ Au XXe s., est formé **TROIS-POINTS** loc. adj. inv. (1933), employé familièrement dans *les frères trois-points*, désignant les francs-maçons d'après leur symbole. ➜ ② **TROIS-HUIT** n. m. pl. (1893, *le Père Peinard*) est reformé pour désigner un système de travail continu qui nécessite trois équipes travaillant chacune huit heures, auparavant (1897) à propos du partage de la journée en trois périodes de huit heures.

TER adv. est emprunté (1792) en musique au latin *ter* «trois fois», de *tres*; il s'emploie aussi (1859) dans la numérotation des immeubles d'une rue *(le douze ter)*.

◈ voir SESTERCE, TERCET, TERNAIRE, TERTIAIRE, TIERCE, TRANCHER, ② TRAVAIL, TRÈFLE, TREIZE, TRÉMIE, TRENTE, TRI-, TRIADE, TRILOGIE, TRIMESTRE, TRINITÉ, TRIO, TRIOLET, TRIPLE, TRIPTYQUE, TRIRÈME, ① TRISSER, TRIUMVIR, TRIVIAL et, du russe, TROÏKA.

TRÔLER

TRÔLER v. (1680), écrit aussi *troller* (1561) et précédé par *treler* (1376), est issu d'un latin populaire °*tragulare* «suivre le gibier à la trace», dérivé du classique *trahere* «tirer» (→ traire), peut-être par l'intermédiaire de *tragula*, nom d'un instrument de chasse (javelot, filet).

♦ Le mot, d'abord employé comme intransitif (1561), puis avec le sens de «faire aller çà et là (un cerf, etc.)», ne s'est maintenu que dans certains parlers régionaux (Ouest, Centre). Il a signifié «traîner, promener partout» (1662) et «porter» en argot ancien (1628). ◇ Par extension du premier sens, il s'est employé intransitivement pour «courir çà et là» (av. 1564, Calvin), sens noté «familier» ou «populaire» par les dictionnaires du XVIIe s. et maintenu régionalement jusqu'au XXe siècle.

▸ Le déverbal **TROLLE** n. f. (1655), qui a gardé la géminée de l'ancienne forme du verbe, désigne en vénerie la manière de chasser au hasard du lancer après avoir découplé les chiens. ➜ **TRÔLEUR** n. m., d'abord *trolleur* «vagabond» (1660), procède de l'emploi intransitif du verbe; il s'est également dit d'un artisan ébéniste qui promenait ses meubles pour les vendre (1852) et d'un commissionnaire qui vendait des meubles pour un artisan (1881); dans ce sens on a dit aussi *trôlier*. ◇ Son féminin **TRÔLEUSE**, appliqué à une femme qui aime flâner, a servi à désigner dans le parler parisien une prostituée (fin XIXe s.). ➜ *Trôler* a fourni un autre déverbal, **TRÔLE** n. f. (1852), employé dans *vente à la trôle* «colportage». ➜ **TRÔLÉE** n. f., attesté une première fois au XVIIIe s., a été repris régionalement au XXe s. au sens de «grande quantité, bande», spécialement «volée de coups». C'est le seul mot de la série qui se soit maintenu dans l'usage général et familier. ➜ **TRÔLERIE** n. f., d'abord terme de chasse écrit *trollerie* (1611) pour désigner l'action de chercher la bête avec les chiens découplés, a été refait avec le sens de «vagabondage, fait de flâner» (attesté 1900, Colette) d'après l'emploi intransitif du verbe, mais est demeuré très rare.

◈ voir TROLLEY.

TROLL

TROLL n. m., enregistré sous la forme *trollon* par le dictionnaire de Raymond (1832), modifié ensuite en *troll* (1842), est emprunté au suédois *troll* «être surnaturel représenté sous forme de lutin ou de nain, vivant dans les grottes et sous terre». Ce mot, comme le danois *trold*, remonte à l'ancien norrois *troll* et à la mythologie scandinave, où le troll était originellement un géant.

♦ Le mot désigne un lutin des légendes scandinaves (suédoises et danoises). Il est mieux connu en français avec la diffusion d'une littérature fantastique nordique ou anglo-saxonne, et par certains «jeux de rôle».

TROLLEY

TROLLEY n. m. est emprunté (1892) à l'anglo-américain *trolley*, nom donné aux États-Unis au dispositif servant à transmettre le courant d'un câble conducteur au moteur d'un véhicule (1890), puis au véhicule lui-même (1891), nommé ensuite *trolley-car* (1894). Le mot est une spécialisation de l'anglais *trolley* «petit wagon (qui roule)», de *to troll* «bouger, se déplacer çà et là» (XIVe s.) d'où «rouler» (XVe s.), emprunté au français *troller, trôler**.

♦ Le mot est passé en français pour désigner le dispositif, dans *tramway à trolley*; il a désigné un petit chariot tiré par un câble (1904), puis le tramway (1922), et l'autobus électrique à trolley (1941), dit aussi *trolleybus*.

▸ **TROLLEYBUS** n. m. inv. (1921), formé par adjonction de *-bus* (→ bus), a bénéficié du recul des tramways dans les transports urbains en France.

TROMBE

TROMBE n. f. est emprunté (1549) à l'italien *tromba* (XVIe s.; v. 1585, dans *tromba di acqua*), nom donné à un cyclone par métaphore de *tromba* «trompe, trompette» (XIVe s.), lequel est de même origine germanique que le français *trompe**.

♦ Le mot est passé en français dans l'expression *trombe de feu* (1549), puis a désigné le phénomène météorologique de cyclone tropical (1665-1666). *Trombe* s'emploie par extension (1833) à propos d'un déversement brutal de pluie, de neige, etc., entrant comme en italien dans la locution ***trombe d'eau*** (1887). Il s'est employé au figuré (1821). ◇ Au XIXe s., par référence à la rapidité et à la violence du mouvement de la trombe, il a donné la locution comparative ***comme une trombe*** (1835); ***en trombe*** (1895) se dit notamment d'une voiture rapide, dans ***démarrer, démarrage en trombe.***

◈ voir TROMBINE, TROMBLON, TROMBONE.

◈ **TROMBINE** n. f. (1836) est un mot d'origine discutée. Il est peut-être formé de la juxtaposition de *trompe** pour «nez» et de *bobine** «visage»; on a évoqué un emprunt à un mot italien non attesté °*trombina*, dérivé de *tromba* (→ trombe, trompe).

♦ Le mot est la dénomination argotique, puis familière de la tête, par identification du visage au nez. Il est entré dans *Le Trombinoscope*, titre d'un journal satirique du XIXe s. (1872), formé plaisamment avec *-scope**. Ce mot est employé comme nom commun, *un* **TROMBINOSCOPE** n. m. désignant familièrement l'annuaire illustré des membres d'une société, d'un groupe, et un ensemble de portraits plus ou moins comiques.

TROMBLON n. m. est emprunté avec insertion d'un *-l-* (1803), à l'italien *trombone*, nom d'une espèce d'arme à feu à canon évasé en entonnoir (v. 1550). Celui-ci est, comme *trombone* «instrument de musique» (→ trombone), le dérivé augmentatif en *-one* de *tromba* «trompe» (→ trombe).

♦ Le mot, emprunté avec le sens de l'italien, a vieilli lorsque cette arme a été abandonnée; c'est aujourd'hui un terme d'histoire. Le sens analogique de «chapeau évasé au sommet» (1841, *chapeau en tromblon;* 1842, *chapeau tromblon*) est lui aussi archaïque. ◇ Le vocabulaire de l'armement moderne l'a repris (1923) pour une sorte d'entonnoir adaptable au canon d'un fusil pour lancer des grenades.

◈ voir TROMBINE.

TROMBONE n. m. est l'emprunt (1703, Brossard), d'abord sous la forme adaptée *trombon* (1573, A. de Baïf), de l'italien *trombone*, nom d'un instrument de musique à vent (XIVe s.), augmentatif en *-one* de *tromba* «trompe» (→ trombe).

♦ Le mot a remplacé l'ancien *saquebute, sacqueboutte*. On distingue le *trombone à pistons* du *trombone à coulisse*, plus connu et qui correspond à l'emploi du mot sans qualification. ◇ Par une métonymie commune aux noms d'instruments de musique, il sert à désigner le joueur de trombone (1842). ➔ Par analogie de forme, le mot s'applique à une petite agrafe repliée en deux boucles (XXe s. : 1949 dans les dict.) et à la partie centrale d'une antenne de télévision en forme d'ovale aplati (v. 1960).

▸ Son unique dérivé, **TROMBONISTE** n. (1821) «joueur de trombone», d'abord rare, concurrencé par *trombone*, a été repris par anglicisme *(trombonist)* en jazz.

◈ voir TROMBLON.

◈ **TROMPE** n. f. est issu (1176) du francique °*trumba* qui a des correspondants dans l'ancien haut allemand *trumpa, trumba* «instrument de musique, trompette» et l'ancien scandinave *trumba* «trompette», et qui repose probablement sur un radical onomatopéique. Le mot est passé dans l'italien *tromba* (→ trombe) et, de là, à l'espagnol *(tromba)*. L'anglais *trump* est emprunté au français. On a comparé *trombe* et l'espagnol *tromba*, qui ont eu le sens de «toupie», au latin *turbo* qui signifie à la fois «tourbillon» et «toupie» (→ turbine); cependant, le développement des sens est différent : *trombe* au sens de «colonne d'eau soulevée par un tourbillon de vent» est plus récent que *trompe* «toupie», qui ne peut s'expliquer que comme une comparaison du bruit de la toupie avec le son des trompes.

♦ *Trompe*, attesté selon T. L. F. en 1176 dans un passage de *Cligès* au sens de «toupie», est passé en français pour désigner un instrument de musique à vent (av. 1250) : d'abord une trompette, puis un petit instrument à bouche qui vibre (guimbarde) [1397], enfin un instrument à vent en cuivre dont on se sert spécialement pour la chasse (v. 1460), d'où ***trompe de chasse*** (XVIe s.), improprement nommé *cor**. ◇ Le mot désigne, surtout dans les parlers régionaux, un petit instrument à vent sommaire pour appeler. ◇ Avec l'invention de l'automobile, on appelle *trompe* l'avertisseur actionné par une poire en caoutchouc (1893), remplacé plus tard par le *klaxon*. ➔ *Trompe* a connu ses extensions analogiques à partir du XVIe s. : il sert notamment à désigner l'appendice nasal de l'éléphant (1538). Au XVIIe s., il est passé en entomologie à propos de l'organe buccal très développé de certains insectes (1684). ◇ En anatomie, *trompe de Fallope* (1690) se dit d'un conduit allant de l'utérus à l'ovaire et se terminant par un entonnoir. Utilisé pour d'autres conduits, le mot est entré dans la dénomination *trompe d'Eustache* (1765) désignant un canal de l'oreille. ◇ Ultérieurement, il a fourni une désignation familière du nez (1867), en principe d'un grand nez. ➔ Enfin, un sens spécial, en architecture, concerne une section de voûte formant saillie (1568, Philibert Delorme) d'où *coupole sur trompes* (opposé à *sur pendentifs*).

▸ Le diminutif **TROMPETTE** n. f. (v. 1280) désigne un type particulier d'instrument à vent au son clair (cf. *clairon*) et éclatant. ◇ Par métonymie, le mot désigne la personne qui joue de la trompette dans un régiment (1365 au fém.; 1498), puis dans un orchestre. ◇ Comme *trompe, trompette* a eu quelques extensions de sens exprimant une analogie de son ou surtout de forme avec l'instrument de musique. Il désigne une espèce d'oiseau de la Guyane ressemblant au dindon (1765), un mollusque en forme de trompe (1694, repris 1768-1791); dans le domaine végétal, une variété de courge à longs fruits (1732), un champignon comestible en forme de corne, d'abord dit *trompette des morts* (1845), puis *trompette de la mort* (1923). ◇ Quelques sens argotiques correspondant aux emplois figurés de *trompe* «nez, visage» (1867), «bouche» (1888) et «cigare» (1867), ont disparu. En revanche, on parle encore couramment d'un *nez en trompette* (1848) «relevé du bout» et de *queue en trompette* (1848; *queue relevée en trompette*, 1828). ◇ La locution *sans tambour ni trompette* «vivement et secrètement» a été précédée par *sans trompette et sans* *tambour* (1612) et *sans trompette* (av. 1453). ➜ *Trompette* a produit le verbe **TROMPETER** (1339) qui a donné **TROMPETEUR** (1530), sorti d'usage et **TROMPETTISTE** n. (1821), synonyme de *trompette* au sens d'«instrumentiste qui joue de la trompette». ➜ *Trompe*, en architecture (ci-dessus), a produit un autre dérivé par suffixation diminutive, **TROMPILLON** n. m. (1676, Félibien).

◈ voir TROMBINE, TROMBLON, TROMBONE, TROMPER.

TROMPER v. tr. serait antérieur aux premières attestations connues (v. 1352 *se trouver trompé* «être dans une situation délicate»), et devrait avoir été en usage dès le XIIIe s., si l'on en juge par les dérivés *trompeur* et *tromperie*. Les emplois transitifs proviennent de l'ancien verbe pronominal *se tromper de qqn* «se jouer, se moquer de qqn» (1388), dans lequel on peut voir un emploi figuré de l'ancien verbe *tromper* «sonner de la trompe, annoncer à la trompe» (1217), dérivé de *trompe**. Cette évolution est contestée par P. Guiraud qui fait remonter le verbe au latin *triumphare* (→ triompher) avec un développement de «triompher» à «se moquer de» d'où «abuser».

♦ Parallèlement à cette forme pronominale, vivante en ancien français puis employée au sens de «faire une farce» (1636) et sortie d'usage (déb. XVIIIe s.), *tromper*, en emploi transitif, a immédiatement son sens moderne, «induire volontairement en erreur» (1420). ◇ À partir du XVIe s., tandis que la forme pronominale commence à prendre le sens réfléchi de «s'abuser» (1534), *tromper* signifie «donner lieu à une méprise» (1553), *tromper la faim, les peines* «se distraire de (la faim, des peines)» (1552) et *tromper l'attente* «décevoir, faire ou dire ce qui est contraire à (l'attente)» (1580). ◇ L'emploi spécial pour «être infidèle en amour par rapport à (qqn)» (1665) et celui de «déjouer (la surveillance, la vigilance)» (1672, Racine) sont très fréquents à l'époque classique. ◇ La construction *se tromper de (route, heure...)* «prendre une chose pour une autre» est apparue ultérieurement (1812). ◇ *Tromper* figure dans quelques expressions usuelles de la conversation, comme ***si je ne me trompe*** (1671) et ***c'est ce qui vous trompe*** (1835).

▸ Le dérivé **TROMPEUR, EUSE** adj., ancien (1225 ; v. 1390 selon T. L. F.), rare avant le XVe s., désigne et qualifie (1538) la personne qui trompe, induit en erreur. Il a supplanté le doublet *trompeux* (XVIe s.) et a produit **TROMPEUSEMENT** adv. (1554) qui semble sorti d'usage après 1660 et repris après 1850 (1872). ➜ **TROMPERIE** n. f. (v. 1385) désigne l'action d'induire en erreur ; il n'a conservé ni le sens général, «fait de se tromper» (1580), ni celui de «fausse apparence» (1553). ➜ Par préfixation, *tromper* a fourni **RETROMPER** v. tr. (v. 1550), vivant au XVIe s. et repris au XXe s., qui est demeuré rare. ➜ **DÉTROMPER** v. tr. (1611), formé avec *dé-* (→ dé-) signifie «faire que (qqn) cesse d'être trompé ou de se tromper», c'est-à-dire «faire connaître la vérité à (qqn), alors qu'il croyait autre chose». Le verbe est également employé à la forme pronominale (1640). ◇ Le dérivé **DÉTROMPEMENT** n. m., attesté une première fois au XVIIe s., est rare.

L'élément verbal *trompe-* a servi à former des composés. ➜ **TROMPE-L'ŒIL** n. m. inv. (1800), terme de peinture, est également employé dans la locution ***en trompe-l'œil*** (1825) et pris avec une valeur figurée (1867). ➜ Sur le même modèle ont été formés **TROMPE-OREILLE** (1918, Apollinaire), **TROMPE-L'ESPRIT** (1919, Cocteau) et **TROMPE-CŒUR** (1953, Cl. Roy), mots d'auteur d'usage poétique et plaisant. ➜ Quant à **TROMPE-LA-MORT** n. m. inv., attesté pour la première fois en 1803, repris par Balzac comme surnom de Vautrin, personnage de *La Comédie humaine* inspiré par Vidocq, il se dit (1868) d'une personne qui a échappé à la mort et semble à l'abri des accidents mortels.

TRONC n. m., dont la forme actuelle (v. 1175) succède à *trunc* (1155), est issu du latin *truncus*, nom d'une partie de l'arbre et du corps humain et, par analogie, «fût d'une colonne ou d'un piédestal», «fragment, morceau détaché». Le mot latin existe à côté d'un adjectif homonyme *truncus*, apparu postérieurement, qui signifie «mutilé», «privé de ses membres», «tronqué», au propre et au figuré : tous deux sont d'origine incertaine, peut-être à rapprocher du groupe de *trux, trucis* «farouche» (→ truculent) ou, avec des réserves, du verbe grec *truein* «user en frottant» qui appartient à la racine indoeuropéenne °*ter-* de même sens (→ ② tour).

♦ Le mot est passé en français pour désigner la partie ligneuse d'un arbre et, par métonymie et spécialisation de fonction, une boîte munie d'une fente pour recevoir les offrandes, taillée à l'origine dans un tronc d'arbre (XIIIe s.). ◇ Comme en latin, il a connu un certain nombre de développements analogiques : il a pris en anatomie le sens de «partie principale d'un nerf ou d'un vaisseau» (1314), et abstraitement s'est dit de la ligne directe des ascendants et descendants d'une famille (v. 1245). ◇ Comme en latin, le mot a désigné le buste humain (1559) [cf. *torse*], puis celui d'un vertébré (1611). ➜ En architecture, *tronc* correspond à «fût ou partie d'un fût de colonne» (1636). En géométrie (1875), il désigne dans les figures solides la partie comprise entre la base et une section plane parallèle, par exemple dans *tronc de pyramide*. Le syntagme le plus courant est *tronc de cône*, d'où dérive *tronconique* (ci-dessous). ➜ Avec l'idée d'«origine», il entre dans la locution ***tronc commun***, qui prend vers 1960 le sens figuré de «partie commune» (d'un ensemble complexe : enseignement, etc.). ➜ L'emploi argotique pour «tête» (1926) est moins courant que le féminin *tronche* (ci-dessous).

▸ Le diminutif **TRONCHET** n. m. (v. 1260) a eu le sens de «billot de bois», aujourd'hui limité à l'usage régional ou à des spécialisations techniques : «gros billot à trois pieds des tonneliers» (1680) et «billot sur lequel est fixée la bigorne des orfèvres» (1765). ➜ Quant au féminin **TRONCHE** n. f. (1298) «bûche», puis «billot de bois» (1554), encore en usage régionalement et «arbre de futaie dont on coupe régulièrement les branches» (v. 1550, chez le poète R. Belleau), il s'est dit spécialement d'une grosse bûche que l'on faisait brûler le soir de Noël (1704). Ces emplois ont disparu de l'usage général. ➜ Le mot a pris dès la fin du XVIe s. l'acception familière

de «tête» avec une connotation ironique ou péjorative (1596), aujourd'hui emploi le plus vivant du mot dans l'usage général.
TRONCONIQUE adj., de *tronc* et *cône* dans *tronc de cône,* d'après *conique* (1868), qualifie ce qui constitue un tronc de cône. ✦ **TRONCULAIRE** adj. est un dérivé savant (1897) du latin *trunculus,* diminutif de *truncus.* ◇ Le mot qualifie en anatomie ce qui concerne un tronc nerveux ou vasculaire.

◈ voir TROGNON, TRONÇON, TRONQUER.

TRONÇON n. m., altération (v. 1135), probablement d'après *tronc,* de *trunçun* (1080), est dérivé de l'ancien français *trons* «tronçon» (attesté v. 1180), lui-même issu d'un latin populaire °*trunceus,* altération du latin classique *truncus* «élagué, mutilé» (→ tronc).

♦ Dès ses premières attestations, le mot désigne la partie d'une chose coupée plus longue que large. Ses extensions sont limitées à des acceptions particulières, «partie coupée du corps (de certains reptiles, vers et poissons)» (1240), «billot scié dans un tronc» (1470), «partie détachée d'un corps animé» (1690) et, spécialement en architecture, «morceau taillé d'un fût de colonne» (1701) [cf. *tronc*]. ◇ Certains emplois, à propos de la petite partie d'un objet, d'un morceau d'aliment, d'un brin d'osier, de soie, sont sortis d'usage. ◇ *Tronçon* s'emploie aussi à propos d'une portion de voie, de route, de chemin de fer (1835). ◇ Les emplois figurés, pour «élément séparé, brutalement détaché», sont assez rares.

▸ Son unique dérivé est **TRONÇONNER** v. tr. (v. 1200), employé aussi intransitivement avec un sens réfléchi et sans la nuance d'action volontaire qu'il a dans l'usage actuel (1393, à propos de poissons, de reptiles). ◇ L'emploi du verbe pour «mettre en pièces (une personne)», «mutiler (une statue, un homme)» (1559), est devenu rare.
Tronçonner a plusieurs dérivés. ✦ **TRONÇONNAGE** n. m., d'abord *tronchonnage* (1421), a été repris sous sa forme actuelle à partir de 1933 ; il est plus courant que **TRONÇONNEMENT** n. m. (1559), d'abord employé à propos d'une mutilation puis comme nom d'action en général (1600). ✦ **TRONÇONNEUR, EUSE,** autrefois employé comme adjectif pour qualifier ce qui coupe en morceaux (1606), a été repris comme nom pour désigner l'ouvrier qui découpe des tronçons de bois en forêt (1933). ◇ Son féminin **TRONÇONNEUSE** n. f. «machine-outil pour découper du bois en tronçons» (1920) est devenu usuel avec l'instrument portatif qu'il désigne, une scie à chaîne mue par un moteur à essence ou électrique.

TRÔNE n. m. est un emprunt précoce (v. 1120, *throne*) au latin *thronus,* lui-même pris au grec *thronos,* mot désignant un siège élevé, dit notamment du trône d'un roi (au propre et au figuré), du siège de la Pythie. Le mot s'est beaucoup employé en grec chrétien pour désigner un trône épiscopal, le trône de Dieu, du Christ. Il se rattache à une racine indoeuropéenne °*dher-* «soutenir, porter», attestée dans le sanskrit *dadhāra* et dans quelques mots grecs (*thranos* «banc, escabeau»). Très fréquent dans la Vulgate, *thronus* fut emprunté par la plupart des langues médiévales, soit directement au latin (italien, espagnol *trono,* portugais, catalan *trona*), soit à l'ancien français (moyen anglais *trone,* moyen haut allemand *trôn,* néerlandais *troon*). Il a été emprunté en ancien provençal dès le XIᵉ s., puis en ancien français au XIIᵉ s. par la littérature religieuse. L'accent circonflexe de *trône* provient d'une confusion entre *trone* et *trosne.*

♦ Emprunt religieux au sens de «siège allégorique d'où Dieu est censé régner sur le monde» (v. 1120), d'où l'emploi métaphorique pour «firmament, voûte du ciel» (v. 1170), le mot est introduit dès le XIIᵉ s. par les traducteurs des livres historiques de la Bible avec la valeur laïque de «siège d'apparat où prend place un souverain» (v. 1120). ◇ Cette acception concrète entraîne aussitôt le sens métaphorique de «puissance, autorité d'un souverain» (v. 1120) et par extension celui de «souverain lui-même» (1701) et de «régime monarchique» (1756). ✦ Par ailleurs, au XIIIᵉ s., *Trônes* n. m. pl. désigne (v. 1265) spécialement en théologie l'un des trois ordres existant parmi les trois chœurs des anges ; cette acception venant de la désignation rabbinique des chœurs angéliques d'après des attributs divins. ✦ À partir du XVIᵉ s. apparaissent quelques expressions et locutions liées à la valeur symbolique du mot : ***monter sur le trône*** «accéder à la royauté» (1640 ; 1550, *s'assoir sur le trône*), ***descendre du trône*** (1664), ***les conseillers du trône*** (1842), etc. L'expression ***discours du trône,*** à propos du discours prononcé par le souverain à l'ouverture de la session parlementaire, est enregistrée par l'Académie en 1835. ✦ *Trône* est devenu plaisamment l'appellation du siège des cabinets d'aisance (1808), d'abord en argot puis dans la langue familière.

▸ Des deux verbes qu'il a servi à former, le plus ancien est le composé préfixé **DÉTRÔNER** v. tr. (1584) «déposséder de la puissance souveraine» et, figurément, «faire cesser la prééminence, la vogue de» (1775). ◇ Il a pour dérivé **DÉTRÔNEMENT** n. m. (1730). ◇ La tentative faite sous la Révolution d'introduire **DÉTRONISER** v. tr. (v. 1792) est restée sans lendemain. ✦ Le dérivé **TRÔNER** v. intr. (1801) a d'abord le sens de «régner», qui a cédé la place à l'emploi pour «occuper la place d'honneur» (1833), d'où l'acception ironique «faire l'important» (1835) et au sens didactique de «siéger sur un trône» (1831).

◈ voir INTRONISER.

TRONQUER v. tr. est emprunté (1495) au latin *truncare* «amputer», également «éplucher (des légumes)», «massacrer (des cerfs)» et au figuré «raccourcir (des vers) en changeant le mètre», dérivé de *truncus* (→ tronc).

♦ Le type *tronquer,* qui s'est imposé aux dépens des formes populaires *tronkier* (XIIIᵉ s.), *tronchier* (v. 1200), signifie comme eux «élaguer (un arbre)», puis en général «mutiler, couper en retranchant (une partie importante de qqch.)» (1538). ◇ L'usage moderne emploie surtout le verbe au figuré pour «retrancher (à tort) d'un ouvrage, d'un texte» (1607).

▸ Son participe passé **TRONQUÉ, ÉE** est adjectivé avec les emplois correspondants, aussi bien au propre (v. 1568) et dans des acceptions spéciales (technique, botanique, géométrie) qu'au figuré (1845). Le verbe n'a produit aucun autre dérivé.

TRONCATION n. f., emprunt (1495) au latin *truncatio,* du supin de *truncare,* est le nom d'action de *tronquer.* Sorti d'usage au XVIIe s., le mot a été repris (mil. XXe s.) à propos du procédé consistant à abréger un mot par suppression d'une ou de plusieurs syllabes. ◆ **TRONCATURE** n. f. (1797) est une création savante faite sur le latin *truncatus,* participe passé de *truncare,* avec le suffixe *-ure.* ◇ Ce nom désigne l'état d'une chose tronquée et s'emploie en minéralogie à propos du remplacement d'une arête de cristal par une facette (1808).

TROP adv. est issu par métathèse (1050) d'un francique °*thorp* «village», représenté par l'ancien anglais *thorp,* le gotique *thaurp* (allemand *Dorf*) et par ailleurs par le bas latin *truppus* ou *troppus,* attesté (v. 700) au sens de «troupe» (→ troupeau). On évoque également, en celtique, le gallois *tref* «ville» et l'ancien breton *treb* «habitat», ainsi que le nom d'une tribu gauloise *Atrebates* «les occupants», qui peuvent faire supposer un radical gaulois apparenté.

♦ *Trop* signifie dans les premiers textes «d'une manière excessive, plus qu'il ne faudrait», modifiant un verbe, un adjectif ou un autre adverbe (v. 1250, *trop peu*). Il s'emploie, d'abord dans la locution ***en faire trop*** (fin XIIIe s.) pour parler d'une quantité, d'un nombre excessif (1611, *trop d'argent*), en particulier dans *trop de... pour* «plus qu'il ne faut de, pour...» (1659) et dans ***c'en est trop!*** «cela dépasse la mesure» (1672); ***par trop*** avec un adjectif (v. 1350) équivaut à «d'une manière excessive». ◇ À partir du XVIe s., il entre dans des locutions adverbiales ou adjectives : *rien trop* (1580) devenu ***rien de trop*** (1678), ***être de trop*** «superflu» en parlant de choses (1669) et «importun» à propos d'une personne (1670); à l'époque classique *(c'est) trop de deux,* etc. (1647), *de la moitié* (1669) «deux, la moitié en trop». Il peut lui-même être précédé d'un adverbe (1652, *pas trop* «pas beaucoup»), en particulier pour indiquer le degré de l'excès (1669). ◆ Parallèlement à ces emplois, *trop* a eu le sens (1080) de «très, beaucoup», sans indiquer l'excès, valeur toujours vivante à l'époque classique où l'on disait *trop bien* «très bien» (v. 1175), *trop mieux* (v. 1360), *trop plus* (1381). ◇ Cet emploi comme superlatif est aujourd'hui considéré fautif, de même que l'emploi de *de trop* avec ce sens *(il y en a de trop)*; cependant il demeure usuel dans des formules de politesse (1671, *vous êtes trop aimable*), dans des tours hypocoristiques *(il est trop mignon, ce petit)* et *ne... que trop* (1580, *je ne le sais que trop*), à côté de *ne pas... trop* (1652) employé pour marquer un degré faible comme *sans trop* (1885), etc. ◆ *Trop* s'emploie également dès l'ancien français comme substantif, avec un article (v. 1250, *le trop*), d'où *le trop peu* (1694), ou sans article (v. 1265), notamment dans *c'est trop!* (v. 1450), *trop c'est trop* (1678), auparavant *trop est trop* (1611); *le (ce) trop de* avec un nom est littéraire. ◆ Le langage des jeunes emploie *trop* (v. 1970) avec une valeur quasi adjective, en attribut *(il est trop),* peut-être par calque de l'anglais *too much.*

▸ *Trop* a produit deux noms composés. Le plus ancien, **TROP-PLEIN** n. m., est relevé chez Mme de Sévigné (1671) au sens figuré pour «sentiments que l'on ne peut garder en soi et que l'on a besoin de communiquer», employé ensuite plus généralement pour ce qui est en excès (v. 1790). Ce composé développe au XVIIIe s. un sens concret, désignant ce qui excède la capacité d'un récipient (1740), ensuite par métonymie (1863) un dispositif évacuant l'excédent. ◆ **TROP-PERÇU** n. m. désigne (1899) ce qui a été perçu en plus de ce qui était dû, employé spécialement en droit fiscal (1936).

◈ voir **TROUPEAU** (et **TROUPE**).

TROPE n. m. est emprunté (1554) au latin de la rhétorique *tropus,* lui-même emprunt au grec *tropos* (→ tropique, tropisme), dérivé de *trepein* «tourner, diriger vers» (→ trophée). *Tropos* désigne la direction et, abstraitement, la manière, la façon de se comporter; il est appliqué spécialement, en rhétorique, à la façon de s'exprimer, au style, en particulier à la figure de style et, en musique, au mode, à la mélodie, au ton.

♦ *Trope* a été emprunté comme terme de rhétorique, d'emploi plus technique que *figure.* Le traité de du Marsais (1729) sur ce sujet a contribué à diffuser le mot (qui était peu connu : un grand s'enquérait de quelle peuplade le *Traité des tropes* pouvait s'occuper). Depuis le XIXe s. (1842), employé au pluriel, le terme a pris une acception spécialisée en philosophie *(tropes de suspension),* désignant un ensemble d'arguments utilisés par les sceptiques grecs en faveur de la suspension du jugement. ◇ Il a été repris en histoire de la musique médiévale (1852) d'après l'emploi spécialisé du grec *tropos,* puis du latin médiéval *tropus* «paraphrase du chant liturgique par addition ou substitution» (à partir du IXe s.).

▸ Antérieurement à *trope,* le français a emprunté **TROPOLOGIE** n. f. (1295) au latin *tropologia,* lui-même repris au grec *tropologia* «langage figuré», composé de *tropos,* et de l'élément *-logia* (→ -logie). ◇ Le mot, didactique, est passé en français en gardant son sens latin. Il désigne spécialement (1834) l'étude des tropes et la science des symboles (1884). ◆ **TROPOLOGIQUE** adj. est emprunté (1374) au dérivé bas latin *tropologicus* «métaphorique, figuré» dont il reprend d'abord le sens. Il a développé en sciences (v. 1950) la valeur de «qui est de la nature spatiale de la courbe».

◈ voir **TROPIQUE, TROPISME, TROUVER.**

-TROPE, -TROPIE, TROPO- → TROPISME

TROPHÉE n. m. est un emprunt (1488) au bas latin *trophaeum* (IVe s.), altération du latin classique *tropaeum* «trophée» et, métaphoriquement, «monument, souvenir». Celui-ci est emprunté au grec *tropaion,* qui désigne un monument de victoire élevé avec les armes de l'ennemi à l'endroit où avait commencé la déroute (en grec, *tropê*). *Tropaion* est le neutre substantivé de *tropaios* «qui fait tourner», «qui met en fuite», dérivé de *tropê* «tour», «changement de direction», appliqué spécialement au moment du combat où l'ennemi prend la fuite, et employé également comme terme de rhétorique (→ trope). ◇ *Tropê* est lui-même un nom correspondant à *trepein* «tourner», dont l'étymologie n'est pas claire : on a pensé à une base °*trep*- permettant de rapprocher le sanskrit *trápate* «avoir honte, être embarrassé» et aussi à une base °*trek*ʷ-/°*trok*ʷ- qui serait confirmée soit par le mycénien *toroqo* «torsade de laine», soit par un rapprochement avec le latin *torquere* (→ tordre). Cette seconde hypothèse est, selon Chantraine, plus vraisemblable.

♦ Le mot est passé en français comme terme d'antiquité pour désigner les dépouilles d'un ennemi vaincu puis, dans le contexte moderne, un assemblage d'armes, de drapeaux disposés avec art pour attester et conserver le souvenir d'une victoire (1509). ◇ Dès le XVIᵉ s., le mot s'emploie dans le domaine de la représentation artistique pour un groupe d'attributs divers servant d'ornement (1554) et se spécialise pour «motif décoratif formé d'armes, de drapeaux groupés autour d'une armure» (1559), puis «monument représentant un trophée» (1788). ◇ À partir du milieu du XVIIᵉ s. (1652, Bossuet), il est attesté avec le sens métaphorique de «signe, témoignage d'une victoire», sens réalisé dans la locution ***faire trophée de*** «tirer gloire de» (1669), vieillie, et dans l'emploi métonymique pour «victoire» (XVIIᵉ s., Voiture). Au XIXᵉ s., le mot a développé deux autres acceptions dans le domaine de la chasse : «objet attestant d'un succès» (1857), et de la décoration : «groupe d'armes réelles disposées autour d'une cuirasse» (1860, Sainte-Beuve), l'idée de victoire passant alors au second plan.

◈ voir ENTROPIE, TRÉPONÈME, TROPE, TROPIQUE, TROPISME, TROUBADOUR, TROUVER.

TROPHIQUE adj. est un dérivé savant (1830) du grec *trophê* «nourriture», «action de nourrir», dérivé de *trephein* «nourrir» (→ atrophie).

♦ Le mot s'applique en biologie à ce qui concerne la nutrition des tissus.

▸ On a également dérivé à partir de *trophê* les termes didactiques **TROPHIE** n. f. (1904) et **TROPHISME** n. m. «processus de la nutrition des tissus et organes». ➛ Les éléments **TROPH-**, **TROPHO-** et **-TROPHE**, **-TROPHIE**, tirés du grec *trophê*, entrent dans la composition de termes savants comme **DYSTROPHIE** n. f., de *dys-*, «trouble de la nutrition» (1878), qui a fourni **DYSTROPHIQUE** adj. (1879).

◈ voir ATROPHIE, HYPERTROPHIE, LIMITROPHE.

TROPIQUE n. m. et adj. est emprunté (1377, Oresme) au bas latin *tropicus* adj. «tropical», substantivé pour désigner chaque parallèle de la sphère qui passe par les points du solstice. C'est un emprunt au grec *tropikos*, adjectif formé sur *tropos* (→ trope) qui qualifie généralement tout ce qui concerne le changement, également employé en rhétorique pour ce qui concerne les figures de style (*tropes*). *Tropikos* (sous-entendu *kuklos* «cercle»), substantivé, désigne le cercle du tropique ou solstice.

♦ Le mot est passé en français pour désigner chacun des deux parallèles de la sphère terrestre, ainsi nommés parce que, «quand le soleil est venu ou arrivé à chacun, il s'en retourne vers l'équinoxial (l'équateur)» (XVIᵉ s.). Il entre dans les syntagmes *tropique du Cancer* (1532), aussi *tropique du Cancre* (1562, sorti d'usage au XVIIIᵉ s.) et *tropique du Capricorne* (1562), désignant le tropique de chaque hémisphère. ◇ Par métonymie, le mot désigne couramment, surtout au pluriel, la région comprise entre les deux tropiques (1765), spécialement dans *maladie des tropiques* «fièvre jaune» (1845), et dans *oiseau de tropique* (1765), puis *du tropique* «phaéton». ◇ Le mot est employé adjectivement (1691), surtout dans *année tropique* (1751 ; après *an tropique*, 1691) «intervalle qui s'écoule entre deux retours consécutifs du Soleil à l'équinoxe de printemps». Cet adjectif n'est plus en usage pour qualifier une plante dont les fleurs s'ouvrent au lever du soleil et se ferment à son coucher (1783).

▸ En est dérivé assez tardivement l'adjectif **TROPICAL, ALE, AUX** (1801). *Tropical* qualifie ce qui appartient aux tropiques, aux zones proches des tropiques (cf. *intertropical*) et, par extension, une chaleur comparable à celle qui règne sous les tropiques (1859), avec des spécialisations pittoresques connotant l'exotisme (*rythmes tropicaux, musique tropicale* «d'Amérique latine», etc.). ➛ Le composé **INTERTROPICAL, ALE, AUX** adj. (1802, *inter-tropical*), qualifiant la zone située entre l'équateur (cf. *équatorial*) et les deux tropiques, a été concurrencé par *tropical*, qui a pris à peu près la même valeur. ➛ *Tropical* a aussi produit **SUBTROPICAL, ALE, AUX** adj. (1876), souvent employé couramment comme synonyme de *intertropical*, et plus récemment, **TROPICALISER** v. tr. (mil. XXᵉ s.), technique ou littéraire, et **TROPICALISME** n. m. (v. 1970).

◈ voir TROPISME.

TROPISME n. m., à l'imitation d'un terme proposé en allemand par I. Loeb et attesté en anglais depuis 1899, est la substantivation (1897) de l'élément *-tropisme* que l'on rencontre dans des mots existant antérieurement (*héliotropisme, phototropisme, géotropisme*) et tiré du grec *tropos* «tour, direction» (→ trope).

♦ Le mot désigne en biologie une réaction d'orientation causée par des agents chimiques ou physiques. Il est passé dans l'usage littéraire en parlant d'une force obscure, inconsciente qui pousse à agir d'une certaine façon (1914, Gide) et a fourni à Nathalie Sarraute le titre d'un roman *Tropismes* (1939), avec l'idée de «réaction psychologique élémentaire peu exprimable».

▸ **-TROPE**, **-TROPIE** et **TROPO-** sont des éléments tirés, comme *-tropisme*, du grec *tropos*. ➛ Ils entrent dans la formation de termes scientifiques comme **TROPOSPHÈRE** n. f. (av. 1913), «partie de l'atmosphère située entre le sol et la stratosphère», avec pour dérivé **TROPOSPHÉRIQUE** adj. (mil. XXe s.).

◈ voir **ALLO-, ISOTROPE.**

◈ **TROQUER** v. tr., réfection (1472) de *troquier* (v. 1280), *trochier* (fin XIVe s.), est un mot d'origine discutée, représenté en latin médiéval (1257, *trocare*), en espagnol (v. 1330, *trocar*) et en ancien provençal (déb. XVe s., *trucar*). L'hypothèse la plus courante est celle d'une formation sur un radical expressif *trokk-* «frapper (dans les mains)», d'après la manière de conclure un échange en se frappant dans la main (cf. *toper*). L'hypothèse (défendue par Diez, reprise par Guiraud) d'une dérivation d'un latin populaire °*tropicare,* fait sur *tropicus* «relatif au changement» (→ tropique), paraît irrecevable phonétiquement.

♦ Le verbe signifie «donner en échange» dans le cadre d'une transaction commerciale, cet échange s'opposant à celui qui s'opère au moyen d'une valeur symbolique commune (telle la monnaie), et, par extension (fin XVIe s.), s'emploie sans idée de valeur marchande. L'expression technique *troquer les aiguilles* (1723) est archaïque.

▸ Le déverbal féminin *torche* (1453), *troche* (1474), puis *troque* (1520), a disparu vers la fin du XVIIIe siècle. ◆ Le masculin **TROC** l'a supplanté. Il désigne (1464) un échange de marchandises et par figure l'action d'échanger (v. 1590). ◆ **TROQUEUR, EUSE** n. (1588), précédé par *trocheur* (1550), est rare. ◆ **TROQUE** n. f. a été dérivé (1876) comme nom technique pour le fait de troquer (ci-dessus) les aiguilles.

TROQUET → **MASTROQUET**

TROTTER v. intr. est emprunté (v. 1130) au francique °*trottôn* «courir», postulé par le moyen haut allemand *trotten* (allemand *trotten*). C'est une forme intensive de la famille de l'allemand *treten* «marcher, fouler aux pieds» qui remonte au moyen haut allemand *trêten,* ancien haut allemand *tretan, drêtan* «aller, marcher», avec des correspondants dans l'anglo-saxon *trêdan* (anglais *to tread*), le gotique *trudan* «marcher», etc. Selon Kluge, ce groupe appartiendrait primitivement à la même racine indoeuropéenne que le grec *dromos* «course» (→ -drome).

♦ *Trotter* signifie d'abord «faire aller son cheval au trot» et pour un cheval «aller le trot» (v. 1181), appliqué ensuite au cavalier (déb. XIIIe s.). Par extension, il s'est appliqué de bonne heure à une personne qui va çà et là, marche vite (XIIIe s.) et, en moyen français, se dit par métaphore d'un objet qui va et vient, passe d'un endroit à l'autre (v. 1480). Ce dernier sens reste en usage en parlant d'un objet abstrait, avec la nuance de «se livrer à sa fantaisie» (1546), pour une plume, une imagination, un esprit (1675), notamment dans *une idée trotte dans la tête de qqn* (1722), puis *une idée trotte par la tête* (1834). ◇ L'emploi de la forme pronominale *se trotter* (XVe s., Villon) demeure dans l'usage familier pour «se sauver». ◇ Le verbe s'emploie transitivement dans le vocabulaire de l'équitation où l'on dit que le cheval *trotte l'amble* et que l'entraîneur *trotte le cheval* (1680) «le fait trotter».

▸ Le déverbal **TROT** n. m. (v. 1155) désigne une allure du cheval intermédiaire entre le pas et le galop. ◇ Par extension, il s'est dit d'une manière rapide de marcher (XIIIe s.) mais n'a conservé ce sens que dans des expressions figurées ou familières, telles *mener une affaire au grand trot* (1798) «de manière expéditive», (aller) *au trot* «à vive allure». ◇ Dans le domaine hippique, on relève au XIXe s. *course au trot* et *trot attelé* (1859). ◆ Dès le XIIe s., on relève **TROTTINER** v. intr., sous la forme *trotiner* (v. 1155), appliqué à une personne qui marche à petits pas pressés et d'une allure sautillante ; on a aussi *trotigner* au XVIe s. (1552). ◇ Le verbe s'applique à un cheval qui va à un trot très court (1775). ◆ Les dérivés du verbe sont tardifs. **TROTTINEMENT** n. m. (1845) sert de nom d'action, au propre et au figuré ; le moyen français avait *trotinage* n. m. (1599) «inconstance des affections». ◇ **TROTTINETTE** n. f. (1902), nom d'un jouet d'enfant également nommé *patinette* (→ patin), semble avoir existé antérieurement comme variante féminine de *trottine* (1867), *trottinet* (1843), qui désignait des souliers (de dame). Le mot est par ailleurs un équivalent familier de «(petite) automobile» (1952). ◇ **TROTTINEUR, EUSE** n. (XXe s.) est rare. ◆ **TROTTE-MENU** adj. inv., d'abord relevé comme surnom d'une personne sous la graphie *Trotemenu* (1261), est formé de l'élément verbal *trotte-,* et de *menu** pris adverbialement. ◇ Il a servi à qualifier une personne qui trotte à petits pas (1488) et on dit encore par allusion littéraire *la gent trotte-menu* (1668), expression de La Fontaine pour désigner les souris. *Trotte-menu* s'est employé au sens figuré de «sautillant, animé d'un rythme vif» (1870).

D'autres dérivés apparaissent en moyen français. ◆ **TROTTE** n. f., déverbal de *trotter,* d'abord écrit *trote* (v. 1390), a servi de synonyme à *trot.* ◇ Son emploi moderne pour «distance assez longue à parcourir» (1680) est d'abord non marqué ; sa reprise dans le langage familier est assez récente (1867). Il entre dans la locution familière ***(tout) d'une trotte*** (1907). ◆ **TROTTEUR, EUSE** n. a qualifié (v. 1215) un cheval destiné à trotter. Employé ensuite comme nom (XVe s.), il s'est spécialisé au XIXe s. dans le domaine des courses (1859). ◇ L'emploi pour «vagabond, rodeur» (1539) ne s'est pas maintenu. ◇ Trotteur s'est appliqué familièrement à une personne qui marche beaucoup, fait de nombreux déplacements à pied (1788 ; 1660, au féminin), et *trotteuse* s'est dit d'une prostituée (1888). ◇ Au XXe s., dans le vocabulaire de la mode, le mot s'est dit d'un vêtement permettant de marcher vite (1901, *costume trotteur, jupe trotteuse*), puis désigne un type de chaussures de ville à talon large et bas (1928). ◆ **TROTTEUSE** n. f. s'est spécialisé (1894) pour désigner l'aiguille des secondes (d'une montre, d'un chronomètre). ◆ **TROTTERIE** n. f., d'abord écrit *troterie* (XVe s.), a désigné l'endroit où l'on fait fouler. Le mot s'est employé à propos d'un petit voyage (1680, cf. *trotte,* ci-dessus).

TROTTOIR n. m. apparaît au XVIe s. dans la locution figurée *être sur le trottoir* «être l'objet de l'attention du public» (1577, *sur le trottouer*). Le mot est attesté au XVIIe s., employé seul, pour désigner un espace surélevé aménagé sur le côté d'une rue à l'usage des piétons (1625, écrit *trouttouer;* 1660, *trottoir*) et ne se répand qu'à partir du XIXe s., avec la généralisation de ce type d'accotement. ◇ Il a aussi désigné une piste où l'on faisait trotter les chevaux (1660) et un chemin surélevé longeant certains quais ou ponts (1762, Académie). Après l'emploi moderne apparaît *trottoir roulant* (1900) «tapis roulant». Dans les premiers emplois figurés, on relève *se jeter, se mettre sur le trottoir* «se mettre en évidence» (Montaigne), expression disparue comme *être sur le trottoir* (1694) à propos d'une fille bonne à marier. Cette valeur de passage commun, de rencontre publique, s'est effacée devant d'autres connotations, qui dépendent de celles de *rue.* Ainsi, avec l'emploi moderne du mot, apparaît au XIXe s. la locution familière ***faire le trottoir*** «se prostituer» (1852) [cf. *bitume*], d'où *le trottoir,* pour «le monde de la prostitution» (1867).

TROTTIN n. m., attesté au XVe s. comme nom propre (1488), a désigné des pieds de mouton (1532) un animal qui trotte (1594). ◇ À partir du XVIIe s., il s'est dit d'un petit gamin qui fait les courses (1648, Scarron), emploi sorti d'usage, puis de l'apprentie d'une modiste chargée des courses en ville (1831); cette valeur n'existe plus que par référence à l'époque des années 1900.

TROTSKISTE adj. et n. est dérivé (1925) du nom de *Trotski, Trotsky,* pseudonyme de Lev Bronstein.

♦ Le mot désigne un partisan de Trotski et de ses théories marxistes, révolutionnaires, opposées au léninisme, puis au stalinisme. La tendance trotskiste s'est regroupée en 1938 dans la IVe Internationale.

▸ Il a pour dérivé **TROTSKISME** ou **TROTSKYSME** n. m. et pour composés **ANTITROTSKISTE** adj. et n. (1926) et **ANTITROTSKISME** n. m. (1935), tous deux écrits aussi avec un *y.*

TROU n. m. (v. 1250), antérieurement *trau* (v. 1175), est issu d'un latin populaire °*traucum,* attesté en latin médiéval sous la forme *traugum* (VIIIe s., *Loi des Ripuaires*). Il s'agit peut-être d'un emprunt au gaulois mais il n'est pas représenté dans les autres langues celtiques; le mot pourrait venir d'un des peuples qui occupaient la Gaule avant les Celtes. À côté du type *trou,* par exemple en ancien provençal *(trau),* on trouve pour exprimer la même idée l'ancien français *pertuis** et des dérivés de *forer* (ancien gascon *forat; forure* → forer).

♦ Dès les premiers textes, le mot désigne une ouverture traversant un corps, puis une plaie profonde (v. 1225), une solution de continuité produite par l'usure, un choc, etc. (1279). Il se dit aussi d'une cavité plus ou moins profonde, spécialement d'une cavité, naturelle ou non, servant d'abri à un animal ou à un homme (déb. XIIIe s.). Il s'est employé très familièrement (v. 1250) en parlant des parties sexuelles de la femme. ⬩ Plusieurs extensions de sens apparaissent à partir du XVe s.; relevé au sens disparu de «taverne» chez Villon (v. 1460), il désigne dès le XVIe s. une petite localité à l'écart (1525), puis une maison, une retraite où l'on s'isole (1592); ces emplois sont restés vivants *(un petit trou pas cher).* Le mot a eu au XVIe s. le sens de «détroit» (1534). ◇ Par ailleurs, il se spécialise comme terme de jeu (1680, au jeu de paume), aujourd'hui au billard, au golf (1895) où les parcours sont caractérisés par le nombre de trous. ◇ *Trou* commence aussi au XVIIe s. à désigner une dette (1640), une perte d'argent dans des expressions comme *déboucher un trou pour en reboucher un autre* (1640) devenue ***faire un trou...*** (1669), ***boucher un trou*** (1690; 1668, au pluriel). La métaphore est reprise dans la locution plaisante *le trou de la Sécu* «le déficit de la Sécurité sociale». ◇ Il s'emploie aussi par figure dans *boire en trou* (1651, Scarron), aujourd'hui ***boire comme un trou*** (1649), plus tard dans ***trou normand*** (1876) «verre d'alcool bu entre deux plats», pour «creuser» l'estomac. Une autre métaphore, d'après «percer un mur, ce qui enserre», donne lieu à une locution figurée, ***faire son trou*** (1833) «réussir». ◇ Au XVIIIe s., *trou* devient un nom familier de la prison (1725). ◇ Avec l'idée de manque, *trou* désigne l'endroit d'un tableau où des objets mal regroupés laissent voir le fond (1767) et plus tard s'emploie abstraitement pour parler d'un passage faible d'une œuvre (1871). Il est par ailleurs employé pour «lacune, marque» (1842), en particulier dans ***trou de mémoire.*** ◇ Les extensions techniques se sont multipliées avec ***trou d'homme*** (1840; 1838, *trou de l'homme*), *trou du chat* (1831), en marine pour différentes sortes de passages et d'ouvertures, *trou du loup* (1845) en fortifications, et avec *trou* «abri pour les bâtiments» en marine (1872), sorti d'usage. Le *trou du souffleur* (1800) désigne le dispositif pratiqué au centre de la scène de théâtre, d'où le souffleur, dissimulé sous celle-ci, pouvait rappeler leur texte aux acteurs. ◇ D'autres emplois sont plus récents, comme ***trou d'air*** (1915) «brusque dépression», *trou* pour un défaut de la défense au rugby (1905), et l'expression ***trou noir*** en astronomie. L'argot des écoles a diffusé au XXe s. la prononciation plaisante *trohu.*

▸ Le dérivé **TROUER** v. tr. existe dès le XIIe s. au sens de «creuser, évider» (v. 1130) et (v. 1155) «percer, faire un trou». L'intransitif s'est dit pour «devenir troué» (v. 1170), sens repris par *se trouer* (1611). À partir du XIXe s., le verbe signifie «faire une trouée dans» (1829), «traverser (un milieu)» (1828), «former une ouverture dans (qqch.)» (1867, Zola). ⬩ Son participe passé **TROUÉ, ÉE** est adjectivé (v. 1160) pour qualifier un objet percé et s'emploie aussi au figuré (1848, *troué de*). ⬩ **TROUÉE** n. f., réfection (1611) de *trauwée* (fin XVe s.), désigne une large ouverture, un trou laissant le passage. Il a développé une acception militaire, «ouverture faite dans les rangs de l'armée ennemie» (1798), d'où par figure la locution sortie d'usage *faire sa trouée* (1840), comparable à *faire son trou,* et au rugby ***faire la trouée*** (1936). ◇ *Trouée du ciel* (1849) se dit d'un espace entre les nuages, et, en géographie, *trouée* désigne un passage dans une chaîne de montagnes (1892). ⬩ *Trou* lui-même entre dans quelques mots composés dont **TROU-MADAME** n. m. (1571), nom d'un ancien jeu, le composé familier **TROU DU CUL** n. m. «anus» (1314), comme le plus récent ***trou de balle*** (1861), puis (XIXe s.) dit péjorativement d'un imbécile, parfois abrégé en **TROUDUC** (1947; *troudu*, 1909). La forme à redoublement **TROU-TROU** n. m. (v. 1960), désigne un ornement de lingerie.

◈ voir **BOUCHE-TROU** (art. **BOUCHER**).

TROUBADOUR n. m. est emprunté (1575) à l'ancien provençal *trobador* (XIIe s.), cas régime de *trobaire* «poète», de *trobar* «trouver» (v. 1050), spécialement «faire des vers», «inventer» (XIIe s.), la substantivation en *trobar clus* («fermé») désignant une forme de poésie ésotérique opposée à *trobar leu* («léger», clair). *Trobar* est de même origine que *trouver**.

♦ Le mot apparaît tardivement en français d'oïl, puis semble oublié jusqu'à la fin du XVIIe s. (1690); l'ancien français a cependant connu *estrobadour* (fin XIe s.) à propos d'une personne qui invente des histoires. *Troubadour*, terme occitan parallèle à *trouvère* (→ trouver), désigne un des poètes lyriques qui, aux XIIe et XIIIe s., fondèrent la littérature de langue d'oc et introduisirent en Europe ce que l'on a nommé ensuite l'*amour courtois*. C'est le seul emploi vivant du mot qui a connu de nouvelles acceptions au XIXe s., avec la vogue du moyen âge à partir des années 1820. Il est en apposition pour qualifier ce qui rappelle les troubadours et leurs valeurs, d'abord employé ironiquement (1843, Gautier), puis à propos d'un style pseudo-gothique en architecture (1851, *style troubadour*) et d'un genre littéraire qui prétend imiter la poésie courtoise (1876, *genre troubadour*). ◇ L'image conventionnelle et erronée du troubadour, le poète qui chantait de château en château, le caractère romantique de sa poésie, produit des emplois sortis d'usage, «chevalier errant» chez Flaubert, «chanteur de société» (1845), et au XXe s. *swing troubadour* (v. 1940), inspiré du jazz américain et mis à la mode par Charles Trenet.

▸ Le mot a produit de rares dérivés au XIXe siècle. ➤ **TROUBADOURESQUE** adj. (1846) «qui est d'une sentimentalité fade» s'emploie aussi, comme **TROUBADOURISME** n. m. (1846, Gautier), à propos de ce qui tient du genre troubadour dans le romantisme du XIXe s.; les deux mots sont archaïques. ➤ *Troubadour* est passé dans l'argot du XIXe s. pour désigner un soldat (1833) par attraction phonique de *troupier** et par assimilation du fusil à un instrument de musique; il a donné par apocope **TROUBADE** n. m. (1859), mot familier pour un soldat, sorti d'usage vers la fin du XIXe s. (cf. *tourlourou*).

① **TROUBLE** adj. (XIIIe s.), d'abord *truble* (v. 1112) puis *troble* (v. 1160), est issu par métathèse du *-r-* d'un latin populaire °*turbulus*, formé du croisement de deux adjectifs dérivés de *turba* «agitation de la foule» (→ ① tourbe) et de sens très voisin; l'un est *turbidus*, qui qualifie une personne ou une chose agitée, bouleversée, confuse; l'autre, *turbulentus*, s'applique à ce qui est remuant et a donné *turbulent**.

♦ Le mot est passé en français avec un sens concret, qualifiant un liquide qui n'est pas limpide, d'où spécialement *vin trouble* et la locution figurée *pescher en l'eve troble* (v. 1160) devenue ***pêcher en eau trouble*** (1606). L'adjectif qualifiait un lieu ou une nuit obscure (v. 1220) et aussi (v. 1354) un ciel brumeux, un temps nuageux; le premier emploi a disparu, le second est archaïque. ◇ Le mot s'emploie plus tard comme adverbe dans ***voir trouble***, au figuré (déb. XVe s.) et au propre (1539), puis comme adjectif (1665) pour parler d'une vue indistincte des choses, plus généralement (1690) d'un corps, d'un milieu dont la transparence est altérée, d'où *yeux troubles* (1694). ➤ Au figuré, dès l'ancien français, il qualifie un comportement inquiet (v. 1160, *troble*); cet emploi est sorti d'usage au bénéfice de *troublé* (→ troubler). Il s'est appliqué en ancien français (v. 1283) à ce qui n'est pas clair pour l'esprit, se disant (v. 1360) de ce qui renferme des éléments suspects, cachés *(une affaire trouble)*, cette valeur étant encore vivante, et, à partir du XVIIIe s. (av. 1782), sous l'influence de *troubler*, de ce qui contient des éléments inavouables ou menaçants *(des désirs troubles)*.

◈ voir **TROUBLER**.

② **TROUBLE** → **TROUBLER**

TROUBLER v. tr. (XIVe s.), d'abord *trubler* (1080), *trobler* (v. 1155), est issu d'un latin populaire °*turbulare*, lui-même dérivé de *turbulus* (→ ① trouble); le latin classique employait *turbare*, de la même famille. En français, la métathèse du *-r-* est constatée dès les premières attestations (*trubler* dans *La Chanson de Roland*) mais on rencontre aussi en ancien français les variantes conformes au latin *torbler*, *turbler* (v. 1190), *tourbler*.

♦ Le verbe, d'abord intransitif, signifie «devenir brouillé» en parlant des yeux, puis du temps (1119), de l'esprit; cet emploi se maintient jusqu'à la fin du XVIe s., remplacé ensuite par le pronominal *se troubler*, lui-même sorti d'usage à propos du ciel (1646) mais qui reste vivant en parlant de l'esprit (1680), des yeux, du regard (av. 1695). Il s'est dit aussi pour «s'agiter» (v. 1175), en parlant par exemple de la mer. ◇ *Troubler* est transitif dès le XIIe s., signifiant (v. 1155) «empêcher les fonctions mentales de (qqn) de s'exercer normalement» et «interrompre ou gêner désagréablement le déroulement de (qqch.) (v. 1160)», puis «rendre moins pur (un milieu)» (v. 1175) et «altérer l'équilibre, l'ordre de (qqch.)» (v. 1196). Ces deux valeurs se développent dès l'ancien français. ◇ Le verbe a signifié «provoquer une querelle entre des personnes» (v. 1170; fin XIVe s., intr.) et «fomenter des troubles dans un pays» (v. 1170), sens disparus en français classique, mais *troubler l'ordre public* (1866) reste vivant. Il se dit depuis le XVIIe s. par «faire cesser l'état stable de (qqch.)» (1636 *troubler le silence*). Il s'est employé (1288) avec un sens général, «empêcher (qqch.)», qui s'est restreint en droit à «empêcher l'exercice (d'un droit)» (1409). *Troubler qqn* a signifié en moyen français «desservir» (v. 1360) puis «mécontenter» (v. 1460). ◇ Sur le plan psychologique, le verbe signifie «gêner l'usage normal d'une fonction mentale» (fin XIVe s.), plus tard au pronominal *se troubler* (v. 1770). ◇ À partir du XVIIe s., *troubler* correspond à «gêner le fonctionnement de (qqch.)», la digestion (1636), le sommeil (1671), etc.; de là *troubler la paix de l'âme* (1667). *Troubler qqn* est vieilli pour «le déranger» (1530) et sorti d'usage au sens de «l'interrompre quand il parle» (1640). ◇ *Soi troubler* (XIVe s.) puis *se troubler* «éprouver une émotion» précèdent *troubler qqn* «lui faire perdre son assurance, sa présence d'esprit» (1549), puis «le rendre perplexe» (1668). ◇ Enfin l'époque classique introduit l'acception «mettre (qqn) dans un état de trouble en suscitant une émotion amoureuse» (1667, *troubler le cœur*), d'où ensuite sur le plan érotique *troubler les sens* (XIXe s.) et *troubler qqn (être troublé)*.

▶ **TROUBLÉ, ÉE** adj., du participe passé, est une réfection (XIIIe s.) de *turblé* (v. 1155); il qualifie une personne inquiète, en proie à l'émotion puis (fin XIVe s.) un pays en état de trouble et un esprit qui ne jouit plus de son état normal. Le sens physique de «brouillé, rendu trouble» est attesté plus tard au début du XVIIe s. (av. 1613). ◇ L'adjectif se dit aussi de ce qui est marqué par des troubles (1770, *période troublée*). ➜ **TROUBLEUR, EUSE** n. et adj., d'abord dans le syntagme *troubleur de la paix* (1261), est devenu rare. ➜ **TROUBLANT, ANTE**, adjectif tiré du participe présent (1581), signifiant d'abord «inquiétant», a mis longtemps à s'imposer. Repris avec le sens de «qui affecte, altère la vie organique, psychique» (1851), il qualifie vers la fin du XIXe s. ce qui embarrasse (1894, Goncourt) et ce qui excite le désir (1889).

Le déverbal ② **TROUBLE** s'emploie d'abord (fin XIIe s.) à propos de l'agitation mentale, puis, avec une valeur plus forte (v. 1450), de l'altération des facultés intellectuelles, délire ou aliénation. D'après la valeur psychologique prise par le verbe *troubler*, *trouble* correspond dans la langue classique à «agitation intérieure causée par un sentiment intense (en particulier la passion amoureuse)» par exemple dans Racine, 1677). ◇ Sur le plan collectif, le mot désigne depuis le XIIIe s. la confusion, l'état de désordre social (1262), emploi devenu archaïque au singulier, sauf peut-être dans *jeter le trouble* (v. 1360) «semer la division entre des personnes», mais conservé au pluriel, *les troubles*, emploi datant du XVe s. (1468). De là l'expression *fauteur* de troubles*. ◇ En droit, depuis la fin du XIIIe s., *trouble* s'applique à l'empêchement apporté à la jouissance d'un bien. ◇ Le sens physique concret, «état d'un milieu dont la transparence ou la pureté est altérée», est tardif et rare (1832). La spécialisation médicale, surtout au pluriel *(des troubles)*, «modification pathologique de l'organisme» (1842) ou «du comportement» (fin XIXe s.), est en revanche usuelle.

Le composé verbal **TROUBLE-FÊTE** n. inv., de création ancienne (v. 1300, *troble-feste* «personne importune», a reçu au XIXe s. (1831, Hugo) le sens plus large de «personne qui dérange, trouble».

◈ voir **TRUBLION** (art. **TRUBLE**).

TROUFIGNON → FION

TROUFION → FION

◈ ① **TROUILLE** n. f. (1886) est probablement le même mot que *trouille* «colique» (attesté 1889) et «gros pet» en moyen français; ce terme d'origine dialectale dérive de l'ancien verbe *truilieir* «broyer» (XIIIe s.), *troiller* «pressurer (la vendange)» (1256), lui-même dérivé de *truil, troil* (voir *treuil*). P. Guiraud renvoie à l'emploi bien attesté dialectalement de *trouiller* au sens de «lâcher un pet avec des excréments» (cf. *foirer*). On a aussi invoqué l'influence de *drouille*, mot dialectal du Nord-Est, emprunté au moyen néerlandais *drollen* «chier».

♦ Le mot, populaire, puis familier, est d'abord relevé dans l'expression *ne pas avoir la trouille* «ne pas avoir peur» (1886), qui correspond à la même image populaire que *avoir la colique* (cf. *avoir la pétoche*). Le sens d'origine n'est plus perçu. ◇ Le mot s'est dit d'une femme forte (1808, *une grosse trouille*) et d'une prostituée (1856).

▶ **TROUILLARD, ARDE** adj. et n., dérivé de *trouille* ou de même origine, s'emploie (1756) familièrement pour «peureux». Il est aussi attesté au féminin au sens de «prostituée» (1867). ➜ On a aussi formé le composé plaisant **TROUILLOMÈTRE** n. m. (v. 1940) au moyen de l'élément *-mètre**, employé dans la locution familière ***avoir le trouillomètre à zéro*** «avoir très peur».

Deux mots apparentés à *troiller, trouiller* se rencontrent encore : le terme régional ② **TROUILLE** n. f. (1793), nom d'un tourteau de colza, et le diminutif familier **TROUILLOTER** v. intr. (1833) «puer».

TROUPE → TROUPEAU

TROUPEAU

TROUPEAU n. m., dont la forme actuelle (v. 1465) a été précédée par *tropel* (v. 1155), est probablement dérivé d'un ancien nom masculin °*trop* «rassemblement de personnes», représenté par le latin médiéval *truppus, troppus* (v. 700, au sens de «troupeau»), lui-même issu par métathèse d'un francique °*thorp* «village» (cf. allemand *Dorf*), qui a fourni par ailleurs le français *trop**.

♦ Le mot a d'abord désigné un ensemble de choses avant de s'employer (1174) pour la réunion d'un certain nombre de personnes qui marchent ou agissent de concert, encore relevé au XVIIe s. et réservé depuis à *troupe* (ci-dessous). ◇ Le sens moderne, «réunion d'animaux domestiques qu'on élève et nourrit ensemble» (v. 1290), est rare avant le XVIe s.; on employait auparavant les mots *fouc* et *herde*, également d'origine germanique. Par extension, *troupeau* se dit pour un groupe de bêtes sauvages (1530), acception qui englobait autrefois les insectes (1530, à propos d'un essaim d'abeilles). ◇ Par métaphore, il est de nouveau appliqué à un groupe humain, spécialement dans le langage religieux (1538) pour la réunion des fidèles (cf. *ouailles*) par allusion à la parabole du Bon Pasteur (1550, *troupeau de Jésus-Christ* «l'Église»). L'usage courant l'applique aux êtres humains avec une connotation dépréciative (1640, Corneille).

TROUPE n. f., réfection (1538) de *trope*, n. m., graphie conservée jusque dans la seconde moitié du XVe s., est soit une forme construite à partir de *tropel*, soit la forme féminine tirée de l'ancien substantif °*trop* (ci-dessus). ➜ Le mot s'applique dès les premiers textes à un groupe de personnes (1178), plus précisément à une réunion de personnes qui marchent ou agissent de concert (v. 1220). Ce sens a vieilli au profit d'acceptions spéciales :

troupe désigne un corps de soldats (1477) et se dit par ailleurs d'un groupe de comédiens qui jouent régulièrement ensemble (1607). ◇ Le sens militaire est celui qui a eu le plus grand nombre d'extensions, *les troupes* servant à désigner les divers corps de soldats qui composent une armée (1636), et *la troupe* l'ensemble des soldats par opposition aux officiers (1803), d'où *homme de troupe* «simple soldat» (cf. ci-dessous *troupier*). L'expression *enfant de troupe* s'applique à un fils de militaire élevé aux frais de l'État, dans une école militaire (1833). *Troupe*, absolument, se dit aussi de la force militaire ou de la force publique chargée de rétablir l'ordre (1862). Par extension, *troupe* s'applique à un ensemble de patrouilles de scouts ou de routiers (1928). ◆ Son ancien sens, «troupeau de bêtes» (1178) est sorti d'usage à la fin du XVIIe s. lorsque le partage des sens entre *troupe* et *troupeau* a été fixé, le premier s'employant pour les humains et pour les animaux autres que les mammifères, surtout domestiques, *en troupe* se disant d'animaux sauvages, d'oiseaux...

Troupe a produit quelques dérivés. ◆ Le plus ancien est **ATTROUPER** v. tr., dont la forme moderne (1649) a été précédée par *atroper* (v. 1205) «réunir, assembler». Le verbe s'emploie aussi à la forme pronominale (1611) pour «s'amasser, se réunir en foule» et spécialement «(s') assembler tumultueusement». ◆ Cette valeur est présente dans le dérivé **ATTROUPEMENT** n. m. (XVIe s.) dès les premières attestations, le mot s'appliquant plus tard à toute réunion spontanée de personnes sur la voie publique *(un attroupement de badauds)*. ◆ **TROUPIER** n. m. (1818) a désigné proprement un homme de troupe, un soldat (→ troubade [troubadour], troufion) avant de s'employer adjectivement dans le syntagme lexicalisé *comique troupier*, à propos d'un genre comique à la mode à la fin du XIXe s. et jusqu'en 1930 environ, dérivé des tournées du Théâtre aux Armées.

◈ voir **TROP**.

TROUPIALE n. f., est une altération (d'après *troupe*) de *turpiale* (1745), emprunt probable à une langue amérindienne du Brésil.

♦ Le mot désigne un oiseau exotique de la famille des passereaux, vivant en troupes et construisant des nids élaborés.

◈ ✳ **TROUSSER** v. tr., modification (XIIIe s.) de *trosser* (1080), est issu, avec une métathèse fréquente (cf. *trop, trouble, troubler*...), d'un latin populaire °*torsare*, dérivé de °*torsus* qui, à côté de *tortus* (→ tort), servait de participe passé à *torquere* (→ tordre). Le français présente la métathèse du *-r-* dès les premiers textes mais on rencontre en ancien français les variantes *torser* (XIIe-XIIIe s.), *tourser* (XIIIe-XVe s.), plus conformes au latin.

♦ Le sens premier est «charger (qqch.) sur une bête de somme», parce qu'on entoure la charge de cordes. Le sens concret, «attacher», «mettre en paquet» (v. 1135) a disparu. ◇ Le mot a vieilli lorsqu'il désigne l'action de relever un vêtement (déb. XIVe s.), remplacé en emploi neutre par *retrousser*, et stylistique, ironique lorsque l'acte s'accompagne d'une intention érotique : *trousser les jupons* (v. 1462) et *trousser une femme* «la posséder sexuellement» (1872). ◇ Quelques autres emplois concrets, aux XVIe et XVIIe s., «préparer», «habiller» et «parer» (1553), sont sortis d'usage, mais le sens de «relever, redresser» en parlant de la queue d'un cheval (1583) est encore vivant. ◇ Par ailleurs, *bien troussé* «fait lestement» en parlant d'une œuvre littéraire (1548) s'est bien maintenu *(un compliment bien troussé)*. ◇ La langue classique a employé par figure *trousser* pour «enlever rapidement», à propos d'une maladie (fin XVIe s.), et «expédier» (1587 ; fin XVIe s., *trousser une affaire*), encore possible dans l'usage littéraire, et spécialement «composer rapidement (une petite œuvre)» (déb. XVIIe s.), surtout dans quelques constructions traditionnelles comme *trousser un sonnet, un épigramme, un compliment*... ◇ L'emploi en cuisine à propos de la préparation d'une volaille à laquelle on replie les membres (1721) est le seul sens technique conservé.

▸ Le verbe a servi à former des dérivés et plusieurs noms composés. ◆ Le déverbal **TROUSSE** n. f. (XIIIe s.), d'abord *trusse* (fin XIIe s.), doit être encore plus ancien d'après la première attestation de son diminutif *trousseau*. Le sens premier de *trousse* est «ballot, faisceau de choses liées ensemble» ; il ne subsiste que régionalement. ◇ Le mot a pris par métonymie le sens concret de «contenant», d'abord appliqué à une valise (1360), à un carquois (XVe s.) et à un étui (1660) dont la destination est souvent précisée par un complément de détermination *(trousse à, de...)*. Absolument, il se rapporte (fin XIXe s.) à l'étui à crayons de l'écolier. ◇ Il a désigné un haut-de-chausses court et relevé (1570) porté au XVIe s., et encore au XVIIe s. par les pages, sens disparu mais auquel se rattache la locution encore usuelle ***(être) aux trousses de qqn*** (1616) «suivre de près», «poursuivre». ◇ La locution *en trousse* «en croupe» (v. 1560) a disparu avec le sens de «bagage replié et attaché derrière la selle d'un cheval» (1690). ◇ Quelques valeurs techniques demeurent vivantes jusqu'au XIXe s. et au-delà : «cordage de charpentier servant à élever des fardeaux» (1680), «morceau de cuir relevant la queue d'un cheval» (1832 ; cf. *trousse-queue* ci-dessous), «anneau de cuvelage employé dans les mines» (1872, Littré) et «outil de sondage» (v. 1960).

Trousse a donné le diminutif **TROUSSEAU** n. m., dont la forme actuelle (XIVe s.) est l'adaptation, d'après *trousse* et *trousser*, de *torsel* (v. 1130) et *trussel* (1155). ◆ Le mot, en relation avec le sens originel de *trousse*, a désigné un paquet, un ballot de marchandises ; il se spécialise ensuite (1228) pour «habits, linge d'une jeune fille qui se marie ou entre en religion». À côté de plusieurs acceptions concrètes sorties d'usage, il désigne la réunion de plusieurs clefs attachées ensemble (1596), surtout dans l'expression *trousseau de clés*. ◇ Par analogie avec le trousseau de la mariée, il s'applique aux vêtements et au linge que l'on donne à un enfant qui quitte ses parents pour la pension ou l'apprentissage (1832).

Trousser a produit par ailleurs des termes techniques. ◆ **TROUSSAGE** n. m. (v. 1390) a pris ses acceptions modernes tardivement, en cuisine (1875) et en fonderie (1933, Larousse). ◆ Il en va de même de **TROUSSOIRE** n. m. (1381), d'abord «agrafe de ceinture», qui désigne aujourd'hui (depuis 1845) une pince d'émailleur. ➜ **TROUSSIÈRE** n. f. (1470), d'abord «corde pour élever des fardeaux», a pris au XIXe s. le sens de «corde pour unir deux pièces d'un échafaudage» (1876). ➜ **TROUSSIS** n. m. (1611), nom donné au pli que l'on fait à une robe pour la relever, a disparu au bénéfice de *retroussis*. ➜ **TROUSSEUR** n. m. ne s'emploie guère que dans *trousseur de jupons, trousseur de femmes*, etc. (1879). ➜ **TROUSSEQUIN** n. m. (1677), terme technique d'hippologie, «arcade postérieure relevée de l'arçon de la selle», est un dérivé dialectal de *trousse* formé avec le suffixe picard *-quin*.

Trousser a par ailleurs produit deux préfixés. **DÉTROUSSER** v. tr., réfection (1636) de *destrusser* (1119), «dépouiller (qqn) de ce qu'il porte sur lui», est encore en usage mais soutenu. ◇ Il s'est dit aussi (v. 1175, *destorser*) pour «décharger, déballer», emploi disparu. ◇ Le dérivé **DÉTROUSSEUR** n. s'est conservé avec la valeur correspondante, qu'il présente dès sa première attestation (1489) dans l'expression *destrousseur de hault chemin*. ➜ L'autre préfixé **RETROUSSER** v. tr. (1211) n'a conservé que le sens de «relever un vêtement» (1530), et surtout «relever la partie pendante d'un vêtement», qui s'est substitué peu à peu à *trousser* (ci-dessus) en emploi neutre et s'applique en particulier aux manches (2e moitié du XVIIe s.), évoquant alors la préparation à l'effort. ◇ Son participe passé adjectivé **RETROUSSÉ, ÉE** se dit spécialement d'un nez au bout un peu relevé (v. 1544). ➜ Le verbe a donné quelques dérivés : **RETROUSSEMENT** n. m. (1606), nom d'action, **RETROUSSIS** n. m. (1680) «partie d'un vêtement retroussée de façon permanente». ◇ Le déverbal **RETROUSSE** n. f. ne s'emploie que dans (nez) ***à la retrousse,*** «retroussé». ◇ **RETROUSSAGE** n. m., plus tardif (1845), est surtout employé pour ses sens techniques en viticulture et en gravure (1907).

Quelques noms composés avec l'élément verbal *trousse-* ont été formés à partir du XVIe siècle. ➜ **TROUSSE-GALANT** n. m. (1530) a servi de désignation plaisante à une grave maladie épidémique (notamment le choléra) qui *trousse* «enlève» les *galants* «jeunes gens». ➜ Le terme d'hippologie **TROUSSE-QUEUE** n. m. (1553) reste usité. ◇ **TROUSSE-PET** (1606, pseudo-nom propre) ou **TROUSSE-PÈTE** n. (1798), ancienne désignation péjorative d'un petit garçon ou d'une petite fille, s'emploie encore familièrement à propos d'une courte veste (XXe s.). ➜ **TROUSSE-PIED** n. m. (1812) désigne un lien pour maintenir replié le pied d'un animal. ➜ **TROUSSE-JUPONS** n. m. inv. semble une création tardive (XXe s.), en concurrence avec le dérivé *trousseur* (ci-dessus).

TROUVER v. tr., qui a remplacé (XIIIe s.) la forme *trover* (fin Xe s.), est probablement issu d'un latin populaire °*tropare*, dérivé de *tropus* «figure de rhétorique» (→ trope); °*tropare* est attesté en bas latin mais en composition, dans *contropare* (ci-dessous *controuver*) et dans *attropare* «parler d'une manière figurée» (Ve s.). Le passage en français au sens de «rencontrer» reste obscur. Wartburg part du fait que *tropus* a pris en bas latin le sens de «mélodie, chant» : °*tropare* aurait d'abord signifié «composer, inventer (un air)» puis «composer (un poème)» et plus généralement «inventer»; la première valeur est en effet bien attestée en ancien français, dans la langue littéraire, comme en ancien provençal *(trobar)*, et elle est appuyée par de nombreux dérivés dont *trouveur, trouvère* (ci-dessous) et *troubadour** sont témoins. De l'idée d'inventer on serait passé à l'acception plus large de «découvrir ce que l'on cherche», aussi en italien *(trovare)*, et °*tropare* se substitue alors au latin classique *invenire* (→ inventer); les autres langues romanes n'ont pas non plus conservé cette valeur de *invenire*. ◇ P. Guiraud propose une autre hypothèse pour expliquer l'évolution des sens. D'après *tropus* «tour», d'où «changement de sens», °*tropare* a pu avoir deux acceptions, comme *convertere* (→ convertir) : en emploi transitif, il aurait signifié «faire tourner (qqch.)», d'où «transformer» et il aurait pris sa valeur en rhétorique ; comme intransitif, il se disait pour «se tourner vers (qqn)», d'où «rencontrer».

♦ Le verbe a pénétré en français avec le sens de «rencontrer par hasard, sans avoir cherché» et aussi «rencontrer (qqn ou qqch. que l'on cherche)» (v. 1050), y compris en parlant de choses abstraites (v. 1175); il a très tôt la valeur abstraite de «découvrir (qqch.) par un effort de l'esprit, de l'imagination» (1080), et s'emploie dans ce sens sans complément (1221). D'autres valeurs sont attestées au XIIe s. : *trouver* est au sens étymologique pour «faire des vers, inventer» (1155), sens qui, de même que son extension «composer, écrire» (v. 1283), est sorti d'usage en moyen français; mais le verbe s'emploie toujours au sens (XIVe s.) de «concevoir, choisir (les moyens d'expression qu'on veut utiliser)» *(trouver le mot juste)*. Au XIIe s., *trouver* exprime déjà l'idée de «voir (qqch. ou qqn) se présenter de telle manière», de «constater l'état d'une chose ou d'une personne quand on la voit» (v. 1145) et de «remarquer (chez elle) une qualité bonne ou mauvaise», cette dernière surtout répandue au XVIIe s. (1669, Racine). ◇ *Trouver* s'emploie aussi au sens figuré de «parvenir à avoir un état que l'on cherchait». ◇ Au début du XIIIe s., le verbe signifie aussi «parvenir à rencontrer (qqn)», surtout dans *aller trouver qqn* (v. 1200). À la même époque, *trouver* signifie également «obtenir ce que l'on estime indispensable» (1273), d'où plus tard ***trouver chaussure à son pied*** (1611), *trouver un mari* (1661) et l'emploi pour «découvrir (une personne utile)», *trouvez-moi qqn* (1666). ◇ Il devient aussi un verbe de jugement (v. 1265), synonyme de *juger, estimer* et signifie «faire état d'une opinion personnelle» (v. 1150), notamment avec un adjectif attribut (1273, *trouver qqn désagréable*), ***trouver qqch. bon/mauvais*** (1538), ***trouver bon/mauvais*** «approuver/désapprouver» (1585), ***trouver bon que*** en formule de politesse (1690) et, plus récemment, ***la trouver raide*** (1866), ***la trouver mauvaise*** (1867, en argot), par ellipse familière de *plaisanterie*. ◇ *Trouver à* et infinitif (v. 1250) correspond à «découvrir le moyen de». ***Trouver à redire*** (à qqch.) [XVe s.] correspond à «découvrir des éléments discutables, mauvais». ◇ À partir du XVIIe s., *trouver* s'emploie par figure avec un sujet de chose (1640) et signifie «rencontrer (qqch.) sans qu'on s'y attende» (1642, *trouver la mort*), en particulier dans une œuvre ou chez un artiste (1690). Employé avec *on, nous, vous,* il équivaut (av. 1662) à *il y a, il y aura*, etc. *(on trouve, vous trouverez ici...)*. ◇ Le verbe acquiert quelques nuances nouvelles au XIXe s., signifiant «parvenir à découvrir» en touchant (1862) ou avec des moyens particuliers (1872, *trouver une lésion*). ◇ Il correspond (1872) à *croire* dans une interrogation *(vous trouvez ?)* ou en incise. ➜ La forme pronominale *se trouver* (v. 1265) possède de nombreux sens spécifiques : dès ses premiers emplois, elle signifie «être dans telle situation». *Se trouver* exprime aussi le fait d'être quelque part (v. 1460), d'exister (fin XVe s.) et s'emploie dans *il se trouve que* «il arrive que» (fin XVe s.). ◇ ***Se trouver bien/mal*** (de qqch.) est employé au sens d'«avoir sujet d'être content, mécontent de» (1532). ***Se trouver bien*** correspond aussi à «se sentir bien» (1553) à côté de *se trouver mal* (1575) qui a pris le sens particulier de «s'évanouir» (1740). ◇ *Se trouver* avec un adjectif se dit pour «découvrir sa propre personnalité» (1636). *Se trouver être, se trouver avoir* «être, avoir par une circonstance fortuite» est relevé à la fin du XVIIe siècle. ◇ Le pronominal est entré dans quelques locutions figurées dont *cela ne se trouve pas dans le pas d'un cheval* (1640), puis ***sous le pas d'un cheval*** (1835), ***sous le pied d'un cheval*** (1955), ainsi que ***comme ça se trouve !*** «quelle coïncidence !» (1838).

▶ Les dérivés sont anciens. ➜ **TROUVEUR, EUSE** n. (XIVe s.), qui succède à *truvur* (apr. 1130), *troveor,* a d'abord eu le sens d'«auteur, conteur», d'où son emploi didactique (1690) pour *trouvère* (ci-dessous) et *troubadour** et, rarement, pour «poète» (déb. XIXe s.); dans ce cas on emploie le féminin *trouveresse* (v. 1380, *troveresse*). Il désigne aussi la personne qui trouve qqch., par hasard (XIIIe s., *troveur*), ou par découverte recherchée (fin XIIe s.), emploi assez rare sauf en droit, ou qui trouve par un effort de l'esprit (v. 1380). ➜ **TROUVABLE** adj. (fin XIVe s.) est, comme il arrive, moins fréquent que l'antonyme **INTROUVABLE** adj. (1639) qui qualifie une chose qu'on ne peut pas trouver, en particulier parce qu'elle est très rare (1693). Il a servi à qualifier par ironie la Chambre des députés à la Restauration, en 1815, tellement favorable au pouvoir qu'on ne pensait pas qu'une telle majorité fût possible. ➜ Parmi les emplois adjectivés remarquables du participe passé **TROUVÉ, ÉE** «découvert par hasard» (XIIe s., *trové*), l'un qualifie un enfant abandonné dans un lieu public (1517) et l'autre est son emploi dans ***bien trouvé*** (1665), ***tout trouvé*** (1677). ➜ Enfin **TROUVÈRE** n. m. est la forme classique et moderne adaptée (1670) de l'ancien français *trovere* (vers 1165), *troverres,* cas sujet de *troveor* (v. 1160; cf. *trouveur,* ci-dessus). Le mot, qui signifie en ancien français «auteur, compositeur», a été repris au XVIIe s. pour désigner un poète et jongleur du nord de la France (Normandie, Champagne, Flandre, Picardie, Artois) s'exprimant en langue d'oïl, le correspondant de langue d'oc étant nommé *troubadour**, mot occitan de même sens.

Le nom correspondant à *trouver,* **TROUVAILLE** n. f. (XIIIe s.), est une réfection de *trovaille* (1174) avec le sens ancien d'«épave». ◇ Le mot désigne plus généralement qqch. qui a été découvert par hasard puis, à partir du XVIIe s., une découverte heureuse (1658) et, seulement à l'époque classique, une personne trouvée heureusement et pouvant être utile (1680). La valeur d'«idée originale, intéressante» est plus tardive (1843).

Le préfixé **RETROUVER** v. tr. (v. 1250) remonte au XIIe s. sous la forme *retrover* (1169) au sens de «trouver de nouveau, trouver (ce qu'on avait perdu)». Il a développé de nombreuses valeurs aux XVIe et XVIIe s. : «reconnaître (une personne)» (v. 1550), «trouver (une personne dont on a été longtemps séparé)» (1667, Racine), «regagner, avoir de nouveau (l'espoir, la santé)» (1699) et «rejoindre (qqn)» (1699). ◇ Parallèlement, la forme pronominale *se retrouver* (XVe s.), d'abord employée pour des choses qui existent de nouveau, signifie aussi «se trouver de nouveau quelque part» (1553), «reconnaître son chemin» (1677), alors opposé à *se perdre,* au figuré «se trouver de nouveau dans un certain état» (1680) et, à la même date, au sens propre «se trouver de nouveau en compagnie de qqn». ◇ *S'y retrouver* exprime spécialement l'idée de rentrer dans ses débours (1768) et de s'orienter dans une recherche (XIXe s.). ➜ *Retrouver* a pour dérivés **RETROUVAILLE** n. f. «fait de retrouver» (1782), littéraire au singulier et surtout employé familièrement au pluriel avec son sens moderne en parlant de personnes (1888). ➜ **RETROUVABLE** adj. (1907) et l'antonyme **IRRETROUVABLE** adj. (1906) sont rares.

CONTROUVER v. tr. est probablement formé avec le préfixe *con-*, dès la fin du Xe s. (v. 980), sur le même radical que *trouver,* ou bien issu du bas latin *contropare,* attesté au VIe s. au sens de «comparer». ◇ D'abord employé pour «décider, convenir de qqch.», *controuver* se dit aussi pour «imaginer, inventer» (v. 1119), valeur qui s'est imposée aux dépens de la première. ➜ Depuis le XVIIe s., le mot est rare en dehors du participe passé **CONTROUVÉ, ÉE** adj., qui qualifie des faits erronés, allégués pour tromper, dans une intention malfaisante ; *controuvé* correspond surtout à la valeur résultative «qui s'avère inventé», d'où «démenti, infirmé». Son rapport à *trouver* n'est plus perçu.

TRUAND, ANDE n. (v. 1165, écrit *truant,* fém. *truande*) est généralement tenu pour le représentant d'un gaulois °*trugant-* qui répond à l'irlandais *trôgan,* diminutif de *truag* «malheureux, misérable». Toutefois, P. Guiraud, refusant cette étymologie qu'il juge peu conforme au sentiment négatif et sans compassion qui entourait le mendiant au moyen âge, voit dans *truand,* en s'appuyant sur le latin médiéval *trudanus, trutanus,* le dérivé du latin classique *trudere* «pousser» ; il trouve une confirmation de cette hypothèse dans le mot du jargon (argot ancien) *trucher, truquer* «mendier» qui représente °*trudicare* (→ truc); selon lui, le truand serait proprement un «intrus» (cf. *intrudere,* composé de *trudere,* signifiant «pénétrer en poussant»).

♦ Le mot désigne au moyen âge un mendiant professionnel, sens jugé vieux et bas à l'époque classique mais remis en usage par les romantiques

(Hugo, Gautier). Son emploi adjectif en ancien français pour qualifier une personne misérable, méprisable (v. 1190) a disparu au XVIe s.; appliqué à ce qui est propre aux mendiants (1379), il semble peu utilisé bien que Hugo l'ait remis à l'honneur au XIXe siècle. ◇ L'emploi injurieux du nom au sens de «vaurien» (XIIIe s.) est sorti d'usage à la fin du XVIIe s. de même que l'emploi comme adjectif pour «paresseux et débauché» (1636), relevé jusqu'au XVIIIe siècle. Le nom a eu à l'époque classique le sens particulier (1573) de «bouffon, bateleur», appliqué à l'Espagne. ➜ De nos jours, sauf par allusion historique, le mot n'est appliqué, presque toujours au masculin, qu'à un personnage du milieu (1906, alors en argot) et, par analogie, à une personne peu scrupuleuse, malhonnête ou dangereuse. Cette acception moderne induit des contresens quant aux emplois antérieurs au XXe siècle.

► Son dérivé **TRUANDER** v. (v. 1165) a eu le sens de «mendier, vagabonder», noté «vieux» à partir de 1660; il est attesté au XVIIe s. au sens de «vivre dans la paresse et la débauche» (1636). ◇ Il faut attendre le milieu du XXe s. (1951) pour que le verbe, d'après le nouveau sens de *truand,* signifie familièrement «voler, escroquer». ➜ **TRUANDAILLE** n. f. (XIIIe s.) «réunion de mendiants», au moyen âge, est sorti d'usage. ➜ **TRUANDERIE** n. f. (1292) s'est employé à propos de l'état de truand (1330) au sens ancien du mot, puis d'une action de truand (XVe s.) et d'un ensemble de truands (1690). Le sens collectif demeure dans *rue de la Grande-Truanderie* et *de la Petite-Truanderie* à Paris (1292, *La Truanderie*).

TRUBLE n. f., d'abord attesté en Normandie (v. 1160) puis en français central (1260), est probablement issu du grec *trublion,* nom d'un récipient, assiette, bol ou plat, d'origine obscure, et qui aurait pénétré en Gaule par la colonie grecque de Marseille.

♦ *Truble,* employé jusqu'au XVIe s. pour désigner une sorte de pelle, a pris par analogie le sens de «filet en forme de poche, attaché à une perche» (1268). ◇ Par ailleurs, le mot s'est introduit dans les parlers méridionaux à partir du XVe s., avec le sens de «truelle». Une graphie *trouble* (1704, mais antérieur : cf. *troubleau*) est due à l'influence de *trouble, troubler.*

► **TRUBLEAU** n. m. (1769) ou **TROUBLEAU** (1583) désigne une petite truble.

TRUBLION n. m. vient d'une plaisanterie savante d'Anatole France (1898, n. pr.); c'est une adaptation du latin *trublium,* grec *trublion* (ci-dessus), traduisant le sobriquet de *Gamelle* donné au duc d'Orléans, chef du complot royaliste pendant l'affaire Dreyfus. Le calembour repose sur *fauteur de troubles,* qui donne son sens au néologisme. ◇ *Trublion,* toujours considéré comme lié à *trouble,* désigne aujourd'hui une personne qui amène du désordre, employé aussi au féminin dans ce cas *(une trublionne).*

① **TRUC** ou **TRUCK** n. m. est l'emprunt, sous les formes *truck* (1843) et *truc* (1845), d'un mot anglais, *truck,* qui désigne originellement une petite roue de bois (1611) et par métonymie un véhicule sur roues pour le transport des matières lourdes (1774), puis (1838) un long wagon de chemin de fer. *Truck* est issu de la contraction de *truckle* «poulie, rouleau» (d'abord *trocle, trokel, trookyll* en moyen anglais), emprunté à l'anglo-normand *trocle* qui remonte, par le biais du latin *trochlea,* au grec *trokhilia* «rouet d'une poulie», lequel désignait en général toute machine ronde ou cylindrique pour élever des fardeaux. Celui-ci est dérivé de *trokhos* «roue, anneau», lui-même du groupe de *trekhein* «courir» (conservé en grec moderne), peut-être à l'origine «tourner en courant». Ce groupe a des correspondants dans d'autres langues indoeuropéennes, notamment celtes (ancien irlandais *droch* «roue», gallois *tro* «changement»).

♦ Le mot, attesté en français en 1843 dans le *Journal des chemins de fer,* désigne un long wagon à plateforme pour le transport, en particulier une plateforme montée sur roues pour le transport des voitures par voie ferrée (1859). ◇ Sous l'influence de l'anglo-américain, il désigne quelquefois un camion (1890).

② **TRUC** n. m. est emprunté (v. 1220) à l'ancien provençal *truc,* dérivé du verbe *trucar* «cogner, heurter contre». Celui-ci est issu d'un latin populaire °*trudicare,* dérivé du latin classique *trudere* «pousser avec force, violence», dit également des plantes et des bourgeons qui poussent (→ intrus). C'est un mot du vocabulaire indoeuropéen occidental, à rapprocher du vieux slave *trudŭ* «peine, souci» (russe *trud* «labeur, besogne»), d'un verbe gotique signifiant «donner de la peine, du mal, du souci (à qqn)».

♦ Le mot a été emprunté une première fois au XIIIe s. pour désigner un coup d'adresse, une ruse, puis employé au XVe s. dans la locution *faire le trucq* (1442) «amadouer par des cajoleries». Après ces attestations isolées, on le retrouve au XVIe s. pour désigner un jeu de cartes, où un coup sur la table accompagne chaque carte découverte (1588), puis avec le sens propre de «coup, heurt» et celui de «coup, occasion» (1611). ◇ Il s'est employé (1630) pour une sorte de jeu de billard, sans doute sous l'influence de l'italien. ◇ Il est repris pour désigner (1789) un moyen adroit de se tirer d'affaire, un artifice, valeur aujourd'hui usuelle, et spécialement (1803) un savoir-faire dans un métier (1832, *avoir le truc),* puis (1847) au théâtre un moyen mécanique servant à mouvoir les décors et à susciter une illusion, acception développée avec le cinéma qui se définit dès l'origine, en France, à la fois comme un art de la réalité (Lumière, Pathé) et de l'illusion par le truc (Méliès). Le mot désigne aussi un procédé plus ou moins caché dans une technique, un métier, un tour d'adresse (1867). ◇ À partir de la fin du XIXe s., *truc* fait partie des désignations d'une chose ou d'une personne qu'on ne veut pas nommer (1886) [cf. *machin, chose,* récemment *bidule*], parfois renforcé en *truc-machin, truc-bidule....* ◇ *Truc* s'emploie par euphémisme en parlant de prostitution (1876, *faire le truc*), emploi vieilli, et pour «posture, caresse à l'écart de la tradition sexuelle» (fin XIXe s., *faire des trucs*). ◇ Les locutions ***repiquer au truc*** «recommencer» (1881) et ***c'est pas mon truc*** «c'est quelque chose où je ne suis pas à l'aise, que je n'aime pas» (XXe s.) sont familières.

▸ Son dérivé **TRUQUER** v. signifie (1840) «changer (qqch.) pour tromper», aussi intransitif (1846) et alors employé spécialement au sens de «tricher au jeu» (XXe s.), emploi vieilli. ◇ Il a aussi les sens de «présenter (un spectacle) en utilisant des truquages» (déb. XXe s.) et au figuré «faire des tromperies» (1866), «fausser, maquiller» (1865, p.p.). ◇ Il s'est employé en argot pour «se prostituer» (1881). ➛ Il a servi à former des dérivés au XIXe siècle. **TRUQUEUR, EUSE** n. (1840), autrefois «teneur de jeu truqué», désigne une personne qui emploie des moyens malhonnêtes, fait des contrefaçons (1865). Par ailleurs, c'est le nom d'un spécialiste du truquage au cinéma, dit aussi **TRUQUISTE** n. (1973). ◇ **TRUQUAGE** (1872) n. m. ou **TRUCAGE** a vieilli dans l'emploi pour le fait de falsifier (des objets d'art), toujours vivant pour parler de procédés illicites visant à abuser qqn (1876). ◇ Il désigne, en particulier au cinéma (1907), un procédé d'illusion, un ensemble de trucs. ➛ *Truc* au sens de «chose ou personne» entre en composition dans **TRUCMUCHE** n. m. (1914), son synonyme familier.

TRUCHEMENT n. m. est une forme refaite (déb. XVe s.), précédée par *trucheman* (fin XIVe s.), de *drugement* (fin XIIe s.), mot emprunté à l'arabe *tarǧumān* «traducteur» au moment des croisades. Ce dernier, emprunté lui-même à l'araméen d'origine akkadienne *targumannu*, est passé en grec byzantin *(dragoumanos)* puis en italien *(dragomanno)*, et a donné par ailleurs *drogeman* (déb. XIIIe s.), *droguement* (1213) puis *drogman;* ce mot sorti d'usage a longtemps désigné un interprète travaillant dans les pays du Levant.

♦ Les formes désignent l'interprète dans un pays du Levant puis en général, sens archaïque depuis que l'on emploie *interprète**. ◇ Par figure, *truchement* désigne une personne qui exprime la pensée d'une autre, un porte-parole, dans quelques constructions : *être le truchement de, servir de truchement à (qqn)*. Depuis le XVIe s., le mot a pris le sens figuré d'«interprète (des sentiments)» en parlant des signes extérieurs (1557); cette valeur est usuelle aux XVIIe-XVIIIe s. puis devient archaïque. Enfin la valeur abstraite d'«entremise, intermédiaire» est réalisée (1893) dans quelques emplois, comme *par le truchement de (qqn, qqch.)*.

TRUCIDER v. tr. est emprunté (av. 1476) au latin *trucidare* «massacrer, égorger». Le mot est formé de *trux* «farouche, féroce» (→ truculent) et de *caedere* «battre, tuer» (→ -cide, ciseau).

♦ Le mot, vivant au XVe et au XVIe s., a été repris à la fin du XVIIIe s. dans l'usage littéraire avant de devenir (1863, dans Gautier) un synonyme plaisant de *tuer* (cf. *occire*).

▸ On en a dérivé **TRUCIDEUR** n. m. (v. 1950), équivalent familier et rare de *tueur*, dont le féminin est virtuel.

TRUCULENT, ENTE adj. est emprunté (1495) au latin *truculentus*, employé pour qualifier ce qui est farouche, cruel, menaçant, redoutable. Le mot est dérivé de *trux, trucis* «farouche, cruel», employé pour qualifier les hommes et les animaux, le visage, les yeux, le climat et les choses (abstraites et concrètes), surtout dans la langue poétique. Le sens du verbe *trucidare* (→ trucider), peut-être apparenté à *trux*, incite à un rapprochement avec l'irlandais *tru* «destiné à mourir». On a aussi songé à une racine commune à ces mots et à *truncus* (→ tronc) et *torvus* (→ torve), qui pourrait être liée au groupe indo-iranien du védique *tarute* et *tūrvati* «il triomphe de, il l'emporte sur», avec la notion de supériorité, de force. Ce groupe de mots rappelle également le groupe du latin *trans* (→ trans-).

♦ Emprunté avec le sens du mot latin, *truculent* disparaît de l'usage entre la fin du XVIe et le début du XVIIIe s. ; il est alors repris avec le sens affaibli de «qui veut se donner un air farouche» (1737). ◇ Resté rare jusqu'à Théophile Gautier, qui semble le remettre à la mode, il est redevenu usuel dans la seconde moitié du XIXe s., prenant son sens moderne de «haut en couleur», d'abord en parlant d'une toile qui présente des colorations vives (1858).

▸ **TRUCULENCE** n. f. est emprunté (1594) au dérivé latin *truculentia* «dureté, âpreté de caractère» dont il conserve d'abord le sens avant de désigner le caractère de ce qui est haut en couleur, excessif (1853, Goncourt). ➛ Le dérivé **TRUCULER** v. intr., formé sur le radical de *truculent* (1894 chez Jarry), est rare et plaisant.

TRUELLE n. f. est issu (v. 1285) du bas latin *truella* (IIe s.), variante du latin classique *trulla*, nom d'une petite écumoire, d'un récipient à puiser, d'un vase de nuit et enfin d'un outil de maçon. *Trulla* est le diminutif de *trua*, nom (depuis Pomponius) d'une louche, d'un évier. L'origine de *trulla* n'est pas certaine : le mot est peut-être emprunté à l'étrusque. Varron voyait dans *trulla* un mot grec (non attesté), et il se pourrait alors que *trua* soit tiré de *trulla*.

♦ Le mot est passé en français pour désigner un outil de maçon formé d'une lame triangulaire ou trapézoïdale et d'un manche. Par analogie de forme, c'est le nom donné à une spatule coupante pour découper et servir le poisson (1783) et à un couteau de peintre.

▸ Les dérivés sont peu nombreux et d'usage technique. ➛ **TRUELLÉE** n. f. (1344) «contenu (possible) d'une truelle» est rare, comme le diminutif **TRUELLETTE** n. f. (1791). ➛ **TRUELLER** v. tr. (1561) «étendre le mortier à la truelle» se dit par analogie en peinture (1843); il a lui-même donné **TRUELLAGE** n. m. (av. 1872, Gautier).

TRUFFE n. f. est emprunté (v. 1170) à l'ancien provençal *trufa* (XIIe s.), issu du bas latin des Gloses *tufera*, lui-même de *tufer*, variante dialectale du latin classique *tuber*. Ce dernier désigne une tumeur, une excroissance, un nœud des arbres, et entre dans la dénomination *tuber (terrae)*, littéralement «excroissance (venue de la terre)», désignant une sorte de tubercule souterrain, peut-être la truffe (→ tartuffe, par l'italien). On pense rattacher le mot à la racine exprimant une idée de «gonflement» que l'on a dans *tumere* (→ tumeur) mais sa formation n'est pas claire.

♦ Le mot est passé en français avec les sens figurés de «moquerie» (v. 1170), maintenu jusqu'au XVIIe s., et de «tromperie» (v. 1175), jusqu'à la fin du XIVe siècle. ◇ Son sens moderne, «tubercule souterrain (que forme le réceptacle de certains champignons)» (1363), donne lieu à plusieurs dénominations spécifiques, comme *truffe noire* et *truffe blanche*. Des sens analogiques ou métaphoriques, par exemple à propos d'ornements portés par les dames sur les tempes (*truffles*, 1387), sont sortis d'usage. ◇ *Truffe d'eau* (1556; 1538, *truffe*) est une dénomination de la macre flottante. Le sens de «pomme de terre» (1600) survit encore régionalement, au sud d'une ligne allant de la Normandie au sud des Vosges; on a dit aussi *truffe rouge* (1689) et *truffe blanche* (1781). ◆ Les extensions de sens en français moderne procèdent d'une analogie d'aspect avec le tubercule : le mot, qui a désigné une verrue (1555), est repris familièrement pour un nez gros et rond (1843) et pour l'extrémité du museau du chien (1905). ◇ Comme d'autres noms exprimant le gonflement, d'où une idée de creux, de vide, et comme *patate*, il sert à désigner un imbécile (1895). ◆ Cependant, les emplois les plus usuels concernent le tubercule et viennent de l'usage de la truffe, rare et coûteuse, en cuisine, surtout depuis la fin du XVIIIe s. (Brillat-Savarin en témoigne). L'association de la truffe au foie gras est devenue symbolique du luxe alimentaire. ◇ Par analogie, on parle aussi de *truffes en chocolat* (XXe s.).

► Les dérivés procèdent du sens de «tubercule». ◆ Le plus ancien est le diminutif **TRUFFETTE** n. f. (1611) «petite truffe» qui ne se dit plus que d'une petite truffe en chocolat. ◆ **TRUFFIÈRE** n. f. (1749) est le nom du terrain où poussent les truffes. ◆ **TRUFFER** v. tr. (1798), au propre «garnir de truffes», a connu une extension figurée pour «remplir (de choses disséminées en abondance)» (1835), par exemple un texte d'allusions, de citations. ◇ Le pronominal *se truffer* «se moquer» (XIIIe s.; aussi intr.) n'est resté que dans des dialectes. ◇ Le participe passé **TRUFFÉ, ÉE** adj. (1825) s'emploie au propre (*pâté, foie d'oie truffé*) comme au figuré, spécialement pour qualifier un livre dans lequel on a placé des autographes, des pièces rares. ◆ **TRUFFAGE** n. m. (1938) s'emploie en cuisine. ◆ **TRUFFIER, IÈRE** adj. s'est employé comme nom masculin (1801) pour «chercheur de truffes» et a été reformé comme adjectif (1867) pour qualifier ce qui a rapport aux truffes (*chêne truffier, mouche truffière*, etc.). ◆ **TRUFFICULTURE** n. f. et **TRUFFICULTEUR, TRICE** n. sont didactiques, de même que **TRUFFADE** n. f., terme culinaire (XXe s.).

◈ voir PROTUBÉRANT, TUBERCULE.

◈ **TRUIE** n. f. est issu (1155) du bas latin *troia* (VIIIe s., *Gloses de Cassel*), a été considéré comme tiré de *porcus troianus* «porc de Troie», qui désigne chez Martial un porc farci de menu gibier, par allusion plaisante au cheval de Troie. Le mot doit avoir été modifié en °*porcus de Troia* puis transformé en *troia* par ellipse. P. Guiraud pense que l'expression s'est appliquée à la truie parce qu'elle est considérée comme «farcie» de petits. Des formes analogues existent en italien (*troia*) et en ancien provençal (*trujassa* «grosse truie»). D'autres, faisant de l'expression latine un mot d'auteur, recourent à l'origine gauloise (en supposant un °*trogja*, du verbe °*trogh* «tirer»).

♦ *Truie* a d'abord désigné une sorte de catapulte, avant de s'appliquer (v. 1180) à la femelle du verrat (porc mâle); le mot est aussi employé par comparaison ou métaphore injurieuse, à propos d'une femme avec l'idée de forte corpulence (1675, *truye*), de saleté et, moralement, de vie dissolue, par la même évolution que *cochon* et *porc* à propos des hommes. ◆ *Truie* (1558) ou *truie de mer* a d'abord (1611) désigné le marsouin, appelé aussi *cochon de mer*, puis (1803) le poisson nommé scientifiquement *scorpène*.

TRUISME n. m. est emprunté (1829; 1828, *truism*) à l'anglais *truism* (1708, Swift) «vérité d'évidence», dérivé de *true* adj. «vrai, véritable», en moyen anglais *trewe, truwe, tru*, formes issues du vieil anglais *getriewe*. Ce dernier, d'origine germanique, correspond à l'ancien frison *triuwe, trouwe*, à l'ancien haut allemand *gitriuwi* (d'où l'allemand *treu*). Il est apparenté à *trust* «foi» (→ trust) et, au-delà, remonte à une racine indoeuropéenne exprimant la fermeté, la solidité (→ dryade).

♦ Le mot, qui se dit d'une vérité d'évidence, est attesté en 1828 et 1829 dans deux lettres de Jacquemont, ami de Stendhal, connaissant bien l'anglais; on rencontre la forme anglaise *truism* chez Stendhal et Mérimée (1836). La forme francisée, réattestée depuis 1861, l'a emporté sur *truism*, encore chez les Goncourt (1888).

TRUITE n. f. est issu (v. 1170) du bas latin *tructa* de même sens, mot sans doute emprunté; il semble sans rapport avec le grec *trôktês* qui désigne un poisson très différent (un thon), et signifie proprement «qui mange, vorace», dérivé de *trôgein* «manger» (→ troglodyte). ◇ La forme attendue en français, *troite*, est attestée dans les anciens textes (v. 1175); la forme actuelle, tout aussi ancienne, a un vocalisme initial mal expliqué. ◈

♦ Le mot désigne une espèce de poisson d'eau douce (*Salmonidés*), *truite saumonée* (1564) une truite à chair rose-orangé, et *truite de mer* (1829) un poisson très semblable au saumon. Le mot, désignant le poisson d'eau douce, entre dans des désignations de préparations culinaires : *truite meunière* (1935), *truite au bleu*, etc.

► Le dérivé **TRUITÉ, ÉE** adj., didactique (1680), qualifie la robe tachetée d'un animal et, par analogie, une porcelaine présentant un réseau de craquelures (1803); il est substantivé au masculin en ce sens avec une valeur caractérisante (av. 1880). ◆ **TRUITELLE** n. f. (1743), avec le suffixe *-elle*, désigne une jeune truite. ◆ Les autres dérivés, attestés à partir du milieu du XXe s., ont trait à l'élevage des truites : **TRUITICULTURE** n. f., **TRUITICOLE** adj. et **TRUITICULTEUR, TRICE** n., avec des variantes en **TRUTTI-**, sont formés d'après *pisciculture* et les mots de la même famille.

TRUMEAU n. m., forme moderne (fin XIVe s.) de *trumel* (v. 1190), remonte probablement à un francique °*thrum* «morceau», postulé par l'allemand *Trumm* «tronçon», *Trümmer* «décombres» et l'anglais *thrum* «bout de fil». Le fait que la voyelle du francique ne soit pas devenue *-ou-* comme dans d'autres mots analogues indique que le mot a été introduit précocement en roman.

♦ Le mot, en français, s'est appliqué (depuis v. 1200) à un «morceau» de la jambe, le mollet, sens qu'il a gardé jusqu'au XVIe siècle. Par analogie, il désigne le jarret de bœuf (v. 1393), sens conservé en boucherie. ◇ Par un développement analogue à celui qu'a connu *jambage*, il a pris une valeur technique et désigne un pilier (XIIIe s., après 1250), la partie d'un mur comprise entre deux ouvertures verticales (1503), se disant par métonymie du revêtement qui l'occupe. Il désigne particulièrement le panneau de glace occupant l'espace entre deux fenêtres ou placé au-dessus d'une cheminée (1676, Félibien; seulement 1718 selon T. L. F.), puis par métonymie la peinture qui décore la partie supérieure du trumeau et qui est encadrée avec la glace (1841). ◇ Par allusion au caractère vieillot et démodé attribué aux trumeaux du XVIIIe s., il a pris chez les romantiques une valeur péjorative, notamment dans le syntagme *vieux trumeau*, d'où le sens familier de «vieille personne» (1846, Baudelaire), spécialement «vieille femme fardée» (1884) et autrefois «prostituée» (1868). Ces emplois figurés ont disparu au début du XXe siècle.

◈ voir TRIMER.

TRUQUER → ② TRUC

TRUSQUIN n. m. est probablement l'altération (1676, sous la forme *troussequin* dans Buffon, par influence du v. *trousser*) du wallon *cruskin*, empr. au flamand *kruisken* «petite croix» (cf. néerl. *kruishout*).

♦ Le mot désigne un instrument formé d'une planche et d'une tige transversale mobile servant à tracer des traits parallèles, en menuiserie, puis (XXe s.) en ajustage mécanique.

▸ Il a pour dérivé **TRUSQUINER** v. tr. (1845).

TRUST n. m. est emprunté (1888) à l'anglo-américain *trust* (1877), forme abrégée de *trust company* (1834) désignant un système d'union financière entre plusieurs entreprises juridiques distinctes, fondé sur une direction unique. Le mot est formé de *company* (du français *compagnie**) et de *trust*, étymologiquement «confiance» (XIIIe s.). Ce mot, d'histoire obscure, paraît d'origine germanique : il a des correspondants en nordique, en néerlandais et en ancien haut allemand. Apparenté à *true* «vrai» (→ truisme), il repose sur une racine indoeuropéenne exprimant la solidité (→ dryade). ◇ En l'occurrence, *trust* est pris dans une acception juridique anglaise, désignant la confiance accordée à un individu ou à une société (le *trustee*, 1653 en ce sens) pour la gestion d'intérêts. Le *trustee* doit protéger de bonne foi l'intérêt confié par les ayants droit et dispose d'un droit légal. Cet instrument juridique a reçu en Angleterre, puis aux États-Unis, un usage très étendu en ce qui concerne l'administration des biens étrangers, en matière de tutelle, de communauté, de masse de faillite et de concentration des industries.

♦ Le français a emprunté *trust* en économie et en a étendu le sens pour désigner une puissance financière et industrielle constituant une force de pression économique et politique. Par analogie, le mot désigne une combinaison financière fonctionnant à la manière d'un trust (1905); il est souvent associé à la notion de monopole.

▸ *Trust* a produit le dérivé **TRUSTER** v. intr. (1902), employé au propre et familièrement au figuré pour «monopoliser» (1935, répandu v. 1950). ◇ Le verbe a fourni **TRUSTEUR** n. m. (1905). ➛ Le composé **ANTITRUST** adj. inv., attesté tardivement en français (v. 1950-1960), est calqué sur l'anglo-américain *antitrust* (attesté dès 1890 dans *Anti-Trust Act*). ➛ **TRUSTEE** n. m., emprunt (1855) à l'anglais *trustee* «administrateur», de *to trust*, est toujours employé dans ce sens en référence à une réalité anglo-saxonne.

TSAR n. m. (1607) ou **TZAR** (1701; 1655, *tzaar*), précédés par la forme polonaise *czar* (1561), est emprunté à *tsar'*, mot slave tardif (la forme ancienne était *cěsarĭ*), lui-même emprunt au latin *Caesar* (→ césar, césarienne), comme l'allemand *Kaiser*. En russe, le terme *tsar*, après avoir désigné presque exclusivement le 'basileus', monarque de l'empire d'Orient, a été utilisé à partir du milieu du XIIIe s. pour le khan de la Horde d'or, le mot *tsarévitch* étant réservé aux descendants de la dynastie régnante. Ce n'est qu'après l'effondrement du joug mongol (1480) qu'Ivan III osa s'arroger le titre de *tsar*, d'ailleurs encore attribué aux khans de Kazan et de Crimée, héritiers de la Horde; en 1497, il fait couronner son petit-fils Dmitri qui ne régnera jamais, mais le successeur effectif d'Ivan, Basile III, ne prend pas encore officiellement le titre de *tsar*, bien que l'idéologie impériale se répande dans les milieux ecclésiastiques et politiques. C'est seulement en 1547 qu'Ivan le Terrible ceint la couronne de *Tsar de toute la Russie*. En 1721, Pierre le Grand remplace ce titre par celui d'*imperator*, mais dans la langue courante, en Russie comme à l'étranger, le titre de *tsar* se maintient jusqu'à la chute de la monarchie russe en 1917, l'héritier du trône conservant jusqu'alors celui de *tsarévitch*.

♦ Le mot est passé en français à propos de l'empereur de Russie et désigne aussi les souverains serbes, bulgares et polonais.

▸ Il a produit **TSARISME** n. m. (1845) et **TSARISTE** adj., **TZARISTE** (1826 répandu depuis 1902) auparavant *czarique* en ce sens (1839), relatif à la doctrine des partisans du tsar et opposé après 1917 à *bolchévisme, bolchévique*. ➛ **TSARÉVITCH** n. m., nom de l'héritier du trône, fils aîné du tsar, est emprunté (1727) à un mot russe de même forme, dérivé de *tsar* au moyen du suffixe masculin marquant la filiation *(-evitch)*. Le français avait emprunté antérieurement les formes polonaises *czaroïdg* (1679), *czarewitz* (1725). ➛ **TSARINE** ou **TZARINE** n. f., titre porté par l'épouse du tsar, est emprunté (1721) au russe *tsarina*. On relève la variante d'origine polonaise *czarine* (1717), au XVIIe s. les formes prises au russe *czarissa* et *czaritsa* (1679).

TSÉ-TSÉ n. f. inv. est emprunté (1853 écrit *tsetsé,* après la forme *tsaltsalya,* 1804) à un mot de la langue des Tswana, peuple vivant en Afrique australe.

♦ Le mot désigne une mouche d'Afrique dont certaines espèces transmettent la maladie du sommeil ; il est relevé pour la première fois au masculin puis s'emploie au féminin (1872). En dehors du français d'Afrique où l'on dit une *tsé-tsé,* l'usage emploie surtout *mouche tsé-tsé* (1859).

T. S. F. → **TÉLÉGRAPHIE**

TSIGANE → **TZIGANE**

TSUNAMI n. m. est la transcription (1927) du japonais *tsunami, tunami,* composé de *tsu* «port», et *nami* «vagues».

♦ Le mot désigne en géographie un raz de marée d'origine sismique.

TU pron. pers. est issu (v. 980) du latin *tu,* pronom personnel de la seconde personne du singulier, mot indoeuropéen. Le nominatif singulier se retrouve dans le vieux slave *ty,* le vieux prussien *toū* et *tu,* l'ancien haut allemand *du* et *-tu,* l'arménien *du,* le grec *tu,* etc.

♦ *Tu,* pronom sujet, était parfois employé en ancien français pour *toi**; il pouvait être sous-entendu, usage dont il reste des traces dans des constructions archaïques, des proverbes. ◇ Il est aussi employé comme nom (1771), spécialement dans la locution ***être à tu et à toi avec qqn*** (1835), d'abord *de tu à toi* (1798).

► À partir de *tu* et *toi* a été composé **TUTOYER** v. tr. (1393), qui a remplacé la forme *tutoiser* (1280-1290); on relève au XVIIe s. les variantes *tuteier* (1636), *tutayer* (1648) et *tuteyer* (1660). ◆ Ce verbe a produit **TUTOIEMENT** n. m. (1690), qui a lui-même évincé *tuteiement* (1636), et **TUTOYEUR, EUSE** n. (1752), littéraire et rare, également comme adjectif (1874).

◈ voir TIEN, TOI, TON.

TUB n. m. est emprunté (1881), d'abord sous la forme *tob* (1878), à l'anglais *tub,* attesté depuis 1849 pour désigner une large cuvette où l'on peut se laver à grande eau. C'est la forme abrégée de *bathing tub* (XVIe s.), formé de *to bath* «se baigner», verbe d'origine germanique et de *tub* (XIVe s.) «cuve, baquet», probablement d'origine néerlandaise : le moyen néerlandais a *tubbe,* mot d'origine obscure.

♦ Le mot français, d'abord relevé avec le sens de «bateau», s'est répandu à la fin du XIXe s. (1884) avec les progrès de l'hygiène corporelle importés d'Angleterre, pour désigner une large cuvette circulaire où l'on se lavait à grande eau avant la diffusion de la baignoire à eau courante. Par métonymie, il désigne les ablutions faites dans un tub (1885), notamment dans *prendre un tub.* Le mot a vieilli avec la chose désignée.

► On en a tiré ① **TUBER** v. tr. (1885, p.p.) «donner un tub à qqn», également *se tuber* (1904), aujourd'hui sorti d'usage.

TUBA n. m. est un emprunt du XVIIIe s. (1767, J.-J. Rousseau), probablement par l'italien *tuba,* au latin *tuba* qui désigne une trompette droite, par opposition à *cornu, lituus,* noms de trompettes courbes. C'est peut-être l'ancien collectif de *tubus* (→ tube), lui aussi employé dans le sens de «trompette». Le mot latin est d'étymologie incertaine. ◇ *Tuba* a été précédé par l'ancien et moyen français *tube* «trompette» (v. 1120) et par le composé *basse-tube* «instrument de cuivre à cinq cylindres» (1772), calque de l'allemand *Bass-tuba.*

♦ *Tuba,* introduit en français pour désigner une espèce de cor droit militaire (1767), emploi disparu, désigne (1846) un très gros instrument à vent de la famille des saxhorns, à trois pistons et embouchure, de son grave. ◇ Le mot a été repris au milieu du XXe s. (attesté 1952) pour «tube respiratoire de nage sous-marine, schnorkel».

► Il a produit ① **TUBISTE** n. m. (1907) «joueur de tuba», mot rare concurrencé par la métonymie de *tuba.*

TUBE n. m. est emprunté (1460) au latin classique *tubus* «conduit, canal, tuyau» de même étymologie incertaine que *tuba* (→ tuba) «trompette».

♦ *Tube,* dans les premiers textes du Nord de la France, a le sens de «voûte», emploi régional et sorti d'usage. Sa valeur moderne de «conduit cylindrique de métal (plomb, fer, etc.) par où passent les gaz et les liquides» n'est attestée que depuis le début du XVIIe s. (1611). ◇ On relève ensuite divers emplois ayant en commun l'idée de forme cylindrique. Le mot s'est spécialisé pour désigner le cylindre de certains instruments d'optique (1690; 1895, *tube optique*), puis en anatomie en parlant d'un organe creux et allongé : *tube intestinal* (1775, Buffon), *tube digestif* (1830), plus courant, d'où familièrement *le tube* «l'estomac» (1867), emploi vieilli. ◇ Par métonymie, il s'applique au fusil, autrefois dans l'usage poétique (1800). Parmi ses spécialisations scientifiques et techniques, on peut citer l'emploi en botanique (1817), aussi avec *tube criblé* (1904), puis en physique dans *tube acoustique* (1812), en électricité dans *tube à décharge* (1896), *tube au néon, tube à vide,* etc. Le mot s'emploie en général pour ce qui a la forme d'un tuyau (1868, *clé en tube*) et a servi à désigner le chapeau haut de forme (1868), aujourd'hui couramment tout emballage en forme de tube (v. 1930), employé par exemple dans *tube de peinture* (1883, *tube de couleurs*). ◇ Par emprunt à l'anglais, *tube* a pris en sports le sens de «pneu de compétition» (1901) et *le Tube* celui de «métro londonien» (déb. XXe s.) qui procède d'une métaphore mais ne s'est pas maintenu en français. ◇ *Tube* est passé dans l'argot du turf (1901) comme équivalent de *tuyau* pris au sens figuré de «renseignement». ◇ Par ailleurs, il fournit la dénomination familière du téléphone (v. 1950), autrefois du pneumatique (1903). Il est entré dans la locution ***à plein(s) tube(s)*** (1935), allusion aux gaz d'échappement, pour «à toute vitesse». ◇ D'abord dans l'argot des musiciens, il est devenu (v. 1960) l'appellation d'une chanson ou d'une pièce à succès.

▸ Le dérivé ② **TUBER** v. tr. (1842) signifie «garnir de tubes (un sondage)», «sonder avec un tube», en chirurgie. Il s'emploie, en relation avec le sens familier de *tube,* pour *téléphoner.* ◆ Le nom correspondant, **TUBAGE** n. m. (1842), est devenu par analogie un terme de médecine (1858, *tubage gastrique*). ◆ ② **TUBISTE** n. m. (1910) est un terme technique. ◆ **TUBEUR** n. m. (1960), en argot du turf, désigne celui qui vend des pronostics, des tuyaux. ◇ **TUBEUSE** n. f. (v. 1950) est le nom d'une machine.

TUBULAIRE n. et adj. est formé (1752) sur le radical du latin *tubulus* «petit tuyau, petit conduit», diminutif de *tubus,* avec le suffixe *-aire.* ◇ Le nom désigne (1765) un animal de la classe des hydroméduses (appelé *tubularia* au XVIIe s.). L'adjectif, d'abord dans *pierres tubulaires* (1752), qualifie ce qui est en forme de tube (1755), synonyme de *tubulé* (ci-dessous) et il se répand au XIXe s. ◆ Le mot entre en composition dans **AQUATUBULAIRE** adj. (XXe s.), du latin *aqua* (→ eau), terme technique *(chaudière aquatubulaire).*

Le latin *tubulus* a été emprunté sous la forme **TUBULE** n. m., anciennement (1564) «petit goulot de fontaine», puis employé en botanique (1771) pour un conduit très étroit; il désigne aujourd'hui en anatomie (v. 1950) une structure en forme de petit tube. ◆ **TUBULEUX, EUSE** adj. «en forme de tube» (1763) est dérivé savamment de *tubulus* en sciences naturelles. ◆ Enfin **TUBULÉ, ÉE** adj. est formé (1743) à partir du dérivé latin *tubulatus* «creux comme un tube»; d'abord appliqué à ce qui présente une ou plusieurs tubulures en botanique, il est employé dans *draperie tubulée* (1798). ◆ **TUBULURE** n. f. désigne d'abord (1762) l'ouverture par laquelle passe un tube, puis (1858) le tube appartenant à un ensemble technique, spécialement (1917) pour l'admission des gaz et (1943) leur échappement.

INTUBATION n. f. a été emprunté (1re moitié du XXe s.) à l'anglais *intubation* (1887), dérivé de *to intube,* composé de *in-* «dans», et du latin *tubus.* ◇ Le mot désigne l'introduction d'un tube dans un conduit de l'organisme. ◆ **INTUBER** v. tr. (XXe s.) est un emprunt au verbe anglais *to intube* ou est formé sur *intubation.*

Tube a enfin servi à former le verbe très familier **ENTUBER** v. tr. (v. 1900) «duper, escroquer», qui est à rapprocher d'une série d'autres verbes préfixés en *en-* (cf. *enculer, enfiler*) où l'idée d'être trompé, «possédé» est associée à l'acte de sodomisation.

TUBERCULE n. m. est emprunté (1541) au latin médical *tuberculum* «petite saillie, petit gonflement», dérivé diminutif de *tuber* «excroissance, tumeur» (→ truffe).

♦ Le mot a été introduit en anatomie pour désigner une petite éminence naturelle. ◇ Au XVIIIe s., il est passé en botanique à propos de l'excroissance arrondie d'une racine, constituant une réserve nutritive pour la plante (1703), et a développé des acceptions spéciales en pathologie (1740): «petite tumeur», sens sorti d'usage, puis «petite masse arrondie formée par une agglomération de cellules (dans la syphilis, la lèpre, etc.)» et spécialement «petit nodule dont le centre se nécrose», en relation avec *tuberculeux* et *tuberculose* (ci-dessous). ◇ Depuis le XXe s., il est également employé en botanique (1904) à propos du pivot renflé de certaines plantes, parfois appelé *faux tubercule,* et désigne aussi (v. 1960) la surface arrondie d'une molaire broyeuse.

▸ **TUBERCULEUX, EUSE** adj. et n. (1570) a d'abord qualifié, en anatomie, ce qui a des tubercules, puis des pustules (1611). Il est employé dans l'*Encyclopédie,* à l'article *tubercule* (1765, Diderot), pour qualifier la phtisie* qui s'accompagne de tubercules pathologiques. Le concept s'est modifié depuis la découverte, en 1882, du bacille de Koch et de la maladie nommée *tuberculose* (ci-dessous), exprimant ce qui est relatif à ce bacille et à cette maladie. ◇ L'adjectif s'applique aussi en botanique (1791) aux végétaux qui produisent des tubercules, mais on dit plutôt *tubéreux*.* ◇ Le mot avait été substantivé pour désigner un poisson du genre baliste (1791), acception sortie d'usage. ◇ Une autre substantivation, normale, concerne le malade atteint de phtisie pulmonaire (1841), de tuberculose au sens moderne. ◇ Dans ce sens, **TUBARD, ARDE** n. et adj. (1920), tiré de l'initiale de *tuberculeux* avec le suffixe *-ard,* est très familier. ◆ *Tuberculeux* a lui-même produit l'antonyme **ANTITUBERCULEUX, EUSE** adj. (1866) «qui agit contre la tuberculose», et **TUBERCULINE** n. f., nom d'une substance médicale provoquant une réaction sur un malade atteint de tuberculose (1891), d'abord appelée *lymphe de Koch* (1890). ◆ L'autre adjectif dérivé de *tubercule,* **TUBERCULÉ, ÉE** adj. (1779) est didactique en botanique à propos d'une plante présentant des tubercules.

Le nom **TUBERCULOSE** n. f., formé pour désigner une maladie produisant des nodules pathologiques (1854), par exemple les écrouelles, a reçu sa définition moderne vers 1860, précisée par Koch en 1882; il a remplacé *phtisie tuberculeuse* (1765). ◆ Il entre dans le composé **PARATUBERCULOSE** n. f. (1907) qui dénomme une maladie analogue à la tuberculose mais produite par un microbe différent. ◆ Plusieurs termes de médecine ont été créés au XIXe et au XXe s. avec l'élément *tubercul-, tuberculi-, tuberculo-* correspondant à l'idée de «bacille tuberculeux», et on a formé le verbe **TUBERCULISER,** d'abord intransitif (1842), puis transitif (1903) qui a lui-même donné **TUBERCULISATION** n. f. (1842) et **TUBERCULISABLE** adj. (1890). ◆ Par ailleurs, l'élément **TUBÉRI-** a servi à former quelques termes savants en botanique, comme **TUBÉRIFORME** adj. (1842) «qui a l'aspect d'une truffe» et **TUBÉRISATION** n. f. (1892) «transformation totale ou partielle (d'une tige, d'une racine) en tubercule».

◈ voir PROTUBÉRANT, TUBÉREUX.

TUBÉREUX, EUSE adj. et n. f. est emprunté (1520), d'abord sous la forme *tuberoux* (1478), au latin *tuberosus,* dérivé de *tuber* (→ truffe), qui qualifie une chose qui présente des proéminences, des bosses.

♦ Le mot a d'abord qualifié un membre charnu et renflé, avant que son emploi ne se limite à la botanique, en parlant d'un végétal qui présente des tubercules* (1611). ➜ Le féminin a été substantivé en botanique dans **TUBÉREUSE** n. f. (1630) pour désigner une plante herbacée à bulbe renflé et dont les fleurs blanches sont employées en parfumerie.

▸ Le radical de *tubéreux* a servi à former **TUBÉROSITÉ** n. f. (1478), employé à la fois en anatomie pour une protubérance et en botanique (v. 1500) pour une racine pivotante très renflée.

TUDIEU → VERTU (VERTUDIEU)

TUER v. tr. est issu (v. 1140) du latin classique *tutare,* variante de *tutari* «protéger, garder», lui-même fréquentatif de *tueri* «voir, regarder». Le passage du sens de «protéger» à «éteindre» est à mettre en relation avec des croyances populaires très anciennes qui faisaient du feu un être vivant; on relève les traces de cette superstition dans de très nombreuses langues : dès le sanskrit, à côté d'une expression signifiant «tuer le feu», l'usage courant usait plutôt d'euphémismes équivalents de «rendre silencieux (le feu)», «l'apaiser». On trouve le même euphémisme en latin avec *ignem tutare.* ◇ Le moyen âge a emprunté le verbe latin sous la forme *tuter* «défendre, protéger» (v. 1340) et le latin médiéval conservait *tutare candelam* «éteindre une chandelle»; l'ancien provençal avait *tudar, tuar* «éteindre» et «tuer». L'étymologie de *tueri* n'est pas certaine : on rapproche en général le terme, bien que ce rapprochement ne soit pas entièrement satisfaisant pour le sens, d'un groupe indo-iranien exprimant la notion de force : védique *távīti* «il est fort», *taváḥ* «fort», etc. Le sens premier de *tueri* serait alors «protéger» et celui d'«éteindre» et «tuer» un sens secondaire.

♦ Le verbe a d'abord signifié «faire perdre connaissance», et l'on relève *soi tuer* «s'évanouir» (v. 1150) au même moment que l'emploi moderne de *tuer* «ôter la vie de façon violente» (v. 1140). Une première série d'extensions précise qui est tué ou la façon de tuer; le verbe s'emploie à propos d'un animal de boucherie (v. 1200) ou d'élevage (1690, *tuer le cochon*) et au XVIe s. à propos du gibier à la chasse (1551). ◇ Il signifie à la même époque (1553) «causer la mort de (qqn)» en parlant d'un chagrin ou d'un mauvais remède, puis d'une maladie (1690) et, par une autre extension, se dit pour une plante détruite par le froid (1690). Il s'emploie aussi par métaphore pour «dégrader, avilir» (1553, *tuer l'âme*). ◇ C'est également à la Renaissance qu'apparaît *se tuer* «se donner la mort» (1538), plus tard «être tué dans un accident» (1718), acception qui précède *se faire tuer* (1767). ◇ L'idée de disparition se réalise dans le domaine abstrait (fin XVIe s., *tuer l'espoir*), notamment dans *tuer le temps* (1608) et spécialement en peinture (1746) et à propos d'une activité (av. 1778, *tuer une industrie*). ◇ Par figure, *se tuer* prend au XIIIe s. le sens de «se fatiguer, détruire sa santé» (v. 1276), d'où ensuite *tuer qqn* «le fatiguer» (fin XVIe s.) et *se tuer de* (*travail,* etc.) «se donner beaucoup de peine à» (v. 1460), vieilli à côté de *se tuer à* (1659). ◇ Au XVe s. apparaît aussi *tuer la tête à qqn* «l'importuner» (1549), en parlant d'une histoire, d'un ouvrage, etc., puis *être à tuer* «être très importun» (1798) et «être insupportable» (1904), et l'expression familière *ça me tue.* ◇ L'idée d'altération a donné au verbe une valeur technique dans *se tuer* «se noircir à l'air», en parlant du cidre (1752). ◇ Enfin le moyen français a repris le sens étymologique, «éteindre» (1468), cet emploi est noté «populaire» à la fin du XVIIe s. (1694) et ne survit que régionalement.

▸ Le plus ancien dérivé de *tuer* est **TUEUR, EUSE** n. (XIIIe s.), d'abord *tueour* (v. 1190) avec le sens propre de «celui qui tue qqn» et spécialement «meurtrier appointé» (v. 1450), d'où ***tueur à gages*** (1566). L'emploi adjectif du mot (v. 1265) demeure rare. ◇ Depuis le XVIIe s. (1669), le mot s'applique à un professionnel qui tue les bêtes de boucherie dans les abattoirs. ◇ Il entre au XIXe s. dans la construction déterminée *tueur de* pour désigner le chasseur (d'une espèce animale) et comporte quelquefois la nuance péjorative de «celui qui chasse pour le profit» (1916). ➜ Le préfixé **S'ENTRE-TUER** v. pron. (v. 1210) est resté vivant, seul parmi plusieurs composés verbaux. ➜ **TUERIE** n. f., désignation technique de l'abattoir (1350), a aussi le sens courant d'«action de tuer en masse, sauvagement» (1435). Il a signifié «grande cohue, foule épaisse» (1798). ➜ Au XVIe s. sont formés **TUABLE** adj. (1566) et, du participe passé, **TUÉ** n. m. (1559); **TUAGE** n. m., autrefois nom d'une redevance (1537, *tuaige*), est un terme de boucherie (1680). ➜ **TUANT, ANTE** adj., du participe présent, s'emploie aujourd'hui au sens figuré pour «ennuyeux (d'une visite)» (1638) «très fatigant» (v. 1660).

L'élément verbal *tue-* entre dans de nombreux composés. ➜ **À TUE-TÊTE** loc. adv. est attesté au XVIe s. (1589). ➜ **TUE-CHIEN** n. m., le plus ancien (1387) des noms composés de ce type, s'est d'abord écrit *tukien* et désignait l'employé chargé de tuer les chiens errants; il ne s'emploie plus que comme nom régional du colchique d'automne (1544). ➜ *Tuer* a encore produit quelques composés imagés comme **TUE-VENT** n. m. inv. (1723), **TUE-LOUP** n. m. inv. (1765), régionalement «aconit (plante)», **TUE-MOUCHE** adj. et n. m. inv. (1829), **TUE-DIABLE** n. m. inv. (fin XIXe s.) désignant un leurre à plusieurs hameçons.

◇ voir INTUITION, TUTEUR; MOUCHE (TUE-MOUCHE).

TUF n. m. (1407), antérieurement *tufe* (1280), est emprunté à l'italien *tufo* (XIVe s.), lui-même représentant du latin *tofus* qui désigne une pierre spongieuse et friable (depuis Virgile). Le terme, d'origine dialectale, est sans doute un mot indigène d'Italie comme *sulfur* (→ soufre), mais le rapprochement qui a pu être fait avec l'étrusque *tupi* ne semble pas fondé.

♦ Le mot désigne d'abord un sous-sol formé d'une couche pierreuse, puis la roche elle-même, poreuse et légère (1538; 1532, *pierre de tuf*), définie quant à sa formation au XVIIIe s. : elle provient de dépôts calcaires ou de débris volcaniques. ◇ Par figure, *tuf* se dit (1691) de ce qui est caché, comme le tuf sous le sol cultivable; cet emploi est devenu archaïque. ◇ Par analogie, le mot désigne (1723) une étoffe très grossière employée pour garnir la table des tondeurs de drap.

▸ Il a produit quelques dérivés didactiques ou techniques. ◆ Le plus ancien, **TUFIER, IÈRE** adj., a commencé par s'employer comme nom (1407, *tuffier*) en parlant d'une carrière de tuf et, au féminin *tuffière,* d'un sol contenant du tuf (1562); il est employé comme adjectif depuis la fin du XVIIe s. (1694). ◆ **TUFFEAU** ou **TUFEAU** n. m. est la forme moderne (1466) de l'ancien diminutif *tufel* (1430), et désigne une variété particulière de tuf utilisé dans la construction. ◆ **TUFACÉ, ÉE** adj. «de la nature du tuf», formé sur *tuf* avec le suffixe scientifique *-acé,* est récent (1972, C. N. R. S.); on disait *tophacé, ée* (1791), emprunt au dérivé latin *tofaceus (tophaceus).*

TUILE n. f. est, sous la forme *tuille* (1330), devenue *tuile* (1530), l'altération par métathèse de *tiule* (v. 1170), *tieul* (v. 1200), *tioule* (XIIIe s.), issu du latin *tegula,* surtout employé au pluriel, et désignant par métonymie le toit, la toiture. C'est un dérivé de *tegere* «couvrir» (→ toit).

♦ Passé en français pour désigner la plaque de terre cuite servant à couvrir des édifices, le mot s'emploie *(la tuile)* pour une couverture de tuiles (1762), auparavant au pluriel (1553). À partir du XVIIIe s., il désigne par analogie une plaque d'une autre matière destinée au même usage (1721, *tuile de pierre, de verre,* etc.) et s'est dit dans le langage technique des drapiers d'un panneau (à l'origine un morceau de tuile) qui leur servait à coucher le poil du drap (1723). ◇ Le sens de «petite pâtisserie en forme de tuile», fondé sur une analogie de forme, est attesté à la fin du XIXe s. (1895). ◇ Le mot s'est aussi employé pour une poêle très plate où l'on cuit les crêpes (1704), sens noté comme régional (Ouest) par Littré (1872). ◆ Par comparaison avec l'accident fâcheux que constitue la chute d'une tuile, il désigne familièrement (1782) un désagrément inattendu *(quelle tuile!, c'est la tuile).* Par spécialisation dans l'argot des vendeurs, il s'est dit d'un client qui n'achète pas (1882, Zola).

▸ Le dérivé **TUILÉ, ÉE** adj. (1305, *tuylé*), d'abord *tiulé* (v. 1188), qualifie la robe d'un cheval, puis tout objet de couleur brique, valeur qu'il a reprise au XXe s. en œnologie (*vin tuilé* «de couleur orangée»). ◇ Dans l'usage moderne, il qualifie ce qui est en forme de tuile, disposé comme des tuiles (1791) ou recouvert de tuiles. ◆ Le diminutif **TUILETTE** n. f. d'abord *tuilete* (v. 1180), signifie proprement «petite tuile»; il est d'usage technique en cristallerie. ◆ **TUILIER, IÈRE** n. et adj. (1287), d'abord *tiulier* (1200) «ouvrier qui fait les tuiles», s'emploie aussi au féminin (1430; v. 1155, *tuilliere*) pour *tuilerie.* ◆ **TUILERIE** n. f. (1538), d'abord *tuillerie* (1287), antérieurement *tulerie* (1221), désigne l'atelier, puis l'usine où l'on fabrique des tuiles. Le pluriel *(les Tuileries)* désigne le palais parisien édifié sur l'emplacement d'une ancienne tuilerie en 1564 et, aujourd'hui, le jardin qui s'étend sur l'emplacement de l'ancien palais.

◆ Le diminutif masculin **TUILEAU** n. m. (1611), réfection d'une ancienne forme *thieulleau* (XIVe s.) «mortier contenant des morceaux de tuile», a été conservé avec le sens technique de «fragment de tuile» (1458, *tuilleau*). ◆ **TUILER** v. tr., relevé isolément au participe passé pour «couvert de tuiles» (XIIIe s., *tyulé*), à l'infinitif avec ce sens en ancien provençal (1382, *teular*), est reformé au XVIIIe s. (1723) à partir du sens technique de *tuile* (ci-dessus) comme terme de métier à propos d'une opération des drapiers; il est encore employé dans la franc-maçonnerie (1805) pour l'action par laquelle les francs-maçons s'interrogent pour se reconnaître. ◇ Il s'emploie au figuré (v. 1980) pour «recouvrir partiellement, dans le temps», à propos de durées d'exécution d'une opération complexe (ainsi que *tuilage*). ◇ Son dérivé **TUILAGE** n. m., autrefois (1723) «action de nettoyer une étoffe avec la tuile», désigne concrètement l'instrument dont se servent les drapiers pour cette opération (1842). Il est spécialement employé en franc-maçonnerie (1832).

TULIPE n. f. est emprunté, sous la forme *tulipa* n. m. (1593), puis *tulipan* (1600), modifiée en *tulipe* (1611), au turc *tülbend-(lâle)* «turban», lui-même au persan *dul-i-band.* ◇ Les tulipes ont été importées vers 1560 en Europe de l'Ouest; le passage de «turban» à «tulipe» est déjà expliqué en 1554 par l'ambassadeur Busbeck qui cueillit la fleur dans les jardins de Soliman le Magnifique: «Per haec loca transeuntibus ingens ubique florum copia offerebatur [sic], narcissorum, hyacinthorum et eorum quos Turcae *tulipan* vocant.» ◆ Les formes du mot *tulipe,* reprises au turc un peu plus tard que celles désignant le turban, ont emprunté un chemin différent; la forme *tulpe* «turban» et «tulipe» que l'on relève dans un dictionnaire flamand-latin-français du XVIIe s. révèle le rôle important de la Hollande. Cependant le passage de *tulipan* à *tulipe* n'est pas expliqué; la finale *-an* a peut-être été interprétée comme le suffixe *-ano;* on peut aussi penser à une influence de la Hollande où l'on a commencé à cultiver très tôt la tulipe: le dictionnaire cité ci-dessus donne en effet une forme latinisée *tulipa.* De la forme première procèdent l'italien *tulipano,* le provençal *tulipan,* l'espagnol *tulipán,* l'alémanique *tulipane,* le russe *tioul'pan,* le danois *tulipa,* le suédois *tulpan.*

♦ Le nom de la plante et, en particulier, de sa fleur, objet d'intérêt pour les horticulteurs et amateurs français dès le XVIIe s. (cf. *l'amateur de tulipes* chez La Bruyère), a eu quelques extensions de sens par analogie de forme: il s'applique à un objet dont la forme évoque le bulbe de la tulipe (1752), par exemple un verre ovoïde renflé au milieu (1876), aussi en apposition *verre tulipe,* autrefois un instrument utilisé dans les travaux de sondage (1765) et la partie renflée du côté de la volée d'un canon (1876). ◇ Il a servi sous l'Ancien Régime de surnom à un soldat gai et plein d'entrain (le nom le plus connu est *Fanfan* [de *enfant*] *la Tulipe*).

▸ Le dérivé ① **TULIPIER** n. m. (1745) désigne un arbre dont la fleur ressemble à la tulipe. ◆ Son homonyme ② **TULIPIER** n. m. désigne un cultivateur de tulipes (1838, adj.) et, comme **TULIPISTE** n. m. (1933), un amateur de cette fleur. Ces mots apparaissent bien après **TULIPOMANIE** n. f., mot désignant la mode de la culture des tulipes, qui déferla en Europe, et notamment en Hollande, vers 1630 (où l'on créa même des notaires de tulipes pour surveiller les spéculations en Bourse sur les tulipes).

◈ voir TURBAN.

TULLE n. m. est communément regardé comme le nom commun (1765, *Encyclopédie*), relevé une première fois en 1698 dans *point de tulle*, tiré de *Tulle*, nom du chef-lieu de l'actuel département de la Corrèze où ce tissu aurait été fabriqué. Or, Tulle ne semble pas avoir joué un rôle quelconque dans l'industrie du tulle, groupée dans le Nord (Saint-Pierre près de Calais, Douai, Lille, Cambrai) et à Lyon. Celui-ci était aussi de Nottingham (Angleterre). Il est difficile de déterminer les parts respectives de l'Angleterre et de la France dans ce domaine, l'anglais ayant lui-même repris *tulle* au français au début du XIXe siècle.

♦ Le mot, qui désigne un tissu très léger différent de la dentelle, entre dans quelques syntagmes qualifiés et déterminés désignant différentes qualités, comme *tulle illusion* (1844); *tulle gras* (1933) se dit d'une gaze imprégnée de pommade et utilisée dans les pansements.

► Au XIXe s., le mot a servi à former trois dérivés techniques. ◆ **TULLISTE** n. (1842) «industriel producteur de tulle», puis (1872) «ouvrier en tulle». ◆ **TULLIER, IÈRE** adj. (1844) signifie «qui concerne le tulle» et **TULLERIE** n. f. (1844) «usine, fabrique de tulle».

TUMÉFIER v. tr. est emprunté (1561) au latin *tumefacere* «gonfler», composé de *tumere* «être gonflé» (→ tumeur), et *facere* (→ faire), avec francisation d'après les verbes français en *-fier*.

♦ *Tuméfier* est introduit par les médecins de la Renaissance pour «provoquer l'enflure de (une partie du corps)» et s'emploie aussi au pronominal *se tuméfier* (1690).

► Il est moins courant que **TUMÉFIÉ, ÉE** adj., du participe passé, d'abord en emploi figuré par latinisme (1788) pour qualifier une personne bouffie d'orgueil, puis avec une valeur concrète (1872).
TUMÉFACTION n. f. est un emprunt (1552) au dérivé latin moderne *tumefactio*, fait sur le supin du latin classique *tumefacere*. Il sert de nom d'action à *tuméfier* et par métonymie désigne la partie du corps tuméfiée.
TUMESCENCE n. f. est formé savamment (1834, Boiste) sur le latin *tumescens*, participe présent de *tumescere* «s'enfler», inchoatif de *tumere*. ◆ Le mot a été formé pour servir d'antonyme à **DÉTUMESCENCE** n. f., employé d'abord (1749) à propos de la cessation du gonflement des eaux lors du reflux, puis aujourd'hui comme terme de physiologie (1792). ◆ Ce dernier avait lui-même été construit en opposition à **INTUMESCENCE** n. f. (1611) «fait d'enfler», formé savamment sur le latin *intumescens*, participe présent de *intumescere* «se gonfler», au figuré «croître, grandir», dérivé préfixé de *tumescere*. Ce nom, très littéraire au figuré (av. 1848, Chateaubriand), est entré dans le vocabulaire de la mécanique des fluides (1962). ◇ **INTUMESCENT, ENTE** adj. (1836) est didactique ou littéraire. ◆ **TUMESCENT, ENTE** adj. (1834) est emprunté au latin *tumescens*. ◆ Son antonyme en *dé-*, **DÉTUMESCENT, ENTE** adj. (1839), correspond à *détumescence* au sens physiologique.

◈ voir TUMEUR.

TUMEUR n. f. est une francisation (v. 1560) de *tumour* (v. 1398), emprunté au latin *tumor, -oris* qui désigne une enflure, un gonflement, spécialement en médecine, et se dit au figuré d'un trouble de l'âme (colère, chagrin, vanité) et spécialement en rhétorique d'un style boursouflé. Il est dérivé de *tumere*, verbe exprimant tous les sens correspondants, qui se rattache à une racine indoeuropéenne °*tu-bh-* exprimant l'idée de gonflement, que l'on retrouve dans le latin *tuber* (→ truffe, tubercule) et peut-être dans le grec *tumbos* (→ tombe).

♦ *Tumeur*, emprunté en pathologie pour désigner une grosseur formant saillie dans un endroit du corps, s'est employé au figuré pour «orgueil» (1597), emploi rapidement disparu. Le mot est appliqué également au gonflement du tissu d'un végétal (1764). ◇ En médecine moderne, il désigne une production pathologique constituée par un tissu de formation nouvelle, avec de nombreux emplois qualifiés précisant le caractère, la nature de la tumeur, notamment *tumeur maligne* (c'est-à-dire cancéreuse) et *tumeur bénigne*.

► Il n'a produit que l'adjectif didactique **TUMORAL, ALE, AUX** (v. 1929), lequel a remplacé l'ancien *tumoreux* «en forme de tumeur» (v. 1380), propre au moyen français.

◈ voir TUMÉFIER, TUMULUS.

TUMULTE n. m., réfection savante (v. 1200) de *temolte* (v. 1131), *temulte* (v. 1155), est un emprunt au latin *tumultus* «gonflement», «agitation désordonnée», «trouble, vacarme». Le mot désigne, dans la langue poétique, l'agitation, le tumulte des flots et s'applique au figuré au trouble de l'esprit. Il est également employé dans la langue militaire pour «levée en masse» et s'applique à ce qui n'est pas la guerre régulière : révolte, insurrection, guerre civile. Le mot, qui est probablement une formation expressive, n'a pas d'étymologie connue : le rapprochement proposé avec le sanskrit épique *tumalah* «agitation», mot isolé, est peu probant ; quant au rapport souvent proposé avec *tumere* «être gonflé» (→ tumeur), il est sémantiquement et morphologiquement difficile à appuyer.

♦ Le mot dont le genre, d'abord féminin à cause de sa finale en *-e*, s'est fixé au XIVe s., a désigné l'agitation des éléments de la mer, reprenant un emploi métaphorique de *tumultus* attesté chez Ovide et Horace. Dès les premiers textes, il désigne aussi un grand mouvement de foule, accompagné de bruit, de cris (v. 1131), reprenant un autre sens latin fréquent dans l'usage oratoire et historique. Il désigne (v. 1500) en parlant de la Rome ancienne une grave alerte qui entraîne une levée en masse ; son emploi particulier à propos d'une sédition, d'une émeute (av. 1530) a disparu. ◇ Les poètes de la Renaissance l'ont utilisé avec l'idée d'une activité désordonnée, excessive (1573) ; cette acception est restée propre au langage littéraire, dans des locutions comme *tumulte du monde* (1660), *tumulte des affaires* (1798), et elle est sentie aujourd'hui comme très affectée. L'acception psychologique «violent désordre intérieur» (1621), d'abord réalisée comme figure de rhétorique, est elle aussi devenue très littéraire.

▸ Le mot n'a pas de dérivés : les mots de son groupe sont empruntés directement au latin. ◆ **TUMULTUAIRE** adj., emprunt (v. 1355) au dérivé latin *tumultuarius* qui qualifie un soldat enrôlé à la hâte, a pris en français la valeur d'«improvisé avec désordre et précipitation», sortie d'usage, et a été repris par les écrivains de la fin du XIXe s. (Huysmans, Bloy) comme synonyme recherché de *tumultueux*. Cet adjectif ne s'emploie (1876) qu'à propos de l'histoire romaine. ◇ Son dérivé **TUMULTUAIREMENT** adv. (1559) est sorti d'usage. ◆ **TUMULTUEUX, EUSE** adj., emprunté à la même époque (v. 1354) au dérivé latin *tumultuosus* «plein d'agitation, de trouble», qualifie ce qui manifeste le désordre et l'agitation et ce qui est plein de trouble (1631, *vie tumultueuse*); par figure, il se dit aussi d'un être qui subit un trouble intérieur (1665). Il a cessé de se dire d'un vin très fort (1567). ◇ Son dérivé **TUMULTUEUSEMENT** adv. (v. 1355) appartient au style littéraire. ◆ **TUMULTUER** v. intr. (v. 1360), représentant du dérivé latin *tumultuare*, est encore relevé chez Huysmans; son participe présent adjectivé **TUMULTUANT, ANTE** (v. 1505) s'est également éteint (encore chez les Goncourt, 1865).

TUMULUS n. m. est un emprunt tardif (1811, Chateaubriand) au latin *tumulus*. Celui-ci désigne une éminence, une hauteur naturelle ou artificielle et en particulier le monticule recouvrant un cadavre, puis la tombe elle-même. *Tumulus*, souvent associé par les Anciens à *cumulus* (→ cumul), se rattache à la racine indoeuropéenne °*tu-bh-* exprimant un gonflement (→ tombe, tuméfier, tumeur).

♦ *Tumulus* désigne en archéologie un amas de pierres ou de terre élevé au-dessus d'une tombe, notamment dans les civilisations protohistoriques.

▸ **TUMULAIRE** adj., dérivé savant (av. 1771) du latin *tumulus*, est un équivalent didactique de *tombal*.

TUNE → THUNE

TUNER n. m. est emprunté (1956) à l'anglo-américain *tuner*, nom donné à un amplificateur de haute fréquence accordé, lui-même issu de l'anglais *to tune* v. tr. «accorder (un instrument de musique)», de *tune* (1387) «air, mélodie». Ce dernier est la variante de *tone* «ton», emprunté au XIVe s. au français *ton** (de la voix) et au latin *tonus* «tension d'une corde, son d'un instrument», du grec *tonos*.

♦ Le mot a pénétré en français avec le sens technique du mot américain mais il s'est répandu dans l'usage pour désigner un récepteur en modulation de fréquence, sans amplificateur, qui constitue l'élément d'une chaîne de haute fidélité. Cet anglicisme critiqué s'est vu proposer de nombreux équivalents français, mais c'est le seul terme usuel dans le commerce.

TUNGSTÈNE n. m. est un emprunt (1783), d'abord écrit *tungsteen* (1765, *Encyclopédie*), au suédois *tungsten*, proprement «pierre lourde», composé de *sten* «pierre» (apparenté à l'anglais *stone*, l'allemand *Stein*) et *tung* «lourd». L'appellation suédoise s'est répandue dans les pays latins et anglo-saxons (anglais *tungsten*, XVIIIe s.). En Allemagne et dans les pays slaves, on emploie *wolfram**.

♦ Le mot désigne un élément métallique très réfractaire, utilisé comme élément d'addition dans les aciers rapides. Sous forme de poudre, cet élément a joué à deux reprises un rôle fondamental dans la métallurgie des poudres : vers 1910, pour l'élaboration du tungstène ductile exigé par les fils de lampe à incandescence, puis vers 1925, dans la découverte et l'expansion des outils de coupe ou de forage en *carbure de tungstène* cémenté.

▸ Les dérivés en chimie sont essentiellement **TUNGSTATE** n. m. et **TUNGSTIQUE** adj., apparus tous les deux chez Guyton de Morveau (1787). ◆ Par la suite, ont été formés le dérivé **TUNGSTITE** n. f. (1892), puis en électricité **TUNGAR** n. m. (1932), emprunt à l'anglais *Tungar*, nom déposé aux États-Unis en 1917, composé de *tungstène* et *ar(gon)*.

TUNIQUE n. f. est emprunté (v. 1130) au latin *tunica*, nom d'un vêtement de dessous porté par les hommes et les femmes, analogue par l'usage à la chemise et par la forme à la blouse. Il en existait différentes sortes, distinguées par des épithètes : *tunica manicata* «à manches», *intima* «intime», etc. Par extension, le mot servait à désigner des téguments ou membranes recouvrant certains corps ou organes. À basse époque, il s'est dit de vêtements liturgiques (IXe s.) puis (XIIIe s.) de la cotte d'armes. Il est emprunté au même mot, peut-être sémitique (l'hébreu a *kutōnet*) qui a fourni le grec de même sens *khitôn* (en français *chiton*); ce doit être un terme de commerce, probablement dû aux Phéniciens et qui s'est largement répandu (italien, espagnol *tunica*, anglais *tunic*, allemand *Tunika*, irlandais *tuinech*).

♦ Le mot désigne à la fois un vêtement sacerdotal dans lequel on officie (v. 1150) et, comme terme d'antiquité, un vêtement de dessous, une sorte de chemise longue (v. 1130, sous la forme *tonicle* qui provient d'un diminutif de *tunica*, *tunicula*, déjà attesté en latin classique et passé en latin ecclésiastique). On a ainsi appelé *tunique* (XIIIe s.) puis *tunique de Jésus-Christ* ou *tunique sans couture* (1690), le vêtement du Christ que les soldats jouèrent aux dés après la crucifixion. ◇ Le mot apparaît çà et là dans la littérature courtoise (v. 1170) avec la valeur très générale de «robe longue de dessus». ◇ Un réemprunt du latin introduit le sens militaire de «cotte d'armes» (1306) propre à l'ancien et au moyen français. Depuis le XVIe s., le mot est employé comme terme biblique pour le vêtement des prêtres hébreux (1535). Au XVIIe s., on appelle *tunique* le vêtement que portent les évêques sous leur chasuble quand ils officient (1694) et la veste que portent les rois à leur sacre (1694). Ce n'est qu'à partir de la fin du XVIIIe s. que le nom s'implante

comme terme de mode féminine (1797) sans devenir usuel. Aux XIXe et XXe s., le mot a également désigné le vêtement d'uniforme porté par les soldats et les collégiens, mais ce sens a vieilli avant 1950. ◇ L'expression *tunique de Nessus,* attestée chez Balzac (1824) pour un présent funeste et, abstraitement, un mal dont on ne peut se défaire, fait allusion à la mythologie grecque : Nessus aurait donné à Déjanire une tunique empoisonnée comme talisman contre l'infidélité ; elle brûla Hercule sitôt qu'il l'eut revêtue.
Un réemprunt au latin médical *tunica* (v. 1300), qui semble postérieur à l'emploi analogue en ancien provençal (1250), correspond à «enveloppe (d'un organe anatomique)». ◇ Par analogie avec ce sens (et probablement déjà en latin savant) *tunique* se dit en botanique de l'enveloppe de bulbes et autres organes végétaux (1552). ◇ En zoologie, le mot désigne aussi la membrane qui revêt la partie intérieure des animaux dits *tuniciers* (ci-dessous).

▸ Tunique a servi à former **TUNIQUÉ, ÉE** adj. (1803), terme de description scientifique ; antérieurement, le moyen français avait eu *teniclé* «revêtu d'une cotte d'armes» (1306) et on avait risqué *tuniqué* en 1719 pour «vêtu d'une tunique». ➛ **TUNICIERS** n. m. pl. (1824) recouvre un embranchement d'animaux marins dont le corps est entouré d'une membrane ou coque *(tunique)* dont la composition chimique est proche de la cellulose des végétaux. ➛ L'enveloppe des tuniciers a reçu le nom de **TUNICINE** n. f. (1872).

TUNNEL n. m. est emprunté (1825) à l'anglais *tunnel* (XVe s.) qui a d'abord désigné un filet tubulaire pour prendre les perdrix, les alouettes, puis un tuyau, un tube (XVIe s.) avant de prendre son sens moderne au XVIIIe s., selon Wexler, «aux débuts de l'essor prodigieux pris par la construction des canaux». Le mot anglais est emprunté au moyen français *tonel,* forme ancienne de *tonneau**, *tonnelle**, ce dernier ayant eu le sens de «tuyau» (1551).

♦ Le mot a fait son apparition en français comme terme de génie civil à propos des travaux exécutés à Londres sous la direction de l'ingénieur français M. I. Brunel pour l'édification d'un tunnel sous la Tamise. On hésitait encore à l'époque entre la périphrase française *passage souterrain,* la forme française *tonnelle* (1794 pour rendre l'anglais *tunnel*) et l'emprunt *tunnel.* Ce dernier s'est imposé comme terme de chemins de fer, d'abord à propos de l'Angleterre (1829) ; à l'époque des premiers tunnels ferroviaires exécutés en France par Marc Seguin et ses frères entre 1826 et 1829 pour la ligne de Saint-Étienne à Lyon, et pendant plusieurs décennies encore, la langue a hésité entre *percement, percée, galerie (souterraine), souterrain, voûte* et *tonnelle. Souterrain* est demeuré le terme officiel mais l'usage a préféré l'emprunt *tunnel,* qui s'applique à toute galerie souterraine (1857). ◇ Il s'emploie au figuré pour «période obscure, difficile» (1897, *sortir du tunnel*) et, par un nouvel emprunt à l'anglais, s'applique à une salle d'expérimentation de forme allongée (1929).

▸ Il a donné un dérivé, **TUNNELIER** n. m. (1972, *in* Höfler), nom d'une machine foreuse rotative perçant des tunnels et du professionnel spécialisé dans le forage des tunnels.

TURBAN n. m. est la modification (1537) de divers emprunts (v. 1350, *tourbelon,* isolément, puis v. 1500, *toliban*) au turc *tülbend,* qui a aussi donné *tulipe**. Le mot turc est un emprunt au persan *dul (-i)band,* formé de *band* «lien» avec un préfixe hindoustani. L'adaptation du mot en français s'est faite en *tourbelon,* puis *tolliban* (XVe s.), *tolipan* (1563), *tolopan* (XVIe s.), *tolypan* (1597), *tulbant* (1611).

♦ Le mot désigne une coiffure masculine portée dans l'Orient musulman, faite d'une pièce d'étoffe enroulée autour de la tête, d'où la locution ancienne *prendre le turban* «se convertir à l'islam» (1688). ◇ Par métonymie, il a désigné un morceau de gomme-gutte de forme cylindrique (1723) et une toile rayée bleue et blanche qui se fabriquait aux Indes orientales (1730). ◇ Par analogie, le mot, qualifié, s'applique à des coquillages (1732) et à des fleurs (1823) par la même métaphore que *tulipe.* ◇ Par extension, il se dit aussi (1803) d'une coiffure féminine imitant le turban oriental et qui fut à la mode pendant le premier Empire et vers 1940-1945 ; il s'est employé pour une partie du képi militaire (1830).

▸ Le préfixé **ENTURBANNÉ, ÉE** adj., relevé une fois au XVIe s., est reformé au début du XXe s. (1901).

◈ voir TULIPE.

TURBIDE adj. est emprunté (1508) au latin *turbidus* «trouble» et «troublé», avec une valeur physique, par exemple en parlant du temps, de l'eau, et morale. L'adjectif est dérivé de *turba* «trouble» (→ ① tourbe).

♦ Le mot a d'abord eu le sens latin de «tempétueux», emploi isolé qui ne semble plus repris après 1528, puis s'applique à un liquide qui n'est pas limpide (1615) ; rare et littéraire avec cette valeur, il a été repris en sciences au XXe s. *(courants turbides).*

▸ Le dérivé **TURBIDITÉ** n. f. (1910) est aussi rare que l'adjectif avec sa valeur générale, se spécialisant en sciences (1953) pour désigner la teneur en boues d'un cours d'eau et employé dans *courant de turbidité* (v. 1950). ➛ À partir de son radical, on a formé (apr. 1950) le terme didactique **TURBIDIMÉTRIE** n. f., de *-métrie.*

TURBINE n. f. est un emprunt fait à plusieurs reprises (1534, puis XVIIe s., puis 1822) au latin *turbo, -inis,* nom dérivé de *turba* «trouble, agitation, désordre» (→ ① tourbe) et désignant à la fois un mouvement rapide et circulaire et, par métonymie, toute espèce d'objet animé d'un tel mouvement : trombe, tourbillon, cyclone, toupie. Il se dit aussi au figuré du vertige de l'âme.

♦ Le mot a été emprunté au XVIe s. avec le sens de «tourbillon de vent» (1534) puis au XVIIe s. pour désigner un coquillage en forme de toupie (1649 ; 1611, *turbin*). ◇ La langue technique moderne l'a repris (1822) pour désigner une roue à hélice d'abord mue par un courant d'eau, puis de gaz, et communiquant un mouvement à une machine. La valeur du terme a évolué avec les techniques, notamment la *turbine à vapeur* (syntagme attesté en 1904), la *turbine à gaz*, les turbines des centrales hydrauliques et les *moteurs à turbine* à réaction. Il sert en particulier de synonyme aux composés *turbocompresseur* et *turbomoteur*.

▸ Son dérivé technique ① **TURBINER** v. tr. (1891), «faire tourner à l'aide d'une turbine», a produit l'adjectif **TURBINABLE** (v. 1950). ◆ Un autre dérivé, **TURBINAGE** n. m. (1861), après avoir servi de nom d'action au verbe, ne s'emploie plus que pour l'essorage du sirop de sucre par centrifugation.
L'élément **TURBO-**, tiré du latin *turbo*, a servi à former de nombreux composés désignant des mécanismes, des moteurs rotatifs : les plus anciens sont **TURBOMOTEUR** n. m. (1890), **TURBO-ALTERNATEUR** n. m. (1904) et **TURBOCOMPRESSEUR** n. m. (1904). ◇ Depuis, ont été formés **TURBOPROPULSEUR** n. m. (1910), **TURBOSOUFFLANTE** n. f. (1931), **TURBORÉACTEUR** n. m. (1946) en aviation, **TURBOFORAGE** n. m. (1964, dans les dictionnaires), **TURBODIESEL** adj. et n. m. (v. 1960), **TURBOFILTRE** n. m. (v. 1960), **TURBO-AGITATEUR** n. m. (v. 1960), **TURBORAIL** n. m. (1967), **TURBOTRAIN** n. m. (1968), **TURBOCOMBUSTIBLE** n. m. (1968).

◈ voir TOURBILLON, ② TURBINER.

① TURBINER → TURBINE

② TURBINER

② TURBINER v. intr., apparu (1800) en argot, est un mot d'origine incertaine. Il ne peut être dérivé de *turbine**, dispositif dont l'invention est postérieure (1823). Bloch et Wartburg suggèrent qu'un membre des bandes de brigands opérant dans l'Ouest aurait, à partir de quelques notions de latin, formé le mot sur le radical du classique *turbo* «agitation» (→ turbine). P. Guiraud remarque que les chauffeurs d'Orgères infestaient le Nord et non l'Ouest, et que leur connaissance du latin est douteuse. Il propose de rattacher le verbe aux sens anciens de *turbine* et de *turbin* (v. 1200) «tourbillon» et, dans les dialectes, «toupie»; il relève également *tourbil* «toupie» (v. 1380) et «personne active», et des verbes dialectaux au sens de «se démener»; *tourpiner* «aller et venir au travail» est relevé au début du XIXe siècle.

♦ Le mot exprime l'idée de «travailler dur», aujourd'hui passée dans le langage familier, et s'est dit spécialement d'une femme se livrant à la prostitution (1890). Il a vieilli, de même que ses dérivés.

▸ Il a produit le déverbal **TURBIN** n. m. (1821), d'abord «travail pénible», vieilli mais encore connu par des chansons *(le samedi soir après l'turbin...)*, et argotiquement «prostitution» (v. 1860), familièrement «activité illicite» quelconque (v. 1900). Dans l'argot des coureurs automobiles, il désigne une irrégularité (v. 1930). ◆ **TURBINEUR, EUSE** adj. et n., créé à la même époque (1821), qualifie et désigne très familièrement une personne qui ne craint pas le travail. ◇ En argot, le féminin **TURBINEUSE** s'applique à une prostituée active.

TURBOT

TURBOT n. m., réfection (v. 1211) de *turbut* (v. 1138), est emprunté, comme une grande partie des termes maritimes, à un ancien scandinave °*þorn-butr* (cf. allemand *Dornbutt*), proprement «barbue *(butr)* à piquants (*þorn*; cf. anglais *thorn* 'épine')».

♦ Le mot désigne un poisson plat dont la chair est très appréciée.

▸ Il a pour dérivé **TURBOTIN** n. m. (1694) «jeune turbot», usuel, et **TURBOTIÈRE** n. f. (1742), nom donné en cuisine à un récipient en losange pour la cuisson des poissons plats, auparavant nommé *turbottine* n. f. (1680).

TURBULENT, ENTE

TURBULENT, ENTE adj. est emprunté (v. 1200) au latin classique *turbulentus* «agité, troublé, en désordre», dérivé de *turba* «trouble, agitation» (→ ① tourbe).

♦ L'adjectif s'applique d'abord à une personne portée au désordre et qui cherche à le produire, mais semble rare avant le XVIe s.; cet emploi, comme l'acception «troublé, agité» (1565) en parlant d'un élément (vent, mer), est aujourd'hui un archaïsme littéraire. ◇ Le mot est sorti d'usage pour qualifier une personne ou une passion violente (1672). Il se dit par affaiblissement (1611) d'une personne bruyante ou de son comportement. ◆ *Turbulent* n. m., disparu dans cet emploi pour «fauteur de troubles» (fin XVIe s.) puis «personne remuante et bruyante», désigne un outil pour fouler les peaux (1876). ◇ L'adjectif s'emploie (av. 1949) en mécanique des fluides, notamment dans *régime turbulent*.

▸ **TURBULENCE** n. f. est un emprunt du moyen français (1495) au dérivé latin impérial *turbulentia* «trouble, perturbation». ◇ Le mot, désignant une agitation bruyante, est à nouveau emprunté au XVIIe s. (1646), employé au pluriel au sens de «troubles (politiques, etc.)» et au singulier pour «esprit de trouble» (1728). ◇ Depuis le XIXe s., il se dit (1846) du caractère d'une personne turbulente. ◇ Devenu comme l'adjectif un terme scientifique (1935), il désigne la formation de tourbillons dans un fluide, en particulier en météorologie d'où il est passé dans l'usage général (1949, *turbulence atmosphérique*).

◈ voir TOURBILLON.

TURC, TURQUE

TURC, TURQUE n. et adj., (v. 1080), est emprunté au grec byzantin *Tourkos*, mot persan et arabe issu du turco-mongol *Tūrkūt*, à l'origine de la forme *türk* (en turc). Ce dut être d'abord le nom d'une seule tribu ou plutôt le nom d'une famille de souverains, signifiant peut-être «force, puissance».

♦ Le mot a été introduit en français pour désigner un habitant de la Turquie. ◇ Son usage comme nom (avec majuscule) et adjectif ethnique se réfère en partie à l'Empire ottoman (1300-1919) fondé par des peuples d'origine asiatique apparentés aux Mongols et influencés par ceux-ci; cet emploi a suscité vers la fin du XVIe s. une valeur figurée : comme le More*, le Turc a symbolisé pour les chrétiens au XVIIe et au XVIIIe s. et sans doute depuis les croisades, le mécréant, l'ennemi brutal. Le mot s'est employé pour «musulman» (v. 1504), sens aujourd'hui disparu, encore réalisé au XIXe s. dans la locution *se faire turc* «devenir musulman». D'où le sens figuré classique (1660) de *turc* n. m. «homme brutal et cruel» et la locution sortie d'usage *traiter qqn de Turc à Maure* (1623, ... *à More*). Auparavant était aparu dans ce contexte ***fort comme un turc*** (1457) qui a perdu sa connotation péjorative. ◇ Au XVIIIe s., ce thème est corrigé en partie par celui du *Turc généreux,* dans les pièces et opéras. ◇ L'adjectif est entré comme qualificatif dans quelques syntagmes comme *point turc* (1694), *rondeau turc* en musique (1876) ou *rondeau à la turque* (1872), d'après l'italien *alla turca,* la locution ***à la turque*** étant employée depuis le début du XVIe s.; *bain turc* (1899) signifie «hammam», *café turc* «café à l'orientale». L'expression ***tête de Turc*** (1866) fait allusion au dynamomètre de foire dont la partie frappée représente une tête ornée d'un turban; elle signifie au figuré «souffre-douleur» (1857). ◇ En histoire, le mot s'emploie dans le syntagme *le Grand Turc* (av. 1453), nom donné autrefois aux sultans ottomans, et *Jeunes Turcs* (1907), allusion aux révolutionnaires turcs qui prirent le pouvoir en 1908, appliqué par figure aux éléments jeunes d'un mouvement politique qui souhaitent une évolution (1951, Camus).

Le mot a été repris (1697), aussi écrit *Türk,* pour qualifier et désigner les peuples d'Asie centrale parlant des langues du groupe ouralo-altaïque et qui envahirent au Xe s. le Moyen-Orient et l'Anatolie (devenue ensuite *Turquie*). Le *turc,* au sens moderne, fait partie des langues de ce groupe (1457, n. m.; 1820, *langue turque*).

▸ *Turc* a produit quelques dérivés. ◆ **TURQUERIE** n. f. (1576) est le nom donné anciennement à une pierre dont les Amérindiens s'ornaient le nez, par confusion entre les deux «Indes». ◇ Au XVIIe s., il a servi à désigner un caractère impitoyable (1668). ◆ De nos jours, il ne s'emploie plus que pour parler d'une composition artistique dont l'inspiration relève d'une Turquie fantaisiste à la mode aux XVIIe et XVIIIe s., cette acception n'étant repérée qu'en 1831. ◆ **TURQUETTE** n. f. (1633) est un des noms d'une plante, la herniaire glabre, aussi nommée par périphrase *herbe du turc* (1565).

L'élément *turco-* entre dans la formation de quelques noms didactiques. ◆ **TURCOMAN, ANE** adj. et n. (1697) a été remplacé par **TURKMÈNE** adj. et n. (1895), d'abord écrit *turckmann* (1765), mot d'origine persane. ◆ **TURCOMONGOL, OLE** adj. et n. m. désigne l'ensemble des langues turques et mongoles, **TURCOPERSAN, ANE** adj. et n. m. (XXe s.) se dit des emprunts au persan par le turc.

TURCO n. m. est l'emprunt (1856) de *turco,* mot du sabir algérien, proprement «(soldat) turc», l'Algérie étant restée sous la domination turque jusqu'en 1830; il est emprunté à l'italien *turco* «turc» correspondant au français *turc**. Le mot a été appliqué aux tirailleurs algériens au service de la France pendant la campagne de Crimée; il a disparu.

◈ voir TURQUIN, TURQUOISE.

TURELURE n. f. d'abord refrain de chanson (XIIIe s.; → turlututu), s'est employé pour «cornemuse» (fin XIVe s.). On le considère généralement comme onomatopéique, mais P. Guiraud lui donne aussi des bases sémantiques : il y voit un composé de *loure* «musette (instrument de musique)» (XVIe-XVIIe s.) et «flageolet», d'où *lourer* «jouer de la lure», que Wartburg rattache à un latin °*lŭra* (*u* bref) «outre». P. Guiraud rappelle que la forme latine étant *lūra* (*u* long), on aurait dû obtenir en français °*lure,* alors que *loure* supposerait une variante expressive °*lŭrra.* Il propose enfin, pour l'élément *ture-,* le latin *torus* «renflement», représenté en français par le franc-comtois *toura* «bouder» et l'angevin *teur* «renflé». Le vocalisme de *tur-* proviendrait d'une assimilation onomatopéique avec *lure.* Cette explication ingénieuse est très hypothétique.

♦ Le mot s'est employé dans la locution *c'est toujours la même turelure* «c'est toujours la même chose» (1771; 1729, *c'est la même turlure*), puis seul au sens de «air rebattu», comme *rengaine, chanson.*

◈ voir TOURLOUROU, TURLUTUTU.

TURF n. m. est emprunté (1828) à l'anglais *turf,* d'abord «tourbe, motte de gazon, pelouse» (XIIIe s.), spécialisé depuis le XVIIIe s. (1755) comme terme de sports pour le terrain des courses de chevaux. Le mot anglais a la même origine francique que le français ② *tourbe**.

♦ *Turf,* attesté en 1828 dans le *Journal des haras* pour désigner le terrain gazonné où se disputent les courses de chevaux, est l'un des plus anciens emprunts à l'anglais dans le domaine du sport. De nos jours, cette acception a vieilli au profit de *champ de courses* et *hippodrome.* ◇ Par extension, le mot désigne le sport hippique et les activités qui s'y rattachent (1828), ainsi que l'ensemble des amateurs de sports hippiques (1837), cette dernière acception étant sortie d'usage avec l'emploi du dérivé *turfiste* (ci-dessous). ◇ *Turf* est passé en argot avec le sens figuré de «voie publique où se pratique le racolage» (1864), d'où «prostitution» (1925), par exemple dans la locution ***faire le turf*** (1926) «se prostituer», par métonymie (1935) *un turf* «une prostituée». ◇ Il a pris par extension le sens général de «travail» (1945; 1929 «ouvriers»).

▸ Le mot a produit **TURFISTE** n. (1853) «personne qui joue aux courses», pseudo-anglicisme propre au français.

◈ voir URF.

TURGESCENCE n. f. est emprunté (1741) au latin médiéval *turgescentia,* nom dérivé du latin *turgescens,* participe présent de *turgescere* «se gonfler, s'enfler». Ce verbe est le dérivé à valeur inchoative de *turgere* «être gonflé, enflé», mot ancien (Caton, Ennius) que semble avoir évité la prose classique et qui a été repris par la poésie impériale. Son origine est inconnue. ◇ Ce verbe a été emprunté isolément au XVIe s. (1584) et à la fin du XVIIIe s. sous la forme *turgir* et au participe *turgent* (1561).

♦ *Turgescence* a été emprunté comme terme de physiologie à propos de l'augmentation de volume d'un organe provoquée notamment par rétention de sang (par exemple dans l'érection). ◇ Il s'est quelquefois employé avec la valeur figurée de «gonflement» dans la langue littéraire (1801).

▸ **TURGESCENT, ENTE** adj. a été emprunté, pour lui servir d'adjectif (1812), au participe présent latin *turgescens*.

TURGIDE adj., emprunt antérieur (1463) au latin *turgidus* «dur et gonflé», dérivé de *turgere*, apparaît en français comme terme de médecine et de botanique. Rare avant le XIXe s., il a été repris dans la langue littéraire avec la valeur de «gonflé, enflé» (1812), mais ne s'est pas imposé.

◈ **TURLUPIN** n. m. et adj. (XIVe s.) est un mot d'origine inconnue. Il a désigné un membre d'une secte hérétique et, également au XIVe s., est relevé au sens de «rieur, badin»; le caractère expressif du mot fait supposer à P. Guiraud qu'il a pu être compris comme un composé tautologique de *turlu (ete)* «flûte de berger» et du dialectal *pine* «sifflet d'écorce», ce qui pourrait expliquer l'évolution des sens.

♦ *Turlupin* a qualifié un faux dévot (1378), une personne qui ne prend pas au sérieux les choses religieuses (1485), d'où le sens de «coquin» chez Rabelais, où il est altéré en *tirelupin*, et peut-être celui de «fainéant, parasite» au XVIIe s. (1640). Tous ces emplois ont disparu. ◇ Le mot est pris au début du XVIIe s. comme surnom (1618) d'un personnage hypocrite créé par Henri Legrand (1583-1634), comédien de l'Hôtel de Bourgogne. De là il est employé comme nom commun pour désigner un comédien de la foire qui débite des plaisanteries de mauvais goût et, par extension, un mauvais plaisant (1653). En ce sens, il a vieilli. Il a refait son apparition dans le vocabulaire politique contemporain en 1978. ◇ Lié au théâtre, *turlupin* a été employé aussi pour «mauvais acteur» (1879, Huysmans).

▸ Il a produit **TURLUPINER** v., qui s'est employé au sens de «se moquer de (qqn)» (1615, tr.) et «faire des plaisanteries de mauvais goût» (1680, intr.). Ces acceptions sont sorties d'usage, le mot prenant le sens de «tourmenter (qqn)» (1790). ◆ **TURLUPINADE** n. f., tiré (1636) de *turlupiner* ou de *turlupin*, a d'abord désigné une plaisanterie de mauvais goût, sens vieilli, et s'est dit pour «tourment, inquiétude» (1808).

TURLUTUTU exclam. et n. m. est une formation onomatopéique (v. 1490) qui contient peut-être le radical de *loure* (→ turelure).

♦ Le mot apparaît d'abord dans des refrains de chanson (v. 1490, *turlututu, chapeau pointu*). L'usage moderne l'emploie comme exclamation moqueuse (1839). ◇ Le nom a vieilli pour désigner une flûte, un mirliton (1844, Balzac) par retour à son ancien emploi onomatopéique. ◇ Il a eu en argot (XIXe s.) le sens métonymique de «pénis».

▸ **TURLUTAINE** n. f., lui aussi formé (1763) sur le radical de *loure*, est d'abord relevé au sens de «serinette (petit instrument musical)», sorti d'usage, puis (1843) désigne un propos sans cesse répété, par le même développement que *turelure*. ◆ **TURLUTTE** n. f., du sens argotique de *turlututu*, s'emploie (v. 1950, *faire une turlutte*) pour «fellation».

TURNE n. f. est emprunté (1480-1500) à l'alsacien *türn* «prison», forme dialectale de l'allemand *Turm* «tour» et aussi «prison» dans les parlers populaires. Le mot remonte au moyen haut allemand *turra, turris*, résultant probablement d'un emprunt au latin *turris* «tour» (→ ① tour). Les autres formes, plus problématiques, pourraient être issues d'un radical *tor-, tur-*, venant peut-être de *turris*, ou se rattacher au latin *tornare* (→ tourner); le français a de même *tournelle* à côté de *tourelle*.

♦ *Turne* est d'abord un mot du jargon, relevé pour désigner une maison et repris en 1799 avec ce sens dans l'argot des voleurs et «chauffeurs». Cet emploi a disparu, mais le mot est bien implanté dans l'usage familier pour désigner une maison ou une chambre sans confort et sale (1822). Il est passé ironiquement dans l'argot scolaire (1854) pour désigner une chambre d'étudiant ou une petite salle où travaillent les internes, notamment à l'École normale supérieure (1882) avec la variante *thurne*.

▸ **CO-TURNE** n. m., formation plaisante (cf. *cothurne*), désigne (XXe s.) un compagnon de chambre, à Normale supérieure.

TURNEP n. m. est un emprunt (1758, *turneps* au plur.; 1754, *turnipes* au plur.) à l'anglais *turnip* (1533), nom donné à une variété de navet fourrager, dérivé de *to turn* «tourner» (de même origine que le français *tourner*) à cause de la racine pivotante de la plante, croisé avec l'anglo-saxon *naep* ou *nep* «navet», du latin *napus* (→ navet).

♦ *Turnep* et sa variante *turneps* sont encore employés mais *chou-rave* est plus courant.

TURPITUDE n. f. est emprunté (v. 1390) au latin *turpitudo, -inis*, rare avec son sens physique premier, «laideur, difformité» et surtout employé pour «laideur morale», avec les nuances de honte, infamie. Le mot est dérivé de *turpis* «difforme», «laid» (au sens physique et moral), qui a dû s'appliquer à l'origine à un défaut physique précis. L'étymologie de *turpis* est inconnue : c'est peut-être une forme dialectale apparentée à *torquere* (→ tordre).

♦ *Turpitude* a été emprunté avec son sens moral pour désigner le défaut *(la turpitude)* puis une action, une parole ou une pensée qui le manifeste (1470, *une, des turpitudes*). ◇ Le sens physique, emprunté au XVIe s. (Paré), ne s'est pas implanté. Le mot est aujourd'hui littéraire ou plaisant.

▸ **TURPIDE** adj., lui-même emprunté comme nom (v. 1390), puis comme adjectif (déb. XVIe s.), au latin *turpis* au sens d'«ignominieux», est d'un usage encore plus littéraire. Il semble avoir disparu au XVIIe s. pour être repris au XIXe s. (1830, dans Balzac), notamment par les auteurs de la fin du XIXe s., tel Huysmans qui emploie aussi *se turpider* (1881) «se conduire d'une façon honteuse». ◇ On relève également à la Renaissance la forme *turpe* adj. (v. 1530), reprise isolément au XIXe s. (1831) puis abandonnée. ◆ **TURPIDEMENT** adv. (1844, Balzac) est littéraire et rare.

◈ voir ESTROPIER.

TURQUIN adj. m. est emprunté (1447, *bleu turquin*, puis 1471) à l'italien *turchino* «bleu foncé», proprement «bleu de Turquie», dérivé de *turco* «turc», de même origine que le français *turc**.

♦ Adjectif de couleur pour une nuance bleu foncé, *turquin* appartient au style littéraire. Il s'emploie dans *marbre turquin*, bleu avec des veines blanches (1812 ; 1694, *marbre bleu turquin*), ou *turquin* n. m. (1842).

◈ voir TURQUOISE.

TURQUOISE n. f. et adj. inv. est le féminin substantivé, d'abord sous la forme *turkeise* (v. 1200) puis *turquoise* (XIVe s. ; déb. XIIIe s. écrit *turkoyse*), de l'ancien adjectif *turquois* (XIIIe s.), antérieur (v. 1210) sous la forme *turcheïs*, proprement «de turc», dérivé de *turc**.

♦ *Turquoise*, avec le sens de «pierre précieuse mate de couleur bleue», a éliminé le masculin *turcois*, *turquois* encore employé au XVIe siècle. La référence à la Turquie vient de ce que la pierre, originaire d'Asie et notamment de Perse, transitait au moyen âge par l'empire ottoman. Le féminin a aussi servi à nommer une étoffe croisée fabriquée en Turquie (1778), acception sortie d'usage, ainsi qu'un petit papillon de couleur bleu turquoise (1762). ◇ Il se dit aussi d'un lit de repos créé au XVIIIe s., à deux chevets symétriques (1771). ◇ Son emploi adjectif pour qualifier ce qui est de couleur turquoise est attesté en 1867 (T.L.F.), *bleu turquoise* étant relevé dès 1617.

◈ voir TURQUIN.

TUSSILAGE n. m. est emprunté (1671) au latin *tussilago* n. f. de même sens, dérivé de *tussis* (→ toux).

♦ Le mot désigne une plante de la famille des Composées dont les fleurs sont utilisées pour leurs vertus pectorales.

TUSSOR n. m. est un emprunt (1870) à l'anglais *tussore*, lui-même pris à l'hindi *tasar* (→ ci-dessous *tussah*).

♦ Le mot désigne une étoffe de soie sauvage et, par ext., une étoffe légère de soie.

▸ **TUSSAH** n. m., emprunt (1857) à l'anglais *tussah*, altération de *tussar*, pris à l'hindi *tasar* (→ tussor), désigne la soie sauvage d'origine indienne produite par la chenille du bombyx de l'ailante (un lépidoptère) : le tussor et le shantung sont faits de tussah.

TUTEUR, TUTRICE n. est emprunté (1265, *tutor* ; 1301, *tutreisse* au fém. ; 1462, *tutrice*), d'abord sous la forme latine, au latin *tutor*, *tutrix* désignant un défenseur, un protecteur ou un gardien, spécialement pris dans une acception juridique, et dérivé comme *tutela* (ci-dessous, *tutelle*) de *tueri* «protéger» (→ tuer).

♦ Le mot a été emprunté en droit pour désigner la personne chargée d'une tutelle. Par latinisme littéraire, il a retrouvé la valeur générale de «protecteur» (v. 1380 ; v. 1510, au féminin), spécialisé autrefois à propos d'un logeur prenant en pension des étudiants (1488 ; cf. anglais *tutor*). *Tutrice* s'est dit à l'époque classique (1680) de la femme d'un tuteur. Comme pour *tutelle*, mot auquel il reste lié sémantiquement, un emploi figuré s'est dégagé à partir du sens juridique, dans la locution *ne pas vouloir de tuteur* (1690), aujourd'hui ***n'avoir pas besoin de tuteur*** (1798). ➛ En horticulture, *tuteur* n. m. désigne par analogie une perche soutenant un jeune arbre, une plante (1701), acception très vivante. ➛ Une reprise par anglicisme (v. 1980) lui confère la valeur de *moniteur*.

▸ Les dérivés français de *tuteur* sont récents. ➛ De *tuteur* «perche de soutien», vient **TUTEURER** v. tr. (1907) dont est tiré le nom d'action **TUTEURAGE** n. m. (1905). ➛ Deux mots ont été formés récemment sur le radical de *tuteur* dans le domaine de l'éducation : **TUTORAT** n. m. (v. 1980) «fonction de tuteur», et l'anglicisme **TUTORIEL, ELLE** adj. (v. 1980) «relatif au tutorat», emprunté à l'anglais *tutorial* (1742) fait sur *tutor*, de même origine que le français *tuteur*. ➛ Quelques termes de droit ont été empruntés à des préfixés du latin juridique, tels **COTUTEUR, TRICE** n. (fin XVIe s. ; 1572, *contuteur*), **PROTUTEUR, TRICE** n. (1667).

TUTELLE n. f. est emprunté (1332) au latin *tutela* qui désigne l'action de veiller sur qqn ou qqch., une défense et, juridiquement, l'institution conférant le pouvoir de prendre soin d'une personne. ➛ Le mot a été introduit en français comme terme juridique. L'usage littéraire a repris le sens général du mot latin (v. 1355) puis *tutelle* désigne péjorativement au XVIe s. (1513) l'état de dépendance d'une personne soumise à une surveillance gênante. ◇ Il a reçu une valeur spéciale en milieu scolaire, désignant la pension et la surveillance accordées à un étudiant par son logeur (1478). À partir du XVIe s., le mot entre dans quelques expressions juridiques, telles ***mettre en tutelle*** (1530), ***sous tutelle, hors de tutelle*** (1552), ***dispensé de tutelle*** (1690). ➛ Il est passé au XXe s. dans le vocabulaire du droit international, immédiatement après la Seconde Guerre mondiale (1946, *territoire sous tutelle*) et dans celui de l'administration. ◇ La marine a emprunté une autre acception latine, «armes du prince ou du patron sculptées à l'arrière d'un navire» (1752), aujourd'hui sortie d'usage. ➛ Il entre dans le terme juridique **COTUTELLE** n. f. (1649), réfection du plus ancien *contutelle* (1555) par réduction du préfixe *con-** (latin *cum*) à *co-*.

TUTÉLAIRE, l'adjectif correspondant, a été emprunté (1552) au dérivé bas latin *tutelaris*. ◇ Il a d'abord une valeur générale, qualifiant une personne qui en tient une autre sous sa protection, d'abord en parlant d'une divinité. Il a fait ensuite l'objet d'un second emprunt (1613) comme terme juridique. ◇ L'expression *puissance tutélaire*, créée avec une valeur générale (1798), est passée dans le langage du droit international après la Seconde Guerre mondiale (1949), qualifiant une nation ayant reçu un territoire en tutelle.

TUTOYER → TU

TUTTI, TUTTI-FRUTTI, TUTTI-QUANTI → TOUT

TUTU n. m. est l'altération enfantine (v. 1860) de *cucu*, lui-même redoublement de *cul**.

♦ Le mot, désignation enfantine et familière des fesses (v. 1860 ; cf. *cucu-panpan* «fessée»), s'est spécialisé comme nom d'un caleçon collant de danseuse (1881) puis d'une jupe de gaze courte et évasée de danseuse, devenant un terme technique et usuel et perdant toute valeur évocatrice et familière.

TUYAU n. m. est l'aboutissement (XVe s.) de *tudel, tuiel* (fin XIe s.), *tuiax* (v. 1176), puis *tuiau* (XIIIe s.). Comme l'ancien provençal et l'espagnol *tudel,* le mot remonte au francique °*thuta* reconstruit d'après le gotique *thut-haurn* «cor à sonner» (*haurn* désignant la corne, le cor; cf. anglais *horn*) et le frison *tute* «conduit». Le mot francique serait tiré d'un verbe onomatopéique *thut* «sonner». P. Guiraud conteste cette origine germanique et propose de remonter au latin *tutela* «protection, enclos» (→ tuteur) parce que le tuyau est une canalisation fermée, protégée; mais l'évolution formelle est peu vraisemblable.

♦ Dans les premiers textes, *tuyau* désigne la tige creuse des céréales (fin XIe s.) et, plus généralement (v. 1100), un canal fermé pour faire passer un liquide et, par extension, un gaz, de l'air. En ce sens, il compte de nombreuses extensions relatives aux fonctions du conduit : on parle de *tuyau de cheminée* (fin XIIIe s.), d'après *tuellus* en latin médiéval (1253), pour la partie extérieure du conduit de cheminée. ◇ *Tuyau* (1505), puis *tuyau d'orgue* (fin XVIe s.), *tuyau sonore* (1877) désigne un tube rendant un son lorsque la masse d'air qu'il renferme entre en vibration. *Tuyau de poêle* a donné lieu à des extensions figurées d'usage familier, désignant un chapeau haut de forme (1832) et vulgairement employé dans ***la famille tuyau de poêle,*** famille dont les membres ont des relations incestueuses (1926). ◇ Les référents sont variés selon les emplois : *tuyau de pipe, tuyau d'arrosage,* etc. ◇ Très tôt (XIIIe s.), *tuyau* désigne le bout creux de la plume des oiseaux puis, par analogie de forme, correspond à «pli ornemental en forme de tube que l'on fait sur le linge avec un fer spécial» (1480). À partir du XVIIIe s., la locution ***le tuyau de l'oreille*** désigne le conduit auditif (1798), d'abord (1748) dans la locution ***raconter qqch. dans le tuyau de l'oreille,*** dont procède le sens familier «indication confidentielle, renseignement secret» (1872), d'où ***tuyau crevé*** «renseignement sans valeur» (1925). ◇ La locution figurée récente (années 1990) ***dans les tuyaux*** correspond à «en cours de réalisation», pour un projet.

▸ Le premier dérivé de *tuyau* qui demeure vivant est le mot technique **TUYÈRE** n. f. (1450, *tuyere*), antérieurement écrit *toière* (1389), pour l'ouverture pratiquée à la partie inférieure et latérale d'un fourneau et destinée à recevoir le bec des soufflets. Au XXe s., le mot désigne aussi le tuyau d'admission de la vapeur dans une turbine et, dans *tuyère d'éjection,* le canal d'éjection des gaz. ◆ **TUYAUTERIE** n. f. a cessé de se dire pour le magasin, le commerce (1845), la fabrique (1872) de tuyaux, et désigne aujourd'hui l'ensemble des tuyaux d'une machine, des canalisations d'une installation, etc. (depuis 1845), spécialement l'ensemble des tuyaux apparents d'un orgue (1877). ◆ Le verbe **TUYAUTER** v. (1822) procède des sens analogiques de *tuyau :* il est employé transitivement pour l'action d'orner du linge de tuyaux et familièrement pour «donner un renseignement confidentiel à (qqn)» (1888). Parallèlement, il est passé dans le langage didactique dans l'emploi intransitif pour «se former en tuyau (pour une céréale)» (1872). ◇ Il a produit **TUYAUTÉ, ÉE** adj. et n. m. (1848) et **TUYAUTEUR, EUSE** n. (1901), familier pour «celui qui vend des renseignements (spécialement aux courses)». ◆ **TUYAUTAGE** n. m. (1872) a le sens collectif concret d'«ensemble de tuyauteries» et est aussi le nom d'action de *tuyauter,* désignant à la fois l'action de tuyauter le linge (1872) et, familièrement, celle de donner un tuyau (1904).

TWEED n. m. est un emprunt (1844) à l'anglais *tweed* (1847; déjà v. 1831 d'après les recoupements de l'*Oxford Dictionary*), marque de commerce provenant de l'altération de l'écossais (anglais d'Écosse) *tweel* ou *tweeled* (→ twill), de *to tweel,* variante de l'anglais *to twill* «croiser (un tissu)», verbe d'origine germanique, altéré par l'association avec la *Tweed,* fleuve côtier entre l'Angleterre et l'Écosse. L'étoffe est de fabrication ancienne, connue dès le XIVe s. (1329).

♦ Le mot a été emprunté avec un sens métonymique, «pardessus de tissu anglais», sorti d'usage tout comme celui de «robe de chambre anglaise» (1845, Bescherelle). ◇ Il désigne un tissu de laine cardé en deux couleurs (1845, Gautier), servant à faire des vestes, des tailleurs, des manteaux.

◈ voir TWILL.

TWILL n. m. est emprunté (1875) à l'anglais *twill* ou *tweel* (1329), variante nordique et écossaise de l'anglais *twilly* (moyen anglais *twyle,* vieil anglais *twili*) d'origine germanique, employé comme adjectif au sens de «croisé» (v. 875) et comme nom pour une étoffe croisée (1310).

♦ *Twill* ou *tweel* est l'ancêtre de *tweed**, mais désigne une étoffe très différente, de soie et d'armure sergée.

◈ voir TWEED.

TWIST n. m. est emprunté (1961) au mot anglo-américain *twist,* nom donné à la danse lancée par Chubby Checker au Peppermint Lounge à New York en 1961. Le mot vient de *to twist* «(se) tordre, (se) tortiller». Ce verbe est dérivé de *twist,* nom a qui désigné un objet divisé (XIVe s.), puis une cordelette aux fils entrelacés (XVIe s.) et l'action de tourner, de tortiller (XVIe s.). L'histoire du mot est complexe; on peut cependant reconstituer un radical °*twis-* apparenté à celui de *twine* «ficelle, tresse» et *twin* «double», «jumeau».

♦ Cette danse a été très à la mode dans les années 1960, ce qui définit l'usage du mot en français.

▸ *Twist* a produit en français le verbe **TWISTER** v. intr. (1961) qui, à son tour, a donné **TWISTEUR, EUSE** n. (1961) «personne dansant le twist».

TYMPAN n. m. est un emprunt savant (v. 1170) au latin *tympanum* désignant un tambour, pris aussi comme terme d'architecture (Vitruve). Le mot latin est repris au grec *tumpanon* «tambourin», désignant aussi un instrument de torture, une roue à eau, une caisse dans une machine, et qui, par voie demi-savante, a donné *timbre**. *Tumpanon* était considéré par les Anciens comme tiré de *tuptein* «frapper» (→ type) avec un suffixe *-anon*, mais une hypothèse plus plausible, posée au XIXe s., cherche un rapprochement sémitique, le tambourin se trouvant associé aux cultes orgiastiques de Cybèle et de Dionysos : l'araméen a *tuppā*, l'hébreu *tōp*, au pluriel *tuppîm*.

♦ Le mot a été emprunté avec le sens de «tambourin», qui s'est maintenu jusqu'au XVe siècle. Il a repris au latin en architecture le sens de «zone triangulaire entre la corniche et les rampants d'un fronton». Cette acception, attestée seulement au début du XVIe s. (1506) concerne pourtant surtout l'art roman, du XIe au XIIIe siècle. Au XVIIe s., le mot désigne en imprimerie le châssis tendu d'étoffe sur lequel on place la feuille à imprimer (1611), et en mécanique un pignon enté sur un arbre et qui engrène sur une roue dentée (1676). Au sens anatomique (1677), précédé par *tympane* (1552, Rabelais), il désigne la membrane fibreuse séparant le conduit auditif et l'oreille moyenne; cet emploi est devenu courant, par exemple dans la locution ***crever le tympan*** en parlant d'un bruit assourdissant (1835).

▸ Les dérivés sont des termes d'anatomie et de médecine : **TYMPANIQUE** adj. (1814), **TYMPANAL, ALE, AUX** adj. (1872), ① **TYMPANITE** n. f. (XXe s.), fait sur le modèle d'*otite**; des composés tels que **TYMPANOPLASTIE** n. f., **TYMPANOSCLÉROSE** n. f. et **TYMPANOTOMIE** n. f. sont attestés au milieu du XXe siècle.
D'autre part, quelques mots ont été formés directement sur le grec *tumpanon*, à commencer par l'emprunt en musique **TYMPANON** n. m. désignant un tambourin (v. 1165, *timpanon*), puis à partir du XVIIe s. (1680) un instrument à cordes, à caisse trapézoïdale, dont on joue en frappant les cordes à l'aide de maillets. C'est aussi le cas du terme de médecine **TYMPANIQUE** adj. (1837) qui qualifie une sonorité particulière à timbre aigu que manifestent à la percussion certaines régions du corps et qui a donné ① **TYMPANISME** n. m. (1868) «son tympanique».
② **TYMPANITE** n. f. succède (1759) à *timpanides* (1372), *tympanites* (v. 1560), emprunts au bas latin médical *tympanites* qui reprend le dérivé grec *tumpanitês* pour désigner en médecine une forte distension de l'abdomen. ◇ De là ② **TYMPANISME** n. m. (1858). ➛ **TYMPANISER** v. tr. est emprunté (1536, *timpanizer*) au latin *tympanizare*, attesté depuis Vitruve au sens de «jouer du tambour phrygien», lui-même emprunté au grec *tumpanizein* «tambouriner», de *tumpanon*. ◇ Le mot a été introduit en français avec le sens figuré de «faire connaître à grand bruit», sorti d'usage comme celui de «critiquer, ridiculiser publiquement (qqn)» (1611). Les sens de «gonfler l'abdomen, l'estomac de (qqn)» (1838), d'après *tympanite*, et de «casser les oreilles de (qqn)» (1851, Baudelaire) sont encore connus, mais archaïques et rares.

◈ voir TIMBRE.

TYPE n. m. est emprunté (v. 1380) au latin *typus* «image, statue, modèle», et spécialement «caractère, phase d'une maladie»; il est employé avec des sens abstraits à basse époque sous l'influence de la philosophie grecque. Le mot latin est repris du grec *tupos*, mot polysémique qui est à l'origine un terme technique désignant l'empreinte en creux (imprimée) ou en relief (repoussée) que laisse la frappe d'une matrice. Par extension, il a désigné l'emblème figuré sur cette matrice, la marque d'un sceau, un bas-relief. Par la suite, il s'est appliqué à une forme en général et signifie «figure, image», «contour, ébauche» et tardivement «forme de l'expression», «plan», «forme d'un document». On le rapproche de mots indoeuropéens exprimant un mouvement, un choc. *Tupos* est dérivé de *tuptein* «frapper», qui se rattache à la racine indoeuropéenne *°(s)teu-* «frapper» bien représentée en latin, avec et sans *s-* initial (→ contusion, étude, étui, obtus, percer, stupeur, stupre, touiller).

♦ Le moyen français a emprunté *type* avec des valeurs abstraites : il l'a repris au vocabulaire des exégètes pour désigner un personnage, une institution ou un événement de l'Ancien Testament qui préfigure une réalité analogue du Nouveau. ◇ Peut-être par des intermédiaires italiens, il a repris au grec le sens platonicien à propos du modèle, être ou chose, réunissant à un plus haut degré les traits essentiels des choses ou êtres de même nature; cette acception (attestée fin XVIe s. chez Blaise de Vigenère) est restée rare jusqu'au XVIIIe siècle. ◇ *Type* est passé dans le vocabulaire de l'imprimerie, probablement sous l'influence du grec *tupos*, au sens de «caractère d'imprimerie» (1545), et a désigné l'ensemble des caractères composés formant la planche d'impression au XVIe s. (1570); *type* désigne aujourd'hui un modèle de caractère. En numismatique, il s'applique à la figure imprimée sur une médaille (1693). ◇ L'ancienne notion philosophique, répandue au XVIIIe s., a été employée à propos de la représentation graphique d'un phénomène céleste (1762) et s'applique aux spécificités formelles de la nature, *type* désignant l'ensemble des traits généraux caractérisant un genre d'êtres ou de choses (1777). Le mot s'emploie ensuite pour parler des humains (déb. XIXe s.), des animaux (1805, Cuvier), et aussi en chimie (1872), en minéralogie (1801, Haüy) et en commerce, désignant alors l'ensemble des caractères d'une série d'objets fabriqués (1931). ◇ Au début du XXe s. (ou un peu avant), *type* s'applique familièrement au genre physique, esthétique qui attire qqn (1884, chez A. Daudet), notamment dans *ce n'est pas mon type*. ◇ Parallèlement, *type* réalise en art l'idée de modèle, désignant une image faisant autorité et servant de norme en sculpture et en peinture (1777), ainsi qu'un caractère fortement tracé et original en littérature (1811). ◇ À partir de cette valeur psychologique et littéraire, le mot a connu un développement familier, aujourd'hui vieilli, s'appliquant à un personnage remarquable incarnant un «type» littéraire, humain ou pittoresque (1843). ◇ Par extension, il a pris le sens de «personnage bizarre, plus ou moins grotesque» surtout dans *drôle*

de type, depuis que le sens neutre d'«individu (en général)» (1875) tend à s'imposer. ◇ Dans l'usage très familier, le mot désigne aussi l'amant d'une femme (1880), mais l'usage contemporain emploie plutôt *mec.*
Cependant, au sens général et abstrait de «catégorie, genre», le mot a continué de s'employer, avec de nouveaux emplois calqués de l'anglo-américain, comme *rencontres du troisième type,* qui concerne des fictions d'anticipation.

▶ Si l'on excepte les emprunts savants à des termes gréco-latins en *-tupos,* sous la forme **-TYPE** (→ archétype), l'emprunt *typique* (ci-dessous) et le composé *typographe** (et ses dérivés) apparu au XVIe s., les dérivés et composés tirés de *type* datent du XIXe siècle. Cependant, dès la fin du XVIIIe s., les éléments *-type* (1786), *-typer* (1793), *-typage* (1798) puis *-typie* (1800) ont servi à former des noms de procédés d'impression *(monotype, linotype),* l'un d'eux, *stéréotype*,* connaissant une extension sémantique particulière. ◆ Divers dérivés scientifiques et techniques prolongent l'emploi de *type* en terminologie : la première moitié du XIXe s. voit apparaître **MONOTYPE** adj. (1803) en botanique, **ATYPE** adj. (1826) en zoologie, **POLYTYPE** adj. (1842) en sciences naturelles ainsi que **HÉTÉROTYPE** adj. (1840). ◆ **CONTRETYPE** n. m. (1895) est spécialisé en photographie et imprimerie, pour «cliché négatif inversé» et «copie d'une épreuve». Il a pour dérivé **CONTRETYPER** v. tr. d'où **CONTRETYPAGE** n. m. (mil. XXe s.). ◆ Le vocabulaire didactique forge **TYPIFIER** v. tr. «ériger en type» (1845 au participe passé). ◆ **TYPOLOGIE** n. f., d'abord «science de l'élaboration des types» (1841), d'où à la fin du XIXe s. le sens (1897) de «science des types humains», archaïque, est aussi un terme d'exégèse (1840). Il a pour dérivé **TYPOLOGIQUE** adj. (1915) d'où vient **TYPOLOGIQUEMENT** adj. (1914). ◆ **TYPER** v. tr. (1843) et **TYPÉ, ÉE** adj. (1843, Töpffer «formé sur un modèle»; sens mod. 1922) se répandent dans le langage courant pour «caractériser (-é) par un type remarquable». ◆ La langue populaire a formé **TYPESSE** n. f. (1879), d'abord comme terme péjoratif pour «prostituée».
TYPIQUE adj. est emprunté (1495) au bas latin ecclésiastique *typicus* «symbolique, allégorique» et aussi «intermittent», lui-même repris du dérivé grec *tupikos* «qui représente, qui figure», de *tupos.* ◆ Le mot, emprunté comme terme d'exégèse pour «qui réalise un type (de l'Ancien Testament)», puis (fin XVIIe s.) dans *sens typique* «sens symbolique, allégorique (du texte biblique)», a suivi le même développement que *type,* qualifiant autrefois en médecine ce qui affecte un type bien prononcé (1765, *Encyclopédie*) et appliqué en sciences naturelles à ce qui se rapporte au type d'une espèce, d'un genre (1845). ◇ Au XIXe s., l'adjectif est entré dans l'usage courant et qualifie (1832 chez Balzac) une personne ou qqch. qui a d'une manière apparente les caractères principaux d'un type. ◇ Par emprunt à l'espagnol *tipico* (de *typicus*), *typique* qualifie aussi une musique de caractère sud-américain. ◆ Il a produit **TYPIQUEMENT** adv. (fin XVIIe s. avec le sens allégorique, puis 1916), **TYPISER** v. tr. (1834), rare, et le préfixé didactique **ATYPIQUE** adj. et n. (1803), d'abord terme de médecine, ensuite élargi pour «qui ne répond pas aux normes habituelles».

◈ voir ARCHÉTYPE, PROTOTYPE, RONÉO (RONÉOTYPER, -TYPIE), STÉRÉO- (STÉRÉOTYPE), TYPOGRAPHE.

TYPHON n. m., (1504, var. *tiffon,* 1529 et *typhone,* Rabelais), est un mot à l'histoire complexe, emprunté plusieurs fois à des langues différentes avec diverses acceptions. La forme la plus ancienne, désignant un orage violent, une tempête, est empruntée au latin *typhon* ou directement au grec *tuphôn,* autre forme pour le nom propre *Tuphôeus, Tuphôs, Tuphaôn.* C'est un terme de mythologie désignant un monstre né, soit de Gê *(la Terre)* soit de Héra, et qui était le père des vents selon Hésiode. De là, *tuphôs* a été employé en appellatif pour la tourmente, la tempête. La divinité qu'il désigne serait préhellénique ou venue d'Asie Mineure, comme semblent le montrer la forme du mot et la légende. Le mot grec est passé par la suite en arabe sous la forme *ṭūfān.* Toujours à l'époque des grandes navigations, le mot a été réemprunté, écrit *tifon* au sens de «violent orage dans l'océan Indien» (1571); aux XVIIe-XVIIIe s., il a été repris sous les formes *tuffon* (1619), *tufon* (1648), *toufon* (1699), *toufan* (1701), *tufan* (1728) et *touphan* (1771), toutes issues du portugais *tufão* (1554), lequel a été enseigné aux navigateurs portugais par leurs pilotes arabes (arabe *ṭūfān*) pour désigner les vents tournants particuliers à ces mers.

♦ La forme classique *typhon* a été reprise au XVIIe s. (1643) avec ce sens spécial et s'est répandue au XIXe s., cette fois-ci par réemprunt à l'anglais *typhoon* (1588), nom du cyclone des mers de Chine et de l'océan Indien, emprunt au chinois *t'ai fêng* «grand vent», mêlé à l'arabe *ṭūfān.*

TYPHUS n. m. est emprunté (1667) au latin scientifique *typhus,* lui-même emprunt au grec médical *tuphos* qui s'applique à diverses fièvres caractérisées par l'état d'hébétude où se trouve le malade. Le mot s'applique aussi à l'abrutissement, développant en grec hellénistique et tardif le sens de «déraison, illusion» et celui de «prétention, jactance, vanité», fréquent chez les écrivains chrétiens. Le mot est dérivé de *tuphesthai* «fumer, être enfumé, être réduit en cendres», apparenté à *thuein* «produire la fumée (du sacrifice)» (→ thym). Il a dans diverses langues des correspondants qui expriment l'idée que l'esprit est enveloppé d'obscurité, de fumée : vieil irlandais *dub* «sourd»; grec *tuphlos* «aveugle».

♦ Le mot est d'abord attesté avec un sens incertain dans une lettre adressée à Huet. Près d'un siècle après cette attestation (1748; 1760, *typhus exanthématique*), il désigne diverses maladies infectieuses et épidémiques, entrant dans les syntagmes *typhus d'Orient, d'Amérique, d'Europe* (1830, Académie), aujourd'hui sortis d'usage.

▶ **TYPHOÏDE** adj., dérivé en *-oïde,* a été proposé (1813) par le médecin français Pinel comme adjectif pour qualifier ce qui a des rapports avec le typhus ou en présente les caractères. Ce sens a vieilli en dehors de *fièvre typhoïde* (1834) d'où par ellipse

TYPHOÏDE n. f. (1837), nom d'une maladie infectieuse. On relève déjà *typhodes* adj. au XVIIe s. (1660), appliqué à une fièvre qui s'accompagne de délire et emprunté au grec *tuphôdês*, de même sens. ➛ Le mot a produit les termes médicaux **PARATYPHOÏDE** n. f. (1907, Larousse) et **TYPHOÏDIQUE** adj. (1877). ➛ L'adjectif formé à partir de *typhus*, **TYPHIQUE** (1827), est substantivé (1855) pour désigner un malade atteint de la typhoïde ou du typhus. ◇ L'antonyme préfixé **ANTITYPHIQUE** adj. (1905) a les valeurs correspondantes.

◈ voir THYM.

TYPOGRAPHE n. est composé (1554, *tipographe*) du grec *tupos*, pris au sens de «caractère d'écriture» (→ type), et de l'élément *-graphe**.

♦ Le mot apparaît dans le contexte du développement de l'imprimerie à caractères mobiles. Il désigne le compositeur d'imprimerie. Depuis le XIXe s., il est abrégé familièrement en **TYPO** (1859), au féminin **TYPOTE** en argot de métier (1874).

▶ **TYPOGRAPHIQUE** adj., composé (1560) de la même façon avec l'élément *-graphique**, qualifie ce qui est relatif à l'activité du typographe et est aussi abrégé en *typo* adj. (1939). ◇ En sont tirés **TYPOGRAPHIQUEMENT** adv. (1800) et le composé **PROTYPOGRAPHIQUE** adj. (1840), formé avec l'élément *pro-**, qualifiant une bibliothèque ne contenant que des volumes antérieurs à l'invention de l'imprimerie, des manuscrits. ➛ **TYPOGRAPHIE** n. f., fait avec l'élément *-graphie** (1573), désigne l'art d'imprimer, la composition typographique et, par métonymie (mais attesté dès 1572), l'atelier où se font la composition et la mise en pages puis la manière dont un texte est imprimé (1782). ➛ *Typographie* a pour dérivé **TYPOGRAPHIER** v. tr. (1845), rare, et a servi à former **PHOTOTYPOGRAPHIE** n. f., nom d'un procédé de photogravure en relief (1874).

TYPOMÈTRE n. m. est composé (1836) de *typo*[graphie] et *-mètre*. ◇ Le mot désigne la règle graduée qui sert à évaluer les compositions typographiques. ◇ **TYPON** n. m., marque déposée par une firme suisse (attesté 1954), se dit du film à grand contraste, à points tramés, destiné à être reproduit sur la plaque offset.

TYRAN n. m. est la réfection savante (déb. XIIIe s., *tiran*) de la forme *tiranz* (fin Xe s.), issue du latin *tyrannus* désignant un souverain absolu, un monarque et, par péjoration, un despote, un usurpateur. C'est un emprunt au grec *turannos* qui désigne un maître absolu dont le pouvoir n'est limité par aucune loi (d'abord en parlant de Zeus). Le mot désigne également celui qui a usurpé le pouvoir, par opposition au *monarkhos* (→ monarque) ou au *basileus* «roi», mais qui, ensuite, peut être un bon gouvernant. Ainsi le terme n'est pas lié à la cruauté. C'est un mot de substrat ou emprunté à l'Asie Mineure; un rapprochement avec l'étrusque *turan* «Vénus» par l'idée de «maîtresse» a été proposé puis écarté; on a évoqué aussi le hittite *tarwana*.

♦ Le mot est passé en français avec un sens péjoratif, «homme cruel et violent», repris aux textes chrétiens (V^e-VIe s.) où il est appliqué à l'antéchrist. Devenu terme politique (1155), *tyran* désigne une personne qui, ayant le pouvoir suprême, l'exerce de manière absolue, puis il s'applique spécialement à celui qui a usurpé la puissance souveraine et l'exerce arbitrairement (1370, Oresme). Le féminin *tyranne* (1573) est très rare. ◇ Par extension, il se dit (1553) d'une personne qui abuse de son autorité, d'où *tyran domestique* (1803), et s'emploie en parlant d'un sentiment (1625), d'une habitude, etc.; cette valeur vient probablement de l'usage antérieur de *tyrannie* (ci-dessous). ◇ En histoire grecque, *tyran* désigne (1690) un chef politique qui s'emparait du pouvoir par la force. ➛ Le mot désigne aussi (1778) un oiseau gobe-mouches, à cause de son comportement agressif.

▶ Le nom correspondant, **TYRANNIE** n. f. (v. 1190), antérieurement *tirrannie* (1155), est apparu à propos d'un gouvernement légal mais injuste et cruel. Il a pris rapidement le sens figuré de «pouvoir qu'ont certaines choses sur les hommes» (v. 1190), répandu à partir du XVIIe siècle. Il se dit aussi d'une domination politique usurpée et illégale (v. 1510), employé spécialement en histoire grecque (1864) et, par ailleurs, d'un acte d'oppression (v. 1460). ◇ On relève les variantes isolées *tyrannerie* (v. 1120, en judéo-français) et *tirannité* (1494). ➛ **TYRANNISER** v. apparaît d'abord (1370) comme intransitif, pour «exercer le pouvoir de tyran dans un pays», sens disparu, puis «exercer le pouvoir de manière cruelle et injuste» (1376). L'emploi transitif, en dehors d'un contexte politique, correspond à «traiter qqn d'une manière injuste, violente» (1549). Il est employé au figuré pour une chose qui exerce un pouvoir irrépressible sur qqn (1547). ◇ Le sens de «torturer» (XVe s.) a disparu avec le sens de «bourreau» anciennement dévolu à *tyran* (v. 1190). ➛ *Tyran* a également produit le diminutif **TYRANNEAU** n. m. (1561), proprement «petit tyran».

TYRANNIQUE adj. est emprunté (1370, Oresme) au dérivé latin *tyrannicus* pour qualifier une personne ou ce qui est injuste, violent, puis ce qui est relatif à la tyrannie (fin XVIe s.); il s'applique aussi, littéraire (1660), à ce qui exerce un pouvoir irrésistible. ➛ On en a tiré **TYRANNIQUEMENT** adv. (1361, Oresme), usuel.

① **TYRANNICIDE** n. et adj. est emprunté (1487) au latin *tyrannicida* «meurtrier d'un tyran», formé de *tyrannus* et d'un élément tiré de *caedere* «frapper, tuer» (→ ciseau). Le mot est employé avec le sens du latin comme nom et comme adjectif (1797). ➛ ② **TYRANNICIDE** n. m. «meurtre d'un tyran» est emprunté (v. 1562) au latin *tyrannicidium*, dérivé de *tyrannicida*. Les deux mots sont didactiques ou littéraires. ➛ **TYRANNOSAURE** n. m., francisation (déb. XXe s.) du latin savant *tyrannosaurus* (1905, Osborn), formé des mots grecs *turannos* (→ tyran), et *sauros* (→ saurien), désigne un grand reptile carnivore fossile de l'ère secondaire.

TYROLIEN, IENNE adj. et n. est dérivé (1759, *tirolien*) de *Tyrol*, nom d'une province d'Autriche (allemand *Tirol*), nommée d'après le château de Tirol, près de Méran, et d'étymologie obscure.

♦ L'adjectif s'applique à ce qui est relatif au Tyrol et à ses habitants; il s'emploie spécialement dans *chapeau tyrolien* (1821) et *sac tyrolien.* ➜ **TYROLIENNE** n. f. désigne (1816) un chant montagnard à trois temps, originaire du Tyrol et caractérisé par des intervalles mélodiques importants. ◇ C'est aussi le nom d'une danse (1836) et un terme technique d'alpinisme (1913). ◇ Le *tyrolien* s'applique aux parlers rhéto-romans orientaux.

TZAR → TSAR

TZIGANE ou **TSIGANE** n. et adj. est attesté depuis le XIXe s. sous ses formes modernes *tzigane* (1866) et *tsigane* (1826), mais le mot est relevé sous diverses graphies dès le moyen français : *cigain* (XVe s.), *cingre* (v. 1530), *singuani* (1553), *cuiganes* (v. 1578), puis *zinganes, zingre* (1637) et ensuite *tchinguiennes* n. f. pl. (1664) chez J. de Thévenot parlant de danseuses de Constantinople; aussi *Tziggany* donné comme mot russe, 1766. Le mot est emprunté selon les cas à l'allemand *Zigeuner* et au hongrois *Czigany,* ou au russe *tsigan'* (ancien russe *cygane*) qui remonteraient au grec byzantin *Atsinganos,* prononciation altérée de *Athinganos.* Celui-ci signifie proprement «qui ne touche pas» ; il est formé du préfixe grec *a-* à valeur privative et de *thinganein* «toucher», rapproché du latin *fingere* «façonner de l'argile, de la pâte» (→ feindre), et de l'arménien *diz-anem* «j'entasse». *Athinganos* désignait une secte de manichéens venus de Phrygie à Byzance et connus comme magiciens. ◇ Le nom d'*Égyptiens* a longtemps prévalu parce que, dans la Grèce médiévale, les voyageurs occidentaux avaient remarqué une colonie tzigane en un lieu dit Petite-Égypte, sans doute à cause de sa fertilité : cette forme a donné en espagnol *gitano,* altération de *Egypciano* (→ gitan) et en anglais *gipsy* (→ gipsy); cf. aussi *bohémien,* qui fait allusion aux colonies tsiganes de Bohême, et *romanichel, romani.*

♦ Le mot, employé avec une majuscule, désigne un peuple venu de l'Inde, apparu en Europe orientale et en Grèce vers la fin du XIIIe s. ; cette origine est reconnue à la fin du XVIIIe s., lorsque des savants remarquèrent la grande similitude entre la langue des tziganes et le sanskrit; *Tzigane, tsigane* n. m. ou *langue tzigane* (1872) est le nom d'une langue issue du groupe indien du Nord-Ouest; on dit aussi *romani* (→ romanichel). Le mot est aussi employé comme adjectif ethnique. ◇ *Musique tzigane* (1861) s'applique à une musique populaire de Bohême, de Hongrie et de Roumanie, adaptée par les musiciens tziganes depuis le XVIIe s., d'où la fausse appellation de *musique tzigane* donnée à la musique populaire hongroise, confusion entretenue par l'ouvrage de Liszt, *Des Bohémiens et de leur musique* (1859). ◇ La graphie *tzigane* est d'usage courant, *tsigane* étant employé par les spécialistes.

◈ voir ZINGARO.

Le TZIGANE ou TSIGANE

Nom d'un ensemble de parlers se rattachant au groupe indo-aryen des langues indoeuropéennes. Les groupes de nomades appelés Tsiganes (ou Romani, ou Gipsies, ou Gitans, ou Bohémiens, etc.) sont partis de l'Inde du Nord-Ouest aux alentours de l'an 1000 de notre ère et se sont répandus lentement dans une grande partie de l'Europe, et de là sur tous les continents; ils arrivent en France au début du XVe siècle. Les dialectes tsiganes modernes de l'Europe sont classés d'après les contrées d'arrivée des émigrants : grec, roumain, hongrois, tchécoslovaque, allemand, polonais, russe, finnois, scandinave, italien, serbo-croate, gallois, espagnol. Les Tsiganes ont appris les langues de ces pays, et leur ont emprunté de nombreux mots et, dans une moindre mesure, des éléments grammaticaux, qu'ils ont intégrés à leur propre parler. Ce sont ces emprunts qui permettent de reconstituer les migrations des Tsiganes depuis l'Inde et les confins du plateau iranien. En dépit de ces variations, le noyau indo-aryen est encore sensible dans le système phonologique et morphologique qui correspond au stade d'évolution des langues indo-aryennes modernes. Le vocabulaire présente encore un nombre important de mots d'origine indienne qui sont en grande partie communs aux Tsiganes d'Europe et d'Asie. Le tsigane, parler propre à des minorités marginales par rapport au reste de la société, demeure une langue sans tradition écrite et pratiquement sans reconnaissance légale. En français, comme dans d'autres langues indoeuropéennes, des mots tsiganes ont pénétré dans l'argot; ainsi le nom «manouche» est apparenté au nom sanskrit désignant l'être humain.

◈ voir INDOEUROPÉEN, SANSKRIT.

G.-J. Pinault

BIBLIOGRAPHIE

J. BLOCH, *Les Tsiganes,* Paris, «Que sais-je?», n° 580, 1953 (3e éd., 1969).

U

UBAC n. m. est un emprunt (attesté par écrit en 1907) au provençal *ubac* (1431), issu du latin *opacus*, adj., «qui est à l'ombre» et «où la lumière ne pénètre pas», mot d'origine inconnue qui a donné par emprunt *opaque**.

♦ Ce terme alpin (sud-est de la France) désigne le versant d'une montagne exposé au nord, par opposition à *adret**; on trouve avec le même sens *ombrée*.

UBIQUITÉ n. f. est un dérivé savant (1611 ; précédé par *ubiquidité*, 1585, Du Fail) du latin classique *ubique* «partout», de *ubi* «à la place où» (sans idée de mouvement), «où» et, avec une valeur temporelle, «au moment où» (→ où). *Ubi* se rattache à une base °*k*-, représentée avec divers élargissements par le sanskrit *kú-ha*, le vieux slave *kŭ-de*, etc., et qui a fourni à la plupart des langues indoeuropéennes le relatif, l'interrogatif, l'indéfini et divers adverbes ; → quand, quel, qui.

♦ Le mot désigne en théologie un attribut de Dieu, le fait d'être présent partout. ◇ Par extension, il se dit (1808) de la faculté de sembler être présent en plusieurs lieux à la fois, grâce à sa promptitude, d'où *avoir le don de l'ubiquité* (1842), *d'ubiquité* (1878). Demeuré didactique, le nom est cependant plus courant que ses dérivés.

▶ **UBIQUITAIRE** n. et adj. (v. 1610) est lui aussi un terme de théologie, désignant qqn pour qui la présence réelle du Christ dans l'Eucharistie s'explique par l'ubiquité de Dieu et non par la transsubstantiation. L'adjectif s'applique aussi, dans l'usage didactique, à ce qui se trouve partout à la fois (1872, en parlant d'une maladie). ◆ **UBIQUISTE** n. et adj., dérivé savant du latin *ubique*, a désigné (1589) un docteur en théologie n'appartenant à aucun collège particulier. L'adjectif équivaut à *ubiquitaire* en théologie (1595) et dans son emploi didactique (av. 1765), comme le latinisme **UBIQUE** adj. (1917, J. Vaché), inusité. *Ubiquiste* s'est aussi employé (1839) pour «personne qui a le don d'ubiquité». ◆ Le dérivé **UBIQUISME** n. m. (1580, Montaigne) ne semble appartenir qu'à la théologie.

UBUESQUE adj. dérive (d'abord en 1906 par Jarry lui-même : le théâtre *ubuesque*, puis en 1922, *Le Mercure de France* au sens extensif), du nom d'*Ubu*, personnage imaginé par Alfred Jarry à partir d'une plaisanterie de collège : il serait né sur les bancs du lycée de Rennes où l'auteur se divertissait à caricaturer sous divers noms le professeur de physique, M. Hébert (avec jeu probable sur *Hubert*). Ce nom apparaît dans *Ubu roi* (pièce publiée en 1896, jouée en 1888). Ubu se caractérise par son caractère cynique, couard et comiquement cruel.

♦ *Ubuesque*, appliqué à une personne, une situation, etc., qui ressemble au personnage de Jarry par son agressivité grotesque et dérisoire, est devenu relativement usuel, notamment en politique.

UCHRONIE n. f. a été formé savamment (1876, Renouvier) à l'aide de la négation grecque *ou*, à partir du grec *khronos* «temps», d'étymologie inconnue (→ chrono-, synchrone) et sur le modèle de *utopie**.

♦ Ce terme de philosophie désigne la reconstruction historique d'événements fictifs, à partir d'un point de départ historique, et plus largement une évocation imaginaire dans le temps ; il est beaucoup plus rare et didactique que *utopie*.

UFOLOGIE → OVNI

UHLAN n. m. est un emprunt (1748), aussi sous les formes *houlan* (1748), *hulan*, à l'allemand *Uhlan*, lui-même pris au polonais, lui-même emprunt au tartare (türk) *oghlan* «jeune homme». Les premiers uhlans étaient en effet des Tartares. Quant à l'évolution à partir de l'idée de jeune homme vers celle de soldat, elle est attestée dans les langues romanes (cf. *fantassin, infanterie*).

♦ *Uhlan*, terme d'histoire, désigne un cavalier mercenaire des armées de Pologne, de Prusse, d'Autriche et d'Allemagne, puis un cavalier allemand. Le mot, en français, s'est surtout employé dans le contexte de la guerre de 1870.

U.H.T. loc. adj. est le sigle de *ultra haute* (aujourd'hui écrit *ultrahaute*, en un mot) *température* (adopté 1964, *Journal officiel*).

♦ Le sigle sert à qualifier le lait à longue conservation, qui a été porté à une très haute température.

UKASE ou **OUKASE** n. m. apparaît d'abord sous la forme *oukas* (1774); *ukase* est attesté en 1775, *oukase* en 1798. Le mot est emprunté au russe *ukaz*, désignant un texte officiel, un ordre, un décret. C'est le déverbal de *ukazat'* «expliquer; commander» et aujourd'hui «montrer, indiquer». Ce verbe comporte la racine *-kaz-* que l'on retrouve dans le vieux slave *kazati* (cf. russe *skazat'* «dire»).

♦ Terme d'histoire, le mot désigne un édit promulgué par le tsar, dans l'ancien régime absolutiste russe. Il s'emploie par figure (1834 dans Balzac) au sens de «décision arbitraire, ordre impératif».

UKRAINIEN, IENNE adj. et n., attesté en 1731 chez Voltaire, dérive de *Ukraine*, nom de pays, du vieux russe *oukrajna* «endroit frontalier» et plus généralement «marche», employé pour désigner la marche des terres russes au moment de l'invasion des Tatars; ce mot est formé à l'aide du préfixe *u* «à, près de» du slave *kraj* «incision, entaille», puis «ligne délimitant qqch.» (en russe «bout, extrémité» et «pays, région»).

♦ Le mot s'applique à ce qui est relatif à l'Ukraine, qui fit partie de l'Union soviétique, aujourd'hui république indépendante (1991). L'*ukrainien*, n. m., désigne la langue slave parlée en Ukraine (et par certaines communautés émigrées, par exemple dans la prairie canadienne) et comportant une douzaine de dialectes.

UKULÉLÉ n. m. est un mot hawaiien emprunté (1948) par l'intermédiaire de l'anglais *ukulele* (1900); le mot emprunté désigne proprement une personne de petite taille *(uku)*, vive de gestes et d'allure *(lele)*.

♦ C'est le nom d'une petite guitare à quatre cordes, d'origine hawaiienne.

ULCÈRE n. m. est emprunté, d'abord comme nom féminin, et aussi masculin (1314), au latin *ulcus, ulceris* «blessure à vif», «ulcère» et «plaie» physique ou morale, que l'on rapproche du grec *elkhos* «blessure, ulcère» ou du sanskrit *árçaḥ* «hémorroïdes»; l'ancien provençal *ulcera*, n. f., est attesté vers 1300.

♦ Le mot est, comme en latin, un terme médical désignant une plaie qui ne se cicatrise pas; il équivaut couramment à *ulcère à l'estomac*. Des emplois métaphoriques sont relevés à partir du XVIe s. (1588, Montaigne). Par analogie, il s'emploie aussi en botanique (1812).

▸ *Ulcère* a produit en médecine les composés **ULCÉROÏDE** adj. (1878), de *-oïde*, «qui ressemble à un ulcère», et **ULCÉROGÈNE** adj. (v. 1960), de *-gène*, «qui favorise la formation d'ulcères».

Plusieurs mots de la même famille sont empruntés à des dérivés latins de *ulcus*. ➝ **ULCÉRER** v. tr., emprunt au latin *ulcerare* «faire une plaie» au propre et au figuré, est d'abord attesté au participe passé adjectivé **ULCÉRÉ, ÉE** (1314), puis au pronominal (v. 1500). Le verbe signifie d'abord «produire un ulcère», puis s'emploie au figuré (1588) pour «causer un grand déplaisir à (qqn), blesser dans son amour-propre», le participe passé étant plus ancien (1546) en ce sens. ➝ Son dérivé, **ULCÉRATIF, IVE** adj. (1495), est usité en médecine ainsi que le participe présent **ULCÉRANT, ANTE** adj. (1495), de même sens. ➝ **ULCÉRATION** n. f., emprunt au latin *ulceratio*, s'emploie comme lui au propre (1314) peu après l'ancien provençal *ulceracio* (v. 1300), et au figuré (1803), «action d'ulcérer», où il est plus rare que le verbe et le participe. Par analogie, c'est un terme d'arboriculture (1907). ◇ Au sens propre, on a aussi employé *ulcèrement* n. m. (1555, dérivé du verbe). ➝ **ULCÉREUX, EUSE** adj. et n., emprunt au latin *ulcerosus*, s'applique (v. 1363) à ce qui a la nature de l'ulcère ou à la personne atteinte d'un ulcère (1546; 1875 comme nom).

EXULCÉRER v. tr., emprunt au latin *exulcerare*, formé avec le préfixe *ex-*, a signifié «produire un ulcère sur (la peau, une partie du corps), irriter» (1542, Rabelais) et s'est employé au sens figuré de «fâcher fortement» (1607). Resté vivant en médecine, il s'est spécialisé (1835) au sens de «former une plaie ulcérée superficielle sur (une muqueuse, la peau)». ➝ **EXULCÉRATION** n. f. (1537), emprunté au latin *exulceratio*, qui s'employait aussi au figuré, signifie d'abord «formation d'un ulcère» puis (1690) «plaie ulcérée».

ULÉMA ou **OULÉMA** n. m., attesté en 1765, est emprunté à l'arabe *'ulamā'*, pluriel de *'alīm* «savant», pris pour un singulier.

♦ Le mot désigne un théologien musulman. Le pluriel français est régulier (*des ulémas* ou *oulémas*).

ULIGINEUX, EUSE adj., attesté chez Rabelais (1546), est un emprunt savant au latin *uliginosus*, dérivé de *uligo, -inis* «humidité naturelle de la terre», mot sans doute apparenté à *umidus* «humide» (supplanté par *humidus*).

♦ Cet adjectif didactique s'applique à un terrain humide; par extension (1798), il signifie «qui vit dans l'humidité (en parlant d'une plante)».

▸ **ULIGINAIRE** adj., formé par changement de suffixe (1803), a la même valeur.

U. L. M. n. m. inv. est le sigle (1982) de *ultraléger motorisé*.

♦ Le mot désigne un engin volant de construction très légère.

ULSTER n. m. est un emprunt (1873) à l'anglais, d'abord employé dans *Ulster coat, Ulster overcoat*, noms donnés à une mode de manteau d'hiver introduite en Grande-Bretagne. Le mot est formé de *Ulster*, nom d'une province d'Irlande, et de *(over) coat* «pardessus», de *over* (→ pull-over) et de *coat* «manteau»; mot emprunté à l'ancien français *cotte* (→ cotte) et repris dans *redingote**. *Ulster coat* est attesté en français (1879, J. Verne).

♦ Le mot et le vêtement qu'il désigne ont été à la mode en France, en Belgique, jusqu'à la fin du XIXe siècle.

ULTÉRIEUR, EURE adj. a été emprunté (1531) au latin *ulterior* «plus éloigné (dans le temps ou l'espace)», par opposition à *citerior;* c'est le comparatif d'un archaïque °*ulter* «qui se trouve au-delà» d'où viennent également les adverbes *ultro* et *ultra* (→ ② outre, ultra-).

♦ L'adjectif s'applique à ce qui sera dans un futur proche ou éloigné; il s'emploie aussi en parlant de l'espace (1596) au sens de «qui est au-delà, par rapport à une limite donnée», opposé à *citérieur.*

▸ Le dérivé ULTÉRIEUREMENT adv. est relevé en 1570. Sur cet adverbe et *adultère,* Claudel a forgé le composé plaisant *adultérieurement (Partage de midi).*

ULTIMATUM n. m. est emprunté (1740) au latin médiéval *ultimatus,* du latin *ultimus* (→ ultime). Du Cange signale que le mot, employé au neutre *ultimatum,* était utilisé au XVe s. dans les chancelleries allemandes au sens de *ultimatum consilium* «dernière décision».

♦ Le mot a eu le sens de «décision irrévocable». ◇ Depuis la fin du XVIIIe s. (1792), il désigne une exigence qu'on déclare irrévocable et à laquelle il doit être satisfait dans un délai fixé, spécialement (XIXe s.) dans le domaine des relations entre États. ◇ La variante *ultimat* n. m. (1803) a disparu.

▸ Le dérivé ULTIMATIF, IVE adj. (1923) est littéraire et rare.

ULTIME adj. est un emprunt (v. 1223) au latin *ultimus* «qui se trouve tout à fait au-delà» et «le plus éloigné, le dernier», employé au figuré en parlant du temps, de sa succession; *ultimus* est le superlatif d'un adjectif archaïque °*ulter* «qui se trouve au-delà», lequel a subsisté dans les adverbes *ultro* et *ultra* (→ ② outre, ultra-).

♦ L'adjectif signifie d'abord «qui vient en dernier lieu»; il s'est employé en moyen français au sens figuré latin «le plus grand» (1546, *ultime mesquin* «le plus grand des coquins»). ◇ Il s'applique ensuite à ce qui constitue le dernier élément auquel on puisse parvenir dans l'analyse (1858, *symptômes ultimes*), spécialement à la dernière syllabe d'un mot (1872). Littré donne la variante *ultième* (1872).

▸ Le dérivé ULTIMEMENT adv. (1584) est peu courant; le doublet ULTIMO adv. (1842), repris du latin, est didactique et rare; il est seulement employé dans les énumérations, après *primo, secundo,* etc. ◂ ULTIMA RATIO n. f., emprunté au XVIIe s. au latin, est formé de *ultima* et de *ratio* «cause, raison» (→ raison). ◇ D'emploi didactique, l'expression signifie «dernier argument»; Louis XIV avait fait graver sur ses canons *ultima ratio regum* «le dernier argument des rois», traduction latine d'un apophtegme de Richelieu. ◇ L'expression s'emploie en épistémologie au sens de «principe d'explication ultime».

◈ voir PÉNULTIÈME.

ULTRA- est un élément d'origine savante, emprunté au latin classique *ultra* «au-delà (de)», «outre» (→ ② outre), opposé à *citra* et issu d'un ancien adjectif °*ultera,* féminin de °*ulter,* dérivé d'une préposition latine archaïque *uls* «au-delà de». Cette préposition fait partie d'un groupe de racines formées d'une voyelle suivie d'un *l* et indiquant un objet éloigné (→ autre); l'irlandais a le même radical *l* dans *t-all* «là», ainsi que le vieux slave dans *lani* «l'année dernière».

♦ *Ultra-* sert à former en français des termes géographiques et scientifiques. Exprimant le degré extrême de qqch., il est entré notamment dans la formation de composés, dans la terminologie politique (*ultraroyaliste,* 1798). L'élément est productif surtout depuis le XIXe siècle.

▸ ULTRA n. représente (1794) une ellipse de *ultra-révolutionnaire* . ◇ Le nom a désigné une personne qui pousse à l'extrême ses opinions politiques, puis un partisan intransigeant de l'Ancien Régime sous la Restauration (1820). ◇ Par extension, il s'est dit en général (v. 1860) d'une personne exaltée dans ses goûts. Le nom désigne aujourd'hui un réactionnaire (cf. *extrême,* dans *extrême droite*), l'adjectif qualifiant plus largement toute attitude extrémiste. Outre les composés traités au radical, on peut signaler *ultra-catholique* adj. et n. (1856), *ultra-gauchiste* (1935), *ultra-nationaliste* adj. et n. (1915), *ultraréactionnaire* adj. et n. (1917, n.).

◈ voir U. L. M. (ultraléger), ULTRADIEN, ULTRAMONTAIN, UPÉRISATION, et aussi MODERNE, ② SON, VIOLETTE (ULTRAVIOLET).

ULTRADIEN, IENNE adj. a été formé (1968) de *ultra-** et du latin classique *dies* «jour*».

♦ L'adjectif s'applique en sciences à un rythme de variations biologiques, physiologiques, selon une alternance inférieure à vingt-quatre heures. *Ultra-* pouvant évoquer un rythme supérieur, *infra-* aurait mieux convenu pour former le mot.

ULTRAMONTAIN, AINE adj. et n. est un emprunt (1323) au latin médiéval *ultra montanus,* formé de *ultra* (→ ultra-) et de *mons, montis* «montagne» (→ mont), sur le modèle du latin *transmontanus* «d'au-delà des monts» (→ tramontane). On trouve aussi la forme francisée *outremontain* (XIVe s.).

♦ Le mot est sorti d'usage au sens concret «qui est au-delà des montagnes» et, spécialement, «au-delà des Alpes» par rapport à la France (donc «italien») ou par rapport à l'Italie (donc «français», «allemand», etc.). En religion, il s'emploie aujourd'hui au sens de «qui soutient la position traditionnelle de l'église italienne» (1690), c'est-à-dire le pouvoir absolu du pape, par opposition à *gallican**.

▸ De ce sens dérive ULTRAMONTANISME n. m. (1733).

ULULER ou **HULULER** v. intr. est un emprunt (1372) au latin *ululare* «hurler», en parlant d'hommes ou d'animaux (le loup, les rapaces nocturnes), verbe d'origine onomatopéique (→ hurler).

♦ Le verbe a d'abord signifié «se lamenter», puis au XVIe s. «hurler» (1512). Il s'emploie en même temps (1512) au sens de «pousser un cri plaintif» et de «crier» en parlant d'oiseaux nocturnes. ◇ En ce sens on écrit aussi *hululer* avec un *h* à valeur expressive.

▸ Le dérivé ULULEMENT ou HULULEMENT n. m. signifie «hurlement, plainte prolongée» (1541) et «cri des oiseaux de nuit» (1868), synonyme en ce sens d'un autre dérivé, ULULATION n. f. (XVe s.; *ululacion* au XIIIe s.), qui semble plus rare en français moderne.

UMLAUT n. m. est un emprunt (1849) à l'allemand *Umlaut*, composé de *um* «autour de» et de *Laut* «son».

♦ Terme didactique de phonétique, *umlaut* désigne une inflexion vocalique, notée en allemand par un tréma sur les voyelles *a, o, u (ä, ö, ü)*.

UN, UNE adj. num., art. et pron. indéf., attesté dès les *Serments de Strasbourg* (880), est issu du latin *unus*, adjectif numéral et nom, qui a servi à désigner l'unité, mais a été éliminé par *solus* dans le sens de «seul» (→ seul) ou a été renforcé par lui *(unus solus); unus* a également eu le sens indéfini de «un quelconque», seul ou joint à d'autres indéfinis. *Unus* se rattache, comme le grec *oinos* «l'as au jeu de dés», à une racine indoeuropéenne signifiant «seul, unique», bien représentée dans les langues germaniques (cf. gotique *ains*, allemand *eins*, anglais *one*).

♦ *Un* a acquis en français d'autres valeurs que celles du latin, ce qui a contribué à la différenciation des systèmes morphologiques des deux langues. Le mot apparaît d'abord comme article indéfini (880) avec une valeur de présentatif et un pluriel *des**; l'ancien français employait également le pluriel régulier *uns, unes* (1080) avec une valeur collective (*uns cops* «une volée de coups») ou appliqué à des objets qui vont par paire (*uns gans* «une paire de gants»). ◇ L'article indéfini est rare en ancien français; il ne s'emploie que quand on n'a pas encore parlé de qqn ou de qqch., et n'est pas exprimé dès qu'il y a indétermination; *des* est très rare pour évoquer une pluralité totalement indéterminée; *un* ne s'impose comme indéfini qu'à partir du XVIIe siècle.

Depuis la fin du Xe s., *un* est attesté comme adjectif numéral (v. 980) et comme nominal pour «quelqu'un» (d'où familièrement ***comme pas un***, 1786; *plus... que pas ung*, 1607) ou «quelque chose»; ce dernier emploi est attesté jusqu'au XVIIe s.; il est demeuré dans la langue familière ou régionalement, notamment dans le tour ***comme un qui***. ➝ L'emploi pronominal de *un* est relevé dans *La Chanson de Roland* (1080, *l'un*); *un* peut alors être placé en corrélation avec *autre : li uns l'autre* «réciproquement» (1080), sorti d'usage, ***l'un l'autre*** (1462), *un et un autre* (fin XVIe s., Montaigne) supplanté par ***l'un ou l'autre, les uns et les autres*** (XVIIe s., par exemple chez La Rochefoucauld). ***L'un dans l'autre*** «en faisant la moyenne» est plus récent (1812).

Parallèlement, les emplois adjectivaux de *un* se développent à partir de l'ancien français. Dans les premiers textes, *un* s'applique à une réalité unique (fin Xe s.), d'où viennent ***c'est tout un*** «c'est la même chose» (1390) et, par extension, «c'est sans importance», *c'est un, ce n'est qu'un* «il n'y a pas de différence» qui est sorti d'usage. ***Ne faire qu'un avec*** (qqch.; qqn) signifie «se confondre avec». ◇ *Un* s'applique également (v. 1165) à ce qui n'a pas de parties, ou à ce qui ne peut être divisé sans perdre ce qui le constitue essentiellement. ◇ On relève ensuite en emploi numéral ***un à un*** (v. 1250). ◇ L'emploi de *une* pour «chose» (v. 1300), réalisé en moyen français dans *il n'y a qu'une* «il n'y a pas d'autre moyen» a disparu; mais *un* s'emploie encore pour «une personne» notamment dans ***pas un*** (1560), ***plus d'un*** (1665). ➝ Au XVIIe s., *un* est employé en philosophie comme nom au sens de «qui n'a pas de parties» (1632, *l'Un*) pour désigner l'Être unique absolu; par affaiblissement de sens, *un* n. m. s'applique (1680) surtout dans le domaine esthétique à ce qui constitue un ensemble harmonieux. ◇ En emploi nominal encore, *un* désigne (XVe s.) le chiffre notant l'unité et cette unité, d'où, dans une énumération, ***et d'un !*** (1750; 1671, *et un !*), et familièrement ***et d'une !*** (1760). ◇ En tant qu'ordinal, *un* équivaut à «premier» dans de nombreux emplois, adjectifs ou nominaux : ***ne faire ni une ni deux*** «agir sans hésitation», familier (attesté 1964), est précédé par *n'en faire ni un ni deux* (1786). ◇ Substantivé, *le un* signifie «l'acte un», «l'as», au jeu (1812), emploi disparu, «la maison qui porte le numéro un» (1812), «le premier du mois» (1852). Pour désigner la table qui porte le numéro un, au restaurant, on dit *as*. La locution ***être sans un*** correspond à *être sans un sou* (1889). ➝ ***La une*** désigne la première page d'un journal (1849), notamment dans *du sang à la une, cinq colonnes à la une*.

▸ Le dérivé UNIÈME adj. num. ord. (1552; 1530, *ungiesme*) a supplanté *unime* (v. 1240); en dérive UNIÈMEMENT adv. (1718). ➝ UNAIRE adj. (mil. XXe s.), mot didactique, signifie «singulier». ➝ Le composé UNE-DEUX n. m. est un terme de sports, employé en escrime (1859), en boxe (1912) où il calque l'anglais *one-two*, et au football (XXe s.).

◈ voir AUCUN, OIGNON, ONCE, ONCIALE, ONZE, QUELQU'UN, UNI-; UNANIME, UNIATE, UNIFIER, UNIFORME, ① et ② UNION, UNION JACK, UNIQUE, UNIR, UNISSON, UNITÉ, UNIVERS, UNIVOQUE.

UNANIME adj., attesté isolément vers 980 et repris après 1450, est un emprunt au latin *unanimus*, composé de *unus* (→ un) et de *animus* désignant le principe pensant et concurrencé dès l'époque classique par *spiritus* (→ esprit); *animus* n'a pas survécu dans les langues romanes, contrairement à *anima* «souffle», «âme» de même origine indoeuropéenne (→ âme).

♦ L'adjectif s'applique d'abord à des personnes qui ont toutes le même avis. Il a vieilli au singulier (1537, *unanime avec*). ◇ Il s'emploie par extension (1534) en parlant de choses *(accord unanime)*, d'où (1905, J. Romains; aussi n. m. *l'unanime*) l'expression *la vie unanime*, en accord profond avec le sentiment du collectif; cf. ci-dessous *unanimisme*.

▸ Le dérivé UNANIMEMENT adv. est relevé en 1467. ➝ De l'emploi particulier du mot par J. Romains viennent (1905) **UNANIMISME** n. m. «doctrine d'après laquelle le créateur littéraire doit exprimer la vie unanime» et **UNANIMISTE** adj. et n. (1908).

UNANIMITÉ n. f. est emprunté (1370, Oresme) au latin *unanimitas, -atis,* dérivé de *unanimus.* ◆ Le mot désigne l'expression de la totalité des opinions dans le même sens, d'où *à l'unanimité des voix* (1770), et *presque-unanimité* (1791), remplacé par **QUASI-UNANIMITÉ** n. f.

◈ voir **ÉQUANIME, LONGANIME, PUSILLANIME.**

UNDERGROUND adj. inv. et n. m. inv. est emprunté (1966) à un mot anglais signifiant proprement «souterrain» et composé de *under* «au-dessous (de)» et de *ground* «terrain», «terre». *Under,* comme ses divers correspondants germaniques, remonte à la racine indoeuropéenne du latin *inferus* (→ inférieur). *Ground,* apparenté à l'allemand *Grund* et au néerlandais *grond,* a été rattaché à la racine de l'ancien norrois *grund* «prairie herbeuse». ◇ D'abord employé en anglais comme adverbe, signifiant «sous (la) terre» (1571) et au figuré «en secret, clandestinement» (1632), le mot entre dans *underground railroad* (ou *railway*) «métro» (1834-1836), par ellipse *underground* (1887). En Amérique, le mot a servi à désigner (1852) un réseau secret de relais bénévoles qui, formé en 1832, aidait les esclaves noirs en fuite ; on appelle ensuite *underground* (1859) tout moyen de communication secret ou clandestin. Au XXe s., le mot se dit de groupes ou mouvements organisés en secret, dans un pays occupé ou sous un régime totalitaire, en vue d'une action de résistance ou de rébellion (*the underground in the Occupied France* «la résistance en France occupée»). Le mot s'applique au cinéma vers les années 1950 puis, à la faveur du phénomène hippie et des mouvements contestataires, s'est étendu à la bande dessinée, à la musique et à la culture en général.

♦ *Underground* est attesté en français (1966, *cinéma underground;* 1967, n. m.) de mouvements artistiques expérimentaux semi-clandestins, indépendants des courants culturels dominants et en marge des circuits traditionnels de diffusion commerciale *(la bande dessinée underground)*; l'adjectif s'applique spécialement aux productions cinématographiques et à la presse. *Underground,* terme daté, s'est surtout employé dans les années 1960 et 1970; il est ensuite souvent remplacé selon les cas par *clandestin, marginal, contestataire* et par *contre-culture, presse parallèle,* etc.

UNGUÉAL, ALE, AUX adj., d'abord *ongueal* (1805), refait d'après le latin en *unguéal* (1814), est dérivé savamment du latin *unguis* «ongle», mot dont le diminutif *ungula* a abouti à *ongle*.*

♦ Cet adjectif didactique qualifie ce qui est relatif aux ongles.

▸ Il a pour composé **SOUS-UNGUÉAL, ALE, AUX** adj. (1878) «placé sous l'ongle».

UNGUIS n. m., mot latin, a été introduit en français (1721) comme terme d'anatomie. ◆ Le composé **UNGUIFÈRE** adj. (→ -fère) est attesté en 1824.

UNI-, du latin *unus* (→ un), est le premier élément de mots formés en français sur le modèle d'emprunts ou de mots latins.

▸ Le premier mot attesté en *uni-* est **UNICORNE** n. m. (1120, n. f.) «licorne», «narval» (→ corne). Le mot a été repris (1805, Cuvier) comme adjectif en zoologie. ◆ Au XVIIIe s., est formé **UNIFLORE** adj. et n. m. (1778), terme de botanique. ◆ Le procédé se répand au XIXe s. : **UNICELLULAIRE** adj. et n. m. (1838), «qui est constitué par une seule cellule (en parlant d'un organisme)», terme de biologie; **UNICOLORE** adj. (1842), emprunt au latin *unicolor* (→ couleur); **UNILINGUE** adj. (1872), du latin *lingua* (→ langue), d'où **UNILINGUISME** n. m. (XXe s.) «fait de ne pratiquer qu'une seule langue»; **UNINOMINAL, ALE, AUX** adj. (1874), surtout dans *scrutin, vote uninominal;* **UNIDIRECTIONNEL, ELLE** adj. (XXe s.), etc. ◆ **UNIPRIX** n. m. (1934), nom déposé, désigne un magasin à succursales multiples, le premier du genre; ce composé est analogue à *Monoprix.* ◆ Plus récemment, ont été formés **UNISPORT** adj. inv. (1950) et **UNIDIMENSIONNEL, ELLE** adj. (1952, Schaeffer), diffusé comme équivalent de l'expression anglaise *One Dimensional Man* (H. Marcuse). ◇ La plupart de ces formations sont liées à des composés parallèles en *bi-, tri-, quadri-, multi-,* etc.

UNIATE adj. et n. est une adaptation (1843) du russe *unijat,* dérivé de *unija* «union», lui-même emprunt au latin ecclésiastique *unio, -onis* (→ union).

♦ Le mot qualifie ou désigne des Églises chrétiennes orientales qui, acceptant les dogmes du catholicisme, conservent leur liturgie et leur organisation. Il est senti en français comme lié à l'adjectif *uni,* participe passé de *unir*.*

UNIFIER v. tr. est un emprunt, d'abord attesté au participe passé *unifaiz* (v. 1380), au bas latin *unificare* (Ve s.), terme de philosophie en latin médiéval, composé du latin classique *unus* (→ un) et de *facere* (→ faire).

♦ Rare jusqu'au XIXe s., époque où il est repris (1800), le verbe signifie «faire (de plusieurs éléments) une seule et même chose»; il s'emploie aussi par extension pour «rendre unique, homogène» *(unifier l'orthographe)* et pour «rendre semblable (les éléments que l'on rassemble)» (2e moitié XIXe s.), *unifié à qqch.* est attesté en 1889, d'où le sens de «rendre homogène (un parti politique)» (déb. XXe s.). ◇ Par exemple, **UNIFIÉS** n. m. pl. (1923) désigne, en histoire, les membres du parti socialiste unifié de 1905.

▸ Le nom d'action **UNIFICATION** n. f. (1842), formé d'après les mots en *-ification,* désigne spécialement (1876) la réunion de plusieurs États en un seul. ◆ **UNIFICATEUR, TRICE** adj. et n. «(personne ou chose) qui unit» est attesté en 1873. ◆ Le préfixé **RÉUNIFIER** v. tr. (1961) a fourni le nom d'action **RÉUNIFICATION** n. f. (1964) et le nom d'agent **RÉUNIFICATEUR, TRICE,** aussi adj. (1965). Cette série a été motivée et répandue avec le problème politique des États séparés en deux par des régimes antagonistes (en général un régime libéral et un régime «socialiste»). Le participe passé du verbe est aussi adjectivé *(l'Allemagne réunifiée)*.

UNIFORME adj. et n. m. est un emprunt (1370, Oresme) au latin *uniformis* «simple, de forme unique», composé de *unus* (→ un) et de *forma* (→ forme).

♦ L'adjectif s'applique d'abord à ce qui présente des éléments tous semblables, notamment en sciences dans *mouvement uniforme* (1370), à propos d'un corps qui parcourt des distances égales dans des temps égaux. Il qualifie ensuite ce qui a la même forme (1459) et, par extension, ce qui ressemble beaucoup aux autres. ◇ L'idée d'unicité se retrouve dans les emplois aujourd'hui disparus pour «concordant, unanime» (1657, en parlant d'un témoignage) et pour «unanimement reçu» (1680, d'une doctrine, etc.). ◇ Une autre acception qui apparaît au XVIIe s., «qui est toujours le même, où l'on n'aperçoit aucune diversité» (1674, Boileau), est toujours vivante. ◆ **UNIFORME** n. m. désigne (1709) un costume dont la forme, le tissu, la couleur sont définis par un règlement pour tous les hommes d'une même unité militaire (1759, *uniforme du régiment*); l'emploi de l'adjectif dans ce sens, *habit uniforme* (1718), est sorti d'usage du fait de la fréquence du substantif. ◇ *L'uniforme* en est venu à désigner la tenue militaire puis, par métonymie, l'armée (1817). Par extension, le nom désigne (1750) un vêtement déterminé obligatoire pour un groupe. ◇ Au figuré (1900), *l'uniforme* signifie «aspect extérieur semblable pour tous».

▸ L'adverbe dérivé **UNIFORMÉMENT** «de manière uniforme» (v. 1400; v. 1380, *uniformeement*) a des emplois analogues à ceux de l'adjectif. ◆ **UNIFORMISER** v. tr. (1728), «rendre uniforme» et, par extension, «homogénéiser», a éliminé la variante *uniformer* (1823), et a fourni le nom d'action **UNIFORMISATION** n. f. (1824).

UNIFORMITÉ n. f., emprunt au dérivé latin *uniformitas, -atis* (1370, Oresme), désigne le caractère de ce qui est uniforme, d'où l'absence de changement (1719). ◆ Sur ce nom a été formé **UNIFORMITARISME** n. m. (1904), d'après les mots en *-arisme* qui supposent habituellement un adjectif en *-aire* (cf. *humanitaire/humanitarisme*); ce mot didactique désigne une théorie expliquant l'évolution géologique de la Terre par des causes analogues à celles qui agissent aujourd'hui; on a employé en ce sens **UNIFORMISME** n. m. (1872).

① **UNION** n. f. est un emprunt ancien (v. 1220) au latin classique *unio, unionis* qui a donné par voie populaire le mot *oignon**, et qui désignait cette plante à bulbe unique et une perle de la plus belle eau (cf. en français *solitaire* «diamant qui se porte seul»). Le mot est probablement dérivé de *unus* (→ un); c'est en bas latin que *unio* a pris les sens abstraits d'«unité» et «union».

♦ *Union* s'est introduit en français dans le vocabulaire religieux au sens disparu d'«unité» (de Dieu en trois personnes). ◇ Le mot désigne ensuite (v. 1380) la réunion de deux ou de plusieurs choses ensemble, pour former un tout, d'où *l'union des sexes* (1761), *l'union sexuelle* (1908). De l'idée de «jonction», on est passé à celle de «concorde, bonne entente entre plusieurs personnes ou groupes», et de «liaison d'affection» (fin XIVe s.). ◇ Par extension de ces emplois, *union* se dit d'une association offensive et défensive d'États (1611); l'ancien provençal connaissait dès le XIVe s. (1343) un sens large, «association». ◇ Du droit international, le mot est passé au droit privé, désignant l'association de personnes, de groupes, etc., ayant un but commun (1636). Ce sens, passé en anglais, a fourni la désignation de ce qui a été appelé en français *syndicat* (voir ci-dessous). ◇ *Union* correspond également (1636) au fait de combiner, de mélanger des éléments, concrets ou abstraits, et (XVIIe s.) au rapport existant entre deux ou plusieurs choses; de là spécialement son emploi en peinture pour «accord des couleurs qui conviennent bien ensemble» (1665; 1694, *union de couleurs*). ◆ Dans le domaine des relations humaines, *union* équivaut à «mariage» (1670, Molière), d'abord (1659) *union conjugale*. Dans le même contexte, l'expression ***union libre*** (1854) désigne le concubinage. ◇ Le mot s'est employé en religion pour désigner (fin XVIIe s.) la communion intime avec Dieu. ◇ Cependant, *bulle d'union* «bulle du pape unissant deux bénéfices» (1690), *lettres d'union* «lettres du roi unissant deux terres, deux charges» (1694) correspondent à la valeur générale de «combinaison». ◆ Le sens juridique signalé plus haut a eu des applications spécifiques : au XVIIIe s., époque où le mot désigne (1778) l'acte qui unit sous un seul gouvernement plusieurs provinces, plusieurs États, notamment à propos des États-Unis d'Amérique (1801, *les États de l'Union*), et au XXe s. dans ***Union française*** (1946), groupant sous la IVe République la France métropolitaine, les départements et territoires d'outre-mer et les départements ou territoires associés, ces notions se substituant à celles d'«Empire» et de «colonies». C'est aujourd'hui un terme d'histoire. ◇ *Union* se dit aussi d'un acte d'association (1762, *contrat d'union*, qui unit des créanciers pour agir ensemble). Au XIXe s., *union ouvrière* (1872) est un calque de l'anglais *trade union* (→ trade-union); il a été éliminé par syndicat*.

▸ **UNIONISME** n. m. (1834) et **UNIONISTE** n. et adj. (1834) semblent empruntés à l'anglais *unionist* (1796, nom) au sens politique dont dérive *unionism* (1845). ◇ *Unionisme* a désigné la doctrine des partisans de l'union politique dans un pays donné; le mot s'est également dit (1870) de la doctrine des *trade-unions**, par abréviation de *trade-unionisme**. Il s'emploie aujourd'hui au sens de «doctrine des partisans d'une union (internationale, économique)». ◇ *Unioniste* a disparu au sens de «membre d'une union ouvrière» (1870), éliminé par *syndicaliste*.

⟡ voir ② UNION, UNION JACK, UNIR.

② **UNION** n. f. (1532), qui continue l'ancien français *uniun* (déb. XIIe s.), reprend le sens du latin *unio, -onis* «grosse perle» (→ ① union).

UNION JACK n. m., attesté isolément comme terme de marine (1687, écrit *Union-Jack*) puis repris au XVIIIe s., est un anglicisme pour désigner le drapeau du Royaume-Uni. L'anglais a utilisé *Union flag* (1634), de *flag* «drapeau» et de *union*, de même origine que le français *union* (→ ① union), désignant l'union des couronnes d'Angleterre et d'Écosse (réalisée en 1603). *Union Jack* qui s'est imposé (1674 en ce sens), de *jack* «drapeau, pavillon (de petites dimensions)», a d'abord désigné au XVIIe s. le pavillon de beaupré.

♦ En français, le nom, qui a gardé le sens de l'étymon, est resté didactique ou technique.

UNIQUE adj. est un emprunt (v. 1480) au latin *unicus* «seul, unique», dérivé de *unus* (→ un).

♦ L'adjectif signifie d'abord «qui répond seul à sa désignation et forme une unité»; on le trouve en ce sens écrit *unicque* (1530), *unic* (1536, adjectif masculin), *uniq* (1607). Par extension, *unique* qualifie ce qui n'est pas accompagné par d'autres du même genre et ce qui est le même pour plusieurs choses. ◇ Le premier de ces deux sens est substantivé au masculin (fin XVIe s.) avec la valeur de «fils unique», sortie d'usage. ◆ L'adjectif s'applique ensuite avec une valeur qualitative (1540) à une personne ou à une chose qui est au-dessus des autres, puis à ce qui est le seul de son espèce, ou (1732) à ce qui est foncièrement différent des autres, et à ce qui étonne beaucoup, en bien ou en mal (1690), spécialement dans ***c'est unique !*** (1758).

▶ Le dérivé **UNIQUEMENT** adv., littéraire, signifie «à l'exclusion des autres» (1458) et s'emploie couramment (1814) au sens de «seulement, sans autre motif». ◆ **UNICITÉ** n. f., dérivé savant de *unicus*, attesté en 1740 et noté comme «peu usité» en 1823, est didactique. ◆ **UNICISME** n. m., également dérivé savant (1865) du latin *unicus*, a d'abord désigné la doctrine selon laquelle tous les accidents syphilitiques seraient provoqués par un agent unique. ◇ Le mot désigne ensuite (déb. XXe s.) en philosophie une doctrine qui réduit un ensemble de faits à un seul élément primitif; il équivaut à *monisme;* puis il se dit en médecine de la doctrine qui attribue la même cause aux troubles organiques et aux troubles mentaux. ◇ **UNICISTE** n. et adj. (1876) a les valeurs correspondantes.

UNIR v. tr. est un emprunt (fin Xe s., p.p.) au latin impérial *unire* «joindre, unir», d'emploi rare, dérivé du latin classique *unus* (→ un).

♦ Le verbe a d'abord signifié «établir des liens affectifs entre des personnes»; il est ensuite (v. 1180) attesté dans *unir un conte* «réunir les versions d'un récit» et signifie généralement (v. 1190) «mettre ensemble (des éléments) pour faire un tout», ces éléments étant de même nature ou différents. *Unir* est ensuite employé (1371) à propos des personnes, avec le sens de «associer par un lien politique». ◇ Au XVIe s. (1539), il signifie «polir (une planche), égaliser (un terrain)», d'après le participe adjectivé *uni* (ci-dessous), valeurs qui ont vieilli, l'idée de «joindre» dominant dans l'ensemble des emplois. ◇ Depuis la fin du XVIe s., le verbe s'emploie tant dans un contexte concret (1594, *unir ensemble*), dans les domaines économique, religieux, etc., l'association n'impliquant pas l'unité (1636), qu'en parlant d'éléments abstraits (1640, Corneille). ◇ Le sens spécial de «lier (deux personnes) par le mariage» (1644), notamment dans *s'unir* (1669), est resté vivant; il correspond à une acception de *union*. Enfin, le verbe est utilisé comme terme religieux pour «entrer en communion (avec Dieu)» (1701). ◇ L'emploi pour «mettre en communication (deux villes, deux mers, etc.)» semble un peu plus tardif (1727).

▶ **UNI, UNIE** adj., est issu du participe passé latin *unitus*, sous les formes *honny* (980), *honni*, (sans rapport avec *honnir*), *on(n)i*, *ouni;* Froissart (1380-1388) emploie *oni* et *uni*. Le mot a des valeurs analogues à celles du verbe. L'adjectif est d'abord attesté au sens de «lié par l'affection» (980, *honny* «d'accord»). Il s'applique à ce qui est égal, sans à-coups (1170, *oni*), en parlant de la conduite de qqn, de la vie, du temps, et on employait en ancien français ***dire en uni*** (v. 1165) pour «donner un récit cohérent (en utilisant les variantes contradictoires d'une légende)». ◇ Parallèlement, l'adjectif développe des acceptions liées à l'idée d'homogénéité, de cohérence, qualifiant une surface, un terrain sans inégalités (1213). De là *mettre a uni* (1380-1388), *mettre a l'uni* «aplanir, mettre au même niveau» (1534), et la locution adjective ***à l'uni*** «au même niveau» (1694), sortis d'usage. ◇ Ces deux valeurs se développent : *uni* signifie (fin XVIe s.) «simple, sans recherche» en parlant du style. Par ailleurs, *cheval uni* (1625) s'est dit d'un cheval qui galope régulièrement, et l'on parle encore de *galop uni* «régulier» (1762). ◇ L'adjectif s'applique à un tissu, un habit sans ornement (1640), emploi encore vivant. Il s'est dit d'un événement ordinaire (1644) et d'une personne simple, sans recherche (1669; 1780, *uni comme bonjour* «simple et modeste»); ces emplois ont disparu. ◆ *L'uni* n. m. désigne ce qui est sans recherche (1876). L'adjectif s'applique également à ce qui présente une couleur (1732), un aspect uniforme; il est substantivé dans ce sens (1783), par exemple dans *de l'uni*.

Le verbe préfixé **RÉUNIR** v. tr. (v. 1460; 1400, *reaunir*) est d'abord employé au sens de «remettre ensemble (des choses qui avaient été séparées)», puis (1587) de «réconcilier, faire embrasser la même opinion», en parlant de personnes; cet emploi est devenu rare. Il a les sens de «mettre ensemble (des choses) pour former un tout» (1663) et de «faire en sorte d'être ensemble», en parlant de personnes (XVIIe s., *réunir qqn à;* 1683, *se réunir* pron.), d'où des acceptions parallèles à celle de *unir*. ◆ **RÉUNION** n. f. (1468), dérivé de *réunir* sur le modèle de *union*, désigne d'abord l'action de joindre qqch. à un ensemble, surtout en politique *(réunion d'une province à un État)* puis (1549) l'action de remettre ensemble des choses qui avaient été désunies, d'où «réconciliation» (1587), en parlant de personnes. En droit ancien, les *lettres de réunion* sont celles par lesquelles on réunit deux terres, deux domaines (1694). ◇ Depuis le XVIIIe s., *réunion* désigne l'action de rassembler des choses éparses (1771), le fait de se retrouver, de se mettre ensemble pour faire qqch. ◆ Par métonymie, il désigne un ensemble de personnes venues en un même lieu pour être ensemble (1789), et aussi la durée et les circonstances de la rencontre, d'où au XIXe s., les expressions *réunion publique* (1870) et *droit de réunion* (1875). Selon les contextes, le mot a des valeurs très différentes, depuis le groupe de travail en commun *(M. X est en réunion)* à un rassemblement politique occasionnel. ◆ **RÉUNIONITE** n. f., «abus des réunions», est formé au milieu du XXe siècle. ◆ En histoire, **RÉUNIS** n. m. pl. (1687; aussi 1701, *nouveaux réunis*) désigne les protestants qui se firent catholiques après la révocation de l'édit de Nantes en 1685. ◆ Le verbe a fourni également les termes de tissage **RÉUNISSAGE** n. m. (1870) et **RÉUNISSEUSE** n. f. «machine qui réunit les fils pour les mettre en bobines» (1870). ◆ **RÉUNISSABLE** adj. (1964) est rare.

DÉSUNIR v. tr., formé avec le préfixe *dé-*, est rare (1418) au sens concret de «séparer ce qui était joint»; il s'emploie couramment (1563) en parlant de personnes (1611, *désuni*, en parlant d'un couple). *Se désunir* est un terme d'équitation (1678) comme *désuni* (1690, *cheval désuni*) et s'oppose à *uni* (ci-dessus). ◆ **DÉSUNION** n. f., formé d'après *union* (1479), se dit de la séparation de ce qui était uni et, au figuré (1596), d'un «désaccord», d'une «division (entre personnes, groupes, etc.)».

◈ voir ① UNION.

UNISSON n. m., réfection (XVIe s.) de *unison* (1372), est un emprunt au latin médiéval *unisonus* «d'un seul son», composé du latin classique *unus* (→ un) et de *sonus* (→ son).

♦ Ce terme de musique désigne un son unique produit par plusieurs voix ou instruments. La locution ***à l'unisson*** «en chantant ou en jouant de façon à produire un unisson» est usuelle (1694). ◇ Par analogie, le mot, employé comme adjectif (1549, Du Bellay), s'est appliqué à ce qui rime à l'oreille sans rimer à l'œil. ◇ Par figure (1588), *unisson* se dit dans un emploi littéraire pour «accord de pensées, de sentiments», entre personnes, plus couramment dans la locution ***à l'unisson*** (1730) par la même figure que *au diapason*.

UNITÉ n. f. est emprunté (v. 1120) au latin *unitas, -atis* «unité», «identité», dérivé de *unus* (→ un).

♦ Le mot se dit d'abord de l'état de ce qui forme un tout organique par la liaison des parties, sens courant, alors que l'emploi pour «caractère de ce qui n'a pas de parties, de ce qui est un seul» (v. 1265, Latini) est didactique. *Unité* prend la valeur générale de «chose qui est une», avec le sens d'«élément arithmétique qui forme les nombres» (1370, Oresme), d'où l'emploi pour désigner le nombre *un*. ◇ Parallèlement, l'idée de caractère de ce qui est un se développe et *unité* désigne (v. 1375) la concorde, l'accord entre personnes. ◆ Au XVIIe s. (Guez de Balzac), le mot est employé dans le domaine littéraire au sens de «cohérence, harmonie entre les diverses parties d'une œuvre», spécialement dans le domaine du théâtre avec *les trois unités* (1660, Corneille) : dans une pièce, une seule action doit se dérouler dans un seul lieu en moins de vingt-quatre heures; cette règle a été induite de *La Poétique* d'Aristote (où elle ne figure pas) par Scaliger au XVIe s. et fut suivie, notamment pour la tragédie, par les auteurs du XVIIe s.; on relève en 1660 *unité d'action, unité de lieu, unité de jour*, puis *unité de temps, unité de scène* (1690) et *unité de caractère* (1701) «cohérence des traits de caractère d'un personnage (de roman, de théâtre)». ◆ Par ailleurs, en mathématiques, *unité* (1680, Lamy) désigne la partie entière inférieure à dix de tout nombre entier, par opposition aux dizaines, aux centaines, etc. Au XVIIIe s., le mot est employé (1790, *unités de mesure*) pour désigner une quantité déterminée arbitrairement, qui sert de terme de comparaison à des quantités de même espèce. ◆ Au XIXe s., apparaît la valeur de «chose dont les éléments sont liés, cohérents». *Unité* désigne en particulier dans le vocabulaire militaire (1872, *unité tactique*) une formation qui a une composition, un armement, des fonctions spécifiques, et spécialement un bâtiment de guerre appartenant à une flotte. ◆ Au sens de «membre, élément distinct d'un ensemble», le mot se dit rarement en parlant d'êtres vivants (1862, Goncourt; 1923, en sports); il s'emploie au XXe s. en parlant d'objets fabriqués en série (cf. *pièce*). ◇ Il est utilisé familièrement pour «million de francs» ou «de centimes» (1928), la somme représentant dans ce cas l'unité de mesure d'une transaction importante. ◇ Au milieu du XXe s., *unité*, dans un processus de production ou d'échanges, désigne ce qui, dans un ensemble complexe, réalise un type d'opérations, d'où l'emploi en informatique *(unité centrale, unité de traitement*, etc.). ◇ ***Unité de valeur*** (1968, abrégé couramment en *U.V.*) se dit en France d'un enseignement universitaire exprimé par l'unité de temps consacrée à un sujet dans un domaine donné.

▶ Le dérivé **UNITAIRE** n. et adj. désigne d'abord dans la religion chrétienne une personne qui nie la Trinité, en ne reconnaissant qu'une seule personne en Dieu (1688, Bossuet); l'emploi adjectif, dans ce sens, semble tardif (1845). ◇ L'adjectif s'applique en sciences à ce qui forme une unité (1803, en parlant d'un cristal) et l'on parlait d'*animaux unitaires* «qu'on ne peut pas multiplier par division» (1872). ◇ En politique, l'adjectif qualifie ce qui tend à l'unité ou forme une unité (1830). Il se dit aussi (XXe s.) de ce qui est relatif à un seul objet dans un ensemble. ◆ Les dérivés sont didactiques. **UNITAIREMENT** adv. est attesté en 1900 chez Péguy. ◆ **UNITARIEN, IENNE** n. (1830) est formé d'après l'anglais *unitarian*, n. et adj. (1687), emprunt au latin moderne *unitarius*, dérivé de *unitas*; le mot est un équivalent de *unitaire* en religion. ◇ **UNITAIRIEN, IENNE** n., de même formation, s'est dit au XIXe s. (1842) d'un partisan d'un pouvoir politique central. ◆ **UNITARISME** n. m. correspond à *unitarien* en religion (1861), supplantant **UNITAIRIANISME** n. m. (1830), dérivé de *unitairien*, et à *unitairien* qu'il remplace en politique (1840). ◆ **UNITÉISME** n. m. est un terme didactique (av. 1842, Fourier) qui se dit, en histoire des idées, du besoin d'unité, l'un des mobiles du comportement selon Fourier.

Le composé didactique **SOUS-UNITÉ** n. f. (1981) désigne un élément d'une unité moléculaire formé d'une chaîne de protéines, puis généralement un

UNITÉ

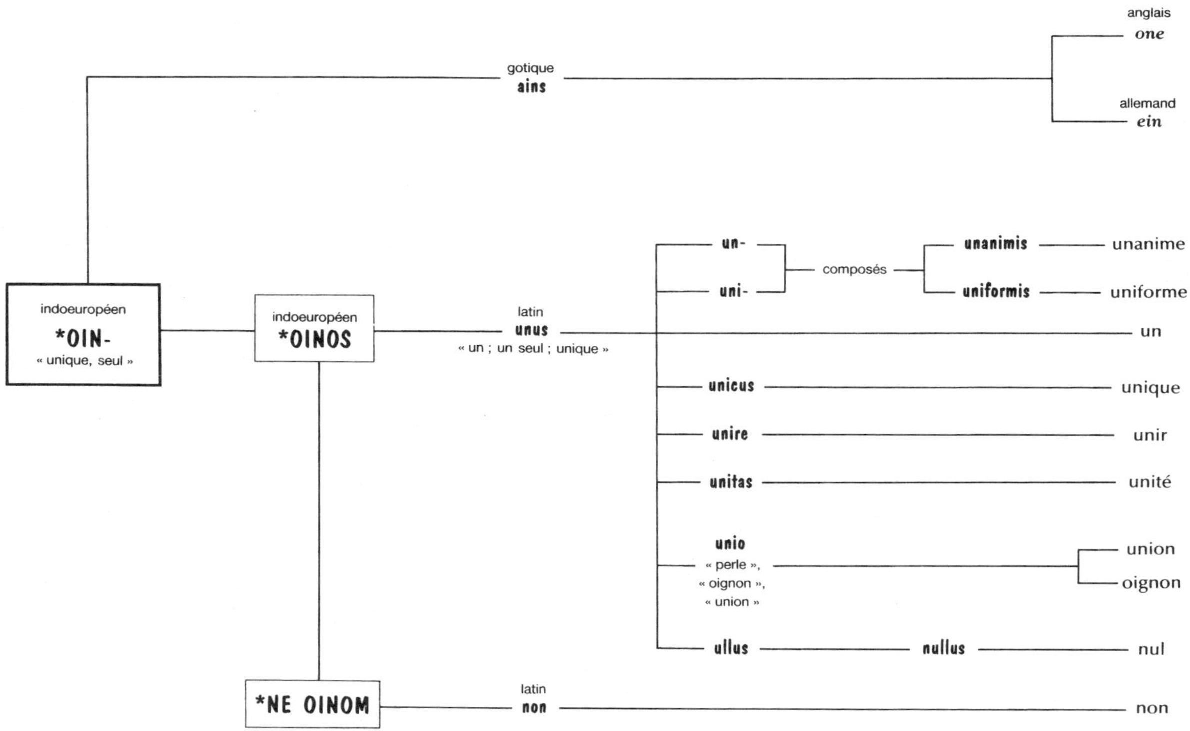

indoeuropéen
*OIN-
« unique, seul »
gotique
ains
anglais
one
allemand
ein
indoeuropéen
*OINOS
latin
unus
« un ; un seul ; unique »
un-
uni-
composés
unanimis
uniformis
unanime
uniforme
un
unicus
unique
unire
unir
unitas
unité
unio
« perle »,
« oignon »,
« union »
union
oignon
ullus
nullus
nul
*NE OINOM
latin
non
non

élément distinct à l'intérieur d'une unité *(sous-unités de production).*

UNIVERS n. m. est la substantivation (v. 1530, dans Marot), d'après le latin *universum,* de *universe monde* (v. 1175), où le mot est adjectif. C'est un emprunt au latin *universus* qualifiant la totalité d'une chose comme telle, formant des expressions avec *mundus, orbis, terra. Universus,* «intégral», proprement «tourné de manière à former un ensemble», est composé de *unus* (→ un) et de *versus,* participe passé passif de *vertere* «tourner» (→ vers). Le substantif *universum* traduit le grec *to holon* «le tout» (→ holo-).

♦ C'est d'abord l'adjectif *univers* qui est employé en français, au sens latin d'«entier, dans sa plus grande extension», d'où *en universe* «en tout» (v. 1300), puis la spécialisation pour exprimer la totalité géographique, dans *le monde universe* (XIIIe s. et XIVe s.), *le monde univers* (v. 1300), d'après le latin *mundus universus,* puis *le globe univers* (1531) et *l'empire univers* «le gouvernement de la terre entière» (1534). Cet emploi de l'adjectif a sans doute favorisé la diffusion du nom, qui l'élimine dans le courant du XVIe siècle. ➛ *Univers,* n. m., désigne d'abord la surface du globe terrestre, puis cette surface considérée par rapport à l'homme (cf. *monde,* plus courant) ; chez Ronsard (1550), dans la traduction de la Bible (1553), *l'univers* signifie «les hommes», sens répandu au XVIIe s., d'où «un grand nombre de personnes» (1616), acceptions archaïques. ◇ Le mot s'emploie au XVIIe s. pour «une grande partie de la Terre». À la même époque, *l'Univers* désigne l'ensemble de la matière, distribuée dans l'espace et dans le temps, et spécialement, en astronomie, le système planétaire. Ces emplois correspondent aux connaissances du temps : le concept d'Univers va évoluer au XVIIIe s. et surtout au XIXe siècle.

La notion d'univers, et donc l'acception du mot, s'est modifiée en fonction de la conception cosmogonique et des progrès de l'astronomie, passant du système planétaire du Soleil, auquel appartient la Terre, et des corps célestes qui lui sont extérieurs (les étoiles), à un ensemble plus vaste, surtout après la découverte d'un ensemble d'étoiles gigantesque, la galaxie, cf. l'évolution de sens du mot *nébuleuse** et l'extension d'emploi de *galaxie.* On est donc passé au XVIIe s. d'une conception où l'homme (la Terre) était au centre (le géocentrisme) à celle où le Soleil constitue le centre (l'héliocentrisme) : c'est la révolution copernicienne. Au XIXe s., avec les découvertes de l'astrophysique (spectroscopie) et surtout au XXe siècle, on aboutit à l'idée d'un univers immensément plus étendu, dynamique, non centré, et correspondant au concept relativiste d'espace-temps. Cette notion moderne d'univers est liée à la théorie de la relativité : d'où des expressions comme *univers courbe, courbure de l'univers.* L'observation des étoiles et celle des galaxies* (d'abord appelées *univers-îles*) a été à l'origine de la théorie dite de l'*univers en expansion* et, depuis 1960 environ, des hypothèses sur l'origine de l'Univers (big bang), dont la vulgarisation relève souvent de l'idéologie. ➛ *Univers* s'emploie par figure pour désigner un ensemble de réalités matérielles (1578) ou morales (1550, Ronsard ; rare avant 1722, Marivaux) qui forme un système clos, *l'univers de qqn* désignant ce à quoi il ou elle borne ses pensées, son action (1758), emploi moins courant que *le monde de qqn* et qui s'est d'abord appliqué à l'endroit où une personne vit (1671). ➛ *Univers* s'emploie aussi en mathématiques (1922), en logique (*univers du discours,* 1922 ; traduction de l'anglais *universe of discourse,* 1846) et dans plusieurs domaines au sens «d'ensemble d'éléments qui répondent à tous les critères employés dans l'étude d'un domaine» (aussi *univers de référence*). ➛ Par référence à un format de papier nommé *grand monde* (1723), *grand univers* désigne (déb. XXe s.) un format de papier encore plus grand.

◈ voir UNIVERSEL, UNIVERSITÉ.

UNIVERSEL, ELLE adj. et n. m., réfection en *-el* (v. 1265) de *universal* (v. 1200), est emprunté au latin *universalis* «relatif au tout», «général», dérivé de *universus* (→ univers) dont il reprend, en les précisant, certaines acceptions. La forme en *-el* élimine celle en *-al* au XVe siècle.

♦ *Universal* traduit le latin médiéval *universalis* «dont la juridiction s'étend de droit à la terre entière», dans le vocabulaire ecclésiastique (v. 1200, *eglise universale ; église universelle* n'est repéré qu'en 1669) ; en ce sens, *évêque universel* (fin XVIe s.) est sorti d'usage. ◇ C'est la forme ancienne en *-al* qui a servi à former le pluriel *universaux* (ci-dessous). L'adjectif est attesté dans un sens proche de «général» (v. 1265, *chose universelle* «principe, vérité générale») avec une valeur logique : «qui concerne la totalité des individus d'une classe, qui est pris dans toute son extension» ; il s'emploie spécialement dans *proposition universelle* (v. 1265), ou *universelle,* n. f. (1370, *universele*) chez Oresme, chez qui on relève aussi *jugement universel, général et universel.* Depuis le XIVe s., il se dit (1352-1356, Bersuire) de ce qui s'applique à la totalité des objets, choses ou personnes. ➛ *Universel* s'emploie au XVe s. comme doublet de *univers**, adj., au sens d'«entier» (1417, *le monde universal* «la terre entière» ; 1487, *universel*) ; il est aussi substantivé (1530), comme le sera *univers ;* il disparaît en ce sens au début du XVIIe s., où l'on relève encore *l'universel des hommes* «l'humanité entière» (1608). ➛ L'emploi juridique (1442, *heritier, legataire universel*), qui correspond à l'ancien provençal *universal,* plus ancien (1273) au sens d'«à qui échoit la totalité d'un patrimoine», correspond au sens de *universus* dans le droit romain (IIe s.). ➛ Parallèlement, l'idée de «généralité» est transférée de l'objet de pensée au sujet ; l'adjectif prend le sens de «qui provient de tous, ou au moins d'un certain groupe» (1568), «qui concerne la totalité des hommes» (1412), par exemple dans *langue universelle* (1690), *histoire universelle* (1602), *grâce universelle,* par laquelle Dieu accorde à tous les hommes la possibilité de former leur salut (1701). ◇ Au début du XVIIe s., *universel* qualifie aussi une personne attirée par les considérations les plus générales, dont la curiosité et les connaissances s'appliquent à tous les sujets (1601). ◆ Depuis le XVIIe s., l'adjectif s'applique à ce qui concerne l'Univers, le cosmos tout entier, d'où l'emploi dans le vocabulaire scientifique, avec *loi universelle*, puis *gravitation universelle*, etc. ◇ En logique, *universel*, n. m. (1621), se dit de ce qui est désigné par un terme général (prédicat de différents sujets), d'où par extension de ce qui s'étend à tous les individus d'une classe. ◇ *Universel* s'applique aussi à ce qui s'étend à toute la surface de la terre, en parlant de réalités matérielles (1640) ou morales (1685). Sur le plan intellectuel, *universel* correspond à «qui couvre l'ensemble, la totalité (d'un domaine, d'un sujet)» par exemple dans *dictionnaire universel*. ◆ Les valeurs quantitatives deviennent ensuite dominantes par rapport aux valeurs logiques; elles concernent la totalité d'une population, d'un groupe humain, avec une connotation sociale forte. On relève *suffrage universel* (dès 1765, répandu après 1789), *enseignement universel* «méthode qui permettrait à chacun d'apprendre n'importe quelle science» (1823), *éducation universelle* «commune à toutes les classes sociales» (1852). ◆ L'argot a employé *universelle*, n. f. (1889), pour «prostituée», c'est-à-dire «femme commune à tous». ◆ Au XXe s., on relève dans le domaine technique *clé universelle* (1909), *moteur universel* «alimenté indifféremment en courant continu ou alternatif» (v. 1949), *machine universelle*.

▶ **UNIVERSAUX** n. m. pl., pluriel de la forme ancienne *universal*, traduisant le latin scolastique *universalia* (pluriel neutre de *universalis*), est un terme de philosophie introduit par Descartes au XVIIe s.; dans la philosophie cartésienne, héritière en cela de la scolastique, le mot désigne les cinq concepts qui définissent les manières par lesquelles un prédicat est lié au sujet par un rapport (genre, espèce, différence, propre, accident). Il se dit des concepts et termes universels applicables à tous les individus d'un genre. ◇ Par singularisation de *les universaux*, *universal* a été repris au XXe s., avec influence de l'anglais *universal*, au sens de «terme, concept universel». ◆ Le dérivé **UNIVERSELLEMENT** adv. (1314), tiré de la forme moderne de l'adjectif, s'est substitué à diverses graphies issues de la forme en *-al* (1265, *universaument*; 1339, *universalment*; 1370, *universament*). Le mot a suivi une évolution sémantique parallèle à celle de l'adjectif. ◆ **UNIVERSALISTE** adj. et n. est d'abord un terme de religion (1684 adj.; 1704, n.) pour désigner un partisan de la doctrine selon laquelle tous les hommes sont destinés au salut par la grâce; l'adjectif s'est appliqué (1757) à ce qui est relatif à l'ensemble des êtres, et se dit (1872) d'une doctrine qui s'adresse à tous les hommes. Au début du XXe s., il s'applique à une doctrine qui considère la réalité comme un tout unique dont dépendent les individus. ◇ Le dérivé **UNIVERSALISME** n. m. est relevé en 1823; Proudhon, dans *Césarisme et christianisme* (v. 1850) parle d'*universalisme politique* et d'*universalisme religieux*.

UNIVERSALISER v. tr., formé à partir du latin *universalis*, signifie d'abord «répandre dans le monde, dans l'usage» (1755; 1794, *universaliser une langue*), puis «rendre commun à tous les hommes» (1783), aussi sous la forme *s'universaliser* (1823). ◇ C'est aussi un terme de logique au sens de «rendre universel» (1845). Le dérivé **UNIVERSALISATION** n. f. (1795) correspond aux diverses acceptions du verbe.

UNIVERSALITÉ n. f. est un emprunt (v. 1300) au bas latin *universalitas*, dérivé de *universalis*. ◇ Terme de la logique aristotélicienne jusqu'au XVIIe s., il se dit du caractère des choses considéré sous leur aspect de généralité universelle. Lié à certains emplois de *universel*, il désigne aussi une attitude intellectuelle par laquelle on s'attache aux valeurs les plus généralement valables. *Universalité* est sorti de l'usage avec la valeur large (1606) de «totalité, généralité». ◇ Le nom entre ensuite dans le vocabulaire du droit (1690) et reprend un sens du latin médiéval dans *universalité de l'Église* (1690). ◇ Il se dit ensuite (1486) du caractère de ce qui concerne la totalité des hommes. Ce concept a connu le succès au XVIIIe siècle, ainsi que le thème de *l'universalité de la langue française* célébré par Rivarol.

UNIVERSITÉ n. f. est un emprunt (1214) au latin classique *universitas, -atis* «totalité, ensemble», en emploi concret et en logique, repris en latin juridique pour désigner une communauté humaine; *universitas* dérive de *universus* «général» (→ univers), lui-même de *unus*.

♦ Le mot apparaît au XIIIe s. avec les sens du latin, «corporation professionnelle» (cf. *union**). Il se spécialise en ancien français avec le mouvement communal et, par ailleurs, désigne en ancien provençal (1385, *universitat*), comme en latin (XIIIe-XVe s.), une communauté juive dans une ville; le second sens est vivant jusqu'à l'époque classique. ◇ Par spécialisation du premier emploi, *université* désigne (1246) le corps de maîtres qui enseigne les disciplines libérales et scientifiques et collationne les grades, d'après *universitas magistrorum* en latin du moyen âge, puis *universitas* (v. 1261); de là son emploi pour désigner (v. 1255) chacune des institutions ecclésiastiques d'enseignement secondaire et supérieur, nées sous l'autorité papale de la fusion des écoles cathédrales, monastiques et privées. ◆ Une autre acception à peu près contemporaine (v. 1260) correspond à «généralité englobant tous les cas particuliers». ◇ Au XVIe s., le mot, doublet de *universalité*, s'est employé pour «accord entre des personnes sur une question» (1569, *université de consentement*). ◆ Par ailleurs, *université* désigne aussi au XVIe s. l'ensemble de la création (1578), comme ses équivalents anglais, allemand et néerlandais, avec le même sens que *univers* (en latin *universitas rerum*). ◆ Par métonymie du sens scolaire, le mot se dit au XVIIe s. (1694) du quartier de Paris où était établie l'université au moyen âge, appelé aussi *quartier* ou *pays latin*. ◇ Avec une majuscule, *l'Université* (ou *l'Université de France*) désigne le corps des maîtres de l'enseignement public des divers degrés, placé à l'origine sous l'autorité d'un *Grand Maître* (décrets de 1806 et 1808). ◇ Dans le cadre institutionnel moderne, où apparaît le dérivé *universitaire*, le mot s'emploie spécialement pour «établissement dispensant un enseignement supérieur» (mil. XIXe s., par ex. dans E. About, 1857); ce degré supérieur était désigné officiellement en France par *facultés*, depuis 1808. Par analogie, *université populaire* (1898) s'applique à une association qui donne aux adultes des milieux populaires un complément d'instruction générale; le mot s'emploie à partir des années 1970 avec une valeur large («organisation d'enseignements») dans divers syntagmes, *université du troisième âge, université d'été*. Enfin, par une autre métonymie, *université* désigne au XXe s. l'enseignement supérieur, son organisation, et par ailleurs les bâtiments universitaires.

▶ Le dérivé **UNIVERSITAIRE** adj. et n. s'applique (1810) à ce qui est relatif à l'université, au sens moderne du mot, d'où *un, une universitaire* (1814; 1767 sous l'Ancien Régime); ces acceptions sont vivantes, mais le mot est sorti d'usage au sens de «partisan de l'université» (1845). ◇ L'adjectif s'emploie depuis le milieu du XIXe s. pour «qui appartient, est propre à l'enseignement supérieur en général» (1863, Goncourt) et dans *ville, quartier universitaire* (1876), puis ***cité universitaire*** «groupe de bâtiments résidentiels destiné aux étudiants» (1922). ◆ **UNIVERSIADE** n. f., composé (1957) de *univers(itaire)* et de *(olymp)iade*, signifie «jeux universitaires mondiaux» et reste peu usité. ◆ L'abréviation **UNI** n. f. est fréquente en français de Belgique, et inconnue en France (cf. *fac*, de *faculté*).

UNIVOQUE adj. est un emprunt (v. 1370) au latin impérial *univocus*, qualifiant un mot qui n'a qu'un son, ou qui n'a qu'une signification, composé de *unus* (→ un) et de *vox, vocis* «son du langage» et «mot» (→ voix).

♦ L'adjectif, d'emploi didactique, s'est introduit en médecine pour « qui ne s'applique qu'à une seule affection ». ◇ Il s'emploie parallèlement (fin XIVe s.) avec le sens grammatical de l'étymon. Il s'applique à un mot qui garde le même sens dans des emplois différents (cf. aujourd'hui *monosémique*), par opposition à *équivoque**, d'où au XVIIIe s. *homonyme univoque* (1765). ◇ Il qualifie (XVIIe s.) ce qui n'est pas ambigu, en parlant d'une réalité, et une relation dans laquelle un terme entraîne toujours le même corrélatif.

▶ **UNIVOCATION** n. f., «caractère de ce qui est univoque», en parlant d'un terme, d'une relation (1721), a été supplanté par **UNIVOCITÉ** n. f. (1895), didactique, mais fréquent en logique, en sémantique, comme **UNIVOQUEMENT** adv. (1905, Valéry). ◆ Le composé **BIUNIVOQUE** adj. (1956), de *bi-**, est vieilli en mathématiques (cf. *bijectif*). Il est didactique pour qualifier une relation, une correspondance symétriques entre deux groupes de données.

UPÉRISATION n. f. est un emprunt (1964) à l'anglais des États-Unis *uperization* «méthode de stérilisation des produits alimentaires liquides, par injection de vapeur très chaude». Le mot dérive de *to uperize*, contraction de *u(ltra) p(ast)eurize* «pasteuriser à un haut degré», de *pasteurize*, verbe emprunté au français *pasteuriser**, du nom de Louis Pasteur.

♦ Le mot conserve le sens de l'anglais.

▶ **UPÉRISÉ, ÉE** adj., terme technique (1968), adaptation du participe passé anglais *uperized*, est plus courant *(lait upérisé)*, ainsi que le verbe **UPÉRISER** qu'il implique.

UPPERCUT n. m. est emprunté (1895) à l'anglais *upper cut*, terme de boxe. Le mot est composé de *upper* «vers le haut», de *up* «haut» d'origine germanique, et de *cut* au sens de «coup». *Cut* se rattache au verbe *to cut* «couper», dont le radical est le même que celui du norvégien *kutte*, islandais *kuta*.

♦ Le mot désigne un coup de poing dirigé du bas vers le haut.

URANE n. m. a été emprunté (1790) à l'allemand *Uran*, nom donné en 1789 à un minerai (oxyde d'uranium) par le chimiste Klaproth, en hommage à Herschel qui avait découvert la planète Uranus en 1781. *Uranus*, attesté en français en 1796, vient du grec *ouranos* «ciel» (→ urano-).

♦ *Urane* est l'ancien nom de l'oxyde d'uranium, pris pour un élément jusqu'en 1840.

▶ Sur *urane* ont été formés de nombreux termes didactiques, comme **URANATE** n. m. (1842) «sel de l'acide uranique», **URANIQUE** adj. (1831, Berzélius) qualifiant un acide, des sels d'uranium, **URANEUX, EUSE** adj. (1872) qui se dit des dérivés de l'uranium tétravalent et **URANIFÈRE** adj. (1904), aujourd'hui rattachés à *uranium* (ci-dessous). **URANIUM**, n. m., mot d'abord créé (1804, Péligot) comme synonyme de *urane* «oxyde d'uranium», est un emprunt au latin moderne *uranium* (1790, Klaproth), formé sur le nom de la planète *Uranus* (voir ci-dessus *urane*). ◇ Le mot a été appliqué en 1840 au corps simple lorsque ce dernier a été distingué par analyse. Le mot est entré dans le vocabulaire courant au XXe s., lorsque l'uranium a été reconnu radioactif.

◈ voir URANISME.

URANISME n. m. est un emprunt (1894) à l'allemand *Uranismus* (1860), formé soit à partir du grec *Ouranos*, nom d'un dieu de la mythologie grecque qui fut castré par Cronos, son fils, l'un des sept Titans, soit à partir de l'un des noms d'Aphrodite (qualifiée de *Ourania*).

♦ Le mot, très didactique, désigne l'homosexualité masculine.

▶ **URANISTE** n. et adj. (1895) est aussi rare.

◈ voir URANE, URANO-.

URANIUM → URANE

URANO- est un élément tiré du latin classique *uranos* «voûte céleste» puis, par analogie, «voile (voûte) du palais», du grec *ouranos* «ciel», et nom d'un dieu de la mythologie (→ uranisme). *Ouranos* n'a pas d'étymologie certaine; il signifie sans doute «celui qui donne la pluie, qui féconde», et doit se rattacher à un radical verbal signifiant «pleuvoir» (cf. en grec *ourein* «uriner»; → uretère).

▶ Il a servi à former des mots savants en astronomie, tous sortis d'usage et supplantés par des composés en *cosmo-* (→ cosmo-). ◆ **URANOLOGIE** n. f. (1583), «traité sur le ciel», repris en 1771 (cf. latin scientifique *uranologia,* 1630), est archaïque. ◆ **URANOGRAPHIE** n. f. (1762), après *ouranographie* (1694), est un emprunt au grec *ouranographia.* C'est un synonyme archaïque de *cosmographie;* il a pour dérivé **URANOGRAPHE** n. (1836) qui a disparu. ◆ *Urano-* entre ensuite dans la formation de **URANOPLASTIE** n. f. (1862), «restauration chirurgicale du voile du palais», **URANOPLÉGIE** n. f. (XXe s.) «paralysie du voile du palais».

URBAIN, AINE adj., attesté isolément au XIVe s. (1354, Bersuire) et repris au XVIIe s. (1624), puis au XVIIIe s. (1725), est emprunté au latin *urbanus* «de la ville», opposé à *rusticus* (→ rustique), qui signifie au figuré «qui a les qualités de la ville», en particulier «poli, de bon ton»; *urbanus* est dérivé de *urbs* «ville», désignant Rome, la ville par excellence. Ce mot est sans doute emprunté; il n'existe pas en indoeuropéen de nom général pour cette notion.

♦ L'adjectif français s'applique à ce qui concerne la ville, par opposition à *rural,* emploi courant depuis le XVIIIe siècle. *Urbain* reprend aussi le sens figuré du latin (1508, puis 1638), rare avant la fin du XVIIIe s. Dans un emploi didactique, *urbain,* comme terme d'antiquité, signifie «de la ville de Rome» (1740). ◇ *Un urbain* n. m. a désigné (1762) l'habitant d'une ville; *urbaine* n. f. (1844) s'est dit d'une voiture de place, dans une grande ville. Ces emplois substantifs ont disparu vers la fin du XIXe siècle.

▶ À partir de *urbain* a été composé **INTERURBAIN, AINE** adj., formé avec *inter-* (1894), «qui permet la liaison d'une ville à l'autre». Ce mot s'est répandu avec les liaisons téléphoniques. Sa substantivation (1920, n. m.) et l'abréviation en *inter* sont devenues désuètes avec la généralisation du téléphone automatique.

SUBURBAIN, AINE adj., attesté vers 1380, mais rare avant le début du XIXe s. (1801, Mercier), est un emprunt au latin *suburbanus,* de *sub-* «sous», et qualifie ce qui est près d'une grande ville. ◇ Après l'évolution de sens de *banlieue,* le mot est devenu un adjectif didactique pour cette notion.

De *urbanus* a été dérivé **URBANISER** v. tr., autrefois employé (1783, Restif de la Bretonne) pour «faire acquérir des habitudes polies à qqn» et ensuite pour «donner le caractère citadin à (un lieu, qqn)» (1873), sens répandu au XXe s. avec la migration des campagnes vers les villes. ◇ De là le dérivé **URBANISATION** n. f. (av. 1924; 1919 pour «aménagement des zones urbaines»), devenu courant dans le contexte géopolitique et social. ◆ **URBANISME** n. m., également formé à partir de *urbanus,* a signifié au XVIIIe s. «science de l'urbanité». ◇ Le mot est proposé en 1842 par Richard de Radonvilliers pour désigner l'ensemble des arts et des techniques concourant à l'aménagement des villes; il ne sera vraiment usité en ce sens que vers 1910 (P. Clerget), alors en rapport avec *architecture, aménagement* (des zones urbaines). ◇ Dans un emploi didactique et rare, il désigne (1933) une variété linguistique propre aux habitants des villes, ce qui correspond à l'un des sens du latin *urbanitas,* en parlant de l'accent. ◆ *Urbanisme* a fourni **URBANISTE** n. (1911), aussi employé comme adjectif (1920), et le terme didactique **URBANISTIQUE** adj. (1941) «qui concerne les sciences et techniques de l'urbanisme».

CONURBATION n. f., emprunt probable (av. 1922) à l'anglais *conurbation* (1915), procède du latin *cum* «autour» et *urbs, urbis* «ville». ◇ Le mot désigne une vaste agglomération de plusieurs centres urbains avec leurs banlieues.

URBANITÉ n. f. est emprunté au dérivé latin *urbanitas* «séjour de la ville» et «qualité de ce qui est de la ville», en particulier la politesse de mœurs, le bon ton. ◆ Le mot s'est introduit (1370, Oresme) pour caractériser les relations entre habitants d'une ville, emploi isolé. ◇ Il désigne aussi dès le moyen français l'affabilité que donne l'usage du monde (1454), seul emploi vivant du mot. Il s'est dit en particulier, en histoire (XVIIe s.), des manières civiles des anciens Romains. ◇ Il a repris récemment (1964 *in* T.L.F.) le sens général de «caractère propre à la ville».

URBI ET ORBI loc. adv., attestée en 1834 chez Balzac dans un emploi figuré, est une locution latine signifiant «à la ville (*urbs* 'Rome', la ville par excellence) et à l'univers» (→ orbe). La locution appartient à la liturgie catholique et se dit de la bénédiction que le pape donne à Rome et au monde entier du haut du balcon de la basilique Saint-Pierre.

URÉE → URINE

URETÈRE n. m. est un emprunt (1538) au latin classique *ureter,* lui-même repris au grec *ourêtêr* «canal qui conduit l'urine du rein à la vessie», dérivé de *ourein* «uriner» (→ diurétique), mot qui répond au sanskrit *várṣati* de *varsan* «pleuvoir».

♦ Le mot conserve le sens de l'étymon. ◇ *Uretère* a été employé au XVIIe s. (1640) pour désigner le canal excréteur de l'urine, avant d'être remplacé par *urètre* (ci-dessous).

▶ Le nom a pour dérivé **URÉTÉRITE** n. f. (1803, *urétéritis*) «inflammation de l'uretère».

URÈTRE n. m. est un emprunt savant (1667, *urêthre,* forme moderne en 1687) au latin médical *urethra,* lui-même au grec *ourêthra* «canal excréteur de l'urine». ◆ Le mot, gardant ce sens, a fourni des dérivés didactiques, dont **URÉTRAL, ALE, AUX** adj. (1798; 1796, *uréthral*) et **URÉTRITE** n. f. (1842) qui succède à *uréthritis* (1803) puis *uréthrite* (1824).

URF ou **URFE** adj., mot populaire et oral, a été formé (1871) par aphérèse de *turf** «terrain de courses», employé métaphoriquement dans *avoir du turf* «du chic», d'où ensuite *c'est turf* et, par fausse coupe, *c'est urf.*

♦ L'adjectif qualifiait en argot une personne distinguée, élégante.

-URGE, -URGIE sont des éléments tirés du grec *-ourgos* et *-ourgia,* de *ergon* «travail, œuvre», «chose», «occupation», se rattachant à une importante racine indoeuropéenne °*werg-* qui a donné l'anglais *work* et l'allemand *Werk* «travail» (→ boulevard, chirurgie).

URGENT, ENTE adj. est emprunté (1340) au bas latin *urgens, -entis* «pressant, qui ne souffre pas de retard», participe présent du latin classique *urgere* «pousser, presser», sans origine certaine malgré plusieurs rapprochements à l'intérieur du groupe indoeuropéen.

♦ L'adjectif est introduit en français avec le sens de l'étymon. Il s'est employé au XVIe s. pour qualifier une prière, un argument qui a de la force (1552), mais c'est le sens initial qui s'est imposé.

▸ **URGEMMENT** adv. (1547) est devenu rare, sauf dans le français d'Afrique. ➛ **URGENCE** n. f. (1550) se dit de la nécessité d'agir vite; le mot, inusité à l'époque classique, a été repris à la fin du XVIIIe s., dans ***d'urgence*** (1789, *cas d'urgence*), puis employé seul (1792) avec une spécialisation médicale courante pour «cas nécessitant une intervention et des soins rapides», avec des métonymies : *les urgences* «le service des urgences», *une urgence* «un patient relevant de ce service». ➛ **URGER** v. intr., construit sur le modèle de *presser/pressant* (1891; 1864 en français régional du Centre), est surtout employé dans ***il urge*** (1903), ***ça urge***, familiers.

URINE n. f. est la réfection (1380) de *orine* (v. 1155), issu, comme l'ancien provençal *orina*, du latin populaire °*aurina*, d'après *aurum* «or*», à cause de la couleur du liquide; le mot a été refait d'après le latin classique *urina*, terme technique qui signifie «urine» et aussi «sperme» (Juvénal), alors que le verbe *urinor* «plonger dans l'eau» semble indiquer la valeur plus ancienne, «liquide, eau». L'étymologie est obscure; on rapproche le grec *ourein* «uriner» et le sanskrit *vār, vāri* «eau», *varsan* «pleuvoir» → uretère.

♦ *Urine*, «liquide organique évacué par l'urètre», est resté didactique.

▸ Le dérivé **URINER** v. intr. (1380) s'est substitué à *oriner* qui signifie (XIIIe s.) «traiter par l'inspection des urines et «évacuer l'urine». Surtout employé dans la langue médicale, il est moins courant que *pisser**, *faire pipi**. ◇ Le dérivé **URINOIR** n. m., d'abord «récipient pour uriner» (1754), désigne un lieu aménagé pour uriner, à l'usage des hommes (1854), avec pour synonyme familier *pissotière*. ➛ **URINAL, AUX** n. m., d'abord *orinal* (v. 1175), refait (v. 1380) d'après le latin *urinal*, a désigné un pot de chambre, puis s'est spécialisé en médecine (1514) au sens de «récipient à col incliné, permettant à un malade d'uriner allongé». ◇ Il a été employé au sens d'«urètre» (1654, Scarron) et d'«uretère» (1690). ➛ **URINAIRE** adj. (1556 ou 1564, Paré) est didactique, mais courant en physiologie, en médecine. ➛ **URINEUX, EUSE** adj. (1611) «de la nature, de l'apparence de l'urine» est rare par rapport à *pisseux*. ➛ **URÉE** n. f., formé sur le radical de *urine*, est attesté vers 1363 et repris en 1797 (Fourcroy); le mot désigne une substance cristalline que l'on rencontre dans l'urine et le sang surtout des carnivores. ➛ **URIQUE** adj. (1803), du radical de *urine*, est surtout employé dans *acide urique*. ◇ Il a fourni l'élément **URIC-, URICO-** qui entre dans la formation de termes didactiques tels que **URICÉMIE** n. f. (1868; 1867, *uricaemia*) «teneur du sang en acide urique».

URÉ- ou **URÉO-**, premier élément tiré du grec *oûron* «urine», représente *urée*; **URO-**, de même origine, représente *urine*. Ces éléments entrent dans la formation de termes didactiques de chimie, de médecine, parmi lesquels : **URATE** n. m. (1798) «sel ou ester de l'acide urique», **URÉMIE** n. f. (1847) «accumulation dans le sang d'urée et de produits azotés», d'où **URÉMIQUE** adj. (1858). ➛ **UROLOGIE** n. f. (1851), qui désigne la branche de la médecine qui traite les affections des voies urinaires, et **UROLOGUE** n. (1860) sont deux termes devenus assez usuels dans l'usage médical et hospitalier, ainsi que **UROGRAPHIE** n. f. (av. 1947) «radiographie de l'appareil urinaire». ➛ L'élément final **-URIE**, tiré du grec *-ouria*, de *ourein* «uriner», indique une émission d'urine anormale ou la présence d'une substance étrangère dans les urines (par exemple de sang dans *hématurie*).

◈ voir BARBITURIQUE.

URNE n. f. est un emprunt (1487) au latin *urna* «grand récipient pour puiser de l'eau», «urne cinéraire», «urne de vote» et «mesure de capacité». Le latin *urna* est sans doute de la même famille que le mot technique *urceus* «vase à anses», conservé par l'italien *orcio* «jarre»; *urceus* a pour correspondant le grec *urkhê*.

♦ En français, ce mot désigne d'abord un grand vase, puis (1487) le récipient dans lequel on conserve les cendres d'un mort. Il reprend ensuite, en parlant de l'Antiquité, une autre acception du latin, «vase à flancs arrondis servant à puiser de l'eau» (1503) et, toujours à propos de l'Antiquité, s'est employé au XVIIe s. pour «mesure de capacité» (1551). ➛ Par analogie de forme, *urne* entre dans le vocabulaire de la botanique (1797), désignant une partie du sporange des mousses. ◇ D'après l'un des sens qu'avait le latin *urna* emprunté au XVIe s. (1549), il se dit en général de la boîte dans laquelle les électeurs déposent leur bulletin (1845), d'où ***aller aux urnes*** «voter» (XXe s.). ◇ En statistique, le mot désigne par métonymie (1967) un échantillon sur lequel se fait un tirage.

URSULINE n. f. est un mot dérivé au XVIIe s. (*ursule*, 1619) du nom de sainte *Ursule*, personnage légendaire de la tradition chrétienne.

♦ Il désigne une religieuse d'un ordre fondé en 1535 par Angèle de Mérici en Italie, puis établi en France en 1611 (à Avignon, puis à Paris), grâce à la protection de Marie de Médicis. On a dit aussi *urseline* (1630) jusqu'au XVIIIe siècle.

URTICAIRE n. f. est dérivé (1759) du radical du latin classique *urtica* qui a donné *ortie**. Le latin moderne *urticaria* (1795) a la même origine.

♦ Le mot, d'abord adjectif dans *fièvre urticaire*, est d'usage courant comme nom féminin (1806) pour désigner une éruption de la peau semblable à celle que provoquent les piqûres d'ortie.

▸ À partir du latin *urtica* ont été formés des termes didactiques. ➛ **URTICATION** n. f. (1759), «démangeaison, piqûre analogues à celles des orties», est employé en médecine. ➛ **URTICANT, ANTE** adj.

(1845), «qui cause une telle démangeaison», est aussi d'usage littéraire au figuré (fin XIXᵉ s.) pour qualifier ce qui irrite l'esprit. ➜ **URTICACÉES** n. f. pl., terme de botanique (1843), qui a remplacé *urticées* (1798) et *urticinées* (1842) n. f. pl., désigne une famille de plantes dicotylédones comprenant, outre l'ortie, la pariétaire et quelques autres espèces. ◇ **URTICALES** n. f. pl. désigne l'ordre auquel appartiennent les *urticacées* (ainsi que l'orme, le chanvre, le mûrier, etc.).

URUBU n. m., employé en 1770 par Buffon, est un mot tupi, sans doute introduit en français par l'intermédiaire de l'anglais, où *urubu* est attesté dès le XVIIᵉ s. (1672); on trouve aussi l'adaptation *ourou* (1765).

♦ Le mot désigne un petit vautour répandu dans l'Amérique tropicale.

① **US** n. m. pl. est emprunté (v. 1155) au latin *usus* «usage, emploi», «droit d'usage», «pratique» et «expérience», employé en particulier dans l'expression *usus est (alicui aliqua re)* «il y a profit (à qqn avec qqch.)». *Usus* est la substantivation du participe passé du verbe *uti* «faire usage de, se servir de» (→ user).

♦ Le mot s'est employé avec les principaux sens latins. Pour «habitude» (v. 1155), notamment dans *estre a us* «avoir l'habitude», il est usité jusqu'au XVIIIᵉ siècle. Pour «usage, emploi» (v. 1175), il est devenu archaïque, mais il subsiste dans la locution ***les us et coutumes*** «les usages traditionnels» (v. 1155, *us et custume*).

▶ **AD USUM** loc. adv. est la reprise de mots latins signifiant «suivant l'usage»; la locution s'emploie (1842) en parlant d'une publication à l'usage de qqn, notamment dans la locution adjective *ad usum Delphini* «à l'usage du Dauphin», qui s'applique aux éditions expurgées des classiques latins que Louis XIV fit spécialement imprimer à l'usage du Dauphin. ◇ En droit, *ad usum* signifie (1866) «selon la coutume».

◈ voir ABUS, OUTIL, USTENSILE, USUEL, USUFRUIT, ② USURE, USURPER, UTILE.

② **US** n. m., attesté chez Molière (1661), vient de la terminaison des noms masculins de la deuxième déclinaison latine, du type *dominus*.

♦ Le mot s'employait dans la langue classique dans des expressions comme *savant en us, dont le nom est en us*, pour parler de qqn qui latinisait son nom par pédantisme.

USER v. est un emprunt (1080) au latin tardif *usare* (VIIIᵉ s.), dérivé du latin classique *usum*, supin de *uti* «faire usage de, se servir de» et «avoir à sa disposition, jouir de», verbe sans étymologie connue.

♦ Le verbe français s'emploie d'abord au sens de «passer (son temps) à faire qqch.» et «épuiser (son temps)». Ces deux valeurs, qui correspondent aux notions d'usage et d'usure, définissent les deux sémantismes. ◇ Dans le premier sens, voisin de celui de *utiliser*, *user* prend ensuite la valeur plus générale de «faire usage de (qqch.), se servir de (qqch.)», de manière à faire fonctionner, à aboutir à un effet souhaitable ou à la détérioration (cf. ci-dessous *usure*), d'abord (v. 1150) comme transitif direct, emploi disparu, puis dans ***user de*** (XIIIᵉ s.). Cette valeur, empruntée par l'anglais *(to use)*, se développe dans des emplois très variés; *user* s'est dit (v. 1155) pour «exercer (un métier, etc.)» et pour «prendre habituellement (qqch.)» (v. 1165). *User ses biens* (XIIIᵉ s.) équivaut à «dépenser entièrement». Chez Froissart (fin XIVᵉ s.), on relève plusieurs emplois dont certains remontent au XIIIᵉ s., et qui disparaîtront au XVIᵉ s. : *user* «agir, se conduire» 1260), *user de qqch., de qqn* «se conduire par rapport à qqch., avec qqn»; le seul témoin vivant de ces emplois est ***en user*** (de telle ou telle manière) ***avec*** *qqn* «se conduire d'une certaine manière» (1611), par exemple *en user mal (bien) avec qqn* (1678). ◇ *User de*, avec un complément désignant une chose abstraite, signifie (v. 1400) «avoir recours à, mettre en œuvre» *(user de violence)*. *User d'un mot*, en relation avec *usage*, est postérieur (1464). ◇ *User avec qqn* «avoir un commerce charnel avec qqn» (XVᵉ s.) s'est employé jusqu'à la fin de l'époque classique; on relève encore chez Diderot *user de sa femme*. Au sens propre et métaphoriquement, l'infinitif a été employé substantivement (1260), là où le français moderne dit *usage, utilisation*, dans *être bon à l'user* «être d'un commerce agréable» (1666, La Fontaine), *à l'user* «en s'usant», en parlant d'une étoffe, etc. (1685, aussi *d'un bon user*), plus ou moins synonyme de *usage*. ◇ *User de*, «se servir de», est employé dans un contexte concret au XVIIIᵉ s. dans *user d'un bois*, etc. «exploiter» (1723, Savary), acception disparue. Le verbe signifie en emploi absolu «employer avec modération», par opposition à *abuser**.

Le deuxième grand emploi, d'abord pour «abîmer, altérer» correspondant non plus à *usage*, mais à *usure*, se développe à la fin du XVIᵉ s. par métaphore, et le verbe signifie alors «diminuer (une sensation, la force de qqn)» (1583), l'affaiblissement étant dû à l'action du temps, des excès, de l'âge : *l'esprit s'use* (1601), *user une passion* (1672, Molière), *user ses yeux* (1685), etc.

▶ Les dérivés participent des divers emplois de *user*. ➜ **USÉ, ÉE** adj. s'est employé en ancien et en moyen français aux sens d'«habitué à» (v. 1155, *usé de*), «accoutumé» (1165) ou «habituel», par exemple *nun* (nom) *usé* «surnom» (v. 1240) et «exercé, habile» (1165). ◇ L'adjectif s'applique ensuite à ce qui a été détérioré par l'usage, par le frottement, etc. (1508); il qualifie un animal qui n'est plus propre aux travaux (1559, *cheval usé*), puis une personne dont la maladie, les excès, etc., ont diminué les forces (1636, Corneille). ◇ Par figure, *usé* s'applique à ce qui est devenu banal par la longue habitude qu'on en a (1689, Mme de Sévigné) et à ce qui a perdu son pouvoir d'expression (1690). ➜ **USANCE** n. f., jusqu'à la fin de l'époque classique, a eu le sens de «coutume, usage reçu» (XIIIᵉ s.). Le mot a désigné une redevance d'usage et l'emploi qu'on fait de qqch. (XIIIᵉ s.), acception maintenue régionalement jusqu'au XIXᵉ s. (encore chez G. Sand). À partir du XVIᵉ s., *usance* s'est dit de la façon de faire qqch.

(v. 1500), du fait d'être habitué à qqch. (fin XVIe s., encore chez Chateaubriand). ◇ Le mot entre ensuite dans le vocabulaire du droit commercial, désignant le terme pour le paiement de lettres de change (1655), spécialement un terme de 30 jours (1680). En droit forestier, il désigne (1669) l'exploitation d'une coupe. Tous les emplois sont archaïques ou techniques. ➜ **USABLE** adj., attesté en ancien français (1254) au sens de «dont on peut user», a été repris au XIXe s. (1858) «pour ce qui peut s'user». ◇ Il est beaucoup plus rare que son contraire **INUSABLE** adj. (1838), employé au propre et au figuré. ➜ **USEUR, EUSE** n., relevé isolément au XIIIe s. au masculin au sens de «celui qui a l'habitude de faire qqch.», est rare pour désigner (v. 1750) celui qui use qqch., et est littéraire en emploi figuré (1943). ➜ **USANT, ANTE** adj., substantif en moyen français pour désigner (1477) une personne qui a un droit d'usage, avait disparu. ◇ Le mot a été repris comme adjectif au sens second du verbe, pour ce qui diminue qqch. par le frottement (1872). Il qualifie aussi (XXe s.) un travail, une personne qui use la santé, les forces, comme synonyme de *fatigant, épuisant*. ➜ ① **USURE** n. f., relevé en 1530, peu après *usé* dans ce sens, pour désigner la détérioration de qqch. par un long usage, est rare avant le XIXe s. ; par figure, il se dit (1874) de l'altération, de la diminution d'une qualité, de la santé, d'où la locution familière ***avoir qqn à l'usure.***

Le préfixé **MÉSUSER** v. a signifié «commettre une faute en usant de (qqch.)» (1283), d'où le nom *mésus* (1331), «abus, méfait, excès» en droit ancien, encore employé au XVIIIe siècle. ◇ *Mésuser* a aussi signifié «agir mal, pécher» (déb. XIVe s.) ; il s'emploie ensuite pour «faire un mauvais usage de (qqch.)» (1669, Molière). ◇ Cet emploi est littéraire, comme le dérivé **MÉSUSAGE** n. m. (1304), de *usage* (ci-dessous).

USAGE n. m., mot aussi courant que le verbe *user*, est un dérivé savant (v. 1155) du latin classique *usus* par suffixation en *-age*, ou un dérivé de ① *us**. *Usus* s'employait pour «usage, emploi», «droit d'usage», «pratique» et «expérience» (→ ① us). ➜ *Usage* reprend les sens du latin. Le nom désigne une pratique considérée comme normale dans une société donnée, et l'ensemble des habitudes d'une société, d'où ***d'usage*** «conforme aux habitudes», puis la manière d'être, la conduite de qqn (v. 1190), acception disparue. À la même époque, *usage* se dit (v. 1190) du fait de se servir de qqch., de l'emploi qu'on fait de qqch. ◇ De là viennent les sens anciens de «redevance» que l'on paie pour se servir de qqch. (v. 1240), d'«usufruit» (1255) et l'emploi pour désigner un bois où les gens ont le droit d'usage (1287) puis, au pluriel, une terre communale ayant le même rôle (1435, jusqu'au XVIIIe s.). Avec cette acception, le mot appartient au vocabulaire juridique ancien : *droit d'usage* (déb. XIVe s.), puis *usage* (1552), désigne le droit réel qui permet à son titulaire de se servir d'une chose appartenant à autrui, spécialement le droit de couper du bois dans une forêt, de faire paître du bétail dans un pacage (1611). ➜ À partir du XVe s., le mot désigne aussi la pratique habituelle de qqch., l'expérience qui en résulte, et l'exercice d'une activité, emplois littéraires aujourd'hui. Mais les locutions ***hors d'usage*** (1538), ***à l'usage de*** (qqn) «destiné à être utilisé» (1553) sont courantes. ➜ Dès le XIVe s., mais surtout à partir du XVIe s., *usage* s'applique spécialement au fait d'employer les éléments du langage d'abord (1370) dans ***en usage*** qui correspond à *usité* (ci-dessous) et à l'inverse *hors d'usage, sorti d'usage* pour «archaïque, inusité». ◇ Depuis le début du XVIIe s., le mot désigne l'utilisation effective et normale du langage, de là ***le bon usage*** «l'utilisation la meilleure selon le jugement social dominant», concept mis en place par Vaugelas, avec celui de *bel usage*, «celui qui est considéré comme esthétiquement satisfaisant». ➜ *Usage* a pris (fin XVIe s.) par extension la valeur de «fait de pouvoir produire un effet particulier et voulu», d'où l'emploi disparu pour «fonction, destination», et l'expression restée courante ***à usage (de) :*** *à usage interne, externe.* Avec la même valeur générale, *usage* entre au XVIIe s. dans plusieurs locutions dans des emplois concrets et abstraits : ***mettre en usage*** a signifié «se servir effectivement de», puis «commencer à se servir de (qqch.)», ***à l'usage*** équivaut à «lorsqu'on s'en sert», ***faire usage de*** à «se servir de». ◇ *Usage* a signifié aussi par métonymie (1636) «déchet de chose usée par l'usage», sens disparu. ◇ Par extension du sens de «pratique sociale», le mot désigne (1666, Molière) l'expérience du monde, les bonnes manières qu'elle donne, et équivaut à «habitude particulière (dans un groupe)» (1654, *l'usage de la Cour*). ◇ ***Faire de l'usage*** «durer» est attesté en 1872 et *vêtement d'usage* «susceptible de durer longtemps» en 1923.

USAGÉ, ÉE adj. a été lié à plusieurs valeurs du nom. L'adjectif a signifié «accoutumé, habituel» (1289, *usagié*) et a qualifié une personne qui connaît les usages du monde (1735), mais cette valeur *(une femme usagée)* n'est plus comprise. ◇ De *usage*, «déchet», vient l'emploi (1877) pour qualifier ce qui a été longtemps en usage (voisin de *usé*), sans être forcément détérioré (alors distinct de *usé*). ➜ **USAGER, ÈRE** adj. et n. a désigné la personne qui connaît bien les usages, les us et coutumes (1320). Le mot n'est plus employé comme adjectif aux sens de «qui a l'habitude de faire qqch.» (v. 1375) et d'«usuel» (1380). ◇ Le nom est aussi un terme juridique qui désigne celui qui a un droit réel d'usage (1319). ◇ *Usager*, repris au XXe s., se dit aujourd'hui couramment d'une personne qui utilise un service public (1904). En relation avec *usage* en linguistique, il désigne ensuite spécialement (1955) un utilisateur de la langue. ➜ Le verbe **USAGER** v. tr. (1386), d'abord *usagier* (1308), correspond à l'emploi juridique du nom aux XIVe-XVe s. et signifie «se servir d'un droit d'usage». ➜ Le composé **NON-USAGE** n. m. (1689) désigne le fait de ne pas ou de ne plus utiliser qqch.

USITÉ, ÉE adj. est un emprunt (v. 1360, Froissart) au latin classique *usitatus* «qui se sert de» et surtout «qui est entré dans l'usage», «accoutumé» ; il est dérivé de *usitari*, fréquentatif de *uti*. ➜ L'adjectif s'applique d'abord à une personne versée en qqch., habituée à qqch., acception encore relevée au XVIIIe s. puis disparue. À partir du XVIe s., l'adjectif qualifie ce qui est pratiqué habituellement (1516), emploi vieilli. Seul l'emploi spécial pour ce qui est employé dans la langue, en parlant d'un mot, d'une tournure, etc., dans *être usité* (1532, *langage usité*), est resté dans la langue moderne. ◇ Le verbe **USITER** (1380), «se servir de», est devenu très rare.

INUSITÉ, ÉE adj., emprunt (1455) au latin classique *inusitatus,* de *in-* négatif et *usitatus,* qualifie ce qui sort de l'habituel, puis est employé (1529) pour «non habitué», sens disparu au XVIIe siècle. ◇ L'adjectif s'applique à ce qui n'est pas en usage, d'abord en parlant d'un fait de langage (1544, *rimes inusitées*), puis au sens général (1677).

USINE n. f. est à l'origine un mot dialectal du nord de la France, relevé au XIIIe s. sous les formes *oechine, oechevine, ouchine,* etc., désignant alors un atelier de brasseur; on trouve ensuite, désignant un moulin, une forge installés sur un cours d'eau, *wisine* (1274), *uisine* (1341) et *usine* (1355), peut-être sous l'influence du verbe *user.* Le mot représente l'aboutissement du latin *officina* «atelier, fabrique» (→ officine), terme général qui s'emploie en diverses acceptions dans les vocabulaires techniques pour «poulailler, volière», «forge» (cf. italien *fucina*), «atelier où l'on fabrique la monnaie». *Officina* est une contraction de *opificina,* dérivé de *opifex* «celui qui fait un ouvrage», de *opus* et *facere* (→ faire), d'après par exemple *aurum-aurifex. Opus* a le sens général de «travail, ouvrage»; spécialisé en technique (agricole, militaire), il désigne aussi les ouvrages d'un artiste (→ œuvre); il se rattache à une racine indoeuropéenne °*op-* correspondant à l'idée d'«activité productrice».

♦ Jusqu'au XVIIIe s., *usine* désigne un établissement de production utilisant des machines hydrauliques, en particulier les grosses forges; puis, un déplacement s'opère : le mot désigne plus largement un établissement où l'on utilise des machines et où l'on travaille les matières premières. Avec le développement de l'industrie, *usine* est en concurrence avec *fabrique** et *manufacture** et les élimine progressivement au cours du XIXe siècle : on relève alors *les bâtiments des usines* (1832), *usine à gaz* (1842), etc. ◇ Par métonymie, le mot désigne ou symbolise la grande industrie. ◇ Il s'emploie ensuite par analogie pour désigner un local qui, par ses dimensions, son nombreux personnel, évoque une usine, ***usine à...*** se disant d'un organisme dont les activités, par la quantité ou le rendement, sont comparables à celles de l'industrie (1852, *usine intellectuelle,* Hugo); il est alors quasi synonyme de *atelier.*

▸ **USINIER, IÈRE** n. m. et adj. est la réfection d'après *usine* de formes anciennes d'abord attestées isolément au sens de «celui qui exploite un atelier» (1367, *uhenir;* 1527, *usunier*). ◇ Le mot, substantivé (1687), désigne une personne qui exploite une usine, puis le propriétaire d'une usine, au sens moderne; ces emplois ont disparu. ◇ L'adjectif a été repris pour qualifier ce qui a rapport à l'usine, à l'industrie (1907). ◆ **USINER** v., attesté en wallon au sens de «travailler» (1773), a été repris au XIXe s. pour «travailler dur» en parlant de choses (1859), puis de personnes (mil. XXe s.). Le verbe s'emploie comme terme technique pour «soumettre (une matière) à l'action d'une machine-outil» (1877) puis pour «fabriquer dans une usine» (1918). ◆ En dérivent les termes techniques **USINAGE** n. m. (1876) «action d'usiner (avec une machine-outil)», **USINEUR, EUSE** adj. et n. (1913) «ouvrier qui usine des pièces avec une machine-outil» et au figuré (v. 1960) «personne qui travaille dur» et **USINABLE** adj. (1919), seulement en technique.

USTENSILE n. m., est la modification, d'après ① *us, user, usage,* de *utensile,* nom masculin (1351) et féminin (1375), *utencille* (1374, n. f.), emprunt au latin *utensilia* désignant tout ce qui est nécessaire aux besoins : meubles, ustensiles, moyens d'existence, provisions; *utensilia,* qui a abouti en français par voie orale à *outil**, est le pluriel neutre substantivé, parfois pris pour un féminin, de *utensilis* «dont on peut faire usage», dérivé de *uti* «se servir de» (→ user), avec une valeur voisine de celle d'un autre dérivé, *utilis* (→ utile).

♦ Le mot, dont la forme en *us-* apparaît au XVe s. (*ustencile,* 1439), s'écrit aussi *ustensille* (1530, n. f.) et *ustensil* (1540). Il se fixe en *ustensile* au XVIIe s. (1639). ◇ La variété des anciens emplois tient au sens très général du latin. *Ustensile* a d'abord désigné tout objet servant aux usages domestiques, en particulier à la cuisine, et dont l'utilisation n'exige pas de mise en mouvement d'un mécanisme. Il se dit ensuite au pluriel (1508, n. m., *ustencilles*) des outils propres à un métier et également (1508, alors altéré en *extensilles*) de tout ce qui est nécessaire dans une maison; ces emplois ont disparu, comme l'acception classique pour «objet d'usage» (souvent alors au féminin). ◇ Dans le vocabulaire militaire, *ustensile,* qui s'oriente alors vers le masculin, a désigné (1636, au pluriel; 1663, au singulier) tout ce que l'habitant devait fournir aux soldats de passage, d'où *droit d'ustensile* (1718). ◇ En argot, le mot s'est dit figurément pour «maîtresse d'un souteneur» (1881) et, dès le XVIIe s., pour «organes sexuels» (1610). ◇ Le mot a été repris comme adjectif didactique pour qualifier (mil. XXe s.) ce qui concerne l'ustensile.

▸ Le dérivé **USTENSILITÉ** n. f. (mil. XXe s.) est surtout philosophique.

USUEL, ELLE adj. et n. m. est la réfection (1606) d'une forme ancienne *usuau* (1298) qui aurait dû donner °*usual,* et qui est réattestée isolément en moyen français sous la forme latinisée *usuale* «qui a cours (en parlant d'une monnaie)» (XVe s.). L'adjectif est emprunté au bas latin *usualis* «qui sert» et «habituel, ordinaire», spécialement employé en parlant du langage, et dérivé de *usus* (→ ① us).

♦ En ancien français, l'adjectif qualifie le cens qui est d'usage; cette valeur, comme celle d'«en usage (en parlant d'une monnaie)», reste exceptionnelle. Le mot s'impose au début du XVIIe s. (1606) pour qualifier ce dont on se sert habituellement. ◇ De la première acception vient l'emploi pour «où l'on a le droit d'usage» (1636, *bois usuel*). ◇ De celle de «qui est d'emploi habituel», relèvent *plantes usuelles* (1718), *termes usuels* (1771), qui correspond à *usage,* et l'emploi substantif de *un usuel* (mil. XXe s.) pour désigner un ouvrage de référence laissé à la libre disposition du public, dans une bibliothèque.

▸ En dérivent **USUELLEMENT** adv. (1507) et l'adjectif préfixé **INUSUEL, ELLE** (1794) de ① *-in*, didactique ou littéraire.

USUFRUIT n. m. est emprunté (1276) au latin *usus fructus*, expression juridique désignant le droit d'usage et de jouissance d'un bien dont on n'est pas propriétaire, par opposition à *mancipium* «droit de propriété, propriété» (→ émanciper) : l'expression est formée de *usus* (→ ① us) et *fructus* (→ fruit).

♦ Terme de droit relativement courant, le mot a conservé le sens du latin, d'abord écrit de diverses façons en ancien et en moyen français, par exemple *usefruit* (XIIIe s.), *huffruit* (1279), *usfruit* (1305), *usurfruit* (1510).

▸ En dérivent des termes juridiques. **USUFRUCTUAIRE** adj., d'abord nom (XIIIe s., *usefructuaire*, attestation isolée; puis 1310), s'applique (1580) à ce qui concerne l'usufruit. ➝ Il a été remplacé par **USUFRUITIER, IÈRE**, employé pour la personne qui a l'usufruit d'un bien, comme adjectif (1411) et comme nom (1507 au masculin, 1514 au féminin) puis pour qualifier ce qui concerne l'usufruit (1765).

① **USURE** → USER

② **USURE** n. f. est un emprunt (1138) au latin *usura*, terme spécialisé de la langue juridique, signifiant «profit retiré de l'argent prêté», «intérêt» et dérivé du supin de *uti* «se servir de» (→ ① us, user).

♦ Le mot reprend le sens de «profit retiré de l'argent», encore employé au XVIIIe s. dans des ouvrages d'histoire romaine, et celui de «profit», également sorti d'usage. ◇ La locution figurée ***avec usure***, «en donnant plus qu'on a reçu» (1608), ne serait plus comprise, sauf peut-être au figuré *(rendre avec usure)*. Le fait de retirer un profit de l'argent prêté a longtemps été considéré comme immoral par l'Église. Cette conception disparaît peu à peu au XVIe s. et l'on distingue alors les intérêts à un taux normal (Calvin les fixe à 5%) et ceux dont le taux est exagéré; après certaines hésitations, c'est le mot *usure* qui désigna (1656, Pascal) un intérêt de taux excessif et le fait de prendre un tel intérêt.

▸ Le dérivé **USURIER, IÈRE** n. (1213), réfection de *usurer* (1170), a suivi la même évolution, de «personne qui prête à intérêt», sens éliminé par la spécialisation péjorative. Celle-ci est liée à une image sociale qui se dégage en moyen français. Les activités financières des juifs, seuls autorisés à prêter sur gages, ont suscité du XVIe au XIXe s. autour de l'image de l'usurier un antisémitisme très actif, qui prétendait se justifier par l'idée d'«intérêts illégitimes» (Furetière) attachée à cette activité. La «livre de chair de Shylock», dans Shakespeare *(Le Marchand de Venise)*, a contribué à fixer cette image dans l'imaginaire collectif. Au XIXe s., le Gobseck de Balzac l'entretient dans un tout autre contexte. ➝ **USURAIRE** adj., emprunt (1311) au dérivé latin *usurarius* «dont on a la jouissance», «qui porte intérêt», a d'abord signifié «qui stipule des intérêts». ◇ Il s'applique à l'argent pris ou donné à intérêt (1507), emploi disparu, puis qualifie ce qui dépasse le taux légal des intérêts (1521). ◇ Son dérivé, **USURAIREMENT** adv., signifie d'abord «en stipulant les intérêts» (1448) puis «de manière usuraire» (1584).

USURPER v. tr. est un emprunt (1340) au latin classique *usurpare*, terme de droit signifiant «prendre possession par l'usage»; le verbe s'est peut-être employé d'abord en parlant de celui qui prenait une femme sans noces légitimes; il s'est ensuite utilisé plus largement pour «prendre possession ou connaissance de (qqch.)» puis de «prendre sans droit» et, par affaiblissement, a signifié «faire usage de», «employer», d'où «surnommer». *Usurpare* est composé de *usus* (→ ① us) et de *rapere* «ravir, emporter violemment ou vivement», au physique et au moral (→ rapt).

♦ Le verbe garde en français le sens de «s'emparer par violence ou par ruse», en parlant d'un bien, d'une dignité, etc., en emploi transitif (1340); de là vient *usurper sur (qqch., qqn)* «commettre une usurpation au détriment de» (1530). ◇ *Usurper* s'est employé aux XVIe et XVIIe s. pour «employer», comme en latin (1539, *usurper des mots;* 1549, plus général); cet emploi a disparu. Le pronominal, *s'usurper qqch.* (XVIe s.), est sorti d'usage.

▸ Plusieurs mots de la même famille sont empruntés à des dérivés latins de *usurpare* ou de son supin. ➝ **USURPATION** n. f., emprunt au bas latin *usurpatio*, signifie «action d'usurper et son résultat» (1374) et «emploi (d'un mot)» (v. 1550), acception disparue. ➝ **USURPATEUR, TRICE** n. (v. 1430, au masculin; 1564, au féminin) et adj. (1554), emprunt au bas latin *usurpator*, est littéraire, mais relativement courant. ➝ **USURPATOIRE** adj. (1762), emprunté au latin juridique *usurpatorius*, terme de droit, est resté dans le domaine juridique.

UT n. m. inv., apparu vers 1223 (Gautier de Coincy), a été tiré arbitrairement par Gui d'Arezzo (995-1050) du premier mot *(ut)* de la première strophe de l'hymne latine à saint Jean-Baptiste de Paul Diacre (→ gamme).

♦ *Ut* désigne en musique la première note de la gamme majeure sans accidents, dite *gamme d'ut* ou *de do**, et le ton correspondant. On dit *un ut, l'ut* depuis le XVIIe siècle. La locution figurée ***donner l'ut*** «donner le ton» est beaucoup moins courante que *donner le la**. ◇ *Ut de poitrine* se dit (1841) du do le plus élevé que puisse atteindre un ténor en voix de poitrine. ◇ Le mot est en général plus didactique que son synonyme parfait, *do*, seul employé en énumération *(do, ré, mi...)*.

▸ Le composé **CONTRE-UT** n. m. inv. désigne (1832) une note plus élevée d'une octave que l'*ut* supérieur du registre normal.

UTÉRUS n. m. est un emprunt savant (v. 1560, Paré) au latin classique *uterus* «ventre» et, spécialement, «partie du ventre où se trouve le fœtus»; *uterus* est peut-être lié à *venter* (→ ventre) et par ailleurs au sanskrit *udáram* «ventre», au vieux prussien *weders* «ventre, estomac» et au grec *gastêr* (→ gastéro-) de même sens.

♦ Le mot conserve le sens de l'étymon, et s'emploie en médecine, puis, avec le vieillissement de *matrice*, plus couramment.

▸ **UTÉRIN, INE** adj., emprunt au latin juridique *uterinus* «de la même mère», dérivé de *uterus*, qualifie d'abord (1455) en droit des frères et des sœurs qui ont la même mère sans avoir le même père, d'où l'emploi de *utérins*, n. m. pl., pour «frères, sœurs utérins» (1804). ◇ Comme terme d'anatomie (v. 1560, Paré), l'adjectif s'applique à ce qui concerne l'utérus. Il a été employé jusqu'au XIXe s. dans *fureur utérine*, «nymphomanie» (1690).

▸ Le dérivé **UTÉRINITÉ** n. f. est un terme de droit (1829). ◆ Les adjectifs composés **EXTRA-UTÉRIN, INE** (1812) et **INTRA-UTÉRIN, INE** (1826), termes de médecine, sont devenus relativement courants, le premier dans *grossesse extra-utérine*.
UTÉRO-, premier élément tiré de *utérus*, entre dans la composition d'adjectifs en anatomie, comme **UTÉRO-VAGINAL, ALE, AUX** (1872), **UTÉRO-OVARIEN, IENNE** (1876).

UTILE adj. et n. m., réfection (1260) de *utele* (v. 1120), *utle* (v. 1170), est un emprunt semi-savant au latin *utilis*, «qui sert», «avantageux», dérivé du verbe *uti* «se servir de» (→ user).

♦ Le mot, assez peu employé en ancien français, s'applique d'abord à ce qui sert à qqch., à ce qui peut être avantageux à qqn; de là vient son usage en droit pour qualifier une terre dont on a l'usufruit (1507) et, par métonymie, l'expression ***seigneur utile***, «qui a les revenus d'une terre» (1508), sortie d'usage. ◇ Le sens fondamental, qui correspond à la notion d'avantage pratique, devient courant en français classique et s'est perpétué jusqu'à nos jours. ◇ L'emploi substantif *(l'utile)* est attesté en 1616 chez d'Aubigné. ◇ *Utile* s'applique par extension (1637) aux personnes, par exemple dans ***se rendre utile***. ◇ L'adjectif entre dans le vocabulaire du droit (1718) dans ***jours utiles*** «pendant lesquels un acte peut encore être accompli», puis s'emploie dans la locution ***en temps utile*** (1835). ◆ L'emploi adverbial, familier, est relevé au milieu du XXe s. ***(voter utile)***.

▸ **UTILEMENT** adv., réfection (1538) de *utlement* (v. 1190), *utielment* (XIVe s.), correspond aux différentes valeurs de l'adjectif. ◆ **UTILISER** v. tr. apparaît à la fin du XVIIIe s. (1792), d'abord dans des emplois didactiques. Il ne se répand qu'au milieu du XIXe s.; attesté en premier lieu au sens de «rendre utile, faire servir à une fin précise», le verbe est devenu courant pour «employer», dans un sens très général. ◇ Du verbe dérivent **UTILISATION** n. f. (1796) «action d'utiliser», **UTILISABLE** adj. (1842) «qu'on peut utiliser», d'où **INUTILISABLE** adj. (1845), et le nom d'agent **UTILISATEUR, TRICE** n. et adj. (att. 1932). ◇ Le composé **SOUS-UTILISER** v. tr., «utiliser moins qu'on ne le pourrait», souvent au passif et participe passé, est attesté dans les dictionnaires en 1969, **SOUS-UTILISATION** n. f. en 1947.
INUTILE adj. est emprunté (1re moitié XIIe s., *inutiles*; av. 1380, forme moderne) au latin *inutilis* «inutile» et «contraire à l'utilité». L'adjectif s'applique à des choses, puis à des personnes (v. 1530, Marot), d'où la locution ***une bouche inutile*** (1743). ◆ En dérivent **INUTILEMENT** adv. (v. 1434), **INUTILISER** v. tr., d'emploi rare (1801), dont procèdent **INUTILISÉ, ÉE** adj. (1834), plus courant, et **INUTILISATION** n. f. (XXe s.); cf. ci-dessous *inutilité*.
UTILITÉ n. f., substantif correspondant à l'adjectif *utile*, est emprunté (1120) au dérivé latin *utilitas* «caractère de ce qui est utile», d'usage classique dans des emplois concrets et abstraits. Le nom conserve le sens latin; il a en outre désigné ce en quoi une chose est utile (1314). ***Utilité publique***, terme de droit, est relevé en 1677. ◇ *Une, des utilités* désigne un rôle de peu d'importance, dans une pièce (1812, au pluriel) et, par métonymie, un acteur qui joue ce genre de rôle (1845). ◆ Par ailleurs, le concept d'utilité prend au XIXe s. une valeur précise en économie, comme en témoignent les dérivés. ◆ **UTILITAIRE** adj. et n. (1830, n.), formé d'après l'anglais *utilitarian* (1781, nom; 1802, adjectif), dérivé par J. Bentham de *utility*, désigne et qualifie d'abord une personne qui ne reconnaît pour principe du bien que l'intérêt général (1835, adj.). Il est souvent péjoratif pour «attaché à ce qui est utile» (1834), puis il s'applique aussi à ce qui vise à l'utile (1872, *véhicule utilitaire*, alors opposé à *de tourisme*). ◆ Du premier emploi dérive le terme philosophique **UTILITARISME** n. m. (1831) qui s'est imposé en éliminant d'autres mots formés à partir de l'anglais *utilitarianism* (1827) : *utilitairianisme* (1845), *utilitarianisme* (1872). ◇ Le nom a fourni **UTILITARISTE** adj. (av. 1922), qui a supplanté ***utilitairien, ienne*** adj. (1845) qui avait été proposé par J. Bentham à l'Institut en 1802. ◆ L'adverbe **UTILITAIREMENT** (1834) est littéraire ou didactique. ◆ **INUTILITÉ** n. f., emprunt au préfixé latin *inutilitas* «absence d'utilité», attesté en 1396 avec le sens de l'étymon et rattaché par le sens et l'usage à *inutile*, est rare dans l'emploi de *une, des inutilités* pour «acte, parole inutile» (1676, Mme de Sévigné).

UTO-AZTÈQUE adj. ou **UTO-AZTEC** adj. inv. est une francisation (1924) de l'adjectif *uto-aztecan*, créé en 1913 en anglais par l'anthropologue E. Sapir; le mot est formé de *Ute*, nom (1921) d'un peuple indien et, par extension, de sa langue, dans laquelle il signifie «personne», «peuple», et qui a servi à nommer un des États des États-Unis *(Utah)*, et de *Aztec* «Aztèque».

♦ L'adjectif s'applique à une famille de langues amérindiennes réunissant six groupes de langues d'Amérique du Nord et centrale, et se dit des populations parlant ou ayant parlé ces langues.

UTOPIE n. f. représente une francisation (1532, Rabelais) du latin moderne *utopia*, formé comme nom propre d'un pays imaginaire par Thomas Morus, dans *De optimo reipublicae statu deque nova insula Utopia* (1516); *utopia*, qui signifie proprement «en aucun lieu», est construit à partir du grec *ou* «non, ne... pas», négation sans origine claire, mais probablement apparentée au latin *ve-* (→ véhément) et *topos* «lieu» (→ topo-), mot d'origine inconnue.

♦ Le mot est sorti d'usage au premier sens de «pays imaginaire où un gouvernement idéal règne sur un peuple heureux». ◇ Dans le vocabulaire politique du XVIIIe s., il désigne par extension (1710, Leibniz), après *utopia* en anglais (XVIIe s.), le plan d'un gouvernement imaginaire. ◇ De l'idée de système idéal, le mot est passé au sens de «vue politique ou sociale qui ne tient pas compte de la réalité» (mil. XIXe s.) et à l'emploi courant (1851) pour désigner une conception qui paraît irréalisable, une chimère.

▸ Le nom a fourni **UTOPIEN, IENNE** adj. (1789, Mirabeau) «de l'utopie», déjà attesté comme nom masculin pour «habitant d'Utopie», chez Rabelais (1543), puis en 1717. **UTOPISTE** n. et adj. (1792), mot didactique renvoie, comme *utopien*, au sens historique et politique de *utopie*. ◇ **UTOPISME** n. m. (1901 chez Jaurès) est rare. ◆ **UTOPIQUE** adj., d'abord dans *lettres utopiques* «qui se rapportent au pays appelé Utopie» (1529), a été repris au XIXe s. (1839) comme adjectif usuel, au sens de «qui ne tient pas compte de la réalité, qui est idéal et fictif». L'adjectif a surtout été appliqué à des projets sociaux ou politiques, et notamment aux socialismes qui ne répondaient pas, selon les disciples de Marx et Engels, à des principes «scientifiques» (*Socialisme utopique*, trad. de Engels, 1878). ◇ **UTOPIQUEMENT** adv. (mil. XIXe s.) est demeuré rare.

◈ voir UCHRONIE.

UTRICULE

UTRICULE n. m. est un emprunt savant (1726) au latin classique *utriculus* «petite outre», diminutif de *uter, utris* «outre» (→ ① outre).

♦ Ce terme de botanique a désigné d'abord la vésicule du tissu cellulaire des plantes ; il se dit ensuite (1758) de la petite outre pleine d'air qui soutient dans l'eau les feuilles et les racines de certaines plantes. ◇ *Utricule*, en anatomie, désigne (1846) la vésicule qui occupe la partie supérieure du vestibule de l'oreille interne. ◇ Par extension ou par emprunt au latin classique *utriculus* «grain de blé, bourgeon», diminutif de *uterus* (→ utérus), le mot se dit aussi en botanique (1872) de la bractée qui entoure presque entièrement l'ovaire de la fleur.

▸ Il a fourni le dérivé **UTRICULEUX, EUSE** adj. (1842), employé en botanique. ◆ ① **UTRICULAIRE** n. m. a été emprunté (1764) au latin impérial *utricularius* «fabricant d'outres» ; d'emploi didactique, il désigne un batelier de l'Antiquité qui utilisait un radeau soutenu par des outres. ◆ ② **UTRICULAIRE** n. f. (1808), emprunt au latin botanique *utricularia*, dérivé de *utriculus*, désigne une plante à utricules.

UVÉE

UVÉE n. f. est un dérivé savant (1495) du radical du latin *uva* «raisin», «grappe de raisin» et, par analogie de forme, «luette».

♦ Le mot est sorti d'usage au sens de «membrane choroïde de l'œil», obtenu par analogie de couleur avec le grain de raisin noir. ◇ Il a été repris au XIXe s. (1855) en anatomie pour désigner la tunique moyenne, vasculaire, de l'œil.

▸ En dérivent les termes didactiques **UVÉITE** n. f. (1855), formé avec le suffixe *-ite* pour «inflammation de la tunique vasculaire de l'œil», et **UVÉAL, ALE, AUX** adj. (1878) «de l'uvée (au sens moderne)».
UVULE ou **UVULA** n. f. est emprunté (v. 1240) au latin *uvula*, diminutif de *uva* au sens de «luette*». Le mot conserve en anatomie le sens du latin. ◆ En dérivent **UVULAIRE** adj., terme d'anatomie (1735) et de phonétique (1874) dans *r uvulaire* (transcrit [ʀ] en alphabet phonétique international) «produit par le rapprochement de la luette et du dos de la langue» (XXe s.) et, en médecine, **UVULITE** n. f. (1876), de *-ite*, «inflammation de la luette».

◈ voir LUETTE.

V

VA, 3e pers. du sing. de l'indic. présent et 1re pers. de l'impératif présent du verbe *aller,* est issu (mil. XIIe s., *vait*) du latin populaire °*vat,* altération du latin classique *vadit,* troisième personne du singulier du verbe *vadere,* «marcher, aller», qui se rattache, comme l'ancien haut allemand *watan* «aller de l'avant, passer (à gué)» et le latin *vadum* (→ gué), à la racine indoeuropéenne *wā* «venir». *Je vois* (XIIe s.), *je vas* (1530) enfin *je vais* (1647) et *tu vas* (v. 1180) viennent également de formes altérées en °*voyyo,* °*vas,* du latin classique *vado, vadis,* sous l'influence de la conjugaison des verbes *avoir* et *être.*

♦ *Va,* avec cette valeur d'«aller», entre dans la formation de nombreux substantifs dont beaucoup ont disparu, comme *valuidire* (n. m. inv.), «messager d'amour, entremetteur» (1577; XIIIe s., *va li dire*); *va de pied* (n. m. inv.) «domestique à pied» (une fois au XVIe s.) puis «facteur» (1729); *va-trop* (n. inv.) «domestique» en argot (1881).

▸ En français moderne, plusieurs composés restent vivants. ◆ **VA-NU-PIEDS** n. inv. «miséreux» (1615) a désigné (1668) les paysans révoltés en Normandie en 1639; le mot équivaut ensuite à «personne misérable» (déb. XVIIIe s., d'un homme; 1829, d'une femme). ◆ **VA-TOUT** n. m. inv., d'abord terme de jeu (1671). ◇ ***À tout va*** loc. adv. tirée (1935) de l'expression *tout va* utilisée dans les casinos pour indiquer que l'enjeu n'est pas limité ou est remis en jeu, signifie «sans retenue» ou «sans limite» et se dit d'un coup où l'on risque tout son argent, d'où la locution disparue *faire un va-tout à qqn* «lui disputer le prix» (1691) et la locution demeurée courante ***jouer son va-tout*** «risquer le tout pour le tout» (1838). ◆ **VA-ET-VIENT** n. m. inv., formé avec la troisième personne du verbe *venir*,* désigne (1765) un dispositif servant à établir une communication en un sens et dans le sens inverse, aujourd'hui dans divers domaines techniques (1926 en électricité). ◇ Au XIXe s., le mot a l'acception plus générale d'«action de ce qui va et vient alternativement» (1812) et par ailleurs «déplacement en sens inverse de personnes, de choses» (1840), au figuré «échange» (1852). ◆ **VA-DE-LA-GUEULE** n. inv., mot familier, s'est dit d'abord (1829) d'une personne qui mange avidement; puis (1881) de qqn qui parle beaucoup sans agir, d'après l'expression verbale ***aller de la gueule.*** ◆ **VA-TE-LAVER** n. m. inv. s'est dit (1867) pour «coup sur la figure, qui fait saigner», par allusion à la nécessité de laver les traces laissées par le coup. Le mot est sorti d'usage au sens de «personne malpropre» (1916). ◆ **VA-T-EN-GUERRE** n. inv. désigne familièrement (1937) une personne qui a le goût des armes et, par extension, qui recherche la dispute. La fausse liaison dans *il va-t'en-guerre* a été entretenue et popularisée par la chanson de Malbrough.

VA-VITE ne s'emploie que dans la loc. adv. ***à la va-vite*** (1939) «rapidement et sans soin».

◈ voir **ENVAHIR, S'ÉVADER, INVASION, VADE, VADE-MECUM.**

VACANT, ANTE adj. est un emprunt (1207) au latin classique *vacans,* participe présent de *vacare* «être vide», d'où «être vacant, libre», puis «avoir du temps pour»; *vacat* signifie à l'époque impériale «il y a temps pour», «il est loisible de» (→ vaquer).

♦ L'adjectif qualifie d'abord une charge, une dignité à pourvoir; de là les emplois disparus de *vacant de* «privé de» (1300) et *être vacant* «suspendre ses fonctions», en parlant d'un abbé (1467). ◇ *Vacant* s'est employé en particulier en parlant d'une terre qui n'est pas cultivée (1327, *terre vagant*) et d'un bien qui n'a pas de propriétaire (1378, *biens vacants*). ◇ L'adjectif s'est appliqué en moyen français, reprenant un sens du latin, à une personne libre de son temps, oisive (1489), sens disparu. Depuis le milieu du XVIe s., il qualifie dans un contexte concret un logement, un emploi, etc. disponible (1557). ◇ Dans un style littéraire, il signifie «vide, absent (de l'esprit)» (fin XIXe s., Mallarmé). ◇ Enfin, il a été employé en argot (1900) pour «démuni d'argent».

▸ **VACANCE** n. f., dérivé de *vacant* «oisif», s'applique d'abord (v. 1305) à l'état d'une charge, d'un poste, etc., sans titulaire, d'où ensuite *vacance du trône* (1719) et l'emploi plus général en politique dans *vacance du pouvoir.* ◇ Il désigne ensuite (1594 au plur., 1636 au sing.) la période où les tribunaux interrompent leurs travaux, puis par extension les jours de congé (1596). ➝ ***Les vacances*** s'emploie ensuite couramment (1623) en parlant du temps durant lequel les études cessent pour les élèves, puis désigne une période de repos pour les adultes (1669), d'où *jours de vacance(s)* «où l'on interrompt le travail pour se détendre» (1762), *(être) en vacances,* etc. ◇ Par extension, le mot se dit (1907) du temps de repos légal accordé aux salariés, puis de la période d'arrêt du travail, qui coïncide en partie avec les *vacances scolaires.* ➝ Le dérivé **VACANCIER, IÈRE,** tiré de *vacances,* comme nom (v. 1925) puis comme adj. (1942), s'est répandu vers 1950, se substituant en partie à *estivant* pour désigner les personnes en vacances dans un lieu déterminé.

VACARME n. m., réfection (1485) de *wascarme* (1288), *wacarme* (v. 1310), est emprunté par l'intermédiaire des parlers du Nord-Est au moyen néerlandais *wacharme* «hélas, pauvre de moi!», formé de *wach* «hélas!» et de *arme* «pauvre» (cf. en allemand *weh armer* «hélas, pauvre [que je suis]».

♦ Le mot, longtemps senti comme étranger, s'est employé comme interjection pour «au secours!»; cette valeur est liée à l'idée de «querelle, dispute», qui explique les emplois postérieurs du nom pour «bruit assourdissant» (fin XIVe s., *voacarme;* forme moderne 1546, Rabelais), d'où le sens de «prise d'armes» (v. 1485), disparu en français classique. ➝ Il se dit ensuite du bruit que font des gens qui crient, s'amusent, etc. (v. 1500, *wacarme*); de là sont issus les emplois disparus pour «assaut érotique» (1536) et «querelle bruyante» (1611) avec la locution *faire vacarme* «quereller» (1636). ◇ Seul le sens de «bruit intense», diffusé au XIXe s., est resté vivant.

▶ Le dérivé **VACARMER** v. intr., attesté chez Huysmans (1882), est sorti d'usage.

VACATAIRE, VACATION → **VAQUER**

VACCINE n. f. est la francisation (1749) du latin moderne médical *(variola) vaccina,* féminin de l'adjectif latin classique *vaccinus* «de vache», dérivé rare de *vacca* (→ vache). La maladie avait été auparavant nommée *petite vérole des vaches,* d'après l'anglais *cow-pox,* de *cow* «vache» et *pox* «vérole» (*small pox* «petite vérole»). *Pox* est l'altération de *pocks* «pustules», de même origine que le français *poche**.

♦ Le mot désigne une maladie infectieuse des bovins due à un virus proche du virus de la variole (1749) et, par extension, ce mal affectant d'autres animaux, (*vaccine du cheval,* 1872; *vaccine équine*). Il a désigné (1800) l'inoculation de la vaccine à un individu pour l'immuniser contre la variole (on emploie en français moderne *vaccination*).

▶ La découverte de l'immunisation par la vaccine explique le développement de la famille du mot. ➝ **VACCIN** n. m. désigne le virus de la vaccine (1801) puis, par extension (1852), toute substance préparée à partir de microbes, virus ou parasites qui, inoculée à un individu, l'immunise contre le germe correspondant. Le mot s'est employé adjectivement dans *virus vaccin* (1803). ◇ L'emploi métaphorique, appliqué à un domaine moral, est relevé en 1863. ◇ De l'emploi général viennent les composés **ANAVACCIN** n. m. (XXe s.) et **AUTOVACCIN** n. m. (1926). ➝ **VACCINER** v. tr., «immuniser par un vaccin» (1801, pour la variole; 1852, sens général) ,signifie figurément au passif ***(être vacciné contre qqch.)*** «être préservé d'une chose désagréable pour en avoir fait l'expérience» (1863). ◇ Le verbe a fourni **VACCINATEUR, TRICE** n. (1801) et adj. (1803), **VACCINATION** n. f. (1801), **VACCINABLE** adj. (1803), **VACCINÉ, ÉE** n. (1807), puis le composé **REVACCINER** v. tr., «vacciner de nouveau, une seconde fois». ◇ À ce verbe correspond un préfixé de *vaccination,* **REVACCINATION** n. f. (1834). ◇ Un autre composé préfixé est **RÉTROVACCINATION** n. f. (1932).

Sur *vaccine* ont été dérivés d'autres termes médicaux comme **VACCINAL, ALE, AUX** adj. (1812) «de la vaccine», puis «d'un vaccin» (1886, Pasteur); **VACCINELLE** n. f. (1836) «éruption vaccinale bénigne»; **VACCINIFÈRE** adj. (1863) «porteur de la vaccine», et **VACCINIDE** n. f. (1865) «réaction cutanée après une vaccination». ➝ **VACCINO-**, premier élément, tiré de *vaccine* ou de *vaccin,* entre dans la composition de quelques termes didactiques, tels **VACCINOÏDE** n. f. (1836) et adj. (1842) «qui ressemble à la vaccine»; **VACCINOSTYLE** n. m. (1904) «lancette à vacciner»; **VACCINOTHÉRAPIE** n. f. (1910).

✳ **VACHE** n. f. est issu (fin IXe s.) du latin classique *vacca* «femelle du taureau», qui peut être rapproché du sanskrit *vaçá* qualifiant la génisse qui vêle pour la première fois; le mâle et la femelle des animaux domestiques étaient désignés par le même terme dans le vocabulaire général de l'indoeuropéen.

♦ Le mot, qui conserve le sens de l'étymon, est employé dans de très nombreuses locutions, dont beaucoup ont disparu, dans lesquelles ont été retenus des caractères physiques de l'animal ou des comportements qui lui sont attribués: *dormir comme une vache* «profondément» (1492); *poil de vache* «très roux» (1534, Rabelais), d'où *(être) roux en vache* (1694), aujourd'hui ***queue de vache*** pour qualifier une couleur d'un roux jaunâtre; *pays de vache* «pays natal» (1552, Marot), sorti d'usage à la différence de ***plancher des vaches*** «terre» (1548 aussi *plancher de vache* [Rabelais]; opposé à «mer»). *Laisser la vache et le veau* «abandonner une femme enceinte» (v. 1572) était opposé à *prendre la vache et le veau* (1622); ces deux locutions ont disparu, mais ***vache à lait*** (1551) «personne qu'on exploite» se dit toujours. *Courir la vache* «marauder» (1690) est sorti d'usage. D'autres proverbes attestés au XVIIe s., comme ***chacun son métier et les vaches seront bien gardées*** (in Furetière 1690) ou ***parler français comme une vache espagnole*** (1640), après *parler latin comme une vache espagnole* (1627), altération probable de *basque* espagnol,* sont encore usuels. ◇ On relève ensuite ***cela lui va comme un tablier à une vache*** «pas du tout» (1833), ***une vache n'y trouverait pas ses petits,*** pour parler d'un grand désordre (1876) et ***il pleut comme vache qui pisse*** «beaucoup» (1876). ◇ ***Maladie de la vache folle,*** calque de l'anglais *mad cow disease,* apparaît dans les années 1980 et désigne l'encéphalopathie* spongiforme bovine. Le syntagme *vache folle* s'est répandu à propos de cette épizootie, des phénomènes socio-économiques qu'elle a entraînés (*les Années vache folle,* Plantu 1996). ◇ Le mot *vache* entre également comme complément d'un nom de végétal dans des syntagmes très variés, d'emploi régional, pour désigner des plantes, tels *blé de vache* «mélampyre» (1557), *herbe aux vaches* «hellébore noire» (1732), *herbe à vaches* «trèfle» (1845), *arbre à la vache* «galactodendron» (1872). ➜ Par analogie de forme, *vache* a servi à nommer d'autres animaux d'apparence comparable : diverses espèces d'antilope, comme *vache de Barbarie,* (1690) ; *vache bleue* (1791) ; *vache blanche* (1842), le yak (*vache de Tartarie,* 1776), et même le morse et le dugong (*vache marine,* 1615), dans une série où *bœuf**, *veau** figurent aussi. ➜ Par ailleurs, *vache* désigne depuis l'ancien français la peau préparée de l'animal (1260-1270). Cette acception est concurrencée par *vaichin* (fin XIIe s.) et *vachin* (1346), dérivés disparus, et par l'expression *cuir de vache* (1407, *cuir de vaque*). Il se réalise aussi dans le syntagme *vache en grain* (1690) puis *vache à grains* (1845). ◇ De *vache* «cuir» vient le sens disparu de «coffre de voyage recouvert de cuir» (1781) d'où procède l'emploi moderne pour «sac en cuir». ◇ Au sens de «viande de vache», le mot n'est attesté qu'en 1660, mais la locution figurée ***manger de la vache enragée*** est relevée en 1610. Cette métonymie est devenue rare, dans la mesure où la viande en question est nommée *génisse* en boucherie et *bœuf* dans l'usage courant.

Par métaphore, *vache* a été employé au sens de «femme, mère» (v. 1462). Puis un double sémantisme se développe, celui de la grossièreté et celui de la mollesse, de la lourdeur. ◇ *Faire la vache* s'est dit pour «se prostituer» (1640), *vache* désignant une femme grossière, sale (1619) et spécialement une prostituée (1740, *grosse vache*) ; en outre, le mot désigne populairement une femme trop grosse (1694, *vraie grosse vache ;* 1718, *vache*) et une personne lâche, fainéante, poltronne (1690), acception reprise en argot en parlant d'un homme (1866) ; ces emplois ont disparu du fait de l'apparition d'une autre valeur familière (ci-dessous), celle de la méchanceté, sauf ***(c'est une) grosse vache,*** appliquée à une femme ou à un homme. Cette idée de mollesse explique le sens de l'argot ancien *il fait vache* «il fait chaud» (1889), qui ne serait plus compris. ➜ On relève à la fin du XVIIe s. *ruer en vache* «du pied de derrière et sur le côté» (1694), locution appliquée au cheval, puis sortie d'usage mais qui a fourni le figuré ***donner un coup de pied en vache*** «nuire à qqn par en-dessous», d'où familièrement ***un coup vache***. L'idée du coup hypocrite et nuisible, ***en vache,*** a pu se joindre au sémantisme négatif «grosse femme», puis «prostituée», devenu terme d'injure sans contenu précis (alors que *chameau* s'explique par «monture»), pour produire la valeur péjorative appliquée aux policiers et aux indicateurs puis à des individus quelconques. ◇ C'est à ce sémantisme que se rattache l'usage familier de *vache* «agent de police» (1844 en argot, *mort aux vaches*), «délateur» et «personne méchante» (attesté 1900, n. f. chez Mirbeau), employé en appellatif, dans la locution ***peau de vache*** et, en parlant d'une personne dont on a à se plaindre ou comme intensif ***(une vache de...).*** ◇ Cette valeur semble antérieure en emploi d'adjectif attribut (1880), devenu un intensif (1925), vieilli pour qualifier qqch. de bon ou de beau. C'est aussi (dep. 1891) un exclamatif (*ah, la vache !*) d'abord lié à une situation désagréable, puis employé comme intensif d'admiration, en relation avec l'adverbe *vachement* aussi dans le tour *vache de (une vache de belle bagnole)* réinterprété comme un adverbe, *vachte* «très», ensuite régularisé en *vachtement ;* cf. *vachement* ci-dessous.

➜ Dans le vocabulaire technique et par une métaphore obscure, *vache à radioélément* ou *vache* (av. 1970) désigne un radioélément à vie longue utilisé pour obtenir un radioélément à vie courte.

▶ **VACHERIE** n. f., réfection d'après *vache* (v. 1205) de *vacerie* (v. 1160) a désigné un troupeau de vaches, ainsi qu'un droit de pacage pour les vaches (1380) ; le mot signifie encore régionalement «étable à vaches» (1336). Il s'est dit en particulier (1549) d'un endroit où l'on vend le lait trait sur place. ➜ Des sens figurés de *vache* viennent les emplois disparus pour «veulerie» (1867 ; cf. le verbe *vacher* «être lâche», 1867, Flaubert) et pour «maison de prostitution» (1884). ➜ Il s'agit alors d'une nouvelle dérivation, comme pour le sens moderne «caractère d'une personne méchante» puis «d'une chose désagréable» et, par métonymie, «action, parole méchante» (1872), spécialement dans ***vacherie de*** (suivi d'un nom), et aussi «situation pénible» ou même «chose mauvaise, de mauvaise qualité» (1916), cf. *cochonnerie.* ➜ **VACHETTE** n. f., réfection (XVe s.) de *vachete* (fin XIIe s.), signifie «petite vache» (on a aussi dit *vachelette,* 1611) et aussi «cuir de jeune vache» (1679, *vaquette*). ➜ **VACHER, ÈRE** n. et adj., réfection (1348 n. f.) de *vachier* (v. 1200 ; avec la variante *vaquier*) (1283) et *vachiere* (1348), désigne une personne qui mène paître les vaches et, en général, les bovins (cf. *bouvier*). ➜ **VACHERIN** n. m. (1605 ; antérieurement *fromage vachelin*), emprunté aux parlers de la Suisse romande (XVe s.), se dit d'un fromage de Franche-Comté. ◇ Par analogie d'aspect le mot désigne (1887), une meringue à la crème fraîche. ➜ **VACHARD, ARDE** adj., sorti d'usage au sens de «mou, paresseux» (1800), a été repris d'après le sens familier moderne de *vache,* nom et adjectif, pour qualifier une personne méchante (1907), d'où **VACHARDISE** n. f. (1936, Céline). ➜ **VACHEMENT** adv. est vieilli au sens de «méchamment» (1906) et s'emploie comme intensif dans l'usage familier pour «beaucoup, très» (1930), en concurrence avec *vachtement* (ci-dessus), et même avec *vachte (c'est vachte beau).*

VAQUERO n. m. est un emprunt à l'espagnol (1847), lui-même dérivé de *vaca* «vache», du latin *vacca ;* il désigne un vacher, dans un pays de langue espagnole ; *vaqueiro* (1822) est portugais.

◈ voir AVACHIR, VACCINE.

VACILLER v. intr. est emprunté (v. 1180 ; XIVe s. selon T.L.F.) au latin classique *vacillare* «osciller, chanceler» au propre et au figuré, mot d'origine obscure attesté avant Cicéron. La finale *-illare* le fait considérer comme un mot expressif. Le *v-* initial est peut-être celui de *vacare* (→ vaquer), *vacuus*, *vanus* (→ vain) avec l'idée de «vide» (d'où risque de chute ?).

♦ En français, le verbe reprend d'abord le sens propre du latin et signifie «être animé de mouvements de tremblement répétés et alternatifs». Il s'est écrit aussi *vaciler*, aux XVIIe et XVIIIe s. et s'est spécialisé pour «ne pas tenir sur ses jambes». ◇ Au sens figuré «être irrésolu» (mil. XIVe s.), il est sorti d'usage. ◇ *Vaciller* s'est employé par une autre figure au sens de «trembler de peur» (1488) et de «faire un lapsus» (1608) jusqu'à la fin du XIXe siècle. C'est l'idée d'«hésitation» qui se manifeste dans *vaciller en ses réponses* (1636), *dans ses réponses* (1694), sorti d'usage. ◇ Par analogie, le verbe signifie «être sur le point de s'éteindre, scintiller faiblement» (1687) et, au figuré, «manquer de solidité, de fermeté».

► Les dérivés ont suivi une évolution sémantique parallèle. ➔ **VACILLANT, ANTE** adj. a qualifié une bataille indécise (v. 1355) ; il s'applique ensuite concrètement à ce qui est chancelant (v. 1480), puis psychologiquement pour «irrésolu» (fin XVIe s.) et «précaire» (v. 1700, *santé vacillante*). ➔ **VACILLEMENT** n. m. (1606) s'utilise surtout en contexte concret. ➔ **VACILLATION** n. f., emprunt au dérivé latin *vacillatio, -onis*, a vieilli au figuré pour «irrésolution» (1512) et désigne surtout (dep. 1549) l'action de vaciller.

VACIVE adj. est un mot régional emprunté (1500) sous diverses formes au latin classique *vacivus* «vide», doublet archaïque et rare de *vacuus* (→ vacuité) dérivé de *vacare* «être vide» (→ vaquer). Le latin avait abouti en ancien français à *vuisif* (adj.) «vide» (1293).

♦ Le mot désigne une brebis de deux ans qui n'a pas encore porté (donc «vide») ; *vacive* s'est employé à propos de la vache, de la chèvre, etc.

► Le dérivé **VASSIVEAU** n. m. (déb. XVIIe s.) est aujourd'hui régional pour «agneau de moins de deux ans».

VACUITÉ n. f. est emprunté (1314) au latin classique *vacuitas, -atis* «espace vide», «absence de qqch.», dérivé de *vacuus* «vide», «inoccupé», lui-même de *vacare* «être vide» (→ vaquer).

♦ Le mot s'est introduit avec le sens concret du latin, «espace vide», sorti d'usage. Il désigne ensuite l'état de ce qui est vide (1552) et, figurément, l'impuissance à prendre une résolution (1601, Charron), valeur disparue. ◇ En parlant d'un système philosophique (1801), il correspond à «absence de contenu». ◇ Dans l'usage moderne, il se dit pour «vide intellectuel», «absence de valeur» (1906).

► **VACUOLE** n. f. a été formé (1736) sur le radical du latin classique *vacuus* «vide». ◇ Ce terme didactique désigne un espace circonscrit au sein d'une cellule ; en minéralogie, il signifie (1872) «petite cavité (dans la structure d'une roche)». ➔ De *vacuole* procèdent **VACUOLAIRE** adj. (1849), **VACUOLISATION** n. f. (1897), **VACUOLISER** v. tr. (1903 au part. passé ; 1904, pron.) qui concernent la formation de vacuoles, et **VACUOME** n. m. (mil. XXe s.) avec l'élément *-ome*.

VACUUM n. m. est un emprunt (1872) au latin classique *vacuum* «le vide», neutre substantivé de *vacuus* «vide, inoccupé». C'est un terme scientifique signifiant «espace vide, sans matière». ◇ Le composé anglais *vacuum cleaner* (de *to clean* «nettoyer») a quelquefois été emprunté pour «aspirateur». ➔ Du radical du latin *vacuum* a été dérivé **VACUISTE** n. (1752) et adj. (1812), terme d'histoire des sciences désignant un partisan du vacuisme. ◇ **VACUISME** n. m. (1771) désigne le système de ceux qui, avant la découverte de la pression atmosphérique, admettaient l'existence du vide dans la nature.

VADE n. f. est emprunté (v. 1540) à l'italien *vada* «qu'il aille», de *vadere* «aller», lui-même emprunt au latin classique *vadere* «aller» (→ va).

♦ Le mot, courant dans la langue classique, a d'abord signifié «mise, enjeu» à certains jeux de cartes, puis par figure (1666) «participation dans une affaire de commerce» et, par extension (1679), «intérêt propre de chacun dans le monde» d'où l'expression classique *pour sa vade* «dans son intérêt personnel» (déb. XVIIIe s., Saint-Simon). Il est sorti d'usage au XVIIIe siècle.

VADE-MECUM n. m. inv. est la reprise (1465) d'une expression latine signifiant «viens *(vade)* avec *(cum)* moi *(me)*» ; *vade* est l'impératif de *vadere* (→ va).

♦ Le nom désigne d'abord ce qu'on porte ordinairement sur soi puis spécialement (1690) un livre que l'on aime et que l'on emporte avec soi. De là il désigne (1845) un livre qui contient les notions principales d'une science, d'un art.

① **VADROUILLE** n. f. est d'origine incertaine. Selon Bloch et Wartburg, le mot aurait été formé (1678) dans la région de Lyon, de *drouilles* «vieilles hardes», et du préfixe de renforcement *va-* (cf. *vadou* «très doux»), du latin *valde* «beaucoup, fortement». *Valde* est un doublet de *valide* dérivé de *valere* «valoir*». P. Guiraud rapproche le verbe régional (Normandie) *vadrouiller* «se vautrer (dans la boue)» de *gadrouiller* «patauger» (Poitou) ; les deux mots viendraient d'un gallo-roman °*vadulare* ou °*vatidulare*, dérivé de *vadare* «passer à gué» (cf. l'ancien français *gayer* «patauger» et «rincer le linge» dans le ruisseau, le lavoir), dérivé de *vadum* (→ gué) ; le nom serait alors un déverbal.

♦ Le mot désigne d'abord en marine un tampon de laine fixé au bout d'un bâton pour nettoyer le pont d'un bateau ; il se serait répandu par la navigation fluviale. ◇ Par figure, il a désigné (1866) une femme de mauvaise vie ; ce sens viendrait selon Bloch et Wartburg d'une simple métaphore : la prostituée traîne comme une vadrouille ; pour P. Guiraud, il correspond à un sémantisme constant en français populaire, qui assimile la femme de mauvaise vie à un vieux chiffon (cf. *guenille, souillon*). Cet emploi a disparu au XXe siècle.

▸ **VADROUILLER** v. tr., dérivé du nom, ou issu selon P. Guiraud d'un gallo-roman °*vadulare* (ci-dessus), n'est attesté en français central qu'en 1881. Le verbe est sorti d'usage au sens de «traîner dans les rues», en parlant d'une prostituée. Il est passé dans l'usage courant (1890) pour «se promener sans but précis». ◆ ② **VADROUILLE** n. f. (1887), déverbal de *vadrouiller,* signifiant «action de vadrouiller», a suivi la même évolution (1932, ***être en vadrouille***). ◇ **VADROUILLEUR, EUSE** adj. et n. (1893, Courteline), familier, est plus rare. ◇ Comme substantif féminin, il a désigné une prostituée (av. 1878), alors synonyme de *vadrouille,* et au masculin (1880), un noceur.

VAGABOND, ONDE adj. et n. est un emprunt (1382) comme l'ancien provençal *vagabon* (v. 1300) au latin archaïque et post-classique *vagabundus* «vagabond, errant» et «qui se propage» en parlant d'une flamme. C'est un dérivé du latin classique *vagus* «errant» (→ ① vaguer).

♦ Le mot apparaît en français avec le sens latin, qualifiant une personne qui mène une vie errante; l'adjectif (1382) et le nom (1530; 1502, *vaccabon*) sont aujourd'hui d'usage littéraire. L'adjectif s'est appliqué ensuite au figuré (XIVe s., *vacabond*) à une personne instable, d'où (1541) le sens de «désordonné, qui change sans cesse» en parlant d'idées, de faits psychologiques. ◇ *Vagabond* désigne ensuite une personne sans domicile fixe (1502). Le mot ne s'emploie plus pour désigner une personne qui passe sa journée à ne rien faire (1845). ◇ Le féminin, *une vagabonde,* est attesté au XVIIe s. (1662).

▸ Le dérivé **VAGABONDER** v. intr., «mener une vie errante», est attesté chez le traducteur Bersuire (mil. XIVe s.). ◇ On trouve la variante *vaguabonder* (1530) et la forme populaire altérée *vagabonner* (1743) qui ont disparu. Le verbe s'emploie par figure (1588, Montaigne) en parlant de l'esprit. ◆ **VAGABONDAGE** n. m., dérivé du verbe, s'emploie au propre (1767) et au figuré (1817, Stendhal). Le concept est défini juridiquement en 1798. ***Vagabondage spécial*** a désigné en droit (1885) le délit d'assistance à la prostitution, les souteneurs étant assimilés juridiquement aux vagabonds jusqu'en 1917.

⟐ voir ① VAGUER.

VAGIN n. m. est un emprunt savant, d'abord sous la forme latine (1668) puis sous la forme francisée (1676) au latin classique *vagina* «gaine, fourreau, enveloppe», spécialement «fourreau de l'épée». *Vagina* a abouti en français par voie populaire à *gaine**. Le mot avait déjà été emprunté au début du XVIIe s. (1611) sous la forme *vagine,* reprenant les sens latins de «fourreau (d'épée)» et de «balle des céréales».

♦ *Vagin,* euphémisme des médecins («la gaine»), désigne le conduit qui s'étend de l'utérus à la vulve, chez la femme et, plus généralement, chez les femelles des mammifères.

▸ En dérivent des termes didactiques d'anatomie et de médecine. ◆ **VAGINAL, ALE, AUX** adj. a d'abord (av. 1718, Dionis) le sens correspondant au latin *vagina* et à l'adjectif *vagine* «en forme de gaine», d'où des emplois comme *tunique vaginale* (du testicule). ◇ Plus tard dans le XVIIIe s. (1778), il correspond à «du vagin». ◇ Au XXe s. (1950 chez M. Choisy), le mot s'emploie hors du domaine anatomique et médical, dans *érotisme, orgasme vaginal,* alors opposé à *clitoridien* et, en parlant des personnes *(une vaginale,* comme *une clitoridienne).* ◆ De *tunique vaginale* dérive **VAGINALITE** n. f. (1855) «inflammation de cette tunique du testicule». ◆ **VAGINITE** n. f. (1833), dérivé en *-ite* de *vagin,* signifie «inflammation du vagin». ◆ **VAGINISME** n. m. (1868) désigne la contraction spasmodique des muscles du vagin, l'une des causes de la frigidité. ◆ **VAGINIQUE** adj. et n. f., dérivé (mil. XXe s.) de *vagin,* correspond à *vaginisme.* ◆ De *vagin* a été tiré le premier élément **VAGINO-** qui entre dans la composition de termes de médecine, comme **VAGINORECTAL, ALE, AUX** adj. (1835), **VAGINOSCOPIE** n. f. (1873), etc.

À partir du latin *vagina* «gaine» a été formé **INVAGINATION** n. f. «retournement d'une partie concave» (1765), terme de médecine et d'embryologie sans rapport avec *vagin,* comme son contraire **ÉVAGINATION** n. f. (1870). ◇ *Invagination* a pour dérivé **S'INVAGINER** v. tr. (fin XVIIIe s.), avec un emploi transitif plus tardif (1832), qui donné **INVAGINABLE** adj. (XXe s.).

⟐ voir GAINE, RENGAINE, VANILLE.

VAGIR v. est un emprunt savant (1555) au latin classique *vagire,* supin *vagitum* «crier», spécialement en parlant du nouveau-né; ce verbe est d'origine expressive («faire *wã*»).

♦ *Vagir* signifie «crier comme un enfant qui vient de naître». Au XIXe s. il s'emploie par analogie à propos du cri de quelques animaux (1829, en parlant du lièvre; 1876, du crocodile). ◇ Par métaphore littéraire, *vagir* s'est employé (1859, Hugo; 1856 transitivement) pour «chanter dans son jeune âge», en parlant d'un poète.

▸ **VAGISSANT, ANTE** adj., du participe présent, est attesté depuis le XVIe siècle. ◆ **VAGISSEMENT** n. m., attesté au XVIe s. (1500) et repris au XVIIIe s. (1735), s'emploie en parlant d'un nouveau-né et (1845) de quelques animaux et, à partir du XIXe s., au figuré (1829).

Le participe passé latin *vagitus* a donné par emprunt la forme **VAGIT** n. m. (1596) désignant le cri des nouveau-nés. ◆ *Vagire, vagitum* a pour dérivés savants **VAGITATEUR** n. m. (1803), **VAGITEUR** n. m. (1829) «crieur public», déjà notés comme inusités en 1834.

① **VAGUE** n. f., francisation (1150) de *wage* (1130), est peut-être, selon Wartburg, un emprunt à l'ancien norois *vâgr* «mer», comme le moyen allemand *wâge, wâc,* l'allemand *Woge.* Ce mot repose sur une racine indoeuropéenne °*wegh-* exprimant le mouvement, l'ébranlement (→ vit), particulièrement bien représentés dans des verbes de mouvement en germanique (anglais *to wag, to wiggle*) et homonyme de la racine exprimant le transport par véhicule (→ voie, wagon). L'anglais *wave* «vague» s'y rattacherait également. Cependant P. Guiraud, s'appuyant sur des variantes romanes, postule l'étymon latin *vadum* «gué*», qui fut aussi synonyme poétique de *aqua* «eau*», *mare* «mer*». Les formes dialectales *vagat* (plur.), *wagie*, l'ancien français *vaguier* «faire des vagues», supposent selon lui un gallo-roman °*vadicare* «s'agiter» en parlant de la mer, d'où viendrait °*vadica* «vague», qui serait un déverbal. Mais cette hypothèse n'est pas corroborée.

♦ Le mot désigne une masse d'eau qui se soulève et retombe, à la surface d'une mer, d'un lac, etc. Par analogie, il s'emploie (1685) à propos de tout objet rappelant la forme ou le mouvement des vagues. ◇ *Vague* se dit par métaphore (1830) d'un mouvement qui fait remuer un milieu *(une vague d'enthousiasme)*. Ces valeurs se retrouvent dans divers emplois analogiques ; au concret, le mot désigne en architecture un ornement figurant des flots (1842) ; au figuré, il se dit d'une masse d'hommes, de choses qui se répandent brusquement (1892), par exemple dans la locution ***vague d'assaut*** (1916) «succession de lignes de combattants qui vont à l'assaut» ; il s'emploie dans la locution ***vague de fond*** «ce qui déferle irrésistiblement» en parlant d'un mouvement d'opinion, d'idées, etc. (cf. *raz-de-marée*). ◇ *Vague*, nom d'une variété de boston qui se danse en diagonale (1908), est sorti d'usage. ➜ Au sens de «phénomène qui s'étend» (1909), ***vague de chaleur, vague de froid*** (v. 1930) désignent un afflux de masses d'air chaud, froid. ***La nouvelle vague*** se dit (attesté 1957) de la génération des personnes nées entre 1919 et 1939 puis de la dernière génération ou tendance, en littérature, en art.

▸ Du nom dérivent **VAGUELETTE** n. f. (1894) et, rare, **VAGUETTE** n. f. (1879, Goncourt). ➜ ② **VAGUER** v. tr., du même radical que le nom, est un terme technique (1751, *Encyclopédie*, art. *Bière*) signifiant «brasser (le moût) dans la cuve», d'où, par métonymie, ② **VAGUE** n. f. (1751) «râteau pour vaguer la bière» et **VAGUAGE** n. m. (1845), «action de vaguer».

② VAGUE → ① VAGUE

③ **VAGUE** adj. et n. m. est un emprunt ancien (1213, *s'en aler vague par* «rôder», puis v. 1300, n.) au latin classique *vagus* «qui va à l'aventure» et, au figuré, «inconstant, ondoyant», «indéterminé, indéfini» (→ ① vaguer, vagabond). L'origine de *vagus* est inconnue ; le rapport avec *vacuus* n'est pas établi. Le latin avait abouti par voie orale à l'ancien français *vai* (adj.) «errant» (XIIIe s.) et «inconstant, frivole» (1226), disparu par suite de sa brièveté.

♦ *Vague* s'est employé d'abord comme nom, puis (v. 1375) comme adjectif au sens latin d'«errant, vagabond» jusqu'au XVIe siècle ; il a conservé jusqu'à la fin du XVIe s. les sens figurés de «langoureux, plein d'amour» (fin XIVe s.) et d'«inconstant, frivole» (1466, encore chez Malherbe) où il a éliminé la forme populaire *vai* (ci-dessus). ◇ L'adjectif s'applique à partir du XIVe s. à des idées, des sentiments imprécis (1316-1328), puis à un espace, à un lieu indéfini (1550), acceptions encore vivantes, *un vague*, n. m., désignant aussi un grand espace, un terrain indéterminé, emploi disparu. Cet emploi a été influencé par un adjectif homonyme (→ ④ vague). ◇ À partir du XVIIe s., l'adjectif qualifie ce qui ne peut être localisé précisément, en parlant d'une douleur, d'un malaise, etc. (1611). ◇ L'idée de «vaporeux, non défini» est réalisée en peinture par le substantif *(le vague)* au sens de «caractère léger, agréable» (1699), qui donne à son tour un adjectif (1745). ➜ C'est le latin médiéval *vagus*, qualifiant le nerf pneumogastrique, à cause de ses ramifications dispersées, qui est repris dans *nerf vague* (1690) [cf. ci-dessous *vago-*]. ➜ Au sens général, «imprécis», en parlant des idées, des sentiments, etc., le nom est attesté en 1763 ; *le vague* s'emploie ensuite spécialement pour «malaise indéfinissable de l'âme» (1802), sens qui s'est conservé dans la locution courante ***vague à l'âme*** (1830) ; du sens général viennent les locutions où *le vague* signifie «l'imprécision, l'infini» : ***se perdre dans le vague*** (1835), ***rester dans le vague*** (XIXe s.). ◇ L'adjectif, toujours avec l'idée d'«imprécision», s'applique aussi à une personne ou à une chose dont l'identité précise importe peu (1890), puis à un vêtement peu ajusté (1895).

▸ L'adverbe **VAGUEMENT** (1455) a des emplois parallèles à ceux de l'adjectif. Il est usuel pour «de manière imprécise, approximativement». ➜ De *vague* a été tiré le premier élément **VAGO-** qui entre dans la composition de termes didactiques (physiologie, médecine), comme **VAGOTONIE** n. f. (1923) de *-tonie*, «prépondérance de l'activité du système parasympathique (du nerf *vague*)», **VAGOTONIQUE** adj. (1916) de *-tonique*, «chez qui l'activité parasympathique est dominante», **VAGOLYTIQUE** adj. (mil. XXe s.), de *-lytique*, «qui inhibe l'activité du système parasympathique».

④ **VAGUE** adj. est issu (v. 1260) du latin classique *vacuus* «vide, inoccupé» et «libre», dérivé de *vacare* «être vide», «être libre, oisif» (→ vacant, vacuité). *Vacuus*, qui a aussi donné l'ancien provençal *uac* «oisif», est d'origine inconnue, mais on peut rapprocher l'initiale de *vacuus* de celle de *vanus* (→ vain) et *vastus* (→ vaste) ; le sanskrit *una-* «incomplet», des mots germaniques (gotique, vieil islandais), le grec *eunis* «privé de» sont aussi évoqués.

♦ L'adjectif a d'abord qualifié une charge ecclésiastique dépourvue de titulaire (v. 1260 ; aussi *vage*, 1278). En ancien français, *aler vage* signifie «devenir vacant», en parlant d'un bénéfice (1323). ◇ Il se dit ensuite (1307 ; 1342, *vaque*) pour «inhabité, dépeuplé» en parlant d'une maison, d'une région, sens disparu. ◇ Les emplois anciens de *terre vague* (dep. 1266) correspondent au sens de «vide» (v. 1260) ; comme le substantif *le vague* (déb. XVIIe s., M. Régnier) pour «espace vide», ils sont sortis d'usage lorsque l'adjectif s'est employé spécialement en parlant d'une terre sans constructions et sans cultures dans une ville (1589). On a parlé de *terres vaines et vagues*, mais seul ***terrain vague*** (1811) est resté usuel. L'homonyme ③ *vague*, qualifiant depuis le milieu du XVIe s. une terre mal définie, indéterminée (→ ③ vague), a interféré avec cet emploi.

⑤ **VAGUE** n. f., mot argotique (1889) signifiant «poche», est d'origine obscure. Il représente peut-être une abréviation de *vaguenaude* «poche», altération de *baguenaude**; il pourrait aussi être un emploi métaphorique de *vague* «vide» (→ ④ vague). *Faire les vagues,* «faire les poches (pour voler)» s'est employé au début du XXe siècle.

▸ Le dérivé ③ **VAGUER** v. tr., «faire les poches de (qqn)», est attesté à la fin du XIXe siècle.

VAGUEMESTRE n. m. est une adaptation (1678; 1667, selon Bloch et Wartburg) de l'allemand *Wagenmeister* «maître d'équipage», composé de *Wagen* «véhicule, équipage» (→ wagon) et de *Meister* «maître*».

♦ Le mot a désigné jusqu'au XIXe s. (encore dans le dictionnaire de l'Académie, 1878) un officier subalterne chargé de veiller sur les équipages. ◇ Probablement par réemprunt (1825), il se dit du sous-officier chargé du service de la poste dans un régiment.

① **VAGUER** v. intr., réfection (v. 1380) de formes anciennes, comme *vajer* (fin XIIe s.), *vaier* (1213), issues du latin par évolution phonétique, puis *vaquer* (v. 1240), est un emprunt au latin impérial *vagari* «errer», dérivé du latin classique *vagus* «errant» (→ ③ vague) ou, selon P. Guiraud, l'aboutissement d'un gallo-roman °*vagicare,* dérivé de *vagari,* l'existence des formes anciennes et dialectales excluant selon cet auteur l'hypothèse de l'emprunt.

♦ Le verbe, aujourd'hui d'usage limité et littéraire, est d'abord relevé au sens latin d'«errer à l'aventure»; il s'est employé pour «faire des incursions hors de ses frontières» (1213, *vaier*), de même que le verbe *esvaier,* issu (1356) du composé latin *exvagari.* ➛ L'idée d'«aventure» explique que *vaguer* ait eu les sens de «se déplacer au hasard», en parlant d'une partie du corps (1490) et de «pousser au hasard» (1600, d'une plante), puis qu'il soit employé pour «ne pas se fixer», en parlant des pensées (1573), de l'imagination (XVIIe s.), etc. ◇ Après cette époque, il sort d'usage, et ses emplois à partir du XVIIIe s. relèvent de l'archaïsme littéraire.

◈ voir **DIVAGUER; ENDÊVER, EXTRAVAGANT, RÊVER, VAGABOND; ③ VAGUE.**

② **VAGUER** → ① **VAGUE**

③ **VAGUER** → ⑤ **VAGUE**

VAHINÉ n. f., apparaît au XVIIIe s. sous les formes *ainé* (1771, Bougainville), *wa'heine* (1778, trad. de Cook), *veheine, veheina* (1778), ensuite sous la forme *vehine* (1875) puis *vahiné* (1893, Gauguin, *Noa Noa*), signifiant «femme» dans les langues du groupe polynésien.

♦ Le mot désigne une jeune fille ou femme de Tahiti et, en français de Polynésie, se dit pour «épouse» ou «maîtresse».

VAILLANT, ANTE adj. représente (v. 1050) l'ancien participe présent du verbe *valoir**, formé sur la racine *vaill-* conservée par le subjonctif.

♦ L'adjectif a d'abord signifié «précieux», c'est-à-dire «qui vaut (beaucoup)», en parlant d'une chose, et s'est dit d'une personne d'un haut mérite, sens encore attesté au XVIIIe s. dans une traduction de la Bible. Il s'est ensuite employé pour «valant, ayant la valeur de», en parlant d'un denier, etc. (1080), d'où la locution ***n'avoir pas un sou vaillant*** «ne rien posséder» (1690), la variante *n'avoir pas vaillant la maille* (1690) ayant disparu. ➛ *Vaillant* s'applique très tôt (1080) à une personne qui a du courage, aussi comme nom masculin (1080). L'adjectif est aujourd'hui littéraire, et le plus souvent remplacé par *courageux, brave;* la devise de Jacques Cœur *(à cœur* vaillant rien d'impossible),* encore citée, a fourni l'appellation d'une organisation enfantine catholique voisine du scoutisme. Le nom est sorti d'usage. ➛ Par extension de l'idée de prix, **VAILLANT** n. m. a désigné le bien de qqn (v. 1300) et, par analogie, les ressources morales ou intellectuelles d'une personne (fin XVIe s., Montaigne), acceptions sorties d'usage. ◇ Enfin, l'adjectif, depuis le milieu du XVIIIe s. (1766; une première fois en 1600), qualifie une personne qui a de l'ardeur au travail (sens vivant régionalement) et aussi une personne malade ou âgée qui est cependant capable d'agir.

▸ Le dérivé **VAILLANCE** n. f. a développé comme l'adjectif un double sémantisme. Il a désigné le prix de qqch. (v. 1160) et parallèlement le courage, la valeur guerrière (v. 1155). ◇ Du premier sens viennent des emplois disparus pour «équivalence» (v. 1174) et «redevance» (1285, *vailhance*). ◇ Du second procède *une, des vaillances* «action(s) de valeur, exploit(s)» (XIVe s.), usité jusqu'au début du XVIIe siècle. ◇ *Vaillance* prend au XIXe s. (1858, G. Sand) le sens de «persévérance courageuse». ➛ **VAILLAMMENT** adv. (v. 1300), d'abord *vaillantment* (v. 1120) «courageusement», s'est employé sous la forme refaite d'après *valant, valentement* (1540) pour «vigoureusement». ➛ **VAILLANTISE** n. f., d'abord *vaillentise* «bravoure» (1213) et «acte de bravoure» (XIIIe s.-XIVe s.), est relevé jusqu'à la fin du XVIIe s., où il était considéré comme un mot du vocabulaire burlesque, ce qui veut dire qu'il était employé comme archaïsme dans des œuvres parodiques du passé.

VAIN, VAINE adj., attesté au XIIe s. sous les formes *vein* (v. 1120) et *vain* (1119, *estre en vain*), est issu du latin classique *vanus,* «vide, dégarni», puis «creux, sans substance» appliqué aux choses, puis aux personnes et par extension «mensonger», «trompeur», «vaniteux». *Vanus,* analysable en °*wasnos,* appartient à une famille de mots indoeuropéens à *w-* initial, exprimant l'idée de vide, de privation, qu'on retrouve dans le sanskrit *una* «qui manque de», le grec *eunis* «privé de», l'ancien haut allemand *wuosti* «vide», l'irlandais *fas* «vide», etc. et le latin *vacare* (→ vaquer), *vastus* (→ vaste) et peut-être *vacuus* (→ ④ vague).

♦ L'ensemble des valeurs du latin est repris dès l'ancien français. *Vain* s'applique à ce qui est sans fondement, illusoire (v. 1120, *vein;* v. 1172, *vain*), d'où la locution disparue *estre vain à qqn* «être sans valeur pour qqn». En ce sens, le mot a été employé comme nom à l'époque classique, par exemple dans *sans faire le vain* «sans vanité» (déb. XVIIe s.); *faire le vain* «se vanter de qqch.» (1690), qui était encore en usage à la fin du XIXe s., ou encore par *être vain de qqch.* «s'en vanter» (v. 1700). ◇ L'adjectif s'est aussi employé (v. 1130) pour «faible, épuisé» en parlant d'une personne, et a conservé ce sens jusqu'au XVIIe siècle. De l'idée de faiblesse, vient par métonymie le sens d'«étouffant», en parlant du temps, du climat (1419), en usage jusqu'à la fin du XVIIIe s., et celui de «sans force» (1520, *voix vaine*); ces acceptions ont disparu après l'époque classique. ◇ Il se dit aussi d'une personne légère, inconstante (1165-1170; 1318 comme nom, sorti d'usage) et aussi fière de soi sans raison de l'être (1180), d'où par métonymie *vaine gloire* «orgueil, vanité» (1170, *veine gloire*); ces emplois sont encore vivants dans un usage soutenu. ◇ Au XIIIe s., *vain* reprend le sens latin de «vide, dégarni», d'où l'emploi pour «dévasté, ruiné» (fin XIVe s.); restent de ce sens *vaine pâture* (1611), d'abord *veinne pasture* (1264) «terre sans semences ni fruits», puis ***vaine pâture*** «terre où les habitants d'une commune peuvent faire paître leurs bestiaux» (1762, mais le verbe disparu *vain pasturer* est attesté dès 1594). Dans ce sens, l'adjectif est voisin de ③ *vague (terres vaines et vagues).* ➜ L'emploi courant, où l'adjectif s'applique à ce qui est dépourvu d'efficacité, inutile, apparaît au XIVe s. L'adjectif s'applique, depuis le XVIe s., à ce qui est sans valeur, futile (1538, d'un amusement).

La locution adverbiale ***en vain*** (1119) reprend le latin *in vanum* «pour rien, inutilement»; le plupart de ses emplois, très nombreux en ancien français, ont disparu. *En vain* apparaît dans *estre en vain* «ne pas correspondre à la réalité» (1119), et avec le sens encore courant aujourd'hui de «inutilement» (v. 1120). La locution s'est aussi employée pour «faussement» (1165-1170), «dans le vide» (1165-1170, *frapper en vain*), «seul, abandonné» (1200, *estre en vain*) et «sans être rétribué» (1226). Avec le sens de «sans nécessité», *en vain* entre dans *jurer le nom de Dieu en vain* (XVIe s.; 1375, *jurer le non* [nom] *de Dieu en vain*) «employer dans un serment le nom de Dieu sans nécessité». En français classique et moderne, *en vain* a perdu ses acceptions spéciales et ne garde que l'acception d'«inutilement».

VAINEMENT adv., sous les formes *veinement* (v. 1120), et *vainement* (fin XIIe s.), signifie depuis l'ancien français «inutilement». En outre, il s'est employé (fin XIIe s.) jusqu'au milieu du XVIIIe s. au sens de «avec vanité», emploi devenu archaïque ensuite.

VANITÉ n. f., substantif correspondant à *vain*, a été emprunté (v. 1120) au latin classique *vanitas, -atis* «vaine apparence», «frivolité, légèreté» et «fanfaronnade», dérivé de *vanus.* ➜ Le nom équivaut d'abord à «désir de se faire louer, amour-propre frivole», sens aujourd'hui courant, d'où viennent son emploi pour le caractère d'une personne (1580) et la locution ***tirer vanité de*** «se vanter, être fier de» (1788). ◇ Il s'est aussi employé au sens de «faiblesse du corps, défaillance» (v. 1170), encore au XVIIe s. en parlant des chevaux (1637, *vanité de corps*). Cet emploi correspond à une acception disparue elle aussi de l'adjectif *vain.* ◇ *Vanité* a désigné le caractère de ce qui est illusoire (XIIIe s., *vanité des vanités,* trad. de la Bible latine), d'où *vanités du monde* (XIVe s.), emploi littéraire. ◇ *Une vanité* désigne spécialement (XVIIe s.) une image évoquant la vanité des occupations humaines et la précarité de l'existence; ce type de représentation picturale était en vogue aux XVIe et XVIIe siècles. ◇ La forme *vaineté* était dérivée de *vain;* elle est encore attestée au XVIe s. au sens de «faiblesse» (1555, *entrer en vaineté extrême,* en agonie) et au XVIIe s. (1636).

Du premier sens, toujours usuel, de *vanité* vient **VANITEUX, EUSE** adj. (1735) «plein de vanité», d'où *un vaniteux* (1798). ◇ Le dérivé **VANITEUSEMENT** adv. (1773) semble inusité avant le XIXe siècle (1831, Balzac).

VANITY-CASE n. m. est un emprunt (1965) à l'anglo-américain (1922), composé de *vanity* «chose futile», emprunté au XIIIe s. au français *vanité; vanity* est employé également pour désigner une table de toilette, un nécessaire de dame. ◇ Cet anglicisme désigne une mallette ou un sac rigide utilisé pour les objets de toilette féminins.

VAINCRE v. tr. est l'aboutissement (v. 1130) d'une série de formes issues du latin classique *vincere* «l'emporter dans un combat, une lutte», aussi employé au figuré, la première étant *veintre* (v. 880, sainte Eulalie). Obtenue par retour au son *k* du latin, conservé aussi dans la variante en *-ir : vainkir* (v. 1190), *vainquir* (v. 1370), la forme *vaincre* s'est imposée et a éliminé les autres au cours du XVe siècle. ◇ Le latin *vincere* se rattache, comme l'ancien haut allemand *ubar-wehan,* le gotique *weihan,* le vieil anglais *wigan,* à une racine dont le sens général est «combattre».

♦ Le verbe est d'abord relevé (IXe s.) au sens figuré de «persuader (qqn)», acception encore en usage au XVIIe s. (1661, Corneille, *se laisser vaincre*) et remplacé plus tard par *convaincre**. ◇ Il signifie aussi (v. 980) «avoir l'avantage (sur qqn) dans un combat», «l'emporter par les armes» (1080). ◇ C'est l'idée de «surmonter par une lutte» qui domine dans les emplois figurés postérieurs. *Vaincre* équivaut aussi (1125) à «être plus fort que (une force naturelle, une réalité puissante)» (v. 1176), «faire reculer» et à «l'emporter sur (un adversaire) dans une compétition pacifique» avec une idée d'émulation (v. 1150). Le verbe s'emploie en particulier quand on parle de surmonter une passion (v. 1276), de faire disparaître un obstacle (v. 1357). Au sens psychologique de «surmonter ses passions», on emploie aussi *se vaincre* (1601).

▸ **VAINCU, UE** adj., tiré du participe passé, s'applique (v. 1145) à la personne qui a subi une défaite d'où *vaincu* n. m. (XIIe s.), qui entre dans l'expression *malheur aux vaincus* (1690), traduisant le latin *vae victis.* L'adjectif qualifie aussi la chose dont on est venu à bout (XVIIIe s., *difficulté vaincue*). ◇ L'adjectif s'est employé pour «convaincu*» (1669, Racine); il a pour contraire **INVAINCU, UE** adj. (1495), usuel en français classique, devenu ensuite littéraire. ➜ **VAINQUEUR** n. et adj. m. désigne la personne qui a vaincu dans un combat (v. 1120, aussi adj.); le féminin *vainqueresse,* attesté au XIIIe s., est rapidement sorti d'usage. ◇ Le nom s'est utilisé spécialement au sens de «personne qui a réussi à inspirer de l'amour à une autre» (1550), encore attesté au XIXe s., et employé aussi comme adjectif (1669). Il se dit pour «gagnant» (1555), d'où *un air vainqueur* (1713), devenu ironique.

◈ voir CONVAINCRE, ÉVINCER, ÉVICTION, INVINCIBLE, VICTOIRE.

VAIR adj. et n. m. est issu (1080) du latin classique *varius* «moucheté, tacheté, bigarré», surtout en parlant de la peau ; l'adjectif qualifie dans la langue rustique une terre arrosée en surface et, au sens moral, s'emploie pour «varié, divers» et «inconstant, irrésolu». *Varius,* dont l'origine n'est pas éclaircie, a été mis en rapport avec *varus* «bouton», qui expliquerait le premier sens (→ varier).

♦ *Vair,* d'abord adjectif, qualifie une couleur indécise des yeux, neutralisant l'opposition «bleu» - «marron» et correspondant à «gris vert» ou «gris bleu», sens conservé en moyen français. La même idée de varié, non fixé, se retrouve dans les emplois de l'ancien français pour «bigarré» (en parlant d'une étoffe, d'une fourrure) (1150), et «changeant, luisant», à propos des reflets de l'acier (v. 1165). Par ailleurs, l'adjectif s'est appliqué en ancien français à une personne, avec le sens de «variable, inconstant» (v. 1170). ◇ **VAIR** n. m. a désigné dès le XIIe s. la fourrure d'une espèce d'écureuil, le petit-gris, aux couleurs variées (v. 1165 ; v. 1138, *veir*), d'où l'acception «fourré avec la peau du petit-gris» (v. 1155), en parlant d'un vêtement, sens vivant jusqu'au XVIIe siècle, tombé en désuétude à l'époque de Perrault qui écrit *pantoufle de verre* dans le conte de *Cendrillon* (1697). ◇ Par analogie, *vair* désigne en blason (v. 1180) une fourrure composée de petites pièces en forme de clochetons d'azur et d'argent alternés.

▶ **VAIRÉ, ÉE** adj., d'abord «bigarré» (v. 1130), est un terme de blason (v. 1229), «garni de vair». ➜ Le dérivé ① **VAIRON** n. m., réfection (v. 1280) ; graphie rare av. 1764) de *veiron* (v. 1165), *veron* (v. 1280), désigne un petit poisson d'eau douce, aux couleurs variées. ◇ En dérive **VAIRONNER** v. tr., terme technique de pêche (mil. XXe s.), d'où **VAIRONNÉ, ÉE** adj. *(leurre vaironné).* ➜ ② **VAIRON** adj. m. apparaît (v. 1100) comme nom masculin pour désigner un cheval *vair* «bigarré», c'est-à-dire «tacheté». Comme adjectif (1200), il qualifie un tel cheval et sa robe, puis (1690) un pelage animal de couleurs variées. ◇ Il s'emploie aussi en parlant d'yeux dont l'iris est cerclé de blanc (1555, *veron*) ou de couleurs différentes (1611).

◈ voir VARICELLE, VARIER, VARIOLE, VÉROLE.

VAISSEAU n. m. est issu (v. 1120, *veissel*) du bas latin *vascellum,* «petit vase», «vaisselle», «urne funéraire», diminutif du latin classique *vasculum* «petit vase», «petite ruche» et en botanique «capsule», lui-même diminutif de *vas* «récipient (à liquides)» (→ ① vase). À côté de *veissel,* on relève en ancien français les variantes *vaissel* (v. 1155, Wace), *vassel* (v. 1200, jusqu'au XVe s.), *vessiau* (1360) ; la forme moderne est attestée au XVe siècle.

♦ Les diverses acceptions sont liées à l'idée de «récipient». En ancien français, le mot s'emploie en parlant d'un récipient quelconque, y compris une cuve, une tonne ou une futaille. *Vaisseau* désigne d'abord, comme *vas (vase*),* un cercueil (v. 1120), encore au XVIIIe s. dans quelques dialectes. Parallèlement, le mot est le terme générique signifiant «récipient pour les liquides» (v. 1150) ; en ce sens *vaisseau* a vieilli au XVIIe s., remplacé par *vase,* lui-même éliminé peu à peu par *récipient.* ➜ Dans ce sens concret de «récipient», le mot a désigné spécialement une cuve (v. 1270), ceci jusqu'en moyen français (d'où le dérivé *vaisselet* «petit tonneau», XIIIe s.). Il s'applique ensuite (1501) à une mesure pour les grains, puis, s'agissant de liquides, est utilisé en alchimie et en chimie (1549), et ceci jusqu'au XVIIIe siècle. ◇ Par une métaphore ancienne, issue du latin *vas electionis,* on rencontre dès le XIIe s. *vaissel d'election* (v. 1190), puis *vaisseau d'élection* à propos d'une créature humaine choisie par Dieu en raison de sa pureté. On rencontre aussi les *vaisseaux d'ire* «les réprouvés» (1553) et *vaisseau d'iniquité* «méchant» (1644). Ces expressions à tonalité biblique étaient assez vivantes au début du XVIIIe s. pour susciter un emploi comme *c'est un pauvre vaisseau* «un malheureux, un bon à rien» (1704). Tous ces emplois sont sortis d'usage, le premier étant remplacé par *vase d'élection.* ◇ Par une métaphore différente mais qui correspond à l'idée du vaisseau (ou vase) d'élection, on a aussi employé en religion *vaisseau virginal* pour «le corps de la vierge Marie». ◇ Par application concrète de cette notion religieuse, ou par métaphore du sens laïque, *vaisseau* s'est aussi dit pour «reliquaire» (XVe s.).
Par une analogie de forme et sans doute de construction avec les valeurs de «récipient en bois, tonneau» (ci-dessus), *vaissel* désigne (v. 1195) la coque d'un grand navire, concurrençant et remplaçant peu à peu *nef*.* Le mot désigne un navire de mer de grande taille (exprimée par une métaphore analogue : de fort *tonnage*), surtout un navire de guerre. Concurrencée en français moderne par *bateau* et *navire,* cette acception a subsisté plus longtemps dans des expressions comme *vaisseau de haut-bord* (1671), opposé à *vaisseau de bas-bord* (1690), d'un navire propulsé non seulement par voiles, mais par rames, ou encore *vaisseau amiral* (1680), remplacé plus tard par *navire amiral.* ➜ Par analogie de forme, et comme *nef*,* le nom désigne (v. 1680) l'espace allongé que forme l'intérieur d'un grand bâtiment. ◇ Par métaphore, le vaisseau étant livré aux vents, le mot entre dans la locution *le vaisseau de l'État* (1789), cf. *nef.* ◇ ***Brûler ses vaisseaux*** (1816) signifie figurément «prendre une décision en s'interdisant de revenir en arrière», par référence à la tactique de certains capitaines, comme Cortès, consistant à brûler leurs embarcations sur les rives ennemies, rendant impossible à leurs troupes toute velléité de retraite. ➜ Le mot est repris (1960) dans ***vaisseau spatial*** (ou *cosmique*) pour désigner un véhicule destiné à l'exploration spatiale ; il existait pour «aéronef» au XVIIIe s. (1755 ; 1720, *vaisseau volant*). ➜ Une toute autre analogie, fondée sur la contenance de liquides, conduit en médecine (1314, Mondeville) à l'emploi de *vaisseau* au sens de «canal, réceptacle où se trouvent les liquides organiques», l'idée de circulation n'appa-

raissant qu'au XVIIe siècle. C'est alors que *vaisseau* tend à remplacer *veine,* mot qui recouvrait les concepts actuels de veine et d'artère et l'ancien substantif *vascule* (→ vasculaire). Cette nouvelle valeur du mot est attestée en 1637 (Descartes), d'où *vaisseau sanguin* (1753). ◇ L'emploi analogique en botanique date de 1694. ◇ En anatomie animale, puis végétale, le nom, qualifié, sert de base à de nombreux termes (*vaisseaux afférents, efférents; chylifères...; vaisseaux ligneux,* etc.).

▸ Le composé VAISSEAU-ÉCOLE n. m. (XIXe s.) a désigné un vaisseau sur lequel vivaient les élèves de l'École navale (fondée en 1814), puis sur lequel ils faisaient une croisière en fin d'études; on dit aujourd'hui *navire-école.*

◈ voir VAISSELLE.

VAISSELLE n. f. est la réfection (XIVe s.) des diverses formes *vessele* (1138), *vaissele* (v. 1155), *veiselle* (1165), *voiselle* (1342), issues du bas latin *vascella,* pluriel de *vascellum,* diminutif de *vas* «vase» (→ ① vase).

♦ *Vaisselle* désigne l'ensemble des plats, des couverts, qui servent à l'usage de la table, et surtout en ancien français les riches ustensiles de ménage, l'argenterie. Par métonymie (XVIe s.), *une vaisselle* a désigné une pièce de vaisselle. ◇ Le mot s'emploie en particulier dans *vaisselle plate* «faite avec une seule lame de métal» (1634), opposé à *vaisselle montée* (1634), puis «vaisselle de métal précieux» (XVIIIe s.) et dans des locutions disparues comme *prendre garde à sa vaisselle* «avoir soin de ses affaires» (1640), *remuer la vaisselle de qqn* «saisir ses meubles» (1690). ◇ La vaisselle ayant longtemps été en métal précieux, le mot s'est dit pour «argent» (1773, en «langue poissarde»), d'où une locution familière, d'abord en argot militaire sous l'Empire, ***vaisselle de poche*** «argent en pièces». ◇ La vaisselle métallique devenant l'exception, le mot désigne à partir du début du XIXe s. les assiettes, les plats en porcelaine, et les couverts (en métal). ➝ Il s'applique notamment à tout le matériel de table qui doit être lavé, d'où *laver la vaisselle* et, par métonymie, l'acception «ensemble des ustensiles de cuisine et de table salis et à laver» *(avoir une grosse vaisselle à faire).* Le syntagme courant *faire la vaisselle* entraîne la valeur d'«opération de nettoyage des ustensiles de cuisine et de table» — d'où encore le composé LAVE-VAISSELLE n. m., équivalent de *machine à laver la vaisselle.* ➝ Par analogie, il s'emploie en parlant de ce qui sert à un autre usage que la table. Ainsi, *vesselle* s'est employé pour «tonneau» (fin XVe s.), puis (1766) a désigné les ustensiles servant à la vendange, ensuite appelés *vaisselle vinaire* (1875).

▸ Le dérivé VAISSELIER n. m., attesté en ancien français (1295) au sens de «fabricant de vaisselle», désigne ensuite un meuble pour placer la vaisselle (1568).

◈ voir VASE; VAISSEAU.

VAL, VAUX ou **VALS** n. m. est issu (1080) du latin classique *vallis* ou *valles* «espace allongé entre deux zones élevées», puis par figure «creux, renfoncement», mot qui se rattache probablement à la famille de *volvere* (→ volte).

♦ Le mot, conservant le sens propre du latin, s'est employé au féminin dans des noms de lieux. Au XVIIe s. déjà, il appartenait au vocabulaire poétique (Richelet, 1680). Il s'emploie encore dans des expressions toponymiques *(le Val de Loire)* et dans quelques locutions. ◇ D'autres locutions ont disparu : *à val* «en suivant la pente de la vallée» (v. 1150; → ① aval) et, par vocalisation du *l, à vau de* (1564), aussi au figuré dans *mettre à vau de route* «dans la confusion» (1586). Seule a subsisté l'expression ***à vau-l'eau*** «en suivant le cours de l'eau» (1552, Rabelais; aussi *à val l'eau,* 1629), d'où par figure *être à vau l'eau* «ne pas réussir» (1594), qui a cédé la place à ***aller à vau-l'eau*** (1676) «se laisser aller (en se dégradant)».

▸ Le dérivé VALLÉE n. f. est la réfection graphique (v. 1315) de *valede* (1080), *valee* (1080, encore au XIVe s.), de même sens que *val.* ◇ Il s'est aussi employé en moyen français au sens de «descente» (XIVe-XVIe s.) [→ ① aval; ci-dessous *dévaler*], d'où *à la vallée* «en descendant» (chez Malherbe), sens que l'on retrouve aux XIXe et XXe s. dans le vocabulaire des mines (1835). ◇ Par métonymie, le mot désigne la région qu'arrose un cours d'eau (v. 1530; cf. *bassin*). Il s'emploie par métaphore dans le vocabulaire religieux, dans ***vallée de larmes*** «vie terrestre» (v. 1120), rare avant le XVIIIe s. (1718). Le mot désigne aussi (av. 1794) les régions les moins hautes et à sol plat (fonds de vallées), par opposition aux *pentes.* ◇ Enfin, l'idée de descente se retrouve dans l'emploi argotique ancien pour «gosier», d'où «appétit» (1808).

VALLON n. m. a été emprunté à l'italien *vallone* «grande vallée», augmentatif de *valle,* qui correspond à *val,* et qui vient du latin classique *vallum,* ou bien repris à l'ancien occitan *valon* (1197), diminutif de *val,* du latin *vallis.* ➝ Le mot est introduit (1529) avec le sens de l'étymon, mais le suffixe *-on* ayant en français une valeur diminutive, il prend rapidement le sens moderne de «petite vallée» (1564); en ce sens, l'ancien français avait employé le diminutif de *val**, *valet,* n. m. (fin XIIe s.). ◇ Dans le vocabulaire poétique classique, ***le sacré Vallon*** (1658), ***le double Vallon*** (1660, Boileau) désignait le séjour des Muses, entre les deux croupes du Parnasse et, par extension, la poésie. ➝ De *vallon* dérivent VALLONNÉ, ÉE adj. (1845) qui se dit d'un paysage de collines et de vallons, VALLONNEMENT n. m. (1845) «ensemble de vallons et de collines», VALLONNER v. tr. (1872), rare sauf au pronominal (1873).

VALAT n. m. (1845), terme technique pour désigner une rigole qui draine les eaux de ruissellement, est emprunté à l'ancien provençal *valat,* n. m., «fossé» (XIIe s.), «vallée» (v. 1210), de même origine que *val,* par l'intermédiaire d'emplois dialectaux.

DÉVALER v., de *dé-* indiquant le mouvement de haut en bas, signifie «aller vers le bas, descendre rapidement» (v. 1155, intr.) avec une idée de rapidité ou de violence, aussi en emploi transitif par exemple dans *dévaler la pente.* ◇ En parlant d'un lieu, d'un chemin, il s'emploie pour «être en pente raide» (1690). ◇ Il est sorti d'usage au sens de «faire descendre (qqch.)» (fin XIIe s.), sauf dans un emploi technique et régional (Suisse) quand il s'agit de billes de bois (1592). Il s'est aussi employé pour «transporter (qqch.) en bas» (XVIIe s.). ◆ **DÉVALÉE** n. f., d'abord «vallon» (v. 1190), désigne régionalement une descente (v. 1310) ou une pente (1660). ◆ Avec ce dernier sens, **DÉVALEMENT** n. m. (XIIIe s., «action de descendre qqch.») ne subsiste que dans un usage littéraire. ◆ **DÉVALANT, ANTE** adj., du participe présent, n'est attesté qu'à partir du XIXe s. (Chateaubriand). ◆ **DÉVALOIR** n. m. est lié à la valeur technique du verbe et est d'usage régional (1869).

◈ voir ① AVAL, peut-être VAUDEVILLE.

VALABLE → VALOIR

VALDINGUER → DINGUER

VALENÇAY n. m., nom d'une commune aux confins de la Touraine et du Berry, est devenu, après *fromage de Valençay* (att. 1938), le nom d'un fromage de chèvre à croûte naturelle, parfois cendrée, en forme de pyramide tronquée.

① **VALENCE** n. f. est tiré (1839) du nom français de la ville d'Espagne *Valencia*.

♦ Le mot désigne une orange qui provient de la région de Valence.

② **VALENCE** n. f. est un emploi (1879, Wurtz) comme substantif de *-valence* tiré de termes de chimie comme *monovalence* (1868), où *-valence* traduisait l'allemand *-valenz*, du bas latin *valentia* «valeur», de *valere* (→ valoir); en anglais, *valence* et *valency* (du latin *valentia*) étaient employés en chimie depuis 1868, d'après l'allemand.

♦ Ce terme de chimie désigne le nombre de liaisons qu'un atome engage avec d'autres atomes dans une combinaison. ◇ Par analogie, avec l'idée de combinaison, *valence* se dit en psychologie (1926) de la puissance d'attraction ou de répulsion qu'exercent une activité, un objet, puis s'emploie en sémantique, en éthologie (1969, *valence d'une espèce animale, végétale*).

▸ **MONOVALENT, ENTE** adj. «dont la valence est égale à un» semble être le premier terme de la série (1868). Il s'emploie aussi en médecine *(sérum monovalent)* et dans le sens général de «à valeur, fonction, effet... unique». ◇ **MONOVALENCE** n. f. lui correspond.

▸ À partir de *valence* ont été formés en chimie les termes **COVALENCE** n. f. (1920) d'après l'anglais de même origine *covalence*, **COVALENT, ENTE** adj. (attesté en 1957), et **VALENCE-GRAMME** n. f. (1933). ◆ Par ailleurs, **-VALENT, -VALENTE**, tiré de *valence*, est un élément de composition d'adjectifs de chimie, signifiant «qui a pour valence (ce qu'indique le premier élément)»; de chaque adjectif dérive un nom féminin. Parmi les nombreux composés : **TRIVALENT, ENTE** adj. (1876), d'où **TRIVALENCE**; **TÉTRAVALENT, ENTE** adj. (1879, comme **TÉTRAVALENCE** n. f.), plus courant que **QUADRIVALENT, ENTE** adj.; puis **UNIVALENT, ENTE** adj. (1890), d'où **UNIVALENCE** n. f.; **BIVALENT, ENTE** adj. (1904), d'où **BIVALENCE** n. f.

◈ voir AMBIVALENCE.

VALENTIN, INE n. vient (déb. XVe s. au féminin) du nom de saint *Valentin*, patron des amoureux qu'on honore le 14 février, moment de l'année où, dans certaines traditions, l'on commençait à quitter les maisons, et où les jeunes gens se retrouvaient pour danser.

♦ Ce mot, sorti d'usage, est d'abord attesté au féminin chez Charles d'Orléans, au sens de «femme aimée». Repris au masculin, *valentin* a désigné (v. 1460) un marchand de ces petits cadeaux que les galants donnaient à la femme aimée. ◇ On trouve ensuite *fête valentine* «fête où sont désignés les *valentins* pour la durée de l'année» (1495); ici, *valentin* désigne un jeune homme choisi comme amoureux par une jeune fille pour la Saint-Valentin, et qui devait lui offrir des présents; avec ce sens, qui n'est relevé qu'en 1694, le mot est passé en anglais, sous la forme *valentine*. Le nom féminin s'est dit également (1842) pour «jeune fille qui choisit un valentin» et *semaine des valentins* (1876) pour celle qui comprend le 14 février. ◇ Seul le nom propre de la ***Saint-Valentin*** est resté en usage.

VALÉRIANE n. f. est emprunté (v. 1265) au latin médiéval *valeriana* (Xe s.), mot tiré de *Valeria*, nom de la province romaine de la Pannonie, où cette plante était cultivée et d'où on l'exportait. La graphie *valérienne* (v. 1490) est aussi employée jusqu'au milieu du XVIIIe siècle.

♦ Le mot désigne une plante herbacée vivace, spécialement la *valériane officinale*, et sa racine employée en pharmacopée.

▸ Du nom procèdent **VALÉRIANELLE** n. f. (1765) «mâche» et les termes didactiques **VALÉRIANATE** n. m. (1838) «sel de l'acide valérianique», **VALÉRIANIQUE** (1838) ou **VALÉRIQUE** adj. (1841), en chimie, qualifiant des composés extraits de la valériane et des acides, **VALÉRIANACÉES** n. f. pl. (1870) qui a succédé à *valérianées* (1807), en botanique. ◆ **VALINE** n. f., composé (XXe s.) de *val(érique)* et de *(am)ine*, désigne un acide aminé indispensable à la nutrition.

VALET n. m. est attesté au XIIe s. sous les formes *vallet* (v. 1138) puis *vaslet*, *valet* (v. 1155) et *varlet* (v. 1172; employé jusqu'au XVIIe s.). Le mot représente l'aboutissement d'un latin populaire °*vasselitus*, diminutif du latin *vassalus*, lui-même dérivé du gaulois latinisé *vassus* «serviteur» (→ vassal).

♦ L'évolution de *valet* s'est développée dans deux directions, impliquant les notions de «jeune homme» (jusqu'au XVIe s.) et celle de «serviteur». Le mot apparaît avec le sens de «jeune garçon», voisin de celui de «page»; il désigne spécialement (v. 1155) un jeune gentilhomme qui n'a pas encore été armé chevalier, et (v. 1160) qui est placé près d'un seigneur pour l'apprentissage de la chevalerie; il est même attesté au XIIe s. pour «prince, fils de roi», sens encore relevé en 1611. Ces emplois n'appartiennent plus qu'à l'histoire et les dérivés qui leur sont liés ont disparu. ◇ Parallèlement, passant de l'idée de service féodal à celle de domesticité, souvent péjorative, *valet* prend dès le XIIe s. l'acception (v. 1138) de «domestique, serviteur» (v. 1172, *varlet a pié* «messager»). Cette valeur ne semble s'imposer qu'au XVIe s., car, en ancien et en moyen français, l'idée de service reste attachée à celle de noblesse. Le valet était en général un officier d'une maison royale ou princière; on relève par exemple *valet entier* «qui sert le roi à table» (1324), *vallet de chambre* (1306) [voir ci-dessous *valet de chambre*], *varlet de chiens* (1373) et, encore à l'époque classique, *valet de justice* (1611). ◇ Dans le domaine professionnel, *valet* s'est aussi utilisé en ancien et en moyen français (1260, *vallet*) pour «apprenti, aide du patron». ◇ ***Valet de pied,*** qui reprend l'ancien *varlet a pié,* se dit (mil. XVe s.) d'un homme en livrée, passant au XVIIe s. (1609) à la valeur de «domestique masculin en livrée», encore au XIXe s., exceptionnellement au XXe siècle. ◇ La première valeur se maintient dans des emplois spécialisés, le mot désignant un jeune homme non marié (mil. XVIe s.), sens disparu, puis une carte à jouer sur laquelle est représentée un jeune écuyer (1611). En revanche, dès le XVIe s. le mot s'emploie péjorativement, par exemple dans la locution *faire le bon valet* «être flatteur» (mil. XVe s.), sortie d'usage. Alors se multiplient les syntagmes où *valet* désigne un homme employé pour servir ou pour effectuer certains travaux : ***valet de chambre*** perd sa valeur initiale «homme au service de la chambre d'un seigneur» et signifie (1559) «homme chargé du service personnel du maître», puis, jusqu'à nos jours, «domestique masculin»; *valet de cuisine* (1549) a disparu, comme *valet d'aoust* (1573 en picard) «ouvrier agricole engagé pour la moisson», *valet à tout faire* (1636), *valet de bourreau* «aide-bourreau» (1690); ***valet d'écurie*** (1606) s'est employé jusqu'au XIXe s. pour «palefrenier», et *valet de charrue* (1694) a été remplacé par ***valet de ferme*** (1835). ◇ Au début du XVIIe s., Malherbe emploie par métaphore *valet* pour «esclave», et le mot signifie ensuite «homme d'une complaisance servile» (1665, Retz), notamment dans ***avoir une âme de valet*** (1694). ◇ On retrouve l'idée de service, mais sans péjoration, dans l'ancienne locution *je suis votre valet* (1658), et par ellipse *votre valet,* autrefois employée comme formule de politesse, comme *je suis votre serviteur,* et par ironie (1661) comme formule de dénégation ou de refus.

L'idée de service et la péjoration qui lui est attachée à partir des XVIe-XVIIe s. se retrouvent dans les emplois où le mot désigne un ustensile qui rend un service, facilite un travail, maintient ou fait fonctionner qqch. Dès le XVe s., *varlet* désigne en ancien occitan un morceau de fer coudé servant à maintenir une pièce de menuiserie à travailler sur l'établi. Cet emploi a pu être emprunté, par le français, ou résulter d'une métaphore interne (1622, *valet*), du même type que les emplois suivants. ◇ *Varlet d'huis* (1539), puis *valet* (1611), s'applique au contrepoids qui referme automatiquement une porte, puis (1701) à un système de blocage maintenant un verrou fermé. Le mot a aussi désigné (1590) le pied d'un miroir. En termes de pêche (1770), il s'applique au dispositif maintenant un filet ouvert. Dans le domaine de l'habillement, par une métaphore transparente, on a dit *valet tire-botte* (1690) pour un dispositif servant à enlever les bottes. La même métaphore fait au XXe s. de *valet* ou *valet de pied* le nom d'un cintre monté sur pied.

▶ Les dérivés sont sortis d'usage, sauf *valetaille.*
◆ **VALETAGE** n. m. a désigné en moyen français (1401) le droit qu'un apprenti payait à ses compagnons de métier; dans la langue classique, il se dit du service de valet (1680), mais il est alors noté comme appartenant au style burlesque. Au figuré, il désignait un acte de servilité (déb. XVIIIe s.). ◆ **VALETER** v. a signifié «traiter comme un valet» (XVIe s., Cl. Marot) et «servir (qqn) comme un valet» (mil. XVIe s., *varleter;* v. 1570, forme moderne). ◇ À côté de ces emplois transitifs, un sens intransitif, «être servilement actif» (1564), était encore relevé à la fin du XIXe siècle. ◆ **VALETAILLE** n. f. s'est employé péjorativement (av. 1573) pour «ensemble des valets d'une maison»; il a désigné au figuré (1596, *une valetaille*) un homme méprisable. ◇ Aujourd'hui, il désigne péjorativement (1806, P.-L. Courier) un ensemble de personnes serviles.

VALÉTUDINAIRE adj. et n., réfection (1380) de *valitudinaire* (1346), est emprunté au latin classique *valetudinarius* «(personne) qui est souvent malade», dérivé de *valetudo, -inis.* Ce substantif correspond à «bonne santé», puis à «état de santé (bon ou mauvais)», le sens étant précisé par un adjectif; le mot avait pris, par litote, la valeur de «mauvais état de santé». Il dérive de *valere* «être bien portant» (→ valoir).

♦ Le mot français, aujourd'hui littéraire, conserve le sens négatif de l'étymon, d'abord comme adjectif (1346), puis comme nom (1636), d'où l'emploi pour «propre aux personnes maladives» en parlant du tempérament (XVIIIe s.).

▶ Les dérivés **VALÉTUDINITÉ** n. f. (1803) et **VALÉTUDINARISME** n. m. (1876), employés au XIXe s., sont sortis d'usage.

VALEUR n. f. est issu (1080, aussi *valur*) de *valorem,* accusatif du latin classique *valor, valoris* «valeur», qui a donné l'italien *valore,* l'espagnol *valor* et est dérivé de *valere* (→ valoir).

♦ Un double sémantisme est attesté dès les premiers emplois de *valeur* ou *valur,* dans la *Chanson de Roland;* le mot signifie «ce qu'une personne est estimée pour son mérite, ses qualités» et s'emploie à propos de la qualité, de l'intérêt d'une chose, d'où *avoir valeur* «être propre à un certain usage» (1080, *aveir valur*). ◇ Par extension de cette première acception, le mot s'est dit pour «importance» (v. 1155, Wace), à propos d'une personne et ensuite (1172-1174) pour «bravoure, vaillance», sens vieilli depuis le XVIIe s., sauf dans l'usage littéraire. Par métonymie, *une valeur* a désigné (v. 1180) un acte de bravoure. ◇ Le mot s'emploie en particulier dans ***de valeur*** *(une femme de valeur),* dans ***mettre qqn en valeur*** (1485, *en vailleur*), «mettre dans une haute position», disparue en ce sens mais qui sera repris avec un autre sens et, à partir du XVIe s., dans *une valeur* «une personne qui a de la valeur» (v. 1578, d'Aubigné). ◇ À partir du XIIIe s., *valeur* s'emploie spécialement (v. 1260) en parlant du caractère mesurable d'une chose, d'un bien en tant qu'il est susceptible d'être échangé (*valeur d'un bijou; valeur marchande...*); *la valeur de* correspond à «l'équivalent de» (1549, Estienne), en parlant d'une mesure, et ***à la valeur de*** se dit pour «en proportion de la valeur de» (1636). ◇ Depuis la fin du XVIIe s., l'idée d'échange s'applique au langage et *valeur* se dit (1690) de la signification des termes suivant l'usage, aujourd'hui et depuis Saussure, suivant leur appartenance à une structure, par exemple le contexte ou encore un ensemble lexical et sémantique.

L'idée de prix s'est développée avec un sens absolu «valeur élevée», par exemple dans *objets de valeur* (1690) et *en valeur* «en l'état d'une chose qui a de la valeur» : *être en valeur* s'est dit (1690) pour «se vendre aisément et avantageusement» et «être en état de rapporter»; ***mettre en valeur*** (une terre, une région) «mettre en exploitation, faire produire», est également relevé en 1690. ◇ Le mot, en emploi nombrable (*une, des valeurs*), devient spécialement (1705) le nom générique des titres négociables. ◇ *La valeur* désigne en économie la qualité d'une chose fondée sur son utilité objective ou subjective, d'où *valeur d'usage*, opposé à *valeur d'échange*. On parle en finances de *valeur ajoutée*, d'où ***taxe à la valeur ajoutée***, appelée ***T. V. A.*** ◇ C'est au XVIIIe s. que *mettre en valeur*, qui signifiait auparavant «mettre (qqn) dans une position élevée» (v. 1480), s'emploie par figure pour «faire valoir, en montrant (qqn, qqch.) à son avantage», d'où «mettre en évidence». ◆ De l'idée de «mesure» vient l'emploi du mot en art; en musique (1740) pour exprimer la durée relative d'une note, indiquée par sa figure, puis en peinture (1792) pour parler du degré de clarté ou d'obscurité propre à chaque couleur. ◆ *Valeur* se dit ensuite en sciences, par abstraction des acceptions anciennes (1845), de l'expression numérique ou algébrique d'une quantité. ◆ C'est également au XIXe s. que le mot, dans un contexte abstrait, désigne ce que le jugement personnel estime vrai, beau, bien, s'accordant plus ou moins avec le jugement de l'époque (apr. 1850, *valeurs morales, littéraires*, Taine), et ce jugement lui-même, d'où ***échelle des valeurs, système de valeurs.*** Ce concept est fondamental en sociologie, lié à ceux de jugement, de norme.

▸ Le dérivé **VALEUREUX, EUSE** adj. qualifie d'abord (v. 1400) un acte qui témoigne de la vaillance, puis une personne brave, courageuse (v. 1460, *valereux*), emploi aujourd'hui très littéraire. Ce sens correspond à celui de l'ancien provençal *valoros* (XIIIe-XIVe s.) «noble, digne d'estime». ◇ L'adjectif français est rare, puis disparaît appliqué à une chose qui a de la valeur (1600, d'un terrain). ◆ En dérive **VALEUREUSEMENT** adv. (v. 1460), qui ne s'emploie qu'avec le sens psychologique.

VALORISATION n. f., formé à partir du latin *valor*, désigne en économie (1907) le fait d'augmenter la valeur marchande d'une denrée et, spécialement, les mesures prises pour relever une monnaie dépréciée (1933). ◇ Repris en psychologie (1924), avec le sens moral de *valeur*, le nom se dit du fait de conférer une valeur plus grande à qqn ou qqch. ◆ Du nom a été dérivé **VALORISER** v. tr. (1925) qui a des emplois parallèles, économique et moral, et d'où vient **VALORISANT, ANTE** adj. (1946, E. Mounier), surtout usité en psychologie. ◆ À partir du verbe ont été formés par préfixation : **DÉVALORISER** v. tr. (1922) «faire perdre sa valeur à» et «juger comme ayant peu ou moins de valeur», dont procède **DÉVALORISATION** n. f. (1925; v. 1945 au figuré), **REVALORISER** v. tr. (1925), d'où **REVALORISATION** n. f. qui concernent le fait de redonner de la valeur, **SURVALORISER** v. tr. (1975) qui a fourni **SURVALORISATION** n. f. (1975), peut-être formés d'après *survaleur* (ci-dessous). Sauf *dévaloriser* et *revaloriser*, ces préfixés concernent surtout la notion de valeur économique.

D'abord employés dans le domaine économique, plusieurs mots ont été composés à partir de *valeur*. ◆ **NON-VALEUR** n. f., disparu au sens de «manque de produit dans une terre, une maison» (1512; 1451 selon Bloch et Wartburg), a désigné une créance non recouvrée (1597), puis s'est dit pour «manque de courage». ◆ **SURVALEUR** n. f. (1611) «valeur supplémentaire» est un terme d'économie. ◆ **CONTRE-VALEUR** n. f. désigne (1842) une valeur donnée en échange d'une autre. L'ancien français a employé *contrevalor* (1319) pour «compensation», mais le composé moderne semble indépendant. ◆ Le français a conservé la locution latine **AD VALOREM**, «selon la valeur», utilisée comme adjectif (1866) dans *droits ad valorem* «droits de douane perçus selon la valeur des marchandises».

◈ voir VALIDE, VALOIR.

VALIDE

VALIDE adj. est emprunté (1528) au latin classique *validus* «fort», «bien portant» et «efficace», dérivé de *valere* (→ valoir).

♦ L'adjectif conserve le sens du latin (1528) en parlant des personnes en bonne santé, d'où la substantivation en *un valide* (1693), beaucoup plus rare que celle de *malade* (ou de *invalide*). ◇ Le mot, comme adjectif, s'emploie en droit (v. 1570), s'appliquant à ce qui présente les conditions requises pour produire son effet. Il est utilisé pour *valable* (→ valoir) par Chateaubriand, une certaine confusion s'étant établie entre les deux adjectifs.

▸ En dérive l'adverbe **VALIDEMENT**, attesté isolément au XVIe s. pour «d'une manière appropriée» et employé au sens d'«en personne valide» (1569) jusqu'au XIXe siècle. Ce n'est plus aujourd'hui qu'un terme de droit (1636).

VALIDER v. tr., emprunt au dérivé bas latin *validare* «établir» et au figuré «fortifier», signifie «rendre ou déclarer valide» (1411); ce verbe correspond à l'ancien provençal *validar* (1458). ◆ En dérivent **VALIDATION** n. f. (1529), appliqué spécialement aux élections (1869), et **VALIDABLE** adj. (mil. XXe s.). ◆ Le préfixé **REVALIDER** v. tr. (1465) «rendre valide à nouveau» a fourni **REVALIDATION** n. f. (XVIe s.). ◆ **VALIDITÉ** n. f. est emprunté (1508) au dérivé bas latin *validitas* «force, vigueur» au propre et au figuré.

INVALIDE adj. et n. est emprunté au latin classique *invalidus*, de *in-* et *validus*. Le mot s'applique à une personne infirme (1515, adj.) et s'est employé en parlant de choses non valides, comme terme de droit (1542). ◇ Le nom se dit notamment (1678) d'un militaire que l'âge ou les blessures rendent incapable de servir et, plus largement, d'une personne qu'une infirmité empêche de travailler (1718). De là le nom de l'*Hôtel des Invalides*, à Paris. ◇ De l'emploi particulier en parlant d'un militaire viennent **INVALIDES** n. m. pl. «retraite après de longs services» (v. 1800), «traitement perçu par un soldat invalide» (1821) et la locution familière ***prendre ses invalides*** «prendre sa retraite» (1867, en argot), sortis d'usage. ◇ L'adjectif a été repris en informatique, qualifiant ce qui n'est pas valide.

Le dérivé **INVALIDER** v. tr. est un terme de droit (1452) puis entre dans l'usage général pour «déclarer nul» (1876, *invalider une élection*). Comme terme de médecine (déb. XXe s.), le verbe signifie «rendre invalide», le sujet désignant la cause. ➛ Le dérivé **INVALIDATION** n. f. s'emploie en droit (1636; 1867, d'une élection) et en médecine (attesté en 1910). ➛ **INVALIDITÉ** n. f. est vieilli en droit (1521), désignant couramment l'état d'une personne infirme (av. 1856, Proudhon) d'où, en matières d'assurances et d'assurances sociales, *pension d'invalidité*, etc. ➛ Un autre dérivé de *invalide*, l'adverbe **INVALIDEMENT** (1636) est didactique ou littéraire.

◈ voir VALEUR, VALOIR.

VALISE n. f. est un emprunt (1558, Du Bellay) à l'italien *valigia*, d'origine incertaine; on relève en latin médiéval *valisia* (XIIIe s.), dont procède le moyen haut allemand *velis* (allemand *Felleisen*). On a aussi songé à l'arabe *waliha* «sac de blé». Le mot, s'étant diffusé à partir de l'Italie supérieure, pourrait venir, selon Bloch et Wartburg, d'un radical gaulois °*val*- «entourer», qui correspond au gaélique *fail* «anneau». P. Guiraud pose un gallo-roman °*vallitia* formé sur le latin classique *vallare* «protéger, défendre», la valise «protégeant» son contenu.

♦ Anciennement, *valise*, probablement antérieur à son attestation (cf. ci-dessous *dévaliser*), a désigné un long sac de cuir qui se portait en croupe. La valise, ayant changé de forme, est devenue un bagage à main rectangulaire, relativement rigide — distinct du sac —, porté à la main (1876). ◇ Par figure, ***faire ses valises*** équivaut à «partir» (1935), d'où familièrement ***se faire la valise*** pour «s'en aller précipitamment» (→ malle). ◇ L'évolution récente des bagages privilégiant les contenants souples (sacs, etc.), *valise* voit ses usages relativement limités, mais on emploie au pluriel *les valises* pour «les bagages à main». ➛ Quant à ***valise diplomatique***, qui fait d'abord référence au sens premier du mot, l'expression désigne (1872) l'ensemble de la correspondance et des objets couverts par l'immunité diplomatique; le mot se dit aussi du contenant (sac, en général) transportant ces objets. ➛ Enfin, par métaphore de la «poche», *valise* désigne en argot les poches sous les yeux.

▸ À partir de *valise* ont été formés **VALOCHE** n. f. (1913, avec le suffixe argotique *-oche*), familier, ② **VALDINGUE** n. f. (v. 1940) et **VALOUSE** n. f. (1953), **VALTOUZE** n. f. (mil. XXe s.; aussi *valtouse*, *valetouse*), populaire.

Le préfixé **DÉVALISER** v. tr., complètement démotivé en français moderne, fait allusion au sac de voyage du cavalier. Comme *détrousser*, il correspond à «prendre à qqn tout ce qu'il a sur lui» (1546). Il signifie par extension (1870) «vider (un lieu) des biens qui s'y trouvent» et s'emploie au figuré, pour «voler, prendre». ◇ Son dérivé **DÉVALISEUR, EUSE** n. (1636) est sorti d'usage.

✳ **VALOIR** v. est la réfection (1080) de *valeir* (v. 1050), aboutissement du latin classique *valere* «être fort», d'où «être bien portant», «être efficace» en parlant d'un remède, «être puissant», «être en vigueur», d'une loi, «prévaloir» et «être influent»; employé avec l'infinitif, le verbe signifie encore «avoir la force ou le pouvoir de». En parlant de monnaies, il équivaut à «avoir une valeur»; en grammaire, il traduit le grec *dunasthai* «avoir un sens, signifier». Les dérivés de *valere* sont bien représentés en français (→ valeur, valétudinaire; évaluer). On peut rapprocher *valere* du vieux slave *vlado, vlasti* «dominer» et du gotique *waldan* de même sens. ◈

♦ Le verbe, dans ses premières attestations (v. 1050), signifie «correspondre à une certaine valeur», en parlant d'une chose et «être utile à, aider», puis (1080) «avoir un certain mérite» en parlant d'une personne; c'est cette idée de prix au propre et au figuré (→ valeur) qui domine dans l'ensemble des emplois postérieurs. ◇ *Valoir (qqch.) à (qqn)* [v. 1155] correspond à «lui faire obtenir qqch., avoir pour qqn tel effet»; parallèlement, le verbe signifie (v. 1155) «rapporter, donner des revenus». ◇ Il s'emploie ensuite (XIIIe s.) pour «être équivalent à (autre chose)» et «avoir le même mérite que (qqn)», là où on emploiera le réciproque *se valoir*, et dans la locution ***vaille que vaille***, d'abord «que la chose vaille peu ou beaucoup», puis «à peu près, quoi qu'il en soit» (XIIIe s.). ◇ ***Valoir mieux*** (1265), ***valoir mieux que*** (et nom) signifie «avoir plus de valeur, être plus estimable que», d'où l'emploi impersonnel de ***il vaut mieux*** (et l'infinitif) et ***ça vaut mieux.*** ◇ À la fin du XIIIe s., *valoir* reprend un sens latin qui ne se maintient qu'en moyen français: «être efficace» (d'un remède). ◇ Le verbe entre dans la locution *ne faire chose qui vaille* (2e moitié du XIVe s.), remplacée ensuite par ***ne rien faire qui vaille*** (1549); d'où le nom *un rien qui vaille* (1636) jusqu'au XIXe s. (cf. ci-dessous *vaurien*). ◇ ***Se faire valoir*** apparaît au XVe s. avec le sens sorti d'usage de «se faire apprécier à sa juste valeur»; *(se) faire valoir* acquiert ensuite des acceptions variées dont «se faire apprécier» (ci-dessous). *Valoir trop* s'est utilisé (1534) jusqu'au XVIIIe s. pour «être plaisant, agréable», en parlant d'une personne. À la même époque (1538) sont relevés *faire valoir qqch.* «tirer profit de qqch.» et *valoir qqch.* «mériter» (tel effort, tel sacrifice), acceptions qui sont restées en usage. ◇ À partir du XVIe s. également, les expressions et locutions où entrent les idées de mérite et d'équivalence se multiplient, à propos de choses ou de personnes: ***faire valoir*** (qqch., qqn) «faire paraître meilleur» (1559), d'où ***se faire valoir*** «chercher à se faire apprécier au delà de sa valeur», et (1718) «se montrer à son avantage». ◇ L'idée d'appréciation s'incarne dans des locutions contenant un substantif de référence : ***avoir appris combien vaut l'aune de qqch.*** (1558) «savoir par expérience que qqch. est coûteux» et par figure «difficile, fâcheux, etc.», vieilli comme ses nombreuses variantes (1661, *savoir ce qu'en vaut l'aune*); ***faire valoir*** (une raison, une maladie, etc.) employé pour «faire ressortir en guise d'excuse» (fin XVIe s.), *faire valoir* (un argument, etc.) «le rendre plus efficace». Pour signifier une valeur très faible ou nulle, on a dit *ne pas valoir le ramasser* «ne rien valoir» (1590) encore relevé en 1878, remplacé par ***ne pas valoir un clou, tripette,*** etc., le second élément servant de référence dérisoire. ◇ ***Valoir la peine de*** signifie «mériter qu'on prenne la peine de» (v. 1600), d'où ***en valoir la peine*** «mériter d'être vu, apprécié», ***ça vaut, ça ne vaut pas la peine,*** etc. ◇ On relève à partir du milieu du XVIIe s. : ***faire valoir*** *qqch.* (1611), *qqn* dans un nouveau sens : «en vanter le mérite, l'importance, etc.»; ***valoir beaucoup, peu,*** sorti d'usage en parlant d'une personne; ***valoir son prix*** «avoir une certaine valeur» (1666), ***valoir trop d'argent*** (1685), et aussi ***ne rien valoir*** «être néfaste ou inutile» (1690) [→ vaurien], d'où «être nul» et «être médiocre». ◇ La locution ***à valoir*** signifie (1715) «en constituant une somme dont la valeur est à déduire d'un tout», d'où *un* **À-VALOIR** n. m. inv. ◇ *Faire valoir* (une terre, un capital, etc.), «l'exploiter», est attesté en 1835.

▸ À part *vaillant**, ancien participe présent, les dérivés sur les formes en *vaill-* ont disparu.

Le dérivé **VALABLE** adj. (v. 1250) l'a emporté sur la variante *vaillable* (1345), employée jusqu'au XVIIe s., et qualifie ce qui est dans les formes requises pour être reçu, en justice ou ailleurs. L'adjectif s'applique spécialement à une chose qui a une valeur dans une circonstance donnée (2e moitié du XIVe s., *vaillable de croire* «digne d'être cru», Froissart). Il est sorti d'usage appliqué depuis la fin du XIVe s. à une personne qui a du mérite et s'emploie en parlant des choses, au sens de «qui a de la valeur, précieux» (1515). ◇ Par extension du sens juridique initial, l'adjectif qualifie ce à quoi on reconnaît un fondement, par exemple dans *excuse, raison, motif... valable* «acceptable, justifié». ◆ Au XXe s., sous l'influence de l'anglais *valuable,* ce dernier sens et ceux du moyen français sont réactivés et étendus, l'adjectif qualifiant ce qui a un effet, de la valeur, par rapport aux circonstances (hypothèse, explication), emploi accepté même par les puristes, alors que le sens extensif de «qui a un certain mérite, qui est acceptable ou bon» *(solution valable, c'est valable)* est critiqué. ◆ Le dérivé **VALABLEMENT** adv. est une réfection (XVe s.) de *vaillaulement* (v. 1190).

VALUE n. f., participe passé féminin substantivé, a eu plusieurs acceptions liées à celles du verbe : «valeur, prix» (v. 1180), «équivalent» (v. 1210), «renommée, vertu» (v. 1270). Le mot a disparu de l'usage, éliminé par *valeur,* et ne subsiste que dans des composés employés en économie. ◆ **PLUS-VALUE** n. f. se dit (1457) de l'augmentation de la valeur d'une chose, spécialement quand elle n'a subi aucune transformation matérielle (1690); le mot désigne également (1878) l'excédent de recettes par rapport aux prévisions budgétaires. Dans ces acceptions, on a utilisé aussi *plus-valeur* (1571). ◇ *Plus-value* a pris dans l'économie marxiste le sens particulier de «différence entre la valeur des biens produits et le prix des salaires payés aux travailleurs, dont bénéficient les capitalistes»; le mot est un des termes essentiels de la théorie marxiste. ◆ **MOINS-VALUE** n. f. désigne (1765) la diminution de valeur d'un objet et spécialement (1878) la différence entre le produit réel et le produit théorique d'un impôt.

VAURIEN, IENNE n., substantivation de *(qui ne) vaut rien* (1558, *un vault-rien*), est vieilli pour désigner une personne peu recommandable; en ce sens on a employé aussi *vaunéant,* n. m. (1538) et *rienevault,* n. m. (1534), aux XVIe et XVIIe siècles. ◇ Par affaiblissement de sens, le mot se dit (1718) d'un enfant effronté, comme *chenapan, bandit, coquin.* ◇ Par référence à ce sens affectueux, *vaurien* (n. m.) désigne aussi aujourd'hui (1952) un petit bateau de régate; le nom évoque en même temps la conception bon marché («il ne vaut rien») de ce bateau.

REVALOIR v. s'est employé aux sens de «récompenser» (1165-1170), «valoir en retour» (v. 1175) et «valoir beaucoup» (XIIIe s.), sortis d'usage. ◇ Le sens, demeuré courant de «rendre la pareille (en bien ou en mal) à qqn», est relevé dans la seconde moitié du XIVe siècle. D'où l'expression de menace : *je vous revaudrai ça, je te le revaudrai.* ◇ Au XXe s., en construction intransitive, il signifie aussi «valoir de nouveau».

◈ voir CONVALESCENT, DÉVALUER, ÉQUIVALOIR, ÉVALUER, PRÉVALOIR, VAILLANT, ② VALENCE, VALÉTUDINAIRE, VALIDE; FAIRE-VALOIR (art. FAIRE), POLYVALENT (art. POLY-).

VALORISER → VALEUR

VALSE n. f., attesté isolément en 1627 (Racan), a été repris à la fin du XVIIIe s., écrit *walz* au pluriel (1787), puis *valse* en 1800; le mot est emprunté à l'allemand *Walzer* «valse», qui se rattache, comme l'ancien haut allemand *wellan* «tourner», le vieux slave *valiti* «rouler», à une racine indoeuropéenne qui a fourni par ailleurs le latin *volvere* (→ volte; évoluer, révolution, etc.). On relève aussi la graphie *walse* en 1821.

♦ Le mot désigne comme en allemand une danse à trois temps, où chaque couple tourne sur lui-même en se déplaçant, puis (1824) la musique qui accompagne cette danse. Par figure et d'après *valser* (dont il peut alors être le déverbal), *valse* se dit (mil. XXe s.) d'un mouvement fréquent et rapide de personnel à des postes politiques, etc., comme si les titulaires les échangeaient entre eux. ***Valse-hésitation*** (1921), nom d'une valse caractérisée par des pas en avant puis en arrière, désigne figurément (1933) une suite de décisions contradictoires.

▸ **VALSER** v. tr. est emprunté, d'abord comme intransitif (1789), à l'allemand *walzen,* avec la variante *walser* (1821). L'emploi transitif est relevé en 1821. Par figure, le verbe s'emploie dès le XIXe s. dans *faire valser qqn* «lui donner des coups» (1806), «le mettre à la porte» (1866), puis «le déplacer», en parlant d'un employé, etc. (1908), puis dans *envoyer valser (qqn, qqch.)*. ◆ Le verbe a servi à former **VALSEUR, EUSE** n. (1802) «personne qui valse». ◇ *Valseur* (n. m.) s'emploie (par analogie de mouvement) pour «fesses» (1928) et *valseuses* (n. f. pl.) pour «testicules» (1905), d'abord en argot.

◈ voir **VALDINGUER**.

VALUE → **VALOIR**

VALVE n. f. est un emprunt savant (1560) au latin classique *valvae*, n. f. pl. (singulier *valva*, rare), «porte ou volet, composé de battants articulés qui peuvent se replier» et «battants d'une porte»; le mot se rattache sans doute comme *vallis* (→ val), à la même racine que *volvere* «rouler» (→ volute; évoluer, révolution).

♦ Le nom désigne d'abord le battant d'une porte puis (1611) une porte ou une fenêtre à deux battants; il est sorti d'usage avec cette valeur au XIXe siècle. ◇ C'est à partir du XVIIIe s. que le mot prend ses sens modernes, venus du latin scientifique (1752), «coquille de certains mollusques» ou «chacune des deux parties de la coquille d'autres mollusques ou crustacés» (cf. ci-dessous *univalve* et *bivalve*). Par analogie de forme, il se dit aussi en botanique (1771) de la fraction du péricarpe d'un fruit. ◆ Dans le vocabulaire technique, *valve* désigne (1845) le système de régulation d'un courant liquide ou gazeux et, par analogie de fonction (XXe s.), un appareil laissant passer le courant électrique dans un sens plus que dans l'autre, d'où *valve à gaz, valve à cristal*.

► Les dérivés sont les termes didactiques **VALVÉ, ÉE** adj. (1812 en histoire naturelle, 1817 en botanique) «muni de valves» et **VALVAIRE** adj. (1812) «relatif à une valve». ◆ Plusieurs composés didactiques ont été également formés : **UNIVALVE** n. m. (1736) et adj. (1751); **BIVALVE** adj. (1751) et n. m. (1788), les deux adjectifs s'employant aussi (1797) en botanique. ◇ **MULTIVALVE** adj. (1751) et n. m. (1762), **TRIVALVE** adj. (1771), **ÉQUIVALVE** adj. (1811) «à valves égales» qui s'oppose à **HÉTÉROVALVE** adj. (1873), sont des termes d'histoire naturelle.

VALVULE n. f. a été emprunté (1575, Paré) au latin *valvula*, diminutif de *valva*. Le mot désigne en anatomie un repli membraneux ou muqueux qui joue le rôle d'une soupape dans certaines parties de l'organisme. Il a été employé au sens de «gousse de légumineuses» (1669). *Valvule* est aussi un terme de botanique (1763). ◇ Comme terme technique, il est attesté avant *valve* au sens de «soupape» (1805) puis (1842) de «robinet à vanne». ◆ En dérivent **VALVULAIRE** adj. (1732), en anatomie, **VALVULITE** n. f. (1830) de *-ite*, en médecine, et **VALVULOPLASTIE** n. f. (XXe s.), en chirurgie.

VAMPIRE n. m. a été emprunté (1738, d'Argens) à l'allemand *Vampir*, lui-même empr. au serbe *vàmpīr;* on relève aussi les formes *oupire* (1751), *upire* (1771), empruntées au tchèque *upír* ou au russe *upyr'*. Tous ces mots pourraient remonter au turc *uber* «sorcière». L'emprunt à l'allemand pourrait être un peu antérieur, si l'anglais *vampire* (v. 1734) est emprunté au français, ce qui est fort possible.

♦ Le mot conserve le sens de l'étymon, désignant un fantôme qui sort la nuit de son tombeau pour sucer le sang des vivants. ◇ Par analogie (1763, Buffon), le mot désigne une espèce de chauve-souris d'Amérique centrale et du Sud qui suce le sang des animaux pendant leur sommeil. ◇ Le mot a vieilli dans l'emploi figuré (1756, Mirabeau) où il désigne une personne qui s'enrichit par des gains illicites, en particulier aux dépens du peuple; par analogie, il signifie (1835) «assassin coupable de nombreux crimes», sens vieilli, sauf dans des désignations particulières parfois réempruntées *(le vampire de Düsseldorf)*. Il s'est dit d'un voleur qui profane les tombes (1907). ◇ Enfin, le mot s'est employé (v. 1915) pour *vamp* (ci-dessous).

► Le dérivé **VAMPIRISME** n. m. (1738), employé aussi au figuré (1801), a été introduit par analogie dans le vocabulaire de la psychiatrie (1891) pour désigner une perversion sexuelle dans laquelle l'agresseur saigne sa victime. ◆ **VAMPIRIQUE** adj. (1790) est didactique ou littéraire, de même que **VAMPIRISER** v. tr. (1795) «exploiter (qqn)».

VAMP n. f. a été emprunté (1921) à l'anglo-américain *vamp* (1918), surnom donné à l'actrice Theda Bara, par apocope de l'anglais *vampire*, lui-même peut-être emprunté au XVIIIe s. au français *vampire**. Le mot ne s'emploie plus que par allusion au cinéma muet, pour désigner une actrice qui joue les rôles de femme fatale. Par extension, il se dit d'une femme irrésistible. ◆ Du nom procède **VAMPER** v. tr. (1923), d'après l'anglais *to vamp* (1904) «séduire par des allures de vamp».

✳ ① **VAN** n. m. a été emprunté (1175) au latin classique *vannus*, désignant un panier à fond plat, muni de deux anses et utilisé pour le nettoyage des grains de blé; l'origine de ce terme technique reste obscure.

♦ Le mot, qui a aussi en ancien français une variante féminine *vanne* (fin XIIIe s.), a gardé le sens du latin, «panier pour vanner le grain», emploi aujourd'hui rare ou didactique. Par analogie de fonction, il a désigné un instrument dans lequel on faisait sauter les aiguilles pour les séparer des corps étrangers (1762) et, par analogie de forme, une coquille Saint-Jacques (1771). Ces sens extensifs et analogiques ont disparu.

► Le dérivé **VANNIER, IÈRE** n., attesté au XIIIe s. (1226, *vaniere*, n. f.; 1296, *vanier*) avec la variante *vennier* (1313), a désigné un ouvrier qui fabrique des vans. Le mot se dit ensuite plus largement d'une personne qui travaille l'osier pour fabriquer des objets tressés (1332). ◆ **VANNERIE** n. f. a désigné la confrérie des vanneurs (1340). Le mot a été reformé, d'après le sens de *vanneur*, pour désigner l'atelier du vannier (1642) et aujourd'hui la marchandise du vannier (1680, *vanerie*) ainsi que son activité (1680). ◆ ① **VANNETTE** n. f. désigne (1680) un petit van utilisé pour vanner l'avoine que l'on donne aux chevaux. ◇ Le dérivé masculin *vanet* (1329), «petit van», est sorti d'usage.

VANNEAU n. m. (1530) a connu en ancien et en moyen français plusieurs formes, dont *vaniel*

(v. 1225), *vannel* (v. 1300), *vaneau* (2e moitié du XIVe s.). Le nom de cet oiseau vient probablement du bruit de son vol, comparable à celui du vannage, ou de la forme arrondie de ses ailes. ◆ En fauconnerie, **VANNEAUX** n. m. pl. désigne les grandes plumes des ailes d'un oiseau, spécialement les rémiges des oiseaux de proie. Relevé sous cette forme en 1690, le mot existait en ancien français sous la forme *venniaux, vennaus* (XIIIe s.); la graphie *vaneaux* (1694) est aussi employée au XVIIIe siècle. *Vanneaux* a remplacé *van,* n. m., en ce sens (fin XIIIe s.).

① **VANNER** v. tr. (XIIIe s.), d'abord *vaner* (fin XIe s.), est emprunté au latin populaire °*vannare,* altération du latin classique *vannere,* dérivé de *vannus.* Il signifie «nettoyer (les grains de céréales) avec le van». ◇ Par figure, le verbe a signifié «poursuivre» (1365, *venner*), «railler» (fin XIVe s.), encore attesté en 1771, «tourmenter» (1479, encore au XVIIe s.) et s'emploie dès le moyen français pour «fatiguer, épuiser» (fin XVe s.), sens repris au XIXe s. et demeuré courant, surtout au participe passé *vanné, ée* (cf. ci dessous ① *vanne*). ◇ Par retour au sens étymologique, *vanner* s'est employé pour «nettoyer (des graines, des fèves)» (1560, *venner*) et, jusqu'au XVIIIe s., au figuré «examiner» (une personne, une affaire) [2e moitié XVIe s., *vaner*]. ◇ Au XXe s., le mot est repris en termes de cuisine au sens de «remuer (une sauce que l'on passe au chinois)» (1938). ◆ Du sens de *vanner* en agriculture dérivent plusieurs termes techniques : **VANNEUR, EUSE** n. (1538), réfection de *vanere,* n. m. (1260), «personne qui trie avec un van», est attesté au féminin en 1812. ◆ **VANNEUSE** n. f. (1907) est le nom de la machine qui vanne les grains, appelée aussi *tarare.* ◆ **VANNAGE** n. m., d'abord *vanage* (1293), écrit avec deux *n* au XVIe s., signifie «action de vanner». ◆ **VANNURE** n. f. (1553) est la réfection de *vaneure* (1291) pour «déchets du vannage».

① **VANNE** n. f., déverbal de ① *vanner* au sens de «tourmenter, railler», est attesté en argot aux sens de «mensonge» (1883), et aussi «escroquerie» (1900). ◇ Au XXe s., le mot passe dans l'usage familier pour «remarque désobligeante» (1928) et, par extension, «propos excessifs, plaisanterie, blague». Ces emplois continuent le sémantisme figuré du verbe *vanner,* représenté aussi au XVIIe s. par *revanné, ée* adj. (1609) «personne qui est moquée», *vanneur* adj. «moqueur» (1611) et *vanneüre* (vannure) n. f. «moquerie» et «réprimande» (1611).

② **VAN** n. m. est attesté comme citation d'un mot anglais dans un texte français (1823) puis comme emprunt (1894); l'anglais, qui signifie «camion», représente la dernière syllabe de *caravan,* lui-même emprunté au français *caravane**.

♦ Le nom désigne un véhicule servant au transport des chevaux de course.

VANADIUM n. m. est emprunté (1831) au latin scientifique *vanadium* (1830) forgé par le Suédois Sefström à partir de *Vanadis,* nom latin de la divinité scandinave Freyja.

♦ Ce terme de chimie désigne un métal qui avait été antérieurement nommé *erythronium* (1801) par Del Rio. Ce métal blanc, assez rare, sert dans des alliages industriels *(aciers au vanadium).*

▸ Sur le radical de *vanadium* ont été formés des termes didactiques, en chimie et en minéralogie, comme **VANADIQUE** adj. (1831), **VANADATE** n. m. (v. 1830), **VANADINITE** n. f. (1884), etc.

VANDALE n., réfection savante (1732, Voltaire) de *wandele* (1280), le dérivé *wandelart* étant attesté dès le début du siècle (v. 1215), est emprunté au bas latin *Vandali, -orum,* nom d'un peuple germanique originaire de la région de l'Oder et de la Vistule. Les Vandales, au début du Ve s., envahirent et dévastèrent la Gaule, l'Espagne du Sud et l'Afrique du Nord; ils symbolisèrent, comme les Goths (→ gothique), la barbarie et surtout la destruction.

♦ Le mot, comme adjectif puis (1733) comme nom, est d'abord un équivalent de «voleur, pillard». Il a été repris au XVIIIe s. avec le sens de «barbare».

▸ *Vandale,* au sens initial, a servi à former pendant la Révolution **VANDALISME** n. m. (1793), **VANDALIQUE** adj. (1795), **VANDALISTE** n. m. (1795) et **VANDALISER** v. intr. (1795). Seul *vandalisme* est resté en usage. C'est l'abbé Grégoire qui fit connaître ce mot, qu'il croyait avoir créé, pour désigner l'attitude destructrice de certains révolutionnaires vis-à-vis du patrimoine artistique de l'Ancien Régime, qu'il désirait conserver pour en faire bénéficier le peuple. Le mot, perdant sa connotation politique, s'applique à la destruction immotivée d'objets, de matériel, notamment public. De là une acception nouvelle de *vandale* «destructeur», aussi par exagération.

VANDOISE n. f. (1555), d'abord *vendoise* (1197), encore attesté au XVIIIe s., est issu d'un gallo-roman °*vindisia,* dérivé d'un mot gaulois °*vindos* «blanc». ♦⟩

♦ *Vandoise* désigne un poisson d'eau douce au ventre argenté, appelé aussi *chevesne, dard* et *meunier,* autre métaphore de la blancheur.

VANESSE n. f. est un emprunt (1810) au latin scientifique *vanessa* (1807), d'origine inconnue, que P. Guiraud rattache au bas latin *vanities* «vanité, frivolité», dérivé du latin classique *vanus* (→ vain).

♦ Ce mot désigne un papillon diurne aux riches couleurs, au vol rapide et sautillant.

VANILLE n. f. a été emprunté (1664) à l'espagnol *vainilla* «petite gaine», diminutif de *vaina,* issu du latin classique *vagina* «gaine» (→ gaine; vagin).

♦ Le mot, qui a au XVIIe s. une variante, *banille* (1688), montrant un emprunt oral au castillan, désigne d'abord le fruit du vanillier qui, séché, devient aromatique, puis la gousse de vanille, d'où (déb. XIXe s.) la substance aromatique contenue dans le fruit (1797). ◇ Le mot désigne ensuite le goût, le parfum de vanille (*crème à la vanille,* etc., puis par apposition *glace vanille*) et, abusivement, un goût analogue obtenu par des produits étrangers à la plante, telle la vanilline (les produits industriels dits «à la vanille»).

▸ Du nom dérivent **VANILLIER** n. m. (1764) désignant l'arbre; **VANILLÉ, ÉE** adj. (1845) «parfumé à la vanille» et «qui a un goût de vanille»; **VANILLON** n. m. «variété de vanille» (1830; 1836 «morceau de vanille»). ◆ **VANILLINE** n. f. (1865) désigne un corps chimique (l'aldéhyde phénolique) présent dans les gousses de vanille et utilisé comme succédané de la vanille. ◆ **VANILLERIE** n. f. (1877) a remplacé *vanillère,* n. f. (1764), au sens de «plantation de vanilliers». ◆ **VANILLISME** n. m. (1883), terme de médecine, signifie «intoxication par la vanilline».

◈ voir GAINE, VAGIN.

VANITÉ → VAIN

① **VANNE** → ① VAN

② **VANNE** n. f., attesté en 1274, également sous la forme *venne* (1260), serait selon Bloch et Wartburg un emprunt au latin médiéval *venna,* qui pourrait être d'origine celtique (gauloise); le mot désignait un barrage pratiqué pour prendre le poisson. Pour P. Guiraud, ce sens rattache le mot à *van* «treillis d'osier» (→ ① van), qu'on trouve aussi sous la forme *vanne* (fin XIIIe s.).

♦ Le mot désigne un panneau vertical mobile destiné à régler le débit de l'eau dans une écluse et, par extension, pour d'autres usages.

▸ Du nom dérivent ② **VANNAGE** n. m. (XIIIe s., 1293, *vanage*) où *-age* est collectif («ensemble des vannes; lieu où elles sont disposées»), ② **VANNER** v. tr. (1694) «garnir de vannes», ② **VANETTE** n. f. (1845), «petite vanne» puis, dans cette même acception diminutive, et **VANELLE** n. f. (1904).

VANTAIL → VENT

◈ **VANTER** v. est issu (1080 au pronominal) du latin populaire °*vanitare* «être vain», attesté par le participe présent *vanitantes,* dérivé du latin classique *vanitas* «vaine apparence» (→ vanité), lui-même de *vanus* (→ vain).

♦ Le verbe, au pronominal, signifie «s'attribuer des qualités, des mérites qu'on n'a pas». Au XIIe s., il est employé transitivement pour «louer, exalter les mérites de (qqn, qqch.)» (v. 1180), sens rare jusqu'à la fin du XVIe s. où il est repris par Montaigne, et toujours vivant dans l'usage littéraire. ◇ *Se vanter de qqch.* (v. 1210, *soi vanter de*) signifie «se faire fort de faire qqch.» et (fin XIIe s.) «tirer vanité de (qqch. de vrai ou de faux)», d'où les locutions ***il n'y a pas de quoi se vanter, il n'a pas à s'en vanter.***

▸ Deux dérivés sont restés en usage. ◆ **VANTERIE** n. f. (v. 1165) est vieilli pour désigner un propos de vantard (1330), mais a disparu au sens premier de «caractère de vantard». ◇ L'ancien français a eu, avec cette acception, *vantise,* n. f. (v. 1190) utilisé jusqu'au XVIIe siècle. ◆ **VANTARD, ARDE** adj. et n. (av. 1577), formé avec le suffixe péjoratif *-ard,* a remplacé le dérivé en *-eur, vanteur* (XIIIe s.; v. 1155, *vanteor*) et *vanteresse* (XIIIe s.), encore employé à la fin du XVIIe s. dans ***c'est un grand vanteur.*** ◆ L'adjectif moderne a fourni **VANTARDISE** n. f. (1841), «attitude de la personne qui se vante» et (1863) «action de se vanter».

VANTERNE n. f. représente un croisement (1800) de *vantail** et de *lanterne**, ou est emprunté à l'espagnol *ventana* «fenêtre», croisé avec *lanterne.*

♦ Le mot équivaut en argot à «fenêtre», d'où l'emploi figuré de *vanternes* pour «lunettes» (1837) et la locution *vol à la vanterne* «en pénétrant par les fenêtres laissées ouvertes» (1844). Tous ces emplois ont disparu.

VAPEUR n. f. et n. m. est emprunté (v. 1270), d'abord sous la forme *vapour* (v. 1265), au latin classique *vapor, -oris* «émanation visible» d'un liquide chaud, par extension «chaleur, air chaud», «bouffées de chaleur», et au figuré «feux, ardeur de l'amour». *Vapor,* dont l'origine est obscure, n'a pu être rapproché que du lituanien *kvēpia* «une vapeur se répand», *kvāpas* «vapeur, fumée».

♦ Seul le premier sens du latin est repris en ancien et moyen français; au XVIIe s., *vapeur* désigne aussi toute espèce d'exhalaison de corps liquides ou solides, acception archaïque. ◇ Par analogie, le mot se disait (1609) dans l'ancienne médecine d'une exhalaison qu'on supposait s'élever du sang jusqu'au cerveau, d'où ***des vapeurs*** n. f. pl. (1650) désignant les troubles et malaises dus à ces vapeurs, *vapeur de fille* (1684), ancien nom de l'hystérie, et l'emploi du mot au singulier pour désigner tout ce qui peut troubler le cerveau, comme l'alcool, l'excès de nourriture (1610). ◇ Par figure, *vapeur* a signifié (1609) «objet passager, fragile». ◇ Le mot a été employé en chimie (1701, *bain de vapeur*) et dans les techniques de distillation, puis *bain de vapeur* équivaut à «étuve» (1762). ◆ *Vapeur* désigne ensuite la vapeur d'eau utilisée comme force motrice (1784), notamment dans ***à vapeur*** (1794) «actionné par la vapeur d'eau». ◇ ***Machine à vapeur*** est un calque de l'anglais *steam engine* et remplace l'ancien *machine à feu.* ***Bateau, navire à vapeur*** subit aussi l'influence de l'anglais *steamship,* d'où *une vapeur* (1828) rapidement disparu, et *un vapeur,* n. m., désignant par ellipse un bateau à vapeur (1841), emploi aujourd'hui archaïque ou évocateur du passé. ◇ ***À toute vapeur,*** par figure, signifie «à toute vitesse» (1868; aussi *à la vapeur,* 1865).

▸ **VAPORISER** v. tr., dérivé savant du latin *vapor* (1756), signifie «faire passer (une substance) de l'état liquide à l'état gazeux». ◇ Le verbe est passé dans l'usage général (1866) au sens de «disperser et projeter en fines gouttelettes». ◆ En dérivent **VAPORISATION** n. f., terme de physique (1756) et couramment «action de vaporiser» (1904), **VAPORISAGE** n. m., terme technique (1867), **VAPORISATEUR** n. m., qui a désigné un inhalateur (1824) et se dit très couramment d'un petit pulvérisateur (1884), et **VAPORISEUR** n. m., terme technique (1876), synonyme de *vaporisateur* (1904).

À partir du radical de *vapeur* ont été composés au XXe s. des termes techniques en métallurgie : **VAPOMÉTALLURGIE** n. f. (v. 1970), en industrie pétrolière; **VAPOCRAQUAGE** n. m. (1973), équivalent de l'anglais *steam cracking* qu'il remplace, d'où viennent **VAPOCRAQUEUR** n. m. (1973) et **VAPOCRAQUER** v. tr. (1975).

VAPOREUX, EUSE adj. est un emprunt au latin impérial *vaporosus* «plein de vapeur», dérivé de *vapor;* il apparaît sous les formes *vapoureux* (1377), *vaporeus* (v. 1400), écrit *vaporeux* au XVIe s. et qualifiant ce qui a l'apparence de la vapeur. ◆ L'adjectif s'est employé jusqu'au XIXe s. pour qualifier qqn qui souffre de vapeurs (1689), substantivé au masculin (1762) puis au féminin (v. 1800). Par ailleurs *bain vaporeux* s'est dit (1690) jusqu'au XVIIIe s. pour *bain de vapeur.* ◇ *Vaporeux* qualifie au figuré (1765) des idées, un tableau, etc., qui ont un aspect flou, incertain, puis une chevelure (1831), et (1872) quelque chose de léger, fin et transparent *(tissu vaporeux).* Seules ces valeurs figurées ont survécu. ➜ En dérive **VAPOREUSEMENT** adv. (XIXe s.), littéraire, employé au concret comme à l'abstrait.

VAPORETTO n. m. est emprunté (XXe s.) à l'italien *vaporetto* «petit bateau à vapeur faisant le service des voyageurs en Italie (notamment à Venise)», dérivé de *vapore* «vapeur», du latin classique *vapor.*

Enfin, un abrègement argotique puis populaire de *vapeur,* **VAPE** n. f., s'est employé (1925) pour «bain de vapeur», sorti d'usage. ◇ La locution figurée *(être) dans la vape* (vieilli), puis ***dans les vapes*** signifie familièrement «être hébété» et aussi «dans une situation confuse». Ce sens reprend en partie et renforce les valeurs figurées de *vapeurs* dans la langue classique et moderne.

◈ voir ÉVAPORER.

VAQUER v. est emprunté (1265) au latin classique *vacare* «être vide», d'où «être libre, inoccupé» et par figure «avoir du temps», «être oisif» (→ vacant); il est employé à l'impersonnel à l'époque impériale, dans *vacat* «il y a temps pour», «il est loisible de». *Vacare* se rattache à une famille de mots indoeuropéens à *w-* initial, exprimant l'idée de vide, de lieu désert; le germanique présente un radical *wost-* (anglais *waste,* allemand *Wüste* «désert»); cf. *vain; vaste.*

♦ Le verbe est introduit comme intransitif avec le sens latin «être vacant, sans titulaire», en parlant d'une charge, d'une dignité, etc., emploi disparu. ◇ La valeur figurée aboutit à deux acceptions opposées; ***vaquer à qqch.*** (XIIIe s.) signifie «s'occuper de qqch.», le temps libre étant utilisé; par ailleurs le verbe s'est employé pour «être inoccupé, chômer» (1382), d'où *vaquer à qqn* «avoir le temps de s'occuper de (qqn)» sorti d'usage (1530). ◇ Cette acception se développe, et *vaquer* signifie «suspendre ses fonctions pendant un certain temps», en parlant d'un tribunal, d'une administration (1549), puis à propos d'établissements scolaires (1636), *vaquer* en venant à se dire d'un écolier qui a un congé, des vacances* (1876). ◇ Dans l'acception première («occupation»), la construction transitive *vaquer qqch.,* «s'occuper de qqch., faire des projets» (1658, Scarron), est sortie d'usage, de même que *vaquer à qqn* (XVIIe s.), *vaquer à soi-même* (fin XVIIe s., Mme de Sévigné).

▸ Le dérivé ① **VACATION** n. f. signifie d'abord (v. 1250) «zèle, ténacité»; cette acception a disparu, mais la valeur d'«occupation» s'est conservée dans différents emplois du mot. Il a été employé pour «occupation» (v. 1390), puis a désigné (déb. XVe s.) le salaire versé à un ouvrier, à un homme d'affaires (1405, *vaccacion;* 1480, *vacations*) et a eu le sens de «profession, métier» (1408) relevé jusqu'au XIXe s. et les expressions *selon la vacation de qqn* «conformément à son statut» (1re moitié XVIe s.) et *homme de vacation* «artisan» (1690), sorties d'usage. *Vacation stérile* «mariage sans enfants» (fin XVIe s.) ne s'est pas maintenu non plus. ◇ Au XVIIe s. le mot, au sens de «salaire», se spécialise, désignant les honoraires payés aux gens de loi, aux membres d'un jury d'examen, etc. (1668, au plur.) et, par ailleurs, le temps consacré par la justice ou par des experts à une affaire (1694). ◇ Par extension, *vacation* se dit (XXe s.) d'une période de durée déterminée pendant laquelle une personne recrutée à titre d'auxiliaire est affectée à une tâche; cf. ci-dessous *vacataire.*

L'homonyme ② **VACATIONS** n. f. pl. est un emprunt au latin classique *vacatio* «exemption, dispense», en particulier «exemption de charges militaires» *(vacatio militiae)* et «argent donné pour être exempté», dérivé du supin de *vacare.* Le mot s'est employé au sens du latin avec la valeur de «manque»; *vacation de droit* (v. 1355) s'est dit d'une dispense de charges, *en vacation* a signifié (1370) «en état de repos» et le mot a désigné l'état d'un immeuble non occupé (1387). ◇ Puis le pluriel *vacations* désigne (1425) le temps pendant lequel les tribunaux cessent leurs fonctions, sens resté vivant. ◇ Le mot a également signifié (1447) «état d'une charge sans titulaire», supplanté par *vacance*.*

VACATAIRE n., terme administratif (v. 1950), désigne une personne qui occupe une fonction pendant une durée limitée, sans être titulaire de son emploi.

◈ voir ÉVACUER, VACANT, VACIVE, VACUITÉ.

VAR n. m. représente (1931) les initiales de *v*olt* *a*mpère* *r*éactif.

♦ Ce terme de physique désigne une unité de puissance réactive, qui correspond à un courant alternatif de 1 ampère sous une chute de tension de 1 volt.

▸ Le mot a fourni les composés **VARMÈTRE** n. m. (mil. XXe s.), de *-mètre,* et **VARHEURE** n. m. (1953), de *heure,* d'où **VARHEUREMÈTRE** n. m. (1953).

VARACTOR n. m., terme d'électronique (1968), est emprunté à l'anglo-américain *varactor,* composé de *var,* emprunté au français, et de [re]*actor,* du français *réacteur*.*

① **VARANGUE** n. f., d'abord *warengue* (1379) puis *varangue* (1573), est d'origine incertaine. Selon Bloch et Wartburg, l'étymon serait l'ancien norrois *vrong,* ce que confirmerait l'existence de l'ancien anglais *wrang(a),* du bas allemand *wrang,* du néerlandais *vrang;* l'espagnol *varenga* aurait été emprunté au français. En revanche, P. Guiraud part de l'espagnol *varenga* et du provençal *varengo, varenglo* «gaule, verge», et postule un dérivé du latin classique *vara* «perche», avec un suffixe *-inicus* qui aboutit régulièrement à *-engue, -ingue.*

♦ Ce terme de marine désigne une pièce courbe placée sur la quille, fixée par son milieu perpendiculairement à l'axe du bâtiment.

② **VARANGUE** → VÉRANDA

VARAPPE n. f., relevé en 1875, vient du toponyme *Varappe,* nom d'un couloir rocheux du mont Salève, près de Genève.

♦ Le mot s'est dit de la réunion des ascensionnistes qui descendirent les premiers le ravin de la Varappe. En alpinisme, il désigne (v. 1925) l'ascension d'un couloir rocheux, d'une paroi abrupte. L'emploi le plus courant est *faire de la varappe.*

▶ En dérivent **VARAPPEUR, EUSE** n. (1895) et **VARAPPER** v. intr. (1898).

VARECH n. m., d'abord *warec, verec* (v. 1120), puis *varech* (1369), a été emprunté à l'ancien scandinave *vagrek* «épave», comme l'ancien anglais *wraec* (anglais *wreck* «naufrage») et l'allemand *Wrack.* Le mot s'est aussi écrit *varec* (1550).

♦ Il désigne les herbes marines (goémon, algues, etc.) rejetées par la mer (v. 1120, *marin verec* «varech de mer») et ensuite les restes d'un naufrage, les épaves (v. 1175) et tout ce que la mer rejette, par opposition à ce qui a été pêché ou tiré du fond de la mer (v. 1181), d'où le sens de «vaisseau qui a été coulé» (1694, *varet*); cette acception, dominante du XVIe au XVIIIe s., a été éliminée par la première, où l'origine du mot s'est perdue. Le mot est aujourd'hui un synonyme partiel de *goémon.*

◈ voir **VRAC.**

VARENNE n. f. représente (1268) une variante de *garenne**; pour Dauzat, le mot, confondu avec *garenne,* dériverait d'un prélatin *vara* «eau», ce que confirmerait le sens de la variante **VARAIGNE** n. f. (1752) qui désigne régionalement l'ouverture par laquelle l'eau de mer entre dans un marais salant.

♦ *Varenne* s'est dit d'un terrain où il était défendu de chasser ou de pêcher sans l'autorisation du seigneur. Il désigne (1684) un terrain non cultivé que fréquente le gibier, sens qui a vieilli ou est devenu régional. Le mot est surtout représenté dans des noms de lieux.

VAREUSE n. f. est un dérivé (1784) d'une variante dialectale (Ouest) de *garer** «protéger» (v. 1180, *varer a aucun*). On trouve au XIXe s. la variante *vaireuse.*

♦ Le mot s'est dit de la chemise de grosse toile que portaient les esclaves de Saint-Domingue; à partir de la Révolution, il désigne (1793) une blouse courte en grosse toile portée par les marins, les pêcheurs, pour protéger leurs vêtements. ◇ Par extension, il s'emploie pour un petit pardessus féminin (1849), puis une veste très ample (1867) et la veste de certains uniformes militaires (1872), sens actuel.

VARICE n. f. est emprunté (1314) au latin classique *varix, -icis,* sans étymologie connue.

♦ Le mot désigne comme en latin une dilatation permanente d'un vaisseau sanguin, spécialement d'une veine. Il s'est écrit *varisse* (1680), jusqu'au milieu du XVIIIe siècle. ◇ Par analogie, il s'emploie (1680) en parlant d'une tumeur qui se forme sur le jarret du cheval. ◇ En zoologie (1836), il s'applique à un renflement au bord de certaines coquilles.

▶ **VARIQUEUX, EUSE** adj. (1541; v. 1370, *variceux*), emprunt savant au dérivé latin classique *varicosus* «qui a des varices», s'emploie en médecine *(ulcère variqueux)* et en zoologie (1835, *coquille variqueuse).* ◆ **VARICOCÈLE** n. f. est un composé hybride (1707) fait sur le modèle de *cirsocèle,* de même sens (1694), emprunt au grec *kirsokêlê,* de *kirsos* «varice», qu'il a remplacé. Le mot est formé du radical de *varice* et du grec *kêlê* «tumeur» et se dit d'une dilatation variqueuse du cordon spermatique, des veines utéro-ovariennes.

VARICELLE → **VARIOLE**

✻ **VARIER** v. est emprunté (v. 1155) au latin classique *variare* «diversifier», «nuancer», au propre et au figuré, notamment en parlant du style, et en emploi intransitif, «être varié», aussi au figuré. Le verbe dérive de l'adjectif *varius* «moucheté, tacheté, bigarré», à propos de la peau de l'homme et des animaux, adjectif appliqué dans la langue rustique à une terre arrosée seulement en surface; *varius,* dans le domaine moral, signifie «divers», «inconstant, irrésolu» (→ vair). Le rapprochement de *varius* avec *varus* «bouton» est hypothétique.

♦ Au milieu du XIIe s., *varier* reprend comme verbe transitif les sens latins; il signifie «donner à (qqch.) plusieurs aspects divers», «rendre (plusieurs choses) nettement distinctes». Le verbe s'emploie aussi intransitivement (v. 1190) pour «se modifier, changer» (d'une personne, d'une chose). En emploi pronominal (v. 1180), c'est l'aspect négatif du changement qui avait été retenu, *se varier* équivalant à *se corrompre;* cette valeur a disparu. ◇ On relève en ancien et en moyen français de très nombreux emplois, en construction transitive ou intransitive, où l'idée de «changer» se développe, en particulier dans le domaine moral; la plupart sont sortis d'usage, *varier* ayant été supplanté par d'autres verbes (souvent par *changer*) et n'étant plus usité au pronominal. C'est la même idée de changement que l'ancien provençal *variar* (v. 1210) transmet en particulier à propos des changements dans la langue : «soumettre (une langue) aux changements fonctionnels» (v. 1220) et «modifier les données métriques (d'une strophe)» (v. 1350).
Varier s'est employé pour «hésiter, vaciller», attesté isolément au XIIIe s., puis normalement à la fin du XIVe s. *(varier a).* Cette acception a disparu à la fin du XVe siècle. *Varier qqch.* s'est dit (v. 1250) pour «contester», sens propre à l'ancien français. ◇ *Se varier* a ensuite signifié «changer d'avis» (1316), sens assumé plus tard par l'intransitif *(varier en qqch.* (apr. 1375). ◇ Le verbe s'est employé, toujours à l'intransitif, pour «changer en mal» (1340-1370), «s'affaiblir» en parlant de la foi, de la raison, «agir mal» (v. 1380). ◇ Une autre acception issue de l'idée spatiale de changement aboutit à un emploi transitif, *varier le pays* «le parcourir» (1350-1370) et à *varier,* intr., «aller çà et là» (XVe s.). ◇ Ce sont les idées de contradiction et d'hésitation qui dominent certains emplois, également sortis d'usage, qui ont eu cours du XVe ou du XVIe s. jusqu'au milieu du XVIIe siècle. On relève depuis le XVe s. *varier la volonté de qqn* «le contrarier», *varier envers qqn* «être différent de qqn», *se varier* «changer de sentiment»; *varier de qqch.* s'est dit pour «douter de qqch.» (v. 1450; 1559, *varier ses pensements* «ne savoir que penser»). *Varier,* intransitif, pour «être inconstant»,

serait encore compris *(souvent femme varie...)*, mais l'emploi moderne a des nuances différentes, plus intellectuelles. ◇ Aux XVIe et XVIIe s., *se varier* (1530) et *varier* (1549) ont été employés pour «se contredire», spécialement dans le domaine juridique (1539, *varier contre une partie,* dans un procès). Dans un des rares emplois concrets relevés alors, *varier* a signifié (1611) «ne pas avoir la main sûre». ◇ L'idée de modification (1654, *se varier* «se modifier») se spécialise avec le sens (1694) de «s'écarter, ou se rapprocher, du nord», en parlant d'une aiguille aimantée. ◇ À la fin du XVIIe s. est attesté un emploi à propos du discours, *varier la phrase* signifiant «dire la même chose en des termes différents». Un peu plus tôt *varier* «changer de discours» avait pris la valeur péjorative de «se contredire, dire n'importe quoi» (1636). ◇ Le verbe se dit également (1694) pour «présenter des changements importants», en parlant des avis qu'ont plusieurs personnes ou une seule personne successivement. ◇ *Varier* a ensuite en sciences (1727) la valeur de «prendre plusieurs valeurs différentes entre des limites». ◇ Le verbe entre aussi dans le vocabulaire de la musique (1765), *varier un air* se disant pour «broder sur un air sans en changer le motif» (cf. *variation*). ◇ Il est ensuite employé en grammaire *(varier en genre, en nombre)*, en opposition à *invariable,* puis (1812) au sens plus général de «présenter des différences, qualitatives ou quantitatives, indépendantes du temps ou de l'espace».

▸ **VARIÉ, ÉE** adj. représente le participe passé latin *variatus,* ses valeurs correspondant d'abord à celle de *vair**; l'adjectif s'applique en effet à un animal tacheté (v. 1165, *veirié*), puis à une partie de l'écu chargée de vair (v. 1225, *vairiet*) et est employé en orfèvrerie pour «niellé» (1341, *verié,* d'où le verbe disparu *verer,* 1398). ◇ *Varié* reprend ensuite les valeurs de *variatus,* restant dans ses premiers emplois (fin XIVe s., *variet*) un terme de blason. ◇ La plupart des autres acceptions s'articulent avec celles du verbe *varier.* On relève ainsi *estre varié en soi* «changer d'avis» (XVe s.) et, à partir du XVIe s., les valeurs modernes : l'adjectif, au pluriel, qualifie des éléments différents les uns des autres (XVIe s.), puis s'applique à ce qui présente des aspects, des éléments différents, «orné de différentes couleurs» (1671); il s'emploie spécialement en architecture (1701, *colonne variée*), en physique (1765, *mouvement varié;* 1803, *mouvement uniformément varié*), etc. ◆ **VARIANT, ANTE** adj. et n. m., participe présent de *varier,* s'est d'abord appliqué (1382) à un esprit, à un caractère qui change souvent, acception sortie d'usage. ◇ Repris au XXe s., l'adjectif signifie en chimie «qui a une variance non nulle»; il est utilisé en composition (par ex. *uni-* ou *monovariant*). En biologie, domaine où les dictionnaires le signalent en 1933, il a été remplacé par *mutant.* ◇ Il s'applique en général à ce qui présente des variations par rapport à une moyenne, concurrencé par *variable.* ◆ Le dérivé **VARIANTE** n. f. comporte dans ses divers emplois l'idée de différence; il désigne (1717) un passage d'un texte qui diffère de la leçon principale ou admise généralement. Il s'est dit concrètement (1769) d'une courtine qu'on change souvent de place, sens disparu. ◇ Le mot, repris au XIXe s. au pluriel (1842) comme équivalent de «condiments variés», est aujourd'hui régional. ◇ Il a vieilli en biologie (1845), où l'on emploie *mutant,* mais reste vivant pour désigner une forme, un mot différent d'une forme de référence mais ayant la même nature (1794). De là le sens de «moyen d'expression qui s'écarte de la norme d'une langue» *(variante régionale d'un mot,* en rapport avec *variation).* ◇ Il signifie également (1841) «solution, forme (d'une expérience, etc.) légèrement différente mais voisine». *Variante* s'emploie spécialement en parlant de la manière de commencer une partie, aux échecs. ◆ **INVARIANT, ANTE** adj. et n. m., formé de *in-* négatif et de *variant* (1794; repris v. 1830), s'applique à ce qui ne varie pas. En mathématiques (1877, *un invariant* n. m.), il désigne, puis qualifie (1905, adj.) une relation, une grandeur, une propriété qui se conserve dans une transformation. En chimie (1948), il se dit d'un système en équilibre. *Invariant* (adj. et n. m.) s'emploie dans plusieurs domaines spécialisés, dont la linguistique (n. m.), l'informatique (adj.). ◆ **COVARIANT, ANTE** adj., de *co-* et *variant,* est un terme de mathématiques (1877, n. m.; 1932, adj.), comme **COVARIANCE** n. f. (1921).

Sur le radical de *varier* ont été composés **VARIOMÈTRE** n. m. (1894), de *-mètre,* terme technique désignant un appareil qui sert à la mesure des inductances électriques et (mil. XXe s.) un instrument de mesure des vitesses ascensionnelles des avions, et **VARIOCOUPLEUR** n. m. (1929), terme d'électricité.

Plusieurs mots usuels ou didactiques ont été empruntés à des dérivés latins de *varius* ou de *variare.* ◆ **VARIÉTÉ** n. f. est un emprunt (v. 1120) au dérivé latin *varietas* «diversité» au propre et au figuré, en particulier «changement d'humeur, inconstance». ◇ Le mot a d'abord désigné des ornements variés pour embellir les habits. Il s'emploie ensuite (v. 1165-1170) pour «diversité des choses qui ont des traits communs», le sens temporel de «changement» étant sorti d'usage. ◇ Au XVIe s. (une fois isolément au XVe s.), *variété* a repris le sens latin de «changement d'humeur», emploi disparu au XVIIe siècle. ◇ Au sens d'«élément distinct», le mot, en histoire naturelle, s'emploie (1690) pour «subdivision de l'espèce», délimitée par la variation des caractères, d'où son usage dans une classification quelconque. ◇ Au pluriel, on désigne par *variétés,* comme titre (1622-1633), un recueil qui contient des morceaux sur des sujets variés (cf. *varia,* ci-dessous). ◇ En 1790 est créé le *Théâtre des Variétés* de Mme Montansier, dont le répertoire «varié», était surtout composé de vaudevilles; par extension, le mot désigne (1913) l'ensemble des activités de spectacle concernant un type de chansons, de spectacles comiques, etc., destinés à un large public, d'où *émission de variétés,* à la radio, à la télévision. ◆ *Variété* dans son acception en sciences naturelles a donné le terme didactique **VARIÉTAL, ALE, AUX** adj. (1961).

VARIANCE n. f. est emprunté (1155) au dérivé latin classique *variantia* «variété»; le mot s'est dit pour «changement», puis pour «variabilité» (1396), «incertitude» (1466). ◇ Il devient ensuite archaïque et disparaît de l'usage. ◇ Il est repris en sciences, désignant (1904) le nom de conditions définissant un système physique ou chimique que l'on peut faire varier arbitrairement, sans détruire l'état d'équilibre, puis est utilisé en statistique (mil. xxe s.). ➜ En dérive **INVARIANCE** n. f. (1908), de ① *in-*, «propriété invariante».

VARIABLE adj. est emprunté (fin XIIe s.) au latin impérial *variabilis* «sujet à varier», et en conserve le sens. L'adjectif est employé depuis le XVIIIe s. dans le vocabulaire technique et scientifique ; il s'applique en mathématiques à une grandeur qui peut prendre plusieurs valeurs distinctes (1704), est usité en grammaire (1798, *mot variable*), en médecine (1835, *pouls variable*), en météorologie (1835), en physique, etc. ◇ Il est substantivé au féminin, dans *une variable* en mathématiques (1765), pour «élément dont la valeur peut varier, n'est pas assignée», avec des emplois plus généraux pour «élément qui varie en fonction d'autres éléments» et au masculin en météorologie (1690). ➜ En dérivent **VARIABLEMENT** adv. (v. 1380, *variablament*), rare, et **VARIABILITÉ** n. f. (v. 1380), employé comme l'adjectif dans des domaines didactiques (1845 en mathématiques, 1864 en biologie, 1872 en grammaire). ➜ Le contraire préfixé **INVARIABLE** adj., de ① *in-*, s'applique à ce qui ne change pas (v. 1370, Oresme) et, par extension à une personne qui ne change pas de manière de penser (1611), emploi archaïque. ◇ Il s'emploie spécialement en mathématiques par opposition à *variable* (1704, *quantité invariable* «constante») et en grammaire (1798) pour qualifier une forme lexicale qui ne se modifie pas en discours : prépositions, adverbes, quelques noms. ◇ Il qualifie en général un processus qui continue sans varier (xxe s.). ➜ L'adjectif a fourni l'adverbe **INVARIABLEMENT** (1495), plus courant que son contraire, pour «en ne changeant pas», **INVARIABILITÉ** n. f. (1616 ; xxe s. en grammaire) et **INVAR** n. m. (1904, par abréviation), marque déposée désignant un acier au nickel.

VARIATION n. f. est un emprunt (1314) au dérivé latin classique *variatio* «action de varier». ➜ Le mot, qui s'écrit aussi *variacion* aux XIVe et XVe s., désigne un changement dans un ordre de faits (1314), puis en particulier (2e moitié du XIVe s.) un changement dans les opinions, les conduites ; les sens d'«incohérence» (1440-1475) et d'«hésitation» (1466) ont disparu. ◇ *Variation* s'emploie spécialement dans de très nombreux domaines, le changement s'effectuant au cours d'une durée : en physique (1618, *variation de l'aiguille aimantée*), en astronomie (1691, du mouvement de la lune ; 1819 avec une valeur générale). ◇ En musique (1703), il désigne une modification d'un thème et, au pluriel, une composition où un même thème est repris avec des modifications et des enrichissements successifs ; d'où *thème et variations*, aussi au figuré. ◇ En grammaire, il concerne (1798) le changement d'un mot variable ; il est courant en mathématiques (1811), en biologie (dep. 1791). ◇ Au xxe s., le mot s'applique à ce qui varie socialement, par rapport à une norme, et à un moment donné ; ce sens est usuel en linguistique, à propos d'éléments (lexique, notamment) et de règles qui diffèrent à l'intérieur du même système linguistique *(la variation régionale, sociale, du français)*, et aussi en sociologie. ➜ **VARIATEUR, TRICE** adj. et n. m., formé sur le radical de *variation*, est un terme technique employé en mécanique (1904, *variateur de vitesse*, n. m. ; aussi *poulie variatrice*) et en électricité (1968, n. m.). ➜ **VARIATIONNEL, ELLE** adj. (mil. xxe s.) qualifie ce qui est relatif à la variation d'une grandeur. ➜ **VARIATIONNISTE** adj. et n. concerne la variation sociolinguistique.

Plusieurs mots latins, de *varius* ou de *variare*, ont été repris en français. ➜ **NE VARIETUR** loc. adv. et adj. signifie en latin «pour qu'il ne soit pas changé» ; cette locution introduite en français (1579) s'applique d'abord, en droit, à un acte, un document, et indique que des précautions juridiques ont été prises pour éviter que l'acte, etc. ne soit altéré. ◇ Par analogie, *édition ne varietur* désigne (déb. xxe s.) l'édition définitive d'un texte. ◇ *Ne varietur* s'emploie également en sciences (1904) pour «qui ne varie pas». ➜ **VARIA** n. m. pl., mot latin signifiant «choses variées», désigne en français (1872) un recueil d'œuvres variées et, dans les agences de presse, se dit au xxe s. (att. 1973, T. L. F.) d'un article se rapportant à des sujets variés, comme équivalent français de l'anglais *features*. ◇ Le moyen français avait emprunté le mot sous la forme *varie* (adj.) «divers» (mil. XVIe s.). ➜ **VARIORUM** adj. inv. est une abréviation de la locution latine *cum notis variorum scriptorum* «avec les notes de plusieurs commentateurs». Le mot est d'abord employé comme nom masculin (1721) puis en apposition ou fonction d'adjectif dans *édition variorum* (1842) «avec des notes et des commentaires».

VARIOLE n. f., attesté d'abord au pluriel, isolément au XIVe s., et repris au XVIe s. (1562), n'est employé au singulier qu'au XVIIIe s. (1761). Le mot est emprunté au bas latin médical *variola* (VIe s.), diminutif du latin classique *varus* «éruption sur la face, bouton», probablement avec influence de *varius* «varié», «tacheté» (→ vair) ; le latin classique avait pour diminutif *varulus*.

♦ Le mot, depuis le XVIIIe s., désigne une maladie infectieuse, épidémique et contagieuse d'origine virale, caractérisée par une éruption généralisée. Cette maladie était appelée *petite vérole*, et *variole* a été employé pour éviter les ambiguïtés de *vérole*, qui désignait plusieurs maladies, dont la syphilis. ➜ Un homonyme, *variole* (n. f.), dérivé de *varius*, s'est dit d'une alouette au plumage roux (mil. XVIIIe s.) et d'un poisson rouge taché de brun de l'océan Indien (1842).

▸ *Variole* a fourni plusieurs dérivés en médecine : **VARIOLIQUE** adj. (1764) «de la variole», d'où **ANTIVARIOLIQUE** adj. (1902 ; 1804, *anti-variolique*) ; **VARIOLEUX, EUSE** adj. (1766) «atteint par la variole», d'où substantivement «malade qui a la variole» (1812 ; attesté au féminin 1824) ; **VARIOLETTE** n. f. (1812), supplanté par *varicelle* ; **VARIOLÉ, ÉE** adj. (1829 ; 1845, n.), synonyme de *varioleux* ; **VARIOLIFORME** adj. (1833), de *-forme* «qui présente l'aspect de la variole» ; **VARIOLISATION** n. f. (1876). ➜ **VARIOLITE** n. f. désigne par analogie (1764) une roche présentant des pustules sphériques.

◆ **VARICELLE** n. f. a été formé en médecine (1764) sur le radical de *variole* d'après les diminutifs latins en *-cellus, -cella.* Cette maladie, autrefois nommée *petite vérole volante,* atteignant souvent les enfants sous une forme bénigne, le mot est entré dans l'usage courant.

◈ voir **VÉROLE.**

VARLOPE n. f., réfection (1660) de *vrelope* (fin XVᵉ s.), *vuarloppe* (1564), est emprunté par l'intermédiaire des parlers du nord-est de la France au néerlandais *voorloper* «grand rabot employé pour dresser le bois»; le mot signifie littéralement «qui court *(loop)* devant *(voor)*».

♦ Le mot a conservé le sens de l'étymon. Il est resté technique, par rapport à *rabot.*

▶ Il a fourni **VARLOPER** v. tr. (1546, Rabelais, *vrelopper;* 1832, forme moderne), terme de menuiserie dont dérivent **VARLOPAGE** n. m. (1876) et **VARLOPEUSE** n. f. (déb. XXᵉ s.), nom de machine.

VARON n. m. est emprunté (1605) à l'ancien provençal *varon* «bouton, pustule», lui-même dérivé du latin classique *varus* «bouton» (→ variole). On trouve aussi la graphie *varron.*

♦ Le mot a d'abord eu le sens de «bouton», disparu. ◇ Il a été repris en médecine vétérinaire pour désigner une larve qui parasite la peau des bovins (1911) et la tumeur qu'elle provoque.

▶ Il a pour dérivé **VARONNÉ, ÉE** adj. (1923).

VASCULAIRE adj. est un dérivé savant (1721) du latin classique *vasculum* «petit vase», diminutif de *vas* (→ ① vase), formé pour servir d'adjectif à *vaisseau** en anatomie. *Vasculum* avait été emprunté en moyen français sous la forme *vascule,* conservant le sens du latin (v. 1500), puis employé comme terme d'anatomie (1562), avant d'être remplacé par *vaisseau.*

♦ L'adjectif signifie «qui contient des vaisseaux», en anatomie, et s'applique (1765) à ce qui concerne les vaisseaux, notamment les vaisseaux sanguins (→ artériel, veineux) et leur pathologie *(accident, épisode vasculaire).* ◇ Il qualifie ensuite (1807) en botanique, d'après la nouvelle acception de *vaisseau,* un tissu dont certaines cellules sont différenciées en vaisseaux, d'où *plantes vasculaires* ou *vasculaires* (n. f. pl.), opposé à *plantes cellulaires.*

▶ Sur le radical a été formé **VASCULARISÉ, ÉE** adj. (1846), terme d'anatomie qualifiant un tissu organique qui présente des vaisseaux, dont dérivent **VASCULARISATION** n. f. (1846) «disposition des vaisseaux (d'un organe, d'un organisme)» en anatomie, et «formation de vaisseaux», en physiologie et pathologie; ainsi que le verbe **VASCULARISER** v. tr. qui semble récent (1942, Caullery). ◆ De là au XXᵉ s. **REVASCULARISER** v. tr. et **REVASCULARISATION** n. f., en chirurgie. ◆ **VASCULARITE** n. f. (1933), de *-ite,* désigne une inflammation des vaisseaux. ◆ **VASCULEUX, EUSE** adj. (1734), formé sur le radical du latin *vasculum,* a été éliminé par *vasculaire.* ◆ Le composé **CARDIO-VASCULAIRE** adj. (1910), de *cardio-,* est un terme médical entré dans l'usage courant à cause de la fréquence des affections de ce type; cf. *cardiaque.*

◈ voir **VASQUE.**

① **VASE** n. m., forme actuelle de ce mot, attestée au XVIᵉ s. (1539, R. Estienne), a été précédé par *vas* (1165-1170), *vez,* n. m. pl. (v. 1210), emprunts anciens au latin classique *vas, vasis* «récipient à liquides (vase, pot, vaisseau, etc.)» et au pluriel «équipement, bagages», spécialement dans la langue militaire, «ustensiles», «instruments, outils» pour l'agriculture, la chasse, etc.

♦ La forme ancienne *vas,* comme *vaisseau*,* est d'abord attestée au sens de «cercueil» qui correspond à l'ancien provençal *vas* «tombeau» (fin XIIᵉ s.) et qui, retenant l'idée de «contenant», ne se maintient guère au delà du XVᵉ s., en dehors des dialectes. ◇ On trouve ensuite *vez* (v. 1210) désignant un récipient pour les liquides; cette valeur générale, qui concurrence puis élimine *vaisseau*,* persiste jusqu'au XIXᵉ s. et se maintient dans des emplois figés, comme le proverbe ***la goutte d'eau qui fait déborder le vase.*** ◇ Par métaphore, *vase* désigne en style religieux, après *vaisseau* (voir ce mot) et en concurrence avec lui, les êtres humains en tant que contenants de la grâce divine ou d'une qualité particulière, surtout dans des expressions empruntées aux Épîtres de saint Paul, par exemple ***vase d'élection*** (1660), déjà au XIIIᵉ s. *vas d'eleccion,* calque du latin. Dans le vocabulaire religieux, les ***vases sacrés*** (1694) sont les contenants destinés à la célébration du saint sacrifice, calice, ciboire, etc. ◇ Le mot se dit aussi d'un ornement de sculpture isolé qui repose sur un socle, d'abord dans l'expression technique (1676) ***vases d'amortissement*** désignant ceux qui terminent la décoration d'une façade, et aussi à propos de tout vase décoratif, et d'une forme en vase dans la taille des arbres d'un parc (1690). ◇ Par une autre analogie de forme, *vase* s'emploie en botanique (1701) pour le calice de certaines fleurs, puis désigne en sculpture (1721) la partie ornée de feuillages d'un chapiteau corinthien. ◇ Des emplois spéciaux, au sens propre et au figuré, se développent à la fin du XVIIIᵉ s.. ***Vase de nuit*** (1784) a supplanté *vase nocturne* (1836), mais est moins courant que *pot de chambre.* ◇ Par analogie de forme, *vase à puiser* est un nom donné (1845) au murex, dont la coquille est prolongée par un siphon tubulaire. ◇ *Vase,* avec la valeur générale de «contenant», est encore employé en chimie pour désigner des récipients de formes diverses (1866, *vases clos;* 1869, *vases communicants*); de l'emploi en chimie vient l'expression figurée ***en vase clos,*** «sans communication avec l'extérieur», attestée au XXᵉ siècle. ◆ Par métaphore du récipient et peut-être par allusion à *vase de nuit, vase* s'est employé en argot pour «anus» (1926, ***l'avoir dans le vase***) et se dit au figuré pour «chance» (1928) par une métaphore fréquente qui assimile l'anus à un récipient, et aussi à la chance (cf. *bol, pot).*
À partir du XIXᵉ s., la plupart des emplois, notamment en décoration, en botanique, sont compris par référence à l'acception spéciale du mot, apparue au XVIᵉ s. (1539) «récipient de forme artistique,

souvent décoré» ou «destiné à recevoir des fleurs». Ce sens spécial colore tous les emplois et fait que le sens général de «récipient», tout comme *vaisseau* avant lui, est devenu archaïque, sauf dans des syntagmes figés (*vase de nuit, vases communicants,* etc.).

L'élément **VASO-**, formé sur le latin *vas,* entre dans la composition de termes de physiologie et de médecine concernant les vaisseaux, comme **VASODILATATEUR, TRICE** adj. et n. m. (1859), **VASOMOTEUR, TRICE** adj. et n. m. (1861), etc.

◈ voir ÉVASÉ, EXTRAVASER (S'), TRANSVASER, VAISSEAU, VAISSELLE, VASCULAIRE, VASQUE.

② **VASE** n. f., attesté une première fois vers 1155 et à nouveau en 1396 (selon Bloch et Wartburg), sous la forme normande *voyze,* puis à la fin du XVe s. aussi en normand (1496) et sous la forme *vase* en picard (1484), est emprunté au moyen néerlandais *wase,* du germanique °*wasa* (cf. haut allemand *waso*), radical qui a aussi donné *gazon*.*

♦ Le mot, importé par le nord de la France (*vase, wase*) et par la Normandie (*voyse*), conserve le sens de l'étymon, désignant un dépôt de terre et de particules qui se forme au fond des eaux stagnantes.

▸ **VASIÈRE** n. f., d'abord terme régional (1415, en Bretagne) avec la variante au masculin *wasier* «lieu vaseux» (Normandie), repris en 1755, désigne le premier bassin d'un marais salant, où arrive l'eau de mer; on dit aussi *vasais,* n. m. (1724, *vasois*). ◇ Le mot se dit ensuite d'un endroit plein de vase (1861) et d'un parc à moules (1872). ➤ **VASEUX, EUSE** adj. et n. m. est rare pour qualifier (1484) un endroit qui contient de la vase et a disparu au sens figuré de «vil» (fin XVIe s.). ◇ Au figuré, il s'applique familièrement à qqn qui se trouve dans un état de fatigue, de malaise (v. 1833) ou à un texte, un raisonnement obscur, embrouillé et sans valeur (1896). ◇ Du premier emploi vient par substantivation le sens de «ver de vase» (mil. XXe s.). ➤ De l'emploi familier dérive **VASOUILLER** v. intr. formé en argot (1904) avec le suffixe péjoratif *-ouiller* et signifiant «fainéanter»; le verbe est passé dans l'usage familier dans un autre sens, «être hésitant, dans ses actes ou ses paroles» (1908) et, en parlant de choses, «marcher mal» (1932). ◇ Les dérivés familiers **VASOUILLARD, ARDE** adj. (1916), qui renforce *vaseux* dans l'expressivité, **VASOUILLEUX, EUSE** adj. (mil. XXe s.) et **VASOUILLAGE** n. m. (1938, L. Daudet) sont relativement courants. ➤ **VASEUSEMENT** adv. dérive de l'emploi familier de l'adjectif (attesté en 1967).

VASARD, ARDE adj. et n. m., de *vase* et suffixe *-ard,* est un terme régional et de marine (1687, *fond vasard* «de sable mêlé de vase»), d'où *un vasard,* n. m. (1872). ➤ Le composé **VASICOLE** adj. (1845), de *-cole*,* s'applique en zoologie et en biologie à un être vivant qui vit dans la vase.

ENVASER v. tr., formé de *en-, vase* et suffixe verbal, est attesté au participe passé *envazzé* chez Brantôme (av. 1614) au figuré, qualifiant une personne en mauvaise situation, puis au pronominal en 1616; le verbe signifie concrètement «enfoncer dans la vase» et (1838) «remplir de vase». ➤ Il a fourni le dérivé **ENVASEMENT** n. m. (1792) et le préfixé **DÉSENVASER** v. tr. (1872), terme technique.

③ **VASE** n. f. est peut-être une francisation (v. 1870) de l'allemand *Wasser* «eau» de même origine que l'anglais *water* (→ water-closets), par l'intermédiaire de l'argot savoyard, ou représente un emploi figuré de ② *vase* «boue» : on relève régionalement *évases* «pluies qui se préparent à tomber».

♦ En argot ancien, *la vase* équivaut à «l'eau», notamment «eau de pluie, de rivière».

▸ En dérive **VASER** v. impers. «pleuvoir» (1878), lui aussi argotique.

VASELINE n. f. est un emprunt (1877) à l'anglo-américain *vaseline* forgé par R.A. Chesebrough vers 1870 et enregistré comme marque commerciale en 1872; le mot est composé de *vas-,* tiré de l'allemand *Wasser* «eau» (→ ③ vase), *el-,* du grec *elaion* «huile» (→ huile) et *-ine.*

♦ Le mot désigne une graisse minérale tirée des résidus de la distillation des pétroles de la série des paraffines, surtout utilisée en pharmacie. ◇ À côté de cet emploi technique, *vaseline* se dit couramment (1877) d'une pommade utilisant cette graisse.

▸ Le mot a fourni **VASELINER** v. tr. (1894; *vaseliné,* 1895) d'après l'anglais *to vaseline* (1891).

VASISTAS n. m. (1760) a aussi été noté *wass-ist-dass* (1776), puis *wasistas* (1784), *vagistas* (1786). Le mot transcrit l'allemand *was ist das?* «qu'est-ce que c'est?», question posée à travers un guichet. C'est un emprunt oral «délocutif», qui suppose un contact entre un milieu germanophone et des francophones (peut-être des militaires) suivi de l'importation du mot par l'est et le nord-est de la France.

♦ Il se dit d'un petit vantail mobile, pouvant s'ouvrir dans une porte ou une fenêtre. Sous la Révolution, *le vasistas* a désigné la lucarne de la guillotine.

VASODILATATEUR, -MOTEUR → ① VASE

VASQUE n. f., apparu au XVIe s. (1548) et repris en 1826, est emprunté à l'italien *vasca* «bassin», du latin classique *vascula,* pluriel de *vasculum* (→ vasculaire).

♦ Le mot désigne un bassin ornemental peu profond puis, par analogie de forme (1893), une cavité dans une banquette rocheuse et (1885) une coupe large et peu profonde qui sert à décorer une table.

VASSAL, ALE, AUX n. est emprunté (1080) au latin médiéval *vassalus* (VIIIe s.), dérivé de *vassus* «serviteur», mot d'origine celtique (gauloise) représenté par le gallois *gwas* «jeune homme», l'irlandais *foss* «serviteur» et d'où viennent, outre le français, l'italien *vassallo,* l'espagnol *vasallo,* l'allemand *Vassall* (→ valet).

♦ Dans le système féodal, *vassal* désigne (1283) un homme lié personnellement à un seigneur, dit *suzerain,* qui lui concède la possession d'un fief. Par référence aux qualités attribuées au vassal, le mot s'est dit dès son apparition d'un jeune homme noble, vaillant et brave (1080). ◇ L'idée de «dépendance» explique qu'il ait été utilisé en ancien français pour nommer une personne à qui on adresse la parole (XIIe s.) et par extension (1530) un homme dépendant de qqn, considéré comme inférieur, plus tard pour un groupe, un pays (1831 ; *État vassal*).

▸ Le dérivé **VASSELAGE** n. m., d'abord utilisé au figuré (1080) pour «courage, bravoure», qualité considérée comme propre au bon vassal, est aujourd'hui un terme d'histoire (1530, *vaisselage ;* 1549 forme moderne), désignant la condition de vassal, la dépendance envers le suzerain et les obligations qu'ils contractent l'un envers l'autre, avec des syntagmes comme *vasselage actif* (1611), *droit de vasselage* (1636). Le mot, devenu historique et littéraire, s'emploie alors aussi au figuré (1835, Balzac). ◆ **VASSALITÉ** n. f., réfection qui semble tardive (déb. XVIIIe s.) de *vaussaulté* (1491), se dit de la condition de dépendance du vassal envers son suzerain et, comme *vassal*, s'emploie aussi au figuré (1836, Balzac). ◆ **VASSALIQUE** adj., terme d'histoire récent (XXe s.), qualifie ce qui est relatif à la vassalité, *vassalitique* adj. (1829) étant resté inusité. ◆ **VASSALISER** v. tr., «asservir, rendre semblable à un vassal» (1871), a fourni **VASSALISATION** n. f. (XXe s. ; 1933 chez A. Gide).
VAVASSEUR n. m., réfection (1229) de *vavassor* (v. 1150) et *vavassur* (v. 1090), est une francisation du bas latin *vassus vassorum*, proprement «vassal des vassaux», *vassorum* étant le génitif de *vassus*. Terme d'histoire, il désigne dans le système féodal le degré inférieur de la noblesse. ◇ On a dit aussi au moyen âge *vasseur* (1147).

◈ voir VALET.

VASTE adj. est la réfection (1495) de *wast* (mil. XIIe s.), qui succède aux formes *guast* (1080), *gast* (XIIe s.), aboutissements du latin classique *vastus ;* sous la forme moderne (1495), il représente un emprunt. *Vastus* signifie «ravagé, dépeuplé, désolé» et «qui ravage», d'où par extension «inculte», «rude (à l'oreille)» et «qui s'étend au loin, immense» ; l'adjectif s'emploie ensuite comme synonyme expressif de *magnus*, en particulier pour qualifier des cris qui s'entendent au loin. *Vastus* appartient à une famille de mots indoeuropéens à *w*-initial exprimant l'idée de «vide, désert» (→ vain, vaquer).

♦ L'adjectif reprend en français (1080) les sens latins de «ruiné, dévasté», en parlant d'un pays, puis, passant de l'idée de destruction causée par l'homme aux effets des intempéries, «inculte, aride», aussi comme nom masculin (v. 1138, *wast ;* v. 1150, *gast*, jusqu'au XVIe s.) ; il correspond alors sémantiquement à *gâter*. De là les emplois en ancien français pour «privé de» (1080) et dans *gaste maison* «maison abandonnée» (1372) ; à la fin du XVe s. et au XVIe s., sous la forme moderne *vaste*, il qualifie un lieu désert, sauvage, inhabité.
Ces différents emplois ont disparu et l'on passe de l'idée de désert et de vide à celle d'étendue, déjà présente en latin. Au début du XVIIe s., *vaste* s'applique à une étendue très grande (1611), sens devenu dominant en français moderne. ◇ Il s'emploie aussi (1623) dans le domaine abstrait à propos de sentiments, de conceptions de l'esprit, etc., usage devenu littéraire. Il en va de même, à propos de l'esprit, de connaissances, etc., pour la valeur de «étendu dans sa portée, dans son action» (1627). ◇ L'emploi concret connaît deux spécialisations : en anatomie, *muscle vaste* (1611), d'où *le vaste* n. m. (1690) et à propos d'un vêtement ample (1666).

▸ La forme **GAST** est reprise (1690), encore attestée après 1750, pour désigner la partie d'une forêt où des arbres ont été abattus ; cette idée de «lieu vide» est conservée dans *gâtine**.
Le dérivé **VASTEMENT** adv. (1440-1444) est rare. ◆ **VASTITÉ** n. f. reprend d'abord (1517) le premier sens du dérivé latin *vastitas* «dévastation (d'un lieu)», puis le second, du latin impérial, «grandeur démesurée» (XVIe s.). Cet emploi est vivant, mais très littéraire. ◆ **VASTITUDE** n. f., très littéraire lui aussi pour «immensité», est un emprunt (1546) au latin *vastitudo* «ravages» et «proportions énormes».

◈ voir GÂTER, VAIN, VAQUER.

VATICINER v. est un emprunt savant (1481) au latin classique *vaticinare* «prophétiser» et «être en délire, extravaguer». Ce verbe est composé de *vates* «prophète» et, les prophéties étant le plus souvent rythmées, «poète», au figuré «maître dans un art» ; c'est un mot d'origine italo-celtique. Le second élément de *vaticinare* vient de *canere*, supin *cantum* «chanter*».

♦ *Vaticiner*, rare avant le XIXe s., où il s'emploie aussi transitivement (1873), signifie «prophétiser» avec une idée d'emphase ; il est souvent employé péjorativement, dans un registre littéraire.

▸ Le participe présent a fourni **VATICINANT, ANTE** adj. (1948), équivalent rare de «prophétique». ◆ **VATICINATEUR, TRICE** n. (1512) et adj. (1546, Rabelais) est emprunté au dérivé latin *vaticinator, -trix* «devin, prophète», et **VATICINATION** n. f. (1512) «prédiction de l'avenir» au latin *vaticinatio, -onis* «prédiction, oracle».

VAU → VAL, VEAU

VAUDEVILLE n. m., contraction (1549) de *vault de ville* (1507), représente une altération, d'après *ville**, de *vau de vire* «chanson de circonstance» (XVe s.). Le mot est traditionnellement rattaché à *vau (val*) de Vire*, région de Basse-Normandie dont les chansons eurent du succès du XVe s. au début du XVIIe s. (1610, livre des *vaux de Vire*). ◇ Pour P. Guiraud, qui conteste cette origine géographique, *vaudevirer* est un composé tautologique de *vauder*, mot normand signifiant «tourner», «aller d'un côté et de l'autre» (→ galvauder) et de *virer**, le déverbal désignant une ritournelle. Quoi qu'il en soit, le mot, sous l'influence de *ville*, a été interprété comme une chanson satirique de circonstance.

♦ Le mot est sorti d'usage avec son premier sens de «chanson populaire à thème satirique ou bachique», sauf en histoire littéraire où l'on emploie aussi la forme ancienne. ◇ Il désigne (1721) une chanson insérée dans une pièce de théâtre, d'où l'expression *pièce en vaudevilles* (1776) pour une pièce de théâtre mêlée de chansons et de ballets, et spécialement (1811) l'emploi de *vaudeville* à propos d'une comédie légère, fertile en rebondissements. Par figure, il se dit de ce qui a le caractère léger, l'intrigue complexe et burlesque du vaudeville (1844; 1830, *de vaudeville*).

▸ En dérivent **VAUDEVILLISTE** n. (1735) «auteur de vaudevilles (pour le théâtre)» et **VAUDEVILLESQUE** adj. (1891; succède à *vaudevillique*, 1832 Stendhal), qualifiant surtout au figuré une situation ridicule et compliquée. ➜ **VAUDEVILLISÉ, ÉE** adj. (1826; 1832 comme verbe) est sorti d'usage.

VAUDOU n. m. et adj. a été emprunté (1797, *vaudoux*) à *vodu*, mot d'une langue de Bénin utilisé en créole haïtien et aux Petites Antilles.

♦ Le mot a désigné, par une interprétation superficielle et erronée, une danse des Noirs. ◇ Repris vers le milieu du XIXe s. (1864), il désigne le culte animiste, originaire du Bénin, répandu chez les Noirs des Antilles et de Haïti et, par métonymie, les divinités de ce culte et ceux qui le pratiquent. Le vaudou a pour équivalent brésilien le *candomblé*. ◇ *Vaudou* est aussi employé comme adjectif (1868), par ex. dans *une cérémonie vaudou*.

VAU-L'EAU (À) → VAL

VAURIEN → VALOIR

VAUTOUR n. m. est attesté sous diverses formes en ancien et en moyen français, parmi lesquelles *voltur* (fin XIe s., Raschi), *voltour* (v. 1265), *vouteur* (1352-1356), *voultour* (1546); la forme moderne en *vau-* (1553) est probablement une forme dialectale du Sud-Ouest. Le mot est un emprunt au latin classique *voltur* ou *vultur*, «oiseau de proie de grande taille», employé aussi au figuré pour «personne avide, dure». Ce mot serait apparenté à *vellere* «arracher, extirper» (→ laine, révulsion); cependant, on a aussi évoqué un mot étrusque signifiant littéralement «l'oiseau de dieu *vel*». On relève aussi des formes qui reprennent le dérivé latin *vulturius* de même sens, comme *voutoir* (XIIIe s.), *voultoir* (v. 1375).

♦ Le mot conserve le sens propre du latin et prend plus tard, peut-être par réemprunt (1577) le sens figuré déjà attesté en latin. ➜ Au XXe s., par calque de l'anglais *vulture*, *vautour* désigne (1967) un partisan des solutions de force dans un différend international, moins courant que *faucon** et opposé à *colombe*.

VAUTRE n. m. est la réfection (v. 1180, aussi *veautre*) de *veltre* (1080), forme issue du latin impérial *vertragus* «sorte de lévrier», mot d'origine gauloise.

♦ Terme de chasse archaïque, *vautre* désigne un chien courant, utilisé pour la chasse au sanglier, à l'ours.

▸ Parmi les dérivés encore vivants, mais devenus rares: **VAUTRAIT** n. m. (1655) «équipage de vautres», antérieurement *vautroy* (1405), *vautray* (1554), *vautret* (mil. XVIe s.). ➜ ① **VAUTRER** v. tr. (1690) «chasser avec des vautres», auparavant *veautrir* (v. 1390), *vaultrer* (1573).

① **VAUTRER** → VAUTRE

② **VAUTRER (SE)** v. pron. est la réfection (v. 1636) de formes comme *voutrer* (v. 1190, jusqu'au XVIIIe s.), *voltrer* (XIIIe s.), etc., en concurrence jusqu'à la fin du XVIIIe s. avec la forme *veautrer* (1538), par attraction de *veau*. Le verbe est issu du latin populaire °*volutulare* «se coucher, s'étendre (sur, dans qqch.) en se roulant», qui a donné l'italien *voltolare* «se rouler», *voltolarsi* «se vautrer». °*Volutulare* est dérivé du latin classique *volutus*, participe passé de *volvere* «tourner» (→ volute, évoluer, révolution...).

♦ Le verbe a d'abord conservé le sens de l'étymon dans les constructions *se vaultrer parmi* (1534), *se vautrer sur* (1636), *se vautrer dans* (qqch.). ◇ L'idée de «se rouler» a progressivement cédé la place à celle de «s'abandonner mollement», par influence probable des métaphores sur *veau* (et *vache: s'avachir*). Il s'emploie au figuré pour «se complaire, s'abandonner», par exemple dans *se voutrer en péchié* «s'abandonner au péché» (v. 1300), *se vautrer dans la débauche* (1675). ◇ L'emploi transitif (XVe s., *voutrer son corps*) a disparu.

VAVASSEUR → VASSAL

VEAU n. m. (fin XIIe s.), d'abord *vedel* et *veel* (v. 1120), *veal* (v. 1300), *viaul* (fin XIVe s.), est issu par évolution phonétique du latin classique *vitellus*, mieux conservé dans les langues romanes (par exemple l'italien *vitello*) que *vitulus* dont il est le diminutif et qui correspond à «veau» pour le sens (le *vitellus* est donc un jeune veau). *Vitulus*, «petit de l'année», est aussi employé dans *vitulus marina* «veau marin, phoque» et, au figuré, comme terme d'affection. Le mot dérive de *vetus*, *veteris* «de l'année précédente», qui a abouti en français à *vieux**. *Vetus* est généralement rattaché à une base indoeuropéenne °*wet-* désignant l'année, qu'on retrouve dans le sanskrit *vatsah* «veau», le gotique *withrus* «agneau» (animaux de l'année).

♦ Le mot conserve le sens latin de «petit de la vache»; il entre dans des locutions, où est spécifié le mode d'élevage, ***veau de lait*** (1640; d'abord *viaul*, 1396), dit aujourd'hui ***veau fermier*** ou ***veau sous la mère***. *Veau montgane* (1690), de l'italien *vitello mongano*, se disait d'un veau élevé dans la ménagerie royale, nourri du lait de plusieurs vaches, de sucre et d'œufs; par altération, cette expression est devenue ***veau de montagne*** (1694), peut-être mis en rapport avec ***veau de rivière*** «élevé sur des pâturages en bordure de cours d'eau». ***Veau (élevé) sous la mère***, locution répandue après 1950 par les guides gastronomiques, se rencontre déjà au XVIIIe s. ◇ L'expression ***veau d'or*** (1485; v. 1170 *veel d'or*) désigne l'idole d'or représentant un jeune taureau, adorée par les Hébreux, puis s'emploie par figure pour «homme qui n'a pas d'autre mérite que sa richesse» (1690), sens disparu, alors qu'on connaît encore ***adorer le Veau d'or*** (1694) «avoir le culte de l'argent».

Veau fait partie de nombreuses locutions ou expressions figurées, où l'on a retenu des caractéristiques physiques de l'animal, et des comportements qui lui sont attribués traditionnellement, dans notre culture : «lourdeur», «maladresse», «paresse», «sottise», etc. Le mot s'emploie familièrement (1480) pour «imbécile, sot», en adjectif au XVe s. (1485) et au XVIIe siècle ; l'idée d'inexpérience se trouvait dans *jeune veau* «jeune étourdi» (1433), disparu ; on relève chez Rabelais *veau cornart* «docteur pédant», *veau escorné* «poltron», *veau de disme* (1532 ; 1701, *de dîme*) «lourdaud», *rire comme un veau* «comme un sot», sortis d'usage. ◇ ***Faire le veau***, qui ne s'emploie plus pour «faire le nigaud» (1594), signifie «s'étendre nonchalamment» (1668, La Fontaine ; aussi 1654, ***s'étendre comme un veau***) par la même image que *s'avachir*, et a pu influencer *se vautrer** ; ***pleurer comme un veau*** est attesté en 1606, avant *s'amuser ainsi qu'un veau*, disparu. On a aussi employé *faire le pied de veau* «faire mal la révérence» (1669). ◇ ***Tuer le veau gras*** (en anc. franç. *occire le cras veel*, v. 1225), allusion à la fête donnée en l'honneur du retour de l'enfant prodigue dans l'Évangile, a signifié «faire bonne chère en l'honneur d'un succès remporté» (1640) ou «en l'honneur de qqn» (1690). ◆ Au XIXe s., le sémantisme des emplois figurés se modifie et devient nettement plus péjoratif, cette tendance est analogue à celle de l'italien *vitellone* «grand veau» ; en français, *grand veau* (1823) ou *veau* (1842) est toujours en usage familier pour «fainéant», mais les emplois argotiques du mot pour «jeune prostituée» (1840) ou pour «femme qui a des manières trop libres» (1876) ont disparu, ainsi que *veaumorné* «femme ivre» (1840, pour *veau mort né*). ◇ Au début du XXe s., avec l'idée d'«indolence», *veau* s'emploie par figure pour «mauvais cheval de course» (1901) puis en parlant d'une automobile peu nerveuse (1917) sens très vivant, et d'un bateau.

Par ailleurs, le mot désigne depuis le XVIe s. la viande de l'animal (v. 1480, *pasté de veau*), d'où *bouillon de veau* (1800) et en cuisine *fond de veau*, ainsi que le cuir fait avec sa peau (1462). ◇ De là, la locution figurée ancienne ***se faire relier en veau*** «être auteur» (1680), à cause de l'abondance des reliures en veau aux XVIIe et XVIIIe siècles. Dans cette acception, le mot s'est employé en argot militaire (1832) pour «sac (du soldat)», (cf. *vache*).

Veau s'emploie par analogie pour nommer d'autres animaux — souvent des jeunes — : *veaulx de biche* (1530), disparu, *veau de mer* (1538) puis *veau marin* (1562) «phoque» ; *veau marin* ou *veau des Chartreux* «thon». ◆ Régionalement, *veau* se dit de la partie d'un champ mal labourée (1551) où le blé n'a pas poussé (1842, *Académie*). ◆ Par une métaphore analogue à celle de *poutre*, *chèvre*, etc., le mot a désigné (1701) une poutre en charpenterie (→ ci-dessous ② *vau*).

▸ Le dérivé **VÊLER** v. tr. a été formé à partir de la forme ancienne de *veau* ; le verbe, qui s'est écrit *veller* (1328, p.p.), *vesler* (1482), *véler* (1680), avant *vêler* (1688), signifie «mettre bas», en parlant de la vache. Il a eu aussi les sens de «mugir» (XVe s., *veeler*), «gémir» (1842) et dans les dialectes le sémantisme général de «crouler, s'ébouler». ◆ Des dérivés de *vêler*, deux sont encore en usage : **VÊLAGE** n. m. (1834), synonyme de **VÊLEMENT** n. m. (1841). ◇ *Vêlage* est par ailleurs un terme didactique (1891 ; J.-B. Charcot l'emploie en 1910) désignant la désagrégation d'une partie de la banquise qui produit les icebergs ; ce sens vient de la valeur figurée et dialectale du verbe, «s'ébouler».

VELOT n. m., dérivé (1611) de la forme ancienne *ve(e)l*, a d'abord désigné un petit veau puis (1785) la peau de veau mort-né.

VAU n. m. est la graphie altérée (1888) de *veau** employé métaphoriquement (1701) comme terme de charpenterie, pour désigner la pièce porteuse de la ferme d'un cintre, utilisée pendant la construction d'une voûte. ◇ Le composé **SOUS-VAU** n. m. est formé au XXe siècle.

◈ voir VÉLIN.

VECTEUR

VECTEUR adj. et n. m. est un emprunt savant (1596) au latin classique *vector* «passager» et «celui qui transporte», dérivé comme *vectura* (→ voiture) du supin du verbe *vehere* «transporter par terre ou par mer» et «porter sur ses épaules» ; ce verbe, apparenté au sanskrit *váhati* «il transporte en char», au vieux slave *vezo*, se rattache à la racine indoeuropéenne °*wegh-* «aller en char», «transporter en char» (→ véhicule, voie).

♦ Le mot s'est d'abord employé au sens latin de «conducteur d'un bateau ou d'une voiture», disparu. ◇ Il est repris au XVIIIe s. au figuré comme adjectif dans *tourbillon vecteur*, «qui transporte avec soi», en parlant d'une planète (1752), puis dans *rayon vecteur* désignant en astronomie (1760) un segment de droite joignant un foyer (en général, le centre du Soleil) à une planète en une position quelconque de son orbite ; *rayon vecteur* s'emploie également en géométrie (1761). ◆ Le nom, en mathématiques (1862), est emprunté à l'anglais *vector* (créé en 1865 par W. R. Hamilton, employé par Maxwell en électromagnétisme). Il se dit d'un segment de droite caractérisé par sa longueur, sa direction et son orientation. On parle de *vecteur axial* (1901), *polaire*, (1901), tous deux d'après W. Voigt (av. 1900), *libre* et *lié*, *glissant* (1909, Appell). ◇ Au XXe s., avec la valeur étymologique, *vecteur* désigne en médecine l'hôte d'un agent infectieux qui le transmet (1910). ◇ Enfin, il se dit (v. 1960) d'un engin capable de transporter une charge nucléaire.

▸ **VECTORIEL, ELLE** adj., terme de mathématiques signifiant «relatif aux vecteurs», semble avoir été formé (1885) d'après l'anglais *vectorial* (1882), dérivé de *vector*.

◈ voir INVECTIVE, VÉHICULE, VOITURE.

VÉCU → ① VIVRE

VÉDA

VÉDA n. m. (1765), d'abord *Vedam* (1670), et *Veidam* (1756, Voltaire), est emprunté au sanskrit *veda* «savoir, connaissance», de *vid-* «savoir» qui, comme le grec *idein* (→ idée) et le latin *videre* (→ voir), se rattache à la racine indoeuropéenne °*weid-* «voir». Le mot a pour synonyme au XVIIIe s. les formes *Bed* (1740), *Beth* (Moreri, 1759), de même origine, transcription d'après l'ourdou.

♦ Le mot désigne un ensemble de textes religieux et poétiques, premiers documents littéraires de l'Inde écrits en sanskrit archaïque et, par extension, chacun des recueils qui le composent.

▶ Les dérivés **VÉDIQUE** adj. (1842) «des védas» *(langue védique)*, d'où *le védique* n. m. (1876), **VÉDISME** n. m. (1859) et **VÉDISANT, ANTE** adj. et n. (1939) «spécialiste du sanskrit védique» sont didactiques.

VEDETTE n. f. est un emprunt (1573) à l'italien *vedetta* «lieu élevé pour observer» (XVe s.), par exemple dans *stare alla vedetta* «observer»; ce mot résulte peut-être d'un croisement de *veletta*, diminutif de *vela* «petite voile en haut du grand mât» (→ ② voile) et de *vedere* «voir*» (→ belvédère); il pourrait aussi venir de l'espagnol *veleta* «girouette» (cf. portugais *veleta*), dérivé de *velar* «monter la garde», issu du latin *vigilare* (→ vigilant).

♦ Le mot apparaît dans *être en vedette* «en sentinelle», et désigne (1584) un soldat en sentinelle ; il s'est appliqué d'abord à une tourelle sur un rempart servant de guérite aux sentinelles, sens encore relevé à la fin du XIXe siècle. ◇ C'est ensuite l'idée d'être en vue qui est retenue dans ***mettre (un nom, un titre,** etc.**) en vedette*** «détacher en gros caractères» (1786); de là vient l'emploi de *en vedette* au théâtre pour «avoir son nom en gros caractères», aussi dans ***occuper la vedette*** (1826). Puis, ***en vedette*** s'emploie au figuré (1855) pour «de façon à attirer l'attention». ◆ Dans le domaine militaire, se rapprochant de sa première valeur, *vedette* désigne un petit navire de guerre placé en observation (1828), d'où, sans idée d'observation, une petite embarcation automobile rapide (1901). ◆ À partir de l'emploi au théâtre *(occuper la vedette)*, le mot se dit couramment par métonymie (fin XIXe s.) en parlant d'un artiste qui a la vedette, et par extension qui jouit d'une grande renommée (cf. *étoile, star*), puis dans n'importe quel domaine d'une personne très connue (1919), parfois ironiquement. ◆ En apposition, *vedette* correspond à «qui est en vedette», par exemple dans *terme vedette* «mot servant d'entrée dans un dictionnaire».

▶ De l'emploi du mot dans le domaine du spectacle *(une vedette)* viennent plusieurs dérivés, comme **VEDETTISME** n. m. (v. 1950), **VEDETTISATION** n. f. (v. 1970), mais seul **VEDETTARIAT** n. m. (1947), «système qui repose sur les vedettes», formé sur le modèle des dérivés en *-ariat* (de mots en *-aire*), est courant. Ces mots peuvent concurrencer l'anglicisme *star system*.

VÉGÉTAL, ALE, AUX n. et adj. est un emprunt (v. 1560, Paré, n. m.) au latin médiéval *vegetalis*, dérivé du bas latin *vegetare* (Ve s.) «croître»; en latin impérial, le verbe signifiait «animer, vivifier». Il est dérivé du latin classique *vegetus* «vif, animé, vigoureux», lui-même de *vegere* «animer», «donner la force», verbe archaïque que l'on rapproche de *vigere* «être vigoureux» (→ vigueur). De *vegetare* avait été dérivé en latin classique *vegetabilis* «vivifiant», emprunté en français sous la forme *végétable*, adj. «qui peut végéter» (une fois au XIIIe s., repris en 1552), conservé jusqu'à la fin du XIXe s., et n. m. pl. pour «végétaux» (v. 1560), encore dans l'*Encyclopédie* (1765).

♦ *Végétal*, d'abord nom masculin, désigne tout être vivant caractérisé, par rapport aux animaux, par une sensibilité et une motilité plus faibles ou absentes. ◆ L'adjectif, attesté au début du XVIIe s., s'est appliqué (1611) à ce qui donne la croissance à une plante; il prend ensuite le sens de «qui provient de végétaux» (1625; 1687, *sel végétal*), par exemple dans *terre végétale* (1749) et qualifie ce qui est relatif aux végétaux (1701). ◇ L'adjectif s'applique figurément (1832, Balzac) à ce qui semble réduit aux seules fonctions de la vie organique (cf. *végétatif*).

▶ **VÉGÉTALISME** n. m. a disparu au sens de «conversion en végétal» (1836) et a été supplanté au sens d'«alimentation végétale» par *végétarisme** (1890), sauf dans la terminologie qui oppose végétalisme strict et végétarisme.

VÉGÉTER v. intr. est un emprunt (1375) au latin impérial *vegetare* «animer, vivifier». Le verbe s'est d'abord employé au sens général de «se développer» en parlant d'un être vivant (1530, d'une plante), puis comme transitif (1486) pour «donner force et vigueur à (un être vivant)», emploi disparu. ◇ Par analogie de forme, il a signifié «prendre une forme arborescente» en parlant de métaux attaqués par un acide (1677). ◆ La valeur du verbe se modifie au début du XVIIIe s. et c'est l'absence de motilité et de sensibilité des végétaux qui est alors la notion retenue; *végéter* signifie par figure (1718) «mener une vie inerte et sans émotions», d'où en parlant d'une plante «pousser difficilement» (1813) et d'une personne «rester dans la misère, dans une situation médiocre» (1783). B. Constant emploie en ce sens le dérivé en *-ailler végétailler* v. intr. (cf. *vivoter*).

VÉGÉTATION n. f., emprunt (1525) au dérivé bas latin *vegetatio* «animation», signifie d'abord «vie des végétaux, fait de pousser». Cet emploi est rare. ◇ Par analogie, le mot se dit (1692) d'une disposition naturelle (comme la cristallisation) qui reproduit des formes végétales. ◇ Par métonymie du sens initial (1749), il désigne l'ensemble des végétaux, des plantes qui poussent dans un lieu, puis ceux qui sont distribués à la surface du globe. Par figure (1788), le mot s'est dit de l'état d'une personne qui végète, sens disparu. ◆ Par analogie, *végétation*, surtout au pluriel, est employé en médecine (1806) désignant un papillome de la peau ou des muqueuses qui a un aspect bourgeonnant, spécialement (1914) à propos des ***végétations adénoïdes*** appelées absolument *végétations (faire opérer un enfant des végétations)*.

Le participe présent a fourni **VÉGÉTANT, ANTE** adj. «qui fait pousser les plantes» (1580) puis «qui vit en tant que végétal» (1690). L'adjectif s'emploie aussi au figuré (fin XIXe s.) et en médecine.

VÉGÉTATIF, IVE adj. est emprunté au latin médiéval *vegetativus* «qui fait vivre les plantes», dérivé de *vegetare*. ◇ Il reprend le sens et les emplois didactiques du latin médiéval, par exemple dans *âme végétative* (v. 1265), *faculté végétative* (1636), *principe végétatif* (1812), aujourd'hui sortis d'usage. ◇ Appliqué à ce qui concerne la vie des plantes (1611), l'adjectif a vieilli, sauf dans quelques syntagmes *(multiplication végétative)*. ◇ Il s'emploie au figuré depuis le XVIIIe s. (1778, J.-J. Rousseau), qualifiant une personne qui végète, reste inactive. ◇ Au début du XIXe s., il signifie en physiologie «qui concerne les fonctions vitales communes aux végétaux et aux animaux»; sorti d'usage en ce sens, il s'applique aujourd'hui à ce qui concerne les fonctions physiologiques contrôlées par le système nerveux autonome, dit **NEUROVÉGÉTATIF, IVE** adj. (att. 1925). ➛ L'adverbe **VÉGÉTATIVEMENT** est didactique (mil. XXe s.) à propos de la reproduction.

VÉGÉTARIEN, IENNE est un emprunt, d'abord comme adjectif (1873, Th. Hahn) puis comme nom (1875), à l'anglais *vegetarian* (1842), formé de la contraction de *veget*[able] «légume», lui-même de l'ancien français *vegetable* (→ végétal) et du suffixe *-arian*, d'après les noms de sectes religieuses. *Vegetarian* devrait son succès à la *Vegetarian Society*, fondée en 1847. ➛ En français, le mot a été précédé par *légumiste* (1867 en ce sens). *Végétarien* s'applique à une personne qui ne mange que des produits végétaux ou qui ne mange pas la chair des animaux. ➛ Le dérivé **VÉGÉTARISME** n. m., d'après l'anglais *vegetarism*, apparaît dans la traduction d'un titre de F. W. Dock (1878), et a remplacé *végétarianisme* n. m. (1877). Le mot se dit d'une doctrine qui exclut la viande de l'alimentation, mais permet certains sous-produits du règne animal (lait, beurre, œufs, miel), à la différence du végétalisme strict. Le plus souvent, on emploie *végétarisme* avec ces deux acceptions.

VÉHÉMENT, ENTE adj., d'abord *veement* (1119) puis *vehement* (v. 1170), est emprunté au latin classique *vehemens, -entis* «emporté, violent», en parlant de personnes ou de choses; le mot vient peut-être de *ve-mens*, avec *ve-*, particule privative ou péjorative que l'on retrouve dans quelques composés (→ vésanie), et *mens* «esprit, intelligence» (→ dément). Cette particule serait d'ailleurs identique au grec *ou* (→ utopie). Par étymologie populaire, il y a eu rapprochement avec le radical de *vehere* «transporter» (→ véhicule), la violence impliquant l'idée de «mouvement». Meillet évoque un rapport possible avec *vexare* (→ vexer).

♦ Cet adjectif reprend le sens du latin, en parlant de sentiments (1119), d'un discours, d'une voix (fin XIVe s.), de personnes (v. 1480), etc., le sens évoluant vers l'idée de l'expression animée de sentiments vifs, parfois avec l'idée de conviction. ◇ À propos de choses concrètes (1573), l'emploi pour «violent, très vif» est devenu archaïque du fait de cette évolution et le mot serait senti aujourd'hui comme métaphorique de la valeur rhétorique mentionnée ci-dessus.

▶ L'adverbe dérivé, **VÉHÉMENTEMENT**, est sorti d'usage dans l'emploi juridique (1363, *veesmentement*) au sens de «fortement», et est littéraire (1552) pour «passionnément».

VÉHÉMENCE n. f. est emprunté (1491) au dérivé latin *vehementia* et s'emploie encore, dans un usage littéraire, au sens initial de «force impétueuse (des sentiments, de l'expression)» qui correspond à *véhément*. Le sens concret (déb. XVIIe s.) de «force, violence (d'un agent physique : vent, etc.)» a vieilli comme pour l'adjectif.

VÉHICULE n. m. est emprunté (1538) au latin classique *vehiculum*, dérivé de *vehere* «transporter (par terre ou par mer)», «porter sur ses épaules» et aussi «se faire transporter» (→ vecteur, voiture). Ce verbe a des correspondants dans le sanskrit *váhati* «il transporte en char», l'avestique *vazaiti*, le vieux slave *vezǫ*, etc.; il se rattache à une racine indoeuropéenne °*wegh-* «se déplacer, tirer», également à la base du latin *via* (→ voie) et de substantifs germaniques (→ wagon, tramway).

♦ Introduit en pharmacie, le nom désigne un excipient liquide, puis en médecine (1561) ce qui sert à faire passer d'un lieu à un autre, d'abord en parlant du sang. ◇ Il s'emploie parallèlement (1551) avec la valeur générale et concrète d'«engin servant au transport», aujourd'hui courant seulement en parlant des engins terrestres, alors que la notion abstraite recouvre les transports par eau et par air, d'où *véhicule spatial*. ◇ À partir du XVIIe s., le mot se spécialise : dans un contexte abstrait, il se dit (v. 1660) de ce qui sert à communiquer *(le langage, véhicule de la pensée)*. Concrètement, par reprise de la valeur initiale, il désigne en peinture (1812) un dissolvant des couleurs, et en physique (1694) ce qui sert à transmettre la lumière, acception disparue. ◇ En histoire des religions, le nom, à propos du bouddhisme, équivaut (1849) à «voie du salut», spécialement dans ***Grand véhicule***, qui s'applique au bouddhisme indien initial *(Mahâyâna)* et ***Petit véhicule***, à la première tradition bouddhique *(Hinâyâna)*. *Véhicule* traduit alors le sanskrit *yâna*.

▶ Le dérivé **VÉHICULER** v. tr. «transporter» (1835), usité au propre et au figuré (1916), est employé en français d'Afrique dans *être véhiculé* «disposer d'un moyen de transport». ➛ **VÉHICULAIRE** adj., d'abord «relatif aux moyens de transport» (1842), est surtout utilisé aujourd'hui dans *langue véhiculaire* (1935), «servant aux communications entre des peuples de langues différentes», souvent opposé à *vernaculaire*.

✱ **VEILLE** n. f. est issu par évolution phonétique (v. 1145) du latin classique *vigilia* «veille» (→ vigile), souvent au pluriel, la nuit romaine se divisant en quatre «veilles», et aussi «vigilance». Le nom est dérivé de *vigere* «être bien vivant», «être vigoureux», «être éveillé»; ce verbe est un doublet de *vegere* (→ végéter), l'*i* est sans doute une variation de caractère expressif. Il a pour correspondants dans les langues germaniques : le gotique *wakan* «veiller», le francique °*wahton* (→ guetter; cf. l'allemand *wachen*, l'anglais *to wake*, etc.), le vieil islandais *vakr* «éveiller».

♦ Le mot désigne l'action de rester éveillé pendant le temps normalement destiné au sommeil, ce moment sans sommeil étant le plus souvent consacré à une occupation (dans les premières attestations, à la prière). Puis *veille* s'applique à une soirée passée en commun (v. 1240, *veile*), remplacé plus tard par ① *veillée*. ◇ Parallèlement, le mot s'est employé au sens de «jour précédant une fête religieuse, passé en veilles et en prières» (1172-1174). ◇ Ces deux valeurs se développent, le mot se disant, d'après la première, de l'action de guetter, de surveiller (1373, *velle*) et de la garde qui se fait pendant la nuit (1596) comme dans l'ancien provençal *veylla* «sentinelle» (v. 1280). Ce sens demeure dans quelques expressions, avec l'idée de «surveillance», comme ***prendre la veille,*** et ***homme de veille,*** en marine. ◇ Au pluriel, *veilles* a désigné (1553) une grande et longue application donnée à l'étude, sens disparu ou compris au sens moderne de «fait de rester éveillé». ◇ Du sens de «jour précédant une fête», le mot passe au XVIe s., hors d'un contexte religieux, à la valeur de «jour qui précède celui dont il est question» (1537), d'où ***à la veille de*** (un événement) [1599]. ◇ Au XVIIe s. (1636), *veille* se dit, par affaiblissement de l'idée de vigilance, de l'état d'une personne qui ne dort pas, opposé à *sommeil* et s'emploie dans plusieurs expressions liées à la première valeur (1680, *lit de veille, chandelle de veille*). *Veille des armes,* expression enregistrée tard (1732), a désigné la nuit passée à veiller, avant d'être armé chevalier et a été remplacé par ② *veillée.*

▶ Le dérivé ① **VEILLÉE** n. f. se dit (1292, *veilliee;* forme moderne, 1616) comme la variante *veillerie* (1279) en ancien français, d'une soirée passée en commun pour travailler, causer, surtout dans le monde rural, sens encore très vivant au XIXe s. et au début du XXe s., où il est associé à des activités de divertissement traditionnelles : cartes, chansons, etc., aujourd'hui recueillies et étudiées par les folkloristes parmi les traditions populaires. ◇ Le mot a désigné par métonymie un ouvrage fait pendant la veillée (1636) et le lieu où l'on veille (1680). ➜ ① **VEILLER** v. tr., «faire la veillée» (1690), a vieilli plus vite que *veillée.* ◇ En dérive ① **VEILLEUR, EUSE** n., encore régionalement employé au XIXe siècle.

Le composé **SURVEILLE** n. f. (1395), réfection de *serveille* (v. 1170), *sorveille* (1190), est vieilli ou régional pour désigner le jour avant la veille, alors que **AVANT-VEILLE** n. f. (XIIIe s.) reste usuel dans ce sens.

② **VEILLER** v. est issu du latin classique *vigilare* «être éveillé», «être sur ses gardes, être attentif» et «entourer de veilles, de soins», dérivé de *vigilia.* ➜ *Veiller* (1180), d'abord sous la forme *veillier* (v. 1120), a eu une évolution partiellement analogue à celle de *veille,* l'idée de «surveillance» s'étant développée autrement. *Veiller* a signifié dans ses premiers emplois «être dans l'état de veille» (v. 1120), «ne pas dormir pendant le temps destiné au sommeil» et «être de garde» (v. 1180). Le verbe correspondait aussi en ancien français à «se réveiller» (v. 1200, *veillier*). ◇ De la première acception vient en fauconnerie *veiller un oiseau* «l'empêcher de dormir pour mieux le dresser» (v. 1375) et l'emploi, d'usage général, pour «passer la nuit auprès de (un mort)» (1409); on dit aussi *veiller un malade* (1465). ◇ Par ailleurs, de l'idée de «garde», on passe à «être sur ses gardes» (v. 1190), sens disparu, et à *veiller à qqn* employé pour «prendre attention à ce qu'il fait» (pour le protéger, etc.) [1440-1475], remplacé au XVIe s. par *veiller sur qqn* (1553). *Veiller sur qqch.* «faire attention à qqch.» (1538) a vieilli, et l'emploi transitif *veiller qqn* (1580), «surveiller», ne s'est employé que jusqu'au XIXe siècle. L'emploi moderne usuel, avec un complément nom de chose, est *veiller à.* ➜ ② **VEILLÉE** n. f., dérivé du verbe, signifie d'abord «état de veille» (1580, Montaigne), puis désigne la nuit pendant laquelle on veille (1606), spécialement pour garder un malade (1690) ou près d'un mort ***(veillée funèbre).*** ◇ ***Veillée des armes,*** qui évoque après *veille des armes* la préparation morale du chevalier avant l'adoubement, s'emploie (1904) dans un contexte militaire; sous la forme ***veillée d'armes*** en français moderne (1871 chez Zola), il correspond au figuré au sens de «préparation morale à une épreuve» (XXe s.). ➜ ② **VEILLEUR, EUSE** adj. désigne (1355, n. m.) un soldat de garde, d'où la locution courante ***veilleur de nuit*** (ou simplement *veilleur*) [1832]. Le mot est rare pour «personne qui ne dort pas la nuit» (XVe s., hapax, puis 1645, Scarron), plus tard remplacé par *insomniaque,* et il est sorti d'usage au sens de «personne qui veille un mort (1701) ou un malade». ➜ **VEILLEUSE** n. f. s'est spécialisé; le mot s'est dit (XVIIe s.) d'un canapé à dossier de fond et à dossier latéral et aussi (1762) d'une petite lampe qu'on laisse allumée la nuit, emploi beaucoup plus courant, l'objet désigné changeant de nature, de la lampe à huile à la lampe électrique. De là *mettre (une lampe) en veilleuse, mise en veilleuse* (1894), au figuré à propos d'un projet, etc. (1931), et ***être en veilleuse*** «avoir une activité réduite» (1935), ***le mettre en veilleuse*** «se taire, s'abstenir». Par métonymie, *veilleuse* s'est dit (1835) de la petite mèche qui flotte sur l'huile d'une veilleuse. ◇ En botanique, *veilleuse* désigne (1842) le colchique d'automne, aussi nommé **VEILLOTTE** n. f. (1872), soit parce qu'il fleurit à l'époque des veillées, soit parce qu'il résiste au froid de la nuit.

Le préfixé **SURVEILLER** v. tr. s'emploie au sens de «contrôler, observer avec attention» (1586); la construction *surveiller à qqch.,* «veiller particulièrement sur qqch.» (1680), a été usitée jusqu'au XIXe siècle. Le verbe s'est spécialisé dans les domaines policier et militaire (1789); par ailleurs, il s'emploie couramment pour «être attentif à» (1904, R. Rolland). ◇ *Se surveiller* «surveiller son propre comportement» est attesté dès le XVIe s. ➜ Le verbe a fourni **SURVEILLANT, ANTE** n. qui désigne (1535) la personne qui veille sur qqn ou qqch. Le mot, aussi adjectif au XVIe s. (1587), s'employait spécialement (XVIIe s.) en parlant des ecclésiastiques puis se dit d'un gardien de prison, d'une personne chargée de la discipline dans un établissement scolaire (1875), d'où ***surveillant général*** (1889), abrégé dans l'argot scolaire en ***surgé*** n. m. ou *surjé,* dénomination remplacée officiellement en 1970 par *conseiller d'éducation.* ➜ **SURVEILLANCE** n. f., «action de surveiller» (1768), se dit aussi de la situation d'une personne surveillée (1872, ***en surveillance***). Comme *surveillant,* le mot a des emplois spéciaux.

◈ voir **ÉVEILLER** (et **RÉVEILLER**), **VIGIE, VIGILANCE, VIGILE.**

VEINE n. f. est issu (XIIe s.) du latin classique *vena,* qui désigne toute espèce de conduit, filet d'eau, filon de métal, etc. Le mot est employé notamment en anatomie pour «conduit sanguin», équivalant au pluriel à «pouls», et également pour tout objet ressemblant par sa forme à une veine (veine du bois, du marbre, etc.). Les veines du sang étaient considérées comme le siège de la vie et *vena* se disait au figuré pour «inspiration poétique» et «fond d'une chose». L'origine du mot latin n'est pas éclaircie.

♦ *Veine,* écrit aussi *voine* (v. 1130), *vaine* (du XIIIe au déb. du XVIIIe s.) et *vène* (1562, jusqu'à la fin du XVIIe s.), reprend d'abord en anatomie le sens latin de «vaisseau», d'où *orinal voine* «trachée» (v. 1130), et «vaisseau contenant le sang» : *maistre vene* «aorte» (v. 1200), encore au XVIIe siècle. ➜ Par figure, il s'est employé pour «famille, lignée» (1212-1214), en particulier dans des locutions comme *être de grosse veine* «d'une famille très noble» (v. 1250), opposé à *être de male* [mauvaise] *veine* (XIIIe s.). ◇ Il reprend également le sens figuré du latin, «inspiration (de l'artiste)» (v. 1165), acception toujours en usage dans un style soutenu. ➜ Les *veines* (XIIIe s.) pour «vaisseaux sanguins» (comprenant artères et veines) correspond dans des locutions au sang, symbole de la vie ; certaines ont disparu comme *tirer qqch. des veines de son père* «hériter qqch. par naissance» (1440-1475), mais beaucoup restent dans la langue courante : ***avoir son sang glacé dans les veines*** (XVIIe s., au XVIe s. *le sang me gèle dans les veines*), ou dans l'usage littéraire (quelque peu archaïque) ***avoir le sang qui bout dans les veines*** (1624), ***avoir du feu*** (XVIIIe s.), ***du sang dans les veines, ne pas avoir de sang dans les veines*** (1798). ➜ Le concept moderne correspond, après la découverte de la circulation du sang, à la répartition des fonctions entre veines et artères (→ artère). ➜ D'après un autre sens du latin, *veine* désigne (v. 1230, *vaine*) un filon (d'un minéral) dans une roche ; il s'est dit pour «couche de terre» (v. 1265) et «filet d'eau souterrain, conduit d'une source» (1155), autres latinismes sortis d'usage. ◇ Par ailleurs, *veine* se dit par analogie (1607) d'un dessin coloré, mince et sinueux dans le bois, les pierres et, en botanique (1636), d'une nervure saillante, dès le XIIe s. d'une raie dans une pierre précieuse.

De l'idée d'inspiration vient un double sémantisme : «bonne disposition» et «chance». Le sens de «(bonne) disposition à l'égard de qqn» se manifeste dans *être tochié (d'une) veine* (v. 1165), *être pris en bonne voine* «être bien disposé» (v. 1240), *n'avoir veine qui y tende* «n'avoir aucune inclination pour» (1611), puis *veine d'esprit* «heureuse disposition de l'esprit» (1636). Tous ces emplois ont disparu après la période classique. Seule est encore usitée l'expression ***être en veine de*** «être disposé à» (1798). ➜ L'idée de «chance» domine dans *avoir aucune veine* «avoir de la chance» (mil. XIVe s.), *être tombé sur une bonne veine* (1740) «avoir été favorisé par la chance», sortis d'usage, puis ***être en veine*** «avoir de la chance au jeu» (1801), et en général «avoir de la chance» (1872), toujours en usage. ◇ *Veine* correspond familièrement à «bonne chance» (1875), d'où ***avoir de la veine*** (1894) et ***veine de cocu*** «bonheur au jeu» (1879) ; → veinard.

▶ Plusieurs dérivés sont liés au sens propre du nom et à ses emplois analogiques. ➜ **VEINEUX, EUSE** adj. signifie «qui a rapport aux veines (et aux artères)» (1549) puis (2e moitié XVIIe s.) aux veines opposées aux artères *(sang veineux).* ◇ Le mot s'applique au bois, aux pierres (1553) et s'emploie en botanique (1804). ◇ De cet adjectif dans son premier sens, vient **INTRAVEINEUX, EUSE** adj. (1877) qui se dit surtout des piqûres. ➜ Le verbe ① **VEINER** «saigner (en piquant une veine)» (1587) a disparu. ◇ **VEINÉ, ÉE** adj., d'abord «rempli de veines» (1611), s'emploie en parlant du bois, etc. (1690), en botanique (1798), à propos de la peau (1830) et d'un gisement (1769). ➜ Le dérivé ② **VEINER** v. tr. signifie (fin XVIIIe s.) «imiter (par des dessins) les veines du bois, du marbre». ➜ **VEINAGE** n. m. (1857) et **VEINURE** n. f. (début XXe s. : 1913, Proust) s'emploient aussi dans ce contexte.

VEINETTE n. f., réfection (1611) de *veinete* (av. 1150) puis *vainette* (1531), est rare pour «petite veine». ◇ Comme terme technique, le mot désigne (1876) une brosse employée par les peintres pour veiner le faux bois, le faux marbre. ➜ **VEINULE** n. f. (XIIIe s. ; aussi *venule,* 1615), «petit vaisseau veineux», est aussi un terme de botanique (1817), d'où **VEINULÉ, ÉE** adj. (XXe s.).

VÉNOSITÉ n. f., formé savamment à partir du radical du latin *vena,* a signifié «surabondance du sang dans les veines» (1855) et «schéma des veines dans un organe» (1873). ◇ Le mot désigne aussi (XXe s.) une petite veine visible à travers la peau.

De *veine* «chance», viennent le dérivé **VEINARD, ARDE** adj. et n. (1854, *vénard*) «chanceux», très courant jusqu'au milieu du XXe siècle, puis en léger déclin par rapport aux nombreux synonymes (mil. XXe s.) et le composé **DÉVEINE** n. f. (1857) «manque de chance, malchance», dont le dérivé **DÉVEINARD, ARDE** adj. et n. (1874) n'est plus employé.

◈ voir VENELLE.

VÉL-, VÉLI-, premier élément tiré du latin classique *velum,* qui a donné *velum** et ① et ② *voile*,* entre dans la composition de quelques mots.

▶ **VÉLIQUE** adj., terme de marine, s'est d'abord employé dans ***point vélique*** (1727), appelé aussi *centre vélique* (1872), «centre de voilure». Il signifie en général «qui appartient aux voiles» (1842). ➜ **VÉLIFORME** adj., didactique (v. 1887), s'applique à ce qui est en forme de voile.

VÉLIVOLE adj. est un emprunt (av. 1841, Chateaubriand) au latin *velivolus* «qui vole, qui va vite», formé de *velum* et de *volus,* dérivé de *volere* (→ ① voler). ◇ Littéraire au sens de «que sa voile fait voler sur l'eau», le mot est didactique lorsqu'il s'applique à ce qui est relatif au vol à voile. Il a aussi été substantivé pour «appareil de vol à voile» (1932).

VÉLAIRE adj., dérivé savant (1874) du radical du latin classique *velum* «voile (du palais)», se dit en phonétique d'une consonne articulée avec le dos de la langue contre le voile du palais ou s'en approchant, par exemple k dans *cou.* ◇ En dérivent **VÉLARISATION** n. f. (1910) et **VÉLARISER** v. tr. (1910).

Enfin **VÉLIPLANCHISTE** n., formation hybride et récente (1980 dans la presse), est formé sur *planche* (à voile) et le suffixe *-iste.*

VÊLAGE, VÊLER → VEAU

VELCHE ou **WELCHE** n. m., attesté en 1758, est emprunté à l'allemand *Welsch* «latin, romain», en moyen allemand *walhisch*, du latin classique *gallicus* «gaulois» (→ gallicisme); *walhisch* avait été emprunté en moyen français dans *perdre son walesch* «ne pas arriver au bout de sa pensée».

♦ *Velche* était un nom de mépris que les Allemands donnaient aux Français. Le mot a été employé comme synonyme de *celte* (1764, Voltaire) et au figuré pour «homme ignorant» (1812). La graphie *welche* est attestée en 1876 pour les deux sens.

◈ voir GALLO-, GALLOIS, GAULOIS, WALLON.

VÉLIN n. m. (1664), d'abord *velin* (1360), est la réfection de *veeslin* (une fois au XIIIe s.), puis *veelin* (apr. 1250), dérivé de *veel*, forme ancienne de *veau**.

♦ **VÉLIN, INE** adj. a signifié «de veau» (1415), emploi disparu. ◇ Substantivé, **VÉLIN** n. m. désigne un parchemin fait de peau de veau mort-né; on trouve aussi *peau de vélin* (1694). ◇ Par analogie (idée de «finesse»), *vélin* s'est dit (1723) d'une espèce de dentelle d'Alençon, appelée aussi *point royal*. ◇ *Papier vélin* (1798) ou *vélin* (1811) désigne un papier qui imite la blancheur et l'uni du vélin. ➝ Par reprise de l'adjectif, *toile véline* (1869) ou, par apposition du nom masculin, *toile vélin* (1904), se dit d'une toile métallique pour estamper le filigrane des billets de banque.

VELLÉITÉ n. f. est un emprunt (v. 1600, François de Sales) au latin médiéval *velleitas* «velléité», dérivé de *velle* «vouloir*».

♦ Le mot est sorti d'usage au sens de «désir faible», autrefois courant et employé en philosophie (1703, Leibniz). Il se dit d'une intention qui n'aboutit pas à une décision (XVIIIe s., Voltaire) et, au figuré, d'une faible esquisse (1834).

▸ En dérive **VELLÉITAIRE** adj. et n. (1894), usuel pour décrire les hésitations de comportement d'une personne qui n'est pas capable de réaliser des volontés par ailleurs affirmées.

✳ **VÉLOCE** adj. est emprunté longtemps après *vélocité* (ci-dessous) (1505) au latin classique *velox, velocis* «rapide, vif, agile», d'un dérivé indoeuropéen °*weg-s-los* appartenant au groupe de *vegere* (→ végéter).

♦ L'adjectif est aujourd'hui littéraire au sens général de «rapide, agile» (1505). ◇ Il s'est appliqué en astronomie à une planète dont le mouvement est rapide; ce sens a disparu.

▸ Le dérivé **VÉLOCEMENT** adv. est archaïque, ainsi que l'ancien adjectif **VÉLOCISSIME**, emprunté (v. 1300) au superlatif de l'italien *veloce*.

VÉLOCITÉ n. f., emprunt (v. 1270) au dérivé latin classique *velocitas* «agilité à la course», «vitesse» au propre et au figuré, est littéraire au sens du latin mais est devenu courant (1885) pour parler de la vitesse, de l'agilité dans le jeu d'un instrument de musique; il s'emploie aussi dans un contexte abstrait.

VÉLOCI-, premier élément tiré de *véloce*, entre dans la composition de termes didactiques. ◇ **VÉLOCIMÈTRE** n. m., formé avec *-mètre**, désigne (1878) un appareil qui mesure les pressions exercées dans le canon d'une arme à feu, en fonction de la vitesse du recul, après son emploi en marine (1856) pour la mesure du sillage d'un navire. ◇ **VÉLOCIMÉTRIE** n. f. (1970), de *-métrie**, se dit de la mesure du paramètre de la vitesse, caractérisant l'état dynamique d'un système sans le perturber.

Mais le composé devenu le plus usuel par aphérèse est **VÉLOCIPÈDE** n. m., composé (1804) de *véloci-*, tiré de *véloce*, et de l'élément *-pède**. *Vélocipède* a successivement désigné une voiture rapide, tirée par des chevaux (1804), nommée aussi **VÉLOCIFÈRE** n. m. (1803; de *-fère*), le conducteur de ce véhicule (1808), puis un coureur à pied (1826). Ces acceptions ont disparu par la concurrence d'une autre valeur (1818), correspondant à un appareil de locomotion formé d'un siège monté sur 2 ou 3 roues, et mû par l'appui des pieds sur le sol. Ce véhicule, amélioration du *célérifère* et de la *draisienne*, a été plus tard muni de pédales montées sur l'axe de la roue. ➝ *Vélocipède* a fourni plusieurs dérivés, sortis d'usage ou vieillis : **VÉLOCIPÉDIE** n. f. (1863), synonyme de **VÉLOCIPÉDISME** n. m. (1892), ont été tous deux remplacés par *cyclisme**. ◇ **VÉLOCIPÉDISTE** n. (1868), variante *vélocipédeur*, (1867), a lui aussi cédé devant *cycliste*. ◇ **VÉLOCIPÉDIQUE** adj. (1869), variante *vélocipédien, ienne* (1867), est archaïque et enfin **VÉLOCIPÉDER** v. intr. (1872), complètement sorti d'usage.

Vélocipède a d'abord été abrégé en ② **VÉLOCE** n. m. (1869, F. Sarcey), mot à la mode à la fin du XIXe s., qui a fourni le composé **VÉLOCE-CLUB** n. m. (1869) et plusieurs dérivés disparus, tous attestés en même temps que *véloce* (v. 1870) **VÉLOCÉEN, ENNE** adj., **VÉLOCEMAN** n. m. et **VÉLOCEWOMAN** n. f., **VÉLOCER** v. intr. ➝ Une nouvelle abréviation aboutit à *vélo* n. m., d'abord dans le composé **VÉLO-CLUB** (1869), puis pour désigner le fait de rouler à bicyclette (1877, **VÉLO-SPORT**, disparu).

VÉLO n. m., seul courant aujourd'hui dans cette série, est attesté en 1879 et supplante *véloce* vers 1885 à Paris; on relève encore *véloce* en 1893 dans le sud de la France. *Vélo* fonctionne comme synonyme familier et très courant de *bicyclette*, et se dit par métonymie pour «pratique, sport de la bicyclette» *(faire du vélo)*. Le mot a reçu récemment des emplois figurés (*avoir un petit vélo dans la tête*, etc.). ◇ À la fin des années 1980, l'engouement pour le *vélo tout-terrain* rend très courant le sigle *V. T. T.* ➝ Les significations dérivées de *vélocipède* ou de *véloce* ont été reprises par des dérivés de *cycle**. ◇ *Vélo* n'a fourni que **VÉLOCISTE** n. (1968), désignant un spécialiste de la réparation et de la vente des cycles, mais il entre dans plusieurs composés. ➝ **VÉLODROME** n. m. (1879) de *-drome**, désigne une piste aménagée pour les courses cyclistes. ➝ **VÉLOMOTEUR** n. m. (1893), anciennement «vélocipède à moteur auxiliaire», signifie aujourd'hui «motocycle de cylindrée comprise entre 50 et 125 cm^3». Il a pour dérivé **VÉLOMOTORISTE** n. (1933), rare. ➝ **VÉLO-TAXI** n. m. (v. 1941) a disparu, sauf dans l'évocation de la période 1941-1945. ➜ **VÉLOPOUSSE** n. m. (1956), de *pousse(-pousse)**, «pousse-pousse tiré par une bicyclette, en Extrême-Orient», est concurrencé par *cyclopousse.* ➜ **VÉLOSKI** n. m. (1935) n'est pas devenu usuel.

VELOURS n. m. est l'altération (1377), par adjonction d'un *r*, à un moment où la prononciation était hésitante pour les mots à *r* final (cf. *faucheux : faucheur*), de *velos* (v. 1155), puis *velous* (v. 1190), *veloux* (fin XIIIe-déb. XIVe s.), mot courant au XVIe s. et usité jusqu'au XVIIIe siècle. Ces formes anciennes sont l'aboutissement du latin impérial *villosus* «velu, couvert de poils», qui a donné l'espagnol et le portugais *velloso*, l'italien *villoso. Villosus* (→ villeux) est dérivé du latin classique *villus* «touffe de poils», d'origine obscure. On pose une parenté, en latin même, avec *vellere* «arracher», «tirer les poils, la laine» (→ convulsion, révulsion) et on dégage une racine indoeuropéenne **wel-*. Celle-ci permet d'expliquer le nom de la laine dans les langues germaniques (anglais *wool*, néerlandais *wol*, allemand *Wolle*) et, sans doute, en latin (→ laine).

♦ Le mot se dit d'une étoffe à deux chaînes superposées dont les poils sont dressés et qui produit une surface douce au toucher. Par métonymie, il a désigné un vêtement de velours (v. 1165, *velos* et *veloset*). Des syntagmes désignent différents types de velours : *velours plein* (1459), puis *plain* (1640), *velours figuré* (1564) «à fleurs, à rinceaux», *velours ras* (1616), *velours ciselé* (1680), par extension *velours de laine*, utilisé dans l'ameublement (1751, *velours d'Utrecht*). ◇ Avec l'idée de «douceur» qui lui est attachée, le mot est employé par métaphore dans *cautère de velours* (v. 1560) «indolore». *Velours* est entré dans les locutions *ventre de veloux, robbe de foin* «bonne chère, pauvres habits» (1640) et inversement *robbe de veloux, ventre de foin* (1640) modernisé en *habits de velours, ventre de son* (1835). ◇ *Chemin de velours* (XVIIe s.) s'est employé pour «voie facile et agréable pour arriver à un but» (il est parfois repris dans ce sens, v. 1990) ; l'expression a signifié concrètement «chemin herbu» (1685) et *marcher sur le velours*, «marcher sur une pelouse» ; cette acception, disparue comme les expressions précédentes, a été supplantée par l'acception figurée «faire qqch. avec facilité». ◇ ***Patte de velours*** s'applique au chat qui rentre ses griffes, et ***faire patte de velours*** (1718) équivaut à «dissimuler une intention de nuire sous une douceur affectée». ◇ L'idée de douceur se retrouve dans la dénomination historique de la *Révolution de velours* (à propos du mouvement antisocialiste tchèque). ◇ ***Jouer sur le velours*** signifie en termes de jeu (1740) «jouer avec l'argent qu'on a déjà gagné», d'où par figure (1872) «agir sans risques» ; ces expressions sont à rapprocher de l'argot *velours* «tapis de jeu» (1867), mais peut-être suscitées pour la forme par *marcher sur le velours* (ci-dessus).
◇ *Velours* désignait au XIXe s. (depuis 1822) une faute de langage qui consiste à remplacer le son *t* par le son *z* (plus doux) dans une liaison. ◇ La métaphore de la douceur est utilisée aussi en parlant du goût dans ***c'est du velours, un vrai velours***, à propos d'une boisson, d'une nourriture délectable (1872, *c'est un velours sur l'estomac* ; 1876, *pour l'estomac*).

▶ **VELOUTÉ, ÉE** adj. et n. m. (1439), aussi *veluté* (1447), est dérivé de l'ancienne forme *velous.* ➜ L'adjectif s'applique à une étoffe qui porte des applications de velours (fleurs, etc.). Le mot a pris les valeurs métaphoriques de *velours* ; elles sont restées plus vivantes que les emplois métaphoriques de *velours.* L'adjectif qualifie ce qui est doux au toucher (1546, Rabelais), au goût (1680, *vin velouté*), ce qui a l'aspect du velours (1690, *pierre veloutée*, en joaillerie). ◇ Le nom masculin désigne (1680) un ruban, un galon fabriqué avec du velours, par analogie (1684) une peluche douce et unie ainsi que la surface muqueuse à l'intérieur de certains organes (1685), ce sens étant aussi réalisé par l'adjectif : *membrane veloutée* «membrane interne de l'estomac» (1765). ◇ *Crème veloutée* se dit (1737) d'une crème cuite. ◇ L'adjectif s'applique aussi (1752) à une voix, un regard, etc., qui provoque une impression douce, d'où (XIXe s.) *le velouté* de la voix, etc. ◇ Par ailleurs, le nom s'emploie pour une surface qui a l'aspect du velours (1767 ; 1782, adj., *papier velouté*) et désigne en cuisine (1845) un liant onctueux pour la préparation de certaines sauces, puis (1938) un potage très onctueux. ➜ **VELOUTER** v. tr. a signifié (mil. XVIe s., intr.) «fabriquer du velours». ◇ Le verbe a pris le sens de «donner l'apparence du velours», d'abord à une étoffe, à un papier (1680), plus largement à une surface (1845). Au figuré (1715), il signifie «rendre plus doux», au goût, à l'ouïe. ◇ En dérivent **VELOUTEMENT** n. m. (1845), rare, et **VELOUTAGE** n. m. (mil. XXe s.), terme technique. ➜ **VELOUTÉE** n. f. a désigné (1675) une pêche.
Du radical de *velouté* ont été dérivés plusieurs mots : **VELOUTIER** n. m., terme technique (1530), avec la variante *velutier* (1539), «ouvrier qui fabrique le velours» et, par analogie, «plante à feuilles veloutées» (1814) ; **VELOUTINE** n. f. se dit (1872) d'une poudre de toilette qui veloute la peau ; le mot, employé autrefois (1876) pour une étoffe ornée de dessins brochés, en usage au XVIIIe s., désigne (1907) un tissu de coton qui a un aspect velouté ; **VELOUTEUX, EUSE** adj. s'emploie au propre (1864) et au figuré.

◈ voir CONVULSION, RÉVULSION, SVELTE, VELU, VELVET, VILLEUX.

VELU, UE adj. et n. f. est issu (v. 1130) du bas latin *villutus* (VIIe s.) «couvert de poils», altération de *villosus* (→ velours).

♦ Le mot s'applique d'abord à une personne dont les poils sont très abondants et visibles. Il a eu en ancien et moyen français des emplois figurés, où il correspond à «envahi de, couvert de (comme par des poils)», tel *velu de faim* «abattu par la faim» (v. 1210) ou *velu de famine* (fin XIVe s.), d'où encore, au milieu du XVIIIe s. (Diderot), *avoir le cœur velu* «être las». ➜ *Velu* s'est employé pour «velours» (v. 1140, *velut*) jusqu'au XVIe s. ; de cette acception viennent les emplois de l'adjectif pour «fait de velours, comme le velours» (XIVe s.), remplacé par *velouté**. ➜ Par analogie du sens initial, toujours en usage *(un torse velu)* et intensif par rapport à *poilu*, l'adjectif qualifie (1549) une plante garnie de poils fins. ◇ Il s'est employé pour «moisi», en parlant d'un fromage.

▸ **VELUE** n. f. désigne (1655) la peau qui couvre le bois d'un animal (cerf, etc.), lorsqu'il pousse, et (1768) une sorte de chenille.

VELVOTE n. f. est une altération (1578) de *veluote*, dérivé de *velu*. ◇ Le mot désigne des plantes à feuilles velues, la linéaire, la véronique des champs (1784).

◈ voir **VELOURS**.

VELUM ou **VÉLUM** n. m. est emprunté (1867) au latin *velum* signifiant «voile, draperie», «rideau» et par ailleurs au pluriel *vela, -orum* «voile de vaisseau» (d'où ② *voile*). *Velum* a donné ① *voile** n. m.

♦ *Vélum* désigne une grande pièce d'étoffe utilisée pour couvrir un espace sans toiture. ◆ Le mot, repris en zoologie (1878), se dit par analogie de la membrane musculaire de certaines méduses.

▸ **VELARIUM** n. m., emprunt (1829, Stendhal) au latin *velarium*, dérivé de *velum*, désigne en histoire romaine l'espace recouvert par un velum.

◈ voir **VEXILLE**.

VELVET n. m. est un emprunt (1780) à l'anglais *velvet* (v. 1320), *velowet, velewet, velwet ;* l'anglais est lui-même un emprunt à des formes françaises apparentées à *velours : velveau* (1260), *veluiel* (1298), *velve* (1314), *velvyal* (1323, Hainaut), et dérivées de *velu, velut* «velours» (→ velu).

♦ Cet anglicisme désigne un velours de coton uni (par trame) imitant le velours de soie (à deux chaînes).

▸ En dérivent **VELVÉTINE** n. f. (1872), variantes *velvantine* (1819), *velventine* (1820), et l'ancien terme de sciences naturelles **VELVÉTIQUE** adj. (1855) «qui ressemble au velours». ◆ **VELVERET** n. m. (1792), **VELVERETTE** n. f. (1836), «velours de coton à côtes ou à mi-côtes», ne se sont pas maintenus.

VENAISON n. f. est la réfection graphique (v. 1175) de *veneison* (v. 1138), *veneisum* (v. 1155), formes — avec *i* détaché : *veneïsun* — issues du latin *venationem*, accusatif de *venatio* «chasse, battue», «produit de la chasse, gibier», dérivé de *venari* «poursuivre le gibier, chasser» (→ vénerie, veneur). Le verbe vient d'une racine indoeuropéenne qui a fourni, entre autres, l'avestique *venaiti* «il conquiert, il obtient par la lutte», le sanskrit *vanóti* «il conquiert», l'ancien haut allemand *winnan* «lutter», etc., et qui est peut-être la même que celle de *Venus* (→ vénus).

♦ Le mot désigne (v. 1138), comme *venatio* en ancien provençal (v. 1180), la chair du grand gibier (cerf, chevreuil, sanglier). Il s'est employé aussi en ancien français aux sens latins de «chasse» (1180-1220) et spécialement de «chasse donnée en spectacle dans le cirque» (v. 1213, *venoison*), précédé par l'ancien provençal *venaizon* (v. 1165), en parlant de l'Antiquité, sens repris au XIXe s. (1842, *vénation*). ◇ En vénerie, le mot désigne la graisse du cerf, du sanglier (1180-1220), d'où *avoir grant venoison, grant venaison* «être gras» (1573, *se charger de venaison*). ◇ Par métonymie, le mot s'est dit (1680) de l'époque où les cerfs sont bons à manger ; au XVIIIe s. sont opposés (1765) *bêtes de grosse venaison* «cerf, sanglier, etc.» et *de basse venaison* «lièvre, lapin». ◇ *Venaison* désigne également l'odeur du gibier (1798) et par figure (1798) s'est dit de l'odeur forte de certaines personnes. ◇ Le seul sens demeuré vivant est le premier attesté.

◈ voir **VÉNERIE**.

VÉNAL, ALE, AUX adj. est un emprunt (XIIe s. ; *venel*, v. 1180) au latin classique *venalis* «qui est à vendre», dérivé de *venum* «vente», à l'accusatif (le nominatif n'est pas attesté). *Venum* repose sur une base indoeuropéenne °*wesno-* ou °*weno-* qu'attestent par exemple le sanskrit *vasnám* «prix», le vieux slave *véno* «dot».

♦ L'adjectif s'est d'abord appliqué à ce qui se vend (v. 1180), en général. ◇ Dès le XIIe s., il s'applique à une personne qui n'agit que pour l'argent ; cette acception est aujourd'hui la plus courante, dans un usage soutenu. Employé comme nom masculin, *un vénal* a désigné jusqu'au XVIe s. une marchandise quelconque (1216) et un droit payé pour la vente des marchandises (1304). ◇ L'adjectif s'est appliqué ensuite à une mesure servant à la vente (1308), puis (1559) à une charge, à un office qui pouvait s'obtenir en payant ; cet emploi est aujourd'hui historique. ◇ En économie, ***valeur vénale*** (1798) se dit du prix marchand de qqch., toujours usité. ◇ Cependant, les quelques emplois subsistants sont colorés par la valeur péjorative de l'adjectif appliqué aux personnes.

▸ Le dérivé **VÉNALEMENT** adv. (1552) n'a que la valeur péjorative.

VÉNALITÉ n. f., emprunté au dérivé bas latin *venalitas*, est un terme d'histoire (1573), notamment dans ***vénalité des offices, des charges*** «fait de pouvoir acheter et vendre certains offices publics» et «institution correspondant à cet usage», où *vénal* a sa valeur neutre. Ce système, pratiqué du XVIe au XVIIIe s. en France, fut supprimé le 18 septembre 1789. ◇ Le mot équivaut aujourd'hui, d'après le sens moderne de *vénal*, à «corruption» (XVIIIe s.) et désigne aussi le comportement d'une personne vénale (v. 1780).

◈ voir **VENDRE**.

VENANT (TOUT-VENANT) → **VENIR**

VENDANGE n. f. (v. 1200), aussi *vendenge* (v. 1200), est longtemps concurrencé par diverses formes, *vendeignes* 1291, n. f. pl.), *venenge* (XIIIe s.), etc. Le mot est issu du latin classique *vindemia* «vendange» et «temps de la vendange», composé (°*vinodemia*) de *vinum* (→ vin) et *-demia*, dérivé de *demere* «enlever, retrancher, ôter». *Demere* est préfixé sur *emere* «prendre» à l'époque archaïque et, en latin classique, «prendre contre de l'argent, acheter» ; le sens général de «prendre» demeure dans certains composés comme *assumere* (→ assumer), *praesumere* (→ présumer) ; celui d'«acheter», dans *redimere* (→ rédimer), *rédemptio* (→ rançon, rédemption).

♦ Le mot français se dit d'abord pour «vin» et «temps de la vendange», puis désigne le fait de cueillir les raisins (1265) et les raisins récoltés pour faire le vin. L'emploi du pluriel (fin XIIIe s.) semble avoir suivi le singulier *(la vendange).* Par métaphore, le mot s'est employé en ancien français dans quelques locutions figurées comme *fouler la vendange* (XIIIe s.) «coïter», *faire vendange de* «massacrer» (XIIIe s.), valeur qui sera reprise parmi les valeurs figurées du verbe *vendanger* (ci-dessous). Le proverbe ***adieu paniers, vendanges sont faites*** «tout est fini» (XVIe s., Rabelais) est parfois encore cité. ◇ La locution figurée ***faire vendange*** «tirer profit de qqch.» (1690) est sortie d'usage.

▶ Le dérivé diminutif **VENDANGETTE** n. f. (1636, *vendangete*) «petite vendange» est régional. ◇ Le mot désigne (1789) en Suisse romande et en Savoie la grève des vignes.

VENDANGER v., d'abord *vandangier* (v. 1179), *vendengier* (v. 1120), est issu du latin classique *vindemiare,* dérivé de *vindemia.* ◇ Le verbe, à partir du sens propre de «récolter (les raisins)», a eu plusieurs emplois métaphoriques et figurés, où domine l'idée d'enlever. Il a signifié «couper (les oreilles)» (XIIIe s.), «dévaster (la vigne, les récoltes)» (v. 1310), «piller (qqn)» (1306), «ruiner (qqn)» (1501), et même «massacrer, tuer» (v. 1600). ◇ Par analogie agricole, *vendanger* s'est dit (v. 1600) pour «faire la récolte» du miel, de la soie et, familièrement, pour «prendre», sens sorti d'usage. ➜ Le verbe a fourni des dérivés techniques ou régionaux. ◇ **VENDANGEOIR** n. m. (1660) succède à *vendangeoire* n. m. (1611 ; repris en 1803, n. f.) et signifie «hotte pour la vendange». ◇ **VENDANGEROT** n. m. (1896) «hotte pour la vendange», **VENDANGERON** n. m. (1872) ou **VENDANGEON** n. m. (1907) «puceron rouge» semblent être des formes dialectales. ◇ **VENDANGEABLE** adj. (1907) est rare.

VENDANGEUR, EUSE n. est issu du dérivé latin *vindemiator* «personne qui fait la vendange» au XIIIe s., en même temps que **VENDANGERESSE** n. f., refait en 1503. Il est senti comme dérivé de *vendange* ou de *vendanger.* ◇ Comme adjectif (1573), il s'est appliqué au moment où a lieu la vendange. ➜ **VENDANGEUSE** n. f. se dit (1876) d'une plante qui fleurit en automne.

VENDÉMIAIRE n. m. a été formé par Fabre d'Églantine (1793) sur *vindemia* «vendanges» pour désigner le premier mois du calendrier républicain. ➜ Directement construits sur le latin, on trouve aussi *vindemiaux* n. m. pl. (1545) et **VINDÉMIALES** n. f. pl. (1771), «fête des vendanges dans l'Antiquité».

VENDETTA n. f. est un emprunt, d'abord noté *vendette* (1788) et *vindetta* (1803) à un mot italien signifiant «vengeance», lui-même issu du latin classique *vindicta,* d'abord «revendication», puis en bas latin «protection» et «châtiment», d'après le sens de *vindicare,* dérivé comme *vindicta* de *vindex* (→ revendiquer, venger) ; *vindicta* a été emprunté sous la forme *vindicte**.

♦ *Vendetta,* passé en français par le corse, se dit, d'abord et surtout en parlant de la Corse, d'un état d'inimitié provenant d'une offense, d'un meurtre, qui se transmet aux parents de la victime. Mérimée emploie dans *Colomba* la forme francisée *vendette* (1840).

VENDRE v. tr. représente l'aboutissement (980) du latin *vendere* «mettre en vente» et, parce que le vendeur prône sa marchandise, «vanter», sens plus fréquent dans le dérivé *venditare.* Le verbe vient de la soudure de *venum dare, venum* (→ vénal) signifiant «vente» et *dare, datum* «donner» (→ datif).

♦ Le verbe est d'abord attesté au sens figuré, pour «abandonner (qqn) par intérêt d'argent», c'est-à-dire «trahir». ◇ On le trouve au XIe s. aux sens propres de «céder (qqch.) à qqn en échange d'une somme d'argent» et spécialement de «faire commerce de (qqch. qu'on a fabriqué ou acheté)». C'est la relation «marchandise-argent» qui organise l'ensemble des emplois postérieurs, au propre comme au figuré, dans des contextes où le corps, un sentiment, etc. deviennent objet d'échange. *Vendre* signifie «ne pas accorder facilement (qqch.)», «faire payer cher» au figuré, d'abord en emploi pronominal dans la *Chanson de Roland* (1080) : *soi vendre cher,* auquel correspondent aujourd'hui la locution ***vendre chèrement sa vie*** (1630) et la locution familière ***vendre cher sa peau*** (mil. XVIe s.). On a dit aussi (v. 1300) *vendre sa mort.* ◇ Au XIIIe s., le verbe signifie «céder (un avantage, un service) en faisant payer», par exemple dans *vendre le mestier* «autoriser son exercice moyennant une redevance» (1260), d'où spécialement *vendre sa char* [chair] (v. 1265) «se prostituer», ensuite *se vendre* (XIVe s.), et aussi ***vendre ses faveurs, ses charmes.*** ◇ Le verbe s'est employé en droit avec son sens propre dans *avoir qqch. à vendre et à dépendre* «à entière disposition» (XIIIe s.), d'où la locution *être à qqn à vendre et à dépendre* (1538) «être entièrement à qqn», sortie d'usage au XIXe siècle. ◇ C'est l'idée d'abandon, appliquée à une abstraction, qui se manifeste dans *se vendre* (1552), «aliéner sa liberté pour de l'argent», ou dans *vendre sa protection* «l'accorder contre paiement» (1608) ou *vendre son honneur* «y renoncer pour de l'argent» (1690). La locution figurée *ils vendent la ville* se disait de plusieurs personnes qui parlaient ensemble à voix basse comme pour préparer une importante transaction (1690, encore au XIXe s. ; variante en 1798, *ils nous vendent*). ◇ *Se vendre* s'est employé spécialement (1764) pour «se faire soldat», d'où *se vendre comme remplaçant,* au service militaire (1830). *Se vendre* signifiait aussi (1834) «se trahir involontairement». ➜ Par extension du sens courant, *vendre* se dit en économie (XIXe s.) pour «faire acheter par un client (qqch. qui appartient à un autre)», d'où par exemple *vendre des valeurs* (cf. *placer*). ◇ Le verbe est employé péjorativement (mil. XXe s.) pour «proposer (une chose autre qu'une marchandise) de manière commerciale», d'où (v. 1970) «faire accepter (qqch., qqn) en rendant attrayant, acceptable» (*vendre une politique, un candidat,* etc.). ◇ Dans le vocabulaire de la publicité, *vendre* a aussi la valeur de «faire vendre» (cf. ci-dessous *vendeur*).

▶ Le dérivé **VENDEUR, EUSE** n. désigne la personne qui vend qqch., spécialement par profession (v. 1200 au masculin) ; le féminin *venderesse* (1226), conservé en droit, a été refait en *vendeuse* (1552).

◇ Le mot s'est employé dans des expressions comme *vendeur de meubles* «commissaire-priseur» (1690), *vendeur de chrétiens* «officier recruteur» (1690) et, au figuré, *vendeur de fumée* «personne qui se targue d'un crédit qu'elle n'a pas» (1612). *Vendeur d'allumettes* «conteur de sornettes» (1732) est encore relevé après 1850, puis disparaît. ◇ *Vendeur* se dit spécialement (1882) d'un employé chargé de la vente dans un établissement commercial, le féminin *vendeuse* s'étant spécialisé dans cet emploi. ➜ D'abord dans l'usage du commerce, le mot s'applique (XXe s.) à une personne qui sait bien vendre (cf. *commerçant*). ◇ Employé comme adjectif, il s'est répandu (v. 1980) au sens de «qui fait vendre» *(un slogan très vendeur)*, cette acception correspondant à un emploi nouveau de *vendre*.

VENDU, UE adj. et n., tiré du participe passé du verbe, est d'abord attesté (1239) comme nom féminin *(une, la vendue)* au sens de «vente», aujourd'hui régional (Ouest) pour «vente aux enchères». ◇ L'adjectif s'applique à ce qui est cédé pour de l'argent (v. 1283) et qualifie une personne qui a aliéné sa liberté contre des avantages matériels (1669, Racine). Ce sens, substantivé (*un vendu*, 1835 Flaubert), est demeuré un terme d'adresse et d'injure *(vendus!, pourris!)*. ➜ Le contraire préfixé **INVENDU, UE** adj. (1706) et n. m. (1893) s'applique à ce qui n'a pas été vendu. Il est usuel en commerce *(solder les invendus)*. ➜ **VENDABLE** adj. est relevé en 1249. Il s'est spécialisé pour «qu'il est facile de vendre», surtout en emplois restrictifs ou négatifs *(c'est à peine, ce n'est pas vendable)* comme beaucoup d'adjectifs en *-able*, d'ailleurs moins courants que leurs contraires. ◇ L'antonyme **INVENDABLE** adj. (1764) s'applique spécialement en droit (1873) à ce qu'on n'a pas le droit ou le pouvoir de vendre, puis couramment à une marchandise difficile à vendre (qualité insuffisante, prix trop élevé...) et spécialement (1904) à un auteur dont les œuvres ne se vendent pas.

Plusieurs verbes ont été formés par préfixation à partir de *vendre*. ➜ **REVENDRE** v. tr. (v. 1190) signifie «vendre (ce qu'on avait acheté)» et «vendre une seconde fois», d'où spécialement *revendre à la toilette* (1718) «revendre des objets de toilette féminine», sorti d'usage. ◇ L'argot *revendre* a signifié figurément «répéter ce qu'on a appris d'un autre» (1837). ◇ Le verbe s'emploie dans la locution ***avoir qqch. à revendre*** (XVIe s.) «en avoir en excès»; la variante antérieure *avoir à vendre et à revendre* (déb. XVe s.) et l'expression *en revendre à qqn* «être plus fin que lui» (1798) ne sont plus en usage. ➜ **REVENDEUR, EUSE** n. désigne la personne qui achète pour revendre (v. 1190; au féminin *revenderesse* [1303] et *revendeuse* [1606]) et, spécialement, qui vend au détail après avoir acheté à un grossiste. ➜ **REVENTE** n. f., dérivé de *revendre*, d'après *vente*, a désigné (v. 1283) jusqu'au XVIIIe s. un droit dû au seigneur sur les ventes, en plus des droits ordinaires. ◇ Le mot se dit d'une seconde vente (1538) et de l'action de revendre.

MÉVENDRE v. tr., formé (1226) avec *mé-*, est sorti d'usage pour «vendre à perte» *(se mesvendre)*. ➜ **MÉVENTE** n. f., formé d'après *vente*, a disparu au sens de «vente à perte» (1680). Il a pris au XIXe s. (1835) et a conservé une autre acception, «forte chute des ventes».

SURVENDRE v. tr., «vendre qqch. au-dessus de sa valeur», réfection (1545) de *seurvendre* (1329), est sorti d'usage, comme son dérivé **SURVENTE** n. f. (1640) et comme **SOUS-VENDRE** v. tr. «vendre (une partie de ce qu'on a acheté)» (1872), d'où **SOUS-VENTE** n. f.

VENTE n. f. est issu du latin classique *vendita*, pluriel neutre pris pour un féminin singulier de *venditum* «vente», participe passé substantivé de *vendere*, et correspondant à l'italien *vendita*, à l'espagnol *venta*. L'ancien et le moyen français ont également employé *vençon* (1176) issu du latin populaire *venditio* (de *venditum*), puis *venditio* par emprunt (1251), employé comme terme de droit jusqu'au XVIIe siècle. ➜ Le mot désigne (v. 1150) l'échange d'un bien contre une somme d'argent, le prix et (v. 1200) l'action de vendre. ◇ Il s'est dit d'un droit payé sur les marchandises vendues dans un marché (1197) et spécialement (v. 1283) d'un droit perçu lors d'un héritage. ➜ Le mot se dit ensuite de l'opération matérielle de vente, par réunion des vendeurs et des acheteurs virtuels, et aussi (1405) de l'endroit où l'on vend les marchandises, ***salle des ventes*** s'appliquant au local où ont lieu les enchères, et à la réunion au cours de laquelle on procède à une vente publique. ◇ On emploie couramment ***ventes aux enchères*** et ***vente de charité*** (XIXe s.). ➜ Comme terme technique, *vente* désigne (1373) la partie d'une forêt qui vient d'être coupée (pour être vendue), d'où par métonymie (1375) le transport du bois vendu, sens disparu, et par extension une partie de forêt dont le produit est vendu ensemble. ◇ En histoire, *vente* s'emploie (1819) pour désigner une loge de carbonari et la réunion de cette loge, par emprunt à l'italien *venta* de même origine; *vendite*, emprunt à l'italien *vendita*, est également attesté en ce sens (1834). ➜ **VENTIER** n. m., dérivé de *vente*, a d'abord désigné (1264) celui qui était chargé de percevoir les droits de vente et de surveiller l'étalon des mesures. ◇ Le mot se dit (1577) de l'acheteur d'une coupe de bois appelée *vente* et de l'ouvrier qui marque le bois à couper (relevé en 1876). Le premier emploi est historique, les deux autres strictement techniques.

VENDREDI n. m. (v. 1175), d'abord *vendresdi* (1119), représente l'aboutissement du latin populaire *Veneris dies* «jour de Vénus», formé du latin classique *Venus, Veneris* (→ Vénus) et de *dies* «jour*» (→ diurne), qui apparaît dans les noms des jours de la semaine en français (→ midi). On trouve la forme dialectale (Nord, Bourgogne, notamment) *devenres*, par inversion des mots latins (XIIe s. en wallon).

♦ Les connotations du mot, qui désigne le cinquième jour de la semaine en partant du lundi, sont liées à la nature religieuse du vendredi, jour de pénitence chrétienne, où l'on faisait traditionnellement maigre. ***Vendredi saint*** (1671) désigne le vendredi précédant le dimanche de Pâques, jour où l'Église catholique célèbre l'anniversaire de la mort du Christ, autrefois nommé *saint vendredi*

(v. 1300), *bon vendredi* (1440-1475; 1349, *boin venredi* en wallon; cf. encore aujourd'hui *good friday* en anglais).

VENELLE n. f. représente (v. 1160) un diminutif de *veine** «conduit», aujourd'hui détaché de son origine.

♦ *Venelle*, «petite rue étroite», a été repris dans ce sens à la fin du XIXe s. pour désigner une petite rue dans la campagne entre des murs et des haies. ◇ Le mot s'est employé par analogie (XIVe s.) jusqu'au début du XVIIe s., aux sens de «ruelle du lit» (→ ruelle) et de «bande étroite de terrain» (1551), et aussi de «gorge» (v. 1600). La locution figurée *enfiler la venelle* «s'enfuir» (XVIe s.) est le seul emploi retenu par les dictionnaires de l'époque classique, les autres sens étant sortis d'usage; cette locution était considérée comme populaire. ◇ La reprise du sens initial (A. France, etc.) correspond en revanche à un emploi littéraire.

VÉNÉNEUX → VENIN

VÉNÉRER v. tr. est emprunté (v. 1450) au latin classique *venerari* «adresser une demande aux dieux», «demander une grâce aux dieux» puis «vénérer». Passé de la langue religieuse à la langue littéraire, le verbe s'est appliqué en latin impérial aux hommes et à leurs actions; le verbe relève comme *Venus* (→ Vénus) d'une racine indoeuropéenne qui a fourni de nombreuses formes dont le sanskrit *vāñchati*, l'ancien haut allemand *wunskan* «désirer» (allemand *wünschen*).

♦ *Vénérer* signifie dans un contexte religieux «révérer (un saint ou une chose sainte)» puis s'emploie en parlant de personnes pour qui on a une profonde estime (1528).

▸ **VÉNÉRATION** n. f., emprunté au dérivé latin classique *veneratio, -onis* «respect», s'utilise d'abord et surtout, comme le verbe, dans un contexte religieux (1165-1170). ◇ De là, par métonymie, *venerations* «prières» (v. 1250). ◇ Dans un contexte profane, il s'est appliqué à une personne (1512), comme équivalent de *adoration* et s'est dit (1553) du fait d'être vénérable, en parlant d'un temple. ◇ Dans ces deux sens, l'ancien et le moyen français ont eu aussi *venerance* n. f. (v. 1200), dérivé du verbe.
VÉNÉRABLE adj. et n. m. est emprunté au latin impérial *venerabilis* «digne de vénération» et «respectueux», dérivé de *venerari*. ◇ Il conserve (v. 1200) le premier sens du latin, s'appliquant aux choses (XVIe s.) et spécialement aux personnes dont l'âge inspire le respect. ◇ Comme nom masculin, il s'emploie par extension (1773) pour désigner le président d'une loge maçonnique et, dans le vocabulaire religieux, une personne qui obtient le premier degré dans la procédure de canonisation avant celui de *bienheureux*. ◇ Par jeu sur le sens «digne de respect», le nom masculin s'est employé en argot (v. 1860) pour «cul». ◆ Le dérivé **VÉNÉRABLEMENT** adv. (v. 1265) est rare.

VÉNERIE n. f. est un dérivé (v. 1155) de l'ancien français *vener* «chasser à courre» (v. 1155), «poursuivre une bête à la chasse» (v. 1380), du latin *venari* «poursuivre le gibier, chasser» (→ venaison).

♦ *Vénerie* s'est dit pour «exercice de la chasse» (v. 1155) puis pour «ensemble de chasseurs» (1550) et désigne aussi l'art de la chasse à courre (1552), l'administration des officiers de chasse (1694, en parlant de la chasse d'un prince, puis 1876) et le lieu où logeait l'équipage de chasse (1718). ◆ Le verbe **VENER** v. tr. «chasser à courre» a disparu, sauf au sens technique de «faire courir (un animal domestique) pour en attendrir la chair» (1530, *venner;* 1690, forme moderne). Il est issu du latin *venari.*

▸ **VENEUR** n. m., issu du latin *venator* «chasseur», dérivé de *venari*, est la réfection (1345) de formes usitées en ancien français : *veneres* (v. 1120), *venur, venor* (1138), *veneor* (v. 1155), *veneour* (v. 1250); le féminin *veneresse* (v. 1165) a disparu. ◇ Le mot signifie «chasseur». En moyen français, le latin a été emprunté sous la forme *venateur* (1485) et *venatrice* n. f. (1509, latin *venatrix*). ◇ *Veneur*, aujourd'hui terme d'histoire, s'est spécialisé pour désigner l'officier qui s'occupe des chasses à courre, le ***grand veneur*** (1474), chef d'une vénerie. ◇ Au figuré, *le veneur de...* désignait celui qui poursuit qqch. ou qqn avec acharnement (v. 1515), sens sorti d'usage.

◈ voir VENAISON.

VÉNÉRIEN, IENNE adj. et n. est dérivé (1464) du radical du latin classique *venerius* «de Vénus», d'où «relatif aux plaisirs de l'amour», lui-même de *Venus, Veneris* (→ Vénus).

♦ Le mot ne s'est employé que rarement au sens du latin. D'abord nom pour désigner un homme qui a des mœurs dissolues, il a été courant dans *maladie vénérienne* (fin XVIe s., d'Aubigné) «maladie contagieuse transmise principalement par les rapports sexuels». L'adjectif est concurrencé (fin XXe s.) par *sexuellement transmissible* et le mot a disparu en emploi substantif (1872) pour «malade ayant une maladie vénérienne».

▸ **ANTIVÉNÉRIEN, IENNE** adj., terme de médecine, apparaît au XVIIIe s. (1741, aussi n. m.).
Sur le radical de l'adjectif a été composé **VÉNÉROLOGIE** n. f. (mil. XXe s.; 1901, *vénéréologie*), de *-logie*, désignant la partie de la médecine qui s'occupe des maladies vénériennes; d'où **VÉNÉROLOGIQUE** adj. (mil. XXe s.), **VÉNÉROLOGUE** n. (mil. XXe s.), plus courant que **VÉNÉROLOGISTE** (v. 1900). ◇ Tous les mots de la série tendent à vieillir.

◈ voir VENDREDI, VÉNUS.

VENETTE n. f. est un diminutif (1662) du moyen français *vesne* «vesse» (1552, Rabelais), dérivé de *vesner* «vesser» (1552) puis aussi «bourdonner» (1611), issu du latin populaire °*vissinare*, altération du latin classique *vissire* «vesser» (→ vesse), mot d'origine expressive comme le vieil islandais *fisa* de même sens.

♦ Par une métaphore courante, on passe de la diarrhée à la peur qui peut la provoquer (*venette* est attesté dialectalement pour «diarrhée»); encore employé au XIXe s. pour «peur» (Flaubert, Goncourt, etc.), *venette* est vieilli ou régional, y compris dans la locution *avoir les venettes* «avoir peur», disparue au XXe siècle.

VENGER v. tr. (1080), d'abord *venjiar* (v. 980), est issu du latin classique *vindicare,* terme de droit signifiant «réclamer en justice» et «réclamer à titre de propriété, revendiquer», «dégager, délivrer», «punir, châtier l'auteur d'un mal, d'un tort causé». Ce verbe dérive de *vindex, -icis,* terme de droit désignant la caution fournie par le défendeur, qui se substitue à lui devant le tribunal et se déclare prêt à subir les conséquences du procès; dans la langue courante, *vindex* signifiait «protecteur, défenseur», «vengeur» et par extension «qui tire vengeance, qui punit». ◇ Le premier élément du mot est d'origine incertaine; ce pourrait être l'accusatif de *vis* «force, violence» (→ violer); le second est l'élément qu'on retrouve dans *judex* (→ juge), mot racine correspondant à *dicere* (→ dire); le *vindex* serait celui qui montre au juge la violence faite à son client.

♦ Le verbe semble s'employer d'abord, en ancien français, pour «punir (qqn) qui a causé une offense», comme en latin. Le complément désigne alors le coupable, et le verbe équivaut plus ou moins à *punir,* sens bien attesté au XIIIe s. (*vengier,* v. 1283). Cependant, le latin *vindex* suppose trois personnages, l'offenseur, l'offensé et la caution (*vindex*) qui se substitue au second pour punir le premier; cette idée se réalise dans l'emploi de *venger qqn* «le dédommager moralement en punissant son offenseur, ou celui qui lui a nui», et ceci dès le XIe s. (1080, *Chanson de Roland*). Avec *se venger de* «rendre soi-même une offense à (qqn, un offenseur) pour se dédommager moralement», attesté à la même date, cet emploi est le plus vivant aujourd'hui. ◇ *Venger une offense,* «la réparer en punissant l'offenseur», s'emploie d'abord avec Dieu pour sujet (1553). ◇ D'autres emplois ont disparu, comme le pronominal *soi venger* (d'une maladie) «guérir» (v. 1360), le transitif *venger son ire* (à qqn) «décharger sa colère sur lui» (v. 1440-1475) ou ont vieilli comme la formule classique *venger son honneur* (1636, Corneille) «faire une réparation morale à (ce qui a été compromis, attaqué, détruit)», ou encore le sens affaibli «constituer une compensation à (un tort, une déficience)» (déb. XVIIe s., M. Régnier).

▸ **VENGEANCE** n. f., réfection (XVIe s.) de *venjance* (1080), désigne l'«action de se venger, de venger qqch.», et correspond aux valeurs du verbe. ◇ Le mot s'applique aussi (1670, Bossuet) au désir de se venger. Le mot entre dans des syntagmes verbaux : *demander une vengeance* (1549) et, d'abord avec un sujet de chose, ***crier vengeance*** (1561, Calvin). *Faire la vengeance de* (1538; Rabelais, *faire vengeance*) a vieilli, mais ***tirer vengeance*** (1636) reste usuel.

VENGEUR, VENGERESSE n. et adj. est issu du bas latin *vendicator, vendicatrix* «personne qui venge», dérivés de *vindicare;* de là viennent les formes populaires *vengedur, vencheur* (v. 1120), puis, rattachés à *venger, vengeor* (av. 1191) et *vengeur* (1380); *vengeresse,* aujourd'hui littéraire et rare, est relevé au XIIIe s. comme adjectif.

◈ voir REVANCHE, REVENDICATION, VENDETTA, VINDICATIF, VINDICTE.

VÉNIEL, ELLE adj. (v. 1380), d'abord *venial* (v. 1230), est emprunté au bas latin *venialis* «pardonnable, excusable», dérivé du latin classique *venia* «action de bien vouloir», «faveur, grâce accordée par les dieux», terme utilisé dans les prières et qui a pris le sens de «pardon, indulgence» auquel se rattachent les dérivés. *Venia* dérive d'un nom radical de la racine de *Venus* (→ Vénus). ◇ *Venia* avait été emprunté par l'ancien français dans *prendre venie* «faire sa pénitence» (v. 1155) et par l'ancien provençal (v. 1200, *venia* «génuflexion»).

♦ L'adjectif s'applique à un péché digne de pardon (opposé à *péché mortel*). Par extension et littérairement (1697), il qualifie une faute légère, sans référence religieuse.

▸ Le dérivé **VÉNIELLEMENT** adv., réfection (1442) de *venialment* (1279), ne s'emploie qu'en théologie.

VENIN n. m., réfection (v. 1240) de *venim* (v. 1120), forme conservée jusqu'à la fin du XVIIe s. et qui a donné *venimeux* (ci-dessous), est l'aboutissement du latin populaire °*venimen,* altération par substitution de suffixe du latin classique *venenum* «décoction de plantes magiques», «charme, philtre», qui a pris rapidement le sens de «poison». *Venenum* provient sans doute d'un ancien °*venesnom* «philtre d'amour», °*venes* se rattachant à la même racine indoeuropéenne que *Venus* (→ Vénus). En ancien français, deux développements phonétiques avaient produit des formes en *r* (*veren,* v. 980; *verin,* XIIe s.) et en *l* (*velin,* XIIIe s.); la seconde s'est conservée jusqu'au XVIIe siècle.

♦ Le premier sens attesté est «poison» (v. 1240; *veren,* v. 980). ◇ Le mot désigne très tôt (v. 1120, *venim*) une substance toxique sécrétée par certains animaux, notamment les serpents. ◇ Par métaphore, *venin* se dit dès l'ancien français (v. 1190, *velin;* XIIIe s., *venin*) pour «haine cachée, méchanceté» et «doctrine, idée, discours dangereux», dans un emploi devenu très littéraire, sauf dans la locution ***jeter, cracher son venin*** «dire des méchancetés dans un accès de colère» (1690). D'autres locutions comme *être sans venin* «sans méchanceté» (1694) ne se sont pas maintenues. La locution proverbiale ***morte la bête, mort le venin*** (1685, La Fontaine) est en revanche encore vivante.

▸ **VENIMEUX, EUSE** adj., dérivé de la forme ancienne *venim,* a eu de nombreuses variantes liées à celles de *venin* (ci-dessus). On trouve isolément le nom masculin *venimus* (v. 1120) «magicien (empoisonneur)», d'après le latin *veneficus.* ◇ L'adjectif s'applique à ce qui a du venin (v. 1170-1175, *venimos;* XIIIe s., *venimeux*) et, par extension (XVIe s.), à ce qui empoisonne. ◇ Il s'est employé pour «pourri» (1534, d'un bois), pour «vénéneux» (fin XVIe s.) et a qualifié en médecine ce qui contient du pus (1314). ◇ Au figuré (XIIIe s.), comme *venin,* il correspond à l'idée de haine malfaisante, souvent cachée, hypocrite; la métaphore du serpent-démon est réanimée explicitement par la métaphore ***langue venimeuse*** «personne médisante» (1694; cf. *langue de vipère*). ◆ De *venimeux* dérivent **VENIMOSITÉ** n. f. (fin XIIIe s.), littéraire et rare au propre et au figuré, et **VENIMEUSEMENT** adv.

(v. 1380), littéraire et seulement usité au figuré. ◆ Le composé **ANTIVENIMEUX, EUSE** adj. est attesté en 1897.

À partir de *venin* ont été composés **DOMPTE-VENIN** n. m. inv. (1545), nom régional d'une plante médicinale, l'asclépiade, et récemment **ANAVENIN** n. m., terme de biologie (1970).

ENVENIMER v. tr., formé de *en-*, *venin* et suffixe verbal, a en ancien français, comme *venin*, des variantes en *l* (*envelimer*, XIIIe s.) et en *r* (*enverimer*, v. 1215). Il est sorti d'usage au sens propre d'«infecter de venin ou de poison» (v. 1120) et aux sens figurés, pour «corrompre (le cœur, l'esprit de qqn)» (v. 1190, *envelimer* et *envelimé* «plein de malveillance») ou pour «empirer» (1538, en parlant des affaires). ◇ Il signifie «infecter une blessure», d'abord (1400) au pronominal *s'envelimer*, puis au XVIIe s. sous la forme moderne (1660), et, au figuré, «rendre plus vive (une querelle, etc.)» (1662) avec une forme pronominale à la fin du XVIIe s. (1699). ◆ Le dérivé **ENVENIMEMENT** n. m. (v. 1155) est rare au propre comme au figuré. ◆ **ENVENIMATION** n. f. est un terme de médecine (1897); l'ancien français avait employé *envenimoison* (v. 1170). ◆ Le composé **DÉSENVENIMER** v. tr. s'emploie au propre (1566) et au figuré (1864).

VÉNÉNEUX, EUSE adj. est emprunté (1478) au bas latin *venenosus* «vénéneux», dérivé de *venenum*. ◆ L'adjectif s'applique d'abord en médecine à ce qui corrompt, provoque la maladie, ainsi qu'aux animaux (1478) dont la morsure est dangereuse, puis (1496) à une plante, notamment un champignon, qui contient un poison dont l'ingestion empoisonne. Par métaphore littéraire, il signifie (1536) «méchant, malveillant». Il s'est employé par extension en parlant de la chair d'un animal (XVIe s., Rabelais), du venin d'un serpent. ◆ Le dérivé **VÉNÉNOSITÉ** n. f. (v. 1380) est didactique et rare.

VENIR v. intr. est issu (880) du latin classique *venire* «se déplacer de manière à aboutir à un lieu (où se trouve une personne)» et aussi «arriver, se présenter», «échoir (à qqn)», «parvenir à», «venir dans tel ou tel état», «en venir à». *Venire* se rattache à une racine indoeuropéenne *°gʷen-*, *°gʷa-* qui exprime l'idée de déplacement vers un but et que l'on retrouve en grec dans *banein* (→ base).

♦ *Venir* est d'abord attesté avec la valeur générale du latin. Le verbe s'emploie dès la fin du Xe s. au sens de «succéder, survenir» (v. 980), en parlant d'événements, du temps, des saisons, d'où *l'année, l'heure*, etc., *qui vient* «prochaine» (XVIe s.), calque du latin classique *veniens annus* et, par figure (1050), *venir bien, mal* «tomber bien, mal». ◇ *Venir* est aussi employé (1080) en fonction de semi-auxiliaire, suivi d'un infinitif, avec le sens de «se mettre à (faire), faire en sorte de pouvoir»; ***s'en venir*** «venir» (1080), longtemps d'usage général, est aujourd'hui régional (courant en français québécois). ◇ *Venir à*, avec un complément abstrait qui marque le terme d'un processus, signifie «parvenir à» (v. 1050, *venir a la paix*). Le complément en *à* indique le terme d'un mouvement dans *venir à qqn* «aller vers lui» (v. 1175), d'où «attaquer», puis *venir sus a qqn* (XIVe s.), *contre qqn* (1560), sortis d'usage de même que *venir a terre* «descendre de cheval» (v. 1175). ◇ ***Venir de***, suivi d'un complément qui marque la cause, signifie (v. 1175) «être l'effet de, découler», en parlant de faits, d'actions. ◇ Par métaphore, et le sujet désignant des idées, des sentiments, *venir à* se dit (v. 1200) pour «commencer à être, se présenter», une partie de ces emplois étant repris dans *en venir à; venir dans* est vieilli avec cette valeur. ◆ À partir du sens général de «se produire», *venir* s'emploie pour «naître», d'abord dans *venir a vie* (v. 1250), *venir a terre* (v. 1260), disparus, et aujourd'hui dans *venir au monde* (1560). ◆ Dès le XIIIe s., *venir de faire qqch.* s'emploie pour «être de retour, après avoir fait qqch.»; c'est cette valeur qui conduit au XVIe s. à l'emploi périphrastique de ***venir de*** pour marquer, à l'indicatif présent, un passé récent *(elle vient de sortir)*, à l'indicatif imparfait *(elle venait de sortir)*, un plus-que-parfait récent. ◇ L'idée d'un terme atteint est aussi réalisée dans les emplois figurés disparus *venir a terre* «entrer en possession d'un héritage» (1260) et *venir ens* «rentrer», en parlant de contributions de sommes d'argent (1320). ◇ Avec sa valeur générale, *venir* s'emploie en parlant d'inanimés (1382, à propos des eaux). ◇ À la fin du XIIIe s., ***aller et venir***, qui avait eu une valeur fréquentative au XIIe s., a pris celle de «se diriger vers un endroit et y arriver», d'où *l'aller et le venir*, exprimant ce mouvement. ◇ *Venir de* signifie «arriver en provenance de» (v. 1050) et, au figuré, «provenir de» (v. 1170), en particulier en parlant de personnes (v. 1250), puis d'un mot (1606). *Venir contre* a servi à former *venir contre un serment* «l'enfreindre» (1468), *venir contre un testament* «le contester» (1482). *Venir sur* «approcher (d'un terme)» (1490-1496) est propre au moyen français. *Venir a bien (a mal)* «se développer bien, mal» (1538) a été remplacé par *venir bien (mal)* [1690]; *venir a rien* (1538), *venir a néant* (1549), «disparaître», ne s'emploient plus.

Les diverses valeurs du verbe se développent à partir du milieu du XVIe siècle. On relève alors *venir à qqch.* «se résoudre à qqch.» (1549), qui a vieilli, et, spécialement, *faire venir qqn à la raison* (1549), disparu, alors qu'on emploie encore *revenir à la raison; venir à un certain prix* «se monter à» (1550), *venir à terme* «à l'époque normale» (1550). ◇ *Venir de* signifie (1606) «provenir» et s'emploie notamment en parlant d'un mot, d'une maladie, etc., ainsi qu'en emploi impersonnel *de là vient que, d'où vient que* (1675). ◇ Dans la première moitié du XVIIe s., *venir* entre dans la locution *venir d'un autre monde* «ignorer ce que tout le monde sait», qui a cessé de s'employer avant *d'où venez-vous?* (1690), *d'où tu viens? d'où vient-il, celui-là?*, en concurrence avec *sortir*. ◇ *En venir à* «finir par employer après une évolution» est relevé en 1640, de même que *il faut en venir là; où voulez-vous en venir?* «à quoi faites-vous allusion?, de quoi voulez-vous parler?» est attesté en 1652. ◇ *Venir de* se dit à propos de choses pour «provenir de» (1658, à propos de traditions). En parlant des personnes, *venir de rien* (1690) correspondait à «avoir réussi, s'être enrichi rapidement». ◇ En 1690, Furetière relève *venir* pour «arriver à (une limite, etc.), atteindre», *venir bien* «être payé régulièrement» en parlant d'un revenu et des locutions alors nouvelles : ***les choses vont et viennent***; *au bon joueur vient la balle* «l'habileté fait trouver les occasions favorables» est sorti d'usage. ◆ *En venir à*, suivi de l'infinitif, équivaut à «être réduit à» (1694); *sentir venir qqch. de loin* est également attesté à la fin du XVIIe siècle. ◆ ***Voir venir qqn*** s'emploie par figure (1668, Molière) pour «deviner ce que qqn pense», puis pour «observer ce que qqn fait» (1694). La locution ***voir venir qqch.*** prend le sens (1787) de «rester dans l'expectative». ◇ On relève encore au XVIIIe s. ***laisser venir*** (av. 1747) et ***qu'il y vienne !*** comme menace (1798). ◆ *Venir bien (mal)* s'emploie spécialement en gravure (1656, Brébeuf), puis en photographie, à propos d'un tirage.

▶ **VENU, UE** adj. et n. est employé avec un adverbe dans ***être bien (mal) venu*** «arriver bien (mal) à propos». ◇ Le mot entre comme nom masculin dans plusieurs expressions demeurées vivantes : ***le premier venu*** désigne d'abord la première personne à se présenter (1580, Montaigne ; 1559, adj.) et par extension «n'importe qui» (1640) ; ***dernier-venu*** (1580) s'emploie aussi pour «personne dont on fait peu de cas» (1876). ***Nouveau-venu*** «personne qui vient d'arriver» (1580), se dit aussi d'une personne qui vient d'être admise dans un groupe (1668, Molière). ◇ ***Les tard-venus*** a désigné (1765) les gens de guerre qui, licenciés après le traité de Brétigny, parcouraient la France en la pillant ; le mot, comme adjectif, s'applique encore à un enfant né après ses frère et sœur. ◆ **BIENVENU, UE** adj. et n., vient de *bien* et *venu* dans la formule de politesse *bien soyez venu* (XIIe s.). ***Soyez le bienvenu*** se dit aussi de qqn, qqch. accueilli avec plaisir (XVe s.). ◆ **BIENVENUE** n. f. a désigné (XIIIe s.) une fête offerte par une personne qui arrive pour la première fois dans un groupe, d'où le sens disparu de «repas de noces» (1551). Le mot se dit (1530) pour «bon accueil», aujourd'hui dans des expressions, et pour «heureuse arrivée» *(souhaiter la bienvenue à qqn)*. ◇ En français canadien, le mot sert de réponse polie à un remerciement, calquant l'usage anglo-saxon de *welcome*, répondant à *thank you*. ◆ **MALVENU, UE** adj. s'est d'abord appliqué (1155) à une personne indésirable, d'où le sens de «malheureux» (mil. XIIe s.) ; *être mal venu de faire* (v. 1172), puis (XIXe s.) *à faire qqch.*, est littéraire pour «ne pas avoir le droit de faire qqch.». Par extension, *malvenu* s'emploie pour «hors de propos».

La substantivation de l'infinitif, *le* **VENIR** n. m., est rare ; au figuré, on a dit *être en son premier venir* (1440-1475) pour «avoir la vigueur de la jeunesse», emploi disparu. ◇ *L'aller et le venir* s'est employé pour «deux soufflets» (1640), plus tard remplacé par *un aller et retour*.

VENUE n. f., participe passé substantivé de *venir*, signifie dans ses premiers emplois «arrivée» (v. 1155), sens noté «vieilli» par les dictionnaires au XVIIIe siècle. Avec cette valeur, *de venue, de première venue* s'est dit pour «tout de suite, dès l'abord» (1275) ; le nom s'est employé pour «rente, revenu» (1290), «action de se déplacer» (1359), puis pour «endroit par où l'on vient» (1549), et aussi «extraction» (XVe s.), «choc violent» (v. 1500). ◇ Une spécialisation pour «chose qui survient inopinément» (1658) est sortie d'usage. ◇ *Venue* s'emploie encore aux sens de «naissance» (XVe s.) et de «manière dont poussent, se développent les plantes» (XVe s.), dans la locution adjective ***d'une seule venue, tout d'une venue*** (1538) «poussé en une fois (c'est-à-dire vite, bien)». ◇ *De venue* a signifié «en grand nombre» (1549). Avec l'idée de «croissance», *tout d'une venue* s'est appliqué (1680) à un homme grand et mal fait (dont la taille n'est marquée ni aux épaules ni aux hanches). Par figure, *tout d'une venue* qualifie (XIXe s.) un caractère sans nuances. *De première venue* (XIXe s.) a été supplanté par *de premier jet* en parlant d'une écriture ; ***d'une belle venue*** «d'une belle composition», en parlant d'une œuvre, n'est attesté qu'au XXe siècle mais s'applique à un arbre dès le XVIIIe s. (1718). ◇ La locution ***allées et venues*** (fin XIVe s.), toujours usuelle, s'emploie aussi par figure (v. 1431) pour «démarches qu'on fait pour une affaire».

VENANT, ANTE adj. et n., du participe présent, a d'abord désigné comme nom (v. 1270) le flux montant de la marée. La locution *à tous venants* (v. 1380), puis ***à tout venant*** (1559) «à tous ceux qui se présentent», s'est employée adverbialement pour «à la minute». ◆ **TOUT-VENANT** n. m. est d'abord un terme technique désignant (1837) la houille non triée, puis dans l'usage courant (v. 1930) s'applique à tout ce qui se présente sans triage préalable, ou à des personnes sans caractère particulier (*le tout-venant*, 1932). ◆ La forme *venant* entre dans d'autres combinaisons. ◇ *Allant et venant*, adj. et n., est littéraire (1560) pour «gens qui vont et viennent». ◇ *Bien venant* est sorti d'usage au sens de «qui est payé régulièrement», en parlant d'une rente (1661, Molière), de même que *mal venant* (1763, Voltaire). *Bien venant* et *mal venant* signifient aussi «qui vient bien, mal», en parlant d'un enfant, d'un arbre (1845 ; *mal venant*, v. 1820).

Le composé **SURVENIR** v. tr. apparaît avec la variante *sorvenir* (déb. XIIe s.) ; il est sorti d'usage au sens, attesté au XIIe s. (1155), de «venir par surcroît, s'ajouter» ; il s'emploie aujourd'hui couramment pour «arriver brusquement» (XIIe s.). ◇ Le verbe a eu le sens de «venir au secours» (1493) et de «subvenir» (XVIe s., *survenir à qqch.*). ◆ Le participe présent **SURVENANT, ANTE** adj. et n. a signifié «étranger» (v. 1145, n.) ; le mot désigne une personne qui survient (v. 1175, *sorvenant*). Il est sorti d'usage comme adjectif et encore employé régionalement (Canada) comme nom. ◆ **SURVENUE** n. f. (v. 1160, puis v. 1360) est seulement littéraire pour «fait de survenir à l'improviste». ◆ **SURVENANCE** n. f. «action de se produire tout à coup» (XVe s.) est aussi un terme de droit (1740).

VENEZ-Y-VOIR n. m. inv., formé de l'impératif de *venir* (1549), s'est dit dans la langue classique par ironie d'une chose sans importance. ◇ Au XIXe s., il a désigné un objet par lequel on cherche à attirer l'attention.

VENIAT n. m. inv., mot latin signifiant «qu'il vienne» (subjonctif de *venire*), est un ancien terme de droit (1690) désignant l'ordre donné à un officier de justice de venir rendre compte de sa conduite.

◈ voir ADVENIR, AVENIR, CONTREVENIR (à CONTRAVEN-

TION), CONVENIR, CONVENTION, CONVENTUEL, COUVENT, DEVENIR, ÉVÉNEMENT, ÉVENTUEL, INTERVENIR, INVENTER, PARVENIR, PRÉVENIR, PROVENIR, SOUVENIR, SUBVENIR.

VÉNITIEN, IENNE adj. et n. est emprunté (1208, *venicien,* n. m.) à l'ancien italien *venetiano* (italien moderne *veneziano*), dérivé de *Venezia* «Venise».

♦ L'adjectif s'applique à ce qui appartient à l'ancienne république de Venise (XIIIe s., n. m., «monnaie de Venise») et à la ville de Venise ; il qualifie en particulier une couleur de cheveux d'un blond roux dans *blond vénitien* (attesté 1874, Goncourt). ◇ Le *vénitien* désigne aussi le dialecte italien de Vénétie (1672).

▶ **VÉNITIENNE** n. f., substantivation de l'adjectif au féminin, se dit (1667) d'une étoffe de soie qui fut d'abord fabriquée à Venise et d'un tissu d'ameublement (1728).

✳ **VENT** n. m. est issu (v. 1050) du latin classique *ventus* «vent», «air en mouvement», au figuré dans des acceptions très variées reprises en français, en particulier et par métaphore «flatulence» et, surtout au pluriel, «bonne ou mauvaise fortune», «tendances, influences, courants d'opinion» et «soulèvement contre qqn». *Ventus* appartient à une famille où l'on trouve le gallois *gwynt,* le gotique *winds* (cf. anglais *wind,* allemand *Wind*), mais l'indo-iranien a une autre forme (sanskrit *vatah*).

♦ En français comme en latin, le mot désigne depuis ses premiers emplois les mouvements naturels de l'atmosphère et leurs effets, les déplacements de l'air. Cette acception première donne lieu à de nombreux emplois spéciaux, concrets et abstraits. Certains contextes culturels ont produit des effets sémantiques particuliers : la navigation des navires à voiles avec les idées de vitesse, de direction, la vénerie, avec la notion d'indice, liée au phénomène physique de la transmission des odeurs, la musique, avec l'idée du souffle producteur de son. ◆ Le premier sens attesté est la valeur initiale du latin, «mouvement de l'air», dans le contexte maritime. Une première métaphore se manifeste dès le XIIe s., où des locutions donnent à *vent* la valeur de «vide, absence», qu'a aussi le mot *air.* Ainsi, *vivre de vens* signifie «vivre de rien» (v. 1160) et *vent* est attesté isolément au sens de «choses vaines, promesses creuses» (XIIe s.), valeur qui existe aussi en ancien provençal. La notion d'absurdité est présente dans le moyen français *battre vent* «dire des insanités» (v. 1382). ◇ La notion de «vide» sera reprise en français classique, croisée avec la métaphore du souffle dans *ne sentir que du vent* (1654) «n'avoir qu'un effet nul ou insignifiant». ◇ Sur le plan intellectuel, *vent* équivaut aussi à «vanité» (v. 1270) ; v. 1200 «chose vaine»), sorti d'usage au XVIIIe s., sauf dans des locutions comme *n'estre que vent* (fin XIVe s.), *que du vent* (v. 1700), aujourd'hui ***c'est du vent.*** On a dit *n'avoir que du vent* (2e moitié XVIIe s.) pour «être bavard et vain».
Au XIIe s. aussi, le mot entre dans le vocabulaire de la chasse, signifiant «odeur laissée par le gibier» (v. 1176). Une série de locutions, où *vent* correspond à «signe, indice», en découle : *(n'avoir) ne vent ne voie* (v. 1170), *ne vent ne nouvelle* (1316), *n'entendre* [comprendre] *ni vent ni fumée* (1571), etc., jusqu'à *n'avoir ni vent ni nouvelle* (1651), toutes sorties d'usage, comme *sentir le vent* (v. 1572) «être informé», alors que ***avoir vent de qqch.*** (1461) se dit encore. Ces expressions se ressentent d'une autre valeur métaphorique, où *vent* correspond à «espace libre où les rumeurs se divulguent» (*mettre qqch. au vent,* déb. XVIIe s.). ◇ La vénerie connaît d'autres locutions propres et figurées, comme *avoir le vent de* (une bête) «percevoir l'odeur (du gibier)» (v. 1375), *avoir trop de vent,* etc. Par métonymie, *avoir le vent du gibier, avoir bon vent* correspondent aussi (v. 1390) à «avoir du flair, du nez». Ce vocabulaire se développe au XVIIe s. avec ***prendre le vent*** «aller à la rencontre du gibier» (1606), ***aller dans le vent*** (1694), et plus tard (1834) ***aller au vent, aller à bon vent*** (1834) «suivre les bons indices», ***suivre le vent*** (1608), ***savoir de quel côté vient le vent*** (1640) qui peut aussi s'interpréter comme métaphore maritime. Ces expressions encore connues sont souvent mal interprétées, la référence à la vénerie n'étant plus familière. ◆ Un autre emploi fréquent en ancien français correspond à «air libre, milieu extérieur, non protégé». On peut y rattacher le motif du pendu qui se balance «en l'air», dans *estre levé au vent* «être pendu» (XIIIe s.), puis *estre pendu au vent* (v. 1330) et *mettre au vent* «pendre» (XVe s.), expressions déjà sorties d'usage à l'époque classique. En revanche, *herbergier* (loger) *au vent* «coucher dehors, à la belle étoile» (v. 1215) se prolonge, avec l'utilisation d'une autre valeur (voir plus loin) dans *être logé aux quatre vents* (1690) «loger dehors, à la belle étoile», *quatre vents* venant du sens de «points cardinaux» (ci-dessous). ◇ Au XVIIe s., on trouve aussi *jeter au vent* «abandonner, dissiper (des biens)» (1640), qui correspond en français actuel à *par la fenêtre,* et *envoyer au vent* (1645) «se débarrasser de», sortis d'usage.
Dès le XIe s., *vent* est constamment utilisé dans le contexte de la navigation, produisant des emplois et locutions parfois repris par la langue courante. ***Avoir bon vent*** «avoir le vent favorable» (v. 1225), renforcé dans *avoir bon vent et marée* (1538), d'où *avoir vent et marée* «bénéficier de circonstances favorables» (1694), disparu (à cause de l'homonymie avec ***contre vents et marées*** «en surmontant les difficultés»), se résolvent en français moderne dans la formule de souhait ***bon vent !,*** souvent ironique (cf. *bon voyage !*). ◆ Plusieurs locutions techniques concernent la position par rapport au vent, essentielle dans la navigation à voile : *sur le vent* (v. 1375), «dans la direction opposée à celle du vent», s'oppose à ***sous le vent,*** qui a signifié spécialement «séparé par un autre navire du lieu d'où le vent souffle» (1694) et s'emploie aujourd'hui en parlant des îles. ◇ De nombreux syntagmes maritimes apparaissent à partir du XVIe siècle : ***vent devant*** «contraire» (1529), ***vent debout*** (1718) qui succède à *debout au vent* (1680), ***vent derrière*** (1529). ***Vent en poupe*** «venant de l'arrière, donc favorable», plus ancien, a donné au figuré ***avoir le vent en poupe*** (1492) «être favorisé par les circonstances», d'où «être en train de réussir», très vivant. ◇ C'est évidemment de la marine que procède la formule

d'accueil ***quel bon vent vous amène ?*** (1613), modification de *quel vent vous maine?* (v. 1178), *vous pousse?* (1579), *quel bon vent vous mène?* (1532-1550) et toujours vivante. ◇ *Être vent dedans* (1812) s'est dit par métaphore pour «être ivre» (1876), remplacé par ***avoir du vent dans les voiles,*** peut-être lié à *tirer des bordées.* ➜ Le contexte de la marine est aussi à l'origine, depuis le moyen français, de la valeur symbolique du vent-vitesse. D'où *plus tost que vent* (déb. XIIe s.), *aller, courir,* etc. *comme vent* (1216), devenu ***aller comme le vent*** (1553), ***(aller) plus vite que le vent*** (1552). ◇ Par métonymie, *vent* signifie «direction d'où souffle le vent», notamment dans ***les quatre vents*** (1533) «les quatre points cardinaux». ➜ Le thème du vent, phénomène variable, imprévisible, se retrouve dans des emplois concrets et dans des valeurs métaphoriques, «inconstance», «changement brusque», ceci dès l'ancien français : *se retourner à chascun vent* (v. 1265) signifie «être inconstant». ◇ De tels emplois se multiplient en français classique, avec ***à tout vent*** (1680), ***à tous les vents*** (1685) qui sont liés au thème de la girouette. Une expression plus tardive, ***le vent tourne,*** exploite la même image pour illustrer le changement des circonstances (et non plus des attitudes humaines individuelles). Le rapport concret entre *vent* et des mots comme *tourner, sauter,* etc. correspond aussi à ce thème, ainsi que ***coup de vent*** (av. 1529) «changement brusque de force ou de direction du vent», d'où ***en coup de vent*** «rapidement» (1872).

Parmi les emplois spécialisés du latin, celui de «flatulence» a été repris (1re moitié XIIIe s.) dans *vent du cul* «pet», qui n'avait pas en ancien français la vulgarité qu'on lui prêterait aujourd'hui. Ce type d'emploi a donné l'euphémisme *vent* (1680) avec la même signification. ◇ On peut rattacher à cette acception la valeur physiologique de «respiration, haleine» (1538), surtout dans des locutions comme *prendre du vent* «respirer» (1528), *cueillir vent* «reprendre haleine» (v. 1340), *reprendre son vent* (1694), toutes sorties d'usage. Une extension spécialisée correspond à «voix» (1584), d'abord dans *vent de gorge* «cri» (déb. XVIe s.) ou «son musical», valeur qui s'est conservée dans ***instrument à vent*** (1685). ➜ *Vent* correspond aussi à «l'air libre», notamment en fauconnerie où *prenre* [prendre] *son vent* s'est dit (1470) de l'oiseau qui prend son essor. ◇ Avec le sémantisme développé par le composé *éventer* (ci-dessous), exploité aussi en vénerie, *vent* se dit du milieu extérieur en tant que nuisible à une substance conservée dans un récipient. *Donner vent à une bouteille* (v. 1459) correspond donc à «éventer son contenu», *prendre du vent* se dit du vin qui s'aigrit (1876). Comme *éventer,* le mot a aussi une valeur positive dans *faire le vent à qqn* «l'éventer» (déb. XIIIe s.) ou *se donner vent* (1530) «se rafraîchir, s'éventer», sortis d'usage. ◇ Croisé avec l'idée de vanité, ce sémantisme se retrouve dans ***tête au vent*** (1787), variante de *tête à l'évent* «étourdi». ➜ Une autre spécialisation apparue au XVIe s. est «déplacement, courant d'air» (1552), aussi dans des locutions comme *arquebuse à vent* (1680) «à air comprimé». Ce sens a disparu, sauf dans ***sentir le vent du boulet*** «échapper de peu à un grave danger» (*vent du boulet,* 1858, attestation tardive par rapport à *vent de la balle du canon,* 1640, Oudin) et surtout ***faire du vent*** (1888) «faire l'important», par l'image du déplacement d'air. Ce sémantisme était déjà présent en moyen français, mais surtout dans des locutions comme *le vent de la chemise* d'où, par une image de la chemise (de nuit) flottante et agitée, *vent de chemise* (fin XVe s.) «ébats érotiques». ➜ C'est aussi au XVIe s. que *vent* s'applique aux influences du sort, par métaphore de l'effet de déplacement causé par le vent qui emporte les objets, dans ***autant en emporte le vent*** (v. 1270 ; XIIIe s., *autant en porte...*) «cela n'a pas d'importance», et aux influences d'un milieu, par exemple dans *vent du peuple* (déb. XVIIe s.), *vent de la cour* (v. 1600) et un peu avant (1588) *bon vent* «faveur (d'un milieu, du peuple...)», expressions disparues au profit de locutions comparables formées avec *air.* On peut rattacher à cette idée d'influence et à celle de direction, appliquées à la mode, la locution ***(être) dans le vent*** (XXe s.) «à la mode».

Ces différents domaines et ces directions métaphoriques sont souvent mêlés, comme on vient parfois de le voir. Des expressions issues de la marine à voiles concernent soit la direction, soit la force, soit le changement du vent, d'où des figures différentes. Ainsi, ***regarder d'où vient le vent*** a signifié «regarder de tous côtés», puis (1718) «observer le cours des événements», comme (déb. XVIIIe s.) ***voir d'où vient le vent.***

▶ Plusieurs dérivés anciens de *vent* ont disparu, comme *ventelet* «petit vent» (v. 1175) ou *ventine* «coup de vent» (1389). ➜ **VENTER** v. impers. (v. 1130) se dit du vent quand il se produit. Ce verbe a eu de nombreux sens, dans des emplois personnels, transitifs et intransitifs, tels «être jeté au vent» (v. 1155), «souffler (le feu)» (v. 1240), «frapper dans le vide», en parlant d'une épée (1527), «exposer à l'air» (1636), disparus après l'époque classique, «pousser par le souffle du vent» (1636), encore en usage au XIXe siècle. ◇ Le verbe ne survit que comme impersonnel, pour «faire du vent» (1585). Il s'emploie dans le proverbe ***on ne peut empêcher le vent de venter,*** relevé en 1808. ➜ De *venter* dérive **VENTAGE** n. m., d'abord *ventaige* «vent, tempête» (v. 1501). En technique rurale, il signifie «action de vanner» (1783), reprenant le sens du moyen français *ventir,* v. tr. (1552), «vanner le blé». ➜ Le composé **SURVENTER** v. impers. est attesté en 1529.

VENTAIL, AUX n. m. (1314), réfection de *ventaille* (1080), désigne la partie de la visière des casques clos, par où passait l'air. ◇ Un autre sens (1655), lui aussi de *ventaille* (v. 1240), disparu au sens de «volet d'une fenêtre», désigne le battant d'une porte ou d'une fenêtre. ➜ **VENTEAU** n. m., terme technique, d'abord au sens de «ventail» (1611), se dit (1757) de l'ouverture par laquelle pénètre l'air d'un soufflet de forge, ouverture fermée par une soupape. ➜ **VENTILLON** n. m. (1872), formé avec le suffixe diminutif *-illon,* désigne la soupape du venteau d'un soufflet. ➜ **VENTIS** n. m., terme technique, d'abord *venti* (1812), «arbres arrachés avec des cordes comme par le vent», se dit (1872) des arbres abattus par le vent.

◆ **VENTEUX, EUSE** adj. est emprunté au dérivé latin classique *ventosus* «où il y a du vent», «exposé au vent», au figuré «léger, rapide comme le vent», «qui tourne à tous les vents», «vain, vide». ◆ Le mot est d'abord attesté (1256, *venteus*) au sens de «qui produit des flatuosités». Il qualifie aussi ce qui s'accompagne de flatuosités (1552). ◇ Rare au sens propre «du vent», repris (v. 1380) du latin, il a été employé au figuré comme en latin pour «rapide comme le vent» (1584), puis pour «vain» (v. 1585, *vanteux*), «léger comme le vent», en parlant de l'écume (1608). ◆ **VENTÔSE** n. m. a été créé (1793) par Fabre d'Églantine à partir du latin *ventosus* pour désigner le 6ᵉ mois de l'année du calendrier républicain (19 ou 21 février au 19 ou 21 mars), mois des giboulées et du vent.

Parmi les composés préfixés, les plus usuels sont formés avec le préfixe *é-* (de *ex-*). ◆ **ÉVENTER** v. tr., d'abord écrit *esventer* (v. 1120; XVᵉ s., forme moderne), a signifié en vénerie «dépister (le gibier)», sens lié à *vent* «odeur». ◇ Il s'emploie ensuite (v. 1165) pour «exposer au vent, à l'air», en parlant d'une literie, du foin, etc., puis au sens d'«être rafraîchi à l'air libre» (fin XIIᵉ s., v. intr.), «rafraîchir en agitant l'air» (v. 1180, au pronominal; XIIIᵉ s., comme transitif), d'où **ÉVENTÉ, ÉE** adj. (XIIIᵉ s., isolément). ◇ *Éventer* a signifié (v. 1310) «lancer (une flèche)» et *s'éventer* «se précipiter». ◆ Le verbe, par référence à la valeur de *vent* «indice, nouvelle», s'est employé par figure pour «avertir (qqn)» (1382), d'où *être éventé de qqch.* «être averti de qqch.» (XVIᵉ s.), acception disparue. De là *éventer qqch.* «rendre public, faire connaître» (1493), qui s'est utilisé dans *éventer un livre* «le publier» (mil. XVIᵉ s.) et pour «exprimer» (v. 1580, *s'esvanter*, en parlant des passions; 1610, *esventer des pensées*). Le participe passé *éventé* est aussi adjectivé en ce sens (1653). ◇ *S'éventer* prend le sens de «se gâter au contact de l'air», en parlant d'un vin, d'une étoffe, etc. (1559), d'où l'emploi du participe substantivé, dans (v. 1390) *sentir l'éventé*, à propos d'un vin. *Éventer* s'emploie transitivement pour «gâter en exposant à l'air» (1835). ◇ Au figuré, *éventer qqn* «rendre écervelé» est encore relevé en 1932 (Académie), mais ne devait plus s'employer depuis le début du XIXᵉ s. ◆ Depuis le milieu du XVIᵉ s., le verbe s'emploie dans le vocabulaire de la chasse, dans *éventer un lieu* «trouver les traces du gibier», *éventer le gibier* (1606), *éventer une voie* (1669) et par métaphore *éventer les traces de qqn* «les suivre» (1685), tous emplois archaïques ou disparus. ◇ Au figuré, le verbe signifie «découvrir (un secret, un piège, etc.)» (1587), d'où «trouver (un objet)» (1617), sens qui ne s'est pas maintenu. Il s'est employé par extension pour «mettre à l'air libre, ouvrir», par exemple dans *éventer une mine* (1636), *une veine* (1660), *une carrière* (1676); la locution figurée ***éventer la mine, la mèche*** (1694) est toujours vivante dans l'usage littéraire. ◇ Avec la valeur d'«exposer à l'air», le verbe est utilisé dans divers domaines : *éventer du grain* «le remuer pour éviter la fermentation» (1694), *éventer une voile* «mettre le vent dedans» (1694), *éventer un piège* pour lui ôter son odeur (1756), *éventer une étoffe* pour unir la couleur à la sortie de la cuve (1765). ◇ *Éventé, ée* adj. «écervelé» (*esventé*, 1571) et *un éventé* (1584), *une éventée* (1890) ne se disent plus.

ÉVENTAIL n. m. est attesté isolément au XIVᵉ s. (*esventail*) comme terme d'horlogerie, puis pour «ouverture» (1409), «soupirail» (1690). Ces valeurs ont disparu. ◇ Le mot désigne aussi (1416) un instrument portatif repliable, souvent formé d'une matière souple plissée, qu'on agite pour produire de l'air et de la fraîcheur. Ce sens est le seul vivant aujourd'hui. Par extension, il se dit d'un chasse-mouches en fibres tressées (1578), en français d'Afrique aujourd'hui. *Éventail de bouleau* «poignée de verges» (1640) a disparu comme la locution familière *éventail à bourrique* «bâton (pour frapper)» (1888). ◇ ***En éventail*** «en forme d'éventail» est relevé en 1721. ◇ Par analogie, *éventail* désigne un écran pour isoler (1723, *éventail d'émailleur*). ◇ Le sens de «mauvais tableau» (1761), aujourd'hui disparu, s'explique par la réputation douteuse des peintres d'éventails, contraints de travailler très rapidement et de manière répétitive. ◇ Au XXᵉ s., *éventail* se dit d'un ensemble de choses diverses d'une même catégorie par la métaphore du déploiement. ◆ Le dérivé **ÉVENTAILLIER, IÈRE** n. (1723; d'abord *eventailler*, 1503), «fabricant ou marchand d'éventails», a été remplacé par **ÉVENTAILLISTE** n. (1690, *éventaliste*), signifiant aussi «peintre d'éventails» (1701). ◆ **ÉVENTAILLERIE** n. f., «industrie des éventails» (1870), est sorti d'usage.

② **ÉVENT** n. m., déverbal de *éventer*, a désigné (1521, *esvent*) un conduit pour détourner l'eau d'une source. ◇ Le mot se dit ensuite de ce qui laisse passer l'air, spécialement de l'ouverture au-dessus des fosses nasales de certains animaux (1558), de l'ouïe des poissons (1564), de la narine des cétacés (1690), le plus souvent au pluriel. ◆ La locution *tenir de l'esvent* «être peu sensé» (1566) est sortie d'usage, comme *tête à l'évent* «personne étourdie» (1654), cependant encore connu. L'emploi pour «altération par action de l'air» (v. 1600), d'où *sentir l'évent* «être gâté» (1611) ont également disparu. Toutes ces acceptions correspondent à un emploi de *vent* (ci-dessus). ◇ Dans le vocabulaire technique, *évent* désigne depuis le XVIIᵉ s. (1676) un conduit ménagé dans les moules de fonderie pour l'échappement des gaz et s'emploie dans divers domaines techniques pour «conduit» (1811), «fissure» (1835), «petite ouverture». ◆ **ÉVENTOIR** n. m., formé avec le suffixe *-oir* des instruments, a désigné une ouverture dans un tonneau (1391, *esventoir*), une ouverture destinée à l'aération (1532, *esventouer*), spécialement dans une mine (1797), un éventail (1523), utilisé en particulier pour activer le feu (2ᵉ moitié XVIᵉ s.), et un chasse-mouches (1538). Le mot a disparu dans tous ses emplois. ◆ **ÉVENTEMENT** n. m., «action d'éventer, de s'éventer» (1538, *esventement*), désigne aussi (1636) l'altération subie par des aliments exposés à l'air. Le mot a disparu pour «vannage du blé» (v. 1600) et «divulgation d'un secret» (1611).

D'autres composés ont été formés à partir de *vent*. ◆ **ABRIVENT** n. m., formé de *abri**, est sorti d'usage pour «abri pour une sentinelle» (1752) et se dit d'un paillasson qui protège les plantes du vent, aussi nommé **BRISE-VENT** n. m. inv. (1690), de *bri-*

*ser**. ◆ ① **CONTREVENT** n. m., terme de marine (1559), signifie «vent contraire», d'où ① **CONTREVENTER** v. intr. (1534) et **À CONTREVENT** adv. (mil. XVIIIe s.). ◆ ② **CONTREVENT** n. m., de *contre-*, s'est dit pour «clayon» (1511), emploi disparu. ◇ Le mot désigne (1642) un volet qui protège des intempéries et, en charpenterie (1676), une pièce de bois oblique qui renforce les fermes, d'où ② **CONTREVENTER** v. tr. (1690), dont dérive **CONTREVENTEMENT** n. m. (1694).

VOL-AU-VENT n. m., attesté d'abord dans *gâteau vol-au-vent* (1750), puis seul en 1800, est composé de ① *vol*, à cause de la pâte feuilletée, légère, qui forme le moule de cette entrée, et que l'on garnit d'une préparation de viande ou de poisson, avec des champignons, etc. Des syntagmes *(vol-au-vent financière)* et des appellations de sens voisin *(bouchée* à la reine)* manifestent l'importance culinaire de la notion. ◆ **COUPE-VENT** n. m. inv., de *couper*, désigne un écran placé derrière une moto pour protéger du vent le coureur cycliste qui la suit (1893) et, plus généralement (1894), un dispositif pour réduire la résistance de l'air. ◇ Au Québec, d'après l'anglais *windbreaker*, le mot se dit (XXe s.) d'un blouson dont le tissu protège du vent.

VENTILER v. tr., réfection de *venteler* (fin XIe s.), est emprunté au latin *ventilare* «exposer au vent», d'où dans la langue rustique «exposer le grain au vent, vanner», «secouer», au figuré «attiser», d'où en bas latin impérial «attaquer, persécuter» et «discuter, débattre». *Ventilare* dérive de *ventus*. ◆ Le verbe s'est d'abord employé sous la forme *venteler* au sens d'«agiter en l'air (un drapeau)» (fin XIe s.), sens sorti d'usage au XVIIe s., puis, comme intransitif, de «flotter au vent» (1080), encore au XVIIe siècle. ◇ Le sens figuré, «secouer, tracasser» (v. 1126), procède de la même métaphore que *vanner*. ◇ Du latin est reprise l'acception juridique «examiner une cause, la plaider» (1265), sortie d'usage. ◇ L'idée d'«exposer au vent» se retrouve dans les sens techniques de «vanner (le blé)» (1611), «sécher», disparus. ◆ *Ventiler* a pris son sens concret au XIXe s., d'abord pour «rafraîchir (le corps)» (1820), sorti d'usage, puis avec la valeur de «renouveler l'air dans un lieu clos» (1842), probablement antérieur (cf. *ventilation*), qui est aujourd'hui l'acception principale du verbe. ◆ En droit et en commerce, *ventiler* signifie (1611) «évaluer (une ou plusieurs portions) relativement au tout, dans une vente». Par extension, le verbe prend à la fin du XIXe s. l'acception de «répartir entre plusieurs comptes», puis la valeur générale (mil. XXe s.) de «répartir en plusieurs groupes» (des choses ou des personnes). ◆ Le dérivé **VENTILEMENT** n. m. s'est dit isolément (1596, *ventillement*) pour «examen des comptes». Il est rare et littéraire pour désigner l'action de ce qui fait du vent (1882). ◆ **VENTILEUSE** n. f. (1901, Maeterlinck) se dit en zoologie d'une abeille qui bat des ailes à l'entrée de la ruche pour en renouveler l'air; on trouve aussi **VENTILATEUSE** (déb. XXe s.), de *ventilateur*.

VENTILATION n. f. est un emprunt au dérivé latin classique *ventilatio, -onis* «exposition à l'air» et, en bas latin, «vannage du blé», au figuré «séparation des bons et des méchants lors du jugement dernier». ◇ Le mot a eu des emplois parallèles à ceux du verbe. Il est attesté en 1382 comme terme juridique, probablement pour «examen d'une cause» (cf. *ventiler*). ◇ Il désigne (1495) le fait de rafraîchir, en particulier d'aérer un lieu clos (1819), sens aujourd'hui le plus courant. ◇ Au figuré, il est employé en droit pour «estimation» (1574) et s'emploie aujourd'hui comme terme de finances (XXe s.) pour «répartition». ◆ **VENTILATEUR** n. m., dérivé savant de *ventiler*, a sans doute subi l'influence de l'anglais *ventilator*, emprunt au latin *ventilator* «vanneur» (du supin de *ventilare*) avec changement de sens. En effet, le mot apparaît (1744) dans la traduction d'un texte anglais, désignant un appareil servant à brasser l'air. Cet emploi est resté usuel, les objets produisant le courant d'air ayant varié, de la pale déplacée (panka) à l'éventail, puis à l'appareil à hélice (au XXe s., *ventilateur électrique*). Le mot se dit aussi (1771) d'un tuyau qui conduit à l'extérieur les gaz d'une fosse d'aisances et, par ailleurs, d'un appareil qui produit un courant d'air pour trier en éliminant les impuretés (1770, «tarare»), pour alimenter une combustion (1835), pour refroidir le moteur d'une automobile (1903), sens usuel (*courroie de ventilateur*, etc.). ◇ L'abréviation **VENTILO** n. m. (1952) est familière.

◈ voir BIELLE, PARAVENT, VENTOUSE.

① **VENTOUSE** n. f., modification (1314) de *ventuse* (v. 1240), aussi *ventueuse* (1314), est emprunté au bas latin *ventosa*, abréviation du latin classique *cucurbita ventosa* signifiant proprement «courge pleine de vent», de *cucurbita* «courge*» et du féminin de *ventosus*, dérivé de *ventus* (→ vent). On disait aussi en bas latin *medicinalis cucurbita* et *cucurbitula* «petite ventouse».

♦ Le mot, comme en bas latin médical, désigne une petite cloche de verre appliquée sur la peau après qu'on y a raréfié l'air, pour provoquer une révulsion. ◇ Par analogie, il s'est employé en arboriculture (1796), le mot désignant alors une branche non taillée qui absorbe l'excès de sève. ◇ *Ventouse* se dit ensuite (1828), après avoir désigné la sangsue (1817), d'un organe de succion qui permet à divers animaux aquatiques (batraciens, etc.) de rester attachés à la surface d'un corps solide, d'où *faire ventouse* «adhérer» (1891). ◇ Par extension, *ventouse* s'emploie (1942) pour des dispositifs qui se fixent contre une surface plane par vide partiel d'où, au figuré, *voiture* ventouse*.

▸ Le dérivé **VENTOUSER** v. tr. est attesté au XIIe s. (v. 1179, *ventuser*), le terme didactique **VENTOUSAIRE** adj., au XXe siècle.

L'homonyme ② **VENTOUSE** n. f. est un dérivé (1676) de *vent* ou est directement formé sur le latin *ventus* «vent*». ◇ Le mot se dit en technique d'une ouverture : dans un fourneau, pour régler l'arrivée d'air (1676), dans un mur épais, pour l'écoulement de l'humidité (1680), dans un tonneau, pour soutirer le vin (1685), dans un conduit, une fosse, etc., pour l'aération (1690), etc. Il désigne également un hublot d'aération dans un navire (1831) et un effondrement partiel dans une chaussée (1873).

VENTRE n. m. est issu (1050) du latin *venter, ventris*, terme général désignant le ventre en tant que réceptacle des entrailles ou du fœtus ; par analogie de forme, le mot se dit d'objets techniques, de contenants, etc. *Venter* a pour correspondants le grec *gastêr* «ventre, estomac» (→ gastéro-), le sanskrit *udáram* «ventre», le vieux prussien *weders* de même sens.

♦ Le mot est d'abord attesté en français pour désigner chez la femme l'abdomen en tant que siège de la gestation et des organes génitaux internes, l'utérus. ◇ Il se dit aussi (1080), chez l'homme et la femme, de la partie du tronc correspondant à la paroi abdominale et à une partie de la cavité de l'abdomen, et, pour les animaux, de la partie analogue, et par extension de la paroi inférieure du corps par opposition à *dos*. Avec cette valeur, le mot entre dans des locutions dont beaucoup ont disparu ; *sur ventre* «à toute vitesse» (1200) sera supplanté par ***ventre à terre*** (ci-dessous), en parlant des quadrupèdes. ◇ *Petit ventre* (1372 ; d'après le latin *ventriculus*) a disparu au profit de *ventricule*. ➜ *Ventre* s'emploie couramment depuis l'ancien français pour désigner l'abdomen humain en tant que siège de la digestion (v. 1120), en particulier dans des locutions comme *faire ventre* «s'engraisser» (mil. XIIIe s.), ***manger, boire à ventre déboutonné*** «avec excès» (1532), ***se remplir le ventre,*** d'abord ***remplir son ventre*** (1552), ***avoir les yeux plus gros (plus grands) que le ventre*** «être incapable de manger autant qu'on le désirait» (fin XVIe s.) qui a eu plusieurs variantes et signifie par métaphore «s'exagérer ses capacités», ***avoir, prendre du ventre*** «grossir du ventre» (mil. XXe s.) ; la plupart de ces locutions sont aujourd'hui en usage. La locution proverbiale ***ventre affamé n'a pas d'oreilles,*** attestée chez Rabelais, représente une adaptation d'un proverbe latin (Caton le Censeur, IIe s. av. J.-C.) signifiant «Il est difficile de discuter avec le ventre, avec la faim, car ils n'écoutent rien». La locution ***se brosser le ventre*** «ne rien avoir à manger» (1881), puis «se priver de qqch.», a produit un emploi familier de *se brosser**. ➜ Par analogie de forme, le mot nomme la partie renflée d'une chose (1314, *ventre du doigt*) ou un objet qui présente un renflement (1327), spécialement le bombement que prend une partie de construction, sous l'effet d'une pression (1552, ***faire ventre ;*** aussi *faire le ventre,* 1762), la partie remplie, centrale d'un muscle (1562), et aussi la partie bombée de la coque d'un navire (fin XVIe s.). Une autre valeur spéciale, «partie centrale (d'une page)» (1556), a disparu. ➜ Par métaphore du sens initial, *ventre* a désigné l'intérieur du corps humain, sens qui demeure dans une locution comme *savoir ce que qqn a au ventre* (1463), devenue ***ce qu'il a dans le ventre*** (1618), c'est-à-dire à la fois «dans l'esprit» (métonymie de *tête*) et «dans le cœur», ou encore ***n'avoir rien dans le ventre*** «manquer d'énergie», ***(re) mettre du cœur au ventre*** «(re)donner du courage». ➜ Concrètement, le mot s'emploie spécialement pour les intestins et leur fonctionnement, d'où ***mal au ventre*** «aux intestins» (1538, ***mal de ventre,*** encore en usage) et, au figuré ***faire mal au ventre à qqn*** «lui être très désagréable», avec un sujet nom de chose. ➜ Dans la langue classique apparaissent plusieurs locutions métaphoriques sur le sens concret : ***passer, marcher sur le ventre de qqn*** «en être victorieux» (1656), ***sur le ventre*** «de tout son long» (1607). *En donner à qqn sur le ventre et partout* (1640) s'est utilisé pour «le maltraiter beaucoup». ➜ Le sémantisme le plus ancien en français, celui d'«utérus», est utilisé en droit dans ***le ventre anoblit*** (1536) où *ventre* correspond à «ascendance matérielle», puis dans ***curateur au ventre*** (1685) chargé de surveiller la grossesse d'une veuve enceinte et d'administrer la succession du père de l'enfant à naître. ➜ Dans la langue classique, apparaissent plusieurs locutions où *ventre* a sa valeur la plus courante : ***ventre à terre*** renvoie au cheval qui, dans un galop rapide, semble frôler le sol ; attestée au XVIIIe s. (1754), l'expression a remplacé *sur ventre* (ci-dessus), par référence au corps humain. C'est le symbole de la soumission dans la locution disparue *demander pardon ventre à terre* (1685), supplantée par ***se mettre*** ou ***être à plat ventre devant qqn*** «s'humilier» (1767). ◇ ***Danse du ventre*** (1889) désigne une danse orientale féminine caractérisée par des mouvements rythmés du bassin. ➜ Le mot, après les métaphores du XIVe s., reprend dans d'autres contextes le sémantisme de «partie renflée». Dans le vocabulaire de la physique (1700), *ventre* désigne le lieu des points d'un corps en vibration où les oscillations ont la plus grande amplitude *(le ventre d'une onde)*. ◇ Le mot se dit aussi de la partie la plus large d'une cuve, d'un four (mil. XIXe s.), de la partie large et tranchante d'un burin (1872) ; il ne s'emploie plus en marine pour l'arrondi d'une voile gonflée par le vent (1904, *le ventre d'une voile*). ◇ Par analogie avec le ventre des animaux, il équivaut parfois (1928) à «partie inférieure» *(le ventre d'un avion)*.

▶ Le dérivé **VENTRIÈRE** n. f. s'est dit (v. 1130) d'un large ceinturon, faisant partie de l'armure qui protégeait le ventre. Le mot désigne aussi une sangle qui passe sous le ventre d'un cheval (1325). ◇ Par analogie, *ventrière* se dit d'une pièce de bois qui soutient un assemblage de charpente (1361), ou le «ventre» d'un navire avant le lancement (1792). ◇ Par ailleurs, *ventrière,* dérivé de *ventre* au sens d'«utérus», s'est employé en ancien et en moyen français (v. 1290) pour «sage-femme». ➜ Le composé **SOUS-VENTRIÈRE** n. f. (1370), «sangle qui passe sous le ventre d'un cheval», a été utilisé pour «ceinture de pantalon», d'où la locution familière ***manger à s'en faire péter la sous-ventrière*** «avec excès». ➜ **VENTRAILLES** n. f. pl., «viscères d'un animal» (XIIe s.), avec l'influence formelle d'*entrailles,* est régional. ➜ **VENTRÉE** n. f. se dit d'abord (v. 1180) pour «fruit du ventre (d'une femme)», sens disparu, d'où vient l'emploi toujours vivant de «portée (d'un animal)» (1567). Le mot désigne ensuite (v. 1225) la nourriture dont on emplit le ventre, donc «grande quantité de nourriture» : *s'en foutre une ventrée.* ◇ *Ventrée,* d'après *ventre* pour «intestins», a aussi désigné les excréments (contenu du ventre) [XIIIe s., hapax ; repris v. 1550] et l'enflure d'un bâtiment qui bombe (v. 1310). ➜ **VENTRÈCHE** n. f., d'abord *ventresche* (XIIIe s.), s'est dit en ancien et moyen français de la peau du ventre. ◇ Il a été repris en tant que régionalisme gastronomique pour désigner la partie ventrale de certains poissons (notamment le thon). Dans le Sud-Ouest de la France, c'est un régionalisme appliqué à la poitrine de porc, salée et roulée. ◇ La variante **VENTRESQUE** n. f. (1611), «intestins», s'est dite d'une préparation de charcuterie.

VENTRU, UE adj. s'applique (1490) à qqn qui a un gros ventre (aussi *ventré* en ancien français, XIIIe s.), d'où *un ventru* (1490). L'adjectif qualifie aussi (1586) une chose bombée, renflée. ◇ Par figure, il qualifie un homme riche, et spécialement au XIXe s. (1820) un député du centre qui soutenait le ministère (parce qu'il était souvent l'hôte des dîners officiels).

VENTRAL, ALE, AUX adj., emprunt (1520) au latin impérial *ventralis* «relatif au ventre», en conserve le sens; il s'applique aussi à ce qui se porte sur le ventre (notamment, *parachute ventral* opposé à *dorsal*), substantivement *le ventral* n. m., et en sports à ce qui se fait sur le ventre. ◇ Le mot s'emploie également en sciences (1845, en botanique, *suture ventrale*) pour désigner la face inférieure d'un organisme ou d'un organe, par opposition à *dorsal*. ➜ En dérive **VENTRALEMENT** adv. (XXe s.), terme de sciences naturelles.

BAS-VENTRE n. m. désigne (1636) la partie inférieure du ventre, qu'on appelait le *petit ventre*, d'où par euphémisme les parties génitales.

Le composé **ÉVENTRER** v. tr. (1538, *esventrer*; forme moderne, 1549), formé comme *étriper*, signifie «déchirer le corps de (un être vivant) en ouvrant le ventre». Le mot correspond à l'ancien provençal *esventrar* «ouvrir le ventre d'un animal» (1315). *S'éventrer* s'est dit (1690) pour «se faire mal au ventre, à force de crier» et au figuré pour «faire tous les efforts possibles», sens sortis d'usage. ◇ Par figure, *éventrer* a pris les sens de «fendre largement (un objet) pour atteindre ce qu'il peut renfermer» (1835) et de «défoncer, percer» (fin XIXe s.). ➜ **ÉVENTRÉ, ÉE** adj. a signifié «défait, vaincu moralement» (1226, *esventré*) et «mal arrangé» (v. 1550, écrit *évantré*). ➜ Du verbe dérivent **ÉVENTREMENT** n. m. (1669, en parlant d'un animal), **ÉVENTRATION** n. f., terme de chirurgie (1743), employé aussi au figuré, et **ÉVENTREUR** n. m. (1890), mot créé à propos de *Jack l'Éventreur*, nom français d'un célèbre criminel londonien des années 1889-1890 appelé en anglais *Jack the Ripper* (de *to rip* «déchirer, fendre»).

VENTRIPOTENT, ENTE adj., d'abord attesté chez Rabelais (1552, *Dieu ventripotent*), à propos de Bacchus, est composé de *potens* «puissant» (→ pouvoir); l'adjectif s'applique à qqn qui a un gros ventre. ➜ **VENTRILOQUE** n. est un emprunt (1552, Rabelais) au bas latin *ventriloquus*, littéralement «qui parle du ventre», composé de *loquus*, de *loqui* «parler» (→ locution). ◇ Le mot se dit d'une personne qui peut articuler sans remuer les lèvres, d'une voix qui semble venir du ventre. Il est aussi adjectif (1704). ➜ Le dérivé **VENTRILOQUIE** n. f. (1817) est didactique et rare.

Dans les jurons anciens, le nom de Dieu était remplacé par un mot qui le rappelait ou par un nom de saint, réel ou imaginaire; on trouve *ventre dieu* au XVe s., qui devient *ventre beu* (1440), *ventre bieu* (v. 1480), **VENTREBLEU** interj. (1552, Rabelais), au XVIIe s. *ventredié, ventregné, ventreguienne* puis vers 1750 *ventrebille*. ◇ ***Ventre saint-Gris*** est attesté dans la première moitié du XVIe s. (1547, N. du Fail) et *ventre saint-Fiacre* au début du XVIIe s. (d'Aubigné).

◈ voir UTÉRUS, VENTRICULE.

VENTRICULE n. m. est emprunté (1478) au latin *ventriculus*, souvent *ventriculus cordis* «petit ventre du cœur», le mot signifiant aussi «estomac», diminutif de *venter* «ventre*». *Ventriculus* avait abouti par ailleurs à *ventroil* «ventre» (v. 1200).

♦ Le mot désigne en médecine chacun des deux compartiments inférieurs du cœur (opposé à *oreillettes*) (1503) et aussi chacune des deux principales cavités de l'encéphale (1478). Il s'est employé pour «estomac» (1536), autre latinisme. ◇ En zoologie, il s'applique (1718) au renflement du duodénum des oiseaux, qui forme un second estomac.

▸ En dérive **VENTRICULAIRE** adj. (1819) «du ventricule du cœur», et «du ventricule cérébral», d'où des composés didactiques (→ atrium, auriculaire). ➜ **VENTRICULOGRAPHIE** n. f., de *-graphie*, et **VENTRICULOSCOPIE** n. f., de *-scopie*, termes de médecine, «radiographie, radioscopie des ventricules (du cerveau, du cœur)», sont attestés au milieu du XXe siècle.

VÉNUS n. f. est un emprunt (1246) au latin *Venus, -eris* «l'amour, l'acte amoureux, l'objet aimé», personnifié et divinisé comme nom de la déesse de l'Amour (correspondant à l'*Aphrodite* grecque); le mot est aussi le nom d'une planète. Il se dit de qualités qui excitent l'amour (grâce, charme, séduction). *Venus* a des correspondants formels dans le védique *vanas-* en composition dans *gir-vanas-* «aimant les hymnes» (en parlant des Dieux), le sanskrit *vanchati* «il désire» et l'ancien haut allemand *wunskan* «désirer». Le nom semble donc évoquer primitivement le désir.

♦ Le mot entre en français (1246) pour désigner comme en latin une planète du système solaire et son apparence (désignée par *étoile du matin, du soir*) [écrit avec une majuscule]. En alchimie, il s'est dit pour «étain» (1564) puis «cuivre» (1611), *cristaux de Vénus* signifiant «acétate de cuivre» (1701). ◇ Il s'est employé ensuite à l'époque classique (1624) au sens de «grâce, agrément», en parlant d'une œuvre d'art, du style. ◇ Il a eu le sens d'«ardeur amoureuse» (1538), sorti d'usage après le XVIe s., mais continué par ***plaisirs de Vénus*** (XVIIe-déb. XIXe s.) «plaisirs de l'amour», et ***sacrifier à Vénus*** «faire l'amour». *Une Vénus* désigne aujourd'hui et depuis le XVIIe s. au moins (1674, La Fontaine) une femme d'une grande beauté. ➜ Par référence à la mythologie, la déesse étant souvent représentée debout sur une conque, *conque de Vénus* (1736), puis *vénus* (1778) est le nom d'un mollusque bivalve comestible et, spécialement (1803), celui de la *praire (Venus verrucosa)*. ➜ Au sens de «femme consacrée à l'amour», *Vénus banale* (1794), puis *Vénus des carrefours* (av. 1850, Balzac) a désigné une prostituée, et *maladie de Vénus* (1814), *mal de Vénus* (1832), ***coup de pied de Vénus*** (1876) une maladie vénérienne. ◇ Le mot, écrit avec une majuscule, désigne une statue de Vénus et, qualifié, dans des noms de pièces archéologiques (1848), une statuette supposée représenter le canon féminin d'une culture *(une vénus préhistorique)*.

▶ Du nom dérivent ① **VÉNUSIEN, IENNE** adj. (1872) et **VÉNUSIAQUE** adj. (déb. XXe s.), littéraire, «propre à Vénus, qui excite l'érotisme».
Deux dérivés du latin *Venus* ont été empruntés. ➤ **VÉNUSTE** adj. (1481), emprunt au latin *venustus* «qui excite l'amour», «charmant, séduisant», signifie dans un usage très littéraire «qui a une beauté, une grâce, digne de Vénus». ➤ **VÉNUSTÉ** n. f., littéraire, conserve (v. 1500) le sens du latin *venustas* «beauté physique, grâce, charme».
② **VÉNUSIEN, IENNE** adj. et n. s'est employé, sur le modèle de *martien*, à propos des habitants supposés de la planète Vénus.

◈ voir **VENDREDI, VÉNÉRER, VÉNÉRIEN, VÉNIEL, VENIN.**

VÊPRES n. f. pl. représente une francisation (v. 1207, *vespres*, encore au début du XVIIIe s.) du latin ecclésiastique médiéval *vesperae* «office divin qu'on célèbre le soir», pluriel sur le modèle de *vigiliae* (→ vigile). C'était, déjà en bas latin, le sens du latin classique *vespera* «temps du soir, soirée», variante féminine de *vesper*, lequel désigne aussi l'étoile du soir et l'occident (ancien provençal *vespre*, italien *vespero*). La parenté avec le grec *hespera* «le soir» (→ hespérides) est claire, les deux mots se rattachant aussi d'une façon plus lointaine au gallois *ucher* et au vieux slave *vecĕrŭ;* la diversité des formes dans les langues indoeuropéennes s'explique peut-être par un tabou linguistique.

♦ Le mot, écrit *vêpres* depuis le XVIIe s. (1636), conserve son emploi religieux dans la liturgie catholique, spécialement dans ***premières vêpres*** (1690), dites la veille d'une fête religieuse, et ***secondes vêpres*** (1876), dites le jour d'une fête. Il fait partie de la langue courante, du XVIIe s. au milieu du XXe s., dans la mesure où la journée des catholiques pratiquants pouvait être rythmée par les vêpres *(aller aux vêpres, entendre sonner les vêpres)*.

▶ **VÊPRE** n. f. au singulier, forme moderne (XVIIe s.) de *vesprae* (v. 980), *vespre* (1080), s'est employé au sens latin de «soir», encore à l'époque classique, d'où *bas vespre* «fin de la soirée» (v. 1175) et le terme d'adresse *bon vêpre* «bonsoir». Le mot s'est employé au sens latin de «couchant» dans *au vespre de* «à l'ouest de» (1636). ➤ Le dérivé **VÊPRÉE** n. f. (1080, *vespree*), «soirée», ne s'emploie que par archaïsme poétique, souvent par allusion à la poésie du XVIe s., notamment à Ronsard. ◇ Le mot s'est dit pour «réunion du soir, veillée» (XIVe s.) et «après-midi» (1600), encore régionalement au XIXe s. (par ex., chez G. Sand).
VESPÉRAL, ALE, AUX n. m. et adj., emprunt du XIXe s. au dérivé bas latin *vesperalis*, désigne dans la liturgie catholique (1812) le livre contenant les prières et les offices du soir. ◇ L'adjectif signifie «du couchant» (1832); il est didactique ou littéraire.

◈ voir **VESPERTILION** et aussi **FAR WEST, OUEST, WESTERN, WISIGOTH.**

VER n. m., réfection (v. 1174) d'après le pluriel *vers* (1172-1174) de *verme* (v. 980), *verm* (1150), est issu du latin *vermis* «ver», pour lequel on relève un correspondant germanique dans l'ancien haut allemand *wurm*, le vieil anglais *wyrm* (anglais *worm*). *Vermen*, doublet de *vermis*, n'est attesté que par *vermina* et ses dérivés (→ vermine).

♦ Le mot désigne comme en latin une larve d'insecte qui a une activité destructrice, notamment (Xe s.) qui ronge le bois. *Ver* est ensuite attesté au sens, devenu le plus usuel, de «lombric» (1150, *verm*) plus tard nommé ***ver de terre*** (1530), syntagme usuel, et pour désigner par analogie tout animal qui ressemble à un lombric. ◇ La locution comparative *nu comme ver* (v. 1225), devenue ***nu comme un ver***, fait référence au lombric et aux petits animaux comparables, caractérisés par l'absence de poils; elle signifie «absolument nu» et au figuré «complètement démuni». ◇ ***Les vers*** se dit spécialement (v. 1174) de la vermine qui, selon la croyance populaire, ronge le corps des morts. Le mot désigne ensuite (v. 1380) un parasite de l'homme ou des animaux, sens resté courant au pluriel, dans un emploi non scientifique *(avoir des vers)*, d'où au XVIIe s. *poudre à vers* (1675) «vermifuge». ➤ Le ver symbolisant le principe de la détérioration, le mot a signifié au figuré «vif remords» (1553), d'où *le ver de la conscience* (1677), «cause de chagrin» (mil. XVIe s., *verm*) et «cause de ruine» (1671). Cette valeur est présente dans la locution métaphorique ***le ver est dans le fruit*** «la situation ne peut qu'empirer», où *ver* est employé au sens concret. ◇ La locution ***tirer les vers du nez à qqn*** «lui tirer adroitement des secrets» (1405) reste mal expliquée; on ne peut identifier ces vers aux parasites du nez qu'avaient cru découvrir les Encyclopédistes du XVIIIe s. *(vers rinaires, nasicoles)* ni aux comédons, comme le faisait Littré; on a suggéré que *ver* serait ici un doublet ancien de *vrai* (→ vrai), mais la même métaphore existe en anglais, avec *to worm a secret out of somebody* «faire parler qqn» (de *worm* «ver de terre»). Le ver pourrait représenter ici un élément secret, caché, interne et peu avouable. *Ver*, pour «ce qui parasite l'esprit, folie» (cf. ci-dessous *ver-coquin*), a d'ailleurs pu changer de valeur par influence de *vrai*. ➤ Les spécialisations en emploi concret se multiplient du XVIe au XVIIIe siècle. Le mot désigne alors une larve d'insecte ou un animal parasite et, dans l'usage courant des pêcheurs (1536), l'asticot servant d'appât. Il est le plus souvent qualifié, dans des syntagmes figés : ***ver à soie*** (1538) désigne couramment la chenille du bombyx du mûrier; ***ver luisant*** la luciole (1572), ***ver solitaire*** le ténia (1714), d'où la locution figurée ***avoir le ver solitaire*** «avoir toujours faim», ***ver blanc*** la larve du hanneton (1771), aussi appelée ***ver de blé*** (1768), ***ver de meunier.*** ◇ Dans la locution ***pas piqué des vers*** «remarquable en son genre», attestée chez Balzac (1837), l'excellence s'exprime par la forme négative, *piqué des vers* s'appliquant à un meuble vermoulu. ***Tuer le ver***, «boire à jeun un verre d'alcool» (1828), vient du fait qu'on attribuait à l'alcool des propriétés vermifuges. ➤ L'ensemble des animaux appelés *vers* n'avait aucune cohérence scientifique avant le XVIIIe siècle. Dans la terminologie de Linné (1735), le mot désignait une des classes d'animaux, regroupant tous les invertébrés, sauf les insectes; Lamarck avait restreint (1809) la dénomination en créant la classe des Annélides. La classification de Cuvier (déb. XIXe s.) avait supprimé la classe des Vers, qui fut reprise ensuite par Ehlers (1864). Aujourd'hui, le mot se dit de l'ensemble des métazoaires à mésoderme.

▸ Les dérivés sont formés sur *ver* et aussi sur l'ancienne forme *verm.* ◆ Le dérivé **VÉREUX, EUSE** adj., d'abord *verreux* (1372, encore au XVIIIe s.), puis (1549) sous la forme moderne, écrit aussi *vermeux* (1560), s'applique à ce qui contient un ver, est gâté par les vers. *Faire le véreux* s'est dit par figure pour «faire le méchant, soulever des difficultés» (1493) et *verreux* est attesté (1611) pour «irritable». ◇ Le mot qualifie au figuré une personne moralement douteuse (1559), emploi encore très vivant *(un avocat véreux),* et une chose qui ne vaut rien, n'est pas saine (v. 1380). ◆ **VÉROT** n. m., «petit ver», attesté isolément au XVe s., est resté dans quelques dialectes. Repris au XXe s. dans le vocabulaire technique, il désigne un sillon allongé à la surface d'une pièce de métal coulé. ◆ **VÉROTER** v. intr. (1812) signifie «chercher des vers pour la pêche» et spécialement, en zoologie (XXe s.), en parlant d'un oiseau, «chercher des vers».

Le composé **VER-COQUIN** n. m. (déb. XVIe s.), «fantaisie, caprice», par l'idée du ver qui ronge les esprits (sens disparu), désigne (1538) une larve parasite de la vigne, autrefois aussi dénommée *ver de vigne* (1599). *Ver-coquin* s'est dit (1611) d'un ver supposé, qui se formerait dans la tête et qui provoquerait des vertiges. Le mot désigne aujourd'hui (1690) le cénure du mouton qui donne le tournis; il est sorti d'usage au sens de «tournis du mouton» (1835). Il a aussi désigné le ténia (1842).

Parmi les dérivés de l'ancienne forme *verm,* plusieurs sont encore en usage. ◆ **VERMET** n. m., «petit ver» en ancien français (v. 1121), encore au milieu du XVIIe s., et repris par le latin zoologique *vermetus,* désigne ensuite (1768) un mollusque gastéropode. ◆ **VERMÉE** n. f. (1258, *vermeia,* forme latinisée, puis 1507), terme technique, se dit d'un appât fait de vers enfilés sur une ficelle, pour la pêche de l'anguille.

Ces deux mots sont rares, à la différence de **VERMOULU, UE** adj., réfection (1283) de *vermelu* (v. 1244), composé de *moulu,* participe passé de *moudre**. ◆ L'adjectif s'applique à un bois rongé («moulu») par les vers et ne s'emploie plus à propos d'un métal (1530, *vermolu;* «rouillé») ou d'un cartilage, en anatomie (v. 1560). ◇ L'emploi métaphorique est attesté au milieu du XVIe s. en parlant d'une personne, puis (v. 1580) à propos d'une civilisation; l'adjectif se dit aussi (XXe s.) pour «fatigué». Aujourd'hui, seul le sens concret, à propos du bois, est usuel. ◆ Il a pour dérivé **VERMOULURE** n. f. (v. 1283; variante *vermoulissure,* 1538), «partie vermoulue (du bois)», et, rare, **SE VERMOULER** v. pron. (1531; 1669, *se vermoudre*), au propre (1531) et au figuré (1925), «se dégrader».

VERMISSEAU n. m. s'est substitué (v. 1200) à *vermissel* (v. 1190), emprunt d'un latin populaire °*vermicellus* (→ vermicelle). ◇ Le mot désigne un petit ver (v. 1200), et s'est d'abord employé par métaphore à propos d'une personne chétive. ◆ **VERMIS** n. m., repris (1858) du latin, est un terme d'anatomie désignant la partie médiane du cervelet, qui a une forme de ver.

VERMI-, premier élément tiré de *vermis* «ver», entre dans la formation de plusieurs composés: **VERMIFORME** adj. (1532, Rabelais), didactique; **VERMIFUGE** adj. et n. m. (1738), de *-fuge,* courant de par l'utilisation de médicaments contre le ver solitaire, et qui a supplanté **VERMICIDE** adj. (1872). ◆ Deux termes de zoologie, **VERMIVORE** adj. (XVIIIe s.), de *-vore,* «qui se nourrit de vers», et **VERMILINGUE** adj. (1876), de *-lingue* «langue», «dont la langue est longue et étroite [en forme de vers]», sont sortis d'usage. ◆ **VERMIFICATION** n. f. (1810), du radical *vermi-* et du suffixe *-ification,* «apparition de vers dans les denrées», en particulier dans les fromages, est sorti d'usage.

VERMICULÉ, ÉE adj. est un emprunt (1380) au latin *vermiculatus* «marqué comme des piqûres de vers», proprement «vermoulu», qui s'emploie en particulier pour parler du pavé en mosaïque, où les dessins s'enroulent et s'enchevêtrent; le mot dérive de *vermiculus* «vermisseau» (→ vermeil). ◆ L'adjectif, d'abord employé en architecture, s'applique à ce qui est orné de petites stries sinueuses qui imitent des traces de vers; il qualifie en général ce qui est en forme de ver (1619) et spécialement, en histoire naturelle (1780), une surface qui présente des stries sinueuses *(peau vermiculée).* ◆ En dérivent **VERMICULER** v. tr., littéraire (1838, Th. Gautier), «marquer, orner de fines stries», des termes d'art: **VERMICULAGE** n. m. (1835) et **VERMICULURE** n. f. (1835, au plur.), et **VERMICULITE** n. f. (1876), de *-lite* pour *-lithe**, «minéral présentant des stries sinueuses». Tous ces composés sont didactiques.

VERMICULAIRE adj. et n. est un dérivé savant (XVe s.) du latin *vermiculus* «vermisseau» (→ vermeil). ◆ Le substantif féminin, autre nom (XVe s.) de *l'orpin brûlant,* est vieilli. ◇ L'adjectif s'applique en anatomie à un organe qui a la forme, l'aspect d'un petit ver (v. 1560, *muscle vermiculaire*). Il qualifie spécialement (1751) l'appendice du cæcum (couramment *appendice**) puis s'emploie dans le vocabulaire général (1743). ◇ *Contraction vermiculaire* désigne (1734, *mouvement vermiculaire*) une contraction musculaire fibre par fibre, qui donne une impression de reptation analogue à celle des vers; *pouls vermiculaire* (1765), «petit et faible», est sorti d'usage.

VERMILLER v. intr., modification (v. 1390) de *vermeiller* (1376), est issu d'un latin populaire **vermiculare,* dérivé du latin *vermiculus* «petit ver», diminutif de *vermis* «ver*». ◆ Le verbe signifie «fouiller la terre avec le groin, pour trouver des vers», en parlant du sanglier et par extension du porc. Avec le même sémantisme, il s'est dit (1690) des oiseaux qui chassent les vers. ◇ Il s'est employé, par une figure différente, au sens de «ramper comme un ver» (1596). ◇ Huysmans, à la fin du XIXe s., l'a utilisé à la manière de *fourmiller**, pour «grouiller». ◆ Des nombreux dérivés en ancien et moyen français, puis en français classique, reste ① **VERMILLONNER** v. intr., terme de vénerie (1690), employé en parlant des blaireaux qui cherchent des vers, et dont l'homonyme est dérivé de *vermillon* (→ vermeil).

◈ voir VERMEIL, VERMICELLE, VERMINE.

VÉRACITÉ n. f. est un dérivé savant (1458, isolément, puis 1644, Descartes) du latin *verax, -acis* «véridique, qui dit la vérité», dérivé de *verus* (→ vrai).

♦ Descartes introduit le mot *(véracité divine)* pour désigner un attribut en vertu duquel Dieu ne peut ni tromper ni se tromper, sens toujours en usage en théologie. ◇ *Véracité* s'emploie aujourd'hui à propos de l'attachement à la vérité (1735), de la qualité de ce qui est conforme à la vérité (1752).

▶ **VÉRACE** adj., littéraire et rare, emprunt au latin (déb. XIVe s., puis XIXe s.), s'applique à ce qui est rapporté avec *véracité* (cf. *vrai*) et (1560, puis 1834) à la personne qui dit la vérité (cf. *véridique*).

VÉRANDA n. f., attesté en 1758 dans la traduction d'un ouvrage anglais *Voyage aux Indes orientales* de J. H. Grose, ne se répand qu'au XIXe s. C'est un emprunt à l'anglais *veranda* ou *verandah* (1711), rapporté des Indes, où plusieurs langues, par exemple le bengali *baranda*, avaient emprunté le mot au portugais *baranda* «balustrade» ou son ancienne forme espagnole *varanda*, tel le hindi *varanda*. Ces mots portugais et espagnol sont des dérivés d'emprunts au latin *vara* «bâton fourchu qui supporte un filet», «perches de soutien formant échafaudage», «chevalet de scieur de bois», lui-même de *varus*, adj., «qui a les jambes tournées en dedans». L'ancien provençal a aussi *baranda* «balustrade» (XIIe s.).

♦ En parlant des Indes et de l'Extrême-Orient, *véranda* désigne une galerie légère en bois, vitrée et adossée à la façade d'une maison. ➜ Dans le même sens, on a employé ② **VARANGUE** n. f. (1752) et *warangue* (1736), empruntés au portugais *barandra*. ◇ Par analogie, le mot se dit d'une galerie adossée à une maison (1844). ◇ En français de l'océan Indien (Réunion, Maurice), il équivaut à «galerie devant la maison» et, en français d'Afrique, à *auvent*.

VERBE n. m. est un emprunt (1050) au latin classique *verbum, verbi* «mot, terme, expression» (*verba facere* «parler»), opposé à *res* «chose» (→ rien) dans l'opposition entre les signes du langage et la réalité; dans la langue grammaticale, *verbum* désigne le verbe, opposé au nom, *vocabulum* (→ vocable), opposition qui calque celle de *rhêma/onoma* en grec. En latin ecclésiastique, *verbum* a été pris pour traduire le grec *logos* «parole» (Évangile de Jean, I), pour désigner la parole divine et, par métonymie, Dieu. *Verbum* peut être rapproché du gotique *waurd* «mot», qu'on retrouve dans l'ancien haut allemand *wort* (allemand *Wort*, anglais *word*). Cet ensemble relève d'une racine indoeuropéenne (cf. avestique *urvắtəm* «prescription»; sanskrit *vrátam* «vœu»). Par ailleurs, *verbum* a abouti en français à *verve**.

♦ Le mot est d'abord attesté au sens latin de «parole, suite de paroles» (1050, *en ipse verbe*). Puis *verbe* se dit dans la théologie chrétienne, sous les formes *la Deu verbe* (v. 1120), *la verbe Deu* (v. 1190), enfin *Verbe divin* (1596), de la parole (de Dieu) en tant qu'elle est adressée aux hommes; dans ce sens, il s'écrit depuis la Renaissance avec une majuscule. ◇ Comme en latin, le mot désigne en théologie (v. 1600) Dieu lui-même, en la seconde personne de la Trinité, le Fils *(et le verbe s'est fait chair)*, puis Dieu comme la raison du monde (1687, Malebranche). Au XVIe s., *parole* se substitue à *verbe* dans certaines traductions de la Bible, mais *verbe* s'impose dans cet emploi au XVIIe siècle. ➜ *Verbe* est employé laïquement depuis l'ancien français, par emprunt au latin grammatical (1172-1174), pour désigner un mot qui exprime une action, un état, un devenir, et qui se caractérise par une riche morphologie liée aux concepts de personne, de temps, de mode, parfois d'aspect, mot qui sert de noyau à la plupart des phrases, des énoncés. ➜ Par extension du premier sens, *verbe* signifie «ton de voix» (1740) surtout dans quelques expressions, comme ***avoir le verbe haut*** «parler, décider avec hauteur» et (1835) «parler très fort». ◇ Il est littéraire pour désigner (1802) l'expression verbale, orale ou écrite, de la pensée.

▶ En français, la dérivation ne concerne que quelques termes didactiques. ➜ **ADVERBAL, ALE, AUX** adj. (1933), de ① *a-*, *verbe* et suffixe d'adjectif, terme de linguistique, se dit d'un élément qui dépend du verbe et, à propos des langues finno-ougriennes, de ce qui concerne le verbe dans son rapport avec un autre élément que le sujet ou le complément. ➜ **DÉVERBAL, AUX** n. m. (1933) s'applique à un substantif exprimant l'action et dont le suffixe est zéro par rapport à celui du verbe correspondant (*chant* par rapport à *chanter*). ➜ **POST-VERBAL, AUX** n. m. en est le synonyme. ➜ Dans la terminologie du linguiste E. Benveniste, **DÉVERBATIF, IVE** adj. et n. m. se distingue de *déverbal* en se rapportant à un verbe dérivé d'un verbe. ➜ **PRÉVERBE** n. m. (XXe s.), de *pré-*, signifie «préfixe apposé à une forme verbale». C'est aussi un terme de linguistique.

VERBO-, premier élément tiré de *verbum*, signifie «de la parole et de...» et entre dans la formation de quelques adjectifs didactiques comme **VERBO-ICONIQUE** (mil. XXe s.), **VERBO-MOTEUR, TRICE** (1972) «de la parole et de l'image»; «de la parole et de la motricité», en psychophysiologie.

VERBAL, ALE, AUX adj. (1325), est emprunté au dérivé bas latin *verbalis* «de paroles» et en grammaire «dérivé d'un verbe». ➜ Dans un contexte juridique, *verbal* est attesté en 1376, mais l'adverbe dérivé en ce sens est antérieur; il a dû s'appliquer plus tôt à ce qui se fait de vive voix, par opposition à *écrit*. L'adjectif qualifie ensuite ce qui s'arrête aux mots, plutôt qu'à la chose ou l'idée (1489). ➜ *Verbal* devient au XIVe s. un terme de grammaire, s'appliquant à ce qui est relatif au verbe, de la nature du verbe (v. 1325, *non* [nom] *verbal*), d'où (1690) *substantif verbal, adjectif verbal*. ◇ Par ailleurs, *verbal*, n. m., s'est employé (1694) pour *procès*-verbal* et *verbal d'opinions* s'est dit (1791, Mirabeau) d'un vote à haute voix, opposé à *scrutin secret*. ➜ Au sens premier d'«oral», resté vivant, de nouveaux emplois apparaissent au XIXe siècle : *note verbale* désigne (1842) une note écrite donnée à un ambassadeur, mais sans caractère pleinement officiel. ◇ *Verbal* prend au XIXe s. (v. 1880) le sens de «qui s'exprime par des mots, et non par d'autres moyens d'expression» *(violence verbale),* sens répandu par Mallarmé et les théoriciens symbolistes. ➜ Le dérivé **VERBALEMENT** adv. signifie «de vive voix» (1337). L'adverbe a pris au XXe s. (attesté 1944, Valéry) la valeur de *verbal* pour «exprimé par des mots». ➜ **VERBALISER** v. intr., d'abord lié au premier emploi de *verbal,* s'est employé (1587) au sens de «faire de grands discours inutiles». ◇ Le mot, d'après (procès) *verbal,* signifie ensuite «dresser un procès-verbal» (1668), sens demeuré vivant, puis «certifier par écrit» (1825), sorti d'usage. Au XXe s., le verbe a pris en psychologie le sens de «s'exprimer», parfois en construction transitive. ➜ Du sens juridique dérivent **VERBALISATION** n. f. (1842), qui a remplacé *verbalisement* n. m. (1803), disparu, **VERBALISATEUR, TRICE** adj. et n. (1875), mots administratifs, et **VERBALISABLE** adj. (1901), aussi appliqué à ce qui peut être exprimé par la parole (mil. XXe s.). ➜ **VERBALISME** n. m. désigne (1876) un système philosophique, une méthode d'enseignement qui se fonde plutôt sur les mots que sur les idées ; il semble avoir disparu dans ces emplois. ◇ Le mot se dit (1909) de l'utilisation des mots pour eux-mêmes au détriment de l'idée ; il est alors péjoratif.

VERBEUX, EUSE adj., attesté isolément vers 1200 *(verbous),* puis en 1530 sous la forme moderne, est emprunté au dérivé latin *verbosus* «prolixe». L'adjectif, qui n'a plus qu'un rapport très vague avec *verbe,* se rattachant sémantiquement à *verbiage,* conserve le sens du latin, «qui s'exprime de manière trop abondante, redondante» ; il est toujours péjoratif, qualifiant personnes et discours. ◇ Il a fourni **VERBEUSEMENT** adv. (fin XVIIIe s.), littéraire. ➜ **VERBOSITÉ** n. f., «défaut de ce qui est verbeux» (1496), est un emprunt au dérivé bas latin *verbositas.*

◈ voir ADVERBE ; PROVERBE, VERVE et aussi VERBIAGE.

VERBIAGE n. m. est un dérivé en *-age* (1671) du verbe moyen français *verbier* (1530) ou *verboier* (1433), v. intr., «gazouiller» en parlant des oiseaux, rattaché à *verbler, verbloier* «chanter en modulant», mot d'ancien picard (XIIIe s.), comme sa variante *guerbloier,* issu du francique °*werbilôn* «tourbillonner» (cf. allemand *wirbeln*). L'ancien picard a eu le déverbal *werble, verble* «action de chanter en modulant», auquel correspond le moyen français *verboi* «roulade, trille» (v. 1500). Dès le XVIIe s., le dérivé *verbiage* a été rattaché par étymologie «populaire» à *verbe* et pour le sens à *verbeux* (→ verbe).

♦ Le mot, par analogie avec le chant de l'oiseau et par influence de *verbe,* et surtout de *verbeux,* se dit d'une abondance de paroles qui disent peu de choses.

▶ **VERBIAGER** v. intr. (1718) et son dérivé **VERBIAGEUR, EUSE** n. (1740) et adj. (1752) sont sortis d'usage, comme l'adjectif **VERBIAGEUX, EUSE** (1718), synonyme redondant de *verbeux.*

VERDICT n. m., d'abord cité en français comme mot anglais (1669, puis 1750 et 1771), est introduit pendant la Révolution (1790) à propos de la France. C'est un emprunt à l'anglais *verdict,* lui-même emprunté à l'anglo-normand *verdit* (XIIIe s.), en ancien français *voirdit* (1276) ou *veirdit* qui signifie «jugement d'un jury». Le mot est composé de *ver* (980), *veir,* ancienne forme de *vrai**, et de *dit,* participe passé de *dire**. Le latin médiéval *veredictum* «véritablement dit» a été repris (1787) au sens de *verdict.*

♦ Le mot était rare avant le milieu du XIXe s. ; il est signalé en 1833 comme manquant à la langue judiciaire. Il désigne la déclaration par laquelle le jury répond, après délibération, aux questions posées par la cour. ◇ Par extension, il se dit (1862) d'un jugement rendu par une autorité et (1857) de tout jugement sévère ou encore d'un jugement autorisé, d'une décision *(attendre le verdict),* et aussi du résultat d'une tentative considéré comme provenant d'un jugement *(le verdict de l'étape).*

◈ voir VÉRIDIQUE.

✳ **VERGE** n. f. est issu (1080) du latin classique *virga* «branche souple et flexible, baguette» qui a eu, par analogie et par figure, de nombreux sens, en particulier «rejeton, scion, bouture», «pipeau», «baguette magique», «bande colorée (dans le ciel, sur un vêtement)», au pluriel «faisceaux des licteurs», en latin impérial «branche de l'arbre généalogique». Le sens de «membre viril» apparaît en bas latin. *Virga* n'a pas d'étymologie connue.

♦ Le mot a repris en français les acceptions du latin ; la très grande variété des emplois tient à la valeur générale de *verge* «tige», avec les idées de souplesse et de fermeté et les multiples fonctions d'une baguette ; s'ajoutent les possibilités de métaphorisation. De nombreuses acceptions ont disparu. On relève d'abord *verge pelée* «branche écorcée servant de baguette» (1080) et *verge* «petite baguette longue et flexible» (v. 1130), notamment utilisée pour châtier ; d'où plusieurs locutions, comme *faire tenir qqn a* (à) *verge* «le frapper avec des verges» (v. 1375) ; au figuré, *estre battu de deux verges* «avoir deux maîtres à la fois» (v. 1470), *gouverner en verge de fer* «despotiquement» (1553), puis *donner des verges pour être fouetté* «fournir des armes contre soi-même» (XVIe s., Montaigne), aujourd'hui *pour se faire fouetter,* etc. Dans les pratiques punitives anciennes, ***faire passer (un soldat) par les verges*** (ou *par les baguettes*) [1752], s'est employé au figuré pour «soumettre à des critiques sévères» (1845). ➜ Depuis le début du XIIe s., le mot désigne l'instrument de la colère divine (v. 1120) et, par allusion à la Bible, ***la verge (de Moïse, d'Aaron),*** leur bâton de commandement auquel Dieu donna un pouvoir miraculeux (la baguette, changée en serpent par Aaron, fut rechangée en bâton par Moïse). ◇ Depuis le XIIe s. également, de nombreuses spécialisations techniques apparaissent en ancien français, «aiguillon» (v. 1150), «arme dans le duel» (v. 1155) et «bague sans chaton» (formée d'une simple tige) [v. 1165], «partie de l'arc d'une catapulte» (v. 1240). ◇ La valeur générale de «tringle, barre» (1260) est reprise dans divers domaines techniques et, par métonymie, le mot s'emploie pour «tranchant d'une épée» (v. 1285) et «tige d'une flèche» (v. 1375). ◆ Une baguette pouvant servir à mesurer, *verge* est employé comme unité de mesure : mesure de surface, valant le quart d'un arpent (v. 1240 ; flamand *vergne*), unité de longueur pour une étoffe (1244). Dans ce sens, le mot s'est employé jusqu'à nos jours en français (Canada) [après 1760, *varge*] comme unité de longueur valant trois pieds (0,914 m). ◆ La verge étant, comme *virga* en latin, le symbole de l'autorité (1226, *verge royal* «sceptre royal»), le mot a désigné dans le domaine de la justice une baguette, ordinairement garnie d'ivoire, que portaient les officiers de justice (v. 1290), d'où la locution disparue *être sous la verge de qqn* «être sous l'autorité de qqn» (1204) et *huissier à verge* (1345), *sergent à verge* (1468), aujourd'hui termes d'histoire. De là le sens de «baguette du bedeau, du sacristain, dans une cérémonie» (1636) et le composé **PORTE-VERGE** (1680).

Les emplois liés aux fonctions possibles d'une baguette et les valeurs analogiques et figurées se multiplient à partir du moyen français. ◆ En technique, le mot se dit (1340) d'une baguette de fer qui maintient un panneau de vitrail. Au pluriel, il a désigné une brosse de soies de porc, des rameaux réunis pour battre les vêtements (1380), puis une canne à pêche (fin XIVe s.), d'où *verge de pêcheur* (1688). ◇ Dans le vocabulaire de la marine (v. 1425), la *verge* est une tige faisant partie d'une ancre à jas. ◇ Le mot a été employé pour «fouet du cocher» (1557 ; du sens d'«aiguillon») et, au pluriel, pour «osiers» (1552 ; en ancien picard, «oseraie», 1470). ◇ De l'emploi ancien en religion vient l'acception figurée de *verges,* n. f. pl., «peines dont Dieu punit les hommes» (apr. 1475), sortie d'usage au XVIIe siècle. ◆ Dès la fin du XIIe s. *(Roman de Renart),* l'expression ancienne *verge pelée* (ci-dessus) désigne plaisamment le membre viril. Une autre métaphore ancienne (v. 1375) concerne le membre du cerf. Depuis le XIIIe s., le mot est attesté seul pour «membre viril», mais l'on a dit aussi *verge virile* (1501). Il entre dans ce sens dans des locutions sorties d'usage : *la verge anoblit* «on est noble par le père» (1509) et, au XVIIe s., *parent du côté de la verge* «du père» (1611) et *se fouler la verge* «être paresseux» (1640). ◆ Du XVIe au XVIIIe s., le mot, au sens de «baguette, végétal», entre dans des syntagmes figés comme nom de plantes : *verge a bergier* (1543 ; 1557, *de berger*) «chardon de bonnetier», devenu *verge du pasteur* (1555) comme *virga pastoris* (XVIe s.) en latin d'Angleterre, *verge à pasteur* (1802), *verge d'or* «composacée à fleur jaune vif» (1596 ; *virga aurea* en 1587) et, à la fin du XVIIIe s., *verge de Jacob* «asphodèle jaune» (1791). ◆ L'emploi pour «baguette miraculeuse» est étendu au XVIIe s. avec *verge de Mercure* (1636), *verge de magicien* (1669). ◇ Par ailleurs, *verge* continue à être utilisé comme terme technique, avec la valeur de «tige», en tissage (1680), pour «tige sur laquelle pivote une girouette» (1694), «pivot d'un balancier» (1765), «manche d'un fléau» (1828), etc. ; le mot se dit aussi (1895) d'une baguette vibrante utilisée en acoustique.

L'ensemble des emplois est archaïque et le sens de «membre viril» a probablement contribué à limiter les autres valeurs du mot. Leur prolifération ancienne explique que *verge* ait eu de très nombreux dérivés, aux acceptions variées ; une partie d'entre eux n'est plus en usage.

▶ **VERGETTE** n. f., «petite baguette» (v. 1121) et «petite brosse» (v. 1393), d'où *cheveux en vergette* «en brosse» (1730), a disparu. Le mot a eu plusieurs sens techniques ; en blason (1690), «pal étroit qui n'a que le tiers de la largeur ordinaire» (de *virga* «raie» ; cf. v. 1350, ancien provençal *virga* «trait [de plume]»). ◆ Le nom a fourni **VERGETER** v. tr., disparu, qui a signifié «pousser», en parlant de sarments (1555, *vergecter,* intr.), «nettoyer avec une brosse» (1650), «fouetter» (1693). ◆ **VERGETIER, IÈRE** n. s'est employé pour «ouvrier qui fait ou vend des brosses» (1659), puis «ouvrier métallurgiste qui prépare des tiges de fer sur le banc à étirer». ◆ **VERGETÉ, ÉE** adj. s'applique à ce qui est marqué de petites raies (1569, d'un ornement ; 1678, de la peau) et à un écu qui a plus de dix pals (1690, écrit *vergetté*). Il a disparu pour qualifier (1817) une tige grêle et haute. ◆ En dérive **VERGETURE** n. f., employé au pluriel (1767) pour «petites raies qui se forment sur la peau soumise à une forte distension» et «fines raies rougeâtres laissées sur la peau après des coups» (1830).

VERGEURE n. f., d'abord employé pour « vergeture » (1549), sens disparu, désigne (1680) les fils de cuivre attachés sur la forme où l'on coule le papier et, par métonymie (1680), les raies que laissent ces fils, filets blancs qui se trouvent dans le filigrane du papier dit *vergé* (ci-dessous). ◆ **VERGEOISE** n. f., terme technique, se dit (1762) du sucre fabriqué avec des déchets de raffinerie. Il a désigné (1812) la forme, garnie de cerceaux de coudrier, utilisée pour fabriquer des pains de sucre. ◆ **VERGERETTE** n. f. est une désignation (v. 1870) de l'érigéron, plante aussi nommée **VERGEROLLE** n. f. (1812).

VERDILLON n. m., seulement attesté en 1723 mais sans doute plus ancien, représente l'altération d'un diminutif dialectal de *verge, verguillon ;* le mot a désigné une petite tringle qui fixait le commencement de la chaîne d'un métier de haute lice (aussi *verguillon,* 1771), puis (1802) un levier servant à détacher les blocs d'ardoise.

À partir de *verge* ont été formés deux composés. ◆ **ENVERGER** v. tr. s'est employé en vannerie (1721) pour «garnir de branches d'osier», en tissage (1755) pour «croiser (les fils de chaîne) pour former des nappes» et en papeterie (1803) pour «balancer la forme pour que la pâte s'y étende». ◆ **SOUS-VERGE** n. m. inv. désigne un cheval attelé, mais non monté, placé à la droite de celui qui porte le cavalier (1780), d'où par figure le subordonné d'un chef quelconque (1881), sens archaïque.

VERGÉ, ÉE adj. est issu (1380) du dérivé latin classique *virgatus* «tressé avec des baguettes», «rayé» (de la peau, d'une étoffe). L'adjectif, d'abord sous la forme *vergiet* (XIIe s.), s'est appliqué à un heaume orné et renforcé par des bandes et a signifié «rayé» (v. 1175, *vergié*), spécialement en parlant d'une étoffe (1244). ◇ *Vergé* qualifie (1845) un papier qui porte les marques des vergeures ; ce sens est encore en usage, comme le substantif **VERGÉ** n. m. (1884).

◈ voir **VERGUE ; VIRGULE.**

VERGER n. m. est l'aboutissement (1080) du latin *viridiarum* ou *viridarium* «lieu planté d'arbres, bosquet», dérivé de *viridis* «vert*».

♦ Le mot désigne au moyen âge aussi bien un jardin d'agrément qu'un terrain planté d'arbres fruitiers. *Jardin* et *verger* cesseront d'être employés l'un pour l'autre à partir du XVIe s., *verger* restant seul pour les arbres fruitiers et *jardin* éliminant, par ailleurs, *ort* (→ horticole).

▶ **PRÉ-VERGER** n. m. (1922), de *pré*, «prairie plantée d'arbres fruitiers de plein vent», est un terme de géographie.

VERGLAS n. m. est la forme contractée (XVe s.) de *verreglaz* (1195), composé de *verre** et de *glas, glaz,* forme ancienne de *glace**, et signifie littéralement «glace qui est comme du verre».

♦ Le mot désigne une mince couche de glace. Il est usuel dans le contexte de la circulation *(accidents causés par le verglas).*

▶ Il a servi à former **VERGLACER** v. impers., d'abord *verreglacier*, attesté à la fin du XIIe s. (1193-1197, intr.) au sens de «tomber par l'effet du verglas». Ce verbe signifie aujourd'hui «faire du verglas» (1381, *verglacier;* XVIe s., forme moderne). ◆ Il est moins courant que le participe passé **VERGLACÉ, ÉE** adj. (1521) qui qualifie le sol, une surface sur lequel ou laquelle s'est déposée une couche de verglas. ◆ **VERGLAÇANT, ANTE** adj. (1606, *verglassant*) est tiré du participe présent.
Le préfixé **DÉVERGLACER** v. tr. (av. 1975) est un terme technique comme **ANTI-VERGLAS** adj. inv., plus courant.

VERGOGNE n. f. est l'aboutissement (1553) de formes employées en ancien et en moyen français comme *vergoigne* (1080), *verguigne* (v. 1155), *vergoingne* (v. 1175), *vergonde* (1226). Le mot est issu par évolution phonétique du latin *verecundia* «retenue, réserve, modestie, sentiment de honte ou de pudeur», dérivé de l'adjectif *verecundus* «respectueux, réservé», «vénérable». L'adjectif vient du verbe *vereri* «éprouver une crainte religieuse ou respectueuse pour», «avoir scrupule à», avec un infinitif, verbe parfois employé impersonnellement. *Vereri* appartient à une famille rattachée à une racine indoeuropéenne °*swer-* (variante °*ser-* et °*wer-*) «faire attention», comme le grec *hôran* «regarder, faire attention», «voir» et la base germanique °*war-* «être attentif» qui a fourni l'ancien haut allemand *weren* «accorder, fournir» (→ garder, garnir).

♦ *Vergogne* a été employé jusqu'à l'époque classique (où il est déjà considéré comme «vieux»), pour «acte honteux» (1080) et «sentiment de honte» (v. 1175). Dans ce sens, il a été éliminé par *honte,* sauf dans des usages régionaux, et ne s'emploie plus que dans des tournures négatives comme ***sans vergogne,*** attesté au XVIe s. (1588, Montaigne). ◇ Il s'est dit aussi pour «parties sexuelles» (v. 1285) [cf. *parties honteuses*]. ◇ Il s'opère ensuite une restriction d'emploi, le sentiment de honte touchant essentiellement la morale sexuelle ; *vergogne* se dit alors pour «décence, pudeur» (1553), également sous la forme latinisée *vérécondie* (1580), qui sera reprise à la fin du XIXe s. par archaïsme très littéraire.

▶ Le dérivé **VERGOGNEUX, EUSE** adj. s'est appliqué à une personne qui a de la retenue (v. 1175) ou à une chose, une action qui suscite la honte (v. 1260). Il est archaïque.
Seuls le composé **DÉVERGONDÉ, ÉE** adj. et n. et ses dérivés restent courants. Cet adjectif, tiré de la forme du XIIIe s. *vergonde* (1165-1170), qualifie une personne qui mène une vie privée jugée scandaleuse et (XVIe s.) ce qui marque un tel comportement (manières, propos). Le nom (1440-1475) est nettement plus courant au féminin, un jugement social négatif fondé sur les préjugés, notamment sexuels, s'appliquant plus aisément — jusqu'au XXe s. — à la conduite de la femme. *Une dévergondée* a désigné au XIXe s. une femme du peuple, lorsque ses mœurs, ses vêtements, etc. n'étaient pas conformes aux règles de la bourgeoisie concernant la morale sexuelle. *Un dévergondé* est beaucoup plus rare et en général stylistique. ◇ Par figure et littérairement, l'adjectif s'emploie (XXe s.) en parlant d'activités humaines caractérisées par l'excès, le dévoiement. ◆ L'adjectif a fourni **DÉVERGONDER** v. tr., qui a signifié «violer (une femme)» (v. 1380, *desvergonder*), acception tôt sortie d'usage, puis «faire mener à (qqn) une vie scandaleuse» (1440-1475), *se dévergonder* étant attesté au XVIIe s. (1680). ◆ En dérive **DÉVERGONDAGE** n. m. (1792), aussi employé au figuré (1825).

◈ voir **GONZE, RÉVÉREND, RÉVÉRER.**

VERGUE n. f. représente (v. 1240) une forme normande ou picarde de *verge** «baguette», employée également (v. 1165) en marine jusqu'au XVIIe s. ; on trouve aussi *verche* (1690), encore relevé en 1771.

♦ Ce mot est courant en marine pour désigner une pièce de bois servant à tenir la voile (cf. *antenne*). *Vergue* entre dans des locutions techniques : *avoir les vergues hautes* «être prêt à partir» (1573), *être vent sous vergue* (1872), et dans des syntagmes figés : *grande vergue* (1680), puis *grand-vergue, vergue de hune.*

▶ **ENVERGUER** v. tr., «attacher (une voile, les voiles) aux vergues» (1678 ; 1643, *enverger*), reste technique comme son contraire **DÉVERGUER** v. tr. (1683), formé sur *vergue* et plus ou moins remplacé par **DÉSENVERGUER** v. tr. (1783), formé sur le verbe.
Son dérivé **ENVERGURE** n. f. est d'abord un terme de marine pour «état d'une voile enverguée» (1678) et «largeur de la voilure d'un navire» (1687). ◇ Puis, le mot s'emploie couramment par analogie (1714) pour désigner l'étendue des ailes déployées d'un oiseau, sens devenu plus courant. ◇ Le mot se dit par extension de la largeur de ce qui est déployé (v. 1865 ; 1864, d'un bâtiment) puis, par figure, pour «ampleur, ouverture» et «capacité intellectuelle» (mil. XIXe s., Sainte-Beuve), surtout dans ***d'enver-***

gure, de grande envergure. ◇ Par analogie des ailes de l'oiseau, il s'emploie (av. 1930) à propos de la plus grande largeur d'un avion.

VÉRIDIQUE adj. est emprunté (1456) au latin *veridicus* «qui dit la vérité» et «conforme à la vérité», composé de *verus* «vrai*» et de *dicere* «dire*».

♦ L'adjectif reprend d'abord la première acception du latin (1456), puis la seconde (déb. XVIe s.), courante en parlant d'un récit, d'un témoignage, etc.

▸ Le dérivé **VÉRIDIQUEMENT** adv. (1845) est littéraire. ➛ **VÉRIDICITÉ** n. f., formé à partir du radical de l'adjectif (1741), est littéraire et rare.

VÉRIDICTION n. f., composé (mil. XXe s.) de *verus* et de *dictio, -onis,* de *dicere* (→ dire), mot didactique, se dit du fait d'être sincère.

◈ voir VERDICT.

VÉRIFIER v. tr. est un emprunt (1296) au bas latin *verificare* «présenter comme vrai», de *verus* (→ vrai) et de *facere* «faire*».

♦ Le verbe s'est employé dans un contexte juridique pour «enregistrer, homologuer (un édit, un acte, etc.)», c'est-à-dire l'accepter pour vrai. Il signifie ensuite (1402), comme le latin *verificare,* «(faire) reconnaître une chose pour vraie (par l'examen, l'expérience, etc.)», alors quasi synonyme de *prouver,* puis «examiner l'existence de (un caractère de vérité, d'exactitude, etc.) dans une chose» (1549, d'une assertion). ◇ Par extension du sens de «prouver», *vérifier* se dit (1580, Montaigne) d'une chose qui constitue le signe non récusable de la vérité (de qqch.). ◇ Avec un sujet nom de personne, le verbe correspond aussi à «examiner la valeur de (qqch.) par une confrontation avec les faits» (1680), et «examiner (une chose) pour établir si elle est conforme à ce qu'elle doit être (1690), ou si elle fonctionne correctement» (1797).

▸ Le verbe a fourni plusieurs dérivés. ➛ **VÉRIFICATION** n. f., d'abord (1388) «enregistrement (d'un acte) par le parlement ou une cour», acception disparue, puis (v. 1390) «preuve» et, en général (XVe s.), «action de vérifier», spécialement *vérification des pouvoirs* (1789). ◇ *Vérification* s'emploie dans les sciences (1851) et, à partir du XXe s., se dit à propos de la chose qui n'est pas certaine, pour «fait d'être vérifié» (1921). ➛ **VÉRIFIEUR, EUSE** n., autrefois «personne qui homologue» (1487, au masculin), est aujourd'hui un terme technique (1964) pour «personne qui fait fonctionner une vérificatrice». ➛ **VÉRIFICATIF, IVE** adj. «qui constitue une vérification» (1680) est didactique et rare. ➛ **VÉRIFICATEUR, TRICE** n. (1666) se dit de la personne chargée de vérifier qqch., notamment dans un contexte administratif, institutionnel. ◇ Le mot s'emploie en technique (1951), notamment dans *perforatrice-vérificatrice (perfo-vérif) ;* cf. *perforer.* ➛ **VÉRIFIABLE** adj., attesté une fois au XIVe s. dans *sceau verefiable* «(sceau) qui sert à ratifier», a été repris (1791, Volney) au sens de «qui peut être vérifié», sens important en sciences et en logique. ➛ L'adjectif a produit le composé **INVÉRIFIABLE** adj. (1845) et **VÉRIFIABILITÉ** n. f., didactique (mil. XXe s.), après *vérificabilité* (1912), employé par les logiciens, depuis l'École de Vienne. À ce mot s'oppose l'anglicisme *falsifiabilité.* ➛ **VÉRIFICATRICE** n. f. (1964), terme technique, désigne une machine qui contrôle le travail des perforatrices. Le composé **REVÉRIFIER** v. tr. est attesté isolément pour «vérifier de nouveau» (XVIe s.), puis il s'est employé au sens de «ratifier de nouveau» (1611).

VÉRIN n. m. est issu (1389) du latin *veruina* «longue javeline», diminutif de *veru* «broche à rôtir» et aussi «javelot».

♦ Ce mot d'origine picarde a désigné une sorte de vis en bois comme l'italien *verrina* «tarière». Il se dit ensuite par métonymie d'un appareil de levage formé d'une vis double ou de deux vis (1463, *verrin,* encore chez Furetière ; 1561, forme moderne). ◇ Le mot a désigné aussi une pièce de la batterie d'une arquebuse (v. 1600, *verrin*) et un dégraissoir où l'on tendait la laine tordue entre deux crochets (1771), sens sortis d'usage, alors que le précédent est très vivant en technique.

▸ Le dérivé **VÉRINE** ou **VERRINE** n. f., d'abord «vis en bois» (1803, *verrine*), désigne, comme terme de marine (1831), un filin muni d'un croc qui sert à manier les chaînes d'ancre.

◈ voir VERROU.

VÉRISME n. m. est un emprunt (1888) à l'italien *verismo* (1877), dérivé de *vero* «vrai», du latin *verus* (→ vrai).

♦ Le mot conserve le sens de l'étymon, et désigne un mouvement littéraire italien de la fin du XIXe s., inspiré par le naturalisme et dirigé contre les romantiques. Par extension (XXe s.), *vérisme* se dit, hors du contexte italien, de la recherche d'une vérité naturaliste au cinéma, au théâtre.

▸ **VÉRISTE** adj. et n. (1888) dérive de *vérisme* ou est emprunté au dérivé italien *verista.*

VÉRITÉ n. f. est une forme empruntée (fin Xe s., *veritiet*) au latin *veritas, -atis* «le vrai, la vérité», «la réalité», «les règles, la droiture», dérivé, comme *veridicere* (→ véridique), *verificare* (→ vérifier), de l'adjectif *verus* (→ vrai).

♦ Cet emprunt ancien, dont la forme actuelle date de la Renaissance (1553), existe en ancien français sous les formes *veritet* (1050), *veriteit* (v. 1190) et coexiste avec des formes anciennes issues du latin par voie orale, *vertet* (980), *verté* (XIIe s.). ➛ Le mot désigne, d'abord en religion, une opinion conforme au réel (fin Xe s.), opposé à *erreur,* puis en général (v. 1200) la conformité de l'idée avec son objet, d'un récit avec un fait, et de ce qu'on dit avec ce qu'on pense, alors opposé à *mensonge.* ◇ De là en ancien français, des locutions adverbiales employées en incise, *de vérité* «il est vrai», *por vérité* «en effet» (v. 1175), disparues, puis *en bonne vérité* (v. 1390) devenue ***en vérité*** (v. 1460), pour renforcer une assertion. ***À la vérité*** qui apparaît (1485) pour «conformément à la vérité», s'emploie (1670) pour introduire une précision, une restriction. ◇ À la fin du XVe s., *vérité* se dit avec une valeur générale pour «le réel», acception abandonnée en philosophie, mais toujours vivante dans l'usage courant. ➛ *Une vérité* désigne ensuite (XVIe s.) une chose vraie que l'on dit, d'où la locution ***dire à qqn ses vérités*** (1549), puis ***ses quatre vérités,*** où *quatre* a une valeur intensive. ◇ *Une vérité* désigne aussi une proposition vraie, qui mérite un assentiment entier (sens objectif) ou qui l'emporte (sens subjectif), sens développé en science et en logique, aussi pour le sens collectif *(la vérité)*, incluant le vrai et le faux *(valeurs de vérité)*. Il s'applique aussi (1687) à l'expression sincère de ce qu'on sait, de ce qu'on a vu, etc. ➜ La locution adjective ***de vérité,*** après mention d'une mesure de durée, d'une notion de temps, se dit d'un moment décisif où il faut prendre une décision : elle a d'abord été employée dans ***heure de vérité*** (v. 1924), calque probable de l'espagnol *la hora de verdad,* moment décisif de la corrida, le matador devant prouver sa maîtrise en mettant à mort le taureau.

Vérité est élément de noms composés désignant des œuvres, des arts, visant à transcrire de façon réaliste la réalité : **CAMÉRA-VÉRITÉ** n. f. (v. 1964), calque du russe *kino pravda* (Dziga Vertov), **ROMAN-VÉRITÉ** n. m. (v. 1966), etc.

▸ Le dérivé **VÉRITABLE** adj. s'applique (1188) à ce qui présente un caractère de vérité, acception vieillie, et a qualifié une personne qui dit la vérité (v. 1200, *veritaule*), emploi courant à l'époque classique. L'adjectif a aussi vieilli (1240) pour «digne de foi». ◇ Il s'emploie depuis le XIIe s. (v. 1165) pour «qui est, existe réellement», opposé à *imaginé,* et «qui est exactement nommé». Il se dit aussi d'une personne qui mérite le nom qu'on lui donne, à la fois positivement, *un ami véritable* (1678 chez La Fontaine) désignant celui qui ne trompe pas, sur qui on peut compter, et négativement (1762), alors souvent antéposé *(un véritable escroc, un véritable idiot)*. Il qualifie aussi (1688) une chose conforme à l'apparence ou à l'idée qu'on s'en fait. ➜ Le dérivé **VÉRITABLEMENT** adv. (v. 1190, variante *veritaulement,* v. 1145) a suivi une évolution sémantique parallèle. L'antonyme préfixé **CONTREVÉRITÉ** n. f., d'emploi didactique (1620) pour «antiphrase», a été le nom (1680) d'un genre de satire où l'on attribue à une personne, pour s'en moquer, des qualités qu'elle n'a pas. ◇ Par extension, le nom désigne (1831) une assertion contraire à la vérité mais qui peut être faite de bonne foi, puis par euphémisme, une erreur, voire un mensonge.

VERJUS → JUS

VERLAN → ENVERS

VERMEIL, EILLE adj. est issu (1080) par évolution phonétique du latin classique *vermiculus,* diminutif de *vermis* «ver*». *Vermiculus,* substantif, signifie «vermisseau, larve», aussi «rage des chiens», supposée être provoquée par un ver, et en bas latin «cochenille du chêne», d'où «couleur écarlate» ; c'est dans ce sens qu'il est adjectivé en bas latin (VIe s.). Le mot latin a donné l'italien *vermiglio,* l'espagnol *bermejo* et le portugais *vermelho. Vermiculus* a été par ailleurs emprunté par le français avec le sens de «vermisseau», sous la forme *vermicule* (fin XVe s.).

♦ L'adjectif *vermeil* se dit, d'après le sens du bas latin, d'une couleur d'un rouge vif et léger ; il est aussi substantivé en ancien et en moyen français (1213, *vermaill ;* 1389, *vermeil,* n. m.) pour «étoffe rouge» et dans la locution figurée *torner* [tourner, retourner] *le vermeil de l'escu* «abandonner le service d'un seigneur» (v. 1150), en retournant symboliquement cet écu, rouge d'un côté.

Le nom ***vermeil*** n. m. désigne aujourd'hui et depuis le XVIIe s. (1653) un argent doré, recouvert d'une dorure d'un ton tirant sur le rouge, d'après *vermeil doré,* c'est-à-dire «couleur rouge dorée», désignant (1490) l'argent doré et, par métonymie (1676), la dorure appliquée sur l'argent. Le nom s'est aussi employé pour «cuivre doré» (1701 ; 1690, *vermeil doré*). ◇ Ce métal, avec l'or et l'argent, symbolise une commémoration, ***noces de vermeil*** (après *d'argent, d'or*), ***médaille vermeil*** (du travail). De là, en France, ***carte vermeil*** désignant une carte qui donne aux personnes âgées un tarif réduit pour certains services et spectacles.

▸ Le dérivé **VERMILLON** n. m. (v. 1200, puis 1350), réfection de *vermeillon* (v. 1130), encore au XVIIe s., désigne une couleur vive et éclatante tirée du cinabre, et par métonymie le cinabre (1380). ◇ Le mot s'est dit au XVIe s., d'après le bas latin *vermiculus* (ci-dessus), de la graine du chêne kermès (1542) et dans *arbre de vermillon* «chêne kermès» (1558). Il désigne aussi un fard rouge vif (1564). ◇ L'emploi adjectivé «de couleur rouge vif» est attesté isolément vers 1200, puis au XIXe s. (1840, Hugo). ➜ ① **VERMILLONNER** v. tr., «rendre rouge» (1556), est postérieur à **VERMILLONNÉ, ÉE** adj. (1518), d'abord *vermeillonné* (1380). ➜ L'ancien et le moyen français ont également *vermeillier,* v. tr., «rendre rouge» (1080 ; 1576, *vermeiller*) et «devenir rouge» (1165-1170, v. intr.).

◈ voir VERMICELLE, VERMINE.

VERMICELLE n. m. est un emprunt (1553 au plur., isolément ; 1675 au sing.) à l'italien *vermicelli,* proprement «vermisseaux», par une analogie de forme ; le mot est le pluriel de *vermicello,* emprunt à un latin populaire °*vermicellus,* du latin classique *vermiculus* (→ vermeil).

♦ Le mot désigne des pâtes à potage en forme de fils très minces. On a aussi employé *vermisseaux* (1607) et repris la forme italienne (1680, Richelet) jusqu'au milieu du XVIIIe s. ; Richelet indique que l'on prononce *vermicelle* à l'italienne, avec *ch-*, d'où la variante graphique *vermichele* (1694), encore relevée en 1791. Par extension, *vermicelles* (1835) et aussi *vermicel* désigne un potage au vermicelle. ◇ Un aliment de forme analogue, fait de graine de soja, est nommé *vermicelles chinois.* ◇ Par analogie, *vermicelle* se dit d'un réseau vermiculé sur la peau (av. 1850) et l'argot *vermichel* (1867) a correspondu à «veine saillante». ◇ Au pluriel, le mot s'applique à un dessin, à un décor vermiculé (1832).

▸ En dérive **VERMICELLÉ, ÉE** adj. «en forme de vermicelle» (1789 ; → vermiculé, art. ver) et les termes techniques **VERMICELLIER, IÈRE** adj. et n. (1763 ; aussi *vermicelier,* 1878) et **VERMICELLERIE** n. f. (1827) qui concernent la fabrication des pâtes.

VERMILLER → VER

VERMINE n. f. est un emprunt (v. 1125) au latin classique *vermina* «les vers» et, par métonymie, «maladie causée par les vers», «spasmes, convulsions» et, par figure en bas latin, «mouvements désordonnés». Le mot est dérivé de *vermen,* doublet de *vermis* (→ ver).

♦ *Vermine* s'est dit de toutes sortes de petites bêtes nuisibles (serpents, souris, etc.), acception encore relevée au début du XVIIe siècle. ◇ Il désigne surtout (1172-1174) l'ensemble des insectes parasites de l'homme et des animaux (puces, poux, etc.); en ce sens, on relève aussi en ancien français *vermin* n. m. (XIIIe s.). ◇ Par figure, *vermine* a le sens de «personne méprisable» (fin XIVe s.) et s'emploie comme terme collectif (1576) pour l'ensemble des individus considérés comme nuisibles à la société. ◇ L'emploi métaphorique en argot pour «avocat» (1837) est sorti d'usage, mais des emplois insultants sont encore possibles.

▸ **VERMINEUX, EUSE** adj., signifiant d'abord «où il y a des vers, véreux» (1211, *verminous*), reprend l'un des sens du latin impérial *verminosus* (dérivé de *vermis*). ◆ L'adjectif s'applique à ce qui est couvert de vermine (1374), mais il est archaïque et rare. ◇ Il a disparu en médecine où il signifiait par latinisme (1549) «relatif aux vers».

VERMOULU → VER

VERMOUTH n. m., d'abord écrit *vermout* (1798), encore à la fin du XIXe s., puis *vermouth* (1876), est emprunté à l'allemand *Wermut* «absinthe», peut-être par l'intermédiaire de l'italien *vermut* pour le sens. Le mot allemand représente un composé germanique (ancien haut allemand *wermota,* ancien anglais *wermod*) d'origine obscure. L'anglais *wormwood,* désignant une plante amère servant de vermifuge, en est l'altération, d'après *worm* «ver», mot reposant sur la même racine que *ver**, et *wood* «bois», terme d'origine germanique apparenté à un groupe celtique.

♦ En français, le mot désigne un apéritif à base de vin aromatisé de plantes amères et toniques (dont l'absinthe).

VERNACULAIRE adj. est dérivé savamment (1765) du radical du latin classique *vernaculus* «relatif aux esclaves nés dans la maison» et au figuré «qui est du pays, indigène», mot sans étymologie claire.

♦ Le moyen français avait emprunté *vernaculus* sous la forme *vernacle* n. m. «esclave né dans la maison» (v. 1372); le XVIe s. le reprend comme adjectif, *langue vernacule* désignant la langue familière, parlée spontanément, par opposition au latin, et Rabelais emploie *vernacule* n. f., pour «langue» (1532); cf. aussi 1545, *langage vernal* «langue vulgaire». ◆ *Vernaculaire* s'est appliqué à ce qui est propre à un pays, par exemple une maladie, comme *indigène.* Ce mot didactique ne s'emploie plus aujourd'hui qu'en parlant d'une langue spontanément parlée dans un lieu (1823), souvent opposé alors à *véhiculaire* (→ véhicule), ou du nom d'un animal, d'une plante, par opposition au nom scientifique, donné en latin. ◇ L'adjectif est substantivé en linguistique (1907) pour «langue vernaculaire».

VERNAL, ALE, AUX adj., attesté isolément vers 1119 (*equinoctium vernal* «équinoxe vernal»), a été repris au XVIe s.; c'est un emprunt au latin *vernalis* «relatif au printemps», dérivé de *vernus* «printanier», lui-même de *ver, veris* «printemps», «végétation du printemps» et par figure «jeunesse».

♦ L'adjectif conserve le sens du latin, en particulier dans des syntagmes didactiques comme *point vernal* (1751), terme d'astronomie, ou *équinoxe vernal* (1556).

▸ Sur *vernal* a été dérivé **VERNALISATION** n. f. (v. 1930), terme d'agriculture, désignant la technique qui permet de transformer un blé d'automne en un blé de printemps.

VERNATION n. f., emprunté (1826) au latin des botanistes, pris au latin classique *vernatio* «changement de peau des serpents au printemps», «mue», dérivé de *vernus,* est un terme de botanique signifiant «préfoliation».

◈ voir **PRIMEVÈRE.**

VERNIER n. m. vient (1795) du nom de l'inventeur Jacques *Vernier* (1580-1637).

♦ Le mot désigne un instrument créé par Vernier, décrit en 1631 (mais non encore désigné) et formé de deux règles graduées — la plus grande fixe, la seconde mobile le long de la première — servant à la mesure précise des subdivisions d'une échelle.

VERNIS n. m. est une adaptation (v. 1265; *verniz,* v. 1131), par l'intermédiaire de l'italien *vernice,* du latin médiéval *veronice* (IXe s.) «résine odoriférante, sandaraque», emprunté au grec tardif *beronikê* (Ier s.), prononcé *veronikê.* Le mot est une variante de *berenikê,* soit du nom de la reine Bérénice, soit de celui de la ville de Cyrénaïque, *Berenikê,* où l'on aurait produit cette résine.

♦ Le mot désigne d'abord la solution dans un solvant d'une matière résineuse, qui laisse sur le corps où on l'applique une pellicule unie, servant à le décorer ou à le protéger, puis spécialement (1600) l'enduit vitrifié dont on recouvre la poterie, la porcelaine, ainsi qu'un enduit protecteur employé en peinture *(vernis d'un tableau).* ◇ Par métaphore, *vernis* s'emploie (1697) pour «aspect séduisant et superficiel». ◇ Par métonymie, il se dit de l'éclat du vernis (1765). ◆ Le mot est aussi usité pour désigner diverses plantes utilisées pour la préparation des vernis; *vernis du Japon* (1765) est la dénomination usuelle de l'ailante.

▸ Le dérivé **VERNISSER** v. tr. s'emploie (1323) à propos d'une poterie, d'une faïence, etc., et par extension (fin XIXe s.) pour «faire briller avec éclat». ◇ Son participe passé **VERNISSÉ, ÉE** est adjectivé. ◆ **VERNIR** v. tr., attesté à l'infinitif en 1294 mais déjà au XIIe s. au participe passé adjectivé (1170, *vreni*), dérive de *vernisser,* d'après les formes comme *vernissons* qui laissaient supposer un infinitif en *-ir.* Le verbe signifie «enduire de vernis» puis, plus généralement, «rendre brillant» (1862, Hugo), également au figuré «rendre brillant». ➛ **VERNI, IE** adj. est usuel au sens concret (par exemple dans *souliers vernis*). ◇ L'adjectif s'est appliqué, par métaphore de l'idée de brillant, à une personne qui a de la chance (1902); cet emploi familier a vieilli après 1945. ➛ **VERNISSURE** n. f., dérivé de *vernisser*, signifiait «opération qui consiste à couvrir de vernis» (1671). ➛ Il a été supplanté par **VERNISSAGE** n. m. (1837), qui désigne aussi (1880) le jour d'ouverture d'une exposition de peinture, les artistes étant autrefois autorisés à achever d'y vernir leurs tableaux. ➛ **VERNISSEUR, EUSE** n., d'abord au masculin (1402) «objet servant à vernir», désigne aussi (1669) un spécialiste des travaux de vernissage.

Sur le verbe *vernir* ont été préfixés les termes techniques **REVERNIR** v. tr. (1565) «vernir une seconde fois», d'où **REVERNISSAGE** n. m. (1875), et **DÉVERNIR** v. tr. (1653, *desvernir*) «faire disparaître le vernis de», d'où **DÉVERNISSAGE** n. m. (1849).

VÉROLE n. f., d'abord *verolle* (1190), attesté sous la forme moderne isolément au XVe s., puis en 1532, aussi *varoles* au XVe s., *vairole* au XVIe s. (1519), est un emprunt au bas latin médical *vayrola*, variante de *variola* (→ variole), qui a donné aussi l'ancien provençal *vayrola* (fin XVe s.).

♦ Le mot a désigné jusqu'à la fin du XVe s. la variole, maladie éruptive laissant des traces sur la peau. Cette maladie, à partir du moment où le mot *vérole* s'applique à la syphilis (ci-dessous), s'est appelée ***petite vérole*** (v. 1500) et aussi au pluriel *petites vairolles* (1549). *Vérole volante* s'est dit pour «varicelle» (1660), précisé ensuite en *petite vérole volante* (1759); ces expressions sont sorties d'usage au XIXe siècle. ➛ *Vérole* désigne par ailleurs une maladie vénérienne grave, la syphilis, d'abord au pluriel sous la forme *varoles* (mil. XVe s.), puis au singulier *vérole* (1532). Dans cette acception, on trouve aussi *veyrole de Naples* (1501), comme *mal de Naples* et, opposé à *petite vérole*, ***grosse vérole*** (1505). Depuis que cette maladie a reçu un nom médical, *syphilis**, le mot *vérole* est devenu familier ou populaire. ◇ Au figuré, *vérole noire* a signifié en argot (1888) «accusation entraînant la mort», et le mot s'utilise en parlant d'une personne ou d'une chose très désagréable (av. 1750, *la petite vérole de l'esprit*), ainsi que dans la locution très familière ***flanquer, foutre la vérole quelque part*** «mettre en désordre», synonyme récent de *foutre la merde*.

▸ Le dérivé **VÉROLÉ, ÉE** adj. et n. se dit (1508) d'une personne qui a la syphilis et s'applique (1640) à ce qui a rapport à cette maladie. Le mot est devenu familier ou populaire, dans les mêmes conditions que *vérole*. Il est employé comme terme d'injure (1905), équivalant à *pourri*, l'adjectif ayant la même fonction (cf. aussi *nase*). ➛ **VÉROLER** v. tr. signifie «transmettre la vérole à (qqn)».

① **VÉRONIQUE** n. f., attesté en 1195, est un emprunt au latin des Évangiles *Veronica* (v. 350), nom propre de femme. La légende de Véronique se mêle à celle d'Abgar V qui régna dans la première moitié du Ier s. à Édesse, ancienne ville de haute Mésopotamie; ce roi aurait reçu de Jésus une lettre et un portrait. Quant à Véronique, selon une légende ancienne, elle aurait eu une image du Christ aux vertus miraculeuses, grâce à laquelle elle aurait guéri l'empereur Tibère de la lèpre; cette relique, d'abord tenue comme dessinée par une main humaine, fut ensuite considérée comme une création miraculeuse : Jésus se serait essuyé avec le linge, y laissant les traits de son visage. La légende se transforme ensuite : Véronique aurait essuyé le visage de Jésus, couvert de sueur et de sang, lors du trajet du Golgotha.

♦ Le mot a désigné le morceau de linge avec lequel Véronique, selon la légende, essuya le visage du Christ et qui en conserva l'empreinte; il s'est dit par extension (1379; XIIIe s. sous la forme altérée *virenike*, isolément) de l'image de la face du Christ, peinte et sculptée, puis (1573) pour «portrait» en général; ce sens a disparu.

Véronique désigne aussi (1545; du latin des botanistes *veronica*, 1542) une plante herbacée à fleurs souvent bleues, dont il existe de nombreuses variétés; ce nom vient des vertus prêtées à la fleur, nommée au moyen âge *herbe aux ladres* (1195). Cette acception est restée vivante, avec des syntagmes qualifiés (1828, *véronique des jardins*).

◈ voir ② VÉRONIQUE.

② **VÉRONIQUE** n. f. est un emprunt (1911) à l'espagnol *veronica*, terme de tauromachie qui se dit d'une passe de cape, par analogie avec le geste de sainte Véronique essuyant la face du Christ.

VERRAT n. m. est dérivé (1334) de l'ancien français *ver* «sanglier» et «porc mâle» (1080, *Chanson de Roland*, ou v. 1120), issu du latin *verres*. En indoeuropéen, les noms d'animaux domestiques, indifférents au sexe, désignaient le plus souvent des femelles, les mâles n'étant conservés que pour les besoins de la reproduction. De ce fait, les noms de mâles sont nouveaux ou de faible extension, et *verres* n'a pas d'étymologie connue.

♦ *Verrat*, terme technique, désigne le porc mâle employé comme reproducteur, à côté des mots courants, *porc*, *cochon* et, pour la femelle, *truie*.

VERRE n. m. représente une réfection (1160-1174) de *voirre* (attesté v. 1174), après les dérivés ou à cause du flottement de la prononciation. *Voirre* est issu par évolution phonétique normale du latin classique *vitrum* «verre» et «plante tinctoriale, pastel», acception qui vient de la couleur vitreuse du verre des Anciens, verdâtre et non pas transparent comme aujourd'hui; *vitrum* a donné *vitre**; ni lui ni ses dérivés ne sont attestés avant la fin de la période républicaine de Rome.

♦ Le mot, avec en ancien français les variantes *voirre* et *voarre*, *vouerre* (1380; jusqu'au XVIe s.), désigne dans ses premiers emplois la substance artificielle transparente ou translucide, que *verre* désigne après *vitrum*. Il s'est dit pour «vitrail» (v. 1250). ◇ Depuis le début du XIVe s., *verre* désigne en minéralogie toute substance vitreuse, dans des syntagmes comme *verre de plomb* (1309, *voirre de plomb*), *verre d'antimoine* (1690), *verre de volcan* «obsidienne». ◇ Selon sa fabrication, le verre (artificiel) porte des noms variés, tels *verre blanc* (1355, *warre blanc*), *verre double* (1694), la provenance étant parfois évoquée, par exemple dans *verre de Bohême* (1752). ◇ *Verre dormant* (1508; 1701, aussi *verre mort*), terme technique, se dit d'une petite fenêtre scellée en plâtre et qui ne s'ouvre jamais. ◇ Par ailleurs, cette substance symbolise au XVIIe s. la fragilité, l'éclat, plus encore que la transparence, valeur qui se développe au XIXe s., notamment dans la locution figurée ***maison de verre*** (1872).

À côté de ces emplois où *le verre* désigne une substance, de nombreuses métonymies confèrent au mot *(un, des verre[s])* l'acception d'«objet en verre». ◇ La première concerne (fin XIIIe s.) un récipient individuel pour boire, d'abord en verre, puis fait d'une matière analogue (cristal; au XXe s., plastique transparent ou translucide). Ce mot est en concurrence avec des termes spécifiques, désignant un récipient à boire de forme caractéristique, même fait de verre *(coupe, flûte, chope...)*, et les récipients de métal *(timbale)*. ◇ De ce sens, une seconde métonymie conduit (1636) à «contenu d'un verre à boire», d'où *verre d'eau, de vin*, etc. Comme *boire* et ses dérivés, *verre* se spécialise au sens de «quantité de boisson alcoolisée» (cf. *chopine, canon*), d'où les locutions aujourd'hui disparues *combattre au verre* «trinquer souvent» (1607), *parmi les verres et les pots* (fin XVIIe s.) «à table, en buvant». ***Boire un verre*** et ***un petit verre*** (d'alcool) sont ainsi spécialisés, fournissant au XIXe s. une acception lexicalisée, par exemple dans *payer un verre à qqn*, avec pour équivalents familiers, *un coup, un canon*. ◆ D'autres métonymies sont devenues assez courantes, comme *verre de montre* (1690?), qui a donné naissance à la locution figurée *casser le verre de sa montre* (1867) devenue ***se casser le verre de montre*** «tomber sur le derrière». ◇ Par ailleurs, l'emploi des lentilles de verre optique a donné lieu à *voire perspective* (1599); *verre de lunette*, désignant au XVIIe s. le verre destiné aux instruments d'optique, puis celui des lunettes*, d'où ***porter des verres*** «des lunettes» (1949). On parle aussi aujourd'hui de ***verres de contact*** (v. 1950) à propos de lentilles correctrices (en verre, en matière plastique) portées contre l'œil. ◇ Depuis le milieu du XIXe s. (1876), *verre de lampe* se dit du tube de verre entourant le manche d'une lampe, d'où ***souple comme un verre de lampe*** «très raide». ◇ *Verre* pour «plaque de verre» ne s'emploie plus que dans *mettre* (qqch.) *sous verre, fixé sous verre*, expressions qui conduisent au composé *sous-verre* (ci-dessous).

Enfin l'évolution des techniques suscite au XXe s., pour le sens initial *(du verre, le verre)*, des syntagmes et des valeurs analogiques. Ainsi, *soie de verre* (1929) désigne une fibre de verre très fine. Par analogie d'aspect, le mot s'emploie pour des matières plastiques transparentes, souples et résistant à la rupture *(verre organique)*.

▶ *Verre* a servi à former de nombreux dérivés. ◆ **VERRIÈRE** n. f. a désigné (v. 1130) une grande fenêtre munie d'une vitre. Le sens retenu en français moderne est aussi ancien (v. 1240), «vitrail», puis «grande ouverture garnie de vitraux», «grand vitrage». ◇ Le mot a aussi désigné toutes sortes d'ouvrages de verre (1636), spécialement un verre de montre (1690), une cloche de jardinier pour couvrir les plantes (1771). ◇ Par métonymie, *verrière* signifie aussi «panier à verres» (1779). ◇ Le sens ancien et toujours usuel de «surface vitrée» a été repris en aéronautique pour désigner le dôme transparent qui recouvre l'habitacle du pilote (XXe s.). ◆ **VERRÉ, ÉE** adj. a eu le sens de «vitré» (v. 1180) et a qualifié ce qui ressemble à du verre (1553). L'adjectif s'applique aussi (1871) à ce qui est saupoudré de verre en poudre *(toile verrée)*. ◆ **VERRERIE** n. f., réfection (1533) d'après *verre* de *voirrerie* (v. 1270), employé jusqu'au XVIe s., signifie d'abord «art de faire le verre». Le mot désigne aussi (1376) une usine où l'on fait le verre, puis *(une, des verreries)* des ouvrages de verre (XIVe s., *vairerie*; 1662, *verrerie*). ◇ Il s'est employé pour «vitrage» (1413) et «vitrail» (1465), acceptions disparues au profit de *verrière*. ◆ **VERRIER** n. m. se dit de celui qui fabrique le verre, des ouvrages en verre (1265). ◇ Le mot est rare pour «panier à verres» (1540, *veyrier*). Au XVIIe s. *verrier* s'est dit du commerçant qui vend des objets en verre (1636); il se dit spécialement (1409, *voirier*) d'un artiste qui fait des vitraux, d'un peintre sur verre, aussi en apposition (1845, *peintre verrier*). ◇ En technique, le mot désigne (mil. XXe s.) le défaut d'une pierre de taille ressemblant à un morceau de verre. ◆ **VERRIER, IÈRE** adj. a signifié (1472) «muni de vitres». Aujourd'hui, il n'est attesté qu'au masculin, dans le vocabulaire technique (XXe s.), et signifie «de verre, du verre». ◆ **VERRÉE** n. f., «contenu d'un verre à boire» (1553), noté «peu usité» par l'Académie en 1694, est seulement régional; il a été éliminé, comme la plupart des dérivés en *-ée* désignant un contenu, par la métonymie du contenant *(un verre d'eau)*. ◆ **VERROTERIE** n. f. (1679, d'abord *verrotterie* 1657), formé sur le modèle de *bimbeloterie*, se dit de petits ouvrages de verre coloré dont on fait des ornements, des colliers, etc. Le mot s'est beaucoup employé aux XVIIIe s. et XIXe s. à propos des objets troqués contre des matières premières plus précieuses avec des populations préindustrielles. ◇ On trouve aussi dans ce sens **VERROT** n. m. (1674), disparu. ◆ **VERRAGE** n. m., terme technique (1949), désigne un dépôt de verre solubilisé en fine couche. ◆ **VERRANNE** n. f., terme technique, composé (mil. XXe s.) de *verr(e)* et *(fibr)anne*, désigne une fibre de verre discontinue.

SOUS-VERRE n. m. (1919 chez le poète P.-J. Toulet) désigne le dispositif qui protège un document, une image, sous une plaque de verre, ainsi que l'ensemble décoratif avec l'image.

VERRINE n. f. (v. 1125, *verine*; 1130-1140, *verrine*) représente la substantivation de l'ancien adjectif *verrin, ine* «qui est en verre» (XIIe s.), aboutissement du latin populaire °*vitrinus* «de verre», dérivé de *vitrum*. ◆ *Verrine*, d'abord attesté au sens de «vitrail» (v. 1125), en concurrence avec *verrière* (ci-dessus), a eu diverses acceptions également sorties d'usage : «lunette d'approche» (v. 1520), «panneau de verre protégeant un tableau» (1611), «cloche de jardinier» (1812). ◇ Il a été en concurrence avec *verrerie* pour «usine où l'on fait le verre». ◇ Le mot a désigné aussi (1721) un tube de verre dont on fait des baromètres et (1835, *vérine*; 1893, *ver-*

rine) une lampe de verre qui éclaire le timonier.
◈ voir IN VITRO, VERGLAS, VITRE, VITRIOL.

VERROU n. m. est la réfection (1387) de formes comme *veroul* (1367), *veroil* (XIIIe s.) avec un seul *r* et un *l* final, les deux *r* provenant de l'attraction de *ferrum* (→ fer) et la finale étant issue du pluriel. Le mot est l'aboutissement du latin populaire **verruculum*, altération du latin classique *veruculum* (d'où vient l'ancien français *verueil*, v. 1120), «petit javelot», diminutif de *veru* «broche», «pique» (→ vérin).

♦ Le mot, sous toutes ses formes, se dit d'un système de fermeture constitué d'une pièce de métal allongée qui coulisse de façon à s'engager dans un crampon. ◇ Il s'est employé aussi en moyen français (1479) au sens latin, désignant une arme à tranchant emmanchée à un long bâton, mais cette acception a été un latinisme sans lendemain. ◇ Au XVIIIe s., on parle de *verrou de sûreté* (v. 1780) «verrou adapté à une serrure» et apparaissent les locutions *tenir sous le verrou* «tenir enfermé» (1762), devenue *(mettre)* ***sous les verrous*** «en prison» (1823). ➜ Le mot s'emploie par analogie, comme terme technique ou didactique, désignant le plus souvent un dispositif d'ouverture ou de fermeture : «mécanisme qui fait changer de direction les cylindres d'un laminoir à plomb» (1842), «dispositif d'ouverture d'une culasse d'arme à feu» (1889). ➜ En géologie, il se dit d'une barre rocheuse qui ferme une vallée glaciaire (1919). ◇ *Verrou* s'emploie aussi comme terme militaire, se disant de ce qui permet (hommes et matériel) d'interdire le passage sur un point d'un front (1842, Hugo), d'où, dans l'usage général, «obstacle qui gêne ou empêche qqch.». ◇ Au football, traduisant (1943) l'italien *catenaccio*, qui correspond à *cadenas*, le mot désigne la tactique défensive d'une équipe consistant à se grouper devant ses propres buts.

▸ **VERROUILLER** v. tr. est dérivé de *veroil*, puis *verrouil*, formes anciennes de *verrou*, d'abord sous la forme *verroillier* (v. 1190), puis *verrouiller* (XVe s.). ➜ Le verbe signifie «fermer au verrou» et (v. 1780) «enfermer (qqn)». Il est aussi attesté (1718) au pronominal. Il a pris au XXe s. des valeurs techniques en relation avec les sens récents de *verrou*. ➜ Du verbe ont été dérivés les termes techniques **VERROUILLABLE** adj. (1840, Gautier, «emprisonnable») et **VERROUILLAGE** n. m. «fait de verrouiller» et «dispositif bloquant un fonctionnement» (1894 en techn. ; 1972 en informatique). ➜ Le dérivé **VERROUILLEUR, EUSE** n., attesté dans les dictionnaires généraux en 1965, est employé au football et au rugby.

Le préfixé **DÉVERROUILLER** v. tr. (XIIe s., *desveroillier*), refait d'après *verrou* (XVIe s.), a des emplois parallèles à ceux du verbe simple ; en dérive **DÉVERROUILLAGE** n. m. (1929).

VERRUE n. f., attesté au XIIIe s., ainsi que sa variante *berrue* employée en ancien français (v. 1220), est issu du latin classique *verruca* «hauteur», spécialisé dans le sens d'«excroissance sur la peau», d'où vient aussi l'italien *verruca*, l'espagnol et le portugais *verruga*. La racine indoeuropéenne de *verruca* se retrouve dans le vieux slave *vrŭxu* «en haut», le sanskrit *várṣman-* «sommet».

♦ Le mot désigne une petite excroissance de la peau, d'où ***herbe-aux-verrues*** (1694), employée pour guérir les verrues, appliqué à plusieurs plantes (chélidoine, héliotrope, verrucaire...). ◇ Le mot s'emploie au figuré pour «défaut apparent» (1588, Montaigne), spécialement en parlant de ce qui enlaidit un paysage, une ville, etc. Ce sens est littéraire. ◇ Par analogie, *verrue* se dit d'une protubérance rugueuse à la surface d'une coquille (1752), de l'écorce (1765), etc.

▸ **VERRUQUEUX, EUSE** adj., emprunt au dérivé latin *verrucosus*, s'applique à ce qui a la forme d'une verrue (1495) et signifie aussi «qui a une verrue» (1605 comme nom), «qui est couvert de verrues» (1795). ➜ **VERRUCAIRE** n. f., emprunt au latin classique *(herba) verrucaria* «(herbe) qui guérit les verrues», en a d'abord gardé le sens, par exemple dans *cichorée* [chicorée] *verrucaire* (1600), aussi *la verrucaire*. Le nom désigne aussi (1803) un lichen qui vient sur les branches mortes. ➜ **VERRUCOSITÉ** n. f., terme didactique, formé (1908) à partir du radical de *verrucosus*, désigne une végétation de la peau ou d'une muqueuse.

VERRUGA n. f., emprunt (1904) à l'espagnol *verruga*, de même origine que *verrue*, désigne une maladie parasitaire originaire du Pérou.

① **VERS** prép. est issu (v. 980) du latin classique *versus* (var. *versum*), participe passé passif de *vertere*, utilisé comme particule invariable et signifiant «dans la direction de», généralement postposée au nom qu'elle détermine. À l'origine, *versus* n'est pas employé comme préposition, mais comme adverbe précisant un moment précédemment indiqué. Le verbe *vertere*, supin *versum*, anciennement *vortere*, signifie «tourner» au propre et au figuré, d'où «convertir, changer, traduire (en)». Il est représenté en français par ses dérivés (→ verser) et de nombreux préfixés (*convertir*, etc.). ◇ Le verbe a été concurrencé en latin par *tornare* (→ tourner) ; il appartient à une famille indoeuropéenne, étant apparenté par exemple au sanskrit (*vártate* «il tourne»), au germanique (gotique *wairþa* «je deviens») et au lituanien *vẹrčiu, ver̃sti* «retourner» (→ verste).

♦ *Vers* signifie «en direction de, du côté de», avec mouvement (v. 980) ou sans mouvement (1080, Roland). L'emploi de la préposition suivie de la désignation d'une personne pour «auprès de» (v. 1170) est aujourd'hui archaïque. ◇ Avec une valeur temporelle, *vers* équivaut (déb. XIIe s.) à «aux environs de», en particulier pour donner approximativement un âge. ◇ La préposition s'utilise depuis la *Chanson de Roland*, en ancien et moyen français, et encore au XVIIe s., pour marquer une attitude morale, un rapport *(être honnête, sincère vers qqn)* ; Vaugelas, condamnant cet emploi, recommande *envers*, qui supplante alors *vers*. Dans un contexte abstrait (v. 1265), elle permet de marquer le terme d'une évolution, d'une tendance. ◇ *Vers* a été ensuite usité (1573), encore au XVIIe s., pour «en présence de, devant» *(accuser qqn vers le juge)*, emploi disparu. ◇ Le mot s'est employé, suivi d'un adverbe, pour marquer une direction (v. 1500) ; *vers où*, rejeté par Vaugelas, s'est maintenu jusqu'au

XXe s., *vers là, vers ailleurs* sont aujourd'hui considérés comme incorrects.

▸ Le composé **DEVERS** prép. a eu des valeurs identiques à celles du simple : «du côté de», avec et sans idée de mouvement (1080), encore à l'époque classique, et aussi «auprès de (qqn)» (v. 1120), «envers (qqn)» (1170) et «aux environs de» (1380). ◇ Tous ces emplois ont disparu et le seul usage du mot en français moderne est la locution prépositive ***par devers*** «par devant» (1283), qui signifie également «dans son for intérieur» (1508). ◇ ***Par devers soi*** (1606), qui a remplacé *devers soi* (1244-1248), est d'usage littéraire, et a disparu pour «à son actif» (v. 1750).

ENVERS prép. apparaît au sens de «dans la direction de» (980), d'où *en envers* (v. 1200) impliquant le mouvement, et avec une valeur temporelle (980); ces emplois ont disparu. ◇ La préposition s'emploie (XIe s.) pour «à l'égard de (qqn)», d'une manière restreinte aujourd'hui. ◇ Au sens de «contre» (1080), elle demeure dans la locution ***envers et contre tous*** (1532), d'abord *envers tous et encontre tous* (1440-1475), «en dépit de l'opposition générale», aussi ***envers et contre tout*** (XXe s.). ◇ *Envers* s'est aussi employé (XIIe s.) au sens d'«auprès de (qqn), dans l'esprit de» encore au XVIIe s. (1642, Corneille), puis sorti d'usage, de même que l'emploi adverbial (1651) pour «environ».

◈ voir ADVERSE, ANNIVERSAIRE, CONTROVERSE, CONVERS, CONVERTIR, DIVERS, INVERSE, PERVERS, TRANSVERSAL, TRAVERS, UNIVERS, ② VERS, VERSER.

② **VERS** n. m. est issu (v. 1138) du latin classique *versus* «fait de tourner la charrue au bout du sillon», «tour, ligne», puis concrètement «sillon» et par analogie «ligne d'écriture» et spécialement «de poésie». *Versus* est dérivé de *vertere*, au supin *versum* «tourner» (→ ① vers). Aux IXe-Xe s., le mot reçoit en latin médiéval une application rythmique, et c'est sans doute par le vocabulaire musical ecclésiastique qu'il est passé dans les langues romanes.

♦ Il se dit dès l'origine d'un assemblage de mots mesurés, ordonné selon des règles déterminées, et formant l'unité rythmique de base d'un poème. Ce sens a traversé les siècles alors que d'autres acceptions ont disparu. ◇ En effet, le mot désigne également en ancien français (v. 1164) une chanson lyrique de type courtois, genre emprunté aux troubadours; *vers* est attesté en ce sens en ancien provençal, supplanté ensuite par *canso;* puis *vers* se dit (v. 1170) de toute espèce de chanson. ◇ Sous l'influence du latin, le mot s'emploie également en ancien français pour «tirade, partie d'une œuvre narrative versifiée» (v. 1160), désignant au pluriel une œuvre ou un fragment d'œuvre poétique (v. 1170), valeur aujourd'hui rattachée à celle d'«unité rythmique», au pluriel. *Vers* s'est dit aussi pour «couplet, strophe d'un morceau de poésie chantée» (v. 1200). On relève du XIIIe au XVe s. un usage péjoratif du mot dans des locutions comme *chanter faux vers à qqn* «tromper» (XIIIe s.); *changer le vers, les vers* a signifié d'abord «modifier la situation (en mal)» (v. 1240), ensuite «changer de ton (en parlant)» (v. 1460). ◇ Depuis la fin du XIIe s., *vers* se dit (v. 1190) d'un verset du texte biblique, chanté à l'église, acception venue du latin ecclésiastique et sortie d'usage. ◇ Au figuré, *un vers* s'est employé pour «sentence, adage», en prose ou en vers (fin XIVe s., *ver*).

Depuis le XVIe s. (par exemple, Du Bellay, 1549), *le vers, les vers* équivaut à «écriture en vers», «poésie versifiée», parfois péjorativement *(faiseur de vers).* C'est aussi au XVIe s., chez Du Bellay (1549), qu'est attesté *vers libres* «vers non rimés»; ce syntagme, dans la poésie classique, correspond à «suite de vers réguliers mais de longueur inégale et dont les rimes sont combinées de façon variée»; *petit vers* désignait (1672) de courtes pièces poétiques; on relève aussi au XVIIe s. *demi-vers* «hémistiche» (v. 1650). *Vers blancs* (1735) se dit de vers non rimés, dans les langues où la rime est d'usage. ◇ Les symbolistes reprennent ***vers libres*** (1888, Gustave Kahn) pour désigner des vers non rimés et irréguliers, jouant sur l'expressivité du rythme; les premiers vers français non rimés et non comptés sont publiés dans la revue *La Vogue* (poèmes de Gustave Kahn) en 1886; cette revue publie aussi des pièces tirées des *Illuminations* de Rimbaud, écrites en 1872-1873, «Marine» et «Mouvement». ◇ Les principes de la versification traditionnelle n'ont pas disparu au XXe s., mais le mot *vers,* pour recouvrir l'ensemble des pratiques, se définit alors comme un fragment d'énoncé dont l'unité est d'ordre rythmique, quelles que soient les règles relatives à la quantité, à l'accentuation, etc.; dans tous les cas, cette unité est marquée par une pause finale et, dans l'écriture, par une disposition unilinéaire. ◇ Dans l'usage général, *les vers, des vers* continuent à s'employer pour «de la poésie» *(lire des vers).*

▸ **VERSET** n. m., d'abord diminutif de *vers,* s'est dit (XIIIe s.) d'une petite pièce de vers, encore en ce sens au XVIIe s., dans la façon de parler désuète d'un provincial de Molière. ◇ Le mot reprend par ailleurs plusieurs sens du latin ecclésiastique *versus,* désignant une brève pièce liturgique, généralement tirée de l'Écriture et chantée après l'hymne, une petite section du texte biblique constituée de quelques lignes (v. 1190); il s'est dit (fin XIIIe s.) d'un signe marquant la séparation de deux versets de la Bible. ◇ *Verset* s'est aussi employé comme terme juridique (1704), à propos d'un paragraphe d'une loi contenue dans le Digeste, acception tirée du bas latin. ◇ En musique (1872), *verset* est le nom d'un morceau de chant, d'un air d'orgue correspondant à un verset liturgique. ◇ En poésie moderne (XXe s.), *verset* désigne une phrase ou une suite de phrases rythmées non sur des règles de versification mais à la façon des versets des psaumes.

De *vers libre,* au sens des symbolistes, ont été dérivés à la fin du XIXe s. **VERS-LIBRISME** n. m., d'où **VERS-LIBRISTE** n. (1891), termes d'histoire littéraire.

Plusieurs mots ont été empruntés au latin classique. ◆ **VERSIFIER** v., réfection (1250) de *versefier* (déb. XIIIe s., intr.), signifie «faire des vers», emploi aujourd'hui rare. C'est l'un des sens du latin *versificare,* composé de *versus* et de *facere* «faire», dont le second sens, «mettre en vers», est repris en 1690. ◇ Le dérivé **VERSIFIANT, ANTE** adj. et n. est attesté au XIXe s. (1819, adj., Balzac). ◆ **VERSIFICATEUR, TRICE** n., emprunt au dérivé latin *versificator* «celui qui fait des vers», «poète», en conserve le premier sens. C'est la réfection (1488), d'après *versifier*, de *versifiador* (v. 1350), *versificador* (v. 1370), la forme *versefieur* (v. 1200) étant dérivée de *versefier*. ◇ Le mot désigne ensuite (1549) un poète en tant que représentant d'une technique, ce qui exclut l'inspiration et en fait un synonyme péjoratif de *poète* (cf. *faiseur de vers*). ◆ Il en va de même pour les formes sorties d'usage **VERSIFIEUR** (1667), **VERSIFAISEUR** (1783, calque du latin), disparu, et pour **VERSIFICAILLEUR** n. m. (1812), formé par substitution de suffixe et rapprochement avec *rimailleur*. ◆ **VERSIFICATION** n. f., emprunt au dérivé latin *versificatio* «art de faire les vers», a d'abord désigné (v. 1480, isolément) une œuvre en vers. ◇ Le mot est défini comme «technique de la composition des vers» en 1548 (Th. Sébillet, *Art poétique*) et se dit aussi de la technique du vers propre à un poète (1654). Il est devenu rare et tend à être péjoratif.

VERSATILE adj. est un emprunt (v. 1330) au latin impérial *versatilis* «mobile, qui tourne aisément» et au figuré «flexible, qui se plie à tout», dérivé de *versare* (→ verser).

♦ Le mot a d'abord qualifié une épée à deux tranchants jusqu'au XVIe s., puis, plus généralement, ce qu'on peut tourner (1520; aussi *versile*). ◆ Il s'applique par figure (1588), comme en latin, à une personne qui change facilement d'opinion, sens devenu le plus usuel, dans un usage soutenu. ◇ *Versatile* a pris (mil. XVIIIe s., Buffon) la valeur didactique de «qui change au cours du temps»; il équivaut en botanique à «oscillant» en parlant des anthères d'une fleur (1809). Ces valeurs, comme pour l'anglais *versatile* (cf. *versatilité*), sont plus proches du latin *versatilis*. ◇ Par calque de l'anglo-américain, le jargon des affaires emploie *versatile* pour «adaptable».

▶ **VERSATILITÉ** n. f., dérivé du radical de *versatile* (1738), signifie «caractère versatile». L'acception moderne (v. 1940, Valéry), «aptitude à s'adapter», est venue de l'anglais *versatility* (dérivé de *versatile*, emprunt au français) et a entraîné l'emploi de *versatile*, par anglicisme, dans ce sens.

① **VERSÉ, ÉE** adj. est emprunté (1548) au latin classique *versatus* «expérimenté», emploi adjectivé du participe passé de *versari* «se tourner souvent», d'où «se trouver habituellement, vivre dans tel endroit» et au figuré «s'occuper, s'appliquer à»; *versari* est le passif de *versare* qui a donné *verser**.

♦ L'adjectif, comme en latin, qualifie une personne qui est expérimentée, savante en une matière, dans la construction *versé en* (1548), *versé dans* (1623).

▶ Le verbe latin avait été emprunté à la même époque sous la forme ② **VERSER** (1549) dans *verser en* «être savant en», «s'occuper de (un art, etc.)» (1559). Au XVIIIe s., *verser qqn dans* se dit pour «le rendre expérimenté»; il est sorti d'usage.

② **VERSÉ** → VERSER

① **VERSEAU** → VERSER

② **VERSEAU** n. m. représente (1545) un calque savant du grec *hudrokhoeus*, littéralement «qui verse de l'eau», d'où «pluvieux», la période du Verseau étant souvent pluvieuse. Le mot est composé de *verse*, forme du verbe *verser** et de *eau**; cf. *verse-eau*, 1671, encore au XVIIIe s.

♦ Il désigne en astronomie une constellation zodiacale de l'hémisphère austral et, en astrologie, le onzième signe du zodiaque (20 janvier-20 février), d'où par métonymie (XXe s.), comme pour tous les noms de signes du zodiaque, une personne née sous ce signe (*un verseau*; adj., *il, elle est verseau*).

✱ ① **VERSER** v. est issu (1080) du latin classique *versare* «tourner souvent, faire tourner» et au figuré «remuer (l'esprit de qqn pour agir sur lui)», d'où «bousculer, malmener». *Versare* est le fréquentatif de *vertere, versum*, comme verbe transitif «tourner», «retourner», «renverser» au propre et au figuré, d'où «convertir, traduire», et comme verbe intransitif «se tourner, se diriger», «avoir telle suite», «changer» (→ ① vers). *Vertere* provient (IIe s. av. J.-C.) de *vortere, vorsum* par passage de *uo-* à *ue-* devant dentale. Le thème indoeuropéen °*wertese* retrouve en sanskrit et en germanique.

♦ Le verbe, en ancien français et depuis la *Chanson de Roland*, est employé aux sens de «faire tomber (qqn) à la renverse» et, intransitivement, de «tomber par terre», où il a été éliminé par le composé *renverser*. ◇ Puis il est attesté au sens (intransitif) de «changer» (1172-1174), également sorti d'usage. ◆ *Verser* signifie aussi (v. 1175) «faire couler (un liquide) d'un récipient qu'on incline», cette acception étant devenue très courante, et «répandre (un liquide)», remplacé aussi par *renverser*. De cet emploi vient la locution figurée sortie d'usage *verser dans un tonneau percé* «perdre sa peine en obligeant un ingrat» (1680). ◇ Au XIIIe s., avec l'idée de «retourner», le verbe s'est employé (1230-1250) pour «labourer» (cf. ci-dessous *versoir*) et aussi «bousculer», «attaquer pour détruire» et intransitivement «tomber en ruine, être détruit». Il s'emploie spécialement au sens de «faire coucher à terre (les blés, etc.)», le sujet désignant le vent, la pluie (v. 1265), d'où, intransitivement (1300), *les blés versent* et le dérivé (déverbal) *la verse* (ci-dessous). ◇ Le verbe signifie ensuite «faire tomber sur le côté en inclinant», par exemple une voiture (1471), d'où *se verser* (1654), moins courant aujourd'hui que *renverser*. Cette acception a produit la locution argotique ancienne *aller à Versailles* (1656), calembour sur *verser*. ◇ La locution figurée ***verser en beau chemin*** «manquer une affaire qui était bien engagée» (1690) a aussi disparu.

C'est ensuite de la valeur générale de «répandre, faire passer (d'un lieu à un autre)», souvent avec un complément désignant un liquide, mais aussi un solide divisé, une poudre, etc. (*verser du sable*, 1580), que procèdent les divers emplois à contenu métaphorique ou figurés. Au milieu du XVIe s., par métaphore, ***verser (qqch.) dans le cœur de qqn*** signifie «inspirer à qqn un sentiment, une disposition d'esprit», emploi aujourd'hui littéraire et archaïque. ***Verser le sang*** (fin XVIe-déb. XVIIe s.), «le faire couler», en tuant ou en blessant, est toujours en usage, mais littéraire; ***verser son sang*** «faire le sacrifice de sa vie» (v. 1550) et ***verser des larmes*** (1579) sont des métaphores encore vivantes et usuelles. ◇ *Verser qqch. sur qqn* (1670), puis *à qqn,* «donner qqch. en abondance» et *verser (ses peines, etc.)* «s'épancher» (1683, Bossuet), emplois figurés, sont sortis d'usage. ◆ Le verbe s'emploie avec le sens de «donner en répandant», par exemple *verser l'or* (1762, Rousseau); il a disparu pour «importer (des marchandises)» (1771). ◆ Tous les usages figurés détachés de leur origine concrète («répandre, faire couler») ont vieilli ou disparu, qu'il s'agisse d'emplois transitifs ou intransitifs («se renverser»). Par exemple, la valeur figurée de «changer ou être changé en mal», qui avait donné en moyen français à *verser* le sens de «tomber en disgrâce» (fin XIVe s.), est sortie d'usage. ◇ Il en va de même pour diverses spécialisations de l'intransitif, dans un domaine concret : «déborder» (d'une rivière) [1600], précédé par *se verser* (1585), et en parlant d'une femelle «mettre bas» (1587). ◆ Une autre notion liée aux emplois concrets, où *verser* correspond à une action volontaire, est celle du passage. Elle s'incarne notamment, à la fin du XVIIIe s., dans les emplois financiers pour «apporter (de l'argent) à une personne, une caisse, etc.», soit à titre de paiement (1787), soit de dépôt. Cette acception toujours vivante doit être plus ancienne, car elle est attestée un siècle après le sens correspondant de *versement* (fin XVIIe s.) et après *reverser* (ci-dessous). Par extension, *verser* s'applique (1874) à un document que l'on dépose en lieu sûr avec d'autres. ◆ Avec un complément nom de personne, *verser* a signifié «faire aller dans un autre lieu» (1802, Chateaubriand); ce sens a disparu et le verbe s'est spécialisé dans cet emploi dans le contexte militaire pour «affecter» (1893).

▶ Les dérivés sont nombreux. ◆ **VERSAGE** n. m. «action, fait de culbuter» (XIIe s.), sorti d'usage, n'est plus qu'un terme technique qui désigne l'opération par laquelle on bascule des wagons dans une mine pour les vider (1607) et le lieu où se fait cette opération (XXe s.). En agriculture, il se dit du premier labour, par lequel on verse la terre sur le côté (1842). ◆ **VERSÉE** n. f. a signifié «décroissance de la lune» (v. 1119) et «culbute, chute» (XIIIe s.). ◇ Le mot a été repris dans un usage littéraire pour désigner une quantité de liquide versée en une seule fois (1879, Huysmans). ◆ **VERSOIR** n. m., signifiant dans ses premiers emplois «charrue qui verse la terre de côté» (XIIIe s.), est peut-être issu d'un latin populaire °*versorius.* ◇ Repris comme dérivé de *verser,* il désigne aujourd'hui (1751) la pièce de charrue qui, fixée au sep, sert à rabattre sur le côté la terre détachée par le soc. ◆ **VERSEMENT** n. m. a désigné le fait d'être renversé (v. 1220) et l'action de répandre un liquide (1273). ◇ Le mot se dit couramment aujourd'hui de l'action de verser de l'argent (1695) et par métonymie (1831) du montant de la somme versée. ◆ **VERSANT** n. m. est d'abord employé dans *au versant* «en mauvaise posture», c'est-à-dire «en étant bousculée, versée» (v. 1360, Froissart), en parlant d'une troupe. Le mot a été repris comme adjectif (1718), appliqué à une voiture sujette à verser. ◇ De nouveau comme nom masculin, il désigne aussi (1800) chacune des deux pentes d'une montagne; par métaphore (1835), ***les deux versants de qqch.*** équivaut (1859) à «les deux aspects antithétiques»; par analogie, *versant* s'utilise (XXe s.) pour «pente (d'un toit)». ◆ **VERSABLE** adj. signifie d'abord «changeant», en parlant du sort (fin XIVe s., Deschamps). Ce sens a disparu. ◇ Au XIXe s., l'adjectif s'applique (1842) à une voiture qui pouvait se renverser. Il qualifie (mil. XXe s.) un liquide qui peut se verser; le contraire **INVERSABLE** adj. est attesté en 1691. ◆ **VERSE** n. f. a désigné (1552, Rabelais) une pièce d'artillerie qui renversait les murailles, emploi disparu. ◇ Le mot, par une dérivation nouvelle de *verser,* est ensuite attesté en 1640 dans *(pleuvoir) à la verse* «abondamment», d'où vient la locution adverbiale ***à verse*** (1680), toujours courante, et pour «pluie abondante» *(une verse),* éliminé par *averse* (ci-dessous). ◇ Au milieu du XIXe s., comme dérivé de *verser* dans ce sens spécial (ci-dessus), il désigne en agriculture l'état des céréales renversées sur le sol par la pluie, l'orage, emploi qui correspond à *verser,* intransitif. Il est ensuite employé comme synonyme de *versage* dans le vocabulaire des mines (XXe s.). ◇ Enfin, la locution exclamative *à la verse!,* puis *la verse!* (XXe s.), criée par les garçons pour commander un café qu'il faut «verser», s'entend encore. ◆ De *à (la) verse* vient *averse d'eau* (av. 1688, La Quintinie, là où on disait *pluie d'abat*), puis **AVERSE** n. f. «pluie soudaine et abondante» (1762), un moment en concurrence avec *verse. Averse* est aussi employé par métaphore pour «grande abondance de (qqch.)» (1842) et, au figuré (XXe s.), dans les locutions ***laisser passer l'averse*** «attendre la fin (de reproches, etc.)» et ***de la dernière averse*** «tout récent» (cf. *de la dernière pluie*).

VERSEUR, EUSE n. et adj. désigne (1547) dans le vocabulaire technique une personne qui verse (un liquide, un solide), rare dans cet emploi au féminin. Au masculin, *verseur* désigne un appareil servant à verser (1842, n. m.) et s'emploie adjectivement *(bec verseur).* ◇ **VERSEUSE** n. f. se dit (1877) d'une cafetière à poignée droite. ◆ ② **VERSÉ, ÉE** adj., terme de blason, a signifié (1671) «qui a les pointes tournées vers le bas» et s'applique (1872) à une pièce renversée par rapport à sa position normale. ◆ ② **VERSEAU** n. m., terme d'architecture (1872), à rapprocher de *versant* (ci-dessus), désigne la pente du dessus d'un entablement non couvert.

Plusieurs verbes sont formés avec *verser* et un élément initial. ◆ **REVERSER** v. tr. a d'abord signifié, sans valeur itérative, «verser (un liquide)» (v. 1260), puis «verser de nouveau (à boire)» (1549) et «verser dans le récipient d'où venait le liquide» (1611). ◇ Le verbe est sorti d'usage de même que *verser* avec la valeur correspondante, au sens technique (1773) de «transborder (des marchandises)». ◇ En parlant d'argent, il se dit pour «reporter (d'un compte sur un autre)» (1751, Voltaire). ◆ Le dérivé **REVERSOIR** n. m., terme technique (1309), désigne un barrage par-dessus lequel l'eau s'écoule en nappe. ◆ **REVERSEMENT** n. m. s'est employé pour «transbordement» (1773). En finances, le nom signifie «action de reverser» (1877 ; cf. *report*).

BOULEVERSER v. tr., composé tautologique de *bouler* (→ boule) et *verser*, a signifié (1557) «renverser, abattre (un bâtiment, une personne)» et «faire tomber à terre» (1564). ◆ *Se bouleverser* signifiait au XVIe s. et au début du XVIIe s. «se précipiter» (1574) et *bouleverser*, intransitif, «tomber en roulant» (1561) : ces deux emplois ont disparu. ◇ Puis le verbe signifie (1622) «mettre dans la confusion, modifier de façon brutale», en parlant d'une situation, d'un pays, etc. Par extension, il s'emploie aux sens de «jeter (qqn) dans le trouble» (1656, Pascal), «mettre dans le désordre» (1690, *bouleverser un terrain*). ◆ En dérivent **BOULEVERSEMENT** n. m. (1579), concret et abstrait, et **BOULEVERSANT, ANTE** adj. (1863), surtout employé au sens psychologique de «très émouvant». ◇ Ces deux mots sont très courants, à la différence de **BOULEVERSEUR** n. m. (1611), sorti d'usage.

DÉVERSER v. tr. signifie (1755) «faire couler (un liquide) d'un lieu dans un autre», plus courant au pronominal. ◇ Par figure, le verbe s'emploie (1794) pour «épancher, répandre» et, par analogie (1797), pour «laisser sortir, répandre en grandes quantités». Par extension du premier sens, *déverser* se dit (1847) d'un cours d'eau qui jette ses eaux dans une autre masse liquide. ◆ Le verbe a quelques dérivés. ◇ **DÉVERSOIR** n. m. «orifice par lequel s'écoule le trop-plein d'un réservoir, etc.» (1673), employé aussi au figuré (1840). ◆ **DÉVERSEMENT** n. m. (1801) est utilisé au propre et au figuré. ◆ **DÉVERSEUR, EUSE** adj. et n. m., terme technique (1880), est littéraire en emploi figuré (1886, *déverseur d'idées*). ◆ **DÉVERSAGE** n. m. (mil. XXe s.) est un synonyme rare de *déversement*.

◈ voir **AVERTIR, CONVERSER, CONVERTIR, DIVERTIR, DIVORCE, INTROVERTI, INVERTIR, MALVERSATION, PERVERTIR, RENVERSER, TERGIVERSER, VERSATILE, ① VERSÉ, ② VERSEAU, VERSION, VERSO, VERTÈBRE, VERTEVELLE, VERTEX, VERTIGE, VORTEX.**

VERSION n. f. est un emprunt (1270) au latin médiéval *versio, -onis*, dérivé de *versum*, supin du latin classique *vertere* «tourner», «faire tourner» et «traduire» (→ verser). *Versio*, élément nominal, n'apparaît en latin classique que dans des composés, comme *aversio* (→ aversion) ou *conversio* (→ conversion, art. convertir).

♦ Le mot apparaît avec le sens général disparu de «retournement». ◇ Repris au XVIe s., il désigne à l'époque classique l'action de traduire d'une langue dans une autre (1548), la traduction ainsi obtenue (1596), spécialement en parlant d'une ancienne traduction de la Bible (1625). Le mot est alors en concurrence avec *traduction* et *translation*. *Version* s'applique presque toujours aux textes sacrés aux XVIe s. et XVIIe s. ◇ Par extension, le mot s'emploie (1674, Mme de Sévigné) pour la manière d'interpréter, de rapporter un fait (cf. *interprétation, traduction*). ◇ *Version* se dit ensuite (av. 1699, Racine) de l'exercice scolaire qui consiste à traduire dans sa langue maternelle un texte d'une autre langue, d'abord une langue classique, latin ou grec ; le mot s'opposant alors à *thème**. ◆ D'après le premier sens, *version* désigne en médecine (1824) le changement de position que l'on imprime au fœtus pour faciliter l'accouchement. ◆ Par extension de l'idée de traduction ou d'interprétation, *version* se dit ensuite (1872) de chacun des états d'un texte qui a subi des modifications (cf. *variante*) ; de là vient l'emploi au cinéma (v. 1935) pour la rédaction des dialogues d'un film, dans ***version originale***, abrégé en ***V. O.***, et *version doublée, postsynchronisée*, qui s'y opposent.

▶ Le composé **RÉTROVERSION** n. f. ne s'emploie qu'en médecine (1783) pour parler de la position inversée du fœtus.

VERSO n. m. représente une abréviation (1663) de la locution latine *folio verso* «sur le feuillet qui est à l'envers», composée des ablatifs de *folium* «feuillet» (→ feuille) et de *versus* «tourné», participe passé de *vertere* (→ verser).

♦ Le mot désigne l'envers d'une feuille, opposé à *recto*, d'où ***au verso*** (1876) et *recto-verso* «des deux côtés». ◇ *Folio verso* a été aussi employé (1704) pour *verso*.

VERSTE n. f., adaptation (1759) des formes *virst* (1607), *veierste* (1655), *verst* (1679), aussi *werste* (1812, jusqu'en 1876), est un emprunt au russe *verstá* «virage, tournant (d'une charrue)», puis «mesure de longueur», qui correspondait à l'origine à la distance que parcourait une charrue pendant le labour, jusqu'à ce qu'elle fasse demi-tour et réeffectue la même distance en sens inverse. *Versta* est formé sur la racine *vert-* «tourner», la même que celle du latin *vertere* (→ ① vers, verser), et les suffixes (disparus) *-t-a*, °*vert-t-a* étant devenu *versta* par dissimilation.

♦ Le mot conserve le sens de l'étymon, désignant une ancienne unité de mesure itinéraire, usitée en Russie, et valant 1 067 mètres.

✳ **VERT, VERTE** adj. et n. est issu (1080) du latin *viridis* «vert, verdoyant» et par figure «frais», «vigoureux», dérivé de *virere* «être vert» en parlant des plantes, puis «être vigoureux», «être florissant», mot d'étymologie inconnue. L'italien et l'espagnol *verde*, aux deux genres, viennent aussi de *viridis*.

♦ L'adjectif, dont le féminin est *verte* (1080) ou *vert* (jusqu'au XVIe s.) et qui s'écrit aussi *verd* en ancien et en moyen français, s'applique d'abord à la couleur intermédiaire entre le bleu et le jaune, puis par extension à ce qui jette des éclats de cette couleur (v. 1155, d'une arme). ◇ Par métonymie, le nom masculin *le vert* s'emploie (v. 1200) pour «étoffe verte». En moyen français (1377), *le vert* signifie «les végétaux verts» ; il reste de ce sens plusieurs locutions apparues plus tard (ci-dessous). ◇ Comme en latin, *vert* qualifie (v. 1185) des céréales, des fruits qui ne sont pas mûrs, puis des végétaux qui ont encore de la sève (1260), opposé à *sec*.

Revenant à l'adjectif de couleur, il s'applique à des désignations spécifiques, avec un substantif, dès l'ancien français. *Sausses vers*, au pluriel (v. 1220), puis ***sauce verte*** (XIVe s.) désigne une sauce de couleur verte, préparée à l'origine avec du *verjus*.

◇ Plusieurs syntagmes s'appliquent à des végétaux (par opposition à d'autres notions exprimées à l'aide du même nom : *choux verts, salade verte, haricots verts, plantes vertes...*) et à des animaux *(grenouille, sauterelle verte...)*, ou à des objets fabriqués, par exemple l'***habit vert*** des Académiciens, ***tapis vert*** «tissu recouvrant une table de jeu» et, par métonymie, «table de jeu ou de réunion» (1765). Ces développements appartiennent au français moderne.

Plusieurs valeurs figurées se développent depuis l'ancien français. *Vert* impliquant la vigueur des végétaux, l'adjectif s'est employé (XIIIe s.) pour «courageux» puis «fidèle, dévoué»; vers la fin du XIIIe s., il s'applique à une personne jeune et saine. Cette acception est sortie d'usage, comme l'emploi pour «fort, rude» (1502), par exemple dans *verte atteinte* «coups vigoureux» (1626), sauf pour qualifier la robustesse des vieillards. *Verte vieillesse* (1532) et *vert galant** (1550) aboutissent en effet à l'emploi de l'adjectif pour caractériser une personne âgée et robuste (1626), toujours usuel *(rester vert pour son âge)*. ◇ De ces emplois provient la substantivation de *verd* (1502) pour désigner l'époque de la vie entre la jeunesse et la maturité, emploi propre au XVIe siècle. ◇ En moyen français, *verd,* adjectif appliqué aux végétaux, donne naissance à un nom féminin *verde* (1321) pour «marchande de légumes», *le vert* (1377) désignant les végétaux verts. ◇ Du vert des végétaux, couleur symbolique reprise dans l'habillement et l'ornement, vient ***prendre (qqn) sur le vert*** (1445), puis ***prendre (qqn) sans vert*** (1546) «prendre (qqn) au dépourvu»; la locution fait référence à la coutume de porter sur soi du vert le jour du premier mai; elle figure encore chez Stendhal; par ailleurs, *jouer au je vous prends sans vert* (1534, Rabelais) faisait référence à un jeu qui consistait à porter sur soi quelques feuilles vertes et à surprendre les autres en prononçant la formule consacrée; ***prendre sans vert*** a signifié par extension «prendre sur le fait» (1690). ◇ *Le vert,* au sens de «les prés, la campagne», donne naissance (1560) à la locution *laisser sur le vert* «abandonner», proprement «laisser sur le pré»; ***se mettre au vert*** «se retirer à la campagne pour se reposer», attesté en 1884, est toujours usuel. ◇ Dans un emploi analogique de celui qui concerne le végétal qui n'est pas encore mûr, l'adjectif s'applique à ce qui n'est pas prêt à être utilisé, par exemple *vin vert* (XVIe s.), d'où le *vert* du vin (1680). La locution figurée *employer le vert et le sec* «tous les moyens» (1586), correspond au «blé en herbe»; elle est sortie d'usage. ◇ *Le vert,* n. m., s'est dit aussi pour «fourrage frais» (1596).

Le XVIe s., puis la langue classique et moderne, voient un développement du sens initial de l'adjectif de couleur et de la substantivation. Celle-ci correspond à «couleur verte» (1549) et spécialement «cette couleur préparée pour la peinture ou la teinture» (1562), avec des syntagmes précisant l'origine (*vert de vessie,* dès 1549; *vert de Hongrie,* 1694), ou la nuance : *vert de mer* (1611), *vert doré* (1621), *vert obscur* (1690), *vert jaunâtre* (1740), *vert d'eau* (1766), *vert pomme* (1811), *vert amande* (1897), et *vert épinard, vert pistache, vert tilleul, vert bouteille* (XXe s.), etc. Au XIXe s., des termes de mode, comme *vert d'Isly* (1849), *vert Nil* (1883, Zola), ont eu un moment de vogue. ◇ *Vert* substantif, qualifié par un adjectif, s'emploie aussi pour caractériser une substance dont la couleur verte est notable : le marbre dans *vert antique* (1756) «marbre vert précieux, utilisé dans l'Antiquité», et *vert campan* (de *marbre vert campan,* 1816), «marbre des Pyrénées», ou encore un animal, dans *un vert doré* (1760) «oiseau-mouche de Cayenne», *vert perlé* «colibri», *vert brunet* «verdier des Indes» (1791). Ces emplois se multiplient. ◇ L'emploi de l'adjectif au sens de «qui n'est pas fait, qui n'est pas encore préparé (comme un végétal avant sa maturité)» suscite des spécialisations techniques au XVIIe s., comme *cuir vert* «non corroyé» (1604), *pierre verte* «tirée de la carrière» (1676), *poisson vert* (1690), *morue verte* «pas encore séchée» (1718). De là vient la locution adverbiale ***en vert*** (1872, *sardines en vert*). ➜ Bien que la substantivation au féminin se rattache aux emplois adjectifs, sa forme distincte lui donne une autonomie que n'a pas *vert* substantivé au masculin. Ce féminin *verte* ou *verde* apparaît au XVe s. dans une locution figurée, *en bailler de belles, des vertes et des meures* [mûres] «raconter des histoires licencieuses» (v. 1400), reprise par *en dire de toutes les couleurs* et, formellement, par ***en dire*** (ou ***en voir***) ***des vertes et des pas mûres,*** la négation portant sur *mûre* correspondant à un renforcement synonymique. ◇ Un autre emploi spécifique du nom féminin apparaît au milieu du XIXe s. où la *liqueur verte,* l'absinthe, aussi nommée ***la fée verte*** (expression encore connue), devient *la verte* (1866), mot à la mode qui entraîne des emplois imprévus de l'adjectif, comme ***heure verte*** «heure de l'apéritif, en fin d'après-midi» (v. 1900). Ces emplois ont disparu après la Première Guerre mondiale.

Langue verte, pour «argot» (av. 1840), correspond à la fois à «jargon des jeux» (à cause de *tapis vert*) et à «langue forte, rude et pittoresque». ➜ Enfin, des emplois où *vert* évoque (1954) la nature, la campagne, l'agriculture, procèdent des syntagmes comme ***l'Europe verte*** (1958), ***la révolution verte*** (des méthodes de culture), ou encore ***classe verte*** (1971) «séjours collectifs d'une classe à la campagne», ***moto verte.*** ◇ Une autre spécialisation concerne les parcs et jardins, dits ***espaces verts,*** mais *vert* conserve là une de ses valeurs anciennes «végétal». ◇ De là, l'emploi de *vert* pour «qui défend la nature, l'environnement» (1973, *manifestation verte*) et la substantivation (1978) pour «écologiste», passée comme désignation de parti politique *(les Verts)*.

▶ De nombreux dérivés de *vert* sont construits sur la forme *verd.* ➜ **VERTEMENT** adv. (1532), d'abord *verdement* (fin XVe s.), s'emploie couramment pour «avec vivacité, rudesse». ◇ Il est quasi inusité au sens initial et aux autres valeurs figurées de l'adjectif. ➜ **VERDIR** v., d'abord pronominal (attesté v. 1180) puis intransitif (1226), «devenir vert», s'emploie aussi pour «donner une couleur verte à (qqch.)» (1690) et «se couvrir de vert-de-gris» (1694, intr.), déjà «couvrir de vert-de-gris la tranche d'un livre» comme transitif (1680). ◇ Par figure, l'intransitif, avec un sujet nom de personne, signifie «devenir vert de peur» (1893). ◇ Du verbe dérivent **VER-**

DISSANT, ANTE adj. (XVIe s.), **VERDISSEMENT** n. m. (1859), littéraire ou technique, et **VERDISSAGE** n. m. (1877), rare. ◆ Le composé **REVERDIR** v., au sens courant de «redevenir vert» (v. 1132, intr.), dans le contexte de la nature printanière, s'emploie aussi transitivement pour «faire redevenir vert». Il a eu pour variante en ancien français *renverdir* (v. 1185). ◇ *Reverdir* signifie au figuré «reprendre ses forces, rajeunir» (XIVe s., attesté une fois, puis mil. XVe s.). Par figure, il s'est employé pour «se ranimer» (1560, d'une plaie; 1690, d'une maladie), mais cette acception a disparu au XVIIe siècle. ◇ L'emploi concret, pour «repeindre en vert» (1694, tr.), est devenu inusité, comme le sens figuré de «retrouver du crédit» (déb. XVIIIe s., intr.). ◇ En technique, le transitif signifie (1904) «laisser (une peau) à tanner dans le bain». ◆ Le verbe a fourni plusieurs dérivés. **REVERDIE** n. f., substantivation du participe passé, désigne (XIIIe s.), comme la variante *renverdie,* n. f. (XIIIe s.), une pièce de vers évoquant un décor printanier, dans la poésie lyrique du moyen âge; le mot s'est dit au figuré pour «joie» (v. 1270). ◆ **REVERDISSEMENT** n. m. est littéraire au propre (v. 1300) et au figuré (v. 1860). ◆ **REVERDISSAGE** n. m. est un terme technique de tannerie (1894).

VERDEUR n. f., réfection (v. 1380) de *verdur* (XIIe s., attesté isolément), puis aussi *verdor* (v. 1180), a signifié «verdure (plantes, herbes, etc.)», d'où les emplois disparus pour «état d'un bois vert» (v. 1265) et «légumes frais» (1482) : cf. ci-dessous *verdure. Verdeur* désigne encore l'acidité des fruits verts (1393), d'un vin (1611). ◇ Il est rare et littéraire au sens de «couleur verte» (XVe s.). ◆ Le mot se dit figurément (1437) de l'ardeur de la jeunesse, de la vigueur d'une personne (1580) et, par extension, du langage. Il a vieilli pour «rudesse des paroles» (1636). Le partage des acceptions entre *verdeur* et *verdure* s'est opéré pour l'essentiel au XVIIe siècle. ◆ **VERDURE** n. f. désigne les plantes, les herbes, les feuilles vertes (v. 1200), d'où l'emploi spécial (1393) pour «plante potagère que l'on mange en salade» : le cri des marchands de quatre saisons, relevé en 1821, était *à la tendresse, à la verduresse!* ◇ Par analogie, le mot s'emploie dans *tapisserie de verdure* (1464; aussi *à verdure* et, 1574, *une verdure*), «ornée d'un décor de verdure», opposé à *tapisserie à personnages,* ainsi que dans *cabinet de verdure* (1690). ◆ À côté de ces emplois, qui concernent les végétaux, *verdure* se dit (XIIIe s.) de la couleur verte, en général. ◆ Le mot s'est utilisé au sens de «vigueur (d'une personne)» (fin XIVe s.) et, comme *verdeur,* pour «acidité (d'un vin)» (1530). ◆ De *verdure* dérive **VERDURIER, IÈRE** n. «fournisseur du roi en légumes verts, salades et beurre» (1553, n. m.) et régionalement (nord de la France, Belgique) «marchand(e) de légumes» (1596, *verdurière,* n. f., 1616, n. m.).

VERDOYER v. intr., réfection (XIIIe s.) de *verdeiier* (v. 1175), signifie «devenir et se montrer vert» (1530 au pronominal, disparu). Par figure, le verbe a eu le sens de «défier, provoquer» (v. 1440). ◆ En dérivent **VERDOYANT, ANTE** adj., d'abord «de couleur verte» (1170, *verdoiant*), qui ne s'applique plus qu'aux végétaux qui verdoient (v. 1190), et **VERDOIEMENT** n. m. (1549, isolément, puis 1849, Flaubert).

① **VERDET, ETTE** adj. et n. m. s'est employé pour «verdoyant» (v. 1240). ◇ Repris au XIXe s., il désigne alors (1831) un volontaire royaliste arborant la cocarde verte, couleur du comte d'Artois. Le mot désigne aussi un jeune cerf (XIXe s.). ◆ ① **VERDIER** n. m. s'est dit (v. 1200) d'un officier des eaux et forêts, dont l'office et la juridiction étaient nommés **VERDERIE** n. f. (1317). ◇ À la Renaissance (1530) et à l'époque classique, *verdier* a désigné celui qui avait la charge des jardins. ◆ ② **VERDIER** n. m., d'abord *verder* (v. 1280), puis *verdier* (v. 1385) et *verdrier* (1557) qui disparaît à la fin du XVIIIe s., sert à dénommer un passereau à plumage verdâtre sur le dos et sur le ventre. ◆ **VERDÂTRE** adj. est relevé en 1350 (*verdastre;* 1671, *verdâtre*), appliqué à ce qui tire sur le vert. Il signifie aussi (1800) «d'une couleur plombée tirant sur le jaune», en parlant de la peau, dans la race blanche. ◆ **VERDAGE** n. m., collectif en *-age* (cf. *feuillage, herbage*...), s'est dit pour «légume» (1370), «herbage» (1732); le mot équivaut aujourd'hui en agriculture à «fourrage vert» (1842). Il s'emploie aussi pour «pacage, garde des bestiaux paissant dans un bois» (1466). ◆ ② **VERDET** n. m. est un terme technique (v. 1370) qui correspond à l'ancien provençal *verdet* (XIVe s.), désignant le vert-de-gris du commerce. ◆ **VERDERET** n. m. est un nom régional (1558) du verdier (oiseau) et d'un lézard vert (1877, aussi *verderau*). ◆ **VERDELET, ETTE** adj., diminutif de *verd,* est sorti d'usage au sens de «d'un vert tendre» (1348) et est vieilli au figuré (1547), appliqué à une personne qui est encore vigoureuse malgré l'âge, encore *verte.* L'adjectif qualifie un vin qui n'est pas encore fait (déb. XVIe s.). ◇ D'autres diminutifs, *verdot* (1610) et *verdaud* (1690) ont disparu. ◆ **VERDASSE** adj. (1649), formé avec le suffixe péjoratif *-asse,* qualifie ce qui est d'un vert désagréable. ◆ **VERDIN** n. m. (1791) désigne un passereau du Sud-Est asiatique, au plumage partiellement vert. Il est rare. ◆ **VERDIAU** n. m. est un nom régional (1872) du saule pourpre.

À partir de *vert* a été composé **VERT-DE-GRIS** adj. et n. m. inv., altération (v. 1390), d'après l'adjectif de couleur *gris,* de *vert de grece* «dépôt verdâtre qui se forme sur le cuivre» (XIIIe s., hapax), d'où *verte grez* (XIIIe s., hapax) et *vert de grice* (1314). ◇ Le mot désigne aussi (1835) une couleur analogue à celle du vert-de-gris, d'où par analogie *un vert-de-gris,* «verre d'absinthe» (1880), l'absinthe étant appelée *la liqueur, la fée verte, la verte* (ci-dessus). ◇ Pendant l'occupation allemande, *vert-de-gris* s'est dit (v. 1940, n. m.) pour «militaire allemand», à cause de la couleur de l'uniforme. ◆ Du nom dérive **SE VERT-DE-GRISER** v. pron. (1829, au participe passé adjectivé), d'emploi rare.

VIRIDE adj. est un latinisme savant (1871, Rimbaud) emprunté au latin *viridis;* équivalent littéraire de «vert», le mot est rare, de même que d'autres emprunts plus anciens à des dérivés de *viridis,* **VIRIDITÉ** n. f. «état, qualité de ce qui est vert» (v. 1508, latin *viriditas*), noté «peu usité» en 1842, et **VIRIDANT, ANTE** adj. «verdoyant» (1540), pris au latin *viridans,* participe présent de *viridere.*

VIRESCENCE n. f. est un dérivé savant du latin classique *virescere* «devenir vert», dérivé de *virere* «être vert» (de *viridis*). C'est un terme de botanique (1872) désignant la transformation des pièces florales en éléments verts. ➛ Il a fourni l'adjectif **VIRESCENT, ENTE** (déb. XXe s.).

◈ voir VERGER, VERJUS, VERTUGADIN ; ÉVERDUMER.

VERTÈBRE n. f. est un emprunt (v. 1363) au latin classique *vertebra* «articulation, jointure», d'où «vertèbre», dérivé de *vertere* «tourner», «faire tourner» (→ verser).

♦ Le mot se dit de chacun des os qui forment la colonne vertébrale.

▸ Le dérivé **VERTÉBRAL, ALE, AUX** adj. s'applique (1674) à ce qui a rapport aux vertèbres et entre dans plusieurs syntagmes, comme *artère vertébrale* (1771), *nerf vertébral* ou *colonne* vertébrale.* ➛ Cet adjectif a servi à former les composés **INTERVERTÉBRAL, ALE, AUX** adj. (1765), par exemple dans *disque intervertébral*, et **SACROVERTÉBRAL, ALE, AUX** adj. (1836), de *sacrum*. ➛ **VERTÉBRÉ, ÉE** adj. et n., terme de zoologie, qualifie (1800) les animaux qui ont des vertèbres, d'où *les* **VERTÉBRÉS** n. m. pl. (1805, Cuvier, 1806 Lamarck). Par figure, *vertébré* équivaut (XXe s.) dans un emploi littéraire à «charpenté, structuré, organisé». ◇ Le concept zoologique imposé par Cuvier et Lamarck est essentiel dans la classification des formes vivantes animales ; il est d'ailleurs contemporain de celui de biologie. L'étude générale du monde animal (zoologie) a permis de distinguer deux grands embranchements : les animaux chez lesquels le système nerveux de l'épine dorsale est protégé par l'ensemble osseux articulé et complexe des vertèbres, nommés *vertébrés*, et ceux qu'on appelait *animaux sans vertèbres*. ◇ Ce dernier concept a suscité la formation d'un adjectif préfixé, **INVERTÉBRÉ, ÉE** (1800, Cuvier), pris par Lamarck comme nom d'embranchement, les **INVERTÉBRÉS**, en 1809.

VERTÉBRO-, du radical de *vertèbre*, entre dans la composition de quelques termes de médecine, comme **VERTÉBROTHÉRAPIE** n. f. (mil. XXe s.).

◈ **VERTEVELLE** n. f., d'abord écrit *vertevele* (XIIIe s.), puis sous la forme moderne (XVe s.), est issu du latin populaire °*vertabella* «objet qui tourne», altération du bas latin *vertibula*, synonyme de *vertebra*, «vertèbre», dérivé du latin classique *vertere* «tourner», «faire tourner» (→ verser). La variante *verterelle* (XIVe s.) est formée d'après le verbe latin, au sens de «gond», et la forme altérée *vertenelle* (1691 au pluriel) est un terme de marine.

♦ Ce terme technique désigne un anneau ou crampon fixé à une porte et dans lequel glisse un verrou.

◈ voir ② VERVEUX.

VERTEX n. m., d'abord *vertiz* (v. 1120), puis *vertex* par retour au latin au XVIe s. (1575, Paré), est un emprunt au latin classique *vertex* «tourbillon (d'eau)», «sommet (de la tête, d'une montagne)» et «point culminant du ciel, pôle», employé par figure pour indiquer le degré de qqch. *Vertex*, ou *vortex* en latin ancien (→ vortex) dérive de *vertere* «tourner», «faire tourner» (→ verser).

♦ Le mot se dit dans l'usage scientifique du point le plus élevé sur la ligne médiane de la voûte du crâne. ◇ Il a été repris au XXe s. pour désigner le point de latitude maximale atteint par une ligne géodésique d'une surface de révolution.

◈ voir VERTICAL.

VERTICAL, ALE, AUX adj. et n. est un emprunt (1545) au bas latin *verticalis* «perpendiculaire au plan de l'horizon», dérivé du latin classique *vertex* (→ vertex, vortex).

♦ D'abord limité à *point vertical* «zénith», l'adjectif s'emploie seul (1587) au sens du latin, passant dans l'usage général (le concept est essentiel en construction, en architecture). En astronomie, *cercle vertical* (1611), puis *vertical* n. m. (1634), désigne le grand cercle de la sphère céleste qui contient la verticale du lieu. ◇ Par référence au latin *vertere*, l'adjectif s'est employé (1611) pour «inconstant», sens disparu. ◇ Par figure, *vertical* s'applique (v. 1960) à une organisation dont la structure repose sur une hiérarchie, spécialement en économie, par exemple dans *concentration verticale* «ascendante et descendante». Dans tous les cas, il s'oppose à *horizontal*. ➛ **VERTICALE** n. f. se dit d'une ligne verticale (1811), de la direction du fil à plomb en un lieu (1876, aussi *verticale d'un lieu*), d'où la locution adverbiale ***à la verticale*** (XXe s.) «dans une position verticale». ◇ Ce nom désigne spécialement en ski (1934) un arrangement particulier des fanions et, en alpinisme, une escalade abrupte très difficile.

▸ En dérivent **VERTICALEMENT** adv. (1546), courant pour «dans une position verticale», et **VERTICALITÉ** n. f. (1752), d'usage didactique. ➛ **VERTIPORT** n. m., américanisme, est composé (v. 1965) par découpage syllabique de *verti*[cal] et [air]*port* «aéroport» ; le mot, peu usité, désigne un terrain destiné au décollage et à l'atterrissage des engins à décollage court.

VERTICILLE n. m. est un emprunt (1622) au latin impérial *verticillus* «peson de fuseau», diminutif de *vertex*. Le mot s'est d'abord employé avec le sens du latin, sorti d'usage. Il entre ensuite dans le vocabulaire de la botanique (1694), désignant un groupe de feuilles qui naissent au même niveau sur la tige, en anneau, d'où **VERTICILLÉ, ÉE** adj. (1694). ➛ **VERTICILLIUM** n. m., mot didactique du latin des botanistes (1933), d'abord adapté en *verticillie* (1876), est tiré de *verticillus* pour désigner, par analogie de forme, un champignon parasite des vaisseaux de la pomme de terre, d'où **VERTICILLIOSE** n. f. (XXe s.), nom de la maladie.

VERTIGE n. m., réfection (1611) de *vertigine* (1363) qui vient d'une forme fléchie (génitif ou accusatif), est emprunté au latin classique *vertigo, vertiginis* «mouvement de rotation», «tournoiement», «étourdissement» et au figuré «révolution, changement», dérivé de *vertere* (→ verser). L'ancien français avait aussi *vertim* «épilepsie» (1213), *vertun* (XIIIe s.), *vertin* (v. 1250) «vertige» et (1599) «imagination, fantaisie», encore au XVIIe siècle.

♦ Le mot reprend le sens latin et s'applique à l'impression par laquelle une personne croit être animée d'un mouvement circulaire et qui s'accompagne souvent de troubles de l'équilibre ; dans ce sens, du fait de l'acception apparue au XVIIIe s. (ci-dessous), il est en général employé au pluriel *(avoir des vertiges)*. Figurément (1688), il désigne l'égarement d'une personne placée dans une situation qu'elle ne maîtrise pas, d'abord dans *esprit de vertige* (1681) «d'erreur», dans un contexte religieux. ◇ Par extension de la première acception, *vertige* s'emploie (v. 1770) pour parler de l'impression angoissante de chute que certaines personnes éprouvent au-dessus du vide, d'où la locution figurée ***à donner le vertige*** «très haut», «très impressionnant».

▸ **VERTIGINEUX, EUSE** adj., emprunt au dérivé latin classique *vertiginosus* «sujet aux vertiges», est sorti d'usage au sens latin (1377), aussi substantivé (1495, n. m.). ◇ L'adjectif s'applique aujourd'hui et depuis le XIXe s. (1839, Balzac) à ce qui donne le vertige et, par figure, équivaut à «très grand, très rapide ; étonnant» (1906). ➜ En dérive **VERTIGINEUSEMENT** adv. (1857).

VERTIGO n. m., repris (1478) au latin avec le sens de «vertige» (demeuré usuel pour le mot anglais *vertigo*), s'est employé au figuré pour «caprice, fantaisie» (1622), sens sorti d'usage au XIXe siècle. ◇ Le mot désigne (1664) une maladie du cheval qui se manifeste par des tournoiements, des mouvements désordonnés. Par extension, il s'emploie familièrement pour «tournis» (1903, Colette).

VERTU n. f. est issu (fin Xe s., *vertuol*) de *virtutem*, accusatif du latin classique *virtus* qui désigne le courage, l'énergie morale et, de là, s'emploie pour toute espèce de qualité et de mérite masculin ; utilisé quelquefois pour désigner la force, le mot s'est employé aussi à propos des plantes et des objets inanimés. *Virtus* dérive de *vir* «homme», par opposition à «femme» (→ viril) ; c'est d'abord, dans une vision sexuellement hiérarchisée de la morale, l'ensemble des qualités viriles.

♦ *Vertu* a d'abord eu le sens de «pouvoir, puissance», encore en usage courant au XVIIe s., par exemple dans la locution *faire vertu* «avoir de l'efficacité» (1643, Corneille) ; il s'est aussi empoyé dans le vocabulaire religieux du moyen âge pour «pouvoir miraculeux, miracle». ◇ À partir du XIe s., les emplois du mot reprennent ceux du latin, désignant des qualités considérées comme viriles, «courage, vaillance», «force physique», sens conservés à l'époque classique et dont procèdent *par vertu* «avec force» (1080), *de vertu* (XIVe s.), puis, à propos des membres du corps *estre hors de vertu* (XVe s.) et, au XVIIe s., *n'avoir ni force ni vertu* «aucune force», expressions toutes sorties d'usage. ◇ D'abord dans le contexte chrétien, *vertu* désigne également (v. 1155) la disposition constante à pratiquer le bien, à accomplir des actes moraux, sens demeuré vivant. En religion (v. 1160), *les vertus* désigne un des ordres de la hiérarchie céleste des anges. ◇ Depuis le XIIe s., le mot s'emploie aussi (v. 1150) pour désigner un principe qui, dans une chose, est considéré comme la cause des effets qu'elle produit, d'où l'acception de «pouvoir actif» (XIIIe s.), *avoir de la vertu* se disant par exemple d'une plante qui pousse bien. ◇ Ces emplois ont disparu, à la différence de l'acception chrétienne (v. 1265) à propos d'une disposition particulière pour accomplir une action estimée bonne par la société, spécialement en théologie dans *saintes vertus* «qualités qui portent à accomplir les devoirs de la vie chrétienne» (1273), appelées plus tard (1690) *vertus chrétiennes* ou *vertus*, traditionnellement opposées à *vices*, et dans *vertus intellectuelles* (v. 1370) «qualités qui perfectionnent la connaissance de la vie religieuse». ◇ Par spécialisation, *vertu* s'est employé (v. 1440-1475) en parlant d'un écrit, d'un acte juridique au sens de «validité» *(vertu d'un testament)*. ➜ Vers la fin du XVIe s., il s'opère un glissement, de l'idée de force au domaine de la pensée, et *vertu* s'est dit (1606) pour «signification d'un mot». Tout en conservant à l'époque classique ses valeurs physiques, le mot développe alors des connotations morales nouvelles venues du vocabulaire religieux ; le mot équivaut alors à «force morale» (1634) puis, en parlant d'une femme, à «chasteté» (1677), ironique dans ***dragon de vertu*** (1662, Molière), «femme qui garde farouchement sa vertu», locution vieillie. Par métonymie, *une vertu* désigne en français classique «une femme chaste». L'expression *de moyenne vertu* (1732) remplacée par ***de petite vertu,*** locution adjective, s'est appliquée à une femme de mœurs légères (spécialement en parlant d'une prostituée), ainsi que ***prix de vertu*** (attesté en 1820), qu'on décernait à une jeune fille chaste ; l'expression a pris par métonymie le sens de «femme qui mériterait ce prix». ◇ Dans l'acception générale et abstraite de «pouvoir, possibilité», ***en vertu de,*** locution prépositive, signifie «en conséquence» (1659) ; il a remplacé *par la vertu de* (1283). ◇ *Vertu* a été, pendant la Révolution, le nom d'une figure des jeux de cartes, remplaçant les *dames*, terme considéré comme aristocratique. ◇ Le mot s'emploie également pour la représentation symbolique d'une vertu chrétienne (av. 1837, Musset).

▸ **VERTUEUX, EUSE** adj., d'abord *vertuus* (1080), *vertuos* (v. 1160), sous la forme moderne au XIVe s. (XIIIe s., d'après l'adverbe, ci-dessous), s'est dit pour «vigoureux, vaillant» jusqu'au XVIIe s., puis pour «énergique» (v. 1160) et pour «efficace» (XIIe s.) en parlant d'un remède. ◇ L'adjectif signifie ensuite «qui a de la vertu» (v. 1225) et s'applique à une femme chaste (1374), acception aujourd'hui vieillie ou utilisée par plaisanterie. ◇ Il n'est plus usité que dans le vocabulaire religieux pour qualifier une personne qui fait habituellement le bien (XVe s.) et il qualifie ce qui a le caractère de la vertu (1640), dans un style soutenu. ➜ **VERTUEUSEMENT** adv., apparu sous la forme *vertuusement* (1080), puis *vertuosement* (v. 1170) et sous la forme moderne au XIIIe s., était sorti d'usage au XVIIe s. au sens de «courageusement». ◇ Aujourd'hui, l'adverbe équivaut à «d'une manière vertueuse, morale» (v. 1265).

Plusieurs jurons sortis d'usage représentent des altérations euphémistiques de *vertu de Dieu !* «par la vertu de Dieu !» (forme attestée en 1546, puis au XIXe s., chez Chateaubriand) : outre *vertudieu*, **TUDIEU** (XVe s.), **VERTUBIEU** (1460), **VARTIGUÉ**

(1640), altération rurale, **VERTUCHOU** (1616; aussi **TUCHOU**, 1700), **VERTUBLEU** (1548); aussi **TUBLEU** (1835) précédé par le calembour *vert et bleu* (1546) ont successivement ou simultanément eu cours. Ils ont tous disparu au XIXe s.

◈ voir **ÉVERTUER (S')**, **VIRTUEL**, **VIRTUOSE**.

VERTUGADIN n. m. est un dérivé (1604) de *vertugade* n. f. (1544), aussi sous la forme *vertugale* (1534), *vertugade* (1544); ce mot, qui a subi l'influence de *vertu*, est un emprunt à l'espagnol *verdugado*, dérivé de *verdugo* «baguette (verte)», lui-même de *verde*, du latin classique *viridis* (→ vert).

♦ *Vertugadin*, comme *vertugade*, et comme *vertugado* en espagnol, désignait dans la langue classique un bourrelet porté autour des hanches pour faire bouffer la jupe et, par métonymie, la robe munie de ce bourrelet. L'initiale *vertu-* a dû jouer un rôle dans l'usage du mot, le vertugadin ayant la réputation de dissimuler les formes des femmes enceintes (une paronymie du genre *garde-vertu* n'est pas impossible). Cet objet de mode, très employé sous le règne d'Henri IV, a disparu avant le milieu du XVIIe siècle. Le mot a signifié par extension «chose surannée» (1705), qui marque le vieillissement du sens propre. ◇ Par analogie de forme, il s'est dit (1694) d'un glacis de gazon en amphithéâtre, dans un jardin à la française.

◈ **VERVE** n. f. est issu (1167) du latin populaire °*verva*, variante de °*verba* «parole de fantaisie», pluriel pris pour un féminin singulier du latin classique *verbum* (→ verbe).

♦ Le mot a eu en ancien français des sens variés, liés à la valeur générale de «parole». Il a d'abord signifié «proverbe», puis «exposé que fait un messager» (1205) et, au XIIIe s., «manière de faire qqch.», *dure verve* se disant d'une situation pénible. En ancien français, il signifie cependant aussi «inspiration». ◇ *Verve* se dit ensuite (v. 1450) pour «caprice», sens disparu, et «fantaisie créatrice», cette acception existant encore dans des emplois littéraires. ◆ Le mot désigne depuis le début du XVIIe s. (1608) l'imagination et la fantaisie dans la parole, d'où ***écrire de verve*** «dans le feu de l'imagination» (1767), expression sortie d'usage, et ***être en verve*** «manifester son esprit». Le mot, dans ce sens, est toujours en usage, mais il est archaïque au sens de «fougue, vivacité» (v. 1790).

▸ ① **VERVEUX, EUSE** adj., apparu avec les sens de «capricieux» (1559), «en proie à l'imagination» (1584), disparus pendant la période classique, a été repris (1801) à propos d'une personne, d'un écrit, etc. qui a de la verve, emploi littéraire. ◆ L'adverbe dérivé **VERVEUSEMENT** (1871, Goncourt) est rare.

◈ **VERVEINE** n. f. est issu (XIIe s., *vervaenna*, puis 1259, écrit *vervainne*) du latin populaire °*vervena*, altération du latin classique *verbena* surtout employé au pluriel *verbenae*, qui désignait des rameaux d'olivier, de laurier, de myrte portés en couronnes par les prêtres dans les sacrifices, et les herbes sacrées avec lesquelles le roi frappait symboliquement un traité; le mot a désigné ensuite d'autres plantes médicinales, dont la verveine (cf. italien, espagnol et portugais *verbena*). Le latin *verbena*, féminin d'une forme populaire °*verbenus*, dérive d'un ancien latin °*verbos* «coup» et est analysé par °*verbes-na herba* «herbe des coups» (→ réverbérer). Les formes *verbene* (1542), *verbaine* (1600) représentent des réfections étymologiques sans lendemain.

♦ Le mot désigne une plante dont une espèce courante a des vertus calmantes. *Verveine odorante* est l'un des noms de la citronnelle (1845). Par extension, *verveine* s'emploie pour «infusion de verveine» (1826), «parfum extrait de la verveine» (1842), et aussi «liqueur de verveine» (1904).

▸ **VERBÉNACÉES** n. f. pl. (1806, Jussieu), terme de botanique, dérive du latin *verbena*.

① **VERVEUX** → **VERVE**

◈ ② **VERVEUX** n. m., attesté sous la forme *vrevieux* en 1313, puis *vervieulx* (v. 1350), refait avec le suffixe *-eux* en 1428, représente le pluriel pris pour un singulier d'une forme *verveil*, qu'on ne relève qu'en 1611, issue du latin populaire °*vertibiculum*, variante de °*vertibellum* «objet qui tourne», «objet circulaire» (attesté par la variante *vertebolum* dans la *Loi salique*), dérivé du bas latin *vertibulum* «vertèbre» (→ vertevelle).

♦ Le mot se dit d'un filet monté sur des cercles et fermé au fond, en forme d'entonnoir. ◇ Par analogie, il a désigné un panier d'osier haut et rond (1680), et spécialement un panier conique qu'on attachait au bât des bêtes de somme (1690).

VÉSANIE n. f., attesté isolément vers 1480 puis en 1596 et repris à la fin du XVIIIe s., est emprunté au latin classique *vesania* «folie, délire, extravagance», dérivé de *vesanus* «qui n'a pas son bon sens, fou», employé aussi en parlant de choses; cet adjectif est composé de *ue- (ve-)*, particule privative que l'on retrouve probablement dans *vehemens* (→ véhément), et de *sanus* «sain*»; il correspond à *insane*.

♦ Le mot, qui a conservé le sens de l'étymon, est sorti d'usage en médecine, comme le dérivé **VÉSANIQUE** adj. (1832). C'est un synonyme littéraire et rare de *folie* au sens large.

◈ **VESCE** n. f. (apr. 1150), aussi *vesse* (1530) à l'époque classique, est issu du latin classique *vicia*, *viscia*, désignant une plante herbacée commune à vrilles fleuries mais sans correspondant dans d'autres langues.

♦ Le mot conserve le sens du latin; on oppose la *vesce sauvage* à la *vesce cultivée*, utilisée comme fourrage vert.

▸ Le dérivé **VESCERON** n. m. (1543), s'applique à la vesce sauvage.

VÉSICATOIRE adj. a été dérivé savamment (v. 1363) du bas latin médical *vesicare* «former des ampoules», lui-même dérivé du latin classique *vesica* «ampoule», qui a donné *vessie**.

♦ L'adjectif se dit d'un médicament topique qui, appliqué sur la peau, provoque la formation d'ampoules et est utilisé comme révulsif. ◇ Il est substantivé pour désigner ce médicament (1611, n. m.). Le nom s'emploie moins couramment (1814) pour désigner la plaie causée par le vésicatoire.

▸ **VÉSICANT, ANTE** adj. et n. m. est formé (v. 1363; 1478 selon T. L. F.) à partir de *vesicans*, participe présent du verbe latin, et est rare avant 1812. ◇ L'adjectif qualifie en médecine ce qui produit des ampoules sur la peau, puis se dit (XXe s.) d'un gaz qui provoque des lésions de la peau, des muqueuses, par exemple l'ypérite. ◆ Sur le radical a été formé (XXe s.) **VÉSICATEUR** n. m., synonyme de *vésicatoire*. ◆ **VÉSICATION** n. f., dérivé savant (v. 1363 [1478 selon T.L.F.]) de *vesicare*, se dit de l'action produite par un vésicatoire.

VÉSICULE n. f. est emprunté (1541) au latin classique *vesicula* «vessie», «gousse (d'une plante)», diminutif de *vesica*. ◆ Le mot désigne plusieurs organes en forme de petit sac, notamment dans *vésicule biliaire* (1812), appelée absolument *vésicule*. ◇ En botanique, il se dit (1771) d'une partie renflée en forme de vessie, spécialement en parlant des plantes aquatiques (1812); il ne s'emploie plus en zoologie pour la vessie natatoire des poissons (1835). ◇ *Vésicule* a été repris en médecine (1870), désignant une lésion de la peau contenant une sérosité. ◆ Les dérivés **VÉSICULAIRE** adj. (1743; 1861, *râle vésiculaire*) et **VÉSICULEUX, EUSE** adj. (1752) sont didactiques.

VESPASIENNE

VESPASIENNE n. f. a été formé (1834) à partir du nom de *Vespasien*, empereur romain (9-79) dont le nom latin est *Flavius Vespasianus*, à qui l'on avait attribué à tort l'établissement d'urinoirs publics à Rome. En réalité, Vespasien a institué un impôt sur la collecte de l'urine, que les foulons utilisaient comme source d'ammoniac.

♦ Le mot, défini en 1834 comme «voiture à commodités», reçoit dans le dictionnaire de Landais sa valeur moderne. Il se dit d'un urinoir public pour hommes. La première attestation correspond à un projet de voitures que l'on essaya d'établir à Paris sur les grandes artères de communication. ◇ On a aussi employé au XIXe s. *colonnes vespasiennes* (1851) pour désigner ces édicules dont le nom courant fut rapidement *colonnes Rambuteau*, parce qu'ils avaient été créés par le préfet Rambuteau.

VESPERTILION

VESPERTILION n. m. est un emprunt, d'abord (v. 1350) adapté en *vespertille*, puis conforme à l'étymon (1544, M. Scève), au latin classique *vespertilio, -onis* «chauve-souris», sans doute dérivé d'un adjectif °*vespertilis*, lui-même de *vesper* «soir» (→ vêpres).

♦ Le mot désigne en zoologie un type de chauve-souris à oreilles pointues, museau conique et ailes courtes et larges.

▸ Le français a par ailleurs emprunté **PIPISTRELLE** n. f. (1812), «sorte de petite chauve-souris», à l'italien *pipistrello*, altération d'un ancien *vipistrello*, lui-même déformation du latin classique *vespertilio*.

VESPERTILIO n. m. a été repris (1904), en médecine, pour désigner une dermatose qui se développe de façon symétrique sur le visage et prend une forme qui évoque une chauve-souris aux ailes déployées.

VESSE

VESSE n. f. est dérivé (av. 1420) du verbe moyen français *vessir*, attesté en 1461 mais plus ancien, issu du bas latin *vissire*, variante du latin classique *visire*, mot expressif de même sens, «faire un pet silencieux».

♦ Le mot est vieilli pour «gaz intestinal émis sans bruit» (distingué de *pet*); l'expression vulgaire *panier à vesses*, «cul», a disparu (1611). ◇ *Vesse* a eu diverses acceptions sorties d'usage : «femme de mauvaise vie» (1507), «femme vantarde, vaniteuse» (1660). ◇ Le sens de «grande peur» (1847, *avoir la vesse*), allusion aux effets de la peur, est à rapprocher de *trouille, colique*.

▸ Le verbe intransitif **VESSER** représente une altération de *vessir;* repéré isolément au XIIIe s., repris en 1608, *vesser* s'est employé jusqu'au XIXe siècle.

VESPÉTRO n. m., composé de *ves*[ser], *pét*[er] et *ro*[ter], a désigné (1752) une liqueur «carminative» faite d'eau-de-vie sucrée où macéraient de l'anis, de l'angélique, etc.

Vesse entre dans la composition de **VESSE-DE-LOUP** n. f. (1530), de *loup*, nom commun du lycoperdon (ce nom correspond à la même métaphore), champignon qui renferme des spores grisâtres; le mot a aussi désigné une sorte de beignet rond (1750), cf. *pet-de-nonne*.

◈ voir VENETTE, VISION.

VESSIE

VESSIE n. f. est issu (fin XIIe s.) du latin populaire °*vessica*, altération du latin classique *vesica* «vessie» et «objet, bourse en peau de vessie», d'où par figure «ampoule», «tumeur», et aussi «vulve d'une femme» et, abstraitement, «enflure du style». *Vesica* est apparenté au sanskrit *vastiḥ*, de même sens, et à l'ancien haut allemand *wanst* «panse».

♦ Le mot apparaît chez Jean Bodel (*Jeu de Saint Nicolas*) au sens figuré de «chose sans importance», comme si elle était emplie d'air. ◆ Il désigne aussi et surtout, comme en latin (XIIIe s.), chez l'homme et certains animaux, le réservoir musculo-membraneux dans lequel s'accumule l'urine et aussi cet organe, tiré du corps d'un animal, lorsqu'il est desséché et empli d'air. Ce sens est attesté en médecine au début du XIVe siècle. ◇ Par extension, il désigne aussi (1690) une membrane gonflée d'air, quelle qu'en soit la matière placée à l'intérieur de la membrane d'un ballon. Le mot s'est dit (XIVe s.), comme en latin, d'une ampoule sur la peau. ◆ ***Vessie natatoire*** (fin XVIIIe s.) s'applique par analogie au sac membraneux de certains poissons qui règle l'équilibre de l'animal dans l'eau; on a dit aussi *vésicule aérienne* (1835). ◆ La locution ***prendre des vessies pour des lanternes***, «se tromper grossièrement», attestée sous cette forme au XIXe s., représente l'altération d'une locution très ancienne, *vendre vessie pour lanterne* puis *faire de vessies lanternes;* la vessie gonflée d'air vaut encore moins que la lanterne, ces deux objets étant comparés pour leur forme et leur translucidité. *Vessie* s'est substitué (XVIe s.) à *vendre la vessée* (de *vessier, vescier* «faire gonfler»).

▸ **VÉSICAL, ALE, AUX** adj., emprunt au dérivé bas latin *vesicalis,* a signifié «en forme d'ampoule» (1478). Il qualifie en anatomie (1821) ce qui a rapport à la vessie. ◆ **VESSIGON** n. m., emprunt (1598) à l'italien *vescicone,* terme de l'art vétérinaire (av. 1566), proprement «grosse vessie», dérivé de *vescica* «vessie», du latin classique *vesica,* désigne une tumeur du jarret chez le cheval.

◈ voir VÉSICATOIRE.

VESTALE n. f. est emprunté, d'abord comme adjectif (1352-1356, *vierge vestale*) puis (1537) comme nom féminin, au latin classique *vestalis* «prêtresse de Vesta», de *Vesta,* nom de la déesse du foyer domestique; le foyer sacré de la cité était entretenu en permanence par des prêtresses choisies très jeunes et vouées à la chasteté. On a proposé de rapprocher *Vesta* du grec *estia* «foyer de la maison», «autel avec du feu» et on a dégagé une racine indoeuropéenne °*wes-* «brûler», qui serait attestée dans les langues germaniques (ancien haut allemand *wasal* «feu»).

♦ Le mot, qui conserve le sens du latin, s'emploie à propos de l'Antiquité romaine; dans un emploi analogique et littéraire, il s'est dit (v. 1544) pour «religieuse chrétienne». Au figuré, et souvent plaisamment, *vestale* signifie «femme d'une parfaite chasteté», emploi littéraire ou comique, enregistré par Richelet (1680). ◇ Par une antiphrase courante dans ce domaine, *vestale du Marais,* puis *vestale* (1704), s'est employé pour «prostituée»; on a dit aussi *antivestale,* au XVIIIe s.; ces valeurs ont disparu au XIXe siècle.

▸ **VESTALIES** n. f. pl., emprunt (1803) au latin classique *vestalia,* neutre substantivé de l'adjectif *vestalis,* désigne les fêtes célébrées le 7 juin en l'honneur de Vesta; le mot est didactique. Il a remplacé *fêtes vestales* (1552, Rabelais), *les vestales* n. f. pl. (1564, Rabelais).

VESTE n. f. est un emprunt (1578) à l'italien *veste* «habit», du latin classique *vestis* «vêtement, habit, costume», probablement à l'origine «façon de se vêtir»; *vestis* a pris par analogie de nombreux sens, en latin classique «tapis», appelé aussi *stragula vestis,* proprement «vêtement qu'on étend», puis «voile de femme», au figuré «dépouille du serpent». Le mot latin repose sur une racine qu'on trouve dans *exuere* «dépouiller, dévêtir», *induere* «revêtir», et dans d'autres verbes du domaine indoeuropéen.

♦ Le mot a d'abord désigné un vêtement à quatre pans descendant jusqu'aux genoux, qui se portait sous l'habit, puis l'habit long que les Orientaux portaient sous leur robe (1670), et aussi le costume de drap de diverses armées (1793) ainsi qu'un vêtement de dessus s'arrêtant aux hanches, porté par les laquais pendant la belle saison (1778, Beaumarchais), et dans certaines professions (*cuisiniers en veste blanche,* 1783, Mercier). ◇ De ces emplois spéciaux vient la généralisation (1820 : *la veste nouvelle*) pour le vêtement court, muni de manches et porté avec un pantalon. ◇ *Veste* entre dans la locution figurée ***remporter (ramasser, prendre) une veste,*** «subir un échec» (1866), d'abord en parlant des élections, puis étendu à d'autres contextes; la locution vient peut-être d'un jeu de mots avec *capote,* terme de jeux de cartes, dans la locution *être capot* «être vaincu» (→ capot). ***Retourner sa veste,*** «changer totalement d'opinion, de parti», métaphore beaucoup plus claire, est attesté en 1870, cf. *tourner casaque**.

▸ Le dérivé **VESTON** n. m. désignait autrefois (1769) un vêtement d'homme plus court que la veste. ◇ Le mot, d'abord très rare, se diffuse avec la «veste nouvelle» (ci-dessus), ceci vers le milieu du XIXe s., et d'abord dans des contextes spéciaux (*veston de jockey,* 1855, *de boulanger,* 1858, dans le *Journal* des Goncourt) et en emploi général (1858, *ibid.*). Les contextes, jusqu'en 1914, en font un vêtement très modeste, avant l'expression *complet veston.* Le veston et la cravate sont devenus les symboles du vêtement masculin bourgeois.

SOUBREVESTE n. f. est emprunté (XVe s.) avec adaptation à l'italien *sopraveste* qui correspond à l'ancien provençal *sobravesta* «vêtement de cérémonie» (XVIe s.), mot composé de *sopra* «par-dessus», issu du latin classique *supra* (→ sur), et de *veste,* du latin classique *vestis* comme le français *veste.* ◆ Le mot désignait une longue veste sans manches, que portaient les mousquetaires, les chevaliers de Malte. ◇ La forme italianisée *sopraveste* (av. 1896, Goncourt) est très didactique.

◈ voir VESTIAIRE, VÊTEMENT, VÊTIR.

VESTIAIRE n. m., d'abord écrit *vestuaire* (v. 1200) sous l'influence de *vestu (vêtu),* puis *viestiaire* (fin XIIIe s.) et *vestiaire* (v. 1372, Froissart), est un emprunt au latin classique *vestiarum* «armoire, coffre pour ranger les vêtements», «garde-robe», dérivé de *vestis* (→ veste).

♦ Le mot a désigné l'armoire où l'on rangeait les habits sacerdotaux, puis a pris le sens technique (1360) de «dépense faite pour les habits religieux». *Vestiaire* se dit aussi du lieu où sont déposés les vêtements des personnes appartenant à une communauté (1765). ◆ Le mot s'est aussi employé comme adjectif, qualifiant ce qui sert de vêtement (1492, *robe vestuaire*), puis ce qui a rapport aux vêtements (1764, *meuble vestiaire*). ◇ En histoire (1721), le *vestiaire* est le nom de l'officier du palais byzantin chargé de la garde des habits de l'empereur. ◆ Au XIXe s., le mot s'emploie (1831, Nodier) comme en latin pour l'ensemble des vêtements d'une garde-robe (cf. *garde-robe,* avec la même valeur métonymique). ◇ Il désigne couramment (1832) le lieu où les comédiens s'habillent pour la scène, puis (1867 chez Taine), avec la même valeur que dans l'emploi religieux (ci-dessus), le lieu où l'on dépose momentanément des vêtements d'extérieur ou des objets, dans certains établissements publics et, par métonymie (XXe s.), ce qui est déposé au vestiaire. L'expression familière, ***au vestiaire !,*** cri hostile à l'adresse de sportifs, d'acteurs, etc., jugés médiocres, est parallèle à l'emploi synonymique de *allez (va) vous (te) rhabiller.*

VESTIBULE n. m., réfection savante (av. 1483) de *vestible* (XIIIe s.), a subi l'influence de l'italien *vestibulo* et du mot latin. C'est un emprunt au latin classique *vestibulum* «pièce d'entrée d'un édifice», «entrée», en général et, au figuré, «début». L'origine du mot, malgré une explication ingénieuse par °*vero-stabulum* «emplacement de la porte», n'a pas été élucidé.

♦ Le mot, qui apparaît avec la forme moderne et une valeur figurée chez J. Molinet, puis dans la traduction de l'*Énéide* par O. de Saint-Gelais (1500), conserve le sens du latin, «pièce d'entrée». ➜ Par analogie, il s'emploie en anatomie, désignant la partie moyenne du labyrinthe de l'oreille interne (1690) et, chez la femme, la dépression vulvaire que délimitent latéralement les petites lèvres (1835).

▶ Le dérivé **VESTIBULAIRE** adj. est un terme d'anatomie (1824), surtout employé à propos du vestibule de l'oreille.

VESTIGE n. m., attesté en 1377 (Oresme), est emprunté au latin classique *vestigium* «semelle ou plante du pied», d'où en poésie «pied», et couramment «trace de pas», puis «trace, empreinte» et «reste qui constitue un indice du passé». Ce nom est un dérivé de *vestigare* «suivre à la trace», «traquer», par extension «aller à la recherche ou à la découverte de qqch.», verbe sans étymologie connue.

♦ Le mot est d'abord attesté au singulier (1377), désignant abstraitement ce qui reste d'une idée, d'un sentiment, etc., puis, avec la même valeur, le pluriel (1462) l'emporte. ◇ Le mot est sorti d'usage au sens latin de «traces de pas» (v. 1488; 1441, *vestigies*). ◇ Il désigne depuis la fin du XVᵉ s. ce qui demeure d'une chose détruite, une ruine (1491), puis les restes d'une société. Il s'emploie familièrement par plaisanterie dans ***de beaux vestiges*** «des restes de beauté» (attesté mil. XIXᵉ s.).

◈ voir INVESTIGATION.

VÊTEMENT n. m., d'abord *vestiment* (v. 980) puis *vestement* (1080), écrit au XVIIᵉ s. *vêtemant* (1636) et *vêtement* (1671), est dérivé de *vêtir** d'après le latin classique *vestimentum* «vêtement» puis «couverture», qui a donné l'italien *vestimento*, l'espagnol et le portugais *vestimenta*. *Vestimentum* est dérivé de *vestis* (→ veste).

♦ Le mot désigne dans ses premiers emplois tout ce qui sert à couvrir le corps, emploi aujourd'hui didactique au singulier, *le vêtement* servant également à désigner ce qui protège, pare le corps (coiffure, chaussure, etc.). ◇ *Vêtement* est usité couramment au pluriel, avec une valeur générale et une valeur spéciale, où il s'oppose à *sous-vêtements* (ci-dessous). ◇ Le singulier collectif équivaut à «vêtements»; cet emploi est attesté sous la forme du féminin *vestemente* dès l'ancien français (v. 1200). ◇ Par figure, *vêtement* se dit (déb. XIIIᵉ s.) comme *manteau, parure*, de ce qui cache, protège, couvre.

▶ **VESTIMENTAIRE** adj. a été formé au XIXᵉ s. (1830, Balzac) à partir de l'adjectif latin classique *vestimentarius* «relatif aux vêtements», dérivé de *vestimentum*. Il en conserve le sens, remplaçant *vestimental* adj. (1832), dérivé savant du latin.

SOUS-VÊTEMENT n. m. est employé (1907) surtout au pluriel, en parlant des vêtements de dessous. ◇ L'ancien français *souvistement*, n. m. (1205), «travestissement», sorti d'usage en moyen français, n'a pas de rapport historique. ➜ **SURVÊTEMENT** n. m. dérive (1829) d'un verbe disparu *survêtir* (1549) «vêtir par-dessus», en termes de religion. Au XXᵉ s., le mot s'est diffusé dans le contexte du sport, devenant usuel, aussi abrégé en *survêt'*.

VÉTÉRAN n. m., (1520), aussi adjectif, est un emprunt au latin classique *veteranus* «vieux, ancien» (n. m.), terme de la langue rustique et militaire, dérivé de *vetus, veteris* «ancien», qui a donné *vieux**.

♦ L'adjectif s'est employé à propos de l'Antiquité romaine dans *loyer veterane*, «salaire accordé aux anciens soldats», puis dans *soldat veterane* (1602), devenu *soldat vétéran* (1694) «ayant obtenu son congé après un long service», alors synonyme de *un vétéran* (1520, *veterain*), employé pour la réalité contemporaine. Par analogie, le mot s'est dit (1627) d'un magistrat qui, ayant achevé son service, jouit encore des prérogatives de sa charge, et pour «élève qui redouble sa classe» (1680), emploi sorti d'usage. ◇ *Vétéran* s'emploie aussi (1740) en parlant d'une personne pleine d'expérience dans un domaine. ◇ Sous la Révolution, le mot a désigné (1791) un soldat âgé qui servait dans des compagnies spéciales et, au XIXᵉ s. (1872), un ancien soldat réformé. ◇ Par analogie, le mot se dit (1885) d'un sportif ayant dépassé l'âge de la catégorie des seniors (35 ans).

▶ **VÉTÉRANCE** n. f. (1705), «état de vétéran», est sorti d'usage ainsi que la variante **VÉTÉRANISME** n. m. (1719).

VÉTÉRINAIRE adj. et n. a été emprunté (1563, adj.) au latin classique *veterinarius* «relatif aux bêtes de somme», substantivé pour «personne qui soigne les animaux». Le mot est dérivé de *veterina* «bêtes de somme, de trait», pluriel neutre substantivé de *veterinus* «propre à porter les fardeaux», qui est peut-être dérivé de *vetus, veteris* (→ vieux), les animaux âgés, impropres à la course et à la guerre, étant affectés au transport.

♦ Le nom (1571) et l'expression *médecin vétérinaire*, d'emploi courant, désigne un spécialiste de la médecine des animaux d'élevage, puis de tous les animaux considérés par l'homme (domestiques, dressés, montrés...). De là *un, une vétérinaire*, n. ◇ L'adjectif s'emploie dans divers syntagmes, comme *art vétérinaire* (1563), *école vétérinaire* (1761) et *médecine vétérinaire* (1798). ◇ *Vétérinaire* n. f. s'est dit spécialement (1765) de l'art de traiter les chevaux. ➜ Le nom masculin et féminin, très usuel, est parfois abrégé et suffixé en *-o* : *un* **VÉTO**, familier.

VÉTILLER, verbe attesté tardivement (1606), dérive de l'ancien français *vete* «courroie» (v. 1180) puis «lien, ruban» (1449), issu du latin classique *vitta* «ruban servant à maintenir la coiffure», de la famille du verbe *viere* «courber», «tresser». Le mot latin a par ailleurs été emprunté sous les formes *vite* (1392), *vitte* (v. 1500) «bandelette», sorties d'usage. *Viere* repose sur une racine indoeuropéenne représentée par le sanskrit *vyáyati* «il enveloppe», le grec *itea* «saule», des termes slaves et germaniques. En latin même, il y a parenté avec *vitis* (→ vis) par l'idée de «vrille» (→ viticole, vrille).

♦ *Vétiller* signifiait «flotter» en parlant des cheveux en désordre, «s'occuper à des choses insignifiantes» (1606), «chercher querelle sur des riens» (1671).

▶ Le verbe a pour dérivé un substantif encore vivant, **VÉTILLE** n. f. (1528, sens obscur, puis 1538, «chicane»). Le mot, d'emploi littéraire, équivaut à «chose insignifiante» (1611). Il est le plus souvent employé au pluriel, comme *bagatelle, broutille,* etc. ◇ Il a désigné un jeu de patience consistant en des anneaux entrelacés très difficiles à séparer (1611) et, dans le vocabulaire technique (1765), le petit anneau qui reçoit le fil dans un rouet.

Le dérivé **VÉTILLEUX, EUSE** adj. s'applique à une personne qui s'attache à des détails (1642). L'adjectif a qualifié (1692) un ouvrage qui demande des soins minutieux et (1732) ce qui est réglé minutieusement. On dit aussi en ce sens **VÉTILLEUR, EUSE** adj. et n. (1642). ◆ Un autre synonyme **VÉTILLARD, ARDE** adj. et n. (1640), est sorti d'usage.

✳ **VÊTIR** v. tr. (v. 980, *vestir,* encore au XVIIIe s. ; v. 1155, *vêtir*) est issu du latin classique *vestire* «vêtir, habiller» au propre et au figuré, d'où «recouvrir, entourer, garnir», dérivé de *vestis* (→ veste, vêtement).

♦ Le verbe a conservé sa valeur initiale de «mettre sur soi (un vêtement)» (v. 980), aujourd'hui archaïque ou littéraire (cf. ci-dessous *revêtir*), puis (fin Xe s.) de «couvrir (qqn) de vêtements» ; il est plus usité en emploi pronominal (v. 1145), mais *s'habiller* est plus courant. ◆ *Vêtir* a eu en ancien français et en français classique de nombreuses acceptions qui ont disparu, souvent reprises par *revêtir.* Dans la *Chanson de Roland* (1080) il est employé au figuré pour «mettre (qqn) en possession (de qqch.)», encore en usage au XVIIIe s., d'où *se vêtir de* «se saisir de» (1440-1475) et *être vêtu d'une charge* «en être le titulaire» (1690). ◇ Il a signifié aussi «assumer un rôle» (v. 1265), encore au XVIIe s. (Molière). Il s'est dit spécialement au XIVe s. pour «revêtir l'habit religieux» (v. 1340) et pour «orner, parer» (1373). ◆ À partir du XIIIe s. (v. 1210), il correspond aussi à «procurer des vêtements à (qqn)», sens resté vivant *(vêtir ceux qui sont nus).* ◆ En technique, *vêtir* a signifié «garnir de toiles (les ailes d'un moulin à vent)» (1680), d'où *être vêtu comme un moulin à vent* «être habillé en toile» (1680), locution disparue.

▶ Le dérivé *vêtement (vestement)* a subi l'influence du latin *vestimentum* (→ vêtement). ◆ Le dérivé suffixé **VÊTURE** n. f., *vesteure* (v. 1155) au sens général de «vêtement», s'est employé figurément pour «investiture» (1242), acception encore relevée au XVIIe s., et pour «droit pour une investiture» (1291). Le mot a désigné un habit monacal (XIVe s.). ◇ Par analogie, il s'est employé pour une étoffe dont on recouvre une muraille, une tenture (1419). ◆ En ancien français et régionalement (1255 dans le nord de la France, sous la forme *viesture*), il se dit de la récolte sur pied, qui «revêt» le sol (*vêture,* 1444), sens qui correspond à l'ancien provençal *vestir* «cultiver (la terre), faire pousser» (XIIe s.). ◆ Il est sorti d'usage comme nom d'action pour «action de vêtir» (1611, *vesture*) mais, en religion, il désigne (1680) encore aujourd'hui la prise d'habit par laquelle commence le noviciat.

VÊTU, UE adj. est d'abord attesté dans des emplois figurés, avec la valeur de «couvert» ; il signifie en français ancien «peuplé» (de la terre) [v. 1155], «épais» (d'une foule) [1165-1170], *rue vestue* se disant à la même époque pour «bordée de maisons», tous emplois disparus. ◇ Au sens propre, l'adjectif est attesté vers 1165. Il s'est appliqué (1258) à qqn qui a revêtu l'habit religieux. ◇ Au figuré, *la cour vêtue* (1283, *courts vestue*) s'est dit des juges siégeant au complet à leur tribunal. ◇ ***Court vêtu*** «qui a des vêtements courts», est toujours en usage, surtout en parlant d'une femme ; *long vestu,* n. m., «clerc» (1404) a disparu. ◇ En termes de blason, *écu vêtu* (1690, aussi n. m.) désignait un écu qui comporte un «vêtement» (habillage) d'un émail particulier.

Le verbe préfixé **REVÊTIR** v. tr. est relevé à la fin du Xe s. *(revestir)* pour «donner des vêtements à (qqn qui en manque)», sens tiré du latin chrétien et aujourd'hui archaïque. Le verbe signifie aussi dès le XIe s. (v. 1050) «couvrir (qqn)», ou «se couvrir» (d'un vêtement particulier), surtout d'un vêtement de cérémonie ou signe d'une fonction, d'une dignité. ◇ Le verbe s'est employé (XIIe s.) jusqu'au XIXe s. pour «vêtir de nouveau», mais les emplois où il est en rapport avec *vêtir* et *vêtement* ont cédé le pas aux valeurs figurées. ◇ Par figure, il se dit dès l'ancien français pour «mettre en possession, investir» (v. 1175), — cf. ci dessous la première valeur attestée de *revêtement* — puis pour «prendre (une apparence, un caractère)» (v. 1250), «couvrir (qqch.) d'une apparence» (1273). Ces emplois figurés, restés vivants, ont parfois éliminé ceux du verbe simple. ◇ Par analogie concrète, *revêtir* signifie «couvrir pour protéger ou orner» (1422), spécialement «enduire (un mur)» (1552) et «garnir de» en architecture (*revêtir des figures,* 1676). ◇ En droit, *revêtir (un acte) de* a le sens de «mettre sur (un acte) les signes matériels de sa validité» (1690). ◇ Par extension du sens figuré «mettre en possession», le verbe signifie (1798) «faire connaître (la qualité, etc.) qu'on possédait sans la montrer». ◆ **REVÊTU, UE** adj., tiré du participe passé, s'est d'abord appliqué à une personne qui vit en communauté religieuse. Au figuré, *sot revêtu* (1656) s'est dit d'un nouveau riche arrogant. ◆ **REVÊTEMENT** n. m. a d'abord désigné (1249) l'action d'investir un fief. ◇ Le mot est relevé isolément au XIVe s. pour «vêtement», puis s'est dit de l'action de mettre un habit (1470), sens sorti d'usage à l'époque classique. ◇ Au pluriel, le nom a désigné (1625) les ornements sacerdotaux. Malgré un emploi au XIXe s. pour «action de vêtir une seconde fois» (1803), *revêtement,* comme dans ce cas *revêtir,* s'est détaché de *vêtement.* ◆ En effet, le mot s'est spécialisé en moyen français dans le domaine technique, désignant un élément qui recouvre les parois d'une construction pour l'orner ou la consolider (1508), sens demeuré très vivant, puis un ouvrage de retenue, de stabilisation des terres (d'un fossé, etc.) [1587]. En technique, il se dit

(1932) des matériaux dont on recouvre une voie pour la rendre carrossable. ➡ *Revêtement* a eu pour concurrent **REVÊTISSEMENT** n. m. (1545), encore en usage régionalement au XIXe s. (G. Sand).

DÉVÊTIR v. tr. signifie d'abord (v. 1165, *devestir*) «dépouiller (qqn) de ses vêtements», d'où l'emploi métaphorique (XIIIe s.) pour «dépouiller». ◇ Il s'emploie au pronominal dès l'ancien français (v. 1180), mais *(se) déshabiller* est plus courant en français moderne. ◇ *Se dévêtir de qqch.* s'est employé (1258) au sens de «renoncer à sa possession», acception encore relevée au XIXe siècle. Le sens de «déposséder» (1527) est également sorti d'usage, *dévêtir* ayant évolué comme *vêtir* et non comme *revêtir*. ➡ **DÉVÊTEMENT** n. m., terme de droit (1300), «action de se dessaisir (d'un bien)» a disparu comme **DÉVÊTISSEMENT** n. m., attesté isolément au XIVe s. (1314, *desvestissement*), pour désigner l'état d'une personne déshabillée, puis par analogie (1544) la perte des feuilles. ◇ Le mot, repris au XIXe s., signifie alors «action de se dévêtir» (1845), mais reste rare, comme *dévêtissement* en ce sens (1845).

◈ voir INVESTIR, TRAVESTIR, VÊTEMENT.

VÉTIVER n. m. (1837), d'abord écrit *vétyr-ver* (1824), puis *vétyver* (1827), est emprunté à un mot tamoul, *vettivern*, désignant une herbe odorante, et dont le second élément signifie «racine».

♦ Le mot est le nom d'une plante tropicale d'origine indienne, dont la racine très odorante est utilisée en parfumerie ; par métonymie, il désigne la racine de cette plante (1845, *vétyver*) et le parfum lui-même (1837). ◇ La variante *vativer* (1827) s'est dit d'une boîte odorante garnie de cette plante.

VETO n. m. est un mot latin introduit en français en 1718. *Veto* est la première personne du singulier de l'indicatif présent de *vetare* «interdire, défendre», souvent dans des contextes juridiques. Ce verbe latin d'origine obscure, qui avait abouti en ancien français à *veer* «interdire», «refuser» (1138), a donné l'italien *vetare*.

♦ *Veto*, terme d'histoire romaine, se dit du droit des tribuns romains de s'opposer à des décrets du Sénat, des consuls ; le mot est ensuite utilisé (1753) à propos de la Pologne, désignant la formule par laquelle les nonces pouvaient arrêter les délibérations de la Diète, ce droit étant nommé *liberum veto*. ◇ À la Révolution (1789), il désigne le droit qu'a une autorité (le roi, en 1790 et dans la Constitution de 1791) de s'opposer à l'entrée en vigueur d'une loi régulièrement votée, de là *Monsieur, Madame Veto* (1792), surnoms populaires et hostiles de Louis XVI et de Marie-Antoinette. ◇ Par extension, *veto* équivaut à «opposition, refus» (v. 1793), par exemple dans *opposer un, son veto à...*

VÉTUSTE adj. est un emprunt (fin XVe s.) au latin classique *vetustus* «qui a une longue durée», «du vieux temps, archaïque», dérivé de *vetus, veteris*, qui a donné *vieux**.

♦ L'adjectif a d'abord signifié «antique». Sorti d'usage, il a été repris au XIXe s., apparemment après *vétusté*, et s'applique (1842) à ce qui n'est plus en bon état ou à ce qui n'est plus utilisable, en raison de son âge. Il est senti comme apparenté à *vieux*.

▶ **VÉTUSTÉ** n. f., emprunt (1403) au dérivé latin *vetustas* «vieillesse», «antiquité», est à nouveau attesté au XVIe s. (1534, Rabelais), mais ne semble pas en usage avant 1740 (Académie). Il reste littéraire.

VEUF, VEUVE adj. et n. est la réfection, d'après la forme *veuve* (1226) prise par l'adjectif masculin, de *vedve* n. f. (v. 1050), puis *veve* adj. (v. 1135). La forme masculine *veuf de* «privé de» est relevée en 1549 (Du Bellay) à côté du masculin *veuve* ; l'alternance *vef/veve, veuf/veuve* est attestée en 1596. ◇ Le mot est issu du latin classique *vidua* «veuve», féminin substantivé de l'adjectif *viduus* «veuf, veuve», employé en parlant d'une femme, également lorsqu'elle était célibataire ; l'adjectif s'est appliqué par extension aux plantes et, en latin impérial, s'est employé avec le sens de «vide de, privé de». ◇ Le masculin *viduus* a sans doute été fait sur *vidua*, seul attesté anciennement. On retrouve dans une grande partie des langues indoeuropéennes des formes proches, à l'Ouest avec un vocalisme radical zéro (par ex. irlandais *fedb*, gotique *widwo*), à l'Est avec le vocalisme *e* (par ex. vieux slave *vĭdova*, sanskrit *vidhávā*) ; ce type est inconnu au grec et à l'arménien.

♦ Le mot se dit d'une personne dont le conjoint est mort ; seul le nom féminin *(une veuve)* est courant au moyen âge, où l'état de veuve représentait un état civil à part. Pour l'homme, on employait *veuve* précédé de *homme*. ◇ L'adjectif s'emploie aussi, littérairement, au sens latin de «privé de» (v. 1206, *vauve de*, féminin ; 1549, *veuf de*, masculin), spécialement dans *église veuve* «collégiale qui a cessé d'être cathédrale» (1762), sorti d'usage. ➡ *Veuve*, n. f., s'est employé en argot avec une valeur métaphorique dans ***épouser la veuve*** «être pendu», puis «être guillotiné», d'où *la veuve* «la potence» (1628), et beaucoup plus tard «la guillotine» (1835) ; ici, le mot symbolise la mort. ◇ *Veuve* n. f. désigne aussi plusieurs animaux et plantes, à cause de leur couleur sombre, par exemple un passereau d'Afrique au plumage noir et blanc (1762), un papillon (1842), une scabieuse (1780), appelée aussi *fleur de veuve*, etc. L'expression ***veuve noire***, appliquée à une araignée venimeuse et à une femme veuve et meurtrière, est un calque de l'anglo-américain *black widow*. ◇ Par extension, l'adjectif s'applique à une personne temporairement séparée de son conjoint (1795).

▶ **VEUVAGE** n. m., réfection (1386) d'après *veuve* de *veufvage*, isolément au XIVe s., puis *vesvaige* (1374), s'est d'abord employé seulement à propos des femmes, puis à partir du XVe s. en parlant des hommes. Le mot s'est utilisé en moyen français pour «célibat» (mil. XVIe s.).

◈ voir VIDUITÉ.

VEUGLAIRE n. m. ou f., (1409), aussi *weughelaire* (1411), est d'origine incertaine. Il est peut-être emprunté au moyen néerlandais *vogelaer*, proprement «canon à tirer les oiseaux», dérivé de *vogel* «oiseau», mot germanique (allemand *Vogel*, anglais *fowl* «volatile, volaille»).

♦ Terme d'archéologie, *veuglaire* désigne un canon utilisé aux XIVe et XVe s., plus long que la bombarde, et qui se chargeait par la culasse.

VEULE adj. est issu (1202) d'un latin populaire °*volus* «volant», d'où par figure «frivole, léger», «faible», probablement dérivé du latin classique *volare* (→ ① voler).

♦ L'adjectif a d'abord qualifié des paroles, des pensées légères, acception sortie d'usage. Il s'est dit aussi d'une terre trop légère (1567). Il s'est ensuite employé (1611) en parlant d'une personne affaiblie par la maladie, le jeûne, etc. Toutes ces valeurs ont disparu. ◆ On passe ensuite au sens moral (1660), l'adjectif s'appliquant à une personne qui n'a aucune énergie, aucune volonté ; c'est le seul vivant en français contemporain, avec l'extension aux actions, au comportement (fin XIXe s.). ◆ Du sens physique viennent des emplois didactiques qui ont vieilli : «sans vigueur» (1701) en parlant d'une branche, puis d'un arbre (1767), «peu fourni de laine» (1723) en parlant d'une étoffe ; en peausserie, l'adjectif se dit (1806) de poils qui n'ont pas la propriété de se feutrer eux-mêmes.

▶ Le dérivé **VEULERIE** n. f. (1815) est littéraire et correspond au sens moderne de *veule*. ◆ **AVEULIR** v. tr. a signifié «anéantir» (XIVe s.). Il a été repris au figuré «rendre veule» (1876) et, plus rarement, au figuré «rendre plus mou, moins net» (1883, Huysmans). Il a au XIXe siècle pour synonyme *avachir*. ◇ Ses dérivés **AVEULISSEMENT** n. m. (1884, Daudet) et **AVEULISSANT, ANTE** adj. (1890) sont littéraires.

VEXER v. tr. est un emprunt (1380) au latin classique *vexare* «agiter, inquiéter, tourmenter» et «attaquer» au physique et au moral. Ce verbe se rattache à une racine indoeuropéenne °*wegh-* «secouer, ébranler», homonyme mais selon Meillet distincte de celle de *vehere* qui semble liée à la notion de «transporter par char» (→ véhicule, voie) et que l'on a aussi dans le gotique *ga-wigan* «mettre en mouvement, secouer». On a aussi supposé une racine unique avec diverses spécialisations. On relève en anglo-normand (v. 1090) un verbe *viescer*, issu par voie orale du latin *vexare*.

♦ Le verbe a conservé les sens du latin, signifiant d'abord «tourmenter», puis «inquiéter (qqn) dans ses propriétés» (XIVe s.) et aussi «secouer» (déb. XVIe s.), «dévaster», «opprimer» (1553). ◇ À l'époque classique, *vexer* s'employait pour «tourmenter par abus de pouvoir» (1669) ou «par des chicanes» (1680). ◆ C'est par affaiblissement que le verbe a signifié «taquiner pour de petites choses» (1788), d'où le sens moderne (1808) de «blesser (qqn) dans son amour-propre» et le pronominal *se vexer* (1845).

▶ **VEXANT, ANTE** adj., tiré du participe présent (1842), est appliqué à ce qui irrite, contrarie et, plus couramment, à ce qui blesse l'amour-propre. ◆ **VEXATOIRE** adj., didactique ou littéraire, qualifie (1782) ce qui inflige des brimades.
Deux mots ont été empruntés à des dérivés de *vexatum*, supin de *vexare*. ◆ **VEXATION** n. f. (1261), emprunt au latin *vexatio, -onis* «tourment», «mauvais traitement», «persécution», a désigné l'action de tourmenter, encore à l'époque classique, et a eu des acceptions parallèles à celles du verbe, par exemple «grand tourment» (v. 1460), «agitation de l'âme» (1541), «abus de pouvoir, persécution» (1643). ◇ Le mot est attesté dans la seconde moitié du XIXe s. (1866) en parlant d'une blessure d'amour-propre et seulement au XXe s. pour «action de vexer». ◆ **VEXATEUR, TRICE** adj. et n. est pris au latin classique *vexator* «persécuteur», mot littéraire et rare. ◇ Il se dit d'une personne qui en maltraite d'autres par abus de pouvoir (1549, n. ; 1776, adj.).

VEXILLE n. m., d'abord *vexil* (1527), puis *vexille* (1529), est emprunté au latin classique *vexillum* «drapeau, étendard», «escadron», diminutif de *velum* (→ velum, ① voile).

♦ Le mot a été introduit avec le sens du latin. ◇ Par métaphore (XXe s.), il désigne en zoologie une des deux rangées de barbes que porte le rachis des plumes d'oiseau.

▶ Du premier sens dérivent **VEXILLOLOGIE** n. f. (XXe s.), de *-logie*, et **VEXILLOLOGUE** n. qui concernent la connaissance des drapeaux.
VEXILLAIRE n. et adj. a été emprunté (v. 1530, Marot) au dérivé latin classique *vexillarium* «porte-enseigne» ; le nom a conservé ce sens, aujourd'hui en parlant de l'Antiquité romaine (1803). ◇ L'adjectif a signifié «d'un étendard» (1583) et s'emploie en marine (1787, *signaux vexillaires*). ◇ En botanique (1842), *préfloraison vexillaire* signifie «où un pétale se replie de manière à couvrir tous les autres».

VIA prép. reprend (1852, Hugo) le latin *via* «par la voie de», ablatif du latin classique *via* «chemin, route, voie» (→ voie).

♦ Le mot signifie «en passant par», dans des indications d'itinéraires. Il s'emploie aussi au figuré.
◈ voir ① VIABILITÉ.

① **VIABILITÉ** n. f. est dérivé (1836) de l'ancien adjectif *viable* «où l'on circule aisément» (v. 1790), lui-même emprunt adapté au bas latin *viabilis* «où l'on peut passer», dérivé du classique *via* «voie» (→ voie) ; *viabilité* peut avoir été dérivé directement du bas latin.

♦ Le mot désigne l'état d'une voie carrossable et, en urbanisme (1941), l'ensemble des travaux d'aménagement qu'on exécute avant toute construction sur un terrain.

▶ Il a pour dérivé **VIABILISER** v. tr. (v. 1950) «rendre praticable aux voitures».

② **VIABILITÉ, VIABLE** → VIE

VIADUC n. m. est la francisation (1828), d'après *aqueduc**, de l'anglais *viaduct* «pont de grande longueur servant au passage d'une voie ferrée, d'une route au-dessus d'une vallée». Le mot anglais est composé du latin classique *via* (→ voie) et de *ductus* «conduite», substantivation du participe passé de *ducere* (→ conduire).

♦ Introduit avec le sens de l'anglais, le mot a été précédé de désignations par périphrases et de descriptions, comme *des arcades et de grands ponts* (1823), à l'époque de la construction de ces ouvrages d'art ferroviaire, qui commence vers 1818. ◇ Il a été employé pendant un temps comme synonyme de *pont* (1887).

VIAGER → VIE

VIANDE n. f. est issu (v. 1050) du bas latin *vivanda* (803) «ce qui sert à vivre», altération par changement de suffixe du latin populaire °*vivenda*, substantivation du neutre pluriel de *vivendus*, adjectif verbal, dérivé du latin classique *vivere* (→ vivre). Les *vivanda* sont proprement des «vivres», des provisions.

♦ Le mot désigne d'abord (exclusivement en ancien français) l'ensemble des aliments, la nourriture, acception dominante avant l'époque classique, où elle est encore vivante. ◇ Il se spécialise à la fin du XIVe s. (1389, *grosses viandes*) pour désigner la chair des mammifères et des oiseaux dont l'homme se nourrit, sens qui s'impose à partir du XVIIe s., *viande* se substituant alors à *chair**. Parallèlement, *nourriture* était passé au début du XVIe s. du sens d'«éducation» à la valeur moderne, et avait pu se substituer en partie à *viande*. ◇ Cependant, jusqu'au XVIIIe s., *viande* continue à produire des valeurs nouvelles d'après le sens général ancien de «nourriture». C'est le cas dans la locution *ce n'est pas viande pour (à)* «c'est une chose au-dessus des moyens de», sortie d'usage comme la variante *ce n'est pas viande pour ses oiseaux* (1594). De même, *viande de carême* a désigné divers aliments, comme le poisson salé, les fruits secs (1564), notamment au pluriel à la fin du XVIIIe s. (1798) et jusqu'à la fin du XIXe siècle. ◇ Le mot s'emploie aussi figurément au sens de «nourriture pour l'esprit» (1573), par exemple dans la locution *viande creuse* «chose de peu de réalité qui ne peut satisfaire» (1646), d'où *se repaître de viandes creuses* «d'espérances mal fondées» (1718); encore connues par certains, de telles expressions sont aujourd'hui mal comprises au sens moderne.

Au XVIIe s., *viande* conserve donc encore le sens général de «nourriture», mais l'emploi moderne spécialisé se développe; les locutions du type *ce n'est pas viande prête* «c'est une chose qu'on désire mais qu'on ne peut espérer» (1640) ou *ce n'est pas là ma viande* (1690) ont disparu au XVIIIe siècle. ◇ Le sens moderne est précisé dans des syntagmes: après *grosse viande* «viande de boucherie» à l'exclusion de la volaille et de la charcuterie, *menue viande* «volaille et gibier» (1690), usité jusqu'à la fin du XIXe s., puis ***viande blanche*** «de volaille, de lapin, de veau» (1718), par opposition à *viande noire* «de lièvre, de chevreuil, de sanglier» (1718), qui ne se dit plus, et, plus récemment, ***viande rouge*** qui correspond à la mode venue d'Angleterre des rôtis de bœuf. ***Viande froide*** se dit de tranches de viande cuites servies froides. ◇ Dans cette acception *viande*, remplaçant *chair*, se dit familièrement pour «corps de l'homme», d'abord dans *montrer (étaler, cacher) sa viande* «sa nudité» (1690), qui serait encore comprise; la généralisation dans d'autres emplois semble récente, par exemple dans ***amène ta viande!*** «viens ici» (déb. XXe s., *apporte ta viande*), ***de la viande soûle*** «des gens ivres», ***de la viande froide*** «un, des morts», expressions d'abord argotiques; dans le contexte de la prostitution, où la femme est considérée comme une marchandise et réduite à un corps, on a dit au XIXe s. *viande de boucherie* (1863, Goncourt), *viande chaude* (1886), *viande humaine*; *marchand de viande* «proxénète», est attesté en 1946. ◇ En français d'Afrique, *viande* se dit sans connotation particulière pour «chair (des humains)», par exemple dans *la viande de son bras, de sa jambe*.

▶ Le dérivé le plus ancien, **VIANDIER** n. et adj. désigne (v. 1155) puis qualifie (v. 1180) une personne hospitalière, qui nourrit son hôte, acception sortie d'usage en moyen français. ◇ Au XVIIe s., *viandier* s'est dit pour «relatif aux aliments» (1611). ➙ **VIANDER** v. intr., terme de vénerie (1376, tr.; v. 1387, intr.), signifie «pâturer» en parlant du cerf, du chevreuil, etc. ◇ D'après le sens argotique de *viande*, le pronominal *se viander* a été reformé au XXe s. pour «avoir un accident entraînant un dommage corporel grave». ◇ De *viander* au sens ancien dérive **VIANDIS** n. m. (XVIe s.), d'abord *viandeis* (1390), «pâture» en vénerie. ➙ **VIANDEUX, EUSE** adj. s'applique en français de Belgique (attesté XXe s.) à une bête de boucherie bien fournie en chair. ➙ **VIANDOX** n. m., nom de marque déposée (XXe s.), désigne un consommé à la viande. Le mot est employé en argot, à partir de *se viander*, dans ***faire viandox*** «avoir un accident».

ENVIANDÉ, ÉE n. et adj. est attesté au XXe s. en argot pour désigner un homosexuel passif (cf. *enculé*). Ce mot vient de l'ancien verbe *enviander*, en argot «rendre enceinte (une femme)» (1888), c'est-à-dire «garnir de viande». ◇ Le verbe actif est attesté au début du XIXe s. (1808) pour «se repaître, manger», mais il est alors lié au sens ancien de *viande* «nourriture», et à *viander*.

◈ voir **VIVANDIER; HACHER (HACHE-VIANDE).**

VIATIQUE n. m. a été emprunté (fin XIVe s.) au latin classique *viaticum* «ce qui sert à faire la route», «provisions ou argent de voyage», puis «ressources, provisions» et, à basse époque, «voyage». Le nom neutre latin est la substantivation de l'adjectif *viaticus* «du voyage», dérivé de *via* (→ voie). *Viaticum* a par ailleurs abouti à *voyage**.

♦ Le mot a d'abord eu le sens de «route à parcourir», sorti d'usage comme celui (1420) de «provisions, argent», spécialement donnés (1690) à un religieux qui voyage. ◇ *Viatique* reprend au milieu du XVIe s. le sens du latin ecclésiastique, «sacrement de l'Eucharistie administré à un malade en danger de mort», comme un secours pour passer dans l'autre vie. ◇ Par figure (1834), le nom désigne dans l'usage littéraire ce qui apporte un soutien.

VIBRER v. a été emprunté au début du XVIe s. (av. 1517) au latin classique *vibrare* «agiter rapidement», «secouer», «brandir», «balancer» et «s'agiter, scintiller», souvent employé en parlant de la voix. Le verbe repose sur une base indoeuropéenne °*weib-*, variante de °*weip-*, attestée notamment dans le sanskrit *vépate* «il s'agite, il tremble», le vieil islandais *veifa* «être dans un mouvement vibratoire» et dans l'anglais *whip* «fouet» (→ whip).

♦ Le verbe est introduit avec le sens latin de «brandir, lancer», sorti d'usage à l'époque classique, alors que *vibration* s'emploie déjà en physique (voir ci-dessous). ◇ Il a été repris au XVIIIe s., d'après le sens pris par *vibration* au XVIIe s., pour «produire des vibrations, être en vibration» (1752), sens qui ne se répand dans l'usage général qu'au début du XIXe siècle. Il s'emploie alors en parlant d'un son perçu avec force, puis figurément, en parlant d'un être humain (1797, Chateaubriand), pour «réagir à une émotion par une sorte de tremblement affectif», «être vivement ému», avec des expressions comme *faire vibrer le cœur de qqn* «émouvoir» (1845). ◇ Il se dit ensuite (1846, Balzac) de la voix qui exprime une forte émotion par le tremblement des sons ou qui a une sonorité tremblée sans contenu affectif explicite (1869). ◇ En sciences et en technique, un emploi transitif s'ajoute au XXe s. à l'intransitif et correspond à «modifier (un corps) dans ses propriétés physiques, par vibrations» (cf. ci-dessous *pervibrer*).

▶ **VIBRANT, ANTE** adj., tiré du participe présent, est didactique pour qualifier (1747, d'Alembert) ce qui est en vibration, ce qui vibre *(cordes vibrantes)*. Il s'est spécialement employé en médecine dans *pouls vibrant* «dur et rapide» (1765). ◇ L'adjectif s'applique couramment à ce qui porte loin, est perçu avec force du fait de ses vibrations (1831), notamment dans *voix vibrante* (1872). ◇ En phonétique (1904), une *consonne vibrante* (ou *une* **VIBRANTE** n. f.) est caractérisée par la vibration résultant de la succession de mouvements d'ouverture et de fermeture du canal vocal. ◇ Au figuré, l'adjectif s'applique (1835) à ce qui exprime une forte émotion.

VIBRION n. m., dérivé didactique du verbe, désigne (1798, Cuvier) une bactérie incurvée, ciliée et mobile. ◇ Le mot désigne au figuré (1926) une personne agitée de manière incessante. ➙ Ce mot a plusieurs dérivés didactiques : **VIBRIONIEN, IENNE** adj. (1846) «des vibrions (bactéries)», **VIBRIOSE** n. f. (mil. XXe s.) et **VIBRIONNÉ, ÉE** adj. (1876) «où l'on trouve des vibrions». ➙ Du sens figuré de *vibrion* dérive **VIBRIONNER** v. intr. (1934) «s'agiter sans cesse» (d'une personne).

VIBREUR n. m. (1903) «instrument capable de modifier une substance en transmettant des vibrations», et **VIBRAGE** n. m. (1949) sont des termes techniques dans différents domaines, par exemple dans les travaux publics où l'on emploie aussi **PERVIBRER** v. tr. (XXe s.), avec *béton pervibré*, d'où viennent **PERVIBRAGE** n. m. (1932), **PERVIBRATEUR** n. m. ou **PERVIBREUR** (1932).

VIBRATION n. f. est emprunté (fin XVe s.) au bas latin *vibratio, -onis* (dérivé du supin de *vibrare*), ou est dérivé de *vibrer* au sens latin d'«action de lancer (une arme, etc.) après avoir brandi». ➙ Le mot, abandonné dans sa première acception, est repris en physique (1632, Mersenne), désignant le mouvement de va-et-vient d'un point matériel. Le concept apparaît en acoustique au XVIIe s. et va être analysé aux XVIIIe et XIXe s., tant sur le plan physique que mathématique. Aux *vibrations sonores* (1754) succéderont les *vibrations lumineuses* (au XIXe s.), puis *électriques, électromagnétiques, infrarouges, hertziennes* (cf. *rayonnement*), puis (XXe s.) les *vibrations moléculaires*. Le mot est en concurrence avec *oscillation* et désigne soit le mouvement oscillatoire du système (par exemple dans *entrer en vibration*, qui correspond à *vibrer*), soit une période complète du phénomène *(une, des vibrations)*. Autour de ce terme, toute une terminologie s'est développée *(amplitude, propagation, période, composantes...)* avec de nombreux syntagmes. ◇ *Vibration* désignait déjà en mécanique depuis le XVIIe s. (1665) le mouvement de va-et-vient d'un pendule et de chacune des périodes de ce mouvement, mais il a été remplacé dans ce sens par *oscillations (pendulaires, électriques)*. ➙ D'une manière non scientifique, le mot se dit ensuite (1790) du caractère de ce qui vibre, change rapidement et périodiquement d'intensité, d'où (1874) *vibration de la lumière, de l'air*. ◇ Dans l'usage général et littéraire, il se dit (1876, Gobineau) de l'état de ce qui vibre, exprime une forte émotion, et l'effet ainsi produit. ➙ Le dérivé **VIBRATIONNEL, ELLE** adj., «des vibrations», est didactique (1979).

VIBRATILE adj., formé (1776) sur le radical de *vibration*, s'est spécialisé en sciences naturelles *(cils, poils vibratiles)*. ◇ Il a pour dérivé **VIBRATILITÉ** n. f. attesté en 1770. ➙ **VIBRATOIRE** adj. (1750) est formé lui aussi sur le radical de *vibration* en physique. ➙ **VIBRATEUR** n. m. (1877 ; 1840, à propos du larynx) désigne un appareil qui produit ou transmet des vibrations.

VIBRAPHONE n. m., composé (1930) du radical de *vibrer* et de *-phone**, désigne un instrument de musique à percussion dont les éléments vibrants sont des lames métalliques pourvues de tubes résonateurs. ◇ Le dérivé **VIBRAPHONISTE** n. (1949) est usuel en jazz.

VIBRISSE n. f. est emprunté (1842) au bas latin *vibrissae* «poils du nez», dérivé de *vibrare*. ◇ Le mot conserve le sens de l'étymon et désigne aussi en zoologie (1845) une plume filiforme à barbes rares.

VIBRATO n. m., emprunt (1876) à l'italien, lui-même du supin de *vibrare*, en conserve le sens, désignant le tremblement rapide d'un son, utilisé dans la musique vocale ou instrumentale.

VIBRO-, premier élément tiré de *vibrer*, entre dans la formation de quelques mots techniques : **VIBROGRAPHE** n. m. (1949), **VIBRODAMEUR** n. m. (1968), **VIBROMÈTRE** n. m. (v. 1960) ; *vibromasseur* (→ masser).

◈ voir **VIRER**.

VICAIRE

VICAIRE n. m., (v. 1165), aussi écrit *viqueire* (v. 1175), *vicarie* (v. 1175), est un emprunt au latin classique *vicarius* «remplaçant (d'une personne, d'une chose)», dérivé de *vicis* «tour», «succession», «alternative» (→ vice-).

♦ Le mot s'est employé en ancien et en moyen français au sens de «gouverneur d'un pays» (v. 1165). Désignant celui qui remplace un supérieur, il s'est dit (v. 1175, *vicarie*) du pape par rapport à saint Pierre, sens conservé aujourd'hui dans des titres, par exemple *vicaire de Jésus-Christ* (1680) qui correspond à l'ancien provençal *vicari de Crist* (v. 1300), puis aussi *vicaire de saint Pierre* (1842). ➙ Par extension, le nom désigne (1414) un ecclésiastique qui remplace un évêque ou, plus souvent, un curé, ou l'assiste dans ses fonctions ; c'est le sens le plus courant du mot, illustré par la littérature (*le vicaire savoyard* de Rousseau, etc.). ◆ Il s'emploie aussi dans plusieurs dénominations spécifiques, en religion, comme *cardinal-vicaire* (1690) «chargé de l'administration ecclésiastique de Rome», *vicaire apostolique* (1705) «chargé de l'administration d'un territoire au pouvoir d'hérétiques ou d'infidèles», etc.

▸ Le dérivé **VICAIRIE** n. f. s'est dit (1224) d'une église succursale avec un seul desservant. ◇ Le mot a désigné la charge de vicaire (v. 1330) et le bénéfice attaché à certaines églises cathédrales (1718). ◆ **VICARIAL, ALE, AUX** adj. s'applique à ce qui est relatif à la fonction de vicaire (1570). ◆ **VICARIAT** n. m. (v. 1430), «fonction de vicaire», désigne par métonymies usuelles (1680) la durée de cette fonction et (1690) le territoire sur lequel s'étend la compétence du vicaire. ◇ Le mot est aussi attesté (1867) pour «vicairie».

VICARIANT, ANTE adj. (1877) vient du participe présent de *vicarier,* verbe intransitif disparu, dérivé savant de *vicaire.* Ce verbe signifiait «aller de ville en ville proposer ses services», en parlant d'un musicien d'église (1532) et «exercer les fonctions de vicaire» (1740). ◇ L'adjectif, avec la valeur générale de «qui remplace», correspondant au latin, s'applique en science à ce qui remplace autre chose. Il est vieilli en médecine (1877, *organe vicariant*). ◆ Il a pour dérivé **VICARIANCE** n. f. (1904) «caractère, fonction de ce qui est vicariant».

◈ voir VIGUIER, VOYER.

VICE

VICE n. m. est l'aboutissement (v. 1121) du latin classique *vitium* «défaut physique» puis «défaut» en général, «faute, vice», «violence commise, viol» et, dans la langue des augures, «présage défavorable fourni par un animal qui présente des défauts» ; ce mot n'a pas d'étymologie connue.

♦ C'est la valeur de «défaut», dans le domaine moral, puis matériel, qui est passée en français ; le sens qui s'est implanté est «défaut grave que réprouve la morale» (v. 1121), alors opposé à *vertu,* puis (v. 1145) le mot désigne une disposition habituelle au mal, à des passions mauvaises. Cette acception a vieilli. ◇ Une autre valeur apparue au XIIe s., celle de «reproche» (v. 1155) a disparu, comme l'expression ***sans vices*** «sans reproche, irrécusable» (1362). ◇ *Vice* s'est dit aussi en ancien français, depuis le XIIe s. d'une mauvaise action, puis (v. 1360) d'un crime. ◇ Une autre valeur ancienne est «piège, ruse» (v. 1175), sortie d'usage, à nouveau relevée au XIXe s. (1859) et encore présente dans la locution familière ***avoir du vice*** «être malin, rusé» (fin XIXe s.). ◇ *Le vice,* à partir du XVIIe s., désigne par métonymie (1667, Boileau) l'ensemble des personnes qui ont un ou des vices. À la même époque, le sens ancien de «défaut moral grave» s'est restreint (1690) aux dérèglements de la conduite, notamment sexuelle (cf. *débauche*) et s'emploie dans ***vivre dans le vice.*** ◆ Le nom désigne aussi en droit (1260), sans jugement moral, une imperfection grave qui rend une chose ou une personne plus ou moins impropre à sa destination *(un vice),* d'où l'emploi pour «faute de copie» (1371, *visce ;* 1690, *vice*). ◇ L'idée d'imperfection, appliquée d'abord aux personnes et aux choses concrètes, se développe dans ***vice caché*** (1539), ***vice de raisonnement*** (1746, Condillac), ***vice de forme*** (1804), ***vice de construction*** (1804), ***vice rédhibitoire****, en phonétique dans ***vice de prononciation*** (1606) et en médecine par ex. dans ***vice de conformation*** (1694), etc. ◆ C'est aussi au XIXe s. que l'acception morale du nom évolue, *un vice* désigne aussi (av. 1880) une mauvaise habitude qu'on ne peut réprimer et aussi une perversion sexuelle, ***vice contre nature*** (1872) désignant l'homosexualité, emploi vieilli. En français moderne, alors que la valeur morale de *un vice* a vieilli, sauf dans l'opposition plutôt symbolique des vices et des vertus, *le vice* s'emploie soit avec des connotations sexuelles, soit avec l'idée d'habileté retorse, par exemple en affaires, exploitée dès le XIIe s. dans des contextes différents (voir ci-dessus) ; cette valeur est soutenue par des emplois de *vicieux.*

▸ **VICIEUX, EUSE** adj. et n. est issu (v. 1190) du latin classique *vitiosus* «gâté», «corrompu», «défectueux», dérivé de *vitium.* ◆ L'adjectif s'est employé d'abord pour «relatif au vice», puis (fin XIIe s.) à propos de ce qui dénote une disposition au mal. Il s'est appliqué aussi (v. 1265, *vicious*) à une chose défectueuse. ◇ Ces emplois, propres à l'ancien français, ont disparu, sauf dans ***cercle* vicieux,*** mais *vicieux,* notamment en droit, qualifie encore ce qui va à l'encontre des normes, des règles, en parlant d'une façon de s'exprimer, d'un contrat, etc., emploi apparu au XIIIe s. (v. 1265). ◇ C'est également au XIIIe s. que *vicieux* s'applique à une personne qui a une disposition habituelle au mal moral (v. 1280), aussi comme nom ; cet emploi très général, comme celui de *vice,* est archaïque, mais le sens analogique de «rétif» en parlant d'un animal (1559) est encore vivant (notamment à propos du cheval). ◆ Au XVIIe s., *vicieux* s'applique spécialement à une personne de mœurs déréglées, ayant des habitudes sexuelles réprouvées par la morale (1660). Cet emploi, avec celui qui correspond à *vice* «attitude habile et retorse», est le plus courant en français moderne, comme pour le substantif, et correspond à l'usage du dérivé argotique *vicelard* (ci-dessous). ◆ **VICIEUSEMENT** adv. (1226) a eu les valeurs successives de *vicieux.*

VICIER v. tr., d'abord attesté au participe passé (v. 1265) puis à l'actif (1396), est emprunté au latin classique *vitiare* «gâter, corrompre», «entacher de vice», dérivé de *vitium.* ◆ *Vicié* signifie «corrompu, gâté» (v. 1265, *bois vicié*), sens repris par le verbe au XVIe s. (1564, *vicier l'air*). ◇ C'est aussi un terme de droit (1341, repris en 1690), au sens de «rendre défectueux (un acte)», en rapport avec *vice* (plus tard *vice de forme,* etc.). ◇ Il s'est employé au sens moral de *vice* pour «séduire (une femme)» (1652, Scarron), sens sorti d'usage. ◆ Du verbe dérivent les termes didactiques **VICIABLE** adj. (fin XIVe s.), à peu près abandonné ; **VICIATION** n. f. «fait de corrompre (une personne)» (1755) puis «fait de vicier, corrompre (l'air, etc.)» (1789) et **VICIATEUR, TRICE** adj. (1872), rare.

VICELARD, ARDE adj. et n., terme d'argot familier dérivé en *-ard* (1928), signifie «malin, retors» par référence au sens correspondant de *vice,* puis prend le sens moral de ce mot et signifie «un peu vicieux (sexuellement)» (XXe s.).

◈ voir VITUPÉRER.

VICE-, premier élément de composés, est emprunté au latin classique *vice* «au lieu de, à la place de», ablatif de *vix, vicis* «place occupée par qqn», «succession». Ce mot, dont le nominatif *(vix)* n'est pas employé et dont le génitif *(vicis)* est rare, est tardif et surtout utilisé dans des locutions adverbiales. Du sens spatial, «à la place de», on est passé à la valeur temporelle «au tour de», d'où l'emploi en latin impérial pour «tour, fois» (→ vicaire) et à «en échange de», avec les notions d'échange, de compensation et de retour de la fortune, puis de sort, destinée changeante, surtout au pluriel *vices* en latin impérial. Le latin est apparenté au grec *heikhein* et au vieux saxon *wikan* «céder», probablement à l'anglais *week* «semaine» (→ week-end).

♦ *Vice-*, usité dès l'ancien français (*vice-chancelier*, 1259; *vice-amiral*, 1339), entre en composition avec le nom d'une fonction, avec un titre, signifiant «en second», «en remplacement, à la place de». Voir les mots concernés et aussi *comte*, pour *vicomte*.

▸ **VICE VERSA** loc. adv. reprend (1418) une locution latine signifiant «réciproquement», proprement «à tour (vice) renversé (versa)».

◈ voir VICAIRE, VICISSITUDE, VIDAME et les titres en VI- (VICOMTE art. COMTE).

VICHY n. m. et ses dérivés proviennent du nom de la ville française de l'Allier devenue une grande station thermale en 1853. Le nom romain en était *Aquae calidae* «les eaux chaudes», et le nom *Vichei* apparaît dans les textes romans en 1057, *Viché* ou *Vichier* (XIIe s.) étant remplacé par *Vichy* au XIVe siècle. «Ces formes semblent provenir d'un latin *vicarius*, peut-être nom de personne» (Deroy et Mullon) → vicaire.

♦ Depuis le début du XXe s., *du vichy* désigne une toile de coton ou des bandes de couleur (bleu, rouge) sur fond blanc formant des carreaux. ◇ Par ailleurs, certains produits de la Compagnie fermière de Vichy portent des noms qui sont entrés dans la langue (*pastille de Vichy; eau de Vichy: les eaux minérales de Vichy*, 1636; *eau de Vichy* attesté en 1929 [Dabit]).

▸ *Vichy*, nom propre, a pour dérivé **VICHYSSOIS, OISE** adj. et n. (1891), qui remplace *vichynois*, attesté en 1875. ◆ Dans un contexte particulier, *Vichy* ayant été de 1940 à 1944 le siège du gouvernement de l'État français, dirigé par le maréchal Pétain, les mots **VICHYSTE** n. et **VICHYSME** n. m. s'appliquent (dep. 1942 au moins), comme *pétainiste* et *pétainisme*, aux partisans de ce régime antidémocratique et collaborationniste, **VICHYSSOIS, OISE** adj. prenant en 1941 la valeur de «du régime de Vichy».

VICINAL, ALE, AUX adj. et n. m., attesté isolément au XVIe s. dans *voye vicinale* et repris au XVIIIe s. (1775, Turgot, *chemin vicinal*), est emprunté au latin classique *vicinalis* «de voisin, de voisinage», dérivé de *vicinus* (→ voisin). Le moyen français connaît dans le même sens *(chemin) voisinal*, attesté en 1373 et encore dans Cotgrave (1611), dérivé de *voisin*.

♦ L'adjectif s'applique à une voie étroite qui met en communication des villages. ◇ En Belgique, *un vicinal*, n. m., désigne (av. 1936) un tramway mettant en liaison plusieurs communes rurales.

▸ **VICINALITÉ** n. f., terme administratif, signifie «qualité de chemin vicinal» (1839; 1857, *chemin de grande vicinalité*), et désigne (1843) l'ensemble des chemins vicinaux.

VICISSITUDE n. f. a été emprunté (v. 1364) au latin classique *vicissitudo* «alternative», «échange», «passage d'un état à un autre», employé au singulier et au pluriel, dérivé de *vicis* «tour», «succession» (→ vice-).

♦ Le mot a désigné un changement par succession de choses différentes, sens aujourd'hui archaïque et, par extension (1580, Montaigne), la disposition à changer, l'instabilité, acception courante à l'époque classique. ◇ Il se dit ensuite au pluriel (1679, Bossuet) des événements heureux et malheureux qui se succèdent et, spécialement (1795), des événements malheureux, seule valeur courante en français contemporain, la notion de changement, de successivité restant présente. Cette péjoration est probablement due à l'influence de *vice* au sens de «défaut (de raisonnement, juridique, etc.)».

VICTIME n. f. est emprunté (v. 1485) au latin classique *victima* «bête offerte en sacrifice aux dieux» puis «ce qui est sacrifié», au propre et au figuré; le mot a été rapproché du gotique *weihan* «consacrer», mais son origine reste obscure.

♦ *Victime*, d'abord attesté isolément au sens de «sacrifice», désigne (dep. 1495) une créature vivante offerte en sacrifice aux dieux, d'où son emploi en théologie (1642) en parlant du Christ; il a été en concurrence avec *hostie**, dans ce sens. Par extension, le mot se dit d'une personne qui souffre des agissements d'autrui ou d'événements néfastes (1617), ou qui pâtit de ses propres actes (1687, Bossuet, *victime de soi-même*). ◇ Il s'emploie dès le XVIIe s. (1604) pour «personne tuée ou blessée», à la suite d'un cataclysme, d'un accident ou d'une violence quelconque. Ce sens est dominant de nos jours, mais la valeur ancienne reste active lorsqu'il s'applique à une décision humaine volontaire, comme sous la Révolution où il s'est appliqué (1797) aux personnes qui périrent condamnées par les tribunaux révolutionnaires. Dans ce sens, on a appelé *cheveux, costume à la victime*, une coiffure à cheveux courts, un costume qui rappelaient la tenue des condamnés à mort, à la mode après le 9 Thermidor (emploi disparu assez vite, attesté en 1842 par l'Académie, et noté «vieux», ainsi que *bal des victimes*).

▸ Deux mots ont été empruntés à des dérivés de *victima*. ◆ **VICTIMAIRE** n. m., emprunt (1555) au latin classique *victimarius* «prêtre qui préparait et frappait les victimes», en conserve le sens en parlant de l'Antiquité romaine; il est didactique. ◆ **VICTIMER** v. tr. (1613), emprunt au latin impérial *victimare* «sacrifier (une victime)», a signifié «tuer»

puis, sous la Révolution, «condamner à mort» et (1791) «maltraiter (qqn)».
Le composé **VICTIMOLOGIE** n. f. (mil. XXe s.), de *-logie,* désigne la branche de la criminologie qui étudie le statut psychologique et social des victimes de délits.
VICTIMISER v. tr., anglicisme introduit au XXe s., est emprunté au verbe *to victimize* «transformer en victime» (1830), dérivé de *victim* «victime» (1497, emprunt au latin).

VICTOIRE n. f., réfection francisée (v. 1155) de *victorie* (1080), est un emprunt au latin classique *victoria* «victoire», «succès», «triomphe», désignant la déesse Victoire et sa représentation. Le mot est le féminin d'un adjectif °*victorius,* dérivé de *victor* «vainqueur», lui-même de *victum,* supin de *vincere* qui a donné *vaincre**.

♦ Le mot désigne, comme en latin, l'issue favorable d'un combat, d'une bataille; de cette valeur vient par extension «triomphe quelconque» (XIIIe s.), d'où par métonymie «réjouissance publique» (1388), sens disparu, et aussi «résultat heureux» dans une lutte morale (v. 1300), «avantage remporté sur un rival» (v. 1220), acceptions encore en usage. ◇ Le mot se dit également de la représentation allégorique de la victoire, divinité païenne, par une femme ailée (1555) ou sa personnalisation symbolique *(«La Victoire, en chantant...»)* et, par extension, s'applique à une statue de la victoire (1558), par exemple dans *la Victoire de Samothrace.* ◇ Au sens général, *victoire* entre dans quelques locutions: ***chanter victoire*** (1680) «se glorifier d'une réussite de façon tapageuse», ***victoire à la Pyrrhus*** (1912; 1834, *une victoire de Pyrrhus*) «victoire chèrement obtenue», par allusion aux victoires sanglantes que Pyrrhus, roi d'Épire, remporta sur les Romains à Héraclée (280 av. J.-C.) et à Ausculum (279), ***voler au secours de la victoire*** «se rallier tardivement à une cause, à un parti qui est sur le point de l'emporter». ◇ Dans l'ensemble, le mot est un intensif solennel de *succès* et remédie avec *triomphe* à l'absence de substantif usuel et général correspondant à *gagner* (*gain* s'étant spécialisé autrement).

▸ **VICTORIEUX, EUSE** adj. est un emprunt (v. 1265) au bas latin *victoriosus,* dérivé de *victoria.* L'adjectif s'applique d'abord à une bataille qui donne la victoire, puis au XIVe s., à celui qui a remporté une victoire, d'où *arc victorieux* «arc de triomphe» (1352-1356), sorti d'usage de même que *un victorieux* n. m. (1380-1388). ◇ Par extension, l'adjectif qualifie la personne qui triomphe de qqn ou de qqch. (XVe s.; 1679, *victorieux de*) et de ce qui exprime un succès (1563), spécialement dans *argument victorieux* «décisif» (1798), emploi vieilli. ➛ En dérive **VICTORIEUSEMENT** adv. (1352-1356), mot littéraire.

VICTORIA n. f. représente (1845) l'emploi comme nom commun du nom de la reine d'Angleterre *Victoria* (1819-1901) qui régna de 1837 à 1901, et en l'honneur de qui une plante et une voiture furent dénommées.

♦ *Victoria* ou *Victoria regia* désigne une plante aquatique, à fleurs rouges et blanches, aux feuilles rondes immenses qui flottent sur l'eau. ➛ Par réemprunt (1855) à l'anglais *victoria* (1844), il a désigné une voiture hippomobile découverte, qui servait aux déplacements en ville.

▸ Du nom de la reine Victoria a été par ailleurs dérivé, par calque de l'anglais *victorian,* **VICTORIEN, IENNE** adj. (1913), appliqué à ce qui est relatif au règne de la reine Victoria et, par extension, à ce qui a les caractères de la société victorienne, notoire pour son hypocrisie sexuelle, son puritanisme, ses bonnes manières bourgeoises. ◇ Sans ces allusions morales péjoratives, *les* **VICTORIENS** n. m. pl. (1924) s'applique aux artistes anglais de cette époque.

VICTUAILLE n. f. est la réfection, d'après le latin, des formes anciennes et adaptées *vitaille* (1138), employée jusqu'au XVIIIe s., et *vitalle* (1200), qui ont subi deux remaniements : *victaille* (v. 1300) encore relevé à la fin du XVIe s. puis, d'après la finale *-ualia, victoaille* (1440), enfin *victuaille* (av. 1492), qui se rapproche de la forme latine. Emprunté au XIVe s., le mot est d'abord issu du bas latin *victualia* «vivres», «aliments», pluriel neutre substantivé du latin impérial *victualis* «relatif à la nourriture». Ce dernier est dérivé du latin classique *victus* «moyen ou manière de vivre», d'où «régime alimentaire», lui-même du supin *victum* de *vivere* (→ vivre).

♦ Le nom est d'abord relevé au sens de «nourriture», encore en usage à l'époque classique, où il signifie aussi «provision». *Vitailles,* au pluriel (v. 1175), désignait les vivres vendus au marché et, au figuré, la nourriture de l'âme (v. 1190, *vitailles de salveteit* [de salut]). Ces acceptions ont disparu, comme l'emploi spécial pour «provision pour un navire» (v. 1390). ◇ Le singulier est ensuite pris dès le XIVe s. en wallon (*vitaille,* 1347) avec la valeur collective de «provisions de bouche» (1440, *victoaille*). Ce sens est demeuré vivant, mais seulement au pluriel, emploi qui apparaît au XVIe s. (1542). Par extension, le mot est utilisé en parlant des denrées pour la nourriture des bestiaux (2e moitié du XVIIIe s., *vitailles*). On voit par cet exemple que la forme moderne *victuailles* ne l'a emporté définitivement sur les formes anciennes, qui survivent dialectalement, que vers la fin du XVIIIe siècle.

◈ voir **RAVITAILLER** (et **AVITAILLER**).

VIDAME n. m. est issu (XIIe s., *visdame*) du bas latin *vice dominus* «lieutenant d'un seigneur», composé de *vice* (→ vice-) et de *dominus* «maître (de maison)», «souverain, chef, maître», au propre et au figuré. *Dominus* est lui-même dérivé de *domus* «maison», «édifice» (→ dôme, domicile). *Dame,* n. m., est aussi attesté en ancien français dans *damedieu* «seigneur dieu» (→ dom).

♦ *Vidame,* aujourd'hui terme d'histoire, désigne un officier qui remplaçait les seigneurs ecclésiastiques, évêques et abbés, dans certaines fonctions temporelles. Le mot est devenu ensuite un titre de noblesse attaché aux terres tenues par un vidame au sens ancien (attesté 1690).

▸ **VIDAMÉ** n. m. (XIIe s., *visdamné;* 1384, *vidammée* et 1690, forme moderne) ou **VIDAMIE** n. f. (v. 1400), didactique, se dit de la dignité de vidame et (déb. XVIIIe s., Saint-Simon) de la terre à laquelle est attaché le titre de vidame.

✱ **VIDE** adj. et n. m. apparaît sous la forme moderne au XIVe s., mais celle-ci ne devient officielle qu'en 1762 (Académie). C'est la réfection de *voide,* adjectif féminin (1080), puis *vuit, vuide* (v. 1155), et sous une seule forme, *vuide,* attestée au XIIIe s., qui se maintient au XVIIe siècle. *Voide, vuide* est issu du latin populaire °*vocitus,* dérivé de *vocuus,* variante archaïque du latin classique *vacuus* «vide», «libre de» et «vacant». *Vocuus,* disparu très tôt de la langue écrite et maintenu dans la langue parlée, dérive de *vocare,* variante archaïque de *vacare* «être vide» (→ vacant).

♦ L'adjectif s'applique d'abord à ce qui ne contient rien de sensible, de perceptible. C'est cette valeur générale qui se développe, dans les domaines concret et abstrait, au propre et au figuré. Dans la *Chanson de Roland,* il s'emploie en parlant d'une terre en friche (1080, *voide tere,* devenue *terre vuide,* 1310); cette acception à comparer avec certains emplois de *vague,* a disparu. ◇ *Vide* (et les formes antérieures) qualifie notamment (XIIIe s.) un espace, un lieu où ne se trouve aucun être humain, parfois aucun animal. ◇ Dans un sens relatif, l'adjectif suivi de *de* qualifie (v. 1120, *vuit de*) ce qui est dépourvu (de ce qui devrait normalement se trouver là). ➛ Les emplois abstraits apparaissent très tôt, et le mot signifie «délivré, libéré» (1172-1174) et qualifie une personne épuisée, sans force (v. 1190, *veut;* fin XIVe s., *vuit*). Il s'utilise figurément depuis le XIIIe s. en parlant de la tête, du cœur, lieu des idées et des sentiments, *chief vuit, tête vuide* signifiant «tête affaiblie, sans idées» (v. 1200). L'adjectif qualifie aussi (v. 1265) ce qui manque d'intérêt, de substance par la même métaphore qui donne à *creux* son sens figuré. *À vuide main* «sans cadeau» (v. 1260-1270) devient *venir,* etc. *les mains vuides* (1559), puis ***les mains vides*** (1672). ◇ *Vide* s'est utilisé en droit (1297, *vuide* au fém.) à propos d'une possession exempte de tout assujettissement, et en théologie (XIVe s., *vuide*) pour «privé de la grâce». ➛ Le temps étant assimilé à un contenant, l'adjectif s'applique aussi depuis la fin du XVIe s. (av. 1593) à des moments qui ne sont pas employés, de là ***temps vide*** «où il ne se passe rien d'important» (1681, Bossuet, *siècles vides*). ➛ *Vide* s'emploie aussi avec une valeur abstraite dans le domaine moral (v. 1210) pour «dépourvu de sentiments, de pensées», etc.

À la fin du XVIIe s., le sens ancien (voir ci-dessus) correspondant à «qui n'est pas occupé (d'un lieu, d'un bâtiment, d'une pièce, d'un véhicule, etc.)» est repris métaphoriquement par la locution *avoir des chambres vides dans la tête* «être un peu fou» (attesté 1690). Cette locution sera transformée en ***avoir une case vide, des cases vides.*** Elle reprend l'idée ancienne de *tête vide* (ci-dessus) qui devient alors par métonymie «personne irréfléchie» (v. 1718). La métaphore correspond à celle de *tête en l'air, à l'air, à l'évent, éventée...* Une autre métaphore, celle-ci psychologique, donne lieu à l'expression ***le (un) cœur vide,*** d'où *laisser le cœur vide à qqn* «le laisser sans affection» (1798), expression disparue. ➛ Parmi les emplois récents de l'adjectif, ***ensemble vide,*** en mathématiques (1960 in T. L. F.), correspond à «ensemble à zéro élément», et *vide,* en informatique, signifie «qui ne contient pas d'information».

La première substantivation de l'adjectif ***(le, un vide)*** concerne un espace inoccupé, sans corps matériel, ou une solution de continuité; elle se fait au féminin (v. 1190, *wide*), puis au masculin, avec la valeur spéciale de «partie de l'armure qui laisse le corps à découvert» (*voit,* n. m., v. 1280; puis *vuide,* 1440-1475). ➛ Un autre substantif *vuide,* féminin, est au XIIIe s. le déverbal de *vuider* (ci-dessous *vider*) et correspond à «évacuation (d'une place militaire)»; de là l'expression *faire la vuide* «partir, s'enfuir» (fin XIVe s.). Un emploi parallèle (*wide,* n. f., 1283) équivaut à «perte». Tous ces emplois ont disparu avant le français classique. ➛ En revanche, le sens philosophique, «espace qui n'est pas occupé par la matière» (v. 1370, *vieu*), sera repris au XVIIe s. sous la forme le *vide* (ci-dessous). Cette période classique donne au substantif de nombreuses valeurs, notamment techniques et scientifiques. *Vide,* n. m., désigne un espace qui n'est pas occupé par ce qu'il doit contenir (1611, *vuide*), un espace dépourvu de construction, une ouverture dans un mur (1636) et, en astronomie, un espace sans astres entre les corps célestes (1636). ◇ En physique, il se dit (1651, Pascal) d'un abaissement très important de la pression de l'air ou d'un gaz en général; cette acception, liée au développement des connaissances sur la nature matérielle de l'air (auparavant considéré comme vide de matière) et sur la pression de l'atmosphère, à la découverte du baromètre, de la pompe pneumatique, est distincte de l'emploi scientifique ancien, correspondant aux théories opposant matière et vide, par exemple dans l'aphorisme calqué du latin ***la nature a horreur du vide*** (1648, Pascal). ***Vide absolu*** (1771) correspond à cet ancien concept, mais *vide* y a pris la valeur scientifique de «pression nulle». Le concept scientifique sera remanié plus tard (ci-dessous). ➛ À la même époque classique, *vide* (n. m.) est employé, d'après les usages métaphoriques et figurés de l'adjectif, pour ce qui est ressenti comme une privation (v. 1650, en parlant de l'âme), pour désigner le caractère de vanité des choses (v. 1675, Bossuet), le sentiment de manque provoqué par l'absence, la mort (1680, Mme de Sévigné). ◇ Sur le plan concret, et d'après un des emplois principaux de l'adjectif, le nom se dit d'un milieu où il n'y a pas d'objets sensibles (1675). ◇ Sur le plan social et métaphoriquement, *vide* s'emploie pour «absence de compagnie, d'amis», par exemple dans ***faire le vide autour de qqn*** (attesté 1872) ou ***parler dans le vide*** (1872) «sans auditeur, sans être écouté» et «en pure perte». ➛ La notion physique de *vide,* commentée aux XVIIe et XVIIIe s. (ci-dessus), se reconstruit entièrement au XIXe s., puis au XXe s., avec la découverte de la structure atomique de la matière. C'est dans ce contexte qu'apparaissent des syntagmes comme *vide poussé, pompe à vide, vide moléculaire* et le composé **ULTRA-VIDE** n. m., attesté dans les dictionnaires généraux en 1975. ➛ Cependant le substantif est resté usuel au concret, notamment pour «abîme» *(contempler le vide, pendre dans le vide)* comme à l'abstrait (*vide mental*, etc.).

Une exploitation ancienne de *vide* substantivé est la locution adverbiale ***à vide*** «sans rien contenir», apparue en ancien français (1283, *a vuit*) et employé régulièrement sous sa forme moderne depuis le XVIe s. (1538, *à vuide*). *À vide* se spécialise plus tard en musique, où *toucher à vide* (1704), puis *jouer à vide* (1832) signifie «jouer (d'un instrument à cordes pincées) en laissant une corde libre», cette corde étant dite *corde à vide* (1765). ◇ L'expression prend sa valeur aujourd'hui courante en mécanique, où ***tourner à vide*** (1876) correspond à «tourner, fonctionner sans que l'effort s'exerce sur une pièce mécanique active». De là, une expression comme ***passage à vide*** «moment où un moteur, un mécanisme tourne à vide» et, au figuré, «où une activité n'a plus d'effet utile», par extension «baisse d'activité, extrême fatigue».

▸ **VIDER** v. tr. est issu du latin populaire °*vocitare*, dérivé de °*vocitus*. Le verbe apparaît sous les formes parallèles à celles de *vide* (ci-dessus) : *voidier* (v. 1120), *vuidier* (v. 1130); la graphie *vuider* (v. 1155) se maintient jusqu'au XVIIIe s., à côté de *vider*, lequel apparaît isolément au XIVe s., est repris et diffusé au XVIIIe s., devenant forme officielle à partir de 1762. ◆ Le verbe a le sens général de «rendre vide», d'abord au figuré (v. 1120) pour «dévaster, détruire», emploi disparu en moyen français, et dans ***vider les arçons, la selle*** «être renversé de cheval» (v. 1130, *vuidier*), toujours en usage. *Vuidier... de* signifiait (XIIe s.) «débarrasser... de» (en faisant sortir). ◇ Le verbe est également attesté au XIIe s. au sens large d'«enlever d'un lieu ce qui s'y trouvait» (v. 1155); ces deux valeurs se développent ensuite. ◆ L'acception de «sortir (d'un lieu), partir» (1165-1170, intr., *vuidier*) est toujours en usage à l'époque classique, comme *vuidier* (puis *vuider*) *la ville, un pays* (v. 1190), d'où viennent les locutions modernes ***vider les lieux*** (1690), ***vider le plancher*** (1783), familier. ◆ C'est avec la valeur de «rendre vide» que le verbe s'emploie pronominalement (v. 1190, *soi vuidier;* 1704, *se vider*) au sens de «se décharger le ventre» ou de «perdre beaucoup de sang». Cet emploi correspond pour le verbe actif à celui de «vidanger» (1280, *widier*); il est sorti d'usage. ◆ Au figuré, *vuidier un dit* (1313) signifie en droit «prononcer un jugement», valeur conservée dans quelques expressions, en parlant d'une affaire, d'une cause, etc. (1480), dans *widier ses comptes* (1505), et en droit dans ***vider un délibéré*** (1873) et plus couramment *vider une querelle, un différend*. ◆ Depuis le moyen français, *vider* a pris des valeurs concrètes spécifiques : «enlever, mettre dehors (des ordures)» (XIVe s.), «décharger (une voiture, un bateau)» et aussi (1260) «faire couler (un liquide)» et, avec un complément nom de personne, «faire sortir (qqn) d'un lieu» (1493), valeur alors neutre qui sera reprise dans l'usage familier (voir ci-dessous), après s'être spécialisée en fauconnerie (1690, *faire vider le gibier*) [cf. aussi *évider* ci-dessous]. *Vider le pré* «rentrer les foins» (1559, *vuyder le pray*) a disparu, comme *vuider* (1549), puis *vider* (1762) *ses mains* «se dessaisir d'une somme et la payer à qui de droit». ◇ On relève aussi au XVIe s. l'emploi pour «rendre creux un objet (en enlevant de la matière)» (1560), où le verbe a été remplacé plus tard par *évider*. ◇ Dans un emploi concret, *vider* signifie (1611) «ôter les entrailles d'un animal pour le faire cuire», sens demeuré usuel en cuisine. ◇ Reprenant l'emploi médiéval du pronominal (ci-dessus), ***vider le ventre*** s'est dit (1673) pour «faire sortir (du ventre) en purgeant», *vider* pour «purger» (1690, Furetière) et *se vider* en parlant d'un cadavre (1690). ◇ Deux emplois devenus usuels apparaissent à la fin du XVIIe s. : *vider* au sens de «rendre vide (qqch.) en le buvant» (1690, *vider une bouteille*), puis *vider son verre*, etc., et ***vider sa bourse*** «la rendre vide en dépensant ce qu'elle contient» (1694), à rapprocher de ***vider son sac***, au figuré «dire tout ce qu'on dissimulait». ◇ Parmi les emplois spécialisés, *vider un abcès*, «l'inciser pour faire sortir le pus» (1863), a fourni au figuré ***vider l'abcès*** «régler de façon rapide une situation devenue dangereuse» (XXe s.). ◆ Repris avec la valeur de «faire sortir (qqn)» et, intransitivement, «partir», le verbe s'est dit en argot pour «mourir» (1867), puis s'emploie au sens de «faire sortir brutalement d'un lieu» (1879) très courant dans l'usage familier, aussi pour «renvoyer, licencier» *(vous êtes vidé !)*; cf. ci-dessous *videur*. *Vider*, intransitif, ne se dit pas pour «partir»; on emploie *vider les lieux* (ci-dessus). ◇ Enfin, le verbe a pris la valeur métaphorique d'«épuiser les forces de (qqn)» (1876), moins courante que l'emploi correspondant de *vidé* (ci-dessous).

Le dérivé **VIDAGE** n. m., d'abord *vuidage*, désigne l'action de vider qqch. : le contenu d'une fosse d'aisances (XIIIe s.) [cf. ci-dessous *vidange*], le bois abattu (1276). La valeur générale est tardive (1845) et rare. ◇ Le mot s'est dit aussi de l'action de partir (1339, *widage*). ◇ Repris comme terme technique, il désigne par métonymie (1872) d'un sens virtuel, qui serait «action de creuser et de rejeter la terre», un remblai formé par la terre extraite, de chaque côté d'un canal (cf. ci-dessous *vidange*). ◇ Par reprise du sens familier de *vider*, il signifie (1918) «expulsion (de qqn)».

VIDANGE n. f., qui apparaît dans les Flandres (v. 1250, *vuidenghe*), est formé avec le suffixe d'origine francique *-inga*, au sens de «cavité, espace creux», *widenghe* s'employant (1286) pour «écoulement des eaux, égout». La graphie *vidange* ne s'impose qu'à partir du XVIIIe siècle. ◆ Le mot, relativement démotivé par rapport au verbe, désigne par métonymie (1312) un ensemble de déblais, de matériaux enlevés, le sens actif «extraction et transport des terres fouillées» étant attesté un peu plus tard (1387). ◇ Il se dit spécialement (1362) de l'action de vider une fosse d'aisances, d'où **VIDANGES** n. f. pl. «immondices retirées des fosses d'aisances» (1538, *vuidanges;* 1409 au sing.); le caractère courant de cet emploi rendra difficile celui du mot dans d'autres emplois (voir cidessous). ◇ C'est la valeur métonymique, «ce qui est enlevé», que l'on a dans les emplois disparus pour «perte de sang» (XIVe s.), et spécialement pour «lochies» (v. 1560) et «fausse-couche» (1640), disparus. ◇ Le mot ne s'est pas maintenu non plus en droit pour «action de vider un procès» (1466). ◆ *Vidange* se dit en tech-

LE VIDE : du ravage aux vacances

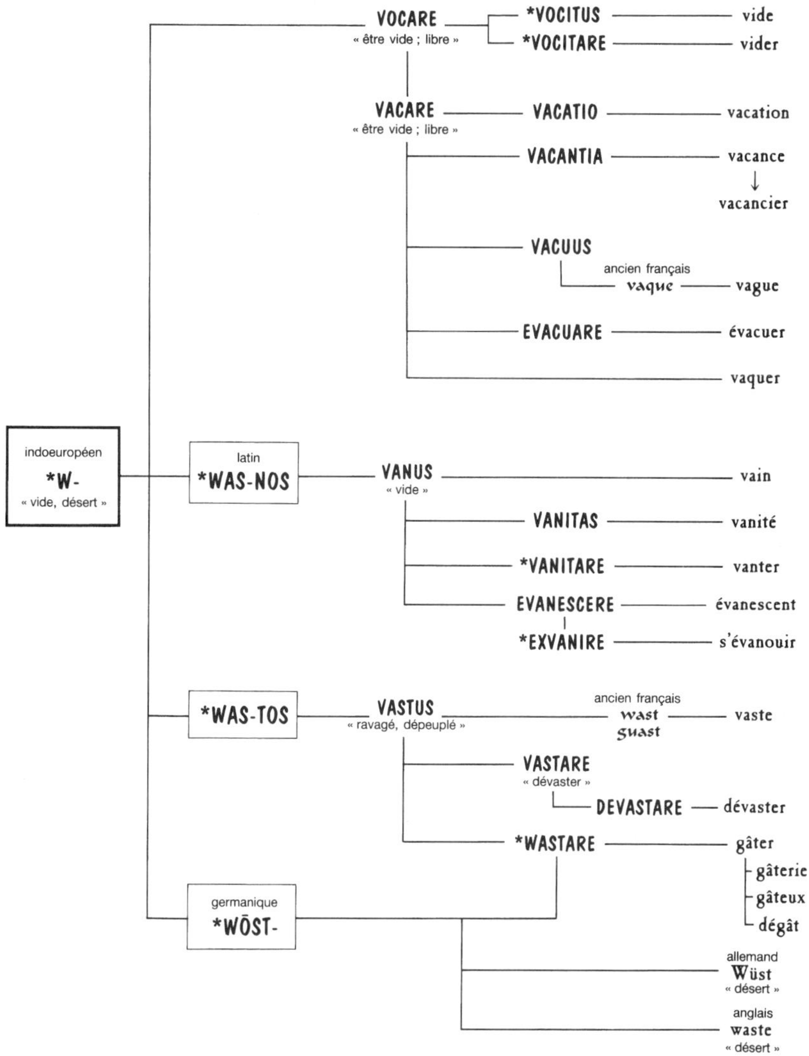

nique, depuis le XVIe s. (1538), de l'action de vider, en parlant d'opérations grossières ou sales ; la spécialisation (XXe s.) à propos de l'huile usagée d'un moteur d'automobile, souvent associée à *graissage*, est usuelle. ◇ Le mot désigne également (1601) ce qui sert à évacuer (un liquide), mais l'emploi général pour «ouverture» est sorti d'usage, notamment en parlant de l'échancrure d'une robe (1636). ◇ *Vidange* s'est utilisé par métonymie à propos d'un récipient vide (1501, d'un fût) ou qu'on est en train de vider (1690), et aussi à propos d'un liquide dans un récipient (1798). Il désigne en Belgique une bouteille vide (1961). ➜ Le dérivé **VIDANGER** v. tr., attesté isolément pour «enlever (de la terre)» (1578), signifie «vider (une fosse, un réservoir, etc.)», notamment (1877) une fosse d'aisances et «évacuer par une vidange» (1865), notamment à propos d'un moteur ; il a dû être formé d'après *vidangeur*. ➜ **VIDANGEUR, EUSE** n. (1676, au masculin) est dérivé de *vidange* au sens spécial d'«action de vider une fosse d'aisances».

VIDEUR, EUSE n. d'abord à propos de la personne qui vide les plats, c'est-à-dire d'un bon mangeur (v. 1180, *voideor*) désigne une personne qui est chargée de vider qqch. (XIIIe s., *vuideur*), d'où *vuideur de fosses* «vidangeur» (1676) et, plus tard, *videur de poches* «pickpocket» (1877), sortis d'usage. ➜ Le mot a été repris (1956, n. m.), d'après les emplois familiers de *vider*, en parlant de celui qui est chargé d'expulser, de «vider» les indésirables, dans un cabaret, un bal, etc.

VIDÉ, ÉE adj. et n. m. vient du participe passé du verbe, d'abord au sens de «dépourvu (de)» (v. 1240, *vuidié*) et, concrètement, pour «creusé» à propos d'un dé pipé (1310). ◇ Il s'applique aujourd'hui à ce qui a été débarrassé de son contenu (v. 1360, *vidé*). ➜ Au XVIIe s., le mot a qualifié par métaphore (peut-être du récipient sale) une personne malpropre (1640). Il s'emploie en hippologie en parlant des jarrets d'un cheval (1762), au sens de «maigre et sec» (cf. *évidé*). ◇ Il se dit (1862) d'une personne épuisée ou qui n'a plus de ressources (intellectuelles, morales).

Quelques dérivés apparaissent en français classique et moderne. ➜ **VIDURE** n. f., réfection (1611) de *vuydure* (déb. XVIe s.), *voidure* (1530), signifie «action de vider» (1611, *videure*). ◇ L'emploi initial métonymique, pour «espace creux» (déb. XVIe s.), s'est prolongé par celui d'«ouvrage à jour» (1680). Le sens actif et la métonymie ont disparu. ◇ Le nom ne désigne plus aujourd'hui, par une autre métonymie, que ce qu'on ôte en vidant un animal (1752) et, au pluriel (1882), équivaut à «déchets». ➜ **VIDELLE** n. f., terme technique, désigne un instrument de pâtissier pour couper la pâte (1659), un instrument de confiseur pour dénoyauter certains fruits (1803). Il est employé en marine (1876), désignation d'une couture à point de surjet pour réparer un accroc dans une voile. ➜ **VIDOIR** n. m., terme technique, désigne (1911) une cuvette dans laquelle on déverse des eaux de vidange.

Parmi les préfixés de *vider*, seuls subsistent aujourd'hui dans l'usage courant *évider* et *dévider*. ➜ **ÉVIDER** v. tr. apparaît vers 1120 *(esvuidier)* au sens de «vider entièrement, nettoyer». L'idée d'enlever, de retirer, concrète et abstraite, domine en ancien français dans plusieurs emplois qui ont tous disparu avant le XVIIe s. : «se vider» (v. 1180, intr.), «chasser (une pensée désagréable)» (v. 1190, *esveudier*), «quitter (un pays)» (1215), «dégarnir (un pays) de ce qui lui est nécessaire» (v. 1360), souvent en concurrence avec *vider*. ◇ Le verbe se spécialise au XVIIe s. au sens de «creuser en enlevant une partie de la matière», profondément (1642) ou superficiellement (1690), d'où son usage dans divers domaines techniques : en couture, pour «échancrer» (1659), en architecture pour «sculpter des reliefs» (1694), dans *évider une aiguille* (1723) «y faire la rainure où l'on percera le trou», puis en arboriculture (1757, *évider un arbre*), en chirurgie (1890, *évider un os*). ➜ *Évider* a fourni plusieurs termes techniques : **ÉVIDURE** n. f. (1644), **ÉVIDOIR** n. m. (1756), nom d'appareil ; et deux substantifs d'action, **ÉVIDAGE** n. m. (1848), **ÉVIDEMENT** n. m. (1852).

DÉVIDER v. tr. est attesté à la fin du XIe s. *(desvuidier)* au sens de «mettre en écheveau (le fil qui est sur le fuseau que l'on vide ainsi)». Ce sens s'est conservé. Le verbe s'est employé aussi pour «vider» (v. 1190), «lancer des traits d'arbalète» (v. 1310). ◇ L'emploi du verbe en parlant d'un chien de chasse, pour «faire partir les oiseaux d'un lieu» (1393), correspond à des significations spéciales de *vider*. ◇ *Dévider* est repris en tissage au sens demeuré courant de «mettre en pelote (un écheveau)» (1538 ; certainement antérieur, cf. *dévidoir*) et, par figure, signifie «parler beaucoup» (v. 1550), puis «expliquer, débrouiller» (1585-1600), acception disparue, comme *dévider une fourbe* «découvrir une fourberie» (1671). ◇ *Dévider le jars*, «parler argot» (1849), appartient à l'argot ancien ; la locution métaphorique ***dévider son chapelet*** (1830) utilise à la fois les sens figurés du verbe (ci-dessus) et celui de *chapelet*. ➜ Le verbe a plusieurs dérivés. Le nom d'appareil **DÉVIDOIR** n. m., terme de tissage (XIIIe s., *desvuidoir* ; 1549, forme moderne), s'est employé au féminin (1317, *desvidoueres* ; 1611, *devidoire*). Le mot a désigné aussi un tuyau de fontaine (1530, *devidouer*). ➜ **DÉVIDEUR** n. m., réfection de *desvoideur* «dévidoir» (v. 1380), d'abord attesté au féminin *desvuiderresse* (XVe s., isolément), désigne une personne qui dévide le fil ; il n'est attesté régulièrement dans ce sens qu'au XIXe s. (1870, *dévideur*). ➜ **DÉVIDEMENT** n. m., autrefois en emploi concret (1636) pour «action de mettre le fil en peloton», a été repris comme terme abstrait pour désigner le fait de se dérouler (1866, dans une traduction de J. S. Mill). ➜ **DÉVIDAGE** n. m. «action de dévider» (1700) s'emploie aussi au figuré (1836).

ENVIDER v. tr., terme technique (1763), correspond à «enrouler (le fil de trame)». ◇ Il a pour dérivé **ENVIDAGE** n. m. (1838) et a servi à former un verbe préfixé. ➜ **RENVIDER** v. tr. (1765) se dit pour «bobiner (le fil) de manière à faciliter un dévidage ultérieur». ◇ Ce dernier a pour dérivés **RENVIDAGE** n. m. (1845) et **RENVIDEUR, EUSE** adj. et n. désignant un ouvrier (1860) et qualifiant un appareil qui renvide.

TRANSVIDER v. tr. «faire passer (un contenu) d'un récipient dans un autre» (1829) est d'emploi régional et reste marqué par rapport à *transvaser**.

VIDE-, forme du verbe *vider,* entre dans la construction de mots composés. ◆ **VIDE-BOUTEILLE** n. m., autrefois équivalent familier d'«ivrogne» (1553), a désigné (1714) une petite maison de plaisance près d'une ville, où l'on se réunissait pour boire, se divertir. ◇ Ces acceptions ont disparu et le mot se dit aujourd'hui (1845) d'un instrument qui permet de vider une bouteille sans la déboucher. ◆ On relève également **VIDE-POMME** n. m. (1828) «instrument pour enlever le cœur et les pépins (de la pomme)»; **VIDE-VITE** n. m. inv. (1933) «dispositif de vidange rapide»; **VIDE-CAVE** n. m. (mil. XXe s.) désignant une pompe hydraulique.

◈ voir GOUSSE (VIDE-GOUSSET), ORDURE (VIDE-ORDURES), ① POCHE (art. VIDE-POCHES).

VIDÉO adj. inv. et n. f. a été emprunté, d'abord comme nom masculin (1949), à l'anglo-américain *video,* adj. (1935) et n., du latin *video* «je vois», première personne du singulier du présent de l'indicatif de *videre* «voir*».

♦ *Vidéo,* employé au féminin (v. 1960), désigne par abréviation de **VIDÉOFRÉQUENCE**, n. f. (1942) dite aussi *fréquence vidéo,* une fréquence de modulation contenant une information et, par métonymie, l'ensemble de ces fréquences et le signal qu'elles contiennent. L'adjectif s'applique (1964) à ce qui concerne l'enregistrement et la retransmission des images et des sons sur un écran de visualisation. ◇ *Vidéo* est aussi employé couramment (1975) comme abréviation de **VIDÉOPHONIE** n. f. (1972, de *-phonie*) au sens de «technique qui permet d'enregistrer l'image et le son sur un support magnétique et de les retransmettre sur un écran de visualisation» et, par métonymie, «équipement pour enregistrer». Dans les deux cas, on trouve le masculin *le, un vidéo,* en français du Canada.

▸ **VIDÉASTE** n. a été créé (1982) d'après *cinéaste* et se dit d'une personne qui exerce une activité ayant rapport à la vidéo; le mot a peu de succès.

VIDÉO- est aussi un premier élément qui entre dans la formation récente de mots appartenant au domaine de l'audiovisuel. Dans ces composés, la graphie avec trait d'union se maintient encore lorsque le second élément est un mot (par ex. *vidéo-cassette*). ◆ **VIDÉOPHONE** n. m. (1955), de [télé]*phone,* désignait un téléphone combiné à un téléviseur; on dit aujourd'hui *visiophone* n. m. ◆ **VIDÉOTHÈQUE** n. f. (1970), d'après [biblio]*thèque,* «collection de documents vidéo» et «lieu où ils sont entreposés», est courant. ◆ **VIDÉODISQUE** n. m. (apr. 1970), de *disque*,* par calque de la syntaxe anglaise (on trouve aussi *disque vidéo,* où *vidéo* est adjectif), désigne un disque qui permet de reproduire un enregistrement sur un écran de télévision. ◆ **VIDÉOCOMMUNICATION** n. f. (1974), de *communication,* désigne un ensemble de techniques qui permettent la transmission d'informations sous forme d'images fixes ou animées (télévision par câble, par satellite, cryptée, etc.). ◆ **VIDÉOCASSETTE** n. f. (1971), d'après l'ordre syntaxique de l'anglais qui emploie *video cartridge* ou *video cassette,* «cassette contenant une bande magnétique», est concurrencé par *cassette vidéo.* ◆ **VIDÉOGRAMME** n. m. (1974), formé avec l'élément *-gramme,* signifie «support permettant l'enregistrement et la reproduction d'un document audiovisuel». ◆ **VIDÉOGRAPHIE** n. f. (v. 1975), de *-graphie,* désigne la transmission des messages graphiques par télécommunication. ◆ **VIDÉOTEX** n. m. inv. et adj. est un nom déposé (1979), tiré de l'anglais *videotex,* de *tex*[t] «texte», «système permettant la vidéographie». ◆ **VIDÉOCONFÉRENCE** n. f. (1979), de *conférence,* se dit d'une téléconférence par l'intermédiaire du réseau de télécommunications, utilisant la diffussion d'images de télévision. On a dit aussi *visioconférence* (1975; de *visio*[n] et *conférence*). ◆ **VIDÉOCLUB** n. m. (v. 1980), de *club,* désigne une boutique qui loue ou vend des enregistrements vidéo (cassettes, disques). ① **VIDÉOSURVEILLANCE** n. f. (v. 1980), de *surveillance,* se dit d'un système de surveillance constitué de caméras vidéo reliées à un ou plusieurs écrans de visualisation. ◆ **VIDÉOTRANSMISSION** n. f. (1984), de *transmission* désigne la retransmission de programmes audiovisuels sur grand écran.

◈ voir ② CLIP (VIDÉO-CLIP); VIDIMUS, VISA.

VIDIMUS n. m. attesté au XIVe s. (1315, *vydimus;* 1392, *vidimus*), reprend un mot latin signifiant «nous avons vu», première personne du pluriel du présent de l'indicatif parfait du latin classique *videre* (→ voir).

♦ Ce terme d'administration désigne (1315) un acte délivré par une autorité et contenant la copie d'un acte antérieur, et (1352) une attestation par laquelle on certifie qu'un acte a été trouvé conforme à l'original.

▸ **VIDIMER** v. tr., qui en est dérivé, est attesté en 1464.

◈ voir VIDÉO, VISA.

VIDRECOME n. m. est la francisation (1744) de *vidercum* (1685), emprunt à l'allemand *Wiederkommen* «retour» et spécialement «verre qui revient», dérivé de *wiederkommen* «revenir». Ce verbe est composé de *wieder* «de nouveau» et *kommen* «venir» (cf. l'anglais *to come*), d'un gotique *kwiman,* qui se rattache à la racine indoeuropéenne °*g^w^en-* «venir» qu'on trouve dans le latin classique *venire* (→ venir).

♦ Le mot désigne un verre à boire qui se passait de convive en convive, en Allemagne. C'est un terme didactique d'histoire.

VIDUITÉ n. f. est un emprunt (1265) au latin classique *viduitas* «privation» et «veuvage, état de femme veuve», dérivé de *viduus* (→ veuf). *Viduité* a remplacé *vevée,* puis par changement de suffixe *vedveté* n. f. «veuvage» (v. 1155), aboutissement du latin, devenu *veuveté* (XIIIe s.) jusqu'au XVIe s. sous l'influence de *veuve.*

♦ Le mot conserve le sens de «veuvage» puis se dit (1576) de l'état d'une personne qui est privée de qqch. et, littérairement (av. 1605), pour «abandon, solitude». ◆ Par attraction de *vide* et confusion avec *vacuité*,* *viduité* s'emploie pour «état de ce qui est vide» (attesté 1853, Flaubert).

✱ **VIE** n. f., après les formes *vida* (v. 980), *vithe* (1050), représente (1080) l'aboutissement de l'évolution phonétique du latin classique *vita* «vie, existence» et, au figuré, «genre de vie, manière de vivre», «moyen d'existence», «réalité» et «biographie». *Vita* est issu d'une forme ancienne °*vivita*, dérivée de *vivere* (→ vivre).

♦ Le mot est d'abord attesté (v. 980, *vida ;* 1080, *vie*) pour désigner l'ensemble des activités et des événements qui remplissent la durée de l'existence humaine puis, avec une valeur religieuse, la survie (v. 1050, *celeste vithe*) ; dans ce cas, le mot est parfois écrit avec une majuscule lorsqu'il est employé seul (1553) ; il est plus souvent qualifié : ***la vie éternelle*** (1416 ; v. 1145, *pardurable vie,* même sens), ***la vie future*** (1660), ***l'autre vie*** (av. 1778). ◇ *Vie* est pris également (v. 1050) au sens général de «fait de vivre». ◇ Depuis la *Chanson de Roland* (1080), il se dit aussi de l'espace de temps qui s'écoule entre la naissance et la mort d'un être individuel, d'où, en ancien français, *a tute ma vie* «pendant toute ma vie», ainsi que du cours des choses humaines, de la manière de penser l'existence. ◇ Par métonymie du premier sens, ou par réemprunt du latin, *vie* s'emploie (1130-1140) pour «biographie», puis signifie (v. 1200) «type d'activité qui s'exerce dans certaines conditions» en concurrence avec *état, occupation,* etc. ◇ À partir du XIIIe s. apparaissent diverses locutions liées aux valeurs précédentes : *mener fort vie* «faire grand bruit et s'agiter», puis *mener une vie terrible, de diable* (1382) ont disparu ; en religion, ***pain de vie*** se dit de l'aliment de la vie spirituelle (v. 1220) comme ***parole de vie*** (1553). ***En vie*** s'emploie pour «vivant» (v. 1240). Sur un autre plan, *donner vie à qqn* signifie «engendrer» (v. 1273), aujourd'hui (depuis 1553) ***donner la vie.*** ➜ Parallèlement, le mot désigne la manière de vivre, de se conduire moralement, en particulier dans ***de bonne vie*** «dont la conduite est honnête» (v. 1250), opposé à ***de mauvaise vie*** dans *homme de mauvaise vie* «débauché», qui est sorti d'usage avec une évolution de la morale sexuelle plus défavorable à la femme, alors que ***femme de mauvaise vie*** (1553) s'est maintenu ; en moyen français, on disait simplement *fille de vie* (1399). On relève aussi avec une valeur d'appréciation non morale ***bonne vie*** «exempte de soucis» (fin XIIIe s.), encore usuel *(c'est la bonne vie).* ◇ *Vies,* au pluriel pour «mœurs» (v. 1380), ne s'est pas maintenu. ◇ Depuis la fin du XIIIe s., le mot signifie «durée de temps qui reste à vivre», spécialement (v. 1283) dans ***à vie*** «pendant le temps encore à vivre» ; il s'employait dans *a mort et a vie,* loc. adv., «pour toujours» (v. 1283), devenu ***à la vie (et) à la mort*** (1690). ◇ ***Mener une vie*** (qualifiée négativement : *pénible, terrible...*) ***à qqn*** «le tourmenter, le maltraiter» (1382) a ensuite des équivalents familiers comme ***mener, rendre la vie dure*** (déb. XVIIIe s.). ◇ *Aller de vie à trépas,* «mourir», est devenu ***passer de vie à trépas*** (2e moitié du XIXe s.). ➜ C'est seulement en moyen français (attesté fin du XIVe s.) que *vie* désigne, d'après une des acceptions du latin *vita,* la nourriture (1395, *avoir sa vie* «avoir le vivre et le couvert») et, encore à l'époque classique, les moyens matériels d'assurer la subsistance (1538). Ce sens a donné lieu à des expressions employées à l'époque classique, comme *(personne) de grande vie* «qui mange beaucoup» (1570), opposé à *de petite vie* (1640). ***Gagner sa vie,*** «assurer sa subsistance en travaillant» (fin XVe s.), toujours usuel, relève de cette valeur, comme *la vie ne coûte rien (dans cette ville,* etc.) [1676]. ➜ Par ailleurs, au XVIe s. et en français classique, les expressions et locutions se multiplient : *ne... de ma (ta...) vie,* pour «ne... jamais» (1540), ***jamais de la vie*** (XIXe s.), simple renforcement de *jamais.* ◇ *Telle vie telle fin* (1611) s'est modifié en *telle vie telle mort* (1788) ; *faire vie qui dure* «ménager sa santé, ses ressources» (1640) est sorti d'usage comme *vie de pourceau, courte et bonne* (1640) et *vie de cochon* (1718) «vie passée dans les excès». ◇ Restent vivants ***vie de garçon*** «existence insouciante (d'homme célibataire)» (1640), ***faire la vie*** «mener une vie dissipée» (1649, Scarron) : on a employé en ce sens *faire la petite vie* (1808). ***(Être) sans vie*** (1669) correspond à «mort» et à «évanoui». ◇ *Vie,* par extension, désigne (1679) la manière de vivre commune à une société et se dit spécialement du fait de vivre intensément (1689, *tout en vie* «plein de vigueur»). À la fin du XVIIe s., Furetière note aussi : ***vie de chien*** «existence très pénible», ***avoir la vie dure*** «résister à la maladie, etc.». ◇ Au sens premier, «existence humaine», le mot reste productif en locutions, que ce soit au sens de «survie biologique» ***n'avoir qu'un souffle de vie*** (1718) ou de «transmission de l'existence par la génération» ***devoir la vie à qqn*** (1736) «être né de lui» puis aussi «avoir été sauvé par lui». ◇ Avec la valeur de «mode de vie», ***vie de bohème*** (1710) «existence irrégulière» devient à l'époque romantique le propre du milieu des artistes. La locution ***refaire sa vie*** (déb. XXe s.) s'est spécialisée dans le domaine sentimental, plus précisément matrimonial ; ***vivre sa vie*** (déb. XXe s.) signifie «mener la vie qu'on a choisie». ➜ Aux XVIe et XVIIe s., une série d'emplois utilise le mot dans des appellatifs et des imprécations. ***Ma vie*** s'est employé comme terme d'affection (1538), comme *mon cœur.* ***Sur ma vie*** est une formule d'affirmation (1543), comme *sur ma conscience,* etc. ; déjà le moyen français connaissait *sur la vie* (v. 1360), formule d'adjuration. ➜ Le mot désigne figurément (1630) l'animation que l'artiste donne à sa matière et, par analogie, une existence dont le dynamisme évoque la vie (av. 1778), spécialement en parlant d'une société (av. 1830). ➜ La métaphore de la vie et de la mort est très courante vers la fin du XIXe s. et le début du XXe s. dans les sciences sociales ; elle s'applique aux institutions, au langage (*La Vie des mots,* de A. Darmesteter, 1885), etc. ➜ Par ailleurs, le mot se dit (1880) de l'existence de ce qui se transforme dans le temps, d'où au XXe s. l'emploi pour «durée d'existence (d'une chose)», spécialement en sciences *(la vie d'un radio-élément),* aussi *durée de vie,* en sciences et en technique.

▸ Le dérivé **VIABLE** adj. est attesté en 1537, s'appliquant à un être apte à vivre. Par analogie, l'adjectif qualifie (1830) ce qui présente les conditions nécessaires pour durer *(entreprise viable).* ➜ Le dérivé ② **VIABILITÉ** n. f. s'emploie au propre (1803, d'un fœtus) et par analogie (1842). ➜ Le contraire préfixé **INVIABLE** adj., d'abord employé pour «invivable»

(1877), est didactique ou littéraire (1906), comme **INVIABILITÉ** n. f. (XXe s.).

SURVIE n. f., réfection (1670) de *sourvie* (1604), s'emploie d'abord en droit pour «état d'une personne qui survit à qqn», notamment dans des expressions comme *gains de survie* (1688). ◇ Il est passé dans l'usage courant pour désigner le fait de survivre, d'abord au figuré (1850), puis à propos de la vie après la mort dans les croyances religieuses (1907). Par extension, il équivaut à «immortalité» en parlant d'une œuvre.

VIAGER, ÈRE adj. et n. m. est dérivé (1332), d'abord dans le nord de la France sous la forme *wiagère* (1291, n. f.), de l'ancien français *viage* n. m., dérivé de *vie* suffixé en *-age*, qui signifiait «cours, durée de la vie» (1281); *viage* s'employait aussi en droit pour «usufruit à vie» (1298), sens encore relevé en 1700, puis (1611) pour «personne qui jouit d'une rente durant sa vie». ➜ L'adjectif s'applique (1332) à une personne qui bénéficie, sa vie durant, de ressources, sens sorti d'usage. ◇ Il s'emploie spécialement en droit (1417), qualifiant une rente, une pension *(pension viagère)* qui doit durer pendant la vie d'une personne, et non au delà. ◇ *Viager* n. m. a désigné (1450, encore en 1771), aussi au féminin *viageresse*, un rentier à vie. Cette acception a disparu. *Un viager* correspond (1762) à un revenu viager. Le mot s'emploie notamment dans ***en viager.*** Il est aujourd'hui relativement démotivé par rapport à *vie*.

◈ voir VITAL, VITAMINE.

VIÉDAZE n. m., d'abord *viet d'aze* (1532, Rabelais), puis *viédaze* (1611), *viédase* (1651), est repris à l'occitan et signifie littéralement «organe sexuel de l'âne»; le mot est composé de *viet* (→ vit) et *aze*, du latin *asinus* (→ âne).

♦ *Viédaze* est d'abord employé chez Rabelais au sens étymologique et (1534) comme terme d'injure, pour «imbécile, niais» (1611), puis «poltron, vaurien» (1651, *viédase;* 1680, aussi explicitement *vit d'aze*). ➜ Le mot équivaut dans le sud de la France, par une analogie de forme, à «aubergine», sens relevé en 1842 *(vietdaze)*, mais attesté antérieurement dans les dialectes.

VIELLE n. f., attesté vers 1130 (*viele;* XIIIe s. avec deux *l*), représente selon Bloch et Wartburg le déverbal de **VIELLER** v. intr. (déb. XIIe s.), formé à partir du radical onomatopéique *vi-*, comme l'ancien provençal *violar* (v. 1170) [→ viole]. Cependant, P. Guiraud le donne comme issu d'un gallo-roman °*vivella,* doublet de l'ancien provençal °*viv(e)ola,* tous deux dérivés de *vivus* «animé», «vif» (→ vif), les finales *-ellus, -(e)ollus* étant des formateurs de noms d'instruments; par dissimilation, le second *v* aurait disparu; dans cette hypothèse, le verbe *vieller* dériverait du nom.

♦ Le mot, d'abord employé pour *viole**, désigne aujourd'hui (1549) un instrument de musique populaire dont les cordes vibrent sous l'effet d'une roue que l'on meut par une manivelle. On dit aussi *vielle à roue* (attesté XXe s.).

► **VIELLER** v. tr. (déb. XIIe s.) «jouer de la vielle» est peut-être à l'origine du nom (voir ci-dessus). ➜ Il a pour dérivé **VIELLEUR, EUSE** n. (1370), d'abord *vielur* (1165). On dit aussi régionalement **VIELLEUX, EUSE** n. (1532); cf. *violoneux.*

VIERGE n. f. et adj. est un emprunt, par l'intermédiaire du latin ecclésiastique, sous la forme *virgo* (v. 980), puis *virgine* (v. 1050), *virjne* (1119) et *vierge* (v. 1250), du latin classique *virgo, virginis* «jeune fille qui n'a pas eu de relations sexuelles complètes»; «jeune fille, jeune femme dont l'hymen est intact»; le mot s'emploie aussi en parlant des femelles d'animaux. À l'époque impériale, comme adjectif, *virgo* est appliqué à toutes sortes d'objets, au sens de «qui n'a pas servi». ◇ Dans la langue classique, c'est le nom d'une constellation du zodiaque et, dans la langue chrétienne, il sert à désigner Marie, mère du Christ «par l'opération du Saint-Esprit». Aucun nom indoeuropéen commun n'a été relevé pour cette notion.

♦ Le mot se dit d'abord comme en latin d'une jeune fille qui n'a pas eu de rapports sexuels (v. 980); en ancien français *virgine* (ou *virgene*) et *vierge* sont alors moins usuels et moins généraux que *pucelle**. En emploi adjectivé, *virgine* (v. 1119), puis *vierge* (XIIIe s.) qualifie une femme ou un homme avant tout rapport sexuel. ◇ Il s'emploie spécialement, écrit avec une majuscule, pour désigner Marie, mère de Jésus (v. 1050, *la Virgine;* v. 1155, *la Virge;* XIIIe s., *la Vierge*), d'où, par métonymie, *une vierge* «une représentation artistique de la Vierge Marie» (1643), thème essentiel de l'iconographie catholique (cf. *Madone, Pietà,* etc.). ◇ En religion il désigne aussi (v. 1140) une femme célibataire dont la chasteté a été reconnue par l'Église et qui a été canonisée, par exemple dans ***vierge et martyre.*** La locution ***(être) amoureux des 11 000 vierges*** «de toutes les femmes qu'on voit» (1640) a vieilli; l'expression pourrait provenir d'un contresens, XI M V ayant été lu ainsi au lieu de «onze martyres vierges». Dans le même registre, la parabole *des vierges sages et des vierges folles* donne lieu à ***vierge folle,*** employé pour «femme de mœurs légères» (1845). Au XVIIIe s., le nom désigne aussi dans le vocabulaire religieux une chrétienne consacrée au service de Dieu, vouée à la chasteté (sans entrer dans un ordre). ➜ Par analogie et comme en latin impérial, l'adjectif s'applique à ce qui n'a pas encore été employé (v. 1270, *cire vierge*), ou à ce qui a été fait avec un matériau intact, par exemple dans *pargamin verge* (XIIIe s.; v. 1530, Marot, *parchemin vierge*) «fait de la peau d'agneaux, de chevreaux mort-nés». ➜ Par réemprunt au latin *Virgo, Vierge* devient au XVIe s. (1512), en astrologie, le nom du sixième signe du zodiaque (23 août-22 septembre) et, en astronomie, le nom d'une constellation zodiacale de l'hémisphère boréal. ➜ L'adjectif prend au XVIe s. le sens général (1580, Montaigne) de «qui n'a jamais été touché, intact», relevé spécialement en 1611 dans ***huile vierge*** «qui sort des olives sans qu'on les ait pressées», sens disparu — l'expression s'appliquant ensuite à l'huile de première pression —, *métaux vierges* «purs» ou *couleur vierge* «pure». Cet emploi se prolonge au XXe s. en commerce et en publicité (*pure laine vierge,* etc.). ➜ L'adjectif s'emploie aussi (1683) à propos de ce qui est sans tache, sans marque. ◇ Avec la notion biologique «qui ne peut procréer», il entre également dans des syntagmes comme ***vigne vierge*** (1690), signifiant «qui ne donne pas de raisin», *terre vierge* (1770) «inexploitée». ◇ L'adjectif s'emploie dans un contexte abstrait pour «intact, qui n'a pas été souillé» (1812, *réputation vierge*). ◇ Sur le plan concret, il acquiert la valeur de «désert, où personne n'a pénétré», dans ***forêt vierge*** (1845), *terres vierges* (1796), *territoire vierge*.

▸ ① **VIRGINAL, ALE, AUX** adj., obtenu (1226) par changement de suffixe de *virginel* (v. 1050), est un emprunt au latin classique *virginalis* «de vierge, de jeune fille», dérivé de *virgo, virginis*. ➛ Le mot conserve d'abord le sens du latin et s'emploie en parlant de la Vierge Marie (cf. *marial*). Il s'est appliqué à la constellation de la Vierge (v. 1270, *signe virginal*). ◇ Comme *vierge*, il s'emploie par figure au sens de «pur» (1570, *huile virginale*), parfois repris au XIXe s., et dans *lait virginal* «cosmétique pour se blanchir le teint» (1611). ◇ Au XIXe s. (1827), *virginal* qualifie abstraitement, dans un usage littéraire, ce qui est sans tache, d'une blancheur immaculée. ➛ Le dérivé **VIRGINALEMENT** adv. (1393) est rare.

② **VIRGINAL** n. m., substantivation de l'adjectif (1533), est emprunté à l'anglais *virginal* (1530) de même origine. ➛ Le mot désigne un instrument du type de l'épinette, surtout en usage en Angleterre du XVIe au XVIIIe s. ; le nom vient peut-être du fait que l'instrument était destiné aux jeunes filles ou qu'il avait un son très pur. On relève aussi la forme *virginale* n. f. (1823).

VIRGINITÉ n. f., d'abord sous la forme *virginitet* (v. 880), puis *virginité* (v. 1119), ou *vierginité* (v. 1380), disparu, est emprunté au latin classique *virginitas* «état d'une personne vierge», dérivé de *virgo, virginis*. ➛ Le mot conserve ce sens en français, puis se dit figurément du caractère de ce qui est intact, pur (fin XVIe s., d'Aubigné), parfois en parlant d'une chose (1699, d'une teinte), acception reprise en emploi littéraire au XIXe s. (1803, Chateaubriand). ◇ Le mot s'emploie en particulier à propos de l'état moral, des sentiments d'une personne vierge, d'où la locution ***refaire (rendre) une virginité à (qqn, qqch.)*** (1830, Hugo), employé aussi au figuré.

DÉVIRGINER v. tr., apparu au XIIe s. (1165-1170), repris isolément peu après 1300 puis à la fin du XVIe s., encore repris en 1802, est un emprunt au latin classique *devirginare* «ôter la virginité à», de *de-* négatif et du radical de *virgo, virginis*. ➛ Ce verbe est littéraire ou plaisant, comme **DÉVIRGINISER** v. tr. (1829), tiré de *virgin*[ité] : ils sont concurrencés par *déflorer*, littéraire, et par *dépuceler*, familier.

VIEUX ou **VIEIL, VIEILLE, VIEUX** adj. et n. apparaît vers 1050 dans la *Vie de saint Alexis*, écrit *vielz* au cas sujet, puis dans la *Chanson de Roland* (1080), écrit *vieil* au cas régime ; *vieux*, cas sujet, est attesté au XIIIe s. ; le féminin *vieille* vers 1155. ◇ Le mot est issu du bas latin *veclus* «vieux», altération, après *vellus*, du latin classique *vetulus*, diminutif de la langue familière de *vetus, veteris* «vieux, ancien», d'où *veteres*, n. m. pl., «les anciens» et *vetera*, n. f. pl., «les vieilles choses, le passé» ; dans le vocabulaire militaire *vetus* a les sens de «vétéran», «expérimenté». On retrouve le *c* de *veclus* dans l'italien *vecchio*. L'adjectif qualifie ce qui est bonifié par l'âge, *vetus vinum* «vin vieux» s'opposant à *novum vinum*. Par ailleurs, *vetus*, comme *vetulus*, s'applique à ce qui est détérioré, diminué par l'âge, et s'oppose à *novus* (→ nouveau), alors que *senex* (→ sénile) ne fait qu'indiquer une classe d'âge, opposé à *juvenis* (→ jeune) ; cette nuance existe dans le correspondant baltique et slave (lituanien *vẽtušas*, vieux slave *vetŭxŭ*). ➛ *Vetus* se rattache à la racine indoeuropéenne °*wet-* «l'année» ; cette valeur se retrouve dans le grec *etos* «année» (→ étésien), le sanskrit *vatsáḥ* «veau», le latin *vitulus* (→ veau), le gotique *wiþrus* «agneau». Le passage à l'idée de dégradation, d'ancienneté a pu s'effectuer par l'opposition *vetus/novum*, par exemple à propos du vin, *vetus* désignant le vin de l'ancienne année ; l'hypothèse est confirmée par le fait que les langues qui ont °*wet-* «année» n'emploient pas °*wetus* «ancien», et inversement.

♦ Le latin classique *vetus* a abouti en ancien français à *viez*, adj., qui correspond à «ancien» (vin, ville, etc.) et à «usé» (vêtement, etc.), sens attesté vers 1155 et en usage jusqu'à la fin du XVe s. ; *viez* avait fourni plusieurs dérivés qui correspondent à ceux de *vieux*, dont *vieserie*, n. f., «vieux vêtements», encore relevé au pluriel au début du XVIIe siècle. ◇ On relève encore *vieil* devant consonne au XVIIe s., mais *vieux* l'emporte, sauf devant un nom commençant par une voyelle ou un h «muet», même si des textes classiques conservent dans ce cas *vieux* (*vieux usurier*, Molière), forme qui se maintient dans des textes modernes à des fins stylistiques. ➛ L'adjectif s'applique dès le XIe s. à une chose dont l'origine, la création est ancienne puis (1080, *vieil*) à un être vivant qui a vécu longtemps, est avancé en âge, alors opposé à *jeune*. Dans ce sens, de nombreuses locutions comme ***vieux comme Hérode, vieux comme les rues*** (chez Furetière, 1690), ***comme les chemins***, etc. ont une valeur intensive. ◇ Le mot a aussi cette valeur comme nom (1080, masc. ; v. 1155, fém.) ; autrefois employé avec une nuance de respect, il est aujourd'hui plus familier que *vieillard** et souvent condescendant, sinon méprisant ; *les vieux* désigne (v. 1273) les gens âgés ou plus âgés, par rapport à une référence. ◇ L'adjectif s'emploie ensuite (v. 1220, *vielz*), opposé à *neuf, nouveau*, en parlant d'un vin, d'une ville, etc. Il qualifie aussi ce qui, existant depuis longtemps, s'est altéré et est hors d'usage (fin XIVe s.), par exemple dans *vieux papiers* «qui ne servent plus à rien» (1690). ◇ En moyen français, il s'utilisait aussi avec une valeur adverbiale dans *vieil mort* «mort depuis quelque temps» (1393), emploi disparu. (cf. ci-dessous l'emploi adverbial moderne). ◇ *Vieux* s'applique aussi à ce qui a existé autrefois (v. 1460), notamment en parlant de la langue pour un usage disparu (1579, *vieil François* «vieux français»). ◇ À la même époque, l'adjectif accompagne un terme péjoratif pour le renforcer (fin XVe s.), mais dès l'ancien français (v. 1175) avec un terme d'injure (*vieux salaud, vieille vache* etc.) ➛ Depuis le XVIe s., *vieux* adj. s'utilise (1538) pour insister sur l'usure d'une chose ancienne. ◇ Par ailleurs, il s'applique (1505) à une personne qui exerce une profession depuis longtemps (avec le nom de

L'idée de VIEILLESSE :
deux radicaux latins

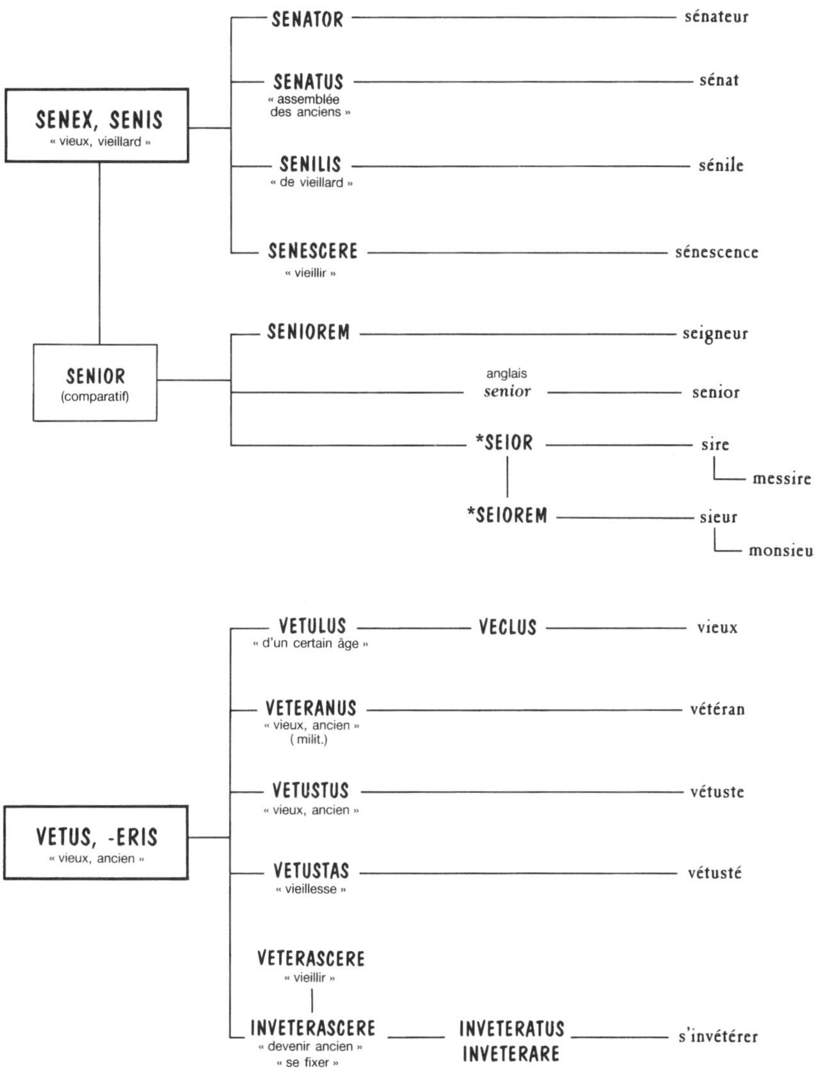

la profession), puis (1566) à une personne qui est depuis longtemps dans telle situation, ce qui n'implique pas qu'elle soit âgée. Cette valeur relative, où *vieux* qualifie la durée d'un état, aboutit à la valeur «de longue date» dans *de vieux amis* (1585) et, spécialement, dans les expressions ***vieille fille*** «célibataire (fille prolongée)» (1610) et ***vieux garçon*** (1627). ◇ L'adjectif qualifie aussi (1579) une matière patinée par le temps. ◇ Opposé à *nouveau* et *récent*, *vieux* signifie «qui se fait, qui se dit depuis longtemps» (1611) et, spécialement, «qui est sorti de l'usage» (1610), à propos d'un mot, du style, d'une coutume, etc. ◇ L'adjectif s'emploie également avec un nom temporel, pour qualifier ce qui est relatif aux personnes avancées en âge : ***les vieux jours*** (1385), ***les vieux ans de qqn*** (v. 1485). À propos d'une personne, ***se faire vieux*** (1636) «prendre de l'âge» s'est dit ensuite par figure (1867) pour «attendre longtemps, avec impatience». ◇ *Vieux* s'applique aussi à l'apparence, et se dit d'une personne qui semble âgée et aussi d'un animal (1668). ◇ Qualifiant des choses, l'adjectif s'emploie avec une valeur plus affective qu'*ancien*, se disant (1690, Furetière) de ce qui a acquis une valeur par son ancienneté ; il qualifie également (1690) ce qui appartient à une époque révolue et paraît suranné, en particulier dans ***le bon vieux temps.***

C'est l'idée d'«expérience» que l'on retrouve dans l'usage du nom masculin ***le vieux*** pour «patron» (1819). Le nom s'emploie familièrement (1781) avec ou sans possessif (1828, *mon vieux!*; 1836, *vieux!*) comme terme d'affection, d'amitié, indépendamment de l'âge ***(mon vieux, mon petit vieux);*** dans ce cas, ***ma vieille*** s'utilise aussi entre hommes (1843). ◇ ***Un vieux de la vieille*** *(garde)* s'est dit (1841) d'un vieux soldat du Premier Empire et, plus tard, de tout ancien soldat (1869) ; cette locution signifie au figuré (1896) «vieux travailleur, vieux routier». ◆ Comme collectif neutre, *le vieux* désigne ce qui est vieux (mil. XVe s.), et ***avoir un goût de vieux*** (1873) se dit d'un vin qui a mal vieilli. ◇ Dans ***un coup de vieux*** (1878) «un vieillissement brusque, sensible», le nom a la valeur active de «fait de vieillir». ◆ *Le vieux, la vieille, son vieux*, etc. valent (1884) pour «père», «mère» et *les (ses...) vieux* pour «parents». D'abord argotiques, ces emplois sont devenus familiers. ◇ D'une manière générale, *vieux* et *vieille*, en français contemporain, sont sentis comme peu respectueux, voire méprisant *(un petit vieux bien propre)* ; le mot, dans l'usage familier, est concurrencé par des synonymes (*papi, mami*, etc.) ; cf. aussi *vieillard*, ci-dessous. ◆ Le féminin **VIEILLE** est lexicalisé (1529) pour désigner un poisson, le labre, dont le museau est très ridé. On a dit aussi *vieille de mer*.

L'adjectif prend une valeur adverbiale dans ***s'habiller vieux*** (1872), d'où ***faire vieux*** «avoir ou donner l'apparence d'une personne âgée» (XXe s.).

▶ **VIEILLESSE** n. f., dérivé de *vieil*, d'abord *veillece* (v. 1120), *vieillece* (v. 1130), refait en *-esse* vers 1400, désigne d'abord la dernière période de la vie humaine et, par extension, le fait d'être vieux, d'où ***bâton de vieillesse*** (v. 1225, *bâton de vielleche* ; → bâton). ◇ Depuis la fin du XIIe s., le mot se dit aussi du fait d'être vieux, âgé *(la vieillesse de qqn)*, de là ***verte vieillesse*** (1532, Rabelais). ◇ Le mot s'applique aussi aux choses, pour «grande ancienneté» (mil. XVIe s., Amyot), mais cet emploi est devenu rare. ◇ Au singulier collectif (mil. XVIe s., Ronsard), *la vieillesse* correspond par métonymie à «les personnes âgées», usage aujourd'hui littéraire. ◇ Il s'emploie ensuite (1636, Corneille) pour personnifier la vieillesse, la présenter comme une force agissante. ◇ Par analogie (1665), le mot signifie «longue durée» (du monde, d'un vin, etc.). ◇ Enfin, *vieillesse* désigne spécialement (1718) les effets physiologiques du grand âge, la dégradation physique ou morale qui accompagne la dernière partie de la vie ; cf. les mots issus du latin *senex* (→ sénile).

VIEILLARD n. m., d'abord *vieillart* (v. 1155), puis *vieillard* (v. 1190), s'est employé comme adjectif en ancien français et jusqu'au XVIe s. ◇ Substantif depuis le XIIIe s., il n'a plus que cet emploi. Ce nom désigne un homme d'un grand âge ; sa valeur est relative, la perception de l'âge changeant selon la culture : un homme de 60 ans, voire 50 ans, était considéré comme un vieillard au XVIIe siècle. *Les vieillards* est utilisé avec un sens collectif (1370). Il s'est employé en droit et administrativement (1833) pour désigner les personnes âgées de plus de 65 ans, remplacé aujourd'hui par *personnes âgées* ou, plus récemment, *du troisième âge*. ◇ *Vieillard*, en français moderne, est plus solennel que *vieux*, n. (voir ci-dessus). ◆ Le correspondant de *vieillard* a été très longtemps *vieille* ; le dérivé **VIEILLARDE** n. f. (1788, Féraud), d'abord sans valeur péjorative, puis marqué (1847) par rapport à *vieille*, tend à être repris dans le vocabulaire littéraire comme féminin de *vieillard*.

VIEILLIR v., d'abord intransitif, s'est employé en ancien français (v. 1155) pour «s'user», en parlant d'habits, puis, à propos des êtres vivants (v. 1216), pour «prendre de l'âge, devenir vieux», d'où les locutions modernes ***bien vieillir, mal vieillir.*** ◇ Le verbe s'emploie aussi transitivement (XIIIe s.) aux sens de «rendre plus vieux», «faire paraître plus vieux» (v. 1240), sens repris en français moderne (ci-dessous). ◇ Depuis la fin du XVe s., il s'emploie (intransitivement) pour «changer par l'effet du vieillissement», «décliner» ; en parlant du talent, de l'esprit, des sentiments, etc., *vieillir* prend le sens de «perdre de sa force avec le temps» (1559, Amyot). ◇ Le verbe a signifié «rester, demeurer longtemps» (v. 1530, Marot, *vieillir quelque part*) et, spécialement (mil. XVIe s., Du Bellay), «demeurer longtemps (dans une situation, un état)». ◇ Il correspond depuis le XVIIe s. à «devenir suranné» (1647) à propos des créations humaines et, spécialement, de la langue, des usages, des mots, etc., puis pour «se modifier avec le temps» (1683) à propos de choses, d'où (1812) «prendre certaines qualités, par le temps» (par ex., d'un vin). ◇ En emploi transitif, il signifie aussi «donner à (qqn) une maturité propre à un âge plus avancé» (av. 1848) et «attribuer à (qqn) un âge supérieur à son âge réel» (1872) et, avec un sujet nom de chose, «faire paraître plus vieux» *(ce chapeau la vieillit)*. ◆ *Vieillir* a fourni **VIEILLISSEMENT** n. m. (1564) «fait de vieillir», dans plusieurs valeurs, rare avant la fin du XVIIIe s., et **VIEILLIS-**

SANT, ANTE adj. (1626) qui qualifie surtout des êtres vivants.
VIEILLOT, OTE adj., diminutif de *vieil,* s'est employé comme nom aux sens de «petite vieille» (XIIIe s.), en concurrence avec *vieillete* n. f., autre diminutif (v. 1190), et de «petit vieux» (1538). ◇ L'adjectif est sorti d'usage pour «un peu vieux» (1648); il s'applique aujourd'hui à une personne qui a l'air vieille avant l'âge (1825, Mme de Genlis) et, couramment, à une chose qui a un caractère un peu vieilli, ridicule (1849). ➜ **VIEILLERIE** n. f. désigne d'abord (1680, Richelet) un objet vieux, démodé, souvent au pluriel et, spécialement, un vêtement; cette acception est restée courante. ◇ Le mot s'emploie par figure (1718) en parlant d'une conception, d'une idée usée; il est rare au sens de «caractère de ce qui est démodé» (1837, Balzac). ◇ Par plaisanterie (attesté au XXe s.), il se dit pour «vieillesse», en tant que cause de dégradation physique.
VIOQUE adj. et n. est formé à partir de *vieux* et d'un suffixe argotique, ou représente une forme dialectale issue de l'ancien français *viot* «vieillard» (v. 1250); le mot peut aussi provenir d'une forme franco-provençale *veilloca, velhoca.* ➜ Écrit *vioc* (1815), *vioque* (1837) ou *viocque,* il équivaut à «vieux» en argot, comme son dérivé **VIOCARD, ARDE** adj. et n. (1879), qui ne semble plus très employé.
Le composé **VIEUX-LILLE** n. m. inv. (attesté mil. XXe s.), de *Lille,* ville du nord de la France, désigne un fromage de Maroilles longuement affiné, d'un goût très fort.

◈ voir INVÉTÉRER, VEAU, VÉLIN, VÉTÉRAN, VÉTÉRINAIRE, VÉTUSTE.

VIF, VIVE adj. et n. est issu (980) du latin classique *vivus* «vivant», «animé, vif», employé par analogie en parlant de choses (*viva aqua* «eau courante», *vivum saxum* «roc naturel»); l'adjectif s'emploie aussi au figuré et substantivement. *Vivus* dérive de *vivere* (→ vivre).

♦ L'adjectif s'emploie avec la valeur générale du latin, «vivant, en vie» d'où vient l'ensemble des acceptions par extension, analogie ou métaphore. *Chair vive* (1080, *char vive*), substantivé en ancien français en *le vif,* désigne le tissu organique qui a des propriétés vitales, opposé à *chair morte. Par vive force,* loc. adv. (1080), devenu *à vive force* (1530) puis ***de vive force*** (1660), est un intensif pour *de force* («par la force»). ◇ *Vif diable* s'est dit pour «le diable en personne» (1080). ◇ *Vif* pour «vivant», en parlant des personnes, ne survit que dans l'expression ***être plus mort que vif*** (1559). *Vif,* n. m., «personne vivante» (v. 1155), est employé en droit dans ***entre vifs*** «entre vivants» (1265), et ***le mort saisit le vif*** (1611). ◇ Par analogie, l'adjectif s'applique (v. 1175) à ce qui a de l'éclat, en parlant d'une lumière, d'une couleur, et d'un son produit par l'être humain : *a vois vive* «verbalement» (1204), *par vive voix* (1258), aujourd'hui ***de vive voix*** (av. 1660). ◇ Par analogie, l'adjectif signifie «où la vie semble résider» (1208, *chaux vive*). En technique, par une autre figure, il qualifie la partie dure d'une pierre, mise à nu comme la chair vive (XIIIe s., *pierre vive*), l'expression étant reprise métaphoriquement au XVIe s. (Rabelais); le sens concret est aussi substantivé : *le vif d'une pierre* (1694). ◇ *Vif bois* «partie dure du bois» (XIVe s.) est devenu *bois vif* (1348) et *le vif* (1680). ◇ À partir du XIIIe s., le nom s'emploie pour «modèle vivant», acception sortie d'usage, mais qui demeure dans ***sur le vif*** «d'après le modèle vivant» (XIXe s.) et, au figuré, «d'après nature» (1860, *étude sur le vif*). ◇ On relève au début du XVe s. l'emploi par métaphore pour «partie essentielle de qqch.» (1404), d'où la locution ***(entrer dans) le vif du sujet.*** *Au vif,* «au naturel» (1498), est sorti d'usage. ➜ Par extension, l'adjectif qualifie une plaie, une blessure qui agit, est enflammée (1390, *plaie vive*). Par figure, il s'emploie dans *eau vive* (v. 1225), *haie vive* (1552). Ces valeurs métaphoriques ont donné lieu à des substantivations dès le moyen français; ainsi *une vive* a désigné une étincelle (v. 1330). Plus tard, dans l'usage classique, *le vif* se dit du fût d'une colonne (1640) et de l'eau de la marée haute (1643). Ces emplois correspondent à ceux de l'adjectif dans *arête vive* (1636) ou *vive-arête,* où il a la valeur de «net, franc», et aussi dans *vive-eau* (1678), plus tard *eaux vives* (1838) «courantes».
À côté de ces emplois concrets figurés, *vif* s'applique, sur le plan humain, à une personne prompte à réagir, à s'emporter, à répliquer (XVIe s.) et qui, par son comportement, suggère qu'elle ressent fortement les impressions (1636). L'adjectif qualifie aussi (1636) un sentiment très agissant, des propos agressifs (1675), ces emplois rapprochant l'adjectif de *violent,* en moins intense. ◇ Puis, *vif* s'applique à ce qui agit fortement sur les sens (1690) et au style (1690). ◇ Il se dit de ce qui est mené avec rapidité et force (1718, d'une attaque) et d'un mouvement musical rapide et animé (1753) [→ ② vivace]. On retrouve l'idée de légèreté active dans *vin vif* (XXe s.).
Avec la valeur première, «vivant», le mot acquiert d'autres fonctions qu'adjectives : nominale, dans *le vif* «proie vivante» en fauconnerie (1680), puis dans *pêcher au vif* (1874) «avec des appâts vivants»; adverbiale dans ***écorcher vif*** (1678), alors qu'on dit *enterrer vivant, écorché vif* caractérisant au figuré (XXe s.) une sensibilité extrême. ◇ Par métonymie, ***le vif,*** substantivé, désigne parfois dans des locutions la chair vivante, par exemple dans ***toucher*** (1559), ***piquer*** (qqn) ***au vif*** (1580), ***couper, trancher... dans le vif*** (1675), au figuré «enlever des parties en bon état ou importantes». ➜ Des emplois figurés opposent en sciences *vif* et *mort : force vive* en mécanique (XIXe s.), *mémoire vive* en informatique.

▸ Le dérivé **VIVEMENT** adv., d'abord «avec vivacité, promptitude» (v. 1155), signifie aussi «d'une manière intense» en parlant de ce qui est lumineux (1501), de ce qui exerce une action quelconque sur les sens, et «avec ardeur» (1580). ◇ Il s'emploie comme exclamatif pour «vite !» (1847).
Le verbe préfixé **AVIVER** a d'abord été intransitif (v. 1121), signifiant «s'animer, s'activer», d'où «se hâter» (1195-1225). Le pronominal (v. 1155) a le même sens, et le transitif s'emploie (v. 1155) pour «rendre plus vif, plus ardent». *Aviver* s'est dit pour «activer (un feu)» (v. 1240), déjà sorti d'usage au XVIIIe s. (cf. ci-dessous *raviver*), et pour «élever (un enfant)» (v. 1320), acception disparue. ◇ Dans le vocabulaire

technique, il correspond (1392) à «donner un aspect plus brillant». Il a disparu au sens de «ramener à la vie» (1576). ◇ D'après les valeurs figurées et techniques de *vif, aviver* signifie «rendre plus vive une pièce de métal» (1636) et «les arêtes d'une poutre» (1676), puis «donner plus d'éclat à (une couleur)» (1723). En médecine, il est attesté en 1838 *(aviver une plaie)*. ➛ Ce verbe a plusieurs dérivés. ◇ **AVIVEMENT** n. m. «action d'aviver» (v. 1175, jusqu'à la fin du XVIe s.), rare pour «action de polir» (1636), est aussi employé en médecine à propos des plaies (1833). ➛ **AVIVOIR** n. m., d'abord employé au sens psychologique «qui anime» (1660), s'est spécialisé pour «outil de doreur» (1723). ➛ **AVIVAGE** n. m. (1723) est un équivalent technique pour *avivement*.
Le préfixé **RAVIVER** v. tr. est d'abord attesté au sens figuré de «ranimer, rendre plus actif» (v. 1165-1170) en parlant d'un sentiment, puis dans un emploi concret (v. 1320, *raviver la braise*). ◇ Il signifie ensuite «ranimer (des forces, etc.)» (1694) et s'utilise dans le domaine technique (1765) et en médecine (1798). ➛ En dérivent **RAVIVEMENT** n. m. (1875, d'une plaie) et **RAVIVAGE** n. m. (1904).
REVIF n. m., composé de *re-* et *vif*, désigne la montée de l'eau entre basse mer et haute mer (1561 en Normandie) et signifie aussi «reprise de vigueur» (1869, Flaubert), spécialement en parlant de la reprise d'un feu (1891, Huysmans). ➛ Un adjectif *revif*, «ressuscité», est attesté en moyen français (XIVe s.).

◈ voir ① ET ② VIVACE, VIVARIUM, VIVIER, VIVIFIER, VIVIPARE, VIVISECTION, VIF-ARGENT (art. ARGENT).

VIGIE n. f. est un emprunt (1686) au portugais *vigia*, déverbal de *vigiar* «veiller», issu du latin classique *vigilare* «être éveillé», «être vigilant» et «veiller» (→ veiller).

♦ Le mot a désigné (1687) un petit îlot découvrant à peine à la basse mer, à l'origine en parlant de la zone des Açores. ◇ Il s'est dit d'un guetteur chargé, sur une côte, de surveiller le large (1686). ◇ ***Être en vigie*** (1722) concerne la surveillance exercée par un matelot sur un endroit élevé du navire, par métonymie (1714) le matelot en vigie. Le mot s'est employé dans les chemins de fer (1872) pour désigner le poste d'observation des conducteurs de train.

VIGILANCE n. f. a été emprunté (1380) au latin classique *vigilantia* «habitude de veiller» et, au figuré, «surveillance attentive», «attention», dérivé de *vigilare*, qui a donné *veiller**, dérivé de *vigil* (cf. ② *vigile*, ci-dessous).

♦ Le sens d'«insomnie», comme celui de «veillée» (1487), est sorti d'usage. ◇ Le mot désigne (1530) comme en latin une surveillance sans défaillance, puis un état de veille (1588, Montaigne), d'où son emploi en physiologie (v. 1960).

▸ **VIGILANT, ANTE** adj., emprunté (1488) au participe présent adjectivé *vigilans*, de *vigilare*, s'applique à une personne qui fait preuve de vigilance et, par extension (1671), à ce qui exprime cette attitude. ➛ Le dérivé **VIGILAMMENT** adv. (1508) est rare. ➛ Ce sont les mots *vigilance* et *vigilant* qui ont fourni le nom du plan de lutte antiterroriste français dit *Plan vigi*pirate.

① **VIGILE** n. f. (v. 1119), aussi *vegile* (v. 1175), est emprunté au latin ecclésiastique *vigilia* «veillée religieuse»; le mot signifiait en latin classique «veille», spécialement «garde de nuit» et «gardien qui veille, sentinelle». Il est dérivé de *vigil* (→ ② vigile), qui a donné *veille**. ➛ Dans la liturgie catholique, le mot désigne l'office célébré la veille d'une fête importante, et, par extension (1165-1170, altéré en *vegire*), l'office célébré la veille d'un enterrement, acception disparue, puis (1207) il désigne le jour précédant une fête religieuse. ◇ *Vigile* s'est dit, au pluriel, de la nuit précédant une fête et passée en réjouissances.
② **VIGILE** n. m. et adj., au XVIe s. *vigil* (1575), a été repris au XIXe s. (1832). Il est emprunté à l'adjectif latin classique *vigil* «éveillé, vigilant», «qui se tient éveillé» et, nom masculin, «garde de nuit», spécialement au pluriel «gardes chargés de la police pendant la nuit, depuis Auguste» (→ veille). ➛ Le mot a désigné au XVIe s. un petit cierge qu'on mettait à côté du cercueil. Il est repris (1832) en parlant de l'Antiquité romaine au sens du nom latin. ◇ De cet emploi didactique, on passe au XXe s. à «gardien de nuit» (1948) et, plus couramment (mil. XXe s.), le mot s'applique à une personne qui exerce une fonction de surveillance au sein d'une police privée. ◇ Un adjectif didactique (attesté en 1955) s'applique à ce qui est caractérisé par un état de veille ou de *vigilance (état vigile)*, spécialement dans *coma vigile*.
VIGILER v., emprunté au latin classique *vigilare* «veiller, être éveillé» et, au figuré, «être attentif», a signifié (1530, *vigiller*) «s'abstenir de dormir». Il a disparu en ce sens et a été repris (mil. XXe s.) dans *vigiler un signal* «mettre en alerte un dispositif à l'observation d'un signal».
VIGILAMBULE n., terme didactique formé (1896) d'après *somnambule**, désigne une personne qui est dans un état d'automatisme ambulatoire, à l'état de veille. Le mot est très rare. ➛ Le dérivé **VIGILAMBULISME** n. m. (1892) ne s'emploie guère.

① **VIGNE** n. f. représente l'aboutissement (v. 1120), aussi sous la forme *vinne* (v. 1140), du latin classique *vinea* «plantation de vigne, vigne», «cep» et, dans le vocabulaire militaire, «baraquement qui protégeait les soldats dans l'attaque d'une muraille»; cette dernière acception vient sans doute de ce que le centurion qui commandait les soldats portait un cep de vigne. *Vinea* est le féminin substantivé de *vineus* «de vin», adjectif rare dérivé de *vinum* (→ vin). La vigne, peut-être originaire d'Asie, a d'abord été cultivée au Proche-Orient et autour du bassin méditerranéen pour son fruit et la production du vin.

♦ Le mot désigne un arbrisseau grimpant à fruits en grappes, les raisins. Il est en outre attesté (v. 1120) au sens actif de «plantation de vignes». ◇ En ancien français, *vigne* a aussi repris (v. 1213) l'emploi latin du vocabulaire militaire, attesté jusqu'à la fin du XVIe siècle. ◇ Mais le sens initial et dominant avait acquis une grande importance, du fait du développement de cette culture en terre francophone (Occitanie, France d'oïl, pays franco-provençaux), et de celle de la fabrication du vin*. Le mot suscite des locutions, d'abord par allusion à la Bible; ***cultiver, tra-***

vailler la vigne du Seigneur «convertir les âmes» est une locution créée par les orateurs religieux (1553, Bible de J. Gérard) à partir d'une parabole de l'Évangile selon Matthieu; par extension, la locution a signifié (1764, Voltaire) «faire réussir une doctrine»; elle est sortie d'usage. D'autres locutions comme *la vigne à mon oncle* «où tout le monde va cueillir» (1640) ont, elles aussi, disparu; *mettre le pied dans la vigne du Seigneur* «être ivre» (1690) est devenue *être dans les vignes* (1718), puis ***être dans les vignes du Seigneur*** (1808). ◇ Le mot s'emploie plus récemment dans *raisin de vigne* (1835) opposé à *raisin de treille. Poire de vigne* (1628), *pêche de vigne* (1835), se dit de fruits qui viennent à maturité au moment des vendanges. *Feuille de vigne* (1870) désigne une feuille qui imite celle de la vigne, avec laquelle on cache les parties sexuelles d'une statue. ◇ Le mot, qualifié, a désigné d'autres plantes grimpantes, ainsi *vigne blanche fourmentel* «clématite» (v. 1320), puis *vigne blanche* (1538), ou *vigne vierge* (1690).

▸ Le dérivé **VIGNERON, ONNE** n. et adj. (fin XIIe s.; fém. v. 1550) désigne la personne qui cultive la vigne et fait le vin. ◇ Le mot désigne aussi (1768) l'escargot de Bourgogne, que l'on trouve dans les vignes, aussi appelé *hélice vigneronne* (1904). ◇ L'adjectif s'applique (1876) à ce qui est relatif à la vigne, destiné à la cultiver et, rarement (fin XIXe s., Huysmans), à ce qui est propre à un vigneron. Il s'emploie aussi en cuisine, pour une préparation au vin rouge.

① **VIGNEAU** n. m. (1771), resuffixation de **VIGNOT** (1611), antérieurement *vignol* (1553), est le nom d'un coquillage comestible, par analogie d'aspect de sa coquille et des vrilles de la vigne. ◇ *Vignot* n. m. a désigné aussi (1558) un petit poisson.

② **VIGNEAU** n. m., mot régional, attesté en 1838 chez Flaubert, désigne en Normandie un tertre surmonté d'une treille dans un jardin. *Vignot* (1581) «petit vignoble», précédé par *vigno* (1418), a disparu.

② **VIGNE** n. f. est emprunté (1651, Scarron) à l'italien *vigna* «vigne» et «maison de campagne entourée de vignes, de jardins», lui-même issu du latin classique *vinea* «vigne». Le mot, sorti d'usage, a été éliminé par *villa**.

VIGNOBLE n. m. et adj., attesté en 1181, puis aussi sous la forme *vingnoble* (v. 1230), vient, avec substitution de suffixe, de l'ancien provençal *vinhobre*, lui-même issu d'un latin régional °*vineoporus*. Ce mot résulte d'une transformation de *vinea* «vigne» sous l'influence du grec *ampelophoros* «vignoble», proprement «qui porte des vignes», de *ampelos* «vigne» et *phoros* (→ -phore). ◆ Le nom désigne une étendue plantée de vignes et (fin XIIIe s.) une plantation de vignes. L'adjectif *vinoble* (1386), refait en *vignoble* (1808), signifiait «où l'on cultive la vigne». Il a été remplacé par *viticole*.

◈ voir VIGNETTE.

VIGNETTE

VIGNETTE n. f., diminutif (v. 1280) de *vigne**, n'a plus de rapport perçu avec ce mot.

♦ *Vignette* a d'abord désigné un ornement (de meuble, de vaisselle, etc.) représentant des branches et des feuilles de vigne entrelacées. Seule l'idée d'«ornement» s'est conservée, et le mot s'emploie pour un ornement qui décore n'importe quel endroit d'un livre (1454), puis (1676) d'un motif ornemental à la première page ou à la fin des chapitres et, spécialement (1730), d'une gravure entourée d'un cartouche. Ces deux derniers sens sont encore usuels. ◇ Par extension, *vignette* désigne un ornement de papier à lettres (1835), un dessin ornant un mouchoir (1844), le dessin d'une affiche (1855, Hugo), acception sortie d'usage. ◇ Parallèlement, le mot se dit (1857) d'un petit carré de papier portant un dessin ou une inscription et ayant une valeur légale, d'où son emploi pour le motif d'une marque (déb. XXe s.) et dans *vignette-automobile, vignette-assurance.* ◇ Il s'emploie parfois en philatélie pour «timbre-poste» et désigne (en France) le petit carré ou rectangle de papier joint à un médicament pour attester son achat et permettre son remboursement par la Sécurité sociale (1957). ◇ Il désigne aussi chaque dessin d'une bande dessinée (mil. XXe s.).

▸ Le dérivé **VIGNETÉ, ÉE** adj. (1334) ou **VIGNETTÉ, ÉE** (XXe s.), didactique, qualifie ce qui est orné de vignetures (ci-dessous). Il s'emploie en France dans *produit vignetté* (v. 1970), qui porte la vignette attestant le prix du produit. ◆ **VIGNETURE** n. f., didactique, se dit (1367) d'un ornement (par exemple de feuilles de vigne) qui encadrait les miniatures. ◇ On employait aussi *vignotte* (1611), autre dérivé de *vigne* avec le suffixe *-otte.* ◆ **VIGNETAGE** n. m. désigne (1832) l'opération par laquelle on garnit un objet de vignettes puis (1904) par laquelle on décore un livre de vignettes. ◆ **VIGNETTAGE** n. m. (mil. XXe s.) se dit en photographie d'un défaut de l'objectif. ◆ **VIGNETTISTE** n. «graveur faisant des vignettes» est relevé chez Goncourt (1853).

VIGOGNE

VIGOGNE n. f. et n. m., altération (1640) de l'emprunt *vicugne* (1598), puis *vicunna* (1633), est une adaptation de l'espagnol *vicuna*, lui-même emprunté à un mot quichua (Pérou) *vikuña* ou *huikuña.*

♦ Le mot désigne un animal ruminant du genre lama, puis une laine fine faite avec le poil de cet animal (1680), d'où *vigogne*, n. m. «chapeau en laine de vigogne» (1680), sens disparu, et «étoffe de laine de vigogne» (attesté dep. 1883).

VIGUEUR

VIGUEUR n. f., réfection suffixale (1349) de *vigur* (*Chanson de Roland*, 1080), puis *vigour* (fin XIIe s.), est un emprunt au latin classique *vigor* «force vitale», «énergie (morale, intellectuelle)» et, par figure, «vif éclat d'une pierre précieuse». *Vigor* est dérivé de *vigere* «avoir de la force», «pousser», en parlant des plantes et, par figure, «être plein d'énergie», «être en honneur, fleurir»; ce verbe repose sur une racine indoeuropéenne *oweg-, owog-* «être plein d'énergie, actif», également représentée dans *vigilare* (→ veiller) et *vegetus* (→ végétal), ainsi qu'en germanique (→ guetter).

♦ C'est avec le sens latin de «force, énergie, fermeté de caractère» que le mot apparaît en français. Il est ensuite attesté comme terme de droit (1493) désignant l'effet qui résulte de la mise en application d'un texte juridique, son efficacité, acception vivante à l'époque classique, dont témoigne encore l'expression ***en vigueur*** (1611) «en application actuellement» (d'une règle de droit) et «en usage». ◇ Par extension, *vigueur* se dit (1530) d'une activité efficace, dans le domaine de l'esprit, et de la fermeté, de la force dans le domaine de l'expression, du style (1538). Au XVIIIe s., il entre dans le vocabulaire de la peinture et du dessin (1767) et se spécialise en peinture, d'abord au pluriel (1845), à propos d'une touche bien marquée. ◇ Le mot s'utilise aussi avec sa valeur étymologique, à propos d'une plante (1547).

▶ **VIGOUREUX, EUSE** adj., réfection (1370, Oresme) de *vigorous* (v. 1120), la variante *viguerous* (v. 1190), plus proche de *vigueur,* ayant disparu, s'applique à une personne qui a de la vigueur, de la force physique, et s'emploie par extension dans le domaine moral, intellectuel (1283, *viguereux*), en parlant d'un geste (av. 1589, de Baïf). ◇ L'adjectif s'applique aussi aux plantes (1559). ◇ Il qualifie ensuite ce qui a de la fermeté, dans l'ordre de l'expression par le langage (1666), puis en peinture (1767), et se dit de mouvements affectifs puissants (1666), s'appliquant (1680) à ce dont l'effet est énergique, efficace. ➡ **VIGOUREUSEMENT** adv. est d'abord attesté au figuré (v. 1190, *viguerousement;* forme moderne, XIVe s.), signifiant «avec ardeur, passion». L'adverbe s'emploie comme l'adjectif, à propos de la force physique (v. 1207), de la végétation (mil. XVIIIe s.), de l'expression langagière et artistique (1872), et signifie aussi «avec netteté, précision» (mil. XIXe s.).

REVIGORER v. tr. (XIIIe s., *resvigourer*), d'abord attesté au participe passé **REVIGORÉ, ÉE** adj. (v. 1200, *resvigorés*), signifie «redonner de la vigueur à (qqn)», aussi au pronominal *se revigorer* (déb. XIIIe s.), et au figuré «redonner un bon moral» (1616). ➡ Il a donné **REVIGORANT, ANTE** adj. (XXe s.) et, rare, **REVIGORATION** n. f. (v. 1930).

RAVIGOTER v. tr., d'abord écrit *ravigotter* (1611), est l'altération par substitution de suffixe du moyen français *ravigorer,* usuel du XIIIe s. au début du XVIIe s. au sens de «réconforter», variante de *revigorer.* ➡ Ce verbe familier signifie «rendre plus vigoureux». ➡ En sont dérivés **RAVIGOTANT, ANTE** adj. (1720), adjectivation du participe présent, et le déverbal **RAVIGOTE** n. f. (1720) désignant une vinaigrette relevée d'herbes aromatiques par allusion à ses qualités revigorantes, en apposition dans *sauce ravigote.*

VIGUIER n. m. est un emprunt (v. 1265) à l'ancien provençal *viguier,* issu du latin classique *vicarius* «remplaçant (d'une personne ou d'une chose)» (→ vicaire).

♦ D'abord attesté au sens disparu de «vicaire», le mot se dit (1340) d'un magistrat chargé d'administrer la justice au nom des comtes ou du roi, dans les provinces du Midi, d'où *gouverneur viguier* «gouverneur de la ville de Marseille» (1701). ◇ Il a été repris (v. 1930) pour désigner, en Andorre, un magistrat chargé de la justice criminelle.

▶ **VIGUERIE** n. f., emprunté au dérivé ancien provençal *viguaria* «charge, fonction de viguerie», est la réfection (1340) de *vigerie* (1311) qui désignait aussi (1340) l'étendue de la juridiction du *viguier.* *Viguerie* est l'équivalent occitan de *vicomté* (1876).

VIKING n. m., attesté en histoire (1842) au sens de «titre de l'héritier du trône des Scandinaves», s'applique (1876) aux Scandinaves qui prirent part aux expéditions maritimes du VIIIe s. au XIe siècle.

♦ Le mot s'applique aux Scandinaves, notamment Danois, qui naviguèrent pour conquérir diverses régions d'Europe. Il est aussi adjectif *(bateau viking).* ◇ Les Vikings, «hommes du Nord», envahirent la Normandie (de *North man* «homme du Nord»).

VIL, VILE adj. est issu (1080) du latin classique *vilis* «bon marché», d'où «de peu de valeur» au propre et au figuré, et «commun»; ce mot latin est sans origine connue.

♦ L'adjectif s'applique à une personne méprisable, et surtout sans honneur; appliqué aux choses, il reprend aussi (v. 1190) le sens latin de «sans valeur», sorti d'usage sauf dans la locution ***à vil prix*** (1518). ◇ *Vil* signifie (v. 1138) sur le plan social «qui est de la plus basse condition», opposé à *noble,* acception qui se maintient à l'époque classique en concurrence avec *bas, roturier;* cet emploi est aujourd'hui archaïque. ◇ L'adjectif s'est appliqué par extension (v. 1170) à ce qui occupe le dernier rang dans une hiérarchie. Tous les emplois, sauf *à vil prix,* sont marqués comme littéraires en français contemporain.

▶ **VILEMENT** adv. (1370; v. 1130, *vilment*), déjà noté comme peu usité par Richelet (1680), est demeuré très rare.

AVILIR v. tr., réfection graphique (1587) de *avillir* (XIIIe s.), *advillir* (1465), s'est substitué aux anciennes formes *aviler* (v. 1050, encore relevée en 1636), *avillier* (v. 1168) et, avec l'infinitif en *-ir, aveillir* (v. 1180), *avieillir* (v. 1220, en picard). ➡ Le verbe signifie dès les premiers emplois «rendre vil, indigne d'estime». Il est aussi employé au pronominal (XIIIe s., *s'aviler;* 1587, forme moderne), spécialement (1690) pour «perdre de sa valeur». ➡ Le dérivé **AVILISSEMENT** n. m. s'emploie au propre (1587) et au figuré (1710). ◇ L'ancien français *avilement* n. m. (1165-1170), de *aviler,* a disparu. ➡ **AVILISSANT, ANTE** adj. (1771) s'applique à ce qui avilit; il est relativement courant. ➡ Le verbe et ses deux dérivés sont assez fréquents au sens moral (plus que *vil*). ➡ Le composé **RAVILIR** v. tr. (1588) est rare.

VILETÉ n. f. est issu du latin classique *vilitas* «bas prix», «absence de valeur, bassesse», «bon marché qu'on fait de qqch.», dérivé de *vilis.* ➡ La forme ancienne *vilté* (1080) signifiait «humiliation, avilissement», puis (v. 1138) «honte» et *(une, des viltés)* «action honteuse». Au sens concret, *vilté* correspond au XVIe s. à «ordure, saleté» (1530). ◇ En moyen français, les formes *vilté* et *vileté* (qui apparaît au XVe s.) sont en concurrence aux sens moral et concret. Toutes deux s'emploient depuis le moyen français (v. 1450 pour *vilté*) pour «bas prix» (cf. *à vil prix*), acception qui correspond à l'ancien provençal *viltat* (av. 1200). *Vileté,* avec la variante *vilité* (apparue, comme *vileté,* au XVe s.) signifie aussi «peu d'importance, caractère vil, bas» (1694). Tous les emplois ont disparu, sauf archaïsme stylistique.

Enfin, *vilain* et surtout son dérivé *vilenie* ont été rattachés à tort, dès qu'ils ont pris leur sens dépréciatif moral, à *vil,* alors qu'ils ont une étymologie toute différente.

◈ voir VILIPENDER.

VILAIN, AINE n. et adj. est issu (1090) du bas latin *villanus* «habitant de la campagne» (IXe s.), dérivé du latin classique *villa* «ferme», qui a donné *ville**. Au XVIIe s. (1690, Furetière), l'adjectif est écrit avec un *l (vilain),* le nom avec deux *(villain)* par souci étymologique.

♦ *Vilain* n. m. signifie «paysan, homme de basse condition» et notamment (v. 1119) «paysan libre», par opposition à *serf**. Cet emploi est déjà considéré comme archaïque à l'époque classique (1694, Académie), mais était devenu un terme d'histoire du droit au XVIIe s. ; avec cette acception, où il s'oppose à *noble,* le mot est entré dans plusieurs locutions dont ***savonnette à vilain*** «charge qu'un roturier achète pour s'anoblir» (1701). ◇ *Vilain,* adj., a la même valeur en ancien français, par exemple dans *fief vilain* (XIIIe s.) «fief tenu par un roturier», emploi encore attesté au XVIIIe s., ou dans *tènement* (de *tenir) vilain* (1721).

L'idée de mépris, trop souvent liée à la condition sociale du paysan, explique l'évolution sémantique du mot, facilitée par le rapprochement avec *vil**. Dès le XIIe s., il a en effet signifié «poltron» (v. 1138) et «avare», comme adjectif (mil. XIIe s., *vilain de qqch.*), puis comme nom (XVe s.), par exemple dans la locution *il n'est chère que de vilain* «quand un avare donne un repas, il le fait avec plus de profusion qu'un autre» (1718). ◇ Comme adjectif, il a qualifié (v. 1155) la laideur morale d'une personne, puis d'une action, d'une parole (v. 1200, *vilain cas* «méfait») et s'emploie très tôt à propos de la laideur physique (v. 1200), emploi devenu familier ou régional, en tout cas marqué, en français contemporain. ➜ Qualifiant une chose concrète, *vilain* s'emploie ensuite (v. 1320, *vilain à qqn*) à propos de ce qui est désagréable, déplaisant. Avec cette valeur, le nom a désigné depuis le XIVe s. des objets de qualité médiocre (1371, à propos d'un manteau). ◇ Au XVIe s., le mot, qui vieillit dans ses emplois moraux liés à une allusion sociale de roture et de paysannerie, commence à s'appliquer à une personne grossière ou malpropre (1530), acception qui se maintient à l'époque classique (1677, *un vilain* n. m. «homme sale»), puis disparaît. ◇ C'est de l'idée d'aspect désagréable et d'incommodité que procèdent la plupart des emplois de l'adjectif au XVIIe s. : le sens de «dangereux» (1636, *un vilain rhume,* etc.) s'est maintenu, celui d'«ingrat» (1636), est sorti d'usage, alors que *vilain* s'emploie encore pour «incommode» (1667) en parlant du temps, d'un chemin, etc., d'où les locutions ***il fait vilain*** «mauvais temps» (1680) et *il fait vilain marcher* «on marche difficilement» (1690), qui ne se dit plus, et où le mot prend une valeur adverbiale. ◇ La péjoration explique les emplois anciens (1680) de *vilaine* n. f. pour «prostituée» et de ***vilain mal*** pour «syphilis». ◇ Le proverbe ***jeux de main(s), jeux de vilain(s)*** [1690] fait allusion au sens de «rustre», puis reçoit une signification morale. Par extension du sens de «déplaisant», l'adjectif substantivé correspond à «situation déplaisante» dans ***tourner au vilain.*** ◇ L'emploi moral dépréciatif s'est maintenu, mais il a pris, du XVIIIe au XXe s. des connotations nouvelles, liées à l'oubli des valeurs originelles du mot, sociales et morales, et au vieillissement de l'adjectif *vil,* senti comme son origine (à tort, on l'a vu). *Vilain,* «qui se conduit mal» et «répréhensible», s'est spécialisé dans le langage de la morale destinée aux enfants et dans l'usage enfantin lui-même, à la manière de *méchant* (qui implique la volonté de mal faire) et de l'antonyme *gentil.* Cet emploi concerne à la fois l'adjectif, qualifiant personnes, actions et paroles, souvent impersonnel *(que c'est vilain!),* et le nom, souvent employé en appellatif (*le vilain!, la vilaine!* ou *vilain!*). ➜ Indépendamment de ces emplois, *vilain* ne concerne plus guère au XXe s. que des allusions sexuelles, par plaisanterie ou naïveté réelle ou simulée. Il s'emploie aussi comme intensif dans le désagrément (*un vilain rhume, il fait vilain,* du temps) et plaisamment pour «laid». Comme substantif collectif, seul l'idée de danger est exprimée : ***il va y avoir du vilain.***

▶ **VILENIE** n. f. est l'une des variantes (v. 1145) du dérivé de *vilain, vilanie* (v. 1119), *vileinie* (v. 1155). ➜ Le mot reprend toutes les valeurs péjoratives de *vilain,* mais seule la valeur métonymique *(une, des vilenies)* [v. 1119], «action vile et basse», continue de s'employer en français actuel, devenue littéraire et rattachée à *vil.* ◇ Le mot s'est employé aux sens de «parole injurieuse» (v. 1165), «impudicité» et «action impudique» (v. 1180), encore à l'époque classique, d'où «outrage reçu par un mari trompé» (v. 1430), «prostitution» (1550), et par métonymie «parties sexuelles» (déb. XVIIe s.). ◇ L'acception de *vilenies* «paroles obscènes» (1690) a vécu jusqu'au XIXe siècle. ◇ *Vilenie* s'est dit pour «caractère bas» (v. 1200), «ordure, saleté» (XVe s.), acception encore relevée en 1878 et «avarice sordide» (1538), d'après un des sens de *vilain.* Tous les emplois spéciaux ont disparu.

VILAINAGE n. m. est la reprise (1872), d'après *vilain,* de *vilenage* (v. 1283), *villenage* (XIIIe s.), qui se disait d'une terre roturière. ◇ Le terme d'histoire désigne aussi la condition de vilain et son habitation.

VILAINEMENT adv. signifie «d'une façon grossière» d'un point de vue moral (v. 1165) ou esthétique (mil. XIXe s.). Son emploi moderne correspond aux usages encore vivants de l'adjectif *vilain,* en dehors de son emploi enfantin.

VILENÉ adj. m. s'applique (1690, *lion vilené*), en termes de blason, à un animal dont la verge (partie «vilaine», cf. *vilenie*) est d'un autre émail que le corps ; on relève aussi *lion sans vilenie* (1598).

◈ voir VILLANELLE.

VILEBREQUIN n. m. représente (1450), une altération du moyen français *wimbelkin* (XIVe s.), attesté isolément en Flandres, et emprunté au néerlandais *wimmelkijn,* dérivé de *wimmel* «tarière», avec le suffixe diminutif *-kijn* (→ mannequin). Dans le nord de la France, on relève aussi les formes *vuinbrekin* (1367), *wimbrekin, vuibrequin* (1427). Le *r* de la syllabe *-bre-* proviendrait d'un rapprochement avec le flamand *boorkin* «foret». La première partie du mot a été modifiée sous l'influence de *virer, vibrer,* et aussi de *libre* (la partie du milieu se mouvant librement). Le sud de la France a emprunté le mot sous la forme *virebrequin,* visiblement d'après l'idée de rotation *(virer).*

♦ Le mot désigne une manivelle coudée à laquelle on ajuste une mèche et qui sert à percer des trous. Par analogie de forme, il se dit (1845) en mécanique d'un arbre coudé, dont le coude est articulé à une bielle, spécialement en parlant d'un moteur à explosion (déb. XXe s.).

VILIPENDER v. tr., attesté en 1392, est emprunté au bas latin *vilipendere* (IXe s.) «traiter avec mépris», proprement «estimer comme vil», composé du latin classique *vilis* (→ vil) et de *pendere* «peser» et «évaluer» (→ pendre). La variante *vilpander* (1613) a rapidement disparu.

♦ Ce verbe, d'usage aujourd'hui littéraire, a conservé le sens de l'étymon; noté comme «vieux et populaire» par Furetière (1690), il a été repris au XIXe siècle (par ex. Stendhal, 1835).

▸ Les dérivés **VILIPENDEUR, EUSE** n. et adj. (fin XIXe s.), **VILIPENDAGE** n. m. (fin XIXe s.) sont rares.

VILLA n. f. est emprunté (1743) à l'italien *villa* «ferme», «maison de campagne», lui-même emprunt au latin *villa* de même sens (→ ville).

♦ Le mot désigne d'abord une riche maison de plaisance en Italie, ou un édifice qui le fut autrefois. ◇ Depuis l'époque romantique (1821, Hugo), il se dit d'une maison de plaisance avec un jardin, qui suppose un certain luxe. Cette idée de luxe s'atténue à la fin du XIXe et au XXe s., où *villa* s'applique à une maison individuelle, assez spacieuse, isolée par un jardin, plus importante que le *pavillon.* ➛ *Villa* s'emploie aussi en histoire, d'après le latin, pour désigner (1810 dans Chateaubriand) un domaine rural dans l'Italie antique, en Gaule mérovingienne et carolingienne. ➛ Par extension (1914), le mot se dit d'une voie bordée de maisons individuelles, et qui n'est pas destinée à la circulation urbaine (souvent, en impasse).

◈ voir VILLÉGIATURE.

VILLAGE n. m., sous la forme latinisée *villagium* en 1235 et francisé en *villaige* (1385), *village* (av. 1390, Froissart), est un dérivé de *ville** d'abord «maison de campagne», au sens de «groupe d'habitations rurales». D'autres dérivés de *ville* avec ce sens sont attestés en ancien et moyen français, *vilel* n. m. (XIIIe s.), *vilele* (v. 1200), *viloi* n. m. (XIIIe s.).

♦ Le mot désigne une agglomération rurale, assez importante pour avoir une vie propre, en cela différent du *hameau** et de l'*écart.* Il s'est dit par métonymie (v. 1360) pour «villageois», sens disparu. *Village* s'est employé dans plusieurs locutions figurées, dont *être bien de son village* «ne pas connaître le monde», «être naïf» (1611). ◇ Par métonymie, *le village* désigne (1694) les habitants d'un village *(tout le village est en émoi,* etc.).

▸ Le dérivé **VILLAGEOIS, OISE** adj. et n. qualifie d'abord (v. 1500) ce qui vient d'un village, est propre aux gens d'un village (1536). L'adjectif est aujourd'hui vieilli ou littéraire *(des mœurs villageoises),* concurrencé par *paysan, rural,* etc. ◇ Le nom désigne une personne qui habite un village (v. 1520); il a supplanté *villagier* (v. 1500).

VILLANELLE n. f. est un emprunt (1580, Montaigne) à l'italien *villanella* «chanson, danse villageoise», dérivé de *villano* «paysan», du bas latin *villanus* (→ vilain).

♦ Le mot désigne une poésie pastorale, puis (1611) un air fait pour danser et la danse elle-même. On a dit en ce sens *villanesque* (1734, de l'italien *villanesco*). ◇ *Villanelle* se dit aussi en histoire littéraire (repris XXe s.) d'un poème à forme fixe, établie à la fin du XVIe s., à couplets de trois vers et un refrain, terminé par un quatrain.

VILLE n. f., d'abord *vile* (v. 980), écrit *ville* vers 1200, est issu du latin classique *villa* «ferme, maison de campagne» (→ villa), puis, à partir des Ve-VIe s., «groupe de maisons, village» et en gallo-roman «agglomération urbaine». Le mot, comme *vicus* (→ voisin), a été formé par une structure °*weik-s-la,* à partir du thème indoeuropéen °*weik-* indiquant l'unité sociale immédiatement supérieure à la «maison» (grec *oikos*) du chef de famille. (→ paroisse).

♦ Le mot se dit d'abord d'une agglomération formée autour d'une ancienne cité, sur le terrain d'anciens domaines ruraux, origine de l'emploi moderne. ◇ Jusqu'au XIIIe s., il s'emploie surtout en parlant d'une exploitation agricole, valeur dont procède le dérivé collectif *vill-age* (→ village), puis d'un groupe de maisons rurales entourant un château (v. 1200). Mais le mot peut déjà s'appliquer à une agglomération importante (1080, *Chanson de Roland,* où il s'agit de Saragosse). ◇ Dans la langue classique et jusqu'au XIXe s. dans les dictionnaires, il est défini comme «agglomération limitée et protégée par une enceinte» : ce caractère, qui n'est que secondaire dans la formation du concept, n'est plus pertinent. Au XIIIe s., ce concept est assez général pour englober ceux de «cité» (latin *urbs*) et d'«agglomération rurale» et on dit par exemple *ville champestre* (XIIIe s.; encore chez d'Aubigné, déb. XVIIe s.). Dès le XIIe s., cependant, la ville se caractérise par une organisation juridique, et implique certains droits. Ainsi, *ville franche* (XIIe s.), parfois *bonne ville,* s'appliquait aux agglomérations tenant du roi le droit de bourgeoisie et affranchies de la taille (v. 1283), et les locutions *rendre la ville* «rappeler du bannissement» (1295) et *perdre la ville* (1495) «être banni» soulignent l'importance du droit lié à la résidence dans une agglomération appelée *ville* (cf. *bourg* pour *bourgeoisie*). ◇ Le mot désigne également au XVIe s. (av. 1587, Du Vair) le corps des officiers municipaux, la personne morale que constitue la municipalité, puis (1636) l'ensemble des habitants d'une ville; il se dit spécialement (1680) de la bourgeoisie de Paris. ➛ Par ailleurs, le rôle des villes et des bourgs, les premières étant souvent, comme on l'a vu, protégées par une enceinte, est essentiel dans la conduite de la guerre;

Les mots de la VILLE

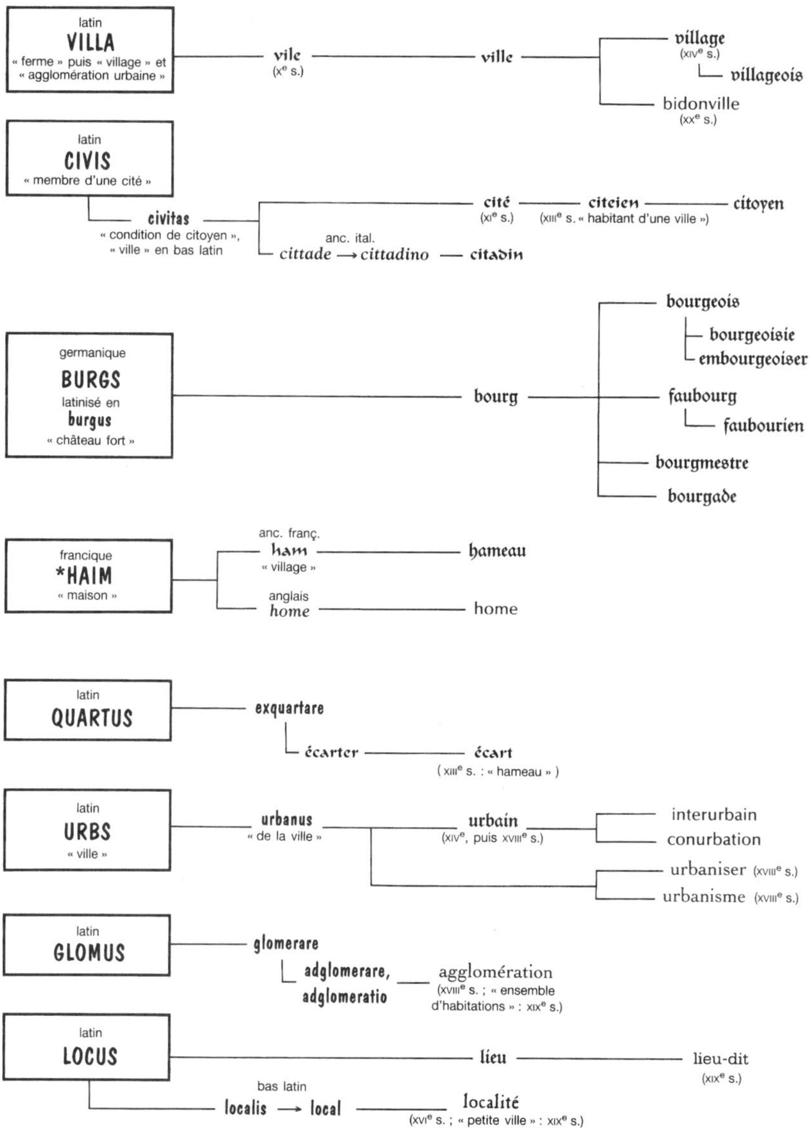

les notions de fortifications, de siège, y sont liées. Une locution comme ***avoir ville gagnée*** (XVe s.), au figuré «avoir surmonté les difficultés d'une entreprise», en porte témoignage, de même que ***ville ouverte*** (non protégée, sinon par le droit international). ◇ La fonction sociale du milieu urbain oppose à partir du XVIe s. la ville à la campagne. Ainsi, *habit de ville* (1549) correspond à «habit que l'on porte à la ville». ***En ville,*** «dans la ville», correspond (1567) à «qui est sorti de sa maison» (d'où *aller en ville*), puis (déb. XVIIe s.), «qui est resté dans la ville». En français contemporain, certains emplois anormaux de *en ville* (là où on emploie habituellement *à* suivi du nom de la ville) sont calqués sur l'anglo-américain *in town.* ➛ Au XVIIe s., notamment après l'installation de la cour de Louis XIV à Versailles, *la ville* désigne Paris et s'oppose à *la cour* (Versailles). ◇ Plus généralement, *la ville* (1677) correspond à la vie, aux habitudes sociales des villes, opposée à *la campagne.* ◇ Mais *ville* s'applique également à des agglomérations d'importance variable ; d'où l'emploi de ***grande ville*** et ***petite ville,*** et de *ville de province* (en France) opposé à Paris. ◇ *Ville* prend le sens de «quartier, partie (d'une agglomération)» (1690), notamment dans des expressions comme *la ville haute, basse,* etc. et, avec les colonies, *ville indigène, ville européenne.* ◇ Dans son sens le plus courant, *ville* entre dans plusieurs locutions figurées de l'usage classique (dans Furetière, 1690), comme *faire faire un tour de ville à qqn* «promener et fouetter qqn dans les carrefours pour le châtier», *les faubourgs sont plus grands que la ville,* équivalant de *les arbres cachent la forêt.* ◇ Le mot, qualifié, entre dans de très nombreux syntagmes plus ou moins lexicalisés comme ***la ville éternelle*** «Rome» (1734), *ville universitaire* (1876), *la ville lumière* (fin XIXe s., à propos de Paris) *ville d'eaux**, *ville-musée* (1920), *ville nouvelle* (v. 1968). *Ville champignon* (1911) s'est dit d'une ville en croissance très rapide.

▸ Le diminutif **VILLETTE** n. f., d'abord «petite maison des champs» (v. 1100), se dit ensuite pour «très petite ville» (v. 1190, *vilete*), aussi en ancien français *vilate* (v. 1190). Le mot, sorti d'usage, reste présent dans des noms géographiques (cf. *La Villette,* aujourd'hui quartier de Paris). ◇ Il a été repris en urbanisme (1973) pour désigner une commune suburbaine où les habitants vivent en majorité en maisons individuelles, alors opposé à *grand ensemble ;* il reste rare.
VILLOTIER, IÈRE n., d'abord féminin (v. 1200), a désigné une personne débauchée, femme, puis (1538) homme *(vilotier),* la ville étant considérée comme un lieu de débauche. Il s'est dit aussi d'un homme simple, sans affectation (v. 1460-1475), alors lié à *ville* «ferme». Il a disparu.

◈ voir **VILAIN, VILLA, VILLAGE, VILLÉGIATURE, BAISE-EN-VILLE** (art. **BAISER**) ; **BIDONVILLE** (art. **BIDON**).

VILLÉGIATURE n. f. est emprunté (1728-1729, Montesquieu) à l'italien *villeggiatura* «séjour à la campagne», dérivé de *villeggiare* «aller à la campagne», de *villa* «maison de campagne», emprunt de l'italien au latin *villa* (→ villa, ville).

♦ Le mot conserve le sens de l'italien, le séjour pouvant être effectué ailleurs qu'à la campagne ; il désigne par métonymie (1885) le lieu et la durée du séjour, aujourd'hui lié à l'idée de vacances sédentaires, dans un lieu différent de la résidence habituelle (souvent villes d'eau, séjour balnéaire). Le mot a vieilli ; il s'emploie surtout dans ***en villégiature,*** et avec une connotation sociale élevée.

▸ En dérivent **VILLÉGIATURER** v. intr. (1860, Mérimée), **VILLÉGIATEUR** n. m. (1876), vieillis, **VILLÉGIATURANT, ANTE** n. (XXe s.), rare, comme **VILLÉGIATURISTE** n. m. (XXe s.), ces trois derniers mots étant le plus souvent remplacés par *estivant**, *vacancier**.

VILLEUX, EUSE adj., attesté au XIVe s. (1377), rare avant le XVIIIe s. (1742), est un emprunt savant au latin impérial *villosus* «velu, couvert de poils» (→ velours), dérivé du latin classique *villus* «touffe de poils».

♦ L'adjectif s'applique d'abord en médecine à une surface (tumeur, etc.) qui présente des saillies filiformes donnant un aspect velu. Il a été repris en histoire naturelle, qualifiant des animaux inférieurs (1742), des plantes (1812) qui portent des poils ou de petites saillies analogues à des poils.

▸ Du radical a été dérivé **VILLOSITÉ** n. f., employé en histoire naturelle (1775) et en anatomie (1805).

◈ voir **VELU.**

VIMAIRE n. f. est issu (v. 1170) du latin classique *vis major* «force majeure», composé de *vis* «force» (→ viril) et de *major,* (→ maire, majeur) comparatif de *magnus* «grand» (→ magnum).

♦ Le mot a d'abord signifié «dommage», «effet funeste», puis s'est spécialisé en sylviculture, désignant (XIVe s.) un dommage causé dans les forêts par les intempéries (ouragan, grêle, etc.). ◇ Il s'est employé pour «tempête» (1498), notamment au XVIe siècle. Il est sorti d'usage.

VIN n. m. est issu (v. 980) du latin classique *vinum* qui désigne à la fois la boisson et le raisin, la grappe et, par analogie, des boissons fermentées tirées d'autres fruits que le raisin (cidre, poiré, etc.) ; le latin emploie le mot au singulier et au pluriel *(vina). Vinum* a donné des formes celtiques et germaniques, que l'on retrouve dans l'anglais *wine* ou l'allemand *Wein.* Le terme est largement répandu dans les langues méditerranéennes, sous différentes formes : grec *oinos* (de °*woinos*) (→ œnologie), arménien *ginê,* albanais *vênë,* etc., mais on ne sait si l'origine en est indoeuropéenne. Les formes sémitiques reposant sur °*wayn-* comme l'hébreu *yayin* ou l'éthiopien *wayn* sont également apparentées à *vinum,* sans qu'on puisse établir de priorité entre une origine sémitique ou indoeuropéenne.

♦ Le mot désigne à l'origine, comme en latin, la boisson provenant de la fermentation du jus de raisin. Il est relevé très tôt (v. 1210) au sens de «pourboire», emploi toujours vivant au XVIIe siècle. ◇ Par analogie de fabrication, *vin* désigne comme en latin, les boissons obtenues par fermentation de jus d'origine végétale (par ex. *vin de pommes,* 1317). Le mot désigne également (1389) une préparation pharmaceutique où le vin sert d'excipient. ◇ Du

XIVe au XVIIe s., le mot est souvent qualifié par des noms d'animaux, selon l'effet que la boisson produisait : on relève *vin de singe* (1373) «qui met en gaieté», *vin de lion* «qui rend querelleur», *vin de truie* «qui fait vomir», *vin de renard* (1611) «qui rend rusé», *vin de pourceau* «qui endort», *vin d'âne* «qui rend hébété» (1640), *vin d'agneau* «qui rend doux» (1669), etc.; toutes ces locutions ont disparu. ◇ Depuis le XIVe s. *vin* est qualifié selon sa fabrication, sa qualité, son état, ses caractéristiques, etc., d'où par exemple ***vin sur lie*** (1550, *sur lye*), ***vin vieux*** (1511), ***vin doux*** (déb. XIVe s.), ***vin pétillant*** (1660), ***vin bourru*** (1690); les syntagmes, probablement plus récents et très usuels, ***vin blanc, vin rouge, vin mousseux,*** ont donné lieu à des substantivations de l'adjectif (*un blanc, un rouge,* etc.). Les innombrables désignations précisant l'origine (*vins de Bourgogne, de Bordeaux,* etc.) ont souvent vieilli, remplacées par la substantivation au masculin du nom de l'origine (*du bourgogne, du beaujolais, du champagne,* etc.). Les qualifications concernant la provenance (non précisée géographiquement) et la qualité semblent, à l'exception de ***vin de pays*** (1798; 1671, *vin du païs*), dater du XIXe et du XXe s. ; c'est aussi le cas de ***vin courant, de table,*** opposé à ***vin fin, grand vin, vin de cru*** et des appellations administratives (françaises, puis de l'Union européenne) comme ***vin d'appellation d'origine contrôlée*** (A. O. C.) ou ***vin délimité de qualité supérieure*** (V. D. Q. S.). ➜ La phraséologie utilisant le mot est abondante, outre les locutions signalées plus haut. La locution *vin à une oreille* (1534), *vin d'une oreille* (1680) signifiait «bon vin», parce que, dit-on, celui qui en buvait penchait l'oreille en signe d'approbation; cette désignation s'opposait à *vin à deux oreilles* (XVIIe s.). ◇ *Vin* se dit par métonymie (1462) de l'habitude, du fait de boire, de l'ivresse, d'où les locutions ***cuver son vin*** (1611), ***être entre deux vins*** (1623) «légèrement ivre», *avoir un mauvais vin* (1690), aujourd'hui ***avoir le vin mauvais*** (1697) «avoir l'ivresse agressive», ***être pris de vin*** «ivre» (1690; Furetière signale aussi *être en vin*), ou encore *porter bien son vin* «boire beaucoup sans qu'il y paraisse» (1694), remplacé par *tenir* (le vin, l'alcool). ◇ La locution figurée ***le vin est tiré, il faut le boire,*** «quand on est engagé dans une entreprise, on ne peut plus reculer» (1576, Baïf), est devenue au XIXe s. *quand le vin...* ◇ ***De vin*** signifie «couleur du vin rouge», en particulier dans ***tache de vin*** (1694) «nævus» et *lie-de-vin**. ◇ Le mot *(un vin)* désigne une quantité de vin bue en certaines occasions, d'abord dans des locutions comme *vin de coucher* (1285) puis *vin du coucher* (XVIIe s.) «collation avant le coucher» et, spécialement (1317), «vin offert par les mariés le soir de la noce, pour qu'on les laisse en repos» (expressions disparues), puis *vin de ville* «offert par une municipalité à des hôtes de marque» (1718), ou ***vin d'honneur*** «offert en l'honneur de qqn» (1659). ◇ *Vin* s'emploie aussi littérairement par figure (1832) pour «boisson vivifiante» et «enivrement», par exemple dans *le vin de la gloire,* etc.

▶ **VINÉE** n. f., attesté isolément sous la forme *vingnée* (XIIIe s.) au sens de «récolte de vin» (1506, *vinée*), a signifié aussi «vin» (1369, *vinée*). Ces acceptions ont disparu. ◇ Le mot désigne en viticulture l'endroit où fermente le vin (1661) et en agriculture (1863) une branche à fruits, dans la taille longue de la vigne. ➜ On emploie régionalement dans le même sens **VINOUSE** n. f. (1857), mot emprunté au provençal, substantivation de l'adjectif *vinous,* issu du dérivé latin *vinosus* «vineux» (cf. *vineux,* ci-dessous).

① **VINAGE** n. m. a désigné (1271, encore au XVIIIe s.) un droit payé sur la récolte ou le transport du vin. Par ailleurs, le mot s'est dit d'une quantité de vin consommée (XVIe s.), d'une tisane mélangée de vin (1598). ➜ **VINER** v. tr. a eu plusieurs acceptions, «vendre du vin» (1325, intr.), «faire prendre qualité au vin en le laissant dans la cuve» (fin XIVe s.), «cultiver (la vigne)» (1469, v. tr.); toutes ont disparu. ◇ Le verbe signifie aujourd'hui en technique viticole «ajouter de l'alcool à (un vin)», d'où ② **VINAGE** n. m. (1867) qui désigne l'opération.

VINASSE n. f., formé avec le suffixe péjoratif *-asse,* s'est d'abord dit (1765) du liquide trouble provenant d'un vin à demi aigre; puis le mot désigne (1808) le résidu liquide qui reste après la distillation des liquides alcooliques, emploi technique, et, couramment (1832), un mauvais vin et, en général, du vin ordinaire (cf. *pinard*). ➜ **VINASSIER, IÈRE** adj. et n., attesté au XXe s., rare et régional, appliqué à ce qui concerne le vin, est substantivé au masculin au sens de «marchand de vins en gros» (cf. *pinardier*) et de «grand buveur de vin».

VINEUX, EUSE adj. est un emprunt adapté (v. 1269) au latin classique *vinosus* «adonné au vin», «ivre» et «qui rappelle le vin», dérivé de *vinum.* ➜ L'adjectif a d'abord qualifié ce qui contient du vin, puis s'applique à ce qui est produit sous l'influence du vin, en parlant d'une œuvre (v. 1350), d'une querelle (1508), emploi disparu. ◇ *Vineux* s'emploie en parlant de ce qui a une odeur, un goût de vin (1549), de ce qui est riche, fertile en vin (mil. XVIe s.), sens conservé dans certains noms de lieux *(Coulanges-la-Vineuse).* Il signifie «riche en alcool (d'un vin)» (v. 1300) et, couramment, «qui a la couleur du vin» (1600), sens qui correspond à celui de l'ancien provençal *vinos* (v. 1350). ◇ Il a disparu pour qualifier une personne adonnée au vin (av. 1660, Scarron). ◇ *Vineux* prend au début du XIXe s. le sens de «relatif au vin», d'où *sarment vineux* (1845), et s'applique à ce qui est taché de vin (1835). ➜ **VINOSITÉ** n. f., terme technique, est un dérivé savant de *vineux* ou un emprunt au dérivé latin impérial *vinositas* «suc vineux», de *vinosus.* ◇ Le mot (v. 1390) désigne la qualité d'un vin qui a de la force en alcool. Sorti d'usage, il a été repris en 1801 en œnologie.

VINAIRE adj. est emprunté (1732) au latin classique *vinarius* «relatif au vin» et, nom masculin, «marchand de vin», «buveur de vin», dérivé de *vinum.* ➜ Le mot a désigné un marchand de vin de l'Antiquité, puis un religieux chargé de la cave. ◇ Il a été repris comme adjectif, alors probablement dérivé de *vin,* dans *fermentation vinaire* (1755). Il est rare appliqué (1845) à ce qui concerne le vin, remplacé par *vinicole**. ➜ **VINIQUE** adj. «du vin» (1836) est didactique. ➜ **VINIFÈRE** adj., terme très didactique, est emprunté (1812) au latin impérial *vinifer* «qui produit du vin», de *ferre* «porter», et en conserve le sens.

VINI-, élément tiré de *vinum*, entre dans la formation de quelques composés. ◆ **VINIFICATION** n. f. (1791) a été formé sur le modèle de mots comme *panification*, au sens de «fabrication du vin». ◆ Il a pour dérivé **VINIFICATEUR** n. m. (1845) et **VINIFIER** v. tr. (1845, isolément; repris au XXe s.), «transformer (le jus de raisins) en vin», surtout employé au participe passé adjectif *(vin bien, mal vinifié)*. ◆ **VINICOLE** adj. (1842; 1831, *vignicole*), de *-cole*, qualifie ce qui est relatif à la production du vin. ◇ **VINICULTURE** n. f. (1834) a été remplacé par *viticulture**.

Le préfixé **AVINER** v. tr., attesté isolément (v. 1180) au sens de «fournir en vin», a une acception technique (XIIIe s.) «imbiber de vin», mais seul **AVINÉ, ÉE** adj., tiré du participe passé (XIIIe s.), s'emploie aujourd'hui en parlant d'une personne : *s'aviner* «s'enivrer» est archaïque.

VINAIGRE n. m. est composé (1200) de *vin** et de *aigre**; la dénasalisation de *vin* fait que le rapport entre *vinaigre* et *vin* n'est plus immédiatement perçu. ◆ Le mot, qui a éliminé l'ancien français *aisil* (v. 1120), issu du latin *acetum* (→ acétique), désigne un liquide formé de vin aigri par la production de l'acide acétique et utilisé comme condiment, et par extension (1570) un liquide obtenu avec une autre solution alcoolisée, ce qui entraîne l'expression *vinaigre de vin*. Le mot est souvent qualifié (*vinaigre de framboise*, etc.). ◆ Le sens figuré (mil. XVIIe s.) de «propos, comportement qui blesse» est archaïque, et celui d'«affliction» (1765) a disparu. ◇ *Vinaigre* se dit familièrement (1808) du mouvement rapide donné à la corde pour sauter, par référence aux qualités métaphoriques du vinaigre (vivacité acide), opposé à *sauter à l'huile* «lentement», d'où ***faire vinaigre*** «se dépêcher» (1916), argotique puis familier. ◇ *Vinaigre de bois* (1824), «acide acétique tiré de la distillation du bois», est sorti d'usage, comme *vinaigre de toilette* «mélange d'eau de cologne et de vinaigre» (1839). *Au bon vinaigre!*, cri que l'on poussait en portant un enfant sur le dos (attesté 1872) est un souvenir du cri des marchands portant sur le dos leur tonnelet de vinaigre (cf. *vinaigrier*, ci-dessous). *Tourner en vinaigre* (1857), puis ***tourner au vinaigre*** «s'aigrir», s'emploie par figure au sens de «mal tourner» (1894).

Le diminutif **VINAIGRETTE** n. f. se dit (1393) d'une sauce faite avec du vinaigre, de l'huile et des herbes et, par métonymie, d'un mets accommodé à la vinaigrette (1538 au plur.; 1690 au sing.). ◇ Ont disparu le sens de «récipient pour le vinaigre» (1616) et la locution figurée *coup de poing à la vinaigrette* (1640). ◆ *Vinaigrette* a désigné à l'époque classique (1680) une voiture à deux roues proche de la chaise à porteurs, ainsi dénommée à cause de sa ressemblance avec les brouettes des vinaigriers.

VINAIGRIER n. m. désigne (1493) un fabricant ou un marchand de vinaigre, acception usuelle à l'époque classique, où le vinaigrier et sa brouette font partie des petits métiers urbains. Le mot désigne aussi (1572) un récipient pour mettre le vinaigre, valeur reprise au XXe s. pour un récipient employé pour la préparation domestique du vinaigre. ◇ Par analogie de couleur, c'est l'un des noms du sumac (1762) et du carabe doré (1842). ◇ En dérive **VINAIGRERIE** n. f. (1723). ◆ **VINAIGRER** v. tr., «assaisonner avec du vinaigre» (1680, au participe passé; 1690, infinitif) est vieilli au sens figuré de «rendre piquant» (1837; 1831 au participe passé).

VINOTHÈQUE n. f., composé (1973) hybride sur le modèle de *bibliothèque, discothèque*, etc., désigne un centre d'exposition et de vente de vins.

◈ voir VENDANGE, VIGNE, VIGNETTE, VINYLE, aussi ÉPINE-VINETTE (art. ÉPINE), PISSE-VINAIGRE (art. PISSER).

VINDICATIF, IVE adj. est un dérivé savant (v. 1400) du latin classique *vindicare*, qui a donné *venger**.

♦ Il est d'abord appliqué à une personne portée à se venger, acception toujours vivante. Au sens de «qui punit les fautes», en parlant de Dieu (1485), d'où (1652) ***justice vindicative*** «qui punit les crimes», il a disparu, remplacé par *vengeur*. ◇ Il qualifie ensuite (v. 1515) ce qui marque un esprit de vengeance.

▸ **VINDICATIVEMENT** adv. (1530) est littéraire et rare.

◈ voir VINDICTE, REVENDICATION.

VINDICTE n. f. est un emprunt (1523) au latin classique *vindicta* «revendication», spécialement *vindicta in libertatem* «revendication en liberté», mode d'affranchissement où l'on touchait l'esclave d'une baguette, substitut de la lance qui était le symbole de la propriété et de la force; le mot désigne ensuite la baguette elle-même, l'affranchissement, et prend en latin impérial le sens de «vengeance, punition», d'après *vindicare* «venger*», dont il dérive.

♦ Le terme, en droit, signifie «poursuite et punitions des crimes par l'autorité», d'où ***vindicte publique*** (av. 1615) et, par extension, *désigner qqn à la vindicte du peuple, à la vindicte publique*, avec l'idée de vengeance. ◇ Depuis le XIXe s. (1842), *vindicte* désigne en droit romain, la petite baguette, symbole de la force, qu'on employait au besoin pour défendre un droit. Il s'agit alors d'un réemprunt didactique.

VINGT adj. numéral est la réfection étymologique (v. 1250) de *vint* (1080), issu du bas latin *vinti*, contraction du latin classique *viginti*, composé du nom correspondant à «deux», suivi d'une forme signifiant «dizaine»; l'unité est représentée par *vi-*, variante de *bi-*, *bis-* (→ bis) «deux fois» (équivalent du grec *di-*, *dis di-*) et la dizaine par *-gint* «dix», présent dans tous les noms latins de dizaines (→ trente; quarante, cinquante, etc.). *Bis* a des correspondants dans les langues indoeuropéennes, comme l'avestique *biš*, le grec *dis*, le sanskrit *dviḥ*.

♦ *Vingt* est d'abord numéral cardinal, puis ordinal, spécialement comme premier terme dans les ordinaux composés (v. 1210, *vingt-unisme*). En emploi nominal, il désigne le nombre (fin XIIIe s.). ◇ *Vingt ans* (v. 1273) se dit d'un âge représentatif de la jeunesse. ◇ Le mot, comme *cent*, s'emploie aussi pour «un grand nombre de» (1re moitié du XVIIe s., Guez de Balzac). ◇ Depuis le XIXe s., il désigne un immeuble, un bureau, etc., qui porte le numéro 20 (attesté en 1876), puis *le vingt* se dit (XXe s.) pour le 20e jour du mois, le numéro vingt, etc. ◇ On relève aussi (1920) *vingt dieux!* comme juron familier. ◆ *Vingt,* adjectif cardinal, a été utilisé dans le système dont il est la base (système *vicésimal,* ci-dessous) dans *trois-vingts* «soixante» (v. 1170, *treis vinz;* v. 1420, *trois vins*), *six vingts* «cent vingt» (XIIIe s., *sis vinz;* XIVe s., *six-vingts*), etc. Restent vivants *quatre-vingts* et *quatre-vingt-dix* (→ quatre), courants en français de France, et *quinze-vingts* (→ quinze) dans des noms propres.

Vingt entre dans la formation des adjectifs numéraux cardinaux *vingt et un* (1530, *ving et un*), *vingt-deux* (v. 1220), etc. ◇ ***Vingt-deux*** s'emploie spécialement comme nom masculin et interjection; le mot est attesté en argot (1837) au sens disparu de «poignard», et dans *vingt-deux que...* «je parie que» (1874), puis *vingt-deux!* «attention!» (1888), surtout employé pour avertir de l'arrivée de la police. Au rugby, *les vingt-deux mètres* (1900) désigne la zone défensive délimitée par une ligne tracée à 22 mètres de chaque ligne de but. ◇ Chacun des composés fournit un adjectif numéral, *vingt et unième* est la réfection (1538) de *vint-unisme* (v. 1210), *vint et unime* (XIVe s.), *vingt-deuxième* (1465) a été précédé par *vingt et deuxième* (1226).

▶ Le dérivé **VINGTIÈME** adj. numéral est employé en ancien français comme ordinal sous les formes *vintisme* (v. 1155), *vintime* (v. 1170), au XIVe s. *vintiesme* (1380), refait comme *vingt* en *vingtième* (1538 avec cette valeur). ◆ Le mot a désigné (1271, *vintisme*) un ancien impôt, correspondant à la 20e partie des biens-fonds. ◇ Il est employé dans *un, le vingtième* comme fractionnel (1271, n. m., rare av. 1611; 1690, adj.) et, à partir du XIXe s., en parlant de qqn ou qqch. qui occupe le 20e rang (1872). ◆ **VINGTIÈMEMENT** adv. est attesté au XVIIe s. (1636). ◆ **VINGTIÉMISTE** n. désigne (v. 1960) un, une spécialiste de la littérature du XXe siècle.

VINGTAIN n. m., sorti d'usage, est emprunté (XVIIe s.) à l'ancien provençal *vinten* ou *vintein* (XIVe s.), dérivé de *vint* (de même origine que *vingt*). ◇ Le mot désignait comme en provençal une redevance du vingtième (XVIIe s.) et s'est employé pour «vingtaine» (1636). ◇ Il s'est dit d'un drap dont la chaîne est faite de 20 fois 100 fils (1723). ◆ **VINGTAINE** n. f., réfection graphique (1530) de *vintaine* (XIIIe s.), désigne un nombre représentant vingt unités ou un nombre approximatif de vingt; il s'est dit par métonymie d'une assemblée comprenant 20 personnes (XIIIe s., en parlant des contrôleurs de la taille). ◇ *Vingtaine* est sorti d'usage comme terme technique; le mot désignait une corde employée pour hisser qqch. (1314, *vintaine,* en ancien normand) et spécialement (1676) une corde que les maçons utilisaient pour tenir écartés les fardeaux élevés le long d'un mur, ainsi qu'une grosse corde de meunier (1680). ◇ L'expression *la vingtaine de mai,* «période du 21 avril au 10 mai redoutée à cause des gelées tardives» (1752), est sortie d'usage.

VINGTUPLE adj. et n. m. (1550, *vintuple;* v. 1830 avec -*g*-), formé d'après *décuple, centuple,* signifie «vingt fois plus grand» (1830, n. m.) et a fourni **VINGTUPLER** v. (1797), peu usité.

VICÉSIMAL, ALE, AUX adj. a été formé savamment (1872) à partir du latin *vicesimus* «vingtième» et s'emploie en arithmétique pour «qui a pour base le nombre vingt».

VINYLE n. m. est formé (1876) à partir de *vin**, d'après *éthyle**.

♦ Ce terme de chimie désigne un radical monovalent non saturé $CH_2 = CH$-.

▶ Il entre dans la formation de termes de chimie, par dérivation : **VINYLIQUE** adj. (1876), ou composition : **POLYVINYLE** n. m. (mil. XXe s.) de *poly-,* désignant un polymère de composé vinylique (dit **POLYVINYLIQUE** adj. [1948], dans *chlorure de polyvinyle.* ◇ Le vinyle servant à fabriquer les disques phonographiques dits «noirs», on parle (1987) de *disque vinyle,* d'où *un vinyle,* surtout depuis la diffusion des disques «compacts» ou laser.

VIOLE n. f. est un emprunt (fin XIIe s.) à l'ancien provençal *viola,* probablement comme l'italien et l'espagnol *viola.* Bloch et Wartburg rejettent l'hypothèse qui lie le provençal (et l'italien) *viola* au latin classique *vitulari* «entonner un chant de victoire» et celle qui en fait un emprunt à l'ancien haut allemand *fidula* (allemand *Fiedel,* cf. l'angl. *fiddle*); ils présentent le mot comme le déverbal du provençal ancien *violar,* lui-même d'origine onomatopéique, proposition appuyée par l'existence de verbes dialectaux comme *viouler* (Berry), *vionner* (Normandie), exprimant le bruit continu et aigu (sifflement d'une pierre lancée). P. Guiraud rattache *viole,* comme *vielle,* au latin classique *vivus* «animé», *vif* retrouvant l'idée de «vivacité» dans les mots dialectaux *vivoule* «alerte» (Wallonie), *vivelot* «vif» (Meuse) et expliquant la disparition du second *v* par un effet de dissimilation (→ vielle); mais aucune forme en *viv-* ne s'applique à un instrument de musique.

♦ *Viole* désigne un instrument de musique à cordes et à archet; la ***viole de gambe*** («jambe») (v. 1600) comptait onze ou seize cordes, la ***viole d'amour*** (1703) six ou sept. Le mot, employé après l'apparition du violon et du violoncelle en histoire de la musique et en ethnomusicologie, a retrouvé un regain d'emploi avec la vogue de la musique et des instruments anciens.

▶ **VIOLISTE** n. «joueur de viole» (1695) qui a remplacé *violeur* n. (v. 1534), a vieilli au XIXe s. et se réemploie depuis le milieu du XXe s. (mais le musicien qui joue de la viole de gambe est plutôt appelé *gambiste*).

◈ voir **VIOLON.**

VIOLENT, ENTE adj. est emprunté (v. 1213) au latin classique *violentus* «emporté» en parlant du caractère, et «impétueux» appliqué aux choses (tempête, etc.), abstraitement «despotique, tyrannique» (du pouvoir) et «impérieux» (d'un ordre). L'adjectif, de même que le verbe *violare* (→ violer), dérive de *vis,* au pluriel *vires,* qui signifie d'abord «force en action», en particulier «force exercée contre qqn», d'où «violence» et parfois «viol», par ailleurs «assaut, force des armes». *Vis,* à partir de Cicéron, traduit les valeurs techniques du grec *duna-*

mis (→ dynamique) et signifie «puissance, ascendant», «vertu (d'une plante, d'un remède)», «valeur (d'une monnaie)», «sens, valeur (d'un mot)», «caractère essentiel (d'une chose, d'une personne)». Le pluriel *vires* désigne concrètement les forces physiques, les ressources mises à la disposition d'un groupe social pour exercer sa *vis*, en particulier les forces militaires, les troupes, puis, par figure, équivaut à «force, propriétés (d'une plante, etc.)», à «force virile» et, par métonymie, à «organes sexuels virils». *Vis*, d'origine obscure, est peut-être apparenté à *vir* (→ viril).

♦ *Violent* s'applique dans ses premiers emplois à une personne qui agit ou s'exprime sans retenue, à un sentiment, à un phénomène d'une grande intensité. Il qualifie ensuite ce qui a un intense pouvoir d'action (1314). ***Mort violente*** «brusque et dont la cause est humaine» (1555, Ronsard) s'oppose à *mort naturelle.* À la même époque, *violent* s'applique (1563) à ce qui exige de la force, puis à ce qui épuise les forces, acception répandue à l'époque classique. L'adjectif s'est employé (1564) sans idée d'excès, pour qualifier ce qui émeut, est intense. ◇ Avec la première valeur, *violent* est substantivé au XVIIe s. (av. 1662, Pascal), pour désigner celui qui est d'une extrême dévotion, acception sortie d'usage. *Un violent* (1631) désigne aujourd'hui une personne d'un caractère emporté, qui réagit avec violence. ➛ *Violent* se dit aussi (1671, Molière) de ce qui est excessif, sort de la mesure, emploi considéré comme familier dès 1718 et d'où procède la valeur moderne d'«excessif, exagéré» : *c'est un peu violent* servant d'intensif à *un peu fort.* ◇ Le mot s'est appliqué aussi (mil. XVIIIe s.) à ce qui a un caractère forcé, opposé à *naturel.*

▸ Le dérivé **VIOLENTER** v. tr. s'est employé au sens de «contraindre (qqn) par la force» (1375), aussi à l'époque classique dans les constructions *violenter de* (1617), *violenter (qqn) à* suivi de l'infinitif (1633). Le verbe a eu aussi la valeur intransitive d'«agir violenment» (mil. XVIe s.) et un emploi transitif pour «rendre violent» (1557). Tous ces emplois ont disparu. ◇ Le sens ultérieur de «faire violence à qqch.» (1621) et celui de «transgresser (une règle)» (1550) sont devenus des archaïsmes littéraires. ◇ Depuis le XIXe s. (attesté 1859), *violenter* est employé comme synonyme littéraire de *violer* (une femme) — d'où, **VIOLENTEUR** n. m. (XXe s.) «violeur», mot très peu usité. ➛ **VIOLEMMENT** adv., dérivé (1332, *violenment*) de *violent,* équivaut à «brutalement», «vivement», puis, avec un verbe de sentiment (1690), à «ardemment, fort».

VIOLENCE n. f. est emprunté (1215) au latin classique *violentia* «caractère emporté, farouche» et, en parlant du vent, de l'hiver, d'un vin, etc., «force violente», dérivé de *violentus.* ➛ Le mot se dit de l'abus de la force pour contraindre qqn à qqch., en particulier dans ***faire violence (à qqn)*** (1538). ◇ Il désigne aussi (1314) la force brutale employée pour soumettre et, par métonymie et d'abord au pluriel *(une, des violences)* [v. 1320], un acte brutal, un acte de violence. De là, l'emploi sorti d'usage pour «viol» (1446), par exemple *faire violence à une femme* «la violer» (1748). ◇ *Violence* reprend (1600) le sens latin de «force irrésistible, néfaste ou dangereuse (d'une chose)» puis s'emploie (XVIIe s.) en parlant de l'effort qu'on fait sur soi, en particulier dans ***se faire violence*** (av. 1662), et aussi *faire violence à un texte, une loi* (1624). L'expression ***faire une douce violence sur qqn*** (1668), puis ***à qqn*** (1740) est ironique. ◇ *Violence* s'applique aussi à l'intensité d'un sentiment (1609) et s'emploie en parlant du langage avec la valeur de «caractère excessif» (1774). En droit, la *violence* est défini dans le Code civil en 1804. ➛ Le composé **NON-VIOLENCE** n. f. reprend (1924) l'anglais *non violence,* n. (1920), de *non* et *violence* (emprunté au français), par traduction approximative du sanskrit *ahimsā* plutôt «(le) non-nuire». Le mot désigne la doctrine bouddhique et jaïna prêchée par Gandhi, selon laquelle il faut renoncer à nuire à autrui, en particulier par la violence, comme moyen d'action politique. ➛ *Non-violence* a fourni **NON-VIOLENT, ENTE** n. (1924) d'après l'anglais *non-violent* (1920). En emploi adjectif, on écrit en principe *non violent.*

◈ voir VIOLER.

VIOLER v. tr. est emprunté (1080), comme l'ancien provençal *violar* (v. 1440), au latin classique *violare* «traiter avec violence», «faire violence à», d'où «violer (une femme)» et aussi «porter atteinte à, endommager», «enfreindre» et, en poésie, «altérer (une couleur)», d'où «teindre». Le mot est dérivé de *vis,* comme *violentus* (→ violent).

♦ Le verbe, dans ses premières attestations, signifie en général comme le latin *violare* «agir de force sur (qqn ou qqch.) de manière à enfreindre le respect qui lui est dû» , «porter atteinte à ce qu'on doit respecter». ◇ Il s'emploie spécialement, comme en latin (v. 1170), pour «avoir des relations sexuelles avec (qqn) par la force», le complément ne désignant traditionnellement que des femmes, avant le XXe siècle. ◇ Il a eu en ancien français le sens large de «faire tort, nuire à qqn» (1209 ; v. 1270, *se violer*), emploi disparu avant l'époque classique. ◇ C'est toujours l'idée d'opposition à une règle, à une loi, exprimée ou non, que l'on retrouve dans les emplois spéciaux du verbe, comme *violer une sépulture* (v. 1720 ; 1623, *violer les tombeaux*), *violer la langue* (1764) «faire des barbarismes», sorti d'usage, *violer un domicile* (1837), *violer un asile* (1872), etc., en rapport avec *violation* (ci-dessous).

▸ **VIOLEUR, EUSE** n. et adj., réfection suffixale (XIVe s.) de *violere* (v. 1200), s'est employé au sens de «personne qui enfreint une règle, etc.», au féminin *violaresse* (v. 1400), forme disparue et remplacée par *violeuse* (XIXe s.). ◇ Au sens moderne de «personne qui commet un viol», le mot est attesté vers 1360 (*violere ;* mil. XVIe s., *violeur*). ➛ **VIOLEMENT** n. m., employé à l'époque classique, s'est dit pour «violation» (v. 1305) et pour «viol» (XVIe s.), éliminé dans la seconde moitié du XVIIe s. par *viol.* ➛ **VIOL** n. m., déverbal de *violer,* attesté en 1647 mais certainement antérieur, s'est substitué à *violement,* que Vaugelas préférait. ◇ Le mot a désigné aussi l'action d'enfreindre une loi, une règle (1647, Scarron) ; cet emploi est encore possible, mais seulement dans des syntagmes, car il est limité par la fréquence de l'acception sexuelle, accrue par le discours féministe qui a formé le composé plaisant *ras-le-viol,* d'après *ras-le-bol.* ◇ Le mot s'emploie aussi (1868) pour la profanation d'un lieu sacré.

Outre les dérivés français de *violer,* plusieurs mots de la famille sont des emprunts. ✦ **VIOLATION** n. f. est emprunté (XIIe s., *violacion;* 1586, graphie savante) au latin classique *violatio* «profanation» puis au figuré «violation (de parole)», dérivé de *violatum,* supin de *violare.* ◇ Le mot désigne d'abord l'action de violer (un droit, un engagement, une loi), puis l'action de violer une chose, un lieu, sacré ou protégé par la loi (v. 1355, *violacion*), d'où *violation de domicile* (1815), *de sépulture* (1872); dès 1690, *violation des sépulcres*). ◇ Par extension, *violation* est entré dans le vocabulaire juridique pour désigner divers délits (1823, *violation du secret des lettres;* XXe s., *du secret professionnel*). ✦ **VIOLATEUR, TRICE** n., réfection suffixale (1419) de *violatour* (1360), est un emprunt au latin classique *violator* «celui qui profane, viole», dérivé du supin de *violare.* ◇ Le mot se dit de la personne qui enfreint une règle, une loi. Au sens (v. 1500) de «violeur», il n'a plus cours qu'en droit, où il désigne aussi (1690) celui qui profane un lieu. ✦ **VIOLABLE** adj. (v. 1360), emprunté au latin *violabilis* «qui peut être endommagé» et, au figuré, «qu'on peut outrager», semble très rare avant la fin du XVIIIe s., époque où il est probablement dérivé de *violer.* ✦ Il est beaucoup moins usité que son contraire **INVIOLABLE** adj. (attesté 1328, mais antérieur), emprunté au latin *inviolabilis,* et qui ne s'emploie plus qu'au figuré, à propos d'une valeur sacrée, d'un secret, d'un lieu considéré comme sacré (av. 1564). ◇ En dérivent **INVIOLABLEMENT** adv., attesté un peu plus tôt (1306), et **INVIOLABILITÉ** n. f. (1789), auparavant sous la forme isolée *inviolableté* (1611). ✦ **INVIOLÉ, ÉE** adj., du participe passé de *violer* d'après le latin *inviolatus* «non violé, respecté», s'est employé avec une valeur concrète (av. 1429, *inviolee pucelle*). Il s'emploie aujourd'hui au figuré (1440-1475), comme *inviolable.*

VIOLETTE n. f. représente (v. 1140) le diminutif de l'ancien français *viole* (fin XIe s.), emprunté au latin classique *viola* «violette» (plante et fleur), «couleur violette» et «giroflée». C'est probablement un mot d'une langue méditerranéenne, comme le grec *ion* de même sens, conservé en grec moderne où il subit la concurrence de l'italianisme *bioleta.*

♦ Le mot, d'abord en concurrence avec *viole,* désigne la plante à fleurs violettes ou blanches, et sa fleur. ◇ Il s'est employé au sens de «parfum d'un vin» (1352-1356) puis, à partir du XVIe s., qualifié, pour désigner d'autres fleurs, comme en latin la giroflée (1542), d'où *violette jaune* pour la giroflée jaune (1544; emploi isolé au XVe s.), en concurrence avec *viole jaune* (1556); *violette blanche* désigne la giroflée blanche (1549) et, au XIXe s., *violette domestique* la rouge (1845), dénominations sorties d'usage. *Violette blanche* s'est dit aussi pour «perce-neige» (1549), appelée aussi *violette de février* (1845). *Violette de Marie* désigne la campanule violette (1597), dite aussi *violette de marine* (1613), *violette d'automne* la pensée (1600), *violette des Dames* (1608) et *violette de Damas* (1611) la julienne, *violette du Pérou* la belle-de-nuit (1845). ◇ Par analogie de couleur, *bois de violette* désigne (1690) une espèce de palissandre du Brésil (cf. ci-dessous *bois violet*). ◇ Par extension, le mot se dit dep. le début du XVIIe s. (v. 1610) du parfum à la violette *(sentir la violette).*

▶ **VIOLIER** n. m., dérivé de l'ancien français *viole* (ci-dessus), désigne (v. 1360) une giroflée rouge. ✦ **VIOLAT** adj. m. est un emprunt (v. 1205; aussi *violet*) au bas latin *violatus* «où il entre des violettes» (cf. au neutre *violatum* «vin de violettes»). ◇ Le mot a désigné un médicament fait avec des violettes, d'où l'emploi pour «préparé avec des violettes» (1256, *sirop violat*). La plupart des dérivés (les plus usuels) concernent la couleur la plus fréquente de la fleur. ✦ **VIOLET, ETTE** adj. et n., dérivé régressif de *violette* ou diminitif de l'ancien français *viole* (d'où vient *violette*) est d'abord attesté comme nom pour désigner une sorte de drap violet (v. 1175), acception disparue. ◇ L'adjectif s'applique (v. 1200) à ce qui est de la couleur de la violette, substantivé (1323) pour «couleur violet», puis pour «colorant violet» (1539). Par métonymie, le mot désigne des vêtements violets (1680), d'où en argot ancien *un violet* n. m. «un évêque» (1836). ◇ L'adjectif s'emploie par extension (1643) en parlant de la couleur que donne à la peau un afflux de sang provoqué par le froid, les coups. ◇ *Bois violet* (1708) ou *violet,* n. m. (1803), est le nom d'un bois d'ébénisterie, importé des Indes au XVIIIe s. (différent du *bois de violette,* ci-dessus). ◇ Le mot s'est employé par analogie de couleur pour désigner des plantes de couleur violette, mais sans rapport avec *viola,* par exemple une espèce de figue (1715, *grosse violette*) et, au masculin, un agaric (1803), un mollusque de la Méditerranée à coquille d'un bleu violet (1904), sens très vivant régionalement. ◇ En sciences, *le violet* désigne la zone violette du spectre, formée des radiations visibles de plus grande fréquence (cf. ci-dessous *ultra-violet*). ✦ **VIOLETER** v. tr., terme technique (1861) signifiant «colorer en violet», est rare.

VIOLINE n. f. est en chimie le nom d'un alcali extrait des fleurs de la violette (1830) et d'un colorant violet (1872). ✦ L'adjectif **VIOLINE,** du latin *viola,* s'applique (1872) à une couleur violet pourpre.

VIOLÂTRE adj., attesté en 1469 *(viaulâtre)* et repris au XVIIIe s. (v. 1770, Diderot), pour «d'une teinte tirant sur le violet» est littéraire. ✦ Il a été supplanté par **VIOLACÉ, ÉE** adj. (1777), emprunté au dérivé latin classique *violaceus* «couleur de violette». ◇ L'adjectif a fourni **VIOLACÉES** n. f. pl., ancien terme de botanique (1810), et **VIOLACER** v. «rendre violet» (1832 au participe passé), aussi au pronominal *se violacer* (1860) et comme intransitif au sens de «tirer sur le violet» (1846).

Le composé **ULTRA-VIOLET, ETTE** adj., de *ultra-,* se dit en physique (1864) des radiations électromagnétiques dont la longueur d'onde se situe entre celle de la lumière visible (extrémité violette du spectre) et celle des rayons X. ◇ Le mot est substantivé en *l'ultra-violet* n. m. et *les ultra-violets* (XXe s.) «les rayons ultra-violets», aussi appelés **U. V.**

VIOLON n. m., d'abord écrit (arbitrairement) *vyolon* (v. 1500), puis *violon* (1533), est emprunté à l'italien *violone* «grosse viole, contrebasse», dérivé de *viola* (→ viole), avec le suffixe augmentatif *-one;* en italien, le mot pour «violon» est *violino,* diminutif de *viola* en *-ino.* Le sens du français vient d'une mauvaise interprétation du suffixe italien, interprété comme un diminutif (ce qui n'est pas le cas pour *trombone*).

♦ Le mot désigne un instrument à quatre cordes accordées en quinte, que l'on frotte avec un archet et, par métonymie (1533), un musicien qui joue du violon, en concurrence avec *violoniste* (ci-dessous), sauf dans des expressions comme *premier, second violon.* ◇ Les contextes usuels vont de la musique noble («classique» et jazz) à la danse et à la musique rurale. La locution figurée *payer les violons du bal* «offrir un bal à une belle» (XVIIe s.) est devenue ***payer les violons du bal*** «faire tous les frais de qqch. sans en retirer les avantages» (1671). *Le roi des violons* désignait (1690) le musicien à la tête des maîtres à danser. Dans le même contexte, le mot entre dans plusieurs locutions figurées : ***aller plus vite que les violons,*** «trop vite», c'est-à-dire «ne pas suivre le rythme» (1854, H. Monnier). ***Accorder ses violons,*** «se mettre d'accord», est attesté au début du XXe s. (1911), mais reprend *accorder ses vielles* (fin XVe s.) par jeu sur le double sens du verbe, et fait référence à la danse. ◇ En revanche, c'est la «grande musique» qui est évoquée dans ***violon d'Ingres,*** «talent qu'une personne exerce en dehors de son activité principale» (1907), par référence au peintre Ingres qui pratiquait le violon par plaisir. ➛ Peut-être par analogie des cordes du violon et des barreaux, le mot se dit (1790) d'une prison de police, par exemple dans *mettre qqn au violon.* ◇ *Violon* entre, à partir du XIXe s., dans le vocabulaire technique pour désigner des outils qui rappellent la forme du violon ou la manière d'en jouer : «petit tour à main, actionné à l'aide d'un archet» (1812); dans le vocabulaire de la marine, *poulie à violon* (1872).

▸ *Violon* a fourni quelques dérivés. ➛ **VIOLONER** v. (1656, intr.) signifiait «jouer du violon». ◇ Il est sorti d'usage, à la différence de son dérivé **VIOLONEUX** n. m. (1729), aussi **VIOLONNEUR** (1821), synonyme vieilli ou ironique de *ménétrier* et familier pour «violoniste médiocre» (fin XIXe s.). ➛ **VIOLONÉ, ÉE** adj., «en forme de violon», s'emploie à propos du style Louis XV. ➛ Le dérivé le plus usuel est **VIOLONISTE** n. (1811), en concurrence avec *violon,* mais d'emploi distinct (*les violons d'un orchestre,* mais *un, une grand(e) violoniste*).

VIOLONCELLE n. m., d'abord (1709) sous la forme italienne *violoncello* avec la graphie francisée en 1739, est emprunté à un mot italien désignant un petit violon, diminutif de *violone.* C'est à la lettre une «petite grosse viole», c'est-à-dire une «petite contrebasse». ◇ Le mot désigne un instrument semblable à un violon mais plus gros, joué verticalement comme l'était la viole de gambe à laquelle il succède, et utilisé comme basse. Par métonymie, le mot s'emploie (1741) pour «musicien qui joue du violoncelle». ➛ Le dérivé **VIOLONCELLISTE** n. (1821 au masculin) signifie aussi «musicien qui joue du violoncelle».

VIORNE n. f., réfection (1538, R. Estienne) de *vione* (v. 1200), est issu du bas latin *viburna,* pluriel pris pour un féminin, du latin classique *viburnum,* nom neutre sans étymologie connue. On relève, par emprunt au latin, *viburne* (1540) dans une traduction de Virgile.

♦ Le mot désigne un arbrisseau vivace des régions tempérées. Il s'emploie couramment pour *clématite* (1544, *viourne;* 1599, *viorne*).

VIP n. (surtout n. m.) attesté en 1958, est le sigle anglo-américain (1933) de *Very Important Person* «personne très importante».

♦ Le mot s'emploie en français depuis 1959 pour «personnalité importante», idée affaiblie par un usage publicitaire destiné à flatter des clients disposés à payer des prestations plus luxueuses (transports aériens, notamment).

VIPÈRE n. f. d'abord *vipre* (v. 1265), est emprunté (1314) au latin classique *vipera* «vipère» (→ vive), employé aussi par figure au sens de «personne méchante, malfaisante». Le mot est peut-être, selon les Anciens, une contraction de *vivipara,* féminin de *viviparus* «vivipare*»; on relève aussi la forme *vipre* (v. 1265). *Vipera* avait abouti en ancien français à *guivre** (1080), variantes *wivre* (XIIe s.), *voivre* (XIIIe s.), série vivante dans les dialectes (ci-dessous *vouivre*).

♦ Le mot conserve le sens propre du latin (v. 1265) et aussi l'emploi figuré (v. 1520), ***langue de vipère*** désignant une personne médisante. ◇ Qualifié, il désigne par analogie d'autres animaux serpentiformes comme *vipère marine* «murène» (1764), disparu, ou d'autres serpents : *vipère cornue* «céraste» (1764). ◇ ***Vipère lubrique,*** introduit vers 1947, s'est employé par calque du russe comme injure politique par les communistes, à l'époque de Staline.

▸ **VIPEREAU** n. m. est attesté chez Marot (1526) ainsi que la variante *vipéreau;* le mot ne s'emploie plus au figuré (1594). ➛ **VIPÉRIDÉS** n. m. pl., terme de zoologie, succède à *vipérides* (1842).

① **VIPÉRIN, INE** adj. et n. f. est un emprunt au dérivé latin classique *viperinus* «de vipère, de serpent». D'abord employé au sens figuré (1553) de «venimeux, malfaisant», mot littéraire, par exemple dans ***langue vipérine*** (1596), l'adjectif s'applique en zoologie (1584) à ce qui est relatif à la vipère. ➛ **VIPÉRINE** n. f. (1817) ou *couleuvre vipérine* se dit d'une couleuvre qui ressemble à la vipère. ➛ ② **VIPÉRINE** n. f. est emprunté (XVe s.) au latin impérial *viperina,* féminin substantivé de *viperinus,* et désigne une plante des sables dont la tige présente des taches rappelant la peau de la vipère.

VOUIVRE n. f., variante de *guivre,* issue par voie orale du latin *vipera,* a d'abord désigné un serpent (v. 1150, *wivre;* apr. 1250, *vuivre*), spécialement un serpent fabuleux (1636, *vuivre;* déb. XIXe s., *vouivre*), aujourd'hui régionalement (Lorraine, Jura) comme en témoigne *La Vouivre,* titre d'un roman de Marcel Aymé. ◇ Parallèlement, il s'est dit (1306, *voivre*) d'un gros serpent figuré sur une bannière puis, dans des armoiries.

◈ voir GUIVRE, VIVE.

VIRAGO n. f., d'abord francisé en *virage* (v. 1380), puis repris sous la forme latine (1458), reprend le latin *virago* «femme forte ou courageuse comme un homme»; ce mot de finale obscure appartient à la langue archaïque; il dérive de *vir* «homme» (→ viril), opposé à *mulier*. On trouve aussi *viragine* (v. 1560), d'après le génitif *viraginis*.

♦ Ce mot péjoratif se dit d'une femme d'allure masculine; il est littéraire.

VIRAL → VIRUS

VIRELAI n. m., d'abord *vireli* (1263), encore *viroly* au XVe s., puis *virelai* d'après *lai* (v. 1275) et *virelet* (XVe s. et chez Marot), dérive de *virer**. La finale *-li* est celle des refrains de chanson; la forme *lai* a prévalu.

♦ Le mot a d'abord désigné un air de danse, un jeu accompagné de danse, puis (v. 1360) une pièce de vers courts, sur deux rimes, commençant par quatre vers dont les deux premiers se répètent, «virent». C'est aujourd'hui un terme d'histoire littéraire.

VIRER v. est probablement issu (v. 1155) du latin populaire °*virare*, altération du latin classique *vibrare* (→ vibrer) «agiter», «brandir», «lancer» et «faire vibrer», par dissimilation des consonnes *-br-;* le *i* bref est devenu long sous l'influence de *librare* «balancer» et également «lancer une arme en la faisant tournoyer», dérivé de *libra* (→ livre, n. f.). Pourtant, P. Guiraud reprend l'hypothèse de Diez, rejetée par les romanistes du XXe s., qui rattache °*virare* au latin classique *viriae* «bracelet» (→ vires), le *i* bref s'effaçant en hiatus, d'où °*virare* «tourner (comme un bracelet)»; cette proposition s'appuie sur la présence de mots dialectaux *vire, viro, biro, guire* «virole». Pour Meyer-Lübke et Wartburg, des formes dialectales italiennes comme *vera, viere* postulent *viria*, forme qui exclut °*virare*.

♦ Le verbe a signifié «faire tourner» (v. 1155) et «lancer (une arme) en la faisant tournoyer» (v. 1196). C'est du sémantisme de «tourner», d'où «changer», que procède l'ensemble des emplois. Dans *virer le bien en mal* (XIIIe s.), le verbe signifiait «changer (d'aspect)». Concrètement, *se virer* (XIIIe s.) se dit encore régionalement pour «se tourner sur soi-même», le verbe étant usuel en emploi intransitif au sens de «tourner sur soi, en rond» (apr. 1433). Ce sens est resté vivant surtout régionalement dans des emplois comme *tourner et virer* «s'agiter» (cf. ci-dessous *virée*). ◇ L'idée de changement se retrouve dans les emplois disparus de *se virer* «changer d'humeur» (1580), «changer d'opinion» (déb. XVIIe s.) «changer de conduite» (v. 1755), et aussi de *virer* pour «traduire» (fin XVIe s.), qui correspond à *version*. ◇ Au XVIIe s., *virer partie* signifie «payer par virement» (1636), d'où avec le même sens, et d'après *virement, virer* (déb. XXe s., tr.). L'emploi pour «emprunter pour payer qqn» (1671) est sorti d'usage. ◇ Le verbe entre ensuite dans le vocabulaire de la marine, signifiant «tourner d'un côté sur l'autre» en parlant d'un navire (1680); de là viennent *virer à pic* (1684), et transitivement *virer le cap, virer au cabestan* (1690). Un autre emploi intransitif, ***virer de bord*** (1694), signifie, par figure, «changer d'opinion» (1798); il est usuel. ➜ Au sens concret de «tourner», très ancien, c'est l'emploi en marine (1858) qui suscite les emplois modernes au sens de «prendre un tournant rapide», en cyclisme (1892), puis en automobile (1899) [→ ci-dessous *virage*]. ➜ *Virer* intransitif, avec le sens de «changer d'aspect», se dit à propos d'une couleur (1763), spécialement dans *virer à* (1818). Le verbe s'emploie dans le domaine de la photographie (1856, tr. et intr.). ◇ L'idée de changement complet, issue de celle de demi-tour, se retrouve dans l'emploi médical pour «réagir positivement»; par exemple, une cuti-réaction *vire*, «devient positive» (XXe s.); d'où *virer sa cuti* (→ cutané). ➜ *Virer qqn*, «le renvoyer d'un lieu», puis «le renvoyer» *(vous êtes viré!)*, familier (1913), vient sans doute d'une métaphore maritime, analogue à *mettre les voiles, lever l'ancre* «partir», et basée sur ***virer le cap*** ou sur une expression analogue. La paronymie avec *vider* a pu jouer.

▶ Le déverbal ① **VIRE** n. f., d'abord attesté au sens métonymique de «trait d'arbalète qui tournoie en volant» (fin XIe s.), a aussi désigné (v. 1310) l'action de tourner. ◇ Le mot se dit (1877) dans les Alpes d'un palier très étroit qui rompt une pente raide et forme parfois un chemin autour de la montagne. ➜ Du premier sens vient le diminutif **VIRETON** n. m. (1341), terme d'archéologie, «trait d'arbalète empennée en hélice pour le faire tourner en l'air», aussi nommé *virolet* (1611). ➜ **VIREUR, EUSE** n. s'est employé (1364, au masculin) au sens de «tourne-broche» et a signifié «celui qui tourne» (1539), spécialement dans la fabrication du papier (1800). ◇ Le mot désigne en technique (1861) un plateau circulaire monté sur l'arbre d'une machine. ◇ En sports, il se dit d'un coureur, d'une automobile, etc., qui prend des virages. De là *survireur, euse* et *sous-vireur, euse* (ci-dessous *sur-* et *sous-virer*). ➜ **VIRÉE** n. f. a eu le sens de «rangée de ceps» (1535). Le mot s'est employé pour «allée et venue» (1594). ◇ Il désigne aussi (1859) une bande de forêt parallèle à la plus grande dimension d'une coupe, ainsi nommée parce que les experts la parcourent. ◇ D'après *virer* «tourner, aller de place en place», il signifie ensuite (1907) «promenade rapide», «tournée des cafés, etc.», en particulier dans ***faire une virée***, dans un sens voisin de celui de *tour*.

VIREMENT n. m. s'est dit (1546) de l'action de tourner en rond; *virement de partie* (1667) a désigné le transport d'une dette active faite à un créancier, à qui l'on doit une somme de même valeur, d'où l'emploi moderne de *virement* en finances (1803) qui a entraîné des valeurs nouvelles pour *virer*. ◇ Le mot s'emploie aussi en marine, par exemple dans *virement de bord* (1835), sorti d'usage au figuré (1835), contrairement à *virer de bord*. Il est rare pour «action de tourner» (1872).

VIRAGE n. m. désigne d'abord en marine (1773) l'espace nécessaire pour faire tourner un navire sur lui-même, puis se dit (1812) de l'action de virer, de faire tourner le cabestan sur l'axe. ◇ En photographie, le nom désigne (1856) la transformation chimique que subit l'image photographique dans certains procédés, d'où ***virage-fixage*** n. m. (attesté 1933). ➜ *Virage* s'emploie aussi (1858) pour «changement de direction», dans les sports nautiques, par métonymie «endroit où un bateau vire de bord» (1893). ◇ Il prend à la fin du XIXe s. le sens aujourd'hui le plus courant de «courbure plus ou moins accentuée (par exemple d'une route)» (1892), puis du mouvement d'un véhicule qui change de direction (1900, d'un vélo), peu après l'emploi correspondant de *virer* (ci-dessus). Il est alors en concurrence avec *tournant*, dont il est l'intensif. ◇ *Virage sur l'aile* concerne les avions. ◇ Par figure, *virage* signifie (mil. XXe s.) «changement radical (de politique, d'attitude, etc.)».

② **VIRE** n. f. (1872), comme désignation d'un panaris qui fait le tour du doigt, est régional ou archaïque.

Le préfixé **REVIRER** v. intr. a d'abord signifié (v. 1165) «éviter (qqch., qqn) par crainte», d'où «craindre», sens disparu en moyen français. ◇ Il s'est employé au sens plus général (1212) de «tourner». ◇ Il s'est utilisé comme terme de marine (1677, intr.) et dans *revirer de bord* (1680) puis, par figure (1740), au sens de «changer d'opinion, de parti» qui correspond à *revirement*. Tous les emplois sont sortis d'usage. ➞ Le dérivé **REVIREMENT** n. m. a désigné (1587) le retour d'une personne sur soi-même. Le nom conserve aujourd'hui les valeurs du verbe; il se dit d'un changement de direction, d'abord en marine (1678), moins courant que *virement*, et de l'action de se retourner en sens contraire (1690). ◇ Au figuré, il désigne un changement complet dans les opinions de qqn (1834), sens aujourd'hui le plus courant.

TRÉVIRER v. tr., formé de *tres-* (→ trans-) et *virer*, d'abord *tresvirer* (v. 1165), signifie «faire tourner» et (déb. XVIIe s.) «trébucher». ◇ Le verbe a aussi signifié en marine (1694) «retourner, chavirer une manœuvre». Il a aujourd'hui le sens (1870) de «hisser ou affaler un corps à l'aide de trévires». ◇ Le dérivé **TRÉVIRE** n. f. désigne (1776) un double cordage.

DÉVIRER v. tr., d'abord au pronominal *se dévirer* «se détourner» (1594), reste régionalement pour «faire changer de direction» et, comme terme de marine, au sens de «tourner en sens contraire (le cabestan)», d'où **DÉVIRAGE** n. m. (1836).

SOUS-VIRER v. intr., technique (v. 1960), se dit en parlant d'une automobile qui dérape par les roues avant, d'où (v. 1960) **SOUS-VIRAGE** n. m. et **SOUS-VIREUR, EUSE** adj. ➞ Le contraire **SURVIRER** v. intr. (v. 1960) se dit en parlant d'une automobile qui dérape par les roues arrière. Il a pour dérivés (v. 1960) **SURVIREUR, EUSE** adj. et **SURVIRAGE** n. m. Ces mots préfixés sont techniques.

◈ voir AVIRON, CHAVIRER, ENVIRON; VIRELAI, VIREVOLTER.

VIRES

VIRES n. f. pl. est un emprunt (1671) au latin *viriae*, n. f. pl., «bracelet», seulement attesté à l'époque impériale; on ne trouve le singulier *viria* que dans les gloses : il a abouti dans les dialectes à des formes comme *vire*, *viro*, *guille*, etc. «anneau»; ce mot est peut-être d'origine gauloise.

♦ Terme de blason, *vires* désigne des anneaux concentriques.

◈ voir VIROLE.

VIRESCENCE → VERT

VIREVOLTER

VIREVOLTER v. intr. représente une altération (1552), sous l'influence de l'italien *giravolta* «tour en rond», de l'ancien *virevouster* «tournoyer» et «voltiger» (1532), ensuite *virevoster* (1564), *virevouter* v. tr. «parcourir (un pays) en faisant des détours». Ce verbe est un composé tautologique de *virer** et *vouster*, *vouter*, d'abord attesté au pronominal (1211, *soi vouter*), puis sous la forme *vouter* «rouler» (XIIIe s.) ou *vouster* «faire tourner (un cheval)» (1447). *Vouter* est issu du latin populaire °*volvitare* «rouler, tourner», dérivé de °*volvitum*, variante de *volutum* (→ volute), supin du latin classique *volvere*. L'italien *giravolta* vient de *girare* «tourner», du latin classique *gyrare* (→ giratoire), et de *voltare* «tourner», du latin populaire °*volvitare*. ◇ *Volvere* a le sens général de «rouler, faire rouler», d'où «projeter en tourbillons», «faire aller et venir» et, au figuré, «rouler dans son esprit», «dérouler une période»; ses dérivés ont donné *volute*, *se vautrer* et ses composés sont nombreux (cf. par exemple *révolution*). *Volvere* se rattache à une racine indoeuropéenne °*wel-* «rouler», dont procèdent le grec *eluein* «rouler» (→ hélice), la base germanique °*wett-*, sur laquelle repose le gotique *waltjan* «faire un mouvement tournant» (cf. allemand *Walzer*, d'où *valse*).

♦ *Virevolter* signifie d'abord «tourner rapidement sur soi-même». ◇ Le verbe a eu, à l'époque classique, le sens (1636) de «faire tournoyer un cheval» (cf. *volte*). ◇ Par extension, il s'emploie dans l'usage familier pour «s'agiter, en allant et venant» (1879, Huysmans) et au figuré «changer d'opinion» (1589).

▸ **VIREVOLTE** n. f., déverbal (1555) de *virevolter*, a supplanté l'ancien *virevouste* (v. 1500) «volte face» dont certaines variantes se sont maintenues jusqu'au XIXe s.; désignant l'action de se donner beaucoup de mouvement, une pirouette, *virevoute* (1638), *virevouste* (1694), *virevousse* (1762), sont vieillis au XVIIIe s. et disparaissent au XIXe siècle. La variante *virevaude* se disait (1845) d'un endroit où la mer faisait des tourbillons. ➞ *Virevolte* est d'abord attesté au sens de «pivotement sur soi-même, mouvement de ce qui fait rapidement demi-tour»; le mot a désigné (1694) un demi-tour rapide fait par un cheval, puis a été supplanté par *demi-volte*. Il s'est dit (1829) d'un demi-tour fait par une personne et, au figuré (1766), désigne un changement complet d'opinion (cf. *revirement*).

VIRGINAL, VIRGINITÉ → VIERGE

VIRGULE

VIRGULE n. f. est un emprunt (1534) au latin *virgula* «petite branche, rameau» puis «petit trait, ligne, accent», diminutif de *virga* «baguette», qui a donné *verge** et *vergue**.

♦ Le mot désigne (1534) un signe de ponctuation marquant une courte pause. ◇ Il s'est employé (1611) au sens étymologique de «petite verge, baguette», sens qui ne s'est pas maintenu, malgré l'emploi technique (1812) pour «baguette de laiton utilisée dans la fabrication du velours». ◇ Au sens dominant, le mot s'est employé didactiquement (1842) pour désigner un signe de suppression, analogue au deleatur, dans les anciens manuscrits. ◇ Par analogie de la forme du signe de ponctuation, *virgule* se dit aussi (1831) d'un objet recourbé et terminé en pointe vers le bas et, en particulier (1842), d'une trace malpropre de doigts. ◇ En biologie, ***bacille virgule*** désigne, en raison de sa légère incurvation, le bacille du choléra (1884). ◇ Le mot s'emploie aussi en mathématiques (XXe s.) et en informatique (v. 1970, *virgule fixe, virgule flottante*).

▸ **VIRGULAIRE** adj. (v. 1835) est rare ; le mot s'est employé comme nom féminin, nom d'une plante (1809). ◆ **VIRGULER** v. tr. «marquer de virgules», rare, est employé au propre (1725) et au figuré (1868) ; son dérivé **VIRGULAGE** n. m. est un terme de mathématiques (v. 1970). ◇ En argot, *virguler* signifie par analogie «faire un geste en forme de virgule», par exemple *virguler une baffe* «envoyer» ; cet usage est fréquent dans les romans de San-Antonio.

VIRIDE → VERT

VIRIL, ILE adj. est un emprunt (1496), d'abord noté *virili* (XIVe s., *membre virili*) au latin classique *virilis* «mâle», «masculin», «de l'homme adulte», spécialement «vigoureux, courageux» puis, en bas latin juridique, «qui revient à la personne». Cet adjectif dérive de *vir* «homme», opposé à *mulier* («femme») et à *puer* («enfant»). Ce mot, à côté de *homo* (→ homme), exprime les qualités considérées comme propres au mâle humain, d'où l'emploi poétique au sens de «parties sexuelles» ; il signifie «mari, époux», s'applique aux animaux pour «mâle», et se dit du soldat et spécialement du fantassin (de même que *homme* en français). Par ailleurs, *vir* a un sens distributif dans certaines expressions militaires et juridiques : *virilis pars, virilis portio* «part qui revient à chacun dans un héritage». *Homo* a pris tardivement les sens de *vir*, qui n'a pas laissé de traces dans les langues romanes. ◇ *Vir* appartient à un ensemble de mots indoeuropéens, d'une racine °*wir-*, comme le sanskrit *viráḥ*, le gotique *wair* (→ garou), l'anglais *world* «monde».

♦ L'adjectif s'applique d'abord en français, comme en latin, à ce qui appartient à l'homme en tant que mâle (XIVe s.), est digne d'un homme, physiquement et moralement, à ce qui est énergique, actif, etc., puis à ce qui est propre à l'homme dans la force de l'âge (1534). ◇ Dans le vocabulaire juridique, *portion virile* (XVIe s.), vieux, puis *part* virile*, est un calque du latin (ci-dessus). ◇ En histoire antique, *robe virile* (1701), ***toge virile*** (1835) désigne la toge que les jeunes Romains prenaient dans leur 18e année, en quittant la toge prétexte*.

▸ De l'adjectif dérivent **VIRILEMENT** adv. (v. 1460), réfection de *virelement* (1406), d'usage soutenu ou littéraire. ◆ **VIRILISER** v. tr. a signifié «transformer en homme» (v. 1796), puis (1801) «donner un caractère viril à (qqn, une œuvre)». En biologie (XXe s.), il correspond à «masculiniser». ◇ Le verbe a servi à former **VIRILISATION** n. f., «transformation en homme» (v. 1796), sorti d'usage, aujourd'hui terme de médecine (relevé en 1945), désignant un processus hormonal, comme **VIRILISANT, ANTE** adj. (1940). ◆ Le préfixé **DÉVIRILISER** v. tr., attesté en 1585 au sens de «châtrer», a été repris comme terme didactique (1801) pour «ôter au caractère (de l'homme) sa virilité» — d'où **DÉVIRILISATION** n. f. (1842).

VIRILISME n. m., proposé par Richard de Radonvilliers (1845), n'est pas attesté avant 1924 comme terme didactique désignant l'état d'une femme qui présente des caractères sexuels secondaires de type masculin. ◆ **VIRILOÏDE** adj. (mil. XXe s.) est lui aussi didactique.

VIRILITÉ n. f. est un emprunt (v. 1461) au latin classique *virilitas* «âge viril», «sexe de l'homme» et, au figuré, «caractère mâle», dérivé de *virilis*. ◆ Le mot est d'abord attesté au figuré, au sens de «fermeté, énergie», attributs traditionnels de l'homme. ◇ Puis il désigne l'ensemble des attributs physiques et sexuels de l'homme, puis l'âge adulte en parlant d'un garçon (v. 1560). ◇ Il reprend au latin le sens spécialisé de «parties génitales de l'homme» (1611), qui a disparu, et de «vigueur sexuelle» (1718).

VIRILOCAL, ALE, AUX adj. (v. 1950), formé du latin *vir* et de *-local*, est probablement emprunté à l'anglais (1948, *virilocal*). ◆ Il se dit en ethnologie de la résidence d'un nouveau couple quand elle est déterminée par la résidence du mari.

◈ voir **TRIUMVIRAT, VERTU, VIRAGO.**

VIROLE n. f., attesté (v. 1200) peu après *virol*, n. m. (v. 1160), est issu du latin classique *viriola* «bracelet d'homme», diminutif de *viria*, de même sens (→ vires). Le *i* de *vi*, au lieu de *ve-* qui serait normal, est peut-être dû à l'influence de *virer* (Bloch et Wartburg).

♦ Le mot désigne l'anneau de métal qui garnit l'extrémité du manche d'un instrument, pour assujettir ce qui y est fixé, par exemple l'extrémité d'un soufflet (1380). ◇ En blason (1671), il se dit d'un cercle d'un émail particulier, placé près de l'embouchure d'un cor. ◇ Il est repris au XVIIIe s. dans le vocabulaire technique, désignant un moule circulaire pour la frappe des monnaies (1765) et, auparavant (1718), un anneau placé sur le canon et le fût d'une arme à feu, qui maintient la baguette, puis au XXe s., le petit cylindre fendu auquel est fixé le centre du ressort spiral d'une montre.

▸ Le mot a fourni des dérivés techniques : **VIROLER** v. tr. (v. 1200) «munir d'une ou de plusieurs viroles», d'où **VIROLAGE** n. m. (1872), **VIROLIER** n. m. (XXe s. ; 1292, 1313, isolément) «ouvrier qui fabrique des viroles». ◇ Le préfixé **DÉVIROLER** v. tr. (1842) «enlever la virole de (une pièce, une monnaie qui vient d'être frappée)» a pour dérivé **DÉVIROLAGE** n. m. (1842).

VIRTUEL, ELLE adj. et n. m. est un emprunt (1480) au latin scolastique *virtualis* «qui n'est qu'en puissance», dérivé du latin classique *virtus* (→ vertu).

♦ L'adjectif conserve en philosophie, puis dans l'usage général, le sens de l'étymon ; il s'oppose à *actuel** et est aussi employé comme nom masculin (*le virtuel*). ◇ Il est repris dans le vocabulaire scientifique, en mécanique (1717), spécialement dans *travail virtuel*, puis (XXe s.) en physique atomique (*état virtuel d'un noyau*), récemment en informatique (*mémoire virtuelle* «non limitée en dimensions»). Il s'emploie aussi en optique (1757, *foyer vir-*

tuel), en particulier dans *image virtuelle* (1858), puis *objet virtuel* (v. 1960). La large diffusion de ce type d'emploi est due au calque de l'anglo-américain *virtual* (1953) ; elle est parallèle à celle de *réalité virtuelle,* qui s'applique à la simulation d'un environnement réel grâce à des images de synthèse en trois dimensions.

▸ Le dérivé **VIRTUELLEMENT** adv. (1480 ; 1469, *virtualement)* signifie «en puissance» et, dans l'usage général (XXe s.), «selon toute probabilité».
VIRTUALITÉ n. f., dérivé du radical latin (1674), se dit en philosophie du caractère de ce qui est virtuel. ◇ *Une, des virtualités,* «possibilité(s)», s'emploie dans l'usage général (1801). Le mot est entré dans le vocabulaire des sciences et des techniques, dont l'informatique (v. 1970).
VIRTUALISER v. tr. «rendre virtuel» (1893) est didactique. Il s'oppose à *actualiser.*

VIRTUOSE n. et adj. est un emprunt (1640) à l'italien *virtuoso,* dérivé de *virtu* «énergie, qualité», du latin *virtus* (→ vertu).

♦ Le mot est sorti d'usage pour désigner une personne d'un mérite exceptionnel ; dans cette acception, on trouve aussi la forme italienne *virtuoso,* du milieu du XVIIe s. au XVIIIe s., et son adaptation en *verteux* (1640, jusqu'aux années 1680). ◇ *Virtuose* se spécialise alors en musique à propos d'un exécutant doué d'une technique brillante (1667, Molière) et aussi en danse ; cette valeur se répand au XVIIIe s., où le mot s'emploie dans d'autres activités, artistiques ou non (mil. XVIIIe s.). ◇ L'emploi adjectivé n'est attesté qu'au XIXe s. *(pianiste virtuose ; il est plus virtuose que sensible),* avec la valeur de «qui possède une technique exceptionnelle» (1857).

▸ Le dérivé **VIRTUOSITÉ** n. f., d'abord employé en musique (1857), se dit par analogie (1859) d'une technique brillante puis, péjorativement (1897), d'un talent sans profondeur, fait de technique.

VIRULENT, ENTE adj. est emprunté en moyen français (G. de Chauliac, av. 1478) au bas latin *virulentus* «venimeux» (IIe s.), dérivé du latin classique *virus* «suc des plantes», «venin des animaux», puis «venin, poison» (→ virus).

♦ L'adjectif qualifie d'abord un ulcère, une pustule, etc. qui contient du pus corrosif ou contagieux. En médecine, il s'applique à ce qui contient un germe de maladie, puis (1690) à une maladie produite par ce type de germe ; ce dernier sens a disparu. Il s'est dit (1793, Lavoisier) d'une odeur ou d'une saveur désagréable, indice d'un pouvoir malfaisant, à la manière de *miasme.* ◇ *Virulent,* d'après l'évolution de *virus**, se dit en biologie (1889) d'un microbe qui a une aptitude à se multiplier dans un organisme vivant. ➜ Par ailleurs, le mot a pris par figure au XVIIIe s. (1751) la valeur de «violent et malfaisant», en parlant d'un discours, d'une critique, sens qui s'applique aussi (1751) aux personnes.

▸ **VIRULENCE** n. f. est emprunté en même temps que *virulent* (av. 1478) au bas latin *virulentia* «puanteur, infection» (v. 400), dérivé de *virulentus.* ➜ Le mot a signifié «pus d'une plaie, contagieux et corrosif» et, dans l'ancienne médecine (1550), «caractère de ce qui est nocif pour l'organisme». Rare avant le XVIIIe s., il s'emploie alors au figuré (1764, Voltaire) comme *virulent,* d'abord en parlant d'un discours, d'une critique, puis (XIXe s.) des personnes. ◇ Le sens moderne en biologie (1888) correspond à l'évolution de sens de *virus* et de *virulent.* ◇ Un nouveau sens figuré «caractère nocif, dangereux» (déb. XXe s.) correspond à la fois à l'emploi figuré de *virulent* et à une métaphore de l'emploi biologique.

VIRUS n. m. est emprunté (1478) au latin *virus* «suc des plantes», «sperme» ou «venin des animaux», puis «venin, poison» et, au figuré, «âcreté, amertume». Le mot est proche du vieil irlandais *fi* «poison», du grec *ios* «venin, poison» et aussi «rouille» et du sanskrit *viṣá-* de même sens. On a rapproché ces termes d'un verbe sanskrit *veṣati* «faire couler», et supposé que leur emploi s'expliquerait par un tabou linguistique.

♦ *Virus* a désigné une substance organique (pus, etc.) susceptible de transmettre une maladie, d'où un agent de contagion, cette cause alors inconnue étant attribuée à divers facteurs (1690, *le virus de la rage*), surtout à propos des maladies vénériennes (1694), considérées comme particulièrement impures. À la suite des découvertes de Davaine sur le virus du charbon (maladie), puis de Pasteur sur le virus de la rage, *virus vaccin* s'est dit pour *vaccin**. ◇ Le terme, spécialisé, désigne ensuite (1918, *virus filtrant*) un micro-organisme mal connu, beaucoup plus petit que les microbes* et bactéries*. Ce type de micro-organisme infectieux, parasite des cellules vivantes, a été étudié au XXe s., aboutissant à un concept scientifique essentiel : celui d'un système possédant un seul type d'acide nucléique et capable de synthétiser sa propre substance comme un organisme vivant, et aussi de se perpétuer sous forme cristalline. ➜ *Virus* s'emploie aussi au figuré, désignant (1793) un principe moral de contagion, et (1925) comme équivalent de passion *(le virus de la lecture).* ➜ Par analogie, il se dit en informatique d'une suite d'instructions parasites qui, introduites dans un programme, peuvent entraîner des perturbations dans le fonctionnement d'un ordinateur, d'un logiciel.

▸ **VIREUX, EUSE** adj., emprunt au latin *virosus* «d'odeur fétide», dérivé de *virus,* a d'abord conservé le sens du latin (fin XIVe s., puis 1611), signifiant aussi «venimeux». ➜ Cet adjectif didactique s'applique (1753) à l'odeur, à la saveur qui caractérisent une plante vénéneuse et qualifie (1780) une telle plante.
À partir du radical de *virus* ont été dérivés et composés des termes liés au développement de la biologie : **ULTRAVIRUS** n. m. (1921), de *ultra-* pour «virus extrêmement (petit)», vieilli ; **VIROLOGIE** n. f. (1945), de *-logie* «étude scientifique des virus», dont dérivent **VIROLOGIQUE** adj. et **VIROLOGISTE** n. ou **VIROLOGUE** (attestés mil. XXe s.) ; **INFRAVIRUS** n. m. (1948) qui remplace *ultravirus.* ◇ D'autres composés désignent des virus spécifiques : par exemple **POLIOVIRUS** n. m. (XXe s.) «virus de la poliomyélite», **PROVIRUS** n. m. (v. 1960).

◆ **VIRAL, ALE, AUX** adj. (v. 1950) correspond au concept moderne de *virus, vireux* et *virulent* ne convenant plus, et qualifie ce qui est propre au virus *(particule virale)* et ce qui est provoqué par un virus (1955 dans *hépatite virale*), d'où **ANTIVIRAL** (1950). ◆ **VIRION** n. m. (1972) désigne une particule infectieuse d'un virus. ◆ L'élément initial **VIRO-** sert à former de nombreux composés (*virocide, virostatique,* etc.).

① **VIS** → **VISAGE, VIS-À-VIS, VISIÈRE**

② **VIS** n. f., réfection graphique (fin XIe s.) de *viz* (1049), est issu du latin *vitis* «plante à vrilles», «vrille» (→ vrille) qui s'est spécialisé dans le sens de «vigne», «cep de vigne», d'où «raisin, vin» (→ viticole); qualifié, le mot désigne diverses plantes. *Vitis* s'apparente à *viere* «courber», «tresser» dont on retrouve les valeurs dans plusieurs langues indoeuropéennes, par exemple dans des formes nominales comme le sanskrit *vetasáḥ* «verge» (pour tresser), l'avestique *vaēitiš* «branche de saule», le vieux prussien *witwan* «saule», le grec *itea, eitea* «saule».

♦ Le mot, dont le *s* se prononce, désigne d'abord un escalier tournant (1049), ensuite nommé *escalier à vis* (1600). ◇ Il se dit, depuis l'ancien français (fin XIe s.), d'une tige de métal, de bois, cannelée en spirale et que l'on enfonce en la faisant tourner sur elle-même; cette acception est devenue la plus courante. ◇ Le sens latin de «cep de vigne» (XIIe s., *viz*) et celui de «sarment» (1528), qui correspond à l'ancien provençal *vise* (1332), ne se sont maintenus que dialectalement. ◇ *Vis* a eu le sens de «poulie» (1381, *viz*), disparu. ◇ Le sens initial d'«escalier» s'est spécialisé dans *vis saint Gilles* (1567) ou *vis de saint Gilles* (1845), «escalier montant en rampe et couronné par une voûte annulaire», d'après l'escalier du prieuré de Saint-Gilles, dans le Gard. Le mot a désigné aussi la colonne torse d'un lit à baldaquin (1603), la ligne en spirale du fût d'une colonne torse (1694), ensuite dite *vis de colonne*. ◇ *Vis*, par généralisation en géométrie et en mécanique des deux emplois techniques initiaux, est le nom de la machine simple qui permet de transformer un mouvement circulaire en mouvement rectiligne, spécialement dans ***vis d'Archimède*** et ***vis sans fin*** (tous deux enregistrés par Furetière, 1690); en technique, on a dit (1765) *vis mâle* pour «vis» et *vis femelle* pour «écrou». ◇ Au sens usuel de «tige cannelée», le mot donne lieu à de nombreux syntagmes, comme *vis de pointage* (1803), *vis de rappel* (1812). *Vis platinée* (1900) continue à désigner, malgré le remplacement de la vis primitive à tête garnie de platine, les contacts de l'allumage d'un moteur à explosion.

▶ Le dérivé **VISSER** v. tr. est attesté à la fin du XIIIe s. (*visse, wiche,* à la 3e personne du singulier de l'indicatif présent), mais avec un sens peu clair. Le verbe, qui semble inusité avant le XVIIIe s., n'est relevé ensuite qu'en 1762, signifiant alors «fixer (qqch.) avec des vis», puis par figure «attacher (qqch.) comme avec des vis» (av. 1850, Balzac). ◇ Il s'emploie familièrement dans la locution figurée ***visser qqn*** (1920), «mettre (qqn) en prison», sens disparu, et «contrôler, surveiller avec sévérité» (1916).

◆ Du verbe dérivent **VISSAGE** n. m. (1840) «action de visser; son résultat», **VISSERIE** n. f. (1871) «atelier, fabrique, usine où l'on produit des vis, boulons, etc.» et «produits d'assemblages tels que vis et assimilés», **VISSEUR, EUSE** n. (XXe s.) rare, et **VISSEUSE** n. f. (v. 1973), terme technique désignant une machine.

Le préfixé **DÉVISSER** v. tr. (1768), «faire que (qqch.) ne soit plus vissé», s'emploie familièrement par métaphore dans les locutions ***dévisser son billard*** (où *billard* signifie «queue de billard») «mourir» (1862 en argot), ***dévisser la tête à qqn*** (1877) «tordre» (1870, *se faire dévisser le coco* «se faire tuer»). ◇ Au figuré, ***dévisser qqn*** correspond à «faire perdre sa place, sa position», comme *déboulonner.* ◆ Par métaphore, *dévisser,* repris comme intransitif, signifie en alpinisme «lâcher prise et tomber» (fin XIXe s.), d'où familièrement, «partir». ◆ *Dévisser,* au sens de «desserrer les vis», a servi à former **DÉVISSAGE** n. m. (1870), **DÉVISSABLE** adj. (fin XIXe s.), d'où **INDÉVISSABLE** adj. (1898, Huysmans), ces trois dérivés étant employés aussi au figuré, où *indévissable* est assez courant pour «qu'on ne peut éliminer de sa place». ◇ **DÉVISSOIR** n. m., terme technique (1933 dans les dictionnaires généraux), désigne un dispositif. ◆ Le sens intransitif, en alpinisme, a produit une autre acception de *dévissage* et **DÉVISSÉ** n. m. (1899). ◆ **REVISSER** v. tr., formé sur *visser* (1892), est parallèle et contraire de *dévisser.*

◈ voir **TOURNEVIS** (art. **TOURNER**), **VÉTILLE.**

VISA n. m. est la reprise (1527) d'un mot latin signifiant «choses vues»; le mot *visa* se plaçait chez les Romains sur des actes qui avaient été vérifiés. Neutre pluriel, il représente la substantivation de *visus,* participe passé du latin *videre* (→ voir).

♦ Le mot se dit d'une formule ou d'un sceau accompagné d'une signature, qu'on appose sur un acte pour le valider, et spécialement (1912) d'une formule exigée en sus du passeport. ◇ Par figure, il s'emploie pour «approbation» (1856, V. Hugo, *donner son visa*).

▶ En dérive ② **VISER** v. tr. (1668) «marquer un document d'un visa», usuel malgré l'homonymie avec ① *viser,* notamment dans *faire viser un passeport,* aujourd'hui confondu avec ① *viser.*

VISAGE n. m. est un dérivé suffixé en *-age* (1080) de l'ancien français ① *vis* «visage» (1050) conservé jusqu'au milieu du XVIIe s. et qui a signifié «champ visuel» (v. 1155) et «sens de la vue» (v. 1210). *Vis* est issu du latin *visus,* n. m., «action, faculté de voir», «sens de la vue», «ce qu'on voit» et «aspect, apparence», dérivé de *visum,* supin de *videre* qui a donné *voir**.

♦ Le mot désigne la partie antérieure de la tête; en français moderne, la langue parlée emploie plutôt *figure* ou *tête, face* étant marqué ou régional (Canada). Avec cette valeur, *visage* est employé dans des locutions figurées, dont beaucoup sont sorties d'usage : *faux visage* (1338) et aussi *fol visage* (XIVe s.) se disait d'un masque que l'on portait pour sortir, pour protéger la figure couverte de fard; *montrer visage* (fin XIVe s.), puis *tenir visage* (v. 1450), tous deux au sens de «résister», ont disparu comme *faire visage à* (XVe s.), éliminé par *faire face*. *Vent au visage* a signifié «adversité» (v. 1433), spécialement dans *apporter le vent au visage* «contrecarrer les projets» (1620). ***À visage découvert,*** d'abord «franchement» (1651, Corneille; 1580, *en visage descouvert*), signifie aussi «sans masque, sans voile» (1700); Furetière (1690) atteste aussi *avoir un visage de déterré*, auquel succédera *un visage de l'autre monde* (1798), et *sauter au visage de qqn*. ◇ Enfin, *visage sans nez* (1659), *le gros visage* (1718) ont été employés dans le vocabulaire burlesque pour «cul». ◇ La disparition de la plupart de ces expressions correspond au vieillissement relatif du mot, par rapport à *figure* et à *tête*. ➛ Le nom désigne ensuite (XIVe s.) l'aspect que présente une chose et spécialement la personnalité, en particulier dans *à deux visages* «trompeur» (1342), d'où *homme à deux visages* (1538); *mot à deux visages* «à double signification» (1549) a disparu. ➛ Par métonymie, le mot s'emploie (déb. XVe s.) pour «air du visage, expression»; de là, les locutions figurées *de bon visage* «avec courage» (v. 1380), puis «d'un air satisfait» (fin XVe s.) qui a disparu à la différence de ***faire bon visage*** «faire bon accueil» (fin XVe s.) avec la variante ***montrer bon visage*** (1636). ***Faire visage de bois à qqn*** «lui fermer la porte au nez» (1388) est vieilli, à côté de ***trouver visage de bois*** (fin XVe s.); ***changer de visage*** «prendre l'air convenable à telle situation» (1538), signifie aujourd'hui «changer de couleur, rougir ou pâlir» (depuis 1635). ➛ *Visage*, par analogie et reprenant une valeur du XIIIe s. «partie antérieure (d'une chose)» (1297), s'est employé pour «façade (d'une maison)» (1419) et «facette (d'une pierre précieuse)» (1493). ➛ Au XVIe s., le mot prend par métonymie le sens de «personne (considérée dans son visage)» (1560), d'où *sans visage* «dont le véritable caractère est inconnu» (1840) et l'emploi classique de *visage* au sens de «personne qu'on estime peu» (1673). Ces valeurs ont disparu au cours du XVIIIe siècle. ➛ L'idée d'aspect (d'une chose) est reprise au XXe s., le mot désignant l'ensemble des traits qui caractérisent un pays, une industrie, etc. (1920). ***À visage humain*** voulait caractériser un socialisme moins autoritaire et technocratique (1968 à propos de la Tchécoslovaquie), puis s'est employé dans d'autres contextes (surtout entre 1974 et 1980).

▸ **VISAGISME** n. m., nom déposé (1936, F. Aubry), se dit de l'ensemble des règles concernant l'harmonie des lignes et des couleurs du visage; en dérive **VISAGISTE** n. (1936).

① **DÉVISAGER** v. tr., formé avec *dé-* négatif, a signifié «défigurer» (1538, *desvisager*; 1732, forme moderne). Il est encore mentionné par l'Académie en 1878, mais le verbe était sorti depuis longtemps d'usage. ➛ Un autre verbe ② **DÉVISAGER**, formé avec *dé-* intensif (1803), signifie «regarder (qqn) avec insistance». On disait *envisager*.

ENVISAGER v. tr. a d'abord (1560) le sens de «regarder (qqn) au visage», sorti de l'usage et remplacé par ② *dévisager*. Il a aussi signifié «être placé vis-à-vis de qqch.» (1611). ◇ Le verbe a pris à l'époque classique (1653) les sens de «s'attacher par la pensée à (une chose à venir)» et (1655) de «prendre en considération (qqch.)», d'où «avoir en vue (un événement qui doit arriver)» (1719). *Envisager de*, suivi d'un infinitif, s'emploie après 1650 (chez Mme de Sévigné, 1672). ➛ Le dérivé **ENVISAGEMENT** n. m., qui a signifié «examen de l'esprit» (1653) et «visage» (1656), acceptions disparues, est rare pour désigner (v. 1680) l'action de considérer qqch. ➛ **ENVISAGEABLE** adj., proposé par Richard de Radonvilliers en 1845, n'est attesté qu'au XXe s. (chez P. Vialar, 1952), le contraire **INENVISAGEABLE** adj. étant relevé en 1948. Les deux adjectifs sont assez courants.

◈ voir VIS-À-VIS.

VIS-À-VIS adv., loc. prép. et n. m., apparu vers 1210 comme adverbe, vient de l'ancien français ① *vis* «visage».

♦ L'adverbe est moins courant que *face à face**. L'emploi de *vis-à-vis*, n. m., pour «degré de parenté» (1570) est sorti d'usage. ◇ *Vis-à-vis (qqch, qqn)* «à l'égard de (qqch.)» (1579) ou «envers (qqn)» (XVIIIe s.) est considéré aujourd'hui comme fautif en France mais demeure très vivant en français du Canada, comme en anglais qui utilise ainsi l'emprunt au français *(vis à vis something)*; la construction courante avec *de* (1745) a été critiquée avec un nom de chose, parce que le *visage* implique la personne, mais l'emploi en est usuel depuis le XVIIIe siècle. ◇ *Vis-à-vis* s'utilise au figuré (1658), signifiant «en présence de, devant, de manière à confronter ou à comparer». Le mot désigne (XVIIIe s., Saint-Simon) la position de deux personnes qui se font face. ➛ De là ***un vis-à-vis*** (1740) à propos d'une voiture à deux sièges se faisant face. *Vis-à-vis* n. m. se dit d'une personne placée en face d'une autre (1722), par exemple à table, autrefois à la danse (1830), en général avec un complément en *de* ou un possessif. ◇ On nomme aussi (1866) *vis-à-vis* un petit canapé en S où deux personnes peuvent converser face à face.

◈ voir AVIS, VISAGE, VISIÈRE.

VISCÈRE n. m. est emprunté (1478) à *viscera*, pluriel du latin classique *viscus, visceris*, rare au singulier, terme général désignant les parties internes du corps, les chairs, les entrailles et qui s'applique figurément à d'autres objets (par exemple *viscera terrae*); ce mot n'a pas d'étymologie claire.

♦ Ce terme d'anatomie, surtout employé au pluriel, se dit de chacun des organes que renferment les cavités du corps et, plus couramment, des viscères abdominaux.

▸ **VISCÉRAL, ALE, AUX** adj. emprunte sa forme et son sens (v. 1460) au dérivé bas latin *visceralis* (IVe s.) «profond, intime», en parlant d'un sentiment, mais cette acception est rare après le XVIIe siècle. ◇ L'adjectif s'emploie ensuite (1752) dans *remèdes viscéraux* «propres à fortifier les viscères», encore relevé au milieu du XIXe s., puis sorti d'usage. Il qualifie (1798) ce qui a rapport aux viscères. ◇ Il a signifié par figure «essentiel» (1798), par exemple en parlant des conditions d'un contrat. ◇ ***Peur viscérale,*** attesté au XXe s., et les emplois analogues correspondent à la reprise du sens latin (et moyen français) avec la même métaphore que pour *tripes**. ➛ **VISCÉRALEMENT** adv. (v. 1500) a été repris au XXe s. pour «du fond de son être».

ÉVISCÉRER v. tr. «enlever les viscères», attesté isolément vers 1330, puis en 1611, est repris en médecine en 1829. ➛ Le verbe a fourni **ÉVISCÉRATION** n. f., d'abord «éventration» (1585), sens disparu, puis «action d'éviscérer» en médecine (1842).

VISCOSE, VISCOSITÉ → VISQUEUX

① VISER

① **VISER** v. est issu (v. 1155) du latin populaire °*visare*, variante du latin classique *visere* «voir attentivement», «examiner», «aller ou venir voir» et «rendre visite». *Visere* est un intensif de *videre*, qui a donné *voir**.

♦ Le verbe apparaît avec un sens général et abstrait «examiner, choisir», qui a disparu, et spécialement «diriger son regard vers un but pour y lancer qqch.», alors intransitif (v. 1155), acception qui s'est imposée. Dans ce sens, l'emploi transitif est attesté beaucoup plus tard (1607), et a pris la valeur de «pointer une arme sur (un objectif)». ◇ Le verbe signifie (v. 1175) plus généralement «voir, regarder», encore à la fin du XVe s., valeur reprise au XXe s. dans un autre contexte (voir ci-dessous). ◇ C'est ensuite l'idée de but qui domine dans l'emploi pour «avoir en vue un objectif» (v. 1330, *viser à*); du sens de «tendre à», avec un sujet nom de chose (1580), on passe à l'époque classique à celui de «ressembler à» (1689, Mme de Sévigné) qui a disparu. ◇ Au figuré, ***viser haut, viser bas*** se dit (1851) pour «avoir des ambitions très grandes, modestes». ◇ Le verbe s'emploie transitivement (1837) au sens de «s'efforcer d'atteindre (un résultat)» *(viser une place)* puis, le sujet désignant un discours, une déclaration (1892), «concerner qqn ou qqch.», d'où *se sentir, être visé* «concerné par une critique». ➛ Au XXe s., la langue familière a repris *viser*, peut-être d'après *aviser*, au sens ancien de «regarder», pour «regarder avec intérêt» (1901; *vise un peu!*).

▶ **VISÉE** n. f. a eu (XIIIe s.) le sens de «regard, vue, coup d'œil» jusqu'au XVIe s. et aussi celui de «renseignement, indication» (1316). ◇ Puis le nom désigne (v. 1480) l'action de viser, de diriger le regard vers un but, ensuite de pointer une arme (1579), puis un instrument d'optique. Il s'est dit pour «système servant à viser sur une arme à feu» (1636), éliminé plus tard par *viseur* (ci-dessous). ◇ Il s'emploie au figuré pour «direction de l'esprit vers un but» (1580) et, à l'époque classique, dans des locutions sorties d'usage : *prendre visée* «fixer son choix» (1661), *mettre sa visée à qqn* «jeter son dévolu sur qqn» (1672). ◇ Au XXe s. apparaissent *être visé* «être concerné par une critique» (1908) et *se sentir visé*.

VISEUR n. m., réfection (1556) de *viseor* «éclaireur» (1222), est rare pour «celui qui vise», et sorti d'usage pour «celui qui regarde» (1578). ➛ Le mot désigne (v. 1850) un dispositif optique servant à effectuer une visée (remplaçant *visée* et *visière**) et spécialement (1904), un dispositif qui permet de délimiter le champ, en photo ou au cinéma.

SUPERVISER v. tr. est emprunté dans la langue du cinéma (1921) à l'anglais *to supervise*, lui-même pris au latin médiéval *supravidere* «inspecter». Le verbe est virtuel en moyen français. Aujourd'hui, il est senti comme préfixé de *viser*. ◇ Au sens général de «contrôler (un travail)», *superviser* est devenu usuel, au moins depuis 1940-45. ➛ **SUPERVISEUR** n. m., attesté fin XVIe s., avait disparu. Il a été repris en cinéma (1918) d'après l'anglais *supervisor*, puis senti comme dérivé de *superviser*. Il a pris une valeur spéciale en informatique. ➛ **SUPERVISION** n. f. est lui aussi pris à l'anglais, d'abord en cinéma (1921); son emploi s'est généralisé avec celui de *superviser*, avant 1950.

VISÉ n. m., du participe passé, désigne (1907) le fait de viser avec une arme à feu dans la locution ***au visé***, opposé à *au jugé*.

◈ voir ① AVISER, RÉTRO- (RÉTROVISEUR), RÉVISER, VISITER.

② VISER → VISA

VISIBLE

VISIBLE adj. et n. m. est emprunté (v. 1190) au latin classique *visibilis* «qui a la faculté de voir», puis en bas latin «qu'on peut voir», dérivé de *visum*, supin de *videre* (→ voir).

♦ L'adjectif français conserve le sens du bas latin (v. 1190); il a signifié aussi (1314), comme en latin classique, «capable de voir» jusqu'à la fin du XVIe siècle. En parlant d'une réalité abstraite, il s'emploie (1580) au sens de «sensible ou rendu sensible aux sens», d'où *le monde visible* «la réalité concrète» (av. 1662). ◇ Il a qualifié ce qui correspond à une réalité manifeste (1580), acception sortie d'usage. Il s'applique par extension (1611) à ce qui se manifeste, à ce qui peut être constaté par les sens, par exemple dans *il est visible que...* «il est évident» (1648), valeur exploitée par l'adverbe *visiblement*. ◇ *Visible* se dit ensuite d'une personne qui est en état de recevoir des visiteurs (1665) puis en état d'être vue, c'est-à-dire habillée (1784). ◇ L'adjectif s'applique également (XXe s.) à un spectacle qui mérite d'être vu, souvent en emploi restrictif ou négatif *(ce n'est pas visible)*, le préfixé *invisible* (ci-dessous) ayant une autre valeur. ➛ L'emploi substantif, *le visible*, date du XVIIe s. au sens de «ce qui est perceptible par la vue» (av. 1662).

▶ Le dérivé **VISIBLEMENT** adv. signifie «d'une manière sensible à la vue» (XIIIe s.) et «d'une manière évidente» (1312), spécialement employé en tête de phrase pour «de toute évidence» (1839).

INVISIBLE adj. et n. m. est emprunté au latin classique *invisibilis*. ➛ Il s'emploie au propre (1256) et au figuré, appliqué à ce qui échappe à la connaissance; il se dit (1668) d'une personne qui se dérobe aux regards, spécialement qui refuse de recevoir qqn (1798). ◇ L'adjectif est substantivé en opposition à *visible*, au milieu du XVIIe s. (av. 1662). ◇ L'emploi au sens propre s'est spécialisé pour «trop petit pour être visible» *(le monde invisible)*. Ce sens propre est exploité dans le mythe de *L'Homme invisible* (roman célèbre de H. G. Wells, *The Invisible Man*). ➛ Le dérivé **INVISIBLEMENT** adv. (fin XIIe s.) est littéraire.

VISIBILITÉ n. f. est emprunté au dérivé bas latin *visibilitas* «qualité d'une chose visible». C'est la réfection (1487) de *visibleté* (XIIIe s.), dérivé de *visible*. ➛ Le mot désigne le caractère de ce qui est perceptible par la vue, puis par figure en théologie (v. 1590), la qualité qui rend une chose manifeste, spécialement l'Église. ◇ Il se dit de la possibilité de voir plus ou moins bien des objets à une certaine distance (1872) et désigne, en météorologie (1928), la plus ou moins grande transparence de l'atmosphère. La notion est essentielle en aviation, où l'on parle de *pilotage sans visibilité* (ou *P. S. V.*), synonyme de *pilotage aux instruments.* ➜ **INVISIBILITÉ** n. f. est emprunté (1560) au dérivé bas latin *invisibilitas,* «caractère de ce qui est invisible», d'après *invisible* et *visibilité.*

VISIÈRE n. f. est un dérivé (v. 1250) de l'ancien français *vis* (→ visage), avec le suffixe *-ière.*

♦ Le mot se dit à l'origine d'une pièce mobile du casque, qui protégeait tout ou partie du visage, et au travers de laquelle l'homme d'armes voyait; on a aussi dit *visagiere,* n. f. (1310), dérivé de *visage.* De ce sens vient l'expression figurée ***rompre en visière*** «contredire en face, brusquement» (1651), sorti d'usage, qui vient du vocabulaire du tournoi. ◇ *Visière* a eu, à l'époque classique, le sens de «vue», en particulier dans des locutions comme *prendre sa visière* «s'efforcer de voir» (1525), *avoir la visière nette, trouble* (1609); de là vient un emploi abstrait pour «manière de considérer les choses», dans des locutions telles que *donner dans la visière à qqn* «lui plaire beaucoup» (1640), *blesser la visière* «aller contre les idées, les goûts de qqn» (1655, Molière), toutes disparues. ◇ Par analogie du sens propre, le mot a désigné une ouverture à travers laquelle on tirait des coups d'arquebuse (1573), puis le dispositif de visée d'un fusil (1659) ou d'une arbalète (1680), sens où *visière* a été remplacé par *viseur.* ➜ *Visière* désigne par analogie (1835) la partie d'une casquette qui, faisant saillie, protège les yeux (sens le plus usuel en français moderne). De là, dans le vocabulaire technique (XXᵉ s.), l'acception pour «avancée du pavillon d'une locomotive».

VISION n. f. est emprunté (v. 1120) au latin classique *visio* «action de voir», «ce qui se présente à la vue», d'où «image des choses» et, par figure, «action de concevoir», «idée perçue», puis en bas latin juridique «point de vue, cas particulier». Le mot est dérivé de *visum,* supin de *videre* (→ voir).

♦ *Vision,* qui a conservé une relation sémantique étroite avec le verbe *voir,* développe parallèlement deux valeurs du latin, «action de voir» et «chose vue»; secondairement, il reprend le sens de «point de vue». ◇ Le mot a d'abord désigné, dans le vocabulaire religieux, une représentation conçue comme surnaturelle et, par métonymie (v. 1190), une chose surnaturelle qui apparaît à l'esprit ou à la vue. Il s'est aussi employé en ancien français pour «avis, opinion» (v. 1150) puis à propos de la représentation mentale d'une réalité (v. 1170). ◇ *Vision* désigne (v. 1265) la perception du monde extérieur par la vue, et l'action, la manière de voir; de là, un emploi pour «inspection» (1362) et les expressions *avoir qqch. en vision* «sous les yeux» (v. 1430), *avoir la vision de* «voir» (v. 1501), sorties d'usage. ◇ Par figure, le mot a signifié (1479) «lecture; action de prendre connaissance (d'une lettre)» puis, en religion, a désigné la représentation par laquelle les élus voient Dieu (1515, J. Marot), d'où *vision intuitive, béatifique* (1657), et le moyen de connaître les choses divines en dehors de l'ordre naturel (1541). ◇ À côté de ce sens mystique, *vision* désigne depuis le XVIᵉ s. (v. 1560) le mécanisme physiologique par lequel les stimuli lumineux donnent naissance à des sensations. ◇ En emploi figuré, *une vision* se dit (1601) d'une représentation imaginaire, provoquée par le délire, le rêve, etc. et, par extension (av. 1650), d'une idée extravagante ou légère, absurde, d'où la locution familière ***avoir des visions*** «déraisonner» (1680). ◇ Au XIXᵉ s., le mot prend le sens intellectuel de «manière de concevoir un ensemble de choses complexes» (1834), notamment dans ***vision d'ensemble.*** En philosophie, *vision en Dieu* s'applique (1872) à la théorie de Malebranche, selon laquelle la perception du monde extérieur se fait par l'intelligence divine. ◇ ***Vision du monde,*** «conception du monde», qui semble récent, s'inspire de l'allemand *Weltanschauung.*

▸ Le dérivé **VISIONNAIRE** adj. et n. s'applique à ce qui concerne une vision (v. 1610), à une personne qui a ou croit avoir des visions surnaturelles (1637), puis qui a des idées extravagantes (1680, adj.), sens archaïque remplacé par la valeur positive pour «qui conçoit des projets utopiques, grandioses» (1770). ◇ Le mot est substantivé *(un, une visionnaire)* depuis le XVIIᵉ s., d'abord avec une valeur péjorative (1638) et aujourd'hui (surtout depuis le XIXᵉ s.) au sens de l'adjectif «personne qui a des projets ou des idées grandioses, prémonitoires»; cf. *voyant.* ◇ L'adjectif signifie par extension «capable d'anticiper», en parlant des facultés (1837) ou des personnes (XXᵉ s.).

VISIONNER v. tr., d'abord sous la forme d'un participe passé adjectivé : *maison visionnée* «maison hantée» (1866, Hugo), est rare et littéraire pour «avoir des visions» (1894). ◇ Il a eu le sens (1921) de «voir (un film) en tant que spectateur». Le verbe signifie (1925) «examiner (un film) d'un point de vue technique» puis «voir (un film) avant sa sortie publique» (v. 1948). ◇ En informatique (v. 1980), il correspond à «faire apparaître (un texte, etc.) sur un écran de visualisation». ➜ En dérive **VISIONNEUSE** n. f. (1947). ➜ **VISIOPHONE** n. m. (v. 1970) de *-phone,* terme technique, a remplacé *vidéophone* (→ vidéo-).

VISIONIQUE n. f. (1986) désigne l'ensemble des techniques liées au traitement informatique des images.

VISITER v. tr. est emprunté (fin Xᵉ s.) au latin classique *visitare* «voir souvent», «venir voir qqn», «inspecter», puis dans la langue ecclésiastique «éprouver, affliger»; le verbe représente le fréquentatif de *visere* «aller ou venir voir» (→ ② viser). ◇ Une forme évoluée phonétiquement, *visder* (v. 1120), est attestée au sens religieux et ne s'est pas maintenue, le composé *revisder* (v. 1175) étant encore relevé à la fin du XVᵉ siècle.

♦ Le verbe s'emploie d'abord en théologie en parlant de Dieu, et signifie «soumettre (les hommes) à une épreuve pour leur salut, leur donner ses grâces ou les punir»; de là, au XVIᵉ s., *visiter le péché* «le punir» (1553), ces acceptions correspondant à celles de *visitation* (ci-dessous). ◇ Le verbe reprend ensuite (1131) le sens du latin classique, signifiant «aller voir (qqn) par civilité, par devoir, etc.» et, plus largement, dès le XIIe s., «aller voir (qqn) chez lui» (1160); cette acception que l'Académie, en 1798, ne donne qu'à propos de visites de cérémonie, est aujourd'hui littéraire en français central mais courante en français d'Afrique. Le pronominal *se visiter* (1756) a lui aussi vieilli, au moins en français de France. ◇ *Visiter* s'emploie spécialement (v. 1190 hapax, puis 1553) au sens de «se rendre auprès des malades, des pauvres pour les réconforter, par dévotion». Depuis le XIIIe s., *visiter* signifie «aller voir (des monuments, des églises)» (v. 1240), que ce soit par curiosité ou par dévotion. ◇ Au XVIIe s., avec cette valeur, le verbe s'emploie en parlant d'un médecin qui se rend auprès d'un malade pour l'examiner (1668) et d'une personne qui va dans un lieu particulier (1687), par exemple une boutique, pour satisfaire sa curiosité, acheter, etc. Ces acceptions sont toujours en usage. ➜ Depuis le XIIIe s., le verbe s'emploie aussi (v. 1225) au sens latin pour «regarder», en particulier (1425) «examiner avec soin, pour en tirer une conjecture», par exemple dans *visiter une blessure,*(1666) acception devenue archaïque, ou pour «procéder à un examen, inspecter» (XIVe s.), «examiner (un procès)» (v. 1359) et «chercher des moyens (pour se tirer d'affaire)» (v. 1360), sortis d'usage. ◇ *Visiter* est littéraire au sens figuré (XVe s.) de «se manifester en (qqn)» en parlant du sommeil, puis d'un sentiment, d'une apparition, etc. ◇ Avec le sens de «procéder à une visite», le verbe signifie spécialement, de manière ironique (XXe s.), «pénétrer par effraction dans (un lieu) pour voler».

▶ Le dérivé **VISITEUR, EUSE** n., attesté isolément au XIIIe s. *(viseteor)* et à nouveau au XIVe s. *(visiteur)*, se dit d'abord du religieux chargé d'aller inspecter les maisons d'un ordre. ◇ C'était aussi le nom (1350) de celui qui opérait des perquisitions dans une maison, une région, etc., pour contrôler; avec cette valeur, le mot s'est dit d'un officier de marine qui contrôlait les marchandises, les passagers, etc. (déb. XVIIe s., d'Aubigné); cet emploi existe encore en matière de douane (1723, *commis visiteur;* 1798, *visiteur*). De là viennent les emplois pour «commissaire», par exemple chargé de lever les impôts (1456), pour «gardien, surveillant» (1560), qui ont disparu, puis pour ***visiteur apostolique*** «ecclésiastique chargé d'une enquête par le pape» (1752), toujours en usage. ◇ C'est seulement au XVIIIe s. que *visiteur* désigne (1766, J.-J. Rousseau) une personne qui va voir qqn chez lui; le mot se dit ensuite (1832) d'une personne, voyageur, touriste, qui visite un lieu, un monument, etc. et, par ailleurs, de qqn qui rend visite à un pensionnaire, à un prisonnier (1876), spécialement en parlant d'une visite de charité (1845), par apposition *dame visiteur,* sorti d'usage. ◇ En sports, il s'emploie (1909) pour le membre d'une équipe qui se déplace et joue sur le terrain de l'adversaire. ◇ *Visiteur médical,* «représentant d'un laboratoire pharmaceutique», attesté en 1945, correspond à *voyageur* (de commerce). ◇ Enfin, familièrement et comme pour *visiter, un visiteur* se dit ironiquement pour «cambrioleur, voleur».

VISITATEUR, TRICE n., emprunt au bas latin *visitator* «visiteur, inspecteur», du latin classique *visitatum,* supin de *visitare,* signifie (fin XVe s., n. m.) «personne qui visite, surveille». ➜ Le féminin s'est spécialisé (1721) pour désigner une religieuse chargée d'inspecter les monastères d'un ordre. ➜ **VISITE** n. f. désigne le fait de se rendre dans un lieu pour y procéder à une inspection (1350, puis 1556), puis la surveillance exercée sur une personne (1580); ce sens spécialisé a disparu. ◇ À la même époque, le mot prend la valeur restée courante de «fait de se rendre dans un lieu pour voir, parcourir» (1580, Montaigne). Il désigne ensuite l'action d'aller voir qqn, par devoir social, politesse, etc. (1607), d'où les locutions ***rendre visite à qqn*** (déb. XVIIe s.) «le visiter», ***rendre à qqn sa visite*** (fin XVIIe s.), et ***carte de visite*** (1785). ***Visites académiques*** désigne celles que font les candidats à une élection académique (1843). ◇ Avec l'idée d'inspection, *visite* s'emploie dans le domaine religieux (1636); comme le verbe, le nom s'utilise en théologie (1656) et a signifié «examen d'un procès» (1660). *Visite* s'est dit (1690) de l'acte de dévotion accompli dans une église. Il s'applique au fait de se rendre auprès d'un malade, pour un médecin (1690; 1813, dans un hôpital), par exemple dans *l'heure de la visite,* ou auprès des malades, des pauvres, par charité (cf. *visitation*). ◇ Le mot s'emploie dans le domaine des douanes (1723) pour «contrôle». ◇ Il se dit, pour un malade, du fait de se rendre auprès d'un médecin (XIXe s.), d'où ***passer la visite*** (1872). ➜ **VISITAGE** n. m., terme technique (XXe s.), signifie en horlogerie «contrôle final». ♦ Le composé **CONTRE-VISITE** n. f. (1680) «deuxième visite ou inspection pour contrôle, pour vérification», s'est surtout diffusé à propos de visites médicales.

Le préfixé **REVISITER** v. tr., d'abord (v. 1170) au sens de «visiter (un lieu)», emploi disparu, signifie «visiter de nouveau» (v. 1175, un malade). ➜ Au figuré, *revisité* a été repris au XXe s. pour «réexaminé, reconsidéré» (emploi à la mode).

VISITATION n. f. est emprunté au latin classique *visitatio* «apparition, manifestation», puis en latin impérial «action de visiter», sens de l'emprunt (v. 1200) et, en latin ecclésiastique, «action d'éprouver, d'affliger qqn»; ce nom dérive du supin de *visitare.* ➜ Le mot a d'abord désigné l'action d'aller voir qqn, encore au XVIIe s., et a eu les sens de «recherche, examen», spécialement «visite des monastères» (XIIIe s.), «inspection d'une corporation» (1461) et «action d'aller voir des monuments» (1508), acception que l'on rencontre encore chez Chateaubriand. ◇ *Visitation,* en moyen français, a désigné en religion ce qui est envoyé par la «visite de Dieu», épreuve ou grâce (XIIIe s.), et une punition divine (mil. XVe s.); ce sens est réemprunté au latin ecclésiastique (→ ci-dessus *visiter*). ◇ *Visite* a pris certains de ces sens, et *visitation* s'est spécialisé dans le domaine religieux avec sa première valeur, désignant (1611) la visite que rendit la Sainte Vierge à sainte Élisabeth enceinte de saint Jean Baptiste, la fête instituée en commémoration de cet événement, puis, par extension (1680), un tableau représentant cette scène. De là vient *Ordre de la Visitation* (1690), ordre de religieuses fondé par saint François de Sales et sainte Jeanne de Chantal, en 1611. ◆ Une religieuse de cet ordre est nommée **VISITANDINE** n. f. (1721), mot tiré de *visit(ation)*, et faisant aussi allusion au fait de visiter les pauvres.

VISON n. m. est d'abord attesté dans le Sud-Ouest de la France (1520 en Gironde [1420 par erreur in F.e.w.]). Le mot semble désigner la martre ou la belette, mais on relève dans le Nord les formes *wixhat, fichau* (XVe s.), puis *visau* (XVIe s.), cette fois au sens de «putois». Le mot vient du latin classique *vissio,* en bas latin *visio,* «puanteur», dérivé du verbe *vissire* «faire un pet silencieux» (→ vesse).

♦ *Vison* est passé au Canada par les émigrants de la région bordelaise; il est attesté au sens moderne en français de France au XVIIIe s. (1761, Buffon), désignant un animal du même genre que le putois (mustélidés), dont une variété d'Amérique du Nord est élevée pour sa fourrure. ◇ Par métonymie le mot s'emploie (1849) pour la fourrure de l'animal *(manteau, étole de vison)* et, familièrement (XXe s. : 1944 chez Giraudoux), pour un manteau de cette fourrure. Dans cet emploi, il symbolise le luxe vestimentaire, cette fourrure étant très onéreuse.

▸ **VISONNIÈRE** n. f. désigne un établissement d'élevage des visons (déb. XXe s.). ◆ Le diminutif **VISONNETTE** n. f. (1925) désigne une fourrure de lapin préparée comme le vison.

VISQUEUX, EUSE adj. est un emprunt (1256) au bas latin *viscosus* «gluant», dérivé de *viscum* «gui» et «glu (préparée avec le gui)» (→ gui).

♦ L'adjectif s'applique à un liquide épais qui s'écoule difficilement et, au figuré, se dit d'une personne qui répugne par son caractère de bassesse (XIIIe s.) et s'est employé (déb. XVIIe s. : E. Pasquier) pour «malveillant, méfiant». ◇ Il est employé ensuite au sens de «venimeux» (v. 1375), disparu. ◇ Depuis la fin du XIVe s., il qualifie ce qui est couvert d'un liquide visqueux, avec une valeur péjorative. ◇ Repris en physique, il s'applique (1872) à un fluide d'une viscosité élevée. ◇ Une nouvelle métaphore en fait un synonyme péjoratif de *gluant* au figuré (*geste visqueux,* 1862, Goncourt). Cette valeur est substantivée chez Sartre (1943).

▸ **VISCOSE** n. f., terme technique (1898), est composé du radical de *visqueux* et de (cellul)*ose.* ◆ Le mot désigne une solution colloïdale (de cellulose et soude) et les produits (fibres synthétiques, notamment) qui en sont faits.

VISCOSITÉ n. f. a été emprunté (1256) au latin médiéval *viscositas* «état de ce qui est visqueux», dérivé du bas latin *viscosus.* ◆ Le mot qui a pour variantes *visqueuseté* (1377), *viscuosité* (1625), a gardé le sens de l'étymon. Il s'emploie spécialement en physique (1710), en parlant de l'état d'un fluide pâteux dont le déplacement est ralenti, phénomène interprété au XIXe s. par les interactions moléculaires à l'intérieur du fluide *(viscosité dynamique).* De l'acception d'état visqueux, le mot est passé à une valeur neutre, la viscosité pouvant être faible (fluidité) ou élevée. ◇ Par figure, il est employé dans d'autres domaines, par exemple en économie (v. 1960) dans *viscosité de la main-d'œuvre* «résistance des populations professionnelles au changement ou à la mobilité».

Le mot a fourni des termes de physique, au XIXe s. **VISCOSIMÈTRE** n. m. (1831) de *-mètre,* d'où **VISCOSIMÉTRIE** n. f. (mil. XIXe s.) «mesure de la viscosité des fluides» puis, en abondance, au XXe s., tous attestés dans les dictionnaires après 1970 : **VISCOÉLASTIQUE** adj. «doué à la fois de viscosité et de propriétés élastiques», d'où **VISCOÉLASTICITÉ** n. f. et **VISCOPLASTIQUE** adj. «doué de propriétés plastiques et de viscosité» dont dérivent **VISCOPLASTICITÉ** n. f.; **VISCOSTATIQUE** adj. qui signifie «dont la viscosité reste constante». ◇ **VISCORÉDUCTION** n. f. se dit d'un procédé de raffinage pétrolier (craquage) destiné à réduire les viscosités des produits.

VISUEL, ELLE adj. et n. est un emprunt (1545) au bas latin *visualis* «relatif à la vue», dérivé du latin classique *visum,* supin de *videre* (→ voir).

♦ L'adjectif, qui conserve le sens du latin, est employé spécialement dans *faculté visuelle* «sens de la vue» (v. 1560), disparu, puis *rayon visuel* (1573), *angle visuel* et *horizon visuel* (1691), *axe visuel* (1812). ◇ Par extension, il signifie «où dominent les sensations visuelles» et s'applique aussi (1895) aux personnes pour lesquelles la vue est la sensation la plus importante (opposé à *auditif,* par exemple); dans ce sens, il s'emploie aussi substantivement (1898). ◇ L'adjectif se dit (1921) de ce qui fait appel au sens de la vue *(méthodes visuelles).* ◇ **VISUEL,** n. m., désigne (1906) le centre du carton-cible, en tir. ◇ Repris en informatique (1974), le nom s'emploie pour le dispositif d'affichage d'un écran et l'écran lui-même.

▸ Le dérivé **VISUELLEMENT** adv. est relevé au XIXe s. (1845).

VISUALISER v. tr. est emprunté (1887, Binet) à l'anglais *to visualize,* v. tr. (1817) et intr. (1871), dérivé de l'adjectif *visual,* de même origine que *visuel.* ◆ D'abord employé en psychologie, par exemple dans *visualiser une couleur,* le verbe signifie en cinéma (1919) «mettre (une idée, etc.) en images», puis s'emploie (attesté en 1940) au sens général de «rendre visible (un phénomène qui ne l'est pas)», par exemple des chiffres de production grâce à un graphique. ◇ Il est entré dans le vocabulaire de l'informatique (v. 1970). ◆ **VISUALISATION** n. f., emprunté (1887) à l'anglais *visualization* (1883), de *to visualize,* ou dérivé du verbe français, a suivi une évolution sémantique parallèle à celle du verbe : il est d'abord employé en psychologie, puis comme terme de cinéma (1923), aussi avec une valeur générale (1932) et en informatique (1965), par exemple dans *écran de visualisation.*

AUDIO-VISUEL, ELLE, ELS adj. et n. m. (1947), de *audio-,* souvent écrit **AUDIOVISUEL,** s'applique à ce qui concerne en même temps la perception auditive et visuelle; il s'est rapidement répandu dans un contexte pédagogique, notamment à propos de l'enseignement des langues, pour parler de méthodes qui joignent le son à l'image, aussi en emploi nominal. ◇ Dans l'usage courant, le mot désigne des moyens qui, dans la communication, ajoutent l'utilisation de l'image aux éléments du langage ; l'audiovisuel comprend aussi bien les moyens de communication (cinéma, télévision) que le matériel (magnétoscope, vidéodisque, etc.). ◆ Le mot a fourni deux dérivés didactiques, **AUDIOVISUALISER** v. tr. (1974) et **AUDIOVISUALISTE** n. (1974), d'emploi rare.

VIT n. m. est issu par évolution phonétique (att. 1195) du latin classique *vectis* «levier», «barre d'un pressoir», par extension «barre de porte». Le mot répond au vieil islandais *vǫg, vag* pour le sens et rappelle le grec *okhlizein* «soulever avec un levier» de *okhlein* «mettre en mouvement» ; le verbe se rattache comme le latin *vexare* (→ vexer), à une racine indoeuropéenne °*wegh-* que Meillet sépare de la racine homonyme qui signifie «transporter» à la base du latin *vehere* (→ véhicule, voie). D'autres philologues, dont Chantraine, posent une racine unique de verbes germaniques, avec une spécialisation «secouer, ébranler» (→ ① vague).

♦ *Vit* apparaît en français, par une métaphore habituelle, avec le sens de «membre viril». Il est aujourd'hui sorti d'usage, sauf dans certains jeux de langage (contrepèteries), ayant été éliminé par de nombreux synonymes. Il s'est employé en parlant des animaux (1611).

▶ Le diminutif **VITELOT** n. m., d'abord au pluriel (1655, Oudin), a désigné par analogie de forme un petit cylindre de pâte cuit dans du lait et servi avec une sauce piquante. ◆ **VITELOTTE** n. f. est le nom (1812) d'une variété de pomme de terre à tubercules allongés et cylindriques. Le mot s'est dit (1867) par analogie d'un nez bourgeonné et de forme irrégulière. ◇ Les deux diminutifs, au moins à partir du XIXe s., sont démotivés.

VIT-DE-MULET n. m., autrefois «arquebuse à croc» (fin XVIe s., Brantôme), est attesté au XXe s. comme terme de marine pour désigner une ferrure articulée reliant le gui (② gui) au mât.

◈ voir VIÉDAZE.

VITAL, ALE, AUX adj. est emprunté (fin XIIIe s., *esperit vital*) au latin classique *vitalis* «qui concerne la vie», «de la vie», «qui entretient la vie ou donne la vie» et «digne d'être vécu», adjectif dérivé de *vita* (→ vie). Une forme phonétiquement évoluée, *vial*, correspondant à *vie* (v. 1190 en Wallonie), a été éliminée par *vital*.

♦ L'adjectif s'applique d'abord à ce qui concerne ou à ce qui constitue la vie, sorti d'usage en ce sens dans *souffle vital* «respiration» (v. 1190, *vial* [vïal] *sofflement*) et dans *esprits vitaux* (déb. XVIe s.), désignant dans l'ancienne médecine les parties du sang que l'on pensait être le principe de la vie (1690, *actions vitales*). Il s'est employé (v. 1560) au sens de «viable» en parlant d'un nouveau-né. ◆ Au XVIIIe s., le ***principe vital*** était défini (v. 1762) en philosophie et en médecine comme une réalité énergétique distincte de la matière d'où émanent tous les phénomènes de la vie (cf. ci-dessous *vitalisme*). ◇ Au figuré, *vital* s'applique (1845) à ce qui touche l'essentiel, à ce qui est très important, pour l'individu ou pour une communauté, d'où *forces vitales d'un pays* (1876). ***Élan vital*** se définit chez Bergson (1907) comme une force d'abord homogène, qui s'est divisée en se communiquant, mais conserve quelque chose de sa réalité originelle ; par extension, le terme est entendu au sens général de «dynamisme». ◇ Au XXe s., *vital* s'applique aussi à ce qui est essentiel à la vie matérielle d'une personne ou d'un groupe, notamment dans ***minimum vital*** (1901).

▶ **VITALISME** n. m. se dit (1775) de la doctrine de l'école de médecine de Montpellier (Bordeu, Berthez) d'après laquelle il existe en tout individu un «principe vital» ; par extension, le mot s'oppose à *mécanisme*. Il a pour dérivé **VITALISTE** n. (1824, dans le dictionnaire de Nysten), puis adj. (1865, Cl. Bernard).

VITALEMENT adv. (1522, rare après le XVIe s., repris depuis 1842) est didactique. ◆ **VITALISER** v. tr. signifie «donner les caractères de la vie à (qqch. de non vivant)» (1842) et, par figure, à une réalité abstraite en art (1859). ◆ **VITALISÉ, ÉE** adj. «imprégné de principes de vie», attesté plus tôt (v. 1800), est resté rare. ◆ Le préfixé **DÉVITALISER** v. tr., rare (1842) au sens de «priver (qqn) de son dynamisme», s'est spécialisé au sens de «priver (une dent) de son tissu vital» (1922) — d'où **DÉVITALISATION** n. f. (1922). ◆ **REVITALISER** v. tr. «redonner de la vitalité (à qqch. de vivant)» (XXe s. ; cf. anglais *to revitalize*, 1858) a pris le sens figuré de «faire revivre» (v. 1960). ◇ Il a produit **REVITALISATION** n. f. (1922) et **REVITALISANT, ANTE** adj. (v. 1950).

VITALITÉ n. f. est un emprunt (1587 isolément, repris en 1765) au latin classique *vitalitas* «principe de la vie», «vitalité», dérivé de *vitalis*. ◆ Le nom, désignant les propriétés vitales, est didactique (XVIIIe s.) puis archaïque. Il a pris (1845) le sens courant de «caractère de ce qui est éminemment vivant» puis désigne, par analogie (1876) dans le domaine abstrait, l'aptitude à se développer.

VITAMINE n. f. est un emprunt (1913) à l'anglais *vitamine*, corrigé en *vitamin*, nom créé en 1912 par Casimir Funk ; le mot est composé du latin *vit[a]* «vie*» et de l'anglais *amine* (→ amine), formé sur le radical de *ammoniac**. L'élément *amine* fut introduit parce que Funk croyait pouvoir isoler un acide aminé dans les vitamines ; il remplaça *-amine* par *-amin* pour éviter cette interprétation erronée.

♦ Le mot désigne une substance sans valeur énergétique, mais indispensable au bon fonctionnement de l'organisme qui ne peut en faire la synthèse. Il donne lieu à plusieurs syntagmes qualifiés par des lettres : *vitamine A, B, C...* ou des adjectifs. ◇ Le mot est entré dans l'usage courant avec la valeur assez vague de «substance qui stimule, alimente l'énergie vitale».

▶ Il a fourni de nombreux dérivés et composés scientifiques. ◆ **AVITAMINOSE** n. f. (1919) de *a*-privatif et suffixe *-ose* désigne un trouble dû à l'absence ou à l'insuffisance de vitamines. ◇ **VITAMINÉ, ÉE** adj. (1933), plus courant que **VITAMINER** v. tr. (1935), qualifie des substances, des médicaments où sont incorporées des vitamines. ◆ **VITAMINIQUE** adj. (1933), emprunt à l'anglais *vitaminic* (1926), et **VITAMINISATION** n. f. (1941) de **VITAMINISER** v. tr. (1935), d'après l'anglais *to vitaminize* (1930) «incorporer des vitamines à (une substance)» sont plus techniques, de même que **VITAMINOTHÉRAPIE** n. f. (mil. XXe s.) de *thérapie* et **VITAMINOLOGIE** n. f. (mil. XXe s.) de *-logie*. ◆ **DÉVITAMINÉ, ÉE** adj. (XXe s.), participe passé du verbe **DÉVITAMINER** (attesté en 1948), est formé avec *dé-* privatif, comme **DÉVITAMINISER** v. tr. (1939).

VITE adj. et adv., écrit *viste* vers 1150 (jusqu'au XVIe s. inclus), sous la forme moderne depuis le XIIIe s. (v. 1250), est d'origine incertaine. Pour Bloch et Wartburg, il vient d'une onomatopée imitant un mouvement imprévu et rapide, comme l'ancien italien *visto* (italien moderne *vispo*). P. Guiraud reprend une hypothèse ancienne, qui donne *vite* issu d'un latin populaire °*visitus* «qui y voit bien», participe passé du latin classique *visere* «examiner, regarder de près» (→ viser) : l'homme *vite* serait celui qui voit clair dans l'action et réagit en conséquence, c'est-à-dire rapidement; mais cette hypothèse, sémantiquement vraisemblable, n'est pas corroborée.

♦ L'adjectif a eu en ancien français des acceptions variées, liées à l'idée d'habileté : «agile, habile (au combat, à cheval)» (v. 1150), «sensé, expérimenté» (v. 1196), «rusé» (1re moitié XIIIe s.), «décidé» (v. 1250). Appliqué à une personne qui parcourt un grand espace en peu de temps (v. 1165), puis à une action rapide, à un mouvement vif (fin XVe s.), *vite* est encore employé couramment comme adjectif au XVIIe s., mais il devient plus rare au XVIIIe s., et disparaît de l'usage normal, avant d'être repris plus tard (voir ci-dessous).
Le mot s'emploie comme adverbe à partir du XVIe s., d'abord dans la locution *aller plus viste que le pas* (v. 1530) «s'enfuir rapidement» puis seul (1538, *viste;* 1636, *vite*), signifiant «en parcourant un grand espace en peu de temps». La locution ***aller vite en besogne*** (1538, écrit *viste*) a signifié «être rusé», le mot reprenant alors une valeur ancienne de l'adjectif; puis seule subsiste la valeur de «rapidité à faire une action», par exemple dans la locution *plus viste que le mot* «plutôt fait que dit» (1549), sortie d'usage. ◇ *Vite* signifie spécialement «en prenant trop peu de temps» donc «sans réflexion» (1636, *juger, parler vite*); il équivaut alors à l'usage actuel *trop vite* (au sens général de l'adverbe). ***Aller vite,*** c'est aussi «être prompt, expéditif» (1636), sens que prend la locution ***aller vite en besogne*** (1640), puis, par figure, «être étourdi, imprudent» et «être prodigue» (1690). ◇ Elliptiquement, ***vite !*** équivaut à «sans plus attendre, sans délai» (1659) et, par extension, à «immédiatement». ◇ L'adverbe signifie également à partir du XVIIe s. «en peu de temps», quel que soit le phénomène considéré (1665, Molière). On relève ***parler vite*** «avec volubilité» (1671), ***aller un peu vite,*** «agir de façon inconsidérée» (1672), ***au plus vite*** «le plus rapidement possible» (1678). Dans une activité rythmée, *vite* signifie aussi «à un rythme rapide» (1782). ◇ Au sens de «rapidement», *vite* entre au XXe s. dans plusieurs expressions courantes, comme ***aller plus vite que les violons*** (déb. XXe s.), ***faire qqch. vite et bien,*** puis ***vite fait bien fait,*** locution adverbiale signifiant «rapidement, sans hésitation, sans difficulté».
Vite, adjectif, est repris au début du XIXe s. en hippisme (1805), pour traduire l'anglais *fast,* adj., «rapide»; il s'est employé (1876) en escrime à propos d'un tireur dont les coups et les parades se suivent rapidement, puis qualifie un coureur (1900). Cet adjectif, pourtant usuel en français entre le XIIe s. et le XVIIIe s. (voir ci-dessus), est senti comme technique ou anormal, sinon fautif *(il est vite).*

▶ Le dérivé **VITEMENT** adv. (v. 1155, *vistement;* 1625, *vitement*), littéraire aujourd'hui, était courant à côté de *vite* adjectif; il a commencé à vieillir au début du XVIIIe s. quand *vite* a cessé d'être employé principalement comme adjectif.
VITESSE n. f., dérivé en *-esse* d'abord écrit *vistece* (v. 1160), puis *vistesse* (1538), *vitesse* (1559), a signifié «habileté, agilité». Suivant la même évolution que *vite,* adj., le nom désigne (1538, *vistesse*) le fait de parcourir un grand espace en peu de temps, notamment dans des expressions comme *de vitesse* «très vite» (1569) sorti d'usage et dans l'expression qu'a conservé le français moderne ***gagner qqn de vitesse*** «le dépasser en allant plus vite que lui» et, au figuré, «le devancer dans une entreprise» (1762), puis dans ***à toute vitesse*** (1888). Au XXe s., *vitesse* entre dans de nombreuses expressions au sens de «grande vitesse» comme ***faire de la vitesse, course de vitesse.*** ◇ ***Perte de vitesse*** s'emploie (v. 1930) en parlant d'un avion dont la vitesse devient inférieure à celle qui est nécessaire pour se soutenir en vol dite *vitesse de sustentation* et, par figure, à propos d'une personne qui perd son dynamisme *(être en perte de vitesse).* ◇ Depuis le XVIIe s., le mot se dit (1616) du fait d'accomplir une action en peu de temps, d'où familièrement ***en vitesse*** «au plus vite» (XXe s.), «parcourir une distance plus ou moins grande» en un temps donné (1680). ◇ En sciences, *vitesse* correspond (1680) à «rapport d'une distance parcourue à l'unité de temps», sens appliqué à tous les mobiles en mécanique (*vitesse virtuelle,* 1717, Bernouilli; 1738, *vitesse d'un mobile*), en technique et dans l'usage courant, notamment dans le vocabulaire des transports. C'est le cas en France dans les chemins de fer, dans ***grande*** et ***petite vitesse*** (1876), à propos de l'expédition des colis, expressions remplacées par «régime accéléré, ordinaire» puis (v. 1970) dans ***train à grande vitesse,*** plus souvent dénommé ***T. G. V.*** (aussi écrit ***TGV***); ce sigle, prononcé *tégévé,* désigne un type de train très rapide et se substitue à *train* dans ce contexte (*le T. G. V. entre en gare,* etc.). ◇ Les emplois de *vitesse* se multiplient dans des domaines très variés au XXe s. (balistique, chimie : *vitesse de réaction,* cybernétique, etc.).

VITELLUS n. m. est un emprunt (1799) au latin *vitellus* «jaune de l'œuf», homonyme de *vitellus* «petit veau», le rapport sémantique entre les deux n'étant pas clair. *Vitellus* avait été emprunté en moyen français comme nom masculin sous les formes *vittelle* (v. 1500), *vitelle* (v. 1515), *vitel* (1612), signifiant «jaune d'œuf».

♦ *Vitellus* s'est dit du cotylédon unique qui, dans les graminées, rentre dans la plante au lieu de se développer en terre. ◇ En biologie, le mot a désigné (1805, Cuvier) l'ensemble de substances formant l'ovocyte ou l'œuf, distinguées du noyau et de la membrane. Puis le nom s'applique à l'ensemble des substances de réserve contenues dans les vacuoles de la partie nutritive d'un œuf, nommé au XIXe s. *vitellus nutritif* (1876).

▸ L'ancien français avait dérivé du latin l'adjectif masculin ① **VITELLIN** (1490), d'abord *vitelin* (1256), «qui ressemble au jaune d'œuf», en parlant de la bile; cet emploi est encore attesté en 1611 (Cotgrave), de même que *osier vitellin* (1562) «osier à écorce jaune». ➛ Au XIXe s., ② **VITELLIN, INE** adj. et n. f., terme de biologie, est dérivé (1836) du latin ou du français *vitellus.* ◇ L'adjectif signifie «relatif au vitellus» et est employé dans *membrane vitelline* (1832) ou *vitelline,* n. f. (1830), emploi sorti d'usage, *sac vitellin* (1832), *noyau vitellin* (1904), etc. ➛ **VITELLINE** n. f. (1855) désigne une substance protidique phosphatée présente dans le jaune d'œuf. ➛ À partir du radical de *vitellus* ont été composés des termes de biologie comme **VITELLOGÈNE** n. m., formé avec *-gène* (1897; 1877 comme adjectif *in* Littré), **VITELLOGENÈSE** n. f. (v. 1960), de *-genèse.*

VITICOLE adj. a été formé (1842) à partir du latin *vitis* «vigne», qui a donné *vis**, sur le modèle de *agricole.* Le latin *viticola,* «vigneron», avait déjà été emprunté (1808) sous la forme *viticole* mais ce mot n'est pas entré dans l'usage.

♦ L'adjectif s'est appliqué à ce qui vit ou croît dans les vignes. Il signifie (1872) «qui est relatif à la culture de la vigne, à la production du vin», «qui produit du vin».

▸ À partir de *vitis* ont été également composés **VITICULTURE** n. f. (1845) d'après *agriculture* et **VITICULTEUR, TRICE** n. (1872, n. m.) d'après *agriculteur,* dont le sens est distinct de celui de *vigneron.* Ces mots sont usuels.

VITRE n. f. est emprunté en ancien français (v. 1269) au latin *vitrum,* qui a abouti en français à *verre**. *Vitre* n'est attesté que vers 1270 mais son dérivé *vitreux* est relevé dès 1256.

♦ Comme en latin, le mot, doublet savant de *verre,* a désigné le verre en tant que matière. Il s'est dit (1454) pour «grand vitrail», «châssis et vitrail», mais il est devenu archaïque dans ce sens. Il désigne ensuite (1549) le panneau de verre transparent garnissant une fenêtre, d'où spécialement (1549, Du Bellay) une plaque de verre placée devant un objet précieux; ces deux acceptions sont devenues les plus usuelles. La locution figurée ***casser les vitres,*** évoquant la brutalité et le bruit, est attestée au figurée (av. 1778) pour «parler avec une franchise brutale», puis «faire du scandale». ◇ *Vitre* désigne aussi (1660) un panneau de verre permettant de voir à l'extérieur lorsqu'on est dans un véhicule. ◇ Il s'emploie aussi (mil. XVIIIe s., Buffon) pour tout panneau transparent. ➛ Par analogie, le mot s'est dit (1664) de la cornée transparente de l'œil du cheval (cf. les dérivés *vitreux* et *vitré*).

▸ **VITREUX, EUSE** adj., dérivé de *vitre* au sens initial de «verre», s'applique (1256) à ce qui ressemble au verre fondu, spécialement dans *humeur vitreux* (v. 1560), puis *vitreuse* (1611), remplacé par *humeur vitrée.* ◇ L'adjectif se dit aussi (1580) de ce qui est de la nature du verre, d'où en minéralogie *cassure vitreuse* (1783, Buffon) et, en physique, *état vitreux* (XXe s.). ◇ Par figure, il se dit (1833) des yeux, d'un regard dont l'éclat est terni. ➛ **VITRERIE** n. f., d'abord (1338) «activité qui comprend la fabrication des vitres, leur pose, etc.» (cf. *verrerie*), désigne également (1508) l'ensemble des vitres, spécialement des vitraux d'un édifice et, collectivement (1835), le verre à vitres, en tant que matériau. ➛ **VITRIER** n. m. désigne (1370) un marchand de verre à vitre et l'ouvrier qui pose les pièces de verre, notamment qui remplace les verres à vitres. Cet emploi correspond à un artisanat fréquent et populaire avant 1940 et donnant lieu à l'un des «cris de la rue» *(«V'là l'vitrier qui passe...»).* ◇ Le féminin **VITRIÈRE** est rare. Par jeu de mots, le nom s'est employé en argot (1866) pour les cartes de *carreau.* ➛ **VITRER** v. tr. (1477) signifie «garnir de vitres»; dans le vocabulaire technique, *vitrer une peau* signifie (1876) «la rendre transparente par des traitements successifs». ➛ Le participe passé adjectivé **VITRÉ, ÉE** adj. est plus courant, notamment dans *baie vitrée, porte vitrée.* ➛ ① **VITRAGE** n. m., «ensemble des vitres d'un édifice» (1611), désigne par extension (1694) un ensemble de vitres muni d'un châssis servant de cloison, de toit, etc. Le nom s'est employé (1851) pour «vitrine d'exposition». ◇ Par analogie, *vitrage* se dit (1749) d'un défaut de la soie (qui prend un aspect vitreux). ➛ Dérivé de *vitrer,* ② **VITRAGE** n. m. (1832) signifie «action de poser des vitres». ➛ **VITRIÈRE** n. f., mot technique, désigne (1757) une tige de métal semblable à celle utilisée pour les vitraux.

VITRAIL, AUX n. m., réfection (1626) de *vitral* (1493), ne se répand qu'au début du XIXe s., se substituant alors à *verrière**; on employait en ancien et moyen français *verrine* (cf. *vitrine,* ci-dessous). ◇ Le mot désigne un panneau de morceaux de verre découpés et colorés, assemblés au moyen de plomb pour décorer une baie, une ouverture dans un édifice religieux et, par extension (1807, Mme de Staël), une fenêtre en général. ◇ *Le vitrail* se dit (XXe s.) de l'art de fabriquer des vitraux, considéré comme une technique et, sur le plan esthétique, comme un art plastique apparenté à la peinture. ➛ Le dérivé **VITRAILLISTE** n. est d'usage technique.

VITRIFIER v. tr. est composé (1540) de *vitri-,* tiré du latin *vitrum,* et de *-fier,* du latin *facere* «faire»*. ➛ Le verbe signifie «transformer (une substance) en verre par fusion ou donner la consistance du verre» (1540), d'où *se vitrifier* (1553). ◇ Par analogie, il a pris (mil. XXe s.) le sens de «recouvrir (un parquet) d'une matière plastique transparente», pour le protéger, d'où l'adjectif **VITRIFIÉ, ÉE,** notamment dans *parquet, sol vitrifié.* ➛ *Vitrifier* a fourni des dérivés didactiques : **VITRIFICATION** n. f. (1563), **VITRIFIABLE** adj. (1727), **VITRIFICATEUR, TRICE** adj. (1842) et n. m. (mil. XXe s.). ➛ Du préfixé **DÉVITRIFIER** v. tr. (1803) procèdent **DÉVITRIFICATION** n. f. et **DÉVITRIFIABLE** adj. (1845).

VITRINE n. f. représente (v. 1501) une réfection, d'après *vitre**, de l'ancien français *verine,* n. f. (v. 1125), *verrine* (v. 1155) «vitrail», encore en 1636, dérivé de *verre**. ◆ Le mot a d'abord signifié «verre». Il est repris en zoologie (1809), comme nom d'un escargot à coquille translucide, dit aussi ***vitrina,*** d'abord nom masculin (1904) puis féminin. ◆ C'est également au XIXe s. que *vitrine* prend sa valeur la plus usuelle (1834), désignant la devanture vitrée d'un local commercial puis, par extension, l'espace ménagé derrière cette vitre et, par métonymie (1872), les objets qu'on y expose, que l'on montre (cf. *la montre*) pour les vendre. ◇ Par analogie, le mot désigne (1853) une petite armoire vitrée où l'on expose des objets de collection. ◇ Au sens courant, il entre dans la locution figurée ***lécher les vitrines*** «flâner dans la rue en regardant les magasins, les étalages» (→ lécher).

◈ voir VITRIOL.

VITRIOL n. m. est la réfection (XIIIe s.), d'après le latin, de *vedriol* (fin XIe s.), issu du bas latin *vitriolum* (IXe s., *vitriola*), altération du latin classique *vitreolus* «de verre». Cet adjectif est dérivé de *vitreus* «de verre, en verre», lui-même de *vitrum* (→ verre).

♦ Le mot, dans l'ancienne chimie, désignait des sulfates ayant une apparence vitreuse : *vitriol vert* «sulfate de fer» (1561), *vitriol blanc* «sulfate de zinc» (1636), *vitriol bleu* «sulfate de cuivre» (1636), etc. *Vitriol* était dès l'origine un terme générique. Ces dénominations se sont conservées jusqu'à la fin du XVIIIe siècle. ◆ Par ailleurs, *huile de vitriol* (v. 1560), ou par ellipse et couramment, *vitriol* (mil. XIXe s.) désigne l'acide sulfurique concentré; de là viennent le sens figuré (1850) de ***au vitriol*** «très caustique, mordant», les contextes criminels liés à l'emploi de vitriol pour défigurer (cf. ci-dessous *vitrioler*), et l'emploi analogique du mot pour «eau-de-vie médiocre et très forte» (1828-1829, Vidocq) qui a vieilli, mais reste vivant en comparaison et métaphore pour un aliment, une boisson très acide.

▶ **VITRIOLIQUE** adj. (fin XVIe s.) a eu le sens de «qui est de la nature des vitriols», puis s'est appliqué à ce qui est de la nature de l'acide sulfurique (1787). ◆ **VITRIOLÉ, ÉE** adj., dans l'ancienne chimie, s'appliquait (1589) à ce qui contient les sulfates appelés *vitriols.* ◆ **VITRIOLISATION** n. f. s'emploie d'abord en chimie (1768; le verbe **VITRIOLISER** n'est relevé qu'en 1797, est aussi un terme de minéralogie (1845). ◆ **VITRIOLER** v. tr., terme technique (1876), s'emploie également au sens (1886) de «lancer du vitriol sur (qqn) pour le défigurer». ◇ En dérivent **VITRIOLEUR, EUSE** n. (1871, féminin; 1888, masculin) et **VITRIOLAGE** n. m. (1873), dans un contexte criminel typique du dernier tiers du XIXe siècle.

VITUPÉRER v. est emprunté (fin Xe s.) au latin classique *vituperare* «trouver des défauts à (qqn)», «blâmer», «déprécier» et «gâter», «vicier». Ce verbe, peu usité à partir de l'époque impériale, appartenait probablement à la langue des augures; son premier élément est apparenté à *vitium* «vice*»; la finale est la même que dans une série de verbes, dont *recuperare.*

♦ Le verbe, d'abord transitif direct, apparaît avec le sens de «mutiler», disparu, puis avec celui de «faire injure à (qqn)» (1328), qu'on trouve encore chez d'Aubigné, et celui de «injurier» (1337), également sorti d'usage. ◇ Au sens moderne de «blâmer fortement» (v. 1370), il est considéré comme archaïque et propre au style burlesque à l'époque classique (1647, Vaugelas); sorti d'usage aux XVIII ET XIX,^e s. il a été repris à la fin du XIXe s. dans l'usage littéraire, comme transitif *(vitupérer qqn)* assez littéraire, et plus couramment dans la construction *vitupérer contre* (qqn, qqch.), sous l'influence de verbes comme *pester, déblatérer.*

▶ **VITUPÉRANT, ANTE** adj. s'est appliqué (v. 1515) à un mot qui contient un blâme, emploi disparu au XVIIe s. L'adjectif a été repris avec *vitupérer* (attesté 1903, Huysmans) pour «qui vitupère».

Quelques mots ont été empruntés à des dérivés du verbe latin ou de son supin *vituperatum.* ◆ **VITUPÉRATION** n. f., d'abord *vituperaciun* (v. 1120), sous la forme moderne relatinisée en 1512, a repris le sens du latin classique *vituperatio* «blâme, reproche»; comme *vitupérer,* il est sorti d'usage au XVIIe s. et a été repris à la fin du XIXe siècle. ◆ **VITUPÈRE** n. m., du bas latin *vituperium* «blâme, réprimande» (v. 380; dérivé du verbe), a signifié «injure, outrage» (XIIIe s., *vitupire*). Vivant en ancien et en moyen français, le mot a désigné (XIVe s.), notamment dans la langue classique, une action honteuse par exemple dans *faire un vitupère* (1639), *être chose de vitupère* «une chose blâmable» (1648, Scarron). ◆ **VITUPÉRATEUR, TRICE** n. et adj. reprend (1626) le latin classique *vituperator* «critique», «censeur» (du supin) ou dérive du verbe français. Le mot s'est substitué au XVIIe s. à *vitupéreur* (v. 1380, *vituperarresse,* n. f.), encore attesté en 1660 (Oudin), puis a disparu comme *vitupérer* et a été repris (fin XIXe s.) tout en demeurant littéraire et rare.

① **VIVACE** adj. est emprunté (1496) au latin *vivax, -acis* «qui vit longtemps», «vivace (d'une plante)», «vif, animé», dérivé de *vivere* (→ vivre).

♦ L'adjectif s'est appliqué à une personne constituée de façon à vivre longtemps (1496), d'où l'emploi (1546) pour «vigoureux, gaillard», emplois disparus, alors que son usage, en parlant d'une chose personnifiée qui manifeste beaucoup de vitalité (1588), senti comme métaphorique, est resté en usage dans un style littéraire. ◇ *Vivace* qualifie en botanique (1718) une plante qui vit plus de deux ans. ◇ L'adjectif se dit aussi figurément (v. 1792) d'une opinion, d'un sentiment, etc. qui se maintient sans défaillance. En français moderne, il ne se dit plus des animaux (emploi attesté en 1762) ni des personnes, mais seulement des plantes et des abstractions; il est alors d'usage littéraire (Mallarmé : *le vierge, le vivace et le bel aujourd'hui*).

▶ Le dérivé **VIVACEMENT** adv. (1834, Balzac) est littéraire et rare.

VIVACITÉ n. f. est un emprunt au dérivé latin classique *vivacitas* «force de vie», «longue vie» puis en bas latin «vivacité d'esprit». ◆ Le nom signifie «caractère de ce qui a de la vie» (1491), employé au figuré (1496) pour «promptitude à concevoir, à imaginer». Au sens latin de «longueur de vie» (1538, Estienne), il est employé jusqu'au milieu du XVIIe s.

(attesté encore en 1669). ◇ *Vivacité* se dit par extension de l'ardeur avec laquelle une chose est faite (1559), de la promptitude à agir (1559), d'un caractère vif (1559). ◇ *Une, des vivacité(s)* s'est employé pour «mouvement de colère, d'humeur» (1610), ceci jusqu'au XIXe siècle. ◇ Le mot désigne ce qui a de l'éclat, de l'intensité (1671, du teint), spécialement en parlant des sentiments, des sensations (1684, Mme de Sévigné). Dans tous les emplois vivants, il est senti comme lié à l'adjectif *vif, vive.*
② **VIVACE** adj. et n. m. inv., prononcé à l'italienne et introduit en musique (1765), reprend un mot italien signifiant «d'un mouvement vif, rapide», emprunté au latin classique *vivax.*

VIVANDIER, IÈRE n. représente (v. 1180, *vivendier*) une réfection, d'après le latin médiéval *vivenda* «vivres», de l'ancien *viandier,* n. m. (v. 1155), «homme hospitalier», lui-même dérivé de *viande* au sens ancien de «nourriture» (→ viande).

♦ Le nom, qui signifie d'abord «celui qui nourrit bien ses hôtes», s'est spécialisé au XVe s., désignant une personne qui suivait les troupes, pour leur vendre des vivres et des boissons (1432, n. m.; 1559, n. f.). ◇ Il s'est employé plus longtemps au féminin, comme mot historique ou comme archaïsme, remplacé au cours du XIXe s. par *cantinière.* ◇ Il a eu au XVIe s. (1530) le sens général de «marchand de comestibles».

VIVE n. f. représente une altération (v. 1393) de l'ancien *vivre* (v. 1138) désignant la vipère et *wivre* (XIIIe s.) «vive», issu du latin *vipera* «vipère*» (→ guivre); ce nom vient des épines venimeuses que portent les nageoires du poisson. P. Guiraud rapproche *vive* de *vielle,* nom d'un poisson semblable, et propose pour étymon *viva,* dérivé de *vivus* (°*vivella* pour *vielle*), en remarquant qu'un nom dialectal de la perche, poisson «épineux», est *viva;* la *vive* serait donc un poisson aux arêtes vives.

♦ Le mot désigne un poisson aux nageoires épineuses, à la piqûre douloureuse, vivant surtout dans le sable des côtes.

VIVEMENT → **VIF**

VIVIER n. m., réfection suffixale (v. 1150) de *viver* (v. 1138), est issu du latin *vivarium* «parc à gibier» et aussi «parc à huîtres», «bassin où l'on conserve le poisson», employé aussi au figuré. Ce nom dérive de *vivus* «vivant» (→ vif).

♦ Le mot reprend un des sens de l'étymon, désignant un bassin aménagé pour élever et engraisser des poissons, des crustacés. Par extension, il se dit d'un réservoir d'eau où l'on conserve le poisson, dans un bateau (fin XIVe s., isolément, puis XVIIIe s.), puis du bateau lui-même (1736). ◇ Il désigne aussi un panier calé dans l'eau employé par les pêcheurs (1769). ◇ Régionalement (Normandie), *vivier* désigne (1872, Littré) une pièce d'eau poissonneuse alimentée par les sources. ◇ Par figure, le nom a pris (XXe s.) le sens de «milieu favorable au développement (d'idées, de personnes)».

▸ Le latin **VIVARIUM** a été repris en 1894 comme nom masculin; probablement adopté d'après *aquarium,* il désigne une cage vitrée où l'on garde de petits animaux vivants en reconstituant leur milieu.

VIVIFIER v. tr. est emprunté (v. 1120) au bas latin *vivificare* «vivifier» au propre et au figuré, composé du latin classique *vivus* «vivant» (→ vif) et de *facere* «faire*».

♦ Le verbe signifie d'abord «donner et conserver la vie à (qqch.)», sens disparu en médecine (1377), mais encore vivant en théologie, surtout en emploi absolu, pour «être le principe de la vie spirituelle», par exemple dans ***la lettre tue mais l'esprit vivifie*** (1564). ◇ Par extension (v. 1190, repris fin XIVe s.), *vivifier qqn* signifie «lui donner, ou lui redonner de la force, de la vigueur, ou le goût de vivre»; de là vient l'emploi analogique pour «donner de l'activité, du mouvement à (qqch.)» (1711). Par figure, le verbe signifie également «redonner vie à (ce qui n'est plus)». ◇ Il s'employait spécialement en technique (1872) dans *vivifier le plomb* «le couvrir, pendant sa fusion, de cendre et de braise», pour empêcher l'oxydation.

▸ **VIVIFIANT, ANTE** adj., rare avant le XVIe s., s'emploie au propre (v. 1175), par extension en théologie (1553), et au figuré (mil. XVIe s.).
Deux dérivés de *vivificatum,* supin du verbe latin, ont été empruntés en français. ◆ **VIVIFICATION** n. f., emprunt au latin *vivificatio* «action de vivifier», est rare (v. 1380). ◆ **VIVIFICATEUR, TRICE** n. m. (1500) «celui qui vivifie» puis adj. (1574), repris au XIXe s., est un synonyme rare de *vivifiant.*
Le préfixé **REVIVIFIER** v. tr., «reprendre vie» (v. 1280, v. intr.), signifie ensuite «redonner la santé à (qqn)» (v. 1510, aussi *revifier*) et, au figuré, «redonner le goût de vivre» (v. 1560, Paré). ◇ Terme de l'ancienne chimie (1675, à propos du mercure), le verbe signifie «rendre (un métal) à sa forme métallique». ◇ D'après l'emploi correspondant de *vivifier,* il s'emploie en théologie pour «rendre (un chrétien) à la vie spirituelle» (1690). ◆ Le verbe a pour dérivé **REVIVIFICATION** n. f. (1676), littéraire ou technique.

VIVIPARE adj. a été emprunté (1679) au latin impérial *viviparus* «vivipare», composé du latin classique *vivus* «vivant» (→ vif) et de *-parus,* de *parere* «procurer», spécialisé au sens de «mettre au monde» (→ parent).

♦ L'adjectif se dit d'un animal dont l'œuf se développe complètement dans le corps de la mère (1753), par opposition à *ovipare;* il est aussi substantivé au masculin *(les vivpares).* ◇ Par extension, il s'emploie en botanique (1803), en parlant des plantes dont les bourgeons se détachent et reproduisent l'espèce.

▸ Le dérivé **VIVIPARITÉ** n. f. (1842) est didactique. ◆ Le composé **OVOVIVIPARE** adj. (1806), de *ovo-* (du latin classique *ovum* «œuf*»), signifie «ovipare dont les œufs éclosent dans le ventre de la femelle», aussi substantivé (*les ovovivipares,* 1823). ◇ Il a fourni **OVOVIVIPARITÉ** n. f. (1907), d'après *viviparité.*

◈ voir peut-être **VIPÈRE.**

VIVISECTION n. f. a été composé (1765, *Encyclopédie*) du latin classique *vivus* «vivant» (→ vif) et de l'élément final de *dissection**; cf. anglais *vivisection*, 1707.

♦ Le mot désigne une dissection opérée à titre d'expérience sur un animal vivant, pratique considérée soit comme scientifiquement nécessaire, soit comme cruelle et barbare, et fortement combattue par les défenseurs des animaux.

▶ Il a fourni les termes didactiques **VIVISECTEUR, TRICE** n. (1839) et **VIVISECTER** v. tr. (1884, Huysmans), rare.

① **VIVRE** v., relevé à la fin du Xe s., est issu du latin *vivere* «être vivant», «être encore vivant», «durer, subsister», «se nourrir de» et «passer sa vie de telle ou telle manière»; le verbe s'emploie dans de nombreuses locutions. Il se rattache à une racine indoeuropéenne *°g^weyē-*, *°g^wiy-ō-* «vivre», bien attestée dans plusieurs langues; en grec le °g^w initial a reçu un double traitement, d'où le verbe *zên* (→ zoo) et son aoriste *biônai* (→ bio-).

♦ Dans ses premiers emplois, *vivre* signifie «être en vie» et «passer sa vie (d'une certaine façon, en un certain lieu)», sens général, puis (v. 1050) «disposer des moyens matériels qui permettent de subsister». Le verbe s'emploie en locutions dès le XIe s., par exemple dans *homme (femme) qui vive* «qui que ce soit» (v. 1050), en usage jusqu'au début du XVIIe s., transformé en *personne qui vive* (XIVe s.), encore attesté au milieu du XVIIe s., puis en ***âme qui vive*** (1690), toujours usité négativement (*il n'y avait âme qui vive* : «personne»). ◇ Comme en latin, le verbe signifie aussi «continuer à vivre» (1080). ◇ Depuis le XIIe s., *vivre de*, continuant une autre acception du latin, équivaut à «se nourrir de», d'où *se vivre de qqch.*, «en vivre» (v. 1270), propre à l'ancien français. Depuis la fin du XIIe s., le verbe s'emploie pour «gagner sa vie» (v. 1190, *soi vivre*), d'où ***vivre de qqch.*** (v. 1225). ◇ ***Vive !, vivent !*** s'utilisent dès le XIIe s. (v. 1170) comme formules d'acclamation en l'honneur de qqn à qui l'on souhaite longue vie, puis se dit, par extension, de choses : *vive le vin !* (XVe s.), *vive la joie !* (1696), pour marquer l'approbation. Dans ce sens, il tend à devenir invariable et à se détacher du verbe (*vive les vacances !*). ◇ *Vivre pour qqn, qqch.*, «consacrer sa vie à (qqn, qqch.)», s'emploie depuis la fin du XIVe siècle. ◇ Avec *savoir, apprendre*, le verbe à l'infinitif correspond (1466) à «se comporter dans la vie sociale comme le veut l'usage» (cf. *savoir-vivre*; → savoir). ◇ Comme *vie*, *vivre* est utilisé en religion (1538) au sens de «jouir de la grâce ou de la vie céleste». ◆ En emploi transitif, avec pour complément *vie*, un synonyme ou bien un nom exprimant une durée, le verbe a le sens de «mener (telle ou telle vie)» (1549, *vivre une belle vie*), d'où «passer (un espace de temps)» (1573, *vivre des jours heureux*); la locution ***vivre sa vie*** (XXe s.) signifiant «se comporter librement», selon son destin assumé. ◆ Une des premières valeurs métaphoriques du verbe semble être (v. 1270) «demeurer dans le souvenir (des humains, ou de qqn en particulier)». ◇ Depuis le milieu du XVIe s., *vivre* possède diverses valeurs extensives. Ainsi, *vivre de qqch.* s'emploie au sens de «trouver dans qqch. un élément à la vie morale, intellectuelle» (*vivre d'espoir*). Le verbe prend aussi le sens (1578) de «réaliser toutes les possibilités de la vie», en particulier dans ***avoir vécu*** «avoir eu une vie riche» (1574). *Vivre de sa gloire* (1580), «garder un crédit acquis», a été remplacé par ***vivre sur (de) sa réputation*** (1760). ◇ Au sens propre de *vivre, avoir vécu* est un latinisme (*vixit, vixisse* «il a vécu, avoir vécu») signifiant «être mort» (1640).

Le verbe, spécialisé par rapport à l'acception de «se nourrir de», «gagner sa vie» (ci-dessus), a pris au XVIIe s. le sens de «manger, prendre ses repas» (1690), acception disparue à la fin de la période classique. ◇ À la même époque, au sens le plus courant du verbe, de nombreuses constructions et locutions apparaissent. La variété des nuances les rend souvent ambiguës. Ainsi ***faire vivre***, qui signifie normalement (1673) «prolonger l'existence» (par exemple d'un malade), vaut aussi pour «assurer la subsistance de (qqn)» (1764) puis, au figuré, «aider à surmonter, à affronter les difficultés» (1831). Au sens le plus général («être vivant, en vie»), ***on ne vit qu'une fois*** (fin XVIIIe s., av. 1794) s'emploie pour justifier une attitude hédoniste. ◇ Avec la valeur de «moyens d'existence», Furetière (1690) enregistre ***avoir de quoi vivre***; avec cette nuance, *vivre de* correspond à «tirer sa subsistance de» : ***vivre d'industrie*** (1690), qui a vieilli avec le sens correspondant de *industrie**; ***vivre d'expédients, vivre d'amour et d'eau fraîche***, «être amoureux et pauvre» (déb. XIVe s., *vivre d'amour*). De même, ***il faut bien que je vive*** (1760), ***il faut vivre*** (1872), ***il faut bien vivre***, s'emploient pour demander des subsides. ◇ Dans le contexte militaire, *vivre du pays* (1824) est devenu ***vivre sur le pays*** (fin XIXe s.). ◇ La façon d'éprouver l'existence est évoquée dans ***ne pas, ne plus vivre*** (1706) «être dans l'inquiétude, ne pas être en paix», puis dans ***se laisser vivre*** (1893) «ne faire aucun effort». ◇ Le comportement supposé convenable est évoqué dans ***apprendre à vivre*** «à se comporter correctement» (1656, Molière), d'où ***ça lui apprendra à vivre*** pour «ce sera une bonne leçon». ◇ La même idée de comportement, appliquée aux relations sociales, se retrouve dans ***difficile à vivre*** (1747) «à fréquenter», opposé à ***facile à vivre*** (attesté 1847). ◇ Depuis le XVIIe s. également, des valeurs figurées se dégagent : «donner l'impression de la vie» (av. 1648), par exemple d'une image, d'une représentation; «subsister, être toujours actif», d'un sentiment, d'une idée (1669). ◆ Enfin, en français contemporain (XXe s.), apparaît *vivre qqch.* pour «éprouver intimement, avec force, par l'expérience de la vie» et *se vivre* (de telle façon) pour «avoir l'expérience profonde de...»; ces emplois sont liés à la conception philosophique de la vie, notamment depuis la phénoménologie et l'existentialisme.

▶ ② **VIVRE** n. m., substantivation (v. 1050) de l'infinitif du verbe, équivaut d'abord à «nourriture», acception qui ne subsiste que dans la locution ***le vivre et le couvert*** (1678). ◆ Le mot a désigné (v. 1200) le fait d'être en vie, sens courant à l'époque classique et qui se maintient jusqu'au début du XIXe s. chez Chateaubriand. ◇ Il a signifié «manière de vivre» (av. 1559) encore au XVIIIe s. et «usage du monde» (1687).

VIVRES n. m. pl., de *vivre,* verbe ou nom masculin, apparaît isolément au XIIe s. (v. 1155) et est repris en moyen français (1369), désignant ce qui sert à l'alimentation de l'homme. ◇ Le mot se spécialise (1538) dans le vocabulaire militaire, opposé à *fourrage, munitions,* d'où son emploi pour nommer les entreprises qui fournissaient le ravitaillement aux armées (1690). La locution ***couper les vivres (à une armée)*** [1601] s'emploie au figuré dans ***couper les vivres à qqn*** (1840) «lui refuser une aide pécuniaire». ➜ ① **VIVRIER** n. m., dérivé de *vivres,* a désigné (1768) un fournisseur aux vivres (cf. *vivandier*) et s'emploie comme adjectif dans *bâtiment vivrier* (v. 1904). ➜ ② **VIVRIER, IÈRE** adj., tiré lui aussi de *vivres,* n. m. pl., signifie (av. 1850) «destiné à l'alimentation», notamment dans *cultures vivrières.* ◇ En français d'Afrique, *les vivriers,* n. m. pl., désigne les produits des cultures vivrières.

VIVANT, ANTE adj. et n., tiré du participe présent, apparaît au XIe s. dans *à son vivant* «pendant sa vie» (v. 1050), ensuite *en son vivant* (v. 1155), emplois remplacés par ***de son vivant*** (1489). ◇ *Le vivant,* employé seul (1080), au sens de «durée de la vie», est sorti d'usage. ◇ L'adjectif s'applique (v. 1150) à une personne en vie (opposé à *mort, morte*) ; il est employé avec cette acception en droit dans ***le dernier vivant*** n. m. (XIIIe s., *li daerrains vivans*). *Homme vivant* pour «qui que ce soit» est sorti d'usage (1273), de même que *âme vivante* (1636), mais on dit toujours *âme qui vive* (ci-dessus). ◇ **BIEN-VIVANT** n. m. (1464) s'est dit d'un chrétien vivant selon la religion. ◇ L'adjectif *vivant, vivante* employé seul se dit en religion d'un être humain qui jouit de la grâce ou de la vie céleste (1553). Le ***Dieu vivant*** (v. 1485) désigne le Christ, incarné en homme vivant et assumant la vie spirituelle. *Les vivants,* terme de religion (1662), nomme les bienheureux jouissant de la vie éternelle. ◇ Par figure, *vivant* qualifie ce qui semble animé d'une sorte de vie, est actuel (1553), par exemple dans ***langue vivante*** (1647), opposé à *langue morte,* puis une chose qui a l'expression, les qualités de ce qui vit (1558), d'où ***portrait vivant*** (1640 ; 1606, *vivant portrait*). ➜ Qualifié par *bon,* l'adjectif prend au XVIIe s. un sens tout différent de celui de *bien vivant,* en religion ; ***bon vivant*** (1680) désigne une personne qui vit dans les plaisirs de la table et l'agrément, l'expression devenant un adjectif et un nom composé ; avec le même sens, *vivant* (1698) est sorti d'usage, comme *vivante,* n. f. qui s'est dit péjorativement d'une femme adroite et rusée (1767), emploi disparu au XIXe s. ◇ Quelques expressions sont apparues dans l'usage classique, concernant le sens premier de *vivant,* «en vie», par exemple *s'ensevelir tout vivant* (1686) «se retirer loin de toute société, mener une vie recluse», remplacé par ***s'enterrer vivant*** (1727). ➜ Le mot, suivant l'évolution du concept de vie, s'applique aussi, depuis le XVIIe s. (1672), à ce qui est doué de vie, animaux, plantes, par opposition non plus à *mort,* mais à *inanimé,* plus tard à *inorganique ;* il signifie alors «qui, par sa nature, est capable de vie» ; l'adjectif avec cette valeur est substantivé, *le vivant* (1684, Bernier) désignant ce qui possède les propriétés vitales. ➜ Par extension, dans un contexte mythique, *vivant* peut qualifier contradictoirement un mort en tant qu'il se manifeste comme fantôme, spectre, etc., d'où **MORT-VIVANT** n. m. ➜ **MALVIVANT** adj. «pervers» (1507) et n. m. «homme de mauvaise vie» (1553), s'est employé jusqu'au XVIIIe s. (1777).

VIVABLE adj. apparaît (v. 1190, écrit *vivaule*) aux sens de «vital» et de «plein de vie» (déb. XIVe s.),en usage jusqu'au milieu du XVIe siècle. ◇ L'adjectif disparaît ensuite, puis est repris (XIXe s.) pour qualifier un lieu où l'on peut vivre agréablement, une chose ou une personne qui peut être supportée (1842). Il s'emploie surtout en tournure négative. ➜ Le contraire préfixé **INVIVABLE** adj. (attesté 1937) a les emplois correspondants.

VIVOTER v. intr. signifie (v. 1430) «subsister avec peine» et, en parlant de choses (1530), «avoir une activité réduite». ➜ **VIVEUR** n., employé pour désigner un homme qui mène une vie de plaisirs (1830), s'est rarement employé au féminin *viveuse* (1845). Le masculin lui-même, à la mode autour de 1900, est aujourd'hui archaïque. ➜ **VÉCU, UE** adj. et n. m. (1874), du participe passé, s'applique à ce qui appartient à l'expérience de la vie (histoire vécue). ◇ ***Le vécu*** n. m. (1919 dans Gabriel Marcel) est devenu à la mode après les années 1960, notamment dans des expressions souvent marquées, comme *au niveau du vécu, le vécu de qqn,* qui font l'objet de critiques ironiques pour leur banalisation. ➜ **VIVOIR** n. m., relevé en 1913, mot proposé pour rendre l'anglicisme *living-room,* est très rare au Québec et inusité en France.

VIVAT interj. reprend (1546) un mot latin, 3e personne du subjonctif de *vivere.* Il a disparu comme interjection mais s'emploie encore, rarement, comme nom masculin (av. 1615, repris en 1803) plus ou moins éliminé par *bravo.*

REVIVRE v. est issu (v. 980) du latin *revivere* «revenir à la vie» au propre et au figuré, préfixé de *vivere.* ➜ Le verbe, apparu en même temps que *vivre,* est senti comme son préfixé. Il reprend d'abord le sens concret du latin, «ressusciter», d'où par figure «laisser chez qqn un souvenir vivant» (v. 1270, *revivre en qqn*) et spécialement, dans le vocabulaire religieux, «revenir à la vie spirituelle» (XVe s. isolément, puis 1690). ◇ Par figure, il signifie «être de nouveau en vogue», en parlant de qqch. (1538) et «retrouver des forces» (1580), en parlant d'une personne. ◇ La construction *revivre en (dans) qqn* prend au XVIIe s. une valeur nouvelle : «se prolonger, après la mort, en qqn d'autre» (1636). ◇ Construit transitivement, le verbe signifie (1820) «vivre (qqch.) une nouvelle fois» et, par extension (1830), «vivre par l'esprit (ce qu'on a déjà vécu)».

Le préfixé **SURVIVRE** v., «demeurer en vie après qqn», est d'abord transitif (1080), puis construit avec *à* (1538, *survivre à qqn*). ◇ Il signifie ensuite (1499) «continuer à vivre pendant un certain temps», spécialement «après la perte de qqch. de précieux» (1580). Cette valeur, qui équivaut à «se prolonger», s'applique par figure aux idées et aux sentiments d'abord comme transitif (v. 1580), puis dans *survivre à qqch.* (1667). ◇ Le pronominal *se survivre* a le sens figuré de «conserver une influence après sa mort»

(1694, *se survivre à soi-même*; 1788, *se survivre dans ses ouvrages*), puis de «perdre l'usage de ses facultés naturelles avant la mort» (1694, *se survivre à soi-même*; XIXe s., *se survivre*). ➝ Le dérivé **SURVIVANT, ANTE** est attesté comme n. m. au XIIe s. (1119), puis comme adj. en 1538. Il s'emploie en droit, surtout comme nom masculin (*le dernier survivant*) et dans la langue générale (*les survivants d'une catastrophe, d'un accident*, etc.), et aussi au figuré (*les survivants d'une époque, du romantisme*...; 1851, Lamartine; adj. 1870). ➝ *Survivant* a servi à former **SURVIVANCE** n. f. qui a désigné en droit (1549) le privilège de succéder à une personne après sa mort. Le mot signifie ensuite (1770) «existence après la mort» et «progéniture» (XIXe s., G. Sand), et se dit du fait de subsister après qqn ou qqch. (1845). ◇ À cette série préfixée correspond *survie* → vie.

QUI-VIVE n. m., substantivation (1662) de l'apostrophe *qui vive?* lancée par une sentinelle, un guetteur, entre dans ***(être) sur le qui-vive*** «sur ses gardes» (1690) ou «très attentif» (1694).

◈ voir CONVIVE, RAVITAILLER, SAVOIR (SAVOIR-VIVRE), VIANDE, VICTUAILLE, VIE, VIF, VITAL, VITAMINE, VIVACE, VIVANDIER, VIVIER, VIVIFIER, VIVIPARE, VIVISECTION.

VIZIR n. m. est un emprunt (1433) par le turc à l'arabe *wazīr* «portier», spécialement employé pour désigner un ministre ou lieutenant du roi. Par l'espagnol, le mot a donné *alguazil* (→ argousin) qui désigne un fonctionnaire subalterne de la justice espagnole. Par l'italien, il a donné *argousin**, également avec une première syllabe restituant l'article arabe *al* (→ alcool).

♦ Le mot désignait un membre du conseil des califes, d'où *grand vizir* «Premier ministre de l'Empire ottoman» (1690). Du XVe au XVIIIe s., on trouve les variantes *visir* (encore dans l'Académie, édition de 1935) et *wizir* (fin XVe s., *grand wisir*). Par figure, *vizir* s'est dit (déb. XVIIIe s., Saint-Simon) d'un homme en place agissant de façon despotique. Depuis la disparition de l'empire ottoman, le mot est un terme d'histoire.

▶ **VIZIRAT** n. m. désigne la fonction de vizir (1684) et sa durée (1664).

VLAN interj. est une onomatopée (attestée en 1803) imitant un bruit fort et sec, et spécialement le bruit d'un coup. On relève auparavant *flan* (1728), au XIXe s. la variante *vli (et) vlan* (av. 1834), aujourd'hui la graphie *v'lan. Vlang* (mil. XXe s.) est un croisement avec *bang*.

♦ Outre son emploi interjectif, le mot s'est utilisé (1867) jusqu'au début du XXe s. comme nom et comme adjectif invariable, pour désigner la société élégante et tapageuse (*les milieux vlan*).

VOBULER v. tr. est l'adaptation (v. 1960) de l'anglais *to wobble* «osciller, vaciller», «trembler», aussi employé en électronique (v. 1958); ce verbe, attesté en 1657 (aussi écrit *wabble*), correspond à l'ancien allemand *wab(b)eln* (cf. moyen haut allemand *wabelen* «s'agiter»), du germanique °*wab-* représenté ainsi dans l'ancien norrois *vafi* «doute, incertitude» et *vafra* «osciller, vaciller».

♦ Employé en électronique, le verbe signifie «changer alternativement la fréquence d'une tension alternative, plus généralement d'un phénomène périodique».

▶ Il a fourni en français **VOBULATEUR** n. m. (1960) d'après l'anglais *wobbulator* (1945), **VOBULATION** n. f. (1960) et le composé **VOBULOSCOPE** n. m. (1968), tiré de (oscillo)*scope*.

VOCABLE n. m., attesté au XIIIe s. (après 1250), est un emprunt semi-savant au latin *vocabulum* «dénomination, nom d'une chose», «mot, terme» et en grammaire «nom», alors opposé à *verbum* «verbe». Ce nom est dérivé de *vocare* «appeler», «nommer», «invoquer», «inviter», lui-même de *vox, vocis* «voix*». *Vocare* avait abouti en ancien français, par voie orale et par l'intermédiaire d'un latin populaire °*voccare*, à *vochier*, v. tr., «invoquer, appeler» (v. 1050), et à *voer*, v. tr., «appeler qqn» (XIIe s.).

♦ *Vocable* désigne comme en latin un élément du langage, notamment un mot considéré quant à sa signification; il semble rare avec cette acception au XVIIIe s. et est répertorié comme «vieux» dans le *Dictionnaire de Trévoux* de 1721 à 1771; il est repris au XIXe s. Ce nom, comme *paroles*, s'est employé au pluriel (1501) pour «propos». Il se spécialise à la fin du XVIIIe s., signifiant «appellation d'une église, sous un patronage (de saint)» (1788). ◇ En statistique (v. 1967), *vocable* désigne chaque unité lexicale différente dans un corpus, quel que soit le nombre de ses réalisations.

▶ **VOCABULAIRE** n. m. et adj. est emprunté (1487) au latin médiéval *vocabularium* «vocabulaire, ensemble de mots», dérivé du latin classique *vocabulum*. ◇ Le mot s'est d'abord employé au sens de «dictionnaire» (1487, Garbin, *Vocabulaire latin-françois*); ensuite (1728), il se spécialise au sens de «dictionnaire succinct qui ne donne que les mots essentiels (d'une langue)». Au XVIIIe s., il désigne aussi (1762) l'ensemble de mots dont dispose une personne et ceux qui sont effectivement employés (par qqn, dans un texte...). ◇ Depuis le début du XIXe s., il s'applique aux mots d'une langue considérée comme objet d'étude (au XXe s. on dit plutôt *lexique**) et spécialement à un ensemble de mots propres à une science, à un art (1800), ou utilisés habituellement dans un groupe (1872). Reprenant la valeur initiale, mais liée à ce sens, l'acception de «dictionnaire spécialisé dans une science, un art» s'impose dans la seconde moitié du XIXe s. (1876). Puis (déb. XXe s.), le mot désigne la façon personnelle qu'a un locuteur de s'exprimer, d'où *quel vocabulaire!* «quelle manière (grossière, étrange, etc.) de s'exprimer!». ◇ En linguistique, *vocabulaire* correspond à «liste des occurrences d'un corpus», alors opposé à *lexique*, dans la mesure où le discours, le texte (où se trouvent les vocables d'un vocabulaire) s'oppose au système de la langue, avec son lexique. ◇ En informatique (v. 1970), le mot désigne l'ensemble des symboles à partir duquel est bâti un langage. ➝ Le dérivé **VOCABULISTE** n. (1634), didactique et rare, signifiait «auteur de vocabulaire, de dictionnaire». Il a été remplacé par *lexicographe*.

① **VOCAL, ALE, AUX** adj. est emprunté (v. 1265) au latin classique *vocalis* «qui fait entendre un son de voix» en parlant d'animaux, «qui se sert de la voix» à propos d'êtres humains, et «sonore», appliqué à une chose; pris substantivement au féminin le mot signifie «voyelle» et, au pluriel *(vocales)*, «chanteurs, musiciens». L'adjectif dérive de *vox, vocis* (→ voix).

♦ *Vocal* s'est d'abord appliqué à une syllabe qui contient une voyelle, sens disparu; le mot a été substantivé pour «voyelle» au masculin (1493), puis au féminin *vocale* (1546, Rabelais), acception attestée jusqu'au XVIIe s. (1660). ◇ L'adjectif signifie ensuite (v. 1424) «relatif à la voix», puis «qui s'exprime au moyen de la voix». On a dit *oiseau vocal* «qui peut être instruit à parler» (1611), expression sortie d'usage. ◇ *Musique vocale* (1613), opposé à *musique instrumentale*, et *cordes vocales* (1832) sont restés usuels.

▶ Le dérivé **VOCALEMENT** adv. (1531) est didactique.
À partir du latin *vocalis* ont été formés des termes de phonétique et de musique. ◆ **VOCALISÉ, ÉE** adj. (1611, *vocalizé*), écrit avec un *s* au XIXe s., a donné naissance au verbe ① **VOCALISER**, d'abord au pronominal *se vocaliser* (1871), puis transitif (1907). Il signifie «changer en voyelle». ◆ ① **VOCALISATION** n. f. désigne l'émission de sons vocaux non articulés (1831) et, en phonétique (1871), le changement d'une consonne en voyelle, d'où **DÉVOCALISATION** n. f. (XXe s.). ◆ ② **VOCALISER** v. intr., de *vocalis* ou de ① *vocal*, signifie en musique (1821) «chanter, en parcourant une échelle de sons sur une seule voyelle ou syllabe», par extension (1833) «chanter de la musique sur une ou plusieurs syllabes, sans prononcer les paroles» et, par figure, «parler en variant son expression» (1875). Il s'emploie aussi transitivement (1833). ◆ En dérivent ② **VOCALISATION** n. f. (1821) «fait de vocaliser (en chantant)», **VOCALISE** n. f. (1833) courant en musique pour désigner un exercice vocal ou un passage de virtuosité vocale et en général une mélodie développée sur une syllabe — et une voyelle — du chant; **VOCALISATEUR, TRICE** n. (1836), remplacé par **VOCALISTE** n. (1842).
VOCALISME n. m., sorti d'usage en phonétique pour désigner (1872) une théorie relative au rôle des voyelles dans la formation des mots et aussi l'ensemble des voyelles d'un mot, s'emploie (1864) pour «système des voyelles (d'une langue)». ◆ **VOCALIQUE** adj. s'applique (1872) à ce qui est relatif aux voyelles, s'opposant à *consonantique*. ◇ **INTERVOCALIQUE** adj. (1895) signifie «qui est placé entre deux voyelles».
② **VOCAL, ALE, AUX** n. et adj., relevé en 1680 dans Richelet (1862, adj.), est un emprunt au latin médiéval *vocalis* (XIe s.) «nom donné à un religieux, une religieuse qui a le droit de suffrage, dans une communauté», emploi substantivé et spécialisé de l'adjectif du latin classique.

VOCATIF n. m., attesté isolément au XIIIe s. (dans un texte daté après 1250), repris à partir de 1552, est emprunté au latin impérial *vocativus* «qui sert à appeler», employé comme nom masculin en grammaire, dérivé de *vocatum*, supin du latin classique *vocare* «appeler», lui-même dérivé de *vox, vocis* (→ voix).

♦ Terme de grammaire, *vocatif* désigne comme en latin le cas employé pour s'adresser directement à qqn (ou à une entité personnalisée), dans les langues à déclinaison et, par extension, une construction qui a le même rôle dans une langue sans déclinaison. ◆ Le mot s'est employé comme adjectif (fin XIVe s.) au sens de «qui donne son nom», par exemple en parlant du père.

VOCATION n. f. est un emprunt (v. 1190) au latin classique *vocatio, -onis* «action d'appeler», d'où «assignation (en justice)» et «invitation», spécialisé en latin ecclésiastique; ce mot dérive de *vocatum*, supin de *vocare* «appeler» (→ avouer), dérivé de *vox, vocis* (→ voix).

♦ D'abord terme biblique, *vocation* désigne l'appel de Dieu touchant une personne, un peuple. Comme en latin, le mot s'est employé pour «appel en justice» (XIVe s.), encore chez d'Aubigné. ◇ Par extension de la valeur religieuse, le mot désigne la destination d'une personne (1465) et (1440-1475) l'inclination qu'éprouve qqn pour une profession, un état; de là viennent les emplois, qui avaient disparu en français classique, pour «profession» (1467) et «condition sociale» (XVe s.). Par retour au latin, *vocation* s'est employé pour «action d'inviter qqn à faire qqch.» et «convocation (des États)» [attesté déb. XVIIe s., d'Aubigné]. ◇ En termes de religion, *vocation* désigne (av. 1662, Pascal) un mouvement intérieur par lequel une personne se sent appelée vers Dieu; il est employé absolument dans ***avoir la vocation***, employé spécialement pour «se sentir appelé à la prêtrise». ◇ Le mot a pris le sens large de «rôle auquel un groupe, un pays, etc., paraît être appelé» (XXe s.) et s'emploie dans la locution ***avoir vocation à (pour)*** «être qualifié pour», surtout en parlant d'une entreprise, d'une administration.

VOCIFÉRER v. est un emprunt (v. 1380) au latin classique *vociferare* ou *vociferari*, v. intr., «faire entendre des clameurs», «pousser de grands cris» et «retentir, résonner», en parlant de choses, aussi v. tr. pour «crier fort (qqch.)». Le verbe est formé de *vox, vocis* (→ voix) et de *ferre* «porter, apporter» (→ -fère).

♦ Le verbe conserve les sens latins de «parler en criant et avec colère» (v. 1380, intr.) et celui de «dire (qqch.) en criant» (av. 1525).

▶ **VOCIFÉRANT, ANTE** adj., tiré du participe présent, se dit d'une personne (1770, Buffon) et du lieu d'où proviennent des cris (attesté 1923); il est plus rare que le verbe. ◆ **VOCIFÉRATEUR, TRICE** n. (1832), formé d'après le bas latin *vociferator* «celui qui crie», est rare. Il s'emploie aussi (av. 1896) comme adjectif. ◆ **VOCIFÉRATION** n. f., attesté vers 1120, rare jusqu'en 1611, et repris en 1792, est emprunté au latin classique *vociferatio* «clameurs», dérivé de *vociferatum*, supin du verbe. Il signifie «action de vociférer» et surtout «parole violente accompagnée de cri exprimant la colère», le plus souvent au pluriel. Il est relativement courant, comme le verbe.

VODKA n. f., apparu en 1829 au masculin, au féminin en 1865, est emprunté au russe, où il est un diminutif de *voda* «eau» et signifie littéralement «petite eau». *Voda* se rattache à une racine indoeuropéenne °*wed-*, variante °*ud-*, comme le latin *unda* (→ onde), le grec *hudôr* (→ hydro-) et l'anglais *water* (→ water-closet).

♦ *Vodka* est le nom d'une eau-de-vie de seigle ou d'orge, fabriquée notamment en Russie ou en Pologne. La forme *wodka* (1859, A. Dumas), empruntée au polonais, est rare.

✱ **VŒU** n. m. est la réfection graphique (1549) de *veu* (v. 1175), qui comme *vou* (v. 1155), est l'aboutissement des formes archaïques *vode* (1080), *vot* (v. 1120), issues du latin classique *votum* qui désigne une promesse faite aux dieux en échange d'une faveur demandée ou accordée, puis un objet votif, une offrande et, plus généralement, un souhait. À l'époque impériale, *votum* signifie «vœu prononcé par les époux, mariage». ◇ Ce nom est la substantivation du participe passé neutre de *vovere* «faire une promesse (à une divinité)», «vouer» et «souhaiter, désirer». Terme religieux, *vovere* est proche du védique *vāghát* «faisant un vœu, sacrifiant» et du grec *eukhesthai* «prier». Ces mots se rattachent à une racine indoeuropéenne appartenant au vocabulaire religieux de la demande adressée à la divinité.

♦ Le mot s'est employé en ancien français (1080), jusqu'au XIIIe s., dans *malde vode* [mauvais vœu] «désastre, perdition», mais dès le XIIe s. il désigne comme en latin une promesse à Dieu, par laquelle on s'engage à accomplir une action méritoire. ◇ Au sens latin d'«objet votif», il s'est dit (1382) d'une figure de cire à l'image d'une personne qu'on désire blesser ou tuer, cf. *envoûter*, et, par métonymie du sens actif, de l'offrande promise par un vœu (v. 1465), valeur autrement réalisée par le sens de «pèlerinage» (fin XVIe s.). ◇ De l'emploi religieux vient aussi (1538) la valeur de «souhait que l'on adresse à Dieu, à une divinité» (sans promesse explicite). En contexte profane, le mot désigne (1538) le désir de voir s'accomplir quelque chose. ◇ *Vœux* (1538) ou *vœux de religion, vœux religieux* (1794) et, au singulier, *vœu* (1694) s'emploie dans l'Église catholique à propos de l'acte par lequel qqn s'engage dans la vie religieuse, acte qui comporte des *vœux de pauvreté, de chasteté* et *d'obéissance;* la nature des vœux est précisée dans *vœux solennels* (1694), *vœux monastiques* (1758), *vœux simples* (1801), etc. ◇ Désignant un suffrage (1587-1596), *vœu* s'est employé jusqu'à la fin du XIXe s. Le mot désigne depuis l'ancien français (v. 1176) un engagement que l'on prend en son for intérieur. ◇ ***Les vœux, des vœux*** désignent à partir du XVIIe s. les souhaits que l'on adresse à qqn (1636), spécialement au commencement de la nouvelle année. Toujours au pluriel, le mot a eu à l'époque classique le sens de «souhait d'être aimé de qqn» (1644). ◇ *Vœu* prend à la fin du XVIIIe s. le sens de «volonté exprimée par une autorité légitime» (1790), puis désigne (1876) une demande faite par qui n'a pas d'autorité pour la faire appliquer.

▸ **VOUER** v. tr. est une réfection graphique des formes anciennes *vuer* (v. 1120), *voer* (1130-1140), dérivées de *veu, vou* ou issues d'un latin populaire °*votare* «vouer», dérivé de *votum* (→ voter). ➜ Appartenant comme *vœu* au vocabulaire religieux, le verbe a signifié (v. 1120) «promettre (qqch.) à Dieu, à une divinité par un sacrifice», sens encore en usage à l'époque classique. Aujourd'hui et depuis le XIIe s. (v. 1175), *vouer... à* correspond à «consacrer à (Dieu, à un saint) en faisant un vœu»; de là, par extension, ***vouer un enfant au bleu, au blanc*** «promettre par un vœu qu'il sera habillé de bleu, de blanc (les couleurs de la Vierge)» (1690) et, par figure, ***ne savoir à quel saint se vouer*** «à qui recourir» (fin XVe s.), puis ***se vouer à tous les saints*** «employer tous les moyens» (1835). ◇ Le pronominal *se vouer à* est très ancien (v. 1155); l'emploi intransitif (XVe s.) a disparu. ◇ Le verbe, d'abord pronominal (1390) puis transitif (1579), a signifié «se soumettre à qqn par une promesse solennelle et irrévocable». Par extension, *vouer* (1580) signifie «faire que (qqn) soit consacré (à un état, une action, etc.)». *Se vouer* prend ensuite (1680) le sens de «s'employer avec un zèle constant à (qqch.)». ◇ *Vouer à (qqn)* s'emploie aussi pour «porter à (qqn, qqch.) un sentiment durable et profond» (1664), souvent avec pour complément *admiration* ou, au contraire, *haine, ressentiment.*

DÉVOUER v. tr., en ancien français *devoer* (v. 1200) «révoquer (un vœu)», était formé d'après *avouer,* mot d'une autre famille. ◇ La forme moderne (1559) correspond au latin *devovare.* ➜ Le verbe, d'abord «vouer (à la divinité)» et dans *se dévouer* «se consacrer sans réserve à (qqch., qqn)», s'emploie avec les valeurs au XVIe s. et dans la première moitié du XVIIe siècle. ◇ *Dévouer* signifie aussi (1611) «livrer sans réserve, consacrer à», puis en emploi absolu *se dévouer* (1649) correspond à «faire une chose pénible au profit de (qqn, qqch.)», sens demeuré usuel et qui correspond alors à une nouvelle valeur pour *dévouement.* ◇ *Se dévouer* est repris dans le vocabulaire religieux (1669) au sens de «se sacrifier», mais le transitif (1678) pour «immoler par un sacrifice» a rapidement disparu au bénéfice de *sacrifier.* ➜ **DÉVOUÉ, ÉE** adj. s'applique (v. 1650) à une personne pleine de dévouement. ➜ **DÉVOUEMENT** n. m. a eu (1338) le sens de «vœu», puis a désigné (v. 1508) l'action de sacrifier (qqn, qqch.) à une puissance surnaturelle; ces emplois ont vieilli en même temps que les acceptions correspondantes du verbe. ◇ C'est dans Furetière (1690) que l'on relève les emplois modernes, sans doute apparus vers le milieu du XVIIe s., le mot désignant l'action de sacrifier ses intérêts ou sa vie à qqn, à qqch., et la disposition à servir avec abnégation.

VOTIF, IVE adj. et n. m. est un emprunt au latin *votivus* «voué, promis par un vœu», «souhaité, désiré», dérivé de *votum.* ➜ Attesté au XIVe s. (1374) et repris au XVIIe s. (1636), l'adjectif s'applique à ce qui a rapport à un vœu et se dit (1636) de ce qui est offert pour acquitter un vœu ou en commémorer l'accomplissement; il qualifie aussi ce qui exprime le vœu (1636), par exemple dans la liturgie catholique *messe votive* (1718). ◇ Il a cette valeur dans *médaille votive* (1721), «frappée à l'occasion d'un vœu formulé pour la conservation de l'empereur (romain)», et dans *fête votive* (1838).

◈ voir DÉVOT, VOTER.

✻ **VOGUER** v., attesté au début du XIIIe s. (v. 1207), est d'origine incertaine. Selon Bloch et Wartburg, le verbe est issu de l'ancien bas allemand °*wogon* «rouler», à propos d'un bateau, «balancer», altération sous l'influence du *w-* initial de l'ancien haut allemand *wagōn* (→ wagon). Pour P. Guiraud, l'origine germanique est exclue, le *w-* aboutissant régulièrement à *g-;* le verbe reprendrait le provençal *vogar* «avancer par la force des rames», qui représenterait le latin *vocare* «convoquer, inviter» et «exhorter (les rameurs) à se mettre en mouvement», d'où «naviguer (à la rame)». Si cela était, le mot se rattacherait donc au groupe de *voix, avouer.* En effet, les étymologistes italiens font de *voguer* un emprunt à l'italien *vogare* (XIIIe s.), du latin *vocare* avec cette évolution de sens; d'autres évoquant pour *vogare* le grec *boukaein* «balancer, bercer», ce qui rejoint le sémantisme de l'hypothèse germanique.

♦ Le verbe, aujourd'hui littéraire, signifie «naviguer». Il est employé dans la locution figurée ***vogue la galère!*** (1552), d'abord *vaugue la galée* (1461) «arrive ce qui pourra». Il a pris en construction transitive (1337) le sens de «faire mouvoir (les avirons)» *(voguer les avirons),* puis de «ramer pour faire avancer un bateau» (av. 1559), d'où en marine *vogue avant!* (1611), valeur disparue au bénéfice de *nager* (marine) et de *ramer* (courant). ◇ En revanche, le sens de «se déplacer sur l'eau» (1559) est resté vivant, également en parlant d'un être animé. La locution figurée *voguer à pleines voiles* signifiait «réussir pleinement» (1661). ◇ Par figure, *voguer* signifie «progresser dans la vie ou dans un état» (XVIe s., déjà par métaph. v. 1425) aussi en parlant des idées, de l'esprit (fin XVIIe s.), emploi littéraire.

▶ **VOGUE** n. f. semble être un déverbal de *voguer,* mais apparaît (1466) avec une valeur figurée étrangère au verbe, probablement obtenue par comparaison avec l'impulsion donnée à un navire, à savoir «estime, réputation dont jouit qqn», d'où ***en vogue*** «à la mode» (1480) et l'emploi de *vogue* (1562) pour désigner ce qui est apprécié pendant un temps, toujours usuel. ◇ Par rapport à *mode,* qui caractérise un mouvement social, *vogue* implique un jugement de valeur partagé et positif. ➜ *Vogue* se dit aussi régionalement (XVIe s.) dans le Sud-Est, le Lyonnais, pour «fête patronale», soit par métaphore («mouvement, affluence de personnes»), soit que le mot soit lié au latin *vocare* «convoquer». ➜ En termes de marine, et alors clairement dérivé de *voguer,* le mot a signifié (1559) «mouvement d'un bateau causé par la force des rames» et «mouvement des rames» (1509) et enfin, par métonymie (1872), «partie du plat-bord qui reçoit les avirons».

VOICI et **VOILÀ** prép. sont composés de l'impératif de *voir** et des adverbes *ci* et *là*;* les deux prépositions se sont formées progressivement. *Vois ci* (2e moitié XIIIe s.), qui s'est figé en *voici* (1485), a supplanté l'ancienne forme *veiz* «vois», utilisée seule pour montrer, puis dans *veiz ci* (v. 1175). L'ancien français opposait *vei mi ci* (v. 1170) «vois moi ici» et *veiz me ci* (1080) «voyez moi ici», selon que l'on s'adressait à un ou plusieurs interlocuteurs. Les deux éléments sont réunis à la fin du XIIIe s. sous la forme notée *veeschi;* on relève ensuite les formes figées *vecy* (XIVe s.), *vezci* (1369) et, par ailleurs, la réfection du verbe en *voiez ci* (1430), la séparation des deux termes étant encore attestée au XVIe s. (1534, Rabelais, *voyez ci*). ◇ Parallèlement, mais plus tard, *ves la* (1283), *vez la* (XIVe s.), s'est figé en *vela* (1342) et *voilà* (1538). Les formes *vez la, vela* se sont maintenues dans la prononciation aux XVIe et XVIIe s.; on les retrouve dans la notation de la prononciation populaire ***v'la,*** attestée à la fin du XVIIe siècle.

♦ *Voici* est employé pour désigner; *voilà* sert d'abord à appeler l'attention sur une chose ou une personne peu éloignée. L'opposition de *voilà* avec *voici* désignant à l'attention une chose ou une personne proche (1458) n'est plus vivante aujourd'hui, sauf dans la langue soutenue ou quand *voici* et *voilà* figurent dans la même phrase; la même remarque vaut pour les autres cas où les deux mots ont été employés en opposition, la langue courante tendant à ne retenir que *voilà.* ➜ *Voici* s'emploie aussi pour désigner les choses dont il va être question dans le discours (1361, Machaut : *vezci*), *voilà* exprimant (v. 1360) que certaines choses viennent d'être dites. A cet emploi se rattache ***voilà parquoi*** (1580), ***voilà tout*** (1601), ***voilà ce que c'est que...*** (1627). ◇ Depuis le XIVe s. également, *voici* sert à désigner ce qui arrive, approche, commence à se produire; suivi d'un infinitif et d'un nom (1485), le mot permet d'attirer l'attention sur une action imminente; cet usage est rare. ◇ *Ne voilà pas* (1553), *voilà pas* (*vela pas,* 1511), marquant la surprise, est sorti d'usage; la forme *ne voilà-t-il pas* (1627) a vieilli; seul se maintient ***voilà-t-il pas*** (1664), encore vivante régionalement dans la langue orale sous la forme *voilà t-i pas, v'la-t'y pas* (1604, noté *velati pas*). L'alternance *voici-voilà* a inspiré (v. 1990) l'exclamation plaisante ***voili voilà*** pour renforcer *voilà* répété. ◇ *Voici* pour «il y a (un certain temps)» (1564) est littéraire, *voilà* suivi d'un complément de durée, étant seul courant avec cette valeur (1757). ***Voici que*** (1629), qui succède à *vezcy que* (1369), s'oppose à ***voilà que*** (1662). ◇ En outre, *voici* (1627), et plus couramment aujourd'hui *voilà* (dans cet emploi depuis 1485), s'emploient introduits par *que* pour désigner qqch., qqn. Entre *voici, voilà* et *que* peut être introduit un groupe à valeur temporelle (attesté 1668), pour souligner la durée qui sépare le moment présent de celui dont on parle *(voici un an que...).* ◇ Depuis l'époque classique, *le voilà* peut être suivi d'un pronom relatif complément; cette tournure sert aujourd'hui à exprimer la soudaineté d'une action *(le voilà qui se met à crier).*

Les deux mots entrent dans plusieurs expressions, l'opposition entre «proche» et «éloigné» n'étant plus pertinente, la valeur de présentatif l'emporte. Par exemple, *voici* présente un pronom caractérisé (*me vecy...,* 1485; *me voicy devenu...,* 1580, Montaigne; même construction pour *voilà,* 1485 et déb. XVIIe s.). ***Nous y voici,*** au figuré «ce que nous attendions va se réaliser» (1676, aussi ***nous y voilà***), puis «nous abordons enfin le point essentiel» (1694; 1730 pour *nous y voilà*). L'expression s'emploie aussi pour «nous sommes arrivés» (1687, *nous y voilà*). ◇ *Me voici bien* (1678) a disparu, remplacé par ***me (nous, le...) voilà bien*** (1610), qui s'emploie pour parler d'une situation fâcheuse, désagréable. ◇ ***En voilà jusqu'à...,*** suivi d'un complément à valeur temporelle (1701), ***en voilà pour longtemps*** (1909) et ***en veux-tu, en voilà*** (1750) «beaucoup», sont restés usuels. ◇ *Voilà* s'emploie à la fin d'une énumération, renforcée en *et voilà* (1830), pour marquer qu'on ne peut rien ajouter à ce qui a été dit.

▸ **REVOICI** (1530) et **REVOILÀ** (1633), réfection de *revela* (1339), préposition, s'emploient familièrement, surtout avec un pronom personnel.

✱ **VOIE** n. f., d'abord *veie* (XIe s.) puis *voie* (v. 1175), est issu du latin *via* «voie, route, chemin, rue», alors opposé à *semita* «sentier, trottoir» (→ sente); *via* correspond aussi à «chemin parcouru», «marche, voyage». Le mot signifie au figuré «chemin à suivre», par équivalence du grec *methodos,* composé de *hodos* «chemin» (→ méthode). *Via,* comme le gotique *wigs* «chemin» (cf. anglais *way,* allemand *Weg*) et le grec *hodos,* se rattache à une racine indoeuropéenne °*wegh-* «se déplacer, tirer» (→ véhicule), qu'on retrouve par exemple dans les langues germaniques (anglais *way*). *Via rupta* a donné *route**.

♦ Le mot, comme en latin, a d'abord une valeur concrète, désignant un espace à parcourir pour aller quelque part, qu'il soit ou non aménagé, en concurrence avec *chemin,* puis aussi *route;* de là viennent les locutions *en voie* «loin, parti» (XIe s.), *en la voie se mettre* (1140) et *entrer en sa voie* «se mettre en route» (1080), devenue à l'époque classique *se mettre en voie* (1665), toutes disparues. ➛ Dès le XIIe s., *voie* reprend l'emploi figuré de *via,* «suite d'actes orientés vers une fin», par métaphore du chemin que l'on peut suivre, spécialement dans un contexte religieux où il équivaut à «commandements (de Dieu)» (v. 1120); de cette valeur sont issues les expressions religieuses ***la voie étroite*** (XIIe s.) «le chemin du paradis», parce qu'il est difficile d'assurer son salut, son inverse ***la voie large*** «l'Enfer» semblant tardif (attesté en 1872); on a employé dans ce sens *la voie* (1273), «qui convient au but à atteindre», opposé à ***la mauvaise voie*** (v. 1330). ◇ *Voie* a également, à partir du XIIe s. (v. 1120), le sens latin de «manière de procéder», à l'époque classique construit avec *de* et l'infinitif (1672), pour exprimer le but recherché. ➛ Avec sa valeur concrète, *voie* entre dans des locutions comme *se mettre à la voie* «se diriger quelque part» (1138), *chacier* [chasser] *en voie* «mettre (un ennemi) en déroute» (v. 1155), sorties d'usage comme l'acception métonymique pour «voyage» (XIIe s.), employée jusqu'à l'époque classique, spécialement à propos d'une expédition chez les Sarrasins (apr. 1150). Jusqu'à la fin du XVe s. *être en voie de* se dit de ce qui se modifie dans un sens déterminé (fin XIIe s., avec un nom; v. 1283, suivi d'un infinitif). ◇ Au XIIIe s., *voie* désigne en vénerie les lieux par lesquels est passé le gibier et les marques qui indiquent son passage. De cette acception viennent de nombreuses expressions, comme *voie de bon temps* «qui n'a qu'une heure ou deux» (1635), *voie légère* «que les chiens peinent à suivre» (1778), *voie chaude, fumante, vive* «sur laquelle le gibier vient de passer» (1872), etc.; *être à bout de voie,* en parlant d'un chien et, au figuré (fin XVIIe s.), pour «s'arrêter faute de moyens». Ces expressions ont vieilli ou ont disparu, à la différence de ***mettre qqn sur la voie*** (1762) «donner des indications à qqn», aussi *remettre sur la voie;* l'emploi du pluriel dans ces expressions (1690, *remettre qqn sur les voies*; v. 1778, *mettre sur les voies*) a disparu. Plusieurs locutions associent *voie* et *vent,* terme de vénerie (→ vent). ◇ Le nom, toujours avec sa valeur concrète, s'est dit (1213) de l'espace nécessaire pour brandir une arme et frapper. ◇ Par métonymie et dans un autre contexte, *voie* a distingué une galerie dans une maison. ➛ *Voie* s'est spécialisé en droit, signifiant «moyen d'action juridique» (v. 1283), devenu ***voie de droit*** (1690), et ensuite dans ***voie de fait*** (1378).

Le sens concret de «chemin» s'enrichit au XIVe s. en s'appliquant à un canal creusé pour le passage des bateaux (1320), sens étendu plus tard aux rivières navigables, surtout dans des syntagmes plus tardifs comme ***voie d'eau*** ou ***voie navigable.*** ➛ Au XVIIe s., le mot s'emploie par figure dans ***voie lactée*** (1632) pour *la Galaxie.* ◇ Il désigne spécialement les grandes routes de l'Antiquité (1510), notamment dans le syntagme ***voie romaine,*** repris au latin *via.* ◇ C'est au cours du XVIIe s. que *voie* désigne administrativement un chemin tracé et aménagé (1690), d'où ***voie publique*** *(id.),* et que le mot s'emploie dans la locution ***être par voies et chemins*** «sans cesse en déplacement» (1690).

Par analogie, le mot désigne au XVIIIe s. une galerie de mine *(voye);* au XIXe s., *voie* (1831) ou *voie de fer* (1828), remplacé par *chemin* de fer,* puis par ***voie ferrée*** (1858), qui est resté vivant dans un emploi concret, désigne l'ensemble des rails qui forment un chemin pour un convoi, puis par métonymie (1838) l'espace entre les deux files de rails. On dit aussi absolument *la voie* pour «les rails» (cf. ci-dessous *entre-voie* et *contre-voie*). Avec ce sens, le mot s'emploie aussi dans ***voie de garage*** (1865), désignant la voie recevant les trains qui se garent pour laisser le passage libre, expression appliquée par figure (v. 1960) à la situation d'une personne mise à l'écart.

À côté de ces emplois où le mot s'applique à un chemin concret (ou métaphorique), *voie* connaît depuis le moyen français des emplois extensifs, où il désigne le parcours d'un instrument et par métonymie sa dimension : *une voie de faux* (1408) «largeur coupée par la faux», et aussi une quantité transportée : «charretée» (1508), *voie d'eau* signifiant (1407) «deux seaux d'eau pleins», *voie de charbon* (1660) «sac de charbon de bois», *voie de bois* (1579), etc., tous emplois sortis d'usage avant la fin du XIXe s. (*une voie, une voie de bois* est encore courant v. 1850). ◇ Avec la même valeur que dans *voie de faux,* on trouve au XVIIe s. en technique le sens de «largeur d'un trait de scie» et «écartement des dents» (1690), d'où l'expression encore en usage ***donner de la voie à une scie*** (1765). ◇ Plus couramment, *voie* désigne la largeur d'essieu d'une voiture

(1660), les traces laissées par les roues *(id.)*, ***avoir la voie*** (1798) correspondant à «avoir le bon écartement de roues, correspondant au tracé des ornières». ◇ Par une autre figure métonymique, ***voie d'eau*** (1678) désigne l'ouverture accidentelle par laquelle l'eau peut entrer dans un navire ; cet emploi est resté vivant et usuel. ➛ Au figuré, continuant des métaphores et locutions anciennes, apparaissent en moyen français (1314) le sens de «conduit anatomique», étendu en français moderne aux transmissions nerveuses (*voies sensitives, motrices*, etc.) puis, à partir du XVIIe s., des emplois et sens nouveaux dans l'usage général. ***Ouvrir la voie à qqch.*** (1662) correspond à «préparer les conditions de sa réalisation» ; on dit aussi ***préparer la voie.*** Le sens figuré de «moyen» est réalisé dans le vocabulaire de la chimie, avec *(par)* ***voie humide*** (1690) et ***voie sèche*** «manière d'opérer avec ou sans liquide», et avec la nuance d'«intermédiaire» dans l'emploi pour «suite de moyens à suivre» (1690) par exemple dans ***par voie hiérarchique*** ou ***par la voie diplomatique.*** ◇ *Voie* correspond aussi à «façon d'évoluer, d'avancer» dans *laisser une chose en voie*, «sans s'en occuper» (1690), sorti d'usage. ◇ Au XIXe s., le sens général de «procédé» entre dans l'usage administratif avec une expression comme ***voies et moyens*** «moyens pour financer le budget de l'État» (1835). Au XXe s., ***par voie de conséquence*** (attesté 1946) correspond à «en conséquence». ◇ Enfin l'idée de «chemin» s'étend à la transmission d'informations, le mot le plus normal étant néanmoins *ligne*. Cependant ***voie de transmission*** (v. 1975) s'emploie en télécommunications et en informatique. ➛ Le sens concret, dans l'usage administratif, englobant routes, chemins et rues, s'enrichit d'expressions nouvelles au XXe s. : ***voie privée*** (1936), ***voie express*** (v. 1968), ***voie piétonne,*** etc.

▶ Le diminutif **VOYETTE** n. f. désigne (v. 1260) régionalement un petit chemin et, spécialement (1904), un sentier destiné aux chasseurs.

➛ **ENTRE-VOIE** n. f. désigne (1845) l'intervalle qui sépare deux rails et, par métonymie, la couche de gravier qui recouvre la chaussée sur laquelle sont posés les rails. ➛ **CONTRE-VOIE** n. f., également technique, se dit (1894) de la voie empruntée à contresens par un train, d'où la locution adverbiale ***à contre-voie*** (1917).

CLAIRE-VOIE n. f. (1344 *clere voye*) désigne une clôture à joue et a donné lieu à la locution ***à claire voie*** (1420), qualifiant une paroi qui présente des vides.

DÉVOYER v. tr., verbe préfixé avec *dé-*, d'abord sous les formes *desvoier, desveier* (XII-XIIIe s.), signifie dans ses premiers emplois (v. 1155, *desvoier*) «pousser hors de la voie (au figuré), égarer», «détourner», sens aujourd'hui vieilli, et en emploi pronominal «s'éloigner, s'égarer», au propre. C'est la valeur de «faire sortir de la bonne voie morale» qui domine dans l'usage. ◇ Le verbe était aussi intransitif, signifiant notamment «perdre la raison» (1165-1170, *desveier*), «dissimuler» (v. 1210), sens auquel correspond l'emploi transitif pour «tromper, induire en erreur». ◇ *Se dévoyer* s'est aussi employé pour «tromper sa femme» (v. 1450) et, dans le vocabulaire religieux, pour «quitter la voie du salut» (1440-1475). ➛ *Dévoyer* entre dans le vocabulaire médical au XVIe s. d'après le sens anatomique de *voie*, dans *dévoyer le ventre* «faire vomir» (v. 1560), devenu *dévoyer l'estomac* (1631), encore relevé en 1829, et *dévoyer* «donner la diarrhée» (1680), également disparu après s'être employé comme intransitif (1845) pour «avoir la diarrhée». ◇ En architecture, il a signifié «déranger la ligne verticale» (1690). ➛ Les dérivés ont eu des emplois parallèles à ceux du verbe. ➛ **DÉVOYÉ, ÉE** adj. et n. se disait (XIIe s.) pour «hors de sens, fou», acception encore relevée en 1752. L'adjectif s'est appliqué aussi à une personne qui est dans l'erreur (XVe s.), sens vivant à l'époque classique. ◇ Avec une valeur concrète, l'adjectif a qualifié une personne égarée, sortie du bon chemin (v. 1550), puis envoyée par erreur sur un mauvais itinéraire. *Dévoyé* désigne figurément en religion une personne qui n'est pas dans la voie du salut (fin XVIIe s., n. m.), d'où *les dévoyés*, n. m. pl., «les hérétiques», sorti d'usage. ◇ Par extension, *dévoyé* se dit littérairement de qqn qui ne suit pas la voie de la vertu (attesté au XXe s.). ➛ **DÉVOIEMENT** n. m., d'abord concret dans le sens de «chemin impraticable» (XIIe s., *desvoiement*), usuel jusqu'à la fin du XVe s., s'est dit aussi par figure pour «égarement, débauche» (1268), encore au XVIe siècle. Dans le domaine moral, *dévoiement* signifie à l'époque classique (1671, *desvoiement d'esprit*) «erreur, délire», puis «faiblesse anormale de caractère» (déb. XVIIIe s.) ◇ Avec une valeur concrète, le mot a désigné le fait de s'égarer (XVe s.). ◇ D'après *dévoyer*, mais attesté un peu avant, *dévoiement* désigne un vomissement, une indigestion (1538), la diarrhée (1680), acceptions médicales sorties d'usage. ◇ Le mot est employé ensuite (1611) à la fois à propos d'une digue construite pour changer le cours d'une rivière et du fait de changer de cours. ◇ En technique, le mot signifie (1802) «déviation d'un tuyau de cheminée».

FOURVOYER v. tr., formé de *four-, for-* (→ fors), de *voie* et suffixe verbal (v. 1155, *forvoyer ;* XVe s., *four-*) signifie avec une valeur concrète «conduire hors du bon chemin», vieilli à partir du XVIIIe s., alors que le pronominal *se fourvoyer* (v. 1200) est toujours usité spécialement en vénerie (attesté 1845). ◇ Le verbe est littéraire dans l'emploi figuré pour «égarer, tromper» (v. 1155), plus courant au pronominal (1653). ◇ Les emplois intransitifs de *fourvoyer* pour «se tromper» (XIIe s.), puis «perdre la raison» (v. 1200) et, concrètement, «être chassé d'un endroit» (1526), ont en revanche disparu. ➛ **FOURVOIEMENT** n. m., d'abord «chemin sur lequel on s'égare» (XIVe s., *forvoyement*), désigne ensuite (XVe s.) le fait de ne pas suivre sa route, au propre et au figuré. ◇ *Fourvoiement* a signifié concrètement «détour d'une rue» (1559). ◇ Seules les valeurs figurées ont survécu, dans un usage littéraire.

◈ voir CLAIRE-VOIE (art. CLAIR, adj.), CONVOYER, DÉVIER, ENVOYER, OBVIER, TRIVIAL, VIA, VIADUC, VIATIQUE, VOYAGE, VOYER (et VOIERIE), VOYOU.

VOILÀ → VOICI ; LÀ

① **VOILE** n. m. (v. 1170), d'abord attesté (1167) sous la forme *vol*, aussi écrit *voil* (fin XIIe s.), est issu du latin *velum* «voile», «toile», «tenture», spécialement «voile tendu au-dessus d'un théâtre», «toile pour protéger du soleil», et «voile pour cacher à la vue», au propre et au figuré (→ velum). Les Latins distinguaient *velum* «rideau» et *vēlum* «voile de navire» (→ ② voile); il est difficile de dire si les deux mots remontent à une forme unique reconstituée en °*weg-z-lom*, qui proviendrait d'une racine indoeuropéenne °*weg-* «tisser», ou s'il y a seulement homonymie entre eux. Dans ce cas, *velum* «rideau» viendrait de °*wes-lom*, apparenté à *vestis* (→ veste, vêtir), et *vēlum* «voile de navire» procéderait seul de °*weg-s-lom*, lié à *vehere* (→ véhicule), à *via* (→ voie), d'une racine indoeuropéenne °*wegh-* «aller en char».

♦ Le mot apparaît au XIIe s. sous la forme *vol*, déjà avec plusieurs acceptions. Dans le vocabulaire religieux, il désigne la pièce d'étoffe que les religieuses portent sur la tête. Cette valeur, pour laquelle la forme moderne *voile* est attestée v. 1460, a fait du voile le symbole de l'état de religieuse, et a donné lieu, apparemment assez tard, aux expressions ***prendre le voile*** (1571), puis ***prise de voile*** (XIXe s.), qui concernent le fait de devenir religieuse et de prononcer les vœux; cf. *prise d'habit.* ◇ Par ailleurs, le mot désigne (v. 1170) une étoffe qui cache une ouverture, spécialement (déb. XIIIe s.) la tenture qui, dans le temple de Jérusalem, séparait le saint des saints du reste de l'édifice, cachant à la vue l'arche d'alliance. ◇ Depuis la fin du XIIe s. (*voil;* 1596, *voile*), il se dit par métaphore de ce qui empêche de connaître ou de ce qui change l'apparence de qqch.; avec cette valeur, *voile* entre plus tard dans de nombreuses locutions, comme ***lever le voile*** (1594), ***arracher*** (1689), ***déchirer*** (1679) ***le voile, jeter un voile sur qqch.*** (1730) et ***lever*** (1742), ***soulever un coin du voile.*** ➛ Cette valeur d'«élément qui dissimule» s'est conservée au propre et au figuré. Depuis le XIIe s. (v. 1170), *voil* puis *voile* (fin XVe s.) désigne plus généralement une pièce d'étoffe qui couvre une partie du corps et aussi une coiffure féminine de tissu fin, flottante, qui cache la tête (voir ci-dessous, des spécialisations et métaphores de ce sens). *Voile* a aussi repris un sens du latin (1380), s'employant en moyen français pour «tente» (de marché, de théâtre); ce fut aussi le nom d'une pièce d'étoffe servant d'étendard (1559). ◇ En botanique, *voile* s'est dit par analogie d'aspect (1667) de l'enveloppe qui entoure les fleurs de certaines liliacées, aujourd'hui de l'enveloppe du carpophore (partie aérienne portant les spores) des champignons (1872). ◇ Au pluriel, à propos de l'Antiquité (1627) et en poésie, le mot nomme les vêtements légers et transparents qui couvraient le corps des déesses; ***les voiles de la nuit*** (1668), littéraire, s'emploie pour «l'obscurité de la nuit». ◇ En emploi métaphorique, *voile* désigne (1561) ce qui a pour but de dissimuler la réalité, de tromper et, par analogie (1690), ce qui rend moins net, ce qui obscurcit, d'où ***voile de la mort*** (1728) «obscurcissement de la vision, à l'approche de la mort», expression sortie d'usage. La locution figurée *mettre un voile sur les yeux* «illusionner» (1690) a disparu, mais ***avoir un voile devant les yeux*** (1872) se dit encore. ➛ À côté de ces emplois métaphoriques et analogiques, le mot, d'après le sens concret initial, prend à partir du XVIIIe s. d'autres valeurs. *Le voile, du voile* désigne (1723) un tissu léger et fin, d'après le voile des religieuses, fait de ce tissu. ◇ *Voile* désigne spécialement (1721) la pièce d'étoffe cachant le visage des femmes dans certains groupes sociaux, notamment islamiques (on dit depuis peu *voile islamique* → tchador); il a alors des synonymes empruntés. *Voile* désigne aussi au XVIIIe s. un morceau de tissu fin qui orne une coiffure (1758). ◇ Par analogie d'aspect, il devient un terme d'anatomie, dans ***voile du palais*** (1784). ◇ Au début du XIXe s., le mot s'emploie, par extension du sens concret, pour nommer une pièce de vêtement de femme, cachant une partie du corps (1826), de là ***sans voiles*** «toute nue» (1876). ◇ Par analogie, *voile* s'emploie en photographie (1876), se disant de la partie anormalement obscure d'une épreuve et, en physiologie (1881), pour «obscurcissement du champ visuel», aujourd'hui dans *voile noir, gris, rouge* (XXe s.) et dans ***avoir un voile devant les yeux.*** ◇ Au début du XXe s., *voile* désigne par analogie, en médecine, une diminution de la transparence d'une partie du poumon, surtout dans ***voile au poumon,*** indice d'un début de tuberculose pulmonaire.

► ① **VOILER** v. tr., a été dérivé de ① *voile* pour «couvrir (une jeune fille) d'un voile», pour la faire religieuse (v. 1155, *veler*), sens usité jusqu'au XVIIIe siècle. Il signifie ensuite «étendre un voile sur (qqch.), pour protéger, masquer» (XIIIe s., *veler* «tendre des draps sur le parcours d'un cortège»). ◇ *Voiler* prend en moyen français (v. 1380) le sens général de «couvrir d'un voile», puis par analogie de «dissimuler plus ou moins (qqch.)» (1550), «ôter la possibilité de connaître», «cacher (la vérité)» (1611) et *voilé, ée* adj. signifie «rendu obscur» (1580). ◇ *Voilé, ée* (1550) et *se voiler* (1690) s'emploient avec l'idée de perte d'éclat, de ternissement, spécialement à propos du ciel et du regard (1824), puis *se voiler* correspond à «perdre sa netteté» en parlant d'un son (1836, Stendhal; 1798, *voilé,* adj.). ◇ Le sens concret de *se voiler* «se cacher, notamment le visage à l'aide d'un voile» et de *voilé, ée* adj. n'est attesté qu'au XIXe s. (*se voiler,* av. 1830), notamment en parlant des musulmanes (1872). ➛ ① **VOILAGE** n. m. désigne (1904) l'action de voiler ou le fait de se voiler, en parlant d'une photo. ◇ Avec la valeur collective de *-age,* le mot s'était employé (dep. 1537) pour «voile d'une religieuse». ◇ Il désigne, en français du XXe siècle, une garniture d'étoffe transparente (1926), un grand rideau de voile (1949). ➛ ① **VOILEMENT** n. m. semble récent pour «action de mettre un voile à (qqn)», ou «fait d'être voilé». ① **VOILETTE** n. f., diminutif de *voile,* s'est employé isolément pour «couvre-chef», écrit *volettes* (XIIIe s., de l'ancienne forme *vol*). Le mot a été repris au XIXe s. pour désigner (1842) un petit voile transparent, parure que les femmes portent à leur chapeau et qui peut se rabattre devant les yeux ou le visage; en dérive **VOILETTÉ, ÉE** adj. (déb. XXe s.), rare. ➛ **VELET** n. m., emprunté à l'ancien provençal *velet* (1339-1368) au sens de «petit voile pour femmes», ou dérivé d'une forme archaïque de *voile,* a désigné une espèce de toile (1464) puis la doublure du voile de dessous des religieuses (1680, *vélet;* 1694, *velet*). Il est sorti d'usage au XVIIIe siècle.

① **DÉVOILER** v. tr., formé (XVe s.) de *dé-*, *voile* et suffixe verbal, signifie d'abord au figuré «faire connaître (ce qui était inconnu), révéler» (1440-1475). Au XVIe s., le verbe prend, d'après la première acception de *voile* (ci-dessus), le sens de «quitter la vie religieuse» (1554, pron.). Le sens concret de «découvrir en ôtant ce qui couvre, un voile» apparaît aussi au XVIe s. (1556). ◇ Le pronominal *se dévoiler* (XVIe s., Baïf) correspond à «apparaître», en parlant de qqch. qui avait été caché à la vue, puis s'emploie en parlant du ciel (1690) et, au XIXe s. par figure, au sens de «montrer involontairement ses intentions» (1864). ➜ **DÉVOILEMENT** n. m. est usité au propre (1606) et au figuré (1660).

① **ENVOILER** v. tr. (1554), repris (1888) dans l'usage littéraire, signifie «couvrir comme d'un léger voile».

◈ voir **RÉVÉLER**, **VEL-**, **VEXILLE**.

② **VOILE** n. f., d'abord écrit *voille* (v. 1130), variante *veille* (v. 1150), puis *voile* (v. 1175), représente l'aboutissement du latin tardif *vela*, pluriel pris pour un féminin singulier (cf. italien *vela*) du latin classique *vēlum* «voile de navire», employé aussi par métonymie pour «navire». *Vēlum*, peut-être identique à *velum* (→ ① voile), avait aussi abouti au nom masculin *veil* (v. 1210, *voil*), éliminé par l'homonymie avec ① *voile*.

♦ Le mot désigne un morceau de tissu résistant attaché à la vergue d'un mât, destiné à recevoir l'action du vent pour faire avancer un navire. Par analogie de fonction, il s'est dit aussi (1285) de la garniture de toile d'un moulin à vent. Par métonymie, *une voile* désigne ensuite comme en latin (1369), dans un usage littéraire, un bateau à voiles. ◇ L'importance de la voile en marine, avant l'invention de la propulsion à vapeur au XIXe s., explique que le mot soit entré dans de nombreuses locutions, dont beaucoup ont pris une valeur figurée. *À la plainne voile* «les voiles déployées» (1204) est devenu ***à pleines voiles*** et a signifié au figuré «sans hésitation» (1559), «sans obstacles» (déb. XVIIe s.). ***Faire voile*** «être en train de naviguer» (fin XIIIe s.) a eu pour équivalent *être sous voile* (1678) et ***être à la voile*** (1689). *Mettre les voiles au vent* «déployer les voiles pour partir» (1559) s'est dit par figure pour «entreprendre qqch.». Par ellipse ***mettre à la voile*** est attesté au figuré pour «partir» (1652), remplacé plus tard par ***mettre les voiles*** (v. 1900), familier. *Faire de la voile* signifiait (1773) «soumettre beaucoup de voiles à l'action du vent», c'est-à-dire «tenter d'avancer le plus vite possible». Voir ci-dessous l'emploi moderne. ◇ L'idée de départ est présente dans la locution figurée *mettre toutes les voiles au vent* «mettre tout en œuvre pour réussir» (1798), remplacée par ***mettre toutes voiles dehors*** (1830). ◇ Par figure, la locution ***avoir du vent dans les voiles*** signifie «être ivre» (1835). D'une manière générale les mots *voile* et *vent** sont souvent associés dans la phraséologie.

C'est un peu avant le moment où la navigation à voiles est concurrencée par la vapeur que l'on emploie *la voile* pour «navigation à la voile» (1797). À partir de la fin du XIXe s., les grands voiliers étant remplacés par des navires à vapeur, le mot est associé à l'idée de sport nautique, aux compétitions sportives, par exemple dans *régatiers à la voile*, apparu au milieu du siècle (1855). *Char à voile* désigne un véhicule à voile utilisé pour un jeu sportif, d'abord sur les plages belges (1898). Puis au XXe s., *la voile* correspond à «sport de la navigation de plaisance à la voile» (*faire de la voile, aimer la voile, école de voile*, etc.). ◇ Par métaphore, ***à voile et à vapeur*** se dit familièrement (XXe s.) d'une personne bisexuelle.

▸ Le dérivé ② **VOILER** v., réfection (v. 1175, *voiller*) de *veilier* (1165-1170), a signifié «mettre (un navire) à la mer». Il s'emploie ensuite par analogie (1765) pour «prendre une forme convexe» comme celle d'une voile de bateau. Il n'est plus en usage qu'au pronominal *se voiler* (1771) ou en emploi transitif avec un sujet nom de personne (déb. XXe s.). ➜ **VOILÉ, ÉE** adj. s'applique à un bateau muni de voiles (1165-1170, *veilé*; 1611, *voilé*). D'après le sens technique et analogique de *(se) voiler*, il qualifie ce qui est légèrement gauchi (1872) ou tordu (XXe s., d'une roue). ➜ ③ **VOILE** n. m., déverbal de ② *voiler*, terme technique (1933), se dit de la déformation d'une roue voilée. ➜ ② **VOILAGE** n. m. désigne (1927) l'état d'une pièce voilée, comme ② **VOILEMENT** n. m. (v. 1950). ➜ Le préfixé ② **DÉVOILER** v. tr., réfection de *desveler* (v. 1112), signifie comme lui «débarrasser (un navire) des voiles». ➜ Il s'oppose à ② **ENVOILER** v. tr. (1431), disparu. **S'ENVOILER** v. pron., «se courber au moment de la trempe» en parlant du fer, de l'acier, est un terme technique (1676) qui a fourni **ENVOILURE** n. f. (1864).

VOILIER adj. et n. m. a qualifié (1510) et désigne (1660) un navire muni de voiles; par analogie il s'applique (1784) à un oiseau dont le vol est très étendu, aussi employé comme nom, *un voilier* (1829). ◇ *Voilier* n. m. est également le nom d'un poisson à grande nageoire dorsale (1801). ◇ En technique, il désigne depuis le XVIe s. (1567) un ouvrier qui fabrique ou répare les voiles. ➜ ② **VOILETTE** n. f. a désigné (1593) la membrane du nautile, qui lui sert à se mouvoir, puis une petite voile (1836, aussi *velette*). Le mot, à cause de l'homonyme ① *voilette*, est sorti d'usage. ➜ **VOILURE** n. f., d'abord (1678) «art de placer les voiles», désigne ensuite (1691) l'ensemble des voiles d'un bâtiment, d'où *centre de voilure* (1834) [→ vélique] et, par analogie, l'ensemble des surfaces portantes d'un avion (1929; 1873, à propos d'un oiseau). ➜ **VOILERIE** n. f. est un terme technique (1691) désignant un atelier où l'on fabrique et répare les voiles.

◈ voir **VÉL-**, **VÉLIQUE**, **VÉLUM**; **VEDETTE**.

✳ **VOIR** v. est l'aboutissement d'une évolution phonétique attestée par les formes *veder* (v. 980), puis *vedeir* (1080), *veeir* (v. 1155) et *veoir* (v. 1200); la forme contractée *voir* est attestée en 1636, mais on trouve *veoir* jusqu'en 1671. Le verbe est issu du latin *videre*, construit absolument ou avec un accusatif et signifiant «percevoir qqn, qqch. par la vue», «donner sur», «être témoin de, disposer de» et «remarquer, constater»; le latin avait aussi plusieurs acceptions figurées : «imaginer», «avoir de la clairvoyance», «juger, examiner, déterminer», «prendre des mesures pour, pourvoir à». ◇ *Videre* se rattache à la racine indoeuropéenne °*weid-* qui indique la vision en tant qu'elle sert à la connaissance et n'a que secondairement le sens concret de «percevoir par la vue». °*Weid-* a fourni en grec *idein* «voir» et «avoir vu», infinitif aoriste de *hôran* (→ idée). Le parfait de °*weid-*, qui exprime un résultat acquis, signifie «savoir», ainsi que le sanskrit *véda* «je sais» (→ véda), le gotique *wait*, etc. ➛ L'indoeuropéen avait trois racines pour indiquer la vision ; °*derk-*, indiquant proprement l'acte de voir, n'a pas été repris en latin mais a fourni en grec *derkesthai* (aoriste *edrakon*). Le latin conserve les deux autres : °*spek-* «contempler, observer», dans *specere* et le mot-racine *-spex* (→ espèce, spectacle), que l'on retrouve en francique dans °*spehôn* «observer» (→ épier) ; et °*okw-*, dans *oculus* (→ œil), en grec dans *ops* «vue» (→ optique). °*Weid-*, «connaître», s'est en partie substitué à ces racines, produisant *videre*.

♦ À la 1re personne du singulier de l'indicatif présent, la forme phonétique normale *voi* (1080, *vei*), aboutissement de *video*, est la plus courante jusqu'au début du XVIIIe s., où elle est donnée comme archaïque. Le futur et le conditionnel *je voirai, je voirais* (XVIe s.), formés d'après *je voi, je voyais*, ne sont plus employés après le XVIIe siècle.

Voir reprend l'ensemble des acceptions du latin et est employé dans de très nombreuses locutions ; à côté du sens général de «percevoir par la vue», le verbe développe des valeurs figurées, «percevoir par l'esprit», «constater», «juger», «examiner», comme en latin où elles sont la trace de la racine indoeuropéenne °*weid-*. ➛ En français, le verbe apparaît avec le sens concret de «percevoir (des objets) par le sens de la vue», construit transitivement (v. 980) et intransitivement (1080) ; il signifie également, dès les premiers emplois (v. 980), «être spectateur, témoin de qqch.». La qualité de la vision s'exprime par *voir bien, voir mal* (v. 1170). ***Y voir*** (fin XIIe s.) correspond à «jouir du sens de la vue», aujourd'hui surtout en emploi négatif (*ne plus y voir, y voir mal*, etc.). ◇ Depuis le XIe s., *voir* équivaut selon le contexte à «s'apercevoir de, se rendre compte de» (1050) et «comprendre» et, dans le vocabulaire religieux, à «pouvoir contempler (Dieu)» (1050), acception liée à celle du mot *vision*. De manière complémentaire, il se dit de Dieu et de la connaissance illimitée qu'Il a du monde et de l'homme. Le verbe s'emploie ensuite concrètement au sens de «regarder avec attention» (1130) et, spécialement, «considérer (qqn, qqch.) d'une certaine manière», puis «examiner soigneusement, de façon à mesurer les conséquences» (v. 1196). ◇ *Voir qqn* se dit par extension (v. 1155) pour «se trouver avec (qqn)», «rencontrer», d'où «lui parler» ; de là viennent les expressions ***je l'ai vu de mes yeux*** (fin XIIe s.), ***de mes propres yeux*** (1669) et, dès le XIIe s., l'emploi de *voir* pour «aller rendre visite à qqn» (v. 1190). *Se voir*, réciproque, signifie «se rencontrer» (v. 1165) puis «se fréquenter» (1675). ◇ *Se voir*, qualifié, «se trouver (dans telle situation)» est relevé au XIVe s. (v. 1316).

Dès l'ancien français, le verbe *voir* a pris des acceptions extensives, comme «prendre connaissance de (qqch.) en le lisant» (1080) et «découvrir un pays» (1080). ***En voir, en avoir vu*** correspond à «connaître par expérience (des personnes, des choses de la même catégorie)» (v. 1207). ◇ Avec la valeur intellectuelle initiale du latin, *voir* s'applique à partir du XIIIe s. à la connaissance raisonnée, par exemple dans ***voir clair dans, en qqch.***, et absolument ***voir clair*** «être perspicace» (v. 1360), ou encore dans *veoir au long* «avoir de la pénétration», remplacé à l'époque classique par ***voir de loin.*** ◇ Deux autres notions abstraites se développent au XIVe s., celle d'activité réglée, dans *voir à qqn, à qqch.* (v. 1360) «s'en occuper» (*voir à* sera repris avec un infinitif) et celle d'expérience, le verbe étant employé au passé, dans *avoir peu veü* (v. 1370), *avoir beaucoup vu* (fin XIVe s.) et, plus tard (1668), *n'avoir rien vu.* ◇ L'idée de jugement se développe au XVIe s. (R. Estienne, 1549), à peu près en même temps que celle de connaissance par l'expérience et que celle de présence en tant que témoin, *voir qqch., une époque* correspondant à «vivre à cette époque» (1580, le sujet désignant une entité personnifiée). Dans ce type d'emploi, on passe de l'idée de perception (vue) et de conscience ou connaissance, à celle de présence et d'existence pure et simple. ◇ À la même époque (XVIe s.), *voir* prend des valeurs très affaiblies, sinon vides, renforçant un impératif, par exemple dans ***dites voir*** (v. 1534), plus tard ***écoutez voir, voyons voir,*** etc., ou dans *se voir* (et participe passé) [1550] qui équivaut simplement à *être* (*il s'est vu nommé directeur* : il l'a été). ◇ De même, *vois, voyez* servent à attirer l'attention (en incise *vois-tu* [1637], *vois-tu bien* [1634]). ◇ Une autre valeur atténuée est représentée par le pronominal *se voir* «pouvoir être perçu» (1559).

Une large série d'emplois, où le complément du verbe désigne une personne, continue à l'époque classique les valeurs de l'ancien français, «rencontrer, connaître, etc.» (voir ci-dessus) ; ainsi *voir une femme* (1640) correspond à «avoir des relations sexuelles avec elle» et *se voir* se dit de deux amants (1680). L'époque n'autorise pas encore la construction complémentaire où le sujet désigne la femme. ◇ Ce type d'emploi devient professionnel, pour «visiter», dans *voir un malade* qui se dit du médecin (1665) et du prêtre (1718) et pour «solliciter», en parlant du plaideur qui *voit ses juges* (1668). Curieusement, *voir* au sens d'«aller consulter» ne semble s'étendre à la situation médicale qu'au XXe s. (*aller voir un médecin* n'est enregistré qu'en 1923). ◇ Dans un autre contexte, *se voir* a correspondu à «se battre en duel» (1672), mais le pronominal signifie plus généralement, encore aujourd'hui, «se fréquenter» (1675, ci-dessus), alors que le transitif, dans ce sens (*voir la Cour*, 1696) est sorti d'usage. ◇ Toujours au XVIIe s., l'idée correspondant à *voir à qqch.* «s'en occuper» (ci-dessus), s'exprime par *voir de faire qqch.* (1614), et ***voir à faire qqch.*** (1632), toujours en usage du moins régional (*il faudra voir à..., faudrait voir à voir*, populaire), *voir que* (et subjonctif) ayant disparu. ➛ Quant aux emplois intellectuels, *voir* au sens de «juger» ne s'emploie plus qu'avec un adverbe, dans *voir bien, voir mal* (1749) «avoir un bon, un mauvais jugement», plus tard (1872) *voir faux* et *se voir* «pouvoir être discerné par l'esprit» (1690). ◇ ***Pour voir,*** «pour bien comprendre», apparaît au XVIe s. (1555). ◇ Une autre valeur psychologique, métaphorique du sens concret, correspond (1361) à «enregistrer des images créées par l'esprit» *(voir en rêve)* et à «se représenter par l'imagination» (av. 1648). Ces emplois extensifs donnent lieu à des locutions comme ***j'ai vu le moment que...*** «il s'en est fallu de peu que...» (1651) et, avec l'idée de «vision fictive», *voir cent mille chandelles (id.)*, devenu au XIXe s., ***voir trente-six chandelles*** (1868).

Au sens le plus usuel («perception par la vue»), *voir* acquiert d'autres emplois dans des locutions verbales, telles ***faire voir qqch. à qqn*** «lui montrer», «lui permettre de le regarder» (1636 avec sujet nom de chose; 1673, sujet nom de personne), ***laisser voir*** (av. 1678) qui a le même sens et se dit aussi pour «donner à connaître» (1677), et ***faire voir*** pour «démontrer, montrer» (1645). ***Se faire voir,*** «se montrer», est attesté au XVIe s. (1580). Par ailleurs, ***voir le jour, voir la lumière*** s'emploie figurément pour «être vivant» (1640), puis pour «paraître, être publié» (1690). ◇ Parmi les valeurs affaiblies, le pronominal ***se voir*** s'emploie avec l'infinitif pour «être en train (de subir qqch.)», par exemple dans *se voir mourir* (1636); *voir* signifie ici «être conscient de». ◇ Dans *à voir (qqch.)* «quand on considère» (1667), *voir* implique le jugement, comme il implique la surprise dans *que vois-je?* (1655) et l'indignation dans *voyez un peu!* (1673), *a-t-on jamais vu...* ou dans ***pour voir,*** formule de défi *(fais donc ça, pour voir!)* [1668]. ◆ Au sens de «considérer», le verbe s'emploie aussi au XVIIe s. pour «envisager pour un but précis», d'où *ne voir que...* (1701) «ne considérer que...». Au futur, *je verrai, nous verrons* (1690), puis ***on verra*** (av. 1772), s'emploient pour «la chose sera considérée, envisagée»; de même, ***manière de voir*** (1762) signifie «manière de juger». ◇ De là, avec un adverbe métaphorique exprimant une couleur, l'idée de «considérer avec optimisme ou pessimisme» dans *voir qqch. noir* (1718), puis ***voir en noir*** (1762), l'opposé ***voir tout en rose*** étant bien ultérieur (1870; ***voir la vie en rose,*** 1876). ◇ Dans certains cas, *voir* correspond à «deviner», par exemple dans ***voir venir qqn*** «comprendre ce qu'il va (ou qu'il veut) dire ou faire» (1623). ◆ L'idée de mise en rapport entre deux choses se dégage d'une tournure négative, *n'avoir que voir à qqch.* (1640), sortie d'usage. Ici, la valeur abstraite et intellectuelle, ramenée à un sujet nom de chose, se réduit à «être mis en rapport, se rapporter à», d'où ***n'avoir rien à voir avec qqch.*** (1718), «n'avoir aucun rapport», toujours usuel *(ça n'a rien à voir)*. ◇ Le rapport entre la perception visuelle et le lieu où elle est possible, c'est-à-dire la relation entre l'observateur et l'observé, est exploité dans l'apostrophe plaisante : ***allez voir là-bas si j'y suis*** (1633) pour «allez voir ailleurs, allez-vous en» et dans ***allez-y voir*** *(on aime mieux le croire que d'aller y voir,* 1690); *allez voir* correspond ici à «être (en un lieu)». Au XVIIe s., *un beau venez-y voir* signifiait «une chose négligeable». ◇ Au sens de «subir, éprouver», on relève ***en avoir vu (bien) d'autres*** (1547), d'où ***en voir, en avoir vu, j'en ai vu d'autres, j'ai vu pire,*** etc.

Tous les sens et la plupart des emplois du verbe étant déployés, il n'apparaît plus, à partir du XVIIIe s., que des nuances et des expressions nouvelles. *Voir* y correspond parfois à «être proche de, présent à», comme dans ***voir (avoir vu) la mort de près*** (av. 1720) ou, au XIXe s., ***avoir vu le feu*** «avoir participé à des combats» (av. 1861); dans le même registre, ***voir faire qqch.*** signifie «en être témoin» (1876). ◇ C'est l'idée d'imagination qui prévaut dans la métaphore sur ***je vois ça d'ici*** (1772). ◇ L'impératif du verbe, utilisé depuis le XVIIe s. pour attirer l'attention, s'emploie spécialement pour renvoyer, dans une lecture, un texte : *voyez ci-dessous,* etc. (av. 1782), en concurrence avec l'infinitif *voir plus haut.* ◇ Les emplois lexicalisés de ***voyons!*** exprimant reproche, étonnement réprobateur, rappel à l'ordre, sont attestés au début du XIXe s. (v. 1820). On peut en rapprocher l'emploi du futur exprimant une menace *(tu verras, nous verrons,* 1722 et aussi *tu vas voir, vous allez voir ce que vous allez voir* [1753], etc.), mais *voir* relève alors du sens de «subir». ◆ Une nuance du verbe appelée à un grand avenir est celle où le complément désigne un spectacle visuel, théâtre, mais aussi danse, fête, attractions, exposition, puis au XXe s., cinéma, télévision. *Voir* signifie alors «assister à (un spectacle)». Cette valeur semble apparaître ou se développer à l'époque romantique (attestée 1832) et donne lieu à des emplois comme *aller voir (un spectacle,* au XXe s. *un film,* mais aussi *un acteur,* etc.). ◇ Par extension, *tu as vu...?* correspond à «est-ce que tu connais, es-tu au courant», par l'ambiguïté fondamentale du verbe entre «percevoir visuellement» et «connaître». De même, dans *il faut voir, il faut avoir vu* et dans *être à voir,* d'abord d'un spectacle, on passe à «offrir un certain intérêt» (1876). ◆ Toujours au sens général d'«être témoin de», une série d'expressions sont attestées vers le milieu du XIXe s. : ***je voudrais bien voir ça,*** qui signifie par extension «c'est inimaginable» ou «inacceptable» (1872), ***je voudrais bien vous y voir, vous voir à ma place*** (1872) «vous ne ferez pas mieux que moi», *on n'a jamais rien vu de pareil* (1872) puis ***on n'a jamais vu ça*** «c'est incroyable», ***faut (fallait) voir ça!*** correspondant à «c'est (c'était) étonnant». ◆ *Ne pas voir qqn* correspondant à «ne pas le supporter», parallèle à *ne pas pouvoir sentir,* la locution familière et courante ***ne pas pouvoir voir*** *(qqn, qqch.)* ***en peinture*** (1868), c'est-à-dire «même en peinture, en image», constitue un intensif. ◆ Enfin, du sens de «supporter», déjà ancien, viennent ***en faire voir à qqn*** et ***en voir (de dures, de belles),*** ainsi que ***se faire voir*** «se faire attraper» (1878), synonyme de *se faire avoir* et qui ne se comprend que par allusion au sens sexuel de *voir,* déjà attesté au XVIIe s. (ci-dessus), explicite dans ***va te faire voir*** (chez les Grecs, etc.), où *voir* est un euphémisme pour *foutre.*

▶ **VU, VUE** adj., prép. et n. m. qualifie (XIIe s., *veü,* écrit *veu*) à la fois ce qui est perçu par l'œil et ce qui est compris. *Vu* devient en moyen français une préposition (fin XVe s.) et signifie «eu égard à», et ***vu que,*** loc. conj. (1421), «attendu que», encore en usage régionalement. ◇ *Vu,* prép., s'emploie au XVIIe s. en droit (1690) pour «après avoir examiné» de même que ***le vu,*** n. m. (1690), par exemple dans *sur le vu de (qqch.)* [1872]. ◇ Des premières valeurs viennent l'emploi comme nom masculin dans ***au vu de tous*** «au grand jour» (XIVe s. : v. 1320), puis ***au vu et au su de*** (1510). ◇ ***Bien (mal) vu*** (1655) se dit d'une personne qui a (n'a pas) l'estime d'autrui, utilisant le sens spécialement et figuré de *voir* «juger, considérer». ***C'est tout vu,*** «c'est bien décidé» (1606), correspond à *voir* «estimer, examiner», ***ni vu ni connu*** (1783) au sens de «percevoir», comme ***du déjà vu*** (1938) pour parler de qqch. qui manque de nouveauté. ◆ Le composé **M'AS-TU-VU** n. m. inv. est un sobriquet donné (1902) aux acteurs médiocres, peut-être par référence à la question que les acteurs se posent entre eux à propos de leurs rôles. Ce sens a disparu, et le mot désigne (1906) une personne vaniteuse. ◇ Le dérivé **M'AS-TUVUISME** n. m. (1938) est rare.

VUE n. f., réfection graphique (XIIIe s.) de *veüe [veue]* (*La Chanson de Roland,* 1080), est la substantivation du participe passé de *voir.* ◆ Le mot a d'abord la valeur d'«action de voir» et est employé pour désigner le sens qui permet de voir. Il se dit aussi pour ce qui est vu (XIIe s., *vewe*), désigne l'étendue de ce qu'on peut voir d'un lieu et la perception de qqch. par le sens de la vue, ces valeurs de l'ancien français seront éliminées par *vision.* ◇ Par ailleurs *vue* se dit (v. 1360) du fait de recevoir des perceptions visuelles, associé à une participation de l'esprit. ◇ Par extension, le mot s'emploie pour le fait de regarder, dans ***à vue*** «aux yeux de tous» (v. 1130), disparu, puis dans ***à la vue de tous*** (1549). Par ailleurs, il désigne la distance jusqu'à laquelle on peut voir les objets (v. 1155). ◇ C'est avec l'idée de «manière dont on regarde» que *vue* s'est utilisé en droit (v. 1283), spécialement en parlant de l'examen d'une terre sur les lieux-mêmes, et avec la même valeur dans la locution ***à vue d'œil*** «d'une manière constatable par le sens de la vue» (XVe s.), sens archaïque, l'expression signifiant «approximativement». *La vue de (qqn)* [1370] signifie «le fait d'avoir sous les yeux, d'être en présence de», d'où spécialement en religion *la vue de Dieu* des bienheureux (1679) ou des mystiques (déb. XVIIIe s.). *À la vue de* (qqch.), «à une distance d'où l'on voit» (XVe s.), est sorti d'usage, comme *à vue de* (1680), supplantés par ***en vue de*** (1845) qui s'emploie surtout en marine. ◇ Le mot désigne le spectacle qu'offre qqch. (1461) et par métonymie ce qui permet de voir, une ouverture, une petite fenêtre (1438), aujourd'hui en droit dans des expressions comme *vue bée* (1690) devenu *vue oblique* (1804), ou encore dans *vue droite* (1804). La locution ***avoir vue sur*** (1707) «être dirigé vers» s'applique à la partie d'une habitation qui a une baie ouverte dans telle direction, puis de la baie elle-même (1735). ◆ *Vue* s'est employé depuis la fin du XVe s. (1489) et surtout à l'époque classique à propos de la rencontre entre deux personnes, valeur où *vue* a été remplacé par *entrevue*.* ◇ ***De vue,*** loc. adv., signifie «par la vue» dans *connaître qqn de vue* (1538). *Jeter sa vue sur qqch.,* «diriger ses regards vers» (XVIe s.), devenu *jeter la vue...* (1669), est resté en usage, alors que *en belle vue,* «aperçu de loin pour son avantage» (1538), où *vue* signifie «aspect sous lequel se présente un objet» (1667, employé seul), est sorti d'usage. ◇ La locution adverbiale ***en vue*** «dans une situation telle que la vue le perçoit» (1552) prendra au XIXe s. des valeurs figurées : «marquant» (1876, *personne en vue*) et, d'après le sens de *en vue de* «à une distance où l'on peut voir» (ci-dessus), au figuré «imminent» (XXe s.). ◆ Le sens abstrait de *vue* amorcé au XIVe s. (ci-dessus) se développe au XVIe s. pour «fait d'envisager, de se représenter par l'esprit» (1680). Cette valeur abstraite se développera dans la seconde moitié du XVIIe siècle. ◇ Auparavant, le mot entre avec ses valeurs concrètes dans des locutions figurées. ***Juger (qqch.) à vue de pays*** «en gros, au jugé» (1606) a vieilli mais se rencontre encore ; elle signifie aussi «sur le seul aspect des lieux» (1655). ◆ *Vue* s'emploie pour «les yeux, la vision» (mil. XIIIe s.), d'abord dans la locution ***donner dans la vue,*** «éblouir», signifiant au figuré (1636) «charmer, exciter les sentiments amoureux», puis seul (1658). ◇ *À vue,* «en observant, sans quitter des yeux», s'emploie spécialement dans ***payer (un effet, etc.) à vue*** (1676), ***chasse à vue*** (1654), ***garde à vue*** (1680), ces emplois en finance et en droit étant demeurés usuels et, au XXe s., dans ***changement à vue,*** en parlant d'un décor de théâtre et, au figuré, pour «changement soudain et total». ◆ *Vue,* avec sa valeur abstraite, se développe au XVIIe s., entrant dans la locution prépositive ***en vue de*** «de manière à préparer (un but, une fin, etc.)» (1665). ***Vues,*** au pluriel, signifie «ensemble d'idées» (v. 1650), puis «dessein, intention, projet» (1676), spécialement dans ***avoir des vues sur qqn*** «avoir l'intention de l'épouser» (1715), et *avoir des vues pour qqn* (fin XVIIe s.), puis *sur qqn* (1740) «penser à (qqn pour qqch.)» Au sens d'«idées», *des vues* entre dans l'expression ***échange de vues*** «discussion» (XXe s.). ◇ Par ailleurs, ***avoir qqn en vue*** signifie «penser à lui pour un travail, etc.» (1690), à côté de ***avoir qqch. en vue*** (1695) «se le proposer comme but» et, par une extension tardive (XXe s.), «penser qu'on l'obtiendra bientôt». ◇ Avec le sens concret, «action de voir, de regarder», *vue* désigne dans l'usage classique l'aspect sous lequel on voit qqch. (1667). ◆ C'est à cette notion que correspond ***point de vue*** (1651), où *vue* signifie «action de voir» et qui prend très vite sa valeur figurée (1670) [→ point]. ◆ *Une vue,* à la même époque, désigne par métonymie l'image qui représente un lieu dans une perspective donnée, c'est-à-dire un plan (1634), puis (1704) une représentation picturale de la nature. La notion de direction est dominante dans l'acception pour «perspective adoptée par le regard» (1708), par exemple dans ***vue plongeante.*** ◇ Le sens de «vision», appliquée aux animaux, donne l'expression ***à vue d'oiseau*** «de loin et de haut» (1678) qui sera remplacée par *à vol d'oiseau.* ◇ ***Seconde vue*** (1812) ou ***double vue*** (1876) se dit de la faculté de voir par l'esprit des faits hors de portée de la vue, d'où le sens figuré de «grande perspicacité». ◇ Au XXe s., d'abord en argot sportif (1919), le mot entre dans la locution *en mettre à qqn dans la vue* (ou *dans l'œil*), «l'emporter sur lui», sorti d'usage, puis dans ***en mettre (en foutre) plein la vue*** «éblouir», familier. ◆ Au sens de «représentation, image» (ci-dessus), *vue* sert à former ***prise de vues*** (1923), terme technique de cinéma. En français du Canada, ***les vues*** s'est dit pour «le cinéma». ◆ Le composé **BÉVUE** n. f. est formé (1642) à partir du préfixe *bé-, bes-,* issu du latin *bis* (→ bis). ◇ Le mot s'est dit d'une erreur due à la vue et désigne figurément (1655) une méprise grossière due à l'ignorance ou à l'inadvertance ; il s'est employé à l'époque classique (1690) à propos d'une faute due au manque d'attention, aux échecs. ➜ **LONGUE-VUE** n. f. (1825) vient de *lunette de longue vue* (1667) «lunette d'approche».

VOYANT, ANTE n. et adj., d'abord sous les formes *veant, veiant, voyant,* participe présent de *voir,* s'est employé, en ancien et en moyen français, comme préposition pour «à la vue de, en présence de» (1080, *veiant ;* v. 1180, *voiant*). ➜ Le nom désigne une personne qui voit (v.1120, *veant*) ; de là, adjectivement, *frère voyant* autrefois «membre de la communauté des Quinze-Vingts qui, n'étant pas lui-même aveugle, est marié à une femme aveugle» (1694), encore en 1878. Cette valeur opposée à *aveugle* est renforcée au XXe s. par l'usage courant de *non-voyant* (ci-dessous). ◇ L'adjectif qualifie une personne qui voit (1607) ; il est rare. ➜ Au sens passif «qui peut être vu» (XIIIe s.), il a disparu, mais cette valeur a été reprise avec la nuance spéciale de «qui attire la vue», d'abord (1660) en parlant de couleurs puis, au figuré et souvent péjoratif, «qui attire l'attention» (av. 1851). ➜ Avec la valeur abstraite et forte de *voir* «connaître et percevoir par l'esprit», *voyant,* dans la Bible, signifie «prophète» (v. 1170). C'est ensuite le nom donné (1812) à un visionnaire qui prétend avoir des connaissances surnaturelles (cf. *illuminé*), parfois à une personne très perspicace (*voyante,* av. 1850). D'où le sens (1871), littéraire, de «penseur qui voit et sent ce qui est inconnu des autres», acception reprise au XXe s. à propos de Rimbaud et de sa conception du poète. ◇ *Voyant* se dit à l'époque romantique (1837, Balzac) d'une personne qui prétend être doué de double vue, d'où *voyante,* n. f. (1869, Goncourt) et *voyante extra-lucide.* ➜ À la fin du XIXe s. (1894), le nom masculin désigne aussi un dispositif lumineux (par exemple dans *voyant lumineux*) destiné à attirer l'attention de l'utilisateur. C'est aussi le nom de divers dispositifs permettant de voir. ➜ **VOYANCE** n. f., d'abord *veance* «vue» (du XIIIe au XVe s.), est repris au XIXe s. pour désigner (1829) le don de double vue, l'état de voyant, appliqué ensuite aux différentes valeurs du mot. ➜ **NON-VOYANT, ANTE** n. est la reprise récente (v. 1970) de *nonveant* (v. 1155) formé sur *veant,* forme ancienne de *voyant* (ci-dessus). Le mot fonctionne aujourd'hui comme euphémisme officiel pour *aveugle.* ➜ **MALVOYANT, ANTE** adj. et n. signifie «affecté de graves troubles de la vue».

VOYEUR, EUSE n. est attesté en ancien français sous une forme correspondant aux variantes anciennes de *voir* (1138, *veor*) au sens de «guetteur». Le mot réapparaît à la fin du XVIIe s. (aussi *voyeux*), désignant qqn qui assiste à qqch. par simple curiosité, sens sorti d'usage. ◇ *Voyeur,* n. m., s'est spécialisé (1833) pour désigner une personne qui assiste sans être vue à des scènes érotiques. ◇ Le mot a signifié aussi par métonymie «ouverture par laquelle on peut observer une scène érotique» (1885), acception disparue. ➜ Le dérivé **VOYEURISME** n. m. (attesté 1957) est employé en psychiatrie pour désigner le comportement des voyeurs considéré comme une perversion sexuelle. ➜ **VOYEUSE,** n. f., a désigné (1771) une chaise à dossier bas, sur laquelle on s'asseyait à califourchon surtout autour des tables de jeu, et qui permettait de voir le jeu des autres joueurs.

REVOIR v. tr., réfection graphique (1549) de *reveoir* (XIIe s.), lui-même précédé par la forme archaïque *reveidir* (v. 980) [de *veidir,* → voir], a le sens général de «voir de nouveau». ◇ Selon les diverses acceptions de *voir,* le verbe signifie «se trouver de nouveau en présence de (qqn)» (v. 980), puis «examiner de nouveau, pour corriger ou parachever» (XIIIe s.), d'où *revoir un procès* (1549). ◇ *Reveoir,* en vénerie (v. 1375), a donné *le* **REVOIR** n. m. (1690) «empreinte laissée par le pied de l'animal chassé». ◇ Au XVIe s., le verbe *revoir* prend aussi le sens de «regarder de nouveau» (1558), spécialement dans *revoir un spectacle* (1669) et de «retourner (en un lieu qu'on avait quitté)» (1588). *Revoir qqn* donne lieu à *se revoir,* réciproque (1651). Le verbe signifie aussi «voir de nouveau par la mémoire» (1651) et, dans le domaine scolaire (1686), «étudier de nouveau pour se remettre en mémoire», sens qui correspond à *réviser, révision.* ➜ ***Le revoir*** n. m., «le fait de revoir qqn» (av. 1549), donne naissance à l'expression *adieu jusqu'au revoir* (1644), puis *jusqu'au revoir* (1660), aujourd'hui ***au revoir,*** loc. interj. et n. m. (1798), par exemple dans *ce n'est qu'un au revoir. À revoir* (1835) est sorti d'usage. ➜ De ce sens procède le dérivé familier ***à la*** **REVOYURE** loc. adv. (1821).

① **REVUE** n. f., participe passé substantivé de *revoir,* d'après *vue,* correspond au sens d'«examiner». Il a désigné (1317, *reveue*) le fait de revoir un partage, de le réviser, acception disparue, qui est passé en anglais donnant *review,* lequel a été réemprunté par le français (→ ② revue). ◇ Puis le mot désigne (1356 écrit *reveue ;* 1559, *revue*) l'inspection des effectifs, équipements, etc., appartenant à un corps de troupe. ◇ Il a eu la valeur générale d'«examiner de nouveau» (fin XVe s., *revewe*). ◇ Désignant le fait de se revoir (v. 1530), le mot *revue,* correspondant à *revoir,* n m. (ci-dessus), est sorti d'usage, sauf dans ***être gens de revue*** (1775), vieilli, et dans ***nous sommes de revue*** «nous aurons l'occasion de nous revoir» (1835), encore en usage. ◇ *Revue* s'emploie aussi (1611) pour «examen de conscience» et, concrètement, d'après le sens militaire, pour «examen d'un ensemble matériel», d'où ***passer en revue*** «examiner en détail (qqch.)» (v. 1770). ➜ Cette acception d'examen rend compte de celle de «publication périodique», qui passe en revue l'actualité d'après l'anglais *review,* mais cet emprunt constitue un autre mot (→ ② revue). ◇ C'est aussi à partir de cette valeur que le mot s'emploie (v. 1840) pour désigner une pièce comique ou satirique, qui passe en revue l'actualité, met en scène des personnalités connues, puis (av. 1932) un spectacle de variétés, l'idée de «scènes indépendantes» propre à la pièce comique l'emportant. ◇ Repris dans le vocabulaire militaire où cette valeur est ancienne (ci-dessus), on dit depuis le XIXe s. ***passer des troupes en revue*** (1831), et *revue* se dit (1842) d'une cérémonie au cours de laquelle les troupes sont présentées à un officier supérieur, une personnalité. De là est issu ***être de revue,*** familier et vieilli (1848), «être frustré de ses espérances», peut-être à cause des désagréments qu'apportent la revue et ses préparatifs aux soldats, ou par allusion à l'aspect itératif de *revoir* (celui qui *de (la) revue* doit *repasser*). ◆ Le mot, au sens de «spectacle satirique», a fourni **REVUETTE** n. f. (1898) et **REVUISTE** n. (1885) «auteur de revues».

Un dérivé de *revoir*, **REVOYEUR** n. m., a désigné (1636) celui qui revoit qqch. pour l'approuver ou le rejeter. *Revoyeur* (1871), puis *renvoyeur*, désigne un navire dragueur qui cure des cours d'eau, sens venu de *revoir* «corriger, rectifier». *Revoyeur*, pour «engin qui refait la voie» est probablement formé sur *voie*.

ENTREVOIR v. tr., réfection (v. 1190) d'après *voir* de *entrevedeir* (1080) «se voir les uns les autres», puis *entreveeir*, a signifié (v. 1190, *s'entrevoir*) «se rendre visite mutuellement», sens encore relevé en 1798. ◇ Le verbe prend ensuite le sens de «voir imparfaitement» (1270, *entreveoir*) puis de «voir en passant, rapidement» (1504). ◇ Par ailleurs, *s'entrevoir* s'est dit pour «avoir une entrevue (avec qqn)» (1490-1496), d'où *entrevoir qqn* «aller le voir» (v. 1590) et, spécialement, «visiter (un malade)» (v. 1560); ces acceptions ont disparu, alors que le dérivé *entrevue* (ci-dessous) y correspond. Par figure du sens visuel (vision imparfaite ou figitive), *entrevoir* signifie «avoir une idée imprécise de (une chose actuelle ou future), deviner, pressentir» (1670). ◆ **ENTREVUE** n. f. (1498), du participe passé de *s'entrevoir*, désigne une rencontre concertée entre personnes, spécialement (1530) entre deux hommes d'État. Ce sens est demeuré vivant, ce qui fait que le substantif n'est plus en rapport sémantique avec le verbe. ◆ **ENTREVISION** n. f. (av. 1895), d'après *vision*, «action d'entrevoir», est rare.

◈ voir BELVÉDÈRE, BÉVUE, ENVIE, ÉVIDENT, IMPROVISER, IMPROVISTE, INTERVIEW, POUVOIR, PRÉVOIR, PROVIDENCE, PRÉVISION, PROVISOIRE, PRUDENT, ② REVUE, TÉLÉVISION, VIDÉO, VISA, VISAGE, ② VISER, VISIBLE, VISIÈRE, VISION, VISUEL, VOICI, VOILÀ, VOLCELEST.

VOIRE adv. (1130), aussi écrit *veire* (v. 1150), issu du latin populaire °*vera* «vraiment», pluriel neutre pris comme adverbe du latin classique *verus* «vrai», «véritable» et aussi «juste», «sincère, consciencieux», employé aussi substantivement (*verum* «le vrai») et adverbialement (*verum* «vraiment, à la vérité»). C'est un dérivé populaire de *verus, veracum*, qui a donné *vrai**.

♦ L'adverbe a d'abord signifié «sans aucun doute, certainement», emploi devenu archaïque au XVIIe s., d'où vient *de voire* «certes» (v. 1380), expression disparue. *Voire* s'emploie encore littérairement ou régionalement pour «et même» (v. 1155, *veire;* v. 1265, *voire*), pour renforcer une assertion. ◇ À partir du XVIe s., il est renforcé par des adverbes, *même* (1601, ***voire même***), *vraiment voire vraiment* (1530), *vraiment voire* (1538), *mais voire mais* (1538), «certes», donnés comme «populaires» dans Furetière (1690) et sortis d'usage ensuite (à la différence de *voire même*, d'ailleurs considéré comme incorrect par des puristes). ◇ *Voire* s'employait aussi (1607), surtout par plaisanterie, comme exclamation pour marquer le doute, l'ironie, synonyme de *vraiment*.

VOIRIE → VOYER

VOISIN, INE adj. et n., modification (v. 1180) de *veisin* (v. 1138), est issu du latin populaire °*vecinus*, altération du latin classique *vicinus* «qui est à proximité» (→ vicinal), et, au figuré, «qui se rapproche», «qui a de l'analogie». Employé comme nom, *vicinus* signifie «voisin» et *vicina* «voisine». Il dérive de *vicus*, «quartier d'une ville», «bourg, village», par extension «propriété à la campagne», qui se rattache, comme *villa* (→ villa, ville), à une racine indoeuropéenne °*weik-*, indiquant l'unité sociale immédiatement supérieure à la maison du chef de famille; le sanskrit *veçaḥ* «maison» procède du même thème, comme le grec de même sens *oikos*, attesté dans des composés en français (→ économie, paroisse).

♦ Le mot désigne (v. 1138) la personne qui habite le plus près de qqn, d'où *mauvais voisin* (XIIe s.), *bon voisin* (1585) et la locution ***en voisin*** «comme il est normal entre voisins» (1824). ◇ L'adjectif, attesté dès les premiers textes, signifie aussi (v. 1160) «qui est à une distance relativement petite», aussi dans la construction *voisin de* (1291) et, jusqu'au XVIIe s., *voisin à* (v. 1360); par extension, il qualifie (1580) des choses qui présentent un trait de ressemblance. ◇ Par analogie, cet adjectif prend une valeur temporelle, à propos d'un moment proche d'un autre (1588, *voisin de;* 1688, *voisin*), tout comme la locution *être voisin de* «être sur le point de» (1636), sortie d'usage. ◇ Le nom, au pluriel, désigne par extension les habitants d'un pays contigu (1306), et ce pays (1691) *[nos voisins d'outre-Rhin]*. ◇ Il désigne spécialement (1585) une personne proche dans une circonstance particulière et équivaut par extension (1678) à «autrui».

▸ Le dérivé **VOISINER** v. signifie, d'abord transitivement (v. 1190), «approcher (qqn)» et «fréquenter (qqn)», acceptions disparues, de même l'emploi intransitif pour «circuler librement» (fin XVe s.). ◇ Le verbe est régional ou littéraire au sens de «fréquenter ses voisins» (1508), *voisiner qqn* «être près de lui» (1553) étant usuel jusqu'au XVIIIe siècle. *Voisiner avec*, «se trouver placé près de» le sujet désignant une personne ou une chose, n'est attesté qu'au XXe siècle. ◆ Le préfixé **ENVOISINER** v. tr. apparaît isolément au XVIe s. pour «approcher (qqch.)», puis à nouveau en 1690, signifiant «entourer de voisins». Il est sorti d'usage. ◇ L'adjectif **ENVOISINÉ, ÉE** s'est appliqué à un lieu très fréquenté (1580, d'une rue); *envoisiné de* à l'époque classique (v. 1600) signifiait «entouré de». Il a lui aussi disparu.

Un autre verbe préfixé **AVOISINER** v. tr. a signifié (1375, pron.) jusqu'au début du XVIIe s. «être voisin de»; *s'avoisiner de qqch.*, «être de la même nature» (1555), a lui aussi disparu. ◇ L'idée de proximité s'est réalisée dans les emplois pour «approcher de» (1562, *avoisiner de;* 1600, tr.), «être dans le voisinage de» (1636, tr.). *S'avoisiner de qqch.* a signifié «être presque égal à» (1798), sens assumé aujourd'hui par le transitif, *avoisiner qqch.* ◆ Le verbe a servi à former **AVOISINEMENT** n. m., sorti d'usage au sens de «proximité» (1575), et terme d'histoire religieuse désignant le projet de réunion des catholiques et des protestants (1752), et **AVOISINANT, ANTE** adj., encore en usage pour «qui est proche» (1793), surtout au figuré pour «qui correspond à peu près à».

VOISINAGE n. m. désigne, avec le suffixe collectif *-age* l'ensemble des voisins (1240). ◇ Avec ce sens, l'ancien français a employé aussi *veisineté* (v. 1155), encore à la fin du XVIe s. (1596, *voisineté*), et *veisiné* (v. 1155; 1250, *voisiné*) donné pour provincial par Vaugelas (1647) et comme populaire par Furetière (1690) puis disparu. ➜ *Voisinage* signifie ensuite «proximité d'un lieu, d'une chose, d'une personne par rapport à une autre» (v. 1283). Par extension, il s'est employé (1575) pour «rapports entre voisins», valeur devenue rare sauf dans ***bon voisinage.*** ◇ Le mot s'applique aussi (1547) à un espace qui se trouve à proximité de qqch. Il est aujourd'hui littéraire au sens classique (1662) de «proximité d'une chose dans le temps» et rare au figuré (1585) pour «analogie, ressemblance».

VOISINANCE n. f., «rapports entre voisins» (1531), est encore employé à l'époque classique, puis disparaît.

◈ voir **VICINAL.**

VOITURE

VOITURE n. f. est issu (v. 1200, aussi *veiture*) du latin *vectura* «transport par terre et par eau» et «prix du transport», dérivé de *vectum*, supin de *vehere* «porter, transporter» (→ véhicule).

♦ Le mot apparaît avec plusieurs acceptions; il désigne généralement tout ce qui sert à transporter, par terre ou par eau (v. 1200, *veiture*; XIIIe s., *voiture*), spécialement une bête de somme (v. 1200, *veicture*) et la charge qu'on transporte, qu'il s'agisse de personnes ou de marchandises (v. 1200); ces acceptions, aujourd'hui sorties d'usage sauf pour quelques emplois techniques, ont vécu jusqu'au XVIIIe siècle. *Voiture* prend par ailleurs (XIIIe s.) le sens de «dispositif servant au transport», mais il est alors en concurrence avec *char** jusqu'au XVIIe siècle. ◇ Par métonymie de «moyen de transport», ou par réemprunt sémantique au latin *vectura*, *voiture* s'est dit pour «frais de transport» (1345). ◇ De «charge transportée», le mot est passé au sens de «mesure» (1433), puis de «contenu d'une voiture» (1538), en concurrence avec *voiturée* (ci-dessous). À l'époque classique, *faire voiture* signifie «transporter» (1636); *à Dieu la voicture,* «au revoir», s'est dit plaisamment (1660) quand on voyait qqch. tomber. ◇ Le mot désigne aussi une expédition de lettres (1655). ◇ *Voiture* a la valeur abstraite de «transport, action de transporter» dans des expressions comme *carrosse de voiture* (1666), dans la locution figurée *à la première voiture* «à la première promotion à venir» (1675, Mme de Sévigné). *Lettre de voiture,* technique, désignait une lettre indiquant le détail d'un chargement (1679); on a employé *feuille de voiture,* «indiquant le nombre de voyageurs d'un carrosse» (1723), où *voiture* a pris le sens concret de «véhicule». Par plaisanterie, *voiture des Cordeliers* (1718) ou *des Capucins* (1735) équivalait à «marche à pied». ◇ Deux expressions sont restées en usage : ***voiture de place*** (1796) désigne un véhicule qui stationnait sur les places publiques à la disposition du public et qu'on louait, alors que ***voiture de remise*** (1835) se dit d'une voiture gardée dans une «remise» et louée à la journée, au mois. Ces deux syntagmes se sont conservés au XXe s., alors appliqués à des voitures automobiles de location (cf. *taxi*). Au XIXe s., *voiture* se spécialise au sens de «dispositif servant au transport des personnes». L'évolution technique concerne cet emploi dans deux domaines : d'abord les chemins de fer, où *voiture* désigne un véhicule roulant sur les rails (1829); c'est aujourd'hui un terme technique ou administratif, le mot courant étant *wagon** (qui, dans la terminologie, est réservé aux marchandises). De là des emplois comme ***en voiture !,*** et *changer de voiture.* ◇ Dans des emplois spéciaux, on relève *voiture cellulaire* (1842), pour le transport des prisonniers; ***voiture d'enfant,*** d'abord «jouet représentant une voiture», et qui se dit ensuite (av. 1893) d'une voiture dans laquelle on promène les bébés, en concurrence au XXe s. avec des mots spécialisés comme *landau, poussette**. ◇ Cependant, *voiture* continue à s'employer pour des véhicules ne transportant pas les personnes : ainsi ***voiture à bras,*** «véhicule à deux roues poussé ou tiré à bras», attesté en 1872. ◇ Le second domaine que la technique ouvre au mot *voiture* est celui de l'automobile. *Voiture automobile* (1876), aujourd'hui simplement *voiture* (1893), ne désigne plus que les automobiles non utilitaires; le mot tend à supplanter *automobile* et *auto* en français actuel, mais est lui-même concurrencé par les noms de marques et de modèles. À partir du moment (v. 1910-1920) où les véhicules pour le transport des personnes sont surtout des automobiles, *voiture* employé seul désigne couramment l'engin mû par un moteur à explosion et on emploie pour la traction animale et humaine des syntagmes qualifiés : ***voiture à cheval,*** *voiture hippomobile, voiture à âne,* etc. Au sens automobile, le mot entre dans de nombreux syntagmes comme *voiture de tourisme* (1906), *voiture de course, voiture américaine* (d'où *une américaine*) et, pour exprimer des usages particuliers, *voiture-ventouse* (1961), *voiture de police, voiture pie* (en France), etc.

▸ **VOITURIER, IÈRE** n. et adj. reste vivant comme terme de droit (1213, adj. Bloch et Wartburg sans indication de sens, puis 1268, n. m.) au sens de «personne qui transporte». L'adjectif s'appliquait à ce qui est relatif au transport par voiture, d'abord dans *gens voitturiers* «voituriers» (XIVe s.), *porte voiturière* «destinée aux voituriers» (1510) et *chemin voicturier* «carrossable» (1556). Le nom s'est employé spécialement pour «vivandier» (1472). Tous ces emplois ont disparu. ◇ *Voiturier,* adj., se dit aujourd'hui rarement de ce qui est relatif aux voitures (XXe s.). ◇ Enfin, *voiturier* n. m. désigne un employé chargé de garer les voitures des clients, par exemple dans un hôtel, devant un restaurant, une salle de spectacle, etc.

VOITURER v. est d'abord attesté comme intransitif pour «être transporté», dans un emploi spécial, «aller en Terre Sainte» (v. 1270). Le verbe est sorti d'usage aux sens de «transporter» des objets (1543) ou des personnes (1606) et, en emploi absolu, «faire le métier de voiturier» (1636). ◇ Il est employé aujourd'hui pour «transporter en voiture». ➜ Le dérivé **VOITURAGE** n. m. (1358), «transport par voiture», spécialement «par voiture attelée», est sorti d'usage. ◇ **COVOITURAGE** n. m., formé sur *co-* et *voiturer,* suff. *-age,* plutôt que sur *voiturage,* désigne (1995) le transport de plusieurs personnes par automobile individuelle, pratiqué en temps de difficultés de transports (grève, par exemple) ou conseillé en cas de pollution urbaine. ◇ Un verbe **COVOITURER** s'emploie aussi. ➛ **VOITURÉE** n. f., «contenu d'une voiture» (v. 1850), n'a pas éliminé *voiture,* dans ce sens. ➛ **VOITURETTE** n. f., d'abord «petit véhicule poussé ou tiré par un animal, une personne» (1886), puis terme de sports (1895) au sens de «véhicule automobile léger», se dit plus généralement pour «petite voiture» (1897) ; il a vieilli. **VOITURIN** n. m. est un emprunt adapté (1640) à l'italien *vetturino* «cocher de fiacre», dérivé de *vettura,* du latin *vectura.* ➛ Le mot, sorti d'usage, a désigné un voiturier qui loue et conduit une voiture attelée pour voyageurs puis, par métonymie (1811), une voiture attelée. Le mot est marqué, parfois plaisant (cf. le *voiturin à phynances* de Jarry).

VOÏVODE n. m., emprunt au russe, mal distingué d'autres langues slaves (ci-dessous), a eu en français plusieurs formes, par exemple *vayevode* (v. 1470), *vayvaulde* (1532), *vayvod* (1546), dont le *-a-* initial signale la voie d'emprunt orale, puis *vayvaulde* (1532), *voyvode* (1559), *voïvode* (1832), *woievode* (1842), emprunt graphique au polonais. Le mot est une adaptation d'un mot slave, russe *vojevoda,* mais aussi polonais *wojewoda,* auxquels correspondent le serbo-croate *vöjvoda,* le tchèque *vévoda, vejvoda,* le slovène *vósvoda.* Toutes ces formes remontent au vieux slave *voevoda,* correspondant au grec *hêgemôn* «guide, chef» (→ hégémonie), et composé de *vodit'* «conduire, mener», d'où viennent *vóin* «combattant» et *vóisko* «régiment». Meillet a supposé que le slave était un calque de l'ancien haut allemand *herigozo* «commandant, duc», lui-même calque du grec *stratêgos* «chef d'armée» (→ stratège), mais l'hypothèse n'est pas corroborée.

♦ Le mot a désigné un chef d'armée puis un gouverneur de province, dans certains États slaves. C'est le titre donné aux officiers de la Cour, dans l'ancienne Pologne (1811, *vayvode*) et celui du prince héréditaire de Roumanie et de Bulgarie, à l'époque où ces pays étaient des monarchies. ◇ Aujourd'hui, il se dit d'un chef de district, en Pologne, en Serbie, en Croatie et en Slovénie.

▶ Il a fourni **VOÏVODAT** n. m. (1829, *vayvodat;* 1876, *vaïvodat,* écrit *voïvodat* depuis 1904), terme d'histoire, et **VOÏVODIE** n. f. (1832 ; 1812, *vayvodie;* aussi *voïévodie,* XXe s.), didactique, en histoire et, aujourd'hui, pour désigner un district administratif polonais, serbe ou croate.

VOIX n. f. est la réfection (XIIIe s.) d'après le nominatif latin, de *voiz* (v. 980), puis *vois* (XIIIe s.), qui représentent l'aboutissement du latin classique *vox, vocis* «voix», «son de la voix» et «accent» (aussi en musique), employé pour «mot», «sentence», en poésie pour «langue, langage» et, au pluriel, *voces* au sens de «propos». *Vox* se rattache à une racine indoeuropéenne qui indique l'émission de la voix, avec une valeur juridique et religieuse et qui est représentée par le sanskrit *vák,* le grec *epos* (→ épopée).

♦ *Voix* désigne d'abord l'ensemble des sons produits par le larynx humain, puis par extension (1080) le support physique du langage, la manière dont il est employé, d'où la locution ***être sans voix*** (déb. XIIIe s.). La locution *par vive voix* (v. 1250) est devenue ***de vive voix*** (XVIIe s.), au propre et au figuré. ◇ Le mot s'emploie également en parlant du son d'instruments de musique (1080, du cor), de bruits naturels, etc., emploi aujourd'hui littéraire par rapport à *son.* Par analogie, *voix* se dit des sons produits par les animaux (fin XIIe s.) pour *cri* et aussi *chant* (d'oiseau). Avec la valeur de «cri animal», *voix* s'emploiera au XVIIe s. pour «aboiement» (1678), d'où ***donner de la voix*** «aboyer» (1758), surtout à la chasse. ◇ *Voix* s'est utilisé dans un contexte abstrait (v. 1170) pour «expression de l'opinion, avertissement», sens conservé dans des expressions comme ***la voix du peuple,*** calque du latin *vox populi.* Liée au droit, la locution *avoir voix de,* «avoir le droit de» (fin XIIe s.), a disparu, comme *avoir voix en Cour* «avoir le droit d'agir en justice» (XIIIe s.). ◇ Comme *vox* en latin, il équivalait (v. 1200) à «parole, mot», sens conservé à l'époque classique, puis disparu. ◇ En ancien français, on parle (XIII-XVe s.) de la *voix* d'un groupe, à propos de son influence par l'expression collective. *Voix* signifie ensuite par extension «bruit qui court» (1305), encore au XVIIe siècle. ◇ C'est aussi en moyen français que le mot s'applique à la voix éduquée pour le chant (v. 1370) ; avec ce sens, le mot est souvent accompagné d'un complément, par exemple dans *voix de fausset* (1651), *voix de poitrine* (1838), *voix de tête* (1857), etc. Il entre dans diverses locutions comme ***être en voix,*** «être en disposition de bien chanter», ***forcer sa voix*** (1865), ou encore dans des expressions comme *avoir une belle voix.* ◇ Après le XVIe s., où *à sous-voix* (v.1550) correspondait à ***à voix basse*** (attesté 1863) qui s'oppose à ***à haute voix,*** apparaissent *à demi-voix* (1809) puis ***à mi-voix*** (1870). Dans le même registre de l'intensité vocale, d'autres locutions ont cours, comme ***couvrir la voix de qqn*** (1831), une ***petite voix,*** spécialement «voix affectée» (1847), ou ***à portée de voix*** (1872).

Avec la valeur d'«avis», *voix* se spécialise, peut-être d'après un usage plus ancien comme *avoir voix en Cour* (ci-dessus), d'abord dans des locutions comme *donner voix à qqn* «le nommer membre du Parlement» (1440-1475), *la plus granz voix* «la majorité» (1507) et *avoir voix en chapitre* (1558) ; ces locutions ont disparu, mais la dernière, modifiée en ***avoir voix au chapitre,*** a pris un sens figuré, «être admis à donner son avis», et est toujours en usage → chapitre. ➛ Ces valeurs phraséologiques aboutissent au début du XVIIe s. à un véritable sens, *voix* signifiant dès lors «possibilité de voter», par exemple ***avoir voix consultative*** (1611) et «action de voter», «droit d'exprimer son opinion» (1636), «pouvoir d'élire» : *voix active* (1636) entraîne *voix passive* «capacité à être élu» (1636), *tout d'une voix* (1638) signifiant «à l'unanimité». Ces locutions ont disparu, à la différence de ***donner sa voix à qqn*** (1637), ou de ***(avoir) voix délibérative*** (1690). Cette valeur institutionnelle de *voix* a eu au XVIIe s. des prolongements dans l'usage courant, avec le sens d'«approbation» (*avoir la voix de qqn*, attesté 1690). Les abus du système de vote se révèlent dès l'Ancien Régime, avec *vendre sa voix* (1734). ◇ L'apparition du système parlementaire, en partie inspiré des institutions anglaises, et les effets de la Révolution, donnent au mot de nouveaux contextes au XIXe s., époque où les élections, leur préparation et leurs suites commandent la vie politique démocratique. *Aller aux voix* a signifié «voter» (1835) et ***mettre aux voix*** (1834) se dit toujours pour «soumettre au vote (une proposition)». La caractérisation des suffrages va se faire par rapport aux partis (*les voix socialistes*, etc.) et le *décompte des voix* est devenu au XXe s. l'objet de statistiques, de prévisions et de sondages.

Depuis le XVIe s., dans un contexte religieux, *voix* s'emploie pour «supplication, prière» (1553), acception sortie d'usage au XVIIe s. ou au XVIIIe siècle. ◇ Vers la même époque (fin XVIe s.), *une voix parle, dit...* correspond à «une personne qu'on ne voit pas...». ◇ Avec l'idée de contenu de pensée communiqué, liée à celle de parole, de discours, le mot désigne par figure (1636) ce que l'être humain ressent en lui-même et qui lui «parle», l'avertissant, etc. *(la voix de la nature)*, d'où ***voix intérieure*** «inspiration divine» (av. 1695), puis «inspiration» (cf. *Les Voix intérieures* de Hugo). ◇ C'est aussi dans l'usage classique qu'apparaissent l'idée de message transmis par la parole, par exemple dans ***parler par la voix de qqn*** (1667) «exprimer sa pensée en faisant parler qqn». ◇ Dans ***entendre des voix*** (1685), le mot est employé au sens normal, mais le contexte implique le message d'une personne absente ou d'une entité supra-humaine. ◇ Dans un contexte mythique, on parle de ***la voix de la Renommée*** (comme on évoque sa trompette), appelée la ***déesse aux cent voix*** (av. 1695). ➜ À la même époque, le mot, déjà utilisé en musique depuis le XIVe s. (voir ci-dessus, et cf. *chant*), prend en musique une valeur technique : «ton qui marque une des notes de la gamme tempérée» (1680) et ***voix humaine*** s'emploie (1610) pour caractériser un registre de l'orgue, ce qui entraînera ***voix angélique, voix céleste*** (1863) pour d'autres registres. Par ailleurs, *une voix* (qualifié) prend le sens métonymique de «chanteur, chanteuse» (1690) et, plus technique, celui de «partie musicale confiée à un exécutant» ou «partie mélodique dans une polyphonie». ➜ Après le sens technique, grammatical, de «voyelle» (1667), sorti d'usage (cf. *vocal* et ses dérivés), *voix* s'emploie depuis le XVIIIe s. en grammaire (1753, Dumarsais) dans ***voix active, voix passive*** pour désigner un aspect de l'action verbale dans son rapport avec le sujet.

▶ *Voix* a fourni au XXe s. le dérivé didactique **VOISÉ, ÉE** adj. (1933), terme de phonétique, avec une opposition entre phonèmes *voisés* et *non voisés*, d'où viennent (v. 1950) **VOISEMENT** n. m. et **DÉVOISÉ, ÉE** adj. dont dérive **DÉVOISEMENT** n. m. (1951).

◈ voir ABATTRE (ABAT-VOIX), AVOUER, CONVOQUER, ÉQUIVOQUE, ÉVOQUER, INVOQUER, PORTER (PORTE-VOIX), PROVOQUER, RÉVOQUER, UNIVOQUE, VOCABLE, ① VOCAL, VOCATION, VOCIFÉRER.

VOLAGE adj. et n. est issu (1080) du latin *volaticus* «ailé, qui vole» et, au figuré, «éphémère», «changeant, inconstant», dérivé de *volare* (→ voler).

♦ L'adjectif, conservant le sens concret du latin, a d'abord signifié «qui vole, a des ailes». ◇ Il s'applique ensuite figurément, comme en latin, à une personne qui change aisément de sentiments, d'opinions (v. 1145), spécialement dans les relations amoureuses (v. 1200), sens où l'on employait aussi *volatil**. En ce sens, le nom *un, une volage* (v. 1200) est aujourd'hui archaïque ou très littéraire. ◇ Parallèlement, l'adjectif s'est employé pour «prompt, rapide» (v. 1145), puis s'est appliqué à ce qui dure peu de temps (1243), par exemple en parlant d'un écoulement subit de sang; plus généralement, *volage* qualifiait ce qui passe ou change vite (1247), encore à l'époque classique. Il signifiait au figuré «éphémère» (1694); *rente volage* s'est dit (XVIe s.), encore au XVIIIe s., d'une rente viagère donnée à fonds perdu. ◇ C'est avec cette idée de passage que le mot s'est employé en moyen français pour «étranger, qui n'est pas de l'endroit» (1377). ◇ Avec la valeur d'«instable», *volage* a été repris dans le vocabulaire technique, appliqué à une embarcation qui s'incline fortement (1757), à une boussole qui a des oscillations trop vives (1831). ➜ Les emplois assez variés de l'adjectif se sont fortement réduits : seul l'emploi psychologique, surtout dans le domaine amoureux, est usuel en français moderne.

VOLAILLE n. f., d'abord sous la forme *volille* (v. 1150), puis *voleille* (1213), enfin *volaille* (XIIIe s., hapax; repris 1317), est issu du bas latin *volatilia* «oiseaux, animaux qui peuvent voler», neutre pluriel substantivé, pris pour un féminin singulier, du latin classique *volatilis* «qui vole» et «léger, éphémère», dérivé de *volare* «voler*». C'est le doublet populaire de *volatile* (ci-dessous).

♦ Le nom désigne d'abord l'ensemble des oiseaux puis (1317) un oiseau sauvage; il se spécialise au XVIe s. *(la volaille)* comme nom collectif de l'ensemble des oiseaux élevés pour leur chair ou leurs œufs (1552), désignant ensuite *(une volaille)* un oiseau de basse-cour (1678). ➜ *Volaille* a pris le sens très familier de «fille de mauvaise vie» (1808), d'où en argot «femme», plusieurs poules étant élevées dans une basse-cour avec un seul coq (cf. *poule, poulette*). Par une autre métaphore, allusion au caquet de la basse-cour, le mot s'est employé péjorativement pour désigner un groupe de femmes ou de jeunes filles (1848); ces emplois sont archaïques. ➜ Par ailleurs, le nom s'emploie couramment par métonymie (1682) pour «viande de volaille», par exemple dans *découper une volaille* (1787).

▶ **VOLAILLER, ÈRE** n. désigne un marchand de volaille (1690). *Volailler* n. m. se dit (1828) d'un lieu où l'on élève la volaille (cf. *poulailler*, beaucoup plus usuel). ➜ **VOLAILLEUR, EUSE** n. a aussi désigné (1821) un marchand de volailles, puis un éleveur, un commerçant en gros.

① **VOLATILE** n. m. représente une réfection (v. 1120) de l'ancien français *volatilie* (v. 1120), «ensemble des oiseaux», emprunt au bas latin *volatilia*, et donc doublet savant de *volaille*. ➡ Peu usité pour «oiseau domestique, de basse-cour» (1568), *volatile* est vieilli au sens général d'«oiseau» (v. 1120, n. f., encore 1678, La Fontaine ; 1701, n. m.).

◈ voir VOLATIL.

VOLAPÜK n. m., mot créé en 1879 par l'Allemand Johann Martin Schleyer (1831-1912), est composé de l'altération artificielle de deux mots anglais, *vol* tiré de *world* «monde, univers», *pük* tiré de *to speak* «parler» et de *a*, voyelle de liaison. *World* repose sur un développement germanique de la racine indoeuropéenne que l'on retrouve dans le latin *vir* (→ viril) ; *to speak* appartient, comme le néerlandais *spreken* et l'allemand *sprechen*, à une racine germanique. *Volapük* est attesté dans un texte anglais en 1885 et en français depuis 1888 (une fois en 1887) pour désigner quelque chose d'artificiel. On relève aussi la graphie *volapuck* (1892, Goncourt).

♦ Le mot désigne une langue artificielle forgée pour servir d'idiome universel et dont la base est l'anglais courant très simplifié. Par extension (1892), *volapük* s'est employé en parlant d'une langue naturelle largement diffusée qui sert de lien entre des communautés linguistiques différentes. ◇ Figurément, le mot désigne péjorativement un mélange de langues (mil. XXe s.). ◇ D'emploi technique et rare, *volapük* est devenu un moment plus courant en France, dans les années soixante, à la suite d'un discours du général de Gaulle, mais reste connoté péjorativement, à la différence d'*espéranto*.

▶ Le dérivé **VOLAPÜKISTE** n. (1888) est sorti d'usage.

VOLATIL, ILE adj., réfection étymologique (XIVe s. attestation isolée, puis XVIIe s.) de *volatille* (fin XIIe s.), est emprunté au latin *volatilis* «qui vole, ailé» et, au figuré, «rapide», «éphémère», dérivé de *volare* «voler*» (→ volaille et ① volatile).

♦ L'adjectif reprend d'abord un sens figuré du latin et s'applique à ce qui ne dure pas longtemps, à ce qui disparaît rapidement, en parlant de l'amour (cf. *volage*), avec une valeur plus large dans la langue classique (XVIIe s.) ; cet emploi est devenu archaïque et littéraire aujourd'hui. ◇ Le mot se dit ensuite d'un fluide qui passe spontanément ou facilement à l'état de vapeur (XIVe s. à propos du mercure, puis 1516), d'où ***alcali volatil*** «ammoniac». ◇ L'idée de légèreté se retrouve dans l'emploi de *farine volatile* «fine farine» (v. 1455), sorti d'usage. ◇ Par figure, le mot a qualifié une chose dont l'action se propage facilement (1876). ◇ Par analogie, il s'emploie en termes de bourse (XXe s.), appliqué à des valeurs mobilières variables.

▶ **VOLATILISER** v. tr., dérivé savant de *volatil*, s'emploie en physique (1611) ; *se volatiliser* signifie figurément (1820 ; 1799 au participe passé adjectif) «devenir subtil», en parlant d'une idée, etc., sens archaïque, remplacé par celui de «disparaître», le sujet désignant une personne ou une chose (1897). ➡ Le verbe a fourni les termes de physique **VOLATILISATION** n. f. (1641) et **VOLATILISABLE** adj. (1823).

① **VOLATILITÉ** n. f. est un terme de physique (1641), employé figurément (1845) pour «légèreté» et d'après le sens correspondant de *volatil*, dans le vocabulaire boursier (XXe s.). ➡ ② **VOLATILE** adj., de même origine (v. 1380) que *volatil*, adj., reprend le sens propre du latin «ailé, capable de voler» ; le mot est sorti d'usage, à la différence de ① *volatile* (→ volaille), et son dérivé ② **VOLATILITÉ** n. f. (fin XVIIIe s.) a disparu.

VOLCAN n. m., d'abord nom propre sous la forme *vulcan* (1356), est emprunté à l'italien *vulcano* ou *volcano*, lui-même du latin *Vulcanus* ou *Volcanus*, nom du dieu du feu chez les Latins. *Vulcain*, fils de Jupiter et de Junon, mari trompé de Vénus, était censé habiter sous l'Etna, où il forgeait les foudres de son père ; par figure, le mot signifiait «feu, incendie». *Vulcanus* est à la base de la dénomination des îles Vulcaniennes (latin *Vulcani* [ou *Vulcaniae*] *insulae*), aujourd'hui *îles Éoliennes* (les *Lipari*) dont la plus méridionale s'appelle encore *Vulcano*. ◇ Avec un autre sens, la forme *vulcan* est reprise en français en 1575, en concurrence avec *volcan* (1598). C'est l'espagnol *volcán*, appliqué (1524) aux «montagnes de feu» de l'Amérique centrale, qui donne une nouvelle extension au mot, à partir de traductions, de récits de voyageurs et de descriptions des naturalistes. L'espagnol, attesté sous la forme *vulcan* dans la seconde moitié du XIIIe s. dans une traduction de l'arabe, est emprunté au latin *Vulcanus*, de même que la forme *burkan*, employée par les auteurs arabes d'Espagne.

♦ Le mot désigne d'abord une montagne d'où sortent, par une ouverture nommée *cratère*, des matières en fusion, des cendres, etc. ; la dénomination se limite d'abord à l'Etna et aux îles Lipari, seuls volcans connus au moyen âge, le Vésuve n'ayant presque pas eu d'activité entre l'éruption de 79 apr. J.-C. et 1631 ; elle s'est étendue après la découverte du Nouveau Monde, puis grâce aux observations des voyageurs et géographes. Au XIXe s., le mot est au centre d'une discipline scientifique et donne lieu à divers syntagmes techniques. ➡ Par analogie, *volcan* a désigné (1690) une ouverture naturelle d'où s'échappe de l'eau chaude, de la boue, une solfatare. ➡ Le mot s'emploie figurément pour parler d'une violence impétueuse, d'abord à propos de l'imagination (1768, *être un volcan*), puis (1828) d'une personne. Par une autre métaphore, le mot désigne (1758) un endroit où couvent les révoltes, une situation qui menace de devenir dangereuse, d'où *être* (*se tenir*, etc.) *sur un volcan* (1794) ; cette métaphore, entrée dans la rhétorique politique, devient plate au XIXe s. : on se souvient de Joseph Prudhomme, s'écriant : *le char de l'État navigue sur un volcan*.

▶ Du verbe dérivent plusieurs termes didactiques, dont certains ont pris un sens figuré. ➡ **VOLCANIQUE** adj. (1778) s'est imposé devant *volcanien, ienne* adj. (1784) qui l'a concurrencé un temps. L'adjectif s'emploie au propre (1778) dans *roches volcaniques* (1845) et au figuré (1796). ◇ Il a fourni **VOLCANICITÉ** n. f., «caractère des roches volcaniques» (1813), et synonyme rare (1872) de *volcanisme*. ◇ **VOLCANIQUEMENT** adv., didactique

(1876), est littéraire au figuré. ◆ **VOLCANISER** v. tr. (1777) est vieilli et littéraire pour «exalter fortement» (1792); le participe passé **VOLCANISÉ, ÉE**, adjectivé (1829), est sorti d'usage. ◇ Du verbe dérive **VOLCANISATION** n. f. (av. 1869). ◆ **VOLCANISME** n. m. a remplacé (1842) *volcanicité* (1813) pour désigner l'ensemble des phénomènes volcaniques. *Vulcanisme*, formé (1842) à partir du latin, avait un autre sens. ◆ **VOLCANOLOGIE** n. f., «science des phénomènes volcaniques» (1890), peut-être calqué sur l'anglais *volcanology* (1886), a fourni **VOLCANOLOGUE** n. (XXe s.) ou, rare, **VOLCANOLOGISTE** n. (XXe s.) et **VOLCANOLOGIQUE** adj. (1924). ◇ Son synonyme **VULCANOLOGIE** n. f. (1860), emprunt à l'anglais *vulcanology* (1858), formé sur le latin *Vulcanus*, a vieilli comme ses dérivés **VULCANOLOGIQUE** adj. (1910) et **VULCANOLOGISTE** n. (1910), mais **VULCANOLOGUE** n. (1910) est encore employé. ◇ Au XIXe s. on nommait *vulcaniste* ou *volcaniste* (1812) un spécialiste des volcans.

VULCAIN n. m., emprunté au latin *Vulcanus* et d'abord écrit *vulcan* (1552), a été employé pour «feu», par latinisme. Par référence au dieu Vulcain, époux malheureux de Vénus, on a dit *un vulcain* pour «un cocu» (1552). ◇ À l'époque classique, le mot a signifié dans la langue poétique «forgeron» (1556). ◇ *Vulcain des philosophes* (1721) ou *vulcain* est le nom donné au soufre par les alchimistes. ◇ Par analogie de couleur, c'est le nom courant (1762) d'un papillon du genre *vanesse*.

VULCANALES n. f. pl., emprunt (1765) au latin *vulcanalia* «fêtes en l'honneur de Vulcain», dérivé de *Vulcanus*, en conserve le sens; ce mot didactique s'emploie en parlant de l'Antiquité romaine, comme **VULCANAL, ALE, AUX** adj. (1876) «relatif à Vulcain», et **VULCANIEN, IENNE** adj. de même sens (1571), tous deux dérivés savants de *Vulcanus*.

◈ voir **VULCANISER**.

VOLCELEST n. m. sous les formes *volce l'est*, *volcelay* (1655), *volcelet* (1739), enfin *volcelest* (1788), est l'aboutissement de l'altération d'une expression, *voylecy aller* (1561) que le chasseur employait pour encourager les chiens à suivre les traces d'un animal poursuivi; on disait auparavant *vez le cy aler* (1387), *ve le sci aler* (1376), le présent de l'impératif de *voir* (vez, ve)* étant alors séparé de *ci* (→ voici) par le pronom *le*. On employait aussi *vellela* «vois-le là» (attesté 1655).

♦ *Volcelest* fut d'abord en vénerie un cri du chasseur pour indiquer que l'empreinte de l'animal poursuivi est retrouvée (1655). Le terme désigne ensuite (1777) la manière de sonner du cor qui indique qu'on revoit la bête qui s'enfuit. ◇ Le mot se dit aussi (1938) de la trace du pied d'un cerf.

◈ ✳ **VOLER** v. est issu (880) du latin classique *volare* «se déplacer dans l'air» en parlant des oiseaux et, au figuré, «venir, aller rapidement (d'une personne ou d'une chose)». Le latin ferait partie d'un groupe de mots appartenant à l'origine au vocabulaire religieux, si l'on établissait avec certitude le rapprochement de *volare* avec le védique *garútmān* «ailé», nom d'un oiseau céleste (sanskrit *garuḍáḥ*, d'où l'indonésien moderne *Garuda*, nom d'une compagnie d'aviation).

♦ Le verbe conserve les deux valeurs du latin, «déplacement aérien» et «rapidité». Il signifie d'abord, en parlant d'oiseaux, «se soutenir et se déplacer dans l'air au moyen de ses ailes», d'où par analogie (1080) «être projeté dans l'air», en parlant d'une flèche, d'une pierre, etc. ◇ Il s'emploie ensuite par figure (v. 1155) pour «courir très vite», sens aujourd'hui disparu, sauf dans des contextes métaphoriques, et «se propager rapidement», autrefois à propos du feu (v. 1155), puis d'une nouvelle (1226), acception encore vivante. ◇ *Voler* s'utilise aussi, dès le XIIe s. (v. 1170), en parlant d'un être humain qui se soutient dans l'air à la façon d'un oiseau. ◇ *Faire voler* signifie depuis l'ancien français, «envoyer, projeter en l'air», spécialement dans ***faire voler la tête de qqn*** «la décapiter» (v. 1200). ◇ *Voler* se dit par analogie de choses (XIIIe s.), pour «être agité ou poussé par le vent» puis, à partir de la fin du XIIIe s., s'emploie transitivement au sens de «faire tomber d'un lieu élevé», sorti d'usage, et comme intransitif, pour «se déplacer rapidement», concrètement et aussi abstraitement, en parlant de la pensée, etc. (v. 1265). *Voler par éclas* (XIVe s.), «éclater» (de manière que les éclats volent au loin), deviendra ***voler en éclats*** (1604). ◇ Avec l'idée de mouvement rapide, le verbe signifie au figuré «s'écouler rapidement», en parlant du temps (v. 1384; cf. *fuir*), puis par métaphore «s'agiter (au souffle de l'air)», à propos d'une étoffe (1541). ◇ *Voler* acquiert aussi un sens abstrait, «s'élever dans l'ordre moral ou intellectuel» (1594), sorti d'usage.

À côté des emplois intransitifs concernant le déplacement aérien des oiseaux, spécialisés en chasse au point que la locution *savoir du bas voler*, «savoir voler près du sol», a signifié figurément «être rusé» (XIIIe s.), on trouve dès le XIIe s. dans le même contexte un emploi transitif pour «chasser à l'aide d'oiseaux de proie», c'est-à-dire «chasser au vol», dans *voler la perdrix* (1165-1170), avec un sujet nom de personne. Avec un sens complémentaire, *voler un faucon* se disait (av. 1360) pour «faire chasser les oiseaux par un faucon», *voler* intransitif signifiant aussi «chasser en volant» (1370), par exemple dans *le faucon vole* et, transitivement (attesté 1570), *le faucon vole l'oiseau, la proie*. ◆ Ainsi, à partir du milieu du XVIe s., en partie à cause de *voler la perdrix*, etc., au sens de «attraper au vol», en partie par une métaphore argotique où *voler* équivaut à «disparaître» (cf. *s'envoler*), le verbe s'emploie (depuis 1549, R. Estienne) pour «attraper, prendre (qqch.) contre le gré et à l'insu du possesseur». Cet emploi concurrence les verbes *embler* (→ emblée) et *rober* (à l'origine de *dérober**) qu'il a éliminés. L'apparition de ce sens lexicalisé doit être antérieure à la première attestation, au moins dans le milieu des malfaiteurs : *voleur* (ci-dessous) apparaît en effet au début du XVIe siècle. La distance sémantique entre les deux verbes est suffisamment importante pour que le lien qui existait entre eux s'atténue et ne soit plus senti à partir du XVIIe siècle. On a dès lors affaire à deux verbes distincts.

▸ ① **VOLER.** Au sens de «se déplacer dans l'air», le verbe entre aux XVIe et XVIIe s. dans diverses locutions comme *tirer en volant* «pendant que l'oiseau vole» (1655), sorti d'usage comme la locution figurée *il le faut tirer en volant* «on ne peut lui parler qu'à la hâte» (1690), continuant des emplois anciens (ci-dessus). ◇ *Voler* s'applique aussi à une action rapide dans ***voler au secours de qqn*** (1584) et au mouvement de l'air, du vent, par exemple dans *un homme qui voit voler le vent* «perspicace» (1671), locution disparue. ◇ Il s'utilise par métaphore, avec l'idée de mouvement, aux sens de «ne pas se fixer», à propos des sentiments (v. 1210), de l'esprit (1555) et de «s'effacer rapidement» (1690), et par analogie avec sa première valeur, en parlant d'un animal terrestre agile, qui saute, comme l'écureuil, etc. (1690), aussi en parlant de ce qui flotte en l'air (1400). ➜ Toujours avec cette acception, il s'emploie en parlant d'un engin qui peut se soutenir seul dans l'air (1784), puis au sens de «se trouver dans un appareil en vol» (1865), et aussi de «se conduire, se piloter», en relation avec ① *vol.*

② **VOLER**, «dérober», sens devenu usuel dans la seconde moitié du XVIe s., signifie par extension «s'approprier (ce à quoi on n'a pas droit)» (1580), par exemple un nom, un titre, etc., spécialement les productions de l'esprit (1669), d'où *voler un auteur* (cf. *piller*). ◇ Par analogie, le verbe prend le sens de «ne pas donner (ce que l'on doit) ou prendre plus qu'il n'est dû» (1654). ◇ Il entre dans les locutions figurées ***il ne l'a pas volé*** «il l'a bien mérité» (1830), familier, et dans ***être volé*** «être trompé dans son attente» (1867). ◇ Par extension, en sports (1902), il signifie «prendre (le départ) avant le signal», dans une course.

Le statut des dérivés de chaque verbe n'est pas identique ; ceux de ① *voler* sont apparus très tôt et beaucoup se sont conservés, certains étant soutenus par la naissance et le développement de l'aviation ; ceux de ② *voler,* depuis le début du XVIe s., existent à côté d'autres mots plus spécialisés pour désigner des activités délictueuses.

Dérivés de ① VOLER

① **VOL** n. m. a eu une évolution parallèle à celle de *voler* dont il est le déverbal, désignant dans ses premiers emplois (v. 1175) l'action de se déplacer en l'air en parlant d'oiseaux et, par métaphore, l'essor de ce qui se propage. ◇ Par métonymie, *vol* signifie «envergure (d'un oiseau)», mot technique (XIIIe s.) prolongé en blason par l'emploi pour désigner un meuble de l'écu, figurant deux ailes d'oiseaux (1611). ◇ *Vol* s'est dit (1373) de la chasse avec des oiseaux de proie, d'où par métonymie (1530), le sens d'«équipage d'oiseaux de proie». Ce sens a par ailleurs fourni les locutions *haut (bas) vol* (1450-1486), d'où *voler du plus haut vol* «être orgueilleux» (1440-1475), sorti d'usage comme *prendre son vol trop haut* (1640). De ces locutions de la fauconnerie reste au XXe s. ***de haut vol*** «de grande envergure» (par exemple à propos d'un escroc) [1788]. ◇ Au figuré, *a plein de vol,* «sans s'imposer aucune réserve (en parlant)» (1440-1475) et *de plein vol* «tout d'un coup» (1485) ont disparu. ◇ Avec une valeur concrète, *vol* désigne (1606) la distance parcourue par un oiseau et, par métaphore (fin XVIe s.), se dit de la fuite rapide du temps. ◇ À la même époque, de nouveaux emplois figurés apparaissent, en parlant de l'homme, de l'esprit (déb. XVIIe s.), spécialement dans ***prendre son vol*** (1580), moins courant que *essor**. ◇ Par une nouvelle métonymie, *vol* se dit aussi (1530) pour «quantité d'oiseaux qui se déplacent en même temps» (cf. *volée*). ◇ Le mot équivalait aussi (1656) par métonymie à «gibier à plume», sens disparu après l'époque classique. ◇ *Vol* s'est employé par analogie (1686) comme terme de théâtre, désignant l'action d'une machine par laquelle un acteur montait ou descendait comme s'il volait. ◇ Ces emplois sont techniques, à la différence de ***à vol d'oiseau,*** «en ligne droite» (1771), qui signifie aussi «pris d'en haut» (1835). ➜ Au XIXe s., dans le contexte technique de l'aéronautique, le mot désigne (1863) le déplacement d'un engin capable de se soutenir dans l'air. D'où les locutions ***vol à voile*** (1864), pratiqué par des planeurs, et *vol mécanique* (1907) remplacé par ***vol à moteur,*** ou encore ***vol d'essai*** (1943), ***vol libre*** (1978), etc. ◇ ***En vol, en plein vol*** signifient «pendant que l'avion vole». ◇ Le mot s'applique aussi au déplacement d'un avion de ligne entre deux points *(le vol de 13 h est annulé)* ; dans ce sens, on dit au Québec *envolée* (ci-dessous).

① **VOLANT, ANTE** adj. et n. m. est le participe présent de *voler,* adjectivé dès le XIIe s. (v. 1140) et appliqué à ce qui a la faculté de se déplacer dans les airs, d'où un *volant,* n. m., «un oiseau» (1598), emploi disparu au XVIIe siècle. ◇ L'adjectif a eu le sens figuré de «volage, léger» (1226). Par extension (XVe s.), il s'est dit d'objets qui se meuvent au gré du vent. ◇ De l'idée de mouvement rapide, léger, non contraint, vient que *volant* qualifie ce qui peut être déplacé rapidement (1414), d'où plus tard ***table volante*** (1769), ***chaise volante*** (1798), etc. Il est sorti d'usage dans ***coche volant*** «tiré par de nombreux chevaux», et donc très rapide (1690), mais s'applique encore à des unités d'intervention très mobiles, acception apparue au XVIe s. (1525). ◇ Plus généralement, l'adjectif s'applique à ce qui peut s'élever dans les airs, en parlant d'un être ou d'un objet qui, habituellement, n'en est pas capable, d'abord avec ***poisson volant*** (1529), toujours usuel alors que *un volant* n. m. (1544) a disparu en ce sens. De là viennent *feux volants* «météores» (1670), puis «feux employés pour l'attaque des vaisseaux» (1690) et «feux d'artifice» (1743) [locution disparue]. ***Fusée volante*** (1655) est plus technique. ◇ Au XVIIe s., l'adjectif s'applique par figure à une épidémie, à une maladie qui se transmet rapidement (1660, *vérole volante* «varicelle», sorti d'usage). ◇ Il se dit aussi de ce qui n'est pas attaché, se meut librement (1623), d'où ***feuille volante*** (1632), qui a eu le sens spécial de «petite brochure» (1735). ◇ ***Machine volante*** a d'abord désigné des engins volants imaginés (1678), puis (1851) a dénommé les premiers aéronefs à moteur ; ***personnel volant,*** en aviation (1954), aussi *les volants,* n. m. pl., s'oppose à *(personnel) rampant.* ➜ **VOLANTE** n. f. s'est d'abord dit (1596) pour «ange», en argot ancien. Il a signifié «plume à écrire» (1847, en argot), «voiture légère» (1873, à propos d'une voiture de La Havane), «blouse (d'homme)» (1901, en argot). ◇ Par abréviation de ***brigade volante, une, la volante*** désigne (déb. XXe s.) une équipe de la police, d'un service administratif, chargée de contrôles en dehors des points habituels. ◇ ***Pêche à la volante*** (v. 1950) est le nom d'une pêche de surface, où l'on déplace des leurres sur l'eau.

② **VOLANT** n. m., participe présent substantivé, attesté au XIIIe s. avec un sens peu clair, a désigné (1366) une aile de moulin à vent et la partie mobile d'un pont (1391). ◇ En technique, le mot se dit (1437) d'une pièce formée de palettes, montée sur un axe et qui, en tournant, régularise un mouvement ; ce sens sera repris en technique au XVIIIe s. (1731), désignant alors la roue fixée à un arbre et dont la masse en rotation régularise l'allure du moteur. ◇ C'est, depuis le début du XVIIe s., le nom d'un petit morceau de liège, muni de plumes en couronne et destiné à être lancé avec une raquette (1611), puis le nom du jeu (1671) qui fut à la mode au XIXe s.e siècle. ◇ Il s'est aussi employé pour «visière d'un casque» (1660), cette pièce étant mobile. ◇ *Volant* désigne également des pièces d'étoffe non fixées, et d'abord (1584) un manteau flottant, emploi classique repris en argot au XIXe s., puis aussi (av. 1673) une bande de tissu libre à un bord et formant une garniture rapportée, d'où le dérivé *volanter* (ci-dessous). ◇ En termes de chasse, *volant* désigne une perche sur laquelle les oiseleurs disposent les gluaux (1743). ◇ Le mot s'emploie également par analogie pour désigner une plante, le myriophylle, (1764), dit aussi ***volant d'eau*** (1776) et aussi le nénuphar (1791, *volant des étangs*). ➜ À partir du XIXe s., outre son sens technique (ci-dessus), il désigne le dispositif en forme de roue servant à orienter les roues d'une automobile (1860), d'abord en concurrence avec *guidon ;* cette acception est très usuelle, avec des syntagmes comme *prendre le volant* «se mettre à conduire». Par métonymie (1903, dans *chevalier du volant*), il signifie «conduite des automobiles». ◇ Du sens mécanique (volant de régularisation, ci-dessus), le mot a pris une valeur figurée dans la locution ***volant de sécurité*** (attesté en 1954). ◇ Enfin l'idée de feuille libre (cf. *feuille volante*) et détachable est appliquée dans l'acception pour «pièce détachable (d'un carnet à souches)» (1873).
➜ Le dérivé **VOLANTER** v. tr. (XXe s.) s'emploie en mode pour «garnir d'un volant».

VOLÉE n. f. désigne d'abord (v. 1135) le fait de voler, de s'élever en l'air et (av. 1225) la distance parcourue par un oiseau en un seul vol, par exemple dans la locution *se mettre a la volee* (XIIIe s.) «prendre son essor», aujourd'hui ***prendre sa volée*** (av. 1225), et les locutions figurées ***à la volée*** «sans hésiter» (XIIIe s.), «d'un seul coup» (fin XIVe s.), *d'une volée* «sans délibération» (v. 1673) sortie d'usage comme *a volee* «à la légère» (XIIIe s.). ◇ Par métonymie du premier sens, une *volée d'oiseaux* se dit (v. 1375) d'un groupe d'oiseaux qui volent ensemble, d'où le sens analogique (v. 1570) «groupe de personnes du même âge, de la même profession, etc.», par exemple sous l'Ancien Régime les avocats inscrits en même temps au barreau (av. 1615). ◇ De l'emploi à propos du mouvement d'une cloche qui sonne (attesté fin XIVe s.), par exemple dans ***à la volée***, vient par métonymie l'emploi du mot pour «suspension des cloches» (1321) et le figuré *sonner à la volée*, «très fort» (v. 1380), en parlant d'un cor. ◇ *Volée* désigne aussi une pièce d'un dispositif qui permet un mouvement (1389, «partie d'un pont mobile» cf. pont *levis**), spécialement la pièce transversale d'une voiture à laquelle sont fixés les traits de chevaux (1428), d'où *chevaux de volée* «ceux de devant» (1669), et aussi la barre de cabestan (1450), une partie des anciens canons (1461). ➜ Au sens actif, «action de se mouvoir en l'air», le mot s'emploie pour désigner le mouvement de ce qui a été lancé et n'a pas encore touché le sol, opposé à *bond*, à *rebond* en parlant d'un projectile, d'abord attesté dans des locutions figurées aujourd'hui sorties d'usage, comme *entre bond et volée* «en saisissant une conjoncture heureuse» (v. 1460), «d'une façon ou d'une autre» (XVIe s.). *Volée* s'emploie notamment comme terme de jeu dans ***à la volée*** (1454), ***jouer de volée*** (1660) «avant que la balle n'ait touché terre», le mot *(une volée)* prenant des valeurs techniques précises au tennis, «balle renvoyée avant son rebond» (cf. aussi *volley-ball*). *De volée* signifie par ailleurs «d'un mouvement rapide et violent» (v. 1220). ◇ Abstraitement, et par allusion à l'envol des oiseaux, *volée* signifie «essor rapide (d'un sentiment, etc.)» (1572) ; le mot, à partir des idées de «balle lancée» et de «groupe en vol», désigne depuis la fin du XVIe s. (av. 1591) la décharge de plusieurs canons faite en même temps. ◇ C'est avec la valeur de «mouvement vif» qu'il entre dans la locution ***volée de coups*** (v. 1650), d'où absolument *recevoir une volée* (1836) et ***volée de bois vert***, disparu au propre (1784), aujourd'hui «critiques violentes» (1860). ◇ Les sens techniques de «mouvement des ailes d'un moulin à vent» (1680), «mouvement» et «son des cloches» (1690), certainement antérieurs (cf. ci-dessus *sonner à la volée*), donnent la locution adverbiale ou adjectivée ***à toute volée*** (1762). ➜ Du sens initial, concernant le vol des oiseaux, vient au XVIIe s. la valeur métonymique «altitude élevée» dans un emploi figuré pour «rang, qualité» (1638) et dans la locution encore vivante *de la haute volée* (1666) devenue ***de haute volée*** (1830) cf. ci-dessus *de haut vol*. *Donner la volée à qqn* «lui donner pleine liberté» (1761) est une métaphore littéraire de *donner la volée à des oiseaux* «les laisser s'envoler», le sens concret de «vol des oiseaux en groupe» donnant par spécialisation et métonymie l'emploi en chasse pour «moment de la journée où passent les canards» (1454 ; repris 1842). ◇ ***Semer à la volée***, «par poignées» (1808) donne lieu à des métaphores. ➜ L'idée d'«espace vertical» ou d'«action de s'élever» se retrouve par métaphore dans le vocabulaire technique pour «partie (d'un escalier) qui s'élève d'un palier à l'autre» (1872) et «support de la poulie d'une grue» (1876).

VOLETER v. intr., diminutif de *voler*, signifie (v. 1120) «voler à petits coups d'ailes en se posant souvent». Par figure, il a eu le sens de «palpiter», en parlant du cœur (v. 1185). ◇ Il s'emploie concrètement, par figure, pour «flotter au vent» (1226) et pour «s'agiter d'un mouvement semblable à celui des ailes d'un oiseau», en parlant de choses (1578). ◇ Dans un sens abstrait et psychologique, il s'est employé au sens de «changer souvent de sujet» (1580), puis d'«opinion» (XXe s.). ◇ Au figuré, il a signifié également (1763) «ne pas atteindre une grande élévation morale, malgré des efforts répétés». ◇ Par analogie, *voleter* a pris (1875) le sens de «s'agiter en tous sens». ➜ **VOLETTEMENT** n. m. «action de voleter», «vol hésitant», apparu en 1596, puis chez Oudin (1660) et repris en 1870, est rare. ➜ **VOLETANT, ANTE** adj. est employé au propre (av. 1577) et au figuré (1934).

VOLET n. m., dérivé aujourd'hui démotivé de *voler* au sens de «flotter, se déplacer librement», a désigné la partie volante d'une coiffe (XIIIe s.; cf. ci-dessous *volette* → bavolet), puis une flèche qui porte bien (1476), acception attestée encore au XVIIe s., et aussi une sorte d'assiette creuse (1494), etc. ➜ Le mot a aussi désigné une tablette qu'on secouait, et sur laquelle on triait des graines, de petits objets (1542), sens demeuré dans la locution figurée ***trier sur le volet*** «choisir avec soin» (1542). ➜ Le mot se spécialise au début du XVIIe s. pour désigner un panneau de bois qui, placé à l'intérieur, protège le châssis d'une fenêtre (1606). Par analogie, il s'est employé et parfois s'emploie encore pour désigner un élément amovible servant à cacher, à protéger qqch. : «porte d'armoire» (1664), «panneau servant à fermer les orgues» (1676), «panneau dont on garnit le vitrage d'une boutique» (1837) «vantail d'un tryptique» (1837). Le sens très usuel de «panneau de bois protégeant une fenêtre à l'extérieur», en concurrence avec *persienne* et *jalousie*, semble relativement récent (1830, Stendhal). ◇ Par ailleurs, *volet* est le nom (1676) de chacune des ailettes d'une roue à aubes. Par analogie, le mot se dit de la valve qui règle l'arrivée d'air dans un carburateur (1907), de la partie mobile de l'aile d'un avion (1928). ➜ **VOLETTE** n. f., «coiffe de nonne», isolément au XIIIe s., a désigné plus généralement une coiffe (XVe s.). ◇ Le mot est repris au XVIIe s. au sens de «chasse-mouches pour chevaux» (1680, au pluriel). En technique, il s'est ensuite dit (1803) d'une petite claie pour éplucher la laine, puis (1876) d'une claie pour égoutter les fromages. Tous ces emplois ont disparu ou vieilli.

① **VOLERIE** n. f. désigne (1357) en histoire de la vénerie une chasse avec des oiseaux de proie, spécialement dans *haute volerie* (v. 1500) «fauconnerie», *basse volerie* (1636) désignant la chasse avec des éperviers ou des autours. ◇ Le mot a par ailleurs signifié «partie élevée d'une grange» (1371), où nichent certains oiseaux, d'où «partie élevée d'un théâtre» (1546; cf. *paradis*), «oiseau» (fin XIVe s.), enfin «volière» (1508), tous sens disparus.

VOLIÈRE n. f., «lieu fermé assez vaste pour que des oiseaux puissent y voler» (fin XIVe s.; aussi *volier*, 1478), désigne cet espace spécialement affecté aux pigeons (1460). ◇ Le mot s'emploie au figuré pour désigner un lieu plein de personnes qui bavardent (1866) et, en argot, une maison de tolérance (1847), les «filles» étant appelées de noms d'oiseaux (*poule*, *grue*, etc.). ➜ **VOLIER** n. m., attesté en 1454 au sens de «treille» et en 1478 pour «volière», est littéraire ou régional pour désigner (1773, puis au XXe s.) un groupe d'oiseaux volant ensemble, une *volée*.

VOLE n. f., déverbal de *voler*, est un terme de jeu; il désigne (1534) un coup où l'un des joueurs fait toutes les levées ensemble (les levées paraissent s'envoler). ➜ Il a pour préfixé **DÉVOLE** n. f., «fait de manquer la vole» (1690), dont le dérivé **DÉVOLER** v. (1835, aussi *être en dévole*), a été employé au figuré (1845). ➜ ③ **VOLER** v. intr. (1611; 1534, *vouler*) pour «faire la vole» ne s'est pas maintenu.

VOLIGE n. f. est une altération (1694) de *(latte) volice* (1690), puis *latte voliche* (1755) dans les parlers de l'Ouest, qui vient de *(late) volisse* (1435) «qui sert à porter l'ardoise», c'est-à-dire «si légère que le vent la ferait s'envoler». Le mot *volisse* est le féminin de l'ancien adjectif *volaïz* «abattu par le vent» (1320), issu d'un latin populaire °*volaticius* «qui vole», dérivé de *volare*. ➜ Le mot a d'abord désigné une planche de bois peu épaisse. Il se dit (1783) d'une latte mince sur laquelle sont fixées les ardoises ou les tuiles d'un toit, et il est sorti d'usage comme adjectif (1836).

VOLIS n. m. représente la substantivation de l'adjectif *volis* dans *bois volis* (1673), «branche abattue par le vent», venue de l'ancien français *volaïz* (→ volige). Employé au pluriel pour «arbres brisés par le vent» (1766), le mot désigne aujourd'hui en arboriculture (1873) la cime d'un arbre arrachée par le vent.

À partir de *voler* ont été formés quelques verbes préfixés. ➜ ① **REVOLER** v. intr. (v. 1138) signifie «voler de nouveau» et «retourner quelque part en volant» (v. 1550, *s'en revoler*, disparu). ◇ Par figure, le verbe s'emploie aux sens de «retourner avec rapidité» (1638) et «reporter vivement ses affections (vers qqn, qqch.)» (1673, Racine).

S'ENVOLER v. pron. succède (XIIIe s.) à un emploi intransitif (v. 1150, *en voler*) au sens de «prendre son vol, partir en volant». Il signifie «passer rapidement, disparaître», en parlant de la beauté, des sentiments, etc., puis (av. 1559) du temps. ◇ *Envoler* transitif, a eu le sens de «ravir, enlever» (mil. XVIe s.) qui correspond à l'ancien provençal *envolar* (XIIIe s.). ◇ Par extension, il signifie (1553) «être emporté par le vent» et, au figuré (1611), «disparaître subitement» (1690). ◇ Par analogie le verbe s'emploie en parlant d'un avion (1911). ➜ Le dérivé **ENVOLÉE** n. f. (1856) est aussi employé au figuré (1875). Il est usité en français du Canada pour «vol (d'un avion)». ➜ **ENVOLEMENT** n. m. (1862), de mêmes sens, est inusité. ➜ **ENVOL** n. m. (1873), «fait de s'envoler», se dit des oiseaux, puis (1908) des avions, désignant spécialement la phase qui suit le décollage.

SURVOLER v. tr. est d'abord attesté (1440-1475) au sens figuré de «dépasser (qqn en qqch.)», sorti d'usage. ◇ Il signifie «voler au-dessus de», en parlant d'un oiseau (v. 1530), puis d'un avion (1911). Au figuré, il a pris le sens (1936) de «passer rapidement sur» *(survoler une question)*. ➜ Le dérivé **SURVOL** n. m. est employé au propre (1911) *(le survol d'un territoire)* et au figuré *(un rapide survol d'un texte)*.

Dérivés de ② VOLER

VOLEUR, EUSE n. et adj. apparaît en 1516 en jargon pour «mauvais garçon», donc avant l'usage normal et assuré de *voler* dans ce sens. Il entre au milieu du XVIe s. (1547, Du Fail; 1549, Estienne) dans le vocabulaire général pour désigner une personne qui s'approprie (ou s'est approprié) le bien d'autrui, et notamment qui dérobe, tire ses ressources du vol ou qui prend plus qu'il ne lui est dû. ◇ Par extension, le mot se dit (1594) de la personne qui cause un dommage pécuniaire à une autre, sans prendre d'objet matériel; par figure, il équivaut à «plagiaire» (1620). Il s'emploie dans des expressions et locutions comme *au voleur!* (1585), *être fait en voleur* (1643) «avoir une apparence inquiétante», qui est sorti d'usage, comme *être fait (mis) comme un voleur*, de même sens (1808), et ***voleur de grands chemins*** (1648), toujours vivant malgré la disparition du contexte, qui concerne les détrousseurs opérant par petits groupes dans les zones isolées (telle la forêt de Bondy) le long des «grands chemins» de communication. ◇ L'emploi adjectif, surtout attribut, est attesté vers 1585.

② **VOLERIE** n. f., «action de commettre un vol» (1540), est vieux ou littéraire. ➜ Le déverbal ② **VOL** n. m., «fait de s'emparer du bien d'autrui» (1610), a remplacé *volement* (1594). ◇ Le mot s'emploie aussi par figure (1635) et désigne par métonymie (1668) le produit d'un vol *(un vol important)*. ◇ Il désigne par analogie (1690) le fait de léser qqn, spécialement dans le domaine commercial, par exemple dans des exclamations comme ***c'est du vol!*** ➜ **VOLEREAU** n. m., «voleur de peu d'envergure» (1651) est sorti d'usage. ➜ **VOLABLE** adj., d'emploi rare, s'applique à une personne (1668, Molière) et à une chose (1686) que l'on peut voler.

Le verbe préfixé ② **REVOLER** v. tr. signifie «voler une seconde fois (ce qui avait été volé à qqn d'autre)». ➜ Enfin **ANTIVOL** n. m. et adj. inv. (1948), d'abord *anti-vol* (1932), désigne et qualifie un dispositif de sécurité qui garantit contre le vol.

◈ voir, pour ① *voler* : CONVOLER, EMBLÉE, VOLAGE, VOLAILLE, VOLATIL, VOLLEY-BALL.

VOLLEY-BALL n. m. est un emprunt à l'anglo-américain attesté en 1922, mais probablement antérieur, des démonstrations de ce sport ayant eu lieu en France vers 1910. Le mot anglais *volley-ball* est le nom donné (1896) au sport inventé en 1895 par W. G. Morgan, composé de *volley* «volée» (*to volley* «jouer à la volée»), emprunté au français *volée* (→ ① voler) au XVe s., et de *ball* «ballon», apparenté au français *balle**, *ballon*.

♦ Le mot désigne un jeu dans lequel deux équipes séparées par un filet doivent se renvoyer le ballon à la main et de volée. Il est abrégé couramment en *volley* (1941).

▶ ① **VOLLEYEUR, EUSE** n., formé sur l'anglais *volley*, désigne un joueur de tennis spécialiste de la volée (1925); il a remplacé *volleyer* (1909), repris à l'anglais. ➜ **VOLLEYER** v. intr., terme de tennis, est construit (1925) à partir de l'anglais *to volley*.

De *volley(-ball)* vient (1941) ② **VOLLEYEUR, EUSE** n., «joueur, joueuse de volley-ball».

VOLONTÉ n. f., d'abord *voluntez* (v. 980), *volenté* (v. 1130), graphie la plus courante jusqu'au XVIe s., puis *volonté* depuis le milieu du XIVe s. (v. 1360), est emprunté au latin classique *voluntas* «bonne volonté», «bienveillance, zèle», puis «volonté exprimée» notamment par testament, d'où «dispositions, sentiments à l'égard de qqn» et «vœu, désir». *Voluntas*, également utilisé dans la langue philosophique avec un sens abstrait, est dérivé de *velle* (→ vouloir).

♦ Le mot a d'abord signifié, au pluriel, «passions, exigences, désirs» et s'est employé dans *faire sa volonté* «suivre tous ses caprices» (1165), devenu ***faire ses volontés*** (XIVe s.) et ***n'en faire qu'à sa volonté*** (1740), familier; ***faire les volontés de*** *qqn* (d'autre que soi) n'est attesté qu'au XVIIe s., d'où ***faire les quatre volontés de*** *qqn* (1904) «se plier à tous ses caprices». ◇ *Volonté* se dit ensuite (v. 1050) de ce que veut une personne et qui tend à se traduire par une décision; il entre avec cette valeur dans la locution *estre a volenté* «plaire» (v. 1150), d'où ***à volonté*** (v. 1290) «au moment que l'on choisit», par exemple dans *billet payable à volonté* (1694); l'expression prend ensuite la valeur de «autant qu'on veut» (fin XIVe s.), spécialement dans ***à volonté!*** (1690), commandement militaire, précisé ensuite par ***feu à volonté!*** ◇ Comme en latin, *volonté* désigne (v. 1050) la disposition, bonne ou mauvaise, à vouloir et à agir, surtout aujourd'hui dans des locutions comme ***bonne volonté*** (1380), opposé plus tard à ***mauvaise volonté*** (relevé en 1651, Oudin). ◇ *Dernière volonté* (1275) désigne ce qu'une personne veut qu'il soit fait après sa mort; la locution ne s'emploie aujourd'hui qu'au pluriel ***les dernières volontés*** (1701), mais le singulier a encore cours en droit, d'abord dans *disposition de dernière volonté* (1538), puis *acte de dernière volonté* (1701). ◇ La valeur plus abstraite de *volonté pour qqn*, «disposition bonne ou mauvaise envers qqn» (v. 1270), s'employait encore à l'âge classique. ◇ Par spécialisation du premier sens, le mot désigne (1580) ce que veut l'ensemble ou la majorité des membres d'un groupe. ◇ *Volonté*, qu'il s'agisse du vouloir individuel ou collectif, s'emploie ensuite avec un complément (infinitif, nom) désignant ce qui est voulu (av. 1613, *volonté de vivre*). ◇ Depuis le XIVe s. (1370), le mot désigne par réemprunt au latin la faculté de se déterminer librement à l'action, en pleine connaissance de cause, en relation avec le thème de la liberté (*les volontés sont libres*, 1655). Puis le mot désigne (1655) l'ensemble des forces psychiques qui portent à l'action; qualifié (1580), il se dit de la faculté de vouloir considérée comme une qualité morale individuelle. ◇ Dans le vocabulaire religieux, ***hommes de bonne volonté*** se dit (1690) des personnes qui n'ont de but que le bien; l'expression s'applique par extension (1835) à ceux qui sont capables d'altruisme. ◇ Le mot se spécialise plus tard en psychologie (1883), pour parler de la forme de l'activité personnelle caractérisée par une élaboration mentale anticipatrice, préalable au but à atteindre; en ce sens, *volonté* s'oppose à *impulsion, réflexe*, etc.

▶ **VOLONTAIRE** adj. et n., écrit *voluntaire* (1265) et *volontaire*, d'après *volonté*, au XIVe s., est emprunté au latin classique *voluntarius* «qui agit librement», «qui est fait sans contrainte et par intention», employé aussi comme adverbe et, au pluriel *(voluntarii)*, pour «soldats volontaires»; le mot dérive de *voluntas*. ➜ L'adjectif, lié à *volonté*, s'applique d'abord à ce qui n'est pas l'effet d'une contrainte. Il s'est employé de manière péjorative pour qualifier une personne qui manifeste une volonté obstinée, capricieuse (v. 1360), emploi substantivé au XVIIe s. (1680) et sorti d'usage. ◇ *Volontaire*, adj., qualifie ce

qui résulte d'un acte de volonté, et non de l'automatisme ou des impulsions (v. 1370, *volentaire*); il s'est aussi employé en parlant d'une personne qui agit librement (1440-1475). ◇ Par extension, il s'est dit au XVIe s. (1559), et encore au XVIIe s., de ce qu'il est en notre pouvoir de faire ou de ne pas faire, plus tard éliminé par de quasi-synonymes comme *possible, faisable.* ➡ Au XVIIe s. ***volontaire,*** n. m., se spécialise, désignant (1606) celui qui sert dans une armée sans y être obligé, en parlant de la Rome ancienne, puis (av. 1631) un combattant qui se propose pour une mission dangereuse. Sous l'Ancien Régime (1670), le nom a désigné un jeune gentilhomme admis à servir sur les vaisseaux du roi. Au début de la IIIe République (1872), *volontaire d'un an* se disait d'un engagé qui, par une présence d'un an sous les drapeaux, se dégageait des obligations du service militaire. Le mot est encore usuel dans ce contexte, et aussi comme adjectif *(engagé volontaire)*; il a un dérivé propre (ci-dessous, *volontariat*). ◇ Le nom, aux deux genres (attesté 1923), désigne encore une personne bénévole qui offre ses services par dévouement. ➡ En relation avec la valeur technique de *volonté* en psychologie, puis en physiologie, *muscles volontaires* signifie «qui se contractent sous l'influence de la volonté» (1872). ➡ Par extension du premier sens, l'adjectif s'applique au XXe s. à une personne qui manifeste nettement sa volonté, ou à un comportement, un trait, etc., qui témoigne de la volonté d'une personne *(un menton volontaire).* ➡ Le dérivé **VOLONTAIREMENT** adv. (XIIIe s., *voluntement*; XIVe s. écrit *voluntairement*; XVe s. sous la forme moderne) signifie «sans y être forcé», puis (1460) «par un acte volontaire, délibéré». ◇ Il s'est employé par extension pour «avec plaisir» (1553) et signifie aussi aujourd'hui (déb. XXe s.) «en manifestant son autorité».
VOLONTARIAT n. m., dérivé savant du radical de *volontaire,* désigne (1866) l'engagement volontaire dans l'armée et le service accompli par un engagé. ➡ **VOLONTARISME** n. m. est d'abord un terme de philosophie (1907), désignant la doctrine selon laquelle la volonté est le fondement de l'être et des choses, le monde n'étant qu'apparence, puis s'appliquant (1912) à la théorie qui tend à attribuer à la volonté des fonctions habituellement reconnues à l'intelligence. ◇ Le mot s'emploie ensuite dans l'usage général (déb. XXe s.) pour parler d'une personne qui croit pouvoir soumettre le réel à sa volonté. Il est repris (1947) dans des emplois didactiques, en logique et en métaphysique. ◇ Comme *volontariste* (ci-dessous) il a pris v. 1990 une valeur politique pour «action réformiste hardie». ◇ En dérive **VOLONTARISTE** adj. (1902), aussi substantivé.
INVOLONTAIRE adj. est emprunté au bas latin *involuntarius* (→ ① in-), repris en latin scolastique (XIIIe s.). ◇ L'adjectif s'applique (1370-1372) à ce qui se fait sans le consentement, contre la volonté de qqn. Il s'emploie (1826) en parlant d'une personne qui se trouve dans une situation quelconque sans le vouloir. ◇ Comme nom (1890) il a désigné un enfant non désiré, sens sorti d'usage. ➡ Le dérivé **INVOLONTAIREMENT** adv., attesté au XIVe s. (1370-1372, *involuntairement*) correspond à *involontaire.*
VOLONTIERS adv., réfection (XIIIe s.) de *voluntiers* (fin Xe s.), et *volentiers* (1050), est issu comme eux du latin impérial *voluntarie,* adv., avec un *-s* en latin populaire, du latin classique *voluntarius* (voir ci-dessus *volontaire*). ➡ L'adverbe signifie d'abord «par inclination, de bon gré» et, par extension (1211), «par une tendance ordinaire ou naturelle» et «dans de nombreux cas», emploi aujourd'hui littéraire. On a dit *mal volontiers* pour «à regret» (fin XVe s.) encore au milieu du XVIIe s.e siècle. ◇ L'adverbe a signifié «peut-être» (XVIe s.) encore au XVIIe s., mais, selon l'Académie (1694), «seulement dans des interrogations, par raillerie». ◇ *Volontiers* s'emploie aussi pour «oui» dans une réponse (1668).
VOLITION n. f., est un emprunt (1486) au latin médiéval *volitio* de même sens, formé savamment sur le radical du latin *voluntas.* ◇ Le mot s'emploie pour «acte de volonté» en psychologie et a fourni **VOLITIF, IVE** adj. (1815) «de la volition», mot très didactique.

VOLONTIERS → VOLONTÉ

① **VOLT** n. m., réfection étymologique (v. 1150) de *vout* (v. 1120), est issu du latin *vultus* (ou *voltus*) «expression, air du visage», par métonymie «visage, physionomie» et, par figure, «portrait», «air, apparence». *Vultus* est d'origine inconnue.

♦ Le mot, sous les formes *volt, vout, voult,* a été employé en ancien français au sens de «visage, trait» (v. 1120), puis pour «image (du visage du Christ)», spécialement en parlant de l'image vénérée dans la cathédrale de Lucques (v. 1170, *volt de Luche*); il s'est dit ensuite de toute image figurée (v. 1290). ◇ En occultisme, *volt* a désigné (déb. XIVe s., *voult*) une figure de cire qui représente une personne et est destinée aux envoûtements*.

◈ voir ENVOÛTER, VULTUEUX.

② **VOLT** n. m. vient (1874), d'abord en anglais, du nom du physicien italien Alessandro *Volta* (1745-1827) qui a fabriqué la première pile électrique.

♦ Le mot, qui désigne une unité de force électromotrice et de différence de potentiel, est devenu usuel lorsque les applications domestiques de l'électricité se sont répandues (déb. XXe s.) par exemple pour caractériser un courant *(fonctionner en 220 volts).*

▶ *Volt,* adopté par la communauté scientifique internationale, a servi à former des termes de physique et de technique électrique. ➡ **VOLTAGE** n. m. (av. 1888) désigne une différence de potentiel mesurée en volts, puis (1926) la tension normale sous laquelle un appareil électrique fonctionne. ◇ Il a servi à former **SOUS-VOLTAGE** n. m. (mil. XXe s.). ➡ **VOLTMÈTRE** n. m., de *-mètre* (1883), désigne l'appareil mesurant les différences de potentiel et **VOLTAMPÈREMÈTRE** n. m. (1888) la puissance apparente, l'unité se nommant **VOLT-AMPÈRE** n. m. (1888), de *ampère**. ➡ Plusieurs composés désignent des sous-multiples du volt, par exemple **MICROVOLT** n. m. (1888), **MILLIVOLT** n. m. (1923), de *micro-* et *milli-* (de *mille**).
Plusieurs verbes préfixés sont issus de *volt.* ➡ **DÉVOLTER** v. tr. (1908), «diminuer le voltage de», comme ses dérivés **DÉVOLTEUR** n. m. et **DÉVOLTAGE** n. m. (1908), est un terme du langage technique. ➡ Il n'en va pas de même pour **SURVOLTER** v. tr. (1908) immédiatement attesté au figuré pour

«surexciter», sens surtout réalisé au participe passé adjectif, **SURVOLTÉ, ÉE,** usuel. ◇ Il a servi à former **SURVOLTAGE** n. m. (1908), qui s'emploie surtout en électricité, et peu au figuré.
Par ailleurs, quelques mots ont été formés directement à partir du nom de *Volta*. ➝ **VOLTAÏQUE** adj. (1808) se dit de la pile de Volta, de l'électricité provenant de cette source, d'où *arc voltaïque* (1866), synonyme ancien d'*arc électrique*. ➝ **VOLTAMÈTRE** n. m. (1843) désigne un appareil où se produit une réaction électrolytique ou (1876) un appareil servant à déterminer la quantité d'électricité utilisée. ➝ **VOLTAÏSATION** n. f. (1888), «galvanisation thérapeutique», est un terme de médecine disparu (cf. *électrothérapie*).

VOLTAIRE n. m. est tiré par ellipse (1844) de l'expression *fauteuil à la Voltaire* (1837), puis ***fauteuil Voltaire***. Cette désignation se réfère au fait que l'écrivain aurait aimé ce genre de sièges.

♦ Le mot désigne un fauteuil à siège bas et à dossier élevé légèrement renversé en arrière.

▶ **VOLTAIRIEN, IENNE** adj. et n. a été dérivé (1749, n.) de *Voltaire*. Le mot s'applique à une personne qui adopte ou exprime l'incrédulité, l'anticléricalisme et le scepticisme de Voltaire (v. 1755, adj.). Plus strictement, il qualifie en littérature ce qui est propre à Voltaire, à ses écrits (1801). ➝ En dérive **VOLTAIRIANISME** n. m., didactique (1833).

VOLTE n. f. est un emprunt (v. 1170) à l'italien *volta* «tour», et aussi «fois», issu du latin populaire °*volvita*, substantivation du participe passé féminin de *volvere*, qui a donné *voûte**. *Volvere* signifie «rouler», «faire rouler», d'où «projeter en tourbillons», «faire aller et venir» et, au figuré, «remuer en soi, en esprit», en rhétorique «dérouler une période». Ce verbe se rattache à une racine indoeuropéenne, représentée par le vieux slave *valiti* «rouler», le vieil irlandais *fillim* «je tourne», le gotique *waltjan* (→ valse) et le grec *eluein* (→ élytre, hélice).

♦ Le mot apparaît pour désigner une danse (Italie, Provence) où le danseur fait tourner sa partenaire plusieurs fois. Repris en ce sens au XVIe s. (1554, Ronsard), il est attesté sous la forme italienne *volta* en 1633. ◇ C'est l'idée de «mouvement circulaire» qui domine dans l'ensemble des emplois. *Volte* a signifié «courbe parcourue par un astre» (v. 1265, B. Latini) [→ révolution], «coup donné si violemment qu'il fait tourner la personne qui le reçoit» (1392). Comme l'italien *volta*, il s'est employé pour «fois» (v. 1480), sens disparu en français. ◇ Le mot se spécialise au XVe s. en termes de manège (1435, ***faire la volte***), désignant un tour complet qu'on fait exécuter au cheval et, par métonymie, l'espace circulaire autour duquel on exerce le cheval (v. 1475). ◇ Il s'emploie ensuite au sens de «direction» dans des locutions comme *tirer la volte vers, à la volte de,* encore employées en marine au XVIIIe siècle. Par extension du sens de «danse», il s'est dit pour «danse des jongleurs» (1611) et, par métonymie (apr. 1617), pour «air de danse». Cette acception, comme la précédente, a disparu. ◇ *Volte* se dit d'un brusque mouvement circulaire, d'abord en parlant de la manœuvre pour se préparer au combat (1636). En escrime il désignait (1747) un mouvement fait en tournant le pied gauche, pour éviter l'épée de l'adversaire.

▶ **VOLTER** v. intr. est repris à l'italien *voltare* «tourner», issu du latin populaire °*volvitare,* fréquentatif de *volvere*. ➝ Le verbe apparaît (déb. XVe s.) à l'impératif, dans un ordre : *volte, route!* «tourne, compagnie!». ◇ Il s'emploie en marine (1546) au sens de «tourner en rond», en manège, alors dérivé de *volte* (1536), pour «faire tourner en rond (un cheval)», et plus généralement pour «tourner dans une direction déterminée» (1549); ces emplois ont disparu, mais *volter* signifie encore en équitation (dep. 1550) «tourner en exécutant une volte». ◇ *Volter de tours,* «tourner (au bal)» (v. 1590), ne s'est pas maintenu, pas plus que l'emploi de *volter face à qqn,* «se tourner contre lui» et, au figuré, «devenir infidèle» (fin XVIe s.), assez proche des emplois anciens de *révolter** (cf. *volte-face,* ci-dessous). ◇ Le verbe s'est aussi employé en marine (1649) au sens de «virer de bord pour changer de route», et aussi en escrime (1704). ◇ L'ensemble des valeurs du mot est archaïque.

VOLTE-FACE n. f. inv. est un emprunt à l'italien *voltafaccia,* proprement «tourne face!», composé de *volta,* 2e personne du singulier de l'impératif de *voltare,* et de *faccia,* de même origine et sens que *face**. ➝ Le mot désigne l'action de se retourner de manière à faire face, surtout dans la locution ***faire volte-face*** (1654), et spécialement en parlant de troupes (1671). ◇ Par figure, il sert à nommer un changement brusque et total d'opinion (1742), précédé dans ce sens par l'italianisme *voltafaccia* (fin XVIe s.), l'expression *faire volte-face* n'étant attestée qu'au XIXe s. (1829).

VOLTIGER v. intr. est une adaptation de l'italien *volteggiare* «faire de la voltige», intensif de *voltare.* Le verbe a d'abord été employé à propos de soldats qui tournent autour de l'ennemi pour le harceler (v. 1525), sens qui s'est maintenu dans le dérivé *voltigeur* (ci-dessous). ◇ Il s'emploie ensuite (1534) dans *voltiger un cheval,* «le faire tourner en rond», puis il signifie (1542) «exercer un cheval à des mouvements de haute école», en parlant d'un cavalier. ◇ Parallèlement (1572), par attraction de *voler* et de *voleter,* il se dit pour «voleter», seul sens qui se soit conservé dans l'usage courant et, par métaphore (1545), «sauter d'un sujet à l'autre». ◇ Le sens (1559) de «tourner autour de l'ennemi pour le harceler» s'est maintenu dans le dérivé *voltigeur* (ci-dessous). ◇ Le verbe s'emploie par extension (1548) en parlant d'acrobates, de gymnastes et, par analogie (1653), au sens de «flotter çà et là», le sujet désignant des choses légères.

➝ Le dérivé **VOLTIGEUR** n. m. désigne (1534) un cavalier qui fait de la voltige à cheval et, par extension (1542), au trapèze, sur une corde, etc. ◇ Du sens militaire de *voltiger* (ci-dessus), le mot s'est employé (1804) à propos de fantassins appartenant à des compagnies extrêmement mobiles, d'abord dans les armées napoléoniennes. Il a été pris (1932) pour désigner un cigare de la Régie française, en souvenir des *voltigeurs* de l'Empire. ➝ **VOLTIGEANT, ANTE** adj. s'applique par figure à ce qui est changeant (1541) et s'emploie concrètement pour «qui volète» (1552). ➜ **VOLTIGEMENT** n. m., littéraire, désigne l'action de faire de la voltige sur un cheval (1542) ou de voleter dans les airs (v. 1550), et le mouvement de ce qui voltige (1564). ➜ **VOLTIGE** n. f., d'abord au sens (1544) de «harcèlement d'une troupe qui voltige (tournoie) autour de l'ennemi», sens disparu, s'emploie à partir du XVIIIe s. au sens moderne de *voltiger*, «voleter en l'air», en gymnastique (1736). En équitation, au contraire, le déverbal de *voltiger* concerne les voltes, les tournoiements de la haute école (1634). ◇ Par figure (1846), *de la voltige* se dit d'une manière spécieuse de conduire sa pensée, d'une «acrobatie» intellectuelle. ◇ *Voltige aérienne* ou *voltige* (déb. XXe s.) s'emploie à propos de la technique des acrobaties aériennes.

◈ voir VOÛTE.

VOLUBILE adj. est un emprunt (1509) au latin classique *volubilis* «qui tourne», «qui roule (d'un cours d'eau)» et, au figuré, «facile, rapide» à propos de la parole, et «inconstant», de la fortune; le mot dérive de *volvere* «tourner, faire tourner» (→ volte; évoluer).

♦ L'adjectif s'est d'abord employé au sens latin de «changeant», en parlant de la mer, puis en vénerie (1561) pour «qui remue aisément (de la queue du faucon)», tous deux disparus. ◇ Au début du XVIe s. apparaît la forme francisée *voluble* (v. 1510) qui signifiait «mobile», puis «qui tourne aisément» (1611) et «inconstant, variable» (1611). Cette forme rare, reprise en 1660 et vers 1820, a disparu ensuite. ➜ *Volubile* est à nouveau relevé en 1777, appliqué sous l'influence de *volubilité* à la manière de parler d'une personne qui s'exprime avec facilité et rapidité; cette acception est rare avant la fin du XIXe s., époque où apparaît l'emploi du mot pour qualifier une personne qui parle avec volubilité (1897, L. Bloy). ◇ L'adjectif est entré par ailleurs dans le vocabulaire de la botanique (1799) : il se dit d'une tige grêle qui ne peut s'élever qu'en s'enroulant autour d'un support, et de la plante elle-même. ◇ *Volubile* s'est employé au sens de «changeant (d'un caractère)» (1845), acception relevée jusqu'en 1877.

▸ Le dérivé **VOLUBILISME** n. m. (1872) est un terme de botanique. ➜ **VOLUBILEMENT** adv. (1930), «avec volubilité», est rare.

VOLUBILITÉ n. f. est emprunté (v. 1380) au dérivé latin *volubilitas* «mouvement giratoire, rotation» et, au figuré, «rapidité, facilité de la parole» et «inconstance (de la fortune)». ➜ Le nom est introduit en français avec le sens concret de «facilité à se mouvoir», encore relevé en 1878. ◇ Il signifie ensuite «instabilité, inconstance» (1508), notamment à l'époque classique, puis il est sorti d'usage. ◇ *Volubilité de (la) langue*, «facilité et rapidité de la parole», est attesté en 1547; en ce sens le mot s'emploie seul à partir du XVIIe s. (1680 *in* Richelet); on disait aussi *volubilité de discours* (1674, Boileau). ◇ Le mot a été également utilisé au sens de «mobilité de l'esprit» (1580), encore au XVIIIe s., mais c'est le sens de «parole abondante», soutenu par la reprise de *volubile*, qui l'emporte en français moderne.

VOLUBILIS n. m., mot du latin botanique médiéval désignant le liseron des haies, plante dont la tige qui pousse rapidement s'enroule en hélice, a d'abord été francisé en *voluble* (v. 1390) et repris sous la forme latine vers 1500. C'est aussi le nom (1872) de plusieurs plantes volubiles, en particulier d'une variété d'ipomée ornementale.

VOLUME n. m. est un emprunt (v. 1250) au latin classique *volumen* «rouleau, repli», d'où des emplois spécialisés : «rouleau d'un manuscrit», par métonymie «manuscrit, volume, livre», puis «partie d'un ouvrage» et, par ailleurs, «enroulements, replis d'un serpent» et «mouvement circulaire», spécialement en parlant des astres (alors que *revolutio* n'a pas ce sens en latin classique) et au figuré. *Volumen* dérive de *volvere* «tourner, faire tourner» (→ volte, voûte et les emprunts aux composés latins).

♦ *Volume* apparaît comme terme d'Antiquité, pour désigner la réunion de feuilles manuscrites enroulées autour d'un bâtonnet; dans l'usage didactique, on emploie aujourd'hui dans ce sens le latinisme *volumen*. Par extension (1270), *volume* s'emploie pour parler d'une réunion de cahiers manuscrits ou imprimés, brochés ou reliés ensemble (cf. *livre*). *Volume* signifie par métonymie «partie d'un texte qui forme un volume» (1487). ◇ Toujours avec cette valeur, il se dit par métonymie (1664) de la quantité d'écrit nécessaire pour remplir un volume et, par extension (1672), d'écrits, de lettres d'une longueur démesurée, surtout dans *écrire des volumes*. ➜ Par ailleurs, *volume* prend la valeur générale de «partie de l'espace à trois dimensions qu'occupe un corps» (1279). Les deux valeurs se développent ensuite concurremment et leur lien n'est plus senti aujourd'hui. Le mot s'emploie à l'époque classique dans des locutions figurées : ***en grand volume***, «avec beaucoup de détails, d'ampleur» (v. 1580), signifie ensuite «en grande quantité» (1675), opposé à ***en petit volume*** «en petite quantité» (av. 1615). ◇ Parallèlement, le mot désigne abstraitement (mil. XVIIe s.) la mesure de l'espace à trois dimensions puis, par extension (1751), une quantité de matière et, par métonymie (1753), la place occupée par un corps, son encombrement. ◇ Par analogie de l'espace au son, *volume* désigne en musique (1761) l'intensité de la voix, sens repris au XXe s. pour parler de l'intensité sonore d'un appareil, aussi dans ***volume sonore***. ◇ Avec une valeur concrète, il s'emploie spécialement (fin XVIIIe s.) à propos de la masse d'eau que débite un cours d'eau. ◇ La locution figurée ***le volume de qqn***, «son importance», est attestée en 1724; la même idée s'exprime dans la locution ***faire du volume*** «se donner de l'importance» (1892). ◇ Le mot est employé avec une valeur plus précise en géométrie pour désigner une figure à trois dimensions, limitée par des surfaces et, comme terme d'arts, un élément à trois dimensions (1911). ➜ Retrouvant sa première valeur, bibliographique, *volume* devient un terme d'informatique (v. 1970), nom d'une unité de mémoire auxiliaire d'un ordinateur.

▸ *Volume*, «partie de l'espace», a fourni le dérivé didactique **VOLUMIQUE** adj. (1956) et plusieurs composés techniques ou didactiques : **VOLUMÉTRIQUE** adj. (1868), d'où **VOLUMÉTRIQUEMENT** adv. (1872), **VOLUMÈTRE** n. m. (1847), **VOLUMÉTRIE** n. f. (1904). ➛ **VOLÉMIE** n. f. (XXe s.), du radical de *volume*, et *-émie**, désigne en physiologie le volume total du sang de l'organisme.

VOLUCOMPTEUR n. m., de *volu*(me) et *compteur*, est un terme technique, désignant (v. 1950) le compteur d'un distributeur d'essence.

VUMÈTRE n. m. est un calque (v. 1950) de l'anglais *vumeter*, de *VU* abréviation de *volume unit* «unité de volume», et *-mètre*. Ce terme technique désigne un appareil électrique de mesure du volume sonore. Son initiale en *vu-* fait que le mot est souvent mal compris ; son origine n'est plus sentie.

VOLUMINEUX, EUSE adj. a été formé d'après le bas latin *voluminosus* «qui se roule, qui forme des plis», dérivé de *volumen*. ➛ L'adjectif s'est dit (1676) d'un ouvrage formé de plusieurs volumes. Il s'applique couramment (1762) à ce qui occupe une grande place. Il qualifie également (av. 1821) un livre, un écrit, ensemble composé de nombreux manuscrits ou pièces. ◇ Le mot a vieilli (1811) pour «abondant» en parlant d'un repas. ◇ Depuis la fin du XIXe s., il s'emploie pour «très gros, très épais», en parlant d'un livre, mais s'applique plus tôt (1866) à une personne avec cette valeur.

VOLUPTÉ

VOLUPTÉ n. f. a été emprunté à la fin du XIVe s. (Christine de Pisan) au latin classique *voluptas* «joie, satisfaction, plaisir», avec une valeur abstraite et concrète, en particulier avec une acception érotique ; au pluriel *(voluptates)*, le mot s'emploie pour «fêtes, spectacles, jeux». Opposé à *dolor* et correspondant au grec *hêdonê* «plaisir» (→ hédonisme), *voluptas* dérive de l'adverbe latin *volup* «agréablement, d'une manière conforme aux désirs», neutre d'un adjectif supposé °*volupis* qui n'est attesté, chez les auteurs comiques, que dans *volup(e) est* «il m'est agréable». °*Volupis* appartient probablement à la famille de *velle* «vouloir*».

♦ Au XVIe s. (1554), le mot se répand dans un contexte critique de nature religieuse, pour désigner le vif plaisir des sens et, spécialement, le plaisir sexuel ; il est souvent usité au pluriel (1690). Il s'emploie depuis le XVIe s. pour parler d'un plaisir moral très vif (1580). Depuis 1580 aussi, il désigne la recherche des plaisirs des sens, en particulier des plaisirs sexuels, acception disparue, et (1831), le caractère sensuel, érotique d'un affect.

▸ Deux mots ont été empruntés à des dérivés de *voluptas*. ➛ **VOLUPTUAIRE** adj. est emprunté (1357 ; 1356 *voluptaire*) au bas latin *voluptuarius* «voluptueux» ; cet adjectif s'applique, en droit, aux dépenses consacrées aux choses de luxe ou de fantaisie, acception rare avant le XVIIIe s. (1765). ◇ Sous l'influence de *volupté*, il s'est dit (1510) de ce qui concerne les plaisirs des sens, emploi archaïque.

VOLUPTUEUX, EUSE adj. est un emprunt (v. 1370) au latin classique *voluptuosus*, «agréable, qui charme, qui plaît». Le mot se dit d'abord de ce qui permet d'éprouver le plaisir des sens et, spécialement (fin XIVe s.), de ce qui procure ou inspire le plaisir sexuel. ◇ Il qualifie ensuite une personne qui aime et recherche les plaisirs raffinés (1572), substantivé dans ce sens au XVIIe s. (1669) et, spécialement, une personne portée aux plaisirs de l'amour (1572 ; aussi comme nom déb. XVIIIe s.). Par extension, il se dit de ce qui évoque ou inspire un plaisir intense (v. 1770), de ce qui exprime les plaisirs amoureux (1876). ➛ **VOLUPTUEUSEMENT** adv. (déb. XIVe s.) s'emploie en particulier à propos des plaisirs amoureux (1588).

VOLUTE

VOLUTE n. f. est emprunté (1545) à l'italien *voluta* «volute», lui-même pris au latin médiéval *voluta*, terme d'architecture, substantivation du participe passé au féminin du latin classique *volvere* «rouler, faire rouler» (→ volte, voûte).

♦ Le mot désigne un ornement d'architecture sculpté en spirale (1545), cette forme étant dite ***en volute*** (même date). Par extension, il se dit d'un enroulement servant d'ornement (1694, en parlant du buis dans un parterre). ◇ Par analogie, *volute* désigne en zoologie (1752) un gastéropode à coquille ovoïde terminée en hélice et, par extension (1761), toute forme enroulée en spirale ou en hélice. ◇ Il est repris avec sa première valeur (1872) pour nommer la partie ronde du bas d'un limon d'escalier, sur laquelle repose le pilastre de la rampe.

▸ Le dérivé **VOLUTER** v. apparaît au sens (1731) de «dévider (le fil de soie) d'une fusée», sorti d'usage. Ce verbe est littéraire au sens (1766, intr.) de «former une volute» et rare pour «enrouler en volutes (qqch.)» (1876).

◈ voir INVOLUTION.

VOLVE

VOLVE n. f. est emprunté (1798-1799) au latin classique *volva, vulva* «vulve» et, en cuisine, «ventre de truie ; fressure de porc» et, par ailleurs, «enveloppe (des champignons)». Le mot a été rapproché du sanskrit *gárbhaḥ* «matrice» et «fœtus» et du grec *delphus* «matrice», mais ce lien ne peut être établi que si la variante *volba* est très ancienne, ce qui n'est pas prouvé.

♦ Ce terme de botanique désigne la membrane épaisse qui enveloppe le pied et le chapeau de certains champignons jeunes. On a dit aussi *volva* (1783).

▸ *Volve* a pour dérivé **VOLVÉ, ÉE** adj. (1803) «muni d'une volve».

VOLVAIRE n. f. est un emprunt adapté au latin scientifique *volvaria*, dérivé de *volva*. Le mot a désigné un genre de mollusque (1803). ◇ C'est en botanique (déb. XXe s.) le nom d'un champignon qui possède une volve.

◈ voir VULVE.

VOMER

VOMER n. m. est emprunté (1690) au latin scientifique *vomer*, désignant un os qui forme la partie supérieure de la cloison des fosses nasales ; ce mot représente un emploi spécialisé, par analogie de forme, du latin classique *vomer* «soc de la charrue», qui avait été repris avec ce sens en ancien français (XIIIe s., hapax) sous la forme *vomier*. *Vomer* est un terme technique sans correspondant exact dans les langues apparentées mais on en rapproche plusieurs mots germaniques, et des mots grecs, de sens voisin.

♦ *Vomer*, en anatomie, conserve le sens du latin médical.

VOMIR v. tr. est issu (v. 1174) du latin populaire °*vomire*, altération du latin classique *vomere* «vomir, cracher, rejeter», au propre et au figuré. Ce verbe est apparenté au grec *emein* (→ émétique) de même sens, au sanskrit *vámiti* «il vomit», au lituanien *vémti*. Le -*o*- s'est maintenu anormalement en français sous l'influence du latin écrit, le verbe étant surtout utilisé par les médecins.

♦ *Vomir* s'emploie comme en latin au sens de «rejeter par la bouche (des matières contenues dans l'estomac)», en emploi absolu depuis 1530. ◇ Il signifie aussi, comme le latin *vomere* (v. 1280, repris à la fin du XVIe s.), «proférer avec violence (des paroles ignobles)» et, au début du XVIe s., «laisser sortir, projeter au-dehors» (1508), ce sens concret étant devenu littéraire et archaïque (*vomir des flammes*, etc.). ◇ Par figure, il prend le sens de «rejeter avec violence et répugnance (qqn)», d'abord dans l'usage religieux (1553), puis généralement (XIXe s.). ◇ Par extension de l'idée de «laisser sortir», *vomir* s'emploie (1674) en parlant d'un lieu qui semble rejeter ses occupants, lorsqu'ils sortent en masse. ◇ Au sens propre, le verbe suscite des locutions à valeur physiologique, comme ***vomir tripes et boyaux*** «tout le contenu de l'estomac» (1623) ou métaphorique, avec l'idée de rejet, dans ***faire vomir*** «exciter le dégoût» (1690), d'où ***être à faire vomir*** (1779), ou de violence, dans ***vomir feu et flamme contre qqn*** «s'emporter contre lui» (1707). ◇ C'est l'idée de rejet et de dégoût qui l'emporte aujourd'hui, le verbe ayant divers synonymes familiers, comme *dégueuler* (→ gueule), plus récemment *gerber*. ◇ Par extension du sens propre, le verbe s'emploie (1573) au sens de «rejeter (du sang, de la bile...) par la bouche».

▶ Le dérivé **VOMISSEMENT** n. m. est attesté (v. 1200) au sens de «matières vomies» et désigne l'action de vomir (v. 1280). ***Retourner à son vomissement*** a signifié en religion «retourner à son ancien péché» (1455), par allusion au chien évoqué par l'Évangile, qui revient manger ce qu'il a vomi. ◇ Suivant l'évolution du verbe, le mot s'emploie en parlant d'une chose (v. 1560). Il désigne aussi (1694) l'expulsion par la bouche de matières organiques. ◆ **VOMISSURE** n. f. signifie d'abord (XIIIe s., *vomisseüre*) «matière vomie». Le mot s'est employé figurément (1553) au sens de «rebut de la société» dans le vocabulaire religieux et se dit aujourd'hui par métaphore (av. 1881) pour «production répugnante». ◆ **VOMI** n. m., substantivation du participe passé (1894, *vomis*), équivaut à «vomissure». ◇ En ancien français, *vomite* (XIIIe s.), *vomit* (XVe s.), signifiant également «action de vomir», était emprunté à *vomitus*, «action de vomir», «ce qui est vomi», de *vomitum*, supin de *vomere*.

Plusieurs mots ont été empruntés à des dérivés de *vomere* ou de son supin *vomitum*. ◆ ① **VOMIQUE** adj., d'abord *vomice*, s'emploie dans *noiz vomice* (XIIIe s.), puis *noix vomique* (XVe s.), emprunt au latin médiéval *vomica nux* (v. 1160), et désigne comme lui le fruit du vomiquier, qui a des propriétés vomitives et contient de la strychnine. Le mot est formé du latin classique *vomica*, féminin de *vomicus* «qui fait vomir» (dérivé de *vomere*) et de *nux* «noix*». ◆ De *vomique* dérive **VOMIQUIER** n. m. (1808), arbrisseau de l'Inde dont l'écorce et le fruit contiennent des alcaloïdes toxiques. ◆ ② **VOMIQUE** n. f. est un emprunt (1375) au latin classique *vomica*, «abcès, dépôt d'humeur», féminin substantivé de l'adjectif *vomicus*. Un adjectif *vomique* a signifié en médecine «purulent» (v. 1500); il a disparu. ◇ Le nom désigne une expectoration subite de sérosité, de sang provenant d'une collection purulente du poumon.

VOMITIF, IVE adj. et n. m., dérivé savant de *vomitus*, s'applique en médecine à ce qui provoque le vomissement (fin XIVe s., adj. Il est aussi substantivé (v. 1560) pour «substance vomitive». ◇ Au figuré, il signifie «répugnant, ignoble» (1886) et comme nom «chose ignoble» (1853).

① **VOMITOIRE** n. m. est emprunté à l'adjectif latin *vomitorius* «qui provoque le vomissement», dérivé de *vomitum*; d'abord adjectif (1549) dans *noix vomitoire* (1555) «noix vomique», le mot a été employé (1564, n. m.) pour *vomitif*.

② **VOMITOIRE** n. m. est emprunté (1636) au latin *vomitorium* «large issue donnant passage aux spectateurs dans un amphithéâtre», employé le plus souvent au pluriel *vomitoria*, neutre substantivé de *vomitorius*. Le mot est un terme didactique employé à propos de l'Antiquité romaine, aujourd'hui remplacé par la forme latine réempruntée **VOMITORIUM** n. m. ◇ Par analogie, *vomitoire* a désigné (av. 1841) une voie large par laquelle peuvent passer un grand nombre de personnes, puis (av. 1872) un passage ménagé pour faciliter la circulation dans un théâtre; ces emplois très didactiques ont disparu, du fait des connotations déplaisantes de *vomir*.

Le composé **REVOMIR** v. tr. signifie d'abord (1213), en parlant de la mer, «rejeter (ce qui avait été englouti)». Il s'emploie aussi pour «vomir de nouveau» (1538), puis «rejeter par un vomissement» (1662). ◇ Le sens figuré de «restituer par force» (1585) est propre au français préclassique.

VOMITO NEGRO n. m., emprunt (1804) à l'espagnol où il signifie «vomissement noir», a désigné en médecine la fièvre jaune. L'espagnol *vómito negro* est composé de *vómito* «vomissement», du latin classique *vomitus*, et de *negro* «noir», du latin classique *niger* (→ noir).

VORACE adj., d'abord attesté sous la forme altérée *vorage* (v. 1430), puis *vorace* (1603), est emprunté au latin classique *vorax, voracis*, «qui est toujours disposé à dévorer», «qui engloutit», aussi au figuré en parlant du feu. Ce nom est dérivé de *vorare* «manger avidement», au propre et au figuré, verbe dont un dérivé a donné par emprunt *dévorer**. Il se rattache à une racine indoeuropéenne °*gwer*-, °*gwrē*- «avaler», dont proviennent également le latin *gurges* (→ gorge) et *gula* (→ gueule).

♦ L'adjectif a d'abord le sens général de «qui dévore» (v. 1430). Il s'applique à un animal qui mange avec avidité (1603), puis à une personne (1690) et à ce qui dénote la gloutonnerie (1694, *appétit vorace*). ◇ Il est substantivé depuis le XIXe s. (1845, n. m.).

◇ Par analogie, il s'emploie en agriculture (1767), qualifiant des plantes qui épuisent le sol. ◇ *Vorace* prend à partir du XVIIIe s. des valeurs figurées, s'appliquant à ce qui détruit avec une sorte d'avidité (1780, *océan vorace*) et à un acte, un sentiment qui témoigne d'une grande avidité (1782), puis à une personne qui exploite ceux qui dépendent d'elle (1834).

Le dérivé **VORACEMENT** adv. (1836) est d'usage soutenu.

VORACITÉ n. f. est emprunté au dérivé latin *voracitas* «voracité, avidité» et, au figuré, «nature dévorante», par exemple du feu. ◆ Il s'emploie au propre (fin XIVe s.), aujourd'hui dans un usage littéraire, et au figuré, désignant l'avidité à satisfaire un besoin (v. 1765) et spécialement l'âpreté au gain (1775).

◈ voir **CARNIVORE**, **OMNIVORE** ; **HERBE** (art. **HERBIVORE**).

VORTEX n. m., d'abord sous la forme francisée *vortice* «tourbillon d'eau» (1630) et repris sous la forme latine *vortex* en 1845, est emprunté au latin *vortex* (ou *vertex*), «tourbillon d'eau», puis «de vent, de feu» et «sommet (de la tête, d'une montagne)», au figuré «le plus haut degré». Certains grammairiens latins ont sans fondement voulu distinguer *vortex* «tourbillon» et *vertex* «sommet» ; le mot, sous ses deux formes, est un dérivé de *vertere* «tourner» (→ vers, vertex).

♦ En sciences naturelles, *vortex* désigne une disposition en cercles concentriques ou en hélice de certaines coquilles ou d'organes. ◇ Le mot s'emploie aussi pour «tourbillon (dans un fluide)» (1856), et en météorologie. Il est littéraire comme synonyme de *tourbillon*, au sens concret et au sens abstrait.

▸ **VORTICITÉ** n. f. (mil. XXe s.) est un dérivé savant peu usité de *vortex*.

VORTICISME n. m. (1933) et **VORTICISTE** adj. et n. (1934) ont été empruntés aux mots anglais correspondants. Ceux-ci ont été formés au début du siècle à partir du latin *vortex* par un groupe d'écrivains et de plasticiens réunis autour de Wyndham Lewis. Ce mouvement artistique entendait se consacrer à la suggestion systématique du mouvement : le poète Ezra Pound est à l'origine du choix de son appellation qui évoque un dynamisme tourbillonnaire.

VOS → **VÔTRE**

VOTE n. m. est emprunté (1702) à l'anglais *vote*, terme de politique à partir du XVe s., lui-même du latin classique *votum*, qui a donné en français *vœu**. Le moyen français avait emprunté *vote* au latin avec le sens de «vœu, prière» (1564) ; malgré l'emprunt, *vote* peut être considéré comme le doublet savant de *vœu*.

♦ Le mot désigne d'abord une décision prise par la Chambre des communes anglaise. *Vote* ne se répand à propos de la France qu'après *voter*, à partir de la Révolution, où il est en concurrence avec *votation**. Il est alors lié au verbe *voter*, employé au sens politique depuis le milieu du XVIIIe s. (ci-dessous). Depuis 1789, le mot désigne une opinion exprimée par un corps politique, une assemblée délibérante. Il désigne également le bulletin qui permet d'exprimer cette opinion (1798) et l'opération elle-même (1800), aussi appelée *consultation électorale, élections*, la manière d'exprimer le choix dans une assemblée (1870), d'où par extension le système électoral (1872), acception vieillie. *Un vote* correspond aussi à «suffrage» (→ voix).

▸ **VOTER** v. est relevé dans Richelet (1680) au sens de «donner sa voix au chapitre», dans les couvents ; le verbe est alors emprunté au latin ecclésiastique *votare* «donner sa voix» (dérivé de *votum*) et correspond plus ou moins au moyen français *vote*. ◆ En politique, *voter* apparaît dès 1704 pour «exprimer son opinion par un vote», dans un contexte anglais comme *vote*, nom masculin. Il est cette fois emprunté à l'anglais *to vote* (1552), dérivé du nom *vote* ; *voter* s'emploie dans le contexte français avant *vote*, à partir du milieu du XVIIIe siècle. En construction transitive (1756, Voltaire), il signifie «contribuer, à adopter par son vote, décider par un vote majoritaire» ; l'emploi politique se diffuse ensuite. À partir de 1789, il est soutenu par l'emploi normal de *vote*. Après la Révolution, l'emploi absolu et les constructions *voter pour, contre*... se répandent, le transitif restant usuel (*voter la confiance*, etc.). Par extension, il prend ensuite le sens (1835) de «donner son opinion à qqn», en parlant d'un groupe. ◆ **VOTANT, ANTE** adj. et n. (1727) qualifie et désigne une personne qui exprime son opinion par un vote. Il s'est employé spécialement en histoire (1862) pour désigner un membre de la Convention qui avait participé au vote au moment du procès de Louis XVI. ◆ Le dérivé **VOTATION** n. f. s'est employé pour *vote*, en parlant d'une communauté religieuse (1752) et dans l'usage général (1765). ◇ Éliminé par *vote* et par *élection* en français de France, il s'est conservé en Suisse (*votation populaire* «référendum»). ◇ Il a eu aussi le sens (1789) de «système électoral», sorti d'usage. ◆ **VOTEUR, EUSE** adj. (1784) est rare, remplacé par *électeur*, en politique, et par *votant*.

VOTIF → **VŒU**

VOTRE, plur. **VOS** adj. poss., d'abord *voste* (v. 900), au pluriel *vos* (1080), est issu du latin populaire °*voster*, réfection du latin classique *vester, vestrum, vestra*, d'après *noster* (→ notre), également pris substantivement ; *vestrum* signifiait «votre manière d'être», «votre bien» et *vestra* «vos œuvres». La forme populaire °*voster* dérive de *vos* (→ vous).

♦ L'adjectif exprime un rapport d'action (v. 900), puis marque des rapports de parenté, des rapports de vie sociale (v. 980), des rapports d'appartenance (1080). On relève au XIIIe s. la graphie latinisée *vestre* (v. 1210). ◇ Représentant une seule personne (v. 1050 ; cf. *vous*), il s'emploie spécialement dans des appellations respectueuses (déb. XVe s.) et dans des rapports d'appropriation large, pour marquer par exemple l'ironie, le mépris (1642) ou, à l'inverse, la sympathie (1674).

▸ **VÔTRE, VÔTRES** adj., pron. poss. et n., d'abord écrit *vostre* (1080), *vôtre* depuis le XVIIe s., est d'emploi littéraire en fonction d'épithète et surtout comme attribut *(il, elle est vôtre)*, par exemple pour marquer l'affection (déb. XIIe s.). ◇ Le nom (v. 1140) au sens de «ce qui vous appartient» était courant à l'époque classique; cet emploi a disparu. ◇ **Les vôtres,** n. m. pl. (1080), s'emploie pour «vos parents, vos amis» (1690, «vos invités»). ◇ Le pronom, *(le (la) vôtre, les vôtres)* attesté au XVe s. désigne ce qui est en rapport avec un groupe de personnes auquel on n'appartient pas, ou avec une personne (pluriel de politesse). ◇ *La vôtre* se disait dans la langue classique pour «votre lettre» (fin XVIIe s.); cet emploi a disparu, alors que ***à la vôtre,*** «à votre santé» (1756), est toujours usuel. ◇ Le nom en emploi partitif *(du vôtre)* signifie dans des expressions avec *mettre,* comme *du sien, du tien,* etc., «ce qui vient de vous» (1835, *vous y mettrez chacun du vôtre*) et «ce qui vous appartient» (1835, *vous en serez du vôtre,* sorti d'usage). *Faire des vôtres* (1548) décline *faire des siennes* à la seconde personne du pluriel.

L'argot **VOZIGUES** pron. pers. (1847), de *vos* et *zigue,* correspond pour le sens à *vous.* Il est archaïque, à la différence de *cézigue* (→ son).

VOUER → VŒU

◈ VOUGE

VOUGE n. m. est la réfection graphique (XIVe s.) de *vooge* (v. 1170), *voouge* (fin XIIe s.), issus du bas latin °*vidubium,* mot d'origine gauloise composé de °*vidu-* «bois» et d'une base °*bi-* «action de frapper», que l'on retrouve dans le breton *gwif* et le cymrique *gwyddif* «fourche».

♦ Le mot désigne une serpe à manche servant à la taille des arbres. Il s'applique (v. 1370) à une arme de guerre constituée par une lame à un tranchant montée sur un long manche. *Vouge* est attesté jusqu'au XVIe s. et est aujourd'hui un terme d'archéologie. ◇ *Vouge* est aussi le nom (1538) d'un pieu utilisé en vénerie.

▸ **VOUGIER** n. m. (XVe s.) désignait le soldat armé d'une vouge.

VOUIVRE → VIPÈRE

◈ ① VOULOIR

① **VOULOIR** v. tr., réfection (v. 1180) de *voleir* (v. 880), est issu du latin populaire **volere,* formé sous l'influence du latin populaire °*potere* sur le radical de formes du latin classique *velle,* comme *volo* «je veux», *volebam* «je voulais», etc. *Velle,* qui se construit notamment avec un infinitif, avec le subjonctif, signifie «désirer», «souhaiter», d'où «consentir à». Dans la langue parlée, il se construisait avec un complément de personne au sens de «vouloir de qqn, de qqch., accepter»; le verbe a aussi les sens de «décider, ordonner» en particulier pour proposer une loi, «avoir telle opinion», ou encore «prétendre, soutenir»; il est employé dans des périphrases verbales où il joue le rôle d'auxiliaire, surtout en bas latin. *Velle* se rattache à une racine indoeuropéenne °*wel-* «vouloir», représentée en ce sens dans plusieurs langues qui vont du slave à l'italique.

♦ *Vouloir* reprend d'abord la valeur générale d'«avoir l'intention de», accompagné d'un infinitif, d'une complétive *(vouloir que...)* ou d'un pronom neutre *(je le veux).* Il signifie ensuite «souhaiter vivement», avec un complément abstrait ou concret, d'abord dans la locution *voleir mal a qqn* «avoir de la haine pour qqn» (fin Xe s.), encore en usage au XVIIIe s.e siècle. *Vouloir qqch.* se dit depuis le XIe s. [1080]. Plusieurs acceptions se développent au XIIe et au XIIIe s.; suivi d'un infinitif, *vouloir* équivaut à «être sur le point de» (XIIe s.) ainsi qu'à l'impersonnel (1433; *il veut pleuvoir*) : ces emplois sont aujourd'hui archaïques ou stylistiques *(il ne veut pas pleuvoir).* ◇ *Vouloir mieux,* «préférer», et *vouloir* suivi d'un infinitif, «avoir l'habitude de», tous deux attestés vers 1190, ont disparu. ◇ Le verbe signifie aussi comme en latin «consentir à (la volonté d'un autre)» (v. 1120), d'où spécialement (v. 1180) ***vouloir bien*** «admettre, permettre» et l'emploi au conditionnel *(je voudrais)* pour exprimer un souhait (v. 1273). ◇ Il se dit également (v. 1273) pour «avoir une préférence pour (qqch.)». ◇ Au subjonctif optatif, la formule ***Dieu veuille...*** (fin XIIIe s.) introduit un souhait dont on n'ose espérer que le Ciel le réalise. *Voelle... voelle,* «soit... soit» (1283) est sorti d'usage. ◇ *Vouloir qqch. à qqn* signifie «souhaiter vivement qu'il l'obtienne» (v. 1360) notamment dans ***vouloir du bien, du mal à qqn.*** ◇ *Vouloir* et *dire* se combinent dans plusieurs locutions. Par atténuation, ***que voulez-vous que je vous dise ?*** (1456, ... *que je vous die*) est une formule pour traduire l'embarras; de même ***que veux-tu, que voulez-vous ?*** (1666). Depuis la fin du XVe s., ***vouloir dire*** s'emploie pour «chercher à exprimer», qui exige aujourd'hui un contexte explicite, car l'expression a pris la valeur atténuée de «signifier» (1538) restée usuelle et formant un véritable verbe complexe ***(qu'est-ce que ça veut dire ?).*** Au XVIIIe s., sont enregistrés ***que veut dire cela?*** qui marque l'étonnement (1718), ***qu'est-ce que cela (ça) veut dire?*** l'improbation (1798). ◇ *Vouloir,* par analogie, en parlant de la raison, de la loi, etc., abstractions auxquelles ont prête une sorte de volonté, signifie «ordonner, demander». ◇ Avec la valeur de «prétendre obtenir», le verbe prend aussi au XVIe s. le sens de «vouloir posséder charnellement», «désirer» (1549, *vouloir une femme*). ➛ ***En vouloir à qqn*** a signifié «s'attaquer à lui» (1549), sens disparu, puis «avoir des prétentions sur (qqn)» (1611) et «désirer rencontrer (qqn)» (1684), également sortis d'usage. ***En vouloir,*** depuis la fin du XVIe s., s'emploie couramment pour «avoir de l'hostilité (envers qqn)» (v. 1590), d'où *en vouloir aux jours* (1647), *à la vie de qqn* (1735) «s'y attaquer», et ***en vouloir à qqn de qqch.*** «lui en garder rancune» (1834), ainsi que ***s'en vouloir*** réfléchi, dans ***s'en vouloir de qqch.*** (1799). De là (XXe s.) la locution familière ***je m'en voudrais !*** «je ne le ferai pas, je ne l'accepterai pas» (cf. *ça me ferait mal*). ***En vouloir à qqch.,*** «considérer cette chose comme mauvaise» (1549), vieilli, a signifié aussi «manifester un intérêt violent pour cette chose» (1660). ➛ En emploi absolu, relevé en 1553, *vouloir* équivaut à «faire preuve de volonté». ◇ La locution *se vouloir mal,* «se faire des reproches» (fin XVIe s.), s'est employée à l'époque classique puis est sortie d'usage. ◇ Pour marquer une concession, une hypothèse, on a dit *vouloir* (1629), puis *vouloir bien* (1690), d'où à l'époque classique *je le veux* «je l'admets» (1690); seul ***vouloir bien,*** qui lève l'ambiguïté par rapport à d'autres emplois, est resté dans l'usage; c'est devenu un verbe complexe signifiant «accepter». ◇ Par analogie, avec un sujet nom de chose, *vouloir* signifie «avoir besoin de, être de nature à demander (qqch.)» (1640). ◇ Avec un sujet nom de personne, ***vouloir qqch. de qqn,*** «être déterminé à l'obtenir», et ***vouloir qqch. à qqn,*** «avoir qqch. à lui demander», apparaissent aussi au XVIIe s. (1642); par extension, l'expression s'emploie avec un sujet nom de chose. ◇ Plusieurs locutions liées à l'idée de «volonté» ou de «souhait» sont attestées au XVIIe s. : ***vous l'avez voulu*** (1658), ***si vous voulez*** (1667) et ***si on veut*** (1672), formules de concession. ➛ Le verbe développe dans des locutions attestées plus tard (mais qui peuvent s'être employées auparavant) ses diverses valeurs. On relève chez Furetière (1690) ***ne pas vouloir*** (et infinitif) à propos d'une chose qui résiste à ce qu'on veut en faire (encore aujourd'hui : *ça ne veut pas marcher*). ◇ ***Sans le vouloir*** (1755) s'emploie ensuite à d'autres temps *(sans l'avoir voulu),* concurremment à *sans que (on l'ait voulu),* etc. pour «involontairement». ◇ Par ailleurs, *se vouloir,* réciproque, est pris au sens de «se souhaiter mutuellement» (1713). ◇ À partir du début du XIXe s., *vouloir,* suivi d'un infinitif, marque que l'on souhaite qqch., souvent sans avoir les capacités pour l'obtenir. *Se faire bien (mal) vouloir de qqn,* «s'attirer la sympathie (l'antipathie) de qqn» (1835), est sorti d'usage. ◇ Le sens ancien de «désirer» (ci-dessus, au XVIe s.) s'applique, avec une valeur sexuelle plus explicite, aux animaux, dans ***vouloir l'étalon*** (1845). Dans ce sens, ***en vouloir*** se dit d'une jument en chaleur (1845) puis familièrement d'un être humain (1920), aussi avec l'idée plus générale de désir intense *(il, elle en veut)* et de volonté tendue vers un but (XXe s., en parlant de l'ardeur au travail, du désir de réussite). ◇ *Vouloir* s'emploie aussi avec un sujet de chose pour «nécessiter, impliquer», par exemple dans *un verbe qui veut le subjonctif* (1872), ou dans des recettes de cuisine, etc. pour «exiger, requérir», c'est-à-dire «bien s'accommoder de»; cet emploi est technique ou ironique. ◇ En emploi didactique, *se vouloir,* suivi d'un attribut, signifie (mil. XXe s.) «faire effort pour être...» et, en parlant de choses humaines (actions, comportements, œuvres), «se faire passer pour», avec une valeur proche de *soi-disant. Se vouloir* s'emploie en philosophie pour «vouloir, assumer son existence».

▸ ② **VOULOIR** n. m., infinitif substantivé (v. 1130), désigne la faculté de vouloir, emploi aujourd'hui littéraire ou marqué (cf. *volonté*), «employé par les poètes» au XVIIe s., selon Vaugelas (1647). ◇ ***Bon vouloir,*** «bonnes intentions» (1432), signifie aujourd'hui «bonne volonté» (1670), opposé à *mauvais vouloir* (1538, «mauvaises intentions»), aussi *malin vouloir* (1668), qui correspond aujourd'hui à «mauvaise volonté» (1872). ◇ *Un vouloir,* «acte de volonté» (1683), est rare.

VOULU, UE adj., du participe passé de *vouloir,* est relevé vers 1265 *(volu)* dans *être mal voulu de qqn* «être mal vu», sorti d'usage comme *être bien voulu de qqn* (1440-1475). ◇ L'adjectif s'applique aujourd'hui à ce qui est requis par les circonstances (1830) et à ce qui a été recherché avec intention (1835).

Le composé **REVOULOIR** v. tr., réfection (v. 1175) de *revoleir* (1050), «vouloir de nouveau», est assez rare, sauf au présent, familièrement *(j'en reveux!).*

◈ voir BIENVEILLANT, MALVEILLANT, VELLÉITÉ, VOLONTAIRE, VOLONTÉ.

VOUS pron. pers. est issu (v. 900, *vos*) du latin classique *vos* «vous» en position accentuée. Ce pronom a des correspondants dans diverses langues indoeuropéennes, en sanskrit *(vaḥ),* en avestique *(vå),* en vieux slave *(vy),* en vieux prussien *(wans),* etc.

♦ Pronom personnel de la 2e personne du pluriel, *vous* peut représenter un groupe de personnes dont le locuteur est exclu (v. 900), en contraste avec *nous,* ou une seule personne (v. 1050), remplaçant *tu, toi* dans certaines situations : l'éloignement du locuteur, marquant en général le respect, s'exprime soit par le pluriel (à la 2e personne), soit par la 3e personne *(votre Grâce, votre Éminence, Monsieur, Madame,...* en espagnol *usted,* etc.). ◇ Représentant un pluriel réel, le pronom *vous* désigne spécialement (av. 1559) des personnes qui appartiennent au même groupe ou les contemporains de ceux à qui l'on s'adresse. ◇ ***Vous autres*** (1647) marque une distinction, plus fréquent aujourd'hui dans certains usages régionaux qu'en français central (cf. *autre*). ◇ ***Vous-même*** est attesté en 1663, spécialement dans ***vous n'êtes plus vous-même*** (1667). ◇ La valeur indéfinie de *vous* remplaçant *on* est attestée depuis l'ancien français (av. 1162). ◇ Le pronom s'emploie nominalement depuis la fin du XVIIIe s. (1794), en particulier dans des locutions comme ***de vous à moi*** (1830). ◇ ***Dire vous*** s'emploie pour «vouvoyer» (1876).

▸ *Vousens* est la première forme argotique suffixée repérée pour *vous,* au XVe s. ; on trouve ensuite, disparus, *vousaille* (1628, encore au XIXe s.), *vouzingand* (1725). Ces formes ont disparu; cf. aussi *vozigue* (→ vôtre).

VOUVOYER v. tr., «s'adresser à qqn en employant la 2e personne du pluriel» (1834), a été précédé par un emploi substantif *(le vouvoyer,* 1796). Ce verbe a été en concurrence avec *vousoyer* (1842) ou *voussoyer* (1845), formes qui ne subsistent que régionalement et qui reprenaient le moyen français *vosoier* (XIVe s.), *vousoier* (XVe s., hapax), *voutoyer* (1494); tous ces verbes, comme *tutoyer,* sont formés du pronom répété avec un suffixe verbal. ➛ Le dérivé **VOUVOIEMENT** n. m. (1894) a éliminé *vousoiement* (1797), *voussoiement* (1907), de *vousoyer.*

◈ voir GARDE (garde-à-vous); VOTRE.

VOÛTE n. f., d'abord *voute,* réfection (1273) de *volte* (v. 1130), est issu du latin populaire °*volvita* «enroulement», substantivation du féminin de °*volvitus.* Cet adjectif est la réfection du latin classique *volutus,* participe passé de *volvere* «rouler, faire rouler» (→ volte). *Volvere* a en latin de nombreux composés (→ dévolu, involution, révolution, etc.), et appartient à la même famille indoeuropéenne que le grec *eluein* (→ élytre, hélice).

♦ Le mot a d'abord désigné (v. 1130) un ouvrage de maçonnerie courbe, cintrée, fait de pierres spécialement taillées et servant en général à couvrir un espace. Cette acception est restée usuelle. *Voûte* a eu parallèlement le sens de «salle voûtée» (v. 1131), en usage jusqu'au XVIe s. ◇ C'est au XVIIe s. qu'apparaît la graphie moderne *voûte,* avec accent circonflexe, et que le mot acquiert des valeurs analogiques. Il a eu le sens de «bosse» (1656, *voulte*), puis a désigné en poésie le ciel, qui semble affecter la forme d'une voûte (1678), d'où (déb. XVIIIe s.) *la voûte des cieux.* ◇ Il se dit en technique d'objets cintrés : partie antérieure du fer à cheval (1678), partie supérieure arrondie d'un four (1690), et, en marine, partie arrière de la coque d'un navire (1690, *voûte d'arcasse* ou *voûte*). ◇ Il s'emploie au sens premier, architectural, dans des syntagmes qui permettent de préciser la forme de la voûte : *voûte en berceau, en plein cintre* (XVIIe s.; *in* Furetière 1690; cf. *vote chintree* [voûte cintrée], 1349),*voûte gothique* (1690), désignant ce qu'on appellera plus tard *voûte en ogive* (1876), *voûte romane* (en plein cintre ou en berceau brisé), etc. ◇ *Clé* de voûte* s'emploie aussi au figuré. ➜ Par extension, *voûte* se dit (1695) de la partie supérieure voûtée d'une cavité naturelle et, par analogie, il désigne en anatomie la courbure d'une partie du corps, d'où *voûte du crâne, du palais* (1805), etc., ainsi qu'un feuillage en forme de voûte (1820).

▸ **VOÛTER** v. tr. (XIIIe s., *volter* et *vouter*), écrit *voûter* au XVIIIe s., signifie «fermer (le haut d'une construction) par une voûte». Par analogie, il signifie «donner (à qqch.) la forme d'une voûte» (1539, *voûter un arc*), d'où spécialement *voûter un fer à cheval* (1680) «le cintrer». ◇ En parlant d'une personne ou d'une partie du corps, il correspond à «rendre voûté» (mil. XVIe s.), surtout dans *se voûter* (1564). ➜ **VOÛTÉ, ÉE** adj., «couvert d'une voûte» (1213, *vosté*), s'applique à ce qui est en forme de voûte (1437, *voûté*). ◇ Il se dit plus couramment (v. 1560) d'une personne dont le dos est courbé ainsi que d'une partie du corps (1768). ➜ Le dérivé **VOÛTURE** n. f. signifie d'abord (XIIe s.) «voûte, partie voûtée, arcade», encore à l'époque classique. Le mot s'est dit pour «courbure» (1576, en parlant du front); il a désigné (1809) une fracture du crâne. *Voûture* désigne régionalement (1853, G. Sand) une voûte formée par la végétation. Il a vieilli dans tous ses emplois.

Le dérivé **VOÛTAIN** n. m. (XXe s.), signifiant «quartier d'une voûte d'ogive», est un terme technique d'architecture.

Plusieurs mots apparentés sont dérivés de l'ancien adjectif *vous* «voûté», «courbé, bombé» et «enroulé» (1165-1170); cet adjectif est l'aboutissement du latin populaire °*volsus* «voûté», forme issue du latin classique *volutus.* ➜ **VOUSSÉ, ÉE** adj. est la reprise, d'après *voussure,* de l'ancien français *vousé* (1165-1170) «voûté». Il est relevé chez O. de Serres (1600) puis repris en 1877, se disant très rarement de ce qui présente une voussure. ➜ **VOUSSURE** n. f., attesté vers 1130 comme terme d'architecture, pour «courbure (d'une voûte)», avait en ancien et moyen français les variantes *volsure* (v. 1130) et *vousure* (XIVe s.). ◇ Le mot a été repris au XIXe s. pour désigner (1845) une partie courbe qui surmonte une porte, une fenêtre, puis chacun des arcs concentriques formant l'archivolte d'une arcade (attesté 1898, chez Huysmans). ➜ **VOUSSOIR** n. m., réfection (XVe s.) de *vosoir* (1213), autre dérivé de *vous,* désigne en architecture la pierre taillée qui entre dans la construction d'une voûte ou d'un arc; le voussoir supérieur se nomme *clé de voûte.* ➜ **VOUSSEAU** n. m. (1690) est un synonyme archaïque de *voussoir* (par changement de suffixe). ➜ **ENTREVOUS** n. m., terme technique (1588), désigne l'intervalle entre deux poteaux d'une cloison et l'espace garni de plâtre entre ces poteaux; de ce sens vient **ENTREVOÛTER** v. tr. (1823).

◈ voir **ARCHIVOLTE, CIRCONVOLUTION, DÉSINVOLTE, DÉVOLU, ÉVOLUTION, GALVAUDER, RAVAUDER, RÉVOLUTION, REVOLVER, VAUTRER, VOLUBILE, VOLUTE** ainsi que **VAL** et **VALVE.**

VOYAGE n. m. apparaît sous la forme *veiage* (1080), puis *veage, voiage* (XIIe s.), *viage,* enfin *voyage* (1480). Le mot est issu du latin *viaticum* «ce qui sert à faire la route», emprunté en français sous la forme *viatique*,* puis «voyage», lui-même dérivé de *via* (→ voie).

♦ *Voyage* a signifié «chemin à parcourir» (1080) et spécialement «pèlerinage» (v. 1138, *veage*), ainsi que «croisade» (v. 1190, *voiage*). Il prend au XVe s. le sens général de «déplacement d'une personne qui se rend dans un lieu assez éloigné» (1421, *viage;* 1480, *voyage*); dans cette acception, la plus usuelle, la formule de souhait ***bon voyage!*** (1518) s'emploie aussi au figuré et ironiquement pour «bon débarras». ◇ Le mot se spécialise au XVIIe s. (1676) pour «course que fait une personne pour transporter qqn, qqch.». ◇ Il s'est employé par métonymie (1445) pour désigner ce que l'on transporte en un voyage, c'est-à-dire une charretée, d'où le sens (1872) de «charge transportée» (cf. *voie*) qui a disparu. ◇ Par figure, il se dit en parlant de la vie (v. 1460) et du passage dans l'autre monde; de là viennent *voyage sans retour* (v. 1450) «le trépas», et *faire le voyage* (1668), aujourd'hui ***faire le grand voyage*** «mourir» (1445). ◇ Par ailleurs, il s'emploie par métonymie (1512) pour «récit de voyage», encore au XIXe s.; aujourd'hui, on ne dit plus *un voyage* en ce sens; mais *livre, journal, récit... de voyage.* ◇ Par extension, *voyage* désigne (av. 1534) un déplacement effectué à plusieurs reprises sur le même trajet, spécialisé au sens de «trajet en mer» (1611), il donne lieu à l'expression *voyage de long cours* (1680), aujourd'hui ***voyage au long cours*** (1869). ◇ Au XIXe s., le mot s'emploie dans ***de voyage,*** «conçu pour le voyage» (1826), puis «qui concerne le voyage» *(vêtements, sac... de voyage).* ◇ Par métonymie, il désigne (1864) la vie itinérante des forains, d'où l'expression ***les gens du voyage.*** ◇ Par une analogie symbolique, le mot désigne (1876) les épreuves d'initiation dans la franc-maçonnerie. ➜ Enfin, pour traduire l'anglais *trip,* il est utilisé au figuré (1966) à propos de l'état provoqué par l'absorption d'hallucinogènes, en concurrence avec l'anglicisme *trip,* qui a d'autres valeurs. ➜ Le fait de se déplacer étant lié au mode de transport, aux activités sociales de transport et de déplacement des êtres humains, les emplois se multiplient au XIXe et surtout au XXe siècle : *voyage d'affaires, de tourisme, voyages organisés, en groupe...* L'expression ***valoir le voyage*** (1866) s'applique notamment aux curiosités et attractions touristiques de premier ordre.

▸ Le dérivé ① **VOYAGER** v. tr., «faire un voyage» (1385), est employé à partir du XVIIIe s. au sens plus large de «changer de place, se déplacer» (1749), puis en parlant d'une marchandise pour «être transporté» (1786). ◇ Par ailleurs, le verbe s'emploie abstraitement (av. 1778) en parlant d'idées pour «se développer en progressant». À propos d'une denrée, il a le sens (1893) de «supporter le voyage» (surtout *voyager bien, mal...*). ◇ D'après *voyage,* au sens de l'anglais *trip,* il signifie (v. 1966) «subir les effets d'hallucinogènes». ◆ De ce verbe vient **VOYAGEUR, EUSE** n. et adj. qui désigne une personne en voyage (1415) ou qui voyage beaucoup (1552), en particulier pour voir de nouveaux pays (1552), ou bien qui se déplace à pied pour se rendre assez loin (1637). Par métaphore, le mot s'emploie en religion (1657) à propos de l'être humain, dont la vie est comparée à un voyage. ◇ L'adjectif (1764) est appliqué à des oiseaux au sens disparu de «migrateur», puis au sens large de «qui voyage»; ainsi ***pigeon voyageur*** (1846) remplaçe *pigeon messager.* Puis il se dit pour «qui se déplace» (1826), «qui se passe en déplacements» (1883, rare). ◇ *Voyageur* désigne ensuite la personne qui utilise un véhicule de transport pour voyager (1810), notamment un moyen de transport public, se spécialisant, d'abord dans le discours administratif, pour désigner l'usager des transports publics (1876). ◇ *Les voyageurs* s'est employé au XIXe s. (dep. 1840) là où on dit aujourd'hui *touristes.* ◆ Depuis la Restauration, le mot désigne un représentant de commerce, qui voyage pour voir la clientèle spécifié en ***voyageur de commerce*** (1830), et aussi un marchand forain (1881), sens vieilli. ◇ Le composé **COMMIS-VOYAGEUR** n. m. (1792) est vieilli (→ commis). ◆ **VOYAGEUR-KILOMÈTRE** n. m. est un terme technique (XXe s.) qui a remplacé *voyageur kilométrique* (1877) dans les statistiques.

② **VOYAGER, ÈRE** adj. s'est d'abord employé comme nom (fin XIVe s., *voyagier*) pour «voyageur». L'adjectif s'est appliqué (1456) à l'époque classique à une personne qui voyage; il a disparu. Qualifiant (fin XIXe s.) ce qui ne se fixe pas, le mot est littéraire et rare.

VOYAGISTE n. a été dérivé (1980) pour désigner la personne ou l'entreprise qui commercialise des voyages à forfait. Le mot a été formé pour remplacer l'anglicisme *tour operator.*

VOYELLE

VOYELLE n. f., attesté au XVe s. (avant 1483), représente la réfection, par passage au féminin, de *voyel* (n. m.), «voyelle» lui-même réfection de *voieul,* n. f. (v. 1265), aussi adjectif «vocal», d'une forme non attestée °*voiel,* pluriel *voieus,* aboutissement du latin *vocalis* «voyelle» (surtout au pluriel), par ailleurs emprunté sous la forme *vocal**.

♦ Le mot désigne le son émis par la voix sans bruit d'air et la lettre qui sert à noter ce son, employée seule. On a dit aussi *voix,* dans ce sens (cf. *voisé* → voix).

▸ Il a fourni le dérivé **VOYELLER** ou **VOYELLISER** v. tr. (mil. XXe s.), terme didactique signifiant «pourvoir de voyelles explicites (par exemple un texte arabe, où les voyelles ne sont pas précisément déterminées)». ◆ Le composé **SEMI-VOYELLE** n. f. (1845), terme de phonétique, désigne une voyelle qui joue le rôle d'une consonne dans la syllabation, aussi nommée *semi-consonne*;* on disait auparavant *demi-voyelle* (1842), mot qui a également désigné une consonne dont le nom prononcé commence par une voyelle (par exemple *s*) [fin XIVe s., *demi voieul;* repris 1845].

VOYER

VOYER n. m. est la réfection (XIIe s. *voier*) de *veier* (1080), issu par évolution phonétique du latin *vicarius* «remplaçant (de qqn, qqch.)»; → vicaire.

♦ Le mot a désigné un officier de justice, puis (1270) un officier chargé des voies publiques; il est dès lors mis en rapport avec *voie.* ◇ Le mot est archaïque, sauf dans ***agent voyer*** (1836), terme administratif désignant la personne chargée de surveiller l'état des voies de communication.

▸ Son dérivé **VOIRIE** n. f., d'abord *voierie* (1170), puis *voirie,* s'est dit de la basse et de la moyenne juridiction d'un seigneur, d'où *petite voirie* «moyenne justice», attesté en 1690 et disparu. ◆ Le mot, sous l'influence de *voie* et du sens pris au XIIIe s. par *voyer,* désigne à partir du XIIIe s. l'ensemble des voies de communication (1260), qualifié dans le vocabulaire administratif moderne dans *grande voirie, petite voirie* (1872). ◇ *Voirie* désigne aussi l'entretien de ces voies (v. 1283). ◇ Il a eu aux XVIe et XVIIe siècles le sens (1533) de «lieu où sont déposées les ordures et immondices», désignant par métonymie (v. 1550) ces immondices, au figuré «rebut de la société» (1588) et, à l'époque classique, «personne méprisable» (1671; cf. *ordure*). Ces valeurs péjoratives ont disparu, sauf régionalement (altéré en *voverie*). ◇ Par extension, *voierie* s'emploie (v. 1590) pour nommer la partie de l'administration chargée des voies, de leur établissement, etc.

VOYOU

VOYOU n. m., attesté en 1830, ne se répandu qu'à partir de 1870; le mot est dérivé de *voie*,* la finale *-ou* venant peut-être de l'influence de *filou.*

♦ Le mot désigne originellement un chemineau, un vagabond, mais lorsqu'il est attesté par écrit (1830) il s'applique déjà à tout homme d'une classe sociale moyenne ou basse, de mœurs et de moralité condamnables; puis il se dit (1844) d'un gamin des rues, déluré et mal élevé. L'idée étymologique de nomadisme, d'absence de domicile fixe, est présente jusque vers 1870-1880. ◇ Selon les contextes sociaux, le mot a changé de connotations; comme *truand,* il implique aujourd'hui la délinquance. ◇ L'adjectif (1875) est appliqué par extension (1892) à un comportement digne d'un voyou. ◆ Le féminin *voyouse* (1868), disparu, ou *voyoute* (1864), «femme de mœurs douteuses», n'est plus guère employé en substantif, mais **VOYOUTE** se rencontre comme forme féminine de l'adjectif.

▸ Le composé **VOYOUCRATIE** n. f., «suprématie des voyous» (1865, Flaubert), de *-cratie,* signifie aussi (1870) «bande de voyous». ◇ Son dérivé **VOYOUCRATISER** v. tr., «rabaisser jusqu'à la vulgarité» (1868, Barbey d'Aurevilly), est inusité. ◆ **VOYOUTERIE** n. f., «acte, paroles de voyou», est formé (1884) sur le féminin *voyoute.*

VRAC (EN) loc. adj. ou adv. (1730) succède à un adjectif (1606, *hareng vrac* «empaqueté»), emprunté au moyen néerlandais *wrac* «gâté, corrompu, mal salé». *Vrac* est la réfection du moyen français *(hareng) waracq* (1435) (→ varech).

♦ La locution ***en vrac*** s'emploie d'abord en parlant du poisson puis, plus largement (1845), de marchandises réunies ou transportées pêle-mêle, sans emballage. Dès lors, l'expression est passée de l'idée de «chose gâtée» à «en désordre». Au figuré, elle signifie «en désordre» (1831), également dans un contexte abstrait (1928). ◇ Par extension, *en vrac* se dit techniquement pour «au poids», opposé à «en paquet». ◇ Le nom *(du vrac)* désigne (mil. XXe s.) une marchandise qui ne demande pas d'emballage particulier.

▸ En dérive **VRAQUIER** n. m. (1972) «navire transportant des produits en vrac» (v. 1975, *vraquier-pétrolier*).

VRAI, VRAIE adj. et n. m. est issu (1080, *Chanson de Roland*) du latin populaire °*veracus* «vrai», attesté au moyen âge sous la forme *veragus* (770). C'est un dérivé du latin classique *verax, veracis*, «qui dit la vérité, sincère, sûr», lui-même de *verus* «vrai, véritable, réel», «conforme à la vérité morale» et «sincère, consciencieux, véridique» (→ vérité). Cet adjectif se rattache à une racine indoeuropéenne °*wer-*, qui a donné le francique °*warjan* (→ garant), l'ancien haut allemand *wār* (cf. allemand *wahr* «vrai»), l'irlandais *fír*, le gallois *gwir*, le slave *véra* «foi, croyance» (d'où le prénom *Véra*) et, en Orient, le pehlvi *vāvar* «authentique». *Verus* avait abouti en ancien français à *ver* (v. 980), *veir* (v. 1050), *voir* (v. 1175), beaucoup plus courant au moyen âge que *vrai*. La forme populaire °*vera*, «vraiment», a donné *voire**.

♦ L'adjectif s'applique à ce qui présente un caractère de conformité au réel, de vérité, ce à quoi on peut donner son assentiment, et qui est conforme à sa désignation. ◇ Il s'emploie aussi, dès le XIIe s. (1165-1170) à propos d'une personne qui dit la vérité, agit sans dissimuler; cet emploi est aujourd'hui littéraire, en concurrence avec *sincère, véridique*. ◇ Depuis la fin du XIIe s., *vrai* qualifie aussi ce qui n'est pas feint (par exemple d'une croyance) et ce qui est nommé à juste titre (v. 1196). ◇ L'adjectif est substantivé *(le vrai)* pour désigner (1342) ce qui est vrai, la vérité. Dans le vocabulaire religieux, *le vrai* (av. 1493) s'applique à ce qui est donné comme vrai dans un groupe, la «bonne» croyance ou religion. Il entre dans des locutions; ***pour vrai*** (1349) est encore employé à l'époque classique et reste vivant régionalement (par exemple en français du Canada), alors que le français central emploie le tour familier ***pour de vrai*** (1827); *de vrai* (1340) est archaïque. ***Dire vrai*** (fin XIVe s.) s'est maintenu, mais *dire le vrai* (1660) ne s'emploie plus; *à vrai parler* (fin XIVe s.), pour introduire une restriction, a été supplanté par ***à vrai dire*** (1538) et ***à dire vrai*** (1571). La locution adverbiale ***au vrai*** a signifié «conformément à la vérité» (1538), emploi disparu (v. 1550), «pour être tout à fait exact», emploi aujourd'hui littéraire. ◇ Depuis le XIVe s., l'adjectif s'emploie avec un pronom neutre, d'abord dans ***il est vrai que...*** (1349) introduisant une restriction, une correction à ce qu'on vient de dire; on relève aussi, au XVIIe s., pour introduire une preuve, ***il est vrai que*** (1642), ***il est vrai*** (1666), ***aussi vrai que*** (1690); ***il est trop vrai*** (1674), ***il (ce) n'est que trop vrai*** (av. 1778), etc. ➜ *Vrai* s'emploie aussi pour introduire une désignation métaphorique qualifiée comme s'appliquant bien (1547, *un vrai lion*) et s'applique à une attitude, une action consciente qui est bien ce qu'elle veut paraître. ◇ En logique, l'adjectif s'emploie (1642) à propos de ce qui n'implique pas de contradiction formelle, puis de ce qui existe indépendamment de l'esprit qui le pense (av. 1662; opposé à *imaginaire*) et le nom *(le vrai)* désigne, en concurrence avec *vérité*, ce qui correspond à notre sentiment du réel (av. 1662), ce qui est (1655). ***Le vrai de qqch.***, «la vérité sur cette chose» (1676), est sorti d'usage et ***être dans le vrai***, «avoir raison», semble récent (1876). ◇ *Vrai* s'applique à ce qui est conforme à son apparence (1680) et, spécialement dans le domaine des arts (par ex. en 1660, Corneille), à ce qui est conforme à son type, la dialectique du *vrai* et du *vraisemblable* étant essentielle dans l'esthétique classique. C'est de la valeur logique et esthétique que procède l'emploi récent de *vrai-faux* (ci-dessous), ainsi que la vogue de l'adjectif (et de l'adverbe) en politique : *le parler vrai, parler vrai*, etc. ◇ Le mot se dit spécialement en astronomie (1765) de ce qui est perceptible par l'observation ou après correction des mesures qu'elle fournit, en particulier dans *jour vrai, temps vrai* (1765), c'est-à-dire «fondé sur la marche réelle du soleil». ◇ ***Pas vrai*** s'emploie elliptiquement en interrogation directe (1749), suivi par ***vrai ?*** (1788) et ***n'est-il pas vrai ?*** (relevé en 1788). ***C'est pas vrai !*** sert aujourd'hui d'exclamation d'étonnement réprobateur. ➜ *Un vrai homme* (1845), *un vrai* (1885), «un homme sûr», ont disparu mais ce sens a été repris en argot dans ***un vrai de vrai*** «un homme du milieu» (1924) et par la locution familière ***vrai de vrai*** «absolument vrai» (XXe s.).

Vrai s'emploie aussi comme adverbe (v. 1773; un exemple de *dire vrai*, fin XIVe s., est ambigu) pour «avec exactitude, sincérité» et au sens de «certainement» (av. 1825; 1846, en incise).

Au XXe s. (v. 1980), on emploie la combinaison contradictoire ***vrai-faux***, un *vrai faux passeport* étant un passeport frauduleux garanti pour des raisons de police par les autorités (affaires d'espionnage, etc.). L'expression s'emploie avec d'autres substantifs pour «officiellement garanti mais faux» ou même compris comme «vraiment faux». Venue du journalisme, elle est entrée dans les formules à la mode.

▸ **VRAIMENT** adv., écrit *vraiement* (XIIIe s.), réfection de *veraiement* (v. 1119), s'emploie aux sens de «véritablement» (v. 1119), «conformément à la vérité extérieure» (v. 1207), «sans aucun doute» (fin XIIIe s.), «assurément» pour souligner une affirmation (1306) *vraiment !* ◇ Dans une exclamative, il marque l'étonnement (1668) ou le doute (1872). *Vraiment* s'emploie aussi (fin XIXe s.) pour donner plus de force à une demande. ◇ ***Pas vraiment*** (v. 1980) est devenu très courant dans l'usage oral pour «fort peu».

VRAISEMBLABLE adj. et n., d'abord *voirsemblable* (1266) jusqu'au XVIe s., sous la forme moderne depuis le XIVe s. (1346), est composé de *voir, vrai* et *semblable,* et est le calque du latin classique *verisimilis,* du génitif de *verum* «le vrai» et de *similis* «semblable» (→ simili-). ◇ L'adjectif s'applique d'abord à ce qui semble vrai, également en parlant d'un événement futur (XVIe s.) comme équivalent de *probable.* ◇ Il est substantivé depuis le milieu du XVIe s.; *le vraisemblable* se dit spécialement (1660) en art en parlant de ce qui correspond apparemment à l'idée qu'on se fait du réel, distingué du *vrai**, dans l'esthétique classique. ◇ Le dérivé **VRAISEMBLABLEMENT** n. m., «avec l'apparence de la vérité» (1370) est didactique, mais l'adverbe est courant au sens (1637) de «selon les probabilités». ➜ Le contraire préfixé **INVRAISEMBLABLE** adj. et n. m. (1767) s'applique à ce qui ne semble pas vraisemblable puis, familièrement et par exagération à ce qui est étrange, anormal (1847) et (1883) à ce qu'on ne croirait pas possible avec des nuances spéciales, «scandaleux», «insupportable». ◇ La substantivation *(l'invraisemblable)* paraît récente (1862). ◇ L'adjectif a pour dérivé **INVRAISEMBLABLEMENT** adv. (1785).
VRAISEMBLANCE n. f. est composé (1358) de *vrai* et *semblance** d'après le latin *verisimilitudo,* dérivé de *verisimilis.* ◇ Le nom, qui correspond à *vraisemblable,* signifie «apparence de vérité» (1580, *la vraisemblance de qqch.*), spécialement dans le domaine des arts (1572, Ronsard). ◇ Par extension, *une, des vraisemblances* se dit (1671) d'une assertion ou d'une chose qui paraît être vraie; cet emploi est rare. ◇ Le mot a signifié (fin XVIIe s.) «convenance sociale», sens disparu. ➜ Le contraire **INVRAISEMBLANCE** n. f. (1763) désigne aussi (1781) une chose invraisemblable (*une, des invraisemblances,* plus courant que l'emploi correspondant de *vraisemblance*).

◈ voir AVÉRER, VÉRACITÉ, VERDICT, VÉRIDIQUE, VÉRIFIER, VÉRITÉ.

VRILLE n. f. représente (1375) une altération, sous l'influence probable de *virer,* de l'ancien français *vedile* (fin XIe s.), *vedille* (XIIIe s.), puis *veïlle* (1313) «pousse en hélice (de la vigne ou d'autres plantes grimpantes)», et de *veïlle, ville* (XIIIe s.) «outil de fer servant à faire des trous». Le premier, *vedille,* s'est aussi altéré en *vuille, ville* (1538), d'où le dérivé ancien *villon* «vrille de la vigne» (1567). Ces mots sont issus du latin *viticula* «cep de vigne» et «vrille», dérivé de *vitis* (→ vis, viti-).

♦ *Vrille* désigne d'abord, comme *veïlle, ville,* un outil formé d'une tige que termine une vis, servant à percer, à forer. ◇ Depuis le XVIe s., le mot désigne, à la suite de *vedille, veïlle* (ci-dessus), un organe de fixation de certaines plantes grimpantes (1551), spécialement (et conformément à l'étymologie) de la vigne. Il est employé métaphoriquement dans la locution *yeux percés avec une vrille* «petits et ronds» (1808), aujourd'hui ***comme avec une vrille*** (1857), d'où par métonymie ***des yeux en vrille*** (1872). Par métaphore, il désigne ce qui perce (1831). ◇ Par analogie, il se dit de ce qui a la forme d'une hélice (1839), spécialement du mouvement d'un avion qui tombe en tournant sur lui-même (1916-1918), et en natation d'un plongeon de tremplin où le corps tourne sur lui-même (1924).

▸ *Vrille* a servi à former quelques dérivés rares. ➜ **VRILLETTE** n. f., autrefois (v. 1354) «petite vrille» signifie aussi (1762) «petit insecte rongeur du bois». ➜ **VRILLÉE** n. f. (1750) désigne une sorte de liseron, sous des formes variées dans les dialectes. ➜ **VRILLERIE** n. f., sorti d'usage pour désigner (1765) de petits outils métalliques, signifie (1803) «fabrication des vrilles et forets» et (1836) «atelier de fabrication de ces outils». ➜ ① **VRILLÉ, ÉE** adj., «qui présente un aspect ou un élément en vrille», est un terme de botanique (1778) et de technique (1838, *fil vrillé*).
De *vrille* dérive également **VRILLER** v., d'abord intransitif (1752) «monter, descendre en tournant sur soi-même», puis transitif, pour «percer avec une vrille» au propre (1843) et au figuré (1862). ◇ Par extension du premier sens, le verbe, employé comme intransitif, signifie (1877) «s'enrouler sur soi-même». ➜ En dérivent ② **VRILLÉ, ÉE** adj., «percé avec une vrille» (1872), **VRILLAGE** n. m. (1873), terme technique et **VRILLEMENT** n. m. (1879).

◈ voir VÉTILLE.

VROMBIR v. intr., d'origine onomatopéique (1883), signifie «produire un son vibré», comme la variante *brondir.*

♦ Le mot s'applique notamment au bruit des insectes, d'un moteur (valeur exploitée au XXe s. par l'onomatopée ***vroum !***).

▸ En dérivent **VROMBISSANT, ANTE** adj. (1894) et **VROMBISSEMENT** n. m. (1891).

VU, VUE → VOIR

VULCANISER v. tr. représente (1847) une adaptation de l'anglais *to vulcanize* (1846), dérivé de *Vulcan* «Vulcain», emprunt au latin *Vulcanus* (→ volcan). Le mot figure dans le brevet d'exploitation pris par le chimiste anglais Hancock qui découvrit le procédé en 1843, avant sa diffusion par Goodyear.

♦ Ce terme technique signifie «traiter (le caoutchouc) en y incorporant du soufre pour améliorer sa résistance». Il est courant au participe passé adjectif : *caoutchouc vulcanisé* (1848).

▸ **VULCANISATION** n. f. est emprunté (1847) à l'anglais *vulcanization* (1846), dérivé du verbe.

VULGAIRE adj. et n. m. est une modification par retour au latin (1452) de *vulgal* (v. 1270), encore relevé en 1660 (Oudin). Dans les deux cas, le mot est emprunté au latin classique *vulgaris* «qui concerne la foule», «général» et «ordinaire, commun, banal», dérivé de *vulgus* «le commun des hommes», «la foule», avec une idée de généralité. *Vulgus* ou *volgus* n'a pas d'étymologie connue. La forme *vulgal* vient d'un changement de suffixe *(-alis)*; on trouve aussi en moyen français la forme *vulgar* (XIVe s., hapax, puis v. 1530, Marot).

♦ Sous la forme *vulgal,* l'adjectif signifie «commun, ordinaire», en alchimie (v. 1270), puis «courant, éprouvé, connu ou en usage» (v. 1380), sens pris par *vulgaire* (1452) et par l'ancien provençal *vulgar* (1350), adjectif masculin. De là viennent les emplois de *il est vulgaire de* «il est courant de» (1580), *être en vulgaire à* «être courant chez» (fin XVIe s.), aujourd'hui disparus. ◇ Le mot s'emploie ensuite comme nom masculin *(le, un vulgaire)* pour «langue, parler employé par la majorité d'une population» (XIVe s., *vulgar*, isolément, puis v. 1530), emploi assumé par l'adjectif dans *langage vulgaire* (1512 *langaige*...), puis *langue vulgaire* (1549). Cet emploi suppose l'opposition entre une langue parlée, spontanée et une langue savante, apprise (en général le latin); c'est un calque du latin (cf. le *De vulgari eloquentia* de Dante). Le mot s'est employé par métonymie dans *orateur vulgaire*, «qui s'exprime dans la langue de son pays et non en latin» (1545). Cette acception linguistique utilise la valeur plus générale de l'adjectif, d'abord sous la forme *vulgal* «du peuple entier» (v. 1500), puis *vulgaire* «de la communauté dans son ensemble», encore normal au XVIIe siècle. De là vient un emploi pour «unanime» (XVI-XVIIe s.), d'une opinion. ◇ De même, *le vulgaire* a signifié (1530) «le commun des hommes». ➛ C'est au XVIe s. que le mot acquiert un contenu péjoratif (1552) s'appliquant à ce qui est sans intérêt particulier, sans élévation morale. D'une manière plus neutre, il se dit d'une personne qui ne se distingue en rien (1664), puis d'une chose qui manque d'intérêt (1665). Ces emplois dépréciatifs coexistent dès lors avec l'emploi initial et neutre de «commun, majoritaire». Ainsi, ***ère vulgaire*** désignait l'ère chrétienne (1681) et *le vulgaire de* suivi d'un pluriel, «la partie la plus commune» (1756). ◇ En sciences naturelles, l'adjectif se dit (1770) de ce qui présente les caractères de l'espèce, sans autre trait particulier. Soutenu par l'emploi du latin *vulgaris* dans les nomenclatures savantes, *vulgaire* a été repris (1869) pour qualifier ce qui est propre à la langue courante, opposé à *scientifique, technique*; il équivaut alors, selon l'étymologie, à *usuel, courant*. ◇ *Latin vulgaire*, «parlé dans les pays romans» (1873), opposé à *latin classique*, à *latin impérial*, et *langue vulgaire*, opposé à *langue écrite* (1876), continuent les emplois anciens (ci-dessus), mais ces syntagmes sont devenus rares ou techniques (en linguistique) à cause de la péjoration attachée au mot. Ainsi les spécialistes parlent de *latin vulgaire*, mais on a préféré employer en général dans ce dictionnaire *latin populaire* pour éviter un contresens.

En effet, du XVIe au XVIIIe s., en ce qui concerne les emplois de la langue courante, on est passé de l'idée de banalité, de manque de distinction ou d'élévation morale, à celle de grossièreté, nettement mise en œuvre au début du XIXe s. (1807), *vulgarité* étant attesté un peu avant dans ce sens. L'adjectif s'applique dès lors à ce que l'idéologie des classes dominantes observe dans les comportements de la masse et exclut de son système de valeurs. Il est plus péjoratif que le substantif *le vulgaire* (1810) qui correspond à «ce qui est ordinaire, répandu (et commun, sans qualité particulière)». La notion de vulgarité tend alors à remplacer celle de bassesse; les adjectifs *commun, médiocre, ordinaire* ont suivi une évolution comparable mais moins complète, alors que *populaire* a été majoré. Du coup, les emplois anciens (*le vulgaire* «la masse») prennent des connotations négatives.

▶ **VULGAIREMENT** adv., réfection (1365) de *vulgarement* (XIIIe s.) et aussi *vulguerement* (1444), signifie d'abord «d'une manière commune, normale», employé spécialement (XVe s.) avec des verbes comme *dire, nommer* pour «dans la langue commune non scientifique». ◇ L'adverbe prend après l'adjectif (1659) la valeur péjorative de «d'une manière banale et sans élévation morale», puis (déb. XIXe s.) «d'une manière vulgaire», au sens moderne de l'adjectif.

VULGARITÉ n. f. est un emprunt (1495) au dérivé latin *vulgaritas* «qualité de ce qui est commun», «banalité (d'un mot)» et, en bas latin, «le commun, la généralité (des hommes)». ➛ C'est avec le sens de «grande masse du peuple» que le mot est d'abord attesté isolément, puis au pluriel pour «choses triviales» (XVIe s., hapax). ◇ Il réapparaît en 1795 (Mme de Staël), signifiant «caractère commun, banal» et «caractère de ce qui heurte le bon goût». Parallèlement à l'adjectif *vulgaire*, *vulgarité* s'est coloré au XIXe s. (1853) de la péjoration due à l'exclusion des valeurs bourgeoises en matière d'habitudes morales et sociales. ◇ *Une, des vulgarités* équivaut (1886) à une manière vulgaire d'agir, de parler.

VULGARISME n. m. est dérivé savamment (1801) du latin *vulgaris*, probablement d'après l'anglais *vulgarism* «expression banale» (XVIIe s.), puis «expression propre aux personnes peu instruites», dérivé de *vulgar*, de même origine latine que *vulgaire*.

➛ **VULGARISER** v. tr., dérivé savant du latin classique *vulgaris*, a d'abord signifié (1512) «faire connaître en publiant». Repris au XIXe s. (1823), le verbe signifie «répandre (les connaissances) en mettant à la portée du grand public», d'où (av. 1854) «répandre (un mot, une mode, etc.)». ◇ Le pronominal (1845) signifie «se répandre dans le grand public». ◇ Le verbe s'emploie aussi péjorativement pour «rendre ou faire paraître vulgaire» (1837; 1838, pron.). Le dérivé **VULGARISATEUR, TRICE** n. et adj. désigne (1836) une personne qui répand des connaissances, des habitudes, etc., et surtout le ou la spécialiste de la vulgarisation scientifique (1872).

➛ **VULGARISATION** n. f., «propagation» (1846), est courant dans *vulgarisation scientifique* (1867, Zola). ◇ Comme *vulgariser* et *vulgarisateur*, et à la différence de *vulgaire* et *vulgarité*, *vulgarisation* résiste assez bien à la péjoration générale de la série. ◇ Le mot est cependant employé aussi péjorativement pour désigner (1888) le fait de rendre banal qqch. et le fait de devenir vulgaire.

VULGATE n. f. représente (fin XVIe s., *vulgaite*) l'abréviation de *version vulgate* (fin XVIe s., aussi *vulgaite*, d'Aubigné), emprunt au bas latin ecclésiastique *versio vulgata*, proprement «version répandue», nom de la traduction latine de la Bible à partir de l'hébreu, due à saint Jérôme et adoptée par le concile de Trente. L'expression est composée de *versio* (→ version) et du féminin de l'adjectif *vulgatus* «habituel», «répandu», «accessible au public», de *vulgare* «répandre dans le public», dérivé de *vulgus*. ◇ *Vulgatus* a été emprunté en moyen français, sous la forme *vulgué* «divulgué» (1584).

◆ **VULGO** adv., reprise d'un mot latin, est didactique (1832) pour «dans la langue commune» (opposé à *scientifiquement*).
VULGIVAGUE adj., emprunt sorti d'usage au latin classique *vulgivagus* «vagabond», de *vagari* «aller çà et là» (→ vaguer), a signifié par plaisanterie «qui se prostitue» (mil. XVIIIe s.) et «de la prostitution» (av. 1778).
VULGUM PECUS n. m. sing. (1843), est une locution pseudo-latine, signifiant littéralement «le vulgaire troupeau»; elle est formée de *vulgum*, faux adjectif neutre tiré de *vulgus*, et du latin classique *pecus* «troupeau», «troupe» (→ pécule), imitant le *servum pecus* d'Horace («le troupeau servile»; du neutre de *servus*; → serf). ◆ L'expression, parfois abrégée *(le vulgum)* désigne le commun des hommes, avec une nuance ironique et plaisante.
◈ voir **DIVULGUER**.

VULNÉRABLE

VULNÉRABLE adj. est emprunté (1676) au bas latin *vulnerabilis* «qui peut être blessé», et «qui blesse», dérivé de *vulnerare* «blesser» au propre et au figuré, lui-même de *vulnus, vulneris* «blessure, plaie», «coup porté», employé aussi au figuré. *Vulnus* ou *volnus* est apparenté au celte (gallois *gweli* «blessure», vieil irlandais *fuil* «sang») à l'ancien norrois *valr* «morts sur le champ de bataille» (→ walkyrie) et à l'ancien haut allemand *wuol* «défaite»; tous ces mots viennent probablement d'une forme indoeuropéenne °*welənos*; le grec *oulê* «cicatrice, blessure cicatrisée», y est peut-être aussi lié.

♦ L'adjectif s'applique à une personne qui peut être blessée, frappée; par figure, il qualifie ensuite une personne (1807) ou une chose (1817) qui peut être facilement attaquée, et aussi une réputation (emploi littéraire). ◇ Il s'emploie spécialement au XXe s. (1933) au bridge.

▶ **VULNÉRABILITÉ** n. f. (1836), «fait d'être vulnérable» est littéraire. ◆ **INVULNÉRABLE** adj., emprunt au latin classique *invulnerabilis*, en reprend les sens propre (av. 1525) et figuré (v. 1629). L'adjectif est du registre soutenu. ◇ Le dérivé **INVULNÉRABILITÉ** n. f. est attesté en 1732.
VULNÉRATION n. f. reprend le latin classique *vulneratio*, de *vulneratum*, supin de *vulnerare*. Il a signifié «blessure» (v. 1370), emploi peu attesté, à nouveau relevé en 1550. ◇ Le mot semble avoir été repris au milieu du XIXe s. (attesté 1872), cette fois par spécialisation à propos d'une blessure provoquée par l'instrument du chirurgien. Cet emploi a lui aussi disparu. ◆ **VULNÉRER** v. tr., emprunt au latin classique *vulnerare*, est relevé vers 1380, puis vers 1485 et en 1550; il est rare et littéraire, pour «blesser moralement». ◆ **VULNÉRAIRE** adj. et n. est un emprunt au latin classique *vulnerarius* «relatif aux blessures» et, comme substantif, «remède», dérivé de *vulnerare*. ◇ L'adjectif s'est appliqué (1539) à des plantes qui guérissaient les blessures, d'où *eau vulnéraire* (1697), puis le nom a désigné (1694) un remède que l'on appliquait sur les plaies. ◇ C'est aujourd'hui un nom (1694, n. f.) désignant l'anthyllis, plante qu'on employait comme vulnéraire. ◇ Par extension, avec l'idée de «stimulant», le substantif *(un vulnéraire)* s'est employé (1891) pour «alcool, vin».

VULPIN, INE

VULPIN, INE adj. et n. a été emprunté (fin XIVe s.) au latin *vulpinus* «du renard», dérivé de *vulpes* «renard», employé dans *vulpa marina*, appliqué à un poisson vorace et rusé; ce mot est d'origine inconnue. On peut conclure à une dénomination populaire, donc instable, sujette comme celle du loup à des déformations volontaires. Son genre féminin (également en slave) marque le mépris initial à l'égard de l'animal. Il a abouti en ancien provençal à *volp* «renard», et l'ancien français a formé le verbe *vulpier* «crier comme un renard» (v. 1300), encore utilisé au XVIe siècle.

♦ L'adjectif apparaît isolément avec le sens latin à la fin du XIVe s., puis vers 1480 et est repris en 1611. Cet emploi a disparu, comme celui du nom, *un vulpin*, attesté au sens de «renard» (v. 1600, isolément). ◇ Il désigne aujourd'hui (1778) une plante herbacée dont les épillets sont regroupés en un panicule cylindrique qui ressemble à une queue de renard.

VULTUEUX, EUSE

VULTUEUX, EUSE adj. est emprunté (1814) au latin *vultuosus* «qui a des jeux de physionomie, affecté», dérivé de *vultus* «expression, air du visage», «visage» (→ ① volt).

♦ L'adjectif se dit en médecine du visage quand il est congestionné et gonflé et, par extension (av. 1835), de tout ce qui se distingue par une vive coloration sanguine.

▶ En dérive **VULTUOSITÉ** n. f. (1834), «caractère de ce qui est vultueux», terme rare.

VULVE

VULVE n. f. est un emprunt (1304) au latin *volva, vulva* (seule forme dans les Gloses) «vulve», «matrice» (→ volve). On relève au XIIIe s. la forme *borbe*.

♦ Le mot désigne l'ensemble des organes génitaux externes de la femme et, par extension, des femelles des mammifères. ◇ Par analogie de forme, il se dit en anatomie (1765) d'une ouverture sans issue dans le cerveau, sous la commissure antérieure.

▶ En dérivent **VULVAIRE** adj. (1822) et **VULVITE** n. f. (1846), de *-ite** désignant une inflammation de la vulve.

W

WAGNÉRIEN, IENNE adj. et n., formé sur le nom de Richard *Wagner,* mérite de figurer dans un dictionnaire du français à cause de la vogue du musicien, symbole d'une révolution musicale.

♦ Le mot apparaît chez Champfleury (1861); une *Revue wagnérienne* est fondée en France en 1885. *Daudet,* dans les *Contes du lundi,* qualifie Louis II de Bavière de *wagnérien enragé* (1873). Des syntagmes comme *opéra, chanteur wagnérien* s'imposent, mais les connotations modernistes (encore chez Proust) ont disparu.

▶ Le nom du musicien a donné en outre en français **WAGNÉRISME** n. m. (1869) et de nombreux composés plus éphémères, tel **WAGNÉROMANE** n. et adj. (1889), liés aux polémiques autour de Wagner.

WAGON n. m. apparaît isolément en 1698 dans une relation sur l'Angleterre (*waggon* «chariot»), puis à la fin du XVIIIe s.; il a été repris sous la forme *vagon* (1826; encore attesté en 1892) et en 1829 sous la forme actuelle. Le mot est emprunté à l'anglais *wagon* ou *waggon* «chariot tiré sur rails» (1756), antérieurement «chariot» (XVIe s.), du néerlandais *waghen, wagen. Wagen,* comme l'ancien norrois *vagn,* le danois *vogn,* l'allemand *Wagen,* fait partie d'un groupe germanique appartenant à la même famille indoeuropéenne que le latin *vehiculum* (→ véhicule), *via* (→ voie), celle de la racine °*wegh-* «aller en char».

♦ Le mot apparaît en français dans le vocabulaire des mines, désignant un chariot pour transporter la houille; il est ensuite employé pour un véhicule sur rails, tiré par une locomotive, à propos de la ligne de Saint-Étienne à Lyon. Il supplante en ce sens *chariot,* attesté en 1803 dans une traduction de l'anglais et terme officiel de la Compagnie du chemin de fer de Saint-Étienne à Andrézieux jusqu'en 1826. ◇ *Wagon* est employé techniquement à propos des véhicules sur rails destinés au transport des marchandises, mais aussi dans l'usage courant pour les voitures destinées aux voyageurs; depuis 1950-1960, il a reculé dans cet emploi non technique au profit de *voiture.* ◇ Par métonymie, le mot désigne (1881) le contenu d'un wagon. ◇ Par figure, il s'emploie familièrement (XXe s.) à propos d'une automobile de grande dimension. Il entre dans la locution figurée ***accrocher le (son) wagon*** «rejoindre le peloton de tête (de cyclistes, etc.)» (1933).

▶ *Wagon* a fourni plusieurs dérivés techniques: **WAGONNIER** n. m. (1846, *vagonier*) «homme d'équipe chargé de la manœuvre (accrochage, etc.) des wagons», **WAGONNÉE** n. f. (1887) et **WAGONNAGE** n. m. (1894) «transport par wagons (d'une matière, de marchandises)». ◆ Le diminutif plus courant **WAGONNET** n. m. (1869; 1867 écrit *wagonet*) est employé dans la locution figurée familière ***recharger les wagonnets*** «remplir de nouveau les verres (dans un café)» (XXe s.). ◆ Le mot est élément de nombreux composés, tous noms masculins, mais *voiture* lui a été ensuite substitué quand il s'agissait du transport de personnes: **WAGON-ÉCURIE** (1844), **WAGON-RESTAURANT** (1846), usuel, comme **WAGON-LIT** (1861), **WAGON-SALON** (1846), disparu ou allusion historique, **WAGON-CITERNE** (1864) et **WAGON-RÉSERVOIR** (1894), en concurrence avec l'anglicisme *tanker,* **WAGON-VANNE** (1872), **WAGON-TOMBEREAU** (1893), vieilli, **WAGON-BAR** (1897), aujourd'hui *voiture-bar,* etc. ◆ Parmi les composés récents mais occasionnels, on relève **WAGON-CINÉMA** (1956), **WAGON-DISCOTHÈQUE** (1980).

◈ voir TRAMWAY.

WALKMAN n. m., relevé en 1980, est un nom déposé par la firme japonaise Sony en 1979 pour désigner un dispositif formé d'un casque d'écoute très léger, relié à un lecteur de cassettes portatif ou à un récepteur de radio, permettant d'écouter de la musique en marchant. Le mot, mal formé en anglais (où il signifie littéralement «marcheur»), est composé de *(to) walk* «marcher» (XIIIe s.) et du suffixe d'agent *-man,* de *man* «homme» (XIIe s.). *To walk* se rattache à une racine °*walk-* d'origine inconnue (ancien norrois *valka,* ancien haut allemand *walchen*) et *man,* du gotique *manna* (ancien haut allemand *maor*), se rattache à une base sanskrite *mánu-* «homme, humanité» (→ mannequin). Aux États-Unis, plusieurs termes tendent à remplacer *walkman*, par exemple *drive about*, de *to drive* «conduire».

♦ La recommandation officielle pour remplacer en français ce pseudo-anglicisme, abrégé familièrement en *walk* (1981), est *baladeur* (1983), qui semble avoir éliminé *walkman* à partir des années 1990, au moins dans l'usage officiel et commercial.

WALKYRIE ou **VALKYRIE** n. f. apparaît en 1756 (*valkyrie*; 1824, *walkyrie*) dans une traduction de l'épopée islandaise par Mallet (*l'Edda des Islandais*). C'est un emprunt à l'ancien norrois *valkyria*, composé de *val* «tué», accusatif de *valr* «champ de bataille», et de *kyria* «celle qui choisit», dérivé de °*kur*, °*kuz*, forme réduite de °*keuz* «choisir» (cf. anglais *to choose*). *Valr* est peut-être apparenté au latin *vulnus* «blessure» (→ vulnérable), °*keuz-* se rattache à une racine indoeuropéenne °*geus-*, comme le latin *gustus* (→ goût).

♦ Le mot, aussi écrit *valkyrie*, désigne dans les mythologies scandinaves et germaniques l'une des trois déesses guerrières qui décident du sort des combats et de ceux qui doivent y mourir. ◇ Il s'est diffusé en français comme réemprunt à l'allemand (*Walküre*) après l'œuvre célèbre de Wagner.

WALLABY n. m., attesté en 1848 dans un récit de voyage, est un emprunt à l'anglais *wallaby* (1845), d'abord écrit *wallabee* (1826), transcription d'un mot d'une langue australienne.

♦ Le mot désigne une variété de kangourou de petite taille.

WALLON, ONNE adj. et n. d'abord écrit *Vallon* (v. 1466), précédé par *wallin* (1385), est soit un emprunt au latin médiéval *wallo, -onis*, lui-même emprunté au francique soit issu par changement de suffixe de *wallec* (1332), *walesc, walesch* (v. 1350) «langue d'oïl parlée dans les Pays-Bas»; on relève dès le XIIIe siècle *walesquier* au sens de «parler un langage incompréhensible» (v. 1270). *Wallec* est probablement emprunté au néerlandais °*walesch*, °*walec*, issu du francique °*walhisk*, de la famille du germanique °*walhoz* «Celtes», lui-même pris au latin *Volcae*, nom d'une peuplade celte. °*Walha*, en francique, «étranger» désignait en milieu germanique tous les peuples romanisés (cf. *Valaque, Gaulois, Welsh*).

♦ Le mot s'applique aux peuples de langue et de civilisation romanes occupant le sud de la Belgique, notamment autour de Liège. Il s'oppose à *flamand*. ◆ Comme nom masculin, *le wallon* désigne l'ensemble des dialectes gallo-romans de cette région, parlés aujourd'hui en même temps que le français. Le wallon fait partie, au même titre que le picard son voisin, des parlers d'oïl. Un certain nombre de mots wallons sont passés en français central : *estaminet, grisou, houille*... ◇ Dans ce sens, le mot est aussi adjectif : *dialecte wallon, anthologie wallonne*.

► Le dérivé **WALLONISME** n. m. (1866) s'applique aux faits de langue propres au wallon et empruntés par le français régional de Belgique. ◆ **WALLINGANT, ANTE** adj. et n., formé (1912) d'après *flamingand*, s'applique aux Wallons autonomistes.

◈ voir GALLO-, VELCHE.

WAPITI n. m., relevé en 1860 dans un texte français, est un emprunt à un mot américain (1806), lui-même emprunté à l'algonquin *wapiti* «grand cerf blanc» qui signifie littéralement «croupe blanche».

♦ Le *wapiti*, cerf d'Amérique du Nord, est nommé *cerf du Canada* au Québec pour le distinguer du cerf de Virginie (appelé *chevreuil*).

WARRANT n. m. est un emprunt (1625 «autorisation», isolément, puis 1671) à l'anglais *warrant* «garantie, autorisation» (XIIIe s.), puis «mandat d'amener» (av. 1450) et enfin «titre double établi à ordre et délivré aux commerçants lors d'un dépôt de marchandises» (1825), terme de droit commercial. L'anglais est lui-même un emprunt à l'ancien français *warant, warand*, variante dialectale de *garant**, mot d'origine germanique.

♦ Le mot est d'abord introduit pour «autorisation, pouvoir», puis comme terme de droit pénal, en parlant des pays anglo-saxons, acception encore relevée au XIXe siècle. ◇ Il est ensuite employé dans le domaine commercial (1836), seule acception vivante aujourd'hui.

► Il a fourni le dérivé **WARRANTER** v. tr. (1874) qui correspond à *to warrant* en anglais (1387), d'où **WARRANTAGE** n. m. (1894).

WASSINGUE n. f., relevé en 1895 mais certainement ancien dans l'usage oral, est emprunté au flamand *wassching* «lavage», issu de l'ancien haut allemand *wascan*, d'un verbe germanique °*waskan* «laver», qui a fourni l'allemand *waschen*, l'anglais *to wash*. La base en est le nom de l'eau (l'allemand *Wasser*).

♦ Mot régional usuel du nord de la France, *wassingue* équivaut à *serpillière* en français central.

WATER-CLOSET n. m. est emprunté (1816) à un mot anglais (1755), proprement «cabinet à eau», composé de *water* «eau» et *closet* «cabinet». *Water*, en vieil anglais *waeter* (cf. allemand *Wasser*), est issu du gotique *wato*, d'une base °*wat-* qui se rattache à l'indoeuropéen °*wod-*, °*wed-* (cf. russe *voda*; → vodka), variante °*ud-*, d'où le latin *unda* (→ onde), le grec *hudôr* (→ hydro-). *Closet* est emprunté (1309) à l'ancien français *closet*, diminutif de *clos*, n. m. (→ clore).

♦ Le français disposait des mots *lavabo, cabinet(s)* et de plusieurs termes familiers. *Water-closet*, le plus souvent employé au pluriel, a pénétré en France à propos de l'Angleterre, puis (1848) dans d'autres contextes, notamment à propos de la France. Il s'est implanté, avec d'autres emprunts, dans le domaine du chemin de fer et s'est surtout employé au XIXe s. en parlant des chemins de fer américains. La forme complète, sortie d'usage, a été remplacée par les abréviations **W.-C.** n. m. pl. (1887), prononcé *doublevécé*, et ensuite francisée graphiquement en **VÉCÉS** (attesté en 1946), et par

WATERS n. m. pl. (1913), écrit populairement *vatères* (XXe s.), forme correspondant à la prononciation courante du mot. ◇ Dans les lieux publics, *toilettes* s'est substitué à *water-closet(s)* dès 1945. Le mot, comme ses abréviations, tend à vieillir ou à être marqué ironiquement.

◈ voir **WATERGANG, WATER-POLO** à **POLO, WATERPROOF, WATERZOÏ.**

WATERGANG n. m., mot régional de Belgique et du nord de la France, est ancien (1280, *watregans;* 1285, *waterganc*); c'est un emprunt au néerlandais, où le mot est composé de *water* «eau» et *gang* «voie», deux mots germaniques qu'on retrouve sous la même forme en anglais (→ water-closet; gang).

♦ Le mot désigne un canal, un fossé en bordure d'un chemin, d'un polder.

▸ Un dérivé flamand de *water, wateringe,* a fourni au français régional des mêmes zones l'emprunt **WATERINGUE** n. f. (1298) «travaux de drainage, d'assèchement».

WATER-POLO → **POLO**

WATERPROOF adj. est un emprunt du XVIIIe s. (1775) à l'anglais *waterproof* (1736, comme adj.), de *water* «eau» et *proof* «à l'épreuve de» (XVIe s.), adjectif tiré du substantif *proof* «preuve, épreuve», moyen anglais *prof,* lui-même emprunté à l'ancien français *proeve* (→ preuve).

♦ Le mot qualifie des objets imperméables ou résistants et à l'épreuve de l'eau (*montre waterproof,* en concurrence avec *étanche*). Comme substantif, il s'est dit (1838) d'un vêtement imperméable (à la mode dans la seconde moitié du XIXe s.). ◇ Cet anglicisme a vieilli, sauf en cosmétique (*mascara waterproof*).

WATERZO(O)Ï n. m., attesté au XXe s., est emprunté au flamand *waterzootje,* composé de *water* «eau» (→ water-closet) et de *zootje, zoodge* «bouillant», de *zode* «bouillir», du germanique *sieden* (cf. allemand *zieden,* anglais *to seethe*). On trouve aussi la graphie *waterzoei.*

♦ Ce mot régional désigne une spécialité culinaire belge, bouillon de poissons d'eau douce (anguille, brochet, carpe, perche) très réduit; le poulet remplace quelquefois le poisson.

WATT n. m. a été emprunté (1881) à l'anglais, du nom de l'ingénieur écossais James *Watt* (1736-1819).

♦ Longtemps senti comme étranger, et dès lors écrit en italique ou entre guillemets, ce mot technique désigne l'unité de puissance électrique correspondant à la consommation de un joule par seconde.

▸ À partir de *watt* ont été composés des termes techniques préfixés. ◇ **HECTOWATT** n. m. (1881), d'où **HECTOWATTHEURE** n. m. (1922). ◇ **KILOWATT** n. m., d'où **KILOWATTHEURE** n. m. (→ kilo-), est plus usuel du fait que cette unité correspond au décompte de la consommation électrique. ◆ **MÉGAWATT** n. m. (mil. XXe s.) est la forme francisée de l'anglais *megawatt* «unité de puissance valant un million de watts». ◆ **WATTMÈTRE** n. m. (1883) «appareil de mesure des puissances électriques». ◆ **WATTHEURE** n. m. (1887) «unité de travail et d'énergie correspondant à l'énergie fournie en une heure par une puissance de un watt».

WATTMAN n. m. est un faux anglicisme qui a désigné le conducteur d'un véhicule automobile (1895), et spécialement celui d'un tramway électrique (1897); l'anglais dispose de *tram-driver* et de *tram-man.* Le mot, caractéristique des premières décennies du XXe s., est sorti d'usage.

W.-C. → **WATER-CLOSET**

WEB n. m. est un emprunt à l'anglo-américain *web* «toile (d'araignée)», appliqué au «réseau des réseaux» → internet.

♦ Le mot, concurrencé par le calque français *la toile,* sert à désigner le réseau mondial de télécommunication nommé *Internet.*

WEEK-END n. m., d'abord employé (1906) à propos de l'Angleterre ou d'un pays de langue anglaise, et répandu vers 1920-1925, est un mot anglais, désignant dans ses premiers emplois la fin de la semaine (1638), au XIXe siècle la période de fermeture des magasins et de suspension des affaires, du samedi au lundi (1878), et la période de repos accordée aux travailleurs après la semaine normale de travail, et spécialement ce congé passé à la campagne, à faire du tourisme, etc. (1879). L'anglais *week* «semaine», en moyen anglais *wike, weke,* vient du gotique *wiko,* d'un germanique °*wikôn, probablement «succéder», «céder la place», lié à* °*wik-* «tourner», «changer», qui se rattache à une base indoeuropéenne °*weik-* «changer» (d'où le latin *vicis;* → fois, vice-). Le second élément *end* «fin», du germanique *einde,* vient du sanskrit *ánta* (cf. grec *anti,* latin *ante;* → antérieur, antique).

♦ Le mot désigne la fin de semaine et le congé de fin de semaine. Le remplacement par *fin de semaine,* employé au Québec (d'ailleurs en concurrence avec *week-end*), est possible pour la première acception, mais l'anglicisme s'impose parfois à cause des connotations du second sens (loisir, séjour hors des grandes villes) et de l'emploi particulier dans des syntagmes comme *week-end prolongé.* ◇ Le «week-end» anglais des banques et des maisons de commerce a amené la création en France de *semaine anglaise* (1914), par référence au mode d'organisation du travail institué en Angleterre; cette expression est sortie d'usage. ◇ Les adaptations graphiques de *week-end, ouiquende, ouiquinde* ne se sont pas imposées.

WELTANSCHAUUNG n. f. est un mot allemand attesté en français depuis 1924 (chez Charles du Bos) et formé de *Welt* «monde» et *Anschauung* «contemplation, expérience», de *anschauen* «regarder, contempler».

♦ Le mot, employé en philosophie, surtout après 1930, correspond au français *vision du monde.*

WELTER n. m., anglicisme de sport (1909), est pris à l'anglais *welter weight* «poids lourd» (1896 dans ce sens), d'abord appliqué à un cavalier (1825), et formé de *welter*, de même sens (1803), lui-même de *to welt* «garnir (des souliers) d'une pièce de cuir» appelée *welt*. Ce dernier substantif est d'origine obscure : on suppose un ancien anglais °*wealt*, mot germanique. D'autres font venir le mot de *to welter* «s'agiter» (*welt* désignant aussi la houle), verbe apparenté à l'allemand *wältzen* (→ valse), mais le rapport de sens paraît lointain. Quant à *weight*, par l'ancien anglais *wegan* «porter, soulever», il remonterait à une racine indoeuropéenne °*wegh-* (celle de *way* «chemin» et du français *voie, véhicule*).

♦ Le mot désigne un boxeur de poids mi-moyen, entre les *légers* et les *lourds*.

WERGELD n. m., d'abord sous la forme *weregild* (1765, *Encyclopédie*), puis *wehrgeld* (1842) et *wergeld* est un emprunt au latin médiéval *weregildum, wereguldum*, lui-même transcription latinisée de l'ancien saxon *wergeld*, formé de *wer* «homme» et *geld* «argent (unité monétaire)», apparenté à l'anglais *gold* «or» et remontant comme lien à une racine indoeuropéenne (d'où sanskrit *háritas* «jaune»). Le mot semble initialement être un nom de couleur apparenté à *yellow* «jaune».

♦ Ce mot d'histoire désigne l'institution germanique, en usage dans le royaume franc qui consistait à verser à la victime d'un dommage une indemnité. Le wergeld s'appliquait notamment au meurtre, qui pouvait parfois être réparé par le versement d'une somme d'argent.

WESTERN n. m. a été emprunté (1919) à l'anglo-américain à l'époque du cinéma muet. *Western*, adjectif signifiant «de l'Ouest», est employé en américain pour désigner (1798) tout le territoire des États-Unis situé à l'ouest des treize premières colonies et notamment la partie située à l'ouest du Mississippi. Le mot dérive de *west* (XIIe s., nom ; XIVe s., adjectif), qui se rattache à la même famille indoeuropéenne que le latin *vesper* (→ vêpres), le grec *hespera* (→ hespérides). Le français *Ouest** est lui-même un emprunt ancien à l'anglais *west*.

♦ Le mot désigne un film d'aventures ayant pour thème la conquête de l'Ouest par les pionniers américains au XIXe s., le genre cinématographique, créé aux États-Unis, que constituent ces films, et le genre de situations caractéristiques de ces films (chevauchées, violence, grands espaces, etc.).

▸ Il a fourni l'adjectif **WESTERNIEN, IENNE** (1972), propre à la critique cinématographique. ◂ Par plaisanterie, on emploie les composés *western-spaghetti* (1968), plus rarement *western-macaroni* (1967), à propos des westerns produits par l'Italie, et *western-soja* (1974) pour désigner des films d'aventures analogues à thème extrême-oriental.

◈ voir **FAR-WEST, WISIGOTH.**

WHARF n. m., d'abord (1833) sous la forme plurielle anglaise *wharves*, et au singulier en 1853, est emprunté à l'anglais *wharf*, anciennement *warf* (XIe s.), «quai où les bateaux chargent et déchargent les marchandises», d'un germanique °*werth*. On relève isolément *Wharff* en 1398, nom d'un quai à Calais.

♦ Cet anglicisme reste d'emploi limité. Il est utilisé pour restituer la couleur locale des endroits décrits.

WHIG n. et adj., d'abord introduit (1687) comme mot anglais et repris en 1690, est emprunté à l'anglais *whig* (1679), abréviation probable de l'écossais *whiggamaire, wiggomer*, d'où *whiggamore*, nom donné à des insurgés écossais qui marchèrent sur Édimbourg en 1648. Le premier élément vient peut-être de l'écossais *to whig* «conduire», *whiggam* était employé par les Écossais conduisant les chevaux ; le second élément correspond à l'anglais *mare* «jument», d'un germanique °*markos* (cf. ancien anglais °*mêre*, ancien haut allemand *marah*, allemand *Mähre* qu'on retrouve dans *marche, maréchal*).

♦ Ce terme d'histoire désigne d'abord un partisan de l'éviction du duc d'York du trône d'Angleterre votée en 1680 ; ce sont leurs adversaires qui donnèrent aux whigs leur dénomination → tory. Le mot s'emploie aussi pour désigner un membre du parti politique britannique, fondé en 1689, soutenant les droits du Parlement contre l'autorité royale. En Angleterre, *liberal*, «libéral» (1801 ; emprunt au français), s'est peu à peu substitué à *whig* (1868, *Liberal Party*). ◇ En parlant de l'histoire des États-Unis, le mot désigne (1872) un membre d'un parti politique fondé en 1834, remplacé par le parti républicain en 1856 (opposé à *démocrate*).

▸ **WHIGGISME** n. m., terme d'histoire employé à propos de l'Angleterre, a été emprunté (1717) à l'anglais *whiggism* (fin XVIIe s.).

WHIP n. m. est emprunté (1861) à l'anglais *whip* «fouet», «cocher», en vénerie «piqueur» et spécialement au Parlement, «député d'un parti désigné comme son chef de file». Le mot est le déverbal de *to whip* «avancer rapidement» (XIIIe s.), «fouetter» (XIVe s.), en moyen anglais *to whippen*, d'un germanique *wippen* «osciller, se balancer», d'une base °*wip-* qui comporte l'idée de mouvement rapide, sans doute apparentée au latin *vibrare* (→ vibrer).

♦ Le mot a repris d'abord le sens de «conducteur d'un attelage», qui a disparu. Il désigne (1874), dans le Parlement britannique, le secrétaire d'un parti chargé d'organiser les votes, etc. Employé au pluriel, il se dit (déb. XXe s.) des appels lancés par un chef de groupe du Parlement britannique.

◈ voir **WHIPCORD.**

WHIPCORD n. m. est introduit (1893) avec le sens de l'anglais, désignant un tissu serré à côtes parallèles. Le mot anglais signifie littéralement «corde à fouet». Il est composé (1827) de *whip* «fouet» (→ whip) «cordelette de fouet en chanvre», et de *cord*, emprunté au français *corde**.

WHISKY n. m. est emprunté (1801 ; 1770, *wiskey*, comme mot anglais cité) à l'anglais *whisky* (1746 ;

1715, *wiskie*) ou *whiskey* (1753), forme abrégée de *whiskybae*, variante anglicisée de *usquebaugh*, du gaélique *uisge beatha* «eau-de-vie». Le mot est composé de *uisge* «eau», et de même racine que l'anglais *water* (→ water-closet), et de *beatha* «vie» (cf. vieil irlandais *bethu*), apparenté au grec *bios* (→ bio-).

♦ Le mot désigne une eau-de-vie de grains (seigle, orge, maïs, purs ou en mélange) et, par métonymie (1897), un verre de cette eau-de-vie. La variante écossaise *whiskey* a fourni au français la graphie *whiskey* (1785), parfois *wiskey* (1786), sortie d'usage, sauf pour désigner la variante irlandaise de cette boisson. ◇ Il s'emploie spécialement pour parler du whisky d'orge écossais, en ce sens concurrencé par **SCOTCH** n. m. (1954), emprunt à l'anglais *scotch*, forme abrégée de *scotch whisky* (1855), où *scotch* «écossais» est une variante de *scottish* (XIIIe s.; du bas latin *Scottus*, d'origine inconnue). ◇ *Whisky* s'oppose en général à **BOURBON** n. m. (1930), désignant un whisky américain à base de maïs (1851), abréviation de *Bourbon Whiskey* «whiskey fabriqué dans le comté de Bourbon, dans le Kentucky». On distingue parfois aussi du whisky le rye. **RYE** n. m. (1907), «whisky de seigle (fabriqué aux États-Unis et au Canada)», est l'abréviation de *rye-whisky* (1785), de *rye*, «seigle», mot d'origine germanique (cf. ancien haut allemand *rocco*, allemand *Roggen*).
Le composé **WHISKY-SODA** n. m. (1906) ou *whisky and soda* (1894) désigne un whisky allongé d'eau gazeuse (→ soda).

WHIST n. m., attesté en 1687 comme mot anglais, s'est aussi écrit *wisk* (1714), *wisk* (1768). Le mot anglais *whist* (1663) est une altération de *whisk* (1621), peut-être issu du verbe *to whisk*, «balayer, enlever vite», avec une influence de l'ancienne interjection *whist* (XVIe s., *ist*; XVIIe s., *hist*) servant d'appel au silence, en raison du silence qu'il convient d'observer pendant ce jeu. *To whisk*, peut-être d'origine scandinave, contient un radical germanique °*wisk-* exprimant un mouvement vif.

♦ *Whist* désignait un jeu de cartes importé d'Angleterre sous Louis XIV; ancêtre du bridge (→ bridge) qui l'a supplanté, ce jeu a été vivant en France au XIXe siècle.

WHITE-SPIRIT n. m. est un emprunt (1930) à l'anglais *white spirit* «esprit blanc» (1920). *Spirit* désigne un produit de distillation, comme le français *esprit** dans des acceptions vieillies. Le mot est issu du latin *spiritus*, peut-être par l'intermédiaire de l'ancien français. *White*, en moyen anglais *wit*, en gotique *hweits* (cf. allemand *weiss*), se rattache à une racine indoeuropéenne °*kwei-* (cf. sanskrit *çvēta* «blanc», de *çvit* «être blanc», russe *sviet* «clarté, lumière», *svietit'* «briller»). L'anglais utilise aussi *petroleum spirit*, surtout au pluriel, comme *white spirits*.

♦ Cet anglicisme d'usage courant en commerce désigne en français, où il donne lieu à des prononciations erratiques, un produit pétrolier intermédiaire entre l'essence et le lampant, utilisé comme solvant de dégraissage et comme diluant en peinture.

WIGWAM n. m., attesté en 1688 dans une traduction, sans précision de sens, avec diverses graphies au XVIIIe s. et aux deux genres, est repris au XIXe s. (enregistré dans le dictionnaire de Landais en 1843 sous la forme *wigwame*). Le mot est emprunté à l'anglais des États-Unis, lui-même (1628) de l'algonquin *wikiwam* «leur maison», peut-être par une forme ojibwa (région du lac Supérieur) *wigwaum*. Cette dernière forme est employée par Chateaubriand dans les *Mémoires d'outre-tombe*.

♦ Le mot désigne une hutte ou tente des Indiens d'Amérique du Nord puis, par extension (1862), un village indien.

WILAYA ou **WILLAYA** n. f., emprunt récent (v. 1955) à l'arabe d'Algérie *vilaya*, s'est diffusé en français pendant le conflit de l'indépendance algérienne. Le mot arabe désigne une circonscription administrative; il a été francisé au pluriel *(des willayas)*, le pluriel arabe étant *villayat*.

♦ Le mot s'est diffusé en français à propos des unités territoriales combattantes. Depuis l'indépendance de l'Algérie, il a été repris pour désigner en français comme en arabe une division administrative, le mot français *département* étant abandonné.

WINCHESTER n. m. ou f. est un emprunt (1885 dans un récit de voyage) à l'anglais *winchester* (1871) désignant une carabine fabriquée par l'entreprise de O. F. *Winchester*, armurier américain.

♦ Le mot désigne une carabine à répétition de fabrication américaine, qui fut employée par l'armée.

WISIGOTH, OTHE adj. et n., (1601 *wisigots*, aussi écrit *visigoth* (1667), *wisigot* (1764) et enfin *wisigoth*, comme *Goth*, en 1876, est emprunté au bas latin *visigothus*, que certains rapportent au germanique *westgote* «Goth de l'Ouest»; ce mot est composé de *west* «Ouest» (→ ouest, western) et du gotique °*Gutōs* ou °*Gutans*, désignant le peuple. *Wisi-* a été interprété aussi comme signifiant «sage», puis «noble, bon», du radical germanique représenté par l'anglais *wise*. Les *Wisigoths* seraient, soit les Goths occidentaux, soit les Goths nobles.

♦ Le mot a été d'abord employé, comme *ostrogoth*, au sens de «barbare, inculte, grossier», acception sortie d'usage au XIXe siècle. ◇ Aujourd'hui, il se dit en histoire de ce qui est originaire de la partie ouest des territoires occupés par les Goths, et de la civilisation transmise par les peuples originaires de ces territoires (*l'art wisigoth d'Espagne*, etc.).

▸ Le dérivé **WISIGOTHIQUE** adj., terme d'histoire de même sens (1876; aussi *visigothique*, 1842), s'emploie en particulier dans *écriture wisigothique*, désignant une écriture latine modifiée utilisée en Espagne au temps des Wisigoths (du VIIe au XIIe s.).

WITLOOF n. m., est emprunté (1892) au néerlandais flamand *witloof* «chicorée» et «endive».

♦ Le mot désigne régionalement (Belgique, Nord de la France) l'endive, variété de chicorée aux feuilles blanchies par étiolement.

WOLFRAM n. m. est un emprunt (1759) à l'allemand *wolfram* (1580), sans doute composé de *Wolf* «loup» et de *Rahm* «crème». C'est probablement l'altération de *wolfschaum*, adaptation du latin *lupi spuma*, littéralement «bave de loup» (1546), d'après le prénom *Wolfram*. *Wolf* vient du germanique °*wulfaz* qui se rattache à une racine indoeuropéenne *wlk*^{w}*o*-, variante *wluk*^{w}*o*-, d'où viennent le latin *lupus* (→ loup), le grec *lukos*, le vieux slave *vlĭkŭ*, etc. *Rham* vient du moyen haut allemand *ram* «suie».

♦ Sorti d'usage en sciences, le mot désignait un minerai de tungstène, aujourd'hui nommé **WOLFRAMITE** n. f. (1892).

WOLOF ou **OUOLOF** n. m. et adj. est d'abord attesté dans les langues européennes : italien (*Ziloffi* en vénitien, 1455), espagnol, portugais, puis en français, sous des formes en *gh-* ou *g-* (*galofes*, 1685 ; *gelof*, 1732) et en yo- (*yolof*, 1747 ; 1781 *[iolof]* et 1787 dans Bernardin, *Paul et Virginie*). La forme *wolof* (1825, *Dictionnaire français-wolof*, J. Dard, peut-être 1814) semble empruntée à l'anglais (*wolof*, 1745), *ouolof* (1829) étant sa francisation graphique. On trouve encore *ghiolof* (1839), *guiolof* (1845), *jolof*, *volof* (2e moitié XIXe s.). Toutes ces formes sont empruntées à un mot africain peut-être formé (selon Bouna Fall) de *wa* «les gens de...» et *Lof*, nom du territoire du successeur de N'Diaye, fondateur de l'empire. On a évoqué d'autres noms de territoires (*Dyolof*, etc.) mais aussi un surnom donné par les Mandés (V. Monteil), *Wolof* n'étant pas un mot de la langue wolof.

♦ Ce mot désigne cette langue, branche nord de la famille nigéro-congolaise. Le wolof, avant le peul et le sérère, est la principale langue du Sénégal, également utilisée en Gambie, et fait l'objet d'un enseignement dans tout le Sénégal en tant que langue véhiculaire.

X

X n. m. inv. reprend au XIIIe s. l'*x* latin, lui-même notation du *ksi* grec et employé pour noter «dix».

♦ La lettre *x* est prise par convention en mathématiques (av. 1650) comme symbole littéral désignant une inconnue et comme la première des coordonnées cartésiennes. ◇ Comme en latin, X note «dix», écrit en chiffres romains. ◇ X s'emploie ensuite pour désigner la forme de la lettre (1770, *en formant un X; en X,* 1800) et pour parler d'objets en forme de X majuscule, par exemple un petit tabouret aux pieds croisés (av. 1850), un support en forme d'X (v. 1850). ➛ *Les x,* d'après l'emploi de *x* (et *y*) en algèbre, s'est dit (1840) pour «les mathématiques» et l'X s'emploie encore aujourd'hui comme désignation (depuis 1850) de l'École polytechnique et, par métonymie (1852, n. m.), d'un élève de cette école. ◇ Le nom s'applique couramment à une chose inconnue (1872) ou à une personne dont on ne veut pas ou dont on ne peut pas dévoiler l'identité (1888), notamment dans les expressions *information, plainte contre* X et *accoucher sous* X, en gardant l'anonymat, en abandonnant l'enfant. ◇ En physique, la dénomination ***rayons X*** (1904) vient du fait que ces rayons ne pouvaient être identifiés. ◇ L'adjectif s'emploie aussi, par calque de l'américain *X rated* (où X désigne la croix employée pour biffer et annuler), dans *film classé* X, *film* X «pornographique» (1975), d'où *le* X «le cinéma X» et le dérivé **IXER** v. tr. «classer (un film) dans la catégorie X.

XANTH-, XANTHO- est un élément tiré du grec *xanthos* «jaune», «doré», «blond», mot d'origine inconnue. Il entre dans la formation de mots scientifiques.

▸ En chimie, le plus courant est **XANTHINE** n. f. (1842), désignant une base organique qui donne sa couleur jaune à l'urine, d'où **XANTHINIQUE** n. f. (1897). ➛ En médecine, **XANTHOME** n. m. (1878, *xanthoma*) est le nom d'un petit nodule jaunâtre de la peau, constitué de cellules chargées de cholestérol. ➛ En botanique, **XANTHOPHYLLE** n. f. (1812), d'après *chlorophylle,* désigne le pigment jaune fixé sur les plantes, qui colore les feuilles, les pétales, les fruits.

XÉN-, XÉNO-, -XÈNE sont des éléments de composés savants, tirés du grec *xenos* d'abord «hôte», lié par des relations réciproques d'accueil, appuyées par des dons; le mot peut se dire à la fois de celui qui reçoit et de celui qui est reçu, d'où le sens d'«étranger». *Xenos* se rattache à des mots indoeuropéens désignant l'hôte, comme le gotique *gasts* (cf. l'anglais *guest* ou le latin *hospes;* → hôpital), mais on ne peut établir de lien entre ces différents termes.

▸ **XÉNOPHOBE** adj. et n., formé (1901) avec *-phobe*,* signifie «hostile aux étrangers, à ce qui vient de l'étranger», opposé à **XÉNOPHILE** adj. et n. (1906), de *-phile*,* beaucoup plus rare. ➛ Le mot a servi à former **XÉNOPHOBIE** n. f. (fin XIXe s., selon Bloch et Wartburg; puis 1904), qui a pour contraire **XÉNOPHILIE** n. f. (1906). *Xénophobe* et *xénophobie* «crainte, peur», puis «hostilité aux étrangers» ont pris de l'importance, en relation avec la notion de racisme (souvent confondue).

XÉNOBIOSE n. f., composé (XXe s.) du grec tardif *biôsis* «mode de vie» (→ bio-), désigne en biologie l'association de deux espèces animales sans dépendance de l'une par rapport à l'autre; en dérive **XÉNOBIOTIQUE** adj. et n. m. (mil. XXe s.).

XÉNISME n. m., terme de linguistique, se dit (1956) d'une forme lexicale provenant d'une langue et utilisée dans une autre langue sans y être assimilée, à la différence de l'emprunt.

XÉNIE n. f. est emprunté (1740) au grec *xenia* «qualité d'étranger» et «liens d'hospitalité», féminin substantivé de l'adjectif *xenios.* Ce mot didactique désigne, en parlant de la Grèce antique, un contrat d'hospitalité entre particuliers ou entre États et un présent fait à un hôte (à l'occasion d'un banquet). ➛ Le mot a été repris par métaphore en botanique (1904), pour parler du phénomène de double fécondation par lequel l'albumen d'une graine présente des caractères génétiques paternels lorsque la pollinisation s'est effectuée par un pollen étranger.

XÉNON n. m. est emprunté (1903) à l'anglais *xenon* (1898), lui-même emprunt au grec *xenon*, «chose étrangère, étrange», neutre de *xenos*, pour désigner en chimie le plus lourd des gaz rares de l'air.

◈ voir **PROXÉNÈTE**.

XÉR-, XÉRO-, élément qui entre dans la formation de mots didactiques, est tiré du grec *xêros* «sec» (→ élixir), mot d'origine obscure, peut-être à rattacher au latin *serescere* «devenir sec», *serenus* (→ serein).

▸ **XÉROPHTALMIE** n. f. est emprunté (1694) au grec tardif *xêrophthalmia*, composé de *xêros* et *ophthalmia* (→ ophtalmie). Le mot désigne en médecine la sécheresse et l'atrophie de la conjonctive, entraînant l'opacité de la cornée. ➻ En dérive **XÉROPHTALMIQUE** adj. (1765) et n. (1941; 1771, autre sens).

XÉRODERMIE n. f., terme de médecine (1890), de *-dermie**, désigne une sécheresse anormale de la peau.

XÉROGRAPHIE n. f. (v. 1950), de *-graphie*, désignant un procédé de reproduction de documents à sec, en nombre illimité, a produit **XÉROGRAPHIQUE** adj. (1974) et **XÉRORADIOGRAPHIE** n. f. (1972).

XÉRÈS n. m., d'abord dans *vin de Cherez* (1573), puis *Jerez* (déb. XVIIIe s.), forme encore employée, au XIXe s., enfin *Xerez* (1825), et *Xérès* (1842), vient de *Jerez*, nom d'une ville d'Andalousie.

♦ Le mot pose en français des problèmes phonétiques, le *j* espagnol guttural n'étant pas un phonème français et le *x* de *xérès* devant se prononcer *k-*; de là vient qu'il est souvent remplacé par l'anglicisme *sherry*. Il désigne un vin blanc liquoreux, mais souvent sec, produit dans la région de Jerez de la Frontera.

◈ voir **SHERRY**.

XYL-, XYLO-, élément tiré du grec *xulon* «bois», entre dans la formation de termes scientifiques, notamment en chimie, et techniques. *Xulon* est un mot d'origine indoeuropéenne, à rapprocher du lituanien *šulas* «bâton, pilier», ainsi que de formes slaves et germaniques.

▸ **XYLOGRAPHIE** n. f. (1771), de *-graphie**, désigne une impression de textes et de figures avec des planches gravées en relief, en usage aux XVe et XVIe s.; par métonymie (1904), le mot se dit d'une gravure obtenue par ce moyen; il a fourni **XYLOGRAPHIQUE** adj. (1802). ➻ **XYLOGRAPHE** n. m. «graveur pratiquant la xylographie» est relevé au XIXe s. (1824).

XYLOPHONE n. m. (1868), de *-phone**, désigne un instrument de musique à percussion, composé de lames de bois de longueurs inégales sur lesquelles on frappe avec de petits maillets; en dérive **XYLOPHONISTE** n. (XXe s.).

XYLOPHAGE adj. est un emprunt (1803) au grec *xulophagos*, «qui mange le bois», formé de *xulos* et de *phagein*, infinitif aoriste second de *estheien* «manger» (→ -phage). L'adjectif qualifie des insectes qui rongent le bois. ➻ Il a pour dérivé **XYLOPHAGIE** n. f. (1836), rare.

XYLOPHONE → **XYL-, XYLO-**

XYSTE n. m. est emprunté (1547, dans une traduction de Vitruve) au latin *xystus* «portique pour l'entraînement des athlètes» en Grèce, et «promenade plantée d'arbres», lui-même du grec *xustos* «galerie couverte d'un gymnase (avec une surface bien aplanie)» et «réunion d'athlètes» (pour une compétition sportive). Le mot est la substantivation de l'adjectif *xustos* «bien aplani», adjectif verbal de *xuein* «raboter, gratter», d'origine indoeuropéenne.

♦ *Xyste* désigne d'abord la galerie couverte d'un gymnase de l'Antiquité grecque. ◇ Repris au XVIIIe s. (1704, *xiste*) au latin, il désigne dans l'Antiquité romaine une galerie couverte dans un jardin. ◇ Il est encore repris au XXe s. pour nommer une association d'athlètes, dans la Grèce ancienne. Dans tous ses emplois, il est didactique.

Y

① **Y** n. m. inv., lettre introduite en français au début du XIIe s. (1119), reprend l'*y* latin qui notait le *upsilon* grec. Dans l'alphabet grec, la voyelle prononcée *u*, à l'époque classique, était écrite V dans la Grèce continentale, mais Y en Asie mineure (alphabet ionien), usage généralisé par Athènes à partir du Ve s. avant l'ère chrétienne. L'alphabet latin avait emprunté V pour transcrire la voyelle *ou* (et aussi la consonne *v* : on distingue aujourd'hui en latin même le *v* consonne du *u* voyelle, ce qui n'est pas le cas dans les textes originaux). Pour noter la voyelle *u* des mots grecs, les Latins introduisirent le *y*, qui finit par figurer *i*. Dans de nombreuses langues indoeuropéennes, le *y* note d'ailleurs le son *u* (danois, suédois...). ◇ En ancien français, *y* est d'abord utilisé dans la notation des mots rares et des noms propres. Au XIIIe s., l'usage de l'écriture gothique ne permettait plus de distinguer des lettres comme *n, m,* ou encore *u, i* quand elles se suivaient : c'est alors que le *y* fut employé, notamment comme variante de *i*, pour noter le upsilon grec (alors que l'espagnol et l'italien conservaient le *i*, phénomène analogue à l'emploi de *f* et de *ph*). *Y* prend alors aussi un rôle démarcatif pour éviter les confusions avec *n, m,* et *u*. C'est Robert Estienne qui, dans son *Dictionnaire français-latin* (1539, puis 1549), exploite les possibilités distinctives du *y*; d'une part, cette lettre note l'adverbe *y* (depuis le XIIIe s., → ② y) et transcrit le upsilon grec, d'autre part, elle s'emploie avant ou après un *u* consonne (le *v* distinct n'est officialisé par l'Académie qu'en 1694), après une voyelle en cas de diphtongaison et avant une voyelle, par exemple dans *yeulx*. Ces pratiques n'empêchent pas l'usage abusif de *y* jusqu'au XVIIIe siècle. La troisième édition du *Dictionnaire de l'Académie* (1740) donnera pour règle de substituer *i* à *y* partout où *y* «ne tient pas la place d'un double *i* ou ne sert pas à conserver la trace de l'étymologie».

♦ En algèbre, *y* est le symbole littéral désignant (1872) une deuxième inconnue et la deuxième des coordonnées cartésiennes (après *x**).

② **Y** pron. et adv., d'abord noté *i* (v. 980), est écrit *y* au XIIIe s. (→ ① y). Il a éliminé *iv* (842, *Serments de Strasbourg*) issu du latin populaire °*ībī* (avec deux *i* longs), du latin classique *ibī* (*i* initial bref), qui signifie «là, dans ce lieu (sans idée de mouvement)», «alors» (→ alibi). *Y* est l'aboutissement du latin classique *hic* «ici, dans ce lieu-ci» et, au figuré, «à cette occasion, à ce moment»; *ibī* et *hic* se rattachent à un thème indoeuropéen commun °*ei-*, °*i-*.

♦ D'abord pronom adverbial comme *iv*, *y* indique le lieu où l'on est, où l'on va; dans ses emplois locatifs, *y* était utilisé dans la langue classique dans des constructions comme *s'y en aller* ou avec des valeurs dérivées du sens locatif, comme dans *j'y ai d'abord été* (en colère), aujourd'hui incorrectes. ◇ *Y*, d'abord *i* (v. 980) pronom personnel, représente un nom, un pronom ou une proposition introduits par une préposition et il peut renvoyer (v. 1160) au sens général de la phrase. ◇ *Y*, adverbe (XIIe s.) ou pronom (XVIe s.), n'a pas de sens analysable dans diverses expressions, comme *il y a* (→ avoir), *il y va de, savoir y faire, ça y est*, etc. À l'époque classique, *y* s'employait pour représenter une personne, ce qui n'est plus le cas aujourd'hui qu'avec quelques verbes (*penser à, songer à*, etc.); il s'utilisait aussi plus librement avec d'autres prépositions que *à*. ➜ *Y*, remplaçant *lui* dans la langue très familière (*j'y ai dit*), est une graphie aberrante pour *i* issu de *lui* (*je lui* ayant donné °*j'l'i*, puis *j'i*).

YACHT n. m., attesté en 1570-1571, écrit *iachte*, puis (1572) sous la forme moderne, est repris en 1666. Le mot s'écrit aussi *jack* et *yak* au XVIIe s., *yack* aux XVIIIe et XIXe siècles. Il a probablement été emprunté au néerlandais *jaght(e)* [aujourd'hui *jacht*, cf. *jaghtship* «bateau pour la chasse»], de la même famille que l'allemand *jagen* «chasser»; il s'est répandu ensuite sous l'influence de l'anglais. Le *Dictionnaire de l'Académie* note en 1762 que le mot se prononce *iak*, prononciation qui ne subsiste que dans le vocabulaire technique; au XXe s., c'est la prononciation à l'anglaise, *iot*, qui l'a emporté.

♦ Le mot désigne (1831) un navire de plaisance à voiles ou à moteur. Avant le XIXe s., il se disait de gros bâtiments transportant des passagers. Par analogie, *yacht à glace* s'emploie (1906), notamment au Canada, à propos d'un voilier à patins utilisé pour se déplacer sur la glace.

▸ Plusieurs mots anglais, formés à partir de *yacht*, ont été introduits en français. ➛ **YACHTING** n. m. (1851), emprunt à l'anglais *yachting* (1836), est vieilli, remplacé par *voile* ou *plaisance*. ➛ **YACHT-CLUB** n. m. (1855), du composé anglais formé (1830) avec *club**, équivaut à *club nautique* et s'est aussi écrit *yack-club* (1881). ➛ **YACHTMAN** n. m. (1858) ou *yachtsman* (1859) «propriétaire d'un yacht» est vieilli, **YACHTWOMAN** n. f. (1892, aussi *yachtswoman*) n'est plus en usage.

YAK n. m. est un emprunt (1791) au tibétain *gyak*, sans doute par l'intermédiaire de l'anglais *yak* (attesté en 1799). Le mot s'écrit aussi *yack* (1808).

♦ *Yak* est le nom d'un mammifère ongulé domestiqué par les Tibétains.

YANG n. m. représente la translittération d'un mot chinois, de même que **YIN** n. m.; les deux mots sont attestés à l'article *Chinois* de l'Encyclopédie (1753, Diderot), écrits *iang* et *in*.

♦ *Yin* et *yang* sont devenus usuels au XIXe s. pour désigner en français deux notions liées du confucianisme. Dans la doctrine de Confucius, le monde est une production continue que régissent trois pouvoirs : le Ciel qui produit, la Terre qui nourrit et l'Homme social qui agit, symbolisé par le souverain et ses fonctionnaires. Ces trois pouvoirs sont rythmés par deux forces antagonistes qui interviennent en alternance, le *yin* (correspondant au principe femelle, à l'eau, à l'ombre, à la lune) et le *yang* (correspondant au principe mâle, au feu, au soleil); seule l'action négative de l'Homme peut mettre en cause l'équilibre du *yin* et du *yang*.

YANKEE n. et adj. est emprunté (1776) à l'américain *yankee*, écrit aussi *yankey*, *yanki* et par abréviation *yank*. Le mot attesté en 1758 était, dans l'armée anglaise, le surnom des soldats originaires de Nouvelle-Angleterre servant dans ses rangs en Amérique du Nord; il est ensuite étendu, sans valeur péjorative (1784), à tout Américain des États-Unis, d'abord par des auteurs britanniques. L'étymologie de *yankee* reste incertaine. Dès 1683, *yankee*, *yankey* a été utilisé comme sobriquet par les colons anglais et hollandais sur la côte atlantique de l'Amérique; le mot pourrait venir du hollandais *Janke*, diminutif de *Jan* «Jean», surnom que les Hollandais donnaient aux Anglais de l'ancienne New Amsterdam qui deviendra New York. Les Américains de la Nouvelle-Angleterre ont entrepris dès 1775 de revaloriser leur surnom; pour certains d'entre eux, *yankee* viendrait de *Yankos* «les invincibles», nom d'une tribu imaginaire du Massachusetts vaincue par les pionniers anglo-saxons des colonies atlantiques du Nord. Selon leurs adversaires virginiens, *yankee* viendrait d'un mot des Indiens cherokees, *eankke* «esclave, lâche». L'hypothèse la plus répandue propose de voir dans le mot une altération de *English* «Anglais» par l'intermédiaire d'une forme amérindienne stabilisée, *Yeengeese*, *Yeengeeze*.

♦ Le mot désigne en histoire un habitant de la Nouvelle-Angleterre, spécialement pendant la guerre de Sécession, un nordiste. Par extension (mil. XIXe s.), il s'est employé pour désigner tout Américain des États-Unis, par opposition aux habitants des autres pays d'Amérique; cet usage est vieilli. ◇ Par un nouvel emprunt à l'américain *yankee* (1912), abréviation de *yankee jib*, de *jib* «foc», le mot désigne en marine un grand foc de yacht à voiles.

YAOURT, YOGOURT ou **YOGHOURT** n. m. est attesté en 1432, écrit *yogourt*, forme rare avant le XXe s.; il est ensuite écrit *yocourt* (1657), *youghourd* (1673), puis *yaourt* (1798-1799) et *yaourth* (1853). Il représente un emprunt au bulgare *yugúrt*, *yaúrt*, lui-même emprunté au turc *yoğurt*.

♦ Le mot désigne du lait caillé, non égoutté et fermenté, préparation originaire d'Asie centrale passée en Turquie et dans les Balkans. C'est jusqu'à la fin du XIXe s. un mot exotique et rare. Il s'est répandu à partir du début du XXe s., où cet aliment entre dans les habitudes nutritives et commerciales des pays francophones. Après 1945, apparaissent des versions industrielles de cette préparation, avec des variantes désignées par des syntagmes usuels *yaourt aux fruits*, *yaourt nature*, etc. et en concurrence avec des noms de marque.

▸ En dérive **YAOURTIÈRE** n. f. (mil. XXe s.) «appareil pour faire des yaourts».

YARD n. m. est un emprunt (1669) à l'anglais *yard* «unité de longueur valant 0,914 m» (1377). Le mot a d'abord désigné une baguette, puis spécialement une baguette pour mesurer. D'origine germanique, il provient d'une forme °*gazdaz*, d'où le gotique *gazds* «aiguillon», l'ancien haut allemand *gart(e)*, *gerta* (allemand *Gerte* «baguette»), le vieil anglais *gerd*. Ce mot germanique est apparenté au latin *hasta*, «lance, pique», qui a été emprunté en français sous la forme *haste* (v. 1188) ou *hast**.

♦ D'emploi didactique, le mot conserve le sens de l'anglais et s'emploie aussi, mais rarement, dans *yard carré* (1874; anglais *square yard*), unité de surface (0,836 m^2), et *yard cube* (1959; anglais *cubic yard*), unité de volume (0,764 m^3).

YATAGAN n. m. est un emprunt (1787) au turc oriental *yatāğān* désignant un sabre à lame recourbée vers la pointe. On relève la variante archaïque *ataghan* (1829) ou *atagan* (1865, V. Hugo).

YEARLING n. m. est emprunté (1864; 1861 comme mot anglais) à l'anglais *yearling* «d'un an», pouvant se dire (1465) de tout animal, parfois d'un enfant, et formé de *year* «année» et de *-ling*, suffixe d'origine germanique servant à indiquer l'attribution d'une qualité (→ sterling). *Year*, d'origine germanique (cf. vieil anglais *ger*, ancien haut allemand *jar* et allemand *Jahr*), se rattache à une racine indoeuropéenne °*jē-*, °*jēro-*, *jōro-*, que l'on retrouve dans le grec *hôra* «saison», *hôros* «année», ou le latin *hora* (→ heure).

♦ Ce terme de turf désigne un cheval pur-sang âgé d'un an.

YEN n. m. est l'adaptation (1871) d'un mot japonais dont la transcription normale serait *èn*, lui-même du chinois *yüan* «rond, cercle» et aussi «dollar (en tant que "monnaie ronde")».

♦ Le mot désigne l'unité monétaire du Japon.

YEOMAN n. m. est emprunté (1614) à l'anglais *yeoman* (qui représente probablement une altération de *young man*), désignant d'abord un serviteur de rang élevé dans une maison noble (cf. *écuyer*). Le *yeoman* possédait quelques terres, d'où le sens de «petit propriétaire» (XVe s.), et était capable de manier les armes. En 1485, Henri VII créa un corps d'élite attaché à sa personne, composé d'archers, auxquels on donne le nom de *yeoman of the guard*. *Young*, «jeune», continue le gotique *juggs*, de la même famille que le latin *juvenis* (→ jeune); *man*, «homme», remonte au gotique *manna*, d'une base sanskrite *manu-* «homme, humanité» (→ mannequin).

♦ Terme d'histoire, *yeoman* désigne un propriétaire roturier de l'Angleterre médiévale qui jouissait de certains privilèges et, par extension, un propriétaire terrien. *Yeoman de la garde* (1765, *yeman*) se dit d'un vétéran de la garde, en costume du XVe s., qui paraît dans les cérémonies royales.

▸ Le français a aussi emprunté le dérivé **YEOMANRY** n. f., «classe sociale formée par les yeomen» (1799) et «police montée créée à la fin du XVIIIe s. et formée de yeomen» (1831).

YETI ou **YÉTI** n. m. est un emprunt à un mot tibétain, par l'anglais.

♦ Le mot (attesté dans le *Larousse mensuel* en 1956) désigne un être légendaire, à forme humaine, analogue à un grand anthropoïde couvert de poils, et censé vivre dans le massif himalayen. On l'appelle aussi *l'abominable homme des neiges*, calque de l'anglais *the abominable snowman*.

YEUSE n. f. est emprunté (1552) à l'ancien provençal *euse* (XIVe s.), issu du latin dialectal *elex, elicis*, doublet du latin classique *ilex, ilicis* «sorte de chêne». On trouve la forme *elzer* au XIIe s. (1171) et, au XIIIe s., l'adjectif *eusin* «de chêne vert» (1357). Au XVIIe s., le mot est aussi écrit *heouse* (1611), *éouse* (1636).

♦ *Yeuse* désigne le chêne vert (1564, aussi *chesne yeuse*).

YEUX → ŒIL

YÉ-YÉ ou **YÉYÉ** est une onomatopée (1962) prise à l'anglo-américain *yeah, yah*, altération de *yes* «oui», employée dans les chansons.

♦ Le mot a désigné dans les années 60 (par ex. *Chez les yé-yé*, de Serge Gainsbourg, 1964), ensuite par allusion à cette époque, les jeunes amateurs d'un type de musique américaine pour adolescents, dérivé du rock, et par extension un adolescent à la mode, avec des emplois analogues à ceux de *zazou** vingt ans avant. Il est aussi adjectif.

YIDDISH n. m. inv. est un emprunt (1907) à l'anglais *yiddish* (1886, adj.; 1875, n.), lui-même de l'allemand *jüdisch* «juif», par abréviation de *jüdisch deutsch*, littéralement «judéo-allemand». *Jüdisch* dérive de *Jude* «juif» (ancien haut allemand *judo*), du latin *Judaeus*, dérivé de *Juda* (→ juif, judaïque). La forme disparue *yudisch* (1864) est directement empruntée à l'allemand; on trouve aussi les graphies *yddisch, yiddisch, yidich* et *yidiche*, vieillies.

♦ Le mot désigne l'ensemble des parlers haut-allemands des communautés juives d'Europe orientale, et autrefois d'Allemagne, aussi nommé *judéo-allemand*.

▸ Les dérivés **YIDDISHISANT, ANTE** adj. «qui utilise le yiddish» et **YIDDISHISTE** n. «tenant du yiddish» semblent récents (v. 1960) et restent didactiques.

YIN → YANG

YOD n. m., d'abord écrit *ioth* (v. 1360), *jos* (v. 1400), *iod* (1529), *jod* (1715), puis *yod* (1842), est un emprunt à l'hébreu *yōdh*, désignant la dixième lettre de l'alphabet hébreu qui correspond au *i* consonne.

♦ Le mot désigne d'abord une consonne des alphabets phénicien (son nom, inconnu, était transcrit par le grec *iôta*) et hébreu. Il est employé en phonétique (1904) pour désigner la semi-consonne fricative palatale, transcrite en français par *i, y, il, ille*. On dit aussi *i consonne*.

▸ De cette acception vient **YODISER** v. tr. (1902), d'emploi rare, comme son dérivé **YODISATION** n. f. (1903).

YOGA n. m. est emprunté (1825) au sanskrit *yoga*, «jonction», désignant en particulier une discipline traditionnelle qui vise à libérer l'âme de sa condition existentielle par un ensemble de pratiques psychiques et corporelles. Le mot dérive du verbe sanskrit *yuj-*, «joindre», d'une base indoeuropéenne °*jug-*, °*jeug-*, à laquelle se rattachent le latin *jugum* (→ joug), *jungere* (→ joindre), le grec *zugon* «joug» (→ zygoma) et le francique °*jok* de même sens (cf. allemand *Joch*, anglais *yoke*).

♦ Le sens étymologique reste d'emploi didactique. En revanche, le mot s'emploie couramment pour désigner une discipline spirituelle et corporelle basée sur des exercices de posture et de respiration; il correspond alors au hindi *hatha-yoga*, «yoga de l'effort», employé lui aussi en français.

▸ **YOGI** n. m. est d'abord altéré en *cuigi* (1298), puis écrit *jogue* (1553), *ioghi* (1575), *yoghi* (1740) et *yogi* (1842); il est rare avant le XXe siècle. Le mot reprend le sanskrit *yogin-*, proprement «qui est unifié», dérivé de *yug-*. Il désigne un ascète hindou qui pratique le yoga; la forme sanskrite *yogin* est d'usage didactique. ◆ **YOGIQUE** adj., «propre au yoga», est relevé en 1948 et probablement emprunté à l'anglais *yogic* (1921); **YOGISME** n. m. est attesté en 1861.

YOHIMBEHE n. m. est emprunté (1894) à un mot bantou, peut-être par l'allemand, pour désigner un arbre du Cameroun dont le bois et l'écorce sont utilisés.

► Le dérivé **YOHIMBINE** n. f., emprunt (1894) à un dérivé de *yohimbehe*, mot créé en allemand (Spiegel), désigne l'alcaloïde extrait de l'écorce de l'arbre.

YOLE n. f., écrit *iol* en 1702, puis *yole* en 1713, est emprunté au néerlandais *jol* (cf. anglais *yawl*), lui-même pris au danois et norvégien *jolle*, d'origine inconnue.

♦ Comme son étymon, le mot désignait en marine une embarcation légère, non pontée et, spécialement, un canot de compétition, surtout de 1840 à la fin du XIXe siècle.

YOUDE n. et adj., relevé vers 1940, vient de l'allemand *Jude* «juif» (→ yiddish).

♦ Le mot est employé comme injure raciste à l'égard des juifs et, péjorativement, pour «avare». Il a vieilli.

► D'autres mots apparentés sont ou furent utilisés dans le vocabulaire raciste. **YOUTRE** n. et adj. reprend (1828) l'allemand dialectal *Juder* et a aussi été écrit (fin XIXe s.) *ioutre, ïoutre.* Rendu plus violent encore par la paronymie de la finale avec *foutre,* il est devenu rare. ◆ La forme *ioudi* (1853), devenue *youdi* (1858), vient, comme le plus ancien *yaoudi* (1847), de l'arabe d'Afrique du Nord *yhūdi,* en arabe classique *yahūdī.* ◆ **YOUPIN, INE** n. représente (1878) une déformation argotique de *youdi;* il est familier et un peu moins agressif mais injurieux et raciste. Ces mots ont été surtout en usage dans des périodes de fort antisémitisme, de 1880 à 1900 (affaire Dreyfus) et de 1930 à 1940-1944, alors liés à la propagande nazie.

YOUPI! interj., exclamation exprimant la joie, semble tiré d'une onomatopée plus ancienne, *youp* (attesté 1808), elle-même variante expressive de *oup, houp,* accompagnant un mouvement vif (souvent *youp-là!*). La forme *youpi* semble influencée par l'américain *whoopee* (1862), de *whoop,* cri de joie.

♦ L'exclamation, attestée dans un dialogue de film en 1947, est devenue très usuelle en français familier. Elle connote une satisfaction un peu naïve.

YOURTE n. f. est emprunté (1797), avec la variante *jurte* (1765), au russe *jorta.*

♦ Le mot désigne à la fois la tente de peau des éleveurs nomades d'Asie centrale (Mongolie, par ex.) et la hutte conique des Kirghizes, des Samoyèdes.

YOUYOU n. m., (1820) est emprunté à un mot dialectal chinois désignant un petit canot à godille, formé par redoublement du mot qui correspond au chinois commun transcrit *yáo* «godiller».

♦ Il a d'abord désigné une embarcation chinoise légère, puis (XIXe s.) un petit canot court, utilisé dans la marine pour le service de bord. Il a vieilli.

YO-YO n. m. inv. (1931) est un nom déposé d'origine incertaine, peut-être chinoise, le mot étant attesté aux Philippines.

♦ Il désigne un jouet formé d'un disque évidé par le milieu de la tranche, qu'on fait descendre et monter le long d'un fil enroulé autour de son axe. ◇ Il s'emploie, par analogie, en parlant d'un mouvement vertical alternatif, spécialement en économie, en Bourse.

► Le dérivé **YOYOTER** v. intr. (1932) a été employé au moment de la vogue du Yo-yo ; par référence au mouvement du disque, il a pris par figure le sens d'«être fou», notamment dans les locutions ***yoyoter de la touffe, de la toiture.***

YPÉRITE n. f. vient (1917) du nom d'*Ypres, Yper* en flamand, ville belge sur laquelle les Allemands envoyèrent pour la première fois ce gaz asphyxiant (le sulfure d'éthyle dichloré) qui provoque des accidents corrosifs de la peau et des muqueuses, parfois aussi appelé *gaz moutarde,* à cause de son odeur.

► Le mot a fourni **YPÉRITÉ, ÉE** adj. (1923) «gazé à l'ypérite».

YSOPET n. m., attesté au XIIIe s. sous les formes *Ysopet* et *Isopet,* est emprunté, avec suffixe *-et,* au nom propre grec *Aisopos,* latin *Aesopus* «Ésope».

♦ Le nom désigne en histoire littéraire un recueil de fables médiévales du XIIe au XIVe siècles, inspirées d'Ésope et mettant en scène des animaux.

YTTERBIUM n. m., est tiré, d'abord en suédois et en anglais, avec le suffixe latin *-ium* employé en chimie, du nom d'un bourg de Suède, *Ytterby.* Le nom a été précédé par *ytterby* (1803, Boiste) désignant le minerai.

♦ *Ytterbium* désigne un élément chimique de la série des terres rares (symbole *Yb;* numéro atomique 70 ; poids atomique 173,04), métal blanc brillant, malléable, ductile.

YUAN n. m., attesté en 1949 dans les dictionnaires français, est un emprunt au chinois transcrit *yuan* «rond», appliqué en 1914 à l'unité monétaire de la République de Chine.

YUCCA n. m., écrit *yuca* (1555), est un emprunt par l'espagnol à *yucca* «manioc», mot d'une langue caraïbe d'Haïti, le taïno. Une forme altérée *zucque* est attestée au XVIe s. (1533).

♦ Le mot a d'abord désigné la racine du manioc, puis (1555) le manioc lui-même. ◇ C'est aujourd'hui, d'abord par emprunt direct, puis par l'anglais, le nom d'une plante à tige ligneuse, arborescente, à grandes fleurs rosées ou blanches. Dans ce sens, le mot s'est écrit *iuca* (1694), *yuca* (1765), enfin *yucca* (1803).

Z

Z n. m. inv. reprend (XIIIe s.) le latin *z*, transcription du grec *dzêta*, sixième lettre de l'alphabet.

♦ Le nom de la 26e et dernière lettre de l'alphabet, Z, a donné lieu à l'expression *ressembler à un* Z (1660), «être tordu», par référence à la forme de la lettre, puis *être fait comme un* Z (1872), sortie d'usage. ◆ En mathématiques, *z* est le symbole littéral désignant (1872) une troisième inconnue (après *x* et *y*) et, en géométrie (attesté en 1933), la troisième coordonnée cartésienne. Z est aussi le symbole de l'ensemble des nombres entiers relatifs. ◇ Z est également employé en biologie dans *chromosome* Z, désignation d'un chromosome sexuel qui existe en double exemplaire chez les mâles en cas d'hétérogamétie féminine.

▶ **ZÈD** n. m. est le nom (1908) de la lettre Z, initiale de *zident*, apocope plaisante de *président*, qui se dit en argot scolaire d'un élève d'une classe supérieure de lycée élu par ses camarades pour assurer les relations avec les professeurs; on écrit aussi Z.

ZAC, ZAD → ZONE

ZAKOUSKI n. m. pl. est emprunté (1887) à un mot russe, déjà transcrit *zacusca* (1843, Custine); ce mot est le pluriel de *zakouska* «collation, hors-d'œuvre», lui-même apparenté à *zakouçit'* «manger un morceau», composé du préfixe *za-* «à, pour» et d'un verbe *kouçit'* «goûter» (remontant à la racine indoeuropéenne du latin *gustus* → goût). La racine *kous* «morceau» est représentée dans toutes les langues slaves (russe *kousok*). Il signifie littéralement «ce qui est à grignoter, à déguster».

♦ *Zakouski* désigne des hors-d'œuvre variés, chauds ou froids, russes ou polonais.

ZANZIBAR n. m. (1884) est peut-être le nom du port et de l'île de l'Afrique orientale, mais sans raison connue.

♦ *Zanzibar*, nom d'une variété de jeu de dés, a vieilli. ◆ **ZANZI** n. m., forme abrégée (XXe s.), désigne, par métonymie, les trois dés et le cornet employés pour ce jeu (1933).

ZAPPER v. intr. est la francisation (1986) de l'américain *to zap*, attesté dans le sens qui concerne le français en 1984 (*zapping*, 1983). Ce verbe est la spécialisation de *to zap* «bouger vite ou avec force» (1968) utilisé avec diverses prépositions. Ces emplois intransitifs sont postérieurs à ceux de *to zap* transitif «tuer, flinguer» (1942), «éliminer (qqn) dans une compétition» (1961), «frapper, taper» (1967), etc. Il provient de l'onomatopée *zap*, utilisée comme nom dès 1929 pour suggérer le bruit d'une balle d'arme à feu et au figuré un phénomène rapide, un événement brutal.

♦ En télévision, le contexte américain de *to zap* et de *zapping*, lié à la télécommande, est l'opération par laquelle on change de chaîne pour éviter les publicités. En français, *zapper* s'est immédiatement étendu à tout changement fréquent de programme (le poids de la publicité, en aggravation constante, étant néanmoins beaucoup plus faible en France qu'en Amérique du Nord). Malgré l'opposition des puristes, qui ont proposé en vain des équivalents français (les Québécois disent *pitonner*, qui ne signifie que «pianoter sur les boutons»), *zapper* est devenu très usuel et s'emploie métaphoriquement pour «aller et venir rapidement, papillonner, consulter en désordre, etc.».

▶ **ZAPPING** n. m. (1986) est concurrencé par **ZAPPAGE** n. m., (1987) francisation par le suffixe. ◆ **ZAPPEUR, EUSE** n. (1986) s'emploie au propre et au figuré.

ZARZUELA n. f. est un emprunt (1904) à l'espagnol, où le mot s'emploie depuis le XVIIe siècle et vient sans doute du nom du palais royal de la *Zarzuela*.

♦ Le mot désigne une pièce lyrique espagnole mêlée de dialogues et de chants, voisine de l'opéra bouffe ou de l'opérette. ◇ Un réemprunt (attesté en 1984) correspond à un plat de fruits de mer mélangés.

ZAZOU n. et adj. est de formation onomatopéique (1922), la réduplication du *z* évoquant la mollesse et le gazouillis; interviennent aussi les onomatopées en *a* et en *ou* de certains chants («scat») en jazz, au moins après 1941.

♦ Le mot, d'abord relevé comme surnom donné à un jeune homme de caractère mou, a pris (1937) le sens de «joli garçon», rapidement disparu. ◇ Attesté en 1941, il a été repris pendant la Seconde Guerre mondiale et dans les années qui suivirent pour nommer des jeunes gens qui se signalaient par leur passion pour le jazz, leur élégance tapageuse et leur opposition à l'idéologie pétainiste; l'emploi adjectivé (1941) est sorti d'usage vers 1950, après avoir eu une grande vogue à la fin de l'occupation allemande et immédiatement après 1945. Le nom, qui est resté en usage plus longtemps en milieu rural (jusque v. 1960-1970), ne s'emploie plus que par allusion à l'époque 1940-1950.

ZEB ou **ZÉBI** n. m. est emprunté (1867, aussi *zèbre*) à l'arabe maghrébin *ẓebbi*, proprement «mon pénis», interjection insultante, dérivé de l'arabe classique *ẓubb* «pénis».

♦ La locution familière ***peau de zébi*** (1870), d'abord militaire et rapportée d'Algérie, équivaut à «rien du tout». *Zébi*, plus souvent *zeb*, s'emploie populairement pour «pénis» et exclamativement pour exprimer le doute, la dérision (cf. *mon cul!*).

▸ On trouve dans les mêmes emplois **ZOB** n. m. (1894, d'abord en argot militaire) ou **ZOBI** n. m. (1900), emprunt à l'arabe *ẓubb*. Le dérivé **ZOBER** v. «posséder sexuellement» est attesté au XXe s., également dans des emplois figurés pour «être trompé» (cf. *se faire avoir, niquer, posséder*).

ZÈBRE n. m. est emprunté (1610) au portugais *zebra* (espagnol *cebra*) qui, à l'origine (XIIe s.), désignait un équidé sauvage de la péninsule Ibérique, puis fut appliqué à l'animal d'Afrique. Le mot est supposé d'origine congolaise par les étymologistes anglo-saxons. Mais, selon les romanistes, il s'agirait d'un transfert de désignation de l'onagre européen à l'animal africain, et l'espagnol *cebra*, le portugais *zebra* viendraient d'un latin populaire °*eciferus*, du latin classique *equiferus* «cheval sauvage», formé de *equus* «cheval» (→ équitation) et de *ferus* (→ fier).

♦ C'est le nom d'un équidé d'Afrique à la robe blanche rayée de bandes noires ou brunes et au galop très rapide. Deux types de métaphores sont fondées sur la vitesse et sur le pelage. La locution *aller plus vite que le zèbre* (1610) a été remplacée par ***courir (filer) comme un zèbre*** (fin XIXe s.). ◇ Par analogie du pelage, *zèbre* est le nom (1872) de divers poissons à livrée rayée et d'une coquille du genre *casque*. ➛ Le mot, par figure, équivaut (1889) à «individu bizarre»; l'initiale rare en *z* (cf. *zig, zozo*, etc.) a pu jouer un rôle. Cette acception, à la mode autour de 1900 (comme l'atteste un passage du roman *Dingo*, d'Octave Mirbeau), a reculé mais reste vivante.

▸ Le dérivé **ZÉBRÉ, ÉE** adj. est appliqué (1807) à ce qui est marqué de bandes rappelant celles du zèbre. ➛ **ZÉBRER** v. tr., «marquer de raies rappelant celles de la robe du zèbre» (1821), signifie par extension (1844) «marquer une surface», en parlant des rayures. ➛ En dérive **ZÉBRURE** n. f., «rayure sur le pelage (d'un animal)» (1845) et, par extension (1871), «raie sur une surface». ➛ À partir de *zèbre* ont été composés les termes didactiques **ZÉBRULE** n. m. (mil. XXe s.), «hybride du zèbre et du cheval», et **ZÉBRÂNE** n. m. (1975), de *âne*, «hybride du zèbre et de l'âne».

ZÉBU n. m., attesté en 1752 selon Buffon, est d'origine incertaine; il vient peut-être du tibétain *zeu, zeba* «bosse du zébu, du chameau».

♦ Le mot désigne un grand bovidé domestique originaire de l'Inde, caractérisé par une bosse graisseuse sur le garot.

ZÈLE n. m., réfection graphique (1512) de *zel* (XIVe s., apr. 1350), est emprunté au latin classique *zelus* «jalousie», «zèle», lui-même pris au grec *zêlos* «émulation, rivalité», d'où «ambition», puis «ferveur», apparenté à *zêtein* «chercher, rechercher», et à *dizêsthai* de même sens.

♦ Le mot appartient d'abord au vocabulaire religieux, désignant une vive ardeur à servir la cause de Dieu et de la religion; dans cette acception aujourd'hui archaïque on relève *faux zèle* (fin XVIe s.), *zèle aveugle* (1680), *zèle de la maison de Dieu* (1694; *zèle ... de ta maison*, dans une prière, 1553). ◇ *Zèle* s'est dit (1512) de l'empressement fervent d'un amoureux, sens déjà archaïque à la fin du XVIIe siècle. Le mot prend aussi (1512) le sens de «vive ardeur à servir une personne, une cause», toujours en usage mais assez rare. La construction *zèle de qqch.* (1553), *de qqn* (1670) a disparu. *Zèle* s'est aussi employé pour «colère (contre qqn)» (1517, *zel;* 1553, *zèle*). Avec le sens courant, le mot s'emploie dans ***faire du zèle*** (1855) et ***grève du zèle*** (XXe s.), grève qui consiste à perturber un service par l'application très stricte du règlement.

▸ Le dérivé **ZÉLÉ, ÉE** adj. et n. s'est introduit avec le sens courant de *zèle* (1521). Il s'employait aussi dans le domaine religieux (1594), mais *faux zélé*, «faux dévôt» (1705), a disparu. ◇ L'emploi substantivé *(un zélé)* [1665] est lui aussi sorti d'usage.

ZÉLATEUR, TRICE n. est emprunté au bas latin ecclésiastique *zelator*, «envieux», dérivé de *zelatum*, supin de *zelare* «être jaloux», «montrer du zèle», dérivé de *zelus*. ➛ Ce mot, devenu très littéraire, désigne (1398) un partisan zélé (d'une cause, d'une personne), spécialement (1587) en emploi absolu un partisan excessif de la religion. Il s'emploie en histoire comme nom masculin (1721), comme synonyme de *zélote* (ci-dessous), et a désigné dans certaines communautés religieuses (1743) le maître des novices.

ZÉLOTE n. m. est un emprunt (1606) au bas latin *zelotes* «jaloux», lui-même pris au grec *zêlôtês* «qui a du zèle pour», et en grec chrétien «partisan zélé» et «jaloux» dérivé de *zêloun*, «rechercher avec ardeur, admirer» et en mauvaise part «jalouser, envier», lui-même de *zêlos*, «envie». ◇ Terme didactique, repris au XIXe s., *zélote* désigne un patriote juif, membre d'une faction qui défendait la loi mosaïque et l'indépendance nationale, en prônant l'action violente. ◇ Par extension (1864), le mot se dit — aussi au féminin — d'une personne animée d'un zèle religieux fanatique, puis dans un emploi littéraire (1905) de qqn qui pousse le zèle jusqu'à l'aveuglement. ➛Le dérivé **ZÉLOTISME** n. m. (v. 1850 dans Proudhon) est rare.

◈ voir **JALOUX**.

ZEMSTVO n. m., emprunt (1888) au russe, est dérivé de *zemlja* «terre» qui, comme le grec *khthôn* (→ chthonien) et le latin *humus* (→ humus), se rattache à une racine indoeuropéenne signifiant «terre».

♦ Ce terme d'histoire désigne une assemblée provinciale chargée de l'administration locale, élue par trois collèges en Russie, institution qui fut en exercice de 1864 à 1917.

ZEN n. m. et adj. inv. est la transcription (1889) d'un mot japonais, adaptation d'un mot chinois qu'on transcrit *ch'an*, «quiétude», abréviation de *ch'an-na*, qui répond au sanskrit *dhyana* «méditation, contemplation».

♦ Le mot désigne une branche du bouddhisme chinois, introduite au VIe s. par un moine indien (Bodhidharma), qui pénétra au Japon à la fin du XIIe s. (secte Rinzai) et au début du XIIIe s. (secte Soto). Le zen propose une méthode de méditation fondée sur l'intuition, qui détermine chez le disciple un «éveil» (en japonais *satori*) où est saisi le principe fondamental qui est en lui. Le *bouddhisme zen* favorisa le développement de l'ensemble des arts et influença en particulier le théâtre nō.

ZEND n. m. est un emprunt du XVIIIe s. (1763), lié à l'emploi de *zend* (1717, Voltaire ; 1715 en anglais) ou de *zend-Avesta* pour désigner les livres sacrés des Perses, de l'ancien persan *zend zānti* «connaissance» et «commentaire».

♦ Le mot a désigné la langue du livre sacré du mazdéisme, l'*Avesta*, appelée plus tard *avestique* (1899 ; d'abord *avestéen*, 1876), qui forme avec le vieux perse le groupe iranien des langues indoeuropéennes.

ZÉNITH n. m., réfection (1356-1365, Oresme) de *cenith* (1338), est un emprunt au latin médiéval *zenit* (v. 1150), *cenith* (v. 1184), *zenith* (av. 1232), formes qui viennent d'une mauvaise lecture de *zemt*, transcription dans l'alphabet latin de l'arabe *samt* «chemin», surtout employé dans l'expression *samt ra's* «chemin (au-dessus) de la tête» (→ azimut).

♦ Le mot désigne le point de la sphère céleste situé sur la verticale ascendante d'un observateur, opposé à *nadir**. Il s'emploie (1608) pour «point culminant» (cf. *apogée*).

▶ **ZÉNITHAL, ALE, AUX** adj. (1612, *zénital*), repris au XIXe s. (1826), s'applique à ce qui est relatif au zénith (1872, *distance zénithale*) ou à ce qui est situé au zénith (1874). ◇ Au figuré, on parle d'*éclairage zénithal*.

ZÉPHYR n. m., d'abord (v. 1320) *zephirus*, francisé vers 1515 *(zephire)*, puis sous la forme moderne (1552, Ronsard), est emprunté au latin *zephyrus* «vent d'ouest doux et tiède», du grec *zephuros* «vent d'ouest ou du nord-ouest», souvent personnifié chez Homère. *Zephuros* est en rapport avec *zophos* «ténèbres», «région obscure», c'est-à-dire l'Ouest.

♦ Le mot a été introduit avec le sens de «vent de l'Ouest» à propos de l'Antiquité et comme personnification mythique du vent. Il désigne ensuite un vent doux et léger (1552), d'où, à l'époque classique, surtout au pluriel *les zéphyrs* (1678), le printemps. ◇ Par allusion à la légèreté du vent, ***pas de zéphyr*** s'est dit (1842) d'un pas de danse et, en argot militaire (1831), *un zéphyr* a désigné un soldat des bataillons d'infanterie «légère» d'Afrique ; ces emplois sont sortis d'usage. ◇ *Laine zéphyr* ou *zéphyre* (1877), emprunt à l'allemand, désigne une sorte de laine utilisée pour les vêtements légers ; le mot s'emploie aussi (1858, *zéphyr*) pour une toile de coton fine et souple.

▶ Le dérivé **ZÉPHYRIEN, IENNE** adj. (1842), «léger, doux comme un zéphyr», est rare ou didactique en aviculture avec *œuf zéphyrien* «sans germe» (1771). ➛**ZÉPHYRINE** n. f., nom d'une étoffe de couleur (1822) en relation avec le sens d'origine allemande, est sorti d'usage.

ZEPPELIN n. m. est l'emploi comme nom commun (1907) du nom du constructeur de l'engin, le comte *(Graf) von Zeppelin*.

♦ Le mot désigne un modèle de grand ballon dirigeable à carcasse métallique, muni d'une nacelle, et que les Allemands construisirent entre 1900 et 1930. Répandu en français pendant les attaques aériennes allemandes sur Paris, en 1917, *zeppelin* fut très employé à propos de la catastrophe qui détruisit le plus grand de ces ballons, qui traversait l'Atlantique avec des passagers. ◇ C'est aujourd'hui un terme d'histoire.

ZÉRO n. m. a été emprunté (1485) à l'italien *zero*, contraction de *zefiro*, issu du latin médiéval *zephirum*, qui représente une transcription de l'arabe *ṣĭfr* «vide», «zéro». Le mot arabe avait été emprunté par le français sous la forme *cifre* (XIIIe s., encore au XVe s.), d'où *chiffre** (1314), et *zéro* en reprend les valeurs.

♦ *Zéro* se substitue à *chiffre* comme symbole remplaçant dans la numérotation les ordres d'unités absentes, et désigne une grandeur nulle. Le concept est venu par les Arabes de la mathématique indienne. ◇ Par figure, le mot s'emploie dans la locution ***c'est un (vrai) zéro*** (1512), «une personne sans valeur», *c'est un zéro en chiffre*, de même sens (1573), étant sorti d'usage. ◇ *Zéro* adj. numéral est attesté en 1690. ➛ À partir du XVIIIe s., *zéro* est utilisé comme point de départ de graduation d'instruments de mesure (1757), en particulier dans les échelles thermométriques, d'où (1813) *au-dessous de zéro* et (1818) ***zéro absolu***, représentant le degré extrême de froid. ◇ Le mot s'emploie également (XIXe s.) dans les systèmes de notation, correspondant à la non-valeur absolue, d'où en particulier *zéro de conduite* (1911). ◇ Des emplois en sciences expérimentales viennent diverses locutions figurées usuelles comme ***réduire à zéro*** (1761), ***partir de zéro*** «commencer qqch. sans acquis antérieur»

(1840), ***au-dessous de zéro*** «dans une ambiance glaciale» (1823), ***repartir de zéro*** (1938), ***avoir le moral à zéro*** (1947), ***être à zéro*** (1953), «être déprimé». ◇ Absolument, *zéro!* s'emploie comme jugement négatif, également comme attribut, synonyme de *nul*. ◇ *Zéro* est également employé (XXe s.) comme point de départ du décompte des heures, ***temps zéro***, didactique, désignant l'origine des temps.

▸ *Zéro* a fourni le dérivé scientifique **ZÉROTAGE** n. m. (1872) et le composé **ZÉROVALENT, ENTE** adj. (v. 1950), de *valent* (→ valence), terme de chimie.

ZEST ou **ZESTE** interj. et n. m. d'abord *zest* (fin XVIe s.) après *zec* (1536), est formé à partir d'un radical onomatopéique *zek-* qui devait avoir une valeur concrète (bruit sec) et figurée (chose sans valeur, à rapprocher des noms de petits fruits, comme *nèfle*).

♦ *Zest* s'est utilisé comme interjection exprimant le bruit d'un coup (1611), puis, écrit *zeste* pour indiquer l'inutilité d'un effort (1638), le refus (1640), l'incrédulité ou le mépris (1668), et pour marquer la promptitude d'une action (1692; puis 1808, *zest*). Le mot a été employé dans la locution *faire zist et zeste* «agiter vivement çà et là (une arme)» (1682), les locutions ***entre le zist et le zest*** «ni bon ni mauvais (en parlant d'une chose)» (1718), ***être entre le zist et le zest*** «ne pas savoir quelle décision prendre» (1835) étant restées en usage.
Par ailleurs, *sec* s'employait au XVIe s. (1544) pour désigner la cloison membraneuse qui partage l'intérieur de la noix et *zest* a pris cette valeur au XVIIe s. (1661; 1740, *zeste*). ◇ Figurément, *zeste* a désigné (1611; 1536, *zec*) une chose de peu de valeur, après des verbes comme *valoir, donner* en phrase négative : *cela ne vaut pas un zeste* (d'abord, *un zest*, 1611), *je n'en donnerais pas un zeste* (1660). ➤ Passant de la valeur de «chose insignifiante» à un sens concret, à l'inverse de *nèfle* et d'autres noms de végétaux, le mot désigne concrètement aujourd'hui la partie externe des oranges, citrons, etc. et, par extension, un petit morceau qu'on y découpe (1645, *zest;* 1718, *zeste*). ◇ Par extension, *zeste* équivaut au figuré à «petite quantité», «faible dose», mais sans péjoration (1870; ex. *ajouter un zeste d'ironie à*...).

▸ Le dérivé **ZESTER** v. tr. (1721) et intr. (1937), «peler en séparant le zeste de la partie interne», est rare; il a fourni les termes techniques **ZESTEUSE** n. f. (1923) «ouvrière», puis «machine qui enlève les zestes d'agrumes (dans la préparation de boissons, par exemple)» et **ZESTEUR** n. m. (1938), «couteau à zester».

ZEUGMA ou **ZEUGME** n. m., d'abord adapté en *zeume* (v. 1380), puis refait en *zeugme* (1765), *zeugma* (1754), est emprunté au bas latin des grammairiens *zeugma*, qui reprend le grec *zeugma* «lien, joug», au figuré «jonction», employé en rhétorique. C'est le dérivé de *zeugnunai* «unir, joindre, mettre sous le joug», qui se rattache à une racine indoeuropéenne °*yug-*, comme le latin *jugum* (→ joug).

♦ Ce terme de rhétorique désigne une construction qui consiste à ne pas énoncer de nouveau, quand l'esprit peut les rétablir, un mot ou un groupe de mots déjà exprimés dans une proposition voisine.

◈ voir ZYGOMA.

ZÉZAYER v. intr. est formé (1818) du redoublement de *z;* le suffixe est celui de tut*ayer*, tu*toyer*, etc.

♦ Le verbe s'emploie quand on prononce un *z* à la place d'un *j*, ou un *s* à la place d'un *ch;* il est rare en emploi transitif (1869, *zézayer un mot*). À la fin du XIXe s. et au début du XXe s., *zézayer* s'employait pour caractériser un babil d'enfants ou de jeunes filles.

▸ Il a fourni **ZÉZAYANT, ANTE** adj. (fin XIXe s.) et **ZÉZAIEMENT** n. m. (1838), littéraire en emploi figuré (1914, Gide), pour «bruit rappelant un zézaiement».

ZIBELINE n. f., d'abord *gibeline* (v. 1298), puis *sebelline* (1378, *martre sebelline*), *sibeline* (1396), enfin *zibeline* (1534, Rabelais), est un emprunt à l'italien *zibellino*, lui-même emprunt suffixé au russe *sobol'* «petit mammifère du genre martre» et «fourrure de l'animal». On retrouve ce mot slave, qui est sans doute à rapprocher du vieil indien *çabálas, çabáras* «bigarré, tacheté», dans l'ancien français *sabelin* «fait de zibeline» (1080), *sebelin* «zibeline» (v. 1175), dérivé de ② *sable**; les formes anciennes en *s* sont peut-être un croisement de *sebelin* avec l'emprunt, *gibeline* représentant un emprunt oral avec prononciation dialectale de l'italien.

♦ Le mot reprend les deux sens de l'étymon et désigne par métonymie (1902) un manteau de zibeline.

ZIEUTER → ŒIL

ZIG ou **ZIGUE** n. m., écrit *zig* (1835) et *zigue* (1867, *bon zigue*), représente peut-être une déformation de *gigue** au sens de «fille, personne enjouée»; la substitution de *zi* à *gi* imiterait un défaut de prononciation.

♦ Le mot équivaut à «individu, type»; il est sorti d'usage employé seul (1892) et est souvent accompagné de *bon*. ◇ Il a servi à former une série de pronoms argotiques : *mésigue, sésigue*.

En dérive **ZIGOTO** n. m. (1900), aussi écrit **ZIGOTEAU** (1901), «personne qui fait l'intéressante», notamment dans ***faire le zigoteau*** (1900).

ZIGOMAR n. m. est attesté en 1916, du nom de la *bande des Zigomar*, roman d'aventures de Léon Sazie; le mot a été formé à partir de *zig* ou du radical de *zigouiller**. Il désigne alors une bande de redoutables malfaiteurs. ◇ Puis, par influence de *zig* et *zigoto*, il devient synonyme de ces derniers. ◇ D'emploi très familier, il est sorti d'usage au sens de «sabre de cavalerie» qui concerne la valeur initiale évoquant *zigouiller*.

ZIGGOURAT n. m., attesté en 1908, s'est d'abord écrit *ziggurrat* (1874), puis *ziggurat* (1899), forme que conservent les spécialistes; le mot est

◈ emprunté à l'assyrien *zigguratu* ou *ziqquratu* «hauteur» et «montagne», du verbe *zaqaru* «être haut». L'anglais *ziggurat* est attesté en 1877.

♦ Ce terme d'archéologie désigne une pyramide à étages, servant de sanctuaire et d'observatoire aux anciens Assyriens. On suppose que la «tour de Babel» évoquée par la Bible était une ziggourat.

◈ **ZIGOUILLER** v. tr., attesté à la fin du XIXe s. (1895) en français central, est un mot dialectal (Poitou) signifiant «couper avec un mauvais couteau». La forme *zigue-zigue*, «mauvais couteau», est attestée régionalement; on trouve aussi *zigailler* «couper maladroitement, scier mal». Ce mot d'origine incertaine est peut-être formé sur le radical onomatopéique *zik-*, qui évoque un mouvement rapide, ou vient du latin classique *secare* «couper» (→ scier). La finale correspond au suffixe *-ouiller.*

♦ Ce verbe familier est vieilli au sens de «tuer (qqn) avec un couteau», mais s'emploie encore au sens élargi de «tuer» (1915).

▶ En dérive **ZIGOUILLAGE** n. m. (1934).

◈ voir **ZIGOMAR** (à **ZIG**).

ZIGZAG n. m., d'abord *zic zac* (av. 1532), puis *zig-zag* (1662), est un mot d'origine expressive, construit à partir d'une base *z-g, z-k* (→ zigouiller), évoquant un mouvement rapide.

♦ Le mot a d'abord désigné un appareil formé de pièces en X articulées pouvant s'étendre ou se raccourcir. On relève ensuite *en forme de ziguezague*, «en ligne brisée» (1673), devenu ***en zigzag*** (1694), toujours usuel, puis *faire des ziczac* (1718), *des zigzags* (1740), en parlant d'une personne (cf. ci-dessous *zigzaguer*), et plus tard d'une chose (1866). ◇ Le mot s'emploie (1768) pour désigner un papillon *(bombyx disparate)* dont la chenille dévore les feuilles de divers arbres. ◇ Il se dit aussi (1764) plus couramment d'une ligne brisée formant alternativement des angles saillants et rentrants; par figure, il désigne (av. 1772) l'évolution d'une personne qui change radicalement d'opinion selon les circonstances. ◇ Au pluriel, c'est le nom d'un motif d'ornementation en ligne brisée (1834), aussi appelé *bâtons brisés.*

▶ Le dérivé **ZIGZAGUER** v. intr., d'abord «faire des zigzags» (1786), signifie aussi par figure (1858) «évoluer dans plusieurs directions successives»; en parlant de choses, il a le sens de «former des zigzags» (1879). ◇ Le dérivé **ZIGZAGANT, ANTE** adj. (1881) s'emploie aussi au figuré (1938).

ZINC n. m., écrit *zinch* (1666), *zin* (1676), *zinck* (1701) et *zinc* (1762), est emprunté à l'allemand *Zink*, d'origine incertaine. Selon Bloch et Wartburg, ce mot viendrait de *Zinken* «fourchon», à cause de la forme du minerai à la sortie des fourneaux, et le nom aurait pu être donné au métal par influence de *Zinn* «étain»; on appelait en effet le zinc *étain des Indes* (1690).

♦ Ce nom, désignant en chimie un métal dur, blanc bleuâtre, a eu diverses applications dues à l'usage de ce corps dans la vie courante. ➜ Il désigne familièrement (1873) le comptoir d'un débit de boissons, autrefois fait en zinc (d'où ***sur le zinc*** «au comptoir») et, par métonymie (1880), un bar, un café. ➜ Il s'emploie également (1916) familièrement pour «petit avion», notamment en parlant d'un modèle ancien.

▶ Le mot a fourni plusieurs dérivés et composés techniques ou scientifiques. ➜ **ZINGUER** v. tr. signifie «revêtir de zinc» (1842; 1839 selon Bloch et Wartburg, sans indication de sens) et «traiter par zingage» (1845). ◇ Il a pour dérivés **ZINGAGE** n. m. (*zincage*, 1842), **ZINGUEUR** n. m. (1842) qui fut courant en apposition dans *plombier zingueur*, et **ZINGUERIE** n. f. (1845), vieilli.

Le radical *zinc-*, souvent sous la forme *zinco-*, a servi à former des composés techno-scientifiques : **ZINCIFÈRE** adj. (1831) de *-fère*, **ZINCOGRAPHIE** n. f. (1839) de *graphie*, **ZINCOGRAVURE** n. f. (1907) de *gravure*, **ZINCOSITE** n. f. (1892), nom d'un minerai.

ZINGARO n. m. est un emprunt (1740) à l'italien *zingaro*, mot correspondant à *tzigane**.

♦ Il a désigné aux XVIIIe et XIXe s. un bohémien; le pluriel est *zingari.*

ZINNIA n. m. d'abord sous la forme *zinnie* (1807), est un mot emprunté (1808) au latin botanique *Zinnia* (1763), formé sur le nom du botaniste allemand *Zinn.*

♦ Assez répandu, il désigne une plante d'origine exotique aux nombreuses variétés.

ZINZIN n. m. est un mot de formation onomatopéique (1914), la répétition de *zin-* évoquant un bruit.

♦ Il est vieilli pour désigner un engin bruyant. Il s'emploie par extension (1945) pour nommer un objet quelconque ou dont le nom échappe, comme *truc* ou *bidule*, et en particulier un objet bruyant, et par métonymie un bruit continu. ◇ Par extension, il se dit aussi (attesté 1954) d'un bal populaire, d'un orchestre bruyant. ◇ Il s'applique aujourd'hui comme adjectif (v. 1960) et comme nom à une personne un peu bizarre, un peu folle (cf. *cinglé, dingue, loufoque...*).

ZINZOLIN n. m. est un emprunt, sous des formes variées (la première attestée est *zigolin*, 1599) à l'italien *giuggiolino* (d'où *gingeolin*, 1642) ou *giuggiolena, zuzzulino*, lui-même emprunté à l'arabe *djoudjolân*, désignant la semence de sésame.

♦ Le mot, écrit *zinzolin* depuis le début du XVIIe s. (1611), a désigné en français classique la couleur d'un violet rougeâtre que l'on obtenait du sésame. ◇ Il s'employait aussi comme adjectif *(zinzolin, ine)*, et on le trouve sous cette forme chez les écrivains du XIXe s. (Gautier) et même du XXe s. (Cendrars). Il est néanmoins sorti d'usage.

ZIP n. m., nom d'une marque déposée (v. 1965) de fermeture à glissière, est emprunté à l'anglais *zip.* Ce mot, onomatopée pour un bruit léger et rapide (1875), s'emploie aussi comme verbe (1881); les Américains en ont tiré le nom *zipper* (1925), marque déposée d'une fermeture à glissière, d'où le verbe *to zip* (opposé à *to unzip*).

♦ Le mot est rare en français, où *fermeture Éclair* est le terme usuel.

▸ *Zip* a fourni en français le dérivé **ZIPPER** v. tr. (1965), qui pallie l'absence de verbe formé sur *fermeture Éclair**, ce dernier étant d'ailleurs un nom de marque déposée.

ZIRCON n. m., attesté en 1790, aussi *zircone* n. f. (1789), est un réemprunt à l'allemand *Zircon*, créé par le chimiste A. G. Werner en 1783, repris par Klaproth. Le mot allemand était peut-être pris à l'arabe *zarkūn*, lui-même emprunté au latin *hyacinthus* et qui avait donné ② *jargon** (→ hyacinthe).

♦ Le mot désigne un minerai précieux, utilisé en joaillerie et nommé aussi *jargon* et *hyacinthe*. Du point de vue chimique, il s'agit d'un silicate de zirconium (ci-dessous).

▸ Le premier dérivé attesté (1801) est **ZIRCONE** n. f. désignant un corps solide blanc, utilisé comme réfractaire (oxyde de *zirconium*). ◆ **ZIRCONIUM** n. m., nom du corps simple dont le zircon et la zircone sont des composés, a été formé sur le radical de zircon (1816).

ZIZANIE n. f. est emprunté (1291) au bas latin ecclésiastique *zizania* «ivraie» et, au figuré, «jalousie», lui-même du grec *zizanion* «ivraie enivrante qui ressemble au blé» ; le mot, probablement du sumérien *zizân* «blé», a pénétré en Grèce par l'usage d'Orientaux, juifs et chrétiens.

♦ Il s'emploie d'abord, dans la langue biblique, pour «mauvaise herbe, ivraie», acception notée comme inusitée dès 1680. ◇ Il a eu le sens figuré de «méchanceté» (av. 1474), disparu. ◇ La locution métaphorique ***semer la zizanie*** «semer la discorde» reste vivante, alors que le mot employé seul en ce sens est littéraire ; *la zizanie qui a été semée* (v. 1386) signale l'origine de la métaphore. La locution apparaît sous la forme *semer zizanie* (1469). ◇ Le mot a été repris en botanique (1829) pour désigner une céréale exotique qui ressemble au riz, latinisée plus tard (XXᵉ s.) en *zizania*.

① **ZIZI** n. m., attesté en 1912 (évidemment antérieur, cf. ci-dessous *zizi-panpan*), entre dans la série des noms et verbes en *z-z-* qui désignent, en particulier dans le langage enfantin, un objet quelconque (→ zinzin) ; on peut rapprocher le mot de *zoizeau*, altération de *oiseau*. On relève antérieurement (1864) *faire la zizette* et *zizotter* «faire l'amour».

♦ Appellation familière, d'abord enfantine, du sexe d'un jeune garçon et, par extension, d'une petite fille, le mot est devenu très courant dans l'usage familier comme désignation du membre viril et du sexe de la femme, fournissant un mot commun aux deux sexes.

▸ Le composé **ZIZI-PANPAN** n. m. inv. signifie (1864) «acte sexuel» dans des expressions comme *jouer à zizi-panpan*, où *panpan* équivaut à «derrière» (de *pan* évoquant le bruit d'un coup [1803], notamment d'une fessée) ; la locution ***faire zizi-panpan*** signifie aussi, plus innocemment, «donner la fessée».

② **ZIZI** n. m. est un mot d'origine onomatopéique (1775, Buffon), évoquant le cri de la variété de bruant qu'il désigne (cf. l'italien *zirvolo*).

ZLOTY n. m. est emprunté (v. 1924) au polonais *zloty*, dérivé de *zloto* «or».

♦ Le mot désigne l'unité monétaire de la Pologne, introduite en 1922 et employée à partir de 1924 à la place du mark polonais. C'était le nom d'une pièce d'or, présent dans un texte en français en 1663 comme mot polonais.

-ZOAIRE → ZOO-

ZOB → ZEB

ZODIAQUE n. m., d'abord altéré en *dodyaque* (v. 1240), refait correctement en *zodiaque* (v. 1270), est emprunté au latin *zodiacus* «cercle contenant les douze signes parcourus par le Soleil», du grec *zôdiakos*, substantivation de l'adjectif *zôdiakos* «qui concerne les constellations d'animaux», dérivé de *zôdion* «figure d'animal», lui-même de *zôon* «être vivant» (→ zoo).

♦ Le mot désigne une zone de la sphère céleste parcourue par le Soleil, la Lune et les planètes visibles à l'œil nu, dans leur mouvement apparent. Il se dit ensuite (1389 ; aussi *zodiacre* isolément au XIVᵉ s.) de la représentation figurée du zodiaque et de ses constellations ou signes*, appelés *signes du zodiaque* (1690).

▸ Le dérivé **ZODIACAL, ALE, AUX** adj., d'abord écrit *zodyacal* (v. 1500), puis *zodiacal* (v. 1590), «du zodiaque», s'emploie en astronomie dans *lumière zodiacale* «diffusion de la lumière solaire dans la zone zodiacale, qui forme une sorte de cône lumineux orienté suivant l'écliptique» (1710). ◇ En archéologie, *monnaies zodiacales* se dit (1845) de monnaies orientales anciennes représentant un zodiaque.

ZOÏLE n. m. est un emprunt (1536) au latin *Zoilus*, grec *Zoilus*, nom d'un critique célèbre d'Alexandrie, qui se fit connaître par ses attaques contre Homère.

♦ Le mot s'est employé dans un usage littéraire à propos d'un critique trop sévère, injuste et envieux. Il est archaïque.

ZOMBI ou **ZOMBIE** n. m. est emprunté (1832) à un mot créole haïtien, lui-même d'une langue africaine probablement parlée au Dahomey (Bénin), source du vaudou haïtien (cf. en tchilouba *nzambi* «dieu» et *zumbi* «fétiche»). Le mot est plus courant en anglais des États-Unis qu'en français, et l'influence de cette langue est certaine pour les extensions du XXᵉ siècle.

♦ Dans les cultes vaudou, le mot signifie «dieu-serpent» et désigne le pouvoir surnaturel qui peut réanimer un mort ; le sens extensif «fantôme d'un mort» (aussi nommé *mort-vivant*) est plus usuel. Courant en créole et en français d'Haïti, le mot est resté rare et exotique en français d'Europe jusqu'aux années 1950 où il se diffuse avec les travaux sur le vaudou haïtien, puis subit l'influence de l'anglo-américain. ◇ Par analogie (v. 1975), surtout écrit *zombie*, le mot équivaut à «personne sans volonté».

ZONA → ZONE

ZONE n. f. est un emprunt (v. 1119) au latin classique *zona* «ceinture», au figuré «domaine climatique», et «cercle sur une pierre précieuse»; ce mot, qui désigne en bas latin médical une maladie (ci-dessous *zona*), reprend le grec *zônê* «ceinture» (portée par une femme; partie du corps), au figuré «objet qui entoure comme une ceinture», «domaine climatique» et «zona» (maladie). C'est un dérivé du verbe *zônnunai* «ceindre», «se ceindre», d'une racine indoeuropéenne °*yos-* (cf. sanskrit *rā́smā*, réfection de °*yā́smā*). Le mot, inusité en ancien français (jusqu'au XIVe s.), a été repris à la Renaissance en géographie et est encore considéré comme savant au XVIIIe siècle.

♦ Il désigne d'abord chacune des parties de la sphère terrestre divisée selon les cercles polaires et les tropiques, et en astronomie (v. 1370) la partie de la sphère céleste déterminée par deux cercles parallèles. ◇ Il a été réemprunté au sens grec originel de «ceinture» (XIVe s.), encore chez Chateaubriand par archaïsme (1797), puis disparu. ◇ Dans l'acception géographique, il s'emploie dans les syntagmes *zone torride* (1546), *zone froide* (1562), *zone tempérée* (1562), *zone glaciale* (1680). ◇ *Zone* se dit ensuite par extension (1587) pour «région, contrée». Ces valeurs se développent à partir du milieu du XVIIIe siècle. Le mot désigne alors (1784) une étendue de territoire de forme quelconque, qui possède certains caractères physiques, etc.; il s'emploie spécialement en géologie (1752), en histoire naturelle (1752) et désigne en particulier (1761) un domaine limité dans lequel se produit un phénomène. Il se diffuse à cette époque dans l'usage général. ◇ Il entre aussi dans le vocabulaire de la géométrie (1812), prend le sens étendu et courant de «classe, catégorie» (1826), d'où la locution ***de seconde zone*** tardivement attestée (XXe s.). *Zone* s'emploie aussi dans le domaine militaire (1842, *zone de tir*), et en politique : *zone d'influence (d'un État)* [1890]. De là, *zone frontière* (1903) et après l'occupation de la France par l'Allemagne, en 1940, *zone occupée* et *zone libre*. ◇ Au début du XXe s., par ellipse de *zone militaire fortifiée, la zone* désigne à Paris les faubourgs d'habitations précaires construites sur les glacis des dernières fortifications, puis sur l'emplacement de ces fortifications après leur démolition. Par analogie, *une zone* équivaut (1932) à «faubourg misérable» et, par extension, se dit d'une banlieue pauvre et mal aménagée d'une grande agglomération urbaine. ◇ Au XXe s., outre l'application spécifique d'emplois traditionnels (*zones de stationnement, zone bleue*, en France v. 1957), et des emplois administratifs (cf. ci-dessous *zup*, etc.), le mot acquiert des acceptions plus abstraites, comme *zone de mémoire* (1968) en informatique. ◇ Par ailleurs, l'organisation commerciale et financière, politique et militaire entre États membres d'associations, de communautés, incite à d'autres syntagmes, tel *zone monétaire* (1964).

▶ Les dérivés de *zone* se répartissent selon plusieurs valeurs du mot. ➜ **ZONÉ, ÉE** adj., «qui présente des zones» (1817), est un terme de minéralogie. ➜ **ZONAL, ALE, AUX** adj., didactique, s'emploie en sciences naturelles (1842) et en géographie (1921), d'où **ZONALITÉ** n. f. (v. 1950). ➜ **ZONARD, ARDE** n. et adj. est d'abord un mot d'argot militaire signifiant «soldat de 1re classe» (1894). ◇ Lié au verbe *zoner*, il désigne aujourd'hui (v. 1969) un marginal qui mène une existence précaire, sans travail ni domicile fixe; à la différence de *chemineau* ou *vagabond*, le mot suggère l'idée de milieu urbain, à laquelle se superpose celle de violence physique (cf. *loubard*). L'adjectif s'applique à ce qui est caractéristique de la zone misérable. ➜ **ZONIER, IÈRE** n. et adj. désigne un habitant de la zone ou (1923) d'une zone territoriale particulière (par ex. une zone frontière). Il s'emploie aussi comme adjectif (1935). ➜ **ZONER** v., d'abord argotique, signifie «coucher n'importe où, comme les habitants de la zone» (v. 1950). Il est familier au sens de «coucher» (intr. et *se zoner* pron.). Lié à *zonard* (ci-dessus), il signifie «mener une existence marginale» et, par extension, «traîner sans but précis». ➜ Le composé **SOUS-ZONE** n. f. (attesté en 1969) est un terme administratif.

Un certain nombre de sigles administratifs, comme **ZUP** n. f. «zone à urbaniser en priorité» (1958), **ZAD** n. f. «zone d'aménagement différé» (1962), **ZAC** n. f. «zone d'aménagement concerté» (1967), sont lexicalisés en français de France. *Zup* est le plus usuel.

Un autre dérivé de *zone*, **ZONAGE** n. m., introduit en 1951, remplace l'anglicisme **ZONING** n. m. (1934) comme terme d'urbanisme désignant la répartition en zones planifiées de l'espace urbain et des régions économiques. L'anglais *zoning*, attesté en ce sens aux États-Unis (1912), vient de *to zone* «établir, déterminer des zones», surtout en géologie et en histoire naturelle, verbe dérivé de *zone*, nom (v. 1500), lui-même emprunté au français.

Le composé **INTERZONE** adj. (1926), de *inter-**, «commun à plusieurs zones», s'emploie spécialement (1940) à propos des zones de la France occupée, de 1940 à 1944, et de ce qui était commun aux deux blocs allemands, depuis l'armistice de 1945 (cf. l'allemand *interzonen*); en ce sens, il a pour équivalent **INTERZONAL, ALE, AUX** adj. (milieu XXe s.; d'après l'anglais *interzonal*), plus rare. ◇ Les deux adjectifs s'emploient par ailleurs comme termes de sport (*finale interzone* ou *interzonale*).

Enfin, **ZONA** n. m. reprend (1799) le sens médical du bas latin, désignant une affection d'origine virale produisant des symptômes cutanés (rougeurs, démangeaisons) souvent localisée autour de la taille, d'où son nom.

ZONZON n. m., mot de formation onomatopéique (1640, puis 1800) s'est employé pour désigner le bruit d'un coup, puis (1901) un bourdonnement (cf. *zinzin*).

► Le mot a fourni **ZONZONNER** v. intr. (1945) «bourdonner».

ZOO- est un premier élément de mots scientifiques, tiré du grec *zôon* «être vivant»; ce nom vient du verbe *zên* «vivre» (dont l'aoriste *biônai* a donné *bio-**), qui se rattache à une racine indoeuropéenne °*gʷeyə-*, °*gʷyē-* «vivre», comme le latin classique *vivere* (→ vivre). Le français a par ailleurs tiré de *zôon* l'élément final - **ZOAIRE** qui entre dans la formation de mots de sciences naturelles tels que *protozoaire*.

► *Zo-*, *zoo-* entre dans la composition de nombreux termes didactiques, dont quelques-uns ont été directement empruntés au grec ou au latin.

ZOOPHYTE n. m. reprend (1546, Rabelais) le grec *zôophuton* (→ -phyte); le mot s'est dit de tous les êtres vivants classés parmi les animaux, mais dont l'aspect rappelle celui des plantes (coraux, etc.) et des êtres que l'on considérait comme intermédiaires entre le règne animal et le règne végétal; il a pour dérivé **ZOOPHYTIQUE** adj. (1842). L'un comme l'autre ne correspondent plus à un concept scientifique et ne sont plus que des termes d'histoire des sciences.

ZOOLOGIE n. f. est emprunté (1750) au latin scientifique *zoologia* (XVIIᵉ s.), formé avec *-logia* (→ logie). Vers 1650-1660, ce mot désignait la médecine thérapeutique à base de produits animaux *(zoologia medica)*. ◇ Le sens moderne concerne d'abord un traité (déb. XVIIIᵉ s.) puis la branche des sciences naturelles (on dit alors *histoire* naturelle*) qui a pour objet l'étude des animaux. Son apparition correspond sur le plan scientifique à la notion d'unité de la nature animale (en attendant une généralisation plus grande avec *biologie*). ➝ Du nom dérivent **ZOOLOGISTE** n. (1734) et la variante **ZOOLOGUE** (1771), encore employée, mais vieillie. ◇ **ZOOLOGIQUE** adj. (1754), pris au latin scientifique *zoologicus* (XVIIᵉ s.), est en particulier employé dans *jardin zoologique*, abrégé couramment en **ZOO** n. m. (1895, repris en 1926), prononcé à la française avec deux *o-* et parfois à l'anglaise *zou*. ➝ De l'adjectif dérive **ZOOLOGIQUEMENT** adv. (1852).

ZOOLÂTRIE n. f. est formé (1721) de *zoo-* et *-lâtrie*, pour désigner l'adoration, le culte d'animaux divinisés, dans plusieurs religions polythéistes. ◇ **ZOOLÂTRE** adj. et n. (1836) lui correspond.

ZOOMORPHISME n. m., apparu en 1800 dans une traduction, est emprunté à l'allemand *Zoomorphisme*, formé avec l'élément grec qui donne *morpho-*, *-morphisme;* ce mot désigne l'utilisation des formes animales dans la figuration humaine et (1855) la métamorphose d'un être humain en animal. ➝ **ZOONOMIE** n. f., emprunt (1839) au latin moderne *zoonomia*, de *-nomia* (→ -nomie), est vieilli au sens de «lois de la biologie animale». ◇ Le mot désigne aujourd'hui (v. 1970) la science qui s'occupe de la protection et du respect du «droit de l'animal». ➝ **ZOOTECHNIE** n. f., formé (1834) de *-technie*, désigne l'étude scientifique de l'élevage des animaux, de leur reproduction et de leur adaptation à des besoins déterminés; en dérivent **ZOOTECHNIQUE** adj. (1842) et **ZOOTECHNICIEN, IENNE** n. (1862) de *technicien*.

ZOÉCIE n. f., enregistré par Bescherelle en 1845, est formé de *zo(o)-* et du grec *oikos* «maison», pour désigner l'élément, considéré comme une «cellule», d'une colonie de bryozoaires, puis l'organisme élémentaire d'une telle colonie. ◇ Dans ce sens, le mot a été concurrencé par **ZOÏDE** n. m., simplification (1897) de *zooïde* (1889), emprunt savant au grec *zôoerdês* (cf. *-oïde*); ce terme a été abandonné. ➝ **ZOOSPORE** n. m. est formé (1847) de *zoo-* et *spore*. Le mot désigne le spore mobile à flagelles des algues et des champignons.

ZOOPHILE adj., formé (1859) avec l'élément *-phile*, s'applique à une personne qui manifeste de l'intérêt pour les animaux, à ce qui marque de l'intérêt pour eux et, spécialement, à qqn qui pratique la zoophilie (cf. *bestialité*). ◇ **ZOOPHILIE** n. f. (1894) s'oppose à **ZOOPHOBIE** n. f. (1897) et désigne aussi une sympathie plus ou moins pathologique pour les animaux (1933). *Zoophilie* est employé aussi en psychiatrie (1933) comme synonyme de *bestialité**.

On relève encore **ZOOBIOLOGIE** n. f. (1872), **ZOOGÉOGRAPHIE** n. f. (1904), **ZOOPSYCHOLOGIE** n. f. (1909), **ZOOSÉMIOTIQUE** n. f. (1970, T. A. Sebeok) désignant des domaines scientifiques définis par le second élément. ◇ **ZOOPLANCTON** n. f. (1953) désigne le plancton* formé d'organismes animaux.

◈ voir ZODIAC, AZOTE, ÉPIZOOTIE.

ZOOM n. m. est emprunté (1917) à l'anglais de même sens, de *to zoom*, v. intr., à l'origine (1892) onomatopée désignant un bourdonnement grave et continu. Le verbe a d'abord été employé pendant la Première Guerre mondiale, en parlant d'un avion qui mitraille en piqué ou qui monte en chandelle.

♦ C'est dans ce contexte de la guerre aérienne que le mot a été employé en français pour le mouvement rapide d'un avion. ◇ Oublié, il a été réemprunté dans le vocabulaire du cinéma (v. 1950), puis de la photo, pour désigner un effet d'éloignements et de rapprochements obtenu au moyen d'un objectif à focale variable (sens attesté en 1934 en anglais); par extension (v. 1958), il se dit de l'objectif qui permet d'obtenir cet effet. L'équivalent français de cet anglicisme est *focale variable*.

► En dérive **ZOOMER** v. intr. (v. 1960), familier, «prendre en photo, cinéma, télévision, en utilisant le zoom».

ZOSTÈRE n. f. d'abord sous la forme *zoster* (1615), est un emprunt au latin, lui-même pris au grec *zôstêr* «ceinture» et «plante marine».

♦ Le mot désigne une plante sous-marine poussant dans la vase ou dans les sables littoraux, à longues feuilles.

ZOU! interj., attesté en 1792, a conservé son caractère provençal.

♦ Répandue par les écrits provençalistes de la seconde moitié du XIXᵉ s. (notamment le *Tartarin* de Daudet), l'exclamation, qui correspond à «vivement!, allons!» s'est relativement diffusée en France, tout en gardant sa connotation méridionale *(allez! zou!)*.

ZOUAVE n. m., s'est employé au pluriel pour désigner une tribu kabyle dans laquelle étaient recrutés des soldats (1623), puis (1637) écrit *zouane* au sens de «Maure», sans doute à cause d'une faute d'impression; repris en 1830, le mot est emprunté au berbère *Zwawa,* nom d'une tribu kabyle.

♦ Le mot a été adopté en 1831 comme nom des soldats algériens d'un corps d'infanterie indigène, créé par la France en Algérie et utilisant à l'origine des Kabyles. Par extension, il a désigné un fantassin français de ce corps (1841) et, par analogie dans ***zouave pontifical*** (1860), un membre de l'armée pontificale (corps dissous en 1871). ◇ Il a été pris (1867) comme nom d'un manteau de femme à capuchon, fait sur le modèle du manteau de zouave. ◇ D'un sens populaire disparu (XIXe s., «homme courageux»), vient la locution ***faire le zouave*** «faire le fanfaron» (1880) et, par extension, «se faire remarquer par des excentricités» (1904), avec une valeur analogue à celle de *faire l'idiot, le pitre.*

ZOULOU adj. et n., attesté en 1847 (A. Delegorgue, in T. L. F., qui emploie le féminin *zoulouse,* remplacé par *zouloue* ou par l'invariabilité en genre), est emprunté, peut-être par l'anglais *Zulu* (1826), à une langue bantoue, où le mot signifie «les gens d'en haut», *Amazoulou, ama* signalant le pluriel et *zoulou* signifiant «en haut».

♦ Le mot se dit des personnes appartenant à une ethnie d'Afrique australe ayant formé au XIXe siècle un empire. La réputation de guerriers redoutables des Zoulous a fait du mot au XIXe siècle un synonyme raciste de «sauvage cruel», l'adjectif *zoulou* étant parfois pris comme symbole de sauvagerie, puis l'a fait employer au XXe siècle comme référence de courage viril. ◇ Le *zoulou* n. m. est le nom de la langue bantoue parlée par les Zoulous.

ZOZO n. m. et adj., attesté en 1893, est un mot expressif, probablement construit par redoublement de la seconde syllabe de *oiseau* ou, comme *zoizeau,* par fausse coupe de *les oiseaux* avec liaison (cf. le familier *zoziau* «oiseau»). On a évoqué un redoublement de la première syllabe de *Joseph,* avec zézaiement enfantin, ce prénom connotant au XIXe s. la naïveté.

♦ Le mot est familier pour «naïf, niais». Il s'emploie aussi comme adjectif (1900).

ZOZOTER v. intr., de formation onomatopéique (1883), est construit sur la répétition de la lettre *z.*

♦ C'est un synonyme familier de *zézayer**.

▸ Le verbe a fourni **ZOZOTEMENT** n. m. (1933) et **ZOZOTEUR, EUSE** adj. et n. (1936).

ZUP → ZONE

ZUT interj., attesté au début du XIXe s. (1813), représente peut-être une altération de *zest**, avec une finale *-ut* empruntée à *flûte* (interj.) ou une atténuation de *foutre**, d'où vient aussi *outre* attesté en français régional de Provence (Daudet).

♦ Cette exclamation, à peine familière, exprime le dépit, la colère. C'est souvent un euphémisme pour *merde,* par exemple dans ***dire zut à qqn.***

▸ **ZUTIQUE** adj., terme d'histoire littéraire (1875), s'applique à un cercle de poètes présidé par Charles Cros et qui disaient «zut!» à tout. L'emploi le plus connu du mot est le titre l'*Album zutique,* notamment par les poèmes de Rimbaud et de Verlaine. ◆ **ZUTISTE** n. m., désignant (1883) ces poètes, s'est dit par analogie en politique (1885) d'un partisan du rejet des opinions reçues, ainsi désigné par dérision. ◆ **ZUTISME** n. m. (1885), «doctrine des zutistes», est sorti d'usage.

ZWANZE n. f., en français de Belgique (dialecte de Bruxelles), est, selon A. Goosse, un emprunt (1908 avec la valeur de «grosse plaisanterie») au néerlandais *zwans* «queue» et «membre viril» (allemand *Schwanz*), d'où en flamand «grosse blague» (cf. *couillonnade* en français). Un verbe *zwanzer* «mystifier» (1898), d'où *zwanzeur* (1899 chez J. Ensor) est évidemment en rapport : *zwanze* pourrait en être le déverbal. On a aussi évoqué le moyen néerlandais *zwants* «balancement».

♦ Le mot désigne depuis 1915, en France aussi, l'humour bruxellois.

ZYEUTER → ŒIL

ZYGOMA n. m. est un emprunt médical de la Renaissance (v. 1560) au latin scientifique moderne *zygoma* «apophyse de la pommette», emprunt au grec *zugôma* «pièce qui sert à joindre», dérivé de *zugon* «joug» au figuré «couple», qui se rattache à une racine indoeuropéenne °*yug-* «atteler», comme le latin classique *jugum* (→ joug), le francique °*yok* «joug» (allemand *Joch,* anglais *yoke*).

♦ Le mot désigne en anatomie l'apophyse de la pommette.

▸ Il a pour dérivé **ZYGOMATIQUE** adj. (1635) «de la pommette», dans *muscle,* puis (1740) *apophyse,* et (1751) *arcade zygomatique.* ◇ L'emploi substantif (1690) de *zygomatique* dénomme deux muscles allant de la pommette à la commissure des lèvres *(grand, petit zygomatique).* Cette désignation des «muscles du rire» a donné au mot une certaine diffusion aidée par sa consonance.

Le même radical grec a servi à former vers la fin du XIXe s. en biologie une série de mots didactiques. ◆ **ZYGOTE** n. m. est un emprunt (1890) au grec *zugôtos* «attelé de quatre chevaux», dérivé de *zugoûn* «joindre, atteler», lui-même de *zugon* «joug». ◇ Le mot s'emploie en biologie et désigne le produit de l'union des gamètes lors de la fécondation, constituant la première cellule d'un individu nouveau. ◆ Il a fourni le dérivé **ZYGOTÈNE** adj. (v. 1950, *stade zygotène*) et les composés, courants en biologie, **HÉTÉROZYGOTE** adj. (1903) et **HOMOZYGOTE** adj. (1903) qui concernent la présence de deux gènes différents ou identiques sur chaque chromosome d'une même paire. ◇ **MONOZYGOTE** adj. (v. 1950) se dit d'organismes issus d'un même œuf *(jumeaux monozygotes).*

ZYGO-, premier élément de mots savants, est lui aussi tiré du grec *zugon.* Le mot entre dans la composition de termes de botanique formés en français comme **ZYGOMORPHE** adj. (1907) de

-morphe, qui se dit des fleurs symétriques par rapport à un plan.

◈ voir ZEUGMA.

ZYM-, ZYMO- est un premier élément de mots de chimie, de biochimie, tiré du grec *zumê* «levain, ferment» (→ azyme, enzyme), qui se rattache probablement, comme le latin *jus, juris* «sauce» (→ jus), à des mots indoeuropéens désignant un mets préparé avec de la viande cuite dans une sauce, comme le sanskrit *yūḥ*, le vieux slave *juxa*, etc.

▸ **ZYMASE** n. f., formé (1864) avec le suffixe de *diastase*, désigne une enzyme qui détermine la fermentation alcoolique du glucose. ◆ **ZYMOSE** n. f. (mil. XXe s.) de *-ose*, est le nom du processus par lequel les enzymes produisent la fermentation.

LE DERNIER MOT

Les dictionnaires, comme la plupart des gens, aiment avoir le dernier mot. La floraison de termes en *zy-*, au cours des âges de la lexicographie, en porte témoignage. Les muscles *zygomatiques* et les mots scientifiques en *zymo-* sont d'un réel usage en science. Ainsi, Furetière (1690) termine sa nomenclature par le nom d'un instrument inventé par Swammerdam pour mesurer la fermentation, le *zymozimètre* (qu'il écrit bizarrement *zymozimettre*), et le dictionnaire de l'Académie de 1762 y ajoute la *zymotechnie*.

Apparu en 1710, un mot rarissime mais plus avancé dans l'ordre alphabétique couronne la liste ultime des dictionnaires des jésuites de Trévoux : c'est la bière d'orge des anciens Égyptiens, le *zythe* ou *zythum*. Jaloux de cette position finale, les recueils pléthoriques du XIXe siècle y substituent en dernière place le *zyxomime*, voire le *zyzel*, animaux très improbables. Bescherelle (1846) et le *Grand Dictionnaire du XIXe siècle* de Pierre Larousse se concluent par ZZ, qui n'est pas un mot, mais une abréviation de pharmacien.

Ce faux mot de la fin disparaît au XXe s., époque où la maison Hachette tentera d'imposer un symbolique *zyzomys*, qui n'est autre que le «rat à queue blanche d'Australie».

Mais en 1985, la deuxième édition du *Grand Robert*, grâce à sa documentation littéraire, découvre une onomatopée qui paraît régler la question de la fin de l'ordre alphabétique : c'est *zzz*, dont on peut d'ailleurs multiplier les *z* ad libitum. Céline, dans *Nord*, apporte sa caution, non bourgeoise, à ce *zzz* déjà employé... par Claudel en 1892. Ne voulant pas être en reste, le *Petit Robert* en 1993 adopte ce dernier mot providentiel et l'illustre par une phrase de Julien Green. Enfin, le tome 16 du *Trésor de la langue française*, paru en 1994, enrichit l'anthologie de ce *zzz* d'un passage du *Fils de personne* de Montherlant et d'un ouvrage de P. Siniac, qui utilise pour plus de fidélité sonore huit *z* pour suggérer le vol de la mouche.

Des bizarreries scientifiques zozotantes au zonzon obsédant de l'insecte, le dernier mot des dictionnaires français semble dire : «vanité..., tout est vanité».

Annexes

Glossaire

Chronologie

(correspondances chronologiques entre les datations du dictionnaire
et les principaux textes de référence)

Éléments bibliographiques

GLOSSAIRE

par

Tristan HORDÉ, Alain REY,
Chantal TANET

Ce glossaire est destiné à rendre plus aisées la consultation et la lecture du dictionnaire. Ce dernier est rédigé de manière peu technique, mais il a bien fallu y employer des termes précis et désigner de manière stable les notions.
On s'est attaché à définir les termes, à repérer les principaux noms de langues évoqués et à reprendre les expressions du texte, même si elles appartiennent à l'usage courant, lorsqu'elles correspondent à un concept bien défini. Ainsi, on a fortement opposé dans le dictionnaire les mots « hérités », « issus » d'un mot du latin populaire ou du germanique (francique) et les « emprunts » écrits, plus savants. Toutes ces expressions, avec beaucoup d'autres, sont expliquées ici.

ABLATIF Cas* de la déclinaison latine exprimant la fonction de complément circonstanciel et parfois de complément d'objet, de nom ou d'adjectif. Il s'est appelé en latin sixième cas *(sextus casus)*, s'ajoutant aux cinq cas du grec. *Ablativus*, de *ablatus* participe passé de *auferre* «enlever», fait allusion à sa fonction principale, l'expression de l'enlèvement ou de l'éloignement; il exprime en outre l'instrument *(ablatif instrumental* ou *de manière)*, et le lieu *(ablatif locatif, de lieu)*.

ABORD (D') s'emploie à propos du premier emploi ou du premier sens d'une forme (mot, expression), lorsque d'autres sont évoquées ensuite.

ABOUTISSEMENT renvoie à l'ensemble des processus phonétiques par lesquels un mot latin, par exemple, a pour terme un mot d'ancien français : *vache* est l'aboutissement du latin *vacca*. La forme d'origine peut n'être pas attestée mais seulement reconstruite : c'est le cas de nombreux étymons du latin populaire.
On dit aussi que *vache* «est issu» du latin *vacca* ou encore qu'il représente* le latin *vacca*. L'ensemble des mots issus du latin et du francique sont des mots *hérités*, opposés aux emprunts.

ABRÉGEMENT s'emploie en phonétique (passage d'une longue à une brève) et en morphologie. L'abrégement d'un mot est phonétique, et parfois graphique (→ abréviation).

ABRÉVIATION s'emploie en parlant du procédé graphique de troncation* d'un mot (*auto* pour *automobile*) ou de réduction de plusieurs mots à des initiales formant un sigle* qui peut être lexicalisé *(le SMIC)*. Si l'abréviation élimine le début du mot, elle peut correspondre à une aphérèse*; si elle en supprime la fin, à une apocope*.
Abréviation s'emploie parfois aussi sur le plan phonétique (→ abrégement).

ABRUZZAIS Dialectes italiens du Sud parlés dans les Abruzzes.

ABSTRAIT et **ABSTRACTION** s'opposent à *concret*. Le terme correspond à un concept qui ne se réalise pas par des objets perceptibles. Un *nom abstrait* désigne des notions, et non des êtres ou des objets perceptibles. Les noms de qualité, d'action, sont des abstraits.
De nombreux sens figurés*, tirés d'un sens propre concret, sont abstraits.
Abstraitement correspond à ce type d'emploi, au passage du concret à l'abstrait.

ACADIEN Variété de français d'Amérique du Nord parlée au Nouveau-Brunswick (Canada), dans l'ancienne Acadie, et qui a donné naissance à la variété de français populaire parlée en Louisiane ou *cajun*.

ACCEPTION s'emploie pour *sens* ou *signification*, mais en insistant sur le fait que le mot ou la locution dont il s'agit a plusieurs emplois et valeurs. Étymologiquement, l'acception est une signification, une valeur du mot «acceptée», reconnue par l'usage parmi plusieurs autres. D'où une nuance sociale de «sens reconnu à un moment et dans un milieu donné».

ACCUSATIF Cas* de la déclinaison latine marquant notamment le complément d'objet direct. Il est à l'origine du cas *régime** en ancien français. Une grande partie des mots hérités du latin se sont fixés au cas régime et viennent donc de l'accusatif latin : ainsi, *abbé* est issu de *abbatem*, accusatif de *abbas*. Le nominatif* (cas sujet) fournit d'autres étymons et parfois un nom différent.

ACTIF Système des formes verbales (voix) exprimant que le sujet du verbe est actif et non pas touché par l'action *(voix passive)*. En latin, *actif* s'oppose aussi à *déponent*, dans d'autres langues indoeuropéennes à *moyen*.

ACTION Processus exprimé par le verbe (alors appelé verbe actif), et par des noms appelés *noms d'action*. Il suppose un agent* et un patient (correspondant sur le plan grammatical au sujet et au complément). — Les *verbes d'action* s'opposent aux verbes d'état*.

ADAPTATION indique, dans le cas d'un emprunt, que le mot de la langue de départ est transformé du point de vue graphique, morphologique ou phonétique, d'après le système de la langue emprunteuse (ici le français). Exemple d'adaptation graphique et phonétique : *trafic*, qui s'est aussi écrit *trafique, traffitz*, de l'italien *traffico; boulingrin* de l'anglais *bowling-green*.

On parle aussi d'*emprunt adapté* à propos d'un emprunt* dont certains éléments sont modifiés d'après les structures dominantes de la langue qui emprunte ou d'après un mot déjà employé d'origine analogue (exemple *enchanter*, emprunté au latin *incantare*, et adapté d'après *chanter*).

ADMINISTRATIF qualifie l'un des domaines spéciaux d'emploi du langage ou du lexique. Le domaine administratif fait partie du domaine institutionnel; il correspond à une terminologie propre et à des habitudes stylistiques.

ADRESSE (terme d'adresse) Mot ou groupe de mots qui peut servir à s'adresser à un interlocuteur (exemples : *Madame, mon capitaine, maître*...). Le terme d'adresse peut exprimer l'admiration, la soumission, le mépris. Un terme d'adresse méprisant et violent est une injure, une insulte.

AFFAIBLISSEMENT Indépendamment de son emploi en phonétique, se dit d'une évolution de sens allant du plus fort, du plus expressif, au plus faible. Exemple : l'évolution qui mène le latin *labor* du sens de «peine» à celui de «travail», et le français *gêne* de «torture» au sens moderne.

AFFIXE désigne un élément qui peut être incorporé à un mot, avant *(préfixe)*, dans *(infixe)* ou après *(suffixe)* le radical; il en modifie le sens en conservant sa fonction *(espérer/désespérer)* ou la fonction et le sens *(espérer/espérance)*.

AFGHAN (ou *pachto, pashto, pushtu*) Langue indoeuropéenne du groupe iranien (oriental), parlée en Afghanistan (concurremment avec d'autres langues), en Inde du Nord.

AFRICAINES (LANGUES) Les très nombreuses langues d'Afrique sub-saharienne font l'objet — tout comme les langues indiennes — de classifications évolutives, les dernières en date étant celles de Delafosse, Westermann, Tucker et Bryan, puis J.-H. Greenberg (1955). **Principaux groupes.**
— L'ensemble «ouest-atlantique» : langues du Sénégal (peul, wolof, sérère), de Guinée-Bissao, de Sierra Leone, du Libéria; à l'exception du peul, ces langues sont parlées dans les régions côtières.
— Le groupe mandé : notamment, bambara, diula (dyula), malinké, mandé, soninké.
— Le groupe songhai-zarma du Niger.
— Les langues voltaïques *(gur)*.
— Les langues kwa de Côte-d'Ivoire, Nigeria, Togo, dont l'éwé*, le yoruba.
— Les langues des plateaux d'Afrique centrale, relevant de plusieurs groupes.
— Les langues bantoues (bantu), groupe le plus important, comportant de 300 à 600 langues (selon les auteurs, avec des classements variés : plus de 15 groupes), parlées au sud d'une ligne allant du Cameroun au Kenya. Parmi ces langues, certaines se sont diffusées et sont véhiculaires : les plus importantes sont le lingala, le kongo, le shona et surtout le swahili.
— Les langues dites nilotiques, incluant le groupe «soudanais».
— Les langues «tchadiques», dont le haoussa (hausa).
— Les langues des Hottentots et Bochimans, dites «khoisan».

AGENT Personne, être, entité de qui est censée émaner l'action verbale. *Nom d'agent* (par exemple, nom formé avec le suffixe *-eur* en français).

AGGLUTINATION Soudure phonétique et graphique de deux éléments distincts mais souvent réunis en séquence dans l'énoncé. L'agglutination, en français, se produit souvent entre le déterminant et le nom (ainsi *l'ierre* a donné *lierre*, d'où *le lierre*).

AKKADIEN Langue sémitique disparue qui fut celle des Sumériens (elle est entièrement diffférente du sumérien, langue asianique, la plus ancienne écrite). L'akkadien est d'écriture cunéiforme.

ALBANAIS Langue indoeuropéenne formant un groupe à part — elle semble différente de l'illyrien —, et comprenant plusieurs dialectes (principaux : le *guègue*, au nord, le *tosque*, au sud) et parlée en Albanie, au Kosovo, dans quelques points de Grèce et de Sicile. La langue normalisée (littéraire depuis le XVe s. et nationale) repose sur le dialecte tosque.

ALÉMANIQUE Ensemble des parlers dialectaux germaniques pratiqués notamment en Souabe, dans le nord de la Suisse, en Alsace (→ alsacien), déjà représentés en ancien haut allemand (→ allemand, dans le dictionnaire).

ALLEMAND (ou *haut-allemand*) Langue germanique parlée en Allemagne, en Autriche, en Suisse alémanique, en Alsace, sous forme dialectale (Allemagne du Sud; Suisse, Alsace : alémanique) ou normalisée. On distingue : l'ancien haut-allemand (VIIIe-XIe s.); le moyen haut-allemand (XI-XVe s.); l'allemand moderne (à partir de Luther). → haut-allemand, bas-allemand; et allemand, germaniques (langues), dans le dictionnaire.

ALSACIEN Dialecte germanique (alémanique) pratiqué en Alsace, concurremment avec le français et l'allemand standard. → allemand, Alsace, dans le dictionnaire.

ALTÉRATION se dit de la transformation subie par un mot sous l'influence d'un autre mot dont il a été rapproché : *échafaud* est l'altération, d'après *échelle* ou *échasse*, de l'ancien français *chafaud*. On parle aussi d'altération par assimilation*, dissimilation* ou métathèse*.

ALTERNANCE Variation d'un phonème ou d'un groupe de phonèmes dans un système morphologique. — *Alternance vocalique*, dans les langues indoeuropéennes, variation de timbre (qualitative) ou de quantité des voyelles dans les formes produites sur une même base, en une série de degrés (y compris le degré zéro : absence de la voyelle) : degré plein, réduit, degré fléchi (alternance de timbre). On dit aussi *aphonie*, et en allemand, *Ablaut*.

AMÉRICAIN Variété d'anglais parlée aux États-Unis. → américain (dans le dictionnaire). On dit parfois l'anglo-américain.

AMÉRINDIENNES (LANGUES) → indiennes d'Amérique (langues).

AMUÏSSEMENT se dit du fait, pour un phonème, de ne plus se prononcer, parfois par le stade intermédiaire d'un phonème, «mal caractérisé ou peu perceptible» (Marouzeau). Le *s* intérieur du roman, longtemps maintenu dans la graphie (*esté = été*, de *être*), ne se prononçait plus à partir du XIe siècle.

ANACOLUTHE Absence de continuité, de suite, dans la construction d'une phrase.

ANALOGIE Correspondance de sens. *Par analogie* se dit d'un sens issu d'une acception de départ (en général un sens dit «propre») par une comparaison implicite portant sur l'aspect, la forme, la couleur... ou bien la fonction, le rôle, et invoquant généralement un rapport ressenti avec la valeur source.
Analogie se dit aussi d'une correspondance entre formes.

ANAPHORE Reprise d'un terme, soit par lui-même, soit, le plus souvent, par un terme jouant ce rôle de reprise et dit *anaphorique* (pronom, etc.).

ANATOLIEN Groupe de langues indoeuropéennes, disparues, représenté notamment par le hittite, et attesté entre le XVIIe et le Xe s. avant l'ère chrétienne, en Anatolie (Turquie actuelle). → indoeuropéen dans le dictionnaire.

ANCIEN qualifie l'état le plus reculé d'une langue ou d'un dialecte. L'*ancien français* (jusqu'en 1450) précède le *moyen français*. → français (dans le dictionnaire). — *Ancien provençal, picard, normand*, etc. (tout nom de dialecte gallo-roman, d'oc ou d'oïl) couvre la période antérieure à 1600 (→ dialecte). *Ancien bas francique* ou *ancien francique* désigne, par opposition à des dialectes franciques des temps modernes, la langue des Francs (ici, en général : *francique*). — On trouve aussi *ancien haut-allemand, ancien anglais, ancien norrois* (ou *vieux norrois*). — *Grec ancien* s'oppose à *grec byzantin, grec moderne*. → grec (dans le dictionnaire).

ANCIEN FRANÇAIS Ensemble formé par les dialectes gallo-romans d'oïl, les scriptae* régionales qui peuvent leur correspondre et surtout la forme centrale, correspondant géographiquement à l'Île-de-France et à Paris («francien») et à l'usage le plus valorisé socialement, politiquement et littérairement. La notion couvre une période qui va de la fin du Xe au milieu du XIVe siècle. — Spécialement : cet ensemble, à l'exclusion des dialectes.

ANDALOU Dialecte espagnol (castillan) d'Andalousie ; ses caractéristiques, phonétiques et autres, sont notables dans l'espagnol américain.

ANGEVIN Dialecte gallo-roman d'oïl parlé en Anjou.

ANGLAIS Langue germanique issue d'Allemagne du Nord (Angles du Holstein et Saxons) pour laquelle on distingue plusieurs stades historiques : *vieil anglais* ou anglo-saxon ; *moyen anglais ; anglais moderne*. L'anglais est parlé en outre (notamment) en Amérique du Nord, en Australie, comme langue seconde aux Indes, en Afrique, etc. et l'anglo-américain est devenu la première langue internationale. → anglais, américain, dans le dictionnaire.

ANGLIEN Parler germanique des Angles venus du Holstein, qui est avec le saxon occidental et le kentien des Jutes, à la base de l'ancien anglais*. Il s'est subdivisé en deux : le mercien et le northumbrien.

ANGLO-AMÉRICAIN Variété d'anglais parlée aux États-Unis. → américain, dans le dictionnaire.

ANGLO-NORMAND Parler français formé de plusieurs éléments dialectaux de langue d'oïl (surtout normand et picard) et centraux («français»), pratiqué en Angleterre dans les couches supérieures de la société du XIe aux XIIIe-XIVe s. (→ anglo-normand, anglais, dans le dictionnaire).

ANGLO-SAXON Nom donné au plus ancien anglais*, formé de trois groupes de parlers germaniques : le saxon, l'anglien (des Angles) et le kentien (des Jutes venus du Danemark).

ANTHROPONYME Nom de personne. Les anthroponymes sont étudiés par l'*anthroponymie*, qui fait partie de l'onomastique.

ANTIPHRASE Manière de s'exprimer (figure de rhétorique) en employant des mots ayant normalement le sens opposé à celui qu'on veut communiquer, soit par ironie *(charmante soirée!)*, soit par tabou (cf. *belette* «petite belle», pour désigner un animal maléfique).

ANTONOMASE Remplacement d'un nom par celui d'une qualité propre à l'objet que ce nom désigne (*le Malin*, pour *le Diable, le Démon*).

ANTONYME désigne un mot ou un groupe de mots dont le sens est contraire à un autre de même nature *(petit/grand ; capable/incapable)* ; on emploie aussi *contraire*, dont le sens est plus large en logique. L'antonymie est une des notions-clés de la sémantique.

AORISTE En grec, système des formes verbales (temps) qui ne date pas l'action (*a-oristos* «non délimité»), par opposition au présent et au passé.

AOSTIN Dialecte gallo-roman franco-provençal du val d'Aoste, parlé naguère en concurrence avec le français, aujourd'hui en général avec l'italien.

APHÉRÈSE se dit de la chute d'un ou plusieurs phonèmes ou d'une syllabe au début d'un mot (*troquet* pour *mastroquet*). → apocope (son contraire), et abréviation.

APOCOPE désigne la chute d'un phonème ou d'un groupe de phonèmes, ou d'une ou plusieurs syllabes à la fin d'un mot (*pneu* pour *pneumatique*). → aphérèse (son contraire), et abréviation.

APOPHONIE autre nom de l'*alternance* vocalique*.

APPARENTÉ se dit de langues, de dialectes ou de formes appartenant à plusieurs langues ou dialectes entre lesquelles existent des relations originelles.

APPELLATIF se dit d'un nom ou d'un syntagme nominal qui sert à s'adresser à qqn (on dit aussi *terme d'adresse*). Exemple : *papa, maman, mon chéri, mon chou, mon capitaine, salaud, mec, cher ami.* — Les injures* fonctionnent comme appellatifs ; les mots d'affection aussi (cf. *hypocoristique*).
Nom appellatif signifie quelquefois nom commun et s'oppose alors à *nom propre*.

APPLIQUER *S'applique à*... se dit d'une forme signifiante (notamment un mot) qui est en relation normale avec une classe d'objets (un référent). On dit aussi : concerne, désigne* (plus précis) et, sur un autre plan, signifie*.

ARABE Langue sémitique pratiquée par les Bédouins du nord du désert d'Arabie, attestée au Vᵉ s. av. J.-C., fixée au VIIᵉ s. de l'ère chrétienne par le Coran, puis diffusée par l'islam. On distingue l'*arabe classique, coranique* (scripta* analogue au sanskrit, au latin d'Église), l'*arabe moderne* normalisé, dont le modèle est pratiqué en Arabie, dans les Émirats, en Syrie, au Liban, en Irak, en Jordanie, en Égypte, et l'arabe parlé subdivisé en dialectes, plus éloignés de l'arabe standard au Maghreb (arabe tunisien et surtout arabe algérien et marocain). Au Maghreb, l'arabe coexiste avec des parlers berbères (le kabyle en Algérie) et avec le français ; en Égypte, en Jordanie, en Arabie avec une pratique assez répandue de l'anglais ou de l'anglo-américain (Arabie, Émirats). — Les apports de l'arabe au français sont considérables (→ arabe, dans le dictionnaire). L'arabe a joué un rôle essentiel dans l'évolution de l'espagnol (→ espagnol).

ARAMÉEN Ensemble de dialectes du groupe sémitique occidental, qui fut très important entre le IVᵉ s. av. J.-C. et le VIIᵉ s. après J.-C. (concurrencé et remplacé ensuite par l'arabe). *Araméen ancien, biblique, palestinien* (parfois appelé *syrochaldaïque*).

ARAUCAN Langue amérindienne (→ langues indiennes*) qui fut parlée au Chili.

ARCADIEN Dialecte grec ancien d'Arcadie, proche du cypriote (*arcado-cypriote* comprenant aussi le pamphylien) → grec, dans le dictionnaire.

ARCHAÏSME désigne une unité du lexique (mot, expression...) ou un emploi qui n'est plus normal dans l'usage contemporain et général, mais peut se maintenir dans la pratique littéraire ou dans celle d'une classe d'âge, d'un milieu régional, etc. Exemple : *souvenance* pour «mémoire», *ire* supplanté par *colère*. — Les emplois de ce type, dits **archaïques**, peuvent aussi être appelés *vieux*, mais cet adjectif ne marque que la disparition dans l'usage normal et non pas la possibilité d'un usage marqué, comme le fait *archaïque*. *Archaïsme* peut donc insister sur le caractère conscient de l'emploi, souvent par volonté stylistique (*archaïsme littéraire*).
L'adjectif *archaïque* s'oppose à *moderne, néologique*. *Archaïsme* s'oppose à *néologisme*.

ARGOT → argot, dans le dictionnaire

ARMÉNIEN Langue indoeuropéenne parlée en Arménie et par certains Arméniens de la diaspora. Elle est attestée depuis le Vᵉ s. et forme dans l'ensemble indoeuropéen un groupe autonome, anciennement apparenté au grec. → indoeuropéen, 9, dans le dictionnaire.

ASPECT Manière dont l'action exprimée par un verbe est envisagée, notamment lorsque ce point de vue correspond à des formes spécifiques (indoeuropéen ; aujourd'hui langues slaves). L'aspect oppose l'action instantanée, ponctuelle (perfectif) et la durée (duratif, imperfectif) ; l'action en cours et celle qui aboutit (inaccompli et accompli ; inchoatif et effectif) ; l'action simple et l'action répétée (itératif, fréquentatif).

ASSIMILATION est un terme de phonétique désignant la modification subie par un phonème au contact d'un phonème voisin. Le phonème initial disparaît, «assimilé» par le son voisin ; le latin *fratrem* aboutit à *frère* par assimilation progressive du *t* au *r*. *Assimilation* s'oppose à *dissimilation*.

ASSUMER peut servir à exprimer la relation entre une forme (un signe, un mot) et un sens (une acception, une valeur).

ASTURIEN-LÉONAIS Ensemble des dialectes romans d'Espagne parlé dans les Asturies et dans le León, et qui fut supplanté par le castillan.

ATHÉMATIQUE se dit d'une formation dans laquelle le suffixe s'attache directement à la racine*, sans l'intermédiaire d'un morphème thématique (→ thème). S'emploie notamment à propos du grec, du latin.

ATTESTATION (→ attestation et datation, dans le dictionnaire). — *Attestation isolée*, présence d'un mot, d'un sens ou d'une expression dans un texte, alors qu'on ne les trouve pas ailleurs à la même époque. → hapax.
Forme *attestée*, effectivement observée dans un corpus, qu'il soit écrit (texte) ou oral. S'oppose aux formes reconstituées* ou virtuelles.
Le verbe **attester** s'emploie le plus souvent au passif : *un mot, une forme est attesté(e) dans un texte, en 1250...*

ATTIQUE Dialecte grec de l'Attique (région d'Athènes) qui forme la base de la langue grecque commune (koinê). La langue des écrivains grecs classiques (Eschyle, Sophocle, Euripide, etc.) est l'attique. → grec, dans le dictionnaire.

ATTRACTION Modification, altération que subit une forme, mot ou locution, sous l'influence d'une autre. — L'*attraction paronymique* (→ paronyme) consiste à donner un sens, un emploi identique ou proche à une forme voisine ; c'est l'un des procédés de l'*étymologie* populaire*.

ATTRIBUT En français, terme joint au verbe *être* et à quelques verbes «réels», comme *arriver, devenir, rendre*... (ex. : *il est devenu idiot, Premier ministre)* dans une phrase dite attributive, qui confère à un sujet un type de prédicat. L'attribut est un nom ou un adjectif. L'adjectif en fonction d'attribut s'oppose à l'adjectif *épithète*.

AUGMENTATIF Élément de formation (souvent un suffixe) qui correspond à une notion de taille agrandie. Exemple : le suffixe italien *-one*, qu'on retrouve par emprunt dans le français *trombone*.

AUSTRALIEN **1.** Ensemble de langues formant un groupe à part, parlées par les aborigènes d'Australie. On en distingue cinq groupes (Australie du Sud-Est, du Centre, Nouvelle-Galles du Sud, Queensland, Kimberley et terre d'Arnhem). Leur statut sociologique actuel est précaire, comme la culture australienne autochtone. — Les cinq langues tasmaniennes, disparues vers 1870 après le génocide des autochtones, appartenaient à un groupe linguistique différent.
2. Variété d'anglais parlée en Australie, caractérisée par sa phonétique et ses traits lexicaux.

AUVERGNAT Ensemble des dialectes gallo-romans occitans (du Nord) parlés en Auvergne.

AVESTIQUE Forme codifiée et littéraire de l'iranien ancien, langue de l'Avesta (religion mazdéenne ou zend). On distingue le vieil avestique (1000 avant notre ère) et l'avestique récent (autour de 700 à 500 av. J.-C.). → indoeuropéen, dans le dictionnaire.

BALTE Ensemble de langues du groupe baltique, indoeuropéen, représenté par le vieux-prussien* disparu et aujourd'hui par le lituanien et le lette (l'Estonie, autre pays balte — géographiquement —, parle une langue non-indoeuropéenne).

BAMBARA Langue africaine* du groupe mandingue, la langue principale du Mali. Le mandingue commun est à base de bambara (avec un apport malinké). Il a plus de 4 millions de locuteurs.

BAS-ALLEMAND Ensemble de parlers germaniques comprenant, outre les dialectes d'Allemagne du Nord, le hollandais, le flamand, le frison et autrefois l'ancien bas francique. → francique.

BASE Partie d'un mot ou d'une série de mots comprenant une racine* ou un thème*, cette base thématique étant le support de suffixes (on parle alors de *base suffixale*). On isole la base pour faire apparaître les phénomènes de formation morphologique, par exemple, en linguistique indoeuropéenne, l'alternance* vocalique. Les bases indoeuropéennes peuvent être mono-, di- ou polysyllabiques.

BASQUE (eskuara ou euskara) Langue non-indoeuropéenne, l'une des seules en Europe (avec le finnois, le hongrois, le lapon). Elle était parlée en Europe occidentale avant l'arrivée des premiers Indoeuropéens (Proto-Celtes), c'est-à-dire avant le IIe millénaire avant J.-C. Son origine est peut-être caucasique ; certains l'identifient avec le cantabrique*. — Aujourd'hui, le basque est parlé dans la province espagnole de ce nom (Navarre, Guipuzcoa, Álava, Biscaye) et en France (Pyrénées-Atlantiques). — Spécialement, forme normalisée de cette langue par rapport aux dialectes (→ basque, dans le dictionnaire).

BAVAROIS Ensemble de dialectes germaniques pratiqués en Bavière, en Autriche occidentale, en Styrie et en Carinthie. Ils étaient déjà représentés en ancien haut-allemand (→ allemand, dans le dictionnaire).

BÉARNAIS Dialecte occitan du Béarn (influencé par le basque, pour le lexique).

BELLAUD Argot des artisans jurassiens (→ argot, dans le dictionnaire).

BENGALI Langue indoeuropéenne (groupe oriental) parlée au Bengale. Elle possède une riche littérature. — Appartiennent au même groupe le *bihari*, l'*oriya* (Orissa), langues parlées elles aussi par de très nombreux locuteurs (plusieurs dizaines de millions), et l'*assamais* (vallée du Brahmapoutre).

BÉOTIEN Dialecte grec éolien de Béotie (→ grec, dans le dictionnaire).

BERBÈRE Ensemble de dialectes et parlers apparenté au groupe sémitique, de l'ensemble dit libyco-berbère. Une forme ancienne écrite (à partir du IIe s. av. J.-C.) est appelée libyque ; cette écriture est encore employée chez les Touaregs, mais les dialectes berbères sont surtout parlés (la langue écrite étant l'arabe). On distingue le tamashek (langue des Touaregs), le zenaga de Mauritanie, le berbère marocain (dont le chleuh), le berbère algérien dont la forme principale est le *kabyle* (nom arabe).

BERRICHON Parler gallo-roman d'oïl parlé dans le Berry.

BIÉLORUSSE Langue slave du groupe oriental, parlée en Biélorussie, distincte de l'ukrainien et du russe. On l'appelle parfois *blanc-russe*.

BISCAYEN Dialecte basque de Biscaye (Espagne).

BLACK ENGLISH Variété d'anglais parlé aux États-Unis (anglo-américain) par la population noire.

BOURBONNAIS Parler gallo-roman d'oïl parlé dans le Bourbonnais.

BOURGUIGNON Dialecte gallo-roman d'oïl parlé en Bourgogne. Les traits dialectaux bourguignons sont notables dans les textes d'ancien français.

BRETON Langue celtique appartenant au groupe brittonique (gallois, cornique) et parlée en Armorique (Bretagne) depuis l'arrivée des Celtes de (Grande-) Bretagne. → breton, indoeuropéen, 5, celtique, dans le dictionnaire.

BRITTONIQUE Groupe de parlers celtiques «insulaires» comprenant le gallois (pays de Galles), le cornique (Cornouailles anglaise) et le breton (parfois appelé brittonique continental). → indoeuropéen, 5, celtique, dans le dictionnaire.

BULGARE Langue slave du groupe méridional parlée en Bulgarie.

BURGONDE Langue germanique du groupe oriental (comme le gotique, le longobard), qui fut parlée au sud-est (et centre-est) de la Gaule. → burgonde, dans le dictionnaire.

BURLESQUE caractérise, en français classique (à partir de 1630-1640), un usage de la langue considéré à la fois comme archaïque et plaisant. Les références littéraires de ces emplois, qui représentent la conscience d'un passé linguistique encore actif, sont surtout Marot (on parle aussi de style *marotique*), Rabelais et, pour l'époque immédiatement précédente au jugement en question, les auteurs que nous nommons aujourd'hui baroques (Scarron, Sorel, etc.), redécouverts au XIXe s. par Gautier *(les Grotesques)*.

CACHEMIRI ou ***KASHMIRI*** Langue indo-aryenne (groupe du nord-ouest) du Cachemire, possédant une importante littérature ; elle a subi une forte influence iranienne.

CADUC se dit d'un phonème qui s'amuit fréquemment (→ amuïssement). Le *e* français *caduc* est appelé couramment *e muet*.

CAJUN (prononciation altérée de *(A)cadien*) Forme de français d'Amérique du Nord, implantée en Louisiane par les Acadiens déportés par les Anglais. On dit aussi français de la Louisiane, louisianais. → Québec, dans le dictionnaire.

CALABRAIS Dialectes italiens méridionaux parlés en Calabre.

CALÓ **1.** Langue mixte d'Espagne, formée d'espagnol et de romani (tsigane) créolisés. Le lexique contient des éléments de jargons espagnols et arabes. **2.** Argot espagnol des criminels.

CALQUE se dit de la traduction ou de l'adaptation en français d'un mot ou d'un groupe de mots appartenant à une autre langue (*libre-penseur,* calque de l'anglais *freethinker, bas-bleu,* pour *blue stocking, ce n'est pas ma tasse de thé,* etc.). C'est une des formes de l'emprunt*.
Le calque peut affecter une construction ; c'est alors une transposition d'une langue à l'autre.

CAMPANIEN Dialecte italien du Sud parlé en Campanie.

CANTABRIQUE Groupe de langues parlées au Ier millénaire avant l'ère chrétienne dans le nord-ouest de la péninsule ibérique. Certains l'identifient au basque* (→ espagnol, dans le dictionnaire).

CAS Aspect d'une forme nominale (flexion), faisant partie d'un paradigme appelé *déclinaison*,* incluant une forme considérée comme fondamentale (*cas direct,* le nominatif) et des formes secondaires *(cas obliques)*. Parmi les langues indoeuropéennes, le grec et le latin (notamment) présentent des cas. Des cas du latin procèdent les *deux cas* de l'ancien français, qui conservait un cas sujet* issu du nominatif latin (*companio>compain>*[copain]) et un cas régime* issu de l'accusatif *(companionem>compagnon)*. Pour les cas latins, → nominatif, accusatif, génitif, datif, ablatif, vocatif.

CASTILLAN Dialecte, puis langue romane de la Castille qui, en se substituant ou en se superposant aux autres parlers ibériques et au basque, est devenue la langue officielle de l'Espagne et s'est répandue en Amérique latine. → espagnol, dans le dictionnaire.

CATALAN Langue romane parlée en Catalogne, qu'on rattache en général à l'occitan (ensemble occitano-roman), ce qui en ferait un sous-ensemble des dialectes gallo-romans méridionaux, mais qui s'en est distinguée depuis le XIIIe s., se rapprochant de l'ibéro-roman. À côté de l'espagnol castillan, du galicien et du basque, le catalan est l'une des langues principales de l'Espagne actuelle (Catalogne, Baléares, province de Valence). Il est parlé en Andorre, en France (Pyrénées-orientales). La littérature catalane, d'abord confondue avec la littérature occitane, est spécifique du XIIIe s. à nos jours. → catalan, romanes (langues), dans le dictionnaire.

CAUCASIENNES se dit des langues nombreuses appartenant à un groupe distinct, parlées dans le Caucase, parmi lesquelles le tchétchène, l'ingouche (groupe du Nord), le tcherkesse, l'oubykh, l'abkhaz (Nord-Ouest), le géorgien (au sud). — L'arménien, langue indoeuropéenne, n'en fait pas partie.

CAUSATIF se dit d'une forme verbale exprimant que le sujet ne fait pas l'action lui-même, mais la fait faire. Le causatif est exprimé en français par le verbe *faire* suivi d'un autre verbe à l'infinitif. — Le causatif latin correspond à un élément spécifique (exemple, *sistare* «faire tenir debout», par rapport à *stare* «tenir debout»). — On dit aussi *factitif.*

CELTIBÈRE Langue disparue, appartenant comme le gaulois au celtique continental, qui fut parlée dans le nord de la péninsule hispanique. Elle correspondrait à un substrat ibère (venant d'Afrique du Nord) recouvert par le celtique, sous une forme différente du gaulois. Avec le cantabrique*, elle fait partie des substrats de l'espagnol. → espagnol, dans le dictionnaire.

CELTIQUE Famille de langues indoeuropéennes qui s'est répandue, venant d'Europe centrale (civilisation de Hallstatt), sur l'Europe occidentale et sur une partie de l'Europe orientale (jusqu'en Asie : les Galates en Anatolie). On distingue le celtique continental (gaulois, celtibère) et le celtique insulaire (dont fait partie le breton). — *Celtique,* s'agissant des Gaules, s'emploie parfois pour *gaulois** (lorsqu'il n'y a pas d'ambiguïté). → indoeuropéen, 5, celtique, gaulois, dans le dictionnaire.

CHAMITO-SÉMITIQUE Vaste groupe de langues où l'on regroupe, outre les langues sémitiques*, l'égyptien ancien, le libyco-berbère, le couchitique, groupes de langues trop hétérogènes pour que l'on conserve l'idée d'un véritable groupe chamitique.

CHAMPENOIS Dialecte gallo-roman d'oïl parlé en Champagne. Les traits dialectaux champenois sont notables dans les textes écrits (scriptae) de la région, en ancien français.

CHINOIS Langue parlée par le groupe humain le plus nombreux du monde, écrite depuis le XIVe s. avant l'ère chrétienne, et formée aujourd'hui et depuis longtemps (la langue parlée moderne est attestée à partir du VIIe s. : style *baihua*) de plusieurs groupes dialectaux (voir ci-dessous). Son écriture est à la fois idéographique et phonétique, les homophones étant distingués par des «clés»; ces caractères ont été empruntés par la langue japonaise.
Spécialement, *chinois* s'applique au dialecte le plus important (mandarin, aujourd'hui nommé *pu tong hua* «langue parlée commune»); sa notation écrite est commune à toute la Chine. Le mot se dit aussi de l'ensemble des dialectes parlés, environ 600, classés en 7 types (type nord : mandarin, parlé par 70 % de la population; centre-est : Shanghaï, Hangzhou; sud : cantonais). La prononciation normée officielle est celle de Pékin (1 % de la population).
Chinois classique : la langue écrite de style traditionnel *(wenyan)*.

CINGHALAIS Langue indo-aryenne assez spécifique parlée au Sri Lanka (alors que le sud de l'Inde appartient au domaine dravidien).

CLASSIQUE, dans *français classique, usage classique, époque classique,* désigne la période de la langue française qui commence peu après le début du XVIIe s. et s'achève après la Révolution de 1789. Plus précisément, cet adjectif qualifie l'usage du français normalisé d'Île-de-France dans la 2e moitié du XVIIe et au début du XVIIIe s. (fin du règne de Louis XIV), la période précédente (correspondant au *burlesque*) étant aujourd'hui nommée *baroque*, la suivante étant appelée *post-classique.*
L'adjectif s'emploie aussi à propos du sanskrit (par rapport au sanskrit védique et aux prâkrits), du grec (opposé à grec byzantin, moderne), du latin (opposé à latin archaïque et à latin impérial, à bas latin), de l'arabe (opposé aux dialectes, à l'arabe normalisé moderne, etc.), du chinois, etc.

CLICHÉ Expression fréquemment réemployée dans un certain type de discours, en général avec un jugement négatif (sur le plan stylistique).

COCKNEY Variété populaire et urbaine (à l'est de Londres) de l'anglais moderne.

COLLECTIF se dit de tout signe qui correspond à une somme ou un ensemble pluriel, et que ne distinguent pas les unités composantes. *Dizaine, centaine* sont des numéraux collectifs. *Foule, multitude* sont des noms collectifs; le suffixe *-ie* (dans *confrérie*) peut avoir valeur collective.

COMMUN, dans *sens commun, emploi, usage commun,* correspond à *général,* c'est-à-dire à «non technique», «non savant». On emploie aussi *courant* dans ce sens (mais en impliquant alors une fréquence).

COMPARAISON Le mot a dans cet ouvrage trois emplois distincts.
1. Il désigne la méthode par laquelle on met en relation des correspondances entre langues, afin d'aboutir, par exemple, à des reconstructions de formes disparues.
2. Il se dit du système formel par lequel une qualité est énoncée en elle-même (degré *positif*), par comparaison à une référence (*comparatif* de supériorité ou d'infériorité) ou comme supérieure par rapport à une autre, ou bien encore absolument *(superlatif)*. Les *degrés de comparaison* peuvent être exprimés par la morphologie (suffixes comparatifs), par des mots propres *(plus, moins, le plus, le moins)*.
3. Il s'applique aussi à une figure de style par laquelle deux termes sont explicitement comparés *(il est gros comme une baleine)*, alors que dans la métaphore* la comparaison est implicite *(c'est une baleine)*. Un mot peut être ainsi employé par comparaison (*tomate* dans *rouge comme une tomate*).

COMPLÉMENT Élément de la phrase, de l'énoncé, dépendant d'un autre élément qu'il «complète» (dans l'interprétation traditionnelle, de nature sémantique), qu'il s'agisse du nom *(complément déterminatif, nominal, de nom)* ou du verbe (*complément direct,* ou *d'objet* et *complément indirect* ou *relatif, secondaire, circonstanciel*). Dans le cas du verbe, on dit aussi *régime.* La fonction de *complément* (régime) s'oppose à la fonction de *sujet**.

COMPOSÉ s'applique à une unité formée de deux mots (ou d'un radical verbal et d'un mot) ou de plusieurs suites de mots *(grand-mère, pot-de-vin)* ou par l'ajout d'un élément préfixé à un autre mot *(antibrouillard)*. Certains composés ne sont pas signalés par un procédé graphique *(pomme de terre, point de vue)*; on peut les considérer aussi comme des syntagmes* lexicalisés.
Composition désigne le processus qui produit des composés à partir de mots (ou radicaux) appelés *composants.*

CONCEPT Idée générale, en particulier lorsqu'elle correspond à un schéma (structure) dynamique d'éléments mentaux. À chaque signifié d'un signe (par exemple les sens, les acceptions d'un mot, d'une locution) peut correspondre un concept, hors langage.
Par rapport à *notion*, concept* suppose une organisation plus stricte (et dynamique) des contenus de pensée. La terminologie scientifique a ainsi affaire à des concepts, le lexique affectif à des notions (mais la frontière est éminemment floue).

CONCRET se dit d'un objet accessible aux sens. Le *sens concret (signification, acception concrète)* relie le signe à une classe d'objets concrets; il s'oppose à *abstrait.* Le sens propre* d'un mot est souvent (mais non pas toujours) concret, les figurés pouvant être concrets ou abstraits.

CONNOTATION se dit du sens particulier que prend un mot ou un énoncé en fonction du contexte situationnel; la connotation s'oppose à la *dénotation* qui désigne l'élément invariant de signification; ainsi l'adjectif *sage,* appliqué à ce qui est fait avec discernement et prudence *(dénotation)*, s'emploie souvent avec la connotation «absence d'originalité».

CONTAMINATION Action modificatrice exercée par un terme, un élément, sur un autre auquel il est associé. La contamination peut aboutir à un croisement*.

CONTINUER, CONTINUÉ s'applique à une forme issue par évolution régulière d'une forme antérieure (cf. aboutissement, hérité de...).

CONTRACTION Réunion de plusieurs éléments vocaliques successifs en un élément unique. Une forme résultant d'une contraction est dite *contractée.* En grec, les déclinaisons et conjugaisons contractées présentent une fusion de la voyelle finale du thème* avec la voyelle initiale de la désinence.

CONTRAIRE → ANTONYME

COPTE Forme évoluée (à partir du IIIe s.) de l'égyptien* ancien, divisée en dialectes.

COPULE Terme de liaison, notamment conjonction de coordination et verbe «être», unissant l'attribut au sujet.

CORÉEN Langue parlée en Corée. On distingue le coréen ancien et le coréen moderne, disposant d'un alphabet original (XVe s.).

CORNIQUE Langue celtique du groupe brittonique parlée jusqu'au XVIIIe s. dans la Cornouailles anglaise.

CORSE Ensemble dialectal italien, proche des parlers de la région de Gênes, parlé en Corse comme langue maternelle, concurremment avec le français. → corse, dans le dictionnaire.

COURANT caractérise l'usage d'un élément (ou d'une règle) linguistique lorsqu'il est répandu dans la majorité des locuteurs et qu'il est normal à un moment donné (ce qui exclut qu'il puisse être vieilli, désuet ou archaïque). *Courant* s'oppose d'une part aux emplois «marqués» comme stylistiques (à *soutenu,* à *littéraire*), d'autre part aux emplois qui ne sont propres qu'à une partie des locuteurs, étant réservés à un discours de spécialité (*courant* s'oppose alors à *didactique, scientifique, technique*). *Courant* ne concerne qu'une caractéristique statistique dans l'usage et s'oppose de façon générale à *rare.*

CRÉOLE langue transmise de parents à enfants — à la différence des pidgins —, au lexique en majeure partie emprunté à une langue européenne, à la syntaxe originale, d'usage national et officiel dans plusieurs États. Voir l'article dans le dictionnaire.

CROISEMENT Action réciproque de deux formes ou éléments apparentés, agissant par contamination* et déterminant l'apparition d'un troisième élément ou forme. Le croisement des verbes latins *reddere* et *prendere* a produit le français *rendre.*

CRYPTOLOGIQUE On parle de la fonction cryptologique de certains usages (par exemple l'argot) pour qualifier le caractère secret d'un échange par rapport à ceux qui n'appartiennent pas au groupe et ne connaissent pas son code. → argot, dans le dictionnaire.

CYMRIQUE Autre nom du gallois, langue celtique du pays de Galles. → celtique. On écrit aussi *kymrique.*

CYPRIOTE Dialecte grec antique de Chypre.

DALMATE Langue romane disparue (2e moitié XIXe s.), issue de l'illyro-roman*, qui était parlée sur la côte de Dalmatie. Le ragusain, parlé à Raguse (Dubrovnik), était un dialecte dalmate. → romanes (langues), 9, dans le dictionnaire.

DANOIS Langue germanique du groupe nordique, parlée au Danemark, au Groenland, et qui fut la langue officielle et littéraire de la Norvège (jusqu'au XVIIIe s.). Le *féroïen* est un dialecte danois.

DATIF est le cas* d'une déclinaison exprimant le plus souvent la fonction de complément d'attribution ou de destination (p. ex. en latin).

DAUPHINOIS Ensemble de dialectes gallo-romans, franco-provençaux (au nord) et occitans (au sud) du Dauphiné.

DÉCLINAISON Système de formes nominales (noms et adjectifs) correspondant à une morphologie (flexions) et comportant un cas appelé direct (nominatif; cas sujet) et des cas dits obliques (accusatif, génitif, datif), ces derniers parfois réduits à un seul (cas régime, par exemple en ancien français). → cas. Ces langues flexionnelles présentent plusieurs types de déclinaisons.

DÉFECTIF s'applique à un verbe (ou à un nom déclinable) auquel manquent certaines formes de conjugaison (de déclinaison) dans l'usage; par exemple *gésir,* en français moderne, utilisé encore à l'imparfait et quelquefois à l'infinitif dans la langue écrite, ne s'emploie plus couramment qu'au présent, surtout dans *ci-gît,* et au participe présent *(gisant).*

DÉGLUTINATION Séparation (non morphologique) des éléments d'une unité lexicale. S'oppose à *agglutination* et porte souvent sur le déterminant : ancien et moyen français *m'amie* donnant *ma mie.*

DÉICTIQUE, DÉIXIS concernent la fonction de désignation précise par un signe. Dans le lexique, les démonstratifs assument la fonction déictique.

DÉNOMINATIF s'emploie pour un verbe et, plus largement, pour un adjectif ou un nom formés à partir du radical d'un nom; *sabrer* est le dénominatif de *sabre.* Ce terme s'emploie surtout à propos de la dérivation en latin; en français, on se contente en général du terme *dérivé** (le fait que le mot de départ est un nom étant clair). *Dénominatif* s'oppose à *déverbatif* «dérivé d'un verbe».

DÉNOMINATION, DÉNOMMER concerne la relation sémantique de désignation* entre un nom (éventuellement un terme) et ce à quoi il correspond.

DÉNOTATION → CONNOTATION

DÉPONENT se dit en latin de l'ensemble des formes verbales considérées comme intermédiaires entre la voix active et le passif (présentant les formes passives, elles sont dépourvues — *deponens* — des formes de l'actif; de sens actif, les significations passives leur font défaut). → moyen.

DÉRIVÉ désigne un mot formé par addition ou remplacement d'un suffixe à un radical : *imprimerie,*

imprimeur sont dérivés de *imprim-* (représenté par *imprime, imprimer,* etc.). Certains noms dérivés de verbes sont appelés déverbaux* ; les dérivés de noms peuvent être dits dénominatifs*. Un *dérivé régressif* est formé par suppression de suffixe (→ déverbal). — On appelle *dérivé savant* (dans les langues modernes) celui qui est obtenu par l'addition d'un suffixe à un radical latin ou grec (*ubiquité*, du latin *ubique*) ou bien par l'addition à un radical d'un suffixe tiré du latin ou du grec *(bronchite).*
Dérivation désigne le processus de formation de dérivés sur un radical.

DÉSIGNATION, DÉSIGNER concerne le rapport entre un signe du langage (mot, locution, syntagme lexicalisé) et la classe d'objets (de choses ou d'êtres) auquel il se réfère. À la différence de *signifier**, *désigner* est suivi dans cet ouvrage de la description de la classe d'objets sans guillemets, car il ne s'agit pas de signification, de sens, mais de la réalité extralinguistique. — La désignation est le plus souvent assumée par des noms, d'où l'emploi de *dénommer, dénomination.* → aussi référence, référer à.

DÉSINENCE Élément morphologique qui peut s'ajouter à la partie stable d'une unité lexicale (radical, thème) pour former un cas dans une déclinaison, une personne, un temps, un aspect, un nombre, une voix, etc., dans une conjugaison (→ flexion).

DÉSUET caractérise un fait de langue (lexique ou syntaxe) qui, tout en étant encore possible dans l'usage contemporain normal (à la différence de *vieux,* de *archaïque*), entraîne des connotations de mise à l'écart par rapport aux courants de la mode. Le mot, le sens désuet peut être *vieilli,* mais *désuet* ajoute au contenu chronologique un jugement social.

DÉSUÉTUDE «état de ce qui est désuet» est plus fort que l'adjectif dans *tombé en désuétude* qui peut correspondre à *archaïque, sorti d'usage.*

DÉVERBAL désigne un nom dérivé à partir du radical d'un verbe et spécialement un nom formé sans suffixe *(bondir/bond, bouffer/la bouffe)*; on dit aussi, dans ce cas, *dérivé* régressif.*

DÉVERBATIF se dit d'une forme dérivée d'un verbe, en général, et s'oppose à *dénominatif**.

DIACRITIQUE se dit d'un signe graphique, par exemple un accent, qui permet de ne pas confondre des mots homographes *(ou/où),* et n'a pas de rôle fonctionnel. Dans les translittérations en caractères latins, les diacritiques suppléent les insuffisances de ces caractères à transcrire les oppositions fonctionnelles notées dans l'écriture originale.

DIALECTE Forme d'une langue ayant son système propre (phonétique, syntactique, lexical), utilisée sur un territoire donné. Linguistiquement, le dialecte a toutes les caractéristiques d'une langue ; socialement, il n'a pas acquis le statut politique et culturel attaché à la notion sociale de langue. Un dialecte, plus ou moins traité et normalisé, peut devenir une langue nationale (exemple : le dialecte toscan florentin pour l'italien). Subdivisé et maintenu à l'état d'usage parlé sur un territoire rural limité, c'est un patois*.
Dialectal se dit d'une forme ou d'un emploi provenant d'un dialecte et n'appartenant pas, au moins à l'origine, à l'usage général de la langue à laquelle le dialecte se rattache. → régional. Un mot de *formation, d'origine dialectale (mot dialectal, forme dialectale)* est un mot présumé dialectal qui est passé en français.

DIDACTIQUE s'applique à un signe (mot, locution) ou à un emploi qui n'appartiennent pas à l'usage courant et sont propres aux discours de spécialité : scientifique, technique, juridique, etc. Ils correspondent en général à l'existence d'une terminologie.
L'usage didactique s'oppose à l'usage *courant, général,* mais peut être *fréquent.*

DIÉRÈSE est un terme de phonétique désignant la prononciation de deux voyelles consécutives en deux syllabes *(tri-er)*; la diérèse peut être indiquée par un tréma *(noël).*

DIMINUTIF se dit d'un élément de formation, d'un mot exprimant la petitesse (relative). Exemple : le suffixe *-et, -ette* en français. S'oppose à *augmentatif.*

DIOULA *(dyula)* L'une des trois principales langues africaines du groupe mandingue, parlée en Côte-d'Ivoire, souvent comme langue seconde (véhiculaire), et au Burkina-Faso.

DIPHTONGUE désigne en phonétique une voyelle dont la tenue comporte une variation de timbre, par changement d'articulation au cours de son émission. L'ancien français connaissait des diphtongues (le *eu* de *fleur*) et des triphtongues *(eau)* qui ont disparu, alors que leur notation graphique s'est perpétuée.

DISCUTÉ *Origine, étymologie discutée,* à propos de laquelle plusieurs hypothèses ont été émises, aucune ne l'ayant emporté. Se distingue d'*obscur.*

DISSIMILATION se dit de la différenciation de deux phonèmes identiques d'un mot : le latin *honorem* (accusatif de *honor*), puis °*onor,* devient en ancien français *enor* par dissimilation des deux *o.* S'oppose à *assimilation.* On parle parfois de *dissimilation partielle, progressive* ou *régressive.*

DISTRIBUTIF se dit d'un terme exprimant que le signifié s'applique individuellement aux objets d'une classe, notamment d'adjectifs numéraux dont le sens est «un par un», «deux par deux», etc.

DORIEN Dialecte du grec ancien occidental. → grec, dans le dictionnaire.

DOUBLET désigne, l'une par rapport à l'autre, deux formes (mots) de même origine, de même étymon, mais constituées par des processus différents. En français, *doublet* concerne deux mots provenant du même étymon latin, mais dont l'un s'est formé par voie orale et évolution phonétique (forme dite «populaire», c'est-à-dire «issue», «héritée» du latin populaire), l'autre, plus proche en apparence de son origine, par emprunt écrit (forme «savante», emprunt au latin écrit, classique ou chrétien). Exemple : *rançon,* mot hérité, et *rédemption,* emprunt du même mot latin *redemptio(nem).* On dit aussi *doublet étymologique.*
On peut parler de doublets hors de ce cas spécial pour deux formes, et même pour deux sens («doublets sémantiques») étroitement apparentés.

DRAVIDIEN Ensemble de langues *(langues dravidiennes)* non indoeuropéennes parlées dans le sud de l'Inde. Les plus importantes sont le tamoul, le malayalam, le cannara (kannara), le télougou *(telugu)*. Chacune de ces langues est parlée par plus de 10 millions de personnes; elles sont toutes écrites et littéraires; le tamoul et le télougou possèdent une très riche littérature.

DUEL Catégorie du nombre, dans certaines langues (notamment le grec), distincte du singulier et du pluriel et s'appliquant à deux objets.

ECCLÉSIASTIQUE se dit du latin d'Église* (aussi appelé *latin religieux, latin chrétien*).

ÉCOSSAIS 1. (gaélique d'Écosse: *gaidhelach*). Langue celtique d'Écosse, venue d'Irlande au ve s., évinçant alors le picte et d'autres dialectes brittoniques. L'écossais a reculé partout devant l'anglais, malgré la richesse de sa tradition culturelle et littéraire. → celte.
2. Forme régionale de l'anglais parlé en Écosse.

ÉGLISE (D') (langue, usage, latin, français... de l'Église, d'Église) Usage particulier d'une langue, en particulier du latin tardif (impérial et médiéval) et de l'ancien français, dans les activités de l'Église chrétienne. Parmi les usages spéciaux de ces langues, celui de l'Église a une importance particulière dans le passage du latin tardif au français et surtout dans les emprunts au latin.
On dit aussi *latin ecclésiastique, latin chrétien*. Le *latin biblique* (de la Vulgate) en fait partie.

ÉGYPTIEN 1. Égyptien antique. Langue qui fut parlée en Égypte dans l'Antiquité et écrite dans le système hiéroglyphique. → aussi copte.
2. Variété d'arabe* de l'Égypte moderne.

ÉLARGISSEMENT Addition d'un morphème (affixe) à un mot ou à une racine (un thème).

ÉLATIF Superlatif absolu, dans certaines langues (en latin, arabe...).

ÉLÉMENT Terme général désignant toute partie d'une unité linguistique isolable par l'analyse: phonème, morphème (affixe; préfixe, infixe, suffixe), racine, radical, thème. Un *élément de formation*, servant à former une unité nouvelle, est parfois appelé *formant*.

ELLIPSE Omission d'un élément du discours (mot, etc.) dont le sens est conservé dans l'énoncé. Les formes, constructions, locutions comportant une ellipse sont dites *elliptiques*. Certaines évolutions de sens se font par ellipse d'un élément d'abord exprimé (on dit qu'il a tel sens *elliptiquement*).

ÉMILIEN-ROMAGNOL Dialectes italiens du Nord parlés en Émilie et en Romagne.

EMPHATIQUE (sens sécial en phonétique). Dans les langues sémitiques (hébreu, arabe...), caractérise une articulation par contraction du pharynx, donnant à une consonne une sonorité particulière (voisine des consonnes vélaires).

EMPRUNT 1. Processus par lequel une langue reçoit d'une autre langue un élément linguistique, le plus souvent un élément lexical, mot, locution. L'emprunt concerne en général le signe global (forme signifiante et signifié); si l'élément emprunté est un signifié, la forme étant transposée, traduite, on parle de *calque*. — L'emprunt allant d'une source (son *étymon*) à un néologisme dans la langue d'accueil, on parle d'un mot *emprunté à* (telle langue, tel élément de la langue-source) pour souligner le prélèvement.
2. Unité du lexique qui est intégrée à une langue et qui n'a pas subi les évolutions internes de la langue qui l'emprunte (on l'oppose ici aux unités *héritées, issues* d'une autre langue). Ces emprunts peuvent être globaux, ou seulement sémantiques (voir ci-dessus); ils peuvent être écrits ou oraux.

ÉOLIEN Groupe de dialectes grecs antiques, comprenant le béotien, le thessalien et l'éolien d'Asie. L'éolien de Lesbos a laissé des textes littéraires importants (Sappho, Alcée).

ÉPENTHÈSE 1. Apparition d'un phonème non étymologique à l'intérieur d'un mot ou d'un groupe de mots (exemple: le *p* de *dompteur*).
2. En grec, combinaison d'un *yod* (semi-consonne prononcée [j] comme dans *ailleurs*) avec la voyelle qui précède certaines consonnes (nasales, liquides ou spirantes).

ÉPICÈNE → GENRE

ÉPITHÈTE Adjectif «accolé» (grec *epithetos*) à un nom et formant avec lui un groupe, souvent un nom qualifié. S'oppose à *attribut* (l'adjectif formant prédicat).

ÈQUE Langue italique* rattachée au groupe osco-ombrien (→ osque).

ESKIMO → INUIT

ESPAGNOL 1. Ensemble des dialectes romans parlés dans la péninsule ibérique (à côté du galicien-portugais et du catalan); on parle aussi d'hispano-roman et d'ibéro-roman. Outre le galicien-portugais et le catalan, qui ne sont pas inclus dans l'espagnol, on distingue le castillan, l'asturien-léonais, le navarro-aragonais, le mozarabe.
2. Le castillan, langue commune moderne de l'Espagne (à côté du catalan, du galicien, du portugais — romans — et du basque), avec des variantes régionales, et de toute l'Amérique centrale et méridionale (à l'exception du portugais — au Brésil — et de langues amérindiennes). → espagnol, romanes (langues), dans le dictionnaire.

ESPRIT En grec, façon d'attaquer une voyelle à l'initiale et notation de cette attaque, l'*esprit dur* (ʽ) correspondant à une aspiration, l'*esprit doux* (ʼ) à une attaque non aspirée.

ÉTAT Dans la caractérisation des verbes, s'oppose à action*. Le *verbe d'état* par excellence est *être* et ses équivalents.

ÉTRUSQUE Langue qui fut parlée dans le centre de l'Italie (mais qui n'appartient pas au groupe italique), attestée par de nombreuses inscriptions mal déchiffrées, et qui n'était pas de type indoeuropéen.

ÉTYMOLOGIE Science qui étudie l'ascendance et la filiation d'un mot ou d'une famille de mots, qui en

retrace l'histoire en s'appuyant sur des critères phonétiques, morphologiques et sémantiques (→ étymologie, dans le dictionnaire.)
Étymologie populaire. Phénomène par lequel le sujet parlant rattache une forme à une autre, alors qu'elles n'ont entre elles aucun lien génétique. L'étymologie populaire entre en jeu la plupart du temps lorsque le sujet parlant ne peut plus analyser et identifier un mot. Un de ses procédés est l'attraction* paronymique.
Étymologie savante. Étymologie produite par le sujet parlant érudit qui, dans sa recherche, fait en particulier appel à sa connaissance de l'histoire de la langue. L'étymologie savante n'est pas forcément correcte.
Étymologie scientifique. Étymologie vérifiée à l'aide des règles phonétiques, morphologiques, etc. qui régissent l'histoire de la langue en question. Lorsqu'elle n'est pas établie, on parle d'*étymologie obscure*, en l'absence d'hypothèse vraisemblable, et d'*étymologie discutée, douteuse*, en présence de plusieurs hypothèses en conflit.

ÉTYMON désigne un mot (d'une langue différente) que l'on considère comme donnant l'origine d'un autre mot; il peut s'agir d'une forme connue, attestée (*caballus* est l'étymon latin de *cheval*), supposée (francique *°blâd*, étymon du français *blé*) ou d'un radical «expressif» (gallo-roman *°gob-*, étymon du français *gober, gobelet*).

EUPHÉMISME Procédé d'atténuation qui consiste à remplacer un signe (mot, locution) jugé déplaisant ou à éviter (dans une circonstance de communication donnée) par un mot ou une expression moins explicites. Un emploi *par euphémisme* est parfois dit *euphémistique*. — Le terme s'applique aussi à l'expression de remplacement. L'euphémisme porte souvent sur des mots tabous (sexuels, scatologiques, blasphématoires...).

EUPHONIQUE se dit d'un élément employé pour obtenir une sonorité agréable ou plus agréable. Ces éléments (voyelles, syllabes de liaison) sont employés *par euphonie*.

ÉWÉ Langue africaine* du groupe kwa, parlée au Ghana, au sud du Togo et du Bénin (environ 1 600 000 locuteurs).

EXPRESSION **1.** Mode d'énoncé spécifique. Spécialement, la locution* (unité du lexique) en tant que manière d'exprimer quelque chose, souvent au moyen d'une figure (métaphore, métonymie, comparaison...). On parle ainsi d'*expression figurée*. Du point de vue de la forme fonctionnelle, les expressions sont dites locutions*. L'ensemble des expressions et locutions est appelé *phraséologie*. Avec les mots, elles forment l'essentiel du lexique.
2. *Expression* a un tout autre sens dans la théorie sémantique : le terme s'oppose alors à *contenu*.

EXTENSION **1.** De nombreux sens et emplois de mots, de locutions sont obtenus dans l'histoire de la langue par une «extension» logique et sémantique. On parle alors aussi de sens *étendu* (ou *extensif*), par opposition à *spécial* ou *spécialisé*. L'extension fait partie des figures de sens (ou tropes) et suppose que l'unité lexicale désigne plus d'objets qu'auparavant (son extension logique — ci-dessous — s'accroît); en même temps, sa signification s'élargit et sa définition comprend moins de spécification (sa compréhension logique diminue). Ce processus s'oppose souvent à la *spécialisation**.
2. Ne pas confondre cet emploi, qui relève du vocabulaire général, avec le sens technique du mot *extension* en logique. L'extension d'un terme correspond à l'importance de la classe logique dont il peut désigner les éléments : elle est souvent indéterminée, elle peut se réduire à un (*soleil, lune,* tous les noms propres); dans ce sens, *extension* s'oppose à *compréhension*.

FACTITIF Synonyme de *causatif**.

FALISQUE Parlers italiques* de type latin (distincts du latin).

FAMILIER s'applique à un mot, à un style, à une expression qui sont employés couramment dans la conversation ordinaire ou dans certaines productions écrites (souvent pour évoquer le discours oral spontané), mais évités dans un contexte où un langage plus contrôlé s'impose. *Familier* se distingue de *populaire** ou *vulgaire**. Il s'oppose à *soutenu**.

FAMILLE (de mots) Notion qui peut être étymologique, morphologique ou morphosémantique. La *famille étymologique* se définit par rapport à un certain niveau du processus, soit dans une langue, dans toute la durée de son histoire ou encore en sélectionnant seulement les unités encore en usage; soit dans un ensemble de langues issues de la même origine (famille romane issue d'une même origine latine, famille germanique, etc.). À une famille au sens large correspond en général une racine. — La *famille morphologique* correspond au système d'une langue à un moment donné (synchronie). La *famille morphosémantique* est un sous-ensemble de la précédente, et suppose une communauté de sens.

FANTI Langue africaine parlée au Ghana.

FÉROÏEN Langue germanique du groupe nordique (distincte du danois), parlée aux îles Féroé.

FIGURE, sens ***FIGURÉ*** → figure dans le dictionnaire, et aussi (dans le glossaire) métaphore, métonymie, sens. *Par figure* équivaut à *au figuré*, mais insiste sur l'aspect dynamique du processus.

FINNOIS **1.** Groupe de langues finno-ougriennes* dont les principales sont parlées en Finlande (suomi), en Estonie (este) et en Carélie (carélien). Avec le hongrois et le basque, le finnois est l'une des rares langues non indoeuropéennes d'Europe.
2. Finnois suomi de Finlande, parlé concurremment dans ce pays avec le suédois (sud-ouest du pays).

FINNO-OUGRIENNES se dit d'un ensemble de langues ouraliennes comprenant trois langues principales européennes : le lapon, le finnois* (y compris l'este d'Estonie), le hongrois* et des langues d'Asie (tchérémisse ou mari; votiak, zyriène, ostiak, vogoul...).

FLAMAND Ensemble des parlers germaniques (bas-allemand) des Flandres, qui ont cours en Belgique du Nord et dans l'extrême nord-est de la France. Le flamand appartient à l'ensemble néerlandais.

FLEXION Processus morphologique par lequel, dans certaines langues appelées *flexionnelles*, un mot ou son radical est affecté d'affixes (→ désinence) exprimant des rapports grammaticaux entre les éléments de l'énoncé : les cas des déclinaisons (noms, adjectifs), les formes des conjugaisons (verbes) en font partie. — La *flexion radicale* joint les affixes à la racine (langues sémitiques), la *flexion thématique* à un thème (racine + élément thématique). — On parle aussi de *flexion verbale, nominale* et *pronominale*.

FONCTION se dit du rôle que joue un élément dans la structure de la phrase, de l'énoncé. À certaines *fonctions* correspond une *forme* propre.

FORMATION se dit de la production d'une unité linguistique à partir d'éléments appelés *formants*, notamment en morphologie (par exemple dérivation, composition). → former.

FORME **1.** Le mot, en linguistique, désigne la réalisation matérielle, l'aspect matériel (phonétique et graphique) d'une unité plus abstraite de la langue ou de plusieurs langues apparentées (les *formes romanes* — française, italienne, espagnole, portugaise, etc. — d'un type latin). Les formes d'un mot dans une langue sont ses variantes*.
2. On emploie aussi *formes* à propos des réalisations morphologiques d'un mot à flexions (noms et adjectifs : *forme masculine, féminine, du pluriel;* verbes : *formes du présent, du passif, de la première personne*...).

FORMER se dit du processus par lequel un ou plusieurs éléments aboutissent à une forme nouvelle, notamment à une forme du lexique. La formation des mots s'appelle la morphologie* (au sens dynamique). — On dit par exemple qu'un suffixe, un préfixe, un élément savant «servent à former» tant de composés ou dérivés. *Servir à former* est quasi-synonyme de *produire*.

FRANÇAIS Langue romane parlée en France, où elle est largement majoritaire; plus largement, ensemble des parlers gallo-romans d'oïl. On distingue historiquement : — le roman*, stade intermédiaire entre le latin populaire des Gaules et l'ancien français; — l'ancien* français (fin x^e-mil. xive s.); — le moyen* français (mil. xive-déb. xviie s.); — le français classique et post-classique (xviie-xviiie s.); — le français moderne et contemporain (xixe-xxe s.).
Spécialement : cette langue, depuis le xve ou le xvie s. jusqu'à nos jours, à l'exclusion des dialectes et patois; de ce point de vue, l'ancien français n'est pas (encore) du français.

FRANC-COMTOIS Dialecte gallo-roman d'oïl parlé en Franche-Comté.

FRANCIEN Ensemble des formes linguistiques d'oïl propre à la langue dominante de Paris et d'Île-de-France et débarrassé des traits dialectaux (picards, normands, bourguignons, champenois, etc.) qu'on repère dans certains textes. Assimilé à tort à un dialecte d'Île-de-France (→ français, francien, dans le dictionnaire).

FRANCIQUE **1.** Langue germanique du groupe occidental, ancêtre du néerlandais, qui fut parlée par les Francs, d'où sa grande importance pour le français. Elle faisait partie de l'ensemble bas-allemand. → francique, dans le dictionnaire.
2. Ensemble de dialectes du haut-allemand ancien et moderne parlés en Rhénanie, en pays mosellan. Le groupe des parlers franciques, divisés en oriental, rhénan et «moyen», est représenté dès l'ancien haut-allemand. → allemand, dans le dictionnaire.

FRANCONIEN Dialecte allemand de Franconie.

FRANCOPHONIE Ensemble des usages de la langue française, que ce soit comme langue maternelle (France, Belgique, Suisse, Québec, Acadie...), langue nationale maternelle ou non (départements et territoires d'outre-mer de la France, où le français coexiste souvent avec un créole* français), ou encore langue officielle (nombreux États africains indépendants), enfin langue étrangère à fonction particulière (Maghreb). — Spécialement. Usages collectifs du français hors de France.
Au sens large, usage du français, même individuel, notamment lorsqu'il n'est pas langue maternelle.

FRANCO-PROVENÇAL Ensemble de dialectes gallo-romans considérés comme intermédiaires entre la zone des dialectes d'oïl et celle des dialectes d'oc, marqué par le superstrat germanique burgonde, et correspondant à la région de Lyon, à l'ensemble des dialectes de Suisse romande. → burgonde et suisse dans le dictionnaire.

FRÉQUENTATIF se dit d'une forme verbale qui indique la répétition ou la continuation de l'action signalée par la racine du verbe; courante en latin, elle est caractérisée en français par un suffixe de type *-ailler (criailler), -oter (tapoter)* ou par le préfixe *re- (reprendre)*. Cette valeur dite plutôt *itérative*, est parfois recouverte, en français moderne, par celle de diminutif *(chantonner)*.
Certains fréquentatifs, par exemple, en français, les verbes préfixés en *re-*, se confondent avec l'intensif. → aspect.

FRIOULAN Dialecte rhétoroman* de l'Est, parlé dans la région d'Udine, en Italie. Bien que parlé en Italie, ce n'est pas un dialecte italien; il est caractérisé par de nombreux emprunts germaniques et italiens. → romanes (langues).

FRISON Langue germanique qui fut la rivale du francique et du saxon dans les Pays-Bas et dont subsistent trois dialectes parlés dans la province de Frise (Pays-Bas) et les îles de la côte du Schleswig. Elle est proche de l'anglo-saxon.

GAÉLIQUE (ou *goïdélique*) Branche de la famille des langues celtiques (celtique insulaire) comprenant l'irlandais, l'écossais et le manxois (île de Man). → indoeuropéen, celtique, dans le dictionnaire.

GALICIEN (GALLEGO) Langue romane formée par l'ensemble des dialectes parlés au nord-ouest de l'Espagne et qui est à l'origine de la langue portugaise. → langues romanes, dans le dictionnaire.

GALLO Ensemble des dialectes gallo-romans d'oïl parlés en Bretagne orientale (Haute-Bretagne) jusqu'à une époque récente. La frontière entre gallo et breton a peu varié depuis des siècles.

GALLOIS Langue celtique du pays de Galles, attestée à partir du VIIIe s. (*vieux-gallois* jusqu'au XIIe s.; *moyen gallois*, XIIe-XVe s.; *gallois moderne*). La langue *(Cymraeg)* descend des dialectes celtes dominants en Grande-Bretagne avant les conquêtes des Anglo-Saxons; sa littérature est abondante, tant au moyen âge qu'à l'époque classique et moderne. Quatre grands dialectes la divisent géographiquement. Le gallois est enseigné et résiste mieux que le gaélique d'Écosse à l'omniprésence de l'anglais. → celtique, indoeuropéen, 5, dans le dictionnaire.

GALLO-ROMAN Ensemble des parlers issus du latin parlé (latin populaire ou «vulgaire») dans le territoire des Gaules, subdivisé en dialectes occitans (→ occitan, dans le dictionnaire), franco-provençaux (France de l'Est central et méridional, Suisse) et d'oïl (moitié nord de la France, Belgique et, pour les dialectes de l'Ouest, français du Canada). → dialecte, français, latin, romanes (langues), dans le dictionnaire.

GASCON Ensemble des dialectes gallo-romans occitans de Gascogne, formant une entité spécifique dans l'ensemble occitan. L'ancien gascon revêt une grande importance linguistique et littéraire (→ occitan, dans le dictionnaire).

GAULOIS Langue indoeuropéenne du groupe celtique continental, parlée en Gaule depuis le milieu du deuxième millénaire avant l'ère chrétienne par les Celtes venus d'Europe centrale et par les populations celtisées. Le celtibère* du nord de l'Espagne lui était apparenté. Entre 400 et 200 avant J.-C., toute la Gaule parlait gaulois, mais, après l'invasion du pays par César et le triomphe de l'Empire romain, la langue fut progressivement remplacée par le latin (entre le Ier et le Ve siècle, époque où le celte a pratiquement disparu du territoire, peu avant que d'autres Celtes, venus des Îles Britanniques, n'importent le breton en Armorique. Les traces du gaulois dans le latin des Gaules, puis le roman et enfin le français sont importantes en profondeur (substrat), mais faibles dans le lexique (entre 100 et 150 mots, d'ailleurs importants, et souvent d'origine discutée). → gaulois et langues celtiques, dans le dictionnaire.

GÉNÉRAL s'applique à tous sens, emplois, usages qui ne sont pas *spéciaux* ou *spécialisés* et qui concernent l'ensemble des locuteurs et, pour les significations *(sens général)*, celles qui n'appartiennent pas à un domaine défini. On dit parfois aussi *commun* ou, avec l'idée de norme sociale, *courant*.

GÉNITIF Cas* de la déclinaison latine exprimant notamment la fonction de complément de nom. La forme du génitif, donnée pédagogiquement à la suite du nominatif* *(dies, diei)*, permet de reconnaître la déclinaison (il y en a 5 en latin) à laquelle appartient le mot. On indique ici principalement le génitif des imparisyllabiques *(pax, pacis; opus, operis)*, la forme du nominatif ne fournissant pas l'étymon du français, et l'accusatif (qui donne le cas régime de l'ancien français) étant formé sur le même radical que le génitif *(pacem)*.

GENRE Catégorie concernant les noms et reposant (au moins dans le domaine indoeuropéen) sur la conception sexuée des objets désignés : mâle (masculin), femelle (féminin) et non sexuée (neutre). Ce «genre naturel» est théorique, les langues classant formellement les noms de manière relativement arbitraire *(genre grammatical, formel)*. Le genre grammatical et le genre «naturel» se rapprochent dans le domaine des êtres animés. — Certains noms désignant indifféremment des êtres mâles et femelles (des hommes et des femmes) sont appelés *épicènes*, quel que soit le genre formel, notamment lorsqu'ils peuvent prendre les deux genres formellement *(un, une mannequin, un, une dactylo, un, une élève)*.

GÉRONDIF Dans certaines langues, formes correspondant à un mode du verbe à fonction substantive, exprimant l'action à accomplir. Le gérondif latin, en *-ndum* (*-endum*, *-indum*, etc.), correspond au neutre (invariable) de l'adjectif verbal en *-ndus*.

GOTIQUE Langue germanique du groupe oriental (ou «ostique») disparue en Occident au VIIIe s., connue par une traduction de la Bible faite au IVe s. (Wulfila). Elle était parlée par les Wisigoths (on parle parfois d'ostrogotique pour la langue des Ostrogoths). → germanique, gotique dans le dictionnaire. — REM. On écrit *gotique* en linguistique, mais *gothique* en histoire de l'art (pour un style qui n'a d'ailleurs rien à voir avec les Goths).

GRAPHIE C'est ce qu'on nomme communément l'orthographe (d'un mot), mais *orthographe* suppose le respect d'une règle, alors que *graphie* ne désigne que la forme matérielle dans l'écriture, sans jugement de valeur. — *Graphier* s'emploie quelquefois pour «écrire (de telle ou telle façon)».

GREC Langue indoeuropéenne en usage dans la péninsule hellénique depuis le début du second millénaire avant l'ère chrétienne. Après le mycénien, le grec est divisé en groupes dialectaux (ionien et attique; arcadien et cypriote [Arcadie; Chypre], éolien, dorien); sauf le cypriote, tous ces dialectes emploient un alphabet qui contribuera à leur diffusion. Une langue conventionnelle à base d'ionien se dégage au VIIIe s. avec les épopées homériques; à partir du IVe s., le dialecte attique avec des modifications, devient la langue commune *(koinê)*.
On distingue le *mycénien* (jusqu'à 1200 av. J.-C.), le *grec homérique* (VIIIe s.), le *grec ancien classique* (à base d'ionien et d'attique), VIIIe-IVe s. av. J.-C., le *grec hellénistique* (IVe-Ier s. av. J.-C.), le *grec chrétien*, le *grec* dit *«tardif»* (Ier-IVe s.), le *grec byzantin* (IVe-XVe s.), le *grec moderne* (à partir du XIVe s.).
Le grec fut, après le latin, le plus grand fournisseur d'emprunts au français (moyen français, surtout XVIe s. et français classique). En français moderne, il demeure, avec le latin, le plus grand fournisseur de racines savantes et alimente les terminologies scientifiques et techniques dans toutes les langues indoeuropéennes. → grec, dans le dictionnaire.

GUARANI Langue amérindienne du Paraguay, apparentée au tupi*. C'est, avec l'espagnol, l'une des deux langues officielles du Paraguay.

GUIPUZCOAN Dialecte basque du Guipuzcoa (Espagne).

GUJRATI Langue indo-aryenne occidentale de l'Inde parlée au Gujrāt (au nord du Mahārāstra).

HAPAX désigne un mot, une forme que l'on n'a pu relever qu'une seule fois ; il est employé le plus souvent comme équivalent d'*attestation isolée : sauterie* est un hapax à la fin du XVIe s. ; il n'est relevé ensuite qu'au XIXe siècle. *Hapax* s'applique aussi à une forme : la graphie *caïman* est un hapax en 1588, le début des attestations continues étant, selon les données actuelles, 1751.

HAPLOLOGIE désigne le phénomène par lequel on ne prononce et on n'écrit que l'une des deux articulations (en général syllabes) répétées ou voisines. Exemple : le latin *aestas* pour °*aestitas*.

HARMONIE Combinaison d'éléments phonétiques considérée comme agréable ou comme expressive par rapport à ce qui est désigné *(harmonie imitative).* L'assimilation est une harmonie (ou harmonisation) phonétique, notamment consonantique (exemple : *cercher* donnant *chercher*). On appelle *harmonie vocalique* (des voyelles) ou *harmonisation* la modification de voyelles — lorsqu'elle est obligatoire, systématique — sous l'influence d'une voyelle voisine.

HAUT-ALLEMAND → ALLEMAND

HÉBREU Langue sémitique (nord-sémitique occidental) parlée par les Hébreux (les Beni Israël ou Ibrim) depuis la fin du second millénaire avant l'ère chrétienne (attestée au - Xe s.), utilisant un alphabet de consonnes. L'hébreu est la langue de la Bible (rédigée du VIIIe au IIe s. av. J.-C. ; livre de Daniel). L'*hébreu biblique* s'est préservé comme langue liturgique et d'érudition, les communautés juives de la diaspora s'exprimant plutôt dans des dialectes de leur pays d'adoption. La langue a vu un renouveau littéraire (fin XVIIIe s.) et surtout politique (fin XIXe s.). Devenu en 1922 l'une des trois langues officielles de Palestine, l'*hébreu moderne* normalisé est la langue officielle d'Israël (1948) et compte effectivement environ 4 millions de locuteurs. → hébreu, dans le dictionnaire.

HÉRITÉ DE... se dit d'une forme française qui provient par évolution phonétique d'un étymon latin ou germanique dont elle est l'aboutissement*. Les *mots hérités,* en ancien français, proviennent soit du latin populaire (oral), soit de la langue germanique des Francs, l'ancien bas francique*. Ces derniers sont beaucoup moins nombreux que les mots issus du latin populaire, lesquels forment le fonds du français, par opposition aux emprunts* (au latin ou à d'autres langues), bien plus nombreux encore.

HINDI Langue indo-aryenne du groupe central. Le *hindi occidental* (appelé *hindoustani* par Gilchrist en 1787), employé à Delhi, s'est répandu et est devenu la principale langue de l'Inde du Nord. Il comprend deux formes écrites, l'*ourdou,* d'alphabet arabe et influencé par le persan (employé par les musulmans), et le *hindi* — stricto sensu — écrit avec des caractères indiens. Le *hindi oriental* est parlé plus à l'est, jusqu'à Bénarès.

HITTITE Langue indoeuropéenne du groupe anatolien, qui fut parlée jusqu'à environ 1200 avant notre ère, dans la Turquie actuelle. Elle a été déchiffrée en 1916 (B. Hrozný). → indoeuropéen, dans le dictionnaire.

HOLLANDAIS Parler germanique de Hollande, composante essentielle de la langue officielle des Pays-Bas, le néerlandais*.

HOMONYME se dit de formes lexicales de même nature phonétique (homophones), surtout lorsqu'il s'agit d'une forme non fléchie (masculin singulier, infinitif).
Les homonymes peuvent être **HOMOGRAPHES** (écrits de la même façon) ou non homographes (exemple : *mer, mère*). Dans ce cas, ils ne sont qu'**HOMOPHONES.**

HONGROIS Langue finno-ougrienne parlée en Hongrie et par des minorités en Slovaquie, en Roumanie. C'est la langue de ce groupe la plus ancienne et la plus parlée.

HOTTENTOT Langue du groupe «khoisan» (Afrique du Sud) parlée notamment en Namibie, et source d'emprunts passés par l'anglais (ex. *gnou*).

HYBRIDE se dit d'un composé dont les éléments de formation proviennent de langues différentes (exemple : *monolingue,* de *mono,* du grec et *lingue,* du latin).

HYPERBOLE Expression (en général, un syntagme) qui exprime plus que la signification ne le requiert (superlatifs, intensifs, etc.). *Hyperbolique* qualifie la forme et le sens (d'un mot, d'une expression).

HYPERCORRECT qualifie une forme modifiée (reconstruite), pour corriger un état supposé altéré (à tort), par un état plus conforme à la correction supposée (souvent par rapport à l'origine).

HYPOCORISTIQUE se dit d'une expression affectueuse, caressante : diminutifs, formes à redoublements *(le chienchien à sa mémère),* appellatifs abrégés ou suffixés après abrégement...

IBÈRE Langue inconnue, non-indoeuropéenne, qui fut parlée dans une partie de la péninsule ibérique avant les Celtes. Elle avait probablement des rapports avec le basque (→ basque, dans le dictionnaire). Après l'arrivée des Celtes, on parle, à propos de cette zone, de celtibère*.

IBÉRIQUE On appelle parlers ibériques l'ensemble des langues et dialectes romans de la péninsule ibérique. → ibéro-roman.

IBÉRO-ROMAN Ensemble des parlers issus du latin populaire parlé dans la péninsule ibérique, appartenant au groupe méridional des langues romanes. → espagnol, catalan, romanes (langues), portugais, dans le dictionnaire.

IDÉE Terme le plus général désignant l'aspect mental du sens d'une unité ou un élément de contenu que l'on peut assigner à une expression (mot ou locution) [*idée générale* pour les noms communs, les adjectifs, les verbes].
Idée s'emploie notamment à propos d'un élément de signification, *notion* et *concept* supposant en revanche que la totalité du contenu d'un signe est concernée.
Dans ce dictionnaire, *idée de...* peut introduire un élément de sens (la suite, synonyme, est alors entre guil-

lemets, comme après *le sens de*...) ou un élément de pensée (hors langage) et la suite est alors présentée sans guillemets. Exemple : «*labeur*, gardant l'idée de peine, désigne un travail pénible».

IDIOME Système linguistique, langue, dialecte, parler, considéré comme appartenant en propre à une communauté de locuteurs. On considère parfois l'idiome, comme la langue, indépendamment des particularités constitutives de dialectes à l'intérieur de cet idiome.

IDIOTISME Locution* en tant que propre exclusivement à un groupe de locuteurs (qui partagent un idiome) et sans équivalent exact dans les autres langues. Exemples : gallicisme (idiotisme du français), latinisme, germanisme, etc.

ILLYRIEN Groupe de langues indoeuropéennes disparues, qui furent parlées par les Illyriens avant l'ère chrétienne. Outre l'*illyrien* proprement dit, ce groupe comprenait le *vénète*, parlé au nord-est de l'Italie (de Trieste à Padoue) avant les langues italiques, et le *messapien*, en Apulie et en Calabre. On y rapporte parfois le *philistin*. — L'albanais, parlé dans ce qui fut l'Illyrie méridionale, ne semble pas appartenir à ce groupe de langues.

ILLYRO-ROMAN Ensemble des parlers romans issus du latin populaire parlés en Illyrie. → dalmate.

IMPERFECTIF se dit de l'aspect verbal d'une action considérée dans son cours, sa progression (cf. *inchoatif*), sans considérer son achèvement, son terme. Exemple : *chercher*, alors que *trouver* est perfectif.*

IMPLANTER (S') se dit d'une forme, d'un sens qui, après des attestations rares ou exceptionnelles, entre dans le lexique, sans forcément devenir usuel (comme pour *se répandre**).

INCERTAIN se dit d'une origine, d'une étymologie* à propos de laquelle aucun accord n'a été obtenu. Elle correspond souvent à plusieurs hypothèses également vraisemblables mais également non prouvées.

INCHOATIF ou ***INCHOACTIF*** se dit d'une forme verbale exprimant l'idée d'une action à son début ou en progression (cf. *imperfectif*). *Inchoatif* se dit aussi d'un morphème (suffixe) conférant cette valeur à un verbe.

INCONNU se dit en particulier d'une origine, d'une étymologie* à propos de laquelle aucune hypothèse acceptable n'a été émise. Un stade moins absolu de l'ignorance étymologique est exprimé par *incertain, obscur.*

INDÉFINI se dit d'un mot propre à un concept ou à une classe, envisagé généralement, et ne se rapportant pas à un objet déterminé. *Article, pronom, adjectif indéfini.*

INDIENNES (langues) L'ensemble des langues indiennes d'Amérique (amérindiennes) est immense et très complexe. Powell distinguait en 1907, 56 familles de langues; on en compte aujourd'hui une centaine. Au début du XVIe s. on estime à 900 langues au moins la richesse linguistique de l'Amérique indienne. Les auteurs des *Langues du monde* (sous la direction de Meillet et Cohen) classaient ainsi ces langues (de manière provisoire) :

Amérique du Nord

Famille algonkin-wakash : algonquin (groupe comprenant le cree, le cheyenne et d'autres langues) et six autres groupes.

Famille eskimo-aleut : famille eskimo (→ inuit) et famille aleut (langues aléoutiennes).

Famille hoka-siou : hoka (Californie) avec d'autres familles; iroquois*, muskogee (dont le creek); la famille siou (Sioux) qui comprend de nombreux groupes, appartient au même ensemble.

D'autres grandes familles : «na-dene» (athapasca, etc), penutia (dont le chinook) se partageaient les Plaines (la prairie) et les Rocheuses avec la famille uto-aztec, qui comprend des langues parlées du Colorado au Mexique (notamment le nahuatl*, dont un dialecte, parlé à Mexico, correspondait à l'aztèque «classique»). Au **sud du Mexique** commence l'aire des langues maya-soke, comprenant le groupe maya-quiché* (dont le maya du Yucatán, le tseltal, le totomak) et de très nombreux autres groupes.

Parmi les langues d'**Amérique du Sud** — elles aussi très nombreuses (108 familles de langues recensées, certaines très riches) — on distingue à des fins utilitaires (notoriété et rapports avec l'Europe), la famille araukan (Chili), la famille arawak (qui fut parlée aux Antilles où elle a disparu, dans le bassin de l'Orénoque et en Amazonie, dans les Andes, etc.), la famille aymará du Pérou, la famille bororó (Mato Grosso, Paraguay), la famille karib très dispersée (du sud de l'Amazone à la zone encore appelée *Caraïbes*), la famille quichua, à laquelle appartient la langue de civilisation des Incas, la famille tupi-guarani*, source d'emprunts pour l'espagnol, le français, etc.

INDO-ARYEN Nom donné aux langues indo-iraniennes anciennes, qui furent celles des Vedas (→ védique), avant d'être codifiées sous la forme du *sanskrit* (→ sanskrit), les parlers vernaculaires étant nommés *prâkrits*. Après le védique et l'*indo-aryen ancien*, apparaissent le *pâli*, le moyen indien, enfin l'*indo-aryen moderne*, qui fournit les langues de l'Inde actuelle (à l'exception des langues dravidiennes du sud) et de la majorité de Sri Lanka. Les principales sont le hindi, le pendjabi, le bengali, le bihari, l'oriya, l'assamais, le cinghalais. Le tsigane appartient aussi à ce groupe. → indoeuropéen, 2, dans le dictionnaire.

INDOEUROPÉEN (ou *indo-européen*) Famille de langues à laquelle se rattachent la plupart des langues d'Europe, notamment celles qui se sont diffusées en Amérique, en Afrique et en Asie. Les langues romanes, avec le français, les langues germaniques, slaves, etc., en font partie. → indoeuropéen, dans le dictionnaire.

INDO-IRANIEN Groupe de langues indoeuropéennes comprenant l'indo-aryen* (sanskrit) et l'iranien. → indoeuropéen.

INDONÉSIEN **1.** Ensemble de langues du groupe malayo-polynésien parlées dans le Sud-Est asiatique : Taiwan, Philippines. Indonésie : Bornéo, Célèbes, Java, Sumatra, Malaisie, Madagascar.

2. Langue officielle d'Indonésie (bahasa indonesia), basée sur le malais*.

INDOUBIL Parler mixte, à base de français et de lingala, pratiquée en milieu populaire à Kinshasa (Congo).

INFECTUM En latin, temps de l'action non achevée (opposé à *perfectum*, parfait) : imparfait, futur, subjonctif, infinitif, formes dérivées du thème du présent.

INFIXE → AFFIXE

INFLEXION s'est dit pour *flexion**. — *Inflexion vocalique*, changement de timbre d'une voyelle sous l'influence d'un phonème voisin.

INSTRUMENTAL se dit des cas ou des constructions correspondant aux instruments de l'action (en français : *avec, par, au moyen de*...).

INTENSIF se dit d'une unité qui met en relief une notion, insiste sur son contenu affectif. Certains fréquentatifs sont aussi des intensifs (cas de verbes français en *re-*).

INTERPRÉTATION, INTERPRÉTER se disent à propos de la façon dont un fait de langue est compris (sens propre, étymologie, etc.). L'interprétation peut être ou non fondée ; elle peut être scientifique, non scientifique, savante ou au contraire spontanée et «populaire» (étymologie populaire). Si elle n'est pas fondée, on parle de *mésinterprétation*.

INTRANSITIF se dit *stricto sensu* d'un verbe qui n'est pas susceptible d'admettre, et par extension d'un verbe qui n'admet pas de complément (régime), soit direct, soit indirect. *Emploi intransitif* se dit parfois de l'emploi sans complément (emploi absolu) d'un verbe normalement transitif. — *Sens intransitif* se dit du sens d'un verbe en emploi intransitif.

INUIT Nom autochtone des Eskimos. *Inuit* (ou dans la langue *inuktituk*) se dit de la langue des Inuit, en fait une famille homogène comportant plusieurs langues (y compris l'*inuit* stricto sensu, nom que se donnent les Eskimos d'Asie). Les langues (ou dialectes) du Groenland et celles du sud de l'Alaska sont distinctes de celles des Inuit du Canada, lesquelles sont à l'Est (Québec) en contact avec le français.

IONIEN L'un des principaux dialectes grecs, qui domine dans la langue homérique. Il appartient au même groupe que l'attique et on parle parfois d'*ionien-attique*. La langue des philosophes présocratiques est l'ionien. → grec, dans le dictionnaire.

IRANIEN Ensemble des langues indo-iraniennes parlées en Iran (Perse). Outre l'avestique*, on distingue le *vieux perse (iranien ancien)* — le scythe et le sarmate, du même groupe, furent parlés à la même époque, VIe au IVe s. av. J.-C. — le *moyen iranien*, occidental *(moyen-perse, parthe)* et oriental *(chorasmien, sogdien, bactrien...)*, l'*iranien moderne*, groupe important comprenant non seulement le persan*, mais le tadjik, le kurde, le pashto (Afghanistan), le baloutchi, l'ossète. — Une autre branche iranienne, du nord-est de l'Afghanistan, correspond aux langues «kafires» ; elle est parfois considérée à part dans le groupe indo-iranien, du fait de son archaïsme. → indoeuropéen, dans le dictionnaire.

IRLANDAIS Langue celtique de la branche gaélique (ou goïdélique), attestée à partir du Ve s. (où elle est notée en caractères oghamiques), littérairement riche à partir du XIe s. et très bien étudiée. Le *moyen irlandais* demeure morphologiquement plus riche que les autres langues celtiques. L'*irlandais moderne* a conservé trois flexions. — L'irlandais a reculé devant l'anglais, surtout depuis le XVIIIe siècle. Langue officielle de la République d'Eire, malgré un enseignement obligatoire, l'irlandais (ou gaélique) reste une langue seconde par rapport à l'anglais.

IRONIE, IRONIQUE se dit d'un emploi d'une unité lexicale contraire à son sens propre, pour obtenir un effet rhétorique (c'est une figure), en général dérisoire, comique. Les emplois ironiques sont souvent péjoratifs.

IROQUOIS Famille de langues indiennes appartenant au groupe (d'ailleurs contesté) hoka-siou et comportant notamment le huron, le mohawk, le cherokee. La puissante confédération des Iroquois, groupant cinq tribus, parlait trois langues différentes. La langue iroquoise la plus importante est le huron (nom français, dérivé de *hure*) qui fut en rapport avec le français au Canada.

ISLANDAIS Langue germanique du groupe nordique, parlée en Islande (→ germanique).

ISSU DE Une forme française peut être issue du latin populaire ou du francique (→ aboutissement, hérité de).

ISTRIEN Dialectes italiens du Nord parlés en Istrie.

ITALIEN **1.** Langue romane, ensemble des dialectes issus du latin populaire parlés en Italie (italo-roman), dialectes très nombreux (on en a distingué environ 700), regroupés en grands types dialectaux, du sicilien au piémontais. Le sarde est une langue distincte.
2. Forme littéraire issue du toscan florentin, diffusée par Dante (déb. XIVe s.), qui a pris son importance politique avec l'indépendance italienne et s'est modifiée et répandue au XXe s. avec l'influence de la variante romaine (dialectes du Latium), la norme nouvelle (littéraire-administrative ; toscane-romaine) n'éliminant nullement les dialectes. → italien, romanes (langues), dans le dictionnaire.

ITALIQUE Groupe de langues indoeuropéennes, auquel appartient le latin, qui l'emporta sur de nombreux dialectes, le plus proche étant le *falisque*, sur le groupe des parlers osques (par exemple celui des Sabins) et ombriens, auxquels on rattache le volsque. → indoeuropéen 4 et latin, dans le dictionnaire.

ITALO-CELTIQUE Ensemble hypothétique formé par les langues italiques et les langues celtiques. Cette notion est aujourd'hui rejetée, bien que ces deux familles indoeuropéennes aient pu s'influencer mutuellement (par exemple, des similitudes entre gaulois* et ombrien sont observables).

ITALO-ROMAN Ensemble des parlers issus du latin populaire parlé dans la péninsule italienne, appartenant au groupe méditerranéen (ou méridional) des langues romanes. → italien, romanes (langues), dans le dictionnaire.

ITÉRATIF se dit d'une forme correspondant à l'expression d'une action qui se répète *(verbes, modes itératifs)*. → fréquentatif.

JAPONAIS Langue du Japon comportant plusieurs dialectes et notamment la langue normalisée moderne, compromis entre la langue écrite classique (région de Kyoto, à partir du xe s.) et les parlers des autres grandes villes. D'abord langue sans écriture, le japonais a adopté les caractères chinois et y a ajouté (IXe s.) deux catégories de signes syllabiques, les *kana*.

JARGON Usage d'une langue destiné à distinguer collectivement ses utilisateurs et parfois à empêcher la compréhension chez les autres usagers de la même langue. Les *argots* (stricto sensu) sont des *jargons* (→ argot, dans le dictionnaire). — Par extension et dans l'usage courant, le mot s'applique à un usage incorrect et incompréhensible.

① ***JAVANAIS*** Langue indonésienne parlée à Java, à Sumatra (avec d'autres langues), et dont la forme ancienne *(vieux javanais)* est le *kavi* ou *kawi*, étudié par W. von Humboldt dans un ouvrage célèbre.

② ***JAVANAIS*** Code argotique français, né à la fin du XIXe s. (→ argot, dans le dictionnaire).

JOUAL (forme altérée de *cheval*). Forme populaire, urbaine (Montréal) et anglicisée du français québécois*, parfois érigée en symbole de l'identité culturelle québécoise et en norme littéraire opposée au français international.

JUDÉO-ALLEMAND → YIDDISH

JUDÉO-ARABE Variété dialectale d'arabe des communautés juives en pays arabophone (variable selon l'arabe parlé local : Égypte, Tunisie, Algérie : Constantinois).

JUDÉO-ESPAGNOL Variété dialectale d'espagnol (castillan) des communautés juives d'Espagne.

JUDÉO-FRANÇAIS (terme impropre). Usage qu'ont fait de l'ancien français les érudits juifs du moyen âge (→ judéo-français, dans le dictionnaire).

JUDÉO-GREC Variété dialectale du grec parlée par les communautés juives de Grèce (notamment en Macédoine).

JUDÉO-PERSAN Variété dialectale de persan parlée par les communautés juives de Perse, puis d'Iran.

JURASSIEN Dialecte gallo-roman franco-provençal* du Jura.

JUSSIF se dit d'une forme verbale exprimant un commandement (notamment en latin : *iussivus*).

KAFIR Groupe de langues indo-aryennes* du Nord-Ouest (près du Pamir), très divergent par rapport aux langues du centre du groupe.

KANAK Ensemble linguistique (sans unité) des parlers malayo-polynésiens de Nouvelle-Calédonie.

KENTIEN (KENTISH) Langue germanique (nordique) des Jutes venus du Danemark, parlée à partir du VIe s. dans le Kent, le sud du Hampshire et l'île de Wight, et qui fut un des éléments de l'ancien anglais.

KINYARWANDA ou ***RWANDA (RUANDA)*** Langue bantoue, officielle au Rwanda (avec le français), appartenant au groupe rwanda-rundi parlé aussi au Congo-Kinshasa, au Burundi, en Tanzanie, au Kenya et en Ouganda.

KIRUNDI («langue rundi») ou ***RUNDI*** Langue bantoue parlée au Burundi (langue officielle, avec le français). Le *kirundi* appartient au groupe rwanda-rundi. → kinyarwanda.

KOINÊ Langue commune (en grec *koinê dialektos*) formée par l'amalgame des dialectes grecs (IVe s. av. J.-C.) avec le dialecte attique comme base. Cette forme commune du grec s'est diffusée dans la péninsule Hellénique, les îles et les colonies grecques (Grande Grèce). → grec, dans le dictionnaire.

KURDE Langue indoeuropéenne du groupe iranien (dialectes du Nord-Ouest), divisée en deux groupes de parlers. Elle est parlée par les Kurdes (Irak, Iran, Turquie).

LABOURDIN Dialecte basque du Labourd (Bayonne).

LADIN Groupe de dialectes romans de l'ensemble rhétoroman* central parlés dans les Dolomites (Italie du Nord). → romanes (langues), dans le dictionnaire.

LANGUE Système fonctionnel permettant à un groupe humain de produire du discours — par la parole et, éventuellement, au moyen d'un système graphique, par l'écriture —, de manière à exprimer des contenus mentaux intellectuels et affectifs et à communiquer, à échanger de l'information : parler, entendre ; écrire, lire. Le langage humain est réalisé par de très nombreuses langues, toutes possédant une phonologie (arrangement de sons articulés produisant des contrastes aboutissant à des distinctions sémantiques), une grammaire (morphologie et syntaxe) et un ensemble d'unités de désignation et de signification, appelé lexique.
Chaque langue peut correspondre à des formes variées dans l'espace (dialectes), le temps, les groupes sociaux, etc. Les dialectes* et les langues ne sont distingués que par leur statut social et historique (les dialectes et patois sont structurellement et fonctionnellement des langues). Les autres variations sont des usages différents d'une même langue, surtout distincts par le lexique et la phonologie (par exemple les variétés de français régionaux, les langages de spécialité, les argots, etc.), ou encore des registres de discours jouant à la fois sur le lexique et sur l'usage grammatical (dits aussi niveaux d'usage).
La langue est une abstraction : ainsi, la notion de français peut ou non inclure les grands ensembles historiques (ancien français, moyen français), les dialectes gallo-romans d'oïl autres que l'usage central d'Île-de-France ; la notion de chinois recouvre plusieurs familles de dialectes. Le français, le chinois, pris à un niveau d'abstraction élevé, sont chacun une langue définie et sélectionnée par l'histoire.
Les langues du monde, *langues mortes* connues par l'écriture (depuis le sumérien et l'égyptien ancien) et *langues vivantes* (c'est-à-dire encore parlées), sont ex-

traordinairement nombreuses, des milliers, chacune pouvant posséder plusieurs dialectes : on les classe en familles et en groupes, selon leur fonctionnement et leur structure (critères internes, les seuls entièrement pertinents), selon leur origine et leur évolution (critère historique, qui recoupe le précédent) et, à défaut, selon leur distribution géographique. Les langues les mieux décrites sont celles, dotées d'une écriture, qui appartiennent aux grands ensembles historiques et culturels, par exemple les langues indoeuropéennes*, avec les grands groupes actuels que sont les langues romanes* (dont le français), germaniques*, slaves, celtes, etc. Les langues les moins connues appartiennent aux ensembles les plus nombreux : langues africaines au sud du Sahara, langues indiennes d'Amérique et langues du Pacifique, relevant de plusieurs grands groupes. Dans ces ensembles, des milliers de langues différentes sont parlées, parfois sur un espace national (plusieurs centaines au Cameroun).

On perçoit trop souvent la langue comme étant l'outil d'expression et de communication d'une nation, voire d'un État ; mais ce qui est en partie vrai de «français», «allemand», ne l'est plus du tout pour les États plurilingues (il n'y a ni «langue belge» ni «langue suisse») ni pour les langues parlées en plusieurs pays. De fait, les langues d'État sont mieux perçues comme langues que les autres. En réalité, tous les pays sont plurilingues, même la France ou l'Angleterre, pourtant remarquablement unifiées sur ce plan.

Les langues évoquées dans ce dictionnaire le sont par rapport au français, soit qu'elles aient contribué à sa naissance et à son évolution — par substrat, apport massif, emprunts occasionnels ou fréquents —, soit qu'elles aient été ou sont encore en contact avec lui, soit qu'elles aient été influencées par le français. L'histoire d'une langue — ici le français — est faite d'influences et d'interactions, d'emprunts, de calques, de traductions. C'est pourquoi de nombreux noms de langues ont été inclus dans ce glossaire.

LANGUEDOCIEN Ensemble des dialectes gallo-romans occitans du Languedoc.

LATIN Langue indoeuropéenne du groupe italique qui a dominé les autres dialectes du Latium à époque archaïque, puis les autres langues de la péninsule, qu'elles soient italiques et indoeuropéennes ou non (l'étrusque), avant de devenir la langue de l'Empire romain. Pour les subdivisions historiques du latin (*latin archaïque, classique, impérial* puis *bas latin, latin médiéval, latin moderne*), ses subdivisions fonctionnelles à basse époque (*latin populaire* ou *vulgaire*, qui a donné naissance aux langues romanes, *latin chrétien* et *latin ecclésiastique, latin biblique* [Vulgate], *latin savant* ou *scientifique*...), ses subdivisions régionales (par exemple le *latin des Gaules* ou *gallo-roman*, le *latin d'Hispanie*, etc.), voir dans le dictionnaire l'article *latin*. → aussi espagnol, français, italien, occitan, romanes (langues), dans le dictionnaire.

LETTE ou ***LETTON*** Langue indoeuropéenne du groupe balte* parlée en Lettonie.

LEXICALISATION désigne le fait pour un syntagme *(fleur de lis)*, un participe présent *(gisant)* ou passé *(né)* de devenir une unité lexicale, un véritable «mot» de la langue. Ce phénomène correspond, sur le plan de la langue, à celui du codage en termes d'information. L'unité plus grande que le mot et qui est lexicalisée est elle aussi codée : elle fait partie du code de la langue, doit être apprise, traduite comme une entité, etc. → aussi locution, phraséologie.

LIGURE → indoeuropéen 13, dans le dictionnaire.

LIMOUSIN Dialectes gallo-romans occitans (du Nord) parlés en Limousin.

LINGALA Langue africaine du groupe appelé «sub-bantou» (sa morphologie semble différente de celle des langues bantoues), à rôle véhiculaire, parlée au Congo-Brazzaville et au Congo-Kinshasa. Issu de la langue ethnique d'un peuple éteint, le *lingala* «langue du fleuve» jouit d'un prestige lié à son indépendance tribale : ce n'est plus qu'une langue de relation, utilisée par 2 à 3 millions de personnes. Un parler mixte lingala-français du Congo-Kinshasa s'appelle *indoubil*.

LINGUA FRANCA Langue mixte, à base de latin et de français (ancien et moyen français), qui fut employée du XIe (les croisades) au XVIIe s. dans les échanges économiques du bassin méditerranéen.

LITOTE Expression atténuée d'une réalité, par laquelle on signifie plus que le sens littéral. Certaines litotes sont des euphémismes*.

LITTÉRAIRE qualifie un mot, une expression qui appartiennent généralement à l'usage écrit, mis en œuvre dans les textes littéraires, et relèvent d'un niveau de langue soutenu. *Littéraire* s'oppose à *familier** et se distingue de *didactique**. Le choix de cette «marque» est critiquable, car les textes littéraires contiennent toutes sortes de mots appartenant à d'autres niveaux : didactique, familier, etc. Mais elle est traditionnelle pour qualifier le niveau soutenu, en général écrit, et assorti d'une intention esthétique. Lorsque l'emploi littéraire relève d'une rhétorique particulière, on peut le remplacer par un qualificatif plus précis, comme *poétique*. *Littéraire* s'oppose en général à *oral, familier*, et parfois à *courant*.

LITUANIEN Langue indoeuropéenne du groupe balte parlée en Lituanie.

LOCUTION Unité fonctionnelle de la langue correspondant à une manière de former le discours. C'est une séquence, plus longue que le mot, appartenant au code de la langue (c'est-à-dire devant être apprise) en tant que forme stable et soumise aux règles de la syntaxe, en tant que nom, adjectif, verbe, adverbe, conjonction, préposition. On parle ainsi de *locution adverbiale, conjonctive, prépositive*, s'agissant d'adverbe, conjonction, préposition formés de plusieurs mots. — En tant que manière de s'exprimer, notamment au moyen d'une figure de rhétorique *(locution figurée)*, la locution est aussi appelée *expression**. — En tant que propre à la langue et ne pouvant se traduire mot à mot, c'est un *idiotisme* (*gallicisme* en français, etc.). Les locutions (expressions) forment la *phraséologie**; avec les mots, elles constituent l'essentiel du lexique.

LOMBARD Ensemble des dialectes italiens de Lombardie (italien du Nord ; substrat germanique longobard).

LONGOBARD Langue germanique du groupe oriental parlée au haut moyen âge en Italie du Nord (Lombardie).

LORRAIN Dialecte gallo-roman d'oïl parlé en Lorraine. Les traits dialectaux lorrains sont notables dans les textes d'ancien français de la région.

LOUCHERBEM ou ***LOUCHÉBEM*** Argot français des bouchers, pratiqué à la fin du XIXe et dans la 1re moitié du XXe s. (→ argot, dans le dictionnaire).

LOUVITE Langue indoeuropéenne du groupe anatolien (attesté du XVe au VIIIe s. avant notre ère). → indoeuropéen 1, dans le dictionnaire.

LUDIQUE De nombreux éléments de la langue ont une fonction ludique, c'est-à-dire «de jeu». C'est souvent le cas des onomatopées, des diminutifs, des codes «secrets», de certains argots (louchébem, verlan), d'emprunts culturels.

LYCIEN Langue indoeuropéenne du groupe anatolien, notée en écriture du type grec. Avec le *lydien*, elle est attestée surtout aux Ve et IVe s. avant notre ère. → indoeuropéen 1, dans le dictionnaire.

LYONNAIS Dialecte gallo-roman franco-provençal de la région de Lyon. — On emploie aussi *lyonnais* pour le français local de Lyon et de sa région.

MACÉDONIEN Langue slave du groupe méridional, assez proche du bulgare, et parlée en Macédoine (concurremment avec le grec en Grèce du Nord).

MALAIS Langue malayo-polynésienne du groupe indonésien, parlée dans la péninsule de Malaisie et sur les côtes de la plupart des îles d'Indonésie. Langue véhiculaire répandue par le commerce et par l'islam, le *malais* est répandu dans toute la zone géographique (Indonésie, Malaisie, Singapour); il est à la base de l'indonésien officiel moderne (bahasa indonesia).

MALAYO-POLYNÉSIEN se dit des langues regroupant l'ensemble indonésien* et l'ensemble polynésien*. — Les langues (plus de 30) des Kanaks de Nouvelle-Calédonie appartiennent à ce groupe vaste et particulièrement mal connu.

MALGACHE Langue indonésienne (groupe malayo-polynésien) parlée à Madagascar et comportant plusieurs dialectes, dont l'un, le *merina*, est devenu langue officielle.

MALINKÉ Ensemble de langues africaines du sous-groupe mandingue (appartenant aux langues mandé) parlées au Mali, au Sénégal, en Gambie, Côte-d'Ivoire, Burkina-Faso, etc.

MANCEAU Dialecte gallo-roman d'oïl parlé dans le Maine.

MANOUCHE Variété de romani parlée en France par les Gitans de la nation Sinté. Une partie de son lexique est d'origine allemande. Il a fourni des mots aux argots français.

MARATHE Langue indo-aryenne occidentale de l'Inde (région de Bombay), possédant une riche littérature depuis le XIIe-XIIIe s.

MARQUE, MARQUÉ et ***NON MARQUÉ*** On trouvera de temps à autre dans ce dictionnaire l'indication qu'une forme accompagnée de son sens (un mot, un emploi, une locution) est «marquée». Cet adjectif correspond à l'emploi de *marque* dans la terminologie linguistique au sens de «caractéristique permettant d'opposer des unités fonctionnelles les unes par rapport aux autres». Cette caractéristique est positive et s'ajoute : ainsi, le féminin et le pluriel sont des marques par rapport au masculin et au singulier, dans la catégorie du genre. Outre ces marques formelles, on parle de marques pour le sens, l'emploi.
Marqué s'oppose à *neutre*. Un emploi marqué se caractérise par des «connotations» liées à son mode de fonctionnement, par rapport à un emploi neutre qui se contenterait de communiquer un sens, une «dénotation». Il peut être marqué socialement (comme populaire*, familier* ou au contraire soutenu*, littéraire*), dans le temps (comme archaïque*, vieilli* ou désuet*, ou au contraire comme néologique), dans l'espace linguistique (comme régional, etc.), toutes caractéristiques exprimées de manière plus ou moins systématique par les *marques d'usage* des dictionnaires.
Le *non marqué* est supposé ne transmettre aucun autre effet que son sens, ce qui relève en fait de l'abstraction. En fait, les mots, emplois et locutions sont toujours plus ou moins marqués.

MARQUER «Affecter d'une marque» (→ marqué) correspond aussi à «exprimer d'une manière particulière».

MAYA-QUICHÉ Ensemble de langues amérindiennes parlées au Yucatán (Mexique) et au Guatemala. → indiennes (langues).

MÉLANÉSIEN Ensemble d'une centaine de langues (étrangères aux langues malayo-polynésiennes*) parlées dans le Pacifique, en Nouvelle-Calédonie, aux Nouvelles-Hébrides, dans l'archipel Bismarck, aux îles Salomon, en Nouvelle-Guinée. Le «bichelamar», pidgin fait de langues mélanésiennes, d'anglais, d'espagnol, de français, a servi de langue véhiculaire.

MÉLIORATIF se dit d'un signe, d'une acception, d'un emploi qui implique un jugement de valeur positif et présente l'énoncé de manière favorable. Il s'oppose à *péjoratif**, selon un axe dont le milieu est l'emploi *neutre*.

MERCIEN Parler germanique anglien (des Angles) pratiqué au sud de la Humber, élément de l'ancien anglais (→ northumbrien).

MÉSINTERPRÉTATION Interprétation* erronée d'un fait linguistique.

MESSAPIEN → ILLYRIEN (GROUPE) et indoeuropéen 13, dans le dictionnaire.

MÉTAPHORE Transfert de sens, «comparaison abrégée» (Quintilien). → figure, dans le dictionnaire.

MÉTATHÈSE désigne l'altération d'un mot par déplacement d'un phonème à l'intérieur de ce mot ; le latin *formaticum* aboutit à *fromage* par métathèse du *r* (au lieu de *formage, fourmage,* par ailleurs attestés); le français *farouche* est l'altération de l'ancien français *forasche* par métathèse vocalique.

MÉTONYMIE Transfert de dénomination, substitution à un signe (mot, locution) d'un autre signe qui lui est lié par un rapport naturel : cause à effet, matière à objet, etc. → figure, dans le dictionnaire.

MILIEU, abrégé en *mil.* devant un chiffre de siècle, signale un repérage approximatif, correspondant à l'absence d'attestation précise ou à des attestations plus tardives que l'époque présumée d'apparition. Mil. XXe s. correspond à «entre 1940 et 1960, à peu près».

MODE Pour une forme verbale ou un ensemble de formes, caractère capable d'exprimer la manière (latin *modus*) dont l'action, le procès exprimé par le verbe est présenté, c'est-à-dire l'attitude du sujet parlant qui donne au verbe la valeur de support d'un énoncé simple (indicatif), d'une interprétation (subjonctif, conditionnel, optatif en latin, etc.) ou d'un acte de langage (impératif, injonctif en latin). Les modes sont attachés à un ensemble de formes appartenant à la *conjugaison**; il arrive que ces formes soient employées sans contenu sémantique choisi mais par obligation grammaticale (on parle alors parfois de *mode grammatical*, par exemple à propos de nombreux emplois du subjonctif en français).
L'infinitif, le participe et le gérondif sont plutôt des formes nominales du verbe que des modes.
Modal s'emploie pour «caractéristique d'un mode».

MONGOL Ensemble de langues proches du groupe turc (et du *toungouze*) parlées en Asie centrale (Mongolie, ex-U.R.S.S. : Bouriatie, etc.).

MONOSÉMIE, MONOSÉMIQUE concerne un signe linguistique qui a une seule acception, un seul sens. On considère les termes d'une terminologie comme monosémiques. S'oppose à *polysémie, polysémique.*

MORPHÈME Ce terme a deux valeurs. **1.** Élément de formation (formant) : préfixe, affixe, suffixe ou mot isolé, ou encore apposition (alternance vocalique, etc.), conférant à une unité un aspect grammatical : catégorie grammaticale (suffixes), relation syntaxique (mot : préposition, conjonction ou affixe, désinence, etc.).
2. Le plus petit élément de signification analysable dans l'énoncé. La linguistique fonctionnelle emploie dans ce cas *monème,* qui englobe les morphèmes au sens **1.** et les lexèmes (morphèmes lexicaux). Un mot peut être formé d'un ou de plusieurs morphèmes.

MORPHOLOGIE Ensemble des procédés de formation qui mettent en jeu des morphèmes (**1.**). La morphologie et la syntaxe (morphosyntaxe) forment la *grammaire* d'une langue.

MOYEN **1.** Ensemble des formes verbales (voix) intermédiaires entre l'actif et le passif. De forme passive, le moyen en latin, peut être de sens actif, réfléchi (*lavari* «se laver») ou réciproque (*luctari* «se battre, lutter les uns contre les autres»).
2. Degré de développement d'une langue, intermédiaire entre l'état le plus anciennement attesté et des états considérés comme modernes. Exemple : le *moyen haut allemand.* → allemand, dans le dictionnaire, *moyen anglais* et ci-dessous *moyen français.*

MOYEN FRANÇAIS Ensemble des usages centraux du «français» (langue romane d'oïl) sous une forme plus éloignée du latin populaire que ne l'était l'ancien français, ceci du milieu du XIVe au début du XVIIe siècle. Cette période voit le recul des dialectes et de l'usage du latin, la prise de conscience et l'exaltation du français, son enrichissement par l'emprunt et la dérivation → français, dans le dictionnaire.

MOYEN PERSE → IRANIEN (GROUPE)

MOZARABE Dialecte espagnol (castillan) du sud de l'Espagne qui fut parlé par les populations chrétiennes sous domination musulmane.

MUTATION Changement linguistique, en particulier changement immédiat, sans stade intermédiaire, alors opposé à *évolution.*
Mutation consonantique (par exemple de l'indoeuropéen au germanique : loi de Grimm).

MYCÉNIEN Dialecte grec, le plus ancien attesté, doté d'une écriture syllabique spécifique et appelée linéaire B (le «linéaire A», antérieur, correspond à une autre langue). → grec, indoeuropéen 3, dans le dictionnaire.

NAHUATL Langue indienne* d'Amérique qui fut celle de l'Empire aztèque (Mexique). Elle est parlée aujourd'hui par 1 million de personnes et a fourni des emprunts à l'espagnol mexicain.

NAVARRAIS **1.** désigne plusieurs dialectes basques : **HAUT-NAVARRAIS** Dialectes basques de Navarre (Espagne) : l'un au Nord, l'autre au Sud. — **BAS-NAVARRAIS** Dialectes basques de Basse-Navarre (France : Saint-Jean-Pied-de-Port), l'un à l'Est, l'autre à l'Ouest.
2. Parlers ibériques (espagnols) de Navarre (→ navarro-aragonais).

NAVARRO-ARAGONAIS Ensemble des dialectes romans de Navarre et d'Aragon supplanté par le castillan (→ espagnol).

NÉERLANDAIS Langue germanique des Pays-Bas formée autour des parlers de Hollande (hollandais) et dont une forme est le flamand. L'ancien bas francique* est l'ancêtre du néerlandais.

NÉOLOGIE Formation de mots nouveaux, et parfois aussi de sens, de valeurs. — **NÉOLOGISME** Forme (mot, locution) ou valeur nouvelle *(néologisme de sens),* quel qu'en soit le moyen de création. La notion est relative au sentiment de nouveauté dans un état de langue donné, lié à la norme. Ainsi, le *Dictionnaire général* de Hatzfeld, Darmesteter et Thomas, vers 1900, considère comme des néologismes les unités lexicales n'appartenant pas à la langue classique et postclassique ou (pour le XIXe s.) ne figurant pas dans les grands dictionnaires normatifs (notamment celui de l'Académie). La mention tend à être remplacée aujourd'hui par une date de première attestation (→ attestations et datations, dans le texte).

NÉPALAIS Langue indoeuropéenne de l'Inde (nord du groupe central : groupe «montagnard») parlée au Népal.

NEUTRE **1.** «Non marqué» (→ marqué).
2. L'un des genres des langues qui en ont trois (masculin, féminin et neutre).

NOM a deux acceptions bien distinctes.
1. Il désigne une catégorie de mots susceptibles de jouer les rôles de sujet, complément, attribut dans une phrase, s'apposant aux verbes, adverbes et particules grammaticales et comprenant les *noms substantifs* ou substantifs et les *noms adjectifs* ou adjectifs. Les noms verbaux sont les formes verbales susceptibles de jouer ces rôles : infinitif, participe adjectivé ou substantivé, supin latin. Ce sens est celui des grammairiens latins *(nomen)*.
Spécialement et couramment, *nom* désigne le substantif. *Nom commun* (ou *appellatif*), capable de désigner une classe logique d'objets et d'avoir un ou plusieurs sens correspondant à une ou plusieurs idées générales (concepts), s'oppose à *nom propre*, qui désigne un individu logique (être unique ou collectivité). Les noms propres les plus importants sont les *noms de lieux (toponymes)* et les *noms de personnes (anthroponymes)*.
2. Sur le plan sémantique, un *nom* (en anglais *name* et non plus *noun*, comme ci-dessus) est un signe (mot, syntagme, locution) capable de désignation et susceptible d'être défini en lui-même. Les termes* sont des noms ; certains noms font partie de *nomenclatures*.
Le *nom d'agent* désigne un être ou une chose qui agit, produit une activité (par exemple les dérivés de verbes en *-eur*, en français). Le *nom d'action* désigne une action, un processus (par exemple les dérivés verbaux en *-age, -ement, -ation*) ; le *nom d'état* correspond à un état, une situation (par exemple substantifs en *-ité* dérivés d'adjectifs). Le *nom d'instrument* désigne des objets, appareils, dispositifs employés pour un type d'opération (noms en *-oir*).

NOMINATIF est le cas* de la déclinaison latine exprimant la fonction de sujet et qui est à l'origine du cas sujet en ancien français. Les mots latins sont donnés habituellement sous la forme du nominatif *(unda, pudor)* alors que c'est l'accusatif qui est à l'origine de mots français, par voie d'héritage.

NORD-OCCITAN Groupe de dialectes gallo-romans d'oc du Nord comportant l'auvergnat, le limousin et des dialectes alpins.

NORMAND **1.** Langue germanique du groupe scandinave (danois) parlée un moment en Normandie par les envahisseurs vikings.
2. Ensemble des dialectes gallo-romans d'oïl parlés en Normandie. Les traits dialectaux normands sont particulièrement remarquables dans les textes d'ancien français, la région ayant produit une importante littérature dès le XIᵉ siècle. En outre, la première forme de français parlée en Angleterre est normande (→ anglo-normand, dans le dictionnaire).

NORMANNO-PICARD désigne l'ensemble dialectal normand (2) et picard, présentant des caractères communs.

NORROIS (et ***VIEUX NORROIS***) Langue germanique du groupe nordique, forme ancienne pratiquée jusqu'au XVᵉ s., et dont une forme est le vieil islandais. → germaniques (langues).

NORTHUMBRIEN Parler germanique anglien (des Angles) pratiqué au nord de la rivière Humber (au Sud, on parlait le mercien), l'un des éléments de l'ancien anglais.

NORVÉGIEN Langue germanique du groupe nordique, différenciée à partir du XIIᵉ s. et parlée en Norvège, l'ancien norvégien ayant une activité littéraire jusqu'au XVᵉ-XVIᵉ siècle. — Ses variantes dialectales et urbaines ont été normalisées au XIXᵉ s. sous deux formes, l'une parlée *(landsmål)*, l'autre plus savante et servant à l'enseignement (*riksmål*, fortement influencée par le danois, qui fut la langue écrite de la Norvège jusqu'au XVIIIᵉ s.).

NOTION Contenu de pensée (contenu «mental») correspondant à une expression, en particulier à une expression (un signe linguistique) appartenant au lexique (mot, terme, locution). Un signe peut correspondre à un ou plusieurs signifiés (ou *sens, acceptions*), lesquels renvoient, hors langage, à des notions ou concepts distincts. *Notion* et *concept* s'emploient plus particulièrement à propos des termes (ou noms) d'une terminologie. Ils concernent l'ensemble des *idées* contenues. Certaines classes d'objets désignées par un signe correspondent à une notion (ou concept).
La distinction entre *notion* et *concept** est variable selon les théories : certaines les confondent, d'autres, tenant compte des considérations épistémologiques sur le concept, depuis Kant, réservent à *notion* la valeur d'«idée générale sans articulation sémantique stricte et sans caractère dynamique».

NUMÉRAL Nom exprimant le nombre, qu'il s'agisse d'un substantif ou d'un adjectif, d'un cardinal *(douze)*, d'un ordinal *(douzième, le douzième)*, d'un distributif, d'un collectif *(douzaine)*, d'un nom fractionnel *(douzième)*.

OBJET ou ***COMPLÉMENT D'OBJET*** Terme énonçant ce qui est présenté comme le but, le résultat ou ce qui est affecté par l'action (→ complément, régime). *Objet interne :* exprimant une réalité incluse dans le sémantisme du verbe *(dormir son sommeil)*.

OBSCUR qualifie une étymologie à propos de laquelle des éléments inexpliqués subsistent. L'épithète *inconnu* correspond à une ignorance totale, *obscur* et *incertain* à des difficultés qui peuvent être partielles.

OC Mot signifiant «oui» et issu du latin *hoc*. Par opposition à *oïl**, *langue d'oc* sert à désigner l'ensemble linguistique gallo-roman du sud de la Gaule, dit aussi *occitan**.

OCCITAN Ensemble des parlers gallo-romans du sud de la Gaule, caractérisés par une romanisation plus précoce, une plus grande proximité avec d'autres langues romanes (italien, espagnol, surtout catalan*). La littérature occitane du moyen âge est aussi importante que celle d'oïl (→ occitan, dans le dictionnaire). On distingue les dialectes *nord-occitan**, l'*occitan moyen* (ou *occitan méridional*) : languedocien, provençal, et le *gascon*.

OÏL Mot d'ancien français qui a abouti à *oui*. Par opposition à *oc**, de même sens, *d'oïl* caractérise l'ensemble linguistique gallo-roman de la moitié nord de la Gaule (Belgique, nord, nord-est, ouest et centre de la France, jusqu'à l'Auvergne et au Limousin non compris). On explique cette division soit par le substrat* celtique, soit par le superstrat* germanique, soit encore par des différences dans la romanisation des

Gaules. Entre le domaine d'oïl et celui d'oc, à l'Est, se trouve le domaine gallo-roman franco-provençal* (→ français, dialecte, dans le dictionnaire).

OMBRIEN **1.** Groupe de dialectes formant une des principales langues italiques*, attestée par des inscriptions (tables Eugubines : de Gubbio) et assez proche de l'osque. L'*ombrien* fut éliminé par le latin. → indoeuropéen 4 et latin, dans le dictionnaire.
2. Dialecte italien du Centre parlé en Ombrie, et assez proche des dialectes des Marches et du Latium (substrat étrusque).

ONOMATOPÉE Création de formes lexicales suggestive d'un son lié au référent de ces formes (*coucou* désigne l'oiseau par une forme censée suggérer son cri). — *Onomatopée* désigne aussi la forme lexicale, dite *onomatopéique*.

OPTATIF Système de formes du verbe exprimant le souhait et, dans le système verbal indoeuropéen, la possibilité (on dit alors aussi *potentiel*).

ORDINAL → NUMÉRAL

ORIGINE désigne à la fois un élément de langage d'où un autre tire son existence et le processus qui mène du premier au second. L'*origine* ou *étymologie* d'un mot correspond à l'*étymon*, si cette origine est connue ; dans ce cas, on emploie selon le processus les expressions *issu* (ou *hérité*) *de* (du latin parlé, du francique, pour le français) et *emprunté à*. Sinon, on parle d'origine *obscure* ou *inconnue*. En cas de discussion, l'origine est dite *incertaine* ou *discutée*.

ORLÉANAIS Dialecte gallo-roman d'oïl parlé en Orléanais.

ORTHOGRAPHE Système graphique normalisé ; graphie correcte par rapport à cette norme. — On ne parle que par extension d'une orthographe fautive, incorrecte (*graphie** convient alors mieux).

OSQUE Groupe de parlers italiques plus archaïques que l'ombrien, qui en est proche, et qui fut éliminé par le latin. → indoeuropéen 4 et latin. — L'ensemble linguistique formé par l'osque, l'*ombrien*, le *samnite*, etc. ainsi que par le *volsque* et l'*èque* est appelé **OSCO-OMBRIEN.**

OSSÈTE (*iron* dans la langue). Langue indoeuropéenne du groupe iranien* du Nord-Est, qui vient des parlers antiques des Scythes et des Sarmates. Elle est parlée dans le Caucase (Ossétie et minoritairement en Géorgie).

OURALIENNES se dit des langues finno-ougriennes* et samoyèdes.

OURDOU → HINDI

OXYMORON Alliance d'un mot et d'un autre mot exprimant son contraire («cette obscure clarté»). On dit aussi *oxymore*.

PALATALISATION s'emploie à propos de la modification subie par un phonème dont l'articulation est déplacée dans la région la plus en avant du palais ; le *k* latin, noté *c* devant *e*, *i*, de *placere* a abouti à *plaire* par palatalisation du *k* devant *e* dès le IIIe siècle.

PAPOU Ensemble de langues (le mot *papou* est malais) des populations non mélanésiennes de Nouvelle-Guinée : on en compte environ 620, à côté de 350 langues inconnues (et distinctes) parlées par de petites tribus de l'intérieur.

PARADIGME **1.** Série de formes donnée comme modèle, notamment des formes verbales (d'une conjugaison, d'une voix, d'un temps...).
2. Série des unités pouvant prendre place au même point de l'énoncé (avec la même fonction). De là, *paradigmatique* opposé à *syntagmatique*.

PARASYNTHÉTIQUE Nom donné (par Darmesteter) aux composés, notamment aux verbes, formés par addition simultanée d'un préfixe et d'un suffixe à un radical, en l'absence d'un mot suffixé préexistant (sans le préfixe). Par exemple *enrôler*, de *rôle*, en l'absence d'un verbe *rôler*, ou le latin *impedicare*, de *pedica* (Marouzeau).

① ***PARLER*** v. *En parlant de* est synonyme de *à propos de* et n'exclut pas forcément l'usage écrit de la langue.

② ***PARLER*** n. m. désigne un système linguistique (langue) réalisé à un moment et dans un lieu donnés (usage), surtout de manière orale et spontanée. Ce peut être un dialecte* ou l'emploi spécifique d'un dialecte.

PARONYMES Mots de formes voisines et de sens différents (par exemple *allocution*, *allocation*). La paronymie peut susciter un rapprochement d'emplois, par étymologie «populaire». → attraction (paronymique).

PARTHE Langue indoeuropéenne du groupe iranien, au nord-ouest du groupe, qui fut celle des Parthes et du manichéisme.

PATOIS → DIALECTE (et **dialectes et patois,** dans le dictionnaire)

PÉJORATIF caractérise un emploi, une acception, un signe (mot, locution) qui impliquent un jugement de valeur négatif. Le sens péjoratif peut concerner tous les emplois du mot *(canaille, populace)* ou seulement un emploi spécial. Il peut être impliqué par un élément (les suffixes *-aille*, *-ace*, dans les exemples ci-dessus). Un terme d'adresse* péjoratif peut constituer une insulte ou une injure. — *Péjoratif* s'oppose à *mélioratif*, selon un axe dont le milieu est occupé par les emplois *neutres*.

PENDJABI Langue indo-aryenne de l'Inde (groupe central), parlée notamment dans la région de Lahore et par les sikhs.

PERCHERON Dialecte gallo-roman d'oïl parlé dans le Perche.

PERFECTIF se dit d'une forme verbale exprimant que l'action est envisagée comme aboutissant à un terme, à un résultat (→ aspect). S'oppose à *imperfectif*. Cet aspect peut correspondre à une morphologie propre ou rester purement sémantique (par exemple *trouver*, par rapport à *chercher*).

PÉRIGOURDIN Dialectes gallo-romans occitans parlés au Périgord.

PERSAN (moderne); ***PERSE*** → IRANIEN et, dans le dictionnaire, indoeuropéen 2

PEUL (mot ouolof; les noms autochtones sont *fulfuldé, fuldé, pulaar*). Langue africaine du peuple nomade et pasteur des Peuls, aujourd'hui parlée surtout dans l'Ouest africain (Sénégal, Mauritanie, Guinée, Mali, Burkina-Faso, Niger, Bénin, Togo, Nigeria, Cameroun, Centrafrique) mais qui a traversé l'Afrique, du Nil au Sénégal. Le peul est langue nationale en Guinée, au Niger, au Mali. Environ 7 millions de locuteurs. Les dialectes se différencient surtout par le lexique. La littérature orale, puis écrite en caractères arabes (depuis le XVIIIe s.), est importante.

PHÉNICIEN Langue du groupe sémitique occidental (comme l'hébreu) dont un dialecte, le punique, fut parlé à Carthage.

PHRYGIEN Langue indoeuropéenne disparue, parlée en Phrygie du VIIIe au IIe s. avant J.-C. et qui est étrangère au grec. → thraco-phrygien.

PICARD Ensemble de dialectes gallo-romans d'oïl parlés en Picardie (France et Belgique). À côté du normand, le *picard*, dont la tradition littéraire est très importante à partir du XIe s., présente en ancien français des traits dialectaux remarquables.

PIÉMONTAIS Ensemble de dialectes italiens du Nord parlés au Piémont.

PLAISANT caractérise un emploi lexical ou phraséologique (locution) où les connotations volontaires sont comiques, parfois ironiques, parfois dérisoires.

PLATTDEUTSCH Dialecte bas-allemand d'Allemagne du Nord (→ allemand, dans le dictionnaire).

PLÉONASME Redondance expressive par laquelle un même signifié est exprimé plusieurs fois, soit partiellement par rapport au contenu de l'énoncé (périphrase), soit totalement (tautologie, par exemple *panacée universelle*).

POITEVIN Dialecte gallo-roman d'oïl parlé en Poitou (voisin du saintongeais, mais distinct).

POLONAIS Langue slave du groupe occidental apparentée à des dialectes disparus (kachoube, polabe) et langue nationale de la Pologne.

POLYNÉSIEN Ensemble des langues du groupe malayo-polynésien parlées dans les archipels du «triangle polynésien» du Pacifique : Hawaï (en concurrence avec l'anglais), îles Tonga, îles Marquises, Cook, îles de la Société (tahitien, en concurrence avec le français), Samoa et au-delà jusqu'aux îles Fidji, le nord de la Nouvelle-Zélande (maori).
Les langues mélanésiennes* appartiennent à un groupe tout différent.

POLYSÉMIE, POLYSÉMIQUE concernent un signe linguistique qui possède des significations variées, plusieurs sens. S'oppose à *monosémie, monosémique*.

POPULAIRE Le mot recouvre plusieurs notions.
1. En parlant de niveaux de langue, il s'applique à un mot, une expression très familiers, mais non triviaux ni argotiques, généralement attribués à l'usage de milieux modestes, peu cultivés et critiqués ou condamnés par des locuteurs cultivés (par exemple, *votre dame* pour *votre femme* ou *votre épouse; de suite* pour *tout de suite*, en français actuel).
2. D'autre part, *populaire*, opposé à *savant**, se dit d'un mot, d'une forme qui ont suivi une évolution phonétique normale par voie orale, qui sont «hérités» (→ aboutissement). — Il est aussi opposé à *classique* dans *latin populaire*, traditionnellement appelé *latin vulgaire*, qui désigne la langue parlée non attestée qui est à l'origine des langues romanes, reconstruite par des formes que l'on fait précéder de l'astérisque (ici, du signe °).
3. On parle enfin d'*étymologie populaire* lorsqu'un mot est rattaché spontanément à un autre mot ou à un groupe de mots qui, par analogie apparente de sens ou de forme, semblent en donner l'origine.

PORTUGAIS Langue romane de la péninsule Ibérique (ibéro-roman) qui semble issue de l'expansion vers le sud du galicien *(gallego)*. Le portugais ancien et le galicien sont intimement liés, le galicien et le portugais moderne nettement distincts. Le *portugais* est aussi la langue du Brésil, de l'Angola, des îles du Cap-Vert, de Madère, et fut parlé en nombreux points d'Asie. → romanes (langues), dans le dictionnaire.

POST-CLASSIQUE se dit du français, de son usage, entre la fin du règne de Louis XIV (1715) et la période révolutionnaire. → classique.

POSTNOMINAL, POSTVERBAL Termes désignant un dérivé d'un thème nominal *(dénominatif)*, d'un thème verbal *(déverbatif, déverbal)*.

PRÂKRIT se dit des formes vernaculaires des langues indo-aryennes anciennes qui, à côté du védique et du sanskrit (indo-aryen ancien sacré), puis en moyen-indien, furent utilisées de 500 avant l'ère chrétienne à l'an 1000 environ. Les prâkrits furent les langues de diffusion du bouddhisme (le pâli) et du jaïnisme. → indoeuropéen 3 et sanskrit, dans le dictionnaire.

PRÉCELTIQUE Antérieur aux Celtes, aux langues celtiques, dans les zones où ces langues se sont répandues, notamment Hispanie, Gaule, îles Britanniques. Le basque est une langue préceltique.

PRÉFIXE → AFFIXE

PRÉLATIN (surtout *base prélatine*) qualifie un élément du langage dont l'origine est antérieure à l'introduction du latin, soit dans la péninsule Italique même, soit dans une partie de l'Empire romain. Les bases prélatines d'Hispanie sont par exemple celtibères ou préceltiques (basque), celles de Gaule sont celtiques (gaulois) ou préceltiques. L'expression marque souvent l'ignorance quant à une source précise.

PRÉVERBE Préfixe attaché à une forme verbale.

PRIVATIF se dit d'un signe (élément, mot) servant à exprimer l'absence, le manque (par exemple *a-* privatif en français).

PRODUIRE, PRODUCTION concerne le processus par lequel, à partir d'une forme plus simple

(élément, morphème, mot), sont obtenues des unités lexicales plus complexes (dérivés, composés). *Production* vaut alors pour *dérivation* ou *composition*.
S'emploie parfois pour le processus de passage d'un étymon à l'unité lexicale de la langue étudiée. C'est le processus inverse de celui qui est désigné par l'expression *est issu de*.

PRONOMINAL Relatif au pronom (adjectif pronominal, flexion pronominale). En linguistique française, se dit d'un verbe qui comporte obligatoirement l'énoncé d'un pronom personnel complément *(me, te, se, nous, vous, leur)*, que ce complément soit direct *(se battre)* ou indirect *(se parler)*. Par le sens, les pronominaux sont réfléchis ou réciproques. — En présence d'un complément direct, l'énoncé du pronom personnel complément *(se laver les mains)* ne constitue pas un emploi pronominal mais transitif (on l'appelle parfois *faux pronominal*).

PROPRE Le sens propre est supposé attaché à la nature même du signe concerné *(propriété)* et, le plus souvent, originel, premier. Il s'oppose aux sens *figurés*, obtenus par une figure appliquée à ce sens propre. — Au propre : au sens propre.

PROVENÇAL Dialecte gallo-roman occitan de Provence. — Ensemble des dialectes du sud-est de la France, parfois identifié avec l'occitan tout entier, notamment dans le contexte de la renaissance du provençal et du félibrige (→ occitan, dans le dictionnaire).

PUNIQUE → PHÉNICIEN

QUÉBÉCOIS Variété de français (issu des dialectes d'oïl de l'Ouest — du normand au saintongeais — et du français «central» d'Île-de-France) utilisé au Québec, la plus importante forme du français d'Amérique du Nord (Louisiane, Maine et Vermont, aux États-Unis ; Nouveau-Brunswick [→ acadien], Ontario, Manitoba, au Canada). Le *québécois* ou *franco-québécois* a plusieurs variétés (Gaspésie, lac Saint-Jean, cantons de l'Est, Montréal) dont l'une, urbaine, populaire et anglicisée, se nomme le joual*. Le québécois tend à constituer, sous sa forme cultivée, la norme du français d'Amérique du Nord. → Québec, français et francophonie, dans le dictionnaire.

QUECHUA ou ***QUICHUA*** Langue amérindienne appartenant à la famille de langues du même nom et qui fut celle de l'Empire inca (Pérou). Elle compte aujourd'hui 4 millions de locuteurs, dans les Andes. Le *quechua* a fourni par l'espagnol des emprunts au français.

RACINE désigne l'élément irréductible d'un mot ou d'une série de mots apparentés que l'on a obtenu en supprimant tous les éléments de formation (suffixe, etc.) et indices grammaticaux ; la *racine*, qui constitue un support de signification, peut prendre des formes particulières, que l'on appelle les *radicaux* du mot. En tant qu'élément de base, la *racine* est commune à tous les représentants d'une famille de mots (à l'intérieur d'une langue) ou d'une famille à l'intérieur d'un groupe de langues (par exemple langues romanes, germaniques ; langues indoeuropéennes). → base. La *racine*, avec un morphème (voyelle, plus consonne éventuelle), forme un *thème* (linguistique indoeuropéenne : grec, latin...) sur lequel est elle-même formée la morphologie des mots variables.

RADICAL désigne l'élément commun à une série de mots apparentés : la comparaison des formes dégage un ou plusieurs radicaux, et celui qui est irréductible est appelé *racine**. — L'élément d'une racine ou d'un radical est appelé *radical* (*voyelle radicale*, opposé à *désinentiel, suffixal*). — Dans les langues sémitiques, les *lettres radicales* sont celles qui appartiennent à la racine de trois consonnes dite *racine trilittère*.

RÉCENT s'emploie dans cet ouvrage soit par rapport à une date de référence *(plus récent)*, soit pour qualifier un fait de langue, un sens, un emploi, une forme, etc., appartenant à la langue moderne et contemporaine (XIXe-XXe s.) par rapport à une évolution plus longue (de l'ancien français au français postclassique).

RECONSTITUÉ, RECONSTITUTION concernent une forme ou un sens non attestés et proposés par la méthode historique (lois phonétiques, en particulier) et comparative. Les formes reconstituées sont précédées du signe ° (représentant ce que l'on nomme habituellement l'astérisque).

RECOUVRIR se dit d'une expression, d'une forme qui correspondent à plusieurs significations ou valeurs, à plusieurs désignations.

RÉEMPRUNT Emprunt* second effectué à une même source, à un même étymon, et aboutissant à une même forme avec un autre sens, un autre usage. De nombreux mots polysémiques correspondent ainsi à des réemprunts.

RÉFECTION est la modification, d'après l'étymologie, d'une forme linguistique issue de l'évolution phonétique normale (*sagette* est la réfection de *sayette, saete*, aboutissement du latin *sagitta*) ou empruntée (*santal* est la réfection, d'après le grec *santalon* de *sandal*, emprunt au latin médiéval *sandalum*, lui-même pris au grec). On parle de réfection analogique dans le cas où une modification graphique se fait sur le modèle de mots du même type : *sentement*, puis *sentiment* d'après *sentir*.

RÉFÉRENCE n. f., ***RÉFÉRER À*** v. s'emploient (par anglicisme) à propos de la relation d'un signe à la réalité extralinguistique (→ désignation, désigner). — On emploie aussi *se référer à*.
Le **RÉFÉRENT** d'un signe (mot, locution) est la réalité hors langage à laquelle renvoie ce signe, et qui correspond à un signifié, ce signifié pouvant correspondre à plusieurs concepts. Le *référent* peut être un objet ou un être concret, une abstraction, une classe d'abstractions. À un référent peuvent correspondre un ou plusieurs signes du langage : mots, expressions, descriptions, paraphrases.

RÉGIME Terme régi (ou gouverné) par un autre terme, en particulier un verbe ou une préposition : *régime direct* (sans préposition ou autre particule), *régime indirect*. Dans les langues qui distinguent la fonction de sujet et celle d'objet, on parle de *cas régime* (et de *cas sujet*). — Le *cas régime* de l'ancien français correspond à l'accusatif latin (régime direct) et a produit par évolution phonétique (mots hérités) la forme moderne des noms (→ cas).

RÉGIONAL se dit d'un mot, d'une locution, d'un emploi propres à l'usage d'une partie seulement des zones d'emploi de la langue considérée. On parle aussi d'*usage régional*, de *français régionaux*. Les traits régionaux d'un usage sont souvent issus du substrat dialectal. — **RÉGIONALISME** se dit en particulier d'un élément lexical propre à une région. On l'emploie au sens large pour les éléments de l'usage du français hors de France, mais on préfère en général «français de (Belgique, Suisse...)» à «français régional», s'agissant non plus d'une région mais d'un État.

REGISTRE correspond à «niveau d'usage», selon une classification sociale (populaire, cultivé, etc.), rhétorique ou pragmatique (types de situations concrètes : *dans un registre familier, courant, soutenu*...).

RÉGRESSIF se dit d'une formation qui se fait au rebours du sens normal : *formation régressive* des déverbaux par suppression de suffixe, *dérivation régressive, assimilation régressive* (vers l'arrière).

RELATIONNEL se dit du sens d'un mot qui ne peut se définir que par une relation : ainsi, *enfant* «être humain en bas âge» a aussi le sens relationnel de «fils ou fille» par rapport à ses parents. Les termes de parenté sont relationnels (*père, fils, fille; tante, neveu, nièce;* etc.).

RELEVER correspond à «trouver dans un texte, un corpus de texte (une forme linguistique)». *On relève x* (à telle époque, dans tel usage, dans tel texte) correspond à *x est attesté* (→ attestation). Un mot (une locution) peut être relevé dans un texte, un ouvrage, chez un auteur, en un lieu, dans un usage, un milieu, etc.

REMONTER À exprime la relation génétique entre une forme moderne et son origine.

RÉPANDRE (SE) se dit d'une forme, d'un sens, qui, après de rares attestations, devient normal(le) et usuel(le).

REPRÉSENTER On dit qu'une forme française (par exemple) représente un mot latin, lorsque le rapport entre l'étymon et le mot français implique une évolution progressive et non un passage par emprunt (cf. *est l'aboutissement* de..., est hérité* de..., est issu* de...*).

REPRIS (et ***REPRENDRE***), ***REPRISE*** se disent d'un élément du langage, forme, sens, emploi de mot ou de locution, qui, après une période sans attestation et où cet élément semble sorti d'usage*, est à nouveau attesté. La reprise d'un mot peut correspondre à celle d'un archaïsme, par emploi d'après des textes, ou à la transmission par voie orale (par exemple d'un emploi devenu régional ou populaire) ou même à une nouvelle source étymologique par réemprunt.

RESTREINDRE Donner une signification, une valeur moins étendue, plus spéciale (→ spécialisation) à une unité, à un mot. L'usage peut restreindre (ou étendre) un mot à un emploi.

RESTRICTIF se dit d'un emploi, d'un sens, d'une acception spécialisé(e), plus restreint(e).

RESUFFIXÉ se dit d'un dérivé obtenu à partir d'un dérivé déjà formé, par changement de suffixe.

RHÉTOROMAN Ensemble des parlers issus du latin populaire parlés dans la région des Alpes centrales dite Rhétie. Il comprend des dialectes romanches*, ladins* et frioulans*. → romanes (langues), dans le dictionnaire.

ROMAN Ensemble des parlers gallo-romans du nord de la Gaule (oïl*) qui aboutirent aux dialectes formant l'ancien français. La notion recouvre la période où l'on ne parle plus le latin populaire (VIe-VIIe s.) et pas encore l'«ancien français» (IXe-Xe s.). Les *Serments de Strasbourg* sont notés dans une forme artificielle et officielle de roman.

ROMANCHE Ensemble des dialectes romans, de l'ensemble rhétoroman* occidental (canton des Grisons, en Suisse). Principaux dialectes : le sursilvan et l'engadinois. Le romanche a été reconnu en 1938 comme la quatrième langue de la Suisse, sous une forme supradialectale (parfois appelée *interromanche*). → romanes 7 (langues), et suisse, dans le dictionnaire.

ROMANI (dérivé du tsigane *rom* «homme») désigne la langue tsigane* parlée en Europe centrale et occidentale. Une variante du romani parlé en France est le *manouche*.

ROMANIA Ce nom propre géographique désigne l'ensemble des pays et territoires de langues romanes.

ROUCHI Parler (patois) picard du Hainaut (Valenciennes et sa région).

ROUERGAT Dialecte gallo-roman occitan du Rouergue.

ROUMAIN Langue romane parlée en Roumanie, par suite du rattachement de la Dacie (jusqu'en 271) à l'Empire romain. On distingue, après le latin de Dacie ou daco-latin, le *proto-roumain* (à partir du VI-VIIe s.), le *roumain primitif* (IX-XIe s.), l'*ancien roumain* (XI-XVIIe s.), le *roumain classique* et *moderne*. Le roumain se distingue des autres langues romanes par l'influence slave et un degré d'évolution plus grand par rapport au latin (à l'exception du français). → romanes 5 (langues), dans le dictionnaire.

RUNDI → KIRUNDI

RUSSE Langue slave du groupe oriental parlée en Russie et dans de nombreuses républiques de l'ex-U. R. S. S. On l'appelait aussi *grand-russe*.

RUSTIQUE qualifie l'usage du latin, reflété par certains textes littéraires, concernant la vie agraire et la campagne.

RUTHÈNE Ancien nom de l'ukrainien.

RWANDA, RWANDA-RUNDI → KINYARWANDA, KIRUNDI

SABIR Parler résultant d'un contact et d'altérations réciproques entre plusieurs langues ou dialectes. — Il s'est dit spécialement du mélange de français, d'autres langues romanes, de grec et d'arabe qui fut en usage dans les ports de Méditerranée. — Les *pidgins* (à éléments anglais) sont des sabirs.

SAINTONGEAIS Dialecte gallo-roman d'oïl parlé en Saintonge (voisin du poitevin).

SAMNITE Langue indoeuropéenne disparue du groupe italique (osco-ombrien).

SANSKRIT Forme écrite, savante, codifiée, de l'indo-aryen* ancien. → indoeuropéen 2 et sanskrit, dans le dictionnaire.

SARDE Langue romane parlée en Sardaigne, distincte des dialectes italiens, de caractère conservateur et même archaïque par rapport aux autres langues romanes, surtout dans certains dialectes, d'autres (le campidanien, au Sud) étant fortement italianisés. → romanes (langues, II, 6).

SAVANT **1.** Cet adjectif s'oppose à *populaire** pour qualifier en français une unité lexicale obtenue par voie d'emprunt* écrit, principalement au latin ou au grec, ou formée à partir d'éléments tirés de ces langues. C'est alors un concept étymologique.
2. *Savant* s'applique par ailleurs à un vocabulaire spécialisé appartenant au domaine scientifique. On préférera dans ce cas *scientifique, technique* ou *didactique* (plus large et correspondant à un niveau de discours).
3. On dit aussi qu'un mot est emprunté, formé ou dérivé *savamment* lorsque sa forme initiale est respectée ou lorsque la dérivation française s'applique à un étymon grec ou latin, non pas à un mot d'usage «populaire» (courant).

SAVOYARD Ensemble des dialectes gallo-romans franco-provençaux de Savoie.

SAXON (ANCIEN SAXON) Langue germanique du groupe bas-allemand, attestée par écrit dès 830. C'est le saxon occidental du Schleswig qui est, avec le danois ancien des Jutes, devenu le kentien*, et le dialecte des Angles du Holstein, à la base de l'ancien anglais*.

SCANDINAVE (ANCIEN) Ensemble des langues germaniques du nord (danois, suédois, norvégien) sous leur forme médiévale.

SCRIPTA Habitudes graphiques des scribes producteurs de manuscrits. En ancien français, les *scriptae* régionales en langue d'oïl mêlent des traits dialectaux (normands, picards, champenois, etc.) et des traits propres à la langue dominante de l'Île-de-France ou de Paris.

SÉMANTIQUE adj. Qui concerne le sens, la signification (souvent opposé à *formel*). Dans un sens plus précis, se dit de ce qui concerne les relations entre le signe (mot, par exemple) et ce à quoi il renvoie (et non pas les rapports entre les signes, qui relèvent de la syntaxe sémantique). — La *sémantique* est la science des signes du langage et de leurs effets : elle se subdivise en sémantique de la signification* et sémantique de la désignation*, et aussi en sémantique partant du signe *(sémasiologie)* et sémantique partant de la chose à désigner ou du concept à signifier *(onomasiologie)*.

SÈME Unité minimale de signification, dont la combinaison (en *sémèmes*) caractérise un sens, une acception d'un signe de la langue.

SÉMITIQUE Ensemble de langues comprenant un groupe oriental avec l'*akkadien* (langue des Sumériens de l'Antiquité), l'*ougaritique* et un ensemble occidental : cananéen, phénicien ou punique, hébreu*, araméen, syriaque, et un ensemble méridional : arabe*, sudarabique. Plusieurs langues apparentées à ce groupe (langues libyco-berbères, couchitiques, égyptien ancien) sont aujourd'hui considérées comme distinctes, non sémitiques.

SENS Terme vague et général désignant soit l'ensemble des effets produits par un signe par rapport à ce à quoi il renvoie (ensemble des significations et des désignations), soit un sous-ensemble de ces effets descriptible par une définition (→ signification et acception). À un sens peuvent correspondre un ou plusieurs emplois. Le mot *sens* est en général qualifié.
*Sens propre** : la signification considérée comme le point de départ des autres (elle caractérise le mot, lui est propre). En général par opposition à *sens figuré**. → figure, dans le dictionnaire.
Sens physique se dit parfois par opposition à *sens moral* pour caractériser une signification correspondant à la désignation d'objets physiques. On dit aussi *sens concret*, alors opposé à *sens abstrait*. Ce couple est plus général, *physique* s'articulant spécifiquement à *moral* ou à *psychologique, concret* à *abstrait* (qui inclut *moral* mais le dépasse : abstractions théoriques, philosophiques, etc.). Souvent, le sens figuré est de nature morale, psychologique ou abstraite par rapport à un sens propre concret ou physique, mais les deux oppositions sont de nature différente.
Sens large (ou *extensif*) s'oppose à *sens strict* et désigne un sens obtenu par une extension*. *Sens spécial* correspond à une *spécialisation* (extension logique moins grande ; en général domaine précisé).
Dans l'étymologie, on précise parfois le sens de l'étymon, par rapport au mot français (hérité ou emprunté) : ce sens est indiqué quand il est différent ; lorsqu'il n'y a pas eu de modification sémantique on ajoute parfois : «(emprunté ou issu de tel mot latin) *de même sens*».
Comme *signifier**, *sens* (ou *sens de...*) est dans ce dictionnaire suivi de guillemets, la formule entre guillemets correspondant à la définition.

SERBO-CROATE Ensemble des parlers, appartenant au slave méridional, de Serbie et de Croatie, ayant formé la principale langue officielle de la Yougoslavie.

SICILIEN Dialectes italiens méridionaux parlés en Sicile. Le *sicilien* revêt une importance particulière du fait de l'originalité culturelle de l'île : la littérature et le cinéma italiens en portent les traces.

SIGNIFICATION, SIGNIFIER Ces mots s'emploient à propos du processus qui relie un signe du langage (ici, un mot, une locution, un syntagme lexicalisé) et son «signifié». Une *signification* ou *acception* est ce que l'on peut décrire par une définition et qui correspond à un ensemble d'emplois du signe produisant le même effet sur les interlocuteurs. La signification fait partie du *sens* et elle est distincte de la notion ou du concept.

Signifier et *signification* sont quant à eux distincts de *désigner*-désignation* et de *dénommer*-dénomination*. — Dans cet ouvrage, *signifie* est suivi d'une expression entre guillemets qui est synonyme du mot ou de la locution traitée (dans une acception). En revanche, *désigne** n'introduit pas une signification mais la description d'une classe d'objets ou d'un concept : il n'est donc pas suivi de guillemets.

SIGNUM en latin, «signe», s'emploie dans *signum social* à propos des faits de langue qui ont pour fonction de marquer l'appartenance de ceux qui les emploient à un groupe social.

SIMPLE employé comme nom masculin, sert à désigner un mot par rapport à un préfixé formé avec son radical. Par exemple, le latin impérial *incingere* remplace le «simple» *cingere* (à *enceindre*).

SINGHALAIS → CINGHALAIS

SLAVE Groupe de langues indoeuropéennes divisé en trois branches : une méridionale (serbo-croate, slovène, bulgare...), une occidentale (tchèque, polonais...) et une orientale (russe, ukrainien, biélorusse), différenciées à partir du IXe siècle.
VIEUX SLAVE Langue des documents du Xe-XIe s., apparentée au slave méridional (macédonien, bulgare) avec des traits archaïques (on parle parfois de *slave commun*). On dit aussi *slavon*.

SLOVAQUE Langue slave du groupe occidental, distincte du tchèque.

SLOVÈNE Langue du groupe slave méridional parlée en Slovénie, distincte du serbo-croate.

SOGDIEN Langue du groupe iranien* (moyen iranien) oriental qui fut parlée autour de Boukhara et Samarkand et qui fut la langue véhiculaire de l'Asie centrale (textes des VIIIe-IXe s.). — Le *khotanais* et le *chorasmien* appartiennent au même groupe.

SORABE Langue slave du groupe occidental, encore parlée en Lusace (Allemagne orientale).

SOUDURE Réunion de deux éléments normalement détachés (morphèmes libres, mots) en un seul signe (par exemple *ja* et *mais* formant *jamais*). Certaines soudures, par exemple celle du déterminant et du substantif, sont appelées agglutinations*.

SOULETIN Dialecte basque de la Soule (France : Mauléon).

SOUTENU Un emploi soutenu correspond à un niveau d'usage cultivé et à une production de discours contrôlée, par rapport à une norme*. L'usage ou l'emploi soutenu s'oppose au spontané qui est souvent familier*; il peut être neutre ou marqué*, correspond plus souvent au registre écrit qu'à l'oral (mais l'oral soutenu est bien représenté dans le fonctionnement de la langue).

SPÉCIALISATION **1.** Lorsqu'un élément du lexique : mot, syntagme figé, locution, s'applique de manière fréquente à une classe d'objets plus restreinte, dans un domaine précisé et avec un sens plus particulier que précédemment, on dit qu'il s'est *spécialisé*. «Emploi *spécial*», «sens *spécial*» et «fait de s'employer *spécialement*» (abrégé en *spécialt* dans les dictionnaires) sont des expressions qui désignent un phénomène sémantique extrêmement fréquent. Le champ d'application d'un mot est plus ou moins large, plus ou moins général; lorsqu'il se restreint, son extension logique diminue (il désigne moins d'objets) et la richesse de son sens s'accroît (il faut plus d'éléments pour le définir; sa «compréhension» est plus grande). Sens *spécial* s'oppose à sens *large* et à sens *étendu* (→ extension).
2. Indépendamment de ces valeurs sémantiques, *spécialisé* s'emploie pour l'usage d'un mot, d'un syntagme en tant que terme* ou en tant qu'élément de désignation dans un domaine, une science, le droit, une technique, etc. On dit alors que l'unité en question appartient à une *langue spéciale* (en fait un usage spécial de la langue), à une langue *de spécialité*, qu'il entre dans un *domaine spécial*. La spécialisation est alors sociale et conceptuelle.

SUBSTANTIF Dans la catégorie des noms, comprenant aussi les adjectifs, mot susceptible de former le noyau d'un syntagme nominal (qui peut être formé aussi de pronoms). Il est parfois défini sémantiquement comme le signe désignant un être (nom propre), un élément d'une classe (nom commun), un concept ou une notion non réalisable en classe d'objets (on parle alors de substantif abstrait).
Substantif verbal désigne le nom d'action dérivé d'un verbe et aussi le verbe sous forme de nom (infinitif, participe, supin et gérondif latins). — Le verbe *être* et ses substituts sont parfois appelés *verbe substantif*.

SUBSTITUTION Le fait, pour un élément linguistique, de se substituer à un autre (de même fonction). *Substitution lexicale*, d'un mot à un autre, *phonétique*, d'un phonème à un autre. *Substitution de suffixe, suffixale* : remplacement d'un suffixe par un autre sur une même racine.

SUBSTRAT → INDOEUROPÉEN, ROMANES (LANGUES), dans le dictionnaire.

SUDARABIQUE Ensemble de dialectes du sud de l'Arabie, attestés à partir du VIIIe s. avant J.-C. et qui furent éliminés par l'arabe après l'islamisation. → arabe, dans le dictionnaire.

SUÉDOIS Langue germanique du groupe nordique parlée en Suède et en Finlande (sud-ouest du pays).

SUFFIXE → AFFIXE

SUJET désigne la fonction qui correspond à la donnée première, au point de départ de l'énoncé. Grammaticalement, cette fonction repose sur un syntagme nominal (nom, pronom, etc.) qui peut être morphologiquement marqué (nominatif, dans les langues à déclinaisons).
Le *cas sujet*, en ancien français, correspond au nominatif latin et s'oppose au cas régime*.
Logiquement, le sujet est un terme de l'énoncé qui s'articule avec le prédicat (de nature verbale).

SUPERSTRAT → INDOEUROPÉEN, ROMANES (LANGUES), dans le dictionnaire.

SUPIN En latin, forme verbale à fonction substantive et adjective, et spécialement nom (substantif) verbal jouant le rôle d'un infinitif dans certaines constructions (*eo lusum* «je vais : *eo*, vers l'action de jouer : *lusum*», supin de *ludere*).

SURVIVANCE Archaïsme, fait de langue conservé à une époque où des faits analogues (du même système) ont disparu.

SWAHILI (*kiswahili* dans la langue). Langue africaine de la famille bantoue, attestée depuis le XVe s., devenue langue administrative du Kenya colonial, puis langue nationale de la Tanzanie (1964). À partir de la côte est de l'Afrique, elle s'est répandue au Kenya, en Tanzanie, en Ouganda, au Rwanda, au Burundi, au Congo-Kinshasa.
Les variétés véhiculaires sont parlées par 20 à 30 millions de personnes. C'est une des langues les plus présentes en Afrique (enseignement, médias, édition), mais elle est à 90 % langue seconde (à côté d'une langue maternelle le plus souvent bantoue).

SYLLEPSE Le fait de comprendre dans une même construction des termes qui exigeraient normalement des constructions différentes.

SYNECDOQUE Figure de rhétorique qui étend la compréhension d'un mot, par transfert (métonymie : partie pour le tout) ou par extension (le genre pour l'espèce entière). Le mot s'emploie parfois pour le mouvement inverse (le tout pour la partie) qui correspond à une spécialisation de sens.

SYNÉRÈSE Fusion de deux voyelles contiguës en une diphtongue (une des deux voyelles devient alors une semi-voyelle).

SYNONYME se dit aujourd'hui d'unités lexicales ayant le même sens. À l'origine, le mot s'appliquait à des unités participant du même sens générique, mais avec un élément spécifique qui diffère (on les appelle en sémantique moderne des hyperonymes).
Les synonymes vrais (au sens moderne) sont rares, les usages de mots différents entraînant des connotations différentes. On parle mieux alors de *quasi-synonymes*.

SYNTAGME Réunion de deux (ou plusieurs) signes linguistiques, en général des mots combinés en un complexe : *syntagmes nominaux*, dont le noyau est un nom, *syntagmes verbaux*, dont le noyau est un verbe. Certains syntagmes sont libres *(un chapeau vert)*, d'autres forment une unité de désignation ou de signification (ou de traduction), par exemple : un *chapeau haut de forme*. Suivant les points de vue, on parle alors de *syntagme codé* (formant une unité dans le code de la langue), de *syntagme lexicalisé* (formant une unité dans le lexique, assimilable à un mot composé ; → lexicalisation). Exemple de syntagme nominal lexicalisé : *point de vue*, de syntagme verbal lexicalisé : *mettre au point*. — *Pomme de terre*, *petits pois*, *repris de justice* peuvent être considérés comme des mots composés (ils le sont fonctionnellement) ou comme des syntagmes lexicalisés.
Syntagme spécialisé désigne un syntagme qui a valeur terminologique (→ terme) ou qui est lexicalisé dans un domaine d'emploi spécial.

TABOU se dit d'une unité lexicale que l'on évite, par suite d'un interdit, ou qui est altérée pour la même raison (par exemple *mort-dieu* d'où *morbleu*).

TAHITIEN Langue polynésienne* parlée à Tahiti.

TARDIF Qui se produit plus tard qu'autre chose. Ce terme est toujours relatif. Dans l'histoire d'un mot (ou d'une expression, d'un terme), ce qui est tardif est beaucoup plus récent que la référence de départ. Ainsi, un sens spécialisé tardif, une extension tardive, sont attestés après un long usage du sens de départ auquel ils succèdent. — À propos des emprunts, *tardif* et *tardivement* s'appliquent à ceux qui ont lieu après l'époque la plus féconde, selon la langue et selon le domaine concerné.

TCHÈQUE Langue slave du groupe occidental, distincte du slovaque.

TECHNIQUE se dit d'un fait de langue, d'un élément lexical qui relève du discours de la technique et décrit les modifications et la maîtrise du monde matériel par l'homme, avec ses projets et ses objets, leurs fonctionnements et leurs effets (de la fabrication à la destruction). La technique utilisant les connaissances de la science et les pratiques matérielles de la culture (du silex à la métallurgie, aux artisanats, aux industries contemporaines), son expression langagière est en relation avec celle du savoir scientifique sur la matière et avec celle des activités réglées. Elle correspond à des notions articulées entre elles, seules capables d'assumer l'expression du projet et de l'objet techniques, que ce soit le percuteur néolithique ou l'ordinateur ; elle est donc liée à des terminologies (d'où l'emploi fréquent de *terme technique*, mot ou syntagme à fonction de nom) ; → terme. Un mot peut, à un moment donné, entrer dans un vocabulaire technique et devenir (ou non) un terme dans une technique donnée. Les techniques sont nombreuses. Certaines ont une grande importance dans l'organisation du lexique.
À noter que *technologie* et *technologique* sont employés ici dans leur sens propre, «étude des techniques», et non pas comme on le fait souvent en français actuel (d'après l'anglais) pour «technique complexe et avancée».

TECHNOLECTE Mot formé d'après *dialecte* et s'appliquant à ce que l'on appelle aussi langue ou langage de spécialité (technique), c'est-à-dire à l'usage d'une langue exprimant un domaine technique et fonctionnant dans une activité technique. Comme *argot* ou *jargon*, il ne s'agit pas d'un usage fonctionnel autonome (comme l'est le dialecte) mais d'un usage marqué par une terminologie* et quelques habitudes de discours.

TERME désigne un élément de la langue correspondant à un syntagme ou à un mot, parfois à un symbole, mais considéré comme l'étiquette matérielle d'une notion ou d'un concept. Le terme fait obligatoirement partie d'une *terminologie*, ensemble de noms désignant un ensemble conceptuel organisé, ou (parfois) d'une *nomenclature*, liste de noms correspondant à des objets de connaissance classés (taxinomie scientifique, liste d'objets techniques, liste de noms propres, ne correspondant pas à des termes). Le fonctionnement d'un terme est décrit par une définition ; il n'a en principe qu'un sens, dans une terminologie donnée. Le terme fonctionne comme un nom mais peut être lexicalement un adjectif ou un verbe («nom» de qualité ou de processus). Les termes correspondent le plus souvent à un domaine du savoir organisé, science, technique, classification (qu'elle soit «populaire» ou savante). *Terme technique* et *terme scientifique* caractérisent le plus souvent des syntagmes nominaux ou des noms employés dans une «langue de spécialité» (de nature technique ou scientifique); il y a aussi des termes juridiques, administratifs, politiques (et en général institutionnels), et chaque branche d'activité peut avoir une terminologie élaborée.

THAÏ Groupe de langues d'Asie du Sud-Est. — Spécialement, langue thaï parlée en Thaïlande (ancien Siam : *siamois*). Le laotien, l'annamite appartiennent à ce groupe.

THÈME En grammaire grecque, *thème (thema)* est synonyme de *base**. En linguistique indoeuropéenne, le thème est l'ensemble formé par la *racine** et un ou plusieurs morphèmes (souvent, voyelle dite de liaison; parfois, plus une consonne) appelés morphèmes *thématiques*. Les thèmes formés sur une racine peuvent être *nominaux* (formant des noms), *verbaux* (formant des verbes), ceux-ci pouvant être à leur tour *temporels* (formant les temps du verbe) ou *modaux*. Il existe des thèmes à un, deux, trois morphèmes appelés *thèmes primaires, secondaires*, etc. — Exemple en latin : la racine *dic-*, avec la voyelle thématique *i*, donne les formations thématiques *dici-te, dici-tis* sur le thème *dici-* (Marouzeau).

THESSALIEN Dialecte grec éolien de Thessalie (→ grec).

THRACO-PHRYGIEN Groupe de langues indoeuropéennes disparues, distinctes du groupe hellénique, comprenant le thrace (très mal connu) et le phrygien*.

TIBÉTAIN Langue du groupe tibéto-birman parlée au Tibet, transcrite dans une écriture empruntée à l'Inde du Nord (VIIe s.).

TOKHARIEN Groupe de deux langues indoeuropéennes disparues, attestées par des manuscrits du VIe et du VIIe s. du Turkestan chinois, adaptant des textes sanskrits. Le *tokharien* est la langue indoeuropéenne la plus orientale; découverte au début du XXe s., elle a permis des comparaisons précieuses avec les autres langues indoeuropéennes.

TOPONYME Nom de lieu, étudié par la toponymie (comprenant les noms de villes et de pays ou de régions, les noms d'accidents de terrain — *oronymes* —, de fleuves et rivières — *hydronymes*).
Des noms de lieux peuvent dériver des noms et adjectifs appelés *gentilés*.

TOSCAN Ensemble de dialectes italiens du Centre, subdivisé en quatre groupes : le florentin (toscan central), le toscan occidental, le siennois, l'arétin (Arezzo). La langue littéraire italienne suprarégionale, depuis Dante, est fondée sur le toscan, notamment sur le florentin, sans certaines particularités dialectales. → italien, dans le dictionnaire.

TOURANGEAU Dialecte gallo-roman d'oïl parlé en Touraine.

TRANSCRIPTION Notation, dans un système d'écriture, d'un mot appartenant à un autre système d'écriture, si possible de manière à représenter les sons prononcés. On appelle *translittération* une transcription lettre par lettre, qui fait correspondre à chaque signe d'un système un signe d'un autre système. Ainsi, dans ce dictionnaire, les mots grecs sont translittérés dans l'alphabet moderne (celui du latin). On parle aussi de *transcription phonétique* (et *phonologique*) à propos de la notation du langage oral dans un alphabet établi à cet effet (un signe correspondant à un son ou à un phonème) : l'alphabet phonétique international *(A. P. I.)* est le plus utilisé.

TRANSITIF se dit stricto sensu d'un verbe qui admet un complément (régime) direct, sans préposition, et au sens large d'un verbe qui admet un complément direct *(transitif direct)* ou prépositionnel *(transitif indirect)*. *Emploi transitif* se dit à propos d'un verbe initialement ou essentiellement intransitif, lorsqu'il s'emploie avec un complément. *Sens transitif :* sens d'un verbe en emploi transitif.

TRANSLITTÉRATION → TRANSCRIPTION

TRILITTÈRE se dit des principales racines des langues sémitiques, caractérisées par trois consonnes servant de support aux éléments vocaliques. La morphologie de l'arabe et celle de l'hébreu reposent sur de telles racines.

TRONCATION désigne un procédé d'abrègement d'un mot par suppression d'une ou de plusieurs syllabes (*vélo* pour *vélocipède*).

TROPE Figure de rhétorique, spécialement figure sémantique portant sur un mot et le faisant changer de sens dans l'histoire, selon des transferts de nature assez régulière. → figure, dans le dictionnaire.

TSIGANE Langue appartenant au groupe indoaryen des langues indoeuropéennes, détachée de ses origines par les migrations (depuis le Ve s.). → tsigane, indoeuropéen, dans le dictionnaire.

TUPI Langue amérindienne apparentée au guarani*. On parle de *tupi-guarani* pour désigner la famille représentée du Paraguay à l'Amazonie, au Tocantins et aux Andes boliviennes. Le *tupi* représente l'ensemble dialectal du Nord, le *guarani* celui du Sud. Le tupi moderne servant de langue véhiculaire est ce qu'on nomme en portugais du Brésil la «lingua geral» (langue générale). Le *tupi-guarani* a fourni des emprunts au français (XVIe s.), souvent par l'espagnol.

TURC **1.** *Turc* ou *türk*. Vaste ensemble de langues originaires d'Asie centrale, apparentées aux langues mongoles et toungouzes. On distingue un groupe du Nord-Est *(yakoute, tuva)*, un groupe de l'Altaï *(tatar)*, un groupe de la Volga et de l'Oural *(tatar, bachkir...)*, un groupe d'Asie centrale *(ouïgour, kazakh, kirghiz, ouzbek)*, un groupe du Sud-Ouest (*turkmène, azerbaïdjanais, turc* de Turquie).
2. Langue de ce groupe parlée par les Turcs ottomans, langue officielle de la Turquie actuelle (Anatolie).

TYPE **1.** Ensemble de formes, d'éléments de la langue considéré comme unité d'un classement (alors appelé *typologie*).
2. Variété distincte d'une unité-signe, lorsqu'il en existe plusieurs de même origine.

UKRAINIEN Langue slave du groupe oriental parlée en Ukraine, distincte du biélorusse et du russe. On l'appelait aussi *petit-russe, petit-russien* et *ruthène.* D'importantes colonies ukrainiennes ont conservé leur langue hors de son territoire d'origine, notamment au Canada (surtout en Alberta).

USAGE désigne ici la manière dont les éléments du langage sont employés ; on oppose notamment *en usage* à *sorti d'usage,* qui équivaut à *vieilli, archaïque,* pour un mot, une locution ou un sens qui ne sont plus employés et, en général, plus compris. *Hors d'usage* correspond à «définitivement sorti d'usage», c'est-à-dire à «vieux».
Passer dans l'usage, ce dernier pouvant être qualifié (*l'usage courant,* etc.), s'oppose à *sortir d'usage* (qui équivaut à *vieillir*) ; *revenir en usage* se dit d'un élément, mot, locution, qui, étant devenu archaïque, redevient usuel. S'il n'y a pas de modification de statut (fréquence, etc.), on dit que l'élément *se maintient dans l'usage, reste en usage.*
L'usage peut être qualifié : «dans l'usage *soutenu, familier,* etc.», car les usages sont toutes les actualisations sociales du système abstrait de la langue (l'usage du français classique, du français de Belgique, l'usage soutenu, littéraire, poétique, ou familier, populaire, etc.).

USUEL se dit d'un emploi normal et habituel, sans allusion particulière à sa fréquence (→ courant). Il s'oppose à *peu usité, inusité.*

VALEUR **1.** Le mot est employé dans cet ouvrage pour insister sur l'aspect différentiel d'une signification, d'un sens. Le lexique, selon Saussure, est construit sur le plan sémantique comme une structure d'éléments différentiels, appelés *valeurs.* En outre, à l'intérieur des sens d'un mot, les éléments non désignatifs, connotations sociales, affectives, etc., correspondent à la réalisation de systèmes de *valeurs* (au sens sociologique du mot).
2. *Valeur* peut aussi s'employer à propos d'un élément général de signification (sème), par exemple dans *valeur concrète, abstraite,* ou du résultat d'une figure de sens, dans *valeur étendue, spéciale...* d'un mot.

VARIANTE désigne une forme différente de la forme de référence : *schah* a pour variantes graphiques *chah, shah.* D'autres variantes modifient la prononciation et même la formation du mot *(variantes morphologiques).* Une variante régionale ou dialectale d'un mot peut être reprise en français central avec une signification particulière *(réchappé/rescapé).* On a souvent indiqué ici les variantes d'un mot en ancien et en moyen français, la forme de référence étant alors celle qui est en usage aujourd'hui (*sauvage* a pour variantes anciennes *salvage, salvaige,* jusqu'au XVIe s.).
Les variantes peuvent être regroupées en types*, à l'intérieur d'un ensemble de formes de même origine.

VAUDOIS Dialecte gallo-roman occitan du Piémont (qui fut aussi parlé en Allemagne, en Calabre).

VÉDIQUE Langue des *veda,* forme littéraire de l'indo-aryen ancien, pratiquée avant la codification du sanskrit*. C'est un mélange de dialectes avec dominante du nord-ouest de l'Inde (Pendjab). → indoeuropéen, dans le dictionnaire.

VÉNÈTE Langue indoeuropéenne, autonome par rapport à l'ensemble italique, qui fut parlée dans le nord de l'Italie dans les derniers siècles avant l'ère chrétienne.

VÉNITIEN Dialecte italien de Vénétie (italien du Nord) particulièrement important sur le plan littéraire et culturel, du fait du rayonnement de Venise.

VERBE Mot exprimant essentiellement un procès ou un rapport entre thèmes (en grec *rhêma*), y compris le rapport d'existence *(être).* Le verbe, support linguistique du *rhème,* et le nom, support du *thème,* forment l'énoncé : les Anciens le considéraient comme son terme principal. Pour exprimer la variété du procès, le verbe indoeuropéen est soumis à une morphologie riche, capable d'exprimer aspects, temps, modes, personnes... cf. *conjugaison* (verbes réguliers, irréguliers, défectifs...).
Par la formation, on distingue parfois les verbes primaires (thème verbal) et les verbes secondaires, dérivés d'une forme verbale ou nominale (dénominatifs). Ces verbes secondaires peuvent être causatifs, factitifs, intensifs, itératifs, fréquentatifs.
Quant à la construction, on distingue les transitifs directs et indirects et les intransitifs. Quant au sens (nature du procès exprimé), on distingue verbes d'action et verbes d'état.
On sépare parfois le verbe *être* (et ses substituts), appelé *verbe d'état,* des *verbes d'action* (tous les autres).

VERLAN Code argotique français — inversion de l'ordre des syllabes —, très productif en français contemporain (→ argot, dans le dictionnaire). Le terme *verlan* est lui-même une illustration du procédé qui, on le constate, est oral *(l'en-vers).*

VESTINIEN Langue italique* du groupe osco-ombrien (→ osque).

VIEILLI s'applique à un mot ou à un sens qui, sans avoir disparu de l'usage, sont tombés en désuétude et plus ou moins bien compris.

VIEUX s'applique à un mot, à un sens, à une locution, qui ont disparu dans l'usage spontané et n'est plus compris par les locuteurs sans connaissances historiques sur la langue. Certains faits linguistiques «vieux» sont remis en usage par volonté stylistique ou par conservation dans un emploi régional de la langue. Ils sont alors appelés *archaïsmes* (→ archaïsme).
Appliqué à un nom de langue, *vieux* est un synonyme d'*ancien* (la différence n'est que d'usage : *ancien français* mais *vieil anglais, vieux perse...*).

VIEUX PERSE → IRANIEN (GROUPE)

VIEUX PRUSSIEN Langue indoeuropéenne du groupe balte* qui se parlait (jusqu'au XVIIe s.) en Prusse-Orientale.

VIEUX SLAVE → SLAVE

VOCABULAIRE Ensemble d'unités lexicales et spécialement de mots. Par rapport à *lexique*, vocabulaire* désigne soit les unités d'un texte, d'un ensemble d'énoncés (et non pas celles de la langue), soit les unités propres à un usage particulier (groupe d'usages, classe sociale, école de pensée, etc.). On parlera ainsi du vocabulaire socialiste, romantique, des vocabulaires argotiques, aristocratiques.

VOCATIF Forme de la déclinaison (notamment en latin) correspondant à une fonction d'interpellation. Le mot qui désigne ce qui est interpellé prend alors une valeur indépendante du reste de la construction. On parle parfois de vocatif pour la fonction même, quelle que soit la forme qui l'assume (en français *ô toi qui...*).

VOIE désigne un type d'usages de la langue ou un type de langues par lequel une forme est passée, au cours d'un processus étymologique. Un emprunt peut ainsi s'être fait *par voie orale* ou *par voie écrite, par voie savante,* etc.

VOIX En grammaire, aspect d'un verbe défini par la fonction attribuée à son sujet. La *voix active* suppose que le sujet accomplit l'action, la *voix passive* qu'il la subit (alors que dans le premier cas, c'est le complément ou régime qui subit). À chacun de ces aspects correspond un ensemble de formes.

VOLSQUE Langue italique* rattachée au groupe osco-ombrien.

VULGAIRE **1.** Dans son sens original, l'adjectif est employé comme équivalent de *populaire,* dans *latin vulgaire,* pour désigner un état tardif de cette langue parlée et en général non attestée. On dit aussi *arabe vulgaire* pour *arabe dialectal,* opposé à *arabe classique.* — *Vulgaire* s'est dit des parlers spontanés devenus langue maternelle après la perte du latin parlé médiéval, dit «latin vulgaire» (ou «populaire»). — Les «vulgaires romans» correspondent au *roman** (→ français), le «vulgaire illustre» de Dante est le toscan appelé à devenir langue littéraire pour toute la péninsule (→ italien).

2. Par ailleurs, *vulgaire,* avec une valeur plus actuelle, se dit d'un mot ou d'un emploi trivial. Il concerne alors le jugement porté à la fois sur le contenu (par exemple, scatologique, violent et déplaisant, etc.) et sur l'usage du mot (injurieux, obscène...), alors que *familier** et même *populaire** sont indépendants de tels effets.

WALLON Dialecte gallo-roman d'oïl parlé dans la majorité de la partie romane de la Belgique, concurremment avec le français (→ Belgique, dans le dictionnaire).

WISIGOTH Langue germanique des Wisigoths; l'une des deux branches du gotique* qui a permis de reconstituer cette langue. Le gotique des Wisigoths fut parlé en Gaule (Sud-Ouest) et en Espagne (→ espagnol, dans le dictionnaire), les Ostrogoths étant établis en Italie.

WOLOF ou ***OUOLOF*** Langue africaine appartenant à l'ensemble de langues dites «ouest-atlantiques», parlée au Sénégal et en Gambie. C'est la plus usitée au Sénégal, comme langue maternelle (plus de 1 million), seconde et véhiculaire (par les Sérères, Peuls, etc.). Elle est utilisée dans l'administration et dans l'enseignement, à côté du français.

XÉNISME Mot ou unité lexicale emprunté à une langue étrangère et senti comme n'appartenant pas à la langue emprunteuse (à la différence de l'emprunt*). Le xénisme constitue une marque d'exotisme ou d'authenticité.

YIDDISH Langue germanique (dialectes haut-allemands) imprégnée d'éléments hébreux, parlée par les communautés juives ashkénazes en Allemagne et plus tard dans divers pays de la diaspora (États-Unis, notamment).

YORUBA Langue africaine du groupe kwa (langues du golfe de Guinée) parlée au Nigeria et au Bénin (ex-Dahomey) et devenue un parler véhiculaire doté d'une écriture, de grammaires et de dictionnaires. Un certain nombre de mots yoruba sont passés en portugais du Brésil, à Salvador de Bahia où ils constituent une part du vocabulaire des pratiques magico-religieuses du candomblé (qui correspond au vaudou haïtien).

CORRESPONDANCES CHRONOLOGIQUES ENTRE LES DATATIONS DU DICTIONNAIRE ET LES PRINCIPAUX TEXTES DE RÉFÉRENCE

par T. HORDÉ et A. REY

Ceci n'est pas une chronologie de la littérature en français, ni un répertoire exhaustif des textes ayant fourni des attestations, mais une simple mise en correspondance des datations du dictionnaire et des textes qui les justifient.

Les textes d'ancien français et de moyen français jusqu'à 1500 ont été répertoriés par Tristan Hordé, la suite par Alain Rey.

Pour les premiers, l'attribution d'une époque ou d'une date plus précise est toujours problématique. Aussi bien, en cas de divergence, a-t-on précisé les sources, notamment les deux principales : la chronologie de Raphaël Lévy et les volumes de référence du F.e.w. *(Französisches Etymologisches Wörterbuch)* de von Wartburg. Ces sources se retrouvent souvent, surtout celles de Wartburg, dans le *Grand Larousse de la langue française* (avec des aménagements bibliographiques dus à A. Lerond), dans le *Grand Robert* et aussi dans le *Trésor de la langue française*, avec plus de propositions nouvelles que nous avons parfois suivies. Mais les hypothèses de Lévy et celles de Wartburg demeurent notre principale justification.

Pour le XVIe s. et les temps modernes, les références peuvent être une date d'édition ou de pré-édition (en revue, en livraisons, en feuilletons, etc.), une date de première représentation, pour le théâtre, ou bien un repérage correspondant à la biographie de l'auteur, (av. [avant] telle date — celle du décès de l'auteur, pour les posthumes) ou encore à la date dans une correspondance, un journal, en général fiable, alors que celles de *Mémoires* peuvent correspondre à un texte écrit plus tard, et qui doit être daté par rapport à son établissement. Ainsi les années de référence des *Mémoires de Saint-Simon* — celles du règne de Louis XIV — doivent être écartées des datations des mots et des sens qui y sont repérés, ce texte ayant été écrit vers le milieu du XVIIIe siècle. Mais, sauf manipulation avérée, les dates de la correspondance de Mme de Sévigné ou de celle de Flaubert, celles du journal de nombreux écrivains — par exemple les Goncourt — peuvent être retenues. Pour ce type de références, on a donné la première année, en précisant l'étendue dans le temps de chaque ensemble textuel. Alors, la date bibliographique de publication, parfois très postérieure, n'a guère d'intérêt.

Ainsi, cette liste n'est qu'occasionnellement bibliographique. Elle est entièrement utilitaire, et remédie à l'absence voulue de renvoi systématique aux œuvres dans le texte même du dictionnaire.

Enfin, pour quelques œuvres et certains dictionnaires qui ont fourni un nombre très important d'attestations, les dates sont imprimées en gras. Le lecteur retrouvera ainsi rapidement des repères comme 1080 *(Chanson de Roland)*, 1532 *(Pantagruel)*, 1690 (*Dictionnaire* de Furetière), 1752 *(l'Encyclopédie)*, 1845-46 (*Dictionnaire* de Bescherelle), etc. qui sont plus fréquents que d'autres dans l'ouvrage.

VIIIe-IXe siècle

VIIIe	*Gloses de Reichenau* (mots latins classiques expliqués par du latin populaire en voie de devenir du roman)

IXe siècle

842	*Serments de Strasbourg*
v. 880	*Séquence de Sainte Eulalie*

Xe siècle

v. 900 Lévy entre 938 et 952 Lévy v. 980 F. E. W., G. L. L. F.	*Jonas* (intercalations françaises dans une homélie latine sur le prophète Jonas : manuscrit de Valenciennes)
2e moitié du Xe Lévy, T. L. F. fin Xe F. E. W.	*La Vie de saint Léger*
2e moitié du Xe Lévy **v. 980** F. E. W., G. L. L. F. **fin Xe** T. L. F.	*La Passion du Christ*
980	→ 950 *(Passion du Christ)*
1000	→ 950 *(Vie de saint Léger)*

XIe siècle

v. 1040 Lévy **v. 1050** F. E. W., T. L. F.	*La Vie de saint Alexis*
v. 1050 F. E. W.	*Mystère de l'époux*
2e moitié du XIe Lévy **fin XIe** F. E. W.	*Gloses françaises dans les commentaires du rabbi Raschi* (on parle à son propos de judéo-français)
1080; aussi déb. XIIe Lévy v. 1100 T. L. F.	*La Chanson de Roland*

XIIe siècle

déb. XIIe Lévy	*Lois de Guillaume le Conquérant*
1100-1130 F. E. W., G. L. L. F. 1125 Lévy	*Gormont et Isembart*
1100	→ 1080 *(Chanson de Roland)*
1112 Lévy v. 1120 F. E. W.	*Le Voyage de saint Brendan* - Benedeit l'Apostoile
1115 Lévy v. 1120 F. E. W.	*Psautier de Cambridge*
1119 F. E. W., T. L. F.	*Compoz* (ou *Comput*) - Philippe de Thaon
1121 Lévy **1125** F. E. W., T. L. F.	*Bestiaire* - Philippe de Thaon
entre 1121 et 1177 Lévy fin XIIe F. E. W.	*Anseïs de Metz*
1125 Lévy v. 1130 T. L. F. 1100-1130 F. E. W.	*Gormont et Isembart*

1130

v. 1130 F. E. W., T.L.F. *(Lois de Guillaume)* 1140 Lévy	*La Chanson de Guillelme* ou *Chanson de Guillaume*
1131 F. E. W., Lévy v. 1135 T. L. F.	*Le Couronnement de Louis*
1135 Lévy	*Le Roman des sept sages*
1135 Lévy v. 1145-1170 F. E. W.	*La Vie de sainte Marguerite*
1135 Lévy	*Le Lai d'Haveloc*
v. 1138 F. E. W. 1140 Lévy, T. L. F.	*Estoire des Engleis (L'Estoire des Engles solun la translation de Maistre Geffrei Gaimar* [F. E. W.] - Geffrey Gaimar

1140

1140 Lévy v. 1150 F. E. W., G. L. L. F.	*L'Estoire Joseph*
1140 Lévy	*Proverbes de Salomon* - Samson de Nanteuil
v. 1140 T. L. F. 1149 Lévy v. 1150 F. E. W.	*Le Pélerinage de Charlemagne*
1140 (Lévy)	→ 1130 *(Chanson de Guillaume)*
1144 Lévy v. 1150 F. E. W. v. 1160 G. L. L. F.	*Le Charroi de Nîmes*
1145 Lévy	*La Conception Nostre Dame* - Wace
1145 Lévy v. 1145 G. L. L. F.	*L'Afaitement Catun* (traduction des *Distiques* de Caton) - Evrart de Kirkham
1145-1170 F. E. W. 1160 Lévy **v. 1165** T. L. F.	*Le Roman de Troie* - Benoit de Sainte-Maure
1145-1170 (pour Benoit) F. E. W. 1174 Lévy **v. 1175** T. L. F.	*Chronique des ducs de Normandie* - Benoit de Sainte-Maure

1148 Lévy	*La Prise d'Orange*
XIIe G. L. L. F.	*Li Romanz d'Athis et Prophilias (l'Estoire* [Histoire] *d'Athenes)*
1150	
1150 Lévy	*L'Episode d'Haveloc* - Geffrey Gaimar
XIIe F. E. W. 2e moitié du XIIe Lévy	*Le Siège de Barbastre*
2e moitié du XIIe F. E. W., Lévy	*Le Roman de Tristan* - Béroul
v. 1150 F. E. W. 1160 Lévy **v. 1160** T. L. F.	*Le Roman d'Eneas*
v. 1150 T. L. F. 1156 Lévy v. 1165 F. E. W.	*Le Roman de Thèbes*
mil. XIIe F. E. W. et dernier quart XIIe ; v. 1160 (en décasyllabes) Lévy **v. 1185** T. L. F.	*Le Roman d'Alexandre*
XIIe F. E. W. 1160 Lévy	première rédaction du *Moniage Guillaume*
XIIe F. E. W. 1185 Lévy	seconde rédaction du *Moniage Guillaume*
1150 (F. E. W.)	→ 1140 *(Pélerinage de Charlemagne)*
	→ 1144 *(Charroi de Nîmes)*
1153 Lévy ; 1145-1170 (pour Wace) F. E. W.	*La Vie de saint Nicolas* - Wace
1155 Lévy, T. L. F. **1145-1170** (pour Wace) F. E. W.	*(Le roman de) Brut* - Wace
1155 Lévy XIIe G. L. L. F.	*Le Mystère d'Adam* ou *le Jeu d'Adam*
1160	
entre 1160 et 1189 Lévy v. 1165 F. E. W., G. L. L. F. v. 1170 T. L. F.	*Les Lais* - Marie de France
v. 1160-1170 F. E. W. dernier quart XIIe Lévy	*Le Roman de Tristan* - Béroul
1160 (Lévy)	→ 1145 *(Roman de Troye)*
1162 Lévy v. 1170 F. E. W. fin XIIe (autre version) Lévy	*Flore* (ou *Floire*) *et Blancheflor*
1164 Lévy v. 1170 T. L. F.	*Erec et Enide* - Chrestien de Troyes
1165 F. E. W., Lévy	*Roman de Tristan* - Thomas
1165 Lévy v. 1185 G. L. L. F. v. 1200 F. E. W.	*Aliscans*
1165 Lévy	*Guillaume d'Angleterre* - Chrestien de Troyes
1165 F. E. W., Lévy (ou v. 1165)	*Eracle* - Gautier d'Arras
1167 F. E. W., Lévy (ou v. 1167)	*Ille et Galeron* - Gautier d'Arras
1167 Lévy **1176** T. L. F.	*Cligès* - Chrestien de Troyes
1169 Lévy 1145-1170 (pour Wace) F. E. W. **1160-1174** T. L. F.	*Le Roman de Rou* - Wace
1169 Lévy	*Lancelot* - Chrestien de Troyes
1170	
1170 F. E. W., Lévy v. 1180 G. L. L. F.	*La Vie d'Edouard le Confesseur* (ou *Estoire de seint Aedward le rei*)
1170 Lévy v. 1170 F. E. W.	*Piramus et Tisbé*
1170 F. E. W., Lévy v. 1170 T. L. F.	*Li Quatre Livre des Reis*
1170 F. E. W., Lévy	*Sermons* - Maurice de Sully
1170 Lévy v. 1170 G. L. L. F.	*Fierabras d'Alixandre*
1170 F. E. W., Lévy	*Le Roman du Mont Saint-Michel* - Guillaume de Saint-Pair
v. 1170 F. E. W. 1175 Lévy	*La Vie Seint Edmund le Rei*
1170	→ 1160 (*Lais* de Marie de France)
1172-1174 F. E. W. 1174 Lévy	*La Vie de saint Thomas Becket* - Guernes de Pont-Sainte-Maxence
1173 F. E. W., Lévy v. 1200 T. L. F.	*Aiol* (première partie) → déb. XIIIe
1174-1200 Lévy **v. 1200** T. L. F. **v. 1205** T. L. F.	*Le Roman de Renart* (branches I-XII)
1174-1178 T. L. F. 1176 F. E. W., Lévy	*Livre des Manières* - Etienne de Fougières
1174 (Lévy)	→ 1145 (Benoit de Sainte-Maure)
1175 (dernier quart XIIe)	→ 1160 (*Le Roman de Tristan* - Béroul)

1176 (T.L.F.)	→ 1167 *(Cligès)*
1177 Lévy	*Yvain* - Chrestien de Troyes
entre 1179 et 1212 Lévy 1180-1220 F. E. W.	*Chansons* - Gace Brulé
1180	
1180 Lévy fin XIIe Lévy v. 1210 F. E. W.	*Raoul de Cambrai*
1180 Lévy v. 1180 F. E. W.	*La Mort Aymeri de Narbonne*
v. 1180 F. E. W. 1185 Lévy	*La Vie de saint Gilles* - Guillaume de Berneville
1180 Lévy v. 1180 F. E. W., T. L. F. v. 1181 T. L. F.	*Le Roman d'Aiquin* (ou *d'Aquin*), ou la Conqueste de la Bretaigne par le roy Charlemaigne
1180 F. E. W. v. 1200 Lévy	*La Folie Tristan de Berne*
v. 1180 F. E. W.	*Le Roman de Horn* - Thomas
v. 1180 F. E. W. 1185 Lévy	*La Vie de saint Gilles*
v. 1180 F. E. W. v. 1185 T. L. F.	*Protheselaus* - Hue de Rotelande
v. 1180 F. E. W. 1189 Lévy	*Fables* - Marie de France
v. 1180 F. E. W., G. L. L. F.	*Girart de Roussillon*
entre 1180 et 1210 Lévy v. 1210 F. E. W.	*Folque de Candie* - Herbert, duc de Danmartin
1181 Lévy **v. 1205** F. E. W.	*Perceval* - Chrestien de Troyes
v. 1182 F. E. W. 1184 Lévy	*Les Vers de la Mort* - Thibaud de Marly
1184 F. E. W. 1189 Lévy	*La Vie de saint Thomas Becket* - Beneit de Saint Alban
entre 1185 et 1210 Lévy, G. L. L. F. fin XIIe F. E. W.	*Gerbert* (ou *Girbert*) *de Mez*
1184 (Lévy)	→ 1150 *(Moniage Guillaume)*
av. 1188 T. L. F. 1198 Lévy	*Partonopeus de Blois*
1188 F. E. W., Lévy	*Florimont* - Aimon de Varennes
1188 Lévy	*L'Assomption Nostre Dame* - Herman de Valenciennes
1188 Lévy, G. L. L. F. 2e moitié XIIe F. E. W.	*La Chanson d'Aspremont*
1189 (Lévy)	→ 1184 *(Vie de saint Thomas Becket)*
1190	
1190 Lévy v. 1190 F. E. W., Lévy, G. L. L. F.	*L'Espurgatoire Seint Patriz* - Marie de France
1190 Lévy av. 1191 F. E. W.	*Le Vengement Alixandre* - Gui de Cambrai
1190 Lévy 1150-1219 (pour la vie de l'auteur) F. E. W.	*Les Chansons* - Conon de Béthune
1190 Lévy v. 1200 T. L. F.	*La Chanson d'Antioche*
v. 1190 F. E. W., G. L. L. F. 1198 Lévy	*Le Jeu de saint Nicolas*
v. 1190 F. E. W. fin XIIe Lévy	*Sermons* - Saint Bernard
1190 Lévy v. 1200 F. E. W.	*Le Bel Inconnu* - Renaud de Beaujeu
1192 Lévy fin XIIe G. L. L. F.	*La Genèse* - Evrat
1193-1197 F. E. W. 1197 Lévy	*Les Vers de la Mort* - Hélinant de Froimont
1194 Lévy	*Rotruenge* - attribué au roi Richard Ier d'Angleterre
1195	
1195 F. E. W., Lévy	*Renaud de Montauban*
1195 F. E. W., Lévy	*L'Estoire du Graal* - Robert de Boron
v.1195 T. L. F. v. 1196 F. E. W.	*Histoire de la guerre sainte* - Ambroise
1195 Lévy v. 1200 F. E. W.	*Doon de la Roche*
1195 Lévy v. 1200 F. E. W.	*Les Enseignements de Robert de Ho*
1195 Lévy fin XIIe F. E. W.	*Robert le Diable*
1196 F. E. W., Lévy	*Chanson des Saisnes* - Jean Bodel
1197 Lévy	*Ogier li Danois* - Raimbert de Paris
1198 Lévy	*Petit Plet* - Chardry
1198 (Lévy)	→ 1190 *(Le Jeu de saint Nicolas)*
1199 Lévy v. 1200 F. E. W.	*Le Poème moral*
1199 Lévy fin XIIe F. E. W. v. 1200 T. L. F. (Saint-Georges)	*Œuvres* - Sigmund de Freine

av. 1200	*Le Jeu de saint Nicolas* - J. Bodel
fin XIIe Lévy, T. L. F.	*Fragments de Mainet*
fin XIIe Lévy mil. XIIIe T. L. F.	*Le Chastoiement d'un père à son fils*
fin XIIe F. E. W., Lévy	*La Chanson de Floovant*
fin XIIe F. E. W. 1201 Lévy	*L'Escoufle*
fin XIIe Lévy déb. XIIIe G. L. L. F.	*Amis et Amiles*
fin XIIe F. E. W., Lévy av. 1203 G. L. L. F.	*Chansons* - Chastelain de Coucy
fin XIIe Lévy	*Isopet de York*
v. 1200 (T.L.F.)	→ 1174 *(Roman de Renart)*; 1190 *(Chanson d'Antioche)*
v.1200 (Lévy)	→ 1180 *(La Folie Tristan)*

XIIIe siècle

1er quart XIIIe F. E. W.	*Du clerc qui fame espousa* - Gautier de Coinci (ou Coincy)
1er quart XIIIe F. E. W.	*De la bonne empereris qui garda loiaument son mariage* - Gautier de Coinci
1re moitié XIIIe F. E. W. déb. XIIIe Lévy	*La Vie de saint Eustache,* première version en prose
déb. XIIIe F. E. W., Lévy	*Aiol* (deuxième partie)
déb. XIIIe Lévy XIIIe F. E. W.	*Merlin* (en prose) - Robert de Boron
déb. XIIIe Lévy XIIIe F. E. W.	*Elie de Saint-Gille*
déb. XIIIe F. E. W. mil. XIIIe Lévy	*Gautier d'Aupais*
déb. XIIIe F. E. W. 2e tiers XIIIe Lévy	*Les Chansons* - Gautier d'Epinal
déb. XIIIe F. E. W. mil. XIIIe Lévy	*Joufrois*
déb. XIIIe F. E. W. 1256 Lévy, G. L. L. F.	*Le Régime du Corps de Maître Aldebrandin de Sienne*
1re moitié XIIIe F. E. W., Lévy	*Aucassin et Nicolette*
1re moitié XIIIe F. E. W.	*Evangile de Nicodème*
1re moitié XIIIe Lévy 2e moitié XIIIe G. L. L. F.	*Anticlaudien* - Ellebaut
1re moitié XIIIe Lévy	*Chansons* - Thibaut de Champagne (1201-1253)
1re moitié du XIIIe Lévy XIIIe F. E. W.	*Cinq poèmes sur la parabole des quatre filles de Dieu*

1200

v. 1200 1226 Lévy, G. L. L. F.	*Courtois d'Arras*
1200 Lévy déb. XIIIe G. L. L. F.	*Josaphaz* - Chardry
1200 Lévy v. 1200 T. L. F. XIIIe F. E. W.	*L'Hystore Job* (ou *Moralités sur Job*) - Pierre de Blois
1200 Lévy 1re moitié XIIIe F. E. W.	*Le Purgatoire de saint Patrice* (en anglo-normand)
1200 Lévy	*Vie de sainte Marguerite*
1200 F. E. W., Lévy	*Vie de sainte Geneviève de Paris*
v. 1200 F. E. W.	*La Venjance nostre seigneur*
v. 1200 F. E. W.	*Vie de saint Osith*
v. 1200 F. E. W. déb. XIIIe Lévy	*La règle de saint Benoit* - traduite en vers français par Nicole
v. 1200 F. E. W. 1213 Lévy	*Le Roman de la Rose* ou *de Guillaume de Dole* - Jean Renart
v. 1200 F. E. W., Lévy	*La Vie de saint Jehan Bouche d'Or*
1200 Lévy v. 1200 F. E. W., G. L. L. F.	première version de *Bueve de Hantone*
v. 1200 Lévy, G. L. L. F. 1er quart XIIIe F. E. W.	*Anseïs de Carthage*
v. 1200 Lévy, G. L. L. F. v. 1205 F. E. W.	*Le Lai d'Ignauré* ou *lai du Prisonnier* - Renaud de Beaujeu
v. 1200 T. L. F. v. 1205 F. E. W. entre 1202 et 1212 Lévy	*La Continuation de Perceval* (dite *Didot*)
1er quart XIIIe Lévy 1213-1239 F. E. W.	*Chansons* - Moniot d'Arras
1201 Lévy	*L'Escoufle*
1202 Lévy	*Le Congé* - Jean Bodel
1203 Lévy	*Le Roman des Franceis* - André de Coutances
1204 F. E. W., Lévy	*Le Roman de Carité (Li Romans de Carité et Miserere du Renclus de Moiliens,* voir 1209*)*

1205

1205 Lévy v. 1300 F. E. W.	*Doon de Mayence*
1205 F. E. W. déb. XIIIe Lévy	*La Folie Tristan (d'Oxford)*

1205 Lévy	*Les Enfances Vivien*
1205 Lévy déb. XIIIe F. E. W.	*Le Purgatoire de saint Patrice* - Béroul
1205 F. E. W., Lévy	*Les Narbonnais*
1205 Lévy déb. XIIIe F. E. W., G. L. L. F.	*Guillaume de Palerne*
v. 1205 F. E. W. 1225 Lévy	*La Queste del saint Graal*
entre 1205 et 1225 Lévy déb. XIIIe F. E. W.	*Le Roman d'Yder*
1206 Lévy v. 1210 F. E. W.	*Le Bestiaire de Pierre le Picard de Beauvais*
1206 F. E. W. 1208 Lévy	*La Bible* - Guiot de Provins
1208 Lévy	*La Vie de sainte Foy* - Simon de Walsingham
1208-1209 G. L. L. F. 1209 Lévy	*Histoire de l'empereur Henri de Constantinople* - Henri de Valenciennes
1209 F. E. W., Lévy	*Le Roman de Miserere (Li Romans de Carité et Miserere du Renclus de Moiliens,* voir 1205*)*
v. 1210 F. E. W. 1203-1212 Lévy	*Perlesvaus*

1210

1210 Lévy	*Dolopathos* - Herbert
v. 1210 F. E. W. déb. XIIIe Lévy	*La Vengeance Raguidel*
v. 1210 F. E. W. entre 1210 et 1223	*Le Haut Livre du Graal*
1211 F. E. W., Lévy	*La Prise de Cordres et de Sebille* (Cordoue et Séville)
1212 Lévy entre 1195 et 1225 F. E. W., G. L. L. F.	*Galeran de Bretagne* - Jean Renart
1212 Lévy **v. 1208** T. L. F.	*La Conqueste de Constantinople* - Villehardouin
1212 Lévy v. 1200 T. L. F. v. 1212 G. L. L. F. entre 1212 et 1214 F. E. W.	*Les Dialogues de saint Grégoire* - Frère Angier
1213 F. E. W., Lévy, T. L. F.	*Faits des Romains (Li fet des Romains)*
1213 (Lévy)	→ 1200 *(Guillaume de Dole)*
1212-1214 F. E. W. 1214 Lévy	*La Vie de saint Grégoire* - Frère Angier

1215

1215 Lévy déb. XIIIe F. E. W.	*Œuvres complètes* - Raoul de Houdenc
1215 Lévy 1225-1250 F. E. W., G. L. L. F	*Barlaam et Josaphas* - Gui de Cambrai
1215 Lévy v. 1215 G. L. L. F. déb. XIIIe F. E. W.	*La Vie de saint Martin* - Péan Gatineau
v. 1215 F. E. W. 1217 Lévy **mil. XIIIe** T. L. F.	*Aymeri de Narbonne*
1216 Lévy v. 1216 F. E. W.	*La Conqueste de Constantinople* - Robert de Clari
1216 F. E. W., Lévy	*Fergus* - Guillaume Le Clerc
1216 F. E. W. v. 1220 F. E. W.	*Huon de Bordeaux*
1217 Lévy	*Le Conte du Barril*
1217 F. E. W., Lévy	*Evangile de Nicodème* - André de Coutances
1217 Lévy déb. XIIIe F. E. W.	*La Vie de sainte Christine* - Gautier de Coinci
1218 F. E. W., Lévy	*Le Roman en prose de Lancelot du Lac, le conte de la Charrette*

1220

1220 F. E. W., Lévy	*La Bible au seigneur de Berzé*
1220 Lévy v. 1220 F. E. W.	*Guibert d'Andrenas*
1220 Lévy	*Les Merveilles de Rigomer*
1220 Lévy déb. XIIIe F. E. W.	*Continuation de Perceval* - Gerbert de Montreuil
1220 Lévy v. 1225 F. E. W.	troisième version de *Bueve de Hantone*
1220 Lévy	*La Bible* - Hugues de Berzé
1220 Lévy XIIIe G. L. L. F.	*Girart de Vienne*
1220 Lévy 1230-1260 F. E. W.	*Fragments d'une vie de saint Thomas de Canterbury*
1220 Lévy v. 1210 G. L. L. F.	*Amadas et Ydoine*
1221 Lévy	*La Complainte de Jérusalem* - Huon de Saint-Quentin
1221 F. E. W., Lévy	*Le Lai de l'Ombre* - Jean Renart

v. 1223 F. E. W., T. L. F. 1224 Lévy	*Le Premier Livre des Miracles de la Sainte Vierge* - Gautier de Coinci
v. 1223 F. E. W. 1231 Lévy	*Le Second Livre des Miracles de la Vierge* - Gautier de Coinci
1225	
v. 1225 F. E. W., T. L. F. 1226 Lévy	*Histoire de Guillaume le Maréchal*
1225 Lévy v. 1225 F. E. W.	deuxième version de *Bueve de Hantone*
1225 Lévy v. 1225 F. E. W.	*La Vie de saint Jean l'Evangéliste*
1225 F. E. W., Lévy	*Gaydon*
1225-1250 (F. E. W.)	→ 1215 *(Barlaam et Josaphas)*
1227 Lévy XIIIe F. E. W. 1er quart XIIIe G. L. L. F.	*Florence de Rome*
1227 F. E. W.	*De sainte Leocade* - Gautier de Coinci
1228 Lévy XIIIe F. E. W.	*Le Roman du Comte de Poitiers*
1227-1229 F. E. W. 1229 Lévy	*Le Roman de la Violette* - Gerbert de Montreuil
1230	
1230 F. E. W., Lévy	*La Mort le roi Artu*
1230 Lévy	*Le Très Ancien Coutumier de Normandie*
1230 Lévy	*Livre des estoires*
v. 1230 F. E. W.	*Le Lai d'Aristote* - Henri d'Andeli
v. 1230 F. E. W. 1re moitié XIIIe Lévy	*Le Poème dou conte* [du comte] *Symon*
v. 1230 G. L. L. F. 1231 Lévy 1re moitié XIIIe F. E. W.	*La Vie de saint Eustache*
1231 (Lévy)	→ 1223 *(Second Livre des Miracles de la Vierge)*
1232 Lévy XIIIe F. E. W., G. L. L. F.	*La Fille du comte de Pontieu*
1233 Lévy	*Bestiaire d'amour* - Richard de Fournival
1234 F. E. W. apr. 1234 Lévy	*Chansons* - Colin Muset
1234 Lévy 1re moitié XIIIe F. E. W.	*Le Tornoiement de l'Antechrist* - Huon de Mery
1235 Lévy 1221-1250 F. E. W.	*Le Plait de Renart contre Vairon*
1236 Lévy	*La Chantepleure* - Rutebeuf
1237 Lévy **v. 1240** F. E. W.	*Le Roman de la Rose* - Guillaume de Lorris
1240	
1240 Lévy	*Histoire de Julius Cesar* - Jehan de Tuim
1240 Lévy v. 1240 F. E. W.	*Les Quatre Ages de l'homme* - Philippe de Navarre (*ou* de Novare)
1240 Lévy 1221-1250 F. E. W. v. 1240 F. E. W.	*Renart et Piaudoue*
1240 Lévy XIIIe F. E. W.	*Gui de Warwic* (ou *Warewic*)
v. 1240 F. E. W., G. L. L. F.	*Miracles de la Sainte Vierge*
v. 1241 Lévy mil. XIIIe F. E. W.	*Le Vair Palefroi avec deux versions de la Male Honte* - Huon le Roi et Guillaume
1242 Lévy XIIIe G. L. L. F.	*Œuvres* - Henri d'Andeli
1243 Lévy	*La Bible des set estaz du monde* - Geoffroi de Paris
1243 Lévy	*Mémoires* - Philippe de Novare
1246 Lévy mil. XIIIe F. E. W., G. L. L. F.	*Les Evangiles des dames*
1246 Lévy mil. XIIIe G. L. L. F.	première rédaction en vers de *l'Image du Monde*
1247 Lévy 1244-1248 F. E. W., G. L. L. F.	*Li Regrés Nostre-Dame* - Huon le Roi (ou Huon de Cambrai)
1247 Lévy v. 1250 F. E. W.	*L'Image du monde de maître Gossouin*, rédaction en prose
1248 Lévy	deuxième rédaction en vers de *l'Image du Monde*
1249 ?	*Lettre à Nicolas Arode* - Jean Sarrasin
1249 Lévy	*Le Dit des Cordeliers* - Rutebeuf
av. 1250 Lévy v. 1250 F. E. W.	*Les Enfances Guillaume*
v. 1250 G. L. L. F. 1265 Lévy	*Chronique rimée* - Philippe Mousket

1250

> *REM : Nous avons rangé sous 1250 toutes les références du XIIIe siècle pour lesquelles on ne dispose d'aucune autre précision. Plusieurs datations de 1250 (notamment chez Lévy) correspondent en fait au XIIIe siècle ou milieu XIIIe siècle*

XIIIe Lévy, G. L. L. F.	*Macaire*
XIIIe F. E. W., G. L. L. F. 2e quart XIIIe Lévy	*Poème picard en l'honneur de la Vierge*
XIIIe Lévy 2e moitié XIIe Lévy	*Histoire des ducs de Normandie et des rois d'Angleterre* - anonyme de Béthune
XIIIe Lévy, G. L. L. F.	*Isopet de Lyon*
XIIIe F. E. W.	*La Vie de sainte Andree*
XIIIe F. E. W.	*Le Dit du Prunier*
XIIIe F. E. W.	*La Résurrection du Sauveur*
XIIIe F. E. W.	versions en vers et en prose de *la légende de l'empereur Constant*
XIIIe F. E. W.	*L'Histoire du filz du conte de Crépy*
XIIIe F. E. W., Lévy	*Isopet de Lyon*
XIIIe F. E. W.	*Chansons et descorts* - Gautier de Dargies
mil. XIIIe F. E. W., Lévy	*Epître de saint Jérôme à Eustachium,* traduction en vers
mil. XIIIe Lévy	*Les Trois Aveugles de Compiègne* - Cortebarbe
mil. XIIIe F. E. W.	*Histoire de l'Abbaye de Fécamp en vers français*
mil. XIIIe Lévy	*Joufrois*
mil. XIIIe F. E. W., Lévy	*Dialogue de saint Julien et son disciple*
v. 1250 F. E. W. 2e tiers XIIIe Lévy	*Poésies* - Gautier le Leu
1250 Lévy v. 1250 G. L. L. F.	*Aubery le Bourgoing*
1250 F. E. W., Lévy	*Le Roi Flore et la belle Jehane*
1250 Lévy v. 1250 F. E. W., G. L. L. F.	*Le Bestiaire d'amour rimé*
1250 Lévy v. 1250 F. E. W.	*Le Bestiaire d'Amour en vers* - Richard de Fournival
1250 Lévy v. 1250 F. E. W.	*L'Atre Périlleux*
1250 F. E. W., Lévy	*Li Chevaliers as deus espees*
1250 F. E. W., Lévy	*Asises de Jerusalem*
v. 1250 F. E. W. avant 1257 Lévy	*La Prise de Defur*
v. 1250 F. E. W. 1273 Lévy, G. L. L. F.	*Berte aus grans piés*
1250-1280 F. E. W.	*Ave Maria — La Descrisions des Relegions* - Huon le Roi, de Cambrai
1250 (F. E. W. : mil. XIIIe)	→ 1190 *(Le Chastoiement)*
1250 (XIIIe F. E. W.)	→ 1200 *(Merlin)*
1251 Lévy	*La Discorde de l'Université et des Jacobins* - Rutebeuf
1251-1282 F. E. W. 1270 Lévy	*Le Couronnement de Renart*
1255 Lévy	*Œuvres* - Robert de Blois
1256 Lévy	*Complainte de Constantinople* - Rutebeuf
1256 Lévy	*Roman de Mahomet* - Alexandre du Pont
apr. 1257 Lévy v. 1260 F. E. W.	*Le Voyage d'Alexandre au Paradis terrestre*
apr. 1250 Lévy v. 1280 F. E. W.	*Le Mariage des set ars* - Jean le Teinturier d'Arras

1260

1260 Lévy	*Les Ordres de Paris* - Rutebeuf
1260 Lévy v. 1260 F. E. W.	*Floriant et Florete*
1260 Lévy v. 1260 F. E. W.	*Le Vilain Mire*
1260 (T.L.F.)	→ 1271 *(Le livre des Mestiers)*
v. 1260 F. E. W., Lévy	*Le Roman de Laurin, fils de Marques le Senechal*
v. 1260 F. E. W. 1265 Lévy	*Livre de Jostice et de Plet*
1260-1280 F. E. W. 1260-1290 Lévy	*La Vie de saint Remi*
1260-1300 F. E. W.	*Dits et Contes de Baudouin de Condé et de son fils Jean de Condé*
1261 Lévy v. 1270 F. E. W.	*Le Miracle de Théophile* - Rutebeuf
1261 Lévy	*Renart le Bestorné* - Rutebeuf
1262 Lévy	*Le Livre des Miracles de Nostre Dame de Chartres* - Jehan Le Marchant

1262 Lévy	*La Voie de Paradis* - Rutebeuf
1265	
v. 1265 F. E. W., T. L. F. 1268 Lévy	*Tresor* ou *le livre dou Tresor* - Brunetto Latini
v. 1265?	*Le Miracle de Théophile* - Rutebeuf
1266 Lévy, T. L. F.	*Les Vers de la Mort* - Robert le Clerc
1266 Lévy	*La Complainte d'outremer*
1266 Lévy	*La Complainte du comte Eudes de Nevers*
1267 Lévy	*Le Dit de la voie de Tunes* - Rutebeuf
1267 Lévy XIIIe F. E. W.	*La Vie de saint Thibaut*
1268 Lévy XIIIe F. E. W.	*Cristal et Clarie*
1268 Lévy	traduction en vers du *Livre de Jonas*
1268 Lévy	*Les Moralités des Philosophes* - Alart de Cambrai
1270	
1270 Lévy	*Introductoire d'astronomie*
1270 F. E. W., Lévy	*Le Secré des secrez* - Pierre de Fetcham (Pierre d'Abernun)
1270 Lévy	*Manekine* - Philippe de Remi
1270 F. E. W., Lévy XIVe *(sic)* G. L. L. F.	*Moamin et Ghatrif*
1270 Lévy	*La Povreté Rutebeuf*
1270 Lévy 1270-1275 F. E. W.	*La Vie de saint Quentin* - Huon le Roi, de Cambrai
1270 F. E. W., Lévy	*Les Metheores d'Aristote* (traduction) *Mahieu le Vilain*
v. 1270 F. E. W. 1277 Lévy 1269-1278 T. L. F.	*Le Roman de la Rose* - Jean de Meun
1271-1288 Lévy	*La Chastelaine de Vergi*
1271 Lévy **1260** T. L. F.	*Le Livre des Mestiers* - Etienne Boileau
1272 Lévy	traduction de la *Rhetorica ad Herennium* - Jean d'Antioche
1273 (Lévy)	→ v. 1250 *(Berte aus grans piés)*

1274 Lévy	première rédaction des *Grandes chroniques françaises de Saint-Denis*
1275	
1275 Lévy XIIIe F. E. W.	adaptation en vers des *Algorismes latins*
2e moitié XIIIe F. E. W.	*Evangile de Nicodème* - anonyme
2e moitié XIIIe F. E. W.	*Œuvres* - Villard de Honnecourt
2e moitié XIIIe F. E. W., Lévy	*Garin de Monglene* (ou *Monglane*)
2e moitié XIIIe Lévy XIIIe F. E. W., T. L. F.	*La Bataille de Caresme et de Charnage*
2e moitié XIIIe Lévy	*La Chace dou cerf*
2e moitié XIIIe Lévy v. 1270 F. E. W.	*La Court de Paradis*
1276 F. E. W., Lévy	*Les Enfances Ogier* - Adenet le Roi
1276 F. E. W. 1277 Lévy	*Le Jeu de la Feuillee* - Adam le Bossu
1278 F. E. W., Lévy	*Sarrasin, Le Roman du Hem*
1280	
1280 Lévy v. 1280 F. E. W.	*La Clef d'Amors*
entre 1280 et 1290 F. E. W. 1299 Lévy	*Le Traité sur la langue française* - Walter de Bibbesworth
1282 Lévy	traduction de la *Rhetorica ad Herennium* - Jean de Harenc
1283 Lévy	*Les Miracles de saint Louis* - Guillaume de Saint Pathus
1283 F. E. W., Lévy, T. L. F.	*Les Coutumes du Beauvaisis* - Philippe de Remi, sire de Beaumanoir, dit Philippe de Beaumanoir
1284 F. E. W., Lévy	*L'Art de Chevalerie* - traduit par Jean de Meun
1285	
1285 Lévy v. 1285 F. E. W.	*La Chevalerie de Judas Macabé*
v. 1285 F. E. W. 1210 Lévy	*Orson de Beauvais*
1285 F. E. W.	*Dit du vrai Aniel*
1285 Lévy	*La Complainte de sainte Eglise* - Rutebeuf

1285 F. E. W., Lévy	*Les Tournois de Chamency* - Jacques Bretex (ou Bretel)
1285 Lévy	traduction en vers des *Macchabées*
1285 Lévy	*Cleomadés*
1285 Lévy	traduction des *épîtres d'Abélard et d'Héloïse* - Jean de Meun
1285 Lévy	*Le Jeu de Robin et Marion*
1287 F. E. W., Lévy	seconde rédaction du *Credo* - Joinville
1288 Lévy 1290 F. E. W.	mise en vers de *l'Art de Chevalerie* traduit par Jean de Meun *(Li abrejance de l'ordre de Chevalerie)* - Jean Priorat
1288 Lévy	*Renart le Nouvel*
1288 Lévy	*La Dîme de pénitance* - Jean de Journi
1290	
1290 Lévy fin XIIIe F. E. W.	*La Vie sainte Paule*
1290 Lévy	remaniement du *Roman de la Rose* - Gui de Mori
fin du XIIIe Lévy	*Blancardin et l'Orgueilleuse d'Amour*
entre 1290 et 1315 Lévy v. 1300 F. E. W.	paraphrase du livre *De Monstruosis hominibus orientis*
1291 Lévy 2e moitié du XIIIe F. E. W.	*Le Tornoiement as Dames de Paris* - Pierre Gencien
1294 Lévy	*La Bible historiale* - Guiart des Moulins
1294 Lévy	*Miracles de saint Eloi*
1295	
1295 Lévy	*Le Testament* - attribué à Jean de Meun
1295 Lévy fin XIIIe F. E. W.	*Le Livre Roisin*
1295 Lévy fin XIIIe F. E. W.	*Le Purgatoire de saint Patrice* en vers octosyllabiques
1298 Lévy v. 1300 F. E. W.	*Le Roman du Castelain de Coucy et de la Dame de Fayel* - Jakemes
1298 Lévy fin XIIIe F. E. W.	*Le Dit de la Panthère d'amours* - Nicole de Margival
fin XIIIe	traductions françaises des œuvres de Ramon Llull (*Doctrine d'enfant*, etc.). Publiées en 1969
1298 F. E. W., Lévy	*Le Voyage* (ou *le Livre*) *de Marco Polo* - rédigé par Rusticien de Pise (publié par G. Gauthier, 1865)
1299 (Lévy)	→ 1280 *(Traité, de Bibbesworth)*

XIVe siècle

v. 1300 T. L. F. dernier quart XIVe Lévy XVe *(sic)* T. L. F.	*Le Viandier* - Guillaume Tirel dit Taillevent
1300	
1300 Lévy	*Bible* (en vers) Macé de la Charité
1300 F. E. W., Lévy	*Les Proverbes de bon enseignement* - Nicole Bozon
v. 1300 F. E. W. (1205 pour Lévy)	*Doon de Mayence*
1300 F. E. W., Lévy v. 1300 T. L. F.	traduction en prose du roman latin d'Apollonius
1300 Lévy v. 1300 F. E. W.	*Coutumier d'Artois* (ou *Anciens usages d'Artois*)
v. 1300 F. E. W. 1er tiers du XIVe Lévy	*Le Roman de la Dame à la Lycorne et du biau chevalier au Lyon*
XIIIe F. E. W. 1re moitié XIV Lévy	*Le Chevalier du Papegai* (ou *papegau*)
déb. XIVe F. E. W.	*Les Estampies françaises*
déb. XIVe Lévy XIVe F. E. W.	*Le Livre de la Passion*
déb. XIVe Lévy XIVe et XVe F. E. W.	*L'antidotaire Nicolas*, deux traductions françaises de *l'Antidotarium Nicolai*
v. 1300-1350 F. E. W. 1350 Lévy	*Estat et Mairtien* - Gilles (Gillon) li Muisis
1304 Lévy v. 1305 F. E. W.	*Le Char d'Orgueil* - Nicole Bozon
1306 F. E. W., Lévy	*Histoire de saint Louis* - Joinville
1306 T. L. F. 1307 Lévy v. 1307-1315 F. E. W.	*La Branche des royaux lignages* - Guillaume Guiart
1310 Lévy 1314 T. L. F. déb. XIVe F. E. W.	*Le Roman de Fauvel*

1310	
1310 Lévy v. 1310 F. E. W., G. L. L. F.	*Pamphile et Galatée* - Jehan Bras-de-Fer
1310 Lévy v. 1310 F. E. W.	*La Vie de sainte Dieudonnee*
1312 Lévy v. 1312 F. E. W.	*Plainte d'amour* - Nicole Bozon
1313 F. E. W.	*Le Livre de la Taille de Paris*
1314 F. E. W., Lévy	*La Chirurgie* - Henri de Monoleville
1315 Lévy v. 1315 F. E. W.	*Les Vœux de l'Epervier*
1316 F. E. W., Lévy	*Le Roman du comte d'Anjou* - Jehan Maillart
1320	
1320 Lévy v. 1360 F. E. W., G. L. L. F. (manuscrit de 1460)	*Perceforest*
v. 1320 F. E. W.	*Poème sur le précieux sang*
v. 1320 F. E. W.	*L'Histoire de Fauvain* - Raoul le Petit
v. 1320 F. E. W. 1328 Lévy	*Ovide moralisé* (traduction des *Métamorphoses)*
v. 1320 F. E. W. 1330 Lévy	*Les Contes moralisés* - Nicole Bozon
1322 et 1342 (2e rédaction) Lévy v. 1330 F. E. W.	*Renart le Contrefait*
1325 Lévy	*Chronique de Morée (1204-1305)*
1327 F. E. W. 1333 Lévy	traduction du *Miroir historial* - Jehan de Vignay
1330	
1330 Lévy v. 1330 F. E. W.	*Le Chant du Roussigneul*
v. 1330 F. E. W.	*La Passion du Palatinus*
v. 1330 F. E. W. 1350 Lévy	*Baudouin de Sebourg (Li romans de Bauduin de Seboure, IIIe roy de Jherusalem)*
1332 F. E. W., Lévy	*La Prise Amoureuse* - Jehan Acart de Hesdin
1338 Lévy v. 1340 F. E. W.	*Le Tombel de Chartrose*
1340	
1340 Lévy	*Remède de Fortune* - Guillaume de Machaut
v. 1340-1370 F. E. W.	*Œuvres* - Guillaume de Machaut
1345 Lévy	*Jugement du roy de Behaigne* - Guillaume de Machaut
1346 Lévy 1re moitié XIVe F. E. W.	*L'Entree d'Espagne*
v. 1350 Lévy mil. XIVe Lévy	*Li Bastars de Buillon*
mil. XIVe F. E. W. 1410 Lévy	*Ciperis de Vignevaux*
1350 Lévy 2e moitié du XIVe F. E. W.	*Brun de la Montaigne*
2e moitié XIVe F. E. W., Lévy	*Poésies* - Oton de Granson
1352-1356 F. E. W. 1355 Lévy	traduction partielle de Tite-Live - Pierre Bersuire
1359 Lévy v. 1320 G. L. L. F.	*Hugues Capet*
1360	
1360 Lévy	*Dit de la Fontaine* - Guillaume de Machaut
1362 T. L. F. 1364 Lévy	*Le Livre du voir* - Guillaume de Machaut
1362-1365 F. E. W. 1362-1363 G. L. L. F. 1365 Lévy	*Les Amphorismes Ypocras* - traduction de Martin de Saint-Gille
1365 F. E. W.	*Psautier lorrain*
1370 Lévy	*Les Lamentations de Matheolus et le Livre de Leesce* - Jehan Le Fèvre de Ressons
1370	
F. E. W., Lévy	*Ethiques* d'Aristote - traduction de Nicole Oresme
v. 1370 T. L. F. **1363** F. E. W., Lévy (1re éd. imprimée : 1478)	*La Grande Chirurgie* - Guy de Chauliac
1370	→ 1374 (traduction d'Oresme)
1372 Lévy	*De la propriété des choses...* - traduction par Jean Corbichon du *Liber de proprietatibus rerum* de Barthélemy de Glanville (v. 1240) ; imprimée v. 1480 sous le titre *le Propriétaire en françoys*
1373 F. E. W., Lévy XIVe T. L. F.	*Le Roman des Deduis* - Gace de La Buigne

1374 F. E. W. 1373 (*Politiques*) Lévy (peut-être 1370)	*Politiques et Yconomiques* d'Aristote traduction de Nicole Oresme
3e quart XIVe Lévy XIVe F. E. W. v. 1360 G. L. L. F.	*Bérinus*
1375 Lévy 1377 F. E. W.	*Le Livre du Ciel et du Monde d'Aristote* traduction de Nicole Oresme
v. 1375 F. E. W. 1376 Lévy	*Les Livres du Roy Modus et de la Royne Ratio*
1375 G. L. L. F. 1379 Lévy	*Mirour de l'omme* - John Gower
dernier quart du XIVe Lévy (apr. 1375; av. 1400)	*Chroniques* - Jean Froissart
1379 Lévy	*Le Bon Bergier* - Jehan de Brie
1379-1380 F. E. W.	*Inventaire du mobilier de Charles V*
1380	
1380 F. E. W. 1389 Lévy	*Les Cent Ballades* - Jean le Seneschal
v. 1380 F. E. W.	*Aalma, lexique latin-français*
1380 Lévy (XVe pour le T. L. F.)	traduction des *Problèmes* d'Aristote par Evrart de Conty
1383 Lévy 1380-1388 F. E. W.	*Meliador* - Jean Froissart
1385 Lévy av. 1399 G. L. L. F.	*La Geste de Liège* - Jean d'Outremeuse
1389	→ 1380 *(Les Cent Ballades)*
1389 F. E. W., Lévy	*Grand Coutumier de France* - Jacques d'Ableiges
1389 Lévy v. 1390 F. E. W.	*Le Livre de la Chasce* - Gaston Phébus de Foix
1390	
1390 Lévy v. 1395 F. E. W.	*Somme rurale* - Jehan Boutillier
1393 Lévy 1382-1394 G. L. L. F.	*Mélusine* - Je(h)an d'Arras
1393 Lévy, T. L. F.	*Le Mesnagier de Paris*
1395 Lévy 1400 F. E. W.	*Le saint voyage de Jherusalem du seigneur d'Anglure*
av. 1399 G. L. L. F.	*Ly Mireur des histors (Le Miroir des histoires)* - Jean des Preis, dit d'Outremeuse
1399 Lévy fin XIVe F. E. W.	*L'Epistre au Dieu d'amour* - Christine de Pisan
1399-1429 Lévy fin XIVe — 1431 F. E. W.	*Œuvres* - Christine de Pisan

XVe siècle

début XVe F. E. W.	*Le Mystère de saint Bernard de Menthon*
1400-1419 F. E. W.	*Journal* - Nicolas de Baye
1400 (F. E. W.)	→ 1390 *(Le Saint-Voyage de Jherusalem)*
1401	
1401 Lévy déb. XVe	*Epître sur le Roman de la rose* - Christine de Pisan
1403 F. E. W., Lévy	*L'Internele consolacion*
1403 Lévy	*Le Livre du chemin de longue estude* - Christine de Pisan
1405 Lévy	*Cent ballades d'amant et de dame* - Christine de Pisan
1408 Lévy	*Trésor de la cité des dames* - Christine de Pisan
1409 Lévy av. 1409 T. L. F.	*Le Livre des faicts* - Jean de Maingres, dit Bouciquaut (ou Boucicaut)
1410	
1410 Lévy (mil. XIVe F. E. W.)	*Ciperis de Vignevaux*
1413 Lévy	*Le Livre des faits d'arme et de chevalerie* - Christine de Pisan
1418 Lévy	*Voyaige d'oultremer en Jherusalem* par le seigneur de Caumont, l'an 1418
1418 Lévy fin XIVe G. L. L. F.	*Petit Traicté d'alchymie intitulé le Sommaire philosophique* - Nicolas Flamel
1420	
1420 Lévy v. 1430 F. E. W.	*Les Quinze Joyes de Mariage*
1422 Lévy	*Le Canarien, livre de la conquête et conversion des Canaries (1402-1422)* - Jean de Bethencourt
1422 F. E. W., Lévy	*Le Quadrilogue invectif* - Alain Chartier

1424 Lévy	*La Belle Dame sans mercy*
1429 Lévy	*Dittié sur Jehanne d'Arc* - Christine de Pisan
1430	
v. 1430 (F. E. W.)	→ 1420 *(Quinze Joyes de Mariage)*
1431 Lévy, G. L. L. F.	*La Fontaine des amoureux de science* - Jean de la Fontaine
1432 Lévy	*Doctrinal de la seconde rhetorique* - Baudet Herenc
1432 T. L. F.	*Poésies* - Charles d'Orléans
apr. 1433 F. E. W.	*Les Fortunes et Adversitez* - Jean Regnier
1440	
1440 Lévy v. 1460 G. L. L. F.	*Le Mistere du siege d'Orléans*
1440-1475	*Œuvre* - Georges Chastellain
v. 1440-1508 F. E. W. fin xve Lévy	*L'amant rendu cordelier a l'observance d'amour*
1440-1442	*Le Champion des dames* - Martin Le Franc
1447-1448	*L'Estrif de fortune et de vertu* - Martin Le Franc
1449 Lévy	*L'Oultré d'amour* - Georges Chastellain
1450	
1450 Lévy 1437-1454 G. L. L. F.	*Chronique de Charles VII* - Jean Chartier
1450 Lévy av. 1453 G. L. L. F.	*Chronique* - Enguerrand de Monstrelet
v. 1450 F. E. W. 1452 Lévy v. 1470 F. E. W.	*Le Mystère de la Passion* - Arnould Greban
1450 G. L. L. F. 1452 Lévy	*L'Istoire de la destruction de Troye la Grant* - Jacques Milet
1450-1486 F. E. W.	*Œuvres poétiques* - Guillaume Alexis
xve F. E. W.	*Le Catholicon de Lille,* glossaire latin-français
xve T. L. F. 1380 Lévy	traduction des *Problèmes* d'Aristote
mil. xve av. 1461 1456 Lévy	*Lais* - François Villon et en général œuvres de Villon (*Grand Testament,* 1461 Lévy)
mil. xve T. L. F. 1458 Lévy 1485 F. E. W.	*Le Mistere du Viel Testament*

mil. xve (av. 1453)	*Chroniques* (années 1400-1444) - Enguerrand de Maistrelet
mil. xv^{e}	*L'Ovide moralisé*
2e moitié xve (apr. 1450 ; av. 1482)	*Chroniques* (1444-1482) - Mathieu d'Escouchy
1451 Lévy 1501-1504 F. E. W.	*La Vie de sainte Catherine d'Alexandrie* - Destrees
1453 Lévy	*Les Princes* - Georges Chastellain
1453 Lévy	*Saint Voyage de Turquie* - Olivier de la Marche
1456 F. E. W., Lévy	*Le Petit Jehan de Saintré* - Antoine de la Sale
1456 Lévy	*Lais (Petit Testament)* - Villon
1457 F. E. W.	*Livre du cuer d'amour espris* - René d'Anjou
1458 (?)	*Les Nobles Ordonnances* - Charles d'Orléans
1460	
1460 Lévy entre 1473 et 1480 G. L. L. F.	*Les Lunettes des princes* - Jean Meschinot
1460 Lévy	*Le Pas de la mort* - Amé de Montgesoie
1460 F. E. W., Lévy	*La Fille du Comte de Pontieu*
v. 1460 F. E. W.	*Chronique* - Jean Le Fèvre, seigneur de Saint-Rémy
1460	*Arrêts d'amour* - Martial d'Auvergne
1461 Lévy	*Traité sur l'entrée du roy Loys* - Georges Chastellain
1461 Lévy	*Le Grand Testament* (fin de rédaction des œuvres inconnue : après 1463) ; première édition 1489). — Villon
v. 1462 F. E. W. 1466 Lévy	*Les Cent Nouvelles Nouvelles*
1463 Lévy	traduction des *Sept Livres de Joseph* - Guillaume Coquillart
1463 Lévy 1465 F. E. W.	*Les Arrêts d'Amour* - Martial d'Auvergne
1464 Lévy	*Complainte sur la mort d'Isabelle de Bourbon* - Amé de Montgesoie
1464-1506 F. E. W.	*Œuvres* - Jean Molinet

1465 Lévy XVe F. E. W.	*Maistre Pierre Pathelin (La Farce de maistre Pathelin)*
1465 Lévy mil. XVe F. E. W. v. 1475 F. E. W. pour l'édition	*Les Evangiles des quenoilles*
1466 F. E. W., Lévy mil. XVe G. L. L. F.	*Le Jouvencel* - Jean de Bueil
1466 F. E. W., Lévy	*Le Doctrinal du temps présent* (ou *doctrinal de Court)* - Pierre Michault
1468 Lévy	*La Chronique* - Georges Chastellain
1468	*Traicté des nopces de monseigneur le duc de Bourgogne* - Olivier de la Marche
1470	
1470 Lévy	*Du gendarme* - Guillaume Coquillart
1470 T. L. F. v. 1470 F. E. W. 1471 Lévy	*Chroniques de la Grant Bretagne* (ou *Ancienne chronique d'Angleterre*) - Jehan de Wavrin
1471 F. E. W., Lévy	*La Passion d'Autun* - copie par Biard
1474 Lévy	Rédaction de *Estat de la maison de Charles de Bourgogne* - Olivier de la Marche
1474 Lévy	*Le Nouveau Pathelin*
1478	*Le Livre appelé Guidon de la pratique en cyrurgie* (1re édition imprimée) - Guy de Chauliac
1478	*Fierabras le Géant* - Jean Baguyon
1479	première édition imprimée de *la Somme rurale* (1390 ou v. 1395)
1479 Lévy XVe F. E. W.	*Histoire de Gaston IV, comte de Foix* - Guillaume Leseur
v. 1480 F. E. W. 1482 Lévy	*Le Mistere de saint Quentin* - Jean Molinet
1480	
v. 1480	édition imprimée de *De la propriété des choses* (1372)

1480-1481	*La Ressource du petit peuple* - Jean Molinet
1482 F. E. W., Lévy	*La Vie et Passion de Monseigneur saint Didier* - Guillaume Flamang (ou Flameng)
1482 Lévy v. 1480 G. L. L. F.	*Le Mistere de saint Quentin*
1483 Lévy 1488 G. L. L. F.	*Le Chevalier délibéré* - Olivier de la Marche
1484	*Le Triparty ou la science des nombres* - Nicolas Chuquet
1485 F. E. W., Lévy	*Livre et mistere du glorieux seigneur et martir saint Adrien*
1486	*Le livre des profists champestres de Pierre de Crescens* (traduit du latin de Pietro dei Crescenzi)
1486-1487	*Les Décades de Titus-Livius, translatées de latin en français* - Bersuire
1488 F. E. W., Lévy	*La Mer des histoires*
1488 F. E. W., Lévy	*Le Prisonnier Desconforté du Château de Loches*
1490	
1490	*Apologues et Fables de L. Valla* (trad. du latin, texte traduit par Valla du grec d'Ésope) - Guillaume Tardif
v. 1490	traduction de l'italien *Les facéties de Poge* (Poggio) - Guillaume Tardif
1492 Lévy av. 1502 G. L. L. F.	*Le Triomphe des dames* - Olivier de la Marche
1492	*C'est le livre de l'art de faulconnerie et des chiens de chasse* - Guillaume Tardif
1495 Lévy	*Le Livre de l'advis de gaige de bataille* - Olivier de la Marche
1495 F. E. W., Lévy	*Le Roman de Jehan de Paris*
fin XVe Lévy v. 1440-1508 Wartburg	*L'Amant rendu cordelier*

XVIᵉ siècle

v. 1500 (ou av. 1500) *Mémoires* - Commynes (rédigées entre 1489 et 1499)

1501-1504 F. E. W. 1451 Lévy *La Vie de sainte Catherine d'Alexandrie* - Destrees

1503 *Le Guidon en françoys* - Guy de Chauliac, édité par Simphorien Champier

1503 traduction des œuvres de Térence : *Thérence en françois, prose et rime avecques le latin*

1505 composition de *la Couronne margaritique* - Jean Lemaire de Belges

1505 début de la rédaction des *Illustrations de Gaule* - Jean Lemaire de Belges (autres livres : 1512, 1513)

1507 *Voyage de Gênes* - Jean Marot

av. 1507 *Chroniques* - Jean Molinet

av. 1507 *Faits et Dits* (publiés en 1531 ; écrits après 1485) - Jean Molinet

1508 *Les louanges du bon roy Louys douzième du nom* - Claude de Seyssel

1509 *La Concorde du genre humain* - Jean Lemaire de Belges

1509 *Voyage de Venise* - Jean Marot

1510

1511 premier livre de *l'Art et la Science de géométrie* - Charles de Bovelles (1512, 1513, 1514 pour les autres livres)

1511 *De la différence des schismes et des conciles de l'Eglise* - Jean Lemaire de Belges

1511 *La Concorde des deux langages* - Jean Lemaire de Belges

1515 Traduction de *Le Noveau Monde et Navigations faictes par Emeric de Vespuce florentin* (Amerigo Vespucci) - M. de Redover

1516 *La grand' Monarchie de France* - Claude de Seyssel

1519 *Petite Epistre au roy* - Clément Marot

1519 *La généalogie de grand Turc* - T. Spandugino

1520

1521 *Grant et vray Art de pleine rhétorique* - Pierre Fabri (éditions jusqu'en 1544)

1521 Marot → 1532

1524 *Premières Epîtres morales et familières* - Jean Bouchet (rédigées de 1524 à 1534)

1525 *Dialogue en forme de vision nocturne* - Marguerite de Navarre

1525 ? *Voyage d'Antoine Pigaphetta : le voyage et navigation faict par les Espaignols es isles de Molucques (...)* traduction du texte italien de Pigafetta, compagnon de Magellan ; texte publié plus tard, 1536

1526 *L'Enfer.* - *Epistre à son ami Lyon* - Clément Marot

1527 traduction de l'*Histoire de Thucydide (...)* - Claude de Seyssel

1528 Traduction de *l'Hystoire catilinaire* de Salluste - Jean Parmentier

1529 *Champ Fleury, auquel est contenu l'Art et Science de la deue et vraye proportion des lettres attiques... ;* rééd. 1549 (autre titre) - Geoffroy Tory

1529-1532 *Traductions latines* - Geoffroy Tory

1530

1530 *L'Esclarcissement de la langue françoyse* (publié en 1852) - Jean Palsgrave

1530 *La Sainte Bible en françois, translatée selon la pure et entière traduction de saint Hierosme* - Lefèvre d'Étaples

1530 *Histoire de Josephus de la bataille judaïque...* (trad. de Flavius Josèphe) - F. Bourgoing

1531 *Dictionarium seu latinae linguae thesaurus* - Robert Estienne

1531 *Proverbes français* (commentés en latin) - Charles de Bovelles

1531 *In linguam gallicam Isagoge (...)* - Sylvius (Dubois)

1531 Les *Dialogues* de Speroni (utilisés par Du Bellay) traduits par Claude Gruget

1531 *Epistre au roy pour avoir été dérobé*
Opuscules - Clément Marot

1531 *Les Mots dorez de Cathon en françois (...)*
- Pierre Grosnet (2e vol. en 1534)

v. 1531 *La Nativité, les Trois Rois, les Innocents*
Miroir de l'âme pêcheresse
- Marguerite de Navarre

1531-1532 *Le Mirrouel des appothicaires et les lunetttes des cyrurgiens*
- Symphorien Champier

1532 *Grandes et inestimables cronicques*, parues peu avant la première œuvre de Rabelais

1532 *Adolescence clémentine* (écrit en grande partie en 1521)
- Clément Marot

1532 *Pantagruel* - Rabelais

1533 *Livre de la différence des langues vulgaires et de la variété de la langue françoise*
- Charles de Bovelles

1533 éditions de Villon par Marot ; *Psaume VI*
Premier livre de *la Métamorphose d'Ovide*
- Clément Marot

1534 *Premières Fleurs de poésie françoyse*

1534 première version française de l'*Institution* (2e éd. augmentée : 1538) - Calvin

1534 *Gargantua* - Rabelais

1535

1535 *Almanach pour l'an 1535*
- Rabelais

1535-1539 *La passion de Jésus-Christ vivement descripte*
Les Trois livres de l'humanité de Nostre Sauveur Jésus-Christ
- Jean de Vauzelles

1536 *Le Favori de Court* (trad. de l'espagnol de Guevara)
- J. de Rochemore

1536 *Blasons* - Maurice Scève

av. 1537 *Histoire des choses mémorables advenues du règne de Louis XII et de François Ier*
- Robert de La Marck

1537 *Déclamation contenant la manière de bien instruire les enfants dès leur commencement*
- Pierre Saliat

1537 *Le Quatrième livre de la Thérapeutique ou Méthode curative de Claude Galien* (trad. du latin)
Le Cinquiesme livre, id.
Le Quatorzieme livre, 1538 *Le Troisiesme livre*, 1539 (livres 3 à 6 et 13) - Jean Canappe

v. 1537 traduction du *Premier livre d'architecture* de Serlio
- Jean Martin

1538 *Dictionarium Latino-Gallicum*
- Robert Estienne

1538 *Œuvres de Clément Marot*
Psaulme de Clément Marot
Eglogue au roy (...)
Six sonnets de Pétrarque
- Marot

1538 *Simulachres et historiées faces de la mort*
- Jean de Vauzelles

1539 *Dictionaire françois-latin, autrement dit les Mots françois avec les manières d'user d'iceux, tournés en latin*
- Robert Estienne
rééd. : 1549, 1573

1539 *Art et Science de rhétoricque métriffiée...*
- Gratien du Pont, sieur de Drusac

1539 → 1537 *(Canappe)*

1540

1540 *La Maniere de bien traduire d'une langue en aultre*
- Etienne Dolet

1540 *Œuvres* (poèmes, blasons)
- Jean Rus

1540 *Œuvres* - Hugues Salel

1541 Version française de l'*Institution de la religion*
- Calvin

1541 *L'Amie de cour* - Bertrand de la Borderie

1541 *Histoire de Leander et Hero*. - *Trente psaumes*
- Marot

1541 Traductions d'Aristote par Joachim Périou (*les Topiques*, puis *la Politique*, 1542, etc.)

1541 *Almanach* (pour l'an 1541)
- Rabelais

1541 traduction du latin : *Le Premier livre de Marseille Fiscine de la vie Saine (...)* - Jean Beaufils

1542 *Discours du voyage de Constantinople* - Bertrand de la Borderie

1542 *Traité de l'escriture française* - Louis Meigret

1542 édition « définitive » de *Gargantua* et *Pantagruel* - Rabelais

1542 traduction de l'*Histoire des plantes* de Leonhard Fuchs

1542 *Traduction de psaumes* - Maurice Scève

1542 première *Chroniques de Genève* (jusqu'en 1551) - François Bouivard

1542 *Délie, object de la plus haulte vertu* - Maurice Scève

av. 1543 *Nouvelles récréations et joyeux devis* - Bonaventure des Périers (mort probablement en 1543)

1544 traduction du *Roland furieux*

v. 1544 *Le Temple de Cupido* - Marot

1544 *Grande et vraye pronostication nouvelle* - Rabelais

1544 *La vérité cachée devant cent ans (...)* - Pierre Viret

1544 *La Cosmographie de Pierre Apian (...)* trad. du latin

1545

1545 *Brief recit* (relation de voyage) - Jacques Cartier

1545 *Méthode de traicter les playes faictes par hacquebutes (arquebuses) et aultres bastons à feu (...)* - Ambroise Paré

1545 *Le Décaméron de messire Jehan Boccace, florentin* - trad. (de l'italien) de Antoine le Maçon

1545 *Brief Recit et Succencte Narration de la navigation faicte es Ysles de Canada (...)* - Jacques Cartier

1545 *L'Histoire de terre neuve du Perú en l'Inde occidentale (...)* trad. (de l'italien) de Oviedo y Valdés - Jacques Gohory

1546 *Le Tiers Livre* - Rabelais

1546 *Advertissement sur le jugement d'Astrologie* - Melin de Saint-Gelais

1547 *L'Institution du prince* (reprend un texte présenté au roi en 1519) - Guillaume Budé

1547 *Marguerites de la Marguerite* (« perle ») *des princesses* - Marguerite de Navarre

1547 *Des beautez qu'il voudrait en s'amie*, premier poème de Ronsard

1547 traduction de l'*Architecture ou Art de bien bâtir de Marc Vitruve Pallias* - Jean Martin

1547 *La Saulsaye, eglogue de la vie solitaire* - Maurice Scève

1547-1581 Œuvres (en latin et en français) de Guillaume Postel

1548 *Le Quart Livre* (les 11 premiers chapitres ; → 1552) - Rabelais

1548 *Propos rustiques* *Baliverneries d'Eutrapel* - Noël du Fail

1548 *Traité touchant l'ancienne écriture de la langue française* - Guillaume des Autels

1548 *Art poétique français* - Thomas Sébillet

1549 *L'Olive* - Du Bellay

av. 1549 (mort de l'auteur) *L'Heptaméron* commencé en 1540 environ, publié en 1588 par Boaistuau *(Histoire des amans fortunez)* - Marguerite de Navarre

1549 *La Sciomachie* - Rabelais

1549 *Les Erreurs amoureuses* - Pontus de Tyard

1549 *Les Institutions chirurgiques de Jean Tagault* (traduction du latin) - Jean Tagault

1550

1550 *Le Tretté de la Grammère Françoèze* - Louis Meigret

1550 *Le Quintil Horatian* (anonyme) - Barthelemy Aneau

1550 *Apologie de Jacques Meigret* - Peletier du Mans

1550 Les quatre premiers livres des *Odes*
- Ronsard

1550 *Dialogue de l'ortografe et prononciation française*
- Jacques Peletier du Mans

1550 *Histoire de nostre temps* (trad. du latin) et *Continuation de l'histoire de nostre temps,* 1556
- Guillaume Paradin

1550 *L'Histoire des plantes* (trad. du latin de Leonart Fuchs)
- Guillaume Guéroult

2e moitié XVIe (apr. 1550) *Les œuvres mathématiques* (publ. 1634)
- Simon Stevin

1550 *Abraham Sacrifiant*
- Théodore de Bèze

1550 rédaction du *Discours des Champs Faez, à l'honneur et exaltation de l'Amour et des dames*
(publ. 1553)
- Claude de Taillemont

v. 1550 Traductions de l'Arioste
Œuvres poétiques
- Melin de Saint-Gelais

1551

1551 *L'Histoire naturelle des estranges poissons marins, avec la vraie peincture et description du daulphin, et de plusieurs autres de son espèce...*
- Pierre Belon

1551 *Réplique aux fameuses attaques de Louis Meigret*
- Guillaume des Autels

1551 traduction du *Timée* de Platon
- Loys Le Roy (Regius)

1552 *Quatrième livre de l'Enéide de Virgile* - Du Bellay

1552 *Les Amours* - Baïf

1552 *Le Quart livre* (complet)
- Rabelais

1552 *Guide des chemins de France*
- Charles Estienne

1552 *Discours sur l'excellence de la théologie*
- Marc-Antoine Murot

1552 *Les Amours (de Cassandre)*
- Cinquième livre des *Odes*
- Ronsard

1552 *Chronique de Savoye*
- Guillaume Paradin

1552 *Les Disputations chrétiennes touchant l'état des trespassés, faites par dialogues*
- Pierre Viret

1552 *Solitaire premier*
- Pontus de Tyard

av. 1553 *L'Isle sonnante* (publié en 1562) - Rabelais

1553 *L'amoureux repos*
- Guillaume des Autels

1553 *La Clarie ou la Prudence du droit*
- Loys Charondas (le Caron)

1553 *Cléopâtre captive* - Jodelle

1553 *Le Livret des folastries*
- Ronsard

1553 *La Bible, qui est toute la saincte Escriture (...)* imprimée par Jean Girard à Genève
1560 : Bible imprimée par Antoine Reboul, à Genève

1553 *L'Art de naviguer de maistre Pierre de Medine* (trad. du castillan) - Nicolas de Nicolay

1553 *Nécromancie papale*
- Pierre Viret

1554 *Le Bocage* - Ronsard

1554 *Les Gayetez* (poèmes)
- Olivier de Magny

1554 *L'Algebre (...) departie en 2 livres*
- Jacques Peletier du Mans

1554 (et 1556) *Cosmographie de Levant*
- André Thevet

av. 1555 *Dialogues (...) non moins profitables que facetieus* (publ. 1565) - Jacques Tahureau

1555

1555 *Dialectique* - Ramus (Pierre de la Ramée) (trad. du texte latin de 1543, *Dialecticae partitiones)*

1555 *L'Amour de Francine* - Baïf

1555 *La Philosophie*
- Loys Charondas (le Caron)

1555 *Œuvres* - Louise Labé

1555 *Prophéties* - Nostradamus

1555 *L'Art poétique - Les Amours des amours*
- Jacques Pelletier du Mans

1555 *Les Mélanges* - Ronsard

1555 *Deux Premiers livres des Foresteries*
- Vauquelin de la Fresnaye

1555-1556 *Les Hymnes - Continuations* (et *Nouvelles continuations*) *des Amours de Marie* - Ronsard

1556 *Historiale description de l'Afrique, tierce partie du monde* (trad. de l'italien, texte traduit de l'arabe de Léon l'Africain) - Jacques Vincent

1556 *Le discours du temps* - Pontus de Tyard

1556 *Les neuf livres des Histoires de Hérodote* (traduction) - Pierre Saliat

1557 *Traicté de la Grâmaire Francoise* - Robert Estienne (rééd. 1569)

1557 *L'Univers ou Discours des parties et de la nature du monde* - Pontus de Tyard

1557 *Les Institutions astronomiques* - Jean-Pierre de Mesmes

1557 (1556-58) *Singularitez de la France antarctique autrement nommée Amérique* - André Thevet

1558 *Les Regrets - Divers jeux rustiques - Le Premier Livre des Antiquitez de Rome - Le Sympose de Platon* (traduction) - Du Bellay

1558 *Le Théâtre du monde* - Pierre Boaistuau

1558 *Recueil des inscriptions, figures et mascarades ordonnées en l'hostel de ville de Paris* - Jodelle

1558 traduction française de *l'Histoire entière des poissons* (écrite en latin, 1554) - Guillaume Rondelet

1558 *Histoire singulière du roy Loys XII* - Claude de Seyssel

1558 traduction française de Francisco Alvarez (du portugais) *Historiale description de l'Ethiopie*

1559 *Histoires tragiques* (traduction de Bandello) - Pierre Boaistuau

1559 second livre des *Mélanges* - Ronsard

1559 première traduction de Plutarque : *La Vie des hommes illustres* (autres éditions 1567, 1572) - Jacques Amyot

1559 *Epitome, ou Extrait abrégé des Dix livres d'Architecture de Marc Vitruve Pollion* (trad. du latin) - Jean Gardet et Dominique Bertin

1560

1560 *La Venerie (...)* - Jacques du Fouilloux

1560 premier livre des *Recherches sur la France* - Etienne Pasquier

1560 *Propositions contentieuses* - Villegagnon

1560 *Continuation des Histoires tragiques extraites de l'italien de Bandel* (Bandello) - François de Belleforest

1561 *La Vénerie (...)* - Jacques du Fouilloux

1561 *Institution pour l'adolescence du roi Charles IX* - Ronsard

1561 *L'Arithmétique de Jean Trenchant répartie en trois livres* - Jean Trenchant

1561 traduction (du latin) de Olaus Magnus : *Histoire des pays septentrionaux*

1561 Les *Commentaires* de M. Pierre Andrée Matthioli (...) sur le livre des *Simples de (...) Dioscoride* trad. du latin - Du Pinet

1562 *Gramere* (1572, *Grammaire*) - Ramus (Pierre de la Ramée)

1562 *Discours sur les misères de ce temps* - Ronsard

1562 *Méthode curative des playes et fractures de la teste humaine (...)* - Ambroise Paré

1562 *Microcosme* - Maurice Scève

1563 *Dictionnaire françois-alleman-latin et alleman-françois-latin* (2 vol.) - Joseph Stoer rééd. par Jacob Stoer en 1621

1563 *La Recepte ventable par laquelle tous les hommes de la France pourront apprendre à multiplier et augmenter leurs thresors* - Bernard Palissy

1563 *Response (...) aux injures et calomnies de je ne scay quels prédicans et ministreaux de Genève*, trois livres du *Recueil de nouvelles poésies* - Ronsard

1564 *Dictionnaire françois-latin...* - Jean Thierry

1564 *Agriculture et maison rustique*, trad. du *Praedium rusticum* (1554) - Charles Estienne et Jean Liébault ; nombreuses éditions jusqu'au XVIIe s.

1564 *Histoire des martyrs* - Jean Crépin

1564 *Le Cinquiesme Livre* (attribué partiellement à Rabelais)

1564 *Les Dix Livres de la chirurgie avec le magasin des instruments nécessaires à icelle* - Ambroise Paré

1564 *Instructions chrétiennes* - Pierre Viret

1565

1565 *Elégies, mascarades et bergeries* - Ronsard

1565 *Traicté de la conformité du language françois avec le grec* - Henri II Estienne

1566 *Apologie pour Hérodote* - Henri II Estienne

1566 *Méthode de l'histoire universelle* - Jean Bodin

1567 *De la peste* - Laurent Joubert

1567, 1569 et 1573 *Générales descriptions (Berry, Bourbonnais, Lyonnais)* - Nicolas de Nicolay

1567 *L'Histoire du monde de Pline second* (trad.) - Du Pinet

1567 *Le livre de la Synarthrisie* - Tabourot des Accords

1568 *Architecture* - Philibert Delorme

1568 *Les Politiques d'Aristote*, esquelles est montrée la science de gouverner le genre humain (traduction) - Loys Le Roy

1568 *L'Histoire d'Italie de messire François Guiccardin (...) translatée d'italien en françois* - J. Chomedey

1569 traduction par Montaigne de la *Théologie naturelle* de Raymond Sebond

1569 sixième et septième livre des *Poèmes* - Ronsard

1569 *Chirurgie françoise* - Jacques Daléchamp

1570

1570 *Le But de la guerre et de la paix* - Michel de l'Hospital

1571 *Etymologicon françois* - Jean Lebon

1571 traduction du *Prince* de Machiavel par Jacques Gohory

1571 *Les Epithètes* - Pierre de La Porte (mort en 1571)

1571 *Encycle des secrets de l'éternité* - Guy Le Fèvre de la Boderie

1572 *De l'art de la tragédie* - Jean de la Taille

1572 *Commentaires* - Jean Passerat

1572 *La Franciade* (4 premiers livres) - Ronsard

1572 *Le Printemps* (poèmes) - Jacques Yver

1572 *Dictionnaire des rimes françaises* - Jehan le Fèvre

1572-1573 *Thesaurus linguae grecae* - Henri II Estienne

1573 *Amours de Diane* - *Amours d'Hippolyte* - Desportes

1573 publication par Jacques de la Taille de la tragédie *Saül* de Jean de la Taille

1573 *Des monstres et prodiges* - Ambroise Paré

1573 addition de Nicot au *Dictionnaire françois-latin* de Robert Estienne

1574 publication collective des œuvres de Jodelle (écrites entre 1549 et 1573)

1574 *Le Reveille-Matin des François et de leurs voisins (...)* - Nicolas Barnaud

1574 publication du *Discours de la servitude volontaire* de La Boétie dans *le Réveille-Matin des François*

1574 *Histoire mémorable du siège de Sancerre* - Jean de Léry

1574 *Œuvres poétiques* - Jean Vatel

1574-1575 *Quatrains* - Pibrac

1575

1575 *Thresor des deux langues françoise et espagnolle. Tresoro de las lenguas francesa y espanola* - Caesar Oudin, 1616 ; 2e éd., 1660 (rééd. (4e éd.) augmentée par Antoine Oudin).

1575 *Le Livre d'Artemis* (les œuvres d'Amadis Jamyn) - Amadis Jamyn

1575 *Nouvelles œuvres poétiques* - Pontus de Tyard

1575 *Traductions de Cicéron* - Blaise de Vigenère

1575 *Cosmographie universelle* - André Thevet

av. 1576 *Commentaires* (1521-1576) (édités par Montaigne en 1592) - Blaise de Monluc

1576 *Mimes, Enseignements et Proverbes* - Baïf

1576 *La République* - Jean Bodin

1577-1628 L'œuvre de Malherbe

1578 *La Semaine* - Du Bartas

1578 *Deux Dialogues du nouveau langage françois italianizé* - Henri II Estienne

1578 5e édition des œuvres (nouveaux poèmes des *Amours)* - Ronsard

1578 *Erreurs populaires ou Propos vulgaires au fait de la médecine (...)* - Laurent Joubert

1578 *Histoire d'un voyage fait en la terre du Brésil* - Jean de Léry

1578 *Traité des comètes* - Blaise de Vigenère

1579 *La Précellence du langage françois* (titre moderne) - Henri Estienne

1579 publication de 6 comédies de P. Larivey

1579 fin de la rédaction du Livre I des *Essais* - Montaigne

1580 Deux livres de *l'Enéide* de Virgile - Du Bellay

1580 *Les Essais :* livres I et II - Montaigne

1580 *Histoire ecclésiastique* - Théodore de Bèze

1580

1580 *Discours admirables* - Bernard Palissy

1580-1581 *L'Académie françoyse* - Pierre de la Primaudaye

1581 *Recueil de l'origine de la langue et poésie françoise* - Claude Fauchet

1581 *Histoire de Portugal, contenant les entreprises, navigations et gestes mémorables des Portugallois (...)* (de 1496 à 1578) trad. (du latin) de Osaita de Fonseca - Simon Gulard (ou Goulart)

1581 *Les Contens* (comédie) - Odet de Turnèbe

1582 *Bradamante* - Robert Garnier

1582 traduction de *Tyrannies et Cruautez des Espagnols* de B. de Las Casas - Jean de Léry

1582 deuxième édition (modifiée) des 2 premiers livres des *Essais* - Montaigne

1582 *Les Trois Mondes* - Henri de La Popelinière

1582 *Le Kalendrier des Bergers* - Jean Tabourot

1583 *Les Juifves* (tragédie) - Robert Garnier

1583 *Plaisir des champs* (poèmes) - Claude Gauchet

1583 *Plaisirs du gentilhomme champêtre* - Nicolas Rapin

1583 *L'Esté* - B. Poissenot

1583 traduction des *Décades* de Tite-Live - Blaise de Vigenère

1583 premières *Lettres* de Catherine de Médicis - Publ. 1880-1909

1583 *Les apophtegmes du sieur Gaulard* (publié avec *les Bigarrures*) - Tabourot des Accords

1583 *Les Bigarrures* - Tabourot des Accords

1584 *Premier livre des Serées* (Soirées) - Guillaume Bouchet - 1597 suite des *Sérées* (posthume) - 1598 seconde suite des *Serées*

1584 *Bibliothèque françoyse* - La Croix du Maine

1584 traduction de *Jules César* - Blaise de Vigenère

1584 *Vrais Portraits et Vies des hommes illustres* - André Thevet

1585

1585 *Contes et descours d'Eutrapel* - Noël du Fail

1585 *La Bibliothèque d'Antoine du Verdier (...)* - Antoine du Verdier

1585 *L'Arithmétique (...) aussi l'Algèbre (...)*, traduction de Diophante - Simon Stevin

1585 les trois premiers livres de *Les Touches* - Tabourot des Accords

1586 *Nouvelles histoires tragiques* - B. Poissenot

1586 publication des *Lettres* - Etienne Pasquier

1586 (av. 1585) *Derniers vers* - Ronsard

1586 *Traité des chiffres* - Blaise de Vigenère

1586 *Quatre livres des spectres* - Pierre Le Loyer

1586-1587 composition du livre III des *Essais* - Montaigne

1587 *Mémoires sur les événements de 1562 à 1570* (ou *Discours politiques et militaires*) - François de La Noue

1588 4e édition des *Essais* (édition originale du livre III) - Montaigne

1588 *Les Escraignes dijonnoises* (publié avec *les Bigarrures*) - Tabourot des Accords

1588 *Méditations sur les psaumes. - Essay de quelques poèmes chrestiens* - Jean de Sponde

1588 *Orchésographie* - Jean Tabourot

1589 traduction des *Commentaires de Jules César des guerres de la Gaule* - Blaise de Vigenère

1590

1590-1592 *La Muse chrétienne* - Pierre Poupo

av. 1592 *Journal de voyage en Italie* (voyage effectué en 1580-1581) (publié en 1774) - Montaigne

1592 additions aux *Essais* laissées par Montaigne (l'édition sera réalisée par Mlle de Gournay et Pierre de Brach en 1595)

1593 *Réponse d'un catholique apostolique romain au protestant de reformation* - Jean de Sponde

1594 *De l'éloquence françoise* - Guillaume du Vair

1594 *Libertés de l'église gallicane* - Pierre Pithou

1594 *La Satyre Menippée*

1594 *Discours sur l'histoire du roi Charles VII* - attribué à Blaise de Vigenère

1595

1595 *La mise en français de La Hierusalem du Sr Torquato Tasso* - Blaise de Vigenère

1596 *Dictionnaire françois-alemand et alemand-françois* - Levinus Hulsius éd. à Nuremberg ; rééd. : 1600 ; 1602 ; 1605 ; 1607 ; 1614

1596 *Sophonisbe* - Montchrestien

1597 traduction (du latin) du *Théâtre de la nature universelle* - Jean Bodin

1597 *Premières œuvres* - Marc de Papillon

1597-1598 suite des *Serées* de Guillaume Bouchet (voir 1584).

1598 *Histoire naturelle et morale des Indes...* - composée en castillan par Joseph Acosta, et traduite en français par Robert Regnault (publ. en espagnol, 1590 ; en latin, 1588)

1598-1599 *Consolation à M. du Périer* - Malherbe

1599 *Recueil de dictionnaires françoys, espaignolz et latins* - H. Hornkens ; rééd. : 1600

1599 *Antiquitez gauloises et françoises* - Claude Fauchet

1599 *Histoire des histoires* - La Popelinière

1599 *Les Amours de Théophile, l'Amour passionné de Noémie* - Marc de Papillon

1599 *Cueillette de la soye par la nourriture des vers qui la font* - Olivier de Serres

1600

1600 *Ode de bienvenue* (à Marie de Medicis) - Malherbe

1600 ou **v. 1600** *Théâtre d'agriculture et mesnage des champs* - Olivier de Serres

XVIIe siècle

av. 1601 *L'Ecossaise ou le Désastre* - Montchrestien

1601

1601 traduction des œuvres de Thérèse d'Avila

1601 *De la sagesse* (première éd.) - Pierre Charron

1601 première année du *Journal de Jean Héroart sur l'enfance et la jeunesse de Louis XIII* - Jusqu'en 1628

1601-1615 traduction de Antonio de Herrera : *Descriptions des Indes occidentales, qu'on appelle aujourd'huy le Nouveau Monde* - Le Maire

1602 *Le Catéchisme des Jésuites* - Etienne Pasquier

1602 *Traicté de l'epilepsie (...)* - Jean Taxil

1604 *Dictionnaire très ample de la langue espagnole et françoise* - Jean Pallet (ou Palet)

1604 *L'Institution du prince* - Vauquelin des Yveteaux

1605 *Art poétique français* - Vauquelin de la Fresnaye

1605 *Histoire admirable des plantes et herbes esmerveillables et miraculeuses en nature* - Claude Duret

1606 *Thresor de la langue françoyse, tant ancienne que moderne* - Jean Nicot

1606 *Thresor des trois langues françoise, italienne et espagnole* - Crespin
1617, 1627, 1637 *Le Thresor des trois langues, espagnole, françoise et italienne.* - éd. J. Crespin

1607 *Essai des questions théologiques* (l'un des premiers textes théologiques en français) - Nicolas Coëffeteau

1607 *L'Astrée* (première partie, commencée v. 1590) - Honoré d'Urfé

1607 *Les Institutes coustumières, ou Manuel de plusieurs règles du droit coustumier et le plus ordinaire de la France* - Antoine Loisel

1607 *Grammaire françoise* - Charles Maupas

1608 *Dix satires* (deux de plus en 1609)
Discours au Roy - Mathurin Régnier

1609 édition des *Satires* - Mathurin Régnier

1609 *Histoire de la Nouvelle-France (...)* - Marc Lescarbot

1609 *Les Eléments de la géométrie d'Euclide Mégarien* (traduits du grec) - Dannat

1609 *Introduction à la vie dévote* - François de Sales

1610

1610-1611 *Dictionnaire françois-alemand-latin et alemand-françois-latin* - Levinus Hulsius

1610 Œuvres complètes de Rapin (mort en 1608)

1610 *L'Astrée* (deuxième partie) - Honoré d'Urfé

av. 1611 *Mémoires journaux* - Pierre de l'Estoile

1611 *A dictionarie of the French and English tongues* - Randle Cotgrave

1612-1613 *Quatre satires* (après les 12 premières) - Mathurin Régnier

1613 *Theoremes sur le sacré mystère de nostre redemption* (poèmes) - 2e partie : 1621 - Jean de la Ceppède

1613 *Thresor de l'histoire des langues de cest univers (...)* - Claude Duret

av. 1614 *Œuvres* - Brantôme

1614 mort de Brantôme, dont les œuvres ne seront publiées qu'en 1665-1666

1614 traduction de la 1re partie de *Don Quichotte : L'Ingenieux Don Quixote de La Manche* par César Oudin (2e partie par Rosset 1618)

1614 *Mémoires* - Jacques Auguste de Thou

av. 1615 *Mémoires* - Marguerite de Valois (publ. 1658)

1615

1615 *Traité de l'économie politique* - Montchrestien

1615 *Les elemens de chymie de maistre Jean Beguin* (trad. du latin et commentaires)

1616 *Les Tragiques* (élaboré à partir de 1578) - D'Aubigné

1616 traduction de *l'Histoire de Rome* de Tite-Live par Malherbe

1616 *Relation de la Nouvelle France (...)* - le père Pierre Biard

1616 *Traité de l'amour de Dieu* - François de Sales

1617 *Thresor des III langues espagnolle, françoise, italienne* - Caesar Oudin (→ 1639)

1617 *Les Aventures du baron de Foeneste* (I et II ; le livre III en 1619) - D'Aubigné

1617 première année de la *Correspondance* (jusqu'en 1633) - Marin Mersenne

1618-1620 *Le Cabinet satyrique* - Pierre Motin

1619 *L'Espadon satyrique* - Claude d'Esternod

1619 *L'Astrée* (troisième partie) - Honoré d'Urfé

av. 1620 *La Solitude* - Saint-Amant

1620

1620 *Abregé du parallele des langues françoise et latine, rapporté au plus pres de leurs proprietés...* - Philibert Monet - rééd. 1624 ; 1630 ; 1632...

1620 *L'Art militaire pour l'infanterie* - Jean-Jacques Walhausen

1621 *Œuvres* (poétiques) depuis 1610 *Traicté de l'immortalité de l'âme* - Théophile de Viau

1622 *Le Parnasse satyrique :* Théophile de Viau, Pierre Motin, etc.

1622 *Tombeau de Scévole de Sainte-Marthe*

1622 *Les Recherches des Recherches* - le père Garasse

1622 *Inventaire universel des œuvres de Tabarin*

av. 1623 *Mémoires* (publ. 1624-1652) - Philippe Du Plessis-Mornay

1623 *Le Secrétaire de la Cour ou Manière d'écrire selon le temps* - Puget de la Serre

1623 *Les Nouvelles françaises - La Vraye Histoire comique de Francion* - Charles Sorel

1624-1628 *Théâtre* - Alexandre Hardy

1624 *L'Astrée* (quatrième partie, partielle) - Honoré d'Urfé

1624 *Récréations mathématiques (...)* de Van Etten (Jean Leurechan)

1624 traduction de Francis Bacon : *Le progrez et Avancement aux sciences divines et humaines* - A. Maugars

1625

1625 *Apologie pour les grands personnages qui ont été soupçonnés de magie* - Gabriel Naudé

1625 *Bergeries* (écrites v. 1618) - Racan

1625 *La Vérité des sciences contre les sceptiques et les pyrrhoniens* - Marin Mersenne

1625 *Cours de chymie, contenant la manière de faire les opérations qui sont en usage dans la médecine (...)* - Nicolas Lemery

1626 *L'Ombre de la dame de Gournay* - Marie de Gournay

1626 *Daphnis et Chloé* - traduit par Pierre de Marcassus

1626 *Pyrame et Thisbé* - Théophile de Viau

1627 *Advis pour dresser une bibliothèque* - Gabriel Naudé

1627 fin de *L'Astrée* (de d'Urfé) - Balthazar Baro

1627 *Le Berger extravagant* - Charles Sorel

1628 *Sylvie* - Mairet

1628 *L'Hypocondriaque* - Rotrou

1628 *Le jargon ou langage de l'argot réformé, comme il est à présent en usage parmy les bons pauvres* - Olivier Chereau

1628 Traduction de John Napier : *Arithmétique logarithmétique ou la Construction et usage d'une table contenant les logarithmes de tous les nombres depuis l'unité jusques à 100 000*

1628 *Tyr et Sidon* (tragédie) - Jean de Schelandre

1629 *Œuvres (poétiques)* - Saint-Amant

1629 *Histoire de la monarchie françoise* - Charles Sorel et Charles Bernard

1630

1630 *L'Honnête homme ou l'Art de plaire à la cour* - Nicolas Faret

1630 *Addition à l'histoire de Louis XI* - Gabriel Naudé

1630-1631 *Les Ménechmes* - Rotrou

1630 *Examen du livre des Récréations mathématiques et de ses problèmes en géométrie, méchanique, optique et catoptrique (...)* - Claude Mydorge

v. 1630 Premières lettres de Costar (jusqu'en 1659) Publ. 1658-59 - Pierre Costar

1630-1633 *L'Hiver des Alpes* - Saint-Amant

1631 premier numéro de la *Gazette* - Théophraste Renaudot

1631 *Le Poète crotté - Les Goinfres - Le Melon - Suite des œuvres* - Saint-Amant

1632 *Considérations politiques sur les coups d'état* - Gabriel Naudé

1632 *Le Grand voyage au pays des Hurons* - Gabriel Sagard

1632 *Traité de la conservation de santé* (deuxième éd.; la première est perdue) - Gui Patin

1633 *La Guirlande de Julie*

1633 traduction de Garcilaso de la Vega : *Le Commentaire royal ou l'Histoire des Yncas, rois du Péru* - Jean Baudoin

1633 *L'Eté de Rome* - Saint-Amant

1634 *Traité des sons* - Pascal

1635

1635 *Invantaire des deux langues, françoise et latine (...)* - Philibert Monet - rééd. 1636

1635 *Sophonisbe* - Mairet

1636 *Le Cid* - Corneille

1636 rédaction de la *Requête sur les dictionnaires* - Ménage (publ. 1649)

1636 *Harmonie universelle* - Marin Mersenne

1636 *La Belle Alphède* - Rotrou

1636-1637 *Les Sosies* - Rotrou

1636 *La Marianne* - Tristan l'Hermite

1636 *Explication des termes de marine employez dans les edicts, ordonnances et réglements de l'Admirauté* - Estienne Cleirac

1636 traduction de l'*Iconologie* de Cesare Ripa

1636-1639 *Poèmes* de Voiture

1637 *Le Discours de la méthode* - Descartes

1637 *Sentiments de l'Académie sur le Cid* - Jean Chapelain

1637-1662 traductions des anciens : Cicéron 1638 - Tacite, 1646 - Xénophon, 1648, 1662 - César, 1650 - Thucidyde, 1662... - Perrot d'Ablancourt

1638 *La Conjuration du comte Jean-Louis de Fiesque* (date de rédaction) - Cardinal de Retz

1638 *Œuvres nouvelles* - Mainard

1638 *Les Amours* - Tristan l'Hermite

1638 *La Requête des dictionnaires* - Gilles Ménage

1639 *Grand Dictionnaire et thresor des III langues françoise, flamande, espagnolle* - Caesar Oudin

1639 *Médée - L'Illusion comique* (jouée en 1636) - Corneille

1639 *Apologie du théâtre* - Georges de Scudéry

1640

1640 *Curiositez françoises pour servir de supplément aux Dictionnaires* - Antoine Oudin
nouv. éd. : 1656

1640 *Recherches italiennes et françoises ou dictionnaire italien et françois* (2 parties en 1 vol.) - Antoine Oudin

1640 *Horace* - Corneille

1640 *Poétique* - La Ménardière

1640 *Essai sur les coniques* - Pascal

1640 *Le Passage de Gibraltar* - Saint-Amant

1641 *Le Traité de l'âme* d'Aristote traduit par Pierre de Marcassus

1641 *La Science universelle* - Charles Sorel

1641 *De l'usage des passions* - Jean-François Senault

1642 *Dictionnaire françois-allemand-latin et allemand-françois-latin* - N. Duez

1642 *Cinna* - Corneille

1642 *Premier livre de Cassandre* (roman) 1642-1645 - La Calprenède

1642 *Lettres meslées* - *Le Page disgracié* - Tristan l'Hermite

1642 *La Grande Mareschalerie du sieur de l'Espinay* - L'Espiney

1642 *La Maison des jeux* - Charles Sorel

1643 *Polyeucte* - Corneille

1643 début de la publication de *l'Histoire de France* - F. de Mézeray

1643 *La Comédie des académistes pour la réformation de la langue française* (publ. 1650)

1643 *Recueil de quelques vers burlesques* - Scarron

1643-1644 traduction de Thomas More *(l'Utopie)*, de Hobbes *(œuvres politiques)* - Samuel Sorbière

1644 première année des *Lettres* (tous les ans, jusqu'en 1696) - Mme de Sévigné

1644 *Œuvres complètes* - Mainard

1644 *Typhon ou la Gigantomachie* - Scarron

1645

1645 *Nouveau et dernier Dictionnaire françois-latin* - Philibert Monet

1645 *La Suite du Menteur* - *Rodogune* - Corneille

1645-1646 *Le Véritable Saint-Genest* - Rotrou

1645 traduction de Palladio : *Traicté des cinq ordres d'architecture* - Pierre le Muet

1645 *Traicté des manières de graver en taille douce sur l'airin (...)* - Abraham Bosse

1645 *Jodelet ou le Maître valet* - Scarron

av. 1646 *Mémoires* - François de Bassompierre (publ. 1665)

1646 ou 1647 *La Jalousie du barbouillé* - *Le Médecin volant* - Molière

1646 *Mémoires du duc de Rohan (...)*

1646 *L'Office de la Sainte-Vierge* - Tristan l'Hermite

1646 *Relation de l'île imaginaire* - Segrais

1647 *Remarques sur la langue françoise* - Claude Favre de Vaugelas

1647 traduction française des *Méditations* de Descartes, écrites en latin (1641), par le duc de Luynes

1647 *Héraclius* - Corneille

1647 Premier livre de *Cléopâtre* (roman) 1647-1656 - La Calprenède

1647 *Expériences nouvelles touchant le vide* - Pascal

1647 *Venceslas* - Rotrou

1647 *Œuvres burlesques II* - Scarron

1647-1653 *Le Moïse sauvé* - Saint-Amant

av. 1648 *Lettres* - Voiture

1648 premières *Mazarinades* (jusqu'en 1652)

1648 rédaction du *Traité des sections coniques.* - Récit de la grande expérience de l'équilibre des liqueurs - Pascal

1648 *L'Enéide burlesque* - Charles Perrault

1648 *Cosroès* - Rotrou

1648 *Les vers héroïques* - Tristan l'Hermite

v. 1648 *Premières lettres de Colbert* (jusqu'en 1683) (lettres, instructions et mémoires, 10 vol.; éditées après 1860) - J.-B. Colbert

1648 *Polyandre* (roman) - Charles Sorel

1648 *Bérénice* (roman) - Segrais

1648 *Le Virgile travesty* - Scarron

1649 *Les Passions de l'âme* - Descartes

1649 *Histoire du siège de Dunkerque* - J. F. Sarrasin

1649 *Artamène ou le Grand Cyrus* (jusqu'en 1653) - Madeleine et Georges de Scudéry

1650

1650 *Les Origines de la langue françoise* - Gilles Ménage

1650 *Andromède. - Don Sanche d'Aragon* - Corneille

1650 *L'Autre monde ou les Etats et Empires de la lune* (publié en 1657) - Cyrano de Bergerac

1650 *Histoire des Turcs* (jusqu'en 1662) - F. de Mézeray

1651 *Nicomède* - Corneille

1651 *Defense de l'ancienne et légitime Fronde* (pamphlet) - Cardinal de Retz

1651 *Le Jardinier françois (...)* - Nicolas de Bonnefons

1651 *Le Cuisinier français* - François Pierre de la Varenne

1651 *Le Roman comique*, I (2e partie en 1657) - Scarron

1652 *Dernière satire* - M. Régnier

1653 *La Pharsale* - Brébeuf

1653 *L'imitation de Jésus-Christ* (livre I et II ; livre III : 1654)

1653 *Histoire de l'Académie française* - Paul Pellisson-Fontanier

1653 *De l'équilibre des liqueurs. - De la pesanteur de l'air* - Pascal

1653 *Dom Jophet d'Arménie* (comédie) - Scarron

1653 *Athys* - Segrais

av. 1654 Œuvres (poétiques) de Jean François Sarrasin (publ. 1656)

1654 *Lettres* - Cyrano de Bergerac

1654 traduction de *l'Eunuque* de Térence - La Fontaine

1654 *Correspondance* de Pascal avec Fermat

1654 *Clélie* (jusqu'en 1660) - Madeleine (et Georges?) de Scudéry

1655

1655 *L'Etourdi* - Molière

1655 *Tresor de recherches et antiquitez gauloises et françoises reduites en ordre alphabétique (...)* - Pierre Borel

1655 *La Gazette burlesque. - Les Nouvelles* - Scarron

1656 *Mémoires* - Michel de Marolles

1656-1658 *La Prétieuse ou le Mystère des ruelles* (jusqu'en 1658) - abbé de Pure

1656 *Les Provinciales (Lettres écrites à un provincial...)* - Pascal

1656 *Le Dépit amoureux* - Molière

1656 *Nouveaux Mémoires sur l'état présent de la Chine* 3 vol. - Louis Lecomte

1656-1658 *Le Grand Scipion* (roman) - Pierre de Vaumorière

1656 *Nouvelles françaises ou Divertissement de la princesse Aurélie* - Segrais

1656 nouvelle édition augmentée des *Curiositez françaises* d'Antoine Oudin (voir 1640)

1657 Les dernières *Provinciales*
Eléments de géométrie (extraits publiés en 1892)
De l'esprit géométrique et de l'art de persuader (publié en 1779)
- Pascal

1657 *Jardin des racines grecques* - Claude Lancelot et Lemaistre de Sacy

1657 deuxième partie du *Roman comique* - Scarron

1657-1659 rédaction des *Historiettes* (éditées en 1834-1835, expurgées) - Tallemant des Réaux

1658 publication d'écrits *(factums; Histoire de la roulette)* - Pascal

1658 *Histoire naturelle et morale des îles Antilles de l'Amérique* - César de Rochefort

1658 traduction de Jérôme Cardan (Girolamo Cardano) : *La Metoposcopie de H. Cardan (...) a laquelle a été adjusté le Traicte des Marques naturelles du corps, par Melampus (...)* - C. M. de Laurendière

1658 *Les œuvres de Maistre François Thévenin (...) contenant Traité des opérations de chirurgie (...)*

1658 *Poésies diverses* - Segrais

1659-1660 *Dittionario italianno e francese, Dictionnaire italien et françois...* - Nathanaël Duez

1659 *Œdipe* - Corneille

1659 *Les Précieuses ridicules* - Molière

1659 *Le véritable Art de Blason* - le père Ménestrier

1659-1671 *Histoire générale des voyages et conquestes des Castillans dans les isles et terres fermes des Indes occidentales* (trad. de Herrera) - N. de la Coste

1659 *Lettre au duc de Créqui* - Saint-Evremond

av. 1660 *Œuvres (Correspondance, Entretiens spirituels)* - Saint Vincent de Paul

1660

1660 *Grammaire générale et raisonnée contenant les fondements de l'art de parler expliquée d'une manière claire et naturelle* - Antoine Arnauld, Claude Lancelot

1660 *Remarques sur les poésies de Malherbe* - Urbain Chevreau

1660 *(Trois) Discours sur la condition des grands* (rédaction) - Pascal

1660 *Sganarelle* - Molière

v. 1660 (ou apr. 1660) *Estat de la Perse en 1660* - J. Raphaël du Mans

1660 *Le Dictionnaire des précieuses* - Somaize

1660 *Lettres et discours sur diverses matières curieuses* - Samuel Sorbière

1660 *Eglogues* - Segrais

1660 Première année des *Mémoires de l'Académie royale des Sciences (Mémoires de l'Institut national des sciences et arts, 1795-1806) (Mémoires de l'Académie des sciences de l'Institut de France, 1841)*

1661 *Lettres (« Lettres du Limousin »)* - La Fontaine

1661 *Faramond* (roman) 1661-1670 (posthume; achevé par Vaumorière) - La Calprenède

1661 *Don Garcie de Navarre. - L'Ecole des maris. - Le Fâcheux* - Molière

1661 *Alcidamie* (roman) - Mme de Villedieu

av. 1662 *Les Pensées* (1re éd. 1669-1670) - Pascal

1662 *Le vray et parfait Guidon de la langue françoise* - Nathanaël Duez

1662 *Sertorius* - Corneille

1662 *L'Elégie aux nymphes de Vaux* - La Fontaine

1662 Première édition (clandestine et désavouée) des *Mémoires* - La Rochefoucauld

1662 *L'Ecole des femmes* - Molière

1662 *Sir Politick Would-be* (comédie) - Saint-Évremond

1662 traduction de l'*Imitation* de Jésus-Christ - Louis Isaac Lemaistre de Sacy

1663 *Ode sur la convalescence du roi*
La Renommée aux Muses - Jean Racine

1663 traduction de Quintilien - abbé de Pure

1663 *La Critique de l'Ecole des femmes*
L'Impromptu de Versailles - Molière

1663 *Anaxandre* - Mme de Villedieu

1663 *Traité de la chymie (...)* éd. augmentées 1670, 1676

1664 *Voyage de la France équinoxiale en l'isle de Cayenne... Avec un dictionnaire de la langue du mesme païs* - Antoine Biet

1664 *Le dictionnaire royal des langues françoise et latine* - Fr. Pomey
1671 : 2e éd. augmentée avec en appendice : *Quelques descriptions et les termes de la vènerie et de la fauconnerie*

1664 première édition des *Maximes* - La Rochefoucauld

1664 *Le Mariage forcé. - La Princesse d'Elide. - Tartuffe* - Molière

1664 *Lettres sur l'hérésie imaginaire* - Pierre Nicole

1664 *La Thébaïde* - Racine

1664 *Relation d'un voyage fait au Levant (...)* (av. 1667). Suite du voyage : 1674. - troisième partie des voyages : 1684 - Jean de Thévenot

1664 *Relation d'un voyage en Angleterre* - Samuel Sorbière

1664 *La Bibliothèque françoise* - Charles Sorel

av. 1665 *Lettres* - Nicolas Poussin

1665

1665 *Contes et Nouvelles en vers* (livre I ; Livre II : 1666) - La Fontaine

1665 *Alexandre* (création ; publ. 1666) - Racine

1665 *Dom Juan ou le Festin de Pierre L'Amour médecin* - Molière

1665 premier numéro du *Journal des sçavans* (jusqu'en 1910 ; nouvelle série 1911)

1665 *Conversation du maréchal d'Hocquincourt avec le P. Canaye* - Saint-Évremond

1666 *Le Roman bourgeois* - Furetière

1666 édition des *Satires* de Boileau, désavouée par l'auteur

1666 *Entretiens sur les vies et les ouvrages des plus excellents peintres anciens et modernes* - André Félibien

1666 *Agésilas* - Corneille

1666-1675 *Oraisons funèbres* - Mascaron

1666 *Le Misanthrope. - Le Médecin malgré lui. - Mélicerte* - Molière

1666 *Description de la France équinoxiale, ci-devant appelée Guiane* - A. J. Lefebvre de la Barre

1666 traduction du *Nouveau Testament* - Lemaistre de Sacy ; voir 1672

1667 *Attila* - Corneille

1667 *Les Avantages de la langue française sur la latine* - L. Le Laboureur

1667 *La Pucelle* - Chapelain

1667 *Andromaque* (publ. 1668) - *Racine*

1667 *La Pastorale comique. - Le Sicilien ou l'Amour peintre. - Second placet au roi* - Molière

1668 *L'Art de la peinture*...(trad. commentée du *De arte graphica*... de Charles-Antoine Dufresnoy, 1668) - Roger de Piles

1668 *Première épître* - Boileau

1668 *Fables choisies mises en vers par M. de La Fontaine* (124 fables)

1668 *Amphitryon. - George Dandin. - L'Avare* - Molière

1668-1681 traduction de l'*Enéide de Virgile* - Segrais

1669 *Nouveau dictionnaire françois-allemand et allemand-françois* - J. H. Widerhold

1669 *Tartuffe. - Monsieur de Pourceaugnac. - La Gloire du Val-de-Grâce* (poème) - Molière

1669 *Les Lettres portugaises* - attribuées à Guilleragues

1669 *Les Amours de Psyché et de Cupidon*, suivi *d'Adonis* - La Fontaine

1669 *Zaïde* (1er volume) - Mme de Lafayette

1669 *Britannicus* (éd. 1670) - Racine

1669-1670 *Le livre des tarifs, où sans plume et sans peine, on trouve les comptes faits (...)* - François Barrême

1670

1670 première année de la *Correspondance* de Fénelon (tous les ans jusqu'en 1715)

1670 traduction (du latin) : *Les œuvres de Jean-Baptiste Van Helmont, traittant des principes de médecine et de physique (...)*

1670 *Essais de morale* (jusqu'en 1678)
- Pierre Nicole

1670 *Bérénice* (éd. 1671) - Racine

1670 *Les Amants magnifiques. - Le Bourgeois gentilhomme*
- Molière

1670 *L'Amour sans faiblesse. - Le Géomyler* (romans)
- abbé de Villars

1670 *Le Comte de Gabalis ou Entretiens sur les sciences secrètes*
- Montfaucon, abbé de Villars

1670 début de la correspondance de Bayle. Jusqu'en 1706 (*Lettres choisies de M. Bayle*, 1714)
- Pierre Bayle

1670 début de la publication de l'*Ancien Testament*. Jusqu'en 1684
- Lemaistre de Sacy.
Voir aussi 1672, 6e, ci-contre.

apr. 1670 rédaction des *Mémoires* (édités 1717)
- Paul de Gondi, cardinal de Retz

1671 *Psyché*
- Corneille, Molière, Quinault

1671 *Entretiens d'Ariste et d'Eugène*
- le père Bouhours

1671 *Contes* (3e partie). - *Fables nouvelles et autres poésies*
- La Fontaine

1671 *Les Fourberies de Scapin. - La Comtesse d'Escarbagnas*
- Molière

1671 *Plaidoyers*
- Olivier Patru

1671 *Critique de Bérénice. - De la délicatesse*
- abbé de Villars

1671 *La fausse Clélie, histoire française galante et comique*
- Subligny

1671 premières lettres de Mme de Sévigné. Tous les ans jusqu'en 1696. Première édition très partielle 1725, puis 1726, 1744 (4 tomes). 1754, première édition sur manuscrit 1878, puis 1953 et 1978

1671 deuxième édition du dictionnaire de Porney

av. 1672 *Lettres* - Gui Patin

1672

1672 *Observations sur la langue françoise* (2 vol.)
- Gilles Ménage ; 1675 2e éd. augmentée

1672 *Bajazet* - Racine

1672 premier numéro du *Mercure galant*. Tous les ans jusqu'en 1723, où il prend le nom de *Mercure de France*.
- par Donneau de Visé

1672 *Les Femmes savantes*
- Molière

1672 *Mémoires d'Henriette Sylvie de Molière*
- Mme de Villedieu

1672 début de la traduction de la *Bible*. Jusqu'en 1708
- Isaac-Louis Lemaistre de Sacy

1672 *Description géographique et historique des castes de l'Amérique spetentrionale*
- Nicolas Deunys

1673 *Mithridate* - Racine

1673 *De l'égalité des deux sexes*
- Poullain de la Barre

1673 *Le Malade imaginaire*
- Molière

1673 *Les dix livres d'architecture de Vitruve*
- Claude Perrault

1673 *Toutes les œuvres de Virgile en vers françois*
- Michel de Marolles

1674 *Doutes sur la langue françoise proposez à MM. de l'Académie*
- Dominique Bouhours

1674 *Nouveau et Ample Dictionnaire des trois langues italienne, françoise et allemande* (2 vol.)
- Antoine Oudin

1674 *Suréna* - Corneille

1674 *L'Art poétique*. Achèvement des quatre premiers chants du *Lutrin* (commencé en 1669) - Boileau

1674 *Grand dictionnaire historique* 1re édition (commencé en 1668) - Louis Moreri

1674 *De la recherche de la vérité* - Malebranche

1674 *Réflexions sur la poétique d'Aristote* - René Rapin

1674 *Iphigénie* (éd. 1675) - Racine

1675

1675 *Remarques nouvelles sur la langue française* - Dominique Bouhours

1675 *Defense de la poesie et de la langue françoise* - Desmarets

1675 *Les Désordres de l'amour* - Mme de Villedieu

1675 *Nouvelle relation de l'intérieur* du *Sérail du Grand Seigneur (...)* - J.-B. Tavernier

1676 *Des principes de l'architecture, de la sculpture, de la peinture et des autres arts qui en dépendront, avec un dictionnaire des termes propres à chacun de ces arts* - André Félibien

1676 *Defense de la langue française* - F. Charpentier

1676 *La Terre australe* - G. de Foigny

1677 *A new dictionary french and english, with another english and french* - Guy Miege

1677 *Considérations en faveur de la langue françoise* - Marolles

1677 *L'Architecture navale* - F. Dassié

1677 *Phèdre* - Racine

1677 *Dissertation sur la tragédie de Phèdre* - Subligny

1677 *Histoire des Sévarambes* - D. Vairasse

1678 *Glossarium mediae et infimae latinitatis* - Charles du Tresnes, sieur Du Cange

1678 *La Princesse de Clèves* (écrite à partir de 1672) - Mme de Lafayette

1678-1679 second recueil de *Fables* - La Fontaine

1678 *Lettres (...) sur le sujet de la « Princesse de Clèves »* - J. B. de Valincourt

1678 *Maximes* - Marquise de Sablé

1678 *Histoire critique du Vieux Testament* - Richard Simon

1678 *Les six voyages de J.-B. Tavernier en Turquie, en Perse et aux Indes*. Édition augmentée 1679 - J.-B. Tavernier

av. 1679 *Mémoires* - Retz (publ. 1717)

1679 *A Dictionary of barbarous french* - Guy Miege

1679 *Essays de phisique ou Mémoires pour servir à la science des choses naturelles* tome IV : 1681 - Edme Mariotte

1679 première date de la *Correspondance* de Leibniz. Publ. 1854

1680

1680 *Dictionnaire françois contenant les mots et les choses, plusieurs nouvelles remarques sur la langue françoise...* (2 parties en 1 vol.) - Pierre Richelet. Aussi 1681 2 vol.

1680 *Politique du clergé de France pour détruire le protestantisme* - Pierre Jurieu

1680 *Relation d'un voyage au Tonking* - J.-B. Tavernier

1680 *Pensées, sentiments et maximes* - Saint-Evremond

1681 : titre en allemand 1700 *Le Grand Dictionnaire royal françois-latin-alleman, latin-alleman-françois, alleman-françois-latin* - Fr. Pomey

1681 *Discours sur l'histoire universelle* - Bossuet

1681 *Termes desquels on use sur mer dans le parler, avec les pièces et parties d'un vaisseau (...)* deuxième éd. 1713

1682 *Lettres* du chevalier de Méré

1683 *De l'excellence de la langue françoise*
- F. Charpentier

1683 *De la sainteté et des devoirs de la vie monastique*
- abbé de Rancé

1683 *Nouveau Dictionnaire françois et latin (...)*
- abbé Danet

1683 *Observations sur le goût et le discernement des Français*
- Saint-Evremond

1684 *Petit Dictionnaire anglois et françois* (2 vol.)
- Guy Miege

1684 *in* G. L. L. F. ; 1687 F. E. W. *Essai d'un dictionnaire universel contenant généralement tous les mots françois*
- Antoine Furetière1685 ; rééd. 1687. REM. Cet essai ne contient en fait que quelques extraits du dictionnaire à venir (voir 1690).

1684 *Eloge historique du roi*
- Jean Racine

1684 première année du *Journal*. Jusqu'en 1726
- Marquis de Dangeau

1685

1685 traduction de l'*Anatomie des plantes* de Nehemias Grew

1686 *Entretiens sur la pluralité des mondes*
- Fontenelle

1686 *Maximes de Mme de Mortenar*
- Richard Paris

1686 *Lettres pastorales* (jusqu'en 1689) - Pierre Jurieu

1686 *Voyage de Siam des Pères Jésuites envoyez par le Roy aux Indes et à la Chine*
- le Père Guy Tachard

1686 *De la retraite. - Du merveilleux qui se trouve dans les poèmes des Anciens. - Sur les Anciens*
- Saint-Evremond

1687-1688 *The great french dictionary*
- Guy Miege

1687 *Manière de bien penser dans les ouvrages de l'esprit*
- le père Bouhours

1687 *Epître à Huet* (à propos des Anciens et des Modernes)
- La Fontaine

1687 *Traité de la construction des équations pour la solution des problèmes indéterminés*
- Jacques Ozanam

1688 première année des *Lettres* de Racine (jusqu'en 1699)

1688 première édition des *Caractères*
- La Bruyère. Éditions augmentées : 1689 (4e), 1690, 1691, 1692, 1694, 1696, (9e éd.)

1688 premier volume des *Parallèles entre les Anciens et les Modernes* (4 vol., le 4e en 1697)
- Charles Perrault

1688 *Hymnes du bréviaire romain*
- Jean Racine

1688 *Entretiens sur la métaphysique et la religion*
- Malebranche

1689 impression de six oraisons funèbres de Bossuet (prononcées depuis 1681)

1689 *Mémoires de la Cour de France pour 1688 et 1689* (publié plus tard) - Mme de Lafayette

1689 *Histoire critique du Nouveau Testament*
- Richard Simon

1690

1690 *Dictionnaire universel contenant généralement tous les mots françois tant vieux que modernes, et les termes de toutes les sciences et des arts (...)*
- Antoine Furetière
1701 : 2e éd. revue, corrigée et augmentée par Basnage de Bauval
1708 : rééd. - 1727 : rééd., 4 vol.

1690 *Système de la philosophie contenant la logique, la métaphysique, la physique et la morale* 3 vol.
- Pierre Sylvain Régis

1690 *L'Anatomie de l'homme suivant la circulation du sang et les dernières découvertes*
- Pierre Dionis

1691 *Dictionnaire mathématique ou Idée générale des mathématiques...* - Jacques Ozanam

1691 première année des *Mémoires*, qui couvrent la période 1691-1723 (texte composé entre 1739 et 1752)
- Saint-Simon

1691 *Traité des études monastiques* - Dom Mabillon

1691 *Athalie* - Racine

1691 *Le Cuisinier roial et bourgeois (...)* - François Massialot

1691 première année de la *Correspondance* de dom Bernard de Montfaucon (jusqu'en 1734) Publ. 1879 : *Correspondance inédite* de dom B. de Montfaucon

1691 *Essai des remarques particulières sur la langue françaises pour la ville de Genève* - J.-J. Poulain de la Berre

av. 1692 *Œuvres* (publ. 1722, 1730, 1740, 1757) - Saint-Réal

1692 *Suites des Remarques...(Remarques nouvelles sur la langue française)* - Dominique Bouhours (autre source : 1687, date erronée)

1692 *Des mots à la mode et des nouvelles façons de parler* - François de Callières

1693 *Du bon et du mauvais usage dans les manières de s'exprimer* - François de Callières

1693 *Le Muet. - Le Grondeur* (comédies) - Jean Palaprat

1693 *Nouveau testament en français avec des réflexions morales* - Pasquier Quesnel

1693 *Attendez-moi sous l'orme* - Regnard

1693 *Relation du siège de Namur* - Jean Racine

1693 *Dictionnaire d'architecture (...)* - Augustin Charles d'Aviler

1693 *Pharmacopée universelle (...)* - Nicolas Lemery

1694 *Le Dictionnaire des arts et des sciences* (2 vol.) - Thomas Corneille

1694 *Dictionnaire étymologique ou Origines de la langue françoise. Nouvelle édit. revue et augmentée par l'auteur. Avec les Origines françoises de M. de Caseneuve...* - Gilles Ménage 1750 : nouv. éd. revue, corrigée et augmentée, par A.F. Jault, 2 vol.

1694 *Dictionnaire de l'Académie françoise* (2 vol.)

1694 dernier livre des *Fables* - La Fontaine

1694 première des *Histoires secrètes* - Mlle de la Force

1694 *Cantiques spirituels* - Jean Racine

1694 premiers *Contes* (en vers) de Charles Perrault (dont *Peau d'âne* et *les Souhaits ridicules*)

1694 *Dictionnaire mathématique (...)* - Jacques Ozanam

1694 *Histoire générale des drogues, traitant des plantes, des animaux et des minéraux* - Pierre Pomet

1694 *Nouveaux Recueils des plus beaux secrets de médecine (...)* - Nicolas Lemery

1694 *Le Théâtre italien (...)* - Evariste Gherardi

1694 *Eléments de botanique* - Joseph Pitton de Tournefort

1695

1695 premier volume du *Dictionnaire critique* de Bayle (2e vol. en 1696) 2e éd. augmentée : 1702

1695 *Histoire des révolutions de Suède* - l'abbé René de Vertot

1695 *Dictionnaire italien et françois à l'usage de Mgr le Dauphin* (éd. augmentées : 1698, 1700, 1710, 1724, etc.) - Giovanni Veneroni (Jean Vigneron)

1696 *Traité de l'incrédulité* - Jean Le Clerc

1696 *Mémoires* - R. de Bussy-Rabutin

1696 *Théâtre italien* (publication)

1696 premier volume des *Hommes illustres qui ont paru en France pendant ce siècle* (4 vol., le 4e en 1700) - Charles Perrault

1696 *Le Joueur. - Le Bal* - Regnard

1697 *Le Distrait* - Regnard

1697 *Contes* (en prose) - Charles Perrault

1697 *La Conduite chrétienne* - abbé de Rancé

1697 *Bibliothèque orientale* - Herbelot

1698 *Abrégé de l'histoire de Port-Royal* (rédaction) - Jean Racine

1698 *Traité universel des drogues simples mises en ordre alphabétique (...)* - Nicolas Lemery

1698 *Histoire des plantes qui naissent aux environs de Paris* - Joseph Pitton de Tournefort

1698 Traduction du *Nouveau voyage autour du monde* de William Dampier. - Supplément : 1701

1699 *Télémaque* - Fénelon

1699 *Contes de fées* - Mlle de la Force

1699 *Abrégé de la vie des peintres (...)* - Roger de Piles

1699-1742 *Sermons et Oraisons* - Massillon (publ. 1745-1748)

1700

1700 *Le grand dictionnaire royal françois-latin-alleman, latin-alleman-françois, alleman-françois-latin* - Fr. Pomey (1715 : nouv. éd.)

1700 *L'œconomie générale de la campagne ou Nouvelle Maison Rustique* - Louis Liger

XVIIIe siècle

1701

1701 deuxième édition du *Dictionnaire* de Furetière voir 1690

1701 *Description des plantes de l'Amérique (...)* - le Père Charles Plumier

1701 première année des *Mémoires de Trevoux* (1768 : *Journal des beaux-arts et des sciences* 1779 : *Journal de littérature, des sciences et des arts*). Jusqu'en 1783

1701-1702 rédaction des *Mémoires* de Perrault (publiés en 1755)

1702 *Dictionnaire de marine contenant les termes de la navigation et de l'architecture navale* - N. Aubin - 1736 : 2e éd.

1702 *Odes sacrées* - J.-B. Rousseau

1702 traduction du *Nouveau Testament* - Richard Simon

1703 *Les Nouveaux Voyages de M. le baron de la Hontan dans l'Amérique septentrionale* (chronique canadienne)

1703 *Cantates* - J.-B. Rousseau

1703 *Dictionnaire de musique* - Sébastien de Brossard

1704 *Observations de l'Académie françoise sur les Remarques de M. de Vaugelas.* - 1705 : 2e éd.

1704 *Dictionnaire universel françois et latin* (3 vol.) (Trévoux) 1721 : 2e éd. 5 vol. - 1732 : 3e éd. 5 vol. - 1743 : 4e éd. 6 vol. - 1752 : 5e éd. 7 vol.
Supplément 1771 : 6e éd. 8 vol.

1704 *Nouvelles aventures de l'admirable Don Quichotte de la Manche* - Lesage

1704 premier volume de la traduction des *Mille et Une Nuits* (jusqu'en **1717** : 12 vol). - Antoine Galland

1704 première lettre de Voltaire enfant (Zozo Arouet); principales lettres, de 1725 à 1775. Tous les ans, jusqu'en 1778

1705 *Traité de la grammaire française* - abbé Régnier-Desmarais

1705 premier volume des *Œuvres* 3e vol. : 1729 - John Law

1707 *Le Diable boiteux. - Crispin rival de son maître* - Lesage

1708 *Le Légataire universel* - Regnard

1708 *Entretiens d'un philosophe chrétien et d'un philosophe chinois sur l'existence de Dieu* - Malebranche

1708 *Cours de peinture par principes (...)* - Roger de Piles

1709 *Turcaret* - Lesage

1709 *Dictionnaire œconomique* - Noël Chomel

1710

1710 *Essai de théodicée sur la bonté de Dieu* - Leibniz

1711 *Voyages de Monsieur le chevalier Chardin en Perse et autres lieux de l'orient* - Jean Chardin

1712 *Traité de l'existence de Dieu* - Fénelon

1713 *Lettre à l'Académie française* - Fénelon

1713 *Les Illustres Françaises* - Robert Challe

1713 *Mémoires de la vie du comte de Gramont* - Hamilton

1713 première année de la correspondance régulière de Voltaire (voir aussi 1704)

1713 *Ode sur les malheurs du temps* - Voltaire

1713 première année des *Ouvrages de politique, de morale (...)* 14 vol., jusqu'en 1738. Publ. 1733-1740 - abbé de Saint-Pierre

1713-1717 *Projet pour rendre la paix perpétuelle en Europe* - abbé de Saint-Pierre

1714 *L'Iliade en vers avec un discours sur Homère* - Houdard de la Motte

1714 *Des causes de la corruption du goût* - Mme Dacier

1714 *La Voiture embourbée* (roman) - Marivaux

1714 *Réflexions critiques sur la poésie et sur la peinture* - Jean-Baptiste du Bos

entre 1714 et 1717 *Voyages et Aventures de Jacques Massé* - Tyssot de Patot

1715

1715 1er volume de *l'Histoire de Gil Blas de Santillane* - Lesage

1715 *Eléments de géométrie* - Nicolas de Malézieu (édition enrichie en 1729)

1715 *Dissertation critique sur l'Iliade d'Homère* - abbé Terrasson

1716 *Dissertation sur la politique des Romains dans la religion* - Montesquieu

1716 *Epîtres* - Voltaire

1717 *L'Iliade travestie* - Marivaux

1717 *Le jardinier fleuriste (...)* - Louis Liger

1718 *Dictionnaire comique, satyrique, critique, burlesque, libre et proverbial* - Philibert-Joseph Leroux 1752 Nouvelle éd. revue et corrigée (2 t. en 1 vol.) - 1786 2 vol.

1718 *Nouveau dictionnaire de l'Académie françoise* (2e éd.) (2 vol.)

1718 *Académie universelle des jeux, contenant les règles des jeux de cartes permis, du tric trac, des échecs, de la paulme, du mail, du billard et autres...* (rééd. 1725, 1730... jusqu'en 1743)

1718 *La Justesse de la langue françoise ou les Différentes significations des mots qui passent pour synonymes* - abbé Gabriel Girard

1718 *Œdipe* (tragédie) - Voltaire

1718 *Discours sur la polysynodie* - abbé de Saint-Pierre

av. 1719 *Lettres et Maximes pour les pauvres filles de Rueil* - Madame de Maintenon

1719 *Réflexions critiques sur la poésie et la peinture* - L'abbé Dubos

1719 *L'Antiquité expliquée et représentée en figures, histoire appuyée sur les monumens* - Bernard de Montfaucon

1720

1720 traduction de Newton par Costes

1720 *La Vie de Mme J. M. Bouvier de la Motte-Guyon* (Mme Guyon) *écrite par elle-même*

1720 *Arlequin poli par l'amour* - Marivaux

1720 *Traité d'optique sur les réflexions, réfractions, inflexions et couleurs de la lumière* par M. le chevalier Newton (...) - Pierre Coste

1721 Premier numéro du *Spectateur français* (publ. par Marivaux) (jusqu'en 1734)

1721 *Essai philosophique sur le gouvernement civil* - chevalier de Ramsay

1721 *Les Lettres persanes* - Montesquieu

1721 deuxième édition du *Dictionnaire* de Trévoux (5 vol.)

av. 1722 *Correspondance* - Princesse des Ursins

1722 *Méthode raisonnée pour apprendre la langue latine* - Du Marsais

1722 *La Surprise de l'amour* - Marivaux

1722 *Traité de l'harmonie réduite à ses principes naturels* - Jean Philippe Rameau

1722 *Nouveau voyage aux isles de l'Amérique* - Jean-Baptiste Labat

1722 premier volume des œuvres (en latin, français et allemand) de Leonhard Euler (jusqu'en 1783)

1723 *Dictionnaire universel de commerce, d'histoire naturelle, d'arts et de métiers* (2 vol.) - J. Savary des Brulons 1730 *Dictionnaire universel de commerce;* tome 3e, pour servir de supplément aux deux premiers volumes - 1741-1742 nouv. éd., 3 vol.

1723 *La Double Inconstance* - Marivaux

1723 *Le Mercure galant* devient *Le Mercure de France* (publié jusqu'en 1791 avec la mention « dédié au roi », puis jusqu'en 1825)

1723 *La Ligue ou Henri le Grand* (première version de *la Henriade*) - Voltaire

1724 *Mœurs des sauvages américains comparées aux mœurs des premiers temps* - Lafitau

1725

1725 *Lettres sur les Anglais et les Français* - B.-L. de Muralt

1725 *Le Temple de Cnide* - Montesquieu

v. 1725 *Dialogue de Sylla et d'Eucrate* (publ. en 1745) - Montesquieu

1726 *Dictionnaire néologique à l'usage des beaux esprits du siècle, avec l'éloge historique de Pantalon-Phébus, par un avocat de province*

1726-1728 *De la manière d'enseigner et d'étudier les belles-lettres* - Charles Rollin

1727 *Voyages de Cyrus* - chevalier de Ramsay

1727-1728 écriture de *Mémoires et Aventures d'un homme de qualité* (t. I à IV, parus en 1728) - abbé Prévost

1727 traduction de *Les voyages de Gulliver*, de Swift

1728 *La Henriade* (publication) - Voltaire

1728 *Le Chirurgien dentiste ou traité des dents* - Pierre Fauchard

1728 début de la *Bibliothèque italique* (jusqu'en 1734) - Louis Bourguet

1729 écriture des t. V et VI de *Mémoires et Aventures ;* écriture des t. I et II de *Histoire de Monsieur Cleveland, fils naturel de Cromwell (...)* (dernier tome en 1739) - abbé Prévost

av. 1729 *Mémoire* (premiers extraits publiés en 1762) ; voir aussi 1791 d'Holbach - Jean (le Curé) Meslier (mort en 1729)

1730

1730 *Des tropes* - Du Marsais

1730 *Le Jeu de l'amour et du hasard* - Marivaux

1730 - Supplément au *Dictionnaire de commerce* de Des Brulons (voir 1723)

1731 début de la publication de *la Vie de Marianne* - Marivaux (jusqu'en 1741)

1731-1738 *Histoire ancienne* - Charles Rollin

1731 Les t. V, VI et VII de *Mémoires et Aventures d'un homme de qualité* (t. VII *Manon Lescaut*) - abbé Prévost

1731 *L'Histoire de Charles XII* - Voltaire

1731 *Séthos* (roman) - abbé Terrasson

1732 *Dictionnaire universel (de Trévoux)* (3e éd. ; 5 vol. ; voir 1704)

1732 *L'Ecole des mères* - Marivaux

1732 *Le Triomphe de l'amour* (et autres pièces) - Marivaux

1732 premier volume des *Spectacles de la nature* (jusqu'en 1750) - abbé Pluche

1733 *Le Temple du goût* - Voltaire

1733 premier volume de l'*Histoire littéraire de la France* (commencée par les bénédictins de Saint-Maur)

1733-1734 *Lettres philosophiques* - Voltaire

1734 *Le Paysan parvenu* - Marivaux

1734 *Considérations sur les causes de la grandeur des Romains et de leur décadence* - Montesquieu

1734 premier volume des *Mémoires pour servir à l'histoire des insectes* (6 vol., jusqu'en 1742) - René Antoine de Réaumur

1734 traduction française de l'*Historia* du président de Thou (mort en 1617)

1735

1735 *Le Préjugé à la mode* - Nivelle de la Chaussée

1735 *Le Doyen de Killerine* t. I (t. II : 1739) - abbé Prévost

1735 *Mémoires du comte de Comminges* (roman) - Mme de Tencin

1736 *La Mouche ou les Aventures de Bigaud* - chevalier de Mouhy

1736 *Ode sur la paix* - Louis Racine

1736 *Alzire - L'Enfant prodigue* (comédie) - Voltaire

1736 *Logique, ou Réflexions sur les forces de l'entendement humain (...)* traduite de l'allemand (de Christian Wolff) - Jean Deschamps

1737 *Les Fausses Confidences* - Marivaux

1738 *La Métromanie* - Piron

1738 *Histoire romaine* - Rollin

1738 *Eléments de la philosophie de Newton* - Voltaire

1738 *Nouvelle relation de l'Afrique occidentale* - Jean-Baptiste Labat

1738-1739 *Discours en vers sur l'homme* - Voltaire

1739 *Lettres fanatiques* - B.-L. de Muralt

1739 *Abrégé des principes de la grammaire françoise* - Pierre Restaut

1739-1742 *Nouveau traité de la cuisine* - Louis de Menon

1739 Composition des années 1691 à 1696 des *Mémoires* (rédaction de 1739 à 1749 : *les Mémoires* couvrent la période qui va jusqu'en 1723) - Saint-Simon

1739 *Le Siège de Calais* (roman) - Mme de Tencin

1740

1740 *Dictionnaire de l'Académie françoise* (3e éd., 2 vol.)

1740 *L'Anti-Machiavel* - Frédéric II de Prusse

1740 *Parallèle des Grecs et des Français. - Parallèle des Romains et des Français* - Mably

1740 *Histoire de Guillaume le Conquérant. - Histoire d'une Grecque moderne* - abbé Prévost

1740 *L'Anti-Machiavel* - Frédéric II de Prusse (revu par Voltaire)

1740 *La Métaphysique de Newton. - Zulemie* (tragédie) - Voltaire

1741 *Mahomet* - Voltaire

1741 *La Banque rendue facile aux principales nations de l'Europe* - Pierre Giraudeau

1742 *Le livre des collectionneurs* - Marc Sensier

1743 *Dictionnaire universel* dit *Dictionnaire de Trévoux* (4e éd., 6 vol. ; voir 1704)

1743 *Essai sur l'esprit humain* - Morelly

1743 Traduction de *l'Histoire de Cicéron* de Middleton - abbé Prévost

1743 *Mérope* - Voltaire

1743-1745 *Dictionnaire universel de médecine, de chirurgie, de chymie, de botanique (...) et d'histoire naturelle (...)* de Robert James - traduit par Diderot, Eidons et Toussaint

1744 premières lettres publiées - Marmontel (correspondance jusqu'en 1799)

1744 *Histoire et description générale de la Nouvelle-France* - Charlevoix

1744 début de l'édition de *l'Histoire des voyages* (traduite de l'anglais) (t. XV et dernier : 1759) - abbé Prévost

1744 *Nouvelles considérations sur l'histoire* - Voltaire

1745

1745 *Histoire naturelle de l'âme* - La Mettrie (qui avait publié des traités de médecine en 1737, 1739, 1740, 1743)

1745 *Essai sur le cœur humain* - Morelly

1745 *Mémoires d'un honnête homme* - abbé Prévost

1745 *Relation abrégée d'un voyage fait dans l'intérieur de l'Amérique méridionale* - Charles Marie de La Condamine

1745 *Vénus physique* - Maupertuis

1745-1746 *Essai sur les mœurs* - Voltaire

1745-1749 *Théâtre anglais* (notamment Shakespeare) - traduction de P. A. de la Place

1746 *Pensées philosophiques* - Diderot

1746 *Essai sur l'origine des connaissances humaines* - Condillac

1746 *Angola* (roman) - Jacques de la Morlière

1746 *Les Institutions chimiques* - J.-J. Rousseau

1746 *Maximes (et Introduction à l'étude de l'esprit humain; Réflexions sur divers sujets)* - Vauvenargues

1746 *Dissertation sur les changements arrivés à notre globe* - Voltaire

1746 *Dictionnaire universel de médecine* - François-Vincent Toussaint

1746 *Essai sur l'électricité des corps* - abbé Jean-Antoine Nollet

1746 premier volume de l'*Histoire générale des voyages (...)*, 20 vol. jusqu'en 1801 (traductions)

1747 *Réflexions sur la poésie* - Louis Racine

1747 *Memnon, histoire orientale* (première version de *Zadig*, publ. 1748) - Voltaire

1747 *Mémoires* - Carlo Goldoni

1747-1748 *Cours de belles-lettres (...)*; deuxième éd. 1753 - abbé Batteux

1748 *L'Anti-Sénèque ou discours sur le bonheur* - La Mettrie

1748 *Réflexions philosophiques sur l'origine des langues et la formation des mots* - Maupertuis

1748 *L'Esprit des lois* - Montesquieu

1748 *Telliamed ou Entretiens d'un philosophe indien (...)* - Benoît de Maillet

1748 *Thérèse philosophe* - attribué au marquis d'Argens

1748 *Sémiramis. - Des mensonges imprimés. - Zadig. - Le Monde comme il va* - Voltaire

1748 *L'Homme machine* - La Mettrie

1749 *Lettres sur les aveugles* - Diderot

1749 fin de la rédaction des *Mémoires* par Saint-Simon ; voir 1739

1749 début de la publication de l'*Histoire naturelle* - Buffon
1749-1767 *Théorie de la Terre - Histoire de l'Homme - Histoire des Quadrupèdes*
1770-1783 *Histoire naturelle des Oiseaux*
1774-1783 Supplément à l'*Histoire naturelle* (avec Lacépède)
1783-1788 *Histoire des Minéraux* et *Traité de l'aimant*

1749-1750 *Réflexions sur l'esprit humain à l'occasion de Corneille et de Racine* (lues à l'Académie) - Marivaux

1750

1750 *Manuel lexique ou Dictionnaire portatif des mots françois dont la signification n'est pas familière à tout le monde* (2 vol.) (ouvrage adapté de l'anglais Dyche) - Antoine François d'Exiles, dit l'abbé Prévost
1755 nouv. éd. considérablement augmentée

1750 publication des premières lettres de Frédéric II de Prusse *(Œuvres du philosophe de Sans-Souci)*

1750 *Margot la Ravaudeuse. - Le Cosmopolite*
- Fougeret de Monbron

1750 *Tableau philosophique des progrès de l'esprit humain*
- Turgot

1750 *Réflexions philosophiques sur l'origine des animaux. - Les Animaux plus que machines. - Le Système d'Epicure*
- La Mettrie

1750 traduction du *Paradis perdu* de Milton
traduction des *Remarques* d'Addison
Discours sur le poème épique
- Louis Racine

1750 *Discours sur les sciences et les arts*
- J.-J. Rousseau

1750 *Défense de l'Esprit des lois*
- Montesquieu

1750 nouvelle édition en 2 volumes du *Dictionnaire étymologique* de Gilles Ménage (voir 1694)

1750 *L'Anti-Thérèse ou Juliette philosophe*
- attribué à François-Vincent Toussaint

1750-1751 passages du futur *Essai sur les mœurs* (dans le *Mercure de France*) - premiers *Dialogues philosophiques*
- Voltaire

1750-1753 traduction (de l'allemand) *De la fonte des mines, des fonderies* de Christophe-André Schlutter

1751-1780 *Encyclopédie ou dictionnaire raisonné des sciences, des arts et des métiers par une Société de gens de lettres. Mis en ordre et publié par* M. Denis Diderot... *et quant à la partie mathématique par* M. Jean Le Rond d'Alembert
1751 A-Azymites
1751 B-Cez
1753 Ch-Cons
1754 Cons-Diz
1754 Do-Esy
1756 Et-Fn
1757 Fo-Gy
1765 H-It
1765 Ju-Mam
1765 Mam-My
1765 N-Pari
1765 Parl-Po
1765 Pom-Regg
1765 Reggi-Sem
1765 Sen-Tch
1765 Te-Ven
1765 Venerien-Z
Supplément à l'Encyclopédie...
1776 A-Bl
1776 Bo-Ez
1776 F-My
1777 N-Z
1762-1777 *Recueil de planches sur les sciences, les arts libéraux et les arts mécaniques avec leurs explications* (11 t. en 12 vol.)
1780 *Tables*

1751 *Système de la nature*
- Maupertuis

1751 *Lettres anglaises* (traduction de *Clarisse Harlowe* de Richardson) - abbé Prévost

1751 *Journal du voyage fait par ordre du roi à l'Equateur*
- La Condamine

1752 *Dictionnaire portatif des beaux arts*
- M. L***, avocat

1752 premier volume du *Recueil d'antiquités* de Caylus (1752-1767)

1752 *Lettres iroquoises* - Maubert de Gouvest

1752 *Zaïre* - Voltaire

1752 *Le Siècle de Louis XIV. - Défense de Milord Bolingbroke. - Diatribe du docteur Akakia*
- Voltaire

1752 troisième édition du *Dictionnaire de Trévoux*
(7 vol.) voir 1704

1752 premier volume du *Journal de physique* (jusqu'en 1755)

1752-1756 *Le Poirier - la Fileuse - le Trompeur trompé - Nicaise - les Racoleurs* (pièces) - *Quatre Bouquets poissards*
- Vadé

1753 *Discours sur le style* - Buffon

1753 première année de la *Correspondance littéraire* rédigée par Grimm (jusqu'en 1793)

1753 *Lettre sur la musique française*
- J.-J. Rousseau

1753 *Médecine de l'esprit, où l'on traite des dispositions et des causes physiques qui (...) influent sur les opérations de l'esprit*
- Antoine Le Camus

1754 *L'Année littéraire* de Fréron (jusqu'en 1776)

1754 *Traité des sensations*
- Condillac

1754 *Essais de psychologie*
- Charles Bonnet

1755

1755 Premiers *Contes moraux*
- Marmontel
(jusqu'en 1759 ; puis 1761 : 2 vol. ; 1765 : 3 vol.)

1755 *Code de la nature ou le Véritable Esprit de ses lois*
- Morelly

1755 *Discours sur l'origine et les fondements de l'inégalité parmi les hommes*
- J.-J. Rousseau

1755 *Histoire et Commerce des colonies anglaises dans l'Amérique septentrionale*
- François Véron de Forbonnais

1755 *La Pipe cassée* - Vadé

1755 *Traité des arbres et arbustes qui se cultivent en France en plaine* [pleine] *terre*
- Duhamel du Monceau

1755 *L'Orphelin de la Chine*
- Voltaire

1756 publication du *Théâtre des boulevards* ou *Recueil des parades* (*parades de Gueulette,* etc.)

1756 début de la rédaction de la *Nouvelle Héloïse*
- J.-J. Rousseau

1756 Contes inédits *(les Deux Consoles, Scarmentado...),* dans les *Œuvres* (en 17 vol.)
Poème sur le désastre de Lisbonne
Essai sur l'histoire générale et sur les mœurs et l'esprit des nations
- Voltaire

1756-1757 *Observations périodiques sur la physique, l'histoire naturelle et les arts*

av. 1757 *Mémoires*
- René-Louis de Voyer, marquis d'Argenson

1757 *Dictionnaire portatif de peinture, sculpture et gravure*
- dom Antoine-Joseph Pernéty

1757 *Histoire naturelle du Sénégal*
- Michel Adamson

1758 *De l'esprit* - Helvétius

1758 *Lettre à d'Alembert sur les spectacles*
- J.-J. Rousseau

1758 *Mémoires sur la librairie*
- Malesherbes

1758 *Mémoire sur l'utilité, la nature et l'exploitation du charbon minéral* - De Tilly

1758 *Catalogue du cabinet d'histoire naturelle de M. Bomare de Valmont*
- Valmont de Bomare

1758-1760 rédaction des *Mémoires* (publ. 1784) - Voltaire

1759 Diderot écrit son premier *Salon*
2e *Salon* : 1761
3e *Salon* : 1763
4e *Salon* : 1765
5e *Salon* : 1767-1768
6e *Salon* : 1768-1769
7e *Salon* : 1771
8e *Salon* : 1775

1759 *Tables astronomiques de M. Halley pour les planètes et les comètes (...)*
- J.-J. de Lalande

1759 *Candide ou l'Optimisme* - *Le Sermon des Cinquante* - *Socrate* - Voltaire

1759 premier volume des *Mémoires sur la littérature du Nord* (jusqu'en 1760)
- Paul-Henri Mallet

1759-1761 *Traité de la culture des terres*
- Duhamel du Monceau

1760

1760 *Du culte des dieux fétiches*
- De Brosses

1760-1763 dernières traductions (*David Hume, Sheridan,* etc.) de l'abbé Prévost

1760 *Epigrammes* (contre Lefranc de Pompignan)
Satires (la Vanité, le pauvre Diable...)
Dialogues chrétiens
Histoire de l'empire de Russie sous Pierre le Grand, t. I
- Voltaire

1760 *L'Onanisme, ou Dissertation physique sur les maladies produites par la masturbation* (trad. du latin de S. Tissot); troisième éd. 1764
- Samuel Tissot

1760 *Essai analytique des facultés de l'âme*
- Charles Bonnet

1760-1762 *Le Journal étranger*
- publié par J.-B. Suard

1761 *Dictionnaire du citoyen, ou Abrégé historique, théorique et pratique du commerce* (2 vol.)
- Honoré Lacombe de Prézel

1761 *Dictionnaire grammatical de la langue françoise contenant toutes les règles de l'orthographe, du régime, de la construction*
- Jean-François Féraud
1768 : nouv. éd. revue et considérablement augmentée (2 t. en 4 vol.)

1761 *Les Philosophes* (comédie)
- Charles Palissot

1761 *Julie ou la Nouvelle Héloïse*
rédaction de l'*Emile*
rédaction du *Contrat social*
- J.-J. Rousseau

1761-1762 *Minéralogie ou Nouvelle exposition du règne minéral*
- Valmont de Bomare

1762

1762 *Dictionnaire de l'Académie françoise* (4ᵉ éd. ; 2 vol.)

1762 premiers *Mémoires secrets*
- Bachaumont (jusqu'en 1771; continués après sa mort jusqu'en 1787)

1762 *Quatre lettres à M. le président de Malesherbes*
- J-J. Rousseau

1762 *Pygmalion* (scène lyrique), représenté en 1770
- J.-J. Rousseau

1762 extrait des *Sentiments* de Jean Meslier - *La Pucelle*
- Voltaire

1762 *Nouvel Art d'adoucir le fer fondu (...)*
- René-Antoine de Réaumur

1762 *Histoire abrégée des insectes (...)* 2 vol.
- Etienne Geoffroy

1762 *Considérations sur les corps organisés*
- Charles Bonnet

1762 - premières planches de l'*Encyclopédie* (contenant une ample terminologie technique). Jusqu'en 1777 — voir 1751

1763 *Poétique française*
- Marmontel

1763-1764 *Lettres écrites sur la montagne*
- J.-J. Rousseau

1763 *Familles de plantes (...)* 2 vol.
- Michel Adamson

1763 *Nosologie méthodique ou Distributions des maladies en classes, en genres et en espèces (...)*, trad. (du latin) de F. Boissier de Sauvages - Gouvion

1763 *Histoire de la Russie sous Pierre le Grand*, 2ᵉ vol. - *Catéchisme de l'honnête homme.* - *Traité sur la tolérance*
- Voltaire

1763 *Dictionnaire universel des fossiles propres et des fossiles accidentels* - Elie Bertrand

1764 *Dictionnaire portatif de médecine, d'anatomie, de chirurgie, de pharmacie, de chymie, d'histoire naturelle, de botanique et de physique...*
- Jean-François Lavoisien
1771 rééd. en 2 vol.
1781 éd. corrigée et augmentée (2 t. en 1 vol.)

1764 *Histoire de miss Jenny*
- Mᵐᵉ Riccoboni

1764 *Traité complet d'astronomie théorique et pratique*
- J.-J. de Lalande

1764 *Commentaire sur Corneille*
Contes de Guillaume Vadé (dont *Discours aux Welches, le Blanc et le Noir, Jeannot et Colin*, inédits)
Dictionnaire philosophique portatif (augmenté en 1765, 66 et 67)
- Voltaire

1764 *Dictionnaire raisonné universel d'histoire naturelle (...)* (rééd. augmentées jusqu'en 1800)
- Valmont de Bomare

1764-1766 *La Gazette littéraire de l'Europe*
- publiée par J.-B. Suard

1765 *Imirce ou la Fille de la Nature*
- Du Laurens

1765 *Traité de la formation méchanique des langues*
- De Brosses

1765 *Histoire d'Ernestine*
- Mme Riccoboni

1765 *Nouveaux mélanges. - La Philosophie de l'histoire*
- Voltaire

1765 *La Philosophie sans le savoir*
- Sedaine

1765

1765 Lettres de H à Z de *l'Encyclopédie* : voir 1751

1766 *Dictionnaire portatif des arts et métiers, contenant en abrégé l'histoire, la description et la police des arts et métiers, des fabriques et manufactures de France et des pays étrangers* (2 vol.)
- Philippe Macquer
1766-1767 rééd. en 3 vol.

1766 *Le Christianisme dévoilé*
- D'Holbach

1766 *Le Compère Mathieu ou les Bigarrures de l'esprit humain*
- Du Laurens

1766 *Questions sur les miracles*
Dernières paroles d'Epictèle
Le Philosophe ignorant
- Voltaire

1767 *Eugénie* - Beaumarchais

1767 *L'Ingénu*
Examen important de milord Bolingbroke
- Voltaire

1767 composition de *Narcisse ou l'île de Vénus* (publ. en 1769)
- Malfilâtre (mort en 1767)

1767 *Dictionnaire de musique*
- J.-J. Rousseau

1767-1770 rédaction des *Confessions* (publ. en 1782, livres I-VI ; 1789, livres VII-XII) - J.-J. Rousseau

1767 traduction du *Château d'Otrante* de Walpole

1767 *Le Dîner du comte de Boulainvilliers*
- Voltaire

1768 *L'Homme aux quarante écus*
La Guerre civile de Genève
Précis du siècle de Louis XV
- Voltaire

1768-1769 *Physiocratie ou Constitution naturelle du gouvernement le plus avancé*
- Pierre Samuel Dupont de Nemours

1769 *La Fille naturelle*
Le Pornographe
- Restif de la Bretonne

1769 traduction du *Voyage sentimental* de Sterne
- Joseph-Pierre Frénais

1769-1770 *L'art du menuisier* (nombreuses éditions)
- André Jacob Roubo

1769-1782 *Traité général des pêches maritimes, des rivières et des étangs* - Duhamel du Monceau

1769 *Palingénésie philosophique*
- Charles Bonnet

1770

1770 *Les Géorgiques* - Delille

1770 *Le Système de la nature*
- D'Holbach

1770 *Histoire philosophique et politique des établissements et du commerce des Européens dans les deux Indes*
2e éd. 1774 ; 3e éd. avec Diderot, 1780
- abbé Raynal

1770 *Le Monographe ou Idées d'une honnête femme pour la réformation du théâtre national*
- Restif de la Bretonne

1770 *Sophonisbe* - Voltaire

1770 *Histoire des poissons (...)*
- Antoine Gouan

1770 début de la publication de *l'Histoire naturelle des Oiseaux* (voir 1749) - Buffon

1770-1772 *Questions sur l'« Encyclopédie »* - Voltaire

après 1770 *Voyage de Madagascar en 1770 (...)*
- Philibert de Commerson

1771 *Dictionnaire de Trévoux* (6 éd. ; 8 vol.)
(voir 1704)

1771 premier volume du *Monde primitif* (9 vol. 1771-1782)
- Abrégé en 1777 : *Histoire naturelle de la parole*
- Court de Gébelin

1771 *L'an 2440, rêve s'il en fut jamais*
- Sébastien Mercier

1771 Traduction *de Zend-Avesta*
- Anquetil-Duperron

1771 *Voyage autour du monde*
- Louis-Antoine de Bougainville

1772 *Dialogues*
Lettres sur la botanique
- Rousseau

1772 *Considérations sur le gouvernement de Pologne*
(publ. en 1782) - J.-J. Rousseau

1772 *Essai de cristallographie*
- Romé de Lisle

1773 *Le Barbier de Séville* (accepté par les Comédiens Français ; représenté en 1775)
3 premiers *Mémoires contre Goëzman* (le 4e en 1774)
- Beaumarchais

1773 *Du théâtre* - Sébastien Mercier

1773 *Dictionnaire raisonné universel des arts et métiers (...)* 4 vol.
- abbé Pierre Jaubert

1773 *Examen chimique des pommes de terre*
- Antoine Augustin Parmentier

1773 *Fragments historiques sur l'Inde*
Le Taureau blanc
- Voltaire

1773 tome I du *Tableau du travail annuel de toutes les Académies de l'Europe, ou Observations sur la physique, sur l'histoire naturelle et sur les arts*
Tous les ans, jusqu'en 1793

1774 publication de la version remaniée du *Supplément au voyage de Bougainville*
- Diderot

1774 début de la publication du *Supplément à l'Histoire naturelle ;* (voir 1749)
- Buffon et Lacépède

1774 première année de la *Correspondance littéraire*
- Laharpe (tous les ans jusqu'en 1791 ; le texte édité (1801-1807) est fortement altéré).

1774 première année du *Journal*
- Joseph Joubert
Tous les ans jusqu'en 1785; puis 1786 et jusqu'en 1824 *(les Carnets de Joseph Joubert,* 1938).

1774 *Contes moraux*
- Mme Leprince de Beaumont
(2e recueil : 1776)

1774 *Les loisirs du chevalier d'Eon sur divers sujets importants (...)*
- Charles Eon de Beaumont

1774 Traduction de Hawkesworth : *Relation des voyages entrepris (...) et exécutés par le commodore Byron, le capitaine Carteret, le capitaine Wallis et le capitaine Cook* (5 vol.)

1775

1775 *Dictionnaire portatif de la langue françoise* (2 vol.)
- Noël François de Wailly

1775 *Cours d'études* (pour l'infant don Ferdinand de Parme)
- Condillac

1775 *Journal des beaux-arts et des sciences* des frères Castillon (continuant les *Mémoires de Trévoux;* voir 1701) (jusqu'en 1777)

1775 *Dorimon* (comédie). - *Felicia ou Mes Fredaines*
- Andréa de Nerciat

1775 *Le Paysan perverti*
- Restif de la Bretonne

1775 *La Brouette du vinaigrier* (pièce)
- Sébastien Mercier

1775 *Histoire de Jenni ou le Sage et l'Athée*
Le Cri du sang innocent
- Voltaire

1775 *L'Art d'observer*
- Jean Senebier

1775 *Vocabulaire de la nosologie (...)*
- Sauvages de la Croix

1775 premier numéro du *Courrier de l'Europe* (paraissant à Londres ; jusqu'en 1792)

1775-1776 *Voyage d'Italie* - Sade

av. 1776 *Lettres sur la botanique.* - *Dialogues*
- J.-J. Rousseau

1776 première traduction française du *Werther* de Goethe

1776 début de la publication de la traduction des œuvres de Shakespeare par Le Tourneur

1776 *La Quinzaine anglaise*
- chevalier Rutlidge

1776 *De la législation ou Principes des lois* - Mably

1776-1778 rédaction des *Rêveries d'un promeneur solitaire*
- J.-J. Rousseau

1776 *Histoire naturelle de la parole ou Précis de l'origine du langage (...)*
- Court de Gébelin

1776-1777 *Un chrétien contre six juifs*
- Voltaire

1776-1777 Supplément à *l'Encyclopédie* ; voir 1751

1777 révision de *Le Neveu de Rameau* de Diderot ; ébauché en 1762, il ne sera publié que beaucoup plus tard, après une traduction en allemand suscitée par Goethe

1777 adaptation d'*Ossian* par Le Tourneur

1777 *Les Gynographes.* - *Le Quadragénaire*
- Restif de la Bretonne

1777 *De l'étude de l'histoire* - Mably

1777 *Théâtre de société* - Collé

1777 *Commentaires sur l'« Esprit des lois »*
Prix de la justice et de l'humanité
- Voltaire

1777-1778 *Flore française (...)*
- J.-B. de Lamarck

av. 1778 *Mémoires pour servir à la vie de M. de Voltaire*
écrits par lui-même (éd. 1784)
- Voltaire

1778 publication de *Jacques le Fataliste* (écrit à partir de 1765, révisé en 1773)
- Diderot

1778 *Poésies érotiques*
- Évariste Parny

1778 traduction de : *Voyage dans l'hémisphère austral et autour du monde (...) écrit par Jacques Cook* - Jean-Baptiste Suard

1779 *La Comtesse d'Alibre*
- Loaisel de Tréogate

1779 *La Vie de mon père*
- Restif de la Bretonne

1779 première année du *Journal de littérature, des sciences et des arts* (qui continue *les Mémoires de Trévoux,* → 1701). Jusqu'en 1782 (date de l'interdiction des jésuites en France)

1779 premier volume de *Voyages dans les Alpes*
Jusqu'en 1796
- Horace Bénédict de Saussure

1780

1780 *Table* de l'*Encyclopédie*

1780 réédition augmentée de l'*Histoire philosophique (...)* de l'abbé Raynal (voir 1770)

1780 *Plan de législation criminelle*
- Marat

1780 *Mémoire chimique et médicinal sur la nature, les usages et les effets de l'air*
- Pierre Thouvenel

av. 1781 *Œuvres* (publ. 1913-1923)
- Anne Robert-Jacques Turgot

1781 *Le Mariage de Figaro* (accepté par la Comédie Française ; joué en 1784, édité en 1785)
- Beaumarchais

1781 *Histoire des hommes ou Histoire naturelle de tous les peuples de la Terre*
- Delisle de Sales et collaborateurs

1781 *La Découverte australe par un homme volant*
- Restif de la Bretonne

1781 début de la publication du *Tableau de Paris*
- Sébastien Mercier

1781 deuxième édition augmentée du *Dictionnaire de médecine* de Lavoisien (voir 1764)

1782 *Les Liaisons dangereuses*
- Choderlos de Laclos

1782 *Des lettres de cachet et des prisons d'état*
- Mirabeau

1782 *Mémoire sur les dénominateurs chymiques (...),* in *Observations sur la physique,* t. XIX
- Guyton de Morveau

1782 *Voyage aux Indes orientales et à la Chine (...)*
- Pierre Sonnerat

1782 premier volume de l'*Encyclopédie méthodique*
Jusqu'en 1792 (Panckoucke)
Jusqu'en 1832 (Agasse)

1782 *Dialogue entre un prêtre et un moribond* (rédaction)
- Sade

1782 *Tableau naturel des rapports qui unissent Dieu, l'homme et l'univers*
- L. C. de Saint-Martin

1783 *Dolbreuse ou l'Homme du siècle (...)*
- Loaisel de Tréogate

1783 *Erotika biblion. - Ma conversion*
- Mirabeau

1783 *Histoire des Minéraux* (jusqu'en 1788 ; voir 1749)

1784 Goldoni publie ses *Mémoires* en français (jusqu'en 1787)

1784 *Études de la nature*
- Bernardin de Saint-Pierre

1784 *Discours sur l'universalité de la langue française*
- Rivarol

1784 Traduction de *l'Enfer* de Dante
- Rivarol

1784 *La Prévention nationale*
La Paysanne pervertie
- Restif de la Bretonne

1784 *Observations sur le gouvernement et les lois des États d'Amérique* - Mably

1784 traduction de T. O. Bergman : *Manuel du minéralogiste ou Sciagraphie du règne minéral*
- J. A. Mongez

av. 1785 *Mémoires*
- Choiseul (publ. 1890)

av. 1785 *Œuvres* - Mably

1785

1785 *Les Lunes du Cousin Jacques* (jusqu'en 1787)
- Louis Abel de Reigny

1785-1787 *Éléments de médecine pratique...* traduit de l'anglais (William Cullen)
- Édouard Bosquillon

1785-1788 rédaction du *Voyage de la Pérouse ;* voir 1797, date de la publication

1785 *Les Cent-vingt journées de Sodome* (fin de la rédaction)
- Sade

1786 *Lettre à MM. de l'Académie française sur l'éloge de M. de Vauban* - Choderlos de Laclos

1786 *Le Diable au corps*
- Andréa de Nerciat

1786 *Voyage de M. le Marquis de Chastellux dans l'Amérique septentrionale* 2 vol.
- F. J. de Chastellux

1786 rédaction de *Zulma* (nouvelle publiée en 1794)
- Mme de Staël

av. 1787 *Correspondance* (publ. 1818)
- abbé Galiani

1787 *Paul et Virginie*
- Bernardin de Saint-Pierre

1787 *Vathek* (en français)
- Beckford

1787 *Année de la vie du chevalier de Faublas*
- Louvet de Couvray

1787 *Eléments de littérature* (3 vol.)
- Marmontel

1787 *Mémoires* - Carlo Goldoni

1787 *Tableau mouvant de Paris*
- Pierre Nougaret

1787 *Poésies fugitives*
- Evariste Parny

1787 *Les Parisiennes*
Le Paysan et la Paysanne pervertis
- Restif de la Bretonne

1787 *Méthode de nomenclature chimique (...)*
- Guyton de Morveau, Lavoisier, Berthollet, Fourcroy

1787 *Voyage en Egypte et en Syrie*
- Volney

1787 *Explication du système botanique du chevalier Von Linné (...)* - Antoine Gouan

1787-1788 *Dictionnaire critique de la langue française* (3 vol.) - Jean-François Féraud
1787 A-D
1787 E-N
1788 O-Z

1787 *Jane Gray* (tragédie publiée plus tard) - Mme de Staël

1787 *Les Infortunes de la vertu* (rédaction) - Sade

1787 *Considérations sur l'esprit et sur les mœurs* - Sénac de Meilhan

1787 *L'Emigré* - Sénac de Meilhan

1788 *Voyage du jeune Anacharsis* - Barthélemy

1788 *Six semaines de la vie du chevalier de Faublas* - Louvet de Couvray

1788 *Les Nuits de Paris ou le Spectateur nocturne* (jusqu'en 1794)

1788 *Mémoire sur la liberté de la presse*
Mémoire sur la situation présente des affaires - Malesherbes

1788 *Mémoires sur les hôpitaux de Paris* - Jacques René Tenon

1788-1792 *Histoire naturelle des quadrupèdes ovipares et des serpens* - Lacépède

1788 *Eugénie de Franval*
Aline et Valcour (rédaction ; publ. 1795) - Sade

1789

1789-1793 *Discours* de Danton

1789 premier numéro de *l'Ami du peuple*, journal de Marat

1789 *Le Pessimiste* (pièce) - Pigault-Lebrun

1789 *Ingénue Saxancour* - Restif de la Bretonne

1789 *Histoire secrète de la cour de Berlin* - Mirabeau

1789 *Catéchisme universel* - J.-F. de Saint-Lambert

1789 *Organt* (épopée satirique) - Saint-Just

1789 traduction de Cullen : *Institutions de médecine pratique* - Philippe Pinel

1789 *Traité sur la culture et les usages des pommes de terre, de la patate et du topinambour* - Antoine Augustin Parmentier

1789 premier numéro du *Moniteur universel* (1811 : *Gazette nationale ou le Moniteur universel*) Jusqu'en 1901

1789-1790 *Discours* (publ. 1791-1792) - Mirabeau

1789-1792 *Œuvres* (Pamphlets, discours) - Camille Desmoulins

1789-1793 *Discours* de Robespierre

1789-1793 *Discours* de Saint-Just

1789-1794 écrits et œuvres de Babeuf

1789-1791 *Les Actes des apôtres* (journal antirévolutionnaire)

1789 première année des *Annales de chimie* (tous les ans — sauf 1794-1796 — jusqu'en 1815) - Guyton de Morveau, Lavoisier, Monge, Berthollet, Fourcroy

1790

1790 *La Chaumière indienne* - Bernardin de Saint Pierre

1790 Casanova commence la rédaction de ses *Mémoires* (dont le texte couvre une période allant jusqu'à 1774 et qui seront publiés beaucoup plus tard)

1790 *La Fin des amours de Faublas* - Louvet de Couvray

1790 traduction de *De la richesse des nations* d'Adam Smith - J. A. Roucher

1790 *Mémoire sur les moyens d'accélérer les progrès de l'économie rurale en France* - Malesherbes

1790 *Traité général du Commerce* - Samuel Ricard

1790 *Les Deux Cousines* - Sénac de Meilhan

1791 *Discours sur le bonheur (discours de Lyon)* - Napoléon Bonaparte

1791 *Les Nouvelles Lunes du Cousin Jacques* - L. A. de Reigny

1791 *Le Bon Sens du curé Meslier* - D'Holbach

1791 *Les Ruines ou Méditations sur les révolutions des empires* - Volney

1791-1792 *La Médecine éclairée par les sciences physiques* - Antoine-François de Fourcroy

1791 *Justine ou les Malheurs de la vertu* (publication) - Sade

1791 *La Nouvelle Justine (...)*, suivie de l'*Histoire de Juliette sa sœur ou les Prospérités du vice* (publication) - Sade

1791 *L'Esprit de la Révolution et de la Constitution de la France* - Saint-Just

1792 *Fables* - Florian

1792 *Dictionnaire de la marine française* - Charles Romme

1792 *Dictionnaire des arts de peinture, sculpture et gravure* (5 vol.) - Claude-Henri Wattelet

1792 dernière publication de l'*Encyclopédie* méthodique par Panckoucke (la suite par Agasse, jusqu'en 1832)

1792-1796 *Manuel du tourneur* - Louis Georges Isaac Solivet

av. 1793 *Mémoires* - Duc de Lauzun (publ. 1822)

1793 *Le Calendrier républicain* - Fabre d'Eglantine, d'après Romme

1793 Condorcet rédige l'*Esquisse d'un tableau historique des progrès de l'esprit humain* (publié en 1795)

1793 *L'Ami des Lois* (comédie) - Jean-Louis Laya

av. 1793 *Mémoires* - Madame Roland (publ. 1795)

1793 *Le Jugement dernier des rois* - Sylvain Maréchal

1793 *Le Souper de Beaucaire* - Napoléon Bonaparte

1793 *Les Aphrodites* - Andréa de Nerciat

1793 *Le Drame de la vie contenant un homme tout entier* - Restif de la Bretonne

1793 dernière parution de la *Correspondance littéraire* de Grimm (voir 1753)

1793 première année de la *Correspondance* de Napoléon Bonaparte (jusqu'en 1821 ; publ. 1858-1869)

1793 *Considérations sur la nature et la durée de la Révolution de France* - Jacques Mallet du Pan

1793-1794 *Discours et rapports* - Saint-Just

av. 1794 *Mémoires* - Cardinal de Bernis (publ. 1878)

av. 1794 *Œuvres* (publ. 1862-1893) - Lavoisier

av. 1794 *Les Mois* (publ. en 1799) - Jean Antoine Roucher

1794 écriture de *La Jeune Captive* écriture des *Iambes* - André de Chénier (et mort de Chénier, guillotiné)

1794 *Zulma* (rédigé en 1786) *Réflexions sur la paix* - Mme de Staël

1794 première année du *Journal* de Maine de Biran (première série jusqu'en 1798)

1794 *Vocabulaire des nouveaux privatifs français (...)* - Marie Charles Joseph de Pougens

1794 premier volume du *Journal de physique, de chimie et d'histoire naturelle* (tous les ans jusqu'en 1823)

1794-1796 *Etude sur la souveraineté* - J. de Maistre

1794-1804 romans de Pigault-Lebrun

1795

1795 publication des *Maximes* de Chamfort (mort en 1794)

1795 premières *proclamations* de Bonaparte (puis Napoléon) (jusqu'en 1815)

1795 *Voyage autour de ma chambre* - J. de Maistre

1795 *Voyage (...) pour la recherche des antiquités slaves et vendes* - Jean Potocki

1795 *Nouveau dictionnaire français contenant les expressions de nouvelle création du peuple français* - Léonard Snetlage

1795 première année des *Comptes rendus (...) de l'académie des sciences*

1795 *Histoire naturelle des oiseaux d'Afrique*
- François Levaillant

1795 *La Philosophie dans le boudoir*
- Sade

1796 *Madame Angot ou la Poissarde parvenue*
- Antoine-François Eve

1796 *Précis des caractères génériques des insectes (...)*
- Pierre-André Latreille

1796 *Exposition du système du monde*
- Laplace

1796 *Le Néologiste françois ou le Vocabulaire portatif des mots les plus nouveaux de la langue françoise*
- Charles-Frédéric Reinhard

1796 *De l'influence des passions sur le bonheur des individus et des nations* - Mme de Staël

1796 *Le Nouvel Homme*
- L. C. de Saint-Martin

1796-1797 *Monsieur Nicolas*
- Restif de la Bretonne

1797 *Nouveau dictionnaire portatif de la langue françoise* (2 vol.)
Nouveau dictionnaire portatif de la langue françoise avec sa prononciation figurée et l'étymologie de chaque mot (titre d'une rééd. de 1813)
- abbé Claude-Marie Gattel

1797 *Essai sur les révolutions* (écrit à partir de 1793)
- Chateaubriand

1797 *Prospectus et Discours préliminaires (pour un « nouveau » dictionnaire de la langue française)*
- Rivarol

1797 *Sabina d'Herfeld ou les Dangers de l'imagination*
- Reveroni Saint-Cyr

1797 *Voyage de La Pérouse autour du monde* (rédigé de 1785 à 1788)
- Louis-Marie Destouff, baron de Milet-Mureau

1797 *Dictionnaire du mauvais langage ou Recueil des expressions et des phrases vicieuses usitées en France, et notamment à Lyon*
- Etienne Molard

1798 (an V-VII) *Dictionnaire de l'Académie françoise* (5e éd. ; 2 vol.)

1798 *L'Anti-Justine ou les Délices de l'amour - Linguet*
- Restif de la Bretonne

1798 *Le Nouveau Paris*
- Sébastien Mercier

1798 *Nosographie philosophique ou Méthode de l'analyse appliquée à la médecine*
- Philippe Pinel

1798 premier volume de l'*Histoire naturelle des poissons* (5 vol. ; jusqu'en 1803) - Lacépède

1798-1800 *Dictionnaire universel de la géographie commerçante (...)* (5 vol.) - Jacques Peuchet

1799 Publication des *Lettres familières* (d'Italie) du président De Brosses
(écrites après 1739)

1799 *Le Lycée ou Cours de littérature ancienne et moderne*
- J. F. de Laharpe

1799 *Traité de mécanique céleste*
- Laplace

1799 traduction de Alexander von Humboldt : *Expériences sur le galvanisme (...)* - J.-F. Jadelot

1799-1803 *Essai de statique chimique*
- Claude Berthollet

1799-1803 *Mon portrait historique et philosophique* (publ. 1961)
- Louis-Claude de Saint-Martin

1799-1800 *Rêveries sur la nature primitive de l'homme*
- Senancour

1800

1800 *Dictionnaire universel de la langue française, avec le latin et les étymologies*
1803, 1808, 1812, 1819 rééd.
1823 6e éd. revue, corrigée et augmentée
1829 7e éd. revue, corrigée et augmentée
1834 8e éd. revue, corrigée et considérablement augmentée par Charles Nodier
1839 9e éd.
1866 15e éd.

1800 première édition du *Dictionnaire* de Boiste

1800 *Leçons d'anatomie comparée, recueillies (...) par* (André Marie) *Constant*
éd. augmentée 1805
- Cuvier

1800 *De la littérature considérée dans ses rapports avec les institutions sociales*
- Mme de Staël

1800 publication de *Les Crimes de l'amour*, précédés d'une *Idée sur les romans* - Sade

1800 (selon T.L.F.) **ou 1801** *Néologie ou Vocabulaire des mots nouveaux, à renouveler ou pris dans des acceptions nouvelles* (2 vol.)
- Louis-Sébastien Mercier

XIXe siècle

1801

1801 *Nouveau vocabulaire françois, ou Abrégé du Dictionnaire de l'Académie*
- Noël François de Wailly

1801 *Atala* - Chateaubriand

1801 *Eléments d'idéologie*
- Destutt de Tracy

1801 première année du *Journal*
- Stendhal (tous les ans jusqu'en 1815 et de 1818 à 1823)

1801 *Dictionnaire néologique des hommes et des choses de la Révolution*
- L. A. de Reigny (le « Cousin Jacques »)

1801 *Philosophie de Kant*
- Charles-François de Villers

1801 *Projet d'éléments d'idéologie*
- Destutt de Tracy

1801 *Système des connaissances chimiques*
- Antoine-François de Fourcroy

1801 *Traité de minéralogie* (5 vol.)
- René Just Haüy

1801-1803 *Principes fondamentaux de l'équilibre et du mouvement*
- Lazare Carnot

1802 *Dictionnaire de l'Académie française, édition augmentée de plus de vingt mille articles*
- Jean-Charles de Laveaux

1802 édition du *Dictionnaire* de Boiste (voir 1800)

1802 *Voyage dans la Basse et la Haute-Égypte*
- Vivant Denon

1802 *René. - Le Génie du christianisme*
- Chateaubriand

1802 *Les Posthumes*
Les Nouvelles Contemporaines
- Restif de la Bretonne

1802 *Hydrogéologie ou Recherche de l'influence qu'ont les eaux sur la nature du globe terrestre (...)*
- J.-B. de Lamarck

1802-1804 *Histoire naturelle, générale et particulière des crustacés et des insectes* (14 vol.)
- Pierre-André Latreille

1802-1804 *Essai sur les propriétés médicales des plantes*
- Candolle

av. 1803 *Mémoires du général Toussaint Louverture*, écrites par lui-même (publ. 1853)
- Toussaint Louverture

1803 *Dictionnaire étymologique des mots françois dérivés du grec*
- J.-B. Morin

1803 *Valérie* - Mme de Krüdener

1803 première année des *Journaux intimes*
- Benjamin Constant (tous les ans jusqu'en 1807 et de 1811 à 1824)

1803 *Delphine* - Mme de Staël

1803 *De la richesse commerciale*
- Jean-Charles de Sismondi

1803 *Tableau du climat et du sol des Etats-Unis*
- Volney

1803 *Explication du nouveau langage des chimistes*
- Joseph Izarn

1803 traduction des *Œuvres complètes de Laurent Sterne* (6 vol.)

1803 premier volume de l'*Almanach des gourmands ou Calendrier nutritif (...)* (8 vol. jusqu'en 1812)
- Grimod de la Reynière

av. 1804 *Œuvres complètes de M. Necker*
15 vol., publ. 1820-1821

1804 (an XII) *Code civil des Français* Imprimerie de la République

1804 première année des *Journaux intimes* de Benjamin Constant (il couvre les années 1804, 1805, 1806, 1807 et de 1811 à 1816)

1804 manuscrits de *M. Necker*, et de *Du caractère de M. Necker et de sa vie privée* - Mme de Staël

1804 *Essai sur l'organisation sociale* - Claude-Henri de Saint-Simon

1804 *Oberman* (deuxième édition : *Obermann*, 1833) - Senancour

1805 *Dictionnaire des sciences et des arts, contenant l'étymologie, la définition et les diverses acceptions des termes techniques* (3 vol.) - Lunier

1805

1805 *Manuscrit trouvé à Saragosse* - Jean Potocki

1806 *Dictionnaire de médecine et des sciences accessoires à la médecine, avec l'étymologie de chaque terme suivi de deux vocabulaires, l'un latin et l'autre grec* - Joseph Capuron 1810, 2e éd. revue par Pierre Hubert Nysten et J.-S. Claude ; 1814, 3e éd. (voir Nysten)

1806 *Code de procédure civile* (première édition)

1806 *Mémoire sur l'aérologie et l'électrologie* - Pierre Thouvenel

1806 *Le Cuisinier impérial* - A. Viard

1806 *De l'amour* - Senancour

av. 1807 rédaction des *Journées de Florbelle ou la Nature dévoilée* - Sade

1807 *Code de Commerce (...)*

1807 *Traité élémentaire de minéralogie* - Alexandre Brongniart

1807 *Dictionnaire des expressions vicieuses usitées dans un grand nombre de départements (...)* - J.-F. Michel

1807 *Corinne ou l'Italie*. - rédaction de *Geneviève de Brabant* (publ. 1820) - Mme de Staël

1808 *Dictionnaire du bas-langage ou des manières de parler usitées parmi le peuple* (2 vol.) - D'Hautel

1808 *Réflexions sur l'état de l'Eglise de France (...)* - Lamennais

1808 *Dictionnaire raisonné des onomatopées françaises* - Nodier

1808 édition du *Dictionnaire* de Boiste (voir 1800)

1808 *Dictionnaire des beaux-arts* - Millin de Grand'Maison

1808 *Histoire des phlegmasies ou inflammations chroniques* - François Broussais

1808 *Manuel de l'oculiste ou Dictionnaire ophtalmologique* - De Wenzel

1809 *Philosophie zoologique (...)* - J.-B. de Lamarck

1809 traduction des *Recherches électrotechniques sur la décomposition de la terre* (1808 en anglais) de Humphrey Davy

1809 première année du *Bulletin de pharmacie*, devenu (1815) *Journal de pharmacie (...)*, puis (1841) *Journal de pharmacie et de chimie*

1809 première année des *Archives des découvertes et des inventions nouvelles (...)* 30 vol. jusqu'en 1841

1810

1810 trad. française des *Affinités électives* de Goethe

1810 *Archéologie ou Système universel et raisonné des langues* - Nodier

1810 *L'Art de conserver pendant plusieurs années toutes les substances animales et végétales* - François Appert

1810 *Code d'instruction criminelle* (première édition)

1810 premier volume de la traduction de l'*Anatomie et Physiologie du système nerveux (...)* 4 vol. jusqu'en 1819 - F.-J. Gall et J.-G. Spurzheim

1810 *Observations sur la phraenologie* - Johann Gaspar Spurzheim

1810 *Mémoires pour servir à l'histoire des sciences et à celle de l'observatoire royal de Paris*
- Jean-Dominique Cassini

1810 rédaction de *Le Capitaine Keruadec* (publ. 1820)
- Mme de Staël

1810 *Histoire de l'homme*
- Claude-Henri de Saint-Simon

1810-1811 traduction française du *Dictionnaire de chimie*
- M.-H. Klaproth et F. Wolff

1810-1813 rédaction de *Dix années d'exil* (publ. 1821 in *Œuvres inédites*)
- Mme de Staël

1811-1812 *Nouveau dictionnaire complet à l'usage des Allemands et des Français,...* (2 vol.)
- abbé Mozin
1826-1828 2e éd.
1842-1846 *Dict. complet des langues française et allemande* (4 vol.) (3e éd. 1811-1812)
1859 *Supplément* par A. Peschier

1811 *Itinéraire de Paris à Jérusalem*
- Chateaubriand

1811 *Elégies* - Millevoye

1811 *Sur les rapports du physique et du moral de l'homme*
- Maine de Biran

1811 rédaction de *Le Mannequin, Sapho* (publ. dans les *Œuvres complètes*, 1820) - Mme de Staël

1811-1814 *L'Hermite de la Chaussée d'Antin*
1814 : *Guillaume le Franc-Parleur*
1816 : *L'Hermite de la Guiane*
- Victor-Joseph de Jouy

1812 *Questions de littérature légale*
- Nodier

1812 traduction de Robert Fulton : *De la machine infernale maritime ou de la tactique (...) de la torpille*

1812 traduction de Hahnemann : *Exposition de la doctrine médicale homœopathique ou Organon de l'art de guérir*
- A. J. L. Jourdan

1812 *Recherches sur les ossements fossiles des quadrupèdes* (4 vol.) - Cuvier

1812 *La Sidérotechnie ou l'Art de traiter les minerais de fer (...)* (4 vol.) - J. H. Hassenfratz

1812 rédaction de *Adélaïde de Brunswick, princesse de Saxe*
- Sade

1812 première date de la *Correspondance* de George Sand (elle a 8 ans)

1813 réédition augmentée du *Nouveau dictionnaire portatif* de Gattel (voir 1797)

1813 *Abrégé d'astronomie*
- J.-B. Delambre

1813 *Réflexions sur le suicide*
De l'Allemagne
- Mme de Staël

1813 *De la littérature du midi de l'Europe*
- Jean-Charles de Sismondi

1813 rédaction de *Histoire secrète d'Isabelle de Bavière*
publication de *La Marquise du Gange*

1813-1816 *Traité de chimie élémentaire, théorique et pratique*
- Louis Thénard

1814 *Nouveau dictionnaire de médecine, de chirurgie, de physique, de chimie et d'histoire naturelle*
= réfection du *Dictionnaire* de Capuron, 1806
1820 *Supplément* ; éd. augmentées : 1823 ; 1833 ; 1839 ; 1845 (Littré et Robin ; ed. jusqu'en 1897)
- Pierre-Hubert Nysten (et réviseurs)

1814 seconde série du *Journal* de Maine de Biran
(tous les ans jusqu'en 1824)

1814 *L'Art du cuisinier*
- Antoine Beauvilliers

1815

1815 *Vies de Haydn, Mozart et Métastase*
- Stendhal

1816 *Adolphe* - Benjamin Constant

1816 *Traité de physique expérimentale et mathématiques*
- Jean-Baptiste Biot

1816 deuxième série des *Annales de chimie* (tous les ans jusqu'en 1840)
- Gay-Lussac, Arago

1816-1819 Articles de C.-H. de Saint-Simon
(l'Industrie, le Politique, l'Organisateur)

av. 1817 *Mémoires sur la vie privée de mon père* (publ. 1818)
Considérations sur les principaux événements de la Révolution française (publ. 1818)
- Mme de Staël

1817 *Mémoires pour servir à l'histoire et à l'anatomie des mollusques*
Le Règne animal distribué d'après son organisation
- Cuvier

1817 *Histoire de la peinture en Italie*
Rome, Naples et Florence
- Stendhal

1818 premier volume de la collection « formant une espèce de cours de politique constitutionnelle » (4 vol. 1818-1820)
- Benjamin Constant

1818 *Cours à la Sorbonne (Du vrai, du Beau, du Bien)*
- Victor Cousin

1818-1819 *Mémoires* - Las Cases

1818 *Mélanges de littérature et de philosophie au* XVIII*e siècle*
- André Morellet

1818 *Jean Sbogar* - Nodier

1818 *Le Torrent des passions ou les Dangers de la galanterie*
- Reveroni Saint-Cyr

1818 *Observations sur la langue et la littérature provençales*
- August Wilhelm von Schlegel

1818 Rédaction de la *Vie de Napoléon* (publ. 1929)
- Stendhal

1818 *Nouveaux Principes d'économie politique*
- Jean-Charles de Sismondi

1818-1822 *L'Hermite en province* (1818-1822) - Victor Jouy

1819 *Thérèse Aubert* - Nodier

1819 *Du pape* - J. de Maistre

1819 *De l'auscultation médiate ou Traité du diagnostic des maladies du poumon et du cœur*
- Laennec

1819 traduction des *Éléments de chimie agricole* de Humphrey Davy

1820

1820 *Nouveau dictionnaire de la langue française* (2 vol.)
- Jean-Charles de Laveaux

1820 *Bug Jargal* - Victor Hugo

1820 *Cours analytique de littérature générale*
- Népomucène Lemercier

1820 *Premières méditations*
- Lamartine

1820 *Lord Ruthween ou les vampires*
Mélanges de littérature et de critique (1814-1820)
Voyages pittoresques et romantiques dans l'ancienne France (avec Taylor et de Cailleux)
- Nodier

1820 *Discours sur l'histoire philosophique des langues*
- Volney

1820 *Dictionnaire de marine*
- Jean-Baptiste Willaumez

1820 traduction des *Principes d'économie politique (...)* de Thomas Robert Malthus
- F. S. Constancio

1820 première année du *Journal*
- Michelet
1820-1821-1822-1823 et à partir de 1828, tous les ans jusqu'en 1874

1820 *L'Ours et le Pacha* - Scribe

1820-1821 *Collection de machines, d'instruments, ustensiles, constructions, appareils, etc., employés dans l'économie rurale, domestique et industrielle*
- De Lasteyrie

1820-1821 rédaction de *De l'amour* (publ. 1822)
- Stendhal

1820-1822 *Le Système industriel*
- Claude-Henri de Saint-Simon

1821

1821 *Smarra* - Nodier

1821 *De l'Église gallicane*
- Joseph de Maistre

1821 *Les Soirées de Saint-Pétersbourg*
- Joseph de Maistre

1821 *Dictionnaire de musique moderne*
- Castil-Blaze

1821 *Grammaire comparée des langues de l'Europe latine dans leurs rapports avec la langue des troubadours*
- François Raynouard

1821 Premier volume du *Traité général des eaux et forêts, chasses et pêches (...) Dictionnaire des chasses* (1834 ; jusqu'en 1848)
- Jacques-Joseph Baudrillart

1821 *L'Argot en usage au bagne de Brest (...)*
- Ansiaume

1821 premier volume de l'*Histoire des Français* (jusqu'en 1844)
- Jean-Charles de Sismondi

1822 *Odes. - Poésies diverses*
- Victor Hugo

1822 *Lettres. - Pétition pour les villageois que l'on empêche de danser*
- P.-L. Courier

1822 *Poèmes* - Alfred de Vigny

1822 première année du *Journal*
- Eugène Delacroix
aussi 1823, 1824. Voir 1847.

1822-1831 *Dictionnaire classique d'histoire naturelle* (17 vol.)
- J.-B. Bory de Saint-Vincent

1823

1823 *Han d'Islande* - Victor Hugo

1823 *Ourika* - Mme de Duras

1823 *Nouvelles méditations*
- Lamartine

1823 premiers *Proverbes dramatiques*
- Michel Théodore Leclercq

1823 première édition du *Mémorial de Sainte-Hélène*
- Emmanuel Las Cases

1823 première année du *Journal d'un poète*
- Alfred de Vigny
Tous les ans jusqu'en 1863.

1823 *Racine et Shakespeare*
Vie de Rossini
- Stendhal

1823-1824 première livraison de la *Muse française*

1823 *Traité des propriétés projectives des figures*
- Jean-Victor Poncelet

1823 *Antiquités anglo-normandes* traduction (de l'anglais) de *Antiquities...* de Ducarel
- Léchaudé d'Anisy

1823 *Recherches chimiques sur les corps gras*
- E. Chevreul

1823 première année des *Archives générales de médecine* (206 vol. jusqu'en 1914)
Premier volume de l'*Histoire de la Révolution française* (jusqu'en 1827)
- Adolphe Thiers

1823-1824 *Catéchisme des industriels*
- Claude-Henri de Saint-Simon

1824

1824 *Dictionnaire des termes appropriés aux arts et aux sciences* - François Raymond
rééd. 1825 sous un autre titre

1824 *Édouard* - Mme de Duras

1824 « *Le Déluge* », « *Moïse* », « *Le Cor* »
Elsa - Vigny

1824 *Histoire de Napoléon et de la Grande Armée pendant l'année 1812*
- Paul-Philippe, comte de Ségur

1824 *Dictionnaire des termes appropriés aux arts et aux sciences et des mots nouveaux que l'usage a consacrés* - François Raymond

1824 *Traité élémentaire de minéralogie* - F. S. Beudant

1824 Première année des *Annales de sciences naturelles*

1824 *L'Homme du Midi et l'Homme du Nord*
- Charles-Victor de Bonstetten

1825

1825 *Supplément au Dictionnaire de l'Académie ainsi qu'à la plupart des autres lexiques français contenant les termes appropriés aux arts et aux sciences, et les mots nouveaux consacrés par l'usage*
- par François Raymond
rééd. du titre de 1824

1825 *Mémoires* - Mme de Genlis

1825 *Taméha, reine des îles Sanwich (...)* - Reveroni Saint-Cyr

1825 *Les Prisonniers du Caucase* *La Jeune Sibérienne* - Xavier de Maistre

1825 *Expériences sur le système nerveux (...)* - Pierre Marie Jean Flourens

1825 *Traité chimique des maladies du cœur* - Jean Bouillaud

1825 *Manuel de physique* - M. C. Bailly de Merlieux

1825 *Physiologie des passions (...)* 2 vol. - J.-L. Alibert

1825 *Racine et Shakespeare* (deuxième version) *Nouveau complot contre les industriels* - Stendhal

1825 *Histoire de la conquête de l'Angleterre par les Normands* - Augustin Thierry

1825 premier numéro de la *Gazette des tribunaux*

1825 première année de la *Jurisprudence générale du royaume* - Désiré, Arnaud et Edouard Dalloz

av. 1826 *Mémoires* (publ. 1849-1850) - François-Joseph Talma

1826

1826 *Les Chouans* (publié en 1829) - Balzac

1826 *Odes et Ballades* - Hugo

1826 *Physiologie du goût* - J. A. Brillat-Savarin

1826 *De la religion considérée dans ses rapports avec l'ordre politique et civil* - Lamennais

1826 *Cinq Mars. - Poèmes antiques et modernes* - Vigny

1826 *Dictionnaire universel de la langue française*, rédigé d'après le *Dictionnaire de l'Académie française* - Charles Nodier et Victor Verger

1826 première année du *Journal de Genève*

1826-1827 Rédaction d'*Armance* (publ. 1827) - Stendhal

1827

1827 *Voyage en Amérique* - Chateaubriand

1827 *La Laitière de Montfermeil* - Charles Paul de Kock

1827 *Élégies nationales et Satires politiques* traduction du *Faust* de Goethe - Nerval

1827 traduction par Michelet des *Principes de la philosophie de l'histoire* de Vico

1827 *Les Grisettes. - Esquisses parisiennes* - Henri Monnier

1827 *Épître aux chiffonniers sur les crimes de la presse* - Jean-Guillaume Viennet

1827 traduction (de l'anglais) : *Histoire descriptive de la machine à vapeur, traduite (...) de Robert Stuart*

1827 *Organographie végétale ou Description raisonnée des organes des plantes (...)* (2 vol.) - Candolle

1827-1829 *Cours de littérature française* (édités en 1828-1829, puis en 1830) - Villemain

1828

1828 *Le Voyage en Grèce* - Pierre Lebrun

1828 *Mémoires pour servir à l'histoire de Napoléon* - A. J. Savary

1828 *Journal* - Michelet (tous les ans jusqu'en 1874, année de sa mort : t. I : 1828-1848 ; t. II : 1849-1860 ; t. III : 1860-1874)

1828 *Mémoires* - Vidocq

1828 *La Jacquerie* - Mérimée

1828 *Code de la toilette, manuel complet d'élégance et d'hygiène* - Horace Napoléon Raisson

1828 *Nouvelles recherches sur l'endosmose et l'exosmose (...)* - Henri Dutrochet

1828 première année de la *Correspondance* (jusqu'en 1832) - Victor Jacquemont

1829

1829 *Dictionnaire étymologique de la langue françoise où les mots sont classés par familles, contenant les mots du Dictionnaire de l'Académie françoise. Précédé d'une dissertation sur l'étymologie par J. J. Champollion-Figeac* (2 vol.)
- B. de Roquefort

1829 *Les Orientales. - Le Dernier Jour d'un condamné*
- Victor Hugo

1829 *Le Nouveau Monde industriel et sociétaire*
- Charles Fourier

1829 *Le Dernier Chouan... (Les Chouans)*
- Balzac

1829 *Contes d'Espagne et d'Italie*
- Musset

1829 premiers *Souvenirs et Portraits de la Révolution et de l'Empire* - Nodier

1829 *Chronique du règne de Charles IX* (écrit en 1828)
- Mérimée

1829 *La Musique mise à la portée de tout le monde*
- François-Joseph Fétis

1829 deuxième édition (augmentée) des *Poèmes*
- Vigny

1829 premier numéro de la *Revue de Paris*

1829 premier numéro de *la Revue des Deux Mondes* (dirigée par Buloz de 1831 à 1894, par Brunetière de 1894 à 1906)

1829 (15 octobre) premier numéro du *Temps* (jusqu'en 1842 ; titre repris en 1861)

1829 *Promenades dans Rome*
« *Vanina Vanini* » (nouvelle)
rédaction de *Mina de Vanghel* (publ. 1853)
- Stendhal

1829 *Vie, poésies et pensées de Joseph Delorme*
- Sainte-Beuve

1829 premier album dessiné de R. Töpffer : *Les Voyages et Aventures du Dr Festus*
D'autres suivront, en 1830, 1831, 1837

1829-1830 *Chrestomathie française*
- Alexandre Vinet

1829-1831 *L'Album Grandjean à l'usage des coiffeurs et des modes*

1829-1833 traduction française du *Traité de chimie* de Berzélius (8 vol.)
- A. J. L. Jourdan (Berzélius)

1830

1830 *La Confession* - Jules Janin

1830 *Hernani* - Victor Hugo

1830 *El Verdugo* (1re publication signée)
Lettre sur Paris
Études de femme
Scènes de la vie privée
L'Elixir de longue vie
Sarrasine
Une passion dans le désert
- Balzac

1830 *Harmonies poétiques et religieuses* - Lamartine

1830 *Histoire du roi de Bohême et de ses sept châteaux*
- Nodier

1830 *Poésies allemandes* - Nerval

1830 *Scènes populaires*
- Henri Monnier

1830 *Météorologie*
- Bailly de Merlieux

1830 *Le Rouge et le Noir* - Stendhal

1830 début de la publication du *Cours de Philosophie positive* d'Auguste Comte (6 vol. 1830-1842)

1831

1831 *Notre-Dame de Paris. - Feuilles d'automne*
- Victor Hugo

1831 *Romans philosophiques*
- Balzac

1831 *Mémoires*
- Laure Junot, duchesse d'Abrantès (jusqu'en 1838)

1831 *Introduction à l'histoire universelle*
Histoire romaine, I
- Michelet

1831 *Les Souvenirs de jeunesse de Maxime Odin*
- Nodier

1831 *La Maréchale d'Ancre* (pièce)
- Vigny

1831 « *San Francesco a Ripa* » (nouvelle)
- Stendhal

1831 *Atar-Gull* - Eugène Sue

1831 premiers articles de Th. Gautier (anonyme) dans le *Gastronome*, puis dans le *Cabinet de lecture*, le *Mercure de France du XIXe s.* Il publiera de tels articles tous les ans jusqu'à 1872, année de sa mort.

1831 premier article dans la *Revue des Deux-Mondes* (tous les ans jusqu'en 1849) - Sainte-Beuve

av. 1832 *Œuvres (Traité, Cours complet d'économie politique*, etc.) (publ. 1841-1852) - Jean-Baptiste Say

1832

1832 *Dictionnaire abrégé de l'Académie françoise avec tous les mots nouveaux...* (2 vol.)

1832 *Dictionnaire général de la langue française* - François Raymond

1832 *Madame Firmiani*
La Femme abandonnée
10 contes drôlatiques
- Balzac

1832 *Le roi s'amuse* - Victor Hugo

1832 *Le Livre nouveau* - Enfantin

1832 *Indiana* - George Sand

1832 première année du *Cahier vert* - Maurice de Guérin (aussi 1833-1834-1835).

1832 *Un spectacle dans un fauteuil (La Coupe et les Lèvres ; A quoi rêvent les jeunes filles ; Namouna)* - Musset

1832 *Mademoiselle de Marsan. - La Fée aux miettes* - Nodier

1832 *Le Mélodrame* - Pixérécourt

1832 *Trilby* - Nodier

1832 *Stello* - Vigny

1832 premier numéro de *Le Charivari*

1832 rédaction de *Souvenirs d'égotisme* (publ. 1893)
rédaction de *Une position sociale* (publ. 1927)
- Stendhal

1832 *La Bibliothèque de mon oncle* - Rodolphe Töpffer

1832 *Critiques et portraits littéraires* - Sainte-Beuve

1833 *Le Médecin de campagne*
Eugénie Grandet
Le Curé de Tours
L'Illustre Gaudissart
- Balzac

1833 *Lucrèce Borgia. - Marie Tudor* - Victor Hugo

1833 *Champavert* - Petrus Borel

1833 *Les Roueries de Trialph* - Charles Lassailly

1833 *Ahasvérus* - Edgar Quinet

1833 *Andrea del Sarto. - Les Caprices de Marianne. - Rolla* - Musset

1833 *Le dernier Banquet des Girondins*
Jean-François les bas-bleus
- Nodier

1833 *Histoire de France, I et II* - Michelet

1833 *Mosaïque* - Mérimée

1833 première partie de *Servitude et grandeur militaires* (deuxième partie 1834, en revue) - Vigny

1833 *Cours de physiologie générale et comparée* - Henri Blainville

1833 *Essai géognostique sur le gisement des roches dans les deux hémisphères* - Alexandre de Humboldt

1833 *Du système pénitenciaire aux États-Unis et de son application en France* - Tocqueville

1833 *Valentine* - George Sand

1833 *Célia* (nouvelle édition : 1839) - George Sand

1833-1834 *Le Presbytère* - Rodolphe Töpffer

1833-1835 *Lettres sur l'Amérique du Nord* - Michel Chevalier

1834 *Dictionnaire général et grammatical des dictionnaires français* (2 vol.) - Napoléon Landais
1853 *Complément*

1834 8e édition, augmentée par Nodier, du *Dictionnaire universel de la langue française* (voir 1800)

1834 *Volupté. - Articles critiques* - Sainte-Beuve

1834 *La Pucelle de Belleville* - Charles Paul de Kock

1834 *Considérations sur le système philosophique de M. de La Mennais* - Lacordaire

1834 *Paroles d'un croyant* - Lamennais

1834 *Fantasio*
On ne badine pas avec l'amour
Lorenzaccio (qui sera représenté en 1896)
- Musset

1834 *Chatterton* - Vigny

1834 premier volume de l'*Essai sur la philosophie des sciences* - André-Marie Ampère

1834 *L'Héritage* - Rodolphe Töpffer

1834 première année du *Journal intime* de Sainte-Beuve (tous les ans jusqu'en 1869)

1834 *Jacques* - George Sand

1834-1836 rédaction de *Lucien Leuwen* (publ. 1894) - Stendhal

1834-1858 romans de Jules Sandeau

1835 *Dictionnaire de l'Académie françoise* (6e éd. ; 2 vol.)

1835 *Mademoiselle de Maupin* - Théophile Gautier

1835

1835 *Le Père Goriot. - Le Colonel Chabert. - Séraphîta* - Balzac

1835 *Les Chants du crépuscule* - Victor Hugo

1835 *Voyage en Orient* - Lamartine

1835 *Réforme pénitentiaire*
Lettres sur les prisons de Paris (deuxième éd. augmentée 1839)
- François-Vincent Raspail

1835 *Dictionnaire critique et raisonné du langage vicieux ou réputé vicieux* - L. Platt

1835 *Mélanges d'économie sociale, de littérature et de morale* - Albert Laponneraye

1835 *La Nuit de mai. - Le Chandelier. - La Nuit de décembre* - Musset

1835-1836 Sermons de Lacordaire à Notre-Dame de Paris *(Conférences de Notre-Dame)*

1835-1836 *Notes d'un voyage dans le midi da la France (puis dans l'ouest de la France)* - Mérimée

1835-1836 rédaction de la *Vie de Henry Brulard* (publ. 1890) - Stendhal

1835-1837 *Histoire de la marine française depuis le xve siècle jusqu'à nos jours* - Eugène Sue

1836

1836 *Supplément au Dictionnaire de l'Académie française, 6e éd. publ. en 1835, complément de tous les dictionnaires français anciens et modernes...* - François Raymond

1836 *Vocabulaire de la langue française. Extrait de la 6e et dernière édition du Dictionnaire de l'Académie. Avec les étymologies, la prononciation et un vocabulaire géographique* - Charles Nodier, Paul Ackermann

1836 *Le Lys dans la vallée* - Balzac

1836 *Jocelyn* - Lamartine

1836 *La Confession d'un enfant du siècle. - Il ne faut jurer de rien. - La Nuit d'août. - Lettres de Dupuis et Cotonet. - À la Malibran* - Musset

1836 *Napoléon* - Edgar Quinet

1836 *Paul ou la Ressemblance* - Nodier

1836 *Influence de la langue romane rustique sur les langues de l'Europe latine* - François Raynouard

1836 *Langue musicale ou Téléphonie* - Jean-François Sudre

1836 premier volume du *Lexique roman, ou Dictionnaire de la langue des troubadours comparée avec les autres langues de l'Europe latine* (5 vol. en 6 t. jusqu'en 1844) - François Juste Marie Raynouard

1836 *Critiques et portraits littéraires*, t. II et III (t. IV et V, 1839) - Sainte-Beuve

av. 1837 Œuvres de Charles Fourier (publ. 1841-1845)

1837

1837 *Illusions perdues* (I) (2e partie : 1839)
César Birotteau
- Balzac

1837 *Les Voix intérieures*
- Victor Hugo

1837 *Un caprice. - Emmeline. - La Nuit d'octobre. - Les Deux Maîtresses*
- Musset

1837 *L'Influence d'un livre* (roman)
- Philippe Aubert de Gaspé

1837 *Piquillo* (pièce) - Nerval

1837 *Inès de la Sierre. - La Légende de sœur Béatrix*
- Nodier

1837 *Histoire de France, III* (1270-1380)
Origines du droit français (...)
- Michelet

1837 *La Vénus d'Ille* - Mérimée

1837 *Essais de philosophie morale et de morale religieuse*
- Alexandre Vinet

1837 « *Vittoria Accoramboni* » « *Les Cenci* »
- Stendhal

1837 *Latréaumont* - Eugène Sue

1837 *Mémoires du diable* (deux premières parties)
- Frédéric Soulié

1837 *Lettres d'un voyageur*
- George Sand

av. 1838 *Mémoires*
- Talleyrand (publ. 1891-1892)

1838

1838 *Ruy Blas* - Victor Hugo

1838 Publication par les soins de Chateaubriand des *Pensées* de Joseph Joubert (mort en 1824)

1838 *De l'égalité* - Pierre Leroux

1838 *La Chute d'un ange*
- Lamartine

1838 *Prométhée* - Edgar Quinet

1838 *Frédéric et Bernerette; Le Fils du Titien; Margot* (nouvelles). - *L'Espoir en Dieu* - Musset

1838 *Pérégrinations d'une paria*
- Flora Tristan

1838 première année du *Journal* Amiel (tous les ans jusqu'en 1881)

1838-1839 « *La Mort du loup* ». - « *La Colère de Samson* » (publ. 1864)
- Vigny

1838-1842 *Complément du Dictionnaire de l'Académie française* (publié sous la direction d'un membre de l'Académie française
- en fascicule : 1838, A-F ; 1840, G-O ; 1842, P-Z
- en 1 vol., 1842)

1838 *Mémoires d'un touriste*
composition de « *L'Abesse de Castro* »
composition de *La Chartreuse de Parme*
(du 4 nov. au 26 déc.; publiée en 1839)
- Stendhal

1839

1839 édition augmentée du *Dictionnaire* de Boiste

1839 *Lettres de Russie* - Custine

1839 *Madame Putiphar*
- Petrus Borel

1839 *L'Abbesse de Castro*
La Chartreuse de Parme
Lamiel (1re version)
- Stendhal

1839 *Recueillements poétiques*
- Lamartine

1839 tomes IV et V des *Portraits littéraires*
- Sainte-Beuve

1839 *L'Organisation du travail*
- Louis Blanc

1839 *Allemagne et Italie*
- Edgar Quinet

1839 *Livre du compagnonnage* (édition augmentée, 1841)
- Agricol Perdiguier

1839 *Lydia ou la Résurrection*
- Nodier

1839 *Les Pélerinages de Suisse*
- Louis Veuillot

1839 traduction des *Recherches sur l'organisation des animaux*, par D. C. G. Ehrenberg

1839 premier numéro de *Les Guêpes* (hebdomadaire) (tous les ans jusqu'en 1849)
- Alphonse Karr

1839 publication de *La Chartreuse de Parme* ; voir 1838
rédaction de *Lamiel* (première version ; publ. 1889 puis 1929)
- Stendhal

1840

1840 *Les Rayons et les Ombres*
- Victor Hugo

1840 *La Jolie Fille des faubourgs* - Charles Paul de Kock

1840 *De l'humanité* - Pierre Leroux

1840 *Une soirée perdue. - Tristesse* - Musset

1840 traduction du *Second Faust* de Goethe - Nerval

1840 *Colomba* - Mérimée

1840 *Qu'est-ce que la propriété* - Proudhon

1840 *Promenades dans Londres* - Flora Tristan

1840-1842 *Les Français peints par eux-mêmes, encyclopédie morale du XIXe s.* (ouvrage collectif)

1840 deuxième version de *Lamiel*
Idées italiennes sur quelques tableaux célèbres (avec Abraham Constantin)
- Stendhal

1840 *Jean Cavalier. - Le Colonel de Surville* - Eugène Sue

1840 *Récits des temps mérovingiens* - Augustin Thierry

1840 *Port-Royal*, t. I (t. II : 1842) - Sainte-Beuve

1840 *Les Compagnons du tour de France* (pièce)
Cosima
- George Sand

1840-1841 *Histoire de France IV et V* - Michelet

1840-1846 *Esquisse d'une philosophie* - Lamennais

1841

1841 *Une ténébreuse affaire. - Ursule Mirouët* - Balzac

1841 *Le Génie des religions* - Edgar Quinet

1841 *Scènes de la ville et de la campagne* - Henri Monnier

1841 *Rome et Lorette* - Louis Veuillot

1841 *Nouvelles et Mélanges* - Rodolphe Töpffer

1841 *Mathilde, mémoires d'une jeune femme* - Eugène Sue

1841 première livraison des *Quatre sœurs* - Frédéric Soulié

1841 *Cours élémentaire d'histoire naturelle :* I. *Cours élémentaire de minéralogie et de géologie* (F. Beudant) ; II. *Cours élémentaire de zoologie* (H. Milne-Edwards) ; III. *La Botanique* (A. H. de Jussieu)

1841 *Nouveau Dictionnaire critique de la langue française* - Legoarant

1841 *Le Prisme, encyclopédie morale du XIXe s.* (joint à *Les Français peints par eux-mêmes* ; voir 1840-1842)

1841 troisième série des *Annales de chimie* (jusqu'en 1863 ; quatrième série 1864-1914 ; etc.) - Chevreul, Dumas, etc.

1841-1843 publication du *Théâtre choisi* - Pixérécourt

1841-1849 *Dictionnaire universel d'histoire naturelle* - Charles d'Orbigny

1842

1842 *Enrichissement de la langue française. Dictionnaire des mots nouveaux* - (Jean-Baptiste) Richard de Radonvilliers
1845 *Supplément*

1842 *Dictionnaire critique du langage politique, gouvernemental, civil, administratif et judiciaire* - Jacques Charles Bailleul

1842 *Dictionnaire étymologique, historique et anecdotique des proverbes et des locutions proverbiales de la langue française* - Pierre-Marie Quitard

1842 *Le Livre des proverbes français...* (2 vol.) - Antoine Jean Victor Le Roux de Lincy

1842 *Le Rhin* - Victor Hugo

1842 publication posthume de *Gaspard de la nuit* - Aloysius Bertrand (mort en 1841)

1842 tome II de *Port-Royal* - Sainte-Beuve

1842 *Voyage en Icarie* - E. Cabet

1842 *La Grande Ville, nouveau tableau de Paris (...)* - Charles Paul de Kock

1842 *Histoire d'un merle blanc*. - *Après une lecture* - Musset

1842 *Jérôme Paturot à la recherche d'une position sociale* - Louis Reybaud

1842 *Manuel de philosophie moderne* - Charles Renouvier

1842 *Théorie nouvelle d'économie sociale et politique* - Constantin Pecqueur

1842 *Un hiver à Majorque* - George Sand

1842 *Eulalie Pontois* (roman judiciaire) - Frédéric Soulié

1842-1843 *Les Mystères de Paris* - Eugène Sue

1843

1843 *Dictionnaire national, ou Grand Dictionnaire critique de la langue française...* - Louis-Nicolas Bescherelle
1845-1846 2e éd. : *Dictionnaire national*, ou *Dictionnaire universel de la langue française*
1847 *Supplément*

1843 *Tra los montes* (voyage en Espagne) - Théophile Gautier

1843 *Les Burgraves* - Victor Hugo

1843 *Voyage en Russie* - A. L. de Custine

1843 *Splendeurs et misères des courtisanes*
Modeste Mignon
- Balzac

1843 écriture de « *La Maison du berger* » - Vigny

1843 *L'Union ouvrière* - Flora Tristan

1843 premier numéro de l'*Illustration* (tous les ans jusqu'en 1944)

1843 *Mon oncle Benjamin* - Claude Tillier

1843 *Voyage en zigzag* - Rodolphe Töpffer

1843 *Tableau historique et critique de la poésie française*
Livre d'amour (impublié)
- Sainte-Beuve

1843-1845 *Chroniques parisiennes* (de la *Revue Suisse*) (publ. 1876) - Sainte-Beuve

1844

1844 premier vol. de *Les Trois Mousquetaires*
Le Comte de Monte-Cristo
Amaury
- Alexandre Dumas

1844 *Les Mystères de Londres* - Paul Féval

1844 *Vie de Rancé* - Chateaubriand

1844 *Les Grotesques* - Théophile Gautier

1844 *Sans cravate ou les commissionnaires* - Charles Paul de Kock

1844 *Deux papas très bien* - Labiche

1844 *L'Extinction du paupérisme* - Louis Napoléon Bonaparte (Napoléon III)

1844 *Traité complet de la théorie et de la pratique de l'harmonie* - Jean-Baptiste Fétis

1844 *Introduction à l'histoire du bouddhisme indien*, t. I - Eugène Burnouf

1844 *Portraits de femmes*
Portraits littéraires, t. I et II
- Sainte-Beuve

1844-1845 *Le Juif errant* - Eugène Sue

1845

1845 *Vingt ans après*
La Reine Margot
premier vol. de *Le Chevalier de Maison-Rouge*
La Guerre des femmes
- Alexandre Dumas

1845 *Il faut qu'une porte soit ouverte ou fermée*
Mimi Pinson
- Musset

1845 *Histoire du Canada* - François-Xavier Garneau

1845 *Du prêtre, de la femme et de la famille* - Michelet

1845 *Carmen* - Mérimée

1845 *De la ploutocratie ou du gouvernement des riches* - Pierre Leroux

1845 *Les Sept Péchés capitaux* (jusqu'en 1851) - Eugène Sue

1845 *Essai de physiognomonie*
Réflexions et menus propos d'un peintre genevois
- Rodolphe Töpffer

1845 deuxième édition du *Dictionnaire* de Bescherelle ; voir 1843

1845-1847 *Dictionnaire des arts et manufactures* (2 vol.)
- Charles Pierre Lefèbvre-Laboulaye

1846 *Mémoire d'un médecin. - Joseph Balsamo*
- Alexandre Dumas

1846 *Histoire de la poésie provençale*
- Claude Fauriel

1846 *Histoire de la Gaule méridionale sous la domination des conquérants germains*
- Claude Fauriel

1846 *La Cousine Bette* - Balzac

1846 *Le Peuple* - Michelet

1846 *Le Système des contradictions économiques* ou *Philosophie de la misère* - Proudhon

1846 adaptation d'Edgar Poe : *Un meurtre sans exemple dans les fastes de la justice (Double assassinat dans la rue Morgue)*

1846 *Études de littérature ancienne et étrangère*
- Villemain

1846-1848 *Cosmos, essai d'une description physique du monde*, traduction de Alexander von Humboldt

1846-1848 *Mémorandum* (un 3e en 1856) ; (un 4e en 1858)
- Barbey d'Aurevilly

1846 première année des *Archives des sciences physiques et naturelles* (... de Genève)
- Premier éditeur Cherbuliez

1846 *Belle-Plante et Cornélius*
- Claude Tillier

1846 *La Mare au diable*
- George Sand

1846 *Portraits contemporains*, t. I, II et III
- Sainte-Beuve

1846 *Mademoiselle de la Seiglière*
- Jules Sandeau

1847

1847 *Mademoiselle Irmois*
- Gobineau

1847 *Par les Champs et par les grèves*
- Flaubert et Maxime du Camp

1847 *Chien-caillou*
- Champfleury

1847 *Le Cousin Pons*
- Balzac

1847 *La Fanfarlo*
- Baudelaire

1847 *Histoire des Girondins*
- Lamartine

1847 *Un caprice* - Musset

1847 *Histoire de la Révolution française t. I et II*
- Michelet

1847 « *La Bouteille à la mer* » (publ. 1854). - « *Wanda* ». - écriture des *Mémoires*
- Vigny

1847 premiers discours politiques de Louis Blanc
(jusqu'en 1881 ; publ. en 1882)

1847 première année de la rédaction de *Histoire de ma vie*
- George Sand

1847 *Le Château des Désertes* (publ. 1851) - George Sand

1847 première année de la 2e série du *Journal*
- Eugène Delacroix (aussi 1822-1824).
Tous les ans jusqu'en 1863.

1848

1848 *Glossaire nautique. Répertoire polyglotte de termes de marine anciens et modernes...* (2 t. en 1 vol.) - Augustin Jal

1848 *Dictionnaire provençal-français* - Honnorat

1848 *La Dame aux camélias*
- Alexandre Dumas fils

1848 *Mémoires (Mémoires d'Outre-Tombe)* (commencent à paraître en feuilleton le 21 octobre, l'écrivain est mort le 4 juillet)
- Chateaubriand
1822 à 1829 : rédaction
1834 : correction ; *Conclusion* publiée
1842 : achèvement d'une première révision
1845-1847 : révisions

1848 *Biographie écrite par lui-même*
- Agricol Perdiguier

1848 *Scènes de la vie orientale*
Les Femmes du Caire
- Nerval

1848 *Jérôme Paturot à la recherche de la meilleure des républiques*
- Louis Reybaud

1848 *L'Avenir de la science* (publ. en 1888) - Renan

1848 *Port-Royal*, t. III - Sainte-Beuve

1848-1851 *Les Révolutions d'Italie* - Edgar Quinet

av. 1849 *Correspondance* (publ. en 1859) - Mme Récamier

1849

1849 *Raphaël*. - *Les Confidences* - Lamartine

1849 écriture de « *Les Destinées* » (publ. 1864) - Vigny

1849 premier *Lundi* de Sainte-Beuve
Au *Moniteur* (ou *Constitutionnel*) à partir de 1852

1849 *La Petite Fadette* - George Sand

1849 début des livraisons de *Les Mystères du peuple ou Histoire d'une famille de prolétaires à travers les âges* (jusqu'en 1856) - Eugène Sue

1849-1850 *Histoire de la Révolution française*, t. III et IV - Michelet

av. 1850 *Mémoires* - Louis-Philippe (publ. 1974-1983)

1850

1850 *L'Enseignement du peuple* - Edgar Quinet

1850 *Carmosine* - Musset

1850 *Les Nuits du ramazan* (feuilleton). - *Les Femmes du Liban*. - *Les Faux-Saulniers* - Nerval

1850 *Souvenirs d'un voyage dans la Tartarie, le Thibet et la Chine pendant les années 1844, 1845 et 1846* (2 vol.) - le Père Huc

1850 *François le Champi*
Histoire du véritable Gribouille - George Sand

1851

1851 *Dictionnaire de la langue française* - Prosper Poitevin

1851 *Une vieille maîtresse* - Barbey d'Aurevilly

1851 « *Du vin et du haschisch* » - Baudelaire

1851 pièces de Labiche, dont *Un chapeau de paille d'Italie*

1851 *Scènes de la vie de bohême* (écrites pour *l'Artiste* et *le Corsaire* entre 1830 et 1848) - Henri Murger

1851 *Scènes de la vie de jeunesse* - Henri Murger

1851 *Voyage en Orient*. - *L'Imagier de Harlem* (pièce) - Nerval

1851 *Histoire de la Révolution française*, t. V
La Légende d'or de la démocratie : Kosciuszko - Michelet

1851 *Les Châteaux en Californie* (pièce)
Un drame au Mexique - Jules Verne

1851 *Théorie nouvelle de la rotation des corps* - Louis Poinsot

1851 première année du *Journal* des Goncourt (qui sera publié en 1887, pour les années 1851-1870).
Tous les ans, jusqu'en 1896, date de la mort d'Edmond (Jules était mort en 1870).

1851 début de la publication du *Système de philosophie positive* (1851-1854) - Auguste Comte

1851 *Causeries du lundi*, t. I (15 vol. jusqu'en 1862) - Sainte-Beuve

1852

1852 *Dictionnaire héraldique contenant l'explication et la description des termes et figures usités dans le blason...* - Charles Grandmaison

1852 *Poèmes antiques* - Leconte de Lisle

1852-1854 *Mes mémoires* - Alexandre Dumas

1852 *Lorely*. - *Nuits d'octobre*. - *Les Illuminés*. - *Contes et Facéties* - Nerval

1852 *Grandeur et décadence de M. Joseph Prudhomme* - Henri Monnier et Gustave Vaëz

1852-1853 *Tableau de Paris* - Edmond Texier

1853

1853 *Etymologisches Wörterbuch der romanischen Sprachen...* (1 vol.) - Friedrich Diez

1853 *Les Châtiments* - Victor Hugo

1853 *Essai sur l'inégalité des races humaines* (2 premiers volumes) - Gobineau

1853 *Les Nouvelles Guêpes* - Alphonse Karr (rééd. 1853-1854-1855)

1853 *La Mouche* (conte) - Musset

1853 *Propos de ville et propos de théâtre* - Henri Murger

1853 *Les Petits Châteaux en Bohême. - Sylvie. - « El Desdichado »* - Nerval

1853 *La Philosophie du progrès* - Proudhon

1853 *Histoire de la Révolution française*, t. VI (et dernier) - Michelet

1853 premiers articles de Jules Vallès (tous les ans jusqu'en 1885 ; souvent sous des pseudonymes)

1853 *Mont-Revêche. - Les Maîtres sonneurs* - George Sand

1853 *Nouveaux voyages en zigzag* - Rodolphe Töpffer

1853-1854 *Le Dictionnaire universel, panthéon littéraire et encyclopédie illustrée...* (2 vol.) - Maurice La Châtre
1865-1870 *Nouveau dictionnaire universel* (2 t. en 4 vol.) - éditions jusque vers 1902-1903

1854

1854 *Dictionnaire universel des Sciences, des Lettres et des Arts* (2 vol.) - Marie-Nicolas Bouillet

1854 *Souvenirs de voyage* de Fromentin dans *la Revue de Paris* (publiées en volume en 1857 : *Un été dans le Sahara)*

1854 traduction des *Contes extraordinaires* de Poe
1856 : *Les Histoires extraordinaires* - Baudelaire

1854 *Voyage autour de mon jardin* - Alphonse Karr

1854 *Mémoires d'un compagnon* - Agricol Perdiguier

1854 *Le Roman de toutes les femmes* - Henri Murger

1854 *Les Filles du feu et les Chimères*, écrits 1843-1854
La Pandora
Promenades et Souvenirs
- Nerval

1854 *Galerie des contemporains* (jusqu'en 1865) - Eugène de Mirecourt

1854 *Un épisode sous les croisades* - premier roman de Zola

1854 *Maître Zacharias* - Jules Verne

1854 *Dictionnaire universel des sciences, des lettres et des arts* - Nicolas Bouillet

1854 premier volume du *Dictionnaire raisonné de l'architecture française du* XIe *au* XVIe *siècle* (10 vol. jusqu'en 1868) - Eugène Emmanuel Viollet-le-Duc

1854 premier numéro de *Le Sport Journal des gens du monde* (hebdomadaire, jusqu'en 1900)

1854-1855 *Souvenirs contemporains d'histoire et de littérature* - A. F. Villemain

1854-1856 publication de l'*Histoire de ma vie* - George Sand

1855

1855 *Dictionnaire de médecine, de chirurgie, de pharmacie, de l'art vétérinaire et des sciences qui s'y rapportent...*
10e éd. du *Dictionnaire* de Nysten (2 vol.) J.-B. Baillère
- Émile Littré, avec la collaboration de Charles Robin (En fait, Charles Robin ; É. Littré pour la partie philologique)

1855 *Le Roman chez la portière* - Henri Monnier

1855 *Histoire de France*, t. VII (la Renaissance) et VIII (la Réforme) - Michelet

1855 *Un hivernage dans les glaces* - Jules Verne

1855 *Éléments de statistique humaine et de démographie comparée* - A. Guillard

1855 *Voyage aux Pyrénées* - Taine

1855 publication des deux premiers tomes de *De la démocratie en Amérique* - Tocqueville

1856

1856 *Les Contemplations* (écrites de 1852 à 1855) - Victor Hugo

1856 *Madame Bovary* - Flaubert

1856 première publication du *Cours familier de littérature* (1856-1869) - Lamartine

1856 *Histoire de France*, t. IX et X. - *L'Oiseau* - Michelet

1856 3ᵉ *Mémorandum* - Barbey d'Aurevilly

1856 *Le Marquis de Fayolle* (posthume) - Nerval

1856 *Traité d'électricité et de magnétisme (...)* - Antoine et Edmond Becquerel

1856 *Lettres sur la question religieuse* - Eugène Sue

1856 *L'Ancien Régime et la Révolution* - Tocqueville

1856-1913 *L'Année scientifique et industrielle* (la datation des mots est antérieure d'un an à la date de publication imprimée) - fondée par Louis Figuier

1857 *Le Roman de la momie* - Théophile Gautier

1857 achèvement de *Dieu* et de *la Fin de Satan* - Victor Hugo

1857 *La Légende des siècles* : première série - Victor Hugo

1857 *Le Bossu* - Paul Féval

1857 publication des *Fleurs du Mal* - Baudelaire

1857 *La Grève de Samarez* - Pierre Leroux

1857 *Quand j'étais étudiant* - Nadar

1857 *Les Mémoires de M. Joseph Prudhomme* - Henri Monnier

1857 *Histoire de France*, t. XI. - *L'Insecte* - Michelet

1857 *Étude sur Virgile* - Sainte-Beuve

1857 *L'Argent* - Jules Vallès

1857 *Le livre des esprits, contenant les principes de la doctrine spirite* - Allan Kardec

1857 *La Terre et l'Homme* - Alfred Maury

1857 *Sur diverses matières sucrées* (Comptes rendus de la société de Biologie) - Marcelin Berthelot

1857-1858 *Portraits intimes du* XVIIIᵉ *s.* - Ed. et J. de Goncourt

1857-1863 rédaction de l'*Histoire de la littérature anglaise* - Taine

1858

1858 *Dictionnaire des synonymes de la langue française...* - Pierre-Benjamin Lafaye 1861 2ᵉ éd. revue et corrigée

1858 *Le Roman d'un jeune homme pauvre* - Octave Feuillet

1858 *La Famille Gogo* - Charles Paul de Kock

1858 *Orphée aux enfers* (livret pour Offenbach) - Meilhac et Halévy

1858 *Histoire de France*, t. XII. - *L'Amour* - Michelet

1858 - 4ᵉ *Mémorandum* - Barbey d'Aurevilly

1858 *Aurélia*. - *La Bohême galante* - Nerval (posthume)

1858 *Les Beaux Messieurs de Bois-Doré* *Légendes rustiques* - George Sand

1858 première année de la *Correspondance* de Zola

1858-1875 *Dictionnaire raisonné du mobilier français de l'époque carolingienne à la Renaissance* (6 vol.) - E. Viollet-le-Duc 1868-1875 2ᵉ éd.

1859

1859-1889 *Les Excentricités de la langue française en 1860*
- Lorédan Larchey
1861 2e éd. : *Les Excentricités du langage français*
1862 4e éd. : *Les Excentricités du langage*
1872 *Dictionnaire historique, étymologique et anecdotique de l'argot parisien.* 6e éd. des *Excentricités du langage mise à la hauteur des Révolutions du jour*
1880 *Supplément*
1888 *Dictionnaire historique d'argot* (9e éd.)
1889 *Nouveau supplément*

1859 *Critique, portraits et caractères contemporains* - Jules Janin

1859 début du cycle de *Rocambole* (22 vol.) - Ponson du Terrail

1859 *La Femme* - Michelet

1859 *Essais de morale et de critique* - Renan

1859 *La Revue fantaisiste* fondée par Catulle Mendès

1859 *Poèmes antiques et modernes* (dernière éd. des poèmes) - Vigny

1859 *Elle et lui* - George Sand

1859 *Les Malheurs de Sophie* - Comtesse de Ségur

1859 *Port-Royal*, t. IV et V - Sainte-Beuve

1859 *Les Grotesques de la musique* - Berlioz

1860

1860 *Nouveau dictionnaire de la langue française* - Louis Dochez

1860 publication des *Paradis artificiels* (textes antérieurs) - Baudelaire

1860 *Les Maîtresses de Louis XV*
Les Hommes de lettres (1868 : *Charles Demailly*) - Ed. et J. de Goncourt

1860 *Le Voyage de Monsieur Perrichon* - Labiche

1860 début de la publication des *Moines d'occident* - Montalembert

1860 *Histoire de France*, t. XIII (Louis XIV) - Michelet

1860 *Chateaubriand et son groupe littéraire sous l'Empire* - Sainte-Beuve

1860 (jusqu'en 1909) 1er volume de critiques : *les Œuvres et les Hommes* - Barbey d'Aurevilly

1860 Premier numéro de *Le Tour du monde, Nouveau journal des voyages* (jusqu'en 1914)

1861

1861 *Sœur Philomène* - Goncourt

1861 *On ne badine pas avec l'amour* - Musset

1861-1862 *Les Visions d'un mort vivant* - Philotée O'Neddy

1861 *La Religion des imbéciles* - Henri Monnier

1861 *La Guerre et la Paix* - Proudhon

1861 *La Mer* - Michelet

1861 *Le Marquis de Villemer-Valvèdre* - George Sand

1861 *Traité de l'enchaînement des idées fondamentales dans les sciences* - Augustin Cournot

1861 première date du *Journal* d'Amiel (tous les ans jusqu'en 1881)

1861 premières publications de Zola dans la presse (poèmes, contes, nouvelles à partir de 1863, articles et comptes rendus, à partir de 1864)

1862

1862 *Dictionnaire d'étymologie française d'après les résultats de la science moderne* - Auguste Scheler

1862 *Salammbô* - Flaubert

1862 *Les Misérables* - Victor Hugo
Hugo a commencé à rédiger *les Misères* en 1845, et la version publiée de 1847 à 1860

1862 *La Femme au XVIIIe siècle* - Goncourt

1862 *La Station Champbaudet* - Labiche

1862 *Poèmes barbares* - Leconte de Lisle

1862 *Les Bas-fonds de la société* - Henri Monnier

1862 *Histoire de France*, t. XIV. - *La Sorcière* - Michelet

1862 *Cinq semaines en ballon* - Jules Verne

1862 *Isis* - Villiers de l'Isle Adam

1862 Fin de la rédaction de l'*Histoire du Consulat et de l'Empire* - Adolphe Thiers

1862 *Souvenirs et impressions littéraires* - George Sand

1862-1863 *Journal d'un poète* - Vigny

1863

1863 *Victor Hugo raconté par un témoin de sa vie*

1863 *Le Capitaine Fracasse* (en revue) - Théophile Gautier

1863 *Les Anciens Canadiens* - Ph. Aubert de Gaspé

1863 *La Vie de Jésus* (écrit en 1861) - Renan

1863 *Du principe fédératif* - Proudhon

1863 *Histoire de France*, t. XV - Michelet

1863 *Le Désert de glace*
Les Enfants du capitaine Grant
De la Terre à la Lune
- Jules Verne

1863 *La Confession de Claude* - Émile Zola

1863 *Aviation ou Navigation aérienne* - La Landelle

1863 traduction de Kirchhoff: *Recherches sur le spectre solaire et sur les spectres des corps simples*, dans les *Annales de chimie*

1863 première année de la *Revue des cours scientifiques de la France et de l'étranger*, devenue (1871) *Revue scientifique* (tous les ans jusqu'en 1954)

1863 *Le Comte Kostia* (roman) - Victor Cherbuliez

1863 *Nouveaux lundis*, t. I (« *Causeries* » depuis 1861) 13 vol. jusqu'en 1870 - Sainte-Beuve

1863 *Mademoiselle de la Quintinie* - George Sand

1863-1865 premiers poèmes de Verlaine

1863-1877 *Dictionnaire de la langue française* - É. Littré (en fascicules)
1863 A-denier
1864 dénigrant-étroit
1865 étroitement-génie
1866 génie-P
1869 Q-redresser
1870 redresseur-scieur
1871 scille-souscrire
1872 souscrit-Z
1876-1877 *Suppléments*

1864 *William Shakespeare* - Victor Hugo

1864 *Traité des écritures cunéiformes* - Gobineau

1864 *La Cité antique* - Fustel de Coulanges

1864 *La Cagnotte*. - *Moi*. - *Un mari qui lance sa femme* - Labiche

1864 *La Belle Hélène* - Meilhac et Halévy

1864 *La Bible de l'humanité* - Michelet

1864 *Franciscus Columna* - Nodier

1864 *Mireille*, d'après Mistral, pour Gounod - Michel Cavé

1864 premier numéro du *Magasin d'éducation et de récréation* - dirigé par Hetzel et Jean Macé

1864-1867 *Collection de mémoires sur la locomotion aérienne sans ballons* - Gustave de Ponton d'Amécourt

1864 *Le Général Dourakine* - Comtesse de Ségur

1865

1865 deuxième version du *Dictionnaire* de la Châtre (voir 1853-1854)

1865 *Germinie Lacerteux* - Ed. de Goncourt

1865 *Introduction à l'étude de la médecine expérimentale* - Claude Bernard

1865 *De la capacité politique des classes ouvrières* - Proudhon

1865 achèvement de *Les Travailleurs de la mer* (publié en 1866) - Victor Hugo

1865 *Les Réfractaires* (en partie articles du *Figaro*, 1861-1865) - Jules Vallès

1865 *Elën* - Villiers de l'Isle Adam

1865 *Stances et poèmes* - Sully-Prudhomme

1865 *Philosophie de l'art* - Taine

1865-1894 *Dictionnaire historique de la langue française comprenant l'origine, les formes diverses, les acceptions successives de mots, avec un choix d'exemples tirés des écrivains les plus autorisés.* publ. par l'Académie française (4 livraisons)
1865 A-Act
1884 Adage-Alluvion
1888 Almanach-Ascension (sans suite)
1894 Ascensionnel-Azyme

1866

1866 *Dictionnaire de la langue verte* - Alfred Delvau
1883 éd. revue, augmentée d'un suppl. par G. Fustier

1866 *L'Affaire Lerouge* - Gaboriau

1866 *Le Parnasse contemporain* (recueil collectif de poètes « parnassiens ») - Leconte de l'Isle, C. Mendès, etc.

1866 *Les Apôtres* - Renan

1866 *Paris et la Province* - Henri Monnier

1866 *Hermès Trismégiste* - Louis Nicolas Ménard

1866 *Histoire de France,* t. XVI (Louis XV)
article dans *Paris-Guide*
- Michelet

1866 traduction de *Pre-historic time* de John Lubbock : *L'Homme avant l'histoire (...)* - E. Barbier

1866 *Mes haines. - Mon Salon* - Émile Zola

1866 *Voyage en Italie* - Taine

1866 *La Rue* (articles de 1865-1866) - Jules Vallès

1866 *Poèmes saturniens* - Verlaine

1866 *Morgane* - Villiers de l'Isle Adam

1866 *Géographie illustrée de la France et de ses colonies* (première livraison dans le *Magasin d'éducation* de Hetzel) - Jules Verne

1866 traduction de : *De l'origine des espèces par sélection naturelle* (de Charles Darwin) - Clémence Royer

1866-1868 *Les Français de la décadence (chroniques)* - Henri Rochefort

1866-1876 ou 1866-1890 (avec les suppléments) *Grand dictionnaire universel du XIXe siècle français, historique, géographique, mythologique, bibliographique, littéraire, artistique, scientifique, etc.* (15 vol.) - Pierre Larousse
1878 *1er Supplément*
1890 *2e Supplément*

1867

1867 *Mangeront-ils ?.*
- *Paris-Guide*
- Victor Hugo

1867 *Les Aventures (...) de Uylenspiegel et de Lamme Goedzak au pays de Flandres et ailleurs* - Charles de Coster

1867 *Le Petit Chose* - Alphonse Daudet

1867 *Critique de la Révolution* - Edgar Quinet

1867 *Histoire de France,* t. XVII (et dernier) - Michelet

1867 *Calendal* - Mistral

1867 *Les Amies* - Verlaine

1867 *Claire Lenoir* - Villiers de l'Isle Adam

1867 *Édouard Manet* (essai). - *Les Mystères de Marseille,* t. I et II. - *Thérèse Raquin* - Émile Zola

1867 *Vie et Opinions de M. Frédéric Thomas Graindorge* - Taine

1868

1868 Achèvement de *L'Homme qui rit* - Victor Hugo

1868 *Les Chants de Maldoror* - Lautréamont

1868 *La Périchole* - Meilhac et Halévy

1868 *Le Monde où l'on s'amuse* - Édouard Pailleron

1868 *Monsieur Lecoq* (publication) - Gaboriau

1868 *La Montagne* - Michelet

1868 *Cadio* - George Sand

1868 *Les Mystères de Marseille,* t. III
Madeleine Férat
- Émile Zola

1868 premier fascicule du *Dictionnaire de chimie pure et appliquée (...)* (26 fasc. jusqu'en 1878) - Adolphe Wurtz

1868-1869 *La France agricole* - Gustave Heuzé

av. 1869 *Mémoires* (publ. 1870) - Berlioz

1869

1869 *Lettres de mon moulin* - Alphonse Daudet

1869 *Paris, ses organes, ses fonctions (...)* - Maxime du Camp

1869 *Monsieur Lecoq* (publication) - Gaboriau

1869 *L'Éducation sentimentale* (écrite entre 1843 et 1845) - Flaubert

1869 *Saint Paul* - Renan

1869 *Romain Kalbris* - Hector Malot

1869 *Fêtes galantes* - Verlaine

1869 *Vingt Mille lieues sous les mers*
Autour de la Lune
- Jules Verne

1869 *La Science de la morale* - Charles Renouvier

1869 plan des *Rougon-Macquart*
rédaction de *La Fortune des Rougon* (en feuilleton 1870)
- Émile Zola

1869 premier numéro du *Journal officiel de l'Empire français* (1871 : *de la République française ;* 1940-1944 : *de l'État français*)

av. 1870 écriture de *Poésies* - Lautréamont (date de sa mort) ; elles seront publiées en 1919 par A. Breton.

1870

1870 *L'Histoire d'un paysan* (1868-1870) - Erckmann-Chatrian

1870 premiers poèmes en français de Rimbaud (il en a écrit en latin, à l'école)

1870 *La Bonne Chanson* - Verlaine

1870 *Questions sociales : le Sublime ou le Travailleur comme il est en 1870 et ce qu'il peut être* - Denis Poulot

1870 *De l'intelligence* - Taine

1871

1871 achèvement de *Les Diaboliques* (parution en 1874) - Barbey d'Aurevilly

1871 *Tricoche et Cacolet* - Meilhac et Halévy

1871 *Les « Lettres du voyant ». - Le Bateau ivre. - Poésies* - Rimbaud

1871 *La Réforme intellectuelle et morale* - Renan

1871 *Paris pendant les deux sièges* - Louis Veuillot

1871 traduction de Herbert Spencer : *Les Premiers principes*

1871 *La Curée* (publ. en feuilletons, suspendue ; publ. en volume 1872) - Émile Zola

1871 *Comédies de marionnettes* - Marc Monnier

1872

1872 *Dictionnaire historique de l'argot,* éd. augmentée des *Excentricités* (...) voir 1859 - Lorédan Larchey

1872 *Actes et Paroles en 1870-1871-1872*
L'Année terrible
- Victor Hugo

1872 *Les Aventures prodigieuses de Tartarin de Tarascon*
L'Arlésienne
- Alphonse Daudet

1872 *Poèmes* - Rimbaud

1872 traductions de Poe par Mallarmé

1872 1er tome de *l'Histoire du* XIXe *s.* (1874, t. II ; 1875, t. III) - Michelet

1872 *Poésies* - Catulle Mendès

1872 *Le Pays des fourrures. - Une fantaisie du docteur Ox. - Le Tour du Monde en quatre-vingt jours* - Jules Verne

1872 *Axël,* premier acte - Villiers de l'Isle Adam

1873

1873 *Contes du lundi* - Alphonse Daudet

1873 achèvement de *Quatre-vingt treize* (publié en 1874) - Victor Hugo

1873 composition et édition de *Une saison en enfer* - Rimbaud

1873 *L'Antéchrist* - Renan

1873 *À mi-côte* - Léon Valade

1873 *Le Ventre de Paris* - Émile Zola

1873 *Bertrand et Raton* - Scribe

1873 *Jean de Thommeray* - Jules Sandeau

1873 *Impressions et souvenirs.* - *Contes d'une grand-mère*, I - George Sand

1873 *L'Hérédité* - Théodule Ribot

1873 premier numéro de *L'Économiste français* (jusqu'en 1938)

1873 premier numéro de *La Nature, revue des sciences et de leurs applications*

1874

1874 *Dictionnaire de la langue française. Abrégé du Dictionnaire de Littré* - Émile Littré, Ambroise-Amédée Beaujean

1874 *Les Pléiades* - Gobineau

1874 *Le Drageoir aux épices* - Huysmans

1874 *L'Esprit nouveau* - Edgar Quinet

1874 *Romances sans paroles.* - écriture de *sonnets* (ils seront publiés dans *Sagesse*) - Verlaine

1874 *L'Île mystérieuse.* - *Le Chancelier* (en feuilleton) - Jules Verne

1874 *La conquête de Plassans.* - *La Faute de l'abbé Mouret* (rédaction ; publ. 1875) - Émile Zola

1874 traduction de Ernst Haeckel : *Histoire de la création des êtres organisés d'après les lois naturelles*

1875 *Actes et Paroles* - Victor Hugo

1875 *La Gaule romaine et l'invasion germanique* - Fustel de Coulanges

1875 Livret de *Carmen* (pour Bizet) - Meilhac et Halévy

1875 *La Chambre du crime* - Eugène Chavette

1875-1882 *Dictionnaire historique de l'ancien langage françois* ou *Glossaire de la langue françoise depuis son origine jusqu'au siècle de Louis XIV...* (10 vol.) - Jean-Baptiste de la Curne de Sainte-Palaye

av. 1876 *Mémoires* (années 1833-1854) (publ. 1927) - Marie d'Agoult

1876

1876 *Nouvelles asiatiques* - Gobineau

1876 *De quelques parisianismes populaires...* - Charles Nisard

1876 *Les Maîtres d'autrefois* - E. Fromentin

1876 *Jack* - Alphonse Daudet

1876 *La Chanson des gueux* - Jean Richepin

1876 *Les Rêveries d'un païen mystique* - Louis Ménard

1876 *L'Après-midi d'un faune* - Mallarmé

1876 *Le Courrier du tsar (Michel Strogoff)* - Jules Verne

1876 écriture de *Jacques Vingtras (l'Enfant)* (paru en feuilleton, 1878) - Jules Vallès

1876 *Son Excellence Eugène Rougon*
L'Assommoir (en feuilleton)
- Émile Zola

1876 premier volume de *Origines de la France contemporaine* (jusqu'en 1891) - Taine

1877

1877 *De la création actuelle des mots nouveaux dans la langue française* - Arsène Darmesteter

1877 Supplément du *Dictionnaire* de Littré (voir 1863)

1877 seconde série de *La Légende des siècles* (écrite à partir de 1869 environ)
L'Art d'être grand-père
Histoire d'un crime
- Victor Hugo

1877 *La Fille Élisa* - Ed. de Goncourt

1877 *L'Orient* - Théophile Gautier

1877 *Trois contes* - Flaubert

1877 premier conte publié par Maupassant, sous pseudonyme

1877 *Les Évangiles* - Renan

1877 *Hector Servadac. - Les Indes noires* (en feuilleton) - Jules Verne

1877 premier volume de la *Faune populaire de la France* 15 vol., jusqu'en 1915 - Eugène Rolland

1877-1878 *Une page d'amour* (en feuilleton) - Émile Zola

1878

1878 *Dictionnaire de l'Académie française. 7e éd. dans laquelle on reproduit pour la première fois les préfaces des six éditions précédentes* (2 vol.)

1878 *Supplément du Dictionnaire universel du* XIXe *s.* de P. Larousse

1878 *Dictionnaire du jargon parisien, l'argot ancien et l'argot moderne* - Lucien Rigaud

1878 *Dictionnaire de la langue verte typographique* - E. Boutmy

1878 *Le Pape* - Victor Hugo

1878 *Le Nabab* - Alphonse Daudet

1878 *Fleurs de bitume* - Jean Richepin

1878 *L'Âge ingrat* - Édouard Pailleron

1878 *Sans famille* - Hector Malot

1878 *Les Mots anglais* - Mallarmé

1878 *Un capitaine de quinze ans* - Jules Verne

1878-1879 publication du « *Théâtre complet* » de Labiche, par l'auteur (il ne retient qu'un tiers de sa production : 57 pièces)

1879-1886 *Lou Tresor dou Felibrige ou Dictionnaire provençal-français embrassant les divers dialectes de la langue d'oc moderne...* (2 vol.) - Frédéric Mistral

1879

1879 *Les Frères Zemganno* - Ed. de Goncourt

1879 *La Pitié suprême* - Victor Hugo

1879 *Les Sœurs Vatard* - Huysmans

1879 *Ompdrailles, le Tombeau-des-Lutteurs* - Léon Cladel

1879 *Aziyadé* - Pierre Loti

1879 *Mémoires d'un révolté* (première version du *Bachelier*) - Jules Vallès

1879 *Nouvelles napolitaines* - Marc Monnier

1879 *Les Cinq Cents Millions de la bégum* (remaniement de *L'Héritage de Langevol*, de Paschal Grousset). - *La Maison à vapeur* - Jules Verne

1879 Début des *Souvenirs entomologiques* (jusqu'en 1901) - J. H. Fabre

1879-1880 *Nana* (en feuilleton) - Émile Zola

1880

1880 *Études et glanures pour faire suite à l'histoire de la langue française* - Émile Littré

1880 *Les Soirées de Médan* - Zola, Huysmans, etc.

1880 *Croquis parisiens* - Huysmans

1880 *Le Mariage de Loti* - Pierre Loti

1880 *Boule de suif* - Maupassant

1880 *Sagesse* - Verlaine

1880 *Le Roman expérimental* - Émile Zola

1880 *Nocturnes* - Léon Valade

1880 *Le Jardin des Rêves* - Laurent Tailhade

1880 *L'Ève nouvelle* (en feuilleton). - *Le Nouveau Monde* - Villiers de l'Isle Adam

1880 *Astronomie populaire* - C. Flammarion

1880 première année des *Archives de neurologie* - J.-M. Charcot

1880 Début de la publication de *Bouvard et Pécuchet* en revue - Flaubert (année de sa mort)

1881

1881 *Le Crime de Sylvestre Bonnard* - A. France

1881 *En ménage* - Huysmans

1881 *Numa Roumestan* - Alphonse Daudet

1881 *Le Roman d'un spahi* - Pierre Loti

1881 *La Maison Tellier* - Maupassant

1881 *Le Monde où l'on s'ennuie* - Édouard Pailleron

1881 *La Glu* - Jean Richepin

1881 *Serge Panine* - Georges Ohnet

1881 *La Misère* (roman) - Louise Michel

1881 *Le Bachelier* - Jules Vallès

1881 *Les Poètes maudits* - Verlaine

1881 *Les Maladies de la mémoire* - Théodule Ribot

1881 *La Parole intérieure, essai de psychologie descriptive* - Victor Egger

1881-1882 *Contributions à l'étude de l'hypnotisme chez les hystériques (...)* - J.-M. Charcot et P. Richet

1881-1883 *De la prononciation française depuis le commencement du* XVIe *siècle (...)* - Charles Thurot

1881-1902 / 1880 T. L. F. *Dictionnaire de l'ancienne langue française et de tous ses dialectes du* IXe *au* XVe *siècle* (10 vol.) - Frédéric Godefroy

1882

1882 *À vau l'au* - Huysmans

1882 *Une histoire sans nom* (en feuilleton; écrit en 1880) - Barbey d'Aurevilly

1882 *Mademoiselle Fifi* - Maupassant

1882 *Le Maître de forges* - Georges Ohnet

1882 rédaction de *Vingtras III* (futur *l'Insurgé*, publié en 1886, posthume) - Jules Vallès

1882 « *Art poétique* » - Verlaine

1882 *L'École des Robinsons. - Le Rayon vert* (en feuilleton) - Jules Verne

1882 *Pot-Bouille* - Émile Zola

1883

1883 *La Légende des siècles* complète *l'Archipel de la Manche* - Victor Hugo

1883 *L'Art moderne* - Huysmans

1883 *Mon frère Yves* - Pierre Loti

1883 *Une vie. - Contes de la bécasse. - Clair de lune* - Maupassant

1883 *Rapport sur l'Ogaden à la société de géographie* - Rimbaud

1883 *Miarka, la fille à l'ourse* - Jean Richepin

1883 *Souvenirs d'enfance et de jeunesse* - Renan

1883 *Les Névroses* - Maurice Rollinat

1883 *Les Maladies de la volonté* - Théodule Ribot

1883 *Kéraban le têtu* - Jules Verne

1883 *Le Colonel Ramollot, recueil de récits militaires* - Charles Leroy

1883 *Le Vingtième Siècle* - Albert Robida

1883 *Au bonheur des dames. - La Joie de vivre* (en feuilleton). - *Naïs Micoulin* (nouvelles) - Émile Zola

1883 *Les Flamands* - Verhaeren

1883 traduction de l'*Utilitarisme* de John Stuart Mill

1883 *Contes cruels* (écrits et publiés en revue de 1867 : « *El Desdichado* » à 1882 : « *Les Brigands* ») - Villiers de l'Isle Adam

1883 *Nouveaux Contes cruels et Propos d'Au-delà* - Villiers de l'Isle Adam

1883 *Traité de géologie* - Albert de Lapparent

1884

1884 *À rebours* *Un dilemme* (en revue) - Huysmans

1884 *Poèmes tragiques* - Leconte de Lisle

1884 *Les Blasphèmes* - Jean Richepin

1884 *Le Vice suprême* (volumes de la *Décadence latine* en 1885, 1887, 1899... 1907) - Joséphin Peladan

1884 *Monsieur Vénus* - Rachilde

1884 *Jadis et naguère* - Verlaine

1884 *La Rue à Londres* - Jules Vallès

1884 *L'Étoile du sud. - L'Archipel en feu* - Jules Verne

1884 *La Joie de vivre* - Émile Zola

1884 *Développement de la méthode graphique par l'emploi de la photogravure* - E. Jules Marey

1884 *La Police parisienne : Le Service de la sûreté*
Autres volumes de *La Police parisienne :* 1885, 1887, 1888, 1889 et jusqu'en 1904
- Gustave Macé

1884 premières chroniques de Jean Lorrain (pour *le Courrier français ;* jusqu'en 1905 dans *le Courrier, l'Événement, l'Écho de Paris, le Journal*)

1884-1890 *Dictionnaire des dictionnaires* (6 vol.)
- sous la direction de Paul Guérin

1884-1885 *Germinal*
Notes sur le Mont-Dore
- Émile Zola

av. 1885 *Le Tableau de Paris* (publ. 1932). - *Un gentilhomme* (publ. 1932)
- Jules Vallès

1885

1885 *Tartarin sur les Alpes*
- Alphonse Daudet

1885 *Le Livre de mon ami*
- A. France

1885 derniers articles et mort de l'auteur
- Vallès

1885 *Les Complaintes*
- Jules Laforgue

1885 *Bel-Ami*
Monsieur Parent
Contes du jour et de la nuit
- Maupassant

1885 *Prose pour des Esseintes*
Richard Wagner (...)
- Mallarmé

1885 *Mathias Sandorf* - Jules Verne

1885 *Les Maladies de la personnalité* - Théodule Ribot

1885 premier volume de la *Grande Encyclopédie, inventaire raisonné des sciences, des lettres et des arts (...)* (dir. par Marcellin Berthelot, H. Derenbourg, etc.) 31 vol. jusqu'en 1902

1885 *Les Déliquescences*
- Adoré Floupette (Gabriel Vicaire et Henri Beauclair)

1886 Publications posthumes de Hugo (datables av. 1885, date de sa mort)
Les premières sont *La Fin de Satan, Théâtre en liberté ;* puis : *Toute la lyre* (1888-1893), *Dieu* (1891)

1886 *L'Imitation de Notre-Dame la lune* - Jules Laforgue

1886 *Pêcheur d'Islande* - Pierre Loti

1886 *Mémoires* - Louise Michel

1886 *Les Illuminations* (et *Une saison en enfer*) publiés
- Rimbaud

1886 *Le Thé chez Miranda*
- Jean Moréas et Paul Adam

1886 *L'Abesse de Jouarre* (publ. 1888) - Renan

1886 *Mémoires* - Louise Michel

1886 *Nerte (Nerto)* - Mistral

1886 *Mémoires d'un veuf* - Verlaine

1886 *Cueille d'avril* (premiers vers)
- Viellé-Griffin

1886 *L'Ève future. - L'Évasion. - Akëdysseril. - L'Amour suprême*
- Villiers de l'Isle Adam

1886 *Un billet de loterie. - Robur le Conquérant*
- Jules Verne

1886 *L'Œuvre* (en feuilleton)
- Émile Zola

1886 *La France juive*
- Édouard Drumont

1886 *Cantilènes* - Jean Moréas

1886 *Lazare. - Le Bouc émissaire*
- Saint-Pol-Roux

1886-1887 *Le Horla* - Maupassant

1886-1887 revues symbolistes : *La Pléiade, Le Décadent, Le Symbolisme,* etc

1887

1887 *Les Lauriers sont coupés*
- É. Dujardin

1887 *Le Train de 8 h 47* - Courteline

1887 *En rade* - Huysmans

1887 *Le Désespéré* - Léon Bloy

1887 *Madame Chrysanthème*
- Pierre Loti

1887 *Mont-Oriol* - Maupassant

1887 *La Légende d'un peuple*
- Louis Fréchette

1887 *Album de vers et de prose*
Les Poésies de Stéphane Mallarmé
- Mallarmé

1887 *Tribulat Bonhommet*
- Villiers de l'Isle Adam

1887 *Les Soirs* - Verhaeren

1887 *La Terre* (rédaction; publ. en feuilleton et en volume, 1888)
- Émile Zola

1887 *Étude de la locomotion animale par la chronophotographie* - É. Jules Marey

1887 premier volume du *Glossaire archéologique du moyen âge et de la Renaissance* (t. 2, 1928)
- Victor Gay

1887 début des *Annales de l'Institut Pasteur*
(Journal de microbiologie)

1887-1890 *Dictionnaire de l'Ameublement et de la Décoration depuis le* XIIIe *s. jusqu'à nos jours* (4 vol.)
- Henry Havard

1888

1888 *Le Roman. - Pierre et Jean. - Sur l'eau. - Le Rosier de madame Husson*
- Maupassant

1888 *Les Drames philosophiques*
- Renan

1888 *Nouveaux Contes cruels* (publ. en revue cette même année)
Histoires insolites (publ. en revue à partir de 1883)
- Villiers de l'Isle Adam

1888 *Amour* - Verlaine

1888 *Le Rêve* - Émile Zola

1888 *De la classification des sciences*
deuxième éd. : *Nouvelle classification*, 1901
- Henri Adrien Naville

1888 *Petit Glossaire pour servir à l'intelligence des auteurs décadents et symbolistes*
- Paul Adam

1888 début du *Journal* (jusqu'en 1910) - Jules Renard

1888 à **1890** deuxième Supplément au *Dictionnaire Universel du* XIXe *s.* de P. Larousse

1889

1889 *Le Disciple* - Paul Bourget

1889 *Fort comme la mort*
- Maupassant

1889 *Le Sens de la vie* - Édouard Rod

1889 *La Littérature de tout à l'heure*
- Charles Morice

1889 *Serres chaudes* (poèmes). - *La Princesse Maleine* (pièce)
- Maeterlinck

1889 *Parallèlement* - Verlaine

1889 *Psychologie de l'attention*
- Théodule Ribot

1889 *Sports athlétiques. - Jeux et Exercices en plein air*
- G. de Saint-Clair

1889 *Étude sur l'argot français*
- Marcel Schwob

1889 *Spicilège* - Marcel Schwob

1889 *Les Grands Initiés*
- Édouard Schuré

1889 premier numéro de la *Revue blanche* (jusqu'en 1903)

1889 première année du *Journal* (tous les ans jusqu'à sa mort, en 1951) - Gide

1889-1890 *La Bête humaine* (en feuilleton) - Émile Zola

1889-1890 *Traité d'Anatomie humaine* (première éd.)
- Jean-Léo Testut

1890

1890 *Tête d'or* (1re version) - Claudel

1890 *Moralités légendaires* (posthume) - Jules Laforgue

1890 *La Vie errante. - L'Inutile Beauté. - Notre cœur*
- Maupassant

1890 *Poèmes anciens et romanesques* - Henri de Régnier

1890 *Les Musardises* (poèmes)
- Edmond Rostand

1890 *Dédicaces. - Femmes*
- Verlaine

1890 *César Cascabel. - Souvenirs d'enfance et de jeunesse* (publ. posthumes)
- Jules Verne

1890 *L'Évolutionnisme des idées-forces* - Alfred Fouillée

1890 première année de la *Revue générale des sciences pures et appliquées*

1890-1900 1889-1901 selon T. L. F. *Dictionnaire général de la langue française du commencement du XVIIe s. jusqu'à nos jours...* (2 vol.) - Adolphe Hatzfeld, Arsène Darmesteter, avec le concours d'Antoine Thomas

1891

1891 *Là-bas* - Huysmans

1891 *L'Argent. - La Débâcle* (rédaction) - Émile Zola

1891 *Le Moulin du Frau* - Eugène Le Roy

1891 *La Force des choses* - Paul Margueritte

1891 *Enquête sur l'évolution littéraire* - Jean Huret

1891 *Le Pélerin passionné* - Jean Moréas

1891 « *Narcisse parle* » - Paul Valéry

1891 *Bonheur. - Les Uns et les Autres. - Chansons pour elle* - Verlaine

1891 *L'Évasion* - Villiers de l'Isle Adam

1891 *Les Flambeaux noirs* - Verhaeren

1891 *Mistress Branican* - Jules Verne

1891 *L'Argent* (en feuilleton) - Émile Zola

1891 *Au pays du mufle* - Laurent Tailhade

1891 première année des *Annales de géographie* - Vidal de la Blache, Gallois, de Margerie

1892

1892 *Les Poésies d'André Walter* - Gide

1892 *Bruges-la-Morte* - Georges Rodenbach

1892 *L'Écornifleur* - Jules Renard

1892 *Pelléas et Mélisande* - Maeterlinck

1892-1893 textes publiés dans *le Banquet* (repris dans *les Plaisirs et les Jours* (1896) - Proust

1892 *Les Cygnes* - Viellé-Griffin

1892 *Le Château des Carpathes. - Claudius* - Jules Verne

1892 *Mes hôpitaux. - Liturgies intimes - Verlaine*

1892 *La Débâcle* - Émile Zola

1892 *Le Cyclisme théorique et pratique* - L. Baudry de Saulnier

1892 première année du *Journal* de Léon Bloy (tous les ans jusqu'en 1917)

1892-1893 *La Rôtisserie de la Reine Pédauque* - A. France

1893

1893 *Messieurs les ronds-de-cuir* - Courteline

1893 première année du *Journal littéraire* (tous les ans jusqu'en 1956) - Paul Léautaud

1893 *Coquecigrues* - Jules Renard

1893 traduction des *Contes indiens* de Mary Summer (publ. 1927) - Mallarmé

1893 *En famille* - Hector Malot

1893 *Élégies. - Odes en son honneur. - Mes prisons* - Verlaine

1893 *Le Docteur Pascal* (en feuilleton) - Émile Zola

1893 *Les Campagnes hallucinées* - Verhaeren

1893 *La Chevauchée d'Yeldis* - Viellé-Griffin

1893 *La Vie privée de Michel Tessier* - Édouard Rod

1893 *Reposoirs de la procession* (vol. en 1901, 1904, 1907) - Saint-Pol-Roux

1893 *Madame Sans-Gêne* - Victorien Sardou

1893 *Krishna, esquisse d'une histoire secrète des religions* - Édouard Schuré

1893 *La Spelaeologie* (dans l'*Association française pour l'avancement des sciences,* 1893, II) - Édouard Alfred Martel

1893 premier *Catalogue de la Manufacture française d'armes de Saint-Étienne* (annuel) (après 1911 : *Catalogue de la Manufacture française d'armes et de cycles de Saint-Étienne*)

1893 début de la publication de l'*Histoire générale du IVe siècle à nos jours* (jusqu'en 1900)
- Lavisse et Rambaud

1893-1894 premières publications d'A. Jarry (dont *César-Antéchrist*)

1894

1894 *Dictionnaire d'argot et des principales locutions populaires* - Jean La Rue

1894 *L'Argot de l'X... La Vie à l'École polytechnique*
- Albert Lévy, Gaston Pinet

1894 *Le Lys rouge. - Le Jardin d'Epicure*
- A. France

1894 *Le Mariage de chiffon* - Gyp

1894 *Les Morticoles* - Léon Daudet

1894 *Histoire de la littérature française* - Gustave Lanson

1894 *Les Chansons de Bilitis*
- Pierre Louÿs

1894 *Poil de Carotte* - Jules Renard

1894 *Les Demi-vierges*
- Marcel Prévost

1894 articles dans *le Gaulois*
- Proust

1894 *Dans les limbes. - Épigrammes*
- Verlaine

1894 *Lourdes* - Émile Zola

1894 première édition du *Dictionnaire français-allemand* de Carl Sachs et Césaire Villate

1894 *Le Livre de Monelle*
- Marcel Schwob

1894 *Dictionnaire d'argot fin de siècle* - Charles Virmaître

1894 premier *Cahier* de Valéry (tous les ans jusqu'en 1945)

1894 première année de l'*Almanach Hachette*

av. 1895 *Œuvres* de Pasteur (publ. 1922-1939)

1895

1895 *Paludes* - Gide

1895 *La Petite Classe* - Jean Lorrain

1895 *Les Villes tentaculaires*
- Verhaeren

1895 *Les Confessions.* - Préface aux *Poésies complètes* de Rimbaud
- Verlaine

1895 *L'Île à hélice* (en feuilleton)
- Jules Verne

1895 *Introduction à la méthode de Léonard de Vinci*
- Paul Valéry

1895 traduction de *Moll Flanders* de De Foë
- Marcel Schwob

1895 Première *Année biologique*

1895-1896 *Rome* (en feuilleton)
- Émile Zola

1896

1896 *Les Livre des masques*
- R. de Gourmont

1896 publication des t. VII, VIII et IX du *Journal*
- Goncourt

1896 *Ubu roi. - L'Autre Alceste. - Les Paralipomènes d'Ubu*
- Jarry

1896 *Aphrodite* - Pierre Louÿs

1896 *Les Hortensias bleus*
- Robert de Montesquiou

1896 écriture des poèmes d'Émile Nelligan (jusqu'en 1899)

1896 *Histoires naturelles*
- Jules Renard

1896-1899 rédaction du roman autobiographique publié en 1952 sous le titre de *Jean Santeuil*
- Proust

1896 *Face au drapeau. - Clovis Dardentor*
- Jules Verne

1896 *La Soirée avec Monsieur Teste*
- Paul Valéry

1896 *Psychologie des sentiments*
- Théodule Ribot

1896 *La Natation* - G. de Saint-Clair

1896 *Dictionnaire argot-français et français-argot*
- Georges Delesalle

1896 premiers *Cahiers* (tous les ans jusqu'en 1922)
- Maurice Barrès

1896 premier volume de *La Flore populaire de la France* (11 tomes, jusqu'en 1914)
- Eugène Rolland

1896 ou **1897-1907** *Nouveau Larousse illustré. Dictionnaire universel encyclopédique* (8 vol.)
- Publié sous la direction de Claude Augé

1897

1897 *Essai de sémantique. Science des significations* - Michel Bréal

1897 *L'Orme du mail* - A. France

1897 *Les Nourritures terrestres* - Gide

1897 *La Femme pauvre* - Léon Bloy

1897 *Les Déracinés* (en feuilleton) - Barrès

1897 *Les Jours et les Nuits* - A. Jarry

1897 *Les Soliloques du pauvre* - Jehan Rictus

1897 *Jeanne d'Arc* (drame) - Péguy

1897 *Le Plaisir de rompre* (pièce) - Jules Renard

1897 *Cyrano de Bergerac* - Edmond Rostand

1897 *La Nichina* - Hugues Rebell

1897 *Un coup de dés* - Mallarmé

1897 *Jeux rustiques et divins* - Henri de Régnier

1897 *Le Sphinx des glaces* - Jules Verne

1897 premier volume de : *Principes de phonétique expérimentale* (deuxième vol. 1908) - abbé Rousselot

1897 *Les Tramways électriques* - Henri Maréchal

av. 1898 Œuvres de Mallarmé

1898

1898 *Le Voleur* - Darien

1898 *Le Pain de ménage* (pièce) - Jules Renard

1898 *La Cathédrale* - Huysmans

1898 *De l'angélus de l'aube à l'angélus du soir* - Francis Jammes

1898 *La Femme et le Pantin* - Pierre Louÿs

1898 *La Commune, histoire et souvenirs* - Louise Michel

1898 *Poésies* - Jean Moréas

1898 *La Sagesse et la Destinée* - Maeterlinck

1898 *Aërt. - Les Loups* - Romain Rolland

1898 *Paris. - « J'accuse »* - Zola

1898 *Les lois sociales, esquisse d'une sociologie* - Jean-Gabriel de Tarde

1899

1899 *Dictionnaire des termes techniques de médecine...* - Marcel Garnier, Valéry Delamare
1941 13e éd. par Jean Delamare
1972 19e éd. revue et augm. par Jean Delamare et Jacques Delamare

1899 *Esthétique de la langue française* - R. de Gourmont

1899 *La Dame de chez Maxim's* - Feydeau

1899 *Clara d'Ellébeuse* - Francis Jammes

1899 *L'Amour absolu* - A. Jarry

1899 *Jacquou le Croquant* - Eugène Le Roy

1899 *Stances* - Jean Moréas

1899 *Le Jardin des supplices* - Octave Mirbeau

1899 articles de Péguy dans la *Revue blanche*

1899 *Le Testament d'un excentrique* - Jules Verne

1899 *Fécondité* - Émile Zola

1899 *Aimienne ou le détournement de mineure* - Jean de Tinan

1899 *L'Automobile théorique et pratique* - L. Baudry de Saulnier

1899 *Les Ondes électriques et la Télégraphie sans fil* - J. Boulanger et G. Ferrié

1899 *L'Art religieux du XIIIe siècle en France* - Émile Mâle

1899 traduction des *Mille et Une Nuits* par Mardrus (jusqu'en 1904)

v. 1900 publication complète, en 1 ou 2 vol. du *Dictionnaire général* ; voir 1890-1900

1900

1900 *Claudine à l'école* (signé Willy) - Colette

1900 *Ubu enchaîné. - Messaline* (en revue) - A. Jarry

1900 *Quand j'étais photographe* - Nadar

1900 *Le Journal d'une femme de chambre* - Octave Mirbeau

1900 *La Camarra* - Hugues Rebell

1900 *Danton* (pièce) - Romain Rolland

1900 *L'Aiglon* - Edmond Rostand

1900 *Imbéciles et gredins* - Laurent Tailhade

1900 *Traité des turbo-machines (...)* - François Rateau

xxe siècle

1900-1901 première édition du *Traité élémentaire de droit civil* - Marcel Planiol

1900-1901 *Travail* - Zola

1900-1903 articles et « *Salons* » dans *le Figaro* - Proust

1900 premier numéro des *Cahiers de la quinzaine* (tous les ans jusqu'en 1914) - Péguy

1900 premier numéro de *l'Auto* (alors *l'Auto-Vélo* : 1900-1903) - Tous les ans jusqu'en 1944

1901

1901 *Dictionnaire français-argot* - A. Bruant

1901 *M. Bergeret à Paris* - A. France

1901 *Le Surmâle* - A. Jarry

1901 *Monsieur de Phocas* - Jean Lorrain

1901 *Anthinéa. - D'Athènes à Florence* - Maurras

1901 *La Vie des abeilles* - Maeterlinck

1901 *Le Cœur innombrable* - Anna de Noailles

1901 *Bubu de Montparnasse* - Charles-Louis Philippe

1901 *Image de la grandeur* - André Suarès

1901 premier volume de l'*Histoire socialiste de la Révolution française* (10 vol. jusqu'en 1908) - Jean Jaurès et coll.

1902

1902 *Le Problème du style* - R. de Gourmont

1902 *L'Exégèse des lieux communs* - Léon Bloy

1902 *L'Immoraliste* - Gide

1902 *Symbolistes et Décadents* - Gustave Rolin

1902 *Le Père Perdrix* - Charles-Louis Philippe

1902 *Les Nuits chaudes du Cap-Français* - Hugues Rebell

1902 *La Cité des eaux* - Henri de Régnier

1902 *Les Forces tumultueuses* - Verhaeren

1902 *La Science et l'Hypothèse* - Henri Poincaré

1902 *Vérité* - Zola

1902 *Lettres à Françoise* (jusqu'en 1912) - Marcel Prévost

1902 premier fascicule du *Vocabulaire technique et critique de la philosophie* (24 fasc. jusqu'en 1922) - André Lalande

1902 *Causeries genevoises* - Philippe Monnier

1902 *Symbolistes et décadents* - Gustave Kahn

1902 *Dingley, l'illustre écrivain* - Jérôme et Jean Tharaud

1902 *La Maison du péché* - Marcelle Tinayre

1902 *Essai sur l'Église et l'État* - Georges Sorel

1902-1904 *Les Pardaillan* - Michel Zévaco

1903

1903 *L'Oblat* - Huysmans

1903 *Physique de l'amour* - R. de Gourmont

1903 *Le Petit Ami* - Paul Léautaud

1903 *L'Inde sans les Anglais* - Pierre Loti

1903 *Force ennemie* (premier prix Goncourt) - John Antoine Nau

1903 *Les Affaires sont les affaires* (pièce) - Octave Mirbeau

1903 *La Vie de Beethoven.* - *Le Théâtre du peuple* - Romain Rolland

1903 *La Morale et la science des mœurs* - Lucien Lévy-Bruhl

1903 *Le Personnalisme* - Charles Renouvier

1903 *Les Obsessions et la Psychasthénie* - Pierre Janet

1903 début de la rédaction de *Jean-Christophe* (jusqu'en 1912) - Romain Rolland

1904

1904 *La Vie d'un simple* - Émile Guillaumin

1904 *Un divorce* - Paul Bourget

1904 *La Maternelle* - Léon Frapié

1904 traduction et préface de la *Bible d'Amiens* de Ruskin - Proust

1904 *Le Livre de Blaise* - Philippe Monnier

1904 première année du *Journal* (jusqu'en 1955) - Claudel

1905

1905 *Petit Larousse illustré, nouveau dictionnaire encyclopédique* (réfection du *Dictionnaire complet,* puis *complet illustré* de Pierre Larousse)

1905 *L'Epaulette* - Darien

1905 *Poèmes* - Charles Vildrac

1905 *Voici l'homme* - André Suarès

1905 *Mon amie Nane* - Paul-Jean Toulet

1905 *Psychologie de l'enfant et pédagogie expérimentale* (éd. augmentées 1909, 1911, 1916) - E. Claparède

1905 *La valeur de la science* - Henri Poincaré

1905 *Le Football Association* - Édouard Pontié

1905 premier volume de l'*Histoire de l'Art* (18 vol. jusqu'en 1929) - André Michel

1906

1906 *Les Foules de Lourdes* - Huysmans

1906 *Amours* - Paul Léautaud

1906 *Fil de fer* - Jehan Rictus

1906 *La Vie de Michel-Ange.* - *La Révolte* - Romain Rolland

1906 *La Multiple splendeur* - Verhaeren

1906 *Le Capitan* - Michel Zévaco

1906 *Encyclopédie sportive illustrée, Les Sports modernes illustrés* - dir. par P. Marcou, G. Voulguin

1906 *Le Canada.* - *Les deux races (...)* - André Siegfried

1907

1907 *Supplément* du *Nouveau Larousse illustré*

1907 *Les Exploits d'un jeune don Juan*
Les Onze Mille Verges (anonyme)
- Apollinaire

1907 *Connaissance de l'Est.* - *L'Art poétique* - Claudel

1907 *Les Circonstances de la vie* - Ramuz

1907 *La 628-E 8* - Octave Mirbeau

1907 *Arsène Lupin, gentleman cambrioleur* (les *Arsène Lupin* se succèderont jusqu'en 1935) - Maurice Leblanc

1907 *Le Mystère de la chambre jaune* (la série des *Rouletabille* se poursuit jusqu'en 1920) - Gaston Leroux

1907 *Les vues cinématographiques* (in *Annuaire de la photographie*) - Georges Méliès

1907 premier volume du *Traité de géologie* (3 vol., le dernier en 1911) - Émile Haug

1907-1908 articles et pastiches au *Figaro* - Proust

1907-1957 *Larousse mensuel illustré, revue encyclopédique universelle*

1908

1908 *Les Contes de Jacques Tournebroche*
L'Île des pingouins
- A. France

1908 *Les Vrilles de la vigne* - Colette

1908 *Occupe-toi d'Amélie* - Feydeau

1908 *Barnabooth* (1re version) - Valery Larbaud

1908 premiers articles de François Mauriac

1908 premier numéro de *la Nouvelle Revue française* (tous les ans jusqu'en 1940)

1908 *Mots d'écrit* - Jules Renard

1908 *Ragotte* - Jules Renard

1908 *À la manière de...* 1er vol. (puis 1910, 1913) - Paul Reboux et Charles Muller

1908 *Musiciens d'aujourd'hui. - Musiciens d'autrefois* - Romain Rolland

1908 *La Vie unanime* - Jules Romains

1908 *Le Village dans la montagne* - Ramuz

1908 *Ensor* (essai) - Verhaeren

1908 *Le Bouclier du zodiaque* - André Suarès

1908 *Les Illusions du Progrès* - Georges Sorel

1908 *Poèmes juifs, versets* - André Spire

1908 *Réflexions sur la violence* - Georges Sorel

1908 *La Morale des idées-forces* - Alfred Fouillée

1908 premier numéro d'*Aéro* (jusqu'en 1914; puis 1932-1940)

1908-1909 *Traité de géographie physique* - Emmanuel de Martonne

1908-1909 *Le Prisonnier de la planète Mars*
La Guerre des Vampires - Gustave Le Rouge

1908-1914 *Enfantines* (en revues) - Valery Larbaud

1908-? rédaction de *Contre Sainte-Beuve* (publ. 1954) - Proust

1909

1909 *La Porte étroite* - Gide

1909 *Provinciales* - Giraudoux

1909 *La Bataille* - Claude Farrère

1909 *Manifeste de fondation du futurisme* - Marinetti

1909 *Théâtre de la Révolution* - Romain Rolland

1909 rédaction du *Mystère de la charité de Jeanne d'Arc* (publié dans les *Cahiers de la Quinzaine* en 1910) - Péguy

1909 *Cours d'économie politique* - Charles Gide

1910

1910 *L'Hérésiarque et Cie* - Apollinaire

1910 *La Vagabonde* - Colette

1910 *Le Fantôme de l'Opéra* - Gaston Leroux

1910 *La Mort de la Terre* - J. H. Rosny

1910 *De Goupil à Margot* - Louis Pergaud

1910 *Impressions d'Afrique* - Raymond Roussel

1910 *Chantecler* - Edmond Rostand

1910 *Les Fonctions mentales dans les sociétés inférieures* - Claude Lévy-Bruhl

1910 *La Géographie humaine* - Jean Brunhes

1910 premières *Contrerimes* (jusqu'en 1920; publ. en recueil 1921) - Paul-Jean Toulet

1911

1911 Publication de *l'Otage* - Claudel

1911 Publication posthume de *Gestes et Opinions du docteur Faustroll* - A. Jarry

1911 *Fermina Marquez* - Valery Larbaud

1911 *Études* - Jacques Rivière

1911 *La Guerre du feu* - J. H. Rosny

1911 *Mort de quelqu'un. - Puissances de Paris* - Jules Romains

1911 *Aimé Pache, peintre vaudois* - Ramuz

1911 première partie du *Voyage du Condottiere* - André Suarès

1911 *La Maîtresse servante* - Jérôme et Jean Tharaud

1911 *Éloges* - Saint-John Perse

1912

1912 *L'Habit vert* - De Flers et Caillavet

1912 *Les dieux ont soif* - A. France

1912 *L'Enfant chargé de chaînes* - François Mauriac

1912 *Ave maris stella* - Germain Nouveau

1912 *Miguel Manara* - O. V. de Lubicz Milosz

1912 publication du dernier volume de *Jean-Christophe* - Romain Rolland

1912 *La Guerre des boutons* - Louis Pergaud

1912 *Le Mystère des saints Innocents*
La Tapisserie de sainte Geneviève et de Jeanne d'Arc
- Péguy

1912 *Essais de critique générale*
premier essai : *Traité de logique générale et de logique formelle* (2 vol.)
deuxième essai : *Psychologie rationnelle*
- Charles Renouvier

1912 *La Fête arabe* - Jérôme et Jean Tharaud

1912 *Tendres Canailles* (roman) - André Salmon

1912 *Stèles* - Victor Segalen

1912 *Le langage parisien au* XIXe *siècle* - Lazare Sainéan

1913

1913 *La Prose du Transsibérien* - Cendrars

1913 *La Colline inspirée* - Barrès

1913 *Alcools*. - *Les Peintres cubistes* - Apollinaire

1913 2e version de *Barnabooth* - Valery Larbaud

1913 *Jean Barois* (écrit 1910-1912) - Martin du Gard

1913 *Dingo* - Octave Mirbeau

1913 *Traduction des Hain-Tenys Mérinas* - Jean Paulhan

1913 *Le Roman de Miraut, chien de chasse* (en feuilleton) - Louis Pergaud

1913 *La Tapisserie de Notre-Dame*
Sainte Geneviève, patronne de Paris
Ève
- Péguy

1913 *Trois hommes (Pascal, Ibsen, Dostoïevsky)* - André Suarès

1913 *Du côté de chez Swann* (extraits publ. dans le *Figaro* en 1912 ; œuvre commencée en 1909) - Proust

1913 *Chéri-Bibi* (série continuée jusqu'en 1925) - Gaston Leroux

1913 *Technique clinique médicale et séméiologie élémentaire* - Émile Sergent

1913 premier numéro de *La Science et la Vie* (1944 : *Science et Vie*)

1914

1914 *Les Caves du Vatican*
Souvenirs de la cour d'assises
traduction de *l'Offrande lyrique* de Tagore
- Gide

1914 *Maria Chapdelaine* (en feuilleton) - Louis Hémon

1914 *Le Poète assassiné* - Apollinaire

1914 *La Robe prétexte* - François Mauriac

1914 *Le Cœur populaire* - Jehan Rictus

1914 *L'Exil* (publié en 1929) - Montherlant

1914 *Les Travaux et les Jeux* - Vincent Muselli

1914 *Colas Breugnon* (publ. 1919) - Romain Rolland

1914 *La Nouvelle Revue française* publie des extraits de *Le Côté de Guermantes* - Proust

1914 *Locus solus* - Raymond Roussel

1914 *Raison d'être* - Ramuz

1914 premiers *Carnets* (jusqu'en 1918) - Jacques Rivière

1914 première année des *Annales de physique* (séparées des *Annales de chimie et de physique*)

1914 premier numéro des *Cahiers vaudois*

1915

1915 *L'Étang de Berre* - Maurras

1915 *Au-dessus de la mêlée* - Romain Rolland

1915 *La Guerre dans le haut pays* - Ramuz

1916

1916 *La Lucarne ovale* - Pierre Reverdy

1916 *Peintures* - Victor Segalen

1916 *La Première Aventure céleste de M. Antipyrine* - Tristan Tzara

1916 *Cours de linguistique générale* - Ferdinand de Saussure

1916-1917 *Poèmes nègres et poèmes simultanés* - Tristan Tzara

1917

1917 *Le Cornet à dés* - Max Jacob

1917 Création de *Nord-Sud*, revue littéraire

1917 *Le Guerrier appliqué* - Paulhan

1917 *Le Grand Printemps* - Ramuz

1917 *La Jeune Parque* - Paul Valéry

1918

1918 Feuilletons du *Mystérieux docteur Cornélius* - Gustave Le Rouge

1918 *Les Silences du colonel Bramble* - A. Maurois

1918 *À l'ombre des jeunes filles en fleurs* - Proust

1918 *Traité de logique* - Edmond Goblot

1918-1919 *Les Signes parmi nous* - Ramuz

1918-1919 *La Jeune fille verte* - Paul-Jean Toulet

av. 1919 *René Leys* (publ. 1921). - *Odes* (publ. 1926). - *Équipée. De Pékin aux marches thibétaines* (publ. 1929) - Victor Segalen

1919

1919 *Le Poilu tel qu'il se parle. Dictionnaire des termes populaires récents et neufs employés aux armées en 1914-1918, étudiés dans leur étymologie, leur développement et leur usage* - Gaston Esnault

1919 *La Symphonie pastorale* - Gide

1919 *Mitsou* - Colette

1919 *Les Croix de bois* - R. Dorgelès

1919 *Le Cabaret de la belle femme* - R. Dorgelès

1919 *Pastiches et mélanges* Préface de *De David à Degas* de Jacques-Émile Blanche - Proust

1919 *Liluli.* - *Voyage musical au pays du passé* - Romain Rolland

1919 *Pensées sans langage* - Picabia

1919 *Lettres de guerre* - Jacques Vaché

1919 *La Pythie.* - *Fragments de Narcisse* - Paul Valéry

av. 1920 *Valentines* (publié en 1922) - Germain Nouveau

av. 1920 *Lettres à soi-même* (publ. 1927) Correspondance (avec Debussy ; publ. 1929) - Paul-Jean Toulet

1920

1920 *Le Langage populaire. Grammaire, syntaxe et dictionnaire du français tel qu'on le parle dans le peuple de Paris* - Henri Bauche

1920 premier volume de *Vie et Aventures de Salavin* (1920-1932) - G. Duhamel

1920 *Les Champs magnétiques* - André Breton et Philippe Soupault

1920 *Chéri* - Colette

1920 *La Relève du matin* - Montherlant

1920 *Les Chansons et les Heures* - Marie Noël

1920 *Chant de notre Rhône* - Ramuz

1920 *Les Joues en feu* (poème) - Radiguet

1920 *La Muse au cabaret* - Raoul Ponchon

1920 *Cromedeyre-le-Vieil.* - *Donogoo-Tonka.* - *La Vision extra-rétinienne (...)* - Jules Romains

1920 *Le Côté de Guermantes, I* - Proust

1920 *Unique eunuque.* - *Jésus-Christ rastaquouère* - Picabia

1920 *Cinéma calendrier du cœur abstrait* - Tristan Tzara

1920 *Le Cimetière marin.* - *Odes.* - *Album de vers anciens* - Paul Valéry

1920 *Le Paquebot « Tenacity »* - Charles Vildrac

1920 *Contes de Béhanzigue* - Paul-Jean Toulet

1920 *La Négresse du Sacré-Cœur* - André Salmon

1920 *Omnium agricole* - dir. Henry Sagnier

1920-1922 *Histoire de France contemporaine* - Lavisse

1921

1921 *L'Anthologie nègre* - Cendrars

1921 *Le Laboratoire central* - Max Jacob

1921 *Suzanne et le Pacifique* - Giraudoux

1921 *Batouala* - René Maran

1921 *Le Côté de Guermantes, II* *Sodome et Gomorrhe, I* *« A propos de Baudelaire »* - Proust

1921 *Le Pont traversé.* - *Aytré qui perd l'habitude* - Paulhan

1921 *Ébauche d'un serpent.* - *Eupalinos* - Paul Valéry

1921 *Six Hommes morts* - Stanislas-André Steeman

1921 *Le Langage, introduction linguistique à l'histoire* - Joseph Vendryes

1921 Première année du *Journal* (tous les ans jusqu'en 1935) - Charles du Bos

1921 premier numéro de *Les Ailes* (jusqu'en 1963)

av. 1922 *Le Temps retrouvé* (publ. 1927) - Proust

av. 1922 *Albertine disparue (la Fugitive)* Publ. 1925 - Proust

1922

1922 *Le Stupide* XIXe *Siècle* - Léon Daudet

1922 *Siegfried et le Limousin* - Giraudoux

1922 *Tragiques* - P.-J. Jouve

1922 *Silbermann* - Jacques de Lacretelle

1922 *Le Cahier gris* et *Le Pénitencier* (1ers volumes des *Thibault*) - Martin du Gard

1922 *La Garçonne* - Paul et Victor Margueritte

1922 *Les Discours du docteur O'Grady* - A. Maurois

1922 *La Hausse et la Baisse* (retitré en 1926 *Bernard Quesnay*) - A. Maurois

1922 *Le Baiser au lépreux* - François Mauriac

1922 *Le Songe* - Montherlant

1922 *Ouvert la nuit* - Paul Morand

1922 *Aimée* (roman) - Jacques Rivière

1922 *Lucienne* - Jules Romains

1922 *Sodome et Gomorrhe II* - Proust

1922 premier volume de *Gaspard des Montagnes* (autres volumes : 1924, 1928, 1931) - Henri Pourrat

1922 *Annette et Sylvie* - Romain Rolland

1922 *Cravates de chanvre* - Pierre Reverdy

1922 *La Séparation des races* - Ramuz

1922 *Faune noir* (poèmes) - Roger Vitrac

1922 *Le Principe de relativité* - Paul Langevin

1922 *La Terre et l'Évolution humaine* - Lucien Febvre

1922-1923 Le *Larousse universel* en 2 volumes

av. 1923 *Le Bal du comte d'Orgel* (publ. 1924, posthume) - Radiguet

1923

1923 *Le Blé en herbe* - Colette

1923 *Thomas l'Imposteur* - Cocteau

1923 *Monsieur Godeau intime* - Jouhandeau

1923 *L'Équipage* - Joseph Kessel

1923 *Au bagne* - Albert Londres

1923 *Le Fleuve de feu.* - *Génitrix* - François Mauriac

1923 *Fermé la nuit* - Paul Morand

1923 *La Prisonnière* - Proust

1923 *Le Diable au corps* (écrit 1919-22) - Radiguet

1923 *Monsieur le Trouhadec saisi par la débauche* - Jules Romains

1923 *Le Cœur à gaz* - Tristan Tzara

1923 *Le Vagabond sentimental* - T'Serstevens

1923 *L'Homme de la pampa* - Jules Supervielle

1923 *Le Bon Apôtre. - À la dérive* - Philippe Soupault

1924

1924 *Le Potomak* - Cocteau

1924 *Pas perdus. - Manifeste du surréalisme. - Poisson soluble* - André Breton

1924 *Mourir de ne pas mourir* - Paul Eluard

1924 *Corydon* - Gide

1924 *Le Mal* - François Mauriac

1924 *Les Olympiques. - Chant funèbre pour la mort de Verdun* - Montherlant

1924 *Lewis et Irène* - Paul Morand

1924 *Ars Magna* - O. V. de Lubicz Milosz

1924 *Mahatma Ghandi* - Romain Rolland

1924 *Knock ou le Triomphe de la médecine* - Jules Romains

1924 *Fragments sur Mallarmé. - Variété* - Paul Valéry

1924 *Sept Manifestes dada* (collectif)

1924 *Toi qui pâlis au nom de Vancouver* - Marcel Thiry

1924 *Anabase* - Saint-John Perse

1924 *Les Frères Durandeau* - Philippe Soupault

1924 *L'An prochain à Jérusalem* - Jérôme et Jean Tharaud

1924 *Précis de physique d'après les théories modernes* A. Boutaric

1924 *Le Langage et la Pensée* - Henri Delacroix

1924-1925 *Nouveau Dictionnaire de Sciences et de leurs applications* - Paul Poiré, Edmond et Rémy Perrier, Alexandre Joannis

1925

1925 *Battling Malone, pugiliste* - Louis Hémon

1925 *152 proverbes mis au goût du jour* - Paul Eluard et Benjamin Perret

1925 *Ce vice impuni, la lecture. - Domaine anglais* - Valery Larbaud

1925 *Paulina 1880* - P.-J. Jouve

1925 *Royaume farfelu* (dans *Indochine*, signé Maurice Sainte-Rose) - Malraux

1925 *Le Désert de l'amour* - François Mauriac

1925 *L'Europe galante* - Paul Morand

1925 *Les Navigateurs de l'infini* - J. H. Rosny

1925 *Marguerite de la nuit* - P. Mac Orlan

1925 *Débarcadères. - Gravitations* - Jules Supervielle

1925 *Le Voyage d'Horace Pirouelle. - En joue!* - Philippe Soupault

1925 *L'Étoile au front* - Raymond Roussel

1925 *Alpinisme hivernal : le skieur dans les Alpes* - Marcel Kurtz

1925 *Lettres à Gala* (tous les ans jusqu'en 1948) - Paul Eluard

1926

1926 *Les Faux-Monnayeurs*
Le Journal des faux-monnayeurs
Si le grain ne meurt
- Gide

1926 *Capitale de la douleur* - Eluard

1926 *Sous le soleil de Satan* - Bernanos

1926 *Le Paysan de Paris* - Aragon

1926 *Glossaire* - Michel Leiris

1926 Première série du *Théâtre de Maurice Boissard* (chroniques) - Paul Léautaud

1926 *La Tentation de l'Occident* - Malraux

1926 *Les Bestiaires* - Montherlant

1926 *Rien que la terre* - Paul Morand

1926 *Plaisir des sports* - Jean Prévost

1926 *Arcanes* - O. V. de Lubicz Milosz

1926 *La Grande Peur dans la montagne* - Ramuz

1926 *Rhumb. - Narcisse* - Paul Valéry

1926 *Les Mystères de l'amour* (pièce) *Connaissance de la mort* (poèmes) - Charles Vildrac

1926 *Le Voleur d'enfants* - Jules Supervielle

1926 *Au service de la France* (jusqu'en 1932) - R. Poincaré

1926 première année du *Journal* de Julien Green (tous les ans, depuis lors)

1926 premier volume de *Querelles de langage* (jusqu'en 1940) - René Thérive

1926 premier volume de *Les Poissons* (10 vol. jusqu'en 1937) - Louis Roule

1927

1927 *Adrienne Mesurat* - Julien Green

1927 *La Maison du peuple* - Louis Guilloux

1927 *Voyage au Congo* - Gide

1927 *L'Esprit des formes* - Élie Faure

1927 *Hécate* - P.-J. Jouve

1927 *Allen. - Jaune bleu blanc* - Valery Larbaud

1927 *Défense et l'Occident* - Henri Massis

1927 *Thérèse Desqueyroux* - François Mauriac

1927 *Le Quai des brumes* - P. Mac Orlan

1927 *Le Gant de crin* - Pierre Reverdy

1927 *Qui je fus* - H. Michaux

1927 *La Beauté sur la terre* - Ramuz

1927 *Essai sur Stendhal. - Autres rhumbs* - Paul Valéry

1927 *La République des professeurs* - Albert Thibaudet

1928

1928 *Nadja* - André Breton

1928 *Les Thibault*, suite *(La Sorellina, la Consultation)* - Martin du Gard

1928 *Les Conquérants* - Malraux

1928 *Destins. - La Vie de Jean Racine. - Le Roman. - Souffrances du chrétien* - François Mauriac

1928 *Magie noire* - Paul Morand

1928 *Topaze* - Marcel Pagnol

1928 *Le Jeu de l'amour et de la mort* - Romain Rolland

1928 *Ainsi parla l'oncle* - Jean Price-Mars

1928 *Le Dieu des corps* *Volpone* (adapt. de Ben Jonson) - Jules Romains

1928 *Battling le ténébreux* - Alexandre Vialatte

1928 *Vingt-et-une recettes pratiques de mort violente* - Vercors

1928 *Victor ou les Enfants au pouvoir* - Charles Vildrac

1928 *Photogénie* - Louis Delluc

1928 *Courrier Sud* - Saint-Exupéry

1928 *Le Survivant* - Jules Supervielle

1928 *Larousse gastronomique* - Montagné et Gottschalk

1928 *Le Grand Jeu*, revue et groupe littéraire (jusqu'en 1932)

1928-1933 *Larousse du* XXe *siècle en 6 vol.* (6 vol.) - sous la direction de Paul Augé

1929

1929 *Amphitryon 38* - Giraudoux

1929 *L'Amour, la poésie* - Eluard

1929 *Le Soulier de satin* (qui sera monté en 1943) *Le Livre de Christophe Colomb* - Claudel

1929 *La Joie* - Bernanos

1929 *Colline. - Un de Baumugnes* - Giono

1929 *La Table aux crevés* - M. Aymé

1929 *Le Paradis perdu* - P.-J. Jouve

1929 Traduction de *Ulysse* de James Joyce (avec la participation de Valery Larbaud)

1929 *Terre d'ébène* - Albert Londres

1929 *Climats* - A. Maurois

1929 *La Mort du père (Les Thibault)* - Martin du Gard

1929 *Avenue du ciel. - Souvenirs de l'enchanté* - Norge

1929 *New York* - Paul Morand

1929 *L'Exil. - La Petite Infante de Castille* - Montherlant

1929 création de *Marius* - Pagnol

1929 *Mes Propriétés* - H. Michaux

1929 *David Golder* - Irène Némirovski

1929 *Frontières humaines* - Georges Ribemont-Dessaignes

1929 *Ecuador* - H. Michaux

1929 *Alexis ou le Traité du vain combat* (première version) - Marguerite Yourcenar

1929 *Littérature* - Paul Valéry

1929 *Le Grand Homme* - Philippe Soupault

1929 *Interview de l'auteur par lui-même* - Armand Salacrou

1930 *Opium* - Cocteau

1930

1930 *Aventures de Jérôme Bardini* - Giraudoux

1930 *Regain. - Naissance de l'Odyssée* - Giono

1930 *Solal* - Albert Cohen

1930 *La Voie royale* - Malraux

1930 *Champions du monde* - Paul Morand

1930 *Rosaire des joies* - Marie Noël

1930 *Risques et périls* - Pierre Reverdy

1930 *L'Escadron blanc* - Joseph Peyré

1930 *Choses vues* - Paul Valéry

1930 *Le Forçat innocent* - Jules Supervielle

1930 *Fez ou les Bourgeois de l'Islam* - Jérôme et Jean Tharaud

1930 Premiers *Carnets* (jusqu'en 1944) publiés en 1957 - Montherlant

1930 première date de *Le Livre de mon bord* (jusqu'en 1936 ; publ. 1948) - Pierre Reverdy

1931

1931 *La Grande Peur des bien-pensants* - Bernanos

1931 *Vagadu* - P.-J. Jouve

1931 *La Confidence africaine. - Un taciturne* (pièce) - Martin du Gard

1931 *Dictionnaire politique et critique* - Maurras

1931 *Aden Arabie* - Paul Nizan

1931 *Le Pain quotidien* - Henry Poulaille

1931 *La Bandera* - P. Mac Orlan

1931-1932 rédaction de *Comment j'ai écrit certains de mes livres* (publ. 1935) - Raymond Roussel

1931 *L'Homme approximatif*
Où boivent les loups
Le Surréalisme au service de la Révolution
- Tristan Tzara

1931 *Pièces sur l'art. - Moralités. - Regards sur le monde actuel* - Paul Valéry

1931 *Psychologie des foules* - Gustave Le Bon

1931 *Le Soleil* - Georges Bruhat

1931 *Méditations cartésiennes, introduction à la phénoménologie* traduction de E. Husserl - G. Pfeiffer et É. Lévinas

1931 *L'Enfant de la haute mer* - Jules Supervielle

1931 *Pietr-le-Letton* (l'un des premiers « *Maigret* ») - Simenon

1931 *Vol de Nuit* - Saint-Exupéry

1931 *Saint-Saturnin* - Jean Schlumberger

1932

1932 *Les Samedis de M. Lancelot* - Abel Hermant

1932 *Solitude de la pitié. - Jean le Bleu* - Giono

1932 *Les Vases communicants* - André Breton

1932 *Voyage au bout de la nuit* - Céline

1932 *Nuits de Montmartre* - Joseph Kessel

1932 *Le Nœud de vipères* - François Mauriac

1932 *Mors et vita* - Montherlant

1932 *Fanny* (écrit pour le cinéma) - Pagnol

1932 *Les Secrets de la Mer Rouge* - Henry de Monfreid

1932 *Farinet ou la Fausse Monnaie* - Ramuz

1932 *Histoire de la campagne française* - Gaston Roupnel

1932 *Petit Traité de la marche en plaine* - Gustave Roud

1932 *Nouvelles impressions d'Afrique* - Raymond Roussel

1932 *La Double Mort de Frédéric Belot* - Claude Aveline

1932 *Manifeste de l'école prolétarienne*

1932 *Porte de Liverpool* - Édouard Peisson

1932 *L'Idée fixe* - Paul Valéry

1932 *La Relativité* - Paul Langevin

1932 *Goethe, le Grand Européen* - André Suarès

1932 *Caporal Valentine* - André Salmon

1932 premier volume des *Hommes de bonne volonté* 27 vol. jusqu'en 1946 - Jules Romains

1932-1935 *Dictionnaire de l'Académie française* (8e éd. ; 2 vol.) 1932 : A-G 1935 : H-Z

1933

1933 *Lexique de la terminologie linguistique* - Jules Marouzeau

1933 *Intermezzo* - Giraudoux

1933 *La Chatte* - Colette

1933 *La Jument verte* - M. Aymé

1933 *Élise* - Jouhandeau

1933 *Vieille France* - Martin du Gard

1933 *La Condition humaine* Préface à *Sanctuaire* de Faulkner - Malraux

1933 *Le Mystère Frontenac* *Le Romancier et ses personnages* - François Mauriac

1933 *Londres* - Paul Morand

1933 *Antoine Bloyé* - Paul Nizan

1933 *Un Barbare en Asie* - H. Michaux

1933 *Le Chiendent* - Queneau

1933 *Essai pour un paradis* - Gustave Roud

1933 *Grains et Issues* - Tristan Tzara

1933 *La Croisière jaune : Expédition Citroën* - Georges Lefèvre

1933 Premier volume de *la Chronique des Pasquier* (1933-1945) - G. Duhamel

1934

1934 *Le Chant du monde* - Giono

1934 *Les Cloches de Bâle* - Aragon

1934 *Chaminadour* - Jouhandeau

1934 *Journal, I* - François Mauriac

1934 *Les Célibataires* - Montherlant

1934 *Monsieur Jean ou l'Amour absolu* - Georges Ribemont-Dessaignes

1934 *Gueule de pierre* (roman) - Queneau

1934 *L'Assassinat du Père Noël* - Pierre Véry

1934 *Gens de mer* - Édouard Peisson

1934 *Derborence* - Ramuz

1934 *Capitaine Conan* - Roger Vercel

1934 *Le Jazz hot* - Hugues Panassié

1934 *Chroniques* Jusqu'en 1971 Publiées en recueil : 1977 *(Dernières nouvelles de l'homme)* à 1985 *(Bananes de Königsberg)* - Alexandre Vialatte

1934 *Dictionnaire encyclopédique Quillet* (6 vol.) - dir. Raoul Mortier

1934 *La Pensée chinoise* - Marcel Granet

1934 Premier volume de l'*Encyclopédie française* - A. De Monzie, Lucien Febvre, Gaston Berger

1934 *La Science du caractère* - Gustave Thibon

1935

1935 *Supplément au voyage de Cook*
La guerre de Troie n'aura pas lieu
- Giraudoux

1935 *Le Sang noir* - Louis Guilloux

1935 *Être et avoir* - Gabriel Marcel

1935 *Le Temps du mépris* - Malraux

1935 *La Fin de la nuit* - François Mauriac

1935 *Bucarest* - Paul Morand

1935 *Service inutile* - Montherlant

1935 *Faux passeports* - Charles Plisnier

1935 *Le Cheval de Troie* - Paul Nizan

1935 *La nuit remue* - H. Michaux

1935 *Traduit de la nuit* - Jean-Joseph Rabearivelo

1935 *Sang et lumières* - Joseph Peyré

1935 première date de *Le Mal du soir* (textes jusqu'en 1950 ; publ. 1986) - Jean Reverzy

1935 *Remorques* - Roger Vercel

1935 Traduction de *Cinq psychoanalyses* de Freud - Marie Bonaparte et R. Loewenstein

1935 *La Crise de l'Europe* - André Siegfried

1935 *Voilà taxi!* - Albert Simonin et Jean Bazin

1935 *L'Inconnue d'Arras* - Armand Salacrou

1935-1946 scénarios de Prévert pour Jean Renoir (*Le Crime de M. Lange*, 1935), Marcel Carné (*Drôle de drame*, 1937; *Quai des brumes*, 1938; *Les Visiteurs du soir*, 1942; *Les Enfants du paradis*, 1944...)

1936

1936 *Mort à crédit* - Céline

1936 *Retour de l'U.R.S.S.* - Gide

1936 *Journal d'un curé de campagne* - Bernanos

1936 *Les Beaux Quartiers* - Aragon

1936 *Pays d'Ouche* - La Varende

1936 *Racine* - Thierry Maulnier

1936 *L'Eté 14 (les Thibault)* - Martin du Gard

1936 *César* (écrit pour le cinéma) - Pagnol

1936 *Les Jeunes Filles. - Pitié pour les femmes. - Pasiphaé* - Montherlant

1936 *Icare* - Norge

1936 *Mariages* - Charles Plisnier

1936 *Visite aux Américains* - Jules Romains

1936 *Je ne mange pas de ce pain là* - Benjamin Péret

1936 *Variété III. - Degas Danse Dessin* - Paul Valéry

1936 *L'Empreinte du Dieu* - Maxence Van der Meersch

1936 *L'Or du « Cristobal »* - T'Serstevens

1936 *Histoire de la littérature française de 1789 à nos jours* - Albert Thibaudet

1936 *L'Imagination*
La Nausée (refusé par Gallimard ; publ. 1938) - Sartre

1936 *L'Ère du soupçon* - Nathalie Sarraute

av. 1937 *Poésies complètes, 1917-1937* - Philippe Soupault

1937

1937 *Rêveuse bourgeoisie* - Drieu la Rochelle

1937 *Bagatelles pour un massacre* - Céline

1937 *Nez de cuir* - La Varende

1937 *L'Espoir* - Malraux

1937 *Journal, II. - Asmodée* - François Mauriac

1937 *Le Démon du bien* - Montherlant

1937 *Regards et Jeux dans l'espace* - Saint-Denys Garneau

1937 *Menaud, maître draveur* - Félix Antoine Savard

1937 *L'Imposteur* - Norge

1937 *La Croisière du haschisch* - H. de Monfreid

1937 *Pain de soldat* - Henry Poulaille

1937 *Odile. - Chêne et chien* (roman en vers) - Queneau

1937 *Le Chant de la résurrection* - Romain Rolland

1937 *Badonce et les créatures* - Alexandre Vialatte

1937 *Matière et lumière* - Louis de Broglie

1937 *Paroles d'action (...)* (1900-1926) - Lyautey

1937 *Russie neuve* - Charles Vildrac

1938

1938 *Dictionnaire abrégé du surréalisme* - Eluard et Breton

1938 *Les Grands Cimetières sous la lune* - Bernanos

1938 *L'École des cadavres* - Céline

1938 *Le Théâtre et son double* - A. Artaud

1938 *L'Équinoxe de septembre* - Montherlant

1938 *La Rose de sable* voir 1968 (signé François Luzergue) - Montherlant

1938 *Joie aux âmes* - Norge

1938 *Plume* - H. Michaux

1938 *Les Enfants du limon* - Raymond Queneau

1938 *Valmy* - Romain Rolland

1938 *Variété IV. - Existence du symbolisme* - Paul Valéry

1938 *Bonsoir Thérèse* - Elsa Triolet

1938 *L'Araigne* - Henri Troyat

1938 *Poésies* - Georges Schéhadé

1938 *Réflexions sur le roman. - Réflexions sur la littérature* - Albert Thibaudet

1938 *L'Arche de Noé* - Jules Supervielle

1939

1939 *Le Piéton de Paris* - Léon-Paul Fargue

1939 *L'Homme et le Sacré* - R. Caillois

1939 *Journal* - Gide

1939 *Gilles* - Drieu la Rochelle

1939 *Noces* - Camus

1939 *De l'abjection* - Jouhandeau

1939 *L'Âge d'homme* - Michel Leiris

1939 *Les Lépreuses* - Montherlant

1939 *Un rude hiver* - Queneau

1939 *L'assassin habite au 21* - Stanislas-André Steeman

1939 *L'Amour et l'Occident* - Denis de Rougemont

1939 *Pensées d'un biologiste* - Jean Rostand

1939 *Cahier d'un retour au pays natal* - Aimé Césaire

1939 *Midi gagnés* - Tristan Tzara

1939 *Mélange* - Paul Valéry

1939 *Le Bourgmestre de Furnes* - Simenon

1939 *Terre des hommes* - Saint-Exupéry

1939 *Le Mur. - Esquisse d'une théorie des émotions* - Sartre

1939 *Tropismes* (écrits 1932-1937) - Nathalie Sarraute

1939 *Réflexions sur la critique* - Albert Thibaudet

1939 *Accents* - Jean Tardieu

1939 *Les Étoiles* - Georges Bruhat

1939 *La Vie des formes* - Henri Focillon

1939 *Traité du paysage* - André Lhote

1939 première date du *Journal* de Drieu la Rochelle (édité en 1992) Tous les ans jusqu'en 1944

1940

1940 Traduction de *Moby Dick* par Giono

1940 *Épilogue* (des *Thibault*) - Martin du Gard

1940 *Journal, III* - François Mauriac

1940 *L'Homme* - Jean Rostand

1940 *L'Imaginaire* - Sartre

déc. 1940 La *N.R.F.* reparaît sous la direction de Drieu la Rochelle

1941

1941 *Premier de cordée* - Roger Frison-Roche

1941 *Les Beaux Draps* - Céline

1941 *Travelingue* - Marcel Aymé

1941 *Porche à la nuit des saints* - P.-J. Jouve

1941 *La Pharisienne* - François Mauriac

1941 *L'Homme pressé* - Paul Morand

1941 *Les Temps mêlés* - Queneau

1941 *Les Fleurs de Tarbes ou la Terreur dans les lettres* - Paulhan

1941 *Le Silence de la mer* (publ. 1943) - Vercors

1941 *Mauvaises Pensées et autres. - Tel quel, I* - Paul Valéry

1941 *L'œuf et son dynamisme organisateur* - Albert Dalcq

1941 *L'Homme, introduction à l'étude de la biologie humaine. - Les idées nouvelles de la génétique* - Jean Rostand

1941 *Continu et discontinu en physique moderne* - Louis de Broglie

1941-1942 *Rédaction de cahiers* (publiés après sa mort) - Simone Weil

1941-1958 rédaction des *Mémoires du lieutenant-colonel de Maumort* (publ. 1983) - Martin du Gard

1942

1942 *Poésie et Vérité* - Eluard

1942 *Jour de colère* - Pierre Emmanuel

1942 *L'Étranger. - Le Mythe de Sisyphe* - Camus

1942 *La Reine morte* - Montherlant

1942 *Le Parti pris des choses* (écrit à partir de 1937) - Francis Ponge

1942 *La Cité de l'indicible peur* - Jean Ray

1942 *Les Décombres* - Lucien Rebatet

1942 *La création chez Stendhal* - Jean Prévost

1942 *Pierrot mon ami* - Queneau

1942 *Le Grand Nocturne* - Jean Ray

1942 *Pilote de guerre* - Saint-Exupéry

1942 *L'Enfance de l'art* - Claude Roy

1942 *Essai sur le logos platonicien* - Brice Parain

1942 *Le Modulor, essai sur une mesure harmonique à l'échelle humaine (...)* - Le Corbusier

1942 *De l'Acte à la pensée. - Essai de psychologie comparée* - Henri Wallon

av. 1943 *La Pesanteur et la Grâce* (publ. 1947) - Simone Weil

av. 1943 *Écrits historiques et politiques* (publ. 1960) - Simone Weil

1943

1943 *Sodome et Gomorrhe* - Giraudoux

1943 *La Vouivre* - M. Aymé

1943 *Défense et illustration* (« *Tombeau de Baudelaire* » 1942) - P.-J. Jouve

1943 *Le Pélerinage aux sources* - Lanza del Vasto

1943 *Les Noyers de l'Altenburg* - Malraux

1943 *Fils de personne* - Montherlant

1943 *René Magritte ou les Images défendues* - Paul Nougé

1943 *La Cathédrale interrompue* - Romain Rolland

1943 *Suite française* - Claude Roy

1943 *Malpertuis* - Jean Ray

1943 *120, rue de la gare* (le premier « *Nestor Burma* ») - Léo Mallet

1943 *Recherches sur la nature et les fonctions du langage* - Brice Parain

1943 *Corps et âmes* - Maxence Van der Meersch

1943 *Tel quel (II)* - Paul Valéry

1943 *La Marche à l'étoile* - Vercors

1943 *Le Fidèle Berger* - Alexandre Vialatte

1943 *Le Cheval blanc* - Elsa Triolet

1943 *Le Témoin invisible* - Jean Tardieu

1943 *Les Mouches. - L'Être et le Néant. - Les jeux sont faits* (scénario) - Sartre

1943 *Ravage. - Le Voyageur imprudent* - René Barjavel

1943 *La Prévision économique* - Alfred Sauvy

1944

1944 *Guignol's band* - Céline

1944 *Au pied de la pente douce* - Roger Lemelin

1944 *Contes pour un homme seul* - Yves Theriault

1944 *Les Amitiés particulières* - Roger Peyrefitte

1944 *Variété V* - Paul Valéry

1944 *Exil* (éd. intégrale) - Saint-John Perse

1944 *Les Fiancés du Havre* - Salacrou

1944 *Huis clos* - Sartre

1945

1945 *Un roi sans divertissement* - Giono

1945 *La Folle de Chaillot* (posthume) - Giraudoux

1945 *Un beau ténébreux* - J. Gracq

1945 *Sous l'invocation de saint Jérôme* - Valery Larbaud

1945 *Travaux* - Georges Navel

1945 *Bonheur d'occasion* - Gabrielle Roy

1945 *Le Survenant* - Germaine Guèvremont

1945 *Histoire du surréalisme* - Maurice Nadaud

1945 *Péguy* - Romain Rolland

1945 *Le Déshonneur des poètes* - Benjamin Péret

1945 *Braque le patron* - Paulhan

1945 *Phénoménologie de la perception* - M. Merleau-Ponty

1945 *Loin de Rueil* - Queneau

1945 *Blessures* - Paul Willems

1945 *Discours sur Voltaire. - Mon Faust* - Paul Valéry

1945 *Le premier accroc coûte deux cents francs* - Elsa Triolet

1945 *Drôle de jeu* - Roger Vailland

1945 *Le Temps des assassins* - Philippe Soupault

1945 *Mes inscriptions* - Louis Scutenaire

1945 *Chants d'ombre* - L. S. Senghor

1945 *Les Rayons cosmiques* - Louis Leprince-Ringuet

1945 *Phénoménologie de la perception* - Maurice Merleau-Ponty

1945 *Traité de caractérologie* - René Le Senne

1946

1946 *Poésie ininterrompue* (t. II. : 1953)
Le Dur Désir de durer
- Eluard

1946 *Miracle de la rose* - Jean Genet

1946 *L'Armée des ombres* - Joseph Kessel

1946 Première partie de la *Somme de Poésie* - Patrice de la Tour du Pin

1946 *Qu'est-ce que le personnalisme ?*
Traité du caractère
- Emmanuel Mounier

1946 *Malatesta* - Montherlant

1946 *Paroles* - Prévert

1946 *L'Instant fatal* (poèmes). - *Pictogrammes* - Queneau

1946 *La Vallée heureuse* - Jules Roy

1946 *Lettres sur la bombe atomique* - Denis de Rougemont

1946 premier volume de *La Mort est un commencement (Le Bal des sauvages)* - Paul Vialar

1946 *J'irai cracher sur vos tombes* - Vernon Sullivan (Boris Vian)

1946 *Légitime défense* - Stanislas André Steeman

1946 *Le Sabbat* - Maurice Sachs

1946 *Vents* - Saint-John Perse

1946 *L'Existentialisme est un humanisme*
Morts sans sépulture
La Putain respectueuse
Réflexions sur la question juive
- Sartre

1946 *Bilan de l'histoire* - René Grousset

1947

1947 *Pompes funèbres. - Querelle de Brest* - Jean Genet

1947 *Les Bonnes* (1re version) - Jean Genet

1947 *La Peste* - Camus

1947 *Exercices de style* - Queneau

1947 *Le Chant de la montée*
- Rina Lasnier

1947 *Esthétique du roman policier*
- Thomas Narcejac

1947 *Le Maître de Santiago* (publication; création 1948)
- Montherlant

1947 *Chants et psaumes d'automne*
- Marie Noël

1947 *La Petite Hutte*
- André Roussin

1947 *Humanisme et terreur*
- Merleau-Ponty

1947 *Exercices de style. - Bucoliques* (poèmes)
- Queneau

1947 *Contes d'Amadou Koumba* (*Nouveaux Contes*, 1958)
- Birago Diop

1947 *Les Épiphanies*
- Henri Pichette

1947 *Le Musée noir*
- A. Pieyre de Mandiargues

1947 *Le Caporal épinglé*
- Jacques Perret

1947 *L'Automne à Pékin*
L'Écume des jours
Vercoquin et le plancton
- Boris Vian

1947 *Physique et Microphysique*
- Louis de Broglie

1947 *Schoenberg et son école (...)*
- René Leibowitz

1947 tome I de l'*Histoire générale du cinéma*
- Georges Sadoul

1947 *Le Phénomène humain*
- Teilhard de Chardin

1947 *L'Archipel Lenoir* - Salacrou

1947 *Situations I* - Sartre

1948

1948 *Les Corps tranquilles*
- Jacques Laurent

1948 *La Règle du jeu I : Biffures*
- Michel Leiris

1948 *Montserrat. - Les Hauteurs de la ville*
- Emmanuel Roblès

1948 *Les Épées* - Roger Nimier

1948 *Terreurs* (nouvelles)
- Pierre Mertens

1948 *Sens et non-sens*
- Merleau-Ponty

1948 *Saint-Glinglin. - Le Cheval troyen* (nouvelle)
- Queneau

1948 *Apoèmes* - Henri Pichette

1948 *Le Gala des vaches*
- Albert Paraz

1948 *Les Mauvais Coups*
- Roger Vailland

1948 *Histoire du cinéma*
- Maurice Bardèche, Robert Brasillach

1948 *Situations II. - Les Mains sales*
- Sartre

1948 *Portrait d'un inconnu*
- Nathalie Sarraute

1948 *Citadelle* (écrit 1940-1944)
- Saint-Exupéry

1948 *La neige était sale* - Simenon

1948 *Pedigree* - Simenon

1948 *Anthologie de la nouvelle poésie nègre et malgache de langue française* (préface de J.-P. Sartre)
Hosties noires
- L. S. Senghor

1948 premier livre du *Mémorial* (jusqu'en 1972)
- Jouhandeau

1948 Premier volume du *Trésor des Contes*
(13 vol. : 1948-1962)
- Henri Pourrat

1948 et 1949 *Poésies II et III*
- Georges Schéhadé

1949

1949 *Traité d'histoire des religions*
- Mircea Eliade

1949 *Le Fanal bleu* - Colette

1949 *Les Structures élémentaires de la parenté*
- Claude Lévi-Strauss

1949 *Jeanne et ses juges* (pièce)
- Thierry Maulnier

1949 *La Monnaie de l'absolu*
- Malraux

1949 *Le Personnalisme*
- Emmanuel Mounier

1949 *Râpes* - Norge

1949 *Le Poète mineur* - Claude Roy

1949 *Les Fourmis*
L'Équarrissage pour tous
- Boris Vian

1949 *Les Origines du caractère chez l'enfant* - Henri Wallon

1949 *Plaisir poétique et plaisir musculaire* - André Spire

1949 *La Mort dans l'âme.* - *Situations III* - Sartre

1949 *Œuvres incomplètes*
- Paul Budry

1949 *Réglez-lui son compte* (premier des *San Antonio* ; plusieurs volumes chaque année depuis lors)
- Frédéric Dard

1950

1950 premières *Actuelles* de Camus

1950 *Escales* - Rina Lasnier

1950 *Parcours* - Georges Navel

1950 *Le Hussard bleu*
- Roger Nimier

1950 première date de la *Correspondance* (jusqu'en 1962)
- Jacques Chardonne-Roger Nimier

1950 *Passages* - H. Michaux

1950 *Petite Cosmogonie portative*
Bâtons, chiffres et lettres
Journal intime (Sally Mara)
- Queneau

1950 *Le Point vélique*
- Henri Pichette

1950 *Essai de géomorphologie*
- Henri Baulig

1950 *L'Âme des peuples*
- André Siegfried

1950 *Bon pied, bon œil*
- Roger Vailland

1950 *La Rue Case-Nègres*
- Joseph Zobel

1951

1951 *Vocabulaire de la psychologie*
- Henri Piéron

1951 *Molloy.* - *Malone meurt*
- Beckett

1951 *La Leçon* - Ionesco

1951 *Le Rivage des syrtes* - J. Gracq

1951 *Le Moulin de Pologne.* - *Le Hussard sur le toit*
- Giono

1951 *Le Mystère de l'être*
- Gabriel Marcel

1951 *Les Voix du silence* - Malraux

1951 *Journal, IV.* - *Le Sagouin*
- François Mauriac

1951 *La Ville dont le prince est un enfant* - Montherlant

1951 *Bande à part* - Jacques Perret

1951 *Les Ambassades*
- Roger Peyrefitte

1951 *Entre Fantoine et Agapa*
- Robert Pinget

1951 *Soleil des Corps*
- A. Pieyre de Mandiargues

1951 *Discours sur le colonialisme*
- Aimé Césaire

1951 *Les Fruits du Congo*
- Alexandre Vialatte

1951 *Le goûter des généraux*
- Boris Vian

1951 *Madame de*
- Louise de Vilmorin

1951 *Mémoires d'Hadrien*
- Marguerite Yourcenar

1951 *Le Premier choc* - André Stil

1951 *Monsieur Monsieur*
- Jean Tardieu

1951 *Le Diable et le Bon Dieu*
- Sartre

1951 *Monsieur Bob'le*
- Georges Schéhadé

1951-1964 *Dictionnaire alphabétique et analogique de la langue française* (le « *Grand Robert* »)
- Paul Robert

1952

1952 *Au bon beurre* - J. Dutourd

1952 *Les Chaises.* - *Une victime du devoir*
- Ionesco

1952 *Saint Genet, comédien et martyr* - Sartre

1952 *Féerie pour une autre fois* (rédigé à partir de 1946-1947)
- Céline

1952 *En attendant Godot* (publication) - Beckett

1952 *Approches de la vie intérieure*
- Lanza del Vasto

1952 *Le Profanateur*
La Révolte et le Sacré
La Face de méduse du communisme
- Thierry Maulnier

1952 *Galigaï* - François Mauriac

1952 *Cela s'appelle l'aurore* - Emmanuel Roblès

1952 *Le Souffle* - Dominique Rolin

1952 *Les Deux Étendards* - Lucien Rebatet

1952 *Si tu t'imagines* (poèmes) *Le Dimanche de la vie* - Raymond Queneau

1952 *Les Diaboliques* - Boileau-Narcejac

1952 *Du Vésuve à l'Etna* - Roger Peyrefitte

1952 *Nucléa* - Henri Pichette

1952 *Pages d'un moraliste* - Jean Rostand

1952 *Les Animaux dénaturés* - Vercors

1952 *Capitaine Bada* - Jean Vauthier

1952 *Réflexions de comédien* - Louis Jouvet

1952 *À la recherche d'une musique concrète* - Pierre Schaeffer

1952 Premiers *Bloc-Notes* (tous les ans jusqu'en 1970) - François Mauriac

1952-53 *La Chasse aux hommes* (*Le Rendez-vous, La Bête de chasse*, etc.) 10 tomes - Paul Vialar

1953

1953 *Dictionnaire de l'argot moderne* - Géo Sandry, Marcel Carrère

1953 *Mémoires d'un naïf* - Paul Guth

1953 *Le Degré zéro de l'écriture* - Barthes

1953 *Du rififi chez les hommes* - A. Le Breton

1953 *L'Enfant noir* - Camara Laye

1953 *Les Élans du cœur* - Félicien Marceau

1953 *La Statue de sel* - Albert Memmi

1953 *Celle qui n'était plus* - Thomas Narcejac

1953 *L'Histoire d'un amour* - Roger Nimier

1953 *Mort aux vaches et au champ d'honneur* - Benjamin Péret

1953 *Bâtons dans les roues* - Jacques Perret

1953 *Sans haine et sans amour* - Alexandre Biyidi (Eza Boto)

1953 *Clefs pour la Chine* - Claude Roy

1953 *L'Arrache-Cœur* - Boris Vian

1953 *La Fête à Paris* - Joseph Zobel

1953 *Le Cheval roux* - Elsa Triolet

1953 *Touchez pas au grisbi* - Albert Simonin

1953 *Martereau* - Nathalie Sarraute

1953 *Kean* (pièce) - Sartre

1953 *Carnets* - Saint-Exupéry (posthume)

1953 *Maïmouna, petite fille noire* - Abdoulaye Sadji

1953 *La Nouvelle NRF* (nouveau titre de la *Nouvelle Revue Française* ou *N.R.F.*)

1953 *La Population* - Alfred Sauvy

1953 premier volume de *Les Semailles et les Moissons* - Henri Troyat

1954

1954 premier volume des *Mémoires de guerre* de Charles de Gaulle

1954 *Amédée* (écrit en 1953) premier volume du *Théâtre* - Ionesco

1954 *Les Carnets du major Thompson* - P. Daninos

1954 *Le Regard du roi* - Camara Laye

1954 *Hécate et ses chiens* - Paul Morand

1954 *Les Gommes* - Robbe-Grillet

1954 *Le Passage* - Jean Reverzy

1954 *Légendes africaines* - Bernard Dadié

1954 *Alexandre Chênevert, caissier* - Gabrielle Roy

1954 *Nations nègres et culture* - Anta Diop

1954 *Beau masque* - Roger Vailland

1954 *Les Bijoutiers du clair de lune* - Albert Vidalie

1954 *Les Aristocrates* - Michel de Saint-Pierre

1954 *Éléments de mathématiques* - Nicolas Bourbaki (pseudonyme collectif)

1954 *Libre histoire de la langue française* - André Thérive

1954 *Tableau des mœurs de ce temps* - Maurice Sachs

1954-1960 Dialogues et scénarios de films - Queneau

av. 1955 Œuvres de Teilhard de Chardin

1955

1955 *La Règle du jeu II : Fourbis* - Michel Leiris

1955 *Déchirures* - Joyce Mansour

1955 *Le Voyeur* - Robbe-Grillet

1955 *Tamerlan des cœurs* - René de Obaldia

1955 *Virginales* - Maurice Pons

1955 *Les Clés de Saint Pierre* - Roger Peyrefitte

1955 *L'Amour monstre* - Louis Pauwels

1955 *325 000 Francs* - Roger Vailland

1955 *L'Été indien* - Roger Vercel

1955 *Le Personnage combattant* - Jean Vauthier

1955 *Naissance de l'objet* (poèmes) - Jean Tortel

1955 *Dialogue avec le Visible* - René Huyghe

1955 *Théâtre de chambre* - Jean Tardieu

1955 *Tristes Tropiques* - Claude Lévi-Strauss

1955 *De la tradition théâtrale* - Jean Vilar

1955-1957 *Poèmes (Aritsa, Lamba, Rites millénaires...)* - Jacques Rabemananjara

1956

1956 *Les Taxis de la Marne* - J. Dutourd

1956 *Le Commandant Watrin* - Armand Lanoux

1956 *Le Rat d'Amérique* - Jacques Lanzmann

1956 *Nedjma* - Kateb Yacine

1956 *Fugue à Waterloo* - René de Obaldia

1956 *Une vie de boy. - Le Vieux Nègre et la Médaille* - Ferdinand Oyono

1956 *Misérable Miracle* - H. Michaux

1956 Préface de l'*Histoire des littératures* de « la Pléiade » - Queneau

1956 *Le Lis de mer* - A. Pieyre de Mandiargues

1956 *Le Pauvre Christ de Bamba* - Mongo Beti (A. Biyidi)

1956 *Graal Flibuste* - Robert Pinget

1956 *Climbié* - Bernard Dadié

1956 *Les Coréens* - Michel Vinaver

1956 *L'Île des Revenants* - Roger Vercel

1956 *Un certain sourire* - Françoise Sagan

1956 *Nouvelles perspectives en microphysique* - Louis de Broglie

1957

1957 *L'Art magique* - André Breton

1957 *Le Je-ne-sais-quoi et le presque-rien* - W. Jankélévitch

1957 *D'un château l'autre* - Céline

1957 *La Métamorphose des dieux*, t. I - Malraux

1957 premier titre du *Dialogue intérieur (Toutes les femmes sont fatales)* - Claude Mauriac

1957 *La Jalousie* - Robbe-Grillet

1957 *La Gloire de mon père*
Le Château de ma mère
- Pagnol

1957 *L'Aventure occidentale de l'homme* - Denis de Rougemont

1957 *Amers* - Saint-John Perse

1957 *La Loi* - Roger Vailland

1957 *Le Vent* - Claude Simon

1958 rédaction de *Rhinocéros* - Ionesco

1958 *La Lézarde* - É. Glissant

1958 *Moderato cantabile* - M. Duras

1958 *Le Lion* - Joseph Kessel

1958 1er volume de *l'Anthropologie structurale* - Claude Lévi-Strauss (2e vol. 1973)

1958

1958 *Les Gisants satisfaits* - Joyce Mansour

1958 *Agakuk* - Yves Thériault

1958 *Le Repos du guerrier* - Christiane Rochefort

1958 *Bleu comme la nuit* - F. Nourissier

1958 *La Mise en scène* - Claude Ollier

1958 *Le Grand Dadais* - B. Poirot-Delpech

1958 *Le Deuxième Souffle* - José Giovanni

1958 *La Neige en deuil* - Henri Troyat

1958 *En avant la zizique* - Boris Vian

1958 *Une curieuse solitude* - Philippe Sollers

1958 *L'Herbe* - Claude Simon

1959

1959 *Notes intimes* - Marie Noël

1959 *Dans le labyrinthe* - Robbe-Grillet

1959 *Zazie dans le métro* - Queneau

1959 *L'Unité culturelle de l'Afrique noire* - Anta Diop

1959 *Le Monde du silence* - Jacques-Yves Cousteau et Frédéric Dumas

1959 *Carnets d'un biologiste* - Jean Rostand

1959 *Roses à crédit*. - *Luna Park* - Elsa Triolet

1959 *Le Dieu des mouches* - Frédérick Tristan

1959 *Le Dernier des justes* - André Schwarz-Bart

1959 *Les Séquestrés d'Altona* - Sartre

1959 *Le Planétarium* - Nathalie Sarraute

1959 *Aimez-vous Brahms...* - Françoise Sagan

1960

1960 *Chaque homme dans sa nuit* - Julien Green

1960 *Le Balcon* - Jean Genet

1960 *Nord* - Céline

1960 *Langue verte et noirs dessins* (dict. d'argot) - A. Le Breton

1960 *Le Cardinal d'Espagne* - Montherlant

1960 *Les Mantes religieuses* - Hubert Monteilhet

1960 *La Grasse Matinée* - B. Poirot-Delpech

1960 *La Montagne secrète* - Gabrielle Roy

1960 *La Guerre d'Algérie* - Jules Roy

1960 *Papiers collés* (autres volumes 1973, 1978) - Georges Perros

1960 *Le Matin des magiciens* - Louis Pauwels et Jacques Bergier

1960 *Les Nourrices* - Romain Weingarten

1960 *Ligne de vie* - Paul Vialar

1960 *La Nuit* - Élie Wiesel

1960 *Poèmes à jouer* - Jean Tardieu

1960 premier numéro de *Tel Quel*

1960 *Les Bouts de bois de Dieu* - Ousmane Sembène

1960 *La Route des Flandres* - Claude Simon

1960 *Du mouron pour les petits oiseaux* - Albert Simonin

1960 *Chronique* - Saint-John Perse

1960 *Critique de la raison dialectique*. - *Situations IV* - Sartre

1960-1964 *Grand Larousse encyclopédique en dix volumes* (10 vol. — 2 vol. de suppl. : 1968; 1975)

1961

1961 *Rigodon* - Céline

1961 *L'Observatoire de Cannes* - Jean Ricardou

1961 *Fouquet ou le soleil offusqué* - Paul Morand

1961 *Connaissance par les gouffres* - H. Michaux

1961 *Cent mille milliards de poèmes*. - *Texticules* - Queneau

1961 *La Vraie Vie* - Jean Reverzy

1961 *Grand Recueil* - Francis Ponge

1961 *L'Aventure ambiguë* - Hamidou Kane

1961 *Odes à chacun* - Henri Pichette

1961 *Le Parc* - Philippe Sollers

1961 *Le Promontoire* - Henri Thomas

1961 *Vie Poésie* - Marcel Thiry

1961 *Introduction à la médecine psychosomatique* - Jean Delay

1961 premier *Journalier* (28, jusqu'en 1983) - M. Jouhandeau

1962

1962 *Le Jacassin* - P. Daninos

1962 *La Pensée sauvage* - Claude Lévi-Strauss

1962 *Portrait d'un juif* (I) (t. II, 1966) - Albert Memmi

1962 *Contes du pays incertain* - Jacques Ferron

1962 *Incantation du temps* - Jean-Claude Renard

1962 *Compartiment tueurs. - Piège pour Cendrillon* - Sébastien Japrisot

1962 *L'Inquisitoire* - Robert Pinget

1962 *Le Palace* - Claude Simon

1962 *Il pleut dans ma maison* (pièce) - Paul Willems

1962 *L'Afrique noire est mal partie* - René Dumont

1963

1963 premier des sept *Livre des questions* (1963-1973) - Edmond Jabès

1963 *Les Horreurs de l'amour* - J. Dutourd

1963 *Quand la mer se retire* - Armand Lanoux

1963 *Le Chaos et la Nuit. - L'Embroc* - Montherlant

1963 *Manon des sources* - Pagnol

1963 *Un petit bourgeois* - F. Nourissier

1963 *L'Été indien* - Claude Ollier

1963 *Contes et lavanes* - Birago Diop

1963 *La Motocyclette* - A. Pieyre de Mandiargues

1963 *Le Temps d'un soupir* - Anne Philipe

1963 *Les Mots* - Sartre

1963 *La Ligne du risque* - Pierre Vadeboncœur

1963 *Le Regard froid* - Roger Vailland

1963 *La Planète des singes* - Pierre Boulle

1964

1964 publication de *Guignol's Band II*, sous le titre : *Le Pont de Londres* (av. 1961, date de la mort de l'auteur) - Céline

1964 *Parlez-vous franglais ?* - Étiemble

1964 *Le Ravissement de Lol V. Stein* - M. Duras

1964 *Snobissimo* - P. Daninos

1964 *La Bâtarde* - Violette Leduc

1964 *Le Cru et le Cuit* - Claude Lévi-Strauss

1964 *Anthologie des écrivains francophones d'expression française* (dir. A. Memmi)

1964 *Le Coup d'État permanent* - F. Mitterrand

1964 *Le Geste et la Parole*, t. I (t. II : 1965) - André Leroi-Gourhan

1964 *Le Ventre* - Tchicaya U Tamsi

1964 *Liberté I* (*Liberté II*, 1971 ; *III*, 1977) - L. S. Senghor

1964 *Situations V, VI* - Sartre

1965

1965 *La Fièvre* - J.-M. G. Le Clézio

1965 *Le Cosmonaute agricole* - René de Obaldia

1965 *Une saison dans la vie d'Emmanuel* - Marie-Claire Blais

1965 *L'Incubation* - Gérard Bessette

1965 *La Maison de rendez-vous* - Robbe-Grillet

1965 *Les Fleurs bleues* (roman) - Queneau

1965 *Les Choses* - Georges Perec

1965 *Le Chant de la grande Dixence* - Maurice Chappaz

1965 *La Chamade* - Françoise Sagan

1965 *La Cavale. - L'Astragale* - Albertine Sarrazin

1965 *Drame* - Philippe Sollers

1965 *L'Allergie* - Bernard Halpern

1966

1966 *Les Mots et les Choses* - M. Foucault

1966 *Le Jargon des sciences* - Étiemble

1966 *Le Polygone étoilé* - Kateb Yacine

1966 *Écrits* - Jacques Lacan

1966 *Brisées*. - *La Règle du jeu III : Fibrilles* - Michel Leiris

1966 *Compact* - Maurice Roche

1966 *L'expérience continue* (textes antérieurs) - Paul Nougé

1966 *La Terre du sacre* - Jean-Claude Renard

1966 *La Mort de Céline* - Dominique de Roux

1966 *La Traversière* - Albertine Sarrazin

1966 *L'Été* - Romain Weingarten

1967

1967 *Vocabulaire de la psychanalyse* - Jean Laplanche, Jean-Bertrand Pontalis

1967 *Salut Galarneau !* - J. Godbout

1967 *Journal en miettes* - Ionesco

1967 *L'Écriture et la Différence*
De la grammatologie
La Voix et le Phénomène
- J. Derrida

1967 *L'Extase matérielle* - J.-M. G. Le Clézio

1967 *Antimémoires* - Malraux

1967 *Problèmes du Nouveau Roman* - Jean Ricardou

1967 *La Face du silence* - Bernard Noël

1967 *Rosa* - Maurice Pons

1967 *Les Années-lumière* - Serge Rezvani

1967 *Courir les rues* (poèmes) - Raymond Queneau

1967 *Les Chevaux du soleil* - Jules Roy

1967 *La Marge* - A. Pieyre de Mandiargues

1967 *Akara* - Romain Weingarten

1967 *Traité de savoir-vivre à l'usage des jeunes générations* - Raoul Vaneigem

1967 *Vendredi ou les Limbes du Pacifique* - Michel Tournier

1967 *Histoire* - Claude Simon

1968

1968 *Belle du seigneur* - Albert Cohen

1968 *Nombres* - Philippe Sollers

1968 premier volume de *Mythe et Épopée* - G. Dumézil

1968 *Les Belles-sœurs* (pièce) - Michel Tremblay

1968 *Éros énergumène* - Denis Roche

1968 *La Rose de sable* (version intégrale) - Montherlant

1968 *Le Vin profond* - Norge

1968 *La Place de l'Étoile* - Patrick Modiano

1968 *Battre la campagne* (poèmes). - *Le Vol d'Icare* (roman) - Queneau

1968 *Les Morfalous* - Pierre Siniac

1968 *Le Devoir de violence* - Yambo Ouologuem

1968 *Le Soleil des indépendances* - Amadou Kourouma

1968 *L'Œuvre au noir* - Marguerite Yourcenar

1968 *La Vie quotidienne dans le monde moderne* - Henri Lefebvre

1968 *Supplément* du *Grand Larousse encyclopédique*

1968-1970 Nouvelle édition du *Dictionnaire encyclopédique Quillet*

1969

1969 *Un adolescent d'autrefois* - François Mauriac

1969 *Creezy* - Félicien Marceau

1969 *Les Garçons* - Montherlant

1969 *Les Innocentines* - René de Obaldia

1969 *Lieux-dits* - Jean Ricardou

1969 *L'Inde ou l'Amérique* - P. Mertens

1969 *Fendre les flots* (poèmes) - Raymond Queneau

1969 *Kaydara* - Hampaté Bâ

1969 *Moi, je* - Claude Roy

1969 *La Disparition* (lipogramme écrit sans la lettre *e*) - Georges Perec

1969 *Naissance d'un spectre* - Frédérick Tristan

1969 *La Mise en mots* - Elsa Triolet

1969 *Qui ?* - André Stil

1969 *La Bataille de Pharsale* - Claude Simon

1969 *Les Allumettes suédoises* - Robert Sabatier

1969 *Hermès I* (*Hermès II, III, IV, V* : 1972, 1974, 1977, 1980) - Michel Serres

1970

1970 *Dictionnaire français de médecine et de biologie*, I, A-D - A. Manuila, L. Manuila, M. Nicole, H. Lambert, avec la collaboration de J. Hureau et J. Polonovski

1970 *Supplément* du *Dictionnaire alphabétique et analogique de la langue française* (Le « *Grand Robert* »)

1970 *La Guerre* - J.-M. G. Le Clézio

1970 *La Grève* - F. Nourissier

1970 *Du coup d'État en littérature (...)* - Jean Ristat

1970 *Projet pour une révolution à New-York* - Robbe-Grillet

1970 *L'Homme rapaillé* - Gaston Miron

1970 *Le Niveau de la mer* - P. Mertens

1970 *Hosanna, la duchesse de Langeais* - Michel Tremblay

1970 *Le Roi des aulnes* - Michel Tournier

1970 *Un amour libre* - Pierre Vadeboncœur

1970 *Le Sang* - Jean Vauthier

1970 *Arc musical* - Tchicaya U Tamsi

1971

1971 *Tribaliques* - Henri Lopès

1971 *Les Bêtises* - Jacques Laurent

1971 *Oraisons funèbres* (prononcées entre 1958 et 1970) *Les chênes qu'on abat...* - Malraux

1971 *Pour une théorie du nouveau roman* - Jean Ricardou

1971 *La Maison des Atlantes* - Angelo Rinaldi

1971 *Le Château de Cène* - Bernard Noël

1971 *Venises* - Paul Morand

1971 *Un assassin est mon maître* - Montherlant

1971 *La Gloire de l'Empire* - Jean d'Ormesson

1971 *La Fabrique du pré* - Francis Ponge

1971 *Capitaine Schelle, Capitaine Eçço* (pièce) - Serge Rezvani

1971 *La Sagouine* - Antonine Maillet

1971 *Limites du regard* - Jean Tortel

1971 *Les Corps conducteurs* - Claude Simon

1971 *L'Écriture et l'Expérience des limites* - Philippe Sollers

1971 *Chant pour un équinoxe* - Saint-John Perse

1971 *L'Idiot de la famille*, I et II (sur Flaubert) - Sartre

1971 premier volume du *Grand Larousse de la langue française* (jusqu'en 1975)

1971 premier volume du *Trésor de la langue française* (jusqu'en 1994)

1972

1972 *Circus* - Maurice Roche

1972 *La Vie sur Epsilon* - Claude Ollier

1972 *Poésies 1953-1971* - Fernand Ouelette

1972 premiers feuilletons pour « *le Monde* » - Bertrand Poirot-Delpech

1972 *Les Boulevards de ceinture* - Patrick Modiano

1972 *Nous* - Claude Roy

1972 *Nada* - J.-P. Manchette

1972 *Lois* - Philippe Sollers

1972 *Trois sucettes à la menthe* - Robert Sabatier

1972 *Vous les entendez ?* - Nathalie Sarraute

1972 *Situations VIII, IX.* - *L'Idiot de la famille,* III - Sartre

1972 *La Mulâtresse Solitude* - Simone Schwarz-Bart

1972 *Célébration hassidique* - Élie Wiesel

1973

1973 *Les Géants* - J.-M. G. Le Clézio

1973 *L'Étrange Destin de Wangrin* - Hampaté Bâ

1973 *Le Pitre* - François Weyergans

1973 *C't à ton tour, Laura Cadieux* - Michel Tremblay

1973 *Triptyque* - Claude Simon

1973 *H* - Philippe Sollers

1973 *Pluie et vent sur Télumée Miracle* - Simone Schwarz-Bart

1973 *Croissance zéro?* - Alfred Sauvy

1974

1974 *La Tête d'obsidienne* - Malraux

1974 *Les Bons Offices* - Pierre Mertens

1974 *L'Imprécateur* - René-Victor Pilhes

1974 *Bonjour, là, bonjour!* - Michel Tremblay

1974 *Billy ze kick* - Jean Vautrin

1974 *Les Miroirs d'Ostende* (pièce) - Paul Willems

1974 *La Haute Route* - Maurice Chappaz

1974 *Les Noisettes sauvages* - Robert Sabatier

av. 1975 *Mémoires (1969-1976)* - Jacques Duclos

1975

1975 deuxième *Supplément* du *Grand Larousse encyclopédique*

1975 premier volume du *Temps immobile (les Espaces imaginaires)* - Claude Mauriac

1975 *Treize cases du Je* - Bernard Noël

1975 *Opéra-Bouffe* - Maurice Roche

1975 *Topologie d'une cité fantôme* - Robbe-Grillet

1975 *Fuzzy sets* - Claude Ollier

1975 *La Paille et le Grain* - F. Mitterrand

1975 *Les Météores* - Michel Tournier

1975 *Célébration biblique* - Élie Wiesel

1975 premier volume de l'*Histoire de la poésie française* (8 vol. jusqu'en 1982) - Robert Sabatier

av. 1976 *Journal 1939-1940.* - *Philosophes et voyous* (publ. 1986) - Queneau

1976

1976 *Les Flamboyants* - Patrick Grainville

1976 *La Règle du jeu IV : Frêle bruit* - Michel Leiris

1976 *Le Petit Bleu de la côte Ouest* - Jean-Patrick Manchette

1976 *Louve basse* - Denis Roche

1976 *Somme toute* - Claude Roy

1976 *Mascarets* - A. Pieyre de Mandiargues

1976 *Sainte Carmen de la Main* - Michel Tremblay

1976 *Ton nom dans le jeu des nuées, Elizabeth* - Jean Vauthier

1976 *Leçon de choses* - Claude Simon

1976 *Situations X* - Sartre

1976-1978 *Mémoires* - Jean Monnet

1977

1977 *Cinq ans chez les sauvages* - J. Dutourd

1977 *L'Homme précaire et la littérature* - Malraux

1977 *Dulle Griet* - Dominique Rolin

1977 *Archives du Nord* - Marguerite Yourcenar

1977 *Confessions d'un enfant de la Chapelle* - Albert Simonin

1977 *Le Vent Paraclet* - Michel Tournier

1978

1978 *La Vieillesse d'Alexandre, essai sur quelques états récents du vers français* - Jacques Roubaud

1978 *Les Ritals* - Cavanna

1978 *Les Enfants de ma vie* - Gabrielle Roy

1978 *La Vie mode d'emploi* - Georges Perec

1978 *Graal Fiction* - Jacques Roubaud

1978 *Rue des boutiques obscures* - Patrick Modiano

1978 *Terre d'asile* - P. Mertens

1979

1979 *Monsieur Melville* - Victor-Lévy Beaulieu

1979 *Pélagie la Charrette* - Antonine Maillet

1979 *Élégies majeures* - L. S. Senghor

1979 *L'Idée d'une philosophie africaine* - Marcien Towa

1979 *Des clefs et des serrures* - Michel Tournier

1979 *Polar. - Bloody Mary* - Jean Vautrin

1979 *Le Livre des plaisirs* - Raoul Vaneigem

av. 1980 *Freud* (publ. 1984) - Sartre

1980

1980 *Désert* - J.-M. G. Le Clézio

1980 *L'Infini chez soi* - Dominique Rolin

1980 *Vie et Mort pornographique de madame Mao* - Jean-Pierre Verheggen

1980 *Gaspar, Melchior et Balthazar* - Michel Tournier

1981

1981 *L'Empire des nuages* - F. Nourissier

1981 *Le Matou* - Yves Beauchemin

1981 *Chemins cherchés, chemins perdus* - H. Michaux

1981 *Paradis* - Philippe Sollers

1981 *Géorgiques* - Claude Simon

1981 *Modèles mathématiques de la morphogenèse* - René Thom

1981 *Le Vol du vampire* - Michel Tournier

1981 *Mémoires intimes* - Simenon

1982

1982 *Fortifs* (mémoires) - A. Le Breton

1982 *Les Fous de Bassan* - Anne Hébert

1982-1984 *Grand Dictionnaire encyclopédique Larousse*

av. 1983 *Mémoires* - Raymond Aron

1983

1983 *Le Drame de la vie* - Valère Novarina

1983 *Le Radeau de la Méduse* - François Weyergans

1983 *La Cendre et la Foudre* - Frédérick Tristan

1983 *Femmes* - Philippe Sollers

1983 *Le Livre des fondations* - Michel Serres

1983 *Septentrion* - Louis Calaferte (1re éd. 1963)

1984

1984 *L'Amant* - M. Duras

1984 *L'Été 36* - B. Poirot-Delpech

1984 *Portrait du joueur* - Philippe Sollers

1985

1985 *La Forme d'une ville* - J. Gracq

1985 *Le Chercheur d'or* - J.-M. G. Le Clézio

1985 *Langage tangage* - Michel Leiris

1985 *Déplacements. Dégagements* - H. Michaux

1985 *Les Cinq sens* - Michel Serres

1985 deuxième édition (9 vol.) du *Grand Robert de la langue française*

1986

1986 *Le Paradis des orages* - Patrick Grainville

1986 *Le Salon du Wurtemberg* - Pascal Quignard

1986 *Margeries* - Jean Tardieu

1986 *La Goutte d'or* - Michel Tournier

1986 *La Vie Ripolin* - Jean Vautrin

1986 *Vie d'un bébé* - François Weyergans

1986 *L'Absence* - Jean-Denis Bredin

1987

1987 *L'Enfer* - René Belletto

1987 *La Nuit sacrée* - Tahar ben Jelloun

1987 *Les Grandes Murailles* - Lucien Bodard

1987 *L'Invitation* - Claude Simon

1987 *Dans le marécage* - Marguerite Yourcenar

1988

1988 *L'Exposition coloniale* - Erik Orsenna

1988 *Le Voyageur magnifique* - Yves Simon

1988 *La Porte du fond* - Christiane Rochefort

1988 *L'Angélus du soir* - Maurice Clavel

1989

1989 *L'Acacia* - Claude Simon

1989 *Les Étoiles du Sud* - Julien Green

1989 *Le Propre de l'homme* - Robert Merle

1989 *Crocodiles* - Philippe Djian

1989 *Printemps et autres saisons* - J.-M.G. Le Clézio

1989 *Le Médianoche amoureux* - Michel Tournier

1989 *Tu ne t'aimes pas* - Nathalie Sarraute

1990

1990 *Les Champs d'honneur* - Jean Rouaud

1990 *À l'ami qui ne m'a pas sauvé la vie* - Hervé Guibert

1990 *L'Orgie, la neige* - Patrick Grainville

1990 *David et Olivier* - Robert Sabatier

1990 *On vient chercher Monsieur Jean* - Jean Tardieu

1991

1991 *L'Amant de la Chine du Nord* - Marguerite Duras

1991 *Théo ou le Temps du neuf* - Bernard Pinget

1991 *Tous les matins du monde* - Pascal Quignard

1991 *La Fête à Venise* - Philippe Sollers

1991 *L'État culturel* - Marc Fumaroli

1992

1992 *Journal* - Michel Leiris

1992 *La Mécanique des femmes* - Louis Calaferte

1992 *Texaco* - Patrick Chamoiseau

1992 *Nous trois* - Jean Echenoz

1992 *Aden* - Anne-Marie Garat

1993

1993 *L'Avenir n'est à personne* - Julien Green

1993 *Le Rocher de Tanios* - Amin Maalouf

1993 *L'Invention du monde* - Dominique Rolin

1993 *La Misère du monde* - Pierre Bourdieu

1994

1994 *L'Homme rompu* - Tahar ben Jelloun

1994 *Disparue dans la nuit* - Yann Queffélec

1994 *Un aller simple* - Didier van Cauwelaert

1994 *La Ville parjure* (théâtre) - Hélène Cixous

1994 Le 16e et dernier volume du *Trésor de la Langue Française* (1er vol. : 1971)

1995

1995 *Le Testament français* - Andreï Makine

1995 *Les Braban* - Patrick Besson

1995 *Enfance* - Nathalie Sarraute

1995 *Dictionnaire historique de l'orthographe française* - dir. Nina Catach

1996

1996 *Monsieur Malaussène* - Daniel Pennac

1996 *Mourir d'enfance* - Alphonse Boudard

1996 *La Classe de neige* - Emmanuel Carrère

1996 *Le Pas si lent de l'amour* - Hector Bianciotti

1996 *Les Grandes Blondes* - Jean Echenoz

1996 *Journal 1914-1965* - Queneau

1996 *Œuvres complètes* de Nathalie Sarraute (La Pléiade)

1996 *Le Miroir égaré*
- Françoise Sagan

1996 *Saint Louis*
- Jacques Le Goff

1997

1997 *La Première Gorgée de bière et autres plaisirs minuscules*
- Philippe Delerm

1997 *Le Scaphandre et le Papillon*
- Jean Dominique Bauby

1998

1998 *Pour vos cadeaux*
- Jean Rouaud

1998 *Longtemps*
- Erick Orsenna

1998 *Le Racisme expliqué à ma fille*
- Tahar Ben Jelloun

1998 Le premier tome des *Œuvres complètes* d'Henri Michaux (La Pléiade)

ÉLÉMENTS BIBLIOGRAPHIQUES

On n'a repris dans cette bibliographie que les ouvrages de référence récents, généraux ou spécifiques (exceptionnellement, monographiques), plus quelques recueils anciens mais essentiels. On trouvera de nombreuses autres références — notamment aux dictionnaires français anciens — dans la chronologie. En revanche, les quelques grands dictionnaires étymologiques ou historiques concernant d'autres langues que le français et indispensables à son étude sont mentionnés ici.

Académie française *(Dictionnaire de l')* □ 2 tomes, 1re éd. 1694. — 4e éd. Éd. B. Brunet, 1762. — 5e éd. 1798. — 6e éd. 1878. — 8e éd. 1932-1935. *Complément du Dictionnaire de l'*Académie française, 1838-1842. — 9e éd. (en cours) 1986 ss. (A-Enc. publiés).

Antoine ARNAULD et Claude LANCELOT □ *Grammaire générale et raisonnée contenant les fondements de l'art de parler expliqués d'une manière claire et naturelle,* dite *Grammaire de Port-Royal,* 1660. — 4e éd., avec un supplément par l'abbé FROMANT, 1780.

Raymond ARVEILLER □ *Contribution à l'étude des termes de voyage en français (1505-1722),* 1963.

Anatole BAILLY □ *Dictionnaire grec-français,* avec le concours de E. Egger, 1894

Kurt BALDINGER □ *Die Faszination der Sprachwissenschaft,* Tübingen, 1990. — Voir D. E. A. F.

Charles BALLY □ *Linguistique générale et Linguistique française,* Berne, 1932. — 3e éd. 1950. — *Traité de stylistique française,* 2 vol., 1909. — 2e éd. 1919-1921.

J. BALON □ *Grand Dictionnaire de droit du moyen âge,* Namur, 1970 ss.

La Banque des mots □ revue semestrielle de terminologie française publiée par le Conseil International de la Langue française (C. I. L. F.), 1971 à 1984.

Victor BARBEAU □ *Le Français du Canada,* Montréal, 1963.

Henri BAUCHE □ *Le Langage populaire,* 1920.

Charles BEAULIEUX □ *Histoire de l'orthographe française,* 2 vol., 1927.

Émile BENVENISTE □ *Problèmes de linguistique générale,* tome I, 1966; tome II, 1974. — *Le Vocabulaire des institutions indo-européennes,* 2 vol., 1969.

Louis-Nicolas BESCHERELLE □ *Dictionnaire national ou Dictionnaire universel de la langue française,* 2 tomes, 1845-1846. — 2e éd. 1850. — 3e éd. 1855-1856.

F. BIVILLE □ Les éléments grecs du vocabulaire français, in *L'Information grammaticale* 24 (1985), 3-8.

Oscar BLOCH et Walther von WARTBURG □ *Dictionnaire étymologique de la langue française,* 2 vol. — 3e éd. refondue par W. von WARTBURG, 1932. — 4e éd. revue et augmentée par W. von WARTBURG, 1964.

R. BLONDIN □ *Fonction, structure et évolution phonétique. Études synchroniques et diachroniques du phonétisme gallo-roman et français,* Lille-Paris, 1975.

Pierre-Claude BOISTE □ *Dictionnaire universel de la langue française avec le latin et les étymologies,* 1800. — Rééd. 1802, 1830, etc.

Édouard BONNAFÉ □ *L'Anglicisme et l'anglo-américanisme dans la langue française.* — *Dictionnaire étymologique et historique des anglicismes,* 1920.

Jacques BOUDET □ *Les Mots de l'histoire* (dictionnaire), 1990.

père Dominique BOUHOURS □ *Remarques nouvelles sur la langue française,* 1675.

Henri René BOULAN □ *Les Mots d'origine étrangère en français (1650-1700),* 1934.

Édouard BOURCIEZ □ *Éléments de linguistique romane*, 4e éd. 1946. — *Précis de phonétique française*, 1955.

É. et J. BOURCIEZ □ *Phonétique française, étude historique*, 5e éd. 1982.

P. BOYD BOWMAN □ *Léxico hispanoamericano del siglo XVI*, Londres, 1971.

Michel BRÉAL □ *Essai de sémantique : Science des significations*, 1897.

Karl BRUGMANN □ *Grundriss der vergleichenden Grammatik der indogermanischen Sprachen*, Strasbourg, 1897-1916.

Auguste BRUN □ *Parlers régionaux : France dialectale et Unité française*, 1946.

Charles BRUNEAU □ *Petite Histoire de la langue française*, 2 tomes, 1954.

Ferdinand BRUNOT □ *Histoire de la langue française des origines à 1900*; (à partir du tome XII) *Histoire de la langue française des origines à nos jours*, 13 tomes en 20 vol., 1905-1953. — Nouvelle édition sous la direction de G. ANTOINE, G. GOUGENHEIM et R.-L. WAGNER ; 13 tomes en 22 vol., 1966-1972.

Ferdinand BRUNOT et Charles BRUNEAU □ *Précis de grammaire historique de la langue française*, 1887. — 3e éd. 1949.

Éric BUYSSENS □ *Linguistique historique*, Bruxelles, 1965.

Cahiers de lexicologie □ Didier, 1950 sqq.

Gaston CAYROU □ *Le Français classique*. — *Lexique de la langue du xviie siècle expliquant d'après les dictionnaires du temps* [...] 1948. — Rééd. 1955.

Jacques CELLARD et Alain REY □ *Dictionnaire du français non conventionnel*, 1980. — Nouvelle édition revue et augmentée, 1991.

Pierre CHANTRAINE □ *Dictionnaire étymologique de la langue grecque. Histoire des mots*, 2 vol., 1968.

Émile CHAUTARD □ *La Vie étrange de l'argot*, 1931.

Th. CLAUSSEN □ *Die griechischen Wörter im Französischen (I. Teil)*, Erlangen, 1904.

La Clé des mots : Cahiers de terminologie □ publié par le Conseil International de la Langue Française (C. I. L. F.), 1973 ss.

Léon CLÉDAT □ *Dictionnaire étymologique de la langue française*, 1912.

Marcel COHEN □ *L'Écriture*, 1953. — *Histoire d'une langue, le français*, 1950.

Jean-Paul COLIN, Jean-Pierre MÉVEL et collab. Christian LECLÈRE □ *Dictionnaire de l'argot*, 1990.

Pascual COROMINAS □ *Diccionario critico etimológico castellano e hispánico*, Madrid, 1980 ss.

J. COROMINES □ *Diccionari etimològic complementari de la llengua catalana*, Barcelone, 1980 ss.

Henri COTTEZ □ *Dictionnaire des structures du vocabulaire savant*, 1980.

Jacques DAMOURETTE et Édouard PICHON □ *Des mots à la pensée : Essai de grammaire de la langue française*, 7 tomes, glossaire et table analytique, 1911-1952.

Arsène DARMESTETER □ *Cours de grammaire historique*, 1re partie : *Phonétique*, 14e éd. 1930. — *La Vie des mots étudiée dans leurs significations*, 1887.

Datations et Documents lexicographiques (D. D. L.), *Matériaux pour l'histoire du vocabulaire français* □ publiés par Bernard QUEMADA, 1959 ss.

Albert DAUZAT □ *Les Argots : Caractères, évolution, influences*, 1929. — *Les Étapes de la langue française*, 2e éd. 1968. — *L'Europe linguistique*, 1940. — *Histoire de la langue française*, 1930. — *Où en sont les études de français ?*, 1935. — *Précis d'histoire de la langue et du vocabulaire français*, 1949. — *Dictionnaire étymologique de la langue française*, 1938.

Albert DAUZAT, Jean DUBOIS et Henri MITTERAND □ *Nouveau Dictionnaire étymologique et historique*, 1964.

D. E. A. F. □ *Dictionnaire étymologique de l'ancien français*, sous la direction de K. BALDINGER, collab. F. MÖHREN (lettre G publiée), Québec-Tübingen, 1974 ss.

A. DELBOULLE □ *Matériaux pour servir à l'historique du français*, 1880.

Louis DEROY □ *L'Emprunt linguistique*, 1956.

Jan DE VRIES □ *Nederlands etymologisch woordenboek*, 1963.

Fr. DIEZ □ *Etymologisches Wörterbüch der romanischen Sprachen*, 1853.

G. DOTTIN □ *La Langue gauloise*, 1920.

Jean DUBOIS □ *Le Vocabulaire politique et social en France de 1869 à 1872*, 1962.

Jean DUBOIS et René LAGANE □ *Dictionnaire de la langue française classique*, 1960.

Charles du Fresne, sieur de DU CANGE □ *Glossarium mediae et infimae latinitatis*, 10 tomes, 1678. — Rééd. 1850. — Rééd. 1937-1938. — Rééd. en cours.

Georges DUMÉZIL □ *L'Héritage indo-européen à Rome*. — *Mythe et Épopée* ; I ; II, 1971.

Encyclopaedia Universalis □ 20 tomes et 2 suppléments, 1968-1975 ; 1980 (suppléments).

Encyclopédie ou Dictionnaire raisonné des sciences, des arts et des métiers, par une

Société de gens de lettres; mis en ordre et publié par M. Denis DIDEROT... et quant à la partie mathématique par M. Jean LE ROND d'ALEMBERT... □ 35 vol. : 17 tomes (I-XVII); 4 suppl. (XVIII-XXI); 12 vol. planches (XXII-XXXIII); 2 vol. tables (XXXIV-XXXV); 1751-1777 (I-VII; XVIII-XXXII).

Encyclopédie universelle du XX*e siècle : Répertoire complet des connaissances humaines* □ publié sous la direction d'Alfred MÉZIÈRES, 13 tomes, 1908-1910.

Alfred ERNOULT et Antoine MEILLET □ *Dictionnaire étymologique de la langue latine. Histoire des mots,* 1932.

Gaston ESNAULT □ *Le Poilu tel qu'on le parle,* 1919. — *Dictionnaire historique des argots français,* 1965.

René ÉTIEMBLE □ *Parlez-vous franglais ?,* 1964.

Alain FANTAPIÉ et Marcel BRULÉ (sous la direction d') □ *Dictionnaire des néologismes officiels,* 1984.

F. E. W. (ou F. e. w.) □ *Französisches Etymologisches Wörterbuch.* — Voir WARTBURG.

Paul FISCHER □ *Die deutsch-französischen Beziehungen im 19. Jahrhundert im Spiegel des französischen Wortschatzes,* Francfort-Berne-New York-Paris, 1991.

Pierre FOUCHÉ □ *Phonétique historique du français,* 3 tomes, 1958, 1966.

Lucien FOULET □ *Petite syntaxe de l'ancien français,* 1919.

Le Français moderne □ revue, 1933.

Max FREY □ *Les Transformations du vocabulaire français à l'époque de la Révolution (1789-1800),* 1925.

Antoine FURETIÈRE □ *Dictionnaire universel [...],* 3 tomes, 1690. — 2e éd. 1701.

Félix GAFFIOT □ *Dictionnaire illustré latin-français,* 1934.

Ernst GAMILLSCHEG □ *Etymologisches Wörterbuch der französischen Sprache,* 1926-1928. — 2e éd. entièrement refondue, 1966-1969.

V. GAY □ *Glossaire archéologique du moyen âge et de la Renaissance,* 2 vol., 1882.

K. GEBHARDT □ *Das okzitanische Lehngut im Französischen,* Francfort-Berne, 1974. — Les francoprovençalismes de la langue française, in *Revue de linguistique romane* 38, 1974.

H. GENAUST □ *Etymologisches Wörterbuch des botanischen Pflanzennammen,* Bâle, 1983.

Pierre GILBERT □ *Dictionnaire des mots contemporains,* 1980. — *Dictionnaire des mots nouveaux,* 1968.

Jean GIRAUD □ *Le Lexique français du cinéma des origines à 1930,* 1957.

Frédéric GODEFROY □ *Dictionnaire de l'ancienne langue française,* 10 vol., 1881-1902. — *Lexique de l'ancien français,* 1901.

Ferdinand GOHIN □ *Les Transformations de la langue française pendant la deuxième moitié du* XVIII*e siècle (1740-1789),* 1903.

André GOOSSE □ *Mélanges de grammaire et de lexicologie françaises,* 1991.

Georges GOUGENHEIM □ *Les Mots français dans l'histoire et la vie,* 3 vol., 1962-1966-1975.

Grand Larousse de la langue française (G. L. L. F.) □ 7 vol., 1971-1979.

La Grande Encyclopédie : Inventaire raisonné des sciences, des lettres et des arts par une société de savants (sous la direction de M. BERTHELOT, H. DERENBOURG, et *al.*) □ 31 tomes, 1885-1902.

R. GRANDSAIGNES D'HAUTERIVE □ *Dictionnaire d'ancien français,* 1947.

Algirdas Julien GREIMAS □ *Dictionnaire de l'ancien français,* 1969.

A. GREIMAS et T. M. KEANE □ *Dictionnaire du moyen français,* 1992.

Maurice GREVISSE □ *Le Bon Usage : Grammaire française avec des remarques sur la langue française d'aujourd'hui,* 1936. — 5e éd. 1953. — 7e éd. Gembloux (Belgique), Paris, 1959. — 12e éd., revue par A. Goosse, 1986.

Jakob et Wilhelm GRIMM □ *Deutsches Wörterbuch,* 16 vol., Leipzig, 1854-1954. — 2e éd. 1978 ss.

Paul GUÉRIN (sous la direction de) □ *Dictionnaire des dictionnaires,* 6 tomes, 1884-1890.

Louis GUILBERT □ *La Formation du vocabulaire de l'aviation,* 1965. — *Le Vocabulaire de l'astronautique,* 1967.

Pierre GUIRAUD □ *Structures étymologiques du lexique français,* 1967. — *Dictionnaire historique, stylistique, rhétorique, étymologique de la littérature érotique,* 1978. — *Dictionnaire des étymologies obscures,* 1982.

Claude HAGÈGE □ *Le Français et les siècles,* 1987.

J. HASSEL □ *Middle French Proverbs, Sentences and Proverbial Phrases,* Toronto, 1982.

A. HATZFELD, A. DARMESTETER et A. THOMAS □ *Dictionnaire général,* 2 vol., 1890-1900.

Albert HENRY □ *Études de lexicologie française et gallo-romane,* 1960.

W. HEYMANN □ *Französische Dialektwörter bei Lexikographen des 16. bis 18. Jahrhunderts*, Giessen, 1903.

Manfred HÖFLER □ *Dictionnaire des anglicismes*, 1982.

T. E. HOPE □ *Lexical Borrowing in the Romance Languages. A Critical Study of Italianisms in French and Gallicisms in Italian from 1100 to 1900*, 2 vol., Oxford, 1971.

Edmond HUGUET □ *Dictionnaire de la langue française du XVIe siècle*, 7 vol., 1925-1967. — *Le Langage figuré au XVIe siècle*, 1933. — *Mots disparus ou vieillis depuis le XVIe siècle*, Genève, 1935.

I. G. L. F. □ *Inventaire Général de la Langue Française*, fichier établi sous la direction de Mario ROQUES, continué jusqu'en 1968 par M. F. LECOY, intégré à l'Institut National de la Langue Française (I. N. A. L. F.) du Centre National de la Recherche Scientifique (C. N. R. S.).

Paul IMBS □ Voir T. L. F.

Joseph IZARN □ *Explication du nouveau langage des chimistes*, 1803.

Auguste JAL □ *Glossaire nautique*, 1848. — *Nouveau Glossaire nautique d'Auguste Jal*, 1970 ss.

Jakob JUD □ Mots d'origine gauloise?, in *Romania* 46 (1920), 47 (1921), 49 (1923), 52 (1926).

J. KIDMAN □ *Les Emprunts lexicologiques du français à l'espagnol des origines jusqu'à la fin du XVe siècle*, thèse dactylographiée, 1969.

E. KLEIN □ *A Comprehensive Etymological Dictionary of the English Language*, 2 vol., Amsterdam-Londres-New York, 1966.

Friedrich KLUGE □ *Etymologisches Wörterbuch der deutschen Sprache*, 1883. — Nouvelle édition 1963 puis 1975.

K. KÖNIG □ *Überseeische Wörter im Französischen (16.-18. Jahrhundert)*, Halle, 1939.

J. B. DE LA CURNE DE SAINTE-PALAYE □ *Dictionnaire historique de l'ancien français*, 10 vol., 1875-1882.

Jean LACASSAGNE et Pierre DEVAUX □ *L'Argot du milieu*, 1935. — Nouvelle édition 1948.

Les Langues dans le monde ancien et moderne (sous la direction de Jean PERROT) □ 2 parties : *Les Langues de l'Afrique subsaharienne* et *Pidgins et Créoles*, 1981.

Pierre LAROUSSE □ *Grand Dictionnaire universel du XIXe siècle*, 15 tomes et 2 suppléments : 1866 (tome I), 1867 (tomes II et III), 1869 (tomes IV et V), 1870 (tomes VI et VII), 1872 (tome VIII), 1873 (tomes IX et X), 1874 (tomes XI et XII), 1875 (tomes XIII et XIV), 1876 (tome XV), 1877 (supplément), 1890 (2e supplément).

Larousse encyclopédique (Grand) □ 10 tomes et 1 supplément, 1960-1964. — Supplément, 1968. □ *Grand dictionnaire encyclopédique Larousse*, 10 vol., 1982-85.

Larousse du XXe siècle □ 6 tomes et 1 supplément, 1928-1933. — Supplément, 1953.

Emil LEVY □ *Provenzalisches Supplement Wörterbuch. Berichtigungen und Ergänzungen zu Raynouards*, 8 vol., 1894-1924.

Paul LÉVY □ *La Langue allemande en France : I. - Des origines à 1830 ; II - De 1830 à nos jours*, 1950.

Raphaël LEVY □ *Chronologie approximative de la littérature française du Moyen Âge*, 1957. — *Trésors de la langue des Juifs français au Moyen Âge*, 1964.

Émile LITTRÉ □ *Dictionnaire de la langue française* [30 fascicules, 1863 à 1872]. — 4 tomes et 1 supplément, 1881. — Dates de parution : A-Dernier (7 fasc.) 1863 ; Dernier-Étroit (3 fasc.) 1864 ; Étroit-Génie (2 fasc.) 1865 ; Génie-Hystriciens (1 fasc.) 1866 ; I-Mandat (3 fasc.) 1867 ; Mandat-Perdre (4 fasc.) 1868 ; Perdre-Redresser (3 fasc.) 1869 ; Redresser-Scieur (2 fasc.) 1870 ; Scieur-fin (5 fasc.) 1872.

Charles LIVET □ *Lexique de la langue de Molière comparée à celle des écrivains de son temps*, 1895.

K. LOKOTSCH □ *Etymologisches Wörterbuch der europäischen (germanischen, romanischen und slawischen) Wörter orientalischen Ursprungs*, Heidelberg, 1927.

Frazier MACKENZIE □ *Les Relations de l'Angleterre et de la France d'après le vocabulaire*, 2 vol., 1939.

S. E. MANN □ *An Indo-european Comparative Dictionary*, Hambourg, 1984-1987.

Jules MAROUZEAU □ *Lexique de la terminologie linguistique*, 1933. — *Aspects du français*, 1950.

André MARTINET □ *Des steppes aux océans*, 1986.

Charles MARTY-LAVEAUX □ *Lexique de la langue de Pierre Corneille*, 1863.

Mitford M. MATHEWS (edited by) □ *A Dictionary of Americanisms on Historical Principles*, 1951.

Georges MATORÉ □ *Le Vocabulaire et la Société sous Louis-Philippe*, 1951. — *Le Vocabulaire et la Société médiévale*, 1985. — *Le Vocabulaire et la Société du XVIe siècle*, 1988.

Antoine MEILLET □ *Introduction à l'étude comparative des langues indo-européennes*, 1934. — *Esquisse d'une histoire de la langue latine*, 1966. — *Aperçu d'une histoire de la langue grecque*, 1963.

Antoine MEILLET et Marcel COHEN (sous la direction de) □ *Les Langues du monde*, 1924.

Antoine MEILLET et J. VENDRYÈS □ *Traité de grammaire comparée des langues classiques*, 5e éd. 1979.

G. MÉNAGE □ *Les Origines de la langue française*, 1650. — *Dictionnaire étymologique*, 1694. — Nouvelle édition par A. F. JAULT, 2 vol., 1750 (avec les travaux d'autres étymologistes).

Louis Sébastien MERCIER □ *Néologie ou Vocabulaire des mots nouveaux, à renouveler ou pris dans des acceptions nouvelles*, 2 tomes, an IX (1801).

Wilhelm MEYER-LÜBKE □ *Romanisches etymologisches Wörterbuch*, 1935.

Frédéric MISTRAL □ *Lou Tresor dou Felibrige*, 2 vol., 1879-1886.

Bodo MULLER □ Le français d'aujourd'hui (trad. de l'allemand), 1985.

Fathi NASSER □ *Emprunts lexicologiques du français à l'arabe des origines jusqu'à la fin du XIXe siècle*, Beyrouth, 1966.

J. F. NIERMEYER □ *Mediae Latinitatis Lexicon Minus*, Leyden, 1954-1964; puis 1976; 2e éd. 1984.

Kristoffer NYROP □ *Grammaire historique de la langue française*, 6 vol., 1899. — Rééd. 1913-1938.

C. T. ONIONS □ *The Oxford Dictionary of English Etymology*, Oxford, 1966.

John ORR □ *Essais d'étymologie et de philologie françaises*, 2 vol., 1963.

The *Oxford English Dictionary* being a corrected re-issue with an introduction, supplement and bibliography of *A New English Dictionary on Historical Principles...* □ 13 vol., 1933. — Rééd. avec les suppléments, 1989.

E. PARTRIDGE □ *Origins. A Short Etymological Dictionary of Modern English*, Londres, 1963.

Georges PETIOT □ *Le Robert des sports : Dictionnaire de la langue des sports*, 1982.

Jacqueline PICOCHE □ *Nouveau Dictionnaire étymologique*, 1971. — Rééd. 1979.

J. POKORNY □ *Indogermanischen Etymologisches Wörterbuch*, 2 vol., Berne-Munich, 1959-1962.

M. K. POPE □ *From Latin to Modern French, with Especial Consideration of Anglo-Norman*, Manchester, 2e éd. 1982.

Gunnar von PROSCHWITZ □ *Introduction à l'étude du vocabulaire de Beaumarchais*, Stockholm, 1956. — Le vocabulaire politique du XVIIIe s. [...], in *Le Français moderne*, t. XXXIV, 1966.

Bernard QUEMADA □ *Introduction à l'étude du vocabulaire médical, 1600-1710*, 1955. — *Les Dictionnaires du français moderne, 1539-1863*, 1968.

F. J. M. de RAYNOUARD □ *Lexique roman ou Dictionnaire de la langue des troubadours*, 5 vol., 1836-1845.

Alain REY □ *Le Lexique : images et modèles*, 1977. — *Révolution. Histoire d'un mot*, 1989. — Voir ROBERT.

Alain REY et Sophie CHANTREAU □ *Dictionnaire des expressions et locutions*, 1979 — 2e édition augmentée, 1993.

Josette REY-DEBOVE et Gilberte GAGNON □ *Dictionnaire des anglicismes*, 1980.

P. RÉZEAU □ *Bibliographie des régionalismes du français et extraits d'un corpus d'exemples*, 1986.

Maurice RHEIMS □ *Dictionnaire des mots sauvages*, 1969.

Paul ROBERT □ *Dictionnaire alphabétique et analogique de la langue française*. — *Les mots et les associations d'idées*, 6 vol., 1958-1964. — *Supplément*. Rédaction dirigée par Alain REY et Josette REY-DEBOVE, 1970. — 2e édition, entièrement revue et enrichie par Alain REY, 9 vol., 1985.

G. ROHLFS □ *Manual de filología hispánica*, Bogota, 1957.

B. de ROQUEFORT □ *Dictionnaire étymologique*, 1829.

Lazare SAINÉAN □ *L'Argot ancien (1455-1850) ; ses éléments constitutifs, ses rapports avec les langues secrètes de l'Europe méridionale et l'argot moderne*, 1907. — *Le Langage parisien au XIXe siècle*, 1920. — *Les Sources indigènes de l'étymologie française*, 3 vol. (I et II, 1925 ; III, 1930). — *La Langue de Rabelais*, 2 vol., 1922-1923.

A. SCHELER □ *Dictionnaire d'étymologie française*, 1862.

Henri STAPPERS □ *Dictionnaire synoptique d'étymologie française*, s.d.

STONE et ROTHWELL □ *Anglo-Norman Dictionary*, London, 1977 ss.

Thesaurus linguae latinae □ Leipzig, 1900 ss.

T. L. F. □ Voir *Trésor de la langue française*.

Adolf TOBLER et Erhard LOMMATZSCH □ *Altfranzösisches Wörterbuch*, 10 vol. (A à T inclus), 1925-1976.

Trésor de la langue française : Dictionnaire de la langue du XIXe et XXe siècle (1789-1960), publié sous la direction de Paul IMBS, puis de Bernard QUEMADA □ 16 tomes (I, 1971 à XVI, 1994).

V. VÄÄNÄNEN □ *Introduction au latin vulgaire,* 1981.

Marius VALKHOFF □ *Étude sur les mots français d'origine néerlandaise,* Amersfoort, 1931.

Hilaire VAN DAELE □ *Petit Dictionnaire de l'ancien français,* 1940.

Claude FAVRE de VAUGELAS □ *Remarques sur la langue française* [1647], publiées par Jeanne STREICHER, Genève, 1934.

Robert-Léon WAGNER □ *L'Ancien Français,* 1974.

Walther von WARTBURG □ *Französisches etymologisches Wörterbuch. — Eine Darstellung des galloromanischen Sprachschatzes,* 25 tomes parus par fascicules, 1922-1978. (Vol. 24-25 : refonte de la lettre A - en cours.) — *Évolution et structure de la langue française,* 1934. — 5ᵉ éd., Berne, 1958.

Webster's New International Dictionary of the English Language □ 2 vol., 1909.

Peter-J. WEXLER □ *La Formation du vocabulaire des chemins de fer en France (1778-1842),* Genève-Lille, 1955.

B. H. WIND □ *Les Mots italiens introduits en français au* XVIᵉ *siècle,* Deventer, 1928.

A. J. Van WINDEKENS □ *Dictionnaire étymologique complémentaire de la langue grecque,* Leuven, 1986.

Gaston ZINK □ *Phonétique historique du français,* 1986.

Paul ZUMTHOR □ *Essai de poétique médiévale,* 1972.

TABLE DES SCHÉMAS

TABLE DES ARTICLES ENCYCLOPÉDIQUES (ENCADRÉS)

N° de projet 10065688 (5) 65 (Valo 55)
Mars 1999
Imprimé en France par Maury-Eurolivres
45300 Manchecourt